Duden Band 1

Der Duden in zwölf Bänden
Das Standardwerk zur deutschen Sprache

Herausgegeben vom Wissenschaftlichen Rat
der Dudenredaktion:
Dr. Matthias Wermke (Vorsitzender)
Dr. Kathrin Kunkel-Razum
Dr. Werner Scholze-Stubenrecht

1. Rechtschreibung
2. Stilwörterbuch
3. Bildwörterbuch
4. Grammatik
5. Fremdwörterbuch
6. Aussprachewörterbuch
7. Herkunftswörterbuch
8. Synonymwörterbuch
9. Richtiges und gutes Deutsch
10. Bedeutungswörterbuch
11. Redewendungen
12. Zitate und Aussprüche

Duden

Die deutsche Rechtschreibung

24., völlig neu bearbeitete und erweiterte Auflage

Herausgegeben von der Dudenredaktion

Auf der Grundlage der neuen
amtlichen Rechtschreibregeln

Duden Band 1

Dudenverlag
Mannheim · Leipzig · Wien · Zürich

Redaktionelle Bearbeitung
Dr. Werner Scholze-Stubenrecht (Projektleiter),
Birgit Eickhoff M. A., Angelika Haller-Wolf, Evelyn Knörr, Anja Konopka,
Ursula Kraif, Dr. Franziska Münzberg, Ralf Osterwinter, Carsten Pellengahr,
Karin Rautmann M. A., Dr. Christine Tauchmann, Olaf Thyen,
Marion Trunk-Nußbaumer M. A.
Unter Mitwirkung des österreichischen und des schweizerischen Dudenausschusses.
Beratende Mitarbeit Gesellschaft für deutsche Sprache, Wiesbaden

Herstellung Monika Schoch

Die Duden-Sprachberatung beantwortet Ihre Fragen
zu Rechtschreibung, Zeichensetzung, Grammatik u. Ä.
montags bis freitags zwischen 8:00 und 18:00 Uhr.
Aus Deutschland: 09001 870098 (1,86 € pro Minute aus dem Festnetz)
Aus Österreich: 0900 844144 (1,80 € pro Minute aus dem Festnetz)
Aus der Schweiz: 0900 383360 (3,13 CHF pro Minute aus dem Festnetz)
Unter www.duden-suche.de können Sie mit einem Online-Abo auch per
Internet in ausgewählten Dudenwerken nachschlagen.
Den kostenlosen Newsletter der Duden-Sprachberatung können Sie unter
www.duden.de/newsletter abonnieren.

Bibliografische Information der Deutschen Nationalbibliothek
Die Deutsche Nationalbibliothek verzeichnet diese Publikation in der Deutschen
Nationalbibliografie; detaillierte bibliografische Daten sind im Internet
über http://dnb.ddb.de abrufbar.

© Bibliographisches Institut & F. A. Brockhaus AG, Mannheim 2006
Typografisches Konzept Farnschläder & Mahlstedt Typografie, Hamburg
Umschlaggestaltung Bender + Büwendt, Berlin
Satz A–Z Satztechnik GmbH, Mannheim (PageOne, alfa Media Partner GmbH)
Druck und Bindung GGP Media GmbH, Pößneck
Printed in Germany
ISBN-10: 3-411-04014-9
ISBN-13: 978-3-411-04014-8
www.duden.de

Vorwort

Die Neuregelung der deutschen Rechtschreibung tritt am 1. August 2006 in ihrer überarbeiteten Form endgültig in Kraft.

Die 24. Auflage des Rechtschreibdudens berücksichtigt alle bis März 2006 vom Rat für deutsche Rechtschreibung vorgeschlagenen und von der Kultusministerkonferenz bestätigten Regeländerungen und setzt diese zuverlässig, ausführlich und verständlich um. Sie zeigt alle neuen Schreibungen sowie alle nach dem neuen Regelwerk zulässigen Schreibvarianten.

Mit rund 130 000 Stichwörtern ist die aktuelle Auflage des »Dudens« umfassender als all ihre Vorgängerauflagen. Rund 3 500 neu verzeichnete Wörter, wie beispielsweise *Brötchentaste, E-Pass, Jobcenter, Plasmafernseher* oder *Weblog*, tragen der aktuellen Entwicklung der deutschen Sprache Rechnung.

In bewährter Weise wurden die neuen Rechtschreibregeln übersichtlich und verständlich aufbereitet, sodass sie in der alltäglichen Schreibpraxis von allen mühelos angewendet werden können. Mehr als 300 Infokästen mit zahlreichen praktischen Beispielen zu Zweifelsfällen und Stolpersteinen rund um die deutsche Schriftsprache helfen, häufig auftretende Schreibprobleme ohne Schwierigkeiten zu überwinden. Eine aktualisierte Übersicht zu den Veränderungen zwischen der Rechtschreibung vor 1996 und dem heutigen Stand sowie eine vergleichende Gegenüberstellung besonders häufig gebrauchter Alt- bzw. Neuschreibungen vermitteln einen schnellen Überblick über die reformbedingten Änderungen.

Nachdem der »Duden« gerade seinen 125. Geburtstag gefeiert hat, knüpft die aktuelle Auflage nicht nur an die bestehende Tradition an, sie präsentiert auch ein echtes Novum: die Dudenempfehlungen. Angesichts der hohen Zahl von Schreibvarianten, die die neue Rechtschreibung vorsieht – in diesem Werk sind es knapp 3 000 –, zeichnet der »Duden« mit einer gelben Hintergrundfarbe jeweils eine Schreibung als Vorzugsschreibung aus. Diese Dudenempfehlung ist als Hilfestellung für alle diejenigen gedacht, die ohne großen Aufwand in ihren Texten einheitlich schreiben möchten. Die Empfehlungen geben das wieder, was der Dudenverlag bei seinen eigenen Werken als Hausorthografie zugrunde legt.

Die vorliegende Auflage präsentiert darüber hinaus noch eine zweite Neuerung: Zum ersten Mal erscheint das meistbenutzte deutsche Rechtschreibwörterbuch durchgängig vierfarbig. Nachdem 1996 mit der neuen Rechtschreibung schon die Farbe Rot in den »Duden« Einzug gehalten hat, helfen nun auch die Farben Gelb (für die Dudenempfehlungen) und Blau (für die Infokästen und die Regelverweise) allen Nachschlagenden, sich schnell zu orientieren und die gesuchte Information zügig zu finden.

Damit setzt das millionenfach bewährte Standardwerk, das inzwischen aus keinem Haushalt und keinem Büro mehr wegzudenken ist, neue Maßstäbe. Die Dudenempfehlungen als Wegweiser zu einer einheitlichen Schreibpraxis machen den Rechtschreibduden überall dort, wo professionell geschrieben wird, zu einem unentbehrlichen Hilfsmittel. Das moderne, durchgehend vierfarbige Layout erleichtert den Zugang zum korrekten Schreiben, das heute mehr denn je als Bildungsnachweis gilt und eine unabdingbare Voraussetzung für den Erfolg in Ausbildung und Beruf darstellt.

Die Dudenredaktion dankt ausdrücklich allen Personen und Institutionen, die an der Neubearbeitung mitgewirkt haben, insbesondere den Mitgliedern des österreichischen und des schweizerischen Dudenausschusses sowie der Gesellschaft für deutsche Sprache (GfdS) in Wiesbaden.

Mannheim, im April 2006
Die Dudenredaktion

Inhalt

Die wichtigsten Regeländerungen seit 1996 im Überblick

Im Folgenden sind die wichtigsten Änderungen und Ergänzungen zusammengefasst, die für das Regelwerk der deutschen Rechtschreibung im Juni 2004 und März 2006 beschlossen wurden. Die Paragrafen- und Ziffernangaben in Klammern beziehen sich auf den amtlichen Regeltext, der im Anhang dieses Rechtschreibdudens im Originalwortlaut abgedruckt ist.

Getrennt- und Zusammenschreibung

- Für Verbindungen aus Adverb und Verb gilt vielfach wieder der Schreibgebrauch von vor 1996: *aneinanderfügen, auseinanderbrechen, sich dahinterknien, darüberfahren, durcheinandergeraten, übereinanderstellen, zueinanderfinden.* [§ 34 (1.2)]

- Verbindungen mit den Wörtern *abhanden, zugute, zunichte, zupass, zustatten* und *zuteil* als erstem Bestandteil werden zusammengeschrieben: *abhandenkommen, zugutehalten, zugutekommen, zugutetun, zunichtemachen, zupasskommen, zustattenkommen, zuteilwerden.* [§ 34 (1.3)]

- Die Verbindungen *Leid tun, Not tun, Bankrott gehen* und *Pleite gehen* werden neu zusammengeschrieben: *leidtun, nottun, bankrottgehen* und *pleitegehen.* [§ 34 (3)]

- Viele Verbindungen aus einfachem Adjektiv und einfachem Verb, bei denen das Adjektiv das Ergebnis der mit dem Verb beschriebenen Tätigkeit angibt, können nun auch zusammengeschrieben werden: *bunt färben* od. *buntfärben, glatt hobeln* od. *glatthobeln, (Getränke) kalt stellen* od. *kaltstellen, (die Zwiebeln) klein schneiden* od. *kleinschneiden.* [§ 34 (2.1)]

- Entsteht bei der Verbindung aus Adjektiv und Verb eine neue, idiomatisierte Gesamtbedeutung, gilt meist wieder die frühere Zusammenschreibung: *kürzertreten, schwerfallen* (= Mühe bereiten), *richtigstellen* (= berichtigen). [§ 34 (2.2)]

- Bei Verbindungen aus zwei Verben mit *bleiben* oder *lassen* als zweitem Bestandteil ist bei übertragener Bedeutung neben der Getrennt- auch die Zusammenschreibung möglich: *Er ist in der 4. Klasse sitzengeblieben* od. *sitzen geblieben. Ich habe meinen Geldbeutel liegenlassen* od. *liegen lassen.* [§ 34 (4)]

- Sowohl Getrennt- als auch Zusammenschreibung ist auch bei *kennen lernen* od. *kennenlernen* zulässig. [§ 34 (4)]

- In Wortverbindungen mit einem adjektivisch gebrauchten Partizip als zweitem Bestandteil wird die Schreibung in vielen Fällen freigegeben: *eine allein erziehende* od. *alleinerziehende Mutter, ein bunt gestreiftes* od. *buntgestreiftes Tuch, Fleisch fressende* od. *fleischfressende Pflanzen, ein selbst gebackener* od. *selbstgebackener Kuchen, eine so genannte* od. *sogenannte Supernova.* [§ 36 (2)]

Worttrennung

- Einzelvokale am Wortanfang oder -ende werden – auch in Zusammensetzungen – nicht mehr abgetrennt: *Abend, Oboe, Kleie, Bio-gas, Geo-graf, Fei-er-abend.* [§ 107]

Zeichensetzung

- Infinitivgruppen, die mit *um, ohne, statt, anstatt, außer, als* eingeleitet werden oder von einem Substantiv oder einem Korrelat *(es)* oder Verweiswort abhängen, müssen mit Komma abgegrenzt werden: *Etwas Schlimmeres, als seine Kinder zu enttäuschen, konnte ihm nicht passieren. Sie hatten den Wunsch, alles hinter sich zu lassen und ein neues Leben zu beginnen. Sein größter Wunsch ist es, eine Familie zu gründen.* [§ 75 (1–3)]

Schreibung mit Bindestrich

- Verbindungen aus Ziffern und dem Wortbestandteil *-fach* können auch mit Bindestrich geschrieben werden: *8fach od. 8-fach, das 8fache od. 8-Fache.* [§ 40 [3], § 41]

Groß- und Kleinschreibung

- In einer Reihe fester Wortverbindungen aus Präposition und dekliniertem Adjektiv (ohne vorausgehenden Artikel) ist neben der Kleinschreibung neu auch die Großschreibung des Adjektivs erlaubt: *von neuem od. Neuem, von weitem od. Weitem, bis auf weiteres od. Weiteres, ohne weiteres od. Weiteres, seit längerem od. Längerem, binnen kurzem od. Kurzem.* [§ 58 (3)]

- Adjektive, die mit dem folgenden Substantiv einen Gesamtbegriff bilden, können, wenn es dem Schreibgebrauch entspricht, auch großgeschrieben werden: *Schwarzes Brett, Goldener Schnitt, Kleine Anfrage.* [§ 63 u. 64]

- Das Anredepronomen *du* und die entsprechenden Beugungsformen und Ableitungen können in Briefen großgeschrieben werden:
  Liebe Anna,
  wie du od. Du dir od. Dir denken kannst, haben wir uns... [§ 66 E]

Wichtiger Hinweis für die Schulen:

Nach der amtlichen Regelung von 2006 nicht mehr korrekte Schreibweisen sollen laut Beschluss und Presseerklärung der Kultusministerkonferenz vom 2. März 2006 in den deutschen Schulen bis zum 1. August 2007 noch nicht als Fehler gewertet werden, die sich auf die Benotung auswirken. Für Österreich ist eine zweijährige Übergangsfrist geplant.

Das betrifft neben den früheren Schreibungen im Vergleich zur Regelung von 1996 im Wesentlichen die folgenden Fälle:

- Getrenntschreibungen wie *aneinander reihen, auseinander setzen, untereinander schreiben* usw.

- Getrenntschreibungen wie *abwärts gehen, aufwärts klettern, vorwärts kommen* usw.

- Getrenntschreibungen wie *abhanden kommen, vorlieb nehmen, zugute halten, zunichte machen, zustatten kommen, zuteil werden.*

- Die Getrennt- und Großschreibungen *Leid tun, Not tun, Bankrott gehen* und *Pleite gehen* (vor 1996 *leid tun, not tun, bankrott gehen* und *pleite gehen*).

- Getrenntschreibungen von idiomatisierten Verbindungen aus Adjektiv und Verb wie *fertig bringen, kürzer treten, nahe stehen, richtig stellen, schwer fallen* usw.

- Die Abtrennung einzelner Vokale am Wortanfang bei der Worttrennung am Zeilenende wie *A-bend, E-feu, o-ben, Feiera-bend* usw.

- Das Fehlen des Kommas bei Infinitivgruppen, die mit »als, anstatt, außer, ohne, statt, um« eingeleitet werden oder von einem Substantiv abhängen.

Zur Wörterbuchbenutzung

I. Zeichen von besonderer Bedeutung

.   Ein untergesetzter Punkt kennzeichnet die kurze betonte Silbe, z. B. Referẹnt.

_   Ein untergesetzter Strich kennzeichnet die lange betonte Silbe, z. B. Fassạde.

| Der senkrechte Strich dient zur Angabe der möglichen Worttrennungen am Zeilenende, z. B. Mor|ta|del|la, mü|he|voll.

®   Das Zeichen ® macht als Marken geschützte Wörter (Bezeichnungen, Namen) kenntlich. Sollte dieses Zeichen einmal fehlen, so ist das keine Gewähr dafür, dass das Wort als Handelsname frei verwendet werden darf.

-   Der waagerechte Strich vertritt das unveränderte Stichwort bei den Beugungsangaben des Stichworts, z. B. Insel, die; -, -n (vgl. S. 14, Abschnitt 3 a).

...   Drei Punkte stehen bei Auslassung von Teilen eines Wortes, z. B. Eindruck, der; -[e]s, ...drücke; oder: Anabolikum, das; -s, ...ka.

[]   Die eckigen Klammern schließen Aussprachebezeichnungen, Zusätze zu Erklärungen in runden Klammern und beliebige Auslassungen (Buchstaben und Silben, wie z. B. in abschnitt[s]weise, Wissbegier[de]) ein.

()   Die runden Klammern schließen Erklärungen und Hinweise zum heutigen Sprachgebrauch ein, z. B. orakeln (in dunklen Andeutungen sprechen). Sie enthalten außerdem stilistische Bewertungen, fachsprachliche Zuordnungen und Angaben zur räumlichen und zeitlichen Verbreitung des Stichwortes.

⟨⟩   Die Winkelklammern schließen Angaben zur Herkunft des Stichwortes ein, z. B. Affäre ⟨franz.⟩.

K   Die Abschnitte zur Rechtschreibung und Zeichensetzung (S. 27 ff.) sind zur besseren Übersicht mit Kennziffern versehen, auf die im Wörterverzeichnis mit einem Pfeil verwiesen wird, z. B. ↑K 71.

✏   Die Texte in den Abschnitten zur Rechtschreibung und Zeichensetzung, die mit diesem Symbol markiert sind, enthalten weiterführende Hinweise, Erläuterungen oder Empfehlungen der Dudenredaktion zu (insbesondere orthografischen) Zweifelsfällen.

Zur roten Schrift und gelben Unterlegung vgl. Abschnitt III 1. Zu den blau unterlegten Infokästen vgl. Abschnitt VII.

II. Auswahl der Stichwörter

Der Duden erfasst den für die Allgemeinheit bedeutsamen Wortschatz der deutschen Sprache. Er enthält Erbwörter, Lehnwörter und Fremdwörter der Hochsprache, auch umgangssprachliche Ausdrücke und landschaftlich verbreitetes Wortgut, ferner Wörter aus Fachsprachen, aus Gruppen- und Sondersprachen, z. B. der Medizin oder Chemie, der Jagd oder des Sports. Er verzeichnet darüber hinaus eine begrenzte Anzahl von Namen, z. B. Personennamen oder geografische Namen, sowie allgemein gebräuchliche Abkürzungen. Grundlage für die Wortschatzerfassung ist zum einen eine traditionelle Sprachdatensammlung (Duden-Sprachkartei), zum anderen – und in jüngerer Zeit zunehmend – eine umfassende, elektronisch aufbereitete Textzusammenstellung aus Zeitungsjahrgängen, Zeitschriften und Büchern (Duden-Korpus).

Für die Auswahl waren neben der allgemeinen Gebräuchlichkeit hauptsächlich rechtschreibliche und grammatische Gründe maßgebend. Aus dem Fehlen eines Wortes darf also nicht geschlossen werden, dass es vollkommen ungebräuchlich oder nicht korrekt ist. Bei fehlenden Fremdwörtern oder Bedeutungserklärungen sei auf das Duden-Fremdwörterbuch oder das Duden-Universalwörterbuch verwiesen.

III. Anordnung und Behandlung der Stichwörter

1. Allgemeines

a) Die Stichwörter sind **halbfett** gedruckt.

b) Die rote Farbe kennzeichnet rechtschreibliche Änderungen gegenüber der früheren Orthografienorm (vor 1996). Jedes Stichwort, das nach der Rechtschreibreform anders zu schreiben ist als vormals, wird in der neuen Schreibung rot hervorgehoben. Im Abschnitt »Rechtschreibung und Zeichensetzung« sind alle Neuregelungen ebenfalls in Text und Beispiel durch rote Farbe markiert.

c) Wo die Rechtschreibregeln mehrere Schreibungen zulassen, stehen beide Formen durch Komma getrennt nebeneinander. Das bedeutet, dass nach geltender Rechtschreibung beide Schreibungen gleichberechtigt sind.

Beispiel: Geograf, Geograph

Eine Ausnahme bilden stilistische, regionale oder als fachsprachlich markierte Schreibungen. Diese werden mit der entsprechenden Angabe versehen an die Hauptform angeschlossen.

Beispiel: Zellulose, *fachspr.* Cellulose

Fügt sich die Schreibung, die an zweiter Position steht, nicht in das Alphabet ein, steht an der entsprechenden Alphabetstelle ein Verweis.

Beispiel: Cellulose *vgl.* Zellulose

Die Anordnung der gleichberechtigten Schreibungen erfolgt in der Regel nach den im Folgenden dargelegten Prinzipien. Mit der Anordnung ist keine Bewertung im Sinne einer Empfehlung seitens der Dudenredaktion verbunden (s. dazu Abschnitt d).

Eingedeutschte Schreibung vor fremdsprachlicher Schreibung:

Beispiele: Megafon, Megaphon
Fotosynthese, Photosynthese
existenziell, existentiell
Grislibär, Grizzlybär

Zusammenschreibung vor Bindestrichschreibung:

Beispiel: Pappplakat, Papp-Plakat

Eine Ausnahme bilden die Fremdwörter, die aus einem Verb und einer Partikel bestehen. Hier steht die Bindestrichschreibung vor der Zusammenschreibung:

Beispiel: Kick-off, Kickoff

Getrenntschreibung vor Zusammenschreibung:

Beispiele: blank putzen, blankputzen
liegen bleiben, liegenbleiben
wieder aufbauen, wiederaufbauen
allein erziehend, alleinerziehend
Rat suchend, ratsuchend
schwer verständlich, schwerverständlich
nicht öffentlich, nichtöffentlich

Eine Ausnahme bilden die aus dem Englischen stammenden Zusammensetzungen aus Adjektiv und Substantiv, bei denen zuerst die Zusammenschreibung gezeigt wird:

Beispiel: Softdrink, Soft Drink

Dasselbe gilt für Fügungen der folgenden Art:

Beispiele: mithilfe, mit Hilfe
vonseiten, von Seiten

d) Für alle, die sich nicht selbst zwischen den erlaubten Schreibvarianten entscheiden möchten, sind die Varianten, die im Dudenverlag selbst bevorzugt verwendet werden, gelb unterlegt. Zur Begründung der jeweiligen Auswahl vgl. Abschnitt VIII.

e) Die neuen Regeln zur Worttrennung lassen – besonders bei Fremdwörtern – häufig mehrere unterschiedliche Trennmöglichkeiten zu. Der Duden gibt in diesen Fällen beim Stichwort alle Trennmöglichkeiten an, wobei neu hinzugekommene Trennfugen rot markiert werden.

Beispiel: Chi|r|ur|gie

Außerdem werden die neuen Trennstellen bei ck und st rot markiert.

Beispiele: Lo|cke, Kis|te

f) Die Anordnung der Stichwörter ist alphabetisch.
Die Umlaute ä, ö, ü, äu werden wie die nicht umgelauteten Vokale (Selbstlaute) a, o, u, au behandelt. Die Schreibungen ae, oe, ue (in Namen) werden nach ad usw. eingeordnet. Der Buchstabe ß wird wie ss eingeordnet. Bei gleichlautenden Wörtern steht das Wort mit ss vor dem mit ß.

Beispiele:

harken	Godthåb	Mäßchen
Härlein	Goes	Masse
Harlekin	Goethe	Maße
Harm	Gof	Massegläubiger

Kleinbuchstaben werden vor Großbuchstaben eingeordnet, Ziffern folgen nach dem letzten Buchstaben des Alphabets. Einträge aus mehreren Wörtern werden wie einfache Einträge behandelt.

Beispiele:

Arles	Gyroskop	Laokoon
arm	G-7-Staat	La Ola
Arm	G-8-Staat	La-Ola-Welle
Armada	h	Laon

Abweichend von der alphabetischen Ordnung gibt es an manchen Stellen Infokästen mit Wörtern, die wegen ihrer ungewöhnlichen Schreibung häufig nicht am richtigen Ort gesucht werden.

g) Stichwörter, die sprachlich (etymologisch) verwandt sind, werden aus Platzgründen gelegentlich zu kurzen, überschaubaren Wortgruppen (»Nestern«) zusammengefasst, soweit die alphabetische Ordnung das zulässt.

h) Gleich geschriebene Stichwörter werden durch hochgestellte Zahlen (Indizes) unterschieden, z. B. [1]Elf (Naturgeist); [2]Elf (Zahl).

2. Verben (Tätigkeitswörter, Zeitwörter)

a) Bei den schwachen Verben werden im Allgemeinen keine Beugungsformen angegeben, da sie regelmäßig im Präteritum (erste Vergangenheit) auf -te und im Partizip II (2. Mittelwort) auf -t ausgehen.

Bei den starken und unregelmäßigen Verben werden in der Regel folgende Formen angegeben: die 2. Person Singular (Einzahl) im Indikativ des Präteritums (Wirklichkeitsform der ersten Vergangenheit), die [umgelautete] 2. Person Singular im Konjunktiv des Präteritums (Möglichkeitsform der ersten Vergangenheit), das Partizip II (2. Mittelwort), der Singular des Imperativs (Befehlsform). Andere Besonderheiten werden nach Bedarf angegeben.

Beispiel: biegen; du bogst; du bögest; gebogen; bieg[e]!

Bei den Verben, deren Stammvokal e (ä, ö) zu i wechselt, und bei Verben, die Umlaut haben, werden ferner angegeben: 2. u. 3. Person Singular im Indikativ des Präsens (Wirklichkeitsform der Gegenwart).

Beispiele: (e/i-Wechsel:) geben; *du gibst, er gibt;* du gabst; du gäbest; gegeben; *gib!* (mit Umlaut:) fallen; *du fällst, er fällt;* du fielst; du fielest; gefallen; fall[e]!

Für zusammengesetzte oder mit einer Vorsilbe gebildete Verben sind die grammatischen Hinweise beim einfachen Verb nachzuschlagen, z. B. vorziehen bei ziehen, behandeln bei handeln, abgrenzen bei grenzen.

b) Bei den Verben, deren Stamm mit einem s-Laut oder Zischlaut endet (s, ß, sch, z, tz), wird die 2. Person Singular im Indikativ des Präsens (Wirklichkeitsform der Gegenwart) angegeben, weil -e- oder -es- der Endung gewöhnlich ausfällt.

Beispiele: zischen; du zischst; lesen; du liest; sitzen; du sitzt

Bei den starken Verben, deren Stamm mit -ß endet, steht wegen des Wechsels von ss und ß zusätzlich die 1. Person Singular im Indikativ des Präteritums (Wirklichkeitsform der ersten Vergangenheit).

Beispiel: beißen; du beißt; *ich biss;* du bissest

3. Substantive (Hauptwörter)

a) Bei einfachen Substantiven sind mit Ausnahme der Fälle unter b der Artikel (das Geschlechtswort), der Genitiv Singular (Wesfall der Einzahl) und, soweit gebräuchlich, der Nominativ Plural (Werfall der Mehrzahl) angeführt.

Beispiel: Knabe, der; -n, -n (das bedeutet: der Knabe, des Knaben, die Knaben)

Substantive, die nur im Plural (Mehrzahl) vorkommen, werden durch ein nachgestelltes *Plur.* gekennzeichnet.

Beispiel: Ferien *Plur.*

b) Die Angabe des Artikels und der Beugung fehlt gewöhnlich bei abgeleiteten Substantiven, die mit folgenden Silben gebildet sind:

-chen:	Mädchen	das; -s, -
-lein:	Brüderlein	das; -s, -
-ei:	Bäckerei	die; -, -en
-er:	Lehrer	der; -s, -
-heit:	Keckheit	die; -, -en
-in:	Lehrerin	die; -, -nen
-keit:	Ähnlichkeit	die; -, -en
-ling:	Jüngling	der; -s, -e
-schaft:	Landschaft	die; -, -en
-tum:	Besitztum	das; -s, ...tümer
-ung:	Prüfung	die; -, -en

Ausnahmen: Bei Ableitungen, die in Artikel und Beugung von diesen Beispielen abweichen, sind die grammatischen Angaben hinzugefügt, z. B. bei

denen, die keinen Plural bilden, wie:
Besorgtheit, die; - oder: Christentum,
das; -s.

c) Bei zusammengesetzten Substantiven
und bei Substantiven, die zu zusammengesetzten Verben oder zu solchen mit
Vorsilbe gebildet sind, fehlen im Allgemeinen Artikel und Beugungs-
endungen. In diesen Fällen ist beim
Grundwort oder bei dem zum einfachen
Verb gebildeten Substantiv nach-
zusehen.

Beispiele: Eisenbahn bei Bahn, Fruchtsaft bei Saft; Abschluss (Bildung zu abschließen) und Verschluss (Bildung zu
verschließen) bei Schluss (Bildung zu
schließen)

Artikel und Endungen werden dann angegeben, wenn sie sich von denen des
Grundwortes unterscheiden, wenn von
zwei Bildungsmöglichkeiten nur eine
zutrifft oder wenn keine augenfällige
(inhaltliche) Verbindung zwischen
den vom einfachen und vom nicht einfachen Verb abgeleiteten Substantiven
besteht.

Beispiele: Stand, der; -[e]s, Stände, *aber:*
Ehestand, der; -[e]s (kein Plural); Teil,
der *od.* das; *aber:* Vorteil, der; Sage, die; -,
-n; ebenso: Absage, die; -, -n

4. Adjektive (Eigenschaftswörter)

Bei Adjektiven sind vor allem Besonderheiten und Schwankungen in der Bildung der
Steigerungsformen vermerkt.

> **Beispiele:** alt, älter, älteste; glatt,
> glatter, *auch* glätter, glatteste, *auch*
> glätteste

IV. Herkunft der Wörter

Die Herkunft der Fremdwörter und einiger
jüngerer Lehnwörter wird in knapper
Form in Winkelklammern angegeben; meist
wird die gebende Sprache, nicht die Ursprungssprache genannt. In einigen Fällen
werden die Ursprungssprache und die ver-
mittelnde Sprache, verbunden durch einen
Bindestrich, angegeben.

> **Beispiel:** Bombast ⟨pers.-engl.⟩

Steht eine Sprachbezeichnung in runden
Klammern, so heißt das, dass auch diese
Sprache die gebende Sprache gewesen sein
kann.

> **Beispiel:** Bronze ⟨ital.(-franz.)⟩

Durch das Semikolon (Strichpunkt) zwischen den Herkunftsangaben wird deutlich gemacht, dass es sich beim Stichwort
um eine Zusammensetzung aus Wörtern
oder Wortteilen der angegebenen Sprachen
handelt.

> **Beispiel:** bipolar ⟨lat.; griech.⟩

Die wörtliche Bedeutung eines Wortes wird
gelegentlich in Anführungszeichen an die
Herkunftsangabe angeschlossen.

> **Beispiel:** Wodka ⟨russ., »Wässerchen«⟩

Aus Platzgründen wird die Herkunftsangabe bei Ableitungen und Zusammensetzungen in der Regel nicht wiederholt.

V. Bedeutungserklärungen

Der Rechtschreibduden ist kein Bedeutungswörterbuch; er enthält daher keine
ausführlichen Bedeutungsangaben. Nur wo
es für das Verständnis eines Wortes erforderlich ist, werden kurze Hinweise zur
Bedeutung gegeben, etwa bei schwierigen
Fremdwörtern, Fachtermini, umgangssprachlichen, landschaftlichen und ver-

alteten Ausdrücken. Solche Erklärungen stehen in runden Klammern. Zusätze, die nicht notwendig zu den Erklärungen gehören, stehen innerhalb der runden Klammern in eckigen Klammern.

Beispiele: Akteur (Handelnder; Spieler; Schauspieler), Amortisation ([allmähliche] Tilgung), Rabatt (*ugs. für* Krawall, Unruhe), Karfiol (*österr. für* Blumenkohl), Gleisner (*veraltet für* Heuchler)

VI. Aussprache

Aussprachebezeichnungen stehen in eckigen Klammern hinter Fremdwörtern und einigen deutschen Wörtern, deren Aussprache von der sonst üblichen abweicht. Die verwendete Lautschrift folgt dem Zeichensystem der International Phonetic Association (IPA).

Die Ausspracheangaben bei Fremdwörtern beziehen sich auf die in der deutschen Standardsprache übliche Lautung, die oft nicht exakt mit derjenigen der fremden Sprache übereinstimmt. Das gilt vor allem bei häufig und schon länger im Deutschen gebrauchten Wörtern und oft auch für Eigennamen. Deshalb steht zum Beispiel beim Stichwort Shakespeare die Aussprache ['ʃeːkspiːɐ̯] und nicht, wie im Englischen korrekt, ['ʃeɪkspɪə]. Wer sich für zusätzliche und ausführlichere Ausspracheangaben interessiert, sollte das Duden-Aussprachewörterbuch zurate ziehen. Dies gilt besonders für fremdsprachliche Aussprachen sowie für die Aussprache unbetonter Silben. Die übliche Aussprache wurde nicht angegeben bei

c	[k]	vor a, o, u (*wie in* Café)
c	[ts]	vor e, i, ä, ae [ɛ(:)], ö, ü, y (*wie in* Celsius)
i	[i̯]	vor Vokal in Fremdwörtern (*wie in* Union)
sp	[ʃp]	im Stammsilbenanlaut deutscher und im Wortanlaut eingedeutschter Wörter (*wie in* Spiel, Spedition)
sp	[sp]	im Wortinlaut (*wie in* Knospe, Prospekt)
st	[ʃt]	im Stammsilbenanlaut deutscher und im Wortanlaut eingedeutschter Wörter (*wie in* Bestand, Strapaze)
st	[st]	im Wortin- und -auslaut (*wie in* Fenster, Existenz, Ast)
ti	[tsi̯]	vor Vokal in Fremdwörtern (*wie in* Aktion, Patient)
v	[f]	vor Vokal im Anlaut (*wie in* Vater)

Zeichen der Lautschrift, Beispiele und Umschreibung

[a]	Butler ['bat...]
[a:]	Master ['ma:s...]
[ɐ]	Bulldozer [...do:zɐ]
[ɐ̯]	Friseur [fri'zøː̯ɐ̯]
[ã]	Centime [sã'ti:m]
[ã:]	Franc [frã:]
[ai̯]	live [lai̯f]
[au̯]	Browning ['brau̯...]
[ç]	Bronchien [...çi̯ən]
[dʒ]	Gin [dʒɪn]
[e]	Regie [re'ʒi:]
[e:]	Shake [ʃe:k]
[ɛ]	Handikap ['hɛndikɛp]
[ɛ:]	fair [fɛ:ɐ̯]
[ɛ̃]	Impromptu [ɛ̃prõ'ty:]
[ɛ̃:]	Timbre ['tɛ̃:brə]
[ə]	Bulgarien [...i̯ən]
[i]	Citoyen [sitǫa'jɛ̃:]
[i:]	Creek [kri:k]
[i̯]	Linie [...i̯ə]
[ɪ]	City ['sɪti]
[l̩]	Shuttle ['ʃatl̩]

[n̩]	Action ['ɛkʃn̩]
[ŋ]	Dubbing ['dabɪŋ]
[o]	Logis [lo'ʒiː]
[oː]	Plateau [...'toː]
[ɔ]	Hobby ['hɔbi]
[ɔː]	Baseball ['beːsbɔːl]
[õ]	Bonmot [bõ'moː]
[õː]	Chanson [ʃã'sõː]
[ø]	pasteurisieren [...tøri...]
[øː]	Friseuse [...'zøːzə]
[œ]	Portefeuille [pɔrtə'fœj]
[œ̃]	Dunkerque [dœ̃'kɛrk]
[œ̃ː]	Verdun [vɛr'dœ̃ː]
[o̯a]	chamois [ʃa'mo̯a]
[ɔy]	Boykott [bɔy̯...]
[s]	City ['sɪti]
[ʃ]	Charme [ʃarm]
[t͜s]	Luzie ['luːt͜siː]
[tʃ]	Match [mɛtʃ]
[u]	Routine [ru...]
[uː]	Route ['ruː...]
[u̯]	Linguist [...'gu̯ɪst]
[ʊ]	Mouche [mʊʃ]
[v]	Violine [v...]
[w]	Walking ['wɔːkɪŋ]
[x]	Achill [a'xɪl]
[y]	Budget [by'dʒeː]
[yː]	Avenue [avə'nyː]
[ỹ]	Habitué [(h)abi'tỹeː]
[ɣ]	de luxe [- 'lʏks]
[z]	Bulldozer [...doːzɐ]
[ʒ]	Genie [ʒe...]
[θ]	Thriller ['θrɪlɐ]
[ð]	on the rocks [ɔn ðə 'rɔks]
[l]	Disagio [...'laːdʒo]

Ein Doppelpunkt nach dem Vokal bezeichnet dessen Länge, z. B. Plateau [...'toː]. Lautbezeichnungen in runden Klammern bedeuten, dass der betreffende Laut nicht mitgesprochen werden muss, z. B. Habitué [(h)abi'tỹeː]. Der Hauptakzent ['] steht vor der betonten Silbe, z. B. Catenaccio [kate-'natʃo].

Die beim ersten Stichwort stehende Ausspracheangabe ist im Allgemeinen für alle nachfolgenden Wortformen eines Stichwortartikels oder einer Wortgruppe gültig, sofern diese nicht eine neue Angabe erfordern.

VII. Infokästen

In den blau unterlegten Infokästen werden zum einen orthografisch besonders schwierige Stichwörter behandelt, oft mit ausführlichen und übersichtlich gegliederten Beispielen. Zum anderen gibt es Kästen mit grammatischen Besonderheiten oder mit Warnhinweisen, wenn Wörter als diskriminierend empfunden werden können.

VIII. Variantenempfehlungen

a) Die Empfehlungen der Dudenredaktion sollen all denen eine richtige und einheitliche Rechtschreibung ermöglichen, die dies wünschen und keine eigenen Entscheidungen bei der Variantenauswahl treffen möchten. Es geht dabei ausschließlich um Schreibungen. Wo unterschiedliche Wortformen wie »gern« und »gerne« oder »Verdopplung« und »Verdoppelung« nebeneinander gebräuchlich sind, geben wir keine Empfehlungen. Auch wenn fachsprachliche oder regionale Schreibvarianten angeführt werden, wird keine Bevorzugung angezeigt, da man sich hier in der Schreibung am besten nach dem jeweiligen Textzusammenhang richtet.
Bei der Auswahl der Varianten hat sich die Dudenredaktion an folgenden drei Kriterien orientiert:

Erstens soll nach Möglichkeit der tatsächliche Schreibgebrauch, wie ihn die Dudenredaktion beobachtet, berücksichtigt werden.

Zweitens wollen wir den Bedürfnissen der Lesenden nach optimaler Erfassbarkeit der Texte möglichst umfassend gerecht werden.

Und drittens sollen auch die Bedürfnisse der Schreibenden nach einfacher Handhabbarkeit der Rechtschreibung weitgehend befriedigt werden.

Diese Gesichtspunkte, die nicht selten im Widerspruch zueinander stehen, waren sorgfältig gegeneinander abzuwägen. Es gibt Bereiche, wo die Dudenredaktion den Schreibenden überzeugt die neuere Schreibvariante empfehlen kann, und andere, in denen sie eher zur konservativen Variante rät.

b) Zur Schreibung von Fremdwörtern:

Wörter aus dem Französischen mit é/ee:
»Dragee«, »Frottee« und »Separee« sind nach unserer Einschätzung auch in diesen Schreibungen schon so gebräuchlich, dass man auf das Akzent-e verzichten kann. Eine Ausnahme bildet hier der Schreibgebrauch in der Schweiz, wo Fremdwörter aus dem Französischen generell eher in der nicht angeglichenen Form (»Dragée«, »Separée«) geschrieben werden.

Das ph in Wörtern aus dem Griechischen:
fon/phon
Entsprechend der Schreibung »Telefon« empfehlen wir jetzt auch »Megafon«, »Saxofon«oder »Xylofon«. Eine Ausnahme bilden einige Fachwörter wie »Phonologie« und »Phonometrie«.

fot/phot
Nach »Foto« und »fotokopieren« bevorzugen wir nun auch die f-Schreibung für Fachwörter wie »Fotochemie«, »Fotosynthese« usw. Eine Ausnahme bilden die Wörter »Phot« und »Photon«.

graf/graph
Nach »Fotografie« und »Grafikerin« empfehlen wir nun auch »Paragraf«, »Geografie«, »Telegraf«, »Biografie« usw. Als Ausnahmen betrachten wir einige Fachwörter wie »Graph« und »Graphem«.

fan/phan
Für die sehr oft gebrauchten Wörter »Fantasie«, »fantastisch« usw. erscheint die f-Schreibung angemessen, bildungssprachliche Wörter wie »Phantasmagorie« sollten dagegen das ph behalten (»Phantom« ist nach wie vor auf ph festgelegt).

tial/zial, tiell/ziell:
Wenn eine Zuordnung zu einem Grundwort mit z plausibel ist, dann empfehlen wir für Wörter wie »existenziell« und »Existenzialismus« (wegen: Existenz) generell die z-Schreibung.

Sonstige:
Bei den sonstigen Varianten in der Laut-Buchstaben-Beziehung, etwa hinsichtlich der c- oder k-Schreibung, der ch- oder sch-Schreibung, der ou- oder u-Schreibung, der e- oder ä-Schreibung u. a., lässt sich kaum eine systematische Richtlinie aufstellen. Hier hat die Dudenredaktion in jedem Einzelfall geprüft, ob eine Tendenz zugunsten einer Variante im Schreibgebrauch feststellbar ist. So gibt es in unseren Quellen eine eindeutige Bevorzugung der c-Schreibung des Wortes »Belcanto«, obwohl auch schon

vor der Rechtschreibreform die
k-Schreibung zulässig und im Duden verzeichnet war. Solchen Beobachtungen
folgen die Empfehlungen in diesem Wörterbuch.

c) Zur Getrennt- und Zusammenschreibung:

mithilfe/mit Hilfe:
Bei Fügungen dieser Art empfehlen wir
jeweils die zusammengeschriebene Variante, da (nur zusammenzuschreibende)
Fälle wie »beiseite«, »inmitten« oder
»zuliebe« eine gewisse Tendenz zur Ein-
wortschreibung erkennen lassen.

gewinnbringend/Gewinn bringend:
Bei der Verbindung von Substantiv und erstem Partizip empfehlen wir in einer größeren Zahl von Fällen die früher vorwiegend
übliche Zusammenschreibung.

Alleinerziehende/allein Erziehende:
Bei den substantivierten Verbindungen mit
einem Partizip als zweitem Bestandteil
haben sich eine Reihe von Zusammensetzungen im Schreibgebrauch fest etabliert
(z. B. »das Kleingedruckte«, »Alleinerziehende«, »Festangestellte«, » Ratsu-
chende« usw.). Hier empfehlen wir in der
Regel die Beibehaltung der Zusammenschreibung.

stehenlassen/stehen lassen:
Die Grundregel, nach der zwei Verben
getrennt geschrieben werden, ist so eindeutig und einfach, dass wir ihre Anwendung
auch bei übertragenem Gebrauch empfehlen. Eine Ausnahme bildet »kennenlernen«.

kleinschneiden/klein schneiden:
Auch bei der Verbindung von Adjektiv und
Verb ist bei nicht übertragener Bedeutung
die Getrenntschreibung immer die einfachste Lösung. Sobald das Adjektiv erweitert oder gesteigert ist (»ganz klein schnei-

den«, »kleiner schneiden«), darf ohnehin
nur getrennt geschrieben werden.

vielsagend/viel sagend:
Einige Verbindungen aus Adjektiv oder
Adverb und Partizip sind so geläufig, dass
sie meist als Zusammensetzung und seltener als Wortgruppe empfunden werden.
Hier empfehlen wir die Zusammenschreibung.

Achtzigerjahre/achtziger Jahre:
Hier empfehlen wir die Zusammenschreibung, wie sie in schon länger üblichen Wörtern wie »Sechserpack« oder »Zweierbeziehung« vorgegeben ist.

d) Ein Bindestrich kann grundsätzlich in jedem mehrteiligen Wort gesetzt werden,
in dem man einen Bestandteil aus irgend-
einem Grund besonders hervorheben
oder das man besser lesbar machen
möchte. Im Folgenden geht es jedoch
nur um die Frage einer generellen Bindestrichschreibung für besondere Fallgruppen:

Lotto-Annahmestelle/Lottoannahmestelle:
Bei längeren unübersichtlichen sowie bei
nicht eindeutigen Zusammensetzungen empfehlen wir Bindestrichschrei-
bungen, also z. B. »Lotto-Annahmestelle« oder »Druck-Erzeugnis«. Dasselbe
gilt auch für Fremdwörter wie
»Desktop-Publishing« oder »Bungee-
Jumping«.

blaurot/blau-rot:
Bei zusammengesetzten Farbbezeichnungen können die Abtönung einer
Farbe (z. B. ein bläuliches Rot) durch Zusammenschreibung (»blaurot«), das
Nebeneinander zweier Farben durch Bindestrichschreibung (ein Kleid in Blau
und Rot ist ein »blau-rotes« Kleid) ausgedrückt werden. Diese Unterscheidung

hilft, Missverständnisse zu vermeiden, und wird deshalb von uns empfohlen.

Kick-down/Kickdown:
Für englisch-amerikanische Fremdwörter, die auf ein Verb plus Präposition oder Adverb zurückgehen, empfehlen wir die Bindestrichschreibung, da eine Zusammenschreibung in Fällen wie »Sit-in« oder »Make-up« zu sehr ungewohnten und schlecht lesbaren Schriftbildern führen würde. Wenn das Wort allerdings im Englischen bereits zusammengeschrieben wird (z. B. »Blackout« oder »Countdown«), sollte es in dieser Form beibehalten werden.

New Yorker/New-Yorker:
Bei Ableitungen auf -er von mehrteiligen getrennt geschriebenen Städtenamen ziehen wir die Schreibung ohne Bindestrich vor, also »New Yorker«, »Sankt Galler«, »Bad Wörishofener« usw., da so das Schriftbild des zugrunde liegenden Namens besser bewahrt wird.

e) Zur Groß- und Kleinschreibung:

auf das Beste geregelt/auf das beste geregelt:
Die Großschreibung erspart eine Unterscheidung zwischen »ihre Wahl fiel auf das Beste aus dem Angebot« und »sie hatte auf das Beste gewählt«. Der Artikel »das« legt die Großschreibung noch zusätzlich nahe.

jedem das Seine/jedem das seine:
Auch hier ist wegen des Artikels »das« die Großschreibung die rechtschreiblich einfachere Lösung; also: »jedem das Seine«, »grüße die Deinen« usw.

von Neuem/von neuem:
Um Diskrepanzen zwischen »ohne weiteres« und »des Weiteren« oder zwischen »aufs Neue« und »von neuem« zu vermeiden, empfehlen wir auch in diesen Fällen die Großschreibung.

Adieu sagen/adieu sagen:
Bei »etwas sagen« erwartet man statt des grammatischen Platzhalters »etwas« in den meisten Fällen ein Substantiv (z. B. »die Wahrheit sagen«); analog dazu empfehlen wir auch bei den Grußformeln die Großschreibung.

Hunderte fleißiger Ameisen/hunderte fleißiger Ameisen:
In solchen Fällen empfehlen wir die Großschreibung von »Hunderte«, »Tausende« und »Dutzende«, da vor allem die Kleinschreibung von »Dutzende« sehr ungewohnt sein dürfte.

etwas anderes/etwas Anderes:
Die Großschreibung der Wörter »eine«, »andere«, »wenig« und »viel« wird in der amtlichen Rechtschreibregelung nur als Ausnahme betrachtet. Das stimmt mit dem bisherigen Schreibgebrauch überein.

das Schwarze Brett/schwarze Brett:
Wird eine Verbindung aus Adjektiv und Substantiv als »fester Begriff« aufgefasst, findet sich häufig die Großschreibung des Adjektivs. Sofern es sich dabei nicht um Eigennamen handelt, sollte diese rechtschreibliche Hervorhebung eher sparsam verwendet werden. Die Dudenredaktion empfiehlt sie in einer überschaubaren Anzahl von Fällen und vor allem dann, wenn die Großschreibung schon vor der Rechtschreibreform als regelkonform galt.

Im Wörterverzeichnis verwendete Abkürzungen

Abkürzungen, bei denen nur -isch zu ergänzen ist, sind nicht aufgeführt, z. B. ägypt. = ägyptisch. Das Wortbildungselement -lich wird gelegentlich mit ...l. abgekürzt, z. B. ähnl. = ähnlich

Abk.	Abkürzung
afrik.	afrikanisch
Akk.	Akkusativ
allg.	allgemein
amerik.	amerikanisch
Amtsspr.	Amtssprache
Anm.	Anmerkung
Anthropol.	Anthropologie
aram.	aramäisch
Archit.	Architektur
astron.	astronomisch
Astron.	Astronomie
A. T.	Altes Testament
Ausspr.	Aussprache

Bankw.	Bankwesen
Bauw.	Bauwesen
Bed.	Bedeutung
Bergmannsspr.	Bergmannssprache
Berufsbez.	Berufsbezeichnung
bes.	besonders
Bez.	Bezeichnung
bild. Kunst	bildende Kunst
Biol.	Biologie
Börsenw.	Börsenwesen
Bot.	Botanik
Buchw.	Buchwesen

chin.	chinesisch

Dat.	Dativ
Druckerspr.	Druckersprache
dt.	deutsch

EDV	elektronische Datenverarbeitung u. -übermittlung

ehem.	ehemals, ehemalig
Eigenn.	Eigenname
eigtl.	eigentlich
Eisenb.	Eisenbahn
Elektrot.	Elektrotechnik
eskim.	eskimoisch
etw.	etwas
europ.	europäisch
ev.	evangelisch

fachspr.	fachsprachlich
Fachspr.	Fachsprache
fam.	familiär
Familienn.	Familienname
Ferns.	Fernsehen
Fernspr.	Fernsprechwesen
Finanzw.	Finanzwesen
Fliegerspr.	Fliegersprache
Flugw.	Flugwesen
Forstw.	Forstwesen
fotogr.	fotografisch
Fotogr.	Fotografie
franz.	französisch
Funkw.	Funkwesen

Gastron.	Gastronomie
Gaunerspr.	Gaunersprache
gebr.	gebräuchlich
geh.	gehoben
Gen.	Genitiv
Geogr.	Geografie
Geol.	Geologie
germ.	germanisch
Ggs.	Gegensatz

Handw.	Handwerk
hebr.	hebräisch

hist.	historisch		nationalsoz.	nationalsozialistisch
Hüttenw.	Hüttenwesen		niederl.	niederländisch
			nlat.	neulateinisch
idg.	indogermanisch		Nom.	Nominativ
ital.	italienisch		nordamerik.	nordamerikanisch
			nordd.	norddeutsch
Jägerspr.	Jägersprache		norw.	norwegisch
jap.	japanisch		N. T.	Neues Testament
Jh.	Jahrhundert		o. ä.	oder ähnlich
jmd., jmdm.,	jemand, jemandem,		o. Ä.	oder Ähnliche[s]
jmdn., jmds.	jemanden, jeman-		od.	oder
	des		ökum.	ökumenisch (nach den
Jugendspr.	Jugendsprache			Loccumer Richtlinien von
				1971)
kath.	katholisch		Ortsn.	Ortsname
Kaufmannsspr.	Kaufmannssprache		ostd.	ostdeutsch
Kinderspr.	Kindersprache		österr.	österreichisch
Konj.	Konjunktion		Österr.	Österreich
Kunstwiss.	Kunstwissenschaft		ostmitteld.	ostmitteldeutsch
Kurzw.	Kurzwort			
			Päd.	Pädagogik
l.	linker, linke, linkes		Pharm.	Pharmazie
landsch.	landschaftlich		philos.	philosophisch
Landw.	Landwirtschaft		Philos.	Philosophie
lat.	lateinisch		Physiol.	Physiologie
lit.	litauisch		Plur.	Plural
Literaturw.	Literatur-		port.	portugiesisch
	wissenschaft		Postw.	Postwesen
			Präp.	Präposition
m.	männlich		Psych.	Psychologie
MA.	Mittelalter			
Math.	Mathematik		r.	rechter, rechte,
mdal.	mundartlich			rechtes
med.	medizinisch		Rechtsspr.	Rechtssprache
Med.	Medizin		Rechtsw.	Rechtswesen
Meteor.	Meteorologie		Rel.	Religion[swissenschaften]
mexik.	mexikanisch		Rhet.	Rhetorik
milit.	militärisch		Rundf.	Rundfunk
Milit.	Militär			
mitteld.	mitteldeutsch		sanskr.	sanskritisch
mittelhochd.	mittelhochdeutsch		scherzh.	scherzhaft
mlat.	mittellateinisch		Schülerspr.	Schülersprache
mong.	mongolisch		Schulw.	Schulwesen
Münzw.	Münzwesen		schweiz.	schweizerisch
Mythol.	Mythologie		Seemannsspr.	Seemannssprache

Seew.	Seewesen
Sing.	Singular
skand.	skandinavisch
Soldatenspr.	Soldatensprache
Soziol.	Soziologie
Sportspr.	Sportsprache
Sprachw.	Sprachwissenschaft
Stilk.	Stilkunde
stud.	studentisch
südamerik.	südamerikanisch
südd.	süddeutsch
südwestd.	südwestdeutsch
svw.	so viel wie

Textilw.	Textilwesen
Theol.	Theologie
Tiermed.	Tiermedizin

u.	und
u. a.	und andere
u. ä.	und ähnlich
u. Ä.	und Ähnliche[s]
übertr.	übertragen
ugs.	umgangssprachlich
ung.	ungarisch
urspr.	ursprünglich

Verbindungsw.	Verbindungswesen
Verkehrsw.	Verkehrswesen
Versicherungsw.	Versicherungswesen
vgl. [d.]	vergleiche [dort]
Völkerk.	Völkerkunde
Vorn.	Vorname

w.	weiblich
Werbespr.	Werbesprache
westd.	westdeutsch
westmitteld.	westmitteldeutsch
Wirtsch.	Wirtschaft

Zahnmed.	Zahnmedizin
Zigeunerspr.	Zigeunersprache (Es handelt sich hier um eine in der Sprachwissenschaft übliche Bezeichnung, die nicht diskriminierend zu verstehen ist.)
Zollw.	Zollwesen
Zool.	Zoologie
Zus.	Zusammensetzung

Wichtige grammatische Fachausdrücke

Dieses Verzeichnis soll dazu dienen, die wichtigsten im Rechtschreibduden verwendeten grammatischen Fachwörter verständlich zu machen. Es stellt keine Einführung in die Grammatik dar und erhebt auch keinen Anspruch auf Vollständigkeit.

Adjektive (Eigenschaftswörter) sind z. B. *schön, dick, alt.* Sie verändern ihre Form nach Geschlecht, Zahl und Fall und können in der Regel Steigerungsformen bilden: *schön* (Positiv/Grundstufe) – *schöner* (Komparativ/1. Steigerungsstufe) – *am schönsten* (Superlativ/2. Steigerungsstufe).

Adverbien (Umstandswörter) sind z. B. *dahin, heute, sofort.* Ihre Form ist nicht veränderbar. Sie geben die näheren Umstände eines Geschehens an.

Akkusativ Vgl. ↑ Substantive.

Artikel (Geschlechtswörter) verändern ihre Form nach Geschlecht, Zahl und Fall. Sie sind Begleiter des Substantivs. Unterschieden werden zwei Arten: die bestimmten Artikel (z. B. *der Hund, die Katze, das Haus*) und die unbestimmten Artikel (z. B. *ein Mann, eine Geschichte, ein Haus*).

Beugung Unter Beugung versteht man die Veränderung/Konjugation von Verben (z. B. *sie sitzt, ihr gabt*) sowie die Veränderung/Deklination von Substantiven (z. B. *in Häusern*), Artikeln (z. B. *dem Mann*), Pronomen (z. B. *ihrer Mutter*) oder Adjektiven (z. B. *der teure Wein*).

Dativ Vgl. ↑ Substantive.

Genitiv Vgl. ↑ Substantive.

Infinitive (Nenn- oder Grundformen) sind z. B. *kommen, lesen, denken.* Sie sind die Formen, in denen Verben genannt und in denen sie auch in Wörterbüchern angeführt werden.

Konjunktionen (Bindewörter) gehören zu den unveränderlichen Wörtern. Sie haben die Aufgabe, Sätze, Satzteile und Wörter miteinander zu verbinden (z. B. *und, oder, weil, dass*). Manchmal lässt sich nicht ohne Weiteres feststellen, ob es sich bei einem Wort um eine Konjunktion oder um ein Adverb handelt. Hier hilft ein Blick auf die Wortstellung: Adverbien können in einem einfachen Satz allein vor das gebeugte Verb treten, Konjunktionen nicht. Bisweilen kann ein Wort sowohl als Konjunktion als auch als Adverb gebraucht werden:
(*doch* ist Konjunktion:) *Wir möchten gerne bleiben, doch wir haben keine Zeit.*
(*doch* ist Adverb:) *Wir möchten gerne bleiben, doch haben wir keine Zeit.*

Konjunktiv (Möglichkeitsform) stellt als Aussageweise (Modus) des Verbs ein Geschehen als erwünscht, möglich oder nicht wirklich dar, z. B. *er habe* (so behauptet er) *das Buch gelesen; ich käme gerne* (aber ich kann nicht, da ich keine Zeit habe); *Würde sie mir doch helfen!*

Konsonanten (Mitlaute) sind z. B. *m, p, s.* Gegensatz: ↑ Vokale.

Nominativ Vgl. ↑ Substantive.

Partizipien (Mittelwörter) Bei Partizipien unterscheidet man zwischen Partizip I (Mittelwort der Gegenwart), z. B. *hoffend, weinend, bindend, lügend,* und Partizip II (Mittelwort der Vergangenheit), z. B. *gehofft, geweint, gebunden, gelogen.*

Plural (Mehrzahl) Vgl. ↑ Substantive.

Präpositionen (Verhältniswörter) sind z. B. *auf, aus, in, nach, über, von, zu.* Sie kennzeichnen die Beziehung, das Verhältnis zwischen Wörtern: *Sie sitzt auf dem Stuhl. Er geht in den Garten.* Präpositionen sind in ihrer Form unveränderlich (nicht beugbar) und bestimmen den Fall des folgenden Substantivs.

Pronomen (Fürwörter) sind z. B. *er, sie; mein Auto, dieses fröhliche Kind.* Sie vertreten oder begleiten ein Substantiv (bzw. eine Substantivgruppe) und verändern ihre Form nach Fall, Geschlecht und Zahl.

Singular (Einzahl) Vgl. ↑ Substantive.

Substantive (Nomen, Hauptwörter) sind z. B. *Meer, Tag, Luft, Richtung, Wetterlage.* Sie haben in der Regel ein festes Geschlecht, verändern ihre Form aber nach Zahl und Fall:

Geschlecht

maskulin/männlich	*der Regen*
feminin/weiblich	*die Luft, die See*
neutral/sächlich	*das Wetter, das Meer*

Zahl

Singular/Einzahl	*die Richtung*
Plural/Mehrzahl	*die Richtungen*

Fall

Nominativ/1. Fall (wer oder was?)	*der Tag*
Genitiv/2. Fall (wessen?)	*des Tages*
Dativ/3. Fall (wem?)	*dem Tag*
Akkusativ/4. Fall (wen oder was?)	*den Tag*

Substantivierungen sind z. B. *das Lesen, das Schöne, etwas Neues.* Bei einer Substantivierung wird aus einem Wort, das einer anderen Wortart angehört, ein ↑ Substantiv gebildet.

Superlativ (2. Steigerungsstufe/Höchststufe) Vgl. ↑ Adjektive.

Verben (Zeitwörter) sind z. B. *geben, werden, wünschen.* Sie können ihre Form meist nach Person und Zahl verändern und verschiedene Zeitformen bilden (z. B. *gibt – gab – wird geben, wünscht – wünschte – wird wünschen*).

Vokale (Selbstlaute) sind *a, e, i, o, u.* Gegensatz: ↑ Konsonanten.

Zahladjektive/Zahlwörter bezeichnen entweder eine Zahl (z. B. *ein, vier, drittel, achtel*) oder geben eine unbestimmte Menge bzw. ein unbestimmtes Maß an (z. B. *viel, wenig*). Die letzteren werden unbestimmte Zahladjektive genannt.

Rechtschreibung und Zeichensetzung

Einleitung

Die folgende, mit Kennziffern gegliederte Darstellung beruht auf den amtlichen Regeln für die deutsche Rechtschreibung und Zeichensetzung. Sie enthält darüber hinaus einige zusätzliche, mit dem Symbol ✎ gekennzeichnete Abschnitte, in denen die Dudenredaktion weiterführende Hinweise, Erläuterungen oder Empfehlungen zu bestimmten rechtschreiblichen oder anderen Zweifelsfällen gibt.

Um den Nachschlagenden ein schnelles Auffinden der gewünschten Informationen zu ermöglichen, werden die Regelungen und Hinweise unter alphabetisch geordneten Suchbegriffen wie »Apostroph«, »Bindestrich«, »Datum«, »Fremdwörter« oder »Getrennt- und Zusammenschreibung« angeführt. Dabei wird die eine oder andere Rechtschreibregelung an mehreren Stellen gezeigt, sodass zum Beispiel für ein Problem mit der Groß- und Kleinschreibung in Straßennamen sowohl unter »Groß- und Kleinschreibung« als auch unter »Straßennamen« sofort die Lösung gefunden werden kann.

Alle auf die Rechtschreibreform zurückgehenden neuen Rechtschreibregelungen sind durch Rotdruck deutlich hervorgehoben.

Für diejenigen, die sich für den genauen Wortlaut der zugrunde liegenden amtlichen Regeln interessieren, wurden zahlreiche Verweise auf die Paragrafen und Unterabschnitte des Regelwerks eingearbeitet, das auf den Seiten 1161 bis 1216 abgedruckt ist.

Übersicht

27

Abkürzungen

In diesem Abschnitt geht es um die häufig auftretenden Fragen
„Mit oder ohne Punkt?" und „Mit oder ohne Beugungsendung?".

Zu weiteren Informationen:
↑ Apostroph (K 15)
↑ Bindestrich (K 26, 28 u. 29)
↑ Groß- und Kleinschreibung (K 97)

Außerdem:
↑ Textverarbeitung und E-Mails (S. 101 f.)
Zusätzliche Erläuterungen zur sinnvollen Bildung und Verwendung
von Abkürzungen und Kurzwörtern finden sich in DIN 2340.

Der Punkt bei Abkürzungen

K 1 Nach bestimmten Abkürzungen steht ein Punkt ⟨§101⟩. (Vgl. K 2, K 3 und K 4.)	• Dr. (*für:* Doktor) • usw. (*für:* und so weiter) • a. D. (*für:* außer Dienst) • Abk.-Verz. (*für:* Abkürzungsverzeichnis) • Weißenburg i. Bay. (*für:* Weißenburg in Bayern)

Diese Abkürzungen werden in der gesprochenen
Sprache meist nicht verwendet. Ausnahmen sind
Fälle wie a. D. (auch gesprochen: a-de).

K 2 Bei national oder international festgelegten Abkürzungen für Maßeinheiten in Naturwissenschaft und Technik, für Himmelsrichtungen und für bestimmte Währungseinheiten setzt man im Allgemeinen keinen Punkt ⟨§ 102 (1)⟩.	• m (*für:* Meter) • g (*für:* Gramm) • s (*für:* Sekunde) • W (*für:* Watt) • Bq (*für:* Becquerel) • MHz (*für:* Megahertz) • NO (*für:* Nordost[en]) • CAD (*für:* Kanadischer Dollar)

K 3 Bei sogenannten Initialwörtern oder Kürzeln setzt man im Allgemeinen keinen Punkt ⟨§ 102 (2)⟩.	• BGB (*gesprochen:* be-ge-be, *für:* Bürgerliches Gesetzbuch) • TÜV (*gesprochen:* tüf, *für:* Technischer Überwachungs-Verein) • Na (*gesprochen:* en-a, *für:* Natrium)

K 4 Viele fachsprachliche Abkürzungen (vor allem von längeren Zusammensetzungen und Wortgruppen) werden ohne Punkt geschrieben ⟨§ 102 E₁⟩.

- MBliV (*für:* Ministerialblatt der inneren Verwaltung)
- BStMdI (*für:* Bayerisches Staatsministerium des Innern)
- RücklVO (*für:* Rücklagenverordnung)
- LadschlG (*für:* Ladenschlussgesetz)
- StUffz (*für:* Stabsunteroffizier)
- OStRin (*für:* Oberstudienrätin)

K 5 In einigen Fällen gibt es Doppelformen ⟨§ 102 E₂⟩.

- Co. od. Co (*für:* Compagnie)
- M. d. B. od. MdB (*für:* Mitglied des Bundestages)

K 6 Steht eine Abkürzung mit Punkt am Satzende, dann ist der Abkürzungspunkt zugleich der Schlusspunkt des Satzes ⟨§ 103⟩.

- Er verwendet gern Zitate von Goethe, Schiller u. a.
- Ihr Vater ist Regierungsrat a. D.
  Aber:
- Ist er wirklich Regierungsrat a. D.?
- Er ist wirklich Regierungsrat a. D.!

Steht am Satzende eine Abkürzung, die an sich ohne Punkt geschrieben wird, dann muss trotzdem der Schlusspunkt gesetzt werden.

- Diese Bestimmung finden Sie im BGB.
- Er fährt einen roten Pkw.
  Aber:
- Fährt er einen roten Pkw?
- Er fährt in der Tat einen roten Pkw!

Die Beugung der Abkürzungen

Bei Abkürzungen, die nur in geschriebenen Texten verwendet werden, wird meist keine Beugungsendung gezeigt.

- lfd. J. (*für:* laufenden Jahres)
- im Ndl. (*für:* im Niederländischen)
- d. M. (*für:* dieses Monats)

Wenn man die Beugungsendung wiedergeben will, z. B. um Missverständnisse zu vermeiden, gilt üblicherweise Folgendes:

1. Endet eine Abkürzung mit dem letzten Buchstaben des abgekürzten Wortes, so wird die Beugungsendung unmittelbar angehängt.
2. Bei Namen ist es üblich, die Endung nach dem Abkürzungspunkt zu setzen.
3. Gelegentlich wird der Plural durch Buchstabenverdoppelung ausgedrückt.

1. die Bde. (*für:* die Bände)
- OStRinnen (*für:* Oberstudienrätinnen)
2. B.s Werke (*für:* Brechts Werke)
3. Jgg. (*für:* Jahrgänge)
- ff. (*für:* folgende [Seiten])

Bei Abkürzungen, die auch als solche gesprochen werden, ist im Plural die Beugung häufiger.

Das gilt vor allem bei weiblichen Abkürzungen, weil bei ihnen der Artikel im Singular und Plural gleich lautet.
Im Singular bleiben jedoch auch die sprechbaren Abkürzungen oft ohne Beugungsendung.

- die Lkws, *seltener:* die Lkw (*weil im Singular:* der Lkw)
- die MGs, *seltener:* die MG
- die GmbHs, *selten:* die GmbH (*weil der Singular gleich lautet:* die GmbH)

- des Pkw (*auch:* des Pkws)
- des EKG (*auch:* des EKGs)

Anführungszeichen

In den folgenden Hinweisen werden die sogenannten „Gänsefüßchen" als Anführungszeichen verwendet, die in der Schulschreibschrift üblich sind. In der Textverarbeitung und im grafischen Gewerbe sind heute auch andere Formen der Anführungszeichen sehr verbreitet. (Zu halben Anführungszeichen ↑K12.)

Zu weiteren Informationen:
↑ Groß- und Kleinschreibung (K 92 u. 94)

Außerdem:
↑ Textverarbeitung und E-Mails (S. 102)

Bei wörtlicher Rede

K 7 Anführungszeichen stehen vor und hinter wörtlich wiedergegebenen Äußerungen und Gedanken (direkter Rede) sowie wörtlich wiedergegebenen Textstellen (Zitaten) ⟨§ 89⟩.	▪ Sie sagte: „Hier gefällt es mir." ▪ „Wenn doch nur alles vorüber wäre", dachte Petra. ▪ Er schreibt in seinen Memoiren: „Nie werde ich den Tag vergessen, an dem der erste Zeppelin über der Stadt schwebte."
Wird eine angeführte direkte Rede oder ein Zitat unterbrochen, so setzt man die einzelnen Teile in Anführungszeichen.	▪ „Wir sollten nach Hause gehen", meinte sie. „Hier ist jede Diskussion zwecklos." ▪ „Der Mensch", so heißt es in diesem Buch, „ist ein Gemeinschaftswesen."

Zur Hervorhebung

K 8 Anführungszeichen können vor und hinter Wörtern oder Textstücken stehen, die hervorgehoben werden sollen ⟨§94⟩. Dazu gehören: 1. Wörter oder Wortgruppen (z. B. Sprichwörter, Äußerungen), über die man eine Aussage machen will; 2. ironische Hervorhebungen; 3. zitierte Überschriften, Werktitel (z. B. von Büchern, Filmen, Musikstücken), Namen von Zeitungen und Ähnliches.	1. Das Wort „fälisch" ist in Anlehnung an West„falen" gebildet. ▪ Das Sprichwort „Geteiltes Leid ist halbes Leid" tröstet nicht immer. ▪ Mit einem lauten „Mir reichts!" verließ sie den Raum. 2. Sie hat „nur" die Silbermedaille gewonnen. ▪ Dieser „treue Freund" verriet ihn als Erster. 3. „Das Parfüm" ist ein Roman von Patrick Süskind. ▪ Das Zitat stammt aus dem Film „Casablanca".
1. Der zu einem Titel gehörende Artikel kann mit in die Anführungszeichen gesetzt werden, wenn der volle Titel unverändert bleibt.	1. Wir mussten „Das Lied von der Glocke" (oder: das „Lied von der Glocke") auswendig lernen.

2. Ändert sich der Artikel durch die Deklination, dann bleibt er außerhalb der Anführungszeichen.

3. Wenn eindeutig erkennbar ist, dass ein Titel o. Ä. vorliegt, werden die Anführungszeichen häufig weggelassen.

2. Sie hatte eine Strophe aus dem „Lied von der Glocke" vorgetragen.

3. Goethes Faust wurde schon mehrfach verfilmt.

- Der Artikel erschien vorige Woche im SPIEGEL.

Mit anderen Satzzeichen

K 9
1. Treffen Frage- oder Ausrufezeichen mit Anführungszeichen zusammen, so stehen sie vor dem Schlusszeichen, wenn sie zum wörtlich wiedergegebenen Text gehören ⟨§ 90⟩.

2. Wenn nach dem wörtlich wiedergegebenen Text der Begleitsatz (übergeordnete Satz) folgt oder weitergeführt wird, setzt man ein Komma nach dem Schlusszeichen ⟨§ 93⟩.

1. Sie fragte: „Wie geht es dir?"
- Er brüllte: „Bleib sofort stehen!"
2. „Sie fahren sofort nach Hause!", befahl er.
- Sie rief: „Weshalb darf ich das nicht?", und sah mich wütend an.
- Als er sagte: „Das war ja wohl eine Schnapsidee!", wurde ich sehr verlegen.

K 10
1. Treffen Punkt, Frage- oder Ausrufezeichen mit Anführungszeichen zusammen, so stehen sie nach dem Schlusszeichen, wenn sie zum Begleitsatz (übergeordneten Satz) gehören ⟨§ 90⟩.

2. Gelegentlich können sowohl der angeführte Text als auch der Begleitsatz mit Frage- oder Ausrufezeichen enden ⟨§ 91⟩.

1. Ich habe die „Buddenbrooks" gelesen und den „Zauberberg".
- Wer kennt das Theaterstück „Der Stellvertreter"?
- Sie verwies darauf, „dass niemand den Angeklagten am Tatort gesehen hat".
- Ich brauche dringend den Text von „Figaros Hochzeit"!
2. Gefällt dir der Roman „Quo vadis?"?
- Lass doch dieses ewige „Ich will nicht!"!

K 11 1. Vor dem Komma zwischen wörtlich wiedergegebenem Text und Begleitsatz (übergeordnetem Satz) verliert der wörtlich wiedergegebene Satz seinen Schlusspunkt ⟨§ 92⟩.

2. Ein eingeschobener Begleitsatz wird in Kommas eingeschlossen ⟨§ 93⟩.

3. Folgt der wörtliche Text dem Begleitsatz (übergeordneten Satz), dann steht nach dem Schlusszeichen kein Punkt mehr ⟨§ 92⟩.

1. „Gehen wir doch ins Kino", schlug sie vor.
- „Nachdem du das gelesen hast, wirst du verstehen, was ich meine", sagte Großvater.

2. „Morgen früh", versprach er, „komme ich zurück."
- „Wenn du willst", meinte seine Frau, „kann ich den Wagen morgen in die Werkstatt fahren."

3. Er stellte fest: „Das muss jeder selbst entscheiden."
- Auf meine Frage nach der Zahl der Gäste erwiderte sie: „Fünfzehn."
- Wir schrien: „Pass auf!"
- Sie fragte: „Bist du bereit?"

Halbe Anführungszeichen

K 12 Eine Anführung innerhalb einer Anführung wird durch halbe Anführungszeichen gekennzeichnet ⟨§ 95⟩.

- Sie schreibt in ihrem Brief: „Ich kann Ihnen nur empfehlen, sich den ‚Besuch der alten Dame' in der Neuinszenierung anzusehen."
- „Mit wie vielen h schreibt man ‚Rhythmus'?", wollte er wissen.
- „Die Sendung heißt ‚Kennzeichen D'", sagte sie.

Apostroph

Der Apostroph zeigt an, dass in einem Wort ein oder mehrere Buchstaben ausgelassen worden sind (vgl. aber **K 16**). In vielen Fällen können die Schreibenden selbst entscheiden, ob sie einen Apostroph setzen wollen oder nicht (vgl. **K 14**).

Zu weiteren Informationen:
↑ Groß- und Kleinschreibung (**K 96**)
↑ Textverarbeitung und E-Mails (S. 104)

Bei Auslassungen

K 13 Man setzt einen Apostroph bei Wörtern mit Auslassungen, wenn die verkürzten Wortformen sonst schwer lesbar oder missverständlich wären ⟨§ 96 (2)⟩.	▪ Schlaf nun selig und süß, schau im Traum 's Paradies. ▪ Dass aber der Wein von Ewigkeit sei, daran zweifl' ich nicht … ▪ Ein einz'ger Augenblick kann alles umgestalten. ▪ 's ist schon spät. ▪ Das Wasser rauscht', das Wasser schwoll …
Solche Formen treten oft in dichterischen Texten auf. Als gut lesbar und unmissverständlich gelten dagegen im Allgemeinen die folgenden Fälle: 1. Ein unbetontes -e- im Wortinnern entfällt und die kürzere Form ist allgemein gebräuchlich. 2. Es entfällt ein Schluss-e bei bestimmten Verbformen. 3. Es liegt eine verkürzte, aber häufig gebrauchte Nebenform eines Substantivs oder Adjektivs vor. 4. Es liegt eine Fügung vor, in der ein Adjektiv oder Pronomen ungebeugt verwendet wird.	1. ich wechsle (wechsele) ▪ trockner (trockener) Boden 2. Das hör ich gern. ▪ Ich lass das nicht zu. ▪ Leg den Mantel ab. 3. Bursch (*neben:* Bursche) ▪ öd (*neben:* öde) ▪ trüb (*neben:* trübe) ▪ heut (*neben:* heute) 4. um gut Wetter bitten ▪ ruhig Blut bewahren ▪ Wir wollen sein ein einzig Volk von Brüdern …
K 14 Man kann einen Apostroph setzen, wenn Wörter der gesprochenen Sprache mit Auslassungen schriftlich wiedergegeben werden und sonst schwer verständlich sind ⟨§ 97⟩.	▪ So 'n Blödsinn! ▪ Nimm 'ne andere Farbe. ▪ Kommen S' 'nauf! ▪ Er hat g'nug. ▪ Sie saß auf'm Tisch. ▪ Wir gehen in 'n Zirkus. ▪ Wie du's haben willst. ▪ Da fährt sich's schlecht.

1. Bei den allgemein üblichen Verschmelzungen von Präposition (Verhältniswort) und Artikel setzt man in der Regel keinen Apostroph.
2. Auch die mit r- beginnenden Kürzungen von Wörtern wie heran, herauf, herein, herüber usw. werden meist ohne Apostroph verwendet.
3. Ebenso steht bei bestimmten Wörtern und Namen mundartlicher Herkunft im Allgemeinen kein Apostroph.
4. Bei umgangssprachlichen Verbindungen eines Verbs oder einer Konjunktion mit dem Pronomen „es" ist der Apostroph entbehrlich; er wird jedoch häufig verwendet.

1. ans, aufs, durchs, fürs, hinters, ins, übers, unters, vors
- am, beim, hinterm, überm, unterm, vorm
- hintern, übern, untern, vorn; zur
2. Runter vom Balkon!
- Bitte reich mir mal das Buch rüber.
- Sie ließ ihn rauswerfen.
- Was für ein Reinfall!
3. Brettl
- Dirndl
- Hansl
- Rosl
4. Wie gehts (*auch:* geht's) dir?
- Nimms (*auch:* Nimm's) nicht so schwer.
- Wenns (*auch:* Wenn's) weiter nichts ist …

K 15 Man setzt einen Apostroph bei Wörtern mit Auslassungen im Wortinneren ⟨§ 96 (3)⟩.

- D'dorf (*für:* Düsseldorf)
- Ku'damm (*für:* Kurfürstendamm)
- Lu'hafen (*für:* Ludwigshafen)
- M'gladbach (*für:* Mönchengladbach)

Bei Namen

K 16
1. Der Apostroph steht zur Kennzeichnung des Genitivs (Wesfalls) von Namen, die auf s, ss, ß, tz, z, x enden und keinen Artikel o. Ä. bei sich haben ⟨96 (1)⟩.
2. Nicht als Auslassungszeichen, sondern zur Verdeutlichung der Grundform eines Personennamens wird der Apostroph gelegentlich in folgenden Fällen gebraucht:
   a) Vor der Adjektivendung -sch.
   b) Vor dem Genitiv-s ⟨§ 97E⟩.

1. Hans Sachs' Gedichte, Le Mans' Umgebung, Grass' Blechtrommel, Voß' Übersetzung, Ringelnatz' Gedichte, Marx' Philosophie, das Leben Johannes' des Täufers
(*aber:* die Gedichte des Hans Sachs, das Leben des Johannes)
2. a) die Grimm'schen Märchen (*neben:* die grimmschen Märchen)
- der Ohm'sche Widerstand (*neben:* der ohmsche Widerstand)
b) Andrea's Blumenecke (*zur Unterscheidung vom männlichen Vornamen Andreas*)
- Willi's Würstchenbude

Normalerweise wird vor einem Genitiv-s kein Apostroph gesetzt. Das gilt auch für Genitiv-s und Plural-s bei Initialwörtern und Abkürzungen.

- Brechts Dramen
- Hamburgs Reedereien
- des Lkws, die GmbHs, B.s Dramen,
- des Bds.

Auslassungspunkte

Zu weiteren Informationen:
↑ Textverarbeitung und E-Mails (S. 105)

K 17 Drei Auslassungspunkte zeigen an, dass in einem Wort, Satz oder Text Teile ausgelassen worden sind ⟨§ 99⟩.	▪ Verd…! ▪ Der Horcher an der Wand … ▪ Die Erhebung fand in den nachfolgend genannten Städten … zum ersten Mal statt.
📖 Vor allem in wissenschaftlichen Texten werden Auslassungen in Zitaten zusätzlich durch eckige Klammern kenntlich gemacht.	▪ Weiter oben schrieb der Autor bereits: „Die Forschungen auf dem Gebiet der Gentechnologie […] haben zu politischen Kontroversen geführt."
K 18 Stehen Auslassungspunkte am Satzende, entfällt der Satzschlusspunkt ⟨§ 100⟩.	▪ Ich würde es dir sagen, wenn … ▪ Viele Märchen beginnen mit den Worten: „Es war einmal …"
📖 Frage- und Ausrufezeichen werden jedoch meist gesetzt.	▪ Ist er denn noch …? ▪ Dass dich der …!

Ausrufezeichen

Zu weiteren Informationen:
↑ Anführungszeichen (K 9 u. 10)
↑ Klammern (K 99)

K 19

1. Das Ausrufezeichen verleiht dem Vorangehenden einen besonderen Nachdruck ⟨§ 69⟩.
2. Es kann auch nach frei stehenden Zeilen, z. B. nach einer Anrede, stehen ⟨§ 69 E_2 u. E_3⟩.

1. Guten Tag!
 * Prosit Neujahr!
 * Welch ein Glück!
 * Ruhe!
 * Verlassen Sie den Raum, wenn Sie sich nicht anständig benehmen können!
2. Meine Damen und Herren!
 * Sehr geehrte Frau Präsidentin!
 (*Zur Anrede im Brief vgl. auch* K 132.)

---

1. Ein Ausrufezeichen steht auch bei Ausrufesätzen, die die Form einer Frage haben.
2. Ein eingeklammertes Ausrufezeichen kann in bestimmten Fällen anzeigen, dass eine Angabe innerhalb eines Textes hervorgehoben werden soll.
3. Gelegentlich werden ein Fragezeichen und ein Ausrufezeichen gesetzt, um einen Fragesatz gleichzeitig als Ausrufesatz zu kennzeichnen.

1. Wie lange soll ich denn noch warten!
 * Ist denn das zu fassen!
2. Nach Zeugenaussagen hatte der Angeklagte 24 (!) Schnäpse getrunken, bevor er sich ans Steuer setzte.
3. Was fällt dir denn ein?!

K 20

Aneinandergereihte nachdrückliche Sätze oder Wörter können mit Komma verbunden werden. Das Ausrufezeichen steht dann nur am Ende der Aneinanderreihung ⟨§ 69 E_1⟩.

* „Nein, nein!", rief er. (*Oder:* „Nein! Nein!", rief er.)
* Au, das tut weh! (*Oder:* Au! Das tut weh!)
* Das ist ja hervorragend, herzlichen Glückwunsch! (*Oder:* Das ist ja hervorragend! Herzlichen Glückwunsch!)

Bindestrich

Der Bindestrich *kann* zur Hervorhebung einzelner Bestandteile in Zusammensetzungen und Ableitungen verwendet werden, die normalerweise in einem Wort geschrieben werden (K 21–25). Er *muss* gesetzt werden, wenn die Zusammensetzungen mit (einzelnen) Buchstaben, Ziffern oder Abkürzungen gebildet werden und wenn es sich um mehrteilige Zusammensetzungen mit Wortgruppen handelt (K 26–30). Darüber hinaus markiert er, als sogenannter „Ergänzungsstrich", bei der Zusammenfassung mehrerer Wörter das Ersparen von Wortteilen (K 31).
Steht ein Bindestrich am Zeilenende, dann gilt er zugleich als Trennungsstrich.

Zu weiteren Informationen:
↑ Fremdwörter (K 41 u. 42)
↑ Groß- und Kleinschreibung (K 68, 81 u. 97)
↑ Namen (K 136–139, 143–149)
↑ Schrägstrich (K 156)

Zur Hervorhebung und Verdeutlichung

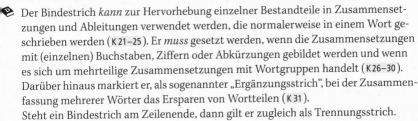

K 21 Zur Hervorhebung einzelner Bestandteile von Zusammensetzungen und Ableitungen kann ein Bindestrich gesetzt werden ⟨§ 45 (1)⟩.	• Ich-Sucht (*neben:* Ichsucht) • Soll-Stärke (*neben:* Sollstärke) • etwas be-greifen (*um besonders zu betonen, dass ein konkretes Greifen gemeint ist*) • die Hoch-Zeit der Renaissance (*um deutlich hervorzuheben, dass hier die Blütezeit der Renaissance gemeint ist*)

K 22 Man kann einen Bindestrich in unübersichtlichen Zusammensetzungen setzen ⟨§ 45 (2)⟩. Dies gilt auch für fremdsprachliche Fügungen aus zwei Substantiven ⟨§ 45 E₁⟩.	• Mehrzweck-Küchenmaschine • Lotto-Annahmestelle • Umsatzsteuer-Tabelle • Desktop-Publishing • Shopping-Center
Dabei sollte der Bindestrich eine Haupttrennfuge markieren.	Flüssigwasserstoff-Tank (*nicht:* Flüssigwasser-Stofftank *oder* Flüssig-Wasserstofftank)

K 23 In unübersichtlichen oder sonst schlecht lesbaren Zusammensetzungen aus gleichrangigen Adjektiven wird ein Bindestrich gesetzt ⟨§ 44⟩.

* ein französisch-deutsches Wörterbuch
* die medizinisch-technische Assistentin
* geistig-kulturelle Strömungen

1. Es steht kein Bindestrich, wenn das erste Adjektiv nur die Bedeutung des zweiten Adjektivs näher bestimmt (vgl. K 57).
2. Zusammengesetzte Farbbezeichnungen werden meist ohne Bindestrich geschrieben, wenn eine Mischfarbe/Farbtönung gemeint ist.

   Ein Bindestrich wird häufig gesetzt, um das Nebeneinander zweier Farben deutlich zu machen.

1. schwerreich
* tiefblau
* lauwarm
2. das blaurote Kleid (die Farbe des Kleids ist ein bläuliches Rot)
* eine gelbgrün gestreifte Bluse (eine Bluse mit gelblich grünen Streifen)
* das blau-rote Kleid (das Kleid hat die Farben Blau und Rot)
* eine gelb-grün gestreifte Bluse (eine Bluse mit gelben und grünen Streifen)

K 24 Einen Bindestrich kann man setzen, um Missverständnisse zu vermeiden ⟨§ 45 (3)⟩.

* Druck-Erzeugnis (*für:* Erzeugnis einer Druckerei)
* Drucker-Zeugnis (*für:* Zeugnis eines Druckers)

K 25 Ein Bindestrich kann beim Zusammentreffen dreier gleicher Buchstaben in Zusammensetzungen gesetzt werden ⟨§ 45 (4)⟩ (vgl. auch K 22).

* Kaffee-Ersatz (*neben:* Kaffeeersatz)
* Schwimm-Meisterschaft (*neben:* Schwimmmeisterschaft)
* Auspuff-Flamme (*neben:* Auspuffflamme)

Bei Zusammensetzungen mit Adjektiven und Partizipien als zweitem Bestandteil ist die Bindestrichschreibung in diesen Fällen zwar zulässig, aber nicht empfehlenswert.

* seeerfahren (*besser nicht:* See-erfahren)
* fetttriefend (*besser nicht:* Fett-triefend)
* helllila (*besser nicht:* hell-lila)

Bei Aneinanderreihungen

K 26 In Aneinanderreihungen und Zusammensetzungen mit Wortgruppen setzt man Bindestriche zwischen die einzelnen Wörter. Das gilt auch, wenn Buchstaben, Ziffern oder Abkürzungen Teile einer Zusammensetzung sind ⟨§§ 43, 44 u. 45 E₂⟩.

- das Sowohl-als-auch, das Als-ob
- Magen-Darm-Katarrh
- Mund-zu-Mund-Beatmung
- Links-rechts-Kombination
- Chrom-Molybdän-legiert
- Make-up, Abend-Make-up
- Latte-macchiato-Glas
- Vertriebs-Joint-Venture
- September-Oktober-Heft (*auch:* September/Oktober-Heft)
- A-Dur-Tonleiter, 400-m-Lauf
- E.-T.-A.-Hoffmann-Straße
- 1.-Klasse-Kabine
- Giro-d'Italia-Gewinner
- 3-Zimmer-Wohnung (*aber:* Dreizimmerwohnung)

K 27 Substantivisch gebrauchte Infinitive mit mehreren Bestandteilen schreibt man mit Bindestrichen, wenn sonst unübersichtliche und schwer lesbare Aneinanderreihungen entstehen ⟨§ 43⟩.

- zum Aus-der-Haut-Fahren
- das Nicht-mehr-fertig-Werden
- *Aber:*
- das Sichausweinen
- das Motorradfahren
- das Inkrafttreten

Bei Abkürzungen, Ziffern und Zeichen

K 28 Ein Bindestrich steht in Zusammensetzungen mit Abkürzungen. Das gilt auch für Zusammensetzungen, deren Bestandteile abgekürzt sind ⟨§ 40 (2)⟩.

- Kfz-Papiere, UKW-Sender
- Lungen-Tbc, Musik-CD
- US-amerikanisch, CO-haltig, BND-intern
- km-Zahl, dpa-Meldung
- Dipl.-Ing., Reg.-Rat, Abt.-Leiterin
- röm.-kath.
- Rechng.-Nr.
- ca.-Preis

K 29 Ein Bindestrich steht in Zusammensetzungen mit einzelnen Buchstaben und Ziffern ⟨§ 40 (1 u. 3)⟩.

- i-Punkt, A-Dur, a-Moll
- s-förmig, *auch:* S-förmig (*vgl.* K 97)
- Dehnungs-h, Super-G
- n-Eck, y-Achse
- 8-Zylinder, 3-Tonner, $^3/_4$-Takt
- 8,5-fach (*vgl.* K 30)
- 100-prozentig, x-beliebig, 8,5-mal
- 17-jährig, alle 17-Jährigen
- 400-m-Lauf
- eine 2:3-Niederlage
- ein 5:2-(2:0-)Sieg, *auch:* 5:2 (2:0)-Sieg
- eine W3-Professur, *auch:* W-3-Professur

K 30
1. Vor Nachsilben (Suffixen) steht nur dann ein Bindestrich, wenn sie mit einem Einzelbuchstaben verbunden werden ⟨§ 41⟩.
2. Zusammensetzungen mit Ziffer und Nachsilbe als erstem Bestandteil schreibt man mit einem Bindestrich ⟨§ 42⟩.
3. Der Wortbestandteil „-fach" kann mit oder ohne Bindestrich an die Ziffer angehängt werden.
   Bei Substantivierungen ist nach dem Bindestrich großzuschreiben.

1. n-fach, n-tel, die x-te Wurzel
   aber:
   die 68er, 32stel, 5%ig, FKKler
2. 68er-Generation

3. 8fach *oder* 8-fach, 8,5fach *oder* 8,5-fach

   das 8fache *oder* 8-Fache der Summe
   (*aber:* die 8fache oder 8-fache Menge)

Als Ergänzungsstrich

K 31 Einen Ergänzungsstrich (Bindestrich als Ergänzungszeichen) setzt man, um anzuzeigen, dass ein gleicher Bestandteil von Zusammensetzungen oder Ableitungen eingespart wird ⟨§ 98⟩.

- Ein- und Ausgang
- Ein-/Ausgang
- Balkon-, Garten- und Campingmöbel
- Rechtschreibreform-Befürworter und -Kritiker
- saft- und kraftlos
- 2- bis 3-mal
- das 2-/3-/4fache *oder* das 2-/3-/4-Fache
- Privat- und öffentliche Mittel
  (*aber:* öffentliche und Privatmittel)
- Textilgroß- und -einzelhandel

Datum

Zu weiteren Informationen:
↑ Komma (K 108)
↑ Punkt (K 153)
Außerdem:
↑ Textverarbeitung und E-Mails (S. 106)
Eine ausführliche Darstellung der internationalen Datumsnorm findet sich
in (DIN) EN 28601.

K 32 Datumsangaben nach einem Wochentag schließt man in Kommas ein, sofern der Satz danach weitergeführt wird. Das schließende Komma kann jedoch weggelassen werden, auch wenn der Wochentag im Dativ steht ⟨§ 77 (3)⟩.

- Die Familie kommt Montag, den 5. September[,] an.
- Die Familie kommt Montag, den 5. September[,] um 12 Uhr[,] an.
- Die Familie kommt am Montag, dem 5. September[,] an.
- Die Familie kommt am Montag, den 5. September an.
- Der Brief ist vom Mittwoch, dem 30. Juli[,] datiert.

Bei einer Datumsangabe ohne „am" oder „vom" steht der Monatstag im Akkusativ.

- Wir haben heute Sonntag, den 31. März.
- Die Spiele beginnen nächsten Sonntag, den 14. Juli.

Doppelpunkt

Zu weiteren Informationen:
↑ Groß- und Kleinschreibung (K 93)

K 33 Der Doppelpunkt steht vor angekündigten wörtlich wiedergegebenen Äußerungen, Gedanken oder Textstellen ⟨§ 81 (1)⟩.	▪ Friedrich der Große sagte: „Ich bin der erste Diener meines Staates." ▪ Eva dachte: „Nur das nicht!" ▪ Im Vertrag heißt es: „Mündliche Nebenabreden sind nicht getroffen."
K 34 Der Doppelpunkt steht vor angekündigten Aufzählungen, Angaben, Erläuterungen, Titeln usw. ⟨§ 81 (2)⟩.	▪ Folgende Teile werden nachgeliefert: Rohre, Muffen, Schlauchklemmen und Dichtungen. ▪ Familienstand: verheiratet ▪ Gebrauchsanweisung: Man nehme ... ▪ Robert Gernhardt: Lichte Gedichte
K 35 Der Doppelpunkt steht vor Sätzen, die das vorher Gesagte zusammenfassen oder eine Schlussfolgerung daraus ziehen ⟨§ 81 (3)⟩.	▪ Der Wald, die Felder, der See: All das gehörte früher einem einzigen Mann. ▪ Du arbeitest bis spät in die Nacht, rauchst eine Zigarette nach der anderen, gehst kaum noch an die frische Luft: Du machst dich kaputt, mein Lieber!

Fragezeichen

Zu weiteren Informationen:
↑ Anführungszeichen (K 9 u. 10)
↑ Klammern (K 99)

K 36

1. Das Fragezeichen kennzeichnet einen Satz als Frage ⟨§ 70⟩.
2. Das gilt auch für frei stehende Zeilen, z. B. bei einer Überschrift ⟨§ 70 E₂⟩.

1. Wo wohnst du? Wie heißt du?
- Was gibt es zu essen? Wann? Warum?
- „Weshalb darf ich das denn nicht?", fragte sie.
- Kommt er bald nach Hause?
- Sie heißen auch Meier?
2. Volksentscheid in Bayern?
- Wer hat Angst vor Virginia Woolf?

---

1. Bei untergeordneten Teilsätzen richtet sich das Schlusszeichen nach dem übergeordneten Teilsatz.
2. Ein eingeklammertes Fragezeichen kann in bestimmten Fällen anzeigen, dass eine Angabe innerhalb eines Textes bezweifelt wird.
3. Gelegentlich werden ein Fragezeichen und ein Ausrufezeichen gesetzt, um einen Fragesatz gleichzeitig als Ausrufesatz zu kennzeichnen.

1. Sie fragte, wann sie kommen solle.
- Sag mir sofort, woher du das Geld hast!
- Weiß man schon, wer gewonnen hat?
2. Das Mädchen behauptet, das Geld gefunden (?) zu haben.
- Nach Zeugenaussagen hatte der Angeklagte 24 (?) Schnäpse getrunken, bevor er sich ans Steuer setzte.
3. Was fällt dir denn ein?!

K 37 Aneinandergereihte Fragen oder Fragewörter können mit Komma verbunden werden. Das Fragezeichen steht dann nur am Ende der Aneinanderreihung ⟨§ 70 E₁⟩.

- Was höre ich, wie viele Mitglieder sind aus dem Verein ausgetreten?
(*Oder:* Was höre ich? Wie viele Mitglieder sind aus dem Verein ausgetreten?)
- Wie denn, wo denn, was denn?
(*Oder:* Wie denn? Wo denn? Was denn?)
- Soll man sich ärgern, soll man sich den Tag verderben lassen? (*Oder:* Soll man sich ärgern? Soll man sich den Tag verderben lassen?)

Fremdwörter

Durch die Neuregelung der deutschen Rechtschreibung hat sich die Zahl der möglichen Schreibvarianten bei den Fremdwörtern deutlich erhöht. Es empfiehlt sich, innerhalb eines Textes auf eine einheitliche Schreibweise zu achten.

Zu weiteren Informationen:
↑ Worttrennung (K 164–167)

Die Angleichung (Integration) der Fremdwörter

K 38 Häufig gebrauchte Fremdwörter können sich nach und nach der deutschen Schreibweise angleichen. In diesen Fällen sind oft sowohl die eingedeutschten (integrierten) als auch die nicht eingedeutschten Schreibungen korrekt ⟨§ 20 (2), § 32 (2)⟩.

* Delfin *oder* Delphin
* Frisör *oder* Friseur
* Grafit *oder* Graphit
* Jogurt *oder* Joghurt
* Majonäse *oder* Mayonnaise
* Panter *oder* Panther
* Portmonee *oder* Portemonnaie
* scharmant *oder* charmant
* Tunfisch *oder* Thunfisch

1. Die Wortbestandteile „graph", „phon" und „phot" können grundsätzlich auch „graf", „fon" und „fot" geschrieben werden.
2. Nur in wenigen Fällen wird das aus dem Griechischen stammende „rh" zu „r".
3. Der weitaus größte Teil der Fremdwörter ist (noch) nicht vollständig an die deutsche Schreibung angeglichen.

1. Geografie *oder* Geographie
* Mikrofon *oder* Mikrophon
* Saxofon *oder* Saxophon
* Telefon *(nur noch so)*
* Fotograf *oder* Photograph
2. Katarr *oder* Katarrh
* Myrre *oder* Myrrhe
3. Milieu, Jalousie, Jeans, Moiré, online, Computer, Aerobic, Macho, Chance, Metapher, Philosophie, synthetisch, Thron, Rheuma, Paläolithikum

K 39 Wörter und Wortgruppen, die als aus einer fremden Sprache zitiert angesehen werden, bleiben in der Schreibung meist völlig unverändert ⟨A 0 (3.1) a⟩.

* Carnegie Hall
* High Church
* New Deal
* cherchez la femme
* in dubio pro reo
* Es ist ein für die englische detective novel typisches Handlungsmuster.

Häufig werden solche „Zitatwörter" durch Anführungszeichen oder eine andere Schriftart markiert.

* Wir wurden zu einem „business lunch" eingeladen.
* Sie schreibt einen Aufsatz über den *nouveau roman.*

Zur Groß- oder Kleinschreibung

K 40

1. Bei mehrteiligen Substantiven und substantivischen Aneinanderreihungen werden das erste Wort und die substantivischen Bestandteile großgeschrieben ⟨§ 55 (3)⟩.
2. Bei festen fremdsprachlichen adverbiellen Fügungen gilt jedoch Kleinschreibung der Substantive (auch bei damit gebildeten Aneinanderreihungen) ⟨§ 55 E₂⟩.

1. Sie aßen ein Cordon bleu.
* Es bleibt alles beim Status quo.
* eine Multiple-Choice-Aufgabe
* Duty-free-Shop
* Go-go-Girl
* Walkie-Talkie
2. a cappella singen
* A-cappella-Chor
* de facto anerkennen
* De-facto-Anerkennung

Zusammengesetzte Fremdwörter

K 41

1. Zusammengesetzte Fremdwörter werden zusammengeschrieben ⟨§ 37 (1)⟩. Besteht die Zusammensetzung aus Substantiven, kann zur besseren Lesbarkeit ein Bindestrich gesetzt werden ⟨§ 45 E₁⟩.
2. Ist der erste Bestandteil ein Adjektiv, kann zusammengeschrieben werden, wenn die gemeinsame Hauptbetonung auf dem ersten Bestandteil liegt. Andernfalls gilt nur Getrenntschreibung ⟨§ 37 E₄⟩.
3. Bei Substantivierungen aus dem Englischen, die auf eine Verbindung aus Verb und Partikel (Adverb) zurückgehen, setzt man gewöhnlich einen Bindestrich; daneben ist auch Zusammenschreibung möglich ⟨§ 43 und § 37 (2)⟩.

1. Desktoppublishing (*auch:* Desktop-Publishing)
* Airconditioning (*auch:* Air-Conditioning)
* Sciencefiction (*auch:* Science-Fiction)
* Midlifecrisis (*auch:* Midlife-Crisis)
2. Longdrink *oder* Long Drink
* Hotspot *oder* Hot Spot
  Aber nur:
* High Fidelity, Electronic Commerce, Top Ten
3. Black-out (*auch:* Blackout)
* Count-down (*auch:* Countdown)
* Kick-off (*auch:* Kickoff)

K 42

Aneinanderreihungen und Zusammensetzungen mit Wortgruppen schreibt man mit Bindestrich ⟨§ 43 u. 44⟩.

Zusammensetzungen aus Fremdwörtern und Nicht-Fremdwörtern werden entsprechend den allgemeinen Regeln behandelt.

* Boogie-Woogie
* Do-it-yourself-Programm
* No-Future-Generation

* Computerfachabteilung (*auch:* Computer-Fachabteilung)
* Cornedbeefbüchse (*auch:* Corned-Beef-Büchse, Cornedbeef-Büchse)

Gedankenstrich

Der Gedankenstrich wird häufig dort verwendet, wo man in der gesprochenen Sprache eine deutliche Pause macht. Oft könnten in solchen Fällen auch andere Satzzeichen wie Kommas oder Klammern gesetzt werden.

Der einfache Gedankenstrich

K 43 Ein Gedankenstrich kündigt etwas Folgendes, oft etwas Unerwartetes an ⟨§ 82⟩. (Gelegentlich kann an dieser Stelle auch ein Doppelpunkt oder ein Komma stehen.)

- Er glaubte sich in Sicherheit – ein verhängnisvoller Irrtum.
- Plötzlich – ein gellender Aufschrei!
  Auch möglich: Plötzlich: ein gellender Aufschrei!
  Oder: Plötzlich, ein gellender Aufschrei!
- Du kannst das Auto haben – und zwar geschenkt!
  Auch möglich: Du kannst das Auto haben, und zwar geschenkt!

In manchen Texten kennzeichnet der Gedankenstrich auch (statt Auslassungspunkten) das Verschweigen eines Gedankenabschlusses.

- „Sei still, du –!", schrie er ihn wütend an.

K 44 Zwischen Sätzen kann der Gedankenstrich den Wechsel des Themas oder des Sprechers anzeigen ⟨§ 83⟩.

- Wir sprachen in der letzten Sitzung über die Frage der Neustrukturierung unserer Abteilung. – Ist übrigens heute schon die Post gekommen?
- „Mein Sohn, was birgst du so bang dein Gesicht?" – „Siehst, Vater, du den Erlkönig nicht?"

Der doppelte (paarige) Gedankenstrich

K 45 Mit Gedankenstrichen kann man Zusätze oder Nachträge deutlich vom übrigen Text abgrenzen ⟨§ 84⟩. (Meist können an den entsprechenden Stellen auch Kommas stehen; Klammern wären oft ebenso möglich.)

- Dieses Bild – es ist das letzte und bekannteste der Künstlerin – wurde vor einigen Jahren nach Amerika verkauft.
  Auch möglich: Dieses Bild, es ist das letzte und bekannteste der Künstlerin, wurde ...
  Oder: Dieses Bild (es ist das letzte und bekannteste der Künstlerin) wurde ...

K 46

1. Ausrufe- oder Fragezeichen, die zu einem eingeschobenen Zusatz oder Nachtrag gehören, stehen unmittelbar hinter diesem, also vor dem zweiten Gedankenstrich. Zum umschließenden Text gehörende Satzzeichen dürfen nicht weggelassen werden ⟨§ 85⟩.

2. Es steht jedoch kein Punkt vor dem zweiten Gedankenstrich, auch wenn es sich bei dem Einschub um einen vollständigen Satz handelt.

Endet der eingeschobene Teil mit einem Nebensatz, steht kein Komma vor dem schließenden Gedankenstrich.

1. Unsere kleine Absprache – Sie erinnern sich noch? – sollte besser unter uns bleiben.
- Sie verschweigt – leider! –, wen sie mit ihrem Vorwurf gemeint hat.

2. Verächtlich sagte er – er wandte kaum den Kopf dabei –: „Das ist eine Fälschung."
- Philipp verließ – im Gegensatz zu seinem Vater, der 40 weitere Reisen unternommen hatte – Spanien nicht mehr.

Getrennt- und Zusammenschreibung

Die Unterscheidung von getrennt geschriebenen Wortgruppen und zusammenge-
schriebenen Zusammensetzungen ist nicht immer eindeutig möglich. Wo die nachstehenden Hinweise und das amtliche Regelwerk keine Klarheit schaffen, sollte
sowohl Getrenntschreibung als auch Zusammenschreibung toleriert werden.

Die folgende Darstellung behandelt die Getrennt- und Zusammenschreibung unter
diesen Gesichtspunkten:

- **Zusammensetzungen und Wortgruppen mit Verben** (K 47–56)
  (auffallen/auf fällt, dass ...; aufeinanderprallen, klein schneiden/kleinschneiden,
  schwarzarbeiten, preisgeben, davonkommen/davon kommen; da sein, getrennt
  schreiben, Schlittschuh laufen, einkaufen gehen)
- **Zusammensetzungen und Wortgruppen mit Adjektiven und Partizipien** (K 57–62)
  (bitterkalt, teilnehmend, mondbeschienen; gestochen scharf, riesig groß,
  schwer verständlich/schwerverständlich)
- **Präposition (Verhältniswort) und Substantiv** (K 63)
  (anstatt, anstelle/an Stelle, zu Fuß)
- **Geografische Namen auf „-er"** (K 64)
  (Schweizergarde, Walliser Alpen)
- **Zahlen** (K 65 u. 66)
  (neunzehnhundertneunundneunzig, zwei Millionen)

Zu weiteren Informationen:
↑Bindestrich (K 21–31)
↑Fremdwörter (K 41 u. 42)
↑Groß- und Kleinschreibung (K 72)
↑Namen (K 136–139, 143–149)
↑Straßennamen (K 162 u. 163)

Zusammensetzungen und Wortgruppen mit Verben

Getrennt schreibt man alle eindeutigen Wortgruppen wie „zusammen verreisen", „klein beigeben", „schwindlig machen", „schwanger werden" usw. Wegen der Komplexität der Getrennt- und Zusammenschreibung kann es Fälle geben, die mithilfe der nachstehenden Regelungen nicht eindeutig zu klären sind. Wenn auch das Wörterverzeichnis nicht weiterhilft, stehen den Schreibenden gewisse Freiräume für eigene Entscheidungen offen.

K 47   Verben können mit
1. Präpositionen (z. B. „auf" in „auffallen"),
2. Adverbien (z. B. „hin" in „hingehen"),
3. Adjektiven (z. B. „schwarz" in „schwarz-arbeiten")
4. oder [verblassten] Substantiven (z. B. „Teil" in „teilnehmen")
sogenannte trennbare oder unfeste Zusammensetzungen bilden, die nur im Infinitiv, in den beiden Partizipien sowie bei Endstellung im Nebensatz zusammengeschrieben werden 〈§ 34 (1–3) u. E₃ (1)〉.

1. auffallen, eine auffallende Ähnlichkeit
- er war ihr aufgefallen, um aufzufallen
- ... weil es auffällt, auffallen sollte uns ...
  aber: auf fällt, dass ...; ich falle auf
2. hingehen, wir sind hingegangen
- ohne hinzugehen, sobald er hingeht ...
- hingehen will ich nicht
  aber: hin gehe ich nicht, wir gehen hin
3. schwarzarbeiten, hat sie schwarz-gearbeitet?
- um nicht schwarzzuarbeiten
- schwarzarbeiten dürfen sie nicht
  aber: schwarz arbeiten sie nie, sie arbeiten schwarz
4. teilnehmen, alle haben teilgenommen, ohne daran teilzunehmen, wenn man daran teilnimmt ...
  aber: sie nahm an der Tagung teil, teil nahm sie vorerst nicht

K 48 Zusammensetzungen mit Verben können gelegentlich aus denselben oder ähnlichen Wörtern bestehen wie getrennt geschriebene Wortgruppen. Bei den Zusammensetzungen aus Adverb und Verb ist das Adverb meist deutlich stärker betont als das Verb. Bei den entsprechenden Wortgruppen sind die Bestandteile in der Regel etwa gleich betont ⟨§ 33 E, § 34 E₁⟩.

- Wir sind noch einmal davongekommen. *Aber:* Die Flecken sind davon gekommen, dass …
- Die Richterin hat ihn freigesprochen. *Aber:* Sie hat frei gesprochen (ohne Manuskript).
- Er hat am Wettbewerb teilgenommen. *Aber:* Er hat sich seinen Teil genommen.
- Sie soll dableiben (nicht weggehen). *Aber:* Sie soll da bleiben, wo sie hingehört.
- Wir werden uns einer starken Opposition gegenübersehen. *Aber:* Das Haus, das Sie gegenüber sehen …
- aufeinanderprallen, *aber:* aufeinander zugehen
- rückwärtsfahren, *aber:* rückwärts einparken
  In gleicher Bedeutung:
- marathonlaufen *oder* Marathon laufen

K 49 Verbindungen mit dem Verb „sein" werden generell getrennt geschrieben ⟨§ 35⟩.

- da sein, da gewesen
- dabei sein, um dabei zu sein
- aus sein, wenn es aus ist
- hinüber sein
  (*Aber als Substantive:* das Dasein, das Dabeisein usw.)

K 50 Bei bestimmten Zusammensetzungen aus Adverb oder Präposition + Verb zeigt die Betonung, ob es sich um ein trennbares oder untrennbares Verb handelt ⟨§ 33 (3)⟩.

- durchlaufen (*trennbar:* sie lief vorhin hier durch)
- durchlaufen (*nicht trennbar:* das Projekt durchlief verschiedene Stadien)
- übersetzen (*trennbar:* der Fährmann setzte über)
- übersetzen (*nicht trennbar:* sie übersetzte den Brief ins Deutsche)

K 51 Zusammenschreibung gilt in der Regel, wenn der erste Bestandteil als frei vorkommendes Wort ungebräuchlich ist ⟨§ 34 (1.3)⟩.

- abhandenkommen
- anheimstellen
- einhergehen
- übereinstimmen
- zunichtemachen
- zuteilwerden

Man schreibt jedoch getrennt, wenn der erste Bestandteil auch in zwei Wörtern geschrieben werden kann ⟨vgl. § 55 (4), Beispiele⟩.

Aber: zugrunde liegen, *weil auch* zu Grunde liegen *möglich ist.*

K 52 Zusammenschreibung gilt, wenn der erste Bestandteil in der Verbindung mit dem Verb nicht mehr eindeutig einer Wortart zugerechnet werden kann ⟨§ 34 E₄⟩.

- fehlgehen
- feilbieten
- heimkommen
- kundtun
- wettmachen

K 53 Ist der erste Bestandteil ein Partizip, wird in der Regel getrennt geschrieben ⟨§ 34 (2.3)⟩.

- getrennt schreiben
- gefangen nehmen, halten, setzen
- geschenkt bekommen
- rasend werden
  (*Aber als Substantive:* das Getrenntschreiben, das Gefangennehmen usw.)

K 54 Ist der erste Bestandteil ein [nicht verblasstes] Substantiv, schreibt man in den meisten Fällen getrennt. Ist das Substantiv verblasst oder hat es in Verbindung mit dem Verb seine Eigenständigkeit verloren, schreibt man zusammen ⟨§ 34 (3)⟩.

- Schlittschuh laufen
- Auto fahren
- Rad fahren
- Schlange stehen
- Klavier spielen
- Kuchen backen
  Aber:
  – eislaufen
  – kopfstehen
  – teilhaben
  – wundernehmen

K 55 Ist der erste Bestandteil ein Verb, wird in der Regel getrennt geschrieben. Verbindungen mit „bleiben" und „lassen" als zweitem Bestandteil dürfen jedoch bei übertragener Bedeutung auch zusammengeschrieben werden ⟨§ 34 (4), E₇⟩. Bei der Verbindung aus „kennen" und „lernen" ist sowohl die Getrennt- als auch die Zusammenschreibung möglich.

* einkaufen gehen
* spazieren gehen
* schreiben lernen
* Wir haben uns im Urlaub kennen gelernt *oder* kennengelernt.
* Sie haben die Schrecken des Krieges kennen gelernt *oder* kennengelernt.
* Er ist auf dem Stuhl sitzen geblieben.
* Er ist in der Schule zweimal sitzen geblieben *oder* sitzengeblieben (nicht versetzt worden).
  (*Aber als Substantive nur:* das Spazierengehen, das Sitzenbleiben usw.)

K 56 1. Ist der erste Bestandteil ein einfaches Adjektiv, mit dem das Ergebnis einer mit dem Verb genannten Tätigkeit bezeichnet wird, kann getrennt oder zusammengeschrieben werden ⟨§ 34 (2.1)⟩.
Nur getrennt schreibt man bei zusammengesetzten oder abgeleiteten oder erweiterten Adjektiven ⟨§ 34 (2.3)⟩ und bei zusammengesetzten Verben. Ebenso gilt Getrenntschreibung bei intransitiven und reflexiven Verben.
2. Ergibt die Verbindung von Adjektiv und (meist einfachem) Verb eine neue, als solche verfestigte Gesamtbedeutung, schreibt man zusammen ⟨§ 34 (2.2)⟩. Wenn dies nicht klar entschieden werden kann, ist Getrennt- oder Zusammenschreibung zulässig ⟨§ 34 E₅⟩.

1. klein schneiden *oder* kleinschneiden
* warm machen *oder* warmmachen
  Aber nur:
* kleiner schneiden, ganz klein schneiden
* lauwarm machen, zu warm machen
* schmutzig (*Ableitung von* Schmutz) machen
* ein Fernglas scharf einstellen
* das Gartenmöbel grün anstreichen
* Das Baby hat sich bloß gestrampelt.
* Das Essen war kalt geworden.
  In Fällen wie festtreten, totschlagen *oder* volltanken *ist die (nach den Regeln nicht ausgeschlossene) Getrenntschreibung ungebräuchlich.*
2. jmdn. freihalten (für ihn bezahlen)
* den Verkehr lahmlegen
* etwas satthaben
* eine Arbeit fertigstellen *oder* fertig stellen

Zusammensetzungen und Wortgruppen mit Adjektiven und Partizipien

K 57 1. Zusammensetzungen können einfache, unflektierte Adjektive als bedeutungsverstärkende oder bedeutungsmindernde erste Bestandteile haben, mit denen sich oft längere Reihen bilden lassen ⟨§ 36 (1.5)⟩.

2. Zusammensetzungen können aus gleichrangigen Adjektiven gebildet werden ⟨§ 36 (1.4)⟩. Zur Schreibung mit Bindestrich vgl. K 23.

1. bitterkalt, bitterböse, bitterernst
- halbamtlich, halboffiziell, halbstaatlich
- ganzleinen, ganzledern, ganzwollen
- dunkelrot, dunkelgrün, dunkelblau
- superklug, superbequem, superschnell

2. dummdreist, feuchtwarm, nasskalt

K 58 Partizipien richten sich nach den zugrunde liegenden Verbindungen mit Verben. Hier ist jedoch neben der Getrenntschreibung auch die Zusammenschreibung zulässig. Dasselbe gilt für die entsprechenden Substantivierungen ⟨§ 36 (2.1)⟩.

Je nach dem Zusammenhang können Wortgruppen oder Zusammensetzungen vorliegen ⟨§ 36 E₃⟩.

- teilnehmend (*wegen:* teilnehmen)
- irregeleitet (*wegen:* irreleiten)
- verloren gegangen *oder* verlorengegangen
- Eisen verarbeitend *oder* eisenverarbeitend
- Erdöl fördernd *oder* erdölfördernd
- die allein Erziehenden *oder* die Alleinerziehenden
- eine [großen] Gewinn bringende Investition
- eine [äußerst] gewinnbringende Investition

K 59 Zusammensetzungen mit einem Substantiv als erstem Bestandteil sind oft Verkürzungen von Wortgruppen. Es wird dabei ein Artikel oder eine Präposition (ein Verhältniswort) eingespart ⟨§ 36 (1)⟩.

- mondbeschienen (= vom Mond beschienen)
- sagenumwoben (= von Sagen umwoben)
- herzerquickend (= das Herz erquicken)
- meterhoch (= einen/mehrere Meter hoch)

K 60

1. Für Fälle, die in K 57 bis 59 nicht beschrieben sind, gilt in der Regel Getrenntschreibung ⟨§ 36⟩.
2. Verbindungen mit „nicht" als erstem Bestandteil können getrennt oder zusammengeschrieben werden ⟨§ 36 (2.3)⟩.

1. gestochen scharfe Fotos
- rasend eifersüchtig
- abstoßend hässlich
- kochend heißes Wasser
- ein blendend weißes Kleid
- riesig groß
- verführerisch leicht
- grünlich gelb
2. nicht öffentliche *oder* nichtöffentliche Sitzungen
- nicht amtliche *oder* nichtamtliche Verlautbarungen

K 61

Längere, in Zusammenschreibung unübersichtliche Zusammensetzungen aus gleichrangigen Adjektiven schreibt man mit Bindestrich ⟨§ 45 (2)⟩.

- die römisch-katholische Kirche
- der öffentlich-rechtliche Rundfunk
- ein lateinisch-deutsches Wörterbuch
- medizinisch-technische Assistentinnen

K 62

Ist der erste Bestandteil gesteigert oder erweitert, gilt Getrenntschreibung ⟨§ 36 E₄⟩.

- dunkler rot
- schwerer wiegend
- besonders leicht verdaulich

Präposition (Verhältniswort) und Substantiv

K 63

Man schreibt ein [verblasstes] Substantiv mit einer Präposition zusammen, wenn die Fügung zu einer neuen Präposition oder einem Adverb geworden ist. In vielen Fällen kann die Fügung auch als Wortgruppe angesehen und getrennt geschrieben werden ⟨§ 39 (1) u. (3), E₃ (1) u. (3)⟩.

- anstatt, inmitten, zuliebe
- anstelle *oder* an Stelle
- aufgrund *oder* auf Grund
- infrage *oder* in Frage [stellen, kommen]
- zugrunde *oder* zu Grunde [gehen, richten]
- aufseiten *oder* auf Seiten
  aber nur getrennt: zu Fuß, zu Ende, von Sinnen, bei der Hand

✒ Vgl. im Einzelnen das Wörterverzeichnis.

Geografische Namen auf „-er"

K 64

1. Ableitungen von geografischen Namen auf „-er" schreibt man mit dem folgenden Substantiv zusammen, wenn sie Personen bezeichnen ⟨§ 37 E₁⟩.
2. Man schreibt sie getrennt, wenn sie die geografische Lage bezeichnen ⟨§ 38⟩.

1. Schweizergarde (päpstliche Garde, die aus Schweizern besteht)
* Römerbrief (Brief an die Römer)
* Danaergeschenk (Geschenk der Danaer)
2. Walliser Alpen (die Alpen im Wallis)
* Glatzer Neiße (die von Glatz kommende Neiße)
* Köln-Bonner Flughafen

Es gibt geografische Namen, die keine Ableitungen der oben genannten Art sind. Hier gilt Zusammenschreibung.

* Glocknergruppe
* Brennerpass

Zahlen

(Zu Fällen wie *32stel*, *8-silbig*, *61er-Bildröhre* vgl. K 29 u. 30.)

K 65

In Buchstaben geschriebene Zahlen schreibt man zusammen, wenn sie kleiner als eine Million sind, und getrennt, wenn sie größer als eine Million sind. Ordinalzahlen werden generell zusammengeschrieben ⟨§ 36 (1.6)⟩. Dezimalzahlen schreibt man als Wortgruppe.

* neunzehnhundertneunundneunzig
* tausendsechsundsechzig
* siebzehn Milliarden
* zehn Millionen fünfhunderttausend
* zwei Millionen
 (*aber:* der zweimillionste Teil)
* achteinhalb
 (*aber:* acht Komma fünf)

K 66

Ableitungen von in Buchstaben geschriebenen Zahlen und entsprechende Zusammensetzungen schreibt man zusammen ⟨§ 37 (1)⟩.

* Achtpfünder
* Achteinhalbpfünder
* Zweierbeziehung
* Viererbob

Groß- und Kleinschreibung

Die Grundregel lautet, dass Substantive (Hauptwörter, Nomina), Satzanfänge und Eigennamen mit großem Anfangsbuchstaben geschrieben werden. Schwierigkeiten können dadurch entstehen, dass nicht immer klar zu erkennen ist, ob ein Substantiv, ein Satzanfang oder ein Eigenname vorliegt.

Im Wortinnern erscheinen Großbuchstaben in der Regel nur bei (fachsprachlichen) Abkürzungen, in Zusammensetzungen mit Bindestrich und bei durchgehender Großschreibung.

- EDV (Elektronische Datenverarbeitung), H_2O (Wasser)
- BVerfG (Bundesverfassungsgericht), OStudDir (Oberstudiendirektor[in])
- Schiller-Theater, Fulltime-Job, U-Bahn, 8-Zylinder
- NEUERÖFFNUNG, RÄUMUNGSVERKAUF

In bestimmten Kontexten gebräuchlich, aber nicht Gegenstand der amtlichen Rechtschreibregelung, sind Großbuchstaben im Wortinnern

- zur Vermeidung der Doppelnennung männlicher und weiblicher Formen (BürgerInnen, KollegInnen),
- als gestalterisches Mittel zur Bezeichnung von Firmen, Produkten und Dienstleistungen (DaimlerChrysler, MiniDisc, TeleBanking).

Solche Schreibungen werden kontrovers diskutiert und für den allgemeinen Schreibgebrauch häufig abgelehnt.

Die folgende Darstellung behandelt die Groß- und Kleinschreibung unter diesen Gesichtspunkten:

- **Substantive und ehemalige Substantive** (K 67–71)
  (vorgestern Nacht, abends, ich nehme teil)
- **Substantivierungen (Gebrauch von Wörtern anderer Wortarten als Substantive)** (K 72–82)
  (das Gute, im Dunkeln tappen, eine Acht schreiben, jeder Dritte, das Rechnen)
- **Anrede** (K 83–85)
  (Was hast du dir dabei gedacht? Haben Sie alles besorgen können?)
- **Titel und Namen** (K 86–91)
  (Klein Dora, italienischer Salat, das Ulmer Münster, kafkaeske Gestalten)
- **Satzanfang** (K 92–96)
  (De Gaulle starb am 9. November 1970. 's ist geradezu unglaublich!)
- **Einzelbuchstaben und Abkürzungen** (K 97)
  (das A und O, US-amerikanisch)

Zu weiteren Informationen:
↑ Fremdwörter (K 40)
↑ Namen (K 134 u. 135, 140–142, 150 u. 151)

Substantive und ehemalige Substantive

K 67 Substantive schreibt man groß ⟨§ 55⟩. (Vgl. aber K 70 u. 71.)

Erde, Kindheit, Verständnis, Reichtum, Verwandtschaft, Verantwortung, Aktion, Genie, Rhythmus, Computer, Pizza, Karaoke, Make-up

Das gilt auch für Namen.

Franziska, Thomas, Goethe, Beethoven, Müller-Lüdenscheid, Winnetou, Lassie, Berlin, Schweiz, Mosel, Großglockner

K 68 Auch in Zusammensetzungen und Aneinanderreihungen mit Bindestrich werden die Substantive großgeschrieben ⟨§ 55 (2)⟩. Das erste Wort einer substantivischen Zusammensetzung oder Aneinanderreihung schreibt man auch dann groß, wenn es kein Substantiv ist ⟨§ 57 (2)⟩.

- Mehrzweck-Küchenmaschine
- Schwimm-Meisterschaft
- das Schaurig-Schöne
- Moskau-freundlich
- in den 90er-Jahren
- Mund-zu-Mund-Beatmung
- Chrom-Molybdän-legiert
- Pro-Kopf-Verbrauch
- Ad-hoc-Arbeitsgruppe
- das Auf-der-faulen-Haut-Liegen

K 69 Die Bezeichnungen von Tageszeiten nach Adverbien wie „gestern", „heute", „morgen" werden als Substantive angesehen und großgeschrieben ⟨§ 55 (6)⟩.

- vorgestern Nacht
- gestern Abend
- heute Morgen (*aber:* heute früh *oder* Früh)
- übermorgen Vormittag
- heute Nachmittag
- morgen Mittag

K 70 Aus Substantiven entstandene Wörter anderer Wortarten werden kleingeschrieben. Dabei kann es sich um
1. Adverbien,
2. bestimmte (mit „sein" oder „werden" verbundene) Adjektive,
3. Präpositionen (Verhältniswörter),
4. unbestimmte Pronomen (Fürwörter) und Zahlwörter

handeln ⟨§ 56 (1, 3, 4 u. 5)⟩.

1. abends, morgens, sonntags, anfangs, rings, teils, mitten, willens, rechtens, kreuz und quer (*aber:* eines Abends, jenes Morgens, des letzten Sonntags usw.)
2. Mir ist angst. (*Aber:* Ich habe Angst.)
   - Sie ist mir gram.
   - Du bist schuld daran.
3. dank, kraft, laut, statt, trotz, seitens, angesichts, namens, um ... willen
4. ein bisschen (= ein wenig)
   - ein paar (= einige), *aber:* ein Paar (= zwei zusammengehörende) Schuhe

K 71 Aus Substantiven entstandene Verbzusätze werden auch in getrennter Wortstellung kleingeschrieben ⟨§ 56 (2)⟩.

- teilnehmen, ich nehme an der Veranstaltung teil

Substantivierungen (Gebrauch von Wörtern anderer Wortarten als Substantive)

K 72
1. Als Substantive gebrauchte Adjektive und Partizipien werden in der Regel großgeschrieben.
2. Häufig zeigen vorangehende Wörter wie „alles", „etwas", „nichts", „viel", „wenig" den substantivischen Gebrauch an.
3. Die Großschreibung gilt auch in festen Wortgruppen und in [nicht deklinierten] Paarformeln zur Bezeichnung von Personen ⟨§ 57 (1)⟩.
4. Kleinschreibung gilt dagegen in festen adverbialen Wendungen aus Präposition und artikellosem, nicht dekliniertem Adjektiv ⟨§ 58 (3)⟩. Ist das Adjektiv dekliniert, kann es sowohl klein- als auch großgeschrieben werden.

1. das Gute, die Angesprochene, Altes und Neues; und Ähnliches (Abk. u. Ä.), wir haben Folgendes/das Folgende geplant; der zuletzt Genannte (*oder* Zuletztgenannte); die Rat Suchenden (*oder* Ratsuchenden); das der Schülerin Bekannte, das dort zu Findende; etwas auf Englisch sagen; im Allgemeinen; der Einzelne; in Blau und Gelb; die Russisch-Orthodoxen
2. alles Gewollte, etwas [besonders] Gutes, nichts Wichtiges, viel Unnötiges, wenig Durchdachtes
3. im Dunkeln tappen, im Trüben fischen, auf dem Laufenden sein, zum Besten geben
   - ein Programm für Jung und Alt
4. durch dick und dünn, über kurz oder lang
   - von nahem *oder* Nahem, bis auf weiteres *oder* Weiteres

K 73 Adjektive und Partizipien mit Artikel werden kleingeschrieben, wenn sie Beifügung (Attribut) zu einem vorangehenden oder folgenden Substantiv sind ⟨§ 58 (1)⟩.

- Mir gefallen alle Krawatten sehr gut. Besonders mag ich die gestreiften und die gepunkteten (= die gestreiften und gepunkteten Krawatten).
- Sie war die aufmerksamste und klügste unter allen Zuhörerinnen.
- Das blaue ist mein Auto.

K 74 Superlative mit „am", nach denen man mit „wie?" fragen kann, schreibt man klein ⟨§ 58 (2)⟩. (In diesen Fällen ist „am" nicht zu „an dem" auflösbar.)

- Diese Regel ist (wie?) am leichtesten zu lernen.
- Etwas zu essen brauchen wir (wie?) am nötigsten.
  Aber: Es fehlt uns am (= an dem) Nötigsten.

K 75 In festen adverbialen Wendungen aus „aufs" oder „auf das" und Superlativ, die sich mit „wie?" erfragen lassen, kann das Adjektiv groß- oder kleingeschrieben werden ⟨§ 58 E₁⟩.

- Er erschrak aufs Äußerste *oder* aufs äußerste.
- Alles hatte sich auf das Schönste *oder* auf das schönste geregelt.
- Wir werden uns aufs Königlichste *oder* aufs königlichste amüsieren.
  Aber: Wir sind (worauf?) aufs Schlimmste gefasst.

K 76
1. Als Substantive gebrauchte Pronomen (Fürwörter) schreibt man groß ⟨§ 57 (3)⟩. (Meist steht in diesen Fällen ein Artikel.)
2. Sonst schreibt man sie klein, auch wenn sie als Stellvertreter von Substantiven verwendet werden ⟨§ 58 (4)⟩.
3. Possessivpronomen (besitzanzeigende Fürwörter) in Verbindung mit dem bestimmten Artikel können auch großgeschrieben werden ⟨§ 58 E₃⟩.

1. jemandem das Du anbieten
- ein gewisser Jemand
- Der Hund ist eine Sie.
2. Kommst du?
- Da ist doch jemand!
- Hier hat sich schon mancher verirrt.
- Wenn einer eine Reise tut ...
- Es ist alles bereit.
3. Jedem das seine *oder* Seine.
- Wir haben das unsere *oder* Unsere zur Finanzierung des Projekts geleistet.

K 77

1. Die Wörter „viel", „wenig", „[der] eine", „[der] andere" können großgeschrieben werden, wenn ihr substantivischer Charakter hervorgehoben werden soll ⟨§ 58 E₄⟩.
2. In der Regel werden sie jedoch mit allen ihren Beugungs- und Steigerungsformen kleingeschrieben ⟨§ 58 (5)⟩.

1. Das Lob der vielen *oder* Vielen (= der breiten Masse) war ihr nicht wichtig.
- Auf der Suche nach dem anderen *oder* Anderen (= nach einer neuen Welt) sein.
- Die einen *oder* Einen sahen zu, die anderen *oder* Anderen halfen mit.
- Die meisten *oder* Meisten blieben zu Hause.
2. Es gab viele, die nicht mitmachen wollten.
- Nur wenigen war das bekannt.

K 78

1. Als Substantive gebrauchte Grundzahlen schreibt man groß, wenn sie Ziffern bezeichnen ⟨§ 58 (6)⟩.
2. Sonst werden Grundzahlen unter einer Million kleingeschrieben ⟨§ 58 (6)⟩.

1. eine Acht schreiben
- vier Einsen im Zeugnis haben
- die verhängnisvolle Dreizehn
- eine Sechs würfeln
- eine Zwölf schießen
2. Alle vier waren jünger als zwanzig.
- Es hatten sich an die fünfzig gemeldet.
- Sie kam erst gegen zwölf.
- Der Redner ist schon über achtzig.
- Er fuhr über hundertsechzig.
- die ersten zehn (*aber:* die zehn Ersten; *vgl.* K 80)

K 79

Die Wörter „hundert", „tausend" oder „Dutzend" können klein- oder großgeschrieben werden, wenn mit ihnen unbestimmte, nicht in Ziffern schreibbare Mengen angegeben werden ⟨§ 58 E₅⟩.

- Auf dem Platz drängten sich Hunderte *oder* hunderte von Menschen.
- Viele Hundert *oder* hundert kamen bei dem Erdbeben ums Leben.
- Einige Tausend *oder* tausend kleiner Vögel verdunkelten die Sonne.
- Es gab Dutzende *oder* dutzende von Reklamationen.
Aber nur:
- Wir erwarteten hundert Gäste (= 100 Gäste).
- Der Schrank kostete tausend Euro (= 1 000 Euro).
- Ich kaufte zwei Dutzend Eier (= 24 Eier).

K 80 Als Substantive gebrauchte Bruchzahlen und Ordnungszahlen schreibt man groß ⟨§ 56 E₄ u. § 57 (1)⟩.

Die Unterscheidung zwischen Ordnungszahlen, die eine Reihenfolge angeben, und denen, die eine Rangfolge angeben, hat keinen Einfluss mehr auf die Schreibung.

- ein Zehntel des Kuchens (*aber:* ein zehntel Gramm)
- um Viertel vor fünf (*aber:* um viertel fünf)
- Wenn zwei sich streiten, freut sich der Dritte.
- Jeder Dritte, der hereinkam, trug einen Hut.
- Sie wurde Dritte im Weitsprung.
- Als Erstes werden wir mal im Kühlschrank nachsehen.
- Den Letzten beißen die Hunde.

K 81 Als Substantive gebrauchte
1. Adverbien,
2. Präpositionen (Verhältniswörter),
3. Konjunktionen (Bindewörter),
4. Interjektionen (Ausrufewörter)
schreibt man groß ⟨§ 57 (5)⟩.
5. Bei mehrteiligen, mit einem Bindestrich verbundenen Konjunktionen gilt das nur für das erste Wort ⟨§ 57 E₄⟩.

1. Sie lebt nur im Heute, ein Gestern oder Morgen kennt sie nicht.
- Auf das ganze Drum und Dran könnte ich verzichten.
2. Wir müssen das Für und Wider abwägen.
3. Entscheidend ist nicht nur das Ob, sondern auch das Wie.
4. Mit dem üblichen Weh und Ach gab er ihr schließlich das Geld.
5. Es gibt hier nur ein Sowohl-als-auch, kein Entweder-oder.

K 82 1. Als Substantive gebrauchte Infinitive (Grundformen) schreibt man groß ⟨§ 57 (2)⟩.
2. Infinitive ohne Artikel, Präposition oder nähere Bestimmung können in bestimmten Fällen entweder als Substantiv oder als Verb aufgefasst und demnach groß- oder kleingeschrieben werden ⟨§ 57 E₃⟩.

1. das Rechnen, das Lesen, das Schreiben, [das] Verlegen von Rohren, im Sitzen und Liegen, für Hobeln und Einsetzen [der Türen], zum Verwechseln ähnlich, lautes Schnarchen
- das Zustandekommen, beim Kuchenbacken sein (*vgl.* K 49–55)
- das In-den-Tag-hinein-Leben (*vgl.* K 27)
2. ... weil Geben *oder* geben seliger denn Nehmen *oder* nehmen ist.
- Wir lernen [das] Segeln *oder* [ein Boot] segeln.

Anrede

K 83
1. Die [vertraulichen] Anredepronomen „du" und „ihr" sowie die entsprechenden Possessivpronomen „dein" und „euer" werden im Allgemeinen kleingeschrieben ⟨§ 66⟩.
2. In Briefen kann auch großgeschrieben werden ⟨§ 66 E⟩.

1. Was hast du dir dabei gedacht?
   (*Aber:* Sie hat ihm das Du angeboten; *vgl.* K 76).
* Ich habe euch heute in der Stadt gesehen.
* Wir wollen euretwegen keinen Ärger bekommen.
2. Liebe Stefanie,
   wie hat dir (*oder* Dir) dein (*oder* Dein) Weihnachtsgeschenk gefallen? ...
   Herzliche Grüße
   deine (*oder* Deine) Petra

K 84
1. Die Höflichkeitsanrede „Sie" und das entsprechende Possessivpronomen „Ihr" werden immer großgeschrieben ⟨§ 65⟩.
2. Das rückbezügliche Pronomen „sich" schreibt man dagegen klein ⟨§ 66⟩.

1. Haben Sie alles besorgen können?
* Wie geht es Ihnen und Ihren Kindern?
* Mit Ihrer Tochter ist unsere Personalabteilung sehr zufrieden.
2. Bei diesen Zahlen müssen Sie sich geirrt haben.
* Sie können sich nicht vorstellen, was mir gestern passiert ist!

K 85
Die Pronomen in bestimmten älteren Anredeformen und Titeln schreibt man groß ⟨§ 65 E₁, E₂⟩.

* Schweig Er!
* Höre Sie mir gut zu!
* Wollt Ihr Euch selbst überzeugen, edler Herr?
* Führen Sie mich zu Seiner Exzellenz.
* Auf das Wohl Ihrer Majestät, der Königin!

Titel und Namen

K 86
Das erste Wort eines Buch-, Film- oder Zeitschriftentitels, einer Überschrift o. Ä. wird großgeschrieben ⟨§ 53 (1)⟩.

* Der Artikel stand in der Neuen Rundschau.
* Er hat in dem Film „Der Totmacher" die Hauptrolle gespielt.
* Der Aufsatz hat die Überschrift „Mein schönstes Ferienerlebnis".

K 87 Das erste Wort eines Straßennamens wird großgeschrieben, ebenso alle zum Namen gehörenden Adjektive und Zahlwörter ⟨§ 60 (2.2)⟩.	<ul><li>Lange Gasse</li><li>Neuer Markt</li><li>Auf dem Sand</li><li>An den Drei Pfählen</li><li>In der Mittleren Holdergasse</li><li>Von-Repkow-Platz</li></ul>
K 88 1. Alle zu einem mehrteiligen Namen gehörenden Adjektive, Partizipien, Pronomen und Zahlwörter schreibt man groß ⟨§ 60⟩. 2. Nicht am Anfang des Namens stehende Adjektive werden gelegentlich auch kleingeschrieben ⟨§ 60 E₂⟩.	1. Klein Dora, Friedrich der Große, der Große Kurfürst, der Alte Fritz, der Schiefe Turm von Pisa, die Ewige Stadt (Rom), der Große Bär (Sternbild), der Indische Ozean, das Kap der Guten Hoffnung, die Schwäbische Alb, Vereinigte Staaten von Amerika, Gasthaus zur Alten Post, Medizinische Klinik des Städtischen Krankenhauses Wiesbaden, Statistisches Bundesamt, Börsenverein des Deutschen Buchhandels, Institut für Deutsche Sprache 2. Gesellschaft für deutsche Sprache, Institut für angewandte Umweltforschung

K 89

1. Es gibt Wortgruppen (feste Begriffe), die keine Namen sind, obwohl sie oft als Namen angesehen werden. Hier schreibt man die Adjektive in der Regel klein ⟨§ 63⟩.
2. Ausnahmen bilden die folgenden Fälle:
   a) Titel und Ehrenbezeichnungen,
   b) Amtsbezeichnungen,
   c) besondere Kalendertage,
   d) historische Ereignisse und Epochen.
3. Adjektive, die mit dem folgenden Substantiv einen idiomatisierten Gesamtbegriff bilden, können auch großgeschrieben werden. Die Kleinschreibung der Adjektive ist auch hier der Regelfall ⟨§ 63 E⟩, in einigen Fällen hat sich die Großschreibung aber im Schreibgebrauch verfestigt ⟨§ 64 E⟩.

1. italienischer Salat
 ▪ künstliche Intelligenz
 ▪ das schwarze Schaf
 ▪ das neue Jahr
 ▪ die mittlere Reife
 ▪ der olympische Gedanke
2. a) Königliche Hoheit
   b) Erste Vorsitzende (*als Amtsbezeichnung, sonst:* erste Vorsitzende)
   ▪ Regierender Bürgermeister (*als Amtsbezeichnung, sonst:* regierender Bürgermeister)
   c) Weißer Sonntag, Heiliger Abend
   d) der Westfälische Friede
   ▪ das Elisabethanische Zeitalter
3. das gelbe *oder* Gelbe Trikot
 ▪ der letzte *oder* Letzte Wille
 ▪ das zweite *oder* Zweite Gesicht
 ▪ die aktuelle *oder* Aktuelle Stunde
 ▪ *Vorwiegend in Großschreibung:* die Erste Hilfe, die Große Kreisstadt

🖉 In der Botanik und Zoologie werden die deutschen Bezeichnungen der Arten, Unterarten und Rassen konsequent großgeschrieben.

 ▪ das Fleißige Lieschen (Impatiens walleriana)
 ▪ die Schwarze Mamba (Dendroaspis polylepis)

K 90 Von geografischen Namen abgeleitete Wörter auf „-er" schreibt man immer groß, die von geografischen Namen abgeleiteten Adjektive auf „-isch" schreibt man klein, wenn sie nicht Teil eines Namens sind ⟨§ 61 u. 62⟩.

 ▪ das Ulmer Münster
 ▪ eine Kölner Firma
 ▪ die Schweizer Uhrenindustrie
 ▪ die Wiener Kaffeehäuser
 ▪ chinesische Seide
 ▪ böhmische Dörfer
   aber: der Atlantische Ozean (*vgl.* K 88)

K 91 Von Personennamen abgeleitete Adjektive werden kleingeschrieben, wenn sie nicht Teil eines Namens sind ⟨§ 62⟩.

- kafkaeske Gestalten, eulenspiegelhaftes Treiben, vorlutherische Bibelübersetzungen
  aber: die Cansteinsche Bibelanstalt (*vgl.* K 88)
- die heinesche Ironie (*auch:* die Heine'sche Ironie; *vgl.* K 16)

 Die frühere Groß- oder Kleinschreibung nach der Bedeutung des Adjektivs gilt nicht mehr.

- das ohmsche Gesetz (von Ohm stammend)
- der ohmsche Widerstand (nach Ohm benannt)

Satzanfang

K 92 Das erste Wort eines Ganzsatzes (eines selbstständigen Satzes, zu dem auch ein oder mehrere Teilsätze gehören können) schreibt man groß ⟨§ 54⟩.

- Wir fangen um 9 Uhr an.
- Was ist das?
- Komm!
- Wenn das Wetter so bleibt, fahren wir ins Grüne.
- De Gaulle starb am 9. November 1970.
- Vgl. hierzu das Nachfolgende.

K 93 Auch nach einem Doppelpunkt und bei angeführten Sätzen wird das erste Wort eines Ganzsatzes großgeschrieben ⟨§ 54 (1) u. (2)⟩.

- Gebrauchsanweisung: Soweit nicht anders verordnet, sollte alle zwei Stunden eine Tablette eingenommen werden.
- Sie rief: „Es ist alles in Ordnung!"
- Mit seinem ständigen „Ich mag nicht!" ging er uns allen auf die Nerven.

1. Nach einem Doppelpunkt kann groß- oder kleingeschrieben werden, wenn der folgende Satz (wie ein Teilsatz) auch mit Gedankenstrich oder Komma angeschlossen werden könnte.
2. Man schreibt nach einem Doppelpunkt klein, wenn der folgende Text nicht als Ganzsatz aufgefasst wird. Das ist in der Regel bei Aufzählungen, bei speziellen Angaben in Formularen o. Ä. der Fall.

1. Das Haus, die Wirtschaftsgebäude, die Stallungen: Alles *oder* alles war den Flammen zum Opfer gefallen. (*Denn man könnte auch schreiben:* Das Haus, die Wirtschaftsgebäude, die Stallungen – alles war den Flammen zum Opfer gefallen.)
2. Er hat alles verspielt: sein Haus, seine Jacht, seine Pferde.
- 1 000 €, in Worten: eintausend Euro
- Rechnen: sehr gut
- Familienstand: verheiratet

K 94 Nach Anführungen innerhalb eines Ganzsatzes schreibt man klein ⟨§ 54 (3)⟩.

- „Wohin gehst du?", fragte er.
- „Nach Hause", antwortete sie.
- Sie schrie: „Niemals!", und schlug die Tür zu.

K 95 Bei in Gedankenstriche oder Klammern eingeschlossenen eingeschobenen Sätzen wird das erste Wort – sofern es kein Substantiv o. Ä. ist – kleingeschrieben ⟨§ 54 (4)⟩.

- Mein Bruder (du hast ihn doch kennengelernt?) heiratet im September.
- Der Staat hat – das behauptet jedenfalls die Regierung – keinen Spielraum für Steuersenkungen.

K 96 Mit Apostroph beginnende sowie auf Auslassungspunkte folgende Wörter bleiben am Satzanfang unverändert ⟨§ 64 (6)⟩.

- 's ist geradezu unglaublich!
- 'nen neuen Bleistift bräuchte ich.
- 'ne Menge Geld hat das gekostet.
- 'nauf mit euch!
- ... und fertig ist das Mondgesicht!

Einzelbuchstaben und Abkürzungen

Wie Substantive gebrauchte einzelne Buchstaben schreibt man üblicherweise groß. Meint man aber den Kleinbuchstaben, wie er im Schriftbild vorkommt, schreibt man meist klein.

- das A und O
- jemandem ein X für ein U vormachen
- der Punkt auf dem i
- das n in Land

K 97 Die Groß- und Kleinschreibung von Abkürzungen, zitierten Wörtern und Einzelbuchstaben ändert sich in Zusammensetzungen mit Bindestrich nicht ⟨§ 55 (1 u. 2)⟩.

- US-amerikanisch
- TÜV-geprüft
- n-Eck
- pH-Wert
- ca.-Preis
- dass-Satz (*aber ohne Bindestrich:* Dasssatz)
- das Dehnungs-h
  (*groß oder klein:* das Zungen-R, das Zungen-r; s-förmig, S-förmig; *aber nur:* T-förmig)

Klammern

Allgemein gebräuchlich sind runde Klammern. In bestimmten Textsorten werden daneben auch eckige Klammern verwendet.

Zu weiteren Informationen:
↑ Auslassungspunkte (**K 17**)
↑ Textverarbeitung und E-Mails (S.112 u. S. 122)

K 98   Mit Klammern kann man Zusätze und Nachträge deutlich vom übrigen Text abgrenzen ⟨§ 86⟩. Das gilt auch für längere Abschnitte ⟨§ 87⟩.

- Frankfurt (Oder)
- Rentnerin Lehmann (78, begeisterte Bergsteigerin) versteht die Welt nicht mehr.
- Als Hauptwerk Matthias Grünewalds gelten die Gemälde des Isenheimer Altars. (Der Zeitpunkt ihrer Vollendung ist umstritten. Einige nehmen 1511 an, andere 1515.)

(Oft können an den entsprechenden Stellen auch Kommas oder Gedankenstriche stehen.)

- In seiner Vergangenheit (nur wenige kannten ihn noch von früher) gab es manchen dunklen Punkt. *Auch möglich:* In seiner Vergangenheit, nur wenige kannten ihn noch von früher, gab es … *Oder:* In seiner Vergangenheit – nur wenige kannten ihn noch von früher – gab es …

1. Erläuterungen zu einem bereits eingeklammerten Zusatz werden häufig in eckige Klammern gesetzt.
2. Auch bei eigenen Zusätzen in zitierten Texten oder bei Ergänzungen in nicht lesbaren oder zerstörten Texten werden oft eckige Klammern verwendet.
3. Häufig werden Buchstaben, Wortteile oder Wörter in Klammern eingeschlossen, um Verkürzungen, Zusammenfassungen, Alternativen o. Ä. zu kennzeichnen.
4. Bei weglassbaren Buchstaben, Wortteilen oder Wörtern werden in Wörterbüchern, auf Formularen o. Ä. oft eckige Klammern verwendet.

1. Mit dem Wort Bankrott (vom italienischen „banca rotta" [zusammengebrochene Bank]) bezeichnet man die Zahlungsunfähigkeit.
2. In ihrem Tagebuch heißt es: „Ich habe das große Ereignis [gemeint ist die Verleihung des Friedenspreises] ganz aus der Nähe miterlebt und war sehr beeindruckt."
3. Mitarbeiter(in) (*als Kurzform für:* Mitarbeiterin oder Mitarbeiter)
- Lehrer(innen) (*als Kurzform für:* Lehrerinnen und/oder Lehrer)
- Kolleg(inn)en (*als Kurzform für:* Kolleginnen und/oder Kollegen)
4. Kopp[e]lung, acht[und]einhalb, gern[e], sieb[en]tens
- Eltern mit [schulpflichtigen] Kindern

K 99
1. Ausrufe- oder Fragezeichen, die zum eingeklammerten Text gehören, stehen vor der schließenden Klammer.
2. Zum übergeordneten Text gehörende Satzzeichen dürfen nicht weggelassen werden.
3. Der Schlusspunkt steht nur dann vor der schließenden Klammer, wenn ein ganzer Satz eingeklammert ist, der nicht an den vorhergehenden Satz angeschlossen sein soll ⟨§ 88⟩.

1. Den Antrag sollten Sie vollständig ausgefüllt (bitte deutlich schreiben!) an die Bank zurücksenden.
* Es gab damals (erinnern Sie sich noch?) eine furchtbare Aufregung.
2. Wir wohnen in Ilsenburg (Harz).
* Sie wundern sich (so schreiben Sie), dass ich so wenig von mir hören lasse.
3. Dies halte ich für das wichtigste Ergebnis meiner Untersuchungen. (Die entsprechenden Dokumente sind auf S. 225 abgedruckt.)
Oder: Dies halte ich für das wichtigste Ergebnis meiner Untersuchungen (die entsprechenden Dokumente sind auf S. 225 abgedruckt).

Komma

➤ Das Komma ist ein Gliederungszeichen. Innerhalb eines Ganzsatzes grenzt es bestimmte Wörter, Wortgruppen oder Teilsätze voneinander oder vom übrigen Text des Satzes ab.

Werden solche Wörter, Wortgruppen oder Teilsätze von zwei Kommas eingeschlossen, weil sie in den übergeordneten Text eingeschoben sind, so spricht man auch vom „paarigen" Gebrauch des Kommas.

Die folgende Darstellung behandelt die Kommasetzung unter diesen Gesichtspunkten:

- **Bei Aufzählungen** (K 100–102)
  (Feuer, Wasser, Luft und Erde. Sie wirkte ruhig, gelassen, entspannt.)
- **Bei nachgestellten Zusätzen** (K 103–107)
  (Das ist Michael, mein Bruder. Sie liest viel, vor allem Krimis.)
- **Bei Datums-, Wohnungs-, Literaturangaben** (K 108–110)
  (Sie kommt Mittwoch, den 13. März. Herr Meier aus Bonn, Lindenstraße 12[,] hat zwei Freikarten gewonnen. Ich zitiere aus dem Brockhaus, 21. Auflage, Band 14.)
- **Bei Konjunktionen (Bindewörtern)** (K 111–113)
  (Er stand auf und ging. Wir waren arm, aber gesund.)
- **Bei Partizip- und Infinitivgruppen** (K 114–117)
  (Das ist[,] grob gerechnet[,] die Hälfte. Sie weigerte sich[,] uns zu helfen.)
- **Bei Teilsätzen (selbstständigen Teilsätzen und Nebensätzen)** (K 118–125)
  (Hier stehe ich, ich kann nicht anders. Nimm das Geld[,] oder lass es bleiben. Ich freue mich, dass du wieder gesund bist.)
- **Bei mehrteiligen Nebensatzeinleitungen** (K 126–128)
  (Angenommen[,] dass morgen gutes Wetter ist ...)
- **Bei Hervorhebungen, Ausrufen, Anreden** (K 129–132)
  (Deine Mutter, die habe ich gut gekannt. Ach, das ist aber schade. Harry, fahr bitte den Wagen vor.)

Zu weiteren Informationen:
↑ Anführungszeichen (K 9 u. 11)
↑ Gedankenstrich (K 43, 45 u. 46)
↑ Klammern (K 98 u. 99)

Bei Aufzählungen

K 100 Das Komma steht bei Aufzählungen, zwischen gleichrangigen Wörtern und Wortgruppen, wenn sie nicht durch Wörter wie „und" oder „oder"(vgl. K 111 u. 113) verbunden sind ⟨§ 71 (2) u. 72⟩.

- Feuer, Wasser, Luft und Erde.
- Sie wirkte ruhig, gelassen, entspannt.
- Möchten Sie ein Menü aus drei, aus vier oder aus fünf Gängen?
- Ich wollte nur am Strand sitzen, keine Berge besteigen, keine Museen besuchen, an keiner Weinprobe teilnehmen.

Am Schluss der Aufzählung steht kein Komma, wenn der Satz weitergeht.

- Er sägte, hobelte, hämmerte die ganze Nacht.
- Sie ist viel, viel schöner.

K 101 Zwischen nicht gleichrangigen Adjektiven (von denen das erste die folgende Fügung näher bestimmt) steht kein Komma. Gelegentlich hängt es vom Sinn des Satzes ab, ob Gleichrangigkeit vorliegt oder nicht ⟨§ 71 E₁⟩.

- die jüngsten politischen Entwicklungen
- ein Glas dunkles bayerisches Bier („bayerisches Bier" *wird hier als Einheit angesehen, die durch* „dunkles" *näher bestimmt ist*)
- höher liegende unbewaldete Hänge *(ohne Komma, weil es auch tiefer liegende unbewaldete Hänge gibt)*
- höher liegende, unbewaldete Hänge *(mit Komma, weil die tiefer liegenden Hänge bewaldet sind)*

Davon zu unterscheiden sind Fälle, in denen ein Adjektiv durch eine folgende Adjektiv- oder Partizipgruppe näher bestimmt wird (vgl. K 105 u. 113).

- Das Buch enthält viele farbige, [und zwar] mit der Hand kolorierte Holzschnitte.

K 102 Mehrere vorangestellte Namen und Titel werden nicht durch Komma getrennt. Angaben mit „geb.", „verh.", „verw." usw. können ohne Komma stehen oder als Zusätze angesehen und mit Kommas abgetrennt werden ⟨§ 77 E₂⟩.

- Hans Albert Schulze (*aber:* Schulze, Hans Albert)
- Direktor Professor Dr. Max Müller
- Seine Heiligkeit Papst Johannes Paul II.
- Martha Schneider[,] geb. Kühn
- Frau Tanja Schuster-Lehmann[,] geb. Lehmann[,] und ihr Ehemann Peter[,] geb. Schuster[,] verpflichten sich hiermit ...

Bei nachgestellten Zusätzen

K 103 Das Komma trennt den nachgestellten Beisatz (die Apposition) ab; eingeschobene Beisätze werden von Kommas eingeschlossen ⟨§ 77 (2)⟩.	▪ Das ist Michael, mein Bruder. ▪ Das Auto, Massenverkehrsmittel und Statussymbol zugleich, hat das Gesicht unserer Städte nachhaltig geprägt. ▪ Johannes Gutenberg, der Erfinder der Buchdruckerkunst, wurde in Mainz geboren. (*Vgl. auch* K 104 u. 107.)
🖎 Gelegentlich zeigt allein das Komma, ob eine Aufzählung oder ein Beisatz vorliegt. In diesen Fällen kann also das Komma den Sinn des Satzes verändern.	▪ Sabine, meine Schwester, und ich wohnen in demselben Haus *(Beisatz; Sabine ist meine Schwester; es ist von zwei Personen die Rede).* ▪ Sabine, meine Schwester und ich wohnen in demselben Haus *(Aufzählung; Sabine und meine Schwester und ich; es ist von drei Personen die Rede).*
K 104 Wenn der Beisatz Teil des Namens ist, steht kein Komma ⟨§ 77 E₂⟩.	▪ Heinrich der Löwe wurde im Dom zu Braunschweig begraben. ▪ Das ist ein Gemälde von Hans Holbein dem Jüngeren.
K 105 1. Das Komma trennt nachgestellte Erläuterungen ab. (Solche Erläuterungen werden häufig durch „und zwar", „nämlich", „z. B.", „insbesondere" oder ähnliche Wörter und Fügungen eingeleitet.) 2. Eingeschobene Nachträge werden von Kommas eingeschlossen; stehen sie jedoch zwischen Adjektiv und Substantiv oder zwischen Verb und Hilfsverb, entfällt das schließende Komma ⟨§ 77 (4)⟩.	1. Sie liest viel, vor allem Krimis. ▪ Das Schiff verkehrt wöchentlich einmal, und zwar sonntags. ▪ Wir müssen etwas unternehmen, und das bald. ▪ Es gibt vier Jahreszeiten, nämlich Frühling, Sommer, Herbst und Winter. 2. Bei unserer nächsten Sitzung, also am Donnerstag, werde ich diese Angelegenheit zur Sprache bringen. ▪ Das Buch enthält viele farbige, und zwar mit der Hand kolorierte Holzschnitte. ▪ Er wurde erst ruhiger, als er sein Herz ausgeschüttet, d. h. alles erzählt hatte.

K 106 1. Das Komma trennt einem Substantiv oder Pronomen nachgestellte Adjektive und Partizipien sowie entsprechende Wortgruppen ab. Sind sie in den Satz eingeschoben, werden sie von Kommas eingeschlossen ⟨§ 77 (7)⟩. (Vgl. auch K 114.)

2. Das Komma steht aber nicht, wenn in bestimmten festen Fügungen (oder in poetischen Texten) ein allein stehendes Adjektiv nachgestellt ist ⟨§ 77 E₃⟩.

1. Sie erzählte allerlei Geschichten, erlebte und erfundene.
- Dein Wintermantel, der blaue, muss in die Reinigung.
- Er, das leere Glas in der Hand [haltend], ging zur Theke.
- Kabeljau, gedünstet
2. Aal blau
- Karl Meyer junior
- Bei einem Wirte wundermild ...
- Ich arme Jungfer zart, ach, hätt ich genommen den König Drosselbart!

K 107 Oft können die Schreibenden durch die Kommasetzung selbst entscheiden, ob sie Wörter oder Satzteile als Zusatz kennzeichnen wollen oder nicht.
Das gilt besonders
1. bei mit „wie" oder mit einer Präposition (einem Verhältniswort) eingeleiteten Wortgruppen (vgl. auch K 112) und
2. bei Namen, die auf eine vorausgehende Bezeichnung zu beziehen sind ⟨§ 78 (1 u. 4)⟩. (Vgl. auch K 103.)

- Du hast mir leider nicht alles gesagt.
  Oder mit besonderer Hervorhebung:
  Du hast mir, leider, nicht alles gesagt.
1. Öffentliche Verkehrsmittel[,] wie Busse und Bahnen[,] sollen stärker gefördert werden.
- Alle[,] bis auf Robert[,] wollen mitfahren.
2. Der Angeklagte[,] Max Müller[,] erschien nicht zur Verhandlung.

✎ Dies gilt auch, wenn die einem Namen vorangestellte Bezeichnung durch Beifügungen umfänglicher ist.

- Der Erfinder der Buchdruckerkunst[,] Johannes Gutenberg[,] wurde in Mainz geboren.

Bei Datums-, Wohnungs-, Literaturangaben

K 108 Mehrteilige Datums- und Zeitangaben gliedert man durch Kommas. Man kann diese Angaben als Aufzählungen oder als Fügungen mit Beisatz auffassen; deshalb ist das letzte (schließende) Komma vor der Weiterführung des Satzes freigestellt ⟨§ 77 (3)⟩. (Vgl. auch K 32.)

- Sie kommt Mittwoch, den 13. März.
- Wir treffen uns am Freitag, dem 12. August, [um] 20 Uhr.
- Sie kommt Montag, [den] 5. April[,] wieder zurück.
- Sie kommt am Montag, dem 5. April[,] wieder zurück.
- Mittwoch, den 25. Juli, [um] 14 Uhr[,] findet eine Sitzung statt.
- Die Sitzung findet Mittwoch, den 25. Juli, [um] 14 Uhr[,] im großen Besprechungszimmer statt.

Im Briefkopf steht zwischen Orts- und Datumsangabe im Allgemeinen ein Komma.

- Mannheim, [den] 31. 8. 2000

K 109 Mehrteilige Wohnungsangaben gliedert man durch Kommas. Man kann diese Angaben als Aufzählungen oder als Fügungen mit Beisatz auffassen; deshalb ist das letzte (schließende) Komma vor der Weiterführung des Satzes freigestellt ⟨§ 77 (3)⟩.

- Sie wohnt in Berlin, Kurfürstendamm 37.
- Herr Meier aus Bonn, Lindenstraße 12[,] hat zwei Freikarten gewonnen.
- Frau Schmitt ist von Bonn, Königstraße 20[,] nach Mannheim, Eberbacher Platz 14[,] umgezogen. (*Aber:* Frau Anke Meyer wohnt in Heidelberg in der Hauptstraße 15.)

K 110 Mehrteilige Literaturangaben gliedert man durch Kommas. Man kann diese Angaben als Aufzählungen oder als Fügungen mit Beisatz auffassen; deshalb ist das letzte (schließende) Komma vor der Weiterführung des Satzes freigestellt. Bei Hinweisen auf Gesetze, Verordnungen usw. setzt man jedoch kein Komma ⟨§ 77 (3)⟩.

- Ich zitiere aus dem Brockhaus, 21. Auflage, Band 12.
- Es ist ein Zitat aus Goethes „Tasso", 2. Akt, 1. Szene.
- Der Artikel ist im „Spiegel", Heft 48, 1997, S. 25[,] erschienen.
- Wir beziehen uns auf § 6 Abs. 2 Satz 2 der Personalverordnung.

Bei Konjunktionen (Bindewörtern)

K 111 Werden gleichrangige Wörter und Wortgruppen durch eine der folgenden Konjunktionen verbunden, so setzt man kein Komma ⟨§ 72 (2)⟩:

1. und
2. oder
3. beziehungsweise (bzw.)
4. entweder – oder
5. nicht – noch
6. sowie
7. sowohl – als [auch]
8. sowohl – wie [auch]
9. weder – noch
10. wie
11. Das schließende Komma eines vorangehenden Einschubs oder Nebensatzes o. Ä. bleibt jedoch erhalten ⟨§ 72 E₁⟩. (Vgl. auch K 116.)

1. Er stand auf und ging.
   * Sie grübelte und grübelte und grübelte.
   * Sie hört gern Musik und liebt besonders die Oper.
2. Gib mir einen Stock, einen Schirm oder etwas Ähnliches.
3. Das Geld haben mir meine Verwandten geschenkt beziehungsweise geliehen.
4. Du musst dich entweder für uns oder gegen uns entscheiden.
5. Wir werden nicht rasten noch ruhen ...
6. Die Präsidentin sowie ihre Stellvertreterin sind berechtigt ...
7. Der Vorfall war sowohl ihm als auch seiner Frau sehr peinlich.
8. Wir können das Modell sowohl mit Benzinmotor wie auch mit Dieselmotor liefern.
9. Ich weiß weder seinen Vornamen noch seinen Nachnamen.
10. Der Becher war innen wie außen vergoldet.
11. Mein Onkel, ein großer Tierfreund, sowie seine vierzehn Katzen leben jetzt in einer alten Mühle.
    * Wir hoffen, dass wir Ihre Bedenken hiermit zerstreut haben, und grüßen Sie ...
    * Wir hoffen, Ihre Bedenken hiermit zerstreut zu haben, und grüßen Sie ...

✎ Auch die Konjunktion „respektive" ist (als Synonym zu „beziehungsweise") zu den oben genannten zu zählen.

* Das Geld haben mir meine Verwandten geschenkt respektive geliehen.

K 112   1. Wenn die vergleichenden Konjunktionen „als" oder „wie" nur Wörter
oder Wortgruppen verbinden (also keine
Nebensätze einleiten), setzt man kein
Komma ⟨§ 74 E₃⟩. (Vgl. auch K 116.)
2. Bei nachgestellten Zusätzen, die mit „wie"
eingeleitet werden, können Kommas gesetzt
werden ⟨§ 78 (2)⟩.

1. Die Wunde heilte besser als erwartet.
   (*Aber:* Die Wunde heilte besser, als wir
   erwartet hatten.)
 • Wir haben mehr Stühle als nötig.
   (*Aber:* Wir haben mehr Stühle, als nötig
   sind.)
 • Die neuen Geräte gingen weg wie warme
   Semmeln.
 • Wie schon bei den ersten Verhandlungen
   konnte auch diesmal keine Einigung
   erzielt werden.
2. Ihre Auslagen[,] wie Post- und Fernsprechgebühren, Eintrittsgelder, Fahrtkosten und dergleichen[,] werden wir
   Ihnen ersetzen.

K 113   Bei den in K 111 und K 112 nicht
genannten nebenordnenden, entgegensetzen-
den und einschränkenden Konjunktionen gilt
die Grundregel der Kommasetzung zwischen
gleichrangigen Wörtern und Wortgruppen
(vgl. K 100) ⟨§ 71⟩.

 • Wir waren arm, aber gesund.
 • Das war kein Pkw, sondern ein Last-
   wagen.
 • Die Investition ist einerseits mit hohen
   Gewinnchancen, andererseits mit
   hohem Risiko verbunden.

Bei Partizip- und Infinitivgruppen

K 114

1. Partizipgruppen kann man durch Komma[s] abtrennen, um die Gliederung des Satzes deutlich zu machen oder um Missverständnisse auszuschließen. (Vgl. aber K 115.)
2. Das gilt auch für Adjektivgruppen und entsprechende andere Wortgruppen ⟨§ 78 (3)⟩.

1. Das ist[,] grob gerechnet[,] die Hälfte.
* Er fiel[,] von einer Kugel getroffen[,] vom Pferd.
* Die Renovierung Ihrer Wohnung betreffend[,] möchte ich Ihnen den folgenden Vorschlag machen.
* Sie stand[,] ein Glas in der Hand haltend[,] an der Theke.
2. Seit mehreren Jahren kränklich[,] hatte er sich in ein Sanatorium zurückgezogen.
* Sie stand[,] ein Glas in der Hand[,] an der Theke.

K 115

1. Partizipgruppen werden durch Komma[s] abgetrennt, wenn sie
   a) mit einem hinweisenden Wort oder einer Wortgruppe angekündigt oder wieder aufgenommen werden,
   b) als einem Substantiv oder Pronomen nachgestellte Zusätze oder Erläuterungen anzusehen sind.
2. Das gilt auch für Adjektivgruppen und entsprechende andere Wortgruppen ⟨§ 77 (5 u. 7)⟩. (Vgl. K 106.)

1. a) Genau so, mit viel Salami belegt, hat er die Pizza am liebsten.
* Aus vollem Halse lachend, so kam sie auf uns zu.
* Auf diese Weise, jeden Stein einzeln umdrehend, hatten wir schließlich Erfolg mit unserer Suche.
b) Er, tödlich getroffen, fiel vom Pferd.
* Das ist falsch, logisch betrachtet.
2. Nur so, bleich und ganz in Schwarz, ist mir mein Großvater in Erinnerung geblieben.
* Sie, ihr Glas in der Hand [haltend], stand an der Theke.

K 116

Infinitivgruppen kann man durch Komma[s] abtrennen, um die Gliederung des Satzes deutlich zu machen oder um Missverständnisse auszuschließen (vgl. aber K 117) ⟨§ 76⟩.

* Sie weigerte sich[,] zu helfen.
* Sie weigerte sich[,] uns zu helfen.
* Wir versuchten[,] die Torte mit Sahne zu verzieren.
* Sich selbst zu besiegen[,] ist der schönste Sieg.
* Wir empfehlen[,] ihm zu folgen.
* Wir empfehlen ihm[,] zu folgen.

K 117 Infinitivgruppen werden durch Komma abgetrennt, wenn sie
1. mit „als", „anstatt", „außer", „ohne", „statt" oder „um" eingeleitet werden ⟨§ 75 (1)⟩,
2. von einem Substantiv abhängen ⟨§ 75 (2)⟩,
3. mit einem hinweisenden Wort angekündigt oder wieder aufgenommen werden ⟨§ 75 (3)⟩.
4. Man kann bei einem einfachen Infinitiv (nur Verb + „zu") die Kommas auch weglassen, sofern keine Missverständnisse entstehen können ⟨§ 75 E⟩.

1. Ich kenne nichts Schöneres, als mit einem guten Buch am Kamin zu sitzen.
- Anstatt einen Brief zu schreiben, könntest du auch einfach anrufen.
- Ihr könnt nichts tun, außer abzuwarten.
- Er antwortete, ohne gefragt worden zu sein.
- Wir wollen helfen, statt nur zu reden.
- Sie ging nach Hause, um sich umzuziehen.
2. Mein Vorschlag, ins Kino zu gehen, wurde verworfen.
- Er gab uns den Rat, erst einmal in Ruhe zu überlegen.
3. Zu tanzen, das ist ihre größte Freude.
- Erinnere mich daran, den Mülleimer auszuleeren.
- Ihre Absicht ist es, im nächsten Jahr nach Mallorca zu fahren.
4. Seine Angst[,] zu versagen[,] war unbegründet.
- Wir zweifeln nicht daran[,] zu gewinnen.

 In den folgenden Fällen (in denen der Infinitiv mit einem übergeordneten Verb ein mehrteiliges Prädikat bildet) werden Infinitivgruppen im Allgemeinen nicht durch Komma abgetrennt:
1. Wenn die Infinitivgruppe von einem Hilfsverb oder von „brauchen", „pflegen", „scheinen" abhängig ist.
2. Wenn die Infinitivgruppe
   a) mit dem übergeordneten Satz verschränkt ist,
   b) den übergeordneten Satz einschließt,
   c) in der verbalen Klammer steht.

1. Die Spur war ganz deutlich zu sehen.
- Sie haben uns gar nichts zu befehlen!
- Du brauchst dich wegen dieser Sache nicht zu schämen.
- Sie pflegt abends ein Glas Wein zu trinken.
- Er scheint heute schlecht gelaunt zu sein.
2. a) Diesen Vorgang wollen wir zu erklären versuchen. (*Übergeordneter Satz:* „wir wollen versuchen"; *Infinitivgruppe:* „diesen Vorgang zu erklären".)
   b) Den genannten Betrag bitten wir auf unser Konto zu überweisen. (*Übergeordneter Satz:* „wir bitten".)
   c) Wir hatten den Betrag zu überweisen beschlossen. (*Verbale Klammer:* „hatten ... beschlossen"; *Infinitivgruppe:* „den Betrag zu überweisen".)

Bei Teilsätzen (selbstständigen Teilsätzen und Nebensätzen)

Zu den Teilsätzen rechnet man alle zu einem Ganzsatz zusammengefassten Sätze, also auch diejenigen, die nicht von einem übergeordneten Satz abhängig sind.

Wir gehen voraus, die Älteren kommen später nach. (*Beide Teilsätze könnten auch unverbunden stehen:* Wir gehen voraus. Die Älteren kommen später nach.)

K 118 Das Komma steht zwischen gleichrangigen selbstständigen Teilsätzen, wenn diese nicht durch Wörter wie „und" oder „oder" (vgl. aber K 119) verbunden sind ⟨§ 71 (1) u. 72⟩.

* Hier stehe ich, ich kann nicht anders.
* Die Sonne versank hinter dem Horizont, die Schatten der Nacht senkten sich über das Land.
* Die Zeiten ändern sich, sie ändern sich sogar sehr schnell.
* Wo hört die Toleranz auf, wo beginnt die Gleichgültigkeit?

K 119 1. Werden gleichrangige (nebengeordnete) Teilsätze durch Konjunktionen wie „und" oder „oder" verbunden, so setzt man kein Komma ⟨§ 72 (1)⟩.

2. Ein Komma kann jedoch zwischen selbstständigen Sätzen gesetzt werden, um die Gliederung des Ganzsatzes deutlich zu machen ⟨§ 73⟩.

3. Das schließende Komma eines vorangehenden Einschubs oder Nebensatzes o. Ä. bleibt generell erhalten ⟨§ 72 E₁⟩. (Vgl. auch K 121.)

1. Nimm das Geld oder lass es bleiben.
* Wir können zu Fuß gehen oder wir können die Straßenbahn nehmen.
* Seien Sie bitte so nett und geben Sie mir das Buch.
* Sie machten es sich bequem, die Kerzen wurden angezündet und der Gastgeber versorgte sie mit Getränken.

2. Entweder ich sage es ihm[,] oder du sagst es ihm selbst.
* Er schimpfte auf die Regierung[.] und sein Publikum applaudierte.

3. Entweder ich sage es ihm, und zwar heute noch, oder du sagst es ihm morgen selbst.
* Wir hoffen, dass wir Ihnen weiterhelfen konnten, und verbleiben mit freundlichen Grüßen ...

K 120 Eingeschobene selbstständige Teilsätze werden von Kommas eingeschlossen
⟨§ 77 (1)⟩. (Im Allgemeinen könnten an den
entsprechenden Stellen auch Gedankenstriche
oder Klammern stehen.)

- Sie hat, das weiß ich genau, ihr Examen
  mit Auszeichnung bestanden.
- Das Tier, es wird wohl ein Wiesel gewesen
  sein, war plötzlich verschwunden.
  Auch möglich: Das Tier – es wird wohl
  ein Wiesel gewesen sein – war plötzlich
  verschwunden.
  Oder: Das Tier (es wird wohl ein
  Wiesel gewesen sein) war plötzlich
  verschwunden.

K 121 Das Komma steht zwischen Haupt-
und Nebensatz; eingeschobene Nebensätze
werden von Kommas eingeschlossen ⟨§ 74⟩.

- Ich freue mich, dass du wieder gesund
  bist.
- Dass du wieder gesund bist, freut mich.
- Über die Nachricht, dass du wieder
  gesund bist, habe ich mich gefreut.
- Ich hoffe, dass du wieder gesund bist,
  und grüße dich herzlich.

K 122 1. Zwischen gleichrangigen (nebengeordneten) Nebensätzen steht ein Komma
⟨§ 71 (1)⟩.
2. Man setzt aber in der Regel kein Komma,
wenn sie durch eine Konjunktion wie „und"
oder „oder" verbunden sind ⟨§ 72 (1)⟩.

1. Wenn das wahr ist, wenn du ihn wirklich
   nicht gesehen hast, dann brauchst du
   dir keine Vorwürfe zu machen.
- Er kannte niemanden, der ihm geholfen
  hätte, an den er sich hätte wenden
  können.
2. Sie wird schon wissen, wem sie vertrauen
   kann und wem sie besser nichts erzählt.
- Wir erwarten, dass er die Ware liefert
  oder dass er das Geld zurückzahlt.

K 123 1. Zwischen aneinandergereihten Satzgliedern und Nebensätzen steht vor Konjunktionen wie „und" oder „oder" kein Komma.

2. Ein Komma zwischen Nebensatz und übergeordnetem Satz wird gesetzt, wenn beide unmittelbar aneinandergrenzen ⟨§ 74 E₂⟩.

1. Sie kaufte ihrer Tochter einen Koffer, einen Mantel, ein Kleid und was sonst noch für die Reise gebraucht wurde.
* Was du für die Reise brauchst sowie die Geschenke für deine Gastgeber besorgst du dir am besten selbst.
2. Sie hatte ihrer Tochter einen Koffer, einen Mantel, ein Kleid und was sonst noch für die Reise gebraucht wurde, gekauft.
* Die Geschenke für deine Gastgeber und was du für die Reise brauchst, besorgst du dir am besten selbst.

K 124 Das Komma trennt Nebensätze verschiedenen Grades ⟨§ 74⟩.

* Die Genehmigung kann nicht erteilt werden, wenn die Gefahr besteht, dass sie missbraucht wird.

K 125 Bei formelhaft gebrauchten [verkürzten] Nebensätzen kann das Komma weggelassen werden ⟨§ 76⟩.

* Er ging[,] wie immer[,] nach dem Essen spazieren.
* Wir wollen die Angelegenheit[,] wenn möglich[,] heute noch erledigen. (*Aber:* Wir wollen die Angelegenheit, wenn es möglich ist, heute noch erledigen.)

Sonst gelten für verkürzte Teilsätze dieselben Richtlinien wie bei vollständigen Sätzen.

* Vielleicht, dass er noch eintrifft.
* Ende gut, alles gut.

Bei mehrteiligen Nebensatzeinleitungen

K 126 Wird ein Nebensatz von einer mehrteiligen Fügung eingeleitet, so steht zwischen den Teilen der Fügung im Allgemeinen kein Komma ⟨§ 74 E1 (1)⟩.

* Der Plan ist viel zu umständlich, als dass wir ihn ausführen könnten.
* Er tut, wie wenn er von der ganzen Angelegenheit nichts wisse.
* Anstatt dass der Direktor kam, erschien nur sein Stellvertreter.

K 127 Bei einigen mehrteiligen Fügungen kann ein Komma zwischen die Teile der Fügung gesetzt werden ⟨§ 74 E₁ (2)⟩.	• angenommen[,] dass • ausgenommen[,] wenn • besonders[,] wenn • geschweige[,] dass • geschweige denn[,] dass • gleichviel[,] ob • je nachdem[,] ob
✏ Das Komma entspricht hier einer deutlich wahrnehmbaren Pause im Text.	• Angenommen[,] dass morgen gutes Wetter ist, wohin wollen wir fahren? • Er ist sehr umgänglich, ausgenommen[,] wenn er schlechte Laune hat. • Egal[,] welche Farbe sie sich aussucht ...
K 128 Gelegentlich kann der Gebrauch des Kommas verdeutlichen, welche Wörter als Einleitung des Nebensatzes verstanden werden ⟨§ 74 E₁ (3)⟩.	• Sie freut sich, auch wenn du ihr nur eine Postkarte schreibst. • Sie freut sich auch, wenn du ihr nur eine Postkarte schreibst.

Bei Hervorhebungen, Ausrufen, Anreden

K 129 Mit einem hinweisenden Wort oder einer Wortgruppe angekündigte oder wieder aufgenommene Satzteile sind aus dem übrigen Satzzusammenhang hervorgehoben. Man grenzt sie durch Komma ab ⟨§ 77 (5)⟩.	• Deine Mutter, die habe ich gut gekannt. • Nur er, der Kommissar selbst, konnte der Täter gewesen sein. • In diesem Krankenhaus, da haben sie mir die Mandeln herausgenommen. • Genau so, mit viel Salami, hat er die Pizza am liebsten. • Mit viel Salami, genau so hat er die Pizza am liebsten. • Im engsten Familienkreis und ohne große Feierlichkeiten, so erlebte sie ihren Ehrentag.

K 130 Das Wort „bitte" steht als bloße Höflichkeitsformel oft ohne Komma. Bei besonderer Hervorhebung wird es jedoch durch Komma abgetrennt ⟨§ 79 (3)⟩.

- Bitte nehmen Sie doch Platz.
- Kann ich bitte mal dein Telefon benutzen?
- Wenn Sie mir bitte nach nebenan folgen würden.
- Aber bitte, so nehmen Sie doch Platz!
- Bitte, lass mich dein Telefon benutzen!
- Wenn Sie mir, bitte, nach nebenan folgen würden.

K 131 Ausrufe, kommentierende Äußerungen, Bekräftigungen werden durch Komma abgetrennt. Das Komma entfällt jedoch, wenn keine Hervorhebung gewollt ist ⟨§ 79 (2 u. 3)⟩.

- Ach, das ist aber schade!
- Wie eklig, igitt!
- Sie hatte, leider, keine Zeit für uns.
- Ja, ein Gläschen nehme ich noch.
- Es geht uns gut, danke.
- Ach das ist aber schade.
- Sie hatte leider keine Zeit für uns.
- Der ach so liebe Kleine hatte mir vors Schienbein getreten.

K 132
1. Das Komma trennt die Anrede vom übrigen Satz ⟨§79 (1)⟩.
2. Bei der Briefanrede kann statt des Kommas auch ein Ausrufezeichen gesetzt werden; in der Schweiz endet die Anredezeile gewöhnlich ohne Satzzeichen. In diesen beiden Fällen beginnt der folgende Text mit Großschreibung ⟨§ 69 E₃⟩.

1. Harry, fahr bitte den Wagen vor.
- Das, mein Lieber, kann ich dir nicht versprechen.
- Danke für euer Verständnis, Freunde.
2. Sehr geehrter Herr Schneider,
   gestern erhielt ich ...
- Sehr geehrter Herr Schneider!
   Gestern erhielt ich ...
- Sehr geehrter Herr Schneider
   Gestern erhielt ich ...

Laut-Buchstaben-Zuordnung

Für die Schreibung des Deutschen verwenden wir eine Buchstabenschrift, in der Sprachlaute und Buchstaben als einander zugeordnet betrachtet werden. Rechtschreibliche Schwierigkeiten ergeben sich vor allem dort, wo gleiche Laute durch unterschiedliche Buchstaben repräsentiert sind.

Einige nur selten vorkommende alte Laut-Buchstaben-Zuordnungen wurden deshalb an vergleichbare Schreibungen angeglichen, z. B. *Känguru* (früher: Känguruh, jetzt wie Emu, Gnu, Kakadu), *rau* (früher: rauh, jetzt wie blau, genau, schlau), *Zierrat* (früher: Zierat, jetzt wie Verrat, Vorrat).

Zu weiteren Informationen:
↑ Fremdwörter (K 38)
↑ ss und ß (K 159)

K 133 Die richtige Schreibung eines Wortes kann häufig aus der Schreibung verwandter Wörter abgeleitet werden ⟨Regelabschnitt A, Vorbemerkung (2.2)⟩.

- Gewähr (Garantie), *aber:* Gewehr (*zu:* Wehr, wehrhaft)
- Rechen (Harke), *aber:* sich rächen (*zu:* Rache)
- Bändel (*zu:* Band)
- Karamell (*wegen:* Karamelle)
- nummerieren (*wegen:* Nummer)

Dabei wird nach der Neuregelung der deutschen Rechtschreibung nicht nur die sprachgeschichtliche Verwandtschaft, sondern in einigen Fällen auch eine inhaltliche Verwandtschaft zugrunde gelegt.

- Quäntchen (*Eigentlich zu „Quent", dem Namen eines früheren deutschen Handelsgewichts, das seinerseits auf das lateinische „quintus" [fünfter Teil] zurückgeführt werden kann. Heute wird das Wort eher mit „Quantum" in Verbindung gebracht; daher die neue Schreibung mit „ä".*)

Namen

In diesem Abschnitt wird auch die Schreibung der von Namen abgeleiteten Wörter behandelt. Die Darstellung ist nach folgenden Punkten gegliedert:

- **Personennamen** (K 134–139)
  (Katharina die Große, platonische Schriften, Dieselmotor, Schiller-Theater)
- **Geografische (erdkundliche) Namen** (K 140–149)
  (die Hohe Tatra, der Hamburger Hafen, indischer Tee, Berlin-Schöneberg)
- **Sonstige Namen** (K 150 u. 151)
  (der Kleine Bär, Zur Neuen Post, Schwarzer Holunder)

Zu weiteren Informationen:

↑ Apostroph (K 15 u. 16)
↑ Groß- und Kleinschreibung (K 67, 86–91)
↑ Straßennamen (K 161–163)

Personennamen

Die Schreibung der Familiennamen unterliegt nicht den allgemeinen Richtlinien der Rechtschreibung. Für sie gilt die standesamtlich jeweils festgelegte Schreibung. Sie sind deshalb auch nicht von der Neuregelung der deutschen Rechtschreibung betroffen.

1. Auch die Schreibung der Vornamen wird standesamtlich festgehalten; man folgt dabei weitgehend den üblichen Schreibweisen, für die es eine Reihe von allgemein anerkannten Varianten gibt.
2. Zwei Vornamen stehen gewöhnlich unverbunden nebeneinander; einige werden jedoch als Doppelnamen angesehen und dann mit Bindestrich oder in einem Wort geschrieben.

1. Klaus, *auch* Claus
- Maike, *auch* Meike
- Otmar, *auch* Ottmar *oder* Othmar
2. Johann Wolfgang
- Johanna Katharina
- Karl-Heinz, Karlheinz *neben:* Karl Heinz

K 134 Zu einem mehrteiligen Personennamen gehörende
- Adjektive,
- Partizipien,
- Pronomen (Fürwörter)
- und Zahladjektive

werden großgeschrieben ⟨§ 60 (1)⟩.

- Katharina die Große
- der Alte Fritz
- der Große Kurfürst
- Klein Erna
- Albrecht der Entartete
- Unsere Liebe Frau (= Maria als Mutter Gottes)
- Heinrich der Achte

K 135
1. Von Personennamen abgeleitete Adjektive werden im Allgemeinen kleingeschrieben.
2. Bei Ableitungen auf „-sch" kann man einen Apostroph setzen, um die Grundform des Namens zu verdeutlichen. Dann wird der Name großgeschrieben ⟨§ 62⟩.

1. platonische Schriften, platonische Liebe
- die heineschen Reisebilder, eine heinesche Ironie
  (*Aber, da als Ganzes ein Name:* der Halleysche Komet)
- eulenspiegelhaftes Treiben, kafkaeske Gestalten, vorlutherische Bibelübersetzungen, darwinistische Auffassungen
2. die darwinsche (*auch:* Darwin'sche) Evolutionstheorie
- die goetheschen (*auch:* Goethe'schen) Dramen

K 136
1. Zusammensetzungen mit einfachen Personennamen schreibt man im Allgemeinen ohne Bindestrich ⟨§ 37 E₁⟩.
2. Einen Bindestrich kann man setzen, wenn der Name hervorgehoben werden soll oder wenn dem Namen ein zusammengesetztes Grundwort folgt ⟨§ 51⟩.

1. Dieselmotor
- Kneippkur
- Röntgenstrahlen
- Achillesferse
- Bachkantate
- goethefreundlich
2. Schiller-Theater *neben:* Schillertheater
- Paracelsus-Ausgabe *neben:* Paracelsusausgabe
- Goethe-freundlich *neben:* goethefreundlich
- Beethoven-Festhalle *neben:* Beethovenfesthalle
- Mozart-Konzertabend *neben:* Mozartkonzertabend

K 137 Bindestriche setzt man bei Zusammensetzungen mit mehreren oder mehrteiligen Namen ⟨§ 50⟩.

- Goethe-und-Schiller-Denkmal
- Richard-Wagner-Festspiele
- Johann-Sebastian-Bach-Gymnasium
- Sankt-Marien-Kirche, St.-Marien-Kirche
- de-Gaulle-treu
- Van-Allen-Gürtel

Bei einer substantivischen Zusammensetzung schreibt man den Namenszusatz am Anfang des Wortes groß.

- De-Gaulle-Denkmal
- Van't-Hoff-Regel

K 138 Einen Bindestrich setzt man bei Zusammensetzungen mit einem Namen als zweitem Bestandteil und bei Zusammensetzungen aus zwei Namen ⟨§ 46 (1)⟩. Handelt es sich aber um eine Gattungsbezeichnung, steht kein Bindestrich ⟨§ 47⟩.

- Möbel-Müller
- Getränke-Wagner
- der Huber-Franz
- die Hofer-Marie
- die Bäcker-Anna
- Müller-Frankenfeld
- Suppenkaspar
- Wurzelsepp

K 139 Von mehrteiligen Namen abgeleitete Adjektive schreibt man mit Bindestrich ⟨§ 49⟩.

- die heinrich-mannschen Romane (*auch:* die Heinrich-Mann'schen Romane)
- die von-bülowschen Zeichnungen (*auch:* die von-Bülow'schen Zeichnungen)

Geografische (erdkundliche) Namen

1. Die Schreibung von Städte- und Gemeindenamen ist behördlich festgelegt. Sie folgt im Prinzip dem allgemeinen Schreibgebrauch.
2. In vielen Fällen ist jedoch an alten Schreibweisen festgehalten worden.
3. Fremde geografische Namen werden gewöhnlich in der fremden Schreibweise geschrieben; in einigen Fällen gibt es jedoch eingedeutschte Formen.

1. Freudental
- Freiburg im Breisgau
- Zell
2. Frankenthal
- Freyburg/Unstrut
- Celle
3. Toulouse
- Philadelphia
- Rio de Janeiro
- Brüssel (*für:* Bruxelles)
- Ostende (*für:* Oostende)
- Kopenhagen (*für:* København)

K 140 Adjektive und Partizipien, die Bestandteil eines geografischen Namens sind, werden großgeschrieben ⟨§ 60 (2)⟩. Das gilt auch für inoffizielle Namen ⟨§ 60 (5)⟩.

- die Hohe Tatra
- der Kleine Belt
- das Schwarze Meer
- der Bayerische Wald
- der Ferne Osten
- die Neue Welt (Amerika)

K 141 Die von geografischen Namen abgeleiteten Wörter auf „-er" schreibt man immer groß ⟨§ 61⟩.

- der Hamburger Hafen
- ein Frankfurter Sportverein
- Schwarzwälder Rauchschinken
- die Schweizer Banken

K 142 Die von geografischen Namen abgeleiteten Adjektive auf „-isch" werden kleingeschrieben, wenn sie nicht Teil eines Eigennamens sind ⟨§ 62⟩.

- indischer Tee
- italienischer Salat
- russisches Roulette
- *aber:*
- die Holsteinische Schweiz
- die Spanische Reitschule (in Wien)

K 143 Zusammensetzungen mit geografischen Namen schreibt man im Allgemeinen ohne Bindestrich ⟨§ 37 (3)⟩. Man kann jedoch einen Bindestrich setzen bei unübersichtlichen Zusammensetzungen oder wenn man den Namen hervorheben will ⟨§ 45 (2), 51⟩.

- Nildelta, Rheinfall, Manilahanf, Großglocknermassiv, Kleinasien, Mittelfranken, Ostindien, Norddeutschland
- rheinabwärts, moskaufreundlich
- Mosel-Winzergenossenschaft
- Jalta-Abkommen
- Moskau-freundlich

K 144
1. Ein Bindestrich steht bei Zusammensetzungen aus zwei geografischen Namen.
2. Er wird auch gesetzt, wenn nur der zweite Bestandteil ein geografischer Name ist und die ganze Zusammensetzung keinen offiziellen Namen bildet ⟨§ 46 (2), E₂⟩.

1. Berlin-Schöneberg, München-Schwabing, Hamburg-Altona, Leipzig-Grünau, Rheinland-Pfalz, Nordrhein-Westfalen, Mecklenburg-Vorpommern
2. Alt-Wien, Groß-London, Alt-Heidelberg (*Bei behördlich festgelegten Schreibungen gibt es unterschiedliche Formen:* Neuruppin, Groß Pankow, Klein-Auheim.)

K 145
1. Bei Ableitungen von mit Bindestrich geschriebenen Namen bleibt der Bindestrich erhalten ⟨§ 48⟩.
2. Ableitungen von mehrteiligen geografischen Namen erhalten einen Bindestrich, der jedoch bei Ableitungen auf „-er" auch weggelassen werden kann ⟨§ 49 u. 49 E⟩.

1. alt-heidelbergisch
- Alt-Wiener Theater
- Schleswig-Holsteiner
- schleswig-holsteinisch
2. sri-lankisch (*zu:* Sri Lanka)
- Sri-Lanker *oder* Sri Lanker
- New-Yorker *oder* New Yorker

K 146 Bindestriche setzt man bei Zusammensetzungen mit mehreren oder mehrteiligen Namen ⟨§ 50⟩.	▪ Dortmund-Ems-Kanal, Saar-Nahe-Bergland, Rio-de-la-Plata-Bucht, Sankt-Gotthard-Tunnel, St.-Lorenz-Strom, Kaiser-Franz-Josef-Land, König-Christian-IX.-Land ▪ Mount-Everest-erprobt
K 147 1. Die Wörter „Sankt" und „Bad" stehen vor einfachen geografischen Namen ohne Bindestrich und getrennt ⟨§ 46 E₂⟩. (Vgl. aber K 146.) 2. Die zugehörigen Ableitungen auf „-er" schreibt man mit Bindestrich. Dieser Bindestrich kann aber auch weggelassen werden. ⟨§ 49 E⟩.	1. Sankt Blasien, St. Blasien ▪ Sankt Gotthard, St. Gotthard ▪ Bad Elster ▪ Bad Kissingen ▪ Stuttgart-Bad Cannstatt 2. Sankt-Galler *oder* Sankt Galler (*aber nur:* sankt-gallisch) ▪ Bad-Kreuznacher *oder* Bad Kreuznacher
K 148 Nachgestellte Substantive können ohne oder mit Bindestrich stehen ⟨§ 52⟩.	Frankfurt Stadt *oder* Frankfurt-Stadt Wiesbaden Süd *oder* Wiesbaden-Süd
K 149 1. Gleichrangige (nebengeordnete) Adjektive kann man zusammen- oder mit Bindestrich schreiben ⟨§ 45 (2)⟩. 2. Nur zusammen schreibt man, wenn der erste Bestandteil im Deutschen nicht selbstständig gebraucht wird ⟨§ 36 (2)⟩.	1. die Entwicklung des deutschamerikanischen *oder* deutsch-amerikanischen Schiffsverkehrs ▪ die deutschschweizerischen *oder* deutsch-schweizerischen Verhandlungen 2. afroamerikanische Beziehungen ▪ die afroamerikanische Kultur ▪ finnougrisch ▪ galloromanisch
✏ Nicht gleichrangige Verbindungen dieser Art schreibt man in der Regel zusammen.	▪ die deutschamerikanische Literatur (Literatur der Deutschamerikaner) ▪ die schweizerdeutsche Mundart

Sonstige Namen

K 150 Alle zu einem mehrteiligen Namen gehörenden Adjektive, Partizipien, Pronomen und Zahlwörter schreibt man groß ⟨§ 60⟩.
Nicht am Anfang des Namens stehende Adjektive werden gelegentlich auch kleingeschrieben ⟨§ 60 E₂⟩.

- der Kleine Bär (Sternbild)
- Römisch-Germanisches Museum
- Institut für Angewandte Geodäsie
- die Hängenden Gärten der Semiramis
- Vereinigte Evangelisch-Lutherische Kirche Deutschlands
- Institut der deutschen Wirtschaft e. V.
- Gesellschaft für musikalische Aufführungs- und mechanische Vervielfältigungsrechte

K 151
1. Es gibt Wortgruppen (feste Begriffe), die keine Namen sind, obwohl sie oft als Namen angesehen werden. Hier schreibt man die Adjektive in der Regel klein ⟨§ 63⟩.
2. Ausnahmen bilden die folgenden Fälle:
   a) Titel und Ehrenbezeichnungen,
   b) Amtsbezeichnungen,
   c) besondere Kalendertage,
   d) historische Ereignisse und Epochen.
3. Adjektive, die mit dem folgenden Substantiv einen idiomatisierten Gesamtbegriff bilden, können auch großgeschrieben werden. Die Kleinschreibung der Adjektive ist aber auch hier der Regelfall ⟨§ 64 E₁⟩, in einigen Fällen hat sich die Großschreibung aber im Schreibgebrauch verfestigt ⟨§ 64 E⟩.

1. schwarzer Tee
   - das große Einmaleins
   - die alten Bundesländer
   - die angewandten Naturwissenschaften
2. a) der Heilige Vater (der Papst)
   b) Erster Staatsanwalt
   c) Tag der Deutschen Einheit
   d) die Französische Revolution
      - Mittlere Bronzezeit
3. das gelbe *oder* Gelbe Trikot
   - der *letzte oder* Letzte Wille
   - das *zweite oder* Zweite Gesicht
   - die *aktuelle oder* Aktuelle Stunde
   - *Vorwiegend in Großschreibung:*
     die Erste Hilfe, die Große Kreisstadt

In der Botanik und Zoologie werden die deutschen Bezeichnungen der Arten, Unterarten und Rassen konsequent großgeschrieben.

- Schwarzer Holunder (Sambucus nigra)
- Nordische Wühlmaus (Microtus oeconomus)

Punkt

Zu weiteren Informationen:
↑Abkürzungen (K 1–6)
↑Anführungszeichen (K 10–11)
↑Klammern (K 99)

K 152 Der Punkt ist das neutrale Satz-
schlusszeichen. Er steht nach einem abgeschlossenen [auch mehrteiligen] Ganzsatz ⟨§ 67⟩
(sofern dieser nicht durch ein Fragezeichen als
Frage ⟨§ 70⟩ oder durch ein Ausrufezeichen als
besonders nachdrücklich gekennzeichnet ist
⟨§ 67 E₂⟩).

- Es wird Frühling.
- Wir freuen uns auf euren Besuch.
- Wenn du willst, kannst du mitkommen.
- Das geht nicht.
  (*Als Frage:*
  Das geht nicht?
  Mit Nachdruck:
  Das geht nicht!)

Bei Ganzsätzen mit Nebensätzen ist der
übergeordnete Satz für die Setzung des Schluss-
zeichens entscheidend.

- Sie weiß, wann er kommt.
- Weiß sie, wann er kommt?
- Sie sollte doch wissen, wann er kommt!

K 153 Der Punkt steht nicht nach frei stehen-
den (vom übrigen Text deutlich abgehobenen)
Zeilen ⟨§ 68⟩. Das gilt z. B. für:
Überschriften, Buch- und Zeitungstitel ⟨§ 86 (1)⟩,
Anschriften in Briefen und auf Umschlägen,
Datumszeilen, Grußzeilen, Unterschriften
⟨§ 68 (3)⟩
(Zur Briefanrede vgl. K 132.)

- Der Frieden ist gesichert
  Nach schwierigen Verhandlungen
  zwischen den Vertragspartnern ...
- Jedermann
  Das Spiel vom Sterben des reichen
  Mannes
- Die Aktion
  Wochenschrift für Politik, Literatur,
  Kunst
- Herrn
  K. Meier
  Rüdesheimer Straße 29
  65197 Wiesbaden
- Mannheim, den 27. 7. 2006
- Mit herzlichem Gruß
  Ihre Veronika Meier

K 154 Der Punkt steht nach Zahlen, um sie
als Ordnungszahlen zu kennzeichnen ⟨§ 104⟩.
Steht eine Ordnungszahl mit Punkt am Satzende,
so wird kein zusätzlicher Schlusspunkt gesetzt
⟨§ 105⟩.

- Sonntag, den 15. April
- Friedrich II., König von Preußen
- Katharina von Aragonien war die erste
  Frau Heinrichs VIII.

Schrägstrich

K 155 Der Schrägstrich kann zur Angabe von Größen- oder Zahlenverhältnissen im Sinne von „je" oder „pro" gebraucht werden ⟨§ 106 (3)⟩.

- Wir fuhren durchschnittlich 120 km/h.
- 100 Ew./km² (= 100 Einwohner je Quadratkilometer)

K 156 Der Schrägstrich fasst Wörter oder Zahlen zusammen. Das gilt vor allem für
1. die Angabe mehrerer Möglichkeiten,
2. die Verbindung von Personen, Institutionen, Orten u. a.,
3. Jahreszahlen oder andere kalendarische Angaben ⟨§ 106 (1)⟩.

1. Ich/Wir überweise[n] von meinem/ unserem Konto ...
- für Männer und/oder Frauen
- die Kolleginnen/Kollegen vom Betriebsrat
- unsere Mitarbeiter/-innen
- Bestellungen über 50/100/200 Stück
2. das Wörterbuch von Muret/Sanders
- Die Pressekonferenz der CDU/CSU wurde mit Spannung erwartet.
- In dieser Bootsklasse siegte die Renngemeinschaft Ratzeburg/Kiel.
3. 1870/71; im Wintersemester 98/99; so um den 4./5. Mai
- der Katalog für Herbst/Winter 2006
- der Herbst/Winter-Katalog *oder* Herbst-Winter-Katalog
- der Beitrag für März/April/Mai
- Ende April/Anfang Mai

K 157 Der Schrägstrich gliedert Akten- oder Diktatzeichen o. Ä. ⟨§ 106 (2)⟩.

- M/III/47
- Dr. Dr/Ko
- Rechn.-Nr. 1427/98

Semikolon

K 158 Das Semikolon kann zwischen gleichrangigen Sätzen oder Wortgruppen stehen, wo der Punkt zu stark, das Komma zu schwach trennen würde ⟨§ 80⟩. Es kann auch verwendet werden, um zusammengehörige Gruppen in Aufzählungen zu markieren.

- Man kann nicht jede Frage nur mit Ja oder Nein beantworten; oft muss man etwas weiter ausholen. *(Hier könnte statt des Semikolons auch ein Punkt oder ein Komma stehen.)*
- Unser Proviant bestand aus gedörrtem Fleisch, Speck und Rauchschinken; Ei- und Milchpulver; Reis, Nudeln und Grieß. *(Hier könnten statt der Semikolons auch Kommas stehen.)*

ss und ß

K 159 1. Für den stimmlosen s-Laut nach langem Vokal oder Doppellaut (Diphthong) schreibt man ß.

2. Dies gilt jedoch nur, wenn der s-Laut in allen Beugungsformen stimmlos bleibt und wenn im Wortstamm kein weiterer Konsonant folgt. ⟨§ 23 u. 25⟩.

3. Für den stimmlosen s-Laut nach kurzem Vokal schreibt man ss. Das gilt auch im Auslaut der Wortstämme ⟨§ 2⟩.

4. Wörter auf „-nis" und bestimmte Fremdwörter werden nur mit einem s geschrieben, obwohl ihr Plural mit Doppel-s gebildet wird ⟨§ 4 u. 5⟩.

1. Blöße, Maße, Maß, grüßen, grüßte, Gruß außer, reißen, es reißt, Fleiß, Preußen
Ausnahmen: aus, heraus usw.

2. Haus *(stimmhaftes s in* Häuser*)*
- Gras *(stimmhaftes s in* Gräser*)*
- sauste *(stimmhaftes s in* sausen*)*
- meistens *(folgender Konsonant im Wortstamm)*

3. Masse, Kongress, wässrig, Erstklässler, dass (Konjunktion)
- hassen, ihr hasst
- Fluss, Flüsse
- essen, du isst, iss!
- Missetat, missachten
Ausnahmen: das (Pronomen, Artikel), was, des, wes, bis

4. Zeugnis *(trotz:* Zeugnisse*)*
- Geheimnis *(trotz:* Geheimnisse*)*
- Bus *(trotz:* Busse*)*
- Atlas *(trotz:* Atlasse*)*

K 160 1. Fehlt das ß auf der Tastatur eines
Computers oder einer Schreibmaschine,
schreibt man dafür ss. In der Schweiz kann das
ß generell durch ss ersetzt werden ⟨§ 25 E₂⟩.

2. Auch bei Verwendung von Großbuchstaben
steht SS für ß ⟨§ 25 E₃⟩.

3. Bei der Worttrennung wird dieses ss wie
andere Doppelkonsonanten behandelt
⟨§ 108⟩.

In Dokumenten kann bei Namen aus Gründen der
Eindeutigkeit auch bei Großbuchstaben das ß verwendet werden.

1. Strasse (*statt:* Straße), aussen (*statt:*
außen), Fussball (*statt:* Fußball)

2. STRASSE, AUSSEN, FUSSBALL

3. Stras-se, aus-sen, Fuss-ball

▪ HEINZ GROßE

Straßennamen

Für die Schreibung der Namen von öffentlichen Straßen, Plätzen, Brücken u. Ä. gelten im Allgemeinen dieselben Regeln wie für sonstige Namen. Abweichende Einzelfestlegungen durch die jeweils zuständigen Behörden kommen jedoch vor.

K 161 Das erste Wort eines Straßennamens wird großgeschrieben, ebenso alle zum Namen gehörenden Adjektive und Zahlwörter ⟨§ 60 (2.2)⟩.	▪ Im Trutz ▪ Am Alten Lindenbaum ▪ Kleine Bockenheimer Straße ▪ An den Drei Tannen
K 162 1. Zusammengesetzte Straßennamen schreibt man zusammen ⟨§ 37 E₂⟩. 2. Getrennt schreibt man jedoch, wenn eine Ableitung auf „-er" von einem Orts- oder Ländernamen vorliegt ⟨§ 38 u. 49 E⟩. 3. Straßennamen, die mit mehrteiligen Namen zusammengesetzt sind, schreibt man mit Bindestrichen ⟨§ 50⟩.	1. Bahnhofstraße, Rathausgasse, Bismarckring, Beethovenplatz, Schlossallee ▪ Neumarkt, Langgasse, Hochstraße (*Aber bei gebeugtem Adjektiv:* Neuer Markt, Lange Gasse, Hohe Straße) 2. Leipziger Straße, Am Saarbrücker Tor, Thüringer Wald, Kalk-Deutzer Straße, Bad Homburger Weg *oder* Bad-Homburger Weg (*Aber, da keine Ableitungen, sondern selbst auf „-er" endende Orts-, Völker- oder Familiennamen:* Drusweilerweg, Römerplatz, Herderstraße) 3. Georg-Büchner-Straße, Kaiser-Friedrich-Ring, Van-Dyck-Weg, E.-T.-A.-Hoffmann-Straße, Carl-Maria-von-Weber-Allee, Berliner-Tor-Platz, Am St.-Georgs-Kirchhof, Bad-Kissingen-Straße, Sankt-Blasien-Weg, Von-Repkow-Platz, Bürgermeister-Dr.-Meier-Allee
In der Schweiz werden Straßennamen, die die Ableitung eines geografischen Namens auf „-er" enthalten, gewöhnlich zusammengeschrieben.	▪ Winterthurerstraße ▪ Engadinerweg ▪ Hottingerplatz

K 163 Bei der Zusammenfassung mehrerer Straßennamen setzt man einen Ergänzungsstrich, wenn ein Teil einer Zusammensetzung erspart wird ⟨§ 98⟩.

- Ecke [der] Motz- und Kleiststraße
- Ecke Motz-/Kleiststraße
- Ecke [der] Motz- und Ansbacher Straße
- Ecke Motz-/Ansbacher Straße
- Ecke [der] Motz- und Albrecht-Dürer-Straße
- Ecke Motz-/Albrecht-Dürer-Straße
- Ecke [der] Albrecht-Dürer- und Motzstraße
- Ecke Albrecht-Dürer-/Motzstraße
- Ecke [der] Ansbacher und Motzstraße

Worttrennung

Für die Trennung der Wörter am Zeilenende gibt es zwei Grundprinzipien: Man trennt einfache Wörter nach Sprechsilben, wie sie sich beim langsamen Vorlesen ergeben, und man trennt zusammengesetzte Wörter und Wörter mit Vorsilben nach ihren erkennbaren Bestandteilen.

Dabei können folgende Schwierigkeiten auftreten:

1. Bei mehreren aufeinanderfolgenden Konsonanten führt auch das langsame Vorlesen nicht immer zu einer eindeutigen Festlegung der Silbengrenze. Deshalb gibt es hier eine „mechanische" Regelung, nach der nur der letzte Konsonant auf die neue Zeile kommt (vgl. K 164). Diese Regel gilt generell bei einheimischen Wörtern; für Fremdwörter ist sie aber in bestimmten Fällen nur eine Kannregel (vgl. K 166).

2. Nicht immer sind die Bestandteile von Zusammensetzungen klar erkennbar. In solchen Fällen ist neben der Trennung nach Bestandteilen auch die Trennung nach Sprechsilben korrekt.

Die Trennung einfacher Wörter

K 164 1. Mehrsilbige einfache Wörter trennt man so, wie sie sich beim langsamen Vorlesen in Silben zerlegen lassen ⟨§ 107⟩. Einzelne Vokalbuchstaben am Wortanfang oder -ende werden jedoch nicht abgetrennt. Das gilt auch bei Zusammensetzungen ⟨§ 107 E₁⟩.

1. Freun-de, Män-ner, Mül-ler, Mül-le-rin, for-dern, wei-ter, Or-gel, kal-kig, Bes-se-rung, Brau-e-rei, fe-en-haft, Se-en-plat-te
- Bal-kon, Bal-ko-ne, Fis-kus, Ho-tel, Pla-net, Kon-ti-nent, Re-mi-nis-zenz, Na-ti-on, Na-ti-o-nen, El-lip-se, po-e-tisch, In-di-vi-du-a-list
- aber-mals, Über-see, Fluss-aue
- Fei-er-abend, Olym-pia-dorf

2. Ein einzelner Konsonant im Wortinneren kommt in der Regel auf die neue Zeile; von mehreren Konsonanten trennt man nur den letzten ab ⟨§110⟩ (vgl. aber K 166).

3. Steht ss als Ersatz für ß zwischen zwei Vokalen, dann wird zwischen den beiden s getrennt ⟨§ 110⟩.

2. tre-ten, nä-hen, Ru-der, rei-ßen, bo-xen, Ko-kon, Na-ta-li-tät, Kre-ta, Chi-na

- An-ker, Fin-ger, war-ten, Fül-lun-gen, Knos-pen, Kat-zen, Städ-ter, neh-men, Ar-sen, Kas-ko, Pek-tin, Un-garn, At-lan-tik, Kas-ten, bes-tens, Hus-ten
- kämp-fen, Karp-fen, Drechs-ler, dunk-le, gest-rig, and-re, Bess-rung, schöns-te
- be-deu-tends-te
- Grü-ße, hei-ßen

3. Grüs-se (*statt:* Grü-ße), heis-sen (*statt:* hei-ßen) (*Aber:* scheuss-lich)

🖉 Das frühere Verbot der Trennung von st gilt nicht mehr.

- las-ten, läs-tig, sechs-te, er brems-te, des Diens-tes, Akus-tik, Hys-te-rie

---

K 165   Die Konsonantenverbindungen ch, ck und sch, in Fremdwörtern auch ph, rh, sh und th, bleiben ungetrennt, wenn sie für einen einfachen Laut stehen ⟨§ 111⟩.

- Bü-cher, Zu-cker, ba-cken, Fla-sche
- Ma-che-te, Pro-phet, Myr-rhe, Ca-shew-nuss, ka-tho-lisch

🖉 Die Doppellaute (Diphthonge) ai, au, äu, ei, eu, oi [gesprochen oy] werden nicht abgetrennt. Auch in Wörtern aus dem Französischen bleibt oi [gesprochen o̯a, vor n: o̯ɛ̃] besser ungetrennt. Die stummen Dehnungsbuchstaben e und i werden ebenfalls nicht abgetrennt. Das stumme w in der Namensendung »-ow« wird wie andere Konsonanten behandelt.

- Kai-ser, Trau-ung, Räu-ber, ei-nig, Eu-le, Broi-ler
- Cloi-son-né, moi-riert, Poin-te
- Wie-se
- Coes-feld [*gesprochen* 'ko:s...]
- Trois-dorf [*gesprochen* 'tro:s...]
- Tel-to-wer Rübchen

K 166 In Fremdwörtern können Konsonantengruppen wie die folgenden ungetrennt bleiben ⟨§ 112⟩:

- bl, cl, fl, gl, kl, phl, pl
- br, cr, dr, fr, gr, kr, phr, pr, thr, tr, vr
- gn, kn

- Pu-bli-kum *oder* Pub-li-kum
- Re-gle-ment *oder* Reg-le-ment
- Zy-klus *oder* Zyk-lus
- Di-plom *oder* Dip-lom
- Fe-bru-ar *oder* Feb-ru-ar
- Hy-drant *oder* Hyd-rant
- Ar-thri-tis *oder* Arth-ri-tis
- In-dus-trie *oder* In-dust-rie
- Li-vree *oder* Liv-ree
- Ma-gnet *oder* Mag-net

Die Trennung zusammengesetzter Wörter

K 167
1. Zusammengesetzte Wörter und Wörter mit Vorsilben werden nach ihren Bestandteilen getrennt ⟨§ 108⟩.
2. Die einzelnen Bestandteile trennt man nach den voranstehenden Regeln.
3. Wird ein Wort nicht mehr als Zusammensetzung erkannt oder empfunden, so ist auch die Trennung nach Sprechsilben korrekt ⟨§ 113⟩.

1. Diens-tag, Stadt-staat, Kahl-schlag, tod-schick, Ver-ein, be-stimmt, ge-treu
- Sweat-shirt, Hard-ware, Pro-gramm, Ex-press
- Neu-stadt, Inns-bruck
2. Klei-der-schrank, Ho-sen-trä-ger, ge-ra-ten, Ver-gnü-gen
- Trans-ak-ti-on, ka-pi-tal-in-ten-siv
3. wa-rum *oder* war-um
- ei-nan-der *oder* ein-an-der
- He-li-kop-ter *oder* He-li-ko-pter
- in-te-res-sant *oder* in-ter-es-sant
- Mai-nau *oder* Main-au

K 168 Trennungen, die den Leseablauf stören oder den Wortsinn entstellen, sollte man vermeiden ⟨§ 107 E$_2$⟩.

Man trennt also nach Möglichkeit
- Spar-gelder *statt* Spargel-der
- be-inhalten *statt* bein-halten
- An-alphabet *statt* Anal-phabet

Zahlen und Ziffern

Zu weiteren Informationen:
↑ Bindestrich (K 26 u. 29–31)
↑ Getrennt- und Zusammenschreibung (K 65 u. 66)
↑ Groß- und Kleinschreibung (K 78–80)

Außerdem:
↑ Textverarbeitung und E-Mails (S. 121 f.)

1. Ganze Zahlen aus mehr als drei Ziffern können von der Endziffer aus durch Zwischenräume in dreistellige Gruppen gegliedert werden.
2. Postleitzahlen werden im Allgemeinen nicht gegliedert.
3. Bei Zahlen, die eine Nummer darstellen, sind auch andere Gruppierungen als die Dreiergliederung gebräuchlich.

1. 3 000 000 EUR
   * 4 512 richtige Einsendungen
   * 34 512 zahlende Zuschauer
   * 134 512 Einwohner
2. 68167 Mannheim
3. Tel. 0621 709614
   * BLZ 500 914 00
   * ISBN 3-411-04012-2

Zusammentreffen von drei gleichen Buchstaben

K 169 Treffen bei Zusammensetzungen drei gleiche Buchstaben aufeinander, kann zur besseren Lesbarkeit ein Bindestrich gesetzt werden ⟨§ 45 (4)⟩.

* Kaffeeersatz *oder* Kaffee-Ersatz
* Kunststoffflasche *oder* Kunststoff-Flasche
* Kongressstadt *oder* Kongress-Stadt
* Geschirrreiniger *oder* Geschirr-Reiniger
* Kennnummer *oder* Kenn-Nummer

Bei der Zusammenschreibung ohne Bindestrich darf keiner der drei Buchstaben entfallen.
(Eine Ausnahme bilden die Wörter „dennoch", „Drittel" und „Mittag" ⟨§ 4 (8)⟩.)

Brennnessel, Schifffahrt, **schneeerhellt,** helllila, grifffest, schnelllebig, stickstofffrei, fetttriefend, Balletttruppe (*Vgl. auch* K 25.)

Textverarbeitung und E-Mails

Die folgenden, nach Schlagwörtern alphabetisch geordneten Hinweise gelten für Satzsysteme und für moderne Textverarbeitungssysteme. Diese nähern sich im hier behandelten Bereich den Möglichkeiten von Satzsystemen immer mehr an.

Für die Textverarbeitung und E-Mails gilt die DIN 5008, deren Empfehlungen immer dann angeführt werden, wenn sich Abweichungen zu den allgemeinen Richtlinien ergeben.

Um eine problemlose Umwandlung elektronisch gespeicherter Texte in Schriftsatz zu gewährleisten, sollte schon die Texterfassung in Absprache mit der Druckerei erfolgen.

Einzelheiten, die im Folgenden nicht erfasst sind, und sachlich begründete Abweichungen sollten – als Anleitung für Korrektoren und Setzer – in einer besonderen Satzanweisung für das betreffende Werk festgelegt werden.

Abkürzungen

Vgl. hierzu auch K 1–K 6 und K 28 im Abschnitt »Rechtschreibung und Zeichensetzung«.

1. Leerschritte und Zwischenräume

Nach Abkürzungen folgt ein Leerschritt. Das gilt nach DIN 5008 auch für mehrere aufeinanderfolgende Wörter, die jeweils mit einem Punkt abgekürzt sind. In der Textverarbeitung wird innerhalb von Abkürzungen zwischen den einzelnen Elementen ein kleiner Zwischenraum (Festabstand) gesetzt.	... desgl. ein paar Strümpfe ... ... z. B. ein Zeppelin ... ... Hüte, Schirme, Taschen u. a. m.

2. Am Satzanfang

Abkürzungen, die für mehr als ein Wort stehen, werden am Satzanfang in der Regel nicht verwendet.	*nicht:* Z. B. hat ...
	            M. a. W. ...
	sondern: Zum Beispiel hat ...
	            Mit anderen Worten ...

3. S., Bd., Nr., Anm.

Abkürzungen wie S., Bd., Nr., Anm. sollten nur verwendet werden, wenn ihnen kein Artikel und keine Zahl vorangeht.	S. 5, Bd. 8, Nr. 4, Anm. B *aber:* die Seite 5, der Band 8, die Nummer 4, die Anmerkung B 5. Seite, 8. Band, 4. Nummer

4. Trennung

Die Trennung von mehrteiligen
Abkürzungen sollte nach Möglichkeit
vermieden werden.
Ebenso sollten auch abgekürzte Maß- und
Währungseinheiten nicht von den dazu-
gehörigen Zahlen getrennt werden.

Vgl. auch ↑ Festabstände.

nicht: Die Hütte liegt 2 800 m ü.
d. M.

sondern: Die Hütte liegt 2 800 m ü. d. M.

nicht: Für die Umstellung werden 160
€ berechnet.

sondern: Für die Umstellung werden
160 € berechnet.

Anführungszeichen

Im deutschen Schriftsatz werden im Allgemeinen
die Anführungszeichen „..." und »...« sowie
ihre einfachen Formen ‚...' und ›...‹ verwendet.
Sie stehen ohne Zwischenraum vor und nach den
eingeschlossenen Textabschnitten, Wörtern u. a.
In anderen Sprachen finden sich: "...", '...', «...»,
‹...›, "...", „...", »...».

Bei einzelnen aus fremden Sprachen angeführten
Wörtern und Wendungen werden die Anführungszeichen wie im deutschen Text gesetzt.
Werden dagegen ganze Sätze oder Absätze aus
fremden Sprachen zitiert, dann verwendet man
die in dieser Sprache üblichen Anführungszeichen.

Vgl. auch K7–K12 im Abschnitt »Rechtschreibung
und Zeichensetzung«.

„Ja", sagte er.
Sie rief: »Ich komme gleich!«

Der „guardia" ist so etwas wie ein
Abschnittsbevollmächtigter.

Ein englisches Sprichwort lautet: "Early to
bed and early to rise makes a man healthy,
wealthy, and wise."
Cavours letzte Worte waren: «Frate, frate!
Libera chiesa in libero stato!»

Anmerkungszeichen
↑ Fußnoten- und Anmerkungszeichen

Anrede und Gruß in Briefen

Anrede und Grußformel werden vom übrigen
Brieftext durch jeweils eine Leerzeile abgesetzt.

Vgl. auch S. 123 ff. und 128 f.

Sehr geehrter Herr Schmidt,

gestern erhielten wir Ihre Nachricht vom ...
Wir würden uns freuen, Sie bald hier begrüßen zu können.

Mit freundlichen Grüßen

Kraftwerk AG

Anschrift

Anschriften auf [nicht elektronischen] Postsendungen werden zeilenweise ohne Leerzeilen gegliedert. Man unterteilt hierbei wie folgt:

[Art der Sendung];
[Firmen]name;
Postfach oder Straße und Hausnummer [Wohnungsnummer];
Postleitzahl, Bestimmungsort
[Bestimmungsland]

Die Postleitzahl wird nicht ausgerückt, der Bestimmungsort nicht unterstrichen.
Bei Postsendungen ins Ausland empfiehlt die Deutsche Post, Bestimmungsort und Bestimmungsland in Großbuchstaben zu schreiben. Das früher übliche Voranstellen des Landeskennzeichens vor die Postleitzahl des Bestimmungsortes (z. B. A- für Österreich) wird nicht mehr empfohlen.
Am Zeilenende stehen keine Satzzeichen; eine Ausnahme bilden Abkürzungspunkte sowie die zu Kennwörtern o. Ä. gehörenden Anführungs-, Ausrufe- oder Fragezeichen.

Bei E-Mails besteht die international standardisierte Adresse aus dem Empfängernamen, dem Zeichen @ und der organisatorischen oder geografischen Kennung des Rechnerstandortes. Leerzeichen (Blanks) werden nicht gesetzt; als Abgrenzungszeichen dienen Punkt, Bindestrich oder Unterstrich. Die Umlaute ä, ö, ü werden als ae, oe, ue geschrieben; ß wird durch ss ersetzt.

Einschreiben
Bibliographisches Institut &
F. A. Brockhaus AG
Dudenstraße 6
68167 Mannheim

Herrn
Helmut Schildmann
Jenaer Straße 18 a
99425 Weimar

Frau
Maria Baeren
Münsterplatz 8
3000 BERN

Herrn Major a. D.
Kurt Meier
Postfach 90 10 98
60450 Frankfurt am Main

Reisebüro Bauer
Kennwort »Ferienlotterie«
Postfach 70 96 14
1121 WIEN
ÖSTERREICH

c_mueller@klinikum.rwth-aachen.de

Cornelia.Rimmler@auto-welker.de

Gert.Seibler@t-online.de

Antiqua im Fraktursatz

1. Wörter aus Fremdsprachen

Fremdsprachige Wörter und Wortgruppen, die nicht durch Schreibung, Beugung oder Lautung als eingedeutscht erscheinen, müssen im Fraktursatz in Antiqua gesetzt werden. Dies gilt besonders für die italienischen Fachausdrücke in der Musik. Solche fremdsprachigen Wörter werden aber dann in Fraktur gesetzt, wenn sie in Schreibung, Beugung oder Lautung eingedeutscht sind oder mit einem einheimischen Wort zusammengesetzt werden.	en avant, en vogue, all right, in praxi, in petto, a conto, dolce far niente Agent Provocateur, Tempi passati, Agnus Dei andante, adagio, moderato, vivace *usw.* Er spielte ein Adagio (*nicht:* adagio). Die Firma leistete eine Akontozahlung (*nicht:* A-conto-Zahlung).

2. Bindestriche im gemischten Satz

Treffen bei zusammengesetzten Wörtern Teile in verschiedener Schriftart aufeinander, dann wird der Bindestrich aus der Textschrift gesetzt.	Das sinkende Schiff sandte SOS-Rufe.

Apostroph

Dem Apostroph am Wortanfang geht im Allgemeinen der regelmäßige Wortzwischenraum voran. Bei umgangssprachlichen Zusammenziehungen mit 's (für »es«) wird aber der Zwischenraum meistens weggelassen. Vgl. auch K13–K16 im Abschnitt »Rechtschreibung und Zeichensetzung«.	Aber 's kam anders. So 'n Mann hat gesagt … Wie geht's dir? Wenn's weiter nichts ist. Hab ich's nicht gesagt?

Auslassungspunkte

Um eine Auslassung in einem Text zu kennzeichnen, werden drei Punkte gesetzt. Vor und nach den Auslassungspunkten wird jeweils ein Wortzwischenraum gesetzt, wenn sie für ein selbstständiges Wort oder mehrere Wörter stehen. Bei Auslassung eines Wortteils werden sie unmittelbar an den Rest des Wortes angeschlossen. Am Satzende wird kein zusätzlicher Schlusspunkt gesetzt. Satzzeichen werden ohne Zwischenraum angeschlossen.

Keiner der genannten Paragrafen ... ist im vorliegenden Fall anzuwenden.
Sie glaubten in Sicherheit zu sein, doch plötzlich ...
Mit »Para...« beginnt das gesuchte Wort.

Vielen Dank für Ihr Schreiben vom ...
Wir freuen uns über Ihre Zusage.
Bitte wiederholen Sie den Abschnitt nach »Wir möchten Sie auffordern ...«.

Ausrufezeichen
↑ Satzzeichen

Bindestrich

Der Bindestrich entspricht typografisch dem Trennstrich (Divis) der jeweiligen Schrift.

Hals-Nasen-Ohren-Arzt, C-Dur-Tonleiter
... Maschendrahtzaun ...

Als Ergänzungsstrich steht der Bindestrich unmittelbar vor oder nach dem zu ergänzenden Wortteil.
Bei der Kopplung oder Aneinanderreihung gibt es zwischen den verbundenen Wörtern oder Schriftzeichen und dem Bindestrich ebenfalls keine Leerschritte.
Darüber hinaus findet der Bindestrich Verwendung als Trennstrich bei der Worttrennung. Nach DIN 5008 kann er auch als Gedankenstrich, als Rechenzeichen, als Strich für Strecken, beim Datum, als Untersatzzeichen, bei Unterführungen und als Strich für »bis« und »gegen« dienen.
Vgl. auch K 21–K 31 im Abschnitt »Rechtschreibung und Zeichensetzung«.

Laub- und Nadelbäume
Eisengewinnung und -verarbeitung
Textilgroß- und -einzelhandel
Hals-Nasen-Ohren-Arzt
St.-Martins-Kirche
C-Dur-Tonleiter
Berlin-Schöneberg
Hawaii-Insel
UKW-Sender
3- bis 4-mal

»bis«
↑ Strich für »gegen« und »bis«

Datum

1. Reihenfolge

Die im deutschsprachigen Raum übliche Reihenfolge ist: Tag, Monat, Jahr. Nach DIN 5008 soll gemäß internationaler Norm die Reihenfolge Jahr, Monat, Tag eingehalten werden. Tag und Monat sollen bei der reinen Zahlenangabe zweistellig angegeben werden.

Mannheim, den 1. 9. 2006
am 10. 5. 63 geboren
2006-09-01

2. Abstände

In der Textverarbeitung wird zwischen Tag und Monat ein kleinerer Zwischenraum (Festabstand), vor dem Jahr ein normaler Wortabstand gesetzt. Erfolgt die Jahresangabe nur zweistellig, wird auch davor ein kleinerer Zwischenraum gesetzt.

15. 08. 2007
27. 12. 93

Nach DIN 5008 wird das nur in Zahlen angegebene Datum ohne Leerschritte gegliedert. Schreibt man den Monatsnamen in Buchstaben, setzt man zwischen den einzelnen Angaben je einen Leerschritt.

05.07.06
21. Juli 2006

3. Gliederungszeichen

Bei der traditionellen Datumsangabe mit der Reihenfolge Tag, Monat, Jahr wird ein Punkt nach den Zahlen für Tag und Monat gesetzt. Die Jahresangabe steht ohne Punkt.

13.12.2007
23.08.08

Bei der Datumsangabe nach DIN 5008 mit der Reihenfolge Jahr, Monat, Tag wird durch Trennstriche gegliedert. Zur Zusammenfassung von aufeinanderfolgenden oder aus der Geschichte geläufigen Jahreszahlen wird ein Schrägstrich verwendet.

01-09-24

2006/2007
1914/18

Die allein stehende zweistellige Jahresangabe steht ohne Apostroph.

in den Jahren 97 und 98

Doppelpunkt

↑ Satzzeichen

Einheitenzeichen

Besteht die Ziffer vor einer Einheit oder die Einheit aus nur einem Zeichen, so ist ein kleinerer Zwischenraum (Festabstand) zu setzen. Die Trennung von Ziffer und Einheit am Zeilenende sollte vermieden werden. Nach DIN 5008 werden Einheitenzeichen mit einem Leerschritt hinter der Ziffer geschrieben.	300 V Höchstgewicht: 2 kg 5 000 km ein Luftdruck von 998 hPa

Einrücken

↑ Hervorhebungen

Et-Zeichen (&)

Das Et-Zeichen & ist gleichbedeutend mit »und«, darf aber nur bei Firmenbezeichnungen angewendet werden. In allen anderen Fällen steht »u.« als Abkürzung für »und«.	C & A Müller & Co. Meyer & Neumann Erscheinungstermin für Bd. I u. II die Hochzeit von Lisa u. Heinz

Fehlende Zeichen

Auf der Tastatur fehlende Zeichen können in einigen Fällen durch Kombinationen anderer Zeichen ersetzt werden: Die Umlaute ä, ö, ü kann man als ae, oe, ue schreiben. Das ß kann durch ss wiedergegeben werden. Besonders im internationalen E-Mail-Verkehr kann der Verzicht auf Umlaute, Sonderzeichen (z. B. Akzente) und ß sinnvoll sein, da diese Zeichen von den Mailprogrammen der Empfänger/-innen oft nicht angemessen umgesetzt werden.	südlich – suedlich SÜDLICH – SUEDLICH mäßig – maessig Fußsohle – Fusssohle

Festabstände

Festabstände sind nicht variable, meist kleinere Zwischenräume zwischen Zeichen. Sie dienen sowohl der Ästhetik als auch der besseren Lesbarkeit von Texten, indem sie Zusammengehöriges verbinden oder Unübersichtliches gliedern. Ihre Eingabe lässt sich – heute auch am PC – mit einer Trennungssperre verbinden (geschütztes Leerzeichen), sodass auf diese Weise verbundene Zeichen am Zeilenende nicht auseinandergerissen werden können. Festabstände werden beispielsweise verwendet bei Abkürzungen, beim Datum, bei der Gliederung von Nummern, bei Paragrafzeichen, Rechenzeichen, Zahlen und Einheiten.

v. l. n. r.
d. Gr.
a. D.

28. 8. 2003
16. 12. 04

Güteklasse 1 a

§ 17 ff.

$6 + 2 = 8$

7 513 499 €

Formeln

Mathematische, physikalische und chemische Formeln sollten nach Möglichkeit eingerückt und auf eine eigene Zeile gestellt werden sowie ungetrennt bleiben.
Ist eine Trennung der Formel unvermeidlich, dann sollte nur am Gleichheitszeichen (oder einem ähnlichen Zeichen wie $\equiv$, $\approx$, $\leq$, ~), wenn auch das nicht möglich ist, an einem Rechenzeichen umbrochen werden.

$$CH_3 - CHCl_2$$

$$10^{-6} = \frac{1}{1\,000\,000}$$

$$= 0,000001$$

Fragezeichen

↑ Satzzeichen

Fußnoten- und Anmerkungszeichen

Als Fußnoten- und Anmerkungszeichen sind heute fast nur noch hochgestellte Ziffern ohne Klammern üblich.

Die verschiedenen Holzsorten[1] werden mit Spezialklebern[2] verarbeitet und später längere Zeit[3] getrocknet.

[1] Zum Beispiel Fichte, Eiche, Buche.
[2] Vorwiegend Zweikomponentenkleber.
[3] Etwa 4 bis 6 Wochen.

Treffen Fußnotenzeichen mit Satzzeichen zusammen, gilt folgende Grundregel: Wenn sich die Fußnote auf den ganzen Satz bezieht, steht die Ziffer nach dem schließenden Satzzeichen; wenn die Fußnote sich nur auf das unmittelbar vorangehende Wort oder eine unmittelbar vorangehende Wortgruppe bezieht, steht die Ziffer vor dem schließenden Satzzeichen.

Im Tagungsbericht heißt es, der Vortrag behandele »einige Aspekte der Internetkommunikation«.[1]

> [1] Das Skript finden Sie auch auf unserer Homepage.
> *(Anmerkung zu dem ganzen Satz.)*

Im Tagungsbericht heißt es, der Vortrag behandele »einige Aspekte der Internetkommunikation«[1].

> [1] Tagungsbericht S. 12.
> *(Stellenangabe für das Zitat.)*

Im Tagungsbericht heißt es, der Vortrag behandele »einige Aspekte der Internetkommunikation[1]«.

> [1] Besonders das Sprachverhalten in E-Mails.
> *(Anmerkung zu einem einzelnen Wort des Zitats.)*

Die Untersuchung befasst sich vor allem mit »dem massenhaften Gebrauch der Heiligennamen[1]«.

> [1] P. Müller, 189.

Fußnoten werden nach DIN 5008 mit einem Fußnotenstrich vom übrigen Text abgegrenzt und mit einfachem Zeilenabstand wie Absätze geschrieben. Zwischen Fließtext und Fußnotenstrich muss mindestens eine Leerzeile stehen.

Gedankenstrich

Der Gedankenstrich ist länger als der Bindestrich und in der Regel kürzer als das Minuszeichen. Gesetzt wird er mit vorausgehendem und folgendem Wortabstand. Er soll nach Möglichkeit nicht am Zeilenanfang stehen.
Vgl. auch ↑ Streckenstrich, ↑ Strich bei Währungsangaben, ↑ Strich für »gegen« und »bis«; K 43–K 46 im Abschnitt »Rechtschreibung und Zeichensetzung«.

Diese Frau – ich habe sie schon vor vielen Jahren kennengelernt – hat eine außergewöhnliche Begabung.

»gegen«

↑ Strich für »gegen« und »bis«

Genealogische Zeichen

Aus Gründen der Platzersparnis können genealogische Zeichen in entsprechenden Texten verwendet werden.

* = geboren (geb.); (*) = außerehelich geboren; †* = tot geboren; *† = am Tag der Geburt gestorben; ⁓ = getauft (get.); o = verlobt (verl.); ∞ = verheiratet (verh.); ∞ = geschieden (gesch.); ∞ = außereheliche Verbindung; † = gestorben (gest.); ✕ = gefallen (gef.); ⬚ = begraben (begr.); ⬚ = eingeäschert

Gliederung von Nummern

Die fünfstellige **Postleitzahl** wird in der Regel nicht untergliedert.

14328 Berlin

Postfachnummern werden, von der letzten Ziffer ausgehend, durch einen kleinen Zwischenraum in Zweiergruppen gegliedert.

14 23
3 69

In **Telefon- und Telefaxnummern** wird nach DIN 5008 jeweils ein Leerzeichen zwischen Kennziffer des Netzbetreibers, Vorwahlnummer, Ortsnetzkennzahl und Rufnummer des Teilnehmers gesetzt.

06281 4391
0172 3701458

Durchwahlnummern werden mit Bindestrich angeschlossen.
Gibt eine Sondernummer die Höhe des Tarifs an, so wird davor und dahinter ein Leerschritt gesetzt.

06281 2346-0 (Zentralnummer)
06131 345765-224
0180 2 55972

Bei **internationalen Telefon- und Faxnummern** wird der Landesvorwahl (ohne doppelte Null) ein + unmittelbar vorangestellt.

+49 221 943612
+49 30 26011-231

Im Schriftsatz ist es auch möglich, die Zahlen von rechts beginnend zweistellig zu gliedern. Die Vorwahlnummer wird dann in Klammern gesetzt. Internationale Telefon- und Faxnummern werden im Schriftsatz üblicherweise ohne Klammern gesetzt.

(0 77 20) 3 87-1 34
(01 72) 3 70 14 58
+49 30 26 12 31

Kontonummern bestehen aus maximal zehn Ziffern. Sie können von der Endziffer aus jeweils in Dreiergruppen gegliedert werden.

8 582 404
1 843 462 527

Häufig erfolgt keine Gliederung durch Zwischenräume.

8582404
1843462527

Bankleitzahlen bestehen aus acht Ziffern. Sie werden von links nach rechts in zwei Dreiergruppen und eine Zweiergruppe gegliedert.

670 409 20

In **Inhaltsverzeichnissen** können zur Gliederung der Abschnitte arabische Zahlen verwendet werden. Zwischen den einzelnen Teilnummern stehen Punkte, jedoch nicht hinter der letzten Nummer.

Die einzelnen Zahlenblöcke der **ISBN** (Internationale Standardbuchnummer) werden durch Bindestrich oder Zwischenraum voneinander getrennt. Vgl. auch ↑ Festabstände, ↑ Zahlen.

ISBN 3-411-00911-X
ISBN 3-7610-9301-2
ISBN 3 406 06780 8

Gradzeichen

Bei Temperaturangaben steht zwischen der Zahl und dem Gradzeichen ein kleinerer Zwischenraum (Festabstand), nach DIN 5008 ein ganzer Leerschritt. Der Kennbuchstabe der Temperaturskala folgt ohne weiteren Zwischenraum.
Bei anderen Gradangaben wird das Gradzeichen ohne Zwischenraum an die Zahl angeschlossen.

$-3\,°C$
$+17\,°C$

ein Winkel von 30°
50° nördlicher Breite

Hervorhebung
↑ Schriftauszeichnung

Hochgestellte Zahlen

Hochzahlen und Fußnotenziffern werden ohne Leerschritt angeschlossen.

eine Entfernung von 10^8 Lichtjahren
ein Gewicht von 10^{-6} Gramm
Nach einer anderen Quelle[4] hat es diesen Mann nie gegeben.

Inhaltsverzeichnisse

↑ Gliederung von Nummern

Klammern

Klammern schreibt man ohne Leerschritt vor und nach den Textabschnitten, Wörtern, Wortteilen oder Zeichen, die von ihnen eingeschlossen werden.	Das neue Serum (es wurde erst vor Kurzem entwickelt) hat sich sehr gut bewährt. Der Grundbetrag (12 EUR) wird angerechnet. Lehrer(in) für Deutsch gesucht.

Ligaturen

Ligaturen fassen Buchstaben zu einem Zeichen zusammen. Sie dienen der besseren Lesbarkeit. Wenn sie verwendet werden, muss dies innerhalb eines Druckwerks einheitlich geschehen. Ligaturen sind im Bleisatz üblich, können aber auch von manchen elektronischen Satzsystemen erzeugt werden. Typische Ligaturen (bei Verwendung von Antiqua-Schriften) sind:
ff, fi, fl, zum Teil auch ft, ch, ck.
Eine Ligatur wird nur gesetzt, wenn die Buchstaben im Wortstamm zusammengehören.
Keine Ligatur steht zwischen Wortstamm und Endung (Ausnahme: fi).
Keine Ligatur steht in der Wortfuge von Zusammensetzungen.
In Zweifelsfällen wird die Ligatur entsprechend der Gliederung des Wortes nach Sprechsilben gesetzt.
Schließt eine Abkürzung mit zwei Buchstaben, die eine Ligatur bilden können, dann wird diese angewendet.
Fremdsprachige Ligaturen wie Œ, œ, Æ, æ werden als ein Zeichen betrachtet. Im Frakturstz werden die nebenstehenden Ligaturen gebraucht.
(Die Ligatur ß gilt als ein Buchstabe.)
Für die Anwendung dieser Ligaturen gilt das oben Gesagte. In gesperrter Schrift werden ch, ck und tz nicht mitgesperrt. Die Ligaturen ff und fl werden wie Antiqua-fi behandelt.

schaffen, schafft, erfinden, Pfiff, abflauen, Leidenschaft, heftig

ich schaufle, ich kaufte, höflich;
aber: streifig, affig
Schaffell, Kaufleute, Schilfinsel

Rohstofffrage, Schifffahrt, knifflig, schafften

Aufl. (*aber:* Auflage), gefl. (*aber:* gefällig, gefälligst)

ch, ck, ff, fi, fl, ft, ll, fch, fi, ff, ft, tz

Namen
↑ Schriftauszeichnung (1)

Nummerngliederung
↑ Gliederung von Nummern

Paragrafzeichen

In Verbindung mit einer nachgestellten Zahl wird das Wort Paragraf als Zeichen § wiedergegeben. Nach DIN 5008 wird zwischen Ziffer und §-Zeichen ein ganzer Leerschritt, in der Textverarbeitung ein kleinerer Zwischenraum (Festabstand) gesetzt.	§ 9 § 17 ff. der § 17 § 17 Abs. 3 Satz 2
Zwei Paragrafzeichen (§§) kennzeichnen den Plural.	§§ 10 bis 15, §§ 10–15 die §§ 10 bis 15, die §§ 10–15
Ohne Zahlenangabe wird das Wort Paragraf ausgeschrieben.	Der entsprechende Paragraf wurde geändert.
Vgl. auch ↑ Festabstände, ↑ Zahlen.	

Prozent- und Promillezeichen

Vor dem Prozent- und dem Promillezeichen wird ein kleinerer, fester Zwischenraum, nach DIN 5008 ein ganzer Leerschritt gesetzt.	25% $0,5\%_0$
Der Zwischenraum entfällt bei Ableitungen.	ein 25%iger Umsatzrückgang

Rechenzeichen

Rechenzeichen werden zwischen den Zahlen mit vorausgehendem und folgendem kleinerem, festem Zwischenraum, nach DIN 5008 mit einem ganzen Leerschritt gesetzt.	$6 + 2 = 8$ $6 - 2 = 4$ $6 \cdot 2 = 12; \ 6 \times 2 = 12$ $6 : 2 = 3$
Vorzeichen werden aber ohne Zwischenraum (kompress) gesetzt.	$-2a$ $+15$
Vgl. auch ↑ Formeln.	

Satzzeichen

Die Satzzeichen Punkt, Komma, Semikolon, Doppelpunkt, Fragezeichen und Ausrufezeichen werden ohne Leerschritt an das vorangehende Wort oder Schriftzeichen angehängt. Das nächste Wort folgt nach einem Leerschritt. Zu Satzzeichen in der Hervorhebung vgl. auch ↑ Schriftauszeichnung.	Wir haben noch Zeit. Gestern, heute und morgen. Am Mittwoch reise ich ab; mein Vertreter kommt nicht vor Freitag. Es muss heißen: Hippologie. Wie muss es heißen? Hör doch zu!

Schrägstrich

Vor und nach dem Schrägstrich wird im Allgemeinen kein Leerschritt angeschlagen. Der Schrägstrich kann als Bruchstrich verwendet werden; er steht außerdem bei Diktat- und Aktenzeichen sowie bei zusammengefassten Jahreszahlen.	2/3, 3 1/4 % Zinsen Aktenzeichen c/XII/14 Ihr Zeichen: Dr/Ls Er begann sein Studium im Wintersemester 1998/99.

Schriftauszeichnung

Die wichtigsten Schriftauszeichnungen sind: halbfette und kursive Schrift, Versalien und Kapitälchen. Darüber hinaus wird auch gesperrte Schrift verwendet.

1. Hervorhebung von Eigennamen

Bei der Hervorhebung von Eigennamen wird das Genitiv-s mit hervorgehoben. Die Ableitung -sche usw. wird dagegen aus der Grundschrift gesetzt.	*Meyers* Lexikon, **Meyers** Lexikon, MEYERS Lexikon, M e y e r s Lexikon der *virchow*sche Versuch, der **virchow**sche Versuch, der VIRCHOWsche Versuch, der v i r c h o w sche Versuch

2. Satzzeichen und Klammern

Satzzeichen und Klammern werden – auch am Ende eines ausgezeichneten Textteils – in der Regel in der Auszeichnungsschrift gesetzt. Ausnahmen, z. B. aus ästhetischen oder inhaltlichen Gründen, sind möglich. Wird ein gemischt gesetzter Textteil von Klammern eingeschlossen, so werden im Allgemeinen beide Klammern aus der Grundschrift gesetzt. Überwiegt die gerade Schrift in der Klammer, so werden beide Klammern gerade gesetzt.	**anstrengend:** *ermüdend, strapaziös:* eine anstrengende Arbeit. **Vieraugen[fische]** **Vieraugen[fische]** (xxx *xxx* xxx) (*xx* xxxxx *xx*)

Beginnt oder endet ein Text unterschiedlich mit kursivem oder gerade stehendem Text, so werden beide Klammern gerade gesetzt.

$(xxx\ xxx\ xxx)$ $(xxx\ xxx\ xxx)$

Ist kursiver Text eingeklammert, werden auch die Klammern kursiv gesetzt; das nachfolgende Satzzeichen kann kursiv oder gerade gesetzt werden.

$xxx\ (xxxxx);$ $xxx\ (xxxxx)?$

Divis, Gedankenstrich und das Gleichheitszeichen in Verbindung mit halbfetter oder fetter Schrift werden immer halbfett bzw. fett gesetzt.

3. Sperren

Die Satzzeichen werden im Allgemeinen mit gesperrt.
Allerdings gilt dies in der Regel nicht für den Punkt und die Anführungszeichen. Auch Zahlen werden nicht gesperrt.

W a r u m ?
D a r u m !
D e r   T a g e s a u s s t o ß   b e t r ä g t
10 000   S t ü c k .

4. Hervorhebungen bei E-Mails und Maschinenschreiben

Hervorhebungen sind möglich durch Einrücken und Zentrieren, Unterstreichen und Sperren, durch Anführungszeichen und Großbuchstaben. Moderne Schreibmaschinen ermöglichen auch fette und kursive Schrift sowie Wechsel der Schriftart. Moderne E-Mail-Programme bieten diese Möglichkeiten der Textauszeichnung auch, allerdings empfiehlt es sich nicht, diese einzusetzen, da sie durch die elektronische Übertragung unter Umständen verloren gehen. Ebenso ist das Einrücken und Zentrieren bei E-Mail-Texten nicht sinnvoll.
Beim Unterstreichen werden Wortzwischenräume und Satzzeichen mit unterstrichen.
Beim Sperren werden vor und nach der Sperrung je drei Leerschritte angeschlagen.
Vgl. auch ↑Schriftauszeichnung, Kap. 3, Sperren.

Wir werden <u>auf alle Fälle</u> kommen.
<u>Vorsicht Glas!</u>
Diese Übungen finden immer nur
m o n t a g s statt.

s-Laute im Fraktursatz

Das s der Antiqua wird in der Fraktur (sog. *deutsche Schrift*) durch ſ oder s wiedergegeben.
Für ß steht ß, für ss im Inlaut steht ſſ. Näheres wird in den folgenden Richtlinien geregelt.

1. Das lange ſ

Für Antiqua-s im Anlaut einer Silbe steht langes ſ.	ſagen, ſehen, ſieben, ſezieren, Heldenſage, Höhenſonne, Erbſe, Rätſel, wachſen, kleckſen; leſen, Roſe, Baſis, Friſeur, Muſeum; Mikroſkop; Manuſkript, Proſzenium
Das gilt auch dann, wenn ein sonst im Silbenanlaut stehender s-Laut durch den Ausfall eines unbetonten e in den Auslaut gerät. In Zusammensetzungen mit trans-, deren zweiter Bestandteil mit einem s beginnt, ist das s von trans (trans-) meist ausgefallen. Deshalb steht hier ſ.	auserleſne (*für:* auserleſene), ich preiſ (*für:* ich preiſe), Verwechſlung (*für:* Verwechſelung); Wechſler (*zu:* wechſeln) tranſpirieren, tranſzendent, Tranſkription (*aber:* transſibiriſch, Transſubſtantiation)
In polnischen Namen wird der Laut [sch] durch ſz (nicht ß oder ſs) wiedergegeben; das ſ steht auch in der Endung -ſki (nicht: -ski).	Łukaſzewſki
Das lange ſ steht in den Buchstabenverbindungen ſch, ſp, ſt.	ſchaden, Fiſch, maſchinell; Knoſpe, Weſpe, Veſper; geſtern, Herbſt, Optimiſt, er lieſt
Kein ſ steht aber, wenn in Zusammensetzungen s + ch, s + p und s + t zusammentreffen.	Zirkuschef, Lackmuspapier, Dispens, transparent, Dienstag, Preisträger

2. Das Schluss-s

Für Antiqua-s im Auslaut einer Silbe steht Schluss-s.	dies, Gans, Maske, Muskel, Riesling, Klausner, bösartig, Desinfektion, ich las, aus, als, bis; Dienstag, Donnerstag, Ordnungsliebe, Häschen; Kindes, Vaters, welches; Gleichnis, Kürbis, Globus, Atlas, Kirmes; Kubismus, Arabeske, Ischias, Schleswig
Dasselbe gilt für -sk in bestimmten Fremdwörtern.	brüsk, grotesk, Obelisk
In skandinavischen Personennamen, die auf -sen oder -son enden, wird der vorangehende s-Laut mit Schluss-s gesetzt.	Gulbranssen, Jonasson

3. Das ſſ

Für Doppel-s der Antiqua im Inlaut steht ſſ.	Maſſe, Miſſetat, Flüſſe, Diſſertation, Aſſeſſor, Gleichniſſe
Kein ſſ steht aber, wenn s + s an der Wortgrenze von Zusammensetzungen aufeinandertreffen.	Ausſatz, desſelben, Reisſuppe, transſilvaniſch

4. Sonderregelung zu ſs

Das nach der Neuregelung der Rechtschreibung häufiger zu schreibende Doppel-s im Auslaut sollte im Frakturſatz aus ästhetischen Gründen mit ſs wiedergegeben werden.	Schluſs, ich muſs, laſs

Sperren
↑ Schriftauszeichnung

ss/ß

1. Im deutschsprachigen Satz

In der Schweiz wird das ß generell durch ss wiedergegeben. Diese Regelung darf sonst im deutschsprachigen Satz nur angewendet werden, wenn in einer Schrift oder einem Zeichensatz das ß nicht vorhanden ist. Manuskripte ohne ß müssen deshalb den Regeln entsprechend umgesetzt werden. Stößt für ß verwendetes ss innerhalb eines Wortes mit s zusammen, dann werden drei s gesetzt. Will man nur Großbuchstaben verwenden, so wird das ß durch SS wiedergegeben. Vgl. auch ↑ Fehlende Zeichen und K 159 f. im Abschnitt »Rechtschreibung und Zeichensetzung«.	Fussohle, Reissschiene, massstabgerecht STRASSE, MASSE (*für*: Maße)

2. Im fremdsprachigen Satz

Wenn ein deutsches Wort mit ß latinisiert wird oder wenn ein deutscher Name mit ß im fremdsprachigen Satz erscheint, dann bleibt das ß erhalten.	Weißenburg – der Codex Weißenburgensis Madame Aßmann était à Paris.

Streckenstrich

Bei Streckenangaben wird der Gedankenstrich als Streckenstrich gesetzt. Strich und Ortsbezeichnungen werden dabei ohne Zwischenraum miteinander verbunden, d. h. kompress gesetzt. Vgl. ↑ Gedankenstrich.	Berlin–Leipzig Köln–München

Strich bei Währungsangaben

Der Gedankenstrich kann bei glatten Währungsbeträgen statt der Ziffern hinter dem Komma stehen. Vgl. ↑ Gedankenstrich.	25,– EUR *neben* 25,00 EUR *oder* 25 EUR

Strich für »gegen« und »bis«

Als Zeichen für »gegen« und »bis« findet der Gedankenstrich Verwendung. Für »gegen« (z. B. in Sportberichten) wird er mit Zwischenraum gesetzt.	Schalke 04 – Eintracht Frankfurt 3 : 3 Becker/Stich – Agassi/Sampras 2 : 0
Für »bis« wird er ohne Zwischenraum (kompress) gesetzt. Nach DIN 5008 wird in beiden Fällen ein Leerschritt vor und nach dem Strich verwendet. Ersatzweise kann der Bindestrich gesetzt werden. Bei Hausnummern kann auch der Schrägstrich stehen.	Das Buch darf 10–12 Euro kosten. Sprechstunde 8–11, 14–16 Uhr 1991 – 94
Das »bis«-Zeichen sollte nicht mit anderen Strichen zusammentreffen. Am Zeilenende oder -anfang ist statt des Striches das Wort »bis« auszuschreiben, ebenso in der Verbindung »von … bis«.	Burgstraße 14–16 Burgstraße 14/16 *nicht:* vier--fünfmal *sondern:* vier- bis fünfmal

Uhrzeit

Für die Uhrzeit sind im deutschsprachigen Raum verschiedene Schreibweisen mit Ziffern üblich. Ziffern und Punkte werden ohne Leerschritt geschrieben. Nach DIN 5008 wird mit dem Doppelpunkt gegliedert; jede Zeiteinheit ist zweistellig anzugeben. Vor und nach dem Doppelpunkt wird kein Leerschritt angeschlagen.	Es ist 9 Uhr. 17:30 Uhr 0.12 Uhr Das Spiel beginnt um 19³⁰ Uhr. 14:31:52 Uhr 00:25:35 Uhr

Umlaut

↑ Fehlende Zeichen

Unterführungszeichen

Als Unterführungszeichen dienen die Anführungszeichen. Sie werden im Schriftsatz unter die Mitte des zu unterführenden Wortes gesetzt. Die Unterführung gilt auch für Bindestrich und Komma. Zahlen dürfen nicht unterführt werden.

Ist mehr als ein Wort zu unterführen, so wird das Unterführungszeichen auch dann unter jedes einzelne Wort gesetzt, wenn die Wörter nebeneinanderstehend ein Ganzes bilden.

In der Schweiz wird als Unterführungszeichen das schließende Anführungszeichen der Schweizer Form (») verwendet.

Nach DIN 5008 gelten, besonders für E-Mails und Maschinenschreiben, die folgenden Bestimmungen:

Unterführungszeichen stehen jeweils unter dem ersten Buchstaben des zu unterführenden Wortes.

Ein übergeordnetes Stichwort, das in Aufstellungen wiederholt wird, kann durch den Bindestrich ersetzt werden. Er steht unter dem ersten Buchstaben des Stichwortes.

In E-Mail-Texten sind Unterführungen nicht sinnvoll.

Hamburg-Altona
     „   Finkenwerder
     „   Fuhlsbüttel
     „   Blankenese
1 Regal, 50 cm × 80 cm mit Rückwand
1 „   50 cm × 80 cm ohne „
Unterlauterbach b. Treuen
    „   „   „

Basel-Stadt
» Land

Duden, Band 2, Stilwörterbuch
„   „   5, Fremdwörterbuch
„   „   7, Herkunftswörterbuch

1 Hängeschrank mit Befestigung
1 Regalteil   „   „
1 „   ohne Rückwand
1 „   „ Zwischenwand

Nachschlagewerke; deutsche und fremdsprachige Wörterbücher
-; naturwissenschaftliche und technische Fachbücher
-; allgemeine Enzyklopädien
-; Atlanten

Unterstreichen

↑ Hervorhebungen

Worttrennung

Zur Worttrennung wird der Bindestrich ohne Leerschritt an den Wortteil angehängt.
In Mitteilungen, die zur elektronischen Übertragung bestimmt sind, sollte auf die Eingabe von Worttrennungen verzichtet werden.

... Vergiss-
meinnicht ...

Zahlen

Zahlen mit mehr als drei Stellen links oder rechts des Kommas werden unter Verwendung eines kleineren Zwischenraums (Festabstand) vom Komma ausgehend in 3-stellige Gruppen gegliedert. Nach DIN 5008 soll ein ganzer Leerschritt gesetzt werden.	7 162 354,53 € 0,372 18 g
Bei 4-stelligen Zahlen hat sich neben der Schreibung mit Zwischenraum auch die ohne eingebürgert.	5 340 *neben* 5340
Bei Geldbeträgen können nach DIN 5008 aus Sicherheitsgründen auch Punkte zur Gliederung verwendet werden.	3.947.775 €
Jahreszahlen, Seiten- und Paragrafenangaben sind nicht zu gliedern.	
Die Zahlen vor Zeichen und Abkürzungen von Maßen, Gewichten, Geldsorten usw. sind in Ziffern zu setzen.	21,5 kg 6 € $14^1/_2$ cm 2 kg
Besteht die Ziffer vor einer Einheit oder die Einheit aus nur einem Zeichen, ist ein kleinerer Zwischenraum (Festabstand) zu setzen. Die Trennung von Ziffer und Einheit sollte vermieden werden. Nach DIN 5008 werden Einheiten u. Ä. mit einem ganzen Leerzeichen hinter der Ziffer geschrieben. Wählt man bei der Einheit die ausgeschriebene Form, dann kann die Zahl in Ziffern oder in Buchstaben gesetzt werden.	6 Mio. € 37 TEUR 2 Euro *oder:* zwei Euro (*nicht:* zwei €)
Bei Ableitungen mit Zahlen wird kein Zwischenraum hinter die Zahl gesetzt.	5%ig, ein 32stel, eine 70er-Bildröhre
Vgl. auch ↑ Datum, ↑ Festabstände, ↑ Gliederung von Nummern, ↑ Rechenzeichen, ↑ Uhrzeit.	

Zeichen

↑ Et-Zeichen, ↑ Genealogische Zeichen, ↑ Gradzeichen, ↑ Paragrafzeichen, ↑ Prozent- und Promillezeichen, ↑ Rechenzeichen

Ziffern

↑ Gliederung von Nummern, ↑ Uhrzeit, ↑ Zahlen

Zusätze in Wortverbindungen

Erklärende Zusätze am Anfang von und innerhalb von Wortverbindungen werden in Klammern gesetzt (vgl. dazu K 98 im Abschnitt »Rechtschreibung und Zeichensetzung«).

Gemeinde(amts)vorsteher (= Gemeindevorsteher oder Gemeindeamtsvorsteher), *aber:* Gemeinde-(Amts-)Vorsteher (= Gemeindevorsteher oder Amtsvorsteher); Privat-(Haus-)Briefkasten, Magen-(und Darm-)Beschwerden, Ostende-Belgrad-(Tauern-)Express, *aber ohne Klammer:* Fuhr- u. a. Kosten

In Wörterverzeichnissen werden Erklärungen oft mithilfe von eckigen Klammern zusammengezogen.

[Gewebe]streifen (= Gewebestreifen und auch: Streifen)

Gestaltung von Geschäftsbriefen

Die folgenden Angaben basieren auf den Gestaltungsvorschriften der DIN 5008:2005, die festlegen, wo bestimmte Informationen auf dem Briefbogen (DIN-A4-Format) und in E-Mails angeordnet werden. Das Ziel ist es, Briefe und E-Mails zweckmäßig und übersichtlich zu gestalten und so eine schnelle Erfassung und Verarbeitung der Informationen zu gewährleisten.

Geschäftsbrief

Der Geschäftsbrief setzt sich aus folgenden Teilen zusammen:

Absenderangabe: Die Absenderangabe besteht aus dem Namen, der Straße oder dem Postfach, dem Ort und im internationalen Schriftverkehr auch dem Land. Auf Briefbogen ohne Vordruck des Absenders beginnt die Angabe in der fünften Zeile von der oberen Blattkante. Die einzelnen Bestandteile der Absenderangabe werden nicht durch Leerzeilen voneinander abgesetzt.

Anschriftfeld: Das Anschriftfeld ist in eine dreizeilige Zusatz- und Vermerkzone und eine sechszeilige Anschriftzone gegliedert. Die Zusatz- und Vermerkzone enthält Angaben zur Art der Sendung wie z. B. »Einschreiben« oder Vermerke wie z. B. »Nicht nachsenden!«. Die Zusatz- und Vermerkzone beginnt in der neunten bzw. dreizehnten Zeile von der oberen Blattkante, die Anschriftzone in der zwölften bzw. sechzehnten Zeile. Zur Gestaltung des Anschriftfeldes s. S. 103.

Bezugszeichenzeile: Bezugszeichen, Name, Telefonnummer und Datum stehen eine Zeile unter den vorgedruckten Leitwörtern (»Ihr Zeichen«, »Ihre Nachricht vom«, »Unser Zeichen«, »Telefon«, »Datum«) der Bezugszeichenzeile. Das erste Schriftzeichen wird unter den Anfangsbuchstaben des jeweils ersten Leitwortes gesetzt (vgl. Beispiel 1). Weitere Kommunikationsangaben

wie Telefaxnummer oder E-Mail-Adresse können in einer Kommunikationszeile rechts neben dem Anschriftfeld in Höhe der letzten Zeile des Anschriftfeldes stehen. Wenn keine vorgedruckten Leitwörter auf dem Briefbogen vorhanden sind oder in der Kommunikationszeile mehr als zwei Angaben benötigt werden, können die Angaben auch in einem Informationsblock rechts neben dem Anschriftfeld angeordnet werden (vgl. Beispiel 2). Der Informationsblock beginnt in Höhe der ersten Zeile des Anschriftfeldes. Zwischen den Bezugszeichen und dem Leitwort »Name« sowie zwischen den Durchwahlmöglichkeiten und dem Leitwort »Datum« ist eine Leerzeile einzufügen. Die Leitwörter können ergänzt, modifiziert oder auch weggelassen werden. In einfachen Briefen kann die Bezugszeichenzeile auch entfallen; es wird dann nur das Datum rechts oben auf dem Briefbogen auf Höhe der ersten Zeile der Absenderangabe gesetzt (vgl. Beispiel 3).

Betreffzeile: Der Betreff ist eine stichwortartige Inhaltsangabe, die mit dem Abstand von zwei Leerzeilen unter den Bezugszeichen oder dem Informationsblock steht. Das Leitwort »Betreff« ist heute im Schriftverkehr in Wirtschaft und Verwaltung nicht mehr üblich. Das erste Wort der Betreffzeile wird großgeschrieben, ein Schlusspunkt wird nach dem Betreff nicht gesetzt. Der Betreff wird häufig durch Farbe und/oder durch fette Schrift hervorgehoben.

Anrede: Die Anrede wird zwei Leerzeilen unter den Betreff geschrieben. Als Anreden sind heute das neutrale »Sehr geehrte(r)« und das vertrauliche »Liebe(r)« am gebräuchlichsten. Nach der Anrede steht heute üblicherweise ein Komma, nicht mehr ein Ausrufezeichen. Das erste Wort der folgenden Zeile schreibt man nach dem Komma klein (wenn es kein Substantiv ist), nach dem Ausrufezeichen groß.

Text: Der Text ist durch eine Leerzeile von der Anrede abgesetzt und wird mit einfachem Zeilenabstand geschrieben. Absätze werden durch jeweils eine Leerzeile getrennt.

Grußzeile: Die Grußformel wird mit einer Leerzeile Abstand unter den Text gesetzt. Als Grußformeln sind im Geschäftsbereich heute meist »Mit freundlichen Grüßen«, »Mit freundlichem Gruß« oder »Freundliche Grüße« üblich; die Formel »Hochachtungsvoll« wird heute in der Regel als veraltet empfunden und nur noch selten verwendet. Die Grußformel steht ohne Komma, Punkt oder Ausrufezeichen.

Firmenbezeichnung: Der Name des Unternehmens oder der Behörde wird mit einer Leerzeile Abstand unter die Grußformel gesetzt.

Maschinenschriftliche Angabe der Unterzeichner: Die maschinenschriftliche Angabe der Unterzeichner steht unter der Firmenbezeichnung. Die Leerzeilen zwischen dieser Angabe und der Firmenbezeichnung werden nach Bedarf eingefügt.

Zusätze: Zusätze wie *i. A.*, *i. V.* oder *ppa.* werden zwischen die Firmenbezeichnung und die maschinenschriftliche Namenswiedergabe oder vor die handschriftliche Namenszeichnung gesetzt. Zur Schreibung von *i. A.* und *i. V.* vgl. das Wörterverzeichnis S. 521 und S. 543.

Anlagen- und Verteilervermerke: Der Anlagen- oder Verteilervermerk wird durch mindestens drei Leerzeilen von der Grußformel oder von der Firmenbezeichnung abgesetzt. Bei maschinenschriftlicher Angabe der Unterzeichner wird das Wort »Anlage(n)« bzw. »Verteiler« mit einer Leerzeile Abstand daruntergesetzt. Gibt es sowohl einen Anlagen- als auch einen Verteilervermerk, dann steht der Verteilervermerk mit einer Leerzeile Abstand unter dem Anlagenvermerk. Die Wörter »Anlage(n)« und »Verteiler« können durch Fettschrift hervorgehoben werden.

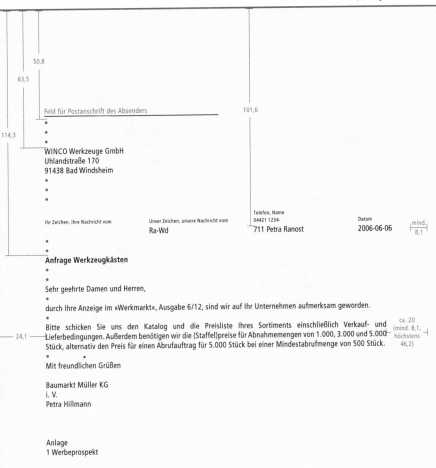

50,8

63,5

Feld für Postanschrift des Absenders   101,6

114,3

WINCO Werkzeuge GmbH
Uhlandstraße 170
91438 Bad Windsheim

Ihr Zeichen, Ihre Nachricht vom	Unser Zeichen, unsere Nachricht vom	Telefon, Name 04421 1234-	Datum	mind. 8,1
	Ra-Wd	711 Petra Ranost	2006-06-06	

Anfrage Werkzeugkästen

Sehr geehrte Damen und Herren,

durch Ihre Anzeige im »Werkmarkt«, Ausgabe 6/12, sind wir auf Ihr Unternehmen aufmerksam geworden.

24,1

Bitte schicken Sie uns den Katalog und die Preisliste Ihres Sortiments einschließlich Verkauf- und Lieferbedingungen. Außerdem benötigen wir die (Staffel)preise für Abnahmemengen von 1.000, 3.000 und 5.000 Stück, alternativ den Preis für einen Abrufauftrag für 5.000 Stück bei einer Mindestabrufmenge von 500 Stück.

ca. 20 (mind. 8,1, höchstens 46,2)

Mit freundlichen Grüßen

Baumarkt Müller KG
i. V.
Petra Hillmann

Anlage
1 Werbeprospekt

Feld für Geschäftsangaben

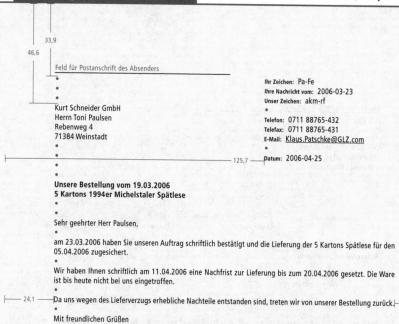

33,9

46,6

Feld für Postanschrift des Absenders

Kurt Schneider GmbH
Herrn Toni Paulsen
Rebenweg 4
71384 Weinstadt

Ihr Zeichen: Pa-Fe
Ihre Nachricht vom: 2006-03-23
Unser Zeichen: akm-rf

Telefon: 0711 88765-432
Telefax: 0711 88765-431
E-Mail: Klaus.Patschke@GLZ.com

125,7 — Datum: 2006-04-25

Unsere Bestellung vom 19.03.2006
5 Kartons 1994er Michelstaler Spätlese

Sehr geehrter Herr Paulsen,

am 23.03.2006 haben Sie unseren Auftrag schriftlich bestätigt und die Lieferung der 5 Kartons Spätlese für den 05.04.2006 zugesichert.

Wir haben Ihnen schriftlich am 11.04.2006 eine Nachfrist zur Lieferung bis zum 20.04.2006 gesetzt. Die Ware ist bis heute nicht bei uns eingetroffen.

24,1 — Da uns wegen des Lieferverzugs erhebliche Nachteile entstanden sind, treten wir von unserer Bestellung zurück.

Mit freundlichen Grüßen

ca. 20
(mind. 8
höchste
46,2)

Feld für Geschäftsangaben

Manfred Kühn   29.04.2006
Engelbertstraße 11
68309 Mannheim

Reisegepäckversicherung »Sorglos reisen«
Essener Straße 89
22419 Hamburg

Beschädigtes Gepäckstück
Reisegepäckversicherung 12/456Z

Sehr geehrte Damen und Herren,

bei meiner letzten Reise wurde ein Koffer so beschädigt, dass er unbrauchbar
geworden ist.

Leider konnte ich den Schaden bei der Übergabe nicht sofort feststellen, weil sich der Riss
an der Seite befindet. Vermutlich ist er durch einen scharfen Gegenstand verursacht
worden.

Der Koffer ist aus Leder und hat vor 3 Jahren 289,00 EUR gekostet. Eine Rechnungskopie
und eine Kopie des Gepäckscheins habe ich diesem Brief beigelegt.

Die Reise fand statt am 26.04.2006 mit dem ICE 77 von Mannheim nach Karlsruhe,
Abfahrtszeit 16:43 Uhr.

Ich bitte den entstandenen Schaden zu ersetzen.

Mit freundlichen Grüßen

Anlagen
Rechnungskopie
Gepäckschein

Gestaltung von geschäftlichen E-Mails

Die Gestaltungsvorschriften der DIN 5008:2005 für E-Mails gelten nur für die Verwendung als Ersatz für Geschäftsbriefe, nicht jedoch für die rein unternehmensinterne E-Mail-Kommunikation. Grundsätzlich gelten für geschäftliche E-Mails die gleichen Höflichkeits- und Stilangaben wie für Geschäftsbriefe. So darf in einer geschäftlichen E-Mail die Anrede nicht fehlen, auch der Schluss einer E-Mail sollte alle Bestandteile des Schlussteils eines Geschäftsbriefes enthalten; auf das flapsige „MfG" als Grußformel ist in geschäftlichen E-Mails zu verzichten.

Anschrift, Verteiler und Betreff sind die vorgegebenen Zeilen bzw. Felder im Kopf einer E-Mail. (S. Beispiel)

An-Zeile: In dieses Feld muss die Anschrift, d. h. die E-Mail-Adresse des Empfängers bzw. der Empfänger, eingetragen werden. Zum Aufbau von E-Mail-Adressen vgl. S. 103.

cc-Zeile: In diese Zeile (cc = carbon copy; Durchschlag) werden die E-Mail-Adressen der Personen eingetragen, die eine Kopie der E-Mail erhalten sollen.

bcc-Zeile: Diese Zeile (bcc = blind carbon copy; Blindkopie) ist für die E-Mail-Adressen derjenigen Personen vorgesehen, die ohne Wissen des Empfängers eine Kopie der E-Mail erhalten sollen.

Betreffzeile: Diese Zeile enthält eine stichwortartige Inhaltsangabe.

Textfeld: In diesem Feld wird die eigentliche E-Mail verfasst.

Sie beginnt in der ersten Zeile mit der **Anrede,** die vom folgenden Text durch eine Leerzeile abgesetzt ist.

Der **Text** wird als Fließtext ohne Worttrennungen geschrieben, da der Umbruch durch die Software des Empfängers/der Empfänger geregelt wird. Absätze werden vom folgenden Text durch jeweils eine Leerzeile getrennt.

Der **Schlussteil** einer E-Mail wird meist in Form eines elektronischen Textbausteins eingefügt. Er besteht in der Regel aus der Grußformel, dem Firmennamen, dem Namen des Bearbeiters, der Firmenadresse, der Telefon- und Telefaxnummer sowie der E-Mail- und Internetadresse.

An: info@buerosysteme-meyer.com
Cc:
Bcc:
Betreff: Informationsbroschüre Schrankwände und Lagersysteme

Sehr geehrte Damen und Herren,

durch einen Prospekt Ihres Hauses wurden wir darauf aufmerksam,
dass Sie auch Schrankwände und Lagersysteme in Ihrem Programm haben.

Wir planen einen Umbau unserer Geschäftsräume und würden gern
genauere Informationen über Ihr Angebot erhalten.

Für die Zusendung umfangreicherer Broschüren wären wir Ihnen deshalb
dankbar.

Mit freundlichen Grüßen

Autohaus Weller

i. A. Tanja Rimmler

Autohaus Weller
Karl-Liebknecht-Str. 12
63303 Dreieich

Tel.: +49 6103 84275-33
Fax: +49 6103 84275-30
E-Mail: tanja.rimmler@auto-weller.de

Textkorrektur

Hauptregeln

Jedes eingezeichnete Korrekturzeichen ist auf dem Rand zu wiederholen. Die erforderliche Änderung ist rechts neben das wiederholte Korrekturzeichen zu zeichnen, sofern dieses nicht (wie ⌐, ⌐) für sich selbst spricht.

⊢─┤ schreib

Korrekturzeichen müssen den Korrekturstellen schnell und eindeutig zugeordnet werden können. Darum ist es bei großer Fehlerdichte wichtig, verschiedene, frei zu wählende Korrekturzeichen – gegebenenfalls auch in verschiedenen Farben – zu benutzen.

usw.

Wichtigste Korrekturzeichen nach DIN 16 511

Andere Schrift oder Schriftgröße wird verlangt, indem man die betreffende Stelle unterstreicht und auf dem Rand die gewünschte |Schrift, Schriftart|(fett, kursiv usw.) oder die gewünschte |Schriftgröße|(8p, 9p usw.) oder beides (8p fett, 9p kursiv usw.) vermerkt. Gewünschte Kursivschrift wird oft nur durch eine Wellenlinie unter dem Wort und auf dem Rand bezeichnet. Versehentlich falsch Hervorgehobenes wird ebenfalls UNTERSTRICHEN; die Anweisung auf dem Rand lautet dann: »Grundschrift« oder »gewöhnlich«.

── halbfett
⌐ Times
⌐ 9p
⌐ kursiv

⌐ gewöhnlich

Fälschlich aus anderen Schriften gesetzte Buchstaben (Zwiebelfische) werden durchgestrichen und auf dem Rand zweimal unterstrichen.

|R̶ ⌐m̶
= =

Falsche Buchstaben oder **Wörter** werden durchgestrichen und auf dem Rand durch die richtigen ersetzt.

|a

Falsche Trennungen werden am Ende der Zeile und am folgenden Zeilenanfang angezeichnet.

|en
⌐

Wird nach **Streichung eines Bindestrichs** oder **Buchstabens** die Schreibung der verbleibenden Teile zweifelhaft, dann wird außer dem Tilgungszeichen die Zusammenschreibung durch einen Doppelbogen, die Getrenntschreibung durch das Zeichen ⌐ angezeichnet, z. B. blendend|weiß.

Fehlende Buchstaben werden angezeichnet, indem der vorangehnde oder folgende ~~b~~uchstabe durchgestrichen und zusammen mit dem fehlenden wiederholt wird. Es kann auch das ganze ~~Wrt~~ oder die Silbe durchge~~st~~ichen und auf dem Rand berichtigt werden.

$\mid he$

$\rceil Bu$

$\vdash Wort$

$\vdash sti$

Fehlende Wörter (Leichen) werden in der Lücke durch Winkelzeichen $\lceil$ gemacht und auf dem Rand angegeben.
Bei größeren Auslassungen wird auf die Manuskriptseite verwiesen. Die Stelle ist auf der Manuskriptseite zu kennzeichnen.

$\lceil$ kenntlich

Diese Presse bestand aus $\lceil$ befestigt war.

$\lceil s. Ms. S. 85$

Zu tilgende Buchstaben oder **Wörter** werden durchgestrichen un~~n~~d auf ~~auf~~ dem Rand durch ✍ (für: deleatur, d. h. »es werde getilgt«) angezeichnet.

$\mid \mathscr{Y} \vdash \mathscr{Y}$

Fehlende oder **zu tilgende** ⌊**Satzzeichen** werden wie fehlende oder zu tilgende Buchstaben angezeichnet⌐

$\mathsf{L}\mathscr{Y}$

$\lceil t.$

Verstellte Buchstaben werden durchges~~t~~ichen und auf dem Rand in der richtigen Reihenfolge angegeben.
Verstellte Wörter ⌐durch werden⌐ das Umstellungszeichen gekennzeichnet.
⌐Die Wörter werden b~~ei~~ größeren Umstellungen beziffert.
Ist die Verstellung schlecht zu überschauen, empfiehlt es sich, den verstellten Text ganz zu tilgen und ihn auf dem Korrekturrand zu wiederholen.
Verstellte Zahlen sind immer ganz durchzustreichen und in der richtigen Ziffernfolge auf den Rand zu schreiben, z. B. ~~1684~~

Πtr

$\lceil \quad \rfloor$

$\lfloor d \quad \lceil B 1\text{-}7$

$\vdash\!\!\dashv 1864.$

Für unleserliche oder **zweifelhafte Manuskriptstellen,** die noch nicht blockiert sind, sowie für noch **zu ergänzenden Text** wird vom Korrektor eine Blockade verlangt, z. B.:

~~Hyladen~~ sind Insekten mit unbeweglichem Prothorax (s. S. ...).

$\vdash\!\!\dashv \boxtimes$

$\vdash\!\!\llcorner \boxtimes$

Sperrung oder **Aufhebung einer Sperrung** wird wie beim Verlangen einer anderen Schrift durch Unterstreichung gekennzeichnet.

$\llcorner$ nicht sperren

— sperren

Fehlender Wortzwischenraum wird mit $\rceil$ bezeichnet. **Zu weiter Zwischenraum** wird durch $\lceil$, zu enger Zwischenraum durch $\rceil$ angezeichnet. Soll $\lceil$ ein **Zwischenraum ganz wegfallen,** so wird dies durch zwei Bogen ohne Strich ange⌣deutet.

L

$\mathsf{T} \quad \mathsf{Y}$

$\cup$

Fehlender Zeilenabstand (Durchschuss) wird durch einen zwischen die Zeilen gezogenen Strich mit nach außen offenem Bogen angezeichnet.

$($

Zu großer Zeilenabstand (Durchschuss) wird durch einen zwischen die Zeilen gezogenen Strich mit einem nach innen offenen Bogen angezeichnet.

$)$

Ein **Absatz** wird durch das Zeichen⌐im Text und auf dem Rand verlangt:

Die ältesten Drucke sind so gleichmäßig schön ausgeführt, dass sie die schönste Handschrift übertreffen. ⌐ Die älteste Druckerpresse scheint von der, die uns Jost Amman im Jahre 1568 im Bilde vorführt, nicht wesentlich verschieden gewesen zu sein.

Das Anhängen eines Absatzes verlangt man durch eine den Ausgang mit dem folgenden Text verbindende Linie:

Die Presse bestand aus zwei senkrechten Säulen, die durch ein Gesims verbunden waren. In halber Manneshöhe war auf einem verschiebbaren Karren die Druckform befestigt.

Zu tilgender Einzug erhält am linken Rand das Zeichen ⊢——, am rechten Rand das Zeichen ——⊣, z. B.:

Die Buchdruckerpresse ist eine faszinierende Maschine, deren kunstvollen ——⊣ ⊢—— Mechanismus nur der begreift, der selbst daran gearbeitet hat.

Fehlender Einzug wird durch ⌐│ möglichst genau bezeichnet, z. B. (wenn der Einzug um ein Geviert verlangt wird):

... über das Ende des 14. Jahrhunderts hinaus führt keine Art des Metalldruckes. Der Holzschnitt kommt in Druckwerken ebenfalls nicht vor dem 14. Jahrhundert vor.

Aus Versehen falsch Korrigiertes wird rückgängig gemacht, indem man die Korrektur auf dem Rand durchstreicht und Punkte unter die fälschlich korrigierte Stelle setzt.

Ligaturen (zusammengezogene Buchstaben) werden verlangt, indem man die fälschlich einzeln nebeneinandergesetzten Buchstaben durchstreicht und auf dem Rand mit einem Bogen darunter wiederholt, z. B. Schiff.
Fälschlich gesetzte Ligaturen werden durchgestrichen, auf dem Rand wiederholt und durch einen Strich getrennt, z. B. Auflage.

Weitere Empfehlungen

Kommen in einer Zeile mehrere Fehler vor, dann erhalten sie ihrer Reihenfolge nach verschiedene Zeichen. Für ein und denselben falschen Buchstaben wird aber nur ein Korrekturzeichen verwendet, das am Rand mehrfach vor den richtigen Buchstaben gesetzt wird.

Fehlende Zeilen signalisiert man mit ⊦— am linken Textrand zwischen vorangehender und folgender Zeile.

⊦ erste Zeile
⊦ dritte Zeile

⊦— zweite Zeile

Bei der Korrektur ist auf **zu häufige Trennungen** hinzuweisen, die die Setzerei nach Möglichkeit durch Umsetzen verringern sollte. Bei langen Zeilen sollten nicht mehr als 3, bei kurzen (z. B. im Wörterbuch oder Lexikon) nicht mehr als 5 Trennungen aufeinanderfolgen.

mmmmmmmmmmmm-
mmmmmmmmmmmm-
mmmmmmmmmmmm-
mmmmmmmmmmmm-
mmmmmmmmmmmm-
mmmmmmmmmmmm-

6 Trennungen

Bei der Korrektur sollten auch **sinnentstellende** und **unschöne Trennungen** aufgelöst werden, um einen mühelosen Lesefluss zu gewährleisten. Zu diesem Zweck darf im Flattersatz das Zeichen ⌈ verwendet werden, im Blocksatz sind die umzustellenden Zeichen zu umkreisen und mit einer Schleife zu versetzen.

Spargel-
der

Walzer-
zeugnisse

bein-
halten

Steuerer-
hebung

⌈ ⌈ ⌈ ⌈

Vergleichster-
min

Wasserstoffio-
nen

Mit Randvermerken wird auf eine umfangreiche Korrektur hingewiesen, die rechts neben dem Text zu viel Platz einnehmen würde.

⌈ siehe oben
⌈ siehe unten
⌈ siehe Anlage

Der **auf Mitte zu setzende Punkt**, z. B. der Multiplikationspunkt bei mathematischem Satz, wird mit nebenstehendem Zeichen angegeben.

⋅

Verstellte Zeilen werden mit waagerechten Randstrichen versehen und in der richtigen Reihenfolge nummeriert, z. B.:

Sah ein Knab' ein Röslein stehn, ——————————————————— 1
lief er schnell, es nah zu sehn, ——————————————————— 4
war so jung und morgenschön, ——————————————————— 3
Röslein auf der Heiden, ——————————————————— 2
sah's mit vielen Freuden. ——————————————————— 5

Goethe ——————————————————— 6

In den neuen Bundesländern übliche Korrekturzeichen

In den neuen Bundesländern werden neben den Zeichen der DIN-Norm häufig auch Korrekturzeichen verwendet, die bis 1990 in der DDR nach dem Standard TGL 0-16511 gültig waren. Dies gilt vor allem für die folgenden Fälle:

Mit dem Zeichen _ _ _ werden zu sperrende Wörter oder Wortteile unterstrichen. Das Zeichen wird auf dem Rand wiederholt.

Einfügungen in Form eines Wortes oder mehrerer Wörter werden durch eins der Zeichen ⅁ ⅁ ⅁ ⅁ ⅁ kenntlich gemacht; der fehlende Textteil wird neben das auf ⅁ Rand wiederholte Zeichen geschrieben.

Soll ein Wortteil, ein Wort oder eine Gruppe von Wörtern in eine andere Zeile gestellt werden, so wird der umzustellende Text umrandet mit und einem Pfeil an die gewünschte Stelle geführt.

Sollen Zeilen oder ganze Abschnitte umgestellt werden, so erfasst man sie seitlich (in der Regel am linken Satzrand) mit einer Klammer, von der aus ein Pfeil zur richtigen Stelle führt. Das Zeichen ist am rechten Rand zu wiederholen.

Als Exponenten oder Indizes zu setzende Ziffern werden wie folgt gekennzeichnet: Exponent 1. Ordnung mit dem Zeichen $\vee$, Exponent 2. Ordnung mit dem Zeichen $\vee\!\!\vee$ (das Zeichen wird unter die Ziffer oder unter den Buchstaben gesetzt):

$e x n$ (e^{x^n})

Index 1. Ordnung mit Zeichen $\wedge$, Index 2. Ordnung mit dem Zeichen $\wedge\!\!\wedge$ (das Zeichen wird über die Ziffer oder über den Buchstaben gesetzt):

$H2O, y n3$ (H_2O, y_{n_3})

Korrekturzeichen aus dem Bleisatz

Beschädigte Buchstaben werden durchgestrichen und auf dem Rand einmal unterstrichen.

Um unle͟rliche Textpassagen, verschmutzte Buchstaben und **zu stark erscheinende Stellen** wird eine Linie gezogen. Dieses Zeichen wird auf dem Rand wiederholt.

Auf dem Kopf stehende Buchstaben ▌ (Fliegenköpfe) werden durchgestrichen und auf dem Rand durch die richtigen ersetzt. Dies gilt auch für quer stehende und umgedrehte Buchstaben.

Spieße, d. h. im Satz mitgedruckter Ausschluss, Durchschuss oder ebensolche Quadrate, werden unterstrichen und auf dem ■Rand durch # angezeigt. #

Nicht Linie haltende Stellen werden durch $\overline{\ddot{u}_{be}{}^r}$ und $u\overline{{}^{n}t_{er}}$ der Zeile gezogene parallele Striche angezeichnet.

Das griechische Alphabet

Buchstabe	Name
A, α	Alpha
B, β	Beta
Γ, γ	Gamma
Δ, δ	Delta
E, ε	Epsilon
Z, ζ	Zeta
H, η	Eta
Θ, θ	Theta

Buchstabe	Name
I, ι	Jota
K, κ	Kappa
Λ, λ	Lambda
M, μ	My
N, ν	Ny
Ξ, ξ	Xi
O, o	Omikron
Π, π	Pi

Buchstabe	Name
P, ρ	Rho
Σ, σ, ς	Sigma
T, τ	Tau
Y, υ	Ypsilon
Φ, φ	Phi
X, χ	Chi
Ψ, ψ	Psi
Ω, ω	Omega

Transkription und Transliteration griechischer Buchstaben

I Griechischer Buchstabe

II ISO-Transkription[1]

III ISO-Transliteration[1]

I	II	III
α	a	a
αι	ai	ai
αυ[2]	av	au
αυ[3]	af	au
β[4]	v	v
γ	g	g
γγ	ng	gg
γκ	gk	gk
γχ[5]	nch	gh
δ	d	d
ε	e	e
ει	ei	ei

I	II	III
ευ[2]	ev	eu
ευ[3]	ef	eu
ζ	z	z
η[6]	i	ī, i⁻
θ	th	th
ι	i	i
κ	k	k
λ	l	l
μ	m	m
ν	n	n
ξ	x	x
o	o	o

I	II	III
οι	oi	oi
ου	ou	ou
π	p	p
ρ	r	r
σ, ς[7]	s	s
τ	t	t
υ	y	y
φ[8]	f	f
χ	ch	ch
ψ	ps	ps
ω	o	ō, o⁻

[1] Nach ISO 843: 1997 (E); weitere Angaben s. dort.
[2] Vor β, γ, δ, ζ, λ, μ, ν, ρ und Vokalen.
[3] Vor θ, κ, ξ, π, σ, τ, φ, χ, ψ und am Wortende.
[4] In klassischen Texten und traditionell meist als b wiedergegeben.
[5] In klassischen Texten und traditionell als gch wiedergegeben.
[6] In klassischen Texten und traditionell meist als ē wiedergegeben.
[7] σ steht am Wortanfang und im Wortinnern, ς steht am Wortende.
[8] In klassischen Texten und traditionell als ph wiedergegeben.

Verlässlich.
Eindeutig.
Unentbehrlich.

Das Stilwörterbuch

Die deutsche Sprache ist vielfältig. Ihre umfassenden Ausdrucksmöglichkeiten stellt das Stilwörterbuch mit mehr als 100 000 Satzbeispielen, Wendungen, Redensarten und Sprichwörtern dar.
980 Seiten. Gebunden.
ISBN 3-411-04028-9

Das Bildwörterbuch

Wörter und vor allem fachsprachliche Termini lassen sich oft nur mit einem Bild erklären.
Im Bildwörterbuch zeigen deshalb mehr als 400 farbige Bildtafeln – nach Sachgebieten gegliedert –, was womit gemeint ist. Register mit rund 30 000 Stichwörtern.
992 Seiten. Gebunden.
ISBN 3-411-04036-X

Die Grammatik

Die Grammatik enthält die umfassende Beschreibung der deutschen Gegenwartssprache. Von Wort und Satz bis hin zum Text stellt sie alle sprachlichen Erscheinungen wissenschaftlich exakt und übersichtlich dar.
1 344 Seiten. Gebunden.
ISBN 3-411-04047-5

Das Fremdwörterbuch

Alles rund um Fremdwörter, ihre Bedeutung und Nutzung. Rund 55 000 Fremdwörter, mehr als 400 000 Angaben zu Bedeutung, Aussprache, Herkunft, Grammatik, Schreibvarianten und Worttrennungen.
1 104 Seiten. Gebunden.
ISBN 3-411-04059-9
• Buch plus CD-ROM
  ISBN 3-411-71633-9
• Office-Bibliothek für Windows,
  Mac OS X und Linux
  ISBN 3-411-06596-6

Das Aussprachewörterbuch

Das Wörterbuch der deutschen Standardaussprache. Alles über Betonung und Aussprache sowohl der heimischen als auch der fremden Wörter.
Über 130 000 Wörter und Namen
860 Seiten. Gebunden.
ISBN 3-411-04066-1

Das Herkunftswörterbuch

Stellt die Geschichte der Wörter von ihrem Ursprung bis zur Gegenwart dar und gibt Antwort auf die Frage, woher ein Wort kommt und was es eigentlich bedeutet.
960 Seiten. Gebunden.
ISBN 3-411-04074-2

Ohne Worte?

Die Duden-Sprachberatung hilft bei allen sprachlichen Fragen.
Sobald es um Rechtschreibung, Stilfragen oder die richtige
Anrede geht, sind die Sprachberater/-innen der Dudenredaktion
mit sachkundiger Unterstützung zur Stelle. Sie erklären, woher
eine Redewendung kommt, was ein Wort bedeutet, oder beantworten Fragen zur aktuellen Schreibung, Zeichensetzung,
zur Grammatik und zum richtigen Ausdruck.

Duden-Sprachberatung
Von Montag bis Freitag
8:00 Uhr bis 18:00 Uhr

Aus Deutschland
Telefon 09001 870098 (1,86 € pro Minute aus dem Festnetz)

Aus Österreich
Telefon 0900 844144 (1,80 € pro Minute aus dem Festnetz)

Aus der Schweiz
Telefon 0900 383360 (3,13 CHF pro Minute aus dem Festnetz)

Immer genau richtig informiert.
Testen Sie den kostenlosen Newsletter der Duden-
Sprachberatung. Darin finden Sie aktuelle Informationen zur
Rechtschreibung, Tipps zum Sprachgebrauch und Wissens-
wertes rund um die deutsche Sprache. Schauen Sie doch
gleich auf unserer Homepage vorbei: **www.duden.de/Newslette**

Ja, ich bestelle

△○☐ **1** Die deutsche Rechtschreibung
☐ **2** Das Stilwörterbuch
☐ **3** Das Bildwörterbuch
☐ **4** Die Grammatik
△○☐ **5** Das Fremdwörterbuch
☐ **6** Das Aussprachewörterbuch
☐ **7** Das Herkunftswörterbuch
△○☐ **8** Das Synonymwörterbuch
☐ **9** Richtiges und gutes Deutsch
☐ **10** Das Bedeutungswörterbuch   ○ CD-ROM
☐ **11** Redewendungen   ☐ Buch
☐ **12** Zitate und Aussprüche   △ Buch plus CD-ROM
☐ Duden Korrektor
☐ Duden Korrektor PLUS (mit Office-Bibliothek)

Ihre Buchhandlung:

Zahlbar nach Erhalt der Rechnung. Eigentumsvorbehalt der Lieferfirma bis zur vollständigen Bezahlung wird anerkannt. Preisänderungen vorbehalten.

Name/Vorname

Straße

PLZ/Wohnort

Datum/Unterschrift (bei Minderjährigen Unterschrift der Eltern)

15121/8/06

Perfektes Deutsch
im Dutzend.

DUDEN
Das
Fremdwörterbuch
5

DUDEN
Die deutsche
Rechtschreibung
1

DUDEN
Das Stilwörterbuch
2

DUDEN
Das Bildwörterbuch
3

DUDEN
Die Grammatik
4

DUDEN
Das
Aussprache-
wörterbuch
6

DUDEN
Das Herkunfts-
wörterbuch
7

DUDEN
Das
Synonymwörterbuch
8

DUDEN
Richtiges und
gutes Deutsch
9

DUDEN
Das Bedeutungs-
wörterbuch
10

DUDEN
Redewendungen
11

DUDEN
Zitate und
Aussprüche
12

Das Synonymwörterbuch
300 000 Synonyme zu mehr als
20 000 Stichwörtern. Für alle, die
den passenden Ausdruck suchen
oder Texte lebendig gestalten wollen.
1 104 Seiten. Gebunden.
ISBN 3-411-04084-X
- Buch plus CD-ROM
  ISBN 3-411-04134-X
- Office-Bibliothek für Windows,
  Mac OS X und Linux
  ISBN 3-411-06595-8

Richtiges und gutes Deutsch
Zweifelsfälle der deutschen
Sprache von A bis Z. Antworten auf
grammatische und stilistische
Fragen, Formulierungshilfen und
Erläuterungen zum Sprachgebrauch.
983 Seiten. Gebunden.
ISBN 3-411-04095-5

Das Bedeutungswörterbuch
Die Grundbausteine unseres Wortschatzes. Dieses Wörterbuch ver-
mittelt sprachliche Zusammen-
hänge, ist wichtig für den
Spracherwerb und fördert den
schöpferischen Umgang mit der
deutschen Sprache.
1 104 Seiten. Gebunden.
ISBN 3-411-04103-X

Redewendungen
Die geläufigen Redewendungen der
deutschen Sprache. Alle Einträge
werden in ihrer Bedeutung, Herkunft
und Anwendung genau und leicht
verständlich erklärt.
960 Seiten. Gebunden.
ISBN 3-411-04112-9

Zitate und Aussprüche
Vom Klassiker bis zum modernen
Zitat aus Film, Fernsehen oder
Werbung: In diesem Band werden die
Herkunft und der aktuelle Gebrauch
der im Deutschen geläufigen Zitate
erläutert. Mit einer umfangreichen
Sammlung bekannter Aussprüche,
Bonmots und Aphorismen.
960 Seiten. Gebunden.
ISBN 3-411-04122-6

Preise
- Jeder Band (Buch):
  21,95 € [D]; 22,60 € [A]*; 38.60 sFr.
- Buch plus CD-ROM:
  Für Windows und Mac
  27,95 € [D]; 28,80 € [A]*; 51.40 sFr.
- CD-ROM:
  Office-Bibliothek für Windows,
  Mac OS X und Linux
  19,95 € [D]**; 20,70 € [A]**; 36.80 sFr.**
  (unverbindliche Preisempfehlung)

Download
Band 5, 7, 8, 9, 10
Je **19,95 € [D];** 20,70 € [A]; 36.80 sFr.
www.downloadshop.bifab.de

Der komplett neu bearbeitete Duden ist da.

Jetzt mit Duden-empfehlung bei mehreren zulässigen Schreibweisen.

Die deutsche Rechtschreibung

Das umfassende Standardwerk auf der Grundlage der neuen, ab dem 1. 8. 2006 verbindlichen Rechtschreibregeln. Mit rund 130 000 Stichwörtern und 3 000 Neueinträgen der umfangreichste Duden, den es je gab. Benutzerfreundliche, vierfarbige Innenseitengestaltung, verbesserte Findehilfen und zahlreiche Infokästen mit leicht verständlichen Regeln und praktischen Beispielen zu sprachlichen Zweifelsfällen und Stolpersteinen.

Zum Nachschlagen am Computer gibt es „Die deutsche Rechtschreibung" auch als CD-ROM für Windows, Linux und Mac.

- Buch 1 216 Seiten. Gebunden.
  20,– € [D]; 20,60 € [A]*; 35.10 sFr.
  ISBN 3-411-04014-9
- Buch plus CD-ROM für
  25,50 € [D]; 26,30 € [A]*; 47.– sFr.
  ISBN 3-411-70924-3
- CD-ROM
  19,95 € [D]**;
  20,70 € [A]**; 36.80 sFr.**
  ISBN 3-411-06535-4

* Dieser Prospekt wurde auch im Auftrag unseres österreichischen Auslieferers erzeugt. Die Preise sind die Letztverkaufspreise der Auslieferung Mohr-Morawa, Wien.

** unverbindliche Preisempfehlung

Korrigieren Sie wie ein Duden-Experte!

Keine peinlichen Fehler mehr beim Schreiben einer Bewerbung, einer Präsentation oder im täglichen Schriftverkehr! Der „Duden Korrektor" nutzt die volle Kompetenz der Dudenredaktion. Diese Software berücksichtigt die aktuellen Rechtschreibregeln und verbessert die Rechtschreib- und Grammatikprüfung Ihrer Microsoft-Office- und Microsoft-Works-Anwendungen. Mit dem „Duden Korrektor" werden Tippfehler, Fehler in der Kommasetzung, der Getrennt- bzw. Zusammenschreibung und in weiteren Bereichen erkannt. Die Software unterscheidet vier Korrekturarten – somit können Ihre Texte auch nach Dudenempfehlung korrigiert werden.

Probieren Sie es selbst! Testen Sie den „Duden Korrektor" 30 Tage lang oder bestellen Sie unter:
www.duden-korrektor.de

Liebe Dudenbenutzerin,
lieber Dudenbenutzer!

Nachdem die zuständigen staatlichen Stellen die Vorschläge des Rates für deutsche Rechtschreibung für eine Modifizierung des amtlichen Regelwerkes angenommen haben, kann die Rechtschreibreform nach langen und heftigen Auseinandersetzungen als abgeschlossen betrachtet werden. Aus der Sicht der Dudenredaktion ist jetzt die von ihr geforderte Sicherheit in Fragen der Orthografie wiederhergestellt.

Aus den letzten Regeländerungen ergeben sich jedoch zahlreiche neue Fälle, in denen es den Schreibenden selbst überlassen bleibt, zwischen zwei zulässigen Schreibungen zu wählen. Solche Schreibvarianten werden im Alltag da zum Problem, wo Wert gelegt wird auf eine einheitliche Rechtschreibung. Das betrifft alle schreibenden Berufe, das grafische Gewerbe, aber auch die Schreibkultur in Unternehmen und jeden Einzelnen. Wer nicht wissen will, wie er schreiben kann, sondern wie er schreiben soll, dem hilft das amtliche Regelwerk allein nicht weiter, und die Entwicklung einer eigenen „Hausorthografie" ist ein mühsames und unsicheres Geschäft.

Deshalb hat sich die Dudenredaktion dazu entschlossen, im neuen Duden immer dort, wo die Regeln mehrere Schreibungen zulassen, die von ihr empfohlene gelb zu unterlegen. Wer sich an diese Duden-Empfehlungen hält, stellt eine einheitliche Rechtschreibung sicher, die auch anderen leicht zu vermitteln ist. Näheres zu den Duden-Empfehlungen finden Sie in den Benutzerhinweisen (S. 17 ff.) erläutert.

Die Dudenredaktion ist davon überzeugt, mit den Duden-Empfehlungen einen wichtigen Beitrag zur Vereinheitlichung der neuen Rechtschreibung zu leisten und Ihnen damit die Handhabung der neuen Orthografie und den Schreiballtag entscheidend zu erleichtern. Ein sorgfältiger Umgang mit Rechtschreibung und Interpunktion zeichnet nicht nur die Schreiberin oder den Schreiber selbst aus, sondern ist immer auch ein persönlicher Beitrag zu einer aktiven Sprachpflege.

Mit freundlichen Grüßen

Matthias Wermke

Dr. Matthias Wermke, Leiter der Dudenredaktion

PS: Die Neuauflage hat die Dudenredaktion dazu genutzt, den Zugang zu den im Duden enthaltenen Informationen durch vierfarbigen Druck und eine optimierte typografische Gestaltung weiter zu verbessern. Das Wichtigste hierzu finden Sie auf der Rückseite dieses Schreibens zusammengefasst.

Hinweis zur Wörterbuchbenutzung

Damit Ihnen der Umgang mit der neuen Orthografie möglichst leicht wird und Sie für sich selbst eine einheitliche Auslegung der neuen Regeln sicherstellen, wurde der neue Duden vierfarbig gestaltet.

Das Wichtigste zuerst: Mehr Sicherheit durch Duden-Empfehlungen. In allen Fällen, in denen die neue Rechtschreibung mehrere Schreibweisen zulässt, ist die von der Dudenredaktion empfohlene Schreibung gelb unterlegt. Wer sich an diesen Empfehlungen orientiert, stellt eine einheitliche Rechtschreibung sicher.

Rot bleibt die Signalfarbe für Schreibungen und Worttrennungen, die sich generell aus den **neuen Rechtschreibregeln** ergeben.

Blau unterlegt sind Informationskästchen zu schwierigen Wörtern und zu Wörtern, deren Gebrauch bestimmten Einschränkungen unterliegt.

Blau markiert sind auch alle Verweise auf die Rechtschreibregeln im Kapitel „Rechtschreibung und Zeichensetzung" (S. 27 ff.). Hier hat die Dudenredaktion den amtlichen Regeltext für Laien verständlich aufbereitet und mit zahlreichen Beispielen zugänglich gemacht.

Das neue Griffregister und die erweiterten Kolumnentitel erleichtern den Zugriff auf das im Duden gesuchte Stichwort.

Transkription und Transliteration kyrillischer Buchstaben (für die russische Sprache)

I Kyrillischer Buchstabe

II Aussprachenahe Transkription

III Transliteration nach DIN 1460

I	II	III
А, а	a	a
Б, б	b	b
В, в	w	v
Г, г	g[1]	g
Д, д	d	d
Е, е	e, je[2]	e
Ё, ё	jo	ë
Ж, ж	sch	ž
З, з	s	z
И, и	i	i
Й, й	i[3]	j[3]

I	II	III
К, к	k	k
Л, л	l	l
М, м	m	m
Н, н	n	n
О, о	o	o
П, п	p	p
Р, р	r	r
С, с	s[4]	s
Т, т	t	t
У, у	u	u
Ф, ф	f	f

I	II	III
Х, х	ch	ch[5]
Ц, ц	z	c
Ч, ч	tsch	č
Ш, ш	sch	š
Щ, щ	schtsch	šč
Ы, ы	y	y
Ъ, ъ		”
Ь, ь		’
Э, э	e	ė
Ю, ю	ju	ju
Я, я	ja	ja

[1] w in den Endungen -ero und -oro.

[2] je steht am Wortanfang, nach russischem Vokalbuchstaben und nach dem Weichheitszeichen.

[3] Entfällt nach И, и.

[4] ss zwischen russischen Vokalbuchstaben.

[5] h in der ISO-Translation.

Vergleichende Gegenüberstellung
alter und neuer Schreibungen

Die folgende Liste umfasst häufig gebrauchte Neuschreibungen; zur Verdeutlichung sind die Stichwörter gelegentlich in einen typischen Kontext eingebettet. Als alte Schreibungen gelten die im letzten Duden vor der Rechtschreibreform1996 verzeichneten Formen. Die neuen Schreibungen entsprechen dem Stand des Regelwerks vom März 2006.

Die Liste soll einen ersten Überblick geben, sie kann die ausführliche Darstellung im Wörterverzeichnis nicht ersetzen. Zu allen Fragen der alten und neuen Worttrennungen finden sich im Abschnitt „Rechtschreibung und Zeichensetzung" unter ↑K 164–168 ausführliche Informationen.

A alt – neu

[gestern, heute, morgen] abend – [gestern, heute, morgen] Abend
abhanden kommen – abhandenkommen
absein – ab sein
in acht nehmen – in Acht nehmen
außer acht lassen – außer Acht lassen
achtgeben – *auch:* Acht geben
8jährig – 8-jährig
der/die 8jährige – der/die 8-Jährige
8mal – 8-mal
über Achtzig – über achtzig
Mitte [der] Achtzig – Mitte [der] achtzig
Adreßbuch – Adressbuch
After-shave – Aftershave
und/oder ähnliches (u. ä./o. ä.) – und/oder Ähnliches (u. Ä./o. Ä.)
alleinerziehend – *auch:* allein erziehend
im allgemeinen – im Allgemeinen
allgemeingültig – *auch:* allgemein gültig
allgemeinverständlich – *auch:* allgemein verständlich
allzuoft; allzusehr; allzuviel – allzu oft; allzu sehr; allzu viel
Alptraum – *auch:* Albtraum
für alt und jung – für Alt und Jung
beim alten lassen – beim Alten lassen
andersdenkend – *auch:* anders denkend

andersgeartet – *auch:* anders geartet
angepaßt – angepasst
jmdm. angst [und bange] machen – jmdm. Angst [und Bange] machen
Anlaß – Anlass
im argen liegen – im Argen liegen
bei arm und reich – bei Arm und Reich
Armvoll – *auch:* Arm voll
As – Ass
aufsein – auf sein
auf seiten – aufseiten, *auch:* auf Seiten
aufwendig – *auch:* aufwändig
aussein – aus sein
außerstande – *auch:* außer Stande

B alt – neu

Baß – Bass
Baßsänger – Basssänger, *auch:* Bass-Sänger
behende – behände
beisammensein – beisammen sein
beiseite legen – beiseitelegen
belemmert – belämmert
jeder beliebige – jeder Beliebige
im besonderen – im Besonderen
bessergehen – *auch:* besser gehen
es ist das beste, wenn … – es ist das Beste, wenn …

aufs beste geregelt sein – *auch:* aufs Beste geregelt sein

zum besten geben/haben/halten – zum Besten geben/haben/halten

das erste beste – das erste Beste

bestehenbleiben – bestehen bleiben

Bestelliste – Bestellliste, *auch:* Bestell-Liste

Bettuch [zu Bett] – Betttuch, *auch:* Bett-Tuch

bewußt – bewusst

in bezug auf – in Bezug auf

Biographie – *auch:* Biografie

Biß – Biss

bißchen – bisschen

Blackout – *auch:* Black-out

blank putzen – *auch:* blankputzen

blankpoliert – *auch:* blank poliert

blaß – blass

blaugestreift – *auch:* blau gestreift

bläulichgrün – bläulich grün

bleibenlassen – *auch:* bleiben lassen

blondgefärbt – *auch:* blond gefärbt

im bösen wie im guten – im Bösen wie im Guten

Boß – Boss

braungebrannt – *auch:* braun gebrannt

des langen und breiten – des Langen und Breiten

breitgefächert – *auch:* breit gefächert

Brennessel – Brennnessel, *auch:* Brenn-Nessel

brustschwimmen – *auch:* Brust schwimmen

brütendheiß – brütend heiß

C alt – neu

Centre Court – Centrecourt, *auch:* Centre-Court

Choreographie – *auch:* Choreografie

Corpus delicti – Corpus Delicti

Countdown – *auch:* Count-down

D alt – neu

dabeisein – dabei sein

darauffolgend – *auch:* darauf folgend

dasein – da sein

daß – dass

datenverarbeitend – *auch:* Daten verarbeitend

Delikateßgurke – Delikatessgurke

Delphin – *auch:* Delfin

delphinschwimmen – *auch:* Delphin schwimmen *od.* delfinschwimmen *od.* Delfin schwimmen

des weiteren – des Weiteren

auf deutsch – auf Deutsch

diät leben – Diät leben

dichtgedrängt – *auch:* dicht gedrängt

Differential – *auch:* Differenzial

jeder dritte – jeder Dritte

drückendheiß – drückend heiß

Du *[in Briefen]* – *auch:* du

im dunkeln tappen – im Dunkeln tappen

dünnbesiedelt – *auch:* dünn besiedelt

E alt – neu

ebensogut – ebenso gut

ebensosehr – ebenso sehr

an Eides Statt – an Eides statt

sein eigen nennen – sein Eigen nennen

einbleuen – einbläuen

aufs eindringlichste warnen – *auch:* aufs Eindringlichste warnen

das einfachste ist, wenn ... – das Einfachste ist, wenn ...

Einlaß – Einlass

der/die/das einzelne kann ... – der/die/das Einzelne kann ...

jeder einzelne – jeder Einzelne

der/die/das einzige wäre ... – der/die/das Einzige wäre ...

kein einziger war gekommen –
  kein Einziger war gekommen
Eisschnellauf – Eisschnelllauf
engbedruckt – *auch:* eng bedruckt
die erdölexportierenden Länder – *auch:*
  die Erdöl exportierenden Länder
Erlaß – Erlass
ernstgemeint – *auch:* ernst gemeint
ernstzunehmend – *auch:*
  ernst zu nehmen
der erste, der gekommen ist – der Erste,
  der gekommen ist
fürs erste – fürs Erste
zum ersten, zum zweiten, zum dritten –
  zum Ersten, zum Zweiten,
  zum Dritten
das erstemal – das erste Mal
zum erstenmal – zum ersten Mal
Erstkläßler – Erstklässler
essentiell – *auch:* essenziell
Eßlöffel – Esslöffel
existentiell – *auch:* existenziell
Exposé – *auch:* Exposee

F alt – neu

fahrenlassen – *auch:* fahren lassen
Fairneß – Fairness
Fair play – Fair Play, *auch:* Fairplay
fallenlassen – *auch:* fallen lassen
Faß – Fass
faßbar – fassbar
du faßt – du fasst
Fast food – Fastfood, *auch:* Fast
  Food
feingemahlen – *auch:* fein gemahlen
fertigstellen – *auch:* fertig stellen
festangestellt – *auch:* fest angestellt
fettgedruckt – *auch:* fett gedruckt
Fitneß – Fitness
Fluß – Fluss
Flußschiffahrt – Flussschifffahrt, *auch:*
  Fluss-Schifffahrt
die Haare fönen – die Haare föhnen

folgendes ist zu beachten – Folgendes ist
  zu beachten
wie im folgenden erläutert – wie im
  Folgenden erläutert
fritieren – frittieren
Fußballländerspiel – Fußballländerspiel,
  auch: Fußball-Länderspiel

G alt – neu

im großen und ganzen – im Großen und
  Ganzen
Gäßchen – Gässchen
gefangenhalten – gefangen halten
gefangennehmen – gefangen nehmen
gefaßt – gefasst
gehaßt – gehasst
geheimhalten – geheim halten
gehenlassen – *auch:* gehen lassen
Gemse – Gämse
genausogut; genausowenig – genauso gut;
  genauso wenig
Genuß – Genuss
genüßlich – genüsslich
genußsüchtig – genusssüchtig
Geographie – *auch:* Geografie
gepaßt – gepasst
gepreßt – gepresst
geradestellen – *auch:* gerade stellen
es geht ihn nicht das geringste an –
  es geht ihn nicht das Geringste an
nicht im geringsten stören –
  nicht im Geringsten stören
geringschätzen – *auch:*
  gering schätzen
Geschoß – Geschoss *[in Österreich
  mit ß]*
gestern abend/morgen/nacht –
  gestern Abend/Morgen/Nacht
gestreßt – gestresst
getrenntlebend – *auch:* getrennt
  lebend
Gewinnnummer – Gewinnnummer, *auch:*
  Gewinn-Nummer

gewiß – gewiss
gewußt – gewusst
glatthobeln – *auch:* glatt hobeln
das gleiche tun – das Gleiche tun
aufs gleiche hinauskommen – aufs
  Gleiche hinauskommen
gleichlautend – *auch:* gleich lau-
  tend
gräßlich – grässlich
Greuel – Gräuel
grobgemahlen – *auch:* grob gemahlen
für groß und klein – für Groß und
  Klein
im großen und ganzen – im Großen und
  Ganzen
groß schreiben *[mit großem Anfangs-*
  buchstaben] – großschreiben
Guß – Guss
es im guten versuchen – es im Guten
  versuchen
gutgehen – *auch:* gut gehen
gutgelaunt – *auch:* gut gelaunt
gutgemeint – *auch:* gut gemeint

H alt – neu

haltmachen – *auch:* Halt machen
Handout – *auch:* Hand-out
hängenbleiben – *auch:* hängen bleiben
hängenlassen – *auch:* hängen lassen
Happy-End – Happyend, *auch:*
  Happy End
hartgekocht – *auch:* hart gekocht
Haß – Hass
häßlich – hässlich
du haßt – du hasst
nach Hause, zu Hause – *auch:* nachhause,
  zuhause
haushalten – *auch:* Haus halten
heißgeliebt – *auch:* heiß geliebt
helleuchtend – hellleuchtend, *auch:* hell
  leuchtend

hellicht – helllicht
heute abend/mittag/nacht – heute
  Abend/Mittag/Nacht
hiersein – hier sein
High-Society – High Society
hilfesuchend – *auch:* Hilfe
  suchend
Hot dog – Hotdog, *auch:* Hot Dog

I alt – neu

Ihr seid eingeladen *[in Briefen]* – *auch:*
  ihr seid eingeladen
im allgemeinen – im Allgemeinen
im besonderen – im Besonderen
Imbißstand – Imbissstand, *auch:*
  Imbiss-Stand
im einzelnen – im Einzelnen
im nachhinein – im Nachhinein
imstande – *auch:* im Stande
im übrigen – im Übrigen
im voraus – im Voraus
im vorhinein – im Vorhinein
in bezug auf – in Bezug auf
in Frage stellen/kommen – *auch:*
  infrage stellen/kommen
instand halten/setzen – *auch:*
  in Stand halten/setzen
irgend etwas – irgendetwas
irgend jemand – irgendjemand

J alt – neu

ja sagen – *auch:* Ja sagen
2jährig, 3jährig, 4jährig ... – 2-jährig,
  3-jährig, 4-jährig ...
ein 2jähriger, 3jähriger, 4jähriger –
  ein 2-Jähriger, 3-Jähriger, 4-Jähriger
jedesmal – jedes Mal
Job-sharing – Jobsharing
Joghurt – *auch:* Jogurt
Joint-venture – Joint Venture
für jung und alt – für Jung und Alt

K alt – neu

Kaffee-Ersatz – *auch:* Kaffeeersatz
kahlfressen – *auch:* kahl fressen
kaltlächelnd – *auch:* kalt lächelnd
Känguruh – Känguru
Karamel – Karamell
Kaßler – Kassler
Katarrh – *auch:* Katarr
kegelschieben – Kegel schieben
kennenlernen – *auch:*
  kennen lernen
Kennnummer – Kennnummer, *auch:*
  Kenn-Nummer
keß – kess
Ketchup – *auch:* Ketschup
sich über etwas im klaren sein –
  sich über etwas im Klaren sein
bis ins kleinste geregelt – bis ins Kleinste
  geregelt
ein Staat im kleinen – ein Staat im
  Kleinen
kleingedruckt – *auch:* klein gedruckt
kleinschneiden – *auch:*
  klein schneiden
klein schreiben *[mit kleinem Anfangsbuch-
  staben]* – kleinschreiben
es wäre das klügste, wenn ... – es wäre
  das Klügste, wenn ...
Know-how – *auch:* Knowhow
kochendheiß – kochend heiß
Kommuniqué – *auch:* Kommunikee
Kompaß – Kompass
Kompromiß – Kompromiss
Kontrollampe – Kontrolllampe, *auch:*
  Kontroll-Lampe
krank schreiben – krankschreiben
kraß – krass
Kreppapier – Krepppapier, *auch:*
  Krepp-Papier
Kunststoffolie – Kunststofffolie, *auch:*
  Kunststoff-Folie
den kürzeren ziehen – den Kürzeren
  ziehen

kurzgebraten – *auch:* kurz gebraten
Kuß; Küßchen – Kuss; Küsschen
du/er/sie küßt – du/er/sie küsst

L alt – neu

etwas des langen und breiten erklären –
  etwas des Langen und Breiten
  erklären
langgestreckt – *auch:* lang gestreckt
du läßt – du lässt
zu Lasten – *auch:* zulasten
auf dem laufenden sein – auf dem
  Laufenden sein
laufenlassen – *auch:* laufen lassen
Layout – *auch:* Lay-out
leer essen – *auch:* leeressen
leerstehend – *auch:* leer stehend
leichtmachen – *auch:* leicht machen
leichtverderblich – *auch:*
  leicht verderblich
leichtverständlich – *auch:*
  leicht verständlich
jmdm. leid tun – jmdm. leidtun
der letzte, der gekommen ist – der Letzte,
  der gekommen ist
als letzter fertig sein – als Letzter
  fertig sein
das letzte, was sie tun würde – das Letzte,
  was sie tun würde
letzteres trifft zu – Letzteres trifft zu
zum letztenmal – zum letzten Mal
liebhaben – *auch:* lieb haben
liegenbleiben – *auch:* liegen bleiben
liegenlassen – *auch:* liegen lassen

M alt – neu

2mal, 3mal, 4mal ... – 2-mal, 3-mal,
  4-mal ...
maschineschreiben – Maschine schreiben
maßhalten – *auch:* Maß halten
meßbar – messbar

145

Meßdiener – Messdiener
die metallverarbeitende Industrie –
auch: die Metall verarbeitende
Industrie
Midlife-crisis – Midlifecrisis, *auch:*
Midlife-Crisis
millionenmal – Millionen Mal
nicht im mindesten – *auch:* nicht im
Mindesten
mißachten; Mißbrauch; Mißerfolg;
mißtrauisch; Mißverständnis –
missachten; Missbrauch; Misserfolg;
misstrauisch; Missverständnis
mit Hilfe – *auch:* mithilfe
[gestern, heute, morgen] mittag –
[gestern, heute, morgen] Mittag
wir sprachen über alles mögliche –
wir sprachen über alles Mögliche
sein möglichstes tun – sein Möglichstes
tun
morgen abend, mittag, nacht – morgen
Abend, Mittag, Nacht
[gestern, heute] morgen – [gestern, heute]
Morgen
ich muß; du mußt – ich muss;
du musst

nach Hause – *auch:* nachhause
im nachhinein – im Nachhinein
Nachlaß – Nachlass
der nächste, bitte! – der Nächste, bitte!
als nächstes wollen wir ... – als Nächstes
wollen wir ...
[gestern, heute, morgen] nacht –
[gestern, heute, morgen] Nacht
naß – nass
es aufs neue versuchen – es aufs Neue
versuchen
auf ein neues – auf ein Neues
neueröffnet – *auch:* neu eröffnet
nichtssagend – *auch:* nichts sagend
not tun – nottun

auf Null stehen – auf null stehen
Nullösung – Nulllösung, *auch:*
Null-Lösung
numerieren – nummerieren
Numerierung – Nummerierung
Nuß; Nüßchen – Nuss; Nüsschen
Nußschokolade – Nussschokolade,
auch: Nuss-Schokolade

obenerwähnt – *auch:* oben erwähnt
obenstehend – *auch:* oben stehend
ohne weiteres – *auch:* ohne Weiteres
Orthographie – *auch:* Orthografie

Panther – *auch:* Panter
parallellaufend – *auch:* parallel laufend
parallelschalten – parallel schalten
Paß – Pass
Paßstraße – Passstraße,
auch: Pass-Straße
es paßt – es passt
Playback – *auch:* Play-back
plazieren – platzieren
pleite gehen – pleitegehen
Portemonnaie – *auch:* Portmonee
potentiell – *auch:* potenziell
Preßluftbohrer – Pressluftbohrer
Preßspan – Pressspan, *auch:* Press-Span
du preßt – du presst
probefahren – Probe fahren
Prozeß – Prozess

Quentchen – Quäntchen
Quickstep – Quickstepp

R | alt – neu

radfahren – Rad fahren
zu Rande kommen – *auch:* zurande kommen
zu Rate ziehen – *auch:* zurate ziehen
rauh – rau
recht haben/behalten/bekommen/geben/tun – *auch:* Recht haben/behalten/bekommen/geben/tun
das ist genau das richtige für mich – das ist genau das Richtige für mich
Riß – Riss
Roheit – Rohheit
Rolladen – Rollladen, *auch:* Roll-Laden
Rommé – Rommee
rotgestreift – *auch:* rot gestreift
rötlichbraun – rötlich braun
rückenschwimmen – *auch:* Rücken schwimmen
ruhenlassen – *auch:* ruhen lassen
Rußland – Russland

S | alt – neu

sauberhalten – sauber halten
saubermachen – *auch:* sauber machen
Saxophon – *auch:* Saxofon
sein Schäfchen ins trockene bringen – sein Schäfchen ins Trockene bringen
Schiffahrt – Schifffahrt, *auch:* Schiff-Fahrt
schlechtgehen – *auch:* schlecht gehen
schlechtgelaunt – *auch:* schlecht gelaunt
das schlimmste ist, daß ... – das Schlimmste ist, dass ...
Schloß – Schloss
Schluß – Schluss
Schlußstrich – Schlussstrich, *auch:* Schluss-Strich
schmutziggrau – schmutzig grau
schnellebig – schnelllebig
schneuzen – schnäuzen

er schoß – er schoss
Schrittempo – Schritttempo, *auch:* Schritt-Tempo
an etwas schuld haben – an etwas Schuld haben
sich etwas zuschulden kommen lassen – *auch:* sich etwas zu Schulden kommen lassen
Schuß – Schuss
schußlig – schusslig
schwerverständlich – *auch:* schwer verständlich
Schwimmeister – Schwimmmeister, *auch:* Schwimm-Meister
Science-fiction – Sciencefiction, *auch:* Science-Fiction
seinlassen – *auch:* sein lassen
auf seiten – aufseiten, *auch:* auf Seiten
von seiten – vonseiten, *auch:* von Seiten
selbständig – *auch:* selbstständig
selbstgebacken – *auch:* selbst gebacken
selbstgemacht – *auch:* selbst gemacht
seßhaft – sesshaft
Showdown – *auch:* Show-down
Shrimp – *auch:* Schrimp
das sicherste ist, wenn ... – das Sicherste ist, wenn ...
siedendheiß – siedend heiß
sitzenbleiben – *auch:* sitzen bleiben
sitzenlassen – *auch:* sitzen lassen
so daß – sodass, *auch:* so dass
soviel du willst – so viel du willst
soviel wie – so viel wie
es ist soweit – es ist so weit
soweit wie möglich – so weit wie möglich
Spaghetti – *auch:* Spagetti
spazierengehen – spazieren gehen
Spliß – Spliss
Sproß; Sprößling – Spross; Sprössling
stehenbleiben – *auch:* stehen bleiben
Stengel – Stängel
Steptanz – Stepptanz
etwas im stillen vorbereiten – etwas im Stillen vorbereiten

stillegen – stilllegen
Stoffetzen – Stofffetzen, *auch:*
  Stoff-Fetzen
Stop – Stopp
strengnehmen – streng nehmen
Streß – Stress
Streßsituation – Stresssituation, *auch:*
  Stress-Situation
Stukkateur – Stuckateur
substantiell – *auch:* substanziell

T alt – neu

tabula rasa machen – Tabula rasa
  machen
zutage treten – *auch:* zu Tage treten
2tägig, 3tägig, 4tägig … – 2-tägig, 3-tägig,
  4-tägig …
Täßchen – Tässchen
Telephon – Telefon
Thunfisch – *auch:* Tunfisch
tiefbewegt – *auch:* tief bewegt
tiefempfunden – *auch:* tief empfunden
Tip – Tipp
Tolpatsch – Tollpatsch
tolpatschig – tollpatschig
totgeboren – *auch:* tot geboren
Trekking – *auch:* Trecking
treuergeben – *auch:* treu ergeben
auf dem trockenen sitzen – auf dem
  Trockenen sitzen
sein Schäfchen ins trockene bringen –
  sein Schäfchen ins Trockene bringen
im trüben fischen – im Trüben fischen

U alt – neu

übelnehmen – *auch:* übel nehmen
übelriechend – *auch:* übel riechend
überschwenglich – überschwänglich
ein übriges tun – ein Übriges tun
im übrigen – im Übrigen
alles übrige später – alles Übrige später

die übrigen kommen nach – die Übrigen
  kommen nach
umsein – um sein
um so [mehr, größer, weniger …] – umso
  [mehr, größer, weniger …]
und ähnliches (u. ä.) – und Ähnliches
  (u. Ä.)
unerläßlich – unerlässlich
unermeßlich – unermesslich
im unklaren bleiben/lassen – im Unklaren
  bleiben/lassen
unpäßlich – unpässlich
unrecht haben/behalten/bekommen/
  tun – *auch:* Unrecht haben/behalten/
  bekommen/tun
unselbständig – *auch:* unselbstständig
untenerwähnt – *auch:* unten erwähnt
untenstehend – *auch:* unten stehend
unterderhand – unter der Hand

V alt – neu

Varieté – Varietee
veranlaßt – veranlasst
verbleuen – verbläuen
im verborgenen blühen – im Verborgenen
  blühen
Verdruß – Verdruss
du verfaßt – du verfasst
vergeßlich – vergesslich
Vergißmeinnicht – Vergissmeinnicht
du vergißt – du vergisst
verhaßt – verhasst
Verlaß; verläßlich – Verlass; verlässlich
verloren geben – *auch:* verlorengeben
verlorengehen – *auch:* verloren gehen
vermißt du etwas? – vermisst du etwas?
verpaßt – verpasst
verschiedenes war noch unklar –
  Verschiedenes war noch unklar
Verschlußsache – Verschlusssache, *auch:*
  Verschluss-Sache
verselbständigen – *auch:*
  verselbstständigen

vielbefahren – *auch:* viel befahren
vielgelesen – *auch:* viel gelesen
viel zuviel – viel zu viel
viel zuwenig – viel zu wenig
aus dem vollen schöpfen – aus dem Vollen
  schöpfen
von neuem – *auch:* von Neuem
von seiten – vonseiten, *auch:* von
  Seiten
von weitem – *auch:* von Weitem
im voraus – im Voraus
im vorhinein – im Vorhinein
das vorige gilt auch ... – das Vorige gilt
  auch ...
vor kurzem – *auch:* vor Kurzem
[gestern, heute, morgen] vormittag –
  [gestern, heute, morgen] Vormittag

W alt – neu

Waggon – *auch:* Wagon
wäßrig – wässrig
weichgekocht – *auch:* weich gekocht
aus schwarz weiß machen – aus Schwarz
  Weiß machen
des weiteren wurde gesagt ... –
  des Weiteren wurde gesagt ...
weitreichend – *auch:* weit reichend
es besteht im wesentlichen aus ... –
  es besteht im Wesentlichen aus ...
wieviel – wie viel
wißbegierig – wissbegierig
ihr wißt – ihr wisst
Wollappen – Wolllappen, *auch:*
  Woll-Lappen
wundliegen – *auch:* wund liegen

Z alt – neu

Zäheit – Zähheit
eine Zeitlang – *auch:* eine Zeit lang
Zierat – Zierrat

jmdn. zufriedenstellen – *auch:*
  jmdn. zufrieden stellen
zugrunde gehen/legen/liegen – *auch:*
  zu Grunde gehen/legen/liegen
zugrundeliegend – *auch:* zugrunde
  liegend *od.* zu Grunde liegend
zugunsten – *auch:* zu Gunsten
zugute halten – zugutehalten
zugute kommen – zugutekommen
zugute tun – zugutetun
zu Hause – *auch:* zuhause
zu Lasten – *auch:* zulasten
jmdm. etwas zuleide tun – *auch:*
  jmdm. etwas zu Leide tun
zumute sein – *auch:* zu Mute sein
zunichte machen – zunichtemachen
sich etwas zunutze machen – *auch:*
  sich etwas zu Nutze machen
zupaß kommen – zupasskommen
zu Rande kommen – *auch:* zurande
  kommen
jmdn. zu Rate ziehen – *auch:*
  jmdn. zurate ziehen
zur Zeit *[derzeit]* – zurzeit
zusammensein – zusammen sein
sich etwas zuschulden kommen lassen –
  auch: sich etwas zu Schulden
  kommen lassen
zusein – zu sein
zustande bringen/kommen – *auch:*
  zu Stande bringen/kommen
zutage fördern/treten – *auch:* zu Tage
  fördern/treten
zuteil werden – zuteilwerden
zuungunsten – *auch:* zu Ungunsten
zuviel – zu viel
zuwege bringen – *auch:* zu Wege
  bringen
zuwenig – zu wenig
er hat wie kein zweiter gearbeitet –
  er hat wie kein Zweiter
  gearbeitet
jeder zweite kommt – jeder Zweite
  kommt

a = ¹Ar; Atto...

a = *Zeichen für* a-Moll

A = *Zeichen für* A-Dur

A = Ampere; Autobahn

A (Buchstabe); das A; des A, die A, *aber* das a in Land; der Buchstabe A, a; von A bis Z (*ugs. für* alles, von Anfang bis Ende); das A und [das] O (der Anfang und das Ende, das Wesentliche [nach dem ersten und letzten Buchstaben des griech. Alphabets]); a-Laut ↑K29

Ä (Buchstabe; Umlaut); das Ä; des Ä, die Ä, *aber* das ä in Bäcker; der Buchstabe Ä, ä

A, α = Alpha

à [a] ⟨franz.⟩ (*bes. Kaufmannsspr.* zu [je]); 3 Stück à 20 Euro, *dafür besser ...* zu [je] 20 Euro

Å = Ångström

@ [ɛt] ⟨ursprünglich das Zeichen für »at« [= zu, je] auf amerik. Schreibmaschinentastaturen⟩ = At-Zeichen (Gliederungszeichen in E-Mail-Adressen)

a. = am (*bei Ortsnamen,* z. B. Frankfurt a. Main)

a. = anno

a. = alt (*schweiz.; vor Amtsbezeichnungen,* z. B. a. Bundesrat)

a, A, das; -, - (Tonbezeichnung)

¹Aa, das; - (*Kinderspr.* Kot); Aa machen

²Aa, die; - (Name europäischer Flüsse u. Bäche); Engelberger Aa

¹AA, das; - = Auswärtiges Amt

²AA *Plur.* = Anonyme Alkoholiker

a. a. = ad acta

Aa|chen (Stadt in Nordrhein-Westfalen); **Aa|che|ner;** Aachener Printen (ein Gebäck); der Aachener Dom

AAD = analoge Aufnahme, analoge Bearbeitung, digitale Wiedergabe (bei CD-Aufnahmen)

Aal, der; -[e]s, -e; *aber* Älchen (*vgl. d.*)

aa|len, sich (*ugs. für* behaglich ausgestreckt sich ausruhen)

aal|glatt

Aall [o:l] (norw. Philosoph)

Aal|tier|chen (ein Fadenwurm)

---

a. a. O. = am angeführten Ort; *auch* am angegebenen Ort

Aar, der; -[e]s, -e (*geh. für* Adler)

Aar|au (Hauptstadt des Kantons Aargau)

Aa|re, die; - (schweiz. Fluss)

Aar|gau, der; -s (schweiz. Kanton); **Aar|gau|er; aar|gau|isch**

Aa|ron (bibl. m. Eigenn.)

Aas, das; -es, *Plur.* (*für Tierleichen:*) -e u. (*als Schimpfwort:*) Äser

Aas|blu|me (Pflanze, deren Blütengeruch Aasfliegen anzieht)

aa|sen (*ugs. für* verschwenderisch umgehen); du aast, er aas|te

Aas|fres|ser; Aas|gei|er

aa|sig (gemein; ekelhaft)

Aast, das; -es, Äs|ter (landsch. Schimpfwort)

ab

Adverb:

– ab und an (von Zeit zu Zeit); von ... ab (*ugs. für* von ... an)

– ab und zu (gelegentlich) nehmen; *aber* ↑K31: ab- und zunehmen (abnehmen und zunehmen)

– weil die Hütte weit ab sein soll; da die Hütte weit ab ist

Präposition mit Dativ:

– ab Bremen, ab [unserem] Werk; ab erstem März

Bei Zeitangaben, Mengenangaben o. Ä. auch mit Akkusativ:

– ab erstem *od.* ersten März, ab vierzehn Jahre[n], ab 50 Exemplare[n]

AB, der; -[s], -s = Anrufbeantworter

A. B. = Augsburger Bekenntnis

ab... (*in Zus. mit Verben,* z. B. abschreiben, du schreibst ab, abgeschrieben, abzuschreiben)

Aba, die; -, -s ⟨arab.⟩ (weiter, kragenloser Mantel der Araber)

Aba|kus, der; -, *Plur.* -se u. ...ki ⟨griech.⟩ (Rechen- od. Spielbrett der Antike); *Archit.* Säulendeckplatte)

Abä|lard [...'lart, *auch* 'abε...] (französischer Philosoph)

ab|än|der|lich

ab|än|dern

Ab|än|de|rung

Ab|än|de|rungs|an|trag

Ab|än|de|rungs|vor|schlag

Aban|don [abã'dõ:], der; -s, -s ⟨franz.⟩ (*Rechtsspr.* Abtretung, Preisgabe von Rechten od. Sachen); **aban|don|nie|ren**

ab|ar|bei|ten; Ab|ar|bei|tung

Ab|art

ab|ar|ten (*selten für* von der Art abweichen)

ab|ar|tig; Ab|ar|tig|keit

Aba|sie, die; -, ...ien ⟨griech.⟩ (*Med.* Unfähigkeit zu gehen)

ab|as|ten, sich (*ugs. für* sich abplagen)

ab|äs|ten; einen Baum abästen

Aba|te, der; -[n], *Plur.* (*Berg-* ...ten ⟨ital.⟩ (*kath. Kirche* Titel der Weltgeistlichen in Italien)

Aba|ton [ˈa(ː)batɔn], das; -s, ...ta ⟨griech.⟩ (*Rel.* das Allerheiligste, der Altarraum in den Kirchen des orthodoxen Ritus)

Abb. = Abbildung

Ab|ba ⟨aram. »Vater!«⟩ (neutestamentl. Anrede Gottes im Gebet)

ab|ba|cken

Ab|ba|si|de, der; -n, -n (Angehöriger eines aus Bagdad stammenden Kalifengeschlechtes)

Ab|bau, der; -[e]s, *Plur.* (*Bergmannsspr. für* Abbaustellen:) Abbaue u. (*landsch. für* abseits gelegene Anwesen, einzelne Gehöfte:) Abbauten

ab|bau|bar

ab|bau|en

Ab|bau|feld (*Bergbau);* **Ab|bau|ge|rech|tig|keit** (*Rechtsspr.);* **Ab|bau|pro|dukt**

ab|bau|wür|dig

Ab|be (dt. Physiker)

Ab|bé, der; -s, -s ⟨franz.⟩ (*kath. Kirche* Titel der niederen Weltgeistlichen in Frankreich)

ab|be|din|gen (*Rechtsspr.* außer Kraft setzen); abbedungen; **Ab|be|din|gung**

ab|bei|ßen

ab|bei|zen; Ab|beiz|mit|tel, das

ab|be|kom|men

ab|be|ru|fen; Ab|be|ru|fung

ab|be|stel|len; Ab|be|stel|lung

ab|beu|teln (*bayr., österr. für* abschütteln)

Ab|be|vil|li|en [abəviˈljɛ̃:], das; -[s] ⟨nach der Stadt Abbeville in Nordfrankreich⟩ (Kultur der frühesten Altsteinzeit)

ab|be|zah|len; Ab|be|zah|lung

ab|bie|gen

Ab|bie|ge|spur

Ab|bie|gung

Ab|bild; ab|bil|den; Ab|bil|dung (*Abk.* Abb.)

A

abbi

Abend

der; -s, -e

Großschreibung:

– des, eines Abends; am Abend; gegen Abend; diesen Abend; den Abend über
– es wird Abend; [zu] Abend essen; wir wollen nur Guten *od.* guten Abend sagen
– gestern, heute, morgen Abend; bis, von gestern, heute, morgen Abend ↑K69

Kleinschreibung:

– abends
– von morgens bis abends
– abends spät, *aber* spätabends
– [um] 8 Uhr abends, abends [um] 8 Uhr
– dienstagabends *od.* dienstags abends (vgl. Dienstagabend)

---

ab|bim|sen (*ugs. für* abschreiben)
ab|bin|den; Ab|bin|dung
Ab|bit|te; Abbitte leisten, tun; ab|bit|ten
ab|bla|sen
ab|blas|sen
ab|blät|tern
ab|blen|den
Ab|blend|licht *Plur.* ...lichter
Ab|blen|dung
ab|blit|zen (*ugs. für* abgewiesen werden)
ab|blo|cken (*Sportspr.* abwehren)
Ab|brand (*Hüttenw.* Rösträckstand; Metallschwund beim Schmelzen)
ab|brau|sen
ab|bre|chen
ab|brem|sen; Ab|brem|sung
ab|bren|nen
Ab|bre|vi|a|ti|on, Ab|bre|vi|a|tur, die; -, -en ⟨lat.⟩ (Abkürzung); ab|bre|vi|ie|ren
ab|brin|gen
ab|brö|ckeln; Ab|brö|cke|lung, Ab|bröck|lung
ab|bro|cken (*bayr., österr. für* abpflücken)
Ab|bruch, der; -[e]s, ...brüche; der Sache [keinen] Abbruch tun
Ab|bruch|ar|beit *meist Plur.*; Ab|bruch|ge|neh|mi|gung; Ab|bruch|haus
ab|bruch|reif
Ab|bruchs|ar|beit usw. (*österr. für* Abbrucharbeit usw.)
ab|brü|hen *vgl.* abgebrüht
ab|bu|chen; Ab|bu|chung
ab|bü|geln (*ugs. auch für* zurechtweisen)
ab|bum|meln (*ugs. für* [Überstunden] durch Freistunden ausgleichen)
ab|bürs|ten
Abc, Abe|ce, das; -, -
ab|ca|shen [...kɛʃn] ⟨dt.; engl.⟩ (*ugs. für* abkassieren)
Abc-Buch, Abe|ce|buch (Fibel)
Abc-Code, der; -s (internationaler Telegrammschlüssel)
ab|che|cken (*ugs. für* überprüfen)

abc|lich, abe|ce|lich
Abc-Schüt|ze, Abe|ce|schüt|ze
ABC-Staa|ten *Plur.* (Argentinien, Brasilien und Chile)
ABC-Waf|fen *Plur.* (atomare, biologische u. chemische Waffen); ABC-Waf|fen-frei; eine ABC-Waffen-freie Zone ↑K26
ab|da|chen; Ab|da|chung
Ab|dampf (*Technik*); ab|damp|fen (*ugs. auch für* abfahren)
ab|dämp|fen ([in seiner Wirkung] mildern)
Ab|dampf|wär|me (*Technik*)
ab|dan|ken; Ab|dan|kung (*schweiz. auch für* Trauerfeier)
ab|de|cken
Ab|de|cker (jmd., der Tierkadaver beseitigt); Ab|de|cke|rei
Ab|deck|plat|te
ab|di|chten; Ab|dich|tung
Ab|di|ka|ti|on, die; -, -en ⟨lat.⟩ (*veraltet für* Abdankung)
ab|ding|bar (*Rechtsspr.* durch freie Vereinbarung ersetzbar)
ab|di|zie|ren ⟨lat.⟩ (*veraltet für* abdanken)
Ab|do|men, das; -s, *Plur.* - u. ...mina ⟨lat.⟩ (*Med.* Unterleib, Bauch; *Zool.* Hinterleib der Gliederfüßer); ab|do|mi|nal
ab|drän|gen; jmdn. abdrängen
ab|dre|hen
Ab|drift, die; -, -en (*Seemannsspr., Fliegerspr.* durch Wind od. Strömung hervorgerufene Kursabweichung); ab|drif|ten
ab|dros|seln; Ab|dros|se|lung, Ab|dross|lung
Ab|druck, der; -[e]s, *Plur.* (in Gips u. a.:) ...drücke u. (*für* Drucksachen:) ...drucke; im letzten Abdruck (*österr. für* im letzten Augenblick)
ab|dru|cken; ein Buch abdrucken
ab|drü|cken

ab|du|cken (*Boxen*)
Ab|duk|ti|on, die; -, -en ⟨lat.⟩ (*Med.* das Bewegen von Körperteilen von der Körperachse weg, z. B. Armhebung)
Ab|duk|tor, der; -s, ...oren (eine Abduktion bewirkender Muskel, Abziehmuskel)
ab|dun|keln
ab|du|schen
ab|dü|sen (*ugs. für* sich rasch entfernen)
ab|eb|ben
Abe|ce usw. *vgl.* Abc usw.; Abe|ce|buch *vgl.* Abc-Buch; abe|ce|lich *vgl.* abclich; Abe|ce|schüt|ze *vgl.* Abc-Schütze
Abee [*auch* 'a...], der u. das; -s, -s (*landsch. für* ¹Abort)
ab|ei|sen (*österr. veraltend für* abtauen)
Abel (bibl. m. Eigenn.)
Abel|mo|schus [*auch* 'a:...], der; -, -se ⟨arab.⟩ (eine Tropenpflanze)
Abend *s. Kasten*
Abend|brot; Abend|däm|me|rung
aben|de|lang; *aber* drei *od.* mehrere Abende lang
abend|es|sen (*österr. für* [zu] Abend essen); gehen wir abendessen; hast du schon abendgegessen?; *vgl.* mittagessen
Abend|es|sen; Abend|frie|de[n], der; ...dens
abend|fül|lend
Abend|gym|na|si|um; Abend|kas|se; Abend|kleid
Abend|kurs; Abend|kur|sus
Abend|land, das; -[e]s; Abend|län|der, der; Abend|län|de|rin, die; abend|län|disch
abend|lich
Abend|mahl *Plur.* ...mahle; Abend|mahl[s]|kelch
Abend-Make-up
Abend|pro|gramm
Abend|rot, Abend|rö|te
abends *vgl.* Abend ↑K70
Abend|schu|le; Abend|son|ne
Abend|spit|ze (*österr. für* Stoßverkehr am Abend)

aber

Konjunktion:

– er sah sie, hörte sie aber (jedoch) nicht
– er sah sie, aber er hörte sie nicht
– ein kleiner, aber gepflegter Garten
– sie ist streng, aber gerecht

Adverb in veralteten Fügungen wie:

– aber und abermals (wieder und wiederum); tausend und aber[mals] tausend; tausend- und aber[mals] tausendmal

Klein- oder Großschreibung in Verbindungen mit »hundert« und »tausend« ↑K79:

– aberhundert od. Aberhundert Sterne (viele hundert Sterne)
– abertausend od. Abertausend Vögel
– aberhunderte od. Aberhunderte kleiner Vögel
– abertausende od. Abertausende von kleinen Vögeln
– das Jubilieren aberhunderter od. Aberhunderter von Vögeln

Abend|stern; Abend|ver|kauf; Abend|zei|tung
Aben|teu|er, das; -s, -
Aben|teu|er|film
Aben|teu|e|rin, Aben|teu|re|rin, die; -, -nen
aben|teu|er|lich
Aben|teu|er|lust, die; -; aben|teu|er|lus|tig
aben|teu|ern; ich abenteu[e]re; geabenteuert
Aben|teu|er|ro|man; Aben|teu|er|spiel|platz; Aben|teu|er|ur|laub
Aben|teu|rer; Aben|teu|re|rin, Aben|teu|e|rin, die; -, -nen
aber s. Kasten
Aber, das; -s, -; viele Wenn und Aber vorbringen ↑K81
Aber|glau|be, seltener Aber|glau|ben
aber|gläu|big (veraltet für abergläubisch)
aber|gläu|bisch
aber|hun|dert vgl. aber
ab|er|ken|nen; ich erkenne ab, selten ich aberkenne; ich erkannte ab, selten ich aberkannte; Ab|er|ken|nung
aber|ma|lig; aber|mals
Ab|er|ra|ti|on, die; -, -en ⟨lat.⟩ (fachspr. für Abweichung)
Aber|see vgl. Sankt-Wolfgang-See
aber|tau|send vgl. aber
Aber|witz, der; -es (geh. für völliger Unsinn); aber|wit|zig
ab|es|sen
Abes|si|ni|en (ältere Bez. für Äthiopien); abes|si|nisch
ABF, die; -, -s = Arbeiter-und-Bauern-Fakultät
Abf. = Abfahrt
ab|fa|ckeln (Technik überflüssige Gase abbrennen); Ab|fa|cke|lung, Ab|fack|lung
ab|fä|deln; Bohnen abfädeln
ab|fahr|be|reit
ab|fah|ren
Ab|fahrt (Abk. Abf.)
Ab|fahrt[s]|be|fehl; Ab|fahrt[s]|gleis

Ab|fahrts|lauf; Ab|fahrts|ren|nen
Ab|fahrt[s]|si|g|nal
Ab|fahrts|stre|cke
Ab|fahrt[s]|zei|chen; Ab|fahrt[s]|zeit
Ab|fall, der
Ab|fall|auf|be|rei|tung; Ab|fall|be|sei|ti|gung; Ab|fall|ei|mer
ab|fal|len
Ab|fall|hau|fen
ab|fäl|lig; abfällig beurteilen
Ab|fall|kü|bel (bes. österr. für Abfalleimer)
Ab|fall|pro|dukt; Ab|fall|quo|te
Ab|fall|rohr (Bauw.)
Ab|fall|wirt|schaft
ab|fäl|schen (Ballspiele, Eishockey); den Ball [zur Ecke] abfälschen
ab|fan|gen
Ab|fang|jä|ger (ein Jagdflugzeug); Ab|fang|sa|tel|lit (Milit.)
ab|fär|ben
ab|fa|sen (fachspr. für abkanten)
ab|fas|sen (verfassen; ugs. für abfangen); Ab|fas|sung
ab|fau|len
ab|fe|dern; Ab|fe|de|rung
ab|fe|gen
ab|fei|ern
ab|fei|len
ab|fer|ti|gen (österr. auch für abfinden); Ab|fer|ti|gung (österr. auch für Abfindung)
Ab|fer|ti|gungs|hal|le; Ab|fer|ti|gungs|schal|ter
ab|feu|ern
ab|fie|ren (Seemannsspr. an einem Tau herunterlassen)
ab|fie|seln (bes. südd., österr. ugs. für abnagen, ablösen)
ab|fin|den; Ab|fin|dung
Ab|fin|dungs|sum|me
ab|fi|schen
ab|fla|chen; sich abflachen
Ab|fla|chung
ab|flau|en (schwächer werden)
ab|flie|gen
ab|flie|ßen
Ab|flug; ab|flug|be|reit

Ab|flug|tag; Ab|flug|ter|mi|nal; Ab|flug|zeit
Ab|fluss
Ab|fluss|hahn; Ab|fluss|rohr
Ab|fol|ge
ab|for|dern
ab|fo|to|gra|fie|ren
Ab|fra|ge (bes. EDV)
ab|fra|gen; jmdn. od. jmdm. etw. abfragen
ab|fres|sen
ab|fret|ten, sich (bayr., österr. ugs. für sich abmühen)
ab|frie|ren
ab|frot|tie|ren
ab|früh|stü|cken (ugs. für erledigen, abspeisen); abgefrühstückt
ab|füh|len
Ab|fuhr, die; -, -en
ab|füh|ren; Ab|führ|mit|tel, das; Ab|führ|tee; Ab|füh|rung
ab|fül|len; Ab|fül|lung
ab|füt|tern; Ab|füt|te|rung
Abg. = Abgeordnete
Ab|ga|be
ab|ga|ben|frei; ab|ga|ben|pflich|tig
Ab|ga|be|preis; Ab|ga|be|ter|min
Ab|gang, der
Ab|gän|ger (Amtsspr. von der Schule Abgehender); Ab|gän|ge|rin
ab|gän|gig
Ab|gän|gig|keits|an|zei|ge (österr. für Vermisstenmeldung)
Ab|gangs|zeug|nis
Ab|gas
ab|gas|arm; ab|gas|frei
Ab|gas|ka|ta|ly|sa|tor; Ab|gas|rei|ni|ger; Ab|gas|rei|ni|gung
Ab|gas|un|ter|su|chung (Kraftfahrzeuguntersuchung, bei der der Kohlenmonoxidgehalt im Abgas bei Leerlauf des Motors gemessen wird; Abk. AU)
ABGB, das; - = Allgemeines Bürgerliches Gesetzbuch (für Österreich)
ab|ge|ar|bei|tet
ab|ge|ben

A

abge

ab|ge|blasst
ab|ge|brannt (*ugs. auch für* ohne
Geldmittel)
ab|ge|brüht (*ugs. für* [sittlich]
abgestumpft, unempfindlich);
Ab|ge|brüht|heit, die; -
ab|ge|dro|schen; abgedroschene
Redensarten; Ab|ge|dro|schen-
heit, die; -
ab|ge|feimt (durchtrieben); Ab|ge-
feimt|heit
ab|ge|fuckt [...fa...] ⟨dt.; engl.⟩
(*derb für* in üblem Zustand,
heruntergekommen)
ab|ge|grif|fen
ab|ge|hackt
ab|ge|han|gen
ab|ge|härmt
ab|ge|här|tet
ab|ge|hen
ab|ge|hetzt
ab|ge|kämpft
ab|ge|kar|tet (*ugs.*); eine abgekar-
tete Sache
ab|ge|klärt; Ab|ge|klärt|heit, die; -
ab|ge|la|gert
Ab|geld (*selten für* Disagio)
ab|ge|lebt; Ab|ge|lebt|heit, die; -
ab|ge|le|dert (*landsch. für* abge-
nutzt); eine abgelederte Hose
ab|ge|le|gen
ab|ge|lei|ert; abgeleierte (*ugs. für*
[zu] oft gebrauchte) Worte
ab|gel|ten; Ab|gel|tung (*österr.,
schweiz. auch für* Vergütung);
Ab|gel|tungs|steu|er, Ab|gel|tung-
steu|er, die
ab|ge|macht (*ugs.*)
ab|ge|ma|gert
ab|ge|mer|gelt (erschöpft; abge-
magert); *vgl.* abmergeln
ab|ge|mes|sen (*geh.*)
ab|ge|neigt; Ab|ge|neigt|heit, die; -
ab|ge|nutzt
ab|ge|ord|net; Ab|ge|ord|ne|te, der
u. die; -n, -n (*Abk.* Abg.); Ab|ge-
ord|ne|ten|haus
ab|ge|plat|tet
ab|ge|rech|net
ab|ge|ris|sen; abgerissene Kleider;
Ab|ge|ris|sen|heit, die; -
ab|ge|run|det
ab|ge|sagt; ein abgesagter (*geh.
für* erklärter) Feind des Nikotins
Ab|ge|sand|te, der *u.* die; -n, -n
Ab|ge|sang (*Verslehre* abschlie-
ßender Strophenteil)
ab|ge|schabt
ab|ge|schie|den (*geh. für* einsam
[gelegen]; verstorben); Ab|ge-
schie|de|ne, der *u.* die; -n, -n
(*geh.*); Ab|ge|schie|den|heit,
die; -

ab|ge|schlafft *vgl.* abschlaffen
ab|ge|schla|gen; Ab|ge|schla|gen-
heit, die; - (*landsch., schweiz.
für* Erschöpfung)
ab|ge|schlos|sen
ab|ge|schmackt (geistlos, platt);
Ab|ge|schmackt|heit
ab|ge|se|hen; abgesehen von ...;
abgesehen davon, dass ...
ab|ge|son|dert
ab|ge|spannt; Ab|ge|spannt|heit,
die; -
ab|ge|spielt
ab|ge|stan|den
ab|ge|stor|ben
ab|ge|sto|ßen
ab|ge|stuft
ab|ge|stumpft; Ab|ge|stumpft|heit,
die; -
ab|ge|ta|kelt (*ugs. auch für* herun-
tergekommen, ausgedient); *vgl.*
abtakeln
ab|ge|tan; die Sache war schnell
abgetan (erledigt); *vgl.* abtun
ab|ge|tra|gen
ab|ge|wetzt
ab|ge|wichst (*derb für* herunterge-
kommen)
ab|ge|win|nen
ab|ge|wirt|schaf|tet
ab|ge|wo|gen; Ab|ge|wo|gen|heit,
die; -
ab|ge|wöh|nen; ich werde es mir,
dir, ihm abgewöhnen; Ab|ge-
wöh|nung, die; -
ab|ge|zehrt
ab|ge|zir|kelt
ab|ge|zo|gen; abgezogener (*geh.
für* abstrakter) Begriff
ab|gie|ßen
Ab|glanz
Ab|gleich, der; -[e]s, -e; ab|glei-
chen (*fachspr. für* angleichen,
vergleichen)
ab|glei|ten
ab|glit|schen (*ugs.*)
Ab|gott, der; -[e]s, Abgötter; Ab-
göt|te|rei; Ab|göt|tin
ab|göt|tisch
Ab|gott|schlan|ge
ab|gra|ben; jmdm. das Wasser
abgraben
ab|gra|sen (*ugs. auch für* absu-
chen)
ab|gra|ten; ein Werkstück abgra-
ten
ab|grät|schen; vom Barren abgrät-
schen
ab|grei|fen
ab|gren|zen; Ab|gren|zung
Ab|grund; ab|grün|dig; ab|grund-
tief
ab|gu|cken, ab|ku|cken (*ugs.*); [von

od. bei] jmdm. etwas abgucken
od. abkucken
Ab|guss
ab|ha|ben (*ugs.*); ..., dass er seine
Brille abhat; er soll sein[en] Teil
abhaben
ab|ha|cken
ab|hä|keln
ab|ha|ken
ab|half|tern; Ab|half|te|rung
ab|hal|ten; Ab|hal|tung
ab|han|deln
ab|han|den|kom|men; das Buch
kam uns abhanden, ist uns
abhandengekommen; Ab|han-
den|kom|men, das; -s
Ab|hand|lung
Ab|hang
[1]ab|hän|gen, *schweiz. auch* ab|han-
gen; das hing von ihm ab, hat
von ihm abgehangen; *vgl.* [1]hän-
gen
[2]ab|hän|gen (*ugs. auch für* abschüt-
teln); er hängte das Bild ab; sie
hat alle Konkurrenten abge-
hängt; *vgl.* [2]hängen
ab|hän|gig; Ab|hän|gig|keit; Ab-
hän|gig|keits|ver|hält|nis
ab|här|men, sich
ab|här|ten; Ab|här|tung, die; -
ab|hau|en (*ugs. auch für* davonlau-
fen); ich hieb den Ast ab; wir
hauten ab
ab|häu|ten
ab|he|ben
ab|he|bern (*fachspr. für* eine Flüs-
sigkeit mit einem Heber entnehmen); ich hebere ab
ab|hef|ten; Ab|hef|tung
ab|hei|len; Ab|hei|lung
ab|hel|fen; einem Mangel abhelfen
ab|het|zen; sich abhetzen
ab|heu|ern (*Seemannsspr.*); jmdn.
abheuern; er hat abgeheuert
Ab|hil|fe
Ab|hit|ze *vgl.* Abwärme
ab|ho|beln
ab|hold; jmdm., einer Sache
abhold sein
Ab|hol|len; Ab|ho|ler; Ab|ho|le|rin;
Ab|hol|markt; Ab|ho|lung
ab|hol|zen; Ab|hol|zung
ab|hor|chen
ab|hö|ren; jmdn. *od.* jmdm. etwas
abhören
Ab|hör|ge|rät; ab|hör|si|cher; Ab-
hör|wan|ze (*ugs.*)
ab|hun|gern
ab|hus|ten
Abi, das; -s, -s (*Kurzw. für* Abitur)
Abid|jan [...'dʒaːn] (Stadt in der
Republik Côte d'Ivoire)
Abio|ge|ne|se, Abio|ge|ne|sis [*auch*

...'ge:...], die; - ⟨griech.⟩ (Entstehung von Lebewesen aus unbelebter Materie)

ab|ir|ren

ab|iso|lie|ren; Ab|iso|lier|zan|ge

Ab|i|tur, das; -s, -e Plur. selten ⟨lat.⟩ (Reifeprüfung)

Ab|i|tu|ri|ent, der; -en, -en (Reifeprüfung); Ab|i|tu|ri|en|tin

Ab|i|tur|zeug|nis

ab|ja|gen

Ab|ju|di|ka|ti|on, die; -, -en ⟨lat.⟩ (veraltet für Aberkennung); ab|ju|di|zie|ren (veraltet)

Abk. = Abkürzung

ab|ka|cken (derb für völlig versagen)

ab|käm|men

ab|kan|ten; ein Brett, Blech abkanten

ab|kan|zeln (ugs. für scharf tadeln); ich kanz[e]le ab; Ab|kan|ze|lung (ugs.)

ab|ka|pi|teln (ugs. für schelten)

ab|kap|seln; ich kaps[e]le ab; Ab|kap|se|lung, Ab|kaps|lung

ab|kas|sie|ren

Ab|kauf (regional); ab|kau|fen

Ab|kehr, die; -; ab|keh|ren

ab|kip|pen

ab|klap|pern (ugs. für suchend, fragend ablaufen)

ab|klä|ren; Ab|klä|rung

Ab|klatsch; ab|klat|schen

ab|kle|ben

ab|klem|men

ab|klin|gen

Ab|kling|kon|s|tan|te (Physik); Ab|kling|zeit

ab|klop|fen

ab|knab|bern

ab|knal|len (ugs.)

ab|knap|pen (landsch. für abknapsen); ab|knap|sen (ugs. für wegnehmen)

ab|kni|cken

ab|knöp|fen; jmdm. Geld abknöpfen (ugs. für abnehmen)

ab|knut|schen (ugs.)

ab|ko|chen

ab|kom|man|die|ren

Ab|kom|me, der; -n, -n (geh. für Nachkomme)

ab|kom|men

Ab|kom|men, das; -s, -

Ab|kom|men|schaft, die; - (selten)

ab|kömm|lich

Ab|kömm|ling

ab|kön|nen (nordd. ugs. für aushalten, vertragen); ich kann das nicht ab

ab|kon|ter|fei|en (veraltet für abmalen, abzeichnen)

ab|kop|peln; Ab|kop|pe|lung, Ab|kopp|lung

ab|kra|gen (Bauw. abschrägen)

ab|krat|zen (derb auch für sterben)

ab|krie|gen (ugs.)

ab|ku|cken (nordd. für abgucken; vgl. d.)

ab|küh|len; sich abkühlen; Ab|küh|lung

ab|kün|di|gen (von der Kanzel verkünden); Ab|kün|di|gung

Ab|kunft, die; -

ab|kup|fern (ugs. für [unerlaubt] übernehmen; abschreiben)

ab|kür|zen; Ab|kür|zung (Abk. Abk.)

Ab|kür|zungs|spra|che (vgl. Akü-sprache)

Ab|kür|zungs|ver|zeich|nis

ab|la|chen (ugs. für ausgiebig, herzhaft lachen)

ab|la|den vgl. ¹laden; Ab|la|de|platz; Ab|la|der; Ab|la|dung

Ab|la|ge (schweiz. auch für Annahme-, Zweigstelle)

ab|la|gern; Ab|la|ge|rung

ab|lan|dig (Seemannsspr. vom Lande her wehend od. strömend); ablandiger Wind

Ab|lass, der; Ablasses, Ablässe (kath. Kirche); Ab|lass|brief

ab|las|sen

Ab|la|ti|on, die; -, -en ⟨lat.⟩ (fachspr. für Abschmelzung; Geol. Abtragung des Bodens; Med. Wegnahme; Ablösung, bes. der Netzhaut)

Ab|la|tiv, der; -s, -e (Sprachw. Kasus in indogermanischen Sprachen); Ab|la|ti|vus ab|so|lu|tus, der; - -, ...vi ...ti (Sprachw. eine bestimmte Konstruktion in der lateinischen Sprache)

Ab|lauf

Ab|lauf|da|tum (österr. für Haltbarkeitsdatum)

ab|lau|fen

Ab|lauf|rin|ne

ab|lau|gen

Ab|laut (Sprachw. gesetzmäßiger Vokalwechsel in der Stammsilbe von Wortformen und etymologisch verwandten Wörtern, z. B. »singen, sang, gesungen«); ab|lau|ten (Ablaut haben)

ab|läu|ten (zur Abfahrt läuten)

ab|le|ben (geh. für sterben); Ab|le|ben, das; -s

ab|le|cken

ab|le|dern (ugs. für mit einem Leder trockenwischen; landsch. für verprügeln); vgl. abgeledert

ab|le|gen

Ab|le|ger (Pflanzentrieb; ugs. scherzh. für Sohn od. Tochter)

ab|leh|nen; einen Vorschlag ablehnen; Ab|leh|nung

ab|leis|ten; Ab|leis|tung

ab|lei|ten

Ab|lei|tung (auch Sprachw. Bildung eines Wortes durch Lautveränderung [Ablaut] od. durch das Anfügen von Elementen, z. B. »Trank« von »trinken«, »königlich« von »König«)

Ab|lei|tungs|mor|phem (Sprachw.)

ab|len|ken; Ab|len|kung; Ab|len|kungs|ma|nö|ver

ab|le|sen; Ab|le|ser; Ab|le|se|rin

ab|leug|nen; Ab|leug|nung

ab|lich|ten; Ab|lich|tung

ab|lie|fern; Ab|lie|fe|rung; Ab|lie|fe|rungs|soll vgl. ²Soll

ab|lie|gen (landsch. auch für durch Lagern gut, reif werden); weit abliegen

ab|lis|ten; jmdm. etwas ablisten

ab|lo|cken

ab|lö|schen (ab-, wegwischen)

Ab|lö|se, die; -, -n (Ablösesumme); ab|lö|se|frei

ab|lö|sen; Ab|lö|se|sum|me; Ab|lö|sung; Ab|lö|sungs|sum|me

ab|luch|sen (ugs. für ablisten); jmdm. etwas abluchsen

Ab|luft, die; - (Technik verbrauchte, abgeleitete Luft)

ABM, die; -, -[s] = Arbeitsbeschaffungsmaßnahme

ab|ma|chen; Ab|ma|chung

ab|ma|gern; ich magere ab; Ab|ma|ge|rung; Ab|ma|ge|rungs|kur

ab|mah|nen; Ab|mah|nung

ab|ma|len; ein Bild abmalen

Ab|marsch, der; ab|mar|schie|ren

ab|meh|ren (schweiz. für abstimmen durch Handerheben)

ab|mei|ern; jmdn. abmeiern (entmachten; abqualifizieren; früher für jmdm. den Meierhof, das Pachtgut, den Erbhof entziehen); ich meiere ab

Ab|mei|e|rung

ab|mel|den; Ab|mel|dung

Ab|melk|wirt|schaft (Rinderhaltung nur zur Milchgewinnung)

ab|mer|geln, sich (ugs. für sich abmühen); ich merg[e]le mich ab; vgl. abgemergelt

ab|mes|sen; Ab|mes|sung

ab|mil|dern; Ab|mil|de|rung

ab|mi|schen (Film, Funk, Ferns.)

ab|mon|tie|ren

ABM-Stel|le ↑K 28

ab|mü|hen, sich

ab|murk|sen (ugs. für umbringen)

ab|mus|tern (*Seemannsspr.* entlassen; den Dienst aufgeben); Ab|mus|te|rung

ab|na|beln; ich nab[e]le ab

ab|na|gen

ab|nä|hen; Ab|nä|her

Ab|nah|me, die; -, -n *Plur. selten*

ab|neh|men *vgl.* ab

Ab|neh|mer; Ab|neh|me|rin

Ab|neh|mer|land

Ab|nei|gung

ab|nib|beln (*landsch. derb für* sterben); ich nibb[e]le ab

ab|ni|cken (*ugs. für* [diskussionslos] genehmigen); ich nicke ab

ab|norm (von der Norm abweichend, regelwidrig; krankhaft)

ab|nor|mal (*bes. österr., schweiz. für* unnormal, ungewöhnlich)

Ab|nor|mi|tät, die; -, -en

ab|nö|ti|gen; jmdm. etwas abnötigen

ab|nut|zen, *bes. südd., österr.* ab|nüt|zen; Ab|nut|zung, *bes. südd., österr.* Ab|nüt|zung

Ab|nut|zungs|ge|bühr

Abo, das; -s, -s (*Kurzw. für* Abonnement)

A-Bom|be ↑K29 (Atombombe)

Abon|ne|ment [...'mãː, *schweiz.* ...'mɛnt *od.* abɔn'maː], das; -s, *Plur.* -s *u.* (bei deutscher Aussprache:) -e ⟨franz.⟩ (Dauerbezug von Zeitungen u. Ä.; Dauermiete für Theater u. Ä.)

Abon|ne|ment[s]|preis; Abon|ne|ment[s]|vor|stel|lung

Abon|nent, der; -en, -en (Inhaber eines Abonnements); Abon|nen|tin

abon|nie|ren; auf etwas abonniert sein

Abo|preis (*ugs. kurz für* Abonnement[s]preis)

ab|ord|nen; Ab|ord|nung

¹Ab|o|ri|gi|ne [*auch* ɛbə'rɪdʒini:], der; -s, -s ⟨lat.-engl.⟩ (Ureinwohner [Australiens]); ²Ab|o|ri|gi|ne, die; -, -s

¹Ab|ort [*schweiz. nur* 'abɔrt], der; -[e]s, -e (Toilette)

²Ab|ort, der; -s, -e ⟨lat.⟩ (*Med.* Fehlgeburt; Schwangerschaftsabbruch); ab|or|tie|ren

Ab|or|ti|on, die; -, -en (Abtreibung); ab|or|tiv (abtreibend)

ab ovo ⟨lat.⟩ (von Anfang an)

ab|pa|cken

ab|pa|schen (*österr. ugs. für* weglaufen)

ab|pas|sen

ab|pau|sen; ein Bild abpausen

ab|per|len

---

ab|pfei|fen (*Sportspr.*); Ab|pfiff

ab|pflü|cken

ab|pin|nen (*ugs. für* abschreiben)

ab|pla|gen, sich

ab|plat|ten (platt, flach machen); Ab|plat|tung

Ab|prall, der; -[e]s, -e *Plur. selten*

ab|pral|len; von etwas abprallen

Ab|pral|ler (*Ballspiele*)

ab|pres|sen

Ab|pro|dukt (*fachspr.* Abfall, Müll; Abfallprodukt)

ab|prot|zen (*Milit.; derb auch für* seine Notdurft verrichten)

ab|puf|fern (*ugs. für* abfedern, abmildern)

ab|pum|pen

Ab|putz ([Ver]putz); ab|put|zen

ab|quä|len, sich

ab|qua|li|fi|zie|ren; Ab|qua|li|fi|zie|rung

ab|ra|ckern, sich (*ugs.*)

Ab|ra|ham (bibl. m. Eigenn.)

Ab|ra|ham a San[c]|ta Cla|ra (dt. Prediger)

ab|rah|men; Milch abrahmen

Ab|ra|ka|da|bra, das; -s (Zauberwort; [sinnloses] Gerede)

Ab|ra|sax *vgl.* Abraxas

ab|ra|sie|ren

Ab|ra|si|on, die; -, -en ⟨lat.⟩ (*Geol.* Abtragung der Küste durch die Brandung; *Fachspr.* Ab-, Ausschabung)

ab|ra|ten

Ab|raum, der; -[e]s (*Bergmannsspr.* Deckschicht über Lagerstätten; *landsch. für* Abfall)

ab|räu|men

Ab|raum|hal|de; Ab|raum|salz

ab|rau|schen (*ugs. für* sich rasch entfernen)

Ab|ra|xas, Ab|ra|sax (Zauberwort)

ab|re|agie|ren; sich abreagieren

ab|re|beln (*österr., auch nordwestd. für* [Beeren] einzeln abpflücken)

ab|rech|nen; Ab|rech|nung; Ab|rech|nungs|ter|min

Ab|re|de; etwas in Abrede stellen

ab|re|geln (*Jargon* regulieren)

ab|re|gen, sich (*ugs.*)

ab|reg|nen

ab|rei|ben; Ab|rei|bung

Ab|rei|se *Plur. selten;* ab|rei|sen

Ab|reiß|block *vgl.* Block; ab|rei|ßen *vgl.* abgerissen; Ab|reiß|ka|len|der

ab|rei|ten

ab|rich|ten

Ab|rich|ter (Dresseur); Ab|rich|te|rin; Ab|rich|tung

Ab|rieb, der; -[e]s, *Plur.* (*Technik für* abgeriebene Teilchen:) -e

ab|rieb|fest; Ab|rieb|fes|tig|keit

ab|rie|geln; Ab|rie|ge|lung, Ab|rieg|lung

ab|rin|gen; jmdm. etwas abringen

Ab|riss, der; -es, -e; Ab|riss|bir|ne (beim Abriss von Gebäuden verwendete Stahlkugel)

ab|rol|len

ab|rü|cken

Ab|ruf *Plur. selten;* auf Abruf; ab|ruf|bar; ab|ruf|be|reit

ab|ru|fen

ab|run|den; eine Zahl [nach unten, *seltener* oben] abrunden; Ab|run|dung

ab|rup|fen

ab|rupt ⟨lat.⟩ (abgebrochen, zusammenhanglos, plötzlich)

ab|rüs|ten

Ab|rüs|tung; ab|rüs|tungs|fä|hig; Ab|rüs|tungs|kon|fe|renz

ab|rut|schen

Ab|ruz|zen *Plur.* (Gebiet im südl. Mittelitalien; *auch für* Abruzzischer Apennin)

Ab|ruz|zi|sche Apen|nin, der; -n -s (Teil des Apennins)

ABS, das; - = Antiblockiersystem

Abs. = Absatz; Absender

ab|sa|cken (*ugs. für* [ab]sinken)

Ab|sa|cker, der; -s, - (*ugs. für* letztes alkoholisches Getränk am Ende eines geselligen Beisammenseins)

Ab|sa|ge, die; -, -n; ab|sa|gen

ab|sä|gen

ab|sah|nen (die Sahne abschöpfen; *ugs. für* sich bereichern)

Ab|sa|lom, *ökum.* Ab|scha|lom (bibl. m. Eigenn.)

Ab|sam (österr. Ort)

ab|sam|meln (*österr. für* einsammeln)

Ab|satz, der; -es, Absätze (*Abk.* Abs. [*für* Textabschnitt])

Ab|satz|flau|te (*Kaufmannsspr.*)

Ab|satz|kick (*Fußball*)

Ab|satz|markt

Ab|satz|plus (*Kaufmannsspr.*)

Ab|satz|trick (*Fußball*)

ab|satz|wei|se

ab|sau|fen (*ugs.*)

ab|sau|gen

ab|scha|ben

ab|schaf|fen *vgl.* ¹schaffen; Ab|schaf|fung

Ab|scha|lom *vgl.* Absalom

ab|schal|ten; Ab|schal|tung

ab|schat|ten

ab|schat|tie|ren; Ab|schat|tie|rung

Ab|schat|tung

ab|schät|zen; ab|schät|zig
ab|schau|en (*bes. südd., österr.*)
Ab|schaum, der; -[e]s
ab|schei|den *vgl.* abgeschieden
Ab|schei|der (*Fachspr.*)
ab|sche|ren *vgl.* [1]scheren
Ab|scheu, der; -[e]s, *seltener* die; -;
eine Abscheu erregende *od.*
abscheuerregende Tat; *aber nur*
eine großen Abscheu erregende
Tat, eine äußerst abscheuerregende, noch abscheuerregen-
dere Tat ↑K 58
ab|scheu|lich; Ab|scheu|lich|keit
ab|schi|cken
Ab|schie|be|haft, die; -
ab|schie|ben; Ab|schie|bung
Ab|schied, der; -[e]s, -e
Ab|schieds|be|such; Ab|schieds-
brief; Ab|schieds|fei|er; Ab-
schieds|ge|schenk; Ab|schieds-
gruß; Ab|schieds|schmerz; Ab-
schieds|stun|de; Ab|schieds-
sze|ne
ab|schie|ßen
ab|schif|fen (*ugs. für* scheitern)
ab|schil|fern (*landsch.*); Ab|schil-
fe|rung (Abschuppung)
ab|schin|den, sich (*ugs.*)
Ab|schirm|dienst (*Milit.*)
ab|schir|men; Ab|schir|mung
ab|schir|ren; Pferde abschirren
ab|schlach|ten; Ab|schlach|tung
ab|schlaf|fen (*ugs. für* schlaff
machen, werden)
Ab|schlag; auf Abschlag kaufen;
ab|schla|gen
ab|schlä|gig; jmdn. *od.* etwas
abschlägig bescheiden (etwas
nicht genehmigen)
ab|schläg|lich (*veraltet*); abschläg-
liche Zahlung (Abschlagszahlung)
Ab|schlags|zah|lung, *fachspr. auch*
Ab|schlag|zah|lung
ab|schläm|men (als Schlamm
absetzen; von Schlamm
befreien)
ab|schle|cken (*südd., österr.,
schweiz.*)
ab|schlei|fen
Ab|schlepp|dienst
ab|schlep|pen
Ab|schlepp|seil; Ab|schlepp|stan|ge
ab|schlie|ßen; Ab|schlie|ßung
Ab|schluss
Ab|schluss|be|richt; Ab|schluss-
exa|men; Ab|schluss|fei|er; Ab-
schluss|prü|fung; Ab|schluss|trai-
ning; Ab|schluss|zeug|nis
ab|schmal|zen (*bayr., österr. für*
abschmälzen)

ab|schmäl|zen (*Kochk.* mit
gebräunter Butter übergießen)
ab|schme|cken
ab|schmel|zen; das Eis schmilzt
ab; *vgl.* [1,2]schmelzen
ab|schmet|tern (*ugs.*)
ab|schmie|ren
Ab|schmier|fett
ab|schmin|ken
ab|schmir|geln (durch Schmirgeln
glätten, polieren, entfernen)
Abschn. = Abschnitt
ab|schnal|len
ab|schnei|den
Ab|schnitt (*Abk.* Abschn.)
Ab|schnitts|be|voll|mäch|tig|te, der;
-n, -n (in der DDR für ein
bestimmtes [Wohn]gebiet
zuständiger Volkspolizist; *Abk.*
ABV)
ab|schnitt[s]|wei|se
ab|schnü|ren; Ab|schnü|rung
ab|schöp|fen; Ab|schöp|fung
ab|schot|ten; Ab|schot|tung
ab|schrä|gen
ab|schram|men (*derb auch für*
sterben)
ab|schrau|ben
ab|schre|cken *vgl.* schrecken; ab-
schre|ckend
Ab|schre|ckung; Ab|schre|ckungs-
stra|fe
ab|schrei|ben; Ab|schrei|bung; ab-
schrei|bungs|fä|hig
ab|schrei|ten (*geh.*)
Ab|schrift; ab|schrift|lich (*Amtsspr.*
in Abschrift)
Ab|schrot, der; -[e]s, -e (meißelför-
miger Ambosseinsatz); ab|schro-
ten (Metallteile auf dem
Abschrot abschlagen)
ab|schrub|ben (*ugs.*)
ab|schuf|ten, sich (*ugs.*)
ab|schup|pen; ab|schup|pung
ab|schür|fen; Ab|schür|fung
Ab|schuss
ab|schüs|sig; Ab|schüs|sig|keit,
die; -
Ab|schuss|lis|te; Ab|schuss|ram|pe
ab|schüt|teln
ab|schüt|ten
ab|schwä|chen; Ab|schwä|chung
ab|schwat|zen, *landsch.* ab|schwät-
zen
ab|schwei|fen; Ab|schwei|fung
ab|schwel|len *vgl.* [1]schwellen
ab|schwem|men
ab|schwin|gen
ab|schwir|ren (*ugs. auch für* weg-
gehen)
ab|schwö|ren
Ab|schwung
ab|seg|nen (*ugs. für* genehmigen)

ab|seh|bar; in absehbarer Zeit
ab|se|hen *vgl.* abgesehen
ab|sei|fen
ab|sei|len; sich abseilen
ab sein *vgl.* ab
[1]Ab|sei|te, die; -, -n (*landsch. für*
Nebenraum, -bau)
[2]Ab|sei|te (Stoffrückseite); Ab|sei-
ten|stoff (*für* [1]Reversible)
ab|sei|tig; Ab|sei|tig|keit
ab|seits; *Präp. mit Gen.:* abseits
des Weges; *Adverb:* der Stürmer
war abseits (*Sport* stand im
Abseits)
Ab|seits, das; -, - (*Sport*) Abseits
pfeifen, im Abseits stehen
Ab|seits|fal|le; Ab|seits|po|si|ti|on;
Ab|seits|re|gel
ab|seits|ste|hen; *aber* im Abseits
stehen ↑K 48 ; die abseitsstehen-
den Kinder; eine abseitsste-
hende Stürmerin; alle Abseits-
stehenden herbeirufen; ↑K 47 :
abseits stand eine Hütte
Ab|seits|stel|lung; Ab|seits|tor
Ab|sence [a'psã:s], die; -, -n
⟨franz.⟩ (*Med.* kurzzeitige
Bewusstseinstrübung, bes. bei
Epilepsie)
ab|sen|den; Ab|sen|der (*Abk.* Abs.);
Ab|sen|de|rin; Ab|sen|dung
ab|sen|ken
Ab|sen|ker (vorjähriger Trieb, der
zur Vermehrung der Pflanze in
die Erde gelegt wird)
Ab|sen|kung
ab|sent ⟨lat.⟩ (*veraltet für* abwe-
send); ab|sen|tie|ren, sich (*veral-
tend für* sich entfernen)
Ab|senz, die; -, -en (*österr.,
schweiz., sonst veraltend für*
Abwesenheit, Fehlen)
ab|ser|beln (*schweiz. für* dahinsie-
chen); ich serb[e]le ab
ab|ser|vie|ren (*ugs. auch für* seines
Einflusses berauben)
ab|setz|bar; Ab|setz|be|trag (*österr.
für* Freibetrag)
ab|set|zen; sich absetzen
Ab|setz|pos|ten (*österr.*)
Ab|set|zung
ab|si|chern; Ab|si|che|rung
Ab|sicht, die; -, -en
ab|sicht|lich (*österr. u. schweiz.
nur so, sonst auch* ...'zɪçt...]; Ab-
sicht|lich|keit
Ab|sichts|er|klä|rung
ab|sichts|los; ab|sichts|voll
Ab|sin|gen, das; -s; unter Absingen
(*nicht:* unter Absingung)
ab|sin|ken
Ab|sinth, der; -[e]s, -e ⟨griech.⟩
(Wermutbranntwein)

ab|sit|zen
ab|so|lut ⟨lat.⟩ (völlig; ganz und gar; uneingeschränkt); absoluter Nullpunkt *(Physik)* ↑K89
Ab|so|lut|heit, die; -
Ab|so|lu|ti|on, die; -, -en (Los-, Freisprechung, bes. Sündenvergebung)
Ab|so|lu|tis|mus, der; - (uneingeschränkte Herrschaft eines Monarchen, Willkürherrschaft); ab|so|lu|tis|tisch
Ab|so|lu|to|ri|um, das; -s, ...ien *(österr. für* Bestätigung über ein abgeschlossenes Hochschulstudium)
Ab|sol|vent, der; -en, -en (Schulabgänger mit Abschlussprüfung); Ab|sol|ven|tin
ab|sol|vie|ren ⟨lat.⟩ (erledigen, ableisten; [eine Schule] durchlaufen; *Rel.* Absolution erteilen); Ab|sol|vie|rung, die; -
ab|son|der|lich; Ab|son|der|lich|keit
ab|son|dern; sich absondern; Ab|son|de|rung
Ab|sor|bens, das; -, *Plur.* ...benzien u. ...bentia ⟨lat.⟩ *(Technik* der bei der Absorption aufnehmende Stoff)
Ab|sor|ber, der; -s, - ⟨engl.⟩ (Vorrichtung zur Absorption von Gasen, Strahlen)
ab|sor|bie|ren ⟨lat.⟩ (aufsaugen; [gänzlich] beanspruchen)
Ab|sorp|ti|on, die; -, -en; Ab|sorp|ti|ons|spek|t|rum *(Physik);* ab|sorp|tiv (zur Absorption fähig)
ab|spal|ten; Ab|spal|tung
ab|spa|nen, ¹ab|spä|nen *(Technik* ein metallisches Werkstück durch Abtrennung von Spänen formen)
²ab|spä|nen *(landsch. für* entwöhnen)
Ab|spann *vgl.* Nachspann
ab|span|nen; Ab|spann|mast, der *(Elektrot.);* Ab|span|nung, die; -
ab|spa|ren, sich; du hast es dir vom Munde abgespart
ab|spe|cken *(ugs. für* [gezielt] abnehmen)
ab|spei|chern *(EDV)*
ab|spei|sen; Ab|spei|sung
ab|spens|tig; jmdm. jmdn. *od.* etwas abspenstig machen
ab|sper|ren *(bayr., österr. auch für* abschließen)
Ab|sperr|hahn; Ab|sperr|ket|te
Ab|sper|rung

ab|spie|geln; Ab|spie|ge|lung, Ab|spieg|lung
Ab|spiel, das; -[e]s, -e *(Sport);* ab|spie|len; Ab|spiel|feh|ler
Ab|spiel|ge|rät
ab|split|tern; Ab|split|te|rung
Ab|spra|che (Vereinbarung); ab|spra|che|ge|mäß
ab|spre|chen
ab|sprei|zen
ab|sprin|gen; Ab|sprung
Ab|sprung|ha|fen *(Milit.)*
ab|spu|len
ab|spü|len; Geschirr abspülen
ab|stam|men; Ab|stam|mung
Ab|stand; von etwas Abstand nehmen (etwas nicht tun)
Ab|stand|hal|ter (am Fahrrad)
ab|stän|dig; abständiger *(Forstw.* dürrer, absterbender) Baum
Ab|stands|sum|me
ab|stat|ten; jmdm. einen Besuch abstatten *(geh.);* Ab|stat|tung
ab|stau|ben *(ugs. auch für* unbemerkt mitnehmen; *Sport* ein Tor mühelos erzielen)
ab|stäu|ben *(landsch. für* abstauben)
Ab|stau|ber; Ab|stau|ber|tor
ab|ste|chen; Ab|ste|cher; einen Abstecher machen
ab|ste|cken *vgl.* ²stecken
ab|ste|hen
ab|stei|fen *(Bauw.);* Ab|stei|fung
Ab|stei|ge, die; -, -n *(ugs. abwertend)*
ab|stei|gen
Ab|stei|ge|quar|tier, österr. Ab|steig|quar|tier
Ab|stei|ger *(Sport)*
Ab|stell|bahn|hof
ab|stel|len
Ab|stell|gleis; Ab|stell|kam|mer; Ab|stell|platz; Ab|stell|raum
Ab|stel|lung
ab|stem|peln; Ab|stem|pe|lung, Ab|stemp|lung
ab|step|pen
ab|ster|ben
Ab|stich
Ab|stieg, der; -[e]s, -e; ab|stiegs|ge|fähr|det *(Sport);* Ab|stiegs|kampf *(Sport);* Ab|stiegs|zo|ne
ab|stil|len
ab|stim|men
Ab|stimm|kreis *(Elektrot.);* Ab|stimm|schär|fe *(Elektrot.)*
Ab|stim|mung; Ab|stim|mungs|er|geb|nis
ab|s|ti|nent ⟨lat.⟩ (enthaltsam, alkoholische Getränke meidend); Ab|s|ti|nent, der; -en, -en *(schweiz. für* Abstinenzler)

Ab|s|ti|nenz, die; -; Ab|s|ti|nenz|ler (enthaltsam lebender Mensch, bes. in Bezug auf Alkohol); Ab|s|ti|nenz|le|rin
Ab|s|ti|nenz|tag *(kath. Kirche* Tag, an dem die Gläubigen kein Fleisch essen dürfen)
ab|stop|pen
Ab|stoß; ab|sto|ßen; ab|sto|ßend; Ab|sto|ßung
ab|stot|tern *(ugs. für* in Raten bezahlen)
Ab|s|tract [ˈɛpstrɛkt], das *u.* der; -s, -s ⟨lat.-engl.⟩ (kurze Inhaltsangabe eines Artikels od. Buches)
ab|stra|fen; Ab|stra|fung
ab|s|tra|hie|ren ⟨lat.⟩ (das Allgemeine vom Einzelnen absondern, verallgemeinern)
ab|strah|len; Ab|strah|lung
ab|s|trakt ⟨lat.⟩ (begrifflich, nur gedacht); abstrakte (vom Gegenständlichen absehende) Kunst
Ab|s|trakt|heit
Ab|s|trak|ti|on, die; -, -en
Ab|s|trak|tum, das; -s, ...ta *(Philos.* allgemeiner Begriff; *Sprachw.* Substantiv, das etwas Nichtgegenständliches benennt, z. B. »Liebe«)
ab|stram|peln, sich *(ugs.)*
ab|strän|gen ([ein Zugtier] abspannen)
ab|strei|chen; Ab|strei|cher
ab|strei|fen; Ab|strei|fer
ab|strei|ten
Ab|strich
ab|s|t|rus ⟨lat.⟩ (verworren, schwer verständlich)
ab|stu|fen; Ab|stu|fung
ab|stump|fen; Ab|stump|fung
Ab|sturz; ab|stür|zen
ab|stüt|zen; sich abstützen
ab|su|chen
Ab|sud *[auch* ...ˈzuːt], der; -[e]s, -e *(veraltet für* durch Abkochen gewonnene Flüssigkeit)
ab|surd ⟨lat.⟩ (sinnwidrig, sinnlos); absurdes Drama (eine moderne Dramenform) ↑K89
Ab|sur|di|tät, die; -, -en
Ab|s|zess, der, *österr. auch* das; -es, -e ⟨lat.⟩ *(Med.* eitrige Geschwulst)
Ab|s|zis|se, die; -, -n ⟨lat.⟩ *(Math.* auf der Abszissenachse abgetragene erste Koordinate eines Punktes); Ab|s|zis|sen|ach|se
Abt, der; -[e]s, Äbte (Kloster-, Stiftsvorsteher)
Abt. = Abteilung

ab|ta|keln; ein Schiff abtakeln (das Takelwerk entfernen, außer Dienst stellen); vgl. abgetakelt; Ab|ta|ke|lung, Ab|tak|lung

ab|tan|zen (ugs. für weggehen; ausdauernd tanzen)

ab|tas|ten

Ab|tast|na|del

Ab|tas|tung

ab|tau|chen

ab|tau|en

Ab|tausch; ab|tau|schen

Ab|tau|ung

Ab|tei (Kloster, dem ein Abt od. eine Äbtissin vorsteht)

Ab|teil [schweiz. 'a...], das; -[e]s, -e

ab|tei|len

¹Ab|tei|lung, die; - (Abtrennung)

²Ab|tei|lung [schweiz. 'a...] (abgeteilter Raum; Teil eines Unternehmens, einer Behörde o. Ä.; Abk. Abt.); Ab|tei|lungs|lei|ter; Ab|tei|lungs|lei|te|rin

ab|teu|fen (Bergmannsspr.); einen Schacht abteufen (senkrecht nach unten bauen)

ab|tip|pen (ugs.)

Äb|tis|sin (Kloster-, Stiftsvorsteherin)

Abt.-Lei|ter[in] = Abteilungsleiter[in]

ab|tö|nen; Ab|tön|far|be; Ab|tö|nung

ab|tör|nen (ugs. für die Laune verderben; verdrießen)

ab|tö|ten; Ab|tö|tung

Ab|trag, der; -[e]s, Abträge; jmdm. od. einer Sache Abtrag tun (geh. für schaden)

ab|tra|gen

ab|träg|lich (schädlich); jmdm. od. einer Sache abträglich sein (geh.); Ab|träg|lich|keit

Ab|tra|gung

ab|trai|nie|ren; zwei Kilo abtrainieren

Ab|trans|port; ab|trans|por|tie|ren

ab|trei|ben (österr. auch für cremig verrühren); Ab|trei|bung

Ab|trei|bungs|kli|nik (ugs.)

Ab|trei|bungs|pa|ra|graf (ugs. für § 218 des Strafgesetzbuches); Ab|trei|bungs|pil|le (zur Auslösung einer Fehlgeburt); Ab|trei|bungs|recht; Ab|trei|bungs|ver|such

ab|trenn|bar; ab|tren|nen; Ab|tren|nung

ab|tre|ten; Ab|tre|ter; Ab|tre|tung

Ab|trieb, der; -[e]s, -e (das Abtreiben des Viehs von der Weide;

Forstw. Abholzung; österr. auch für Rührteig)

Ab|trift usw. vgl. Abdrift usw.

ab|trin|ken

Ab|tritt (veraltend, noch landsch. auch für ¹Abort)

ab|trock|nen

ab|trop|fen; Ab|tropf|scha|le

ab|trot|zen; jmdm. etwas abtrotzen

ab|trump|fen (Kartenspiel)

ab|trün|nig

Ab|trün|ni|ge, der u. die; -n, -n; Ab|trün|nig|keit, die; -

Abts|stab; Abts|wür|de

ab|tun; etwas als Scherz abtun

ab|tup|fen

ab|tur|nen [...tø:ɐ...] vgl. abtörnen

Ab|twahl

Abu [auch 'a...] ⟨arab., »Vater«⟩ (Bestandteil von Eigenn.)

Abu Dha|bi [- d...] (Scheichtum der Vereinigten Arabischen Emirate; deren Hauptstadt); abu-dha|bisch

Abu|ja [...dʒ...] (Hauptstadt von Nigeria)

ab|un|dant ⟨lat.⟩ (bes. fachspr. für häufig [vorkommend])

Ab|un|danz, die; - ([große] Häufigkeit)

ab und zu vgl. ab

ab ur|be con|di|ta ⟨lat., »seit Gründung der Stadt« [Rom]⟩ (altröm. Zeitrechnung, beginnend mit 753 v. Chr.; Abk. a. u. c.)

ab|ur|tei|len; Ab|ur|tei|lung

Ab|usus, der; -, - ⟨lat.⟩ (Med. Missbrauch [z. B. von Arznei- od. Genussmitteln])

ABV, der u. die; -, -s = Abschnittsbevollmächtigte[r]

Ab|ver|kauf (österr. auch für Ausverkauf); ab|ver|kau|fen

ab|ver|lan|gen

ab|vie|ren (fachspr. für vierkantig zuschneiden); Ab|vie|rung

ab|wä|gen; du wägst ab; du wägtest, wogst ab; abgewogen, abgewägt; Ab|wä|gung

Ab|wahl; ab|wäh|len

ab|wäl|len vgl. wällen

ab|wäl|zen

ab|wan|deln; Ab|wan|de|lung, Ab|wand|lung

ab|wan|dern; Ab|wan|de|rung

Ab|wär|me (Technik nicht genutzte Wärmeenergie)

ab|wär|men (Sport); sich auf- und abwärmen

Ab|wart (schweiz. für Hausmeister, Hauswart)

ab|war|ten

Ab|war|tin (schweiz.)

ab|wärts

Man schreibt »abwärts« als Verbzusatz mit dem folgenden Verb zusammen ↑K 48:

– abwärtsfahren, abwärtsfallen, abwärtsfließen
– wir sind zwei Stunden lang nur abwärtsgegangen
– mit seiner Gesundheit ist es rapide abwärtsgegangen

Aber:

– abwärts dahinfließen, sich abwärts entwickeln
– abwärts ging es schneller als aufwärts
– wir wollen abwärts gehen, nicht fahren

Ab|wärts|ent|wick|lung

ab|wärts|fah|ren; ab|wärts|ge|hen vgl. abwärts; ab|wärts|rich|ten; ab|wärts|rut|schen

Ab|wärts|trend

¹Ab|wasch, der; -[e]s (Geschirrspülen; schmutziges Geschirr)

²Ab|wasch, die; -, -en (landsch. für Abwaschbecken)

ab|wasch|bar

Ab|wä|sche (österr. für Spülbecken)

ab|wa|schen

Ab|wä|scher (österr. für Tellerwäscher); Ab|wä|sche|rin

Ab|wasch|fet|zen (österr. für Spültuch)

Ab|wa|schung

Ab|wasch|was|ser Plur. ...wässer

Ab|was|ser Plur. ...wässer; Ab|was|ser|auf|be|rei|tung

ab|wat|schen (bayr., österr. ugs. für ohrfeigen; scharf kritisieren)

ab|wech|seln; sich abwechseln

ab|wech|selnd; Ab|wech|se|lung, Ab|wechs|lung

ab|wechs|lungs|hal|ber; ab|wechs|lungs|los; ab|wechs|lungs|reich

Ab|weg meist Plur.

ab|we|gig; Ab|we|gig|keit

Ab|wehr, die; -; ab|weh|ren

Ab|wehr|kampf; Ab|wehr|kraft meist Plur.; Ab|wehr|re|ak|ti|on; Ab|wehr|spie|ler (Sport); Ab|wehr|spie|le|rin

¹ab|wei|chen; ein Etikett abweichen; vgl. ¹weichen

²ab|wei|chen; vom Kurs abweichen; vgl. ²weichen

A

Abwe

Ab|weich|ler (jmd., der von der politischen Linie einer Partei abweicht); Ab|weich|le|rin
Ab|wei|chung
ab|wei|den
ab|wei|sen; Ab|wei|ser (*Bauw.* Prellstein); Ab|wei|sung
ab|wend|bar
ab|wen|den; ich wandte *od.* wendete mich ab, habe mich abgewandt *od.* abgewendet; sie wandte *od.* wendete den Blick ab, hat den Blick abgewandt *od.* abgewendet; *aber nur* er hat das Unheil abgewendet
ab|wen|dig (*veraltend für* abspenstig, abgeneigt)
Ab|wen|dung, die; -
ab|wer|ben; Ab|wer|ber; Ab|wer|be|rin; Ab|wer|bung
ab|wer|fen
ab|wer|ten; Ab|wer|tung
ab|we|send; Ab|we|sen|de, der *u.* die; -n, -n; Ab|we|sen|heit
ab|wet|tern; einen Sturm abwettern (*Seemannsspr.* auf See überstehen); einen Schacht abwettern (*Bergmannsspr.* abdichten)
ab|wet|zen (*ugs. auch für* schnell weglaufen)
ab|wich|sen; sich einen abwichsen (*derb für* onanieren)
ab|wi|ckeln; Ab|wi|cke|lung, Ab|wick|lung
ab|wie|geln; Ab|wie|ge|lung, Ab|wieg|lung
ab|wie|gen *vgl.* ²wiegen
ab|wim|meln (*ugs. für* [mit Ausflüchten] abweisen)
Ab|wind (*fachspr. für* absteigender Luftstrom)
ab|win|ken; er hat abgewinkt (*häufig auch* abgewunken); *aber* ↑K82 : bis zum Abwinken (*ugs.*)
ab|wirt|schaf|ten; abgewirtschaftet
ab|wi|schen
ab|woh|nen
ab|wra|cken; ein Schiff abwracken (verschrotten); Ab|wrack|fir|ma
Ab|wurf; Ab|wurf|vor|rich|tung
ab|wür|gen
abys|sisch (*griech.*) (aus der Tiefe der Erde stammend; zum Tiefseebereich gehörend; abgrundtief); Abys|sus, der; - (*veraltet für* Tiefe der Erde, Abgrund)
ab|zah|len
ab|zäh|len; Ab|zähl|reim
Ab|zah|lung; Ab|zah|lungs|ge|schäft
ab|zap|fen; Ab|zap|fung
ab|zap|peln, sich

ab|zäu|men
ab|zäu|nen; Ab|zäu|nung
Ab|zeh|rung (Abmagerung)
Ab|zei|chen
ab|zeich|nen; sich abzeichnen
Ab|zieh|bild; ab|zie|hen *vgl.* abgezogen; Ab|zie|her
ab|zie|len; auf etw. abzielen
ab|zin|sen (*Bankw.* das Anfangskapital vor der Verzinsung ermitteln); abgezinste Wertpapiere; Ab|zin|sung
ab|zir|keln; Ab|zir|ke|lung, Ab|zir|kelung, die; -
ab|zi|schen (*ugs. für* sich rasch entfernen)
Ab|zo|cke, die; - (*ugs. für* Übervorteilung)
ab|zo|cken (*ugs.* jmdn. [auf betrügerische Art] um sein Geld bringen); Ab|zo|cker; Ab|zo|cke|rin
Ab|zug

ab|züg|lich

(*Kaufmannsspr.*)

Präposition mit Genitiv:

– abzüglich des gewährten Rabatts; abzüglich der Unkosten

Ein allein stehendes, stark gebeugtes Substantiv steht im Singular ohne Beugungsendung:

– abzüglich Rabatt; abzüglich Porto

ab|zugs|fä|hig; ab|zugs|frei
Ab|zugs|ka|nal; Ab|zugs|schacht
ab|zu|pfen
ab|zwa|cken (*ugs. für* entziehen)
ab|zwe|cken (*selten*); auf eine Sache abzwecken
Ab|zweig (*Amtsspr.* Abzweigung); Ab|zweig|do|se
ab|zwei|gen; Ab|zweig|stel|le; Ab|zwei|gung
Ac = *chem.* Zeichen für Actinium
a c. = a conto
à c. = à condition
Aca|dé|mie fran|çaise [...de... frã-'sɛːz], die; - - (*franz.*) (Akademie für französische Sprache und Literatur)
a cap|pel|la (*ital.*) (*Musik* ohne Begleitung von Instrumenten); A-cap|pel|la-Chor
acc. c. inf. = accusativus cum infinitivo; *vgl.* Akkusativ
ac|cel. = accelerando; ac|ce|le|ran|do [atʃe...] (*ital.*) (*Musik* schneller werdend)

Ac|cent ai|gu [aˈksãːtɛˈgyː], der; - -, -s -s [aˈksãːzɛˈgyː] (*Sprachw.* Akut; *Zeichen* ´, z. B. é)
Ac|cent cir|con|flexe [aˈksã: sırkõ-ˈflɛks], der; - -, -s -s [aˈksã: sırkõ-ˈflɛks] (*Sprachw.* Zirkumflex; *Zeichen* ˆ, z. B. â)
Ac|cent grave [aˈksã: ˈgraːf], der; - -, -s -s [aˈksã: ˈgraːf] (*Sprachw.* Gravis; *Zeichen* `, z. B. è)
Ac|ces|soire [aksɛˈso̯aːɐ̯], das; -s, -s *meist Plur.* (*franz.*) (modisches Zubehör, z. B. Gürtel, Schmuck)
Ac|count [əˈkaʊnt], der *od.* das; -s, -s (*engl.*, »Konto«) (Zugangsberechtigung zum Internet *od.* zu einer Mailbox)
Ac|cra (Hauptstadt von Ghana)
Ac|cro|cha|ge [...ˈʃaːʒə], die; -, -n (*franz.*) (Ausstellung einer Privatgalerie)
ACE, der; - = Auto Club Europa
Ace|tat usw. *vgl.* Azetat usw.
Ace|ton *vgl.* Azeton
Ace|ty|len usw. *vgl.* Azetylen usw.
Ace|tyl|sa|li|cyl|säu|re *vgl.* Azetylsalicylsäure
Ach, das; -s, -[s]; mit Ach und Krach; mit Ach und Weh; Ach und Weh *od.* ach und weh schreien ↑K81
ach!; ach so!; ach ja!; ach je!
Achä|er (Angehöriger eines altgriechischen Stammes)
Acha|ia [...ja, *auch* aˈxai̯a] (griechische Landschaft)
Achä|me|ni|de, der; -n, -n (Angehöriger einer altpersischen Dynastie)
Achä|ne, die; -, -n (griech.) (*Bot.* Schließfrucht)
Achat, der; -[e]s, -e (griech.) (ein Schmuckstein); acha|ten (aus Achat)
Ache [*auch* ˈaː...], die; - (Bestandteil von Flussnamen); Tiroler Ache
acheln (jidd.) (*landsch. für* essen); ich ach[e]lle
Achen|see, der; -s (See in Tirol)
Ache|ron, der; -[s] (Unterweltsfluss der griechischen Sage)
Acheu|lé|en [aʃøleˈɛ̃ː], das; -[s] (nach dem Fundort Saint-Acheul in Nordfrankreich) (Kultur der älteren Altsteinzeit)
Achill, Achil|les (Held der griech. Sage); Achil|le|is, die; - (Heldengesang über Achill)
Achil|les|fer|se (verwundbare Stelle); Achil|les|seh|ne
Achil|leus *vgl.* Achill
Achim (m. Vorn.)
Ach|laut, Ach-Laut

acht

Zahlwort:

die Zahlen von acht bis zwölf; acht Millionen; im Jahre acht; die Linie acht

er ist über acht [Jahre]; Kinder von acht [bis zehn] Jahren; mit acht [Jahren] hat sie ihre erste Geige bekommen

es ist acht [Uhr]; um acht [Uhr]; es schlägt eben acht; [ein] Viertel auf, vor acht; halb acht; drei viertel acht (*vgl.* viertel, Viertel); Punkt, Schlag acht

wir sind [unser] acht; eine Familie von achten (*ugs.*); wir sind zu acht

diese acht [Leute]; die ersten, letzten acht

das macht acht fünfzig (*ugs. für* 8,50 €); er sprang acht zweiundzwanzig (*ugs. für* 8,22 m)

acht und eins macht, ist (*nicht:* machen, sind) neun; acht mal zwei (8 mal 2); acht zu vier (8 : 4), acht Komma fünf (8,5)

Ableitungen und Zusammensetzungen:

acht[und]einhalb; achtundzwanzig; achtmillionste

achterlei; achtfach (8fach *od.* 8-fach); achtjährig (8-jährig; *vgl. d.*); achtmal (8-mal; *vgl. d.*); achtmalig (8-malig); achtteilig (8-teilig)

achtens; achtel (*vgl. d.*); das Achtel (*vgl. d.*)

Achtmetersprung (8-Meter-Sprung ↑K26)

der Achter (*vgl. d.*)

Vgl. ¹Acht, ²Acht

Ach|med (m. Vorn.)

a. Chr. [n.] = ante Christum [natum]

Achro|ma|sie [...k...], die; -, ...ien ⟨griech.⟩ (*Physik* Brechung der Lichtstrahlen ohne Zerlegung in Farben)

Achro|mat, der; -[e]s, -e (Linsensystem, das Lichtstrahlen nicht in Farben zerlegt)

achro|ma|tisch [*österr.* 'a...] (Achromasie aufweisend)

Achro|ma|t|op|sie, die; -, ...ien (*Med.* Farbenblindheit)

Achs|bruch, Achs|sen|bruch; **Achs|druck** *Plur.* ...drücke

Ach|se, die; -, -n

Ach|sel, die; -, -n

Ach|sel|griff; **Ach|sel|höh|le**; **Ach|sel|klap|pe**

ach|sel|stän|dig (*Bot.* in der Blattachsel stehend)

Ach|sel|zu|cken, das; -s; **ach|sel|zu|ckend**

Ach|sen|bruch, Achs|bruch

ach|sig (*für* axial)

...ach|sig (z. B. einachsig)

Ach|sig|keit (*für* Axialität)

Achs|ki|lo|me|ter (Maßeinheit bei der Eisenbahn); **Achs|la|ger** *Plur.* ...lager; **Achs|last**

achs|recht (*für* axial)

Achs|schen|kel|bol|zen (*Kfz-Technik*)

achs s. Kasten

¹Acht, die; -, -en (Ziffer, Zahl); die Zahl Acht, die Ziffer Acht; eine arabische Acht, eine römische Acht; eine Acht schreiben; mit den Rollschuhen, Schlittschuhen eine Acht fahren; mit der Acht (*ugs. für* [Straßenbahn]linie 8) fahren

²Acht, die; - (*veraltet für* Aufmerksamkeit; Fürsorge); [auf jmdn., etwas] Acht geben *od.* achtge-

ben; gib Acht! *od.* gib acht!; *aber nur* sehr gut, genau achtgeben; gib gut acht!; große, allergrößte Acht geben; auf etwas Acht haben *od.* achthaben; habt Acht! *od.* habt acht!; *aber nur* habt gut acht!; sich in Acht nehmen; etwas [ganz] außer Acht lassen; etwas außer aller Acht lassen; das Außerachtlassen ↑K27 u. 54

³Acht, die; - (*früher für* Ächtung); in Acht und Bann tun

Acht|ach|ser (*mit Ziffer* 8-Achser)

acht|ar|mig; **acht|bän|dig**

acht|bar; **Acht|bar|keit**, die; -

ach|te; das achte Gebot; das achte Weltwunder ↑K89 ; die achte Mai, am achten Januar; *aber der* Achte, den ich treffe; sie wurde Achte im Weitsprung; jeder Achte; der Achte, am Achten [des Monats]; am achten Achten (8. August); Heinrich der Achte

Acht|eck; **acht|eckig**

acht|ein|halb, acht|und|ein|halb

ach|tel; ein achtel Zentner, drei achtel Liter, *aber* (*Maß:*) ein Achtelliter

Ach|tel, das, *schweiz. auch* der; -s, -; ein Achtel Rotwein; drei Achtel des Ganzen, *aber* im Dreiachteltakt; *mit Ziffern* im ³/₈-Takt ↑K29

Ach|tel|fi|na|le; **Ach|tel|li|ter** (*vgl.* achtel); **Ach|tel|los**; **Ach|tel|no|te**

ach|ten

äch|ten

Ach|ten|der (ein Hirsch mit acht Geweihenden)

ach|tens

Ach|ter (Ziffer 8; Form einer 8; ein Boot für acht Ruderer)

ach|ter|aus (*Seemannsspr.* nach hinten)

Ach|ter|bahn; [auf, mit der] Ach-

terbahn fahren; **Ach|ter|bahn|fahrt**

Ach|ter|deck (Hinterdeck)

ach|ter|las|tig (*Seemannsspr.* achtern tiefer liegend als vorn)

ach|ter|lei

ach|ter|lich (*Seemannsspr.* von hinten kommend); **ach|tern** (*Seemannsspr.* hinten); nach achtern

Ach|ter|pa|ckung

Ach|ter|ren|nen (*Rudersport*)

Ach|ter|ste|ven (*Seemannsspr.*)

acht|fach (*mit Ziffer* 8fach *od.* 8-fach ↑K30); die achtfache Menge; **Acht|fa|che** (*mit Ziffer* 8fache *od.* 8-Fache ↑K30), das; -n; [um] ein Achtfaches; um das Achtfache

acht|fal|tig (acht Falten habend); **acht|fäl|tig** (*veraltet für* achtfach)

Acht|flach, das; -[e]s, -e, **Acht|fläch|ner** (*für* Oktaeder)

Acht|fü|ßer (*für* Oktopode)

acht|ge|ben, **acht|ha|ben** *vgl.* ²Acht

acht|ge|schos|sig (*mit Ziffer* 8-geschossig)

acht|hun|dert

acht|jäh|rig (*mit Ziffer* 8-jährig); **Acht|jäh|ri|ge** (*mit Ziffer* 8-Jährige), der u. die; -n, -n; die unter Achtjährigen

Acht|kampf (*Sport*)

acht|kan|tig

acht|köp|fig (*mit Ziffer* 8-köpfig)

acht|los; **Acht|lo|sig|keit**

acht|mal (*mit Ziffer* 8-mal); *bei besonderer Betonung ist* acht Mal (8 Mal); *aber* acht mal zwei (*mit Ziffern* 8 mal 2) ist (*nicht:* sind) sechzehn; achtmal so groß wie (*seltener* als) ...; acht- bis neunmal ↑K31 ; *vgl.* bis

acht|ma|lig (*mit Ziffer* 8-malig)

acht Mil|li|o|nen Mal, **acht Mil|li|o|nen Ma|le**

acht|mil|li|ọns|te
acht|pro|zen|tig (*mit Ziffer* 8-prozentig)
acht|sam; Ạcht|sam|keit, die; -
acht|sei|tig (*mit Ziffer* 8-seitig);
acht|spän|nig; ạcht|stö|ckig
Acht|stun|den|tag
acht|tau|send; Ạcht|tau|sen|der
(über) 8 000 m hoher Berg)
ạcht|tei|lig (*mit Ziffer* 8-teilig)
Ạcht|ton|ner (*mit Ziffer* 8-Tonner
↑K 29 *u.* 66)
Acht|uhr|zug (*mit Ziffer* 8-Uhr-Zug
↑K 26)
acht|und|ein|halb, achtein|halb
Acht|und|sech|zi|ger, der; -s, - (Teilnehmer an der Studentenrevolte
Ende der Sechzigerjahre); Achtund|sech|zi|ge|rin
acht|und|zwan|zig
Ạch|tung, die; -
Ạch|tung
Ạch|tung ge|bie|tend , ạch|tung|ge-
bie|tend; eine Achtung gebietende *od.* achtunggebietende
Persönlichkeit; *aber nur* große
Achtung gebietend; sehr achtunggebietend, noch achtunggebietender ↑K 58
Ạch|tungs|ap|plaus; Ạch|tungs|be-
zei|gung; Ạch|tungs|er|folg
Ạch|tung|stel|lung, die; - (*schweiz.*
milit. für Strammstehen)
ạch|tungs|voll
acht|zehn *vgl.* acht; im Jahre acht-
zehn; Ạcht|zehn|en|der (ein
Hirsch mit achtzehn Geweihenden)
ạcht|zehn|hun|dert
ạcht|zehn|jäh|rig *vgl.* achtjährig

– er ist, wird achtzig, achtzig
Jahre alt
– die achtzig erreichen; in die
achtzig kommen; mit achtzig
ist sie immer noch sehr rüstig;
der Mensch über achtzig
[Jahre]; er ist schon um die
achtzig; die beiden sind Mitte
achtzig
– Wein aus dem Jahr achtzig
– Tempo achtzig; mit achtzig
[Sachen] (*ugs. für* mit achtzig
Stundenkilometern) fahren; auf
achtzig bringen (*ugs. für* wütend
machen)
Vgl. acht, achtziger

Ạcht|zig, die; -, -en (Zahl); *vgl.*
¹Acht
ạcht|zi|ger (*mit Ziffern* 80er); die

Achtzigerjahre *od.* achtziger
Jahre [des vorigen Jahrhunderts]
(*mit Ziffern* 80er-Jahre *od.* 80er
Jahre); in den Achtzigerjahren
od. achtziger Jahren (über achtzig Jahre alt) war sie noch rüstig; in den Achtzigern (über
achtzig Jahre alt) sein; Mitte
achtzig
Ạcht|zi|ger (jmd., der [über] 80
Jahre ist; Wein aus dem Jahre
achtzig [eines Jahrhunderts];
österr. auch für 80. Geburtstag);
Ạcht|zi|ge|rin
Ạcht|zi|ger|jah|re [*auch* 'a...'ja:...]
Plur.; *vgl.* achtziger
acht|zig|fach *vgl.* achtfach
acht|zig|jäh|rig *vgl.* achtjährig;
ạcht|zig|mal
acht|zigs|te (*Großschreibung:* er
feiert seinen Achtzigsten [= 80.
Geburtstag]; *vgl.* achte)
acht|zigs|tel *vgl.* achtel
Ạcht|zigs|tel, das, *schweiz. auch*
der; -s, -; *vgl.* Achtel
acht|zöl|lig, *auch* ạcht|zol|lig
Ạcht|zy|lin|der (*mit Ziffer* 8-Zylinder ↑K 29 ; *ugs. für* Achtzylindermotor od. damit ausgerüstetes
Kraftfahrzeug); Ạcht|zy|lin|der-
mo|tor; ạcht|zy|lin|d|rig
äch|zen; du ächzt
a. c. i. = accusativus cum infinitivo; *vgl.* Akkusativ
Aci|di|tät, die; - ⟨lat.⟩ (*Chemie* Säuregrad einer Flüssigkeit)
Aci|dọ|se, die; -, -n (*Med.* krankhafte Vermehrung des Säuregehaltes im Blut)
Ạcker, der; -s, Äcker; 30 Acker
Land
Ạcker|bau, der; -[e]s
¹Ạcker|bau|er (*vgl.* ²Bauer; *veraltet*
für Landwirt)
²Ạcker|bau|er, der; -s, - *meist Plur.*
(*Völkerk.* Bebauer von Äckern)
A|cker|bau trei|bend, ạcker|bau-
trei|bend; die Ackerbau treibenden *od.* ackerbautreibenden
Bewohner ↑K 58
Ạcker|chen
Ạcker|flä|che
Ạcker|gaul (*ugs.*)
Ạcker|mann *vgl.* Ackersmann
Ạcker|men|nig, Oder|men|nig, der;
-[e]s, -e (eine Heilpflanze)
ạckern; ich ackere
Ạcker|nah|rung, die; - (*Landw.*
Ackerfläche, die zum Unterhalt
einer Familie ausreicht)
Ạcker[s]|mann *Plur.* ...leute *u.*
...männer (*veraltet*)
Ạck|ja, der; -[s], -s ⟨schwed.⟩ (lap-

pischer Schlitten in Bootsform;
auch für Rettungsschlitten)
AC-Me|tho|de = Assessmentcen-
termethode
à con|di|ti|on [a kɔdi'sjɔ:] ⟨franz.⟩
(*Kaufmannsspr.* mit Rückgaberecht; *Abk.* à c.)
a con|to ⟨ital.⟩ (*Bankw.* auf [laufende] Rechnung von ...; *Abk.*
a c.); *vgl.* Akontozahlung
Ạc|re ['e:kɐ], der; -s, -s ⟨engl.⟩ (Flächenmaß); 7 Acre Land
Ạc|ro|le|in *vgl.* Akrolein
Ạc|ryl, das; -s ⟨griech.⟩ (eine Chemiefaser)
Ạc|ryl|amid (krebserregende Substanz [die bei der Erhitzung
stärkehaltiger Lebensmittel entsteht]); Ạc|ryl|glas; Ạc|ryl|harz;
Ạc|ryl|säu|re (stechend riechende Säure)
ACS, der; - = Automobil-Club der
Schweiz
Act [ɛkt], der; -s, -s ⟨engl.⟩ (*ugs. für*
Popgruppe; Auftritt, Veranstaltung der Popmusik)
Ạc|ti|ni|um, das; -s ⟨griech.⟩ (chemisches Element; *Zeichen* Ac)
Ạc|tion ['ɛkʃn̩], die; - ⟨engl.⟩ (spannende [Film]handlung; lebhafter Betrieb); *vgl. aber* Aktion
Ạc|tion|film
Ạc|tion|pain|ting, Ạc|tion-Pain-
ting [...pe:n...], das; - (moderne
Richtung in der amerik. abstrakten Malerei)
ạd ⟨lat., »zu«⟩; z. B. ad 1 = zu
Punkt 1
a d. = a dato
a. d. = an der (bei Ortsnamen,
z. B. Bad Neustadt a. d. Saale)
a. D. = außer Dienst
A. D. = Anno Domini
Ạda (w. Vorn.)
Ạda|bei, der; -s, -s (*österr. ugs. für*
jmd., der überall dabei sein will
u. in der höheren Gesellschaft
anerkannt sein möchte)
ad ab|sur|dum ⟨lat.⟩; ad absurdum
führen (das Widersinnige nachweisen)
ADAC, der, -[s] = Allgemeiner
Deutscher Automobil-Club
ad ạc|ta ⟨lat., »zu den Akten«⟩
(*Abk.* a. a.); ad acta legen (als
erledigt betrachten)
ada|gio [...dʒo] ⟨ital.⟩ (*Musik* langsam, ruhig); Ada|gio, das; -s, -s
Ạdal|bert, Ạdel|bert (m. Vorn.);
Ạdal|ber|ta, Adel|ber|ta (w.
Vorn.)
Ạdam (m. Vorn.); *vgl.* ¹Riese
Ạda|mit, der; -en, -en (Angehöri-

ger einer bestimmten Sekte);
ada|mi|tisch
Adams|ap|fel; Adams|kos|tüm
Ad|ap|ta|ti|on, die; -, -en ⟨lat.⟩
(Anpassung[svermögen])
Ad|ap|ter, der; -s, - ⟨engl.⟩ (Technik
Verbindungsstück)
ad|ap|tie|ren ⟨lat.⟩ (anpassen [Biol.
u. Physiol.]; ein literarisches
Werk für Film u. Funk umarbei-
ten; österr. auch für eine Wohnung, ein Haus o. Ä. herrichten);
Ad|ap|tie|rung
Ad|ap|ti|on, die; -, -en; vgl. Adapta-
tion; ad|ap|tiv (fachspr. für auf
Anpassung beruhend)
ad|äquat ⟨lat.⟩ (angemessen); Ad-
äquat|heit, die; -
a da|to ⟨lat.⟩ (vom Tage der Aus-
stellung [an]; Abk. a d.)
ADB = Allgemeine Deutsche Biographie
ad ca|len|das grae|cas ⟨lat.⟩ (nie-
mals)
ADD = analoge Aufnahme, digitale Bearbeitung, digitale Wiedergabe; vgl. AAD
Ad|den|dum, das; -s, ...da meist
Plur. ⟨lat.⟩ (veraltet für Zusatz,
Nachtrag)
ad|die|ren (zusammenzählen); Ad-
dier|ma|schi|ne
Ad|dis Abe|ba [- ˈaː(ː)..., auch
- aˈbeː...] (Hauptstadt Äthio-
piens)
Ad|di|ti|on, die; -, -en ⟨lat.⟩
(Zusammenzählung)
ad|di|ti|o|nal (fachspr. für zusätz-
lich)
ad|di|tiv (fachspr. für hinzufü-
gend, auf Addition beruhend);
Ad|di|tiv, das; -s, -e ⟨engl.⟩
(fachspr. für Zusatz, der einen
chem. Stoff verbessert)
ad|di|zie|ren ⟨lat.⟩ (fachspr. für
zusprechen, zuerkennen)
Add-on [ɛt...], das; -s, -s ⟨engl.⟩
(EDV Hilfsprogramm; Erweite-
rungskomponente)

Adresse
Wie im Französischen, aus dem
das Wort gegen Ende des 19.
Jahrhunderts entlehnt wurde,
schreibt man Adresse nur mit
einem d.

Ad|duk|ti|on, die; -, -en ⟨lat.⟩ (Med.
das Bewegen von Körperteilen
zur Körperachse hin)
Ad|duk|tor, der; -s, ...oren (Adduk-
tion bewirkender Muskel)
ade! (veraltend, noch landsch.)

Ade, das; -s, -s; Ade od. ade sagen
Ade|bar, der; -s, -e (bes. nordd. für
Storch)
¹Adel, der; -s
²Adel, bayr. meist Odel, der; -s (bes.
bayr. u. österr. für Mistjauche)
¹Ade|laide [ˈɛdəleːt] (Hauptstadt
Südaustraliens)
²Ade|la|i|de (w. Vorn.)
Adel|bert, Adal|bert (m. Vorn.)
Adel|ber|ta, Adal|ber|ta (w. Vorn.)
Ade|le (w. Vorn.)
Adel|heid (w. Vorn.)
ade|lig, ad|lig
adeln; ich ad[e]le
Adels|brief; Adels|ge|schlecht;
Adels|haus; Adels|prä|di|kat
Ade|lung
Aden (Hafenstadt in Jemen)
Ade|nau|er (erster deutscher Bun-
deskanzler)
Ade|nom, das; -s, -e ⟨griech.⟩
(Med. Drüsengeschwulst); ade-
no|ma|tös
Ad|ept, der; -en, -en ⟨lat.⟩ (früher
für [als Schüler] in eine Geheim-
lehre Eingeweihter)
Ader, die; -, -n
Ader|chen
ade|rig, äde|rig, ad|rig, äd|rig
Ader|lass, der; -es, ...lässe
Äder|lein
ädern; ich ädere; Äde|rung
à deux mains [a ˈdøː ˈmɛː] ⟨franz.⟩
(Klavierspiel mit zwei Händen)
ADFC, der; -[s] = Allgemeiner
Deutscher Fahrrad-Club
ad|hä|rent ⟨lat.⟩ (fachspr. für
anhaftend)
Ad|hä|si|on, die; -, -en (fachspr. für
Aneinanderhaften von Stoffen
od. Körpern); Ad|hä|si|ons|ver-
schluss (mit einer Haftschicht
versehener Verschluss)
ad|hä|siv (anhaftend)
ad hoc [auch - ˈhɔk] ⟨lat.⟩
([eigens] zu diesem [Zweck];
aus dem Augenblick heraus);
Ad-hoc-Bil|dung ↑K26
ADHS = Aufmerksamkeitsdefizit-
und Hyperaktivitäts-Syndrom
(Psych.)
adi|a|ba|tisch ⟨griech.⟩ (Physik,
Meteor. ohne Wärmeaustausch)
Adi|a|pho|ra Plur. ⟨griech.⟩ (Phi-
los., Theol. sittlich neutrale
Werte)
adieu! [aˈdjøː] ⟨franz.⟩ (veraltend,
noch landsch. für lebe [lebt]
wohl!)
Adieu, das; -s, -s (Lebewohl);
jmdm. Adieu od. adieu sagen

Adi|ge [...dʒe] (ital. Name für
Etsch); vgl. Alto Adige
Ädil, der; Gen. -s u. -en, Plur. -en
(altröm. Beamter)
ad in|fi|ni|tum, in in|fi|ni|tum ⟨lat.⟩
(ohne Ende, unaufhörlich)
adi|pös ⟨lat.⟩ (Med. fett[reich],
fettleibig); Adi|po|si|tas, die; -
(Med. Fettleibigkeit, -sucht)
à dis|cré|ti|on [...kreˈsiõ:] ⟨franz.⟩
(bes. schweiz. für nach Belieben)
Ad|jek|tiv, das; -s, -e ⟨lat.⟩
(Sprachw. Eigenschaftswort,
z. B. »schön«); ad|jek|ti|visch
Ad|ju|di|ka|ti|on, die; -, -en ⟨lat.⟩
(richterliche Zuerkennung); ad-
ju|di|zie|ren
Ad|junkt, der; -en, -en, schweiz.
auch -s, -e ⟨lat.⟩ (österr. u.
schweiz. Beamtentitel)
ad|jus|tie|ren ⟨lat.⟩ (Technik
[Werkstücke] zurichten; eichen;
fein einstellen; österr. auch für
ausrüsten, dienstmäßig kleiden)
Ad|jus|tie|rung (Technik genaue
Einstellung; österr. auch für
Uniform)
Ad|ju|tant, der; -en, -en ⟨lat.⟩ (bei-
geordneter Offizier); Ad|ju|tan-
tur, die; -, -en (Amt, Dienststelle
des Adjutanten)
Ad|ju|tum, das; -s, ...ten (veraltet
für [Bei]hilfe; österr. für Entloh-
nung während einer Ausbil-
dungs- od. Probezeit)
ad l. = ad libitum
Ad|la|tus, der; -, ...ten ⟨lat.⟩
(Gehilfe; Helfer)
Ad|ler, der; -s, -; Ad|ler|blick
Ad|ler|farn (Bot.)
Ad|ler|horst; Ad|ler|na|se
ad lib. = ad libitum
ad li|bi|tum ⟨lat.⟩ (nach Belieben;
Abk. ad l., ad lib., a. l.)
ad|lig, ade|lig
Ad|li|ge, der u. die; -n, -n
ad ma|io|rem Dei glo|ri|am, om|nia
ad ma|io|rem Dei glo|ri|am ⟨lat.,
»[alles] zur größeren Ehre Gottes«⟩ (Wahlspruch der Jesuiten)
Ad|mi|nis|t|ra|ti|on, die; -, -en ⟨lat.⟩
(das Verwalten; Verwal-
t[sbehörde])
ad|mi|nis|t|ra|tiv (zur Verwaltung
gehörend)
Ad|mi|nis|t|ra|tor, der; -s, ...oren
(Verwalter); Ad|mi|nis|t|ra|to|rin
ad|mi|nis|t|rie|ren (verwalten)
ad|mi|ra|bel ⟨lat.⟩ (veraltet für
bewundernswert)
Ad|mi|ral, der; -s, Plur. -e, seltener
...räle ⟨franz.⟩ (Marineoffizier

Admiralin – Aeroflot

A
Admi

im Generalsrang; ein Schmetterling); **Ad|mi|ra|lin**

Ad|mi|ra|li|tät, die; -, -en

Ad|mi|ra|li|täts|in|seln Plur. (Inselgruppe in der Südsee)

Ad|mi|rals|rang; Ad|mi|ral|stab (oberster Führungsstab einer Kriegsmarine)

ADN, der; - = Allgemeiner Deutscher Nachrichtendienst *(in der DDR)*

ad no|tam ⟨lat.⟩ *(veraltet für* zur Kenntnis); ad notam nehmen

ad ocu|los ⟨lat., »vor Augen«⟩; ad oculos demonstrieren *(veraltet für* vorzeigen; klar darlegen)

Ado|les|zenz, die; - ⟨lat.⟩ (späterer Abschnitt des Jugendalters)

Adolf (m. Vorn.)

Ado|nai ⟨hebr., »mein Herr«⟩ (alttestamentl. Name Gottes)

¹**Ado|nis** (schöner Jüngling der griech. Sage)

²**Ado|nis**, der; -, -se (schöner Jüngling, Mann)

ado|nisch (schön wie Adonis; adonischer Vers (antiker griechischer Vers)

ad|op|tie|ren ⟨lat.⟩; ein Kind adoptieren; **Ad|op|ti|on**, die; -, -en

Ad|op|tiv|el|tern; Ad|op|tiv|kind; Ad|op|tiv|mut|ter; Ad|op|tiv|sohn; Ad|op|tiv|toch|ter; Ad|op|tiv|va|ter

ad|o|ra|bel ⟨lat.⟩ *(veraltet für* anbetungswürdig); ...a|b|le Heilige

Ad|o|ra|ti|on, die; -, -en *(veraltet für* Anbetung; Huldigung)

ad|o|rie|ren *(veraltet für* anbeten, verehren)

Adr. = Adresse

ad rem ⟨lat.⟩ (zur Sache [gehörend])

Ad|re|ma ®, die; -, -s ⟨Kurzwort für eine Adressiermaschine⟩; **ad|re|mie|ren** (mit einer Adrema beschriften)

Ad|re|na|lin, das; -s ⟨nlat.⟩ *(Med.* ein Hormon des Nebennierenmarks); **Ad|re|na|lin|spie|gel; Ad|re|na|lin|stoß**

Ad|res|sant, der; -en, -en ⟨lat.⟩ (Absender); **Ad|res|san|tin**

Ad|res|sat, der; -en, -en (Empfänger; [bei Wechseln:] Bezogener); **Ad|res|sa|tin**

Ad|ress|buch

Ad|res|se, die; -, -n *(Abk.* Adr.); **Ad|res|sen|ver|zeich|nis**

ad|res|sie|ren; Ad|res|sier|ma|schi|ne

ad|rett ⟨franz.⟩ (nett, hübsch, ordentlich, sauber)

Ad|ria, die; - (Adriatisches Meer)

Ad|ri|an (m. Vorn.); *vgl.* Hadrian

Ad|ri|a|na, Ad|ri|a|ne (w. Vorn.)

Ad|ri|a|ti|sche Meer, das; -n, -[e]s (Teil des Mittelmeers)

ad|rig, äd|rig, ade|rig, äde|rig

Ad|rio, das; -s, -s *(schweiz. für* in ein Schweinsnetz eingenähte Bratwurstmasse aus Kalb- od. Schweinefleisch)

ADS, das; - = Aufmerksamkeitsdefizit-Syndrom

ad|sor|bie|ren ⟨lat.⟩ *(fachspr. für* [Gase od. gelöste Stoffe an feste Körper] anlagern); **Ad|sorp|ti|on**, die; -, -en; **ad|sorp|tiv** (zur Adsorption fähig)

Ad|strin|gens, das; -, Plur. ...gen|zien, *auch* ...gentia ⟨lat.⟩ *(Med.* zusammenziehendes, Blutungen stillendes Mittel)

ad|strin|gie|ren

Ädu|er (Angehöriger eines gallischen Stammes); **Ädu|e|rin**

Adu|lar, der; -s, -e (ein Feldspat [Schmuckstein])

adult ⟨lat.⟩ *(Med.* erwachsen)

A-Dur [*auch* 'aː'duːɐ̯], das; - (Tonart; *Zeichen* A); **A-Dur-Ton|lei|ter** ↑K26

ad us. = ad usum

ad usum ⟨lat., »zum Gebrauch«⟩ *(Abk.* ad us.); **ad usum Del|phi|ni** (für Schüler bestimmt)

Ad|van|tage [ɛt'vaːntɪtʃ], der; -s, -s ⟨engl.⟩ *(Sport* der erste gewonnene Punkt nach dem Einstand beim Tennis)

Ad|vent

[*Aussprache* ...v..., *österr. u. schweiz. auch* ...f...]

der; -[e]s, -e *Plur. selten* ⟨lat., »Ankunft«⟩
(Zeit vor Weihnachten)

Zusammensetzungen mit »Advent« werden im Allgemeinen mit Fugen-s gebildet:

– Adventskalender, Adventskranz

In Österreich entfällt das Fugen-s:

– Adventkalender, Adventkranz

Ad|ven|tist, der; -en, -en ⟨engl.⟩ (Angehöriger einer christl. Glaubensgemeinschaft); **Ad|ven|tis|tin; ad|ven|tis|tisch**

Ad|vent|kal|len|der *(österr.);* **Ad|vent|kranz** *(österr.)*

ad|vent|lich

Ad|vents|ka|len|der; Ad|vents|kranz

Ad|vent|sonn|tag *(österr.)*

Ad|vents|sonn|tag; Ad|vents|zeit

Ad|vent|zeit *(österr.)*

Ad|verb, das; -s, -ien ⟨lat.⟩ (Umstandswort, z. B. »dort«)

ad|ver|bi|al; adverbiale Bestimmung; **Ad|ver|bi|al**, das; -s, -e (Umstandsbestimmung)

Ad|ver|bi|al|be|stim|mung; Ad|ver|bi|a|le, das; -s, ...lien (Umstandsbestimmung); **Ad|ver|bi|al|satz**

ad|ver|bi|ell *(seltener für* adverbial)

ad|ver|sa|tiv ⟨lat.⟩ (entgegengesetzt); adversative Konjunktion *(Sprachw.;* z. B. »aber«)

Ad|ver|ti|sing ['ɛtvətaɪzɪŋ], das; -s, -s ⟨engl.⟩ *(fachspr.* für Werbung)

Ad|vo|ca|tus Dei, der; - -, ...ti - ⟨lat.⟩ (Geistlicher, im kath. kirchl. Prozess für eine Heilig- od. Seligsprechung eintritt)

Ad|vo|ca|tus Di|a|bo|li, der; - -, ...ti - (Geistlicher, im kath. kirchl. Prozess Gründe gegen die Heilig- od. Seligsprechung vorbringt; *übertr. für* jmd., der bewusst Gegenargumente in eine Diskussion einbringt)

Ad|vo|kat, der; -en, -en *(bes. schweiz. für* [Rechts]anwalt); **Ad|vo|ka|tin**

Ad|vo|ka|tur, die; -, -en *(veraltet für* Anwaltschaft; Büro eines Anwalts); **Ad|vo|ka|tur|bü|ro** *(schweiz.);* **Ad|vo|ka|turs|kanz|lei** *(österr. veraltend)*

AdW, die; - = Akademie der Wissenschaften

AE = Ångström[einheit]; astronomische Einheit

Aech|mea, die; -, ...meen ⟨griech.⟩ (eine Zimmerpflanze)

ae|ro... ⟨griech.⟩ (luft...); **Ae|ro...** (Luft...)

ae|rob *(Biol.* Sauerstoff zum Leben brauchend)

Ae|ro|bic [...ɪk], das; -s, *auch* die; - *meist ohne Artikel* ⟨engl.-amerik.⟩ (Fitnesstraining mit tänzerischen u. gymnast. Übungen)

Ae|ro|bi|er ⟨griech.⟩ *(Biol.* Organismus, der nur mit Luftsauerstoff leben kann)

Ae|ro|bi|ont, der; -en, -en *(svw.* Aerobier)

Ae|ro|dy|na|mik *(Physik* Lehre von der Bewegung gasförmiger Körper); **ae|ro|dy|na|misch**

Ae|ro|flot, die; - ⟨griech.; russ.⟩ (russ. Luftfahrtgesellschaft)

Ae|ro|gramm, das; -s, -e (Luftpost-leichtbrief)

Ae|ro|lith, der; *Gen.* -en *u.* -s, *Plur.* -e[n] ⟨griech.⟩ (*veraltet für* Meteorstein)

Ae|ro|lo|gie, die; - (Wissenschaft von der Erforschung der höheren Luftschichten)

Ae|ro|me|cha|nik, die; - (*Physik* Lehre vom Gleichgewicht und der Bewegung der Gase)

Ae|ro|me|ter, das; -s, - (Gerät zum Bestimmen des Luftgewichtes, der Luftdichte)

Ae|ro|nau|tik, die; - (*veraltet für* Luftfahrt)

Ae|ro|plan, der; -[e]s, -e ⟨griech.; lat.⟩ (*veraltet für* Flugzeug)

Ae|ro|sa|lon, der; -s, -s ⟨griech.; franz.⟩ (Luftfahrtausstellung)

Ae|ro|sol, das; -s, -e ⟨griech.; lat.⟩ (feinste Verteilung fester oder flüssiger Stoffe in Gas)

Ae|ro|sta|tik ⟨griech.⟩ (*Physik* Lehre von den Gleichgewichts-zuständen bei Gasen); **ae|ro|sta|tisch**

AF, die; - = Air France

AFC, die; - ⟨engl.⟩ = automatic frequency control (automatische Frequenzabstimmung)

Af|fä|re, die; -, -n ⟨franz.⟩ (Angelegenheit; [unangenehmer, peinlicher] Vorfall; Streitsache)

Äff|chen; Äf|fe, der; -n, -n

Af|fekt, der; -[e]s, -e ⟨lat.⟩ ([heftige] Gemütsbewegung)

Af|fek|ta|ti|on, die; - (*selten für* Getue, Ziererei)

af|fekt|be|tont

Af|fekt|hand|lung

af|fek|tiert (geziert, gekünstelt); **Af|fek|tiert|heit**

Af|fek|ti|on, die; -, -en (*Med.* Befall eines Organs mit Krankheitserregern)

af|fek|tiv (gefühlsbetont); **Af|fek|ti|vi|tät,** die; -

Af|fekt|stau (*Psych.*)

äf|fen (*veraltend für* nachahmen; narren)

Af|fen|art; af|fen|ar|tig

Af|fen|brot|baum (eine afrik. Baumart); *vgl.* Baobab

af|fen|geil (*ugs. für* großartig)

Af|fen|hit|ze (*ugs.*); **Af|fen|lie|be; Af|fen|schan|de** (*ugs.*)

Af|fen|the|a|ter (*ugs.*); **Af|fen|zahn** (*ugs.*); **Af|fen|zeck,** der; -s (*ugs.; svw.* Affentheater)

Af|fe|rei (*ugs. abwertend für* eitles Gebaren); **Äf|fe|rei** (*veraltet für* Irreführung)

Af|fi|che [...ʃ(ə), *schweiz. auch* 'a...], die; -, -n ⟨franz.⟩ (*schweiz. für* Anschlag[zettel], Aushang); **af|fi|chie|ren** (*österr., schweiz. für* ankleben)

Af|fi|da|vit, das; -s, -s ⟨lat.⟩ (eidesstattl. Versicherung)

af|fig (*ugs. abwertend für* eitel); **Af|fig|keit** (*ugs. abwertend*)

Af|fi|li|a|ti|on, die; -, -en ⟨lat.⟩ (Wechsel der Loge eines Freimaurers; Tochtergesellschaft)

af|fin ⟨lat.⟩; affine Abbildung (eine geometrische Abbildung)

Äf|fin, die; -, -nen

af|fi|nie|ren ⟨franz.⟩ (*Chemie* läutern; scheiden [z. B. Edelmetalle])

Af|fi|ni|tät, die; -, -en ⟨lat.⟩ (Verwandtschaft; Ähnlichkeit; *Chemie* Verbindungsneigung von Atomen od. Atomgruppen)

Af|fir|ma|ti|on, die; -, -en ⟨lat.⟩ (Bejahung, Zustimmung); **af|fir|ma|tiv** (bejahend, zustimmend); **af|fir|mie|ren** (*selten*)

äf|fisch

Af|fix, das; -es, -e ⟨lat.⟩ (*Sprachw.* an den Wortstamm vorn od. hinten angefügtes Wortbildungselement); *vgl.* Präfix *u.* Suffix

af|fi|zie|ren ⟨lat.⟩ (*Med.* reizen; krankhaft verändern)

Af|fo|dill, As|pho|dill, der; -s, -e ⟨griech.⟩ (ein Liliengewächs)

Af|fri|ka|ta, Af|fri|ka|te, die; -, ...ten ⟨lat.⟩ (*Sprachw.* Verschlusslaut mit folgendem Reibelaut, z. B. pf)

Af|front [aˈfrõː, *auch* aˈfrɔnt], der; -s, *Plur.* -s [aˈfrõːs] *u.* -e [aˈfrõːtə] ⟨franz.⟩ (Beleidigung)

Af|gha|ne [...ˈgaː...], der; -n, -n (Angehöriger eines vorderasiat. Volkes; *auch* eine Hunderasse)

Af|gha|ni, der; -[s], -[s] (afghanische Währungseinheit)

Af|gha|nin

af|gha|nisch; Af|gha|nisch, das; -[s]; *vgl.* Paschtu

Af|gha|nis|tan (Staat in Vorderasien)

AFL [eːɛfˈɛl], die; - = American Federation of Labor (amerikanischer Gewerkschaftsbund)

Af|la|to|xin, das; -s, -e ⟨lat.⟩ (Giftstoff in Schimmelpilzen)

AFN [eːɛfˈɛn] = American Forces Network (Rundfunkanstalt der außerhalb der USA stationierten amerik. Streitkräfte)

à fonds per|du [aˈfõ: ...ˈdy:] ⟨franz.⟩

(auf Verlustkonto; [Zahlung] ohne Aussicht auf Gegenleistung od. Rückerhalt)

AFP, die; - = Agence France-Presse

Af|ra (w. Vorn.)

a fres|co ⟨ital.⟩ (auf den noch feuchten Verputz [gemalt])

Af|ri|ka [ˈa(ː)f...]

af|ri|kaans; die afrikaanse Sprache; Af|ri|kaans, das; - (Sprache [der Weißen] in Südafrika)

Af|ri|ka|na *Plur.* (Werke über Afrika)

Af|ri|ka|ner; Af|ri|ka|ne|rin

af|ri|ka|nisch; der Afrikanische Elefant (*Zool.*)

Af|ri|ka|nist, der; -en, -en; **Af|ri|ka|nis|tik,** die; - (wissenschaftl. Erforschung der Geschichte, Sprachen u. Kulturen Afrikas); **Af|ri|ka|nis|tin; af|ri|ka|nis|tisch**

Af|ro|ame|ri|ka|ner [ˈa(ː)f...] (Amerikaner schwarzafrikanischer Abstammung); **Af|ro|ame|ri|ka|ne|rin; af|ro|ame|ri|ka|nisch** (die Afroamerikaner betreffend); *auch für* Afrika und Amerika betreffend); afroamerikanische Beziehungen, Musik

af|ro|asi|a|tisch [ˈa(ː)f...] (Afrika und Asien betreffend)

af|ro|deutsch [ˈa(ː)f...]; **Af|ro|deut|sche,** der *u.* die (Deutsche[r] schwarzafrikanischer Herkunft)

Af|ro|look, der; -s ⟨engl.⟩ (aus stark gekrausten, dichten Locken bestehende Frisur)

Af|ter, der; -s, -

Af|ter|le|der (Hinterleder des Schuhes); **Af|ter|sau|sen** (*derb für* Angst)

Af|ter|shave [...ʃeːf], das; -[s], -s (*kurz für* Aftershave-Lotion); **Af|ter|shave|lo|tion, Af|ter|shave-Lo|tion** [...loːʃn], die; -, -s ⟨engl.⟩ (Rasierwasser zum Gebrauch nach der Rasur)

Af|ter|work|par|ty, Af|ter-Work-Par|ty [...vøːɐ̯k...], die; -, -s ⟨engl.⟩ (Party, die [unmittelbar] nach Arbeitsende beginnt)

Ag = Argentum

¹AG, die; -, -s = Aktiengesellschaft

²AG, die; -, -s = Arbeitsgemeinschaft

³AG, das; - = Amtsgericht

a. G. = auf Gegenseitigkeit; (*beim Theater*) als Gast

Aga, der; -s, -s ⟨türk.⟩ (früherer türkischer Titel)

Ägä|di|sche In|seln *Plur.* (Insel-

gruppe westlich von Sizilien
↑K 140)
Ägä|is, die; - (Ägäisches Meer);
Ägä|i|sche Meer, das; -n -[e]s
↑K 140

Aga Khan [- k...], der; - -s, - -e
⟨türk.⟩ (Oberhaupt eines Zweiges der Ismailiten)
Aga|mem|non (sagenhafter König
von Mykenä)
Aga|pe, die; - ⟨griech.⟩ (schenkende [Nächsten]liebe)
Agar-Agar, der od. das; -s ⟨malai.⟩
(Gallerte aus ostasiat. Algen)
Aga|the (w. Vorn.); **Aga|thon** [auch
'a...] (m. Eigenn.)
Aga|ve, die; -, -n ⟨griech.⟩
([sub]trop. Pflanze)
Agence France-Presse [a'ʒã:s 'frã:s
'prɛs], die; - - ⟨franz.⟩ (Name
einer französischen Nachrichtenagentur; Abk. AFP)
Agen|da, die; -, ...den ⟨lat.⟩ (Merkbuch; Liste von Gesprächspunkten); **Agen|da 21** (bes. Politik
Zusammenstellung zukunftsweisender Themen); **Agen-
da-21-Pro|zess**
Agen|de, die; -, -n (ev. Kirche Gottesdienstordnung); **Agen|den**
Plur. (österr. für Obliegenheiten,
Aufgaben)
Agens, das; -, Agenzien ⟨lat.⟩ (Philos. tätiges Wesen od. Prinzip;
Med. wirkendes Mittel;
Sprachw. Träger eines im Verb
genannten aktiven Verhaltens)
Agent, der; -en, -en ⟨lat.⟩ (Spion;
Vermittler von Engagements);
Agen|ten|ring; **Agen|ten|tä|tig-
keit**
Agen|tie [...'tsi:], die; -, ...ti|en
⟨ital.⟩ (österr. veraltet für
Geschäftsstelle)
Agen|tin
Agent Pro|vo|ca|teur, **Agent pro|vo-
ca|teur** [a'ʒã: ...'tø:ʁ], der; - -,
-s -s [a'ʒã: ...'tø:ʁ] ⟨franz.⟩ (Lockspitzel)
Agen|tur, die; -, -en ⟨lat.⟩
(Geschäfts[neben]stelle, Vertretung; Nachrichtenbüro; Vermittlungsbüro); Agentur für
Arbeit (staatliche Arbeitsvermittlungsstelle); **Agen|tur|mel-
dung**
Agen|zi|en (Plur. von Agens)
Age|si|la|os, **Age|si|la|us** (König
von Sparta)
Ag|fa ® (Bez. für fotografische
Erzeugnisse); **Ag|fa|co|lor** ®
(Farbfilme, Farbfilmverfahren)
Ag|glo|me|rat, das; -[e]s, -e ⟨lat.⟩

(fachspr. für Anhäufung; Geol.
Ablagerung loser Gesteinsbruchstücke); **Ag|glo|me|ra|ti|on**,
die; -, -en (fachspr. für Zusammenballung; Ballungsraum); **ag-
glo|me|rie|ren**
Ag|glu|ti|na|ti|on, die; -, -en ⟨lat.⟩
(Med. Verklebung, Verklumpung; Sprachw. Anfügung von
Bildungselementen an das
unverändert bleibende Wort);
ag|glu|ti|nie|ren; agglutinierende
Sprachen
Ag|gre|gat, das; -[e]s, -e ⟨lat.⟩
(Maschinensatz; aus mehreren
Gliedern bestehender mathematischer Ausdruck)
Ag|gre|ga|ti|on, die; -, -en (Chemie
Zusammenlagerung [von Molekülen])
Ag|gre|gat|zu|stand (Chemie, Physik Erscheinungsform eines
Stoffes)
Ag|gres|si|on, die; -, -en ⟨lat.⟩
(Angriff[sverhalten], Überfall);
Ag|gres|si|ons|krieg; **Ag|gres|si-
ons|trieb**
ag|gres|siv (angriffslustig); **Ag-
gres|si|vi|tät**, die; -, -en
Ag|gres|sor (Angreifer); **Ag|gres|so|rin**
Agid, **Ägi|di|us** (m. Vorn.)
Ägi|de, die; - ⟨griech.⟩ (Schutz,
Obhut); unter der Ägide von ...
agie|ren ⟨lat.⟩ (handeln; Theater
als Schauspieler auftreten)
agil ⟨lat.⟩ (flink, wendig, beweglich); **Agi|li|tät**, die; -
Ägi|na (griech. Insel; Stadt)
Ägi|ne|te, der; -n, -n (Bewohner
Äginas); **Ägi|ne|ten** Plur. (Giebelfiguren des Tempels von Ägina)
Agio [...ʒo, auch ...ʒjo], das; -s,
Plur. -s u. Agien [...ʒn, auch
...ʒjən] ⟨ital.⟩ (Wirtsch. Aufgeld)
Agio|ta|ge [aʒio'ta:ʒə, österr.
...'ta:ʒ], die; -, -n ⟨franz.⟩ (Ausnutzung von Börsenkursschwankungen)
Agio|teur [...'tø:ʁ], der; -s, -e (Börsenmakler); **Agio|teu|rin**; **agi|o-
tie|ren**
Agir (nord. Mythol. Meerriese)
Ägis, die; - (Schild des Zeus und
der Athene)
Agi|ta|ti|on, die; -, -en ⟨lat.⟩ (politische Hetze; intensive politische
Aufklärungs-, Werbetätigkeit)
Agi|ta|tor, der; -s, ...oren (jmd.,
der Agitation betreibt); **agi|ta-
to|risch**
agi|tie|ren
Agit|prop, die; - (Kurzw. aus Agi-

tation und Propaganda); **Agit-
prop|the|a|ter** (Laientheater der
Arbeiterbewegung in den
1920er-Jahren)
Ag|la|ia [...ja] (»Glanz«) (eine der
drei griech. Göttinnen der
Anmut, der Charíten; w. Vorn.)
Ag|nat, der; -en, -en ⟨lat.⟩ (Blutsverwandte[r] der männl. Linie);
ag|na|tisch
Ag|nes (w. Vorn.)
Ag|ni (ind. Gott des Feuers)
Ag|no|sie, die; -, ...ien ⟨griech.⟩
(Med. Störung des Erkennens;
Philos. Nichtwissen)
Ag|nos|ti|ker (Verfechter des
Agnostizismus); **Ag|nos|ti|ke|rin**
Ag|nos|ti|zis|mus, der; - (philosophische Lehre, die das übersinnliche Sein für unerkennbar hält)
ag|nos|zie|ren ⟨lat.⟩ (österr.
Amtsspr. identifizieren); einen
Toten agnoszieren; **Ag|nos|zie-
rung**
Ag|nus Dei, das; - -, - - ⟨lat.,
»Lamm Gottes«⟩ (Bezeichnung
Christi [nur Sing.]; Gebet;
geweihtes Wachstäfelchen)
Ago|gik, die; - ⟨griech.⟩ (Musik
Lehre von der individuellen
Gestaltung des Tempos); **ago-
gisch**
à go|go ⟨franz.⟩ (ugs. für in Hülle
u. Fülle, nach Belieben)
Agon, der; -s, -e ⟨griech.⟩ (Wettkampf der alten Griechen;
Streitgespräch als Teil der attischen Komödie); **ago|nal** (kämpferisch)
Ago|nie, die; -, ...ien (Todeskampf)
Ago|nist, der; -en, -en (Teilnehmer
an einem Agon)
¹Ago|ra, die; -, Agoren (Markt u.
auch die dort stattfindende
Volksversammlung im alten
Griechenland)
²Ago|ra, die; -, Agorot ⟨hebr.⟩
(Untereinheit des Schekels)
Ago|ra|pho|bie, die; -, ...ien
⟨griech.⟩ (Platzangst beim Überqueren freier Plätze)
Ag|raf|fe [schweiz. auch 'a...], die;
-, -n ⟨franz.⟩ (Schmuckspange;
Bauw. klammerförmige Rundbogenverzierung; Med. Wundklammer; schweiz. auch für
Krampe)
Agra|fie, **Agra|phie**, die; -, ...ien
⟨griech.⟩ (Med. Verlust des
Schreibvermögens)
Ag|ram (früherer dt. Name von
Zagreb)
Agra|phie vgl. Agrafie

Ag|rar|be|völ|ke|rung; Ag|rar|fab|rik *(abwertend)*

Ag|ra|ri|er ⟨lat.⟩ (Großgrundbesitzer, Landwirt); ag|ra|risch

Ag|rar|land

Ag|rar|po|li|tik; ag|rar|po|li|tisch

Ag|rar|pro|dukt; Ag|rar|re|form; Ag|rar|staat; Ag|rar|tech|nik

Ag|ree|ment [ɛˈɡriːmənt], das; -s, -s ⟨engl.⟩ (Abmachung; *Politik* formlose Übereinkunft im zwischenstaatlichen Verkehr); *vgl.* Gentleman's Agreement

Ag|ré|ment [aɡreˈmãː], das; -s, -s ⟨franz.⟩ (*Politik* Zustimmung zur Ernennung eines diplomat. Vertreters)

Ag|ré|ments *Plur.* (*Musik* Verzierungen)

Aggression

Das auf das Lateinische zurückgehende Substantiv schreibt sich mit dem im Deutschen ungewöhnlichen Orthografie -gg-. Ebenso *aggressiv, Aggressivität, Aggressor.*

Ag|ri|co|la, Georgius (dt. Naturforscher)

Ag|ri|kul|tur ⟨lat.⟩ (Ackerbau, Landwirtschaft); Ag|ri|kul|tur|che|mie

Ag|rip|pa (röm. m. Eigenn.)

Ag|rip|pi|na (röm. w. Eigenn.)

Ag|ro|nom, der; -en, -en ⟨griech.⟩ (wissenschaftlich ausgebildeter Landwirt); Ag|ro|no|mie, die; - (Ackerbaukunde, Landwirtschaftswissenschaft); ag|ro|no|misch

Ag|ro|tech|nik (Landwirtschaftstechnik)

Ägyp|ten; Ägyp|ter; Ägyp|te|rin

ägyp|tisch; eine ägyptische (tiefe) Finsternis; *vgl.* deutsch/ Deutsch; **Ägyp|tisch**, das; -[s] (Sprache); **Ägyp|ti|sche**, das; -n; *vgl.* Deutsche, das

Ägyp|to|lo|ge, der; -n, -n; Ägyp|to|lo|gie, die; - (wissenschaftl. Erforschung der ägypt. Altertums); Ägyp|to|lo|gin; ägyp|to|lo|gisch

Ah = Amperestunde

ah!; ah so!; ah was!; Ah, das; -s, -s; ein lautes Ah ertönte

äh! *[auch ɛ]*

A. H. = Alter Herr (einer student. Verbindung)

aha! *[od.* aˈhaː]

Aha|er|leb|nis, **Aha-Er|leb|nis** (*Psych.*)

Ahas|ver [*auch* aˈha...], der; -s, *Plur.* -s *u.* -e, **Ahas|ve|rus**, der; -, -se *Plur. selten* ⟨hebr.-lat.⟩ (ruhelos umherirrender Mensch; der Ewige Jude); **ahas|ve|risch**

ahd. = althochdeutsch

ahis|to|risch (nicht historisch)

Ahl|beck, See|bad (Stadt auf Usedom)

Ah|le, die; -, -n (nadelartiges Werkzeug); *vgl.* Pfriem

ähm (Verlegenheitssilbe)

Ah|ming, die; -, *Plur.* -e *u.* -s (*Seemannsspr.* Tiefgangsmarke)

Ahn, der; *Gen.* -[e]s *u.* -en, *Plur.* -en (Stammvater, Vorfahr)

ahn|den (*geh. für* strafen; rächen); Ahn|dung

¹Ah|ne, der; -n, -n (*geh. Nebenform von* Ahn)

²Ah|ne, die; -, -n (Stammmutter, Vorfahrin)

äh|neln; ich ähn[e]le

ah|nen

Ah|nen|ga|le|rie; Ah|nen|kult; Ah|nen|rei|he; Ah|nen|ta|fel

Ah|nfrau; Ah|nherr

ähn|lich

- zwei ähnliche Bilder
- einander, sich, jmdm. ähnlich sehen
- eine dem Efeu ähnliche Pflanze, eine efeuähnliche Pflanze

Vgl. aber ähnlichsehen

Großschreibung der Substantivierung ↑K72:

- das Ähnliche und das Verschiedene
- Ähnliches und Verschiedenes
- etwas, viel, nichts Ähnliches
- ich habe Ähnliches erlebt
- oder Ähnliche[s] (*Abk.* o. Ä.); Hüte, Mützen o. Ä. (*aber* Hüte, Mützen o. ä. Kopfbedeckungen)
- es ging um Abgaben und Ähnliches (*Abk.* u. Ä.); und dem Ähnliche[s]

Ähn|lich|keit

ähn|lich|se|hen (von jmdm. nicht anders zu erwarten sein); es sieht ihm ähnlich, hat ihm ähnlichgesehen, uns nicht zu informieren; *aber* einander ähnlich sehen; *vgl.* ähnlich

Ah|nung

äh|nungs|los; Äh|nungs|lo|sig|keit, die; -

äh|nungs|voll

---

ahoi! (*Seemannsspr.* Anruf [eines Schiffes]); Boot ahoi!

Ahorn, der; -s, -e (ein Laubbaum)

Ahorn|si|rup

Ahr, die; - (linker Nebenfluss des Rheins)

Äh|re, die; -, -n; Äh|ren|le|se

...äh|rig (z. B. kurzährig)

AHS, die; -, - (*österr. für* allgemein bildende höhere Schule, Gymnasium)

Ahu|ra Mas|dah (Gestalt der iran. Religion); *vgl.* Ormuzd

AHV, die; - = Alters- und Hinterlassenenversicherung (Schweiz)

Ai, das; -s, -s ⟨indian.⟩ (ein Dreizehenfaultier)

Ai|chin|ger (österr. Schriftstellerin)

Ai|da (Titelgestalt der Oper von Verdi)

Aide [ɛːt], der; -n, -n ⟨franz.⟩ (Mitspieler, Partner bes. im Whist)

Aide-Mé|moire [ˈɛːtmeˈmo̯aːɐ̯], das; -, -[s] (*Politik* Niederschrift von mündlich getroffenen Vereinbarungen)

Aids [eːts], das; - *meist ohne Artikel* ⟨Kurzwort für engl. **a**cquired **i**mmune **d**eficiency **s**yndrome⟩ (erworbenes Immunschwächesyndrom, eine gefährliche Infektionskrankheit)

aids|in|fi|ziert; aids|krank; Aidskran|ke; Aids|test (HIV-Test); Aids|vi|rus

Ai|g|ret|te [ɛˈɡrɛt(ə)], die; -, -n ⟨franz.⟩ ([Reiher]federschmuck; büschelförmiges Gebilde)

Ai|ki|do, das; -[s] ⟨jap.⟩ (jap. Form der Selbstverteidigung)

Ai|nu, der; -[s], -[s] (Ureinwohner der jap. Inseln u. Südsachalins)

¹Air [ɛːɐ̯], das; -s, -s *Plur. selten* ⟨franz.⟩ (Aussehen, Haltung; Fluidum)

²Air, das; -s, -s (alte Form der Vokal- od. Instrumentalmusik, z. B. in der Suite)

Air|bag [ˈɛːɐ̯bɛk], der; -s, -s ⟨engl.⟩ (Luftkissen im Auto, das sich beim Aufprall automatisch aufbläst)

Air|brush [...braʃ], der; -[s], -s, *auch* die; -, -s (ein Farbsprühgerät)

Air|bus ® [ˈɛːɐ̯...], der; -ses (*auch* -), -se ⟨nach dem gleichnamigen Hersteller⟩ (ein Großraumflugzeug)

Air|con|di|tion, Air-Con|di|tion [...kɔnˈdɪʃ(ə)n], die; -, -s, Aircon|di|tio|ner, Air-Con|di|tio|ner, der; -s, -, Air|con|di|tio|ning,

A

Aire

Air-Con|di|tio|ning [...kɔn-
'dɪʃ(ə)nɪŋ], das; -s, -s ⟨engl.⟩
(Klimaanlage)

Aire|dale|ter|ri|er ['ɛ:ɐde:l...]
⟨engl.⟩ (eine Hunderasse)

Air France [ɛ:ɐ'frɑ̃:s], die; - - (franz.
Luftfahrtges.; *Abk.* AF)

Air|line ['ɛ:ɐlain], die; -, -s ⟨engl.⟩
(*engl. Bez. für* Fluggesellschaft)

Air|port ['ɛ:ɐ...], der; -s, -s ⟨engl.⟩
(*engl. Bez. für* Flughafen)

ais, Ais, das; -, - (Tonbezeichnung)

Ais|chy|los [...ç...] *vgl.* Äschylus

Ai|tel, der; -s, - (*bayr., österr. für*
¹Döbel [ein Fisch])

Aja, die; -, -s ⟨ital.⟩ (*veraltet für*
Erzieherin [fürstlicher Kinder])

Aja|tol|lah, **Aya|tol|lah**, der;
-[s], -s ⟨pers.⟩ (schiitischer
Ehrentitel)

Ajax (griech. Sagengestalt)

¹à jour [a 'ʒu:ɐ] ⟨franz., »bis zum
[heutigen] Tag«⟩; à jour sein
(auf dem Laufenden sein)

²à jour ⟨franz., *zu* jour »Fenster«,
eigtl. = durchbrochen⟩ (*Bauw.*
frei gegen den Raum stehend;
durchbrochen [von Geweben]);
à jour gefasst (nur am Rande
gefasst [von Edelsteinen]);
Ajour|ar|beit; ajou|rie|ren (*österr.
für* Ajourarbeit machen)

¹AK, das; -, - = Armeekorps

²AK, der; -, -s = Arbeitskreis

³AK = Alaska

aka ⟨= also known as⟩ (*engl. für*
auch bekannt als)

Aka|de|mie, die; -, ...ien ⟨griech.⟩
(wissenschaftliche Gesellschaft;
[Fach]hochschule; *österr. auch
für* literarische od. musikalische
Veranstaltung)

Aka|de|mi|ker (Person mit Hoch-
schulausbildung); Aka|de|mi|ker-
ar|beits|lo|sig|keit; Aka|de|mi|ke-
rin

aka|de|misch; das akademische
Viertel

Akan|thit, der; -s ⟨griech.⟩ (ein
Mineral)

Akan|thus, der; -, - (stachliges
Staudengewächs); **Akan|thus-
blatt**

Aka|ro|id|harz ⟨griech.; dt.⟩ (ein
Baumharz)

aka|ta|lek|tisch ⟨griech.⟩ (*Verslehre*
unverkürzt)

Aka|tho|lik, der; -en, -en ⟨griech.⟩
(nicht katholischer Christ); **Aka-
tho|li|kin; aka|tho|lisch**

Aka|zie, die; -, -n ⟨griech.⟩ (tropi-
scher Laubbaum od. Strauch)

Ake|lei, die; -, -en ⟨mlat.⟩ (eine
Zier- u. Wiesenpflanze)

AKH, das; -[s] = Allgemeines
Krankenhaus

Aki, das; -[s], -[s] (*Kurzw. für*
Aktualitätenkino)

Akk. = Akkusativ

Ak|kad (ehemalige Stadt in Baby-
lonien)

ak|ka|disch *vgl.* deutsch/Deutsch;
Ak|ka|disch, das; -[s] (Sprache);
Ak|ka|di|sche, das; -n; *vgl.* Deut-
sche, das

Ak|kla|ma|ti|on, die; -, -en ⟨lat.⟩
(*geh. für* Zuruf; Beifall); **ak|kla-
mie|ren** (*geh.*)

Ak|kli|ma|ti|sa|ti|on, die; -, -en ⟨lat.⟩
(Anpassung an veränderte Kli-
ma-, Umwelt- od. Lebensbedingungen)

ak|kli|ma|ti|sie|ren, sich; Ak|kli|ma-
ti|sie|rung *vgl.* Akklimatisation

Ak|ko|la|de, die; -, -n ⟨franz.⟩ (fei-
erliche Umarmung beim Ritter-
schlag u. a.; *Druckw.* Klammer

⏝)

Ak|kom|mo|da|ti|on, die; -, -en
⟨franz.⟩ (*fachspr. für* Anpas-
sung); **ak|kom|mo|die|ren**

Ak|kom|pa|g|ne|ment [...pan-
jə'mã:], das; -s, -s ⟨franz.⟩
(*Musik* Begleitung); **ak|kom|pa-
g|nie|ren**

Ak|kord, der; -[e]s, -e ⟨lat.⟩ (*Musik*
Zusammenklang; *Wirtsch.*
Bezahlung nach Stückzahl)

Ak|kord|ar|beit; Ak|kord|ar|bei|ter;
Ak|kord|ar|bei|te|rin

Ak|kor|de|on, das; -s, -s; Ak|kor|de-
o|nist, der; -en, -en (Akkordeon-
spieler); Ak|kor|de|o|nis|tin

ak|kor|die|ren (*Rechtsspr.* verein-
baren)

Ak|kord|lohn (*Wirtsch.*)

ak|kre|di|tie|ren (*Politik* franz.,
Bankw. ital.) (*Politik* beglaubi-
gen; bevollmächtigen; *Bankw.*
Kredit einräumen); jmdn. bei
einer Bank für einen Betrag
akkreditieren; **Ak|kre|di|tie|rung**

Ak|kre|di|tiv, das; -s, -e ⟨franz.⟩
(*Politik* Beglaubigungsschreiben
eines Botschafters; *Bankw.* Han-
delsklausel, Kreditbrief)

Ak|ku, der; -s, -s (*Kurzw. für*
Akkumulator)

Ak|ku|mu|la|ti|on, die; -, -en ⟨lat.⟩
(kultureller Anpassungspro-
zess); **ak|kul|tu|rie|ren**

Ak|ku|mu|lat, das; -[e]s, -e ⟨lat.⟩
(*Geol.* Anhäufung von Gesteins-
trümmern); **Ak|ku|mu|la|ti|on,**
die; -, -en (Anhäufung)

Ak|ku|mu|la|tor, der; -s, ...oren (ein
Stromspeicher; ein Druckwas-
serbehälter; *Kurzw.* Akku)

ak|ku|mu|lie|ren (anhäufen; sam-
meln, speichern)

ak|ku|rat ⟨lat.⟩ (sorgfältig, ordent-
lich; *landsch.* für genau); **Ak|ku-
ra|tes|se,** die; - ⟨franz.⟩

Ak|ku|sa|tiv, der; -s, -e ⟨lat.⟩
(*Sprachw.* Wenfall, 4. Fall; *Abk.*
Akk.); Akkusativ mit Infinitiv,
lat. accusativus cum infinitivo
(eine grammatische Konstruk-
tion; *Abk.* acc. c. inf. *od.* a. c. i.);
Ak|ku|sa|tiv|ob|jekt

Ak|me, die; - ⟨griech.⟩ (*Med.* Höhe-
punkt [einer Krankheit])

Ak|mo|la (Hauptstadt Kasachs-
tans)

Ak|ne, die; -, -n ⟨griech.⟩ (*Med.*
Hautausschlag)

Ako|luth (*selten für* Akolyth); **Ako-
lyth,** der; *Gen.* -en *u.* -s, *Plur.* -en
⟨griech.⟩ (Laie, der während der
Messe bestimmte Dienste am
Altar verrichtet; *früher* katholischer Kleriker im 4. Grad der
niederen Weihen)

Akon|to, das; -s, *Plur.* ...ten *u.* -s
⟨ital.⟩ (*österr., schweiz. für*
Anzahlung); **Akon|to|zah|lung**
(*Bankw.* Abschlagszahlung); *vgl.*
a conto

AKP = Afrika, Karibik und pazifi-
scher Raum; **AKP-Staa|ten** *Plur.*
(mit den EU-Staaten assoziierte
Entwicklungsländer aus Afrika,
der Karibik und dem Pazifik)

ak|qui|rie|ren [akvi...] ⟨lat.⟩
(anschaffen; *Wirtsch.* Kunden
werben); **Ak|qui|rie|rung**

Ak|qui|se, die; -, -n (Akquisition)

Ak|qui|si|teur [...'tø:ɐ], der; -s, -e
⟨franz.⟩ (Kunden-, Anzeigenwer-
ber); **Ak|qui|si|teu|rin**

Ak|qui|si|ti|on, die; -, -en (Anschaf-
fung; *Wirtsch.* Kundenwerbung)

Ak|qui|si|tor, der; -s, ...oren (*österr.
für* Akquisiteur); **ak|qui|si|to-
risch**

Ak|ri|bie, die; - ⟨griech.⟩ (höchste
Genauigkeit); **ak|ri|bisch**

Ak|ro|bat, der; -en, -en ⟨griech.⟩;
Ak|ro|ba|tik, die; - (große kör-
perliche Gewandtheit, Körper-
beherrschung); **Ak|ro|ba|tin;** ak-
ro|ba|tisch

Ak|ro|le|in, das; -s ⟨griech.; lat.⟩
(eine chemische Verbindung)

Ak|ro|nym, das; -s, -e ⟨griech.⟩ (aus
den Anfangsbuchstaben mehrerer Wörter gebildetes Wort, z. B.
»Aids«)

Ak|ro|po|lis, die; -, ...po̱len (alt-
griech. Stadtburg [von Athen])
Ak|ros|ti|chon, das; -s, *Plur.* ...chen
u. ...cha (Anfangsbuchstaben,
-silben oder -wörter der Verszei-
len eines Gedichtes, die ein
Wort oder einen Satz ergeben)
Ak|ro|ter, der; -s, -e, **Ak|ro|te|ri|on**,
das; -s, ...ien, (*Archit.* Giebel-
zierung)
Ak|ro|ze|pha|lie, die; -, ...i̱en (*Med.*
Spitzschädeligkeit)
äks! (*ugs. für* pfui!)
Akt, der; -[e]s, -e ⟨lat.⟩ (Abschnitt,
Aufzug eines Theaterstückes;
Handlung, Vorgang; künstler.
Darstellung des nackten Körpers); *vgl.* Akte
Ak|tant, der; -en, -en ⟨franz.⟩
(*Sprachw.* abhängiges Satzglied)
Ak|te, die; -, -n, *bes. österr. auch*
Akt, der; -[e]s, *Plur.* -e, *österr.*
-en ⟨lat.⟩; zu den Akten (erle-
digt; *Abk.* z. d. A.)
Ak|tei (Aktensammlung)
Ak|ten|de|ckel
Ak|ten|ein|sicht
Ak|ten|kof|fer
ak|ten|kun|dig
Ak|ten|la|ge; nach Aktenlage
(*Amtsspr.*)
Ak|ten|schrank; Ak|ten|ta|sche
Ak|ten|zahl (*österr. für* Aktenzei-
chen)
Ak|ten|zei|chen (*Abk.* AZ *od.* Az.)
Ak|teur [...'tø:ɐ̯], der; -s, -e ⟨franz.⟩
(Handelnder; Spieler; Schau-
spieler); **Ak|teu|rin**
Ak|tie, die; -, -n ⟨niederl.⟩
(Anteil[schein])
**Ak|ti|en|fonds; Ak|ti|en|ge|sell-
schaft** (AG)
Ak|ti|en|in|dex (*Finanzw.* Kennzif-
fer für die Kursentwicklung am
Aktienmarkt); **Ak|ti|en|in|ha|ber**
(Aktionär); **Ak|ti|en|in|ha|be|rin**
**Ak|ti|en|ka|pi|tal; Ak|ti|en|kurs; Ak-
ti|en|markt; Ak|ti|en|op|ti|on; Ak-
ti|en|pa|ket**
Ak|ti|nie, die; -, -n ⟨griech.⟩ (*Zool.*
eine sechsstrahlige Koralle)
ak|ti|nisch (*Physik* radioaktiv;
Med. durch Strahlung hervorrufen, z. B. von Krankheiten)
Ak|ti|no|me|ter, das; -s, - (*Meteor.*
Strahlungsmesser); **ak|ti|no-
morph** (*Biol.* strahlenförmig)
Ak|ti|on, die; -, -en ⟨lat.⟩ (Hand-
lung, Unternehmung; *schweiz.
auch für* Sonderangebot; *vgl.
aber* Action)
Ak|ti|o|när, der; -s, -e ⟨franz.⟩

(Besitzer von Aktien); **Ak|ti|o|nä-
rin**
Ak|ti|o|närs|ver|samm|lung
Ak|ti|o|nis|mus, der; - ⟨lat.⟩ (Bestre-
ben, durch [provozierende,
künstlerische] Aktionen die
Gesellschaft zu verändern; übertriebener Tätigkeitsdrang); Wiener Aktionismus (eine Kunst-
richtung); **Ak|ti|o|nist**, der; -en,
-en; **Ak|ti|o|nis|tin; ak|ti|o|nis-
tisch**
Ak|ti|ons|art (*Sprachw.* Gesche-
hensweise beim Verb, z. B. per-
fektiv: »verblühen«)
Ak|ti|ons|bünd|nis
Ak|ti|ons|ko|mi|tee
Ak|ti|ons|preis (*Werbespr.*)
Ak|ti|ons|ra|di|us (Reichweite;
Fahr-, Flugbereich)
Ak|ti|ons|tag; Ak|ti|ons|wo|che
Ak|ti|um (griech. Landzunge)
ak|tiv [*auch* 'a...] ⟨lat.⟩ (tätig; wirk-
sam; im Dienst stehend; *selte-
ner für* aktivisch); aktive Beste-
chung; aktive Bilanz; aktives
Wahlrecht; aktiv werden
¹Ak|tiv, das; -s, -e *Plur. selten*
(*Sprachw.* Tatform, Tätigkeits-
form)
²Ak|tiv, das; -s, *Plur.* -s, *seltener* -e
(*regional* Personen, die gemein-
sam an der Lösung bestimmter
Aufgaben arbeiten)
Ak|ti|va, Ak|ti|ven *Plur.* (*Wirtsch.*
Summe der Vermögenswerte
eines Unternehmens)
Ak|tiv|be|zug (*österr. für* Beamten-
gehalt im Ggs. zur Pension)
Ak|tiv|bür|ger (*schweiz. für* Bürger
im Besitz des Stimm- u. Wahl-
rechts); **Ak|tiv|bür|ge|rin**
Ak|ti|ven *vgl.* Aktiva
Ak|tiv|for|de|rung (*Kaufmannspr.*
ausstehende Forderung)
ak|ti|vie|ren (in Tätigkeit setzen;
Vermögensteile in die Bilanz
aufnehmen); **Ak|ti|vie|rung**
ak|ti|visch ⟨lat.⟩ (*Sprachw.* das
¹Aktiv betreffend)
Ak|ti|vis|mus, der; - (Tätigkeits-
drang; zielstrebiges Handeln)
Ak|ti|vist, der; -en, -en (zielbe-
wusst Handelnder; *in der DDR*
jmd., der für vorbildliche Leistungen ausgezeichnet wurde);
Ak|ti|vis|tin; ak|ti|vis|tisch
Ak|ti|vi|tas, die; - (*Verbindungsw.*
Gesamtheit der zur aktiven
Beteiligung in einer Studenten-
verbindung Verpflichteten)
Ak|ti|vi|tät, die; -, -en (Tätig-
keit[sdrang]; Wirksamkeit)

Ak|tiv|koh|le (staubfeiner, poröser
Kohlenstoff); **Ak|tiv|koh|le|fil|ter**
Ak|tiv|le|gi|ti|ma|ti|on (im Zivilpro-
zess die Rechtszuständigkeit
auf der Klägerseite)
Ak|tiv|pos|ten
Ak|tiv|sal|do (Einnahmeüber-
schuss); **Ak|tiv|ver|mö|gen** (wirk-
liches Vermögen)
Ak|t|ri|ce [...sə], die; -, -n ⟨franz.⟩
(*veraltend für* Schauspielerin)
ak|tu|a|li|sie|ren ⟨lat.⟩ (aktuell
machen); **Ak|tu|a|li|sie|rung**
Ak|tu|a|li|tät, die; -, -en (Gegen-
wartsbezogenheit, Zeitnähe);
Ak|tu|a|li|tä|ten|ki|no (*Kurzw.*
Aki)
Ak|tu|ar, der; -s, -e (*schweiz. für*
Schriftführer)
ak|tu|ell ⟨franz.⟩ (gegenwartsnah,
zeitgemäß); die aktuelle *od.*
Aktuelle Stunde (im Parlament) ↑K89
Aku|pres|sur, die; -, -en ⟨lat.⟩ (Heil-
behandlung durch leichten
Druck der Fingerkuppen)
Aku|punk|teur [...'tø:ɐ̯], der; -s, -e
(Person, die Akupunkturen
durchführt); **Aku|punk|teu|rin**
aku|punk|tie|ren
Aku|punk|tur, die; -, -en (Heilbe-
handlung durch Einstechen von
Nadeln an best. Körperpunkten)
Aku̱|spra|che, die; -, -n (*kurz für*
Abkürzungssprache)
Akus|tik, die; - ⟨griech.⟩ (Lehre
vom Schall, von den Tönen;
Klangwirkung); **akus|tisch**
akut ⟨lat.⟩; akutes (dringendes)
Problem; akute (unvermittelt
auftretende, heftig verlaufende)
Krankheit; akut werden
Akut, der; -[e]s, -e (*Phon.* ein Beto-
nungszeichen: ´, z. B. é)
AKW, das; -[s], -[s] = Atomkraft-
werk; **AKW-Geg|ner; AKW-Geg-
ne|rin** ↑K28
Ak|ze|le|ra|ti|on, die; -, -en ⟨lat.⟩
(*Physik* Beschleunigung); **Ak|ze-
le|ra|tor**, der; -s, ...oren
(Beschleuniger); **ak|ze|le|rie|ren**
Ak|zent, der; -[e]s, -e ⟨lat.⟩ (Beto-
nung[szeichen]; Tonfall, Aus-
sprache; Nachdruck); **Ak|zent-
buch|sta|be**
ak|zent|frei; ak|zent|los
Ak|zen|tu|a|ti|on, die; -, -en (Beto-
nung)
ak|zen|tu|ie|ren (betonen); **Ak|zen-
tu|ie|rung**
Ak|zent|wech|sel
Ak|zept, das; -[e]s, -e ⟨lat.⟩
(*Bankw.* Annahmeerklärung des

Bezogenen auf einem Wechsel; der akzeptierte Wechsel selbst)

ak|zep|ta|bel (annehmbar); ...a|b|le Bedingungen; Ak|zep|ta|bi|li|tät, die; -

Ak|zep|tant, der; -en, -en (Bankw. der zur Bezahlung des Wechsels Verpflichtete; Bezogener)

Ak|zep|tanz, die; - (Bereitschaft, etwas zu akzeptieren)

Ak|zep|ta|ti|on, die; -, -en (Annahme)

ak|zep|tie|ren (annehmen; hinnehmen); Ak|zep|tie|rung

Ak|zep|tor, der; -s, ...oren (Bankw. Empfänger)

Ak|zes|si|on, die; -, -en ⟨lat.⟩ (Zugang; Erwerb; Beitritt)

Ak|zes|so|ri|e|tät, die; -, -en (Rechtsw. Abhängigkeit des Nebenrechtes von dem zugehörigen Hauptrecht); ak|zes|so|risch (hinzutretend; nebensächlich)

Ak|zi|dens, das; -, Plur. ...denzien u. ...dentia ⟨lat.⟩ (das Zufällige, was einer Sache nicht wesenhaft zukommt)

ak|zi|den|tell, ak|zi|den|ti|ell (zufällig; unwesentlich)

Ak|zi|denz, die; -, -en meist Plur. (Druckarbeit, die nicht zum Buch-, Zeitungs- u. Zeitschriftendruck gehört [z. B. Formulare]); Ak|zi|denz|druck Plur. ...drucke; Ak|zi|denz|set|zer; Ak|zi|denz|set|ze|rin

Ak|zi|se, die; -, -n ⟨franz.⟩ (früher für Verbrauchssteuer; Zoll)

Al = chem. Zeichen für Aluminium

¹AL, die; - = Alternative Liste

²AL = Alabama

Al. = Alinea

a. l. = ad libitum

ä. L. = ältere[r] Linie (Geneal.)

à la [a la] ⟨franz.⟩ (im Stil, nach Art von)

alaaf! (Karnevalsruf); Kölle alaaf!

à la baisse [- - 'bɛːs] ⟨franz.⟩ (Börsenw. auf Fallen der Kurse [spekulieren])

Ala|ba|ma (Staat in den USA; Abk. AL)

Ala|bas|ter, der; -s, - Plur. selten ⟨griech.⟩ (eine Gipsart); ala|bas|tern (aus od. wie Alabaster)

à la bonne heure! [- - bɔ'nøːɐ̯] ⟨franz.⟩ (so ist es recht!)

à la carte [- - 'kart] ⟨franz.⟩ (nach der Speisekarte); à la carte essen; À-la-carte-Es|sen ↑K26

À-la-carte-Re|s|tau|rant ↑K26

Ala|din (m. Eigenn.; Gestalt aus »1001 Nacht«)

à la hausse [- - 'oːs] ⟨franz.⟩ (Börsenw. auf Steigen der Kurse [spekulieren])

Al-Ak|sa-Mo|schee, die; - (auf dem Tempelberg in Jerusalem)

à la longue [- - 'lõːk] (auf längere Zeit)

à la mode [- - 'mɔt] ⟨franz.⟩ (nach der neuesten Mode)

Ala|mo|de|li|te|ra|tur, die; -; Ala|mo|de|zeit, die; -

Aland, der; -[e]s, -e (ein Fisch)

Åland|in|seln [ˈoː...] Plur. (finn. Inselgruppe in der Ostsee)

Ala|ne, der; -n, -n (Angehöriger eines alten Nomadenvolkes)

Alant, der; -[e]s, -e (eine Heilpflanze)

Ala|rich (König der Westgoten)

Alarm, der; -[e]s, -e ⟨ital.⟩; Alarm|an|la|ge; alarm|be|reit; Alarm|be|reit|schaft; Alarm|glo|cke

alar|mie|ren (ital.-franz.)

Alarm|ka|me|ra (österr. für Überwachungskamera); Alarm|si|g|nal; Alarm|stu|fe; Alarmstufe Rot; Alarm|zu|stand

Alas|ka (nordamerik. Halbinsel; Staat der USA; Abk. AK); alas|kisch

Alaun, der; -s, -e ⟨lat.⟩ (Chemie ein Salz); alau|ni|sie|ren (mit Alaun behandeln); Alaun|stein

a-Laut ↑K29

¹Alb, der; -[e]s, -en (Naturgeist; auch für gespenstisches Wesen; Albdrücken); vgl. aber ²Alp

²Alb, die; - (Gebirge); Schwäbische, Fränkische Alb ↑K140

Al|ban, Al|ba|nus (m. Vorn.)

Al|ba|ner; Al|ba|ne|rin

Al|ba|ni|en (Balkanstaat)

al|ba|nisch vgl. deutsch/Deutsch; Al|ba|nisch, das; -[s] (Sprache); Al|ba|ni|sche, das; -n; vgl. Deutsche, das

Al|ba|nus vgl. Alban

Al|bat|ros, der; -, -se ⟨angloind.-niederl.⟩ (ein Sturmvogel)

Alb|druck, Alp|druck, der; -[e]s, ...drücke; Alb|drü|cken, Alp|drücken, das; -s

Al|be, die; -, -n ⟨lat.⟩ (weißes liturgisches Gewand)

Al|be|do, die; - (Physik Rückstrahlungsvermögen nicht selbst leuchtender Oberflächen [z. B. Schnee od. Eis])

Al|be|rei

Al|be|rich (den Nibelungenhort bewachender Zwerg)

¹al|bern; ich albere

²al|bern; alberne Witze

Al|bern|heit

Al|bert (m. Vorn.)

¹Al|ber|ta [auch ɛlˈbøːɐ̯tə] (kanadische Provinz)

²Al|ber|ta, Al|ber|ti|ne (w. Vorn.)

Al|ber|ti|na, die; - (Sammlung grafischer Kunst in Wien)

al|ber|ti|ni|sche Li|nie, die; -n (sächsische Linie der Wettiner) ↑K89

Al|ber|ti|num, das; -s (Museum in Dresden)

Al|bi|gen|ser, der; -s, - (svw. Katharer)

Al|bin, Al|bi|nus (m. Vorn.)

Al|bi|nis|mus, der; - ⟨lat.⟩ (Unfähigkeit, Farbstoffe in Haut, Haaren u. Augen zu bilden)

Al|bi|no, der; -s, -s ⟨span.⟩ (Mensch, Tier od. Pflanze mit fehlender Farbstoffbildung; al|bi|no|tisch

Al|bi|nus vgl. Albin

Al|bi|on ⟨kelt.-lat.⟩ (alter dichterischer Name für England)

Al|bo|in, Al|bu|in (langobardischer König)

Al|b|recht (m. Vorn.)

Alb|traum, Alp|traum

Al|bu|in vgl. Alboin

¹Al|bu|la, die; - (Fluss in der Schweiz); ²Al|bu|la, der; -[s] (Berg u. Pass in der Schweiz); Al|bu|la|pass, Al|bu|la-Pass, der; -es

Al|bum, das; -s, ...ben ⟨lat.⟩ (Gedenk-, Sammelbuch; auch für Tonträger mit mehreren Musikstücken)

Al|bu|men, das; -s (Med., Biol. Eiweiß); Al|bu|min, das; -s, -e meist Plur. (ein Eiweißstoff); al|bu|mi|nös (eiweißhaltig); Al|bu|mi|n|u|rie, die; -, ...ien ⟨lat.; griech.⟩ (Med. Ausscheidung von Eiweiß im Harn)

Al|bus, der; -, -se (Weißpfennig, alte deutsche Münze)

Al|can|ta|ra ®, das; -[s] ⟨Kunstwort⟩ (Velourslederimitat)

Al|cä|us vgl. Alkäus

Al|ces|te vgl. Alkeste

Al|che|mie, der; - ⟨arab.⟩ (Chemie des MA.s; vermeintl. Goldmacherkunst; Schwarzkunst); Al|che|mist, der; -en, -en (die Alchemie Ausübender); al|che|mis|tisch

Äl|chen (kleiner Aal; Zool. Fadenwurm)

Al|chi|mie usw. vgl. Alchemie usw.

Al|ci|bi|a|des *vgl.* Alkibiades

Al|co|pops *vgl.* Alkopops

Al|cy|o|ne [*auch* ...'tsy:one] usw. *vgl.* Alkyone usw.

Al|de|ba|ran [*auch* ...'ba:...], der; -s ⟨arab.⟩ (ein Stern)

Al|de|hyd, der; -s, -e (*Chemie* eine organische Verbindung)

al den|te ⟨ital.⟩ (*Gastron.* bissfest)

Al|der|man ['ɔːldəmən], der; -s, ...men ⟨engl.⟩ (Ratsherr in angelsächsischen Ländern)

¹Al|di|ne, die; -, -n (Druckwerk des venezianischen Druckers Aldus Manutius)

²Al|di|ne, die; - (*Druckw.* halbfette Antiqua)

Ale [eːl], das; -s, -s ⟨engl.⟩ (engl. Bier)

alea iac|ta est ⟨lat., »der Würfel ist geworfen«⟩ (die Entscheidung ist gefallen)

Ale|a|to|rik, die; - ⟨lat.⟩ (*Musik* moderner Kompositionsstil mit Zufallselementen); ale|a|to|risch (vom Zufall abhängig)

Alek|to (eine der drei Erinnyen)

Ale|man|ne, der; -n, -n (Angehöriger eines germanischen Volksstammes); Ale|man|nin

ale|man|nisch *vgl.* deutsch/ Deutsch; Ale|man|nisch, das; -[s] (deutsche Mundart); Ale|man|nische, das; -n; *vgl.* Deutsche, das

Alep|po|kie|fer ⟨nach der syrischen Stadt Aleppo⟩ (Kiefernart des Mittelmeerraumes)

alert ⟨ital.⟩ (*landsch. für* munter, flink)

Aleu|ron [*od.* 'a(ː)lɔy...], das; -s ⟨griech.⟩ (*Biol.* Reserveeiweiß der Pflanzen)

Ale|u|ten *Plur.* (Inseln zwischen Beringmeer und Pazifischem Ozean)

Ale|vit, der; -en, -en ⟨arab.⟩ (Anhänger einer islamischen Religionsgemeinschaft in Vorderasien); Ale|vi|tin

Alex (m. Vorn.)

Ale|xa (w. Vorn.); Ale|x|an|der (m. Vorn.)

Ale|x|an|der Lu|cas, die; - -, - - (eine Birnensorte)

Ale|x|an|d|ra (w. Vorn.)

Ale|x|an|d|ria [*auch* ...'driːa], Ale|x|an|d|ri|en (ägypt. Stadt)

Ale|x|an|d|ri|ner (Bewohner von Alexandria; ein Versmaß); ale|x|an|d|ri|nisch

Ale|xi|a|ner, der; -s, - ⟨griech.⟩ (Angehöriger einer Laienbruderschaft)

Ale|xie, die; - ⟨griech.⟩ (*Med.* Leseunfähigkeit bei erhaltenem Sehvermögen)

Ale|xin, das; -s, -e *meist Plur.* ⟨griech.⟩ (*Biochemie* ein Abwehrstoff gegen Bakterien)

Alf (m. Vorn.)

Al|fa|gras ⟨arab.; dt.⟩ (zur Papierherstellung verwendete Grasart)

Al|fons (m. Vorn.)

Al|f|red (m. Vorn.)

al fres|co (*häufig für* a fresco)

Al|f|ried (m. Vorn.)

Alg, ALG = Arbeitslosengeld

Al|gar|ve, die u. der; - (südlichste Provinz Portugals)

Al|ge, die; -, -n ⟨lat.⟩

Al|ge|b|ra [*österr.* ...'geː...], die; -, *Plur.* (*für* algebraische Strukturen:) ...ebren ⟨arab.⟩ (Lehre von den mathematischen Gleichungen); al|ge|b|ra|isch; algebraische Gleichungen

Al|ge|nib, der; -s ⟨arab.⟩ (ein Stern)

Al|gen|pest (übermäßiges Auftreten von Algen)

Al|ge|ri|en (Staat in Nordafrika); Al|ge|ri|er; Al|ge|ri|e|rin

al|ge|risch

Al|gier [...ʒiːɐ̯, *schweiz.* ...giːr] (Hauptstadt Algeriens)

Al|gol [*auch* 'a...], der; -s ⟨arab.⟩ (ein Stern)

ALGOL, das; -[s] ⟨Kunstwort aus engl. **al**gorithmic **l**anguage⟩ (eine Programmiersprache)

Al|go|lo|ge, der; -n, -n; Al|go|lo|gie, die; - ⟨lat.; griech.⟩ (Algenkunde); Al|go|lo|gin

Al|gon|kin, das; -[s] (eine indian. Sprachfamilie in Nordamerika)

al|go|rith|misch ⟨arab.⟩ (*Math., EDV*); Al|go|rith|mus, der; -, ...men (nach einem bestimmten Schema ablaufender Rechenvorgang)

Al|gra|fie, Al|gra|phie, die; -, ...ien ⟨lat.; griech.⟩ (Flachdruckverfahren u. danach hergestelltes Kunstblatt)

Al|ham|b|ra, die; - ⟨arab.⟩ (Palast bei Granada)

Ali [*auch* 'ali, a'liː] (m. Vorn.)

ali|as [*auch* ...] (anders; sonst, auch ... genannt); Ali|as [*auch* 'eː:lias], das; -, -[se] ⟨lat.-engl.⟩ (*EDV* Ersatzname)

Ali|bi, das; -s, -s ([Nachweis der] Abwesenheit vom Tatort des Verbrechens; Rechtfertigung); Ali|bi|frau (Frau, die als Beweis für die Verwirklichung der Chancengleichheit angeführt wird); Ali|bi|mann

Ali|ce [...sə, *österr.* ...s] (w. Vorn.)

Ali|en ['eɪliən], der *od.* das; -s, -s ⟨engl.⟩ (außerirdisches Lebewesen)

Ali|e|na|ti|on, die; -, -en ⟨lat.⟩ (*veraltet für* Entfremdung; Verkauf); ali|e|nie|ren (*veraltet für* entfremden; verkaufen)

Ali|g|ne|ment [alɪnjəˈmãː], das; -s, -s ⟨franz.⟩ ([Abstecken einer] Richtlinie); ali|g|nie|ren

Ali|men|ta|ti|on, die; -, -en ⟨lat.⟩ (Lebensunterhalt)

Ali|men|te *Plur.* (*ugs. für* Unterhaltsbeiträge, bes. für nicht eheliche Kinder); ali|men|tie|ren (mit Geldmitteln unterstützen)

Ali|nea, das; -s, -s ⟨lat.⟩ (*veraltet für* [mit Absatz beginnende] neue Druckzeile; *Abk.* Al.)

ali|pha|tisch ⟨griech.⟩ (*Chemie*): aliphatische Verbindung (Verbindungen mit offenen Kohlenstoffketten)

ali|quant ⟨lat.⟩ (*Math.* mit Rest teilend)

ali|quot [*auch* ...'kvoːt] ⟨lat.⟩ (*Math.* ohne Rest teilend; *österr. für* anteilmäßig); ali|quo|tie|ren (*österr. für* anteilmäßig aufteilen)

Al|ita|lia, die; - ⟨ital.⟩ (italien. Luftfahrtgesellschaft)

Ali|za|rin, das; -s ⟨arab.⟩ (ein [Pflanzen]farbstoff)

Alk, der; *Gen.* -[e]s *od.* -en, *Plur.* -e[n] ⟨nord.⟩ (ein arktischer Meeresvogel)

Al Kai|da, die; *vgl.* El Kaida

Al|kai|os *vgl.* Alkäus; al|kä|isch (nach Alkäus benannt)

Al|kal|de, der; -n, -n ⟨span.⟩ (spanischer Bürgermeister, Dorfrichter)

Al|ka|li [*auch* 'a...], das; -s, ...alien *meist Plur.* ⟨arab.⟩ (*Chemie* eine stark basische Verbindung); Al|ka|li|me|tall (*Chemie*)

al|ka|lisch (basisch; laugenhaft)

Al|ka|lo|id, das; -[e]s, -e ⟨arab.; griech.⟩ (eine in Pflanzen vorkommende giftige Stickstoffverbindung)

Al|kä|us (griech. Dichter)

Al|ka|zar [...zar, *österr.* ...'za(ː)r], der; -s, ...zare und ...zare arab.-span.⟩ (Burg, Palast [in Spanien])

Al|ke, Alk|je (w. Vorn.)

Al|kes|te (w. Gestalt der griech. Mythol.)

A
Alki

Al|ki, der; -s, -s ⟨ugs. Kurzw. für Alkoholiker⟩
Al|ki|bi|a|des (griech. Staatsmann)
Al|kje, Al|ke (w. Vorn.)
Alk|man [auch ˈa...] (griech. Dichter); alk|ma|nisch; alkmanischer Vers ↑K89
Alk|me|ne (Gattin des Amphitryon, Mutter des Herakles)
Al|ko|hol [auch ...ˈho:l], der; -s, -e ⟨arab.⟩
al|ko|hol|ab|hän|gig
Al|ko|hol|ex|zess; Al|ko|hol|fah|ne, die; - ⟨ugs.⟩; al|ko|hol|frei
Al|ko|ho|li|ka Plur. (alkoholische Getränke)
Al|ko|ho|li|ker; Al|ko|ho|li|ke|rin; al|ko|ho|lisch
al|ko|ho|li|sie|ren (mit Alkohol versetzen; scherzh. für unter Alkohol setzen); al|ko|ho|li|siert (betrunken)
Al|ko|ho|lis|mus, der; -
Al|ko|hol|kon|sum; al|ko|hol|krank
Al|ko|hol|miss|brauch, der; -[e]s; Al|ko|hol|pro|b|lem; Al|ko|hol|spie|gel
Al|ko|hol|sün|der; Al|ko|hol|sün|de|rin
Al|ko|hol|ver|gif|tung
Al|ko|len|ker ⟨österr. für alkoholisierter Autofahrer⟩; Al|ko|len|ke|rin
Al|ko|li|mit, das; -s, -s ⟨österr. für Promillegrenze⟩
Al|ko|mat, der; -en, -en (Gerät zur Messung des Alkoholspiegels im Blut)
Al|ko|pops, Al|co|pops Plur. ⟨engl.⟩ (alkohol- u. farbstoffhaltige Limonadenmischgetränke)
Al|kor [auch ˈa...], der; -s ⟨arab.⟩ (ein Stern)
Al|ko|ven [auch ˈa...], der; -s, - ⟨arab.⟩ (Nebenraum; Bettnische)
Al|ku|in (angelsächsischer Gelehrter)
Al|kyl, das; -s, -e ⟨arab.; griech.⟩ (Chemie einwertiger Kohlenwasserstoffrest); al|ky|lie|ren (eine Alkylgruppe einführen)
¹Al|ky|o|ne [auch alˈky:one] (Tochter des Äolus)
²Al|ky|o|ne [auch alˈky:one] (ein Stern)
al|ky|o|nisch ⟨geh. für friedlich, windstill⟩
all s. Kasten Seite 173
All, das; -s (Weltall)
all|abend|lich
al|la bre|ve ⟨ital.⟩ (Musik im ¹⁄₂- statt ¹⁄₄-Takt); Al|la-bre|ve-Takt

Al|lah ⟨arab.⟩ (bes. islam. Rel. Gott)
al|la mar|cia [- ...tʃa] ⟨ital.⟩ (Musik marschmäßig)
al|la po|lac|ca ⟨ital.⟩ (Musik in der Art der Polonaise)
Al|lasch, der; -[e]s, -e (ein Kümmellikör)
al|la te|des|ca ⟨ital.⟩ (Musik in der Art eines deutschen Tanzes)
al|la tur|ca ⟨ital.⟩ (Musik in der Art der türkischen Musik)
al|la zin|ga|re|se ⟨ital.⟩ (Musik in der Art der Zigeunermusik)
all|be|kannt
all|da (veraltend)
all|dem, al|le|dem; bei all[e]dem; aber sie sagte nichts von all dem, was sie wusste
all|die|weil, die|weil (veraltet)
al|le vgl. all
al|le|dem, al|le|dem; bei all[e]dem
Al|lee, die; -, Alleen ⟨franz.⟩; Schreibung in Straßennamen: ↑K162 u. 163
Al|le|ghe|nies [ˈeligenɪs] Plur. (svw. Alleghenygebirge); Al|le|ghe|ny-ge|bir|ge [...ni...], das; -s (nordamerik. Gebirge)
Al|le|go|rie, die; -, ...ien ⟨griech.⟩ (Sinnbild; Gleichnis); Al|le|go|rik, die; -; al|le|go|risch; al|le|go|ri|sie|ren (versinnbildlichen)
al|le|g|ret|to ⟨ital.⟩ (Musik mäßig schnell, mäßig lebhaft); Al|le|g|ret|to, das; -s, Plur. -s u. ...tti
al|le|g|ro ⟨Musik lebhaft⟩; Al|le|g|ro, das; -s, Plur. -s u. ...gri
al|lein s. Kasten Seite 173
Al|lei|ne ⟨ugs. für allein⟩
Al|lein|er|be; Al|lein|er|bin
al|lein er|zie|hend, al|lein|er|zie|hend vgl. allein; ↑K58
al|lein Er|zie|hen|de, der u. die; - -n, - -n, Al|lein|er|zie|hen|de, der u. die; -n, -n ↑K58
Al|lein|er|zie|her ⟨österr. für Alleinerziehender⟩; Al|lein|er|zie|he|rin ⟨österr.⟩
Al|lein|flug; Al|lein|gang, der
al|lein gül|tig, al|lein|gül|tig vgl. allein
All|ein|heit, die; - (Philos.)
Al|lein|herr|schaft; Al|lein|herr|scher; Al|lein|herr|sche|rin
al|lei|nig
Al|lein|in|ha|ber; Al|lein|in|ha|be|rin
Al|lein|schuld, die; -
Al|lein|sein, das; -s
al|lein se|lig ma|chend, al|lein se|lig|ma|chend vgl. allein
al|lein|ste|hen, al|lein|ste|hend vgl. allein

Al|lein|ste|hen|de, der u. die; -n, -n; vgl. allein
Al|lein|un|ter|hal|ter; Al|lein|un|ter|hal|te|rin
al|lein ver|bind|lich, al|lein|ver-bind|lich; eine allein verbindliche od. alleinverbindliche Regelung
Al|lein|ver|die|ner; Al|lein|ver|die|ne|rin; Al|lein|ver|tre|tung; Al|lein|ver|trieb
al|lel ⟨griech.⟩; allele Gene; Al|lel, das; -s, -e meist Plur. (eines von zwei einander entsprechenden Genen in homologen Chromosomen)
al|le|lu|ja! usw. vgl. halleluja! usw.
al|le|mal ⟨ugs. für natürlich, in jedem Fall⟩; das kann sie allemal besser; aber: ein für alle Mal, ein für alle Male
Al|le|man|de [al(ə)ˈmãː...], die; -, -n ⟨franz.⟩ (alter dt. Tanz)
al|len|falls vgl. Fall, der
al|lent|hal|ben
Al|ler, die; - (Nebenfluss der Weser)
al|ler|al|ler|letz|te vgl. letzte
al|ler|art (allerlei); allerart Dinge, aber Dinge aller Art
All|er|bar|mer, der; -s (religiöse Bezeichnung für Gott)
al|ler|bes|te; das kann sie am allerbesten; aber ↑K72 : es ist das Allerbeste, dass ...; vgl. beste
al|ler|christ|lichs|te; Al|ler|christ-lichs|te Ma|jes|tät, die; -n - (früher Titel der franz. Könige)
al|ler|dings
al|ler|durch|lauch|tigs|te; Al|ler-durch|lauch|tigs|ter ... (früher Anrede an einen Kaiser)
al|ler|en|den (veraltend für überall)
al|ler|ers|te; zur Groß- u. Kleinschreibung vgl. erste
al|ler|frü|hes|tens
al|ler|gen ⟨griech.⟩ (Med. Allergien auslösend); Al|l|er|gen, das; -s, -e meist Plur. (Med. Stoff, der eine Allergie hervorrufen kann)
Al|l|er|gie, die; -, ...ien (Überempfindlichkeit); al|l|er|gie|ge|tes|tet; Al|l|er|gie|schock, der
Al|l|er|gi|ker; Al|l|er|gi|ke|rin
al|l|er|gisch (überempfindlich)
Al|l|er|go|lo|ge, der; -n, -n; Al|l|er|go|lo|gie, die; - (wissenschaftliche Erforschung der Allergien); Al|l|er|go|lo|gin; al|l|er|go|lo|gisch
al|ler|größ|te vgl. groß
al|ler|hand ⟨ugs.⟩; allerhand Neues

all

alle, alles

- all[e] diese; alle beide
- alle, die geladen waren; sie kamen alle
- sie alle (*als Anrede* Sie alle)
- er opferte sich für alle; ich grüße euch alle
- in, vor, bei allem
- bei, in, mit, nach, trotz, von, zu allem dem *od.* all[e]dem, all[em] diesem
- das, dies[es], was, wer alles
- all[es] das, dies[es]
- alles, was; für, um alles
- bei, mit all[e] diesem
- dem allen (*häufiger für* dem allem)
- diese alle; diesem allen (*auch* diesem allem)
- alle Anwesenden
- alles Gute
- die Freude an allem Schönen; die Freunde alles Schönen
- allen Übels (*meist für* alles Übels)
- etwas allen Ernstes behaupten
- all[e] die Fehler; all[e] die Mühe

- all der Schmerz; all das Schöne
- alle ehrlichen Menschen; aller erwiesene Respekt
- das Bild allen (*auch* alles) geistigen Lebens; aller guten Dinge sind drei; trotz aller vorherigen Planung; mit all[er] seiner Habe

In festen Verbindungen und Redewendungen:

- mein Ein und [mein] Alles
- alles und jedes; alles oder nichts
- alles in allem
- alles in einem
- alles andere
- ein für alle Mal[e], *aber* allemal (*vgl. d.*)
- alle neun[e] (beim Kegeln)
- alle (*landsch.* aller) nase[n]lang, naslang (*ugs.*)
- all[e]zeit; allesamt; allenfalls; allerart (*vgl. d.*); allerdings; allerhand (*vgl. d.*); allerlei (*vgl. d.*); allerorten, allerorts; all[er]seits; allerwärts; alle[r]wege (*vgl. d.*); alltags (*vgl. d.*); allwöchentlich; allzu (*vgl. d.*)

↑K72; allerhand Streiche; das ist ja allerhand
Al|ler|hei|li|gen, das; -, *österr. Plur.* (kath. Fest zu Ehren aller Heiligen); **Al|ler|hei|li|gen|fest**
al|ler|hei|ligs|te; die allerheiligsten Güter; **Al|ler|hei|ligs|te**, das; -n
al|ler|höchs|te; allerhöchstens; auf das, aufs Allerhöchste *od.* auf das, aufs allerhöchste ↑K75
Al|ler|ka|tho|lischs|te Ma|jes|tät, die; -n - (Titel der span. Könige)
al|ler|lei; allerlei Wichtiges ↑K72; **Al|ler|lei**, das; -s, -s; Leipziger Allerlei (Mischgemüse)
al|ler|letz|te; zuallerletzt; *zur Groß- u. Kleinschreibung vgl.* letzte
al|ler|liebst; **Al|ler|liebs|te**, der u. die; -n, -n
Al|ler|manns|har|nisch (Pflanze)
al|ler|meis|te; die allermeisten *od.* Allermeisten glauben ... ↑K77
al|ler|min|des|te; das allermindeste *od.* Allermindeste wäre ...; *vgl.* mindeste

al|ler|nächs|te; *zur Groß- u. Kleinschreibung vgl.* nächste
al|ler|neu|es|te, al|ler|neus|te; das Allerneu[e]ste ↑K72
al|ler|nö|tigs|te; das Allernötigste ↑K72
al|ler|or|ten (*veraltend*); **al|ler|orts** (*geh.*)
Al|ler|see|len, das; - (kath. Gedächtnistag für die Verstorbenen); **Al|ler|see|len|tag**
al|ler|seits, **all|seits**
al|ler|spä|tes|te; al|ler|spä|testens
al|ler|wärts (überall)
al|le[r]|we|ge, al|ler|we|gen, al|ler|wegs (*veraltet für* überall, immer)
al|ler|weil *vgl.* allweil
Al|ler|welts|kerl (*ugs.*); **Al|ler|welts|mit|tel**, das; **Al|ler|welts|na|me; Al|ler|welts|wort** *Plur.* ...wörter
al|ler|we|nigs|te; ↑K77: das allerwenigste *od.* Allerwenigste, was ...; am allerwenigsten; allerwenigstens

Al|ler|wer|tes|te, der; -n, -n (*ugs. scherzh. für* Gesäß)
al|les *vgl.* all; **al|le|samt** (*ugs.*)
Al|les|bes|ser|wis|ser (*ugs.*); **Al|les|bes|ser|wis|se|rin** (*ugs.*)
Al|les|bren|ner (Ofen)
Al|les|fres|ser; Al|les|fres|se|rin
Al|les-in|klu|si|ve-Ur|laub
Al|les|kle|ber
Al|les|kön|ner; Al|les|kön|ne|rin
Al|les|schnei|der (ein Küchengerät)
al|le|we|ge *vgl.* alle[r]wege
al|le|weil *vgl.* allweil
al|lez! [aˈleː] (‹franz., »geht!«›) (vorwärts!)
al|le|zeit, **all|zeit** (*veraltend, noch landsch. für* immer)
all|fäl|lig [*österr.* ...ˈfe...] (*österr., schweiz. für* etwaig, allenfalls [vorkommend], eventuell); **Allfäl|li|ge**, das; -n *meist ohne Artikel* (*österr.* letzter Punkt einer Tagesordnung)
All|gäu, das; -s; **All|gäu|er; All|gäu|e|rin; all|gäu|isch**
All|ge|gen|wart; all|ge|gen|wär|tig

al|lein

- von allein[e] (*ugs.*)

Schreibung in Verbindung mit Verben und Adjektiven ↑K48 u. 58:

- allein sein, bleiben
- die Kinder allein erziehen
- jmdn. allein lassen (ohne Gesellschaft), *aber* jmdn. alleinlassen (im Stich lassen)
- das allein gültige *od.* alleingültige Zahlungsmittel

- die allein selig machende *od.* allein seligmachende Kirche (*bes. kath. Kirche*)
- das Kind kann schon allein stehen, *aber* er wollte im Alter nicht alleinstehen
- sie ist eine alleinstehende Frau (lebt nicht mit einem [Ehe]partner zusammen)
- eine allein erziehende *od.* alleinerziehende Mutter
- die allein Erziehenden *od.* die Alleinerziehenden

A

all|ge|mein

Kleinschreibung:

– die allgemeine Schul-, Wehrpflicht
– allgemeine Geschäftsbedingungen (*Abk.* AGB),
aber Gesetz zur Regelung des Rechts der Allgemeinen Geschäftsbedingungen

Großschreibung der Substantivierung:

– im Allgemeinen (= gewöhnlich; *Abk.* i. Allg.)
– er bewegt sich stets nur im Allgemeinen (= beachtet nicht das Besondere)

Großschreibung auch als Bestandteil von Namen
↑K 88:

– Allgemeine Deutsche Biographie (*Abk.* ADB)
– Allgemeiner Deutscher Automobil-Club (*Abk.* ADAC)
– Allgemeiner Studierendenausschuss (*Abk.* AStA)
– Allgemeines Bürgerliches Gesetzbuch (in Österreich geltend; *Abk.* ABGB)
– Deutsches Allgemeines Sonntagsblatt (Zeitung)

In Verbindung mit einem Adjektiv kann je nach Betonung getrennt od. zusammengeschrieben werden:

– die allgemein gültigen od. **allgemeingültigen** Ausführungen
– ein allgemein verständlicher od. allgemeinverständlicher Text

Aber nur:

– die allgemein anerkannten Verfahren
– die allgemein übliche Verschwendung

In Verbindung mit adjektivisch gebrauchten Partizipien kann getrennt oder zusammengeschrieben werden ↑K 58:

– die allgemein bildenden od. **allgemeinbildenden** Schulen

---

all|ge|mein *s. Kasten*
All|ge|mein|arzt; All|ge|mein|ärztin; All|ge|mein|be|fin|den
all|ge|mein bil|dend, **all|ge|mein|bil|dend** *vgl.* allgemein; ↑K 58; All|ge|mein|bil|dung, die; -
all|ge|mein gül|tig, **all|ge|mein|gül|tig** *vgl.* allgemein; All|ge|mein|gül|tig|keit, die; -
All|ge|mein|gut
All|ge|mein|heit, die; -
All|ge|mein|me|di|zin, die; -; All|ge|mein|me|di|zi|ner; All|ge|mein|me|di|zi|ne|rin
All|ge|mein|platz (abgegriffene Redensart)
all|ge|mein ver|bind|lich, all|ge|mein|ver|bind|lich vgl. allgemein
All|ge|mein|ver|bind|lich|keit, die; -
all|ge|mein ver|ständ|lich, all|ge|mein|ver|ständ|lich vgl. allgemein
All|ge|mein|wis|sen; All|ge|mein|wohl; All|ge|mein|zu|stand
All|ge|walt, die; - (geh.); all|ge|wal|tig (geh., oft iron.)
All|heil|mit|tel, das
All|heit, die; - (Philos.)
Al|li|anz, die; -, -en ⟨franz.⟩ ([Staaten]bündnis); die Heilige Allianz
Al|li|ga|tor, der; -s, ...oren ⟨lat.⟩ (eine Panzerechse)
al|li|ie|ren, sich ⟨franz.⟩ (sich verbünden); Al|li|ier|te, der u. die; -n, -n
all-in|clu|sive ['ɔ:l|ɪn'klu:sɪf] ⟨engl.⟩ (alles [ist im Preis] enthalten); wir reisen all-inclusive;

eine Woche all-inclusive; **All-in|clu|sive-Ur|laub**
Al|li|te|ra|ti|on, die; -, -en ⟨lat.⟩ (Verslehre Anlaut-, Stabreim); al|li|te|rie|rend (stabreimend)
all|lie|bend (geh.)
All|macht, die; - (geh.); all|mäch|tig; All|mäch|ti|ge, der; -n (Gott); Allmächtiger!
all|mäh|lich
All|meind, All|mend, die; -, -en (schweiz. svw. Allmende); All|men|de, die; -, -n (früher für gemeinsam genutztes Gemeindegut); All|mend|recht
all|mo|nat|lich
all|mor|gend|lich
All|mut|ter, die; - (dichter.); Allmutter Natur
all|nächt|lich
al|lo|ch|thon [...x...] ⟨griech.⟩ (Geol. an anderer Stelle entstanden)
Al|lod, das; -[e]s, -e (MA. dem Lehensträger persönlich gehörender Grund und Boden); al|lo|di|al ⟨germ.-mlat.⟩ (zum Allod gehörend)
Al|lo|ga|mie, die; -, ...ien ⟨griech.⟩ (Bot. Fremdbestäubung)
Al|lo|ku|ti|on, die; -, -en ⟨franz.⟩ (feierliche [päpstliche] Ansprache [an die Kardinäle])
Al|lon|ge [a'lõ:ʒə], die; -, -n ⟨franz.⟩ (Wirtsch. Verlängerungsstreifen [bei Wechseln])
Al|lon|ge|pe|rü|cke (langlockige Perücke des 17. u. 18. Jh.s)
Al|lo|pa|thie, die; - ⟨griech.⟩ (ein

Heilverfahren der Schulmedizin); al|lo|pa|thisch
Al|lo|t|ria Plur., heute meist das; -[s] ⟨griech.⟩ (Unfug)
All|par|tei|en|re|gie|rung
All|rad|an|trieb; all|rad|be|trie|ben; allradbetriebene Fahrzeuge
all right! ['ɔ:l 'raɪt] ⟨engl.⟩ (richtig!, in Ordnung!)
All|roun|der ['ɔ:l'raʊndɐ], der; -s, -, All|round|man ['...'raʊntmən], der; -s, ...men [...mən] ⟨engl.⟩ (jmd., der viele Bereiche beherrscht); All|roun|de|rin
all|sei|tig; All|sei|tig|keit; all|seits, al|ler|seits
All-Star-Band ['ɔ:l'sta:ɐ...], die; -, -s ⟨engl.⟩ (Jazzband, die aus berühmten Spielern besteht)
all|stünd|lich
All|tag Plur. selten
all|täg|lich [auch 'a... (= alltags) u. al'tɛ:... (= üblich, gewöhnlich)]; All|täg|lich|keit
all|tags ↑K 70, aber des Alltags; alltags wie feiertags
All|tags|be|schäf|ti|gung; All|tags|er|fah|rung; All|tags|kleid; All|tags|le|ben; All|tags|sor|gen Plur.; All|tags|spra|che, die; -; all|tags|taug|lich; All|tags|trott
all|über|all (geh.)
all|um|fas|send
Al|lü|re, die; -, -n meist Plur. ⟨franz.⟩ (meist abwertend für eigenwilliges Benehmen)
al|lu|vi|al ⟨lat.⟩ (Geol. angeschwemmt, abgelagert)

Al|lu|vi|on, die; -, -en (angeschwemmtes Land)
Al|lu|vi|um, das; -s ⟨ältere Bez. für Holozän⟩
All|va|ter, der; -s (Bez. für Gott)
all|weil, a|l|le[r]|weil (bes. österr. ugs. für immer)
All|wet|ter|klei|dung
all|wis|send; Doktor Allwissend (Märchengestalt); All|wis|sen|heit, die; -
all|wö|chent|lich
all|zeit, a|l|le|zeit (veraltend, noch landsch. für immer)
all|zu; allzu bald, allzu oft, allzu sehr, allzu selten usw. immer getrennt, aber allzumal
all|zu|mal (veraltet für alle zusammen; immer)
All|zweck|tuch Plur. ...tücher; All|zweck|waf|fe
Alm, die; -, -en (Bergweide)
Al|ma (w. Vorn.)
Al|ma-Ata (frühere Hauptstadt Kasachstans)
Al|ma Ma|ter, die; - - ↑K 40 ⟨lat.⟩ (geh. für Universität)
Al|ma|nach, der; -s, -e ⟨niederl.⟩ (Kalender, Jahrbuch)
Al|man|din, der; -s, -e (Abart des ¹Granats)
Al|ma|ty (kasachische Form von Alma-Ata)
Al|mdud|ler ® (bes. österr. eine Kräuterlimonade)
al|men (österr. für Vieh auf der Alm halten); Al|men|rausch, Alm|rausch, der; -[e]s (Alpenrose)
Al|mer (westösterr. neben Senner); Al|me|rin, die; -, -nen
Al|mo|sen, das; -s, - ⟨griech.⟩ (kleine Gabe, geringes Entgelt); Al|mo|sen|emp|fän|ger; Al|mo|sen|emp|fän|ge|rin
Al|mo|se|ni|er, der; -s, -e (geistlicher Würdenträger)
Alm|rausch vgl. Almenrausch
Alm|ro|se (südd., österr., auch ostmitteld. neben Alpenrose)
Al|mut (w. Vorn.)
Aloe [...loe], die; -, -n [...loən] ⟨griech.⟩ (eine Zier- und Heilpflanze); Aloe|ex|trakt; Aloe ve|ra, die; - -, - -s ⟨griech.; lat.⟩ (Pharm. Pflanze, aus der Hautpflegemittel gewonnen werden)
alo|gisch ⟨griech.⟩ (nicht logisch)
alo|ha! ⟨hawaiisch⟩ (hawaiischer Gruß)
Alo|is [...ıs, ...i:s], Alo|i|si|us [auch a'lɔy...] (m. Vorn.); Alo|i|sia [auch a'lɔy...] (w. Vorn.)

¹Alp usw. (alte Schreibung für ¹Alb usw.)
²Alp, die; -, -en (landsch., bes. schweiz. für Alm)
¹Al|pa|ka, das; -s, -s ⟨indian.-span.⟩ (südamerik. Lamaart)
²Al|pa|ka, das u. (für Geweebeart:) der; -s (Wolle vom Alpaka; Reißwolle)
³Al|pa|ka (als ® Alpacca), das; -s (Neusilber)
al pa|ri ⟨ital.⟩ (Bankw. zum Nennwert [einer Aktie]); vgl. pari
Alp|druck, Alb|druck, der; -[e]s, ...drücke; Alp|drü|cken, Alb|drü|cken, das; -s
Al|pe, die; -, -n (schweiz., westösterr. für Alm)
al|pen (schweiz. für Vieh auf einer ²Alp halten)
Al|pen Plur. (Gebirge)
Al|pen|glü|hen, das; -s; Al|pen|jä|ger
al|pen|län|disch
Al|pen|ro|se; Al|pen|veil|chen; Al|pen|ver|ein; Al|pen|vor|land
Al|pha, das; -[s], -s (griechischer Buchstabe: A, α); das Alpha und [das] Omega (geh. für der Anfang und das Ende)
Al|pha|bet, das; -[e]s, -e (Abc); al|pha|be|tisch
al|pha|be|ti|sie|ren (alphabetisch ordnen; Analphabeten lesen und schreiben lehren)
Al|pha Cen|tau|ri, der; - - (hellster Stern im Sternbild Zentaur)
al|pha|me|risch, al|pha|nu|me|risch ⟨griech.; lat.⟩ (EDV Buchstaben und Ziffern enthaltend)
Al|phard, der; - ⟨arab.⟩ (ein Stern)
Al|pha|strah|len, α-Strah|len Plur. ↑K 29 (Physik beim Zerfall von Atomkernen bestimmter radioaktiver Elemente auftretende Strahlen); Al|pha|tier (Zool.)
Al|phei|os, Al|phi|os, der; - (peloponnes. Fluss)
Alp|horn Plur. ...hörner
al|pin ⟨lat.⟩ (die Alpen, das Hochgebirge betreffend od. darin vorkommend); alpine Kombination (Skisport)
Al|pi|na|ri|um, das; -s, ...ien (Naturwildpark im Hochgebirge)
Al|pin|gen|darm (österr. für Gendarm für Gebirgseinsätze); Al|pin|gen|dar|me|rie (österr.)
Al|pi|ni Plur. ⟨ital.⟩ (italienische Alpenjäger)
Al|pi|nis|mus, der; - ⟨lat.⟩ (sportl. Bergsteigen); Al|pi|nist, der; -en,

-en (sportl. Bergsteiger im Hochgebirge); Al|pi|nis|tik, die; - (svw. Alpinismus); Al|pi|nis|tin
Al|pin|sport (bes. österr., schweiz. für alpiner [Ski]sport)
Al|pi|num, das; -s, ...nen (Anlage mit Alpenpflanzen)
Älp|ler (Alpenbewohner); Älp|le|rin; älp|le|risch; Älp|ler|ma|g|ro|nen, Älp|ler|mak|ka|ro|nen Plur. (schweiz. Gericht aus Teigwaren, Kartoffeln u. Käse)
Alp|traum, Alb|traum
al-Qai|da [...k...] vgl. El Kaida
Al|raun, der; -[e]s, -e; vgl. Alraune; Al|rau|ne, die; -, -n (menschenähnlich aussehende Zauberwurzel; Zauberwesen)

als

– als ob
– sie ist klüger als ihr Freund, aber (bei Gleichheit): sie ist so klug wie ihre Freundin

Kommasetzung:

– ↑K 112 : er ist größer als sein Bruder Ludwig; er ist größer, als sein Bruder Ludwig im gleichen Alter war
– ↑K 116 : ich konnte nichts Besseres tun, als nach Hause zu gehen

al s. = al segno
als|bald [schweiz. 'a...]; als|bal|dig [schweiz. 'a...]; als|dann [schweiz. 'a...]
als dass; es ist zu schön, als dass es wahr sein könnte ↑K 126
al se|g|no [- ...njo] ⟨ital.⟩ (Musik bis zum Zeichen [bei Wiederholung eines Tonstückes]; Abk. al s.)
al|so
Als-ob, das; -; Als-ob-Phi|lo|so|phie
Als|ter, die; - (rechter Nebenfluss der unteren Elbe); Als|ter|was|ser Plur. ...wässer (landsch. für Getränk aus Bier und Limonade)
alt s. Kasten Seite 176
Alt, der; -s, -e ⟨lat.⟩ (tiefe Frauenod. Knabenstimme; Sängerin mit dieser Stimme)
Alt... (z. B. Altbundespräsident; in der Schweiz gewöhnlich so geschrieben: alt Bundesrat)
Alt|acht|und|sech|zi|ger, Alt-68er (vgl. Achtundsechziger)
Al|tai, der; -[s] (Gebirge in Zentralasien)
Al|ta|ir vgl. Atair

A
alta

alt

äl|ter, äl|tes|te

– alt aussehen; sich alt fühlen; alt werden
– *Vgl.* alt machen, altmachen

Kleinschreibung ↑K 89:

– alte Sprachen
– die alten Griechen, Römer
– die alten Bundesländer
– alter Mann (*auch Bergmannsspr. für* abgebaute Teile der Grube)
– alten Stils (Zeitrechnung; *Abk.* a. St.)

Großschreibung der Substantivierung ↑K 72:

– etwas Altes
– der Alte (Greis), die Alte (Greisin)
– er ist immer der Alte (derselbe); wir bleiben die Alten (dieselben)
– es bleibt alles beim Alten; es beim Alten lassen
– am Alten hängen
– Altes und Neues
– eine Mischung aus Alt und Neu
– aus Alt mach Neu

– Alte und Junge
– der Konflikt zwischen Alt und Jung (den Generationen)
– ein Fest für Alt und Jung (jedermann)
– die Alten (alte Leute, Völker)
– der Älteste (Kirchenälteste); die Ältesten (der Gemeinde)
– mein Ältester (ältester Sohn), *aber* er ist der älteste meiner Söhne

Großschreibung auch als Bestandteil von Namen und in bestimmten namenähnlichen Verbindungen ↑K 88 u. 89 :

– der Ältere (*Abk.* d. Ä.; als Ergänzung bei Eigennamen)
– der Alte Fritz (Friedrich II., der Große, König von Preußen)
– Alter Herr (*Verbindungsw. für* Vater u. *für* Altmitglied einer studentischen Verbindung; *Abk.* A. H.)
– das Alte Testament (*Abk.* A. T.)
– die Alte Welt (Europa, Asien u. Afrika im Gegensatz zu Amerika)

---

al|ta|isch; altaische Sprachen

Al|ta|mi|ra (Höhle in Spanien mit altsteinzeitlichen Malereien)

Al|tan, der; -[e]s, -e ⟨ital.⟩ (Balkon; Söller)

Alt|an|la|ge, die; -, -n (*Fachspr.*)

Al|tar, der; -[e]s, ...täre ⟨lat.⟩; Al|tar|bild

Al|tar[s]|sa|k|ra|ment, das; -[e]s

alt|ba|cken; altbackenes Brot; altbackene Vorstellungen

Alt|bau, der; -[e]s, -ten

Alt|bau|woh|nung

alt|be|kannt

Alt-Ber|lin ↑K 144

alt|be|währt

Alt|bier (obergäriges Bier)

Alt|bun|des|kanz|ler; Alt|bun|des|prä|si|dent; Alt|bun|des|trai|ner

alt|deutsch

Alt|dorf (Hauptort des Kantons Uri)

Alt|dor|fer (deutscher Maler)

Al|te, der u. die; -n, -n

alt|ehr|wür|dig (*geh.*)

alt|ein|ge|ses|sen

Alt|ei|sen, das; -s

Al|te Land, das; -n -[e]s (Teil der Elbmarschen)

Al|te|na (Stadt im Sauerland); Al|te|na|er; al|te|na|isch

alt|eng|lisch

Al|ten|heim; Al|ten|hil|fe, die; -

Al|ten|pfle|ger; Al|ten|pfle|ge|rin

Al|ten|teil, das; sich auf das/sein Altenteil zurückziehen

Al|ten|wohn|heim

Al|ter, das; -s, -; eine Frau mittleren Alters, *aber* ↑K 70 : seit alters (*geh.*), von alters her (*geh.*)

Al|te|ra|ti|on, die; -, -en ⟨lat.⟩ (*Musik* chromatische Veränderung eines Akkordtones; *Med.* krankhafte Veränderung)

Al|ter|chen

Al|ter E|go [*auch* - 'ε...], das; - - ⟨lat.⟩ (anderes Ich; vertrauter Freund)

al|te|rie|ren ⟨franz.⟩; sich alterieren (sich aufregen); alterierter Klang (*Musik* Alteration)

al|tern; ich altere; Al|tern, das; -s

Al|ter|nanz, die; -, -en ⟨lat.⟩ (Wechsel, Abwechslung)

al|ter|na|tiv (wahlweise; zwischen zwei Möglichkeiten die Wahl lassend; für als menschen- und umweltfreundlicher angesehene Formen des [Zusammen]lebens eintretend; im Gegensatz zum Herkömmlichen stehend); alternative Wählervereinigungen; alternative Energien; Al|ter|na|tiv|be|we|gung

¹Al|ter|na|ti|ve, die; -, -n (Entscheidung zwischen zwei [oder mehr] Möglichkeiten; Möglichkeit des Wählens; eine von zwei oder mehr Möglichkeiten)

²Al|ter|na|ti|ve, der u. die; -n, -n (jmd., der einer Alternativbewegung angehört)

Al|ter|na|tiv|ener|gie; Al|ter|na|tiv|kul|tur

al|ter|na|tiv|los

Al|ter|na|tiv|pro|gramm; Al|ter|na|tiv|sze|na|rio

al|ter|nie|ren ([ab]wechseln)

al|ter|nie|rend; alternierende Blattstellung (*Bot.*)

Al|terns|for|schung, die; - (*für* Gerontologie); Al|terns|vor|gang

alt|er|probt

al|ters *vgl.* Alter

Al|ters|ar|mut

al|ters|be|dingt

Al|ters|be|schwer|den *Plur.*

Al|ters|di|a|be|tes

Al|ters|dis|kri|mi|nie|rung

Al|ters|fleck (altersbedingte Hautverfärbung)

al|ters|ge|recht

Al|ters|gren|ze; Al|ters|grup|pe

Al|ters|heil|kun|de, die; - (*für* Geriatrie)

Al|ters|heim

Al|ters|jahr (*schweiz. für* Lebensjahr)

a|lters|los

Al|ters|py|ra|mi|de (graf. Darstellung des Altersaufbaus einer Bevölkerung in Form einer Pyramide)

Al|ters|ren|te; Al|ters|rück|stel|lung (*Versicherungsw.*); Al|ters|ru|he|geld

al|ters|schwach; Al|ters|schwä|che, die; -; Al|ters|si|che|rung

Al|ters|sich|tig|keit, die; -

Al|ters|starr|sinn; Al|ters|teil|zeit; Al|ters|un|ter|schied; Al|ters|versi|che|rung; Al|ters|ver|sor|gung; al|ters|ver|wirrt

Al|ters|vor|sor|ge; Al|ters|werk

Al|ter|tum, das; -s; das klassische Altertum

Al|ter|tü|me|lei; al|ter|tü|meln (Stil u. Wesen des Altertums nachahmen); ich altertüm[e]le

Al|ter|tü|mer *Plur.* (Gegenstände aus dem Altertum); **al|ter|tümlich; Al|ter|tüm|lich|keit,** die; -

Al|ter|tums|for|scher; Al|ter|tumsfor|sche|rin; Al|ter|tums|forschung, die; -

Al|ter|tums|kun|de, die; - (*für* Archäologie); Al|ter|tums|wissen|schaft

Al|te|rung (*auch für* Reifung; Veränderung durch Altern); Al|terungs|pro|zess

Äl|tes|te, der *u.* die; -n, -n; **Äl|testen|rat; Äl|tes|ten|recht** (Seniorat)

alt|frän|kisch (*veraltend für* altmodisch)

alt|ge|dient

Alt|gei|ge (Bratsche)

Alt|ge|sel|le; Alt|ge|sel|lin

alt|ge|wohnt

Alt|glas, das; -es; Alt|glas|be|hälter; Alt|glas|con|tai|ner

Alt|gold

Alt|grad (veraltet für Grad als 90. Teil des rechten Winkels)

alt|grie|chisch

Al|thee, die; -, -n ⟨griech.⟩ (Eibisch)

Alt-Hei|del|berg ↑K144

alt|her|ge|bracht

Alt|her|ren|mann|schaft (Sport)

Alt|her|ren|schaft (Verbindungsw.)

alt|hoch|deutsch (Abk. ahd.); vgl. deutsch; **Alt|hoch|deutsch,** das; -[s] (Sprache); vgl. Deutsch; **Alt|hoch|deut|sche,** das; -n; vgl. Deutsche, das

Al|tist, der; -en, -en ⟨lat.⟩ (Knabe mit Altstimme); **Al|tis|tin** (Altsängerin)

Alt|jahr|abend, Alt|jahrs|abend [auch ...'ja:...] (landsch., schweiz. für Silvesterabend); **Alt|jahrs|tag** (österr., schweiz. für Silvester)

alt|jüng|fer|lich

Alt|kanz|ler; Alt|kanz|le|rin

Alt|ka|tho|lik, **Alt-Ka|tho|lik** (die Kirchengemeinschaft selbst verwendet den Bindestrich); **alt|katho|lisch, alt-ka|tho|lisch; Alt|katho|li|zis|mus, Alt-Ka|tho|li|zismus**

alt|klug; alt|klu|ger, alt|klugs|te

Alt|last meist Plur.

ält|lich

alt ma|chen, alt|ma|chen; die Erfahrungen haben ihn frühzeitig alt gemacht od. altgemacht; Kleider, die alt machen od. altmachen

Alt|mark, die; - (Landschaft westlich der Elbe); **alt|mär|kisch**

Alt|ma|te|ri|al

Alt|meis|ter (urspr. Vorsteher einer Innung; [als Vorbild geltender] altbewährter Meister in einem Fachgebiet); **Alt|meis|te|rin**

Alt|me|tall

alt|mo|disch

alt|nor|disch vgl. deutsch; **Alt|nordisch,** das; -[s] (älteste nordgermanische Sprachstufe); vgl. Deutsch; **Alt|nor|di|sche,** das; -n; vgl. Deutsche, das

Al|to Adi|ge [- ...dʒe] (ital. Name für Südtirol)

Alt|öl

Al|to|na (Stadtteil von Hamburg); Al|to|na|er; al|to|na|isch

Alt|pa|pier, das; -s

Alt|pa|pier|be|häl|ter; Alt|pa|piersamm|lung

Alt|par|tei|en Plur.

Alt|phi|lo|lo|ge; Alt|phi|lo|lo|gie (klassische Philologie); **Alt|philo|lo|gin;** alt|phi|lo|lo|gisch

Alt|ro|cker; Alt|ro|cke|rin

alt|rö|misch

alt|ro|sa

Alt|ru|is|mus, der; - ⟨lat.⟩ (Selbstlosigkeit)

Alt|ru|ist, der; -en, -en; **Alt|ru|istin;** al|t|ru|is|tisch (selbstlos)

alt|sprach|lich; altsprachlicher Zweig

Alt|stadt; Alt|stadt|sa|nie|rung

Alt|stein|zeit, die; - (für Paläolithikum)

Alt|stim|me

Alt|stoff meist Plur.; Alt|stoff|sammel|zen|t|rum (österr. für Recyclinghof); **Alt|stoff|samm|lung**

alt|tes|ta|men|ta|risch

Alt|tes|ta|ment|ler (Erforscher des A. T.); **Alt|tes|ta|ment|le|rin;** alt|tes|ta|ment|lich

Alt|tier (Jägerspr. Muttertier beim Rot- u. Damwild)

Alt|ti|rol (das historische Tirol bis 1919)

alt|über|lie|fert

alt|vä|te|risch (altmodisch); **alt|väter|lich** (ehrwürdig)

alt|ver|traut

Alt|vor|dern Plur. (veraltend für Vorfahren)

Alt|wa|ren Plur.; Alt|wa|ren|händler; Alt|wa|ren|händ|le|rin

Alt|was|ser, das; -s, ...wasser (ehemaliger Flussarm mit stehendem Wasser)

Alt|wei|ber|fas[t]|nacht (bes. landsch. für letzter Donnerstag vor Aschermittwoch); **Alt|weiber|ge|schwätz; Alt|wei|ber|som|mer** (warme Nachsommertage; vom Wind getragene Spinnweben)

Alt-Wien ↑K144; alt-wie|ne|risch

Alu, das; -s (ugs. Kurzwort für Aluminium)

Alu|fo|lie (kurz für Aluminiumfolie)

Alu|mi|nat, das; -[e]s, -e ⟨lat.⟩ (Chemie Salz der Aluminiumsäure)

alu|mi|nie|ren (Metallteile mit Aluminium überziehen)

Alu|mi|nit, das; -s (ein Mineral)

Alu|mi|ni|um, das; -s (chemisches Element, Leichtmetall; Zeichen Al); **Alu|mi|ni|um|fo|lie**

Alum|na, die; -, ...nae (w. Form zu ²Alumnus)

Alum|nat, das; -[e]s, -e ⟨lat.⟩ (Schülerheim; österr. veraltend für Einrichtung zur Ausbildung von Geistlichen)

Alum|ne, der; -n, -n, ¹Alum|nus, der; -, ...nen u. ...ni (Alumnatszögling)

²Alum|nus, der; -, ...ni ⟨lat.-engl.⟩ (ehem. Student einer Hochschule)

al|ve|o|lar, der; -s, -e ⟨lat.⟩ (Sprachw. am Gaumen unmittelbar hinter den Zähnen gebildeter Laut, z. B. d)

Al|ve|o|le, die; -, -n ⟨lat.⟩ (Med. Zahnmulde im Kiefer; Lungenbläschen)

Al|weg|bahn ⟨Kurzw. nach dem Schweden Axel Leonard Wenner-Gren⟩ (Einschienenbahn)

Al|win (m. Vorn.); Al|wi|ne (w. Vorn.)

Al|zerl, das; -s, -n (ostösterr. ugs. für geringe Menge)

Alz|hei|mer (kurz für Alzheimerkrankheit; **Alz|hei|mer|krankheit, Alz|hei|mer-Krank|heit,** die; - ⟨nach dem dt. Neurologen Alzheimer⟩ (mit fast völligem Gedächtnisverlust verbundene Gehirnkrankheit)

am (dem; Abk. a. [bei Ortsnamen, z. B. Ludwigshafen a. Rhein]; vgl. an); am Sonntag, dem (od. den) 27. März ↑K32; am Boden (österr. auch für auf dem Boden); am Programm

(*österr. auch für* auf dem Programm)

Am = *chem. Zeichen für* Americium

a. m. = ante meridiem; ante mortem

Ama|de|us (m. Vorn.)

Ama|ler, Ame|lun|gen *Plur.* (ostgot. Königsgeschlecht)

Amal|gam, das; -s, -e ⟨mlat.⟩ (Quecksilberlegierung); **Amal|gam|fül|lung**

amal|ga|mie|ren (mit Quecksilber legieren; mit Quecksilber aus Erzen gewinnen)

Ama|lia, Ama|lie (w. Vorn.)

Aman|da (w. Vorn.)

am an|ge|führ|ten, an|ge|ge|be|nen Ort (*Abk.* a. a. O.)

¹Ama|rant, der; -s, -e ⟨griech.⟩ (eine Zierpflanze)

²Ama|rant, der, *auch* das; -s (ein Farbstoff)

ama|ran|ten (dunkelrot); **ama|rant|rot**

Ama|rel|le, die; -, -n ⟨lat.⟩ (eine Sauerkirschensorte)

Ama|ret|to, der; -s, ...tti ⟨ital.⟩ (ein Mandellikör)

Ama|ryl, der; -s, -e ⟨griech.⟩ (künstl. Saphir); **Ama|ryl|lis,** die; -, ...llen (eine Zierpflanze)

Ama|teur [...ˈtøːɐ̯], der; -s, -e ⟨franz.⟩ (jmd., der Kunst, Sport usw. aus Liebhaberei ausübt; Nichtfachmann)

Ama|teur|film

Ama|teur|funk; Ama|teur|fun|ker; Ama|teur|fun|ke|rin

Ama|teur|fuß|ball

ama|teur|haft; Ama|teu|rin

Ama|teur|sport; Ama|teur|sta|tus

¹Ama|ti (italienischer Meister des Geigenbaus)

²Ama|ti, die; -, -s (von der Geigenbauerfamilie Amati hergestellte Geige)

Ama|zo|nas, der; - (südamerikanischer Strom)

Ama|zo|ne, die; -, -n (Angehörige eines kriegerischen Frauenvolkes der griechischen Sage; *auch für* Turnierreiterin); **Ama|zo|nen|sprin|gen,** das; -s, - (Springreiten, an dem nur Reiterinnen teilnehmen)

Am|bas|sa|deur [...ˈdøːɐ̯], der; -s, -e (*veraltet für* Botschafter, Gesandter)

Am|be, die; -, -n ⟨lat.⟩ (*Math.* Verbindung zweier Größen in der Kombinationsrechnung)

Am|ber, der; -s, -[n] *u.* **Am|b|ra,** die; -, -s ⟨arab.⟩ (Ausscheidung des Pottwals; Duftstoff)

Am|bi|ance [ãbjãs], die; - ⟨franz.⟩ (*schweiz. für* Umgebung, Stimmung)

Am|bi|en|te, das; - ⟨ital.⟩ (Umwelt, Atmosphäre)

am|big, am|bi|gue [...gu̯ə] ⟨lat.⟩ (mehrdeutig, doppelsinnig); **Am|bi|gu|i|tät,** die; -, -en

Am|bi|ti|on, die; -, -en (Ehrgeiz); **am|bi|ti|o|niert** (ehrgeizig, strebsam); **am|bi|ti|ös** (*meist abwertend* ehrgeizig)

am|bi|va|lent ⟨lat.⟩ (doppeldeutig; zwiespältig); **Am|bi|va|lenz,** die; -, -en (Doppelwertigkeit)

¹Am|bo, der; -s, *Plur.* -s *u.* ...ben ⟨lat.⟩ (*österr. für* Doppeltreffer beim Lotto)

²Am|bo, der; -s, -s, **Am|bon,** der; -s, ...bonen (erhöhtes Lesepult in christl. Kirchen)

Am|boss, der; -es, -es -e

Am|b|ra *vgl.* Amber

Am|b|ro|sia, die; - ⟨griech.⟩ (Götterspeise in der griech. Sage)

am|b|ro|si|a|nisch ⟨*zu* Ambrosius⟩; ambrosianische Hymnen ⟨*kath. Kirche*⟩ ↑K 89 *u.* 135

am|b|ro|sisch ⟨griech.⟩ (*geh., veraltend für* himmlisch)

Am|b|ro|si|us (Kirchenlehrer)

am|bu|lant ⟨lat.⟩ (wandernd; *Med.* nicht stationär); ambulantes Gewerbe (Wandergewerbe); ambulante Behandlung

Am|bu|lanz, die; -, -en (bewegliches Lazarett; Krankentransportwagen; Abteilung einer Klinik für ambulante Behandlung)

am|bu|la|to|risch; ambulatorische Behandlung; **Am|bu|la|to|ri|um,** das; -s, ...ien (Raum, Abteilung, medizin. Einrichtung für ambulante Behandlung)

Amei|se, die; -, -n

Amei|sen|bär

Amei|sen|hau|fen

Amei|sen|säu|re

Ame|lia, Ame|lie [...li, *auch* ameˈliː, aˈmeːljə] (w. Vorn.)

Ame|li|o|ra|ti|on, die; -, -en ⟨lat.⟩ (Verbesserung [des Ackerbodens]); **ame|li|o|rie|ren**

Ame|lun|gen *vgl.* Amaler

amen ⟨hebr.⟩; in Ewigkeit, amen!

Amen, das; -s, - *Plur. selten* (feierliche Bekräftigung); zu allem Ja und Amen *od.* ja und amen sagen (*ugs.*)

Amen|de|ment [amãdəˈmãː], das; -s, -s ⟨franz.⟩ (Zusatz-, Abände-

rungsantrag zu Gesetzen); **amen|die|ren** [amɛn...]

Amen|ho|tep, Ame|no|phis (ägyptischer Königsname)

Ame|nor|rhö, die; -, -en ⟨griech.⟩ (*Med.* Ausbleiben der Menstruation); **ame|nor|rho|isch**

Ame|ri|can Foot|ball [əˈmerɪkən ˈfʊtbɔːl] (*vgl.* Football)

Ame|ri|ci|um, das; -s ⟨*nach* Amerika⟩ (chemisches Element, Transuran; *Zeichen* Am)

Ame|ri|ka

Ame|ri|ka|deut|sche, der *u.* die

Ame|ri|ka|ner; Ame|ri|ka|ne|rin

ame|ri|ka|nisch *vgl.* deutsch

ame|ri|ka|ni|sie|ren; Ame|ri|ka|ni|sie|rung

Ame|ri|ka|nis|mus, der; -, ...men (sprachliche Besonderheit im amerik. Englisch; Entlehnung aus dem Amerikanischen)

Ame|ri|ka|nist, der; -en, -en; **Ame|ri|ka|nis|tik,** die; - (Erforschung der Sprache u. Kultur Amerikas); **Ame|ri|ka|nis|tin**

Ame|thyst, der; -[e]s, -e ⟨griech.⟩ (ein Schmuckstein); **ame|thys|ten** (amethystfarben)

Ame|t|rie, die; -, ...ien ⟨griech.⟩ (Ungleichmäßigkeit; Missverhältnis); **ame|t|risch**

Am|ha|ra *Plur.* (hamitisches Volk in Äthiopien); **am|ha|risch** *vgl.* deutsch; **Am|ha|risch,** das; -[s] (Sprache); *vgl.* Deutsch

Ami, der; -s, -s (*ugs. Kurzw. für* Amerikaner)

Ami|ant, der; -s, -e ⟨griech.⟩ (ein Mineral)

Ami|go, der; -s, -s ⟨span., »Freund«⟩ (*ugs. für* Geschäftsmann als Freund und Gönner eines Politikers)

Amin, das; -s, -e (*Chemie* organische Stickstoffverbindung)

Ami|no|säu|re, die; - (Eiweißbaustein)

Ami|schen, Amish [ˈaːmɪʃ, *engl.* ˈeɪmɪʃ] *Plur.* ⟨nach Jakob Amman⟩ (christl. Glaubensgemeinschaft)

Ami|to|se, die; - ⟨griech.⟩ (*Biol.* einfache Zellkernteilung)

Am|man (Hauptstadt Jordaniens)

Am|mann, der; -[e]s, ...männer (*schweiz.*); *vgl.* Gemeinde-, Landammann

Am|me, die; -, -n; **Am|men|mär|chen**

¹Am|mer, die; -, -n, *fachspr. auch* der; -s, -n (ein Singvogel)

²Am|mer, *im Unterlauf* **Am|per,** die; - (Isarzufluss)

A

Amts

Am|mer|see, der; -s
Am|mon (altägyptischer Gott);
Jupiter Ammon
Am|mo|ni|ak [*auch* 'a..., *österr.*
a'mo:...], das; -s ⟨ägypt.⟩ (*Chemie* stechend riechende, gasför-
mige Verbindung von Stickstoff
u. Wasserstoff)
Am|mo|nit, der; -en, -en ⟨ägypt.⟩
(Ammonshorn)
Am|mo|ni|ter, der; -s, - ⟨ägypt.⟩
(Angehöriger eines alttesta-
mentl. Nachbarvolks der Israe-
liten)
Am|mo|ni|um, das; -s ⟨ägypt.⟩
(*Chemie* aus Stickstoff u. Wasserstoff bestehende Atom-
gruppe)
Am|mons|horn, das; -[e]s, ...hörner
⟨ägypt.; dt.⟩ (Versteinerung)
Am|ne|sie, die; -, ...ien ⟨griech.⟩
(*Med.* Gedächtnisschwund); **am-
ne|sisch**
Am|nes|tie, die; -, ...ien (Begnadi-
gung, Straferlass); **am|nes|tie|ren**
Am|nes|ty In|ter|na|tio|nal
['ɛmnɪstɪ ɪntɐ'næʃən̩] ⟨engl.⟩
(internationale Organisation
zum Schutz der Menschen-
rechte)
Amö|be, die; -, -n ⟨griech.⟩ (*Zool.*
ein Einzeller); **amö|bo|id** (amö-
benartig)
Amok [*auch* 'a'mɔk], der; -s
⟨malai.⟩; Amok laufen ([in
einem Anfall von Paranoia]
umherlaufen und blindwütig
töten)
Amok|fah|rer; Amok|fah|re|rin
Amok|lauf; Amok|lau|fen, das; -s
**Amok|läu|fer; Amok|läu|fe|rin;
Amok|schüt|ze; Amok|schüt|zin**
a-Moll [*auch* 'a:'mɔl], das; - (Ton-
art; *Zeichen* a); **a-Moll-Ton|lei|ter**
↑K 26
Amor (röm. Liebesgott)
Amo|ral, die; - ⟨lat.⟩ (Unmoral)
amo|ra|lisch (sich über die Moral
hinwegsetzend)
Amo|ra|lis|mus, der; - (gleichgül-
tige od. feindl. Einstellung
gegenüber der geltenden Moral)
Amo|ra|li|tät, die; - (amoralische
Lebenshaltung)
Amo|ret|te, die; -, -n ⟨franz.⟩ (*bild.
Kunst* Figur eines geflügelten
Liebesgottes)
amorph ⟨griech.⟩ (gestaltlos)
amor|ti|sa|bel ⟨franz.⟩ (tilgbar);
...a|b|le Anleihen
Amor|ti|sa|ti|on, die; -, -en ⟨lat.⟩
([allmähliche] Tilgung; Ab-

schreibung, Abtragung [einer
Schuld])
amor|ti|sier|bar; amor|ti|sie|ren
Amos (biblischer Prophet)
Amou|ren [a'mu:...] *Plur.* ⟨franz.⟩
(*veraltend für* Liebschaften, Lie-
besabenteuer)
Amour fou [amur 'fu], die; - -
⟨franz.⟩ (rasende Liebe)
amou|rös
Am|pel, die; -, -n
Am|pel|ko|a|li|ti|on (nach den Par-
teifarben Rot, Gelb, Grün)
(Koalition aus SPD, FDP und
Grünen)
Am|pel|männ|chen (Symbol bei
Fußgängerampeln)
Am|pel|schal|tung *(Verkehrsw.)*
Am|per *vgl.* [2]Ammer
Am|pere [...'peːɐ̯], das; -[s], - ⟨nach
dem franz. Physiker Ampère⟩
(Einheit der elektr. Stromstärke;
Zeichen A)
Am|pere|me|ter (Strommesser);
Am|pere|se|kun|de (Einheit der
Elektrizitätsmenge; *Zeichen*
As); **Am|pere|stun|de** (Einheit
der Elektrizitätsmenge; *Zeichen*
Ah)
Amp|fer, der; -s, - (eine Pflanze)
Am|phe|t|a|min, das; -s, -e (als
Weckamin gebrauchte chemische Verbindung)
Am|phi|bie, die; -, -n *meist Plur.*
⟨griech.⟩ (sowohl im Wasser als
auch auf dem Land lebendes
Wirbeltier; Lurch)
Am|phi|bi|en|fahr|zeug (Land-Was-
ser-Fahrzeug); **Am|phi|bi|en|pan-
zer**
am|phi|bisch
Am|phi|go|nie, die; - ⟨griech.⟩ (*Biol.*
zweigeschlechtige Fortpflan-
zung)
Am|phi|k|ty|o|ne, der; -n, -n
⟨griech.⟩ (Mitglied einer
Amphiktyonie); **Am|phi|k|ty|o-
nie,** die; -, ...ien (im kultisch-politi-
scher Verband altgriechischer
Nachbarstaaten od. -stämme)
Am|pi|ol|le ®, die; -, -n (*Med.*
Kombination aus Ampulle und
Injektionsspritze)
Am|phi|the|a|ter ⟨griech.⟩ (ellipti-
sches, meist dachloses Theater-
gebäude mit stufenweise auf-
steigenden Sitzen); **am|phi|the|a-
t|ra|lisch**
Am|phi|t|ri|te (griechische Meeres-
göttin)
Am|phi|t|ry|on (sagenhafter König
von Tiryns)
Am|pho|ra, Am|pho|re, die; -,

...oren ⟨griech.⟩ (zweihenkliges
Gefäß der Antike)
am|pho|ter ⟨griech., »zwitterhaft«⟩
(*Chemie* sich teils als Säure, teils
als Base verhaltend)
Am|p|li|fi|ka|ti|on, die; -, -en ⟨lat.⟩
(*fachspr. für* Erweiterung;
kunstvolle Ausweitung einer
Aussage); **am|p|li|fi|zie|ren**
Am|p|li|tu|de, die; -, -n (*Physik*
Schwingungsweite, Ausschlag)
Am|pul|le, die; -, -n ⟨griech.⟩ (Glas-
röhrchen [bes. für Injektionslö-
sungen])
Am|pu|ta|ti|on, die; -, -en ⟨lat.⟩
(operative Abtrennung eines
Körperteils); **am|pu|tie|ren**
Am|rum (Nordseeinsel)
Am|sel, die; -, -n
Ams|ter|dam [*auch* 'a...] (Haupt-
stadt der Niederlande); **Ams|ter-
da|mer**
Amt, das; -[e]s, Ämter; von Amts
wegen; ein Amt bekleiden; **Ämt-
chen**
am|ten (*schweiz. für* amtieren,
tätig sein)
**Äm|ter|häu|fung; Äm|ter|pa|t|ro|na-
ge; äm|ter|über|grei|fend**
Amt|frau
am|tie|ren
amt|lich; amt|li|cher|seits
Amt|mann *Plur.* ...männer *u.*
...leute; **Amt|män|nin,** die; -, -nen
Amts|an|tritt
amts|ärzt|lich
amts|be|kannt *(österr. Amtsspr.)*
Amts|bo|nus; Amts|bru|der
**Amts|deutsch; Amts|ein|füh|rung;
Amts|ent|he|bung; Amts|ge|heim-
nis**
Amts|ge|richt *(Abk. AG);* **Amts|ge-
richts|rat** *Plur.* ...räte
Amts|ge|schäf|te *Plur.*
Amts|hal|ber
amts|han|deln *(österr.);* ich amts-
hand[e]le; amtsgehandelt; **Amts-
hand|lung**
Amts|haus *(bes. österr.)*
Amts|hel|fer *(österr. für* Leitfaden
für Behördenwege)
Amts|hil|fe
Amts|in|ha|ber; Amts|in|ha|be|rin
Amts|ka|len|der *(österr. für* Ver-
zeichnis der öffentlichen
Dienststellen)
Amts|kapp|el, das; -s, -n *(österr. ugs.
für* engstirniger Beamter)
Amts|kir|che
Amts|kol|le|ge; Amts|kol|le|gin
amts|mü|de
Amts|per|son
Amts|rich|ter; Amts|rich|te|rin

Amtsschimmel – Anaphora

A
Amts

Amts|schim|mel, der; -s *(ugs.)*; Amts|schwes|ter; Amts|sitz; Amts|spra|che
Amts|stel|le *(schweiz. für Dienststelle)*; Amts|stu|be
Amts|ta|fel *(österr. für offizielles Anschlagbrett)*; Amts|tag *(bes. österr. auch für Sprechtag bei Behörden)*
Amts|weg; amts|we|gig *(österr.)*; Amts|we|gig|keit *(österr. Rechtsspr.* Prinzip, dass eine Behörde von Amts wegen vorzugehen hat); Amts|zeit
Amu|lett, das; -[e]s, -e ⟨lat.⟩ (Gegenstand, dem Unheil abwehrende Kraft zugeschrieben wird)
Amund|sen (norwegischer Polarforscher)
Amur *[auch* a'mu:ɐ̯], der; -[s] (asiatischer Fluss)
amü|sant ⟨franz.⟩ (unterhaltend; vergnüglich)
Amuse-Gueule [amyz'gœl], das; -[s], -[s] ⟨franz.⟩ (Appetithäppchen)
Amü|se|ment [...'mã:], das; -s, -s
Amü|sier|be|trieb
amü|sie|ren; sich amüsieren
amu|sisch ⟨griech.⟩ (ohne Kunstverständnis)
Amyg|da|lin, das; -s ⟨griech.⟩ (Geschmacksstoff in bitteren Mandeln u. Ä.)

an

– am (an dem; *vgl.* am)
– ans (an das; *vgl.* ans)
– an [und für] sich (eigentlich, im Grunde)
– ab und an *(landsch. für* ab und zu)
– Gemeinden von an [die] 1 000 Einwohnern

Mit Dativ (zur Angabe einer Position) oder Akkusativ (zur Angabe einer Richtung):

– an dem Zaun stehen, *aber* an den Zaun stellen
– an der Kante liegen, *aber* an die Kante legen

Getrenntschreibung in Verbindung mit »sein« ↑K 49:

– an sein *(ugs. für* angeschaltet sein); das Radio ist an gewesen

Abkürzung bei Ortsnamen:

– Frankfurt a. Main
– Bad Neustadt a. d. Saale

an... *(in Zus. mit Verben, z.B.* anbinden, du bindest an, angebunden, anzubinden)
...a|na *Plur.* ⟨lat.⟩ (z. B. Afrikana; *vgl. d.*)
Ana|bap|tis|mus, der; - ⟨griech.⟩ (Wiedertäuferlehre); Ana|baptist, der; -en, -en (Wiedertäufer)
ana|bol ⟨griech.⟩; anabole Medikamente; Ana|bo|li|kum, das; -s, ...ka ⟨griech.-lat.⟩ *(Med.* muskelbildendes Präparat)
Ana|cho|ret [...ç..., ...x..., *auch* ...k...], der; -en, -en ⟨griech.⟩ (frühchristlicher Einsiedler)
Ana|cho|re|ten|tum, das; -s
ana|cho|re|tisch
Ana|chro|nis|mus [...k...], der; -, ...men ⟨griech.⟩ (falsche zeitliche Einordnung; veraltete, überholte Einrichtung); Ana|chronist, der; -en, -en; ana|chro|nistisch
Ana|dy|o|me|ne [...ne, *auch* ...'me:na] ⟨griech., »die [aus dem Meer] Aufgetauchte«⟩ (Beiname der griech. Göttin Aphrodite)
an|ae|rob ⟨griech.⟩ *(Biol.* ohne Sauerstoff lebend)
Ana|gly|phen|bril|le ⟨griech.; dt.⟩ (für das Betrachten von dreidimensionalen Bildern)
Ana|gramm, das; -s, -e ⟨griech.⟩ (durch Umstellung von Buchstaben od. Silben eines Wortes entstandenes neues Wort; Buchstabenrätsel)
An|a|ko|luth, das, *auch* der; -s, -e ⟨griech.⟩ *(Sprachw.* Satzbruch); an|a|ko|lu|thisch
Ana|kon|da, die; -, -s (eine Riesenschlange)
Ana|kre|on (altgriech. Lyriker)
Ana|kre|on|ti|ker (Nachahmer Anakreons); ana|kre|on|tisch
anal ⟨lat.⟩ *(Med.* den After betreffend)
Ana|lek|ten *Plur.* ⟨griech.⟩ (gesammelte Aufsätze, Auszüge)
Ana|lep|ti|kum, das; -s, ...ka ⟨griech.⟩ *(Med.* anregendes Mittel); ana|lep|tisch
Anal|ero|tik ⟨lat.; griech.⟩ *(Psych.* frühkindliches) sexuelles Lustempfinden im Bereich des Afters); Anal|fis|sur *(Med.)*
An|al|ge|sie, An|al|gie, die; -, ...ien ⟨griech.⟩ *(Med.* Schmerzlosigkeit)
An|al|ge|ti|kum, das; -s, ...ka (schmerzstillendes Mittel)
An|al|gie *vgl.* Analgesie

ana|log ⟨griech.⟩ (entsprechend; *EDV* stufenlos, kontinuierlich; *Physik* einen Wert durch eine physikal. Größe darstellend); analoge Technik; analog [zu] diesem Fall; Ana|lo|gie, die; -, ...ien; Ana|lo|gie|bil|dung
Ana|lo|gon, das; -s, ...ga (ähnlicher Fall)
Ana|log|rech|ner (eine Rechenanlage); Ana|log|uhr (Uhr mit Zeigern)
An|al|pha|bet[1] *[auch* 'a...], der; -en, -en ⟨griech.⟩ (jmd., der nicht lesen und schreiben gelernt hat)
An|al|pha|be|ten|tum[1], das; -s
An|al|pha|be|tin[1]
Anal|ver|kehr ⟨lat.; dt.⟩ (Variante des Geschlechtsverkehrs)
Ana|ly|sand, der; -en, -en ⟨griech.⟩ *(Psychoanalyse* die zu analysierende Person)
Ana|ly|se, die; -, -n (Zergliederung, Untersuchung)
ana|ly|sie|ren
Ana|ly|sis, die; - (Gebiet der Mathematik, in dem mit Grenzwerten u. veränderlichen Größen gearbeitet wird; Voruntersuchung beim Lösen geometrischer Aufgaben)
Ana|lyst, der; -en, -en (Fachmann, der das Geschehen an der Börse beobachtet und analysiert); Ana|lys|tin
Ana|ly|tik, die; - (Kunst od. Lehre der Analyse); Ana|ly|ti|ker; Ana|ly|ti|ke|rin; ana|ly|tisch; analytische Geometrie
An|ä|mie, die; -, ...ien ⟨griech.⟩ *(Med.* Blutarmut); an|ä|misch
Anam|ne|se, die; -, -n ⟨griech.⟩ *(Med.* Vorgeschichte einer Krankheit); ana|m|nes|tisch, anam|ne|tisch
Ana|nas, die; -, *Plur.* - u. -se (indian.-span.⟩ (tropische Frucht)
Ana|ni|as, ökum. Ha|na|ni|as (bibl. m. Eigenn.)
An|an|kas|mus, der; -, ...men ⟨griech.⟩ *(Psych.* krankhafter Zwang zu bestimmten Handlungen)
Ana|päst, der; -[e]s, -e ⟨griech.⟩ (ein Versfuß); ana|päs|tisch
Ana|pha|se, die; -, -n ⟨griech.⟩ *(Biol.* dritte Phase der indirekten Zellkernteilung)
Ana|pher, die; -, -n, Ana|pho|ra,

---

[1] Die Trennung zwischen l und p sollte vermieden werden ↑K 168.

die; -, ...rä ⟨griech.⟩ (*Rhet.* Wiederholung des Anfangswortes [in aufeinanderfolgenden Sätzen], z. B.: mit all meinen Gedanken, mit all meinen Wünschen ...); **ana|pho|risch** (*auch Sprachw.* rückweisend)

ana|phy|lak|tisch ⟨griech.⟩ (*Med.*); anaphylaktischer Schock; **Ana|phy|la|xie,** die; -, ...i̱en (schockartige allergische Reaktion)

An|ar|chie, die; -, ...i̱en ⟨griech.⟩ ([Zustand der] Herrschafts-, Gesetzlosigkeit; Chaos in polit., wirtschaftl. o. ä. Hinsicht)

an|ar|chisch

An|ar|chis|mus, der; - (Lehre, die sich gegen jede Autorität richtet u. für unbeschränkte Freiheit des Individuums eintritt)

An|ar|chist, der; -en, -en; **An|ar|chis|tin; an|ar|chis|tisch**

An|ar|cho, der; -[s], -[s] (*ugs. für* jmd., der sich gegen die bürgerliche Gesellschaft mit [gewaltsamen] Aktionen auflehnt); **An|ar|cho|sze|ne**

Anas|ta|sia (w. Vorn.); **Anas|ta|si|us** (m. Vorn.)

An|äs|the|sie, die; -, ...i̱en ⟨griech.⟩ (*Med.* Schmerzunempfindlichkeit; Schmerzbetäubung); **an|äs|the|sie|ren,** an|äs|the|ti|si̱e|ren; **An|äs|the|sist,** der; -en, -en (Narkosefacharzt); **An|äs|the|sis|tin**

An|äs|the|ti|kum, das; -s, ...ka (schmerzstillendes Mittel)

an|äs|the|tisch; an|äs|the|ti|si̱e|ren, an|äs|the|si̱e|ren

An|as|tig|mat, der; -en, -en, *auch* das; -s, -e ⟨griech.⟩ (*Fotogr.* ein Objektiv); **an|as|tig|ma|tisch** (unverzerrt)

Ana|s|to|mo|se, die; -, -n ⟨griech.⟩ (*Med.* Verbindung, z. B. zwischen Blut- od. Lymphgefäßen)

Ana|them, das; -s, -e u. **Ana|the|ma,** das; -s, ...the̱mata ⟨griech.⟩ (*Rel.* Verfluchung, Kirchenbann); **ana|the|ma|ti|si̱e|ren**

Ana|tol (m. Vorn.)

Ana|to|li|en (asiatischer Teil der Türkei); **Ana|to|li|er; Ana|to|li|e|rin; ana|to|lisch**

Ana|tom, der; -en, -en ⟨griech.⟩ (*Med.* Wissenschaftler auf dem Gebiet der Anatomie)

Ana|to|mie, die; -, ...i̱en (Lehre von Form u. Körperbau der [menschlichen] Lebewesen; anatomisches Institut)

ana|to|mie|ren (sezieren)

Ana|to|min; ana|to|misch

Ana|xa|go|ras (altgriechischer Philosoph)

an|ba|cken

an|bag|gern (*ugs. für* [herausfordernd] ansprechen u. unmissverständlich sein Interesse zeigen)

an|bah|nen; Kontakte anbahnen; **An|bah|nung**

an|ban|deln (*südd., österr. für* anbändeln)

an|bän|deln (*ugs.*); ich bänd[e]le an

An|bau, der; -[e]s, -ten

an|bau|en; an|bau|fä|hig

An|bau|flä|che; An|bau|mö|bel

An|be|ginn (*geh.*); seit Anbeginn, von Anbeginn [an]

an|be|hal|ten (*ugs.*)

an|bei [*auch* ˈa...] (*Amtsspr.*)

an|bei|ßen; ↑K 82 : zum Anbeißen sein (*ugs. für* reizend anzusehen sein)

an|[be|]lan|gen; was mich an[be]langt, so ...

an|bel|len

an|be|que|men, sich (*veraltend für* sich anpassen)

an|be|rau|men; ich beraum[t]e an, *selten* ich anberaum[t]e; anberaumt; anzuberaumen; **An|be|rau|mung**

an|be|ten

An|be|tracht; *nur in* in Anbetracht seiner Lage; in Anbetracht dessen, dass er all dies schon hat

an|be|tref|fen; *nur in* was jmdn., etw. anbetrifft

an|bet|teln

An|be|tung

an|bie|dern, sich (*abwertend*); ich biedere mich an; **An|bie|de|rung**

an|bie|ten; An|bie|ter; An|bie|te|rin

an|bin|den; angebunden (*vgl. d.*); **An|bin|dung**

An|biss

an|blaf|fen (*ugs. für* anbellen; zurechtweisen)

an|bla|sen

An|blick; an|bli|cken

an|blin|ken

an|boh|ren

An|bot, das; -[e]s, -e (*österr. neben* Angebot)

an|bras|sen (*Seemannsspr.* die Rahen in Längsrichtung bringen)

an|bra|ten; das Fleisch anbraten

an|bräu|nen

an|bre|chen; der Tag bricht an (*geh.*)

an|bren|nen

an|brin|gen; etwas am Haus[e] anbringen

An|bruch, der; -[e]s, ...brüche (*geh. für* Beginn; *Bergmannsspr.* bloßgelegter Erzgang)

an|brül|len

an|brum|men

an|brü|ten

ANC, der; -[s] ⟨engl.⟩ = African National Congress (Afrikanischer Nationalkongress, südafrikan. Partei)

An|chor|man [ˈæŋkəmən], der; -, ...men ⟨engl.⟩ (Journalist o. Ä., der bes. in Nachrichtensendungen die verbindenden Worte u. Kommentare spricht)

An|chor|wo|man [ˈæŋkəwʊmən], die; -, ...women; *vgl.* Anchorman

An|cho|vis *vgl.* Anschovis

An|ci|en|ni|tät [ãsi̯e...], die; - ⟨franz.⟩ (*veraltet für* [Reihenfolge nach dem] Dienstalter); **An|ci|en|ni|täts|prin|zip**

An|ci|en Ré|gime [ãˈsi̯ɛ̃: reˈʒiːm], das; - - (Zeit des französischen Absolutismus [vor der Französischen Revolution])

An|dacht, die; -, Plur. (*für* Gebetsstunden:) -en

an|däch|tig

An|dachts|übung

an|dachts|voll (*geh.*)

An|da|lu|si|en (spanische Landschaft)

An|da|lu|si|er (*auch für* eine Pferderasse)

An|da|lu|si|e|rin; an|da|lu|sisch

An|da|lu|sit, der; -s, -e (ein Mineral)

An|da|ma|nen Plur. (Inselkette im nordöstl. Indischen Ozean)

an|dan|te ⟨ital., »gehend«⟩ (*Musik* mäßig langsam); **An|dan|te,** das; -[s], -s (mäßig langsames Musikstück)

an|dan|ti|no (*Musik* etwas leichter akzentuiert als andante); **An|dan|ti|no,** das; -s, Plur. -s u. ...ni

an|dau|en (*Med.* anfangen zu verdauen)

an|dau|ern; an|dau|ernd

An|dau|ung, die; - ⟨zu andauen⟩

An|den Plur. (südamerikanisches Gebirge)

an|den|ken; es ist angedacht, aufzustocken

An|den|ken, das; -s, -

an|de|re *s. Kasten Seite 182*

an|de|ren|falls, an|dern|falls

an|de|ren|orts, an|der[n]|orts

an|de|ren|tags, an|dern|tags

A

ande

an|de|re

and|re

Im Allgemeinen wird »andere, andre« kleingeschrie-ben ↑K77:

- der, die, das and[e]re
- eine, keine, jeder, alles and[e]re
- die, keine, alle and[e]ren, andern
- ein, kein and[e]rer
- ein, kein, etwas, allerlei, nichts and[e]res
- der eine, der and[e]re
- die einen und die and[e]ren
- einer, eins nach dem and[e]ren
- und and[e]re, und and[e]res (*Abk. u. a.*)
- und and[e]re mehr, und and[e]res mehr (*Abk. u. a. m.*)
- von etwas and[e]rem, anderm sprechen
- unter and[e]rem, anderm (*Abk. u. a.*)
- zum einen ..., zum and[e]ren
- sich eines and[e]ren, andern besinnen

- ich bin and[e]ren, andern Sinnes
- and[e]res gedrucktes Material
- and[e]re ähnliche Fälle
- andere Gute
- ein andermal, *aber* ein and[e]res Mal
- das and[e]re Mal
- ein um das and[e]re Mal
- ein und das and[e]re Mal

Bei Substantivierung ist auch Großschreibung mög-lich ↑K77, *beispielsweise:*

- der, die, das and[e]re *od.* And[e]re
- eine, keine, jeder, alles and[e]re *od.* And[e]re
- ein, kein, etwas, allerlei, nichts and[e]res *od.* And[e]res
- die einen und die anderen *od.* die Einen und die And[e]ren
- die Suche nach dem and[e]ren *od.* And[e]ren (nach einer neuen Welt)

an|de|ren|teils, an|dern|teils; einesteils ..., ander[e]nteils

an|de|rer|seits, an|der|seits, and-rer|seits; einerseits macht es Spaß, andererseits Angst

An|der|ge|schwis|ter|kind [*auch* ...ʃvɪ...] (*landsch. für* Verwandte, deren Großväter oder Großmütter Geschwister sind)

An|der|kon|to (Treuhandkonto)

an|der|lei (*geh.*)

an|der|mal; ein andermal, *aber* ein and[e]res Mal

An|der|matt (schweiz. Ortsn.)

än|dern; ich ändere

an|dern|falls usw. *vgl.* anderenfalls usw.

an|der[n]|orts, an|de|ren|orts

an|ders; jemand, niemand, wer anders (*bes. südd., österr. auch* and[e]rer); mit jemand, niemand anders (*bes. südd., österr. auch* and[e]rem, anderm) reden; ich sehe jemand, niemand anders (*bes. südd., österr. auch* and[e]ren, andern); irgendwo anders (irgendwo sonst), wo anders? (wo sonst?; *vgl. aber* woanders); anders als ... (*nicht:* anders wie ...); anders sein, denken; anders gesinnte Leute; anders denkende Freunde; die anders Denkenden *od.* Andersdenkenden; anders geartete *od.* andersgeartete Fehler; anders lautende *od.* anderslautende Texte; etwas anders Lautendes *od.* Anderslautendes ist nicht bekannt ↑K58

an|ders|ar|tig; An|ders|ar|tig|keit, die; -

An|dersch (dt. Schriftsteller)

an|ders den|kend, **an|ders|den-kend** ↑K58; an|ders Den|ken|de, der *u.* die; - -n, - -n, **An|ders|den-ken|de**, der *u.* die; -n, -n ↑K58

an|ders|seits, an|de|rer|sei|ts, an-drer|seits

An|der|sen (dän. Dichter)

an|ders|far|big

an|ders ge|ar|tet, **an|ders|ge|ar|tet** ↑K58

an|ders ge|sinnt ↑K60

an|ders|gläu|big; An|ders|gläu|bi-ge, der *u.* die; -n, -n

an|ders|he|r|um

an|ders lau|tend, **an|ders|lau|tend** ↑K58; an|ders Lau|ten|de, das; - -n, **An|ders|lau|ten|de**, das; -n; ↑K58

an|ders|rum

An|ders|sein

an|ders|spra|chig

an|ders|wie; an|ders|wo; an|ders-wo|her; an|ders|wo|hin

an|dert|halb; in anderthalb Stunden; anderthalb Pfund; **an|dert|halb|fach; An|dert|halb-fa|che,** das; -n; *vgl.* Achtfache; an|dert|halb|mal; anderthalb-mal so groß wie (*seltener* als) sie; *vgl.* [1]Mal

Än|de|rung; Än|de|rungs|kün|di-gung (*bes. Arbeitsrecht*)

an|der|wär|tig; an|der|wärts

an|der|weit, an|der|wei|tig

an|deu|ten; An|deu|tung; an|deu-tungs|wei|se

an|dich|ten; jmdm. etwas andich-ten

an|di|cken

an|die|nen (*Kaufmannsspr.* [Waren] anbieten); An|die|nung, die; - (*Kaufmannsspr., Versiche-rungsw.*); An|die|nungs|pflicht, die; - (*Versicherungsw.*)

an|din (die Anden betreffend)

an|do|cken ⟨dt.; engl.⟩ (ein Raum-fahrzeug an das andere kop-peln)

An|dor|ra (Staat in den Pyrenäen); An|dor|ra|ner; An|dor|ra|ne|rin; an|dor|ra|nisch

An|drang, der; -[e]s; an|drän|gen

and|re *vgl.* andere

An|d|ré [*auch* â...] (m. Vorn.); An-d|rea (w. Vorn.); An|d|re|as (m. Vorn.)

An|d|re|as|kreuz

An|d|re|as|or|den (ehem. höchster russ. Orden)

an|dre|hen; jmdm. etwas andrehen (*ugs. für* jmdm. etwas Minder-wertiges aufschwatzen)

and|rer|seits, an|de|rer|sei|ts, an-der|seits

an|d|ro|gyn ⟨griech.⟩ (*Biol.* männli-che und weibliche Merkmale vereinigend; zwittrig); An|d|ro-gy|nie, die; -

an|dro|hen; An|dro|hung

An|d|ro|i|de, der; -n, -n ⟨griech.⟩ (künstlicher Mensch, men-schenähnliche Maschine)

An|d|ro|lo|ge, der; -n, -n; An|d|ro-lo|gie, die; - ⟨griech.⟩ (Männer-heilkunde); An|d|ro|lo|gin; an|d-ro|lo|gisch

An|d|ro|ma|che [...xe] ⟨griech.⟩ (griech. Sagengestalt, Frau Hektors)

A

ange

¹**An|d|ro|me|da** (weibl. griech. Sagengestalt)

²**An|d|ro|me|da**, die; - (ein Sternbild)

An|d|ro|pau|se (Klimakterium des Mannes)

An|druck, der; -[e]s, -e (*Druckw.* Probe-, Prüfdruck); **an|dru|cken**

an|dü|beln

an|du|deln; sich einen andudeln (*ugs. für* sich betrinken); ich dud[e]le mir einen an

an|düns|ten

Äne|as (Held der griechisch-römischen Sage)

an|ecken (an etwas anstoßen; *ugs. auch für* Anstoß erregen)

an|ei|fern (*südd., österr. für* ansporen)

an|eig|nen, sich; ich eigne mir Kenntnisse an; **An|eig|nung**

---

an|ei|n|an|der

Man schreibt »aneinander« mit dem folgenden Verb in der Regel zusammen, wenn es den gemeinsamen Hauptakzent trägt ↑K48:

– aneinanderfügen, aneinandergrenzen, aneinandergeraten, aneinanderlegen usw.

Aber:

– aneinander denken, sich aneinander freuen, aneinander vorbeigehen usw.

---

an|ei|n|an|der|fü|gen; er fügte die Teile aneinander, hat die Teile aneinandergefügt; um die Teile aneinanderzufügen

an|ei|n|an|der|ge|ra|ten; sie waren heftig aneinandergeraten

an|ei|n|an|der|gren|zen; die Grundstücke grenzen aneinander

an|ei|n|an|der|hän|gen; wir sahen mehrere Wagen, die aneinanderhingen; *aber* die Geschwister, die sehr aneinander hingen

an|ei|n|an|der|le|gen; sie legte die Teile des Puzzles aneinander

an|ei|n|an|der|rei|hen; ein Film aus aneinandergereihten Episoden

An|ei|n|an|der|rei|hung

an|ei|n|an|der|sto|ßen; sie bewegten sich, ohne aneinanderzustoßen

Äne|is, die; - (eine Dichtung Vergils)

An|ek|döt|chen

An|ek|do|te, die; -, -n ⟨griech.⟩ (kurze, jmdn. od. etwas [humor-

voll] charakterisierende Geschichte)

an|ek|do|ten|haft; an|ek|do|tisch

an|ekeln; du ekelst mich an

Ane|mo|graf, **Ane|mo|graph**, der; -en, -en ⟨griech.⟩ (*Meteor.* selbst schreibender Windmesser); **Ane|mo|me|ter**, das; -s, - (Windmesser)

Ane|mo|ne, die; -, -n (Windröschen)

an|emp|feh|len (*besser das einfache Wort* empfehlen); ich empfehle (empfahl) an *u.* ich anempfehle (anempfahl); anempfohlen; anzuempfehlen

An|er|be, der; -n, -n (*Rechtsspr.* bäuerlicher Alleinerbe, Hoferbe); **An|er|ben|recht**

an|er|bie|ten, sich; ich erbiete mich an; anerboten; anzuerbieten; *vgl.* bieten

An|er|bie|ten, das; -s, -

an|er|kann|ter|ma|ßen

an|er|ken|nen; ich erkenne (erkannte) an, *seltener* ich anerkenne (anerkannte); anerkannt; anzuerkennen

an|er|ken|nens|wert

An|er|kennt|nis, das; -ses, -se (*Rechtsspr.*), *sonst:* die; -, -se

An|er|ken|nung

Ane|ro|id|ba|ro|me|ter ⟨griech.⟩ (*Meteor.* Gerät zum Anzeigen des Luftdrucks)

an|es|sen; ich habe mir einen Bauch angegessen; ich habe mich angegessen (*österr. ugs. für* bin satt)

An|eu|rys|ma, das; -s, ...men ⟨griech.⟩ (*Med.* Erweiterung der Schlagader)

an|fa|chen; er facht die Glut an

an|fah|ren (*auch für* heftig anreden); **An|fahrt; An|fahrts|skiz|ze; An|fahrts|weg**

An|fall, der; **an|fal|len**

an|fäl|lig; An|fäl|lig|keit

An|fang, der; -[e]s, ...fänge; *vgl.* anfangs; im Anfang; von Anfang an; zu Anfang; Anfang Januar; Anfang nächsten Jahres

an|fan|gen; sie fing an

An|fän|ger; An|fän|ge|rin

An|fän|ger|kurs

an|fang|haft (*bes. Rel.*)

an|fäng|lich; an|fangs ↑K70

An|fangs|buch|sta|be; An|fangs|er|folg; An|fangs|ge|halt, das; **An|fangs|pha|se; An|fangs|sta|di|um; An|fangs|ver|dacht; An|fangs|zeit**

an|fas|sen *vgl.* fassen

an|fau|chen

an|fau|len

an|fa|xen (ein Fax schicken)

an|fecht|bar; An|fecht|bar|keit, die; -

an|fech|ten; das ficht mich nicht an; **An|fech|tung**

an|fein|den; An|fein|dung

an|fer|ti|gen; An|fer|ti|gung

an|feuch|ten; An|feuch|ter

an|feu|ern; An|feu|e|rung

an|fi|xen (*ugs.* jmdn. zum Einnehmen von Drogen animieren)

an|flan|schen (*Technik*)

an|fle|hen; An|fle|hung

an|flie|gen; An|flug

an|for|dern; An|for|de|rung

An|for|de|rungs|pro|fil (Eigenschaften, Fähigkeiten, die ein Stellenbewerber haben soll)

An|fra|ge; die kleine *od.* Kleine Anfrage, die große *od.* Große Anfrage [im Parlament] ↑K89

an|fra|gen; bei jmdm. anfragen, *schweiz.* jmdn. anfragen

an|fres|sen (*derb; vgl.* anessen)

an|freun|den, sich; **An|freun|dung**

an|fü|gen; An|fü|gung

an|füh|len; der Stoff fühlt sich weich an

An|fuhr, die; -, -en

an|füh|ren

An|füh|rer; An|füh|re|rin

An|füh|rung; An|füh|rungs|strich; An|füh|rungs|zei|chen

an|fun|ken (durch Funkspruch)

an|fut|tern, sich; du futterst dir einen Bauch an

An|ga|be (*auch* [nur Sing.] *ugs. für* Prahlerei, Übertreibung)

an|gän|gig (erlaubt; zulässig)

An|ga|ra [*auch* ...'ra], die; - (Fluss in Mittelsibirien)

an|geb|bar; an|ge|ben

An|ge|ber (*ugs.*); **An|ge|be|rei; An|ge|be|rin; an|ge|be|risch**

An|ge|be|te|te, der *u.* die; -n, -n

An|ge|bin|de, das; -s, - (*geh. für* Geschenk)

an|geb|lich

an|ge|bo|ren

An|ge|bot; An|ge|bots|lü|cke (*Wirtsch.*)

an|ge|bracht

an|ge|bro|chen; eine Flasche ist angebrochen

an|ge|bun|den; kurz angebunden (*ugs. für* abweisend) sein

an|ge|dei|hen; *nur in* jmdm. etwas angedeihen lassen

An|ge|den|ken, das; -s (*veraltet für* Andenken, Souvenir; *geh. für* Erinnerung, Gedenken)

an|ge|fres|sen (*ugs. für* verärgert)

an|ge|führt; am angeführten Ort
(Abk. a. a. O.)

an|ge|ge|ben; am angegebenen
Ort (Abk. a. a. O.)

an|ge|gos|sen; wie angegossen sit-
zen (ugs. für genau passen)

an|ge|graut; angegraute Schläfen

an|ge|grif|fen (auch für
geschwächt); An|ge|grif|fen|heit

an|ge|hei|ra|tet

an|ge|hei|tert (leicht betrunken)

an|ge|hen; das geht nicht an; es
geht mich [nichts] an; jmdn. um
etwas angehen (bitten)

an|ge|hend (künftig)

an|ge|hö|ren; einem Volk[e] ange-
hören; an|ge|hö|rig; An|ge|hö|ri-
ge, der u. die; -n, -n; An|ge|hö-
rig|keit, die; -

an|ge|jahrt

Angekl. = Angeklagte[r]

An|ge|klag|te, der u. die; -n, -n
(Abk. Angekl.)

an|ge|knackst (ugs.)

an|ge|krän|kelt

An|gel, die; -, -n

An|ge|la [österr. ...ˈge:...] (w. Vorn.)

an|ge|le|gen; ich lasse mir etwas
angelegen sein

An|ge|le|gen|heit

an|ge|le|gent|lich; auf das, aufs
Angelegentlichste od. auf das,
aufs angelegentlichste ↑K75

An|gel|ha|ken

¹An|ge|li|ka (w. Vorn.)

²An|ge|li|ka, die; -, Plur. ...ken u. -s
(Engelwurz)

An|ge|li|na [...dʒ...] (w. Vorn.)

an|geln; ich ang[e]le

An|geln Plur. (germ. Volksstamm)

An|ge|lo [...dʒ...] (m. Vorn.)

an|ge|lo|ben (geh. für zusagen,
versprechen; österr. für feierlich
vereidigen); An|ge|lo|bung

An|gel|punkt; An|gel|ru|te

An|gel|sach|se, der; -n, -n (Ange-
höriger eines germ. Volksstammes)

an|gel|säch|sisch vgl. deutsch

An|gel|säch|sisch, das; -[s] (Spra-
che); vgl. Deutsch; An|gel|säch-
si|sche, das; -n; vgl. Deutsche,
das

An|gel|schein

An|ge|lus, der, auch das; -, - ⟨lat.⟩
(kath. Gebet; Glockenzeichen);
An|ge|lus|läu|ten, das; -s

an|ge|mes|sen; An|ge|mes|sen|heit,
die; -

an|ge|nehm; etwas Angenehmes
erleben

an|ge|nom|men; angenommener

Standort; angenommen[,]
dass... ↑K127

an|ge|passt; An|ge|passt|heit

An|ger, der; -s, -; An|ger|dorf

an|ge|regt

an|ge|sagt (ugs. für in Mode, sehr
gefragt); Frühstück ist angesagt
(steht an)

an|ge|säu|selt (ugs. für leicht
betrunken); an|ge|schi|ckert
(ugs.)

an|ge|schla|gen (ugs. für erschöpft;
beschädigt)

an|ge|schmutzt (leicht schmutzig)

An|ge|schul|dig|te, der u. die; -n, -n

an|ge|se|hen (geachtet)

An|ge|sicht Plur. Angesichter u.
Angesichte (geh.)

an|ge|sichts; Präp. mit Gen.: anges-
sichts des Todes

an|ge|spannt

an|ge|stammt

An|ge|stell|te, der u. die; -n, -n

An|ge|stell|ten|ver|si|che|rung

An|ge|stell|ten|ver|si|che|rungs|ge-
setz (Abk. AVG)

an|ge|stie|felt; angestiefelt kom-
men (ugs.)

an|ge|strengt; An|ge|strengt|heit,
die; -

an|ge|tan

An|ge|trau|te, der u. die (scherzh.
für Ehemann, Ehefrau)

an|ge|trun|ken (leicht betrunken)

an|ge|wandt; angewandte Kunst;
angewandte Mathematik, Physik ↑K89; vgl. anwenden

an|ge|wie|sen; auf eine Person
oder eine Sache angewiesen sein

an|ge|wöh|nen; ich gewöhne mir
etwas an; An|ge|wohn|heit; An-
ge|wöh|nung

an|ge|wur|zelt; wie angewurzelt
stehen bleiben

An|gi|na, die; -, ...nen ⟨lat.⟩ (Med.
Mandelentzündung)

An|gi|na Pec|to|ris, die; - - ⟨lat.⟩
(Med. Herzkrampf)

An|gi|om, das; -s, -e ⟨griech.⟩
(Med. Gefäßgeschwulst)

An|gio|sper|me, die; -, -n meist
Plur. (Bot. bedecktsamige Blü-
tenpflanze)

Ang|kor (Ruinenstadt in Kambod-
scha)

An|g|lai|se [ãˈglɛ:...], die; -, -n
⟨franz.⟩ (»englischer« Tanz)

an|glei|chen; An|glei|chung

Ang|ler; Ang|le|rin

an|glie|dern; An|glie|de|rung

an|g|li|ka|nisch ⟨mlat.⟩; anglikani-
sche Kirche (engl. Staatskirche);
An|g|li|ka|nis|mus, der; - (Lehre

u. Wesen[sform] der engl.
Staatskirche)

an|g|li|sie|ren (englische Sitten u.
Gebräuche einführen; englisie-
ren)

An|g|list, der; -en, -en (Wissen-
schaftler auf dem Gebiet der
Anglistik)

An|g|lis|tik, die; - (engl. Sprach- u.
Literaturwissenschaft); An|g|lis-
tin

An|g|li|zis|mus, der; -, ...men (engl.
Spracheigentümlichkeit in einer
anderen Sprache)

An|g|lo|ame|ri|ka|ner (aus England
stammender Amerikaner; auch
Sammelname für Engländer u.
Amerikaner); An|g|lo|ame|ri|ka-
ne|rin

an|g|lo|fon, an|g|lo|phon (eng-
lischsprachig)

an|g|lo|fran|zö|sisch [auch 'a...]

An|g|lo|ka|na|di|er vgl. Angloame-
rikaner; An|g|lo|ka|na|di|e|rin

An|g|lo|ma|ne, der; -n, -n ⟨lat.;
griech.⟩ (jmd., der alles Englische in übertriebener Weise
schätzt); An|g|lo|ma|nie, die; -

an|g|lo|nor|man|nisch

an|g|lo|phil (englandfreundlich);
An|g|lo|phi|lie, die; -

an|g|lo|phob (englandfeindlich);
An|g|lo|pho|bie, die; -

an|g|lo|phon vgl. anglofon

an|glot|zen (ugs.)

An|go|la (Staat in Afrika)

An|go|la|ner; An|go|la|ne|rin

an|go|la|nisch

An|go|ra|ka|nin|chen; An|go|ra|kat-
ze; An|go|ra|wol|le (nach
Angora, dem früheren Namen
von Ankara)

An|gos|tu|ra®, der; -s, -s ⟨span.⟩
(ein Bitterlikör)

an|gra|ben (ugs. auch für anspre-
chen, belästigen); vgl. anma-
chen)

an|greif|bar; an|grei|fen vgl. ange-
griffen; An|grei|fer; An|grei|fe|rin

an|gren|zen; An|gren|zer; An|gren-
zung

An|griff, der; -[e]s, -e; etwas in
Angriff nehmen

an|grif|fig (schweiz. für draufgän-
gerisch, zupackend)

An|griffs|drit|tel (Eishockey)

An|griffs|geist; An|griffs|krieg

An|griffs|lust; an|griffs|lus|tig

An|griffs|spie|ler (Sport); An|griffs-
spie|le|rin

An|griffs|waf|fe

an|griffs|wei|se

an|grin|sen

Angst, die; -, Ängste; in Angst, in [tausend] Ängsten sein; Angst haben; jmdm. Angst machen; Angst [und Bange] machen; *aber* ↑K 70 : mir ist, wird angst [und bange]

angst|be|setzt; ein angstbesetztes Thema

ängs|ten, sich (*nur noch geh. für* sich ängstigen)

angst|er|füllt; *aber* von Angst erfüllt ↑K 59 ; **angst|frei**

Angst|ge|fühl

Angst|geg|ner (*bes. Sportspr.* Gegner, der einem nicht liegt, den man fürchtet); **Angst|geg|ne|rin**

Angst|ha|se (*ugs.*)

ängs|ti|gen; Ängs|ti|gung

ängst|lich; Ängst|lich|keit, die; -

Angst|neu|ro|se (*Med., Psych.* krankhaftes Angstgefühl)

Angst|par|tie (Spiel, Unternehmen, um dessen guten Ausgang man fürchtet)

Angst|psy|cho|se (*Med., Psych.*)

Ang|s|t|röm [ˈɔ..., *auch* ˈa...], das; -[s] (veraltende Einheit der Licht- u. Röntgenwellenlänge; *Zeichen* Å)

Angst|ruf; Angst|schweiß

angst|ver|zerrt; angst|voll

an|gu|cken (*ugs.*)

an|gu|lar (*lat.*) (zu einem Winkel gehörend, Winkel...)

an|gur|ten; sich angurten

Anh. = Anhang

an|ha|ben; ..., dass er nichts anhat, angehabt hat (*ugs.*); er kann mir nichts anhaben

an|haf|ten; anhaftende Farbreste; ein Nachteil haftet dieser Sache an

an|ha|ken

¹An|halt (ehem. Land des Deutschen Reichs)

²An|halt (Anhaltspunkt)

an|hal|ten; an|hal|tend

¹An|hal|ter *vgl.* Anhaltiner

²An|hal|ter (*ugs.*); per Anhalter fahren (Fahrzeuge anhalten, um mitgenommen zu werden)

An|hal|te|rin

An|hal|ti|ner, An|hal|ter (*zu* ¹Anhalt); **An|hal|ti|ne|rin; an|hal|tisch**

An|halts|punkt

An|hal|tung

an|hand; *Präp. mit Gen.:* anhand des Buches; anhand von Unterlagen; *vgl.* Hand

An|hang, der; -[e]s, Anhänge (*Abk.* Anh.)

¹an|hän|gen; er hing einer Sekte an; *vgl.* ¹hängen

²an|hän|gen; sie hängte den Zettel [an die Tür] an; *vgl.* ²hängen

An|hän|ger; An|hän|ge|rin; An|hän|ger|schaft

an|hän|gig (*Rechtsspr.* beim Gericht zur Entscheidung liegend); eine Klage anhängig machen (Klage erheben)

an|häng|lich (treu); **An|häng|lich|keit,** die; -

An|häng|sel, das; -s, -

an|hangs|wei|se

an|hau|chen

an|hau|en (*ugs. auch für* formlos ansprechen, um etwas zu bitten); wir hauten das Mädchen an

an|häu|fen; An|häu|fung

an|he|ben (*auch geh. für* anfangen); er hob (*veraltet* hub) an[.] zu singen, zu sprechen usw.; **An|he|bung**

an|hef|ten; etwas am Hut *od.* an den Hut anheften

an|hei|meln; es heimelt mich an

an|heim|fal|len (*geh. für* zufallen, zum Opfer fallen); sie fiel der Vergessenheit anheim, ist der Vergessenheit anheimgefallen; ohne der Vergessenheit anheimzufallen

an|heim|ge|ben (*geh. für* anvertrauen, übergeben)

an|heim|stel|len (*geh. für* überlassen); ich stelle Ihnen das anheim

an|hei|schig; *nur in* sich anheischig machen (*geh. für* sich verpflichten, sich anbieten)

an|hei|zen

an|herr|schen; jmdn. anherrschen

an|heu|ern; auf einem Schiff anheuern

An|hieb; *nur in* auf Anhieb (sofort)

an|him|meln (*ugs.*)

an|hin; bis anhin (*schweiz.* bis jetzt)

An|hö|he

an|hö|ren; An|hö|rung (*für* Hearing)

An|hy|d|rid, das; -s, -e (*griech.*) (*Chemie* durch Wasserentzug entstandene Verbindung)

An|hy|d|rit, der; -s, -e (wasserfreier Gips)

änig|ma|tisch (*griech.*) (*selten für* rätselhaft)

Ani|lin, das; -s (*arab.-port.*) (Ausgangsstoff für Farben u. Heilmittel)

Ani|lin|far|be; Ani|lin|le|der; Ani|lin|rot

ani|ma|lisch (*lat.*) (tierisch; tierhaft; triebhaft)

Ani|ma|lis|mus, der; - (religiöse Verehrung von Tieren)

Ani|ma|teur [...ˈtøːɐ̯], der; -s, -e (*franz.*) (Spielleiter in einem Freizeitzentrum); **Ani|ma|teu|rin**

Ani|ma|ti|on, die; -, -en (*lat.*) (organisierte Sport- u. Freizeitaktivitäten für Urlauber; Belebung, Bewegung der Figuren im Trickfilm)

ani|ma|to (*ital.*) (*Musik* beseelt, belebt)

Ani|me, der; -s, -s (*engl.-jap.*) (japanischer Zeichentrickfilm)

ani|mie|ren (*franz.*) (beleben, anregen, ermuntern)

Ani|mier|knei|pe (*ugs.*); **Ani|mier|mäd|chen** (*ugs.*)

Ani|mis|mus, der; -, ...men (*lat.*) (Lehre von der Beseeltheit aller Dinge); **ani|mis|tisch**

Ani|mo, das; -s (*ital.*) (*österr. für* Schwung, Lust; Vorliebe)

Ani|mo|si|tät, die; -, -en (*lat.*) (Feindseligkeit)

Ani|mus, der; - (*lat.*; »Seele«) (*scherzh. für* Ahnung)

An|ion, das; -s, -en (*griech.*) (*Physik* negativ geladenes elektrisches Teilchen)

Anis [*auch* ˈa:..., *österr. u. schweiz. nur so*], der; -[es], -e (*griech.*) (eine Gewürz- u. Heilpflanze)

Ani|sette [...ˈzɛt], der; -s, -s (*franz.*) (Anislikör)

Ani|ta (w. Vorn.)

An|ja (w. Vorn.)

An|jou [ãˈʒuː] (altfranz. Grafschaft; Fürstengeschlecht)

Ank. = Ankunft

an|käm|pfen

An|ka|ra (Hauptstadt der Türkei)

An|ka|the|te, die; -, -n (*Geometrie*)

An|kauf; An- und Verkauf ↑K 31 ; **an|kau|fen**

An|kaufs|etat; An|kaufs|recht

An|ke (w. Vorn.)

An|ken, der; -s (*schweiz. mdal. für* Butter)

An|ker, der; -s, -; vor Anker gehen, liegen

An|ker|bo|je; An|ker|ket|te

an|kern; ich ankere

An|ker|platz; An|ker|spill; An|ker|tau, das; -[e]s, -e; **An|ker|win|de**

an|ket|ten

an|kläf|fen (*ugs.*)

An|kla|ge; An|kla|ge|bank *Plur.* ...bänke

an|kla|gen

An|kla|ge|punkt

An|klä|ger; An|klä|ge|rin

An|kla|ge|schrift

An|k|lam (Stadt an der Peene)
an|klam|mern; sich anklammern
An|klang; Anklang finden
an|kle|ben
An|klei|de|ka|bi|ne
an|klei|den; sich ankleiden
An|klei|de|raum
an|kli|cken
an|klin|geln (ugs. für anrufen)
an|klin|gen
an|klop|fen
an|knab|bern
an|knack|sen (ugs. für leicht anbre-
chen; schädigen); meine
Gesundheit ist angeknackst
an|knip|sen (ugs.)
an|knüp|fen
An|knüp|fung; An|knüp|fungs|punkt
an|knur|ren
an|ko|chen
an|koh|len; jmdn. ankohlen (ugs.
für zum Spaß belügen)
an|ko|keln (landsch. für anbren-
nen); ich kok[e]le an
an|kom|men; es kommt mir nicht
darauf an
An|kömm|ling
an|kön|nen (ugs. für sich gegen
jmdn. durchsetzen können); er
kann gegen sie nicht an
an|kop|peln; ich kopp[e]le an
an|kör|nen (Handw. zu bohrende
Löcher mit dem Körner markieren)
an|kot|zen (derb); jmdn. ankotzen
(anwidern)
an|kral|len; sich an das od. am Git-
ter ankrallen
an|krat|zen; sich ankratzen (ugs.
für sich einschmeicheln)
an|krei|den; jmdm. etwas ankrei-
den (ugs. für zur Last legen)
An|kreis (Geometrie)
an|kreu|zen
an|ku|cken (nordd. für angucken)
an|kün|den (älter u. schweiz. für
ankündigen)
an|kün|di|gen
An|kün|di|gung
An|kunft, die; -, Ankünfte Plur. sel-
ten (Abk. Ank.)
an|kur|beln
An|kur|be|lung, An|kurb|lung
An|ky|lo|se, die; -, -n ⟨griech.⟩
(Med. Gelenkversteifung)
an|la|bern (ugs. für ansprechen)
an|lä|cheln; ich läch[e]le sie an
an|la|chen
An|la|ge; etwas als od. in der
Anlage übersenden; öffentliche
Anlagen (Parks)

An|la|ge|be|ra|ter (Wirtsch.); An|la-
ge|be|ra|te|rin
An|la|gen|bau (Technik)
An|la|gen|fi|nan|zie|rung
An|la|ge|pa|pier
an|la|gern (Chemie); An|la|ge|rung
An|la|ge|ver|mö|gen
an|lan|den; etwas, jmdn. anlanden
(an Land bringen); irgendwo
anlanden (anlegen); das eine
landet an (Geol. verbreitet sich
durch Sandansammlung)
An|lan|dung
an|lan|gen vgl. an[be]langen
An|lass, der; Anlasses, Anlässe;
Anlass geben, nehmen; an|lass-
be|zo|gen
an|las|sen; An|las|ser (Technik)
An|lass|fall (österr. für Ereignis,
das eine Reaktion auslöst)
an|läss|lich (Amtsspr.); Präp. mit
Gen.: anlässlich des Festes
an|las|ten (zur Last legen)
An|lauf; an|lau|fen
An|lauf|ge|schwin|dig|keit; An|lauf-
schwie|rig|kei|ten Plur.; An|lauf-
stel|le; An|lauf|ver|lus|te Plur.;
An|lauf|zeit
An|laut
an|lau|ten (mit einem bestimmten
Laut beginnen)
an|läu|ten; jmdn., südd. auch,
schweiz. nur jmdm. anläuten
(jmdn. telefonisch anrufen)
an|le|gen
An|le|ge|platz
An|le|ger (jmd., der Kapital
anlegt; Druckw. Papiereinfüh-
rer); An|le|ge|rin
An|le|ge|stel|le
an|leh|nen; ich lehne mich an die
Wand an
An|leh|nung; An|leh|nungs|be|dürf-
nis
an|leh|nungs|be|dürf|tig
An|leh|re (schweiz. für Anlernzeit,
Kurzausbildung)
an|lei|ern (ugs. für ankurbeln); ein
Hilfsprogramm anleiern
An|lei|he
An|lei|he|ab|lö|sung; An|lei|he|pa-
pier
an|lei|men
an|lei|nen; den Hund anleinen
an|lei|ten; An|lei|tung
An|lern|be|ruf
an|ler|nen; jmdn. anlernen; das
habe ich mir angelernt (ugs.)
An|lern|ling; An|lern|zeit
an|le|sen
an|lie|fern; An|lie|fe|rung
an|lie|gen; eng am Körper anlie-
gen; vgl. angelegen

An|lie|gen, das; -s, - (Wunsch)
an|lie|gend (Kaufmannsspr.);
anliegend (anbei, hiermit) der
Bericht
An|lie|ger (Anwohner); An|lie|ge-
rin
An|lie|ger|staat Plur. ...staaten; An-
lie|ger|ver|kehr
an|lie|ken (Seemannsspr. das Liek
an einem Segel befestigen)
an|lo|cken
an|lö|ten
an|lü|gen
an|lu|ven (Seemannsspr. Winkel
zwischen Kurs u. Windrichtung
verkleinern)
Anm. = Anmerkung
An|ma|che, die; - (ugs.)
an|mä|che|lig (schweiz. mdal. für
reizend, attraktiv)
an|ma|chen (ugs. auch für anspre-
chen; belästigen)
an|mah|nen
an|mai|len (ugs. für eine Mail
zuschicken)
an|ma|len
An|marsch, der; An|marsch|weg
an|ma|ßen, sich; du maßt dir
etwas an; sich so etwas anzuma-
ßen; an|ma|ßend; An|ma|ßung
an|me|ckern (ugs. für nörgelnd
belästigen); jmdn. anmeckern
an|mei|ern (ugs. für anführen,
betrügen)
An|mel|de|for|mu|lar
an|mel|den
An|mel|de|pflicht; an|mel|de|pflich-
tig; An|mel|de|schluss; An|mel-
dung
an|men|gen (landsch.); Mehl [mit
Sauerteig] anmengen (anrühren)
an|mer|ken; ich ließ mir nichts
anmerken; An|mer|kung (Abk.
Anm.)
an|mes|sen; jmdm. einen Anzug
anmessen
an|mie|ten; An|mie|tung
an|mo|de|rie|ren
an|mon|tie|ren
an|mot|zen (ugs. für nörgelnd
belästigen); jmdn. anmotzen
an|mus|tern (Seemannsspr. anwer-
ben; den Dienst aufnehmen);
An|mus|te|rung
An|mut, die; -
an|mu|ten; es mutet mich komisch
an
an|mu|tig; an|mut[s]|voll
An|mu|tung (Eindruck; bestimmte
Wirkung)
¹An|na (w. Vorn.); Anna selbdritt
(Anna, Maria u. das Jesuskind)
²An|na, der; -[s], -[s] ⟨Hindi⟩ (frü-

here Münzeinheit in Indien; $^1/_{16}$ Rupie)

An|na|bel|la (w. Vorn.)

an|na|geln; ich nag[e]le an

an|nä|hen

an|nä|hern; sich annähern

an|nä|hernd; annähernd gleich groß

An|nä|he|rung; An|nä|he|rungs|ver|such

an|nä|he|rungs|wei|se

An|nah|me, die; -, -n

An|nah|me|er|klä|rung; An|nah|me|stel|le; An|nah|me|ver|merk; An|nah|me|ver|wei|ge|rung

An|na|len Plur. ⟨lat.⟩ ([geschichtliche] Jahrbücher)

An|na|pur|na, der; -[s] (Gebirgsmassiv im Himalaja)

An|na|ten Plur. ⟨lat.⟩ (finanzielle Abgaben an die päpstl. Kurie im MA.)

Änn|chen (w. Vorn.)

An|ne, Än|ne (für Anna; w. Vorn.)

An|ne|do|re (w. Vorn.)

An|ne|gret (w. Vorn.)

An|ne|heid, An|ne|hei|de (w. Vorn.)

an|nehm|bar

an|neh|men vgl. angenommen

an|nehm|lich (veraltet); An|nehm|lich|keit

an|nek|tie|ren ⟨lat.⟩ (sich [gewaltsam] aneignen); An|nek|tie|rung

An|ne|li (w. Vorn.)

An|ne|lie|se (w. Vorn.)

An|ne|lo|re (w. Vorn.)

An|ne|ma|rie (w. Vorn.)

An|ne|ro|se (w. Vorn.)

An|net|te (w. Vorn.)

An|nex, der; -es, -e ⟨lat.⟩ (Zubehör; Anhängsel)

An|ne|xi|on, die; -, -en ([gewaltsame] Aneignung); An|ne|xi|o|nis|mus, der; - (Bestrebungen, eine Annexion herbeizuführen)

An|ni, Än|ni (w. Vorn.)

An|ni|ver|sar, das; -s, -e ⟨lat.⟩, An|ni|ver|sa|ri|um, das; -s, ...ien meist Plur. (kath. Kirche jährlich wiederkehrende Gedächtnisfeier für einen Toten)

an|no ⟨lat.⟩ (veraltet für im Jahre; Abk. a.); anno elf; anno 1648; anno dazumal; anno Tobak (ugs. für in alter Zeit)

An|no Do|mi|ni (im Jahre des Herrn; Abk. A. D.); Anno Domini 1648

An|non|ce [a'nõ:sə, österr. a'nõ:s], die; -, -n ⟨franz.⟩ (Zeitungsanzeige); An|non|cen|ex|pe|di|ti|on (Anzeigenvermittlung)

An|non|ceur [...'sø:...], der; -s, -e

(Angestellter im Gaststättengewerbe); An|non|ceu|rin

an|non|cie|ren

An|no|ne, die; -, -n ⟨indian.⟩ (trop. Baum mit essbaren Früchten)

An|no|ta|ti|on, die; -, -en meist Plur. ⟨lat.⟩ (veraltet für Aufzeichnung, Vermerk; Buchw. kurze Charakterisierung eines Buches)

an|nu|ell ⟨franz.⟩ (Bot. einjährig)

An|nu|i|tät, die; -, -en ⟨lat.⟩ (jährliche Zahlung zur Tilgung einer Schuld)

An|nul|la|ti|on, die; -, -en (schweiz. für Annullierung); an|nul|lie|ren ⟨lat.⟩ (für ungültig erklären); An|nul|lie|rung

An|nun|zi|a|ten|or|den (ehem. höchster ital. Orden)

Ano|de, die; -, -n ⟨griech.⟩ (Physik positive Elektrode, Pluspol)

an|öden (ugs. für langweilen)

Ano|den|bat|te|rie (Physik); Ano|den|span|nung

an|o|mal [od. ...'ma:l] ⟨griech.⟩ (unregelmäßig, regelwidrig); An|o|ma|lie, die; -, ...ien

An|o|mie, die; -, -n ⟨griech.⟩ (Soziol. Zustand, in dem die Stabilität der sozialen Beziehungen gestört ist)

an|o|nym ⟨griech.⟩ (ohne Nennung des Namens, ungenannt); ein anonymer Anrufer, aber ↑K 88 : Anonyme Alkoholiker; an|o|ny|mi|sie|ren

An|o|ny|mi|tät, die; - (Unbekanntheit des Namens; Namenlosigkeit)

An|o|ny|mus, der; -, Plur. ...mi u. ...nymen (Ungenannter)

An|o|phe|les, die; -, - ⟨griech.⟩ (Zool. Malariamücke)

Ano|rak, der; -s, -s ⟨eskim.⟩ (Windbluse mit Kapuze)

an|ord|nen; An|ord|nung (Abk. AO)

An|o|rek|ti|kum, das; -s, ...ka ⟨griech.⟩ (Appetitzügler); an|o|rek|tisch; An|o|re|xia ner|vo|sa, die; - - ⟨nlat.⟩ (Med. Magersucht); An|o|re|xie, die; -, ...ien (Med. Appetitlosigkeit)

an|or|ga|nisch ⟨griech.⟩ (unbelebt); anorganische Chemie

anor|mal ⟨mlat.⟩ (regelwidrig, ungewöhnlich, krankhaft)

An|or|thit, der; -s ⟨griech.⟩ (ein Mineral)

Anouilh [a'nuj] (franz. Dramatiker)

an|pa|cken

an|pad|deln; ich padd[e]le an; An-

pad|deln, das; -s (jährl. Beginn des Paddelsports)

an|pass|bar

an|pas|sen; sich anpassen

An|pas|sung

An|pas|sungs|fä|hig

an|pat|zen (bayr., österr. ugs. für bekleckern; österr. ugs. auch für verleumden)

an|pei|len

an|pfei|fen (ugs. auch für heftig tadeln); An|pfiff

an|pflan|zen; An|pflan|zung

an|pflau|men (ugs. für necken, verspotten; heftig zurechtweisen); An|pflau|me|rei

an|pi|cken (österr. für ankleben)

an|pin|keln (ugs.)

an|pin|nen (ugs. für mit Pinnen befestigen)

an|pir|schen; sich anpirschen (ugs. für sich heranschleichen)

an|pis|sen (derb für an, auf etwas urinieren; verärgern); das pisst mich an!

an|pö|beln (ugs. abwertend für in grober Weise belästigen)

An|prall, der; -[e]s; an|pral|len

an|pran|gern (öffentl. tadeln); ich prangere an, / An|pran|ge|rung

an|prei|en (Seemannsspr.); ein anderes Schiff anpreien (anrufen)

an|prei|sen; An|prei|sung

An|pro|be; an|pro|bie|ren

an|pum|pen (ugs.); jmdn. anpumpen (sich von jmdm. Geld leihen)

an|pus|ten (ugs.)

an|quas|seln (ugs. für ungeniert ansprechen)

an|quat|schen (ugs. für ungeniert ansprechen)

an|rai|nen (angrenzen); An|rai|ner (Rechtsspr., bes. österr. für Anlieger, Grenznachbar)

An|rai|ner|staat

an|ran|zen (ugs. für scharf tadeln); du ranzt an; An|ran|zer (ugs.)

an|ra|ten; An|ra|ten, das; -s; auf Anraten des Arztes

an|rau|chen; die Zigarre anrauchen

an|rau|en; angeraut

an|raun|zen (ugs. für scharf zurechtweisen)

an|rech|nen; das rechne ich dir hoch an; An|rech|nung; (Amtsspr.:) in Anrechnung bringen, dafür besser anrechnen

An|recht; An|rechts|kar|te

An|re|de

An|re|de|fall, der (für Vokativ); An|re|de|für|wort (z. B. du, Sie)
an|re|den; jmdn. mit Sie, Du anreden
an|re|gen; an|re|gend
An|re|gung; An|re|gungs|mit|tel, das
an|rei|chern; ich reichere an; Lebensmittel mit Vitaminen anreichern; An|rei|che|rung
an|rei|hen; an|rei|hend (für kopulativ)
An|rei|se; an|rei|sen; An|rei|se|tag
an|rei|ßen
An|rei|ßer (Vorzeichner; aufdringlicher Kundenwerber); An|rei|ße|rin
an|rei|ße|risch (aufdringlich; marktschreierisch)
An|reiz; an|rei|zen
an|rem|peln (ugs.); ich remp[e]le an; An|rem|pe|lung, An|remp|lung (ugs.)
an|ren|nen
An|rich|te, die; -, -n; an|rich|ten; An|rich|te|tisch
An|riss, der; -es, -e (Technik Vorzeichnung; Sport kräftiges Durchziehen zu Beginn eines Ruderschlages)
an|ros|ten; angerostetes Eisen
an|rü|chig; An|rü|chig|keit, die; -
an|ru|cken (mit einem Ruck anfahren)
an|rü|cken ([in einer Formation] näher kommen)
an|ru|dern; An|ru|dern, das; -s (jährl. Beginn des Rudersports)
An|ruf; An|ruf|be|ant|wor|ter
an|ru|fen; An|ru|fer; An|ru|fe|rin; An|ru|fung
an|rüh|ren
ans ↑K14 (an das); bis ans Ende
an|sä|en; Weizen ansäen
An|sa|ge, die; -, -n; An|sa|ge|dienst; an|sa|gen
an|sä|gen
An|sa|ger (kurz für Rundfunk-, Fernsehansager); An|sa|ge|rin
an|sa|men (Forstw. sich durch herabfallende Samen entwickeln)
an|sam|meln; An|samm|lung
an|säs|sig; An|säs|sig|keit, die; -
An|satz; An|satz|punkt; An|satz|rohr (Med.); An|satz|stück
an|satz|wei|se
an|sau|fen (derb); ich saufe mir einen an (derb für betrinke mich)
an|sau|gen
an|säu|seln; ich säus[e]le mir

einen an (ugs. für betrinke mich leicht); vgl. angesäuselt
Ans|bach (Stadt in Mittelfranken)
An|schaf|fe, die; - (ugs.; auch für Prostitution)
an|schaf|fen (bayr., österr. auch für anordnen); vgl. ¹schaffen
An|schaf|fung; An|schaf|fungs|kos|ten Plur.
an|schäf|ten; Pflanzen anschäften (veredeln)
an|schal|ten
an|schau|en
an|schau|lich; An|schau|lich|keit
An|schau|ung; An|schau|ungs|ma|te|ri|al; An|schau|ungs|un|ter|richt
An|schein, der; -[e]s; allem, dem Anschein nach
an|schei|nend vgl. scheinbar
an|schei|ßen (derb für heftig tadeln)
an|schi|cken, sich
an|schie|ben
an|schie|ßen
an|schim|meln
an|schir|ren; ein Pferd anschirren
An|schiss, der; -es, -e (derb für heftiger Tadel)
An|schlag; an|schla|gen
An|schlä|ger (Bergmannsspr.)
an|schlä|gig (landsch. für schlau, geschickt)
An|schlag|säu|le
An|schlag|ta|fel
an|schlei|chen; sich anschleichen
¹an|schlei|fen; sie hat das Messer angeschliffen (ein wenig scharf geschliffen); vgl. schleifen
²an|schlei|fen; er hat den Sack angeschleift (ugs. für schleifend herangezogen); vgl. schleifen
an|schlep|pen
an|schlie|ßen; an|schlie|ßend
An|schluss
An|schluss|ka|bel
An|schluss|stre|cke, An|schluss-Stre|cke
An|schluss|tref|fer (Sport)
An|schluss|zug
an|schmach|ten
an|schme|cken (probieren; am Geschmack bemerken)
an|schmei|cheln, sich
an|schmie|gen; sich an jmdn. anschmiegen
an|schmieg|sam; An|schmieg|sam|keit, die; -
an|schmie|ren (ugs. auch für betrügen)
an|schmut|zen; angeschmutzt
an|schnal|len; sich anschnallen
An|schnall|pflicht, die; -

an|schnau|zen (ugs. für grob tadeln); An|schnau|zer (ugs.)
an|schnei|den; An|schnitt
An|schop|pung (Med. vermehrte Ansammlung von Blut in den Kapillaren)
An|scho|vis, An|cho|vis [...ʃo:...], die; -, - ⟨griech.⟩ ([gesalzene] kleine Sardelle)
an|schrau|ben
an|schrei|ben; An|schrei|ben
an|schrei|en
An|schrift
An|schub; An|schub|fi|nan|zie|rung (Wirtsch.)
an|schul|di|gen; An|schul|di|gung
An|schuss (Jägerspr.)
an|schüt|ten (österr. für Flüssigkeit auf jmdn. schütten; verleumden)
an|schwär|zen (ugs. auch für verleumden)
an|schwei|gen
an|schwei|ßen
¹an|schwel|len; der Strom schwillt an, war angeschwollen; vgl. ¹schwellen
²an|schwel|len; der Regen hat die Flüsse angeschwellt; vgl. ²schwellen
An|schwel|lung
an|schwem|men; An|schwem|mung
an|schwin|deln (ugs.); ich schwind[e]le sie an
an|schwit|zen (in heißem Fett gelb werden lassen)
An|schwung (Turnen)
An|se, die; -, -n (kleine, seichte Bucht)
an|se|geln; ich seg[e]le an; An|se|geln, das; -s (jährl. Beginn des Segel[flug]sports)
an|se|hen; ich sehe mir das an; vgl. angesehen
An|se|hen, das; -s; ohne Ansehen der Person (ganz gleich, um wen es sich handelt)
an|se|hens|wert
an|sehn|lich; An|sehn|lich|keit, die; -
an|sei|len; sich anseilen
an sein vgl. an
An|selm (m. Vorn.); vgl. Anshelm
An|sel|ma (w. Vorn.)
an|set|zen; am oberen Ende ansetzen; einen Saum od. am Rock ansetzen
Ans|gar (m. Vorn.)
Ans|helm (m. Vorn.)
¹an sich (eigentlich)
²an sich; etw. an sich haben, bringen
An|sicht, die; -, -en; meiner Ansicht nach (Abk. m. A. n.)

an|sich|tig; *mit Gen.:* des Gebirges ansichtig werden *(geh.)*
An|sichts|kar|te; An|sichts|sa|che; An|sichts|sen|dung
an|sie|deln; ich sied[e]le mich an
An|sie|de|lung, An|sied|lung
An|sied|ler; An|sied|le|rin
An|sied|lung *vgl.* Ansiedelung
An|sin|nen, das; -s, -; ein Ansinnen an jmdn. stellen
An|sitz *(Jägerspr.; österr. auch für* repräsentativer Wohnsitz*)*
an|sonst *(bayr., schweiz., österr. für* anderenfalls*)*; an|sons|ten *(ugs. für* im Übrigen, anderenfalls*)*
an|span|nen; An|span|nung
an|spa|ren
an|spei|en *(geh.);* jmdn. anspeien (anspucken)
An|spiel, das; -[e]s, -e *(Ballspiele, Eishockey)*
an|spiel|bar; an|spie|len
An|spie|lung (versteckter Hinweis)
an|spin|nen; etw. spinnt sich an
an|spit|zen *(ugs. auch für* antreiben)
An|spit|zer
An|sporn, der; -[e]s; an|spor|nen; An|spor|nung
An|spra|che
an|sprech|bar
an|spre|chen; auf etw. ansprechen (reagieren)
an|spre|chend; am ansprechendsten ↑K74
An|sprech|part|ner; An|sprech|part|ne|rin
an|sprin|gen
an|sprit|zen
An|spruch; etwas in Anspruch nehmen; An|spruchs|den|ken
an|spruchs|los; An|spruchs|lo|sig|keit, die; -
an|spruchs|voll
An|sprung
an|spu|cken
an|spü|len; An|spü|lung
an|sta|cheln
An|stalt, die; -, -en; keine Anstalten zu etw. machen (nicht beginnen [wollen])
An|stalts|er|zie|hung; An|stalts|lei|ter, der; An|stalts|lei|te|rin
An|stand, der; -s, ...stände; keinen Anstand an dem Vorhaben nehmen *(geh. für* keine Bedenken haben)
an|stän|dig; An|stän|dig|keit, die; -
an|stands|hal|ber; an|stands|los
An|stands|re|gel; An|stands|wau|wau *(ugs.)*
an|stän|kern *(ugs.);* gegen etw., jmdn. anstänkern

an|star|ren
an|statt *vgl.* statt; anstatt dass ↑K126
an|stau|ben
an|stau|en
an|stau|nen
an|ste|chen; ein Fass anstechen (anzapfen)
an|ste|cken *vgl.* ²stecken; an|ste|ckend
An|steck|na|del
An|ste|ckung; An|ste|ckungs|ge|fahr
an|ste|hen *(auch Bergmannsspr.* hervortreten, zutage liegen); ich stehe nicht an (habe keine Bedenken); anstehendes *(Geol.* zutage liegendes) Gestein; auf jmdn. anstehen *(österr. für* angewiesen sein)
an|stei|gen

an|stel|le, an Stel|le

mit Genitiv:

– anstelle *od.* an Stelle des Vaters
– anstelle *od.* an Stelle von Worten
– *aber* an die Stelle des Vaters ist der Vormund getreten

an|stel|len; sich anstellen; An|stel|le|rei
an|stel|lig (geschickt); An|stel|lig|keit, die; -
An|stel|lung; An|stel|lungs|ver|trag
an|steu|ern
An|stich (eines Fasses [Bier])
An|stieg, der; -[e]s -e
an|stie|ren
an|stif|ten
An|stif|ter; An|stif|te|rin
An|stif|tung
an|stim|men; ein Lied anstimmen
an|stin|ken *(ugs. für* anwidern; sich auflehnen); die Sache stinkt mich an; dagegen muss man anstinken
An|stoß; an etwas Anstoß nehmen
an|sto|ßen
An|stö|ßer *(schweiz. für* Anlieger, Anrainer); An|stö|ße|rin
an|stö|ßig; An|stö|ßig|keit
an|strah|len; An|strah|lung
an|strän|gen; ein Pferd ansträngen (anschirren)
an|stre|ben; an|stre|bens|wert
an|strei|chen; An|strei|cher; An|strei|che|rin
an|stren|gen; sich anstrengen (sehr bemühen); einen Prozess anstrengen
an|stren|gend; An|stren|gung

An|strich
an|stü|cken
An|sturm, der; -[e]s; an|stür|men
an|su|chen; um etwas ansuchen *(Amtsspr.* um etwas bitten)
An|su|chen, das; -s, - (förmliche Bitte; Gesuch); auf Ansuchen; An|su|cher; An|su|che|rin
An|t|a|go|nis|mus, der; -, ...men ⟨griech.⟩ (Widerstreit; Gegensatz)
An|t|a|go|nist, der; -en, -en (Gegner); An|t|a|go|nis|tin; an|t|a|go|nis|tisch
an|tail|lie|ren *(Schneiderei* mit leichter Taille versehen); leicht antailliert
An|ta|na|na|ri|vo (Hauptstadt Madagaskars)
an|tan|zen *(ugs. für* kommen)
An|t|a|res *[auch* ˈantares], der; - ⟨griech.⟩ (ein Stern)
Ant|ark|ti|ka (antarktischer Kontinent); Ant|ark|tis, die; - ⟨griech.⟩ (Gebiet um den Südpol); ant|ark|tisch
an|tas|ten
an|tau|chen *(österr. ugs. für* anschieben; sich mehr anstrengen)
an|tau|en
An|tä|us (Gestalt der griech. Sage)
an|täu|schen
An|te, die; -, -n ⟨lat.⟩ *(Archit.* viereckiger Wandpfeiler)
an|tea|sen [...ti:zn] ⟨dt.; engl.⟩ *(bes. Werbe- u. Mediensprache* [Kunden, Konsumenten] auf etwas neugierig machen); teaste an, angeteast
an|te Chris|tum [na|tum] ⟨lat.⟩ *(veraltet für* vor Christi Geburt, vor Christus; *Abk.* a. Chr. [n.])
an|te|da|tie|ren ⟨lat.⟩ *(veraltet für* [ein Schreiben] vorausdatieren *od.* zurückdatieren)
An|teil, der; -[e]s, -e; an|tei|lig
An|teil|nah|me, die; -
An|teil|schein; An|teils|eig|ner (Inhaber eines Anteilscheins); An|teils|eig|ne|rin
an|teil[s]|mä|ßig
an|te me|ri|di|em ⟨lat.⟩ (vormittags; *Abk.* a. m.)
an|te mor|tem ⟨lat.⟩ *(Med.* kurz vor dem Tode; *Abk.* a. m.)
An|ten|ne, die; -, -n ⟨lat.⟩
An|ten|nen|fern|se|hen
An|ten|nen|mast
An|ten|nen|wald *(ugs.)*
An|ten|tem|pel ⟨lat.⟩ (altgriech. Tempel mit Anten)
An|te|pen|di|um, das; -s, ...ien ⟨lat.⟩

(Verkleidung des Altarunterbaus)
An|the|mi|on, das; -s, ...ien ⟨griech.⟩ (*Archit.* [altgriech.] Schmuckfries)
An|the|re, die; -, -n (*Bot.* Staubbeutel der Blütenpflanzen)
An|tho|lo|gie, die; -, ...ien ([Gedicht]sammlung; Auswahl); an|tho|lo|gisch (ausgewählt)
An|th|ra|cen, An|th|ra|zen, das; -s, -e ⟨griech.⟩ (aus Steinkohlenteer gewonnene chem. Verbindung)
¹An|th|rax, der; - ⟨griech.⟩ (*Med.* Milzbrand)
²An|th|rax, das; - (Kampfstoff mit Anthraxerregern)
An|th|ra|zen vgl. Anthracen
an|th|ra|zit (schwarzgrau); An|th|ra|zit, der; -s, -e *Plur. selten* (hochwertige, glänzende Steinkohle)
an|th|ra|zit|far|ben, an|th|ra|zit|farbig
an|th|ro|po|gen ⟨griech.⟩ (durch den Menschen beeinflusst, verursacht); anthropogene Faktoren; An|th|ro|po|ge|nie, die; - ([Lehre von der] Entstehung des Menschen)
an|th|ro|po|id (menschenähnlich); An|th|ro|po|i|de, der; -n, -n, An|th|ro|po|id, der; -en, -en (Menschenaffe)
An|th|ro|po|lo|ge, der; -n, -n; An|th|ro|po|lo|gie, die; - (Wissenschaft vom Menschen u. seiner Entwicklung); An|th|ro|po|lo|gin; an|th|ro|po|lo|gisch
an|th|ro|po|morph (menschenähnlich); an|th|ro|po|mor|phisch (die menschliche Gestalt betreffend); An|th|ro|po|mor|phis|mus, der; -, ...men (Vermenschlichung [des Göttlichen])
An|th|ro|po|pha|ge, der; -n, -n (*fachspr. für* Kannibale)
An|th|ro|po|pho|bie, die; - (*Psych.* Menschenscheu)
An|th|ro|po|soph, der; -en, -en
An|th|ro|po|so|phie, die; - (von R. Steiner begründete Weltanschauungslehre)
An|th|ro|po|so|phin; an|th|ro|po|so|phisch
an|th|ro|po|zen|t|risch (den Menschen in den Mittelpunkt stellend)
An|thu|rie, die; -, -n ⟨griech.⟩ (Flamingoblume, eine Zierpflanze)
an|ti... ⟨griech.⟩ (gegen...); An|ti... (Gegen...)
An|ti|aging, An|ti-Aging

[...'e:dʒɪŋ], das; -s ⟨engl.⟩ (Gesamtheit der medizin. u. kosmet. Maßnahmen zur Verzögerung der Alterungsprozesse)
An|ti-AKW-De|mons|t|ra|ti|on [...|a:ka:'ve:...]
An|ti|al|ko|ho|li|ker [*auch* 'an...] ⟨griech.; arab.⟩ (Alkoholgegner); An|ti|al|ko|ho|li|ke|rin [*auch* 'an...]
an|ti|ame|ri|ka|nisch [*auch* 'an...] (gegen die USA gerichtet)
An|ti|apart|heid|be|we|gung
an|ti|au|to|ri|tär [*auch* 'an...] ⟨griech.; lat.⟩ (autoritäre Normen ablehnend)
An|ti|ba|by|pil|le [...'be:...] ⟨griech.; engl.; lat.⟩ (ein hormonales Empfängnisverhütungsmittel)
an|ti|bak|te|ri|ell [*auch* 'an...] ⟨griech.⟩
an|ti|bio|ti|ka|re|sis|tent
An|ti|bio|ti|kum, das; -s, ...ka ⟨griech.⟩ (*Med.* biologischer Wirkstoff gegen Krankheitserreger); an|ti|bio|tisch
An|ti|blo|ckier|sys|tem ⟨griech.; franz.; griech.⟩ (*Abk.* ABS)
an|ti|cham|b|rie|ren [...ʃ...] ⟨franz.⟩ (katzbuckeln, dienern)
An|ti|christ, der; -[s] (*Rel.* der Widerchrist, Teufel) *u.* der; -en, -en ⟨griech.⟩ (Gegner des Christentums); an|ti|christ|lich
an|ti|de|mo|kra|tisch [*auch* 'an...] ⟨griech.⟩
An|ti|de|pres|si|vum, das; -s, ...va *meist Plur.* ⟨griech.; lat.⟩ (*Med.* Mittel gegen Depressionen)
An|ti|di|a|be|ti|kum, das; -s, ...ka ⟨griech.⟩ (*Med.* Medikament gegen Diabetes)
An|ti|dot, das; -[e]s, -e, An|ti|do|ton, das; -s, ...ta ⟨griech.⟩ (*Med.* Gegengift)
An|ti|dum|ping|ge|setz [...'da...] ⟨griech.; engl.; dt.⟩ (*Wirtsch.*)
An|ti|fa|schis|mus [*auch* 'an...] ⟨griech.; ital.⟩ (Gegnerschaft gegen Faschismus und Nationalsozialismus); An|ti|fa|schist [*auch* 'an...], der; -en, -en; An|ti|fa|schis|tin [*auch* 'an...]; an|ti|fa|schis|tisch [*auch* 'an...]
An|ti|fon, An|ti|phon, der; -, -en ⟨griech.⟩ (liturg. Wechselgesang)
An|ti|fo|na|le, An|ti|pho|na|le, das; -s, ...ien, An|ti|fo|nar, An|ti|pho|nar, das; -s, -ien (Sammlung von Antifonen)
An|ti|foul|ing ['ɛntifau..., *auch* 'a...], das; -s ⟨griech.; engl.⟩ (Anstrich für den unter Wasser

befindlichen Teil des Schiffes, der pflanzl. u. tier. Bewuchs verhindert)
An|ti|gen, das; -s, -e ⟨griech.⟩ (*Med., Biol.* artfremder Eiweißstoff, der im Körper die Bildung von Abwehrstoffen bewirkt)
An|ti|go|ne [...ne] (griech. Sagengestalt, Tochter des Ödipus)
An|ti|gu|a|ner; An|ti|gu|a|ne|rin; an|ti|gu|a|nisch; An|ti|gua und Bar|bu|da (Inselstaat in der Karibik)
an|ti|haft|be|schich|tet; An|ti|haft|be|schich|tung
An|ti|held ⟨griech.; dt.⟩ (inaktive od. negative Hauptfigur in der Literatur); An|ti|hel|din
an|ti|im|pe|ri|a|lis|tisch [*auch* 'an...] (gegen den Imperialismus gerichtet)
an|tik ⟨lat.⟩ (altertümlich; dem klass. Altertum angehörend)
¹An|ti|ke, die; - (das klass. Altertum u. seine Kultur)
²An|ti|ke, die; -, -n *meist Plur.* (antikes Kunstwerk)
An|ti|ken|samm|lung
an|ti|kisch (der ¹Antike nachstrebend); an|ti|ki|sie|ren (die ¹Antike nachahmen)
an|ti|kle|ri|kal [*auch* 'an...] ⟨griech.⟩ (kirchenfeindlich); An|ti|kle|ri|ka|lis|mus [*auch* 'an...]
An|ti|kli|max, die; -, -e *Plur. selten* ⟨griech.⟩ (*Rhet., Stilk.* Übergang vom stärkeren zum schwächeren Ausdruck)
an|ti|kli|nal ⟨griech.⟩ (*Geol.* sattelförmig)
An|ti|klopf|mit|tel, das; -s, - (Zusatz zu Vergaserkraftstoffen)
An|ti|kom|mu|nis|mus [*auch* 'an...] ⟨griech.; lat.⟩; an|ti|kom|mu|nis|tisch [*auch* 'an...]
an|ti|kon|zep|ti|o|nell [*auch* 'an...] ⟨griech.; lat.⟩ (*Med.* die Empfängnis verhütend); An|ti|kon|zep|ti|vum, das; -s, ...va (*Med.* empfängnisverhütendes Mittel)
An|ti|kör|per *meist Plur.* ⟨griech.; dt.⟩ (*Med.* Abwehrstoff im Blut gegen artfremde Eiweiße)
An|ti|kri|tik [*auch* 'an...] ⟨griech.⟩ (Erwiderung auf eine Kritik)
An|til|len *Plur.* (Inselgruppe in der Karibik)
An|ti|lo|pe, die; -, -n ⟨franz.⟩ (ein Huftier)
An|ti|ma|chi|a|vell [...kja...], der; -s

⟨griech.; ital.⟩ (Schrift Friedrichs
d. Gr. gegen Machiavelli)
An|ti|ma|te|rie [auch 'an...]
⟨griech.; lat.⟩ (Kernphysik aus
Antiteilchen aufgebaute Materie)
An|ti|mi|li|ta|ris|mus [auch 'an...],
der; - ⟨griech.; lat.⟩ (Ablehnung
militärischer Gesinnung u. Rüs-
tung); an|ti|mi|li|ta|ris|tisch [auch
'an...]
An|ti|mon [österr. 'a...], das; -s
⟨arab.⟩ (chemisches Element,
Metall; Zeichen Sb [vgl. Sti-
bium])
an|ti|mo|n|ar|chisch [auch 'an...]
⟨griech.⟩ (monarchiefeindlich)
An|ti|neu|r|al|gi|kum, das; -s, ...ka
⟨griech.⟩ (Med. Schmerzen stil-
lendes Mittel)
An|ti|no|mie, die; -, ...ien ⟨griech.⟩
(fachspr. Widerspruch eines
Satzes in sich oder zweier gülti-
ger Sätze)
An|ti|no|us (schöner griech. Jüng-
ling an Hadrians Hof)
an|ti|o|che|nisch
An|ti|o|chia [auch ...'xi:a] (altsyr.
Stadt)
An|ti|o|chi|en (mittelalterl. Patriar-
chat in Kleinasien)
An|ti|o|chi|er
An|ti|o|chos, An|ti|o|chus (m.
Eigenname)
An|ti|pas|to, der od. das; -[s], Plur.
-s u. ...ti ⟨ital.⟩ (ital. Bez. für
Vorspeise)
An|ti|pa|thie, die; -, ...ien ⟨griech.⟩
(Abneigung; Widerwille); eine
Antipathie gegen jmdn., etwas
od. gegenüber jmdn., etwas
haben; an|ti|pa|thisch
An|ti|per|so|nen|mi|ne
An|ti|phon usw. vgl. Antifon usw.
An|ti|po|de, der; -n, -n ⟨griech.⟩
(Geogr. auf dem gegenüberlie-
genden Punkt der Erde wohnen-
der Mensch; übertr. für Gegner)
an|ti|pp|en
An|ti|py|re|ti|kum, das; -s, ...ka
⟨griech.⟩ (Med. fiebersenkendes
Mittel)
An|ti|qua, die; - ⟨lat.⟩ (Druckw.
Lateinschrift)
An|ti|quar, der; -s, -e (jmd., der
mit alten Büchern handelt)
An|ti|qua|ri|at, das; -[e]s, -e
(Geschäft, in dem alte Bücher
ge...u. verkauft werden; nur
Sing.: Handel mit alten
Büchern; An|ti|qua|rin; an|ti-
qua|risch
An|ti|qua|schrift (Druckw.)

an|ti|quiert (veraltet; altertüm-
lich); antiquierte Überzeugun-
gen, Methoden, Ideen; An|ti-
quiert|heit Plur. selten
An|ti|qui|tät, die; -, -en meist Plur.
(altertümliches Kunstwerk,
Möbel u. a.)
An|ti|qui|tä|ten|han|del; An|ti|qui-
tä|ten|händ|ler; An|ti|qui|tä|ten-
händ|le|rin; An|ti|qui|tä|ten-
samm|ler; An|ti|qui|tä|ten|samm-
le|rin
An|ti|ra|ke|te; An|ti|ra|ke|ten|ra|ke-
te
An|ti|rau|cher|kam|pa|g|ne
An|ti|se|mit, der; -en, -en; An|ti|se-
mi|tin; an|ti|se|mi|tisch; An|ti|se-
mi|tis|mus, der; - (Abneigung od.
Feindschaft gegenüber Juden)
An|ti|sep|sis, An|ti|sep|tik, die; -
⟨griech.⟩ (Med. Vernichtung von
Krankheitskeimen [bes. in
Wunden])
An|ti|sep|ti|kum, das; -s, ...ka
(keimtötendes Mittel [bes. bei
der Wundbehandlung]); an|ti-
sep|tisch
An|ti|se|rum [auch 'an...], das; -s,
Plur. ...ren u. ...ra ⟨griech.; lat.⟩
(Med. Heilserum mit Antikör-
pern)
An|ti|spas|mo|di|kum, das; -s, ...ka
⟨griech.⟩ (Med. krampflösendes
Mittel); an|ti|spas|tisch (Med. für
krampflösend)
an|ti|sta|tisch ⟨griech.⟩ (Physik
elektrostatische Aufladung auf-
hebend)
An|ti|s|tes, der; -, ...stites ⟨lat.⟩
(kath. Kirche Ehrentitel für
Bischof u. Abt)
An|ti|stro|phe [auch 'an...]
⟨griech.⟩ (Chorlied im antiken
griech. Drama)
An|ti|teil|chen (Kernphysik zu
einem Elementarteilchen kom-
plementäres Teilchen mit entgegengesetzter elektr. Ladung)
An|ti|ter|ror|ein|heit
An|ti|the|se [auch 'an...] ⟨griech.⟩
(entgegengesetzte Behauptung);
An|ti|the|tik, die; - (Philos.); an-
ti|the|tisch
An|ti|to|xin [auch 'an...], das; -s, -e
⟨griech.⟩ (Med. Gegengift); an|ti-
to|xisch [auch 'an...]
An|ti|tran|spi|rant, das; -s, Plur. -e
u. -s ⟨griech.; lat.⟩ (schweißhem-
mendes Mittel)
An|ti|vi|ren|pro|gramm (EDV Pro-
gramm gegen Computerviren);
An|ti|vi|ren|soft|ware vgl. Antivi-
renprogramm

An|ti|zi|pa|ti|on, die; -, -en ⟨lat.⟩
(Vorwegnahme; Vorgriff); an|ti-
zi|pie|ren
an|ti|zy|k|lisch [auch 'an...]
(Wirtsch. einem Konjunkturzu-
stand entgegenwirkend)
An|ti|zy|k|lo|ne [auch 'an...]
(Meteor. Hochdruckgebiet)
Ant|je (w. Vorn.)
Ant|litz, das; -es, -e (geh.)
An|toi|net|te [antǫa'nɛt(ə), auch
ã...] (w. Vorn.)
An|ton (m. Vorn.)
an|tö|nen (schweiz. für andeuten)
An|to|nia, An|to|nie (w. Vorn.)
An|to|ni|us (röm. m. Eigenn.; Heili-
ger)
an|t|o|nym ⟨griech.⟩ (Sprachw. von
entgegengesetzter Bedeutung);
An|t|o|nym, das; -s, -e (Sprachw.
Gegen[satz]wort, z. B.
»gesund – krank«)
an|t|o|ny|misch vgl. antonym
an|tör|nen (ugs. für in gute Stim-
mung bringen; berauschen)
An|trag, der; -[e]s, ...träge; einen
Antrag auf etwas stellen; auf,
österr. auch über Antrag von ...;
an|tra|gen
An|trags|for|mu|lar; an|trags|ge-
mäß
An|trag|stel|ler; An|trag|stel|le|rin
an|trai|nie|ren
an|trau|en; angetraut
an|tref|fen
an|trei|ben
An|trei|ber; An|trei|be|rin
an|tre|ten
An|trieb
An|triebs|kraft; An|triebs|schei|be
An|triebs|sys|tem; An|triebs|wel|le
an|trin|ken; sich antrinken (österr.
ugs. für sich betrinken); ich
trinke mir einen an (ugs.)
An|tritt, der; -[e]s
An|tritts|be|such; An|tritts|re|de
an|trock|nen
an|tun; sich etwas antun (österr.
ugs. auch für sich besonders
bemühen; sich [grundlos] aufre-
gen)
¹an|tur|nen (ugs. für herbeieilen)
²an|tur|nen [...tø:ɐ̯...] ⟨dt.; engl.⟩;
vgl. antörnen
Antw. = Antwort
Ant|wer|pen (belg. Hafenstadt)
Ant|wort, die; -, -en (Abk. Antw.);
um [od. Um] Antwort wird
gebeten (Abk. u. [od. U.] A. w.
g.); ant|wor|ten
ant|wort|lich; antwortlich Ihres
Briefes (Amtsspr. auf Ihren
Brief)

Ant|wort|schein *(Postw.)*

An und für sich *[auch* - - 'fy:ɐ̯ -]*

An|u|rie, die; -, ...jen ⟨griech.⟩ *(Med.* Versagen der Harnausscheidung)

Anus, der; -, Ani ⟨lat.⟩ *(Med.* After); Anus praeter, der; - -, Ani - *(Med.* künstlicher Darmausgang)

an|ver|trau|en; jmdm. einen Brief anvertrauen; sich jmdm. anvertrauen; ich vertrau[t]e an, *seltener* ich anvertrau[t]e; anvertraut; anzuvertrauen

an|ver|wan|deln *(geh.);* sich etwas anverwandeln (zu eigen machen); ich verwand[e]le mir ihre Meinung an, *seltener* ich anverwand[e]le mir ...; An|ver|wand|lung *(geh.)*

An|ver|wand|te, der u. die; -n, -n

an|vi|sie|ren

Anw. = Anweisung

an|wach|sen

an|wäh|len; An|wähl|pro|gramm *(svw.* Dialer)

An|walt, der; -[e]s, ...wälte; An|wäl|tin

An|walt|schaft, die; -, -en *Plur. selten;* An|walts|kam|mer; An|walts|kanz|lei

an|wan|deln; An|wan|de|lung, An|wand|lung *(häufiger)*

an|wan|zen, sich *(ugs. für* sich anbiedern)

an|wär|men

An|wär|ter; An|wär|te|rin

An|wart|schaft, die; -, -en

an|wei|sen *vgl.* angewiesen

An|wei|sung *(Abk.* Anw.)

an|wend|bar; An|wend|bar|keit, die; -

an|wen|den; ich wandte *od.* wendete die Regel an, habe angewandt *od.* angewendet; die angewandte *od.* angewendete Regel; *vgl.* angewandt

An|wen|der

an|wen|der|freund|lich; ein anwenderfreundliches Programm

An|wen|de|rin

An|wen|dung

an|wen|dungs|be|zo|gen

an|wer|ben; An|wer|bung

an|wer|fen

An|wert, der; -[e]s *(bayr., österr. für* Wertschätzung); Anwert finden, haben

An|we|sen (Grundstück [mit Wohnhaus, Stall usw.])

an|we|send; An|we|sen|de, der u. die; -n, -n

An|we|sen|heit, die; -

An|we|sen|heits|lis|te

an|wi|dern; es widert mich an

an|win|keln; ich wink[e]le an

An|woh|ner; An|woh|ne|rin; An|woh|ner|park|platz; An|woh|ner|schaft, die; -

An|wuchs *(Forstw.)*

An|wurf

an|wur|zeln *vgl.* angewurzelt

An|zahl, die; -; eine Anzahl gute[r] Freunde

an|zah|len

an|zäh|len

An|zah|lung; An|zah|lungs|sum|me

an|zap|fen; An|zap|fung

An|zei|chen

an|zeich|nen

An|zei|ge, die; -, -n; an|zei|gen

An|zei|gen|ak|qui|se

An|zei|ge[n]|blatt; An|zei|gen|teil

An|zei|ge|pflicht; an|zei|ge|pflich|tig; anzeigepflichtige Krankheit

An|zei|ger; An|zei|ge|ta|fel

An|zen|gru|ber (österr. Schriftsteller)

An|zet|te|ler, An|zett|ler; an|zet|teln *(abwertend);* ich zett[e]le an

An|zet|te|lung, An|zett|lung

an|zie|hen; sich anziehen

an|zie|hend (reizvoll)

An|zie|hung; An|zie|hungs|kraft

an|zie|len (zum Ziel haben)

an|zi|schen

¹An|zucht, die; -, ...züchte *(Bergmannsspr.* Abwassergraben)

²An|zucht, die; - (Aufzucht junger Pflanzen [und Tiere]); An|zucht|gar|ten

an|zu|ckern *(österr. für* mit Zucker bestreuen)

An|zug, der; -[e]s, ...züge *(schweiz. auch für* [Bett]bezug, Überzug; *schweiz. [Basel] auch* Antrag [im Parlament]); es ist Gefahr im Anzug

an|züg|lich; An|züg|lich|keit

An|zugs|kraft

An|zug|stoff

An|zugs|ver|mö|gen

An|zug|trä|ger

an|zün|den; An|zün|der

an|zwe|cken *(landsch.)*

an|zwei|feln; ich zweif[e]le an

An|zwei|fe|lung, An|zwei|f|lung

an|zwit|schern; sich einen anzwitschern *(ugs. für* sich betrinken); ich zwitschere mir einen an

AO = Abgabenordnung; Anordnung

ao., a. o. = außerordentlich

ao. Prof., a. o. Prof. = außerordentlicher Professor, außerordentliche Professorin

AOK, die; - = Allgemeine Ortskrankenkasse

Äo|li|en (antike Landschaft an der Nordwestküste von Kleinasien); Äo|li|er; Äo|li|e|rin

¹äo|lisch *(zu* Äolien); ↑K89 äolischer Dialekt; äolische Versmaße; Äolische Inseln; *vgl.* Liparische Inseln

²äo|lisch *(zu* Äolus) (durch Windeinwirkung entstanden); äolische Sedimente

Äols|har|fe (Windharfe)

Äo|lus (griech. Windgott)

Äon, der; -s, -en *meist Plur.* ⟨griech.⟩ (Zeitraum, Weltalter; Ewigkeit); äo|nen|lang

Ao|rist, der; -[e]s, -e ⟨griech.⟩ *(Sprachw.* eine Zeitform, bes. im Griechischen)

Aor|ta, die; -, ...ten ⟨griech.⟩ *(Med.* Hauptschlagader); Aor|ten|klap|pe

AP [e:'pi:], die; - = Associated Press

APA, die; - = Austria Presse Agentur *(so die von den Richtlinien der Rechtschreibung abweichende Schreibung)*

Apa|che [...tʃə, *auch* ...xə], der; -n, -n (Angehöriger eines Indianerstammes)

Apa|na|ge [...ʒə, *österr.* ...ʒ], die; -, -n ⟨franz.⟩ (regelmäßige finanzielle Zuwendung)

apart ⟨franz.⟩ (geschmackvoll, reizvoll); etwas Apartes

Apart|be|stel|lung *(Buchhandel* Einzelbestellung [eines Heftes oder Bandes aus einer Reihe])

Apart|heid, die; - ⟨afrikaans⟩ *(früher* Trennung zwischen Weißen und Farbigen in der Republik Südafrika); Apart|heid|po|li|tik

Apartheid

Im Gegensatz zu deutschen Substantiven auf *-heit* wie *Menschheit, Freiheit* endet das aus dem Afrikaans stammende Wort mit einem *-d.*

Apart|ment, das; -s, -s ⟨engl.⟩ (kleinere Wohnung); *vgl.* Appartement; Apart|ment|haus

Apa|thie, die; -, ...ien *Plur. selten* ⟨griech.⟩ (Teilnahmslosigkeit); apa|thisch

Apa|tit, der; -s, -e ⟨griech.⟩ (ein Mineral)

Apa|to|sau|rus, der; -, ...rier

⟨griech.⟩ (ausgestorbene Riesenechse)

Apel|les (altgriech. Maler)

Apen|nin, der; -s, Apen|ni|nen *Plur.* (Gebirge in Italien)

Apen|ni|nen|halb|in|sel, Apen|ni-nen-Halb|in|sel, die; -; apen|ni|nisch; *aber* die Apenninische Halbinsel

aper ⟨*südd., schweiz., österr. für* schneefrei⟩; apere Wiesen

Aper|çu [...'sy:], das; -s, -s ⟨franz.⟩ (geistreiche Bemerkung)

Ape|ri|tif, der; -s, *Plur.* -s, *auch* -e ⟨franz.⟩ (appetitanregendes alkohol. Getränk)

apern ⟨*zu* aper⟩ ⟨*südd., schweiz., österr. für* schneefrei werden⟩; sie sagt, es apere (taue) morgen

Apé|ro, Ape|ro [...pe..., *auch* ...'ro:], der, *selten* das; -s, -s ⟨franz.⟩ (*bes. schweiz., Kurzform von* Aperitif)

Aper|schnal|zen, das; -s ⟨österr. Volksbrauch zum Vertreiben des Winters⟩

Aper|tur, die; -, -en ⟨lat.⟩ (*Optik* Maß für die Fähigkeit eines Systems, sehr feine Details abzubilden; *Med.* Öffnung, Eingang eines Organs)

Apex, der; -, Apizes ⟨lat.⟩ (*Astron.* Zielpunkt einer Gestirnsbewegung; *Sprachw.* Zeichen zur Bezeichnung langer Vokale, z. B. â, á)

Ap|fel, der; -s, Äpfel

Ap|fel|baum; Äp|fel|chen

Ap|fel|es|sig; ap|fel|för|mig

Ap|fel|ge|lee; Ap|fel|kraut, das; -[e]s (*landsch.* Sirup); **Ap|fel|ku-chen; Ap|fel|most; Ap|fel|mus**

äp|feln; das Pferd musste äpfeln

Ap|fel|saft; Ap|fel|saft|schor|le

Ap|fel|schim|mel vgl. ²Schimmel

Ap|fel|schor|le

Ap|fel|si|ne, die; -, -n; **Ap|fel|si|nen-scha|le**

Ap|fel|stru|del; Ap|fel|wein

Ap|fel|wick|ler (ein Kleinschmetterling)

Aph|ä|re|se, Aph|ä|re|sis, die; -, ...resen ⟨griech.⟩ (*Sprachw.* Wegfall eines Lautes od. einer Silbe am Wortanfang, z. B. »'s« *für* »es«)

Apha|sie, die; -, ...ien ⟨griech.⟩ (*Philos.* Urteilsenthaltung; *Med.* Verlust des Sprechvermögens)

Aph|el [a'fe:l], **Ap|hel** [ap'he:l], das; -s, -e ⟨griech.⟩ (*Astron.* Punkt der größten Sonnenferne eines Planeten od. Kometen; *Ggs.* Perihel)

Aphel|l|an|d|ra, die; -, ...dren ⟨griech.⟩ (eine Zierpflanze)

Apho|ris|mus, der; -, ...men ⟨griech.⟩ (geistreicher, knapp formulierter Gedanke, der eine Lebensweisheit vermittelt)

Apho|ris|ti|ker; Apho|ris|ti|ke|rin; apho|ris|tisch

Aph|ro|di|si|a|kum, das; -s, ...ka ⟨griech.⟩ (*Med.* den Geschlechtstrieb anregendes Mittel; **aph|ro|di|sisch** (auf Aphrodite bezüglich; den Geschlechtstrieb steigernd)

Aph|ro|di|te, die (griech. Göttin der Liebe); **aph|ro|di|tisch** (auf Aphrodite bezüglich)

Aph|the, die; -, -n *meist Plur.* ⟨griech.⟩ (*Med.* [schmerzhaftes] kleines Geschwür der Mundschleimhaut)

Aph|then|seu|che (*Tiermed.* Maul- u. Klauenseuche)

Apia (Hauptstadt von Samoa)

api|kal ⟨lat.⟩ (den Apex betreffend)

Apis, der; - (heiliger Stier der alten Ägypter); **Apis|stier**

Api|zes (*Plur. von* Apex)

apl. = außerplanmäßig

Ap|la|nat, der; -en, -en, *auch* das; -s, -e ⟨griech.⟩ (*Optik* Linsensystem, durch das die Aberration korrigiert wird); **ap|la|na|tisch**

Ap|lomb [a'plõ:], der; -s ⟨franz.⟩ (Sicherheit im Auftreten, Nachdruck; Abfangen einer Bewegung im Balletttanz)

Ap|noe [a'pno:ə], die; -, -n ⟨griech.⟩ (*Med.* Atemstillstand; Atemlähmung); **Ap|no|i|ker; Ap|no|i|ke|rin**

APO, Apo, die; - = außerparlamentarische Opposition [in den Sechzigerjahren]

Apo|chro|mat [...k...], der; -en, -en, *auch* das; -s, -e ⟨griech.⟩ (*Optik* Linsensystem, das Farbfehler korrigiert); **apo|chro|ma|tisch**

apo|dik|tisch ⟨griech.⟩ (sicher; keinen Widerspruch duldend)

Apo|gä|um, das; -s, ...äen ⟨griech.⟩ (*Astron.* Punkt der größten Erdferne des Mondes od. eines Satelliten; *Ggs.* Perigäum)

à point [...'põ:] ⟨franz.⟩ (*Gastron.* halb, mittel durchgebraten)

Apo|ka|lyp|se, die; -, -n ⟨griech.⟩ (*Rel.* Schrift über das Weltende, bes. die Offenbarung des Johannes; Unheil, Grauen); **apo|ka|lyp-tisch;** ↑K 89 : die apokalyptischen Reiter

Apo|ko|pe [...pe], die; -, ...kopen ⟨griech.⟩ (*Sprachw.* Abfall eines Lautes od. einer Silbe am Wortende, z. B. »hatt'« *für* »hatte«); **apo|ko|pie|ren**

apo|kryph ⟨griech.⟩ (unecht); **Apo-kryph**, das; -s, -en *meist Plur.* ⟨griech.⟩ (*Rel.* nicht anerkannte Schrift [der Bibel])

Apol|da (Stadt in Thüringen)

apo|li|tisch ⟨griech.⟩ (unpolitisch)

Apoll ⟨*geh. für* ¹Apollo⟩

Apol|li|na|ris (Heiliger)

apol|li|nisch (in der Art Apollos; harmonisch, ausgeglichen)

¹Apol|lo (griech.-röm. Gott [der Dichtkunst])

²Apol|lo, der; -s, -s (schöner [junger] Mann)

³Apol|lo (amerik. Raumfahrtprogramm, das die Landung bemannter Raumfahrzeuge auf dem Mond zum Ziel hatte)

Apol|lo|fal|ter (ein Schmetterling)

Apol|lon vgl. ¹Apollo

Apol|lo|nia (w. Vorn.)

Apol|lo|ni|us (m. Vorn.)

Apol|lo|raum|schiff, Apol|lo-Raum-schiff vgl. ³Apollo

Apo|lo|get, der; -en, -en ⟨griech.⟩ (Verfechter, Verteidiger)

Apo|lo|ge|tik, die; -, -en (*bes. Theol.* Verteidigung, Rechtfertigung [der christl. Lehren])

Apo|lo|ge|tin; apo|lo|ge|tisch

Apo|lo|gie, die; -, ...ien ⟨*geh. für* Verteidigung; Verteidigungsrede, -schrift⟩

Apo|ph|theg|ma, das; -s, *Plur.* ...men *u.* ...mata ⟨griech.⟩ ([witziger] Aus-, Sinnspruch); **apo|ph-theg|ma|tisch**

Apo|phy|se, die; -, -n ⟨griech.⟩ (*Med.* Knochenfortsatz)

Apo|plek|ti|ker ⟨griech.⟩ (*Med.* zu Schlaganfällen Neigender; an den Folgen eines Schlaganfalls Leidender); **Apo|plek|ti|ke|rin**

apo|plek|tisch; Apo|ple|xie, die; -, ...ien (Schlaganfall)

Apop|to|se ⟨griech.⟩ (notwendiger, genetisch programmierter Zelltod)

Apo|rie, die; -, ...ien ⟨griech.⟩ (*Philos.* Unmöglichkeit, eine philos. Frage zu lösen)

Apo|s|ta|sie, die; -, ...ien ⟨griech.⟩ (*Rel.* Abfall [vom Glauben]); **Apo|s|tat**, der; -en, -en (Abtrünniger); **Apo|s|ta|tin**

Apo|s|tel, der; -s, - ⟨griech.⟩

Apo|s|tel|brief (im N. T.); **Apo|s|tel-ge|schich|te**

Apo|s|tel|ku|chen (svw. Brioche)

a pos|te|ri|o|ri ⟨lat.⟩ (Philos. aus der Wahrnehmung gewonnen, aus Erfahrung; geh. für nachträglich); Apos|te|ri|o|ri, das; -, - (Erfahrungssatz); apos|te|ri|o|risch (erfahrungsgemäß)

Apo|s|tilb, das; -s, - (Physik veraltet fotometrische Einheit der Leuchtdichte)

Apo|s|til|le, die; -, -n ⟨griech.⟩ ([empfehlende od. beglaubigende] Nachschrift; Randbemerkung)

Apo|s|to|lat, das, Theol. auch der; -[e]s, -e ⟨griech.⟩ (Apostelamt)

Apo|s|to|li|kum, das; -s (Theol. Apostolisches Glaubensbekenntnis)

apo|s|to|lisch (nach Art der Apostel; von den Aposteln ausgehend); ↑K89 : die apostolische Sukzession; die apostolischen Väter; den apostolischen Segen erteilen; aber ↑K150 u. 151 : das Apostolische Glaubensbekenntnis, die Apostolische Majestät; der Apostolische Delegat, Nuntius, Stuhl

Apo|s|t|roph [schweiz. 'apo...], der; -s, -e ⟨griech.⟩ (Auslassungszeichen, z. B. in »wen'ge«)

Apo|s|t|ro|phe [auch a'pɔstrofe], die; -, -n (Rhet. feierliche Anrede); apo|s|t|ro|phie|ren ([feierlich] anreden; [jmdn.] nachdrücklich bezeichnen); Apo|s|t|ro|phie|rung

Apo|the|ke, die; -, -n ⟨griech.⟩

Apo|the|ken|hel|fe|rin

apo|the|ken|pflich|tig

Apo|the|ker; Apo|the|ker|ge|wicht (vgl. ²Gewicht)

Apo|the|ke|rin

Apo|the|ker|waa|ge

Apo|the|o|se, die; -, -n ⟨griech.⟩ (Vergöttlichung; Verklärung; Theater wirkungsvolles Schlussbild)

apo|tro|pä|isch ⟨griech.-nlat.⟩ (geh. für Unheil abwehrend)

Ap|pa|la|chen Plur. (nordamerik. Gebirge)

Ap|pa|rat, der; -[e]s, -e ⟨lat.⟩ (Gerät, technische Vorrichtung)

Ap|pa|ra|te|bau, der; -[e]s

Ap|pa|ra|te|me|di|zin, die; - (med. Versorgung mit [übermäßigem] Einsatz technischer Apparate)

ap|pa|ra|tiv (den Apparat[ebau] betreffend); ↑K89 : apparative Diagnostik

Ap|pa|rat|schik, der; -s, -s ⟨russ.⟩ (abwertend Funktionär im Staats- u. Parteiapparat stalinistisch geprägter Staaten, der Weisungen und Maßnahmen bürokratisch durchzusetzen sucht)

Ap|pa|ra|tur, die; -, -en (Gesamtanlage von Apparaten)

Ap|par|te|ment [...'mã:, schweiz. auch ...'mɛnt], das; -s, Plur. -s u. (bei deutscher Aussprache:) -e ⟨franz.⟩ (Zimmerflucht in einem Hotel); vgl. Apartment

Ap|pas|si|o|na|ta, die; - ⟨ital.⟩ (eine Klaviersonate von Beethoven)

Ap|peal [ɛ'pi:l], der; -s ⟨engl.⟩ (Anziehungskraft, Ausstrahlung)

Ap|pease|ment [ɛ'pi:smɛnt], das; -s ⟨engl.⟩ (nachgiebige Haltung, Beschwichtigungspolitik)

Ap|pell, der; -s, -e ⟨franz.⟩ (Aufruf; Mahnruf; Milit. Antreten zum Befehlsempfang usw.)

Ap|pel|la|ti|on, die; -, -en (schweiz., sonst veraltet für Berufung); Ap|pel|la|ti|ons|ge|richt

Ap|pel|la|tiv, das; -s, -e (Sprachw. Wort, das eine Gattung gleich gearteter Dinge od. Wesen u. zugleich jedes einzelne Wesen od. Ding dieser Gattung bezeichnet, z. B. »Mensch«)

ap|pel|la|to|risch (mahnend)

ap|pel|lie|ren (sich mahnend, beschwörend an jmdn. wenden)

Ap|pell|platz

¹Ap|pen|dix, der; Gen. -, auch -es, Plur. ...dizes, auch -e ⟨lat.⟩ (Anhängsel; fachspr. auch Anhang)

²Ap|pen|dix, die; -, ...dices [...tse:s], alltagssprachlich auch der; -, ...dizes [...tse:s] ⟨lat.⟩ (Med. Wurmfortsatz)

Ap|pen|di|zi|tis, die; -, ...iti|den (Med. Entzündung der Appendix)

Ap|pen|zell (Kanton der Schweiz [Halbkantone Appenzell Außerrhoden u. Appenzell Innerrhoden]; Hauptort von Innerrhoden)

Ap|pen|zel|ler; Ap|pen|zel|le|rin; ap|pen|zel|lisch

Ap|per|zep|ti|on, die; -, -en ⟨lat.⟩ (Psych. bewusste Wahrnehmung); ap|per|zi|pie|ren (bewusst wahrnehmen)

Ap|pe|tenz, die; -, -en ⟨lat.⟩ (Biol. Trieb); Ap|pe|tenz|ver|hal|ten

Ap|pe|tit, der; -[e]s, -e

ap|pe|tit|an|re|gend; eine appetit-

anregende Vorspeise; es roch appetitanregend; aber ↑K59 : den Appetit anregend

Ap|pe|tit|hap|pen; Ap|pe|tit|hem|mer (Appetitzügler)

ap|pe|tit|lich

ap|pe|tit|los; Ap|pe|tit|lo|sig|keit, die; -

Ap|pe|tit|züg|ler (den Appetit zügelndes Mittel)

Ap|pe|ti|zer ['ɛpitaizɐ], der; -s, - ⟨lat.-engl.⟩ (appetitanregendes Mittel)

ap|pla|nie|ren (österr. für einen Streit schlichten)

ap|plau|die|ren ⟨lat.⟩ (Beifall klatschen); jmdm. applaudieren

Ap|plaus, der; -es, -e Plur. selten (Beifall)

Ap|plet ['ɛplət], das; -s, -s ⟨engl.⟩ (EDV kleineres Anwendungsprogramm)

Ap|pli|ka|ti|on, die; -, -en ⟨lat.⟩ (Anwendung; Med. Verabreichung [von Arzneimitteln]; aufgenähte Verzierung)

ap|pli|ka|tiv; ap|pli|zie|ren

ap|port! ⟨franz.⟩ (Befehl an den Hund bring es her!); Ap|port, der; -s, -e (Herbeibringen); ap|por|tie|ren; Ap|por|tier|hund

Ap|po|si|ti|on, die; -, -en ⟨lat.⟩ (Sprachw. substantivische Beifügung, z. B. Konrad Adenauer, der erste deutsche Bundeskanzler, ...); ap|po|si|ti|o|nell

Ap|pre|teur [...'tø:ɐ], der; -s, -e ⟨franz.⟩ (Textilind. Zurichter, Ausrüster [von Geweben]); ap|pre|tie|ren ([Gewebe] zurichten, ausrüsten); Ap|pre|tur, die; -, -en ⟨lat.⟩ ([Gewebe]zurichtung, -veredelung)

Ap|proach [ɛ'pro:tʃ], der; -[e]s, -s ⟨engl.⟩ (Wissensch. Art der Annäherung an ein Problem; Werbespr. besonders wirkungsvolle Werbezeile)

Ap|pro|ba|ti|on, die; -, -en ⟨lat.⟩ (staatl. Zulassung als Arzt/Ärztin od. Apotheker[in]; österr. auch für Genehmigung von Schulbüchern, Annahme einer Diplomarbeit); ap|pro|bie|ren; approbierter Arzt

Ap|pro|xi|ma|ti|on, die; -, -en ⟨lat.⟩ (bes. Math. Annäherung); ap|pro|xi|ma|tiv (annähernd, ungefähr)

Apr. = April

Ap|rès-Ski [aprɛ'ʃi:], das; - ⟨franz.; norw.⟩ (bequeme [modische] Kleidung, die man nach dem

Skilaufen trägt; Vergnügung nach dem Skilaufen)

Ap|rès-Ski-Klei|dung

Ap|ri|ko|se, die; -, -n ⟨lat.⟩

ap|ri|ko|sen|far|ben

Ap|ri|ko|sen|kon|fi|tü|re; Ap|ri|ko|sen|mar|me|la|de

Ap|ril, der; -[s], -e ⟨lat.⟩ (vierter Monat im Jahr, Ostermond, Wandelmonat; *Abk.* Apr.)

Ap|ril|schau|er; Ap|ril|scherz; Ap|ril|tag; Ap|ril|wet|ter

a pri|ma vis|ta ⟨ital.⟩ (ohne vorherige Kenntnis)

a pri|o|ri ⟨lat.⟩ (*bes. Philos.* von der Wahrnehmung unabhängig; von vornherein)

Apri|o|ri, das; -, - (*Philos.* Vernunftsatz)

apri|o|risch (allein durch Denken gewonnen; aus Vernunftgründen [erschlossen]); **Apri|o|ris|mus**, der; - (philos. Lehre, die eine von der Erfahrung unabhängige Erkenntnis annimmt)

ap|ro|pos [...'po:] ⟨franz.⟩ (nebenbei bemerkt; übrigens)

Ap|si|de, die; -, -n ⟨griech.⟩ (*Astron.* Punkt der kleinsten od. größten Entfernung eines Planeten von dem Gestirn, das er umläuft; *auch für* Apsis)

Ap|sis, die; -, ...si|den ⟨griech.⟩ (*Archit.* halbrunde, auch vieleckige Altarnische; [halbrunde] Nische im Zelt für Gepäck u. a.)

ap|tie|ren ⟨lat.⟩ (*Philatelie* [einen Stempel] so ändern, dass eine weitere Benutzung möglich ist)

Apu|li|en (Region in Italien)

Aqua des|til|la|ta, das; - - ⟨lat.⟩ (destilliertes Wasser)

Aquä|dukt, der, *auch* das; -[e]s, -e (über eine Brücke geführte antike Wasserleitung)

Aqua|jog|ging (kraftvolles Vorwärtsbewegen und Gymnastik im brusthohen Wasser)

Aqua|kul|tur (Bewirtschaftung des Meeres, z. B. durch Muschelkulturen)

aqua|ma|rin (von der Farbe des Aquamarins); **Aqua|ma|rin**, der; -s, -e (ein Edelstein)

Aqua|naut, der; -en, -en (Unterwasserforscher); **Aqua|nau|tin**

Aqua|pla|ning, das; -[s] ⟨lat.; engl.⟩ (Wasserglätte; das Rutschen der Reifen bei regennasser Straße)

Aqua|rell, das; -s, -e ⟨ital.(-franz.)⟩ (mit Wasserfarben gemaltes Bild); in Aquarell (Wasserfar-

ben) malen; **Aqua|rell|far|be; aqua|rel|lie|ren** (in Wasserfarben malen)

Aqua|ri|a|ner ⟨lat.⟩ (Aquarienliebhaber); **Aqua|ri|a|ne|rin**

Aqua|ri|en|glas *Plur.* ...gläser

Aqua|ris|tik, die; - (sachgerechtes Halten und Züchten von Wassertieren u. -pflanzen)

Aqua|ri|um, das; -s, ...ien (Behälter zur Pflege und Züchtung von Wassertieren und -pflanzen; Gebäude für diese Zwecke)

Aqua|tin|ta, die; -, ...ten ⟨ital.⟩ (ein Kupferstichverfahren *[nur Sing.]*; nach diesem Verfahren hergestellte Grafik)

aqua|tisch ⟨lat.⟩ (dem Wasser angehörend); aquatische Fauna

Äqua|tor, der; -s ⟨lat.⟩ (größter Breitenkreis der Erde); **äqua|to|ri|al** (in der Nähe des Äquators befindlich)

Äqua|to|ri|al|gui|nea (Staat in Afrika); **Äqua|to|ri|al|gui|ne|er; Äqua|to|ri|al|gui|ne|e|rin; äqua|to|ri|al|gui|ne|isch**

Äqua|tor|tau|fe

Aqua|vit [*auch* ...'vɪt], der; -s, -e ⟨lat.⟩ (ein mit Kümmel aromatisierter Branntwein)

äqui|dis|tant ⟨lat.⟩ (*Math.* gleich weit voneinander entfernt)

Äqui|lib|rist, *fachspr. auch* **Equi|li|b|rist**, der; -en, -en ⟨franz.⟩ (Gleichgewichtskünstler, bes. Seiltänzer); **Äqui|lib|ris|tin**

äqui|nok|ti|al ⟨lat.⟩ (*fachspr.* das Äquinoktium betreffend); **Äqui|nok|ti|al|stür|me** *Plur.*

Äqui|nok|ti|um, das; -s, ...ien (Tag-undnachtgleiche)

Akquise

Das aus dem Lateinischen stammende Wort weist die im Deutschen ungewöhnliche Schreibweise -*kqu*- auf. Ebenso *akquirieren, Akquisiteur, Akquisiteurin, Akquisition, Akquisitor, akquisitorisch.*

Aqui|ta|ni|en (hist. Landschaft in Südwestfrankreich)

äqui|va|lent ⟨lat.⟩ (gleichwertig); **Äqui|va|lent**, das; -[e]s, -e (Gegenwert; Ausgleich); **Äqui|va|lenz**, die; -, -en (Gleichwertigkeit)

äqui|vok (mehrdeutig)

¹**Ar**, das, *österr. nur so, auch* der; -s, -e ⟨lat.⟩ (ein Flächenmaß; *Zeichen* a); drei Ar

Ar = *chem. Zeichen für* Argon

AR = Arkansas

Ara, Ara|ra, der; -s, -s ⟨indian.⟩ (trop. Langschwanzpapagei)

Ära, die; -, Ären *Plur. selten* ⟨lat.⟩ (Zeitalter, Epoche)

Ara|bel|la (w. Vorn.)

Ara|ber [*auch* 'a...., *österr. u. schweiz. auch* a'ra:...], der; -s, -; **Ara|be|rin**

Ara|bes|ke, die; -, -n ⟨franz.⟩ (*bild. Kunst* stilisiertes Rankenornament)

Ara|bi|en

ara|bisch; arabische Ziffern; ↑K 89 : arabisches Vollblut; ↑K 150 : Arabische Republik Ägypten; Arabisches Meer; Arabische Liga; *vgl.* Deutsch; **Ara|bi|sche**, das; -n; *vgl.* Deutsche, das

Ara|bisch, das; -[s] (eine Sprache); *vgl.* Deutsch; **Ara|bi|sche**, das; -n; *vgl.* Deutsche, das

ara|bi|sie|ren

Ara|bist, der; -en, -en (Wissenschaftler auf dem Gebiet der Arabistik)

Ara|bis|tik, die; - (Erforschung der arabischen Sprache u. Literatur); **Ara|bis|tin**

Arach|ni|den, Arach|no|i|den *Plur.* ⟨griech.⟩ (*Zool.* Spinnentiere)

Arach|no|lo|ge, der; -n, -n; **Arach|no|lo|gie**, die; - (Wissenschaft von den Spinnentieren); **Arach|no|lo|gin**

Ara|gón (*span. Schreibung für* Aragonien)

Ara|go|ne|se, der; -n, -n (*auch für* Aragonier); **Ara|go|ne|sin**

Ara|go|ni|en (hist. Provinz in Spanien)

Ara|go|ni|er; Ara|go|ni|e|rin; ara|go|nisch

Ara|go|nit, der; -s (ein Mineral)

Ara|lie, die; -, -n (Pflanzengattung; Zierpflanze)

Aral|see , Aral-See, der; -s (abflussloser See in Mittelasien)

Ara|mäa ⟨aram., »Hochland«⟩ (alter Name für Syrien)

Ara|mä|er, der; -s, - (Angehöriger eines westsemit. Nomadenvolkes); **Ara|mä|e|rin**

ara|mä|isch *vgl.* deutsch; **Ara|mä|isch**, das; -[s] (eine Sprache); *vgl.* Deutsch; **Ara|mä|i|sche**, das; -n; *vgl.* Deutsche, das

Aran|ci|ni [aran't∫i:ni] *vgl.* Aranzini

Aran|ju|ez [...xuɛs, ...'xu̯ɛs] (span. Stadt)

Aran|zi|ni *Plur.* ⟨pers.-ital.⟩ (*bes. österr. für* Orangeat)

Ärar, das; -s, -e ⟨lat.⟩ (Staatsvermögen; *österr. für* Fiskus)

Ara|ra *vgl.* Ara

Ara|rat [ˈaː(ː)...], der; -[s] (höchster Berg der Türkei)

ära|risch ⟨lat.⟩ (zum Ärar gehörend; staatlich)

Arau|ka|ner (chilen. u. argentin. Indianer)

Arau|ka|rie, die; -, -en (Zimmertanne)

Araz|zo, der; -s, ...zzi ⟨ital., nach der franz. Stadt Arras⟩ (gewirkter Bildteppich)

Ar|beit, die; -, -en; ↑K58 : Arbeit suchende *od.* arbeitsuchende Menschen; die Arbeit Suchenden *od.* Arbeitsuchenden

ar|bei|ten; Ar|bei|ter

Ar|bei|ter|be|we|gung; Ar|bei|ter|dich|ter; Ar|bei|ter|füh|rer

Ar|bei|te|rin

Ar|bei|ter|kam|mer (gesetzliche Interessenvertretung der Arbeitnehmer in Österreich)

Ar|bei|ter|klas|se; Ar|bei|ter|par|tei

Ar|bei|ter|pries|ter (kath. Priester, der unter denselben Bedingungen wie die Arbeiter lebt)

Ar|bei|ter-Sa|ma|ri|ter-Bund

Ar|bei|ter|schaft, die; -

Ar|bei|ter|schutz (*österr. für* Arbeitsschutz)

Ar|bei|ter-und-Bau|ern-Fa|kul|tät (Bildungseinrichtung in der DDR; *Abk.* ABF)

Ar|beit|ge|ber; Ar|beit|ge|ber|an|teil; Ar|beit|ge|be|rin; Ar|beit|ge|ber|ver|band

Ar|beit|neh|mer; Ar|beit|neh|me|rin

Ar|beit|neh|mer/-innen, Ar|beit|neh|mer(innen) (*Kurzformen für* Arbeitnehmerinnen u. Arbeitnehmer)

Ar|beit|neh|mer|ver|an|la|gung (*österr. für* Lohnsteuerjahresausgleich)

Ar|beit|neh|mer|ver|tre|ter (im Aufsichtsrat); **Ar|beit|neh|mer|ver|tre|te|rin**

Ar|beits|agen|tur; Ar|beits|all|tag

ar|beit|sam

Ar|beits|amt (*jetzt* Arbeitsagentur); **Ar|beits|be|schaf|fung; Ar|beits|be|schaf|fungs|maß|nah|me** (*Abk.* ABM)

Ar|beits|be|such (*Politik*)

Ar|beits|di|rek|tor; Ar|beits|di|rek|to|rin; Ar|beits|ei|fer

Ar|beits|ein|satz

Ar|beits|er|laub|nis

Ar|beits|es|sen

ar|beits|fä|hig; Ar|beits|fä|hig|keit, die; -; **Ar|beits|feld; Ar|beits|gang,** der; **Ar|beits|ge|mein|schaft**

Ar|beits|ge|richt; Ar|beits|grup|pe

Ar|beits|haus; Ar|beits|hy|gi|e|ne

ar|beits|in|ten|siv

Ar|beits|ka|me|rad; Ar|beits|kampf; Ar|beits|kli|ma; Ar|beits|kraft; Ar|beits|kreis

Ar|beits|la|ger; Ar|beits|le|ben; Ar|beits|lohn

ar|beits|los; Ar|beits|lo|se, der u. die; -n; **Ar|beits|lo|sen|geld; Ar|beits|lo|sen|hil|fe,** die; -; **Ar|beits|lo|sen|quo|te**

Ar|beits|lo|sen|un|ter|stüt|zung; Ar|beits|lo|sen|ver|si|che|rung, die; -; **Ar|beits|lo|sen|zahl**

Ar|beits|lo|sig|keit, die; -

Ar|beits|markt; Ar|beits|markt|po|li|tik; Ar|beits|markt|ser|vice (*österr. für* Agentur für Arbeit)

Ar|beits|mi|nis|ter; Ar|beits|mi|nis|te|rin; Ar|beits|mi|nis|te|ri|um

Ar|beits|mo|ral; Ar|beits|platz; Ar|beits|platz|ab|bau; Ar|beits|recht; Ar|beits|schutz, der; -es

Ar|beits|spei|cher (*EDV*)

Ar|beits|stät|te; Ar|beits|stel|le

ar|beits|su|chend; Ar|beits|su|chen|de, der u. die; -n, -n

Ar|beits|tag; ar|beits|täg|lich

ar|beits|tei|lig; Ar|beits|tei|lung; Ar|beits|tier

Arbeit su|chend, ar|beit|su|chend ↑K58 ; Arbeit Su|chen|de, der u. die; - -n, - -n, **Ar|beit|su|chen|de,** der u. die; -n, -n

Ar|beits|un|ter|richt (Prinzip der Unterrichtsgestaltung)

Ar|beits|ver|hält|nis; Ar|beits|ver|mitt|lung; Ar|beits|ver|trag

Ar|beits|wei|se

Ar|beits|welt

ar|beits|wil|lig; Ar|beits|wil|li|ge, der u. die; -n, -n

Ar|beits|zeit; Ar|beits|zeit|kon|to; Ar|beits|zeit|ver|kür|zung; Ar|beits|zeit|ver|län|ge|rung

Ar|beits|zim|mer

Ar|bi|t|ra|ge [...ʒə, *österr.* ...ʒ], die; -, -n ⟨franz.⟩ (Schiedsgerichtsvereinbarung im Handelsrecht; [Ausnutzen der] Kursunterschiede an verschiedenen Börsen)

ar|bi|t|rär (nach Ermessen, willkürlich)

Ar|bi|t|ra|ti|on, die; -, -en (Schiedswesen für Streitigkeiten an der Börse)

ARBÖ, der; - = Auto-, Motor- und Radfahrerbund Österreichs

Ar|bo|re|tum, das; -s, ...ten ⟨lat.⟩ (*Bot.* Pflanzung verschiedener Bäume zu Studienzwecken)

Ar|bu|se, die; -, -n ⟨pers.-russ.⟩ (Wassermelone)

arc = Arkus

ARCD, der; - = Auto- u. Reiseclub Deutschland

Arc de Tri|omphe [ˈark də triˈõːf], der; - - - (Triumphbogen in Paris)

Ar|cha|i|kum, Ar|chä|i|kum, das; -s ⟨griech.⟩ (*Geol.* ältestes Zeitalter der Erdgeschichte)

ar|cha|isch (aus sehr früher Zeit [stammend], altertümlich)

ar|chä|isch (das Archäikum betreffend)

ar|cha|i|sie|ren (archaische Formen verwenden; altertümeln); **Ar|cha|is|mus,** der; -, ...men (altertümliche Ausdrucksform, veraltetes Wort); **ar|cha|is|tisch**

Ar|chan|gelsk [*auch* ...x...] (russ. Stadt)

Ar|chäo|lo|ge, der; -n, -n ⟨griech.⟩

Ar|chäo|lo|gie, die; - (Altertumskunde, -wissenschaft); **Ar|chäo|lo|gin; ar|chäo|lo|gisch**

Ar|chä|o|p|te|ryx, der *od.* die; -, *Plur.* -e u. ...te|ryges (Urvogel)

Ar|che, die; -, -n ⟨lat.⟩ (schiffähnlicher Kasten); Arche Noah

Ar|che|typ [*auch* ˈa...], der; -s, -en, **Ar|che|ty|pus,** der; -, ...pen ⟨griech.⟩ (Urbild, Urform; älteste erreichbare Gestalt [einer Schrift]); **ar|che|ty|pisch** (dem Urbild entsprechend)

Ar|chi|bald (m. Vorn.)

Ar|chi|di|a|kon ⟨griech.⟩ (Titel von Geistlichen [der anglikanischen Kirche])

Ar|chi|man|d|rit, der; -en, -en (*Ostkirche* Klostervorsteher; Ehrentitel für Priester)

Ar|chi|me|des (altgriech. Mathematiker); **ar|chi|me|disch;** ↑K89 *u.* 135 : archimedisches Prinzip; archimedischer Punkt (Angelpunkt); archimedische Spirale

Ar|chi|pel, der; -s, -e ⟨griech.-ital.⟩ (Inselmeer, -gruppe)

Ar|chi|tekt, der; -en, -en ⟨griech.⟩; **Ar|chi|tek|ten|bü|ro; Ar|chi|tek|tin**

Ar|chi|tek|to|nik, die; -, -en (Wissenschaft der Baukunst [*nur Sing.*]; Bauart; planmäßiger Aufbau); **ar|chi|tek|to|nisch** (baulich; baukünstlerisch)

Ar|chi|tek|tur, die; -, -en (Baukunst; Baustil); Ar|chi|tek|tur|büro

Ar|chi|t|rav, der; -s, -e (*Archit.* auf Säulen ruhender Tragbalken)

Ar|chiv, das; -s, -e (Akten-, Urkundensammlung)

Ar|chi|va|le, das; -s, ...lien *meist Plur.* (Aktenstück [aus einem Archiv]); ar|chi|va|lisch (urkundlich)

Ar|chi|var, der; -s, -e (Archivbeamter); Ar|chi|va|rin

Ar|chiv|bild

ar|chi|vie|ren (in ein Archiv aufnehmen); Ar|chi|vie|rung

Ar|chon, der; -s, Archonten, Archont, der; -en, -en ⟨griech.⟩ (höchster Beamter im alten Athen)

Ar|cus *vgl.* Arkus

ARD, die; - = Arbeitsgemeinschaft der öffentlich-rechtlichen Rundfunkanstalten der Bundesrepublik Deutschland

Ar|da|bil, Ar|de|bil, der; -[s], -s (iran. Teppich)

Ar|den|nen *Plur.* (Gebirge)

Ar|den|ner Wald, der; - -[e]s (*früher für* Ardennen)

Ar|dey, der; -s (gebirgiger Teil des Sauerlandes)

Are, die; -, -n (*schweiz. für* ¹Ar)

Are|al, das; -s, -e ([Boden]fläche, Gelände)

Are|ka|nuss ⟨Malajalam-port.; dt.⟩ (Frucht der Arekapalme; Betelnuss)

are|li|gi|ös

Ären (*Plur. von* Ära)

Are|na, die; -, ...nen ⟨lat.⟩ ([sandbestreuter] Kampfplatz; Sportplatz; Manege im Zirkus)

Are|o|pag, der; -s ⟨griech.⟩ (Gerichtshof im alten Athen)

Ares (griech. Kriegsgott)

Arez|zo (ital. Stadt)

arg, ärger, ärgste; ein arger Bösewicht, *aber* der Arge (*vgl. d.*); Arges befürchten; nichts Arges denken; im Argen liegen; zum Ärgsten kommen; vor dem Ärgsten bewahren; die Ärgste befürchten, verhüten

Arg, das; -s (*geh.*); ohne Arg; kein Arg an einer Sache finden; es ist kein Arg an ihm

¹Ar|ge, der; -n (*veraltet für* Teufel)

²Ar|ge, die; -, -n (*Kurzwort aus* Arbeitsgemeinschaft) (*bes. österr.*)

Ar|gen|ti|ni|en (südamerik. Staat)

Ar|gen|ti|ni|er; Ar|gen|ti|ni|e|rin

Ar|gen|ti|nisch; argentinische Literatur, *aber* die Argentinische Republik

Ar|gen|tit, der; -s (Silberglanz; Silbersulfid)

Ar|gen|tum, das; -[s] (*lat. Bez. für* Silber; *Zeichen* Ag)

Är|ger, der; -s; är|ger|lich

är|gern; ich ärgere; sich über etwas ärgern; Är|ger|nis, das; ...nisses, ...nisse

Ärgernis

Substantive auf *-nis* werden im Nominativ Singular mit einem *-s* geschrieben, obwohl der Genitiv Singular und die Pluralform mit einem Doppel-s gebildet werden.

Arg|list, die; -; arg|lis|tig

arg|los; Arg|lo|sig|keit, die; -

Ar|go, die; - ⟨griech.⟩ (Name des Schiffes der Argonauten; ein Sternbild)

Ar|go|lis (griech. Landschaft)

Ar|gon [*auch* ...ˈgo:n], das; -s ⟨griech.⟩ (chemisches Element, Edelgas; *Zeichen* Ar)

Ar|go|naut, der; -en, -en ⟨griech.⟩ (Held der griech. Sage; ein Tintenfisch)

Ar|gon|nen *Plur.* (franz. Gebirge)

Ar|got [arˈgo:], das *od.* der; -s, -s ⟨franz.⟩ (franz. Gaunersprache; Jargon bestimmter sozialer Gruppen)

Ar|gu|ment, das; -[e]s, -e ⟨lat.⟩ (Beweis[mittel, -grund])

Ar|gu|men|ta|ri|um (*schweiz. für* Zusammenstellung von Argumenten)

Ar|gu|men|ta|ti|on, die; -, -en (Beweisführung)

ar|gu|men|ta|tiv (mit Argumenten); ar|gu|men|tie|ren

¹Ar|gus (Riese der griech. Sage)

²Ar|gus, der; -, -se (scharf beobachtender Wächter)

Ar|gus|au|gen *Plur.* ↑K136 (scharfe, wachsame Augen); argus|äu|gig

Arg|wohn, der; -[e]s (*geh.*)

arg|wöh|nen; ich argwöhne; geargwöhnt; zu argwöhnen; arg|wöhnisch

Är|hus [ˈɔːhuːs] (dän. Stadt)

Arhyth|mie *vgl.* Arrhythmie

Ari|ad|ne (griech. weibliche Sagengestalt); Ari|ad|ne|fa|den, der; -s

Ari|a|ne (w. Vorn.; Name einer europ. Trägerrakete)

Ari|a|ner (*Rel.* Anhänger des Arianismus); ari|a|nisch; der Arianische Streit ↑K89

Ari|a|nis|mus, der; - (Lehre des Arius, wonach Christus mit Gott nicht wesenseins, sondern ihm nur wesensähnlich sei)

arid ⟨lat.⟩ (*Geogr.* trocken; wüstenhaft); Ari|di|tät, die; -

Arie, die; -, -n ⟨ital.⟩ (Sologesangsstück mit Instrumentalbegleitung)

¹Ari|el [...ɛl, *auch* ...e:l] ⟨hebr.⟩ (alter Name Jerusalems; Name eines Engels; Luftgeist in Shakespeares »Sturm«)

²Ari|el, der; -s (Uranusmond)

Ari|er, der; -s, - ⟨sanskr.⟩ (Angehöriger eines der frühgeschichtl. Völker mit idg. Sprache; *nationalsoz.* Angehöriger der sogenannten nordischen Rasse)

Ari|es, der; - ⟨lat., »Widder«⟩ (ein Sternbild)

Ari|ma|thia, Ari|ma|täa (altpalästinensischer Ort)

Ari|on (altgriech. Sänger)

ari|o|so ⟨ital.⟩ (*Musik* liedmäßig [vorgetragen]); Ari|o|so, das; -s, *Plur.* -s u. ...si (liedhaftes Musikstück)

Ari|ost, Ari|os|to (ital. Dichter)

Ari|o|vist (Heerkönig der Sweben)

arisch (*zu* Arier); ari|sie|ren (*nationalsoz.* jüdisches Eigentum in den Besitz sogenannter Arier überführen)

Aris|ti|des (athen. Staatsmann)

Aris|to|krat, der; -en, -en ⟨griech.⟩ (Angehöriger des Adels; vornehmer Mensch); Aris|to|kra|tie, die; -, ...ien; Aris|to|kra|tin; aris|tokra|tisch

Aris|to|pha|nes (altgriech. Lustspieldichter); aris|to|pha|nisch; die aristophanische Komödie; von aristophanischer Laune ↑K135 *u.* 89

Aris|to|te|les (altgriech. Philosoph); Aristoteles' Schriften ↑K16 ; Aris|to|te|li|ker (Anhänger der Lehre des Aristoteles); aristo|te|lisch; die aristotelische Logik ↑K135 *u.* 89

Arith|me|tik, die; - ⟨griech.⟩ (Zahlenlehre, Rechnen mit Zahlen)

Arith|me|ti|ker, Arith|me|ti|ke|rin

arith|me|tisch (auf die Arithmetik bezüglich); ↑K89 : arithmetisches Mittel (Durchschnittswert)

Arith|mo|griph, der; -en, -en (Zahlenrätsel)

Ari|us (alexandrinischer Presbyter)

Ari|zo|na (Staat in den USA; *Abk.* AZ)

Ar|ka|de, die; -, -n ⟨franz.⟩ (*Archit.* Bogen auf zwei Pfeilern od. Säulen; *meist Plur.* Bogenreihe)

Ar|ka|di|en (griech. Landschaft); Ar|ka|di|er; ar|ka|disch; arkadische Poesie (Hirten- u. Schäferdichtung)

ar|kan ⟨lat.⟩ (geheim, nicht zugänglich)

Ar|kan|sas (Staat in den USA; *Abk.* AR)

Ar|ka|num, das; -s, ...na ⟨lat.⟩ (Geheimnis; Geheimmittel)

Ar|ke|bu|se, die; -, -n (niederl., »Hakenbüchse«) (Gewehr im 15./16. Jh.); Ar|ke|bu|sier, der; -s, -e (Soldat mit Arkebuse)

Ar|ko|na (Kap auf Rügen)

Ar|ko|se, die; - ⟨franz.⟩ (*Geol.* feldspatreicher Sandstein)

Ark|ti|ker, der; -s, - ⟨griech.⟩ (Bewohner der Arktis); Ark|ti|ke|rin; Ark|tis, die; - (Gebiet um den Nordpol); ark|tisch

Ark|tur, Ark|tu|rus, der; - (ein Stern)

Ar|kus, Ar|cus, der; -, - ⟨lat.⟩ (*Math.* Kreisbogen eines Winkels; *Zeichen* arc)

Arl|berg, der; -[e]s (Alpenpass); Arl|berg|bahn, Arl|berg-Bahn, die; -

Arles [arl] (franz. Stadt im Rhonedelta)

arm

ärmer, ärms|te

– arme Ritter (eine Süßspeise)
– wir armen Kinder; *aber* wir Armen
– Arm und Reich (*veraltet für* jedermann)
– ein Konflikt zwischen Arm und Reich (armen u. reichen Menschen); Arme und Reiche, bei Armen und Reichen, der Arme (*vgl. d.*) und der Reiche
Vgl. arm machen, armmachen

Arm, der; -[e]s, -e; ein Armvoll od. Arm voll Reisig

Ar|ma|da, die; -, *Plur.* ...den u. -s ⟨span.⟩ ([mächtige] Kriegsflotte)

Ar|ma|ged|don, das; -[s] ⟨hebr.-griech.⟩ ([politische] Katastrophe)

Ar|ma|g|nac [...manˈjak], der; -[s], -s ⟨franz.⟩ (franz. Weinbrand)

arm|am|pu|tiert; ein armamputierter Mann

Ar|ma|tur, die; -, -en ⟨lat.⟩; Ar|ma|tu|ren|brett

Arm|band, das; *Plur.* ...bänder; Arm|band|uhr

Arm|beu|ge; Arm|bin|de; Arm|blatt (Einlage gegen Achselschweiß in Kleidungsstücken); Arm|bruch

Arm|brust, die; -, *Plur.* ...brüste, *auch* -e

Ärm|chen

arm|dick; ein armdicker Ast, *aber* einen Arm dick

Ar|me, der u. die; -n, -n

Ar|mee, die; -, ...meen ⟨franz.⟩ (Heer; Heeresabteilung); ar|mee|ei|gen; ↑K169

Ar|mee|ein|heit, Ar|mee-Ein|heit; Ar|mee|korps (*Abk.* AK)

Är|mel, der; -s, -

Ar|mel|leu|te|es|sen; Ar|me|leu|te|ge|ruch (*abwertend);* Ar|me|leu|te|vier|tel

...är|me|lig, ...ärm|lig (z. B. kurzärm[e]lig)

Är|mel|ka|nal, der; -s

Är|mel|län|ge; är|mel|los

Ar|men|haus

Ar|me|ni|en (Staat in Vorderasien) Ar|me|ni|er; Ar|me|ni|e|rin

ar|me|nisch

Ar|men|pfle|ger (*veraltet);* Ar|men|recht, das; -[e]s

Ar|men|sün|der|glo|cke, die; -, -n (*österr. für* Armesünderglocke); Ar|men|sün|der|mie|ne, die; -, -n (*österr. für* reuiger Gesichtsausdruck)

Ar|men|vier|tel

Ar|mes|län|ge; auf Armeslänge an jmdn. herankommen; um Armeslänge voraus sein

Ar|me|sün|der, der; des Armesünders, die Armesünder; *bei Beugung des ersten Bestandteils Getrenntschreibung:* des armen Sünders, die armen Sünder, ein armer Sünder

Ar|me|sün|der|glo|cke, die; -, -n, Ar|me-Sün|der-Glo|cke, die; -, -n (*bei Beugung des ersten Bestandteils nur mit Bindestrichen)*

ar|mie|ren ⟨lat.⟩ (*Technik* ausrüsten, bestücken, bewehren)

Ar|mie|rung; Ar|mie|rungs|ei|sen

...ar|mig (z. B. langarmig)

Ar|min (m. Vorn.)

Ar|mi|ni|us (Cheruskerfürst)

arm|lang; ein armlanger Stiel, *aber* einen Arm lang

Arm|län|ge; Arm|leh|ne

Arm|leuch|ter (*auch* Schimpfwort)

ärm|lich; Ärm|lich|keit, die; -

...ärm|lig *vgl.* ...ärmelig

Ärm|ling (Ärmel zum Überstreifen)

arm ma|chen, arm|machen; ihre Spielleidenschaft hat sie arm gemacht *od.* armgemacht

Arm|mus|kel

Ar|mo|ri|ka (kelt. Bez. *für* die Bretagne); ar|mo|ri|ka|nisch; *aber* ↑K140 : das Armorikanische Gebirge (*Geol.*)

Arm|reif, der; -[e]s, -e

arm|se|lig; Arm|se|lig|keit, die; -

[1]Arm|strong, Louis (amerik. Jazzmusiker)

[2]Arm|strong, Neil [niːl] (amerik. Astronaut)

Arm|sün|der|glo|cke *vgl.* Armesünderglocke

Ar|mu|re [...ˈmy:...], Ar|mü|re, die; -, -n ⟨franz.⟩ (klein gemustertes [Kunst]seidengewebe)

Ar|mut, die; -

Ar|muts|flücht|ling (*Soziol.*)

Ar|muts|gren|ze

Ar|muts|ri|si|ko; Ar|muts|zeug|nis

Arm|voll, Arm voll *vgl.* Arm

Arndt (dt. Dichter)

Ar|ni|ka, die; -, -s ⟨griech.⟩ (eine Heilpflanze); Ar|ni|ka|tink|tur

Ar|nim (märk. Adelsgeschlecht)

[1]Ar|no, der; -[s] (ital. Fluss)

[2]Ar|no (m. Vorn.)

Ar|nold (m. Vorn.)

Ar|nulf (m. Vorn.)

Arom, das; -s, -e ⟨griech.⟩ (*geh. für* Aroma); Aro|ma, das; -s, *Plur.* ...men, -s *u. älter* -ta

aro|ma|tisch; aromatische Verbindungen (*Chemie*); aro|ma|ti|sie|ren (mit Aroma versehen)

Aron|stab ⟨griech.; dt.⟩ (eine Pflanze)

Aro|sa (Ort in Graubünden); Aro|ser

Ar|pad (erster Herzog der Ungarn); Ar|pa|de, der; -n, -n (Angehöriger eines ung. Fürstengeschlechtes)

Ar|peg|gia|tur [...dʒa...], die; -, -en ⟨ital.⟩ (*Musik* Reihe gebrochener Akkorde)

ar|peg|gie|ren (nach Harfenart spielen)

ar|peg|gio (nach Harfenart); Ar|peg|gio, das; -s, *Plur.* -s *u.* ...gien [...dʒi̯ən]

Ar|rak, der; -s, *Plur.* -e *u.* -s ⟨arab.⟩ (Branntwein aus Reis od. Melasse)

Ar|ran|ge|ment [arãʒəˈmãː], das; -s,

-s ⟨franz.⟩ (Anordnung; Übereinkunft; Einrichtung eines Musikstücks)

Ar|ran|geur [...ˈʒøːɐ̯], der; -s, -e (jmd., der etwas arrangiert; jmd., der im Musikstück einrichtet, einen Schlager instrumentiert)

Ar|ran|geu|rin

ar|ran|gie|ren

Ar|ran|gier|pro|be (*Theater* Stellprobe)

Ar|ras (franz. Stadt)

Ar|rest, der; -[e]s, -e ⟨lat.⟩ (Beschlagnahme; Haft); **Ar|restant**, der; -en, -en (*veraltend für* Inhaftierter); **Ar|res|tan|ten|wagen** (österr.); **Ar|res|tan|tin; Arrest|zel|le**

ar|re|tie|ren (*Technik* anhalten; sperren; *veraltet für* verhaften); **Ar|re|tie|rung** (Sperrvorrichtung)

Ar|rhe|ni|us (schwed. Chemiker u. Physiker)

Ar|rhyth|mie, die; -, ...ien ⟨griech.⟩ (Unregelmäßigkeit in einer sonst rhythm. Bewegung; *Med.* Unregelmäßigkeit des Herzschlags); **ar|rhyth|misch** [*od.* aˈrʏ...]

Ar|ri|val [ɛˈraɪvl], das; -s, -s ⟨engl.⟩ (Ankunft [Hinweis auf Flughafen])

ar|ri|vie|ren ⟨franz.⟩ (in der Karriere vorwärtskommen); **ar|riviert** (anerkannt, erfolgreich); **Ar|ri|vier|te**, der *u.* die; -n, -n

ar|ro|gant ⟨lat.⟩ (anmaßend); **Ar|roganz**, die; -

ar|ron|die|ren [arõ...] ⟨franz.⟩; Grundbesitz arrondieren (abrunden, zusammenlegen); **Ar|ron|die|rung**

Ar|ron|dis|se|ment [arõdisəˈmãː], das; -s, -s (Unterabteilung eines franz. Departements; Bezirk)

Ar|row|root [ˈɛroruːt], das; -s ⟨engl., »Pfeilwurz«⟩ (ein Stärkemehl)

Ar|sa|ki|de, der; -n, -n (Angehöriger eines pers. u. armen. Herrschergeschlechtes)

Arsch [*auch* aːʃ], der; -[e]s, Ärsche (derb)

Arsch|ba|cke (derb)

Arsch|bom|be (derb für Sprung ins Wasser mit nach vorne hochgezogenen Beinen)

Arsch|gei|ge (derb)

Arsch|ge|weih (derb für geweihähnliche Tätowierung am unteren Rücken)

arsch|kalt (derb für sehr kalt)

Arsch|kar|te; die Arschkarte ziehen (derb für den Schaden tragen); **Arsch|krie|cher** (derb für übertrieben schmeichlerischer Mensch); **Arsch|krie|che|rin**

Arsch|le|der (Bergmannsspr.)

Arsch|loch (derb); **Arsch|pau|ker** (derb für Lehrer); **Arsch|wisch** (derb für wertloses Schriftstück)

Ar|sen, das; -s ⟨griech.⟩ (chemisches Element; *Zeichen* As)

Ar|se|nal, das; -s, -e ⟨arab.-ital.⟩ (Geräte-, Waffenlager)

ar|se|nig ⟨griech.⟩ (arsenikhaltig)

Ar|se|nik, das; -s (*Chemie* giftige Arsenverbindung); **ar|se|nik|haltig**

Ar|sen|kies (ein Mineral)

Ar|sen|ver|gif|tung

Ar|sis, die; -, Arsen ⟨griech.⟩ (*Verslehre* Hebung)

Art, die; -, -en; ein Mann [von] der Art (solcher Art); *aber* sie hat mich derart (so) beleidigt, dass ...; *vgl.* allerart

Art. = Artikel

Art|an|ga|be (*Sprachw.* Umstandsangabe der Art u. Weise)

Art dé|co [ˈaːɐ̯ deˈko...], der *u.* das; - - ⟨franz.⟩ (Kunst[gewerbe]stil der Jahre 1920–40)

Art|di|rec|tor [...dɪrɛktɐ, *auch* ...dairɛktɐ], der; -s, -s ⟨engl.⟩ (künstlerischer Leiter/künstlerische Leiterin des Layouts in einer Werbeagentur)

Art-Di|rek|tor (Berufsbez.); *vgl.* Artdirector; **Art-Di|rek|to|rin**

Ar|te|fakt, das; -[e]s, -e ⟨lat.⟩ (*Archäol.* von Menschen geformter vorgeschichtlicher Gegenstand; *geh. für* Kunstwerk)

art|ei|gen (*Biol.* einer bestimmten Art entsprechend, eigen)

Ar|tel, das; -s, -s ⟨russ., »Gemeinschaft«⟩ ([Arbeiter]genossenschaft im alten Russland u. in der sowjet. Kollektivwirtschaft)

Ar|te|mis (griech. Göttin der Jagd)

ar|ten; nach jmdm. arten

Ar|ten|reich|tum, der; -s

Ar|ten|schutz, der; -es; **Ar|ten|vielfalt**

art|er|hal|tend

Ar|te|rie, die; -, -n ⟨griech.⟩ (*Med.* Schlagader); **ar|te|ri|ell**; arterielles Blut

Ar|te|ri|en|ver|kal|kung

Ar|te|ri|i|tis, die; -, ...iitiden (Arterienentzündung)

Ar|te|rio|skle|ro|se (Arterienverkalkung); **ar|te|rio|skle|ro|tisch**

ar|te|sisch ⟨zu Artois⟩; ↑K89 : artesischer Brunnen (Brunnen, dessen Wasser durch Überdruck des Grundwassers selbsttätig aufsteigt)

art|fremd (bes. Biol.); artfremdes Gewebe

Art|ge|nos|se; Art|ge|nos|sin

art|ge|recht

Ar|th|ral|gie, die; -, ...ien ⟨griech.⟩ (*Med.* Gelenkschmerz)

Ar|th|ri|ti|ker (an Arthritis Leidender); **Ar|th|ri|ti|ke|rin; Ar|th|ri|tis**, die; -, ...itiden (Gelenkentzündung); **ar|th|ri|tisch**

Ar|th|ro|po|den *Plur.* (*Zool.* Gliederfüßer)

Ar|th|ro|se, die; -, -n (*Med.* chronische Gelenkerkrankung)

Ar|thur *vgl.* Artur

ar|ti|fi|zi|ell ⟨franz.⟩ (künstlich)

ar|tig (gesittet; folgsam)

...ar|tig (z. B. gleichartig)

Ar|tig|keit

Ar|ti|kel [*auch* ...ˈtɪ...], der; -s, - ⟨lat.⟩ (Geschlechtswort; Abschnitt eines Gesetzes u. Ä. [*Abk.* Art.]; Ware; Aufsatz)

Ar|ti|kel|se|rie (Folge von Artikeln zu einem Thema)

ar|ti|ku|lar (*Med.* zum Gelenk gehörend)

Ar|ti|ku|la|ti|on, die; -, -en (*Sprachw.* Lautbildung; [deutliche] Aussprache); **ar|ti|ku|la|torisch; ar|ti|ku|lie|ren** ([deutlich] aussprechen)

Ar|til|le|rie [*auch* aˈr...], die; -, ...ien ⟨franz.⟩; **Ar|til|le|rist**, der; -en, -en; **ar|til|le|ris|tisch**

Ar|ti|scho|cke, die; -, -n ⟨ital.⟩ (eine Zier- u. Gemüsepflanze); **Ar|tischo|cken|bo|den**

Ar|tist, der; -en, -en ⟨franz.⟩; **Ar|tistik**, die; - (Kunst der Artisten); **Ar|tis|tin; ar|tis|tisch**

Art nou|veau [ˈaːɐ̯ nuˈvoː], der *u.* das; - - ⟨franz.⟩ (Jugendstil in England u. Frankreich)

Ar|tois [...ˈtoa], das; - ⟨hist. Provinz in Nordfrankreich⟩

Ar|to|thek, die; -, -en ⟨lat.; griech.⟩ (Galerie, die Bilder od. Plastiken ausleiht)

Ar|tur (m. Vorn.)

Ar|tus (sagenhafter walis. König); **Ar|tus|hof** (hist.)

art|ver|wandt

Ar|ve [...və, *schweiz.* ...fə], die; -, -n (Zirbelkiefer)

Arz|nei; Arz|nei|kun|de, die; -

arz|nei|lich

Arz|nei|mit|tel, das; **Arz|nei|mit|tel-**

A

Arzn

bud|get; Arz|nei|mit|tel|leh|re;
Arz|nei|mit|tel|preis|ver|ord|nung
Arzt, der; -es, Ärzte
Ärz|te|kam|mer
Ärz|te|schaft, die; -
Arzt|hel|fe|r; Arzt|hel|fe|rin
Arzt|hil|fe|schein (österr. amtl. für
Krankenschein)
Ärz|tin
ärzt|lich; ärzt|li|cher|seits
Arzt|pra|xis; Arzt|rech|nung
Arzt|ro|man
Arzt|ter|min
¹as, ¹As, das; -, - (Tonbezeichnung)
²as (Zeichen für as-Moll); in as
²As (Zeichen für As-Dur); in As
³As, der; Asses, Asse (lat.) (altröm.
Gewichts- und Münzeinheit)
⁴As = chem. Zeichen für Arsen
⁵As alte Schreibung für Ass
A-Sai|te (z. B. bei der Geige)
asap = as soon as possible (engl.
für so bald wie möglich)
asb = Apostilb
ASB = Arbeiter-Samariter-Bund
As|best, der; -[e]s, -e (griech.) (feu-
erfeste mineralische Faser); As-
bes|to|se, die; -, -n (Med. durch
Asbeststaub hervorgerufene
Lungenerkrankung)
Asch, der; -[e]s, Äsche (ostmitteld.
für Napf, [tiefe] Schüssel)
¹Aschan|ti, der; -, - (Angehöriger
eines Volksstammes in Ghana)
²Aschan|ti, die; -, - (ostösterr. für
Erdnuss); Aschan|ti|nuss
Asch|be|cher (Aschenbecher);
asch|bleich; asch|blond
Asche, die; -, -n
Äsche, die; -, -n (ein Fisch); vgl.
aber Esche
Asche|ge|halt, der
¹aschen (geh. für aschfarben)
²aschen ([Zigaretten]asche abstrei-
fen, fallen lassen); du aschst
Aschen|bahn
Aschen|be|cher
Aschen|brö|del, das; -s, - (eine
Märchengestalt)
Aschen|gru|be
aschen|hal|tig
Aschen|put|tel, das; -s, -; vgl.
Aschenbrödel
Ascher (ugs. für Aschenbecher)
Äscher (Gerberei Aschen- und
Kalklauge)
Ascher|mitt|woch (Mittwoch nach
Fastnacht)
asch|fahl
asch|far|ben, asch|far|big
Asch|ga|bat (Hauptstadt von
Turkmenistan)

asch|grau; bis ins Aschgraue (bis
zum Überdruss); a|schig
Asch|ke|na|sim [...zi:m, auch
...ˈzi:m] Plur. ⟨hebr.⟩ (Bez. für
die ost- u. mitteleuropäischen
Juden); asch|ke|na|sisch
Asch|ku|chen (ostmitteld. für Napf-
kuchen)
Asch|mo|dai vgl. ¹Asmodi
Asch|ram, der; -s, -s ⟨sanskr.⟩ (Zen-
trum für Meditation in Indien)
äschy|le|isch; Äschy|lus [auch ˈɛ:...]
(altgriech. Tragiker)
ASCII-Code [ˈaski...] ⟨engl.⟩ =
American Standard Code of
Information Interchange (EDV
Zeichenkode zur Darstellung
bestimmter Informationen)
As|co|na (schweiz. Ort am Lago
Maggiore)
As|cor|bin|säu|re vgl. Askorbin-
säure
As|cot [ˈɛskət] (Dorf in der Nähe
von London, berühmter Austra-
gungsort für Pferderennen)
As-Dur [auch ˈasˈduːɐ̯], das; - (Ton-
art; Zeichen As); As-Dur-Ton|lei-
ter ↑K26
Ase, der; -n, -n meist Plur. (germa-
nische Gottheit)
ASEAN, die; - = Association of
South East Asian Nations (Ver-
einigung südostasiatischer
Staaten); ASEAN-Staa|ten Plur.
äsen; das Rotwild äst (weidet)
Asep|sis, die; - ⟨griech.⟩ (Med.
Keimfreiheit); asep|tisch (keim-
frei)
Aser (südd. für Jagdtasche)
Äser vgl. Aas
Aser|bai|d|schan (Landschaft u.
Provinz im nordwestl. Iran;
Staat am Kaspischen Meer)
Aser|bai|d|scha|ner; Aser|bai|d|
scha|ne|rin; aser|bai|d|scha|nisch
ase|xu|al [auch azeˈksụa:l], ase|xu-
ell [auch azeˈksụɛl] ⟨griech.;
lat.⟩ (geschlechtslos)
As|gard (germ. Mythol. Sitz der
Asen)
Asi|at, der; -en, -en ⟨lat.⟩; Asi|a|tin;
asi|a|tisch; asiatische Grippe;
Asi|en
As|ka|ni|er, der; -s, - (Angehöriger
eines alten deutschen Fürsten-
geschlechtes)
As|ka|ri, der; -s, -s ⟨arab.⟩ (einge-
borener Soldat im ehemaligen
Deutsch-Ostafrika)
As|ka|ris, die; -, ...iden ⟨griech.⟩
(Med., Zool. Spulwurm)
As|ke|se, die; - ⟨griech.⟩ (enthalt-
same Lebensweise); As|ket, der;

-en, -en; As|ke|tik vgl. Aszetik;
As|ke|tin; as|ke|tisch
As|k|le|pi|os, As|k|le|pi|us vgl.
Äskulap
As|kor|bin|säu|re, fachspr. As|cor-
bin|säu|re (Vitamin C)
Äs|ku|lap [auch ˈ...] (griech.-röm.
Gott der Heilkunde); Äs|ku|lap-
schlan|ge; Äs|ku|lap|stab
As|ma|ra (Hauptstadt Eritreas)
¹As|mo|di, Asch|mo|dai ⟨aram.⟩ (ein
Dämon im A. T. u. im jüdischen
Volksglauben)
²As|mo|di (dt. Dramatiker)
as-Moll [auch ˈasˈmɔl], das; - (Ton-
art; Zeichen as); as-Moll-Ton|lei-
ter ↑K26
Äsop (altgriech. Fabeldichter); äso-
pisch (auch veraltend für wit-
zig); Äso|pus vgl. Äsop
Asow|sche Meer [auch aˈzɔ... -],
das; -n -[e]s (Teil des Schwarzen
Meeres)
aso|zi|al ⟨griech.; lat.⟩ (unfähig
zum Leben in der Gemein-
schaft; am Rand der Gesell-
schaft lebend); Aso|zi|a|le, der u.
die; Aso|zi|a|li|tät, die; -
As|pa|ra|gin, das; -s ⟨griech.⟩
(chem. Verbindung)
As|pa|ra|gus [auch ...ˈraː...], der; -
(Zierspargel)
As|pa|sia (Geliebte [und später
Frau] des Perikles)
As|pekt, der; -[e]s, -e ⟨lat.⟩
(Ansicht, Gesichtspunkt;
Sprachw. [den slaw. Sprachen
eigentümliche] grammat.
Kategorie; Astron. bestimmte
Stellung der Planeten zueinan-
der)
As|per|gill, das; -s, -e ⟨lat.⟩ (kath.
Kirche Weihwasserwedel)
As|per|si|on, die; -, -en ⟨lat.⟩
(Besprengung mit Weihwas-
ser)
As|phalt [auch ˈa...], der; -[e]s, -e
⟨griech.⟩; as|phal|tie|ren
as|phal|tisch
As|phalt|lack; As|phalt|stra|ße
As|pho|dill vgl. Affodill
As|pik [auch ...ˈpɪk, ˈa...], der, auch
das; -s, -e (franz.) (Gallert aus
Gelatine od. Kalbsknochen)
As|pi|rant, der; -en, -en ⟨lat.⟩
(Bewerber; Anwärter; schweiz.
auch für Offiziersschüler); As|pi-
ran|tin
As|pi|ran|tur, die; -, -en (besonde-
rer Ausbildungsgang des wissenschaftlichen Nachwuchses in
der DDR)
As|pi|ra|ta, die; -, Plur. ...ten u. ...tä

(Sprachw. behauchter Verschlusslaut, z. B. griech. ϑ)

As|pi|ra|teur [...'tø:ɐ̯], der; -s, -e ⟨franz.⟩ (Maschine zum Vorreinigen des Getreides)

As|pi|ra|ti|on, die; -, -en ⟨lat.⟩ *(Sprachw.* [Aussprache mit] Behauchung; *Med.* Ansaugung)

As|pi|ra|tor, der; -s, ...oren (Luft-, Gasansauger)

as|pi|ra|to|risch *(Sprachw.* mit Behauchung gesprochen); **as|pi|rie|ren** *(Sprachw.* mit Behauchung aussprechen; *österr. auch für* sich um etwas bewerben)

As|pi|rin®, das; -s (ein Schmerzmittel)

aß *vgl.* essen

¹**Ass**, das; -es, -e ⟨franz.⟩ (Eins [auf Karten]; das od. der Beste [z. B. im Sport]; *Tennis* für den Gegner unerreichbarer Aufschlagball)

²**Ass**, das; -es, -e *(österr. ugs. für* Abszess, Eitergeschwür)

Ass. = Assessor, Assessorin

As|sa|gai, der; -s, -e ⟨berberisch⟩ (Wurfspeer der Bantus)

As|sam (Bundesstaat der Republik Indien)

as|sa|nie|ren ⟨franz.⟩ *(österr.* Grundstücke, Wohngebiete o. Ä. sanieren); **As|sa|nie|rung** *(österr.)*

As|sas|si|ne, der; -n, -n ⟨arab.-ital.⟩ (Angehöriger einer moslem. religiösen Gemeinschaft; *veraltet für* Meuchelmörder)

As|saut [a'so:], das; -s, -s ⟨franz.⟩ (Übungsform des Fechtens)

As|se|ku|ranz, die; -, -en ⟨lat.⟩ *(veraltet für* Versicherung, Versicherungsgesellschaft)

As|sel, die; -, -n (ein Krebstier)

As|sem|b|la|ge [asã...ʒə], die; -, -n ⟨franz.⟩ *(Kunst* Kombination verschiedener Objekte)

As|sem|b|ler [ɛ'sɛ..., *auch* a...], der; -s, - ⟨engl.⟩ *(EDV* eine Programmiersprache; Übersetzungsprogramm)

As|ser|ti|on, die; -, -en ⟨lat.⟩ *(Philos.* bestimmte Behauptung); **as|ser|to|risch** (behauptend)

As|ser|vat, das; -[e]s, -e ⟨lat.⟩ *(Rechtsw.* amtlich aufbewahrte Sache); **As|ser|va|ten|kam|mer**

As|sess|ment|cen|ter, Assessment-Cen|ter [ɛ'sɛsmənt...], ↑K 22 , das; -s, - ⟨engl.⟩ (ein psychologischer Eignungstest; *Abk.* AC); **As|sess|ment|cen|terme|tho|de, As|sess|ment-Cen-**

ter-Me|tho|de, die; - ⟨engl.⟩ *(Abk.* AC-Methode)

As|ses|sor, der; -s, ...oren ⟨lat.⟩ (Anwärter der höheren Beamtenlaufbahn nach der zweiten Staatsprüfung; *Abk.* Ass.); **asses|so|ral; As|ses|so|rin** *(Abk.* Ass.); **as|ses|so|risch**

As|set ['æset], das; -s, -s *(Wirtsch.* Vermögenswert eines Unternehmens; Ergänzung zu einem Multimediaprogramm)

as|si *(Jugendspr.* kurz für asozial; *auch für* schlecht, abzulehnen)

¹**As|si**, der; -s, -s *u.* die; -, -s *(Kurzw. für* Assistent[in])

²**As|si**, der; -s, -s *u.* die; -, -s *(Jugendspr.* kurz für Asoziale[r]; *auch für* abzulehnender Mensch)

As|si|bi|la|ti|on, die; -, -en ⟨lat.⟩ *(Sprachw.* Aussprache eines Verschlusslautes in Verbindung mit einem Zischlaut, z. B. z = ts in »Zahn«; Verwandlung eines Verschlusslautes in einen Zischlaut, z. B. niederdeutsch »Water« = hochdeutsch »Wasser«); **as|si|bi|lie|ren**

As|si|et|te, die; -, -n ⟨franz.⟩ (flacher Behälter aus Alufolie)

As|si|mi|la|ti|on, die; -, -en ⟨lat.⟩; *vgl.* Assimilierung; **as|si|mi|lieren; sich assimilieren** (anpassen); **As|si|mi|lie|rung** (Angleichung; *Sprachw.* Angleichung eines Mitlautes an einen anderen, z. B. das m in »Lamm« aus mittelhochd. »lamb«)

As|si|si (mittelital. Stadt)

As|sist [ɛ'sɪ...], der; -s, -s ⟨engl.⟩ *(Eishockey, Basketball* Zuspiel, das zum Tor *od.* Korb führt)

As|sis|tent, der; -en, -en ⟨lat.⟩ (Gehilfe, Mitarbeiter [an Hochschulen]); **As|sis|ten|tin**

As|sis|tenz, die; -, -en (Beistand)

As|sis|tenz|arzt; As|sis|tenz|ärz|tin; As|sis|tenz|pro|fes|sor; As|sistenz|pro|fes|so|rin; As|sis|tenztrai|ner; As|sis|tenz|trai|ne|rin

as|sis|tie|ren (helfen, mitwirken)

As|so|ci|a|ted Press [ɛ'so:ʃje:tt -], die; - - ⟨engl.⟩ (US-amerik. Nachrichtenbüro; *Abk.* AP)

As|so|cié [...'sje:], der; -s, -s ⟨franz.⟩ *(veraltet für* Teilhaber)

As|so|lu|ta, die; -, -s ⟨ital.⟩ (weibl. Spitzenstar in Ballett u. Oper)

As|so|nanz, die; -, -en ⟨lat.⟩ *(Verslehre* Gleichklang nur der Vokale am Versende, z. B. »haben«; »klagen«)

as|sor|tie|ren ⟨franz.⟩ (nach Warenarten ordnen und vervollständigen)

As|sor|ti|ment, das; -[e]s, -e *(veraltet für* Lager; Sortiment)

asozial

Das Adjektiv wird nur mit einem *s* geschrieben, entsprechend den Bestandteilen *a-* (= *un-, nicht*) und *sozial*, aus denen es gebildet ist.

As|so|zi|a|ti|on, die; -, -en ⟨lat.⟩ (Vereinigung; *Psych.* Vorstellungsverknüpfung); **as|so|zi|a|tiv** (durch Vorstellungsverknüpfung bewirkt)

as|so|zi|ie|ren ⟨franz.⟩ (verknüpfen); **sich assoziieren** (sich zusammenschließen); **As|so|zi|ie|rung**

ASSR, die; - = Autonome Sozialistische Sowjetrepublik (bis 1991)

As|su|an [*od.* 'a...] (oberägypt. Stadt); **As|su|an|stau|damm, Assu|an-Stau|damm**

As|sump|ti|o|nist, der; -en, -en (Angehöriger einer katholischen Ordensgemeinschaft)

As|sump|ti|on, die; -, -en (Mariä Himmelfahrt *[nur Sing.];* deren bildliche Darstellung)

As|sy|rer; As|sy|re|rin; As|sy|ri|en (altes Reich in Mesopotamien); **As|sy|ri|er** usw. *vgl.* Assyrer usw.

As|sy|rio|lo|ge, der; -n, -n; **As|syrio|lo|gie**, die; - (Erforschung der assyrisch-babylonischen Kultur u. Sprache); **As|sy|rio|lo|gin**

as|sy|risch

Ast, der; -[e]s, Äste

a. St. = alten Stils (Zeitrechnung)

As|ta (w. Vorn.)

AStA, der; -[s], *Plur.* -[s], *auch* ASten = Allgemeiner Studentenausschuss; Allgemeiner Studierendenausschuss

As|ta|na (Hauptstadt Kasachstans)

As|tar|te (altsemitische Liebes- u. Fruchtbarkeitsgöttin)

As|tat, As|ta|tin, das; -s ⟨griech.⟩ (chemisches Element; *Zeichen* At)

as|ta|tisch *(Physik* gegen den Einfluss elektrischer oder magnetischer Felder geschützt)

Äst|chen

as|ten *(ugs. für* sich abmühen); geastet

äs|ten (Äste treiben)

As|ter, die; -, -n ⟨griech.⟩ (eine Gartenblume)

A

Aste

As|te|risk, der; -s, -e, As|te|ris|kus, der; -, ...ken (Druckw. Sternchen; Zeichen *)

As|tern|strauß

As|te|ro|id, der; -en, -en (Planetoid)

ast|frei; astfreies Holz

Ast|ga|bel

As|the|nie, die; -, ...ien ⟨griech.⟩ (Med. allgemeine Körperschwäche); As|the|ni|ker (schmaler, schmächtiger Mensch); As|the|ni|ke|rin; as|the|nisch

Äs|thet, der; -en, -en (Mensch mit ausgeprägtem Schönheitssinn)

Äs|the|tik, die; -, -en Plur. selten (Wissenschaft von den Gesetzen der Kunst, bes. vom Schönen; das Schöne, Schönheit); Äs|the|ti|ker (Vertreter od. Lehrer der Ästhetik); Äs|the|ti|ke|rin

Äs|the|tin

äs|the|tisch (auch für überfeinert)

äs|the|ti|sie|ren ([einseitig] nach den Gesetzen des Schönen urteilen od. gestalten); Äs|the|ti|sie|rung

Äs|the|ti|zis|mus, der; - (das Ästhetische betonende Haltung)

Asth|ma, das; -s ⟨griech.⟩ (anfallsweise auftretende Atemnot); Asth|ma|an|fall

Asth|ma|ti|ker; Asth|ma|ti|ke|rin; asth|ma|tisch

¹As|ti (italienische Stadt)

²As|ti, der; -[s], - (Wein [von ¹Asti]); Asti spumante (italienischer Schaumwein)

as|tig|ma|tisch ⟨griech.⟩ (Optik Punkte strichförmig verzerrend); As|tig|ma|tis|mus, der; - (Med. Stabsichtigkeit; Optik Abbildungsfehler von Linsen)

äs|ti|mie|ren ⟨franz.⟩ (veraltend für schätzen, würdigen)

Ast|loch

¹As|t|ra|chan [...xa(:)n] (russische Stadt)

²As|t|ra|chan, der; -s, -s (eine Lammfellart)

As|t|ra|chan|ka|vi|ar, As|t|ra|chan-Ka|vi|ar

as|t|ral ⟨griech.⟩ (die Gestirne betreffend; Stern...)

As|t|ral|leib (Okkultismus dem irdischen Leib innewohnender ätherischer Leib)

ast|rein (ugs. auch für völlig in Ordnung, sehr schön)

As|t|rid (w. Vorn.)

As|t|ro|graf, As|t|ro|graph, der; -en, -en ⟨griech.⟩ (Vorrichtung zur fotografischen Aufnahme von Gestirnen, zum Zeichnen von Sternkarten); As|t|ro|gra|fie, As|t|ro|gra|phie, die; -, ...ien (Sternbeschreibung)

As|t|ro|la|bi|um, das; -s, ...ien (altes astron. Instrument)

As|t|ro|lo|ge, der; -n, -n (Sterndeuter); As|t|ro|lo|gie, die; - (Sterndeutung); As|t|ro|lo|gin; as|t|ro|lo|gisch

As|t|ro|naut, der; -en, -en (Weltraumfahrer); As|t|ro|nau|tik, die; - (Wissenschaft von der Raumfahrt, auch die Raumfahrt selbst); As|t|ro|nau|tin; as|t|ro|nau|tisch

As|t|ro|nom, der; -en, -en (Stern-, Himmelsforscher); As|t|ro|no|mie, die; - (wissenschaftliche Stern-, Himmelskunde); As|t|ro|no|min; as|t|ro|no|misch

As|t|ro|phy|sik [auch ...'zi:k] (Teilgebiet der Astronomie); as|t|ro|phy|si|ka|lisch

As|t|ro|phy|si|ker; As|t|ro|phy|si|ke|rin

Äs|tu|ar, das; -s, Plur. -e u. ...rien ⟨lat.⟩ (fachspr. für trichterförmige Flussmündung)

As|tu|ri|en (hist. Provinz in Spanien); As|tu|ri|er; as|tu|risch

Ast|werk, das; -[e]s

ASU, die; - = Abgassonderuntersuchung (früher; vgl. AU)

Asun|ci|ón [...'sion] (Hauptstadt von Paraguay)

Äsung ⟨zu äsen⟩

ASVG-Pen|si|on ⟨österr. für Rente nach der allgemeinen Sozialversicherung); ASVG-Pen|si|o|nist; ASVG-Pen|si|o|nis|tin

Asyl, das; -s, -e ⟨griech.⟩ (Zufluchtsort); Asy|lant, der; -en, -en (gelegentlich als diskriminierend empfunden Bewerber um Asylrecht); Asy|lan|tin

Asyl|an|trag; Asyl|be|wer|ber; Asyl|be|wer|be|rin; Asyl|miss|brauch; Asyl|recht; Asyl su|chend, asyl|su|chend

Asym|me|t|rie [auch ...'tri:], die; -, ...ien ⟨griech.⟩ (Mangel an Symmetrie); asym|me|t|risch [auch ...'me:...]

Asym|p|to|te, die; -, -n ⟨griech.⟩ (Math. Gerade, der sich eine ins Unendliche verlaufende Kurve beliebig nähert, ohne sie zu erreichen); asym|p|to|tisch

asyn|chron [auch ...'kro:n] ⟨griech.⟩ (nicht gleichzeitig)

asyn|de|tisch [auch ...'de:...] ⟨griech.⟩ (Sprachw. nicht durch Konjunktion verbunden); Asyn|de|ton, das; -s, ...ta (Sprachw. Wort- od. Satzreihe, deren Glieder nicht durch Konjunktionen verbunden sind, z. B. »alles rennt, rettet, flüchtet«)

As|zen|dent, der; -en, -en ⟨lat.⟩ (Genealogie Vorfahr; Verwandter in aufsteigender Linie; Astron. Aufgangspunkt eines Gestirns); As|zen|denz, die; - (Verwandtschaft in aufsteigender Linie; Aufgang eines Gestirns); as|zen|die|ren (Astron. [von Gestirnen] aufsteigen)

As|ze|se usw. vgl. Askese usw.

As|ze|tik, die; - (kath. Kirche Lehre vom Streben nach christlicher Vollkommenheit)

at = technische Atmosphäre (veraltet)

At = chem. Zeichen für Astat

A. T. = Altes Testament

Ata|ir, der; -s ⟨arab.⟩ (ein Stern im Sternbild Adler)

Ata|man, der; -s, -e ⟨russ.⟩ (frei gewählter Stammes- u. militär. Führer der Kosaken)

Ata|ra|xie, die; - ⟨griech.⟩ (Unerschütterlichkeit, Seelenruhe [in der griech. Philosophie])

Ata|vis|mus, der; -, ...men ⟨lat.⟩ (Biol. Wiederauftreten von Merkmalen od. Verhaltensweisen aus einem früheren entwicklungsgeschichtlichen Stadium); ata|vis|tisch

Ate (griech. Göttin des Unheils)

Ate|li|er [ata'lje:], das; -s, -s ⟨franz.⟩ (Werkstatt eines Künstlers, Fotografen o. Ä.; Gebäude für Filmaufnahmen); Ate|li|er|auf|nah|me; Ate|li|er|fens|ter; Ate|li|er|fest; Ate|li|er|woh|nung

Atem, der; -s; Atem holen; außer Atem sein

atem|be|rau|bend

Atem|be|schwer|den Plur.

Atem|ho|len, das; -s

atem|los

Atem|not, die; -; Atem|pau|se

a tem|po ⟨ital.⟩ (ugs. für schnell, sofort; Musik im Anfangstempo)

atem|rau|bend

Atem|übung; Atem|we|ge Plur.; Atem|wegs|er|kran|kung; Atem|zug

Äthan, fachspr. auch Ethan, das; -s ⟨griech.⟩ (gasförmiger Kohlenwasserstoff)

Atha|na|sia ⟨griech., »die Unsterbliche«⟩ (w. Vorn.); atha|na|si|a-nisch; das Athanasianische Glaubensbekenntnis ↑K88; **Atha|na|sie**, die; - (*Rel.* Unsterblichkeit)

Atha|na|si|us (Kirchenlehrer)

Ätha|nol, *fachspr. auch* Etha|nol, das; -s ⟨griech.⟩ (*Chemie* eine organische Verbindung; Weingeist)

Athe|is|mus, der; - ⟨griech.⟩ (Weltanschauung, die die Existenz eines Gottes verneint); **Athe|ist**, der; -en, -en; **Athe|is|tin**; **athe|is|tisch**

Athen (Hauptstadt Griechenlands)

Athe|nä|um, das; -s, ...äen (Tempel der Göttin Athene); **Athe|ne** (griech. Göttin der Weisheit)

Athe|ner; **Athe|ne|rin**; **athe|nisch**

¹**Äther**, der; -s ⟨griech.⟩ (feiner Urstoff in der griech. Philosophie; *geh. für* Himmel)

²**Äther**, *fachspr. auch* E̲ther, der; -s, - (chem. Verbindung; Betäubungs-, Lösungsmittel)

¹**äthe|risch** (vergeistigt, zart)

²**äthe|risch** *fachspr. auch* ethe̲risch (ätherartig); ätherische od. etherische Öle; **äthe|ri|sie|ren** (mit ²Äther behandeln)

ather|man ⟨griech.⟩ (*Physik* für Wärmestrahlen undurchlässig)

Äthi|o|pi|en ⟨griech.⟩ (Staat in Ostafrika); **Äthi|o|pi|er**; **Äthi|o|pi|e|rin**; **äthi|o|pisch**

Ath|let, der; -en, -en ⟨griech.⟩ (muskulöser Mann; Wettkämpfer im Sport); **Ath|le|tik**, die; -; **Ath|le|ti|ker** (Mensch von athletischer Konstitution); **Ath|le|tin**; **ath|le|tisch**

Athos, der; - (Berg auf der nordgriech. Halbinsel Chalkidike)

Äthyl, *fachspr. auch* Ethyl, das; -s ⟨griech.⟩ (Atomgruppe zahlreicher chem. Verbindungen); **Äthyl|al|ko|hol**, der; -s; *vgl.* Äthanol; **Äthy|len**, *fachspr. auch* Ethy|len, das; -s (im Leuchtgas enthaltener ungesättigter Kohlenwasserstoff)

Ätio|lo|gie, die; - ⟨griech.⟩ (Lehre von den Ursachen, bes. der Krankheiten)

At|lant, der; -en, -en ⟨griech.⟩ (*Bauw.* Gebälkträger in Form einer Männerfigur); *vgl.* ²Atlas

At|lan|ta (Hauptstadt von Georgia)

At|lan|tik, der; -s (Atlantischer Ozean)

At|lan|tik|char|ta, die; - (1941 abgeschlossene Vereinbarung zwischen Großbritannien u. den USA über die Kriegs- u. Nachkriegspolitik)

At|lan|tik|küs|te; **At|lan|tik|pakt** (NATO)

At|lan|tis (sagenhaftes, im Meer versunkenes Inselreich)

at|lan|tisch; ↑K89 *u.* 140 : ein atlantisches Tief; der Atlantische Ozean; die atlantische *od.* Atlantische Allianz

¹**At|las** (griech. Sagengestalt)

²**At|las**, der; *Gen. - u.* ...lasses, *Plur.* ...lasse *u.* ...lanten (*selten für* Atlant)

³**At|las**, der; - (Gebirge in Nordwestafrika)

⁴**At|las**, der; *Gen. - u.* ...lasses, *Plur.* ...lasse *u.* ...lanten (Sammlung geografischer Karten [als Buch]; Bildtafelwerk)

⁵**At|las**, der; *Gen. - u.* ...lasses (*Med.* erster Halswirbel)

⁶**At|las**, der; *Gen. - u.* ...lasses, *Plur.* ...lasse ⟨arab.⟩ (ein Seidengewebe); **at|las|sen** (aus ⁶Atlas)

atm = physikal. Atmosphäre (*veraltet*)

at|men

At|mo, die; -, -s (*Kurzw. für* Atmosphäre; Hintergrundgeräusche bei einer Tonbandaufzeichnung)

At|mo|sphä|re, die; -, -n ⟨griech.⟩ (Lufthülle; *als Druckeinheit früher für* Pascal; *nur Sing.:* Stimmung, Milieu, Umwelt)

At|mo|sphä|ren|über|druck *Plur.* ...drücke; (*Zeichen [veraltet]* atü)

At|mo|sphä|ri|li|en *Plur.* (Bestandteile der Luft)

at|mo|sphä|risch

AT-Mo|tor = Austauschmotor

At|mung, die; -

at|mungs|ak|tiv *(Werbespr.)*

At|mungs|or|gan *meist Plur.*

Ät|na *[auch* ˈɛ...*]*, der; -[s] (Vulkan auf Sizilien)

Äto|li|en (altgriech. Landschaft; Gebiet im westl. Griechenland); **Äto|li|er**, der; -s, - (Angehöriger eines altgriech. Stammes); **Äto|li|e|rin**; **äto|lisch**

Atoll, das; -s, -e ⟨drawid.⟩ (ringförmige Koralleninsel)

Atom, das; -s, -e ⟨griech.⟩ (kleinste Einheit eines chemischen Elements)

ato|mar (das Atom, die Kernenergie betreffend; mit Atomwaffen [versehen])

Atom|aus|stieg; **atom|be|trie|ben**

Atom|bom|be (*kurz* A-Bombe); **Atom|bom|ben|ver|such**

Atom|ener|gie, die; -

Atom|geg|ner; **Atom|geg|ne|rin**

Atom|ge|wicht

Ato|mi|seur *[...ˈzøːɐ̯]*, der; -s, -e (Zerstäuber); **ato|mi|sie|ren** (in Atome auflösen; völlig zerstören); **Ato|mi|sie|rung**

Ato|mis|mus, der; - (Weltanschauung, die alle Vorgänge in der Natur auf Atome und ihre Bewegungen zurückführt); **ato|mis|tisch**

Ato|mi|um, das; -s (Bauwerk in Brüssel)

Atom|kern; **Atom|kraft**, die; -; **Atom|kraft|geg|ner**; **Atom|kraft|geg|ne|rin**

Atom|kraft|werk (AKW)

Atom|krieg; **Atom|macht** (Staat, der über Atomwaffen verfügt)

Atom|mei|ler; **Atom|mi|ne**; **Atom|müll**; **Atom|phy|sik**; **Atom|pro|gramm**; **Atom|re|ak|tor**; **Atom|schmug|gel**; **Atom|spreng|kopf**; **Atom|stopp**; **Atom|strom**; **Atom|tech|nik**

Atom|test; **Atom|test|stopp|ab|kom|men**

Atom-U-Boot ↑K26

Atom|waf|fe *meist Plur.*; **atom|waf|fen|frei**; atomwaffenfreie Zone; **Atom|waf|fen|sperr|ver|trag**, der; -[e]s

Atom|zeit|al|ter, das; -s

ato|nal ⟨griech.⟩ (*Musik* an keine Tonart gebunden); atonale Musik; **Ato|na|li|tät**, die; -

Ato|nie, die; -, ...ien ⟨griech.⟩ (*Med.* Muskelerschlaffung); **ato|nisch**

Atout *[aˈtuː]*, das, *auch* der; -s, -s ⟨franz.⟩ (Trumpf im Kartenspiel)

ato|xisch *[auch* aˈtɔ...*]* ⟨griech.⟩ (*fachspr. für* ungiftig)

At|reus (griech. Sagengestalt)

At|ri|um, das; -s, ...ien ⟨lat.⟩; (nach oben offener [Haupt]raum des altrömischen Hauses; *Archit.* Innenhof)

Atro|phie, die; -, ...ien ⟨griech.⟩ (*Med.* Schwund von Organen, Geweben, Zellen); **atro|phisch**

Atro|pin, das; -s ⟨griech.⟩ (Gift der Tollkirsche)

Atro|pos (eine der drei Parzen)

ätsch! *(Kinderspr.)*

At|tac = Association pour une Taxation des Transactions pour l'Aide aux Citoyens ⟨franz.⟩

(internationale globalisierungs-
kritische Bewegung)
At|ta|ché [...'ʃe:], der; -s, -s ⟨franz.⟩
(Anwärter des diplomatischen
Dienstes; einer Auslandsvertre-
tung zugeteilter Berater); At|ta-
chée, die; -, -n; *vgl.* Attaché; at-
ta|chie|ren *(veraltet für* zuteilen)
At|ta|cke, die; -, -n ⟨franz.⟩; at|ta-
ckie|ren (angreifen)
At|ten|tat [*auch* ...'ta:t], das; -[e]s,
-e ⟨franz.⟩ ([Mord]anschlag)
At|ten|tä|ter; At|ten|tä|te|rin
At|ter|see, der; -s ⟨österr. See⟩
At|test, das; -[e]s, -e ⟨lat.⟩ (ärztli-
che Bescheinigung; Gutachten;
Zeugnis)
At|tes|ta|ti|on, die; -, -en ⟨lat.⟩
(DDR Qualifikationsbescheini-
gung ohne Prüfungsnachweis)
at|tes|tie|ren (bescheinigen)
Ät|ti, der; -s ⟨südwestd. u. schweiz.
mdal. für Vater⟩
¹At|ti|ka (griech. Halbinsel)
²At|ti|ka, die; -, ...ken ⟨griech.-lat.⟩
([Skulpturen tragender] Aufsatz
über dem Hauptgesims eines
Bauwerks)
At|ti|ka|woh|nung (schweiz. für
Penthouse)
¹At|ti|la (Hunnenkönig); *vgl.* Etzel
²At|ti|la, die; -, -s (mit Schnüren
besetzte Husarenjacke)
at|tisch (aus ¹Attika)
At|ti|tü|de, die; -, -n ⟨franz.⟩
([innere] Einstellung; [leere]
Pose; *Ballett* eine [Schluss]figur)
At|ti|zis|mus, der; -, ...men
⟨griech.⟩ (an klassischen Vorbil-
dern orientierter Sprachstil im
antiken Griechenland)
At|ti|zist, der; -en, -en (Anhänger
des Attizismus); at|ti|zis|tisch
Att|nang-Puch|heim (österr. Ort)
At|to... ⟨skand.⟩ (ein Trillionstel
einer Einheit, z. B. Attofarad =
10⁻¹⁸ Farad; *Zeichen* a)
At|trak|ti|on, die; -, -en ⟨lat.⟩
(etwas, was große Anziehungs-
kraft hat); at|trak|tiv (anzie-
hend); At|trak|ti|vi|tät, die; -
At|trap|pe, die; -, -n ⟨franz.⟩ ([täu-
schend ähnliche] Nachbildung;
Schau-, Blindpackung)
at|tri|bu|ie|ren ⟨lat.⟩ (als Attribut
beifügen); At|tri|but, das; -[e]s,
-e (charakteristische Eigenschaft; *Sprachw.* Beifügung); at-
tri|bu|tiv [*auch* 'a...] (beifügend);
At|tri|but|satz
atü = Atmosphärenüberdruck
(veraltet)
ATX, der; - (österr. Aktienindex)

aty|pisch (nicht typisch)
Ätz|al|ka|li|en *Plur.* (ätzende
Hydroxide der Alkalimetalle);
Ätz|druck *Plur.* ...drucke
At|ze, die; -, -n ⟨berlin. für Bruder,
Freund od. Schwester, Freundin⟩
At-Zei|chen ['ɛt...] (das Zeichen @)
At|zel, die; -, -n ⟨landsch. für Els-
ter⟩
at|zen (Jägerspr. [Greifvögel] füt-
tern); du atzt
ät|zen (mit Säure, Lauge o. Ä.
bearbeiten); du ätzt
ät|zend (ugs. auch für sehr
schlecht)
Ätz|flüs|sig|keit
At|zung (Jägerspr. Fütterung, Nah-
rung [junger Greifvögel])
Ät|zung (Druckw.)
Au = Aurum (chem. Zeichen für
Gold)
au!; au Backe!; auweh!
Au (südd., österr. nur so), Aue, die;
-, Auen (landsch. od. geh. für
flaches Wiesengelände)
AU, die; - = Abgasuntersuchung
AUA, die; - = Austrian Airlines
(österr. Luftverkehrsgesell-
schaft)
au|ber|gi|ne [oˈbɛrˈʒiː...] ⟨arab.-
franz.⟩ (rötlich violett)
Au|ber|gi|ne, die; -, -n (eine Gemü-
sepflanze)
a. u. c. = ab urbe condita
auch; wenn auch; auch wenn
↑K 126 u. 128
Auck|land ['ɔːklənt] (Hafenstadt
in Neuseeland)
au con|t|raire [o kõˈtrɛːɐ̯] ⟨franz.⟩
(im Gegenteil)
AUD (Währungscode für austral.
Dollar)
Au|di ®, der; -[s], -s ⟨lat. »audi!« =
»horch!«; nach dem Automobilkonstrukteur u. Firmengründer
August Horch⟩ (dt. Kraftfahrzeugmarke)
au|di|a|tur et al|te|ra pars ⟨lat.⟩
(römischer Rechtsgrundsatz:
auch die Gegenpartei soll angehört werden)
Au|di|enz, die; -, -en (feierlicher
Empfang; Zulassung zu einer
Unterredung)
Au|di|max, das; - (stud. Kurzw. für
Auditorium maximum)
Au|dio|book [...bʊk], das; -s, -s
(gesprochener Text auf Kassette
oder CD; Hörbuch)
Au|di|on, das; -s, Plur. -s u. ...onen
(Elektrot. Schaltung in Rund-
funkempfängern zur Verstär-

kung der hörbaren Schwingun-
gen)
Au|dio|stream ['...striːm], der; -s, -s
⟨engl.⟩ (EDV Datei zum Hören
im Internet)
Au|dio|vi|si|on, die; - (audiovisuelle
Technik; Information durch
Wort und Bild); au|dio|vi|su|ell
(zugleich hör- u. sichtbar, Hören
u. Sehen ansprechend); audiovi-
sueller Unterricht
Au|dit [*auch* 'ɔ:dɪt], das; -s, -s
(Prüfung betrieblicher Quali-
tätsmerkmale)
au|di|tiv (lat.) (Med. das Hören
betreffend; Psych. vorwiegend
mit Gehörsinn begabt)
Au|di|tor, der; -s, ...oren (Beamter
der röm. Kurie, Richter im
kanonischen Recht; österr. früher, schweiz. öffentl. Ankläger
bei einem Militärgericht)
Au|di|to|ri|um, das; -s, ...ien (ein
Hörsaal [der Hochschule];
Zuhörerschaft); Au|di|to|ri|um
ma|xi|mum, das; - - (größter
Hörsaal einer Hochschule; stud.
Kurzw. Audimax)
Aue vgl. Au; Au|en|land|schaft
Au|en|wald, Au|wald
Au|er|hahn; Au|er|hen|ne; Au|er-
huhn; Au|er|och|se
Au|er|stedt (Dorf in Thüringen)
auf s. Kasten Seite 205
auf... (in Zus. mit Verben, z. B.
aufführen, du führst auf, aufgeführt, aufzuführen)
auf|ad|die|ren
auf|ar|bei|ten; Auf|ar|bei|tung
auf|at|men
auf|ba|cken
auf|bag|gern
auf|bah|ren; Auf|bah|rung
auf|bam|meln (ugs. für aufhängen)
auf|bän|ken; einen Steinblock auf-
bänken (auf zwei Haublöcke
legen)
Auf|bau, der; -[e]s, Plur. (für
Gebäude-, Schiffsteil:) -ten
Auf|bau|ar|beit; Auf|bau|dar|le|hen
auf|bau|en; eine Theorie auf einer
Annahme aufbauen
auf|bau|meln (ugs. für aufhängen)
auf|bau|men (Jägerspr. [von Tie-
ren] sich auf einem Baum nie-
derlassen; auf einen Baum klettern)
auf|bäu|men, sich
auf|bau|schen (auch für übertrei-
ben)
Auf|bau|schu|le
Auf|bau|spie|ler (Ballspiele); Auf-
bau|spie|le|rin

auf

- aufs (auf das)
- aufs, auf das Beste gespannt sein; *aber* aufs, auf das Beste *od.* beste (sehr gut) informiert sein
- auf einmal (*vgl.* ¹Mal); aufs Mal (*schweiz. svw.* auf einmal)
- auf und ab (*vgl. d.*), *seltener* auf und nieder
- auf und davon (*vgl. d.*)
- aufgrund *od.* auf Grund (*vgl.* Grund)
- aufseiten *od.* auf Seiten

Präposition mit Dativ (zur Angabe einer Position) oder Akkusativ (zur Angabe einer Richtung):

- auf dem Tisch liegen, *aber* auf den Tisch legen

Getrenntschreibung in Verbindung mit »sein« ↑K49:

- auf sein (*ugs. für* geöffnet sein; nicht mehr im Bett sein)

Großschreibung der Substantivierung ↑K81:

- das Auf und Nieder, das Auf und Ab

Auf|bau|ten *vgl.* Aufbau
Auf|bau|trai|ning *(Sport)*
auf|be|geh|ren
Auf|be|hal|ten
auf|bei|ßen
auf|be|kom|men
auf|be|rei|ten; Auf|be|rei|tung
auf|bes|sern; Auf|bes|se|rung, *selten* Auf|bess|rung
auf|bet|ten (*landsch. für* das Bett machen; *auch für* im Bett höher legen); einen Kranken aufbetten; Auf|bet|tung
auf|be|wah|ren
Auf|be|wah|rung; Auf|be|wah|rungs|ort, der; -[e]s, -e
auf|bie|gen
auf|bie|ten; Auf|bie|tung, die; -; unter Aufbietung aller Kräfte
auf|bin|den; jmdm. etwas aufbinden (*ugs. für* weismachen)
auf|blä|hen *vgl.* aufgebläht; Auf|blä|hung
auf|blas|bar; auf|bla|sen
auf|blät|tern
auf|blei|ben
auf|blen|den
auf|bli|cken
auf|blin|ken
auf|blit|zen
auf|blo|cken; ein Bild aufblocken
auf|blü|hen
auf|bo|cken
auf|boh|ren
auf|bra|ten
auf|brau|chen
auf|brau|sen; auf|brau|send
auf|bre|chen (*Jägerspr. auch für* ausweiden)
auf|bren|nen
auf|bre|zeln, sich (*ugs. für* sich auffällig schminken u. kleiden); ich brez[e]le mich auf
auf|brin|gen (*auch für* kapern); Auf|brin|gung, die; -
auf|bri|sen ⟨*zu* Brise⟩ (an Stärke zunehmen [vom Wind])
auf|bro|deln; Nebel brodelt auf
Auf|bruch, der; -[e]s, ...brüche (*Jägerspr. auch für* Eingeweide

des erlegten Wildes; *Bergmannsspr.* senkrechter Blindschacht)
Auf|bruch[s]|stim|mung, die; -
auf|brü|hen
auf|brül|len
auf|brum|men (*ugs. für* auferlegen); eine Strafe aufbrummen
Auf|bü|gel|mus|ter; auf|bü|geln
auf|bür|den (*geh.*)
auf|bürs|ten
auf|däm|mern
auf|damp|fen
auf|dämp|fen
auf dass (*veraltend für* damit)
auf|de|cken; Auf|de|ckung
auf|don|nern, sich (*ugs. für* sich auffällig schminken u. kleiden)
auf|drän|geln, sich (*ugs.*)
auf|drän|gen; jmdm. etwas aufdrängen; sich jmdm. aufdrängen
auf|dre|hen (*südd., österr. auch für* einschalten; *ugs. auch für* zu schimpfen anfangen, wütend werden)
auf|dring|lich; Auf|dring|lich|keit
auf|drö|seln (*landsch. für* [etwas Verheddertes, Wolle o. Ä. mühsam] aufdrehen)
Auf|druck, der; -[e]s, -e; auf|dru|cken
auf|drü|cken

---

auf|ei|n|an|der

Man schreibt »aufeinander« mit dem folgenden Verb in der Regel zusammen, wenn es den gemeinsamen Hauptakzent trägt ↑K48:

- aufeinanderlegen, aufeinanderprallen, aufeinandertreffen usw.

Aber:

- aufeinander achten, aufeinander aufpassen, sich aufeinander beziehen, aufeinander hören usw.

Auf|ei|n|an|der|fol|ge, die; -
auf|ei|n|an|der|fol|gen, auf|ei|n|an|der fol|gen; an mehreren aufeinanderfolgenden *od.* aufeinander folgenden Tagen
auf|ei|n|an|der|le|gen; zwei aufeinandergelegte Kissen
auf|ei|n|an|der|pral|len; die Meinungen, zwei Autos prallten aufeinander
auf|ei|n|an|der|sta|peln; aufeinandergestapelte Kisten
auf|ei|n|an|der|sto|ßen; ohne hart aufeinanderzustoßen
auf|ei|n|an|der|tref|fen; Ost und West trafen friedlich aufeinander
auf|en|tern *vgl.* entern
Auf|ent|halt, der; -[e]s, -e
Auf|ent|hal|ter (*schweiz. für* jmd., der an einem Ort nur vorübergehend seinen Wohnsitz hat); Auf|ent|hal|te|rin
Auf|ent|halts|be|rech|ti|gung; Auf|ent|halts|dau|er; Auf|ent|halts|er|laub|nis; Auf|ent|halts|ge|neh|mi|gung; Auf|ent|halts|ort, der; -[e]s, -e
Auf|ent|halts|raum
auf|er|le|gen; ich erlege ihm etwas auf, *seltener* ich auferlege; auferlegt; aufzuerlegen
auf|er|ste|hen; *üblich sind nur ungetrennte Formen, z. B.* wenn er auferstünde, er ist auferstanden; Auf|er|ste|hung, die; -
auf|er|we|cken *vgl.* auferstehen; Auf|er|we|ckung
auf|es|sen
auf|fä|chern; Auf|fä|che|rung
auf|fä|deln; Auf|fä|de|lung, Auf|fäd|lung
auf|fah|ren
Auf|fahrt, die; -, -en (*nur Sing.: südd. u. schweiz. auch für* Christi Himmelfahrt)
Auf|fahrt|ram|pe
Auf|fahrts|stra|ße
Auf|fahr|un|fall
auf|fal|len; damit es nicht auffällt;

A

auff

aber auf fällt, dass ... ↑K47; auf|fal|lend; die auffallends|ten Merkmale
auf|fäl|lig; Auf|fäl|lig|keit
Auf|fang|be|cken
auf|fan|gen
Auf|fang|la|ger; Auf|fang|stel|le
auf|fas|sen
Auf|fas|sung; Auf|fas|sungs|ga|be; Auf|fas|sungs|sa|che
auf|fe|gen (*bes. nordd.*)
auf|fet|ten (*österr. für* finanziell aufbessern)
auf|fin|den; Auf|fin|dung
auf|fi|schen (*ugs.*)
auf|fla|ckern; auf|flam|men
auf|flat|tern
auf|flie|gen (*ugs. auch für* entdeckt werden)
auf|for|dern
Auf|for|de|rung; Auf|for|de|rungs|satz
auf|fors|ten (Wald [wieder] anpflanzen); Auf|fors|tung
auf|fres|sen
auf|fri|schen; der Wind frischt auf; Auf|fri|schung
auf|fri|sie|ren (*ugs.*); einen Motor auffrisieren; auffrisierte Haare
auf|führ|bar; Auf|führ|bar|keit, die; -
auf|füh|ren; Auf|füh|rung; Auf|füh|rungs|recht
auf|fül|len; Auf|fül|lung
auf|fut|tern (*ugs. für* aufessen)
Auf|ga|be
auf|ga|beln (*ugs. auch für* zufällig treffen und mitnehmen)
Auf|ga|ben|be|reich
Auf|ga|ben|heft
Auf|ga|ben|stel|lung
Auf|ga|be|stem|pel
auf|ga|gen [...ge...] (mit Gags versehen, ausstatten)
Auf|ga|lopp (*Reiten* Probegalopp an den Schiedsrichtern vorbei zum Start)
Auf|gang, der
Auf|gangs|punkt (*Astron.*)
auf|ge|ben
auf|ge|bläht (*auch abwertend für* großtuerisch)
auf|ge|bla|sen; ein aufgeblasener (*ugs. für* eingebildeter) Kerl
Auf|ge|bla|sen|heit, die; - (*ugs.*)
Auf|ge|bot; Auf|ge|bots|schein
auf|ge|bracht (*auch für* erzürnt)
auf|ge|don|nert *vgl.* aufdonnern
auf|ge|dreht (*ugs. für* angeregt)
auf|ge|dun|sen
auf|ge|hen
auf|gei|len (*Seemannsspr.* Segel mit Geitauen zusammenholen)

auf|gei|len (*derb*); sich aufgeilen
auf|ge|klärt; Auf|ge|klärt|heit, die; -
auf|ge|knöpft (*ugs. auch für* mitteilsam)
auf|ge|kratzt; in aufgekratzter (*ugs. für* froher) Stimmung sein
Auf|geld (*für* Agio)
auf|ge|legt (*auch für* zu etwas bereit, gelaunt; *österr. ugs. auch für* offensichtlich); zum Spazierengehen aufgelegt sein
auf|ge|passt!
auf|ge|räumt (*auch für* heiter)
Auf|ge|räumt|heit, die; -
auf|ge|raut
auf|ge|regt; Auf|ge|regt|heit, die; -, -en
Auf|ge|sang (*Verslehre* erster Teil der Strophe beim Meistersang)
auf|ge|schlos|sen; Auf|ge|schlos|sen|heit, die; -
auf|ge|schmis|sen; aufgeschmissen (*ugs. für* hilflos) sein
auf|ge|schos|sen; hoch aufgeschossen
auf|ge|schwemmt
auf|ge|setzt (unnatürlich, übertrieben)
auf|ge|ta|kelt (*ugs. für* auffällig, geschmacklos gekleidet)
auf|ge|wärmt
auf|ge|weckt; ein aufgeweckter (kluger) Junge; Auf|ge|weckt|heit, die; -
auf|ge|wor|fen; ein aufgeworfener Mund
auf|gie|ßen
auf|glei|sen (*Technik* auf Gleise setzen); du gleist auf; er gleis|te auf; Auf|glei|sung
auf|glei|ten (*Meteor.* sich [gleitend] über etwas schieben [von Luftmassen])
auf|glie|dern; Auf|glie|de|rung
auf|glim|men
auf|glü|hen
auf|gra|ben; Auf|gra|bung
auf|grät|schen; auf dem Barren aufgrätschen
auf|grei|fen
auf|grund, auf Grund *Präp. mit Gen.*; aufgrund *od.* auf Grund des Wetters; aufgrund *od.* auf Grund dessen
Auf|guss; Auf|guss|beu|tel; Aufguss|tier|chen (*für* Infusorium)
auf|ha|ben (*ugs.*); es ist schön, einen Hut aufzuhaben; für die Schule viel aufhaben; ein Laden, der mittags aufhat
auf|ha|cken; den Boden aufhacken

auf|ha|ken (einen Hakenverschluss lösen)
auf|hal|sen (*ugs. für* aufbürden)
auf|hal|ten
auf|häl|tig (*bes. Amtsspr.* sich [vorübergehend] aufhaltend)
auf|hält|lich (*svw.* aufhältig)
Auf|hal|tung
auf|hän|gen *vgl.* ²hängen
Auf|hän|ger
Auf|hän|ge|vor|rich|tung
Auf|hän|gung
auf|hau|en (*ugs.*)
auf|häu|fen
auf|he|beln
auf|he|ben
Auf|he|ben, das; -s; [ein] großes Aufheben, viel Aufheben[s] von dem Buch machen
Auf|he|bung, die; -
auf|hei|tern; Auf|hei|te|rung
auf|hei|zen; Auf|hei|zung
auf|hel|fen
auf|hel|len; Auf|hel|ler (*Chemie*); Auf|hel|lung
auf|het|zen; Auf|het|zung
auf|heu|len
auf|ho|len; Auf|hol|jagd
auf|hor|chen
auf|hö|ren
auf|hüb|schen (*ugs. für* verschönern)
auf|hu|cken (*ugs. für* auf den Rücken nehmen)
auf|hus|sen (*österr. ugs. für* aufwiegeln)
auf|ja|gen
auf|jauch|zen
auf|jau|len
Auf|kauf; auf|kau|fen
Auf|käu|fer; Auf|käu|fe|rin
auf|keh|ren (*bes. südd.*)
auf|kei|men
auf|klaf|fen (einen [breiten] Spalt bilden)
auf|klapp|bar
auf|klap|pen
auf|kla|ren (klar werden, sich aufklären [vom Wetter]; *See-mannsspr.* aufräumen); der Himmel klart auf
auf|klä|ren (Klarheit in etwas Ungeklärtes bringen; belehren; sich aufhellen); der Himmel klärt sich auf
Auf|klä|rer; Auf|klä|re|rin; auf|klä|re|risch; Auf|klä|rung
Auf|klä|rungs|flug|zeug
Auf|klä|rungs|kam|pa|g|ne
auf|klat|schen
auf|klau|ben (*südd., österr. für* aufheben)
auf|kle|ben; Auf|kle|ber

auf|klin|gen
auf|klin|ken
auf|kna|cken
auf|knöp|fen *vgl.* aufgeknöpft
auf|kno|ten
auf|knüp|fen; Auf|knüp|fung
auf|ko|chen (*südd., österr. auch* für einen besonderen Anlass reichlich kochen)
auf|kom|men
Auf|kom|men, das; -s, - (Summe der [Steuer]einnahmen)
auf|krat|zen *vgl.* aufgekratzt
auf|krei|schen
auf|krem|peln
auf|kreu|zen (*ugs.*)
auf|krie|gen (*ugs.*)
auf|kün|den (*älter für* aufkündigen); auf|kün|di|gen; Auf|kün|di|gung
Aufl. = Auflage
auf|la|chen
auf|lad|bar; eine aufladbare Chipkarte
auf|la|den *vgl.* ¹laden
Auf|la|de|platz; Auf|la|der; Auf|la|dung
Auf|la|ge (*Abk.* Aufl.); Auf|la|ge[n]|hö|he; auf|la|gen|stark
Auf|la|ger (*Bauw.*)
auf|lan|dig (*Seemannsspr.* auf das Land zu wehend od. strömend)
auf|las|sen (aufsteigen lassen; *Bergmannsspr.* [eine Grube] stilllegen; *Rechtsspr.* [Grundeigentum] übertragen; *bes. südd., österr. für* stilllegen, schließen, aufgeben; *ugs. für* geöffnet lassen)
auf|läs|sig (*Bergmannsspr.* außer Betrieb)
Auf|las|sung
auf|las|ten (*für* aufbürden)
auf|lau|ern; jmdm. auflauern
Auf|lauf (Ansammlung; überbackene [Mehl]speise)
Auf|lauf|brem|se (*Kfz-Technik*)
auf|lau|fen (anwachsen [von Schulden]; *Seemannsspr.* auf Grund geraten; *Sport* zum Spielbeginn aufs Spielfeld laufen)
Auf|lauf|form
Auf|lauf|kind (*Fußball* Kind, das einen Spieler beim Auflaufen aufs Spielfeld begleitet)
auf|le|ben
auf|le|cken
Auf|le|ge|ma|t|rat|ze
auf|le|gen *vgl.* aufgelegt
Auf|le|ger; Auf|le|gung
auf|leh|nen, sich; Auf|leh|nung
auf|le|sen
auf|leuch|ten

auf|lich|ten; Auf|lich|tung
Auf|lich|tung (*Transportwesen*); auf|lie|fern; Auf|lie|fe|rung
auf|lie|gen
Auf|lie|ge|zeit (Ruhezeit der Schiffe)
auf|lis|ten; Auf|lis|tung
auf|lo|ckern; Auf|lo|cke|rung
auf|lo|dern
auf|lö|sen; Auf|lö|sung
Auf|lö|sungs|er|schei|nung; Auf|lö|sungs|pro|zess
Auf|lö|sungs|zei|chen (*Musik*)
auf|lüp|fisch (*schweiz. für* rebellisch, aufrührerisch)
auf|lut|schen; den Bonbon auflutschen
auf|lu|ven (*Seemannsspr.* den Winkel zwischen Kurs und Windrichtung verkleinern)
aufm, auf'm (*ugs. für* auf dem, auf einem) ↑K 14
auf|ma|chen; auf- und zumachen; sich aufmachen (sich auf den Weg machen)
Auf|ma|cher (wirkungsvoller Titel; eingängige Schlagzeile)
Auf|ma|chung
auf|ma|len
Auf|marsch, der; Auf|marsch|ge|län|de; auf|mar|schie|ren
auf|ma|scherln (*österr. ugs. für* aufputzen); aufgemascherlt
Auf|maß (*Bauw., Archit.*)
auf|mei|ßeln
auf|mer|ken
auf|merk|sam; jmdn. auf etwas aufmerksam machen; Auf|merk|sam|keit
Auf|merk|sam|keits|de|fi|zit|syn|drom, Auf|merk|sam|keits|de|fi|zit-Syn|drom (Störung der Konzentrationsfähigkeit in Verbindung mit sprunghaftem, impulsivem Handeln; *Abk.* ADS)
auf|mes|sen (*Bauw., Archit.*)
auf|mi|schen (*ugs. auch für* verprügeln)
auf|mö|beln (*ugs. für* aufmuntern; erneuern); ich möb[e]le auf
auf|mon|tie|ren
auf|mot|zen (*ugs. für* effektvoller gestalten, zurechtmachen)
auf|mu|cken (*ugs.*)
auf|mun|tern; ich muntere auf; Auf|mun|te|rung
auf|müp|fig (*landsch. für* aufsässig, trotzig); Auf|müp|fig|keit
auf|mut|zen (*landsch. für* zum Vorwurf machen)
aufn, auf'n (*ugs. für* auf den, auf einen) ↑K 14
auf|nä|hen; Auf|nä|her

Auf|nah|me, die; -, -n; Auf|nah|me|be|din|gung *meist Plur.*
auf|nah|me|fä|hig; Auf|nah|me|fä|hig|keit
Auf|nah|me|ge|bühr; Auf|nah|me|lei|ter, der (*Film*); Auf|nah|me|prü|fung; Auf|nah|me|stopp (*österr. auch für* Einstellungsstopp); Auf|nah|me|tech|nik
auf|nahms|fä|hig (*österr.*); Auf|nahms|prü|fung (*österr.*)
auf|neh|men; Auf|neh|mer (*landsch. für* Scheuerlappen)
äuf|nen (*schweiz. für* [Güter, Bestände, Fonds] vermehren)
auf|nes|teln
auf|nö|ti|geln; jmdm. etw. aufnötigen
Äuf|nung, die; - (*schweiz.*)
auf|ok|t|ro|y|ie|ren (aufdrängen, aufzwingen)
auf|op|fern; sich [für jmdn. od. etwas] aufopfern; Auf|op|fe|rung; auf|op|fe|rungs|voll
auf|pa|cken
auf|päp|peln (*ugs.*); ein Kind aufpäppeln
auf|pas|sen; Auf|pas|ser; Auf|pas|se|rin
auf|peit|schen
auf|pel|zen (*österr. für* aufbürden)
auf|pep|pen (*ugs. einer Sache Pep, Schwung geben)
auf|pflan|zen
auf|pfrop|fen
auf|pi|cken (*österr. auch für* aufkleben)
auf|plat|zen
auf|plus|tern; sich aufplustern
auf|po|lie|ren
auf|pols|tern
auf|pop|pen (*ugs. für* nach Art der Popkunst aufmachen)
auf|prä|gen
Auf|prall, der; -[e]s, -e *Plur. selten*; auf|pral|len; Auf|prall|schutz
Auf|preis (Mehrpreis)
auf|pro|bie|ren
auf|pu|deln, sich (*österr. ugs. für* sich aufspielen)
auf|pul|vern
auf|pum|pen
auf|pus|ten
auf|put|schen; Auf|putsch|mit|tel, das
auf|put|zen; sich aufputzen
auf|quel|len *vgl.* ¹quellen
auf|raf|fen; sich aufraffen
auf|ra|gen
auf|rap|peln, sich (*ugs. für* sich aufraffen)
auf|rau|en
auf|räu|feln (*landsch. für*

[Gestricktes] wieder auflösen);
ich räuf[e]le auf
Auf|räum|ar|beit
auf|räu|men *vgl.* aufgeräumt
Auf|räu|me|rin (*österr. für* Putz-
frau)
**Auf|räu|mung; Auf|räu|mungs|ar-
bei|ten** *Plur.*
auf|rech|nen; Auf|rech|nung
auf|recht; aufrecht halten, sitzen,
stehen, stellen; er kann sich
nicht aufrecht halten; aufrecht
gehalten; aufrecht zu halten
auf|recht|blei|ben (bestehen blei-
ben)
auf|recht|er|hal|ten (weiterhin
bestehen lassen, nicht aufgeben); um einen Anspruch auf-
rechtzuerhalten; **Auf|recht|er-
hal|tung,** die; -
auf|re|den; jmdm. eine Versiche-
rung aufreden
auf|re|gen; auf|re|gend;
aufregends|te
Auf|re|ger (*österr. für* Skandal)
Auf|re|gung
auf|rei|ben; auf|rei|bend;
aufreibends|te
auf|rei|hen, sich aufreihen; **Auf|rei-
hung**
auf|rei|ßen (*auch für* im Überblick
darstellen; *ugs. auch für* mit
jmdm. eine [sexuelle] Beziehung anzuknüpfen versuchen);
Auf|rei|ßer, der; -s, - (*ugs.);* **Auf-
rei|ße|rin**
auf|rei|ten (*auch Zool.* [von
bestimmten Säugetieren] begat-
ten)
auf|rei|zen; auf|rei|zend;
aufreizends|te
Auf|rei|zung
auf|rib|beln (*landsch. für* aufräu-
feln)
Auf|rich|te, die; -, -n (*schweiz. für*
Richtfest)
auf|rich|ten; sich aufrichten
auf|rich|tig; Auf|rich|tig|keit, die; -
Auf|rich|tung, die; -
Auf|riss (Bauzeichnung)
auf|rol|len; Auf|rol|lung, die; -
auf|rü|cken
Auf|ruf; auf|ru|fen
Auf|ruhr, der; -[e]s, -e *Plur. selten;*
**auf|rüh|ren; Auf|rüh|rer; Auf|rüh-
re|rin; auf|rüh|re|risch**
auf|run|den ([Zahlen] nach oben
runden); **Auf|run|dung**
auf|rü|schen (*ugs. für* herausput-
zen)
auf|rüs|ten; Auf|rüs|tung
**auf|rüt|teln; Auf|rüt|te|lung, Auf-
rütt|lung**

aufs ↑K14 (auf das); *vgl.* auf
auf|sa|gen; Auf|sa|gung (*geh. auch
für* Kündigung)
auf|sam|meln
Auf|san|dung (*österr. Rechtsw.* Ein-
willigung eines Liegenschaftsei-
gentümers zur Belastung des
Grundstücks); **Auf|san|dungs|ur-
kun|de**
auf|säs|sig; Auf|säs|sig|keit, die; -
Auf|satz; Auf|satz|the|ma
auf|sau|gen
auf|schal|ten (*Fernspr.* eine Ver-
bindung zu einem besetzten
Anschluss herstellen); **Auf|schal-
tung**
auf|schär|fen (*Jägerspr.* [den Balg]
aufschneiden)
auf|schau|en
auf|schau|keln
auf|schäu|men
auf|schei|nen (*österr. für* erschei-
nen, vorkommen)
auf|scheu|chen
auf|scheu|ern; ich scheu[e]re mir
die Knie auf
auf|schich|ten; Auf|schich|tung
auf|schie|ben; Auf|schie|bung
auf|schie|ßen
**Auf|schlag; auf|schla|gen; Auf-
schlä|ger**
**Auf|schlag|feh|ler; Auf|schlag|ver-
lust; Auf|schlag|zün|der**
auf|schläm|men
auf|schlie|ßen *vgl.* aufgeschlossen;
Auf|schlie|ßung, die; -
auf|schlit|zen
auf|schluch|zen
Auf|schluss
**auf|schlüs|seln; Auf|schlüs|se|lung,
Auf|schlüss|lung**
auf|schluss|reich
auf|schnap|pen
auf|schnei|den (*ugs. auch für* prah-
len)
**Auf|schnei|der; Auf|schnei|de|rei;
Auf|schnei|de|rin; auf|schnei|de-
risch**
Auf|schnitt, der; -[e]s
auf|schnü|ren
auf|schrau|ben
¹auf|schre|cken; sie schrak *od.*
schreckte auf; sie war aufgeschreckt; *vgl.* schrecken
²auf|schre|cken; ich schreckte ihn
auf; sie hatte ihn aufgeschreckt;
vgl. schrecken
Auf|schrei
auf|schrei|ben; ich schreibe mir
etwas auf
auf|schrei|en
Auf|schrift
Auf|schub

auf|schür|fen
auf|schüt|teln
auf|schüt|ten; Auf|schüt|tung
auf|schwat|zen, auf|schwät|zen
(*ugs.)*
auf|schwei|ßen
¹auf|schwel|len; der Leib schwoll
auf, ist aufgeschwollen; *vgl.*
¹schwellen
²auf|schwel|len; der Exkurs
schwellte das Buch auf, hat das
Buch aufgeschwellt; *vgl.*
²schwellen
Auf|schwel|lung
**auf|schwem|men; Auf|schwem-
mung**
auf|schwin|gen; Auf|schwung
auf|se|hen; zu jmdm. aufsehen
Auf|se|hen, das; -s; Aufsehen erre-
gen
Auf|se|hen er|re|gend, **auf|se|hen-
er|re|gend;** ein Aufsehen erre-
gender *od.* aufsehenerregender
Fall; *aber nur* ein großes Aufsehen erregender Fall, ein äußerst
aufsehenerregender Fall, ein
noch aufsehenerregenderer Fall
↑K58 ; etwas Aufsehen Erregendes *od.* Aufsehenerregendes
↑K72
Auf|se|her; Auf|se|he|rin
auf sein *vgl.* auf
auf|sei|ten, auf Sei|ten; *mit Gen.:*
aufseiten, *auch* auf Seiten der
Regierung
auf|set|zen
Auf|set|zer (*bes. Fußball, Hand-
ball)*
auf|seuf|zen
Auf|sicht, die; -, -en; der Aufsicht
führende *od.* aufsichtführende
Lehrer ↑K58
**Auf|sicht Füh|ren|de, Auf|sicht|füh-
ren|de,** der u. die; -n, -n
**Auf|sichts|be|am|te; Auf|sichts|be-
am|tin; Auf|sichts|be|hör|de**
Auf|sichts|be|schwer|de (*Rechtsw.)*
auf|sicht[s]|los
Auf|sichts|pflicht
Auf|sichts|rat *Plur.* ...räte
Auf|sichts|rats|sit|zung
Auf|sichts|rats|vor|sit|zen|de
auf|sit|zen; jmdm. aufsitzen (auf
jmdn. hereinfallen); **Auf|sit|zer**
(*österr. für* Reinfall)
Auf|sitz|ra|sen|mä|her
auf|spal|ten; Auf|spal|tung
auf|span|nen
auf|spa|ren; ich spare mir etwas
auf; **Auf|spa|rung**
auf|spei|chern; Auf|spei|che|rung
Auf|sperr|dienst (*österr. für*
Schlüsseldienst)

auf|sper|ren
auf|spie|len; sich aufspielen
auf|spie|ßen; Auf|spie|ßung
auf|split|tern; Auf|split|te|rung
auf|spray|en
auf|spren|gen; Auf|spren|gung
auf|sprie|ßen
auf|sprin|gen
auf|sprit|zen; Auf|sprit|zung
auf|sprü|hen; Auf|sprü|hung
Auf|sprung
auf|spu|len
auf|spü|len; Sand aufspülen
auf|spü|ren; Auf|spü|rung
auf|sta|cheln; Auf|sta|che|lung, Auf-
stach|lung
auf|stal|len (*Landw.*); Auf|stal|lung
auf|stamp|fen
Auf|stand
auf|stän|dern (*Technik* auf Stän-
dern errichten); ich ständere
auf; Auf|stän|de|rung
auf|stän|disch; Auf|stän|di|sche, der
u. die; -n, -n
auf|sta|peln; Auf|sta|pe|lung, Auf-
stap|lung
Auf|stau (*Technik, Wasserbau*)
auf|stäu|ben
auf|stau|en; Auf|stau|ung
auf|ste|chen
auf|ste|cken vgl. ²stecken
auf|ste|hen
auf|stei|gen (*österr. auch für* in die
nächste Klasse kommen); Auf-
stei|ger; Auf|stei|ge|rin
auf|stel|len (*schweiz. auch für* gute
Laune bringen); Auf|stel|lung
auf|stem|men
auf|step|pen
Auf|stieg, der; -[e]s, -e
Auf|stiegs|mög|lich|keit
Auf|stiegs|spiel (*Sport*)
auf|stö|bern
auf|sto|cken ([um ein Stockwerk]
erhöhen); Auf|sto|ckung
auf|stöh|nen
auf|stöp|seln (*ugs.*); eine Flasche
aufstöpseln
auf|stö|ren; jmdn. aufstören
auf|sto|ßen; mir stößt etwas auf
auf|stre|ben; auf|stre|bend
auf|strei|chen; Auf|strich
Auf|strom, der; -[e]s (*Technik* auf-
steigender Luftstrom)
auf|stu|fen (höher einstufen); Auf-
stu|fung
auf|stül|pen; Auf|stül|pung
auf|stüt|zen
auf|sty|len [...stai...], sich ⟨dt.;
engl.⟩ (*ugs. für* sich sorgfältig
kleiden [und schminken])
auf|su|chen
auf|sum|men; auf|sum|mie|ren

(*EDV* Werte addieren od. sub-
trahieren)
auf|ta|keln (*Seemannsspr.* mit
Takelwerk ausrüsten); sich auf-
takeln (*ugs. für* sich sehr auffäl-
lig kleiden und schminken); *vgl.*
aufgetakelt; Auf|ta|ke|lung, Auf-
tak|lung
Auf|takt, der; -[e]s, -e
auf|tan|ken
auf|tau|chen
auf|tau|en
auf|teen [...ti:ən] ⟨dt.; engl.⟩ (*Golf*
den Ball zum Abschlag auf das
Tee legen)
auf|tei|len; Auf|tei|lung
auf|tip|pen; den Ball kurz auftip-
pen
auf|ti|schen ([Speisen] auftragen;
ugs. für vorbringen)
auf|top|pen (*Seemannsspr.* die
Rahen in senkrechter Richtung
bewegen)
Auf|trag, der; -[e]s, ...träge; im -[e]
(*Abk.* i. A. *od.* I. A.; *vgl. d.*)
auf|tra|gen
Auf|trag|ge|ber; Auf|trag|ge|be|rin;
Auf|trag|neh|mer; Auf|trag|neh-
me|rin
Auf|trags|ar|beit; Auf|trags|be-
stand; Auf|trags|be|stä|ti|gung;
Auf|trags|buch; Auf|trags|ein-
gang
auf|trags|ge|mäß
Auf|trags|kil|ler (*ugs.*); Auf|trags-
kil|le|rin
Auf|trags|la|ge (*Wirtsch.*); Auf-
trags|mord; Auf|trags|pols|ter
(Vorrat an Aufträgen); Auf|trags-
rück|gang
Auf|trag[s]|wal|ze (*Druckw.*)
auf|tref|fen
auf|trei|ben
auf|tren|nen
auf|tre|ten; Auf|tre|ten, das; -s
Auf|tre|tens|wahr|schein|lich|keit
Auf|trieb; Auf|triebs|kraft
Auf|tritt; Auf|tritts|ver|bot
auf|trump|fen
auf|tun; sich auftun
auf|tup|fen; Wassertropfen [mit
einem Tuch] auftupfen
auf|tür|men; sich auftürmen
auf und ab; auf und ab gehen
(ohne bestimmtes Ziel), *aber in*
Zus. ↑K31: auf- und absteigen
(aufsteigen und absteigen)
Auf und Ab, das; - - -[s]
Auf-und-ab-Ge|hen, das; -s; ↑K27
ein Platz zum Auf-und-ab-Ge-
hen, *aber* ↑K31 *u.* 82: das Auf
und Absteigen (Aufsteigen und
Absteigen)

auf und da|von; sich auf und
davon machen (*ugs.*); zum Auf-
und-davon-Laufen sein ↑K27
auf|wa|chen
auf|wach|sen
auf|wal|len; Auf|wal|lung
auf|wäl|ti|gen (*Bergmannsspr.; vgl.*
gewältigen)
Auf|wand, der; -[e]s, Aufwände
auf|wän|dig, auf|wen|dig; ein auf-
wändiger *od.* aufwendiger
Lebensstil
Auf|wands|ent|schä|di|gung
auf|wär|men; Auf|wärm|trai|ning;
Auf|wär|mung
Auf|war|te|frau
auf|war|ten

auf|wärts

– auf- und abwärts

Man schreibt »aufwärts« als
Verbzusatz mit dem folgenden
Verb zusammen ↑K48:

– aufwärtsfahren, aufwärtsschie-
ben, aufwärtssteigen
– wir sind zwei Stunden lang nur
aufwärtsgegangen
– mit ihrer Gesundheit ist es stetig aufwärtsgegangen

Aber:

– aufwärts davonfliegen
– aufwärts ging es langsamer als
abwärts
– wir wollten aufwärts gehen,
nicht fahren

Auf|wärts|ent|wick|lung
auf|wärts|fah|ren; auf|wärts|ge-
hen vgl. aufwärts
Auf|wärts|ha|ken
auf|wärts|rich|ten
Auf|wärts|trend
Auf|wasch, der; -[e]s; auf|wa|schen;
Auf|wasch|tisch; Auf|wasch|was-
ser *Plur.* ...wässer
auf|we|cken vgl. aufgeweckt
auf|wei|chen vgl. ¹weichen; Auf-
wei|chung
Auf|weis, der; -es, -e; auf|wei|sen
auf|wen|den; ich wandte *od.* wen-
dete viel Zeit auf, habe aufge-
wandt *od.* aufgewendet; aufge-
wandte *od.* aufgewendete Zeit
auf|wen|dig, auf|wän|dig; ein auf-
wendiger *od.* aufwändiger
Lebensstil
Auf|wen|dung
auf|wer|fen
auf|wer|ten; Auf|wer|tung

auf|wi|ckeln; Auf|wi|cke|lung, Auf-
wick|lung
Auf|wie|ge|lei (abwertend); auf-
wie|geln; Auf|wie|ge|lung
auf|wie|gen
Auf|wieg|ler; Auf|wieg|le|rin; auf-
wieg|le|risch; Auf|wieg|lung vgl.
Aufwiegelung
Auf|wind (Meteor.)
auf|wir|beln
auf|wi|schen; Auf|wisch|lap|pen
auf|wöl|ben
auf|wöl|ken
Auf|wuchs (Forstw.)
auf|wüh|len
Auf|wurf
auf|zah|len (südd., österr. für
dazuzahlen)
auf|zäh|len
Auf|zah|lung (südd., österr.,
schweiz. auch für Aufpreis)
Auf|zäh|lung
auf|zäu|men; das Pferd am od.
beim Schwanz aufzäumen (ugs.
für etwas verkehrt beginnen)
auf|zeh|ren
auf|zeich|nen; Auf|zeich|nung
auf|zei|gen (dartun, darlegen)
auf Zeit (Abk. a. Z.)
auf|zie|hen; Auf|zucht; auf|züch-
ten; Auf|zucht|sta|ti|on
auf|zu|cken
Auf|zug
Auf|zug|füh|rer; Auf|zug|füh|re|rin
Auf|zug[s]|schacht
auf|zün|geln (geh.)
auf|zwin|gen
auf|zwir|beln; die Bartenden auf-
zwirbeln
Aug. = August
Aug|ap|fel
Au|ge, das; -s, -n; Auge um Auge;
Äu|gel|chen
äu|geln (veraltet für [verstohlen]
blicken; auch für okulieren); ich
äug[e]le
äu|gen ([angespannt] blicken)
Au|gen|arzt; Au|gen|ärz|tin
Au|gen|auf|schlag
Au|gen|aus|wi|sche|rei (bes. österr.
für Augenwischerei)
Au|gen|bank Plur. ...banken (Med.)
Au|gen|blick[1]
au|gen|blick|lich[1]; au|gen|blicks[1]
(veraltend für sofort, sogleich);
Au|gen|blicks|idee[1]; Au|gen-
blicks|sa|che[1]
Au|gen|braue; Au|gen|brau|en|stift
Au|gen|de|ckel
Au|gen|di|a|g|no|se
au|gen|fäl|lig
Au|gen|far|be
Au|gen|glas (veraltend; vgl. [1]Glas)

Au|gen|heil|kun|de
Au|gen|hö|he; auf [gleicher]
Augenhöhe (übertr. für gleichberechtigt)
Au|gen|klap|pe
Au|gen|kli|nik; Au|gen|kon|takt; Au-
gen|krank|heit; Au|gen|licht, das;
-[e]s; Au|gen|lid
Au|gen-Make-up ↑K26
Au|gen|maß, das
Au|gen|merk, das; -[e]s
Au|gen|op|ti|ker; Au|gen|op|ti|ke|rin
Au|gen|pul|ver, das; -s (ugs. für
sehr kleine Schrift)
Au|gen|rin|ge Plur.; Au|gen|schat-
ten
Au|gen|schein, der; -[e]s; au|gen-
schein|lich [auch ...ˈʃai...]
Au|gen|stern (ugs. für das Liebste)
Au|gen|trost (eine Heilpflanze)
Au|gen|wei|de, die; -
Au|gen|win|kel
Au|gen|wi|sche|rei
Au|gen|zahn (oberer Eckzahn)
Au|gen|zeu|ge; Au|gen|zeu|gen|be-
richt; Au|gen|zeu|gin
Au|gen|zwin|kern, das; -s; au|gen-
zwin|kernd
Au|gi|as (Gestalt der griech. Sage);
Au|gi|as|stall [auch ˈau...]
(übertr. auch für korrupte Verhältnisse)
...äu|gig (z. B. braunäugig)
Au|git, der; -s, -e ⟨griech.⟩ (ein
Mineral)
Äug|lein
Aug|ment, das; -s, -e ⟨lat.⟩
(Sprachw. Vorsilbe des Verb-
stammes zur Bezeichnung der
Vergangenheit, bes. im Sanskrit
u. im Griechischen)
Aug|men|ta|ti|on, die; -, -en (Musik
Vergrößerung der Notenwerte)
au gra|tin [o ...ˈtɛ:] ⟨franz.⟩ (Gas-
tron. mit einer Kruste überba-
cken)
Augs|burg (Stadt am Lech)
Augs|bur|ger; Augsburger
Bekenntnis (Abk. [österr.] A. B.)
augs|bur|gisch; aber ↑K150: die
Augsburgische Konfession
Aug|spross, Aug|spros|se (Jägerspr.
unterste Sprosse am Hirschge-
weih)
Au|gur, der; Gen. -s u. ...uren, Plur.
...uren ⟨lat., »Vogelschauer«⟩
(Priester im alten Rom; Wahrsa-
ger)
Au|gu|ren|lä|cheln, das; -s (wissen-
des Lächeln Eingeweihter)
[1]Au|gust, der; Gen. -[e]s u. -, Plur. -e
⟨lat.⟩ (achter Monat im Jahr,

Ernting, Erntemonat; Abk.
Aug.)
[2]Au|gust (m. Vorn.); der dumme
August (Clown) ↑K87
Au|gus|ta, Au|gus|te (w. Vorn.)
au|gus|te|isch ↑K89; das Auguste-
ische Zeitalter (Zeitalter des
Kaisers Augustus); aber ein
augusteisches (der Kunst und
Literatur günstiges) Zeitalter
[1]Au|gus|tin (m. Vorn.)
[2]Au|gus|tin vgl. Augustinus
Au|gus|ti|ne (w. Vorn.)
Au|gus|ti|ner, der; -s, - (Angehöri-
ger eines katholischen Ordens)
Au|gus|ti|nus, Au|gus|tin (Heiliger,
Kirchenlehrer)
Au|gus|tus (Beiname des römi-
schen Kaisers Oktavian)
Auk|ti|on, die; -, -en ⟨lat.⟩ (Verstei-
gerung)
Auk|ti|o|na|tor, der; -s, ...oren (Ver-
steigerer); Auk|ti|o|na|to|rin
auk|ti|o|nie|ren
Auk|ti|ons|haus
Au|la, die; -, Plur. ...len u. -s ⟨lat.⟩
(Fest-, Versammlungssaal in
[Hoch]schulen)
Au|le, die; -, -n (landsch. derb für
Auswurf)
Au|los, der; -, ...oi ⟨griech.⟩ (ein
antikes griechisches Musikinstrument)
au na|tu|rel [o ...ty...] ⟨franz.⟩ (Gas-
tron. ohne künstlichen Zusatz
[bei Speisen, Getränken])
au pair [o ˈpɛ:ʁ] ⟨franz.⟩ (ohne
Bezahlung, nur gegen Unter-
kunft u. Verpflegung)
Au-pair, die; -, -s od. das; -s, -s
(kurz für Au-pair-Mädchen)
Au-pair-Mäd|chen ↑K26
AU-Pla|ket|te [aˈˈuː...]
Au|ra, die; -, Auren (Med.: Aurae)
⟨lat.⟩ (besondere Ausstrahlung;
Med. Unbehagen vor epilepti-
schen Anfällen)
Au|ra|min, das; -s ⟨nlat.⟩ (gelber
Farbstoff)
Au|rar (Plur. von Eyrir)
au|ra|tisch (eine Aura besitzend,
verbreitend)
Au|re|lia, Au|re|lie (w. Vorn.)
Au|re|li|an (römischer Kaiser)
Au|re|lie vgl. Aurelia
Au|re|li|us (altrömischer
Geschlechtername)
Au|re|o|le, die; -, -n ⟨lat.⟩ (Heili-
genschein; Hof [um Sonne und
Mond])

---
[1] [auch ...ˈblɪk(...)]

A
Ausd

Au|ri|g|na|ci|en [orınja'sjẽ:], das; -[s] ⟨nach der französischen Stadt Aurignac⟩ (Kulturstufe der jüngeren Altsteinzeit); Au|rig|nac|mensch [...'jak...]
Au|ri|kel, die; -, -n ⟨lat.⟩ (eine Primelart)
au|ri|ku|lar (Med. die Ohren betreffend)
Au|ri|pig|ment, das; -[e]s ⟨lat.⟩ (ein Mineral, Rauschgelb)
¹Au|ro|ra (römische Göttin der Morgenröte)
²Au|ro|ra, die; -, -s (ein Schmetterling; Lichterscheinung in der oberen Atmosphäre); Au|ro|ra|fal|ter
Au|rum, das; -[s] ⟨lat.⟩ (lat. Bez. für Gold; Zeichen Au)

aus

Präposition mit Dativ:

– aus dem Hause; aus aller Herren Länder[n]

Adverb:

– aus sein (ugs. für zu Ende, erloschen, ausgeschaltet sein); auf etwas aus sein (ugs. für erpicht sein)
– weder aus noch ein wissen; aus und ein gehen (verkehren), *aber* (in Zusammensetzungen ↑K 31): aus- und eingehende (ausgehende und eingehende) Waren

Aus, das; -, -; der Ball ist im Aus
aus... (in Zus. mit Verben, z. B. ausbeuten, du beutest aus, ausgebeutet, auszubeuten)
aus|agie|ren (Psych.)
aus|apern (südd., österr., schweiz. für schneefrei werden)
aus|ar|bei|ten; Aus|ar|bei|tung
aus|ar|ten; Aus|ar|tung
aus|äs|ten; Obstbäume ausästen
aus|at|men; Aus|at|mung
aus|ba|cken
aus|ba|den; etwas ausbaden müssen (ugs.)
aus|bag|gern
aus|ba|ken (Seew.)
aus|ba|lan|cie|ren
aus|bal|do|wern ⟨dt.; jidd.⟩ (ugs. für auskundschaften)
Aus|ball (Ballspiele)
Aus|bau, der; -[e]s, Plur. (für Gebäudeteile:) ...bauten
aus|bau|chen; Aus|bau|chung
aus|bau|en; aus|bau|fä|hig

Aus|bau|ge|biet; Aus|bau|ge|wer|be; Aus|bau|woh|nung
aus|be|din|gen, sich; vgl. ²bedingen
aus|bei|nen (landsch. für Knochen aus dem Fleisch lösen)
aus|bei|ßen; ich beiße mir die Zähne aus
aus|bei|zen (mit ätzendem Mittel entfernen od. reinigen)
aus|bes|sern; Aus|bes|se|rung; Aus|bes|se|rungs|ar|beit
aus|bes|se|rungs|be|dürf|tig
Aus|bes|se|rungs|werk
aus|beu|len
Aus|beu|te, die; -, -n
aus|beu|teln (bes. österr. für ausschütteln)
aus|beu|ten; Aus|beu|ter; Aus|beu|te|rei, die; -; Aus|beu|te|rin; aus|beu|te|risch; Aus|beu|ter|klas|se, die; - (marx.); Aus|beu|tung
aus|be|zah|len
aus|bie|gen
aus|bie|ten (feilbieten); Aus|bie|tung (Aufforderung zum Bieten bei Versteigerungen)
aus|bil|den
Aus|bil|den|de, der u. die; -n, -n
Aus|bil|der; Aus|bil|de|rin
Aus|bild|ner (österr. u. schweiz.); Aus|bild|ne|rin
Aus|bil|dung; Aus|bil|dungs|bei|hil|fe; Aus|bil|dungs|för|de|rungs|ge|setz
Aus|bil|dungs|platz; Aus|bil|dungs|[platz]|ab|ga|be
Aus|bil|dungs|ver|trag; Aus|bil|dungs|zen|t|rum
aus|bit|ten; ich bitte mir Ruhe aus
aus|bla|sen; Aus|blä|ser (ausgebranntes, nicht explodiertes Geschoss)
aus|blei|ben
¹aus|blei|chen (bleich machen); du bleichtest aus; ausgebleicht; vgl. ¹bleichen
²aus|blei|chen (bleich werden); es blich aus; ausgeblichen (auch ausgebleicht); vgl. ²bleichen
aus|blen|den
Aus|blick; aus|bli|cken
aus|blü|hen (fachspr. auch für an die Oberfläche treten und eine Verkrustung entstehen lassen [von Salzen]); Aus|blü|hung
aus|blu|ten
aus|bo|gen; ausgebogte Zacken
aus|boh|ren
aus|bo|jen (Seew. ein Fahrwasser mit Seezeichen versehen); er bojet aus, hat ausgebojet
aus|bom|ben vgl. Ausgebombte

aus|boo|ten (ugs. auch für entmachten, entlassen)
aus|bor|gen; ich borge mir ein Buch von ihm aus
aus|bra|ten; Speck ausbraten
aus|bre|chen; Aus|bre|cher; Aus|bre|che|rin
aus|brei|ten; Aus|brei|tung, die; -
aus|brem|sen (Rennsport)
aus|bren|nen
aus|brin|gen; einen Trinkspruch ausbringen
Aus|bruch, der; -[e]s, ...brüche (auch für Wein besonderer Güte); Aus|bruchs|ver|such
aus|brü|hen
aus|brü|ten
aus|bu|chen (Kaufmannsspr. aus dem Rechnungsbuch streichen); vgl. ausgebucht
aus|buch|ten; Aus|buch|tung
aus|bud|deln (ugs.)
aus|bü|geln (ugs. auch für bereinigen)
aus|bu|hen (ugs. durch Buhrufe sein Missfallen ausdrücken)
Aus|bund, der; -[e]s; aus|bün|dig (veraltet für außerordentlich)
aus|bür|gern; ich bürgere aus; Aus|bür|ge|rung
aus|bürs|ten
aus|bü|xen (landsch. für weglaufen); du büxt aus
aus|che|cken ⟨dt.; engl.⟩ (Flugw.)
Ausch|witz (im 2. Weltkrieg Vernichtungslager der Nationalsozialisten in Polen)
Aus|dau|er; aus|dau|ernd
Aus|dau|er|sport
aus|deh|nen; sich ausdehnen; Aus|deh|nung; Aus|deh|nungs|ko|ef|fi|zi|ent (Physik)
aus|dei|chen (Landflächen durch Zurückverlegung des Deichs preisgeben)
aus|den|ken; denke dir etwas aus
aus|deu|ten (für interpretieren)
aus|die|nen vgl. ausgedient
aus|dif|fe|ren|zie|ren
aus|dis|ku|tie|ren
aus|do|cken (Schiffbau aus dem Dock holen)
aus|dor|ren; aus|dör|ren
aus|dre|hen
aus|dre|schen
Aus|druck, der; -[e]s, Plur. ...drücke u. (Druckw.) ...drucke
aus|dru|cken; einen Text ausdrucken
aus|drü|cken; sich ausdrücken
aus|drück|lich [auch ...'dry...]
Aus|drucks|form; Aus|drucks|kraft;

A

Ausd

aus|ei|n|an|der

Man schreibt »auseinander« mit dem folgenden Verb in der Regel zusammen, wenn es den gemeinsamen Hauptakzent trägt ↑K48:

– auseinanderbrechen, auseinanderdividieren, auseinanderhalten, auseinandersetzen usw.

Aber:

– auseinander hervorgehen, sich auseinander ergeben

Mit »sein« immer getrennt:

– auseinander sein (sich getrennt haben)

Aus|drucks|kunst, die; - (*auch für* Expressionismus)
aus|drucks|los; **Aus|drucks|lo|sig|keit**, die; -
Aus|drucks|mit|tel *meist Plur.*
aus|drucks|stark; **Aus|drucks|tanz** (Tanzform, die Empfindungen durch Bewegungen ausdrücken soll); **aus|drucks|voll**
Aus|drucks|wei|se
Aus|drusch, der; -[e]s, -e (Ertrag des Dreschens)
aus|dün|nen; **Aus|dün|nung**
aus|duns|ten, *häufiger* **aus|düns|ten**
Aus|duns|tung, *häufiger* **Aus|düns|tung**
aus|ei|n|an|der s. Kasten
aus|ei|n|an|der|bre|chen; das Bündnis brach auseinander, ist auseinandergebrochen
aus|ei|n|an|der|di|vi|die|ren (aufspalten, entzweien)
aus|ei|n|an|der|drif|ten; die Kontinente driften auseinander
aus|ei|n|an|der|ent|wi|ckeln; die beiden Tierarten haben sich auseinanderentwickelt (in getrennte Richtungen)
Aus|ei|n|an|der|ent|wick|lung
aus|ei|n|an|der|fal|len; alles fiel auseinander, ist auseinandergefallen; ohne auseinanderzufallen
aus|ei|n|an|der|ge|hen (*auch ugs. für* dick werden); sie sind wortlos auseinandergegangen
aus|ei|nan|der|hal|ten; die Zwillinge sind nicht auseinanderzuhalten
aus|ei|n|an|der|klaf|fen; Traum und Wirklichkeit klafften weit auseinander
aus|ei|n|an|der|kla|mü|sern (*landsch. für* erklären, entwirren)
aus|ei|n|an|der|klapp|bar
aus|ei|n|an|der|klap|pen; er klappte seinen Liegestuhl auseinander
aus|ei|n|an|der|neh|men (*auch ugs. für* verprügeln, besiegen); sie hatte den Staubsauger auseinandergenommen

aus|ei|n|an|der|po|sa|men|tie|ren (*landsch. für* umständlich erklären)
aus|ei|n|an|der|rei|ßen; die Familie wurde durch den Krieg auseinandergerissen
aus|ei|n|an|der|set|zen; wir setzten uns mit dem Problem, dem Gegner auseinander
Aus|ei|n|an|der|set|zung
aus|ei|n|an|der|zie|hen; sie zog die Vorhänge auseinander
aus|er|ko|ren (*geh. für* auserwählt)
aus|er|le|sen
aus|er|se|hen
aus|er|wäh|len; **aus|er|wählt**; **Aus|er|wähl|te**, der u. die; -n, -n; **Aus|er|wäh|lung**
aus|fä|chern
aus|fä|deln, sich (*Verkehrsw.*)
aus|fahr|bar; **aus|fah|ren**
aus|fah|rend (heftig)
Aus|fahr|gleis; **Aus|fahr|si|g|nal** (*Eisenb.*)
Aus|fahrt
Aus|fahrt[s]|er|laub|nis
Aus|fahrt[s]|gleis *vgl.* Ausfahrgleis
Aus|fahrts|schild, das; **Aus|fahrt[s]|si|g|nal** *vgl.* Ausfahrsignal; **Aus|fahrt[s]|stra|ße**
Aus|fall, der; **Aus|fall|bürg|schaft**
aus|fal|len
aus|fäl|len (*Chemie* gelöste Stoffe in Form von Kristallen, Flocken o. Ä. ausscheiden; *schweiz. auch für* verhängen [eine Strafe usw.])
aus|fal|lend, **aus|fäl|lig** (beleidigend)
Aus|fall[s]|er|schei|nung (*Med.*)
Aus|fall[s]|tor, das
Aus|fall|stra|ße
Aus|fäl|lung (*Chemie*)
Aus|fall|zeit
aus|falt|bar; **aus|fal|ten**
aus|fas|sen (*österr. für* [als Strafe o. Ä.] bekommen)
aus|fech|ten
aus|fe|gen (*landsch.*); **Aus|fe|ger** (*landsch.*)
aus|fei|len
aus|fer|ti|gen; **Aus|fer|ti|gung**

aus|fet|ten
aus|fil|tern
aus|fi|nan|zie|ren (die Finanzierung für etwas sicherstellen)
aus|fin|dig; ausfindig machen; **Aus|fin|dig|ma|chen**, das; -s
aus|fit|ten ([ein Schiff] mit seemännischem Zubehör ausrüsten)
aus|flag|gen (mit Flaggen kennzeichnen)
aus|flie|gen; jmdn. aus der Gefahrenzone ausfliegen
aus|flie|ßen
aus|flip|pen (*ugs. für* sich [bewusst] außerhalb der gesellschaftlichen Norm stellen; außer sich geraten); ausgeflippt sein
aus|flo|cken (Flocken bilden)
Aus|flucht, die; -, ...flüchte *meist Plur.*
Aus|flug; **Aus|flüg|ler**; **Aus|flüg|le|rin**
Aus|flugs|ort; **Aus|flugs|schiff**; **Aus|flugs|ver|kehr**; **Aus|flugs|ziel**
Aus|fluss
aus|fol|gen (*bes. österr. für* übergeben, aushändigen); **Aus|fol|gung** (*bes. österr. Amtsspr.*)
aus|for|men
aus|for|mu|lie|ren
Aus|for|mung
aus|for|schen (*österr. auch für* ausfindig machen); **Aus|for|schung** (*österr. auch für* [polizeiliche] Ermittlung)
aus|fra|gen; **Aus|fra|ge|rei** (*ugs. abwertend*)
aus|fran|sen *vgl.* ausgefranst
aus|fres|sen; etwas ausgefressen (*ugs. für* verbrochen) haben
aus|fu|gen; eine Mauer ausfugen
Aus|fuhr, die; -, -en
aus|führ|bar; **Aus|führ|bar|keit**, die; -; **aus|füh|ren**; **Aus|füh|rer** (*für* Exporteur)
Aus|fuhr|land *Plur.* ...länder (*Wirtsch.*)
aus|führ|lich [*auch* ...'fy:ɐ̯...]; Ausführlicheres in meinem nächsten Brief ↑K72; **Aus|führ|lich|keit** [*auch* ...'fy:ɐ̯...], die; -

A

Aus|fuhr|prä|mie
Aus|füh|rung
Aus|füh|rungs|be|stim|mung
Aus|fuhr|ver|bot
aus|fül|len; Aus|fül|lung
aus|füt|tern
Aus|ga|be
Aus|ga|be[n]|buch; Aus|ga|ben|po|li|tik
Aus|ga|be|stel|le; Aus|ga|be|ter|min
Aus|gang
aus|gangs Präp. mit Gen. (Amtsspr.); ausgangs des Tunnels
Aus|gangs|ba|sis; Aus|gangs|la|ge; Aus|gangs|po|si|ti|on; Aus|gangs|punkt; Aus|gangs|si|tu|a|ti|on
Aus|gangs|sper|re
Aus|gangs|spra|che (Sprachw.); Aus|gangs|stel|lung
aus|gä|ren (fertig gären)
aus|ga|sen; Aus|ga|sung
aus|ge|ben; Geld ausgeben
Aus|ge|beu|te|te, der u. die; -n, -n
aus|ge|bil|det
aus|ge|bleicht vgl. [1]ausbleichen
aus|ge|bli|chen vgl. [2]ausbleichen
Aus|ge|bomb|te, der u. die; -n, -n
aus|ge|bucht; ein ausgebuchtes Hotel, Flugzeug
aus|ge|bufft (ugs. für raffiniert)
Aus|ge|burt (geh. abwertend)
aus|ge|dehnt
aus|ge|dient; ausgedient haben
Aus|ge|din|ge, das; -s, - (landsch. für Altenteil); Aus|ge|din|ger
aus|ge|dorrt; aus|ge|dörrt
aus|ge|fal|len
aus|ge|feilt
aus|ge|feimt (landsch. für abgefeimt)
aus|ge|flippt (ugs.); vgl. ausflippen
aus|ge|franst
aus|ge|fuchst (ugs. für durchtrieben)
aus|ge|gli|chen; Aus|ge|gli|chen|heit, die; -
Aus|geh|an|zug
aus|ge|hen; es geht sich aus (österr. ugs. für es reicht, passt)
Aus|ge|her (landsch. für Bote)
aus|ge|hun|gert (sehr hungrig)
Aus|geh|uni|form (Milit.)
Aus|geh|ver|bot
aus|ge|klü|gelt
aus|ge|kocht (ugs. auch für durchtrieben)
aus|ge|las|sen (auch für übermütig); Aus|ge|las|sen|heit
aus|ge|las|tet
aus|ge|latscht (ugs.)
aus|ge|laugt; ausgelaugte Böden
aus|ge|lei|ert

aus|ge|lernt; ein ausgelernter Schlosser; Aus|ge|lern|te, der u. die; -n, -n
aus|ge|lit|ten; ausgelitten haben
aus|ge|lutscht (ugs. für kraftlos, abgenutzt)
aus|ge|macht (feststehend); ein ausgemachter (ugs. für großer) Schwindel
aus|ge|mer|gelt
aus|ge|mu|gelt (österr. ugs.); ausgemugelte (stark ausgefahrene) Skipisten
aus|ge|nom|men; alle waren zugegen, er ausgenommen (od. ausgenommen er); ich erinnere mich aller Vorgänge, ausgenommen dieses einen (od. diesen einen ausgenommen); der Tadel galt allen, ausgenommen ihm (od. ihn ausgenommen); ausgenommen[,] dass/wenn ↑K127
aus|ge|picht (ugs. für gerissen)
[1]aus|ge|pow|ert [...pau̯ɐt] vgl. [1]auspowern
[2]aus|ge|po|wert vgl. [2]auspowern
aus|ge|prägt; Aus|ge|prägt|heit, die; -
aus|ge|pumpt (ugs. für erschöpft)
aus|ge|rech|net (eben, gerade)
aus|ge|reift
aus|ge|schamt (landsch. für unverschämt)
aus|ge|schla|fen (ugs. auch für gewitzt)
aus|ge|schlos|sen
aus|ge|schnit|ten
aus|ge|sorgt; ausgesorgt haben
aus|ge|spielt; ausgespielt haben
aus|ge|spro|chen (entschieden, sehr groß); eine ausgesprochene Abneigung; aus|ge|spro|che|ner|ma|ßen
aus|ge|stal|ten; eine Feier ausgestalten; Aus|ge|stal|tung
aus|ge|stellt; ein ausgestellter (nach unten erweiterter) Rock
aus|ge|steu|ert; Aus|ge|steu|er|te, der u. die; -n, -n
aus|ge|stor|ben
Aus|ge|sto|ße|ne, der u. die; -n, -n
aus|ge|sucht
aus|ge|tre|ten
aus|ge|wach|sen (voll ausgereift)
aus|ge|wie|sen; ein ausgewiesener Fachmann
aus|ge|wo|gen; Aus|ge|wo|gen|heit, die; -
aus|ge|zehrt
aus|ge|zeich|net
aus|gie|big (reichlich); Aus|gie|big|keit, die; -

aus|gie|ßen; Aus|gie|ßer; Aus|gie|ßung
Aus|gleich, der; -[e]s, -e; aus|gleich|bar; aus|glei|chen
Aus|gleichs|ab|ga|be; Aus|gleichs|amt; Aus|gleichs|fonds
Aus|gleichs|ge|trie|be (für Differenzial)
Aus|gleichs|sport; Aus|gleichs|tref|fer
Aus|gleichs|ver|fah|ren (österr. Rechtsw. für Vergleichsverfahren)
Aus|gleichs|ver|wal|ter (österr. für Sachwalter bei einem Konkurs); Aus|gleichs|ver|wal|te|rin
Aus|gleichs|zu|la|ge (österr. für Zuschuss bei zu niedriger Rente)
aus|glei|ten
aus|glie|dern; Aus|glie|de|rung
aus|glit|schen (landsch. für ausrutschen)
aus|glü|hen (z. B. einen Draht)
aus|gra|ben
Aus|grä|ber; Aus|grä|be|rin; Aus|gra|bung; Aus|gra|bungs|stät|te
aus|grei|fen
aus|gren|zen; Aus|gren|zung
aus|grün|den (Wirtsch. einen Teil eines Betriebes getrennt als selbstständiges Unternehmen weiterführen); Aus|grün|dung
Aus|guck, der; -[e]s, -e; aus|gu|cken, auch |ku|cken; Aus|guck|pos|ten
Aus|guss
aus|ha|ben; ..., dass er den Mantel aushat; das Buch aushaben; um 12 Uhr Schule aushaben
aus|ha|cken; Unkraut aushacken
aus|haf|ten (österr. für noch zu zahlen sein); aushaftende (noch nicht zurückgezahlte) Kredite
aus|ha|ken
aus|hal|ten; es ist nicht zum Aushalten
aus|han|deln
aus|hän|di|gen; Aus|hän|di|gung
Aus|hang
Aus|hän|ge|bo|gen (Druckw.)
aus|han|gen (älter u. mdal. für [1]aushängen)
[1]aus|hän|gen; die Verordnung hat ausgehangen; vgl. [1]hängen
[2]aus|hän|gen; ich habe die Tür ausgehängt; vgl. [2]hängen
Aus|hän|ger (Aushängebogen)
Aus|hän|ge|schild, das
aus|har|ren
aus|här|ten (Technik); Aus|här|tung
aus|hau|chen (geh.); sein Leben aushauchen

A

aush

aus|hau|en
aus|häu|sig (*landsch. für* außer Haus); Aus|häu|sig|keit, die; -
aus|he|beln; ich heb[e]le aus
aus|he|ben (herausheben; zum Heeresdienst einberufen; *österr. auch für* [einen Briefkasten] leeren)
Aus|he|ber (Griff beim Ringen)
aus|he|bern (*Med.* bes. den Magen spülen); ich hebere aus; Aus|he|be|rung
Aus|he|bung (*österr. auch für* Leerung des Briefkastens)
aus|he|cken (*ugs. für* mit List ersinnen)
aus|hei|len; Aus|hei|lung
aus|hel|fen; Aus|hel|fer; Aus|hel|fe|rin
aus|heu|len; sich ausheulen
Aus|hil|fe
Aus|hilfs|ar|beit; Aus|hilfs|kell|ner; Aus|hilfs|kell|ne|rin; Aus|hilfs|koch; Aus|hilfs|kö|chin; Aus|hilfs|kraft
aus|hilfs|wei|se
aus|höh|len; Aus|höh|lung
aus|ho|len
aus|hol|zen; Aus|hol|zung
aus|hor|chen; Aus|hor|cher
aus|hors|ten (*Jägerspr.* junge Greifvögel aus dem Horst nehmen)
Aus|hub, der; -[e]s, -e
aus|hun|gern *vgl.* ausgehungert
aus|hus|ten; sich aushusten
aus|ixen (*ugs. für* [durch Übertippen] mit dem Buchstaben x ungültig machen); du ixt aus
aus|jä|ten
aus|ju|di|zie|ren (*österr. für* von einem obersten Gericht entscheiden lassen)
aus|kal|ku|lie|ren
aus|käm|men; Aus|käm|mung
aus|ke|geln (*landsch. auch für* ausrenken)
aus|keh|len; Aus|keh|lung (das Anbringen einer Hohlkehle)
aus|keh|ren; Aus|keh|richt, der; -s (*veraltet, noch landsch.*)
aus|kei|len
aus|kei|men; Aus|kei|mung
aus|ken|nen, sich
aus|ker|ben; Aus|ker|bung
aus|ker|nen; Aus|ker|nung
aus|kip|pen
aus|kla|gen (*Rechtsspr.*); Aus|kla|gung
aus|klam|mern; Aus|klam|me|rung
aus|kla|mü|sern (*ugs. für* austüfteln)
Aus|klang
aus|klapp|bar; aus|klap|pen

aus|kla|rie|ren (Schiff und Güter vor der Ausfahrt verzollen)
aus|klau|ben (*landsch. für* mit den Fingern [mühsam] auslesen)
aus|klei|den; Aus|klei|dung
aus|klin|gen
aus|klin|ken; ein Seil ausklinken; ich klinke mich aus der Sitzung aus
aus|klop|fen; Aus|klop|fer
aus|klü|geln; Aus|klü|ge|lung, Aus|klüg|lung
aus|knei|fen (*ugs. für* feige u. heimlich weglaufen)
aus|knip|sen (*ugs.*)
aus|kno|beln (*ugs. auch für* ausdenken)
aus|kno|cken [...nɔ...] ⟨engl.⟩ (Boxen durch K. o. besiegen)
aus|knöpf|bar; aus|knöp|fen
aus|ko|chen *vgl.* ausgekocht
aus|kof|fern (*Straßenbau* eine vertiefte Fläche für den Unterbau schaffen); ich koffere aus; Aus|kof|fe|rung
aus|kol|ken (*Geol.* auswaschen); Aus|kol|kung
aus|kom|men; Aus|kom|men, das; -s; aus|kömm|lich
aus|kop|peln
aus|kos|ten
aus|kot|zen (*derb*); sich auskotzen
aus|kra|gen (*Bauw.* herausragen [lassen]); Aus|kra|gung
aus|kra|men (*ugs.*)
aus|krat|zen
aus|kreu|zen (*Bot.* veränderte Gene auf wild wachsende Pflanzen übertragen); Aus|kreu|zung
aus|krie|chen
aus|krie|gen (*ugs.*)
aus|kris|tal|li|sie|ren; sich auskristallisieren; Aus|kris|tal|li|sie|rung
aus|ku|cken *vgl.* ausgucken
aus|ku|geln
aus|küh|len; Aus|küh|lung
Aus|kul|tant, der; -en, -en ⟨lat.⟩ (*Rechtsspr. veraltet für* Beisitzer ohne Stimmrecht)
Aus|kul|ta|ti|on, die; -, -en (*Med.* das Abhorchen); aus|kul|ta|to|risch (*Med.* durch Abhorchen); aus|kul|tie|ren
aus|kund|schaf|ten
Aus|kunft, die; -, ...künfte
Aus|kunf|tei
Aus|kunfts|bü|ro
aus|kunfts|freu|dig
Aus|kunfts|stel|le
aus|kun|geln (*ugs. abwertend für* in fragwürdiger Weise aushandeln); ich kung[e]le aus

aus|kup|peln
aus|ku|rie|ren
aus|la|chen
Aus|lad, der; -s (*schweiz. für* das Ausladen [von Gütern])
¹aus|la|den; Waren ausladen; *vgl.* ¹laden
²aus|la|den (eine Einladung zurücknehmen); *vgl.* ²laden
aus|la|dend (weit ausgreifend)
Aus|la|de|ram|pe; Aus|la|dung
Aus|la|ge
aus|la|gern; Aus|la|ge|rung
Aus|land, das; -[e]s
Aus|län|der; Aus|län|der|be|auf|trag|te; Aus|län|der|be|hör|de; Aus|län|der|bei|rat
aus|län|der|feind|lich; Aus|län|der|feind|lich|keit
Aus|län|de|rin
Aus|län|der|recht; aus|län|disch
Aus|lands|ab|satz; Aus|lands|auf|ent|halt; Aus|lands|be|zie|hun|gen *Plur.*
Aus|land|schwei|zer; Aus|land|schwei|ze|rin
aus|lands|deutsch; Aus|lands|deut|sche, der u. die
Aus|lands|ein|satz; Aus|lands|ge|schäft; Aus|lands|ge|spräch; Aus|lands|kor|res|pon|dent; Aus|lands|kor|res|pon|den|tin; Aus|lands|rei|se; Aus|lands|schutz|brief; Aus|lands|tour|nee; Aus|lands|ver|tre|tung
aus|lan|gen (*landsch. für* zum Schlag ausholen; ausreichen); Aus|lan|gen, das; -s; das Auslangen finden (*österr. für* auskommen)
Aus|lass, der; -es, Auslässe
aus|las|sen (*österr. auch für* frei-, loslassen); sich [über jmdn. od. etw.] auslassen; *vgl.* ausgelassen; Aus|las|sung
Aus|las|sungs|punk|te *Plur.*; Aus|las|sungs|satz (*für* Ellipse); Aus|las|sungs|zei|chen (*für* Apostroph)
Aus|lass|ven|til (*Kfz-Technik*)
aus|las|ten; Aus|las|tung
aus|lat|schen; die Schuhe auslatschen
Aus|lauf; Aus|lauf|bahn (*Skisport*)
aus|lau|fen (*ugs.*); ausgelaufene Farbe
Aus|läu|fer
Aus|lauf|mo|dell
aus|lau|gen
Aus|laut; aus|lau|ten; auf »n« auslauten
aus|läu|ten
aus|le|ben; sich ausleben

aus|le|cken
aus|lee|ren; Aus|lee|rung
aus|le|gen
Aus|le|ger
Aus|le|ger|boot; Aus|le|ger|brü|cke
Aus|le|ge|wa|re, die; - (Teppichmaterial zum Auslegen von Fußböden)
Aus|le|gung
aus|lei|ern (ugs.)
Aus|lei|he; aus|lei|hen; ich leihe mir bei ihm ein Buch aus; Aus|leihe
aus|lei|ten; Aus|lei|tung
aus|ler|nen vgl. ausgelernt
Aus|le|se; aus|le|sen; Aus|le|se|prozess
aus|leuch|ten; Aus|leuch|tung
aus|lich|ten; Obstbäume auslichten
aus|lie|fern; Aus|lie|fe|rung
aus|lie|gen
Aus|li|nie (Sport)
aus|lis|ten (aus dem Sortiment nehmen); Aus|lis|tung
aus|lo|ben (Rechtsspr. als Belohnung aussetzen); Aus|lo|bung
aus|log|gen; sich ausloggen
aus|lo|gie|ren (anderswo einquartieren)
aus|lös|bar
¹aus|lö|schen; er löschte das Licht aus, hat es ausgelöscht; vgl. ¹löschen
²aus|lö|schen (veraltet); das Licht losch (auch löschte) aus, ist ausgelöscht; vgl. ²löschen
aus|lo|sen
aus|lö|sen; Aus|lö|ser
Aus|lo|sung (durch das Los getroffene [Aus]wahl)
Aus|lö|sung (pauschale Entschädigung für Reisekosten; Loskaufen [eines Gefangenen])
aus|lo|ten
Aus|lucht, die; -, -en (Archit. Vorbau an Häusern; Quergiebel einer Kirche)
aus|lüf|ten
Aus|lug, der; -[e]s, -e (veraltet für Ausguck); aus|lu|gen (veraltet)
aus|lut|schen
ausm, aus'm ↑K14 (ugs. für aus dem, aus einem)
aus|ma|chen vgl. ausgemacht
aus|mah|len; Aus|mah|lung, die; - (z. B. des Kornes)
aus|ma|len; Aus|ma|lung (z. B. des Bildes)
aus|ma|nö|v|rie|ren
aus|mar|chen (schweiz. für seine Rechte, Interessen abgrenzen); Aus|mar|chung (schweiz.)
aus|mä|ren, sich (bes. ostmitteld. für trödeln; auch zu trödeln aufhören)
Aus|maß, das
aus|mau|ern; Aus|mau|e|rung
aus|mei|ßeln
aus|mer|geln; Kalk mergelt aus; Aus|mer|ge|lung, Aus|merg|lung
aus|mer|zen (radikal beseitigen); du merzt aus; Aus|mer|zung
aus|mes|sen; Aus|mes|sung
aus|mie|ten (Landw.); Kartoffeln ausmieten; Aus|mie|tung
aus|mis|ten
aus|mit|teln (veraltend für ermitteln); ich mitt[e]le aus
aus|mit|tig, au|ßer|mit|tig (Technik außerhalb des Mittelpunktes)
aus|mon|tie|ren
aus|mün|den
aus|mün|zen; Aus|mün|zung (Münzprägung)
aus|mus|tern; Aus|mus|te|rung
Aus|nah|me, die; -, -n
Aus|nah|me|ath|let; Aus|nah|me|ath|le|tin; Aus|nah|me|be|stim|mung; Aus|nah|me|er|schei|nung
Aus|nah|me|fall, der; Aus|nah|me|ge|neh|mi|gung; Aus|nah|me|re|ge|lung; Aus|nah|me|si|tu|a|ti|on; Aus|nah|me|zu|stand
Aus|nahms|fall (österr.)
aus|nahms|los; aus|nahms|wei|se
Aus|nahms|zu|stand (österr.)
aus|neh|men; sich gut ausnehmen (gut wirken); vgl. ausgenommen; aus|neh|mend (sehr)
aus|nüch|tern; ich nüchtere aus; Aus|nüch|te|rung; Aus|nüch|te|rungs|zel|le
aus|nut|zen, südd., österr. u. schweiz. meist aus|nüt|zen; Aus|nut|zung, südd., österr. u. schweiz. meist Aus|nüt|zung
aus|pa|cken
aus|par|ken
aus|peit|schen; Aus|peit|schung
aus|pen|deln (Boxen mit dem Oberkörper seitlich od. nach hinten ausweichen)
Aus|pend|ler (Person, die außerhalb ihres Wohnortes arbeitet); Aus|pend|le|rin
aus|pen|nen (ugs. für ausschlafen)
aus|pfäh|len (Bergmannsspr. mit Pfählen abstützen)
aus|pfei|fen
aus|pflan|zen
aus|pflü|cken
Au|s|pi|zi|um, das; -s, ...ien meist Plur. (lat.) (geh. für Vorbedeutung; Aussichten); unter jemandes Auspizien (unter jmds. Schirmherrschaft, Oberhoheit)
aus|plau|dern
aus|plau|schen (österr.)
aus|plün|dern; Aus|plün|de|rung
aus|pols|tern; Aus|pols|te|rung
aus|po|sau|nen (ugs. für [etwas, was nicht bekannt werden sollte] überall erzählen)
¹aus|pow|ern [...pau...] ⟨dt.; engl.⟩ (ugs. für seine Kräfte vollständig aufbrauchen); am Abend war sie völlig ausgepowert
²aus|po|wern [...po:...] ⟨dt.; franz.⟩ (ugs. abwertend für ausbeuten); ich powere aus
aus|prä|gen vgl. ausgeprägt; Aus|prä|gung
aus|prei|sen (Waren mit einem Preis versehen)
aus|pres|sen
aus|pro|bie|ren
Aus|puff, der; -[e]s, -e
Aus|puff|an|la|ge
Aus|puff|flam|me, Aus|puff-Flam|me
Aus|puff|topf (Technik)
aus|pum|pen vgl. ausgepumpt
aus|punk|ten (Boxen nach Punkten besiegen)
aus|pus|ten
aus|put|zen; Aus|put|zer; Aus|put|ze|rin
aus|quar|tie|ren; Aus|quar|tie|rung
aus|quat|schen (ugs.); sich ausquatschen
aus|quet|schen
aus|ra|deln, aus|rä|deln (mit einem Rädchen ausschneiden); ich rad[e]le od. räd[e]le aus
aus|ra|die|ren
aus|ran|gie|ren (ugs. für aussondern; ausscheiden)
aus|ra|sie|ren
aus|ras|ten (ugs. auch für zornig werden); sich ausrasten (südd., österr. für ausruhen)
aus|rau|ben; aus|räu|bern
aus|räu|chern
aus|rau|fen; ich könnte mir [vor Wut] die Haare ausraufen
aus|räu|men; Aus|räu|mung
aus|rech|nen; Aus|rech|nung
aus|re|cken
Aus|re|de; aus|re|den; jmdm. etwas auszureden versuchen
aus|reg|nen, sich
aus|rei|ben (österr. auch für scheuern); Aus|reib|tuch (österr. für Scheuertuch)
aus|rei|chen; aus|rei|chend; er hat mit [der Note] »ausreichend«

bestanden; er hat nur ein [knappes] Ausreichend bekommen ↑K72

aus|rei|fen; Aus|rei|fung, die; -
Aus|rei|se; Aus|rei|se|er|laub|nis; Aus|rei|se|ge|neh|mi|gung
aus|rei|sen
Aus|rei|se|sper|re
Aus|rei|se|vi|sum
aus|rei|se|wil|lig
aus|rei|ßen; Aus|rei|ßer; Aus|rei|ße|rin
aus|rei|ten
aus|rei|zen; die Karten ausreizen
aus|ren|ken; du hast dir den Arm ausgerenkt; Aus|ren|kung
aus|rich|ten; etwas ausrichten
Aus|rich|ter; Aus|rich|te|rin; Aus|rich|tung
aus|rin|gen (landsch. für auswringen)
aus|rin|nen
aus|rip|pen (von den Rippen lösen); Tabakblätter ausrippen
Aus|ritt
aus|ro|den; Aus|ro|dung
aus|rol|len
aus|rot|ten; Aus|rot|tung
aus|rü|cken (ugs. auch für fliehen)
Aus|ruf; aus|ru|fen
Aus|ru|fer; Aus|ru|fe|rin
Aus|ru|fe|satz; Aus|ru|fe|wort (Interjektion; Plur. ...wörter); Aus|ru|fe|zei|chen
Aus|ru|fung
Aus|ru|fungs|zei|chen (selten); Aus|ruf|zei|chen (österr. für, schweiz. neben Ausrufezeichen)
aus|ru|hen; sich ausruhen
aus|rup|fen
aus|rüs|ten; Aus|rüs|ter; Aus|rüs|te|rin; Aus|rüs|tung
Aus|rüs|tungs|ge|gen|stand; Aus|rüs|tungs|stück
aus|rut|schen; Aus|rut|scher
Aus|saat; aus|sä|en
Aus|sa|ge, die; -, -n; Aus|sa|ge|kraft, die; -; aus|sa|ge|kräf|tig; aus|sa|gen
aus|sä|gen
Aus|sa|ge|satz; Aus|sa|ge|wei|se (Sprachw. für Modus); Aus|sa|ge|wert
Aus|satz, der; -es (eine Krankheit); aus|sät|zig; Aus|sät|zi|ge, der u. die; -n, -n
aus|sau|fen
aus|sau|gen
aus|scha|ben; Aus|scha|bung
aus|schach|ten; Aus|schach|tung
Aus|schaf|fung (schweiz. für Abschiebung); Aus|schaf|fungs|haft

aus|scha|len (Bauw. Verschalung entfernen; verschalen)
aus|schä|len
aus|schal|men; Bäume ausschalmen (Forstw. durch Kerben kennzeichnen)
aus|schal|ten; Aus|schal|ter; Aus|schal|tung
Aus|scha|lung (Bauw.)
Aus|schank
aus|schar|ren
Aus|schau, die; -; Ausschau halten; aus|schau|en (südd., österr. auch für aussehen)
aus|schau|feln
aus|schäu|men
Aus|scheid, der; -[e]s, -e (regional für Ausscheidungskampf)
aus|schei|den
Aus|schei|dung
Aus|schei|dungs|kampf
Aus|schei|dungs|or|gan
Aus|schei|dungs|run|de; Aus|schei|dungs|spiel
aus|schei|ßen (derb)
aus|schel|ten
aus|schen|ken (Bier, Wein usw.)
aus|sche|ren (die Linie, Spur verlassen [von Fahrzeugen]); scherte aus; ausgeschert
aus|schi|cken
aus|schie|ßen (Druckw.)
Aus|schieß|plat|te (Druckw.)
aus|schif|fen; Aus|schif|fung
aus|schil|dern (mit Schildern markieren); Aus|schil|de|rung
aus|schimp|fen
aus|schir|ren
aus|schlach|ten; Aus|schlach|te|rei; Aus|schlach|tung
aus|schla|fen; sich ausschlafen; vgl. ausgeschlafen
Aus|schlag; aus|schla|gen
aus|schlag|ge|bend; aber ↑K72: das Ausschlaggebende
aus|schläm|men (Schlamm aus etwas entfernen)
aus|schle|cken
aus|schlei|men; sich ausschleimen (ugs. für sich aussprechen)
aus|schlie|ßen; aus|schlie|ßend
aus|schließ|lich [auch ...'ʃliː...]; ausschließlich der Verpackung; ausschließlich des genannten Betrages; ausschließlich Porto; ausschließlich Getränken; vgl. einschließlich
Aus|schließ|lich|keit [auch ...'ʃliː...], die; -; Aus|schlie|ßung
aus|schlip|fen (schweiz. mdal. für ausrutschen)
Aus|schlupf; aus|schlüp|fen
aus|schlür|fen

Aus|schluss
aus|schmie|ren (ugs. auch für übertölpeln)
aus|schmü|cken; den Saal ausschmücken; Aus|schmü|ckung
aus|schnau|ben
aus|schnau|fen (südd., österr., schweiz. für verschnaufen)
aus|schnei|den; Aus|schnitt
aus|schnüf|feln
aus|schöp|fen; Aus|schöp|fung, die; -
aus|schop|pen (bayr., österr. ugs. für ausstopfen)
aus|schrei|ben; Aus|schrei|bung
aus|schrei|en; Aus|schrei|er
aus|schrei|ten; Aus|schrei|tung meist. Plur.
aus|schu|len (aus der Schule nehmen); Aus|schu|lung
Aus|schuss; Aus|schuss|mit|glied
Aus|schuss|quo|te
Aus|schuss|sit|zung, Ausschuss-Sit|zung
Aus|schuss|wa|re
aus|schüt|teln
aus|schüt|ten; Aus|schüt|tung
aus|schwär|men
aus|schwe|feln
aus|schwei|fen; aus|schwei|fend; Aus|schwei|fung
aus|schwei|gen, sich
aus|schwem|men; Sand ausschwemmen; Aus|schwem|mung
aus|schwen|ken
aus|schwin|gen; Aus|schwin|get, der; -s (schweiz. Endkampf im Schwingen)
aus|schwit|zen; Aus|schwit|zung
Aus|see, Bad (Solbad in der Steiermark); Aus|se|er; Aus|se|er Land (Gebiet in der Steiermark)
aus|seg|nen (Verstorbenen den letzten Segen erteilen); Aus|seg|nung
aus|se|hen; Aus|se|hen, das; -s
aus sein vgl. aus
au|ßen; von außen [her]; nach innen und außen; nach außen [hin]; Farbe für außen und innen; außen vor lassen (nordd. für unberücksichtigt lassen); er spielt außen (augenblickliche Position eines Spielers), vgl. Außen; die außen liegenden od. außenliegenden Kabinen; eine außen gelegene od. außengelegene Treppe
Au|ßen, der; -, - (Sportspr. Außenspieler); er spielt Außen (als Außenspieler), aber vgl. außen
Au|ßen|als|ter
Au|ßen|an|ten|ne

au|ßer

Konjunktion:

– außer dass/wenn/wo

mit Komma:

– wir fahren in die Ferien, außer [wenn] es regnet
  ↑K126

ohne Komma:

– niemand kann diese Schrift lesen außer er
  selbst

Zusammen- oder Getrenntschreibung bei:

– außerstande *od.* außer Stande sein
– sich außerstande *od.* außer Stande sehen
– außerstand *od.* außer Stand setzen

Präposition mit Dativ:

– niemand kann es lesen außer ihm selbst
– außer [dem] Haus[e]
– außer allem Zweifel
– außer Dienst (*Abk.* a. D.)
– außer Rand und Band
– ich bin außer mir (empört)
– außer Acht lassen; außer aller Acht lassen

Präposition mit Akkusativ (bei Verben der Bewegung):

– außer allen Zweifel setzen
– etwas außer jeden Zusammenhang stellen
– ich gerate außer mir *od.* mich vor Freude

Präposition mit Genitiv nur in:

– außer Landes gehen, sein

Au|ßen|ar|bei|ten *Plur.*
Au|ßen|auf|nah|me *meist Plur.*
Au|ßen|bahn (*Sport*)
Au|ßen|be|zirk; Au|ßen|bor|der
  ([Boot mit] Außenbordmotor);
  Au|ßen|bord|mo|tor; au|ßen|
  bords (außerhalb des Schiffes)
aus|sen|den
Au|ßen|dienst; Au|ßen|dienst|ler;
  Au|ßen|dienst|le|rin; au|ßen|
  dienst|lich
Aus|sen|dung (*österr. auch für*
  schriftliche Verlautbarung)
Au|ßen|el|be
au|ßen ge|le|gen, au|ßen|ge|le|gen
  vgl. außen ↑K58
Au|ßen|han|del, der; -s; Au|ßen|
  han|dels|bi|lanz; Au|ßen|han|dels|
  po|li|tik, die; -
Au|ßen|kur|ve
au|ßen lie|gend, au|ßen|lie|gend
  vgl. außen ↑K58
Au|ßen|mi|nis|ter; Au|ßen|mi|nis|te|
  rin; Au|ßen|mi|nis|te|ri|um
Au|ßen|po|li|tik, die; -; au|ßen|po|li|
  tisch
Au|ßen|rist (äußere Seite des Fuß-
  rückens); Au|ßen|sei|te
Au|ßen|sei|ter; Au|ßen|sei|te|rin
Au|ßen|spie|gel; Au|ßen|stän|de
  Plur. (ausstehende Forderungen)
au|ßen Ste|hen|de, der *u.* die; - -n,
  - -n, Au|ßen|ste|hen|de, der *u.*
  die; -n, -n ↑K58
Au|ßen|stel|le
Au|ßen|stür|mer; Au|ßen|stür|me|rin
Au|ßen|tem|pe|ra|tur; Au|ßen|trep|
  pe; Au|ßen|tür; Au|ßen|ver|tei|di|
  ger; Au|ßen|ver|tei|di|ge|rin
Au|ßen|wand; Au|ßen|welt, die; -;
  Au|ßen|wirt|schaft, die; -

au|ßer *s. Kasten*
Au|ßer|acht|las|sung, die; -
au|ßer|amt|lich; au|ßer|be|ruf|lich
Au|ßer|be|trieb|nah|me, die; -, -n
au|ßer|börs|lich; außerbörslicher
  Handel
au|ßer dass
au|ßer|dem [*auch* ...'de:m]
au|ßer|dienst|lich
äu|ße|re ↑K140 : die Äußere Mon-
  golei; Äu|ße|re, das; ...r[e]n; im
  Äußer[e]n; sein Äußeres; ein
  erschreckendes Äußere[s];
  Minister des Äußeren
au|ßer|ehe|lich; au|ßer|eu|ro|pä-
  isch; au|ßer|ge|richt|lich; au|ßer|ge|wöhn|lich
au|ßer|halb; außerhalb von Mün-
  chen; *als Präp. mit Gen.:* außerhalb des Gartens; außerhalb
  Münchens
au|ßer|ir|disch; Au|ßer|ir|di|sche,
  der *u.* die; -n, -n
Au|ßer|kraft|set|zung
äu|ßer|lich; Äu|ßer|lich|keit
äu|ßern nur im Infinitiv gebr.
  (*österr. ugs.*); seinen Hund
  äußerln führen; äußerln gehen
au|ßer|mit|tig *vgl.* ausmittig
äu|ßern; ich äußere; sich äußern
au|ßer|or|dent|lich [*auch* 'au...];
  außerordentlicher [Professor],
  außerordentliche [Professorin]
  (*Abk.* ao., a. o. [Prof.])
au|ßer|orts (*schweiz. für* außerhalb
  einer Ortschaft)
au|ßer|par|la|men|ta|risch; die
  außerparlamentarische Opposition (*Abk.* APO, *auch* Apo)
au|ßer|plan|mä|ßig (*Abk.* apl.)
Au|ßer|rho|den (*kurz für* Appen-
  zell Außerrhoden)

au|ßer|schu|lisch
au|ßer|sinn|lich; außersinnliche
  Wahrnehmung

äu|ßerst

Kleinschreibung:

– mit äußerster Konzentration

*Großschreibung der Substantivie-
rung* ↑K72:

– das Äußerste befürchten
– 20 Euro sind *od.* ist das
  Äußerste
– das Äußerste, was...
– es zum Äußersten kommen lassen; bis zum Äußersten gehen

Groß- oder Kleinschreibung ↑K75:

– auf das, aufs Äußerste *od.* auf
  das, aufs äußerste (sehr)
  erschrocken sein

---

au|ßer|stand [*auch* 'au...], au|ßer
  Stand *vgl.* außer
au|ßer|stan|de, au|ßer Stan|de *vgl.*
  außer
äu|ßers|ten|falls *vgl.* ¹Fall
Au|ßer|streit|rich|ter (*österr.
  Rechtsw.*); Au|ßer|streit|ver|fah|
  ren (*österr. Rechtsw.* zivilrechtli-
  ches Verfahren ohne Prozess)
au|ßer|tour|lich [...tu:...] (*österr.
  für* außer der Reihe)
Äu|ße|rung
au|ßer|uni|ver|si|tär
au|ßer wenn/wo
aus|set|zen; Aus|set|zer (*ugs. auch
  für* Geistesabwesenheit, Erinne-
  rungslücke); Aus|set|zung
Aus|sicht, die; -, -en

aus|sichts|los; Aus|sichts|lo|sig|keit, die; -
Aus|sichts|punkt
aus|sichts|reich
Aus|sichts|turm
aus|sichts|voll
Aus|sichts|wa|gen
Aus|si[e], der; -s, -s u. die; -, -s (ugs. für Australier, Australierin)
aus|sie|ben
aus|sie|deln; Aus|sie|de|lung
Aus|sied|ler; Aus|sied|ler|hof; Aus|sied|le|rin
Aus|sied|lung
aus|sit|zen (ugs. auch für in der Hoffnung, dass sich etwas von allein erledigt, untätig bleiben)
aus|söh|nen; sich aussöhnen; Aus|söh|nung
aus|son|dern; Aus|son|de|rung
aus|sor|gen; ausgesorgt haben
aus|sor|tie|ren; Aus|sor|tie|rung
aus|spä|hen; Aus|spä|hung
Aus|spann, der; -[e]s, -e (früher Wirtshaus mit Stall)
aus|span|nen; Aus|span|nung
aus|spa|ren; Aus|spa|rung
aus|spei|en
aus|spei|sen (bayr., österr. für beköstigen); Aus|spei|sung
aus|sper|ren; Aus|sper|rung
aus|spie|len; Aus|spie|lung
aus|spin|nen
aus|spi|o|nie|ren
Aus|spra|che
Aus|spra|che|an|ga|be; Aus|spra|che|be|zeich|nung; Aus|spra|che|wör|ter|buch
aus|sprech|bar; aus|spre|chen; sich aussprechen
aus|spren|gen; ein Gerücht aussprengen
aus|sprit|zen; Aus|sprit|zung
Aus|spruch
aus|spu|cken
aus|spü|len; Aus|spü|lung
aus|staf|fie|ren (ausstatten); Aus|staf|fie|rung
Aus|stand, der; -[e]s (schweiz. auch für vorübergehendes Verlassen eines Gremiums); in den Ausstand treten (streiken); aus|stän|dig (südd., österr. für ausstehend); Aus|ständ|ler (Streikender); Aus|ständ|le|rin
aus|stan|zen
aus|stat|ten; Aus|stat|tung
Aus|stat|tungs|film; Aus|stat|tungs|stück
aus|ste|chen
aus|ste|cken
aus|ste|hen; jmdn. nicht ausstehen können

aus|stei|fen (Bauw.); Aus|stei|fung
aus|stei|gen; Aus|stei|ger (jmd., der seinen Beruf, seine gesellschaftliche Rolle o. Ä. plötzlich aufgibt); Aus|stei|ge|rin
aus|stei|nen; Pflaumen aussteinen
aus|stel|len
Aus|stel|ler; Aus|stel|le|rin
Aus|stell|fens|ter (Kfz-Technik)
Aus|stel|lung
Aus|stel|lungs|flä|che; Aus|stel|lungs|ge|län|de; Aus|stel|lungs|hal|le; Aus|stel|lungs|ka|ta|log
Aus|stel|lungs|pa|vil|lon; Aus|stel|lungs|raum; Aus|stel|lungs|stand; Aus|stel|lungs|stück
Aus|ster|be|etat; in Wendungen wie auf dem Aussterbeetat stehen (ugs. für jede Bedeutung verlieren), auf den Aussterbeetat setzen (ugs. für zum Verschwinden verurteilen)
aus|ster|ben
Aus|steu|er, die; -, -n Plur. selten
aus|steu|ern; Aus|steu|e|rung
Aus|stich (das Beste [vom Wein]; schweiz. Sportspr. auch für Entscheidungskampf)
aus|stieg, der; -[e]s, -e; Aus|stieg|lu|ke
aus|stop|fen; Aus|stop|fung
Aus|stoß, der; -es, Ausstöße Plur. selten (z. B. von Bier)
aus|sto|ßen; Aus|sto|ßung
aus|strah|len; Aus|strah|lung
aus|stre|cken
aus|strei|chen
aus|streu|en; Gerüchte ausstreuen; Aus|streu|ung
Aus|strich (Med.)
aus|strö|men
aus|stül|pen; Aus|stül|pung
aus|su|chen; ich suche es mir aus
aus|sü|ßen (zu Süßwasser werden)
aus|tan|zen (bes. Fußball den Gegner geschickt umspielen)
aus|ta|pe|zie|ren
aus|ta|rie|ren (ins Gleichgewicht bringen)
Aus|tausch
aus|tausch|bar; Aus|tausch|bar|keit, die; -
aus|tau|schen
Aus|tausch|mo|tor ([als neuwertig geltender] Ersatzmotor)
Aus|tausch|schü|ler; Aus|tausch|schü|le|rin; Aus|tausch|stoff (künstlicher Roh- u. Werkstoff)
aus|tausch|wei|se
aus|tei|len; Aus|tei|lung
Aus|te|nit, der; -s, -e (nach dem engl. Forscher Roberts-Austen)

(ein Eisenmischkristall, Gammaeisen)
Aus|ter, die; -, -n (niederl.) (essbare Meeresmuschel)
Aus|te|ri|ty [ɔ...ti], die; - (engl. Bez. für Strenge; wirtschaftliche Einschränkung)
Aus|ter|litz (Schlachtort bei Brünn)
Aus|tern|bank Plur. ...bänke; Aus|tern|fi|scher (Watvogel); Aus|tern|park; Aus|tern|zucht
aus|tes|ten
aus|the|ra|piert
aus|ti|cken (ugs. für durchdrehen, die Nerven verlieren)
aus|til|gen
aus|to|ben; sich austoben
aus|ton|nen (Seew. ausbojen)
Aus|trag, der; -[e]s (südd. u. österr. auch für Altenteil); zum Austrag kommen (Amtsspr.)
aus|tra|gen; Aus|trä|ger (Person, die etwas austrägt); Aus|trä|ge|rin; Aus|träg|ler (südd. u. österr. für Bauer, der auf dem Altenteil lebt); Aus|träg|le|rin
Aus|tra|gung
Aus|tra|gungs|mo|dus; Aus|tra|gungs|ort
aus|trai|niert (völlig trainiert)
Aus|t|ra|li|an Open [ɔsˈtreːljən ˈoːpn] Plur. (Tennisturnier in Australien)
Aus|t|ra|li|en; Aus|t|ra|li|er; Aus|t|ra|li|e|rin; aus|t|ra|lisch; aber ↑K150: die Australischen Alpen
aus|träu|men; ausgeträumt
aus|trei|ben; Aus|trei|bung
aus|tre|ten
Aus|t|ria (lat. Form von Österreich); aus|t|ri|a|kisch; Aus|t|ri|a|zis|mus, der; -, ...men (lat.) (österr. Sprachvariante)
aus|trick|sen (auch Sport)
Aus|trieb (das Austreiben [von Pflanzen])
aus|trin|ken
Aus|tritt; Aus|tritts|er|klä|rung
aus|t|ro|asi|a|tisch; austroasiatische Sprachen
aus|trock|nen; Aus|trock|nung, die; -
Aus|t|ro|fa|schis|mus [auch ˈau...] (österr. Sonderform des Faschismus [1933 bis 1938]); Aus|t|ro|mar|xis|mus [auch ˈau...] (österr. Sonderform des Marxismus vor 1938)
aus|trom|pe|ten vgl. ausposaunen
Aus|t|ro|pop (österr. Popmusik)
aus|tru|deln
aus|tüf|teln; Aus|tüf|te|lung, Aus|tüft|lung

A
Auto

aus|tun; sich austun können (*ugs. für* sich ungehemmt betätigen können)
aus|tup|fen; eine Wunde austupfen
aus|üben; Aus|übung, die; -
aus|ufern (über die Ufer treten; das Maß überschreiten); sie sagte, die Diskussion ufere aus
aus|ver|han|deln (*österr. für* aushandeln, sich einigen)
Aus|ver|kauf; aus|ver|kau|fen; aus|ver|kauft
aus|ver|schämt (*landsch. für* dreist, unverschämt)
aus|wach|sen ↑K 82: es ist zum Auswachsen (*ugs. für* zum Verzweifeln); *vgl.* ausgewachsen
aus|wä|gen (*fachspr. für* das Gewicht feststellen, vergleichen)
Aus|wahl; aus|wäh|len
Aus|wahl|fens|ter (*EDV*)
Aus|wahl|mann|schaft; Aus|wahl-
mög|lich|keit; Aus|wahl|spie|ler;
Aus|wahl|spie|le|rin; Aus|wahl-
wet|te (Wette, bei der bestimmte Fußballergebnisse vorausgesagt werden müssen)
aus|wal|ken (*bayr., österr. für* [Teig] ausrollen)
aus|wal|len (*schweiz., auch bayr. für* [Teig] ausrollen)
aus|wal|zen
Aus|wan|de|rer; Aus|wan|de|rer-
schiff; Aus|wan|de|rin
aus|wan|dern; Aus|wan|de|rung
Aus|wan|de|rungs|wel|le
aus|wär|tig; auswärtiger Dienst, *aber* ↑K 150: das Auswärtige Amt (*Abk.* AA); Minister des Auswärtigen ↑K 72
aus|wärts; von auswärts kommen; auswärts (im Restaurant) essen
aus|wärts|bie|gen; auswärtsgebogene Gitterstäbe
aus|wärts|ge|hen (mit auswärtsgerichteten Füßen gehen)
aus|wärts|rich|ten; auswärtsgerichtete Zugkräfte (*fachspr.*)
Aus|wärts|spiel
aus|wa|schen; Aus|wa|schung
Aus|wech|sel|bank *Plur.* ...bänke
aus|wech|sel|bar
aus|wech|seln; Aus|wech|se|lung, Aus|wechs|lung
Aus|weg; aus|weg|los; Aus|weg|lo-
sig|keit, die; -
Aus|wei|che; aus|wei|chen *vgl.*
²weichen; aus|wei|chend
Aus|weich|ma|nö|ver; Aus|weich-
mög|lich|keit; Aus|weich|stel|le

aus|wei|den (*Jägerspr.* Eingeweide entfernen [bei Wild usw.])
aus|wei|nen; sich ausweinen
Aus|weis, der; -es, -e; aus|wei|sen; sich ausweisen
Aus|weis|kon|t|rol|le
aus|weis|lich (*Amtsspr.* wie aus ... zu erkennen ist); *Präp. mit Gen.:* ausweislich der Akten
Aus|weis|pa|pier *meist Plur.*
aus|wei|ßen (z. B. einen Stall)
Aus|wei|sung
aus|wei|ten; Aus|wei|tung
aus|wel|len; Teig auswellen
aus|wen|dig; etwas auswendig lernen, wissen; auswendig gelernte *od.* auswendiggelernte Formeln ↑K 58
Aus|wen|dig|ler|nen, das; -s
aus|wer|fen; Aus|wer|fer (*Technik*)
aus|wer|keln; das Türschloss ist ausgewerkelt (*österr. ugs. für* ausgeleiert, stark abgenutzt)
aus|wer|ten; Aus|wer|tung
aus|wet|zen; eine Scharte auswetzen
aus|wi|ckeln
aus|wie|gen *vgl.* ausgewogen
aus|wil|dern; Aus|wil|de|rung
aus|win|den (*landsch. u. schweiz. für* auswringen)
aus|win|tern (durch Frost Schaden leiden); die Saat ist ausgewintert; Aus|win|te|rung, die; -
aus|wir|ken, sich; Aus|wir|kung
aus|wi|schen; jmdm. eins auswischen (*ugs. für* schaden)
aus|wit|tern (verwittern; an die Oberfläche treten lassen)
aus|wrin|gen; Wäsche auswringen
Aus|wuchs, der; -es, ...wüchse
aus|wuch|ten (*bes. Kfz-Technik*); die Reifen auswuchten; Aus-
wuch|tung
Aus|wurf
Aus|würf|ling (*Geol.* von einem Vulkan ausgeworfenes Magmaod. Gesteinsbruchstück); Aus-
wurf[s]|mas|se (*Geol.*)
aus|zah|len; das zahlt sich nicht aus (*ugs. für* lohnt sich nicht)
aus|zäh|len; Aus|zähl|reim (*österr. für* Abzählreim)
Aus|zah|lung
Aus|zäh|lung; Aus|zähl|vers (*österr.*)
aus|zan|ken (*landsch. für* ausschimpfen)
aus|zeh|ren; Aus|zeh|rung, die; - (Kräfteverfall)
aus|zeich|nen; sich auszeichnen; Aus|zeich|nung; Aus|zeich|nungs-
pflicht

Aus|zeit (*Sportspr.* Spielunterbrechung)
aus|zieh|bar; Aus|zieh|couch; aus-
zie|hen; sich ausziehen
Aus|zieh|tisch
aus|zir|keln (genau ausmessen)
aus|zi|schen (durch Zischen sein Missfallen kundtun)
Aus|zu|bil|den|de, der *u.* die; -n, -n; *Kurzw.* Azubi
Aus|zug (*südd., österr. auch für* Altenteil); Aus|züg|ler (*landsch. für* auf dem Altenteil lebender Bauer); Aus|züg|le|rin
Aus|zug|mehl *vgl.* Auszugsmehl
Aus|zugs|bau|er (*vgl.* ²Bauer; *österr. für* auf dem Altenteil lebender Bauer); Aus|zugs|bäu|e|rin
Aus|zug[s]|mehl (feines, kleiefreies Weizenmehl); aus|zugs|wei|se
aus|zup|fen
au|t|ark ⟨griech.⟩ (sich selbst genügend; wirtschaftlich unabhängig vom Ausland); Au|t|ar|kie, die; -, ...ien (wirtschaftliche Unabhängigkeit vom Ausland)
Au|then|tie, die; - ⟨griech.⟩ (*svw.* Authentizität); Au|then|ti|fi|ka-
ti|on, die; -, -en (*EDV*); au|then-
ti|fi|zie|ren ⟨griech.; lat.⟩ (die Echtheit bezeugen; beglaubigen; *EDV* einen Benutzer identifizieren)
au|then|tisch ⟨griech.⟩ (im Wortlaut verbürgt; echt); au|then|ti-
sie|ren (*geh. für* glaubwürdig, rechtsgültig machen)
Au|then|ti|zi|tät, die; - (Echtheit; Rechtsgültigkeit)
Aut|idem-Re|ge|lung ⟨lat.; dt.⟩ (Regelung, nach der der Apotheker anstelle des verordneten Arzneimittels ein preisgünstigeres, wirkstoffgleiches Präparat auswählt)
Au|tis|mus, der; - ⟨griech.⟩ (*Med. psych.* Störung, die sich in völliger Teilnahmslosigkeit, Kontaktunfähigkeit ausdrückt); Au-
tist, der; -en, -en; Au|tis|tin; au-
tis|tisch
Au|to, das; -s, -s ⟨griech.⟩ (*kurz für* Automobil); ↑K 54: Auto fahren; ich bin Auto gefahren
au|to... ⟨griech.⟩ (selbst...)
Au|to... (Selbst...)
Au|to|at|las
Au|to|bahn (*Zeichen* A, z. B. A 14)
Au|to|bahn|an|schluss; au|to|bahn-
ar|tig; Au|to|bahn|auf|fahrt; Au-
to|bahn|aus|fahrt; Au|to|bahn-
brü|cke; Au|to|bahn|drei|eck; Au-
to|bahn|ein|fahrt; Au|to|bahn|ge-

219

A

Auto

bühr; Au|to|bahn|kno|ten (*bes. österr.*); Au|to|bahn|kreuz; Au|tobahn|maut; Au|to|bahn|rast|stätte; Au|to|bahn|vig|net|te; Au|tobahn|zu|brin|ger

Au|to|bio|gra|fie, Au|to|bio|graphie, die; -, ...ien ⟨griech.⟩ (literarische Darstellung des eigenen Lebens)

au|to|bio|gra|fisch, au|to|bio|graphisch

Au|to|bio|gra|phie, au|to|bio|graphisch *vgl.* Autobiografie, autobiografisch

Au|to|bom|be

Au|to|bus, der; ...busses, ...busse ⟨griech.; lat.⟩; *vgl.* Bus

Au|to|car, der; -s, -s ⟨franz.⟩ (*schweiz. für* [Reise]omnibus)

au|to|ch|thon [...x...] ⟨griech.⟩ (eingesessen); Au|to|ch|tho|ne, der *u.* die; -n, -n (Ureinwohner[in])

Au|to|coat, der; -s, -s (kurzer Mantel für den Autofahrer)

Au|to|cross, Au|to-Cross, das; -, -e (Geländeprüfung für Autosportler)

Au|to|da|fé, das; -s, -s ⟨port.⟩ (Ketzergericht u. -verbrennung)

Au|to|di|dakt, der; -en, -en ⟨griech.⟩ (jmd., der sich sein Wissen durch Selbstunterricht angeeignet hat); Au|to|di|dak|tin; au|to|di|dak|tisch

Au|to|drom, das; -s, -e ⟨griech.franz.⟩ (ringförmige Straßenanlage für Renn- u. Testfahrten; *österr.* [Fahrbahn für] Skooter)

Au|to|ero|tik, die; - (*svw.* Masturbation); au|to|ero|tisch

Au|to|fäh|re

Au|to|fah|ren, das; -s ↑K 82 : *aber* Auto fahren; Au|to|fah|rer; Au|to|fah|re|rin; Au|to|fahrt

Au|to|fo|kus (*Fotogr.* Einrichtung zur automatischen Einstellung der Bildschärfe bei Kameras); Au|to|fo|kus|ka|me|ra

au|to|frei; autofreier Sonntag

Au|to|fried|hof (*ugs.*); Au|to|gas (Gasgemisch als Treibstoff für Kraftfahrzeuge)

au|to|gen ⟨griech.⟩ (ursprünglich; selbsttätig); autogenes Training (*Med.* eine Methode der Selbstentspannung)

Au|to|graf, Au|to|graph, das; -s, *Plur.* -e *od.* -en (eigenhändig geschriebenes Schriftstück einer bedeutenden Persönlichkeit); Au|to|gra|fie, Au|to|graphie, die; -, ...ien (*Druckw.* Umdruckverfahren)

Au|to|gramm, das; -s, -e ⟨griech.⟩ (eigenhändig geschriebener Name); Au|to|gramm|jä|ger; Auto|gramm|jä|ge|rin

Au|to|graph, Au|to|gra|phie *vgl.* Autograf, Autografie

Au|to|händ|ler; Au|to|händ|le|rin

Au|to|her|stel|ler; Au|to|her|stel|lerin

Au|to|hil|fe; Au|to|hof (Einrichtung des Güterfernverkehrs)

Au|to|hyp|no|se ⟨griech.⟩ (Selbsthypnose)

Au|to|im|mun|er|kran|kung ⟨griech.; lat.; dt.⟩ (*Med.* Erkrankung, bei der das Immunsystem Antikörper gegen körpereigene Stoffe bildet)

Au|to|in|dus|t|rie; Au|to|kar|te; Auto|ki|no

Au|to|klav, der; -s, -e ⟨griech.; lat.⟩ (Gefäß zum Erhitzen unter Druck)

Au|to|kna|cker; Au|to|ko|lon|ne; Auto|kor|so

Au|to|krat, der; -en, -en ⟨griech.⟩ (Alleinherrscher; selbstherrlicher Mensch); Au|to|kra|tie, die; -, ...ien (unumschränkte [Allein]herrschaft); Au|to|kratin; au|to|kra|tisch

Au|to|len|ker (*bes. österr. neben* Autofahrer); Au|to|len|ke|rin

Au|to|ly|se, die; - ⟨griech.⟩ (*Med.* Abbau von Körpereiweiß ohne Mitwirkung von Bakterien)

Au|to|mar|der (*ugs.; svw.* Autoknacker); Au|to|mar|ke

Au|to|mat, der; -en, -en ⟨griech.⟩; am, auf den Automaten

Au|to|ma|ten|kna|cker; Au|to|maten|re|s|tau|rant

Au|to|ma|tik, die; -, -en (Vorrichtung, die einen techn. Vorgang steuert u. regelt); Au|to|ma|tikge|trie|be

Au|to|ma|ti|on, die; - ⟨engl.⟩ (vollautomatische Fabrikation)

au|to|ma|ti|ons|un|ter|stützt (*österr. für* computergestützt)

au|to|ma|tisch ⟨griech.⟩ (selbsttätig; zwangsläufig)

au|to|ma|ti|sie|ren (auf vollautomatische Fabrikation umstellen); Au|to|ma|ti|sie|rung

Au|to|ma|tis|mus, der; -, ...men (sich selbst steuernder, unbewusster Ablauf)

Au|to|me|cha|ni|ker; Au|to|me|chani|ke|rin

Au|to|mi|nu|te; zehn Autominuten entfernt

au|to|mo|bil; die automobile

Gesellschaft; Au|to|mo|bil, das; -s, -e ⟨griech.; lat.⟩

Au|to|mo|bil|aus|stel|lung; Au|tomo|bil|bau, der; -[e]s; Au|to|mobil|in|dus|t|rie

Au|to|mo|bi|list, der; -en, -en (*bes. schweiz. für* Autofahrer); Au|tomo|bi|lis|tin

Au|to|mo|bil|klub, Au|to|mo|bilclub; *aber* Allgemeiner Deutscher Automobil-Club (*Abk.* ADAC); Automobilclub von Deutschland (*Abk.* AvD)

Au|to|mon|teur (*schweiz. für* Automechaniker); Au|to|mon|teu|rin

au|to|nom ⟨griech.⟩ (selbstständig, unabhängig); Au|to|no|me, der *u.* die; -n, -n

Au|to|no|mie, die; -, ...ien (Selbstständigkeit, Unabhängigkeit)

Au|to|no|mie|be|hör|de, die; - (in Palästina)

Au|to|num|mer; Au|to|öl

Au|to|pa|pie|re *Plur.*

Au|to|pi|lot (automatische Steuerung von Flugzeugen u. Ä.)

Au|to|plas|tik (*Med.* Verpflanzung körpereigenen Gewebes)

Au|top|sie, die; -, ...ien ⟨griech.⟩ (*Med.* Leichenöffnung)

Au|tor, der; -s, ...oren ⟨lat.⟩ (Verfasser); dem, den Autor

Au|to|ra|dio; Au|to|rei|fen; Au|torei|se|zug

Au|to|ren|grup|pe; Au|to|ren|kollek|tiv (*bes. in der DDR*)

Au|to|ren|kor|rek|tur (*selten für* Autorkorrektur); Au|to|ren|le|sung

Au|to|ren|nen; Au|to|re|pa|ra|tur

Au|to|re|verse [...rivø:ɐ̯s], das; - ⟨engl.⟩ (Umschaltautomatik bei Kassettenrekordern)

Au|to|rin, die; -, -nen ⟨lat.⟩

Au|to|r(inn)en (*Kurzform für* Autorinnen u. Autoren)

Au|to|ri|sa|ti|on, die; -, -en (Ermächtigung, Vollmacht); auto|ri|sie|ren; au|to|ri|siert ([einzig] berechtigt; ermächtigt)

au|to|ri|tär (unbedingten Gehorsam fordernd; diktatorisch)

Au|to|ri|ta|ris|mus, der; - ⟨franz.⟩ (absoluter Autoritätsanspruch)

Au|to|ri|tät, die; -, -en (Einfluss u. Ansehen; bedeutende[r] Vertreter[in] eines Faches)

au|to|ri|ta|tiv (sich auf echte Autorität stützend; maßgebend)

au|to|ri|täts|gläu|big

Au|tor|kor|rek|tur; Au|tor|re|fe|rat (Referat des Autors über sein Werk)

Au|tor|schaft, die; -

Au|to|schlan|ge; Au|to|schlos|ser; Au|to|schlos|se|rin; Au|to|schlüs|sel; Au|to|ser|vice; Au|to|skoo|ter; Au|to|speng|ler (südd., österr., schweiz. für Karosserieschlosser); Au|to|speng|le|rin

Au|to|stopp vgl. Anhalter; au|to|stop|pen (bes. österr.); Au|to|stop|per; Au|to|stop|pe|rin

Au|to|strich (ugs. für Prostitution an Autostraßen); Au|to|stun|de

Au|to|sug|ges|ti|on [auch ...'ti̯o:n], die; -, -en (griech.; lat.) (Selbstbeeinflussung)

Au|to|te|le|fon

Au|to|to|xin (Med. Eigengift)

au|to|ty|troph (griech.) (Biol. sich von anorganischen Stoffen ernährend)

Au|to|ty|pie, die; -, ...ien (griech.) (Druckw. netzartige Bildätzung für Buchdruck)

Au|to|un|fall; Au|to|ver|kehr; Au|to|ver|leih; Au|to|werk|statt

Au|to|zoom (Fotogr. automatische Abstimmung von Brennweite und Entfernungseinstellung bei einer Filmkamera)

autsch!

Au|ver|g|ne [o'vɛrnjə], die; - (Region in Frankreich)

Au|wald, Au|en|wald

au|weh!; au|wei!; au|weia!

Au|xin, das; -s, -e (griech.) (Bot. Pflanzenwuchsstoff)

a v. = a vista

Aval, der, seltener das; -s, -e (franz.) (Bankw. Wechselbürgschaft); ava|lie|ren ([Wechsel] als Bürge unterschreiben)

Avan|ce [a'vã:sə], die; -, -n (franz.) (veraltet für Vorteil; Vorschuss); jmdm. Avancen machen (jmdm. entgegenkommen, um ihn für sich zu gewinnen)

Avan|ce|ment [avãsə'mã:, österr. avãs'mã:], das; -s, -s (veraltet für Beförderung)

avan|cie|ren (befördert werden)

Avant|gar|de [avã...], die; -, -n (franz.) (die Vorkämpfer für eine Idee); Avant|gar|dis|mus [avã...], der; -; Avant|gar|dist, der; -en, -en; Avant|gar|dis|tin; avant|gar|dis|tisch

avan|ti! (ital.) (ugs. für vorwärts!)

Ava|tar [auch ˈɛvata:ɐ], der; -s, -s (engl.) (EDV bewegliche Grafik, die den Teilnehmer eines Chats darstellt)

AvD, der; - = Automobilclub von Deutschland

Ave, das; -[s], -[s] (lat.) (kurz für Ave-Maria); Ave-Ma|ria, das; -[s], -[s] (»Gegrüßet seist du, Maria!«) (kath. Gebet); Ave-Ma|ria-Läu|ten, das; -s ↑K27

Aven|tin, der; -s (Hügel in Rom); Aven|ti|ni|sche Hü|gel, der; -n -s

Aven|tiu|re [...'ty:...], die; -, -n (franz.) (mittelhochd. Rittererzählung); als Personifikation Frau Aventiure

Aven|tu|rin, der; -s, -e (lat.-franz.) (goldflimmriger Quarzstein); Aven|tu|rin|glas

Ave|nue [avə'ny:], die; -, ...uen [...'ny:ən] (Prachtstraße)

Aver|ro|es (arab. Philosoph u. Theologe im MA.)

Avers [österr. a'ver], der; -es, -e (franz.) (Münzw. Vorderseite [einer Münze])

Aver|si|on, die; -, -en (lat.) (Abneigung, Widerwille)

AVG = Angestelltenversicherungsgesetz

Avi|a|ri|um, das; -s, ...ien (lat.) (großes Vogelhaus)

Avi|g|non [avin'jõ:] (franz. Stadt)

Avis [a'vi:], der od. das; -, -; auch [a'vi:s], der od. das; -es, -e (franz.) (Wirtsch. Nachricht, Anzeige); avi|sie|ren (ankündigen; schweiz. auch für benachrichtigen)

¹Avi|so, der; -s, -s (span.) (früher leicht bewaffnetes, kleines, schnelles Kriegsschiff)

²Avi|so, das; -s, -s (ital.) (österr. für Avis)

a vis|ta (ital.) (Bankw. bei Vorlage zahlbar; Abk. a v.); vgl. a prima vista; Avis|ta|wech|sel (Bankw. Sichtwechsel)

Avi|ta|mi|no|se, die; -, -n (lat.) (Med. durch Vitaminmangel hervorgerufene Krankheit)

avi|vie|ren (franz.) (Färberei Gewebe nachbehandeln)

Avo|ca|do, die; -, -s (indian.-span.) (eine Frucht)

Avo|ga|d|ro (ital. Physiker u. Chemiker)

Avus, die; - (Kurzw. für Automobil-Verkehrs- u. -Übungsstraße [frühere Autorennstrecke in Berlin, heute Teil der Stadtautobahn])

AWACS = airborne early warning and control system (Frühwarnsystem der NATO)

Awa|re, der; -n, -n (Angehöriger eines untergegangenen türk.-mongol. Steppennomadenvolkes); Awa|rin; awa|risch

Awes|ta, das; - (pers.) (heilige Schriften der Parsen); awes|tisch; awestische Sprache

¹Axel (m. Vorn.)

²Axel, der; -s, - (kurz für Axel-Paulsen-Sprung); Axel-Paul|sen-Sprung (nach dem norw. Eiskunstläufer Axel Paulsen benannter Kürsprung)

Axen|stra|ße, die; - (in der Schweiz)

axi|al (lat.) (in der Achsenrichtung; längs der Achse); Axi|a|li|tät, die; -, -en (Achsigkeit); Axi|al|ver|schie|bung

axil|lar (lat.) (Bot. achsel-, winkelständig); Axil|lar|knos|pe (Knospe in der Blattachsel)

Axi|om, das; -s, -e (griech.) (keines Beweises bedürfender Grundsatz); Axi|o|ma|tik, die; - (Lehre von den Axiomen); axi|o|ma|tisch; axi|o|ma|ti|sie|ren

Ax|mins|ter|tep|pich, Ax|mins-ter-Tep|pich ['ɛ...] (nach dem engl. Ort)

Axo|lotl, der; -s, - (aztekisch) (mexik. Schwanzlurch)

Axon, das; -s, Plur. Axone u. Axo-nen (Biol. zentraler Strang einer Nervenfaser)

Axt, die; -, Äxte; Axt|helm (Axtstiel); vgl. ²Helm; Axt|hieb

Aya|tol|lah vgl. Ajatollah

Ayur|ve|da, Ayur|we|da [ajʊr...], der; -[s] (sanskr.) (Sammlung der wichtigsten Lehrbücher der altindischen Medizin); ayur|ve|disch, ayur|we|disch

AZ = Arizona

AZ, Az. = Aktenzeichen

a. Z. = auf Zeit

Aza|lee, seltener Aza|lie, die; -, -n (griech.) (eine Zierpflanze aus der Familie der Heidekrautgewächse)

Aze|tat, fachspr. auch Ace|tat, das; -s, -e (lat.) (Chemie Salz der Essigsäure; Chemiefaser); Aze|tat|sei|de, fachspr. auch Ace|tat-sei|de

Aze|ton, fachspr. auch Ace|ton, das; -s (ein Lösungsmittel)

Aze|ty|len, fachspr. auch Ace|ty-len, das; -s (gasförmiger Kohlenwasserstoff); Aze|ty|len|gas, fachspr. auch Ace|ty|len|gas; Aze|tyl|sa|li|zyl|säu|re, fachspr. auch Ace|tyl|sa|li|cyl|säu|re (ein schmerzstillender Wirkstoff)

Azid, das; -[e]s, -e (griech.) (Chemie Salz der Stickstoffwasserstoffsäure)

A

Azid

Azi|di|tät *vgl.* Acidität

Azi|do|se *vgl.* Acidose

Azi|mut, das, *auch, auch:* -s, -e ⟨arab.⟩ (*Astron.* eine bestimmte Winkelgröße)

Azo|farb|stoff ⟨griech.; dt.⟩ (*Chemie* Farbstoff aus der Gruppe der Teerfarbstoffe)

Azo|i|kum, das; -s ⟨griech.⟩ (*Geol.* erdgeschichtl. Urzeit ohne Spuren organ. Lebens); azo|isch

Azoo|sper|mie [atsoo...], die; -, ...ien (*Biol., Med.* Fehlen reifer Samenzellen in der Samenflüssigkeit)

Azo|ren *Plur.* (Inselgruppe im Atlantischen Ozean); Azo|rer; Azo|re|rin; azo|risch

Az|te|ke, der; -n, -n (Angehöriger eines Indianerstammes in Mexiko); Az|te|ken|reich, das; -[e]s; Az|te|kin; az|te|kisch

Azu|bi [*auch* aˈtsu:...], der; -s, -s *u.* die; -, -s (*ugs. für* Auszubildende[r]); Azu|bi|ne, die; -, -n (*ugs. scherzh. für* Auszubildende)

Azu|le|jos [...xɔs] *Plur.* ⟨span.⟩ (bunte Wandkacheln)

Azur, der; -s ⟨pers.⟩ (*geh. für* Himmelsblau); azur|blau

Azu|ree|li|ni|en *Plur.* (waagerechtes, meist wellenförmiges Linienband auf Vordrucken [z. B. auf Schecks]); azu|riert

Azu|rit, der; -s (ein dunkelblaues Mineral); azurn (himmelblau)

azy|k|lisch ⟨griech.⟩ (*bes. Med.* zeitlich unregelmäßig)

Az|zur|ri, *ugs. auch* Az|zur|ris *Plur.* ⟨ital., »die Blauen«⟩ (*Bez. für* ital. Sportmannschaften)

b, B, das; -, - (Tonbezeichnung)

b (*Zeichen für* b-Moll); in b

B (*Zeichen für* B-Dur); in B

B (Buchstabe); das; B; des B, die B, *aber* das b in Abend; der Buchstabe B, b

B = *Zeichen für* Bel; Bundesstraße

B = *chem. Zeichen für* Bor

B [*auf dt. Kurszetteln*] = Brief

(d. h., das Wertpapier wurde zum angegebenen Preis angeboten)

B, β = Beta

b. = bei[m]

B. = Bachelor

Ba = *chem. Zeichen für* Barium

BA [bi:ˈ|e:], die; - = British Airways

B. A. = Bachelor of Arts; *vgl.* Bachelor

Baal ⟨hebr.⟩ (semit. Wetter- und Himmelsgott)

Baal|bek (Stadt im Libanon)

Baals|dienst, der; -[e]s

Baar, die; - (Gebiet zwischen Schwarzwald u. Schwäbischer Alb)

Baas, der; -es, -e ⟨niederl.⟩ (*nordd., bes. Seemannsspr.* Herr, Meister, Aufseher)

BAB = Bundesautobahn

¹ba|ba, bä|bä (*Kinderspr. für* schmutzig, eklig)

²ba|ba (*österr. Kinderspr.* Abschiedsgruß)

bab|beln (*landsch. für* schwatzen); ich babb[e]le

Ba|bel *vgl.* Babylon

Ba|ben|ber|ger, der; -s, - (Angehöriger eines Fürstengeschlechtes)

Ba|bet|te (w. Vorn.)

Ba|bu|sche [*auch* ...ˈbu:...], Pampu|sche [*auch* ...ˈpu:...], die; -, -n ⟨pers.⟩ (*landsch., bes. ostmittelteld. für* Stoffpantoffel)

Ba|by [ˈbe:bi], das; -s, -s ⟨engl.⟩ (Säugling, Kleinkind)

Ba|by|ak|tie (*Wirtsch.* Aktie mit kleinem Nennwert)

Ba|by|bauch; Ba|by|bäuch|lein

Ba|by|boom (Anstieg der Geburtenzahlen); Ba|by|boo|mer, der; -s, - (jmd., der zu den geburtenstarken Jahrgängen gehört)

Ba|by|fon ®, das; -s, -e (telefonähnliches Gerät, das Geräusche aus dem Kinderzimmer überträgt)

Ba|by|jahr (einjähriger Erziehungsurlaub)

Ba|by|klap|pe (anonyme Abgabestelle für Säuglinge); Ba|by|korb (*auch svw.* Babyklappe)

Ba|by|lon, Ba|bel (Ruinenstadt am Euphrat)

Ba|by|lo|ni|en (antiker Name für das Land zwischen Euphrat u. Tigris); Ba|by|lo|ni|er; Ba|by|lo|ni|e|rin

ba|by|lo|nisch; babylonische Kunst; ein babylonisches Sprachengewirr; *aber* ↑K150 : die

Babylonische Gefangenschaft; der Babylonische Turm

Ba|by|nah|rung [ˈbe:...]

Ba|by|pau|se (Unterbrechung der Erwerbstätigkeit durch die Geburt eines Kindes)

Ba|by|phon *vgl.* Babyfon

Ba|by|pup|pe

ba|by|sit|ten; *nur im Infinitiv gebräuchlich (ugs.);* Ba|by|sit|ter, der; -s, - ⟨engl.⟩ (jmd., der Kleinkinder bei Abwesenheit der Eltern beaufsichtigt); Ba|by|sit|te|rin

Ba|by|speck

Ba|by|strich (*ugs. für* [Straße mit] Prostitution von Minderjährigen)

Ba|by|zel|le (kleine Batterie)

Bac|cha|nal [...xa..., *österr. auch* ...ka...], das; -s, *Plur.* -e u. -ien ⟨griech.⟩ (altröm. Bacchusfest; wüstes Trinkgelage)

Bac|chant, der; -en, -en (*geh. für* weinseliger Trinker); Bac|chan|tin; bac|chan|tisch

bac|chisch (nach Art des Bacchus)

Bac|chi|us (antiker Versfuß)

Bac|chus (röm. Gott des Weines)

¹Bach, der; -[e]s, Bäche

²Bach, Johann Sebastian (dt. Komponist)

bach|ab (*schweiz.);* bachab gehen (zunichtewerden); bachab schicken (verwerfen, ablehnen)

Ba|cha|ta [...ˈtʃa:...], die; -, -s ⟨span.⟩ (aus der Karibik stammender Musikstil; ein Tanz)

Bach|bett

Bach|blü|ten, Bach-Blü|ten ⟨nach dem brit. Arzt E. Bach⟩ (Essenz aus bestimmten Blüten u. Pflanzenteilen zur Beeinflussung seelisch-geistiger Zustände); Bach|blü|ten|the|ra|pie, Bach-Blüten-The|ra|pie, die; -

Ba|che, die; -, -n (*Jägerspr.* w. Wildschwein)

Ba|che|lor s. Kasten Seite 223; Ba|che|lor|ab|schluss; Ba|che|lor|stu|di|en|gang

Bach|fo|rel|le

Bäch|lein

Bach|mann (österr. Schriftstellerin)

Bach|stel|ze

Bach-Wer|ke-Ver|zeich|nis ↑K137

back (*Seemannsspr.* zurück)

¹Back, die; -, -en (*Seemannsspr.* [Ess]schüssel; Esstisch; Tischgemeinschaft; Aufbau auf dem Vordeck)

Ba|che|lor

['bɛtʃələ]

der; -[s], -s

⟨engl.⟩

(unterster akadem. Grad, bes. in englischsprachigen Ländern; *Abk.* B.)

Im deutschsprachigen Raum vergebene Bachelor-grade und die zugehörigen Abkürzungen in Auswahl:

– Bachelor of Arts [- - 'aːɐ̯ts] (Abschluss in den Geis-tes-, Sozial- od. Wirtschaftswissenschaften; *Abk.* B. A.)

– Bachelor of Engineering [- - ɛndʒiˈniːrɪŋ] (Abschluss in den Ingenieurwissenschaften; *Abk.* B. Eng.)

– Bachelor of Laws [- - 'lɔːs] (Abschluss in den Rechtswissenschaften; *Abk.* LL. B.)

– Bachelor of Science [- - 'saɪ̯ans] (Abschluss in den Natur-, Ingenieur- od. Wirtschaftswissenschaften; *Abk.* B. Sc.)

Vgl. Bakkalaureus

---

²**Back** [bɛk], der; -s, -s ⟨engl.⟩ (*schweiz. u. österr. veraltet für* Verteidiger [beim Fußball])

Back|blech

Back|bord, das; -[e]s, -e (linke Schiffsseite [von hinten gese-hen]); **back|bord[s]**

Bäck|chen

Ba|cke, die; -, -n, *landsch.* **Ba|cken**, der; -s, -

ba|cken

Für »backen« gibt es in Präsens und Präteritum neben regelmäßi-gen auch unregelmäßige Formen:

– du bäckst *od.* backst
– er/sie bäckt *od.* backt
– du backtest (*älter* buk[e]st)
– du backtest (*älter* bükest)
– gebacken; back[e]!

In der Bedeutung »kleben« wird nur regelmäßig gebeugt:

– der Schnee backt, backte, hat gebacken (*vgl.* festbacken)

Ba|cken|bart; Ba|cken|streich

Ba|cken|ta|sche (*Zool.*); **Ba|cken|zahn**

Bä|cker; Bä|cke|rei (*österr. auch für* süßes Kleingebäck); **Bä|cke|rin; Bä|cker|jun|ge**, der; **Bä|cker|la|den; Bä|cker[s]|frau**

Back|fisch (*veraltend auch für* jun-ges Mädchen)

Back|gam|mon [bɛkˈgɛmən], das; -[s] ⟨engl.⟩ (dem Tricktrack ähn-liches Würfelspiel)

Back|ground ['bɛkɡraʊ̯nt], der; -s, -s ⟨engl.⟩ (Hintergrund; *übertr. für* [Lebens]erfahrung); **Back|ground|sän|ger; Back|ground|sän|ge|rin**

Back|hendl, das; -s, -n (*österr. für* paniertes Hähnchen)

Back|hendl|sta|ti|on (*bayr., österr.*)

Back|huhn *vgl.* Backhendl

...ba|ckig, ...bä|ckig (z. B. rotba-ckig, rotbäckig)

Back|list ['bɛk...], die; -, -s ⟨engl.⟩ (Liste lieferbarer Bücher)

Back|obst; Back|ofen

Back|of|fice ['bɛkɔfɪs] (*Finanzw.* Buchhaltung)

Back|pa|cker ['bɛkpɛkɐ], der; -s, - ⟨engl.⟩ (Rucksacktourist)

Back|pa|pier

Back|pfei|fe (*landsch. für* Ohr-feige); **back|pfei|fen** (*landsch.*); sie backpfeifte ihn, hat ihn gebackpfeift; **Back|pfei|fen|ge-sicht** (*abwertend*)

Back|pflau|me; Back|pul|ver; Back-rohr (*österr.*); **Back|röh|re**

Back|schaft (*Seemannsspr.* Tisch-gemeinschaft)

back|slash ['bɛksleʃ], der; -s, -s ⟨engl.⟩ (*EDV* Schrägstrich von links oben nach rechts unten)

Back|stag (*Seemannsspr.* den Mast von hinten haltendes [Draht]seil)

back|stage ['bɛksteːdʒ] ⟨engl.⟩ (hinter der Bühne, den Kulis-sen); **Back|stage**, die; -, -s (Raum hinter der Bühne); **Back|stage-aus|weis**

Back|stein; Back|stein|bau *Plur.* ...bauten; **Back|stein|mau|er**

Back-up, Back|up ['bɛkap], das *od.* der; -s, -s ⟨engl.⟩ (*EDV* Siche-rungskopie)

Back|wa|re *meist Plur.*; **Back|werk**, das; -[e]s

¹**Ba|con** ['beː|kn̩], der; -s ⟨engl.⟩ (Frühstücksspeck)

²**Ba|con** ['beː|kn̩] (engl. Philosoph)

Bad, das; -[e]s, Bäder; Bad Ems, Bad Homburg v. d. H., Stuttgart-Bad Cannstatt ↑K144 *u.* 147

Bad... (*südd., österr., schweiz. in* Zusammensetzungen neben Bade..., z. B. Badanstalt)

Bad Aus|see *vgl.* Aussee

Bad Bram|bach *vgl.* Brambach

Ba|de|an|stalt; Ba|de|an|zug

Ba|de|arzt; Ba|de|ärz|tin

Ba|de|ho|se; Ba|de|kap|pe; Ba|de-man|tel; Ba|de|mat|te

Ba|de|meis|ter, *schweiz. auch* Bad-meis|ter; **Ba|de|meis|te|rin**, *schweiz. auch* Bad|meis|te|rin

Ba|de|müt|ze

ba|den; baden gehen (*ugs. auch für* scheitern)

Ba|den (Teil des Bundeslandes Baden-Württemberg)

Ba|den-Ba|den (Badeort im nördl. Schwarzwald)

Ba|de|ner; Ba|de|ne|rin

Ba|den|ser (Badener); **Ba|den|se|rin**

Ba|den-Würt|tem|berg ↑K144 *u.* 145

Ba|den-Würt|tem|ber|ger; Ba-den-Würt|tem|ber|ge|rin; ba-den-würt|tem|ber|gisch

Ba|de|ort, der; -[e]s, -e

Ba|der (*veraltet für* Barbier; Heil-gehilfe); **Ba|de|rin**

Ba|de|sai|son; Ba|de|salz; Ba|de-strand; Ba|de|tuch; Ba|de|wan|ne; Ba|de|zeit; Ba|de|zim|mer; Ba|de-zu|satz

Bad|gas|tein (österr. Badeort)

ba|disch ↑K150 (aus Baden)

Bad Ischl *vgl.* Ischl

Bad|meis|ter, Bad|meis|te|rin *vgl.* Bademeister, Bademeisterin

Bad|min|ton ['bɛtmɪntn̩], das; - ⟨nach dem Landsitz des Her-zogs von Beaufort in England⟩ (Federballspiel)

Bad Oeyn|hau|sen *vgl.* Oeynhausen

Bad Pyr|mont *vgl.* Pyrmont

Bad Ra|gaz *vgl.* Ragaz

Bad Wö|ris|ho|fen *vgl.* Wörishofen

Bae|de|ker ®, der; -[s], - (ein Reise-handbuch)

Ba|fel, der; -s, - ⟨jidd.⟩ (*ugs. für* Ausschussware; *nur Sing.:* Geschwätz)

baff (*ugs. für* verblüfft); baff sein

BAföG, Ba|fög, das; -[s] = Bundesausbildungsförderungsgesetz (auch für Geldzahlungen nach diesem Gesetz)

Ba|ga|ge [...ʒə, österr. ...ʒ], die; -, -n Plur. selten ⟨franz.⟩ (veraltet für Gepäck; ugs. für Gesindel)

Ba|gas|se, die; -, -n ⟨franz.⟩ (Pressrückstand bei der Rohrzuckergewinnung)

Ba|ga|tel|le, die; -, -n ⟨franz.⟩ (unbedeutende Kleinigkeit)

ba|ga|tel|li|sie|ren (als unbedeutende Kleinigkeit behandeln)

Ba|ga|tell|sa|che; Ba|ga|tell|scha|den

Bag|dad (Hauptstadt Iraks)

Bag|da|der; Bag|da|de|rin

Ba|gel [ˈbeːgəl], der; -s, -s ⟨jidd.-amerik.⟩ (ringförmiges Brotteiggebäck)

Bag|ger, der; -s, -

Bag|ge|rer (ugs.)

Bag|ger|füh|rer; Bag|ger|füh|re|rin

bag|gern; ich baggere

Bag|ger|prahm; Bag|ger|schau|fel; Bag|ger|see

Bag|gy|pants, **Baggy Pants** [ˈbɛgipɛnts] Plur. ⟨engl.⟩ (weite Hose)

Ba|g|no [ˈbanjo], das; -s, Plur. -s u. ...gni ⟨ital.⟩ (früher für Straflager [in Italien und Frankreich])

Ba|guette [...ˈgɛt], das; -s, -s, auch die; -, -n ⟨franz.⟩ (franz. Stangenweißbrot)

bah!, päh! (Ausruf der Geringschätzung, des Ekels)

bäh! (Ausruf der Schadenfreude, des Ekels)

Ba|hai, der; -, -[s] ⟨pers.⟩ (Anhänger des Bahaismus); Ba|ha|ismus, der; - (aus dem Islam hervorgegangene Religion)

Ba|ha|ma|er; Ba|ha|ma|e|rin

Ba|ha|ma|in|seln vgl. Bahamas

ba|ha|ma|isch

Ba|ha|mas Plur. (Inselstaat im Atlantischen Ozean)

bä|hen (südd., österr., schweiz. für [Brot] leicht rösten)

Bahn, die; -, -en; Bahn fahren; ich breche mir eine Bahn; eine sich Bahn brechende Entwicklung; vgl. aber bahnbrechend

bahn|amt|lich (früher)

bahn|bre|chend; eine bahnbrechende Erfindung; vgl. aber Bahn; Bahn|bre|cher; Bahn|bre|che|rin

Bahn|bus; Bahn|damm; bahn|ei|gen

bah|nen; ich bahne mir einen Weg

bah|nen|wei|se

Bahn|hof (Abk. Bf., Bhf.)

Bahn|hof|buf|fet (schweiz. für Bahnhofsgaststätte)

Bahn|hofs|buch|hand|lung; Bahnhofs|buf|fet, Bahn|hofs|büf|fet

Bahn|hofs|hal|le; Bahn|hofs|mis|sion

Bahn|hofs|vor|stand (österr. für Bahnhofsvorsteher)

Bahn|hofs|vor|ste|her; Bahn|hofsvor|ste|he|rin

Bahn|hof|vor|stand (schweiz. für Bahnhofsvorsteher)

bahn|la|gernd

Bahn|li|nie; Bahn|rei|sen|de; Bahnschran|ke

Bahn|steig; Bahn|steig|kan|te; Bahn|steig|kar|te

Bahn|stre|cke

Bahn|über|gang

Bahn|wär|ter; Bahn|wär|te|rin

Ba|höl, der; -s (ostösterr. ugs. für großer Lärm, Tumult)

Bah|rain [auch bax...] (Inselgruppe u. Scheichtum im Persischen Golf); Bah|rai|ner; Bah|rai|ne|rin; bah|rai|nisch

Bah|re, die; -, -n

Bahr|tuch Plur. ...tücher

Baht, der; -, - (Währungseinheit in Thailand)

Bä|hung (Heilbehandlung mit warmen Umschlägen oder Dämpfen)

Bai, die; -, -en ⟨niederl.⟩ (Bucht); vgl. aber Bei, Bey

Bai|er (Sprachw. Sprecher der bayerischen Mundart)

Bai|kal, der; -[s] (Baikalsee)

Bai|kal-Amur-Ma|gis|t|ra|le, die; - (Eisenbahnstrecke in Sibirien)

Bai|kal|see, der; -s (See in Südsibirien)

Bai|ko|nur (russ. Raumfahrtzentrum)

Bai|ri|ki (Hauptstadt von Kiribati)

bai|risch (Sprachw. die bayerische Mundart betreffend)

Bai|ser [beˈzeː], das; -s, -s ⟨franz.⟩ (Schaumgebäck)

Bais|se [ˈbɛːs...], die; -, -n ⟨franz.⟩ ([starkes] Fallen der Börsenkurse od. Preise); Bais|si|er [bɛˈsjeː], der; -s, -s (auf Baisse Spekulierender)

Ba|ja|de|re, die; -, -n ⟨franz.⟩ (ind. [Tempel]tänzerin)

Ba|jaz|zo, der; -s, -s ⟨ital.⟩ (Possenreißer; auch Titel einer Oper von Leoncavallo)

Ba|jo|nett, das; -[e]s, -e ⟨nach der Stadt Bayonne in Südfrankreich⟩ (Seitengewehr); ba|jo|net|tie|ren (mit dem Bajonett fechten)

Ba|jo|nett|ver|schluss (Technik [leicht lösbare] Verbindung von rohrförmigen Teilen)

Ba|ju|wa|re, der; -n, -n (veraltet, noch scherzh. für Bayer); Ba|juwa|rin; ba|ju|wa|risch

Ba|ke, die; -, -n (festes Orientierungszeichen für Seefahrt, Luftfahrt, Straßenverkehr; Vorsignal auf Bahnstrecken)

Ba|ke|lit®, das; -s ⟨nach dem belg. Chemiker Baekeland⟩ (ein Kunststoff)

Ba|ken|ton|ne (ein Seezeichen)

Bakk. (in Österr.) = baccalaureus/baccalaurea, Bakkalaureus/Bakkalaurea; vgl. d.

Bak|ka|lau|rea, die; -, ...reae (weibl. Form zu Bakkalaureus); s. Kasten Seite 225

Bak|ka|lau|re|at, das; -[e]s, -e ⟨lat.⟩ (unterster akadem. Grad [in Österr., England u. Nordamerika]; Abschluss der höheren Schule [in Frankreich]); Bak|kalau|re|ats|ar|beit; Bak|ka|lau|reats|prü|fung

Bak|ka|lau|re|us s. Kasten Seite 225

Bak|ka|rat [...ra(t) od. ...ˈra], das; -s ⟨franz.⟩ (ein Kartenglücksspiel)

Bakk. art. (in Österr.) = baccalaureus/baccalaurea artium; vgl. Bakkalaureus

Bak|ken, der; -[s], - ⟨norw.⟩ (Skisport Sprungschanze)

Bakk. phil. (in Österr.) = baccalaureus/baccalaurea philosophiae; vgl. Bakkalaureus

Bakk. rer. nat. (in Österr.) = baccalaureus/baccalaurea rerum naturalium; vgl. Bakkalaureus

Bakk. rer. soc. oec. (in Österr.) = baccalaureus/baccalaurea rerum socialium oeconomicarumque; vgl. Bakkalaureus

Bakk. techn. (in Österr.) = baccalaureus/baccalaurea rerum technicarum; vgl. Bakkalaureus

Ba|k|la|va, die; -, -s ⟨türk.⟩ (ein Strudelgebäck)

Bak|schisch, das; -[(e)s], -e ⟨pers.⟩ (Almosen; Trinkgeld)

Bak|te|ri|ä|mie, die; -, ...ien ⟨griech.⟩ (Überschwemmung des Blutes mit Bakterien)

Bak|te|rie, die; -, -n meist Plur. (einzelliges Kleinstlebewesen)

bak|te|ri|ell (durch Bakterien hervorgerufen, die Bakterien betreffend); bak|te|ri|en|be|ständig (widerstandsfähig gegenüber Bakterien)

Bak|te|ri|en|trä|ger (Med.)

Bak|ka|lau|re|us,

der; -, ...rei

⟨mlat.⟩

(akadem. Grad in Österreich; Inhaber des Bakkalau-
reats; *Abk. [bei Titeln]* Bakk.)

– Bakkalaureus/Bakkalaurea der Kommunikations-
wissenschaften (*Abk.* Bakk. komm.)
– Bakkalaureus/Bakkalaurea der Künste (*Abk.* Bakk.
art.)
– Bakkalaureus/Bakkalaurea der Naturwissenschaften (*Abk.* Bakk. rer. nat.)

– Bakkalaureus/Bakkalaurea der Philosophie (*Abk.*
Bakk. phil.)
– Bakkalaureus/Bakkalaurea der Rechtswissenschaf-
ten (*Abk.* Bakk. iur.)
– Bakkalaureus/Bakkalaurea der Sozial- und Wirt-
schaftswissenschaften (*Abk.* Bakk. rer. soc. oec.)
– Bakkalaureus/Bakkalaurea der technischen Wis-
senschaften (*Abk.* Bakk. techn.)

Bak|te|rio|lo|ge, der; -n, -n; Bak|te-
rio|lo|gie, die; - (Lehre von den
Bakterien); Bak|te|rio|lo|gin;
bak|te|rio|lo|gisch

Bak|te|rio|ly|se, die; -, -n (Auflö-
sung von Bakterien); Bak|te|rio-
pha|ge, der; -n, -n (Virus, das
Bakterien als Wirtszelle wählt);
Bak|te|ri|o|se, die; -, -n (durch
Bakterien verursachte Pflanzen-
krankheit)

Bak|te|ri|um, das; -s, ...ien (*veraltet
für* Bakterie)

bak|te|ri|zid (*Med.* keimtötend);
Bak|te|ri|zid, das; -s, -e (keimtö-
tendes Mittel)

Bak|t|ri|en (altpers. Landschaft)

Ba|ku [*auch* ...'ku:] (Hauptstadt
Aserbaidschans)

Ba|la|lai|ka, die; -, *Plur.* -s *u.* ...ken
(russ. Saiteninstrument)

Ba|lan|ce [...'lā:s(ə)], die; -, -n
⟨franz.⟩ (Gleichgewicht); Ba|lan-
ce|akt

Ba|lan|cier|bal|ken

ba|lan|cie|ren (franz.) (das Gleich-
gewicht halten)

Ba|lan|cier|stan|ge

Ba|la|ta [*auch* ...'la:...], die; - ⟨indi-
an.-span.⟩ (kautschukähnliches
Naturerzeugnis)

Ba|la|ton, der; -[s] ⟨ung.⟩ (ung.
Name für den Plattensee)

bal|bie|ren (*landsch. veraltet für*
rasieren); jmdn. über den Löffel
balbieren *od.* barbieren (*ugs. für*
betrügen)

Bal|boa, der; -[s], -[s] ⟨nach dem
gleichnamigen span. Entdecker⟩
(Währungseinheit in Panama)

bald; *Steigerung* eher, am ehesten;
möglichst bald; so bald wie,
auch als möglich; *vgl.* sobald

Bal|da|chin, der; -s, -e ⟨nach der
Stadt Baldacco, d. h. Bagdad⟩
(Trag-, Betthimmel); bal|da|chin-
ar|tig

Bäl|de; *nur in* in Bälde (*Amtsspr.
für* bald)

bal|dig; bald|mög|lichst

bal|do|wern (*ugs. für* nachfor-
schen); ich baldowere

Baldr, Bal|dur (nord. *Mythol.*
Lichtgott)

Bal|d|ri|an, der; -s, -e (eine Heil-
pflanze)

Bal|d|ri|an|tee; Bal|d|ri|an|tink|tur;
Bal|d|ri|an|trop|fen *Plur.*

Bal|du|in (m. Vorn.)

Bal|dung, Hans *genannt* Grien (dt.
Maler)

Bal|dur (m. Vorn.; *auch für* Baldr)

Ba|le|a|ren *Plur.* (Inselgruppe im
westl. Mittelmeer); Ba|le|a|rer;
Ba|le|a|re|rin; ba|le|a|risch

Ba|les|ter, der; -s, - ⟨lat.⟩ (*früher*
Armbrust, mit der Kugeln abge-
schossen werden können)

¹Balg, der; -[e]s, Bälge (Tierhaut;
Luftsack; ausgestopfter Körper
einer Puppe; *auch für* Balgen)

²Balg, der *od.* das; -[e]s, Bälger
(*ugs. für* unartiges Kind)

Bal|ge, der; -, -n ⟨nordd. *für*
Waschfass; Wasserlauf im Watt)

bal|gen, sich (*ugs. für* raufen)

Bal|gen, der; -s, - (ausziehbares
Verbindungsteil zwischen
Objektiv u. Gehäuse beim Foto-
apparat); Bal|gen|ka|me|ra

Bal|ge|rei (*ugs.*)

Balg|ge|schwulst

Ba|li (westlichste der Kleinen Sun-
dainseln)

Ba|li|ne|se, der; -n, -n; Ba|li|ne|sin;
ba|li|ne|sisch

Bal|kan, der; -s (Gebirge; *auch für*
Balkanhalbinsel); Bal|kan|halb-
in|sel, Bal|kan-Halb|in|sel

bal|ka|nisch

bal|ka|ni|sie|ren (ein Land staat-
lich so zersplittern wie die Staaten der Balkanhalbinsel vor dem
Ersten Weltkrieg); Bal|ka|ni|sie-
rung, die; -

Bal|ka|nis|tik, die; - (*svw.* Balkano-
logie); Bal|kan|krieg

Bal|ka|no|lo|ge, der; -n, -n; Bal|ka-
no|lo|gie, die; - (wissenschaftl.
Erforschung der Balkanspra-

chen u. -literaturen); Bal|ka|no-
lo|gin; bal|ka|no|lo|gisch

Bälk|chen

Bal|ken, der; -s, -

Bal|ken|de|cke; Bal|ken|dia|gramm;
Bal|ken|kon|s|t|ruk|ti|on

Bal|ken|schrö|ter (Zwerghirschkä-
fer); Bal|ken|waa|ge

Bal|kon [...'kõ:, *auch, südd.,*
österr. u. schweiz. nur ...'ko:n],
der; -s, *Plur.* -s *u.* -e [...'ko:nə]
⟨franz.⟩

Bal|ko|ni|en (*scherzh.*); Urlaub auf
Balkonien

Bal|kon|mö|bel; Bal|kon|pflan|ze

¹Ball, der; -[e]s, Bälle; Ball spielen
↑K54, *aber* das Ballspielen ↑K82

²Ball, der; -[e]s, Bälle ⟨franz.⟩
(Tanzfest); Ball|abend

Ball|ab|ga|be (*Sport*)

Bal|la|de, die; -, -n ⟨griech.⟩
(episch-dramatisches Gedicht);
bal|la|den|haft; Bal|la|den|stoff;
bal|la|desk

Ball|an|nah|me (*Sport*)

Bal|last [*auch, österr. u. schweiz.
nur* ...'la...], der; -[e]s, -e *Plur.
selten* (tote Last; Bürde)

Bal|last|stof|fe *Plur.* (Nahrungs-
bestandteile, die der Körper
nicht verwertet); bal|last|stoff-
reich

Bal|last|was|ser

Bal|la|watsch *vgl.* Pallawatsch

Ball|be|hand|lung (*Sport*)

Ball|be|sitz (*Sport*)

Bäll|chen

Bal|lei (lat.) ([Ritter]ordensbezirk)

Ball|ei|sen, Bal|len|ei|sen (Werk-
zeug)

bal|len; sich ballen

Bal|len, der; -s, -

Bal|len|ei|sen *vgl.* Balleisen

Bal|len|stedt (Stadt am Harz)

Bal|le|rei (*ugs. für* lautes Schießen)

Bal|le|ri|na, *selten* Bal|le|ri|ne, die;
-, ...nen ⟨ital.⟩ (Balletttänzerin)

¹Bal|ler|mann, der; -s, ...männer
(*scherzh. für* Revolver)

²Bal|ler|mann *Plur.* ...männer ⟨Ver-

B

ball

ballhornung der span. Bez. Balneario (No. 6)⟩ *(ugs. scherzh. für* deutscher Tourist auf Mallorca)

bal|lern *(ugs. für* knallen, schießen); ich ballere

Bal|le|ron, der; -s, -s ⟨franz.⟩ *(schweiz.* eine dicke Aufschnittwurst)

bal|les|tern *(österr. ugs. für* Fußball spielen); ich ballestere

Bal|lett, das; -[e]s, -e ⟨ital.⟩ (Bühnentanz[gruppe]; Ballettmusik)

Bal|lett|korps (Theatertanzgruppe)

Bal|lett|meis|ter

Bal|lett|meis|te|rin

Bal|lett|mu|sik; Bal|lett|schu|le

Bal|lett|tän|zer, Bal|lett-Tän|zer; Bal|lett|tän|ze|rin, Bal|lett-Tän|ze|rin

Bal|lett|the|a|ter, Bal|lett-The|a|ter; Bal|lett|trup|pe, Bal|lett-Trup|pe

Ball|füh|rung (Sport)

Ball|ge|fühl, das; -[e]s (Sport)

ball|hor|ni|sie|ren vgl. verballhornen

bal|lig (ballförmig, gerundet)

Bal|lis|te, die; -, -n ⟨griech.⟩ (antikes Wurfgeschütz)

Bal|lis|tik, die; - (Lehre von der Bewegung geschleuderter od. geschossener Körper); Bal|lis|ti|ker; Bal|lis|ti|ke|rin; bal|lis|tisch; ballistische Kurve (Flugbahn)

Ball|jun|ge, der (Junge, der beim Tennis die Bälle aufsammelt)

Ball|kleid; Ball|kö|ni|gin

Ball|künst|ler ([Fußball]spieler mit sehr guter Technik); Ball|künst|le|rin

Ball|lo|kal, Ball-Lo|kal

Ball|mäd|chen vgl. Balljunge

Ball|nacht

Bal|lon [...'lõ, *auch, südd., österr. u. schweiz. nur* ...'lo:n], der; -s, *Plur.* -s *u.* -e [...'lo:nə] ⟨franz.⟩ *(auch für* Korbflasche)

Bal|lo|nett, das; -[e]s, *Plur.* -e *u.* -s (Luftkammer im Innern von Fesselballons und Luftschiffen)

Bal|lon|fah|rer; Bal|lon|fah|re|rin; Bal|lon|rei|fen; Bal|lon|sper|re

Bal|lot [...'lo:], das; -s, -s (kleiner Warenballen)

Bal|lo|ta|de, die; -, -n (Sprung des Pferdes bei der Hohen Schule)

Bal|lo|ta|ge [...ʒə], die; -, -n (geheime Abstimmung mit weißen od. schwarzen Kugeln); bal|lo|tie|ren (durch Ballotage abstimmen)

ball|si|cher (Sport)

Ball|spiel; Ball|spie|len, das; -s; *aber* ↑K54 : ich will Ball spielen; Ball|tech|nik (Sport)

Bal|lung

Bal|lungs|ge|biet; Bal|lungs|raum; Bal|lungs|zen|t|rum

Ball|wech|sel (Sport)

Bal|ly|hoo ['bɛlihu, *auch* ...'hu:], das; - ⟨engl.⟩ (Reklamerummel)

Bal|mung (Name von Siegfrieds Schwert)

Bal|neo|gra|fie, Bal|neo|graph|ie, die; -, ...ien ⟨griech.⟩ (Bäderbeschreibung); Bal|neo|lo|gie, die; - (Bäderkunde); bal|neo|lo|gisch; Bal|neo|the|ra|pie, die; - (Heilung durch Bäder)

Bal pa|ré [- ...'re:], der; - -, -s -s [- -] ⟨franz.⟩ *(geh. veraltet für* festlicher Ball)

Bal|sa, die; - ⟨span.⟩ (sehr leichte Holzart); Bal|sa|holz

Bal|sam, der; -s, ...same *Plur. selten* ⟨hebr.⟩; bal|sa|mie|ren (einsalben); Bal|sa|mie|rung

Bal|sa|mi|ne, die; -, -n (eine Zierpflanze)

bal|sa|misch (würzig; lindernd)

Bal|te, der; -n, -n (Angehöriger der balt. Sprachfamilie; Bewohner des Baltikums); Bal|ten|land

Bal|tha|sar (m. Vorn.)

Bal|ti|kum, das; -s (das Gebiet der Staaten Estland, Lettland und Litauen)

Bal|ti|more [...mo:ɐ] (Stadt in den USA)

Bal|tin; bal|tisch; *aber* ↑K140 : der Baltische Höhenrücken

bal|to|sla|wisch

Ba|lu|ba, der; -[s], -[s]; *vgl.* Luba

Ba|lus|ter, der; -s, - ⟨franz.⟩ *(Archit.* kleine Säule als Geländerstütze); Ba|lus|ter|säu|le

Ba|lus|t|ra|de, die; -, -n (Brüstung, Geländer)

Balz, die; -, -en (Paarungsspiel u. -zeit bestimmter Vögel)

Bal|zac [...'zak] (franz. Schriftsteller)

bal|zen (werben [von bestimmten Vögeln]); Balz|ruf; Balz|zeit

BAM, die; - = Baikal-Amur-Magistrale; Bundesanstalt für Materialforschung und -prüfung

Ba|ma|ko [*auch* ...'ma...] (Hauptstadt von Mali)

Bam|berg (Stadt an der Regnitz)

Bam|ber|ger; ↑K150 : Bamberger Reiter (bekanntes Standbild im Bamberger Dom); bam|ber|gisch

¹Bam|bi, das; -s, -s *(Kinderspr.* kleines Reh)

²Bam|bi, der; -s, -s (Filmpreis)

Bam|bi|no, der; -s, *Plur.* ...ni, *ugs.* -s ⟨ital.⟩ *(ugs. für* Kind, kleiner Junge)

Bam|bu|le, die; -, -n ⟨franz.⟩ *(Gaunerspr.* Krawall protestierender Häftlinge od. Heiminsassen)

Bam|bus, der; *Gen.* - *u.* -ses, *Plur.* -se ⟨malai.⟩ (trop. baumartige Graspflanze)

Bam|bus|hüt|te; Bam|bus|rohr; Bam|bus|spross *meist Plur.*

Ba|mi|go|reng, das; -[s], -s ⟨malai.⟩ (indones. Nudelgericht)

Bam|mel, der; -s *(ugs. für* Angst); bam|meln *(ugs. für* baumeln); ich bamm[e]le

Bam|per|letsch, Pam|per|letsch, der; -, -[en] ⟨ital.⟩ *(österr. ugs. für* kleines Kind)

¹Ban, der; -s, -e *u.* Ba|nus, der; -, - (früherer ung. u. kroat. Gebietsvorsteher)

²Ban, der; -[s], Bani ⟨rumän.⟩ (Untereinheit des ²Leu)

ba|nal ⟨franz.⟩ (alltäglich, fade, flach); ba|na|li|sie|ren; Ba|na|li|tät, die; -, -en

Ba|na|ne, die; -, -n ⟨afrik.-port.⟩

Ba|na|nen|flan|ke (Fußball)

Ba|na|nen|re|pu|b|lik (abwertend)

Ba|na|nen|scha|le; Ba|na|nen|split, das; -s, -s (Banane mit Eis u. Schlagsahne)

Ba|na|nen|ste|cker (Elektrot.)

Ba|nat, das; -[e]s (Gebiet zwischen Donau, Theiß u. Maros); Ba|na|ter; Ba|na|te|rin

Ba|nau|se, der; -n, -n ⟨griech.⟩ (unkultivierter Mensch); Ba|nau|sen|tum, das; -s; Ba|nau|sin; ba|nau|sisch

band vgl. binden

¹Band, das; -[e]s, Bänder ([Gewebe]streifen; Gelenkband); auf Band spielen, sprechen; am laufenden Band

²Band, der; -[e]s, Bände (Buch; *Abk. Sing.:* Bd., *Plur.:* Bde.)

³Band [bɛnt, engl.: bænd], die; -, -s ⟨engl.⟩ (Gruppe von Musikern, bes. Tanzkapelle, Jazz- u. Rockband)

⁴Band, das; -[e]s, -e *meist Plur.* *(geh. für* Bindung; Fessel); außer Rand und Band

Ban|da|ge [...ʒə], die; -, -n ⟨franz.⟩ *(Stütz- od. Schutzverband); ban|da|gie|ren (mit Bandagen versehen)

Ban|da|gist, der; -en, -en (Hersteller von Bandagen u. Heilbinden); Ban|da|gis|tin

Ban|dar Se|ri Be|ga|wan (Hauptstadt von Brunei)

Band|brei|te; Bänd|chen

Ban|de, die; -, -n (Einfassung, z. B. Billardbande)

Ban|de, die; -, -n ⟨franz.⟩ (organisierte Gruppe von Verbrechern; *abwertend od. scherzh. für* Gruppe von Jugendlichen)

Band|ei|sen

Ban|del, Bän|del vgl. Bandl

Ban|den|krieg; Ban|den|kri|mi|na|li|tät

Ban|den|spek|t|rum (Physik)

Ban|den|wer|bung (Werbung auf der Einfassung von Spielflächen u. -feldern)

Ban|de|ril|la [...'rılja], die; -, -s ⟨span.⟩ (mit Bändern geschmückter Spieß, den der Banderillero dem Stier in den Nacken stößt)

Ban|de|ril|le|ro [...rıl'je:...], der; -s, -s (Stierkämpfer, der den Stier mit Banderillas reizt)

bän|dern; ich bändere

Ban|de|ro|le, die; -, -n ⟨franz.⟩ (Verschlussband [mit Steuervermerk]); Ban|de|ro|len|steu|er, die (Verbrauchssteuer auf verpackte Konsumgüter)

ban|de|ro|lie|ren (mit Banderole[n] versehen; versteuern)

Bän|der|riss, der; -es, -e (Med. Riss in den ¹Bändern)

Bän|der|ton, der; -[e]s, ...tone (Geol.)

Bän|de|rung

Bän|der|zer|rung (Med.)

Band|för|de|rer; Band|ge|ne|ra|tor; Band|ge|schwin|dig|keit

...bän|dig (z. B. vielbändig)

bän|di|gen

Bän|di|ger; Bän|di|ge|rin

Ban|dit, der; -en, -en ⟨ital.⟩ ([Straßen]räuber); Ban|di|ten|we|sen; Ban|di|tin

Band|ke|ra|mik, die; - (älteste steinzeitliche Kultur Mitteleuropas)

Bandl, Ban|del, das; -s, - (bayr., österr.), Bän|del, der (schweiz. nur so) od. das; -s, - ([schmales] Band, Schnur)

Band|lea|der ['bɛntli:dɐ], der; -s, - ⟨engl.⟩ (Leiter einer Jazz- od. Rockgruppe); Band|lea|de|rin

Band|maß; Band|nu|del

Ban|do|ne|on, Ban|do|ni|on, das; -s, -s ⟨nach dem dt. Erfinder Band⟩ (ein Musikinstrument); Ban|do|ne|o|nist, der; -en, -en (Bandoneonspieler); Ban|do|ne-

o|nis|tin; Ban|do|ni|on vgl. Bandoneon

Band|sä|ge

Band|schei|be (Med.); Band|schei|ben|scha|den (Med.)

Bänd|sel, das; -s, - (Seemannsspr. dünnes Tau)

Ban|dung (Stadt in Westjava); Ban|dung|kon|fe|renz, Ban|dung-Kon|fe|renz

Band|wurm; Band|wurm|be|fall

bang, ban|ge

– banger u. bänger; am bangs|ten u. am bängs|ten ↑K74
Kleinschreibung:
– mir ist angst und bang[e]; ihm wird ganz bang ↑K70
Großschreibung:
– er hat keine Bange; nur keine Bange!
– sie hat mir ganz schön Bange gemacht; jemandem Angst und Bange machen
– das Bangemachen ↑K82 ; Bangemachen od. Bange machen gilt nicht

Ban|ga|le, der; -n, -n (Bangladescher); Ban|ga|lin; ban|ga|lisch

Bang|büx, Bang|bu|xe, Bang|bü|xe, die; -, ...xen (nordd. scherzh. für Angsthase)

ban|ge vgl. bang; Ban|ge, die; - (landsch. für Angst); vgl. bang

ban|gen; Ban|gig|keit, die; -

Bang|ka (eine Sundainsel)

Bang|kok (Hauptstadt Thailands)

Bang|krank|heit, Bang-Krank|heit, die; - ⟨nach dem dän. Tierarzt B. Bang⟩ (Rinderkrankheit)

Ban|g|la|desch (Staat am Golf von Bengalen)

Ban|g|la|de|scher; Ban|g|la|de|sche|rin; ban|g|la|de|schisch

bäng|lich; Bang|nis, die; -, -se

Ban|gui [bã'gi:] (Hauptstadt der Zentralafrikanischen Republik)

Ba|ni (Plur. von ²Ban)

Ban|jo [auch 'bɛndʒo], das; -s, -s ⟨amerik.⟩ (ein Musikinstrument)

Ban|jul [ben'dʒu:l] (Hauptstadt Gambias)

¹Bank, die; -, Bänke (Sitzgelegenheit)

²Bank, die; -, -en ⟨ital.(-franz.)⟩ (Kreditanstalt)

Ban|ka vgl. Bangka

Bank|ak|zept (ein auf eine ²Bank gezogener Wechsel)

Ban|ka|zinn ⟨zu Bangka⟩

Bank|be|am|te (veraltend); Bank|be|am|tin; Bank|buch

Bänk|chen; Bank|di|rek|to|rin

Bank|ein|zug

Bank|ei|sen (gelochtes Flacheisen an Tür- u. Fensterrahmen)

Bän|kel|lied; Bän|kel|sang; Bän|kel|sän|ger; Bän|kel|sän|ge|rin; bän|kel|sän|ge|risch

Ban|ker [auch 'bɛŋkɐ] ⟨engl.⟩ (ugs. für Bankier, Bankfachmann); Ban|ke|rin

ban|ke|rott, Ban|ke|rott (veraltet für bankrott, Bankrott)

Ban|kert, der; -s, -e (veraltend, abwertend für uneheliches Kind)

¹Ban|kett, das; -[e]s, -e ⟨ital.⟩ (Festmahl)

²Ban|kett, das; -[e]s, -e, Ban|ket|te, die; -, -n ⟨franz.⟩ ([unfester] Randstreifen neben einer Straße)

Bank|fach, das; -s, Plur. (nur für Schließfach:) ...fächer (Spezialgebiet des Bankkaufmanns; Schließfach in einer ²Bank)

bank|fä|hig; bankfähiger Wechsel

Bank|fei|er|tag; Bank|ge|heim|nis; Bank|gut|ha|ben; Bank|hal|ter (Spielleiter bei Glücksspielen); Bank|hal|te|rin

Ban|ki|er [...'kje:], der; -s, -s ⟨franz.⟩ (Inhaber einer ²Bank)

Bank|kauf|frau; Bank|kauf|mann; Bank|kon|to

Bank|leit|zahl (Abk. BLZ)

Bänk|ler (schweiz. svw. Banker); Bänk|le|rin

Bank|no|te

Ban|ko|mat®, der; -en, -en (bes. österr. für Geldautomat)

Bank|raub; Bank|räu|ber; Bank|räu|be|rin

ban|k|rott ⟨ital.⟩ (zahlungsunfähig; auch übertr. für am Ende, erledigt); bankrott sein, werden; Ban|k|rott, der; -[e]s, -e; Bankrott machen

Ban|k|rott|er|klä|rung

Ban|k|rot|teur [...'tø:ɐ], der; -s, -e (Person, die Bankrott macht); Ban|k|rot|teu|rin

ban|k|rott|ge|hen (ugs. für Bankrott machen); die Firma ging bankrott; ban|k|rott|tie|ren

Bank|stel|le (österr. für Filiale einer ²Bank)

Bank|über|fall; Bank|ver|bin|dung; Bank|we|sen, das; -s

Bann, der; -[e]s, -e (Ausschluss [aus einer Gemeinschaft])

Bann|bruch, der *(Rechtsw.)*; **Bann-bul|le**, die *(kath. Kirche)*
ban|nen
Ban|ner, das; -s, - (Fahne; *auch für* Werbung im Internet)
Ban|ner|trä|ger; **Ban|ner|trä|ge|rin**
Ban|ner|wer|bung
Bann|fluch (im MA.); **Bann|gut** *(Rechtsw.)*
ban|nig *(nordd. ugs. für sehr)*
Bann|kreis; **Bann|mei|le**; **Bann-strahl**; **Bann|wald** (Schutzwald gegen Lawinen); **Bann|wa|re**; **Bann|wart** *(schweiz. für Flur- und Waldhüter)*
Ban|se, die; -, -n, *auch* der, -s, -e *(mitteld. u. nordd. für Lager-raum in einer Scheune)*
ban|sen, *auch* **ban|seln**; Getreide bansen, *auch* banseln *(mitteld. u. nordd. für aufschichten)*; du banst; ich bans[e]le
Ban|sin, *See*|bad (auf Usedom)
Ban|tam (Ort auf Java)
Ban|tam|ge|wicht (Gewichtsklasse in der Schwerathletik)
Ban|tam|huhn (Zwerghuhn)
Ban|tu, der; -[s], -[s] (Angehöriger einer Sprach- u. Völkergruppe in Afrika); **Ban|tu|frau**; **Ban|tu|spra-che**
Ba|nus *vgl.* ¹Ban
Ba|o|bab, der; -s, -s ⟨afrik.⟩ (Affen-brotbaum)
Ba|pho|met, der; -[e]s ⟨arab.⟩ ([angebl.] Götzenbild der Tem-pelherren)
Bap|tis|mus, der; - ⟨griech.⟩ (Lehre evangel. Freikirchen, die als Bedingung für die Taufe ein per-sönliches Bekenntnis voraus-setzt)
¹**Bap|tist** (m. Vorn.)
²**Bap|tist**, der; -en, -en (Anhänger des Baptismus)
Bap|tis|te|ri|um, das; -s, ...ien *(christl. Rel., Kunstwiss.* Tauf-becken; Taufkirche, -kapelle)
Bap|tis|tin
¹**Bar** = ¹Bar
²**bar**; aller Ehre[n] bar; bares Geld, *aber* Bargeld; bar zahlen; in bar; gegen bar; barer Unsinn
¹**Bar**, das; -s, -s ⟨griech.⟩ (veraltende Maßeinheit des [Luft]druckes; *Zeichen* bar; *Meteor. nur* b); 5 Bar
²**Bar**, die; -, -s ⟨engl.⟩ (kleines [Nacht]lokal; Theke)
³**Bar**, der; -[e]s, -e (ein Meistersin-gerlied)
¹**Bär**, der; -en, -en (ein Raubtier);

↑K 150 : der Große, der Kleine Bär (Sternbilder)
²**Bär**, der; -s, *Plur.* -en, *fachspr.* -e (Maschinenhammer)
...**bar** (z. B. lesbar, offenbar)
Ba|rab|bas (bibl. Gestalt)
Ba|ra|ber, der; -s, - ⟨ital.⟩ *(österr. ugs. für* Schwerarbeiter); **ba|ra-bern** *(österr. ugs. für* schwer arbeiten)
Ba|ra|cke, die; -, -n ⟨franz.⟩ (leich-tes, meist eingeschossiges Behelfshaus); **Ba|ra|cken|la|ger**
Ba|rack|ler *(ugs. für* Barackenbe-wohner); **Ba|rack|le|rin**
Ba|ratt, der; -[e]s ⟨ital.⟩ *(Kauf-mannsspr.* Austausch von Waren); **ba|rat|tie|ren**
Bar|ba|di|er (Bewohner von Bar-bados); **Bar|ba|di|e|rin**; **bar|ba-disch**
Bar|ba|dos (Inselstaat im Osten der Kleinen Antillen)
Bar|bar, der; -en, -en ⟨griech.⟩ (ungesitteter, wilder Mensch)
Bar|ba|ra (w. Vorn.)
Bar|ba|ra|zweig
Bar|ba|rei (Rohheit); **Bar|ba|rin**; **bar|ba|risch**
Bar|ba|ris|mus, der; -, ...men (gro-ber sprachlicher Fehler)
Bar|ba|ros|sa (»Rotbart« (Bei-name des Kaisers Friedrich I.)
Bar|be, die; -, -n ⟨lat.⟩ (ein Karp-fenfisch; *früher* Spitzenband an Frauenhauben)
Bar|be|cue [...bikju], das; -[s], -s ⟨engl.⟩ (Gartenfest mit Spieß-braten; Grill[fleisch])
bär|bei|ßig (grimmig; verdrieß-lich); **Bär|bei|ßig|keit**, die; -
Bär|bel (w. Vorn.)
Bar|bie ® [...], die; -, -s; **Bar|bie-pup|pe**, **Bar|bie-Pup|pe**
Bar|bier, der; -s, -e ⟨franz.⟩ (veral-tet für Herrenfriseur); **bar|bie-ren** *(veraltet für* rasieren); *vgl.* balbieren
Bar|bi|tu|rat, das; -s, -e (Kunst-wort) *(Pharm.* Schlaf- u. Beruhi-gungsmittel)
Bar|bi|tur|säu|re (chem. Substanz mit narkotischer Wirkung)
bar|brüs|tig (mit nackter Brust); **bar|bu|sig** (mit nacktem Busen)
Bar|ce|lo|na [*auch* ...s..., *span.* ...θ...] (Hauptstadt Kataloniens); **Bar|ce|lo|ner**; **bar|ce|lo|nisch**
Bar|chent, der; -s, -e ⟨arab.⟩ (Baumwollflanell)
Bar|code ⟨engl.⟩ (Strichkode)
Bar|da|me
¹**Bar|de**, die; -, -n ⟨arab.-franz.⟩

(Speckscheibe auf gebratenem magerem Fleisch)
²**Bar|de**, der; -n, -n ⟨kelt.-franz.⟩ ([altkelt.] Sänger u. Dichter)
bar|die|ren (mit ¹Barden umwi-ckeln)
Bar|diet, das; -[e]s, -e ⟨germ.-lat.⟩, **Bar|di|tus**, der; -, - (Schlachtge-schrei der Germanen)
bar|disch *⟨zu* ²Barde⟩
Bar|di|tus *vgl.* Bardiet
Bar|do|wick [*auch* 'ba...] (Ort in Niedersachsen)
Ba|re, das; -n *(ugs. für* Bargeld); sie will Bares sehen
Bä|ren|dienst (schlechter Dienst)
Bä|ren|dreck *(südd., österr., schweiz., ugs. für* Lakritze); **Bä-ren|fang**, der; -[e]s (Honiglikör); **Bä|ren|fell**; **Bä|ren|haut**; **Bä|ren-hun|ger** *(ugs. für* großer Hunger)
Bä|ren|klau, der; - *od.* der; -s (ein Doldengewächs)
Bä|ren|lauch *(svw.* Bärlauch)
Bä|ren|markt *(Börsenw.* negative Kursentwicklung)
bä|ren|mä|ßig
Bä|ren|na|tur (sehr robuste körper-liche Verfassung)
bä|ren|ru|hig *(ugs. für* sehr ruhig); **bä|ren|stark** *(ugs. für* sehr stark); *auch für* hervorragend)
Bä|ren|trau|be (eine Heilpflanze); **Bä|ren|trau|ben|blät|ter|tee**
Ba|rents|see, **Ba|rents-See**, die; - ⟨nach dem niederl. Seefahrer W. Barents⟩ (Teil des Nordpolar-meeres)
Bä|ren|zu|cker *(österr. neben* Bärendreck)
Ba|rett, das; -[e]s, *Plur.* -e, *selten* -s ⟨lat.⟩ (flache, randlose Kopfbe-deckung, auch als Teil einer Amtstracht)
Bar|frau *(svw.* Barkeeperin)
Bar|frei|ma|chung *(Postw.)*
Bar|frost *(landsch. für* Frost ohne Schnee)
bar|fuß; barfuß gehen, laufen
Bar|fuß|arzt ([in der Volksrepublik China] jmd., der medizin. Grundkenntnisse hat und auf dem Land einfachere Krankhei-ten behandelt); **Bar|fuß|ärz|tin**
Bar|fü|ßer, der; -s, - *(kath. Kirche* Angehöriger eines Ordens, des-sen Mitglieder ursprünglich barfuß gingen); **bar|fü|ßig**; **Bar-füß|ler** *(svw.* Barfüßer)
barg *vgl.* bergen
Bar|geld, das; -[e]s; **bar|geld|los**; bargeldloser Zahlungsverkehr
Bar|ge|schäft

bar|haupt *(geh.)*; bar|häup|tig *(geh.)*

Bar|ho|cker

Ba|ri (Stadt in Apulien)

Ba|ri|bal, der; -s, -s (nordamerik. Schwarzbär)

bä|rig *(landsch. für* bärenhaft, stark; *ugs. für* gewaltig, toll)

Ba|rin, die; -, -nen

ba|risch ⟨griech.⟩ *(Meteor.* den Luftdruck betreffend)

Ba|ris|ta, der; *Gen.* -s, *auch* -, *Plur.* -s, *auch* - ⟨ital.⟩ (jmd., der in einer Espressobar o. Ä. Kaffee zubereitet)

Ba|ri|ton [ˈbaːtoːn...], der; -s, -e ⟨ital.⟩ (Männerstimme zwischen Tenor u. Bass; *auch* Sänger mit dieser Stimme); ba|ri|to|nal; Ba|ri|to|nist, der; -en, -en (Baritonsänger)

Ba|ri|um, das; -s ⟨griech.⟩ (chemisches Element, Metall; *Zeichen* Ba)

Bark, die; -, -en ⟨niederl.⟩ (ein Segelschiff)

Bar|ka|ro|le, die; -, -n ⟨ital.⟩ (Gondellied)

Bar|kas|se, die; -, -n ⟨niederl.⟩ (Motorboot; größtes Beiboot auf Kriegsschiffen)

Bar|kauf

Bar|ke, die; -, -n (kleines Boot)

Bar|kee|per, der; -s, - ⟨engl.⟩ (jmd., der in einer ²Bar Getränke mixt und ausschenkt); Bar|kee|pe|rin

Bar|lach (dt. Bildhauer, Grafiker u. Dichter)

Bär|lapp, der; -s, -e (moosähnliche Sporenpflanze)

Bär|lauch (nach Knoblauch riechende Pflanze)

Bar|mann, der; -[e]s, ...männer *(svw.* Barkeeper)

Barm|bek (Stadtteil von Hamburg)

Bär|me, die; - *(nordd. für* Hefe)

bar|men *(nord- u. ostd. abwertend für* klagen, jammern)

Bar|men (Stadtteil von Wuppertal); Bar|mer

barm|her|zig; ein barmherziger Mensch, *aber* ↑K150 : Barmherzige Brüder, Barmherzige Schwestern (religiöse Genossenschaften für Krankenpflege); Barm|her|zig|keit, die; -

Bar|mi|xer (Getränkemischer in einer ²Bar); Bar|mi|xe|rin

¹Bar-Miz|wa, der; -s, -s ⟨hebr.⟩ (Jude nach Vollendung des 13. Lebensjahres)

²Bar-Miz|wa, die; -, -s ⟨hebr.⟩ (Feier zur Initiation der ¹Bar-Mizwas)

Barn, der; -[e]s, -e *(südd., österr. für* Futtertrog)

Bar|na|bas (ein urchristl. Missionar); Bar|na|bit, der; -en, -en (Angehöriger eines kath. Männerordens)

Bar|nim, der; -s (Landschaft nordöstl. von Berlin)

ba|rock ⟨franz.⟩ (im Stil des Barocks; verschnörkelt, überladen); Ba|rock, das *od.* der; *Gen.* -s, *fachspr. auch* - ([Kunst]stil des 17. u. 18. Jh.s)

Ba|rock|bau *Plur.* ...bauten; Ba|rock|kir|che; Ba|rock|kunst; Ba|rock|mu|sik; Ba|rock|per|le (unregelmäßig geformte Perle); Ba|rock|stil, der; -[e]s; Ba|rock|zeit, die; -

Ba|ro|graf, Ba|ro|graph, der; -en, -en ⟨griech.⟩ *(Meteor.* Gerät zur Registrierung des Luftdrucks)

Ba|ro|me|ter, das *österr. auch* der; *schweiz. auch* der; -s, - (Luftdruckmesser); Ba|ro|me|ter|stand; ba|ro|me|t|risch

Ba|ron, der; -s, -e ⟨franz.⟩ *(svw.* Freiherr)

Ba|ro|ness, die; -, -en, *häufiger* Ba|ro|nes|se, die; -, -n *(svw.* Freifräulein)

Ba|ro|net [ˈba..., *auch* ˈbɛ...], der; -s, -s (engl.) (engl. Adelstitel)

Ba|ro|nie, die; -, ...ien ⟨franz.⟩ (Besitz eines Barons; Freiherrnwürde); Ba|ro|nin *(svw.* Freifrau); ba|ro|ni|sie|ren (in den Freiherrnstand erheben)

Bar|ra|ku|da, der; -s, -s ⟨span.⟩ (Pfeilhecht, ein Raubfisch)

Bar|ras, der; - *(Soldatenspr.* Heerwesen; Militär)

Bar|re, die; -, -n ⟨franz.⟩ *(Bauw.* Schranke aus waagerechten Stangen; *Geol.* Sandbank)

Bar|rel [ˈbɛr...], das; -s, -s (engl., »Fass, Tonne«) (in Großbritannien u. in den USA verwendetes Hohlmaß unterschiedl. Größe); drei Barrel[s] Weizen

bar|ren *(Pferdesport* [ein Springpferd] durch Schlagen mit einer Stange an die Beine dazu bringen, einen Abwurf zu vermeiden)

Bar|ren, der; -s, - (Turngerät; Handelsform der Edelmetalle; *südd., österr. auch für* Futtertrog; *vgl.* Barn)

Bar|ri|e|re, die; -, -n ⟨franz.⟩ (Schranke; Sperre)

Bar|ri|ka|de ([Straßen]sperre, Hindernis)

Bar|rique [baˈrik], die; -, -s (Weinfass aus Eichenholz)

Bar|ris|ter [ˈbɛ...], der; -s, - ⟨engl.⟩ (Rechtsanwalt bei den englischen Obergerichten)

barsch (unfreundlich, rau)

Barsch, der; -[e]s, -e (ein Raubfisch)

Bar|schaft; Bar|scheck (in bar einzulösender Scheck)

Barsch|heit

Bar|soi, der; -s, -s ⟨russ.⟩ (russ. Windhund)

Bar|sor|ti|ment (Buchhandelsbetrieb zwischen Verlag u. Einzelbuchhandel)

barst *vgl.* bersten

Bart, der; -[e]s, Bärte; Bärt|chen

Bar|te, die; -, -n (Hornplatte im Oberkiefer im Bartenwale, Fischbein); Bar|tel, die; -, -n *meist Plur.* (bartähnlicher Hautanhang am Maul von Fischen)

Bar|ten|wal

Bar|terl, das; -s, -n *(bayr. u. österr. ugs. für* Kinderlätzchen)

Bart|flech|te; Bart|haar

Bar|thel, Bar|tho|lo|mä|us (m. Vorn.)

Bär|tier|chen (mikroskopisch kleines, wurmförmiges Tier)

bär|tig; Bär|tig|keit, die; -

bart|los; Bart|lo|sig|keit, die; -

Bar|tók [...tɔk], Béla (ung. Komponist)

Bart|stop|pel; Bart|trä|ger

Bart|wisch *(österr. für* Handbesen; *vgl.* Borstwisch)

Bart|wuchs

Ba|ruch (Gestalt im A. T.)

ba|ry... ⟨griech.⟩ (schwer...); Ba|ry... (Schwer...)

Ba|ry|on, das; -s, ...onen *(Kernphysik* schweres Elementarteilchen)

Ba|ry|sphä|re, die; - *(Geol.* Erdkern)

Ba|ryt, der; -[e]s, -e (Schwerspat)

Ba|ry|ton, das; -s, -e (gambenähnliches Saiteninstrument des 18. Jh.s)

Ba|ryt|pa|pier (mit Baryt beschichtetes Papier)

ba|ry|zen|t|risch (auf das Baryzentrum bezüglich); Ba|ry|zen|t|rum, das; -s, *Plur.* ...tra u. ...tren *(Physik* Schwerpunkt)

Bar|zah|lung

ba|sal (die Basis betreffend)

Ba|salt, der; -[e]s, -e ⟨griech.⟩ (vulkanisches Gestein)

Ba|sal|tem|pe|ra|tur *(Med.* morgens gemessene Körpertempe-

ratur bei der Frau zur Feststellung des Eisprungs)
ba|sal|ten, ba|sal|tig, ba|sal|tisch
Ba|salt|tuff, der; -s, -e
Ba|sar, Ba|zar [...'za:ɐ̯], der; -s, -e ⟨pers.⟩ (orientalisches Händlerviertel; Verkauf von Waren für wohltätige Zwecke)
Bäs|chen
Basch|ki|re, der; -n, -n (Angehöriger eines turkotatar. Stammes); Basch|ki|ri|en; Basch|ki|rin; basch|ki|risch
Basch|lik, der; -s, -s ⟨turkotatar.⟩ (kaukas. Wollkapuze)
¹Ba|se, die; -, -n ⟨veraltet, noch südd. für Kusine⟩
²Ba|se, die; -, -n ⟨griech.⟩ ⟨Chemie Verbindung, die mit Säuren Salze bildet⟩; vgl. Basis
Base|ball ['be:sbo:l], der; -s ⟨engl.⟩ (amerik. Schlagballspiel); Base-ball|kap|pe
Ba|se|dow [...do], der; -s; Ba|se-dow|krank|heit, Ba|se-dow-Krank|heit, die; - ⟨nach dem Arzt K. v. Basedow⟩ (auf vermehrter Tätigkeit der Schilddrüse beruhende Krankheit)
Ba|sel (schweiz. Stadt am Rhein)
Ba|sel|biet, das; -s ⟨svw. Basel-land⟩; Ba|sel|bie|ter
Ba|se|ler, Bas|ler (schweiz. nur so); Bas[e]ler Friede; Basler Leckerli
Ba|sel-Land|schaft, Ba|sell|land (schweiz. Halbkanton); ba-sel-land|schaft|lich ↑K 145
Ba|sel-Stadt (schweiz. Halbkanton); ba|sel-städ|tisch ↑K 145
Ba|sen (Plur. von Base, Basis)
BASIC ['be:sɪk], das; -[s] ⟨engl.⟩ = Kunstwort aus beginner's all purpose symbolic instruction code (eine einfache Programmiersprache)
Ba|sic En|g|lish ['be:sɪk 'ɪŋglɪʃ], das; - - ⟨Grundenglisch; vereinfachte Form des Englischen⟩
Ba|sics ['be:sɪks] Plur. ⟨engl.⟩ (Grundlagen)
ba|sie|ren ⟨franz.⟩ (beruhen); etwas basiert auf der Tatsache (gründet sich auf die Tatsache) ...basiert (z. B. netzwerkbasiert)
Ba|si|li|a|ner (nach der Regel des hl. Basilius lebender Mönch)
Ba|si|li|en|kraut (selten für Basilikum)
Ba|si|li|ka, die; -, ...ken ⟨griech.⟩ (altröm. Markt- od. Gerichtshalle; Kirchenbauform mit überhöhtem Mittelschiff); ba|si|li-kal; ba|si|li|ken|för|mig

Ba|si|li|kum, das; -s, Plur. -s u. ...ken ⟨griech.-lat.⟩ (ein Kraut)
Ba|si|lisk, der; -en, -en ⟨griech.⟩ (Fabeltier; trop. Echse); Ba|si|lis-ken|blick (böser, stechender Blick)
Ba|si|li|us (griech. Kirchenlehrer)
Ba|sis, die; -, Basen ⟨griech.⟩ (Grundlage; Math. Grundlinie, -fläche; Grundzahl; Archit. Fuß[punkt]; Sockel; Unterbau; Politik Masse des Volkes, der Parteimitglieder o. Ä.)
ba|sisch (Chemie sich wie eine Base verhaltend); basische Salze; basischer Stahl
Ba|sis|de|mo|kra|tie; ba|sis|de|mo-kra|tisch; Ba|sis|grup|pe ([links orientierter] politisch aktiver [Studenten]arbeitskreis)
Ba|sis|kurs (Börsenw.)
Ba|sis|la|ger (Bergsteigen)
Ba|sis|wis|sen (Grundwissen)
Ba|si|zi|tät, die; - ⟨Chemie⟩
Bas|ke, der; -n, -n (Angehöriger eines Pyrenäenvolkes); Bas|ken-land, das; -[e]s; Bas|ken|müt|ze
Bas|ket|ball ⟨engl.⟩; Bas|ket|ball-schuh
Bas|kin
bas|kisch vgl. deutsch; Bas|kisch, das; -[s] (Sprache); vgl. Deutsch; Bas|ki|sche, das; -n; vgl. Deutsche, das
Bas|kü|le, die; -, -n ⟨franz.⟩ (Riegelverschluss für Fenster u. Türen, der zugleich oben u. unten schließt); Bas|kü|le|ver|schluss
Bas|ler vgl. Baseler; bas|le|risch
Bas|ma|ti, der; -s (eine indische Reissorte); Bas|ma|ti|reis
Bas|re|li|ef ['bareljɛf] ⟨franz.⟩ (bild. Kunst Flachrelief)
bass (veraltet, noch scherzh. für sehr); er war bass erstaunt
Bass, der; Basses, Bässe ⟨ital.⟩ (tiefe Männerstimme; Sänger; Streichinstrument)
Bass|arie; Bass|ba|ri|ton; Bass|blä-ser; Bass|blä|se|rin; Bass|buf|fo
Bas|se, der; -n, -n (Jägerspr. [älterer] starker Keiler)
Bas|se|na, die; -, -s ⟨ital.⟩ (ostösterr. für Wasserbecken im Flur eines Altbaus)
Bass|set [...'sɛ, auch 'bɛsɪt], der; -s, -s (eine Hunderasse)
Basse|terre [bas'tɛ:ɐ̯] (Hauptstadt von St. Kitts and Nevis)
Bass|sett|horn Plur. ...hörner (Blasinstrument des 18. Jh.s)
Bass|gei|ge

Bas|sin [...'sɛ̃:], das; -s, -s ⟨franz.⟩ (künstliches Wasserbecken)
Bas|sist, der; -en, -en ⟨ital.⟩ (Basssänger; Kontrabassspieler); Bas-sis|tin
Bas|so, der; -, Bassi; Bas|so con|ti-nuo (Generalbass); Bas|so os|ti-na|to (sich oft wiederholendes Bassthema)
Bass|sän|ger, Bass-Sän|ger
Bass|schlüs|sel, Bass-Schlüs|sel
Bass|stim|me, Bass-Stim|me
Bast, der; -[e]s, -e (Pflanzenfaser)
bas|ta ⟨ital.⟩ (ugs. für genug!); [und] damit basta!
Bas|tard, der; -[e]s, -e ⟨franz.⟩ (Biol. Pflanze od. Tier als Ergebnis von Kreuzungen; veraltet für uneheliches Kind)
bas|tar|die|ren (Biol. Arten kreuzen); Bas|tar|die|rung
Bas|tar|din (veraltet)
Bas|tard|pflan|ze; Bas|tard|schrift (zwei Schriftarten vermischende Druckschrift)
Bas|te, die; -, -n ⟨franz.⟩ (Trumpfkarte in einigen Kartenspielen)
Bas|tei ⟨ital.⟩ (Vorsprung an alten Festungsbauten; nur Sing.: Felsgruppe im Elbsandsteingebirge)
Bas|tel|ar|beit
bas|teln; ich bast[e]le
bas|ten (aus Bast)
bast|far|ben, bast|far|big
Bas|ti|an (m. Vorn.)
Bas|til|le [...'ti:jə], die; -, -n ⟨franz.⟩ (befestigtes Schloss, bes. das 1789 erstürmte Staatsgefängnis in Paris)
Bas|ti|on, die; -, -en (Bollwerk)
Bast|ler; Bast|le|rin
Bas|to|na|de, die; -, -n ⟨franz.⟩ (Prügelstrafe, bes. Schläge auf die Fußsohlen)
Ba|su|to, der; -[s], -[s] (Angehöriger eines Bantustammes)
bat vgl. bitten
BAT = Bundesangestelltentarif
Bat. = Bataillon
Ba|tail|le [...'taljə, auch ...'ta:jə], die; -, -n ⟨franz.⟩ (veraltet für Schlacht; Kampf)
Ba|tail|lon [...tal'jo:n], das; -s, -e (Truppenabteilung; Abk. Bat., Btl.); Ba|tail|lons|kom|man|deur
Ba|ta|te, die; -, -n ⟨indian.-span.⟩ (trop. Süßkartoffel[pflanze])
Ba|ta|ver, der; -s, - (Angehöriger eines germ. Stammes)
Ba|ta|via (alter Name von Jakarta)
ba|ta|visch
Bath|se|ba, ökum. Bat|se|ba (bibl. w. Eigenn.)

Ba|thy|scaphe [...'ska:f], der u. das; -[s], - [...fə], **Ba|thy|skaph**, der; -en, -en ⟨griech.⟩ (Tiefseetauchgerät)

Ba|thy|sphä|re, die; - ⟨Geol. tiefste Schicht des Weltmeeres⟩

Ba|tik, der; -s, -en, auch die; -, -en ⟨malai.⟩ (Textilfärbeverfahren unter Verwendung von Wachs [nur Sing.]; derart gemustertes Gewebe)

Ba|tik|druck Plur. ...drucke

ba|ti|ken; gebatikt

Ba|tist, der; -[e]s, -e ⟨franz.⟩ (feines Gewebe); **ba|tis|ten** (aus Batist); **Ba|tist|ta|schen|tuch**

Bat-Miz|wa, die; -, -s ⟨hebr.⟩ (selten für Jüdin nach Vollendung des 13. Lebensjahres)

Bat|se|ba vgl. Bathseba

Batt., Battr. = Batterie

Bat|te|rie, die; -, ...ien ⟨franz.⟩ (Milit. Einheit der Artillerie [Abk. Batt(r).]; Technik Stromspeicher)

bat|te|rie|be|trie|ben

Bat|te|rie|ge|rät

Battr. vgl. Batt.

Bat|zen, der; -s, - (ugs. für Klumpen; frühere Münze)

Bau

der; -[e]s, -ten u. -e

– sich im od. in Bau befinden
– In der Bedeutung »Bauwerk, Gebäude« lautet der Plural: die Bauten (Altbauten, Neubauten, Hochbauten)
– In der Bedeutung »Höhle« als Unterschlupf für Tiere und »Stollen« (in der Bergmannsspr.) lautet der Plural: die Baue (Fuchsbaue, Dachsbaue; Tagebaue, Abbaue)

Bau|ab|schnitt; **Bau|amt**; **Bau|an|su|chen** (österr.); **Bau|an|trag**

Bau|ar|bei|ten Plur.; **Bau|ar|bei|ter**; **Bau|ar|bei|te|rin**; **Bau|art**

Bau|auf|sicht, die; -; **Bau|auf|sichts|be|hör|de**; **Bau|be|ginn**; **Bau|be|hör|de**; **Bau|be|wil|li|gung** (österr., schweiz. für Baugenehmigung)

Bau|bio|lo|gie (Lehre von der Beziehung zwischen Mensch und Wohnumwelt)

Bau|block Plur. ...blocks od. ...blö-cke; **Bau|boom**

Bauch, der; -[e]s, Bäuche

Bauch|an|satz; **Bauch|bin|de**

Bauch|de|cke; **Bauch|fell**

Bauch|fleck (österr. für Bauchklatscher)

Bauch|fleisch

bauch|frei

Bauch|ge|fühl

Bauch|grim|men (veraltend für Bauchschmerzen)

Bauch|höh|le

bau|chig, bäu|chig

Bauch|klat|scher (ugs. für ungeschicktes Auftreffen mit dem Bauch beim Sprung ins Wasser)

Bauch|knei|fen; Bauch|knei|pen, das; -s (landsch. für Bauchschmerzen); **Bauch|la|den**

Bauch|lan|dung

Bäuch|lein; bäuch|lings

Bauch|mus|ku|la|tur; Bauch|na|bel; Bauch|na|bel|pier|cing

bauch|re|den meist nur im Infinitiv gebr.; **Bauch|red|ner; Bauch|red|ne|rin**

Bauch|schmerz; Bauch|schuss; Bauch|spei|chel|drü|se

Bauch|tanz; bauch|tan|zen meist nur im Infinitiv gebr.; **Bauch|tän|zer; Bauch|tän|ze|rin**

Bauch|ung

Bauch|weh, das; -s (ugs. für Bauchschmerzen)

Bau|cis (vgl. Philemon und Baucis)

Baud [auch bo:t], das; -[s], - ⟨nach dem franz. Ingenieur Baudot⟩ (Maßeinheit der Telegrafiergeschwindigkeit)

Bau|de, die; -, -n (ostmitteld. für Unterkunftshütte im Gebirge)

Bau|de|laire [bodə'lɛ:ɐ̯] (franz. Dichter)

Bau|denk|mal, das; -[e]s, Plur. ...mäler, geh. auch ...male

Bau|dou|in [bo'du̯ɛ̃:] (m. Vorn.)

Bau|ele|ment

bau|en

Bau|ent|wurf

¹Bau|er, der; -s, - (Be-, Erbauer)

²Bau|er, der; Gen. -n, selten -s, Plur. -n (Landwirt; eine Schachfigur; eine Spielkarte)

³Bau|er, das, auch der; -s, - (Vogelkäfig)

Bäu|er|chen; [ein] Bäuerchen machen (ugs. für aufstoßen)

Bäu|e|rin; bäu|e|risch (seltener für bäurisch); **bäu|er|lich**

Bau|ern|brot; Bau|ern|bur|sche

Bau|ern|fän|ger (abwertend); **Bau|ern|fän|ge|rei** (abwertend)

Bau|ern|früh|stück (Bratkartoffeln mit Rührei und Speck)

Bau|ern|gut; Bau|ern|haus

Bau|ern|hof; Bau|ern|krieg

Bau|ern|le|gen, das; -s (Einziehen von Bauernhöfen durch den Großgrundbesitzer vom 16. bis zum 18. Jh.)

Bau|ern|op|fer (Schach Preisgabe eines Bauern; auch Opfer, das dem Erhalt der eigenen Position dient)

Bau|ern|sa|me, Bau|er|sa|me, die; - (schweiz. veraltend für Bauernschaft)

Bau|ern|schaft, die; -

bau|ern|schlau; Bau|ern|schläue

Bau|ern|stand, der; -[e]s; **Bau|ern|ster|ben**, das; -s; **Bau|ern|stu|be**

Bau|ern|ver|band

Bau|er|sa|me vgl. Bauernsame

Bau|er|schaft (landsch. für Bauernsiedlung)

Bau|ers|frau (svw. Bäuerin); **Bau|ers|leu|te** Plur.; **Bau|ers|mann**, der; -[e]s (veraltet)

Bau|er|war|tungs|land, das; -[e]s (zum Bauen vorgesehenes Land)

bau|fäl|lig; Bau|fäl|lig|keit, die; -

Bau|fir|ma; Bau|flucht (vgl. ¹Flucht); **Bau|flucht|li|nie**, die; **Bau|füh|rer; Bau|füh|re|rin**

Bau|ge|bre|chen (österr. Amtsspr. für Schaden am Bau)

Bau|ge|län|de

Bau|ge|neh|mi|gung

Bau|ge|nos|sen|schaft

Bau|ge|spann (schweiz. für Stangen, die die Ausmaße eines geplanten Gebäudes anzeigen)

Bau|ge|wer|be

bau|gleich (von gleicher Bauart)

Bau|gru|be

Bau|haus, das; -es (dt. Hochschule für Gestaltung, an der bekannte Maler u. Architekten der Zwanzigerjahre arbeiteten)

Bau|herr; Bau|her|ren|mo|dell (steuerbegünstigtes Finanzierungsmodell für Bauobjekte); **Bau|her|rin**

Bau|holz; Bau|hüt|te; Bau|jahr

Bau|kas|ten; Bau|kas|ten|sys|tem (Technik)

Bau|klotz, der; -es, Plur. ...klötze, ugs. auch ...klötzer; Bauklötze[r] staunen (ugs.)

Bau|kos|ten; Bau|kos|ten|zu|schuss

Bau|kunst, die; -

Bau|land, das; -[e]s (auch eine badische Landschaft)

bau|lich; Bau|lich|keit meist Plur. (Amtsspr.)

Bau|lö|we (ugs. abwertend für Bauunternehmer)

Bau|lü|cke

Baum, der; -[e]s, Bäume

Bau|markt; Bau|ma|schi|ne; Bau-maß|nah|me; Bau|ma|te|ri|al

Baum|blü|te, die; -

Bäum|chen

Bau|mé|grad [bo'me:...] ⟨nach dem franz. Chemiker Baumé⟩ (alte Maßeinheit für das spezifische Gewicht von Flüssigkeiten; ↑K136; Zeichen °Bé); 5 °Bé

Bau|meis|ter; Bau|meis|te|rin

bau|meln; ich baum[e]le

¹bau|men vgl. aufbaumen

²bau|men, ¹bäu|men (mit dem Wiesbaum befestigen)

²bäu|men, sich

Baum|farn; Baum|gren|ze

baum|kan|tig ([von Holzbalken] an den Kanten noch die Rinde zeigend)

Baum|ku|chen

baum|lang

Baum|läu|fer (ein Vogel)

baum|los; eine baumlose Insel

Baum|nuss (schweiz. für Walnuss)

baum|reich

Baum|sche|re; Baum|schu|le; Baum-stamm

baum|stark

Baum|strunk; Baum|stumpf; Baum-wip|fel

Baum|wol|le; baum|wol|len

Baum|woll|garn; Baum|woll|hemd

Baum|woll|in|dus|t|rie; Baum|woll-pi|kee; Baum|woll|spin|ne|rei

Baun|zerl, das; -s, -n (österr. für längliches Milchbrötchen)

Bau|ord|nung; Bau|plan (vgl. ²Plan); Bau|platz

Bau|po|li|zei; bau|po|li|zei|lich

Bau|rat Plur. ...räte; Bau|rä|tin; Bau|recht

bau|reif; baureife Grundstücke

Bau|rei|he

bäu|risch, seltener bäu|e|risch

Bau|ru|i|ne; Bau|satz

Bausch, der; -[e]s, Plur. -e u. Bäusche; in Bausch und Bogen (ganz und gar)

Bäu|schel, Päu|schel, der od. das; -s, - (Bergmannsspr. schwerer Hammer)

bau|schen; du bauschst; sich bauschen; Bau|schen, der; -s, - (österr. neben Bausch)

bau|schig

bau|spa|ren fast nur im Infinitiv gebräuchlich; bauzusparen; Bau|spa|rer; Bau|spa|re|rin

Bau|spar|kas|se; Bau|spar|ver|trag

Bau|stein; Bau|stel|le; Bau|stil; Bau|stoff; Bau|stopp; Bau|sub|s|tanz

Bau|ta|stein ⟨altnord.⟩ (Gedenk-stein der Wikingerzeit in Skandinavien)

Bau|te, die; -, -n (schweiz. Amtsspr. für Bau[werk])

Bau|teil, der (Gebäudeteil) od. das (Bauelement)

Bau|ten vgl. Bau

Bau|trä|ger; Bau|trä|ge|rin

Baut|zen (Stadt in der Oberlausitz); Baut|ze|ner; baut|z|nisch

Bau|un|ter|neh|mer; Bau|un|ter|neh-me|rin; Bau|vor|ha|ben; Bau|wei-se

Bau|werk

Bau|wer|ker; Bau|wer|ke|rin

Bau|we|sen, das; -s

Bau|wich, der; -[e]s, -e (Bauw. Häuserzwischenraum)

bau|wür|dig (Bergmannsspr. abbauwürdig)

Bau|xerl, das; -s, -n (ostösterr. ugs. für kleines, herziges Kind)

Bau|xit, das; -s, -e ⟨nach dem ersten Fundort Les Baux in Südfrankreich⟩ (ein Mineral)

bauz!

Bau|zaun; Bau|zeit

Ba|va|ria, die; - ⟨lat.⟩ (Frauengestalt als Sinnbild Bayerns)

Bay|er, der; -n, -n; vgl. Baier; Bay|e-rin, Bay|rin; bay|e|risch, bayrisch, aber ↑K140: der Bayerische Wald; vgl. bairisch; Bay|er-land, das; -[e]s

Bay|ern

Bay|reuth (Stadt am Roten Main)

bay|risch vgl. bayerisch

Ba|zar [...'za:ɐ̯] vgl. Basar

Ba|zi, der; -[s], -[s] (bayr., österr. ugs. für Gauner, Taugenichts)

Ba|zil|len|trä|ger ⟨lat.; dt.⟩

Ba|zil|lus, der; -, ...llen ⟨lat.⟩ (Biol.; Med. Sporen bildender Spaltpilz)

BBC [bi:bi:'si:], die; - = British Broadcasting Corporation

BBk, die; - = Deutsche Bundesbank

BCG ⟨nach zwei franz. Tuberkuloseforschern⟩ = Bazillus Calmette-Guérin

BCG-Schutz|imp|fung [be:tse:'ge:...] (vorbeugende Tuberkuloseimpfung)

Bd. = Band

BDA, der; - = Bund Deutscher Architekten

BDPh, der; - = Bund Deutscher Philatelisten

BDÜ, der; - = Bundesverband der Dolmetscher und Übersetzer

B-Dur ['be:..., auch 'be:'du:ɐ̯], das; - (Tonart; Zeichen B); B-Dur-Ton-lei|ter ↑K26

Be = chem. Zeichen für Beryllium

BE = Broteinheit

Bé = Baumé; vgl. Baumégrad

be... ⟨Vorsilbe von Verben, z. B. beabsichtigen, du beabsichtigst, beabsichtigt, zu beabsichtigen⟩

be|ab|sich|ti|gen

be|ach|ten; be|ach|tens|wert

be|acht|lich

Be|ach|tung

Beach|vol|ley|ball, Beach-Vol|ley-ball ['bi:tʃ...] (Strandvolleyball)

be|ackern ([den Acker] bestellen; ugs. auch für gründlich bearbeiten); Be|acke|rung

Bea|g|le ['bi:gl], der; -s, -[s] ⟨engl.⟩ (eine Hunderasse)

bea|men ['bi:mən] ⟨engl.⟩ (bis zur Unsichtbarkeit auflösen und an einem anderen Ort wieder Gestalt annehmen lassen [in Science-Fiction-Filmen]); gebeamt; Bea|mer, der; -s, - (Gerät, mit dem eine Grafik vom Computerbildschirm auf eine Leinwand projiziert wird)

be|am|peln (fachspr.); eine beampelte Kreuzung

Be|am|te; der; -n, -n

Be|am|ten|an|wär|ter; Be|am|ten-an|wär|te|rin; Be|am|ten|be|lei|di-gung; Be|am|ten|bund, der; -[e]s; Be|am|ten|deutsch; Be|am|ten-schaft, die; -; Be|am|ten|stand, der; -[e]s; Be|am|ten|tum, das; -s; Be|am|ten|ver|hält|nis, das; -ses

be|am|tet; Be|am|te|te, der u. die; -n, -n

Be|am|tin

be|ängs|ti|gend

be|an|schrif|ten (Amtsspr.)

be|an|spru|chen; Be|an|spru|chung

be|an|stan|den; Be|an|stan|dung

be|an|tra|gen; du beantragtest; beantragt; Be|an|tra|gung

be|ant|wort|bar

be|ant|wor|ten; Be|ant|wor|tung

be|ar|bei|ten; Be|ar|bei|ter; Be|ar-bei|te|rin; Be|ar|bei|tung; Be|ar-bei|tungs|ge|bühr

be|arg|wöh|nen (geh.)

Beat [bi:t], der; -[s], -s ⟨engl.⟩ (im Jazz Schlagrhythmus; betonter Taktteil; kurz für Beatmusik)

Be|a|ta, Be|a|te (w. Vorn.)

bea|ten ['bi:tn̩] ⟨engl.⟩ (ugs. für Beatmusik spielen; nach Beatmusik tanzen)

Beat|ge|ne|ra|tion, Beat-Ge|ne|ra-tion ['bi:tdʒenəˈreːʃn̩], die; - ⟨amerik.⟩ (durch eine radikale

Ablehnung alles Bürgerlichen gekennzeichnete amerikan. [Schriftsteller]gruppe der Fünfzigerjahre)

Be|a|ti|fi|ka|ti|on, die; -, -en ⟨lat.⟩ (kath. Kirche Seligsprechung); **be|a|ti|fi|zie|ren**

be|at|men (Med. Luft od. Gasgemische in die Atemwege blasen); **Be|at|mung**

Be|at|mungs|an|la|ge; Be|at|mungs|ge|rät; Be|at|mungs|stö|rung

Beat|mu|sik ['bi:t...], die; - ([Tanz]musik mit betontem Schlagrhythmus)

Beat|nik ['bi:t...], der; -s, -s ⟨amerik.⟩ (Vertreter der Beatgeneration)

Be|a|t|ri|ce [...sə, ...t∫e], **Be|a|t|rix** (w. Vorn.)

Be|a|tus ⟨lat.⟩ (m. Vorn.)

Beau [bo:], der; -, -s ⟨franz.⟩ (spöttisch für schöner Mann)

Beau|fort|ska|la, Beau|fort-Ska|la ['bo:fɐ...], die; - ⟨nach dem engl. Admiral⟩ (Skala für Windstärken ↑K136)

be|auf|schla|gen (Technik auf etw. auftreffen); der Dampf beaufschlagte das Laufrad; beaufschlagt; **Be|auf|schla|gung**

be|auf|sich|ti|gen; Be|auf|sich|ti|gung

be|auf|tra|gen; du beauftragtest; beauftragt; **Be|auf|trag|te,** der u. die; -n, -n; **Be|auf|tra|gung**

be|aug|ap|feln; ich beaugapf[e]le

be|äu|geln; ich beäug[e]le; beäugelt; **be|äu|gen;** beäugt

be|au|gen|schei|ni|gen (Amtsspr., auch scherzh.); der neue Wagen wurde beaugenscheinigt

Beau|jo|lais [boʒoˈlɛ:], der; -, - ⟨franz.⟩ (ein franz. Rotwein)

Beau|mar|chais [bomarˈ∫ɛ:] (franz. Schriftsteller)

be|aus|kunf|ten (Auskunft geben)

Beau|té [boˈte:], die; -, -s ⟨franz.⟩ (geh. für schöne Frau)

Beau|ty|case, Beau|ty-Case ['bju:tike:s], das, auch der; -, -[s] ⟨engl.⟩ (Kosmetikkoffer)

Beau|ty|farm, Beau|ty-Farm ['bju:ti...], die; -, -en ⟨engl.⟩ (Schönheitsfarm)

Beau|voir, de [də boˈvɔa:ʁ] (franz. Schriftstellerin)

be|bän|dern

be|bar|tet (mit Bart versehen)

be|bau|en; Be|bau|ung; Be|bau|ungs|plan

Bé|bé [be:ˈbe:], das; -s, -s ⟨franz.⟩ (schweiz. für Säugling, Baby)

Be|bel (Mitbegründer der dt. Sozialdemokratischen Partei)

be|ben; Be|ben, das; -s, -

be|bil|dern; ich bebildere; **Be|bil|de|rung**

Be|bop [ˈbi:...], der; -[s] -s ⟨amerik.⟩ (Jazzstil der 1940er-Jahre [nur Sing.]; Tanz in diesem Stil)

be|brillt

be|brü|ten

Be|bung (Musik)

be|bun|kern ([ein Schiff] mit Brennstoff versehen)

be|buscht; ein bebuschter Hang

Bé|cha|mel|kar|tof|feln [beʃa...] ⟨nach dem Marquis de Béchamel⟩; **Bé|cha|mel|so|ße, Bé|cha|mel|sau|ce**

Be|cher, der; -s, -; **be|cher|för|mig**

be|chern (ugs. scherzh. für tüchtig trinken); ich bechere

Be|cher|werk (Technik Fördergerät)

be|cir|cen vgl. bezirzen

Be|cken, das; -s, -; **Be|cken|bruch,** der (Med.)

Be|cken|rand

Be|ckett (ir.-franz. Schriftsteller)

Beck|mann (dt. Maler)

Beck|mes|ser (Gestalt aus Wagners »Meistersingern«; abwertend kleinlicher Kritiker); **Beck|mes|se|rei; beck|mes|sern** (kleinlich tadeln, kritteln); ich beckmessere; gebeckmessert

Bec|que|rel [bɛkə...], das; -s, - ⟨nach dem franz. Physiker⟩ (Maßeinheit für die Aktivität ionisierender Strahlung; Zeichen Bq)

be|da|chen (Handw. mit einem Dach versehen)

be|dacht; auf eine Sache bedacht sein; **Be|dacht,** der; -[e]s; mit Bedacht; auf etwas Bedacht nehmen (Amtsspr.); **Be|dach|te,** der u. die; -n, -n (jmd., dem ein Vermächtnis ausgesetzt worden ist)

be|däch|tig; Be|däch|tig|keit, die; -

Be|dacht|nah|me (österr.); unter Bedachtnahme (unter Berücksichtigung)

be|dacht|sam; Be|dacht|sam|keit, die; -

Be|da|chung (Handw.)

be|damp|fen (Technik durch Verdampfen von Metall mit einer Metallschicht überziehen)

be|dan|ken, sich

Be|darf, der; -[e]s, Plur. (fachspr.) -e; nach Bedarf; der Bedarf an etwas; bei Bedarf

Be|darfs|am|pel; Be|darfs|ar|ti|kel

Be|darfs|de|ckung; Be|darfs|fall, der; im Bedarfsfall[e]

be|darfs|ge|recht

Be|darfs|gut meist Plur.

Be|darfs|gü|ter Plur.; **Be|darfs|hal|te|stel|le**

be|dau|er|lich; be|dau|er|li|cher|wei|se; sie war bedauerlicherweise nicht zu Hause, aber sie hat in bedauerlicher Weise auf unsere Kritik reagiert

be|dau|ern; ich bedau[e]re; **Be|dau|ern,** das; -s

be|dau|erns|wert

Be|de, die; -, -n (Abgabe im MA.)

be|de|cken (österr. auch für finanziell abdecken); **be|deckt;** bedeckter Himmel

Be|deckt|sa|mer, der; -s, - meist Plur. (Bot. Pflanze, deren Samenanlage im Fruchtknoten eingeschlossen ist; Ggs. Nacktsamer); **be|deckt|sa|mig** (Bot.)

Be|de|ckung

be|den|ken; bedacht (vgl. d.); sich eines Besser[e]n bedenken; **Be|den|ken,** das; -s, -

Be|den|ken|los; Be|den|ken|lo|sig|keit, die; -

be|den|kens|wert

Be|den|ken|trä|ger; Be|den|ken|trä|ge|rin

be|denk|lich; Be|denk|lich|keit

Be|denk|zeit

be|dep|pert (ugs. für ratlos, gedrückt)

be|deu|ten; be|deu|tend; am bedeutendsten; aber ↑K72: das Bedeutendste; etwas Bedeutendes; um ein Bedeutendes zunehmen

be|deut|sam; Be|deut|sam|keit, die; -

Be|deu|tung

Be|deu|tungs|an|ga|be; Be|deu|tungs|leh|re, die; - (Sprachw.)

be|deu|tungs|los; Be|deu|tungs|lo|sig|keit, die; -; **be|deu|tungs|schwan|ger; be|deu|tungs|schwer**

Be|deu|tungs|un|ter|schied

Be|deu|tungs|ver|lust

be|deu|tungs|voll

Be|deu|tungs|wan|del; Be|deu|tungs|wör|ter|buch

be|dien|bar; leicht bedienbare Armaturen; **Be|dien|bar|keit,** die; -

Be|dien|ele|ment (Technik)

be|die|nen; sich eines Kompasses bedienen (geh.); bedient sein (ugs. für genug haben)

Be|die|ner; Be|die|ne|rin (*bes. österr. für* Aufwartefrau)

Be|diens|tet (in Dienst stehend); Be|diens|te|te, der u. die; -n, -n

Be|dien|te, der und die; -n, -n (*veraltet für* Diener[in])

Be|die|nung (*österr. auch* Stelle als Bedienerin)

Be|die|nungs|an|lei|tung

Be|die|nungs|feh|ler; Be|die|nungs|geld; Be|die|nungs|kom|fort

¹be|din|gen (voraussetzen; zur Folge haben); sich gegenseitig bedingen; *vgl.* bedingt

²be|din|gen (*älter für* ausbedingen); du bedangst; bedungen; der bedungene Lohn

Be|ding|nis, das; -ses, -se (*österr. Amtsspr. für* Bedingung)

be|dingt (eingeschränkt, an Bedingungen geknüpft); bedingter Reflex; bedingte Verurteilung (*österr., schweiz. für* Verurteilung mit Bewährungsfrist)

Be|dingt|gut, das; -[e]s (*für* Kommissionsgut)

Be|dingt|heit

Be|dingt|sen|dung (*für* Kommissionssendung)

Be|din|gung; Be|din|gungs|form (*für* Konditional)

be|din|gungs|los

Be|din|gungs|satz (*für* Konditionalsatz)

be|din|gungs|wei|se

be|drän|gen; Be|dräng|nis, die; -, -se; Be|dräng|te, der und die; -n, -n; Be|drän|gung

be|dripst (*nordd. für* kleinlaut; betrübt)

be|dro|hen

be|droh|lich; Be|droh|lich|keit

Be|dro|hung

be|dröp|pelt (*ugs. für* kleinlaut; betrübt)

be|dru|cken

be|drü|cken; Be|drü|cker

be|drückt; Be|drückt|heit

Be|dru|ckung, die; - (das Bedrucken)

Be|drü|ckung

Be|du|i|ne, der; -n, -n ⟨arab.⟩ (arab. Nomade); Be|du|i|nin; be|du|i|nisch

be|dun|gen *vgl.* ²bedingen

be|dün|ken (*veraltet*); es will mich bedünken; Be|dün|ken, das; -s; meines Bedünkens (*veraltet für* nach meiner Ansicht)

be|dür|fen (*geh.*); mit Gen.: des Trostes bedürfen

Be|dürf|nis, das; -ses, -se; Be|dürf|nis|an|stalt (*Amtsspr.*)

be|dürf|nis|los

be|dürf|tig; *mit Gen.*: der Hilfe, des Trostes bedürftig; Be|dürf|tig|keit

be|du|seln, sich (*ugs. für* sich leicht betrinken)

Bee|fa|lo [ˈbiː:...], der; -[s], -s ⟨amerik.⟩ (Kreuzung aus Bison und Hausrind)

Beef|ea|ter [ˈbiːfliːtɐ], der; -s, -s ⟨engl.⟩ (Angehöriger der königl. Leibwache im Londoner Tower)

Beef|steak, das; -s, -s ⟨Rinds[len]den]stück); deutsches Beefsteak ↑K151; Beef|tea [...tiː], der; -s, -s (Rindfleischbrühe)

be|eh|ren (*geh.*); sich beehren

be|ei|den (mit einem Eid bekräftigen); be|ei|di|gen (*geh. für* beeiden; *österr. für* in Eid nehmen); gerichtlich beeidigter Sachverständiger

be|ei|fern, sich (*selten für* sich eifrig bemühen)

be|ei|len, sich

Be|ei|lung, die; - (*meist als Aufforderung*)

be|ein|dru|cken

be|ein|fluss|bar; Be|ein|fluss|bar|keit, die; -

be|ein|flus|sen; du beeinflusst; Be|ein|flus|sung

be|ein|spru|chen (*österr. für* Berufung einlegen)

be|ein|träch|ti|gen; Be|ein|träch|ti|gung

be|elen|den (*schweiz. für* nahegehen; betrüben); es beelendet mich

Beel|ze|bub [*auch* beˈɛ...], der; - ⟨hebr.⟩ (Herr der bösen Geister, oberster Teufel im N. T.)

be|en|den; beendet

be|en|di|gen; beendigt; Be|en|di|gung

Be|en|dung

be|en|gen; Be|engt|heit, die; - Be|en|gung

Bee|per [ˈbiː:pɐ], der; -s, - ⟨engl.⟩ (elektronisches Fernrufgerät)

be|er|ben; jmdn. beerben; Be|er|bung

be|er|den ([Pflanzen] mit Erde versehen)

be|er|di|gen; Be|er|di|gung; Be|er|di|gungs|in|s|ti|tut

Bee|re, die; -, -n

Bee|ren|aus|le|se; bee|ren|för|mig; Bee|ren|obst

Beet, das; -[e]s, -e

Bee|te *vgl.* Bete

Beet|ho|ven [...hoːfn̩], Ludwig van (dt. Komponist)

be|fä|hi|gen; ein befähigter Mensch; Be|fä|hi|gung; Be|fä|hi|gungs|nach|weis

be|fahl *vgl.* befehlen

be|fahr|bar; Be|fahr|bar|keit, die; -

¹be|fah|ren; befahrener (*Jägerspr.* bewohnter) Bau; befahrene (*Seemannsspr.* im Seedienst erfahrene) Matrosen

²be|fah|ren; eine Straße befahren

Be|fall, der; -[e]s; be|fal|len

be|fan|gen (schüchtern; voreingenommen); Be|fan|gen|heit

be|fas|sen; befasst; sich mit etwas befassen; jmdn. mit etwas befassen (*Amtsspr.*)

be|feh|den (*geh. für* bekämpfen); Be|feh|dung (*geh.*)

Be|fehl, der; -[e]s, -e

be|feh|len; du befiehlst; du befahlst; du befählest, *älter* befÖhlest; befohlen; befiehl!; be|feh|le|risch

be|feh|li|gen

Be|fehls|aus|ga|be; Be|fehls|emp|fän|ger; Be|fehls|emp|fän|ge|rin; Be|fehls|form (*für* Imperativ)

be|fehls|ge|mäß

Be|fehls|ge|walt, die; -

Be|fehls|ha|ber; Be|fehls|ha|be|rin; be|fehls|ha|be|risch

Be|fehls|not|stand; Be|fehls|satz

Be|fehls|ton, der; -[e]s; Be|fehls|ver|wei|ge|rung

be|fein|den; Be|fein|dung

be|fes|ti|gen; Be|fes|ti|gung; Be|fes|ti|gungs|an|la|ge

be|feuch|ten; Be|feuch|tung

be|feu|ern (*Seemannsspr. auch für* mit Leuchtfeuern versehen); Be|feu|e|rung

Beff|chen (Halsbinde mit zwei Leinenstreifen vorn am Halsausschnitt von Amtstrachten *bes.* evangelischer Geistlicher)

be|fie|dern; ich befiedere

be|fiehlt *vgl.* befehlen

be|fin|den; befunden; den Plan für gut befinden; sich befinden

Be|fin|den, das; -s

be|find|lich

(vorhanden)
– der im Kasten *befindliche* Schmuck; *der* sich im Kasten *befindende* Schmuck

Nicht korrekt ist dagegen:

– der *sich* im Kasten *befindliche* Schmuck

Be|find|lich|keit (seel. Zustand)

be|fin|gern (*ugs. für* betasten)

be|fi|schen; einen See befischen; Be|fi|schung

be|flag|gen; die Gebäude sind beflaggt; Be|flag|gung

be|fle|cken; Be|fle|ckung

be|fle|geln (österr. für beschimpfen)

be|flei|ßen, sich (veraltet, selten noch für sich befleißigen); du befleißt dich; ich befliss mich, du beflissest dich; beflissen (vgl. d.); befleiß[e] dich!

be|flei|ßi|gen, sich (geh.), mit Gen.: sich guter Manieren befleißigen

be|flie|gen; eine Strecke befliegen

be|flir|ten [...ˈflœr...] (ugs. für zum Flirten zu bewegen versuchen)

be|flis|sen (eifrig bemüht); um Anerkennung beflissen; Be|flis|sen|heit, die; -

be|flis|sent|lich (seltener für geflissentlich)

be|flo|cken (Textilw. Stoffe mit Mustern, Bildern o. Ä. bekleben); Be|flo|ckung, die; -

be|flü|geln (geh.)

be|flu|ten (unter Wasser setzen); Be|flu|tung

be|foh|len vgl. befehlen

be|fol|gen; Be|fol|gung

be|för|der|bar; Be|för|de|rer, Beförd|rer; Be|för|de|rin, Be|förd|re|rin

be|för|der|lich (schweiz. für beschleunigt, rasch)

be|för|dern; Be|för|de|rung

Be|för|de|rungs|be|din|gun|gen Plur.; Be|för|de|rungs|kos|ten Plur.; Be|för|de|rungs|mit|tel

Be|för|de|rungs|stau

Be|för|de|rungs|ta|rif

Be|förd|rer, Be|för|de|rer; Be|förd|re|rin, Be|för|de|rin

be|fors|ten (forstlich bewirtschaften)

be|förs|tern (Forstw. nicht staatliche Waldungen durch Forstbeamte verwalten lassen)

Be|fors|tung

be|frach|ten; Be|frach|ter; Be|frach|te|rin; Be|frach|tung

be|frackt (einen Frack tragend)

be|fra|gen; ↑K 82: auf Befragen; Be|fra|gung

be|franst

be|frei|en; sich befreien

Be|frei|er; Be|frei|e|rin; Be|frei|ung

Be|frei|ungs|be|we|gung; Be|frei|ungs|kampf; Be|frei|ungs|krieg

Be|frei|ungs|schlag (Eishockey)

be|frem|den; es befremdet [mich]; Be|frem|den, das; -s

be|frem|dend; be|fremd|lich

Be|frem|dung, die; -

be|freun|den, sich; be|freun|det

be|frie|den (Frieden bringen; geh. für einhegen); befriedet

be|frie|di|gen (zufriedenstellen); be|frie|di|gend; die befriedigends|te Lösung; vgl. ausreichend; Be|frie|di|gung

Be|frie|dung

be|fris|ten; Be|fris|tung

be|fruch|ten; Be|fruch|tung

be|fu|gen; Be|fug|nis, die; -, -se; be|fugt; befugt sein

be|füh|len

be|fum|meln (ugs. für betasten, untersuchen)

Be|fund, der; -es, -e (Feststellung); nach Befund; ohne Befund (Med.; Abk. o. B.)

be|fürch|ten; Be|fürch|tung

be|für|sor|gen (österr., bayr. Amtsspr. für betreuen)

be|für|wor|ten; Be|für|wor|ter; Be|für|wor|te|rin; Be|für|wor|tung

Beg, der; -s, -s (höherer türk. Titel); vgl. Bei

be|ga|ben (geh. für mit etw. ausstatten)

be|gabt; Be|gab|te, der u. die; -n, -n; Be|gab|ten|för|de|rung

Be|ga|bung

Be|ga|bungs|re|ser|ve

be|gaf|fen (abwertend)

Be|gäng|nis, das; -ses, -se (geh. für feierliche Bestattung)

be|gann vgl. beginnen

be|ga|sen; du begast; Be|ga|sung

be|gat|ten; Be|gat|tung

be|gau|nern (ugs. für betrügen)

be|geb|bar

¹be|ge|ben (Bankw. verkaufen, in Umlauf setzen); einen Wechsel begeben

²be|ge|ben, sich (irgendwohin gehen; sich ereignen; verzichten); er begibt sich eines Rechtes (er verzichtet darauf)

Be|ge|ben|heit

Be|ge|ber (für Girant [eines Wechsels])

Be|geb|nis, das; -ses, -se (veraltend für Begebenheit, Ereignis)

Be|ge|bung; die Begebung von Aktien

be|geg|nen; jmdm. begegnen; Be|geg|nung; Be|geg|nungs|stät|te

be|geh|bar; Be|geh|bar|keit

be|ge|hen

Be|gehr, das, auch der; -s (geh.)

be|geh|ren; Be|geh|ren, das; -s; be|geh|rens|wert

be|gehr|lich; Be|gehr|lich|keit

be|gehrt; eine begehrte Tänzerin

Be|ge|hung

be|gei|fern (auch für beschimpfen); Be|gei|fe|rung

be|geis|tern; ich begeistere; sich begeistern; be|geis|tert

Be|geis|te|rung, die; -; be|geis|te|rungs|fä|hig; Be|geis|te|rungs|sturm

be|gich|ten (Hüttenw. Erz in den Schachtofen einbringen); Be|gich|tung

Be|gier (geh.); Be|gier|de, die; -, -n; be|gie|rig

be|gie|ßen; Be|gie|ßung

Be|gi|ne, die; -, -n (niederl.) (Angehörige einer halbklösterl. Frauenvereinigung)

Be|ginn, der; -[e]s; von Beginn an; zu Beginn

be|gin|nen; du begannst; du begännest, seltener begönnest; begonnen; beginn[e]!; Be|gin|nen, das; -s (Vorhaben)

be|glän|zen (geh.)

be|glau|bi|gen; beglaubigte Abschrift; Be|glau|bi|gung; Be|glau|bi|gungs|schrei|ben

be|glei|chen; eine Rechnung begleichen; Be|glei|chung

Be|gleit|ad|res|se (Begleitschein); Be|gleit|brief

be|glei|ten (mitgehen); begleitet; Be|glei|ter; Be|glei|te|rin

Be|gleit|er|schei|nung; Be|gleit|hund; Be|gleit|mu|sik; Be|gleit|pa|pier meist Plur.; Be|gleit|per|son; Be|gleit|schein (Zollw.); Be|gleit|schrei|ben; Be|gleit|text; Be|gleit|um|stand

Be|glei|tung

Beg|ler|beg, der; -s, -s ⟨türk.⟩ (Provinzstatthalter in der alten Türkei)

be|glot|zen (ugs. für anstarren)

be|glü|cken; Be|glü|cker; Be|glü|cke|rin; Be|glü|ckung

be|glück|wün|schen; beglückwünscht; Be|glück|wün|schung

be|gna|den (geh. für eine Gnade zuteilwerden lassen); be|gna|det (hochbegabt)

be|gna|di|gen (jmdm. seine Strafe erlassen); Be|gna|di|gung; Be|gna|di|gungs|recht, das; -[e]s

be|gnü|gen, sich

Be|go|nie, die; -, -n ⟨nach dem Franzosen Michel Bégon⟩ (eine Zierpflanze)

be|gon|nen vgl. beginnen

be|gön|nern; ich begönnere

be|gö|schen (nordd. für beschwichtigen); du begöschst

begr. = begraben (Zeichen □)

be|gra|ben
Be|gräb|nis, das; -ses, -se
Be|gräb|nis|fei|er; Be|gräb|nis|fei|er|lich|keit; Be|gräb|nis|kos|ten *Plur.;* Be|gräb|nis|stät|te
be|grab|schen *vgl.* begrapschen
be|gra|di|gen ([einen ungeraden Weg od. Wasserlauf] gerade legen); Be|gra|di|gung
be|grannt (mit Grannen)
be|grap|schen, be|grab|schen (*landsch. abwertend für* betasten, anfassen)
be|greif|bar
be|grei|fen *vgl.* begriffen
be|greif|lich; be|greif|li|cher|wei|se
be|gren|zen; Be|gren|zer (*Technik* bei Erreichen eines Grenzwertes einsetzende Unterbrechervorrichtung)
be|grenzt; Be|grenzt|heit *Plur. selten;* Be|gren|zung
Be|griff, der; -[e]s, -e; im Begriff sein
be|grif|fen; diese Tierart ist im Aussterben begriffen
be|griff|lich; begriffliches Substantiv (*für* Abstraktum)
Be|griffs|be|stim|mung; Be|griffs|bil|dung; Be|griffs|form (Kategorie)
be|griffs|mä|ßig; be|griffs|stut|zig; be|griffs|stüt|zig (*österr.*)
Be|griffs|ver|wir|rung
be|grün|den; be|grün|dend
Be|grün|der; Be|grün|de|rin
be|grün|det; Be|grün|dung
Be|grün|dungs|an|ga|be (Umstandsangabe des Grundes); Be|grün|dungs|satz (Kausalsatz); Be|grün|dungs|wei|se
be|grü|nen; Be|grü|nung, die; -
be|grü|ßen (*schweiz. auch für* nach jmds. Ansicht fragen); be|grü|ßens|wert
Be|grü|ßung
Be|grü|ßungs|abend; Be|grü|ßungs|an|spra|che; Be|grü|ßungs|kuss; Be|grü|ßungs|trunk
be|gu|cken (*ugs.*)
Be|gum [*auch* ...am], die; -, -en ⟨angloind.⟩ (Titel ind. Fürstinnen)
be|güns|ti|gen; Be|güns|tig|te, der u. die; -n, -n (*Rechtsspr.*); Be|güns|ti|gung
be|gut|ach|ten; begutachtet; Be|gut|ach|ter; Be|gut|ach|te|rin; Be|gut|ach|tung
Be|gut|ach|tungs|pla|ket|te (*österr. für* TÜV-Plakette)
be|gü|tert
be|gü|ti|gen; Be|gü|ti|gung

be|haa|ren, sich; be|haart; Be|haa|rung
be|hä|big; be|hä|big|keit, die; -
be|ha|cken (*ugs. auch für* betrügen)
be|haf|ten (*schweiz.*); jmdn. auf od. bei etwas behaften (jmdn. auf etwas festlegen, beim Wort nehmen)
be|haf|tet; mit etwas behaftet sein
be|ha|gen; Be|ha|gen, das; -s
be|hag|lich; Be|hag|lich|keit
Be|hal|te|frist (*Finanzw.; österr. auch für* Zeitraum, in dem ein Kündigungsschutz gilt)
be|hal|ten
Be|häl|ter; Be|hält|nis, das; -ses, -se
be|häm|mern; be|häm|mert (*ugs. für* nicht bei Verstand)
be|han|de |↑K133
be|han|deln
be|hän|di|gen (*schweiz. Amtsspr. für* an sich nehmen)
Be|hän|dig|keit, die; - |↑K133
Be|hand|lung
Be|hand|lungs|kos|ten *Plur.;* Be|hand|lungs|me|tho|de; Be|hand|lungs|pflicht; Be|hand|lungs|raum; Be|hand|lungs|stuhl; Be|hand|lungs|wei|se
be|hand|schuht (Handschuhe tragend)
Be|hang, der; -[e]s, Behänge (*Jägerspr. auch* Schlappohren)
be|han|gen; der Baum ist mit Äpfeln behangen
be|hän|gen *vgl.* ²hängen; be|hängt; eine grün behängte Wand
be|har|ken; sich beharken (*ugs. für* bekämpfen)
be|har|ren
be|harr|lich; Be|harr|lich|keit, die; -
Be|har|rung; Be|har|rungs|be|schluss (*österr. Politik* erneuter Beschluss eines Gesetzes im Nationalrat nach einem Einspruch des Bundesrates); Be|har|rungs|ver|mö|gen
be|hau|chen; behauchte Laute (*für* Aspiraten); Be|hau|chung
be|hau|en; ich behaute den Stein
be|haup|ten; sich behaupten
be|haup|tet (*Börse fest, gleich bleibend)
Be|haup|tung; Be|haup|tungs|wil|le
be|hau|sen; Be|hau|sung
Be|ha|vio|ris|mus [bihevjə...], der; - ⟨engl.⟩ (amerik. sozialpsychologische Forschungsrichtung); be|ha|vio|ris|tisch
be|he|ben (beseitigen; *österr. auch*

für abheben, abholen, z. B. Geld von der Bank); Be|he|bung (Beseitigung; *österr. auch für* Abhebung, Abholung)
be|hei|ma|ten; be|hei|ma|tet; Be|hei|ma|tung, die; -
be|heiz|bar; be|hei|zen; Be|hei|zung, die; -
Be|helf, der; -[e]s, -e; be|hel|fen, sich; ich behelfe mich, *auch* mir
Be|helfs|heim; be|helfs|mä|ßig; Be|helfs|un|ter|kunft; be|helfs|wei|se
be|hel|li|gen (belästigen); Be|hel|li|gung
be|helmt (einen Helm tragend)
Be|he|mot[h] [*auch* 'be:...], der; -[e]s, -s ⟨hebr., »Riesentier«⟩ (im A. T. Name des Nilpferdes)
be|hen|de *alte Schreibung für* behände
Be|hen|nuss, Ben|nuss ⟨span.-dt.⟩ (ölhaltige Frucht eines afrik. Baumes)
be|her|ber|gen; Be|her|ber|gung
be|herrsch|bar; Be|herrsch|bar|keit, die; -
be|herr|schen; sich beherrschen; Be|herr|scher; Be|herr|sche|rin
be|herrscht; Be|herrsch|te, der u. die; -n, -n; Be|herrscht|heit
Be|herr|schung
be|her|zi|gen; be|her|zi|gens|wert; Be|her|zi|gung
be|herzt (entschlossen); Be|herzt|heit, die; -
be|he|xen
be|hilf|lich
Be|hind [bi'haind], das; -s ⟨engl.⟩ (*schweiz. Sportspr.* Raum hinter der Torlinie)
be|hin|dern
be|hin|dert; geistig behindert |↑K58; Be|hin|der|te, der u. die; -n, -n; die körperlich Behinderten
be|hin|der|ten|ge|recht
Be|hin|der|ten|gleich|stel|lungs|ge|setz
Be|hin|der|ten|sport; Be|hin|der|ten|sport|ler; Be|hin|der|ten|sport|le|rin
Be|hin|de|rung; Be|hin|de|rungs|fall, der; im Behinderungsfall[e]
Behm|lot ⟨nach dem dt. Physiker Behm⟩ (Echolot)
be|ho|beln
be|hor|chen (*ugs. für* abhören)
Be|hör|de, die; -, -n; Be|hör|den|ap|pa|rat; Be|hör|den|deutsch (*oft abwertend); Be|hör|den|gang (Gang zu einer Behörde,

Behördenschriftverkehr – beifallheischend

B

beif

bei|de

Man schreibt »beide« immer klein ↑K76:

– es waren die beiden dort
– beide Mal, beide Male

Beispiele zur Beugung:

– die beiden, diese beiden
– dies beides, dieses beides
– beides; alles beides; alle beide
– man bedarf aller beider
– einer von beiden; für euch beide
– wir beide, *seltener* wir beiden

– ihr beiden, *auch* ihr beide
– wir, ihr beiden jungen Leute
– sie beide (*als Anrede* Sie beide)
– unser, euer, ihrer beider
– uns, euch, ihnen beiden
– uns, euch, sie beide
– euer beider Anteilnahme
– der Gegenstand ihrer beider Interesses
– mit unser beider Hilfe
– von beider Leben ist nichts bekannt
– euch beide jungen Leute kennt hier niemand

um dort etwas zu erledigen); **Be|hör|den|schrift|ver|kehr; Be|hör|den|spra|che** (*svw.* Behördendeutsch)
Be|hör|den|ver|fah|ren (*österr. für* amtlicher Instanzenweg)
be|hörd|lich; be|hörd|li|cher|seits
be|host (*ugs. für* mit Hosen bekleidet)
Be|huf, der; -[e]s, -e (*Amtsspr. veraltend für* Zweck, Erfordernis); zum Behuf[e]; zu diesem Behuf[e]; **be|hufs** (*Amtsspr. veraltet* ↑K70); *Präp. mit Gen.:* behufs des Verfahrens
be|hum|sen, be|hump|sen (*ostmitteld. für* übervorteilen)
be|hü|ten; behüt' dich Gott!
Be|hü|ter; Be|hü|te|rin
be|hut|sam; Be|hut|sam|keit, die; -
Be|hü|tung, die; -

bei

(*Abk.* b.)

Präposition mit Dativ:

– beim (*vgl. d.*)
– bei diesem Denkmal
– bei jmdm. stehen
– bei seinen Eltern wohnen
– bei der Hand sein
– bei[m] Abgang des Sängers
– bei aller Bescheidenheit
– bei all dem Treiben
– bei all[e]dem; bei dem allen (*häufiger für* allem); bei diesem allem (*neben* allen)
– ↑K72 : bei weitem *od.* Weitem
– komm bei mich (*veraltet, noch landsch. für* komm zu mir)

Bei, Bey [bai], der; -s, *Plur.* -e *u.* -s ⟨türk., »Herr«⟩ (türk. Titel, *oft hinter Namen,* z. B. Ali-Bei); *vgl.* Beg *u.* Bai
bei... (*in Zus. mit Verben,* z. B. bei-

drehen, du drehst bei, beigedreht, beizudrehen)
bei|be|hal|ten
Bei|be|hal|tung, die; -
bei|bie|gen (*ugs. für* jmdm. etw. beibringen)
Bei|blatt
Bei|boot
bei|brin|gen; jmdm. etwas beibringen (lehren, übermitteln); eine Bescheinigung, Zeugen beibringen; jmdm. eine Wunde beibringen; **Bei|brin|gung,** die; -
Beich|te, die; -, -n; **beich|ten**
Beicht|ge|heim|nis
Beich|ti|ger (*veraltet für* Beichtvater)
Beicht|kind (der *od.* die Beichtende); **Beicht|sie|gel,** das; -s (*svw.* Beichtgeheimnis)
Beicht|stuhl; Beicht|va|ter (die Beichte hörender Priester)
beid|ar|mig (*bes. Sport* mit beiden Armen [gleich geschickt]); beidarmiges Reißen; beidarmiger Stürmer; **beid|bei|nig** (*bes. Sport*); beidbeiniger Absprung
bei|de *s.* Kasten
bei|der|lei; beiderlei Geschlecht[e]s
bei|der|sei|tig; in beiderseitigem Einverständnis
bei|der|seits; *Präp. mit Gen.:* beiderseits des Flusses
Bei|der|wand, die; - *od.* das; -[e]s (grobes Gewebe)
beid|fü|ßig (*bes. Sport* mit beiden Füßen [gleich geschickt]); beidfüßiger Stürmer
Beid|hän|der (jmd., der mit beiden Händen gleich geschickt ist); **Beid|hän|de|rin**
beid|hän|dig
bei|dre|hen (*Seemannsspr.* die Fahrt verlangsamen)
beid|sei|tig; beidseitig furniert
beid|seits (*bes. schweiz. für* zu bei-

den Seiten); beidseits des Rheins

bei|ei|n|an|der

Man schreibt »beieinander« mit dem folgenden Verb in der Regel zusammen, wenn es den gemeinsamen Hauptakzent trägt ↑K48:

– beieinanderbleiben, beieinanderhaben, beieinandersitzen, beieinanderstehen

Aber:

– es beieinander aushalten
– sich beieinander ausweinen

Mit »sein« nur getrennt:

– beieinander sein (zusammen sein)
– gut beieinander sein (gesund sein)

bei|ei|n|an|der|blei|ben; sie sind ein Leben lang beieinandergeblieben
bei|ei|n|an|der|ha|ben; wir müssten jetzt alle Unterlagen beieinanderhaben
bei|ei|n|an|der|lie|gen; da die Ortschaften eng beieinanderliegen
bei|ei|n|an|der|sit|zen; wir hatten gemütlich beieinandergesessen
bei|ei|n|an|der|ste|hen; sie vermieden es, zu nahe beieinanderzustehen
bei|ern (*landsch.* mit dem Klöppel läuten); ich beiere
beif. = beifolgend
Bei|fah|rer; Bei|fah|rer|air|bag
Bei|fah|re|rin; Bei|fah|rer|sitz
Bei|fall, der; -[e]s
bei|fal|len (*veraltet für* in den Sinn kommen)
Bei|fall hei|schend, bei|fall|hei|schend ↑K58

237

beifällig – beiseitetreten

B
beif

bei|fäl|lig
Bei|fall[s]|klat|schen, das; -s
Bei|falls|kund|ge|bung; Bei|falls-sturm
Bei|fang (*Fischerei* mitgefangene, nicht zum eigentlichen Fang gehörende Fische)
Bei|film
bei|fol|gend (*Amtsspr. veraltend für* anbei; *Abk.* beif.)
bei|fü|gen; Bei|fü|gung (*auch für* Attribut)
Bei|fuß, der; -es (eine Gewürz- u. Heilpflanze)
Bei|fut|ter (Zugabe zum gewöhnlichen Futter); bei|füt|tern
Bei|ga|be (Zugabe)
beige [beːʃ, *schweiz.* bɛːʃ] ⟨franz.⟩ (sandfarben); ein beige[farbenes], beiges Kleid; *vgl.* blau
¹Beige, das; -, *Plur.* -, *ugs.* -s
²Bei|ge, die; -, -n (*südd. u. schweiz. für* Stoß, Stapel)
bei|ge|ben (*auch für* sich fügen); klein beigeben
beige|far|ben, beige|far|big
bei|gen (*südd. u. schweiz. für* [auf]schichten, stapeln)
Bei|ge|ord|ne|te, der u. die; -n, -n
Bei|ge|schmack, der; -[e]s
bei|ge|sel|len (*geh.);* sich jmdm. beigesellen
Beig|net [bɛnˈjeː], der; -s, -s ⟨franz.⟩ (Schmalzgebackenes mit Füllung)
Bei|heft; bei|hef|ten; beigeheftet
Bei|hil|fe; Beihilfe beantragen
bei|hil|fe|fä|hig (*Amtsspr.*)
Bei|hirsch (*Jägerspr.* im Rudel mitlaufender, in der Brunft vom Platzhirsch verdrängter Hirsch)
Beijing [ˈbeɪdʒɪŋ, *auch* ...ˈdʒɪŋ] *vgl.* Peking
Bei|klang
Bei|koch, der (Hilfskoch); Bei|kö-chin
bei|kom|men; ihm ist nicht beizukommen (er ist nicht zu fassen, zu besiegen); mir ist nichts beigekommen (*geh. für* nichts eingefallen)
Bei|kost (zusätzliche Nahrung)
Beil, das; -[e]s, -e
beil. = beiliegend
bei|la|den *vgl.* ¹laden; Bei|la|dung (*auch Rechtsw.*)
Bei|la|ge
Bei|la|ger (*veraltet für* Beischlaf)
bei|läu|fig (*bayr., österr. auch für* ungefähr, etwa)
Bei|läu|fig|keit
bei|le|gen; Bei|le|gung

bei|lei|be; beileibe nicht (auf keinen Fall)
Bei|leid
Bei|leids|be|zei|gung, Bei|leids|be-zeu|gung; Bei|leids|kar|te; Bei-leids|schrei|ben
bei|lie|gen; bei|lie|gend (*Abk.* beil.); Bei|lie|gen|de, das; -n
Beiln|gries (Stadt in Oberbayern)
beim ↑K14 : bei dem; *Abk.* b.; ↑K72 : alles beim Alten lassen; ↑K82 : beim Singen und Spielen
bei|men|gen; Bei|men|gung
bei|mes|sen; Bei|mes|sung
bei|mi|schen; Bei|mi|schung
be|imp|fen
Bein, das; -[e]s, -e
Bein|ab|stand (gegenüber dem Vordersitz)
bei|nah [*auch* ...ˈnaː], bei|na|he [*auch* ...ˈnaːə]
Bei|na|he|zu|sam|men|stoß (bes. bei Flugzeugen)
Bei|na|me
bein|am|pu|tiert; Bein|am|pu|tier-te, der u. die
Bein|ar|beit (Sport)
Bein|brech, der; -[e]s (Liliengewächs)
Bein|bruch, der
bei|nern (aus Knochen)
Bein|fleisch (*österr. für* bes. für Suppen verwendetes Rindfleisch)
Bein|frei|heit, die; - (Raum gegenüber dem Vordersitz)
be|in|hal|ten¹ (enthalten, bedeuten); es beinhaltet; beinhaltet
bein|hart (*ugs. für* sehr hart)
Bein|haus (Aufbewahrungsort für ausgegrabene Gebeine auf Friedhöfen)
...bei|nig (z. B. hochbeinig)
Bein|kleid (*veraltet für* Hose)
Bein|ling (Strumpfoberteil; *auch* Hosenbein)
Bein|pro|the|se; Bein|ring
Bein|sche|re (Sport); Bein|schlag (Sport); Bein|stumpf
bein|ver|sehrt
Bein|well, der; -s (eine Heilpflanze)
Bein|zeug (Beinschutz der Ritterrüstung)
bei|ord|nen; bei|ord|nend (*für* koordinierend); Bei|ord|nung
Bei|pack, der; -[e]s (zusätzliches Frachtgut; *Fernmeldetechnik* um den Mittelleiter liegende Leitungen bei Breitbandkabeln)
bei|pa|cken; beigepackt
Bei|pack|zet|tel (einer Ware beiliegender Zettel mit Angaben zur

Zusammensetzung und Verwendung)
bei|pflich|ten
Bei|pro|gramm (Film)
Bei|rat *Plur.* ...räte
Bei|ried, das; -[e]s u. die; - (*österr. für* Rippen-, Rumpfstück)
be|ir|ren; sich nicht beirren lassen
Bei|rut [*auch* ˈbeː...] (Hauptstadt Libanons); Bei|ru|ter
bei|sam|men; beisammen sein (einer bei dem andern sein; *auch für* in guter körperlicher u. geistiger Verfassung sein); wir sind lange beisammen gewesen; die damals noch alle beisammen gewesen *od.* beisammengewesenen Familienmitglieder
bei|sam|men|blei|ben; bei|sam-men|ha|ben
Bei|sam|men|sein, das; -s
bei|sam|men|sit|zen ↑K48 ; bei|sam-men|ste|hen ↑K48
Bei|sas|se, der; -n, -n (Einwohner ohne Bürgerrecht im MA., Häusler)
Bei|satz (*für* Apposition)
bei|schie|ßen (einen [Geld]beitrag leisten)
Bei|schlaf (*geh., Rechtsw.* Geschlechtsverkehr); bei|schla-fen
Bei|schlä|fer; Bei|schlä|fe|rin
Bei|schlag, der; -[e]s, Beischläge (*Archit.* erhöhter Vorbau an Häusern)
bei|schla|gen (*Jägerspr.* in das Bellen eines anderen Hundes einstimmen)
bei|schlie|ßen (*österr. für* beigeben, beilegen)
Bei|schluss (*österr. für* das Beigeschlossene; Anlage); unter Beischluss von ...
Bei|se|gel (zusätzliches Segel)
Bei|sein, das; -s; in ihrem Beisein
bei|sei|te; etwas beiseite abstellen; Spaß beiseite! (*ugs.*)
bei|sei|te|las|sen (unerwähnt lassen)
bei|sei|te|le|gen (weglegen; sparen)
bei|sei|te|schaf|fen (beseitigen)
Bei|sei|te|schaf|fung, die; -
bei|sei|te|schie|ben
bei|sei|te|set|zen (hintansetzen); Bei|sei|te|set|zung
bei|sei|te|tre|ten (zur Seite treten)

¹ Die Trennung zwischen n und h sollte vermieden werden ↑K168 .

238

be|kannt

Getrennt- und Zusammenschreibung:

– bekannt sein; sie ist mit ihm gut bekannt gewesen; alle uns damals bekannt gewesenen *od.* bekanntgewesene Umstände
– bekannt geben *od.* bekanntgeben; die Verfügung wurde bekannt gegeben *od.* bekanntgegeben
– bekannt machen *od.* bekanntmachen; er soll mich mit ihm bekannt machen *od.* bekanntmachen; sich mit einer Sache bekannt machen *od.* bekanntmachen; das Gesetz wurde bekannt gemacht *od.* bekanntgemacht (veröffentlicht)

– bekannt werden *od.* bekanntwerden; ich bin bald mit ihm bekannt geworden *od.* bekanntgeworden; der Wortlaut ist bekannt geworden *od.* bekanntgeworden

Großschreibung der Substantivierung ↑K72:

– jemand Bekanntes
– etwas Bekanntes
– nach [dem] Bekanntwerden der Entscheidung

---

bei|seits (*südwestd. für* beiseite)
Bei|sel, das; -s, -[n] (*bayr. ugs., österr. für* Kneipe)
bei|set|zen; **Bei|set|zung**
Bei|sit|zer; Bei|sit|ze|rin
Bei|spiel, das; -[e]s, -e; zum Beispiel (*Abk.* z. B.)
bei|spiel|ge|bend; bei|spiel|haft; bei|spiel|los
Bei|spiel|satz; Bei|spiels|fall, der
bei|spiels|hal|ber; bei|spiels|wei|se; (*Abk.* bspw.)
bei|sprin|gen (*geh. für* helfen)
Bei|ßel, der; -s, - (*mitteld. für* Beitel, Meißel)
bei|ßen; du beißt; ich biss, du bissest; gebissen; beiß[e]; der Hund beißt ihn (*auch* ihm) ins Bein; sich beißen ([von Farben] nicht harmonieren)
Bei|ßer; Bei|ße|rei; Bei|ße|rin
Beiß|korb; Beiß|ring
beiß|wü|tig
Beiß|zan|ge
Bei|stand, der; -[e]s, Beistände (*österr. auch für* Trauzeuge)
Bei|stand|schaft (*Rechtsspr.*)
Bei|stands|pakt
bei|ste|hen
bei|stel|len (*österr. für* [zusätzlich] zur Verfügung stellen)
Bei|stell|mö|bel; Bei|stell|tisch
Bei|stel|lung
bei|steu|ern, die (*bes. südd.*); **bei|steu|ern**
bei|stim|men
Bei|strich (*bes. österr. für* Komma)
Bei|tel, der; -s, - (meißelartiges Werkzeug)
Bei|trag, der; -[e]s, ...träge
bei|tra|gen; er hat das Seine *od.* seine, sie hat das Ihre *od.* ihre dazu beigetragen
Bei|trä|ger; Bei|trä|ge|rin
Bei|trags|be|mes|sungs|gren|ze (*Sozialversicherung*); bei|trags|fi|nan|ziert; **Bei|trags|klas|se; Bei|trags|rück|er|stat|tung; Bei|trags-**

satz; **Bei|trags|zah|ler; Bei|trags|zah|le|rin; Bei|trags|zah|lung**
bei|trei|ben (*Rechtsspr.*); Schulden beitreiben (eintreiben); **Bei|trei|bung**
bei|tre|ten
Bei|tritt; Bei|tritts|er|klä|rung; Bei|tritts|land (*Politik*); **Bei|tritts|ver|hand|lung** *meist Plur.*
Bei|wa|gen; Bei|wa|gen|fah|rer; Bei|wa|gen|fah|re|rin
Bei|werk, das; -[e]s ([schmückende] Zutat; Unwichtiges)
bei|woh|nen (*geh.*); einem Staatsakt beiwohnen; einer Frau beiwohnen (Geschlechtsverkehr mit einer Frau haben); **Bei|woh|nung**
Bei|wort, das; -[e]s, Beiwörter (*für* Adjektiv)
Beiz, die; -, -en (*schweiz. mdal. für* Schenke, Wirtshaus)
Bei|zäu|mung (*Reiten*)
¹**Bei|ze,** die; -, -n (chem. Flüssigkeit zum Färben, Gerben u. Ä.)
²**Bei|ze,** die; -, -n (Beizjagd)
³**Bei|ze,** die; -, -n (*landsch. für* Wirtshaus)
bei|zei|ten ↑K63
bei|zen; du beizt
Bei|zer (*landsch. u. schweiz. für* Besitzer einer Beiz, ³Beize); **Bei|ze|rin**
bei|zie|hen (*bes. südd., österr., schweiz. für* hinzuziehen); **Bei|zie|hung,** die; -
Beiz|jagd
Bei|zung (Behandlung mit ¹Beize)
Beiz|vo|gel (für die Jagd abgerichteter Falke)
be|ja|gen (*Jägerspr.*); **Be|ja|gung**
be|ja|hen
be|jahrt (*geh.*)
Be|ja|hung
be|jam|mern; be|jam|merns|wert
be|ju|beln
be|ka|keln (*nordd. ugs. für* gemeinsam besprechen)

be|kämp|fen; **Be|kämp|fung**
be|kannt *s. Kasten*
Be|kann|te, der u. die; -n, -n; liebe Bekannte; **Be|kann|ten|kreis**
be|kann|ter|ma|ßen
be|kann|ter|wei|se (bekanntlich); *aber* in bekannter Weise
Be|kannt|ga|be, die; -
be|kannt ge|ben, be|kannt|ge|ben *vgl.* bekannt
Be|kannt|heit, die; -; **Be|kannt|heits|grad,** der; -[e]s
be|kannt|lich
be|kannt ma|chen, be|kannt|ma|chen *vgl.* bekannt; **Be|kannt|ma|chung**
Be|kannt|schaft
be|kannt wer|den, be|kannt|wer|den *vgl.* bekannt
be|kan|ten (mit Kanten versehen); **Be|kan|tung,** die; -
Be|kas|si|ne, die; -, -n ‹franz.› (Sumpfschnepfe)
be|kau|fen, sich (*landsch. für* zu teuer, unüberlegt einkaufen)
be|keh|ren; sich bekehren; **Be|keh|rer; Be|keh|re|rin**
Be|kehr|te, der u. die; -n, -n
Be|keh|rung
be|ken|nen; sich bekennen; Bekennende Kirche (Name einer Bewegung in den dt. ev. Kirchen); ↑K150
Be|ken|ner|brief; Be|ken|ner|schrei|ben (Schreiben, in dem sich jmd. zu einem [politischen] Verbrechen bekennt)
Be|kennt|nis, das; ...nisses, ...nisse
Be|kennt|nis|buch; Be|kennt|nis|frei|heit, die; -; **Be|kennt|nis|kir|che** (Bekennende Kirche)
be|kennt|nis|mä|ßig
Be|kennt|nis|schu|le (Schule mit Unterricht im Geiste eines religiösen Bekenntnisses)
be|kie|ken (*landsch. für* betrachten)
be|kiest; bekieste Wege

bekifft – belichten

be|kifft (*ugs. für* im Drogenrausch)

be|kla|gen; sich beklagen; be|kla|gens|wert

Be|klag|te, der *u.* die; -n, -n (*Rechtsw.* jmd., gegen den eine [Zivil]klage erhoben wird)

be|klat|schen

be|klau|en (*ugs. für* bestehlen)

be|kle|ben; Be|kle|bung

be|kle|ckern (*ugs. für* beklecksen); sich beklecksen; be|kleck|sen; beklecksst

be|klei|den; ein Amt bekleiden

Be|klei|dung; Be|klei|dungs|in|dust|rie

be|klem|men; be|klem|mend; Beklemm|nis, die; -, -se; Be|klem|mung

be|klom|men (ängstlich, bedrückt); Be|klom|men|heit, die; -

be|klop|fen

be|kloppt (*ugs. für* dumm; unerfreulich)

be|knab|bern

be|knackt (*ugs. für* dumm; unerfreulich)

be|knien; jmdn. beknien (*ugs. für* jmdn. dringend bitten)

be|ko|chen; jmdn. bekochen (*ugs. für* für jmdn. kochen)

be|köl|dern (*Angeln* mit einem Köder versehen)

be|koh|len (*fachspr. für* mit Kohlen versorgen); Be|koh|lung

be|kom|men; ich habe es bekommen; es ist mir gut bekommen

be|kömm|lich; ein leicht bekömmliches *od.* leichtbekömmliches Essen; *aber nur* ein leichter bekömmliches, ein besonders leicht bekömmliches Essen; Bekömm|lich|keit, die; -

be|kös|ti|gen; Be|kös|ti|gung

be|kot|zen (derb)

be|kräf|ti|gen; Be|kräf|ti|gung

be|krallt (mit Krallen versehen)

be|krän|zen; Be|krän|zung

be|kreu|zen (mit dem Kreuzzeichen segnen); bekreuzt; be|kreuzi|gen, sich

be|krie|chen

be|krie|gen

be|krit|teln (*abwertend für* bemängeln, [kleinlich] tadeln); Be|krit|te|lung, Be|kritt|lung

be|krit|zeln; Wände bekritzeln

be|krö|nen; Be|krö|nung

be|ku|cken (*nordd. für* begucken)

be|küm|mern; das bekümmert ihn; sich um jmdn. *od.* etwas bekümmern; Be|küm|mer|nis, die; -, -se (geh.); be|küm|mert; Be|kümmert|heit, die; -; Be|küm|merung, die; -

be|kun|den (geh.); sich bekunden; Be|kun|dung

Bel, das; -s, - ⟨nach dem amerik. Physiologen A. G. Bell⟩ (eine physikal. Zählungseinheit; *Zeichen* B)

Bé|la (m. Vorn.)

be|lä|cheln

be|la|chen

be|la|den vgl. ¹laden; Be|la|dung

Be|lag, der; -[e]s, ...läge

Be|la|ge|rer; Be|la|ge|rin

be|la|gern

Be|la|ge|rung; Be|la|ge|rungs|ring; Be|la|ge|rungs|zu|stand

Be|la|mi, der; -[s], -s ⟨franz.⟩ (Frauenliebling)

be|läm|mern (*nordd. für* [mit dauernden Bitten] belästigen); ich belämmere ihn; be|läm|mert (*ugs. für* betreten, eingeschüchtert; übel)

Be|lang, der; -[e]s, -e; von Belang sein

be|lan|gen; jmdn. belangen (zur Rechenschaft ziehen; verklagen)

be|lang|los; Be|lang|lo|sig|keit

be|lang|reich

Be|lang|sen|dung (österr. für Sendung einer Interessenvertretung in Funk u. Fernsehen)

Be|lang|ung; be|lang|voll

Be|la|rus (österr. Name für Weißrussland, auch in Deutschland im internationalen Verkehr zu benutzen); Be|la|rus|se; Be|la|russin; be|la|rus|sisch

be|las|sen; Be|las|sung, die; -

be|last|bar; Be|last|bar|keit

be|las|ten; be|las|tend

be|läs|ti|gen; Be|läs|ti|gung

Be|las|tung

Be|las|tungs-EKG (Med.)

Be|las|tungs|gren|ze; Be|las|tungsma|te|ri|al; Be|las|tungs|pro|be

Be|las|tungs|zeu|ge; Be|las|tungszeu|gin

be|lat|schern (*ugs. für* bereden, überreden)

be|lau|ben, sich; Be|lau|bung

be|lau|ern; Be|lau|e|rung

¹Be|lauf, der; -[e]s (veraltet für Betrag; Höhe [der Kosten])

²Be|lauf (Forstbezirk)

be|lau|fen; sich belaufen; die Kosten haben sich auf ... belaufen

be|lau|schen

Bel|can|to vgl. Belkanto

Bel|chen, der; -s (Erhebung im südl. Schwarzwald); ↑K140:

Großer Belchen, Elsässer Belchen (Erhebung in den Vogesen)

be|le|ben

be|lebt; Be|lebt|heit

Be|le|bung

be|le|cken

Be|leg, der; -[e]s, -e

Be|leg|arzt; Be|leg|ärz|tin

be|leg|bar; be|le|gen

Be|leg|ex|em|p|lar

Be|leg|schaft; Be|leg|schafts|ak|tie; Be|leg|schafts|stär|ke

Be|leg|sta|ti|on (im Krankenhaus); Be|leg|stück

be|legt

Be|le|gung Plur. selten; Be|legungs|dich|te

be|leh|nen (früher in ein Lehen einsetzen; schweiz. für beleihen); Be|leh|nung

be|lehr|bar; be|leh|ren; ↑K77: eines and[e]ren *od.* andern belehren, aber ↑K72: eines Besser[e]n *od.* Bessren belehren; Be|leh|rung

be|leibt; Be|leibt|heit, die; -

be|lei|di|gen; Be|lei|di|ger; Be|leidi|ge|rin; be|lei|digt

Be|lei|di|gung; Be|lei|di|gungs|klage; Be|lei|di|gungs|pro|zess

be|leih|bar; be|lei|hen; Be|leihung

be|lem|mern, be|lem|mert; *alte Schreibungen für* belämmern, belämmert

Be|lem|nit, der; -en, -en ⟨griech.⟩ (Geol. fossiler Schalenteil von Tintenfischen)

be|le|sen; Be|le|sen|heit, die; -

Bel|es|p|rit [bɛlɛs'pri:], der; -s, -s ⟨franz.⟩ (veraltet, noch spöttisch für Schöngeist)

Bel|eta|ge [bɛ...ʒə], die; -, -n (veraltet für Hauptgeschoss, erster Stock)

be|leuch|ten; Be|leuch|ter; Beleuch|te|rin

Be|leuch|tung; Be|leuch|tungs|an|lage; Be|leuch|tungs|ef|fekt; Beleuch|tungs|tech|nik

be|leum|det, be|leu|mun|det; sie ist gut, übel beleumdet

Bel|fast [od. 'bɛ...] (Hauptstadt von Nordirland)

bel|fern (*ugs. für* bellen; keifend schimpfen); ich belfere

Bel|gi|en; Bel|gi|er; Bel|gi|e|rin; belgisch

Bel|grad (Hauptstadt Jugoslawiens und Serbiens); vgl. Beograd

Be|li|al, ökum. Be|li|ar, der; -[s] ⟨hebr.⟩ (Teufel im N. T.)

be|lich|ten

Be|lich|tung; Be|lich|tungs|mes|ser, der; Be|lich|tungs|zeit

be|lie|ben (geh. für wünschen); es beliebt (gefällt) mir (oft iron.); Be|lie|ben, das; -s; nach Belieben; es steht in ihrem Belieben

be|lie|big

– x-beliebig ↑K29

Kleinschreibung:

– ein beliebiges Beispiel; eine beliebig große Zahl; etwas beliebig verändern

Großschreibung ↑K72:

– etwas Beliebiges; ein Beliebiger; jeder Beliebige; alle Beliebigen; alles Beliebige

be|liebt; Be|liebt|heit, die; -; Be|liebt|heits|ska|la

be|lie|fern; Be|lie|fe|rung, die; -

Be|lin|da (w. Vorn.)

Be|lize [...'liːs] (Staat in Mittelamerika); Be|li|zer [...zɐ]; Be|li|ze|rin [...zərɪn]; be|li|zisch

Bel|kan|to, Bel|can|to, der; -s ⟨ital.⟩ (ital. Gesangsstil)

Bel|la (w. Vorn.)

Bel|la|don|na, die; -, ...nnen ⟨ital.⟩ (Tollkirsche)

Belle-Al|li|ance [bɛlaˈljãːs]; die Schlacht bei Belle-Alliance (Waterloo)

Belle Épo|que [ˈbɛl eˈpɔk], die; - - ⟨franz.⟩ (Zeit des gesteigerten Lebensgefühls in Frankreich zu Beginn des 20. Jh.s)

bel|len; Bel|ler

Bel|le|t|rist, der; -en, -en ⟨franz.⟩ (Unterhaltungsschriftsteller); Bel|le|t|ris|tik, die; - (Unterhaltungsliteratur); bel|le|t|ris|tin; bel|le|t|ris|tisch

¹Belle|vue [bɛlˈvyː], die; -, -n [...ˈvyːən] ⟨franz.⟩ (veraltet für Aussichtspunkt)

²Belle|vue, das; -[s], -s (Bez. für Schloss, Gaststätte mit schöner Aussicht)

Bel|li|ni (ital. Malerfamilie; ital. Komponist)

Bel|lin|zo|na (Hauptstadt des Kantons Tessin)

Bel|li|zis|mus, der; - ⟨lat.⟩ (Befürwortung des Krieges); Bel|li|zist, der; -en, -en; Bel|li|zis|tin; bel|li|zis|tisch

Bel|lo (ein Hundename)

Bel|lo|na (röm. Kriegsgöttin)

Bel|mo|pan (Hauptstadt von Belize)

be|lo|ben (veraltet für belobigen); be|lo|bi|gen

Be|lo|bi|gung

Be|lo|bi|gungs|schrei|ben

Be|lo|bung (veraltet)

be|loh|nen; Be|loh|nung

be|lo|rus|sisch vgl. belarussisch

Bel Pa|e|se®, der; - -, Bel|pa|e|se, der; - (ein ital. Weichkäse)

Bel|sa|zar, Bel|schaz|zar (babylon. Kronprinz, nach dem A. T. letzter König von Babylon)

Belt, der; -[e]s, -e (Meerenge); der Große Belt, der Kleine Belt ↑K140

be|lüf|ten; Be|lüf|tung, die; -

¹Be|lu|ga, die; -, -s ⟨russ.⟩ (Hausen [vgl. d.]; Weißwal)

²Be|lu|ga, der; -s (der aus dem Rogen des Hausens bereitete Kaviar)

be|lü|gen

be|lus|ti|gen; sich belustigen; Be|lus|ti|gung

Be|lut|sche [auch ...'lʊ...], der; -n, -n (Angehöriger eines asiat. Volkes); Be|lut|schin; be|lut|schisch; Be|lut|schi|s|tan (westpakistan. Hochland)

Bel|ve|de|re, das; -[s], -s ⟨ital., »schöne Aussicht«⟩ (Aussichtspunkt; Bez. für Schloss, Gaststätte mit schöner Aussicht)

¹bel|zen (landsch. für sich vor der Arbeit drücken); vgl. ¹pelzen

²bel|zen (landsch. für ²pelzen)

Belz|ni|ckel, der; -s, - (westmitteld. für Nikolaus)

Bem. = Bemerkung

be|ma|chen (ugs. für besudeln; betrügen); sich bemachen (ugs. auch für sich aufregen)

be|mäch|ti|gen, sich; sich des Geldes bemächtigen; Be|mäch|ti|gung, die; -

be|mä|keln (ugs. für bemängeln, bekritteln); Be|mä|ke|lung, Be|mäk|lung

be|ma|len; Be|ma|lung

be|män|geln; ich bemäng[e]le; Be|män|ge|lung, seltener Be|mäng|lung

be|man|nen; ein Schiff bemannen; be|mannt; die bemannte Raumfahrt; Be|man|nung

be|män|teln (beschönigen); ich bemänt[e]le; Be|män|te|lung, seltener Be|mänt|lung

be|ma|ßen (fachspr. für mit Maßen versehen); Be|ma|ßung

be|mas|ten (mit einem Mast versehen); Be|mas|tung

be|mau|sen (ugs. für bestehlen)

be|mau|ten (mit einer Maut belegen); Be|mau|tung

Bem|bel, der; -s, - (landsch. für [Apfelwein]krug; kleine Glocke)

be|meh|len; Be|meh|lung

be|mei|ern (ugs. für überlisten); ich bemeiere

be|meis|tern (geh.); seinen Zorn bemeistern

be|merk|bar; sich bemerkbar machen

be|mer|ken; Be|mer|ken, das; -s; mit dem Bemerken

be|mer|kens|wert; be|mer|kens|wer|ter|wei|se; aber in bemerkenswerter Weise

Be|mer|kung (Abk. Bem.)

be|mes|sen; sich bemessen; die Steuern bemessen sich nach dem Einkommen; Be|mes|sung; Be|mes|sungs|gren|ze (Versicherungsw.)

be|mit|lei|den; Be|mit|lei|dung

be|mit|telt (wohlhabend)

Bemm|chen (ostmitteld.); Bem|me, die; -, -n ⟨slaw.⟩ (ostmitteld. für Brotschnitte mit Belag)

be|mo|geln (ugs. für betrügen)

be|moost

be|mü|hen; sich bemühen; er ist um sie bemüht

be|mü|hend (schweiz. für unerfreulich, peinlich)

be|müht (angestrengt, eifrig)

Be|mü|hung

be|mü|ßi|gen (geh. für sich einer Sache bedienen); be|mü|ßigt; ich sehe mich bemüßigt (geh. für veranlasst, genötigt)

be|mus|tern (Kaufmannsspr. mit Warenmustern versehen); Be|mus|te|rung

be|mut|tern; ich bemuttere; Be|mut|te|rung

be|mützt

Ben (bei hebr. u. arab. Eigennamen Sohn od. Enkel)

be|nach|bart

be|nach|rangt (österr. Verkehrsw. nicht vorfahrtberechtigt)

be|nach|rich|ti|gen; Be|nach|rich|ti|gung

be|nach|tei|li|gen; Be|nach|tei|li|gung

be|na|geln (mit Nägeln versehen); Be|na|ge|lung

be|na|gen

be|nam|sen (ugs. u. scherzh. für benennen); du benamst

be|nannt

B

be|narbt (mit Narben bedeckt)
Be|na|res (*früherer Name für* Varanasi)
be|näs|sen (*geh.*)
Bench|mark ['bɛntʃmark], die; -, -s u. der; -s, -s ⟨engl.⟩ (*Wirtsch.* Maßstab für Leistungsvergleich); Bench|mar|king, das; -s (*Wirtsch.* das Vergleichen von Herstellungsprozessen, Managementpraktiken sowie Produkten oder Dienstleistungen)
Ben|del *alte Schreibung für* Bändel
Ben|dix (m. Vorn.)
be|ne ⟨lat.⟩ (gut)
be|ne|beln (verwirren, den Verstand trüben)
be|ne|belt (*ugs. für* [durch Alkohol] geistig verwirrt)
Be|ne|be|lung, *seltener* Be|neb|lung
be|ne|dei|en ⟨lat.⟩ (segnen; seligpreisen); du benedeist; du benedeitest; gebenedeit (*auch* benedeit); die Gebenedeite (*vgl. d.*)
Be|ne|dic|tus, das; -, - ⟨lat.⟩ (Teil der lat. Liturgie)
Be|ne|dikt, Be|ne|dik|tus (m. Vorn.); Papst Benedikt XVI.; die Botschaft [Papst] Benedikts XVI.; Be|ne|dik|ta (w. Vorn.)
Be|ne|dikt|beu|ern (Ort u. Kloster in Bayern)
Be|ne|dik|ten|kraut, das; -[e]s (eine Heilpflanze)
Be|ne|dik|ti|ner (Mönch des Benediktinerordens; *auch* Likörsorte); Be|ne|dik|ti|ne|rin; Be|ne|dik|ti|ner|or|den, der; -s (*Abk.* OSB; *vgl. d.*)
Be|ne|dik|ti|on, die; -, -en (Segnung, kath. kirchl. Weihe)
Be|ne|dik|tus *vgl.* Benedikt
be|ne|di|zie|ren (segnen, weihen)
Be|ne|fiz, das; -es, -e ⟨lat.⟩ (Wohltätigkeitsveranstaltung)
Be|ne|fi|zi|ar, der; -s, -e u. Be|ne|fi|zi|at, der; -en, -en (Inhaber eines [kirchl.] Benefiziums)
Be|ne|fi|zi|um, das; -s, ...ien (Pfründe; mittelalterl. Lehen)
Be|ne|fiz|kon|zert; Be|ne|fiz|spiel; Be|ne|fiz|vor|stel|lung
be|neh|men, sich; *vgl.* benommen; Be|neh|men, das; -s; sich mit jmdm. ins Benehmen setzen
be|nei|den; be|nei|dens|wert
Be|ne|lux [*auch* ...'lʊ...] (*Kurzw. für* die seit 1947 in einer Zollunion zusammengefassten Länder Belgique [Belgien], Nederland [Niederlande] u. Luxembourg [Luxemburg])

Be|ne|lux|staa|ten, Be|ne|lux-Staaten *Plur.*
be|nen|nen; Be|nen|nung
be|net|zen (*geh.*); Be|net|zung
B. Eng. = Bachelor of Engineering; *vgl.* Bachelor
Ben|ga|le, der; -n, -n (Einwohner von Bengalen); Ben|ga|len (vorderindische Landschaft)
Ben|ga|li, das; -[s] (Sprache)
Ben|ga|lin; ben|ga|lisch; ↑K89: bengalisches Feuer (Buntfeuer)
Ben|gel, der; -s, *Plur.* -, *ugs.* -s ([ungezogener] Junge; *veraltet für* Stock, Prügelholz)
be|nie|sen; etwas beniesen
Be|nimm, der; -s (*ugs. für* Betragen, Verhalten)
Be|nimm|re|gel *meist Plur.*
Be|nin (Staat in Afrika, *früher* Dahome[y]); Be|ni|ner (Einwohner von Benin); Be|ni|ne|rin; be|ni|nisch
Be|ni|to (m. Vorn.)
[1]Ben|ja|min (m. Vorn.)
[2]Ben|ja|min, der; -s, -e (Jüngster in einer Gruppe)
Benn (dt. Dichter)
Ben|ne, die; -, -n ⟨lat.⟩ (*schweiz. mdal. für* Schubkarren)
Ben|no (m. Vorn.)
Ben|nuss *vgl.* Behennuss
be|nom|men (fast betäubt); Be|nom|men|heit, die; -
be|no|ten
be|nö|ti|gen
Be|no|tung
Ben|thal, das; -s ⟨griech.⟩ (*Biol.* Bodenregion eines Gewässers)
Ben|thos, das; - (in der Bodenregion eines Gewässers lebende Tier- und Pflanzenwelt)
be|num|mern; Be|num|me|rung
be|nutz|bar, be|nütz|bar[1]
Be|nutz|bar|keit, Be|nütz|bar|keit[1], die; -
be|nut|zen, be|nüt|zen[1]
Be|nut|zer, Be|nüt|zer[1]
be|nut|zer|freund|lich, be|nüt|zer|freund|lich[1]
Be|nut|ze|rin, Be|nüt|ze|rin[1]
Be|nut|zer|kreis, Be|nüt|zer|kreis[1]
Be|nut|zer|na|me, Be|nüt|zer|na|me[1] (*bes. EDV*)
Be|nut|zer|ober|flä|che, Be|nüt|zer|ober|flä|che (*EDV* auf einem Computerbildschirm sichtbare Darstellung eines Programms)
Be|nut|zung, Be|nüt|zung[1]
Be|nut|zungs|ge|bühr, Be|nüt|zungs|ge|bühr[1]
Ben|ve|nu|ta (w. Vorn.); Ben|ve|nu|to (m. Vorn.)

Benz (dt. Ingenieur)
ben|zen (*österr. ugs. für* betteln, bitten; ständig ermahnen)
Ben|zin, das; -s, -e ⟨arab.⟩
ben|zin|be|trie|ben
Ben|zi|ner (*ugs. für* Auto mit Benzinmotor); Ben|zin|hahn; Ben|zin|ka|nis|ter; Ben|zin|kutsche (*ugs. scherzh. für* Auto); Ben|zin|mo|tor; Ben|zin|preis; Ben|zin|preis|er|hö|hung; Ben|zin|tank; Ben|zin|uhr; Ben|zin|ver|brauch
Ben|zo|di|a|ze|pin, das; -s, -e (*Med.* ein Tranquilizer)
Ben|zoe [...oe], die; - (ein duftendes ostind. Harz); Ben|zo|e|harz
Ben|zoe|säu|re (ein Konservierungsmittel)
Ben|zol, das; -s, -e (Teerdestillat aus Steinkohle; Lösungsmittel)
Benz|py|ren, das; -s (*Chemie* ein als Krebs erzeugend geltender Kohlenwasserstoff)
Ben|zyl, das; -s (*Chemie* Atomgruppe in zahlreichen chem. Verbindungen); Ben|zyl|al|ko|hol (*Chemie* aromat. Alkohol; Grundstoff für Parfüme)
Beo, der; -s, -s ⟨indones.⟩ (Singvogel aus Indien)
be|ob|ach|ten; Be|ob|ach|ter; Be|ob|ach|te|rin; Be|ob|ach|ter|sta|tus (*Völkerrecht*)
Be|ob|ach|tung; Be|ob|ach|tungs|ga|be; Be|ob|ach|tungs|sta|ti|on
Be|o|grad [*auch* be'ɔ...] (*serbischer Name für* Belgrad)
be|ölen, sich (*Jugendspr.* sich sehr amüsieren)
be|or|dern; ich beordere
be|pa|cken
be|pelzt
be|pfan|den (für etwas Pfand erheben)
be|pflan|zen; Be|pflan|zung
be|pflas|tern; Be|pflas|te|rung
be|pin|keln (*ugs.*)
be|pin|seln; Be|pin|se|lung
be|pis|sen (*derb*)
be|plan|ken (mit Planken versehen); Be|plan|kung
be|prei|sen (*Wirtsch.* einen Preis festsetzen); Be|prei|sung
be|pu|dern; Be|pu|de|rung
be|quas|seln (*ugs. für* bereden)
be|quat|schen (*ugs. für* bereden)
be|quem; be|que|men, sich
be|quem|lich (*veraltet für* bequem)
Be|quem|lich|keit

---

[1] *Südd., österr. u. schweiz. meist so.*

be|ran|ken; Be|ran|kung
Be|rapp, der; -[e]s (*Bauw.* rauer Verputz)
be|rap|peln, sich (*ugs. für* sich aufraffen)
¹be|rap|pen ⟨*zu* Berapp⟩
²be|rap|pen (*ugs. für* bezahlen)
be|ra|ten; beratende Ingenieurin
Be|ra|ter; Be|ra|te|rin
Be|ra|ter|ver|trag (*Wirtsch.*)
be|rat|schla|gen; du beratschlagtest; beratschlagt; Be|rat|schla|gung
Be|ra|tung
Be|ra|tungs|aus|schuss; Be|ra|tungs|be|schei|ni|gung; Be|ra|tungs|ge|spräch; Be|ra|tungs|schein; Be|ra|tungs|stel|le; Be|ra|tungs|ver|trag (*Wirtsch.*)
be|rau|ben; Be|rau|bung
be|rau|schen; sich berauschen
be|rau|schend; be|rauscht
Be|rausch|theit, die; -; Be|rau|schung, die; -
Ber|ber, der; -s, - (Angehöriger einer Völkergruppe in Nordafrika; Berberteppich; *auch für* Nichtsesshafter)
Ber|be|rei, die; - (alter Name für die Küstenländer im westl. Nordafrika); Ber|be|rin; ber|be|risch
Ber|be|rit|ze, die; -, -n ⟨lat.⟩ (Sauerdorn, ein Zierstrauch)
Ber|ber|pferd; Ber|ber|tep|pich
Ber|ceu|se [...'sø:...], die; -, -n ⟨franz.⟩ (*Musik* Wiegenlied)
Berch|tes|ga|den (Luftkurort in Oberbayern); Berch|tes|ga|de|ner; Berchtesgadener Alpen
Berch|told (m. Vorn.)
Berch|tolds|tag (2. Januar; in der Schweiz vielerorts Feiertag)
be|re|chen|bar; Be|re|chen|bar|keit, die; -
be|rech|nen; be|rech|nend
Be|rech|nung; Be|rech|nungs|grund|la|ge
be|rech|ti|gen; be|rech|tigt
Be|rech|tig|te, der u. die; -n, -n
be|rech|tig|ter|wei|se
Be|rech|ti|gung; Be|rech|ti|gungs|schein
be|re|den; be|red|sam; Be|red|sam|keit, die; -
be|redt; be|redt|heit, die; -
Be|re|dung
be|ree|dert (*Seew.* einer Reederei gehörend, von ihr betreut)
be|reg|nen; Be|reg|nung
Be|reg|nungs|an|la|ge
Be|reich, der, *selten* das; -[e]s -e
be|rei|chern; ich bereichere mich; Be|rei|che|rung

Be|rei|che|rungs|ab|sicht; Be|rei|che|rungs|ver|such
be|reichs|über|grei|fend
be|rei|fen (mit Reifen versehen); das Auto ist neu bereift
be|reift (mit Reif bedeckt)
Be|rei|fung
be|rei|ni|gen; Be|rei|ni|gung
be|rei|sen; ein Land bereisen; Be|rei|sung

be|reit

Getrenntschreibung ↑K 49:

– [zu allem] bereit sein; wir werden bereit sein, sind bereit gewesen; wenn ihr [dazu] bereit seid

Zusammenschreibung ↑K 56:

– wir werden alles rechtzeitig bereithaben
– du musst dich immer bereithalten
– sie wird alles bereithalten, bereitlegen, bereitstellen
– es muss immer alles bereitliegen, bereitstehen

Getrennt- oder Zusammenschreibung:

– sich zu etwas bereit machen *od.* bereitmachen
– sich zu etwas bereit erklären *od.* bereiterklären

¹be|rei|ten (zubereiten); bereitet
²be|rei|ten (zureiten); beritten; Be|rei|ter (Zureiter); Be|rei|te|rin
be|reit er|klä|ren, be|reit|er|klä|ren *vgl.* bereit
be|reit|fin|den; ich habe mich zu diesem Schritt bereitgefunden
be|reit|ha|ben; *vgl.* bereit
be|reit|hal|ten; ich habe das Geld bereitgehalten; wir werden uns bereithalten; ↑K31: bereit- u. zur Verfügung halten, *aber* zur Verfügung u. bereithalten
be|reit|le|gen; ich habe das Buch bereitgelegt; be|reit|lie|gen; die Bücher werden bereitliegen
be|reit ma|chen, be|reit|ma|chen; ich habe mich bereit gemacht *od.* bereitgemacht
be|reits
Be|reit|schaft
Be|reit|schafts|arzt; Be|reit|schafts|ärz|tin; Be|reit|schafts|dienst; Be|reit|schafts|po|li|zei

be|reit|ste|hen; das Essen hat bereitgestanden
be|reit|stel|len; Be|reit|stel|lung
Be|rei|tung
be|reit|wil|lig; Be|reit|wil|lig|keit, die; -
Be|re|ni|ce [...tsə, *auch* ...tʃe] *vgl.* Berenike; Be|re|ni|ke (w. Vorn.)
be|ren|nen; das Tor berennen (*Sportspr.*)
be|ren|ten (*Amtsspr.* eine Rente zusprechen)
Be|re|si|na [*od.* ...'na], die; - (Nebenfluss des Dnjepr)
Bé|ret [berɛ], das; -s, -s ⟨franz.⟩ (*schweiz. für* Baskenmütze)
be|reu|en
¹Berg, der; -[e]s, -e; zu Berg[e] fahren; die Haare stehen einem zu Berg[e] (*ugs.*)
²Berg (früheres Großherzogtum)
³Berg, Alban (österr. Komponist)
berg|ab; bergab gehen
berg|ab|wärts; *aber* den Berg abwärts
Berg|ahorn; Berg|aka|de|mie
Ber|ga|mas|ke, der; -n, -n (Einwohner von Bergamo); Ber|ga|mas|ker; Ber|ga|mas|kin; ber|ga|mas|kisch
Ber|ga|mo (ital. Stadt)
Ber|ga|mot|te, die; -, -n ⟨türk.⟩ (eine Birnensorte; eine Zitrusfrucht); Ber|ga|mott|öl
berg|an; bergan gehen
Berg|ar|bei|ter; Berg|ar|bei|te|rin
berg|auf; bergauf steigen
berg|auf|wärts; *aber* den Berg aufwärts
Berg|bahn; Berg|bau, der; -[e]s
Berg|bau|er (*vgl.* ²Bauer); Berg|bäu|e|rin; Berg|be|hör|de; Berg|be|woh|ner; Berg|be|woh|ne|rin
Ber|ge *Plur.* (*Bergbau* taubes Gestein)
berg|ge|hoch, berg|hoch
Berg|gell, das; -s (südliches Tal von Graubünden)
Berg|ge|lohn (*Seew.*)
ber|gen; [etwas in sich] bergen; du birgst; du bargst; du bärgest; geborgen; birg!
Ber|gen|gruen [...gry:n] (dt. Schriftsteller)
Berg|ges|hö|he (*geh.*)
berg|ge|wei|se (*ugs.*)
Berg|fahrt (Fahrt den Strom, den Berg hinauf; *Ggs.* Talfahrt)
berg|fern
Berg|fex (leidenschaftl. Bergsteiger)

Berg|fried, der; -[e]s, -e (Haupt-turm auf Burgen; Wehrturm); vgl. Burgfried

Berg|füh|rer; Berg|füh|re|rin

Berg|gip|fel

berg|hoch, ber|ge|hoch

Berg|ho|tel; Berg|hüt|te

ber|gig

ber|gisch (zum Lande Berg gehö-rend); aber ↑K140: das Bergi-sche Land (Gebirgslandschaft zwischen Rhein, Ruhr und Sieg)

Berg|isel, der; - (Berg bei Inns-bruck)

Berg|ket|te; Berg|kie|fer

Berg|knap|pe (veraltet)

Berg|krank|heit; Berg|kris|tall, der; -s, -e (ein Mineral); Berg|kup|pe

Berg|ler, der; -s, - (im Bergland Wohnender); Berg|le|rin

Berg|luft, die; -

Berg|mann Plur. ...leute, seltener ...männer; berg|män|nisch; Berg|manns|spra|che

Berg|mas|siv; Berg|meis|ter; Berg-not

Berg|par|te, die; -, -n (Bergbau Paradebeil der Bergleute)

Berg|pfad

Berg|pre|digt, die; - (N. T.)

berg|reich

Berg|ren|nen (Motorsport); Berg-ret|tungs|dienst; Berg|rutsch

Berg|schä|den Plur. (durch den Bergbau an der Erdoberfläche hervorgerufene Schäden)

Berg|schuh

berg|schüs|sig (Bergmannsspr. reich an taubem Gestein)

Berg|see

berg|seits

Berg|ski, Berg|schi (bei der Fahrt am Hang der obere Ski)

Berg|spit|ze

berg|stei|gen meist im Infinitiv gebr.; seltener: ich bergsteige, bin berggestiegen; Berg|stei|gen, das; -s; Berg|stei|ger; Berg|stei-ge|rin; berg|stei|ge|risch

Berg|stra|ße (am Westrand des Odenwaldes); Berg|strä|ßer; Bergsträßer Wein

Berg|tod, der; -[e]s; Berg|tour

Berg-und-Tal-Bahn ↑K26; Berg-und-Tal-Fahrt

Ber|gung; Ber|gungs|mann|schaft

Berg|wacht; Berg|wald; Berg|wand

berg|wan|dern nur im Infinitiv gebr.; oft als Substantivierung: das Bergwandern; Berg|wan|de-rung

Berg|werk

Berg|werks|ab|ga|be

Berg|wer|tung (Radsport)

Be|ri|be|ri, die; - ⟨singhales.⟩ (auf einem Mangel an Vitamin B₁ beruhende Krankheit)

Be|richt, der; -[e]s, -e; Bericht erstatten

be|rich|ten; falsch, gut berichtet sein (veraltend)

Be|rich|ter; Be|rich|te|rin

Be|richt|er|stat|ter; Be|richt|er|stat-te|rin; Be|richt|er|stat|tung

be|rich|ti|gen; Be|rich|ti|gung

Be|richts|heft (Heft für wöchentl. Arbeitsberichte von Auszubil-denden)

Be|richts|jahr; Be|richts|zeit|raum

be|rie|chen; sich beriechen (ugs. für vorsichtig Kontakte herstel-len)

be|rie|seln; ich beries[e]le; Be|rie-se|lung, Be|ries|lung

be|rie|se|lungs|an|la|ge

be|rin|gen ([Vögel u. a.] mit Rin-gen [am Fuß] versehen)

Be|ring|meer, Be|ring-Meer, das; -[e]s (nördlichstes Randmeer des Pazifiks); Be|ring|stra|ße, Be|ring-Stra|ße, die; -

Be|rin|gung (von Vögeln u. a.)

Be|ritt ([Forst]bezirk; [kleine] Abteilung Reiter); be|rit|ten

Ber|ke|li|um, das; -s ⟨nach der Uni-versität Berkeley in den USA⟩ (chemisches Element, Trans-uran; Zeichen Bk)

Ber|lin (Hauptstadt und Land der Bundesrepublik Deutschland)

Ber|li|na|le, die; -, -n (Bez. für die Filmfestspiele in Berlin)

Ber|lin-Dah|lem

Ber|li|ner (auch kurz für Berliner Pfannkuchen); ein Berliner Kind; Berliner Bär (Wappen von Berlin); Berliner Republik

Ber|li|ner Blau, das; - - -s (ein Farb-stoff)

ber|li|ne|risch; ber|li|nern (berline-risch sprechen); ich berlinere

Ber|lin-Fried|richs|hain

ber|li|nisch

Ber|lin-Jo|han|nis|thal; Ber|lin-Kö-pe|nick; Ber|lin-Lich|ten|berg; Ber|lin-Mar|zahn; Ber|lin-Neu-kölln; Ber|lin-Pan|kow; Ber-lin-Prenz|lau|er Berg; Ber|lin-Rei-ni|cken|dorf; Ber|lin-Steg|litz; Ber|lin-Trep|tow [...'tre:pto, auch ...'tre...]; Ber|lin-Wed|ding; Ber-lin-Wil|mers|dorf; Ber|lin-Zeh|len-dorf

Ber|li|oz [ber'li̯o:s] (franz. Kompo-nist)

Ber|litz|schu|le, Ber|litz-Schu|le

↑K136 ⟨nach dem Gründer⟩ (eine Sprachschule)

Ber|lo|cke, die; -, -n ⟨franz.⟩ (klei-ner Schmuck an [Uhr]ketten)

Ber|me, die; -, -n (Deichbau, Stra-ßenbau Absatz, flacher Streifen an einer Böschung)

Ber|mu|da|drei|eck, Ber|mu-da-Drei|eck, das; -s (Teil des Atlantiks, in dem sich auf bisher nicht befriedigend geklärte Weise Schiffs- und Flugzeugun-glücke häufen)

Ber|mu|da|in|seln, Ber|mu|da-In-seln, Ber|mu|das Plur. (Inseln im Atlantik)

Ber|mu|da|shorts, Ber|mu-da-Shorts Plur. (fast knielange Shorts od. Badehose)

Ber|mu|der (Bewohner der Bermu-dainseln); Ber|mu|de|rin; ber|mu-disch

Bern (Hauptstadt der Schweiz, schweizerischer Kanton und Hauptstadt dieses Kantons)

Ber|na|dette [...'dɛt] (w. Vorn.)

Ber|na|dotte [...'dɔt] (schwed. Königsgeschlecht)

Ber|na|nos (franz. Schriftsteller)

Ber|nar|di|no, der; -[s] (ital. Form von Bernhardin)

Bern|biet, das; -s (svw. Kanton Bern)

Bernd, Bernt (m. Vorn.)

Ber|ner; die Berner Alpen, das Berner Oberland

Bern|hard (m. Vorn.); Bern|har|de (w. Vorn.)

Bern|har|din, der; -s, Bern|har|din-pass, der; -es (kurz für Sankt-Bernhardin-Pass); vgl. Bernar-dino

Bern|har|di|ne (w. Vorn.)

Bern|har|di|ner, der; -s, - (eine Hunderasse); Bern|har|di|ner-hund

Bern|hild, Bern|hil|de (w. Vorn.)

Ber|ni|na, der; -s, auch die; - (kurz für Piz Bernina, Berninapass, bzw. für Berninagruppe, -mas-siv); Ber|ni|na|bahn, Ber|ni-na-Bahn, die; -; Ber|ni|na|grup-pe, Ber|ni|na-Grup|pe, die; -; Ber-ni|na|mas|siv, Ber|ni|na-Mas|siv, das; -s; Ber|ni|na|pass, Ber|ni-na-Pass, der; -es

ber|nisch ⟨zu Bern⟩

¹Bern|stein [auch 'bɜ:...], Leonard (amerik. Komponist u. Dirigent)

²Bern|stein ([als Schmuckstein ver-arbeitetes] fossiles Harz); bern-stei|ne[r]n; bern|stein|far|ben; Bern|stein|ket|te

B

Bernt vgl. Bernd
Bern|ward (m. Vorn.)
Bern|wards|kreuz, das; -es
Be|ro|li|na, die; - (Frauengestalt als Sinnbild Berlins)
Ber|sa|g|li|e|re [...al'je:...], der; -[s], ...ri ⟨ital.⟩ (ital. Scharfschütze)
Ber|ser|ker [od. ...'zɛ...], der; -s, - ⟨altnord.⟩ (wilder Krieger der altnord. Sage; auch für blindwütig tobender Mensch); ber|ser|ker|haft; Ber|ser|ker|wut
bers|ten; es birst; es barst; geborsten
Berst|schutz, der; -es (Kerntechnik)
Bert (m. Vorn.)
Ber|ta, Ber|tha (w. Vorn.)
Bert|hil|de (w. Vorn.)
Bert|hold vgl. Bertold
Ber|ti (w. od. m. Vorn.)
Ber|ti|na, Ber|ti|ne (w. Vorn.)
Ber|told, Bert|hold (m. Vorn.)
Bert|ram (m. Vorn.)
Bert|rand (m. Vorn.)
be|rüch|tigt
be|rü|cken (betören); be|rü|ckend
be|rück|sich|ti|gen; Be|rück|sich|ti|gung, die; -
Be|rü|ckung (geh. für Bezauberung)
Be|ruf, der; -[e]s, -e
be|ru|fen (österr. auch für Berufung einlegen); sich auf jmdn. od. etwas berufen
be|ruf|lich
Be|rufs|aka|de|mie
Be|rufs|an|fän|ger; Be|rufs|an|fän|ge|rin
Be|rufs|ar|mee
Be|rufs|auf|bau|schu|le (Schulform des zweiten Bildungsweges zur Erlangung der Fachschulreife)
Be|rufs|aus|bil|dung; Be|rufs|aus|sich|ten Plur.; Be|rufs|be|am|te
be|rufs|be|dingt; be|rufs|be|glei|tend; berufsbegleitende Schulen
Be|rufs|be|ra|ter; Be|rufs|be|ra|te|rin; Be|rufs|be|ra|tung; Be|rufs|be|zeich|nung
be|rufs|be|zo|gen
Be|rufs|bild; be|rufs|bil|dend; berufsbildende Schulen
Be|rufs|bil|dungs|werk (Einrichtung zur Berufsausbildung für behinderte Jugendliche)
Be|rufs|bo|xen, das; -s
Be|rufs|eig|nung
be|rufs|er|fah|ren; Be|rufs|er|fah|rung
Be|rufs|ethos; Be|rufs|fach|schu|le; Be|rufs|fah|rer; Be|rufs|fah|re|rin; Be|rufs|feu|er|wehr

be|rufs|fremd
Be|rufs|ge|heim|nis; Be|rufs|ge|nos|sen|schaft; Be|rufs|heer
Be|rufs|ju|gend|li|che (ugs. abwertend für sich bemüht jugendlich gebender Mensch)
Be|rufs|klas|se; Be|rufs|klei|dung; Be|rufs|krank|heit; Be|rufs|le|ben
be|rufs|los; be|rufs|mä|ßig
Be|rufs|mu|si|ker; Be|rufs|mu|si|ke|rin
Be|rufs|or|ga|ni|sa|ti|on; Be|rufs|pä|d|a|go|gik; Be|rufs|prak|ti|kum
Be|rufs|rei|fe|prü|fung (österr. Prüfung für den Hochschulzugang ohne Matura)
Be|rufs|re|vo|lu|ti|o|när (oft abwertend); Be|rufs|rich|ter; Be|rufs|rich|te|rin
Be|rufs|ri|si|ko
Be|rufs|schu|le
Be|rufs|sol|dat; Be|rufs|sol|da|tin
Be|rufs|spie|ler; Be|rufs|spie|le|rin
Be|rufs|sport|ler; Be|rufs|sport|le|rin
Be|rufs|stand; be|rufs|stän|disch
be|rufs|tä|tig; Be|rufs|tä|ti|ge, der u. die; -n, -n
Be|rufs|ver|band; Be|rufs|ver|bot; Be|rufs|ver|bre|cher; Be|rufs|ver|kehr, der; -[e]s
Be|rufs|wahl, die; -; Be|rufs|wech|sel
Be|ru|fung
Be|ru|fungs|frist (Rechtsw.); Be|ru|fungs|in|s|tanz; Be|ru|fungs|recht; Be|ru|fungs|ver|fah|ren
be|ru|hen; auf einem Irrtum beruhen; die Sache auf sich beruhen lassen
be|ru|hi|gen; sich beruhigen; Be|ru|hi|gung; Be|ru|hi|gungs|mit|tel, das; Be|ru|hi|gungs|sprit|ze
be|rühmt; be|rühmt-be|rüch|tigt; Be|rühmt|heit
be|rüh|ren; sich berühren; Be|rüh|rung
Be|rüh|rungs|angst (Psych.)
be|rüh|rungs|emp|find|lich
Be|rüh|rungs|li|nie; Be|rüh|rungs|punkt
be|ru|ßen; berußt sein
Be|ryll, der; -[e]s, -e ⟨griech.⟩ (ein Edelstein); Be|ryl|li|um, das; -s (chemisches Element, Metall; Zeichen Be)
bes. = besonders
be|sab|beln (ugs. für mit Speichel beschmutzen); sich besabbeln; ich besabb[e]le
be|sab|bern (ugs. für mit Speichel beschmutzen); sich besabbern
be|sä|en

be|sa|gen; das besagt nichts; be|sagt (Amtsspr. für erwähnt)
be|sai|ten; besaitet
be|sa|men
be|sam|meln (schweiz. für sammeln [der Mitglieder einer Gruppe u. Ä.]); ich besamm[e]le; sich besammeln (schweiz. für sich versammeln); Be|samm|lung (schweiz.)
Be|sa|mung (Befruchtung); künstliche Besamung; Be|sa|mungs|sta|ti|on; Be|sa|mungs|zen|t|rum
Be|san, der; -s, -e ⟨niederl.⟩ (Seemannsspr. Segel am hintersten Mast)
be|sänf|ti|gen; Be|sänf|ti|gung
Be|san|mast (Seemannsspr. hinterster Mast eines Segelschiffes)
be|sät; mit etwas besät (über u. über bedeckt) sein
Be|satz, der; -es, Besätze
Be|sat|zer, der; -s, - (ugs. abwertend für Angehöriger einer Besatzungsmacht)
Be|satz|strei|fen
Be|sat|zung
Be|sat|zungs|kind; Be|sat|zungs|kos|ten Plur.; Be|sat|zungs|macht; Be|sat|zungs|sol|dat; Be|sat|zungs|zo|ne
be|sau|fen, sich (derb für sich betrinken); besoffen
[1]Be|säuf|nis, das; -ses, -se od. die; -, -se (ugs. für ausgiebiges Zechen)
[2]Be|säuf|nis, die; - (ugs. für Volltrunkenheit)
be|säu|seln, sich (ugs. für sich [leicht] betrinken); be|säu|selt
be|schä|di|gen; Be|schä|di|gung
be|schaff|bar
[1]be|schaf|fen (besorgen); vgl. [1]schaffen
[2]be|schaf|fen (geartet); mit etwas ist es gut, schlecht beschaffen; Be|schaf|fen|heit, die; -
Be|schaf|fung, die; -; Be|schaf|fungs|kri|mi|na|li|tät (kriminelle Handlungen zur Beschaffung von [Geld für] Drogen)
be|schäf|ti|gen; sich [mit etw.] beschäftigen; beschäftigt sein; Be|schäf|tig|te, der u. die; -n, -n
Be|schäf|ti|gung
Be|schäf|ti|gungs|ge|sell|schaft (Unternehmen zur Arbeitsbeschaffung, Umschulung usw.)
be|schäf|ti|gungs|los
Be|schäf|ti|gungs|po|li|tik
Be|schäf|ti|gungs|stand, der; -[e]s
Be|schäf|ti|gungs|the|ra|pie
be|schä|len (begatten [von Pferden]); Be|schä|ler (Zuchthengst)

be|schal|len (starken Schall ein-
dringen lassen; *Technik u. Med.*
mit Ultraschall behandeln,
untersuchen); Be|schal|lung
be|schä|men; be|schä|mend
be|schä|men|der|wei|se
Be|schä|mung
be|schat|ten; Be|schat|tung
Be|schau, die; -; be|schau|en
Be|schau|er; Be|schau|e|rin
be|schau|lich
Be|schau|lich|keit, die; -
Be|scheid, der; -[e]s, -e; Bescheid
geben, sagen, tun, wissen
¹be|schei|den; eine bescheidene
Frau
²be|schei|den; beschied; beschie-
den; ein Gesuch abschlägig
bescheiden (*Amtsspr.* ablehnen);
sich bescheiden (sich zufriedengeben)
Be|schei|den|heit, die; -
be|schei|dent|lich (*geh. veraltend*)
be|schei|nen
be|schei|ni|gen; Be|schei|ni|gung
be|schei|ßen (*derb für* betrügen);
beschissen
be|schen|ken; Be|schenk|te, der u.
die; -n, -n
¹be|sche|ren (beschneiden);
beschoren; *vgl.* ¹scheren
²be|sche|ren (schenken; zuteilwer-
den lassen; *auch für* beschen-
ken); jmdm. [etwas] bescheren;
die Kinder wurden [reich]
beschert; Be|sche|rung
be|scheu|ert (*derb für* nicht bei
Verstand; ärgerlich, lästig)
be|schich|ten; Be|schich|tung
be|schi|cken
be|schi|ckert (*ugs. für* leicht
betrunken)
Be|schi|ckung
be|schie|den; das ist ihm beschie-
den; *vgl.* ²bescheiden
be|schie|ßen; Be|schie|ßung
be|schil|dern (mit einem ¹Schild
versehen); Be|schil|de|rung
be|schimp|fen; Be|schimp|fung
be|schir|men
Be|schir|mer; Be|schir|me|rin
be|schirmt (*scherzh. für* mit einem
Schirm ausgerüstet)
Be|schiss, der; -es (*derb für*
Betrug); be|schis|sen (*derb für*
sehr schlecht); *vgl.* bescheißen
be|schlab|bern, sich (sich beim
Essen beschmutzen)
Be|schlächt, das; -[e]s, -e (hölzer-
ner Uferschutz)
be|schla|fen (überschlafen); ich
muss das noch beschlafen
Be|schlag, der; -[e]s, Beschläge;

mit Beschlag belegen; in
Beschlag nehmen, halten
Be|schläg, das; -s, -e (*schweiz. für*
Beschlag, Metallteile an Türen,
Fenstern, Schränken)
¹be|schla|gen; gut beschlagen
(bewandert; kenntnisreich) sein
²be|schla|gen; Pferde beschlagen;
die Fenster sind beschlagen;
die Glasscheibe beschlägt [sich]
(läuft an); die Hirschkuh ist
beschlagen [worden] (*Jägerspr.
für* begattet [worden])
Be|schla|gen|heit, die; - ⟨*zu*
¹beschlagen⟩
Be|schlag|nah|me, die; -, -n; be-
schlag|nah|men; beschlagnahmt;
Be|schlag|nah|mung
be|schlei|chen
be|schleu|ni|gen; Be|schleu|ni|ger;
be|schleu|nigt (schnell)
Be|schleu|ni|gung; Be|schleu|ni-
gungs|an|la|ge (*Kernphysik*); Be-
schleu|ni|gungs|ver|mö|gen, das;
-s (*Technik*); Be|schleu|ni|gungs-
wert (*Technik*)
be|schleu|sen (mit Schleusen ver-
sehen); einen Fluss beschleusen
be|schlie|ßen
Be|schlie|ßer (*veraltet für* Aufse-
her, Haushälter); Be|schlie|ße|rin
be|schlos|sen; be|schlos|se|ner|ma-
ßen
Be|schluss
be|schluss|fä|hig; Be|schluss|fä-
hig|keit, die; -
Be|schluss|fas|sung; Be|schluss|la-
ge; Be|schluss|or|gan; Be-
schluss|recht
be|schmei|ßen (*ugs.*)
be|schmie|ren
be|schmut|zen; ich beschmutze
mir das Kleid; Be|schmut|zung
be|schnei|den; Be|schnei|dung;
Beschneidung Jesu (kath. Fest)
be|schnei|en; beschneite Dächer
be|schnit|ten
be|schnüf|feln (*ugs. auch für* vor-
sichtig prüfen)
be|schnup|pern
be|schö|ni|gen; Be|schö|ni|gung
be|schot|tern (*Straßenbau,
Eisenb.*); Be|schot|te|rung
be|schrän|ken; sich beschränken
be|schrankt (*Eisenb.* mit Schran-
ken versehen); beschrankter
Bahnübergang
be|schränkt (beengt); Be|schränkt-
heit; Be|schrän|kung
Be|schrän|kung
be|schreib|bar; be|schrei|ben; Be-
schrei|bung

be|schrei|en; etwas nicht
beschreien
be|schrei|ten (*geh.*)
Be|schrieb, der; -s, -e (*schweiz.
neben* Beschreibung)
be|schrif|ten; Be|schrif|tung
be|schu|hen; be|schuht
be|schul|di|gen; eines Verbrechens
beschuldigen
Be|schul|di|ger; Be|schul|di|ge|rin
Be|schul|dig|te, der u. die; -n, -n;
Be|schul|di|gung
be|schu|len (*Amtsspr.* mit [Schulen
u.] Schulunterricht versorgen);
Be|schu|lung *Plur. selten*; Be-
schu|lungs|ver|trag
be|schum|meln (*ugs.*)
be|schup|pen *vgl.* beschupsen
be|schuppt (mit Schuppen
bedeckt)
be|schup|sen (*ugs. für* betrügen)
be|schürzt
Be|schuss, der; -es
be|schüt|zen
Be|schüt|zer; Be|schüt|ze|rin
Be|schüt|zer|in|s|tinkt
be|schwät|zen, *landsch. neben* be|schwat-
zen (*ugs.*)
be|schwei|gen (nicht darüber spre-
chen)
Be|schwer, die; -, *auch* das; -[e]s
(*veraltet für* Anstrengung,
Bedrückung; *auch Rechtsspr.*
ungünstige Entscheidung als
Voraussetzung für die Einle-
gung eines Rechtsmittels)
Be|schwer|de, die; -, -n;
Beschwerde führen
Be|schwer|de|buch
Be|schwer|de|frei
Be|schwer|de|frist (*Rechtsw.*)
Be|schwer|de|füh|ren|de, der u. die;
-n, -n (*Rechtsw.*)
Be|schwer|de|füh|rer (*Rechtsw.*);
Be|schwer|de|füh|re|rin
Be|schwer|de|in|s|tanz (*Rechtsw.*);
Be|schwer|de|weg, der; -[e]s; auf
dem Beschwerdeweg
be|schwe|ren; sich beschweren
be|schwer|lich; Be|schwer|lich|keit
Be|schwer|nis, die; -, -se, *auch* das;
-ses, -se
Be|schwe|rung
be|schwich|ti|gen; Be|schwich|ti-
gung
be|schwin|deln
be|schwin|gen (in Schwung brin-
gen); be|schwingt; Be|schwingt-
heit, die; -
be|schwipst (*ugs. für* leicht betrun-
ken); Be|schwips|te, der u. die;
-n, -n
be|schwö|ren; du beschworst; er

beschwor; du beschwörest;
beschworen; beschwör[e]!
Be|schwö|rer; Be|schwö|re|rin
Be|schwö|rung; Be|schwö|rungs|for|mel
be|see|len (geh. für beleben; mit
Seele erfüllen); be|seelt; Be|seelt|heit, die; -; Be|see|lung
be|se|geln; die Meere besegeln
Be|se|ge|lung, Be|seg|lung
be|se|hen
be|sei|ti|gen; Be|sei|ti|gung
be|se|li|gen (geh. für glücklich
machen); be|se|ligt (geh.); Be|se|li|gung (geh.)
Be|sen, der; -s, -
Be|sen|bin|der; Be|sen|bin|de|rin
Be|sen|kam|mer
Be|sen|ma|cher (Berufsbez.); Be|sen|ma|che|rin
be|sen|rein
Be|sen|rei|ser Plur. (Med.)
Be|sen|schrank; Be|sen|stiel
Be|serl (ostösterr. für Handbesen);
Be|serl|baum (ostösterr. ugs. für
unansehnlicher Baum); Be|serl|park (ostösterr. ugs. für kleiner
Park)
be|ses|sen; von einer Idee besessen; Be|ses|se|ne, der u. die; -n,
-n; Be|ses|sen|heit, die; -
be|set|zen; besetzt; Be|set|zer; Be|set|ze|rin
Be|setzt|zei|chen
Be|set|zung; Be|set|zungs|couch
(Theater-, Filmjargon); Be|set|zungs|lis|te (Liste der Rollenverteilung für ein Theaterstück)
be|sich|ti|gen; Be|sich|ti|gung
be|sie|deln; Be|sie|de|lung, Be|sied|lung
be|sie|geln; Be|sie|ge|lung
be|sie|gen
Be|sieg|lung vgl. Besiegelung
Be|sieg|te, der u. die; -n, -n
be|sin|nen
be|sin|nen, sich; ↑K77 : sich eines
und[e]ren, andern besinnen;
aber ↑K72 : sich eines Besseren,
Bessren besinnen
be|sinn|lich; Be|sinn|lich|keit, die; -
Be|sin|nung, die; -; Be|sin|nungs|auf|satz
be|sin|nungs|los; Be|sin|nungs|lo|sig|keit, die; -
Be|sitz, der; -es; Be|sitz|an|spruch
be|sitz|an|zei|gend; besitzanzeigendes Fürwort (für Possessivpronomen)
Be|sitz|bür|ger (meist abwertend);
Be|sitz|bür|ge|rin; Be|sitz|bür|ger|tum
be|sit|zen

Be|sit|zer; be|sit|zer|grei|fend; er
war ihr zu eifersüchtig und
besitzergreifend; Be|sit|zer|grei|fung; Be|sit|ze|rin
Be|sit|zer|stolz; Be|sit|zer|wech|sel
be|sitz|los; Be|sitz|lo|se, der u. die;
-n, -n; Be|sitz|lo|sig|keit, die; -
Be|sitz|nah|me, die; -, -n
Be|sit|stand; Be|sitz|stands|den|ken
Be|sitz|stö|rung (Rechtsw. widerrechtliche Benutzung eines
Grundstücks); Be|sitz|tum
Be|sit|zung
Be|sitz|ver|hält|nis|se Plur.; Be|sitz|ver|tei|lung; Be|sitz|wech|sel
Bes|ki|den Plur. (Teil der Karpaten)
be|sof|fen (derb für betrunken);
Be|sof|fen|heit, die; - (derb)
be|soh|len; Be|soh|lung
be|sol|den; Be|sol|de|te, der u. die;
-n, -n
Be|sol|dung
Be|sol|dungs|grup|pe; Be|sol|dungs|ord|nung; Be|sol|dungs|recht; Be|sol|dungs|ta|rif
be|söm|mern (Landw. den Boden
nur im Sommer nutzen)
be|son|de|re; zur besonderen Verwendung (Abk. z. b. V.); insbesond[e]re; ↑K72 : das
Besond[e]re; etwas, nichts
Besond[e]res; im Besonder[e]n,
im Besondren
Be|son|der|heit
be|son|ders (Abk. bes.); besonders[,] wenn ↑K127
¹be|son|nen (überlegt, umsichtig)
²be|son|nen; sich besonnen
(von der Sonne bescheinen)
lassen
Be|son|nen|heit, die; -
be|sonnt; besonnte Hänge
be|sor|gen
Be|sorg|nis, die; -, -se; Besorgnis
erregen; Be|sorg|nis er|re|gend,
be|sorg|nis|er|re|gend; ein
Besorgnis erregender od.
besorgniserregender Zustand,
aber nur ein große Besorgnis
erregender Zustand, ein äußerst
besorgniserregender Zustand,
ein noch besorgniserregenderer
Zustand ↑K58
be|sorgt; Be|sorgt|heit, die; -
Be|sor|gung
be|span|nen; Be|span|nung
be|spei|en (geh. für bespucken)
be|spickt (dicht besteckt)
be|spie|geln; Be|spie|ge|lung, Be|spieg|lung

be|spiel|bar
be|spie|len; eine Kassette bespielen
be|spi|ken [...ˈspai...] (fachspr. mit
Spikes versehen)
be|spit|zeln; Be|spit|ze|lung, Be|spit|zung
be|spöt|teln; be|spot|ten
be|spre|chen; Be|spre|chung
be|spren|gen; mit Wasser besprengen
be|spren|keln
be|sprin|gen (begatten [von Tieren])
be|sprit|zen
be|sprü|hen; Be|sprü|hung
be|spu|cken
Bes|sa|ra|bi|en (Gebiet nordwestl.
vom Schwarzen Meer)
Bes|se|mer|bir|ne (nach dem engl.
Erfinder) (techn. Anlage zur
Stahlgewinnung)
bes|ser s. Kasten Seite 248
bes|ser|ge|hen vgl. besser
bes|sern; ich bessere, auch bess|re;
sich bessern
bes|ser|ste|hen vgl. besser
bes|ser|stel|len vgl. besser
Bes|se|rung, Bess|rung
bes|ser|ver|die|nen|de, der u. die;
- -n, - -n. **Bes|ser|ver|die|nen|de**,
der u. die; -n, -n vgl. besser
Bes|ser|wes|si (ugs. abwertend)
Bes|ser|wis|ser (abwertend); Bes|ser|wis|se|rei; Bes|ser|wis|se|rin;
bes|ser|wis|se|risch
Bess|rung vgl. Besserung
Best, das; -s, -e (bayr., österr. für
ausgesetzter [höchster] Preis,
Gewinn)
best... (z. B. bestgehasst)
Best Ager [- ˈeːdʒɐ], der; - -s, - -[s]
meist Plur. (Werbespr. jmd., der
zur anspruchsvollen, konsumfreudigen Kundengruppe der
über 40-Jährigen gehört)
be|stal|len (Amtsspr. [förmlich] in
ein Amt einsetzen); wohlbestallt; Be|stal|lung; Be|stal|lungs|ur|kun|de
Be|stand, der; -[e]s, Bestände;
Bestand haben; von Bestand
sein; der zehnjährige Bestand
(österr. für das Bestehen) des
Vereins; ein Gut in Bestand
(österr. für Pacht) haben, nehmen
be|stan|den (bewachsen; schweiz.
auch für in vorgerücktem Alter);
ein bestandener Mann
Be|stan|des|auf|nah|me (schweiz.
svw. Bestandsaufnahme)
be|stän|dig; das Barometer steht

bes|ser

Kleinschreibung:

– es ist besser, wenn du gleich kommst

Großschreibung der Substantivierung ↑K72:

– es ist das Bessere *od.* Bessre, wenn du gleich kommst
– eines Besser[e]n *od.* Bessren belehren
– sich eines Besser[e]n *od.* Bessren besinnen
– eine Wendung zum Besser[e]n *od.* Bessren
– das Bessere ist des Guten Feind

Getrennt- u. Zusammenschreibung in Verbindung mit Verben und Partizipien:

– du musst immer alles besser wissen!
– mit den neuen Schuhen wirst du besser gehen können

– *aber* dem Kranken wird es bald besser gehen *od.* bessergehen
– du solltest das Buch besser stellen als legen, *aber* man wird die Familien besserstellen (in eine bessere finanzielle, wirtschaftliche Lage versetzen)
– ein heller Pullover würde dir besser stehen, *aber* wir werden uns finanziell besserstehen
– besser verdienende *od.* besserverdienende Angestellte
– die besser Verdienenden *od.* Besserverdienenden

Vgl. auch gut, beste

---

auf »beständig«; Be|stän|dig|keit, die; -

Be|stands|auf|nah|me

Be|stands|ju|bi|lä|um *(österr. für* Jubiläum des Bestehens); Be|stands|ver|trag, Be|stand|ver|trag *(österr. Amtsspr. für* Pachtvertrag)

Be|stand|teil, der; Be|stand|ver|trag *vgl.* Bestandvertrag

be|stär|ken; Be|stär|kung

be|stä|ti|gen; Be|stä|ti|gung

be|stat|ten; Be|statt|nis, die; -, -se *(westösterr. für* Beerdigung); Be|stat|tung; Be|stat|tungs|in|s|ti|tut

be|stau|ben; bestaubt; sich bestauben (staubig werden)

be|stäu|ben *(Bot.);* Be|stäu|bung

be|stau|nen

best|aus|ge|rüs|tet; best|be|währt; best|be|zahlt

Best|bie|ter; Best|bie|te|rin

bes|te *s. Kasten Seite 249*

be|ste|chen; be|ste|chend; be|stech|lich; Be|stech|lich|keit, die; -

Be|ste|chung; Be|ste|chungs|af|fä|re; Be|ste|chungs|geld; Be|ste|chungs|skan|dal; Be|ste|chungs|sum|me; Be|ste|chungs|ver|such

Be|steck, das; -[e]s, *Plur.* -e, *ugs.* -s

be|ste|cken

Be|steck|kas|ten

Be|steg, der; -[e]s, -e *(Geol.* tonige Zwischenlage zwischen Gesteinsschichten)

be|ste|hen; auf etwas bestehen; ich bestehe auf meiner *(heute selten* meine) Forderung; die Verbindung soll bestehen bleiben; wir wollen die Regelung bestehen lassen

Be|ste|hen, das; -s; seit Bestehen der Firma

be|steh|len

be|stei|gen; Be|stei|gung

Be|stell|block *Plur.* ...blocks *od.* ...blöcke

be|stel|len; Be|stel|ler; Be|stel|le|rin

Be|stell|geld *(Postw.* Zustellgebühr)

Be|stell|kar|te

Be|stell|lis|te, Be|stell-Lis|te

Be|stell|num|mer

Be|stell|lung

bes|ten|falls *vgl.* ¹Fall

Bes|ten|lis|te

bes|tens

be|sternt; der besternte Himmel

be|steu|ern; Be|steu|e|rung

Best|form, die; - *(Sport)*

best|ge|hasst; best|ge|hü|tet; best|ge|pflegt

bes|ti|a|lisch ⟨lat.⟩ (unmenschlich, grausam); Bes|ti|a|li|tät, die; -, -en (Unmenschlichkeit, grausames Verhalten)

Bes|ti|a|ri|um, das; -s, ...rien (Titel mittelalterlicher Tierbücher)

be|sti|cken

Be|stick|hö|he *(Deichbau)*

Be|sti|ckung

Bes|tie, die; -, -n (wildes Tier; Unmensch)

be|stie|felt

be|stimm|bar; be|stim|men

be|stimmt; an bestimmten Tagen; bestimmter Artikel *(Sprachw.)*

Be|stimmt|heit, die; -

Be|stim|mung; Be|stim|mungs|bahn|hof

be|stim|mungs|ge|mäß

Be|stim|mungs|ha|fen; Be|stim|mungs|ort

Be|stim|mungs|wort *Plur.* ...wörter *(Sprachw.* erster Bestandteil einer Zusammensetzung, der

das Grundwort näher bestimmt, z. B. »Schinken« in »Schinkenbrötchen«)

best|in|for|miert

be|stirnt; der bestirnte Himmel

Best|leis|tung

Best|mann, der; -[e]s, ...männer *(Seemannsspr.* erfahrener Seemann, der auf Küstenschiffen den Schiffsführer vertritt)

Best|mar|ke *(Sport* Rekord)

best|mög|lich; *falsch:* bestmöglichst

be|sto|cken; Be|sto|ckung *(Bot.* Seitentriebbildung; *Forstw.* Aufforstung)

Best-of-CD (CD mit den erfolgreichsten Stücken)

be|sto|ßen *(fachspr.; schweiz. auch für* [eine Alp] mit Vieh besetzen)

be|stra|fen; Be|stra|fung

be|strah|len; Be|strah|lung

Be|strah|lungs|do|sis; Be|strah|lungs|zeit

be|stre|ben, sich; Be|stre|ben, das; -s; be|strebt; Be|stre|bung

be|strei|chen; Be|strei|chung

be|strei|ken; Be|strei|kung

be|strei|ten; Be|strei|tung

best|re|nom|miert; das bestrenommierte Hotel

be|streu|en; Be|streu|ung

be|stri|cken (bezaubern; für jmdn. stricken); be|stri|ckend; Be|stri|ckung

be|strumpft

Best|sel|ler, der; -s, - ⟨engl.⟩ (Ware [bes. Buch] mit bes. hohen Verkaufszahlen)

Best|sel|ler|au|tor; Best|sel|ler|au|to|rin; Best|sel|ler|lis|te

bes|te

Kleinschreibung:

– das beste [Buch] ihrer Bücher
– dieser Wein ist der beste
– es ist am besten, wenn …
– sie konnte am besten von allen rechnen
– wir fangen am besten gleich an

Großschreibung der Substantivierung ↑K 72:

– ich halte es für das Beste, wenn …
– er ist der Beste in der Klasse; sie hat ihr Bestes getan; aus etwas das Beste machen

– wir arbeiten auf das, aufs Beste *od.* beste zusammen; *aber nur* seine Wahl ist auf das, aufs Beste gefallen
– mit ihrer Gesundheit steht es nicht zum Besten (nicht gut)
– etw. zum Besten geben
– jmdn. zum Besten haben, halten
– es ist nur zu deinem Besten
– ich will nicht das erste Beste

be|stü|cken (ausstatten, ausrüsten); Be|stü|ckung
be|stuh|len (mit Stühlen ausstatten); Be|stuh|lung
be|stür|men; Be|stür|mung
be|stür|zen; be|stür|zend
be|stürzt; bestürzt sein; Be|stürzt|heit, die; -; Be|stür|zung, die; -
be|stusst (*ugs. für* dumm)
best|vor|be|rei|tet
Best|wert (Optimum); Best|zeit *(Sport);* Best|zu|stand
Be|such, der; -[e]s, -e; auf, zu Besuch sein
be|su|chen; Be|su|cher
Be|su|cher|fre|quenz
Be|su|che|rin; Be|su|cher|strom; Be|su|cher|zahl; Be|suchs|er|laub|nis
Be|suchs|rit|ze *(scherzh. für* Spalt zwischen zwei Ehebetten)
Be|suchs|tag; Be|suchs|zeit; Be|suchs|zim|mer
be|su|deln; Be|su|de|lung, Be|sud|lung
Be|ta, das; -[s], -s (griech. Buchstabe: B, β); Be|ta|blo|cker (*kurz für* Betarezeptorenblocker)
Be|ta|ca|ro|tin, β-Ca|ro|tin (ein Provitamin); Be|ta|ca|ro|tin|reich, β-Ca|ro|tin|reich
be|tagt (*geh. für* alt); *vgl.* hochbetagt; Be|tagt|heit, die; -
be|ta|keln (*Seemannsspr.* mit Takelwerk versehen; *österr. ugs. für* beschwindeln); Be|ta|ke|lung, *seltener* Be|tak|lung
Be|ta|ni|en *vgl.* Bethanien
be|tan|ken; ein Fahrzeug betanken; Be|tan|kung
Be|ta|re|zep|to|ren|blo|cker, β-Re|zep|to|ren-Blo|cker ['be:ta...] ↑K 26 (Arzneimittel für bestimmte Herzkrankheiten)
be|tas|ten
Be|ta|strah|len, β-Strah|len ['be:ta...] *Plur.* ↑K 29 *(Kernphysik);* Be|ta|strah|ler *(Med.*

Bestrahlungsgerät); Be|ta|strah|lung *(Kernphysik)*
Be|tas|tung
Be|ta|test, der; -s, -s *(EDV* Test der Betaversion eines [Software]produktes); Be|ta|tes|ter; Be|ta|tes|te|rin
be|tä|ti|gen; sich betätigen; Be|tä|ti|gung; Be|tä|ti|gungs|feld
Be|ta|t|ron, das; -s, *Plur.* ...one *od.* -s *(Kernphysik* Elektronenschleuder)
be|tat|schen (*ugs. für* betasten)
be|täu|ben; Be|täu|bung
Be|täu|bungs|mit|tel; Be|täu|bungs|mit|tel|ge|setz
be|tau|en; betaute Wiesen; Be|ta|ver|si|on *(EDV* Vorabversion einer Software)
Be|ta|zer|fall *(Kernphysik)*
Bet|bank; Bet|bru|der
Be|te, Bee|te, die; -, -n (Wurzelgemüse; Futterpflanze); rote *od.* Rote Bete (*od.* Beete) ↑K 89
Be|tei|geu|ze, der; - ⟨arab.⟩ (ein Stern)
be|tei|len (*österr. für* beschenken; versorgen)
be|tei|li|gen; sich beteiligen; Be|tei|lig|te, der *u.* die; -n, -n
Be|tei|ligt|sein
Be|tei|li|gung; Be|tei|li|gungs|fi|nan|zie|rung; Be|tei|li|gungs|ge|sell|schaft
Be|tel, der; -s ⟨Malajalam-port.⟩ (Genussmittel aus der Betelnuss); Be|tel|kau|er; Be|tel|nuss
be|ten; Be|ter; Be|te|rin
Be|tes|da *vgl.* Bethesda
be|teu|ern; ich beteuere; Be|teu|e|rung
be|tex|ten
Be|tha|ni|en, *ökum.* Be|ta|ni|en (bibl. Ortsn.)
Be|thel (Heil- u. Pflegeanstalt bei Bielefeld)
Be|thes|da, *ökum.* Be|tes|da, der; -[s] (ehem. Teich in Jerusalem)

Beth|le|hem, *ökum.* Bet|le|hem (Stadt in Palästina); beth|le|he|mi|tisch; ↑K 89 *u.* 142 : der bethlehemitische Kindermord
Beth|männ|chen ⟨nach der Frankfurter Bankiersfamilie Bethmann⟩ (ein Gebäck aus Marzipan und Mandeln)
Be|ti|se, die; -, -n ⟨franz.⟩ (*geh. für* Dummheit)
be|ti|teln; Be|ti|te|lung, *seltener* Be|tit|lung
Bet|le|hem *vgl.* Bethlehem
be|töl|peln (übertölpeln); ich betölp[e]le; Be|töl|pe|lung
Be|ton [...'tõ, *österr.* be'to:n], der; -s, *Plur.* -s, *österr.* -e ⟨franz.⟩ (Baustoff aus Zement, Wasser, Sand usw.); Be|ton|bau *Plur.* ...bauten; Be|ton|block *Plur.* ...blöcke; Be|ton|burg (*abwertend für* großer Betonbau)
be|to|nen
Be|to|nie, die; -, -n ⟨lat.⟩ (eine Wiesenblume; Heilpflanze)
be|to|nie|ren (*auch übertr. für* festlegen, unveränderlich machen); Be|to|nie|rung
Be|ton|kopf (*abwertend für* völlig uneinsichtiger, auf seinen [politischen] Ansichten beharrender Mensch)
Be|ton|misch|ma|schi|ne
be|ton|nen (*Seemannsspr.* ein Fahrwasser durch Seezeichen [Tonnen usw.] bezeichnen)
be|tont; be|ton|ter|ma|ßen; Be|to|nung
be|tö|ren (*geh.);* be|tö|rend; Be|tö|rer; Be|tö|re|rin; Be|tö|rung
Bet|pult (*kath. Kirche)*
betr. = betreffend, betreffs
Betr. = Betreff
Be|tracht, der; *nur noch in Fügungen wie* in Betracht kommen, ziehen; außer Betracht bleiben
be|trach|ten; sich betrachten
Be|trach|ter; Be|trach|te|rin

be|trächt|lich; eine beträchtliche Summe, *aber* um ein Beträchtliches höher ↑K72

Be|trach|tung; Be|trach|tungs|wei|se, die; Be|trach|tungs|win|kel

Be|trag, der; -[e]s, Beträge

be|tra|gen; sich betragen; Be|tra|gen, das; -s

be|tram|peln (*ugs.*)

be|trau|en; mit etwas betraut sein

be|trau|ern

be|träu|feln

Be|trau|ung

Be|treff, der; -[e]s, -e (*Amtsspr.; Abk.* Betr.); in dem Betreff (in dieser Beziehung); in Betreff, *aber* betreffs (*vgl. d.*) des Neubaus

be|tref|fen; was mich betrifft ...

be|tref|fend (zuständig; sich auf jmdn., etwas beziehend; *Abk.* betr.); die betreffende Behörde; den Neubau betreffend

Be|tref|fen|de, der *u.* die; -n, -n

Be|treff|nis, das; -ses, -se (*schweiz.* für Anteil; Summe, die auf jmdn. entfällt)

be|treffs (*Amtsspr.; Abk.* betr. ↑K70); *Präp. mit Gen.:* betreffs des Neubaus (*besser:* wegen)

be|trei|ben (*schweiz. auch für* jmdn. durch das Betreibungsamt zur Zahlung einer Schuld veranlassen); Be|trei|ben, das; -s; auf mein Betreiben

Be|trei|ber; Be|trei|ber|fir|ma; Be|trei|ber|ge|sell|schaft; Be|trei|be|rin

Be|trei|bung (Förderung, das Voranbringen; *schweiz. auch für* Beitreibung); Be|trei|bungs|amt (*in der Schweiz* Amt, das Zwangsvollstreckungen durchführt)

be|tresst (mit Tressen versehen)

¹be|tre|ten (verlegen)

²be|tre|ten (*österr. Amtsspr. auch für* ertappen); einen Raum betreten; Be|tre|ten, das; -s

Be|tre|ten|heit, die; -

Be|tre|tungs|fall; im Betretungsfall (*österr. Amtsspr. für* beim Ertapptwerden)

be|treu|en; betreutes Wohnen

Be|treu|er; Be|treu|e|rin

Be|treu|te, der *u.* die; -n, -n

Be|treu|ung, die; -; Be|treu|ungs|stel|le

Be|trieb, der; -[e]s, -e; eine Maschine in Betrieb setzen; die Maschine ist in Betrieb (läuft)

be|trieb|lich

be|trieb|sam; Be|trieb|sam|keit, die; -

Be|triebs|an|ge|hö|ri|ge

Be|triebs|an|lei|tung

Be|triebs|arzt; Be|triebs|ärz|tin

Be|triebs|aus|flug

Be|triebs|aus|schuss

be|triebs|be|dingt; betriebsbedingte Entlassungen

Be|triebs|be|ge|hung

be|triebs|be|reit

Be|triebs|be|wil|li|gung (*bes. österr.*)

be|triebs|blind; Be|triebs|blind|heit

Be|triebs|di|rek|tor; Be|triebs|di|rek|to|rin

be|triebs|ei|gen

Be|triebs|er|geb|nis (*Wirtsch.*)

Be|triebs|er|laub|nis

be|triebs|fä|hig

Be|triebs|fe|ri|en *Plur.*; Be|triebs|fest; Be|triebs|form

be|triebs|fremd; Be|triebs|frie|den; Be|triebs|ge|heim|nis

Be|triebs|ge|mein|schaft; Be|triebs|grö|ße

Be|triebs|in|ha|ber; Be|triebs|in|ha|be|rin

be|triebs|in|tern

Be|triebs|ka|pi|tal; Be|triebs|kli|ma, das; -s; Be|triebs|kos|ten *Plur.*

Be|triebs|kran|ken|kas|se; Be|triebs|kü|che

Be|triebs|lei|ter; Be|triebs|lei|te|rin; Be|triebs|lei|tung

Be|triebs|nu|del (*ugs.* jmd., der Stimmung zu machen versteht)

Be|triebs|ob|mann

Be|triebs|prü|fer; Be|triebs|prü|fe|rin

Be|triebs|rat *Plur.* ...räte; Be|triebs|rä|tin; Be|triebs|rats|mit|glied; Be|triebs|rats|vor|sit|zen|de

Be|triebs|ru|he; Be|triebs|schluss

be|triebs|si|cher

Be|triebs|stät|te, *amtlich* Be|trieb|stät|te; Be|triebs|stö|rung

Be|triebs|sys|tem (*EDV*)

be|trieb|stö|rend

Be|triebs|treue; Be|triebs|un|fall

Be|triebs|ver|ein|ba|rung

Be|triebs|ver|fas|sung; Be|triebs|ver|fas|sungs|ge|setz

Be|triebs|ver|samm|lung

Be|triebs|wirt; Be|triebs|wir|tin

Be|triebs|wirt|schaft

Be|triebs|wirt|schaf|ter (*österr., schweiz.* für Betriebswirt); Be|triebs|wirt|schaf|te|rin

be|triebs|wirt|schaft|lich; Be|triebs|wirt|schafts|leh|re (*Abk.* BWL)

be|trin|ken, sich; betrunken

be|trof|fen; betroffen sein; Be|trof-fe|ne, der *u.* die; -n, -n; Be|trof-fen|heit, die; -

be|trop|pezt (jidd.) (*österr. ugs. für* bestürzt)

be|trü|ben; be|trüb|lich; be|trüb|li|cher|wei|se

Be|trüb|nis, die; -, -se (*geh.*); be|trübt; Be|trübt|heit, die; -

Be|trug, der; -[e]s; be|trü|gen; Be|trü|ger; Be|trü|ge|rei; Be|trü|ge|rin; be|trü|ge|risch

be|trun|ken; Be|trun|ke|ne, der *u.* die; -n, -n

Bet|schwes|ter (*abwertend*)

Bett, das; -[e]s, -en; zu Bett gehen

Bett|tag *vgl.* Buß- und Bettag

Bett|bank *Plur.* ...bänke (*österr. für* Bettcouch)

Bett|be|zug; Bett|couch; Bett|de|cke

Bet|tel, der; -s (*abwertend für* minderwertiges Zeug, Kram)

bet|tel|arm; Bet|te|lei (*abwertend*)

Bet|tel|mann *Plur.* ...leute (*veral-tet*); Bet|tel|mönch

bet|teln; ich bett[e]le

Bet|tel|stab; jmdn. an den Bettelstab bringen (finanziell ruinieren)

bet|ten; sich betten

Bet|ten|bau, der; -[e]s; Bet|ten|burg (*ugs. abwertend für* großes Hotel)

Bet|ten füh|rend, **bet|ten|füh|rend** ↑K58 (*Fachspr.* [von Krankenhausabteilungen] mit Betten ausgestattet)

Bet|ten|ma|chen, das; -s; Bet|ten|man|gel, der; -s

Bett|fe|der; Bett|fla|sche (*südd., westösterr., schweiz.* für Wärmflasche)

Bett|ge|schich|te (*ugs.*)

Bett|ge|stell

Bett|ha|se (*ugs.*); Bett|him|mel; Bett|hup|ferl, das; -s, - (*landsch.* für Süßigkeiten vor dem Zubettgehen)

Bet|ti, Bet|ti|na, Bet|ti|ne (w. Vorn.)

Bett|ja|cke; Bett|kan|te; Bett|kas|ten; Bett|la|de (Bett[stelle])

bett|lä|ge|rig

Bett|la|ken; Bett|lek|tü|re

Bett|ler; Bett|le|rin

Bett|näs|ser; Bett|näs|se|rin

Bett|pfan|ne; Bett|pfos|ten; Bett|rand

bett|reif (*ugs.*)

Bett|ru|he; Bett|schwe|re (*ugs.*)

Bett|statt *Plur.* ...stätten, *schweiz.* ...statten (*landsch. u. schweiz.* für Bett[stelle]); Bett|stel|le

B

Bett|sze|ne *(Film)*
Bett|tru|he, Bett-Tru|he
Bett|tuch, *Plur.* ...tücher,
  Bett-Tuch *Plur.* ...-Tücher
  (Bettlaken)
Bett|tuch *Plur.* ...tücher (beim jüdischen Gottesdienst)
Bett|um|ran|dung
Bett|tung *(Fachspr.)*
Bett|vor|le|ger; Bett|wä|sche
Bett|ty [...ti] (w. Vorn.)
Bett|zeug
be|tucht ⟨jidd.⟩ *(ugs. für* vermögend, wohlhabend)
be|tu|lich (in umständlicher Weise freundlich u. geschäftig; gemächlich); Be|tu|lich|keit
be|tun (jmdn. verwöhnen); sich betun (sich zieren); betan
be|tup|fen
be|tup|pen *(landsch. für* betrügen)
be|tu|sam *(seltener für* betulich)
be|tü|tern *(nordd. für* umsorgen); sich betütern *(nordd. ugs. für* sich einen Schwips antrinken); be|tü|tert *(nordd. ugs.)*
Beu|che, die; -, -n *(fachspr.* Lauge zum Bleichen von Textilien); beu|chen (in Lauge kochen)
beug|bar *(auch für* flektierbar)
Beu|ge, die; -, -n (Turnübung; *selten für* Biegung)
Beu|ge|haft, die
Beu|gel, das; -s, - *(österr.* Hörnchen)
Beu|ge|mus|kel
beu|gen *(auch für* flektieren, deklinieren, konjugieren); sich beugen
Beu|ger (Beugemuskel)
beug|sam *(veraltet)*
Beu|gung *(auch für* Flexion, Deklination, Konjugation)
Beu|gungs|en|dung *(Sprachw.)*; Beu|gungs-s, das; -, - ↑K 29 *(Sprachw.)*
Beu|le, die; -, -n
beu|len; sich beulen
Beu|len|pest, die; -; beu|lig
be|un|ru|hi|gen; sich beunruhigen; Be|un|ru|hi|gung
be|ur|kun|den; Be|ur|kun|dung
be|ur|lau|ben; Be|ur|lau|bung
be|ur|tei|len; Be|ur|tei|ler; Be|ur|tei|le|rin
Be|ur|tei|lung; Be|ur|tei|lungs|maß|stab
Beu|schel, das; -s, - *(österr. für* Gericht aus Lunge u. Herz)
beut, beutst *(veraltet u. geh. für* bietet, bietest); *vgl.* bieten

¹Beu|te, die; - (Erbeutetes)
²Beu|te, die; -, -n *(landsch. für* Holzgefäß; *Imkerspr.* Bienenstock)
beu|te|gie|rig
Beu|te|grei|fer *(Zool.)*
Beu|te|gut; Beu|te|kunst (im Krieg erbeutete Kunstwerke)
Beu|tel, der; -s, -
beu|teln; ich beut[e]le *(südd., österr. für* schütteln); sich bauschen); das Kleid beutelt [sich]
Beu|tel|rat|te; Beu|tel|schnei|der *(ugs. für* Taschendieb; Wucherer); Beu|tel|tier
beu|te|lüs|tern; beu|te|lus|tig
beu|ten; Bienen beuten *(Imkerspr.* einsetzen); du beutst; er beutet; gebeutet; Beu|ten|ho|nig
Beu|te|recht; Beu|te|stück; Beu|te|tier; Beu|te|zug
Beut|ler *(Zool.* Beuteltier)
Beut|ner *(Imkerspr.* Bienenzüchter); Beut|ne|rei, die; -
beutst *vgl.* beut
Beuys [bɔys], Joseph (dt. Zeichner u. Aktionist)
be|völ|kern; ich bevölkere
Be|völ|ke|rung
Be|völ|ke|rungs|dich|te; Be|völ|ke|rungs|ex|plo|si|on; Be|völ|ke|rungs|grup|pe; Be|völ|ke|rungs|po|li|tik; Be|völ|ke|rungs|schicht; Be|völ|ke|rungs|schwund; Be|völ|ke|rungs|sta|tis|tik
Be|völ|ke|rungs|wis|sen|schaft; Be|völ|ke|rungs|zahl; Be|völ|ke|rungs|zu|nah|me; Be|völ|ke|rungs|zu|wachs
be|voll|mäch|ti|gen; Be|voll|mäch|tig|te, der u. die; -n, -n; Be|voll|mäch|ti|gung
be|vor
be|vor|mun|den; Be|vor|mun|dung
be|vor|rangt *(österr. Verkehrsw. für* vorfahrtberechtigt)
be|vor|ra|ten; Be|vor|ra|tung, die; -
be|vor|rech|ten *(älter für* bevorrechtigen); bevorrechtet
be|vor|rech|ti|gen; bevorrechtigt; Be|vor|rech|ti|gung
Be|vor|rech|tung *(älter für* Bevorrechtigung)
be|vor|schus|sen; du bevorschusst *(Amtsspr.)*; Be|vor|schus|sung
be|vor|ste|hen
be|vor|tei|len (jmdm. einen Vorteil zuwenden; *veraltet für* übervorteilen); Be|vor|tei|lung
be|vor|wor|ten (mit einem Vorwort versehen)
be|vor|zu|gen; Be|vor|zu|gung

be|wa|chen; Be|wa|cher; Be|wa|che|rin
be|wach|sen
Be|wa|chung
be|waff|nen; be|waff|net; bewaffneter Raubüberfall; Be|waff|ne|te, der u. die; -n, -n; Be|waff|nung
be|wah|ren (hüten; aufbewahren); Gott bewahre uns davor!, *aber* gottbewahre! *(ugs.)*
be|wäh|ren, sich
Be|wah|rer; Be|wah|re|rin
be|wahr|hei|ten, sich; Be|wahr|hei|tung *Plur.* selten
be|währt; Be|währt|heit, die; -
Be|wah|rung (Schutz; Aufbewahrung)
Be|wäh|rung (Erprobung)
Be|wäh|rungs|frist *(Rechtsw.)*; Be|wäh|rungs|hel|fer; Be|wäh|rungs|pro|be; Be|wäh|rungs|stra|fe; Be|wäh|rungs|zeit
be|wal|den; be|wal|det
be|wald|rech|ten *(Forstw.* [gefällte Bäume] behauen)
Be|wal|dung
be|wäl|ti|gen; Be|wäl|ti|gung
be|wan|dert (erfahren; unterrichtet)
be|wandt *(veraltet für* beschaffen); Be|wandt|nis, die; -, -se
be|wäs|sern; Be|wäs|se|rung, Be|wäss|rung; Be|wäs|se|rungs|sys|tem
be|weg|bar
¹be|we|gen (Lage ändern); du bewegst; du bewegtest; bewegt; beweg[e]t!; sich bewegen
²be|we|gen (veranlassen); du bewegst; du bewogst; du bewögest; bewogen; beweg[e]!
be|we|gend; ein bewegendes Schauspiel
Be|weg|grund
be|weg|lich; Be|weg|lich|keit, die; -; be|wegt; Be|wegt|heit, die; -
Be|we|gung
Be|we|gungs|ab|lauf; Be|we|gungs|drang; Be|we|gungs|frei|heit, die; -
be|we|gungs|los
Be|we|gungs|man|gel
Be|we|gungs|mel|der *(Technik)*
Be|we|gungs|stu|di|e; Be|we|gungs|the|ra|pie
be|we|gungs|un|fä|hig
be|weh|ren *(Technik* ausrüsten; *veraltend für* bewaffnen); Be|weh|rung
be|wei|ben, sich *(veraltet, noch scherzh. für* sich verheiraten)
be|wei|den *(Landw.)*; Be|wei|dung

be|weih|räu|chern (*auch abwertend für* übertrieben loben); Be|weih|räu|che|rung

be|wei|nen

be|wein|kau|fen (*landsch. für* einen Kauf durch Weintrinken besiegeln)

Be|wei|nung; Beweinung Christi

Be|weis, der; -es, -e; etwas unter Beweis stellen (*Amtsspr.*)

Be|weis|an|trag (*Rechtsw.*); Be|weis|auf|nah|me

be|weis|bar; kaum beweisbar sein; Be|weis|bar|keit, die; -

be|wei|sen; bewiesen

Be|weis|er|he|bung; Be|weis|füh|rung

Be|weis|kraft; be|weis|kräf|tig

Be|weis|last; Be|weis|ma|te|ri|al; Be|weis|mit|tel, das; Be|weis|stück

be|wen|den; *nur in* es bei etw. bewenden lassen; Be|wen|den, das; -s; es hat dabei sein Bewenden (es bleibt dabei)

Be|werb, der; -s, -e (*österr. Sportspr. für* Wettbewerb)

Be|werb|chen (*landsch.*); *nur in* sich ein Bewerbchen machen (unter Vortäuschung einer Beschäftigung ein bestimmtes Ziel verfolgen); ich mache mir ein Bewerbchen

be|wer|ben, sich; sich um, *auch* auf eine Stelle bewerben

Be|wer|ber; Be|wer|be|rin; Be|wer|bung; Be|wer|bungs|ge|spräch

Be|wer|bungs|map|pe; Be|wer|bungs|schrei|ben; Be|wer|bungsun|ter|la|gen *Plur.*

be|wer|fen; Be|wer|fung

be|werk|stel|li|gen; Be|werk|stel|li|gung

be|wer|ten; Be|wer|tung

Be|wet|te|rung (*Bergmannsspr.* Versorgung der Grubenbaue mit Frischluft)

be|wi|ckeln; Be|wi|cke|lung, Be|wick|lung

be|wil|li|gen; Be|wil|li|gung

be|will|kom|nen; du bewillkommnest; bewillkommnet; Be|will|komm|nung

be|wim|pert

be|wir|ken; Be|wir|kung

be|wir|ten

be|wirt|schaf|ten; Be|wirt|schaf|tung

Be|wir|tung; Be|wir|tungs|ver|trag

Be|wit|te|rung (Methode der Werkstoffprüfung, bei der Verwitterungsvorgänge simuliert werden)

be|wit|zeln

be|wog vgl. be|wo|gen vgl. ²bewegen

be|wohn|bar; be|woh|nen

Be|woh|ner; Be|woh|ne|rin

be|wohn|ter|par|ken, das; -s

Be|woh|ner|schaft

be|wöl|ken, sich; be|wölkt; bewölkter Himmel

Be|wöl|kung, die; -

Be|wöl|kungs|auf|lo|cke|rung; Be|wöl|kungs|zu|nah|me *Plur. selten*

be|wu|chern

Be|wuchs, der; -es

Be|wun|de|rer, Be|wund|rer

Be|wun|de|rin, Be|wund|re|rin

be|wun|dern

be|wun|derns|wert; be|wun|dernswür|dig

Be|wun|de|rung *Plur. selten*

be|wun|de|rungs|wert; be|wun|de|rungs|wür|dig

Be|wun|de|rer, Be|wun|de|rer

Be|wun|de|rin, Be|wun|de|rin

Be|wurf

be|wur|zeln, sich (Wurzeln bilden)

be|wusst; *mit Gen.:* ich bin mir keines Vergehens bewusst; ich war mir dessen bewusst; sich eines Versäumnisses **bewusst werden** *od.* bewusstwerden; er hat den Fehler bewusst (mit Absicht) gemacht; *aber* sie hat mir den Zusammenhang bewusst gemacht *od.* bewusstgemacht

Be|wusst|heit, die; -

be|wusst|los; Be|wusst|lo|sig|keit, die; -

be|wusst ma|chen, be|wusst|machen vgl. bewusst; Be|wusst|machung

be|wusst|sein, das; -s

Be|wusst|seins|bil|dung, die; -; Bewusst|seins|er|wei|te|rung; Bewusst|seins|trü|bung

be|wusst wer|den, be|wusst|werden vgl. bewusst

Be|wusst|wer|dung, die; -

Bey, Bei, der; -s, *Plur.* -e u. -s ⟨türk., »Herr«⟩ (türk. Titel, *oft hinter Namen, z. B.* Ali-Bey); vgl. Beg u. Bai

bez., bez, bz = bezahlt

bez. = bezüglich

Bez. = Bezeichnung

Bez., Bz. = Bezirk

be|zahl|bar

be|zah|len; eine **gut bezahlte** *od.* gutbezahlte Stellung; Be|zah|ler; Be|zah|le|rin

Be|zahl|fern|se|hen (*ugs. für* Pay-TV); Be|zahl|sen|der

be|zahlt (*Abk.* bez., bez, bz); sich

bezahlt machen (lohnen); Be|zah|lung

be|zähm|bar; be|zäh|men; sich bezähmen; Be|zäh|mung

be|zau|bern; be|zau|bernd; Be|zaube|rung

be|zecht (betrunken)

be|zeich|nen; be|zeich|nend

be|zeich|nen|der|wei|se

Be|zeich|nung (*Abk.* Bez.); Be|zeichnungs|leh|re, die; - (*für* Onomasiologie)

be|zei|gen (*geh. für* zu erkennen geben); Gunst, Beileid, Ehren bezeigen; Be|zei|gung

be|zeu|gen (Zeugnis ablegen; bekunden); Be|zeu|gung

be|zich|ti|gen; jemanden eines Verbrechens bezichtigen; Be|zich|ti|gung

be|zieh|bar

be|zie|hen; sich auf eine Sache beziehen

be|zie|hent|lich (*Amtsspr.* mit Bezug auf); *Präp. mit Gen.:* beziehentlich des Unfalles

Be|zie|her; Be|zie|he|rin

Be|zie|hung; in Beziehung setzen

Be|zie|hungs|kis|te (*ugs. für* Beziehung zu einem [Lebens]partner)

Be|zie|hungs|leh|re (Theorie der Soziologie)

be|zie|hungs|los; Be|zie|hungs|losig|keit, die; -

be|zie|hungs|reich

Be|zie|hungs|stress

be|zie|hungs|wei|se (*Abk.* bzw.)

be|zif|fern; ich beziffere; sich beziffern auf; Be|zif|fe|rung

Be|zirk, der; -[e]s, -e (*Abk.* Bez. *od.* Bz.); be|zirk|lich

Be|zirks|amt; Be|zirks|aus|schuss; Be|zirks|ge|richt (*DDR, österr., schweiz.*); Be|zirks|haupt|frau (*österr.*); Be|zirks|haupt|mann (*österr.*); Be|zirks|haupt|mannschaft (*österr.*); Be|zirks|hauptstadt (*österr.*)

Be|zirks|kar|te (*Geogr.*)

Be|zirks|klas|se (*Sport*); Be|zirks|liga (*Sport*)

Be|zirks|rat (*österr.*)

Be|zirks|re|gie|rung

Be|zirks|rich|ter (*DDR, österr., schweiz.*); Be|zirks|rich|te|rin; Bezirks|schul|rat (*österr.*); Be|zirksschul|rä|tin; Be|zirks|ver|tre|tung (*österr.*); Be|zirks|vor|ste|her (*österr.*); Be|zirks|vor|ste|he|rin

be|zirks|wei|se

be|zir|zen, be|cir|cen ⟨nach der sagenhaften griech. Zauberin Circe⟩ (*ugs. für* verführen, ver-

zaubern); du bezirzt *od.*
becirct; er wurde bezirzt *od.*
becirct

Be|zo|ar, der; -s, -e ‹pers.› (in der Volksmedizin verwendeter Magenstein von Wiederkäuern))

Be|zo|ge|ne, der; -n, -n (*Bankw.* Adressat u. Akzeptant [eines Wechsels]); **Be|zo|gen|heit**

be|zopft

der; -[e]s, Bezüge
(*österr. auch für* Gehalt; *vgl.*
Bezüge)
– in Bezug auf
– mit Bezug auf
– auf etwas Bezug haben, nehmen (sich auf etwas beziehen)
– Bezug nehmend *od.* bezugnehmend auf (mit Bezug auf)

Be|zü|ge *Plur.* (Einkünfte)
Be|zü|ger (*schweiz. für* Beziehe)r
be|züg|lich; bezügliches Fürwort (*für* Relativpronomen); *als Präp. mit Gen.* (*Amtsspr.; Abk.* bez.): bezüglich Ihres Briefes; *mit Dat., wenn der Gen. nicht erkennbar ist:* bezüglich Bewerbern; **Be|züg|lich|keit**
Be|zug|nah|me, die; -, -n
Be|zug neh|mend, be|zug|neh|mend *vgl.* Bezug
be|zugs|fer|tig
Be|zugs|per|son; Be|zugs|punkt; Be|zugs|quel|le; Be|zugs|recht
Be|zug[s]|schein; Be|zug[s]|stoff; Be|zug[s]|sys|tem
be|zu|schus|sen (*Amtsspr.*); du bezuschusst; **Be|zu|schus|sung**
be|zwe|cken
be|zwei|feln; Be|zwei|fe|lung, Be|zweif|lung
be|zwing|bar; be|zwin|gen; be|zwin|gend; Be|zwin|ger; Be|zwin|ge|rin; Be|zwin|gung, die; -
be|zwun|gen
Bf. = Bahnhof; Brief
BfA, die; - = Bundesversicherungsanstalt für Angestellte
bfn. = brutto für netto
bfr *vgl.* Franc
BG, das; - = Bundesgymnasium (*österr.*)
Bg. = Bogen
BGB, das; - = Bürgerliches Gesetzbuch
BGBl. = Bundesgesetzblatt
BGN (Währungscode für Lew)
BGS, der; - = Bundesgrenzschutz; **BGS-Be|am|te**

---

¹**BH** = *österr.* Bezirkshauptmannschaft; Bundesheer
²**BH** [be:ˈha:], der; -[s], -[s] (*ugs. für* Büstenhalter)
Bhag|van, Bhag|wan [*beide* b...], der; -s, -s ‹Hindi› (Ehrentitel für religiöse Lehrer des Hinduismus *[nur Sing.]*; Träger dieses Ehrentitels)
Bha|rat [b...] (*amtl. Bez. der* Republik Indien)
Bhf. = Bahnhof
BHS, die; -, - (*österr. für* berufsbildende höhere Schule)
Bhu|tan [b...] (Königreich im Himalaja); **Bhu|ta|ner** (Einwohner von Bhutan); **Bhu|ta|ne|rin; bhu|ta|nisch**
bi (*ugs. für* bisexuell)
Bi = Bismutum; *chem. Zeichen für* Wismut
bi... ‹lat.› (zwei...; doppel[t]...)
Bi... (Zwei...; Doppel[t]...)
Bi|a|f|ra (Teil von Nigeria)
Bi|a|ły|s|tok [...ʊ...] (Stadt in Polen)
Bi|an|ca, Bi|an|ka (w. Vorn.)
Bi|ath|let, der; -en, -en ‹lat.; griech.›; **Bi|ath|le|tin; Bi|ath|lon,** das; -s, -s (Kombination aus Skilanglauf u. Scheibenschießen)
bib|bern (*ugs. für* zittern); ich bibbere
Bi|bel, die; -, -n ‹griech.›
Bi|bel|druck, der; -[e]s, -e; **Bi|bel|druck|pa|pier**
Bi|bel|les|käs, der; -es, **Bi|bel|les|kä|se,** der; -s (*alemannisch für* Quark)
bi|bel|fest
Bi|bel|kon|kor|danz; Bi|bel|le|se (*ev. Kirche*); **Bi|bel|re|gal** (kleine Orgel des 16. bis 18. Jh.s)
Bi|bel|spruch; Bi|bel|stel|le; Bi|bel|stun|de; Bi|bel|text; Bi|bel|vers; Bi|bel|wort *Plur.* ...worte
¹**Bi|ber,** der; -s, - (ein Nagetier; Pelz)
²**Bi|ber®,** der *od.* das; -s (Rohflanell)
³**Bi|ber,** der; -s, - (*schweiz.* eine Art Lebkuchen)
Bi|be|r|ach an der Riß (Stadt in Oberschwaben)
Bi|ber|bett|tuch
Bi|ber|fla|den (³Biber)
Bi|ber|geil, das; -[e]s (Drüsenabsonderung des Bibers)
Bi|ber|nel|le, die; -, -n (*Nebenform von* Pimpernell)
Bi|ber|pelz; Bi|ber|schwanz (*auch* Dachziegelart)
Bi|bi, der; -s, -s (*ugs. für* steifer Hut; Kopfbedeckung)

Bi|b|lio|graf, Bi|b|lio|graph, der; -en, -en ‹griech.› (Bearbeiter einer Bibliografie)
Bi|b|lio|gra|fie, Bi|b|lio|gra|phie, die; -, ...ien (Bücherkunde, Bücherverzeichnis)
bi|b|lio|gra|fie|ren, bi|b|lio|gra|phie|ren (den Titel einer Schrift bibliografisch verzeichnen, *auch* genau feststellen)
Bi|b|lio|gra|fin, Bi|b|lio|gra|phin, die; -, -nen
bi|b|lio|gra|fisch, bi|b|lio|gra|phisch (bücherkundlich)
Bi|b|lio|graph, Bi|b|lio|gra|phie usw. *vgl.* Bibliograf, Bibliografie usw.
bi|b|lio|man (krankhaft Bücher liebend); **Bi|b|lio|ma|ne,** der; -n, -n (Büchernarr); **Bi|b|lio|ma|nie,** die; -; **Bi|b|lio|ma|nin**
bi|b|lio|phil (schöne od. seltene Bücher liebend; für Bücherliebhaber); **Bi|b|lio|phi|le,** der u. die; -n, -n (Bücherliebhaber[in]); zwei Bibliophile[n]; **Bi|b|lio|phi|lie,** die; - (Liebe zu Büchern)
Bi|b|lio|thek, die; -, -en ([wissenschaftliche] Bücherei); Deutsche Bibliothek (in Frankfurt)
Bi|b|lio|the|kar, der; -s, -e (Verwalter einer Bibliothek); **Bi|b|lio|the|ka|rin; bi|b|lio|the|ka|risch**
Bi|b|lio|theks|be|stand; Bi|b|lio|theks|saal; Bi|b|lio|theks|si|g|na|tur; Bi|b|lio|theks|we|sen
bi|b|lisch ‹griech.›; eine biblische Geschichte (Erzählung aus der Bibel)
Bick|bee|re (*nordd. für* Heidelbeere)
Bi|det [...ˈde:], das; -s, -s ‹franz.› (längliches Sitzbecken für Spülungen u. Waschungen)
Bi|don [bidõ:], der u. das; -s, -s ‹franz.› (*schweiz. für* Kanne, Kanister)
bie|der; Bie|der|keit, die; -
Bie|der|mann *Plur.* ...männer; **Bie|der|mei|er,** das; *Gen.* -s, *fachspr. auch* - ([Kunst]stil in der Zeit des Vormärz [1815 bis 1848]); **bie|der|mei|er|lich**
Bie|der|mei|er|stil, der; -[e]s; **Bie|der|mei|er|zeit,** die; -; **Bie|der|mei|er|zim|mer**
Bie|der|sinn, der; -[e]s (*geh.*)
bieg|bar; Bie|ge, die; -, -n (*landsch. für* Krümmung)
bie|gen; du bogst; du bögest; gebogen; bieg[e]!; sich biegen; ↑K82 : es geht auf Biegen oder Brechen (*ugs.*); **bieg|sam; Bieg|sam|keit,** die; -; **Bie|gung**

Biel (BE) – Bildgestaltung

Biel (BE) (schweiz. Stadt)

Bie|le|feld (Stadt am Teutoburger Wald); Bie|le|fel|der

Bie|ler See, der; - -s, schweiz. auch Bie|ler|see, der; -s (in der Schweiz)

Bien, der; -s ⟨Imkerspr. Gesamtheit des Bienenvolkes⟩

Bien|chen

Bie|ne, die; -, -n; Bie|nen|fleiß; bie-nen|flei|ßig; bie|nen|haft

Bie|nen|haus; Bie|nen|ho|nig; Bie-nen|kö|ni|gin; Bie|nen|korb; Bie-nen|schwarm; Bie|nen|spra|che

Bie|nen|stich (auch Hefekuchen mit Cremefüllung und Mandelbelag); Bie|nen|stock Plur. ...stö-cke; Bie|nen|volk; Bie|nen|wachs; Bie|nen|wachs|ker|ze

Bie|nen|zucht; Bie|nen|züch|ter; Bie|nen|züch|te|rin

bi|en|nal ⟨lat.⟩ (zweijährlich; alle zwei Jahre stattfindend); Bi|en-na|le, die; -, -n ⟨ital.⟩ (zweijährliche Veranstaltung, bes. in der bildenden Kunst u. im Film)

Bi|en|ni|um, das; -s, ...ien ⟨lat.⟩ (österr. Amtsspr. für Gehaltserhöhung im Abstand von zwei Jahren)

Bier, das; -[e]s, -e; 5 Liter helles Bier; 3 [Glas] Bier; untergäriges, obergäriges Bier

Bier|abend; Bier|arsch (derb für breites Gesäß)

Bier|bank|po|li|tik (abwertend)

Bier|bass (ugs. scherzh.); Bier-bauch (ugs.); Bier|brau|er; Bier-brau|e|rin; Bier|de|ckel; Bier|do-se; Bier|ei|fer (ugs.)

bier|ernst (ugs. für übertrieben ernst); Bier|ernst

Bier|fass; Bier|fla|sche; Bier|gar-ten; Bier|glas; Bier|kas|ten

Bier|kel|ler; Bier|krug; Bier|krü|gel (österr.); Bier|lachs (beim Skat ein Spiel um eine Runde Bier); Bier|lei|che (ugs. scherzh. für Betrunkener)

Bier|rei|se (ugs. scherzh.); Bier|ru-he (ugs. für unerschütterliche Ruhe); Bier|schin|ken (eine Wurstsorte); Bier|sei|del

bier|se|lig (scherzh.)

Bier|sie|der (Berufsbez.); Bier|stim-me (ugs. für tiefe Stimme)

Bier|ver|lag (Unternehmen für den Zwischenhandel mit Bier)

Bier|wär|mer; Bier|wurst; Bier|zei-tung; Bier|zelt

Bie|se, die; -, -n (farbiger Streifen an Uniformen; Ziersäumchen); vgl. aber Bise

Bies|flie|ge (Dasselfliege)

¹Biest, das; -[e]s, -er (ugs. für Tier; Schimpfwort)

²Biest, der; -[e]s (Biestmilch)

Bies|te|rei ⟨zu ¹Biest⟩ (ugs. abwertend für Gemeinheit); bies|tig (ugs. für gemein; unangenehm); eine biestige Kälte

Biest|milch ⟨zu ²Biest⟩ (erste Kuhmilch nach dem Kalben)

bie|ten; du bietest (selten bietst); vgl. beut; du botst (geh. botest); du bötest; geboten; biet[e]!; sich bieten

bie|ten las|sen, bie|ten|las|sen; sich etwas nicht bieten lassen od. bietenlassen

Bie|ter; Bie|te|rin

Bi|fi|do|bak|te|ri|um ⟨lat.; griech.⟩ (Med. Darmbakterie)

Bi|fo|kal|bril|le ⟨lat.; dt.⟩ (Brille mit Bifokalgläsern)

Bi|fo|kal|glas Plur. ...gläser (Brillenglas mit Fern- und Nahteil)

Bi|ga, die; -, ...gen ⟨lat.⟩ (von zwei Pferden gezogener [Renn]wagen in der Antike)

Bi|ga|mie, die; -, ...ien ⟨lat.; griech.⟩ (Doppelehe); bi|ga-misch; Bi|ga|mist, der; -en, -en; Bi|ga|mis|tin; bi|ga|mis|tisch

Big Band, die; - -, - -s, Big|band, die; -, -s ⟨engl.-amerik.⟩ (großes Jazz- od. Tanzorchester)

Big Bang [- 'bɛŋ], der; - -s, - -s ⟨engl.⟩ (Urknall)

Big Ben, der; - - ⟨engl.⟩ (Stundenglocke der Uhr im Londoner Parlamentsgebäude; auch der Glockenturm)

Big Bro|ther [- 'brað̮ə], der; - -s, - -s ⟨engl.⟩ (Beobachter, Überwacher)

Big Busi|ness [- 'bɪsnɛs], das; - - ⟨engl.-amerik.⟩ (Geschäftswelt der Großunternehmer)

Bi|gos, Bi|gosch, das; - (ein polnischer Eintopf)

bi|gott ⟨franz.⟩ (engherzig fromm; scheinheilig); Bi|got|te|rie, die; -, ...ien

Big Point, der; - -s, - -s, Big|point, der; -s, -s ⟨engl.⟩ (Tennis [spiel]entscheidender Punkt)

Bi|jou [... ʒuː], das; -s, -s ⟨franz.⟩ (schweiz. für Kleinod, Schmuckstück); Bi|jou|te|rie, die; -, ...ien ([billiger] Schmuck; schweiz. auch für Schmuckwarengeschäft)

Bi|kar|bo|nat, fachspr. Bi|car|bo|nat ⟨lat.⟩ (doppelkohlensaures Salz)

Bike [baik], das; -s, -s ⟨engl.⟩

(Motorrad; Fahrrad); bi|ken (Motorrad; Fahrrad fahren); sie bikt; gebikt; Bi|ker ['baikɐ], der; -s, -; Bi|ke|rin ['baikɐrɪn]

Bi|ki|ni, der; -s, -s ⟨nach dem Südseeatoll⟩ (knapper, zweiteiliger Badeanzug); Bi|ki|ni|hös|chen

Bi|ki|ni|li|nie (Linie, jenseits deren die Schamhaare nicht vom Bikinihöschen bedeckt werden)

bi|kon|kav [auch ...'ka:f] ⟨lat.⟩ (Optik beiderseits hohl)

bi|kon|vex [auch ...'vɛ...] ⟨lat.⟩ (Optik beiderseits gewölbt)

bi|la|bi|al [auch ...'bja:l] ⟨lat.⟩ (Sprachw. mit beiden Lippen gebildet); Bi|la|bi|al, der; -s, -e u. Bi|la|bi|al|laut, der; -[e]s, -e (mit Ober- u. Unterlippe gebildeter Laut, z. B. p)

Bi|lanz, die; -, -en ⟨ital.⟩ (Wirtsch. Gegenüberstellung von Vermögen u. Schulden für ein Geschäftsjahr; übertr. für Ergebnis); Bi|lanz|buch|hal|ter; Bi|lanz-buch|hal|te|rin

bi|lan|zie|ll ⟨zu Bilanz⟩ (Wirtsch.); bi|lan|zie|ren (Wirtsch. sich ausgleichen; eine Bilanz abschließen); Bi|lan|zie|rung

bi|lanz|si|cher; ein bilanzsicherer Buchhalter; Bi|lanz|sum|me

bi|la|te|ral [od. ...'ra:l] ⟨lat.⟩ (zweiseitig); bilaterale Verträge

Bilch, der; -[e]s, -e ⟨slaw.⟩ (ein Nagetier); Bilch|maus

Bild, das; -[e]s, -er; im Bilde sein

Bild|ar|chiv; Bild|aus|schnitt; Bild-band, der; Bild|be|ar|bei|tung; Bild|bei|la|ge

Bild|be|richt; Bild|be|richt|er|stat-ter; Bild|be|richt|er|stat|te|rin; Bild|be|schrei|bung

Bild|chen

bil|den; sich bilden; die bildenden od. Bildenden Künste ↑K151

Bil|der|at|las; Bil|der|bo|gen; Bil-der|buch

Bil|der|buch|ehe (sehr gute Ehe); Bil|der|buch|kar|ri|e|re; Bil|der-buch|lan|dung; Bil|der|buch|tor (Sport); Bil|der|buch|wet|ter

Bil|der|chro|nik; Bil|der|rah|men; Bil|der|rät|sel

bil|der|reich

Bil|der|schrift; Bil|der|sturm; Bil-der|stür|mer; Bil|der-stür|me|rei

Bild|flä|che; Bild|fol|ge; Bild|fre-quenz; Bild|funk

bild|ge|bend; ein bildgebendes Verfahren

Bild|ge|schich|te; Bild|ge|stal|tung

bild|haft; Bild|haf|tig|keit, die; -
Bild|hau|er; Bild|hau|e|rei; Bild|haue|rin; bild|hau|e|risch; Bild|hauer|kunst; bild|hau|ern; ich bildhau[e]re; gebildhauert
bild|hübsch
Bild|in|halt; Bild|kon|ser|ve; Bildkraft, die; -
bild|kräf|tig; bild|lich; bild|mä|ßig
Bild|mi|scher; Bild|mi|sche|rin
Bild|ner; Bild|ne|rin; bild|ne|risch
Bild|nis, das; -ses, -se
Bild|plat|te; Bild|punkt; Bild|quali|tät; Bild|re|dak|teur; Bild|re|dakteu|rin; Bild|re|por|ta|ge; Bild|repor|ter; Bild|re|por|te|rin; Bild|röh|re
bild|sam; Bild|sam|keit
Bild|säu|le; Bild|schär|fe
Bild|schirm; Bild|schirm|le|xi|kon; Bild|schirm|scho|ner (*EDV* sich selbst aktivierendes Programm zum Schutz der Bildröhre); Bildschirm|text (*Abk.* Btx); Bildschirm|zei|tung
bild|schön
Bild|stel|le; Bild|stock *Plur.* ...stöcke; Bild|stö|rung; Bild|strei|fen
bild|syn|chron; bildsynchroner Ton
Bild|ta|fel; Bild|te|le|fon
Bild|te|le|gra|fie, Bild|te|le|gra|phie
Bild-Ton-Ka|me|ra
Bil|dung; Bil|dungs|an|stalt
bil|dungs|be|flis|sen
Bil|dungs|bür|ger|tum; Bil|dungschan|cen *Plur.*; Bil|dungs|er|lebnis; bil|dungs|fä|hig; Bil|dungsfeind|lich; bil|dungs|fern
Bil|dungs|gang, der; Bil|dungsgrad; Bil|dungs|ka|renz (*österr.* für Bildungsurlaub); Bil|dungslü|cke; Bil|dungs|mi|nis|ter; Bildungs|mi|nis|te|rin; Bil|dungsmög|lich|keit
Bil|dungs|not|stand; Bil|dungs|plan
Bil|dungs|po|li|tik; bil|dungs|po|litisch; Bil|dungs|pri|vi|leg; Bildungs|rei|se
bil|dungs|sprach|lich
Bil|dungs|stu|fe; Bil|dungs|sys|tem; Bil|dungs|ur|laub; Bil|dungs|weg; Bil|dungs|we|sen, das; -; Bildungs|ziel
Bild|vor|la|ge; Bild|wer|bung; Bildwer|fer (Projektionsapparat)
Bild|wör|ter|buch; Bild|zu|schrift
Bil|ge, die; -, -n ⟨engl.⟩ (*Seemannsspr.* Kielraum, in dem sich das Leckwasser sammelt); Bil|ge|was|ser, das; -s
Bil|har|zi|o|se, die; -, -n ⟨nach dem dt. Arzt Bilharz⟩ (eine Wurmkrankheit)

bi|lin|gu|al [*auch* 'biː...] ⟨lat.⟩ (*fachspr.* für zwei Sprachen sprechend; zweisprachig); bi|lin|gu|isch [*auch* 'biː...] (in zwei Sprachen geschrieben; zweisprachig)
Bi|li|ru|bin, das; -s ⟨lat.⟩ (*Med.* Gallenfarbstoff)
¹Bill, die; -, -s ⟨engl.⟩ (Gesetzentwurf im engl. Parlament)
²Bill (m. Vorn.)
Bil|lard ['bɪlja..., *österr. auch* bi'jaːr], das; -s, *Plur.* -e, *österr.* -s ⟨franz.⟩ (Kugelspiel; dazugehörender Tisch)
bil|lar|die|ren (beim Billard in regelwidriger Weise stoßen)
Bil|lard|queue (Billardstock)
Bill|ber|gie, die; -, -n ⟨nach dem schwed. Botaniker Billberg⟩ (eine Zimmerpflanze)
Bil|le|teur [bɪljə'tøːɐ̯, *österr.* bijɛ'toːr], der; -s, -e (*österr. für* Platzanweiser; *schweiz. früher* für Schaffner); Bil|le|teu|se [...'tøː...], die; -, -n
Bil|lett [bɪl'jɛt, *österr. meist* bi'jeː, *auch* bi'let], das; -[e]s, *Plur.* -s *u.* -e (*veraltet für* Zettel, kurzes Briefchen; *bes. österr. für* Briefkarte; *schweiz. für* Einlasskarte, Fahrkarte)
Bil|li|ar|de, die; -, -n ⟨franz.⟩ (10^{15}; tausend Billionen)
bil|lig; das ist nur recht und billig; ein Produkt billig herstellen, machen; ein Produkt billig machen *od.* billigmachen (verbilligen); *aber nur* ein Produkt billiger machen, zu billig machen ↑K56
Bil|lig|air|line (*vgl.* Billigfluglinie); Bil|lig|an|ge|bot
bil|li|gen; billigend in Kauf nehmen
bil|li|ger|ma|ßen; bil|li|ger|wei|se
Bil|lig|flie|ger (*ugs.; vgl.* Billigfluglinie); Bil|lig|flug|li|nie (Fluggesellschaft, die Flüge zu sehr niedrigen Preisen anbietet)
Bil|lig|job (*ugs.* schlecht entlohnte Tätigkeit)
Bil|lig|keit, die; -
Bil|lig|lohn|land *Plur.* ...länder (Land, in dem vergleichsweise niedrige Löhne gezahlt werden)
bil|lig ma|chen, bil|lig|ma|chen *vgl.* billig; Bil|lig|preis
Bil|li|gung, die; -
Bil|lig|wa|re
Bil|li|on, die; -, -en ⟨franz.⟩ (10^{12}; eine Million Millionen *od.* tausend Milliarden)

bil|li|on[s]|tel *vgl.* achtel; Bil|lion[s]|tel, das, *schweiz. meist* der; -s, -; *vgl.* Achtel
Bil|lon [bɪl'jõː], der *od.* das; -s ⟨franz.⟩ (Silberlegierung mit hohem Kupfergehalt [für Münzen])
Bil|sen|kraut, das; -[e]s (ein giftiges Kraut)
Bil|wiss, der; -es (*landsch. für* Kobold, Zauberer)
Bim, die; - (*österr. ugs. für* Straßenbahn)
bim!; bim, bam!
Bim|bam, das; -s; *aber* heiliger Bimbam! (*ugs.*)
Bim|bes, der *od.* das; - (*landsch. für* Geld)
Bi|mes|ter, das; -s, - ⟨lat.⟩ (*veraltet für* Zeitraum von zwei Monaten)
Bi|me|tall (*Elektrot.* zwei miteinander verbundene Streifen aus verschiedenem Metall); Bi|metall|is|mus, der; - (Doppelwährung)
Bim|mel, die; -, -n (*ugs. für* Glocke)
Bim|mel|bahn (*ugs.*)
Bim|me|lei, die; - (*ugs.*); bim|meln (*ugs.*); ich bimm[e]le
bim|sen (*ugs. für* schleifen, drillen; angestrengt lernen); du bimst
Bims|stein
bi|när, bi|när, bi|na|risch ⟨lat.⟩ (*fachspr.* aus zwei Einheiten bestehend, Zweistoff...)
Bin|de, die; -, -n; Bin|de|ge|we|be
Bin|de|ge|webs|ent|zün|dung; Bin|de|ge|webs|fa|ser; Bin|de|gewebs|mas|sa|ge; Bin|de|gewebs|schwä|che
Bin|de|glied; Bin|de|haut; Bin|dehaut|ent|zün|dung
Bin|de|mit|tel, das
bin|den; du bandst (bandest); du bändest; gebunden (*vgl. d.*); bind[e]!; sich binden
Bin|der; Bin|de|rei; Bin|de|rin
Bin|de-s, das; -, - ↑K29
Bin|de|strich; Bin|de|wort *Plur.* ...wörter (*für* Konjunktion)
Bind|fa|den
bin|dig; bindiger (schwerer, zäher) Boden; Bin|dig|keit, die; -
Bin|ge, Pin|ge, die; -, -n (*Bergmannsspr.* durch Einsturz alter Grubenbaue entstandene trichterförmige Vertiefung)
Bin|gel|kraut (ein Gartenunkraut)
Bin|gen (Stadt am Rhein); Bin|ger; das Binger Loch; bin|ge|risch
Bin|go, das; -[s] ⟨engl.⟩ (Glücksspiel; eine Art Lotto)

Bin|kel, der; -s, -[n] (*bayr., österr. ugs. für* Bündel; Beule)

bin|nen

Präposition mit Dativ:

– binnen einem Jahr (*geh. auch mit Genitiv:* binnen eines Jahres)
– binnen drei Tagen (*auch* binnen dreier Tage)
– binnen kurzem *od.* Kurzem ↑K 72 ; binnen Jahr und Tag

bin|nen|bords (innerhalb des Schiffes)
bin|nen|deutsch; Bin|nen|deutsch, Bin|nen|deut|sche, das (die deutsche Sprache innerhalb Deutschlands)
Bin|nen|eis; Bin|nen|fi|sche|rei; Bin|nen|han|del; Bin|nen|land *Plur.* ...länder
Bin|nen|markt; Bin|nen|meer
Bin|nen|nach|fra|ge; Bin|nen|schif|fer; Bin|nen|schif|fe|rin; Bin|nen|see, der
Bi|no|kel [*auch* ...'nɔ...], das; -s, - ⟨franz.⟩ (*veraltet für* Brille, Fernrohr, Mikroskop für beide Augen); bi|no|ku|lar [*auch* 'bi:...] ⟨lat.⟩ (mit beiden Augen, für beide zugleich)
Bi|nom, das; -s, -e ⟨lat.; griech.⟩ (*Math.* Summe aus zwei Gliedern)
Bi|no|mi|al|ko|ef|fi|zi|ent; Bi|no|mi|al|rei|he
bi|no|misch (*Math.* zweigliedrig)
Bin|se, die; -, -n; in die Binsen gehen (*ugs. für* verloren gehen; unbrauchbar werden)
Bin|sen|wahr|heit (allgemein bekannte Wahrheit); Bin|sen|weis|heit
bio... ⟨griech.⟩ (leben[s]...); Bio... (Leben[s]...)
bio|ak|tiv [*auch* 'bi:...] (biologisch aktiv); ein bioaktives Waschmittel
Bio|che|mie [*auch* 'bi:...] (Lehre von den chemischen Vorgängen in Lebewesen); Bio|che|mi|ker; Bio|che|mi|ke|rin; bio|che|misch
Bio|die|sel
bio|dy|na|misch (nur mit organischer Düngung)
Bio|ethik [*auch* 'bi:...] (auf biologisch-medizinische Forschung angewandte Ethik); Bio|ethi|ker
Bio|gas
bio|gen (*Biol.* von Lebewesen stammend); Bio|ge|ne|se, die; -,

-n (Entwicklung[sgeschichte] der Lebewesen); bio|ge|ne|tisch
Bio|geo|gra|fie, Bio|geo|gra|phie [*auch* 'bi:...], die; - (Beschreibung der geografischen Verbreitung der Lebewesen)
Bio|geo|zö|no|se, die; - (Wechselbeziehungen zwischen Pflanzen u. Tieren einerseits u. der unbelebten Umwelt andererseits)
Bio|graf, Bio|graph, der; -en, -en (Verfasser einer Lebensbeschreibung); Bio|gra|fie, Bio|gra|phie, die; -, ...ien (Lebensbeschreibung); Bio|gra|fin, Bio|gra|phin; bio|gra|fisch, bio|gra|phisch
Bio|graph, Bio|gra|phie usw. *vgl.* Biograf, Biografie usw.
Bio|in|for|ma|tik
Bio|ka|ta|ly|sa|tor [*auch* 'bi:...] (die Stoffwechselvorgänge steuernder biolog. Wirkstoff)
Bio|kost; Bio|la|den
Bio|lo|ge, der; -n, -n; Bio|lo|gie, die; - (Lehre von der belebten Natur); Bio|lo|gie|un|ter|richt; Bio|lo|gin
bio|lo|gisch; biologische Schädlingsbekämpfung, aber ↑K 150 : Biologische Anstalt Helgoland; bio|lo|gisch-dy|na|misch ([nach anthroposophischen Prinzipien] nur mit organischer Düngung [arbeitend])
Bio|ly|se, die; -, -n (chem. Zersetzung durch lebende Organismen); bio|ly|tisch
Bio|mas|se, die; - (Gesamtheit aller Organismen einschließlich der von ihnen produzierten organischen Substanz an einem Ort)
Bio|me|t|rie, Bio|me|t|rik, die; - ([Lehre von der] Zählung u. [Körper]messung an Lebewesen); bio|me|t|risch
Bio|müll (organische [Haushalts]abfälle)
Bio|nik, die; - ⟨Kurzw. aus Biologie u. Technik⟩ (Wissenschaft, die technische u. elektronische Probleme nach dem Vorbild biologischer Funktionen zu lösen versucht); bio|nisch
Bio|phy|sik [*auch* 'bi:...] (Lehre von den physikalischen Vorgängen in u. an Lebewesen; heilkundlich angewandte Physik)
Bi|op|sie, die; -, -n (*Med.* Untersuchung von Gewebe, das dem lebenden Organismus entnommen ist)
Bio|sphä|re [*auch* 'bi:...] (gesamter

irdischer Lebensraum der Pflanzen und Tiere)
Bio|tech|fir|ma [...tɛk...]; Bio|tech|nik [*auch* 'bi:...] (Nutzbarmachung biologischer Vorgänge); Bio|tech|no|lo|gie (Wissenschaft von den Verfahren zur Nutzbarmachung biologischer Vorgänge)
bio|tisch (*fachspr. für* auf Lebewesen, auf Leben bezüglich)
Bio|tit, der; -[e]s, -e ⟨nach dem franz. Physiker Biot⟩ (ein Mineral)
Bio|ton|ne ⟨griech.; dt.⟩ (Mülltonne für organische [Haushalts]abfälle)
Bio|top, der u. das; -s, -e ⟨griech.⟩ (*Biol.* durch bestimmte Lebewesen od. eine bestimmte Art gekennzeichneter Lebensraum)
Bio|typ, Bio|ty|pus (*Biol.* Gruppe von Lebewesen mit gleicher Erbanlage)
Bio|waf|fe (biologische Waffe)
Bio|wis|sen|schaf|ten *Plur.*
Bio|zö|no|se, die; - (Lebensgemeinschaft von Pflanzen u. Tieren); bio|zö|no|tisch
BIP, das; -s = Bruttoinlandsprodukt
bi|po|lar [*od.* ...'la:ɐ̯] ⟨lat.; griech.⟩ (zweipolig); Bi|po|la|ri|tät [*auch* ...'tɛ:t], die; -
Bi|qua|d|rat ⟨lat.⟩ (*Math.* Quadrat des Quadrats, vierte Potenz); bi|qua|d|ra|tisch [*auch* ...'dra:...]; biquadratische Gleichung (Gleichung vierten Grades)
Bir|cher|mües|li ⟨nach dem Arzt Bircher-Benner⟩ (↑K 136 ; vgl. Müesli u. Müsli); Bir|cher|mus
Bir|die ['bœ:ɐ̯di], das; -s, -s ⟨engl.⟩ (*Golf* ein Schlag unter Par)
Bi|re|me, die; -, -n ⟨lat., »Zweiruderer«⟩ (antikes Kriegsschiff)
Bi|rett, das; -[e]s, -e ⟨lat.⟩ (Kopfbedeckung des katholischen Geistlichen)
Bir|ger (m. Vorn.)
Bir|git, Bir|git|ta (w. Vorn.)
birgt *vgl.* bergen
Bir|ke, die; -, -n (Laubbaum); bir|ken (aus Birkenholz)
Bir|ken|stock|san|da|le ® (bequeme, der Fußsohle angepasste Sandale)
Bir|ken|wald
Birk|hahn; Birk|huhn
Bir|ma (Staat in Hinterindien; *vgl.* Myanmar); Bir|ma|ne, der; -n, -n; Bir|ma|nin; bir|ma|nisch

Bir|ming|ham [ˈbøːɐ̯mɪŋəm] (engl. Stadt)

Birn|baum

Bir|ne, die; -, -n; bir|nen|för|mig, birn|för|mig

Birn|stab (Archit. Stilelement der got. Baukunst)

Birr, das; -[s], -[s] (äthiop. Währungseinheit)

birst vgl. bersten

Bir|te (w. Vorn.)

Birth|ler-Be|hör|de, die; ⟨nach der Leiterin⟩ (heute für Gauck-Behörde; vgl. d.)

bis

– bis [nach] Berlin; bis hierher; bis wann?

– bis jetzt; bis auf weiteres od. Weiteres ↑K72

– bis nächsten Montag; bis ans Ende der Welt; bis auf wenige Ausnahmen; bis zu 50 %

– vier- bis fünfmal ↑K31; mit Ziffern 4- bis 5-mal

– bis und mit (schweiz. bis einschließlich); bis und mit achtem August

In folgenden Beispielen steht nach der präpositionalen Fügung »bis zu« der Dativ:

– Gemeinden bis zu 10 000 Einwohnern; mit einer Laufzeit bis zu 36 Monaten

Dagegen hat »bis zu« im folgenden Satz keinen Einfluss auf die Beugung, weil es adverbial gebraucht wird:

– wir können bis zu vier gebundene Exemplare abgeben

Zur Setzung des bis-Strichs (–) vgl. das Kapitel »Strich für ›gegen‹ und ›bis‹« im Abschnitt »Textverarbeitung und E-Mails«, S. 118

Bi|sam, der; -s, Plur. -e u. -s ⟨hebr.⟩ (Moschus [nur Sing.]; Pelz); Bi|sam|rat|te

Bis|ca|ya vgl. Biskaya

bi|schen (mitteld. für [ein Baby] beruhigend auf dem Arm wiegen); du bischst

Bisch|kek (Hauptstadt Kirgistans)

Bi|schof, der; -s, Bischöfe (kirchl. Würdenträger); Bi|schö|fin, die; -, -nen; bi|schöf|lich

Bi|schofs|hut, der; Bi|schofs|kon|fe|renz; bi|schofs|li|la

Bi|schofs|müt|ze; Bi|schofs|sitz; Bi|schofs|stab; Bi|schofs|stuhl

Bi|se, die; -, -n Plur. selten (schweiz. für Nord[ost]wind); vgl. aber Biese

Bi|se|xu|a|li|tät [auch ...ˈtɛːt] (Biol. Doppelgeschlechtigkeit; Med., Psych. Nebeneinander von homo- u. heterosexuellen Veranlagungen)

bi|se|xu|ell [auch ...ˈksʉɛl] ⟨lat.⟩ (Biol. doppelgeschlechtig; sowohl heterosexuell als auch homosexuell)

bis|her (bis jetzt); bis|he|rig; der bisherige Außenminister; aber das Bisherige; Bisheriges; beim Bisherigen bleiben; im Bisherigen (im bisher Gesagten, geschrieben)

Bis|ka|ya, Bis|ca|ya [beide...ˈka:ja], die; - (kurz für Golf von Biskaya; Bucht des Atlantiks)

Bis|kot|te, die; -, -n ⟨ital.⟩ (österr. für Löffelbiskuit)

Bis|kuit [...ˈkviːt, auch ...ˈkvɪt], das, auch der; -[e]s, Plur. -s, auch -e ⟨franz.⟩ (feines Gebäck aus Eierschaum)

Bis|kuit|por|zel|lan; Bis|kuit|teig

bis|lang (bis jetzt)

Bis|marck (Gründer und Kanzler des Deutschen Reiches)

Bis|marck|ar|chi|pel, Bis|marck-Ar|chi|pel, der; -s (Inselgruppe nordöstl. von Neuguinea); Bis|marck|he|ring

bis|mar|ckisch, bis|marcksch; die bismarck[i]schen od. Bismarck'schen Sozialgesetze; ein Politiker von bismarck[i]schem od. Bismarck'schem Format

Bis|mark (Stadt in der Altmark)

Bis|mut vgl. Wismut; Bis|mu|tum, das; -[s] (lat. Bez. für Wismut; Zeichen Bi)

Bi|son, der; -s, -s (nordamerik. Wildrind)

biss vgl. beißen

Biss, der; Bisses, Bisse

Bis|sau (Hauptstadt von Guinea-Bissau)

biss|chen; das bisschen; dieses kleine bisschen; ein bisschen (ein wenig); ein klein bisschen; mit ein bisschen Geduld

Biss|chen (kleiner Bissen)

bis|sel, bis|serl (landsch. für bisschen); ein bissel od. bisserl Brot

Bis|sen, der; -s, -; bis|sen|wei|se

bis|serl vgl. bissel

biss|fest; Nudeln bissfest kochen

Biss|gurn, die; -, - (bayr., österr. ugs. für zänkische Frau)

bis|sig; Bis|sig|keit; Biss|spur, Biss-Spur; Biss|ver|let|zung

Bis|ten, das; -s (Lockruf der Haselhenne)

Bis|ter, der od. das; -s ⟨franz.⟩ (braune Wasserfarbe)

Bis|t|ro [auch ...ˈtro:], das; -s, -s ⟨franz.⟩ (kleines Lokal)

Bis|tum, das; -s, ...tümer (Amtsbezirk eines kath. Bischofs)

bis|wei|len

Bis|wind, der; -[e]s (schweiz., südbad. neben Bise)

Bit, das; -[s], -[s] ⟨engl.; Kurzw. aus binary digit⟩ (EDV Informationseinheit); Zeichen bit

Bi|thy|ni|en (antike Landschaft in Kleinasien); Bi|thy|ni|er; bi|thy|nisch

Bitt|brief; bit|te; bitte schön!; bitte wenden! (Abk. b. w.); geben Sie mir[,] bitte[,] das Buch ↑K130; du musst Bitte od. bitte sagen; Bit|te, die; -, -n

bit|ten; du batest (batest); du bätest; gebeten; bitt[e]!; Bit|ten, das; -s

bit|ter; er hat es bitter nötig; bit|ter|bö|se

Bit|te|re, der; Bitter[e]n, Bitter[e]n u. Bitt|re, der; -n, -n (bitterer Schnaps)

bit|ter|ernst; es wird bitterernst (sehr ernst); bit|ter|kalt; es ist bitterkalt; ein bitterkalter Wintertag

Bit|ter|keit, die; -; Bit|ter|klee

Bit|ter|le|mon, das; -[s], - u. Bit|ter Le|mon [...ˈlɛmən], das; - -[s], - - ⟨engl.⟩ (ein Erfrischungsgetränk)

bit|ter|lich; Bit|ter|ling (Fisch; Pflanze; Pilz)

Bit|ter|man|del|öl, das; -s

Bit|ter|nis, die; -, -se

Bit|ter|salz (Magnesiumsulfat)

bit|ter|süß ↑K23

Bit|ter|was|ser Plur. ...wässer (Mineralwasser mit Bittersalzen)

Bit|ter|wurz, Bit|ter|wur|zel (Gelber Enzian)

Bit|te|schön, das; -s; sie sagte ein höfliches Bitteschön; vgl. aber bitte

Bitt|gang, der; Bitt|ge|bet; Bitt|ge|such

Bitt|re vgl. Bittere

Bitt|schrift

Bitt|stel|ler; Bitt|stel|le|rin

Bitt|tag, Bitt-Tag (kath. Kirche)

blank

(rein, bloß)
- blan|ker, blanks|te
- ↑K140 : der Blanke Hans (*nordd. für* stürmische Nordsee)
- Drähte, Kabel sollten nicht blank liegen; blank liegende *od.* blankliegende Drähte, Kabel

Wenn »blank« das Ergebnis der mit dem folgenden einfachen Verb bezeichneten Tätigkeit angibt, kann getrennt oder zusammengeschrieben werden ↑K56:

- blank putzen *od.* blankputzen
- blank reiben *od.* blankreiben

- blank polieren *od.* blankpolieren
- die Drähte blank legen *od.* blanklegen

Bei übertragener Bedeutung gilt Zusammenschreibung:

- der Gardist hatte blankgezogen (den Säbel aus der Scheide gezogen)

Im Zweifelsfall ist Getrennt- od. Zusammenschreibung zulässig:

- die Nerven haben blank gelegen *od.* blankgelegen

Bi|tu|men, das; -s, *Plur.* -, *auch* ...mina ⟨lat.⟩ (teerartige [Abdichtungs- u. Isolier]masse); **bi|tu|mig**
bi|tu|mi|nie|ren (mit Bitumen behandeln); **bi|tu|mi|nös**
¹**bit|zeln** (*bes. südd. für* prickeln; [vor Kälte] beißend weh tun; *österr. auch für* zornig, gereizt sein; kleinlich genau vorgehen)
²**bit|zeln** (*mitteld. für* kleine Stückchen abschneiden); ich bitz[e]le
Bit|zel|was|ser (*bes. südd. für* Sprudelwasser)
Bitz|ler ⟨zu ¹bitzeln⟩; **bitz|lig**
bi|va|lent [*auch* 'bi:...] (zweiwertig)
Bi|wak, das; -s, *Plur.* -s u. -e ⟨nordd.-franz.⟩ (behelfsmäßiges Nachtlager im Freien); **bi|wa|kie|ren**
bi|zarr ⟨franz.⟩ (wunderlich; seltsam); **Bi|zar|re|rie,** die; -, ...ien
Bi|zeps, der; -[es], -e ⟨lat.⟩ (Beugemuskel des Oberarmes)
Bi|zet [...'ze:] (franz. Komponist)
bi|zy|k|lisch, *fachspr.* bi|cy|c|lisch [*auch* ...'tsy:...] (einen Kohlenstoffdoppelring enthaltend)
Björn (m. Vorn.)
Bjørn|son ['bjœ...] (norweg. Schriftsteller)
Bk = *chem. Zeichen für* Berkelium
BKA, das; - = Bundeskriminalamt; *österr. auch für* Bundeskanzleramt
Bl. = Blatt
Bla|bla, das; -[s] (*ugs. für* Gerede)
Bla|che, die; -, -n (*landsch. u. schweiz. Nebenform von* Blahe)
Blach|feld (*geh. veraltend für* flaches Feld)
Black Box, die; -, - -es, Black|box ['blɛk...], die; -, -es ⟨engl.⟩ (Teil eines kybernetischen Systems; Flugschreiber)
Black Jack, das; - -, - -, Black|jack

['blɛkdʒɛk], das; -, - ⟨amerik.⟩ (Kartenspiel)
Black-out, Black|out [blɛk'aut], das u. der; -[s], -s (Geistesabwesenheit, Erinnerungslücke; *Theater* plötzliche Verdunkelung am Szenenschluss; *auch* kleiner Sketsch; totaler Stromausfall)
Black Po|w|er ['blɛk 'pauɐ], die; - - (Bewegung nordamerikanischer Schwarzer gegen Rassendiskriminierung)
blad (*österr. ugs. abwertend für* dick); **Bla|de,** der u. die; -n, -n
bla|den ['ble:dn] ⟨zu Rollerblade®⟩ (mit Inlineskates fahren)
blaf|fen, bläf|fen (*ugs. für* bellen)
Blaf|fer, Bläf|fer
Blag, das; -s, -en u. **Bla|ge,** die; -, -n (*ugs. für* [lästiges] Kind)
Bläh|bauch (aufgeblähter Bauch)
Bla|he, *landsch.* Bla|che, *österr.* Pla|che, die; -, -n (Plane; grobe Leinwand)
blä|hen; sich blähen; **Blä|hung**
bla|ken (*nordd.* schwelen, rußen)
blä|ken (*ugs. abwertend* schreien)
Bla|ker ⟨zu blaken⟩ (metallene [Wand]leuchte mit reflektierendem Schild)
bla|kig (*nordd. für* rußend)
bla|ma|bel ⟨franz.⟩ (beschämend); ...a|b|le Geschichte
Bla|ma|ge [...ʒə], die; -, -n (Schande; Bloßstellung)
bla|mie|ren ⟨franz.⟩
Blan|ca (w. Vorn.)
Blanc de Blancs ['blãdəˈblã], der; - - -, -s - - ⟨franz.⟩ (nur aus weißen Trauben gekelterter [Schaum]wein)
blan|chie|ren [blã'ʃi:...] ⟨franz.⟩ (*Gastron.* überbrühen)
bland ⟨lat.⟩ (*Med.* milde, reizlos [von einer Diät]; ruhig verlaufend [von einer Krankheit])

Blan|di|ne (w. Vorn.)
blank *s. Kasten*
Blank [blɛŋk], der *od.* das; -s, -s ⟨engl.⟩ (*EDV* [Wort]zwischenraum, Leerstelle)
Blän|ka (w. Vorn.)
Blän|ke, die; -, -n (*selten für* kleiner Tümpel)
Blank|eis ([Gletscher]eis ohne Schnee)
Blan|ke|ne|se (Stadtteil von Hamburg)
Blan|kett, das; -[e]s, -e ⟨zu blank⟩ (unterschriebenes, noch nicht [vollständig] ausgefülltes Schriftstück)
blank le|gen, blank|le|gen *vgl.* blank
blank lie|gen, blank|lie|gen *vgl.* blank
blan|ko ⟨ital.⟩ (leer, unausgefüllt)
Blan|ko|scheck; Blan|ko|voll|macht (unbeschränkte Vollmacht)
blank po|lie|ren, blank|po|lie|ren; ein blank polierter *od.* blankpolierter Stiefel; *vgl.* blank
blank put|zen, blank|put|zen *vgl.* blank
blank rei|ben, blank|rei|ben *vgl.* blank
Blank|vers ⟨engl.⟩ (fünffüßiger Jambenvers)
blank|zie|hen; er hat den Säbel blankgezogen (aus der Scheide)
Bläs|chen; Bla|se, die; -, -n; ein Blasen ziehendes *od.* blasenziehendes Mittel
Bla|se|balg *Plur.* ...bälge
bla|sen; du bläst, er bläst; ich blies, du bliesest; geblasen; blas[e]!
Bla|sen|bil|dung
Bla|sen|ent|zün|dung
Bla|sen|kam|mer (*Kernphysik* Gerät zum Sichtbarmachen der Bahnspuren ionisierender Teilchen)
Bla|sen|ka|tarr, **Bla|sen|ka|tarrh;**

blau

blau|er, blau[e]s|te

Kleinschreibung ↑K 89:

– blau sein (*auch ugs. für* betrunken sein)
– blau in blau
– die blaue Blume (Sinnbild der Romantik)
– blauer *od.* Blauer Brief (*ugs. für* Mahnschreiben der Schule an die Eltern, *auch* Kündigungsschreiben)
– jmdm. blauen Dunst vormachen (*ugs.*)
– blauer Fleck (*ugs. für* Bluterguss)
– unsere blauen Jungs (*ugs. für* Marinesoldaten)
– blauer Montag
– die blaue Mauritius ↑K 89
– sein blaues Wunder erleben (*ugs. für* staunen)
– Aal blau
– *im Pass o. Ä.:* Augen: blau

Großschreibung der Substantivierung ↑K 72:

– die Farbe Blau; ins Blaue reden; Fahrt ins Blaue; die Farbe der Fahne ist Blau *od.* blau

In Namen und bestimmten namenähnlichen Fügungen ↑K 88 *u.* 89:

– das Blaue Band des Ozeans
– Blauer Eisenhut
– der Blaue Engel (Siegel für umweltschonende Produkte)

– die Blaue Grotte (von Capri)
– der Blaue Nil
– der Blaue Planet (die Erde)
– der Blaue Reiter (Name einer Künstlergemeinschaft)
Vgl. auch Blau, Blaue

Zusammensetzungen von »blau« mit einer anderen Farbbezeichnung:

– blaugrün, blaurot usw. ↑K 23

Getrennt- und Zusammenschreibung:

– ein blau gestreifter *od.* blaugestreifter Stoff ↑K 58

Wenn »blau« das Ergebnis der mit einem folgenden einfachen Verb bezeichneten Tätigkeit angibt, kann ebenfalls getrennt oder zusammengeschrieben werden:

– etwas blau färben *od.* blaufärben

Aber nur:

– etwas hellblau färben, etwas blau einfärben
Vgl. auch blaumachen

Bla|sen|ka|the|ter; Bla|sen|lei|den; Bla|sen|schwä|che; Bla|sen|spie|ge|lung; Bla|sen|stein
Bla|sen|tang (eine Braunalgenart)
Bla|sen zie|hend , bla|sen|zie|hend ↑K 58 ; *vgl.* Blase
Blä|ser; Bla|se|rei; Blä|se|rin
bla|siert (franz.) (dünkelhaft-herablassend; hochnäsig); Bla|siert|heit, die; -
bla|sig; Bla|sin|s|t|ru|ment
Bla|si|us (m. Vorn.)
Blas|ka|pel|le; Blas|mu|sik
Bla|son [...'zõ:], der; -s, -s (franz.) (*Heraldik* Wappen[schild])
bla|so|nie|ren (Wappen fachgerecht beschreiben); Bla|so|nie|rung
Blas|phe|mie, die; -, ...ien (griech.) (Gotteslästerung); blas|phe|mie|ren
blas|phe|misch, blas|phe|mis|tisch
Blas|rohr
blass; blasser (*auch* blässer), blasseste (*auch* blässeste); blass sein; blass werden; blass|blau
Bläs|se, die; - (Blassheit); *vgl. aber* Blesse
blas|sen (*selten für* blass werden); du blasst; geblasst; blass|gelb; blass|grün
Bläss|huhn, Bless|huhn
bläss|lich; blass|ro|sa

Blas|to|ge|ne|se, die; - ⟨griech.⟩ (*Biol.* ungeschlechtliche Entstehung eines Lebewesens)
Blas|tom, das; -s, -e (*Med.* Geschwulst)
Blas|tu|la, die; -, ...lae (*Biol.* Entwicklungsstadium des Embryos nach der Furchung der Eizelle)
Blatt, das; -[e]s, Blätter (*Abk.* Bl. [Papier]); 5 Blatt Papier
Blätt|chen
blat|ten (*Jägerspr.* auf einem Blatt [Pflanzenblatt *od.* Instrument] Rehe anlocken); Blat|ter (Instrument zum Blatten)
blät|te|rig, blätt|rig; Blät|ter|ma|gen (Magen der Wiederkäuer)
blät|tern; ich blätterte
Blat|tern *Plur.* (*älter für* Pocken); Blat|ter|nar|be (*älter für* Pockennarbe); blat|ter|nar|big (*älter für* pockennarbig)
Blät|ter|teig
Blät|ter|wald (*scherzh. für* die Presse, die Zeitungen)
blät|ter|wei|se, blätt|wei|se; Blät|ter|werk, Blätt|werk, das; -[e]s
Blatt|fe|der; Blatt|gold; Blatt|grün; Blatt|laus
blatt|los; Blatt|pflan|ze
blätt|rig, blät|te|rig; Blatt|sa|lat
Blatt|schuss
Blatt|tang, Blatt-Tang, der; -[e]s

Blatt|trieb, Blatt-Trieb
blatt|wei|se, blät|ter|wei|se; Blatt|werk, Blät|ter|werk, das; -[e]s
blau *s.* Kasten
Blau, das; -s, *Plur.* -, *ugs.* -s (blaue Farbe); in Blau gekleidet; mit Blau bemalt; Stoffe in Blau; das Blau des Himmels; blau|äu|gig
Blau|bart, der; -[e]s, ...bärte (Frauenmörder [im Märchen])
Blau|ba|salt
Blau|bee|re (Heidelbeere)
blau|blü|tig (*ugs. für* adlig)
Blau|druck *Plur.* ...drucke
Blaue, das; -n ↑K 72 ; ins Blaue schießen; das Blaue vom Himmel [herunter]reden; Fahrt ins Blaue; Bläue, die; - (Himmel[sblau])
Blau|ei|sen|erz
blau|en (*geh. für* blau werden)
¹bläu|en (blau machen, färben)
²bläu|en (*ugs. für* schlagen)
blau fär|ben, blau|fär|ben; ein blau gefärbtes *od.* blaugefärbtes Kleid; *vgl.* blau
Blau|fel|chen (ein Fisch)
Blau|fuchs
blau|grau ↑K 23 ; blau|grün
Blau|helm (UNO-Soldat)
Blau|ja|cke (*ugs. für* Matrose)
Blau|kraut, das; -[e]s (*landsch. u. österr. für* Rotkohl)

bläu|lich; bläulich grün, bläulich rot usw. ↑K60
Blau|licht *Plur.* ...lichter
Blau|ling, Bläu|ling (ein Schmetterling; Fisch)
blau|ma|chen *(ugs. für* nicht zur Arbeit, Schule o. Ä. gehen); *vgl.* blau
Blau|mann *Plur.* ...männer *(ugs. für* blauer Monteuranzug)
Blau|mei|se
Blau|pau|se (Lichtpause auf bläulichem Papier)
Blau|ra|cke (ein Vogel)
blau|rot
Blau|säu|re, die; -; **Blau|schim|mel; Blau|schim|mel|kä|se**
blau|sti|chig; ein blaustichiges Farbfoto
Blau|strumpf *(veraltend scherzh. für* intellektuelle Frau); **blaustrümp|fig**
Blau|weiß|por|zel|lan
Bla|zer ['ble:zɐ], der; -s, - ⟨engl.⟩ (Klubjacke; sportl. Jackett)
Blech, das; -[e]s, -e
Blech|blas|in|s|t|ru|ment; Blechbüch|se; Blech|do|se
ble|chen *(ugs. für* zahlen)
ble|chern (aus Blech); **Blech|la|wine** (lange Kolonne dicht aufeinanderfolgender Autos); **Blechmu|sik; Blech|ner** *(südd. für* Klempner); **Blech|sa|lat** *(ugs. für* Autounfall mit Totalschaden); **Blech|schach|tel; Blech|scha|den; Blech|sche|re**
ble|cken; die Zähne blecken
¹**Blei,** das; -[e]s, -e (chemisches Element, Metall; *Zeichen* Pb [*vgl.* Plumbum]; Richtblei; *zollamtlich für* Plombe)
²**Blei,** der, *auch* das; -[e]s, -e *(ugs. kurz für* Bleistift)
³**Blei,** der; -[e]s, -e *(svw.* Brachse)
Blei|asche
Blei|be, die; -, -n *Plur. selten* (Unterkunft)
blei|ben; du bliebst; geblieben; bleib[e]!; sie hat es bleiben lassen *(seltener* bleiben gelassen) *od.* bleibenlassen *(seltener* bleibengelassen); *aber nur* du kannst die Kinder noch ein bisschen bei uns bleiben lassen (unterlassen)
Blei|be|recht (Aufenthaltsrecht von Ausländern im Inland)
bleich; Blei|che, die; -, -n
¹**blei|chen** (bleich machen); du bleichtest; gebleicht; bleich[e]!; die Sonne bleicht das Haar

²**blei|chen** (bleich werden); du bleichtest *(veraltet* blichst); gebleicht *(veraltet* geblichen); bleich[e]!; der Teppich bleicht in der Sonne
Blei|che|rei
Blei|chert, der; -s, -e (blasser Rotwein)
Bleich|ge|sicht *Plur.* ...gesichter
Bleich|sand (graublaue Sandschicht)
Bleich|sucht, die; -
bleich|süch|tig
blei|en (mit Blei versehen); **blei|ern** (aus Blei); **blei|far|ben**
blei|frei; bleifrei (mit bleifreiem Benzin) fahren; **Blei|frei,** das; -s *meist ohne Artikel;* Bleifrei (bleifreies Benzin) tanken
Blei|fuß; mit Bleifuß (ständig mit Vollgas) fahren
Blei|gie|ßen, das; -s; **Blei|glanz** (ein Mineral)
blei|hal|tig
Blei|kris|tall; blei|schwer
Blei|stift, der; *vgl.* ²Blei
Blei|stift|ab|satz; Blei|stift|spit|zer; Blei|stift|stum|mel
Blei|weiß (Bleifarbe); **Blei|wüs|te**
Blend, der u. das; -s, -s ⟨engl.⟩ (Verschnitt)
Blen|de, die; -, -n (ein Mineral; *Optik* lichtabschirmende Scheibe; *Fotogr.* Einrichtung zur Belichtungsregulierung; *Archit.* blindes Fenster, Nische)
blen|den; Blen|den|au|to|ma|tik
blen|dend; ein blendend weißes Kleid; der Schnee war blendend weiß
Blen|der *(abwertend);* **Blen|de|rin**
blend|frei
Blend|gra|na|te; Blend|la|ter|ne
Blend|schutz; Blend|schutz|zaun
Blen|dung; Blend|werk
Bles|se, die; -, -n (weißer Stirnfleck od. -streifen; Tier mit weißem Stirnfleck); *vgl. aber* Blässe
Bless|huhn, Bläss|huhn
bles|sie|ren ⟨franz.⟩ *(veraltet für* verwunden)
Bles|sur, die; -, -en *(geh. für* Verwundung)
bleu [blø:] ⟨franz.⟩ (blassblau); *vgl.* beige; **Bleu,** das; -s, *Plur.* -, *ugs.* -s
Bleu|el, der; -s, - *(veraltet für* Schlägel [zum Wäscheklopfen])
bleu|en *(alte Schreibung für* ²bläuen)
Blick, der; -[e]s, -e; **blick|dicht;** blickdichte Strumpfhosen
bli|cken

bli|cken las|sen, bli|cken|las|sen; schön, dass du dich mal wieder blicken lässt *od.* blickenlässt
Blick|fang; Blick|feld; Blick|kon|takt
blick|los; Blick|punkt; Blick|richtung; Blick|win|kel
blieb *vgl.* bleiben
blies *vgl.* blasen
blind; blinder Alarm; blind sein, werden; sich blind stellen; ein blind geborenes *od.* blindgeborenes Kind; *vgl.* blindfliegen, blindschreiben, blindspielen
Blind|darm; Blind|darm|ent|zündung
Blind Date ['blaind 'de:t], das; - -[s], - -s ⟨amerik.⟩ (Verabredung mit einer unbekannten Person)
Blin|de, der u. die; -n, -n
Blin|de|kuh *ohne Artikel;* Blindekuh spielen
Blin|den|an|stalt
Blin|den|füh|rer; Blin|den|füh|re|rin; Blin|den|hund; Blin|den|schrift; Blin|den|stock; Blin|den|ver|band; Deutscher Blindenverband
Blind|fisch *(Zool.; ugs. für* Person, die etwas Offensichtliches nicht sieht)
blind|flie|gen (ohne Sicht, nur mit Instrumenten fliegen); **Blindflie|gen,** das; -s; **Blind|flug**
Blind|gän|ger
blind ge|bo|ren, blind|ge|bo|ren ↑K58; *vgl.* blind; blind Ge|bo|re|ne, blind Ge|bor|ne, der u. die; - -n, - -n, **Blind|ge|bo|re|ne, Blind|ge|bor|ne,** der u. die; -n, -n
Blind|heit, die; -; **blind|lings**
Blind|pro|be (Art der Weinverkostung)
Blind|schacht (nicht zu Tage gehender Schacht)
Blind|schlei|che, die; -, -n
blind|schrei|ben (ohne auf die Schreibmaschinen- od. Computertastatur zu schauen); um blindzuschreiben; **Blind|schreibver|fah|ren**
blind|spie|len *(Schach* ohne Brett u. Figuren spielen)
Blind|spie|ler; Blind|spie|le|rin
Blind|ver|kos|tung *(vgl.* Blindprobe)
blind|wü|tig; Blind|wü|tig|keit
Bling-Bling, das; -s *meist ohne Artikel* ⟨amerik.⟩ (stark glitzernder Schmuck)
blink; blink und blank
blin|ken; Blin|ker; Blin|ke|rei
blin|kern; ich blinkere
Blink|feu|er (Seezeichen); **Blinkleuch|te; Blink|licht** *Plur.* ...lichter; **Blink|zei|chen**

blin|zeln; ich blinz[e]le

Blis|ter, der; -s, - ⟨engl.⟩ (Kunststofffolie zur Verpackung)

Blitz, der; -es, -e

Blitz|ab|lei|ter; Blitz|ak|ti|on

blitz|ar|tig

blitz|blank, ugs. auch bliṭ|ze|blank; blitz|blau, ugs. auch bliṭ|ze|blau

Blitz|eis (sehr schnell zu Eis gefrorenes [Regen]wasser)

blit|zen (ugs. auch für mit Blitzlicht fotografieren; [in provozierender Absicht] nackt über belebte Straßen o. Ä. rennen)

Blitz|zes|schnel|le, die; -

Blitz|ge|rät; blitz|ge|scheit

Blitz|ge|spräch

Blitz|gnei|ßer (österr. ugs. für Schnellmerker); Blitz|gnei|ße|rin

Blitz|kar|ri|e|re

Blitz|krieg

Blitz|lam|pe; Blitz|licht Plur. ...lichter; Blitz|licht|auf|nah|me; Blitz|licht|ge|wit|ter

blitz|sau|ber

Blitz|schach; Blitz|schlag

blitz|schnell

Blitz|sieg; Blitz|strahl; Blitz|um|fra|ge; Blitz|wür|fel

Bliz|zard [...zɐt], der; -s, -s ⟨engl.⟩ (Schneesturm [in Nordamerika])

¹Bloch, der, auch das; -[e]s, Plur. Blöcher, österr. meist Bloche (südd. u. österr. für Holzblock, -stamm)

²Bloch (dt. Philosoph)

blo|chen (schweiz. für bohnern); Blo|cher (schweiz. für Bohner[besen])

Bloch|holz ⟨zu ¹Bloch⟩

Block

der; -[e]s

Plural für Beton-, Eisen-, Fels-, Granit-, Hack-, Holz-, Metall-, Motor-, Stein-, Zylinderblock:

– Blö|cke

Plural für Abreiß-, Brief-, Buch-, Formular-, Häuser-, Kalender-, Kassen-, Notiz-, Rezept-, Schreib-, Steno[gramm]-, Wohn-, Zeichenblock:

– Blocks od. Blö|cke, österreichisch u. schweizerisch nur Blöcke

Plural für Macht-, Militär-, Währungs-, Wirtschaftsblock u. a.:

– Blö|cke, selten Blocks

Blo|cka|de, die; -, -n ⟨franz.⟩ ([See]sperre, Einschließung; Druckw. durch Blockieren gekennzeichnete Stelle)

Block|bil|dung

Block|buch (aus einzelnen Holzschnitten geklebtes Buch des 15. Jh.s)

Block|buch|sta|be

Block|bus|ter ['blɔkbastɐ], der; -s, - ⟨engl.⟩ (sehr erfolgreiches Produkt, bes. ein Kinofilm)

blo|cken (südd. auch für bohnern); Blo|cker (südd. für Bohnerbesen)

Block|flö|te; Block|haus

blo|ckie|ren ⟨franz.⟩ (einschließen, blocken, [ab]sperren; unterbinden, unterbrechen; Druckw. fehlenden Text durch ▮▮ kennzeichnen); Blo|ckie|rung

blo|ckig (klotzig)

Block|malz (Hustenbonbon[s] aus Malzzucker)

Block|po|li|tik

Blocks|berg, der; -[e]s (in der Volkssage für ²Brocken)

Block|scho|ko|la|de; Block|schrift

Block|si|g|nal (Eisenb.)

Block|stel|le (Eisenb.)

Block|stun|de (Doppelstunde im Schulunterricht)

Blo|ckung

Block|un|ter|richt (Schulw.)

Block|werk (Eisenb. Kontrollstelle für einen Streckenabschnitt)

blöd, blö|de, blödes|te (ugs. für dumm); sich blöd stellen

Blö|del, der; -s, - (ugs. abwertend für dummer Mensch)

Blö|del|bar|de; Blö|de|lei; blö|deln (ugs. für Unsinn reden, albern sein); ich blöd[e]le

Blöd|ham|mel (svw. Blödel); Blöd|heit (Dummheit)

Blö|di|an, der; -[e]s, -e (svw. Blödel); Blö|dig|keit, die; - (veraltet für Schwäche; Schüchternheit)

Blöd|ling (svw. Blödel); Blöd|mann Plur. ...männer (svw. Blödel)

Blöd|sinn, der; -[e]s (ugs.); blöd|sin|nig (svw. blöd); Blöd|sin|nig|keit

Blog, das, auch der; -s, -s ⟨engl.⟩ (kurz für Weblog)

blog|gen (an einem Blog [mit]schreiben); sie bloggt; er hat gebloggt

Blog|ger; jmd., der an einem Blog [mit]schreibt; Blog|ge|rin

blö|ken

blond ⟨franz.⟩; blond gefärbtes od. blondgefärbtes Haar ↑K 58; ihr Haar wurde blond gefärbt

Blond|chen (ugs., auch abwertend für blonde Frau)

¹Blon|de, die u. der; -n, -n (blonde Frau; blonder Mann)

²Blon|de, die u. das; -n, -n (Glas Weißbier, helles Bier; zwei Blonde; ein kühles Blondes

³Blon|de [auch blõ:t, 'blõ:dǝ], die; -, -n (Seidenspitze)

blond ge|färbt, blond|ge|färbt vgl. blond

blond ge|lockt, blond|ge|lockt

Blond|haar, das; -[e]s

blon|die|ren (blond färben)

Blon|di|ne, die; -, -n (blonde Frau); Blon|di|nen|witz

Blond|kopf; blond|lo|ckig

Blond|schopf

¹bloß (nur)

²bloß (entblößt); ↑K 56 : wenn die Nerven bloß liegen od. bloßliegen; Mauern, Leitungen bloß legen od. bloßlegen; aber nur sich bloß strampeln; das Kind hat sich bloß gestrampelt; Blö|ße, die; -, -n; bloß|fü|ßig (veraltend)

bloß|le|gen (enthüllen); Hintergründe bloßlegen; vgl. ²bloß

bloß lie|gen, bloß|lie|gen vgl. ²bloß

bloß|stel|len (blamieren); vgl. ²bloß; Bloß|stel|lung

bloß stram|peln vgl. bloß

Blou|son [blu'zõ], das, auch der; -[s], -s ⟨franz.⟩ (über Rock od. Hose getragene, an den Hüften eng anliegende Jacke mit Bund)

Blow|job ['blo:dʒɔp], der ⟨engl.⟩ (derb für Fellatio)

Blow-up, Blow|up ['blo:ap], das; -s, -s ⟨engl.⟩ (fotograf. Vergrößerung)

blub|bern (nordd. für glucksen; rasch u. undeutlich sprechen); ich blubbere

Blü|cher (preuß. Feldmarschall)

Blu|denz (österr. Stadt)

Blue|chip, der; -s, -s, Blue Chip ['blu:tʃɪp], der; - -s, - -s ⟨engl.⟩ (erstklassiges Wertpapier)

Blue|jean [blu:'dʒi:n], die; -, -s (österr. für Bluejeans)

Blue|jeans ['blu:dʒi:ns] Plur. ⟨amerik.⟩ (blaue [Arbeits]hose aus geköpertem Baumwollgewebe)

Blues [blu:s], der; -, - (urspr. Volkslied der nordamerik. Schwarzen; ältere Jazzform; langsamer Tanz im $^4/_4$-Takt)

Blue|tooth ® ['blu:tu:θ], der od. das; -[s] ⟨engl.⟩ (Kurzstreckenfunkstandard); Blue|tooth|an|wen|dung

Bluff [*auch* blœf], der; -s, -s ⟨engl.⟩ (Verblüffung; Täuschung); bluffen

blü|hen

Blüm|chen; Blüm|chen|kaf|fee (*ugs. scherzh. für* dünner Kaffee)

Blu|me, die; -, -n

Blu|men|beet; Blu|men|bin|der (Berufsbez.); Blu|men|bin|de|rin

Blu|men|bou|quet, Blu|men|bu|kett

Blu|men|draht; Blu|men|frau; Blu|men|ge|schäft

blu|men|ge|schmückt

Blu|men|gruß; Blu|men|kas|ten; Blu|men|kind; Blu|men|kist|chen (*österr., schweiz.*); Blu|men|kohl; Blu|men|ra|bat|te

blu|men|reich; Blu|men|strauß *Plur.* ...sträuße; Blu|men|topf

blü|me|rant ⟨franz.⟩ (*ugs. für* übel, flau); mir ist ganz blümerant

blu|mig; Blüm|lein

Blun|ze, die; -, -n, *auch* Blun|zen, die; -, - (*bayr., österr. ugs. für* Blutwurst)

Blu|se, die; -, -n ⟨franz.⟩

Blü|se, die; -, -n ⟨Seemannsspr. Leuchtfeuer)

blu|sig

Blust, der *od.* das; -[e]s (*südd. u. schweiz., sonst veraltet für* Blütezeit, Blühen)

Blut, das; -[e]s, *Plur. (Med. fachspr.)* -e; *vgl.* blutbildend, blutreinigend, blutsaugend, blutstillend

Blut|ader; Blut|al|ko|hol

¹blut|arm (arm an Blut)

²blut|arm (*ugs. für* sehr arm)

Blut|ar|mut; Blut|bad; Blut|bahn; Blut|bank *Plur.* ...banken (Sammelstelle für Blutkonserven)

blut|be|schmiert

Blut|bild

blut|bil|dend, Blut bil|dend; ein blutbildendes *od.* Blut bildendes Medikament ↑K58 *u.* 59

Blut|bla|se; Blut|bu|che

Blut|do|ping (leistungssteigernde Eigenblutinjektion)

Blut|druck, der; -[e]s; blut|drucksen|kend

blut|durch|tränkt; blutdurchtränkte Tücher

Blut|durst; blut|dürs|tig

Blü|te, die; -, -n

Blut|egel; Blut|ei|weiß

blu|ten

Blü|ten|blatt; Blü|ten|ho|nig; Blüten|kelch; Blü|ten|le|se

blü|ten|los; blütenlose Pflanze

Blü|ten|stand; Blü|ten|staub

blü|ten|weiß; blütenweiße Wäsche

Blü|ten|zweig

Blu|ter (jmd., der an der Bluterkrankheit leidet)

Blut|er|guss

Blu|te|rin

Blu|ter|krank|heit, die; - (erbliche Störung der Gerinnungsfähigkeit des Blutes)

Blü|te|zeit

Blut|farb|stoff; Blut|fett|wert; Blutfleck; Blut|ge|fäß; Blut|ge|rinn|sel

blut|ge|tränkt; ein blutgetränktes Taschentuch

Blut|grup|pe; Blut|grup|pen|un|tersu|chung

Blut|hoch|druck; Blut|hund

blu|tig

¹...blü|tig ⟨*zu* Blut⟩ (z. B. heißblütig)

²...blü|tig ⟨*zu* Blüte⟩ (z. B. langblütig)

blut|jung (*ugs. für* sehr jung)

Blut|kon|ser|ve (konserviertes Blut); Blut|kör|per|chen; Blutkrebs; Blut|kreis|lauf; Blut|la|che

blut|leer (ohne Blut)

...blüt|ler (z. B. Lippenblütler)

blut|mä|ßig *vgl.* blutsmäßig

Blut|oran|ge; Blut|pfropf; Blutplas|ma

Blut|plätt|chen; Blut|pro|be; Blutra|che; Blut|rausch

blut|rei|ni|gend, Blut rei|ni|gend; blutreinigender *od.* Blut reinigender Tee ↑K58 *u.* 59

blut|rot

blut|rüns|tig

blut|sau|gend, Blut sau|gend; ein blutsaugender *od.* Blut saugender Vampir ↑K58 *u.* 59; Blutsau|ger

Bluts|bru|der; Bluts|brü|der|schaft

Blut|schan|de, die; -; blut|schän|derisch

Blut-Schweiß-und-Tränen-Rede (bes. dramatische, schwere Zeiten ankündigende Rede)

Blut|sen|kung; Blut|se|rum

bluts|mä|ßig (durch Blutsverwandtschaft bedingt)

Blut|spen|de

Blut|spen|der; Blut|spen|de|rin; Blut|spur

blut|still|lend, Blut still|lend; blutstillende *od.* Blut stillende Watte ↑K58 *u.* 59

Bluts|trop|fen; Blut|sturz

bluts|ver|wandt; Bluts|ver|wand|te; Bluts|ver|wandt|schaft

Blut|tat; Blut|trans|fu|si|on

blut|trie|fend; blut|über|strömt

Blut|über|tra|gung

Blu|tung

blut|un|ter|lau|fen

Blut|un|ter|su|chung; Blut|ver|gießen; Blut|ver|gif|tung; Blut|verlust

blut|ver|schmiert; blut|voll

Blut|wä|sche; Blut|was|ser

blut|we|nig (*ugs. für* sehr wenig)

Blut|wurst

Blut|zeu|ge (Märtyrer); Blut|zeu|gin

Blut|zoll (*geh.*)

Blut|zu|cker; Blut|zu|fuhr

BLZ, die; - = Bankleitzahl

B-Ma|tu|ra (*österr.* Beamtenaufstiegsprüfung)

BMI, der; - = Body-Mass-Index

b-Moll ['be:..., *auch* 'be:'mɔl], das; - (Tonart; *Zeichen* b); b-Moll-Ton|lei|ter

B-Mo|vie ['bi:'mu:vi], das; -[s], -s ⟨engl.-amerik.⟩ (*Film* mit geringen Mitteln produzierter Film)

BMW®, der; -[s], -[s] ⟨nach dem Unternehmen Bayerische Motoren Werke AG⟩ (deutsche Kraftfahrzeugmarke)

BMX-Rad [be:ɛm'ɪks...] ⟨zu engl. bicycle moto-cross⟩ (kleineres, bes. geländegängiges Fahrrad)

BND, der; -[s] = Bundesnachrichtendienst

Bö, Böe, die; -, Böen (heftiger Windstoß)

Boa, die; -, -s (eine Riesenschlange); langer, schmaler Schal aus Pelz oder Federn)

Board [bo:ɐt], das; -s, -s ⟨engl.⟩ (*kurz für* Kickboard, Skateboard, Snowboard u. Ä.)

boar|den ['bo:ɐdn̩] ⟨engl.⟩; wir sind/haben geboardet (Snowboard oder Skateboard gefahren); sie sind als Erste geboardet (*Flugw.* haben das Flugzeug als Erste bestiegen)

Boat|peo|p|le, Boat-Peo|p|le ['bo:tpi:pl] *Plur.* ⟨engl.⟩ (↑K22; mit Booten geflohene [vietnamesische] Flüchtlinge)

¹Bob (m. Vorn.)

²Bob, der; -s, -s ⟨engl., *Kurzform für* Bobsleigh⟩ (Rennschlitten); Bob|bahn

bob|ben (beim Bobfahren durch eine ruckweise Oberkörperbewegung die Fahrt beschleunigen)

Bob|by [...bi], der; -[s], -s ⟨nach dem Reorganisator der engl. Polizei, Robert (»Bobby«) Peel⟩ (*engl. ugs. für* Polizist)

¹Bo|ber, der; -s, - (schwimmendes Seezeichen)

²**Bo|ber,** der; -s (Nebenfluss der Oder)

Bob|fah|rer; Bob|fah|re|rin

Bo|bi|ne, die; -, -n ⟨franz.⟩ ([Garn]spule in der Baumwollspinnerei; endloser Papierstreifen zur Herstellung von Zigarettenhülsen; *Bergmannsspr.* Wickeltrommel für Förderseile)

Bo|bi|net [*auch* ...'nɛt], der; -s, -s ⟨engl.⟩ (Gewebe; engl. Tüll)

Bob|sleigh [...sle:], der; -s, -s; *vgl.* ²Bob

Bob|tail [...te:l], der; -s, -s ⟨engl.⟩ (Hunderasse)

Boc|cac|cio [...'katʃo] (ital. Dichter)

Boc|cia [...tʃa], das *od.* die; -, -s ⟨ital.⟩ (ital. Kugelspiel)

Boche [bɔʃ], der; -, -s ⟨franz.⟩ (franz. Schimpfname für den Deutschen)

Bo|cholt (Stadt im Münsterland)

Bo|chum (Stadt im Ruhrgebiet); **Bo|chu|mer**

¹**Bock,** der; -[e]s, Böcke (Ziegen-, Rehbock o. Ä.; Gestell; Turngerät); Bock springen; *aber* das Bockspringen; *(bes. Jugendspr.)* auf etw. Bock (Lust) haben

²**Bock,** das, *auch* der; -s ⟨*Kurzform für* Bockbier); zwei Bock

bock|bei|nig

Bock|bier

Böck|chen

bö|ckeln (*landsch. für* nach ¹Bock riechen)

bo|cken

bo|ckig; Bo|ckig|keit, die; -

Bock|kä|fer; Bock|lei|ter, die

Böck|lin (schweiz. Maler)

Bock|mist (*ugs. für* Blödsinn, Fehler)

Bocks|beu|tel (bauchige Flasche; Frankenwein in solcher Flasche); **Bocks|dorn,** der; -[e]s (ein Strauch)

Böck|ser, der; -s, - (*Winzerspr.* fauliger Geruch u. Geschmack bei jungem Wein)

Bocks|horn *Plur.* ...hörner; lass dich nicht ins Bockshorn jagen *(ugs. für einschüchtern)*

Bocks|hörndl, das; -s, -n (*österr. ugs. für* Frucht des Johannisbrotbaumes); **Bocks|horn|klee,** der; -s (eine Pflanze)

Bock|sprin|gen, das; -s ↑K 82

Bock|sprung

bock|stark (*ugs. für* sehr stark, sehr gut); **Bock|wurst**

Bod|den, der; -s, - (*nordd. für* Strandsee, [Ostsee]bucht)

Bo|de|ga, die; -, -s ⟨span.⟩ (span. Weinkeller, -schenke)

Bo|de|gym|nas|tik, Bo|de-Gym|nas|tik, die; - (Ausdrucksgymnastik nach Rudolf Bode)

Bo|del|schwingh (dt. ev. Theologe)

Bo|den, der; -s, Böden

Bo|den|ab|wehr; Bo|den|be|ar|bei|tung; Bo|den|be|lag

Bo|den-Bo|den-Ra|ke|te

Bo|den|ero|si|on; Bo|den|frei|heit; Bo|den|frost; Bo|den|haf|tung (*Motorsport; auch bildlich für* Realitätssinn)

Bo|den|hal|tung

Bo|den|kam|mer

bo|den|lang; ein bodenlanges Kleid

Bo|den|le|ger (Berufsbez.); **Bo|den|le|ge|rin**

bo|den|los, ↑K 72 : ins Bodenlose fallen

bo|den|nah

Bo|den|ne|bel; Bo|den|per|so|nal; Bo|den|pro|be; Bo|den|re|form; Bo|den|satz; Bo|den|schät|ze *Plur.*

Bo|den|see, der; -s

Bo|den|spe|ku|la|ti|on

bo|den|stän|dig

Bo|den|sta|ti|on; Bo|den|trup|pe; Bo|den|tur|nen; Bo|den|va|se; Bo|den|wachs (*österr. für* Bohnerwachs); **Bo|den|wel|le; Bo|den|wich|se** (Bohnerwachs)

bo|di|gen (*schweiz. für* besiegen)

Bod|me|rei (Schiffsbeleihung, -verpfändung)

Bo|do (m. Vorn.); *vgl.* Boto

Bo|dy [...di], der; -s, -s ⟨engl.⟩ (engl. Bez. für Körper; *kurz für* Bodysuit)

Bo|dy|buil|der [...bɪldɐ], der; -s, - (jmd., der Bodybuilding betreibt); **Bo|dy|buil|de|rin; Bo|dy|buil|ding,** das; -[s] (gezieltes Muskeltraining mit besonderen Geräten)

Bo|dy|check, der; -s, -s (erlaubtes Rempeln des Gegners beim Eishockey)

Bo|dy|guard [...gaːɐt], der; -s, -s (Leibwächter)

Bo|dy|lo|tion [...loːʃn] (Körperlotion)

Bo|dy-Mass-In|dex [...mɛs...] (*Med.* Verhältnis von Körpergröße und -gewicht; *Abk.* BMI)

Bo|dy|pain|ting [...peːn...], das; -[s] (Bemalung des ganzen Körpers als Kunstform)

Bo|dy|sto|cking [...stɔ...], der; -[s], -s; *vgl.* Bodysuit

Bo|dy|suit [...sjuːt], der; -[s], -s (eng anliegende, einteilige Unterkleidung)

Böe *vgl.* Bö

Boe|ing® [ˈboːɪŋ], die; -, -s ⟨nach dem amerik. Flugzeughersteller Boeing⟩ (Flugzeugtyp)

Bo|e|thi|us (spätröm. Philosoph)

Bo|fist [*auch* boˈfist], Bo|vist [ˈboːvɪst, *auch* boˈvɪst], der; -[e]s, -e (ein Pilz)

bog *vgl.* biegen

Bo|gen, der; -s, *Plur.* - u. (bes. südd., österr. u. schweiz.) Bögen *Abk.* (für den Bogen Papier:) Bg.; in Bausch und Bogen (ganz und gar)

Bo|gen|füh|rung

Bo|gen|lam|pe

Bo|gen|schie|ßen, das; -s; **Bo|gen|schüt|ze; Bo|gen|schüt|zin**

Bo|gey [ˈboːgi], das; -s, -s ⟨engl.⟩ (*Golf* ein Schlag über Par)

bo|gig

Bo|gis|law (m. Vorn.)

Bo|go|tá (Hauptstadt Kolumbiens)

Bo|hei *vgl.* Buhei

Bo|heme [boˈɛːm, *auch* boˈhɛːm], die; - (unkonventionelles Künstlermilieu); **Bo|he|mi|en** [boeˈmiɛ̃:, *auch* bohe...], der; -s, -s (Angehöriger der Boheme)

Boh|le, die; -, -n (starkes Brett); **Boh|len|be|lag**

Böh|me, der; -n, -n; **Böh|men; Böh|mer|land,** das; -[e]s; **Böh|mer|wald,** der; -[e]s (Gebirge); **Böh|mer|wäld|ler**

Böh|min; böh|misch (*auch ugs. für* unverständlich); das kommt mir böhmisch vor; das sind für mich böhmische Dörfer, *aber* ↑K 140 : Böhmisches Mittelgebirge

Böhn|chen; Böh|ne, die; -, -n

boh|nen (*landsch. für* bohnern)

Boh|nen|ein|topf; Boh|nen|kaf|fee; Boh|nen|kraut; Boh|nen|sa|lat; Boh|nen|stan|ge

Boh|nen|stroh; dumm wie Bohnenstroh *(ugs.)*

Boh|ner (svw. Bohnerbesen); **Boh|ner|be|sen**

boh|nern; ich bohnere; **Boh|ner|wachs**

boh|ren; Boh|rer

Bohr|fut|ter; Bohr|ham|mer (mit Druckluft betriebener Schlagbohrer)

Bohr|in|sel; Bohr|loch; Bohr|ma|schi|ne; Bohr|turm

Boh|rung

bö|ig; böiger Wind (in kurzen Stößen wehender Wind)

Boi|ler, der; -s, - ⟨engl.⟩ (Warmwasserbereiter)

Boi|zen|burg (Stadt an der Elbe)

Bo|jar, der; -en, -en ⟨russ.⟩ (Adliger im alten Russland; Großgrundbesitzer im alten Rumänien)

Bo|je, die; -, -n ⟨Seemannsspr. [verankerter] Schwimmkörper als Seezeichen od. zum Festmachen⟩; **Bo|jen|ge|schirr**

Bok|mål [...mo:l], das; -[s] ⟨norw.⟩ (vom Dänischen beeinflusste norw. Schriftsprache [vgl. Riksmål u. Nynorsk])

Bol vgl. Bolus

Bo|la, die; -, -s ⟨span.⟩ (südamerik. Wurf- und Fangleine)

Bowle

Das auf das Englische zurückgehende Substantiv wird mit einem in der Lautung nicht hörbaren -w- geschrieben.

Bo|le|ro, der; -s, -s (Tanz; kurze Jacke); **Bo|le|ro|jäck|chen**

Bo|li|de, der; -n, -n (schwerer Rennwagen; Astron. Meteor)

Bo|li|var, der; -[s], -[s] (Währungseinheit in Venezuela)

Bo|li|via|ner; Bo|li|vi|a|ne|rin; bo|li|vi|a|nisch

Bo|li|via|no, der; -[s], -[s] (bolivianische Währungseinheit)

Bo|li|vi|en (südamerikanischer Staat); **Bo|li|vi|er** vgl. Bolivianer; **Bo|li|vi|e|rin** vgl. Bolivianerin; **bo|li|visch** vgl. bolivianisch

böl|ken (nordd. für blöken [vom Rind, Schaf], brüllen; aufstoßen)

Böll (dt. Schriftsteller)

Bol|lan|dist, der; -en, -en (Mitglied der jesuit. Arbeitsgemeinschaft zur Herausgabe von Heiligenleben)

Bol|le, die; -, -n (landsch. für Zwiebel; Loch im Strumpf)

Böl|ler (kleiner Mörser zum Schießen, Feuerwerkskörper)

böl|lern (landsch. für poltern, krachen); ich bollere

böl|lern; ich böllere

Böl|ler|wa|gen (landsch. für Handwagen)

Bol|let|te, die; -, -n ⟨ital.⟩ (österr. für Zoll-, Steuerbescheinigung)

Boll|werk

Bol|ly|wood [...livut] ⟨engl.⟩ (indische Filmindustrie)

Bo|lo|gna [...'lɔnja] (italienische Stadt); **Bo|lo|g|ne|se**, der; -n, -n; **Bo|lo|g|ne|ser; bo|lo|g|ne|sisch**

Bo|lo|me|ter, das; -s, - ⟨griech.⟩ (Strahlungsmessgerät)

Bol|sche|wik, der; -en, Plur. -i u. (abwertend) -en ⟨russ.⟩ (histor. Bez. für Mitglied der kommunistischen Partei Russlands bzw. der Sowjetunion); **Bol|sche|wi|kin**

bol|sche|wi|sie|ren; Bol|sche|wi|sie|rung

Bol|sche|wis|mus, der; -; **Bol|sche|wist**, der; -en, -en; **Bol|sche|wis|tin; bol|sche|wis|tisch**

Bol|schoi|the|a|ter (Opern- u. Ballettbühne in Moskau)

Bo|lus, Bol, der; -, ...li ⟨griech.⟩ (Tonerdesilikat; Med. Bissen; große Pille)

Bol|za|no (ital. Name von Bozen)

bol|zen (Fußball derb, systemlos spielen); du bolzt; **Bol|zen**, der; -s, -; **bol|zen|ge|ra|de**

Bol|ze|rei; Bolz|platz

Bom|ba|ge [...ʒə], die; -, -n ⟨franz.⟩ (Biegung von Glastafeln u. Blech; Hervorwölbung des Deckels von Konservendosen mit verdorbenem Inhalt)

Bom|bar|de, die; -, -n (Steinschleudermaschine des 15. bis 17. Jh.s)

Bom|bar|de|ment [...'mã:, österr. ...bard'mã:, schweiz. bɔmbardə-'mɛnt], das; -s, Plur. -s u. (bei deutscher Aussprache:) -e (Beschießung; Abwurf von Bomben); **bom|bar|die|ren**

Bom|bar|dier|kä|fer; Bom|bar|die|rung

Bom|bar|don [...'dõ:], das; -s, -s (Basstuba)

Bom|bast, der; -[e]s ⟨pers.-engl.⟩ ([Rede]schwulst, Wortschwall); **bom|bas|tisch**

Bom|bay [...be] vgl. Mumbai

Bom|be, die; -, -n ⟨franz.⟩ (mit Sprengstoff angefüllter Hohlkörper; ugs. wuchtiger Schuss aufs [Fußball]tor); **bom|ben**

Bom|ben|an|griff; Bom|ben|an|schlag; Bom|ben|dro|hung

Bom|ben|er|folg (ugs. für großer Erfolg)

[1]bom|ben|fest; ein bombenfester Unterstand

[2]bom|ben|fest (ugs. für ganz sicher); sie behauptet es bombenfest

Bom|ben|flug|zeug

Bom|ben|form (ugs.); **Bom|ben|ge|schäft** (ugs.)

Bom|ben|ha|gel; Bom|ben|krieg; Bom|ben|nacht

Bom|ben|schuss (Sport)

---

[1]bom|ben|si|cher; ein bombensicherer Keller

[2]bom|ben|si|cher (ugs.); sie weiß es bombensicher

Bom|ben|stim|mung (ugs.)

Bom|ben|tep|pich; Bom|ben|ter|ror

Bom|ber; Bom|ber|ja|cke; Bom|ber|ver|band

bom|bie|ren ⟨zu Bombage⟩ (fachspr. für biegen [von Glas, Blech]); bombiertes Blech (Wellblech); **Bom|bie|rung**

bom|big (ugs. für hervorragend)

Bom|mel, die; -, -n u. der; -s, - (landsch. für Quaste)

Bon (bɔŋ, auch bõ:], der; -s, -s ⟨franz.⟩ (Gutschein; Kassenzettel)

bo|na fi|de ⟨lat.⟩ (guten Glaubens)

Bo|na|par|te (Familienn. Napoleons)

Bo|na|par|tis|mus, der; -; **Bo|na|par|tist**, der; -en, -en (Anhänger der Familie Bonaparte)

Bo|na|ven|tu|ra (Kirchenlehrer)

Bon|bon [bõ'bõ:], der od. (österr. nur) das; -s, -s ⟨franz.⟩ (Süßigkeit zum Lutschen); **bon|bon|bunt; bon|bon|far|ben**

Bon|bon|ni|e|re, Bon|bo|ni|e|re, die; -, -n (gut ausgestattete Pralinenpackung)

bon|bon|ro|sa; vgl. blau

Bond, der; -s, -s ⟨engl.⟩ (Bankw. Schuldverschreibung mit fester Verzinsung)

Bong, die; -, -s ⟨Thai⟩ (Wasserpfeife zum Haschischrauchen)

bon|gen ⟨franz.⟩ (ugs. für einen Kassenbon tippen); ist gebongt (ugs. für ist abgemacht)

Bon|go, das; -[s], -s od. die; -, -s meist Plur. ⟨span.⟩ (paarweise verwendete [Jazz]trommel); **Bon|go|trom|mel**

Bön|ha|se (nordd. für Pfuscher; nicht zünftiger Handwerker)

Bon|ho|mie [bõno'mi:], die; -, ...ien ⟨franz.⟩ (veraltet für Gutmütigkeit, Einfalt); **Bon|homme** [bɔ'nɔm], der; -, -s (veraltet für gutmütiger, einfältiger Mensch)

Bo|ni|fa|ti|us, Bo|ni|faz [auch 'bo:...] (Verkünder des Christentums in Deutschland; m. Vorn.); **Bo|ni|fa|ti|us|brun|nen**

Bo|ni|fi|ka|ti|on, die; -, -en ⟨lat.⟩ (Vergütung, Gutschrift); **bo|ni|fi|zie|ren** (vergüten, gutschreiben)

Bo|ni|tät, die; -, -en (*Kaufmannsspr.* [guter] Ruf einer Person od. Firma in Bezug auf ihre Zahlungsfähigkeit *[nur Sing.]; Forstw., Landw.* Güte, Wert eines Bodens)

bo|ni|tie|ren ([Grundstück, Boden, Waren] schätzen); **Bo|ni|tie|rung**

Bon|mot [bõˈmoː], das; -s, -s ⟨franz.⟩ (geistreiche Wendung)

Bonn (Stadt am Rhein; frühere Hauptstadt der Bundesrepublik Deutschland)

Bon|nard [...ˈnaːɐ̯] (franz. Maler)

Bon|ner ⟨zu Bonn⟩

Bon|net [...ˈneː], das; -s, -s ⟨franz.⟩ (Damenhaube des 18. Jh.s)

¹Bon|sai, der; -[s], -s ⟨jap.⟩ (japan. Zwergbaum)

²Bon|sai, das; - (Kunst des Ziehens von Zwergbäumen)

Bon|sels (dt. Schriftsteller)

Bont|je, der; -s, -s (*landsch. für* Bonbon)

Bo|nus, der; *Gen.* - u. Bonusses, *Plur.* - u. Bonusse, *auch* Boni ⟨lat.⟩ (Vergütung; Rabatt)

Bo|nus|mei|le (Einheit im Rabattsystem von Fluggesellschaften)

Bo|nus|track [...trɛk], der; -s, -s ⟨engl.⟩ (als Kaufanreiz gedachte zusätzliche Aufnahme auf einer CD od. DVD)

Bon|vi|vant [bõviˈvãː], der; -s, -s ⟨franz.⟩ (*veraltend für* Lebemann; *Theater* Fach des Salonhelden)

Bon|ze, der; -n, -n ⟨jap.⟩ ([buddhistischer] Mönch, Priester; *abwertend für* dem Volk entfremdeter höherer Funktionär); **Bon|zen|tum**, das; -s

Boo|gie-Woo|gie [ˈbʊɡiˈvʊɡi], der; -[s], -s ⟨amerik.⟩ (Jazzart; ein Tanz)

Book|let [ˈbʊklɪt], das; -s, -s ⟨engl.⟩ (kleines Beiheft)

Book|mark [ˈbʊkmaːk], der; -s, -s *od.* die; -, -s *od.* das; -s, -s ⟨engl.⟩ (*EDV* Eintrag von Internetadresse in einem elektronischen Verzeichnis)

boole|scher Aus|druck, Boole'scher Aus|druck [ˈbuːl...] ⟨nach dem brit. Mathematiker Boole⟩ *(Informatik)* ↑K89

Boom [buːm], der; -s, -s ⟨engl.⟩ ([plötzlicher] Wirtschaftsaufschwung); **boo|men** (*ugs. für* einen Boom erleben)

¹Boot, das; -[e]s, *Plur.* -e, *landsch. auch* Böte; Boot fahren

²Boot [buːt], der; -s, -s *meist Plur.* ⟨engl.⟩ (bis über den Knöchel reichender [Wildleder]schuh)

Boot|chen *vgl.* Bötchen

boo|ten [ˈbuːtn̩] (*EDV* einen Computer neu starten); ich boote, ich habe gebootet

Bo|o|tes, der; - ⟨griech.⟩ (ein Sternbild)

Bö|o|ti|en (altgriech. Landschaft); **Bö|o|ti|er; Bö|o|ti|e|rin**

Boot|leg [buːt...], das; -s, -s ⟨amerik.⟩ (illegale Tonaufnahme)

Boot|leg|ger [ˈbuːt...], der; -s, - ⟨amerik. *Bez. für* Alkoholschmuggler; Hersteller illegaler Tonaufnahmen)

Boots|bau *Plur.* ...bauten; **Bootsfahrt; Boots|frau; Boots|gast** (Matrose im Bootsdienst)

Boots|ha|ken; Boots|haus; Boots|län|ge

Boots|mann *Plur.* ...leute; **Bootsmanns|maat**

Boots|mo|tor; Boots|steg

boot[s]|weg

Bor, das; -s ⟨pers.⟩ (chemisches Element, Nichtmetall; *Zeichen* B)

Bo|ra, die; -, -s ⟨ital.⟩ (kalter Adriawind)

Bo|ra|go, der; -s ⟨arab.⟩ (Borretsch)

Bo|rat, das; -[e]s, -e ⟨pers.⟩ (borsaures Salz)

Bo|rax, der, *österr. auch* das; *Gen.* - u. -es ⟨pers.⟩ (Borverbindung)

Bor|chardt (dt. Schriftsteller)

Bor|chert (dt. Schriftsteller)

¹Bord, das; -[e]s, -e ([Bücher-, Wand]brett)

²Bord, der; -[e]s, -e ([Schiffs]rand, -deck, -seite; *übertr. auch für* Schiff, Luftfahrzeug); an Bord gehen; Mann über Bord!

³Bord, das; -[e]s, -e (*schweiz. für* Rand, [kleiner] Abhang, Böschung)

Bord|buch (Schiffstagebuch; Fahrtenbuch)

Bord|case [...keːs], das *u.* der; -, *Plur.* - u. -s ⟨dt.; engl.⟩ (kleiner Koffer [für Flugreisen])

Bord|com|pu|ter; Bord|dienst

Bör|de, die; -, -n (fruchtbare Ebene); Magdeburger Börde

¹Bor|deaux [...ˈdoː] (franz. Stadt); Bordeaux' [...ˈdoːs] Hafen

²Bor|deaux, der; -, *Plur. (Sorten:)* - (ein Wein); bor|deaux|rot (weinrot)

Bor|de|lai|ser [...ˈlɛː...]; Bordelaiser Brühe (Mittel gegen [Reben]krankheiten)

Bor|de|le|se, der; -n, -n (Einwohner von Bordeaux); **Bor|de|le|sin**

Bor|dell, das; -s, -e (Haus, in dem Prostituierte ihrem Gewerbe nachgehen)

bör|deln (Blech mit einem Rand versehen; umbiegen); ich börd[e]le; **Bör|de|lung**

Bor|de|reau [...ˈroː], Bor|de|ro, der *od.* das; -s, -s ⟨franz.⟩ (*Bankw.* Verzeichnis eingelieferter Wertpapiere)

Bor|der|line|syn|drom, Bor|der|line-Syn|drom [...laɪn...] ⟨engl.⟩ (*Med.* psych. Erkrankung)

Bor|der|preis ⟨engl.; dt.⟩ (Preis frei Grenze)

Bord|funk; Bord|fun|ker

bor|die|ren ⟨franz.⟩ (*fachspr. für* einfassen, besetzen); **Bor|die|rung**

Bord|ka|me|ra; Bord|kan|te; Bord|kar|te *(Flugw.)*

Bord|mit|tel *Plur.*

Bord|stein; Bord|stein|kan|te

Bor|dü|re, die; -, -n ⟨franz.⟩ (Einfassung, [farbiger] Geweberand, Besatz); **Bor|dü|ren|kleid**

Bord|waf|fe *meist Plur.;* **Bord|zeitung**

bo|re|al ⟨griech.⟩ (nördlich)

¹Bo|re|as (griech. Gottheit [des Nordwindes])

²Bo|re|as, der; - (Nordwind im Gebiet des Ägäischen Meeres)

¹Borg (das Borgen); *nur noch in* auf Borg kaufen

²Borg, der; -[e]s, -e (bereits als Ferkel kastriertes männliches Schwein)

bor|gen

Bor|ghe|se [...ˈgeː...] (röm. Adelsgeschlecht)

Bor|gia [...dʒa], der; -s, -s *u.* die; -, -s (Angehörige[r] eines span.-ital. Adelsgeschlechtes)

Bor|gis, die; - ⟨franz.⟩ (*Druckw.* ein Schriftgrad)

borg|wei|se

Bo|ris (m. Vorn.)

Bor|ke, die; -, -n (Rinde)

Bor|ken|kä|fer; Bor|ken|krepp

Bor|ken|scho|ko|la|de

bor|kig

Bor|kum (eine der Ostfriesischen Inseln)

Born, der; -[e]s, -e (*veraltet, noch geh. für* Quelle, Brunnen)

B

Börn

Bör|ne (dt. Schriftsteller)
Bor|neo (größte der Großen Sundainseln)
Born|holm (eine dän. Ostseeinsel)
bor|niert ⟨franz.⟩ (unbelehrbar, engstirnig); Bor|niert|heit
Bor|retsch, der; -[e]s (ein Küchenkraut)
Bör|ri|es (m. Vorn.)
Bor|ro|mä|i|sche In|seln Plur.
↑K135 (im Lago Maggiore)
Bor|ro|mä|us (m. Eigenn.); Bor|ro|mä|us|ver|ein, Bor|ro|mä|us-Ver|ein
Bor|sal|be, die; - (ein Heilmittel); Bor|säu|re, die; -
Borschtsch, der; - ⟨russ.⟩ (russ. Kohlsuppe mit Fleisch)
Bör|se, die; -, -n ⟨niederl.⟩ (Wirtsch. Markt für Wertpapiere; veraltend für Portemonnaie; Boxen Einnahme aus einem Wettkampf)
Bör|sen|be|richt; Bör|sen|gang; Bör|sen|ge|schäft; Bör|sen|gu|ru (scherzh.); Bör|sen|kurs; Bör|sen|mak|ler; Bör|sen|mak|le|rin
bör|sen|no|tiert, bör|se|no|tiert
Bör|sen|schluss
Bör|sen|spe|ku|lant; Bör|sen|spe|ku|lan|tin; Bör|sen|spe|ku|la|ti|on
bör|sen|täg|lich (an einem Börsentag, an Börsentagen [stattfindend])
Bör|sen|tipp; Bör|sen|ver|ein
Bör|si|a|ner (ugs. für Börsenmakler, -spekulant); Bör|si|a|ne|rin
Bors|te, die; -, -n (starkes Haar); Bors|ten|vieh
bors|tig; Bors|tig|keit
Borst|wisch (ostmitteld. für Handfeger; vgl. Bartwisch)
Bor|te, die; -, -n (gemustertes Band als Besatz)
Bo|rus|se, der; -n, -n (scherzh. für Preuße); Bo|rus|sia, die; - (Frauengestalt als Symbol Preußens)
Bor|was|ser, das; -s
bös vgl. böse
bös|ar|tig; Bös|ar|tig|keit, die; -
¹Bosch, Robert (dt. Erfinder); die boschsche od. Bosch'sche Zündkerze
²Bosch [auch bɔs], Hieronymus (niederländ. Maler)
bö|schen (Eisenb., Straßenbau abschrägen)
Bö|schung; Bö|schungs|win|kel
Bos|co, Don (Priester u. Pädagoge)

bö|se, bös
Kleinschreibung:
– böser Blick; böses Wetter; eine böse Sieben; der böse|ste seiner Feinde
Großschreibung der Substantivierung ↑K72:
– das Gute und das Böse unterscheiden; das Böse|ste, was mir passieren kann; sich zum Bösen wenden
– der Böse (vgl. d.)
– im Bösen auseinandergehen; im Guten wie im Bösen; jenseits von Gut und Böse

Bö|se, der; -n, -n (auch für Teufel [nur Sing.])
Bö|se|wicht, der; -[e]s, -e[r]; Bö|se|wich|tin
bos|haft; Bos|haf|tig|keit
Bos|heit
Bos|kett, das; -s, -e ⟨franz.⟩ (Ziergebüsch)
Bos|koop, Bos|kop, der; -s, - ⟨nach dem niederl. Ort Boskoop⟩ (Apfelsorte)
Bos|ni|ak, der; -en, -en (österr. für Bosnier, Bosniake; auch ein Kümmelgebäck); Bos|ni|a|ke, der; -n, -n (südslaw. Moslem in Bosnien und Herzegowina); Bos|ni|a|kin
Bos|ni|ckel, vgl. Bosnigl
Bos|ni|en (Gebiet im Norden von Bosnien und Herzegowina); Bos|ni|en-Her|ze|go|wi|na, -s, amtlich Bos|ni|en und Her|ze|go|wi|na, -s - -s (Staat in Südosteuropa)
Bos|ni|er; Bos|ni|e|rin
Bos|nigl, der; -s, -n, Bos|ni|ckel, der; -s, - (bayr., österr. ugs. für boshafter Mensch)
bos|nisch; bos|nisch-her|ze|go|wi|nisch
Bos|po|rus, der; - (Meerenge bei Istanbul)
Boss, der; Bosses, Bosse ⟨amerik.⟩ (Chef; Vorgesetzter)
Bos|sa no|va, der; - -, - -s ⟨port.⟩ (ein Tanz)
Bo|Bel, der; -s, - u. die; -, -n (nordd. für Kugel)
bos|se|lie|ren vgl. bossieren
bo|Beln (nordd. für mit der [dem] Boßel werfen); ich boß[e]le
bos|seln (ugs. für kleine Arbeiten [peinlich genau] machen; auch für bossieren); ich boss[e]le
Bos|sen|qua|der; Bos|sen|werk (rau bearbeitetes Mauerwerk)

Bos|sier|ei|sen (Gerät zum Behauen roher Mauersteine)
bos|sie|ren (die Rohform einer Figur aus Stein herausschlagen; Mauersteine behauen; auch in Ton, Wachs od. Gips modellieren); Bos|sie|rer; Bos|sie|re|rin
Bos|sier|wachs
Bos|sing, das; -s ⟨engl.⟩ (ständiges Schikanieren einzelner Mitarbeiter[innen] durch den Vorgesetzten [um sie von ihrem Arbeitsplatz zu vertreiben])
Bos|titch®, der; -[e]s, -e (schweiz. für Gerät zum Zusammenheften)
¹Bos|ton [...tn̩] (Stadt in England und in den USA)
²Bos|ton, das; -s (ein Kartenspiel)
³Bos|ton, der; -s, -s (ein Tanz)
bös|wil|lig; Bös|wil|lig|keit, die; -
bot vgl. bieten
Bo|ta|nik, die; - ⟨griech.⟩ (Pflanzenkunde); Bo|ta|ni|ker; Bo|ta|ni|ke|rin
bo|ta|nisch; botanische Gärten, aber ↑K150: der Botanische Garten in München
bo|ta|ni|sie|ren (Pflanzen sammeln)
Bo|ta|ni|sier|trom|mel
Böt|chen, Boot|chen (kleines Boot)
Bo|te, der; -n, -n
Bo|tel, das; -s, -s ⟨Kurzw. aus Boot u. Hotel⟩ (als Hotel ausgebautes Schiff)
Bo|ten|dienst; Bo|ten|frau; Bo|ten|gang; Bo|ten|lohn
Bo|ten|stoff (Med., Physiol. Überträgerstoff)
Bo|tin
Böt|lein (kleines Boot)
bot|mä|Big (geh., veraltet für untertan); Bot|mä|Big|keit, die; -
Bo|to (m. Vorn.)
Bo|to|ku|de, der; -n, -n (brasilian. Indianer); bo|to|ku|disch
Bo|tox®, das; - ⟨Kurzw. für Botulinumtoxin⟩ (Nervengift, das in stark verdünnter Form zum Glätten von Falten gespritzt wird)
Bot|schaft (diplomatische Vertretung); Bot|schaf|ter; Bot|schaf|ter|ebe|ne; auf Botschafterebene; Bot|schaf|te|rin
Bot|schafts|rat Plur. ...räte; Bot|schafts|rä|tin
Bot|schafts|se|kre|tär; Bot|schafts|se|kre|tä|rin
Bo|t|su|a|na (Staat in Afrika); Bo|t|su|a|ner; Bo|t|su|a|ne|rin; bo|t|su|a|nisch

B

Bo|ts|wa|na (schweiz. für Botsuana); **bo|ts|wa|nisch** (schweiz. für botsuanisch)
Bott, das; -[e]s, -e (schweiz. für Mitgliederversammlung bestimmter Vereine und Gesellschaften)
Bött|cher (Bottichmacher); vgl. Büttner u. Küfer; **Bött|cher|ar|beit; Bött|che|rei; Bött|che|rin**
bött|chern; ich böttchere
Bot|ten Plur. (landsch. für Stiefel; große, klobige Schuhe)
Bot|ti|cel|li [...ˈtʃel...], Sandro (ital. Maler)
Bot|tich, der; -[e]s, -e
Bot|tle|par|ty, Bott|le-Par|ty [...t]...], die; -, -s ⟨engl.⟩ (Party, zu der die Gäste die Getränke mitbringen)
bott|nisch; aber ↑K140 : der Bottnische Meerbusen
Bo|tu|lis|mus, der; - ⟨lat.⟩ (Med. bakterielle Lebensmittelvergiftung)
Bou|c|lé [buˈkle:] vgl. 1,2Bouclee
Bou|doir [buˈdoːaːɐ], das; -s, -s ⟨franz.⟩ (veraltet für elegantes Zimmer einer Dame)
Bou|gain|vil|lea [bugɛ̃...], die; -, ...leen (nach dem Comte de Bougainville) (eine Zierpflanze)
Bou|gie [buˈʒi:], die; -, -s ⟨franz.⟩ (Med. Dehnsonde); **bou|gie|ren** (Med. mit der Dehnsonde untersuchen, erweitern)
Bouil|la|baisse [bujaˈbɛːs], die; -, -s ⟨franz.⟩ (provenzalische Fischsuppe)
Bouil|lon [bʊlˈjõː, österr. buˈjõ], die; -, -s (Kraft-, Fleischbrühe); **Bouil|lon|wür|fel**
Boule [bu:l], das; -[s], auch die; - ⟨franz.⟩ (franz. Kugelspiel)
Bou|le|vard [bulə̯ˈvaːɐ, österr. bʊlˈvaːɐ], der; -s, -s ⟨franz.⟩ (breite [Ring]straße)
Bou|le|vard|blatt (svw. Boulevardzeitung); **bou|le|var|desk** (bunt, unterhaltsam)
Bou|le|vard|pres|se (abwertend); **Bou|le|vard|the|a|ter** (mit unterhaltsamem Programm); **Bou|le|vard|zei|tung**
Bou|lez [buˈlɛːs] (franz. Komponist u. Dirigent)
Bou|lo|g|ner [buˈlɔnjɐ]; **Bou|lo|g|ne-sur-Mer** [buˈlɔnjəsʏrmɛːr] (franz. Stadt)
Bou|quet [buˈke:], das; -s, -s, **Bu|kett,** das; -[e]s, Plur. -s u. -e ⟨franz.⟩ ([Blumen]strauß; Duft [des Weines])

Bou|qui|nist [buki...], der; -en, -en ⟨franz.⟩ ([Straßen]buchhändler in Paris)
Bour|bon [bøɐbən], der; -s, -s ⟨amerik.⟩ (amerikanischer Whiskey)
Bour|bo|ne [bʊr...], der; -n, -n (Angehöriger eines franz. Herrschergeschlechtes); **bour|bo|nisch**
Bour|bon|va|nil|le [bur'bõ...], die; - ⟨franz.⟩ (eine Art Vanille)
bour|geois [bʊrˈʒoa] ⟨franz.⟩ (der Bourgeoisie angehörend, entsprechend); bourgeoises [...ˈʒoaːzəs] Verhalten
Bour|geois, der; -, - (abwertend für wohlhabender, selbstzufriedener Bürger)
Bour|geoi|sie [...ʒoaˈzi:], die; -, ...ien ([wohlhabender] Bürgerstand; marxist. herrschende Klasse im Kapitalismus)
Bour|rée [buˈre:], die; -, -s ⟨franz.⟩ (ein alter Tanz; Teil der Suite)
Bour|ret|te [bʊ...], die; -, -n ⟨franz.⟩ (Gewebe aus Abfallseide)
Bour|tan|ger Moor [ˈbuːɐ̯... -], das; - -[e]s (teilweise trockengelegtes Moorgebiet westl. der mittleren Ems)
Bou|teil|le [buˈtɛːj(ə)], die; -, -n [...ˈtɛːjən] ⟨franz.⟩ (veraltet für Flasche)
Bou|tique [buˈti:k, österr. buˈtɪk], **Bu|ti|ke,** die; -, -n ⟨franz.⟩ (kleiner Laden für meist [exklusive] modische Artikel)
Bou|ton [buˈtõ:], der; -s, -s ⟨franz.⟩ (Ohrklipp; Anstecker)
Bo|vist [ˈboːvɪst, auch boˈvɪst], **Bo|fist** [auch boˈfɪst], der; -[e]s, -e (ein Pilz)
Bow|den|zug [ˈbaʊ...], der; -s, ...züge ↑K136 (nach dem engl. Erfinder Bowden) (Technik Drahtkabel zur Übertragung von Zugkräften)
Bo|wie|mes|ser [...vi...], das; -s, - ↑K136 (nach dem amerik. Oberst James Bowie) ([nordamerik.] Jagdmesser)
Bow|le [ˈbo:...], die; -, -n ⟨engl.⟩ (Getränk aus Wein, Zucker u. Früchten; Gefäß für dieses Getränk)
bow|len [ˈbo:...] ⟨engl.⟩ (Sport Bowling spielen)
Bow|len|glas [ˈbo:...] Plur. ...gläser
Bow|ling [ˈbo:...], das; -s, -s ⟨engl.⟩ (amerik. Art des Kegelspiels; engl. Kugelspiel auf glattem Rasen); **Bow|ling|bahn**

Box, die; -, -en ⟨engl.⟩ (Pferdestand; Unterstellraum; Montageplatz bei Autorennen; kurz für Lautsprecherbox)
Box|calf usw. vgl. Boxkalf usw.
bo|xen; du boxt; er boxte ihn (auch ihm) in den Magen
Bo|xen|lu|der (ugs. für junge, attraktive Frau, die sich bei großen Autorennen im Fahrerlager aufhält und auf den Rennfahrzeugen posiert)
Bo|xen|stopp (Automobilsport)
Bo|xer, der; -s, - (bes. südd., österr. auch Faustschlag; eine Hunderasse); **Bo|xe|rin**
bo|xe|risch; boxerisches Können
Bo|xer|mo|tor (Technik); **Bo|xer|na|se**
Bo|xer|shorts [...ʃ...] Plur. ⟨engl.⟩ (Herrenunterhose mit kurzem Beinteil)
Box|hand|schuh; Box|hieb
Box|kalf, Box|calf [auch ...ka:f], das; -s, -s ⟨engl.⟩ (Kalbsleder); **Box|kalf|schuh, Box|calf|schuh**
Box|kampf; Box|ring; Box|sport
Boy [bɔy], der; -s, -s ⟨engl.⟩ ([Hotel]diener, Bote)
Boy|group [...gru:p], die; -, -s ⟨engl.⟩ (Popgruppe aus jungen, attraktiven Männern, deren Bühnenshow bes. durch tänzerische Elemente geprägt ist)
Boy|kott, der; -[e]s, Plur. -s, auch -e ⟨nach dem geächteten engl. Gutsverwalter Boycott⟩ (politische, wirtschaftliche od. soziale Ächtung; Nichtbeachten); **Boy|kott|auf|ruf**
boy|kot|tie|ren
Boy|kott|maß|nah|me meist Plur.
Boyle-Ma|ri|otte-Ge|setz [ˈbɔylmaˈrɪɔt...], das; -es; vgl. Mariotte
Boy|scout, Boy-Scout [ˈbɔyskaut] (engl. Bez. für Pfadfinder)
Bo|zen (Stadt in Südtirol); vgl. Bolzano; **Boz|ner**
BPOL, die; - Bundespolizei
Bq = Becquerel
Br = chem. Zeichen für Brom
BR, der; - = Bayerischer Rundfunk
Bra|ban|çonne [...bãˈsɔn], die; - ⟨franz.; nach der belg. Provinz Brabant⟩ (belg. Nationalhymne)
Bra|bant (belg. Provinz); **Bra|ban|ter;** Brabanter Spitzen
brab|beln (ugs. für undeutlich vor sich hin reden); ich brabb[e]le
¹brach vgl. brechen
²brach (unbestellt; unbebaut); vgl. brachliegen
Bra|che, die; -, -n (Brachfeld)

Bra|chet, der; -s, -e *(alte Bez. für Juni)*

Brach|feld

bra|chi|al ⟨griech.⟩ *(Med.* den Arm betreffend; mit roher Körperkraft);* Bra|chi|al|ge|walt, die; - (rohe, körperliche Gewalt)

Bra|chio|sau|rus, der; -, ...rier (ausgestorbene Riesenechse)

brach|lie|gen (nicht bebauen; nicht nutzen)

brach|lie|gen (unbebaut liegen; nicht genutzt werden); der Acker liegt brach; brachgelegen; brachzuliegen; brachliegende Felder

Brach|mo|nat, Brach|mond vgl. Brachet

Brach|se, die; -, -n, Brach|sen, *schweiz.* Brachs|men, der; -s, - (ein Karpfenfisch); *vgl.* Brasse *u.* Brassen

brach|te *vgl.* bringen

Brach|vo|gel (Schnepfenart)

bra|chy... ⟨griech.⟩ (kurz...); Bra|chy... (Kurz...); Bra|chy|lo|gie, die; -, ...ien *(Rhet., Stilk.* Kürze im Ausdruck)

Brack, das; -[e]s, *Plur.* -s *od.* -en *(landsch. für* Tümpel, kleiner See; Brackwasser)

Bra|cke, der; -n, -n, *seltener* die; -, -n (Spürhundrasse)

bra|ckig (schwach salzig u. daher ungenießbar)

Brä|ckin *(w. Form von* Bracke)

bra|ckisch (aus Brackwasser abgelagert)

Brack|was|ser, das; -s, ...wasser (Gemisch aus Salz- u. Süßwasser)

Brae|burn ['bre:bø:ɐn], der; -s, -s ⟨engl.⟩ (eine Apfelsorte)

Brä|gen, der; -s, - *(Nebenform von* Bregen)

Bra|gi (nord. Gott der Dichtkunst)

Brah|man (sanskr.) (ind. Gott)

Brah|ma|huhn vgl. Brahmaputrahuhn

Brah|ma|is|mus vgl. Brahmanismus

Brah|man, das; -s *(ind. Rel. u. Philos.* Weltseele); Brah|ma|ne, der; -n, -n (Angehöriger einer ind. Priesterkaste); brah|ma|nisch; Brah|ma|nis|mus, der; - (eine ind. Religion; *auch für* Hinduismus)

Brah|ma|pu|t|ra, der; -[s] (südasiatischer Strom); Brah|ma|pu|t|ra-huhn, Brah|ma|huhn (eine Hühnerrasse)

Brahms (dt. Komponist)

Braille|schrift ['braj...], die; -

↑K136 ⟨nach dem franz. Erfinder Braille⟩ (Blindenschrift)

Brain|drain ['bre:ndre:n], der; -s ⟨engl.-amerik.⟩ (Abwanderung von Wissenschaftlern)

brain|stor|men ['bre:nst...] ⟨zu Brainstorming⟩; sie brainstormt; gebrainstormt

Brain|stor|ming [...sto:ɐ...], das; -s (Verfahren, durch Sammeln spontaner Einfälle die [beste] Lösung für ein Problem zu finden)

Brain|trust, Brain-Trust, der; -[s], -s ([wirtschaftl.] Beratungsausschuss)

Brak|te|at, der; -en, -en ⟨lat.⟩ (eine mittelalterl. Münze)

Bram, die; -, -en ⟨niederl.⟩ *(Seemannsspr.* zweitoberste Verlängerung der Masten sowie deren Takelung)

Bra|mar|bas, der; -, -se (Aufschneider); bra|mar|ba|sie|ren (aufschneiden, prahlen)

Bram|bach, Bad (Stadt im südl. Vogtland)

Bram|busch (nordd. für Ginster)

Bram|me, die; -, -n *(Walztechnik* Eisenblock); Bram|men|walz-werk

Bram|se|gel

bram|sig (nordd. ugs. für derb; protzig; prahlerisch)

Bram|sten|ge vgl. Bram

Bran|che ['brãː∫ə, österr. brãː∫], die; -, -n ['brãʃ(ə)n] ⟨franz.⟩ (Wirtschafts-, Geschäftszweig; *ugs. für* Fachgebiet)

Bran|chen|er|fah|rung

bran|chen|fremd; Bran|chen|füh|rer

Bran|chen|ken|ner; Bran|chen|ken|ne|rin

Bran|chen|kennt|nis

bran|chen|kun|dig

Bran|chen|lea|der (österr., schweiz. für Marktführer in einer Branche); Bran|chen|mix

bran|chen|über|grei|fend

bran|chen|üb|lich

Bran|chen|ver|zeich|nis

Bran|chi|at, der; -en, -en ⟨griech.⟩ (mit Kiemen atmender Gliederfüßer); Bran|chie, die; -, -n *meist Plur.* (Zool. Kieme)

Brand, der; -[e]s, Brände; in Brand stecken

brand|ak|tu|ell

Brand|an|schlag; Brand|bin|de; Brand|bla|se; Brand|bom|be

Brand|brief (ugs.)

Brand|di|rek|tor

brand|ei|lig (ugs. für sehr eilig)

bran|deln (österr. ugs. für brenzlig riechen; viel zahlen müssen)

bran|den

Bran|den|burg (Stadt an der Havel; dt. Land); Bran|den|bur|ger; bran|den|bur|gisch; aber ↑K150: die Brandenburgischen Konzerte (von Bach)

Brand|en|te (ein Vogel)

Brand|fa|ckel

Brand|fall; im Brandfall

brand|ge|fähr|lich (meist Sport Jargon)

Brand|grab (Archäol.)

brand|heiß

Brand|herd

bran|dig

Bran|ding ['brændɪŋ], das; - ⟨engl.⟩ (Wirtsch. Entwicklung von Markennamen; Einbrennen von Mustern in die Haut)

Brand|kas|se; Brand|le|ger (österr. für Brandstifter); Brand|le|gung (österr. für Brandstiftung); Brand|mal Plur. ...male, seltener ...mäler (geh.)

brand|mar|ken; gebrandmarkt

Brand|mau|er; Brand|meis|ter; Brand|meis|te|rin

brand|neu; brand|rot

Brand|sal|be

brand|schat|zen; du brandschatzt; gebrandschatzt (früher für durch Branddrohung erpressen); Brand|schat|zung

Brand|soh|le

Brand|stif|ter; Brand|stif|te|rin; Brand|stif|tung

Brand|teig

Bran|dung

Brand|ur|sa|che; Brand|wa|che; Brand|wun|de

Bran|dy ['brendi], der; -s, -s ⟨engl.⟩ (engl. Bez. für Weinbrand)

Brand|zei|chen

brann|te vgl. brennen

Brannt|kalk (Ätzkalk)

Brannt|wein; Brannt|wei|ner (österr. für [Wirt einer] Branntweinschenke); Brannt|wein|steu-er, die

Braque [brak] (franz. Maler)

brä|sig (bes. nordd. für dickfellig)

¹Bra|sil, der; -s, Plur. -e u. -s ⟨nach Brasilien⟩ (Tabak; Kaffeesorte)

²Bra|sil, die; -, -[s] (Zigarre)

Bra|sil|holz ↑K143

Bra|si|li|en, Bra|si|lia (Hauptstadt Brasiliens); Bra|si|li|a|ner; Bra|si|li|a|ne|rin; bra|si|li|a|nisch; Bra|si|li|en (südamerik. Staat)

Bra|si|li|en|holz vgl. Brasilholz

Brass, der; Brasses (ugs. für Ärger,

Wut); Brass haben; in Brass kommen

¹**Brạs|se**, der; -, -n, **Brạs|sen**, der; -s, - (*nordd., mitteld. für* Brachse)

²**Brạs|se**, die; -, -n (*Seemannsspr.* Tau zum Stellen der Segel)

Bras|se|lẹtt, das; -s, -e ⟨franz.⟩ (*Gaunerspr.* Handschelle)

brạs|sen (*Seemannsspr.* die ²Brassen benutzen); du brasst

Bras|sen *vgl.* ¹Brasse

Bras|se|riẹ, die; -, ...ien ⟨franz.⟩ (Bierlokal)

Brạt, *österr.* **Brāt**, das; -s (fein gehacktes [Bratwurst]fleisch)

Brạt|ap|fel

brạ|teln; ich brät[e]le

brạ|ten; du brätst, er brät; du brietst; du brietest; gebraten; brat[e]!; **Brạ|ten**, der; -s, -

Bra|ten|duft; **Bra|ten|fett**

Bra|ten|pfan|ne (*österr. für* ovaler Schmortopf mit hohem Rand)

Bra|ten|rock (*veraltend scherzh. für* Gehrock)

Bra|ten|saft; **Bra|ten|so|ße**, **Bra|ten|sau|ce**

Brạ|ter (*landsch. für* Schmortopf)

brạt|fer|tig

Brạt|fisch; **Brạt|hähn|chen**; **Brạt|hen|del**, das; -s, -n (*südd., österr. für* Brathähnchen)

Brạt|he|ring

Bra|tis|la|va (Hauptstadt der Slowakei); *vgl.* Pressburg

Brạt|kar|tof|fel *meist Plur.*

Brạt|ling (gebratener Kloß aus Gemüse od. Getreide)

Brạt|ling (Pilz; Fisch)

Brạt|pfan|ne; **Brạt|röh|re**; **Brạt|rost**

Brạt|sche, die; -, -n ⟨ital.⟩ (ein Streichinstrument); **Brạt|scher** (Bratschenspieler); **Brạt|schist**, der; -en, -en; **Brạt|schis|tin**

Brạt|spieß

Brạt|spill (*Seemannsspr.* Ankerwinde mit waagerechter Welle)

Brạt|wurst

Bräu, das; -[e]s, *Plur.* -e *u.* -s (*bes. südd., österr. für* Bier; Brauerei, z. B. in Löwenbräu)

Brauch, der; -[e]s, Bräuche; in *od.* im Brauch sein (*österr., schweiz.*)

brauch|bar; **Brauch|bar|keit**, die; -

brau|chen; du brauchst, er braucht; du brauchtest; du brauchtest (*ugs. auch* bräuchtest); gebraucht; er hat es nicht zu tun brauchen; *vgl. aber* gebrauchen

Brauch|tum, das; -s, ...tümer *Plur. selten*

Brauch|was|ser, das; -s (Wasser für industrielle Zwecke)

Braue, die; -, -n

brau|en; **Brau|er**; **Brau|e|rei**; **Brau|e|rin**

Brau|haus; **Brau|meis|ter**; **Brau|meis|te|rin**

braun; eine braun gebrannte *od.* braungebrannte Frau ↑K 58 ; die Sonne hat uns braun gebrannt *od.* braungebrannt ↑K 56 ; *vgl.* blau

Braun, das; -s, *Plur.* -, *ugs.* -s (braune Farbe); *vgl.* Blau

Braun|al|ge

braun|äu|gig

Braun|bär

¹**Brau|ne**, der; -n, -n (braunes Pferd; *österr. auch für* Kaffee mit Milch)

²**Brau|ne**, das; -n ↑K 72

Bräu|ne, die; - (braune Färbung; *veraltend für* Halsentzündung)

Braun|ei|sen|erz, das; -es, **Braun|ei|sen|stein**, der; -[e]s

¹**Brau|nel|le**, die; -, -n (ein Singvogel)

²**Brau|nel|le**, **Bru|nel|le**, die; -, -n ⟨franz.⟩ (eine Pflanze)

bräu|nen

braun ge|brannt, braun|ge|brannt *vgl.* braun

Braun|kehl|chen

Braun|koh|le; **Braun|koh|len|berg|werk**; **Braun|koh|len|bri|kett**

bräun|lich; bräunlich gelb usw. ↑K 60

Braun|schweig (Stadt im nördl. Vorland des Harzes); **Braunschwei|ger**; **braun|schwei|gisch**

Braun|stein, der; -[e]s (ein Mineral)

Bräu|nung; **Bräu|nungs|stu|dio**

Braus, der; *nur noch in* in Saus und Braus (verschwenderisch) leben

Brau|sche, die; -, -n (*landsch. für* Beule, bes. an der Stirn)

Brau|se, die; -, -n; **Brau|se|bad**

Brau|se|kopf (*veraltend für* Hitzkopf)

Brau|se|li|mo|na|de

brau|sen; du braust; er braus|te; **Brau|sen**, das; -s

Brau|se|pul|ver; **Brau|se|ta|b|let|te**

Bräu|stüb|chen (*südd. für* kleines Gasthaus; Gastraum)

Braut, die; -, Bräute

Braut|el|tern *Plur.*

Braut|füh|rer

Bräu|ti|gam, der; -s, -e

Braut|jung|fer; **Braut|kleid**; **Braut|kranz**; **Braut|leu|te** *Plur.*

bräut|lich

Braut|mut|ter; **Braut|nacht**; **Braut|paar**

Braut|schau; auf Brautschau gehen

Braut|stand, der; -[e]s; **Braut|strauß**; **Braut|va|ter**

brav ⟨franz.⟩ (tüchtig; artig; ordentlich)

Brav|heit, die; -

bra|vis|si|mo! ⟨ital.⟩ (sehr gut!)

bra|vo! (gut!); *vgl.* ¹Bravo

¹**Bra|vo**, das; -s, -s (Beifallsruf); Bravo *od.* bravo rufen

²**Bra|vo**, der; -s, *Plur.* -s *u.* ...vi (*frühere ital. Bezeichnung für* gedungenen Mörder, Räuber)

Bra|vo|ruf

Bra|vour usw. *vgl.* Bravur usw.

Bra|vur, **Bra|vour** [...'vu:ɐ̯], die; - ⟨franz.⟩ (Tapferkeit; meisterhafte Technik)

Bra|vur|arie, **Bra|vour|arie**

Bra|vur|leis|tung, **Bra|vour|leis|tung**

bra|vu|rös, **bra|vou|rös** (schneidig; meisterhaft)

Bra|vur|stück, **Bra|vour|stück**

Braz|za|ville [...za'vil] (Hauptstadt der Republik Kongo)

BRD, die; - = Bundesrepublik Deutschland

break! [breːk] ⟨engl., »trennt euch«⟩ (Trennkommando des Ringrichters beim Boxkampf)

Break, der *od.* das; -s, -s (*Sport* unerwarteter Durchbruch; *Tennis* Durchbrechen des gegnerischen Aufschlags; *Jazz* kurzes Zwischensolo)

Break|dance [...dæːns], der; -[s] ⟨amerik.⟩ (tänzerisch-akrobatische Darbietung zu moderner Popmusik); **Break|dan|cer**; **Break|dan|ce|rin**

brea|ken ⟨*zu* Break⟩ (*Tennis* dem Gegner bei dessen Aufschlag ein Spiel abnehmen; *Funktechnik* über CB-Funk ein Gespräch führen)

Break-even [breɪkˈiːvn], der; -[s], -s ⟨engl.⟩ (*kurz für* Break-even-Point); **Break-even-Point** [breːkˈiːvnpɔynt], der; -[s], -s (*Wirtsch.* Rentabilitätsschwelle)

Breȼ|cie [...tʃə], **Brẹk|zie**, die; -, -n ⟨ital.⟩ (*Geol.* Sedimentgestein aus kantigen Gesteinstrümmern)

brech|bar

Brech|boh|ne

Brech|durch|fall

Brech|ei|sen

bre|chen; du brichst, er bricht; du

brachst; du brächest; gebrochen; brich!; sich brechen; brechend voll; er brach den Stab über ihn (nicht ihm); auf Biegen oder Brechen (ugs.)

Bre|cher (Sturzsee; Grobzerkleinerungsmaschine)

Brech|mit|tel, das; Brech|reiz

Brech|stan|ge

Brecht, Bert[olt] (dt. Schriftsteller)

Bre|chung; Bre|chungs|win|kel (Physik)

Bre|douil|le [...'dʊljə], die; - ⟨franz.⟩ (ugs. für Verlegenheit, Bedrängnis); in der Bredouille sein; in die Bredouille kommen

Bree|ches ['brɪtʃəs] Plur. ⟨engl.⟩ (Sport-, Reithose)

Bre|gen, der; -s, - ⟨nordd. für Gehirn [vom Schlachttier]); vgl. Brägen

Bre|genz (Hauptstadt von Vorarlberg); Bre|gen|zer

Bre|gen|zer|wald, der; -[e]s, Bre-gen|zer Wald, der; - -[e]s (Bergland)

Brehm (dt. Zoologe)

Brei, der; -[e]s, -e

brei|ig

Brein, der; -s ⟨österr. mdal. für Hirse, Hirsebrei⟩

Brei|sach (Stadt am Oberrhein)

Breis|gau, der, landsch. das; -[e]s (südwestdt. Landschaft)

breit s. Kasten Seite 271

Breit|band|an|schluss (Elektrot.); breit|ban|dig; Breit|band|ka|bel

breit|bei|nig

Brei|te, die; -, -n; nördliche Breite (Abk. n. Br.); südliche Breite (Abk. s. Br.); in die Breite gehen (ugs. für dick werden)

brei|ten; ein Tuch über den Tisch breiten

Brei|ten|ar|beit, die; -

Brei|ten|grad (Geogr.)

Brei|ten|sport

Brei|ten|wir|kung

breit ge|fä|chert, breit|ge|fä|chert vgl. breit

Breit|ling (Fisch)

breit|ma|chen, sich (viel Platz beanspruchen; sich ausbreiten); vgl. breit

breit|na|sig; breit|ran|dig

breit|schla|gen ↑K 47 (ugs. für überreden); er hat mich breitgeschlagen; sich breitschlagen lassen; vgl. breit

breit|schul|te|rig; breit|schult|rig

Breit|schwanz (ein Lammfell)

Breit|sei|te

breit|spu|rig

breit|tre|ten (ugs. für weitschweifig darlegen); ein Thema breittreten; vgl. breit

breit|wal|zen (ugs. abwertend für unnötig weitschweifig behandeln); vgl. breit

Breit|wand (im Kino); Breit|wand-film

Brek|zie vgl. Breccie

Bre|me, die; -, -n ⟨südd., schweiz. mdal. für Stechfliege, ²Bremse⟩

Bre|men (Land und Hafenstadt an der Weser); Bre|mer

Bre|mer|ha|ven (Hafenstadt an der Wesermündung)

bre|misch

Brems|ba|cke; Brems|be|lag; Brems-berg (Bergbau)

¹Brem|se, die; -, -n (Hemmvorrichtung)

²Brem|se, die; -, -n (ein Insekt)

brem|sen; du bremst

Brem|sen|pla|ge; Brem|sen|stich

Brems|er; Brem|ser|häus|chen

Brems|flüs|sig|keit; Brems|he|bel; Brems|klotz; Brems|licht Plur. ...lichter; Brems|pe|dal; Brems-pro|be; Brems|ra|ke|te; Brems-spur; Brems|sung; Brems|weg

brenn|bar; Brenn|bar|keit, die; -

Brenn|dau|er

Brenn|ele|ment (Kernphysik)

bren|nen; du branntest; selten du brenntest; gebrannt; brenn[e]!; brennend gern (ugs.)

¹Bren|ner

²Bren|ner, der; -s (ein Alpenpass); Bren|ner|bahn, Bren|ner-Bahn, die; - ↑K 143

Bren|ne|rei

Bren|ner|pass, der; -es

Brenn|glas

brenn|heiß (österr. für sehr heiß)

Brenn|holz, das; -es; Brenn|ma|te-ri|al

Brenn|nes|sel, Brenn-Nes|sel, die

Brenn|punkt; Brenn|sche|re; Brenn-spie|gel; Brenn|spi|ri|tus; Brenn-stab (Kernphysik)

Brenn|stoff; Brenn|stoff|fra|ge, Brenn|stoff-Fra|ge; Brenn|stoff-zel|le (Chemie)

Brenn|wei|te (Optik); Brenn|wert

Brent, der od. das; -s ⟨engl.⟩ (eine Rohölsorte)

Bren|ta|no (dt. Dichter)

Bren|te, die; -, -n ⟨schweiz. für Tragbütte⟩

bren|zeln (landsch. für nach Brand riechen)

brenz|lich (landsch. für brenzlig)

brenz|lig

Bre|sche, die; -, -n ⟨franz.⟩ (veraltend für große Lücke)

Bres|lau (poln. Wrocław); Bres|lau|er

Bre|ta|gne [...'tanjə], die; - (franz. Halbinsel)

Bre|ton [brə'tõ:], der; -s, -s ([Stroh]hut mit nach oben gerollter Krempe)

Bre|to|ne [bre...], der; -n, -n; Bre-to|nin; bre|to|nisch

Brett, das; -[e]s, -er

Bret|tel, Brettl, das; -s, -[n] meist Plur. (südd., österr. für kleines Brett; Ski); brett|teln (österr. ugs. für schnell fahren; Schnee mit Skiern festtreten); ich brett[e]le

Bret|ter|bu|de

bret|tern (aus Brettern bestehend)

Bret|ter|wand; Bret|ter|zaun

brett|tig; brettiger Stoff

Brettl, das; -s, - (Kleinkunstbühne; vgl. Brettel); brettl|eben (österr. für ganz flach); Brettl|jau|se (österr. für auf einem Brett servierte Jause)

Brett|spiel

Bret|zel, die; -, -n ⟨schweiz. neben Brezel⟩

Breu|ghel [...gl] vgl. Brueg[h]el

Bre|ve, das; -s, Plur. -n u. -s ⟨lat.⟩ (kurz gefasster päpstl. Erlass)

Bre|vet [brə've:], das; -s, -s ⟨früher Gnadenbrief des franz. Königs; veraltet für Schutz-, Verleihungs-, Ernennungsurkunde; schweiz. für Prüfungsausweis, Ernennungsurkunde)

bre|ve|tie|ren (schweiz. ein Brevet erwerben, ausstellen)

Bre|vier, das; -s, -e (Gebetbuch der kath. Geistlichen; Stundengebet)

Bre|ze vgl. Brezen

Bre|zel, die; -, -n, österr. auch das; -s, -, schweiz. auch Bret|zel, die; -, -n (salziges od. süßes Gebäck); Bre|zen, die; -, -, Bre|ze, die; -, -n (bayr., österr.)

Bri|and-Kel|logg-Pakt [bri'ã:...], der; -[e]s ↑K136 ⟨nach dem franz. Außenminister A. Briand u. dem nordamerik. Außenminister F. B. Kellogg⟩ (Kriegsächtungspakt von 1928)

bricht vgl. brechen

Bri|cke, die; -, -n (landsch. für Neunauge)

Bri|de, die; -, -n ⟨franz.⟩ (schweiz. für Kabelschelle)

Bridge [brɪtʃ], das; - ⟨engl.⟩ (Kartenspiel); Bridge|par|tie ['br...]

Bridge|town ['brɪtʃtaʊn] (Hauptstadt von Barbados)

breit

– ein 3 cm breiter Saum
– ein breites Spektrum
– ein breites Lachen
– die breite Masse (die meisten)
– weit und breit

Großschreibung der Substantivierung ↑K 72:

– des Langen und Breiten (umständlich) darlegen
– des Breiter[e]n darlegen
– ein Langes und Breites (viel) sagen
– ins Breite fließen

Getrennt- und Zusammenschreibung ↑K 56:

– ein breit gefächertes *od.* breitgefächertes Angebot ↑K 58

Wenn »breit« das Ergebnis der mit dem folgenden einfachen Verb bezeichneten Tätigkeit angibt, kann getrennt oder zusammengeschrieben werden:

– die Schuhe breit treten *od.* breittreten
– einen Nagel breit schlagen *od.* breitschlagen

Wenn Adjektiv und Verb eine neue Gesamtbedeutung bilden, schreibt man zusammen:

– das Gerücht wurde in der Presse breitgetreten
– sie ließ sich breitschlagen, uns zu treffen
– er soll sich nicht so breitmachen (nicht so viel [Platz] beanspruchen)
– es hatte sich eine allgemeine Müdigkeit breitgemacht (ausgebreitet)

Brie, der; -[s], -s (*kurz für* Briekäse)
Brief, der; -[e]s, -e (*Abk. Bf., auf dt. Kurszetteln B; vgl. d.*)
Brief|adel; Brief|be|schwe|rer; Brief|block *vgl.* Block; **Brief|bogen; Brief|bom|be; Brief|drucksa|che**
brie|fen ⟨engl.⟩ (jmdn. über einen Sachverhalt informieren)
Brief|freund; Brief|freun|din
Brief|ge|heim|nis, das; -ses
Brie|fing, das; -s, -s ⟨engl.-amerik.⟩ (Informationsgespräch)
Brief|kar|te; Brief|kas|ten *Plur.* ...kästen; **Brief|kas|ten|fir|ma** (Scheinfirma); **Brief|kas|ten|on|kel; Brief|kas|ten|tan|te**
Brief|kopf; Brief|kurs (*Bankw.*)
brief|lich
Brief|mar|ke; ↑K 26 : 55-Cent-Briefmarke; 1-€-Briefmarke
Brief|mar|ken|auk|ti|on; Brief|mar|ken|block (*vgl.* Block); **Brief|mar|ken|kun|de**, die; -; **Brief|mar|ken|samm|ler**
Brief|öff|ner; Brief|pa|pier; Brief|part|ner; Brief|part|ne|rin; Brief|por|to; Brief|ro|man
Brief|schaf|ten *Plur.*
Brief|schrei|ber; Brief|schrei|be|rin; Brief|stel|ler (*veraltend*); **Brief|ta|sche**
Brief|tau|be; Brief|trä|ger; Brief|trä|ge|rin; Brief|um|schlag
Brief|wahl; Brief|wech|sel; Brief|zu|stel|ler; Brief|zu|stel|le|rin
Brie|kä|se ↑K 143
Brienz (BE) (schweiz. Ort); Brienzer See (im Berner Oberland)
Bries, das; -es, -e *u.* Brie|sel, das; -s, - (innere Brustdrüse bei Tieren, bes. beim Kalb)

Bries|chen, Brös|chen (Gericht aus Briesen des Kalbs)
briet *vgl.* braten
Bri|ga|de, die; -, -n ⟨franz.⟩ (größere Truppenabteilung; *DDR* kleinste Arbeitsgruppe in einem Produktionsbetrieb)
Bri|ga|de|füh|rer; Bri|ga|de|füh|re|rin
Bri|ga|de|ge|ne|ral; Bri|ga|de|ge|ne|ra|lin
Bri|ga|de|lei|ter, der; **Bri|ga|de|lei|te|rin**
Bri|ga|di|er [...ˈdi̯eː], der; -s, -s (Befehlshaber einer Brigade) *u.* [...ˈdi̯eː, *auch* ...ˈdiːɐ̯], der; -s, *Plur.* -s [...ˈdi̯eːs] *od.* -e [...ˈdiːrə] (*DDR* Leiter einer Arbeitsbrigade); **Bri|ga|die|rin**
Bri|gant, der; -en, -en ⟨ital.⟩ (*frühere ital. Bezeichnung für* [Straßen]räuber)
Bri|gan|ti|ne, die; -, -n (*svw.* Brigg)
Brigg, die; -, -s ⟨engl.⟩ (zweimastiges Segelschiff)
Briggs (engl. Mathematiker); ↑K 135 : briggssche *od.* Briggs'sche Logarithmen; **Briggs-Lo|ga|rith|mus**
Bri|git|ta, Bri|git|te (w. Vorn.)
Bri|kett, das; -s, *Plur.* -s, *selten* -e ⟨franz.⟩ (in Form gepresste Braun- *od.* Steinkohle)
bri|ket|tie|ren (zu Briketts formen); **Bri|ket|tie|rung**
bri|ko|lie|ren ⟨franz.⟩ (*Billard* durch Rückprall [von der Bande] treffen)
brill|lant [brɪlˈjant] ⟨franz.⟩ (glänzend; fein)
¹Bril|lant, der; -en, -en (geschliffener Diamant)
²Bril|lant, die; - (*Druckw.* ein Schriftgrad)

Bril|lant|bro|sche; Bril|lant|col|li|er; Bril|lant|feu|er|werk
Bril|lan|tin, das; -s, -e (österr. neben Brillantine)
Bril|lan|ti|ne, die; -, -n (Haarpomade)
Bril|lant|na|del; Bril|lant|ring; Bril|lant|schliff; Bril|lant|schmuck
Bril|lanz, die; - (Glanz; Virtuosität)
Bril|le, die; -, -n
Bril|len|etui; Bril|len|fut|te|ral; Bril|len|ge|stell; Bril|len|glas *Plur.* ...gläser
Bril|len|schlan|ge (*ugs. scherzh. auch für* Brillenträger[in])
Bril|len|trä|ger; Bril|len|trä|ge|rin
bril|lie|ren [brɪlˈjiː..., *auch, österr. nur*, brɪˈliː...] (glänzen; sich hervortun)
Brim|bo|ri|um, das; -s ⟨lat.⟩ (*ugs. für* Gerede; Umschweife)
Brim|sen, der; -s, - ⟨rumän.⟩ (*österr. für* Schafskäse)
Bri|nell|här|te, die; - ⟨nach dem schwed. Ingenieur Brinell⟩ ↑K 136 (Maß der Härte eines Werkstoffes; *Zeichen* HB)
brin|gen; du brachtest; du brächtest; gebracht; bring[e]!
Brin|ger (*veraltend für* Überbringer; *ugs. für* jmd., der Erfolg hat, etwas Erfolgreiches)
Bring|schuld (*Rechtsspr.* beim Gläubiger zu bezahlende Schuld)
Bri|oche [...ɔʃ], die; -, -s ⟨franz.⟩ (ein Gebäck)
Bri|o|ni|sche In|seln *Plur.* (Inselgruppe vor Istrien)
bri|sant ⟨franz.⟩ (hochexplosiv; sehr aktuell); **Bri|sanz**, die; -, -en (Sprengkraft; *nur Sing.:* brennende Aktualität)

Bris|bane [...be:n, *auch* ...bn] (australische Stadt)

Bri|se, die; -, -n ⟨franz.⟩

Bri|so|lett, das; -s, -e *u.* Bri|so|lette, die; -, -n ⟨franz.⟩ (gebratenes Kalbfleischklößchen)

¹Bris|sa|go (Schweizer Ort am Lago Maggiore)

²Bris|sa|go, die; -, -s ⟨nach dem Ort ¹Brissago⟩ (*schweiz.* Zigarrensorte aus der Schweiz)

Bris|tol ['brɪstl] (engl. Stadt am Avon); Bris|tol|ka|nal, der; -s (Bucht zwischen Wales u. Cornwall); Bris|tol|kar|ton ↑K 143 (Zeichenkarton aus mehreren Lagen)

Brit (w. Vorn.)

Bri|tan|nia|me|tall, das; -s ↑K 143 (Zinnlegierung)

Bri|tan|ni|en; bri|tan|nisch

Bri|te, der; -n, -n; Bri|tin; bri|tisch; *aber* ↑K 150 : die Britischen Inseln, das Britische Museum

Bri|tisch-Hon|du|ras (*früher für* Belize)

Bri|tisch-Ko|lum|bi|en (kanad. Provinz)

Bri|ti|zis|mus, der; -, ...men (Spracheigentümlichkeit des britischen Englisch)

Brit|ta (w. Vorn.)

Brit|ten (engl. Komponist)

Brno ['bɪrnɔ] (Stadt in Mähren; *vgl.* Brünn)

Broad|way ['bro:tve:], der; -s ⟨engl.⟩ (Hauptstraße in New York)

Broc|co|li *vgl.* Brokkoli

Broch (österr. Schriftsteller)

Bröck|chen; bröck|chen|wei|se

brö|cke|lig, bröck|lig; Brö|cke|lig|keit, Bröck|lig|keit, die; -

brö|ckeln; ich bröck[e]le

bro|cken (einbrocken; *bayr. u. österr. auch für* pflücken)

¹Bro|cken, der; -s, - (das Abgebrochene)

²Bro|cken, der; -s (höchster Berg im Harz)

bro|cken|wei|se

Bro|ckes (dt. Dichter)

bröck|lig, brö|cke|lig

Bröck|lig|keit *vgl.* Bröckeligkeit

Brod (österr. Schriftsteller)

bro|deln (dampfend aufsteigen, aufwallen; *österr. ugs. für* Zeit vertrödeln); ich brod[e]le

Bro|dem, der; -s ⟨geh. für⟩ Qualm, Dampf, Dunst)

Bro|de|rie, die; -, ...ien ⟨franz.⟩ (*veraltet für* Stickerei)

Brod|ler (*österr. ugs. für* jmd., der die Zeit vertrödelt)

Broi|ler, der; -s, - ⟨engl.⟩ (*regional für* Hähnchen zum Grillen); Broi|ler|bu|de; Broi|ler|mast, die

Bro|kat, der; -[e]s, -e ⟨ital.⟩ (kostbares [Seiden]gewebe)

Bro|ka|tell, der; -s, -e, Bro|ka|tel|le, die; -, -n (ein Baumwollgewebe)

bro|ka|ten (geh.); Bro|kat|vor|hang

Bro|ker, der; -s, - ⟨engl.⟩ ⟨engl. Bez. für Börsenmakler⟩; Bro|ke|rin

Brok|ko|li, Broc|col|li *Plur., auch* der; -s, -s ⟨ital.⟩ (Spargelkohl)

Brom, das; -s ⟨griech.⟩ (chemisches Element, Nichtmetall; Zeichen Br)

Brom|bee|re; Brom|beer|strauch

brom|hal|tig

Bro|mid, das; -[e]s, -e ⟨griech.⟩ (Salz des Bromwasserstoffs)

Bro|mit, das; -s, -e (Bromsilber [ein Mineral])

Brom|säu|re, die; -; Brom|sil|ber; Brom|sil|ber|pa|pier

bron|chi|al ⟨griech.⟩

Bron|chi|al|asth|ma; Bron|chi|al|katarr, **Bron|chi|al|ka|tarrh** (Luftröhrenkatarrh)

Bron|chie, die; -, -n *meist Plur.* (*Med.* Luftröhrenast)

Bron|chi|tis, die; -, ...it|iden (Bronchialkatarr)

Bron|to|sau|rus, der; -, ...rier ⟨griech.⟩ (eine ausgestorbene Riesenechse)

Bron|ze ['brõ:sə, *österr.* brõ:s], die; -, -n ⟨ital.(-franz.)⟩ (Metallmischung; Kunstgegenstand aus Bronze; *nur Sing.:* Farbe)

bron|ze|far|ben, bron|ze|far|big

Bron|ze|kunst, die; -; Bron|ze|me|dail|le

bron|zen (aus Bronze)

Bron|ze|zeit, die; - (vorgeschichtliche Kulturzeit); bron|ze|zeit|lich

bron|zie|ren (mit Bronze überziehen)

Bron|zit, der; -s (ein Mineral)

Brook|lyn ['brʊklɪn] (Stadtteil von New York)

Bro|sa|me, die; -, -n *meist Plur.*

brosch. = broschiert

Bro|sche, die; -, -n ⟨franz.⟩

Brös|chen, Bries|chen (Gericht aus Briesen des Kalbs)

bro|schie|ren ⟨franz.⟩ (Druckbogen in einen Papierumschlag heften od. leimen); bro|schiert (*Abk.* brosch.)

¹Bro|schur, die; - (das Heften od. Leimen)

²Bro|schur, die; -, -en (broschierte Druckschrift)

Bro|schü|re, die; -, -n (leicht geheftetes Druckwerk)

Brö|sel, der, *bayr., österr.* das; -s, - *meist Plur.* (Krümel, Bröckchen)

brö|se|lig, brös|lig

brö|seln (bröckeln); ich brös[e]le

Brot, das; -[e]s, -e

Brot|auf|strich; Brot|beu|tel

Bröt|chen; Brot|chen|ge|ber (*scherzh. für* Arbeitgeber)

Bröt|chen|tas|te (*ugs. für* Taste am Parkscheinautomaten für kostenloses kurzes Parken)

Brot|ein|heit (*Med.; Abk.* BE)

Brot|er|werb; Brot|fa|b|rik; Brot|ge|trei|de; Brot|kas|ten

Brot|korb; Brot|kru|me; Brot|krü|mel; Brot|krus|te; Brot|laib

brot|los; brotlose Künste

Brot|ma|schi|ne; Brot|mes|ser; Brot|neid; Brot|preis; Brot|schei|be; Brot|schnei|de|ma|schi|ne; Brot|schnit|te

Brot|stu|di|um, das; -s

Brot|sup|pe; Brot|teig; Brot|trunk

Brot|zeit (*landsch. für* Zwischenmahlzeit [am Vormittag])

Brow|ning ['brau...], der; -s, -s ⟨nach dem amerik. Erfinder⟩ (eine Schusswaffe)

Brow|ser ['brauzɐ], der; -s, - ⟨engl.⟩ (Software zum Verwalten, Finden und Ansehen von Dateien)

brr! (*Zuruf an Zugtiere* halt!)

BRT = Bruttoregistertonne

¹Bruch, der; -[e]s, Brüche (*ugs. auch für* Einbruch); zu Bruch gehen; in die Brüche gehen

²Bruch [*auch* bru:x], der *u.* das; -[e]s, *Plur.* Brüche, *landsch.* Brücher (Sumpfland)

Bruch|band, das; *Plur.* ...bänder (*Med.*); Bruch|bu|de (*ugs. für* schlechtes, baufälliges Haus)

bruch|fest; Bruch|fes|tig|keit

bru|chig [*auch* 'bru:...] (sumpfig)

brü|chig; Brü|chig|keit, die; -

bruch|lan|den; bruchgelandet; Bruch|lan|dung

bruch|los

bruch|rech|nen *nur im Infinitiv üblich;* Bruch|rech|nen, das; -s; Bruch|rech|nung, die; -

Bruch|scha|den

Bruch|scho|ko|la|de

bruch|si|cher; bruchsicher verpackt

Bruch|stein; Bruch|stel|le; Bruch|strich; Bruch|stück

bruch|stück|haft

Bruch|teil, der; Bruch|zahl

Brück|chen

Brü|cke, der; -s, -n

Brü|cken|bau *Plur.* ...bauten; **Brü-cken|ge|län|der; Brü|cken|kopf** *(Milit.);* **Brü|cken|pfei|ler**

Brü|cken|tag (Tag zwischen zwei arbeitsfreien Tagen, der sich als Urlaubstag anbietet)

Bruck|ner (österr. Komponist)

Brü|den, der; -s, - (*Technik* Schwaden, Abdampf); *vgl.* Brodem

Bru|der, der; -s, Brüder; die Brüder Grimm; **Brü|der|chen**

Brü|der|ge|mei|ne, die; -, -n ⟨*Kurzform von* Herrnhuter Brüdergemeine⟩ (pietistische Freikirche)

Bru|der|hand; Bru|der|herz (*noch scherzh. für* Bruder, Freund)

Bru|der|krieg; Bru|der|kuss

Brü|der|lein; brü|der|lich; Brü|der-lich|keit, die; -

Bru|der Lus|tig, der; *Gen.* Bruder Lustigs *u.* Bruder[s] Lustig, *Plur.* Brüder Lustig (*veraltend für* leichtlebiger Mensch)

Bru|der|mord

Bru|der|schaft ([rel.] Vereinigung)

Brü|der|schaft (brüderliches Verhältnis); Brüderschaft trinken

Bru|der|volk; Bru|der|zwist

Brue|g[h]el [ˈbrɔygl] (fläm. Malerfamilie)

Brüg|ge (belg. Stadt)

Brü|he, die; -, -n; brü|hen

brüh|heiß

Brüh|kar|tof|feln *Plur.*

brüh|warm *(ugs.)*

Brüh|wür|fel; Brüh|wurst

Brüll|af|fe

brül|len; Brül|ler

Bru|maire [bryˈmɛːɐ̯], der; -[s], -s ⟨franz., »Nebelmonat«⟩ (2. Monat des Kalenders der Franz. Revolution: 22. Okt. bis 20. Nov.)

Brumm|bär *(ugs.);* Brumm|bass

brum|me|lig; brum|meln (*ugs. für* leise brummen; undeutlich sprechen); ich brumm[e]le

brum|men; Brum|mer *(ugs.)*

Brum|mi, der; -s, -s (*ugs. scherzh. für* Lastkraftwagen)

brum|mig; Brum|mig|keit, die; -

Brumm|krei|sel; Brumm|schä|del *(ugs.)*

Brunch [brantʃ], der; -[e]s, *Plur.* -[e]s *u.* -e ⟨engl.⟩ (ausgedehntes u. reichhaltiges, das Mittagessen ersetzendes Frühstück)

brun|chen [ˈbran...]; ich brunche, gebruncht

Bru|nei Da|rus|sa|lam (Staat auf Borneo); Bru|nei|er; Bru|nei|e|rin; bru|nei|isch

Bru|nel|le, Brau|nel|le, die; -, -n ⟨franz.⟩ (eine Pflanze)

brü|nett (braunhaarig. -häutig; **Brü|net|te**, die; -, -[n] (brünette Frau); zwei Brünette[n]

Brunft, die; -, Brünfte (*Jägerspr.* *svw.* Brunst beim Wild)

brunf|ten

Brunft|hirsch; brunf|tig

Brunft|schrei; Brunft|zeit

Brun|hild, Brun|hil|de (dt. Sagengestalt; w. Vorn.)

brü|nie|ren ⟨franz.⟩ (*fachspr. für* [Metall] bräunen)

Brünn (*tschech.* Brno)

Brünn|chen

Brün|ne, die; -, -n (Nackenschutz der mittelalterl. Ritterrüstung)

Brun|nen, der; -s, -

Brun|nen|fi|gur; Brun|nen|kres|se (Salatpflanze); **Brun|nen|ver|gif-ter** (*abwertend für* Verleumder); **Brun|nen|ver|gif|tung**

Brünn|lein *(geh.)*

Bru|no (m. Vorn.)

Brunst, die; -, Brünste (Periode der geschlechtl. Erregung u. Paarungsbereitschaft bei einigen Tieren); *vgl.* Brunft

bruns|ten; brüns|tig; Brunst|zeit

brun|zen (*landsch. derb für* urinieren)

Brus|chet|ta [...sk...], die; -, -s ⟨ital.⟩ (geröstetes Weißbrot mit Tomaten)

brüsk; brüskes|te (barsch; schroff)

brüs|kie|ren (barsch, schroff behandeln); **Brüs|kie|rung**

Brüs|sel, *niederl.* Brus|sel [ˈbrʏsl] (Hauptstadt Belgiens); *vgl.* Bruxelles; **Brüs|se|ler,** *seltener* Brüssler

Brust, die; -, Brüste

Brust|bein; Brust|beu|tel; Brust-bild; Brust|brei|te

Brüst|chen

brüs|ten, sich

Brust|fell; Brust|fell|ent|zün|dung

brust|hoch

Brust|höh|le (*Med.*)

...brüs|tig (z. B. engbrüstig)

Brust|kas|ten *Plur.* ...kästen; **Brust-kind; Brust|korb**

Brust|krebs; Brust|la|ge

brust|schwim|men, Brust schwimmen; *aber nur:* er schwimmt Brust; **Brust|schwim|men,** das; -s

Brust|spitz, der; -es, -e (*südd., österr., schweiz. für* Brustfleisch von Rind oder Kalb)

Brust|stim|me; Brust|ta|sche

Brust|tee; Brust|ton *Plur.* ...töne; **Brust|um|fang**

Brüs|tung

Brust|war|ze; Brust|wehr, die; **Brust|wi|ckel**

brut [bryt] ⟨franz.⟩ (*von Schaumweinen* sehr trocken)

Brut, die; -, -en *Plur. selten*

bru|tal ⟨lat.⟩ (roh; gefühllos; gewalttätig; rücksichtslos)

bru|ta|li|sie|ren; Bru|ta|li|sie|rung

Bru|ta|li|tät, die; -, -en

bru|talst|mög|lich

Brut|ap|pa|rat

brü|ten; brü|tend; brütende Hitze; ein brütend heißer Tag

Brü|ter (*Kernphysik* Brutreaktor); schneller *od.* Schneller Brüter
↑K 89

Brut|hit|ze *(ugs.)*

brü|tig (zum Brüten bereit)

Brut|kas|ten; Brut|ofen; Brut|pfle-ge; Brut|re|ak|tor (*svw.* Brüter); **Brut|schrank; Brut|stät|te**

brut|to ⟨ital.⟩ (mit Verpackung; ohne Abzug der [Un]kosten; *Abk.* btto.); brutto für netto (*Abk.* bfn.)

Brut|to|ein|kom|men; Brut|to|er-trag (Rohertrag); **Brut|to|ge|halt,** das; **Brut|to|ge|wicht**

Brut|to|in|lands|pro|dukt (*Wirtsch.; Abk.* BIP)

Brut|to|mas|se, die; -

Brut|to|raum|zahl (*Abk.* BRZ); **Brut-to|re|gis|ter|ton|ne** (*früher für* Bruttoraumzahl; *Abk.* BRT)

Brut|to|so|zi|al|pro|dukt (*Wirtsch.; Abk.* BSP)

Brut|to|ver|dienst, der

Bru|tus (röm. Eigenn.)

brut|zeln (*ugs. für* in zischendem Fett braten); ich brutz[e]le

Bru|xelles [brʏˈsɛl] (*franz. Form von* Brüssel)

Bru|yère|holz [bryˈjɛːɐ̯...] ⟨franz.; dt.⟩ (Wurzelholz der Baumheide)

Bryo|lo|gie, die; - ⟨griech.⟩ (Mooskunde)

BRZ = Bruttoraumzahl

BSA, der; - = Bund schweizerischer Architekten

B. Sc. = Bachelor of Science; *vgl.* Bachelor

BSE, die, -, meist ohne Artikel = bovine spongiforme Enzephalopathie (Rinderwahnsinn); **BSE-frei; BSE-Test**

BSI, der; -[s], - = Bezirksschulinspektor *(österr.)*

BSP, das; -[s] = Bruttosozialprodukt

Bsp. = Beispiel

BSR, der; -[s], - = Bezirksschulrat *(österr.)*

bst! *vgl.* pst!

Btl. = Bataillon

btto. = brutto

Bttr. = Batterie *(Militär)*

Btx = Bildschirmtext

Bub, der; -en, -en *(südd., österr. u. schweiz. für* Junge)

Büb|chen; büb|chen|haft

Bu|be, der; -n, -n *(veraltend für* niederträchtiger Mensch; Spielkartenbezeichnung)

bu|ben|haft

Bu|ben|streich *(auch veraltend für* übler Streich); Bu|ben|stück *(veraltend);* Bü|be|rei *(veraltend)*

Bu|bi, der; -s, -s *(Koseform von* Bub)

Bu|bi|kopf (Damenfrisur)

Bü|bin *(abwertend)*

bü|bisch

Bu|bo, der; -s, ...onen ⟨griech.⟩ *(Med.* entzündl. Lymphknotenschwellung im Leistenbereich)

Buch, das; -[e]s, Bücher; Buch führen; die Buch führende *od.* buchführende Geschäftsstelle ↑K 58; zu Buche schlagen

¹Bu|cha|ra (Landschaft u. Stadt in Usbekistan)

²Bu|cha|ra, der; -[s], -s (ein Teppich)

Buch|a|re, der; -s, -s *(Koseform von* Bub)

Buch|aus|stat|tung; Buch|be|spre|chung

Buch|bin|der; Buch|bin|de|rei; Buch|bin|de|rin

buch|bin|dern; ich buchbindere; gebuchbindert

Buch|block *(vgl.* Block); Buch|de|ckel

Buch|druck, der; -[e]s; Buch|dru|cker; Buch|dru|cke|rei; Buch|dru|cke|rin; Buch|dru|cker|kunst, die; -

Buch|druck|ge|wer|be, das; -s

Bu|che, die; -, -n

Buch|ecker

Bu|chel, die; -, -n *(landsch. für* Buchecker)

Bü|chel|chen

¹bu|chen (aus Buchenholz)

²bu|chen (in ein Rechnungsbuch eintragen; reservieren lassen)

Bu|chen|holz; Bu|chen|klo|ben

Bu|chen|land, das; -[e]s (dt. Name der Bukowina); bu|chen|län|disch

Bu|chen|scheit; Bu|chen|stamm; Bu|chen|wald

Bü|cher|bord, das; Bü|cher|brett

Bü|che|rei; Deutsche Bücherei (in Leipzig; *Abk.* DB)

Bü|cher|kun|de, die; -; bü|cher|kund|lich

Bü|cher|re|gal; Bü|cher|re|vi|sor ([Rechnungs]buchprüfer)

Bü|cher|schrank; Bü|cher|stu|be; Bü|cher|ver|bren|nung; Bü|cher|wand; Bü|cher|wurm, der *(scherzh.)*

Buch|fink

Buch füh|rend, buch|füh|rend ↑K58

Buch|füh|rung; Buch|ge|mein|schaft; Buch|ge|wer|be, das; -s

Buch|hal|ter; Buch|hal|te|rin; buch|hal|te|risch; Buch|hal|tung

Buch|han|del *(vgl.* ¹Handel); Buch|händ|ler; Buch|händ|le|rin; buch|händ|le|risch; Buch|hand|lung

Buch|kri|tik; Buch|kunst, die; -

Buch|lauf|kar|te

Büch|lein

Buch|ma|cher; Buch|ma|che|rin

Buch|markt; Buch|mes|se

Büch|ner (dt. Dichter); Büch|ner|preis

Buch|preis|bin|dungs|ge|setz

Buch|prü|fer (Bücherrevisor); Buch|prü|fe|rin

Buchs, der; -es, -e *(svw.* Buchsbaum); Buchs|baum

Buch|se, die; -, -n (Steckdose; Hohlzylinder als Lager einer Welle, eines Zapfens usw.)

Büch|se, die; -, -n (zylindrisches Gefäß mit Deckel; Feuerwaffe)

Büch|sen|fleisch

Büch|sen|licht, das; -[e]s (zum Schießen ausreichende Helligkeit)

Büch|sen|ma|cher; Büch|sen|ma|che|rin

Büch|sen|milch; Büch|sen|öff|ner

Büch|sen|schuss

Buch|sta|be, der; *Gen.* -ns, *selten* -n, *Plur.* -n

buch|sta|ben|ge|treu; buch|sta|ben|gläu|big

Buch|sta|ben|kom|bi|na|ti|on; Buch|sta|ben|rät|sel

buch|sta|bie|ren

...buch|sta|big (z. B. vierbuchstabig; *mit Ziffer* 4-buchstabig ↑K 66)

buch|stäb|lich (genau nach dem Wortlaut)

Buch|stüt|ze

Bucht, die; -, -en

Buch|tel, die; -, -n ⟨tschech.⟩ *(österr.* ein Hefegebäck; *bayr. für* Dampfnudel)

buch|tig

Buch|ti|tel

Bu|chung; Bu|chungs|ma|schi|ne

Buch|ver|leih; Buch|ver|sand

Buch|wei|zen (eine Nutzpflanze); Buch|wei|zen|mehl

Buch|we|sen, das; -s; Buch|wis|sen *(abwertend);* Buch|zei|chen

Bu|cin|to|ro [...tʃ...], der; -s ⟨ital.⟩ *(ital. für* Buzentaur)

Bü|cke, die; -, -n (Turnübung)

¹Bu|ckel, der; -s, -, *auch* das; -, -n (erhabene Metallverzierung)

²Bu|ckel, der; -s, - (Höcker, Rücken)

Bu|ckel|flie|ge

bu|cke|lig, buck|lig

Bu|ckel|kra|xe, die; -, -n *(bayr., österr. ugs.* eine Rückentrage); bu|ckel|kra|xen *(österr. für* huckepack); buckelkraxen tragen

bu|ckeln *(ugs. für* einen Buckel machen; auf dem Buckel tragen; *abwertend für* sich unterwürfig verhalten); ich buck[e]le

Bu|ckel|pis|te

Bu|ckel|rind (Zebu)

bü|cken, sich

Bü|cking, Bück|ling (geräucherter Hering)

Bu|cking|ham [ˈbakɪŋəm] (engl. Orts- u. Familienn.); Bu|ck|ing|ham-Pa|last, der; -[e]s

buck|lig *vgl.* buckelig; Buck|li|ge, der *u.* die; -n, -n

¹Bück|ling *(scherzh., auch abwertend für* Verbeugung)

²Bück|ling, Bü|cking (geräucherter Hering)

Buck|ram, der; -s ⟨nach der Stadt Buchara⟩ (stark appretiertes Gewebe [für Bucheinbände])

Buck|skin, der; -s, -s ⟨engl.⟩ (gerautes Wollgewebe)

Bück|ware, der *(bes. DDR* offiziell nicht vorhandene Ware, die unter dem Ladentisch verkauft wird)

Bu|cu|re|şti [bukuˈreʃtj] *(rumän. Form von* Bukarest)

Bu|da|pest (Hauptstadt Ungarns); Bu|da|pes|ter

Büd|chen (kleine Bude)

Bud|del, But|tel, die; -, -n *(ugs. für* Flasche)

Bud|de|lei *(ugs.)*

Bud|del|kas|ten

bud|deln *(ugs. für* [im Sand] graben); ich budd[e]le

Bud|del|schiff *(Seemannsspr.* in eine Flasche hineingebautes Schiffsmodell)

Bud|den|brooks (Romantitel)

¹Bud|dha [...da] ⟨sanskr., »der Erwachte, der Erleuchtete«⟩

(Ehrenname des ind. Religionsstifters Siddhartha)

²Bud|dha, der; -s, -s (Abbild, Statue Buddhas)

Bud|dhis|mus, der; - (Lehre Buddhas)

Bud|dhist, der; -en, -en; Bud|dhistin; bud|dhis|tisch

Budd|leia, Budd|le|ja, die; -, -s ⟨nach dem engl. Botaniker A. Buddle⟩ (ein Gartenstrauch)

Bu|de, die; -, -n

Bu|del, die; -, -n (bayr. u. österr. ugs. für Verkaufstisch)

Bu|den|zau|ber (ugs. für ausgelassenes Fest in der Wohnung)

Bud|get [by'dʒe:], das; -s, -s ⟨franz.⟩ ([Staats]haushaltsplan, Voranschlag)

bud|ge|tär

Bud|get|be|trag; Bud|get|ent|wurf

bud|ge|tie|ren (ein Budget aufstellen); Bud|ge|tie|rung; Bud|getloch (bes. österr., schweiz.)

Bud|get|vor|an|schlag (österr., schweiz. für Haushaltsplan)

Bu|di|ke, die; -, -n ⟨franz.⟩ (ugs. für kleiner Laden; kleine Kneipe); Bu|di|ker (Besitzer einer Budike)

Büd|ner (landsch. für Kleinbauer)

Bu|do, das; -s ⟨jap.⟩ (Sammelbegriff für Kampfsportarten)

Bu|do|ka, der; -[s], -[s] u. die; -, -[s] (Budosportler[in])

Bu|e|nos Ai|res (Hauptstadt Argentiniens)

Bü|fett, das; -[e]s, Plur. -s u. -e, bes. österr. u. schweiz. Buf|fet [by'fe:, schweiz. 'byfe] das; -s, -s ⟨franz.⟩ (Anrichte; Geschirrschrank; Theke); kaltes Büfett, Buffet (zur Selbstbedienung angerichtete kalte Speisen)

Bü|fet|ti|er [...'tje:], der; -s, -s ([Bier]ausgeber, Zapfer)

Büf|fel, der; -s, - (wild lebende Rinderart)

Büf|fe|lei (ugs.)

Büf|fel|her|de

büf|feln (ugs. für angestrengt lernen); ich büffe[e]le

Buf|fet vgl. Büfett

Buf|fo, der; -s, Plur. -s u. Buffi ⟨ital.⟩ (Sänger komischer Rollen)

buf|fo|nesk (im Stil eines Buffos)

¹Bug, der; -[e]s, Plur. (für Schiffsvorderteil:) -e u. (für Schulterstück [des Pferdes u. des Rindes]:) Büge

²Bug, der; -s (Fluss in Osteuropa); der Westliche, Südliche Bug

³Bug [bak], der; -s, -s ⟨engl.⟩ (EDV Fehler in Hard- od. Software)

Bü|gel, der; -s, -

Bü|gel|au|to|mat; Bü|gel|brett; Bügel|ei|sen; Bü|gel|fal|te

bü|gel|fest; bü|gel|frei

bü|geln; ich büg[e]le

Bü|gel|sä|ge

Bug|gy ['bagi], der; -s, -s ⟨engl.⟩ (leichter [offener] Wagen; kleines Auto mit offener Karosserie; zusammenklappbarer Kindersportwagen)

Büg|le|rin

bug|sie|ren ⟨niederl.⟩ ([ein Schiff] schleppen, ins Schlepptau nehmen; ugs. für mühsam an einen Ort befördern); Bug|sie|rer (Seemannsspr. Bugsierschiff)

Bug|spriet, das u. der; -[e]s, -e (Seemannsspr. über den Bug hinausragende Segelstange)

Bug|wel|le

buh! (Ausruf als Ausdruck des Missfallens); Buh, das; -s, -s (ugs.); es gab viele Buhs

Bu|hei, Bo|hei, das; -s (landsch. für Aufheben); großes Buhei, Bohei [um etw.] machen

Bü|hel, der; -s, - u. Bühl, der; -[e]s, -e (südd. u. österr. in geografischen Namen für Hügel)

bu|hen (ugs. für durch Buhrufe sein Missfallen ausdrücken)

Buh|frau

Bühl vgl. Bühel

¹Buh|le, der; -n, -n (geh. veraltet für Geliebter)

²Buh|le, die; -, -n (geh. veraltet für Geliebte)

buh|len (veraltet); um jmds. Gunst buhlen (geh.)

Buh|ler (veraltet); Buh|le|rei (veraltet); Buh|le|rin (veraltet)

buh|le|risch (veraltet)

Buhl|schaft (veraltet für Liebesverhältnis)

Buh|mann Plur. ...männer (ugs. für Schreckgespenst, Prügelknabe)

Buh|ne, die; -, -n (künstlicher Damm zum Uferschutz)

Büh|ne, die; -, -n ([hölzerne] Plattform; Schaubühne; Spielfläche; südd., schweiz. auch für Dachboden; vgl. Heubühne)

Büh|nen|ar|bei|ter; Büh|nen|ar|bei|te|rin; Büh|nen|aus|spra|che; Büh|nen|be|ar|bei|tung

Büh|nen|bild; Büh|nen|bild|ner; Büh|nen|bild|ne|rin

Büh|nen|fas|sung; Büh|nen|ge|stalt; Büh|nen|haus

Büh|nen|kopf (äußerstes Ende einer Buhne; vgl. d.)

büh|nen|mä|ßig

Büh|nen|mu|sik

büh|nen|reif

Büh|nen|schaf|fen|de, der u. die; -n, -n

büh|nen|wirk|sam

Buh|ruf

Bu|hurt, der; -[e]s, -e ⟨franz.⟩ (mittelalterl. Reiterkampfspiel)

Bu|jum|bu|ra [...ʒʊm...] (Hauptstadt von Burundi)

buk vgl. backen

Bu|ka|ni|er, der; -s, - ⟨engl.⟩ (westindischer Seeräuber im 17. Jh.)

Bu|ka|rest (Hauptstadt Rumäniens); vgl. Bucureşti; Bu|ka|res|ter

Bu|kett, das; -[e]s, Plur. -s u. -e, Bou|quet [bu'ke:], das; -s, -s ⟨franz.⟩ ([Blumen]strauß; Duft [des Weines])

¹Bu|k|lee, Bou|c|lé [bu'kle:], das; -s, -s ⟨franz.⟩ (Garn mit Knoten u. Schlingen)

²Bu|k|lee, Bou|c|lé, der; -s, -s (Gewebe u. Teppich aus ¹Buklee)

Bu|ko|lik, die; - ⟨griech.⟩ (Literaturw. Hirtendichtung); bu|kolisch; bukolische Dichtung

Bu|ko|wi|na, die; - (Karpatenlandschaft; vgl. Buchenland); Bu|kowi|ner; bu|ko|wi|nisch

bul|bös ⟨lat.⟩ (Med. zwiebelartig, knollig); bulböse Schwellung

Bul|bus, der; -, Plur. ...bi od., Bot. nur, ...ben (Bot. Zwiebel; Med. Augapfel; Anschwellung)

Bu|let|te, die; -, - ⟨franz.⟩ (landsch. für Frikadelle)

Bul|ga|re, der; -n, -n; Bul|ga|ri|en [...jən]; Bul|ga|rin; bul|ga|risch

Bul|ga|risch, das; -[s] (Sprache); vgl. Deutsch; Bul|ga|ri|sche, das; -n; vgl. Deutsche, das

Bul|gur, der; -s ⟨arab.⟩ (gekochter, getrockneter Weizen)

Bu|li|mie, die; - ⟨griech.⟩ (Med. Ess-Brech-Sucht); bu|li|misch

Bulk|car|ri|er ['balkkɐrɪɐ], der; -s, - ⟨engl.⟩ (Massengutfrachtschiff)

Bulk|la|dung (Seemannsspr. Schüttgut)

Bull|au|ge (rundes Schiffsfenster)

Bull|dog ®, der; -s, -s ⟨engl.⟩ (Zugmaschine)

Bull|dog|ge (eine Hunderasse)

Bull|do|zer [...zɐ], der; -s, - (schweres Raupenfahrzeug)

¹Bul|le, der; -n, -n (Stier; männliches Zuchtrind; auch männliches Tier verschiedener großer Säugetierarten; ugs. oft abwertend für Polizist; Börsenw. Opti-

B
Bull

mist hinsichtlich der Kursentwicklung)
²Bul|le, die; -, -n ⟨lat.⟩ (mittelalterli-
che Urkunde; feierlicher päpstli-
cher Erlass); die Goldene Bulle
↑K150
Bul|len|bei|ßer (svw. Bulldogge;
ugs. für grober Mensch)
Bul|len|hit|ze (ugs.)
Bul|len|markt (Börsenw. Markt-
phase mit steigenden Kursen);
vgl. Bärenmarkt
bul|len|stark (ugs.)
bul|le|rig, bull|rig (landsch. für
polternd, aufbrausend)
bul|lern (ugs. für dumpfe, unregel-
mäßige Geräusche machen); er
sagte, der Ofen bullere
Bul|le|tin [byl'tē:], das; -s, -s
⟨franz.⟩ (amtliche Bekanntmachung; Krankenbericht)
Bull|finch [...fintʃ], der; -s, -s
⟨engl.⟩ (Hecke als Hindernis
beim Pferderennen)
bul|lig
bull|rig vgl. bullerig
Bull|shit [...ʃit], der; -s ⟨engl.⟩
(salopp abwertend für Unsinn,
dummes Zeug)
Bull|ter|ri|er (engl. Hunderasse)
Bul|ly [...li], das; -s, -s ⟨engl.⟩
(Anspiel im [Eis]hockey)
Bü|low [...lo] (Familienname)
Bult, der; -s, Plur. Bülte od. Bulten,
Bül|te, die; -, -n (nordd. für feste,
grasbewachsene [Moor]stelle;
Hügelchen)
Bult|sack (früher für Seemanns-
matratze)
bum!; bum, bum!
Bum|bass, der; ...basses, ...basse
(früher Musikinstrument)
Bum|boot (kleines Händlerboot
zur Versorgung großer Schiffe)
Bum|bum, das; -s (ugs. für Gepol-
ter)
Bu|me|rang [auch 'bʊ...], der; -s,
Plur. -s od. -e ⟨engl.⟩ (gekrümm-
tes Wurfholz)
¹Bum|mel, der; -s, - (ugs. für Spa-
ziergang)
²Bum|mel vgl. Bommel
Bum|me|lant, der; -en, -en (ugs.);
Bum|me|lei (ugs.)
bum|me|lig; Bum|me|lig|keit
bum|meln (ugs.); ich bumm[e]le
Bum|mel|streik
Bum|mel|zug (ugs.)
Bum|merl, das; -s, -n (österr. ugs.
für Verlustpunkt beim Kartenspiel; Tor im Sport)
Bum|merl|sa|lat (österr. für Eis-
bergsalat)

bum|mern (ugs. für dröhnend
klopfen); ich bummere
Bum|mler (ugs.); Bum|mle|rin
bumm|lig; Bumm|lig|keit, die; -
(ugs.)
bumm|voll (österr. ugs. für sehr
voll)
bums!; Bums, der; -es, -e (ugs. für
dumpfer Schlag)
bum|sen (ugs. für dröhnend auf-
schlagen; koitieren); du bumst
Bums|lo|kal (ugs. für zweifelhaftes
Vergnügungslokal)
Bums|mu|sik (ugs. für laute, dröh-
nende Musik)
bums|voll (ugs. für sehr voll)
Bu|na ®, der od. das; -[s] (synthet.
Gummi); Bu|na|rei|fen
¹Bund, der; -[e]s, Bünde (»das Bin-
dende«; Vereinigung; oberer
Rand an Rock od. Hose); der
Alte, Neue Bund ↑K150
²Bund, das; -[e]s, -e (»das Gebundene«; Gebinde); vier Bund
Stroh
BUND, der; -[s] = Bund für
Umwelt und Naturschutz
Deutschland
Bun|da, die; -, -s ⟨ung.⟩ (Schaffell-
mantel ung. Bauern)
Bünd|chen
Bün|del, das; -s, -; Bün|de|lei
bün|deln; ich bünd[e]le; Bün|de-
lung
Bün|den (schweiz. Kurzform von
Graubünden)
Bun|des|ad|ler
Bun|des|agen|tur für Ar|beit (Abk.
BA); Bun|des|amt; Bun|des|an|ge-
stell|ten|ta|rif (Abk. BAT); Bun-
des|an|lei|he
Bun|des|an|stalt
Bun|des|an|walt; Bun|des|an|wäl-
tin; Bun|des|an|walt|schaft
Bun|des|ar|beits|ge|richt
Bun|des|aus|bil|dungs|för|de|rungs-
ge|setz (Abk. BAföG)
Bun|des|au|ßen|mi|nis|ter; Bun|des-
au|ßen|mi|nis|ter|in
Bun|des|au|to|bahn
Bun|des|bah|nen Plur. (österr.,
schweiz. die staatliche Eisenbahn)
Bun|des|bank, die; -
Bun|des|be|auf|trag|te
Bun|des|be|hör|de
Bun|des|be|treu|ung (österr. staat-
liche Grundversorgung von Asy-
lanten)
Bun|des|bru|der (Verbindungsw.);
Bun|des|bür|ger; Bun|des|bür|ge-
rin

bun|des|deutsch; Bun|des|deut-
sche, der u. die
Bun|des|ebe|ne, die; -; auf Bundes-
ebene
bun|des|ei|gen
Bun|des|frau|en|mi|nis|te|rin
Bun|des|ge|biet, das; -[e]s
Bun|des|ge|nos|se; Bun|des|ge|nos-
sin; bun|des|ge|nös|sisch
Bun|des|ge|richt; Bun|des|ge|richts-
hof, der; -[e]s; Bun|des|ge|setz-
blatt (Abk. BGBl.); Bun|des-
grenz|schutz, der; -es (Abk. BGS;
seit dem 1. Juli 2005 Bundespolizei)
Bun|des|gym|na|si|um (österr.; Abk.
BG)
Bun|des|haupt|stadt; Bun|des|haus;
Bun|des|haus|halt
Bun|des|heer (österr.)
Bun|des|hym|ne (österr.)
Bun|des|ka|bi|nett
Bun|des|kanz|ler; Bun|des|kanz|ler-
amt; Bun|des|kanz|le|rin
Bun|des|kar|tell|amt; Bun|des|kri-
mi|nal|amt (Abk. BKA)
Bun|des|la|de (jüd. Rel.)
Bun|des|land Plur. ...länder
Bun|des|lehr|an|stalt (österr.
Schule für bestimmte Berufe;
die Höhere Bundeslehranstalt
(Abk. HBLA) für Tourismus
Bun|des|leh|rer (österr. für staat-
lich angestellter [Gymnasi-
al]lehrer); Bun|des|leh|re|rin
Bun|des|li|ga (Spielklasse im Fuß-
ball u. a. in Deutschland); die
Erste, Zweite Bundesliga; Bun-
des|li|gist, der; -en, -en
Bun|des|ma|ri|ne
Bun|des|mi|nis|ter; Bun|des|mi|nis-
te|rin; Bun|des|mi|nis|te|ri|um
Bun|des|nach|rich|ten|dienst (Abk.
BND)
Bun|des|po|li|tik; bun|des|po|li-
tisch
Bun|des|po|li|zei
Bun|des|prä|si|dent; Bun|des|prä|si-
den|tin
Bun|des|pres|se|amt
Bun|des|rat; Bun|des|rech|nungs-
hof; Bun|des|re|gie|rung
bun|des|re|pu|b|li|ka|nisch; Bun-
des|re|pu|b|lik Deutsch|land
(nicht amtliche Abk. BRD)
Bun|des|si|cher|heits|rat, der; -[e]s;
Bun|des|so|zi|al|ge|richt; Bun|des-
staat Plur. ...staaten
Bun|des|stadt, die; - (schweiz. für
Bern als Sitz von Bundesregie-
rung u. -parlament; auch für
Bonn als ehemalige bundes-
deutsche Hauptstadt)

Bun|des|stra|ße (*Zeichen* B, z. B. B 38)
Bun|des|tag
Bun|des|tags|ab|ge|ord|ne|te; Bun|des|tags|de|bat|te; Bun|des|tags|frak|ti|on; Bun|des|tags|prä|si|dent; Bun|des|tags|prä|si|den|tin; Bun|des|tags|sit|zung
Bun|des|tags|wahl
Bun|des|trai|ner
Bun|des|trai|ne|rin
Bun|des|ver|band
Bun|des|ver|dienst|kreuz
Bun|des|ver|ei|ni|gung
Bun|des|ver|fas|sung (*österr.,* *schweiz. für* das nationale Grundgesetz); Bun|des|ver|fas|sungs|ge|richt; Bun|des|ver|fas|sungs|ge|setz
Bun|des|ver|samm|lung, die; -e
Bun|des|ver|wal|tung
Bun|des|vor|stand
Bun|des|wehr; Bun|des|wehr|ein|satz
bun|des|weit
Bund|fal|ten|ho|se; Bund|ho|se
bün|dig (bindend; *Bauw.* in gleicher Fläche liegend); kurz und bündig; Bün|dig|keit, die; -
bün|disch (der freien Jugendbewegung angehörend); die bündische Jugend
Bünd|ner (*schweiz. für* Graubündner); Bünd|ner Fleisch; bünd|ne|risch (*schweiz. für* graubündnerisch)
Bünd|nis, das; -ses, -se; Bündnis 90/Die Grünen (*Kurzform* die Grünen, *auch* Bündnisgrünen)
Bünd|nis|block *vgl.* Block
bünd|nis|grün; Bünd|nis|grü|ne, der *u.* die; -n, -n (Mitglied der Partei Bündnis 90/Die Grünen)
Bünd|nis|part|ner
Bünd|nis|part|ne|rin
Bünd|nis|sys|tem
Bünd|nis|treue; Bünd|nis|ver|trag
Bund|schuh (Bauernschuh im MA.)
Bund|steg; Bund|wei|te
Bun|ga|low [...lo], der; -s, -s ⟨Hindi-engl.⟩ (eingeschossiges Wohn- od. Sommerhaus mit flachem Dach)
Bun|ge, die; -, -n (kleine Fischreuse aus Netzwerk od. Draht)
Bun|gee|jum|ping, Bun|gee-Jum|ping [ˈbandʒidʒa...], das; -s ⟨engl.⟩ (Springen aus großer Höhe mit Sicherung durch ein starkes Gummiseil)
Bun|ker, der; -s, - (Behälter für Massengut [Kohle, Erz]; Betonunterstand; *Golf* Sandloch); bun-

kern (in den Bunker füllen; Brennstoff aufnehmen [von Schiffen]; *ugs. für* in großer Menge ansammeln, horten); ich bunkere
Bun|ny [ˈbani], das; -s, -s ⟨engl.⟩ (als Häschen kostümierte Serviererin in bestimmten Klubs)
Bun|sen|bren|ner ⟨nach dem Erfinder Bunsen⟩; ↑K136
bunt; die buntes|ten Farben; ein bunter Abend; er ist bekannt wie ein bunter Hund ↑K56 : ein Kleid bunt färben *od.* buntfärben; Ostereier bunt bemalen; ↑K58 : ein bunt gefiederter *od.* buntgefiederter Vogel; ein bunt gestreifter *od.* buntgestreifter Pullover; ein bunt gemischtes *od.* buntgemischtes Programm; bunt schillernde *od.* buntschillernde Fische; *vgl. aber* buntscheckig
Bunt|bart|schlüs|sel
Bunt|druck *Plur.* ...drucke
bunt fär|ben, bunt|fär|ben; bunt gefärbt *od.* buntgefärbte Stoffe
Bunt|film; Bunt|fo|to
bunt ge|fie|dert, bunt|ge|fie|dert *vgl.* bunt
bunt ge|mischt, bunt|ge|mischt *vgl.* bunt
bunt ge|streift, bunt|ge|streift *vgl.* bunt
Bunt|heit, die; -
Bunt|me|tall; Bunt|pa|pier
Bunt|sand|stein (Gestein; *nur Sing.: Geol.* unterste Stufe der Trias)
bunt|sche|ckig
bunt schil|lernd, bunt|schil|lernd *vgl.* bunt
Bunt|specht
Bunt|stift; Bunt|wä|sche
Bunz|lau (Stadt in Niederschlesien); Bunz|lau|er; Bunzlauer [Stein]gut
Bu|o|nar|ro|ti, Michelangelo (ital. Künstler)
Burck|hardt (schweiz. Kunst- und Kulturhistoriker)
Bür|de, die; -, -n
Bu|re, der; -n, -n (Nachkomme der niederländischen u. deutschen Ansiedler in Südafrika)
Bu|ren|krieg, der; -[e]s
Bu|ren|wurst (*ostösterr. für* eine Brühwurst)
Bü|ret|te, die; -, -n ⟨franz.⟩ (Messröhre für Flüssigkeiten)
Burg, die; -, -en
Bür|ge, der; -n, -n
bür|gen

Bur|gen|land, das; -[e]s (österr. Bundesland); bur|gen|län|disch
¹Bur|ger, der; -s, - (*schweiz. landsch. für* Ortsbürger)
²Bur|ger [ˈbøːɐɐ], der; -s, - (*kurz für* ²Hamburger)
Bür|ger
Bür|ger|be|geh|ren, das; -s, -; Bür|ger|be|we|gung; bür|ger|freund|lich; Bür|ger|haus
Bür|ge|rin
Bür|ger|in|i|ti|a|ti|ve; Bür|ger|ko|mi|tee; Bür|ger|krieg
bür|ger|lich; bürgerliche Ehrenrechte; bürgerliches Recht, *aber* ↑K150 : das Bürgerliche Gesetzbuch (*Abk.* BGB); Bür|ger|lich|keit, die; -
Bür|ger|meis|ter [*auch* ...ˈmai...]; Bür|ger|meis|te|rei; Bür|ger|meis|te|rin
bür|ger|nah; bürgernahe Politik; Bür|ger|nä|he
Bür|ger|pflicht
Bür|ger|recht; Bür|ger|recht|ler; Bür|ger|recht|le|rin; Bür|ger|rechts|be|we|gung
Bür|ger|schaft; bür|ger|schaft|lich
Bür|ger|schreck, der; -s (Mensch mit provozierendem Verhalten)
Bür|ger|sinn (*svw.* Gemeinsinn)
Bür|gers|mann *Plur.* ...leute (*veraltet*)
Bür|ger|sprech|stun|de
Bür|ger|steig
Bür|ger|te|le|fon
Bür|ger|tum, das; -s
Bür|ger|ver|samm|lung
Bür|ger|ver|si|che|rung (Form der Sozialversicherung, die alle Bevölkerungsgruppen einschließt)
Burg|fried *vgl.* Bergfried
Burg|frie|de[n]; Burg|gra|ben; Burg|graf; Burg|grä|fin
Bür|gin
Burgk|mair (dt. Maler)
Bur|gos (span. Stadt)
Burg|ru|i|ne
Bürg|schaft
Burg|the|a|ter (österr. Nationaltheater in Wien)
Bur|gund (franz. Landschaft und früheres Herzogtum)
Bur|gun|der, der; -s, -n (Angehöriger eines germ. Volksstammes); Bur|gun|der (Einwohner von Burgund; franz. Weinsorte; *auch für* Burgunde); bur|gun|der|far|ben
Bur|gun|der|wein
bur|gun|disch; *aber* ↑K140 : die Burgundische Pforte

Burg|ver|lies; Burg|vogt

Bü|rin ⟨zu Bure⟩; bü|risch

Bur|ja|te, Bur|jä|te, der; -n, -n (Angehöriger eines mongol. Volksstammes); bur|ja|tisch, bur|jä|tisch

Burk|hard (m. Vorn.)

Bur|ki|na Fa|so (Staat in Westafrika, früher Obervolta); Bur|ki|na|be [...be:], der u. die; -, - (Burkiner[in]); Bur|ki|ner; Bur|ki|ne|rin; bur|ki|nisch

bur|lesk ⟨franz.⟩ (possenhaft); Bur|les|ke, die; -, -n (Posse, Schwank)

Bur|ma (bes. engl. u. schweiz. für Myanmar; vgl. Birma); Bur|me|se, der; -n, -n; bur|me|sisch

Burn-out-Syn|drom [bø:ɐ̯n ˈl̯aut...] ⟨engl.⟩ (Med. Syndrom der völligen seelischen u. körperlichen Erschöpfung)

Burns [bø:ɐ̯...] (schott. Dichter)

Bur|nus, der; Gen. - u. -ses, Plur. -se ⟨arab.⟩ (Beduinenmantel mit Kapuze)

Bü|ro, das; -s, -s ⟨franz.⟩

Bü|ro|an|ge|stell|te; Bü|ro|ar|beit

Bü|ro|au|to|ma|ti|on (Ausstattung eines Büros mit moderner Datenverarbeitung)

Bü|ro|be|darf; Bü|ro|flä|che; Bü|ro|ge|bäu|de; Bü|ro|ge|mein|schaft; Bü|ro|haus; Bü|ro|hengst (ugs. abwertend für Büroangestellter)

Bü|ro|kauf|frau; Bü|ro|kauf|mann

Bü|ro|klam|mer

Bü|ro|kom|mu|ni|ka|ti|on

Bü|ro|krat, der; -en, -en; Bü|ro|kra|tie, die; -, ...ien; Bü|ro|kra|tin; bü|ro|kra|tisch

bü|ro|kra|ti|sie|ren

Bü|ro|kra|ti|sie|rung

Bü|ro|kra|tis|mus, der; - (abwertend für bürokratische Pedanterie)

Bü|ro|kra|ti|us, der; - (scherzh. Personifizierung des Bürokratismus); heiliger Bürokratius!

Bü|ro|list, der; -en, -en (schweiz. veraltend für Büroangestellter)

Bü|ro|ma|te|ri|al; Bü|ro|mensch (ugs.); Bü|ro|mö|bel; Bü|ro|raum

Bü|ro|schluss, der; ...schlusses; Bü|ro|turm; Bü|ro|zeit

Bur|ri|to [buˈri:to], der; -[s], -s ⟨span.⟩ (mexik. Gericht)

Bursch vgl. Bursche.

Bur|sche, der; -n, -n, auch (bayr., österr. nur) Bursch, der; -en, -en (junger Mann; Verbindungsw. Verbindungsstudent mit allen Rechten)

Bur|schen|schaft; Bur|schen|schaf|ter, Bur|schen|schaft|ler; bur|schen|schaft|lich

bur|schi|kos ([betont] ungezwungen; formlos); Bur|schi|ko|si|tät, die; -, -en

Bur|se, die; -, -n (früher für Studentenheim)

Bürst|chen; Bürs|te, die; -, -n; bürs|ten

Bürs|ten|ab|zug (Druckw. Probeabzug); Bürs|ten|bin|der

Bürs|ten|[haar|]schnitt

Bu|run|di (Staat in Afrika); Bu|run|di|er; Bu|run|di|e|rin; bu|run|disch

Bür|zel, der; -s, - (Schwanz[wurzel], bes. von Vögeln); Bür|zel|drü|se (Zool.)

Bus, der; Busses, Busse (Kurzform für Autobus, Omnibus)

Bus|bahn|hof

¹Busch (deutscher Maler, Zeichner und Dichter); die buschschen od. Busch'schen Gedichte

²Busch, der; -[e]s, Büsche; Busch|boh|ne; Büsch|chen

Bü|schel, das; -s, -

bü|sche|lig, büsch|lig

bü|scheln (südd. u. schweiz. für zu einem Büschel, Strauß zusammenbinden); ich büsch[e]le

bü|schel|wei|se

Bu|schen, der; -s, - (bayr., österr. ugs. für [Blumen]strauß)

Bu|schen|schank, Bu|schen|schän|ke, Bu|schen|schen|ke (österr. für Straußwirtschaft)

Busch|hemd; bu|schig

Busch|klep|per (veraltet für sich in Gebüschen versteckt haltender Dieb)

büsch|lig, bü|sche|lig

Busch|mann Plur. ...männer (Angehöriger eines in Südwestafrika lebenden Volkes); Busch|mann|frau

Busch|mes|ser, das

Busch|werk, das; -s

Busch|wind|rös|chen

Bu|sen, der; -s, -; bu|sen|frei

Bu|sen|freund; Bu|sen|freun|din

Bu|sen|grap|schen, das; -s (ugs.)

Bu|sen|grap|scher (ugs.)

Bus|fah|rer; Bus|fah|re|rin; Bus|hal|te|stel|le

Bu|shel [...ʃl̩], der; -s, - ⟨engl.⟩ (engl.-amerik. Getreidemaß); 6 Bushel[s]

bu|sig (ugs.); eine busige Schönheit

Busi|ness [ˈbɪsnɛs, auch ˈbɪznɪs], das; - ⟨engl.⟩ (Geschäft[sleben])

Busi|ness|class, Busi|ness-Class

[...ˈkla:s], Busi|ness|klas|se, die; - (bes. für Geschäftsreisende eingerichtete Reiseklasse im Flugverkehr); Busi|ness|plan (Geschäfts-, Unternehmensplan)

Busi|ness-to-Busi|ness [bɪznɪstʊˈbɪznɪs], das; - ⟨engl.⟩ (Handel zwischen Unternehmen, bes. im Internet)

Bus|li|nie

bus|per (südwestd. u. schweiz. mdal. für munter, lebhaft)

Buß|an|dacht (kath. Kirche)

Bus|sard, der; -s, -e ⟨franz.⟩ (ein Greifvogel)

Bu|ße, die; -, -n (auch für Geldstrafe)

bü|ßen (schweiz. auch für jmdn. mit einer Geldstrafe belegen); du büßt

Bü|ßer; Bü|ßer|hemd

Bü|ße|rin

Bus|serl, das; -s, -n (bayr., österr. ugs. für Kuss)

buß|fer|tig (Rel.); Buß|fer|tig|keit

buß|geld|be|wehrt (Rechtsspr.)

Buß|got|tes|dienst (kath. Kirche)

Bus|si, das; -s, -s (Kurzform von Busserl)

Bus|so|le, die; -, -n ⟨ital.⟩ (Magnetkompass)

Buß|pre|di|ger; Buß|pre|di|ge|rin; Buß|sa|k|ra|ment (kath. Kirche); Buß|tag

Buß- und Bet|tag

Büs|te [auch ˈby:...], die; -, -n; Büs|ten|hal|ter (Abk. BH)

Bus|ti|er [bʏsˈtje:], das; -s, -s ⟨franz.⟩ (miederartig anliegendes Damenunterhemd ohne Ärmel)

Bu|s|t|ro|phe|don, das; -s ⟨griech.⟩ (Art des Schreibens, bei der die Schrift abwechselnd nach rechts u. nach links läuft [in alten Inschriften])

Bu|su|ki, das; -s, -s ⟨neugriech.⟩ (griech. Lauteninstrument)

Bu|ta|di|en, das; -s (Chemie ungesättigter gasförmiger Kohlenwasserstoff)

Bu|tan, das; -s ⟨griech.⟩ (gasförmiger Kohlenwasserstoff)

Bu|tan|gas (Heiz- u. Treibstoff)

bu|ten (nordd. für draußen, jenseits [der Deiche])

¹Bu|ti|ke vgl. Budike

²Bu|ti|ke vgl. Boutique

Butja|din|gen (Halbinsel zwischen der Unterweser u. dem Jadebusen)

But|ler [ˈba...], der; -s, - ⟨engl.⟩

(Diener in vornehmen [engl.] Häusern); **But|le|rin**

Bu|tor [by...] (franz. Schriftsteller)

But|scher *vgl.* Buttje[r]

Buts|kopf (Schwertwal)

Butt, der; -[e]s, -e (Flunder)

Bütt, die; -, -en (*landsch. für* fassförmiges Vortragspult für Karnevalsredner); in die Bütt steigen

But|te, die; -, -n (*südd., schweiz. u. österr. für* Bütte); **Büt|te**, die; -, -n (wannenartiges Gefäß)

But|tel *vgl.* Buddel

Büt|tel, der; -s, - (*veraltend, noch abwertend für* Ordnungshüter, Polizist)

Büt|ten, das; -s ⟨*zu* Bütte⟩ (Papierart)

Büt|ten|pa|pier

Büt|ten|re|de

But|ter, die; -; **But|ter|berg**

But|ter|bir|ne

But|ter|blu|me

But|ter|brot; But|ter|brot|pa|pier

But|ter|creme, But|ter|krem, But|ter|kre|me

But|ter|do|se

But|ter|fahrt (*ugs. für* Schiffsfahrt mit der Möglichkeit, [zollfrei] billig einzukaufen)

But|ter|fass

But|ter|fly [ˈbatɐflaɪ], der; -s ⟨engl.⟩, **But|ter|fly|stil**, der; -[e]s (*Schwimmsport* Schmetterlingsstil)

But|ter|ge|bäck; But|ter|ge|ba|cke|ne, das; -n

but|ter|gelb; but|te|rig, butt|rig

But|ter|kä|se

But|ter|krem, But|ter|kre|me *vgl.* Buttercreme

But|ter|ku|chen; But|ter|milch

but|tern; ich buttere

But|ter|stul|le (*landsch.*)

but|ter|weich

Butt|je[r], der; -s, -s, **But|scher** (*nordd. für* Junge, Kind)

Bütt|ner (*landsch. für* Böttcher)

But|ton [ˈbatn̩], der; -s, -s ⟨engl.-amerik.⟩ (Ansteckplakette)

butt|rig, but|te|rig

Bu|tyl|al|ko|hol ⟨griech.; arab.⟩ (chem. Verbindung)

Bu|ty|ro|me|ter, das; -s, - ⟨griech.⟩ (Fettgehaltmesser)

¹**Butz**, der; -en, -en; *vgl.* ¹Butze

²**Butz**, der; -en, -en (*österr. für* Kerngehäuse)

Bütz|chen (*rhein. für* Kuss)

¹**But|ze**, der; -n, -n (*landsch. für* Kobold; Knirps)

²**But|ze**, die; -, -n (*nordd. für* Verschlag, Wandbett)

But|ze|mann *Plur.* ...männer (*svw.* Kobold, Kinderschreck)

büt|zen (*rhein. für* küssen)

But|zen, der; -s, - (*landsch. für* Kerngehäuse); **But|zen|schei|be** (in der Mitte verdickte [runde] Glasscheibe)

Büx, die; -, Büxen, **Bu|xe**, die; -, Buxen (*nordd. für* Hose)

Bux|te|hu|de (Stadt südwestl. von Hamburg)

Buy-out, **Buy|out** [ˈbaɪaʊt], das; -s, -s (*kurz für* Management-Buy-out)

Bu|zen|ti|ner, der; -en, -en ⟨griech.⟩ (Untier in der griech. Sage; Prunkschiff der Dogen von Venedig); *vgl.* Bucintoro

Buz|zer [ˈbaze], der; -s, - ⟨engl.⟩ (Gerät, das auf Knopfdruck einen Summton erzeugt)

BV, die; - = [schweizerische] Bundesverfassung

BVG = Berliner Verkehrs-Betriebe; Bundesversorgungsgesetz

b. w. = bitte wenden!

BWL = Betriebswirtschaftslehre

BWV = Bach-Werke-Verzeichnis

bye! [baɪ], bye-bye! [ˈbaɪˈbaɪ] ⟨engl.⟩ (auf Wiedersehen!)

By|pass [ˈbaɪ...], der; -es, ...pässe ⟨engl.⟩ (*Med.* Überbrückung eines krankhaft veränderten Abschnittes der Blutgefäße)

By|pass|ope|ra|ti|on

BYR (Währungscode für Belarus-Rubel)

By|ron [ˈbaɪrən] (engl. Dichter)

Bys|sus, der; - ⟨griech.⟩ (*Zool.* Haftfäden mancher Muscheln)

Byte [baɪt], das; -[s], -[s] ⟨engl.⟩ (*EDV* Einheit von acht Bits)

By|zan|ti|ner (Bewohner von Byzanz); **By|zan|ti|ne|rin**

by|zan|ti|nisch; *aber* ↑K150 : das Byzantinische Reich

By|zan|ti|nis|mus, der; - (*abwertend* Kriecherei, Schmeichelei)

By|zan|ti|nist, der; -en, -en; **By|zan|ti|nis|tik**, die; - (Wissenschaft von der byzantinischen Literatur u. Kultur); **By|zan|ti|nis|tin**

By|zanz (*alter Name von* Istanbul)

bz, bez, bez. = bezahlt

Bz., Bez. = Bezirk

bzw. = beziehungsweise

B2B [biːtuːˈbiː] = Business-to-Business ⟨engl.⟩ (zwischen Firmen); **B2B-Ge|schäft**

C

C

c, ch *s. Kasten*

c = Cent, Centime; Zenti...

c, C, das; -, - (Tonbezeichnung); das hohe C; **c** (*Zeichen für* c-Moll); in c; **C** (*Zeichen für* C-Dur); in C

C (Buchstabe); das C; des C, die C, *aber* das c in Tacitus

C = Carboneum (*chem. Zeichen für* Kohlenstoff); Celsius (*fachspr.* °C); Coulomb

C (röm. Zahlzeichen) = 100

c, ch

Häufig gebrauchte Fremdwörter, die ein c oder ein ch enthalten, können sich nach und nach der deutschen Schreibweise angleichen.

Dabei wurde c in der Regel zu k vor a, o, u und vor Konsonanten (Mitlauten):

– Kalzium, *fachsprachlich* Calcium
– Kopie *für* Copie
– Akkusativ *für* Accusativ
– Spektrum *für* Spectrum

Dagegen wurde c zu z vor e, i, y, ä und ö:

– Zentrum *für* Centrum
– Zirkus *für* Circus
– Zäsur *für* Cäsur

In manchen Fremdwörtern kann ch der ursprünglichen Aussprache entsprechend auch sch geschrieben werden:

– Chicorée, Schikoree
– Charme, Scharm

C. – Campagna

C. = Cajus; *vgl.* Gajus

Ca = *chem. Zeichen für* Calcium

CA = California; *vgl.* Kalifornien

ca. = circa; *vgl.* zirka

Ca. = Carcinoma; *vgl.* Karzinom

Cab [kɛp], das; -s, -s ⟨engl.⟩ (einspännige engl. Droschke)

Ca|bal|le|ro [...bal'je:...], der; -s, -s ⟨span.⟩ (*früher* span. Edelmann)

Ca|ban [...'bã:], der; -s, -s ⟨franz.⟩ (kurzer Mantel)

Ca|ba|ret [...'re:, *auch* 'kabare] *vgl.* Kabarett

Ca|bo|chon [...'ʃõ:], der; -s, -s ⟨franz.⟩ (ein gewölbt geschliffener Edelstein)

Cab|rio, Ka|b|rio, das; -[s], -s (*Kurzform von* Cabriolet, Kabriolett); **Ca|b|ri|o|let** [...'le:], Ka|b|ri|o|lett [*auch* ...'le:, *österr. nur so*], das; -s, -s ⟨franz.⟩ (Pkw mit zurückklappbarem Verdeck)

Cache [kæʃ, *auch* kaʃ], der; -s, -s ⟨franz.-engl.⟩ (*EDV* Zwischenspeicher für Dateien)

Ca|che|nez [...ʃ(ə)'ne:], das; -, - ⟨franz.⟩ ([seidenes] Halstuch)

Ca|chet [kaʃɛ], das; -s, -s ⟨franz.⟩ (*schweiz. für* Gepräge; Eigentümlichkeit)

Ca|che|te|ro [...tʃ...], der; -s, -s ⟨span.⟩ (Stierkämpfer, der dem Stier den Gnadenstoß gibt)

Cä|ci|lia, Cä|ci|lie (w. Vorn.)

Cä|ci|li|en-Ver|band ↑K136, der; -[e]s (Vereinigung für kath. Kirchenmusik)

¹CAD = computer-aided design (*EDV* computerunterstütztes Konstruieren)

²CAD (Währungscode für kanad. Dollar)

Cad|die ['kɛdi], der; -s, -s ⟨engl.⟩ (jmd., der für den Golfspieler die Schlägertasche trägt; ® Einkaufswagen im Supermarkt; Wagen zum Transportieren der Golfschläger)

Ca|dil|lac ® [*franz.* ...di'jak, *engl.* 'kɛdilɛk], der; -s, -s ⟨nach dem franz. Offizier Antoine de la Mothe Cadillac, dem Gründer der amerik. Autostadt Detroit⟩ (amerik. Kraftfahrzeug)

Cá|diz [...dɪs] (span. Hafenstadt u. Provinz)

Cad|mi|um *vgl.* Kadmium

Cae|li|us der; - (Hügel in Rom)

Cae|sar *vgl.* ¹Cäsar

Cae|si|um *vgl.* Zäsium

Ca|fard [kafa:r], der; -s ⟨franz.⟩ (*schweiz. für* Überdruss)

Ca|fé, das; -s, -s ⟨franz.⟩ (Kaffeehaus, -stube); *vgl.* Kaffee; **Café au Lait** [kafeo'le], der; - - -, -s - - ⟨franz.⟩ (Milchkaffee); **Ca|fé com|p|let** [kafe kɔ̃'plɛ], der; - -, -s -s ⟨*schweiz. für* Kaffee mit Milch, Brötchen, Butter u. Marmelade); **Ca|fé crème** [kafe 'krɛːm], der; - -, -s - (*schweiz. für* Kaffee mit Sahne)

Ca|fe|te|ria, die; -, *Plur.* -s *u.* ...ien ⟨amerik.-span.⟩ (Café od. Restaurant mit Selbstbedienung)

Caf|fè Lat|te ['kafe -], der; - -, - - ⟨ital.⟩ (Milchkaffee)

Cag|li|os|t|ro [kal'jɔ...] (ital. Abenteurer)

Cai|pi|rin|ha [kaipi'rinja], der; -s, -s ⟨port.⟩ (ein Mixgetränk)

Ca|is|sa (Göttin des Schachspiels)

Cais|son [kɛ'sõ:], der; -s, -s ⟨franz.⟩ (Senkkasten für Bauarbeiten unter Wasser); **Cais|son|krank|heit**, die; - *(Med.)*

Ca|jus *vgl.* Gajus

cal = Kalorie

Ca|lais [...'lɛ:] (franz. Stadt)

Ca|la|ma|res *Plur.* ⟨span.⟩ (Gericht aus Tintenfischstückchen)

Ca|la|mus, der; -, ...mi ⟨lat.⟩ (antikes Schreibgerät)

cal|lan|do ⟨ital.⟩ (*Musik* an Tonstärke u. Tempo gleichzeitig abnehmend)

Ca|lau (Stadt in der Niederlausitz)

Cal|be (Saa|le) (Stadt an der unteren Saale); *vgl. aber* Kalbe (Milde)

Cal|cit, Cal|ci|um usw. *vgl.* Kalzit, Kalzium usw.

Cal|de|rón [...rɔn, *auch* ...'rɔn] (span. Dichter)

Ca|li|for|ni|um, das; -s (radioaktives chemisches Element, ein Transuran; *Zeichen* Cf)

Ca|li|gu|la (röm. Kaiser)

Ca|lixt, Ca|lix|tus *vgl.* Kalixt[us]

Cal|la, Kal|la, die; -, -s ⟨griech.⟩ (eine Zierpflanze)

Cal|la|ne|tics ® [kɛla...] *Plur.* ⟨nach der Amerikanerin Callan Pinckney⟩ (ein Fitnesstraining)

Call|boy ['kɔ:l...], der; -s, -s ⟨engl.⟩ (*vgl.* Callgirl)

Call-by-Call ['kɔ:lbaj'kɔ:l], das; -s ⟨*meist ohne Artikel* ⟨engl.⟩ (Auswahl einer bestimmten Telefongesellschaft per Vorwahl); **Call-by-Call-Anbieter**

Call|cen|ter, Call-Cen|ter ['kɔ:lsɛntɐ], das; -s, - ⟨engl.-amerik.⟩ (Büro für telefonische Dienstleistungen); **Call|cen|ter-agent, Call-Cen|ter-Agent** (jmd.,

der in einem Callcenter Anrufe beantwortet); **Call|cen|ter|agen-tin, Call-Cen|ter-Agen|tin**

Call|girl, das; -s, -s (Prostituierte, die auf telefonischen Anruf hin kommt od. jmdn. empfängt)

Call-in [kɔ:l'lɪn], das; -[s], -s ⟨engl.⟩ (Anrufsendung)

Cal|mette [...'mɛt] (franz. Bakteriologe)

cal|lo|ri|sie|ren (*chem. fachspr. für* kalorisieren)

Cal|lu|met *vgl.* Kalumet

Cal|va|dos, der; -, - ⟨franz.⟩ (ein Apfelbranntwein)

Cal|vin [*österr.* 'ka...] (Genfer Reformator); **cal|vi|nisch** usw. *vgl.* kalvinisch usw.

Calw [kalf] (Stadt a. d. Nagold); **Cal|wer** [...vɐ]

Ca|lyp|so [...'lɪ...], der; -[s], -s (Tanz im Rumbarhythmus); *vgl. aber* Kalypso

Cal|zo|ne, die; -, -n ⟨ital.⟩ (zusammengeklappte, gefüllte Pizza)

CAM = computer-aided manufacturing (computerunterstütztes Fertigen)

Ca|margue [...'mark], die; - (südfranz. Landschaft)

Cam|bridge ['ke:mbrɪtʃ] (engl. u. nordamerik. Ortsn.)

Cam|burg (Stadt a. d. Saale)

Cam|cor|der, der; -s, - ⟨engl.⟩; *vgl.* Kamerarekorder

Ca|mem|bert [...beːɐ̯, *auch* ...mã'bɛːɐ̯], der; -s, -s ⟨nach dem franz. Ort⟩ (ein Weichkäse)

Ca|meo ['kɛmjo], der; -s, -s ⟨ital.-engl.⟩ (kurzer Filmauftritt eines Prominenten)

Ca|me|ra ob|s|cu|ra, die; - -, ...rae ...rae ⟨lat.⟩ (Lochkamera)

Ca|mil|la (w. Vorn.); **Ca|mil|lo** (m. Vorn.)

Ca|mi|on [kamjɔ̃], der; -s, -s ⟨franz.⟩ (*schweiz. für* Lastkraftwagen); **Ca|mi|on|na|ge** [kamjɔna:ʒə], die; - (*schweiz. für* Spedition); **Ca|mi|on|neur** [kamjɔnøːr], der; -s, -e (*schweiz. für* Spediteur)

Ca|mões [...'mõːɪʃ] (port. Dichter)

Ca|mor|ra *vgl.* Kamorra

Ca|mou|f|la|ge [...mu...ʒə], die; -, -n ⟨franz.⟩ (*veraltet für* milit. Tarnung); **ca|mou|f|lie|ren** (*veraltet*)

Camp [kɛmp], das; -s, -s ⟨engl.⟩ ([Feld-, Gefangenen]lager)

Cam|pa|gna [kam'panja], die; - (ital. Landschaft)

280

C

Carn

Cam|pa|gne *vgl.* Kampagne

Cam|pa|ni|le (*bes. österr. neben* Kampanile)

Cam|pa|ri®, der; -s, - ⟨ital.⟩ (ein Bitterlikör)

Cam|pe|che|holz [...ˈpɛtʃə...] *vgl.* Kampescheholz

cam|pen [ˈkɛ...] ⟨engl.⟩ (im Zelt od. Wohnwagen leben); **Cam|per; Cam|pe|rin**

Cam|pe|si|no [ka...], der; -s, -s ⟨span.⟩ (armer Landarbeiter, Bauer [in Lateinamerika])

cam|pie|ren (*österr. für, schweiz. neben* campen); *vgl.* kampieren

Cam|ping [ˈkɛ...], das; -s ⟨engl.⟩ (Leben auf Zeltplätzen im Zelt od. Wohnwagen); **Cam|ping|an|hän|ger; Cam|ping|ar|ti|kel; Cam|ping|aus|rüs|tung; Cam|ping|bus; Cam|ping|füh|rer; Cam|ping|ko|cher; Cam|ping|platz; Cam|ping|rei|se; Cam|ping|ur|laub; Cam|ping|zelt**

Cam|pus [*auch* ˈkɛmpəs], der; -, - ⟨lat.-engl.⟩ (Universitätsgelände, bes. in den USA)

Ca|mus [kaˈmy:] (franz. Schriftsteller)

Ca|na|da (*engl. Schreibung von* Kanada)

Ca|nail|le [...ˈnaljə] *vgl.* Kanaille

Ca|na|let|to (ital. Maler)

Ca|na|pé [...pe] *vgl.* Kanapee

Ca|nas|ta, das; -s ⟨span.⟩ (ein Kartenspiel)

Ca|na|ve|ral *vgl.* Kap Canaveral

Can|ber|ra [ˈkɛnbərə] (Hauptstadt Australiens)

Can|can [kãˈkã:], der; -s, -s ⟨franz.⟩ (ein Tanz)

can|celn [ˈkɛntsl̩n] ⟨engl.⟩ (streichen, absagen, rückgängig machen); ich canc[e]le die Buchung; gecancelt

cand. = candidatus; *vgl.* Kandidat

Can|de|la, die; -, - ⟨lat.⟩ (Lichtstärkeeinheit; *Zeichen* cd)

Can|di|da (w. Vorn.); Can|di|dus (m. Vorn.)

Can|dle-Light-Din|ner [ˈkændllaɪt...] ⟨engl.⟩ (festliches Abendessen mit Kerzenbeleuchtung)

Ca|net|ti (deutschsprachiger Schriftsteller)

Can|na, Kan|na, die; -, -s ⟨sumer.-lat.⟩ (eine Zierpflanze)

Can|na|bis, der; - ⟨griech.-lat.⟩ (Hanf; *auch für* Haschisch)

Can|nae *vgl.* Kannä

Can|nel|lo|ni *Plur.* ⟨ital.⟩ (gefüllte Röllchen aus Nudelteig)

Cannes [kan] (Seebad an der Côte d'Azur)

Cann|statt, Bad ↑K147 (Stadtteil von Stuttgart); Cann|stat|ter; Cannstatter Wasen (Volksfest)

Ca|ñon [...njɔn, *auch* kanˈjoːn], der; -s, -s ⟨span.⟩ (enges, tief eingeschnittenes Tal, bes. im westl. Nordamerika)

Ca|no|pus *vgl.* [2]Kanopus

Ca|nos|sa, Ka|nos|sa, das; -s, -s ⟨nach der Felsenburg Canossa in Norditalien⟩; ein Gang nach Canossa (*übertr. für* Demütigung); Ca|nos|sa|gang, Ka|nos|sa|gang, der ↑K143

Can|stein|sche Bi|bel|an|stalt, die; -n - ↑K150 ⟨nach dem Gründer Frhr. von Canstein⟩

can|ta|bi|le (ital.) (*Musik* gesangartig, ausdrucksvoll)

can|tan|do (ital.) (*Musik* singend)

Can|ta|te *vgl.* [2]Kantate

Can|ter|bu|ry [ˈkɛntəbəri] (engl. Stadt)

Can|tha|ri|din *vgl.* Kantharidin

Can|to, der; -s, -s ⟨ital.⟩ (Gesang)

Can|tus fir|mus, der; - -, - ...mi (Hauptmelodie eines mehrstimmigen Chor- od. Instrumentalsatzes)

Can|yon [ˈkɛnjən], der; -s, -s ⟨engl.⟩ (*engl. Bez. für* Cañon)

Can|yo|ning [ˈkɛnjənɪŋ], das; -s ⟨engl.⟩ (als Sport betriebenes Durchwandern von Gebirgsschluchten u. -flüssen)

Ca|pa, die; -, -s ⟨span.⟩ (roter Umhang der Stierkämpfer)

Cape [ke:p], das; -s, -s ⟨engl.⟩ (ärmelloser Umhang)

Ca|pe|a|dor [ka...], der; -s, -es ⟨span.⟩ (Stierkämpfer, der den Stier mit der Capa reizt)

Ca|pel|la *vgl.* Kapella

Cap|puc|ci|no [...ˈtʃi:...], der; -[s], -[s] ⟨ital.⟩ (Kaffeegetränk)

ca.-Preis ↑K28 u. 97

Ca|pre|se, der; -n, -n (Bewohner von Capri); Ca|pre|sin; ca|pre|sisch

Ca|p|ri (Insel im Golf von Neapel)

Ca|p|ric|cio [...ˈprɪtʃo], das; -s, -s ⟨ital.⟩ (scherzhaftes, launiges Musikstück); ca|p|ric|cio|so (*Musik* scherzhaft, launig)

Ca|p|ri|ce [...ˈpri:sə] *vgl.* Kaprice

Ca|p|ri|ho|se (Damenhose mit engen, dreiviertellangen Beinen)

Cap|ta|tio Be|ne|vo|len|ti|ae, die; - - ⟨lat.⟩ (Redewendung, mit der man das Wohlwollen des Publikums zu gewinnen sucht)

Ca|pua (ital. Stadt)

Ca|put mor|tu|um, das; - - ⟨lat.⟩ (Eisenrot, rote Malerfarbe)

Ca|que|lon [kak(ə)lõ], das; -s, -s ⟨franz.⟩ (*schweiz. für* feuerfestes irdenes Gefäß)

Car, der; -s, -s ⟨franz.⟩ (*schweiz. kurz für* Autocar)

Ca|ra|bi|ni|e|re *vgl.* Karabiniere

Ca|ra|cas (Hauptstadt Venezuelas)

ca|ram|ba! ⟨span.⟩ (*ugs. für* Donnerwetter!, Teufel!)

Ca|ra|van [ˈka(:)..., *auch* ...ˈvaːn, ˈkɛravən], der; -s, -s ⟨engl.⟩ (kombinierter Personen- u. Lastenwagen; Wohnwagen); Ca|ra|va|ner; Ca|ra|va|ning, das; -s (Leben im Wohnwagen)

Car|bid *vgl.* [2]Karbid

Car|bo... usw. *vgl.* Karbo... usw.

Car|bo|nat *vgl.* [2]Karbonat

Car|bo|ne|um, das; -s ⟨lat.⟩ (*veraltete Bez. für* Kohlenstoff, chemisches Element; *Zeichen* C)

Car|bo|run|dum® *vgl.* Karborund

Car|ci|no|ma *vgl.* Karzinom

Car|di|gan, der; -s, -s ⟨engl.⟩ (lange Strickweste)

CARE [kɛːɐ̯] = Cooperative for American Remittances to Europe (eine Hilfsorganisation)

care of [ˈkɛːɐ̯ ˈɔf] ⟨engl.⟩ (*in Briefanschriften usw.* wohnhaft bei ...; per Adresse; *Abk.* c/o)

Care|pa|ket [ˈkɛ:ɐ̯...] *vgl.* CARE

Car|go *vgl.* Kargo

Ca|ri|na *vgl.* Karina

Ca|rin|thia (*lat. Name für* Kärnten); ca|rin|thisch

Ca|ri|o|ca, die; -, -s ⟨indian.-port.⟩ (lateinamerik. Tanz)

Ca|ri|tas, die; - (Deutscher Caritasverband); *vgl.* Karitas

Car|ja|cking, Car-Ja|cking [ˈka:dʒɛkɪŋ], das; -[s], -s ⟨engl.⟩ (Vorgang, bei dem ein Auto unter Androhung von Gewalt seinem Fahrer weggenommen wird)

Car|los (m. Vorn.)

Car|lyle [ka:ɐ̯ˈlaɪl] (schott. Schriftsteller u. Historiker)

Car|ma|g|no|le [...manˈjoː...], die; - (franz. Revolutionslied)

Car|men (w. Vorn.)

Car|nal|lit *vgl.* Karnallit

Car|ne|gie [ka:ɐ̯ˈneɡi] (nordamerik. Milliardär); Car|ne|gie Hall [... ˈhoːl], die; - - (Konzerthalle in New York)

Car|net [de Pas|sa|ges] [...ˈne: (də...ʒə)], das; - - -, -s [...ˈneː] - - (Zollbescheinigung zur Einfuhr von Kraftfahrzeugen)

Car|not|zet [...tse], das; -s, -s ⟨franz. mdal.⟩ ⟨schweiz. für Weinlager, kleiner Weinkeller⟩

Ca|ro|la vgl. Karola

Ca|ros|sa (dt. Schriftsteller)

Ca|ro|tin vgl. Karotin

Car|pac|cio [kar'patʃo], das u. der; -s, -s ⟨ital.⟩ (kalte [Vor]speise aus rohen, dünn geschnittenen Zutaten)

Car|port, der; -s, -s ⟨engl.-amerik.⟩ (überdachter Abstellplatz für Autos)

Car|ra|ra (ital. Stadt); Car|ra|rer; car|ra|risch; carrarischer Marmor

Car|roll ['kɛrəl], Lewis ['lu:ɪs] (engl. Schriftsteller)

Car|sha|ring ['ka:ɐ̯ʃeːərɪŋ], das; -[s] ⟨engl.⟩ (organisierte Nutzung eines Autos von mehreren Personen)

Cars|ten vgl. Karsten

Cars|tens (fünfter dt. Bundespräsident)

Carte blanche [kart 'blã:ʃ], die; - -, -s -s [kart 'blã:ʃ] ⟨franz.⟩ (unbeschränkte Vollmacht)

car|te|si|a|nisch, car|te|sisch vgl. kartesianisch, kartesisch; Car|te|si|us (lat. Form von Descartes)

Car|tha|min vgl. Karthamin

Car|toon [...'tu:n], der od. das; -[s], -s ⟨engl.⟩ (Karikatur, Witzzeichnung; kurzer Comicstrip); Car|too|nist, der; -en, -en (Cartoonzeichner); Car|too|nis|tin

Ca|ru|so (ital. Sänger)

car|ven ⟨engl.⟩ (mit Skiern od. Snowboard auf der Kante fahren, ohne zu rutschen); wir sind ohne Stöcke gecarvt; Car|ver, der; -[s], -; Car|ve|rin; Car|ving, das; -[s] ⟨engl.⟩ (beim Ski- u. Snowboardfahren das Fahren auf der Kante, ohne zu rutschen); Car|ving|ski, Car|ving-Ski

Ca|sa|blan|ca (Stadt in Marokko)

Ca|sals (span. Cellist)

¹Ca|sa|no|va (ital. Abenteurer, Schriftsteller u. Frauenheld)

²Ca|sa|no|va, der; -[s], -s ⟨ugs. für Frauenheld, -verführer⟩

¹Cä|sar (röm. Feldherr u. Staatsmann; m. Vorn.)

²Cä|sar, der; Cäsaren, Cäsaren (Ehrenname der röm. Kaiser); Cä|sa|ren|wahn; cä|sa|risch (kaiserlich; selbstherrlich); Cä|sa|ris|mus, der; - (unbeschränkte [despotische] Staats-

gewalt); Cä|sa|ro|pa|pis|mus, der; - (Staatsform, bei der der weltl. Herrscher zugleich geistl. Oberhaupt ist)

cash [kɛʃ] ⟨engl.⟩ (bar); Cash, das; - (Wirtsch. Kasse, Bargeld, Barzahlung); Cash-and-car|ry-Klau|sel ['kɛʃlɛntˈkɛri...], die; - (Überseehandel Klausel, nach der der Käufer die Ware bar bezahlen u. im eigenen Schiff abholen muss)

Cash|cow ['kɛʃkaʊ], die; -, -s ⟨engl.⟩ (hohen Gewinn bringender Bereich eines Unternehmens od. Konzerns)

Ca|shew|nuss ['kɛʃu...] ⟨port.-engl.; dt.⟩ (trop. Nusssorte)

Cash|flow [...flo:], der; -s, -s ⟨engl.⟩ (Wirtsch. Überschuss an finanziellen Mitteln nach Abzug der Ausgaben von den Einnahmen)

Cash|mere ['kɛʃmiɐ̯] ⟨engl.⟩ (engl. Bez. für Kaschmir)

Ca|si|mir vgl. Kasimir

Ca|si|no (österr. neben Kasino)

Cä|si|um vgl. Zäsium

Cas|sa|ta, die; -, -s (Speiseeisspezialität)

Cas|si|us (Name eines röm. Staatsmannes)

Cas|tel Gan|dol|fo (ital. Stadt am Albaner See; Sommerresidenz des Papstes)

cas|ten ⟨engl.⟩ (Film [von jmdm.] Probeaufnahmen machen); gecastet

Cas|ting, das; -[s], -s (Rollenbesetzung; Wettkampf in der Sportfischerei)

Cas|ting|show, Cas|ting-Show

Cas|tor®, der; -s, -s u. ...oren ⟨engl.⟩, Cas|tor|be|häl|ter (Spezialbehälter für radioaktives Material); Cas|tor|trans|port

Cas|t|ries [...rɪs, auch ka'stri:] (Hauptstadt von St. Lucia)

Cas|t|ro, Fidel (kuban. Politiker)

Ca|sus Bel|li, der; - -, - - ⟨lat.⟩ (Grund für einen Konflikt); Ca|sus ob|li|quus, der; - -, - -...ui (Sprachw. abhängiger Fall, z. B. Genitiv, Dativ, Akkusativ); Ca|sus rec|tus, der; - -, ...ti (Sprachw. unabhängiger Fall, Nominativ)

Ca|ta|nia (Stadt auf Sizilien)

Cat|boot ['kɛ...], das; -[e]s, -e ⟨engl.; dt.⟩ (kleines Segelboot)

Catch-as-catch-can ['kɛtʃ-|əsˈkɛtʃkɛn], das; - ⟨amerik.⟩ (Freistilringkampf); cat|chen; Cat|cher; Cat|che|rin

Ca|te|nac|cio [...tʃo], der; -[s] ⟨ital.⟩ (Verteidigungstechnik im Fußball)

Ca|te|rer ['ke:tərɐ], der; -s, - ⟨engl.⟩ (auf Catering spezialisiertes Unternehmen); Ca|te|ring ['ke:tərɪŋ], das; -[s] (Verpflegung)

Ca|ter|pil|lar® ['kɛtɐpɪlɐ], der; -s, -[s] ⟨engl.⟩ (Raupenschlepper)

Cat|gut ['kɛtgat] vgl. Katgut

Ca|ti|li|na (röm. Verschwörer); vgl. katilinarisch

Ca|to (röm. Zensor)

Cat|ta|ro (ital. Name von Kotor)

Ca|tull, Ca|tul|lus (röm. Dichter)

Cat|walk ['kɛtwɔ:k], der; -s, -s (engl. Bez. für Laufsteg)

Cau|dil|lo [...'dɪljo], der; -[s], -s ⟨span.⟩ (Diktator)

Cau|sa, die; -, ...sae ⟨lat.⟩ (Grund, Ursache, [Streit]sache); Cause cé|lè|b|re ['ko:s se'lɛ:brə], die; - -, Plur. -s -s [- -] ⟨franz.⟩ (berühmter Rechtsstreit)

Cau|seur [...'zø:ɐ̯], der; -s, -e (veraltet für Plauderer)

Ca|yenne [...'jɛn] (Hauptstadt von Französisch-Guayana); Ca|yenne|pfef|fer

CB [tse:'be:] = Citizen-Band ⟨engl.-amerik.⟩ (für den privaten Funkverkehr freigegebener Wellenbereich); CB-Funk

cbm = Kubikmeter

cc = carbon copy ⟨engl.⟩ (Durchschlag; Kopie)

CC, das; -, - = Corps consulaire (konsularisches Korps)

ccm = Kubikzentimeter (früher für cm³)

cd = Candela

Cd = chem. Zeichen für Cadmium

¹CD, das; -[s], -s = Corps diplomatique (diplomatisches Korps)

²CD, die; -, -s ⟨zu engl. compact disc⟩ (Datenträger in Form einer runden, silbrigen Scheibe mit 682 Mbyte Speicherplatz; Kompaktschallplatte)

CD-Bren|ner (Gerät zum Beschreiben von CDs); CD-Co|ver; CD-Lauf|werk (für CDs od. CD-ROMs); CD-Play|er, der; -s, - (CD-Spieler)

CD-R, die; -, -[s] ⟨compact disc recordable⟩ (einmal bespielbare CD)

CD-ROM, die; -, -[s] (CD, deren Inhalt vom Benutzer nicht gelöscht oder überschrieben werden kann); CD-ROM-Lauf|werk; CD-RW ⟨compact disc rewritable⟩ (mehrfach bespielbere CD); **CD-Spie|ler**

CDU, die; - = Christlich-Demokratische Union (Deutschlands); **CDU/CSU-Frak|ti|on; CDU-Frak|ti|on**

CDU-ge|führt; die CDU-geführten Länder

C-Dur [ˈtseː..., *auch* ˈtseːˈduːɐ̯], das; - (Tonart; *Zeichen* C); **C-Dur-Ton|lei|ter** ↑K26

Ce = *chem. Zeichen für* Cer

CeBIT ®, Ce|bit, die; - ⟨= Centrum für Büro-, Informations- und Telekommunikationstechnik⟩ (internationale Messe der Informations- und Telekommunikationsindustrie)

Ce|dil|le [seˈdiːjə], die; -, -n ⟨franz.⟩ (*Sprachw.* Häkchen als Aussprachezeichen, z. B. bei franz. ç als stimmloses s vor a, o, u)

Ce|lan (deutschsprachiger Autor)

Ce|le|bes [tse..., *auch* ˈtseː...] (*früherer Name von* Sulawesi)

Ce|les|ta [tʃ...], die; -, *Plur.* -s u. ...sten ⟨ital.⟩ (ein Tasteninstrument)

Ce|li|bi|da|che [tʃ...ke] (rumän. Dirigent)

Cel|la, die; -, Cellae ⟨lat.⟩ (*Med.* Zelle)

Cel|le (Stadt an der Aller); **Cel|ler**

Cel|li|ni [tʃ...] (ital. Bildhauer)

cel|lisch, cel|lesch (*zu* Celle)

Cel|list [tʃ...], der; -en, -en ⟨ital.⟩ (Cellospieler); **Cel|lis|tin**

Cel|lo, das; -s, *Plur.* -s u. ...lli ⟨ital.⟩ (*kurz für* Violoncello)

Cel|lo|phan ®, das; -s, **Cel|lo|pha|ne ®,** die; - ⟨lat.; griech.⟩ (glasklare Folie); *vgl.* **cel|lo|pha|nie|ren**

Cel|lu|li|te, Cel|lu|li|tis *vgl.* Zellulitis; **Cel|lu|loid** *vgl.* Zelluloid; **Cel|lu|lo|se** *vgl.* Zellulose

Cel|si|us ⟨nach dem Schweden Anders Celsius⟩ (Gradeinheit auf der Celsiusskala; *Zeichen* C; *fachspr.* °C); 5° C (*fachspr.* 5 °C)

Cem|ba|lo [tʃ...], das; -s, *Plur.* -s u. ...li ⟨ital.⟩ (ein Tasteninstrument)

Cent [ts..., s...], der; -[s], -[s] ⟨engl.⟩ (Untereinheit von Euro, Dollar u. anderen Währungen [*Abk.* c, ct]); 5 Cent

Cen|ta|vo [s...], der; -[s], -[s] ⟨port. u. span.⟩ (Untereinheit süd- u. mittelamerik. Währungen)

Cen|ter [s...], das; -s, - ⟨amerik.⟩ (Geschäftszentrum; Großeinkaufsanlage)

Cen|ter|park (Feriendorf mit vielen Freizeiteinrichtungen)

Cen|te|si|mo [tʃ...], der; -[s], ...mi ⟨ital.⟩ (ehem. ital. Münze)

Cen|té|si|mo [s...], der; -[s], -[s] ⟨span.⟩ (Untereinheit süd- u. mittelamerik. Währungen)

cent|ge|nau; centgenaue Abrechnung

Cen|time [sãˈtiːm], der; -s, -s ⟨franz.⟩ (Untereinheit des Franc, des Gourde u. des marokkan. Dirham; *Abk.* c, ct; *schweiz. früher neben* Rappen)

Cén|ti|mo [s...], der; -[s], -[s] ⟨span.⟩ (Währungsuntereinheit in Mittel- u. Südamerika)

Cent|mün|ze

Cen|tre|court, Cen|tre-Court [ˈsɛntə...;], der; -s, -s ⟨engl.⟩ (Hauptplatz großer Tennisanlagen)

CEO, der; -, -s = Chief Executive Officer (*engl. Bez. für* Vorstandsvorsitzende[r])

Cer *(fachspr.),* **Zer,** das; -s ⟨lat.⟩ (chem. Element, Metall; *Zeichen* Ce)

Ce|ran|feld ® (Kochfeld aus Glaskeramik)

Cer|be|rus *vgl.* Zerberus

Cer|c|le [ˈsɛrkl], der; -s, -s ⟨franz.⟩ (*veraltet für* Empfang; *österr. auch für* die ersten Reihen im Theater u. Konzertsaal); **Cer|c|le|sitz** (*österr.*)

Ce|re|a|li|en ⟨lat.⟩ (altröm. Fest zu Ehren der Ceres); *vgl. aber* Zerealie

Ce|re|bel|lum *vgl.* Zerebellum

Ce|re|b|rum *vgl.* Zerebrum

Ce|res (röm. Göttin des Ackerbaus)

Ce|re|sin *vgl.* Zeresin

Cer|to|sa [tʃ...], die; -, ...sen ⟨ital.⟩ (Kartäuserkloster in Italien)

Cer|van|tes [s...] (span. Dichter)

Cer|ve|lat [sɛrvəla], der; -s, -s ⟨franz.⟩ (*schweiz. für* Brühwurst aus Rindfleisch mit Schwarten und Speck); *vgl.* Servela u. Zervelatwurst

ces, Ces, das; -, - (Tonbezeichnung); **Ces** (*Zeichen für* Ces-Dur); in Ces; **Ces-Dur** [*auch* ˈduːɐ̯], das; - (Tonart; *Zeichen* Ces); **Ces-Dur-Ton|lei|ter** ↑K26

c'est la vie [sɛlaˈviː] ⟨franz., »so ist das Leben nun einmal«⟩ (als Ausdruck der Resignation)

ce|te|rum cen|seo ⟨lat., »übrigens

meine ich«⟩ (als Einleitung einer immer wieder vorgebrachten Forderung)

Ce|vap|ci|ci, Će|vap|či|ći [tʃeˈvaptʃitʃi] ⟨serbokroat.⟩ (gegrillte Hackfleischröllchen)

Ce|ven|nen [s...] *Plur.* (franz. Gebirge)

Cey|lon [ˈtsei...] (*früherer Name von* Sri Lanka; Insel im Ind. Ozean); **Cey|lo|ne|se,** der; -n, -n; **Cey|lo|ne|sin; cey|lo|ne|sisch; Cey|lon|tee** ↑K143

Cé|zanne [seˈzan] (franz. Maler)

cf = cost and freight ⟨engl.⟩ (*Überseehandel* Verladekosten u. Fracht im Preis inbegriffen)

Cf = *chem. Zeichen für* Californium

cf. = confer!

C-Fal|ter [ˈtseː...] (ein Tagfalter)

cg = Zentigramm

CH = Confoederatio Helvetica

Cha|b|lis [ʃaˈbliː], der; -, - ⟨franz.⟩ (franz. Weißwein)

Cha-Cha-Cha [ˈtʃatʃaˈtʃa], der; -[s], -s (ein Tanz)

Cha|conne [ʃaˈkɔn], die; -, *Plur.* -s u. -n ⟨franz.⟩, Cia|co|na [tʃa...], die; -, -s ⟨ital.⟩ (ein Tanz; Instrumentalstück)

Cha|gall [ʃa...] (russ. Maler)

Cha|grin [ʃaˈgrɛ̃ː], das; -s, -s (Leder mit künstl. Narben); **cha|g|ri|nie|ren** (Leder mit Narben versehen); **Cha|g|rin|le|der**

Chai|ber|pass *vgl.* Khyberpass

Chai Lat|te [tʃai̯ -], der; --, -- ⟨chin.-russ.; ital.⟩ (Tee mit aufgeschäumter Milch)

Chai|ne [ˈʃɛːnə], die; -, -n ⟨franz.⟩ (*Weberei* Kettfaden)

Chair|man [ˈtʃɛːɐ̯mɛn], der; -, ...men ⟨engl.⟩ (*engl. Bez. für* Vorsitzender); **Chair|per|son** [ˈtʃɛːɐ̯pəːsn], die; -, -s (*engl. Bez. für* Vorsitzende *od.* Vorsitzender); **Chair|wo|man** [ˈtʃɛːwʊmen], die; -, ...women [...wɪmɪn] (*engl. Bez. für* Vorsitzende)

Chai|se [ˈʃɛːzə], die; -, -n ⟨franz.⟩ (*ugs. abwertend für* altes Auto); **Chai|se|longue** [ʃɛzaˈlɔŋ], die; -, *Plur.* -n [...lɔŋən] *od.* -s, *ugs. auch* das; -s, -s (gepolsterte Liege mit Kopflehne)

Cha|k|ra [ˈtʃa...], das; -[s], *Plur.* -s u. ...kren ⟨sanskr.⟩ (Energiezentrum im menschl. Körper)

Chal|däa [kal...] (*A. T.* Babylonien); **Chal|dä|er** (Angehöriger eines aramäischen Volksstammes); **Chal|dä|e|rin; chal|dä|isch**

C

chal

Cha|let [ʃaˈleː:, *auch* ʃaˈlɛ], das; -s, -s ⟨franz.⟩ (Sennhütte; Landhaus)

Chal|ki|di|ke [çalˈkiːdikɛ:], die; - (nordgriech. Halbinsel)

chal|ko|gen ⟨griech.-lat., »Erz bildend«⟩ *(Chemie)*; **Chal|ko|gen**, das; -s, -e *meist Plur.* (Element einer chem. Gruppe)

Chal|ko|li|thi|kum [*auch* ...ˈlɪ...], das; -s (späte Stufe der Jungsteinzeit)

Chal|len|ger [ˈtʃɛlindʒə(r)], die; - ⟨engl., »Herausforderer«⟩ (eine amerik. Raumfähre)

Chal|ze|don [kal...], der; -s, -e (ein Mineral)

Cham [kaːm] (Stadt am Regen; Gemeinde im schweiz. Kanton Zug)

Cha|ma|de [ʃa...] *vgl.* Schamade

Cha|mä|le|on [ka...], das; -s, -s ⟨griech.⟩ (eine Echse; *abwertend für* oft seine Überzeugung wechselnder Mensch); **cha|mä|le|on|ar|tig**

Cha|ma|ve [çaˈmaːvə], der; -n, -n (Angehöriger eines germ. Volksstammes); **Cha|ma|vin**

Cham|ber|lain [ˈtʃe(ː)mbə(r)lin] (engl. Familienn.)

Cham|b|re sé|pa|rée [ˈʃãːbr(ə) sepaˈreː:], das; - -, -s -s [ˈʃãːbr(ə) sepaˈreː:] ⟨franz.⟩ (*veraltet für* kleiner Nebenraum für ungestörte Zusammenkünfte)

Cha|mis|so [ʃa...] (dt. Dichter)

cha|mois [ʃaˈmɔa] ⟨franz.⟩ (gämsfarben, bräunlich gelb); ein chamois Hemd; **Cha|mois**, das; - (chamois Farbe; weiches Gämsen-, Ziegen-, Schafleder); Stoffe in Chamois; **Cha|mois|le|der**

Champ [tʃɛmp], der; -s, -s ⟨engl.⟩ (*Kurzw. für* Champion)

Cham|pa|g|ne [ʃãˈpanjə], die; - (franz. Landschaft)

Cham|pa|g|ner [ʃamˈpanjər] (ein Schaumwein)

Cham|pa|g|ner|du|sche (das Übergießen od. Nassspritzen mit Champagner [zur Feier eines sportlichen Erfolgs]); **cham|pa|g|ner|far|ben, cham|pa|g|ner|far|big**; **Cham|pa|g|ner|lau|ne**; **Cham|pa|g|ner|wein**

Cham|pi|g|non [ˈʃampɪnjɔŋ], der; -s, -s (ein Edelpilz)

Cham|pi|on [ˈtʃɛmpiən, *auch* ʃãˈpjõ:], der; -s, -s ⟨engl.⟩ (Meister in einer Sportart); **Cham|pi|o|nat** [ʃa...], das; -[e]s, -e ⟨franz.⟩ (Meisterschaft)

Cham|pi|ons League [ˈtʃɛmpjəns ˈliːk], die; - - ⟨engl.⟩ *(Sport* Finalrunde im Europapokal der Landesmeister)

Champs-É|ly|sées [ʃãzeliˈze:] *Plur.* (eine Hauptstraße in Paris)

Chan [k..., *auch* x...], **Khan** [k...], der; -s, -e ⟨mong.⟩ (mong.-türk. Herrschertitel)

Chan|ce [ˈʃãːs(ə), *auch* ˈʃãsə], die; -, -n ⟨franz.⟩ (günstige Gelegenheit; *meist Plur.:* Aussichten auf Erfolg)

Chan|cel|lor [ˈtʃaːnsələ], der; -s, -s ⟨engl.⟩ (*engl. Bez. für* Kanzler)

chan|cen|gleich; Chan|cen|gleich|heit, die; -

chan|cen|los; chan|cen|reich

Chan|cen|tod (jmd., der Chancen nicht nutzt; etwas, das Chancen verhindert)

Change [tʃeːntʃ], der; - ⟨engl.⟩ *u.* [ʃãːʃ], die; - ⟨franz.⟩ (*engl. u. franz. Bez. für* [Geld]wechsel)

chan|geant [[ʃãˈʒãː] ⟨franz.⟩ (in mehreren Farben schillernd [von Stoffen]); ein changeant Stoff; **Chan|geant**, der; -[s], -s (schillernder Stoff; Edelstein mit schillernder Färbung)

chan|gie|ren (schillern [von Stoffen]; *Jägerspr.* die Fährte wechseln [vom Jagdhund])

Chang|ji|ang, Chang Ji|ang [*beide* tʃaŋˈdʒiaŋ] *vgl.* Jangtse

Chan|son [ʃãˈsõ:], das; -s, -s ⟨franz.⟩ ([Kabarett]lied); **Chan|son|net|te, Chan|so|net|te**, die; -, -n (Chansonsängerin; kleines Chanson); **Chan|son|ni|er**, Chan|so|ni|er [...ˈnje:], der; -s, -s (Chansonsänger, -dichter); **Chan|son|ni|è|re**, Chan|so|ni|è|re [...ˈnjeːrə], die; -, -n (Chansonsängerin, -dichterin)

Chan|teu|se [ʃãˈtøːzə], die; -, -n ⟨franz.⟩ (Sängerin)

Cha|nuk|ka [x...], die; - ⟨hebr.⟩ (ein jüd. Fest); **Cha|nuk|ka|leuch|ter** (Leuchter, der zur Chanukka angezündet wird)

Cha|os [k...], das; - ⟨griech.⟩ (wüstes Durcheinander, Auflösung aller Ordnung)

Cha|os|ta|ge *Plur.* (mehrtägiges Treffen von Punks, oft mit Krawallen verbunden); **Cha|os|the|o|rie** (eine mathematisch-physikalische Theorie)

Cha|ot, der; -en, -en (jmd., der die bestehende Gesellschaftsordnung durch Gewaltaktionen zu zerstören versucht; *ugs. für*

sprunghafter Mensch, Wirrkopf); **Cha|o|tin; cha|o|tisch**

Cha|peau [ʃaˈpo:], der; -s, -s ⟨franz.⟩ (*veraltet, noch scherzh. für* Hut); **Cha|peau Claque, Cha|peau claque** [ʃaˈpo: ˈklak], der; - -, -x -s [- -] (Klappzylinder)

Chap|lin [ˈtʃe...] (engl. Filmschauspieler, Autor u. Regisseur)

Chap|li|na|de [tʃa...], die; -, -n (komischer Vorgang [wie in Chaplins Filmen]); **chap|li|nesk**

Cha|ra|de [ʃ...]; *ältere Schreibung für* Scharade

Cha|rak|ter [k...], der; -s, ...ere ⟨griech.⟩; **Cha|rak|ter|an|la|ge; Cha|rak|ter|bild; Cha|rak|ter|bil|dung; Cha|rak|ter|dar|stel|ler; Cha|rak|ter|dar|stel|le|rin; Cha|rak|ter|ei|gen|schaft; Cha|rak|ter|feh|ler**

cha|rak|ter|fest; Cha|rak|ter|fes|tig|keit, die; -

cha|rak|te|ri|sie|ren; Cha|rak|te|ri|sie|rung

Cha|rak|te|ris|tik, die; -, -en (Kennzeichnung; [treffende] Schilderung); **Cha|rak|te|ris|ti|kum**, das; -s, ...ka (kennzeichnendes Merkmal)

cha|rak|te|ris|tisch; cha|rak|te|ris|ti|scher|wei|se

Cha|rak|ter|kopf; Cha|rak|ter|kun|de, die; - (*für* Charakterologie)

cha|rak|ter|lich; cha|rak|ter|los; Cha|rak|ter|lo|sig|keit

Cha|rak|te|ro|lo|gie, die; - (Charakterkunde); **cha|rak|te|ro|lo|gisch**

Cha|rak|ter|rol|le; Cha|rak|ter|schwä|che; Cha|rak|ter|schwein (*ugs. abwertend für* unmoralischer Mensch); **Cha|rak|ter|stär|ke; Cha|rak|ter|stu|die**

cha|rak|ter|voll

Cha|rak|ter|zug

Char|cu|te|rie [ʃarkytˈriː:], die; -, -n ⟨franz.⟩ (*schweiz. für* Wurstwaren[abteilung])

Char|ge [ˈʃarʒə], die; -, -n ⟨franz.⟩ (Amt; Rang; *Milit.* Dienstgrad; *Pharm.* eine bestimmte Serie von Arzneimitteln; *Technik* Ladung, Beschickung; *Theater* Nebenrolle [mit einseitigem Charakter]); *Theater* eine **Char|gen|mem** *(Pharm.);* **char|gie|ren** (*Technik* beschicken; *Theater* eine Charge spielen)

Char|gier|te, der; -n, -n (Mitglied des Vorstandes einer stud. Verbindung)

Cha|ris [ˈça(ː)...], die; -, ...ïten *meist Plur.* ⟨griech.⟩ (eine der griech. Göttinnen der Anmut [Aglaia, Euphrosyne, Thalia])

Cha|ris|ma [ˈça(:)... od. ˈkaː(:)..., *auch* ...ˈrɪ...], das; -s, *Plur.* ...rjsmen *u.* ...rjsmata (besondere Ausstrahlung); **cha|ris|ma|tisch**

Cha|ri|té [ʃ...], die; -, -s ⟨franz., »[Nächsten]liebe«⟩ (Name von Krankenhäusern)

Cha|ri|ten [ça...] *vgl.* Charis; **Cha|ritin,** die; -, -nen ⟨griech.⟩ (*svw.* Charis)

Cha|ri|va|ri [ʃ...], das; -s, -s ⟨franz.⟩ (*veraltet für* Durcheinander; Katzenmusik; *bayr. für* [Anhänger für die] Uhrkette)

Char|kow [ç..., *auch* ˈx...] (Stadt in der Ukraine)

Charles [ʃarl] (franz. m. Vorn.), [tʃaːɐls] (engl. m. Vorn.)

Charles|ton [ˈtʃaːlstn̩], der; -, -s ⟨engl.⟩ (ein Tanz)

Char|ley, Char|lie [tʃ...] (m. Vorn.)

Char|lot|te [ʃ...] (w. Vorn.)

Char|lot|ten|burg (Stadtteil Berlins); *vgl.* Berlin

char|mant [ʃ...], schar|mant ⟨franz.⟩

Charme [ʃarm], der; -s, Schᶜarm, der; -[e]s (liebenswürdig-gewinnende Wesensart); **Charme|bolzen** [ˈʃarm...] (*ugs. für* Charmeur); **Char|meur** [...ˈmøːɐ̯], der; -s, *Plur.* -s *od.* -e (charmanter Plauderer)

Char|meuse [...ˈmøːs], die; - (maschenfeste Wirkware [aus synthet. Fasern])

Cha|ron [ç...] (in der griech. Sage Fährmann in der Unterwelt)

Chart [tʃ...], der *od.* das; -s, -s ⟨engl.⟩ (grafische Darstellung von Zahlenreihen); *vgl.* Charts

Char|ta [k...], die; -, -s ⟨lat.⟩ ([Verfassungs]urkunde)

Char|te [ʃ...], die; -, -n ⟨franz.⟩ (wichtige Urkunde im Staats- u. Völkerrecht)

char|ten [tʃ...] ⟨engl.⟩ (*ugs. für* in die Charts kommen)

Char|ter [tʃ..., ʃ...], die; -, -, *auch* der; -s, -s ⟨engl.⟩ (Freibrief, Urkunde; Miet- od. Frachtvertrag); **Char|te|rer** (Mieter eines Schiffes od. Flugzeugs); **Char|terflug; Char|ter|ge|schäft; Char|terge|sell|schaft; Char|ter|ma|schi|ne**

char|tern ⟨engl.⟩ (ein Schiff od. Flugzeug mieten); ich chartere; gechartert

Char|t|res [ˈʃartrə] (franz. Stadt)

¹Char|t|reu|se [ʃarˈtrøː...], die; -

⟨franz.⟩ (Hauptkloster des Kartäuserordens)

²Char|t|reu|se ®, der; - (Kräuterlikör der Mönche von ¹Chartreuse)

³Char|t|reu|se, die; -, -n (Pudding aus Gemüse u. Fleischspeisen)

Charts [tʃ...] *Plur.* ⟨engl.⟩ (*svw.* Hitliste[n])

Cha|ryb|dis [ç...], die; - ⟨griech.⟩ (Meeresstrudel in der Straße von Messina); *vgl.* Szylla

Chas|si|dim [xas...] *Plur.* ⟨hebr.⟩ (Anhänger einer religiösen Bewegung des osteuropäischen Judentums)

Chas|sis [ʃaˈsiː], das; -, - ⟨franz.⟩ (Fahrgestell von Kraftfahrzeugen; Montagerahmen)

Cha|su|ble [ˈʃaˈzybḷ, ˈtʃezjubḷ], das; -s, -s ⟨franz.⟩ (westenähnliches Überkleid)

Chat [tʃɛt], der; -s, -s ⟨engl.⟩ ([zwanglose] Kommunikation im Internet)

Cha|teau, Châ|teau [ʃaˈtoː], das; -s, -s ⟨*franz. Bez. für* Schloss⟩

Cha|teau|bri|and [ʃatobriˈãː], das; -[s], -s ⟨nach dem franz. Schriftsteller u. Politiker⟩ (gebratenes Rinderfilet)

Chat|group, Chat-Group [ˈtʃɛtgruːp], die; -, -s ⟨engl.⟩ (Gruppe, die miteinander chattet)

Chat|line, Chat-Line [ˈtʃɛtlaɪn], die; -, -s ⟨engl.⟩ (Internetleitung, über die man chatten kann)

Chat|room, Chat-Room [ˈtʃɛtruːm], der; -s, -s ⟨engl.⟩ (Internetdienst, der das Chatten ermöglicht)

Cha|t|scha|tur|jan [x...] (armen. Komponist)

Chat|te [k..., *auch* ç...], der; -n, -n (Angehöriger eines westgerm. Volksstammes)

chat|ten [tʃɛtn̩] ⟨engl.⟩ (sich [meist unter einem Decknamen] im Internet mit anderen zwanglos über bestimmte Themen austauschen); gechattet; **Chat|ter,** der; -s, - (jmd., der chattet); **Chat|te|rin; Chat|tin**

Chau|cer [ˈtʃɔːsɐ] (engl. Dichter)

Chau|deau [ʃoˈdoː], das; -[s], -s ⟨franz.⟩ (Weinschaumsoße)

Chauf|feur [ʃoˈføːɐ̯], der; -s, -e ⟨franz.⟩ (Fahrer); **Chauf|feu|rin; chauf|fie|ren**

Chau|ke [ç...], der; -n, -n (Angehöriger eines westgerm. Volksstammes); **Chau|kin**

Chaus|see [ʃo...], die; -, ...sseen ⟨franz.⟩ (*veraltend für* Land

straße); ↑K 162 *u.* 163 ; **Chaus|seebaum; Chaus|see|gra|ben**

Chau|vi [ˈʃo:...], der; -s, -s (*ugs. für* Mann, der sich Frauen gegenüber überlegen fühlt, der ein übertriebenes männliches Selbstwertgefühl hat); **Chau|vinis|mus,** der; - ⟨franz.⟩ (übersteigerter Nationalismus, Patriotismus; übertriebenes männliches Selbstwertgefühl)

Chau|vi|nist, der; -en, -en; **Chau|vinis|tin; chau|vi|nis|tisch**

Chaux-de-Fonds [ʃotˈfõ:] *vgl.* La Chaux-de-Fonds

Che [tʃ...] (*volkstüml. Name von* Guevara)

Cheb [x...] (tschech. Stadt in Westböhmen; *vgl.* Eger)

¹Check [ʃ...] *vgl.* ¹Scheck

²Check [tʃ...], der; -s, -s ⟨engl.⟩ (Prüfung, Kontrolle; *Eishockey* Behinderung, Rempeln)

che|cken (*Eishockey* behindern, [an]rempeln; *bes. Technik* kontrollieren; *ugs. auch für* begreifen); **Check-in** [*auch* ˈtʃɛkɪn], das; -[s], -s ⟨engl.⟩ (*Flugw.* das Einchecken); **Check-in-Au|tomat; Check|lis|te** (Kontrollliste); **Check-out** [tʃɛkˈlaut, *auch* ˈtʃɛklaut], das; -[s], -s ⟨engl.⟩ (*Flugw.* das Auschecken); **Check|point,** der; -s, -s ⟨engl.⟩ (Kontrollpunkt an Grenzübergängen); **Check-up** [ˈtʃɛklap, *auch* ...ˈlap], der *od.* das; -[s], -s ⟨engl.⟩ (medizinische Vorsorgeuntersuchung; Überprüfung)

chee|rio!, cheers! [ˈtʃi...] ⟨engl.⟩ (*ugs. für* auf Wiedersehen!; zum Wohl!)

Cheer|lea|der [ˈtʃiːɡliːdɐ], der; -s, - ⟨engl.⟩ (Angehörige einer Gruppe von Frauen, die bei Sportveranstaltungen zur Anfeuerung einer Mannschaft ermuntern sollen); **Cheer|lea|de|rin**

Cheese|bur|ger [ˈtʃiːsbɔːɡ...], der; -s, - ⟨engl.⟩ (²Hamburger mit Käse)

Chef [ʃ..., *österr.* ʃeːf], der; -s, - ⟨franz.⟩; **Chef|arzt; Chef|ärz|tin; Chef|coach**

Chef de Mis|si|on [- də ...ˈsjõː], der; -[s] - -, -s - - ⟨franz.⟩ (Leiter einer [sportl.] Delegation)

Chef|di|ri|gent; Chef|di|ri|gen|tin

Chef|eta|ge

Che|fin

Chef|in|ge|ni|eur; Chef|in|ge|ni|eurin

Chef|lek|tor; Chef|lek|to|rin

Chef|pi|lot; Chef|pi|lo|tin
Chef|re|dak|teur; Chef|re|dak|teu-rin; Chef|re|dak|ti|on
Chef|sa|che
Chef|se|kre|tär; Chef|se|kre|tä|rin
Chef|ses|sel
Chef|trai|ner; Chef|trai|ne|rin
Chef|vi|si|te
Cheib [x...] vgl. Keib

Che|mie

die; - ⟨arab.⟩

In der Standardlautung gilt nur die Aussprache çe'mi: *als korrekt; süddeutsch und österreichisch wird die Aussprache* ke'mi: *verwendet.*

Che|mie|ar|bei|ter; Che|mie|ar|bei-te|rin
Che|mie|fa|ser
Che|mie|in|ge|ni|eur; Che|mie|in|ge-ni|eu|rin
Che|mie|la|bo|rant; Che|mie|la|bo-ran|tin
Che|mie|wer|ker; Che|mie|wer|ke-rin
Che|mi|graf, Che|mi|graph, der; -en, -en ⟨arab.; griech.⟩ (Hersteller von Druckplatten)
Che|mi|gra|fie, Che|mi|gra|phie, die; - (fotomechanische Bildreproduktion u. Druckplattenherstellung)
Che|mi|gra|fin, Che|mi|gra|phin
Che|mi|ka|lie, die; -, -n
Che|mi|kant, der; -en, -en (*regional für* Chemiefacharbeiter); Che|mi-kan|tin
Che|mi|ker; Che|mi|ke|rin
Che|mi|née ['ʃmine:], das; -s, -s ⟨franz.⟩ (*schweiz. für* offener Kamin in einem Wohnraum)
che|misch [ç..., *südd., österr.* k...] ⟨arab.⟩; chemische Reinigung; chemisches Element; chemische Keule (Tränengasspray) ↑K89
che|misch-tech|nisch ↑K26
Che|mi|sett, das; -[e]s, *Plur.* -s u. -e, Che|mi|set|te, die; -, -n ⟨franz.⟩ (Hemdbrust; Einsatz an Damenkleidern)
Che|mis|mus, der; - (Gesamtheit chemischer Vorgänge)
Chem|nitz [k...] (Stadt und Fluss in Sachsen); Chem|nit|zer
Che|mo, die; -, -s (*ugs. kurz für* Chemotherapie)
Che|mo|keu|le [ç..., *südd., österr.* k...] ⟨arab.; dt.⟩ (*ugs. abwertend für* starker chem. Wirkstoff)

che|mo|tak|tisch; Che|mo|ta|xis [...xen], die; - ⟨arab.; griech.⟩ (*Biol.* durch chem. Reizung ausgelöste Orientierungsbewegung niederer Organismen)
Che|mo|tech|ni|ker; Che|mo|tech|ni-ke|rin
Che|mo|the|ra|peu|ti|kum *(Pharm.);* che|mo|the|ra|peu|tisch; Che|mo-the|ra|pie (Heilbehandlung mit Chemotherapeutika)
...chen (z. B. Mädchen, das; -s, -)
Che|nil|le [ʃə'nɪljə, *auch* ...'ni:jə], die; -, -n ⟨franz.⟩ (Garn mit flauschig abstehenden Fasern)
Chen|nai ['tʃɛnai] (Stadt in Indien [*früherer Name* Madras])
Che|ops [ç..., *südd., österr.* k...] (altägypt. Herrscher); Che|ops-py|ra|mi|de, Che|ops-Py|ra|mi|de, die; -
Cheque [ʃɛk] vgl. ¹Scheck
Cher|bourg [ʃɛr'bu:ɐ̯] (franz. Stadt)
cher|chez la femme! [ʃɛr'ʃe: la 'fam] ⟨franz., »sucht nach der Frau!«⟩ (hinter der Sache steckt bestimmt eine Frau)
Cher|ry|bran|dy, Cher|ry-Bran|dy ['tʃeri'brɛndi], der; -s, -s ⟨engl.⟩ (Kirschlikör)
Che|rub [ç..., *auch* k...], *ökum.* Ke-rub, der; -s, *Plur.* -im u. -inen ⟨hebr.⟩ (das Paradies bewachender Engel); che|ru|bi|nisch (engelgleich); *aber* ↑K150 : der Cherubinische Wandersmann (eine Sinnspruchsammlung)
Che|rus|ker [ç...], der; -s, - (Angehöriger eines westgerm. Volksstammes); Che|rus|ke|rin
Ches|ter [tʃ...] (engl. Stadt)
Ches|ter|field (engl. Stadt)
Ches|ter|kä|se ↑K143
che|va|le|resk [ʃə...] ⟨franz.⟩ (ritterlich)
Che|va|li|er [...'lje:], der; -s, -s (franz. Adelstitel)
Che|vau|le|ger [...vole'ʒe:], der; -s, -s (*Milit. früher* leichter Reiter)
Che|v|reau [ʃə'vro:, *auch* 'ʃɛvro], das; -s, -s ⟨franz.⟩ (Ziegenleder); Che|v|reau|le|der
Che|v|ron [ʃə'vrõ:], der; -s, -s (Gewebe mit Fischgrätenmusterung; franz. Dienstgradabzeichen; *Heraldik* Sparren [nach unten offener Winkel])
Che|w|ing|gum, Che|w|ing-Gum ['tʃu:ɪŋgam], der; -[s], -s ⟨engl.⟩ (Kaugummi)
Chey|enne [ʃai'ɛn], der u. die; -, -

(Angehörige[r] eines nordamerik. Indianerstammes)
CHF (Währungscode für Schweizer Franken)
¹Chi [ç...], das; -[s], -s (griech. Buchstabe: X, χ)
²Chi vgl. Qi
Chi|an|ti [k...], der; -[s], -s (ein ital. Rotwein)
Chi|as|mus [ç...], der; -, ...men ⟨griech.⟩ (*Sprachw.* Kreuzstellung von Satzgliedern, z. B.: »der Einsatz war groß, gering war der Gewinn«)
Chi|as|so [k...] (schweiz. Ortsn.)
chi|as|tisch [ç...] (*Sprachw.* in der Form des Chiasmus)
chic [ʃɪk] vgl. schick; Chic, der; -s; vgl. Schick

chic

In der Grundform sind die Schreibweisen *chic* und *schick* korrekt: *Das Abendkleid ist besonders chic /schick.* In den gebeugten Formen wird jedoch nur die eingedeutschte Schreibung gebraucht: *Sie trägt ein schickes Abendkleid.*

Chi|ca|go [ʃ...] (Stadt in den USA); Chi|ca|go|er
Chi|chi [ʃi'ʃi:], das; -[s] ⟨franz.⟩ (Getue, Gehabe; verspielte Accessoires)
Chi|co|rée, Schi|ko|ree [ʃ...re, *auch* ...'re:], der; -s, *auch* die; - ⟨franz.⟩ (ein Gemüse)
Chiem|see [k...], der; -s
Chif|fon ['ʃɪfõ, *österr.* ʃi'fo:n], der; -s, *Plur.* -s, *österr.* -e (feines Gewebe); Chif|fon|kleid
Chif|f|re ['ʃɪfrə, *auch* 'ʃɪfɐ], die; -, -n ⟨franz.⟩ (Ziffer; Geheimzeichen; Kennwort); Chif|f|re|schrift (Geheimschrift)
chif|f|rie|ren (in Geheimschrift abfassen); Chif|f|rier|kunst
Chi|g|non [ʃɪn'jõ:], der; -s, -s ⟨franz.⟩ (im Nacken getragener Haarknoten)
Chi|hu|a|hua [tʃi'uaua], der; -s, -s ⟨span.⟩ (eine Hunderasse)
Chi|ka|go [ʃ...] (*dt. Form von* Chicago)
Chil|bi [x...], die; -, Chilbenen (*schweiz. für* Kirchweih)
Chi|le ['tʃi:le, *österr. u. schweiz. nur so, auch* 'çi:le] (südamerik. Staat); Chi|le|ne, der; -n, -n; Chi|le|nin; chi|le|nisch
Chi|le|sal|pe|ter ↑K143

Chi|li [tʃ...], der; -s ⟨span.⟩ (ein scharfes Gewürz)

Chi|li|as|mus [ç...], der; - ⟨griech.⟩ (Lehre von der Erwartung des Tausendjährigen Reiches Christi); **Chi|li|ast**, der; -en, -en; **Chi|li|as|tin; chi|li|as|tisch**

Chi|li con Car|ne [tʃ... - -], das; - - - ⟨span.-engl.⟩ (mit Chilischoten gewürztes mexik. Rinderragout mit Bohnen)

chil|len [tʃ...] ⟨engl.⟩ (ugs. für sich entspannen); **Chill-out-Room** [tʃɪl'aʊt'ruːm], der; -s, -s ⟨engl.⟩ (Erholungsraum für Raver)

Chi|mä|ra, ¹Chi|mä|re [beide ç...], die; - ⟨griech.⟩ (Ungeheuer der griech. Sage)

²Chi|mä|re usw. vgl. Schimäre usw.

³Chi|mä|re, die, -, -n (Biol. auf dem Wege der Mutation od. Pfropfung entstandener Organismus)

Chim|bo|ras|so [tʃ...], der; -[s] (ein südamerik. Berg)

Chi|na [ç..., südd., österr. k...]

Chi|na|kohl, der; -[e]s

Chi|na|rin|de [ç..., südd., österr. k...] (eine chininhaltige Droge)

¹Chin|chil|la [tʃɪn'tʃɪl(j)a], die; -, -s od., österr. nur, das; -s, -s ⟨indian.-span.⟩ (Nagetier)

²Chin|chil|la, das; -s, -s (Kaninchenrasse; Fell von ¹,²Chinchilla)

Chi|ne|se

der; -n, -n

In der Standardlautung gilt nur die Aussprache çi'ne:zə usw. als korrekt; süddeutsch und österreichisch wird die Aussprache ki'ne:zə usw. verwendet.

Chi|ne|sin; chi|ne|sisch; aber ↑K150 : die Chinesische Mauer; **Chi|ne|sisch**, das; -[s] (Sprache); vgl. Deutsch; **Chi|ne|si|sche**, das; -n; vgl. Deutsche, das

Chi|nin [ç..., südd., österr. k...], das; -s ⟨indian.⟩ (Alkaloid der Chinarinde als Arznei gegen Fieber); **chi|nin|hal|tig**

Chi|no ['tʃiːno], der; -, -s meist Plur. ⟨span.-amerik.⟩ (Baumwollhose)

Chi|noi|se|rie [ʃinoazə...], die; -, ...ien ⟨franz.⟩ (kunstgewerbl. Arbeit in chinesischem Stil)

Chintz [tʃ...], der; -[es], -e ⟨Hindi⟩ (bedrucktes, glänzendes [Baumwoll]gewebe)

Chip [tʃ...], der; -s ⟨engl.⟩ (Spiel-

---

marke [bei Glücksspielen]; meist Plur.: roh in Fett gebackene Kartoffelscheiben; Elektronik sehr kleines Halbleiterplättchen mit elektronischen Schaltelementen; Golf Schlag über eine kurze Distanz)

Chip|kar|te (Plastikkarte mit einem elektronischen Chip)

chip|pen (mit einem Chip versehen; eine Chipkarte aufladen; Golf den Ball über eine kurze Distanz schlagen)

Chip|pen|dale ['tʃɪpndeːl, 'ʃ...], das; -[s] ⟨nach dem engl. Tischler⟩ ([Möbel]stil)

Chi|rac [ʃi'rak] (franz. Staatspräsident)

Chi|ra|gra [ç..., südd., österr. k...], das; -s ⟨griech.⟩ (Med. Handgicht)

Chi|ro|mant, der; -en, -en (Handliniendeuter); **Chi|ro|man|tie**, die; -; **Chi|ro|man|tin**

Chi|ro|prak|tik, die; - (Einrenken verschobener Wirbelkörper u. Bandscheiben mithilfe der Hände); **Chi|ro|prak|ti|ker; Chi|ro|prak|ti|ke|rin**

Chi|r|urg [ç...], der; -en, -en; **Chi|r|ur|gie**, die; -, ...ien; **Chi|r|ur|gin; chi|r|ur|gisch**

Chi|și|nău [kiʃi'nəʊ] (Hauptstadt der Republik Moldau)

Chi|tin [ç..., südd., österr. k...], das; -s ⟨semit.⟩ (hornähnlicher Stoff im Panzer der Gliederfüßer); **chi|ti|nig; Chi|tin|pan|zer**

Chi|ton, der; -s, -e (altgriech. Untergewand)

chlad|nisch [k...] ⟨nach dem dt. Physiker Chladni⟩: roh in Fett gebackene Kartoffelscheiben; chlad|ni|sche od. Chlad|ni'sche Klangfigur ↑K89 u. 135

Chla|mys [ç..., auch k...], die; -, - ⟨griech.⟩ (altgriech. Überwurf für Reiter u. Krieger)

ch-Laut [tseː'haː...]

Chlod|wig [k...] (fränk. König)

Chloe ['kloːe] (w. Vorn.)

Chlor [k...], das; -s ⟨griech.⟩ (chemisches Element; Zeichen Cl); **Chlo|ral**, das; -s (Chemie eine Chlorverbindung); **chlo|ren** (mit Chlor behandeln); Chemie Chlor in eine chem. Verbindung einführen); **chlor|frei; chlor|hal|tig**

Chlo|rid, das; -[e]s, -e (Chemie eine Chlorverbindung)

chlo|rie|ren (svw. chloren); **chlo|rig**

¹Chlo|rit, der; -s, -e (ein Mineral)

²Chlo|rit, der; -s, -e (Chemie ein Salz)

Chlor|kalk

Chlo|ro|form, das; -s ⟨griech.; lat.⟩ (Betäubungs-, Lösungsmittel); **chlo|ro|for|mie|ren** (mit Chloroform betäuben)

Chlo|ro|phyll, das; -s ⟨griech.⟩ (Bot. Blattgrün)

Chlo|ro|se, die; -, -n (Med. Bleichsucht)

Chlo|rung

Chlot|hil|de [k...] vgl. Klothilde

Cho|do|wi|ec|ki [k...tski, auch x...] (dt. Kupferstecher)

Choke [tʃoːk], der; -s, -s ⟨engl.⟩, **Cho|ker** ['tʃoːkə(r)], der; -s, - (Kfz-Technik Luftklappe am Vergaser; Kaltstarthilfe)

Cho|le|ra [k...], die; - ⟨griech.⟩ (Med. eine Infektionskrankheit); **Cho|le|ra|epi|de|mie**

Cho|le|ri|ker (leicht erregbarer, jähzorniger Mensch); **Cho|le|ri|ke|rin; cho|le|risch**

Cho|les|te|rin, fachspr. Cho|les|te|rol [k..., auch ç...], das; -s (eine in tierischen Geweben vorkommende organ. Verbindung; Hauptbestandteil der Gallensteine); **Cho|les|te|rin|spie|gel; Cho|les|te|rin|wert; Cho|les|te|rol** vgl. Cholesterin

Cho|mai|ni [x...] vgl. Khomeini

Cho|pin [ʃo'pɛ̃:] (poln. Komponist)

Chop|per [tʃ...], der; -s, -[s] ⟨engl.⟩ (Motorrad mit hohem Lenker und langer Gabel)

Chop|su|ey [tʃɔp'suːi], das; -[s], -s ⟨chin.-engl.⟩ (Gericht aus Fleisch- od. Fischstückchen mit Gemüse u. anderen Zutaten)

Chor [k...], der; -[e]s, Chöre ⟨griech.⟩ ([erhöhter] Kirchenraum mit [Haupt]altar; Gruppe von Sängern; Komposition für Gruppengesang; gemischter Chor; **Cho|ral**, der; -s, ...räle (Kirchengesang, -lied)

Cho|ral|buch; Cho|ral|vor|spiel

Chör|chen

Chor|da [k...], die; -, ...den ⟨griech.-lat.⟩ (Biol. knorpeliges Gebilde als Vorstufe der Wirbelsäule); **Chor|dat**, der; -en, -en; **Chor|da|te**, der; -n, -n, **Chor|da|tier**, das; -[e]s, -e, alle meist im Plur. (Zool. Angehöriger eines Tierstammes, dessen Kennzeichen die Chorda ist)

Cho|rea [k...], die; - ⟨griech.⟩ (Med. Veitstanz); Chorea Huntington

Cho|reo|graf, Cho|reo|graph [k...], der; -en, -en; **Cho|reo|gra|fie**,

---

C

Cho|reo|gra|phie, die; -, ...ien (Gestaltung, Einstudierung eines Balletts); cho|reo|gra|fie|ren, cho|reo|gra|phie|ren; ein Ballett choreografieren; Cho|reo|gra|fin, Cho|reo|gra|phin; cho|reo|gra-fisch, cho|reo|gra|phisch

Cho|reut [ç...], der; -en, -en (altgriech. Chortänzer)

Chor|ge|bet [k...]; Chor|ge|sang; Chor|ge|stühl; Chor|herr (kath. Kirche)

...chö|rig (z. B. zwei-, dreichörig)

Cho|rin [k...] (Ort u. ehem. Zisterzienserkloster bei Angermünde)

cho|risch [k...] (griech.); Cho|rist, der; -en, -en ([Berufs]chorsänger); Cho|ris|tin

Chor|kna|be

Chör|lein (kleiner Erker an mittelalterlichen Wohnbauten)

Chor|lei|ter, der; Chor|lei|te|rin; Chor|pro|be; Chor|re|gent (Leiter eines kath. Kirchenchors); Chor-re|gen|tin; Chor|sän|ger; Chor-sän|ge|rin

Cho|rus, der; -, -se (Sängerchor; Jazz das mehrfach wiederholte u. improvisierte Thema)

Koryphäe

Das Substantiv wird trotz ähnlicher Herkunft im Griechischen und gleichem Anlaut nicht wie Chor, Choral mit Ch- geschrieben, sondern mit K-.

Cho|se [ʃ...], Scho|se, die; -, -n Plur. selten (franz.) (ugs. für Sache, Angelegenheit)

Chow-Chow ['tʃau'tʃau, auch 'ʃau'ʃau], der; -s, -s (chin.-engl.) (chin. Spitz)

Chres|to|ma|thie [k...], die; -, ...ien (griech.) (Auswahl von Texten bekannter Autoren)

Chri|sam [ç...], das od. der; -s, Chris|ma, das; -s (griech.) (Salböl der kath. Kirche)

¹Christ [k...] (griech.) (veraltet für Christus)

²Christ, der; -en, -en (Anhänger des Christentums)

Chris|ta (w. Vorn.)

Christ|baum (landsch. für Weihnachtsbaum); Christ|baum|ku-gel; Christ|baum|schmuck

Christ|de|mo|krat, der; -en, -en (Anhänger einer christlich-demokratischen Partei); Christ|de-mo|kra|tin; christ|de|mo|kra|tisch

Chris|tel (w. Vorn.)

Chris|ten|glau|be[n]; Chris|ten|heit,

die; -; Chris|ten|leh|re, die; - (kirchl. Unterweisung der konfirmierten ev. Jugend; regional für christl. Religionsunterricht)

Chris|ten|tum, das; -s

Chris|ten|ver|fol|gung

Christ|fest (landsch. für Weihnachten); Christ|ge|schenk

Chris|ti|an (m. Vorn.); Chris|ti|a|ne (w. Vorn.); Chris|ti|a|nia (früherer Name von Oslo; ältere Schreibung von ¹Kristiania)

chris|ti|a|ni|sie|ren; Chris|ti|a|ni|sie-rung

Chris|tin

Chris|ti|na, Chris|ti|ne (w. Vorn.)

christ|ka|tho|lisch (schweiz. für altkatholisch)

Christ|kind; Christ|kindl|markt, Christ|kind|les|markt (bayr., österr.)

Christ|kö|nigs|fest (kath. Kirche)

Christl (bayr., österr. Form von Christel)

christ|lich; christliche Seefahrt, aber ↑K 150 : die Christlich-De-mokratische Union [Deutschlands] (Abk. CDU), die Christlich-Soziale Union (Abk. CSU); Christ|lich|keit, die; -

Christ|met|te; Christ|mo|nat, Christ-mond (veraltet für Dezember)

Chris|to|lo|gie, die; -, ...ien (Theol. Lehre von Christus); chris|to|lo-gisch

Chris|toph (m. Vorn.); Chris|to|pher (m. Vorn.)

Chris|to|pher Street Day ['krɪstɔfə 'striːt deː], der; - - -s, - - -s (amerik.) (internat. Gedenktag der Homosexuellen; Abk. CSD); Chris|to|pho|rus (legendärer Märtyrer)

Christ|ro|se

christ|so|zi|al (christlich-sozial); Christ|stol|le[n]

Christ|tag (bayr., österr. für erster Weihnachtsfeiertag)

Chris|tus (»Gesalbter«) (Jesus Christus); Christi Himmelfahrt; nach Christo od. nach Christus (Abk. n. Chr.), nach Christi Geburt (Abk. n. Chr. G.); vor Christo od. vor Christus (Abk. v. Chr.), vor Christi Geburt (Abk. v. Chr. G.)

Chris|tus|dorn, der; -s, -e (Zierpflanze); Chris|tus|kopf; Chris|tus|mo|no|gramm; Chris|tus|or-den (päpstl. Orden)

Chrom [k...], das; -s (griech.) (chemisches Element, Metall; Zeichen Cr)

Chro|ma|tik, die; - (Physik Farbenlehre; Musik Veränderung der Grundtöne um einen Halbton); chro|ma|tisch; chromatische Tonleiter

Chro|ma|to|gra|fie, Chro|ma|to-gra|phie, die; - (Chemie Verfahren zur Trennung von Gemischen aus organischen Stoffen)

Chro|ma|to|phor, das; -s, -en meist Plur. (Bot. Farbstoffträger in der Pflanzenzelle; Zool. Farbstoffzelle bei Tieren, die den Farbwechsel der Haut ermöglicht)

chrom|blit|zend

Chrom|gelb (eine Farbe); Chrom-grün (eine Farbe); Chrom|leis|te

Chro|mo|lith, der; Gen. -s u. -en, Plur. -e[n] (unglasiertes, farbig gemustertes Steinzeug); Chro-mo|li|tho|gra|fie, Chro|mo|li|tho-gra|phie (Farbdruck, farbiger Steindruck)

Chro|mo|som, das; -s, -en meist Plur. (Biol. das Erbgut tragendes, fadenförmiges Gebilde im Zellkern); chro|mo|so|mal; Chro|mo|so-men|satz; Chro|mo|so|men|zahl

Chro|mo|sphä|re, die; - (glühende Gasschicht um die Sonne)

Chrom|rot (eine Farbe)

Chro|nik [k...], die; -, -en (griech.) (Aufzeichnung geschichtl. Ereignisse nach ihrer Zeitfolge; im Sing. auch für Chronika); Chro|ni|ka Plur. (Geschichtsbücher des A. T.); chro|ni|ka|lisch

Chro|ni|ker (Med. chronisch Kranker); Chro|ni|ke|rin

Chro|nique scan|da|leuse [...'niːk skäda'løːs], die; - -, -s - [- -] (franz.) (Skandalgeschichten)

chro|nisch (griech.) (Med. langwierig; ugs. für dauernd)

Chro|nist, der; -en, -en (Verfasser einer Chronik); Chro|nis|ten-pflicht; Chro|nis|tin

Chro|no|graf, Chro|no|graph (Gerät zur Übertragung der Zeitangabe einer Uhr auf einen Papierstreifen.); Chro|no|gra|fie, Chro|no|gra|phie, die; -, ...ien (Geschichtsschreibung nach der zeitl. Abfolge); chro|no|gra-fisch, chro|no|gra|phisch

Chro|no|lo|gie, die; -, -n (nur Sing.: Wissenschaft von der Zeit[messung]; Zeitrechnung; zeitliche Folge); chro|no|lo|gisch

Chro|no|me|ter, das, ugs. auch der; -s, - (genau gehende Uhr); chro-no|me|t|risch

Chruschtschow – Clementine

Chru|scht|schow [k...] (sowjet. Politiker)

Chry|s|an|the|me [k...], die; -n, -n ⟨griech.⟩, **Chry|san|the|mum** [*auch* ç...], das; -s, -[s] (Zierpflanze mit großen strahligen Blüten)

Chry|so|be|ryll [ç...] ⟨griech.⟩ (ein Schmuckstein); **Chry|so|lith**, der; *Gen.* -s *u.* -en, *Plur.* -e[n] (ein Mineral)

Chry|so|pras, der; -es, -e (ein Edelstein)

Chry|sos|to|mus [ç...] (griech. Kirchenlehrer)

chtho|nisch [ç...] ⟨griech.⟩ (der Erde angehörend; unterirdisch)

Chur [k...] (Hauptstadt des Kantons Graubünden)

Chur|chill ['tʃøːɐtʃɪl] (engl. Familienname; brit. Politiker)

Chur|firs|ten [k...] *Plur.* (schweiz. Bergkette)

Chut|ney ['tʃatni], das; -[s], -s ⟨Hindi-engl.⟩ (Paste aus Früchten und Gewürzen)

Chuz|pe [x...], die; - ⟨hebr.-jidd.⟩ (*ugs. für* Dreistigkeit)

Chy|mo|sin [ç...], das; -s ⟨griech.⟩ (*Biol.* Labferment)

Chy|mus, der; - (*Med.* Speisebrei)

Ci = Curie

CIA [siːaiːˈleː], die *od.* der; - = Central Intelligence Agency (US-amerik. Geheimdienst)

Cia|bat|ta [tʃa...], die; -, ...te, *auch* das; -s, -s ⟨ital.⟩ (ital. Weißbrot)

Cia|co|na *vgl.* Chaconne

ciao! [tʃau], tschau! ⟨ital.⟩ (*ugs.* [Abschieds]gruß)

¹**Ci|ce|ro** (röm. Redner)

²**Ci|ce|ro**, die, *schweiz.* der; - (ein Schriftgrad); 3 Cicero

Ci|ce|ro|ne [tʃitʃeː...], der; -[s], *Plur.* -s *u.* ...ni ⟨ital.⟩ (*scherzh. für* Fremdenführer)

Ci|ce|ro|ni|a|ner [tsitse...] ⟨lat.⟩ (Anhänger der mustergültigen Schreibweise Ciceros); **ci|ce|ro|ni|a|nisch** (*seltener*), **ci|ce|ro|nisch** (*auch für* mustergültig, stilistisch vollkommen); ciceronische Beredsamkeit

Ci|cis|beo [tʃitʃiː...], der; -[s], -s ⟨ital.⟩ (Hausfreund)

Cid [s...], der; -[s] ⟨»Herr«⟩ (span. Nationalheld)

Ci|d|re [s..., *auch* ...dɐ], Zi|der, der; -s ⟨franz.⟩ (franz. Apfelwein)

Cie. = *schweiz., sonst veraltet für* Co.

cif [ts..., s...] = cost, insurance, freight ['kɔst ɪnˈʃuːrəns ˈfreːt]

⟨engl.⟩ (*Klausel im Überseehandel* frei von Kosten für Verladung, Versicherung, Fracht)

Cil|li, Cil|ly ['tsɪli] (w. Vorn.)

Cinch|ste|cker ['sɪntʃ...] ⟨engl.; dt.⟩ (*Elektrot.* Stecker aus Hülse und zentralem Stift)

Cin|cin|na|ti [sɪnsɪˈ...] (Stadt in den USA)

Cin|cin|na|tus (röm. Staatsmann)

Ci|ne|ast [[s...], der; -en, -en ⟨griech.⟩ (Filmfachmann; Filmfan); **Ci|ne|as|tin; ci|ne|as|tisch**

Ci|ne|cit|tà [tʃ...tʃ...] ⟨ital.⟩ (ital. Filmproduktionszentrum bei Rom)

Ci|ne|ma|scope® [s...ˈskoːp], das; - ⟨engl.⟩ (besonderes Breitwand- u. Raumtonverfahren)

Ci|ne|ma|thek [s...], die; -, -en ⟨griech.⟩ (*svw.* Kinemathek)

Ci|ne|max® [s...], das ⟨engl.; lat.⟩ (Kinocenter)

Ci|ne|ra|ma®, das; - (besonderes Breitwand- u. Raumtonverfahren)

Cin|que|cen|tist [tʃ...tʃɛ...], der; -en, -en ⟨ital.⟩ (Dichter, Künstler des Cinquecentos); **Cin|que|cen|tis|tin; Cin|que|cen|to**, das; -[s] (Kunst u. Kultur in Italien im 16. Jh.)

CIO [siːaiˈloː], der; - = Congress of Industrial Organizations (Spitzenverband der amerik. Gewerkschaften)

CIP = cataloguing in publishing (Neuerscheinungs-Sofortdienst der Deutschen Bibliothek)

Ci|pol|lin, Ci|pol|li|no [*beide* tʃ...], der; -s ⟨ital.⟩ (Zwiebelmarmor)

cir|ca *vgl.* zirka (*Abk.* ca.)

Cir|ce, die; -, -n (verführerische Frau; *nur Sing.:* eine Zauberin der griech. Mythologie); *vgl.* bezirzen

Cir|cu|lus vi|ti|o|sus, der; - -, ...li ...si (Zirkelschluss; Teufelskreis)

Cir|cus usw. *vgl.* Zirkus usw.

¹**cis, Cis**, das; -, - (Tonbezeichnung)

²**cis** (*Zeichen für* cis-Moll); in cis

Cis, das; -, - (*Zeichen für* Cis-Dur); in Cis; **Cis-Dur** [*auch* ˈtsɪsˈduːɐ], das; - (Tonart; *Zeichen für* Cis); **Cis-Dur-Ton|lei|ter** ↑K 26

Cis|jor|da|ni|en (*schweiz. neben* Westjordanland)

Cis|la|weng *vgl.* Zislaweng

cis-Moll [*auch* ˈtsɪsˈmɔl], das; - (Tonart; *Zeichen* cis); **cis-Moll-Ton|lei|ter** ↑K 26

Ci|to|y|en [sitoaˈjɛ̃ː], der; -s, -s ⟨franz.⟩ (*franz. Bez. für* Bürger)

Ci|t|rat, Ci|t|rin *vgl.* Zitrat, Zitrin

Ci|ty ['sɪti], die; -, -s ⟨engl.⟩ (Innenstadt); **Ci|ty|la|ge; ci|ty|nah; Ci|ty|nä|he**

Ci|vet [siˈveː], das; -s, -s ⟨franz.⟩ (Wildragout)

Ci|vi|tas Dei, die; - - ⟨lat.⟩ (der kommende [jenseitige] Gottesstaat [nach Augustinus])

cl = Zentiliter

Cl = *chem. Zeichen für* Chlor

c. l. = citato loco ⟨lat.⟩ (am angeführten Ort)

Claim [kleːm], der u. das; -s, -s ⟨engl.⟩ (Anspruch, Besitztitel; Anteil an einem Goldgräberunternehmen; Werbeslogan)

Clair-ob|s|cur [klɛrɔpˈskyːɐ], das; -s ⟨franz.⟩ (Helldunkelmalerei)

Clair|vaux [klɛrˈvoː] (ehemalige franz. Abtei)

Clan [klaːn, *auch* klɛn] ⟨engl.⟩, **Klan**, der; -s, *Plur.* -e, *bei engl. Ausspr.* -s ([schott.] Lehns-, Stammesverband; Gruppe von Personen, die jmd. um sich schart)

Clan|chef; Clan|che|fin

Claque [klak], die; -, -n ⟨franz.⟩ (eine bestellte Gruppe von Claqueuren); **Cla|queur** [...ˈkøːɐ], der; -s, -e (bezahlter Beifallklatscher); **Cla|queu|rin**

Clau|del [klo...] (franz. Schriftsteller)

Clau|dia, Clau|di|ne (w. Vorn.)

Clau|dio (m. Vorn.)

¹**Clau|di|us** (röm. Kaiser)

²**Clau|di|us**, Matthias (dt. Dichter)

Claus *vgl.* Klaus

Clau|se|witz (preuß. General)

Claus|thal-Zel|ler|feld (Stadt im Harz)

Cla|vi|cem|ba|lo [...ˈtʃɛ...], das; -s, *Plur.* -s *u.* ...li ⟨ital.⟩ (*älter für* Cembalo; *vgl.* Klavizimbel)

Cla|vi|cu|la *vgl.* Klavikula

clean [kliːn] ⟨engl., »sauber«⟩ (*ugs. für* nicht mehr [drogen]abhängig)

Clea|ring ['kliː...], das; -s, -s ⟨engl.⟩ (*Wirtsch.* Verrechnung[sverfahren]); **Clea|ring|ver|kehr**, der; -[e]s

Cle|ma|tis (*fachspr. für* Klematis)

Cle|mens (m. Vorn.); **Cle|men|tia** (w. Vorn.)

¹**Cle|men|ti|ne** (w. Vorn.)

²**Cle|men|ti|ne** (*fachspr. für* ²Klementine)

289

Clerk – Cold Cream

C

Cler

Clerk [kla:k], der; -s, -s ⟨engl.⟩ (kaufmänn. Angestellter, Verwaltungsbeamter in England u. in den USA)

cle|ver ⟨engl.⟩ (klug, gewitzt); **Cle|ver|ness,** die; -

Cli|ché [...'ʃe:] *alte Schreibung für* Klischee

Cli|ent ['klaiənt], der; -s, -s ⟨engl.⟩ (*EDV* Rechner innerhalb eines Netzwerks, der vom Server Dienste abruft)

Clinch [...ntʃ], der; -[e]s ⟨engl.⟩ (Umklammerung des Gegners im Boxkampf); mit jmdm. im Clinch liegen (*ugs. für* Streit haben); **clin|chen** *(Boxen)*

Clin|ton [...tn̩] (Präsident der USA)

Clip *vgl.* Klipp, Videoclip

Clip|per® ⟨engl.⟩ (Langstreckenflugzeug); *vgl. aber* Klipper

Clip|ping, das; -s, -s ⟨engl.⟩ (*fachspr. für* [Zeitungs]ausschnitt, Pressebeleg)

Clips *vgl.* Klips

Cli|que ['klɪkə, *auch* 'kli:...], die; -, -n (Freundeskreis [junger Leute]; Klüngel); **Cli|quen|bil|dung; Cli|quen|we|sen,** das; -s; **Cli|quen|wirt|schaft,** die; -

Cli|via, Kli|vie, die; -, ...ien ⟨nach Lady Clive [klaiv]⟩ (eine Zierpflanze)

Clo|chard [...'ʃa:ɐ̯], der; -[s], -s ⟨franz.⟩ (franz. Bez. für Stadt- od. Landstreicher)

Clog, der; -s, -s *meist Plur.* ⟨engl.⟩ (mod. Holzpantoffel)

Cloi|son|né [klǫa...], das; -s, -s ⟨franz.⟩ (Art der Emailmalerei)

Clo|qué [...'ke], der; -[s], -s ⟨franz.⟩ (¹Krepp mit blasiger Oberfläche)

Close-up ['klousˌlap], das; -[s], -s ⟨engl.⟩ (*Film, Ferns.* Nah-, Großaufnahme)

Cloth [klɔθ], der *od.* das; -[s], -s ⟨engl.⟩ (ein Baumwollgewebe)

Clou [klu:], der; -s, -s ⟨franz.⟩ (Glanzpunkt)

Clown [klaun, *seltener auch* klo:n], der; -s, -s ⟨engl.⟩ (Spaßmacher); **Clow|ne|rie,** die; -, ...ien (Betragen nach Art eines Clowns); **clow|nesk** (nach Art eines Clowns); **Clown|fisch; Clow|nin**

Club usw. *vgl.* Klub usw.

Clu|ny [kly'ni:] (franz. Stadt; Abtei)

Clus|ter ['kla...], der; -, - ⟨engl.⟩ (*Chemie, Physik* aus vielen Teilen od. Molekülen zusammen-

gesetztes System; *Musik* Klangballung; *Sprachw.* ungeordnete Menge semantischer Merkmale eines Begriffs)

cm = Zentimeter

Cm = *chem. Zeichen für* Curium

cm² = Quadratzentimeter

cm³ = Kubikzentimeter

cmm = Kubikmillimeter (*früher für* mm³)

c-Moll ['tse:mɔl, *auch* 'tse:'mɔl], das; - (Tonart; *Zeichen* c); **c-Moll-Ton|lei|ter** ↑K 26

cm/s, *früher* **cm/sec** = Zentimeter in der Sekunde

CNY (Währungscode für Yuan)

c/o = care of

¹Co = Cobaltum; *chem. Zeichen für* Kobalt

²Co, Co. = Compagnie, Kompanie

CO = Colorado

Coach [ko:tʃ], der; -[s], -s ⟨engl.⟩ (Sportlehrer, Trainer; Betreuer)

coa|chen (trainieren, betreuen); sie coacht die Mannschaft; sie hat ihn gecoacht

Coa|ching, das; -[s] (das Coachen, bes. während des Wettkampfs)

Coat [ko:t], der; -[s], -s ⟨engl.⟩ (dreiviertellanger Mantel)

Co|balt *vgl.* Kobalt; **Co|bal|tum,** das; -[s] (*lat. Bez. für* Kobalt; *Zeichen* Co)

Cob|b|ler, der; -s, -s ⟨engl.⟩ (Cocktail mit Fruchtsaft)

COBOL, Co|bol, das; -[s] ⟨engl.⟩ (*Kunstwort aus* common business oriented language; eine Programmiersprache)

Co|burg (Stadt in Oberfranken)

¹Co|ca *vgl.* Koka

²Co|ca, das; -[s], -s *od.* die; -, -s (*ugs. kurz für* Coca-Cola); **Co|ca-Co|la**®, das; -[s] *od.* die; - (Erfrischungsgetränk); 5 [Flaschen] Coca-Cola

Co|ca|in *chem. fachspr. für* Kokain

Co|chem (Stadt a. d. Mosel)

Co|che|nil|le [...ʃə'nɪljə] *vgl.* Koschenille

Co|chon|ne|rie [...ʃɔnə'ri:], die; -, ...ien ⟨franz.⟩ (*veraltet für* Schweinerei)

Co|cker|spa|ni|el, der; -s, -s ⟨engl.⟩ (engl. Jagdhundeart)

Cock|ney [...ni], das; -[s] ⟨engl.⟩ (Londoner Mundart)

Cock|pit, das; -s, -s ⟨engl.⟩ (Pilotenkabine in Flugzeugen; Fahrersitz in einem Rennwagen; vertiefter Sitzraum für die Besatzung von Jachten u. Ä.)

Cock|tail [...te:l], der; -s, -s ⟨engl.⟩ (alkohol. Mischgetränk)

Cock|tail|emp|fang; Cock|tail|kleid; Cock|tail|par|ty

Co|coo|ning [kə'ku:nɪŋ], das; -s ⟨engl.⟩ (das Zu-Hause-Bleiben während der Freizeit)

Coc|teau [kɔk'to:] (franz. Dichter)

Co|da *vgl.* Koda

Code *vgl.* Kode

Code ci|vil ['ko:t s...], der; - - (bürgerliches Gesetzbuch in Frankreich)

Co|de|in *vgl.* Kodein

Code Na|po|lé|on ['ko:t...le'õ:], der; - - (Bez. des Code civil im 1. u. 2. franz. Kaiserreich)

Co|dex *vgl.* Kodex

co|die|ren, Co|die|rung *vgl.* kodieren, Kodierung

Coes|feld ['ko:...] (Stadt in Nordrhein-Westfalen)

Cœur [kø:ɐ̯], das; -[s], -[s] ⟨franz.⟩ (Herz im Kartenspiel); **Cœur-ass,** Cœur-Ass ['kø:ɐ̯las, *auch* 'kø:ɐ̯'las], das; -es, -e

Cof|fee|shop, Cof|fee-Shop ['kɔfɪ...], der; -s, -s ⟨engl.⟩ (Café; Kaffeegeschäft [mit Verkauf von Drogen])

Cof|fe|in *vgl.* Koffein

co|gi|to, er|go sum ⟨lat., »ich denke, also bin ich«⟩ (Grundsatz des franz. Philosophen Descartes)

col|g|nac [kɔnjak] (goldbraun); ein cognac Hemd; *vgl. auch* beige; in Cognac ↑K 72

¹Co|g|nac [kɔn'jak] (franz. Stadt)

²Co|g|nac® ['kɔnjak], der; -s, -s (franz. Weinbrand); *vgl. aber* Kognak; **co|g|nac|far|ben**

Co|hi|ba®, die; -, -s ⟨indian.⟩ (kubanische Zigarre)

Coif|feur [kǫa'fø:ɐ̯], der; -s, -e (*schweiz., sonst geh. für* Friseur); **Coif|feu|se** [kǫa'fø:...], die; -, -n

Coif|fure [kǫa'fy:ɐ̯], die; -, -n (*franz. Bez. für* Frisierkunst; *schweiz. auch für* Coiffeursalon, Haartracht)

Co|ir, das; -[s] *od.* die; - ⟨engl.⟩ (Faser der Kokosnuss)

Co|i|tus usw. *vgl.* Koitus usw.

Coke ® [ko:k], das; -[s], -s (amerik.) (*Kurzw. für* Coca-Cola)

col. = colụmna (Spalte)

Co|la, das; -[s], -s *od.* die; -, -s (*ugs. kurz für* koffeinhaltiges Erfrischungsgetränk)

Co|la|ni *vgl.* Kolani

Cold|cream, die; -, -s, **Cold Cream,** die; - -, - -s ⟨engl.⟩ (kühlende Hautcreme)

290

Cö|les|tin vgl. ²Zölestin; Cö|les|ti|ne vgl. Zölestine; Cö|les|ti|nus vgl. Zölestinus

Co|li|g|ny [...lɪnˈjiː] (franz. Hugenottenführer)

Col|la|ge [...ʒə, österr. ...ʒ], die; -, -n ⟨franz.⟩ (Kunst aus Papier od. anderem Material geklebtes Bild; auch für literar. od. musikal. Komposition aus verschiedenen sprachl. bzw. musikal. Materialien)

col|la|gie|ren (aus verschiedenen Materialien zusammensetzen)

Col|lege [...lɪtʃ], das; -[s], -s ⟨engl.⟩ (höhere Schule in England; Eingangsstufe der Universität in den USA)

Col|lège [...ˈlɛːʃ], das; -[s], -s ⟨franz.⟩ (höhere Schule in Frankreich, Belgien u. in der Westschweiz)

Col|le|gi|um mu|si|cum, das; - -, ...gia ...ca ⟨lat.⟩ (freie Vereinigung von Musizierenden, bes. an Universitäten)

Col|li|co ®, der; -s, -s (zusammenlegbare, kanheigene Transportkiste aus Metall); Col|li|co|kis|te, Col|li|co-Kis|te

Col|lie [...li], der; -s, -s ⟨engl.⟩ (schottischer Schäferhund)

Col|li|er [...ˈljeː] vgl. Kollier

Col|mar (Stadt im Elsass); Col|marer; col|ma|risch

Co|lom|bo (Hauptstadt von Sri Lanka)

Col|lón, der; -[s], -[s] (Währungseinheit von Costa Rica u. El Salvador)

Co|lo|nel [...ˈnɛl, ˈkøː|ɐ̯nl], der; -s, -s ⟨franz.(-engl.)⟩ (franz. u. engl. Bez. für Oberst)

Co|lo|nia|kü|bel, Ko|lo|nia|kü|bel (ostösterr. für Mülltonne)

Col|or... [auch ...loːɐ̯...] ⟨lat.⟩ (in Zus. = Farb..., z. B. Colorfilm, Colornegativfilm, Colorwaschmittel)

Co|lo|ra|do (Staat in den USA; Abk. CO)

Co|lo|ra|do|kä|fer vgl. Koloradokäfer

Colt ®, der; -s, -s ⟨nach dem amerik. Erfinder⟩ (Revolver); Colt|ta|sche

Co|lum|bia vgl. D. C.

Com|bo, die; -, -s (kleines Jazz- od. Tanzmusikensemble)

Come-back, Come|back [kamˈbɛk], das; -[s], -s ⟨engl.⟩ (erfolgreiches Wiederauftreten eines bekannten Künstlers, Sportlers, Politikers nach längerer Pause)

COMECON, Co|me|con, der od. das; - = Council for Mutual Economic Assistance/Aid (engl. Bez. für RGW; vgl. d.)

Co|me|di|an [kɔˈmiːdjən], der; -s, -s ⟨engl.⟩ (humoristischer Unterhaltungskünstler)

Co|me|dy [ˈkɔmədi], die; -, -s ⟨engl.⟩ ([oft als Serie produzierte] humoristische Sendung)

Co|me|ni|us (tschech. Theologe u. Pädagoge)

Co|mer See, der; - -s (in Italien)

Co|mes|ti|bles [komɛsˈtiːbl] Plur. ⟨franz.⟩ (schweiz. für Feinkost, Delikatessen)

Co|mic [...mɪk], der; -s, -s ⟨amerik.⟩ (kurz für Comicstrip); Co|mic|fi|gur; Co|mic|heft; Co|mic|held; Co|mic|hel|din; Co|mic|se|rie

Co|mic|strip, der; -s, -s (Bildgeschichte [mit Sprechblasen])

Coming-of-Age-Film [kamɪŋlɔfˈɛɪdʒ...] ⟨engl.⟩ (Film über das Erwachsenwerden)

Co|ming-out, Co|ming|out [kamɪŋ-ˈlaʊt], das; -[s], -s ⟨engl.⟩ (öffentliches Sichbekennen zu seiner Homosexualität; das Öffentlichmachen von etwas [als bewusstes Handeln])

Com|me|dia dell'Ar|te, die; - - ⟨ital.⟩ (volkstümliche ital. Stegreifkomödie des 16. bis 18. Jh.s)

comme il faut [kɔm ɪl ˈfoː] ⟨franz.⟩ (wie es sich gehört, musterhaft, vorbildlich)

com|mit|ten, sich ⟨engl.⟩ (sich bekennen, verpflichten)

Com|mon-Rail-Sys|tem [kɔmənˈreːl...] ⟨engl.; griech.⟩ (elektronisches Einspritzsystem für Dieselmotoren)

Com|mon|sense [ˈkɔmənsɛns], der; -, Com|mon Sense [ˈkɔmən sɛns], der; - - ⟨engl.⟩ (gesunder Menschenverstand)

Com|mon|wealth [ˈkɔmənvɛlθ], das; - ⟨engl.⟩ (kurz für British Commonwealth of Nations; Gemeinschaft der Staaten des ehemaligen brit. Weltreichs)

Com|mu|ni|qué alte Schreibung für Kommuniqué

Com|mu|ni|ty [kɔˈmjuːniti], die; -, -s ⟨engl.⟩ (Gemeinschaft, Gruppe von Menschen mit gleichen Interessen, Wertvorstellungen)

Com|pact Disc, Com|pact Disk

[ˈkɔmpɛkt ˈdɪsk], die; - -, - -s ⟨engl.⟩ (Abk. CD; vgl. d.)

Com|pa|g|nie [...panˈjiː] vgl. Kompanie

Com|pi|ler [...ˈpai...], der; -s, - ⟨engl.⟩ (EDV Programm zur Übersetzung einer Programmiersprache in die Maschinensprache eines Computers)

Com|po|sé [kɔ̃...], das; -[s], -s ⟨lat.-franz.⟩ (mehrere farblich u. im Muster aufeinander abgestimmte Stoffe)

Com|po|ser, der; -s, - ⟨engl.⟩ (Druckw. halbautomat. Schreibsatzmaschine)

Com|pret|te ®, die; -, -n meist Plur. (ein Arzneimittel)

Com|pu|ter [...ˈpjuː...], der; -s, - ⟨engl.⟩ (programmgesteuerte, elektron. Rechenanlage; Rechner)

Com|pu|ter|ani|ma|ti|on (durch Computer erzeugte bewegte Bilder); Com|pu|ter|bild; Com|pu|ter|di|a|g|nos|tik; Com|pu|ter|ge|ne|ra|ti|on

com|pu|ter|ge|steu|ert; com|pu|ter|ge|stützt

com|pu|te|ri|sie|ren (mit Computern ausstatten)

Com|pu|ter|kri|mi|na|li|tät

Com|pu|ter|lin|gu|ist; Com|pu|ter|lin|gu|is|tik; Com|pu|ter|lin|gu|is|tin

com|pu|tern (ugs. für mit dem Computer arbeiten, umgehen); ich computere

Com|pu|ter|netz|werk; Com|pu|ter|pro|gramm; Com|pu|ter|si|mu|la|ti|on

Com|pu|ter|spiel; Com|pu|ter|sprache

Com|pu|ter|to|mo|gra|fie, Com|pu|ter|to|mo|gra|phie, die; -, -n (Abk. CT)

Com|pu|ter|vi|rus; Com|pu|ter|wurm

Co|na|k|ry [...ˈkriː, auch ...ˈnaː...] (Hauptstadt von ¹Guinea)

con|axi|al vgl. koaxial

con brio ⟨ital.⟩ (Musik lebhaft, feurig)

Con|cept|art, Con|cept-Art [ˈkɔnsɛptlaːɐ̯t], die; - ⟨engl.⟩ (moderne Kunstrichtung)

Con|cha vgl. Koncha

Con|ci|erge [kɔ̃ˈsjɛrʃ], der u. die; -, -s ⟨franz.⟩ (franz. Bez. für Pförtner[in])

Con|corde [kɔ̃ˈkɔrt], die; -, -s (brit.-franz. Überschallverkehrsflugzeug)

C
Conc

Con|di|tio si|ne qua non, die; - - - - ⟨lat.⟩ (unerlässliche Bedingung)

con|fer! ⟨lat.⟩ (vergleiche!; *Abk.* cf.)

Con|fé|rence [kõfeˈrãːs], die; -, -n ⟨franz.⟩ (Ansage); **Con|fé|ren|ci|er** [kõferaˈsje:], der; -s, -s (Sprecher, Ansager)

Con|fi|se|rie usw. *vgl.* Konfiserie usw.

Con|foe|de|ra|tio Hel|ve|ti|ca, die; - - ⟨lat.⟩ (Schweizerische Eidgenossenschaft; *Abk.* CH)

Con|nec|ti|cut [kəˈnetikət] (Staat in den USA; *Abk.* CT)

Con|se|cu|tio Tem|po|rum, die; - - ⟨lat.⟩ (*Sprachw.* Zeitenfolge in einem zusammengesetzten Satz)

Con|si|li|um Ab|e|un|di, das; - - ⟨lat.⟩ (*veraltend für* Aufforderung, eine höhere Schule od. Hochschule zu verlassen)

Con|som|mé [kõ...], die; -, -s *od.* das; -s, -s ⟨*Kochk.* Fleischbrühe⟩

con sor|di|no ⟨ital.⟩ (*Musik* mit Dämpfer, gedämpft)

Con|s|tan|tin *vgl.* Konstantin

Con|s|tan|ze *vgl.* Konstanze

Con|s|ti|tu|ante [kõstiˈty̆ãːt], die; -, -s, *früher* Kon|s|ti|tu|an|te, die; -, -n ⟨franz.⟩ (grundlegende verfassunggebende [National]versammlung, bes. die der Franz. Revolution von 1789)

Con|sul|tant [kənˈzaltənt], der; -s, -s ⟨engl.⟩ (*Wirtsch.* [Unternehmens]berater)

Con|tai|ner [...ˈteː...], der; -s, - ⟨engl.⟩ ([genormter] Großbehälter)

Con|tai|ner|bahn|hof; Con|tai|ner|ha|fen; Con|tai|ner|schiff; Con|tai|ner|ver|kehr

Con|te|nance [kõtaˈnãːs], die; - ⟨franz.⟩ (*veraltend für* Fassung, Haltung [in einer schwierigen Lage]); die Contenance wahren

Con|tent, der; -s, -s ⟨engl.⟩ (*EDV* Informationsgehalt)

Con|test, der; -[e]s, -s *u.* -e ⟨engl.⟩ (*Musik* Wettbewerb)

Con|ti|nuo, der; -s, -s ⟨ital.⟩ (*Musik* Generalbass)

con|t|ra *vgl.* kontra

con|t|re..., Con|t|re... *vgl.* konter..., Konter...

Con|t|rol|ler [kənˈtroːlɐ], der; -s, - ⟨engl.⟩ (*Wirtsch.* Fachmann für Kostenrechnung u. -planung in einem Betrieb)

Con|t|rol|ling, das; -s ⟨engl.⟩ (von der Unternehmensführung ausgeübte Steuerungsfunktion)

Con|vey|er [...ˈveːɐ], der; -s, - ⟨engl.⟩ (Becherwerk, Förderband)

Cook [kʊk] (brit. Entdecker)

Coo|kie [ˈkuki], das; -s, -s ⟨engl.⟩ (*EDV* Datengruppe, mit der der Benutzer einer Website identifiziert werden kann)

cool [kuːl] ⟨engl.-amerik.⟩ (*ugs. für* ruhig, überlegen, kaltschnäuzig; *Jugendspr. für* hervorragend)

Cool Jazz [ˈkuːl ˈdʒɛs], der; - - (Jazzstil der 50er-Jahre)

Cool|ness, die; -

Cop, der; -s, -s ⟨amerik.⟩ (*amerik. ugs. Bez. für* Polizist)

Co|pi|lot usw. *vgl.* Kopilot usw.

Co|py|right [...pirait], das; -s, -s ⟨engl.⟩ (Urheberrecht; *Zeichen* ©); **Co|py|shop** [ˈkɔpiʃɔp] ⟨engl.⟩ (Geschäft, in dem man Texte und Bilder vervielfältigen lassen kann)

Coq au Vin [ˈkɔk o ˈvɛ̃ː], das; - - -, -s - - ⟨franz.⟩ (Hähnchen in Weinsoße)

Co|ra (w. Vorn.)

co|ram pu|b|li|co ⟨lat.⟩ (vor aller Welt; öffentlich)

Cord, Kord, der; -[e]s, *Plur.* -e *u.* -s ⟨engl.⟩ (geripptes Gewebe)

Cord|an|zug, Kord|an|zug

Cor|de|lia, Cor|de|lie (w. Vorn.)

Cord|ho|se, Kord|ho|se

¹Cór|do|ba (span. Stadt)

²Cór|do|ba, der; -[s], -[s] ⟨nach dem span. Forscher⟩ (Währungseinheit in Nicaragua)

Cor|don bleu [...ˈdõːˈbløː], das; - -, -s -s [- -] ⟨franz.⟩ (mit Käse u. gekochtem Schinken gefülltes [Kalbs]schnitzel)

Cord|samt, Kord|samt

Cor|du|la (w. Vorn.)

Core [koːɐ], der; -[s], -s ⟨engl.⟩ (*Kernphysik* wichtigster Teil eines Kernreaktors)

Co|rel|li (ital. Komponist)

Cor|gi [ˈkɔrgi], der; -s, -s ⟨engl.⟩ (eine Hunderasse); Welsh Corgi

Co|rin|na (w. Vorn.)

Co|rinth, Lovis (dt. Maler)

Cor|nea, die; -, ...neae ⟨lat.⟩ (*Med.* Hornhaut des Auges)

Cor|ned|beef [ˈkɔrnətbiːf], das; -, **Cor|ned Beef** [*auch* ˈkɔːɐntˈbiːf], das; - - ⟨gepökeltes [Büchsen]rindfleisch⟩

Cor|ned|beef|büch|se, Cor|ned-Beef-Büch|se, Cor|ned-beef-Büch|se

Cor|neille [...ˈnɛj] (franz. Dramatiker)

Cor|ne|lia, Cor|ne|lie [...jə] (w. Vorn.)

Cor|ne|li|us (m. Vorn.)

Cor|ner, der; -s, - ⟨engl.⟩ (*Börse* planmäßig herbeigeführter Kursanstieg; *Boxen* Ringecke; *österr. u. schweiz. für* Eckball beim Fußballspiel)

Corn|flakes [...fleːks, *auch* ˈkoːɐ...] *Plur.* ⟨engl.⟩ (geröstete Maisflocken)

Cor|ni|chon [...ˈʃõː], das; -s, -s (kleine Pfeffergurke)

Corn|wall [ˈkoːɐnvəl] (Grafschaft in Südwestengland)

Co|ro|na (w. Vorn.); *vgl.* ²Korona

Co|ro|na|vi|rus, das; -, ...ren (*Med.* ein Virustyp mit Hüllmembran)

Co|ro|ner [ˈkɔrə...], der; -s, -s ⟨engl.⟩ (Beamter in England u. in den USA, der ungeklärte Todesfälle untersucht)

Cor|po|ra (*Plur. von* Corpus)

Corps usw. *vgl.* Korps usw.

Corps con|su|laire [ˈkoːɐ kõsyˈlɛːɐ], das; - -, - -s (Konsularisches Korps; *Abk.* CC)

Corps de Bal|let [- də ...ˈlɛː], das; - -, - - - - (Ballettgruppe, -korps); **Corps di|p|lo|ma|tique** [- ...ˈtiːk], das; - -, - -s (Diplomatisches Korps; *Abk.* CD)

Cor|pus, das; -, ...pora ⟨lat.⟩; *vgl.* ²Korpus

Cor|pus De|lic|ti, das; - -, ...pora - ⟨lat.⟩ (Gegenstand od. Werkzeug eines Verbrechens; Beweisstück)

Cor|pus Iu|ris, das; - - (Gesetzbuch, -sammlung)

Cor|reg|gio [...ˈrɛdʒo] (ital. Maler)

Cor|ri|da [de To|ros], die; - [- -], -s [- -] ⟨span.⟩ (*span. Bez. für* Stierkampf)

cor|ri|ger la for|tune [...ˈʒe: la...ˈtyːn] ⟨franz.⟩ (dem Glück nachhelfen; falschspielen)

Cor|so *vgl.* Korso

Cor|tes *Plur.* ⟨span.⟩ (Volksvertretung in Spanien)

Cor|tez [...tɛs], *span.* **Cor|tés** [...ˈtes] (span. Eroberer)

Cor|ti|na d'Am|pez|zo (Kurort in den Dolomiten)

cor|tisch ⟨nach dem ital. Arzt Corti⟩; das cortische od. Cor|ti'sche Organ (*Med.* Teil des inneren Ohres)

Cor|ti|son *vgl.* Kortison

Cor|vey (ehem. Benediktinerabtei bei Höxter)

cos = Kosinus

Co|sa Nos|t|ra, die; - - ⟨ital.,

»unsere Sache« (amerik. Verbrechersyndikat)

cosec = Kosekans

Co|si fan tut|te (ital., »so machens alle [Frauen]«) (Titel einer Oper von Mozart)

Co|si|ma (w. Vorn.)

Co|si|mo (m. Vorn.)

Cos|ta Bra|va, die; - - (Küstengebiet in Nordostspanien)

Cos|ta Ri|ca (Staat in Mittelamerika)

Cos|ta-Ri|ca|ner, Cos|ta Ri|ca|ner ↑K 145; Cos|ta-Ri|ca|ne|rin, Cos|ta Ri|ca|ne|rin

cos|ta-ri|ca|nisch ↑K 145

Cos|wig (dt. Ortsn.)

cot = Kotangens

Côte d'Azur [ˈkoːt daˈzyːɐ̯], die; - - (franz. Riviera)

Côte d'Ivoire [ˈkoːt diˈvo̯aːɐ̯], die; - - (amtl. Bez. für Elfenbeinküste); vgl. Ivorer

Côte d'Or [ˈkoːt -], die; - - (franz. Landschaft)

CO-Test [tseːˈloː...] ⟨zu CO = Kohlenmonoxid⟩ (Messung des Kohlenmonoxidgehalts in Abgasen)

Co|to|nou [...ˈnuː] (Regierungssitz von Benin)

Cot|tage [...ɪtʃ], das; -, -s ⟨engl.⟩ (engl. Bez. für Landhaus; österr. für Villenviertel)

Cott|bus (Stadt an der Spree); **Cott-bu|ser, Cott|bus|ser**

Cot|ti|sche Al|pen Plur. ↑K 140 (Teil der Westalpen)

Cot|ton [...tn̩], der od. das; -s ⟨engl.⟩ (engl. Bez. für Baumwolle, Kattun); vgl. Koton usw.

Cot|ton|ma|schi|ne ⟨nach dem Erfinder⟩ (Wirkmaschine zur Herstellung von Damenstrümpfen)

Cot|ton|öl, das; -s (Öl aus Baumwollsamen)

Cou|ber|tin [kubɛrˈtɛ̃ː] (Initiator der Olympischen Spiele der Neuzeit)

Couch [kaʊtʃ], die; -, Plur. -s, auch -en, schweiz. auch der; -s, -[e]s ⟨engl.⟩ (Liegesofa)

Couch|gar|ni|tur

Couch|po|ta|to, Couch-Po|ta|to [ˈkaʊtʃpoteːto], der; -[s], -[e]s u. die; -, -[e]s ⟨engl.⟩ (jmd., der am liebsten fernsehend auf der Couch sitzt)

Couch|tisch

Cou|den|ho|ve-Ka|ler|gi [ku...] (Gründer der Paneuropa-Bewegung)

Cou|leur [kuˈløːɐ̯], die; -, -s ⟨franz.⟩ (nur Sing.: bestimmte [Eigen]art, Prägung; Trumpf [im Kartenspiel]; Verbindungsw. Band u. Mütze einer Verbindung)

Cou|loir [kuˈlo̯aːɐ̯], der od. das; -s, -s ⟨franz.⟩ (Alpinistik Schlucht, schluchtartige Rinne; Reiten ovaler Sprunggarten für Pferde)

Cou|lomb [kuˈlõː, auch ...ˈlɔmp], das; -s, - ⟨nach dem franz. Physiker⟩ (Maßeinheit für die Elektrizitätsmenge; Zeichen C); 6 Coulomb

Count [kaʊnt], der; -s, -s ⟨engl.⟩ (engl. Titel für einen nicht britischen Grafen)

Count-down, Count|down [ˈkaʊnt-daʊn], der u. das; -[s], -s ⟨amerik.⟩ (bis zum [Start]zeitpunkt null rückwärtsschreitende Zeitzählung; die letzten Vorbereitungen, Augenblicke vor dem Beginn eines Unternehmens)

Coun|ter|part [ˈkaʊ...], der; -s, -s ⟨engl.⟩ (einem Entwicklungsexperten in der Dritten Welt zugeordnete [heimische] Fachkraft)

Coun|ter|te|nor [ˈkaʊ...] ⟨engl.⟩ (Musik Altist)

Coun|tess [ˈkaʊntɪs], die; -, ...tesses [...tisiz] u. ...tessen ⟨engl.⟩ (Gräfin)

Coun|t|ry|mu|sic [ˈkantrimjuːzɪk], die; - ⟨amerik.⟩ (Volksmusik [der Südstaaten in den USA]); **Coun|t|ry|song**

Coun|ty [ˈkaʊnti], das; -, Plur. -s ⟨engl.⟩ (Verwaltungsbezirk in England u. in den USA)

Coup [kuː], der; -s, -s ⟨franz.⟩ (Schlag; [Hand]streich)

Coup d'État [ˈkuː deˈta], der; - -, -s - [- -] ⟨franz.⟩ (veraltend für Staatsstreich)

Coupe [kup], die; -, Plur. -s od. -n, auch der; -s, Plur. -s od. -n ⟨franz.⟩ (schweiz. für Eisbecher)

Cou|pé, Ku|pee, das; -s, -s (Auto mit sportlicher Karosserie; veraltet für [Wagen]abteil)

Cou|p|let [kuˈpleː], das; -s, -s ⟨franz.⟩ (scherzhaft-satirisches Lied [für die Kleinkunstbühne])

Cou|pon vgl. Kupon

Cour [kuːɐ̯], die; - ⟨franz.⟩; jmdm. die Cour machen, schneiden (den Hof machen)

Cou|ra|ge [ku...ˈʒə], die; - ⟨franz.⟩ (Mut)

cou|ra|giert (beherzt)

Cour|bet [kʊrˈbeː] (franz. Maler)

Court [koːɐ̯t], der; -s, -s ⟨engl.⟩ (Tennisplatz)

Cour|ta|ge, Kur|ta|ge [beide kʊrˈtaːʒə], die; -, -n ⟨franz.⟩ (Maklergebühr bei Börsengeschäften)

Courths-Mah|ler [ˈkʊrts...] (dt. Schriftstellerin)

Cour|toi|sie [kʊrto̯a...], die; -, ...ien ⟨franz.⟩ (veraltend für feines, ritterliches Benehmen, Höflichkeit)

Cous|cous [ˈkʊskʊs] vgl. ²Kuskus

Cou|sin [kuˈzɛ̃ː], der; -s, -s ⟨franz.⟩ (Vetter)

Cou|si|ne [ku...] vgl. Kusine

Cou|ture [kuˈtyːɐ̯] vgl. Haute Couture

Cou|tu|ri|er [...ˈrje:], der; -s, -s ⟨franz.⟩ (Modeschöpfer)

Cou|vert [kuˈveːɐ̯] usw. alte Schreibung für Kuvert usw.

Co|ven|t|ry [...ri] (engl. Stadt)

Co|ver [ˈkavɐ], das; -s, -[s] ⟨engl.⟩ (Titelbild; Hülle von Tonträgern u. Büchern)

Co|ver|band [...bɛnt, engl. ...bænd], die; -, -s ⟨engl.⟩ (Band, die Stücke von berühmten Bands [originalgetreu] spielt)

Co|ver|coat, der; -[s] -s ([Mantel aus] Wollstoff)

Co|ver|girl, das; -s, -s (auf der Titelseite einer Illustrierten abgebildete junge Frau)

co|vern [ˈkavɐn] (eine Coverversion aufnehmen); ich covere

Co|ver|sto|ry (Titelgeschichte)

Co|ver|ver|si|on (neue Fassung eines älteren Schallplattentitels)

Cow|boy [ˈkaʊ...], der; -s, -s ⟨engl.⟩ (berittener amerik. Rinderhirt); **Cow|boy|hut; Cow-boy|stie|fel**

Cow|per [ˈkaʊ...], der; -s, -[s] ⟨nach dem engl. Erfinder⟩ (Technik Winderhitzer bei Hochöfen)

Cox' Oran|ge [ˈkɔks -], die; - -, - -n, **Cox Oran|ge**, der; - -, - - ⟨nach dem engl. Züchter R. Cox⟩ (eine Apfelsorte)

Co|yo|te vgl. Kojote

Cr = chem. Zeichen für Chrom

cr. = currentis

¹Crack [krɛk], der; -s, -s ⟨engl.⟩ (Sport bes. aussichtsreicher Spitzensportler; gutes Rennpferd)

²Crack [krɛk], das; -s ⟨engl.⟩ (Kokain enthaltendes synthetisches Rauschgift)

Cra|cker, der; -s, -[s] ⟨engl.⟩ (sprödes Kleingebäck)

Cra|nach (dt. Malerfamilie)

Cran|ber|ry ['krænbɛrɪ], die; -, -s (der Preiselbeere ähnliche Beere)

Cra|que|lé [...kə'le:], Kra|ke|lee, das; -s, -s ⟨franz.⟩ (feine Haarrisse in der Glasur von Keramiken, auch auf Glas)

Crash [krɛʃ], der; -s, -s ⟨engl.⟩ (Zusammenstoß; Zusammenbruch)

Crash|kid, das; -s, -s (Jugendlicher, der Autos aufbricht, um sie kaputtzufahren)

Crash|kurs (Lehrgang, in dem der Unterrichtsstoff besonders komprimiert vermittelt wird)

Crash|test (Test, mit dem das Unfallverhalten von Kraftfahrzeugen ermittelt wird)

Cras|sus (röm. Staatsmann)

Crawl [kroːl], craw|len ['kro:...] usw. *vgl.* Kraul, kraulen usw.

Cra|y|on [krɛ'jõ:] *vgl.* Krayon

Cream [kri:m], die; -, -s ⟨engl. *Bez. für* Creme; Sahne⟩

Cre|do *vgl.* Kredo

Creek [kri:k], der; -s, -s ⟨engl.⟩ ([zeitweise ausgetrockneter] Flusslauf, bes. in Nordamerika u. Australien)

Cré|mant [kre'mã:], der; -s, -s ⟨franz.⟩ (franz. Schaumwein)

creme [krɛːm, *auch* kre:m] ⟨franz.⟩ (mattgelb); ein creme Kleid; *vgl.* beige; in Creme ↑ K 72

Creme, die; -, *Plur.* -s, *schweiz. u. österr.* -n ['krɛːmən], Krem, Kreme ⟨franz.⟩ (Salbe zur Hautpflege; Süßspeise; Tortenfüllung; *nur Sing.:* gesellschaftl. Oberschicht); Crème Ca|ra|mel ['krɛːm kara'mɛl], die; - -, -s - ⟨franz.⟩ (eine Süßspeise)

creme|far|ben, creme|far|big

Crème fraîche ['krɛːm 'frɛʃ], die; - -, -s -s [- -] ⟨franz.⟩ (saure Sahne mit hohem Fettgehalt)

cre|men, kre|men; die Haut cremen *od.* kremen; Creme|tor|te, Krem|tor|te, Kre|me|tor|te

cre|mig, kre|mig

Cre|o|le, die; -, -n ⟨franz.⟩ (großer Ohrring)

¹Crêpe [krɛp], der; -s, -s; *vgl.* ¹Krepp

²Crêpe *vgl.* ²Krepp

Crêpe de Chine ['krɛp də 'ʃiːn], der; - - -, -s - - [- - -] ⟨franz.⟩ (Seidenkrepp in Taftbindung)

Crêpe Geor|gette ['krɛp ʒɔr'ʒɛt], der; - -, -s - [- -] (durchsichtiges Gewebe aus Kreppgarn)

Crêpe Su|zette ['krɛp sy'zɛt], die; -

-, -s - [- -] (dünner Eierkuchen, mit Likör flambiert)

cresc. = crescendo

cre|scen|do [...'ʃɛ...] ⟨ital.⟩ (*Musik* anschwellend; *Abk.* cresc.); Cre-scen|do, das; -s, *Plur.* -s u. ...di

Cres|cen|tia *vgl.* Kreszentia

Cre|tonne [krɛ'tɔn], die *od.* der; -, -s ⟨franz.⟩ (Baumwollstoff)

Creutz|feldt-Ja|kob-Krank|heit, die; - ⟨nach den Neurologen H. G. Creutzfeldt u. A. Jakob⟩ (*Med.* eine Erkrankung des zentralen Nervensystems)

Cre|vet|te *vgl.* Krevette

Crew [kru:], die; -, -s ⟨engl.⟩ ([Schiffs- u. Flugzeug]mannschaft)

c. r. m. = cand. rev. min.; *vgl.* Kandidat

Croi|sé [kroa...], das; -[s], -s ⟨franz.⟩ (ein Gewebe in Köperbindung)

Crois|sant [kroa'sã:], das; -[s], -s ⟨franz.⟩ (Blätterteighörnchen)

Cro|ma|g|non|mensch [...man'jõ:...], der ⟨nach dem Fundort⟩ (Mensch, Menschentypus der jüngeren Altsteinzeit)

Cro|m|ar|gan®, das; -s (rostfreier Chrom-Nickel-Stahl)

Crom|well [...vl] (engl. Staatsmann)

Cro|quet|te [...'kɛ...] ⟨*franz. Schreibung für* Krokette⟩

Cro|quis [...'kiː] *vgl.* Kroki

cross ⟨engl.⟩ (*Tennis* diagonal); den Ball cross spielen; Cross, der; -, - (*Tennis* diagonal über den Platz geschlagener Ball; *kurz für* Crosscountry)

Cross|coun|t|ry, Cross-Coun|t|ry [...kantri], das; -[s], -s (Querfeldeinwettbewerb)

Cross|golf (Golfspiel im freien Gelände)

Cross-over, Cross|over [...'louvɐ], das; - ⟨engl.⟩ (Vermischung unterschiedl. Musikstile; *Biol.* Erbfaktorenaustausch zw. homologen Chromosomen)

Cross-Sel|ling, das; -s, -s ⟨engl.⟩ (*Wirtsch.* der Verkauf weiterer Produkte über bestehende Kundenkontakte)

Cross|trai|ner, Cross-Trai|ner (ein Fitnessgerät)

Crou|pi|er [kru'pje:], der; -s, -s ⟨franz.⟩ (Angestellter einer Spielbank); Crou|pi|è|re [...'pjeːrə], die; -, -n

Crou|pon [...'põ:], der; -s, -s (Kern-,

Rückenstück einer [gegerbten] Haut)

Croû|ton [kru'tõ:], der; -[s], -s (gerösteter Weißbrotwürfel)

crt. = courant; *vgl.* kurant

Cruise|mis|sile, Cruise-Mis|sile ['kru:smɪsail], das; -s, -s ⟨engl.-amerik.⟩ (*Milit.* Marschflugkörper)

crui|sen ['kru:zn̩] ⟨engl.⟩ (*Jargon* ohne Ziel [gemächlich] herumfahren od. -gehen)

Crux, Krux, die; - ⟨lat., ›Kreuz‹⟩ (Last, Kummer)

Cs = *chem. Zeichen für* Cäsium

Csar|das, Csár|dás [*beide* 'tʃardaʃ], der; -, - ⟨ung.⟩ (ungarischer Nationaltanz)

C-Schlüs|sel ['tse:...] (*Musik*)

CSD = Christopher Street Day

ČSFR ⟨*früher* Tschechoslowakische Republik⟩; *vgl.* Tschechische Republik *u.* Slowakei

Csi|kos, Csi|kós ['tʃiːko:ʃ, *auch* 'tʃi...], der; -, - ⟨ung.⟩ (ungarischer Pferdehirt)

Cso|kor [tʃɔ...] (österr. Schriftsteller)

CSU, die; - = Christlich-Soziale Union; CSU-Frak|ti|on

ct = Centime[s]; Cent[s]

CT = Connecticut

CT, die; - = Computertomografie

Ct. = Centime

c. t. = cum tempore

cts = Centimes; Cents

Cu = Cuprum (*chem. Zeichen für* Kupfer)

Cu|ba (*span. Schreibung von* Kuba)

cui bo|no? ⟨lat., »wem nutzt es?«⟩ (wer hat einen Vorteil?)

Cul de Pa|ris ['ky: də...'ri:], der; - -, -s - - [- - -] ⟨franz.⟩ (um die Jahrhundertwende unter dem Kleid getragenes Gesäßpolster)

Cu|le|mey|er, der; -s, -s ⟨nach dem Erfinder⟩ (schwerer Tieflader, auf den ein Eisenbahnwaggon verladen werden kann)

Cul|li|nan ['kalinən], der; -s ⟨engl.⟩ (ein großer Diamant)

Cu|ma|rin usw. *vgl.* Kumarin usw.

Cum|ber|land|so|ße, Cum|ber|land-sau|ce ['kambɐlant...], die; - ⟨nach der engl. Grafschaft⟩ (pikante Würzsoße)

cum gra|no sa|lis ⟨lat., »mit einem Körnchen Salz«⟩ (mit entsprechender Einschränkung, nicht ganz wörtlich zu nehmen)

cum lau|de ⟨lat., »mit Lob«⟩ (drittbeste Note der Doktorprüfung)

cum tem|po|re ⟨lat.⟩ (mit akadem. Viertel, d. h. [Vorlesungsbeginn] eine Viertelstunde nach der angegebenen Zeit; *Abk.* c. t.)

Cun|ni|lin|gus, der; - ⟨lat.⟩ (sexuelle Stimulierung der äußeren weibl. Geschlechtsorgane mit der Zunge); *vgl.* Fellatio

Cup [kap], der; -s, -s ⟨engl.⟩ (Pokal; Pokalwettbewerb; Schale des Büstenhalters)

Cup|be|werb (*österr. für* Pokalwettbewerb)

Cup|fi|na|le

Cu|pi|do (röm. Liebesgott, Amor)

Cu|p|rum, das; -s (*lat. Bez. für* Kupfer; *Zeichen* Cu)

¹Cu|ra|çao [kyra'sa:o] (Insel im Karibischen Meer)

²Cu|ra|çao ®, der; -[s], -s (ein Likör)

Cu|ra pos|te|ri|or, die; - - ⟨lat., »spätere Sorge«⟩ (nicht vorrangig zu klärende Angelegenheit)

Cu|ra|re (*fachspr. für* Kurare)

Cur|cu|ma *vgl.* Kurkuma

Cu|ré [ky...], der; -s, -s ⟨franz.⟩ (kath. Pfarrer in Frankreich)

Cu|rie [ky...], das; -, - ⟨nach dem franz. Physikerehepaar⟩ (Maßeinheit der Radioaktivität; *Zeichen* Ci)

Cu|ri|um, das; -s (chemisches Element, Transuran; *Zeichen* Cm)

Cur|ling ['kø:ɐ̯...], das; -s (schott. Eisspiel)

cur|ren|tis ⟨lat.⟩ (*veraltet für* »[des] laufenden« [Jahres, Monats]; *Abk.* cr.); am 15. cr., *dafür besser* am 15. d. M.

cur|ri|cu|lar (*Päd.* das Curriculum betreffend)

Cur|ri|cu|lum, das; -s, ...la ⟨lat.-engl.⟩ (*Päd.* Theorie des Lehr- u. Lernablaufs; Lehrplan); **Cur|ri|cu|lum** Vi|tae, das; - -, ...la - (Lebenslauf)

Cur|ry ['kœri, *seltener* 'ka...], der, *auch* das; -s ⟨angloind.⟩ (Gewürzpulver; indisches Gericht)

Cur|ry|pul|ver

Cur|ry|wurst

Cur|sor ['kø:ɐ̯sɐ], der; -s, -s ⟨engl.⟩ (*EDV* Bildschirmzeiger)

Cus|tard ['kastɐt], der; -, -s ⟨engl.⟩ (eine engl. Süßspeise)

Cus|to|mi|zing ['kastəmaiz...], das; -s ⟨engl.⟩ (*Wirtsch.* Anpassung des Angebots einer Firma an die speziellen Wünsche der Kunden)

Cut [kœt, *auch* kat], der; -s, -s (Filmschnitt; *kurz für* Cutaway;

Boxen Riss der Haut; *Golf* Ausscheiden der schlechteren Spieler vor den Schlussrunden)

Cut|away [...ve:], der; -s, -s ⟨engl.⟩ (abgerundet geschnittener Herrenschoßrock)

cut|ten ['ka..., *auch* 'kœ...] ⟨engl.⟩ (Filmszenen, Tonbandaufnahmen schneiden)

Cut|ter, der; -s, - (*Film, Rundf., Fernsehen* Schnittmeister; Gerät zum Zerkleinern von Fleisch); **Cut|te|rin**

cut|tern; ich cuttere; *vgl.* cutten

Cu|vée [ky've:], die; -, -s ⟨franz.⟩ (*fachspr. für* Mischung, Verschnitt von Weinen)

Cux|ha|ven [...fn̩] (Hafenstadt a. d. Elbmündung)

CVJM = *früher* Christlicher Verein Junger Männer; *heute in Deutschland: ...* Menschen

CVP, die, - = Christlichdemokratische Volkspartei (in der Schweiz)

c_w = Luftwiderstandsbeiwert

cwt, cwt. *vgl.* Hundredweight

c_w-Wert *(Technik)*

Cy|an *vgl.* Zyan

Cy|ber|space ['saibɐspe:s], der; -, -s ⟨engl.⟩ (*EDV* virtueller Raum)

cy|c|lisch *vgl.* zyklisch

Cy|re|nai|ka, die; - (Landschaft in Nordafrika)

Cy|rus *vgl.* Kyros

CZK (Währungscode für tschech. Krone)

---

d = dextrogyr; Denar; Dezi...; Penny, Pence

d (*stets kursiv*) = Durchmesser

d, D, das; -, - (Tonbezeichnung); **d** (*Zeichen für* d-Moll); in d; **D** (*Zeichen für* D-Dur); in D

D (Buchstabe); das D; des D, die D, *aber* das d in Bude ↑K97; der Buchstabe D, d

D = Deuterium

D = (röm. Zahlzeichen) = 500

Δ, δ = Delta

∮̸ = deleatur

D. = Decimus

D. *vgl.* Doktor

da = Deka...; Deziar

---

da

Konjunktion:

– da (weil) sie krank war, fehlte sie

Adverb:

– hier und da; da und dort

Getrenntschreibung in Verbindung mit »sein«:

– da sein; weil wir da sind
– es ist alles schon da gewesen

Aber:

– das Dasein
– noch nie da gewesene *od.* dagewesene Ereignisse ↑K58
– etwas noch nie da Gewesenes *od.* Dagewesenes ↑K72

Vgl. dableiben, dalassen usw.
Vgl. dabei, dafür usw.

---

d. Ä. = der Ältere

DAAD, der; - = Deutscher Akademischer Austauschdienst

DAB = Deutsches Arzneibuch

da|be|hal|ten (zurückbehalten, nicht weglassen); sie haben ihn gleich dabehalten

---

da|bei

[*hinweisend:* 'da:...]

– sie ist sehr schön und dabei (trotzdem) gar nicht eitel
– wenn er dabei (bei der Behauptung) bleibt; falls es dabei (bei den Gegebenheiten) bleibt
– du kannst dabei (bei dieser Tätigkeit) sitzen (brauchst nicht zu stehen)
– du solltest dabei (bei dieser Tätigkeit) stehen (nicht sitzen)

Getrenntschreibung in Verbindung mit »sein«:

– dabei sein; weil sie dabei ist
– wir sind dabei gewesen

Aber:

– alle dabei Gewesenen *od.* Dabeigewesenen ↑K72

Vgl. dabeibleiben, dabeisitzen, dabeistehen

---

da|bei|blei|ben (bei einer Tätigkeit bleiben); sie hat mit dem Trai-

D

dabe

ning begonnen, ist aber nicht dabeigeblieben; vgl. aber dabei

da|bei|ha|ben (ugs. für bei sich haben; teilnehmen lassen); ..., weil er nichts dabeihatte; sie wollten ihn gern dabeihaben da|bei sein vgl. dabei

da|bei|sit|zen (sitzend zugegen sein); er hat nur schweigend dabeigesessen; vgl. aber dabei

da|bei|ste|hen (stehend zugegen sein); sie hat bei dem Gespräch dabeigestanden; vgl. aber dabei

da|blei|ben (nicht fortgehen); er ist den ganzen Tag dageblieben; aber er ist da geblieben, wo er war

da ca|po ⟨ital.⟩ (Musik noch einmal von Anfang an; Abk. d. c.)

Da|ca|po, das; -s, -s; Da|ca|po|arie, Da-ca|po-Arie

Dac|ca vgl. Dhaka

d'ac|cord [da'koːɐ̯] ⟨franz.⟩ (bes. österr. für einig; einverstanden); mit jmdm. d'accord gehen

Dach, das; -[e]s, Dächer; Dach|an|ten|ne; dach|ar|tig

Da|ch|au (Stadt in Bayern; ehem. Konzentrationslager)

Dach|bal|ken

Dach|bo|den

Dach|bo|den|ver|schlag; Dach|de|cker; Dach|de|cke|rin

Dä|chel|chen; Dä|cher|chen Plur.

Dach|fens|ter; Dach|first; Dach|flä|che

Dach|fonds (Wirtsch.)

Dach|gar|ten; Dach|gau|be; Dach|gau|pe; Dach|ge|päck|trä|ger; Dach|ge|schoss

Dach|ge|sell|schaft (Wirtsch. Spitzen-, Muttergesellschaft)

Dach|ge|stühl; Dach|gie|bel

Dach|glei|che (österr. svw. Dachgleichenfeier); Dach|glei|chen|fei|er (österr. für Richtfest)

Dach|ha|se (scherzh. für Katze)

Dach|kam|mer; Dach|kan|del (landsch. für Dachrinne)

Dach|kon|s|t|ruk|ti|on; Dach|lat|te; Dach|la|wi|ne; Dach|lu|ke

Dach|or|ga|ni|sa|ti|on

Dach|pap|pe; Dach|pfan|ne; Dach|rei|ter; Dach|rin|ne

Dachs, der; -es, -e; Dachs|bau Plur. ...baue

Dach|scha|den, der; -s (ugs. abwertend für geistiger Defekt)

Dachs|chen; Däch|sel, der; -s, - (Jägerspr. Dachshund)

Dachs|fell; Dachs|haar; Dachs|hund

Däch|sin

Dach|spar|ren

Dachs|pin|sel (Rasierpinsel aus Dachshaar; ein Hutschmuck)

Dach|stu|be; Dach|stuhl

Dach|stuhl|brand

dach|te vgl. denken

Dach|tel, die; -, -n (landsch. für Ohrfeige)

Dach|ter|ras|se; Dach|trau|fe; Dach|ver|band

Dach|woh|nung; Dach|zie|gel; Dach|zie|gel|ver|band

Da|ckel, der; -s, - (Dachshund, Teckel)

Da|ckel|bei|ne Plur. (ugs. scherzh. für kurze, krumme Beine); Da|ckel|blick (treuherziger Blick)

Dad [dɛd] vgl. Daddy

Da|da, der; -[s] (kurz für Dadaismus)

Da|da|is|mus, der; - ⟨nach franz. kindersprachl. »dada« = Holzpferdchen⟩ (Kunst- u. Literaturrichtung um 1920)

Da|da|ist, der; -en, -en; Da|da|is|tin; da|da|is|tisch

Dä|da|lus (Baumeister u. Erfinder in der griech. Sage)

dad|deln (ugs. für am Spielautomaten spielen); ich dadd[e]le

Dad|dy ['dɛdi], der; -s, -s ⟨engl.⟩ (engl. ugs. Bez. für Vater)

da|durch [auch 'daː:...]; dadurch, dass sie zu spät kam

Daff|ke ⟨hebr.⟩ (berlin.); nur in aus Daffke (aus Trotz; nur zum Spaß)

da|für [auch 'daː:...]; das Auto ist gebraucht, dafür aber billig; ich kann nicht dafür sein (kann nicht zustimmen)

da|für|hal|ten (meinen); da ich dafürhalte, dass ...; aber er war der Täter, obwohl niemand ihn dafür hielt; Da|für|hal|ten, das; -s; nach meinem Dafürhalten

da|für|kön|nen; sie behauptet, nichts dafürzukönnen, aber sie behauptet, dafür nichts zu können

da|für sein vgl. dafür

da|für|spre|chen, da|für sprechen; weil viel dafürspricht od. dafür spricht

da|für|ste|hen (veraltet für für etwas bürgen; bayr., österr. für sich lohnen); es steht [nicht] dafür

dag = Deka[gramm]

DAG, die; - = Deutsche Angestellten-Gewerkschaft

da|ge|gen [auch 'daː:...]; eure Arbeit war gut, seine dagegen schlecht; dagegen sein; etwas, nichts dagegen haben; vgl. dagegenhalten, dagegensetzen, dagegenstellen

da|ge|gen ha|ben vgl. dagegen

da|ge|gen|hal|ten; sie wird dagegenhalten, das sei zu teuer; ob die Wandfarbe zu den Fliesen passt, sieht man erst, wenn man eine dagegenhält

da|ge|gen sein vgl. dagegen

da|ge|gen|set|zen (entgegensetzen, gegen etwas vorbringen); es gibt nichts dagegenzusetzen

da|ge|gen|stel|len; die Verwaltung hat sich dagegengestellt (sich widersetzt); die Tür bleibt zu, wenn du einen Stuhl dagegenstellst

Dag|mar (w. Vorn.)

Da|go|bert (m. Vorn.)

Da|gon (Hauptgott der Philister)

Da|guerre [... gɛːɐ̯] (Erfinder der Fotografie); Da|guer|reo|ty|pie [...gero...], die; - (fotogr. Verfahren mit Metallplatten)

da|ha|ben (ugs. für vorrätig haben); mal sehen, was ich dahabe; aber da haben wir den Salat!; mal sehen, was ich da habe (was ich gefunden habe)

da|heim; daheim sein; sich daheim ausruhen; von daheim kommen; Da|heim, das; -s

da|heim|blei|ben; er ist daheimgeblieben; Da|heim|ge|blie|be|ne, der u. die; -n, -n

da|heim|sit|zen; sie hatte lange genug daheimgesessen

da|her [auch 'daː:...]; daher (von da) bin ich; daher, dass u. daher, weil

da|her|flie|gen; ein Luftballon kam dahergeflogen

da|her|ge|lau|fen; ein dahergelaufener Kerl; Da|her|ge|lau|fe|ne, der u. die; -n, -n

da|her|kom|men; man sah ihn daherkommen; aber es wird daher kommen, dass ...

da|her|re|den; dumm daherreden

da|her|rei|ten; sie kam lässig dahergeritten

da|her|stap|fen; er kam gemächlich dahergestapft

da|hier (veraltet für an diesem Ort)

da|hin

[*hinweisend:* 'da:...]
– wie weit ist es [bis] dahin?
– bis dahin ist noch viel Zeit
– dann wird das Geld längst dahin sein (*ugs. für* verloren, aufgebraucht sein)
– da- und dorthin
– er äußerte sich dahin gehend *od.* dahingehend
– ein dahin gehender *od.* dahingehender Antrag

Getrenntschreibung auch in Verbindung mit Verben, wenn »dahin« durch »an diesen Ort« oder »so weit« ersetzt werden kann:

– wir wollen nächstes Jahr wieder dahin fahren
– wie soll ich ohne Auto dahin kommen?
– wir können zu Fuß dahin gehen
– du wirst es noch dahin bringen, dass ...
– es darf nicht dahin kommen, dass ...
Vgl. aber dahinbewegen, dahindämmern, dahineilen usw.

da|hi|n|ab [*auch* 'da:...]
da|hi|n|auf [*auch* 'da:...]
da|hi|n|aus [*auch* 'da:...]
da|hin|be|we|gen, sich (sich gleichmäßig vorwärtsbewegen)
da|hin|däm|mern; ich dämmere dahin
da|hin|durch [*auch* 'da:...]
da|hin|ei|len (*geh. für* vergehen); die Jahre sind dahingeeilt
da|hi|n|ein [*auch* 'da:...]
da|hin|fah|ren (*geh. verhüllend für* sterben); sie ist dahingefahren
da|hin|fal|len (*schweiz.* als erledigt, als überflüssig wegfallen)
da|hin|flie|gen (*geh. für* vergehen); die Zeit ist dahingeflogen
da|hin|flie|ßen; die Erzählung floss sanft dahin
da|hin|ge|gen [*auch* 'da:...]
da|hin|ge|hen (*geh. für* vergehen); wie schnell sind die Tage dahingegangen
da|hin ge|hend, da|hin|ge|hend *vgl.* dahin
da|hin|ge|stellt; dahingestellt bleiben, sein; dahingestellt sein lassen
da|hin|le|ben; da|hin|plät|schern; da|hin|raf|fen
da|hin|re|den; da|hin|sa|gen
da|hin|schei|den (*geh. für* sterben)

da|hin|schlep|pen, sich (sich mühsam fortbewegen)
da|hin|schmel|zen (*geh.*)
da|hin|schrei|ten (*geh.*)
da|hin|schwin|den (*geh. für* sich vermindern, abnehmen)
da|hin|se|geln (*geh.*); ich seg[e]le dahin
da|hin|sie|chen; elend dahinsiechen
da|hin|ste|hen (nicht sicher, noch fraglich sein)
da|hin|ster|ben (*geh. für* sterben)
da|hin|ten [*auch* 'da:...]; dahinten auf der Bank

da|hin|ter

[*hinweisend:* 'da:...]
– ein Haus mit einem Garten dahinter
– was mag wohl dahinter sein?

Getrenntschreibung auch in Verbindung mit Verben, wenn der Hauptakzent auf dem Verb liegt:

– der Zettel, der dahinter rausguckte, versteckt war
Vgl. aber dahinterklemmen, dahinterknien usw.

da|hin|ter|her; dahinterher sein (*ugs. für* sich intensiv darum bemühen)
da|hin|ter|klem|men, sich (*ugs. für* mit Nachdruck betreiben); er wird sich dahinterklemmen
da|hin|ter|kni|en, sich (*ugs. für* sich anstrengen); sie hat sich dahintergekniet
da|hin|ter|kom|men (*ugs. für* herausfinden); wir werden schon noch dahinterkommen, wer das Fahrrad gestohlen hat
da|hin|ter|set|zen; er ging zu seinem Schreibtisch, um sich dahinterzusetzen (*ugs. für* es mit Nachdruck betreiben)
da|hin|ter|ste|cken; du kannst einen Zettel dahinterstecken; ich möchte wissen, was dahintersteckt (*ugs. für* was es zu bedeuten hat)
da|hin|ter|ste|hen (*ugs. für* unterstützen); er hat dahintergestanden
da|hi|n|un|ter [*auch* 'da:...]
Däh|le, die; -, -n (*schweiz. regional für* Föhre)
Dah|lie, die; -, -n (nach dem

schwed. Botaniker Dahl) (Zierpflanze); *vgl.* [1]Georgine
da|ho|cken (*ugs.*)
Da|ho|me, Da|ho|mey [daho'mɛː] (*früher für* Benin)
Dail Ei|reann ['doyl'ɛːrən], der; - - (das irische Abgeordnetenhaus)
Dai|ly Soap ['deːli 'zoːp], die; - -, - -s (*engl.*) (werktägl. ausgestrahlte triviale Hörspiel- od. Fernsehserie)
Daim|ler (dt. Ingenieur)
Dai|mo|ni|on, das; -s (*griech.*) (die warnende innere Stimme [der Gottheit] bei Sokrates)
[1]Dai|na, die; -, Dainos (*lit.*) (lit. Volkslied)
[2]Dai|na, die; -, -s (*lett.*) (lett. Volkslied)
Dai|qui|ri [...ki...], der; -[s], -[s] (nach einer kuban. Stadt) (ein Cocktail)
Dai|sy ['deːzi] (w. Vorn.)
Da|ka|po *vgl.* Dacapo
Da|kar [*auch* ...'kaːɐ̯] (Hauptstadt von Senegal)
Da|ker
Da|ki|en (*im Altertum* das Land zwischen Theiß, Donau und Dnjestr)
da|kisch; *aber* ↑K 151 : die Dakischen Kriege
Dak|ka *vgl.* Dhaka
[1]Da|ko|ta, der; -[s], -[s] (Angehöriger eines nordamerik. Indianerstammes)
[2]Da|ko|ta (Staaten in den USA [Nord- u. Süddakota])
dak|ty|lisch (*griech.*) (*Verslehre* aus Daktylen bestehend [*vgl.* Daktylus])
Dak|ty|lo|gramm, das; -s, -e (Fingerabdruck)
Dak|ty|lo|s|ko|pie, die; -, ...ien (Fingerabdruckverfahren)
Dak|ty|lus, der; -, ...ylen (*Verslehre* ein Versfuß)
dal = Dekaliter
Da|lai-La|ma, der; -[s], -s (*tibet.*) (weltl. Oberhaupt des Lamaismus)
da|las|sen; sie hat uns etwas Geld dagelassen; er lässt mir seine Uhr da; *aber* wenn man das Bild genau da (dort) lässt, wo es sich befindet ...
Dal|be, Dal|ben (*Kurzw. für* Duckdalbe, Duckdalben)
dal|bern; du dalbere (*landsch. veraltend für* sich albern verhalten)
Da|li (span. Maler)
da|lie|gen; er hat wie tot dagele-

gen; *aber* lass es da (dort) liegen, wo es liegt

Da|li|la vgl. Delila

Dalk, der; -[e]s, -e (*südd., österr. ugs. für* ungeschickter Mensch)

dal|ken (*österr. ugs. für* kindisch, dumm reden)

Dal|ken *Plur.* (*österr.* eine Mehlspeise)

dal|kert (*österr. ugs. für* dumm, ungeschickt; nichts sagend)

Dal|las [*auch* ˈdɛləs] (Stadt in Texas)

Dal|le, die; -, -n (*landsch. für* Delle)

Dal|les, der; - ⟨hebr.-jidd.⟩ (*landsch. für* Armut; Not)

dal|li! ⟨poln.⟩ (*ugs. für* schnell!)

Dal|ma|ti|en (Küstenland an der Adria)

Dal|ma|tik, Dal|ma|ti|ka, die; -, ...ken (liturg. Gewand)

Dal|ma|ti|ner (*auch* Hunderasse; Wein)

dal|ma|ti|nisch, dal|ma|tisch

dam = Dekameter

da|ma|lig; da|mals

Da|mas|kus (Hauptstadt Syriens)

Da|mast, der; -[e]s, -e (ein Gewebe); da|mast|ar|tig

Da|mast|be|zug; da|mas|ten (*geh. für* aus Damast)

Da|mas|ze|ner; Damaszener Klinge, Stahl; da|mas|ze|nisch

da|mas|zie|ren (Stahl mit flammigen, aderigen Zeichnungen versehen); Da|mas|zie|rung

Dam|bock (*Jägerspr. selten für* männl. Damhirsch)

Däm|chen

Da|me, die; -, -n (*ohne Artikel kurz für* Damespiel); Da|me|brett

Dä|mel, der; -s, - (*ugs. für* Dummkopf, alberner Kerl)

Da|men|bart; Da|men|be|glei|tung; Da|men|be|kannt|schaft

Da|men|be|such

Da|men|bin|de (Monatsbinde)

Da|men|dop|pel (*Sport*); Da|men|ein|zel (*Sport*)

Da|men|fahr|rad; Da|men|fri|seur, Da|men|fri|sör; Da|men|fri|seu|rin, Da|men|fri|sö|rin; Da|men|fuß|ball; Da|men|ge|sell|schaft

da|men|haft; Da|men|hut; Da|men|mann|schaft

Da|men|ober|be|klei|dung; Da|men|re|de; Da|men|sat|tel; Da|men|schnei|der; Da|men|schnei|de|rin; Da|men|ten|nis

Da|men|toi|let|te; Da|men|wahl (beim Tanz); Da|men|welt (*scherzh.*)

Da|me|spiel; Da|me|stein

Dam|hirsch

da|misch (*südd., österr. ugs. für* dumm, albern; schwindlig; sehr)

¹da|mit [*auch* ˈda:...]; [und] damit basta! (*ugs.*); was soll ich damit tun?

²da|mit; er sprach langsam, damit es alle verstanden

Däm|lack, der; -s, *Plur.* -e *u.* -s (*ugs. für* Dummkopf)

Dam|le|der; dam|le|dern

däm|lich (*ugs. für* dumm, albern)

Damm, der; -[e]s, Dämme

Dam|mar, das; -s (Harz südostasiat. Bäume)

Dam|ma|ra|fich|te; Dam|ma|ra|lack

Dam|mar|harz

Damm|bruch, der; -[e]s, ...brüche

däm|men (*auch für* isolieren)

Däm|mer, der; -s (*geh. für* Dämmerung)

däm|me|rig, däm|me|rig

Däm|mer|licht, das; -[e]s; däm|mern; es dämmert; sie sagt, es dämmere schon

Däm|mer|schein

Däm|mer|schlaf

Däm|mer|schop|pen; Däm|mer|stun|de

Däm|me|rung; däm|me|rungs|ak|tiv; dämmerungsaktive Tiere

Däm|me|rungs|schal|ter (vom Tageslicht abhängiger Lichtschalter); Däm|mer|zu|stand

Dämm|ma|te|ri|al, Dämm-Ma|te|ri|al; Dämm|mat|te, Dämm-Mat|te

dämm|rig, däm|me|rig

Damm|riss (*Med.*)

Damm|schnitt (*Med.*)

Damm|schutz (*Med.*)

Däm|mung (*auch für* Isolierung)

Dam|num, das; -s, ...na ⟨lat.⟩ (*Wirtsch.* Abzug vom Nennwert eines Darlehens)

Da|mo|k|les (griech. m. Eigenn.); Da|mo|k|les|schwert, das; -[e]s ↑K136

Dä|mon, der; -s, ...onen ⟨griech.⟩; dä|mo|nen|haft

Dä|mo|nie, die; -, ...ien

dä|mo|nisch; dä|mo|ni|sie|ren

Dä|mo|nis|mus, der; - (Glaube an Dämonen) Dä|mo|no|lo|gie, die; -, ...ien (Lehre von den Dämonen); dä|mo|no|lo|gisch

Dampf, der; -[e]s, Dämpfe

Dampf|ab|zug (*bes. schweiz. für* Dunstabzug[shaube])

Dampf|bad; Dampf|bü|gel|ei|sen

Dampf|dom (*Technik*); vgl. ²Dom; Dampf|druck *Plur. meist* ...drücke

damp|fen; die Suppe dampft, hat gedampft

dämp|fen; ich dämpfe das Gemüse, den Ton, seinen Zorn usw., habe gedämpft

Damp|fer (*kurz für* Dampfschiff)

Dämp|fer; einen Dämpfer bekommen (*ugs. für* eine Rüge einstecken müssen); jmdm. einen Dämpfer aufsetzen (*ugs. für* jmds. Überschwang dämpfen)

Dampf|fer|fahrt

Dampf|hei|zung

damp|fig (voll Dampf)

dämp|fig (kurzatmig [vom Pferd]; *landsch. für* schwül); Dämp|fig|keit, die; - (Atembeschwerden bei Pferden)

Dampf|kes|sel

Dampf|koch|topf

Dampfl, das; -s, -n (*österr. für* Vorteig)

Dampf|lo|ko|mo|ti|ve

Dampf|ma|schi|ne

Dampf|nu|del

Dampf|plau|de|rer (*ugs. für* Vielredner); Dampf|plau|de|rin

Dampf|ra|dio (*ugs. scherzh. für* Rundfunk[gerät]); Dampf|ross (*scherzh. für* Dampflokomotive)

Dampf|schiff; Dampf|schiff|fahrt

Dämp|fung (Abschwächung)

Dampf|wal|ze

Dam|wild

Dan, der; -, - ⟨jap.⟩ (Rangstufe im Budo)

da|nach [*auch* ˈda:...]; sich danach richten; ↑K81 : sich um das Danach nicht kümmern

Da|nae [...nae] (Mutter des Perseus)

Da|na|er|ge|schenk (Unheil bringendes Geschenk [der Danaer = Griechen]) ↑K136

Da|na|i|de, die; -, -n *meist Plur.* (Tochter des Danaos)

Da|na|i|den|ar|beit; Da|na|i|den|fass

Da|na|os, Da|na|us (sagenhafter König, Stammvater der Griechen)

Dance|floor [ˈdaːnsflɔːɐ̯], der; -s, -s (Tanzfläche; *nur Sing.:* elektron. erzeugte, bes. zum Tanzen geeignete Musik)

Dan|cing [...sɪŋ], das; -s, -s ⟨engl.⟩ (Tanz[veranstaltung], Tanzlokal)

Dan|dy [ˈdɛndi], der; -s, -s ⟨engl.⟩ (sich übertrieben modisch kleidender Mann); dan|dy|haft

Dan|dy|is|mus, der; -; **dan|dy|is-
tisch; Dan|dy|tum,** das; -s
Dä|ne, der; -n, -n

da|ne|ben

[*hinweisend:* ˈdaː...]
– das Haus links daneben
– der Schalter muss direkt daneben sein
– sein Aufzug war total daneben
(*ugs. für* unpassend, unange-
bracht)

*Getrenntschreibung auch in Ver-
bindung mit Verben, wenn der
Hauptakzent auf dem Verb liegt:*

– er hat sich direkt daneben pos-
tiert, aufgebaut, hingesetzt
– auf dem Tisch liegen Bücher,
daneben steht eine Vase ↑K 48
Vgl. aber danebenbenehmen,
danebengehen, danebengreifen
usw.

da|ne|ben|be|neh|men, sich (*ugs.
für* unpassend benehmen)
da|ne|ben|ge|hen (*auch ugs. für*
misslingen); **da|ne|ben|grei|fen**
(*auch für* einen Fehlgriff tun)
da|ne|ben|hau|en (*auch ugs. für*
sich irren)
**da|ne|ben|le|gen; da|ne|ben|lie-
gen** (*auch ugs. für* sich irren)
da|ne|ben|schie|ßen (*auch ugs. für*
sich irren)
**da|ne|ben|set|zen; da|ne|ben|sit-
zen; da|ne|ben|ste|hen; da|ne-
ben|stel|len**
Da|ne|b|rog, der; -s ⟨dän.⟩ (dän.
Flagge)
Dä|ne|mark
Da|ne|werk, das; -[e]s (dän. Grenz-
wall)
da|nie|den (*veraltet, noch geh. für*
[hier] unten auf der Erde)
da|nie|der (*geh.*); **da|nie|der|lie|gen**
↑K 48
Da|ni|el [...eːl, *auch* ...ɛl] (m.
Vorn.; bibl. Prophet)
Da|ni|e|la (w. Vorn.); **Da|ni|elle**
[...ˈnjɛl] (w. Vorn.)
Dä|nin
dä|nisch; ↑K 89: Dänische Dogge;
↑K 90: der Dänische Wohld
(Halbinsel in Schleswig-Hol-
stein); *vgl.* deutsch; **Dä|nisch,**
das; -[s] (Sprache); *vgl.* Deutsch;
Dä|ni|sche, das; -n; *vgl.* Deut-
sche, das
dä|ni|sie|ren (dänisch machen)
dank; *Präp. mit Gen. od. Dat., im
Plur. meist mit Gen.:* dank mei-

nem Fleiße; dank eures guten
Willens; dank raffinierter Verfahren ↑K 70
Dank, der; -[e]s; Gott sei Dank!;
vielen, herzlichen, tausend
Dank!; hab[t] Dank!; sie weiß
dir dafür (*auch* dessen) keinen
Dank; jmdm. Dank sagen (*vgl.*
danksagen), schulden, wissen;
mit Dank [zurück]; zu Dank verpflichtet
**Dank|ad|res|se; dank|bar; Dank-
bar|keit,** die; -
dan|ke!; du musst Danke *od.*
danke sagen; danke schön!; ich
möchte ihr Danke schön *od.*
danke schön sagen; er sagte:
»Danke schön!«, *vgl. aber* Dan-
keschön; **dan|ken**
**dan|kens|wert; dan|kens|wer|ter-
wei|se**
dank|er|füllt (*geh.*); **Dan|kes|be|zei-
gung** (*nicht* ...bezeugung)
Dan|ke|schön, das; -s; sie sagte ein
herzliches Dankeschön, *vgl.
aber* danke!
**Dan|kes|for|mel; Dan|kes|gruß;
Dan|kes|schuld; Dan|kes|wor|te**
Plur.
Dank|ge|bet
dank|sa|gen, Dank sa|gen ↑K 54;
du danksagtest *u.* du sagtest
Dank; danksagt *u.* Dank
gesagt; danksagen *u.* Dank zu
sagen; *aber* ich sage vielen
Dank; *vgl.* Dank
Dank|sa|gung; Dank|schrei|ben
Dank|ward (m. Vorn.)
dann; dann und wann; *vgl.* dann-
zumal *u.* dazumal
dan|nen; *nur in* von dannen
gehen, eilen (*veraltet*)
dann|zu|mal (*schweiz. für* dann, in
jenem Augenblick)
Danse ma|ca|b|re [ˈdãːs -], der; - -,
-s -s [- -] ⟨franz.⟩ (Totentanz)
Dan|te Ali|ghi|e|ri [- ...ˈgjeː...] (ital.
Dichter)
Dan|tes, Tan|tes *Plur.* ⟨span.⟩ (*ver-
altet für* Spielmarken)
dan|tesk (nach Art der Schöpfun-
gen Dantes)
dan|tisch; Verse von dantischer
Schönheit, die dantischen
Werke
Dan|ton [dãˈtõː] (franz. Revolutio-
när)
Dan|zig (*poln.* Gdańsk)
Dan|zi|ger; Danziger Goldwasser
(ein Likör)
¹**Daph|ne** (w. Vorn.)
²**Daph|ne,** die; -, -n ⟨griech.⟩ (Sei-
delbast, ein Zierstrauch)

Daph|nia, Daph|nie, die; -, ...ien
(Wasserfloh)
dar... (*in Zus. mit Verben, z. B.*
dartun, du tust dar, dargetan,
darzutun)

da|r|an

[*hinweisend:* ˈdaː...], *ugs.* dran
– es könnte etwas daran sein (*ugs.
für* es könnte teilweise zutreffen)
– sie ist nahe daran gewesen, alles
aufzugeben

*Getrenntschreibung auch in Ver-
bindung mit Verben, wenn der
Hauptakzent auf dem Verb liegt:*

– daran denken, glauben, halten,
zweifeln, dass ...
– daran teilhaben, teilnehmen
– du wirst gut daran tun, dir das
zu merken
– wir sollten lieber nicht daran
rühren
Vgl. aber darangeben, darange-
hen, daranhalten usw.

da|r|an|ge|ben (*auch geh. für*
opfern); alles darangeben
wollen
da|r|an|ge|hen; er ist endlich
darangegangen, die Garage auf-
zuräumen
da|r|an|hal|ten; du musst dich
schon daranhalten (dich
anstrengen, beeilen), wenn du
fertig werden willst; *aber* wir
müssen uns alle daran (an diese
Vorschrift) halten ↑K 48
da|r|an|ma|chen; wir werden uns
daranmachen, die Kartoffeln zu
schälen; *aber* was kann ich
denn daran machen (ändern)?
↑K 48
da|r|an|set|zen; sie hat alles daran-
gesetzt, um ihr Ziel zu erreichen
↑K 48
da|r|auf *s. Kasten Seite 300*
da|r|auf|hin [*auch* ˈdaː...] (demzu-
folge, danach, darauf, unter diesem Gesichtspunkt); ihr Vermögen wurde daraufhin beschlag-
nahmt; wir haben alles daraufhin überprüft, ob ...; *aber* darauf
hindeuten; alles deutet darauf
hin; er hat darauf hingewiesen,
dass ...
da|r|auf|le|gen *vgl.* darauf
da|r|auf|los *vgl.* drauflos
da|r|auf|set|zen *vgl.* darauf
da|r|auf|stel|len *vgl.* darauf
da|r|aus [*auch* ˈdaː...], *ugs.* draus;

D

dara

D
darb

[hinweisend: 'da:...*], ugs.* drauf
– ein Topf mit einem Deckel darauf

Getrenntschreibung in Verbindung mit Verben, wenn der Hauptakzent auf dem Verb liegt:

– darauf vertrauen, dass ...
– sich darauf einrichten, dass ...
– es darauf angelegt haben
– darauf folgen; das Schreiben und der darauf folgende *od.* darauffolgende Briefwechsel, am darauf folgenden *od.* darauffolgenden Tag ↑K58

Zusammenschreibung in Verbindung mit Verben, wenn der Hauptakzent auf »darauf« liegt:

– ein Tuch daraufflegen
– sich vorsichtig daraufsetzen
– du kannst dich ruhig daraufstellen
Vgl. auch drauflos usw.

---

sich nichts daraus machen; es wird nichts daraus werden

da̱r|ben *(geh. für* Not, Hunger leiden)
da̱r|bie|ten *(geh.);* Da̱r|bie|tung; Da̱r|bie|tungs|kunst
da̱r|brin|gen; Da̱r|brin|gung
Dar|da|neḻ|len *Plur. (Meerenge zwischen der Ägäis u. dem Marmarameer)*
da|r|ein *[auch* 'da:...*], (geh.), ugs.* drein
da|r|ein|fin|den, drein|fin|den, sich; sie hat sich dareingefunden
da|r|ein|mi|schen, drein|mi|schen, sich; du darfst dich nicht überall dareinmischen; ↑K48
da|r|ein|re|den, drein|re|den; er hat uns ständig dareingeredet
da|r|ein|set|zen *(geh. für* aufbieten, einsetzen); sie hat ihren Ehrgeiz dareingesetzt, als Erste fertig zu sein; ↑K48
Da|r|es|sa|lam (frühere Hauptstadt von Tansania; *vgl.* Dodoma)
Da̱r|fur (Region in Westsudan)
Darg, Dark, der; -s, -e *(nordd. für* fester Moorgrund, torfartige Schicht)
Da̱r|ge|bot, das; -[e]s *(Technik die*

einer Anlage zur Verfügung stehende [Wasser]menge)
da̱r|ge|tan *vgl.* dartun
da|r|in *[auch* 'da:...*], ugs.* drin; wir können alle darin (im Wagen) sitzen, *aber* drinsitzen *(vgl. d.);* der Schlüssel bleibt darin (im Schloss) stecken, *aber* drinstecken *(vgl. d.)*
da|r|in|nen *(geh. für* drinnen)
Da|ri|us (pers. König)
Dar|jee|ling *[...'dʒi:...], der; -s, -s* ‹nach dem Ort› (ind. Tee)
Dark *vgl.* Darg
Dark|room, der; -s, -s, Dark Room ['da:k ru:m], der; - -s, - -s, ‹engl.-amerik.› (abgedunkeltes Nebenzimmer o. Ä. in Homosexuellenlokalen)
da̱r|le|gen
Da̱r|le|gung
Da̱r|le|hen, Da̱r|lehn, das; -s, -
Da̱r|le|hens|kas|se, Da̱r|lehns|kas|se
Da̱r|le|hens|sum|me, Da̱r|lehns|sum|me
Da̱r|le|hens|ver|trag, Da̱r|lehns|ver|trag; Da̱r|le|hens|zins, Da̱r|lehns|zins
Da̱r|lehn usw. *vgl.* Darlehen usw.
Da̱r|ling, der; -s, -s ‹engl.› *(svw.* Liebling)

Da̱rm, der; -[e]s, Därme
Da̱rm|bak|te|rie *meist Plur.* (im Darm lebende Bakterie)
Da̱rm|blu|tung; Da̱rm|bruch; Da̱rm|ent|lee|rung
Da̱rm|flo̱|ra *Plur. selten (Med.* Gesamtheit der im Darm lebenden Bakterien)
Da̱rm|in|fek|ti|on; Da̱rm|in|halt; Da̱rm|ka|nal
Da̱rm|ka|tarrh, Da̱rm|ka|tarr
Da̱rm|krank|heit; Da̱rm|krebs; Da̱rm|krebs|prä|ven|ti|on; Da̱rm|pa|ra|sit; Da̱rm|po|lyp; Da̱rm|sai|te; Da̱rm|spie|ge|lung *(Med.);* Da̱rm|spü|lung
Da̱rm|stadt (Stadt in Hessen); Da̱rm|städ|ter
da̱rm|städ|tisch
Da̱rm|tä|tig|keit; Da̱rm|träg|heit; Da̱rm|trakt; Da̱rm|ver|schlin|gung
Da̱rm|ver|schluss; Da̱rm|vi|rus; Da̱rm|wand; Da̱rm|wind
da̱r|nach, da̱r|ne|ben, da̱r|nie|der *(älter für* danach usw.)
da|r|ob *[auch* 'da:...*], drob (veraltet für* deswegen)
Da̱r|re, die; -, -n *(fachspr. für* Trocken- *od.* Röstvorrichtung; *auch svw.* Darrsucht)
da̱r|rei|chen *(geh.);* Da̱r|rei|chung *(geh.)*

[hinweisend: 'da:...*], ugs.* drü|ber
– sie ist darüber sehr böse; darüber hinaus habe ich keine Fragen

Getrenntschreibung in Verbindung mit Verben, wenn der Hauptakzent auf dem Verb liegt:

– wir haben uns darüber gestritten
– wir müssen darüber reden

Zusammenschreibung in Verbindung mit Verben, wenn der Hauptakzent auf »darüber« liegt:

– mit der Hand darüberfahren
– sich darübermachen *(ugs. für* mit etw. beginnen)

– die Vorwürfe stören uns nicht, weil wir darüberstehen (darüber erhaben sind)

Gelegentlich sind unterschiedliche Betonungen möglich:

– wir haben ein Brett darübergelegt, *aber* du solltest das Brett darüber legen, nicht hierüber
– da steht ein Karton, pass auf, dass du nicht darüberfällst *od.* darüber fällst
Vgl. darüber hinaus

dar|ren (*fachspr. für* dörren, trocknen, rösten)

Darr|ge|wicht; Darr|malz; Darr|ofen; Darr|sucht (eine Tierkrankheit); Dar|rung

Darß, der; -es (Halbinsel an der Ostseeküste); Darßer Ort

dar|stell|bar; dar|stel|len; darstellende Geometrie

Dar|stel|ler; Dar|stel|le|rin

dar|stel|le|risch; Dar|stel|lung

Dar|stel|lungs|form; Dar|stel|lungskunst; Dar|stel|lungs|mit|tel; Dar|stel|lungs|wei|se

dar|stre|cken (*veraltet für* hinstrecken)

Darts, das; - ⟨engl.⟩ (ein Wurfpfeilspiel)

dar|tun (zeigen); dargetan

da|r|ü|ber *s. Kasten Seite 300*

da|r|ü|ber|fah|ren *vgl.* darüber

da|r|ü|ber|fal|len *vgl.* darüber

da|r|ü|ber hi|n|aus (außerdem); es gab darüber hinaus nicht viel Neues; *aber* darüber hinausgehende *od.* darüberhinausgehende Informationen; das darüber Hinausgehende *od.* Darüberhinausgehende

da|r|ü|ber|le|gen *vgl.* darüber

da|r|ü|ber|ma|chen *vgl.* darüber

da|r|ü|ber|ste|hen *vgl.* darüber

da|r|ü|ber|stel|len *vgl.* darüber

da|r|um [*auch* 'da:...], *ugs.* drum; sie lässt darum bitten; darum herum; nicht darum herumkommen; er hat nur darum herumgeredet

da|r|um|kom|men (nicht bekommen); er ist darumgekommen; *aber* weil sie nur da̱rum (aus diesem Grunde) kǫmmt

da|r|um|le|gen (um etwas legen); sie hat Mull darumgelegt

da|r|um|ste|hen (um etwas stehen); sie sah das Auto und die Leute, die darumstanden

da|r|un|ter [*auch* 'da:...], *ugs.* drụnter; es sollen auch kleine Kinder darunter sein; *vgl. auch* darüber

da|r|un|ter|fal|len (dazugehören, betroffen sein); auch Minderjährige waren daruntergefallen ↑K47 *u.* 48

da|r|un|ter|le|gen; du kannst eine Decke darunterlegen ↑K47 *u.* 48

da|r|un|ter|lie|gen; die Schätzungen haben daruntergelegen (waren niedriger) ↑K47 *u.* 48

da|r|un|ter|set|zen; sie muss noch ihre Unterschrift daruntersetzen ↑K47 *u.* 48

Dar|win (engl. Naturforscher)

dar|wi|nisch, dar|winsch; die darwinische Lehre; die darwinsche *od.* Darwin'sche Lehre ↑K135 *u.* 89

Dar|wi|nis|mus, der; - (Lehre Darwins)

Dar|wi|nist, der; -en, -en; Dar|wi|nis|tin; dar|wi|nis|tisch

das (*Nom. u. Akk.*); *vgl.* der; alles das, was ich gesagt habe

Da|sein, das; -s

da sein *vgl.* da

Da|seins|angst

da|seins|be|din|gend

Da|seins|be|rech|ti|gung

Da|seins|form

Da|seins|freu|de

da|seins|hung|rig

Da|seins|kampf, der; -[e]s

da|seins|mä|ßig (*für* existenziell)

Da|seins|recht; Da|seins|wei|se; Da|seins|zweck

da|selbst (*geh., veraltend für* dort)

das heißt; (*Abk.* d. h.) ↑K105 ; seine Freunde werden ihn am 27. August, d. h. an seinem Geburtstag, besuchen; wir weisen darauf hin, dass der Teilnehmerkreis gemischt ist, d. h., dass ein Teil bereits gute Fachkenntnisse besitzt

das ist; (*Abk.* d. i.) ↑K105

da|sit|zen; wenn ihr so dasitzt ...; *aber* er soll da (dort) sitzen

das|je|ni|ge; *Gen.* desjenigen, *Plur.* diejenigen

dass; so dass *od.* sodass ; auf dass (*veraltet);* bis dass (*veraltet);* ich glaube, dass ...; Dasssatz *od.* dass-Satz

das|sel|be; *Gen.* desselben, *Plur.* dieselben; es ist alles ein und dasselbe

Das|sel|beu|le; Das|sel|flie|ge

Dass|satz, dass-Satz

da|ste|hen; fassungslos, steif dastehen; die Firma hat glänzend dagestanden (war wirtschaftlich gesund); ein einmalig dastehender Fall; *aber* er soll da (dort) stehen, nicht hier ↑K48

Da|sy|me|ter, das; -s, - ⟨griech.⟩ (Gasdichtemesser)

DAT, das; -[s] (*zu* engl. digital audio tape) (kurz für DAT-System, *vgl.*)

dat. = datum

Dat. = Dativ

Da|ta|mi|ning, Da|ta-Mi|ning ['de:təmaɪnɪŋ], das; -s, -s ⟨engl.⟩ (*EDV* softwaregestützte Auswertung von Daten hinsichtlich bestimmter Regelmäßigkeit zur Ermittlung verborgener Zusammenhänge, Trends o. Ä., z. B. in der Konsumforschung)

Date [de:t], das; -[s], -s ⟨amerik.⟩ (*ugs. für* Verabredung, Treffen)

Da|tei (Beleg- u. Dokumentensammlung, bes. in der EDV)

Da|tei|an|hang; Da|tei|for|mat; Da|tei|na|me

Da|ten (*Plur. von* Datum; Zahlenwerte; Angaben); Daten verarbeitende *od.* datenverarbeitende Maschinen; Da|ten|ab|gleich

Da|ten|au|to|bahn (*EDV* Telekommunikationsnetz zur schnellen Übertragung großer Datenmengen)

Da|ten|bank *Plur.* ...banken; da|ten|bank|ge|stützt

Da|ten|be|stand; Da|ten|er|fas|sung

Da|ten|high|way (*EDV;* svw. Datenautobahn); Da|ten|kom|pri|mierung; Da|ten|sa|lat *(ugs.)*; Da|ten-schat|ten, der; -s (bei der Benutzung eines Computers hinterlassene elektronische Spur)

Da|ten|schutz; Da|ten|schutz|be-auf|trag|te

Da|ten|schüt|zer; Da|ten|schüt|ze-rin; Da|ten|schutz|ge|setz; da|ten-schutz|recht|lich

Da|ten|si|cher|heit

Da|ten|trä|ger; Da|ten|ty|pis|tin; Da|ten|über|tra|gung

Da|ten ver|ar|bei|tend, da|ten|ver-ar|bei|tend ↑K58 ; Da|ten|ver|ar-bei|tung *(Abk.* DV); elektronische Datenverarbeitung *(Abk.* EDV); Da|ten|ver|ar|bei|tungs|an-la|ge

da|tie|ren ⟨franz.⟩ ([Brief usw.] mit Zeitangabe versehen); einen Brief [auf den 5. Mai] datieren; die Handschrift datiert (stammt) aus dem 4. Jh.; der Brief datiert (trägt das Datum) vom 1. Oktober; Da|tie|rung

Da|tiv, der; -s, -e ⟨lat.⟩ *(Sprachw.* Wemfall, 3. Fall; *Abk.* Dat.); das Dativ-e; Da|tiv|ob|jekt

Da|ti|vus ethi|cus, der; - -, ...vi ...ci *(Sprachw.)*

da|to ⟨ital.⟩ *(Kaufmannsspr. veraltet* heute); bis dato (bis heute); Da|to|wech|sel *(Bankw.* der auf eine bestimmte Zeit nach dem Ausstellungstag zahlbar gestellte Wechsel)

DAT-Re|kor|der (Gerät zur Aufnahme und Wiedergabe von Digitaltonbändern)

Dat|scha, die; -, *Plur.* -s od. ...schen ⟨russ.⟩ (russ. Holzhaus, Wochenendhaus); Dat|sche, die; -, -n *(regional für* bebautes Wochenendgrundstück)

DAT-Sys|tem, das; -s (techn. Verfahren, durch das akustische Signale digital auf einem Magnetband gespeichert werden)

Dat|tel, die; -, -n; Dat|tel|pal|me

da|tum ⟨lat., »gegeben«⟩ *(veraltet für* geschrieben; *Abk.* dat.); Da|tum, das; -s, ...ten; *vgl.* Daten

Da|tums|an|ga|be; Da|tums|gren|ze; Da|tums|stem|pel

Dau, Dhau [dau], die; -, -en ⟨arab.⟩ (arab. Segelschiff)

Dau|be, die; -, -n (Seitenbrett eines Fasses; hölzernes Zielstück beim Eisschießen)

Dau|bel, die; -, -n *(österr. für* Fischnetz)

Dau|er, die; -, *Plur. fachspr.* gelegentlich -n

Dau|er|ar|beits|lo|se; Dau|er|ar-beits|lo|sig|keit

Dau|er|auf|trag; Dau|er|aus|weis; Dau|er|be|las|tung; Dau|er|be-schäf|ti|gung; Dau|er|bom|bar|de-ment; Dau|er|bren|ner

Dau|er|ein|rich|tung; Dau|er|frost; Dau|er|gast *Plur.* ...gäste; Dau|er-ge|schwin|dig|keit

dau|er|haft

Dau|er|haf|tig|keit, die; -

Dau|er|kar|te; Dau|er|kun|de; Dau-er|lauf; Dau|er|leih|ga|be; Dau|er-lö|sung; Dau|er|lut|scher; Dau|er-mie|ter; Dau|er|mie|te|rin

¹dau|ern; es dauert lange; sie sagt, es dau[e]re nicht lange

²dau|ern *(geh. für* Leid tun); es dauert mich; mich dauert jeder Pfennig

dau|ernd

Dau|er|par|ker; Dau|er|par|ke|rin; Dau|er|re|gen; Dau|er|ritt

Dau|er|scha|den; Dau|er|stel|lung

Dau|er|stress; Dau|er|test; Dau|er-ton *Plur.* ...töne

Dau|er|wel|le; Dau|er|wurst; Dau-er|zu|stand

Däum|chen

Däu|me|lin|chen (eine Märchengestalt)

Dau|men, der; -s, -

Dau|men|ab|druck; Dau|men|bal|len

dau|men|breit; ein daumenbreiter Abstand, *aber* der Abstand ist zwei Daumen breit; dau|men-dick *vgl.* daumenbreit

Dau|men|ki|no (kleiner Block mit Bildern, die beim raschen Aufblättern eine Art Zeichentrickfilm ergeben)

Dau|men|lut|scher; Dau|men|lut-sche|rin

Dau|men|na|gel

Dau|men|re|gis|ter

Dau|men|schrau|be

Dau|mi|er [do'mje:] (franz. Grafiker, Zeichner u. Maler)

Däum|ling (Daumenschutzkappe; *nur Sing.:* eine Märchengestalt)

Dau|ne, die; -, -n (Flaumfeder)

Dau|nen|bett; Dau|nen|de|cke; Dau-nen|fe|der; Dau|nen|kis|sen

dau|nen|weich

Dau|phin [do'fɛ̃:], der; -s, -s ⟨franz.⟩ *(früher* franz. Thronfolger)

Dau|phi|né [do...], die; - (franz. Landschaft)

¹Daus; ei der Daus! (veralteter Ausruf des Erstaunens)

²Daus, das; -es, *Plur.* Däuser, *auch* -e ⟨lat.⟩ (zwei Augen im Würfelspiel; Ass in der Spielkarte)

Da|vid [...f..., *auch* ...v...] (m. Vorn.; bibl. König); Da|vid[s]-stern *vgl.* ²Stern

Da|vis|cup, Da|vis-Cup, Da|vis|po-kal, Da|vis-Po|kal ['de:...], der; -s ↑K136 ⟨nach dem amerik. Stifter⟩ (internationaler Tenniswanderpreis); Da|vis|po|kal-mann|schaft, Da|vis-Po-kal-Mann|schaft

Da|vis|stra|ße, Da|vis-Stra|ße ['de:...], die; - ⟨nach dem Entdecker⟩ (Durchfahrt zwischen Grönland u. Nordamerika)

da|von

[*hinweisend:* 'da:...]

– er will etwas davon, viel davon, nichts davon haben; sie wird auf und davon laufen

– es ist nichts davon (von der bezeichneten Sache) geblieben; es ist davon gekommen, dass ...; sie können nicht davon lassen

Vgl. aber davonbleiben, davonkommen, davonlassen usw.

da|von|blei|ben (sich entfernt halten, nicht anfassen); er sollte besser davonbleiben; *vgl.* davon

da|von, dass

da|von|ge|hen (weggehen); sie ist davongegangen

da|von|kom|men (glücklich entrinnen); er ist noch einmal davongekommen; *vgl.* davon

da|von|las|sen; er soll die Finger davonlassen (sich nicht damit abgeben)

da|von|lau|fen (weglaufen); wenn sie davonläuft; ↑K82 : es ist zum Davonlaufen; *aber* auf und davon laufen

da|von|ma|chen, sich *(ugs. für* davonlaufen, *auch für* sterben); er hat sich davongemacht

da|von|steh|len, sich (sich unbemerkt entfernen); sie hat sich davongestohlen

da|von|tra|gen (wegtragen); weil er den Sack davontrug; er hat den Sieg davongetragen

da|von|zie|hen (sich entfernen); sie sind längst davongezogen

da|vor [*auch* 'da:...]; ich fürchte mich davor; davor war alles gut; einen Vorhang davorhängen, *aber* sie hat den Vorhang davor gehängt, nicht hiervor ↑K47 u. 48

da|vor|schie|ben; einen Riegel davorschieben; *vgl.* davor

da|vor|ste|hen; sie haben davorge-
standen; *vgl.* davor

Da|vos (Kurort in der Schweiz);
Da|vo|ser

Da|vy ['deɪvi] (engl. Chemiker); **da-
vysch;** ↑K135 *u.* 89 : davysche
od. Davy'sche Lampe

da|wai! ⟨russ.⟩ (los!); dawai,
dawai! (los, los!)

Dawes [do:s] (amerik. Finanz-
mann); **Dawes|plan, Dawes-
Plan,** der; -[e]s

da|wi|der (*veraltet für* dagegen);
dawider sein

da|wi|der|re|den (*veraltet für* das
Gegenteil behaupten); sie hat
dawidergeredet

DAX®, Dax, der; - = Deutscher
Aktienindex (Durchschnitts-
kurs der 30 wichtigsten deutschen Aktien)

Day|tra|ding, Day-Tra|ding ['deɪ-
treɪdɪŋ], das; -s ⟨engl. »Tages-
handel«⟩ (kurzfristiger Handel
mit Aktien [über das Internet])

Da|zi|en, Da|zi|er usw. *vgl.* Dakien,
Daker usw.

da|zu

[*hinweisend:* 'da:...]
– dazu bin ich gut genug; sie sind
nicht dazu bereit
– die Entwicklung wird dazu (zu
dieser Sache) führen, dass ...;
weil viel Mut dazu gehört; er
war nicht dazu gekommen, zu
antworten ↑K48
Vgl. aber dazubekommen, dazugeben, dazugehören usw.

da|zu|be|kom|men (zusätzlich
bekommen); sie hat noch zwei
Äpfel dazubekommen

da|zu|ge|ben (hinzutun); du musst
noch etwas Mehl dazugeben

da|zu|ge|hö|ren (zu jmdm. od. etw.
gehören); er wünscht sich[,]
dazuzugehören; *vgl.* dazu

da|zu|ge|hö|rig

da|zu|hal|ten, sich (*landsch. für*
sich anstrengen, beeilen); er hat
sich nach Kräften dazugehalten

da|zu|kom|men (hinzukommen); es
sind noch Gäste dazugekom-
men; *aber* ↑K47 : dazu kommt,
dass ...; *vgl.* dazu

da|zu|kön|nen (*ugs. für* dafürkön-
nen)

da|zu|le|gen (zu etwas anderem
legen); du kannst deine Tasche
dazulegen

da|zu|ler|nen (zusätzlich, neu ler-
nen); um [etwas] dazuzulernen

da|zu|mal; anno dazumal

da|zu|rech|nen (rechnend hinzufü-
gen); er hat den Betrag dazuge-
rechnet

da|zu|schau|en (*österr. für* sich
anstrengen); er muss dazu-
schauen, dass er fertig wird

da|zu|schrei|ben (hinzufügen); er
hat einige Zeilen dazugeschrie-
ben

da|zu|set|zen (hinzusetzen); sie hat
sich am Nachbartisch dazuge-
setzt; *aber* du musst dich dazu
(zu dieser Tätigkeit) setzen

da|zu|tun (hinzutun); er hat einen
Apfel dazugetan; *aber* was kann
ich noch dazu tun?

Da|zu|tun, das (Hilfe, Unterstüt-
zung); ohne mein Dazutun

da|zu|ver|die|nen (zusätzlich ver-
dienen); in den Ferien hat er
sich etwas dazuverdient

da|zwi|schen

[*seltener* 'da:...]
– dazwischen hindurchgehen;
genau dazwischen sein, sich
genau dazwischen befinden
↑K48
Vgl. aber dazwischenfahren,
dazwischenfragen, dazwischenge-
hen usw.

da|zwi|schen|fah|ren (sich in etwas
einmischen, Ordnung schaffen);
du musst mal ordentlich dazwischenfahren

da|zwi|schen|fra|gen; er hat stän-
dig dazwischengefragt

da|zwi|schen|fun|ken (*ugs. für* sich
in etwas einschalten, etwas
durchkreuzen); der Chef hat
dauernd dazwischengefunkt

da|zwi|schen|kom|men (*auch
übertr.* sich in etwas einmischen); er ist dazwischengekom-
men

Da|zwi|schen|kunft, die; -, ...künfte
(*veraltet*)

da|zwi|schen|qua|ken (*ugs. für*
dazwischenreden)

da|zwi|schen|re|den; er hat ständig
dazwischengeredet

da|zwi|schen|ru|fen; sie hat ständig
dazwischengerufen

da|zwi|schen|schal|ten; ein dazwi-
schengeschaltetes Modul

da|zwi|schen|schla|gen (mit Schlä-
gen in eine Auseinandersetzung
o. Ä. eingreifen)

da|zwi|schen|tre|ten (*auch übertr.
für* schlichten, ausgleichen); er
ist mutig dazwischengetreten;
Da|zwi|schen|tre|ten, das; -s

Dazz|ler ['dæzlɐ], der; -s, - ⟨engl.⟩
(Zahnschmuck)

dB = *Zeichen für* Dezibel

¹DB, die; - = Deutsche Bücherei

²DB, die; - = Deutsche Bundesbahn
(bis 1993); Deutsche Bahn (ab
1994)

DBB, der; - = Deutscher Beamten-
bund

DBD, die; - = Demokratische Bau-
ernpartei Deutschlands *(in der
DDR)*

DB-ei|gen; DB-eigene Einrichtun-
gen

DBGM = Deutsches Bundes-Ge-
brauchsmuster

DBP = Deutsches Bundespatent

d. c. = da capo

D. C. [di:'si] = District of Colum-
bia

Dd. = doctorandus; *vgl.* Dokto-
rand

d. d. = de dato

D-Day ['di:deɪ], der; -s, -s ⟨engl.⟩
(Bez. für den Tag, an dem ein
größeres [militärisches] Unternehmen beginnt; Tag X)

DDD = digitale Aufnahme, digitale Bearbeitung, digitale Wiedergabe; *vgl.* AAD

DDR, die; - = Deutsche Demokratische Republik (1949–1990)

DDr. *(österr.)* = Dr. Dr.

DDR-Bür|ger; DDR-Bür|ge|rin

DDR-Zeit; zu DDR-Zeiten

DDT®, das; - ⟨*aus* Dichlordiphe-
nyltrichloräthan⟩ ([heute weitgehend verbotenes] Insekten-
vernichtungsmittel)

D-Dur ['de:..., *auch* de:'du:ɐ], das;
- (Tonart; *Zeichen* D);
D-Dur-Ton|lei|ter ↑K26

DE = ¹Delaware

Dead|line ['dɛtlaɪn], die; -, -s
⟨engl.⟩ (letzter Termin)

de|ak|ti|vie|ren, des|ak|ti|vie|ren
(in einen nicht aktiven Zustand
versetzen)

Deal [di:l], der; -s, -s ⟨*ugs. für* Handel, Geschäft⟩

dea|len ⟨engl.⟩ (illegal mit Rausch-
gift handeln); **Dea|ler,** der; -s, -
(Rauschgifthändler); **Dea|le|rin**

De|ba|kel, das; -s, - ⟨franz.⟩
(Zusammenbruch; Niederlage)

De|bat|te, die; -, -n ⟨franz.⟩ (Erör-
terung [im Parlament])

De|bat|ter ⟨engl.⟩ (*svw.* Debattie-
rer); De|bat|te|rin

de|bat|tie|ren ⟨franz.⟩ (erörtern, verhandeln)

De|bat|tie|rer (jmd., der an einer Debatte teilnimmt, der debattiert); De|bat|tie|re|rin; De|bat|tier|fo|rum

De|bat|tier|klub, De|bat|tier|club (abwertend)

de Beau|voir [də bo'vọa:ɐ̯] vgl. Beauvoir, de

De|bet, das; -s, -s ⟨lat.⟩ (Bankw. die linke Seite, Sollseite eines Kontos)

de|bil ⟨lat.⟩ (Med. an Debilität leidend); De|bi|li|tät, die; - (Med. gravierender Intelligenzdefekt)

de|bi|tie|ren ⟨lat.⟩ (Bankw. jmdn., ein Konto belasten)

De|bit|kar|te [...'bi:...] (Geldkarte)

De|bi|tor, der; -s, ...ọren meist Plur. (Schuldner, der Waren auf Kredit bezogen hat); De|bi|to|ren|kon|to

De|bo|ra (bibl. w. Eigenn.); De|borah, De|bo|ra (w. Vorn.)

De|b|re|cen (Stadt in Ungarn)

De|b|re|czin [...tsi:n], De|b|re|zin (im Dt. gebräuchliche Formen von Debrecen)

De|b|re|czi|ner, De|bre|zi|ner, die; -, - (stark gewürztes Würstchen)

De|bus|sy [dəby'si:] (franz. Komponist)

De|büt [...'by:], das; -s, -s ⟨franz.⟩ (erstes Auftreten)

De|bü|tant, der; -en, -en (erstmalig Auftretender; Anfänger); De|bütan|tin; De|bü|tan|tin|nen|ball

de|bü|tie|ren

De|ca|me|ro|ne, der, auch das; -s ⟨ital.⟩ vgl. Dekameron

De|cha|nat, De|ka|nat, das; -[e]s, -e ⟨lat.⟩ (Amt od. Sprengel eines Dechanten, Dekans)

De|cha|nei, De|ka|nei (Wohnung eines Dechanten)

De|chant [auch, österr. nur, 'de...], der; -en, -en, De|kan, der; -s, -e ⟨lat.⟩; (höherer kath. Geistlicher, Vorsteher eines kath. Kirchenbezirkes u. a.); De|chan|tin, De|ka|nin

De|cher, das od. der; -s, - ⟨lat.⟩ (früheres deutsches Maß [= 10 Stück] für Felle u. Rauchwaren)

de|chif|f|rie|ren [deʃ...] ⟨franz.⟩ ([Geheimschrift, Nachricht] entschlüsseln); De|chif|f|rie|rung

Dech|sel, die; -, -n (beilähnliches Werkzeug)

De|ci|mus (röm. m. Vorn.; Abk. D.)

Deck, das; -[e]s, Plur. -s, selten -e

Deck|ad|res|se; Deck|an|schrift;

Deck|auf|bau|ten Plur.; Deck-bett; Deck|blatt

De|cke, die; -, -n

De|ckel, der; -s, -

De|ckel|glas Plur. ...gläser; De|ckel-kan|ne; De|ckel|krug

de|ckeln (ugs. auch für rügen; [Ausgaben] begrenzen); ich deck[e]le; De|cke|lung (ugs.)

de|cken

De|cken|be|leuch|tung; De|cken|flu-ter (zur Decke strahlende Standleuchte); De|cken|ge|mäl-de; De|cken|kon|s|t|ruk|ti|on; De-cken|lam|pe; De|cken|ma|le|rei; De|cken|ven|ti|la|tor

Deck|far|be; Deck|haar; Deck-hengst; Deck|man|tel; Deck|na-me

Deck|of|fi|zier (Seemannsspr.); Deck|of|fi|zie|rin

Deck|plat|te

Deck[s]|la|dung; Deck[s]|last; Deck[s]|plan|ke

De|ckung

De|ckungs|bei|trag (Wirtsch.)

De|ckungs|feh|ler (Sportspr.)

de|ckungs|gleich (für kongruent)

De|ckungs|kar|te (Kfz-Versicherung); De|ckungs|lü|cke; De-ckungs|sum|me

Deck|weiß; Deck|wort Plur. ...wörter

De|co|der (Elektronik Datenentschlüssler); **de|co|die|ren** usw. vgl. dekodieren usw.

De|col|la|ge [...ʒə], die; -, -n ⟨franz.⟩ (Kunstwerk, das durch zerstörende Veränderung von Materialien entsteht)

De|col|la|gist, der; -en, -en (Künstler, der Decollagen herstellt); De|col|la|gis|tin

de|cou|ra|giert [...kura'ʒi:ɐ̯t] ⟨franz.⟩ (veraltend für verzagt)

de|cresc. = decrescendo

de|cre|scen|do [...'ʃe...] ⟨ital.⟩ (Musik abnehmend; Abk. decresc.)

De|cre|scen|do, das; -s, Plur. -s u. ...di (Musik)

de da|to ⟨lat.⟩ (veraltet für vom Tage der Ausstellung an; Abk. d. d.); vgl. a dato

De|di|ka|ti|on, die; -, -en ⟨lat.⟩ (Widmung; Geschenk); de|di-zie|ren (widmen; schenken)

De|duk|ti|on, die; -, -en ⟨lat.⟩ (Philos. Herleitung des Besonderen aus dem Allgemeinen; Beweis); De|duk|ti|ons|the|o|rem

de|duk|tiv [auch 'de:...]

de|du|zier|bar; de|du|zie|ren

Deern, die; -, -s (nordd. für Mädchen)

De|es|ka|la|ti|on [auch 'de:...], die; -, -en ⟨franz.-engl.⟩ (stufenweise Abschwächung); de|es|ka|lie|ren [auch 'de:...]

DEFA, die; - = Deutsche Film-AG

de fac|to ⟨lat.⟩ (tatsächlich [bestehend]); De-fac|to-An|er|ken|nung ↑K26

De-fac|to-Re|gie|rung ↑K26

De|fä|ka|ti|on, die; -, -en ⟨lat.⟩ (Med. Stuhlentleerung); de|fä-kie|ren

De|fä|tis|mus, schweiz. auch De-fai|tis|mus [...fe...], der; - ⟨franz.⟩ (Hoffnungslosigkeit, Neigung zum Aufgeben)

De|fä|tist, schweiz. auch De|fai|tist [...fe...], der; -en, -en (jmd., der mut- u. hoffnungslos ist); De|fä-tis|tin, schweiz. auch De|fai|tis-tin

de|fä|tis|tisch, schweiz. auch de-fai|tis|tisch [...fe...]

De|fault [dɪ'fɔ:lt], das od. der; -s, -s ⟨engl.⟩ (EDV Voreinstellung, Standardeinstellung); de|fault-mä|ßig (EDV)

de|fekt ⟨lat.⟩ (schadhaft; fehlerhaft); De|fekt, der; -[e]s, -e

de|fek|tiv [auch 'de:...] (mangelhaft)

De|fek|ti|vum, das; -s, ...va (Sprachw. nicht an allen grammatischen Möglichkeiten seiner Wortart teilnehmendes Wort, z. B. »Leute« [ohne Singular])

de|fen|siv [auch 'de:...] ⟨lat.⟩ (verteidigend); De|fen|si|ve, die; -, -n Plur. selten (Verteidigung)

De|fen|siv|krieg

De|fen|siv|spiel (Sportspr.); De|fen-siv|spie|ler; De|fen|siv|spie|le|rin; De|fen|siv|stel|lung; De|fen|siv-tak|tik

De|fen|sor, der; -s, ...ọren (Verteidiger, z. B. in Fịdei Defensor = Verteidiger des Glaubens [Ehrentitel des engl. Königs])

De|fe|r|eg|gen, das; -s (österr. Alpental); **De|fe|r|eg|gen|tal**, De-fe|r|eg|gen-Tal

De|fi|bril|la|ti|on, die; -, -en (Med. Beseitigung von Herzmuskelstörungen); De|fi|bril|la|tor, der; -s, ...ọren

De|fi|lee [schweiz. 'de...], das; -s, Plur. -s, schweiz. nur so, sonst auch ...leen ⟨franz.⟩ ([parademäßiger] Vorbeimarsch)

de|fi|lie|ren (parademäßig od. feierlich vorbeiziehen)

de|fi|nier|bar

de|fi|nie|ren ⟨lat.⟩ ([einen Begriff] erklären, bestimmen)

de|fi|nit (bestimmt); definite Größen (*Math.* Größen, die immer das gleiche Vorzeichen haben)

De|fi|ni|ti|on, die; -, -en

de|fi|ni|tiv [*auch* 'de:...] (endgültig, abschließend); definitiv stellen (*österr. für* auf Lebenszeit anstellen, verbeamten)

De|fi|ni|ti|vum, das; -s, ...va (endgültiger Zustand)

de|fi|ni|to|risch (die Definition betreffend)

De|fi|zi|ent, der; -en, -en ⟨lat.⟩ (*veraltet für* Dienstunfähiger)

De|fi|zit, das; -s, -e (Fehlbetrag; Mangel); de|fi|zi|tär

De|fla|ti|on, die; -, -en ⟨lat.⟩ (*Geol.* Abblasung lockeren Gesteins durch Wind; *Wirtsch.* Abnahme des Preisniveaus)

de|fla|ti|o|när, de|fla|ti|o|nis|tisch, de|fla|to|risch (*Wirtsch.* eine Deflation betreffend, bewirkend)

De|flek|tor, der; -s, ...oren ⟨lat.⟩ (*Technik* Saug-, Rauchkappe; *Kerntechnik* Ablenkungselektrode im Zyklotron)

De|flo|ra|ti|on, die; -, -en ⟨lat.⟩ (Zerstörung des Hymens beim ersten Geschlechtsverkehr)

de|flo|rie|ren; De|flo|rie|rung

De|foe [də'fo:] (engl. Schriftsteller)

De|for|ma|ti|on, die; -, -en (Formänderung; Verunstaltung)

de|for|mie|ren; De|for|mie|rung (*svw.* Deformation); De|for|mi|tät (*Med.* Fehlbildung)

De|frau|dant, der; -en, -en ⟨lat.⟩ (*veraltend für* Betrüger)

De|frau|da|ti|on, die; -, -en (*veraltet für* Unterschlagung, Hinterziehung); de|frau|die|ren

De|fros|ter ⟨engl.⟩, De|fros|ter|anla|ge ⟨engl.; dt.⟩ (Anlage im Auto, die das Vereisen der Windschutzscheibe verhütet)

def|tig (derb, saftig; tüchtig, sehr); Def|tig|keit

De|ga|ge|ment [...ʒa'mã:], das; -s, -s ⟨franz.⟩ (*veraltet für* Zwanglosigkeit; Befreiung); de|ga|gie|ren (*veraltet für* [von einer Verbindlichkeit] befreien)

De|gas [də'ga] (franz. Maler)

de Gaulle [də 'go:l] *vgl.* Gaulle, de; De-Gaulle-An|hän|ger ↑K137; de-Gaulle-freund|lich ↑K137

¹De|gen, der; -s, - (*altertüml. für* [junger] Held; Krieger)

²De|gen, der; -s, - (Stichwaffe)

De|ge|ne|ra|ti|on, die; -, -en (Entartung; Rückbildung); De|ge|ne|rati|ons|er|schei|nung

de|ge|ne|ra|tiv

de|ge|ne|rie|ren

De|gen|fech|ten; De|gen|griff

De|gen|hard (m. Vorn.)

De|gen|klin|ge; De|gen|korb; Degen|stoß

de|gor|gie|ren [...'ʒi:...] (*Fachspr.* die Hefe entfernen [bei der Schaumweinherstellung])

De|gout [...'gu:], der; -s ⟨franz.⟩ (*geh. für* Ekel, Widerwille); degou|tant (*geh. für* ekelhaft)

de|gou|tie|ren (*geh. für* anekeln; ekelhaft finden)

De|gra|da|ti|on, die; -, -en ⟨lat.⟩ (Degradierung; Ausstoßung eines kath. Geistlichen aus dem geistl. Stand)

de|gra|die|ren; De|gra|die|rung (Herabsetzung [im Rang]; Herabwürdigung)

De|gres|si|on, die; -, -en ⟨franz.⟩ (*Wirtsch.* relative Kostenabnahme bei steigender Produktionsmenge; *Steuerwesen* Abnahme des Steuersatzes bei abnehmendem Einkommen)

de|gres|siv (abnehmend, sich [stufenweise] vermindernd); degressive Kosten

De|gus|ta|ti|on, die; -, -en ⟨lat.⟩ (*bes. schweiz. für* Kostprobe)

de gus|ti|bus non est dis|pu|tandum ⟨lat., »über den Geschmack ist nicht zu streiten«⟩

de|gus|tie|ren (*bes. schweiz. für* probieren, kosten); Weine degustieren

dehn|bar; Dehn|bar|keit, die; -

deh|nen; dehn|fä|hig; Dehn|fä|higkeit

Dehn|son|de (*Med.*); Dehn|übung

Deh|nung; Deh|nungs-h, das; -, - ↑K29; Deh|nungs|zei|chen

De|hors [de'o:ʁ(s)] *Plur.* ⟨franz.⟩ (*veraltend für* äußerer Schein; gesellschaftlicher Anstand); die Dehors wahren

De|hy|d|ra|ta|ti|on, die; -, -en ⟨lat.; griech.⟩ (*fachspr. für* Trocknung [von Lebensmitteln])

De|hy|d|ra|ti|on, die; -, -en; *vgl.* Dehydrierung

de|hy|d|ra|ti|sie|ren ([Lebensmitteln] zur Trocknung Wasser entziehen)

de|hy|d|rie|ren ([einer chem. Verbindung] Wasserstoff entziehen; *Med.* zu viel Flüssigkeit

verlieren, austrocknen); De|hy|drie|rung (Entzug von Wasserstoff)

Dei|bel *vgl.* Deiwel

Deich, der; -[e]s, -e (Damm)

Deich|bau, der; -[e]s; Deich|bö|schung; Deich|bruch; dei|chen; Deich|fuß; Deich|ge|nos|sen|schaft

Deich|graf, Deich|gräf; Deich|grä|fin

Deich|haupt|mann; Deich|kro|ne; Deich|ord|nung

¹Deich|sel, die; -, -n (Wagenteil)

²Deich|sel, die; -, -n (*Nebenform von* Dechsel)

Deich|sel|bruch; Deich|sel|kreuz

deich|seln (*ugs. für* [etwas Schwieriges] zustande bringen); ich deichs[e]le

Deich|vor|ste|her

De|i|fi|ka|ti|on, die; -, -en ⟨lat.⟩ (Vergottung einer Person od. Sache); de|i|fi|zie|ren

Dei Gra|tia (von Gottes Gnaden; *Abk.* D. G.)

deik|tisch [*auch* de'ɪ... (*mit Trennung* delik|tisch)] ⟨griech.⟩ (hinweisend; auf Beispiele gegründet)

¹dein

– dein Buch, deine Brille; Wessen Buch ist das? Ist es dein[e]s?
– ein Streit über Mein und Dein; Mein und Dein verwechseln

In Briefen kann »dein« groß- od. kleingeschrieben werden:

– Liebe Petra, vielen Dank für deinen od. Deinen Brief

Vgl. auch deine

²dein, dei|ner (*Gen. von* »du«; *geh.*); ich gedenke dein[er]

dei|ne, dei|nl|ge; Wessen Garten ist das? Ist es der dein[ig]e?; *aber* grüße die dein[ig]en od. die Dein[ig]en (deine Angehörigen); du musst das dein[ig]e od. das Dein[ig]e tun

dei|ner *vgl.* ²dein

dei|ner|seits

dei|nes|glei|chen

dei|nes|teils

dei|net|hal|ben (*veraltend*)

dei|net|we|gen

dei|net|wil|len; um deinetwillen

dei|ni|ge *vgl.* deine

de|in|s|tal|lie|ren (*EDV*)

De|is|mus, der; - ⟨lat.⟩ (Gottesglaube [aus Vernunftgründen])

De|ist, der; -en, -en; de|is|tisch

Deiwel – dekortieren

D

Deiw

Dei|wel, Dei|xel, der; -s (ugs. für
Teufel)
Dé|jà-vu-Er|leb|nis [deʒaˈvy:...]
⟨franz.; dt.⟩ (Psych. Eindruck,
Gegenwärtiges schon einmal
»gesehen«, erlebt zu haben)
De|jekt, das; -[e]s, -e ⟨lat.⟩ (Med.
Ausgeschiedenes [bes. Kot]);
De|jek|ti|on, die; -, -en (Aus-
scheidung)
De|jeu|ner [...ʒøˈne:], das; -s, -s
⟨franz.⟩ (geh. für Frühstücksge-
deck; veraltet für Frühstück)
de ju|re ⟨lat.⟩ (von Rechts wegen);
De-ju|re-An|er|ken|nung ↑K 26
De|ka, das; -[s], - ⟨griech.⟩ (österr.
Kurzform für Dekagramm; Abk.
dag)
de|ka... (zehn...); De|ka... (Zehn...;
das Zehnfache einer Einheit,
z. B. Dekameter = 10 Meter;
Zeichen da)
De|ka|b|rist, der; -en, -en ⟨griech.-
russ.⟩ (Teilnehmer an dem Auf-
stand im Dezember 1825 in
Russland)
De|ka|de, die; -, -n ⟨griech.⟩ (zehn
Stück; Zeitraum von zehn
Tagen, Wochen, Monaten oder
Jahren)
de|ka|dent ⟨lat.⟩ (im Verfall begrif-
fen); De|ka|denz, die; - ([kultu-
reller] Verfall, Niedergang)
de|ka|disch ⟨griech.⟩ (zehnteilig);
dekadischer Logarithmus, deka-
disches System (Math.)
De|ka|eder, das; -s, - (Zehnfläch-
ner)
De|ka|gramm [auch ˈdɛ...] (10 g;
Zeichen dag); vgl. Deka
De|ka|li|ter [auch ˈdɛ...] (10 l; Zei-
chen dal)
De|kal|kier|pa|pier ⟨lat.; griech.⟩
(für den Druck von Abziehbil-
dern)
De|ka|log, der; -[e]s ⟨griech.⟩
(christl. Rel. die Zehn Gebote)
De|ka|me|ron, das; -s ⟨ital.⟩ (Boc-
caccios Erzählungen der »zehn
Tage«); vgl. Decamerone
De|ka|me|ter [auch ˈdɛ...] ⟨griech.⟩
(10 m; Zeichen dam)
De|kan, der; -s, -e ⟨lat.⟩ (Vorsteher
einer Fakultät; Amtsbezeichnung für Geistliche); vgl.
Dechant; De|ka|nat, das; -[e]s, -e
⟨lat.⟩ (Amt, Bezirk eines
Dekans); vgl. Dechanat
De|ka|nei (Wohnung eines
Dekans); vgl. Dechanei
De|ka|nin vgl. Dekan u. Dechantin
de|kan|tie|ren ⟨franz.⟩ (bes. Che-

mie [eine Flüssigkeit vom
Bodensatz] abgießen)
de|ka|pie|ren ⟨franz.⟩ (fachspr. für
[Metalle] abbeizen; entzundern)
De|ka|po|de, der; -n, -n meist Plur.
⟨griech.⟩ (Zool. Zehnfußkrebs)
De|k|ar, das; -s, -e ⟨franz.⟩ (10 Ar);
3 Dekar
De|k|a|re, die; -, -n ⟨lat.⟩ (svw.
Dekar)
de|kar|tel|lie|ren, de|kar|tell|i|sie-
ren ⟨franz.⟩ (Wirtsch. Kartelle
entflechten, auflösen); De|kar-
tell|li|sie|rung
De|ka|ster, der; -s, Plur. -e u. -s
⟨griech.⟩ (10 Ster = 10 m³)
De|ka|teur [...ˈtøːɐ], der; -s, -e
⟨franz.⟩ (Textilw. Fachmann, der
dekatiert); de|ka|tie|ren (bes.
Wollstoffe durch Dämpfen
behandeln, um nachträgliches
Einlaufen zu vermeiden); De|ka-
tie|rer vgl. Dekateur
De|ka|tur, die; -, -en (Vorgang des
Dekatierens)
De|kla|ma|ti|on, die; -, -en ⟨lat.⟩
(kunstgerechter Vortrag [einer
Dichtung])
De|kla|ma|tor, der; -s, ...oren; De-
kla|ma|to|rin; de|kla|ma|to|risch
de|kla|mie|ren
De|kla|ra|ti|on, die; -, -en ⟨lat.⟩
([öffentl.] Erklärung; Steuer-,
Zollerklärung; Inhalts-, Wertan-
gabe)
de|kla|ra|tiv; de|kla|ra|to|risch;
deklaratorische Urkunde
de|kla|rie|ren; De|kla|rie|rung
de|klas|sie|ren ⟨lat.⟩ (herabsetzen;
Sport [einen Gegner] überlegen
besiegen); De|klas|sie|rung
de|kli|na|bel ⟨lat.⟩ (Sprachw. verän-
derlich, beugbar); ...a|b|le Wör-
ter
De|kli|na|ti|on, die; -, -en (Sprachw.
Beugung der Substantive,
Adjektive, Pronomen u. Nume-
ralien; Geophysik Abweichung
der Richtung einer Magnetnadel
von der geograf. Nordrichtung;
Astron. Abweichung, Winkelab-
stand eines Gestirns vom Him-
melsäquator); De|kli|na|ti|ons|en-
dung (Sprachw.)
De|kli|na|tor, der; -s, ...oren, De|kli-
na|to|ri|um, das; -s, ...ien (Geo-
physik Gerät zur Bestimmung
[zeitlicher Änderungen] der
Deklination)
de|kli|nier|bar (Sprachw. beugbar);
de|kli|nie|ren (Sprachw. [Sub-
stantive, Adjektive, Pronomen
u. Numeralien] beugen)

de|ko|die|ren, de|co|die|ren (eine
Nachricht entschlüsseln); De|ko-
die|rung, De|co|die|rung
De|kokt, das; -[e]s, -e ⟨lat.⟩
(Pharm. Abkochung, Absud
[von Arzneimitteln])
De|kolle|tee, De|kol|le|té
[...kɔlˈte:], das; -s, -s ⟨franz.⟩
(tiefer [Kleid]ausschnitt); de-
kolle|tie|ren; de|kolle|tiert
De|ko|lo|ni|sa|ti|on, die; -, -en
⟨nlat.⟩ (Entlassung einer Kolo-
nie aus der Abhängigkeit vom
Mutterland)
de|ko|lo|ni|sie|ren; De|ko|lo|ni|sie-
rung
de|kom|po|nie|ren ⟨lat.⟩ (zerlegen
[in die Grundbestandteile])
De|kom|po|si|ti|on, die; -, -en; de-
kom|po|si|to|risch (geh. für zer-
setzend, zerstörend)
De|kom|pres|si|on, die; -, -en ⟨lat.⟩
(Technik Druckabfall; Druck-
entlastung); De|kom|pri|mie|ren
de|kon|s|t|ru|ie|ren ⟨lat.⟩ (zerlegen,
auflösen); De|kon|s|t|ruk|ti|on
De|kon|s|t|ruk|ti|vis|mus, der; -s
⟨lat.-engl.⟩ (gegenwärtige Strömung der Architektur, Wissen-
schaftstheorie u. Literaturwis-
senschaft); De|kon|s|t|ruk|ti|vist;
De|kon|s|t|ruk|ti|vis|tin
De|kon|ta|mi|na|ti|on, die; -, -en
⟨nlat.⟩ (Entgiftung; Beseitigung
od. Verringerung radioaktiver
Verstrahlung)
de|kon|ta|mi|nie|ren; De|kon|ta|mi-
nie|rung
de|kon|zen|t|ra|ti|on, die; -, -en
⟨nlat.⟩ (Zerstreuung, Zersplitte-
rung); de|kon|zen|t|rie|ren
De|kor, der od. das, Plur. -s u. -e
⟨franz.⟩ ([farbige] Verzierung,
Ausschmückung, Vergoldung;
Muster)
De|ko|ra|teur [...ˈtøːɐ], der; -s, -e;
De|ko|ra|teu|rin
De|ko|ra|ti|on, die; -, -en
De|ko|ra|ti|ons|ma|ler; De|ko|ra|ti-
ons|ma|le|rin
De|ko|ra|ti|ons|pa|pier; De|ko|ra|ti-
ons|stoff
de|ko|ra|tiv
de|ko|rie|ren (ausschmücken,
gestalten; mit einem Orden
ehren); De|ko|rie|rung (auch für
Auszeichnung mit Orden u. Ä.)
De|kort [...ˈkoːɐ, auch ...ˈkort], der;
-s, Plur. -s u. -e (bei dt. Ausspr.) -e
⟨franz.⟩ (Wirtsch. Zahlungsab-
zug wegen Mindergewicht, Qua-
litätsmangel u. Ä.; Preisnach-
lass); de|kor|tie|ren

306

De|ko|rum, das; -s ⟨lat.⟩ (*veraltend für* Anstand, Schicklichkeit); das Dekorum wahren
De|ko|stoff (*Kurzform für* Dekorationsstoff)
DEKRA, die; - = Deutscher Kraftfahrzeug-Überwachungsverein
De|kre|ment, das; -[e]s, -e ⟨lat.⟩ (Verminderung, Verfall; *Med.* Abklingen einer Krankheit)
De|kre|pi|ta|ti|on, die; -, -en (*Chemie* Verpuffen, knisterndes Zerplatzen [beim Erhitzen]); **de|kre|pi|tie|ren**
De|kre|scen|do [...ˈʃɛ...] *vgl.* Decrescendo; **De|kres|zenz,** die; -, -en (*fachspr. für* Abnahme)
De|kret, das; -[e]s, -e ⟨lat.⟩ (Beschluss; Verordnung; behördliche, richterliche Verfügung)
De|kre|ta|le, das; -, ...lien *od.* die; -, -n *meist Plur.* ([päpstlicher] Entscheid)
de|kre|tie|ren
De|ku|bi|tus, der; - ⟨lat.⟩ (*Med.* Wundliegen)
De|ku|ma|ten|land, De|ku|mat|land, das; -[e]s ⟨lat.; dt., »Zehntland«⟩ (altrömisches Kolonialgebiet zwischen Rhein, Main u. Neckar)
de|ku|pie|ren ⟨franz.⟩ (ausschneiden, aussägen); **De|ku|pier|sä|ge** (Schweif-, Laubsäge)
De|ku|rie [...jə], die; -, -n ⟨lat.⟩ (*bei den Römern urspr.* Abteilung von zehn Mann in der altröm. Reiterei; *dann allgemein für* Gruppe von Senatoren, Richtern, Rittern)
De|ku|rio, der; *Gen.* -s u. ... onen, *Plur.* ... onen (*urspr.* Vorsteher einer Dekurie; *dann auch* Mitglied des Stadtrates in altröm. Städten)
De|ku|vert [...ˈveːɐ̯, *auch* ...ˈvɛːɐ̯], das; -s, -s ⟨franz.⟩ (*Börse* Überschuss der Baissegeschäfte über die Haussegeschäfte)
de|ku|v|rie|ren (*geh. für* entlarven); **De|ku|v|rie|rung** (*geh.*)
del. = deleatur; delineavit
De|la|croix [dəlaˈkroa], Eugène [øˈʒɛn] (franz. Maler)
[1]De|la|ware [...laveːɐ̯] (Staat in den USA; *Abk.* DE)
[2]De|la|wa|re [dela...], der; -n, -n (Angehöriger eines nordamerik. Indianerstammes)
de|le|a|tur ⟨lat., »man streiche«⟩ (*Druckw.* Anweisung zur Streichung; *Abk.* del.; *Zeichen* ♎)

De|le|a|tur, das; -s, - (*Druckw.* Tilgungszeichen ♎); **De|le|a|tur|zeichen**
De|le|gat, der; -en, -en ⟨lat.⟩ (Bevollmächtigter); Apostolischer Delegat; **De|le|ga|tin**
De|le|ga|ti|on, die; -, -en (Abordnung)
De|le|ga|ti|ons|lei|ter; De|le|ga|ti|ons|lei|te|rin; De|le|ga|ti|ons|mit|glied
de|le|gie|ren (abordnen; auf einen anderen übertragen)
De|le|gier|te, der u. die; -n, -n (Abgesandte[r], Mitglied einer Delegation)
De|le|gier|ten|kon|fe|renz; De|le|gier|ten|ver|samm|lung
De|le|gie|rung
de|le|gi|ti|mie|ren (*geh. für* die Legitimation absprechen); **De|le|gi|ti|mie|rung**
de|lek|tie|ren ⟨lat.⟩ (*geh. für* erfreuen); sich delektieren
de|le|tär ⟨nlat.⟩ (*Med.* tödlich, verderblich)
Del|fin, Del|phin, der; -s, -e ⟨griech.⟩ (ein Zahnwal)
Del|fi|na|ri|um, Del|phi|na|ri|um, das; -s, ...ien (Anlage zur Pflege, Züchtung und Dressur von Delfinen)
Del|fin|for|scher, Del|phin|forscher; Del|fin|for|sche|rin, Del|phin|for|sche|rin
del|fin|schwim|men, del|phin|schwim|men; Del|fin schwim|men, Del|phin schwim|men; *aber nur:* sie schwimmt Delfin *od.* Delphin
Del|fin|schwim|men, Del|phin|schwim|men, das; -s
Del|fin|schwim|mer, Del|phin|schwim|mer
Del|fin|schwim|me|rin, Del|phin|schwim|merin
Del|fin|sprung, Del|phin|sprung
Delft (niederl. Stadt); **Delf|ter;** Delfter Fayencen
Del|hi [...li] (Hauptstadt der Republik Indien); *vgl.* Neu-Delhi
De|lia (w. Vorn.)
De|li|be|ra|ti|on, die; -, -en ⟨lat.⟩ (*geh. für* Beratschlagung)
de|li|kat ⟨franz.⟩ (lecker, wohlschmeckend; zart; heikel)
De|li|ka|tes|se, die; -, -n (Leckerbissen; Feinkost; *nur Sing.:* Zartgefühl)
De|li|ka|tes|sen|ge|schäft, De|li|ka|tess|ge|schäft; **De|li|ka|tess|senf,** De|li|ka|tess-Senf
De|li|kat|la|den (*in der DDR*

Geschäft für hochwertige Lebens- u. Genussmittel)
De|likt, das; -[e]s, -e ⟨lat.⟩ (Vergehen; Straftat)
de|likts|fä|hig
De|li|la (w. Vorn.; bibl. w. Eigenn.)
de|lin., del. = delineavit
de|li|ne|a|vit ⟨lat., »hat [es] gezeichnet«⟩ (unter Bildern; *Abk.* del., delin.)
de|lin|quent ⟨lat.⟩ (straffällig, verbrecherisch)
De|lin|quent, der; -en, -en (Übeltäter)
De|lin|quen|tin
De|lin|quenz, die; - (*fachspr. für* Straffälligkeit)
de|li|rie|ren ⟨lat.⟩ (*Med.* sich im Delirium befinden)
De|li|ri|um, das; -s, ...ien (Form der Psychose mit Bewusstseins- u. Orientierungsstörungen); **De|li|ri|um tre|mens,** das; - - (bei [Alkohol]vergiftungen auftretendes Delirium)
de|lisch (von Delos); ↑K 142 : das delische Problem (von Apollo den Griechen gestellte Aufgabe, seinen würfelförmigen Altar auf Delos zu verdoppeln), *aber* ↑K 150 : der Delische Bund
de|li|zi|ös ⟨franz.⟩ (*geh. für* köstlich)
De|li|zi|us, der; -, -; *vgl.* Golden Delicious
Del|kre|de|re, das; -s, - ⟨ital.⟩ (*Wirtsch.* Haftung; Wertberichtigung für voraussichtliche Ausfälle)
Del|le, die; -, -n (*landsch. für* [leichte] Vertiefung; Beule)
de|lo|gie|ren [...ˈʒi:...] ⟨franz.⟩ (*bes. österr. für* jmdn. zum Auszug aus einer Wohnung veranlassen *od.* zwingen); **De|lo|gie|rung** (Zwangsräumung)
De|los (Insel im Ägäischen Meer)
Del|phi (altgriech. Orakelstätte)
Del|phin, del|phin|schwim|men usw. *vgl.* Delfin, delfinschwimmen usw.
del|phisch; ein delphisches ([nach Delphi benanntes] doppelsinniges) Orakel; *aber* das Delphische (in Delphi bestehende) Orakel
[1]Del|ta, das; -[s], -s (griech. Buchstabe; Δ, δ)
[2]Del|ta, das; -s, *Plur.* -s u. ...ten (fächerförmiges Gebiet im Bereich einer mehrarmigen Flussmündung)
del|ta|för|mig

Del|ta|mün|dung
Del|ta|strah|len, δ-Strah|len
['dɛlta...] *Plur.* (beim Durchgang radioaktiver Strahlung
durch Materie freigesetzte
Elektronenstrahlen)
Del|to|id, das; -[e]s, -e ⟨griech.⟩
(Viereck aus zwei gleich-
schenkligen Dreiecken)
de luxe [dəˈlʏks] ⟨franz.⟩ (aufs
Beste ausgestattet, mit allem
Luxus); De-luxe-Aus|stat|tung
dem *vgl.* der
De|m|a|go|ge, der; -n, -n
⟨griech.⟩ (Volksverführer, -auf-
wiegler); De|m|a|go|gie, die; -,
...ien; De|m|a|go|gin; de|m|a-
go|gisch
De|mant [*auch* ...ˈmant], der;
-[e]s, -e ⟨franz.⟩ (*geh. für* Dia-
mant); de|man|ten (*geh. für*
diamanten)
De|man|to|id, der; -[e]s, -e
⟨griech.⟩ (ein Mineral)
De|mar|che [...ʃ(ə)], die; -, -n
⟨franz.⟩ (diplomatischer
Schritt, mündlich vorgetrage-
ner diplomatischer Ein-
spruch)
De|mar|ka|ti|on, die; -, -en
⟨franz.⟩ (Abgrenzung)
De|mar|ka|ti|ons|li|nie
de|mar|kie|ren; De|mar|kie|rung
de|mas|kie|ren ⟨franz.⟩ (entlar-
ven); sich demaskieren (die
Maske abnehmen); De|mas-
kie|rung
De|men (*Plur. von* Demos)
de|ment ⟨lat.⟩ (*Med.* an Demenz
leidend)
dem|ent|ge|gen (dagegen)
De|men|ti, das; -s, -s ⟨lat.⟩ (offi-
zieller Widerruf; Berichti-
gung)
De|men|tia, die; -, ...tiae ⟨lat.⟩
(*svw.* Demenz)
de|men|ti|ell, de|men|zi|ell
de|men|tie|ren ⟨lat.⟩ (widerrufen;
für unwahr erklären)
dem|ent|spre|chend; er war
müde und dementsprechend
ungehalten, *aber* eine dem
[Gesagten] entsprechende
Antwort
De|menz, die; -, -en ⟨lat.⟩ (*Med.*
krankheitsbedingter Abbau
der Leistungsfähigkeit des
Gehirns); de|men|zi|ell, de-
men|ti|ell; De|menz|kran|ke,
der *u.* die; -n, -n
De|me|rit, der; -en, -en ⟨franz.⟩
(*kath. Kirche* straffällig gewordener Geistlicher)

De|me|ter [*österr. meist* ˈde:...]
(griech. Göttin des Ackerbaues)
dem|ge|gen|über (andererseits);
aber dem [Mann] gegenüber
saß ...
dem|ge|mäß
De|mi|john [...dʒɔn], der; -s, -s
⟨engl.⟩ (Korbflasche)
de|mi|li|ta|ri|sie|ren (entmilitarisie-
ren); De|mi|li|ta|ri|sie|rung
De|mi|mon|de [dəmiˈmõ:də], die; -
⟨franz.⟩ (»Halbwelt«)
de|mi|nu|tiv usw. (*Nebenform von*
diminutiv usw.)
de|mi-sec [...ˈsɛk] ⟨franz.⟩ (halbtro-
cken [von Schaumweinen])
De|mis|si|on ⟨franz.⟩ (Rücktritt
eines Ministers od. einer Regierung)
De|mis|si|o|när, der; -s, -e (*schweiz.*
für Funktionär, der seinen
Rücktritt erklärt hat; *veraltet*
für entlassener, verabschiedeter
Beamter); De|mis|si|o|nä|rin
de|mis|si|o|nie|ren
De|mi|urg, der; *Gen.* -en *u.* -s
⟨griech.⟩ (Weltschöpfer, göttli-
cher Weltbaumeister [bei Platon
u. in der Gnosis])
dem|nach
dem|nächst [*auch* ...ˈnɛ:...]
De|mo [*auch* ˈdɛ...], die; -, -s (*ugs.*
kurz *für* Demonstration)
De|mo|band *vgl.* Demotape
De|mo|bi|li|sa|ti|on, die; -, -en ⟨lat.⟩
de|mo|bi|li|sie|ren (den Kriegszu-
stand beenden, die Kriegswirt-
schaft abbauen); De|mo|bi|li|sie-
rung
De|mo|bil|ma|chung
De|mo|graf, De|mo|graph, der;
-en, -en ⟨griech.⟩ (jmd., der
berufsmäßig Demografie
betreibt)
De|mo|gra|fie, De|mo|gra|phie,
die; -, ...ien (Bevölkerungsstatis-
tik, -wissenschaft)
De|mo|gra|fin, De|mo|gra|phin
de|mo|gra|fisch, de|mo|gra|phisch
De|mo|graph usw. *vgl.* Demograf
usw.
De|moi|selle [...mɔaˈzɛl], die; -, -n
⟨franz.⟩ (*veraltet für* unverheiratete Frau)
De|mo|krat, der; -en, -en ⟨griech.⟩
De|mo|kra|tie, die; -, ...ien ⟨griech.,
»Volksherrschaft«⟩ (Staatsform,
in der die vom Volk gewählten
Vertreter der Herrschaft aus-
üben); mittelbare, parlamentari-
sche, repräsentative, unmittelbare Demokratie
De|mo|kra|tie|ver|ständ|nis

De|mo|kra|tin
de|mo|kra|tisch; eine demokrati-
sche Verfassung, demokrati-
sche Wahlen; *aber* ↑ K150 :
Freie Demokratische Partei
(*Abk.* FDP); Partei des Demokratischen Sozialismus (*Abk.*
PDS)
de|mo|kra|ti|sie|ren; De|mo|kra|ti-
sie|rung
De|mo|krit (griech. Philosoph);
De|mo|kri|tos *vgl.* Demokrit
de|mo|lie|ren ⟨franz.⟩ (gewalt-
sam beschädigen); De|mo|lie-
rung
de|mo|ne|ti|sie|ren ⟨franz.⟩
(*Bankw.* [Münzen] aus dem
Verkehr ziehen); De|mo|ne|ti-
sie|rung
De|mons|t|rant, der; -en, -en
⟨lat.⟩; De|mons|t|ran|tin
De|mons|t|ra|ti|on, die; -, -en
([Protest]kundgebung; nachdrückliche Bekundung; Ver-
anschaulichung)
De|mons|t|ra|ti|ons|ma|te|ri|al
De|mons|t|ra|ti|ons|ob|jekt
De|mons|t|ra|ti|ons|recht
De|mons|t|ra|ti|ons|zug
de|mons|t|ra|tiv; De|mons|t|ra|tiv,
das; -s, -e; *vgl.* Demonstrativ-
pronomen; De|mons|t|ra|tiv-
pro|no|men (*Sprachw.* hinwei-
sendes Fürwort, z. B. »dieser,
diese, dieses«)
De|mons|t|ra|tor, der; -s, ...oren
(Vorführer); De|mons|t|ra|to|rin
de|mons|t|rie|ren (beweisen, vor-
führen; eine Demonstration
veranstalten, daran teilnehmen)
De|mon|ta|ge [...ʒə, *auch*
...mõ...] ⟨franz.⟩ (Abbau,
Abbruch, Zerlegung [beson-
ders von Industrieanlagen])
de|mon|tie|ren; De|mon|tie|rung
De|mo|ra|li|sa|ti|on, die; -, -en
⟨franz.⟩ (Untergrabung der
Moral; Entmutigung)
de|mo|ra|li|sie|ren (jmdm. den
moralischen Halt nehmen;
entmutigen); De|mo|ra|li|sie-
rung
de mor|tu|is nil ni|si be|ne ⟨lat.⟩
(»von den Toten [soll man] nur
gut [sprechen]«)
De|mos, der; -, Demen (*früher*
[niederes] Volk; Gebiet u. Bür-
gerschaft eines altgriech. Stadt-
staates; *heute* in Griechenland
kleinster staatl. Verwaltungsbezirk)

De|mo|s|kop, der; -en, -en ⟨griech.⟩ (Meinungsforscher); De|mo|s|ko|pie, die; -, ...ien (Meinungsumfrage, Meinungsforschung); De|mo|s|ko|pin

de|mo|s|ko|pisch; demoskopische Untersuchungen

De|mos|the|nes (altgriech. Redner); de|mos|the|nisch; demosthenische Beredsamkeit; die demosthenischen Reden ↑K135

De|mo|tape [...te:p] ⟨engl.⟩ (Tonband o. Ä. mit Musikaufnahmen zur Vorführung)

de|mo|tisch ⟨griech.⟩ (altägyptisch [in der volkstüml. jüngeren Form]); demotische Schrift

De|mo|tisch, das; -[s]; vgl. Deutsch; De|mo|ti|sche, das; -n; vgl. Deutsche, das

De|mo|ti|va|ti|on, die; -, -en ⟨nlat.⟩ (das Demotivieren; das Demotiviertsein); de|mo|ti|vie|ren (jmds. Motivation schwächen)

De|mut, die; -; de|mü|tig; de|mü|ti|gen; De|mü|ti|gung

De|muts|ge|bär|de; De|muts|hal|tung

de|mut[s]|voll

dem|zu|fol|ge (demnach); demzufolge ist die Angelegenheit geklärt, aber das Vertragswerk, dem zufolge die Staaten sich verpflichten ...

den vgl. der

den = Denier

De|nar, der; -s, -e ⟨lat.⟩ (altröm. Münze; merowing.-karoling. Münze, Pfennig [Abk. d])

De|na|tu|ra|li|sa|ti|on, die; -, -en ⟨lat.⟩ (Entlassung aus der bisherigen Staatsangehörigkeit); de|na|tu|ra|li|sie|ren

de|na|tu|rie|ren (fachspr. für ungenießbar machen; vergällen); denaturierter Spiritus; De|na|tu|rie|rung

de|na|zi|fi|zie|ren (svw. entnazifizieren); De|na|zi|fi|zie|rung

Den|d|rit, der; -en, -en ⟨griech.⟩ (Geol. Gestein mit feiner, verästelter Zeichnung; Med. verästelter Protoplasmafortsatz einer Nervenzelle); den|d|ri|tisch (verzweigt, verästelt)

Den|d|ro|chro|no|lo|gie (Geol. Altersbestimmung anhand von Jahresringen); den|d|ro|chro|no|lo|gisch

Den|d|ro|lo|gie, die; - (wissenschaftliche Baumkunde); Den|d|ro|me|ter, das; -s, - (Baummessgerät)

De|neb, der; -s ⟨arab.⟩ (ein Stern)

de|nen vgl. der

Den|gel, der; -s, - (Schneide einer Sense o. Ä.)

Den|gel|am|boss; Den|gel|ham|mer

den|geln ([eine Sense o. Ä.] durch Hämmern schärfen); ich deng[e]le

deng|lisch (abwertend für deutsch mit [zu] vielen englischen Ausdrücken vermischt); Deng|lisch, das; -[s] (abwertend)

Den|gue|fie|ber [ˈdɛŋɡe...], das; -s ⟨span.⟩ (eine tropische Infektionskrankheit)

Deng Xiao|ping [- çi̯au...] (chin. Politiker)

Den Haag vgl. Haag, Den

De|ni|er [dəˈni̯e:], das; -[s], - ⟨franz.⟩ (Einheit für die Fadenstärke bei Seide u. Chemiefasern; Abk. den); vgl. Tex

De|nim®, der od. das; -[s] ⟨franz.⟩ (blauer Jeansstoff)

De|nise [dəˈni:z] (w. Vorn.)

Denk|an|satz; Denk|an|stoß; Denk|art; Denk|auf|ga|be

denk|bar; die denkbar günstigsten Bedingungen

Den|ke, die; - (ugs. für Denkart)

den|ken; du dachtest; du dächtest; gedacht; denk[e]!; Den|ken, das; -s; ihr ganzes Denken

Den|ker; Den|ke|rin

den|ke|risch

Den|ker|stirn

Denk|fa|b|rik (Institution o. Ä. zur Erarbeitung von Lösungsvorschlägen zu wirtschaftlichen, gesellschaftlichen u. ä. Problemen)

denk|faul

Denk|feh|ler; Denk|form; Denk|gewohn|heit; Denk|hil|fe

Denk|mal Plur. ...mäler, österr. nur so, auch ...male; denk|mal|gerecht; denkmalgerechte Sanierung; denk|mal|ge|schützt

Denk|mal[s]|kun|de, die; -; denkmal[s]|kund|lich

Denk|mal[s]|pfle|ge; Denk|mal[s]|pfle|ger; Denk|mal[s]|pfle|ge|rin; denk|mal[s]|pfle|ge|risch

Denk|mal[s]|schän|dung; Denk|mal[s]|schutz

Denk|mo|dell; Denk|mus|ter; Denk|pau|se; Denk|pro|zess; Denk|scha|b|lo|ne; Denk|schrift

Denk|sport; Denk|sport|auf|ga|be

Denk|spruch

denks|te! (ugs. für das hast du dir so gedacht!)

Denk|stein; Denk|übung

Den|kungs|art

Denk|ver|mö|gen, das; -s; Denk|wei|se

denk|wür|dig; Denk|wür|dig|keit, die; -, -en

Denk|zet|tel; jmdm. einen Denkzettel geben; Denk|zet|tel|wahl (ugs.)

denn; es sei denn, dass ...; mehr denn je; man kennt ihn eher als Maler denn als Dichter

den|noch

denn|schon vgl. wennschon

De|no|mi|na|ti|on, die; -, -en ⟨lat.⟩ (veraltet für Benennung; amerik. Bez. für christliche Glaubensgemeinschaft, Sekte)

De|no|mi|na|tiv, das; -s, -e, De|no|mi|na|ti|vum, das; -s, ...va (Sprachw. Ableitung von einem Substantiv od. Adjektiv, z. B. »trösten« von »Trost«, »bangen« von »bang«)

De|no|ta|ti|on, die; -, -en (Sprachw. begriffliche od. Sachbedeutung eines Wortes); de|no|ta|tiv

Den|si|me|ter, das; -s, - ⟨lat.; griech.⟩ (Gerät zur Messung des spezifischen Gewichts [vorwiegend von Flüssigkeiten])

den|tal ⟨lat.⟩ (Med. die Zähne betreffend; Sprachw. mithilfe der Zähne gebildet); Den|tal, der; -s, -e, od. Den|tal|laut, der; -[e]s, -e (Sprachw. Zahnlaut, an den oberen Schneidezähnen gebildeter Laut, z. B. t)

den|te|lie|ren [dâta...] ⟨franz.⟩ (Textilw. auszacken)

Den|tin, das; -s ⟨lat.⟩ (Med. Zahnbein; Biol. Hartsubstanz der Haischuppen)

Den|tist, der; -en, -en (früher Zahnarzt ohne Hochschulprüfung); Den|tis|tin

Den|ti|ti|on, die; -, -en (Med. Zahnen; Zahndurchbruch)

Den|to|lo|gie, die; - ⟨lat.; griech.⟩ (Zahnheilkunde)

De|nu|da|ti|on, die; -, -en ⟨lat.⟩ (Geol. flächenhafte Abtragung der Erdoberfläche durch Wasser, Wind u. a.)

De|nun|zi|ant, der; -en, -en ⟨lat.⟩ (jmd., der einen anderen denunziert); De|nun|zi|an|ten|tum, das; -s; De|nun|zi|an|tin; De|nun|zi|a|ti|on, die; -, -en (das Denunzieren)

de|nun|zi|a|to|risch; de|nun|zie|ren (aus persönlichen, niedrigen Beweggründen anzeigen; als negativ hinstellen)

Den|ver (Hauptstadt des amerikanischen Bundesstaates Colorado)

Deo, das; -s, -s *(Kurzwort für Deodorant);* De|o|do|rant, das; -s, *Plur.* -s, *auch* -e ⟨engl.⟩ (Mittel gegen Körpergeruch)

De|o|do|rant|spray

de|o|do|rie|ren ([Körper]geruch hemmen)

Deo gra|ti|as! ⟨lat., »Gott sei Dank!«⟩ *(kath. Kirche)*

Deo|rol|ler (ein Deodorantstift)

Deo|spray *(kurz für Deodorantspray)*

De|par|te|ment [...tə'mãː, *österr.* ...part'mãː, *schweiz.* ...tə'mɛnt], das; -s, -s *u.* (bei deutscher Aussprache:) -[e]s, -e ⟨franz.⟩ (Verwaltungsbezirk in Frankreich; Ministerium beim Bund und in einigen Kantonen der Schweiz; Verwaltungsabteilung in einigen Gemeinden u. Universitäten der Schweiz)

De|part|ment [di...mɛnt], das; -s, -s *(engl. Form von Departement)*

De|par|ture [di...tʃɐ], das; -s, -s ⟨engl.⟩ (Abflug [Hinweis auf Flughäfen])

De|pen|dance [...pã'dãːs], *schweiz. meist* Dé|pen|dance ['de:pãdãs], die; -, -n ⟨franz.⟩ (Zweigstelle; Nebengebäude [eines Hotels])

De|pen|denz, die; -, -en ⟨lat.⟩ *(Philos., Sprachw.* Abhängigkeit)

De|pen|denz|gram|ma|tik (Forschungsrichtung der modernen Linguistik)

De|pe|sche, die; -, -n ⟨franz.⟩ *(veraltet für* Telegramm); de|pe|schie|ren *(veraltet)*

De|pi|la|ti|on, die; -, -en ⟨lat.⟩ *(Med.* Enthaarung); De|pi|la|to|ri|um, das; -s, ...ien (Enthaarungsmittel); de|pi|lie|ren

De|pla|ce|ment [...sə'mãː], das; -s, -s ⟨franz.⟩ *(Seew.* Wasserverdrängung eines Schiffes)

de|pla|ciert [...'siːɐt] *(veraltet für* deplatziert); de|plat|ziert (unangebracht)

De|po|la|ri|sa|ti|on, die; -, -en ⟨lat.⟩ *(Physik* Aufhebung der Polarisation); de|po|la|ri|sie|ren

De|po|nat, das; -[e]s, -e ⟨lat.⟩ (etwas, was deponiert ist)

De|po|nens, das; -, *Plur.* ...nentia u. ...nenzien *(Sprachw.* Verb mit passivischen Formen, aber aktivischer Bedeutung)

De|po|nent, der; -en, -en (jmd., der etw. hinterlegt); De|po|nen|tin

De|po|nie, die; -, ...ien ⟨lat.-franz.⟩ (zentraler Müllablageplatz); geordnete, wilde Deponie

de|po|nie|ren ⟨lat.⟩; De|po|nie|rung

De|port [*auch* ...'poːɐ], der; -s, *Plur.* -s, *bei dt. Ausspr.* -e ⟨franz.⟩ *(Bankw.* Kursabschlag)

De|por|ta|ti|on, die; -, -en ⟨lat.⟩ (zwangsweise Verschickung; Verbannung); De|por|ta|ti|ons|la|ger

de|por|tie|ren; De|por|tier|te, der u. die; -n, -n; De|por|tie|rung

De|po|si|tar ⟨lat.⟩, De|po|si|tär ⟨franz.⟩ der; -s, -e (Verwahrer von Wertgegenständen, -papieren u. a.); De|po|si|ta|rin, De|po|si|tä|rin

De|po|si|ten *Plur.* ⟨lat.⟩ *(Bankw.* Gelder, die bei einem Kreditinstitut gegen Verzinsung angelegt, aber nicht auf ein Spar- od. Kontokorrentkonto verbucht werden); De|po|si|ten|bank *Plur.* ...banken; De|po|si|ten|kas|se

De|po|si|ti|on, die; -, -en (Hinterlegung; Absetzung eines kath. Geistlichen)

De|po|si|to|ri|um, das; -s, ...ien (Aufbewahrungsort; Hinterlegungsstelle)

De|po|si|tum, das; -s (das Hinterlegte; hinterlegter Betrag); *vgl.* Depositen

De|pot [...'poː], das; -s, -s ⟨franz.⟩ (Aufbewahrungsort; Hinterlegtes; Sammelstelle; Lager; Bodensatz; *Med.* Ablagerung; *schweiz. auch für* Pfand)

De|pot|fund (Sammelfund); De|pot|prä|pa|rat; De|pot|schein (Hinterlegungsschein); De|pot|wech|sel (als Sicherheit hinterlegter Wechsel)

Depp, der; *Gen.* -en, *auch* -s, *Plur.* -en, *auch* -e *(bes. südd., österr. ugs. für* ungeschickter, einfältiger Mensch); dep|pert *(südd., österr. ugs. für* einfältig, dumm)

De|pra|va|ti|on, die; -, -en ⟨lat.⟩ (Wertminderung im Münzwesen; *Med.* Verschlechterung eines Krankheitszustandes)

de|pra|vie|ren *(geh. für* verderben; im Wert mindern [von Münzen])

De|pres|si|on, die; -, -en ⟨lat.⟩ (Niedergeschlagenheit; Senkung; wirtschaftlicher Rückgang; *Meteor.* Tief)

de|pres|siv (niedergeschlagen); De|pres|si|vi|tät, die; -

de|pri *(ugs. kurz für* deprimiert; depressiv); depri drauf sein

de|pri|mie|ren ⟨franz.⟩ (niederdrücken; entmutigen); de|pri|miert (entmutigt, niedergeschlagen, schwermütig)

De|pri|va|ti|on, die; -, -en ⟨lat.⟩ *(Psych.* Entzug von Liebe und Zuwendung; Absetzung eines kath. Geistlichen); de|pri|vie|ren *(Psych.* [Liebe] entbehren lassen)

De Pro|fun|dis, das; - - ⟨lat., »Aus der Tiefe [rufe ich, Herr, zu dir]«⟩ (Anfangsworte und Bez. des 130. Psalms nach der Vulgata)

De|pu|tant, der; -en ⟨lat.⟩ (jmd., der auf ein Deputat Anspruch hat); De|pu|tan|tin

De|pu|tat, das; -[e]s, -e (regelmäßige Leistungen in Naturalien als Teil des Lohnes; Anzahl der Pflichtstunden, die eine Lehrkraft zu geben hat)

De|pu|ta|ti|on, die; -, -en (Abordnung)

De|pu|tat|lohn

de|pu|tie|ren (abordnen); De|pu|tier|te, der u. die; -n, -n; De|pu|tier|ten|kam|mer

der, die *(vgl. d.),* das *(vgl. d.);* des u. dessen *(vgl. d.),* dem, den; *Plur.* die, der, deren u. derer *(vgl. d.),* den u. denen, die

De|ran|ge|ment [...rãʒə'mãː], das; -s, -s ⟨franz.⟩ *(veraltet für* Störung, Verwirrung)

de|ran|gie|ren [...ʒiː...] (verwirren, durcheinanderbringen; *veraltet für* stören); de|ran|giert (verwirrt, zerzaust)

der|art (so); *vgl.* Art

der|ar|tig (derartige Überlegungen; etwas derartig Schönes; wir haben Derartiges, etwas Derartiges noch nie erlebt ↑K 72

derb; Derb|heit

derb|kno|chig

derb|ko|misch ↑K 23

der|ble|cken *(bayr. für* verspotten)

¹Der|by ['daːɐbi] ⟨engl. Stadt⟩

²Der|by [...bi], das; -[s], -s ⟨nach dem 12. Earl of Derby⟩ (Pferderennen); Der|by|ren|nen

de|re|gu|lie|ren (Regeln, Vorschriften o. Ä. abbauen); De|re|gu|lie|rung (Abbau von Regeln, Vorschriften o. Ä.)

D

Desi

de|ren / de|rer

deren *(vorangestelltes Genitivattribut):*

– mit deren nettem Mann; von deren bester Art; seit deren erstem Hiersein; mit Ausnahme der Mitarbeiter und deren Angehöriger
– die Freunde, deren Geschenke du siehst
– ich habe deren (z. B. Freunde) nicht viele

derer *(vorausweisendes Demonstrativpronomen; das Bezugswort folgt):*

– der Andrang derer, die ...
– gedenkt derer, die euer gedenken
– das Haus derer von Arnim

deren/derer:

– die Frist, innerhalb deren *od.* derer ...
– die Beweise, aufgrund deren *od.* derer sie verurteilt wurden
– die Opfer, deren *od.* derer wir gedenken

der|einst
de|rent|hal|ben; de|rent|we|gen; de|rent|wil|len; um derentwillen
de|rer *vgl.* deren/derer
de|ret|we|gen
der|ge|stalt (so)
der|glei|chen *(Abk.* dgl.); und dergleichen [mehr] *(Abk.* u. dgl. [m.])
De|ri|vat, das; -[e]s, -e ⟨lat.⟩ *(Chemie* chem. Verbindung, die aus einer anderen entstanden ist; *Biol.* aus einer Vorstufe abgeleitetes Organ); *(Wirtsch. [meist Plur.]* Finanzprodukte, die von traditionellen Wertpapieren wie Aktien, Anleihen u. Ä. abgeleitet sind)
De|ri|va|ti|on, die; -, -en *(Sprachw.* Ableitung)
de|ri|va|tiv (durch Ableitung entstanden); **De|ri|va|tiv,** das; -s, -e; **de|ri|vie|ren**
der|je|ni|ge *Gen.* desjenigen, *Plur.* diejenigen
Derk (m. Vorn.)
der|lei (dergleichen)
Der|ma, das; -s, -ta *(Med.* Haut); **der|mal** *(Med.* die Haut betreffend, an ihr gelegen)
der|mal|einst *(veraltet)*

der|ma|len *[österr.* ...'ma:...] *(veraltet für* jetzt)*
der|ma|lig *[österr.* ...'ma:...] *(veraltet für* jetzig)*
der|ma|ßen (so)
der|ma|tisch *vgl.* dermal
Der|ma|ti|tis, die; -, ...it|iden ⟨griech.⟩ *(Med.* Hautentzündung)
Der|ma|to|lo|ge, der; -n, -n (Hautarzt); **Der|ma|to|lo|gie,** die; - (Lehre von den Hautkrankheiten); **Der|ma|to|lo|gin**
der|ma|to|lo|gisch; dermatologisch getestet
Der|ma|to|plas|tik, die; -, -en *(Med.* operativer Ersatz von kranker od. verletzter Haut durch gesunde)
Der|ma|to|se, die; -, -n *(Med.* Hautkrankheit)
Der|mo|gra|fie, Der|mo|gra|phie, die; -, **Der|mo|gra|fis|mus, Der|mo|gra|phis|mus,** der; - *(Med.* Streifen- od. Striemenbildung auf gereizten Hautstellen)
Der|mo|plas|tik, die; -, -en *(Verfahren zur Präparation von Tieren; Med. svw.* Dermatoplastik)
Der|ni|er Cri [...'nje: -], der; - -, -s -s [...'nje: kri:] ⟨franz.⟩, »letzter Schrei« (neueste Mode)
de|ro *(veraltet für* deren); in der Anrede Dero
De|ro|ga|ti|on, die; -, -en ⟨lat.⟩ *(Rechtsspr.* Teilaufhebung [eines Gesetzes])
de|ro|ga|tiv, de|ro|ga|to|risch (zum Teil aufhebend)
de|ro|gie|ren (zum Teil aufheben)
De|route [...'ruːt(ə)], die; -, -n ⟨franz.⟩ *(Wirtsch.* Kurs-, Preissturz; *veraltet für* wilde Flucht)
de|ro|we|gen *(veraltet); vgl.* dero
Der|rick, der; -s, -s ⟨nach einem engl. Henker⟩ (Drehkran); **Der|rick|kran**
der|sel|be *Gen.* desselben, *Plur.* dieselben; ein und derselbe; mit ein[em] und demselben; ein[en] und denselben; es war derselbe Hund
der|sel|bi|ge (↑K 76 ; *veraltet für* derselbe)
der|weil, der|wei|le[n]
Der|wisch, der; -[e]s, -e ⟨pers.⟩ (Mitglied eines islamischen religiösen Ordens); **Der|wisch|tanz**
der|zeit (augenblicklich, gegenwärtig; *veraltend für* früher, damals; *Abk.* dz.); **der|zei|tig** *vgl.* derzeit
des; *auch ältere Form für* dessen

(vgl. d.); des (dessen) bin ich sicher; des ungeachtet
des, Des, das; -, - (Tonbezeichnung); **Des** *(Zeichen für* Des-Dur); in Des
des. = designatus
des|ak|ti|vie|ren *vgl.* deaktivieren
des|ar|mie|ren ⟨franz.⟩ *(veraltet für* entwaffnen; *Fechten* dem Gegner die Klinge aus der Hand schlagen)
De|sas|ter, das; -s, - ⟨franz.⟩ (schweres Missgeschick; Zusammenbruch)
de|sas|t|rös *(ugs. für* verhängnisvoll, katastrophal)
de|s|a|vou|ie|ren [...vu...] ⟨franz.⟩ (nicht anerkennen, in Abrede stellen; bloßstellen); **De|s|a|vou|ie|rung**
Des|cartes [de'kart] (franz. Philosoph)
Des|de|mo|na *[auch* ...'de:...] (Frauengestalt bei Shakespeare)
Des-Dur *[auch* 'dɛs'duːɐ], das; - (Tonart; *Zeichen* Des);
Des-Dur-Ton|lei|ter ↑K 26
de|sen|si|bi|li|sie|ren ⟨lat.⟩ *(Med.* unempfindlich machen; *Fotogr.* Filme weniger lichtempfindlich machen); **De|sen|si|bi|li|sie|rung**
De|ser|teur [...'tøːɐ], der; -s, -e ⟨franz.⟩ (Fahnenflüchtiger, Überläufer); **De|ser|teu|rin; de|ser|tie|ren; De|ser|ti|on,** die; -, -en (Fahnenflucht)
desgl. = desgleichen; **des|glei|chen** *(Abk.* desgl.); **des|halb**
de|si|de|ra|bel ⟨lat.⟩ *(geh. für* wünschenswert); ...a|b|le Erfolge
De|si|de|rat, das; -[e]s, -e u. **De|si|de|ra|tum,** das; -s, ...ta (vermisstes u. zur Anschaffung in Bibliotheken vorgeschlagenes Buch; etwas Erwünschtes, Fehlendes)
De|sign [di'zaɪn], das; -s, -s ⟨engl.⟩ (Gestalt, Muster)
De|si|g|na|ti|on [dezɪgna...], die; -, -en ⟨lat.⟩ (Bestimmung; vorläufige Ernennung); **de|si|g|na|tus** (im Voraus ernannt, vorgesehen; *Abk.* des.; z. B. Dr. des.)
de|si|g|nen [di'zaɪnən] ⟨engl.⟩ (das Design von Gebrauchs- und Verbrauchsgütern entwerfen); designt; **De|si|g|ner** [di'zaɪnɐ], der; -s, -
De|sig|ner|ba|by *(ugs. für* Kind, das aus einem künstlich gezeugten und nach genetischen Merkmalen ausgewählten Embryo entstanden ist)

De|si|g|ner|dro|ge (synthetisch
hergestelltes, neuartiges
Rauschmittel); De|sig|ner|food
[...fu:d], das; -[s] ⟨engl.⟩ (für
bestimmte Konsumenten spe-
ziell entwickeltes Nahrungsmittel; Novelfood)
De|si|g|ne|rin
De|si|g|ner|mö|bel; De|si|g|ner|mo-
de
De|si|g|ner|out|let, De|si|g|ner-Out-
let [...autlet], das; -s, -s ⟨engl.⟩
(Direktverkaufsstelle einer
Designerfirma)
de|si|g|nie|ren [dezi'gni:...] ⟨lat.⟩
(für ein Amt vorsehen)
Des|il|lu|si|on, die; -, -en ⟨franz.⟩
(Enttäuschung; Ernüchterung);
des|il|lu|si|o|nie|ren; Des|il|lu|si|o-
nie|rung
Des|in|fek|ti|on, Des|in|fi|zie|rung,
die; -, -en ⟨lat.⟩ (Vernichtung
von Krankheitserregern; Entkeimung)
Des|in|fek|ti|ons|lö|sung; Des|in-
fek|ti|ons|mit|tel
Des|in|fi|zi|ens, das; -, Plur. ...zien-
zien u. ...zientia (Entkeimungs-
mittel); des|in|fi|zie|ren; Des|in|fi-
zie|rung vgl. Desinfektion
Des|in|for|ma|ti|on [auch 'de...],
die; -, -en ⟨lat.⟩ (bewusst falsche
Information)
Des|in|te|g|ra|ti|on, die; -, -en ⟨lat.⟩
(Spaltung, Auflösung eines
Ganzen in seine Teile)
Des|in|te|g|ra|tor, der; -s, ...oren
(eine techn. Apparatur)
des|in|te|g|rie|ren
Des|in|te|r|es|se, das; -s ⟨franz.⟩
(Uninteressiertheit, Gleichgül-
tigkeit); des|in|te|r|es|siert
Des|in|ves|ti|ti|on, die; -, -en ⟨lat.-
nlat.⟩ (Verringerung des Bestandes an Gütern zu späteren
Bedarf)
De|skrip|ti|on, die; -, -en ⟨lat.⟩
(Beschreibung); de|skrip|tiv
(beschreibend)
De|skrip|tor, der; -s, ...oren
(Buchw., EDV Kenn-, Schlüssel-
wort)
Desk|top, der; -s, -s ⟨engl.⟩ (EDV
sichtbarer Hintergrund des
Fenster- und Symbolsystems bei
Betriebssystemen mit grafischer
Benutzeroberfläche; kurz für
Desktop-PC)
Desk|top|pu|b|li|shing,
Desktop-Pu|b|li|shing [...'pabli-
ʃɪŋ] ↑K22, das; -[s] ⟨engl.⟩ (EDV
das Erstellen von Satz und Lay-
out eines Textes am Schreib-

tisch mithilfe der EDV; Abk.
DTP)
De|s|o|do|rant, das; -s, Plur. -s,
auch -e ⟨nlat.⟩; vgl. Deodorant
de|s|o|do|rie|ren, de|s|o|do|ri|sie-
ren vgl. deodorieren; De|s|o|do-
rie|rung, De|s|o|do|ri|sie|rung
de|so|lat ⟨lat.⟩ (trostlos, traurig)
De|s|or|d|re [...dʁ], der; -s, -s
⟨franz.⟩ (veraltet für Unordnung,
Verwirrung)
Des|or|ga|ni|sa|ti|on [auch 'dɛ...],
die; -, -en ⟨franz.⟩ (Auflösung,
Zerrüttung, Unordnung); des-
or|ga|ni|sie|ren [auch 'dɛ...]
des|ori|en|tiert [auch 'dɛ...] (falsch
unterrichtet; verwirrt); Des|ori-
en|tie|rung
Des|oxi|da|ti|on, Des|oxy|da|ti|on,
die; -, -en ⟨griech.⟩ (Entzug von
Sauerstoff); vgl. Oxidation; des-
oxi|die|ren, des|oxy|die|ren
Des|oxy|ri|bo|nu|k|le|in|säu|re
(Bestandteil des Zellkerns; Abk.
DNS, DNA)
de|s|pek|tier|lich ⟨lat.⟩ (geh. für
geringschätzig, abfällig; res-
pektlos)
De|s|pe|ra|do, der; -s, -s ⟨span.⟩ (zu
jeder Verzweiflungstat ent-
schlossener [politischer] Aben-
teurer; Bandit)
de|s|pe|rat ⟨lat.⟩ (verzweifelt, hoff-
nungslos)
Des|pot, der; -en, -en ⟨griech.⟩
(Gewaltherrscher; herrische
Person); Des|po|tie, die; -, ...ien
Des|po|tin; des|po|tisch; Des|po|tis-
mus, der; -
Des|sau (Stadt nahe der Mündung
der Mulde in die Elbe); Des|sau-
er; der Alte Dessauer (Leopold I.
von Anhalt-Dessau; ↑K134)
des|sau|isch
des|sel|ben vgl. derselbe, dasselbe
des|sen (Gen. Sing. der [als Vertre-
ter eines Substantivs gebrauch-
ten] Pronomen der, das); mit
dessen neuem Wagen; die
Ankunft meines Bruders und
dessen Verlobter; dessen ungeachtet; vgl. des; indessen, währenddessen (vgl. d.)
des|sent|hal|ben
des|sent|we|gen, des|we|gen
des|sent|wil|len, des|wil|len; um
des[sent]willen
des|sen un|ge|ach|tet vgl. dessen
Des|sert [dɛ'seːɐ̯, auch dɛ'sɛrt,
österr. dɛ'seːɐ̯, schweiz. 'dɛseːr],
das; -s, -s ⟨franz.⟩ (Nachtisch)
Des|sert|ga|bel; Des|sert|löf|fel;

Des|sert|mes|ser, das; Des|sert-
tel|ler; Des|sert|wein
Des|sin [...'sɛ̃:], das; -s, -s ⟨franz.⟩
(Zeichnung; Muster)
Des|si|na|teur [...'tøːɐ̯], der; -s, -e
(Musterzeichner [im Textilge-
werbe]); Des|si|na|teu|rin
des|si|nie|ren (fachspr. für [Mus-
ter] zeichnen); Des|si|nie|rung
(gemustert); Des|si|nie|rung
Des|sous [...'su:], das; -, - meist
Plur. ⟨franz.⟩ (Damenunterwä-
sche)
de|sta|bi|li|sie|ren ⟨lat.⟩ (aus dem
Gleichgewicht bringen); De|sta-
bi|li|sie|rung
De|s|til|lat, das; -[e]s, -e ⟨lat.⟩ (wie-
der verflüssigter Dampf bei
einer Destillation)
De|s|til|lat|bren|ner (Lehrberuf der
Industrie)
De|s|til|la|teur [...'tøːɐ̯], der; -s, -e
⟨franz.⟩ (Branntweinbrenner);
De|s|til|la|teu|rin
De|s|til|la|ti|on, die; -, -en ⟨lat.⟩
(Trennung flüssiger Stoffe
durch Verdampfung u. Wieder-
verflüssigung; Branntweinbren-
nerei); De|s|til|la|ti|ons|gas
De|s|til|le, die; -, -n (ugs. veraltend
für Branntweinausschank)
De|s|til|le|rie ([Branntwein]brenn-
nerei)
De|s|til|lier|ap|pa|rat
de|s|til|lie|ren; ↑K89 destilliertes
Wasser (chemisch reines Wasser)
De|s|til|lier|kol|ben; De|s|til|lier-
ofen
De|s|ti|na|tar ⟨lat.⟩, De|s|ti|na|tär
⟨franz.⟩ der; -s, -e (auf Seefracht-
briefen Empfänger von Gütern)
De|s|ti|na|ti|on, die; -, -en ⟨lat.⟩
(Reiseziel; veraltet für Bestimmung, Endzweck)
des|to; desto besser, größer, mehr,
weniger; aber nichtsdestoweniger
de|s|t|ru|ie|ren ⟨lat.⟩ (selten für zer-
stören)
De|s|t|ruk|ti|on, die; -, -en (Zerstö-
rung; Geol. Abtragung der Erd-
oberfläche durch Verwitterung)
de|s|t|ruk|tiv [auch 'de:...] (zerset-
zend, zerstörend); De|s|t|ruk|ti-
vi|tät, die; - (auch für destruk-
tive Art)
des un|ge|ach|tet [auch ...'a...]
vgl. des
des|we|gen, des|sent|we|gen
des Wei|te|ren vgl. weiter
des|wil|len vgl. dessentwillen
de|s|zen|dent ⟨lat.⟩ (fachspr. für

nach unten sinkend, absteigend); deszendentes Wasser

De|s|zen|dẹnt, der; -en, -en (Nachkomme, Ab-, Nachkömmling; *Astron.* Gestirn im Untergang; Untergangspunkt)

De|s|zen|dẹnz, die; -, -en (Abstammung; Nachkommenschaft; *Astron.* Untergang eines Gestirns; **De|s|zen|dẹnz|the|o-rie,** die; - (Abstammungslehre)

de|s|zen|die|ren (*fachspr. für* absteigen, sinken)

De|ta|che|ment [...ʃə'mã:, *schweiz.* ...'ment], das; -s, -s u. (bei deutscher Aussprache:) -e ⟨franz.⟩ (*veraltet für* abkommandierte Truppe)

[1]**De|ta|cheur** [...ʃø:ɐ], der; -s, -e (Maschine zum Lockern des Mehls)

[2]**De|ta|cheur,** der; -s, -e ⟨franz.⟩ (Fachmann für chem. Fleckenentfernung); **De|ta|cheu|rin**

[1]**de|ta|chie|ren** ⟨franz.⟩ (Mehl auflockern; *veraltet für* abkommandieren, entsenden)

[2]**de|ta|chie|ren** (von Flecken reinigen)

De|tail [de'taj], das; -s, -s ⟨franz.⟩ (Einzelheit, Einzelteil); *vgl.* en détail; **de|tail|be|ses|sen; De|tail-fra|ge; de|tail|ge|nau; de|tail|ge-treu**

De|tail|han|del ⟨*zu* [1]Handel⟩ (*schweiz., sonst veraltet für* Einzelhandel)

De|tail|kennt|nis

de|tail|lie|ren [...ta'ji:...] (im Einzelnen darlegen); **de|tail|liert**

De|tail|list [...taj'list, *auch* ...'jist], der; -en, -en (*schweiz. für* Einzelhändler); **De|tail|lis|tin**

de|tail|reich

De|tek|tei ⟨lat.⟩ (Detektivbüro)

De|tek|ti|on, die; -, -en ⟨lat.⟩ (*fachspr. für* das Aufspüren, Feststellen)

De|tek|tiv, der; -s, -e; dem, den Detektiv

De|tek|tiv|bü|ro; De|tek|tiv|ge-schich|te

De|tek|ti|vin; de|tek|ti|visch

De|tek|tiv|ro|man

De|tek|tor, der; -s, ...oren ⟨lat.⟩ (*Technik* Hochfrequenzgleichrichter; Gerät zum Aufspüren von Stoffen oder Vorgängen)

De|tek|tor|emp|fän|ger; De|tek|tor|ge|rät

Dé|tente [de'tã:t], die; - ⟨franz.⟩ (Entspannung zwischen Staaten); **Dé|tente|po|li|tik**

De|ter|gens, das; -, Plur. ...gentia u. ...genzien *meist Plur.* ⟨lat.⟩ (*fachspr. für* Wasch-, Reinigungsmittel)

De|te|ri|o|ra|ti|on, die; -, -en ⟨lat.⟩ (*Rechtsw.* Wertminderung einer Sache)

de|te|ri|o|rie|ren; De|te|ri|o|rie|rung *vgl.* Deterioration

De|ter|mi|nan|te, die; -, -n ⟨lat.⟩ (Hilfsmittel der Algebra zur Lösung eines Gleichungssystems; bestimmender Faktor)

De|ter|mi|na|ti|on, die; -, -en (nähere Begriffsbestimmung)

de|ter|mi|na|tiv (bestimmend, begrenzend, festlegend; entschieden, entschlossen)

de|ter|mi|nie|ren (bestimmen, begrenzen, festlegen); **De|ter|mi-niert|heit,** die; -

De|ter|mi|nis|mus, der; - (Lehre von der Unfreiheit des menschlichen Willens); **De|ter|mi|nist,** der; -en, -en; **De|ter|mi|nis|tin**

de|ter|mi|nis|tisch

de|tes|ta|bel ⟨lat.⟩ (*veraltet für* verabscheuungswürdig); ...a|b|le Ansichten

Dẹt|lef [*auch* 'dɛ...] (m. Vorn.)

Dẹt|mold (Stadt am Teutoburger Wald)

[1]**De|to|na|ti|on,** die; -, -en ⟨lat.⟩ (Knall, Explosion)

[2]**De|to|na|ti|on,** die; -, -en ⟨franz.⟩ (*Musik* Unreinheit des Tones)

De|to|na|tor, der; -s, ...oren ⟨lat.⟩ (*fachspr. für* Zündmittel)

[1]**de|to|nie|ren** (explodieren)

[2]**de|to|nie|ren** ⟨franz.⟩ (*Musik* unrein singen, spielen)

De|t|ri|tus, der; - ⟨lat.⟩ (*Med.* Zell- u. Gewebstrümmer; *Geol.* zerriebenes Gestein; *Biol.* Schwebe- und Sinkstoffe in den Gewässern)

De|t|roit [di...] (Stadt in den USA)

dẹt|to ⟨ital.⟩ (*bes. bayr., österr. für* dito)

De|tu|mes|zenz, die; - ⟨lat.⟩ (*Med.* Abschwellung [einer Geschwulst])

Deu|bel *vgl.* Deiwel

deucht usw. *vgl.* dünken

Deu|ka|li|on (Gestalt der griech. Sage; die Sintflut des Deukalion)

De|us ex Ma|chi|na, der; - - -, Dei - - *Plur. selten* ⟨lat., »Gott aus der [Theater]maschine«⟩ (unerwarteter Helfer)

Deut, der ⟨niederl.⟩ (*veraltet für* kleine Münze); keinen Deut,

nicht einen Deut (*ugs. für* gar nicht, gar nichts)

deut|bar

Deu|te|lei (*abwertend für* kleinliche Auslegung); **deu|teln;** ich deut[e]le

deu|ten; Deu|ter

Deu|te|r|a|go|nist, der; -en, -en ⟨griech.⟩ (zweiter Schauspieler auf der altgriech. Bühne)

Deu|te|rin

Deu|te|ri|um, das; -s ⟨griech.⟩ (schwerer Wasserstoff, Wasserstoffisotop; *Zeichen* D); **Deu|te-ron,** das; -s, ...onen (Atomkern des Deuteriums)

Deu|te|ro|no|mi|um, das; -s (5. Buch Mosis)

...deu|tig (z. B. zweideutig)

Deut|ler; Deut|le|rin

deut|lich; auf das, aufs Deutlichste *od.* auf das, aufs deutlichste ↑K 75 ; etwas deutlich machen; **Deut|lich|keit**

deut|lich|keits|hal|ber

deutsch/Deutsch *s. Kasten Seite 314*

Deutsch|ame|ri|ka|ner [*auch* ...'ka:...] (↑K149 ; Amerikaner dt. Abstammung); **Deutsch|ame-ri|ka|ne|rin**

deutsch|ame|ri|ka|nisch; ↑K23 : die deutschamerikanische Kultur; der deutschamerikanische *od.* deutsch-amerikanische Schiffsverkehr

Deutsch|ar|beit; eine Deutscharbeit schreiben

deutsch-deutsch; die deutsch-deutschen Beziehungen (*früher* zwischen BRD u. DDR)

[1]**Deut|sche,** der u. die; -n, -n ich Deutscher; wir Deutschen (*auch* wir Deutsche); drei Deutsche; alle [guten] Deutschen

[2]**Deut|sche,** das; des -n, dem -n (die deutsche Sprache überhaupt; in Zusammensetzungen bes. zur Bezeichnung der hist. u. landsch. Teilbereiche der deutschen Sprache); das Deutsche (z. B. im Ggs. zum Französischen); das Althochdeutsche, das Mittelhochdeutsche, das Neuhochdeutsche; die Laute des Deutschen (z. B. im Ggs. zum Englischen); die Formen des Niederdeutschen; im Deutschen (z. B. im Ggs. zum Italienischen); aus dem Deutschen, ins Deutsche übersetzen; *vgl.* Deutsch

Deut|schen|feind; Deut|schen-freund

Deutschenhass – Deutschritterorden

deutsch / Deutsch

deutsch
Abk. dt.
I. *Kleinschreibung:*

Da das Adjektiv »deutsch« nur in echten Namen und Substantivierungen großgeschrieben wird, gilt in den folgenden Fällen Kleinschreibung:

die deutsche Einheit, *aber* der Tag der Deutschen
    Einheit
das deutsche Volk
die deutsche Sprache
die deutschen Meisterschaften [im Eiskunstlauf]
sie ist deutsche Meisterin [im Eiskunstlauf], *aber*
    (als Titel:) Anita G., Deutsche Meisterin
das deutsche Recht
der deutsche Michel
↑K150 : Gesellschaft für deutsche Sprache
Vgl. aber II

Kleinschreibung gilt für »deutsch« auch in Verbindung mit Verben, wenn es mit wie? erfragt werden kann:

der Redner hat deutsch (nicht englisch) gesprochen
am Nebentisch saß ein (gerade jetzt) deutsch spre-
    chendes *od.* deutschsprechendes Ehepaar
sich deutsch unterhalten
der Brief ist deutsch (in deutscher Sprache bzw. in
    deutscher Schreibschrift) geschrieben
deutsch mit jmdm. reden (*auch ugs. für* jmdm.
    unverblümt die Wahrheit sagen)
Staatsangehörigkeit: deutsch (in Formularen u. Ä.)
Vgl. aber II u. Deutsch
II. *Großschreibung* ↑K72 :

Großgeschrieben wird das substantivierte Adjektiv, wenn es im Sinne von »deutsche Sprache« verwendet wird:

etwas auf Deutsch sagen
der Brief ist in Deutsch abgefasst
eine Zusammenfassung in Deutsch
auf gut Deutsch gesagt
das heißt auf/zu Deutsch ...
Vgl. aber I; *vgl.* Deutsch

Großgeschrieben wird »deutsch« auch als Bestandteil von Namen und bestimmten namenähnlichen Fügungen ↑K88 u. 89:

der Deutsch-Französische Krieg (1870/71) [*aber* ein
    deutsch-französischer Krieg (irgendeiner)]
Deutscher Akademischer Austauschdienst (*Abk.*
    DAAD)
Deutsche Angestellten-Gewerkschaft (*Abk.* DAG)

die Deutsche Bibliothek (in Frankfurt)
die Deutsche Bücherei (in Leipzig; *Abk.* DB)
die Deutsche Bucht (Teil der Nordsee)
der Deutsche Bund (1815–66)
der Deutsche Bundestag
Deutsche Bahn (*Abk.* DB)
Deutsche Bundesbank (*Abk.* BBk)
Deutsche Demokratische Republik (1949–90; *Abk.*
    DDR)
die Deutsche Dogge
der Tag der Deutschen Einheit (3. Oktober)
Deutscher Fußball-Bund (*Abk.* DFB)
Deutscher Gewerkschaftsbund (*Abk.* DGB)
Deutscher Industrie- und Handelstag (*Abk.* DIHT)
Verein Deutscher Ingenieure
Deutsches Institut für Normung (*Zeichen* DIN)
Deutsche Jugendherberge (*Abk.* DJH)
Deutsche Lebens-Rettungs-Gesellschaft (*Abk.*
    DLRG)
Deutsche Mark ([1948–2002] *Abk.* DM)
der Deutsche Orden
Deutsche Post AG
Deutsche Presse-Agentur (*Abk.* dpa)
das Deutsche Reich
Deutsches Rotes Kreuz (*Abk.* DRK)
der Deutsche Schäferhund
Institut für Deutsche Sprache
Deutscher Turnerbund (*Abk.* DTB)
Vgl. I, Deutsch u. Deutsche, das

Deutsch
das; des Deutsch[s], dem Deutsch
(die deutsche Sprache, sofern sie die Sprache eines
    Einzelnen oder einer bestimmten Gruppe bezeich-
    net oder sonst näher bestimmt ist; Kenntnis der
    deutschen Sprache)
mein, dein, sein Deutsch ist schlecht
die Aussprache seines Deutsch[s]
das Plattdeutsch Fritz Reuters
das Kanzleideutsch, das Kaufmannsdeutsch, das
    Schriftdeutsch
sie kann, lehrt, lernt, schreibt, spricht, versteht [kein,
    nicht, gut, schlecht] Deutsch
ein Deutsch sprechender *od.* deutschsprechender
    Ausländer (*vgl. aber* deutsch I)
[das ist] gutes Deutsch
er spricht gut[es] Deutsch
sie kann kein Wort Deutsch
ein Lehrstuhl für Deutsch
er hat eine Eins in Deutsch (im Fach Deutsch)
in heutigem Deutsch *od.* im heutigen Deutsch
Vgl. Deutsche, das u. deutsch I u. II

Deut|schen|hass
deutsch|feind|lich; deutsch|freund-
    lich
Deutsch|herr (*svw.* Deutschordens-
    ritter)
Deutsch|kun|de, die; -; deutsch-
    kund|lich; deutschkundlicher
    Unterricht

Deutsch|land; des vereinigten
    Deutschland[s]
Deutsch|land|funk (in Köln)
Deutsch|land|lied, das; -[e]s
    (Nationalhymne des Deutschen
    Reiches [seit 1922], deren dritte
    Strophe heute die offizielle
    Hymne Deutschlands ist)

Deutsch|land|po|li|tik
deutsch|land|weit
Deutsch|leh|rer
Deutsch|meis|ter (Landmeister des
    Deutschen Ordens)
Deutsch|or|dens|rit|ter; Deutsch|rit-
    ter|or|den, der; -s

Deutsch|schweiz, die; - (*schweiz. für* deutschsprachige Schweiz)
Deutsch|schwei|zer (Schweizer deutscher Muttersprache);
Deutsch|schwei|ze|rin
deutsch|schwei|ze|risch; ↑K 23 : die deutschschweizerische Literatur; ein deutschschweizerisches *od.* deutsch-schweizerisches Abkommen; *vgl.* schweizerdeutsch
deutsch|spra|chig (die deutsche Sprache sprechend, in ihr abgefasst, vorgetragen); deutschsprachige Bevölkerung
deutsch|sprach|lich (die deutsche Sprache betreffend); deutschsprachlicher Unterricht
Deutsch|spre|chen, das; -s
deutsch spre|chend , **deutsch|sprechend**, **Deutsch spre|chend** *vgl.* deutsch, Deutsch
deutsch|stäm|mig
Deutsch|tum, das; -s (deutsche Eigenart)
Deutsch|tü|me|lei (*abwertend für* aufdringliche Betonung des Deutschtums); **deutsch|tümelnd**; **Deutsch|tüm|ler** (*abwertend*)
Deutsch|un|ter|richt, der; -[e]s
Deu|tung; **Deu|tungs|ver|such**
Deut|zie, die; -, -n (nach dem Holländer van der Deutz) (ein Zierstrauch)
Deux|pi|èces, Deux-Pièces [dø'pi̯ɛːs], das; -, - ⟨franz.⟩ (zweiteiliges Kleid)
De|val|va|ti|on, die; -, -en ⟨lat.⟩ (Abwertung einer Währung); **de|val|va|to|risch, de|val|va|ti|o|nis|tisch** (abwertend); **de|val|vie|ren** (abwerten)
De|vas|ta|ti|on, die; -, -en ⟨lat.⟩ (Verwüstung); **de|vas|tie|ren**
De|ver|ba|tiv, das; -s, -e, **De|ver|ba|ti|vum**, das; -s, ...va ⟨lat.⟩ (*Sprachw.* von einem Verb abgeleitetes Substantiv od. Adjektiv, z. B. »Eroberung« von »erobern«, »hörig« von »hören«)
de|vi|ant ⟨lat.⟩ (*fachspr. für* abweichend); **De|vi|a|ti|on**, die; -, -en (Abweichung); **de|vi|ie|ren**
De|vi|se, die; -, -n ⟨franz.⟩ (Wahlspruch)
De|vi|sen *Plur.* (Zahlungsmittel in ausländischer Währung)
De|vi|sen|aus|gleich; **De|vi|sen|bestim|mung** *meist Plur.*
De|vi|sen|be|wirt|schaf|tung; **De|vi|sen|brin|ger**
De|vi|sen|ge|schäft; **De|vi|sen|han-**del (*vgl.* ¹Handel); **De|vi|sen|kurs**; **De|vi|sen|markt**; **De|vi|sen|re|serve**
De|vi|sen|schmug|gel; **De|vi|sen|ver|ge|hen**; **De|vi|sen|ver|kehr**
De|von, das; -[s] ⟨nach einer engl. Grafschaft⟩ (*Geol.* Formation des Paläozoikums); **de|vo|nisch**
de|vot ⟨lat.⟩ (unterwürfig); **De|vo|ti|on**, die; -, -en (Unterwürfigkeit; Andacht)
De|vo|ti|o|na|li|en *Plur.* (*kath. Kirche* der Andacht dienende Gegenstände); **De|vo|ti|o|na|li|en|han|del**
De|wa|na|ga|ri, die; - ⟨sanskr.⟩ (ind. Schrift [für das Sanskrit])
Dext|rin, das; -s, -e ⟨lat.⟩ ([Klebe]stärke)
dex|t|ro|gyr ⟨lat.; griech.⟩ (*Chemie* die Ebene polarisierten Lichtes nach rechts drehend; *Zeichen* d)
Dext|ro|kar|die, die; -, ...ien ⟨lat.; griech.⟩ (*Med.* anomale rechtsseitige Lage des Herzens)
Dext|ro|se, die; - (Traubenzucker)
Dez, der; -es, -e (*mdal. für* Kopf)
Dez. = Dezember
De|zem|ber, der; -[s], - ⟨lat.⟩ (zwölfter Monat im Jahr; Christmond, Julmond, Wintermonat; *Abk.* Dez.); **De|zem|ber|abend**; **De|zem|ber|tag**
De|zem|vir, der; *Gen.* -s *u.* -n, *Plur.* -n (Mitglied des Dezemvirats)
De|zem|vi|rat, das; -[e]s, -e (altrömisches Zehnmännerkollegium)
De|zen|ni|um, das; -s, ...ien (Jahrzehnt)
de|zent ⟨lat.⟩ (zurückhaltend, taktvoll; unaufdringlich)
de|zen|t|ral [*auch* 'de:...] ⟨nlat.⟩ (vom Mittelpunkt entfernt)
De|zen|t|ra|li|sa|ti|on, De|zen|t|ra|li|sie|rung, die; -, -en (Auseinanderlegung von Verwaltungen usw.)
de|zen|t|ra|li|sie|ren; **De|zen|t|ra|li|sie|rung** *vgl.* Dezentralisation
De|zenz, die; - ⟨lat.⟩ (*geh. für* Anstand, Zurückhaltung; unauffällige Eleganz)
De|zer|nat, das; -[e]s, -e ⟨lat.⟩ (Geschäftsbereich eines Dezernenten; Sachgebiet)
De|zer|nent, der; -en, -en (Sachbearbeiter mit Entscheidungsbefugnis [bei Behörden]; Leiter eines Dezernats); **De|zer|nen|tin**
De|zi... ⟨lat.⟩ (Zehntel...; ein Zehntel einer Einheit [z. B. Dezimeter = $^1/_{10}$ Meter]; *Zeichen* d)
De|zi|bel, das; -s, - ($^1/_{10}$ Bel; bes. Maß der relativen Lautstärke; *Zeichen* dB)
de|zi|diert ⟨lat.⟩ (entschieden, energisch, bestimmt)
De|zi|gramm ⟨lat.; griech.⟩ ($^1/_{10}$ g; *Zeichen* dg)
De|zi|li|ter ($^1/_{10}$ l; *Zeichen* dl)
de|zi|mal ⟨lat.⟩ (auf die Grundzahl 10 bezogen)
De|zi|mal|bruch, der (Bruch, dessen Nenner mit [einer Potenz von] 10 gebildet wird)
De|zi|mal|le, die; -[n], -n (*Math.* eine Ziffer der Ziffernfolge, die rechts vom Komma einer Dezimalzahl steht)
de|zi|ma|li|sie|ren (auf das Dezimalsystem umstellen); **De|zi|ma|li|sie|rung**
De|zi|mal|klas|si|fi|ka|ti|on, die; - (*Abk.* DK)
De|zi|mal|maß; **De|zi|mal|rech|nung**; **De|zi|mal|stel|le**
De|zi|mal|sys|tem, das; -s; **De|zi|mal|waa|ge**; **De|zi|mal|zahl**
De|zi|me, die; -, -n (*Musik* zehnter Ton vom Grundton an)
De|zi|me|ter ⟨lat.; griech.⟩ ($^1/_{10}$ m; *Zeichen* dm)
de|zi|mie|ren ⟨lat.⟩ (stark vermindern); **de|zi|miert**
De|zi|mie|rung
de|zi|siv ⟨lat.⟩ (entscheidend, bestimmt)
De|zi|ton|ne (100 kg; *Zeichen* dt)
DFB, der; - = Deutscher Fußball-Bund; **DFB-Po|kal**
DFF, der; - = Deutscher Fernsehfunk (*DDR*)
dg = Dezigramm
Dg = Dekagramm
DG = Dachgeschoss
D. G. = Dei Gratia
DGB, der; - = Deutscher Gewerkschaftsbund; **DGB-ei|gen**
dgl. = dergleichen
d. Gr. = der *od.* die Große
DGS = Deutsche Gebärdensprache
d. h. = das heißt
Dha|ka [d...] (Hauptstadt von Bangladesch)
Dhau *vgl.* Dau
d'hondtsch ['dɔ...] ⟨nach dem belgischen Juristen d'Hondt⟩; das d'hondt|sche *od.* d'Hondt'sche System (ein Berechnungsmodus bei [Parlaments]wahlen)
DI (*österr.*) = Diplomingenieur[in]
Di. = Dienstag
d. i. = das ist

Dia, das; -s, -s (*Kurzform für* Diapositiv)

Di|a|bas, der; -es, -e ⟨griech.⟩ (ein Ergussgestein)

Di|a|be|tes, der; - ⟨griech.⟩ (*Med.* Harnruhr); Diabetes mellitus (*Med.* Zuckerkrankheit)

Di|a|be|ti|ker; Di|a|be|ti|ke|rin

di|a|be|tisch

Dia|be|trach|ter (optisches Gerät)

Di|a|bo|lie, Di|a|bo|lik, die; - ⟨griech.⟩ (teuflisches Verhalten)

di|a|bo|lisch (teuflisch); diabolisches (magisches) Quadrat

Di|a|bo|lo, das; -s, -s ⟨ital.⟩ (ein Geschicklichkeitsspiel)

Di|a|bo|los, Di|a|bo|lus, der; - ⟨griech.⟩ (der Teufel)

dia|chron [...k...], dia|chro|nisch ⟨griech.⟩ (*Sprachw.* [entwicklungs]geschichtlich)

Dia|chro|nie, die; - (*Sprachw.* [Darstellung der] geschichtl. Entwicklung einer Sprache)

dia|chro|nisch vgl. diachron

Di|a|dem, das; -s, -e ⟨griech.⟩ (kostbarer [Stirn]reif)

Di|a|do|che, der; -n, -n ⟨griech.⟩ (mit einem konkurrierenden Nachfolger [Alexanders d. Gr.])

Di|a|do|chen|kämp|fe *Plur.;* **Di|a|do|chen|zeit,** die; -

Dia|ge|ne|se, die; -, -n ⟨griech.⟩ (Veränderung eines Sediments durch Druck u. Temperatur)

Di|a|gno|se, die; -, -n ⟨griech.⟩ ([Krankheits]erkennung; *Zool., Bot.* Bestimmung); **Di|a|gno|se|pro|gramm** *(EDV)*

Di|a|gno|se|ver|fah|ren; Di|a|gno|se|zen|t|rum

Di|a|gnos|tik, die; - (*Med.* Fähigkeit und Lehre, Krankheiten usw. zu erkennen); **Di|a|gnos|ti|ker; Di|a|gnos|ti|ke|rin;** **di|a|gnos|tisch; di|a|gnos|ti|zie|ren**

dia|go|nal ⟨griech.⟩ (schräg laufend); **Dia|go|nal,** der; -[s], -s (schräg gestreifter Kleiderstoff)

Dia|go|na|le, die; -, -n (Gerade, die zwei nicht benachbarte Ecken eines Vielecks miteinander verbindet); drei Diagonale[n]

Dia|go|nal|rei|fen

Dia|gramm, das; -s, -e ⟨griech.⟩ (zeichnerische Darstellung errechneter Werte in einem Koordinatensystem; Stellungsbild beim Schach)

Dia|kaus|tik, die; -, -en ⟨griech.⟩ (die beim Durchgang von parallelem Licht bei einer Linse entstehende Brennfläche); **dia|kaus|tisch**

Di|a|kon [*österr.* 'di:...], der; *Gen.* -s *u.* -en, *Plur.* -e[n] ⟨griech.⟩ (kath., anglikan. od. orthodoxer Geistlicher; karitativ od. seelsorgerisch tätiger Angestellter in ev. Kirchen); *vgl.* Diakonus

Di|a|ko|nat, das, *auch* der; -[e]s, -e (Diakonenamt, -wohnung)

Di|a|ko|nie, die; - ([berufsmäßige] Sozialtätigkeit [Krankenpflege, Gemeindedienst] in der ev. Kirche)

Di|a|ko|nin; di|a|ko|nisch

Di|a|ko|nis|se, die; -, -n *u.* Di|a|ko|nis|sin,** die; -, -nen (ev. Kranken- u. Gemeindeschwester); **Di|a|ko|nis|sen|haus; Di|a|ko|nis|sin** vgl. Diakonisse

Di|a|ko|nus, der; -, ...ko|ne[n] (*veraltet für* zweiter od. dritter Pfarrer einer ev. Gemeinde, Hilfsgeistlicher)

Dia|kri|se, die; -, ...isen, **Dia|kri|sis,** die; -, ...isen ⟨griech.⟩ (*Med.* entscheidende Krise einer Krankheit)

dia|kri|tisch (unterscheidend); diakritisches Zeichen *(Sprachw.)*

Di|a|lekt, der; -[e]s, -e ⟨griech.⟩ (Mundart); **di|a|lek|tal** (mundartlich); dialektale Besonderheiten

Di|a|lekt|aus|druck; Di|a|lekt|dich|tung; Di|a|lekt|fär|bung; Di|a|lekt|for|schung

di|a|lekt|frei

Di|a|lekt|geo|gra|fie, Di|a|lekt|geo|gra|phie

Di|a|lek|tik, die; - (Erforschung der Wahrheit durch Aufweisung u. Überwindung von Widersprüchen)

Di|a|lek|ti|ker (jmd., der die dialektische Methode anwendet); **Di|a|lek|ti|ke|rin**

di|a|lek|tisch (die Dialektik betreffend; *auch für* spitzfindig; *seltener* mundartlich); dialektische Methode (von den Sophisten ausgebildete Kunst der Gesprächsführung); dialektischer Materialismus (marxist. Lehre von den Grundbegriffen der Dialektik

u. des Materialismus); dialektische Theologie (eine Richtung der ev. Theologie nach dem 1. Weltkrieg) ↑ K89

Di|a|lek|to|lo|gie, die; - (Mundartforschung); **di|a|lek|to|lo|gisch**

Di|a|lekt|spre|cher; Di|a|lekt|spre|che|rin

Di|a|ler ['dai̯ələ], der; -s, - ⟨engl.⟩ (*EDV* Computerprogramm, das eine Telefonverbindung [zum Internet] herstellt)

Di|a|log, der; -[e]s, -e ⟨griech.⟩ (Zwiegespräch; Wechselrede); **Di|a|log|be|reit|schaft,** die; -

di|a|lo|gisch (in Dialogform); **di|a|lo|gi|sie|ren** (in Dialogform kleiden)

Di|a|log|kunst, die; -

Dia|ly|sa|tor, der; -s, ...oren ⟨griech.⟩ (*Chemie* Gerät zur Durchführung der Dialyse)

Dia|ly|se, die; -, -n (chem. Trennungsmethode; *Med.* Blutwäsche); **Dia|ly|se|ge|rät**

Dia|ly|se|pa|ti|ent; Dia|ly|se|pa|ti|en|tin

Dia|ly|se|sta|ti|on; Dia|ly|se|zen|t|rum (für Nierenkranke)

dia|ly|sie|ren; dia|ly|tisch (auf Dialyse beruhend)

¹Di|a|mant, die; - ⟨franz.⟩ (*Druckw.* ein Schriftgrad)

²Di|a|mant, der; -en, -en; *vgl. auch* Demant; **Di|a|mant|boh|rer**

Di|a|mant|col|li|er vgl. Diamantkollier

di|a|man|ten; diamantene Hochzeit (60. Jahrestag der Hochzeit) ↑ K89

Di|a|mant|feld

Di|a|mant|kol|li|er, Di|a|mant|col|li|er

Di|a|mant|leim (zum Fassen von Schmucksteinen)

Di|a|mant|schild|krö|te

Di|a|mant|schlei|fer; Di|a|mant|schlei|fe|rin

Di|a|mant|schliff; Di|a|mant|schmuck; Di|a|mant|staub

Di|a|mant|tin|te (ein Ätzmittel für Glas)

DIAMAT, Di|a|mat, der; - = dialektischer Materialismus

Dia|me|ter, der; -s, - ⟨griech.⟩ (Durchmesser)

dia|me|t|ral (entgegengesetzt); **dia|me|t|risch** (dem Durchmesser entsprechend)

Di|a|na (röm. Göttin der Jagd)

Di|a|pa|son, der; -s, *Plur.* -s *u.* ...one ⟨griech.⟩ (Kammerton;

Stimmgabel; [*auch* das; -s, -s:]
engl. Orgelregister)

di|a|phan ⟨griech.⟩ (*Kunstwiss.*
durchscheinend); Di|a|phan-
bild (durchscheinendes Bild)

Di|a|pho|ra, die; - ⟨griech.⟩ (*Rhet.*
Betonung des Unterschieds
zweier Dinge)

Di|a|pho|re|se, die; -, -n (*Med.*
Schwitzen); di|a|pho|re|tisch
(schweißtreibend)

Dia|phrag|ma, das; -s, ...men
⟨griech.⟩ (*Chemie* durchlässige
Scheidewand; *Med.* Zwerch-
fell; mechanisches Empfäng-
nisverhütungsmittel)

Di̱a|po|si|tiv [*auch* ...'ti:f], das;
-s, -e ⟨griech.; lat.⟩ (durchscheinendes fotografisches
Bild; *Kurzform* Dia); Di̱a|pro-
jek|tor (Vorführgerät für Dias)

Di|a|re|se, Di|ä|re|sis, die; -,
...resen ⟨griech.⟩ (*Sprachw.*
getrennte Aussprache zweier
Vokale, z. B. naiv; *Verslehre*
Einschnitt im Vers an einem
Wortende; *Philos.* Begriffszer-
legung; *Med.* Zerreißung
eines Gefäßes mit Blutaus-
tritt)

Di|a|ri|um, das; -s, ...ien ⟨lat.⟩
(Tagebuch; Kladde)

Di|ar|rhö, die; -, -en ⟨griech.⟩
(*Med.* Durchfall); di|ar|rhö|isch

Dia|skop, das; -s, -e ⟨griech.⟩
(*veraltend für* Diaprojektor)

Di|a|s|po|ra, die; - ⟨griech.⟩ (*Rel.*
Gebiet, in dem die Anhänger
einer Konfession in der Min-
derheit sind; religiöse od.
nationale Minderheit); Di|a|s-
po|ra|ge|mein|de

Di̱a|s|to|le [...le, *auch* ...'sto:la],
die; -, ...olen (*Med.* mit der
Systole rhythmisch abwech-
selnde Erweiterung des Her-
zens); dia|s|to|lisch; diastoli-
scher Blutdruck (*Med.*)

Di|ät, die; -, *Plur. (Arten:)* -en
⟨griech.⟩ (Krankenkost;
Schonkost; spezielle Ernährungsweise); Diät leben; Diät
halten, kochen; jmdn. auf Diät
setzen

Di|ät|as|sis|ten|tin (*svw.* Diätis-
tin)

Di|ä|ten *Plur.* ⟨lat.⟩ (Tagegelder;
Aufwandsentschädigung u. a.
[bes. von Parlamentariern])

Di|ä|te|tik, die; -, -en ⟨griech.⟩
(Ernährungslehre); Di|ä|te|ti-
kum, das; -s, ...ka (für eine
Diät geeignetes Nahrungsmit-

tel); di|ä|te|tisch (der Diätetik
gemäß)

Di|ät|fahr|plan (*ugs. für* Diät-
plan)

Di|ät|feh|ler (*Med.* Fehler in der
Ernährungsweise)

Dia|thek, die; -, -en ⟨griech.⟩
(Diapositivsammlung)

dia|ther|man ⟨griech.⟩ (*Med.,
Meteor.* Wärmestrahlen durch-
lassend); Dia|ther|mie, die; -
(*Med.* Heilverfahren, bei dem
Hochfrequenzströme innere
Körperteile durchwärmen)

Dia|the|se, die; -, -n ⟨griech.⟩
(*Med.* Veranlagung zu
bestimmten Krankheiten)

Di|äthy|len|gly|kol, *fachspr. auch*
Di|ethy|len|gly|kol ⟨griech.⟩
(Bestandteil von Frostschutz-
mitteln u. a.)

di|ä|tisch ⟨griech.⟩ (die Ernäh-
rung betreffend); Di|ä|tis|tin (w.
Fachkraft, die bei der Aufstellung von Diätplänen mitwirkt)

Di|ät|kost; Di|ät|kü|che; Di|ät|kur

Di|a|to|mee, die; -, -n *meist Plur.*
⟨griech.⟩ (*Bot.* Kieselalge)

Di|a|to|me|en|er|de (*svw.* Kiesel-
gur); Di|a|to|me|en|schlamm
(Ablagerung von Diatomeen)

Dia|to|nik, die; - ⟨griech.⟩ (*Musik*
Dur-Moll-Tonsystem; das
Fortschreiten in der Tonfolge
der 7-stufigen Tonleiter); dia-
to|nisch (auf der Diatonik
beruhend); die diatonische
Tonleiter

Di|ät|plan

Dia|t|ri|be, die; -, -n ⟨griech.⟩
(Abhandlung; Streitschrift)

Di̱a|vor|trag

Dib|bel|ma|schi|ne ⟨engl.; franz.⟩;
dib|beln ⟨engl.⟩ (*Landw.* in Rei-
hen mit größeren Abständen
säen); ich dibb[e]le; *vgl. aber*
tippeln

dich (*kann in Briefen groß- oder
kleingeschrieben werden*); *vgl.*
du

Di|cho|to|mie, die; -, ...ien
⟨griech.⟩ (Zweiteilung [in
Begriffspaare]; *Bot.* Gabelung);
di|cho|to|misch, di|cho|tom

Di|chro|is|mus [...k...], der; -
⟨griech.⟩ (*Physik* Zweifarbig-
keit von Kristallen bei Licht-
durchgang); di|chro|i|tisch;
dichroitische Spiegel

di|chro|ma|tisch (*Optik* zweifar-
big); dichromatische Gläser

Di|chro|s|kop, das; -s, -e (beson-
dere Lupe zur Prüfung auf

Dichroismus); di|chro|s|ko-
pisch

dicht

*Wenn »dicht« das Ergebnis der
mit einem folgenden einfachen
Verb bezeichneten Tätigkeit
angibt, kann getrennt oder zusammengeschrieben werden ↑K56:*

– ein Fass dicht machen *od.*
dichtmachen

– *Aber:* das Gelände wurde zu
dicht bebaut; das Glas muss
dicht schließen

*Bei übertragener Bedeutung gilt
Zusammenschreibung; vgl.* dicht-
halten, dichtmachen

*In Verbindung mit adjektivisch
gebrauchten Partizipien kann bei
nicht übertragener Bedeutung
getrennt oder zusammengeschrieben werden ↑K58:*

– ein dicht bebautes *od.* dichtbe-
bautes Gelände; eine dicht
behaarte *od.* dichtbehaarte
Brust; dicht bevölkerte *od.*
dichtbevölkerte Landstriche

dicht|auf; dichtauf folgen

dicht be|baut, dicht|be|baut *vgl.*
dicht

dicht be|haart, dicht|be|haart *vgl.*
dicht

dicht be|laubt, dicht|be|laubt *vgl.*
dicht

dicht be|völ|kert, dicht|be|völ|kert
vgl. dicht

dicht be|wölkt, dicht|be|wölkt *vgl.*
dicht

Dich|te, die; -, -n *Plur. selten*
(*Technik auch für* Verhältnis der
Masse zur Raumeinheit); Dich-
te|mes|ser, der (*für* Densimeter)

¹dich|ten (dicht machen)

²dich|ten (Verse schreiben); Dich-
ten, das; -s; ↑K82 : das Dichten
und Trachten der Menschen

Dich|ter; Dich|te|rin; dich|te|risch;
dichterische Freiheit

Dich|ter|kom|po|nist (Dichter u.
Komponist in einer Person);
Dich|ter|kom|po|nis|tin

Dich|ter|kreis; Dich|ter|le|sung;
Dich|ter|spra|che

Dich|ter|tum, das; -s; Dich|ter|wort
Plur. ...worte

dicht ge|drängt, dicht|ge|drängt
vgl. dicht

dicht|hal|ten (*ugs. für* nichts verra-
ten); sie hat [absolut] dichtge-

D

Dich

halten, *aber* der Verschluss hat dicht gehalten ↑K56
Dicht|heit, die; -
Dich|tig|keit, die; -
Dicht|kunst, die; -
dicht|ma|chen (*ugs. für* schließen); sie haben die Fabrik dichtgemacht; *aber* das Fass wurde dicht gemacht *od.* dichtgemacht; die Schotten dicht machen *od.* dichtmachen
¹Dich|tung (Gedicht)
²Dich|tung (Vorrichtung zum Dichtmachen)
Dich|tungs|art; Dich|tungs|gat|tung
Dich|tungs|mas|se; Dich|tungs|ma|te|ri|al; Dich|tungs|mit|tel, das; Dich|tungs|ring; Dich|tungs|schei|be; Dich|tungs|stoff
dick; durch dick und dünn ↑K72; dick auftragen; dick machen *od.* dickmachen
Dick|bau|chig; dick|bäu|chig
Dick|blatt|ge|wächs (*Bot.*)
Dick|darm; Dick|darm|ent|zün|dung; Dick|darm|krebs
di|cke; *nur in* jmdn., eine Sache dicke haben (*ugs. für* jmds., einer Sache überdrüssig sein)
¹Di|cke, die; -, -n (*nur Sing.*: Dicksein; [*in Verbindung mit Maß-angaben*] Abstand von einer Seite zur anderen); Bretter von 2 mm Dicke, von verschiedenen Dicken
²Di|cke, der *u.* die; -n, -n
di|cken (zähflüssig machen, werden); Brombeersaft dickt leicht
Di|ckens (engl. Schriftsteller)
Di|cken|wachs|tum (z. B. eines Baumes)
Di|cker|chen
di|cke|tun, dick|tun (*ugs. für* sich wichtigmachen); ich tue mich dick[e]; dick[e]getan; dick[e]zutun
dick|fel|lig (*ugs. abwertend*); Dick|fel|lig|keit, die; -
dick|flei|schig; dick|flüs|sig
Dick|häu|ter
Di|cicht, das; -s, -e
Dick|kopf (*ugs.*); dick|köp|fig (*ugs.*)
dick|lei|big; dick|lich
dick ma|chen, dick|ma|chen *vgl.* dick
Dick|ma|cher (*ugs. für* sehr kalorienreiches Nahrungsmittel)
Dick|milch
Dick|schä|del (*ugs.*); dick|schä|de|lig, dick|schäd|lig
Dick|schiff (großes Seeschiff)
Dick|sein, das; -s

Dick|te, die; -, -n (*Druckw.* Buchstabenbreite)
Dick|tu|er; Dick|tu|e|rei; dick|tun *vgl.* dicketun
Di|ckung (*Jägerspr.* Dickicht)
dick|wan|dig
Dick|wanst (*ugs. abwertend*)
Dick|wurz (Runkelrübe)
Di|dak|tik, die; -, -en ⟨griech.⟩ (Unterrichtslehre); Di|dak|ti|ker; Di|dak|ti|ke|rin; di|dak|tisch (unterrichtskundlich; lehrhaft)
di|del|dum!; di|del|dum|dei!
Di|de|rot [...'ro:] (franz. Schriftsteller u. Philosoph)
Did|ge|ri|doo [dɪdʒəri'du:], das; -s, -s ⟨engl.⟩ (röhrenförmiges Blasinstrument der australischen Ureinwohner)
Di|do (sagenhafte Gründerin Karthagos)
die; der *u.* deren (*vgl. d.*); *Plur. vgl.* der
Dieb, der; -[e]s, -e; Die|be|rei
Die|bes|ban|de *vgl.* ²Bande; Die|bes|beu|te; Die|bes|gut; Die|bes|ha|ken (²Dietrich); Die|bes|nest
die|bes|si|cher
Die|bes|tour; Die|bes|zug; Die|bin
die|bisch
Dieb|stahl, der; -[e]s, ...stähle; Dieb|stahl|ver|si|che|rung
Dief|fen|ba|chie, die; -, -n ⟨nach dem österr. Botaniker Dieffenbach⟩ (eine Zierpflanze)
die|je|ni|ge; *Gen.* derjenigen, *Plur.* diejenigen
Die|le, die; -, -n
Di|elek|t|ri|kum, das; -s, ...ka ⟨griech.⟩ (elektr. Nichtleiter); di|elek|t|risch
Di|elek|t|ri|zi|täts|kon|s|tan|te (Wert, der die elektrischen Eigenschaften eines Stoffes kennzeichnet; *Zeichen* ε)
die|len
Die|len|bo|den; Die|len|brett
Die Lin|ke.PDS (neuer Name der PDS [*vgl. d.*])
Die|me, die; -, -n, *u.* Die|men, der; -s, - (*nordd. für* [Heu]haufen)
die|nen
Die|ner; Die|ne|rin
die|nern; ich dienere
Die|ner|schaft; Die|ner|schar *vgl.* ¹Schar
dien|lich
Dienst, der; -[e]s, -e; *auch* zu Diensten stehen; etw. in Dienst stellen (in Betrieb nehmen); außer Dienst (*Abk.* a. D.); der Dienst habende *od.* dienstha-bende Beamte; die Dienst

tuende *od.* diensttuende Ärztin; Dienst leistende *od.* dienst-leistende Tätigkeiten ↑K58; ↑K72 : der Diensthabende wurde gerufen
Dienst|ab|teil

Diens|tag

der; -[e]s, -e (*Abk.* Di.)

Das Substantiv »Dienstag« wird großgeschrieben:

– ich werde Sie [am] Dienstag aufsuchen
– alle Dienstage; eines Dienstags, des Dienstags

Hingegen wird das Adverb »diens-tags« kleingeschrieben ↑K70:

– dienstags; immer dienstags; dienstags abends

Verbindungen aus Wochentag und Tageszeitangabe werden meist zusammengeschrieben:

– am [nächsten] Dienstagabend
– immer dienstagabends (*od.* dienstags abends)
– entsprechend in Verbindung mit Morgen, morgens usw., *aber* Dienstag früh beginnen wir

Vgl. auch Dienstagabend u. ↑K32

Diens|tag|abend [*auch* 'di:...'|a:...]; meine Dienstagabende sind schon alle belegt; sie kommt Dienstagabend; er ist für [diesen] Dienstagabend bestellt; *aber* dienstagabends *od.* dienstags abends spielen wir Skat; am, jeden Dienstagabend; eines schönen Dienstagabends; *vgl.* Dienstag
diens|tä|gig *vgl.* ...tägig; diens|täg-lich *vgl.* ...täglich
Diens|tag|nacht [*auch* 'di:...'na...] *vgl.* Dienstag
diens|tags *vgl.* Dienstag
Diens|tags|ver|an|stal|tung
Dienst|al|ter; Dienst|äl|tes|te
Dienst|an|tritt; Dienst|an|zug; Dienst|auf|fas|sung
Dienst|auf|sicht; Dienst|auf|sichts-be|schwer|de (*Rechtsw.*)
Dienst|aus|weis
dienst|bar; Dienst|bar|keit
dienst|be|flis|sen
Dienst|be|ginn
dienst|be|reit; Dienst|be|reit|schaft, die; -
Dienst|bo|te; Dienst|bo|tin

D

dige

dienst|eif|rig; dienst|fer|tig; dienst-
frei; dienstfrei haben, sein
Dienst|ge|ber (österr. neben
Arbeitgeber); Dienst|ge|be|rin
Dienst|ge|brauch; nur für den
Dienstgebrauch
Dienst|ge|heim|nis; Dienst|ge-
spräch; Dienst|grad
Dienst ha|bend, dienst|ha|bend
vgl. Dienst; Dienst|ha|ben|de, der
u. die; -n, -n ↑K 72
Dienst|herr; Dienst|her|rin
Dienst|jahr
Dienst leis|tend, dienst|leis|tend
vgl. Dienst
Dienst|leis|ter; Dienst|leis|te|rin
Dienst|leis|tung; Dienst|leis|tungs-
abend; Dienst|leis|tungs|be|trieb;
Dienst|leis|tungs|ge|sell|schaft;
Dienst|leis|tungs|ge|wer|be;
Dienst|leis|tungs|sek|tor
dienst|lich
Dienst|mäd|chen (veraltet)
¹Dienst|mann Plur. ...mannen (frü-
her für Lehnsmann)
²Dienst|mann Plur. ...männer u.
...leute (veraltend für Gepäck-
träger)
Dienst|mar|ke
Dienst|neh|mer (österr. neben
Arbeitnehmer); Dienst|neh|me-
rin
Dienst|per|so|nal
Dienst|pflicht; dienst|pflich|tig
Dienst|prag|ma|tik, die; - (österr.
früher für generelle Norm für
das öffentl.-rechtl. Dienstver-
hältnis)
Dienst|rang
dienst|recht|lich
Dienst|rei|se; Dienst|sa|che
Dienst|schluss, der; ...schlusses
Dienst|sie|gel; Dienst|sitz
Dienst|stel|le; Dienst|stel|len|aus-
schuss (österr. für Personalver-
tretung in einer Dienststelle)
Dienst|stem|pel
dienst|taug|lich
Dienst tu|end, dienst|tu|end vgl.
Dienst
dienst|un|fä|hig; Dienst|un|fä|hig-
keit, die; -; Dienst|ver|ge|hen
Dienst|vor|schrift; Dienst|waf|fe;
Dienst|wa|gen; Dienst|weg
dienst|wid|rig
Dienst|woh|nung; Dienst|zeit
Dienst|zet|tel (österr. für schriftli-
che Aufstellung der Dienstver-
pflichtungen)
Dierk vgl. Dirk
dies, die|ses; Gen. dieses
Di|es, der; - (kurz für Dies acade-

micus); Di|es aca|de|mi|cus, der;
- - ⟨lat.⟩ (vorlesungsfreier Tag an
der Universität, an dem eine
Feier o. Ä. angesetzt ist)
dies|be|züg|lich
Die|sel, der; -[s], - ⟨nach dem
Erfinder⟩ (kurz für Dieselkraftstoff; [Auto mit] Dieselmotor)
die|sel|be; Gen. derselben; Plur.
dieselben; ein[e] und dieselbe
die|sel|bi|ge (veraltet für dieselbe)
die|sel|elek|t|risch
Die|sel|kraft|stoff (Abk. DK)
Die|sel|mo|tor ↑K 136
die|seln (wie ein Dieselmotor ohne
Zündung weiterlaufen)
Die|sel|öl; Die|sel|tank
die|ser, diese, dieses (dies); Gen.
dieses, dieser, dieses; Plur. diese;
dieser selbe [Augenblick]
die|ser|art (auf diese Weise; so);
aber Fälle [von] dieser Art
die|ser|halb (veraltend)
die|ses vgl. dies
die|ses Jah|res (Abk. d. J.)
die|ses Mo|nats (Abk. d. M.)
die|sig (dunstig, trübe u. feucht);
Die|sig|keit, die; -
Di|es Irae, das; - - ⟨lat., »Tag des
Zornes«⟩ (Rel. Anfang eines
Hymnus aus dem Weltgericht;
Teil des Requiems)
dies|jäh|rig
dies|mal; aber dieses Mal, dieses
od. dies eine, letzte Mal; dies-
ma|lig
dies|sei|tig; Dies|sei|tig|keit, die; -
dies|seits; Präp. mit Gen.: dies-
seits des Flusses; Dies|seits, das;
-; im Diesseits
Dies|seits|glau|be
Die|ter, Die|ther (m. Vorn.)
Diet|hild, Diet|hil|de (w. Vorn.)
Di|ethy|len|gly|kol vgl. Diäthylen-
glykol
Diet|lind, Diet|lin|de (w. Vorn.)
Diet|mar (m. Vorn.)
¹Diet|rich (m. Vorn.)
²Diet|rich, der; -s, -e (Nachschlüs-
sel)
die|weil, all|die|weil (veraltet)
Dif|fa|ma|ti|on, die; -, -en ⟨lat.⟩
(Verleumdung); dif|fa|ma|to-
risch
Dif|fa|mie, die; -, ...ien (verleumde-
rische Bosheit); dif|fa|mie|ren;
Dif|fa|mie|rung
dif|fe|rent ⟨lat.⟩ (verschieden)
dif|fe|ren|ti|al, Dif|fe|ren|ti|al usw.
vgl. differenzial, Differenzial
usw.
dif|fe|ren|ti|ell vgl. differenziell

Dif|fe|renz, die; -, -en (Unter-
schied; Unstimmigkeit)
Dif|fe|renz|be|trag; Dif|fe|renz|ge-
schäft (Börsentermingeschäft)
dif|fe|ren|zi|al, dif|fe|ren|ti|al
(einen Unterschied begründend
od. darstellend)
Dif|fe|ren|zi|al, Dif|fe|ren|ti|al, das;
-s, -e (Math. unendlich kleine
Differenz; kurz für Differenzial-
getriebe)
Dif|fe|ren|zi|al|geo|me|t|rie, Dif|fe-
ren|ti|al|geo|met|rie (Math.)
Dif|fe|ren|zi|al|ge|trie|be, Dif|fe-
ren|ti|al|ge|trie|be (Ausgleichs-
getriebe beim Kraftfahrzeug)
Dif|fe|ren|zi|al|quo|ti|ent, Dif|fe-
ren|ti|al|quo|ti|ent (Math.)
Dif|fe|ren|zi|al|rech|nung, Dif|fe-
ren|ti|al|rech|nung (Math.)
Dif|fe|ren|zi|al|schal|tung, Dif|fe-
ren|ti|al|schal|tung (Elektrot.)
Dif|fe|ren|zi|a|ti|on, Dif|fe|ren|ti|a-
ti|on, die; -, -en (Math. Anwen-
dung der Differenzialrechnung;
Geol. Aufspaltung einer Stamm-
schmelze)
dif|fe|ren|zi|ell, dif|fe|ren|ti|ell
(svw. differenzial)
dif|fe|ren|zie|ren (unterscheiden;
abstufen; Math. die Differenzialrechnung anwenden)
Dif|fe|ren|ziert|heit, die; - (Unter-
schiedlichkeit; Abgestuftsein)
Dif|fe|ren|zie|rung
dif|fe|rie|ren (verschieden sein;
voneinander abweichen)
dif|fi|zil ⟨franz.⟩ (schwierig, kom-
pliziert; schwer zu behandeln)
Dif|frak|ti|on, die; -, -en ⟨lat.⟩ (Phy-
sik Strahlenbrechung, Beugung
des Lichtes)
dif|fun|die|ren ⟨lat.⟩ (fachspr. für
durchdringen; zerstreuen)
dif|fus (zerstreut; verschwom-
men); diffuses Licht
Dif|fu|si|on, die; -, -en (Chemie
gegenseitige Durchdringung
[von Gasen od. Flüssigkeiten];
Physik Zerstreuung; Berg-
mannsspr. Wetteraustausch;
Zuckerherstellung Auslaugung)
Dif|fu|sor, der; -s, ...oren (Technik
Rohrleitungsteil, dessen Querschnitt sich erweitert; Fot. Licht
streuende Plastikscheibe zur
Erweiterung des Messwinkels
bei Lichtmessern)
Di|gam|ma, das; -[s], -s (Buchstabe
im ältesten griech. Alphabet; ϝ)
di|gen ⟨griech.⟩ (Biol. durch Ver-
schmelzung zweier Zellen
gezeugt)

di|ge|rie|ren ⟨lat.⟩ (*Chemie* auslau-
gen, -ziehen; *Med.* verdauen)

Di|gest [ˈdaidʒest], der *od.* das;
-[s], -s ⟨engl.⟩ (Zeitschrift, die
Auszüge aus Büchern, Zeitschriften u. Ä. bringt)

Di|ges|ten [diˈge...] *Plur.* ⟨lat.⟩
(Gesetzessammlung des Kaisers
Justinian)

Di|ges|tif [...ʒɛsˈtiːf], der; -s, -s
⟨franz.⟩ (Verdauungsgetränk)

Di|ges|ti|on [...g...], die; -, -en ⟨lat.⟩
(*Med.* Verdauung; *Chemie* Aus-
laugen)

di|ges|tiv (*Med.* Verdauung bewir-
kend; Verdauungs...)

Di|git [...dʒit], das; -[s], -s ⟨engl.⟩
(Ziffer einer elektron. Anzeige)

di|gi|tal [digi...] ⟨lat.⟩ (*Med.* mit
dem Finger; *Technik* in Ziffern
dargestellt, ziffernmäßig; *EDV*
in Stufen erfolgend)

Di|gi|tal|box (für digitalen Fern-
sehempfang)

Di|gi|tal|fern|se|hen; Di|gi|tal|fo|to

Di|gi|ta|lis, die; -, - (Fingerhut, eine
Arzneipflanze)

di|gi|ta|li|sie|ren (*Technik* mit Zif-
fern darstellen; in ein digitales
Signal umwandeln); Di|gi|ta|li-
sie|rung

Di|gi|tal|ka|me|ra; Di|gi|tal|rech-
ner; Di|gi|tal|tech|nik; Di|gi|tal-
ton|band; Di|gi|tal|uhr

Di|gi|tal ver|sa|tile Disc [ˈdɪdʒɪtl
ˈvɔːɐ̯zətail ˈdɪsk], die; - - -, - - -s
⟨engl.⟩ (*Abk.* DVD; *vgl. d.*)

Di|glos|sie, die; -, ...ien ⟨griech.⟩
(*Sprachw.* Zweisprachigkeit)

Di|glyph, der; -s, -e ⟨griech.⟩
(*Archit.* zweigeschlitzte Platte
am Gebälk [ital. Renaissance])

Dig|ni|tar ⟨lat.⟩, Dig|ni|tär ⟨franz.⟩
der; -s, -e (Würdenträger der
kath. Kirche); Dig|ni|tät, die; -,
-en ⟨lat.⟩ (kath. kirchl. Würde)

Di|gres|si|on, die; -, -en ⟨lat.⟩
(*Astron.* Winkel zwischen dem
Meridian u. dem Vertikalkreis,
der durch ein polnahes Gestirn
geht)

DIHK, der; - = Deutscher Indus-
trie- und Handelskammertag

Di|jam|bus, der; -, ...ben ⟨griech.⟩
(*Verslehre* Doppeljambus)

Di|ke (griech. Göttin der Gerech-
tigkeit, eine der ²Horen)

di|klin ⟨griech.⟩ (*Bot.* eingeschlech-
tig)

Di|ko|ty|le, Di|ko|ty|le|do|ne, die; -,
-n ⟨griech.⟩ (*Bot.* zweikeimblätt-
rige Pflanze)

Dik|ta|fon, Dik|ta|phon, das; -s, -e

⟨lat.; griech.⟩ (Tonbandgerät
zum Diktieren)

Dik|tant, der; -en, -en (jmd., der
diktiert)

Dik|ta|phon *vgl.* Diktafon

Dik|tat, das; -[e]s, -e ⟨lat.⟩

Dik|ta|tor, der; -s, ...oren; Dik|ta|to-
rin; dik|ta|to|risch

Dik|ta|tur, die; -, -en; die Diktatur
des Proletariats *(marx.)*

dik|tie|ren (zur Niederschrift vor-
sprechen; aufzwingen)

Dik|tier|ge|rät

Dik|ti|on, die; -, -en (Schreibart;
Ausdrucksweise)

Dik|ti|o|när, das *u.* der; -s, -e
⟨franz.⟩ (Wörterbuch)

Dik|tum, das; -s, ...ta ⟨lat., »Gesag-
tes«⟩ (Ausspruch)

di|la|ta|bel ⟨lat.⟩ (dehnbar); ...ta|b-
le Buchstaben; Di|la|ta|bi|les
Plur. (in die Breite gezogene
hebr. Buchstaben)

Di|la|ta|ti|on, die; -, -en (*Physik*
Ausdehnung; *Med.* Erweiterung
[von Körperhöhlen])

Di|la|ti|on, die; -, -en ⟨lat.⟩
(*Rechtsw.* Aufschub[frist]); di|la-
to|risch (aufschiebend)

Dil|do, der; -[s], -s ⟨engl.⟩ (künst-
lich nachgebildeter erigierter
Penis)

Di|lem|ma, das; -s, *Plur.* -s, *auch*
-ta ⟨griech.⟩ (Zwangslage; Wahl
zwischen zwei [unangenehmen]
Dingen)

Di|let|tant, der; -en, -en ⟨ital.⟩ (*geh.
für* [Kunst]liebhaber; Nichtfachmann; Stümper)

di|let|tan|ten|haft, di|let|tan|tisch

Di|let|tan|tin

Di|let|tan|tis|mus, der; - (laienhafte
Beschäftigung mit etwas, Liebhaberei; Stümperhaftigkeit); di-
let|tie|ren

Di|li (Hauptstadt von Timor-
Leste)

Di|li|gence [...ˈʒãːs], die; -, -n
⟨franz.⟩ (*früher* [Eil]postkut-
sche)

Dill, der; -s, -e, *bes. österr. auch*
Dil|le, die; -, -n (eine Gewürz-
pflanze)

Dil|len|kraut, Dill|kraut *(österr.)*

Dil|they (dt. Philosoph)

Di|lu|vi|um, das; -s ⟨*älter für* Pleis-
tozän⟩

dim. = diminuendo

Dime [daim], der; -s, -s ⟨US-ame-
rik. Münze⟩; 10 Dime

Di|men|si|on, die; -, -en ⟨lat.⟩ (Aus-
dehnung; [Aus]maß; Bereich);
di|men|si|o|nal (die Ausdehnung

bestimmend); di|men|si|o|nie|ren
(abmessen; *Technik* die Maße
festlegen)

Di|me|ter, der; -s, - ⟨griech.⟩ (*Vers-
lehre* antike Verseinheit aus
zwei Füßen)

di|mi|nu|en|do ⟨ital.⟩ (*Musik* in der
Tonstärke abnehmend; *Abk.*
dim.); Di|mi|nu|en|do, das; -s,
Plur. -s *u.* ...di

di|mi|nu|ie|ren ⟨lat.⟩ (verkleinern,
verringern); Di|mi|nu|ti|on, die; -,
-en (*Musik auch für* Verkürzung
der Notenwerte; variierende
Verzierung)

di|mi|nu|tiv (*Sprachw.* verklei-
nernd); Di|mi|nu|tiv, das; -s, -e *u.*
Di|mi|nu|ti|vum, das; -s, ...va
(*Sprachw.* Verkleinerungswort,
z. B. »Öfchen«); Di|mi|nu|tiv|form
(*Sprachw.*)

Di|mi|nu|ti|vum, *vgl.* Diminutiv

dim|men ⟨engl.⟩ (mit einem Dim-
mer regulieren; abdunkeln; Dim-
mer, der; -s, - (stufenloser Hel-
ligkeitsregler)

di|morph ⟨griech.⟩ (zweigestaltig,
zweiformig); Di|mor|phis|mus,
der; -, ...men

DIN ® (*Abk. für* Deutsche Indus-
trie-Norm[en], *später gedeutet
als* Das Ist Norm; Verbands-
zeichen des Deutschen Insti-
tuts für Normung e. V.; *mit
einer Nummer zur Bezeich-
nung einer Norm* [z. B. DIN
16 511] *u. bei Kopplungen* [z. B.
DIN-A4-Blatt, DIN-Norm,
DIN-Mitteilungen, DIN-For-
mat]; *vgl. auch* ↑K 26)

Di|na (w. Vorn.; bibl. w. Eigenn.)

Di|nar, der; -[s], -e (Währungsein-
heit in Algerien, Bahrain, Irak,
Jordanien, Kuwait, Libyen, Ser-
bien, Tunesien)

di|na|risch; *aber* ↑K 140 : das Dina-
rische Gebirge (im Westen des
ehem. Jugoslawien)

Di|ner [...ˈneː], das; -s, -s ⟨franz.⟩
(*geh. für* [festliches] Abend- od.
Mittagessen mit mehreren Gängen)

¹Ding, das; -[e]s, *Plur.* -e, *ugs.* -er
(Sache); guter Dinge sein

²Ding, das; -[e]s, -e (germ. Volks-,
Gerichts- u. Heeresversamm-
lung); *vgl.* Thing

Din|gel|chen (kleines Ding)

din|gen (*veraltend für* zu Dienst-
leistungen gegen Entgelt verpflichten; in Dienst nehmen);
du dingtest (*selten* dangst, *Konj.*

dängest); gedungen (*seltener* gedingt); ding[e]!

Din|ger|chen Plur.

ding|fest; *nur in* jmdn. dingfest machen (verhaften)

Din|gi, das; -s, -s ⟨Hindi⟩ (kleines Beiboot)

ding|lich (eine Sache betreffend; gegenständlich); dinglicher Anspruch; **Ding|lich|keit,** die; -

Din|go, der; -s, -s ⟨austr.⟩ (austral. Wildhund)

...dings (z. B. neuerdings)

Dings, Dings|bums, ¹**Dings|da,** der, die, das; - ⟨*ugs. für* eine unbekannte od. unbenannte Person od. Sache⟩

²**Dings|da, Dings|kir|chen** [*auch* ...ˈkɪ...] ⟨*ugs. für* einen unbekannten od. unbenannten Ort⟩

Ding|wort Plur. ...wörter (*für* Substantiv)

di|nie|ren ⟨franz.⟩ (*geh. für* [in festlichem Rahmen] essen, speisen)

Di|ning|room [ˈdaɪnɪŋruːm], der; -s, -s ⟨engl.⟩ (*engl. Bez. für* Speisezimmer)

Dink, der; -s, -s *meist Plur.* ⟨aus engl. **d**ouble **i**ncome, **n**o **k**ids = doppeltes Einkommen, keine Kinder⟩ (jmd., der in einer kinderlosen Partnerschaft lebt, in der beide Partner einem Beruf nachgehen)

Din|kel, der; -s, - Plur. selten (Weizenart, Spelt)

Din|ner, das; -s, -[s] ⟨engl.⟩ (Hauptmahlzeit in England [abends eingenommen])

Din|ner|ja|cket, Din|ner-Ja|cket [...dʒɛkɪt], das; -s, -s ⟨engl. Bez. für **S**moking[jackett]⟩

Di|no, der; -s, -s ⟨*ugs. kurz für* Dinosaurier⟩; **Di|no|sau|ri|er,** der; -s, -, **Di|no|sau|rus,** der; -, ...rier ⟨griech.⟩ (ausgestorbene Riesenechse)

Di|no|the|ri|um, das; -s, ...ien (ausgestorbenes Rüsseltier Europas)

Di|o|de, die; -, -n ⟨griech.⟩ (elektronisches Bauelement)

Di|o|ge|nes (altgriech. Philosoph)

Di|o|k|le|ti|an (röm. Kaiser); **di|o|k|le|ti|a|nisch;** die diokletianischen Reformen ↑K89 *u.* 135

Di|o|len®, das; -[s] (eine synthetische Faser)

Di|on, die; -, -en ⟨*österr. kurz für* Direktion, *selten für* Division⟩

Di|o|ny|si|en Plur. ⟨griech.⟩ (Dionysosfest); **di|o|ny|sisch** (dem Gott Dionysos zugehörend; *auch für* wild begeistert, tobend; rau-

schend [von Festen]); ↑K89 *u.* 135 ; **Di|o|ny|sos** (griech. Gott des Weines, des Rausches u. der Fruchtbarkeit)

di|o|phan|tisch ⟨nach dem altgriech. Mathematiker Diophantos⟩; diophantische Gleichung ↑K89 *u.* 135

Di|op|ter, das; -s, - ⟨griech.⟩ (Zielgerät; *Fotogr.* Rahmensucher)

Di|op|t|rie, die; -, ...ien ⟨*Optik* Maßeinheit für den Brechwert von Linsen; *Abk.* dpt, dptr., Dptr.); **Di|op|t|ri|en|aus|gleich; di|op|t|risch**

Di|o|ra|ma, das; -s, ...men ⟨griech.⟩ (plastisch wirkendes Schaubild)

Di|o|rit, der; -s, -e ⟨griech.⟩ (ein Tiefengestein)

Di|os|ku|ren Plur. ⟨griech., »Zeussöhne«⟩ (Kastor u. Pollux; *auch für* unzertrennliche Freunde)

Di|o|ti|ma [*auch* ...ˈtiː...] (myth. Priesterin bei Platon)

Di|oxid [*auch* ...ˈksiːt], **Di|oxyd** [*auch* ...ˈksyːt] (Oxid, das zwei Sauerstoffatome enthält); *vgl.* Oxid

Di|oxin, das; -s, -e ⟨griech.⟩ (hochgiftige Verbindung von Chlor und Kohlenwasserstoff)

Di|oxyd [*auch* ...ˈksyːt] *vgl.* Dioxid

Di|ö|ze|san, der; -en, -en ⟨griech.⟩ (Angehöriger einer Diözese)

Di|ö|ze|se, die; -, -n (Amtsgebiet eines kath. Bischofs)

Di|ö|zie, die; - (*Bot.* Zweihäusigkeit); **di|ö|zisch** (*Bot.*)

Dip, der; -s, -s ⟨engl.⟩ (Soße zum Eintunken)

Diph|the|rie, die; -, ...ien ⟨griech.⟩ (*Med.* eine Infektionskrankheit)

Diph|the|rie|schutz|imp|fung; Diph|the|rie|se|rum; diph|the|risch

Diph|thong, der; -s, -e ⟨griech.⟩ (*Sprachw.* Doppellaut, z. B. ei, au; *Ggs.* Monophthong)

diph|thon|gie|ren (einen Vokal zum Diphthong entwickeln); **Diph|thon|gie|rung; diph|thon|gisch**

dipl. = diplomiert

Dipl.-Betriebsw. = Diplom-Betriebswirt[in]

Dipl.-Bibl. = Diplom-Bibliothekar[in]

Dipl.-Biol. = Diplom-Biologe/-Biologin

Dipl.-Chem. = Diplom-Chemiker[in]

Dipl.-Dolm. = Diplom-Dolmetscher[in]

Di|plex|be|trieb *vgl.* Duplexbetrieb

Dipl.-Hdl. = Diplom-Handelslehrer[in]

Dipl.-Hist. = Diplom-Historiker[in]

Dipl.-Holzw. = Diplom-Holzwirt[in]

Dipl.-Inform. = Diplom-Informatiker[in]

Dipl.-Ing. = Diplom-Ingenieur[in]

Dipl.-Kff[r]. = Diplom-Kauffrau

Dipl.-Kfm. = Diplom-Kaufmann

Dipl.-Landw. = Diplom-Landwirt[in]

Dipl.-Math. = Diplom-Mathematiker[in]

Dipl.-Med. = Diplom-Mediziner[in]

Dipl.-Med.-Päd. = Diplom-Medizinpädagoge/-pädagogin

Dipl.-Met. = Diplom-Meteorologe/-Meteorologin

Di|p|lo|do|kus, der; -, ...ken ⟨griech.⟩ (ausgestorbene Riesenechse)

Di|p|lo|id ⟨griech.⟩ (*Biol.* mit doppeltem Chromosomensatz)

Dipl.-Oecotroph. = Diplom-Oecotrophologe/-Oecotrophologin

Dipl.-Ök. = Diplom-Ökonom[in]

Di|p|lo|kok|kus, der; -, ...kken ⟨griech.⟩ (*Med.* Kokkenpaar [Krankheitserreger])

Di|p|lom *s.* Kasten Seite 322

Di|p|lo|mand, der; -en, -en (jmd., der sich auf die Diplomprüfung vorbereitet); **Di|p|lo|man|din; Di|p|lom|ar|beit**

Di|p|lo|mat, der; -en, -en ⟨griech.⟩ (beglaubigter Vertreter eines Landes bei einem fremden Staat)

Di|p|lo|ma|ten|aus|weis; Di|p|lo|ma|ten|kof|fer; Di|p|lo|ma|ten|lauf|bahn

Di|p|lo|ma|ten|pass

Di|p|lo|ma|tie, die; - (Regeln u. Methoden für die Führung außenpolit. Verhandlungen; Gesamtheit der Diplomaten; Geschicktheit im Umgang)

Di|p|lo|ma|tik, die; - (Urkundenlehre); **Di|p|lo|ma|ti|ker** (Urkundenforscher u. -kenner); **Di|p|lo|ma|ti|ke|rin**

Di|p|lo|ma|tin

di|p|lo|ma|tisch (die Diplomatie u. die Diplomatik betreffend; urkundlich; klug u. geschickt im Umgang); das diplomatische Korps ↑K89 ; *vgl. aber* ↑K150 : das Diplomatische Korps in Rom

di|p|lo|mie|ren (ein Diplom erteilen)

Di|p|lom

das; -[e]s, -e

⟨griech.⟩ (amtliches Schriftstück; Urkunde; [Ehren]zeugnis; akademischer Grad)

Im Folgenden sind ausgewählte Berufsbezeichnungen mit »Diplom« und die zugehörigen Abkürzungen aufgeführt, wobei die Abkürzungen sowohl für die männlichen als auch für die weiblichen Titel gelten. Alle Bezeichnungen können auch ohne Bindestrich geschrieben werden: Diplom-Betriebswirt *od.* Diplombetriebswirt *usw.*

- Diplom-Betriebswirt[in], *Abk.* Dipl.-Betriebsw.
- Diplom-Bibliothekar[in], *Abk.* Dipl.-Bibl.
- Diplom-Biologe/-Biologin, *Abk.* Dipl.-Biol.
- Diplom-Chemiker[in], *Abk.* Dipl.-Chem.
- Diplom-Dolmetscher[in], *Abk.* Dipl.-Dolm.
- Diplom-Handelslehrer[in], *Abk.* Dipl.-Hdl.
- Diplom-Historiker[in], *Abk.* Dipl.-Hist.
- Diplom-Holzwirt[in], *Abk.* Dipl.-Holzw.
- Diplom-Informatiker[in], *Abk.* Dipl.-Inform.
- Diplom-Ingenieur[in], *Abk.* Dipl.-Ing., *österr. auch* DI
- Diplom-Kauffrau, *Abk.* Dipl.-Kff. *od.* Dipl.-Kffr.
- Diplom-Kaufmann *Plur.* ...leute, *Abk.* Dipl.-Kfm., *österr.* Dkfm.
- Diplom-Landwirt[in], *Abk.* Dipl.-Landw.
- Diplom-Mathematiker[in], *Abk.* Dipl.-Math.
- Diplom-Mediziner[in], *Abk.* Dipl.-Med.
- Diplom-Medizinpädagoge/-pädagogin, *Abk.* Dipl.-Med.-Päd.
- Diplom-Meteorologe/-Meteorologin, *Abk.* Dipl.-Met.
- Diplom-Oecotrophologe/-Oecotrophologin, *Abk.* Dipl.-Oecotroph.
- Diplom-Ökonom[in], *Abk.* Dipl.-Ök.
- Diplom-Pädagoge/-Pädagogin, *Abk.* Dipl.-Päd.
- Diplom-Physiker[in], *Abk.* Dipl.-Phys.
- Diplom-Politologe/-Politologin, *Abk.* Dipl.-Pol.
- Diplom-Psychologe/-Psychologin, *Abk.* Dipl.-Psych.
- Diplom-Sportlehrer[in], *Abk.* Dipl.-Sportl.
- Diplom-Theologe/-Theologin, *Abk.* Dipl.-Theol.
- Diplom-Tierarzt/-Tierärztin *(österr.)*, *Abk.* Mag. med. vet.
- Diplom-Volkswirt[in], *Abk.* Dipl.-Volksw.
- Diplom-Wirtschaftsingenieur[in], *Abk.* Dipl.-Wirtsch.-Ing.

Dipl.-Päd. = Diplom-Pädagoge/-Pädagogin
Dipl.-Phys. = Diplom-Physiker[in]
Dipl.-Pol. = Diplom-Politologe/-Politologin
Dipl.-Psych. = Diplom-Psychologe/-Psychologin
Dipl.-Sportl. = Diplom-Sportlehrer[in]
Dipl.-Theol. = Diplom-Theologe/-Theologin
Dipl.-Verww. = Diplom-Verwaltungswirt[in]
Dipl.-Volksw. = Diplom-Volkswirt[in]
Dipl.-Wirtsch.-Ing. = Diplom-Wirtschaftsingenieur[in]

Di|po|die, die; -, ...ien ⟨griech.⟩ (*Verslehre* zweiteilige Taktgruppe in einem Vers); **di|po|disch**

Di|pol, der; -s, -e ⟨griech.⟩ (*Physik* Anordnung von zwei entgegengesetzt gleichen elektrischen Ladungen)

Di|pol|an|ten|ne

Dip|pel, der; -s, - (*südd. für* Dübel; *österr. ugs. für* Beule; *vgl.* Tippel)

Dip|pel|baum (*österr. für* Trag-, Deckenbalken)

¹dip|pen (*landsch. für* eintauchen)

²dip|pen ⟨engl.⟩ (*Seemannsspr.* die Flagge zum Gruß halb niederholen u. wieder hochziehen)

Dip|tam, der; -s ⟨griech.⟩ (eine Zierpflanze)

Di|p|te|ren *Plur.* ⟨griech.⟩ (*Zool.* zweiflüglige Insekten)

Di|p|te|ros, der; -, ...roi (Tempel mit doppelter Säulenreihe)

Di|p|ty|chon, das; -s, *Plur.* ...chen *u.* ...cha ⟨griech.⟩ (zusammenklappbare Schreibtafel im Altertum; zweiflügeliges Altarbild)

dir

Beugung des folgenden [substantivierten] Adjektivs oder Partizips:

- dir alten (*selten* alter) Frau; dir jungem (*auch* jungen) Menschen
- dir Geliebten (*weibl.; selten* Geliebter); dir Geliebtem (*männl.; neben* Geliebten)

In Briefen kann »dir« groß- oder kleingeschrieben werden; vgl. du

Dir. = Direktor[in]

Di|rect Mai|ling [ˈdaɪrɛkt ˈmeɪlɪŋ], das; - -[s], - -s ⟨engl.⟩ (*Werbespr.* Form der Direktwerbung, bei der Werbematerial verschickt wird)

Di|rec|toire [...rekˈtǒaːʁ], das; -[s] ⟨franz.⟩ (französ. [Kunst]stil Ende des 18. Jh.s)

Di|rec|tor's Cut [daɪˈrɛktɐs kat], der; - -[s], - -s ⟨engl.⟩ (*Film* meist längere vom Regisseur freigegebene Fassung eines Films)

di|rekt ⟨lat.⟩; direkte Rede (*Sprachw.* wörtliche Rede)

Di|rekt|bank *Plur.* ...banken (filialloses Kreditinstitut)

di|rek|te|mang (*landsch. für* geradewegs); **Di|rekt|flug; Di|rekt|heit**

Di|rek|ti|on, die; -, -en (*schweiz. auch* kantonales Ministerium)

Di|rek|ti|ons|kraft *(Physik)*; **di|rek|ti|ons|los** (richtungslos); **Di|rek|ti|ons|se|kre|tä|rin; Di|rek|ti|ons|zim|mer**

Di|rek|ti|ve, die; -, -n (Weisung; Verhaltensregel)

Di|rek|t|man|dat

Di|rek|tor, der; -s, ...oren (*Abk.* Dir.); **Di|rek|to|rat,** das; -[e]s, -e; **di|rek|to|ri|al** (dem Direktor zustehend, von ihm herrührend); **Di|rek|to|rin; Di|rek|to|ri|um,** das; -s, ...ien; **Di|rek|tor|zim|mer**

Di|rek|t|ri|ce [...sə, *österr.* ...s], die; -, -n ⟨franz.⟩ (leitende Angestellte [bes. in der Bekleidungsindustrie])

Di|rek|t|rix, die; - ⟨lat.⟩ (*Math.* Leitlinie von Kegelschnitten)

Di|rekt|sen|dung; Di|rekt|spiel; Di|rekt|über|tra|gung

Di|rekt|ver|kauf; Di|rekt|wahl; Di|rekt|wer|bung

Di|ret|tis|si|ma, die; -, -s ⟨ital.⟩

(Route, die ohne Umwege zum Berggipfel führt)

Di|rex, der; -, -e ⟨Schülerspr. Direktor⟩

Dir|ham, Dir|hem, der; -s, -s ⟨Währungseinheit in arab. Ländern⟩

Di|ri|gat, das; -[e]s, -e ⟨lat.⟩ (das Dirigieren [eines Orchesters])

Di|ri|gent, der; -en, -en; **Di|ri|gen|ten|pult; Di|ri|gen|ten|stab**

Di|ri|gen|tin; di|ri|gie|ren ([ein Orchester] leiten; lenken)

Di|ri|gis|mus, der; - (staatl. Lenkung der Wirtschaft); **di|ri|gis|tisch**

di|ri|mie|ren ⟨lat.⟩ (österr. für bei Stimmengleichheit entscheiden); **Di|ri|mie|rungs|recht**

Dirk, Dierk (m. Vorn.)

Dirn, die; -, -en (bayr., österr. mdal. für Magd)

Dirndl, das; -s, -n (bayr., österr. für junges Mädchen; Dirndlkleid; ostösterr. ugs. auch für [Frucht der] Kornelkirsche); **Dirndl|kleid; Dirndl|rock**

Dirndl|strauch (ostösterr. ugs. für Strauch der Kornelkirsche)

Dir|ne, die; -, -n (Prostituierte; mdal. für junges Mädchen)

dis, Dis, das; -, - (Tonbezeichnung); **dis** ⟨Zeichen für dis-Moll⟩; in dis; **Dis** ⟨Zeichen für Dis-Dur⟩; in Dis

Dis|agio [...ˈaːdʒo, auch ...ˈaːʒi̯o], das; -s, Plur. -s u. ...gien [...ˈaːdʒn, auch ...ˈaːʒi̯ən] ⟨ital.⟩ (Abschlag, um den der Kurs von Wertpapieren od. Geldsorten unter dem Nennwert od. der Parität steht)

Disc, Disk, die; -, -s ⟨engl.⟩ (kurz für Diskette, CD od. DVD)

Disc|jo|ckey, Disk|jo|ckey, der; -s, -s ⟨engl.⟩ (jmd., der Musiktitel präsentiert)

Dis|clai|mer [...ˈkleɪ...], der; -s, - (bes. EDV Distanzierungserklärung)

Disc|man® [...mɛn], der; -s, -s ⟨engl.⟩ (kleiner CD-Player mit Kopfhörern)

Dis|co, Dis|ko, die; -, -s ⟨engl.⟩ (Tanzlokal u. -veranstaltung mit CD- od. Schallplattenmusik)

Dis|co|fox, Dis|ko|fox, der; -[es] (moderne Form des Foxtrotts)

Dis|co|mu|sik, Dis|ko|mu|sik; **Disco|rol|ler**, Dis|ko|rol|ler, der; -s, - ⟨engl.⟩ (Rollschuh [mit Kunststoffrollen])

Dis|count|bro|ker, Dis|count-Broker [...ˈkaʊnt...] ⟨engl.⟩ (Unternehmen, das Wertpapierhan-

delsgeschäfte ohne Beratung betreibt)

Dis|coun|ter [...ˈkaʊn...], der; -s, - (Geschäft, in dem Waren mit hohen Rabatten verkauft werden); **Dis|count|preis**

Dis|co|ve|ry [...ˈkavəri], die; - ⟨engl., »Entdeckung«⟩ (Name einer amerik. Raumfähre)

Dis|en|gage|ment [dɪzɪnˈgeːtʃment], das; -s ⟨engl.⟩ (milit. Auseinanderrücken der Machtblöcke)

Di|seur [...ˈzøːɐ̯], der; -s, -e ⟨franz.⟩ (Vortragskünstler); **Di|seu|se** [...ˈzøː...], die; -, -n

Dis|har|mo|nie [auch 'dɪs...], die; -, ...ien ⟨lat.; griech.⟩ (Missklang; Uneinigkeit); **dis|har|mo|nie|ren; dis|har|mo|nisch**

Dis|junk|ti|on, die; -, -en ⟨lat.⟩ (Trennung; Sonderung); **dis|junk|tiv;** disjunktive Konjunktion (Sprachw. ausschließendes Bindewort, z. B. »oder«)

Disk vgl. Disc

Dis|kant, der; -s, -e ⟨lat.⟩ (Musik höchste Stimm- od. Tonlage)

Dis|kant|schlüs|sel; Dis|kant|stimme

Dis|ken (Plur. von Diskus)

Dis|ket|te, die; -, -n ⟨engl.; franz.⟩ (als Datenspeicher dienende Magnetplatte)

Disk|jo|ckey vgl. Discjockey

Disk|ka|me|ra ⟨griech.; lat.⟩ (Kamera, bei der die Fotos auf einer runden Scheibe belichtet werden)

Dis|ko vgl. Disco

Dis|ko|fox vgl. Discofox

Dis|ko|gra|fie, Dis|ko|gra|phie, die; -, ...ien ⟨griech.⟩ (Schallplattenverzeichnis)

Dis|ko|mu|sik vgl. Discomusik

Dis|kont, der; -s, -e ⟨ital.⟩ (Bankw. Zinsvergütung bei noch nicht fälligen Zahlungen)

Dis|kon|ten Plur. (inländische Wechsel)

Dis|kon|ter|hö|hung; Dis|kont|geschäft; Dis|kon|the|r|ab|set|zung

dis|kon|tie|ren (eine später fällige Forderung unter Abzug von Zinsen ankaufen)

dis|kon|ti|nu|ier|lich [auch 'dɪs...] ⟨lat.⟩ (unterbrochen, zusammenhanglos); **Dis|kon|ti|nu|i|tät** [auch 'dɪs...], die; -, -en

Dis|kont|satz (Bankw. Zinssatz); **Dis|kont|sen|kung; Dis|kont|spesen** Plur. (Wechselspesen)

Dis|kor|danz, die; -, -en ⟨lat.⟩

(Uneinigkeit, Missklang; Geol. ungleichförmige Lagerung zweier Gesteinsverbände)

Dis|ko|rol|ler vgl. Discoroller

Dis|ko|thek, die; -, -en ⟨griech.⟩ (Schallplattensammlung; auch svw. Disco); **Dis|ko|the|kar**, der; -s, -e (Verwalter einer Diskothek [beim Rundfunk])

Dis|kre|dit, der; -[e]s ⟨lat.⟩ (übler Ruf); **dis|kre|di|tie|ren** (in Verruf bringen); **Dis|kre|di|tie|rung**

dis|kre|pant ⟨lat.⟩ (abweichend; widersprüchlich); **Dis|kre|panz**, die; -, -en (Missverhältnis)

dis|kret ⟨lat.⟩ (taktvoll; unauffällig; vertraulich; Physik, Math. abgegrenzt, getrennt); diskrete Nachforschungen; **Dis|kre|ti|on**, die; - (Verschwiegenheit, ²Takt)

Dis|kri|mi|nan|te, die; -, -n ⟨lat.⟩ (math. Ausdruck bei Gleichungen zweiten u. höheren Grades)

dis|kri|mi|nie|ren; Dis|kri|mi|nie|rung (unterschiedliche Behandlung; Herabsetzung)

dis|kur|rie|ren ⟨lat.⟩ (landsch. für sich eifrig unterhalten)

Dis|kurs, der; -es, -e ([eifrige] Erörterung; methodisch aufgebaute Abhandlung); **dis|kur|siv** (Philos. von Begriff zu Begriff logisch fortschreitend)

Dis|kus, der; Gen. - u. -ses, Plur. ...ken u. -se ⟨griech.⟩ (Wurfscheibe); **Dis|kus|fisch**

Dis|kus|si|on, die; -, -en ⟨lat.⟩ (Erörterung; Aussprache; Meinungsaustausch)

Dis|kus|si|ons|abend; Dis|kus|si|ons|ba|sis; Dis|kus|si|ons|bei|trag

dis|kus|si|ons|freu|dig

Dis|kus|si|ons|ge|gen|stand; Dis|kus|si|ons|grund|la|ge

Dis|kus|si|ons|lei|ter, der; **Dis|kus|si|ons|lei|te|rin**

Dis|kus|si|ons|red|ner; Dis|kus|si|ons|red|ne|rin

Dis|kus|si|ons|run|de

Dis|kus|si|ons|teil|neh|mer; Dis|kus|si|ons|teil|neh|me|rin

Dis|kus|si|ons|the|ma

dis|kus|si|ons|wür|dig

Dis|kus|wer|fen, das; -s; **Dis|kus|wer|fer; Dis|kus|wurf**

dis|ku|ta|bel ⟨lat.⟩ (erwägenswert; strittig); diskuta|b|le Fragen

Dis|ku|tant, der; -en, -en ⟨lat.⟩ (Diskussionsteilnehmer); **Dis|ku|tan|tin**

dis|ku|tier|bar; dis|ku|tie|ren; [über] etwas diskutieren

Dis|lo|ka|ti|on, die; -, -en ⟨lat.⟩ (räumliche Verteilung [von

Truppen]; *Geol.* Störung der normalen Lagerung von Gesteinsverbänden; *Med.* Verschiebung der Bruchenden)
dis|lo|zie|ren ([Truppen] räumlich verteilen, verlegen); Dis|lo|zie|rung
dis-Moll [*auch* 'dɪs'mɔl], das; - (Tonart; *Zeichen* dis);
dis-Moll-Ton|lei|ter ↑K26
Dis|ney [...ni], Walt (amerik. Trickfilmzeichner u. Filmproduzent);
Dis|ney|land® [...lɛnt], das; -s, -s (ein Vergnügungspark)
Dis|pa|che [...ʃə], die; -, -n ⟨franz.⟩ (*Seew.* Schadensberechnung u. -verteilung bei Seeschäden); Dis|pa|cheur [...ʃøːɐ], der; -s, -e (Seeschadenberechner); dis|pa|chie|ren
dis|pa|rat ⟨lat.⟩ (ungleichartig; unvereinbar); Dis|pa|ri|tät, die; -, -en (Ungleichheit)
Dis|pat|cher [...'pɛtʃ...], der; -s, - ⟨engl.⟩ (leitender Angestellter in der Industrie, der den Produktionsablauf überwacht); Dis|pat|che|rin
Dis|pat|cher|sys|tem
Dis|pens, der; -es, -e *u. (österr. u. im kath. Kirchenrecht nur)* die; -, -en ⟨lat.⟩ (Aufhebung einer Verpflichtung, Befreiung; Ausnahme[bewilligung])
Dis|pen|saire|be|treu|ung [...'sɛːɐ..., *auch* ...pã'sɛːɐ...] ⟨franz.; dt.⟩ (vorbeugende med. Betreuung Gefährdeter)
Dis|pen|sa|ti|on [...pɛ...], die; -, -en ⟨lat.⟩ (Befreiung)
Dis|pen|sa|to|ri|um, das; -s, ...ien (Arznei-, Apothekerbuch)
Dis|pens|ehe
dis|pen|sie|ren (von einer Vorschrift befreien, freistellen; Arzneien bereiten u. abgeben); Dis|pen|sie|rung
di|s|per|gie|ren ⟨lat.⟩ (verbreiten)
di|s|pers (fein verteilt; zerstreut); disperse Phase *(Physik)*; Di|s|per|si|on, die; -, -en (feinste Verteilung eines Stoffes in einem anderen; *Physik* Abhängigkeit der Fortpflanzungsgeschwindigkeit einer Wellenbewegung von der Wellenlänge)
Di|s|per|si|ons|far|be
Dis|placed Per|son [...'pleːst 'pøːɐsn̩], die; - -, - -s (Ausländer, der während des Zweiten Weltkriegs nach Deutschland [zur Arbeit] verschleppt wurde)
Dis|play [...'pleː], das; -s, -s ⟨engl.⟩

324

(optisch wirksames Ausstellen von Waren; aufstellbares Werbungsmaterial; *EDV* optische Datenanzeige)
Dis|play|er, der; -s, - (Dekorations-, Packungsgestalter); Dis|play|e|rin
Dis|play|ma|te|ri|al
Dis|po, der; -s, -s (*kurz für* Dispositionskredit)
Di|spon|de|us, der; -, ...een ⟨griech.⟩ (*Verslehre* Doppelspondeus)
Dis|po|nen|de, die; -, -n *meist Plur.* ⟨lat.⟩ (bis zum Abrechnungstermin unverkauftes Buch, dessen weitere Lagerung beim Buchhändler der Verleger gestattet)
Dis|po|nent, der; -en, -en (kaufmänn. Angestellter mit besonderen Vollmachten, der einen größeren Unternehmungsbereich leitet); Dis|po|nen|tin
dis|po|ni|bel (verfügbar); disponible Gelder; Dis|po|ni|bi|li|tät, die; - (Verfügbarkeit)
dis|po|nie|ren; dis|po|niert (*auch für* aufgelegt; empfänglich [für Krankheiten])
Dis|po|si|ti|on, die; -, -en (Anordnung, Gliederung; Verfügung; Anlage; Empfänglichkeit [für Krankheiten]); zur Disposition (im einstweiligen Ruhestand; *Abk.* z. D.); dis|po|si|ti|ons|fä|hig (geschäftsfähig)
Dis|po|si|ti|ons|fonds; Dis|po|si|ti|ons|gel|der *Plur.* (Vergnügungsgelder); Dis|po|si|ti|ons|kre|dit (Überziehungskredit)
dis|po|si|tiv (anordnend, verfügend; *Rechtsw.* abdingbar; *vgl.* d.); dispositives Recht
Dis|po|si|tiv, das; -s, -e (*schweiz. für* Gesamtheit der Vorkehrungen für einen bestimmten Fall)
Dis|pro|por|ti|on [*auch* 'dɪs...], die; -, -en ⟨lat.⟩ (Missverhältnis); dis|pro|por|ti|o|nal (schlecht proportioniert); Dis|pro|por|ti|o|na|li|tät, die; -, -en; dis|pro|por|ti|o|niert
Dis|put, der; -[e]s, -e ⟨lat.⟩ (Wortwechsel; Streitgespräch)
dis|pu|ta|bel (strittig; disputa|b|le Fragen
Dis|pu|tant, der; -en, -en (Disputierender); Dis|pu|tan|tin
Dis|pu|ta|ti|on, die; -, -en (Streitgespräch); dis|pu|tie|ren
Dis|qua|li|fi|ka|ti|on, die; -, -en ⟨lat.⟩; dis|qua|li|fi|zie|ren (vom sportl. Wettbewerb ausschlie-

ßen; für untauglich erklären); Dis|qua|li|fi|zie|rung
Dis|ra|e|li [*engl.* ...'reːli] (brit. Schriftsteller u. Politiker)
Diss. = Dissertation
Dis|se, die; -, -n (*ugs. für* Disco)
dis|sen ⟨amerik.⟩ (*Rapperjargon* verächtlich machen, schmähen); du disst
Dis|sens, der; -es, -e ⟨lat.⟩ (Meinungsverschiedenheit)
Dis|sen|ter, der; -s, -s *meist Plur.* ⟨engl.⟩ (sich nicht zur anglikan. Kirche Bekennender)
dis|sen|tie|ren ⟨lat.⟩ (abweichender Meinung sein)
Dis|ser|tant, der; -en, -en ⟨lat.⟩ (jmd., der eine Dissertation anfertigt); Dis|ser|tan|tin
Dis|ser|ta|ti|on, die; -, -en (wissenschaftl. Abhandlung zur Erlangung der Doktorwürde; *Abk.* Diss.); dis|ser|tie|ren (eine Dissertation anfertigen)
Dis|si|dent, der; -en, -en ⟨lat.⟩ (jmd., der außerhalb einer staatlich anerkannten Religionsgemeinschaft steht; jmd., der von einer offiziellen politischen Meinung abweicht); Dis|si|den|tin; dis|si|die|ren (anders denken; [aus der Kirche] austreten)
Dis|si|mi|la|ti|on, die; -, -en ⟨lat.⟩ (*Sprachw.* »Entähnlichung« von Lauten, z. B. Wechsel von t zu k in »Kartoffel« [*aus* »Tartüffel«]; *Biol.* Abbau u. Verbrauch von Nährstoffen unter Energiegewinnung); dis|si|mi|lie|ren
Dis|si|mu|la|ti|on, die; -, -en ⟨lat.⟩ (*Med., Psych.* bewusste Verheimlichung einer Krankheit); dis|si|mu|lie|ren
Dis|si|pa|ti|on, die; -, -en ⟨lat.⟩ (*Physik* Übergang einer Energieform in Wärmeenergie)
Dis|si|pa|ti|ons|sphä|re, die; - (*svw.* Exosphäre)
dis|so|lu|bel ⟨lat.⟩ (löslich, auflösbar, zerlegbar); dissolu|b|le Mischungen; Dis|so|lu|ti|on, die; -, -en (Auflösung, Trennung)
dis|so|nant ⟨lat.⟩ (misstönend)
Dis|so|nanz, die; -, -en (Missklang; Unstimmigkeit)
dis|so|nie|ren
Dis|so|zi|a|ti|on, die; -, -en ⟨lat.⟩ (*fachspr. für* Zerfall, Trennung; Auflösung); dis|so|zi|ie|ren
Dis|stress, Dys|stress, der; -es, -e ⟨griech., engl.⟩ (*Psych., Med.* lang andauernder starker Stress)
di|s|tal ⟨lat.⟩ (*Med.* weiter von der

Körpermitte, bei Blutgefäßen
weiter vom Herzen entfernt)

Di|s|tanz, die; -, -en ⟨lat.⟩ (Entfer-
nung; Abstand); **Di|s|tanz|ge-
schäft** (Verkauf nach Katalog od.
Mustern)

di|s|tan|zie|ren ([im Wettkampf]
überbieten, hinter sich lassen);
sich distanzieren (von jmdm.
od. etwas abrücken)

di|s|tan|ziert; Di|s|tan|zie|rung

Di|s|tanz|re|lais *(Elektrot.)*

Di|s|tanz|ritt (Ritt über eine sehr
lange Strecke)

Di|s|tanz|schuss *(Sport)*

Di|s|tanz|wech|sel *(Bankw.* Wech-
sel mit verschiedenem Ausstel-
lungs- u. Zahlungsort)

Di|s|tanz|wurf *(Sport)*

Di|s|tel, die; -, -n; **Di|s|tel|fal|ter** (ein
Schmetterling); **Di|s|tel|fink** (ein
Vogel)

Di|s|then, der; -s, -e ⟨griech.⟩ (ein
Mineral)

Di|s|ti|chon, das; -s, ...chen
⟨griech.⟩ (*Verslehre* Verspaar
aus Hexameter u. Pentameter)

di|s|tin|guiert [...'gi:ɐ̯t] ⟨lat.⟩
(betont vornehm); **Di|s|tin-
guiert|heit,** die; -

di|s|tinkt (klar und deutlich [abge-
grenzt])

Di|s|tink|ti|on, die; -, -en (Aus-
zeichnung; [hoher] Rang; *österr.*
für Rangabzeichen)

Di|s|tink|tiv (unterscheidend)

Dis|tor|si|on, die; -, -en ⟨lat.⟩ (*Optik*
Verzerrung, Verzeichnung; *Med.*
Verstauchung)

dis|tra|hie|ren ⟨lat.⟩ (*fachspr. für*
auseinanderziehen; trennen)

Dis|trak|ti|on, die; -, -en (*veraltet
für* Zerstreuung; *Geol.* Zerrung
von Teilen der Erdkruste; *Med.*
Behandlung von Knochenbrü-
chen mit Streckverband)

Dis|tri|bu|ent, der; -en, -en ⟨lat.⟩
(Verteiler); **Dis|tri|bu|en|tin; dis-
tri|bu|ie|ren** (verteilen)

Dis|tri|bu|ti|on, die; -, -en (Vertei-
lung; Auflösung; *Wirtsch.* Ein-
kommensverteilung, Verteilung
von Handelsgütern; *Sprachw.*
die Umgebung eines sprachlichen Elements; *Psych.* Verteilung u. Aufspaltung der Aufmerksamkeit)

Dis|tri|bu|ti|ons|for|mel (Spende-
formel beim Abendmahl)

dis|tri|bu|tiv (verteilend)

Dis|tri|bu|tiv|ge|setz *(Math.);* **Dis-
tri|bu|tiv|zahl** (im Deutschen mit
»je« gebildet, z. B. »je acht«)

Dis|tri|bu|tor, der; -s, ...oren ⟨lat.-
engl.⟩ *(Wirtsch.* Verkäufer; Ver-
triebsgesellschaft); **Dis|tri|bu|to-
rin**

Dis|t|rikt, der; -[e]s, -e ⟨lat.⟩
(Bezirk, Bereich); **Dis|t|rikts|vor-
ste|her; Dis|t|rikts|vor|ste|he|rin**

Dis|zi|p|lin, die; -, -en ⟨lat.⟩ (nur
Sing.: Zucht, Ordnung; Fach
einer Wissenschaft; Teilbereich
des Sports; **dis|zi|p|li|när** *(bes.
österr. für* disziplinarisch)

Dis|zi|p|li|nar|ge|walt (Ordnungs-
gewalt)

dis|zi|p|li|na|risch, dis|zi|p|li|nell
(die Disziplin, Ordnung
betreffend; mit gebotener
Strenge)

**Dis|zi|p|li|nar|maß|nah|me; Dis|zi|p-
li|nar|recht** (Teil des Beamten-
rechts); **Dis|zi|p|li|nar|stra|fe; Dis-
zi|p|li|nar|ver|fah|ren; Dis|zi|p|li-
nar|ver|ge|hen**

dis|zi|p|li|nell *vgl.* disziplinarisch

dis|zi|p|li|nie|ren (zur Ordnung
erziehen); **dis|zi|p|li|niert**

Dis|zi|p|li|niert|heit, die; -

dis|zi|p|lin|los; dis|zi|p|lin|wid|rig

Di|te|t|ro|de, die; -, -n ⟨griech.⟩
(*Elektrot.* Doppelvierpolröhre)

Dith|mar|schen (Gebiet an der
Nordseeküste); **Dith|mar|scher;
dith|mar|sisch**

Di|thy|ram|be, die; -, -n ⟨griech.⟩,
Di|thy|ram|bus, der; -, ...ben
(Weihelied [auf Dionysos]; über-
schwängliches Gedicht); **di|thy-
ram|bisch** (begeistert, über-
schwänglich)

Di|thy|ram|bus *vgl.* Dithyrambe

di|to ⟨lat.⟩ (dasselbe, ebenso; *Abk.*
do. *od.* dto.); *vgl.* detto

Di|tro|chä|us, der; -, ...äen ⟨griech.⟩
(*Verslehre* Doppeltrochäus)

Ditt|chen, das *u.* der; -s, - *meist
Plur. (ostpreuß.* für Zehnpfen-
nigstück)

Dit|te (w. Vorn.)

Dit|to|gra|fie, Dit|to|gra|phie, die;
-, ...ien ⟨griech.⟩ (Doppelschrei-
bung von Buchstaben[grup-
pen])

Di|u|re|se, die; -, -n ⟨griech.⟩ (*Med.*
Harnausscheidung); **Di|u|re|ti-
kum,** das; -s, ...ka (harntreiben-
des Mittel); **di|u|re|tisch**

Di|ur|nal, das; -s, -e, Di|ur|na|le,
das; -, ...lia *(lat.)* (Gebetbuch der
kath. Geistlichen mit den Tages-
gebeten)

Di|va, die; -, *Plur.* -s *u.* ...ven ⟨ital.,
»Göttliche«⟩ (erste Sängerin,
gefeierte Schauspielerin)

di|ven|haft (wie eine Diva)

di|ver|gent ⟨lat.⟩ (auseinanderge-
hend; in entgegengesetzter
Richtung [ver]laufend); **Di|ver-
genz,** die; -, -en (das Auseinandergehen; Meinungsverschie-
denheit); **di|ver|gie|ren**

di|vers ⟨lat.⟩ (verschieden; *im Plur.
auch* mehrere)

Di|ver|sant, der; -en, -en (*im kom-
munist. Sprachgebrauch* Sabo-
teur)

Di|ver|si|fi|ka|ti|on, die; -, -en
(Abwechslung, Mannigfaltig-
keit; *Wirtsch.* Ausweitung des
Waren- oder Produktionssorti-
ments eines Unternehmens)

di|ver|si|fi|zie|ren

Di|ver|si|on, die; -, -en (*veraltet für*
Ablenkung; Angriff von der
Seite; *im kommunist. Sprach-
brauch* Sabotage durch den
Klassenfeind)

Di|ver|si|tät, die; - (Vielfalt, Viel-
fältigkeit)

Di|ver|ti|kel, das; -s, - (*Med.* Aus-
buchtung an Organen)

Di|ver|ti|men|to, das; -s, *Plur.* -s *u.*
...ti ⟨ital.⟩ (*Musik* heiteres
Instrumentalstück; Tanzein-
lage; Zwischenspiel)

Di|ver|tis|se|ment [...sə'mã:], das;
-s, -s ⟨franz.⟩ (Gesangs- od. Bal-
letteinlage der franz. Oper des
17./18. Jh.s; *selten für* Divertі-
mento)

di|vi|de et im|pe|ra ⟨lat., »teile und
herrsche!«⟩ (legendäres Prinzip
der altrömischen Außenpolitik)

Di|vi|dend, der; -en, -en ⟨lat.⟩
(*Math.* zu teilende Zahl; Zähler
eines Bruchs)

Di|vi|den|de, die; -, -en (*Wirtsch.*
der auf eine Aktie entfallende
Gewinnanteil)

**Di|vi|den|den|aus|schüt|tung; Di|vi-
den|den|schein**

di|vi|die|ren (*Math.* teilen); zehn
dividiert durch fünf ist, macht,
gibt zwei

Di|vi|di|vi *Plur.* ⟨indian.-span.⟩
(gerbstoffreiche Schoten einer
[sub]tropischen Pflanze)

Di|vi|na Com|me|dia, die; - - ⟨ital.⟩
(Dantes »Göttliche Komödie«)

di|vi|na|to|risch ⟨lat.⟩ (vorahnend;
seherisch)

Di|vi|ni|tät, die; - (Göttlichkeit)

Di|vis, das; -es, -e ⟨lat.⟩ (*Druckw.*
Trennungs- od. Bindestrich)

Di|vi|si|on, die; -, -en (*Math.* Tei-
lung; Heeresabteilung)

Di|vi|si|o|när, der; -s, -e ⟨franz.⟩

D

Divi

(*bes. schweiz., österr. für* Befehlshaber einer Division) Di|vi|si|ons|kom|man|deur; Di|vi|si|ons|la|za|rett; Di|vi|si|ons|stab

Di|vi|sor, der; -s, ...oren ⟨lat.⟩ (*Math.* teilende Zahl; Nenner)

Di|vi|so|ri|um, das; -s, ...ien (*Druckw.* gabelförmige Klammer [zum Halten der Vorlage])

Di|wan, der; -s, -e ⟨pers.⟩ (*veraltend für* niedriges Liegesofa; *Literaturw.* [oriental.] Gedichtsammlung); [Goethes] »West-östlicher Diwan«

Dix (dt. Maler)

Di|xie [...ksi], der; -s ⟨*ugs. Kurzform für* Dixieland⟩

Di|xie|land [...lent], der; -[s] ⟨amerik.⟩, Di|xie|land|jazz, **Di|xie-land-Jazz** (eine nordamerik. Variante des Jazz)

DJ ['di:dʒe:], der; -[s], -s ⟨engl.⟩ = Discjockey

d. J. = dieses Jahres; der Jüngere

Dja|kar|ta [dʒ...] ⟨*ältere Schreibung für* Jakarta⟩

Dja|maa, die; -⟨arab.⟩ (Gemeinschaft der rechtgläubigen Muslime)

DJane [di'dʒe:n], die; -, -s ⟨engl.⟩ (weibl. DJ)

Djan|na, die; -⟨arab.⟩ (*islam. Bezeichnung für* Paradies)

Djem|be [dʒ...], die; -, -n ⟨afrik.-franz.⟩ (afrikan. Holztrommel)

Djer|ba [dʒ...] (tunes. Insel)

DJH, das; -[s] = Deutsches Jugendherbergswerk

Dji|bou|ti [dʒi'buti] ⟨*schweiz. u. franz. für* Dschibuti⟩

DJK, die; - = Deutsche Jugendkraft [e. V.]

Dju|ma [dʒ...], die; - ⟨arab.⟩ (Freitagsgebet im Islam)

DK = Dezimalklassifikation; Dieselkraftstoff

Dkfm. = Diplomkaufmann

DKK, die; = (Währungscode für dän. Krone)

DKP, die; - = Deutsche Kommunistische Partei

dkr = dänische Krone (Münze)

dl = Deziliter

DLF, der; - = Deutschlandfunk

DLG, die; - = Deutsche Landwirtschaftsgesellschaft

DLRG, die, *auch* der; - = Deutsche Lebens-Rettungs-Gesellschaft

dm = Dezimeter

DM = Deutsche Mark

dm² = Quadratdezimeter

dm³ = Kubikdezimeter

d. M. = dieses Monats

D-Mark, die; -, - (Deutsche Mark); D-Mark in Euro umtauschen

d-Moll ['de:mɔl, *auch* ...'mɔl], das; - (Tonart; *Zeichen* d);

d-Moll-Ton|lei|ter ↑K26

DNA, die; - ⟨engl.⟩ = deoxyribonucleic acid; DNA-Ana|ly|se; DNA-Chip; DNA-Re|gis|ter

Dnjepr, der; -[s] (russ.-weißruss.-ukrain. Fluss)

Dnjestr, der; -[s] (moldauisch-ukrain. Fluss)

DNS, die; - = Desoxyribonukleinsäure (*veraltend für* DNA)

do ⟨ital.⟩ (Solmisationssilbe)

do. = dito

Do. = Donnerstag

d. O. = der od. die Obige

Do|bel *vgl.* Tobel

¹Dö|bel, der; -s, - (ein Fisch)

²Dö|bel usw. *vgl.* Dübel usw.

Do|ber|mann, der; -s, ...männer (nach dem Züchter) (Hunderasse); Do|ber|mann|pin|scher

Döb|lin (dt. Schriftsteller)

Do|bos|tor|te [...bɔʃ...] ⟨ung.⟩ (*österr. für* eine glasierte Cremetorte)

Do|b|ratsch, der; -[e]s (Gebirge in Kärnten)

Do|b|ru|d|scha, die; - (Gebiet zwischen Donau u. Schwarzem Meer)

doch; ja doch!; nicht doch!

Docht, der; -[e]s, -e; Docht|sche|re

Dock, das; -s, *Plur.* -s, *selten* -e ⟨niederl. *od.* engl.⟩ (Anlage zum Ausbessern von Schiffen)

Do|cke, die; -, -n (Garnmaß; zusammengedrehter Garnstrang; *landsch. für* Puppe); *vgl. aber* Dogge; ¹do|cken (Garn, Flachs, Tabak bündeln)

²do|cken ⟨niederl. *od.* engl.⟩ (ein Schiff ins Dock bringen; im Dock liegen; *auch svw.* andocken)

Do|cker (Arbeiter in einem Dock); Dock|ha|fen *vgl.* ¹Hafen

Do|cking, das; -s, -s (Ankoppelung an ein Raumfahrzeug); Do|cking-ma|nö|ver

Do|cu|men|ta, die; - (Ausstellung zeitgenössischer Kunst in Kassel)

do|de|ka|disch ⟨griech.⟩ (12 Einheiten umfassend, duodezimal)

Do|de|ka|eder, das; -s, - (von zwölf gleichen, regelmäßigen Fünfecken begrenzter Körper)

Do|de|ka|fo|nie, Do|de|ka|pho|nie, die; - ⟨griech.⟩ (Zwölftonmusik); do|de|ka|fo|nisch, do|de|ka|pho-

nisch (die Dodekafonie betreffend); Do|de|ka|fo|nist, Do|de-ka|pho|nist, der; -en, -en (Komponist der Zwölftonmusik)

Do|de|ka|nes, der; - ⟨»Zwölfinseln«⟩ (Inselgruppe im Ägäischen Meer)

Dö|del, der; -s, - (*ugs. für* einfältiger Mensch, Dummkopf)

Do|de|rer, Heimito von (österr. Schriftsteller)

Do|do|ma (Hauptstadt von Tansania)

Do|do|na (Orakelheiligtum des Zeus); do|do|nä|isch

Do|ga|res|sa, die; -, ...essen ⟨ital.⟩ (Gemahlin des Dogen)

Dog|cart [...ka:ɐ̯t], der; -s, -s ⟨engl.⟩ (offener, zweirädriger Einspänner)

Do|ge [...ʒə, *auch* ...dʒə], der; -n, -n ⟨ital., »Herzog«⟩ (*früher* Titel des Staatsoberhauptes in Venedig u. Genua)

Do|gen|müt|ze; Do|gen|pa|last

Dog|ge, die; -, -n ⟨engl.⟩ (eine Hunderasse); *vgl. aber* Docke

¹Dog|ger, der; -s ⟨engl.⟩ (*Geol.* mittlere Juraformation)

²Dog|ger, der; -s ⟨engl.⟩ (*niederl.*) (niederl. Fischereifahrzeug); Dog-ger|bank, die; - (Untiefe in der Nordsee)

Dög|ling ⟨schwed.⟩ (Entenwal)

Dog|ma, das; -s, ...men ⟨griech.⟩ (Kirchenlehre; [Glaubens]satz; Lehrmeinung)

Dog|ma|tik, die; -, -en (Glaubenslehre); Dog|ma|ti|ker (Glaubenslehrer; *abwertend für* [unkritischer] Verfechter einer Lehrmeinung); Dog|ma|ti|ke|rin

dog|ma|tisch (die [Glaubens]lehre betreffend; lehrhaft; streng [an Lehrsätze] gebunden); dog|ma-ti|sie|ren (zum Dogma erheben); Dog|ma|tis|mus, der; - (*oft abwertend für* [unkritisches] Festhalten an Lehrmeinungen u. Glaubenssätzen)

Dog|men|ge|schich|te

Dog|skin, das; -s ⟨engl.⟩ (Leder aus kräftigem Schaffell)

Do|ha (Hauptstadt Katars)

Dohl|le, die; -, -n (ein Rabenvogel)

Doh|ne, die; -, -n (Schlinge zum Vogelfang)

do it your|self! ['du: ɪt juːɐ̯...] ⟨engl., »mach es selbst!«⟩ (Schlagwort für die eigene Ausführung handwerklicher Arbeiten); Do-it-your|self-Be|we|gung

Dok|tor

der; -s, ...oren

(höchster akadem. Grad; *ugs. auch für* Arzt; *Abk.* Dr. [*im Plur.* Dres., *wenn mehrere Personen, nicht mehrere Titel einer Person gemeint sind*] u. D. [*in* D. theol.])

– Ehrendoktor, Doktor ehrenhalber *od.* Ehren halber (*Abk.* Dr. eh., Dr. e. h. u. Dr. E. h.; *vgl.* E. h.), Doktor honoris causa (*Abk.* Dr. h. c.)
– mehrfacher Doktor (*Abk.* Dr. mult.); mehrfacher Doktor honoris causa (*Abk.* Dr. h. c. mult.)
– *im Brief*: Sehr geehrter Herr Doktor/Sehr geehrte Frau Doktor[in]!, Sehr geehrter Herr/Sehr geehrte Frau Dr. Schmidt!

Im Folgenden sind ausgewählte Doktortitel und deren Abkürzungen aufgeführt. In einigen Promotionsordnungen ist die Verwendung der weiblichen Form »Doktorin« ausdrücklich vorgesehen.

– Doktor[in] der Arzneikunde (*Abk.* Dr. pharm.)
– Doktor[in] der Bergbauwissenschaften (*Abk.* Dr. rer. mont.)
– Doktor[in] der Bodenkultur (*österr., Abk.* Dr. nat. techn.)
– Doktor[in] der Forstwissenschaft (*Abk.* Dr. forest. *od.* Dr. rer. silv.)
– Doktor[in] der Gartenbauwissenschaften (*Abk.* Dr. rer. hort.)
– habilitierter Doktor/habilitierte Doktorin [z. B. der Philosophie] (*Abk.* Dr. [z. B. phil.] habil.)
– Doktor[in] der Handelswissenschaften (*österr., Abk.* Dr. rer. comm.)
– Doktor[in] der gesamten Heilkunde (*österr., Abk.* Dr. med. univ.)
– Doktor[in] der gesamten Heilkunde und der medizinischen Wissenschaft (*österr., Abk.* Dr. med. univ. et scient. med.)
– Doktor[in] der Humanwissenschaften (*Abk.* Dr. sc. hum.)
– Doktor[in] der Ingenieurwissenschaften (Doktoringenieur, *Abk.* Dr.-Ing.)

– Doktor[in] der Landwirtschaft (*Abk.* Dr. [sc.] agr.)
– Doktor[in] der mathematischen Wissenschaften (*Abk.* Dr. sc. math.)
– Doktor[in] der Medizin (*Abk.* Dr. med.)
– Doktor[in] der medizinischen Wissenschaft (*österr., Abk.* Dr. scient. med.)
– Doktor[in] der montanistischen Wissenschaften (*österr., Abk.* Dr. mont.)
– Doktor[in] der Naturwissenschaften (*Abk.* Dr. phil. nat. *od.* Dr. rer. nat. *od.* Dr. sc. nat.)
– Doktor[in] der Pädagogik (*Abk.* Dr. paed.)
– Doktor[in] der Philosophie (*Abk.* Dr. phil.)
– Doktor[in] der Philosophie einer Katholisch-Theologischen Fakultät (*österr., Abk.* Dr. phil. fac. theol.)
– Doktor[in] der Rechtswissenschaft (*Abk.* Dr. jur. *od.* Dr. iur.); Doktor[in] beider Rechte (*Abk.* Dr. jur. utr. *od.* Dr. iur. utr.)
– Doktor[in] der Sozialwissenschaften (*Abk.* Dr. disc. pol.)
– Doktor[in] der Sozial- und Wirtschaftswissenschaften (*österr., Abk.* Dr. rer. soc. oec.)
– Doktor[in] der Staatswissenschaften (*Abk.* Dr. rer. pol. *od.* Dr. sc. pol. *od.* Dr. oec. publ.)
– Doktor[in] der technischen Wissenschaften (*Abk.* Dr. rer. techn., Dr. sc[ient]. techn. [*österr.* Dr. techn.])
– Doktor[in] der Theologie (*Abk.* Dr. theol.; Ehrenwürde der ev. Theologie, *Abk.* D. *od.* D. theol.)
– Doktor[in] der Tierheilkunde (*Abk.* Dr. med. vet.)
– Doktor[in] der Veterinärmedizin (*österr., Abk.* Dr. med. vet.)
– Doktor[in] der Wirtschaftswissenschaft (*Abk.* Dr. oec. *od.* Dr. rer. oec.)
– Doktor[in] der Zahnheilkunde (*Abk.* Dr. med. dent.)
– Doktor[in] der Zahnmedizin und der medizinischen Wissenschaft (*österr., Abk.* Dr. med. dent. et scient. med.)

D

Doku

Do|ket, der; -en, -en ⟨griech.⟩ (Anhänger einer Glaubensgemeinschaft der ersten christl. Jahrhunderte)
dok|tern ⟨lat.⟩ (*ugs. u. scherzh. für* Arzt spielen); ich doktere
Dok|tor *s. Kasten*
Dok|to|rand, der; -en, -en (Student, der sich auf die Doktorprüfung vorbereitet; *Abk.* Dd.); **Dok|to|ran|din**
Dok|tor|ar|beit; Dok|to|rat, das; -[e]s, -e (*österr., sonst veraltend für* Doktorwürde); **Dok|to|rats|stu|di|um** (*österr.*)
Dok|tor|di|p|lom; Dok|tor|exa|men; Dok|tor|fra|ge (sehr schwierige Frage)
Dok|tor|grad; Dok|tor|hut, der

dok|to|rie|ren (*veraltet für* promovieren)
Dok|to|rin [*auch* 'dɔ...] (*weibl. Form zu* Doktor); *s. Kasten*
Dok|tor|in|ge|ni|eur (*Abk.* Dr.-Ing.); **Dok|tor|mut|ter; Dok|tor|prü|fung; Dok|tor|schrift; Dok|tor|ti|tel; Dok|tor|va|ter; Dok|tor|wür|de**
Dok|t|rin, die; -, -en (Grundsatz; Lehrmeinung); **dok|t|ri|när** ⟨franz.⟩ (*abwertend für* an einer Lehrmeinung starr festhaltend); **Dok|t|ri|när,** der; -s, -e; **Dok|t|ri|na|ris|mus,** der; -
Do|ku, die; -, -s (*ugs. kurz für* Dokumentation, Dokumentarfilm o. Ä.)
Do|ku|ment, das; -[e]s, -e ⟨lat.⟩ (amtl. Schriftstück; Beweis)

Do|ku|men|ta|list, der; -en, -en (*svw.* Dokumentar); **Do|ku|men|ta|lis|tin**
Do|ku|men|tar, der; -s, -e (wissenschaftlicher Mitarbeiter in einer Dokumentationsstelle)
Do|ku|men|tar|auf|nah|me
Do|ku|men|tar|be|richt; Do|ku|men|tar|film
Do|ku|men|ta|rin
do|ku|men|ta|risch
Do|ku|men|ta|rist, der; -en, -en (jmd., der Dokumentarfilme macht); **Do|ku|men|ta|ris|tin; Do|ku|men|tar|se|rie**
Do|ku|men|ta|ti|on, die; -, -en (Zusammenstellung und Nutzbarmachung von Dokumenten

327

Dokumentationszentrum – Domleschg

do|ku|men|ten|echt
Do|ku|men|ten|samm|lung
do|ku|men|tie|ren (zeigen; beweisen)
Do|ku|soap, Do|ku-Soap, die; -, -s ⟨engl.⟩ (*Fernsehen* Dokumentarserie mit teilweise inszeniertem Ablauf)
Dol|by-Sys|tem® ⟨nach dem amerik. Elektrotechniker⟩ (Verfahren zur Rauschunterdrückung bei Tonbandaufnahmen)
dol|ce [...tʃə] ⟨ital.⟩ (*Musik* sanft, lieblich, weich)
dol|ce far ni|en|te ⟨»süß [ists], nichts zu tun«⟩; Dol|ce|far|ni|en|te, das; - (süßes Nichtstun)
Dol|ce Vi|ta, das *od.* die; - - ⟨»süßes Leben«⟩ (ausschweifendes Müßiggängertum)
Dolch, der; -[e]s, -e
Dolch|mes|ser, das; Dolch|spit|ze; Dolch|stich; Dolch|stoß
Dolch|stoß|le|gen|de, die; -
Dol|de, die; -, -n (schirmähnlicher Blütenstand); Dol|den|blüt|ler; dol|den|för|mig; Dol|den|gewächs; Dol|den|ris|pe; dol|dig
Do|le, die; -, -n (bedeckter Abzugsgraben; *schweiz. auch für* Sinkkasten)
Do|le|rit, der; -s, -e ⟨griech.⟩ (grobkörnige Basaltart)
Dolf (m. Vorn.)
Do|li|cho|ze|pha|lie, die; - ⟨griech.⟩ (*Biol.* Langköpfigkeit)
do|lie|ren *vgl.* dollieren
Do|li|ne, die; -, -n ⟨slaw.⟩ (*Geol.* trichterförmige Vertiefung im Karst)
doll (*ugs. für* toll)
Dol|lar, der; -[s], -s ⟨amerik.⟩ (Währungseinheit in den USA [*Währungscode* USD], in Kanada [CAD], Australien [AUD], Neuseeland [NZD] u. anderen Staaten; *Zeichen* $); 30 Dollar; Dol|lar|kurs
Dol|lart, der; -s (Nordseebucht an der Emsmündung)
Dol|lar|wäh|rung; Dol|lar|zei|chen
Dol|boh|rer (*ugs. für* ungeschickter Mensch)
Dol|bord, der; -[e]s, -e (obere Planke am Bootsbord)
Dol|le, die; -, -n (Vorrichtung zum Halten der Riemen [Ruder])
Dol|len, die; -s, - (*fachspr. für* Dübel)
dol|lie|ren, dol|lie|ren ⟨franz.⟩ (*Gerberei* [Leder] abschleifen)

Doll|punkt (*ugs. für* umstrittener Punkt)
[1]Dol|ly,(w. Vorn.; Name des ersten geklonten Schafs)
[2]Dol|ly, der; -[s], -s ⟨engl.⟩ (fahrbares Kamerastativ; fahrbarer Kamerawagen)
Dol|man, der; -s, -e ⟨türk.⟩ (Kleidungsstück)
Dol|men, der; -s, - ⟨breton.-franz.⟩ (prähist. Steingrabkammer)
Dol|metsch, der; -[e]s, -e ⟨türk.-ung.⟩ (*österr., sonst seltener für* Dolmetscher)
dol|met|schen; du dolmetschst
Dol|met|scher, der; -s, - (jmd., der [berufsmäßig] mündlich übersetzt); Dol|met|sche|rin
Dol|met|scher|in|s|ti|tut; Dol|met|scher|schu|le
Do|lo|mit, der; -s, -e ⟨nach dem franz. Mineralogen Dolomieu⟩ (ein Mineral; Sedimentgestein)
Do|lo|mi|ten *Plur.* (Teil der Südalpen)
Do|lo|res (w. Vorn.)
do|los ⟨lat.⟩ (*Rechtsw.* vorsätzlich); dolose Täuschung
Do|lus, der; - (*Rechtsw.* List; böse Absicht); Do|lus even|tu|a|lis, der; - - (*Rechtsw.* das In-Kauf-Nehmen einer Folge)
[1]Dom, der; -[e]s, -e ⟨lat.⟩ (Bischofs-, Hauptkirche)
[2]Dom, der; -[e]s, -e ⟨griech.⟩ (Kuppel, gewölbter Aufsatz)
[3]Dom [port. dõ:], der; - ⟨port.⟩ (Herr; *vor Vornamen ohne Artikel*)
Do|ma, das; -s, ...men ⟨griech.⟩ (Kristallfläche, die zwei Kristallachsen schneidet)
Do|main [do'me:n], die; -, -s ⟨engl.⟩ (Internetadresse)
Do|mä|ne, die; -, -n ⟨franz.⟩ (Staatsgut, -besitz; Spezialgebiet); Do|mä|nen|amt
Do|ma|ni|al|be|sitz (staatlicher Landbesitz)
Dom|chor; Dom|de|chant
Do|mes|tik, der; -en, -en *meist Plur.* (veraltend für Dienstbote); Do|mes|ti|ka|ti|on, die; -, -en ⟨lat.⟩ (Umzüchtung wilder Tiere zu Haustieren); Do|mes|tik, der; -n, -n; *vgl.* Domestik; Do|mes|ti|kin; do|mes|ti|zie|ren
Dom|frei|heit (der um einen [1]Dom gelegene Bereich, der im MA. unter der geistl. Gerichtsbarkeit des Domstiftes stand)
Dom|herr; Dom|her|rin

[1]Do|mi|na, die; -, ...nä ⟨lat., »Herrin«⟩ (Stiftsvorsteherin)
[2]Do|mi|na, die; -, -s (*Jargon* Prostituierte, die sadistische Handlungen vornimmt)
do|mi|nant (vorherrschend; bestimmend; überdeckend)
Do|mi|nan|te, die; -, -n (vorherrschendes Merkmal; *Musik* die Quinte vom Grundton aus)
Do|mi|nanz, die; -, -en
Do|mi|nanz|ver|hal|ten
Do|mi|ni|ca (Inselstaat in Mittelamerika); Do|mi|ni|ca|ner; Do|mi|ni|ca|ne|rin; do|mi|ni|ca|nisch
do|mi|nie|ren ([vor]herrschen; beherrschen)
Do|mi|nik, Do|mi|ni|kus (m. Vorn.)
[1]Do|mi|ni|ka|ner, der; -s, - (Angehöriger des vom hl. Dominikus gegründeten Ordens)
[2]Do|mi|ni|ka|ner (Einwohner der Dominikanischen Republik); Do|mi|ni|ka|ne|rin
Do|mi|ni|ka|ner|klos|ter; Do|mi|ni|ka|ner|mönch
Do|mi|ni|ka|ner|or|den, der; -s (*Abk.* O. P. *od.* O. Pr.; *vgl.* d.)
do|mi|ni|ka|nisch; Do|mi|ni|ka|ni|sche Re|pu|b|lik, die; -n - (Staat in Mittelamerika)
Do|mi|ni|kus *vgl.* Dominik
Do|mi|ni|on [...njən], das; -s, *Plur.* -s *u.* ...ien ⟨engl.⟩ (*früher* sich selbst regierender Teil des Commonwealth)
Do|mi|nique [...'ni:k] (m. u. w. Vorn.)
Do|mi|ni|um, das; -s, *Plur.* -s *u.* ...ien ⟨lat.⟩ (altröm. Herrschaftsgebiet)
[1]Do|mi|no, der; -s, -s (Maskenmantel, -kostüm)
[2]Do|mi|no, das; -s, -s (Spiel)
Do|mi|no|ef|fekt (durch ein Ereignis ausgelöste Folge von ähnlichen Ereignissen)
Do|mi|no|spiel; Do|mi|no|stein
Do|mi|nus vo|bis|cum! (»Der Herr sei mit euch!«) (liturg. Gruß)
Do|mi|zil, der; -s, -e (Wohnsitz; *Bankw.* Zahlungsort [von Wechseln]); do|mi|zi|lie|ren (ansässig sein, wohnen; *Bankw.* [Wechsel] an einem andern Ort als dem Wohnort des Bezogenen zahlbar anweisen)
Do|mi|zil|wech|sel (*Bankw.*)
Dom|ka|pi|tel; Dom|ka|pi|tu|lar (Domherr)
Dom|leschg, das; -s (unterste Talstufe des Hinterrheins)

D
Doku

328

Do|mo|wi|na [*auch* ˈdɔ...], die; - ⟨sorb., »Heimat«⟩ (Organisation der sorb. Minderheit in Deutschland)

Dom|pfaff, der; *Gen.* -en, *auch* -s, *Plur.* -en (ein Singvogel)

Domp|teur [...ˈtøːɐ̯], der; -s, -e ⟨franz.⟩ (Tierbändiger); Domp|teu|rin; Domp|teur|kunst

Domp|teu|se [...ˈtøː:...], die; -, -n

Dom|ra, die; -, *Plur.* -s u. ...ren ⟨russ.⟩ (russ. Instrument)

Dom|schatz; Dom|schu|le

¹Don, der; -[s] (russ. Fluss)

²Don, der; -[s], -s *(vor Vornamen ohne Artikel)* ⟨span. u. ital., »Herr«⟩ (*in Spanien* höfl. Anrede, *w. Form* Doña; *vgl. d.; in Italien* Titel der Priester u. bestimmter Adelsfamilien, *w. Form* Donna; *vgl. d.*); Do|ña [...nja], die; -, -s ⟨span.⟩ (Frau; *vor Vornamen ohne Artikel*)

Do|nald [*engl.* ˈdɔn(ə)ld] (m. Vorn.)

Do|nar (germ. Gott); *vgl.* Thor

Do|na|rit, der; -s (ein Sprengstoff)

Do|na|tor, der; -s, ...oren ⟨lat.⟩ (*schweiz.*, *sonst veraltet für* Geber, Spender; *Physik, Chemie* Atom od. Molekül, das Elektronen od. Ionen abgibt); Do|na|to|rin (*schweiz.*)

Do|na|tus (m. Vorn.)

Do|nau, die; - (europ. Strom)

Do|nau|au|en, Do|nau-Au|en *Plur.*

Do|nau-Dampf|schiff|fahrts|ge-sell|schaft, die; -

Do|nau|del|ta, Do|nau-Del|ta, das; -[s]

Do|nau|mo|n|ar|chie, Do|nau-Mo-n|ar|chie, die; - (österreichisch-ungarische Monarchie von 1869 bis 1918)

Do|nau|wörth (Stadt in Bayern)

Do|nbass [*auch* ...ˈbas], der, *auch* das; - ⟨russ.⟩ (*russ. Kurzw. für* Donez-Steinkohlenbecken; Industriegebiet westl. des Donez)

Don Bos|co *vgl.* Bosco

Don Car|los (span. Prinz)

Dö|ner, der; -s, - (*kurz für* Dönerkebab); Dö|ner|bu|de (*ugs.*)

Dö|ner|ke|bab, Dö|ner|ke|bap, der; -[s], -s ⟨türk.⟩ (Kebab aus an einem Drehspieß gebratenem Fleisch; *vgl.* Kebab, Kebap

Do|nez, der; - (rechter Nebenfluss des Don)

Dong, der; -[s], -[s] (vietnam. Währungseinheit); 50 Dong

Don Gio|van|ni [- dʒo...] ⟨ital.⟩ (Titelgestalt der Oper von Mozart)

Do|ni|zet|ti (ital. Komponist)

Don|jon [dõˈʒõ:], der; -s, -s ⟨franz.⟩ (Hauptturm mittelalterl. Burgen in Frankreich)

Don Ju|an [- ˈxu̯an], der; - - -s ⟨span.⟩ (span. Sagengestalt; Verführer; Frauenheld)

Don|ko|sak (Angehöriger eines am Don wohnenden Stammes der Kosaken); Don|ko|sa|ken-chor

Don|na, die; -, *Plur.* -s u. Donnen ⟨ital., »Herrin«⟩ (*vor Vornamen ohne Artikel*); *vgl. auch* Madonna

Don|ner, der; -s, -; Donner und Doria! (*ugs.*; *vgl.* Doria)

Don|ner|bal|ken (*ugs. scherzh. für* Latrine); Don|ner|büch|se (*scherzh. für* Feuerwaffe)

Don|ne|rer (Donnergott)

Don|ner|gott (germ. Gott)

Don|ner|grol|len, das; -s; Don-ner|keil (Belemnit)

Don|ner|litt|chen!, Don|ner|lütt-chen! (*landsch.*)

don|nern; ich donnere

Don|ner|schlag

Don|ners|tag, der; -[e]s, -e (*Abk.* Do.); *vgl.* Dienstag; don|ners-tags *vgl.* Dienstag

Don|ner|wet|ter; Donnerwetter [noch einmal]!

Don Qui|chotte [- kiˈʃɔt], der; -s, -s ⟨span.⟩ (Romanheld bei Cervantes; weltfremder Idealist)

Don|qui|chot|te|rie, die; -, ...ien (Torheit [aus weltfremdem Idealismus])

Don Qui|jo|te, Don Qui|xo|te [- kiˈxo:...] *vgl.* Don Quichotte

Dont|ge|schäft [dõ:...] ⟨franz.; dt.⟩ (*Börse* Termingeschäft)

Do|nut [ˈdo:nat], der; -s, -s ⟨amerik.⟩ (ringförmiges Hefegebäck)

doof (*ugs.*); Doof|heit

Do|pa|min, das; -s, -e (*Biol., Physiol.* eine körpereigene Substanz)

Dope [do:p], das; -[s] ⟨niederl.-engl.⟩ (*ugs. für* Rauschgift)

do|pen (*Sport* durch [verbotene] Substanzen zu Höchstleistungen zu bringen versuchen); gedopt; Do|ping; das; -s, -s; Do|ping|kon|t|rol|le

¹Dop|pel, das; -s, - (zweite Ausfertigung; *[Tisch]tennis* Zwei-gegen-zwei-Spiel)

²Dop|pel, der; -s, - (*schweiz. für* Einsatz beim Schützenfest)

Dop|pel|ad|ler; Dop|pel|agent; Dop|pel|axel (doppelter ²Axel)

Dop|pel|bau|er (*vgl.* ²Bauer; *Schach*); Dop|pel|be|las|tung; Dop|pel|be|lich|tung

Dop|pel|be|steu|e|rung; Dop|pel-bett; Dop|pel|bock, das, *auch* der; -s (ein Starkbier)

dop|pel|bö|dig (hintergründig); Dop|pel|bö|dig|keit

Dop|pel|bür|ger (*bes. schweiz.*); Dop|pel|bür|ge|rin

Dop|pel|ci|ce|ro (ein Schriftgrad); Dop|pel|de|cker (ein Flugzeugtyp; *ugs. für* Omnibus mit Oberdeck)

dop|pel|deu|tig; Dop|pel|deu|tig-keit

Dop|pel|er|folg; Dop|pel|feh|ler (*Tennis, Volleyball*); Dop|pel-fens|ter

Dop|pel|funk|ti|on; Dop|pel|gän-ger; Dop|pel|gän|ge|rin

dop|pel|glei|sig

Dop|pel|haus; Dop|pel|heft

Dop|pel|heit *Plur. selten*

Dop|pel|he|lix, die; - (*Biol.* Struktur der DNA-Moleküls)

Dop|pel|hoch|zeit; Dop|pel|kinn

Dop|pel|klick (*EDV* zweimaliges Betätigen der Maustaste); dop|pel|kli|cken; Dop|pel|kno-ten; Dop|pel|kopf, der; -[e]s (Kartenspiel); Dop|pel|kur|ve

Dop|pel|laut (Diphthong); Dop-pel|le|ben, das; -s; Dop|pel|lutz (doppelter ²Lutz)

Dop|pel|mo|ral; Dop|pel|mord

dop|pel|n (*bayr., österr. für* besohlen); ich dopp[e]le

Dop|pel|na|me; Dop|pel|nel|son (doppelter ²Nelson)

Dop|pel|num|mer (doppeltes Heft einer Zeitschrift u. Ä.)

Dop|pel|pack, der; -s, -s

Dop|pel|part|ner; Dop|pel|pass; Dop|pel|punkt

dop|pel|rei|hig

Dop|pel|ritt|ber|ger (doppelter Rittberger); Dop|pel|rol|le; Dop|pel|sal|chow (doppelter Salchow); Dop|pel|sal|to

dop|pel|sei|tig; Dop|pel|sei-tige Anzeige; dop|pel|sin|nig

Dop|pel|spit|ze (gemeinsames Innehaben eines hohen Amtes durch zwei Personen)

Dop|pel|stun|de

D
Dopp

dop|pelt

Kleinschreibung:

– doppelte Buchführung
– es soll doppelt wirken
– ein doppelt wirkendes *od.* doppeltwirkendes Mittel ↑K58
– doppelt gemoppelt *od.* doppeltgemoppelt (*ugs. für* unnötigerweise zweimal)
– doppelt so groß, doppelt so viel
– er ist doppelt so reich wie (*selten* als) ich

Großschreibung der Substantivierung ↑K72:

– um das, ums Doppelte größer
– das Doppelte an Zeit

dop|pelt|koh|len|sau|er (*Chemie*); doppeltkohlensaures Natron
Dop|pel-T-Trä|ger, der; -s, -; ↑K26 (*Bauw.*); **Dop|pel|tür**
dop|pelt wir|kend, dop|pelt|wirkend *vgl.* doppelt
Dop|pe|lung
Dop|pel|ver|die|ner; Dop|pel|ver|die|ne|rin
dop|pel|wan|dig
Dop|pel|zent|ner (2 × 100 Pfund = 100 kg; *Zeichen* dz, *österr. u. schweiz.* q; *vgl.* Zentner)
Dop|pel|zim|mer
dop|pel|zün|gig (*abwertend*); **Doppel|zün|gig|keit**
Dop|pik, die; - (*Kunstwort*) (doppelte Buchführung)
Dopp|ler (*bayr., österr. für* erneuerte Schuhsohle; Zweiliterflasche)
Dopp|ler|ef|fekt, Dopp|ler-Ef|fekt, der; -[e]s ⟨nach dem österr. Physiker⟩ (ein physikalisches Prinzip)
Dopp|lung
Do|ra (w. Vorn.)
Do|ra|de, die; -, -n ⟨franz.⟩ (ein Fisch)
Do|ra|do *vgl.* Eldorado
Do|rant, der; -[e]s, -e ⟨mlat.⟩ (Zauber abwehrende Pflanze)
Dor|chen (w. Vorn.)
Dor|do|gne [...'dɔnjə], die; - (Fluss u. Departement in Frankreich)
Dor|d|recht (Stadt in den Niederlanden)
Do|reen [...'ri:n] (w. Vorn.)
Do|rer *vgl.* Dorier
Dorf, das; -[e]s, Dörfer
Dorf|an|ger; Dorf|bach
Dorf|be|woh|ner; Dorf|be|woh|ne-
rin; **Dörf|chen; Dorf|club** *vgl.* Dorfklub; **dör|fisch** (*meist abwertend*)
Dorf|klub, Dorf|club (*regional für* kulturelles Zentrum auf dem Land); **Dörf|ler; Dörf|le|rin;** **dörf|lich; Dorf|lin|de**
Dorf|schaft (*schweiz. für* Gesamtheit der Dorfbewohner)
Dorf|schän|ke, Dorf|schen|ke
Dorf|schö|ne; Dorf|schön|heit; Dorf|schu|le; Dorf|schul|ze; Dorf|stra|ße; Dorf|teich; Dorf-trot|tel (*abwertend*)
Do|ria (ital. Familienn.); *nur in* Donner und Doria! (Ausruf)
Do|ri|er, Do|rer, der; -s, - (Angehöriger eines altgriech. Volksstammes)
¹**Do|ris** (altgriech. Landschaft)
²**Do|ris** (w. Vorn.)
do|risch (auf die Dorier bezüglich; aus ¹Doris); dorische Tonart
Do|rit (w. Vorn.)
Dor|mi|to|ri|um, das; -s, ...ien ⟨lat.⟩ (Schlafsaal eines Klosters)
Dorn, der; -[e]s, *Plur.* -en, *ugs. auch* Dörner, *in der Technik* -e
Dorn|busch; Dörn|chen
Dor|nen|he|cke, Dorn|he|cke
Dor|nen|kro|ne; dor|nen|reich; Dor|nen|weg (Leidensweg)
Dorn|fel|der (Rebsorte; ein Rotwein)
Dorn|fort|satz (*Med.* nach hinten gerichteter Wirbelfortsatz)
Dorn|ge|strüpp; Dorn|he|cke *vgl.* Dornenhecke; **Dor|nicht,** das; -s, -e (*veraltet für* Dorngestrüpp)
dor|nig
Dorn|rös|chen (eine Märchengestalt); **Dorn|rös|chen|schlaf**
Do|ro|thea, Do|ro|thee [*auch* ...'te:(ə)] (w. Vorn.)
Dor|pat (Stadt in Estland; *estn.* Tartu)
Dör|re, die; -, -n (*landsch. für* Darre)
dor|ren (*geh. für* dürr werden)
dör|ren (dürr machen); *vgl.* darren
Dörr|fleisch; Dörr|ge|mü|se; Dörr-obst; Dörr|ofen; Dörr|pflau|me; Dörr|zwetsch|ke (*österr.*)
dor|sal ⟨lat.⟩ (*Med.* den Rücken betreffend, rückseitig)
Dor|sal, der; -s, -e, *auch* **Dor|sal|laut,** der; -[e]s, -e (*Sprachw.* mit dem Zungenrücken gebildeter Laut)
Dorsch, der; -[e]s, -e (junger Kabeljau)

dort

– dort drüben; von dort aus
– sich dort auskennen
– von dort gekommen sein
– sie wird dort wohnen

Man schreibt »dort« als Verbzusatz mit dem folgenden Verb zusammen; der Hauptakzent liegt dabei auf »dort«:

– sie sind gleich dortgeblieben
– man hat ihn einige Zeit dortbehalten

dort|be|hal|ten *vgl.* dort
dort|blei|ben *vgl.* dort
dort|her [*auch* 'dɔ...]; von dorther
dort|hin [*auch* 'dɔ...] ↑K31; da-und dorthin
dort|hi|n|ab [*auch* 'dɔ...]
dort|hi|n|aus [*auch* 'dɔ...]; bis dorthinaus
dor|tig
Dort|mund (Stadt im Ruhrgebiet); **Dort|mund-Ems-Ka|nal,** der; -s; ↑K146 ; **Dort|mun|der**
dort|sei|tig (*Amtsspr. für* dortig); **dort|seits** (*Amtsspr. für* [von] dort); **dort|selbst** (*veraltend*)
dort|zu|lan|de, dort zu Lande
Do|ry|pho|ros, der; - ⟨griech., »Speerträger«⟩ (berühmte Statue des Bildhauers Polyklet)
Dos, die; -, Dotes ⟨lat.⟩ (*Rechtsspr.* Mitgift)
dos à dos ['doza'do:] ⟨franz.⟩ (Rücken an Rücken)
Do|sa|ge [...ʒə], die; -, -n ⟨franz.⟩ (Zugabe von Zuckerlösung bei der Schaumweinherstellung)
Dos and Don'ts ['du:s ɛnt 'do:nts], *Plur.* ⟨engl.⟩ (Verhaltensregeln)
Dös|chen; Do|se, die; -, -n (kleine Büchse; *selten für* Dosis)
dö|sen (*ugs. für* wachend träumen; halb schlafen); du döst; er dös|te
Do|sen (*Plur. von* Dose *u.* Dosis)
Do|sen|bier; Do|sen|blech
do|sen|fer|tig
Do|sen|fleisch; Do|sen|ge|mü|se; Do|sen|milch; Do|sen|öff|ner; Do|sen|pfand, das; -[e]s; **Do|sen|sup-pe; Do|sen|wurst**
do|sier|bar; do|sie|ren ⟨franz.⟩ (ab-, zumessen); **Do|sie|rung**
dö|sig (*ugs. für* schläfrig; *auch für* stumpfsinnig)
Do|si|me|ter, das ⟨griech.⟩ (Gerät zur Messung der aufgenommenen Menge radioaktiver Strahlen); **Do|si|me|t|rie,** die; -

(Messung der Energiemenge von Strahlen)

Do|sis, die; -, Dosen (zugemessene [Arznei]gabe, kleine Menge)

Dos|si|er [...'sɪ̯eː], das; -s, -s ⟨franz.⟩ (Akte oder ähnliche Zusammenstellung von Dokumenten u. Texten zu einem Thema, einem Vorgang)

dos|sie|ren (*fachspr. für* abschrägen; böschen); **Dos|sie|rung** (flache Böschung)

Dost, der; -[e]s, -e (eine Gewürzpflanze [Origanum])

Dos|tal, Nico (österr. Komponist)

Dos|to|jew|s|ki (russ. Schriftsteller)

Do|ta|ti|on, die; -, -en ⟨lat.⟩ (Schenkung; [geldliche] Zuwendung; *veraltet für* Mitgift)

Dot|com, das; -s, -s ⟨engl.⟩ (Unternehmen der New Economy)

do|tie|ren (mit einer bestimmten Geldsumme ausstatten; bezahlen); **Do|tie|rung**

Dot|ter, der u. das; -s, - (Eigelb); **Dot|ter|blu|me**

dot|ter|gelb

Dot|ter|sack (*Zool.*)

¹Dou|a|la (Hafenstadt in Kamerun)

²Dou|a|la, der; -[s], -[s] (Angehöriger eines Bantustammes)

³Dou|a|la, das; - (Sprache)

Dou|a|ne [duˈaːn(ə)], die; -, -n ⟨arab.-franz.⟩ (*veraltet für* Zoll[amt]); **Dou|a|ni|er** [...ˈni̯eː], der; -s, -s (*franz. Bez. für* Zollbeamter)

dou|beln [ˈduː...] ⟨franz.⟩ (*Film* als Double spielen); ich doub[e]le; **Dou|b|le** [ˈduːbl], das; -s, -s (*Film* Ersatzschauspieler [ähnlichen Aussehens])

Dou|b|lé [du...] *vgl.* Dublee; **doub|lie|ren** *vgl.* dublieren

Doug|las|fich|te [ˈduː...], **Doug|la|sie** [du...], die; -, -n, **Doug|las|tan|ne** ↑K136 ⟨nach dem schott. Botaniker David Douglas⟩ (Nadelbaum)

Dou|ro [ˈdoːru], der; - (*port. Form von* Duero)

do ut des ⟨lat., »ich gebe, damit du gibst«⟩ (*Rechtsw.*)

Do|ver (engl. Hafenstadt)

Dow-Jones-In|dex [ˈdaʊˈdʒoːns...], der; - ⟨nach der amerik. Firma Dow, Jones & Co.⟩ (*Wirtsch.* Durchschnitt der Aktienkurse von ausgewählten Unternehmen an der New Yorker Börse)

down [daʊn] ⟨engl., »hinunter«⟩; down sein (*ugs. für* bedrückt, abgespannt sein)

Down|hill [ˈdaʊ...], das *od.* der; -s, -s ⟨engl.⟩ (Abfahrtsrennen mit Mountainbikes)

Dow|ning Street [ˈdaʊnɪŋ ˈstriːt], die; - - ⟨nach dem engl. Diplomaten Sir George Downing⟩ (Straße in London; Amtssitz des Premierministers [im Haus Nr. 10]; *übertr. für* die britische Regierung)

Down|load [ˈdaʊnlɔʊd], der u. das; -s, -s ⟨engl.⟩ (das Herunterladen); **down|loa|den** [ˈdaʊnlɔʊdn̩] ⟨engl.⟩ (*EDV* Daten von einem Computer, aus dem Internet herunterladen); ich habe downgeloadet; **Down|load-shop**

Down|syn|drom, Down-Syn|drom [ˈdaʊ...] ⟨nach dem britischen Arzt J. L. H. Down⟩ (genetisch bedingte Entwicklungshemmungen und Veränderungen des Erscheinungsbildes eines Menschen)

Do|xa|le, das; -s, -s ⟨lat.⟩ (*Archit.* Gitter zwischen hohem Chor u. Hauptschiff)

Do|xo|lo|gie, die; -, ...ien ⟨griech.⟩ (gottesdienstliche Lobpreisungsformel)

Do|yen [dɔaˈjɛː], der; -s, -s ⟨franz.⟩ ([Rang-, Dienst]ältester u. Wortführer [des diplomatischen Korps]); **Do|yenne** [...ˈjɛn], die; -, -n

Doz. = Dozent

Do|zent, der; -en, -en ⟨lat.⟩ (Lehrer [an einer Universität od. Hochschule]; *Abk.* Doz.); **Do|zen|ten|schaft;** **Do|zen|tin**

Do|zen|t(inn)en (*Kurzform für* Dozentinnen u. Dozenten)

Do|zen|tur, die; -, -en; **do|zie|ren**

DP, die; - = Deutsche Post

dpa, die; - = Deutsche Presse-Agentur; **dpa-Mel|dung** ↑K28

dpt, dptr., Dptr. = Dioptrie

Dr = Drachme

DR, die; - = Deutsche Reichsbahn (1920–1993)

Dr. = doctor, Doktor; *vgl. d.*

Dr. ... (z. B. Dr. phil.)

d. R. = der Reserve (*Milit.*); des Ruhestandes

Dra|che, der; -n, -n (ein Fabeltier)

Dra|chen, der; -s, - (Fluggerät; Segelboot; *kurz für* Drachenviereck; *abwertend für* zänkische Frau); **Dra|chen|boot** (*Segeln*)

Dra|chen|fels, der; - (Berg im Siebengebirge)

Dra|chen|flie|gen, das; -s (*Sport*); **Dra|chen|flie|ger; Dra|chen|flie|ge|rin**

Dra|chen|gift

Dra|chen|klas|se (*Segeln*)

Dra|chen|saat (*geh.*)

Dra|chen|vier|eck (*Math.*)

Drach|me, die; -, -n ⟨griech.⟩ (frühere griech. Währungseinheit; früheres Apothekergewicht)

Dra|cu|la (Titelfigur eines Vampirromans)

Dra|gee, **Dra|gée** [...ˈʒeː], das; -s, -s ⟨franz.⟩ (mit Zucker od. Schokolade überzogene Süßigkeit; Arzneipille)

Dra|geur [...ˈʒøːɐ̯], der; -s, -e (jmd., der Dragees herstellt)

Drag|gen, der; -s, - (*Seemannsspr.* mehrarmiger Anker ohne Stock)

dra|gie|ren [...ˈʒiː...] ⟨franz.⟩ (Dragees herstellen)

Dra|go|man, der; -s, -e ⟨arab.⟩ (einheim. Dolmetscher, Übersetzer im Nahen Osten)

Dra|gon, Dra|gun, der *od.* das; -s ⟨arab.⟩ (*seltener für* Estragon)

Dra|go|na|de, die; -, -n ⟨franz.⟩ (*früher* gewaltsame [durch Dragoner ausgeführte] Maßregel)

Dra|go|ner, der; -s, - (*früher* leichter Reiter; *österr. noch für* Rückenspange am Rock u. am Mantel; *ugs. für* resolute Frau)

Drag|queen [ˈdrɛgkviːn], die; -, -s ⟨engl.⟩ (*Jargon* männlicher homosexueller Transvestit)

Dr. agr. = doctor agronomiae; *vgl.* Doktor

Dra|gun *vgl.* Dragon

drahn (*österr. ugs. für* [nachts] feiern, sich vergnügen)

Dräh|rer, der; -s, - (*österr. ugs. für* Nachtschwärmer)

Draht, der; -[e]s, Drähte

Draht|be|sen; Draht|bürs|te

Draht|chen

¹drah|ten (mit Draht zusammenflechten; *veraltend für* telegrafieren)

²drah|ten (aus Draht)

Draht|esel (Fahrrad); **Draht|funk** (*früher* Verbreitung von Rundfunksendungen über Fernsprecher)

Draht|ge|flecht; Draht|git|ter; Draht|glas

Draht|haar|da|ckel (eine Hunderasse); **Draht|haar|fox** (eine Hunderasse)

draht|haa|rig; drah|tig

...dräh|tig (z. B. dreidrähtig; *mit Ziffer* 3-drähtig; ↑K29)

331

Drahtkommode – Draufsicht

D

Drah

Draht|kom|mo|de (ugs. scherzh. für
Klavier); Draht|korb
Draht|leh|re (Werkzeug zur
Bestimmung der Drahtdicke);
draht|los; drahtlose Telegrafie
Draht|sche|re
Draht|seil; Draht|seil|akt; Draht-
seil|bahn
Draht|ver|hau; Draht|zan|ge; Draht-
zaun
Draht|zie|her (auch für jmd., der
im Verborgenen andere für
seine [polit.] Ziele einsetzt);
Draht|zie|he|rin
Drain vgl. Drän; Drai|na|ge vgl.
Dränage; drai|nie|ren vgl. drä-
nieren; Drain|netz vgl. Drännetz;
Drain|rohr vgl. Dränrohr
Drai|si|ne [drai..., auch, bes.
österr., schweiz. dre...], die; -, -n
⟨nach dem dt. Erfinder Drais⟩
(Vorläufer des Fahrrades; Eisen-
bahnfahrzeug zur Streckenkon-
trolle)
Drake [dre:k] (engl. Seefahrer)
Dra|ko vgl. Drakon (alt-
griech. Gesetzgeber)
dra|ko|nisch (sehr streng)
drall (derb, stramm)
Drall, der; -[e]s, -e Plur. selten
([Geschoss]drehung; Windung
der Züge in Feuerwaffen; Drehung bei Garn und Zwirn)
Drall|heit, die; -
Dra|lon®, das; -[s] (eine synthet.
Faser)
Dra|ma, das; -s, ...men ⟨griech.⟩
(Schauspiel; erregendes od.
trauriges Geschehen)
Dra|ma|tik, die; - (dramatische
Dichtkunst; erregende Span-
nung); Dra|ma|ti|ker (Dramen-
dichter); Dra|ma|ti|ke|rin
dra|ma|tisch (in Dramenform; auf
das Drama bezüglich; aufregend
u. spannend; drastisch); dramatische Musik
dra|ma|ti|sie|ren (als Schauspiel für
die Bühne bearbeiten; als
besonders aufregend, schlimm
darstellen); Dra|ma|ti|sie|rung
Dra|ma|turg, der; -en, -en (litera-
risch-künstlerischer Berater bei
Theater, Film u. Fernsehen);
Dra|ma|tur|gie, die; -, ...ien
(Gestaltung, Bearbeitung eines
Dramas; Lehre vom Drama);
Dra|ma|tur|gin; dra|ma|tur|gisch
dran (ugs. für daran); dran sein
(ugs. für an der Reihe sein); dran
glauben müssen (ugs. für vom
Schicksal ereilt werden); das
Drum und Dran ↑K 81

Drän, der; -s, Plur. -s u. -e, Drain
[dre:n, schweiz. drɛ̃:], der; -s, -s
⟨franz.⟩ (Med. Wundröhrchen;
der Entwässerung dienendes
unterirdisches Abzugsrohr)
Drä|na|ge, Drai|na|ge [...ʒə, österr.
...ʒ], die; -, -n (Med. Ableitung
von Wundabsonderungen;
schweiz., sonst veraltet für Drä-
nung)
drän|blei|ben (ugs. für an jmdm.,
etwas bleiben); am Gegner dranbleiben
drä|nen ⟨zu Drän⟩ ([Boden] ent-
wässern; vgl. dränieren)
drang vgl. dringen
Drang, der; -[e]s, Dränge Plur. selten
dran|ge|ben (ugs. für darangeben
[vgl. d.])
dran|ge|hen (ugs. für darangehen
[vgl. d.])
Drän|ge|lei; drän|geln; ich
dräng[e]le
drän|gen; Drän|ge|rei
Dräng|ler; Dräng|le|rin
Drang|pe|ri|o|de (Ballsport)
Drang|sal, die; -, -e, veraltet das;
-[e]s, -e (geh.); drang|sa|lie|ren
(quälen, peinigen)
drang|voll
dran|hal|ten, sich (ugs. für daran-
halten, sich [vgl. d.])
dran|hän|gen (ugs. für zusätzlich
Zeit für etwas aufbringen)
drä|nie|ren, drai|nie|ren [dre...]
(Med. eine Dränage legen; älter
für dränen)
Drank, der; -[e]s (nordd. für
Küchenabfälle; Spülwasser;
flüssiges Viehfutter); Drank-
fass
dran|kom|men (ugs. für an die
Reihe kommen)
dran|krie|gen; jmdn. drankriegen
Drank|ton|ne (nordd.)
dran|ma|chen (ugs. für daranma-
chen [vgl. d.])
dran|neh|men (ugs. für abfertigen;
aufrufen)
Drän|netz, Drain|netz ['dre:n...]
Drän|rohr, Drain|rohr
dran|set|zen (ugs. für daransetzen
[vgl. d.])
Drä|nung (Bodenentwässerung
durch Dränen)
Dra|pee, Dra|pé, der; -s, -s ⟨franz.⟩
(ein Stoff)
Dra|pe|rie, die; -, ...ien (veraltend
für [kunstvoller] Faltenwurf)
dra|pie|ren ([mit Stoff] behängen,
[aus]schmücken; raffen; in Fal-
ten legen); Dra|pie|rung

Drasch, der; -s (landsch. für lär-
mende Geschäftigkeit, Hast)
Dras|tik, die; - ⟨griech.⟩ (Deutlich-
keit, Derbheit)
Dras|ti|kum, das; -s, ...ka (Pharm.
starkes Abführmittel)
dras|tisch (sehr deutlich; derb)
Drau, die; - (Nebenfluss der
Donau)
dräu|en (veraltet für drohen)
drauf (ugs. für darauf); drauf und
dran (ugs. für nahe daran) sein,
etwas zu tun; [gut/schlecht]
drauf sein (ugs. für [gut/
schlecht] gelaunt sein)
Drauf|ga|be (Handgeld beim Ver-
trags- od. Kaufabschluss; österr.
auch für Zugabe des Künstlers)
Drauf|gän|ger; Drauf|gän|ge|rin;
drauf|gän|ge|risch; Drauf|gän-
ger|tum, das; -s
drauf|ge|ben; jmdm. eins draufge-
ben (ugs. für einen Schlag versetzen; zurechtweisen)
drauf|ge|hen (ugs. auch für ver-
braucht werden; sterben)
Drauf|geld (Draufgabe)
drauf|ha|ben (ugs. für etw. beherr-
schen)
drauf|hal|ten (ugs. für etwas zum
Ziel nehmen)
drauf|hau|en (ugs.)
drauf|kom|men (ugs. für herausbe-
kommen; einfallen)
drauf|krie|gen; eins, etwas drauf-
kriegen (ugs. für getadelt werden; enttäuscht werden)
drauf|le|gen (ugs. für zusätzlich
bezahlen)
drauf|los, da|r|auf|los; immer
drauflos!
drauf|los|ge|hen; sie geht drauflos;
drauflosgegangen; draufloszu-
gehen
drauf|los|re|den; drauf|los|rei|ten;
drauf|los|schie|ßen; drauf|los-
schimp|fen; drauf|los|wirt|schaf-
ten
drauf|ma|chen; einen draufmachen
(ugs. für ausgiebig feiern)
drauf|sat|teln (ugs. für zusätzlich
geben)
drauf|schla|gen (ugs. für auf etwas
schlagen; aufschlagen)
drauf sein vgl. drauf
drauf|set|zen; eins, einen draufset-
zen (ugs. für eine als außerge-
wöhnlich empfundene Begeben-
heit, Situation durch eine Äußerung od. Handlung weiter ver-
schärfen)
Drauf|sicht, die; - (Zeichenlehre)

drei

Beugung:

Genitiv drei, *Dativ* dreien, drei;

– wir sind zu dreien *od.* zu dritt; herzliche Grüße von uns dreien
– die Interessen dreier großer, *selten* großen Völker, *aber* dreier Angestellten, *seltener* Angestellter

Nur Kleinschreibung ↑K78:

– die drei Grazien
– die ersten drei; alle drei
– die drei sagten übereinstimmend aus
– der Junge ist schon drei [Jahre]
– sie kommt um drei [Uhr]
– aller guten Dinge sind drei

– er arbeitet für drei (*ugs. für* er arbeitet sehr viel)
– er kann nicht bis drei zählen (*ugs. für* er ist sehr dumm)
– (*im Zeugnis:*) Latein: drei Komma fünf (*vgl. aber* Drei)

Schreibung in Verbindung mit »viertel«:

– der Saal war erst drei viertel voll
– es ist drei viertel acht, *aber* drei Viertel der Bevölkerung
– in einer Dreiviertelstunde, *aber* in drei viertel Stunden (*mit Ziffern* $^3/_4$ Stunden), in drei Viertelstunden

Vgl. acht *u.* Viertel

---

drauf|ste|hen (*ugs. für* darauf zu lesen ist)
drauf|zah|len (*svw.* drauflegen)
draus (*ugs. für* daraus); **draus|bringen** (*südd., österr. ugs. für* verwirren, aus dem Konzept bringen); **draus|kom|men** (*südd., österr. ugs. für* sich verwirren, ablenken lassen)
drau|ßen; die Hunde müssen draußen bleiben
Dra|wi|da [*auch* ˈdraː...], der; -[s], -[s] (Angehöriger einer Völkergruppe in Vorderindien); **dra|widisch**; drawidische Sprachen
Dr. disc. pol. = doctor disciplinarum politicarum; *vgl.* Doktor
Dread|locks [ˈdrɛd...] *Plur.* ⟨engl.⟩ (verfilzte Haarsträhnen [als Frisur])
Dream|team, Dream-Team [ˈdriː...], das; -s, -s ⟨engl.⟩ (*bes. Sport* ideal besetzte Mannschaft)
Drech|se|lei
drech|seln; ich drechs[e]le
Drechs|ler; Drechs|ler|ar|beit; Drechs|le|rei; Drechs|le|rin
Dreck, der; -[e]s (*ugs.*)
Dreck|ar|beit; Dreck|ei|mer; Dreckfink, der; *Gen.* -en, *auch* -s, *Plur.* -en (*ugs.*); **Dreck|hau|fen**
dre|ckig
Dreck|kerl *vgl.* Dreckskerl
Dreck|nest (*ugs. abwertend für* Dorf, Kleinstadt); **Dreck|pfo|te** (*ugs. für* schmutzige Hand); **Dreck|sack** (*derb abwertend*)
Drecks|ar|beit (*ugs. abwertend*)
Dreck|sau (*derb abwertend*)
Dreck|schleu|der (*ugs. für* freches Mundwerk; Fabrikanlage o. Ä., die die Luft stark verschmutzt)
Drecks|kerl (*derb abwertend*)
Dreck|spatz (*ugs.*); **dreck|star|rend**

Dred|sche, die; -, -n ⟨engl.⟩ (*fachspr. für* Schleppnetz)
Dreesch *vgl.* Driesch
Dreh, der; -[e]s, *Plur.* -s *od.* -e (*ugs. für* Einfall, Kunstgriff; *seltener für* Drehung)
Dr. eh., e. h., E. h. = Ehrendoktor, Doktor Ehren halber; *vgl.* Doktor
Dreh|ach|se; Dreh|ar|beit, die; -, -en *meist Plur.* (Film)
Dreh|bank *Plur.* ...bänke
dreh|bar; drehbarer Sessel
Dreh|be|we|gung; Dreh|blei|stift; Dreh|brü|cke
Dreh|buch; Dreh|buch|au|tor; Drehbuch|au|to|rin
Dreh|büh|ne
Dre|he, die; - (*landsch. ugs. für* Gegend)
dre|hen; Dre|her; Dre|he|rei; Drehe|rin
dreh|freu|dig; Dreh|kran; Drehkrank|heit, die; -; **Dreh|kreuz; Dreh|ma|schi|ne**
Dreh|mo|ment, das (*Physik*)
Dreh|or|gel; Dreh|ort (*Film*); **Drehpau|se** (*Film*); **Dreh|punkt**
Dreh|re|s|tau|rant; Dreh|schei|be
Dreh|schuss (*Fußball*)
Dreh|strom; Dreh|strom|mo|tor
Dreh|stuhl; Dreh|tür
Dreh|ung
Dreh|vor|rich|tung; Dreh|wurm
Dreh|zahl (Anzahl der Umdrehungen in einer Zeiteinheit); **Drehzahl|mes|ser**, der
drei *s.* Kasten
Drei, die; -, -en; eine Drei würfeln; er schrieb in Latein eine Drei; die Note »Drei«; mit [der Durchschnittsnote] »Drei-Kommafünf« bestanden; *vgl.* ^{1}Acht *u.* Eins
Drei|ach|ser (Wagen mit drei Ach

sen; mit Ziffer 3-Achser; ↑K29);
drei|ach|sig
Drei|ach|tel|takt, der; -[e]s (*mit Ziffern* $^3/_8$-Takt; ↑K26); im Dreiachteltakt
Drei|an|gel, der; -s, - (*landsch. u. schweiz. für* winkelförmiger Riss im Stoff)
drei|ar|mig
drei|bän|dig; drei|bei|nig
Drei|blatt (Name von Pflanzen); **drei|blät|te|rig; drei|blätt|rig**
Drei|bund, der; -[e]s
drei|di|men|si|o|nal; dreidimensionales Bild, dreidimensionaler Film *od.* ↑K26: Drei-D-Bild, Drei-D-Film *od. mit Ziffer:* 3-D-Bild, 3-D-Film; Bilder in 3-D
Drei|eck; drei|eckig
Drei|eck|schal|tung (*Technik*)
Drei|ecks|ge|schich|te; Drei|ecksmes|sung; Drei|ecks|netz
Drei|ecks|tuch, Drei|eck|tuch
drei|ein *vgl.* dreieinig
drei|ein|halb, drei|und|ein|halb
drei|ei|nig; der dreieinige Gott; **Drei|ei|nig|keit**, die; - (*christl. Rel.*)
Drei|ei|nig|keits|fest (erster Sonntag nach Pfingsten)
Drei|er *vgl.* Achter; **Drei|er|kom|bina|ti|on** (*Sport*)
drei|er|lei; Drei|er|rei|he
drei|fach; Drei|fa|che, das; -n; *vgl.* Achtfache
Drei|fal|tig|keit, die; - (*svw.* Dreieinigkeit); **Drei|fal|tig|keits|fest** (erster Sonntag nach Pfingsten)
Drei|far|ben|druck *Plur.* ...drucke; **drei|far|big**
Drei|fel|der|wirt|schaft, die; -
drei|fens|t|rig
Drei|fin|ger|faul|tier (*für* Ai)
Drei|fuß; Drei|ge|stirn

drei|ge|stri|chen *(Musik)*
Drei|heit, die; -
drei|hun|dert
drei|jäh|rig *vgl.* achtjährig
Drei|kai|ser|bünd|nis
Drei|kant, das *od.* der; -[e]s, -e; Drei|kan|ter (Gesteinsform; Dreikanthof); Drei|kant|hof (eine Form des Bauernhofs); drei|kan|tig; Drei|kant|stahl *(vgl.* ¹Stahl *u.* ↑K66)
Drei|kä|se|hoch, der; -s, -[s]
Drei|klang
Drei|klas|sen|wahl|recht, das; -[e]s
Drei|kö|nig, Drei|kö|ni|ge *ohne Artikel* (Dreikönigsfest); an, auf, nach, vor, zu Dreikönig[e]; Drei|kö|nigs|fest (6. Jan.); Drei|kö|nigs|sin|gen, das; -s; Drei|kö|nigs|spiel; Drei|kö|nigs|tref|fen
Drei|län|der|tref|fen
Drei|ling (alte Münze; altes Weinmaß)
Drei|li|ter|au|to (Auto, das nur drei Liter Treibstoff auf 100 km verbraucht)
drei|mäh|dig (dreischürig)
drei|mal ↑K31 : zwei- bis dreimal (2- bis 3-mal); *vgl.* achtmal; drei|ma|lig
Drei|mas|ter (dreimastiges Schiff; *auch für* Dreispitz); drei|mas|tig
Drei|mei|len|zo|ne
Drei|me|ter|brett
drein (*ugs. für* darein)
drein|bli|cken (in bestimmter Weise blicken); finster dreinblicken
drein|fah|ren (*ugs. für* energisch in eine Angelegenheit eingreifen)
drein|fin|den, sich (*ugs. für* dareinfinden, sich)
Drein|ga|be (*landsch. u. schweiz. für* Zugabe)
drein|mi|schen, sich (*ugs. für* dareinmischen, sich)
drein|re|den (*ugs. für* dareinreden)
drein|schla|gen (*ugs. für* in etwas hineinschlagen)
Drei|pass, der; ...passes, ...passe *(Archit.* Verzierungsform mit drei Bogen)
Drei|pfund|brot
Drei|pha|sen|strom *(svw.* Drehstrom)
Drei|punk|te|wurf *(Basketball)*
Drei|punkt|gurt *(Verkehrsw.)*
Drei|rad; drei|rä|de|rig, ...räd|rig
Drei|raum|woh|nung *(regional für* Dreizimmerwohnung)
Drei|ru|de|rer (antikes Kriegsschiff); Drei|satz; Drei|schneuß (Ornament im got. Maßwerk)

Drei|schritt|re|gel, die; - *(Handball)*
drei|schü|rig (drei Ernten liefernd); dreischürige Wiese
Drei|se|kun|den|re|gel *(Handball, Basketball)*
drei|sil|big; drei|spal|tig
Drei|spän|ner; Drei|spitz (ein dreieckiger Hut); Drei|sprung
drei|Big usw. *vgl.* achtzig usw.
drei|Big|jäh|rig; eine dreißigjährige Frau, *aber* ↑K89 : der Dreißigjährige Krieg; *vgl.* achtjährig
dreist
drei|stel|lig; dreistellige Ziffer
Drei|ster|ne|ho|tel
Dreist|heit; Dreis|tig|keit
drei|stim|mig; drei|stö|ckig; drei|strah|lig; drei|stück|wei|se
Drei|stu|fen|ra|ke|te
Drei|ta|ge|bart; Drei|ta|ge|fie|ber (Infektionskrankheit)
drei|tau|send; Drei|tau|sen|der ([über] 3000 m hoher Berg)
Drei|tei|ler; drei|tei|lig
drei|und|ein|halb, drei|ein|halb
drei|und|zwan|zig *vgl.* acht
drei vier|tel *vgl.* drei *u.* Viertel
drei|vier|tel|lang [...'fi...]
Drei|vier|tel|li|ter|fla|sche *(mit Ziffern* ³/₄-Liter-Flasche; ↑K26)
Drei|vier|tel|mehr|heit [...'fi...]; Drei|vier|tel|mil|li|on; Drei|vier|tel|stun|de
Drei|vier|tel|takt [...'fi...], der; -[e]s *(Musik; mit Ziffern* ³/₄-Takt; ↑K29); im Dreivierteltakt
Drei|we|ge|ka|ta|ly|sa|tor *(Kfz-Technik)*
Drei|zack, der; -[e]s, -e; drei|za|ckig
drei|zehn; die verhängnisvolle Dreizehn ↑K78 ; *vgl.* acht; drei|zehn|hun|dert; Drei|zehn|te, der; -n, -n (*österr. auch für* dreizehntes Monatsgehalt)
Drei|zim|mer|woh|nung *(mit Ziffer* 3-Zimmer-Wohnung; ↑K26)
Drei|zü|ger *(Schach)*
Drell, der; -s, -e *(nordd. für* Drillich)
drem|meln *(landsch. für* bittend drängen); ich dremm[e]le
Drem|pel, der; -s, - (Mauer zur Vergrößerung des Dachraumes; Schwelle [im Schleusenbau])
Dres. = doctores; *vgl.* Doktor
Dre|sche, die; - (*ugs. für* Prügel)
dre|schen; er drischt; er drischt; du droschst, *veraltet* drasch[e]st; du dröschest, *veraltet* dräschest; gedroschen; drisch!
Dre|scher; Dre|sche|rin

Dresch|fle|gel; Dresch|gut, das; -[e]s; Dresch|ma|schi|ne
Dres|den (Hauptstadt von Sachsen); Dres|den-Alt|stadt; Dres|de|ner, Dresd|ner; Dres|den-Neu|stadt; Dresd|ner *vgl.* Dresdener
Dress, der; *Gen. - u.* Dresses, *Plur.* Dresse, *österr. auch* die; -, Dressen *Plur. selten* ⟨engl.⟩ ([Sport]kleidung)
Dress|code *(engl. für* Kleidervorschrift)
Dres|seur [...'sø:ɐ̯], der; -s, -e ⟨franz.⟩ (jmd., der Tiere abrichtet); Dres|seu|rin [...'sø:...]; dres|sie|ren
Dres|sier|sack (Spritzbeutel)
Dres|sing, das; -s, -s ⟨engl.⟩ (Salatsoße)
Dress|man [...mən], der; -s, ...men [...mən] ⟨anglisierend⟩ (männliches Mannequin)
Dres|sur, die; -, -en ⟨franz.⟩; Dres|sur|akt; Dres|sur|leis|tung
Dres|sur|num|mer; Dres|sur|prü|fung; Dres|sur|rei|ten, das; -s
Drey|fus|af|fä|re, Drey|fus-Af|fä|re, die; - (der 1894–1906 gegen den franz. Offizier A. Dreyfus geführte Prozess u. seine Folgen)
Dr. forest. = doctor scientiae rerum forestalium; *vgl.* Doktor
Dr. ... habil. = doctor ... (z. B. philosophiae) habilitatus; *vgl.* Doktor
Dr. h. c. = doctor honoris causa; *vgl.* Doktor
Dr. h. c. mult. = doctor honoris causa multiplex; *vgl.* Doktor
drib|beln ⟨engl.⟩ *(Sport* den Ball durch kurze Stöße vortreiben); ich dribb[e]le; Dribb|ling, das; -s, -s (das Dribbeln)
Driesch, Dreesch, der; -s, -e (*landsch. für* Brache)
Drift, die; -, -en (Strömung an der Meeresoberfläche; *auch svw.* Abtrift; *vgl.* Trift)
drif|ten *(Seemannsspr.* treiben); drif|tig (treibend)
Drilch, der; -[e]s, -e (*schweiz. für* Drillich)
¹Drill, der; -[e]s, -e *(Nebenform von* Drell)
²Drill, der; -[e]s ([militär.] harte Ausbildung)
Drill|boh|rer
dril|len ([militär.] hart ausbilden; mit dem Drillbohrer bohren; *Landw.* in Reihen säen)
Dril|lich, der; -s, -e (ein festes Gewebe); Dril|lich|an|zug; Dril-

drit|te

Kleinschreibung ↑K 89:

– das dritte Kapitel
– jeder dritte Bundesbürger
– der dritte Stand (Bürgerstand)
– die dritte seiner Töchter ist hellblond

Großschreibung der Substantivierung ↑K 80:

– er ist der Dritte im Bunde
– ein Dritter (ein Unbeteiligter)
– sie ist die Dritte in der Klasse; sie ist die Dritte in der Reihe
– von dreien der Dritte
– nur jeder Dritte erhielt die Zulassung

– es bleibt noch ein Drittes zu erwähnen
– zum Dritten wäre dies noch zu erwähnen
– die Dritten (*ugs. für* die dritten Zähne, das künstliche Gebiss)

Großschreibung in Namen und bestimmten namenähnlichen Fügungen ↑K 88 u. 89:

– Friedrich der Dritte
– der Dritte Oktober (Tag der Deutschen Einheit)
– der Dritte Punische Krieg
– das Dritte Reich
– die Dritte Welt (die Entwicklungsländer)
Vgl. achte *u.* erste

---

lich|ho|se; Dril|lich|zeug, das; -[e]s
Dril|ling (*auch für* Jagdgewehr mit drei Läufen)
Drill|ma|schi|ne (*Landw.* Maschine, die in Reihen sät)
drin (*ugs. für* darin); drin sein (*ugs. auch für* möglich sein)
drin|blei|ben (*ugs.*)
Dr.-Ing. = Doktoringenieur, Doktor der Ingenieurwissenschaften; *vgl.* Doktor
drin|gen; du drang[e]st; du drängest; gedrungen; dring[e]!; **dringend;** auf das, aufs Dringendste *od.* auf das, aufs dringendste ↑K 75
dring|lich; Dring|lich|keit, die; -
Dring|lich|keits|an|fra|ge; Dring|lich|keits|an|trag
Drink, der; -[s], -s ⟨engl.⟩ (meist alkohol. [Misch]getränk)
drin|nen; ich möchte lieber drinnen arbeiten
drin sein *vgl.* drin
drin|sit|zen (*ugs. für* in der Patsche sitzen); *vgl.* darin
drin|ste|cken (*ugs.* viel Arbeit, Schwierigkeiten haben); er hat bis über die Ohren dringesteckt; *vgl.* darin
drin|ste|hen (*ugs. für* in etwas zu lesen sein); *vgl.* darin
Dri|schel, der; -s, - *od.* die; -, -n (*bayr. u. österr. für* [Schlagkolben am] Dreschflegel)
dritt *vgl.* drei
drit|te *s.* Kasten
drit|tel *vgl.* achtel; **Drit|tel,** das; *schweiz. meist* der; -s, -; zwei Drittel; *vgl.* Achtel; **drit|teln** (in drei Teile teilen); ich dritt[e]le
Drit|ten|ab|schla|gen, das; -s (ein Laufspiel)
drit|tens
Drit|te-Welt-La|den (Laden mit

Erzeugnissen aus Entwicklungsländern); *vgl.* dritte
dritt|höchs|te
Dritt|land *Plur.* ...länder
dritt|letz|te *vgl.* letzte
Dritt|mit|tel *Plur.* ; etwas aus Drittmitteln finanzieren
Dritt|per|son (*bes. schweiz. für* Unbeteiligte[r])
Dritt|scha|den
Dritt|schuld|ner (*Rechtsspr.*); **Dritt|schuld|ne|rin; Dritt|welt...** (*bes. schweiz. meist in Zusammensetzungen für* Dritte-Welt-...)
Dr. iur., Dr. jur. = doctor juris; *vgl.* Doktor
Dr. iur. utr., Dr. jur. utr. = doctor juris utriusque; *vgl.* Doktor
Drive [draif], der; -s, -s ⟨engl.⟩ (Schwung; Tendenz, Neigung; Treibschlag beim Golf u. Tennis; *Jazz* treibender Rhythmus)
Drive-in-Re|s|tau|rant [draiˈvɪn...] (Schnellgaststätte für Autofahrer mit Bedienung am Autofahrzeug)
Dri|ver [ˈdraivə], der; -s, - (ein Golfschläger)
Dr. jur. *vgl.* Dr. iur
Dr. jur. utr. *vgl.* Dr. iur. utr.
DRK, das; - = Deutsches Rotes Kreuz
Dr. med. = doctor medicinae; *vgl.* Doktor
Dr. med. dent. = doctor medicinae dentariae; *vgl.* Doktor
Dr. med. dent. et scient. med. (*in Österr.*) = doctor medicinae dentariae et scientiae medicae; *vgl.* Doktor
Dr. med. univ. (*in Österr.*) = doctor medicinae universae; *vgl.* Doktor
Dr. med. univ. et scient. med. (*in Österr.*) = doctor medicinae

universae et scientiae medicae; *vgl.* Doktor
Dr. med. vet. = doctor medicinae veterinariae; *vgl.* Doktor
Dr. mont. (*in Österr.*) = doctor rerum montanarum; *vgl.* Doktor
Dr. mult. = doctor multiplex; *vgl.* Doktor
Dr. nat. techn. (*in Österr.*) = doctor rerum naturalium technicarum; *vgl.* Doktor
drob *vgl.* darob
dro|ben (*geh.; südd. u. österr. für* da oben); dro|ben|blei|ben (*südd., österr.*)
Dr. oec. = doctor oeconomiae; *vgl.* Doktor
Dr. oec. publ. = doctor oeconomiae publicae; *vgl.* Doktor
dröl|ge (*nordd. für* trocken; langweilig)
Dro|ge, die; -, -n ⟨franz.⟩ (Rohstoff für Heilmittel; *auch für* Rauschgift)
dro|gen|ab|hän|gig; Dro|gen|ab|hän|gi|ge, der u. die; -n, -n
Dro|gen|be|auf|trag|te
Dro|gen|be|ra|tungs|stel|le; Dro|gen|dea|ler (Rauschgifthändler); **Dro|gen|fahn|der** (jmd., der nach Rauschgifthändlern fahndet); **Dro|gen|fahn|de|rin**
Dro|gen|ge|schäft; Dro|gen|han|del; Dro|gen|kon|sum; Dro|gen|kon|sum|raum; Dro|gen|miss|brauch
Dro|gen|screening [...skriːnɪŋ] (*Med.* Untersuchung zum Nachweis von Drogenkonsum)
Dro|gen|sucht; dro|gen|süch|tig; Dro|gen|sze|ne, die; -; **Dro|gen|to|te**
Dro|ge|rie, die; -, ...ien; **Dro|ge|rie|ar|ti|kel** *meist Plur.*; **Dro|ge|rie|markt**
Dro|gist, der; -en, -en; **Dro|gis|tin**
Droh|brief

D

droh

dro|hen; Droh|ge|bär|de
Droh|ku|lis|se (bedrohlich wir-
kende Umstände)
Drohn, der; -en, -en *(fachspr. für*
Drohne); Droh|ne, die; -, -n (Bie-
nenmännchen; *Milit.* unbe-
manntes Aufklärungsflugzeug)
dröh|nen *(ugs. auch für* Rauschgift
nehmen)
Droh|nen|da|sein; Droh|nen|schlacht
Dröh|nung *(ugs. für* Rauschgiftdo-
sis; Rauschzustand)
Dro|hung; Droh|wort *Plur.* ...worte
dröl|lig; Dröl|lig|keit
Dro|me|dar [*auch* 'dro:...], das; -s,
-e ⟨griech.⟩ (einhöckeriges
Kamel)
Dröm|ling, der; -s (Landschaft im
Südwesten der Altmark)
Dron|te, die; -, -n (ein ausgestorbe-
ner Vogel)
Dront|heim (norweg. Stadt); *vgl.*
Trondheim
Drop-down-Me|nü [...'daun...]
⟨engl.⟩ *(EDV* Menü, das bei
Aktivierung [nach unten] auf-
klappt)
Drop|kick, der; -s, -s ⟨engl.⟩ *(Fuß-
ball)*
Drop-out, Drop|out [...|aut], der;
-[s], -s (jmd., der aus seiner
sozialen Gruppe ausgebrochen
ist; *Tontechnik* Aussetzen der
Schallaufzeichnung); Drop-out-
Rate *(bes. österr. für* Anteil der
Studierenden, die ein Studium
vorzeitig abbrechen)
Drops, der, *auch* das; -, - *meist
Plur.* ⟨engl.⟩ (Fruchtbonbon)
Drosch|ke, die; -, -n ⟨russ.⟩
Drosch|ken|gaul; Drosch|ken|kut-
scher; Drosch|ken|kut|sche|rin
drö|seln *(landsch. für* [Faden] dre-
hen; trödeln); ich drös[e]le
¹Dros|sel, die; -, -n (ein Singvogel)
²Dros|sel, die; -, -n *(Jägerspr.* Luft-
röhre des Wildes; *auch für*
Drosselspule)
Dros|sel|bart; König Drosselbart
(eine Märchengestalt)
Dros|sel|klap|pe *(Technik)*
dros|seln; ich dross[e]le
Dros|sel|spu|le *(Elektrot.)*
Dros|se|lung
Dros|sel|ven|til *(Technik)*
Drosse|lung *vgl.* Drosselung
Drost, der; -es, -e *(nordd. früher*
Verwalter einer Drostei)
Dros|te-Hüls|hoff (dt. Dichterin)
Dros|tei *(nordd. früher* Verwal-
tungsbezirk)
Dr. paed. = doctor paedagogiae;
vgl. Doktor

Dr. pharm. = doctor pharmaciae;
vgl. Doktor
Dr. phil. = doctor philosophiae;
vgl. Doktor
Dr. phil. fac. theol. *(in Österr.)* =
doctor philosophiae facultatis
theologicae; *vgl.* Doktor
Dr. phil. nat. = doctor philosophiae naturalis; *vgl.* Doktor
Dr. rer. camer. = doctor rerum
cameralium; *vgl.* Doktor
Dr. rer. comm. *(in Österr.)* =
doctor rerum commercialium;
vgl. Doktor
Dr. rer. hort. = doctor rerum hor-
tensium; *vgl.* Doktor
Dr. rer. med[ic]. = doctor rerum
medicarum; *vgl.* Doktor
Dr. rer. mont. = doctor rerum
montanarum; *vgl.* Doktor
Dr. rer. nat. = doctor rerum naturalium; *vgl.* Doktor
Dr. rer. oec. = doctor rerum oeconomicarum; *vgl.* Doktor
Dr. rer. pol. = doctor rerum politicarum; *vgl.* Doktor
Dr. rer. silv. = doctor rerum silves-
trium; *vgl.* Doktor
Dr. rer. soc. oec. *(in Österr.)* =
doctor rerum socialium oeconomicarumque; *vgl.* Doktor
Dr. rer. techn. = doctor rerum
technicarum; *vgl.* Doktor
Dr. sc. agr. = doctor scientiarum
agrarium; *vgl.* Doktor
Dr. sc. hum. = doctor scientiarum
humanarum; *vgl.* Doktor
Dr. scient. med. *(in Österr.)* =
doctor scientiae medicae; *vgl.*
Doktor
Dr. sc[ient]. techn. = doctor scientiarum technicarum; *vgl.* Doktor
Dr. sc. math. = doctor scientiarum
mathematicarum; *vgl.* Doktor
Dr. sc. nat. = doctor scientiarum
naturalium *od.* doctor scientiae
naturalis; *vgl.* Doktor
Dr. sc. pol. = doctor scientiarum
politicarum *od.* doctor scientiae
politicae; *vgl.* Doktor
Dr. techn. *(in Österr.)* = doctor
rerum technicarum; *vgl.* Doktor
Dr. theol. = doctor theologiae; *vgl.*
Doktor
drü|ben (auf der anderen Seite);
hüben und drüben; drü|ben|blei-
ben
drü|ber *(ugs. für* darüber; *[vgl. d.]*);
es geht drunter und drüber; wir
müssen drüber reden
drü|ber|fah|ren *(ugs.)*
drü|ber|streu|en; zum Drüber-

streuen *(österr. ugs. für* zur
Abrundung)
Druck, der; -[e]s, *Plur. (Technik:)*
Drücke, *seltener* -e, *(Druckw.:)*
Drucke *u. (Textilw.* bedruckte
Stoffe:) -s
Druck|ab|fall, der; -[e]s; Druck|an-
stieg, der; -[e]s; Druck|aus|gleich,
der; -[e]s
Druck|blei|stift
Druck|bo|gen *Plur.* -; Druck|buch-
sta|be
Drü|cke|ber|ger; Drü|cke|ber|ge|rei;
Drü|cke|ber|ge|rin; drü|cke|ber-
ge|risch
druck|emp|find|lich
dru|cken
drü|cken
drü|ckend; drückend heißes Wet-
ter; es war drückend heiß
Dru|cker
Drü|cker
Dru|cke|rei
Drü|cke|rei
Drü|cker|fisch (ein Aquarienfisch)
Dru|cke|rin
Druck|er|laub|nis, die; -
Dru|cker|pres|se; Dru|cker|schwär-
ze; Dru|cker|spra|che
¹Druck|er|zeug|nis, Druck-Er|zeug-
nis
²Dru|cker|zeug|nis, Dru|cker-Zeug-
nis
Druck|fah|ne; Druck|feh|ler; Druck-
feh|ler|teu|fel
druck|fer|tig; druck|fest; druck-
frisch
druck|gas|be|trie|ben; druckgasbe-
triebene Fahrzeuge
Druck|gra|fik, Druck|gra|phik
(Kunstwiss.)
Druck|in|dus|t|rie
Druck|ka|bi|ne; Druck|kes|sel
Druck|knopf
Druck|koch|topf; Druck|kraft
Druck|le|gung
Druck|luft|brem|se
druck|luft|ge|steu|ert
Druck|mit|tel, das
Druck|mus|ter
Druck|pa|pier; Druck|plat|te
Druck|punkt
Druck|raum *(Jargon* Drogenkon-
sumraum)
druck|reif
Druck|sa|che; Druck|schrift; Druck-
sei|te
druck|sen *(ugs. für* zögerlich ant-
worten); du druckst; Druck|se|rei
Druck|sor|te *(österr. für* Formular);
Druck|spal|te
Druck|stel|le
Druck|stock *Plur.* ...stöcke

du

Kleinschreibung:	*Großschreibung* ↑K76:
– du Glücklicher!	– das vertraute Du; jmdm. das Du anbieten
– du bist im Recht	– jmdn. mit Du anreden
– Leute wie du und ich	– mit jmdm. auf Du und Du stehen
– jmdn. du nennen	– du *od.* Du zueinander sagen

In Briefen kann »du« groß- oder kleingeschrieben werden:

– mit jmdm. per du *od.* per Du sein

– Liebe Maria, wie du *od.* Du bestimmt schon gemerkt hast ...

Dübe

Druck|tas|te

Druck|tech|nik; druck|tech|nisch

Druck|ver|band

Druck|ver|fah|ren

Druck|wel|le

Druck|we|sen; Druck|zy|lin|der

Drud, die; -, -en *(österr.),* **Dru|de**, die; -, -n (Nachtgeist; Zauberin)

Dru|den|fuß (Zeichen gegen Zauberei; Pentagramm)

Drug|store [ˈdrakstoːɐ̯], der; -s, -s ⟨engl.-amerik.⟩ ([in den USA] Verkaufsgeschäft für gängige Bedarfsartikel mit Imbissecke)

Dru|i|de, der; -n, -n (kelt. Priester); **Dru|i|din; dru|i|disch**

drum (*ugs. für* darum); drum herum, *aber* das Drumherum; drum herumreden; nicht drum herumkommen; das Drum und Dran

Drum [dram], die; -, -s ⟨engl.⟩ (*engl. Bez. für* Trommel); *vgl.* [1]Drums

drum|bin|den *(ugs.)*

Drum|com|pu|ter

Drum|he|r|um, das; -s *(ugs.)*

drum|le|gen *(ugs.)*

Drum|lin [*auch* ˈdra...], der; -s, -s ⟨kelt.-engl.⟩ (Geol. ellipt. Hügel der Grundmoräne)

Drum|mer [ˈdra...], der; -, - ⟨engl.⟩ (Schlagzeuger in einer [4]Band); **Drum|me|rin**

[1]**Drums** [dra...] *Plur.* (*Bez. für das* Schlagzeug)

[2]**Drums** [*auch* dra...] *Plur.* ⟨kelt.-engl.⟩ (svw. Drumlins)

Drum und Dran, das; - - -

drun|ten (da unten)

drun|ter (*ugs. für* darunter; *[vgl. d.]*); es geht drunter und drüber

drun|ter|lie|gen; drun|ter|stel|len

Drun|ter und Drü|ber, das; - - - *(ugs.)*

Drusch, der; -[e]s, -e (Dreschen; Dreschertrag); **Drusch|ge|mein|schaft** *(in der DDR)*

Dru|schi|na, die; - ⟨russ.⟩ (Gefolgschaft altruss. Fürsten)

[1]**Dru|se**, die; -, -n (Hohlraum im Gestein, dessen Wände mit kristallisierten Mineralien besetzt sind; eine Pferdekrankheit)

[2]**Dru|se**, der; -n, -n (Angehöriger einer im 11. Jh. aus dem Islam hervorgegangenen Religionsgemeinschaft)

Drü|se, die; -, -n

Dru|sen *Plur.* (*veraltet, noch landsch. für* Weinhefe, Bodensatz)

Drü|sen|fie|ber; Drü|sen|funk|ti|on; Drü|sen|schwel|lung

dru|sig *(zu* [1]Druse*)*

drü|sig (voll Drüsen)

Dru|sin *(zu* [2]Druse*);* **dru|sisch**

Dru|sus (röm. Beiname)

dry [draɪ] ⟨engl., »trocken«⟩ ([von alkohol. Getränken] herb)

Dry|a|de, die; -, -n *meist Plur.* ⟨griech.⟩ (griech. Mythol. Baumnymphe)

DSA = Deutscher Sprachatlas

DSB = Deutscher Sportbund

Dsche|bel, der; -[s] ⟨arab.⟩ (*in arab. erdkundl. Namen* Gebirge, Berg)

Dschi|bu|ti (Staat u. dessen Hauptstadt in Nordostafrika); **Dschi|bu|ti|er; Dschi|bu|ti|e|rin; dschi|bu|tisch**

D-Schicht [ˈdeː...], die; - (*Meteor.* stark ionisierte Luftschicht in der hohen Atmosphäre)

Dschig|ge|tai, der; -s, -s ⟨mong.⟩ (wilder Halbesel in Asien)

Dschi|had, der; - ⟨arab.⟩ (heiliger Krieg der Muslime zur Verteidigung u. Ausbreitung des Islams)

Dschin|gis Khan (mongol. Eroberer)

Dschinn, der; -s, *Plur.* - u. -en ⟨arab.⟩ (Dämon, Geist im Volksglauben der Araber)

Dschun|gel, der, *selten* das; -s, - ⟨Hindi⟩ (undurchdringlicher tropischer Sumpfwald; *auch übertr. für* Dickicht; dichtes, undurchschaubares Geflecht)

Dschun|gel|krieg; Dschun|gel|pfad

Dschun|ke, die; -, -n ⟨chin.-malai.⟩ (chin. Segelschiff)

DSG, die; - = Deutsche Schlafwagen- und Speisewagen-Gesellschaft mbH; *vgl.* Mitropa

DSL = digital subscriber line ⟨engl., »digitale Anschlussleitung«⟩ (*EDV* Sammelbegriff für bestimmte Datenleitungen)

Dsun|ga|rei, die; - (zentralasiat. Landschaft); **dsun|ga|risch**

dt = Dezitonne

dt. = deutsch

DTB, der; - = Deutscher Turnerbund

DTC, der; - = Deutscher Touring Automobil Club

dto. = dito

DTP = Desktop-Publishing

DTSB, der; - = Deutscher Turn- und Sportbund

Dtzd. = Dutzend

du *s.* Kasten

du|al ⟨lat.⟩ (eine Zweiheit bildend); ein duales System, *aber* ↑K88: die Gesellschaft Duales System Deutschland GmbH; **Du|al**, der; -s, -e (*Sprachw.* Zweizahl)

Du|a|la *vgl.* [1,2,3]Douala

Du|a|lis, der; -, ...le ⟨lat.⟩; *vgl.* Dual

Du|a|lis|mus, der; - (Zweiheit; Gegensätzlichkeit); **Du|a|list**, der; -en, -en; **Du|a|lis|tin; du|a|lis|tisch;** dualistische Weltanschauung

Du|a|li|tät, die; - (Zweiheit; Doppelheit; Vertauschbarkeit)

Du|al|sys|tem, das; -s (*Math., Soziol.*)

Du|bai [*auch* ˈduː...] (Hafenstadt u. Scheichtum am Pers. Golf)

Dub|bing [ˈdabɪŋ], das; -s, -s ⟨engl.⟩ (Überspielen, Kopieren von Video- od. Tonaufnahmen)

Dü|bel, der; -s, - (Zapfen zum Ver-

ankern von Schrauben u. a.; *Bauw.* Verbindungselement zum Zusammenhalten von Bauteilen); **Dü|bel|mas|se,** die; - **dü|beln;** ich düb[e]le
du|bi|os ⟨lat.⟩, *seltener* **du|bi|ös** ⟨franz.⟩ (zweifelhaft; unsicher)
Du|bi|o|sen *Plur.* (*Wirtsch.* unsichere Forderungen)
du|bi|ta|tiv (Zweifel ausdrückend)
Du|b|lee, Dou|b|lé, das; -s, -s ⟨franz.⟩ (Metall mit Edelmetallüberzug; Stoß beim Billardspiel); **Du|b|lee|gold, Dou|b|lé|gold**
Du|b|let|te, die; -, -n (doppelt vorhandenes Stück)
du|b|lie|ren, dou|b|lie|ren ([Garn] verdoppeln; Dublee herstellen)
Dub|lin ['da...] (Hauptstadt der Republik Irland)
Du|b|lo|ne, die; -, -n ⟨lat.⟩ (frühere span. Goldmünze)
Du|b|lü|re, die; -, -n ⟨franz.⟩ (verzierte Innenseite des Buchdeckels)
Du|b|rov|nik (kroat. Hafenstadt)
Duc [dyk], der; -[s], -s ⟨lat.-franz.⟩ (*franz. Bez. für* Herzog)
¹**Du|chesse** [dy'ʃɛs], die; -, -n ⟨franz.⟩ (*franz. Bez. für* Herzogin)
²**Du|chesse,** die; - (ein Seidengewebe)
Ducht, die; -, -en (*Seemannsspr.* Sitzbank im Boot)
Duck|dal|be, *seltener* **Dück|dal|be,** die; -, -n *meist Plur.,* **Dück|dal|ben, Duck|dal|ben,** der; -s, - *meist Plur.* (*Seemannsspr.* in den Hafengrund gerammte Pfahlgruppe)
du|cken; sich ducken
Du|cker (Schopfantilope)
Duck|mäu|ser (*ugs. für* verängstigter, feiger, heuchlerischer Mensch); **Duck|mäu|se|rin;** **duck|mäu|se|risch; Duck|mäu|ser|tum**
du|del|dum|dei!
Du|de|lei; Du|de|ler, Dud|ler
Du|del|funk (*ugs. abwertend für* Radiosender, in dem immer nur die gängigsten Schlager gespielt werden)
du|deln; ich dud[e]le
Du|del|sack ⟨türk.⟩; **Du|del|sackpfei|fer**
Dud|ler *vgl.* Dudeler
Due Di|li|gence [dju· 'dɪlɪdʒəns], die; - -, - -s ⟨engl.⟩ (*Wirtsch.* umfassende Prüfung eines Unternehmens)

Du|ell, das; -s, -e ⟨franz.⟩ (Zweikampf); **Du|el|lant,** der; -en, -en; **du|el|lie|ren,** sich
Du|en|ja, die; -, -s ⟨span., »Herrin«⟩ (*veraltet für* Erzieherin)
Du|e|ro, der; - ⟨span.⟩ (Fluss auf der Iber. Halbinsel); *vgl.* Douro
Du|ett, das; -[e]s, -e ⟨ital.⟩ (Musikstück für zwei Singstimmen)
duff (*nordd. für* matt); duffes Gold
Düf|fel, der; -s, - ⟨nach einem belg. Ort⟩ (ein weiches Gewebe)
Duf|f|le|coat ['daf|...], der; -s, -s ⟨engl.⟩ (kurzer, sportl. Mantel)
Duft, der; -[e]s, Düfte; **Düft|chen**
duf|te ⟨jidd.⟩ (*bes. berlin. ugs. für* gut, fein)
duf|ten
duf|tig; Duf|tig|keit, die; -
Duft|ker|ze; Duft|lam|pe; Duft|marke (*Biol.*); **Duft|no|te**
Duft|öl; duft|reich
Duft|stoff; Duft|was|ser *Plur.* ...wässer; **Duft|wol|ke**
Du|gong, der; -s, *Plur.* -e *u.* -s ⟨malai.⟩ (eine Seekuh)
Duis|burg ['dy:...] (Stadt in Nordrhein-Westfalen); **Duis|bur|ger**
du jour [dy 'ʒu:ɐ̯] ⟨franz., »vom Tage«⟩; du jour sein (*veraltend für* Tagesdienst haben)
Du|ka|ten, der; -s, - ⟨ital.⟩ (frühere Goldmünze)
Du|ka|ten|esel (*ugs. für* unerschöpfliche Geldquelle); **Du|katen|schei|ßer** (*derb*)
Duke [dju:k], der; -s, -s ⟨engl.⟩ (*engl. Bez. für* Herzog)
Dü|ker, der; -s, - (Rohrleitung unter einem Deich, Fluss, Weg o. Ä.; *landsch. für* Tauchente)
duk|til ⟨lat.⟩ (*Technik* dehn-, verformbar); **Duk|ti|li|tät,** die; -
Duk|tus, der; - (charakteristische Art, Linienführung)
dul|den; Dul|der; Dul|de|rin; Dulder|mie|ne
duld|sam; Duld|sam|keit, die; -
Dul|dung
Dult, die; -, -en (*bayr. für* Messe, Jahrmarkt)
Dul|zi|nea, die; -, *Plur.* -een *u.* -s ⟨span.; nach der Geliebten des Don Quichotte⟩ (*scherzh. abwertend für* Geliebte, Freundin)
Du|ma, die; -, -s (*russ. Bez. für* gewählte Volksvertretung)
Du|mas d. Ä., Du|mas d. J. [dy'ma - -] (Dumas der Ältere, der Jüngere [franz. Schriftsteller])
Dum|dum, das; -[s], -[s] ⟨nach dem Ort der ersten Herstellung in

Indien⟩ (Geschoss mit sprenggeschossartiger Wirkung); **Dumdum|ge|schoss,** *vgl.* Geschoss
dumm, düm|mer, dümms|te; dummer August (Clown); sich dumm stellen; *vgl.* dummkommen
Dumm|bar|tel, der; -s, - (*ugs. für* dummer Mensch); **Dumm|chen** (*ugs. für*); **dumm|dreist**
Dumm|me|jun|gen|streich, Dumme-Jun|gen-Streich; *aber* ein Dummer-Jungen-Streich
Dumm|men|fang, der; -[e]s; auf Dummenfang ausgehen
Dum|mer|chen (*ugs.*); **Dum|mer|jan,** der; -s, -e (*ugs. für* dummer Kerl); **Dum|merl,** das; -s, -n (*österr. ugs. für* Dummerchen); **Dum|mer|ling** (*ugs.*)
dum|mer|wei|se
dumm|frech
Dumm|heit
Dumm|mi|an, der; -s, -e (*landsch. u. österr. für* Dummerjan); **Dummie,** der; -s, -s (*ugs. für* jmd., der auf einem Gebiet nicht Bescheid weiß); *vgl.* Dummy
dumm kom|men, dumm|kom|men (*ugs.*); jmdm. dumm kommen *od.* dummkommen (zu jmdm. frech, unverschämt werden)
Dumm|kopf (*abwertend*)
dümm|lich; Dümm|ling
Dumm|ri|an *vgl.* Dummerjan
Dumm|schwät|zer (*ugs. abwertend*); **Dumm|schwät|ze|rin**
dumm|stolz
Dum|my ['dami], der, *auch* (*für* Attrappe, Probeheft:) das; -s, -s ⟨engl.⟩ (Puppe für Unfalltests; Attrappe, Probeheft [zu Werbezwecken]); *vgl.* Dummie
düm|peln (*Seemannsspr.* leicht schlingern); ich dümp[e]le
Dum|per ['da..., *auch* 'dʌ...], der; -s, - ⟨engl.⟩ (ein Kippfahrzeug)
dumpf
Dumpf|ba|cke (*ugs. für* törichter, einfältiger Mensch); **Dumpf|heit,** die; -
dump|fig; Dump|fig|keit, die; -
Dum|ping ['da...], das; -s ⟨engl.⟩ (*Wirtsch.* Unterbieten der Preise); **Dum|ping|preis** (Preis einer Ware, der deutlich unter ihrem Wert liegt)
dun (*nordd. für* betrunken)
Dü|na, die; - (Westliche Dwina) *vgl.* Dwina
Du|nant [dy'nã:], Henri, *später* Henry (schweiz. Philanthrop, Gründer des Roten Kreuzes)

Du|ne, die; -, -n (*nordd. für* Daune)
Dü|ne, die; -, -n; **Dü|nen|gras; Dü-nen|land|schaft**
Dung, der; -[e]s; **Dung|ab|la|ge**
Dün|ge|mit|tel, das
dün|gen; Dün|ger, der; -s, -; **Dün-ger|wirt|schaft**, die; -
Dung|gru|be; Dung|hau|fen
Dün|gung

dun|kel

– dunk|ler; dun|kels|te
– ein dunkler Fleck; ein dunklerer Farbton

Großschreibung ↑K 72:

– seine Spuren verloren sich im Dunkeln; im Dunkeln lassen; im Dunkeln tappen
– im Dunkeln ist gut munkeln; ein Sprung ins Dunkle

Wenn »dunkel« das Ergebnis der mit einem folgenden einfachen Verb beschriebenen Tätigkeit angibt, kann getrennt oder zusammengeschrieben werden:

– dunkel färben *od.* dunkelfärben
– dunkel lackieren *od.* dunkella-ckieren
– *Aber:* dunkel einfärben, dunkel anstreichen usw.

Zusammenschreibung mit Farb-adjektiven:

– dunkelblau, dunkelrot usw.

Dun|kel, das; -s
Dün|kel, der; -s (*geh. abwertend für* Eingebildetheit, Hochmut)
Dun|kel|ar|rest
dun|kel|äu|gig; dun|kel|blau; dun-kel|blond
dun|kel|braun|rot (*vgl.* dunkel); **dun|kel|grün; dun|kel|haa|rig**
dün|kel|haft (*geh. abwertend*); **Dün|kel|haf|tig|keit**, die; -
dun|kel|häu|tig; Dun|kel|heit
Dun|kel|kam|mer; Dun|kel|mann *Plur.* …männer
dun|keln; es dunkelt
Dun|kel|re|s|tau|rant (Restaurant ohne Beleuchtung)
dun|kel|rot; dun|kel|weiß (*scherzh. für* angeschmutzt)
Dun|kel|zif|fer (nicht bekannte Anzahl)
dün|ken; mich *od.* mir dünkt, *ver-altet* deucht; dünkte, *auch* deuchte; hat gedünkt, *veraltet* gedeucht
Dun|king ['da…], das; -s, -s ⟨engl.⟩

(*Basketball* Korbwurf, bei dem die Hände des Werfenden ober-halb des Korbrings sind)
Dün|kir|chen, *franz.* **Dun|kerque** [dœˈkɛrk] (franz. Hafenstadt)
dünn; durch dick und dünn; eine dünn besiedelte *od.* dünnbesie-delte, dünn bevölkerte *od.* dünnbevölkerte Gegend ↑K 58; dünn gesät *od.* dünngesät sein (selten, spärlich vorhanden sein; nur schwer zu finden sein); sich ganz dünn machen (*ugs. für* wenig Platz einnehmen); könnt ihr euch ein bisschen dünner machen?; *vgl. aber* dünnma-chen
dünn|bei|nig
Dünn|bier
Dünn|brett|boh|rer (*ugs. abwer-tend für* wenig intelligenter Mensch); **Dünn|brett|boh|re|rin**
Dünn|darm; Dünn|darm|ent|zün-dung
Dünn|druck *Plur.* …drucke
Dünn|druck|aus|ga|be; Dünn|druck-pa|pier
Dün|ne, die; -
dun|ne|mals (*landsch. für* damals)
dünn|flüs|sig
dünn ge|sät, dünn|ge|sät *vgl.* dünn
dünn|häu|tig (*auch übertr. für* empfindlich)
Dünn|heit, die; -; **dünn|lip|pig**
dünn|ma|chen, sich (*ugs. für* weg-laufen); er hat sich dünnge-macht; *vgl. aber* dünn
Dünn|pfiff (*ugs. für* Durchfall)
Dünn|säu|re (*Chemie* Schwefel-säure als Abfallprodukt); **Dünn-säu|re|ver|klap|pung**
Dünn|schiss (*derb für* Durchfall)
Dünn|schliff; Dünn|schnitt
Dün|nung (*Jägerspr.* Flanke des Wildes)
dünn|wan|dig
Dun|sel, der; -s, - (*landsch. für* Dummkopf, Tollpatsch)
Duns Sco|tus (schott. Philosoph u. Theologe)
Dunst, der; -[e]s, Dünste; **Dunst-ab|zugs|hau|be** (über dem Herd); **duns|ten** (Dunst verbreiten)
düns|ten (durch Dampf gar machen)
Dunst|glo|cke; Dunst|hau|be
duns|tig; Dunst|kreis
Dunst|obst, *österr. nur so, od.* **Dünst|obst**
Dunst|schicht; Dunst|schlei|er; Dunst|wol|ke
Dü|nung (durch Wind hervorgeru-fener Seegang)

Duo, das; -s, -s ⟨ital.⟩ (Musikstück für zwei Instrumente; *auch für* die zwei Ausführenden)
Duo|de|num, das; -s, …na ⟨lat.⟩ (*Med.* Zwölffingerdarm)
Duo|dez, das; -es ⟨lat.⟩ (*Buchw.* Zwölftelbogengröße; *Zeichen* 12°)
Duo|dez… (*in Zus. übertr.* Begriff des Kleinen, Lächerlichen); **Duo-dez|fürs|ten|tum**
duo|de|zi|mal (zwölfteilig); **Duo|de-zi|mal|sys|tem**, das; -s
Duo|de|zi|me, die; -, -n (der zwölfte Ton der diaton. Tonleiter; Inter-vall von zwölf diaton. Tonstu-fen)
dü|pie|ren ⟨franz.⟩ (täuschen, überlisten); **Dü|pie|rung**
Du|pla (*Plur. von* Duplum)
Du|plex|be|trieb, Di|plex|be|trieb ⟨lat.; dt.⟩ (Doppelbetrieb)
du|plie|ren ⟨lat.⟩ (verdoppeln); **Du-plie|rung**
Du|plik, die; -, -en ⟨franz.⟩ (*veral-tend für* Gegenantwort auf eine Replik)
Du|pli|kat, das; -[e]s, -e ⟨lat.⟩ (Ab-, Zweitschrift); **Du|pli|ka|ti|on**, die; -, -en (Verdopplung); **Du|pli-ka|tur**, die; -, -en (*Med.* Doppel-bildung)
du|pli|zie|ren (verdoppeln); **Du|pli-zi|tät**, die; -, -en (doppeltes Auf-treten)
Du|plum, das; -s, …la (Duplikat)
Dups, der; -es, -e ⟨poln.⟩ (*landsch. veraltend für* Gesäß)
Dur, das; - ⟨lat.⟩ (*Musik* Tonge-schlecht mit großer Terz); in A-Dur, A-Dur-Tonleiter ↑K 29; *vgl.* ¹Moll
du|ra|bel ⟨lat.⟩ (dauerhaft; blei-bend); …a|b|le Ausführung
Dur|ak|kord (*Musik*)
Du|r|alu|min®, das; -s (eine Alumi-niumlegierung)
du|ra|tiv ⟨lat.⟩ (*Sprachw.* verlau-fend, dauernd)
durch; *Präp. mit Akk.:* durch mich, sie, ihn; durch und durch; die ganze Nacht [hin]durch; der Zug wird schon durch sein (*ugs. für* durchgekommen sein); es muss bald elf Uhr durch sein (*ugs. für* nach elf Uhr sein); bei jmdm. unten durch sein (*ugs. für* jmds. Wohlwollen verscherzt haben)
durch…; z. B. durcharbeiten (*vgl. d.*), durchgearbeitet; durch-dürfen (*vgl. d.*); in festen Zusam-

D
durc

mensetzungen z. B. durcharbeiten *(vgl. d.),* durcharbeitet

durch|ackern *(ugs. für* angestrengt durcharbeiten); sie hat das ganze Buch durchgeackert

durch|ar|bei|ten; der Teig ist gut durchgearbeitet; er hat die Nacht durchgearbeitet; durch|arbei|ten; eine durcharbeitete Nacht; Durch|ar|bei|tung

durch|at|men; sie hat tief durchgeatmet

durch|aus [*auch* 'dʊ...]

durch|ba|cken; durchgebackenes Brot; durch|ba|cken; mit Rosinen durchbackenes Brot

durch|be|ben; von Schauern durchbebt

durch|bei|ßen (beißend trennen); sie hat den Faden durchgebissen; *(ugs.)* sich durchbeißen; durch|bei|ßen (beißend durchdringen); der Hund hat ihm beinahe die Kehle durchbissen

durch|be|kom|men *(ugs.);* er hat alles durchbekommen

durch|be|ra|ten; der Plan ist durchberaten

durch|bet|teln; er hat sich durchgebettelt; durch|bet|teln; er hat das Land durchbettelt

durch|bie|gen; das Regal hat sich durchgebogen

durch|bil|den (vollständig ausbilden); sein Körper ist gut durchgebildet; Durch|bil|dung

durch|bla|sen; der Arzt hat ihm die Ohren durchgeblasen

durch|blät|tern, durch|blät|tern; sie hat das Buch durchgeblättert *od.* durchblättert

durch|bläu|en *(ugs. für* durchprügeln); er hat ihn durchgebläut; durch|bleu|en (*alte Schreibung für* durchbläuen)

Durch|blick; durch|bli|cken; sie hat [durch das Glas] durchgeblickt; durchblicken lassen (andeuten); Durch|bli|cker *(ugs. für* scharfsinniger Mensch); Durch|bli|cke|rin

durch|blit|zen; ein Gedanke hat sie durchblitzt

durch|blu|ten (Blut durch etwas dringen lassen); die Wunde hat durchgeblutet; durch|blu|ten (mit Blut versorgen); frisch durchblutete Haut

Durch|blu|tung; Durch|blu|tungs|stö|rung

durch|boh|ren; er hat ein Loch durchgebohrt; der Wurm hat sich durchgebohrt; durch|boh|ren; eine Kugel hat die Tür

durchbohrt; von Blicken durchbohrt; Durch|boh|rung

durch|bo|xen *(ugs. für* durchsetzen); er hat das Projekt durchgeboxt; sich durchboxen

durch|bra|ten; das Fleisch war gut durchgebraten

durch|brau|sen; der Zug ist durchgebraust; durch|brau|sen; der Sturm hat das Tal durchbraust

durch|bre|chen; er ist [durch das Eis] durchgebrochen; er hat den Stock durchgebrochen; durch|bre|chen; er hat die Schranken, die Schallmauer durchbrochen; durchbrochene Arbeit (Stickerei, Goldarbeit); Durch|bre|chung

durch|bren|nen *(ugs. auch für* sich heimlich davonmachen); der Faden ist durchgebrannt; Durch|bren|ner *(ugs. für* Ausreißer)

durch|brin|gen; es war schwer, sich ehrlich durchzubringen; er hat die ganze Erbschaft durchgebracht (vergeudet, verschwendet)

Durch|bruch, der; -[e]s, ...brüche

durch|bum|meln; sie haben die ganze Nacht durchgebummelt; durch|bum|meln; eine durchbummelte Nacht

durch|che|cken; wir haben die Liste durchgecheckt

durch|de|kli|nie|ren *(Jargon* ausschöpfen, gründlich durchgehen); sie hat das Thema durchdekliniert

durch|den|ken; ich habe die Sache noch einmal durchgedacht; durch|den|ken; ein fein durchdachter Plan

durch|dis|ku|tie|ren; die Frage ist noch nicht durchdiskutiert

durch|drän|gen; sie hat sich durchgedrängt

durch|dre|hen; das Fleisch [durch den Wolf] durchdrehen; ich bin völlig durchgedreht *(ugs. für* verwirrt)

durch|drin|gen; die Sonne ist kaum durchgedrungen; durch|drin|gen; sie hat das Urwaldgebiet durchdrungen; sie war von der Idee ganz durchdrungen; durch|drin|gend; Durch|drin|gung, die; -

Durch|druck *Plur.* ...drucke (ein Druckverfahren); durch|dru|cken; sie haben die ganze Nacht durchgedruckt

durch|drü|cken; er hat die Änderung doch noch durchgedrückt *(ugs. für* durchgesetzt)

durch|drun|gen; er ist von Ernst

durchdrungen (erfüllt); *vgl.* durchdringen

durch|dür|fen *(ugs.);* wir haben nicht durchgedurft

durch|ei|len; er ist schnell durchgeeilt; durch|ei|len; er hat den Hof durcheilt

Man schreibt »durcheinander« mit dem folgenden Verb in der Regel zusammen, wenn es den gemeinsamen Hauptakzent trägt ↑K 48:

– durcheinanderbringen, durcheinandergehen, durcheinandergeraten, durcheinanderlaufen, durcheinanderreden, durcheinanderwirbeln usw. *Aber:* durcheinander sein; die Zahlen durcheinander *(ugs. für* ungeordnet) eingeben

Durch|ei|n|an|der [*auch* 'dʊ...], das; -s

durch|ei|n|an|der|brin|gen

durch|ei|n|an|der|es|sen; alles durcheinanderessen und -trinken

durch|ei|n|an|der|ge|hen; durch|ei|n|an|der|ge|ra|ten

durch|ei|n|an|der|lau|fen; Durch|ei|n|an|der|lau|fen, das; -s

durch|ei|n|an|der|re|den; durch|ei|n|an|der|trin|ken; durch|ei|n|an|der|wir|beln

durch|es|sen, sich; er hat sich überall durchgegessen

durch|ex|er|zie|ren; wir haben den Plan durchexerziert

durch|fah|ren; ich bin die ganze Nacht durchgefahren; durch|fah|ren; er hat das ganze Land durchfahren; ein Schreck durchfuhr sie

Durch|fahrt; Durch|fahrts|hö|he; Durch|fahrts|recht; Durch|fahrts|stra|ße

Durch|fall, der; -[e]s, ...fälle

durch|fal|len; die kleinen Steine sind [durch den Rost] durchgefallen; er ist durchgefallen *(ugs. für* hat die Prüfung nicht bestanden); durch|fal|len; der Stein hat den Raum durchfallen

durch|fau|len; das Brett ist durchgefault

durch|fa|xen *(ugs. für* per Fax senden); durchgefaxte Infos

durch|fech|ten; er hat den Kampf durchgefochten; er hat sich durchgefochten (*veraltend für* durchgebettelt)

durch|fe|gen; er hat nur durchgefegt

durch|fei|ern; sie haben die Nacht durchgefeiert; **durch|fei|ern;** manche Nacht wurde durchfeiert

durch|fei|len; er hat das Gitter durchgefeilt

durch|feuch|ten; vom Regen durchfeuchtet

durch|fil|zen (*ugs. für* genau durchsuchen); die Gefangenen wurden durchgefilzt

durch|fin|den; sich durchfinden; ich habe gut durchgefunden

durch|flech|ten; sie hat das Band [durch den Kranz] durchgeflochten; **durch|flech|ten;** mit Blumen durchflochten

durch|flie|gen; der Stein ist [durch die Scheibe] durchgeflogen; er ist durchgeflogen (*ugs. für* hat die Prüfung nicht bestanden); **durch|flie|gen;** der Jet hat die Wolken durchflogen; ich habe das Buch nur durchflogen

durch|flie|ßen; das Wasser ist durchgeflossen; **durch|flie|ßen;** das Tal wird von einem Bach durchflossen

Durch|flug; Durch|flugs|recht

Durch|fluss

durch|flu|ten; das Wasser ist durch den Riss im Deich durchgeflutet; **durch|flu|ten;** das Zimmer ist von Licht durchflutet

durch|flut|schen (*ugs.*); ich bin gerade noch durchgeflutscht (hindurchgeschlüpft)

durch|for|men (vollständig formen); die Statue ist durchgeformt; **Durch|for|mung**

durch|for|schen (forschend durchsuchen); er hat alles durchforscht; **Durch|for|schung**

durch|fors|ten (den Wald ausholzen; etw. [kritisch] durchsehen); durchforstet; **Durch|fors|tung**

durch|fra|gen, sich; sie hat sich zum Bahnhof durchgefragt

durch|fres|sen; der Rost hat sich durchgefressen; er hat sich bei anderen durchgefressen (*derb für* durchgegessen); **durch|fres|sen;** von Lauge durchfressen

durch|frie|ren; der Teich ist bis auf den Grund durchgefroren; wir waren völlig durchgefroren; **durch|frie|ren;** ich bin ganz durchfroren

Durch|fuhr, die; -, -en (*Wirtsch.* Transit)

durch|führ|bar; Durch|führ|bar|keit, die; -; **durch|füh|ren;** er hat die Aufgabe durchgeführt

Durch|fuhr|er|laub|nis

Durch|füh|rung; Durch|füh|rungs|be|stim|mung; Durch|füh|rungs|ver|ord|nung; Durch|füh|rungs|vor|schrift

Durch|fuhr|ver|bot

durch|fur|chen; ein durchfurchtes Gesicht

durch|fut|tern, sich (*ugs.*); er hat sich überall durchgefuttert

durch|füt|tern; wir haben das Vieh durchgefüttert

Durch|ga|be; die Durchgabe eines Telegramms

Durch|gang

Durch|gän|ger; Durch|gän|ge|rin

durch|gän|gig; Durch|gän|gig|keit

Durch|gangs|arzt; Durch|gangs|ärz|tin

Durch|gangs|bahn|hof; Durch|gangs|la|ger; Durch|gangs|pra|xis

Durch|gangs|sta|di|um; Durch|gangs|sta|ti|on; Durch|gangs|stra|ße; Durch|gangs|ver|kehr, der; -[e]s

durch|ga|ren; das Gemüse ist nicht durchgegart

durch|gau|nern, sich (*ugs.*); du hast dich oft durchgegaunert

durch|ge|ben; er hat die Meldung durchgegeben

durch|ge|dreht (*ugs. für* verwirrt); er ist völlig durchgedreht; *vgl.* durchdrehen

durch|ge|fro|ren (*vgl.* durchfrieren)

durch|ge|hen; ich bin [durch alle Räume] durchgegangen; das Pferd ist durchgegangen; wir sind den Plan durchgegangen; **durch|ge|hen** (*veraltet*); ich habe den Wald durchgangen

durch|ge|hend, *österr.* **durch|ge|hends;** das Geschäft ist durchgehend[s] geöffnet

durch|geis|tigt

durch|ge|knallt (*ugs. für* überspannt, exaltiert)

durch|ge|stal|ten; das Motiv ist künstlerisch durchgestaltet; **Durch|ge|stal|tung**

durch|glie|dern, durch|glie|dern (unterteilen); ein gut durchgegliedertes Buch; **Durch|glie|de|rung** [*auch* ...'gli:...]

durch|glü|hen; das Eisen wird durchgeglüht; **durch|glü|hen;** von Begeisterung durchglüht

durch|grei|fen; sie hat energisch durchgegriffen

durch|ha|ben (*ugs. für* ganz gelesen, bearbeitet haben); er hat das Buch bald durchgehabt

durch|hal|ten; er hat bis zum Schluss durchgehalten

Durch|hal|te|pa|ro|le; Durch|hal|te|ver|mö|gen, das; -s

durch|hän|gen (*ugs. auch für* müde, abgespannt sein); das Seil hat stark durchgehangen; **Durch|hän|ger;** einen Durchhänger haben (*ugs. für* in schlechter Verfassung sein)

Durch|hau *vgl.* Durchhieb

durch|hau|en (*ugs. auch für* durchprügeln); er hieb den Ast mit der Axt durch, hat ihn durchgehauen; er haute den Jungen durch, hat ihn durchgehauen; **durch|hau|en;** er hat den Knoten mit einem Schlag durchhauen; durchhauener Wald

Durch|haus (*österr. für* Haus mit einem Durchgang, der zwei Straßen verbindet)

durch|he|cheln (*ugs. auch für* boshaft über jmdn. reden); sie hat alle durchgehechelt

durch|hei|zen; das Haus ist gut durchgeheizt

durch|hel|fen; er hat ihr durchgeholfen

Durch|hieb (Schneise, ausgehauener Waldstreifen)

durch|hun|gern, sich; ich habe mich durchgehungert

durch|ir|ren; sie hat die Straßen durchirrt

durch|ixen (*ugs. für* auf der Schreibmaschine mit dem Buchstaben x ungültig machen); du ixt durch; in dem Text war einiges durchgeixt

durch|ja|gen; der Antrag wurde durchgejagt

durch|käm|men; das Haar wurde durchgekämmt; die Polizei hat den Wald durchgekämmt; **durch|käm|men;** die Polizei durchkämmte den Wald, hat ihn durchkämmt; **Durch|käm|mung** [*auch* ...'kɛ...]

durch|kämp|fen; er hat sich zum Ausgang durchgekämpft; **durch|kämp|fen;** sie hat manche Nacht durchkämpft

durch|kau|en (*ugs. auch für* eingehend, immer wieder erörtern); das Thema wurde durchgekaut

durch|kit|zeln; er wurde gehörig durchgekitzelt

D

durc

durch|klet|tern; sie ist unterm Zaun durchgeklettert; **durch-klet|tern;** der Bergsteiger hat den Kamin durchklettert; **Durch-klet|te|rung**

durch|kli|cken, sich *(EDV)*; ich habe mich mühsam durchgeklickt

durch|klin|geln *(nordd. ugs. für* anrufen); sie hat zu Hause durchgeklingelt

durch|klin|gen; der Bass hat zu laut durchgeklungen; **durch|klin-gen;** die Musik hat das ganze Haus durchklungen

durch|knal|len *(ugs.);* die Sicherung ist durchgeknallt; *vgl.* durchgeknallt

durch|kne|ten; sie hat den Teig, die Muskeln gut durchgeknetet

durch|knöp|fen; das Kleid ist durchgeknöpft

durch|kom|men; er ist noch einmal durchgekommen

durch|kom|po|nie|ren; die Lieder sind durchkomponiert

durch|kön|nen *(ugs.);* wir haben wegen der Absperrungen nicht durchgekonnt

durch|kon|s|t|ru|ie|ren; der Motor war gut durchkonstruiert

durch|kop|peln

durch|kos|ten; er hat alle Weine durchgekostet; **durch|kos|ten** *(geh.);* er hat alle Freuden durchkostet

durch|kreu|zen (kreuzweise durchstreichen); sie hat den Brief durchgekreuzt; **durch|kreu|zen** *(auch für* vereiteln); man hat ihren Plan durchkreuzt; **Durch-kreu|zung**

durch|krie|chen; er ist unter dem Zaun durchgekrochen; **durch-krie|chen;** er hat das Gestrüpp durchkrochen

durch|la|den; er hatte das Gewehr durchgeladen

durch|län|gen *(Bergmannsspr.* Strecken anlegen); durchgelängt

Durch|lass, der; -es, ...lässe; **durch-las|sen;** sie haben ihn noch durchgelassen

durch|läs|sig; Durch|läs|sig|keit, die; -

Durch|laucht *[auch ...'lau...],* die; -, -en; **durch|lauch|tig; durch|lauch-tigst;** *in der Anrede u. als Ehrentitel* Durchlauchtigst

Durch|lauf; durch|lau|fen; er ist die ganze Nacht durchgelaufen; das Wasser ist durchgelaufen; **durch-lau|fen;** er hat den Wald durch-

laufen; das Projekt hat viele Stadien durchlaufen; es durchläuft mich kalt

Durch|lauf|er|hit|zer, Durch-lauf-Was|ser|er|hit|zer ↑ K 22 u. 24 (ein Gas- od. Elektrogerät)

durch|la|vie|ren, sich *(ugs. für* sich geschickt durchbringen); er hat sich überall durchlaviert

durch|le|ben; wir haben die Tage froh durchlebt

durch|lei|den; sie hat viel durchlitten

durch|le|sen; ich habe den Brief durchgelesen

durch|leuch|ten; das Licht hat [durch die Vorhänge] durchgeleuchtet; **durch|leuch|ten** (mit Licht, mit Röntgenstrahlen durchdringen); die Brust des Kranken wurde durchleuchtet; **Durch|leuch|tung**

durch|lie|gen, sich *(auch für* sich wund liegen); eine durchgelegene Matratze

durch|lo|chen; er hat das Papier durchlocht

durch|lö|chern; von Kugeln durchlöchert

durch|lot|sen *(ugs. für* geschickt hindurchgeleiten); sie hat uns durchgelotst

durch|lüf|ten (gründlich lüften); er hat zehn Minuten durchgelüftet; **durch|lüf|ten** (von der Luft durchziehen lassen); das Zimmer wurde durchlüftet

Durch|lüf|ter; Durch|lüf|tung

durch|lü|gen, sich *(ugs.);* er hat sich frech durchgelogen

durch|ma|chen *(ugs.);* die Familie hat viel durchgemacht

Durch|marsch, der *(ugs. auch für* Durchfall); **durch|mar|schie|ren;** sie sind durchmarschiert

durch|mes|sen (vollständig messen); er hat alle Räume durchgemessen; **durch|mes|sen;** er hat das Land laufend durchmessen

Durch|mes|ser, der *(Zeichen d [nur kursiv] od.* ∅)

durch|mi|schen; der Salat ist gut durchgemischt; **durch|mi|schen;** der Kalk ist mit Sand durchmischt

durch|mo|geln, sich *(ugs.);* du hast dich da durchgemogelt

durch|müs|sen *(ugs.);* wir haben hier durchgemusst

durch|mus|tern, durch|mus|tern; sie hat sämtliche Waren durchgemustert *od.* durchmustert;

Durch|mus|te|rung *[auch ...'mu...]*

durch|na|gen, durch|na|gen; die Maus hat den Strick durchgenagt *od.* durchnagt

Durch|nah|me, die; -

durch|näs|sen; er war völlig durchnässt

durch|neh|men; die Klasse hat den Stoff durchgenommen

durch|num|me|rie|ren; die Seiten waren durchnummeriert; **Durch-num|me|rie|rung**

durch|or|ga|ni|sie|ren; es war alles gut durchorganisiert

durch|ör|tern *(Bergmannsspr.* Strecken anlegen); durchörtert

durch|pau|ken *(ugs. auch für* unbeirrt durchsetzen); das Gesetz wurde durchgepaukt

durch|pau|sen; er hat die Zeichnung durchgepaust

durch|peit|schen *(auch ugs. abwertend für* eilig durchbringen); grausam durchpeitschen; der Gesetzentwurf wurde durchgepeitscht

durch|plump|sen *(ugs. auch für* eine Prüfung nicht bestehen); sie ist durchgeplumpst

durch|pro|bie|ren; sie hat alle Schuhe durchprobiert

durch|prü|fen; wir haben alles noch einmal durchgeprüft

durch|prü|geln; man hat ihn tüchtig durchgeprügelt

durch|pul|sen; von Begeisterung durchpulst

durch|que|ren; sie hat das Land zu Fuß durchquert; **Durch|que|rung**

durch|quet|schen, sich; sie haben sich durchgequetscht

durch|ra|sen; der Zug ist durchgerast; **durch|ra|sen;** der Wagen hat die Stadt durchrast

durch|ras|seln *(ugs. für* eine Prüfung nicht bestehen)

durch|ra|ti|o|na|li|sie|ren; durchrationalisierte Betriebe

durch|rau|schen *(ugs. für* eine Prüfung nicht bestehen)

durch|rech|nen; er hat die Aufgabe zweimal durchgerechnet; **Durch-rech|nung** *(österr. für* Heranziehung mehrerer Jahre für die Pensionsberechnung); **Durch-rech|nungs|zeit|raum** *(österr.)*

durch|re|gie|ren *(auch für* sehr konsequent regieren)

durch|reg|nen; es hat durchgeregnet; ich bin ganz durchgeregnet; **durch|reg|nen;** ich bin ganz durchregnet

D
durc

Durch|rei|che, die; -, -n (Öffnung zum Durchreichen von Speisen); durch|rei|chen; er hat es ihm durchgereicht

Durch|rei|se; durch|rei|sen; ich bin oft durchgereist; durch|rei|sen; er hat das Land durchreist; Durch|rei|sen|de, der u. die; -n, -n; Durch|rei|se|vi|sum

durch|rei|ßen; sie hat den Brief durchgerissen

durch|rei|ten; sie ist nur durchgeritten; durch|rei|ten; sie hat den Parcours durchritten

durch|rie|seln; der Sand ist durchgerieselt; durch|rie|seln; von Wonne durchrieselt

durch|rin|gen, sich; sie hat sich zu dieser Überzeugung durchgerungen

durch|rol|len; der Ball ist durchgerollt

durch|ros|ten; das Rohr ist durchgerostet

durch|rut|schen (ugs.); er ist bei der Prüfung gerade noch durchgerutscht

durch|rüt|teln; der Bus hat uns durchgerüttelt

durchs ↑K14 (durch das); durchs Haus

durch|sa|cken; das Flugzeug ist durchgesackt

Durch|sa|ge, die; -, -n; durch|sa|gen; der Termin wurde durchgesagt

durch|sä|gen; er hat das Brett durchgesägt

Durch|satz (fachspr. für in einer bestimmten Zeit durch Hochöfen u. Ä. geleiteter Stoff; EDV Zahl der pro Zeiteinheit bearbeiteten Aufträge); Durch|satz|ra|te (EDV)

durch|sau|sen (ugs.); er ist durchgesaust

durch|schau|bar; durch|schau|en; er hat [durch das Fernrohr] durchgeschaut; durch|schau|en; ich habe ihn durchschaut

durch|schau|ern; von Entsetzen durchschauert

durch|schei|nen; die Sonne hat durchgeschienen; durch|schei|nen; vom Tageslicht durchschienen; durch|schei|nend

durch|scheu|ern; der Ärmel ist durchgescheuert

durch|schie|ßen; er hat den Ball zwischen den Stangen durchgeschossen; durch|schie|ßen; er hat das Blech durchschossen

durch|schim|mern; die Sterne haben durchgeschimmert; durch|schim|mern; von Licht durchschimmert

durch|schla|fen; sie hat durchgeschlafen (ohne Unterbrechung); durch|schla|fen; er hat die Tage durchschlafen

Durch|schlag

durch|schla|gen; sie hat die Suppe [durch das Sieb] durchgeschlagen; durch|schla|gen; die Kugel hat den Panzer durchschlagen

durch|schla|gend; ein durchschlagender Erfolg

durch|schlä|gig (Bergmannsspr.)

Durch|schlag|pa|pier

Durch|schlags|kraft, die; -; durch|schlags|kräf|tig

durch|schlän|geln, sich; ich habe mich durchgeschlängelt

durch|schlei|chen; er hat sich durchgeschlichen

durch|schlep|pen (ugs.); sie hat ihn bis zum Abitur, drei Jahre durchgeschleppt

durch|schleu|sen; das Schiff wurde durchgeschleust

Durch|schlupf, der; -[e]s, -e; durch|schlüp|fen; sie ist durchgeschlüpft

durch|schmo|ren; das Kabel war durchgeschmort

durch|schmug|geln; er hat den Brief durchgeschmuggelt

durch|schnei|den; er hat das Tuch durchgeschnitten; durch|schnei|den; die Landschaft ist von Kanälen durchschnitten

Durch|schnitt; im Durchschnitt; durch|schnitt|lich

Durch|schnitts|al|ter; Durch|schnitts|bil|dung, die; -; Durch|schnitts|bür|ger; Durch|schnitts|bür|ge|rin; Durch|schnitts|ein|kom|men

Durch|schnitts|ge|schwin|dig|keit; Durch|schnitts|ge|sicht; Durch|schnitts|leis|tung

Durch|schnitts|mensch

Durch|schnitts|schü|ler; Durch|schnitts|schü|le|rin

Durch|schnitts|tem|pe|ra|tur; Durch|schnitts|wert

durch|schnüf|feln, durch|schnüf|feln (ugs. für untersuchen); er hat alles durchgeschnüffelt od. durchschnüffelt

durch|schos|sen; ein [mit leeren Seiten] durchschossenes Buch; (Druckw.) durchschossener Satz

Durch|schrei|be|block Plur. ...blocks od. ...blöcke; durch|schrei|ben; er

hat diese Rechnung durchgeschrieben

Durch|schrei|be|ver|fah|ren

durch|schrei|ten; sie haben den Fluss durchschritten

Durch|schrift

durch|schum|meln, sich; du hast dich durchgeschummelt

Durch|schuss (Druckw. Zeilenzwischenraum); vgl. Reglette

durch|schüt|teln; wir wurden im Bus kräftig durchgeschüttelt

durch|schwär|men; eine durchschwärmte Nacht

durch|schwei|fen; sie haben die Gegend durchschweift

durch|schwim|men; er ist unter dem Seil durchgeschwommen; durch|schwim|men; er hat den Fluss durchschwommen

durch|schwin|deln, sich; er hat sich frech durchgeschwindelt

durch|schwit|zen; er hat das Hemd durchgeschwitzt

durch|se|geln; das Schiff ist [durch den Kanal] durchgesegelt; durch|se|geln; er hat das Meer durchsegelt

durch|se|hen; sie hat die Akten durchgesehen

durch|sei|hen; sie hat den Saft durchgeseiht

durch sein vgl. durch

durch|set|z|bar; durch|set|zen (erreichen); ich habe es durchgesetzt; durch|set|zen; das Gestein ist mit Erzen durchsetzt

Durch|set|zung, die; -; durch|set|zungs|fä|hig; Durch|set|zungs|fä|hig|keit; Durch|set|zungs|ver|mö|gen, das; -s

durch|seu|chen; das Gebiet war völlig durchseucht

Durch|sicht; durch|sich|tig; Durch|sich|tig|keit, die; -

durch|si|ckern; die Nachricht ist durchgesickert

durch|sie|ben; sie hat das Mehl durchgesiebt; durch|sie|ben; die Tür war von Kugeln durchsiebt

durch|sit|zen; er hat die Hose durchgesessen

durch|spie|len; sie hat alle Möglichkeiten durchgespielt

Durch|spra|che; nach Durchsprache des Berichts

durch|spre|chen; sie haben den Plan durchgesprochen

durch|sprin|gen; der Löwe ist [durch den Reifen] durchgesprungen; durch|sprin|gen; der Löwe hat den Reifen durchsprungen durch|star|ten; der Pilot hat die Maschine durchgestartet;

Durch|star|ter; Durch|star|te|rin

durch|ste|chen; ich habe [durch das Tuch] durchgestochen; durch|ste|chen; der Damm wird durchstochen

Durch|ste|che|rei (Täuschung, Betrug)

durch|ste|hen; sie hat viel durchgestanden; er hat den Skisprung durchgestanden

durch|stei|gen; er ist [durch das Fenster] durchgestiegen; da steig ich nicht mehr durch ⟨ugs. für das verstehe ich nicht⟩; durch|stei|gen; sie hat die Gebirgswand durchstiegen

Durch|stei|gung

durch|stel|len; sie hat das Gespräch zum Chef durchgestellt

Durch|stich

Durch|stieg

durch|stö|bern; er hat die Papiere durchstöbert

Durch|stoß; durch|sto|ßen; sie hat die Stange [durch das Eis] durchgestoßen; durch|sto|ßen; sie hat das Eis durchstoßen

durch|stre|cken; sie hat den Kopf durchgestreckt

durch|strei|chen; das Wort ist durchgestrichen; durch|strei|chen ⟨veraltend⟩; er hat das Land durchstrichen

durch|strei|fen; sie haben das Land durchstreift

durch|strö|men; große Scharen sind durchgeströmt; durch|strö|men; das Land wird von Flüssen durchströmt

durch|struk|tu|rie|ren (bis ins Einzelne strukturieren); Durch|struk|tu|rie|rung

durch|sty|len ⟨dt.; engl.⟩; durchgestylte Räume

durch|su|chen; sie hat schon das ganze Adressbuch durchgesucht; durch|su|chen; alle Koffer wurden durchsucht

Durch|su|chung; Durch|su|chungs|be|fehl

durch|tan|ken, sich ⟨Handball, Fußball⟩; er hat sich durchgetankt

durch|tan|zen; sie hat die Nacht durchgetanzt; durch|tan|zen; sie hat ganze Nächte durchtanzt

durch|trai|nie|ren; mein Körper ist durchtrainiert

durch|trän|ken; das Papier ist mit Öl durchtränkt

durch|trei|ben; er hat den Nagel durch das Holz durchgetrieben

durch|tren|nen, durch|tren|nen; er hat das Kabel durchgetrennt od. durchtrennt

durch|tre|ten; er hat das Gaspedal ganz durchgetreten

durch|trie|ben (gerissen, verschlagen); Durch|trie|ben|heit, die; -

durch|wa|chen; sie hat bis zum Morgen durchgewacht; durch|wa|chen; ich habe die Nacht durchwacht

durch|wach|sen; [mit Fleisch] durchwachsener Speck; [mit Speck, Fett] durchwachsenes Fleisch; durchwachsenes ⟨ugs. für abwechselnd besseres u. schlechteres⟩ Wetter; die Stimmung ist durchwachsen ⟨ugs. für nicht besonders gut⟩

durch|wa|gen, sich; ich habe mich durchgewagt

Durch|wahl, die; -

durch|wäh|len; sie hat durchgewählt

Durch|wahl|num|mer

durch|wal|ken; das Tuch wurde durchgewalkt; er wurde durchgewalkt ⟨ugs. für verprügelt⟩

durch|wan|dern; sie ist ohne Rast durchgewandert; durch|wan|dern; sie hat das ganze Land durchwandert

durch|wär|men, durch|wär|men; der Tee hat uns durchgewärmt od. durchwärmt

durch|wa|schen; sie hat die Strümpfe durchgewaschen

durch|wa|ten; er ist [durch den Bach] durchgewatet; durch|wa|ten; er hat den Bach durchwatet

durch|we|ben; der Stoff ist durchgewebt; durch|we|ben; mit Goldfäden durchwebt; das Haar war von Silberfäden durchwoben ⟨geh.⟩

durch|weg [auch ...'vɛk]; durch|wegs [auch ...'ve:...] ⟨österr. u. schweiz. nur so, sonst ugs. neben durchweg⟩

durch|wei|chen, durch|wei|chen; ich bin vom Regen ganz durchgeweicht od. durchweicht worden; vgl. [1]weichen

durch|wet|zen; seine Ärmel waren durchgewetzt

durch|win|den, sich; ich habe mich zwischen den Tischen durchgewunden

durch|win|ken; an der Grenze wurden alle nur durchgewinkt

durch|wir|ken; der Teig war gut durchgewirkt; durch|wir|ken; mit Goldfäden durchwirkt

durch|wit|schen; er ist mir durchgewitscht ⟨ugs. für entkommen⟩

durch|wol|len ⟨ugs. für hindurchgelangen wollen⟩; an dieser Stelle haben sie durchgewollt

durch|wüh|len; die Maus hat sich durchgewühlt; er hat den Schrank durchgewühlt; durch|wüh|len; die Diebe haben alles durchwühlt

durch|wursch|teln, durch|wurs|teln, sich; ich wurscht[e]le od. wurst[e]le mich irgendwie durch; durchgewurschtelt od. durchgewurstelt

durch|zäh|len; sie hat durchgezählt; Durch|zäh|lung

durch|ze|chen; er hat die Nacht durchgezecht; durch|ze|chen; er hat ganze Nächte durchzecht

durch|zeich|nen; sie hat die Skizze durchgezeichnet

durch|zie|hen; ich habe den Faden durchgezogen; durch|zie|hen; wir haben das Land durchzogen

durch|zit|tern; Freude hat ihn durchzittert

durch|zu|cken; Blitze haben den Himmel durchzuckt

Durch|zug

Durch|züg|ler ⟨Zool.⟩

Durch|zugs|ar|beit ⟨Weberei⟩

Durch|zugs|stra|ße ⟨österr. für Durchgangsstraße⟩; Durch|zugs|ver|kehr ⟨österr.⟩

durch|zwän|gen; ich habe mich durchgezwängt

Dur|drei|klang ⟨Musik⟩

Dü|rer (dt. Maler)

dür|fen; du darfst, er/sie/es darf; du durftest; du dürftest; gedurft; du hast [es] nicht gedurft, aber das hättest du nicht tun dürfen

durf|te vgl. dürfen

dürf|tig; Dürf|tig|keit, die; -

Du|ro|plast, der; -[e]s, -e meist Plur. ⟨lat.; griech.⟩ (in Hitze härtbarer, aber nicht schmelzbarer Kunststoff)

dürr

Dur|ra, die; - ⟨arab.⟩ (Sorgho)

Dür|re, die; -, -n

Dür|re|ka|ta|s|t|ro|phe

Dür|ren|matt (schweiz. Dramatiker u. Erzähler)

Dür|re|pe|ri|o|de; Dür|re|schä|den Plur.

Dürr|fut|ter (Trockenfutter)

Durst, der; -[e]s; **durs|ten** (*geh. für* Durst haben)
dürs|ten; mich dürstet, ich dürste
durs|tig
durst|lö|schend ↑K59 ; **Durst|lö-scher; durst|stil|lend** ↑K59
Durst|stre|cke (Zeit der Entbehrung)
Dur|ton|art; Dur|ton|lei|ter (*Musik*)
Du|schan|be (Hauptstadt von Tadschikistan)
Dusch|bad
Du|sche [*auch* ˈduː...], die; -, -n ⟨franz.⟩
Dusch|ecke
du|schen; du duschst
Dusch|gel; Dusch|ka|bi|ne; Dusch-raum; Dusch|schaum; Dusch-vor|hang
Dü|se, die; -, -n
Dü|sel, der; -s (*ugs. für* unverdientes Glück); **Du|se|lei** (*ugs.*)
du|se|lig, *nordd.* **dü|se|lig, dus|lig** (*ugs.*)
du|seln (*ugs. für* im Halbschlaf sein); ich dus[e]le
dü|sen (*ugs. für* sausen); du düst; sie dü|sten
Dü|sen|an|trieb; Dü|sen|flug-zeug; Dü|sen|jä|ger; Dü|sen|ma-schi|ne; Dü|sen|trieb|werk
dus|lig *vgl.* duselig
Dus|sel, der; -s, - (*ugs. für* Dummkopf)
Düs|sel|dorf (Hauptstadt von Nordrhein-Westfalen); **Düs|sel-dor|fer**
Dus|se|lei (*ugs.*)
dus|se|lig, duss|lig (*ugs.*); **Dus|se-lig|keit, Duss|lig|keit** (*ugs.*)
Dust, der; -[e]s (*nordd. für* Dunst, Staub)
dus|ter (*landsch. für* düster)
düs|ter, düst[e]rer, düsterste; **Düs-ter,** das; -s (*geh.*)
Düs|ter|heit, Düs|ter|keit, die; -
düs|tern; es düstert; er sagt, es düstere schon; **Düs|ter|nis,** die; -, -se
Dutch|man [ˈdatʃmən], der; -s, ...men [...mən] ⟨engl.⟩ (Niederländer; *von Englisch sprechenden Matrosen verwendete Bez. für* deutscher Seemann)
Dutt, der; -[e]s, *Plur.* -s *od.* -e (*landsch. für* Haarknoten)
Dut|te, die; -, -n (*landsch. für* Zitze)
Du|ty-free-Shop [ˈdjuːtiˈfriː...]
⟨engl.⟩ (Laden, in dem zollfreie Waren verkauft werden)

Dut|zend

das; -s, -e (*Abk.* Dtzd.)

– 6 Dutzend Eier; mit 3 Dutzend Gläsern
– ein halbes, zwei Dutzend Mal[e]

Klein- oder Großschreibung bei unbestimmten Mengenangaben:

– es gab **Dutzende** *od.* dutzende von Reklamationen; [einige, viele] **Dutzend[e]** *od.* dutzend[e] **Mal[e]**

dut|zend|fach; dut|zend|mal (sehr oft); *aber* ein Dutzend Mal; *vgl. Mal*
Dut|zend|wa|re; dut|zend|wei|se
Du|um|vir, der; *Gen.* -s *u.* -n, *Plur.* -n *meist Plur.* ⟨altröm. Beamtentitel⟩ **Du|um|vi|rat,** das; -[e]s, -e (Amt der Duumvirn)
Du|vet [ˈdyvɛ], das; -s, -s ⟨franz.⟩ (*schweiz. für* Feder-, Deckbett)
Duve|tine [dyfˈtiːn], der; -s, -s (ein samtartiges Gewebe)
Duz|bru|der
du|zen; du duzt
Duz|freund; Duz|freun|din
Duz|fuß; *nur in* im *jmdm. auf* [dem] Duzfuß stehen
DV, die; - = Datenverarbeitung
DVD [deˈfauˈdeː], die; -, -s ⟨*aus* engl. digital versatile disc⟩ (einer CD ähnlicher Datenträger mit mehr Speicherplatz)
DVD-Bren|ner (*EDV.*)
DVD-Play|er [...pleːɐ], der; -s, - ⟨engl.⟩ (Gerät zum Abspielen von DVDs)
DVD-R, die; -s, -[s] ⟨DVD recordable⟩ (einmal bespielbare DVD)
DVD-Re|kor|der, DVD-Re|cor|der (Gerät zum Aufnehmen und Abspielen von DVDs)
DVD-RW, die; -, -[s] ⟨DVD rewritable⟩ (mehrfach bespielbare DVD)
DVD-Vi|deo
Dvo|řák [ˈdvɔrʒa(ː)k], Antonín [ˈantɔniːn] (tschech. Komponist)
DW, die; - = Deutsche Welle
dwars (*Seemannsspr.* quer);
Dwars|li|nie; *in* Dwarslinie fahren (nebeneinanderfahren);
Dwars|see, die
Dweil, der; -s, -e (*Seemannsspr.* eine Art Schrubber)

Dwi|na, die; - (russ. Fluss, Nördliche Dwina; russ.-lett. Fluss, Düna *od.* Westliche Dwina)
Dy = *chem. Zeichen für* Dysprosium
dy|a|disch ⟨griech.⟩ (dem Zweiersystem zugehörend); dyadisches Zahlensystem
Dy|as, die; - (*veraltet für* [2]Perm)
Dyck, van [van ˈdaik, *auch* fan -] (flämischer Maler)
dyn = Dyn
Dyn, das; -s, - ⟨griech.⟩ (veraltete Maßeinheit der Kraft, 10^{-5} Newton; *Zeichen* dyn)
Dy|na|mik, die; - (Lehre von den Kräften; Schwung, Triebkraft); **Dy|na|mi|ker** (dynamischer Mensch); **Dy|na|mi|ke|rin; dy|na-misch** (voll innerer Kraft; Kraft...; eine Entwicklung aufweisend); dynamische Rente
dy|na|mi|sie|ren (vorantreiben; an eine Entwicklung anpassen); **Dy-na|mi|sie|rung**
Dy|na|mis|mus, der; - (*Philos.* Weltanschauung, die die Wirklichkeit auf Kräfte u. deren Wirkungen zurückführt)
Dy|na|mit, das; -s (Sprengstoff);
Dy|na|mit|pa|t|ro|ne
Dy|na|mo [*auch* ˈdyː...], der; -s, -s (*Kurzform für* Dynamomaschine); **Dy|na|mo|ma|schi|ne** (Stromerzeuger); **Dy|na|mo|me-ter,** das; -s, - (Vorrichtung zum Messen von Kräften u. von mechanischer Arbeit)
Dy|nast, der; -en, -en (Herrscher; [kleiner] Fürst)
Dy|nas|tie, die; -, ...ien ⟨griech.⟩ (Herrschergeschlecht); **dy|nas-tisch**
dys... ⟨griech.⟩ (übel, schlecht, miss...); **Dys...**
Dy|s|en|te|rie, die; -, ...ien ⟨griech.⟩ (*Med.* [1]Ruhr); **dy|s|en|te|risch** (ruhrartig)
Dys|funk|ti|on, die; -, -en ⟨griech.; lat.⟩ (*Med.* gestörte Funktion)
dys|mel ⟨griech.⟩ (mit Dysmelie behaftet); **Dys|me|lie,** die; -, ...ien (*Med.* angeborene Fehlbildung an Gliedmaßen)
Dys|me|nor|rhö, die; -, -en ⟨griech.⟩ (*Med.* Menstruationsschmerzen)
Dys|pep|sie, die; -, ...ien ⟨griech.⟩ (*Med.* Verdauungsbeschwerden); **dys|pep|tisch** (schwer verdaulich; schwer verdauend)
Dys|pnoe, die; - ⟨griech.⟩ (*Med.* Atembeschwerden)

D

Dysp

D

Dysp

Dys|pro|si|um, das; -s ⟨griech.⟩ (chemisches Element, Metall; *Zeichen* Dy)

Dys|stress *vgl.* Disstress

Dys|to|nie, die; -, ...ien ⟨griech.⟩ (*Med.* Störung des normalen Spannungszustandes der Muskeln u. Gefäße)

dys|troph ⟨griech.⟩ (*Med.* die Ernährung störend)

Dys|tro|phie, die; -, ...ien (*Med.* Ernährungsstörung); **Dys|tro-phi|ker; Dys|tro|phi|ke|rin**

Dys|u|rie, die; -, ...ien ⟨griech.⟩ (*Med.* Harnbeschwerden)

dz = Doppelzentner

dz. = derzeit

dzt. *(österr.)* = derzeit

D-Zug® [ˈdeː...] ⟨»Durchgangszug«⟩ (Schnellzug); **D-Zug-ar|tig** ↑K 26 ; **D-Zug-Wa|gen** ↑K 26

e, E, das; -, - (Tonbezeichnung); **e** (*Zeichen für* e-Moll); in **e; E** (*Zeichen für* E-Dur); in **E**

E (Buchstabe); das E; des E, die E, *aber* das e in Berg; der Buchstabe E, e

E = *(internationale Wetterkunde)* East [iːst] ⟨engl.⟩ *od.* Est [ɛst] ⟨franz.⟩ (Ost)

E = Eilzug; Europastraße

ε = *Zeichen für* Dielektrizitätskonstante

E, ε = Epsilon

H, η = Eta

€ = Euro

Ea|g|le [ˈiːgl], das; -s, -s ⟨engl., »Adler«⟩ (*Golf* zwei Schläge unter Par)

EAN, die; - = europäische Artikelnummerierung (für den Strichcode auf Waren)

¹Earl [øːɐl], der; -s, -s ⟨engl.⟩ (*engl. Bez. für* Graf)

²Earl (m. Vorn.)

ea|sy [ˈiːzi] ⟨engl.⟩ (*ugs. für* leicht)

Ea|sy Ri|der [ˈiːzi ˈraɪ...], der; - -s, - -[s] ⟨nach dem amerik. Spielfilm⟩ (Jugendlicher, der ein Motorrad mit hohem, geteiltem Lenker u. hoher Rückenlehne fährt)

Eau de Co|lo|g|ne [ˈoː də ...ˈlɔnjə, *österr.* ...ˈlɔn], das, *seltener* die; - - -, Eaux - - [- - -] ⟨franz.⟩ (Kölnischwasser)

Eau de Par|fum [ˈoː də ...ˈfœː], das; - - -, Eaux - - [- - -] (Duftwasser, das stärker als Eau de Toilette duftet)

Eau de Toi|lette [ˈoː də tọaˈlɛt], das; - - -, Eaux - - [- - -] (Duftwasser)

eBay®, **E-Bay** [ˈiːbeː], das; -[s] *meist ohne Artikel* (ein Auktionshaus im Internet)

Eb|be, die; -, -n; **eb|ben;** es ebbte (die Ebbe kam); **Eb|be|strom, Ebb|strom** (Strömung bei Ebbe)

ebd. = ebenda

eben; ebenes (flaches) Land; das ist nun eben (einmal) so; *vgl. aber* ebenso

Eben|bild

eben|bür|tig; Eben|bür|tig|keit

eben|da [*auch* ...ˈdaː] (*Abk.* ebd.)

eben|da|her [*auch* ...ˈdaː...]; **eben-da|hin** [*auch* ...ˈdaː...]

eben|dann [*auch* ...ˈdan]

eben|da|rum [*auch* ...ˈdaː...]

eben|da|selbst [*auch* ...ˈdaː...]

eben|der [*auch* ...ˈdeːɐ̯]; **eben|der-sel|be** [*auch* ...ˈzɛ...]

eben|des|halb [*auch* ...ˈdɛ...]; **eben-des|we|gen** [*auch* ...ˈdɛ...]

eben|die|ser [*auch* ...ˈdiː...]

eben|dort [*auch* ...ˈdɔ...]; **eben-dort|selbst** [*auch* ...ˈzɛ...]

Ebe|ne, die; -, -n; auf die schiefe Ebene geraten, kommen (auf Abwege geraten)

eben|er|dig

eben|falls

Eben|heit, die; -

Eben|holz ⟨ägypt.; dt.⟩; **eben|holz-far|ben** (tiefdunkel)

eben|je|ner [*auch* ...ˈjeː...]

eben|maß, das; -es; **eben|mä|ßig; Eben|mä|ßig|keit,** die; -

eben|so s. Kasten Seite 347

eben|solch [*auch* ...ˈzɔ...]; **eben|sol-cher** [*auch* ...ˈzɔ...]

eben|so oft, eben|so sehr, eben|so viel usw. *vgl.* ebenso

eben|so|viel|mal, eben|so viel Mal

Eber, der; -s, - (m. Schwein)

Eber|esche (ein Laubbaum)

Eber|hard (m. Vorn.)

EBIT, Ebit, das; -s, -s ⟨aus engl. earnings before interest and taxes⟩ (*Wirtsch.* operatives Betriebsergebnis)

eb|nen

Eb|ner-Eschen|bach, Marie von (österr. Schriftstellerin)

Eb|nung

Ebo|la, Ebo|la|fie|ber, das; -s ⟨nach dem Fluss in Zaire⟩ (meist tödlich verlaufende Infektionskrankheit)

Ebo|nit®, das; -s ⟨ägypt.⟩ (Hartgummi aus Naturkautschuk)

E-Book [ˈiːbʊk], das; -[s], -s ⟨engl.⟩ »elektronisches Buch« (tragbares digitales Lesegerät in Buchformat, in das Texte aus dem Internet übernommen werden können)

Eb|ro, der; -[s] (Fluss in Spanien)

E-Busi|ness [ˈiː...], das; - (*kurz für* Electronic Business)

EC®, der; -[s], -[s] = Eurocityzug

Ec|ce-Ho|mo [ˈɛktsə...], das; -[s], -[s] ⟨lat., »Sehet, welch ein Mensch!«⟩ (Darstellung des dornengekrönten Christus)

Echarpe [eˈʃarp], die; -, *Plur.* -s, *auch* -en ⟨franz.⟩ (*schweiz. u. fachspr., sonst veraltend für* Schärpe, Schal)

echauf|fie|ren [eʃɔ...], sich (*veraltend für* sich erhitzen; sich aufregen); **echauf|fiert**

Eche|ve|ria [ɛtʃe...], die; -, ...ien ⟨nach dem mexikan. Pflanzenzeichner Echeverría⟩ (ein Dickblattgewächs)

Echi|nit, der; *Gen.* -s *u.* -en, *Plur.* -e[n] ⟨griech.⟩ (*Geol.* versteinerter Seeigel)

Echi|no|der|me, der; -n, -n *meist Plur.* (*Zool.* Stachelhäuter)

Echi|no|kok|kus, der; -, ...kken (*Med.* Blasenwurm [ein Hundebandwurm] od. dessen Finne)

Echi|nus, der; -, - (ein Seeigel)

¹Echo (Nymphe des griech. Mythos)

²Echo, das; -s, -s ⟨griech.⟩ (Widerhall); **echo|en;** es echot; geechot; **Echo|lot; Echo|lo|tung**

Ech|se, die; -, -n (ein Kriechtier, z. B. Eidechse)

echt; ein echtgoldener od. echt goldener Ring; die Kette ist echtsilbern od. echt silbern

Ech|ter|nach (Stadt in Luxemburg); **Ech|ter|na|cher; Echternacher Springprozession**

echt|gol|den *vgl.* echt

Echt|haar; Echt|haar|pe|rü|cke

Echt|heit, die; -; **Echt|heits|prü|fung**

Echt|sil|ber; aus Echtsilber; **echt-sil|bern** *vgl.* echt

Echt|zeit *(EDV)*

Eck, das; -[e]s, *Plur.* -e, *österr.* -en

eben|so

– ich mache es ebenso wie Sie

Man schreibt »ebenso« in der Regel getrennt vom folgenden Adverb od. Adjektiv:

– wir können ihn ebenso gut auch einladen; wir können ihn ebenso gut leiden wie ihr
– das dauert bei ihr ebenso lange wie bei ihm

– ich habe den Film ebenso oft gesehen wie du
– wir freuen uns ebenso sehr wie die anderen
– ebenso viel sonnige Tage; er hat zwei Autos, sie hat ebenso viele
– sie aß ebenso wenig wie ich

---

u. (*für* Dreieck usw.:) -e (*bes. südd. u. österr. für* Ecke; *sonst fast nur in geogr. Namen u. in* Dreieck usw.); das Deutsche Eck

Eckart, Ecke|hart, Eck|hart (dt. Mystiker, *gen.* Meister Eckehart; m. Vorn.)

EC-Kar|te, ec-Kar|te [eːˈtseː...] (Eurochequekarte)

Eck|ball (*Sport*)

Eck|bank *Plur.* ...bänke

Eck|bert, Eg|bert (m. Vorn.); **Eck-brecht,** Eg|brecht (m. Vorn.)

Eck|brett

Eck|chen

Eck|da|ten *Plur.* (Richtwerte)

Ecke, die; -, -n; *vgl.* Eck

Ecke|hard, Ecke|hart (m. Vorn.)

ecken (*veraltet* mit Ecken versehen)

Ecken|band *vgl.* Eggenband

Ecken|ste|her (*ugs. veraltend*)

Ecker, die; -, -n (*svw.* Buchecker, *selten für* Eichel)

Eckern *Plur., als Sing. gebraucht* (Farbe im dt. Kartenspiel); Eckern spielen; Eckern sticht

Eckern|för|de (Hafenstadt in Schleswig-Holstein)

Eck|fah|ne; Eck|fens|ter

Eck|hard, Eck|hart (m. Vorn.)

Eck|haus

eckig; Eckig|keit, die; -

Eck|lohn

Eck|mann|schrift, die; - (eine Druckschrift des Jugendstils)

Eck|pfei|ler; Eck|plat|te; Eck|punkt; Eck|satz (*Musik*)**; Eck|schrank; Eck|stein**

Eck|stoß (*Fußball*)**; Eck|stück; Eck-tisch; Eck|wert**

Eck|zahn; Eck|zim|mer; Eck|zins

Ec|lair [eˈklɛːɐ̯], das; -s, -s ⟨franz.⟩ (ein Gebäck)

E-Com|merce [ˈiːkɔmœːɐ̯s], der; - (*vgl.* Electronic Commerce)

Eco|no|mi|ser [iˈkɔnəmai̯...], der; -s, - ⟨engl.⟩ (*Technik* Vorwärmer bei Dampfkesselanlagen)

Eco|no|my [iˈkɔnəmi], die; - (*Kurzw. für* Economyclass);

Economy fliegen; **Eco|no|my-class**, Eco|no|my-Class [iˈkɔnəmiklaːs], Eco|no|my|klas|se, die; - (Tarifklasse im Flugverkehr)

Ecos|sai|se [ekɔˈsɛː...] *vgl.* Ekossaise

Ec|s|ta|sy [ˈɛkstəzi], die; -, -s *od.* das; -[s], -s ⟨engl.⟩ (eine Droge)

Ecu, ECU [*beide* eˈkyː], der; -[s], -[s] *u.* die; -, - ⟨*Abk. für* engl. European Currency Unit, in Anlehnung an die alte franz. Silbermünze »Écu«⟩ (europ. Verrechnungseinheit vor dem Euro); 10 Ecu

Ecu|a|dor (südamerik. Staat); **Ecu-a|do|ri|a|ner; Ecu|a|do|ri|a|ne|rin; ecu|a|do|ri|a|nisch**

ed. = edidit ⟨lat., »herausgegeben hat es ...«⟩; ediert

Ed. = Edition

Edam (niederl. Stadt)

¹Eda|mer; Edamer Käse

²Eda|mer, der; -s, - (ein Käse)

Eda|phon, das; -s ⟨griech.⟩ (*Biol.* die in und auf dem Erdboden lebenden Kleinlebewesen)

edd. = ediderunt ⟨lat., »herausgegeben haben es ...«⟩

¹Ed|da, die; - ⟨altnord.⟩ (Sammlung altnord. Dichtungen)

²Ed|da (w. Vorn.)

ed|disch ⟨*zu* ¹Edda⟩; eddische Lieder

edel; ein ed|les Pferd

Edel|bert (m. Vorn.)

Edel|fäu|le (*fachspr. für* Überreife von Weintrauben)

Edel|frau (*früher für* Adlige); **Edel-fräu|lein** (*früher*)

Edel|gard (w. Vorn.)

Edel|gas (*Chemie*)

Edel|ling (germ. Adliger)

Edel|kas|ta|nie; Edel|kitsch

Edel|mann *Plur.* ...leute (*früher für* Adliger); **edel|män|nisch**

Edel|mar|der; Edel|me|tall

Edel|mut, der; **edel|mü|tig**

Edel|pilz|kä|se

Edel|rost (Patina); **Edel|stahl**

Edel|stein; edel|stein|be|setzt

edel|süß; edelsüßer Paprika

Edel|tan|ne

Edel|traud, Edel|trud (w. Vorn.)

Edel|weiß, das; -[es], -[e] (eine Gebirgspflanze)

Edel|zwi|cker (ein Elsässer Weißwein)

Eden, das; -s ⟨sumer.-)hebr.⟩ (Paradies im A.T.); der Garten Eden

Eden|ta|te, der; -n, -n *meist Plur.* (*Zool.* zahnarmes Säugetier)

Eder, die; - (Nebenfluss der Fulda)

Ed|gar (m. Vorn.)

edie|ren ⟨lat.⟩ (herausgeben, veröffentlichen; *EDV auch für* editieren); **ediert** (*Abk.* ed.)

Edikt, das; -[e]s, -e ⟨lat.⟩ (amtl. Erlass von Kaisern u. Königen; *österr. auch für* gerichtliche Bekanntmachung von Versteigerungen u. Konkursverfahren)

Edin|burg (dt. Form von Edinburgh); **Edin|burgh** [...bərə] (Hauptstadt Schottlands)

Edi|son [*auch* ˈɛdisn̩] (amerik. Erfinder)

Edith, Edi|tha (w. Vorn.)

edi|tie|ren ⟨engl.⟩ (*EDV* Daten in ein Terminal eingeben, löschen, verändern); **Edi|ti|on,** die; -, -en ⟨lat.⟩ (Ausgabe; *Abk.* Ed.)

Edi|tor [*auch* eˈdiː...], der; -s, ...oren (Herausgeber); **Edi|to|ri|al** [*auch* ɛdɪˈtɔːrɪəl], das; -[s], -s ⟨lat.-engl.⟩ (Vorwort oder Leitartikel des Herausgebers einer Zeitschrift oder Zeitung); **Edi-to|rin; edi|to|risch**

Ed|le, der *u.* die; -n, -n; Edler von ... (Adelstitel)

Ed|mund (m. Vorn.)

Edom (Land östl. u. südöstl. des Toten Meeres im A.T.); **Edo|mi-ter**

Edu|ard (m. Vorn.)

Edu|ka|ti|on, die; - ⟨lat.⟩ (*veraltet für* Erziehung)

Edukt, das; -[e]s, -e (*fachspr. für* aus Rohstoffen abgeschiedener Stoff [z. B. Öl])

E-Dur [*auch* eːˈduːɐ̯], das; - (Tonart; *Zeichen* E); **E-Dur-Ton|lei|ter**
↑K 28

E

Eduk

E
Edut

Edu|tain|ment [ɛdjuˈteɪnmənt], das; -s ⟨engl.; *Kurzw. aus* education »Erziehung« *u.* entertainment »Unterhaltung«⟩ (Computerlernprogramme, die Wissen auf unterhaltsame und spielerische Weise vermitteln)

EDV, die; - = elektronische Datenverarbeitung; **EDV-ge|stützt; EDV-Kurs; EDV-Pro|gramm** ↑K 28

Ed|ward (m. Vorn.); **Ed|win** (m. Vorn.)

Ed|zard (m. Vorn.)

EEG, das; -s, -s = Elektroenzephalogramm

EEK (Währungscode für estnische Krone)

Efen|di, |**Ef|fen|di**|, der; -s, -s ⟨türk.⟩ (*früher* türk. Anredetitel)

Efeu, der; -s; **efeu|be|wach|sen; Efeu|ran|ke**

Eff|eff; etwas aus dem Effeff (*ugs. für* gründlich) verstehen

Ef|fekt, der; -[e]s, -e ⟨lat.⟩ (Wirkung, Erfolg; Ergebnis)

Ef|fek|ten *Plur.* (Wertpapiere; *schweiz. auch für* bewegliche Habe)

Ef|fek|ten|bank *Plur.* ...banken; **Ef|fek|ten|bör|se; Ef|fek|ten|gi|ro|ver|kehr; Ef|fek|ten|han|del**

Ef|fekt|ha|sche|rei *(abwertend);* **ef|fekt|ha|sche|risch**

ef|fek|tiv (tatsächlich; wirksam; greifbar); effektive Leistung (Nutzleistung)

Ef|fek|tiv, das; -s, -e (*Sprachw.* Verb des Verwandelns, z. B. »knechten« = »zum Knecht machen«)

Ef|fek|tiv|be|stand (Istbestand)

Ef|fek|ti|vi|tät, die; - (Wirkungskraft)

Ef|fek|tiv|lohn

ef|fek|tu|ie|ren ⟨franz.⟩ (*Wirtsch.* einen Auftrag ausführen; eine Zahlung leisten)

ef|fekt|voll (wirkungsvoll)

ef|fe|mi|niert ⟨lat.⟩ (*Med., Psych.* verweiblicht)

Ef|fen|di *vgl.* Efendi

Ef|fet [ɛˈfeː], der, *selten* das; -s, -s ⟨franz.⟩ (Drall einer [Billard]kugel, eines Balles)

Ef|fi|ci|en|cy [ɛˈfiʃnsi], die; - ⟨engl.⟩ (*Wirtsch.* Wirtschaftlichkeit, bestmöglicher Wirkungsgrad)

ef|fi|lie|ren ⟨franz.⟩ (die Haare beim Schneiden ausdünnen); **Ef|fi|lier|sche|re**

ef|fi|zi|ent ⟨lat.⟩ (wirksam; wirtschaftlich); **Ef|fi|zi|enz,** die; -, -en; **Ef|fi|zi|enz|stei|ge|rung**

Ef|flo|res|zenz, die; -, -en ⟨lat.⟩ (*Med.* Hautblüte [z. B. Pusteln]; *Geol.* Mineralüberzug auf Gesteinen); **ef|flo|res|zie|ren**

Ef|fu|si|on, die; -, -en ⟨lat.⟩ (*Geol.* Ausfließen von Lava); **ef|fu|siv** (durch Erguss gebildet); **Ef|fu|siv|ge|stein** (Ergussgestein)

EFTA, die; - ⟨engl.; *Kurzw. für* European Free Trade Association⟩ (Europäische Freihandelsassoziation)

eG, e. G. = eingetragene Genossenschaft; *vgl.* eingetragen

¹EG, die; - = Europäische Gemeinschaft; *vgl.* EU

²EG, das; -[s] = Erdgeschoss

¹egal (*ugs. für* gleichgültig); das ist mir egal; egal[,] wer kommt

²egal (*landsch. für* immer [wieder, noch]); er hat egal etwas an mir auszusetzen

egal|i|sie|ren (gleichmachen, ausgleichen); **Ega|li|sie|rung**

ega|li|tär (auf Gleichheit gerichtet); **Ega|li|ta|ris|mus,** der; -

Ega|li|tät, die; - (*geh. für* Gleichheit)

Éga|li|té *vgl.* Liberté

Egart, die; - (*bayr. u. österr. hist. für* Grasland); **Egar|ten|wirt|schaft, Egart|wirt|schaft,** die; - (Feldgraswirtschaft)

Eg|bert, Eg|brecht (m. Vorn.)

Egel, der; -s, - (ein Wurm); **Egel|schne|cke**

Eger (*tschech.* Cheb); **Eger|land,** das; -[e]s; **Eger|län|der**

Eger|ling (*landsch. für* Champignon)

¹Eg|ge, die; -, -n (Gewebekante)

²Eg|ge, die; -, -n (ein Ackergerät); **eg|gen;** das Feld wird geeggt

Eg|gen|band, das; *Plur.* ...bänder (festes Band, das Nähte vor dem Verziehen schützen soll)

Egg|head [...hɛt], der; -[s], -s ⟨engl.-amerik., »Eierkopf«⟩ (*in den USA ironische od. abwertende Bez. für* Intellektueller)

Egil [*auch* ˈɛ...] (nord. Sagengestalt)

Egi|nald (m. Vorn.); **Egin|hard, Ein|hard** (m. Vorn.)

Egk [ɛk] (dt. Komponist)

Eg|li, das *od.* der; -[s], - (*bes. schweiz. für* Flussbarsch)

eGmbH, EGmbH = eingetragene, *auch* Eingetragene Genossenschaft mit beschränkter Haftpflicht *(früher)*

Eg|mont (Titelgestalt der gleichnamigen Tragödie von Goethe)

eGmuH, EGmuH = eingetragene, *auch* Eingetragene Genossenschaft mit unbeschränkter Haftpflicht *(früher)*

ego [*auch* ˈɛ...] ⟨lat.⟩ (ich); *vgl.* Alter Ego; **Ego,** das; -, -s (*Philos., Psych.* das Ich)

Ego|is|mus, der; -, ...men (Selbstsucht; *Ggs.* Altruismus); **Ego|ist,** der; -en, -en; **Ego|is|tin; ego|is|tisch**

ego|man ⟨lat.; griech.⟩ (krankhaft selbstbezogen); **Ego|ma|ne,** der; -n, -n; **Ego|ma|nie,** die; -; **Ego|ma|nin; ego|ma|nisch**

Egon (m. Vorn.)

Ego|tis|mus, der; - ⟨lat.⟩ (Neigung, sich selbst in den Vordergrund zu stellen); **Ego|tist,** der; -en, -en; **Ego|tis|tin**

Ego|trip ⟨engl.⟩; auf dem Egotrip sein (*ugs. für* sich egozentrisch verhalten)

Ego|zen|t|rik, die; - ⟨lat.⟩ (Ichbezogenheit); **Ego|zen|t|ri|ker; Ego|zen|t|ri|ke|rin; ego|zen|t|risch**

eg|re|nie|ren ⟨franz.⟩ (*fachspr. für* Baumwollfasern von den Samen trennen); **Eg|re|nier|ma|schi|ne**

Egyp|ti|enne [egɪpˈtsi̯ɛn], die; - ⟨franz.⟩ (*Druckw.* eine Antiquaschriftart)

¹eh (sowieso)

²eh *vgl.* ehe

³eh! (Ausruf)

eh., e. h. = ehrenhalber

e. h. = *(österr.)* eigenhändig

E. h. = Ehren halber (*frühere Schreibung* von ehrenhalber), z. B. in Dr.-Ing. E. h.

ehe; ehe (eh) ich das nicht weiß, ...; ↑K 13 : seit eh und je

Ehe, die; -, -n; **eheähnlich; Ehe|an|bah|nungs|in|s|ti|tut**

ehe|bal|dig[st] (*österr. für* möglichst bald)

Ehe|be|ra|ter; Ehe|be|ra|te|rin; Ehe|be|ra|tung; Ehe|be|ra|tungs|stel|le

Ehe|bett

ehe|bre|chen *nur im Infinitiv u. Partizip I gebr.;* muss man gleich ehebrechen?; der ehebrechende Partner

Ehe|bre|cher; Ehe|bre|che|rin; ehe|bre|che|risch; Ehe|bruch

Ehec, die; - ⟨lat.; *Kurzw. für* Entero-hämorrhagische Escherichia Coli⟩ (durch ein Kolibakterium verursachte Infektionskrankheit)

ehe|dem (*geh. für* vormals)

Ehe|dis|pens; Ehe|fä|hig|keit
Ehe|frau; Ehe|füh|rung
Ehe|gat|te *(bes. Amtsspr.);* Ehe|gat-
ten|split|ting *(vgl.* Splitting); Ehe-
gat|tin; Ehe|ge|spons *(veraltet,
noch scherzh.)*
ehe|ges|tern *(veraltet für* vorges-
tern); gestern und ehegestern
Ehe|glück; Ehe|ha|fen *(scherzh.);*
Ehe|hälf|te *(scherzh.);* Ehe|hin-
der|nis; Ehe|hy|gi|e|ne; Ehe|jahr;
Ehe|joch *(scherzh.);* Ehe|krach
(ugs.)
Ehe|kre|dit ([staatlicher] Kredit für
junge Ehepaare)
Ehe|kri|se; Ehe|le|ben
Ehe|leu|te *Plur.*
ehe|lich; eheliches Güterrecht;
ehe|li|chen *(veraltend, noch
scherzh.)*
Ehe|lich|er|klä|rung *(BGB);* Ehe|lich-
keit, die; - (Abstammung aus
rechtsgültiger Ehe); Ehe|lich-
keits|er|klä|rung *(svw.* Ehelicher-
klärung)
ehe|los; Ehe|lo|sig|keit, die; -
ehe|ma|lig; Ehe|ma|li|ge, der *u.* die;
-n, -n; Ehe|ma|li|gen|tref|fen;
ehe|mals
Ehe|mann *Plur.* ...männer
Ehe|na|me; Ehe|paar; Ehe|part|ner;
Ehe|part|ne|rin
eher; je eher (früher), je lieber; je
eher (früher), desto besser; eher
([viel]mehr) klein [als groß]; er
wird es umso eher (lieber) tun,
als ...
Ehe|recht; Ehe|ring
ehern; ehernes (unveränderliches)
Gesetz; ehernes Lohngesetz
(Sozialwissenschaft); die eherne
Schlange *(bibl.);* ↑K89
Ehe|schei|dung; Ehe|schein
(schweiz. für Heiratsurkunde);
Ehe|schlie|ßung
ehest *(österr. für* baldmöglichst)
Ehe|stand, der; -[e]s
ehes|te; bei ehester (nächster)
Gelegenheit; am ehesten (am
leichtesten)
ehes|tens (frühestens; *österr. für*
so schnell wie möglich)
Ehe|streit; Ehe|tra|gö|die; Ehe|ver-
bot; Ehe|ver|mitt|lung; Ehe|ver-
spre|chen; Ehe|ver|trag; Ehe|weib
(veraltet, noch scherzh.); ehe-
wid|rig; ehewidriges Verhalten
Ehr|ab|schnei|der; Ehr|ab|schnei|de-
rin
ehr|bar *(geh.);* Ehr|bar|keit, die; -
(geh.); ehr|be|gie|rig
Ehr|be|griff; Ehr|be|lei|di|gung *(vgl.*
Ehrenbeleidigung)

Eh|re, die; -, -n; in, mit Ehren,
jmdm. zu Ehren; *vgl.* E. h.
eh|ren
Eh|ren|amt; eh|ren|amt|lich
Eh|ren|be|lei|di|gung; Eh|ren|be|zei-
gung, Eh|ren|be|zeu|gung
Eh|ren|bür|ger; Eh|ren|bür|ger|brief;
Eh|ren|bür|ge|rin; Eh|ren|bür|ger-
schaft
Eh|ren|dienst
Eh|ren|dok|tor *(vgl.* Doktor); Eh-
ren|dok|to|rin
Eh|ren|ein|tritt *(Bankw.* Interven-
tion [bei einem Wechsel])
Eh|ren|er|klä|rung; Eh|ren|es|kor|te;
Eh|ren|fä|hig|keit *(schweiz.
Rechtsspr.)*
Eh|ren|frau *(veraltet für* Hofdame;
selten für* ehrenhafte Frau)
Eh|ren|fried *(m.* Vorn.)
Eh|ren|ga|be; Eh|ren|gar|de; Eh|ren-
gast; Eh|ren|ge|leit; Eh|ren|ge-
richt
eh|ren|haft; Eh|ren|haf|tig|keit
eh|ren|hal|ber *(Abk.* eh. *u.* e. h.; *vgl.
aber* E. h.)
Eh|ren|kar|te; Eh|ren|ko|dex; Eh-
ren|kom|pa|nie; Eh|ren|le|gi|on,
die; - (franz. Orden)
Eh|ren|mal *Plur.* ...male *u.* ...mäler;
Eh|ren|mann *Plur.* ...männer; Eh-
ren|mit|glied
Eh|ren|na|del; Eh|ren|na|me; Eh|ren-
pflicht; Eh|ren|platz
¹Eh|ren|preis (Gewinn)
²Eh|ren|preis, das *od.* der; -es, -
(eine Heilpflanze)
Eh|ren|pro|mo|ti|on; Eh|ren|rat; Eh-
ren|rech|te *Plur.;* die bürgerli-
chen Ehrenrechte
eh|ren|reich
Eh|ren|ret|tung
eh|ren|rüh|rig
Eh|ren|run|de
Eh|ren|sa|che; das ist Ehrensache
(ugs. für selbstverständlich)
Eh|ren|sa|lut; Eh|ren|sal|ve
eh|ren|schän|de|risch *(geh.)*
Eh|ren|schuld; Eh|ren|schutz *(österr.
für* Schirmherrschaft)
Eh|ren|sold; Eh|ren|spa|lier; Eh|ren-
stra|fe
Eh|ren|tag; Eh|ren|tanz; Eh|ren|ti-
tel; Eh|ren|tor
Eh|ren|traud (w. Vorn.)
Eh|ren|tri|bü|ne
Eh|ren|trud (w. Vorn.)
Eh|ren|ur|kun|de
eh|ren|voll; eh|ren|wert
Eh|ren|wort *Plur.* ...worte; eh|ren-
wört|lich
Eh|ren|zei|chen

ehr|er|bie|tig *(geh.);* Ehr|er|bie|tig-
keit, die; - *(geh.)*
Ehr|er|bie|tung, die; -
Ehr|furcht; Ehrfurcht gebieten
Ehr|furcht ge|bie|tend, ehr|furcht-
ge|bie|tend; ein Ehrfurcht
gebietendes *od.* ehrfurchtgebie-
tendes Schauspiel, *aber nur* ein
große Ehrfurcht gebietendes
Schauspiel, ein äußerst ehr-
furchtgebietendes Schauspiel
↑K58
ehr|fürch|tig; ehr|furchts|los; ehr-
furchts|voll
Ehr|ge|fühl, das; -[e]s
Ehr|geiz; ehr|gei|zig; Ehr|geiz|ling
(abwertend)
ehr|lich; ein ehrlicher Makler (red-
licher Vermittler) sein; das ist[,]
ehrlich gesagt[,] nicht so wich-
tig; ehr|li|cher|wei|se; Ehr|lich-
keit, die; -; ehr|lie|bend
ehr|los; Ehr|lo|sig|keit, die; -
ehr|pus|se|lig (mit einem kleinli-
chen, spießigen Ehrbegriff)
Ehr|pus|se|lig|keit, die; -
ehr|puss|lig *vgl.* ehrpusselig
ehr|sam *(geh. veraltend);* Ehr|sam-
keit, die; - *(geh. veraltend)*
Ehr|sucht, die; -; ehr|süch|tig
Ehr|ung
ehr|ver|ges|sen; Ehr|ver|lust, der;
-[e]s *(Rechtsspr.)*
Ehr|wür|den *(kath. Kirche [veral-
tend]* Anrede für Brüder u.
Schwestern in geistl. Orden u.
Kongregationen); ehr|wür|dig;
Ehr|wür|dig|keit, die; -
Ei, das; -[e]s, -er; eine Eier
legende *od.* eierlegende Woll-
milchsau ↑K58 (etwas, was nur
Vorteile hat)
ei!; ei, ei!; ei machen *(Kinderspr.*
streicheln, liebkosen)
...ei (z. B. Bäckerei, die; -, -en)
eia!
Ei|ab|la|ge *(Zool.)*
eia|po|peia!, heia|po|peia!
Ei|be, die; -, -n (ein Nadelbaum);
ei|ben (aus Eibenholz)
Ei|bisch, der; -[e]s, -e (eine Heil-
pflanze); Ei|bisch|tee, der; -s
Eib|see, der; -s
Eich (dt. Lyriker u. Hörspielautor)
Eich|amt
Eich|baum (¹Eiche)
Eich|blatt|sa|lat
¹Ei|che, die; -, -n (ein Baum)
²Ei|che, die; -, -n (Eichung; *fachspr.*
ein Maischemaß)
Ei|chel, die; -, -n
Ei|chel|hä|her (ein Vogel)
Ei|chel|mast, die

Ei|cheln *Plur.*, als *Sing. gebraucht* (Farbe im dt. Kartenspiel); Eicheln sticht; Eicheln spielen

¹ei|chen (aus Eichenholz)

²ei|chen (das gesetzliche Maß geben; prüfen)

Ei|chen, das; -s, - (kleines Ei)

Ei|chen|baum (geh. für ¹Eiche)

Ei|chen|dorff (dt. Dichter)

Ei|chen|hain; Ei|chen|holz; Ei|chen|klotz; Ei|chen|kranz

Ei|chen|laub; Ei|chen|tisch

Ei|chen|wick|ler (ein Schmetterling)

Ei|cher (Eichmeister); Eich|ge|setz; Eich|ge|wicht

Eich|hörn|chen, landsch. Eich|kätz|chen, Eich|kat|ze

Eich|maß; Eich|meis|ter (Beamter beim Eichamt); Eich|meis|te|rin; Eich|me|ter

Eichs|feld, das; -[e]s (dt. Landschaft); Eichs|fel|der; eichs|fel|disch

Eich|stätt (Stadt am Rand der Fränkischen Alb)

Eich|stem|pel; Eich|strich

Ei|chung

Eid, der; -[e]s, -e; an Eides statt erklären

Ei|dam, der; -[e]s, -e (veraltet für Schwiegersohn)

Eid|bruch, der; eid|brü|chig

Ei|dech|schen; Ei|dech|se, die; -, -n; Ei|dech|sen|le|der, Ei|dechs|le|der

Ei|der, die; - (ein Fluss)

Ei|der|dau|ne ⟨isländ.; dt.⟩; Ei|der|en|te; Ei|der|gans

Ei|der|stedt (Halbinsel an der Nordseeküste); Ei|der|sted|ter

Ei|des|be|leh|rung; Ei|des|for|mel

Ei|des|hel|fer, Eid|hel|fer

Ei|des|leis|tung

ei|des|statt|lich; eidesstattliche Versicherung; ↑K89

Ei|de|tik, die; - ⟨griech.⟩ (Psych. Fähigkeit, früher Geschehenes od. Vorgestelltes anschaulich zu vergegenwärtigen); Ei|de|ti|ker; Ei|de|ti|ke|rin; ei|de|tisch

eidg. = eidgenössisch

Eid|ge|nos|se; Eid|ge|nos|senschaft, die; -; Schweizerische Eidgenossenschaft (amtl. Name der Schweiz); (Abk. eidg.); aber ↑K150: Eidgenössische Technische Hochschule (Abk. ETH)

Eid|hel|fer vgl. Eideshelfer

eid|lich; eine eidliche Erklärung

Ei|dot|ter (das Gelbe im Ei)

Ei|er|be|cher; Ei|er|bri|kett

Ei|er|chen Plur.

Ei|er|frau (ugs.)

Ei|er|hand|gra|na|te

Ei|er|kopf (für Egghead)

Ei|er|korb; Ei|er|ku|chen; Ei|er|lau|fen; Ei|er|li|kör; Ei|er|löf|fel; Ei|er|mann (ugs.)

ei|ern (ugs. für ungleichmäßig rotieren; wackelnd gehen); das Rad eiert; ich eiere

Ei|er|pe|cken, das; -s (österr. ein Osterbrauch)

Ei|er|pfann|ku|chen; Ei|er|punsch; Ei|er|sa|lat; Ei|er|scha|le, Ei|schale

Ei|er|sche|cke (landsch. für eine Kuchensorte); Ei|er|schnee vgl. Eischnee

Ei|er|schwamm (landsch. u. schweiz. für Pfifferling); Ei|er|schwam|merl (österr. für Pfifferling)

Ei|er|speis, die; -, -en, Ei|er|spei|se (Gericht, für das bes. Eier verwendet werden; österr. für Rührei)

Ei|er|stich (Suppeneinlage aus Ei)

Ei|er|stock Plur. ...stöcke (Med.)

Ei|er|tanz (ugs.)

Ei|er|uhr; Ei|er|wär|mer

Ei|fel, die; - (Teil des westlichen Rheinischen Schiefergebirges); Ei|fe|ler, Eif|ler

Ei|fer, der; -s; Ei|fe|rer; Ei|fe|rin; ei|fern; ich eifere

Ei|fer|sucht, die; -, ...süchte Plur. selten; Ei|fer|süch|te|lei; ei|fer|süch|tig; Ei|fer|suchts|dra|ma; Ei|fer|suchts|sze|ne

Eif|fel|turm (in Paris) ↑K136

Eif|ler vgl. Eifeler

ei|för|mig

eif|rig; Eif|rig|keit

Ei|gelb, das; -s, -e; 3 Eigelb

ei|gen; eig[e]ne; mein eigen Kind (geh.); mein eig[e]ner Sohn; das ist ihr eigen (für sie charakteristisch); sich etwas zu eigen machen; eigene Aktien (Wirtsch.); etwas Eigenes besitzen; vgl. Eigen; Ei|gen, das; -s; mein Eigen (geh. für Besitz); etwas sein Eigen nennen

Ei|gen|art; ei|gen|ar|tig; Ei|gen|ar|tig|keit

Ei|gen|bau, der; -[e]s; Ei|gen|be|darf; Ei|gen|be|richt

Ei|gen|be|sitz (BGB); Ei|gen|be|sit|zer (BGB); Ei|gen|be|we|gung

Ei|gen|brö|te|lei; Ei|gen|bröt|ler (Sonderling); Ei|gen|bröt|le|rei (svw. Eigenbrötelei); Ei|gen|bröt|le|rin; ei|gen|bröt|le|risch

Ei|gen|dün|kel (geh.)

Ei|gen|dy|na|mik

Ei|ge|ne, Eig|ne, das; -n (Eigentum; Eigenart)

Ei|gen|fi|nan|zie|rung; Ei|gen|ge|brauch; Ei|gen|ge|schmack; Ei|gen|ge|schwin|dig|keit

ei|gen|ge|setz|lich; Ei|gen|ge|setz|lich|keit

Ei|gen|ge|wächs (bes. Weinbau; übertragen auch im Sport)

Ei|gen|ge|wicht

Ei|gen|gut (schweiz. für in die Ehe eingebrachter Besitz)

ei|gen|hän|dig (Abk. österr. e.h.); Ei|gen|hän|dig|keit, die; -

Ei|gen|heim; Ei|gen|heim|zu|la|ge

Ei|gen|heit

Ei|gen|hil|fe; Ei|gen|in|i|ti|a|ti|ve; Ei|gen|ka|pi|tal; Ei|gen|kir|che (im MA.)

Ei|gen|le|ben; Ei|gen|leis|tung; Ei|gen|lie|be; Ei|gen|lob

ei|gen|mäch|tig; ei|gen|mäch|ti|ger|wei|se; Ei|gen|mäch|tig|keit

Ei|gen|mar|ke (Wirtsch.)

Ei|gen|mit|tel Plur.

Ei|gen|na|me

Ei|gen|nutz, der; -es; ei|gen|nüt|zig; Ei|gen|nüt|zig|keit, die; -

Ei|gen|pro|duk|ti|on

Ei|gen|re|gie; etwas in Eigenregie organisieren

ei|gens (geh.)

Ei|gen|schaft; Ei|gen|schafts|wort Plur. ...wörter (für Adjektiv); ei|gen|schafts|wört|lich

Ei|gen|schwin|gung

Ei|gen|sinn, der; -[e]s; ei|gen|sin|nig; Ei|gen|sin|nig|keit

ei|gen|staat|lich; Ei|gen|staat|lich|keit, die; -

ei|gen|stän|dig; Ei|gen|stän|dig|keit, die; -

Ei|gen|sucht, die; -; ei|gen|süch|tig

ei|gent|lich (Abk. eigtl.); Ei|gent|lich|keit, die; -

Ei|gen|tor, das (Sport)

Ei|gen|tum, das; -s, Plur. (für Wohnungseigentum u. Ä.:) ...tume; Ei|gen|tü|mer; Ei|gen|tü|me|rin

ei|gen|tüm|lich; Ei|gen|tüm|lich|keit; Ei|gen|tüm|lich|keit

Ei|gen|tums|bil|dung; Ei|gen|tums|de|likt; Ei|gen|tums|recht; Ei|gen|tums|streu|ung; Ei|gen|tums|ver|ge|hen; Ei|gen|tums|woh|nung

ei|gen|ver|ant|wort|lich; Ei|gen|ver|ant|wor|tung

Ei|gen|ver|brauch; Ei|gen|ver|si|che|rung

Ei|gen|vor|sor|ge

Ei|gen|wa|re, die; - (Ware aus dem Besitz des Versteigerers)

Ei|gen|wär|me

¹ein

I. *Unbestimmter Artikel (nicht betont; als Beifügung zu einem Substantiv od. Pronomen):*

– es war ein Mann, nicht eine Frau; es war ein Kind und kein Erwachsener

II. *Unbestimmtes Pronomen*

a) *allein stehend:*

– der/die/das eine
– wenn einer (jemand) das nicht versteht, dann soll er darüber nicht reden; da kann einer (*ugs. statt* man) doch völlig verrückt werden; nach den Aussagen eines (jemandes), der dabei war, ...
– ein[e]s (etwas) fehlt ihm: Geduld
– das tut einem (mir) wirklich leid; sie sollen einen in Ruhe lassen
– sie ist eine von uns; da hat eine ihren Lippenstift vergessen; ein[e]s von uns Kindern
– *ugs.:* einen (einen Schnaps) heben; eins (ein Lied) singen; gib ihm eins (einen Schlag); jmdm. eins auswischen

b) *in [hinweisender] Gegenüberstellung:*

– vom einen, von einem zum and[e]ren, andern; die einen (diese) [Zuschauer] klatschten, die and[e]ren, andern (jene) [Zuschauer] pfiffen

III. *Zahlwort (betont; als Beifügung oder allein stehend):*

– es war ein Mann, eine Frau, ein Kind (nicht zwei); wenn [nur] einer das erfährt, dann ist der Plan zunichte; einer für alle und alle für einen
– ein[e]s der beiden Pferde, nicht beide; zwei Augen sehen mehr als ein[e]s
– einer nach dem anderen; zum einen ..., zum anderen ...; der ein[e] oder andere
– unter einem (*österr. Amtsspr. für* zugleich)
– in einem fort
– zwei Pfund Wurst in einem [Stück]; in ein[em] und einem halben Jahr
– in ein[er] und derselben Straße; ein und dieselbe Sache; es läuft alles auf eins (dasselbe) hinaus
– sie ist sein Ein und [sein] Alles
– einundzwanzig; einmal; einhalbmal
– ein für alle Mal[e]
– ein oder mehrmals (*vgl.* Mal)
– ein bis zwei Tage

Bei Auffassung als Substantiv ist auch Großschreibung möglich:

– die einen *od.* Einen sagen dies, die anderen *od.* Anderen das
– sie will das eine *od.* Eine tun und das andere *od.* Andere nicht lassen

Vgl. eins

E

Einb

Ei|gen|wech|sel (Solawechsel); Ei|gen|wer|bung
Ei|gen|wert; ei|gen|wer|tig
Ei|gen|wil|le; ei|gen|wil|lig; Ei|gen|wil|lig|keit
ei|gen|wüch|sig *(selten)*
Ei|ger, der; -s (Bergstock in den Berner Alpen); Ei|ger|nord|wand, die; -
Eig|ne *vgl.* Eigene
eig|nen; etwas eignet ihm *(geh. für* ist ihm eigen); sich eignen (geeignet sein)
eig|ner, ei|ge|ner *vgl.* eigen
Eig|ner ([Schiffs]eigentümer); Eig|ne|rin
Eig|nung (Befähigung)
Eig|nungs|prü|fung; Eig|nungs|test
eigtl. = eigentlich
...ei|ig (z. B. eineiig)
Ei|ke (m., *seltener* w. Vorn.)
Ei|klar, das; -s, - *(österr. für* Eiweiß)
Ei|ko (m. Vorn.)
Ei|land, das; -[e]s, -e *(geh. für* Insel)
Eil|an|ge|bot
Eil|bo|te; Eil|brief
Ei|le, die; -
Ei|lei|ter, der *(Med.)*
Ei|len; eile mit Weile!; ei|lends

eil|fer|tig; Eil|fer|tig|keit
Eil|gut
Eil|gü|ter|zug
ei|lig; ↑K72: etwas Eiliges zu besorgen haben; nichts Eiligeres zu tun haben, als ...; ei|ligst
Eil|marsch; Eil|päck|chen; Eil|schritt; Eil|sen|dung
Eil|tem|po; Eil|trieb|wa|gen; Eil|zug (*Zeichen* E); Eil|zu|stel|lung
Ei|mer, der; -s, -; im Eimer sein *(ugs. für* entzwei, verdorben sein); ei|mer|wei|se
¹ein *s.* Kasten
²ein; nicht ein noch aus wissen (ratlos sein); wer bei dir ein und aus geht (verkehrt), *aber (in Zus.)* ↑K31: ein- und aussteigen (einsteigen und aussteigen)
ein... (*in Zus. mit Verben*, z. B. einbürgern, du bürgerst ein, eingebürgert, einzubürgern)
Ein|achs|an|hän|ger *(Kfz-Technik)*; ein|ach|sig
Ein|ak|ter (Bühnenstück aus nur einem Akt); ein|ak|tig
ei|n|an|der *(meist geh.)*; *vgl.* an-, auf-, aus-, beieinander usw.
ein|ant|wor|ten *(österr. Amtsspr.*

veraltend für übergeben); **Ein|ant|wor|tung** *(österr.)*
Ei|nar (m. Vorn.)
ein|ar|bei|ten; Ein|ar|bei|tung; Ein|ar|bei|tungs|zeit
ein|ar|mig
ein|äschern; ich äschere ein; eingeäschert (*Zeichen* ⚱); Ein|äsche|rung; Ein|äsche|rungs|hal|le (*für* Krematorium)
ein|at|men; Ein|at|mung, die; -
ein|ato|mig *(Chemie, Physik)*
ein|ät|zen
ein|äu|gig; Ein|äu|gi|ge, der u. die; -n, -n
Ein|back, der; -[e]s, *Plur.* -e u. ...bäcke, *ugs. auch* -s (ein Gebäck)
ein|bah|nig; einbahniger Verkehr
Ein|bahn|stra|ße; Ein|bahn|ver|kehr
ein|bal|lie|ren (*veraltet für* in Ballen verpacken); Ein|bal|lie|rung
ein|bal|sa|mie|ren; Ein|bal|sa|mie|rung
Ein|band, der; -[e]s, ...bände; Ein|band|de|cke
ein|bän|dig
ein|ba|sig, ein|ba|sisch; einbasige Säure
Ein|bau, der; -[e]s, *Plur.* (*für* einge-

bauter Teil:) -ten; ein|bau|en; ein|bau|fer|tig; Ein|bau|kü|che Ein|baum (Boot aus einem ausgehöhlten Baumstamm) Ein|bau|mö|bel; ein|bau|reif; Ein-bau|schrank; Ein|bau|teil Ein|bee|re (eine Giftpflanze) ein|be|grif|fen, jn|be|grif|fen (österr. u. schweiz. nur so); in dem od. den Preis [mit] einbegriffen; alle waren beteiligt, er einbegriffen; sie erinnerte sich aller Beteiligten, ihn einbegriffen; der Tadel galt allen, ihn einbegriffen; er zahlte die Zeche, den Wein einbegriffen ein|be|hal|ten; Ein|be|hal|tung ein|bei|nig ein|be|ken|nen (österr. für eingestehen); Ein|be|kennt|nis ein|be|rech|nen ein|be|ru|fen; Ein|be|ru|fe|ne, der u. die; -n, -; Ein|be|ru|fung; Ein|be-ru|fungs|be|fehl ein|be|schlie|ßen (geh.) ein|be|schrie|ben (Math.); einbeschriebener Kreis (Inkreis) ein|be|stel|len (bes. Amtsspr.); Ein-be|stel|lung ein|be|to|nie|ren; Ein|be|to|nie|rung ein|bet|ten; Ein|bet|tung ein|beu|len; Ein|beu|lung ein|be|zah|len (svw. einzahlen) ein|be|zie|hen; Ein|be|zie|hung ein|bie|gen; Ein|bie|gung ein|bil|den, sich; du bildest dir die Geschichte nur ein; Ein|bil|dung; Ein|bil|dungs|kraft, die; - ein|bim|sen (ugs. für durch angestrengtes Lernen einprägen) ein|bin|den; Ein|bin|dung ein|bla|sen; Ein|blä|ser (Schülerspr. auch für Vorsager); Ein|blä|se|rin Ein|blatt (Kunstwiss.); Ein|blatt-druck Plur. ...drucke ein|bläu|en (blau machen; auch ugs. für mit Nachdruck einprägen, einschärfen) ein|blen|den (Rundf., Fernsehen); sich einblenden; Ein|blen|dung ein|bleu|en alte Schreibung für einbläuen Ein|blick ein|blu|ten (Med.); Ein|blu|tung ein|boh|ren; sich einbohren ein|boo|ten; Passagiere einbooten ein|bre|chen; in ein[em] Haus einbrechen; Ein|bre|cher; Ein|bre-che|rin ein|brem|sen (bes. südd., österr. abbremsen; aufhalten) Ein|brenn, die; -, -en (österr.), Ein-

bren|ne, die; -, -n (bes. südd. für Mehlschwitze) ein|bren|nen Ein|brenn|la|ckie|rung Ein|brenn|sup|pe (österr.) ein|brin|gen; sich einbringen; ein-bring|lich; Ein|brin|gung ein|bro|cken; sich, jmdm. etwas einbrocken (ugs.) Ein|bruch, der; -[e]s, ...brüche Ein|bruch[s]|dieb|stahl; ein-bruch[s]|si|cher; Ein|bruch|stel|le; Ein|bruch[s]|werk|zeug ein|buch|ten (ugs. für ins Gefängnis sperren); Ein|buch|tung ein|bud|deln (ugs.) ein|bü|geln; eingebügelte Falten ein|bun|kern (ugs. auch für ins Gefängnis sperren) ein|bür|gern; ich bürgere ein; Ein-bür|ge|rung Ein|bu|ße; ein|bü|ßen Ein|cent|stück (mit Ziffer 1-Cent-Stück; ↑K 26) ein|che|cken ⟨dt.; engl.⟩ (sich [am Flughafen] abfertigen lassen) ein|cre|men; ein|kre|men ein|däm|men; Ein|däm|mung ein|damp|fen; Ein|damp|fung ein|de|cken; sich mit Obst eindecken Ein|de|cker (ein Flugzeugtyp) ein|dei|chen; Ein|dei|chung ein|del|len (ugs. für eine Delle in etwas machen) ein|deu|tig; Ein|deu|tig|keit ein|deut|schen; du deutschst ein; Ein|deut|schung ein|di|cken; Ein|di|ckung ein|di|men|si|o|nal ein|do|cken (Schiffbau ins Dock transportieren) ein|do|sen (in Dosen einkochen); du dost ein; sie doste ein ein|dö|sen (ugs. für in Halbschlaf fallen; einschlafen) ein|drän|gen; auf jmdn. eindrängen; sich eindrängen ein|dre|hen; sich, jmdm. die Haare eindrehen ein|dre|schen; er hat auf das Pferd eingedroschen ein|dril|len (ugs. für einüben) ein|drin|gen; ein|dring|lich; auf das, aufs Eindringlichste od. ein-dringlichste ↑K 75 ; Ein|dring-lich|keit, die; -; Ein|dring|ling Ein|druck, der; -[e]s, ...drücke ein|dru|cken ein|drü|cken ein|drück|lich (bes. schweiz. für eindrucksvoll); ein|drucks|voll ein|dü|beln

ein|du|seln (ugs. für in Halbschlaf fallen) ei|ne vgl. [1]ein ein|eb|nen; Ein|eb|nung Ein|ehe (für Monogamie); ein|ehig (für monogam) ein|ei|lig; eineiige Zwillinge ein|ein|deu|tig (fachspr. für umkehrbar eindeutig); Ein|ein-deu|tig|keit Plur. selten ein|ein|halb, ein|und|ein|halb; ein-einhalb Tage, aber ein und ein halber Tag; ein[und]einhalbmal so viel Ei|nem, von (österr. Komponist) ei|nen (geh. für einigen) ei|nen|gen; Ein|en|gung ei|ner vgl. [1]ein [1]Ei|ner, Ein|ser (Zahl) [2]Ei|ner (einsitziges Sportboot) ei|ner|ka|jak ei|ner|lei; Ei|ner|lei, das; -s ei|ner|seits; einerseits ..., ander[er]seits, andrerseits ei|nes vgl. [1]ein ei|nes|teils; einesteils... ander|en|teils Ein|eu|ro|job, Ein-Eu|ro-Job (mit Ziffer 1-Euro-Job ↑K 26); Beschäftigung für Arbeitslose, die dafür einen geringen Stundenlohn zusätzlich zum Arbeitslosengeld erhalten) Ein|eu|ro|stück, Ein-Eu|ro-Stück (mit Ziffer 1-Euro-Stück ↑K 26) ein|ex|er|zie|ren ein|fach; einfache Buchführung; einfache Fahrt; am einfachs|ten; aber das Einfachs|te ist, wenn ...; das Einfachste, was er finden konnte Ein|fa|che, das; -n; das Einfache einer Zahl ein|fä|chern (in Fächer verteilen) Ein|fach|heit, die; -; der Einfach-heit halber; ein|fach|heits|hal|ber ein|fä|deln, sich einfädeln (Verkehrsw.); Ein|fä|de|lung, Ein|fäd-lung ein|fah|ren Ein|fahr|gleis (Eisenb.); Ein|fahr|si-g|nal (Eisenb.) Ein|fahrt Ein|fahrt[s]|er|laub|nis Ein|fahrt[s]|gleis vgl. Einfahrgleis; Ein|fahrt[s]|si|g|nal vgl. Einfahr-signal Ein|fall, der; ein|fal|len ein|falls|arm; ein|falls|los; Ein|falls-lo|sig|keit, die; - ein|fall[s]|reich; Ein|fall[s]|reich|tum Ein|fall[s]|win|kel Ein|falt, die; -; ein|fäl|tig; Ein|fäl-

tig|keit, die; -; Ein|falts|pin|sel
(ugs. abwertend)
ein|fal|zen *(Buchw.);* Ein|fal|zung
Ein|fa|mi|li|en|haus
ein|fan|gen
ein|fär|ben; ein|far|big, österr. ein-
fär|big; Ein|fär|bung
ein|fa|schen *(österr. für* verbinden;
vgl. Fasche)
ein|fas|sen; Ein|fas|sung
ein|fen|zen ⟨dt.; engl.⟩ (einzäunen);
du fenzt ein
ein|fet|ten; Ein|fet|tung
ein|fil|t|rie|ren *(ugs. für* einflößen)
ein|fin|den, sich
ein|flech|ten; Ein|flech|tung
ein|fli|cken
ein|flie|gen; Ein|flie|ger *(Flugw.);*
Ein|flie|ge|rin
ein|flie|ßen
ein|flö|ßen; Ein|flö|ßung
Ein|flug
ein|flü|ge|lig, ein|flüg|lig
Ein|flug|schnei|se *(Flugw.)*
Ein|fluss; Ein|fluss|be|reich, der;
ein|fluss|los; Ein|fluss|nah|me,
die; -, -n *Plur. selten;* ein|fluss-
reich
ein|flüs|tern; Ein|flüs|te|rung
ein|for|dern; Ein|for|de|rung
ein|för|mig; Ein|för|mig|keit
Ein|fran|ken|stück *(mit Ziffer*
1-Franken-Stück; ↑K26); Ein-
fränk|ler, der; -s, - *(schweiz. svw.*
Einfrankenstück)
ein|fres|sen, sich; der Rost hatte
sich tief eingefressen
ein|frie|den, *selten* ein|frie|di|gen
(geh. für einhegen); Ein|frie|di-
gung, *häufiger* Ein|frie|dung
ein|frie|ren; Ein|frie|rung
ein|fros|ten; Ein|fros|tung
ein|fuch|sen *(ugs. für* gut einarbei-
ten)
ein|fü|gen; sich einfügen; Ein|fü-
gung
ein|füh|len, sich; ein|fühl|sam; Ein-
füh|lung, die; -
Ein|füh|lungs|ga|be; Ein|füh|lungs-
ver|mö|gen
Ein|fuhr, die; -, -en; Ein|fuhr|be-
schrän|kung
ein|füh|ren
Ein|fuhr|ha|fen *(vgl.* ¹Hafen); Ein-
fuhr|kon|tin|gent; Ein|fuhr|land;
Ein|fuhr|sper|re; Ein|fuhr|stopp
Ein|füh|rung; Ein|füh|rungs|kurs;
Ein|füh|rungs|preis; Ein|füh-
rungs|vor|trag
Ein|fuhr|ver|bot; Ein|fuhr|zoll
ein|fül|len; Ein|füll|öff|nung
¹ein|füt|tern *(EDV in den Computer*
eingeben)

²ein|füt|tern *(Gartenbau [Pflanzen]*
tief eingraben)
Ein|ga|be *(auch EDV);* Ein|ga|be-
feld *(EDV);* Ein|ga|be|ge|rät
(EDV); Ein|ga|be|mas|ke *(EDV)*
Ein|gang; Ein- und Ausgang ↑K31
ein|gän|gig; Ein|gän|gig|keit, die; -
ein|gangs *(Amtsspr.;* ↑K70); *mit
Gen.:* eingangs des Briefes
Ein|gangs|buch; Ein|gangs|da|tum;
Ein|gangs|hal|le; Ein|gangs|stem-
pel; Ein|gangs|stro|phe; Ein-
gangs|tür; Ein|gangs|ver|merk
ein|ge|äschert *(Zeichen ⊙)*
ein|ge|ben
ein|ge|bet|tet; eingebettet in die
od. in der Landschaft
ein|ge|bil|det; eingebildet sein
Ein|ge|bin|de *(veraltet für* Patenge-
schenk)
¹ein|ge|bo|ren; der eingeborene
(einzige) Sohn [Gottes]
²ein|ge|bo|ren; die eingeborene
Bevölkerung
Ein|ge|bo|re|ne, Ein|ge|bor|ne, der
u. die; -n, -n; Ein|ge|bo|re|nen-
spra|che; Ein|ge|bor|ne *vgl.* Ein-
geborene
ein|ge|bracht; eingebrachtes Gut,
eingebrachte Sachen
(Rechtsspr.); Ein|ge|brach|te,
das; -n *(veraltet für* Heiratsgut)
Ein|ge|bung
ein|ge|denk *(geh.); mit Gen.:* einge-
denk des Verdienstes
ein|ge|fal|len; mit eingefallenem
Gesicht
ein|ge|fleischt; eingefleischter
Junggeselle
ein|ge|frie|ren
ein|ge|fuchst *(ugs. für* eingearbei-
tet)
ein|ge|hen; ein|ge|hend; auf das,
aufs Eingehendste *od.* eingehendste ↑K75
ein|ge|keilt; in eine[r] Menge ein-
gekeilt
Ein|ge|mach|te, das; -n
ein|ge|mein|den; Ein|ge|mein|dung
ein|ge|nom|men (begeistert); sie ist
von dem Plan eingenommen
Ein|ge|nom|men|heit, die; -
ein|ge|rech|net; den Überschuss
eingerechnet
Ein|ge|rich|te, das; -s, - *(fachspr.*
innerer Bau eines Türschlosses)
ein|ge|sandt; Ein|ge|sandt, das; -s,
-s *(veraltet für* Leserzuschrift)
ein|ge|schlech|tig *(für* diklin)
ein|ge|schlos|sen; eingeschlossen
im, *auch* in den Preis
ein|ge|schos|sig *vgl.* ...geschossig

ein|ge|schwo|ren; sie ist auf diese
Musik eingeschworen
ein|ge|ses|sen (einheimisch)
ein|ge|spielt; sie sind aufeinander
eingespielt
ein|ge|sprengt; eingesprengtes
Gold
ein|ge|stan|de|ner|ma|ßen, ein|ge-
stand|ner|ma|ßen
Ein|ge|ständ|nis; ein|ge|ste|hen
ein|ge|stri|chen *(Musik)*; eingestri-
chene Note
ein|ge|tra|gen; eingetragene
Genossenschaft *(Abk.* eG, e.G.),
auch ↑K150 : Eingetragene
Genossenschaft *(Abk.* EG); eingetragener Verein *(Abk.* e.V.),
auch ↑K150 : Eingetragener Verein *(Abk.* E.V.); eingetragene
Lebenspartnerschaft ↑K89
Ein|ge|wei|de, das; -s, - *meist Plur.;*
Ein|ge|wei|de|bruch
Ein|ge|weih|te, der *u.* die; -n, -n
ein|ge|wöh|nen; Ein|ge|wöh|nung,
die; -
ein|ge|zo|gen; eingezogen (zurück-
gezogen) leben; Ein|ge|zo|gen-
heit, die; -
ein|gie|ßen; Ein|gie|ßung
ein|gip|sen; einen Haken eingip-
sen
ein|git|tern
Ein|glas *Plur.* ...gläser *(veraltet für*
Monokel)
ein|gla|sen
ein|glei|sen (wieder auf das Gleis
bringen); du gleist ein; er gleis|te
ein
ein|glei|sig
ein|glie|dern; sich eingliedern; Ein-
glie|de|rung
ein|gra|ben; Ein|gra|bung
ein|gra|vie|ren; Ein|gra|vie|rung
ein|grei|fen; Ein|greif|trup|pe (Son-
dereinsatztruppe in militärischen Krisengebieten); die
schnelle Eingreiftruppe ↑K89
ein|gren|zen; Ein|gren|zung
Ein|griff; Ein|griffs|mög|lich|keit
ein|grü|nen; Ein|grü|nung
ein|grup|pie|ren; Ein|grup|pie|rung
Ein|guss ⟨zu eingießen⟩ *(Technik)*
ein|ha|cken; der Sperber hackte
auf die Beute ein
ein|ha|ken; den Riemen einhaken;
sich bei jmdm. einhaken; sie
hakte hier ein *(ugs. für* unter-
brach das Gespräch)
ein|halb|mal (ein halbes Mal); ein-
halbmal so viel *(ugs. für* um die
Hälfte mehr)
Ein|halt, der; -[e]s; Einhalt gebie-
ten; ein|hal|ten; Ein|hal|tung

ein|häm|mern

ein|han|deln

ein|hän|dig

ein|hän|di|gen; Ein|hän|di|gung, die; -

Ein|hand|seg|ler (jmd., der ein Segelboot allein führt); Ein|hand|seg|le|rin

ein|hän|gen vgl. ²hängen; Ein|hän|ge|öse

Ein|hard (m. Vorn.)

ein|har|ken (nordd. für [Samen, Dünger] mit der Harke unter das Erdreich mischen)

ein|hau|chen (geh.); Ein|hau|chung

ein|hau|en; er hieb auf den Fliehenden ein; er haute tüchtig ein (ugs. für aß tüchtig)

ein|hau|sen (Straßenbau [einen Autobahnabschnitt] überdachen)

ein|häu|sig (Bot. monözisch); Ein|hau|sung

ein|he|ben; einen Betrag einheben (bes. südd., österr. für einziehen); Ein|he|bung

ein|hef|ten

ein|he|gen; Ein|he|gung

ein|hei|len (Med.); Ein|hei|lung

ein|hei|misch; Ein|hei|mi|sche, der u. die; -n, -n

ein|heim|sen (ugs.); du heimst ein

Ein|hei|rat; ein|hei|ra|ten

Ein|heit; Tag der Deutschen Einheit (3. Oktober)

Ein|hei|ten|sys|tem; das Internationale Einheitensystem ↑K150

Ein|heit|lich; Ein|heit|lich|keit, die; -

Ein|heits|brei (abwertend)

Ein|heits|front; Ein|heits|ge|werk|schaft; Ein|heits|kurz|schrift; Ein|heits|lis|te

Ein|heits|look

Ein|heits|par|tei; Ein|heits|preis; Ein|heits|wäh|rung; Ein|heits|wert

ein|hei|zen

ein|hel|fen (vorsagen); jmdm. einhelfen

ein|hel|lig; Ein|hel|lig|keit, die; -

ein|hen|ke|lig, ein|henk|lig

ein|hen|keln; ich henk[e]le ein

ein|henk|lig vgl. einhenkelig

ein|her|fah|ren (geh.)

ein|her|ge|hen; die Grippe war mit Fieber einhergegangen

Ein|he|ri|er, der; -s, - (nord. Mythol. der gefallene Kämpfer in Walhall)

ein|her|schrei|ten (geh.)

ein|hie|ven; die Ankerkette einhieven (einziehen)

ein|hö|cke|rig, ein|höck|rig

ein|ho|len

Ein|hol|netz; Ein|hol|ta|sche

Ein|ho|lung, die; -

ein|hö|ren, sich

Ein|horn Plur. ...hörner (ein Fabeltier)

Ein|hu|fer (Zool.); ein|hu|fig

ein|hül|len; Ein|hül|lung

ein|hun|dert

ein|hü|ten (nordd. für sich in jmds. Abwesenheit um die Wohnung kümmern)

ei|nig; [sich] einig sein, werden; vgl. einiggehen

ei|ni|ge

– einige Stunden später
– einige Mal, einige Male
– einige tausend od. Tausend Schüler
– von einigen wird behauptet ...
– einiges, was ...
– einige (etwas; oft auch [sehr] viel) Mühe haben
– sie wusste einiges
– einiger politischer Sinn
– einiges milde (selten mildes) Nachsehen
– bei einigem guten Willen
– einige gute Menschen; die Taten einiger guter (selten guten) Menschen
– mit einigem Neuen

ein|igeln, sich; ich ig[e]le mich ein; Ein|ige|lung

ei|ni|ge Mal vgl. einige

ei|ni|gen; Ei|ni|ger

ei|ni|ger|ma|ßen

ei|ni|ges vgl. einige

ei|ni|ge|hen (sich einig sein); wir gehen dahin einig, dass ...

Ei|nig|keit, die; -

Ei|ni|gung

Ei|ni|gungs|be|stre|bung; Ei|ni|gungs|ver|trag; Ei|ni|gungs|werk

ein|imp|fen; Ein|imp|fung

ein|ja|gen; jmdm. einen Schrecken einjagen

ein|jäh|rig

¹Ein|jäh|ri|ge, der od. die; -n, -n

²Ein|jäh|ri|ge, das; -n (veraltend für mittlere Reife)

Ein|jäh|rig-Frei|wil|li|ge, der; -n, -n (im ehem. deutschen Heer)

ein|jo|chen (veraltet)

ein|ka|cheln (ugs. für stark heizen)

ein|kal|ku|lie|ren (einplanen)

Ein|kam|mer|sys|tem, das; -s

ein|kamp|fern (mit Kampfer behandeln); ich kampfere ein

ein|kap|seln; ich kaps[e]le ein; sich

einkapseln; Ein|kap|se|lung, seltener Ein|kaps|lung

Ein|ka|rä|ter (einkarätiger Edelstein); ein|ka|rä|tig

ein|kas|sie|ren; Ein|kas|sie|rung

ein|kas|teln (bayr., österr.); ein|käs|teln

Ein|kauf; ein|kau|fen

Ein|käu|fer; Ein|käu|fe|rin

Ein|kaufs|ab|tei|lung

Ein|kaufs|beu|tel; Ein|kaufs|bum|mel; Ein|kaufs|cen|ter

Ein|kaufs|ge|nos|sen|schaft

Ein|kaufs|korb; Ein|kaufs|mei|le; Ein|kaufs|mög|lich|keit; Ein|kaufs|netz

Ein|kaufs|preis; Ein|kaufs|quel|le

Ein|kaufs|ta|sche; Ein|kaufs|tü|te; Ein|kaufs|wa|gen; Ein|kaufs|zen|t|rum

Ein|kehr, die; - (das Einkehren; geh. für innere Sammlung); ein|keh|ren

ein|kei|len; wir waren eingekeilt

ein|keim|blät|te|rig, ein|keim|blätt|rig (Bot.); einkeimblätt[e]rige Pflanzen (mit nur einem Keimblatt)

ein|kel|lern; ich kellere ein; Ein|kel|le|rung; Ein|kel|le|rungs|kar|tof|feln Plur.

ein|ker|ben; Ein|ker|bung

ein|ker|kern (geh.); ich kerkere ein; Ein|ker|ke|rung (geh.)

ein|kes|seln (bes. Milit.); ich kess[e]le ein; Ein|kes|se|lung

ein|kip|pen (ugs. für eingießen)

ein|kla|gen; einen Rechnungsbetrag einklagen; Ein|kla|gung

ein|klam|mern; Ein|klam|me|rung

Ein|klang; mit etwas im od. in Einklang stehen

ein|klas|sen|schu|le; ein|klas|sig; eine einklassige Schule

ein|kle|ben

ein|klei|den; sich einkleiden; Ein|klei|dung

ein|klem|men; du hast dir die Finger eingeklemmt; Ein|klem|mung

ein|kli|cken; sich ins Internet einklicken

ein|klin|ken

ein|kni|cken; Ein|kni|ckung

ein|knöp|fen; Ein|knöpf|fut|ter vgl. ²Futter

ein|knüp|peln; auf jmdn. einknüppeln

ein|ko|chen; Ein|koch|topf

ein|kom|men; um Urlaub, Versetzung einkommen (Amtsspr. bitten)

Ein|kom|men, das; -s, -; Ein|kom|mens|gren|ze

ein|kom|mens|los
Ein|kom|mens|ni|veau
ein|kom|mens|schwach; ein|kom|mens|stark
Ein|kom|mens|steu|er, *fachspr. auch* Ein|kom|men|steu|er, die; Ein|kom|men|steu|er|er|klä|rung; ein|kom|men|steu|er|pflich|tig
Ein|kom|mens|ver|hält|nis|se *Plur.*; Ein|kom|mens|zu|wachs
ein|köp|fen (*Fußball* durch einen Kopfball ein Tor erzielen)
Ein|korn, das; -[e]s (Weizenart)
ein|kra|chen (*ugs.*)
ein|krei|sen; Ein|krei|sung; Ein|krei|sungs|po|li|tik, die; -
ein|kre|men, ein|cre|men
ein|kreu|zen (*Biol.* durch Kreuzung verändern); Ein|kreu|zung
ein|krie|gen (*ugs. für* einholen)
Ein|kris|tall, der (*fachspr. für* einheitlich aufgebauter Kristall)
ein|küh|len (in einer Kühlanlage haltbar machen); Ein|küh|lung
Ein|kunft, die; - (*fachspr. Singular zu* Einkünfte)
Ein|kunfts|art Plur.
Ein|kunfts|art (*Finanzw.*)
ein|kup|peln; langsam einkuppeln
ein|ku|scheln (*ugs.*); sich einkuscheln
Ein|lad, der; -s (*schweiz. svw.* Verladung)
[1]ein|la|den; Waren einladen; *vgl.* [1]laden
[2]ein|la|den; zum Essen einladen; *vgl.* [2]laden
ein|la|dend
Ein|la|dung; Ein|la|dungs|kar|te; Ein|la|dungs|schrei|ben
Ein|la|ge
Ein|la|gen|si|che|rung (*Finanzw.*)
ein|la|gern; Ein|la|ge|rung
ein|lan|gen (*österr. für* eintreffen)
Ein|lass, der; Einlasses; Einlässe
ein|las|sen (*südd. u. österr. auch für* mit Wachs einreiben; lackieren); sich auf etwas einlassen
Ein|lass|kar|te
ein|läss|lich (*schweiz. für* gründlich); des Ein|läss|lichs|ten ↑K 72
Ein|las|sung (*bes. Rechtsspr.*)
Ein|lauf; ein|lau|fen; sich einlaufen
Ein|lauf|stel|le (Stelle bei einer Behörde für den Posteingang)
Ein|lauf|wet|te (beim Pferderennen)
ein|läu|ten; den Sonntag einläuten
ein|le|ben, sich
Ein|le|ge|ar|beit
ein|le|gen
Ein|le|ger (*Bankw.*); Ein|le|ge|rin

Ein|le|ge|soh|le
Ein|le|gung, die; -
ein|lei|ten
Ein|lei|te|wort Plur. ...wörter (*Sprachw.*)
Ein|lei|tung; Ein|lei|tungs|ka|pi|tel
ein|len|ken; Ein|len|kung
ein|ler|nen
ein|le|sen; sich einlesen
ein|leuch|ten; dieser Grund leuchtet mir ein; ein|leuch|tend
Ein|lie|fe|rer; Ein|lie|fe|rin
ein|lie|fern; Ein|lie|fe|rung
Ein|lie|fe|rungs|schein; Ein|lie|fe|rungs|ter|min
ein|lie|gend, *österr. u. schweiz.* in|lie|gend (*Papierdt.*); einliegend (anbei, hiermit) der Bericht
Ein|lie|ger (Mieter); Ein|lie|ge|rin; Ein|lie|ger|woh|nung
ein|li|nig
ein|lo|chen (*ugs. für* ins Gefängnis sperren; *Golf* den Ball ins Loch spielen)
ein|log|gen (*EDV*); ich habe mich eingeloggt
ein|lo|gie|ren
ein|lös|bar; ein|lö|sen; Ein|lö|sesum|me; Ein|lö|sung; Ein|lösungs|sum|me
ein|lul|len (*ugs.*)
Ein|mach, Ein|ma|che, die; - (*österr. für* Mehlschwitze)
ein|ma|chen
Ein|mach|glas Plur. ...gläser
ein|mäh|dig (*svw.* einschürig)
ein|mah|nen; Ein|mah|nung
ein|mal; auf einmal; noch einmal; nicht einmal; nun einmal; ↑K 31 : ein- bis zweimal (*mit Ziffern* 1- bis 2-mal); *vgl.* mal, Mal
Ein|mal|eins, das; -; das große Einmaleins; das kleine Einmaleins; das berufliche Einmaleins
Ein|mal|erlag (*österr. für* einmalige Zahlung)
Ein|mal|hand|tuch
ein|ma|lig; Ein|ma|lig|keit, die; -
Ein|mal|zah|lung
Ein|mann|be|trieb; Ein|mann|gesell|schaft (*Wirtsch.* Kapitalgesellschaft, deren Anteile in einer Hand sind)
Ein|mark|stück (*früher; mit Ziffer* 1-Mark-Stück; ↑K 26)
Ein|marsch, der; ein|mar|schie|ren
ein|mas|sie|ren
Ein|mas|ter; ein|mas|tig
ein|mau|ern; Ein|mau|e|rung
ein|mei|ßeln
ein|men|gen; sich einmengen
Ein|me|ter|brett (*mit Ziffer* 1-Meter-Brett; ↑K 26)

[1]ein|mie|ten; sich einmieten; *vgl.* [1]mieten
[2]ein|mie|ten; Feldfrüchte einmieten; *vgl.* [2]mieten
Ein|mie|ter *meist Plur.* (*Zool.* Insekt, das in Nestern anderer Tiere lebt); Ein|mie|tung
ein|mi|schen, sich; Ein|mi|schung
ein|mo|na|tig; ein einmonatiger (einen Monat dauernder) Kurs
ein|mon|tie|ren
ein|mo|to|rig; einmotoriges Flugzeug
ein|mot|ten
ein|mum|meln, ein|mum|men (*ugs. für* warm einhüllen)
ein|mün|den; Ein|mün|dung
ein|mü|tig; Ein|mü|tig|keit, die; -
ein|nach|ten (*schweiz. für* Nacht werden)
ein|nä|hen
Ein|nah|me, die; -, -n
Ein|nah|me|aus|fall; Ein|nah|me|buch; Ein|nah|me|quel|le; Ein|nah|me|sei|te; Ein|nah|me|soll
Ein|nahms|quel|le (*österr.*)
ein|näs|sen (*bes. Med., Psych., Päd.*); das Kind nässt ein
ein|ne|beln; ich neb[e]le ein; Ein|ne|be|lung, Ein|neb|lung
ein|neh|men; ein|neh|mend; Ein|neh|mer (*veraltend*); Ein|neh|me|rin
ein|net|zen (*bes. Fußball* ein Tor erzielen)
ein|ni|cken (*ugs.* [für kurze Zeit] einschlafen)
ein|nis|ten, sich; Ein|nis|tung
ein|nor|den; eine Landkarte einnorden
Ein|öd, die; -, -en (*bayr., österr. für* Einöde)
Ein|öde; Ein|öd|hof
ein|ölen; sich einölen
ein|ord|nen; sich links, rechts einordnen; Ein|ord|nung; Ein|ord|nungs|schwie|rig|kei|ten Plur.
ein|pa|cken; Ein|pa|ckung
ein|par|ken
Ein|par|tei|en|re|gie|rung; Ein|par|tei[en]|sys|tem
ein|pas|sen; Ein|pas|sung
ein|pau|ken (*ugs.*); Ein|pau|ker
ein|pe|geln, sich (einpendeln)
ein|peit|schen; Ein|peit|scher; Ein|peit|sche|rin
ein|pen|deln, sich; Ein|pend|ler (Person, die an einem Ort arbeitet, aber nicht dort wohnt)
ein|pen|nen (*ugs. für* einschlafen)
Ein|per|so|nen|haus|halt; Ein|per|so|nen|stück (*Theater*)

ein|pfar|ren (einer Pfarrei eingliedern); **Ein**|pfar|rung

Ein|pfen|nig|stück (*früher; mit Ziffer* 1-Pfennig-Stück; ↑K 26)

ein|pfer|chen; **Ein**|pfer|chung

ein|pflan|zen; **Ein**|pflan|zung

ein|pfle|gen *(bes. EDV);* Daten einpflegen

Ein|pha|sen|strom *(Elektrot.);* **Ein**|pha|sen-Wech|sel|strom|sys|tem ↑K 22 ; ein|pha|sig

ein|pin|seln; **Ein**|pin|se|lung, *seltener* **Ein**|pins|lung

ein|pla|nen; **Ein**|pla|nung

ein|pö|keln

ein|pol|dern; **Ein**|pol|de|rung (Eindeichung)

ein|po|lig *(Physik, Elektrot.)*

ein|prä|gen; sich einprägen; **ein**|präg|sam; **Ein**|präg|sam|keit, die; -; **Ein**|prä|gung

ein|pras|seln; Fragen prasselten auf sie ein

ein|pres|sen

ein|pro|gram|mie|ren *(bes. EDV)*

ein|prü|geln; auf jmdn. einprügeln

ein|pu|dern

ein|pup|pen, sich *(Biol.)*

ein|put|ten *(Golf)*

ein|quar|tie|ren; **Ein**|quar|tie|rung

Ein|rad

ein|rah|men; ein Bild einrahmen; **Ein**|rah|mung

ein|ram|men; Pfähle einrammen

ein|ran|gie|ren; **Ein**|ran|gie|rung

ein|ras|ten

ein|rau|chen

ein|räu|men; jmdm. etwas einräumen; **Ein**|räu|mung; **Ein**|räumungs|satz *(für Konzessivsatz)*

Ein|raum|woh|nung *(regional für* Einzimmerwohnung)

ein|rech|nen *vgl.* eingerechnet

Ein|re|de *(Rechtsspr.* Einwand, Einspruch); ein|re|den

ein|reg|nen; es regnet sich ein

ein|re|gu|lie|ren; **Ein**|re|gu|lie|rung

ein|rei|ben; **Ein**|rei|bung

ein|rei|chen; **Ein**|rei|chung

ein|rei|hen; sich einreihen

Ein|rei|her *(Textilw.* Anzug, dessen Jackett nur eine Knopfreihe hat); ein|rei|hig

Ein|rei|hung

Ein|rei|se

Ein|rei|se|er|laub|nis; **Ein**|rei|se|geneh|mi|gung

ein|rei|sen; nach Frankreich, in die Schweiz einreisen (wohin?), *aber* er ist in Frankreich (wo?) eingereist

Ein|rei|se|ver|wei|ge|rung; **Ein**|reise|vi|sum

ein|rei|ßen; **Ein**|reiß|ha|ken

ein|rei|ten

ein|ren|ken; **Ein**|ren|kung

ein|ren|nen

ein|re|xen *(österr. für* einwecken); du rext ein

ein|rich|ten; sich einrichten; **Ein**|rich|ter; **Ein**|rich|te|rin

Ein|rich|tung

Ein|rich|tungs|ge|gen|stand; **Ein**|rich|tungs|haus

Ein|riss

ein|rit|zen; **Ein**|rit|zung

ein|rol|len; **Ein**|rol|lung

ein|ros|ten

ein|rü|cken; **Ein**|rü|ckung

ein|rüh|ren, sich; jmdm. etwas einrühren *(ugs. auch für* Unannehmlichkeiten bereiten)

ein|rüs|ten; ein Haus einrüsten (mit einem Gerüst versehen)

eins

I. *Zahlwort* (Zahl 1):

– eins u. zwei macht, ist (*nicht* machen, sind) drei; eins Komma fünf

– etwas eins zu eins umsetzen; eine Eins-zu-eins-Umsetzung (1:1-Umsetzung)

– er war eins, zwei damit fertig

– aus eins mach zwei

– es ist, schlägt eins (ein Uhr); ein Viertel auf, vor eins; halb eins; gegen eins

– das ist eins a [I a] *(ugs. für* ausgezeichnet)

– sie ist eins achtzig groß *(ugs.)*

– Nummer, Punkt, Absatz eins

– im Jahr[e] eins

Vgl. drei, [1]ein (3) *u.* Eins

II. *Adjektiv (für* einig, gleich, dasselbe):

– eins (einig) sein, werden

– in eins setzen (gleichsetzen)

– es ist mir alles eins (gleichgültig)

III. *Unbestimmtes Pronomen:*

– ein[e]s; *vgl.* [1]ein (2)

Eins, die; -, -en; sie hat die Prüfung mit der Note »Eins« bestanden; er würfelt drei Einsen; er hat in Latein eine Eins geschrieben; *vgl.* [1]Acht

Ein|saat *(Landw.)*

ein|sa|cken

ein|sä|en

ein|sa|gen *(landsch. für* vorsagen); **Ein**|sa|ger; **Ein**|sa|ge|rin

Eins-a-La|ge *(mit Ziffer* 1-a-Lage) *(ugs.)*

ein|sal|ben; **Ein**|sal|bung

ein|sal|zen; eingesalzen, *seltener* eingesalzt; **Ein**|sal|zung

ein|sam; **Ein**|sam|keit *Plur. selten;* **Ein**|sam|keits|ge|fühl

ein|sam|meln; **Ein**|sam|me|lung, **Ein**|samm|lung

ein|sar|gen; **Ein**|sar|gung

Ein|sat|te|lung, **Ein**|satt|lung (sattelförmige Vertiefung)

Ein|satz, der; -es, Einsätze

Ein|satz|be|fehl

Ein|satz|be|reit; **Ein**|satz|be|reitschaft, die; -

Ein|satz|dienst

ein|satz|fä|hig; ein|satz|freu|dig

Ein|satz|ge|biet; **Ein**|satz|grup|pe; **Ein**|satz|kom|man|do; **Ein**|satz|leiter, der; **Ein**|satz|lei|te|rin

Ein|satz|mög|lich|keit; **Ein**|satz|wagen (nach Bedarf einzusetzender [Straßenbahn]wagen; Spezialfahrzeug der Polizei)

Ein|satz|zen|t|ra|le

ein|sau|en *(derb für* [stark] beschmutzen)

ein|säu|ern; **Ein**|säu|e|rung

ein|sau|gen; **Ein**|sau|gung

ein|säu|men; **Ein**|säu|mung

ein|scan|nen [...skɛnən] *(EDV)*

ein|schach|teln; **Ein**|schach|te|lung, **Ein**|schacht|lung

ein|scha|len *(Bauw.* verschalen); **Ein**|scha|ler (jmd., der einschalt); **Ein**|scha|le|rin

ein|schal|ten; sich einschalten

Ein|schalt|he|bel; **Ein**|schalt|quo|te

Ein|schal|tung

Ein|scha|lung

ein|schär|fen; jmdm. etw. einschärfen; **Ein**|schär|fung

ein|schar|ren

ein|schätz|bar; ein|schät|zen; sich einschätzen; **Ein**|schät|zung

Ein|schau *(österr. für* Revision); **Ein**|schau|be|richt

ein|schäu|men

ein|schen|ken; Wein einschenken

ein|sche|ren *(Verkehrsw.* sich in den Verband, in die Kolonne einreihen; *Seemannsspr.* Tauwerk durch Halterungen o. Ä. ziehen); scherte ein; eingeschert

Ein|schicht, die; - *(bayr., österr. für* Öde, Einsamkeit); ein|schich|tig *(südd., österr. für* abseits gelegen, einsam)

ein|schi|cken

ein|schie|ben; **Ein**|schieb|sel, das; -s, -; **Ein**|schie|bung

Ein|schie|nen|bahn

ein|schie|ßen; sich einschießen

ein|schif|fen; sich einschiffen; **Ein-schif|fung**
einschl. = einschließlich
ein|schla|fen
ein|schlä|fe|rig *vgl.* einschläfig
ein|schlä|fern; ich schläfere ein; ein|schlä|fernd; **Ein|schlä|fe|rung**
ein|schlä|fig, ein|schläf|rig; ein-schläf[r]iges Bett (für eine Person)
Ein|schlag; ein|schla|gen
ein|schlä|gig (zu etwas gehörend)
Ein|schlag|pa|pier
ein|schläm|men; Sträucher ein-schlämmen (stark bewässern)
ein|schlei|chen, sich
ein|schlei|fen (*österr. auch für* nach und nach anpassen); **Ein-schleif|re|ge|lung** (*österr.*)
ein|schlei|men, sich (*ugs. abwertend* sich einschmeicheln)
ein|schlep|pen; **Ein|schlep|pung**
ein|schleu|sen; **Ein|schleu|sung**
ein|schlie|ßen

(*Abk.* einschl.)

Präposition mit Genitiv:

– einschließlich des Kaufpreises; einschließlich Berlins

Ein allein stehendes, stark gebeugtes Substantiv steht im Singular ungebeugt:

– einschließlich Porto; einschließlich Auf- und Abladen

Wenn bei Pluralformen der Genitiv nicht erkennbar ist, steht »einschließlich« mit Dativ:

– einschließlich Getränken

Ein|schlie|ßung
ein|schlum|mern
Ein|schlupf
Ein|schluss
ein|schmei|cheln, sich; sich [bei jmdm.] einschmeicheln wollen; **Ein|schmei|che|lung; Ein-schmeich|ler; Ein|schmeich|le|rin; Ein|schmeich|lung**
ein|schmei|ßen (*ugs. für* einwerfen)
ein|schmel|zen; **Ein|schmel|zung; Ein|schmel|zungs|pro|zess**
ein|schmie|ren; sich einschmieren
ein|schmug|geln
ein|schnap|pen (*ugs. auch für* gekränkt sein)
ein|schnei|den; ein|schnei|dend; einschneidende Veränderung
ein|schnei|en

Ein|schnitt
ein|schnü|ren; **Ein|schnü|rung**
ein|schrän|ken; sich einschränken; **Ein|schrän|kung**
ein|schrau|ben
Ein|schreib|brief, Ein|schrei|be-brief; ein|schrei|ben; **Ein|schrei-ben,** das; -s, - (eingeschriebene Postsendung); etwas per Einschreiben schicken; **Ein|schrei-be|sen|dung, Ein|schreib|sen-dung; Ein|schrei|bung**
ein|schrei|ten
ein|schrump|fen; **Ein|schrump|fung**
Ein|schub, der; -[e]s, Einschübe; **Ein|schub|de|cke** (*Bauw.*); **Ein-schub|tech|nik**
ein|schüch|tern; ich schüchtere ein; **Ein|schüch|te|rung; Ein-schüch|te|rungs|ver|such**
ein|schu|len; **Ein|schu|lung; Ein-schu|lungs|al|ter,** das; -s
ein|schü|rig; einschürige (nur eine Ernte im Jahr liefernde) Wiese
Ein|schuss; Ein|schuss|stel|le, Ein-schuss-Stel|le
ein|schwär|zen (*veraltet auch für* einschmuggeln)
ein|schwe|ben (*Flugw.*)
ein|schwei|ßen
ein|schwen|ken (einen Richtungswechsel vollziehen)
ein|schwim|men (*Technik*)
ein|schwin|gen
ein|schwö|ren; er ist auf diese Mittel eingeschworen
ein|seg|nen; **Ein|seg|nung**
ein|seh|bar; ein|se|hen; **Ein|se|hen,** das; -s; ein Einsehen haben
ein|sei|fen (*ugs. auch für* anführen, betrügen)
ein|sei|tig; **Ein|sei|tig|keit**
ein|sen|den; **Ein|sen|der; Ein|sen-de|rin;** Ein|sen|de|schluss; **Ein-sen|de|ter|min; Ein|sen|dung**
ein|sen|ken; sich einsenken; **Ein-sen|kung**
Ein|ser *vgl.* Einer
ein|setz|bar; ein|set|zen; **Ein|set-zung**
Ein|sicht, die; -, -en; in etwas Einsicht nehmen; ein|sich|tig; **Ein-sich|tig|keit,** die; -; **Ein|sicht|nah-me,** die; -, -n (*Amtsspr.*); ein-sichts|los; ein|sichts|voll
ein|si|ckern
Ein|sie|de|glas *Plur.* ...gläser (*südd., österr. für* Einmachglas)
Ein|sie|de|lei; ein|sie|deln (Abtei u. Wallfahrtsort in der Schweiz)
ein|sie|den (*bayr., österr. für* einkochen, einmachen)

ein|sied|ler; **Ein|sied|le|rin;** ein|sied-le|risch; **Ein|sied|ler|krebs**
Ein|sil|ber *vgl.* Einsilbler
ein|sil|big; **Ein|sil|big|keit,** die; -
Ein|silb|ler, Ein|sil|ber (einsilbiges Wort)
ein|si|lie|ren (*Landw.* in einem Silo einlagern)
ein|sin|gen; sich einsingen
ein|sin|ken; **Ein|sink|tie|fe**
ein|sit|zen (*Rechtsspr.* im Gefängnis sitzen)
Ein|sit|zer; ein|sit|zig
ein|som|me|rig, ein|söm|me|rig; einsommerige *od.* einsömmerige Forellen
ein|sor|tie|ren; **Ein|sor|tie|rung**
ein|spal|tig (*Druckw.*)
ein|span|nen
Ein|spän|ner (*österr. auch für* Mokka mit Schlagsahne)
ein|spän|nig
ein|spa|ren; **Ein|spar|mög|lich|keit**
Ein|spar|po|ten|zi|al, **Ein|spar|po-ten|ti|al; Ein|spa|rung; Ein|spa-rungs|maß|nah|me** *meist Plur.*
ein|spei|cheln; **Ein|spei|che|lung**
ein|spei|sen (*Technik* zuführen, eingeben)
ein|sper|ren (*ugs. auch für* gefangen setzen)
ein|spie|len; **Ein|spiel|er|geb|nis; Ein|spie|lung**
ein|spin|nen; sich einspinnen
Ein|spon|be|trug (eine Form des Wirtschaftsbetrugs)
Ein|spra|che (*österr., schweiz. für* Einspruch)
Ein|spra|chig; Ein|spra|chig|keit, die; -
ein|spre|chen; er hat auf sie eingesprochen
ein|spren|gen; **Ein|spreng|sel**
ein|sprin|gen
Ein|spritz|dü|se; ein|sprit|zen
Ein|sprit|zer (*ugs. für* Einspritzmotor); **Ein|spritz|mo|tor; Ein|sprit-zung**
Ein|spruch; Einspruch erheben; **Ein|spruchs|frist; Ein|spruchs-recht**
ein|sprü|hen
ein|spu|ren (*schweiz. für* sich in eine Fahrspur einordnen)
ein|spu|rig
Eins|sein
einst (*geh.*); **Einst,** das; - (*geh.*); das Einst und [das] Jetzt ↑K81
ein|stal|len (*Landw.*); Kühe einstallen
ein|stamp|fen; **Ein|stamp|fung**
Ein|stand, der; -[e]s, Einstände; **Ein|stands|preis**

E
Eins

E
eins

ein|stan|zen
ein|stau|ben (*österr. auch für* einstäuben); ein|stäu|ben (pudern)
ein|ste|chen
Ein|steck|bo|gen (*Druckw.*); ein|ste|cken *vgl.* ²stecken; Ein|steck|kamm
ein|ste|hen (bürgen)
Ein|steig|dieb|stahl (*bes. österr.*), Ein|stei|ge|dieb|stahl
ein|stei|gen; Ein|stei|ger (*ugs.*); Ein|stei|ge|rin (*ugs.*)
Ein|stein (dt.-amerik. Physiker); Ein|stei|ni|um, das; -s ⟨*nach* Einstein⟩ (chemisches Element; Zeichen Es)
ein|steinsch; die einsteinsche *od.* Einstein'sche Gleichung ↑K 135 *u.* 89
ein|stell|bar; ein|stel|len; sich einstellen
ein|stel|lig; eine einstellige Zahl
Ein|stell|platz
Ein|stel|lung
Ein|stel|lungs|be|scheid; Ein|stel|lungs|ge|spräch; Ein|stel|lungs|sache; Ein|stel|lungs|stopp; Ein|stel|lungs|test
eins|tens (*veraltet für* einst)
Ein|stich; Ein|stich|stel|le
Ein|stieg, der; -[e]s, -e; Ein|stiegs|dro|ge (Droge, deren ständiger Genuss meist zur Einnahme stärkerer Rauschgifte führt)
ein|stie|len (*Jargon auch für* auf den Weg bringen, durchführen); ein Geschäft einstielen
eins|tig
ein|stim|men; sich einstimmen
ein|stim|mig; Ein|stim|mig|keit, die; -
Ein|stim|mung
ein|stip|pen (*landsch.*); das Brot einstippen (eintauchen)
einst|ma|lig; einst|mals (*geh. veraltend*)
ein|stö|ckig
ein|stöp|seln (*ugs.*); ein Gerät einstöpseln
ein|sto|ßen
ein|strah|len; Ein|strah|lung
ein|strei|chen; er strich das Geld ein (*ugs. für* nahm es an sich)
Ein|streu (*Landw.*); ein|streu|en
ein|strö|men
ein|stu|die|ren; ein|stu|diert; ein einstudiertes Lächeln; Ein|stu|die|rung
ein|stu|fen; ein|stu|fig; Ein|stu|fung
ein|stül|pen; sich einstülpen; Ein|stül|pung
Ein|stun|den|takt; die Züge verkehren im Einstundentakt

ein|stür|men; alles stürmt auf ihn ein
Ein|sturz *Plur.* ...stürze; Ein|sturz|be|ben
ein|stür|zen
Ein|sturz|ge|fahr, die; -; ein|sturz|ge|fähr|det
einst|wei|len; einst|wei|lig (*Amtsspr.*); einstweilige Verfügung
Eins|wer|den, das; -s ⟨*geh.*⟩; Eins|wer|dung, die; -
Eins-zu-eins-Kon|takt (*mit Ziffern* 1:1-Kontakt; unmittelbarer, persönlicher Kontakt); Eins-zu-eins-Um|set|zung (*in Ziffern* 1:1-Umsetzung; Umsetzung ohne Abweichungen von der Vorgabe)
Ein|tags|fie|ber; Ein|tags|flie|ge
ein|tan|zen; Ein|tän|zer (in Tanzlokalen angestellter Tanzpartner); Ein|tän|ze|rin
ein|tas|ten (über eine Tastatur eingeben)
ein|tä|to|wie|ren
ein|tau|chen
Ein|tausch, der; -[e]s; ein|tau|schen
ein|tau|send
ein|ta|xie|ren
ein|tei|gen (mit Teig umhüllen)
ein|tei|len
ein|tei|lig
Ein|tei|lung; Ein|tei|lungs|prin|zip
Ein|tel, das, *schweiz. meist* der; -s, - (*Math.* Ganzes); *vgl.* Achtel
ein|tip|pen; den Betrag eintippen
ein|tö|nig; Ein|tö|nig|keit, die; -
Ein|topf
ein|top|fen; eine Blume eintopfen
Ein|topf|ge|richt
Ein|tracht, die; -; ein|träch|tig; Ein|träch|tig|keit, die; -; ein|träch|tig|lich (*veraltend*)
Ein|trag, der; -[e]s, ...träge; ein|tra|gen *vgl.* eingetragen; ein|träg|lich; Ein|träg|lich|keit, die; -; Ein|tra|gung
ein|trai|nie|ren
ein|trän|ken; jmdm. etwas eintränken (*ugs. für* heimzahlen)
ein|träu|feln; Ein|träu|fe|lung, Ein|träuf|lung
ein|tref|fen
ein|treib|bar; ein|trei|ben; Ein|trei|ber; Ein|trei|be|rin; Ein|trei|bung
ein|tre|ten; in ein Zimmer, eine Verhandlung eintreten; auf etwas eintreten (*schweiz. für* auf etwas eingehen, mit der Beratung von etwas beginnen)
ein|tre|ten|den|falls (*Amtsspr.*)
Ein|tre|tens|de|bat|te (*schweiz. für*

allg. Aussprache über eine Vorlage im Parlament)
ein|trich|tern (*ugs. für* einflößen; einprägen)
Ein|tritt; Ein|tritts|al|ter
Ein|tritts|geld; Ein|tritts|kar|te; Ein|tritts|preis
ein|trock|nen
ein|tröp|feln; Ein|tröp|fe|lung, Ein|tröpf|lung
ein|trü|ben; sich eintrüben; Ein|trü|bung
ein|tru|deln (*ugs. für* langsam eintreffen)
ein|tun|ken (*landsch.*); das Brot eintunken (eintauchen)
ein|tü|rig; ein eintüriger Schrank
ein|tü|ten (in Tüten füllen)
ein|üben; sich einüben; Ein|über (*für* Korrepetitor); Ein|übe|rin; Ein|übung
ein und aus ge|hen *vgl.* ²ein
ein und der|sel|be *vgl.* derselbe
ein|und|ein|halb; ein|und|ein|halb|mal so viel
ein|und|zwan|zig
Ei|nung (*veraltet für* Einigung)
ein|ver|lei|ben; sich einverleiben; er verleibt sich ein, *auch* er einverleibt; einverleibt; einzuverleiben; Ein|ver|lei|bung
Ein|ver|nah|me, die; -, -n (*bes. österr., schweiz. für* Verhör); ein|ver|neh|men ⟨*zu* Einvernahme⟩
Ein|ver|neh|men, das; -s; mit jmdm. in gutem Einvernehmen stehen; sich ins Einvernehmen setzen; ein|ver|nehm|lich
ein|ver|stan|den; ein|ver|ständ|lich; Ein|ver|ständ|nis; Ein|ver|ständ|nis|er|klä|rung
Ein|waa|ge, die; - (in Dosen o. Ä. eingewogene Menge; Gewichtsverlust beim Wiegen)
¹ein|wach|sen; ein eingewachsener Zehennagel
²ein|wach|sen (mit Wachs einreiben)
ein|wäh|len, sich (über eine Telefonleitung Zugang zum Internet herstellen)
Ein|wahl|punkt (*EDV* Ort, an dem eine drahtlose Verbindung zum Internet genutzt werden kann)
Ein|wand, der; -[e]s, ...wände
Ein|wan|de|rer; Ein|wan|de|rin
ein|wan|dern; Ein|wan|de|rung
Ein|wan|de|rungs|be|hör|de; Ein|wan|de|rungs|land
ein|wand|frei
ein|wärts; die Füße einwärts (nach innen gedreht) aufsetzen
ein|wärts|bie|gen; einwärtsgebogene Gitterstäbe

ein|zeln

Kleinschreibung:

– ein einzelner Baum
– jede einzelne Mitarbeiterin
– bitte einzeln eintreten
– ein einzeln stehendes *od.* einzelnstehendes Haus ↑K58

Großschreibung der Substantivierung ↑K72:

– der, die, das Einzelne
– ich als Einzelner

– jeder Einzelne ist verantwortlich
– bis ins Einzelne geregelt
– Einzelne werden sich fragen, ob …
– wir wollen nicht zu sehr ins Einzelne gehen
– Einzelnes blieb ungeklärt
– die Dinge müssen im Einzelnen noch geklärt werden
– vom Einzelnen auf das Ganze schließen

ein|wärts|ge|hen (mit einwärtsgerichteten Füßen gehen)
ein|wärts|rich|ten; einwärtsgerichtete Zugkräfte *(fachspr.)*
ein|we|ben
ein|wech|seln; Ein|wech|se|lung, Ein|wechs|lung
ein|we|cken (einmachen); Ein|weck|glas *Plur.* …gläser
Ein|weg|fla|sche (Flasche zum einmaligen Gebrauch); Ein|weg|glas *Plur.* …gläser; Ein|weg|hahn; Ein|weg|pfand; Ein|weg|schei|be (nur einseitig durchsichtige Glasscheibe)
Ein|weg|sprit|ze; Ein|weg|ver|packung
ein|wei|chen *vgl.* ¹weichen; Ein|wei|chung
ein|wei|hen; Ein|wei|hung
ein|wei|sen; jmdn. in ein Amt einweisen; Ein|wei|ser; Ein|wei|se|rin; Ein|wei|sung
ein|wen|den; ich wandte *od.* wendete ein, habe eingewandt *od.* eingewendet; Ein|wen|dung
ein|wer|ben; Gelder, Spenden einwerben
ein|wer|fen
ein|wer|tig *(Fachspr.);* Ein|wer|tig|keit, die; -
ein|wi|ckeln; Ein|wi|ckel|pa|pier
Ein|wick|lung
ein|wie|gen
ein|wil|li|gen; Ein|wil|li|gung
ein|win|keln; die Arme einwinkeln
ein|win|ken *(Verkehrsw.)*

ein|win|tern; ich wintere Kartoffeln ein
ein|wir|ken; Ein|wir|kung; Ein|wir|kungs|mög|lich|keit
ein|woh|nen *(selten)*
Ein|woh|ner; Ein|woh|ner|amt (Einwohnermeldeamt)
Ein|woh|ner|dienst, meist Plur. *(schweiz. für* Einwohnermeldeamt); Ein|woh|ne|rin
Ein|woh|ner|kon|trol|le *(schweiz. für* Einwohnermeldeamt); Einwoh|ner|mel|de|amt; Ein|woh|ner|schaft
Ein|woh|ner|ver|zeich|nis; Ein|woh|ner|zahl
ein|wüh|len; sich einwühlen
Ein|wurf
ein|wur|zeln; Ein|wur|ze|lung, Ein|wurz|lung
Ein|zahl, die; -, -en *Plur. selten (für* Singular)
ein|zah|len
Ein|zah|ler; Ein|zah|le|rin
Ein|zah|lung
Ein|zah|lungs|be|leg; Ein|zah|lungs|schal|ter; Ein|zah|lungs|schein *(österr., schweiz. für* Zahlkarte)
ein|zäu|nen; Ein|zäu|nung
ein|ze|hig *(Zool.)*
ein|zeich|nen; Ein|zeich|nung
ein|zei|lig *(mit Ziffer* 1-zeilig)
Ein|zel, das; -s, - *(Sportspr.)*
Ein|zel|ab|teil; Ein|zel|ak|ti|on; Ein|zel|aus|ga|be; Ein|zel|be|ob|ach|tung; Ein|zel|bild|schal|tung (Vorrichtung, die das Fortbewegen

eines Films in Einzelschritten ermöglicht)
Ein|zel|ding; Ein|zel|dis|zi|p|lin *(Sport);* Ein|zel|er|schei|nung
Ein|zel|fall; ein|zel|fall|be|zo|gen
Ein|zel|gän|ger; Ein|zel|gän|ge|rin
Ein|zel|grab; Ein|zel|haft
Ein|zel|han|del *vgl.* ¹Handel
Ein|zel|han|dels|ge|schäft
Ein|zel|händ|ler; Ein|zel|händ|le|rin
Ein|zel|heit
Ein|zel|kämp|fer; Ein|zel|kämp|fe|rin
Ein|zel|kind; Ein|zel|leis|tung
Ein|zel|ler *(Biol.* einzelliges Lebewesen); ein|zel|lig
Ein|zel|mit|glied|schaft
ein|zeln *s. Kasten*
Ein|zel|per|son; Ein|zel|rei|se; Ein|zel|rich|ter; Ein|zel|staat
Ein|zel|ste|hen|de, der *u.* die; -n, -n
Ein|zel|stück
Ein|zel|tä|ter; Ein|zel|tä|te|rin
Ein|zel|teil; Ein|zel|ver|kauf
Ein|zel|we|sen
Ein|zel|zel|le; Ein|zel|zim|mer
ein|ze|men|tie|ren
ein|zie|hen
Ein|zieh|schacht *(Bergmannsspr.* Frischluftschacht)
Ein|zie|hung; Ein|zie|hungs|auf|trag *(österr. für* Einzugsermächtigung)
ein|zig *s. Kasten*
ein|zig|ar|tig; ↑K72 : das Einzigartige ist, dass …
Ein|zig|ar|tig|keit

ein|zig

»einzig« darf nicht gesteigert werden:

– er war mein einziger *(nicht* einzigster) Freund

Kleinschreibung:

– wir waren die einzigen Gäste
– sie ist einzig in ihrer Art

– eine einzig dastehende Leistung
– das ist einzig und allein deine Schuld

Großschreibung der Substantivierung ↑K72:

– der, die, das Einzige
– sie als Einzige
– ein Einziger; kein Einziger
– Peter ist unser Einziger

Ein|zig|keit, die; -
Ein|zim|mer|woh|nung
ein|zu|ckern
Ein|zug
¹Ein|zü|ger (mit einem Zug zu
  lösende Schachaufgabe)
²Ein|zü|ger (schweiz. für Kassierer);
  Ein|zü|ge|rin
Ein|zugs|be|reich; Ein|zugs|er|mäch-
  ti|gung; Ein|zugs|ge|biet
ein|zwän|gen; Ein|zwän|gung
Ei|pul|ver (Trockenei)
Éi|re ['e:ri, auch 'ɛ:ərə] (ir. Name
  von Irland)
Ei|re|ne (griech. Göttin des Frie-
  dens, eine der ²Horen)
ei|rund; Ei|rund
eis, Eis, das; -, - (Tonbezeichnung)
Eis, das; -es; [drei] Eis essen; auf
  dem Eis laufen; vgl. aber eislaufen
Ei|sack, der; -s (linker Nebenfluss
  der Etsch)
Eis|bahn
Eis|bär; Eis|bä|rin
Eis|be|cher
Eis|bein (eine Speise)
Eis|berg; Eis|berg|sa|lat
Eis|beu|tel
Eis|blink, der; -[e]s, -e (Meteor.
  Widerschein des Polareises am
  Horizont)
Eis|block Plur. ...blöcke; Eis|blu|me;
  Eis|bom|be; Eis|bre|cher; Eis|ca|fé
  (Lokal; vgl. Eiskaffee)
Ei|scha|le (bes. fachspr.)
Ei|schnee, Ei|er|schnee
Eis|creme, Eis|krem, Eis|kre|me
Eis|cru|sher [...krʌʃɐ], der; -s, -
  ⟨engl.⟩ (Gerät, das Eiswürfel zer-
  kleinert)
Eis|de|cke; Eis|die|le
ei|sen (mit Eis kühlen, mischen);
  du eist; ge|eis|te Früchte
Ei|sen, das; -s, - (nur Sing.: chemi-
  sches Element, Metall; Zeichen
  Fe; vgl. Ferrum; Gegenstand aus
  Eisen); die Eisen schaffende od.
  eisenschaffende, Eisen verarbeitende od. eisenverarbeitende
  Industrie ↑K58
Ei|se|nach (Stadt am Thüringer
  Wald); Ei|se|na|cher
Ei|sen|bahn; Ei|sen|bahn|brü|cke
Ei|sen|bah|ner; Ei|sen|bah|ne|rin
Ei|sen|bahn|fahr|plan; Ei|sen|bahn-
  wa|gen; Ei|sen|bahn|we|sen
Ei|sen|bart[h]; ein Wundarzt); ein
  Doktor Eisenbart[h] (übertr. für
  Arzt, der gern derbe Kuren
  anwendet)
Ei|sen|bau Plur. ...bauten
ei|sen|be|schla|gen

Ei|sen|be|ton; Ei|sen|blech; Ei|sen-
  block Plur. ...blöcke
Ei|sen|blü|te (ein Mineral)
Ei|sen|fres|ser (ugs. für Person, die
  Krafttraining betreibt)
Ei|sen|guss
ei|sen|hal|tig; ei|sen|hart
Ei|sen|how|er [...haᵁɐ] (Präsident
  der USA)
Ei|sen|hut, der (eine Heil- u. Zier-
  pflanze)
Ei|sen|hüt|te; Ei|sen|hüt|ten|we|sen,
  das; -s
Ei|sen|in|dus|t|rie
Ei|sen|lup|pe (Technik); Ei|sen|rahm
  (ein Mineral)
Ei|sen schaf|fend, ei|sen|schaf|fend
  ↑K58 (veraltet)
ei|sen|schüs|sig (eisenhaltig)
Ei|sen|stadt (Hauptstadt des Bur-
  genlandes)
Ei|sen|stan|ge
Ei|sen ver|ar|bei|tend, ei|sen|ver-
  ar|bei|tend ↑K58
Ei|sen|wa|ren; Ei|sen|wa|ren|hand-
  lung
Ei|sen|zeit, die; - (frühgeschichtl.
  Kulturzeit)

ei|sern

Kleinschreibung ↑K89:

– mit eisernem Besen auskehren
  (ugs.)
– eiserne Hochzeit (65. Jahrestag
  der Hochzeit)
– die eiserne Ration
– der eiserne Vorhang (feuersiche-
  rer Abschluss der Theater-
  bühne), aber der Eiserne Vorhang (zwischen Ost und West in
  der Zeit des Kalten Krieges)

Großschreibung ↑K89 u. 140:

– das Eiserne Kreuz (ein Orden)
– die Eiserne Krone (die lombardi-
  sche Königskrone)
– das Eiserne Tor (Durchbruchs-
  tal der Donau)

Ei|ses|käl|te
Eis|fach; Eis|flä|che
eis|frei; dieser Hafen ist eisfrei
Eis|gang
eis|ge|kühlt
eis|glatt; Eis|glät|te
eis|grau
Eis|hei|li|gen Plur. (Maifröste)
Eis|ho|ckey; Eis|ho|ckey|län|der-
  spiel, Eis|ho|ckey-Län|der|spiel
ei|sig; es waren eisig kalte Tage;
  die Tage waren eisig kalt

Eis|jacht, Eis|yacht (Schlitten zum
  Eissegeln)
eis|kalt
Eis|kas|ten (bes. südd., österr.
  neben Kühlschrank)
Eis|krem, Eis|kre|me vgl.
  Eiscreme
Eis|kris|tall meist Plur.; Eis|kü|bel
Eis|kunst|lauf, der; -[e]s; Eis|kunst-
  läu|fer; Eis|kunst|läu|fe|rin
Eis|lauf, der; -[e]s
eis|lau|fen; ich laufe eis, bin eisge-
  laufen; Eis|lauf|platz (bes.
  österr.); Eis|lauf|schuh (bes.
  österr.)
Eis|le|ben (Stadt im östl. Harzvor-
  land); Eis|le|ber
Eis|män|ner Plur. (bayr., österr. für
  Eisheilige)
Eis|meer; das Nördliche, Südliche
  Eismeer ↑K40
Eis|mo|nat, Eis|mond (alte Bez. für
  Januar)
Eis|pi|ckel
Ei|sprung (Med. Follikelsprung)
Eis|re|vue
EiB, der; -es, -e, Ei|Be, die; -, -n
  (südd. u. schweiz. mdal. für
  Blutgeschwür; Eiterbeule)
Eis|sa|lon (bes. österr. für Eisdiele,
  Eiscafé)
Eis|schie|Ben, das; -s (svw. Eis-
  stockschießen)
Eis|schnell|lauf, Eis|schnell-Lauf,
  der; -[e]s
Eis|schnell|läu|fer, Eis|schnell-Läu-
  fer; Eis|schnell|läu|fe|rin, Eis-
  schnell-Läu|fe|rin
Eis|schol|le; Eis|schrank;
  Eis|se|geln
Eis|spross, Eis|spros|se (Jägerspr.)
Eis|sta|di|on; Eis|stau
Eis|stock Plur. ...stöcke (ein Sport-
  gerät); Eisstock schießen, wir
  schießen Eisstock; Eis|stock-
  schie|Ben, das; -s
Eis|stoß (landsch. u. österr. für
  Eisstau)
Eis|tanz; Eis|tee; Eis|vo|gel; Eis|waf-
  fel; Eis|wein; Eis|wür|fel
Eis|yacht vgl. Eisjacht
Eis|zap|fen
eis|zeit; eis|zeit|lich
¹ei|tel; ein eitler Mensch
²ei|tel (veraltend für nur, nichts
  als); eitel Sonnenschein
Ei|tel|keit
Ei|ter, der; -s
Ei|ter|beu|le; Ei|ter|er|re|ger; Ei|ter-
  herd
ei|te|rig, eit|rig; ei|tern

Ei|ter|pi|ckel; Ei|te|rung

eit|rig *vgl.* eiterig

Ei|vis|sa (katalanischer Name von Ibiza)

Ei|weiß, das; -es, -e; 2 Eiweiß

Ei|weiß|be|darf; Ei|weiß|ge|halt, der; **Ei|weiß|man|gel**

ei|weiß|reich; Ei|weiß|stoff

Ei|zel|le

Eja|ku|lat, das; -[e]s, -e ⟨lat.⟩ (*Med.* ausgespritzte Samenflüssigkeit); **Eja|ku|la|ti|on,** die; -, -en (Samenerguss)

eja|ku|lie|ren

Ejek|ti|on, die; -, -en (*Geol.* Ausschleudern von Magma)

Ejek|tor, der; -s, ...oren (Auswerfer bei Jagdgewehren; absaugende Strahlpumpe)

eji|zie|ren (*Geol.* ausschleudern)

Ekart [e'ka:ɐ̯], der; -s, -s ⟨franz.⟩ (*Börsenw.* Abstand zwischen Basis- u. Prämienkurs)

¹Ekar|té, das; -s, -s (*Ballett* Stellung schräg zum Zuschauer)

²Ekar|té, das; -s, -s ⟨franz.⟩ (ein Kartenspiel)

EKD, die; - = Evangelische Kirche in Deutschland

ekel (*geh.*); ein ek|ler Geruch

¹Ekel, der; -s; Ekel erregen; eine ~Ekel erregende od. **ekelerregende** Brühe ↑K 59~

²Ekel, das; -s, - (*ugs. für* widerlicher Mensch)

~Ekel er|re|gend, **ekel|er|re|gend;** eine Ekel erregende od. **ekelerregende** Brühe, *aber nur eine* großen Ekel erregende Brühe, eine äußerst ekelerregende Brühe, aber noch ekelerregendere Brühe ↑K 58~

ekel|haft; eke|lig, ek|lig; ekeln; es ekelt mich od. mir; sich ekeln; ich ek[e]le mich

Ekel|na|me (Spitz-, Übername)

Ekel|pa|ket (*ugs.*)

EKG, das; -s, -s = Elektrokardiogramm

Ek|ke|hard (*scheffelsche Schreibung von* Eckehard)

Ek|kle|sia, die; - ⟨griech.-lat.⟩ (*Theol.* christl. Kirche); **Ek|kle|si|as|ti|kus,** der; - (*in der Vulgata* Titel des Buches Jesus Sirach)

Ek|kle|sio|lo|gie, die; - (Lehre von der Kirche)

Ek|lat [e'kla(:)], der; -s, -s ⟨franz.⟩ (Aufsehen erregendes Ereignis, Skandal)

ek|la|tant (aufsehenerregend; offenkundig)

Ek|lek|ti|ker ⟨griech., »Auswähler«⟩ (Vertreter des Eklektizismus); **Ek|lek|ti|ke|rin; ek|lek|tisch**

Ek|lek|ti|zis|mus, der; - (unselbstständige, mechan. Vereinigung zusammengetragener Gedanken-, Stilelemente usw.)

ek|lek|ti|zis|tisch

ek|lig, eke|lig

Ek|lip|se, die; -, -n ⟨griech.⟩ (Sonnen- od. Mondfinsternis)

Ek|lip|tik, die; -, -en (scheinbare Sonnenbahn; Erdbahn); **ek|lip|tisch**

Ek|lo|ge, die; -, -n ⟨griech.⟩ (altröm. Hirtenlied)

Eko|no|mi|ser [i'kɔnəmai...] *vgl.* Economiser

Ekos|sai|se [...'sɛ:...], die; -, -n ⟨franz.⟩ (ein Tanz)

Ek|ra|sit, das; -s ⟨franz.⟩ (ein Sprengstoff)

Ek|rü|sei|de ⟨franz.⟩ (Rohseide)

Ek|s|ta|se, die; -, -n ⟨griech.⟩ ([religiöse] Verzückung; höchste Begeisterung)

Ek|s|ta|ti|ker; Ek|s|ta|ti|ke|rin ek|s|ta|tisch

Ek|ta|se, Ek|ta|sis, die; -, Ektasen ⟨griech.⟩ (*antike Verslehre* Dehnung eines Selbstlautes)

Ek|ta|sie, die; -, ...ien (*Med.* Erweiterung)

Ek|ta|sis *vgl.* Ektase

ek|to... ⟨griech.⟩ (außen...); **Ek|to...** (Außen...)

Ek|to|derm, das; -s, -e ⟨griech.⟩ (*Zool.* äußeres Keimblatt des Embryos); **Ek|to|derm|zel|le**

Ek|to|mie, die; -, ...ien ⟨griech.⟩ (*Med.* operative Entfernung)

Ek|to|pa|ra|sit, der; ⟨griech.⟩ (*Med.* Schmarotzer der äußeren Haut)

Eku|a|dor usw. *vgl.* Ecuador usw.

Ek|zem, das; -s, -e ⟨griech.⟩ (*Med.* eine Entzündung der Haut)

EL = Esslöffel

Ela|bo|rat, das; -[e]s, -e ⟨lat.⟩ (schriftl. Arbeit, Ausarbeitung; *meist abwertend für* Machwerk)

ela|bo|riert (differenziert ausgebildet)

Elan, der; -s ⟨franz.⟩ (Schwung; Begeisterung)

Elast, der; -[e]s, -e *meist Plur.* ⟨griech.⟩ (elastischer Kunststoff)

Elas|tan, Elas|than, das; -s (bes. für Textilien verwendete dehnbare Chemiefaser)

Elas|tik, das; -s, -s *od.* die; -, -en (ein elastisches Gewebe)

Elas|tik|akt

elas|tisch (biegsam, dehnbar, aber wieder in die Ausgangsform zurückstrebend; *übertr. für* flexibel)

Elas|ti|zi|tät, die; - (Federkraft; Spannkraft)

Elas|ti|zi|täts|gren|ze; Elas|ti|zi|täts|mo|dul (*Physik, Technik* Messgröße der Elastizität); **Elas|ti|zi|täts|ver|lust**

Elas|to|mer, das; -s, -e, **Elas|to|me|re,** das; -n, -n *meist Plur.* ([synthetischer] Kautschuk u. Ä.)

Ela|tiv, der; -s, -e ⟨lat.⟩ (*Sprachw.* absoluter Superlativ [ohne Vergleich], z. B. »beste [= sehr gute] Lage«)

El|ba (ital. Mittelmeerinsel)

elb|ab|wärts; elb|auf|wärts

El|be, die; - (ein Strom); **El|be-Lü|beck-Ka|nal,** der; -s ↑K 146; **El|be|sei|ten|ka|nal,** der; -s ↑K 143

Elb-Flo|renz (*Bez. für* Dresden)

Elb|kahn; Elb|mün|dung

El|b|rus, der; - (höchste Erhebung des Kaukasus)

Elb|sand|stein|ge|bir|ge, das; -s ↑K 143

Elb|strand; Elb|strom

El|burs, der; - (iran. Gebirge)

Elch, der; -[e]s, -e (Hirschart)

Elch|bul|le; El|chin; Elch|jagd; Elch|kuh

Elch|test (Test, mit dem die Sicherheit eines Autos bei Ausweichmanövern erprobt wird)

El|do|ra|do, Do|ra|do, das; -s, -s ⟨span.⟩ (sagenhaftes Goldland in Südamerika; *übertr. für* Paradies)

E-Lear|ning ['iːlə:nɪŋ], das; -[s] ⟨engl.⟩ (computergestütztes Lernen)

Ele|a|te, der; -n, -n *meist Plur.* (Vertreter einer altgriech. Philosophenschule)

ele|a|tisch; eleatische Schule

Elec|t|ro|nic Ban|king [ɪlek'trɔnɪk 'bɛŋkɪŋ], das; - - [s] ⟨engl.⟩ (elektronisch abgewickelter Zahlungs- u. Bankverkehr)

Elec|t|ro|nic Busi|ness [ɪlek'trɔnɪk -], das; - - ⟨engl.⟩, »elektronisches Geschäft« (Abwicklung von Geschäftsprozessen über elektronische Medien)

Elec|t|ro|nic Com|merce [ɪlek'trɔnɪk 'kɔmøːɐ̯s], der; - - ⟨engl.⟩ (Vertrieb von Waren od. Dienstleistungen über das Internet)

Ele|fant, der; -en, -en ⟨griech.⟩; der Afrikanische, der Indische Elefant *(Zool.);* **Ele|fan|ten|bul|le,** der

Ele|fan|ten|fuß (runder Trittschemel); Ele|fan|ten|haut (wasserfester Schutzanstrich)

Ele|fan|ten|hoch|zeit (Zusammenschluss von mächtigen Unternehmen, Verbänden o. Ä.)

Ele|fan|ten|kuh

Ele|fan|ten|ren|nen (ugs. für langwieriger Überholvorgang zwischen Lastwagen); Ele|fan|tenrun|de (ugs. für Fernsehdiskussionsrunde der Parteivorsitzenden nach einer Wahl)

Ele|fan|ti|a|sis, die; -, ...iasen (Med. unförmige Hautverdickung)

Ele|fan|tin

ele|fan|tös

ele|gant ⟨franz.⟩; Ele|gant [...'gã:], der; -s, -s (veraltet für sich übertrieben modisch kleidender Mann); Ele|ganz, die; -

Ele|gie, die; -, ...ien ⟨griech.⟩ (eine Gedichtform; Klagelied); Ele|gien|dich|ter; Ele|gi|ker (Elegiendichter)

ele|gisch (wehmütig)

Eleg|jam|bus (ein altgriech. Versmaß)

Elei|son [auch e'lɛːi...], das; -s, -s ⟨griech., »Erbarme dich!«⟩ (Bittformel im gottesdienstl. Gesang); vgl. Kyrie eleison

elek|tiv ⟨lat.⟩ (auswählend); vgl. selektiv

Elek|to|rat, das; -[e]s, -e (geh. für Wählerschaft; früher für Kurfürstentum, Kurwürde)

Elek|tra (griech. Sagengestalt)

Elek|t|ri|fi|ka|ti|on, die; -, -en ⟨griech.⟩ (schweiz. neben Elektrifizierung)

elek|t|ri|fi|zie|ren (auf elektrischen Betrieb umstellen); Elek|t|ri|fizie|rung

Elek|t|rik, die; - (Gesamtheit einer elektr. Anlage; ugs. für Elektrizitätslehre); Elek|t|ri|ker; Elek|t|rike|rin

elek|t|risch; elektrische Eisenbahn; elektrische Lokomotive (Abk. E-Lok); elektrischer Strom; elektrischer Stuhl; elektrisches Feld

Elek|t|ri|sche, die; -n, -n (ugs. veraltet für elektr. Straßenbahn); vier Elektrische[n]

elek|t|ri|sie|ren; Elek|t|ri|sier|maschi|ne

Elek|t|ri|zi|tät, die; -; Elek|t|ri|zi|tätswerk (Abk. E-Werk)

Elek|t|ro|akus|tik [...k] (Umwandlung von Schall in elektr. Spannung u. umgekehrt); elek|t|ro|akus|tisch[1]

Elek|t|ro|au|to

Elek|t|ro|che|mie[1]; elek|t|ro|chemisch[1]; elektrochemische Spannungsreihe

Elek|t|ro|de, die; -, -n (den Stromübergang vermittelnder Leiter)

Elek|t|ro|dy|na|mik[1]; elek|t|ro|dy|namisch[1]

Elek|t|ro|en|ze|pha|lo|graf, Elek|tro|en|ze|pha|lo|graph (Med. Gerät zur Aufzeichnung von Hirnströmen)

Elek|t|ro|en|ze|pha|lo|gramm (Med. Aufzeichnung der Hirnströme; Abk. EEG)

Elek|t|ro|ge|rät

Elek|t|ro|gra|fie, Elek|t|ro|gra|phie, die; - (Elektrot., EDV galvanische Hochätzung)

Elek|t|ro|herd

Elek|t|ro|in|dus|t|rie

Elek|t|ro|in|ge|ni|eur; Elek|t|ro|in|geni|eu|rin

Elek|t|ro|in|stal|la|teur; Elek|t|ro|instal|la|teu|rin

Elek|t|ro|kar|dio|gramm (Med. Aufzeichnung der Aktionsströme des Herzens; Abk. EKG, Ekg)

Elek|t|ro|kar|re[n]

Elek|t|ro|ly|se, die; -, -n (elektrische Zersetzung chemischer Verbindungen)

Elek|t|ro|lyt, der; Gen. -en, selten -e, Plur. -e, selten -en (Physik, Chemie den elektrischen Strom leitende u. sich durch ihn zersetzende Lösung)

elek|t|ro|ly|tisch; elektrolytische Dissoziation

Elek|t|ro|mag|net[1]; elek|t|ro|magne|tisch[1]; elektromagnetisches Feld ↑K89

Elek|t|ro|me|cha|ni|ker; Elek|t|ro|mecha|ni|ke|rin

Elek|t|ro|meis|ter; Elek|t|ro|meis|terin

Elek|t|ro|me|ter, das; -s, -

Elek|t|ro|mon|teur; Elek|t|ro|monteu|rin

Elek|t|ro|mo|tor

[1]Elek|t|ron [auch e'lɛ..., ...'troːn], das; -s, ...onen (Kernphysik negativ geladenes Elementarteilchen)

[2]Elek|t|ron®, das; -s (eine Magnesiumlegierung)

Elek|t|ro|nen|blitz; Elek|t|ro|nen[ge]|hirn; Elek|t|ro|nen|mi|k|ro|skop; Elek|t|ro|nen|or|gel

Elek|t|ro|nen|rech|ner; Elek|t|ro|nenröh|re; Elek|t|ro|nen|schleu|der (Betatron)

Elek|t|ro|nen|stoß (Stoß eines Elek

trons auf Atome); Elek|t|ro|nenthe|o|rie (Lehre vom Elektron); Elek|t|ro|nen|volt vgl. Elektronvolt

Elek|t|ro|nik, die; - (Zweig der Elektrotechnik; Gesamtheit der elektron. Bauteile einer Anlage); Elek|t|ro|ni|ker (Berufsbez.); Elekt|ro|ni|ke|rin

elek|t|ro|nisch; elektronische Musik; elektronische Datenverarbeitung ↑K89 (Abk. EDV)

Elek|t|ron|volt, Elek|t|ro|nen|volt (Energieeinheit der Kernphysik; Zeichen eV)

Elek|t|ro|ofen

Elek|t|ro|pho|re|se, die; - (Transport elektr. geladener Teilchen durch elektr. Strom)

Elek|t|ro|phy|sik[1]

Elek|t|ro|ra|sie|rer

Elek|t|ro|schock, der

Elek|t|ro|smog (elektromagnetische Strahlung, die von elektrischen Leitungen, Geräten, Sendern o. Ä. ausgeht)

Elek|t|ro|sta|tik[1]; elek|t|ro|sta|tisch[1]

Elek|t|ro|tech|nik[1]

Elek|t|ro|tech|ni|ker; Elek|t|ro|techni|ke|rin[1]

elek|t|ro|tech|nisch[1]

Elek|t|ro|the|ra|pie

Elek|t|ro|to|mie, die; -, ...ien (Med. Operation mit einer elektr. Schneidschlinge)

Ele|ment, das; -[e]s, -e ⟨lat.⟩ (Urstoff; Grundbestandteil; chem. Grundstoff; Naturgewalt; ein elektr. Gerät; meist Plur.: abwertend für zwielichtige Person; vgl. Elemente); er ist, fühlt sich in seinem Element

ele|men|tar; elementare Begriffe; elementare Gewalt

Ele|men|tar|ge|walt (Naturgewalt)

Ele|men|tar|schu|le (Anfänger-, Grundschule)

Ele|men|tar|teil|chen

Ele|men|te Plur. (Grundbegriffe [einer Wissenschaft])

Ele|mi, das; -s ⟨arab.⟩ (trop. Harz); Ele|mi|öl, das; -[e]s

Elen, das, seltener der; -s, - ⟨lit.⟩ (Elch); Elen|an|ti|lo|pe

elend; ihm war elend [zumute]

Elend, das; -[e]s

elen|dig (landsch.); elen|dig|lich (geh.)

Elends|ge|stalt; Elends|quar|tier; Elends|vier|tel

Elen|tier (Elen, Elch)

_____
[1] [auch e'lɛk...]

Ele|o|no|re (w. Vorn.)

Ele|phan|ti|a|sis *vgl.* Elefantiasis

Eleu|si|ni|en *Plur.* ⟨*nach* Eleusis⟩ (Fest mit Prozession zu Ehren der griech. Ackerbaugöttin Demeter); **eleu|si|nisch;** *aber* ↑K150 : die Eleusinischen Mysterien (Geheimkult im alten Athen); **Eleu|sis** (altgriechischer Ort)

Ele|va|ti|on, die; -, -en ⟨lat.⟩ (Erhebung; Emporheben der Hostie u. des Kelches beim kath. Messopfer; *Astron.* Höhe eines Gestirns über dem Horizont)

Ele|va|tor, der; -s, ...oren (*Technik* Förder-, Hebewerk)

Ele|ve, der; -n, -n ⟨franz.⟩ (Schauspiel-, Ballettschüler; Land- u. Forstwirt während der prakt. Ausbildung); **Ele|vin**

elf; wir sind zu elfen *od.* zu elft; *vgl.* acht

¹Elf, der; -en, -en (m. Naturgeist)

²Elf, die; -, -en (Zahl; [Fußball]mannschaft); *vgl.* ¹Acht

Elf|fe, die; -, -n (w. Naturgeist)

Elf|eck; elf|eckig

elf|ein|halb *vgl.* achteinhalb

Elf|fen|bein, das; -[e]s, -e *Plur. selten;* **el|fen|bei|nern** (aus Elfenbein); **el|fen|bein|far|ben**

Elf|fen|bein|küs|te, die; - (Staat in Westafrika; *vgl.* Côte d'Ivoire)

Elf|fen|bein|schnitz|er; Elf|fen|bein|schnit|ze|rin

Elf|fen|bein|turm

el|fen|haft; Elf|fen|rei|gen

Elf|fer (*ugs. für* Elfmeter); *vgl.* Achter

elf|fer|lei

Elf|fer|rat (beim Karneval); Elf|fer|wet|te (beim Fußballtoto)

elf|fach

Elf|fi (w. Vorn.)

el|fisch ⟨*zu* ¹Elf⟩

elf|mal *vgl.* achtmal; elf|ma|lig

Elf|me|ter, der; -s, - (Strafstoß beim Fußball); **Elf|me|ter|mar|ke; Elf|me|ter|punkt**

elf|me|ter|reif; elfmeterreife Situationen

Elf|me|ter|schie|ßen; Elf|me|ter|schuss; Elf|me|ter|schüt|ze; Elf|me|ter|schüt|zin; Elf|me|ter|tor

Elf|frie|de (w. Vorn.)

elft *vgl.* elf

elf|tau|send

elf|te; der Elfte im Elften (karnevalist. Bezeichnung für den 11. November); *vgl.* achte

elf|tel *vgl.* achtel; Elf|tel, das;

---

schweiz. meist der; -s, -; *vgl.* Achtel

elf|tens

elf|und|ein|halb (*svw.* elfeinhalb)

Eli|as, *ökum.* Eli|ja (Prophet im A. T.)

eli|die|ren ⟨lat.⟩ (*Sprachw.* eine Elision vornehmen); **Eli|die|rung**

Eli|gi|us (ein Heiliger)

Eli|ja *vgl.* Elias

Eli|mi|na|ti|on, die; -, -en ⟨lat.⟩ (Beseitigung, Ausscheidung); **eli|mi|nie|ren; Eli|mi|nie|rung**

Eli|ot [ˈɛljət] (amerik.-engl. Schriftsteller)

Eli|sa (w. Vorn.)

¹Eli|sa|beth (w. Vorn.)

²Eli|sa|beth, *ökum.* Eli|sa|bet (bibl. w. Eigenn.)

eli|sa|be|tha|nisch; *aber* ↑K89 : das Elisabethanische Zeitalter

Eli|se (w. Vorn.)

Eli|si|on, die; -, -en ⟨lat.⟩ (*Sprachw.* Auslassung eines unbetonten Vokals, z. B. des »e« in »Wand[e]rung«)

eli|tär (einer Elite angehörend, auserlesen)

Eli|te, die; -, -n ⟨franz.⟩ (Auslese der Besten); **Eli|te|trup|pe** (*Milit.*)

Eli|xier, das; -s, -e ⟨griech.⟩ (Heil-, Zaubertrank)

El Kai|da [*auch* -ˈkaːida] ⟨arab.⟩ (eine Terrororganisation)

El|ke (w. Vorn.)

El|la (w. Vorn.)

Ell|bo|gen, El|len|bo|gen, der; -s, ...bogen

Ell|bo|gen|frei|heit, El|len|bo|gen|frei|heit, die; -

El|le, die; -, -n (ein Unterarmknochen; alte Längeneinheit); drei Ellen Tuch

El|len (w. Vorn.)

El|len|bo|gen *vgl.* Ellbogen

El|len|bo|gen|frei|heit *vgl.* Ellbogenfreiheit; **El|len|bo|gen|ge|sell|schaft** (*abwertend*)

el|len|lang (*ugs. für* übermäßig lang)

El|ler, die; -, -n (*nordd. für* Erle)

El|li (w. Vorn.)

El|lip|se, die; -, -n ⟨griech.⟩ (*Sprachw.* Ersparung von Redeteilen, z. B. »[ich] danke schön«; Auslassungssatz; *Math.* Kegelschnitt); **el|lip|sen|för|mig**

El|lip|so|id, das; -[e]s, -e (*Geom.* durch Drehung einer Ellipse entstandener Körper)

el|lip|tisch (ellipsenförmig; *Sprachw.* unvollständig); elliptische Sätze

---

El|lip|ti|zi|tät, die; - (*Astron.* Abplattung)

Ell|lok, die; -, -s; *vgl.* E-Lok

Ell|wan|gen (Jagst) (Stadt an der Jagst); **Ell|wan|ger**

Elly [...li] (w. Vorn.)

Elm, der; -s (Höhenzug südöstl. von Braunschweig)

El|mar, El|mo (m. Vorn.)

Elms|feu|er (elektr. Lichterscheinung); *vgl.* Sankt

El Ni|ño [- ˈninjɔ], der; - -[s] ⟨span.⟩ (Klimaunregelmäßigkeit im tropischen Pazifik mit weltweiter Auswirkung)

Elo|ge [...ʒə], die; -, -n ⟨franz.⟩ (Lob, Schmeichelei)

Elo|him ⟨hebr.⟩ (*im A. T.* Gottesbezeichnung)

E-Lok, die; -, -s; ↑K28 (= elektrische Lokomotive)

Elon|ga|ti|on, die; -, -en ⟨lat.⟩ (*Physik* Ausschlag des Pendels; *Astron.* Winkel zwischen Sonne u. Planeten)

elo|quent ⟨lat.⟩ (beredt); **Elo|quenz,** die; -

Elo|xal ®, das; -s (Schutzschicht auf Aluminium); **elo|xie|ren**

El|rit|ze, die; -, -n (ein Karpfenfisch)

Els, El|sa (w. Vorn.)

El Sal|va|dor (mittelamerik. Staat); *vgl.* Salvadorianer *u.* salvadorianisch

El|sass, das; *Gen.* - *u.* Elsasses

El|säs|ser; El|säs|se|rin; el|säs|sisch

El|sass-Loth|rin|gen

el|sass-loth|rin|gisch

Els|beth, El|se (w. Vorn.)

El|se|vir *vgl.* Elzevir

El|si (w. Vorn.)

Els|tar, der; -, - (eine Apfelsorte)

¹Els|ter, die; - (Flussname) die Schwarze Elster, die Weiße Elster ↑K140

²Els|ter, die; -, -n (ein Vogel); **Els|tern|nest**

El|ter, das *u.* die; -s, -n (*fachspr. für* ein Elternteil); **el|ter|lich;** elterliche Gewalt

El|tern *Plur.;* El|tern|abend; El|tern|ak|tiv (*in der DDR* Elternvertretung einer Schulklasse)

El|tern|beirat

El|tern|geld (*svw.* Erziehungsgeld)

El|tern|haus; El|tern|lie|be

el|tern|los

El|tern|recht; El|tern|schaft

El|tern|se|mi|nar; El|tern|sprech|tag; El|tern|teil, der; El|tern|zeit

Elt|vil|le am Rhein [...ˈvɪ..., *auch* ˈɛ...] (Stadt im Rheingau)

El|vi|ra (w. Vorn.)

ely|sä|isch vgl. elysisch

É|ly|sée [eli'ze:], das; -s ⟨franz.⟩ (Palast in Paris; Amtssitz des franz. Staatspräsidenten)

ely|sisch, ely|sä|isch ⟨griech.⟩ (wonnevoll, paradiesisch); elysische Gefilde

Ely|si|um, das; -s ⟨griech.⟩ (Aufenthaltsort der Seligen in der griech. Sage)

Ely|t|ron, das; -s, ...ytren meist Plur. ⟨griech.⟩ (Zool. Deckflügel [der Insekten])

El|ze|vir [...zə...], die; - ⟨nach der niederl. Buchdruckerfamilie Elsevi(e)r⟩ (Druckw. eine Antiquadruckschrift); El|ze|vi|ri|a|na Plur. (Elzevirdrucke)

EM, die; -, -[s] = Europameisterschaft

em. = emeritiert, emeritus

Email [e'maj, österr. e'maj], das; -s, -s, Email|le [e'maljə, auch e'maj], die; -, -n ⟨franz.⟩ (Schmelzüberzug)

E-Mail ['i:me:l], die; -, -s, auch (bes. südd., österr., schweiz.) das; -s, -s ⟨engl.⟩ (elektronische Post)

E-Mail-Ad|res|se ['i:me:l...]

emai|len, e-mai|len; geemailt

Email|far|be; Email|le vgl. Email

Email|leur [ema(l)'jø:ɐ̯], der; -s, -e (Schmelzarbeiter)

email|lie|ren [ema(l)'ji:..., österr. emaj'li:...]; Email|lier|ofen

Email|ma|le|rei

E-Mail-Pro|gramm ['i:me:l...]; E-Mail-Wurm (EDV Computervirus, der sich über Netzwerke selbsttätig verbreitet)

Ema|na|ti|on, die; -, -en ⟨lat., »Ausfluss«⟩ (das Ausströmen; Ausstrahlung); ema|nie|ren

Ema|nu|el, Im|ma|nu|el [...e:l, auch ...ɛl] (m. Vorn.); Ema|nu|e|la (w. Vorn.)

Eman|ze, die; -, -n ⟨lat.⟩ (ugs. abwertend für emanzipierte, sich für die Emanzipation einsetzende Frau)

Eman|zi|pa|ti|on, die; -, -en (Befreiung von Abhängigkeit; Gleichstellung); Eman|zi|pa|ti|ons|bewe|gung; Eman|zi|pa|ti|ons|streben

eman|zi|pa|to|risch

eman|zi|pie|ren; sich emanzipieren; eman|zi|piert (unabhängig; frei von überkommenen Vorstellungen); Eman|zi|pie|rung, die; -

Em|bal|la|ge [ã...ʒə], die; -, -n

⟨franz.⟩ (Verpackung [einer Ware]); em|bal|lie|ren

Em|bar|go, das; -s, -s ⟨span.⟩ (Zurückhalten od. Beschlagnahme [von Schiffen] im Hafen; Ausfuhrverbot)

Em|b|lem [auch ã...], das; -s, -e ⟨franz.⟩ (Kennzeichen, Hoheitszeichen; Sinnbild); Em|b|le|ma|tik, die; - (sinnbildliche Darstellung; Emblemforschung); em|b|le|ma|tisch (sinnbildlich)

Em|bo|lie, die; -, ...ien ⟨griech.⟩ (Med. Verstopfung eines Blutgefäßes); Em|bo|lus, der; -, ...li (Med. Pfropf, Fremdkörper in der Blutbahn)

Em|bon|point [ãbõ'poɛ̃:], das od. der; -s ⟨franz.⟩ (veraltet für Wohlbeleibtheit; dicker Bauch)

Em|b|ryo, der, österr. auch das; -s, Plur. -s u. ...onen ⟨griech.⟩ (noch nicht geborenes Lebewesen); Em|b|ryo|lo|gie, die; - (Lehre von der Entwicklung des Embryos)

em|b|ryo|nal, em|b|ry|o|nisch (im Anfangsstadium der Entwicklung)

Em|b|ry|o|nen|for|schung; Em|b|ry|o|nen|schutz|ge|setz

em|b|ry|o|nisch vgl. embryonal

Em|b|ryo|trans|fer (Biol. Übertragung u. Einpflanzung von Eizellen, die außerhalb des Körpers befruchtet wurden)

Emd, das; -[e]s ⟨schweiz. für Grummet⟩; vgl. Öhmd; em|den (schweiz. für Grummet machen)

Em|den (Hafenstadt an der Emsmündung); Em|der, Em|de|ner

Em|det, der; -s ⟨schweiz. für zweiter Grasschnitt⟩

Emen|da|ti|on, die; -, -en ⟨lat.⟩ (Literaturw. Verbesserung, Berichtigung [von Texten]); emen|die|ren

Eme|ren|tia, Eme|renz (w. Vorn.)

Eme|rit, der; -en, -en ⟨lat.⟩ (kath. Kirche im Alter dienstunfähig gewordener Geistlicher)

eme|ri|tie|ren (in den Ruhestand versetzen); eme|ri|tiert (Abk. em.); emeritierte Professorin; Eme|ri|tie|rung

eme|ri|tus vgl. emeritiert

Eme|ri|tus, der; -, ...ti (emeritierter Hochschulprofessor)

Eme|ti|kum, das; -s, ...ka ⟨griech.⟩ (Pharm. Brechmittel); eme|tisch (Brechen erregend)

Emi|g|rant, der; -en, -en ⟨lat.⟩ (Auswanderer [bes. aus politischen

od. religiösen Gründen]); Emi|g|ran|ten|schick|sal; Emi|g|ran|tin

Emi|g|ra|ti|on, die; -, -en; emi|g|rie|ren

Emil (m. Vorn.); Emi|lia, Emi|lie (w. Vorn.)

emi|nent ⟨lat.⟩ (hervorragend; außerordentlich)

Emi|nenz, die; -, -en (früherer Titel der Kardinäle); vgl. euer u. ¹sein; vgl. grau

Emir [auch e'mi:ɐ̯], der; -s, -e ⟨arab.⟩ (arab. [Fürsten]titel)

Emi|rat, das; -[e]s, -e (arab. Fürstentum)

Emis|sär, der; -s, -e ⟨franz.⟩ (Abgesandter mit Geheimauftrag); Emis|sä|rin

Emis|si|on, die; -, -en ⟨lat.⟩ (Physik Ausstrahlung; Technik Ablassen von Gasen, Ruß u. Ä. in die Luft; Wirtsch. Ausgabe [von Wertpapieren]; Med. Entleerung); emis|si|ons|arm (wenig Schadstoffe in die Luft abgebend)

Emis|si|ons|han|del (Handel mit CO_2-Emissionsrechten)

Emis|si|ons|stopp

Emit|tent, der; -en, -en (Bankw. Ausgeber von Wertpapieren); Emit|ten|tin

Emit|ter, der; -s, - ⟨engl.⟩ (Technik Teil des Transistors)

emit|tie|ren ⟨lat.⟩; Wertpapiere emittieren (ausgeben); Elektronen, Schadstoffe emittieren (Physik, Technik aussenden)

Em|ma (w. Vorn.)

Em|ma|us (biblischer Ort)

Emm|chen (ugs. scherzh. für Mark)

Em|me, die; - (Nebenfluss der Aare); Kleine Emme (Nebenfluss der Reuß)

Em|men|tal, das; -[e]s (schweiz. Landschaft)

¹Em|men|ta|ler; Emmentaler Käse

²Em|men|ta|ler, der; -s, - (ein Käse)

Em|mer, der; -s (eine Weizenart)

Em|me|rich (m. Vorn.)

Em|mi (w. Vorn.)

Em|mo (m. Vorn.)

Em|my Award [...i ə'wɔ:t], der; --[s], --s ⟨engl.⟩ (ein Fernsehpreis)

e-Moll [auch 'e:'mɔl], das; - (Tonart; Zeichen e); e-Moll-Ton|lei|ter ↑K26

Emo|ti|con, das; -s, -s ⟨aus engl. emotion u. icon⟩ (EDV Zeichenkombination, mit der in einer E-Mail eine Gefühlsäußerung wiedergegeben werden kann)

Emo|ti|on, die; -, -en ⟨lat.⟩ (Gemütsbewegung)

emo|ti|o|nal (gefühlsmäßig; seelisch erregt); emo|ti|o|na|li|sie|ren; Emo|ti|o|na|li|tät, die; -

emo|ti|o|nell (svw. emotional)

emo|ti|ons|frei; emo|ti|ons|ge|la|den (eine emotionsgeladene Diskussion); emo|ti|ons|los

EMPA, Em|pa, die; - = Eidgenössische Materialprüfungs- und Forschungsanstalt

Em|pa|thie, die; - ⟨griech.⟩ (Psych. Fähigkeit, sich in andere hineinzuversetzen); em|pa|thisch

Em|pe|do|k|les (altgriech. Philosoph)

emp|fahl vgl. empfehlen

Emp|fang, der; -[e]s, ...fänge; emp|fan|gen; du empfängst; du empfingst; du empfingest; empfangen; empfang[e]!

Emp|fän|ger; Emp|fän|ger|ab|schnitt; Emp|fän|ge|rin

emp|fäng|lich; Emp|fäng|lich|keit, die; -

Emp|fang|nah|me, die; - (Amtsspr.)

Emp|fäng|nis, die; -, -se; emp|fäng|nis|ver|hü|tend; ein empfängnisverhütendes Mittel; Emp|fäng|nis|ver|hü|tung

Emp|fäng|nis|zeit

Emp|fangs|an|ten|ne

emp|fangs|be|rech|tigt; allein empfangsberechtigt sein

Emp|fangs|be|reit

Emp|fangs|be|schei|ni|gung; Emp|fangs|be|stä|ti|gung

Emp|fangs|chef; Emp|fangs|che|fin; Emp|fangs|da|me

Emp|fangs|saal; Emp|fangs|sta|ti|on

Emp|fangs|stö|rung

Emp|fangs|zim|mer

emp|feh|len; du empfiehlst; du empfahlst; du empföhlest, auch empfählest; empfohlen; empfiehl!; sich empfehlen; Emp|feh|lens|wert

Emp|feh|lung; Emp|feh|lungs|brief; Emp|feh|lungs|schrei|ben

emp|fiehlt vgl. empfehlen

emp|find|bar

emp|fin|den; du empfandst; du empfändest; empfunden; empfind[e]!; Emp|fin|den, das; -s

emp|find|lich; Emp|find|lich|keit

emp|find|sam; empfindsame Dichtung; Emp|find|sam|keit, die; -

Emp|fin|dung; emp|fin|dungs|los; Emp|fin|dungs|lo|sig|keit, die; -

Emp|fin|dungs|wort Plur. ...wörter (für Interjektion)

emp|fing vgl. empfangen

emp|foh|len vgl. empfehlen

Em|pha|se, die; -, -n ⟨griech.⟩ (Nachdruck [im Reden]); em|pha|tisch (mit Nachdruck)

Em|phy|sem, das; -s, -e ⟨griech.⟩ (Med. Luftansammlung im Gewebe)

¹Em|pire [ã'pi:ɐ̯], das; Gen. -s, fachspr. auch - ⟨franz.⟩ (Kunststil der Zeit Napoleons I.)

²Em|pi|re [...pai̯ɐ̯], das; -[s] ⟨engl.⟩ (das frühere britische Weltreich)

Em|pi|rem, das; -s, -e ⟨griech.⟩ (Erfahrungstatsache)

Em|pi|re|mö|bel [ã'pi:ɐ̯...] ⟨zu ¹Empire); Em|pire|stil, der; -[e]s

Em|pi|rie, die; - ⟨griech.⟩ (Erfahrung, Erfahrungswissen[schaft]); Em|pi|ri|ker; Em|pi|ri|ke|rin

Em|pi|rio|kri|ti|zis|mus (eine Richtung der Philosophie, die sich allein auf die kritische Erfahrung beruft)

em|pi|risch

Em|pi|ris|mus, der; - (Lehre, die allein die Erfahrung als Erkenntnisquelle gelten lässt); Em|pi|rist, der; -en, -en; Em|pi|ris|tin; em|pi|ris|tisch

em|por

em|por... (in Zus. mit Verben, z. B. emporkommen, du kamst empor, emporgekommen, emporzukommen)

em|por|ar|bei|ten, sich; em|por|bli|cken

Em|po|re, die; -, -n (erhöhter Sitzraum [in Kirchen])

em|pö|ren; sich empören; em|pö|rend (unerhört)

Em|pö|rer (geh. für Rebell); Em|pö|re|rin; em|pö|re|risch

em|por|klet|tern; em|por|kom|men; Em|por|kömm|ling (abwertend)

em|por|ra|gen; em|por|schla|gen; em|por|schnel|len; em|por|stei|gen; em|por|stre|ben

em|pört

Em|pö|rung; Em|pö|rungs|schrei

em|py|re|isch ⟨griech.⟩ (lichtstrahlend; himmlisch); Em|py|re|um, das; -s (Himmel in der antiken u. scholast. Philosophie)

Ems, die; - (Fluss in Nordwestdeutschland)

¹Em|scher, die; - (rechter Nebenfluss des Niederrheins)

²Em|scher, das; -s ⟨nach ¹Emscher⟩ (eine geolog. Stufe)

Em|se, die; -, -n (veraltet für Ameise)

Em|ser ⟨nach Bad Ems⟩; Emser Depesche; Emser Salz

em|sig; Em|sig|keit, die; -

Ems-Ja|de-Ka|nal, der; -s ↑K146

Emu, der; -s, -s ⟨port.⟩ (ein straußenähnlicher Laufvogel)

Emu|la|ti|on, die; -, -en ⟨lat.-engl.⟩ (EDV Nachahmung der Funktionen eines anderen Computers)

Emul|ga|tor, der; -s, ...oren ⟨lat.⟩ (Chemie Stoff, der die Bildung einer Emulsion ermöglicht)

emul|gie|ren (eine Emulsion bilden)

Emul|sin, das; -s (Enzym in bitteren Mandeln)

Emul|si|on, die; -, -en (feinste Verteilung einer Flüssigkeit in einer anderen, nicht mit ihr mischbaren Flüssigkeit; lichtempfindliche Schicht auf fotografischen Platten u. Ä.)

E-Mu|sik, die; - ↑K28 (kurz für ernste Musik; Ggs. U-Musik)

Ena|ki|ter, Enaks|kin|der, Enaks|söh|ne Plur. (im A. T. sagenhaftes Volk von Riesen)

En|al|la|ge [ɛn'alage, auch ...'ge:], die; - ⟨griech.⟩ (Versetzung des Attributs, z. B. »mit einem blauen Lächeln seiner Augen« statt »mit einem Lächeln seiner blauen Augen«)

En|an|them, das; -s, -e ⟨griech.⟩ (Med. Schleimhautausschlag)

en avant! [ãna'vã:] ⟨franz.⟩ (vorwärts!)

en bloc [ã 'blɔk] ⟨franz.⟩ (im Ganzen); En-bloc-Ab|stim|mung

en car|rière [ã ka'rjɛ:ɐ̯] ⟨franz.⟩ (in vollem Lauf)

En|chi|la|da [...çi...], die; -, -s ⟨span.⟩ (mit Fleisch und Gemüse gefüllte Tortilla)

en|co|die|ren vgl. enkodieren

En|coun|ter [ɪn'kau...], das, auch der; -s, - ⟨engl.⟩ (Psych. Gruppentraining zur Steigerung der Empfindungsfähigkeit)

End|ab|rech|nung; End|aus|schei|dung; End|bahn|hof; End|be|scheid; End|be|trag

End|chen; ein Endchen Schnur

End|drei|ßi|ger (Mann Ende dreißig); End|drei|ßi|ge|rin

En|de, das; -s, -n; am Ende; zu Ende sein, bringen, führen, gehen, kommen; Ende Januar; letzten Endes; eine Frau Ende dreißig

End|ef|fekt; im Endeffekt

En|del, das; -s, - (bayr., österr. für Stoffrand); en|deln (bayr., österr. für Stoffränder einfassen)

En|de|mie, die; -, ...ien ⟨griech.⟩

(*Med.* örtlich begrenztes Auftreten einer Infektionskrankheit)

en|de|misch (*Med.*, *Biol.*)

En|de|mis|mus, der; - (*Biol.* begrenztes Vorkommen von Tieren u. Pflanzen in einem Bezirk)

en|den; nicht enden wollender Beifall

End|er|folg; End|er|geb|nis

en dé|tail [ā de'taj] ⟨franz.⟩ (im Kleinen; einzeln; im Einzelverkauf; *Ggs.* en gros); *vgl.* Detail

End|fas|sung

End|fünf|zi|ger (Mann Ende fünfzig); End|fünf|zi|ge|rin

End|ge|rät (*EDV* Eingabe- oder Ausgabegerät, z. B. Terminal)

End|ge|schwin|dig|keit

end|gül|tig; End|gül|tig|keit

End|hal|te|stel|le

en|di|gen (*älter für* enden)

En|di|gung (*veraltet*)

En|di|vie, die; -, -n ⟨ägypt.⟩ (Salatpflanze); En|di|vi|en|sa|lat

End|kampf; End|kon|so|nant

End|kun|de, der; End|kun|din

End|la|ger; end|la|gern *meist im Inf. u. Partizip II gebr.*

End|la|ger|stät|te; End|la|ge|rung

End|lauf

end|lich; eine endliche Größe; *aber* ↑K72 : im Endlichen (im endlichen Raum); End|lich|keit *Plur. selten*

end|los; endloses Band; *aber* ↑K72 : bis ins Endlose; End|losband, das; *Plur.* ...bänder; End|los|for|mu|lar

End|lo|sig|keit, die; -

End|los|pa|pier (*EDV*); End|los|schlei|fe (*EDV*)

End|mon|ta|ge

End|mo|rä|ne

en|do... ⟨griech.⟩ (innen...); En|do... (Innen...)

En|do|ga|mie, die; -, ...ien ⟨griech.⟩ (*Völkerk.* Heirat innerhalb von Stamm, Kaste usw.)

en|do|gen ⟨griech.⟩ (*Bot.* im Innern entstehend; *Med.* von innen kommend); endogene Psychosen

En|do|kard, das; -s, -e ⟨griech.⟩ (*Med.* Herzinnenhaut); En|do|kar|di|tis, die; -, ...it|iden (Entzündung der Herzinnenhaut)

En|do|karp, das; -s, -e ⟨griech.⟩ (*Bot.* die innerste Schicht der Fruchtwand)

en|do|krin ⟨griech.⟩ (*Med.* mit innerer Sekretion); endokrine Drüsen; En|do|kri|no|lo|gie, die; - (Lehre von der inneren Sekretion)

En|do|me|t|ri|o|se, die; -, -n (*Med.* gutartige Wucherung der Gebärmutterschleimhaut)

En|do|pro|the|se ⟨griech.⟩ (*Med.* künstliches Gelenk od. Knochenersatz zur Einpflanzung in den Körper)

En|dor|phin, das; -s, -e ⟨*aus* endo... u. Morphin) (*Med.*, *Biol.* körpereigener Eiweißstoff mit schmerzstillender Wirkung)

En|do|s|kop, das; -s, -e ⟨griech.⟩ (*Med.* Instrument zur Untersuchung von Körperhöhlen); En|do|s|ko|pie, die; -, ...ien (Untersuchung mit dem Endoskop)

En|do|thel, das; -s, -e, En|do|the|li|um, das; -s, ...ien ⟨griech.⟩ (*Zell*schicht, die Blut- u. Lymphgefäße auskleidet)

en|do|therm ⟨griech.⟩ (*Chemie* Wärme bindend, aufnehmend)

End|pha|se; End|punkt; End|reim; End|re|sul|tat; End|run|de

End|sech|zi|ger; End|sech|zi|ge|rin

End|sil|be; End|spiel; End|spurt; End|sta|di|um; End|stand

end|stän|dig (*Biol.*)

End|sta|ti|on; End|stück; End|sum|me

En|dung; en|dungs|los

En|du|ro, die; -, -s ⟨engl.⟩ (geländegängiges Motorrad)

End|ur|sa|che

End|ver|brau|cher; End|ver|brau|che|rin

end|ver|han|deln

End|vier|zi|ger; End|vier|zi|ge|rin

End|vo|kal (*Sprachw.*)

End|zeit; end|zeit|lich

End|ziel; End|zif|fer; End|zu|stand

End|zwan|zi|ger; End|zwan|zi|ge|rin

End|zweck

Ener|ge|tik, die; - ⟨griech.⟩ (Lehre von der Energie; *Philos.* Auffassung von der Energie als Grundkraft); ener|ge|tisch

Ener|gie, die; -, ...ien; ener|gie|arm

Ener|gie|be|darf

ener|gie|be|wusst

Ener|gie|bün|del, die; ⟨ugs. für energiegeladener Mensch)

ener|gie|ef|fi|zient

Ener|gie|ein|spa|rung; Ener|gie|er|spar|nis

ener|gie|ge|la|den

Ener|gie|haus|halt; Ener|gie|kri|se

ener|gie|los; Ener|gie|lo|sig|keit, die; -

Ener|gie|po|li|tik; Ener|gie|quel|le

ener|gie|reich

Ener|gie spa|rend, ener|gie|sparrend ↑K58

Ener|gie|spa|rer; Ener|gie|spa|re|rin

Ener|gie|spar|lam|pe; Ener|gie|spar|pro|gramm

Ener|gie|trä|ger; Ener|gie|verbrauch; Ener|gie|ver|sor|ger; Ener|gie|ver|sor|gung; Ener|gie|wirt|schaft; Ener|gie|zu|fuhr

ener|gisch

Ener|va|ti|on, die; -, -en ⟨lat.⟩ (*Med.* Ausschaltung der Verbindung zwischen Nerv u. dazugehörigem Organ); ener|vie|ren (entnerven, entkräften)

Enes|cu, Enes|co (rumän. Komponist u. Geigenvirtuose)

en face [ā 'fas] ⟨franz.⟩ (von vorn; gegenüber)

en fa|mille [ā fa'mi:] ⟨franz., »in der Familie«) (*veraltend für* im engsten [Familien]kreis)

En|fant ter|ri|b|le [ā'fā ...b|], das; - -, -s -s [- -] ⟨franz.⟩ (jmd., der gegen die geltenden [gesellschaftlichen] Regeln verstößt und dadurch seine Umgebung oft schockiert)

– ↑K58 : ein eng anliegendes od. enganliegendes Kleid; eng befreundete od. engbefreundete Familien; ein eng bedrucktes od. engbedrucktes Blatt

– ↑K75 : die Bereiche sind auf das, aufs Engste od. auf das, aufs engste miteinander verflochten

Wenn »eng« das Ergebnis der mit einem folgenden einfachen Verb bezeichneten Tätgkeit angibt, kann getrennt oder zusammengeschrieben werden:

– einen Durchgang eng machen od. engmachen

– die Räume eng machen od. engmachen (*Fußball*)

Aber:

– ein Blatt eng bedrucken

– du darfst das nicht so eng sehen (*ugs.*)

En|ga|din [*auch, schweiz. nur* ...'di:n], das; -s (Talschaft des Inns in der Schweiz); En|ga|di|ner; Engadiner Nusstorte

En|ga|ge|ment [āgaʒ(ə)'mā:], das; -s, -s ([An]stellung, bes. eines Künstlers; persönlicher Einsatz)

en|ga|gie|ren [āga'ʒ...] (verpflichten, binden); sich engagieren (sich einsetzen)

en|ga|giert; En|ga|giert|heit, die; -
eng an|lie|gend, eng|an|lie|gend;
vgl. eng
eng|brüs|tig
En|ge, die; -, -n
En|gel, der; -s, -
En|ge|laut (*für* Frikativ)
En|gel|berg (schweiz. Abtei u. Kurort südl. des Vierwaldstätter Sees)
En|gel|bert (m. Vorn.)
En|gel|brecht (m. Vorn.)
en|gel|chen, En|gel|che|rin
en|gel|gleich, en|gels|gleich
en|gel|haft; En|gel|haf|tig|keit, die; -
En|gel|kopf, En|gels|kopf
En|gel|ma|cher (*ugs. verhüllend für* jmd., der illegale Abtreibungen vornimmt); En|gel|ma|che|rin
en|gel|rein; engelreine Stimmen
En|gels (Mitbegründer des Marxismus)
En|gels|burg, die; - (in Rom)
en|gel|schön (*geh.*)
En|gels|ge|duld; En|gels|ge|sicht *Plur.* ...gesichter
en|gels|gleich *vgl.* engelgleich
En|gels|haar; En|gels|kopf *vgl.* Engelkopf; En|gels|stim|me
En|gels|süß, das; -es (Farnart)
En|gels|zun|gen *Plur.; nur in* mit [Menschen- und mit] Engelszungen (so eindringlich wie möglich) reden
En|gel|wurz (eine Heilpflanze)
en|gen (*selten für* einengen)
En|ger|ling (Maikäferlarve)
eng|her|zig; Eng|her|zig|keit, die; -
En|gig|keit, die; -
En|gi|nee|ring [ɛndʒɪ'niːrɪŋ], das; -s ⟨engl.⟩ (Ingenieurwesen)
Eng|land; Eng|län|der (*auch Bez. für* einen Schraubenschlüssel); Eng|län|de|rin
Eng|lein

Kleinschreibung ↑K89 :

– ein englischer Garten; englischer Trab; englische Broschur (ein Bucheinband); englische Woche (*Fußball*); die englische Krankheit (*veraltet für* Rachitis)

Großschreibung als Bestandteil eines Namens ↑K150:

– der Englische Garten in München; das Englische Fräulein (*vgl. d.*)
Vgl. deutsch/Deutsch

Eng|lisch, das; -[s] (Sprache); *vgl.* Deutsch; Eng|li|sche, das; -n; *vgl.* Deutsche, das
Eng|li|sche Fräu|lein, das; -n -s, -n - (Angehörige eines Frauenordens)
Eng|li|sche Gruß, der; -n -es ⟨zu Engel⟩ (ein Gebet)
Eng|lisch|horn *Plur.* ...hörner (ein Holzblasinstrument)
eng|lisch|spra|chig
En|g|lish spo|ken ['ɪŋglɪʃ 'spo:...] ⟨engl., [hier wird] »Englisch gesprochen«⟩
Eng|lish|waltz ['ɪŋglɪʃvo:ls;], der; -, -, ⟨Engl.lish Waltz, der; - -, - -⟩ (langsamer Walzer)
eng|li|sie|ren [ɛŋ(g)li...] (einem Pferd die niederziehenden Schweifmuskeln durchschneiden, damit es den Schwanz hoch trägt; anglisieren; *vgl. d.*)
eng ma|chen, eng|ma|chen *vgl.* eng
eng|ma|schig
En|go|be [ã...], die; -, -n ⟨franz.⟩ (keram. Überzugsmasse); en|go|bie|ren
Eng|pass
En|gramm, das; -s, -e ⟨griech.⟩ (*Med., Psych.* bleibende Spur geistiger Eindrücke, Erinnerungsbild)
en gros [ã 'gro:] ⟨franz.⟩ (im Großen; *Ggs.* en détail)
En|gros|han|del (Großhandel); En|gros|preis
En|gros|sist [ã...] (*österr. neben* Grossist)
eng|stir|nig (*abwertend*); Eng|stir|nig|keit, die; -
eng um|grenzt, eng|um|grenzt ↑K58
eng ver|wandt, eng|ver|wandt ↑K58
en|har|mo|nisch ⟨griech.⟩ ([von Tönen] dem Klang nach gleich, in der Bez. verschieden, z. B. cis = des); enharmonische Verwechslung
enig|ma|tisch *vgl.* änigmatisch
En|jam|be|ment [ãʒãbə'mã:], das; -s, -s (*Verslehre* Übergreifen eines Satzes auf den nächsten Vers)
en|kaus|tie|ren ⟨griech.⟩ (*bild. Kunst* mit flüssigem Wachs verschmolzene Farbe auftragen); En|kaus|tik, die; -; en|kaus|tisch
¹En|kel, der; -s, - (*landsch. für* Fußknöchel)
²En|kel, der; -s, - (Kindeskind); En|ke|lin

En|kel|kind; En|kel|sohn; En|kel|toch|ter
En|kla|ve, die; -, -n ⟨franz.⟩ (ein fremdstaatl. Gebiet im eigenen Staatsgebiet); *vgl.* Exklave
En|kli|se, En|kli|sis ⟨griech.⟩ die; -, ...isen (*Sprachw.* Anlehnung eines unbetonten Wortes an das vorausgehende betonte)
En|kli|ti|kon, das; -s, *Plur.* ...ka *od.* ...ken (unbetontes Wort, das sich an das vorhergehende betonte anlehnt, z. B. *in* ugs. »kommste« *für* »kommst du«); en|kli|tisch
en|ko|die|ren, en|co|die|ren ⟨engl.⟩ ([eine Nachricht] verschlüsseln)
En|ko|mi|on, En|ko|mi|um ⟨griech.⟩ das; -s, ...ien (Lobrede, -schrift)
en masse [ã 'mas] ⟨franz.⟩ (*ugs. für* massenhaft, gehäuft)
en mi|ni|a|ture [ã ...'ty:ɐ̯] ⟨franz.⟩ (in kleinem Maßstab, im Kleinen)
en|net (*schweiz. mdal. für* jenseits); *Präp. mit Gen. od. Dat.*; ennet des Gebirges *od.* dem Gebirge; en|net|bir|gisch (*schweiz. für* jenseits der Alpen gelegen); en|net|rhei|nisch (*schweiz. für* jenseits des Rheins gelegen)
En|no (ostfries. m. Vorn.)
¹Enns, die; - (rechter Nebenfluss der Donau)
²Enns (Stadt in Oberösterreich)
Enns|tal, das; -[e]s (Tal in der Steiermark); Enns|ta|ler Al|pen
en|nu|y|ie|ren [ãny'ji:...] (*veraltet für* langweilen)
enorm ⟨franz.⟩ (außerordentlich; ungeheuer); Enor|mi|tät, die; -
en pas|sant [ã ...'sã:] ⟨franz.⟩ (im Vorübergehen; beiläufig)
en pro|fil [ã -] ⟨franz.⟩ (im Profil, von der Seite)
En|quete [ã'ke:t], die; -, -n ⟨franz.⟩ (Untersuchung, Erhebung; *österr. auch für* Arbeitstagung)
En|quete|kom|mis|si|on [ã'ke:t...]
en|ra|giert [ãra'ʒi:ɐ̯t] ⟨franz.⟩ (*veraltet für* leidenschaftlich erregt)
en route [ã 'ru:t] ⟨franz.⟩ (unterwegs)
En|sem|b|le [ã'sã:b̩l], das; -s, -s ⟨franz.⟩ (ein zusammengehörendes Ganzes; Künstlergruppe; mehrteiliges [Damen]kleidungsstück)
En|sem|b|le|spiel, das; -[e]s
En|si|l|a|ge [ã...ʒə], Si|l|a|ge [...ʒə], die; - ⟨franz.⟩ (Gärfutter[bereitung])
En|sor (belg. Maler)
en suite [ã 'sɥit] ⟨franz.⟩ (ununterbrochen)

E
Enso

E

ent

ent... (*Vorsilbe von Verben, z. B.* entführen, du entführst, er hat ihn entführt, zu entführen)

...ent (z. B. Referent, der; -en, -en)

ent|am|ten (*veraltet für* des Amtes entheben); Ent|am|tung

ent|ar|ten; ent|ar|tet; entartete Kunst (*Nationalsoz.*)

Ent|ar|tung

ent|aschen; Ent|aschung

En|ta|se, En|ta|sis ⟨griech.⟩ die; -, ...asen (*Archit.* Schwellung des Säulenschaftes)

ent|as|ten, ent|äs|ten (Äste entfernen)

ent|äu|ßern, sich (*geh. für* auf etwas verzichten, sich von etwas trennen); ich entäußere mich allen Besitzes; Ent|äu|ße|rung, die; -

Ent|bal|lung; Entballung von Industriegebieten

ent|beh|ren; ein Buch entbehren; des Trostes entbehren

ent|behr|lich; Ent|behr|lich|keit, die; -

Ent|beh|rung; ent|beh|rungs|reich; ent|beh|rungs|voll

ent|bei|nen (Knochen aus etwas entfernen)

ent|bie|ten (*geh.*); Grüße entbieten

ent|bin|den; Ent|bin|dung

Ent|bin|dungs|pfle|ger (Berufsbez.); Ent|bin|dungs|pfle|ge|rin

Ent|bin|dungs|sta|ti|on

ent|blät|tern; sich entblättern

ent|blö|den; *nur in* sich nicht entblöden (*geh. für* sich nicht scheuen)

ent|blö|ßen; du entblößt; sich entblößen; Ent|blö|ßung

ent|bren|nen (*geh.*)

ent|bü|ro|kra|ti|sie|ren; Ent|bü|ro|kra|ti|sie|rung, die; -

Ent|chen

ent|chlo|ren; Trinkwasser entchloren

ent|de|cken

Ent|de|cker; Ent|de|cker|freu|de; Ent|de|cke|rin

ent|de|cke|risch

Ent|de|ckung; Ent|de|ckungs|fahrt; Ent|de|ckungs|rei|se; Ent|de|ckungs|rei|sen|de

ent|dröh|nen (*Technik* dröhnende Geräusche dämpfen); Ent|dröh|nung

ent|dun|keln; ich entdunk[e]le

En|te, die; -, -n (*ugs. auch für* falsche [Presse]meldung); ↑K151: kalte Ente (ein Getränk)

ent|eh|ren; ent|eh|rend; Ent|eh|rung

ent|eig|nen; Ent|eig|nung

ent|ei|len (*geh.*)

ent|ei|sen (von Eis befreien); du enteist; er/sie enteis|te; enteist

ent|ei|se|nen (von Eisen befreien); du enteisenst; enteisent; enteisentes Wasser; Ent|ei|se|nung

Ent|ei|sung (Befreiung von Eis)

En|te|le|chie, die; -, ...ien ⟨griech.⟩ (*Philos.* im Organismus liegende Kraft zur Entwicklung der Anlagen); en|te|le|chisch

En|ten|bra|ten; En|ten|brust; En|ten|ei

En|ten|grüt|ze, die; - (Geflecht von Wasserlinsen)

En|ten|kü|ken *vgl.* [1]Küken

En|tente [ã'tã:t], die; -, -n ⟨franz.⟩ (Bündnis zwischen Staaten); ↑K150: die Kleine Entente (*hist.*); En|tente cor|di|ale [- ...'dial], die; - - (*Bez. für* das franz.-engl. Bündnis nach 1904)

En|ten|teich; En|ten|wal

En|ter, das, *auch* der; -s, - (*nordd. für* einjähr. Fohlen, Kalb)

en|ter|ben

En|ter|brü|cke

Ent|er|bung

En|ter|ha|ken

En|te|rich, der; -s, -e (m. Ente)

En|te|ri|tis, die; -, ...it|iden ⟨griech.⟩ (*Med.* Darmentzündung)

en|tern ⟨niederl.⟩ (auf etwas klettern); ein Schiff entern (mit Enterhaken festhalten und erobern); ich entere

En|te|ro|kly|se, die; -, -n ⟨griech.⟩ (*Med.* Darmspülung)

En|te|ro|s|kop, das; -s, -e (*Med.* Endoskop zur Untersuchung des Dickdarms)

En|te|ro|s|to|mie, die; -, ...ien (*Med.* Anlegung eines künstlichen Afters)

En|ter|tai|ner [...te:...], der; -s, - ⟨engl.⟩ ([berufsmäßiger] Unterhalter); En|ter|tai|ne|rin; En|ter|tain|ment

En|te|rung

ent|fa|chen (*geh.*); Ent|fa|chung

ent|fah|ren; ein Fluch entfuhr ihm

Ent|fall, der; -[e]s (*bes. bayr., österr. für* Wegfall)

ent|fal|len

ent|falt|bar; ent|fal|ten; sich entfalten

Ent|fal|tung; Ent|fal|tungs|mög|lich|keit

ent|fär|ben; Ent|fär|ber (Entfärbungsmittel)

ent|fer|nen; sich entfernen

ent|fernt; weit davon entfernt, das

zu tun; entfernt verwandt sein; nicht im Entferntesten

Ent|fer|nung; in einer Entfernung von 4 Meter[n]; Ent|fer|nungs|mes|ser, der; Ent|fer|nungs|pau|scha|le

ent|fes|seln; Ent|fes|se|lung, *seltener* Ent|fess|lung

Ent|fes|se|lungs|künst|ler; Ent|fess|lung *vgl.* Entfesselung

ent|fes|ti|gen; Metalle entfestigen (weich[er] machen); Ent|fes|ti|gung

ent|fet|ten; Ent|fet|tung; Ent|fet|tungs|kur

ent|feuch|ten; Ent|feuch|ter (Gerät, das der Luft Feuchtigkeit entzieht); Ent|feuch|tung

ent|flamm|bar; ent|flam|men (*geh.*); ent|flammt; Ent|flam|mung

ent|flech|ten; er/sie entflicht (*auch* entflechtet); er/sie entflocht (*auch* entflechtete); entflochten; Ent|flech|tung

ent|fleu|chen (*altertümelnd scherzh.* entfliehen)

ent|flie|gen

ent|flie|hen

ent|frem|den; sich entfremden; Ent|frem|dung

ent|fris|ten (von einer Befristung lösen); Tarifverträge entfristen

ent|fros|ten; Ent|fros|ter; Ent|fros|tung

ent|füh|ren; Ent|füh|rer; Ent|füh|re|rin; Ent|füh|rung

ent|ga|sen; du entgast; Ent|ga|sung

ent|ge|gen; entgegen meinem Vorschlag *od. seltener* meinem Vorschlag entgegen

ent|ge|gen... (*in Zus. mit Verben,* z. B. entgegenkommen, du kommst entgegen, entgegengekommen, entgegenzukommen)

ent|ge|gen|bli|cken; ent|ge|gen|brin|gen (jmdm. Vertrauen entgegenbringen); ent|ge|gen|fah|ren; ent|ge|gen|fie|bern; ent|ge|gen|ge|hen

ent|ge|gen|ge|setzt; *aber* das Entgegengesetzte ↑K72; er ging in die entgegengesetzte Richtung

ent|ge|gen|ge|setz|ten|falls (*Amtsspr.*)

ent|ge|gen|hal|ten; ent|ge|gen|kom|men

Ent|ge|gen|kom|men, das; -s; ent|ge|gen|kom|mend; ent|ge|gen|kom|men|der|wei|se; *aber* in entgegenkommender Weise

ent|ge|gen|lau|fen

Ent|ge|gen|nah|me, die; -; ent|ge|gen|neh|men

ent|ge|gen|schla|gen; ent|ge|gen|schleu|dern; ent|ge|gen|se|hen

ent|ge|gen|set|zen; ent|ge|gen|set-
zend (*auch für* adversativ)
ent|ge|gen|ste|hen; ent|ge|gen|stel-
len; ent|ge|gen|stem|men, sich;
ent|ge|gen|tre|ten; ent|ge|gen-
wir|ken
ent|geg|nen (erwidern); Ent|geg-
nung
ent|ge|hen; ich lasse mir nichts
entgehen
ent|geis|tert (sprachlos; verstört)

Entgelt
Die Bezeichnung für eine als
Gegenleistung für geleistete
Arbeit gewährte Bezahlung ist
vom Verb *entgelten* abgeleitet
und wird deshalb auch am Ende
mit *t* geschrieben.

Ent|gelt, das; -[e]s, -e; gegen, ohne
Entgelt; ent|gel|ten (*geh.*); er
lässt mich meine Nachlässigkeit
nicht entgelten; ent|gelt|lich
(gegen Bezahlung); Ent|gelt[s]|ta-
rif
ent|gif|ten; Ent|gif|tung
ent|glei|sen; du entgleist; er/sie
entgleis|te; Ent|glei|sung
ent|glei|ten
ent|glo|ri|fi|zie|ren; Ent|glo|ri|fi|zie-
rung
ent|got|ten
ent|göt|tern; ich entgöttere; Ent-
göt|te|rung
Ent|got|tung
ent|gra|ten; entgratetes Eisen
ent|grä|ten; entgräteter Fisch
ent|gren|zen (*geh. für* aus der
Begrenztheit lösen); Ent|gren-
zung
ent|haa|ren; Ent|haa|rung; Ent|haa-
rungs|mit|tel, das
ent|haf|ten (*selten für* aus der Haft
entlassen); Ent|haf|tung
ent|hal|ten; sich enthalten; ich ent-
hielt mich der Stimme
ent|halt|sam; Ent|halt|sam|keit,
die; -
Ent|hal|tung
ent|här|ten; Ent|här|ter; Ent|här-
tung
ent|haup|ten; Ent|haup|tung
ent|häu|ten; Ent|häu|tung
ent|he|ben (*geh.*); jmdn. seines
Amtes entheben; Ent|he|bung
ent|hei|li|gen; Ent|hei|li|gung
ent|hem|men (*Psych.*); Ent|hemmt-
heit, die; -; Ent|hem|mung
ent|hül|len; sich enthüllen; Ent|hül-
lung
Ent|hül|lungs|jour|na|lis|mus; Ent-
hül|lungs|ro|man

ent|hül|sen
ent|hu|ma|ni|sie|ren; Ent|hu|ma|ni-
sie|rung
en|thu|si|as|mie|ren ⟨franz.⟩
(begeistern); En|thu|si|as|mus,
der; - ⟨griech.⟩ (Begeisterung;
Leidenschaftlichkeit)
En|thu|si|ast, der; -en, -en; En|thu-
si|as|tin; en|thu|si|as|tisch
ent|ideo|lo|gi|sie|ren (von ideologi-
schen Vorurteilen befreien); Ent-
ideo|lo|gi|sie|rung
En|ti|tät, die; -, -en ⟨lat.⟩ (*Philos.*
Dasein im Unterschied zum
Wesen eines Dinges)
ent|jung|fern; ich entjungfere; Ent-
jung|fe|rung
ent|kal|ken; Ent|kal|kung
ent|kei|men; Ent|kei|mung
ent|ker|nen; Früchte entkernen;
Ent|ker|ner; Ent|ker|nung
ent|klei|den; sich entkleiden; Ent-
klei|dung
Ent|klei|dungs|sze|ne (im Film,
Theaterstück)
ent|kno|ten
ent|kof|fe|i|nie|ren; entkoffeinierter
Kaffee
ent|ko|lo|ni|a|li|sie|ren; Ent|ko|lo|ni-
a|li|sie|rung
ent|kom|men; Ent|kom|men, das; -s
ent|kop|peln; Ent|kop|pe|lung, Ent-
kopp|lung
ent|kor|ken
ent|kräf|ten; Ent|kräf|tung
ent|kramp|fen; Ent|kramp|fung
ent|krau|ten; den Boden entkrau-
ten
ent|kri|mi|na|li|sie|ren; Ent|kri|mi-
na|li|sie|rung, die; -
ent|la|den *vgl.* [1]laden; sich entla-
den; Ent|la|dung

ent|lang

Präposition

*Bei Nachstellung mit Akkusativ;
schweiz., sonst selten mit Dativ:*

– den Wald entlang (*selten:* dem
Wald entlang)

*Bei Voranstellung mit Dativ, sel-
ten mit Genitiv:*

– entlang dem Fluss (*selten:* entlang des Flusses; *veraltet Akkusativ:* entlang den Fluss)

Adverb

– sich an der Mauer entlang aufstellen; einen Weg am Ufer entlang verfolgen, *aber* am, das
Ufer entlanglaufen

ent|lang... (*in Zus. mit Verben,*
z. B. entlanglaufen, du läufst
entlang, entlanggelaufen, ent-
langzulaufen)
ent|lang|fah|ren; ent|lang|füh|ren;
ent|lang|ge|hen; ent|lang|kom-
men; ent|lang|lau|fen; ent|lang-
zie|hen
ent|lar|ven [...f...]; Ent|lar|vung
Ent|lass... (*südd. in Zus. für* Ent-
lassungs..., z. B. Entlassfeier)
ent|las|sen; Ent|las|sung
Ent|las|sungs|fei|er; Ent|las|sungs-
pa|pie|re *Plur.*; Ent|las|sungs-
schein
Ent|las|sungs|schü|ler; Ent|las-
sungs|schü|le|rin; Ent|las|sungs-
wel|le
ent|las|ten; Ent|las|tung
Ent|las|tungs|an|griff; Ent|las-
tungs|ma|te|ri|al; Ent|las|tungs-
schlag
Ent|las|tungs|zeu|ge; Ent|las|tungs-
zeu|gin; Ent|las|tungs|zug
ent|lau|ben; Ent|lau|bung
ent|lau|fen
ent|lau|sen; Ent|lau|sung; Ent|lau-
sungs|schein
Ent|le|buch, das; -s (schweiz.
Landschaft)
ent|le|di|gen; sich der Aufgabe
entledigen; Ent|le|di|gung
ent|lee|ren; Ent|lee|rung
ent|le|gen; Ent|le|gen|heit, die; -
(*geh.*)
ent|leh|nen; Ent|leh|nung
ent|lei|ben, sich (*geh. für* sich
töten)
ent|lei|hen (für sich leihen); Ent|lei-
her; Ent|lei|he|rin; Ent|lei|hung
ent|lie|ben, sich (*scherzh. für* auf-
hören zu lieben)
ent|lo|ben, sich; Ent|lo|bung
ent|lo|cken
ent|loh|nen, *schweiz.* ent|löh|nen
Ent|loh|nung, *schweiz.* Ent|löh|nung
ent|lüf|ten; Ent|lüf|ter
Ent|lüf|tung; Ent|lüf|tungs|hau|be;
Ent|lüf|tungs|ven|til
ent|mach|ten; Ent|mach|tung
ent|mag|ne|ti|sie|ren
ent|man|nen; Ent|man|nung
ent|men|schen; ent|mensch|li|chen;
ent|menscht
ent|mie|ten (das Leerstehen einer
Wohnung, eines Hauses bewir-
ken, indem die Mieter zum Auszug veranlasst werden)
ent|mi|li|ta|ri|sie|ren; entmilitari-
sierte Zone; Ent|mi|li|ta|ri|sie-
rung
ent|mi|schen (*Chemie, Technik*);
Ent|mi|schung

ent|mis|ten; Ent|mis|tung
ent|mün|di|gen; Ent|mün|di|gung
ent|mu|ti|gen; Ent|mu|ti|gung
ent|mys|ti|fi|zie|ren (mystische
Vorstellungen von etw. beseiti-
gen); Ent|mys|ti|fi|zie|rung
ent|my|thi|sie|ren *vgl.* entmytholo-
gisieren; Ent|my|thi|sie|rung
ent|my|tho|lo|gi|sie|ren (mythische
od. irrationale Vorstellungen
von etw. beseitigen); Ent|my|tho-
lo|gi|sie|rung
Ent|nah|me, die; -, -n
ent|na|ti|o|na|li|sie|ren (ausbür-
gern; die Verstaatlichung rück-
gängig machen); Ent|na|ti|o|na|li-
sie|rung
ent|na|zi|fi|zie|ren; Ent|na|zi|fi|zie-
rung
ent|neh|men; [aus] den Worten
entnehmen
ent|ner|ven; ent|nervt; Ent|ner-
vung
En|to|derm, das; -s, -e ⟨griech.⟩
(*Biol.* inneres Keimblatt des
Embryos)
ent|ölen; entölter Kakao
En|to|mo|lo|ge, der; -n, -n ⟨griech.⟩
(Insektenforscher); En|to|mo|lo-
gie, die; -; En|to|mo|lo|gin; en|to-
mo|lo|gisch
en|to|pisch ⟨griech.⟩ (*fachspr. für*
am Ort befindlich, einheimisch)
en|t|op|tisch ⟨griech.⟩ (*Med.* im
Innern des Auges gelegen)
en|t|o|tisch ⟨griech.⟩ (*Med.* im
Innern des Ohres entstehend)
En|tou|ra|ge [ãtu'ra:ʒə], die; -
⟨franz.⟩ (persönliches Umfeld,
Gefolge)
ent|per|sön|li|chen (das Persönli-
che bei etwas ausschalten); Ent-
per|sön|li|chung
ent|pflich|ten (von Amtspflichten
entbinden); Ent|pflich|tung
ent|po|li|ti|sie|ren; Ent|po|li|ti|sie-
rung
ent|pul|pen (*fachspr. für* [Rüben-
zuckersaft] entfasern)
ent|pup|pen, sich; Ent|pup|pung
ent|quel|len (*geh.*)
ent|rah|men; Ent|rah|mer
(Maschine, mit der die Milch
entrahmt wird); Ent|rah|mung
ent|ra|ten (*veraltend für* entbeh-
ren); des Brotes [nicht] entraten
können
ent|rät|seln; Ent|rät|se|lung, *selte-
ner* Ent|räts|lung
En|t|re|akt [ãtrə'lakt, *auch* ã'trakt],
der; -[e]s, -e ⟨franz.⟩ (*Theater*
Zwischenakt, Zwischenspiel,
Zwischenmusik)

ent|rech|ten; Ent|rech|tung
En|t|re|cote [ãtrə'ko:t], das; -[s], -s
⟨franz.⟩ (Rippenstück vom Rind)
En|t|ree [ã...], das; -s, -s ⟨franz.⟩
(Eintritt[sgeld], Eingang; Vorspeise; Eröffnungsmusik [bei
Balletten]); En|t|ree|tür
ent|rei|ßen
en|t|re nous ['ã:... 'nu:] ⟨franz.,
»unter uns«⟩ (*selten für* unge-
zwungen, vertraulich)
En|t|re|pot [ãtrə'po:], das; -, -s
⟨franz.⟩ (zollfreier Stapelplatz)
ent|rich|ten; Ent|rich|tung
ent|rie|geln; Ent|rie|ge|lung
ent|rin|den; Baumstämme entrin-
den
ent|rin|gen, sich (*geh.*); ein Seufzer
entrang sich ihr
ent|rin|nen (*geh.*); Ent|rin|nen,
das; -s
ent|rol|len; sich entrollen
En|t|ro|pie, die; -, ...ien ⟨griech.⟩
(*Physik* Größe der Thermodyna-
mik; *Informationstheorie* Größe
des Nachrichtengehalts einer
Zeichenmenge)
ent|ros|ten; Ent|ros|ter (Mittel
gegen Rost); Ent|ros|tung
ent|rü|cken (*geh.*); Ent|rückt|heit
Ent|rü|ckung
ent|rüm|peln; ich entrümp[e]le;
Ent|rüm|pe|lung, *seltener* Ent-
rümp|lung
ent|ru|ßen; den Ofen entrußen
ent|rüs|ten; sich entrüsten; ent-
rüs|tet
Ent|rüs|tung; Ent|rüs|tungs|sturm
ent|saf|ten; Ent|saf|ter
ent|sa|gen (*geh.*); dem Vorhaben
entsagen; Ent|sa|gung (*geh.*);
ent|sa|gungs|voll
ent|sah|nen
ent|sal|zen; entsalzt; Ent|sal|zung
Ent|satz, der; -es; jmdm. Entsatz
bringen
ent|säu|ern; Ent|säu|e|rung
ent|schä|di|gen; Ent|schä|di|gung;
Ent|schä|di|gungs|sum|me
ent|schär|fen; Ent|schär|fung
Ent|scheid, der; -[e]s, -e
ent|schei|den; sich für od. gegen
etwas entscheiden; ent|schei-
dend; Ent|schei|der; Ent|schei|de-
rin
Ent|schei|dung
Ent|schei|dungs|be|fug|nis; Ent-
schei|dungs|fin|dung; Ent|schei-
dungs|fra|ge (*Sprachw.*); Ent-
schei|dungs|frei|heit; Ent|schei-
dungs|ge|walt; Ent|schei|dungs-
pro|zess; Ent|schei|dungs-
schlacht

en|tschei|dungs|schwach; ent|schei-
dungs|schwer (*geh.*)
Ent|schei|dungs|spiel
Ent|schei|dungs|träger; Ent|schei-
dungs|trä|ge|rin
ent|schie|den; auf das, aufs
Entschiedens|te *od.* auf das,
aufs entschiedens|te; Ent|schie-
den|heit, die; -
ent|schla|cken; Ent|schla|ckung;
Ent|schla|ckungs|kur
ent|schla|fen (*geh.*, *verhüllend für*
sterben); Ent|schla|fe|ne, der *u.*
die; -n, -n
ent|schla|gen, sich (*veraltet*); sich
aller Sorgen entschlagen
ent|schlam|men; Ent|schlam|mung
ent|schlei|ern (*geh.*); ich ent-
schleiere; Ent|schlei|e|rung
ent|schleu|ni|gen; Ent|schleu|ni-
gung, die; - (Verlangsamung
einer Entwicklung o. Ä.)
ent|schlie|ßen, sich; sie entschloss
sich; Ent|schlie|ßung
ent|schlos|sen; Ent|schlos|sen|heit,
die; -
ent|schlüp|fen
Ent|schluss
ent|schlüs|seln; Ent|schlüs|se|lung,
Ent|schlüss|lung
ent|schluss|fä|hig; Ent|schluss|fä-
hig|keit, die; -
Ent|schluss|frei|heit; Ent|schluss-
freu|dig|keit; Ent|schluss|kraft
ent|schluss|los; Ent|schluss|lo|sig-
keit
Ent|schlüss|lung *vgl.* Entschlüsse-
lung
ent|schrot|ten; Ent|schrot|tung
ent|schuld|bar; Ent|schuld|bar|keit,
die; -
ent|schul|den (Schulden senken)
ent|schul|di|gen; sich wegen od.
für etwas entschuldigen
Ent|schul|di|gung
Ent|schul|di|gungs|brief; Ent|schul-
di|gungs|grund; Ent|schul|di-
gungs|schrei|ben
Ent|schul|dung
ent|schup|pen
ent|schwe|ben (*geh.*, *häufig iron.*)
ent|schwe|feln; Ent|schwe|fe|lung,
Ent|schwef|lung
ent|schwei|ßen ([Wolle] von
Schweiß und Fett reinigen)
ent|schwin|den (*geh.*)
ent|seelt (*geh. für* tot)
Ent|see|lung, die; - (*geh. für* das
Seelenloswerden); die Entsee-
lung der Umwelt
Ent|sen|de|ge|setz (Gesetz, das
tarifliche Mindestlöhne im Bau-

gewerbe auch für ausländische Arbeitnehmer vorsieht)

ent|sen|den; Ent|sen|dung
ent|set|zen; sich entsetzen
Ent|set|zen, das; -s; Entsetzen erregen
Ent|set|zen er|re|gend, **ent|set|zen-er|re|gend**; ein Entsetzen erregender od. entsetzenerregen-der Anblick, *aber nur* ein äußerstes Entsetzen erregender Anblick, ein äußerst entsetzen-erregender Anblick ↑K 58
Ent|set|zens|schrei
ent|setz|lich; Ent|setz|lich|keit
ent|setzt
ent|seu|chen (*fachspr. für* desinfizieren); Ent|seu|chung
ent|si|chern; das Gewehr entsichern
ent|sie|geln; Ent|sie|ge|lung, Ent|sieg|lung
ent|sin|nen, sich; ich habe mich deiner entsonnen
ent|sinn|li|chen; Ent|sinn|li|chung, die; -
ent|sitt|li|chen; Ent|sitt|li|chung
Ent|so|li|da|ri|sie|rung
ent|sor|gen; Ent|sor|gung (Beseitigung von Müll u. Ä.)
ent|span|nen, sich entspannen; ent|spannt; entspanntes Wasser
Ent|span|nung; Ent|span|nungs|po|li|tik; Ent|span|nungs|übung
ent|spie|geln; eine Brille entspiegeln; Ent|spie|ge|lung, *seltener* Ent|spieg|lung
ent|spin|nen, sich
ent|spre|chen
ent|spre|chend; entsprechend seinem Vorschlag *od.* seinem Vorschlag entsprechend; ↑K 72 : Entsprechendes, das Entsprechende gilt für ...
Ent|spre|chung
ent|sprie|ßen (*geh.*)
ent|sprin|gen
ent|sta|li|ni|sie|ren; Ent|sta|li|ni|sie|rung, die; -
ent|stam|men
ent|stau|ben; Ent|stau|bung
ent|ste|hen
Ent|ste|hung; Ent|ste|hungs|ge-schich|te; Ent|ste|hungs|ort; Ent|ste|hungs|ur|sa|che; Ent|ste-hungs|zeit
ent|stei|gen (*geh.*)
ent|stei|nen; Kirschen entsteinen
ent|stel|len (verunstalten); ent|stellt; Ent|stel|lung
ent|stem|peln; die Nummernschilder wurden entstempelt
ent|sti|cken (*Chemie* Stickoxide

aus Rauchgasen entfernen); Ent|sti|ckung
ent|stoff|li|chen
ent|stö|ren
Ent|stö|rung; Ent|stö|rungs|dienst
ent|strö|men (*geh.*)
ent|süh|nen (*geh.*); Ent|süh|nung
ent|sump|fen; Ent|sump|fung
ent|ta|bu|ie|ren, ent|ta|bu|i|sie|ren ([einer Sache] den Charakter des Tabus nehmen); Ent|ta|bu|ie-rung, Ent|ta|bu|i|sie|rung
ent|ta|bu|i|sie|ren usw. *vgl.* enttabuieren usw.
ent|tar|nen; Ent|tar|nung
ent|täu|schen; Ent|täu|schung; ent|täu|schungs|reich
ent|tee|ren; Ent|tee|rung
ent|thro|nen; Ent|thro|nung
ent|trüm|mern; Ent|trüm|me|rung
ent|völ|kern; ich entvölkere; Ent|völ|ke|rung, die; -
entw. = entweder
ent|wach|sen
ent|waff|nen; Ent|waff|nung
ent|wal|den; Ent|wal|dung
ent|wan|zen; Ent|wan|zung
ent|war|nen; Ent|war|nung
ent|wäs|sern
Ent|wäs|se|rung, Ent|wäss|rung
Ent|wäs|se|rungs|gra|ben
Ent|wäss|rung, Ent|wäs|se|rung
ent|we|der [*auch* ...'ve:...] (*Abk.* entw.); *nur in* entweder – oder
Ent|we|der-oder, das; -, - ↑K 81
ent|wei|chen *vgl.* ²weichen; Ent|weich|ge|schwin|dig|keit (*svw.* Fluchtgeschwindigkeit); Ent|wei|chung
ent|wei|hen; Ent|wei|hung
ent|wen|den; ich entwendete, habe entwendet; Ent|wen|dung
ent|wer|fen; Pläne entwerfen; Ent|wer|fer; Ent|wer|fe|rin
ent|wer|ten; Ent|wer|ter (Automat); Ent|wer|tung
ent|we|sen; ein Gebäude entwesen (*fachspr. für* von Ungeziefer reinigen); Ent|we|sung
ent|wi|ckeln; sich entwickeln; ich entwick[e]le mich; Ent|wi|cke-lung *vgl.* Entwicklung
Ent|wick|ler (*Fotogr.*)
Ent|wick|lung, *veraltet* Ent|wi|cke-lung; Ent|wick|lungs|dienst
ent|wick|lungs|fä|hig
Ent|wick|lungs|ge|schich|te; ent|wick|lungs|ge|schicht|lich
Ent|wick|lungs|ge|setz; Ent|wick-lungs|grad; Ent|wick|lungs|hel-fer; Ent|wick|lungs|hel|fe|rin
ent|wick|lungs|hem|mend
Ent|wick|lungs|hil|fe; Ent|wick-

lungs|jah|re *Plur.*; Ent|wick|lungs-land *Plur.* ...länder
Ent|wick|lungs|po|ten|zi|al, Ent|wick|lungs|po|ten|ti|al; Ent|wick-lungs|pro|zess
Ent|wick|lungs|ro|man; Ent|wick-lungs|stö|rung; Ent|wick|lungs-stu|fe; Ent|wick|lungs|zeit
ent|wid|men (*Amtsspr.* einer bestimmten Benutzung entziehen); einen Weg entwidmen; Ent|wid|mung
ent|win|den *vgl.* ¹winden
ent|wirr|bar
ent|wir|ren; sich entwirren; Ent|wir|rung
ent|wi|schen (*ugs. für* entkommen)
ent|wöh|nen; Ent|wöh|nung
ent|wöl|ken, sich (*geh.*); Ent|wöl|kung
ent|wür|di|gen; Ent|wür|di|gung
Ent|wurf; Ent|wurfs|ge|schwin|dig-keit (Richtwert im Straßenbau); Ent|wurfs|zeich|nung
ent|wur|men; Ent|wur|mung
ent|wur|zeln; ich entwurz[e]le; Ent|wur|ze|lung, *seltener* Ent|wurz|lung
ent|zau|bern; ich entzaubere; Ent|zau|be|rung
ent|zer|ren; Ent|zer|rer (*Technik*); Ent|zer|rung
ent|zie|hen; sich entziehen
Ent|zie|hung; Ent|zie|hungs|er-schei|nung; Ent|zie|hungs|kur
ent|zif|fer|bar
Ent|zif|fe|rer; ent|zif|fern; ich entziffere; Ent|zif|fe|rung
ent|zü|cken; Ent|zü|cken, das; -s (*geh.*); ent|zü|ckend; Ent|zü|ckung (*geh.*)
Ent|zug, der; -[e]s; Ent|zugs|er-schei|nung
ent|zünd|bar; ent|zün|den; sich entzünden
ent|zun|dern (*für* dekapieren); ich entzundere
ent|zünd|lich; leicht entzünd-liches *od.* leichtentzündliches Gemisch; Ent|zünd|lich|keit, die; -
Ent|zün|dung; ent|zün|dungs|hem-mend; Ent|zün|dungs|herd
ent|zwei; entzwei sein ↑K 49
ent|zwei... (*in Zus. mit Verben,* z. B. entzweibrechen, du brichst entzwei, entzweigebrochen, entzweizubrechen)
ent|zwei|bre|chen
ent|zwei|en; sich entzweien
ent|zwei|ge|hen; ent|zwei|hau|en; ent|zwei|rei|ßen; ent|zwei|schnei-den
Ent|zwei|ung

Enu|me|ra|ti|on, die; -, -en ⟨lat.⟩ (*fachspr. für* Aufzählung); **enu-me|ra|tiv** (*fachspr. für* aufzählend)

En|ve|lop|pe [ãvəˈlɔp(ə)], die; -, -n ⟨franz.⟩ (*Math.* einhüllende Kurve)

En|vi|ron|ment [ɛnˈvai(ə)rənmɛnt], das; -s, -s ⟨amerik.⟩ (*Kunstwiss.* künstlerisch gestalteter Raum); **en|vi|ron|men|tal**

En|vi|ron|to|lo|gie, die; - (Umweltforschung)

en vogue [ã ˈvoːk] ⟨franz.⟩ (beliebt; modisch; im Schwange)

En|vo|yé [ãvɔaˈjeː], der; -s, -s ⟨franz.⟩ (*franz. für* Gesandter)

Enz, die; - (linker Nebenfluss des Neckars)

En|ze|pha|li|tis, die; -, ...it|den ⟨griech.⟩ (*Med.* Gehirnentzündung)

En|ze|pha|lo|gramm, das; -s, -e (Röntgenbild der Gehirnkammern)

En|ze|pha|lo|pa|thie, die; -, ...|en (Erkrankung des Gehirns)

En|zi|an, der; -s, -e (eine Alpenpflanze; ein alkohol. Getränk); 3 [Glas] Enzian; **en|zi|an|blau**

En|zy|k|li|ka, die; -, ...ken ⟨griech.⟩ (päpstl. Rundschreiben)

en|zy|k|lisch (einen Kreis durchlaufend)

En|zy|k|lo|pä|die, die; -, ...ien ⟨griech.⟩ (Nachschlagewerk); **en|zy|k|lo|pä|disch** (umfassend)

En|zy|k|lo|pä|dist, der; -en, -en (Mitarbeiter an der berühmten franz. Enzyklopädie)

En|zym, das; -s, -e ⟨griech.⟩ (*Biochemie* den Stoffwechsel regulierende Verbindung)

en|zy|ma|tisch; En|zy|mo|lo|gie, die; - (Lehre von den Enzymen)

eo ip|so ⟨lat.⟩ (von selbst; selbstverständlich)

Eo|li|enne [...ˈljɛn], die; - ⟨franz.⟩ (ein [Halb]seidengewebe in Taftbindung)

Eo|lith, der; *Gen.* -s u. -en, *Plur.* -e[n] ⟨griech.⟩ (vermeintl. vorgeschichtl. Werkzeug)

Eos (griech. Göttin der Morgenröte)

EOS, die; -, - = erweiterte Oberschule *(DDR); vgl.* erweitern

Eo|sin, das; -s ⟨griech.⟩ (ein roter Farbstoff); **eo|si|nie|ren** (mit Eosin färben)

eo|zän ⟨griech.⟩ (*Geol.* das Eozän betreffend); **Eo|zän,** das; -s (zweitälteste Stufe des Tertiärs)

Eo|zo|i|kum, das; -s (*veraltet für* Proterozoikum); **eo|zo|isch**

ep..., Ep... *vgl.* epi..., Epi...

ep|a|go|gisch ⟨griech.⟩ (*Philos.* zum Allgemeinen führend)

E-Pass (elektronisch lesbarer Pass od. Ausweis [mit biometrischen Daten])

Epau|lett [epo...], das; -s, -s ⟨franz.⟩, *häufiger* Epau|let|te, die; -, -n (Schulterstück auf Uniformen)

Epen (*Plur. von* Epos)

Ep|en|the|se, Ep|en|the|sis, die; -, ...the|sen ⟨griech.⟩ (*Sprachw.* Einschaltung von Lauten [zur Aussprecheerleichterung], z. B. »t« in »namentlich«)

Ep|ex|e|ge|se, die; -, -n ⟨griech.⟩ (*Rhet.* hinzugefügte Erklärung, z. B. drunten »im Unterland«)

eph..., Eph... *vgl.* epi..., Epi...

Ephe|be, der; -n, -n ⟨griech.⟩ (*im alten Griechenland Bez. für* einen wehrfähigen jungen Mann); **ephe|bisch**

Ephe|d|rin®, das; -s (ein Arzneimittel)

Eph|e|li|den *Plur.* ⟨griech.⟩ (*Med.* Sommersprossen)

eph|e|mer ⟨griech.⟩ (nur einen Tag dauernd; vorübergehend); ephemere Blüten, Pflanzen

Ephe|me|ri|de, die; -, -n (*Astron.* Gestirn[berechnungs]tafel)

Ephe|ser (Bewohner von Ephesus); **Ephe|ser|brief,** der; -[e]s *(N. T.)*; ↑K 64

ephe|sisch; Ephe|sos, Ephe|sus (altgriech. Stadt in Kleinasien)

Ephor, der; -en, -en ⟨griech.⟩ (einer der fünf höchsten Beamten im alten Sparta); **Epho|rat,** das; -[e]s, -e (Amt eines Ephoren od. Ephorus); **Epho|ren|amt**

Epho|rie, die; -, ...ien ([kirchl.] Aufsichtsbezirk); **Epho|rus,** der; -, Ephoren (Dekan in der reformierten Kirche; Leiter eines ev. Predigerseminars)

Eph|ra|im (m. Vorn.)

epi..., Epi... *vor Vokalen und h* ep..., Ep... ⟨griech. Vorsilbe darauf [örtl. u. zeitl.], daneben, bei, darüber⟩

Epi|de|mie, die; -, ...ien ⟨griech.⟩ (Seuche, Massenerkrankung)

Epi|de|mio|lo|ge, der; -n, -n; Epi|de|mio|lo|gie, die; - (Lehre von den epidemischen Erkrankungen); **Epi|de|mio|lo|gin;** epi|de|mio|lo|gisch

epi|de|misch (seuchenartig)

Epi|der|mis, die; -, ...men ⟨griech.⟩ (*Med.* Oberhaut)

Epi|dia|s|kop, das; -s, -e ⟨griech.⟩ (als Diaskop u. Episkop verwendbarer Bildwerfer)

Epi|ge|ne|se, die; -, -n ⟨griech.⟩ (*Biol.* Entwicklung durch Neubildung; *Geol.* nachträgliche Entstehung eines Flusstals)

epi|ge|ne|tisch

epi|go|nal (nachahmend, unschöpferisch); **Epi|go|ne,** der; -n, -n ⟨griech.⟩ (Nachahmer ohne Schöpferkraft); **epi|go|nen-haft; Epi|go|nen|tum,** das; -s

Epi|graf, Epi|graph, das; -s, -e (antike Inschrift); Epi|gra|fik, Epi|gra|phik, die; - (Inschriftenkunde); Epi|gra|fi|ker, Epi|gra|phi|ker (Inschriftenforscher); Epi|gra|fi|ke|rin, Epi|gra|phi|ke|rin

Epi|gramm, das; -s, -e ⟨griech.⟩ (Sinn-, Spottgedicht); **Epi|gramm|a|ti|ker** (Verfasser von Epigrammen); Epi|gram|ma|ti|ke|rin; epi|gram|ma|tisch (kurz, treffend)

Epi|graph, Epi|gra|phik usw. *vgl.* Epigraf, Epigrafik usw.

Epik, die; - ⟨griech.⟩ (erzählende Dichtkunst)

Epi|karp, das; -s, -e ⟨griech.⟩ (*Bot.* äußerste Schicht der Fruchtschale)

Epi|ker ⟨zu Epik⟩

Epi|k|le|se, die; -, -n ⟨griech.⟩ (Anrufung des Heiligen Geistes in der orthodoxen Kirche)

Epi|kon|dy|li|tis, die; -, ...it|den ⟨griech.⟩ (*Med.* Tennisarm)

Epi|kri|se, die; -, -n ⟨griech.⟩ (*Med.* abschließende Beurteilung einer Krankheit)

Epi|kur (griech. Philosoph)

Epi|ku|re|er (Anhänger der Lehre Epikurs; *seit der röm. Zeit für* Genussmensch); Epi|ku|re|e|rin

epi|ku|re|isch (*auch für* auf Genuss gerichtet); ↑K 89 *u.* 135 : epikureische Schriften

epi|ku|risch *vgl.* epikureisch

Epi|la|ti|on, die; -, -en ⟨lat.⟩ (*Med.* Enthaarung)

Epi|lep|sie, die; -, ...ien ⟨griech.⟩ (Erkrankung mit plötzlich eintretenden Krämpfen u. kurzer Bewusstlosigkeit)

Epi|lep|ti|ker; Epi|lep|ti|ke|rin; epi|lep|tisch

epi|lie|ren ⟨lat.⟩ (*Med., Kosmetik* enthaaren)

Epi|log, der; -s, -e ⟨griech.⟩ (Nachwort; Nachspiel, Ausklang)

Epin|g|lé [epɛ̃...], der; -[s], -s ⟨franz.⟩ (Kleider- u. Möbelstoff mit ungleich starken Querrippen)

Epi|ni|ki|on, das; -s, ...ien ⟨griech.⟩ (altgriech. Siegeslied)

Epi|pha|ni|as, das; - ⟨zu Epiphanie⟩ (Fest der Erscheinung des Herrn; Dreikönigsfest); **Epi|pha|nie**, die; - ⟨griech., »Erscheinung«⟩; **Epi|pha|ni|en|fest** (svw. Epiphanias)

Epi|pho|ra, die; -, ...rä ⟨griech.⟩ (Med. Tränenfluss; Rhet., Stilk. Wiederholung von Wörtern am Ende aufeinanderfolgender Sätze oder Satzteile)

Epi|phyl|lum, das; -s, ...llen ⟨griech.⟩ (ein Blätterkaktus)

Epi|phy|se, die; -, -n ⟨griech.⟩ (Med. Zirbeldrüse; Endstück der Röhrenknochen)

Epi|phyt, der; -en, -en (Bot. Pflanze, die [bei selbstständiger Ernährung] auf anderen Pflanzen wächst)

Epi|rot, der; -en, -en (Bewohner von Epirus); **epi|ro|tisch**; **Epi|rus** (westgriech. Landschaft)

episch ⟨griech.⟩ (erzählend; das Epos betreffend); episches Theater

Epi|s|kop, das; -s, -e ⟨griech.⟩ (Bildwerfer für nicht durchsichtige Bilder)

epi|s|ko|pal, epi|s|ko|pisch ⟨griech.⟩ (bischöflich); **Epi|s|ko|pa|lis|mus**, der; - (Auffassung, nach der das Konzil der Bischöfe über dem Papst steht); **Epi|s|ko|pa|list**, der; -en, -en (Anhänger des Episkopalismus); **Epi|s|ko|pal|kir|che**

Epi|s|ko|pat, das, Theol. der; -[e]s, -e (Gesamtheit der Bischöfe [eines Landes]; Bischofswürde)

epi|s|ko|pisch vgl. episkopal

Epi|s|ko|pus, der; -, ...pi (lat. Bez. für Bischof)

Epi|so|de, die; -, -n ⟨griech.⟩ (vorübergehendes, nebensächl. Ereignis); **Epi|so|den|film**

epi|so|den|haft; **epi|so|disch**

Epi|s|tel, die; -, -n ⟨griech.⟩ (Apostelbrief; vorgeschriebene gottesdienstl. Lesung; ugs. für Brief, Strafpredigt)

Epi|s|te|mo|lo|gie, die; - ⟨griech.-engl.⟩ (Philos. Erkenntnistheorie); **epi|s|te|mo|lo|gisch**

Epi|s|tyl, das; -s, -e ⟨griech.⟩ (svw. Architrav)

Epi|taph, das; -s, -e ⟨griech.⟩, **Epi-**

ta|phi|um, das; -s, ...ien (Grabschrift; Grabmal mit Inschrift)

Epi|tha|la|mi|on, **Epi|tha|la|mi|um**, das; -s, ...ien ⟨griech.⟩ ([antikes] Hochzeitslied)

Epi|thel, das; -s, -e ⟨griech.⟩, **Epi|the|li|um**, das; -s, ...ien (Biol. oberste Zellschicht der Haut); **Epi|thel|zel|le**

Epi|the|ton, das; -s, ...ta ⟨griech.⟩ (Sprachw. Beiwort); **Epi|the|ton or|nans**, das; - -, ...ta ...antia ⟨griech.; lat., »schmückendes« Beiwort⟩ (formelhaftes Attribut; z. B. »grüne« Wiese)

Epi|t|rit, der; -en, -en ⟨griech.⟩ (altgriech. Versfuß)

Epi|zen|t|rum ⟨griech.⟩ (senkrecht über dem Erdbebenherd liegender Erdoberflächenpunkt)

Epi|zy|k|lo|i|de, die; -, -n ⟨griech.⟩ (Math. eine geometr. Kurve)

Epo, **EPO**, das; - (ugs.); vgl. Erythropoietin

epo|chal ⟨griech.⟩ (für einen [großen] Zeitabschnitt geltend; [sehr] bedeutend)

Epo|che, die; -, -n (Zeitabschnitt); Epoche machen

Epo|che ma|chend, epo|che|ma|chend; eine Epoche machende od. epochemachende Erfindung ↑K58

Epo|chen|un|ter|richt, der; -[e]s (Päd.)

Ep|o|de, die; -, -n ⟨griech.⟩ (eine [antike] Gedichtform)

Epo|pöe [auch ...ˈpøː], die; -, ...öen ⟨griech.⟩ (veraltet für Epos)

Epos, das; -, Epen (erzählende Versdichtung; Heldengedicht)

E-Post, die; - (E-Mail)

Ep|pich, der; -s, -e (landsch. Bez. für mehrere Pflanzen, z. B. Efeu)

Ep|rou|vet|te [epruˈvɛt(ə)], die; -, -n ⟨franz.⟩ (bes. österr. für Proberöhrchen, Reagenzglas)

Ep|si|lon, das; -[s], -s (griech. Buchstabe [kurzes e]: E, ε)

EQ [eːˈkuː, auch iːˈkjuː], der; -[s], -[s] = emotionaler Quotient (Psych. Messgröße für die emotionalen Fähigkeiten eines Menschen)

Equa|li|zer [ˈiːkvəlaɪzɐ], der; -s, - ⟨engl.⟩ (Zusatzgerät an Verstärkern von Hi-Fi-Anlagen zur Klangverbesserung)

Equi|li|b|rist usw. vgl. Äquilibrist usw.

Equi|pa|ge [ek(v)iˈpaːʒə, österr. ...ˈpaːʒ], die; -, -n ⟨franz.⟩ (veraltet für elegante Kutsche; Ausrüstung eines Offiziers)

Equi|pe [eˈkiːp, auch eˈkɪp, schweiz. eˈkipə], die; -, -n ([Reiter]mannschaft, [Arbeits]team)

equi|pie|ren [ek(v)i...] (veraltet für ausrüsten); **Equi|pie|rung**

Equip|ment [ɪ...], das; -s, -s ⟨engl.⟩ (techn. Ausrüstung)

er; er kommt; er trägt in diesem Sommer gedeckte Farben

¹Er (veraltete Anrede an eine männliche Person); höre Er!; jmdn. Er nennen; ↑K76 : das veraltete Er

²Er, der; -, -s (ugs. für Mensch oder Tier männl. Geschlechts); es ist ein Er; ein Er und eine Sie

³Er = chem. Zeichen für Erbium

er... (Vorsilbe von Verben, z. B. erahnen, du erahnst, erahnt, zu erahnen)

...er (z. B. Lehrer, der; -s, -)

er|ach|ten; jmdn. als od. für geeignet erachten

Er|ach|ten, das; -s; meinem Erachten nach, meines Erachtens (Abk. m. E.); (nicht korrekt: meines Erachtens nach)

er|ah|nen

er|ar|bei|ten; **Er|ar|bei|tung**

eras|misch (von Erasmus; auch in der Weise des Erasmus von Rotterdam); ↑K89 u. 135 : die erasmische Satire »Lob der Torheit«

Eras|mus von Rot|ter|dam (niederländ. Theologe u. Humanist)

Era|to [auch ˈeː...] (Muse der Lyrik, bes. der Liebesdichtung)

Era|tos|the|nes (altgriech. Gelehrter)

er|äu|gen (meist scherzh.)

Erb|adel; **Erb|an|la|ge**

Erb|an|spruch

er|bar|men, sich erbarmen; du erbarmst dich seiner, seltener über ihn; er erbarmt mich, österr. auch mir (er tut mir leid)

Er|bar|men, das; -s; **er|bar|mens|wert**

Er|bar|mer, der; -s (geh.); **Er|bar|me|rin**

er|bärm|lich; **Er|bärm|lich|keit**, die; -

Er|bar|mung Plur. selten

er|bar|mungs|los; **Er|bar|mungs|lo|sig|keit**, die; -

er|bar|mungs|voll; **er|bar|mungs|wür|dig**

er|bau|en; sich erbauen (geh. für sich erfreuen)

Er|bau|er; **Er|bau|e|rin**

er|bau|lich; **Er|bau|lich|keit**, die; -

Er|bau|ung; **Er|bau|ungs|li|te|ra|tur**, die; -

Erb|bau|recht; **Erb|be|gräb|nis**

erb|be|rech|tigt
Erb|bild (*für* Genotyp)
Erb|bio|lo|gie; erb|bio|lo|gisch
¹Er|be, der; -n, -n; gesetzlicher Erbe
²Er|be, das; -s; kulturelles Erbe
er|be|ben
erb|ei|gen (ererbt)
erb|ein|ge|ses|sen (alteingesessen)
er|ben
Er|ben|ge|mein|schaft
er|ben|los
¹er|be|ten (durch Beten erlangen);
erbetet, erbetet
²er|be|ten; ein erbetener Gast
er|bet|teln
er|beu|ten; Er|beu|tung
erb|fä|hig
Erb|fak|tor
Erb|fall (*Rechtsspr.* Todesfall, der
   jmdn. zum Erben macht)
Erb|feind; Erb|fein|din
Erb|fol|ge, die; -; Erb|fol|ge|krieg
Erb|fol|ger; Erb|fol|ge|rin
Erb|groß|her|zog; Erb|gut; Erb|hof
er|bie|ten, sich (*geh.*); Er|bie|ten,
   das; -s (*geh.*)
Er|bin
Erb|in|for|ma|ti|on (*Genetik*)
er|bit|ten; jmds. Rat erbitten
er|bit|tern; es erbittert mich; Er-
   bit|te|rung, die; -
Er|bi|um, das; -s (chemisches Ele-
   ment, Metall; *Zeichen* Er)
Erb|krank|heit
er|blas|sen (*geh.* für bleich wer-
   den); die Baronin erblasste
Erb|las|sen|schaft (*Rechtsw.*)
Erb|las|ser (der eine Erbschaft
   Hinterlassende); Erb|las|se|rin
erb|las|se|risch; Erb|las|sung
Erb|le|hen
er|blei|chen (bleich werden); du
   erbleichtest; erbleicht u. (*veraltet, im Sinne von* »gestorben«:)
   erblichen; *vgl.* ²bleichen
Erb|lei|den; Erb|lei|he
erb|lich; Erb|lich|keit, die; -
er|bli|cken
er|blin|den; Er|blin|dung
erb|los
er|blü|hen
Erb|mas|se; erb|mä|ßig
Erb|mo|n|ar|chie
Erb|on|kel (*ugs. scherzh.*)
er|bo|sen (erzürnen); du erbost;
   sein Verhalten erboste mich;
   sich erbosen; ich habe mich
   erbost
er|bö|tig (bereit); er ist erbötig,
   macht sich erbötig, diesen
   Dienst zu leisten
Er|bö|tig|keit, die; -

Erb|pacht; Erb|päch|ter; Erb|päch-
   te|rin
Erb|pfle|ge, die; - (*für* Eugenik)
Erb|prinz; Erb|prin|zes|sin
er|bre|chen, sich erbrechen
Er|bre|chen, das; -s; bis zum Erbre-
   chen (*ugs. für* bis zum Überdruss)
Erb|recht
er|brin|gen; den Nachweis erbrin-
   gen
Er|bro|che|ne, das; -n
er|brü|ten (*fachspr. für* ausbrüten)
Erbs|brei *vgl.* Erbsenbrei
Erb|schaft
Erb|schafts|steu|er, *fachspr. auch*
   Erb|schaft|steu|er, die
Erb|schein; Erb|schlei|cher; Erb-
   schlei|che|rin
Erb|se, die; -, -n
Erb|sen|bein (*Med.* Knochen der
   Handwurzel)
Erb|sen|brei, Erbs|brei
erb|sen|groß
Erb|sen|reis (*österr. neben* Risipisi)
Erb|sen|stroh, Erbs|stroh (getrock-
   netes Erbsenkraut)
Erb|sen|sup|pe
Erb|sen|zäh|ler (*ugs. abwertend*
   kleinlicher, geiziger Mensch);
   Erb|sen|zäh|le|rin
Erbs|stroh *vgl.* Erbsenstroh
Erb|stück; Erb|sün|de
Erbs|wurst
Erb|tan|te (*ugs. scherzh.*)
Erb|teil, das (*BGB* der)
Erb|tei|lung
erb|tüm|lich; erb- und eigentüm-
   lich
Erb|ver|trag; Erb|ver|zicht; Erb|ver-
   zichts|ver|trag
Erb|we|sen, das; -s
Erd|ach|se, die; -
er|dacht ⟨zu erdenken⟩; eine
   erdachte Geschichte
Erd|al|ka|li|en *Plur. (Chemie)*
Erd|an|zie|hung
Erd|ap|fel (*landsch., bes. österr.*
   für Kartoffel)
Erd|ar|bei|ten *Plur.*
Erd|at|mo|sphä|re
er|dau|ern (*schweiz. für* [ein Pro-
   blem] reifen lassen; sich durch
   Warten verdienen); Er|dau|e-
   rung (*schweiz.*)
Erd|ball; Erd|be|ben
Erd|be|ben|herd; Erd|be|ben|mes-
   ser, der; Erd|be|ben|op|fer
erd|be|ben|si|cher
Erd|be|ben|war|te; Erd|be|ben|wel-
   le
Erd|beer|bow|le
Erd|bee|re; Erd|beer|eis

erd|beer|far|ben, erd|beer|far|big
Erd|be|schleu|ni|gung (*Physik* Fall-
   beschleunigung)
Erd|be|schrei|bung; Erd|be|stat-
   tung; Erd|be|völ|ke|rung
Erd|be|we|gung
Erd|be|woh|ner; Erd|be|woh|ne|rin
Erd|bir|ne (*landsch. für* Kartoffel)
Erd|bo|den; Erd|boh|rer (*Technik*)
erd|braun
Er|de, die; -, -n *Plur. selten*
er|den (*Elektrot.* Verbindung zwi-
   schen einem elektr. Gerät und
   der Erde herstellen)
Erd|en|bür|ger; Erd|en|bür|ge|rin;
   Erd|en|glück
er|denk|bar; er|den|ken; er|denk-
   lich; alles erdenklich[e] Gute
   wünschen
Er|den|le|ben; Er|den|rund, das;
   -[e]s
Erd|er|wär|mung
Erd|fall, der (trichterförmige Sen-
   kung von Erdschichten)
erd|far|ben, erd|far|big
erd|fern; ein erdferner Planet; Erd-
   fer|ne, die; -
Erdg. = Erdgeschichte; Erdgeschoss
Erd|gas; erd|gas|höf|fig (reiches
   Erdgasvorkommen versprechend)
erd|ge|bo|ren (*geh. für* sterblich,
   irdisch); Erd|ge|bo|re|ne, Erd|ge-
   bor|ne, der u. die; -n, -n
erd|ge|bun|den
Erd|geist *Plur.* ...geister
Erd|ge|schich|te (*Abk.* Erdg.)
Erd|ge|schoss (*Abk.* Erdg.; *vgl.*
   Geschoss)
erd|haft
Erd|höh|le
Erd|hörn|chen (ein Nagetier)
er|dich|ten ([als Ausrede] erfinden;
   sich ausdenken)
er|dig
Erd|kern; Erd|kreis; Erd|krus|te
Erd|ku|gel
Erd|kun|de, die; -; Erd|kund|ler; Erd-
   kund|le|rin; erd|kund|lich
Erd|ling, der; -s, -e (*scherzh. für*
   Erdbewohner)
erd|ma|g|ne|tisch; erdmagnetische
   Wellen; Erd|ma|g|ne|tis|mus
Erd|männ|chen (Kobold; ein Tier)
erd|nah; erdnaher Planet
Erd|nä|he (*Astron.*)
Erd|nuss; Erd|nuss|but|ter; Erd-
   nuss|flip, der; -s, -e *meist Plur.*
   (eine Knabberware)
Erd|ober|flä|che, die; -
Erd|öl; Erdöl fördernde *od.* erdöl-
   fördernde, Erdöl exportierende

erdolchen – Erg.-Bd

od. erdölexportierende Länder

er|dol|chen *(geh.)*; Er|dol|chung

Erd|öl ex|por|tie|rend, erd|öl|ex|por|tie|rend ↑K 58

Erd|öl för|dernd, erd|öl|för|dernd ↑K 58

erd|öl|höf|fig (reiches Erdölvorkommen versprechend)

Erd|öl|pro|duk|ti|on; Erd|öl|vor|kom|men

Erd|pech; Erd|rauch (eine Pflanze)

Erd|reich

er|dreis|ten, sich *(geh.)*

Erd|rin|de, die; -

er|dröh|nen

er|dros|seln; Er|dros|se|lung, *seltener* Er|dross|lung

er|drü|cken; er|drü|ckend

Er|drusch, der; -[e]s, -e (Ertrag des Dreschens)

Erd|rutsch; Erd|sa|tel|lit; Erd|schicht

Erd|schlipf *(schweiz. für* Erdrutsch)

Erd|schluss *(Elektrot.)*

Erd|schol|le; Erd|sicht *(Flugw.)*

Erd|spal|te; Erd|stoß

Erd|strö|me *Plur.* (elektr. Ströme in der Erdkruste)

Erd|teil, der; Erd|tra|bant

er|dul|den; Er|dul|dung, die; -

Erd|um|krei|sung; Erd|um|run|dung

erd|um|span|nend

Er|dung (das Erden)

erd|ver|bun|den

Erd|ver|mes|sung; Erd|wachs *(für* Ozokerit)

Erd|wall; Erd|wär|me

Erd|zeit|al|ter

Ere|bos, Ere|bus, der; - ⟨griech.⟩ (Unterwelt der griech. Sage)

Ere|ch|thei|on, Ere|ch|the|um, das; -s (Tempel des Erechtheus in Athen)

Ere|ch|theus (griech. Sagengestalt)

er|ei|fern, sich; Er|ei|fe|rung

er|eig|nen, sich

Er|eig|nis, das; -ses, -se; ein freudiges Ereignis; ein großes Ereignis

er|eig|nis|los; er|eig|nis|reich

er|ei|len *(geh.)*; das Schicksal ereilte ihn

Erek (m. Vorn.)

erek|til ⟨lat.⟩ *(Med.* aufrichtbar, schwellfähig); Erek|ti|on, die; -, -en (Aufrichtung, Anschwellung [des Penis]); Erek|ti|ons|stö|rung

Ere|mit, der; -en, -en ⟨griech.⟩ (Einsiedler; Klausner)

¹Ere|mi|ta|ge [...ʒə, *österr.* ...ʃ], die; -, -n (abseits gelegene Grotte od. Nachahmung einer Einsiedelei in Parkanlagen des 18. Jh.s)

²Ere|mi|ta|ge, Er|mi|ta|ge, die; - (Kunstsammlung in Sankt Petersburg)

Ere|mi|tin

Eren, Ern, der; -, - *(landsch. veraltend für* Hausflur, -gang)

er|er|ben *(veraltet)*

er|erbt; ererbter Besitz

Ere|this|mus, der; - ⟨griech.⟩ *(Med., Psych.* übersteigerte Gereiztheit)

er|fahr|bar

¹er|fah|ren; etwas Wichtiges erfahren

²er|fah|ren; erfahrene Fachkräfte

Er|fah|re|ne, der *u.* die; -n, -n

Er|fah|ren|heit, die; -

Er|fah|rung; Er|fah|rungs|austausch; Er|fah|rungs|be|richt

er|fah|rungs|ge|mäß; er|fah|rungs|mä|ßig

Er|fah|rungs|schatz; Er|fah|rungs|tat|sa|che; Er|fah|rungs|wert; Er|fah|rungs|wis|sen|schaft *(für* Empirie)

er|fass|bar; er|fas|sen; erfasst

Er|fas|sung

er|fech|ten; erfochtene Siege

er|fin|den; Er|fin|der; Er|fin|der|geist, der; -[e]s; Er|fin|de|rin

er|fin|de|risch

er|find|lich; nicht erfindlich (erkennbar, verständlich) sein

Er|fin|dung; Er|fin|dungs|ga|be; Er|fin|dungs|kraft

er|fin|dungs|reich

er|fle|hen *(geh.)*; erflehte Hilfe

Er|folg, der; -[e]s, -e; Maßnahmen, die Erfolg versprechen; *vgl.* Erfolg versprechend

er|fol|gen

er|folg|ge|krönt *(geh.)*

Er|folg|ha|sche|rei, die; - *(abwertend)*

er|folg|los; Er|folg|lo|sig|keit

er|folg|reich

er|folgs|ab|hän|gig

Er|folgs|aus|sicht *meist Plur.*

Er|folgs|au|tor; Er|folgs|au|to|rin; Er|folgs|buch

Er|folgs|den|ken; Er|folgs|er|leb|nis; Er|folgs|ge|schich|te; Er|folgs|kurs; Er|folgs|mo|dell

er|folgs|ori|en|tiert

Er|folgs|prä|mie; Er|folgs|quo|te

Er|folgs|rech|nung *(Wirtsch.)*; Er|folgs|re|zept

Er|folgs|se|rie

er|folgs|si|cher

Er|folgs|sto|ry; Er|folgs|stück

er|folgs|ver|wöhnt

Er|folgs|zif|fer; Er|folgs|zwang

Erfolg ver|spre|chend, er|folg|ver-

sprechend; Erfolg versprechende *od.* erfolgversprechende Maßnahmen; *aber nur* großen Erfolg versprechende Maßnahmen, höchst erfolgversprechende Maßnahmen; diese Maßnahme ist noch erfolgversprechender, am erfolgversprechendsten ↑K 58

er|for|der|lich

er|for|der|li|chen|falls *(Amtsspr.)*

er|for|dern; Er|for|der|nis, das; -ses, -se

er|forsch|bar; er|for|schen

Er|for|scher; Er|for|sche|rin; Er|forschung

er|fra|gen; Er|fra|gung

er|fre|chen, sich *(veraltend)*

er|freu|en, sich erfreuen; er|freu|lich; manches Erfreuliche ↑K 72; er|freu|li|cher|wei|se

er|frie|ren; Er|frie|rung; Er|frie|rungs|tod

er|fri|schen, sich erfrischen; er|fri|schend; erfrischender Humor

Er|fri|schung

Er|fri|schungs|ge|tränk; Er|frischungs|raum; Er|fri|schungsstand; Er|fri|schungs|tuch

Erft, die; - (linker Nebenfluss des Niederrheins)

er|füh|len *(geh.)*

er|füll|bar; erfüllbare Wünsche

er|fül|len, sich erfüllen; Er|fülltheit, die; -; Er|fül|lung

Er|fül|lungs|ge|hil|fe *(bes. Rechtsspr.)*; Er|fül|lungs|ort, der; -[e]s, -e *(Rechtsw.)*

Er|furt (Hauptstadt von Thüringen); Er|fur|ter; der Erfurter Dom

erg = Erg

Erg, das; -s, - ⟨griech.⟩ (ältere physikal. Energieeinheit; *Zeichen* erg)

erg. = ergänze!

er|gän|zen; du ergänzt; ergänze! *(Abk.* erg.); Er|gän|zung

Er|gän|zungs|ab|ga|be (zusätzliche Steuer); Er|gän|zungs|band, der *(Abk.* Erg.-Bd.)

Er|gän|zungs|bin|de|strich; Er|gän|zungs|fra|ge *(Sprachw.)*

Er|gän|zungs|kom|man|do *(österr. für* Kreiswehrersatzamt)

Er|gän|zungs|satz (Objektsatz)

er|gat|tern *(ugs. für* sich durch eifriges, geschicktes Bemühen verschaffen); ich ergattere

er|gau|nern *(ugs. für* sich durch Betrug verschaffen); ich ergaunere

Erg.-Bd. = Ergänzungsband

375

¹er|ge|ben; die Zählung hat erge-
ben, dass ...; sich ins Unver-
meidliche ergeben
²er|ge|ben; ergebener Diener;
jmdm. treu ergeben sein; Er|ge-
ben|heit, die; -; Er|ge|ben|heits-
ad|res|se; er|ge|benst
Er|geb|nis, das; -ses, -se
er|geb|nis|los; Er|geb|nis|lo|sig|keit,
die; -
er|geb|nis|of|fen; ergebnisoffen
diskutieren
er|geb|nis|ori|en|tiert
er|geb|nis|reich
Er|ge|bung (geh.); er|ge|bungs|voll
(geh.)
er|ge|hen; wie ist es dir ergangen?;
sich im Park ergehen (geh. für
spazieren gehen); sie erging sich
in Vermutungen; er hat es über
sich ergehen lassen; Er|ge|hen,
das; -s (Befinden)
er|gie|big; Er|gie|big|keit, die; -
er|gie|ßen; sich ergießen; Er|gie-
ßung
er|glän|zen (geh.)
er|glü|hen (geh.)
er|go (lat.) (folglich, also)
Er|go|graf, Er|go|graph, der; -en,
-en (griech.) (Gerät zur Aufzeichnung der Muskelarbeit)
Er|go|lo|gie, die; - ([historische]
Erforschung der Arbeitsgeräte)
Er|go|me|ter, das; -s, - (Med. Gerät
zur Messung der körperl. Leistungsfähigkeit)
Er|go|no|mie, Er|go|no|mik, die; -
(Erforschung der Leistungs-
möglichkeiten u. optimalen
Arbeitsbedingungen des Men-
schen); er|go|no|misch
Er|go|s|te|rin, das; -s (Vorstufe des
Vitamins D₂)
Er|go|the|ra|peut (Berufsbez.); Er-
go|the|ra|peu|tin
Er|go|the|ra|pie; die; -, -n (griech.)
(Arbeits- und Beschäftigungs-
therapie)
er|göt|zen (geh.); du ergötzt; sich
ergötzen; Er|göt|zen, das; -s
(geh.); er|götz|lich (geh.); Er|göt-
zung (geh.)
er|gra|ben (fachspr. für ausgra-
ben)
er|grau|en; ergraut
er|grei|fen; er|grei|fend; Er|grei-
fung Plur. selten
er|grif|fen; er war sehr ergriffen;
Er|grif|fen|heit, die; -; Er|grif|fen-
sein, das; -s
er|grim|men (geh.)
er|gründ|bar; er|grün|den; Er|grün-
dung Plur. selten

er|grü|nen (geh.); die Natur
ergrünt
Er|guss; Er|guss|ge|stein (für Effu-
sivgestein)
er|ha|ben; erhabene (erhöhte) Stel-
len einer Druckplatte; über allen
Zweifel erhaben; Er|ha|ben|heit
Er|halt, der; -[e]s (Amtsspr. Emp-
fang; Erhaltung, Bewahrung)
er|hal|ten; erhalten bleiben
er|hal|tens|wert
er|hält|lich
Er|hal|tung, die; -; Er|hal|tungs|trieb
er|hal|tungs|wür|dig
Er|hal|tungs|zu|stand
er|han|deln
er|hän|gen, sich erhängen; vgl.
²hängen; Er|häng|te, der u. die;
-n, -n
¹Er|hard (m. Vorn.)
²Er|hard (ehemaliger Wirtschafts-
minister u. deutscher Kanzler)
er|här|ten; Er|här|tung
er|ha|schen
er|he|ben, sich erheben
er|he|bend (feierlich)
er|heb|lich
Er|he|bung
er|hei|ra|ten (durch Heirat erlan-
gen)
er|hei|schen (geh. für erfordern)
er|hei|tern; ich erheitere; Er|hei|te-
rung
¹er|hel|len; sich erhellen (hell, hei-
ter werden)
²er|hel|len; daraus erhellt (wird
klar), dass ...
Er|hel|lung
er|hit|zen; du erhitzt; sich erhit-
zen; Er|hit|zer; Er|hit|zung
er|hof|fen; ich erhoffe mir Vorteile
er|hö|hen; Er|hö|hung
Er|hö|hungs|zei|chen (Musik ♯)
er|ho|len, sich; er|hol|sam
Er|ho|lung, die; -; Erholung
suchen; Erholung suchende od.
erholungsuchende Großstädter
↑K58
Er|ho|lungs|auf|ent|halt
er|ho|lungs|be|dürf|tig
Er|ho|lungs|ge|biet; Er|ho|lungs-
heim; Er|ho|lungs|pau|se; Er|ho-
lungs|rei|se; Er|ho|lungs|stät|te
Er|ho|lung su|chend, er|ho|lung|su-
chend ↑K58
Er|ho|lung Su|chen|de, der u. die;
- -n, - -n, Er|ho|lung|su|chen|de,
der u. die; -n, -n
Er|ho|lungs|ur|laub; Er|ho|lungs-
wert; Er|ho|lungs|zeit; Er|ho-
lungs|zen|t|rum
er|hö|ren; Er|hö|rung
Erich (m. Vorn.)

Eri|da|nos, ¹Eri|da|nus, der; -
(griech.) (Fluss der griech. Sage)
²Eri|da|nus, der; - (griech.) (ein
Sternbild)
Erie|see ['iːri..., auch 'iːəri...], der;
-s (in Nordamerika)
eri|gi|bel (lat.) (svw. erektil); eri-
gie|ren (Med. sich aufrichten)
Erik (m. Vorn.)
¹Eri|ka (w. Vorn.)
²Eri|ka, die; -, ...ken (griech.) (Hei-
dekraut)
er|in|ner|bar
er|in|ner|lich

– sich erinnern; ich erinnere mich
an das Ereignis, in gehobener
Ausdrucksweise des Ereignisses;
erinnerst du dich daran, geh.
dessen?
– jemanden an etwas erinnern;
ich musste sie an ihr Versprechen erinnern
– ich erinnere das, diesen Vorfall
nicht (bes. nordd.)

Er|in|ne|rung
Er|in|ne|rungs|bild; Er|in|ne|rungs-
fo|to
er|in|ne|rungs|los
Er|in|ne|rungs|lü|cke; Er|in|ne-
rungs|mal vgl. ²Mal; Er|in|ne-
rungs|schrei|ben (veraltet)
er|in|ne|rungs|schwer
Er|in|ne|rungs|stät|te; Er|in|ne-
rungs|stück; Er|in|ne|rungs|ver-
mö|gen; Er|in|ne|rungs|zei|chen
Erin|nye [...nÿə], Erin|nys, die; -,
...yen meist Plur. (griech.)
(griech. Rachegöttin)
Eris (griech. Göttin der Zwietracht);
Eris|tik, die; - (griech.) (Kunst u.
Technik des Redestreits)
Eri|t|rea (Staat in Nordostafrika)
Eri|t|re|er; Eri|t|re|e|rin; eri|t|re|isch
Eri|wan (Hauptstadt Armeniens)
er|ja|gen
er|kal|ten; erkaltet
er|käl|ten; sich; erkältet
Er|kal|tung, die; -
Er|käl|tung; Er|käl|tungs|ge|fahr;
Er|käl|tungs|krank|heit
er|kämp|fen
er|kau|fen
er|kenn|bar; Er|kenn|bar|keit
er|ken|nen; sich zu erkennen
geben; auf eine Freiheitsstrafe
erkennen (Rechtsspr. als Urteil
verkünden)
er|kennt|lich; sich erkenntlich zei-
gen; Er|kennt|lich|keit

¹Er|kennt|nis, die; -, -se (Einsicht)

²Er|kennt|nis, das; -ses, -se (österr., sonst veraltet für richterl. Urteil)

Er|kennt|nis|fä|hig|keit; Er|kennt-nis|kri|tik (Philos.)

er|kennt|nis|the|o|re|tisch (Philos.); Er|kennt|nis|the|o|rie

Er|ken|nung, die; -

Er|ken|nungs|dienst; er|ken|nungs-dienst|lich

Er|ken|nungs|mar|ke

Er|ken|nungs|me|lo|die

Er|ken|nungs|zei|chen

Er|ker, der; -s, -

Er|ker|fens|ter; Er|ker|zim|mer

er|kie|sen (geh. für [aus]wählen); meist nur noch im Präteritum u. Partizip II gebr.; ich erkor, du erkorst; erkoren; vgl. ²kiesen

er|klär|bar; Er|klär|bar|keit, die; -

er|klä|ren; sich erklären

Er|klä|rer; Er|klä|re|rin

er|klär|lich; er|klär|li|cher|wei|se

er|klärt (entschieden; offenkundig); ein erklärter Nichtraucher, der erklärte Publikumsliebling; er|klär|ter|ma|ßen; er|klär|ter-wei|se

Er|klä|rung; Er|klä|rungs|not; in Erklärungsnot geraten, kommen

er|kleck|lich (geh. für beträchtlich); ↑K72 : um ein Erkleckliches größer

er|klet|tern; Er|klet|te|rung

er|klim|men (geh.); Er|klim|mung

er|klin|gen

er|ko|ren vgl. erkiesen

er|kran|ken; Er|kran|kung

Er|kran|kungs|fall, der; im Erkrankungsfall

er|küh|nen, sich

er|kun|den

er|kun|di|gen, sich; Er|kun|di|gung

Er|kun|dung; Er|kun|dungs|fahrt; Er|kun|dungs|flug; Er|kun|dungs-trupp (Milit.)

er|küns|teln (abwertend); er|küns-telt

er|kü|ren vgl. küren

er|la|ben (veraltet); sich erlaben

Er|lag, der; -[e]s (österr. für Hinterlegung); Er|lag|schein (österr. für Zahlkarte der Post)

er|lah|men; Er|lah|mung, die; -

er|lan|gen

Er|lan|gen (Stadt a. d. Regnitz); Er-lan|ger

Er|lan|gung, die; - (Amtsspr.)

Er|lass, der; Erlasses, Plur. Erlasse, österr. Erlässe; er|las|sen; Er|las-sung

er|lau|ben; sich erlauben; ich erlaube mir[,] zu fragen

Er|laub|nis, die; -, -se Plur. selten; Er|laub|nis|schein

er|laucht (geh.); Er|laucht, die; -, -en (ein Adelstitel); vgl. euer, ihr u. sein

er|lau|fen; den Ball erlaufen (Sport)

er|lau|schen (selten)

er|läu|tern; ich erläutere; Er|läu|te-rung; er|läu|te|rungs|wei|se

Er|le, die; -, -n (ein Laubbaum)

er|leb|bar; er|le|ben; Er|le|ben, das; -s

Er|le|bens|fall, der; -[e]s; im Erlebensfall (Versicherungsw.)

Er|leb|nis, das; -ses, -se

Er|leb|nis|auf|satz; Er|leb|nis|be-richt

Er|leb|nis|fä|hig|keit (bes. Psych.)

Er|leb|nis|gas|t|ro|no|mie

Er|leb|nis|hun|ger; er|leb|nis|hung-rig

er|leb|nis|ori|en|tiert

Er|leb|nis|pä|d|a|go|gik

er|leb|nis|reich

Er|leb|nis|ro|man; Er|leb|nis|ur|laub

Er|leb|nis|welt

er|lebt; erlebte Rede (Sprachw.)

er|le|di|gen; er|le|digt (ugs. für völlig erschöpft); Er|le|di|gung

er|le|gen (bes. österr. auch für [einen Betrag] zahlen); Er|le-gung

er|leich|tern; ich erleichtere; sich erleichtern; er|leich|tert; Er|leich-te|rung

er|lei|den

er|len (aus Erlenholz)

Er|len|bruch vgl. ²Bruch; Er|len|holz

Er|len|mey|er|kol|ben ↑K136 ⟨nach dem dt. Chemiker R. Erlenmeyer⟩ (Chemie kegelförmiger od. bauchiger Glaskolben mit flachem Boden)

er|lern|bar; Er|lern|bar|keit, die; -

er|ler|nen; Er|ler|nung, die; -

er|le|sen; erlesenes (ausgesuchtes) Gericht; Er|le|sen|heit

er|leuch|ten; Er|leuch|tung

er|lie|gen; ↑K82 : zum Erliegen kommen

er|lis|ten; Er|lis|tung, die; -

Er|l|kö|nig (»Elfenkönig«) (nur Sing.: Sagengestalt; ugs. für getarnter Versuchswagen)

er|lo|gen vgl. erlügen

Er|lös, der; -es, -e

er|lö|schen vgl. ²löschen; Er|lö-schen, das; -s

er|lö|sen; erlöst

Er|lö|ser; Er|lö|ser|bild (Rel.)

er|lö|ser|haft

Er|lö|se|rin

Er|lö|sung Plur. selten

er|lü|gen; erlogen

er|mäch|ti|gen; Er|mäch|ti|gung

er|mah|nen; Er|mah|nung

er|man|geln; jeglichen Sachverstandes ermangeln

Er|man|ge|lung, Er|mang|lung, die; -; in Ermangelung, Ermanglung eines Besser[e]n (geh.)

er|man|nen, sich (geh.); Er|man-nung, die; -

er|mä|ßi|gen; Er|mä|ßi|gung

er|mat|ten; Er|mat|tung, die; - ermess|bar; er|mes|sen

Er|mes|sen, das; -s; nach meinem Ermessen

Er|mes|sens|ent|schei|dung; Er|mes-sens|fra|ge; Er|mes|sens|frei|heit

Er|mi|ta|ge vgl. ²Eremitage

er|mit|teln; ich ermitt[e]le

Er|mitt|ler; Er|mitt|le|rin

Er|mitt|lung

Er|mitt|lungs|ar|beit; Er|mitt|lungs-be|am|te; Er|mitt|lungs|be|hör|de; Er|mitt|lungs|rich|ter; Er|mitt-lungs|ver|fah|ren

Erm|land, das; -[e]s (Landschaft im ehem. Ostpreußen)

er|mög|li|chen; Er|mög|li|chung, die; -

er|mor|den; Er|mor|dung

er|müd|bar; Er|müd|bar|keit, die; -

er|mü|den; Er|mü|dung Plur. selten

Er|mü|dungs|bruch

Er|mü|dungs|er|schei|nung

Er|mü|dungs|zu|stand

er|mun|tern; ich ermuntere; Er-mun|te|rung

er|mu|ti|gen; Er|mu|ti|gung

Ern vgl. Eren

Er|na (w. Vorn.)

er|näh|ren; sich ernähren

Er|näh|rer; Er|näh|re|rin

Er|näh|rung, die; -

Er|näh|rungs|ba|sis

er|näh|rungs|be|dingt

Er|näh|rungs|for|schung

Er|näh|rungs|la|ge

Er|näh|rungs|leh|re (Med.)

Er|näh|rungs|phy|sio|lo|gie (Med.); er|näh|rungs|phy|sio|lo|gisch

Er|näh|rungs|plan

Er|näh|rungs|stö|rung; Er|näh-rungs|wis|sen|schaft|ler; Er|näh-rungs|wis|sen|schaft|le|rin

er|ne|nen; Er|ne|nung

Er|nen|nungs|schrei|ben

Er|nen|nungs|ur|kun|de

er|nes|ti|ni|sche Li|nie ↑K89 u. 135 , die; -n - (herzogl. Linie der Wettiner)

E

erne

er|neu|en (*seltener für* erneu-
ern)
Er|neu|er, *häufiger* Er|neu|e|rer, Er-
neu|rer
er|neu|er|bar; erneuerbare Ener-
gien
Er|neu|e|rin, Er|neu|re|rin
er|neu|ern; sich erneuern
Er|neu|e|rung
er|neu|e|rungs|be|dürf|tig
Er|neu|rer *vgl.* Erneuerer
Er|neu|re|rin
er|neut (nochmals); Er|neu|ung
(*seltener für* Erneuerung)
er|nied|ri|gen, sich erniedrigen
er|nied|ri|gend; Er|nied|ri|gung
Er|nied|ri|gungs|zei|chen (*Musik b*)

ernst

*Schreibung in Verbindung mit
Verben und Partizipien* ↑K56 *u.*
↑K62:

– ernst sein; es ist mir [vollkom-
men] ernst damit
– ernst werden, die Lage wird
ernst
– jmdn., eine Sache [sehr] ernst
nehmen
– um ihn soll es sehr ernst stehen
– ein ernst gemeinter *od.* ernst-
gemeinter Rat
– ein ernst zu nehmender *od.*
ernstzunehmender Vorschlag
Vgl. ¹Ernst

¹Ernst, der; -es; im Ernst; Ernst
machen; Scherz für Ernst nehmen; es ist mir [vollkommener]
Ernst damit; es wurde Ernst
[aus dem Spiel]; allen Ernstes
²Ernst (m. Vorn.)
Ernst|fall, der
ernst ge|meint, ernst|ge|meint *vgl.*
ernst
ernst|haft; Ernst|haf|tig|keit, die; -
ernst|lich
ernst zu neh|mend, ernst|zu|neh-
mend *vgl.* ernst
Ern|te, die; -, -n
Ern|te|aus|fäl|le *Plur.* (Einbußen
bei der Ernte)
Ern|te|bri|ga|de (*in der DDR*)
Ern|te|dank|fest
Ern|te|ein|satz; Ern|te|er|geb|nis;
Ern|te|fest (Erntedankfest); Ern-
te|kranz; Ern|te|kro|ne
Ern|te|ma|schi|ne
Ern|te|mo|nat, Ern|te|mond (*alte
Bez. für* August)
ern|ten
Ern|te|se|gen; Ern|te|zeit

Ern|ting, der; -s, -e (*alte Bez. für*
August)
er|nüch|tern; ich ernüchtere; Er-
nüch|te|rung
Er|obe|rer; Er|obe|rin; er|obern; ich
erobere
Er|obe|rung; Er|obe|rungs|drang;
Er|obe|rungs|krieg
Er|obe|rungs|lust; er|obe|rungs|lus-
tig
Er|obe|rungs|zug
ero|die|ren ⟨lat.⟩ (Geol. auswa-
schen)
er|öff|nen; Er|öff|nung
Er|öff|nungs|be|schluss
(*Rechtsspr.*)
Er|öff|nungs|fei|er; Er|öff|nungs|re-
de; Er|öff|nungs|vor|stel|lung
ero|gen ⟨griech.⟩ (Med. sexuell
erregbar); erogene Zone
Ero|i|ca, Ero|i|ka, die; - ⟨griech.⟩
(*kurz für* Sinfonia eroica [Titel
der 3. Sinfonie Es-Dur von Beet-
hoven])
er|ör|tern; ich erörtere
Er|ör|te|rung
¹Eros (griech. Gott der Liebe); *vgl.*
Eroten
²Eros [*auch* ˈɛrɔs], der; - ⟨griech.⟩
(sinnliche Liebe; *Philos.* Drang
nach Erkenntnis); philosophi-
scher Eros
³Eros, der; - (ein Planet)
Eros|cen|ter ⟨griech.-engl.⟩ (*ver-
hüllend für* Bordell)
Ero|si|on, die; -, -en ⟨lat.⟩ (Geol.
Erdabtragung durch Wasser, Eis
od. Wind); ero|siv
Ero|ten *Plur.* ⟨griech.⟩ (allegor.
Darstellung geflügelter Liebes-
götter, meist in Kindergestalt);
vgl. ¹Eros
Ero|tik, die; - (sinnliche Liebe;
Sexualität)
¹Ero|ti|ka (*Plur. von* Erotikon)
²Ero|ti|ka *Plur.* (sexuell anregende
Gegenstände, Mittel o. Ä.)
Ero|ti|ker (Verfasser von eroti-
schen Schriften; sinnlicher
Mensch); Ero|ti|ke|rin
Ero|ti|kon, das; -s, *Plur.* ...ka *od.*
...ken (erotisches Buch)
ero|tisch
ero|ti|sie|ren; Ero|ti|sie|rung
Ero|to|ma|nie, die; - (Med., Psych.
übersteigertes sexuelles Verlangen)
Er|pel, der; -s, - (Enterich)
er|picht (begierig)
er|press|bar; Er|press|bar|keit,
die; -
er|pres|sen; Er|pres|ser

Er|press|ser|brief; Er|pres|se|rin; er-
pres|se|risch
Er|pres|sung; Er|pres|sungs|ver|such
er|pro|ben; er|probt; er|prob|ter-
wei|se
Er|pro|bung; er|pro|bungs|hal|ber
Er|pro|bungs|pha|se
er|qui|cken (*geh. für* erfrischen);
sich erquicken; er|quick|lich
(*geh.*); Er|qui|ckung (*geh.*)
Er|ra|ta (*Plur. von* Erratum)
er|rat|bar; er|ra|ten
er|ra|tisch ⟨lat.⟩ (Geol. verirrt, zer-
streut); erratischer Block (Find-
ling[sblock])
Er|ra|tum, das; -s, ...ta (Versehen,
Druckfehler)
er|re|chen|bar; er|rech|nen
er|reg|bar; Er|reg|bar|keit, die; -
er|re|gen, sich erregen; Er|re|ger;
Er|regt|heit, die; -
Er|re|gung; Er|re|gungs|zu|stand
er|reich|bar; Er|reich|bar|keit
er|rei|chen; Er|rei|chung, die; -
er|ret|ten (*geh.*); jmdn. von *od.* vor
etwas erretten; Er|ret|ter; Er|ret-
te|rin; Er|ret|tung
er|rich|ten; Er|rich|tung
er|rin|gen; Er|rin|gung, die; -
er|rö|ten; Er|rö|ten, das; -s
Er|run|gen|schaft
Er|satz, der; -es; Er|sätz|bank *Plur.*
...bänke (*Sport*)
Er|satz|be|frie|di|gung (*Psych.*); Er-
sätz|deh|nung (*Sprachw.*)
Er|satz|dienst; Er|satz|dienst|leis-
ten|de, der; -n, -n
er|satz|dienst|pflich|tig; Er|satz-
dienst|pflich|ti|ge, der; -n, -n
Er|satz|dro|ge
Er|satz|frau
er|satz|ge|schwächt (*bes. Sport*)
Er|satz|ge|we|be
Er|satz|hand|lung (*Psych.*)
Er|satz|in|fi|ni|tiv (*Sprachw.* Infini-
tiv anstelle eines Partizips II
nach einem reinen Infinitiv, z. B.
er hat ihn kommen »hören«
statt »gehört«)
Er|satz|kas|se
er|satz|los; ersatzlos gestrichen
Er|satz|mann *Plur.* ...leute, *auch*
...männer
er|satz|pflich|tig
Er|satz|rad; Er|satz|re|ser|ve
(*Milit.*); Er|satz|spie|ler (*Sport*);
Er|satz|spie|le|rin
Er|satz|teil, das, *seltener* der; Er-
satz|teil|la|ger
er|satz|wei|se
Er|satz|zeit (*Versicherungsw.*)
er|sau|fen (*ugs. für* ertrinken); er-
soffen

E

Erst

ers|te

Kleinschreibung ↑K 89:

- der erste (1.) April
- das erste Mal; beim, zum ersten Mal
- der erste Rang; die erste Geige spielen; die erste heilige Kommunion; der erste Spatenstich; erster Klasse fahren
- Bachstraße 7, erster Stock

Großschreibung ↑K 80:

- der Erste, der kam
- als Erster, Erste durchs Ziel gehen
- als Erstes tun
- fürs Erste
- zum Ersten; mein Erstes war, ein Heft zu kaufen (zuerst kaufte ich ...)
- die Ersten werden die Letzten sein; der Erste des Monats; vom nächsten Ersten an
- ↑K 88 *u.* 89 : Otto der Erste (Otto I.)

- der Erste Weltkrieg
- der Erste Geiger
- der Erste Bürgermeister; der Erste Staatsanwalt
- der Erste Vorsitzende *(als Dienstbez.);* der Erste Schlesische Krieg; der Erste Mai (Feiertag); Verdienstkreuz Erster Klasse
- die Erste Bundesliga
- Erstes Deutsches Fernsehen (*für* ARD)
- die erste *od.* Erste Hilfe (bei Unglücksfällen)

Besondere Unterscheidungen:

- die ersten beiden (das erste und das zweite Glied, das erste Paar einer Gruppe)
- *aber* die beiden Ersten (von zwei Gruppen das jeweils erste Glied)

Vgl. achte, erstbeste, erstere

---

er|säu|fen (ertränken); ersäuft
er|schaf|fen *vgl.* ²schaffen; Er|schaf|fer *(geh.);* Er|schaf|fe|rin *(geh.);* Er|schaf|fung, die; - *(geh.)*
er|schal|len; es erscholl *od.* erschallte; es erschölle *od.* erschallte; erschollen *od.* erschallt; erschall[e]!
er|schau|dern *(geh.)*
er|schau|en
er|schau|ern *(geh.)*
er|schei|nen; Er|schei|nung
Er|schei|nungs|bild; Er|schei|nungs|form; Er|schei|nungs|jahr; Er|schei|nungs|ort
Er|schei|nungs|ter|min; Er|schei|nungs|wei|se
er|schie|ßen; Er|schie|ßung
er|schim|mern *(geh.)*
er|schlaf|fen; er|schlafft; Er|schlaf|fung, die; -
er|schla|gen
er|schlei|chen (durch List erringen); Er|schlei|chung
er|schließ|bar; er|schlie|ßen, sich erschließen; Er|schlie|ßung
er|schmel|zen *(Hüttenw.)*
er|schöpf|bar
er|schöp|fen; sich erschöpfen
er|schöpft; Er|schöp|fung
Er|schöp|fungs|syn|drom *(Psych., Med.)*
Er|schöp|fungs|tod; Er|schöp|fungs|zu|stand
er|schrak *vgl.* ¹, ³erschrecken
¹er|schre|cken; er erschrickt; ich erschrak; ich bin darüber erschrocken; *vgl.* schrecken
²er|schre|cken; sein Aussehen hat mich erschreckt; *vgl.* schrecken
³er|schre|cken, sich *(ugs.);* ich habe mich sehr erschreckt, erschrocken
er|schre|ckend; er|schreck|lich *(veraltet für* erschreckend, schrecklich)
er|schrickt *vgl.* ¹erschrecken
er|schro|cken *vgl.* ¹, ³erschrecken; Er|schro|cken|heit, die; -; er|schröck|lich *(scherzh. für* erschrecklich)
er|schüt|tern; ich erschüttere; er|schüt|ternd; Er|schüt|te|rung
er|schwe|ren
er|schwer|nis, die; -, -se; Er|schwer|nis|zu|la|ge
Er|schwe|rung
er|schwin|deln
er|schwing|bar *(svw.* erschwinglich); er|schwin|gen
er|schwing|lich (finanziell zu bewältigen); Er|schwing|lich|keit, die; -
er|se|hen
er|seh|nen; du ersehnst dir etwas
er|setz|bar; Er|setz|bar|keit, die; -
er|set|zen; Er|set|zung
er|sicht|lich
er|sin|nen; er|sinn|lich *(veraltet)*
er|sit|zen; ersessene Rechte; Er|sit|zung *(Rechtsw.* Eigentumserwerb durch langen Besitz)
er|sor|gen *(schweiz. veraltend für* mit Sorge erwarten)
er|spä|hen *(geh.)*
er|spa|ren; Er|spar|nis, die; -, -se; Er|spar|te, das; -n
Er|spa|rung, die; -
er|spie|len; du hast [dir] einen guten Platz erspielt
er|sprie|ßen *(geh.);* er|sprieß|lich

Er|sprieß|lich|keit, die; -
er|spü|ren *(geh.)*
erst; erst recht; erst mal *(ugs. für* erst einmal)
er|star|ken; Er|star|kung, die; -
er|star|ren; Er|star|rung, die; -
er|stat|ten; Er|stat|tung; er|stat|tungs|fä|hig
erst|auf|füh|ren *meist nur im Infinitiv u. Partizip II gebr.;* die Oper wurde in Kairo erstaufgeführt; Erst|auf|füh|rung
er|stau|nen; Er|stau|nen, das; -s
er|stau|nens|wert
er|staun|lich; er|staun|li|cher|wei|se; er|staunt; Er|staunt|heit, die; -
Erst|aus|ga|be; Erst|aus|stat|tung
Erst|beich|te *(kath. Kirche);* Erst|be|sitz
erst|bes|te; die erstbeste Gelegenheit, *aber* wir nehmen nicht gleich den Erstbesten, den ersten Besten
Erst|be|stei|gung; Erst|be|zug
Erst|druck *Plur.* ...drucke
ers|te *s. Kasten*
er|ste|chen
er|ste|hen
Er|ste|her *(bes. Rechtsspr.);* Er|ste|he|rin
Ers|te-Hil|fe-Aus|rüs|tung; Ers|te-Hil|fe-Lehr|gang
Er|ste|hung
er|steig|bar; Er|steig|bar|keit
er|stei|gen; Er|stei|ger
Er|stei|ge|rer
Er|stei|ge|rin (w. Person, die etw. ersteigt; w. Person, die etw. ersteigert)
er|stei|gern; Er|stei|ge|rung

Er|stei|gung
er|stel|len (errichten; aufstellen);
Er|stel|ler; Er|stel|le|rin; Er|stel|lung
ers|te Mal *vgl.* erste
ers|tens; ers|ter *vgl.* erste
er|ster|ben *(geh.)*
ers|te|re; erstere Bedeutung von
beiden; ↑K72 : Erstere *od.* die
Erstere kommt nicht in
Betracht; Ersteres muss noch
geprüft werden
Ers|te[r]-Klas|se-Ab|teil ↑K26
erst|er|wähnt; der ersterwähnte
Punkt, *aber* ↑K72 : der Erst-
erwähnte
Erst|ge|bä|ren|de, der; -n, -n *(Med.)*
erst|ge|bo|ren; Erst|ge|bo|re|ne,
Erst|ge|bor|ne, der, die, das; -n,
-n
Erst|ge|burt; Erst|ge|burts|recht,
das; -[e]s
erst|ge|nannt; *aber* ↑K72 : der
Erstgenannte
Erst|hel|fer (jmd., der einem
Unfallopfer als Erster Hilfe leis-
tet); Erst|hel|fe|rin
Ers|ti, der; -s, -s *u.* die; -, -s *(ugs.
für* Erstsemester)
er|sti|cken; Er|sti|ckung, die; -
Er|sti|ckungs|an|fall; Er|sti|ckungs-
ge|fahr; Er|sti|ckungs|tod
erst|in|stanz|lich *(Rechtsspr.)*
Erst|kläs|ser *(mitteld. für* Erst-
klässler)
erst|klas|sig; Erst|klas|sig|keit
Erst|kläss|ler *(landsch., bes.
österr.),* Erst|kläss|ler *(schweiz.
u. südd.)* (Schüler der ersten
Klasse); Erst|kläss|le|rin, Erst-
kläss|le|rin
Erst|klass|wa|gen *(schweiz. für*
Wagen erster Klasse)
Erst|kom|mu|ni|kant; Erst|kom|mu-
ni|kan|tin; Erst|kom|mu|ni|on
erst|lich *(veraltet für* erstens)
Erst|li|gist, der; -en, -en *(Sport* Ver-
ein in der ersten Liga)
Erst|ling; Erst|lings|aus|stat|tung
Erst|lings|druck *Plur.* ...drucke;
Erst|lings|film; Erst|lings|ro|man;
Erst|lings|stück; Erst|lings|werk
erst|ma|lig; Erst|ma|lig|keit, die; -;
erst|mals
Erst|plat|zier|te, der *u.* die; -n, -n
er|strah|len
erst|ran|gig; Erst|ran|gig|keit, die; -
er|stre|ben *(geh.);* er|stre|bens|wert
er|stre|cken, sich; Er|stre|ckung
er|strei|ten *(geh.)*
Erst|schlag *(Milit.);* Erst|schlag|waf-
fe
Erst|se|mes|ter

Erst|se|me|s|t|rige, der *u.* die; -n, -n
(österr., schweiz.)
erst|stel|lig; erststellige Hypothek
Erst|stim|me
Erst|tags|brief; Erst|tags|stem|pel
er|stun|ken *(derb für* erdichtet);
erstunken und erlogen
er|stür|men; Er|stür|mung
Erst|ver|kaufs|tag
erst|ver|öf|fent|li|chen *nur im Infi-
nitiv u. Part. II gebr.;* Erst|ver|öf-
fent|li|chung
Erst|ver|sor|gung (erste Hilfe)
Erst|ver|stor|be|ne, der *u.* die; -n,
-n
Erst|wa|gen; Erst|wäh|ler; Erst|wäh-
le|rin; Erst|zu|las|sung
er|su|chen; Er|su|chen, das; -s, -;
auf Ersuchen
er|tap|pen; sich dabei ertappen
er|tas|ten
er|tei|len; Er|tei|lung
er|tö|ten *(geh.);* Begierden ertöten;
Er|tö|tung, die; -
Er|trag, der; -[e]s, ...träge; er|trag-
bar
er|tra|gen
er|trag|fä|hig, er|trags|fä|hig; Er-
trag|fä|hig|keit, Er|trags|fä|hig-
keit, die; -
er|träg|lich; Er|träg|lich|keit, die; -
er|trag|los
Er|trag|nis, das; -ses, -se *(seltener
für* Ertrag); er|träg|nis|reich *(sel-
tener für* ertragreich); er|trag-
reich
Er|trags|aus|sich|ten *Plur.*
er|trags|fä|hig *vgl.* ertragfähig; Er-
trags|fä|hig|keit *vgl.* Ertragfähig-
keit
Er|trags|la|ge; Er|trags|min|de|rung
er|trags|si|cher
Er|trag[s]|stei|ge|rung
Er|trag[s]|steu|er
er|trän|ken; ertränkt; Er|trän|kung
er|träu|men; ich erträume es mir
er|trin|ken; ertrunken; Er|trin|ken,
das; -s; Er|trin|ken|de, der *u.* die;
-n, -n
er|trot|zen; Er|trot|zung
er|trun|ken *vgl.* ertrinken; Er|trun-
ke|ne, der *u.* die; -n, -n
er|tüch|ti|gen; Er|tüch|ti|gung
er|übe|ri|gen; er hat viel erübrigt
(gespart); es erübrigt sich *(ist
überflüssig)*[,] zu erwähnen, ...;
Er|üb|ri|gung, die; -
eru|ie|ren *(lat.)* (herausbringen;
ermitteln); Eru|ie|rung
erup|tie|ren; Erup|ti|on, die; -, -en
(lat.) ([vulkan.] Ausbruch); erup-
tiv; Erup|tiv|ge|stein

Er|ve [...və], die; -, -n (eine Hülsen-
frucht)
er|wa|chen; Er|wa|chen, das; -s
[1]er|wach|sen; mir sind Bedenken
erwachsen
[2]er|wach|sen; ein erwachsener
Mensch
Er|wach|se|ne, der *u.* die; -n, -n
Er|wach|se|nen|bil|dung
Er|wach|se|nen|tau|fe
Er|wach|sen|sein, das; -s
er|wä|gen; du erwägst; du
erwogst; du erwögest; erwogen;
erwäg[e]!; er|wä|gens|wert; Er-
wä|gung; in Erwägung ziehen
er|wäh|len *(geh.);* Er|wähl|te, der *u.*
die; -n, -n; Er|wäh|lung
er|wäh|nen; er|wäh|nens|wert; er-
wähn|ter|ma|ßen *(Amtsspr.);* Er-
wäh|nung
er|wah|ren *(schweiz. für* als wahr
erweisen; das Ergebnis einer
Abstimmung od. Wahl rechts-
verbindlich feststellen); Er|wah-
rung
er|wan|dern; Er|wan|de|rung
er|wär|men (warm machen); sich
für jmdn./etwas erwärmen
(begeistern); Er|wär|mung
er|war|ten; Er|war|ten, das; -s;
wider Erwarten; Er|war|tung; Er-
war|tungs|druck, der; -[e]s
Er|war|tungs|ge|mäß
Er|war|tungs|hal|tung; er|war-
tungs|voll
er|we|cken; Er|we|ckung; Er|we-
ckungs|er|leb|nis
er|weh|ren, sich; ich konnte mich
seiner kaum erwehren
er|weich|bar; er|wei|chen; ich lasse
mich nicht erweichen; *vgl.* [1]wei-
chen; Er|wei|chung
Er|weis, der; -es, -e *(veraltend für*
Nachweis, Beweis); er|wei|sen;
sich erweisen; er|weis|lich *(ver-
altet);* Er|wei|sung, die; -
er|wei|tern; die erweiterte Ober-
schule (*in der DDR* mit dem
Abitur abschließende Schule;
Abk. EOS); Er|wei|te|rung
Er|wei|te|rungs|bau *Plur.* ...bauten
Er|werb, der; -[e]s, -e; er|wer|ben;
Er|wer|ber; Er|wer|be|rin
Er|werbs|ar|beit; er|werbs|be-
schränkt
Er|werbs|bio|gra|fie, Er|werbs|bio-
gra|phie (beruflicher Werdegang
einer Person)
er|werbs|fä|hig; Er|werbs|fä|hig-
keit, die; -
er|werbs|ge|min|dert
Er|werbs|le|ben; im Erwerbsleben
stehen

er|werbs|los; Er|werbs|lo|se, der u.
die; -n, -n; Er|werbs|lo|sig|keit
Er|werbs|min|de|rung; Er|werbs-
mög|lich|keit; Er|werbs|quel|le;
Er|werbs|stre|ben
er|werbs|tä|tig; Er|werbs|tä|ti|ge,
der u. die; -n, -n
er|werbs|un|fä|hig
Er|werbs|zweig
Er|wer|bung
er|wi|dern; ich erwidere
Er|wi|de|rung
er|wie|sen
er|wie|se|ner|ma|ßen
Er|win (m. Vorn.)
er|wir|ken; Er|wir|kung, die; -
er|wirt|schaf|ten; Gewinn erwirt-
schaften; Er|wirt|schaf|tung
er|wi|schen (ugs. für ertappen; fas-
sen, ergreifen); mich hat es
erwischt (ugs. für ich bin krank,
auch für ich bin verliebt)
er|wor|ben; erworbene Rechte
er|wünscht
er|wür|gen; Er|wür|gung
ery|man|thisch; aber ↑K150 : der
Erymanthische Eber; Ery|man-
thos, Ery|man|thus, der; -
(Gebirge im Peloponnes)
Ery|si|pel, das; -s, -e ⟨griech.⟩ (Med.
Wundrose [Hautentzündung])
Ery|them, das; -s, -e (Med. Hautrö-
tung)
Ery|th|rä|i|sche Meer, das; -n -[e]s
(altgriech. Name für das Arabische Meer)
Ery|th|rin, der; -s ⟨griech.⟩ (ein
Mineral)
Ery|th|ro|po|i|e|tin ®, das; -s (Med.,
Pharm. die Bildung roter Blutkörperchen förderndes Medikament [Dopingmittel])
Ery|th|ro|zyt, der; -en, -en meist
Plur. (Med. rotes Blutkörperchen)
Erz[1] das; -es, -e
erz... ⟨griech.⟩ (verstärkende Vorsilbe, z. B. erzdumm)
Erz... (in Titeln, z. B. Erzbischof, u.
in Scheltnamen, z. B. Erzschelm)
Erz|ader[1]
er|zäh|len; erzählende Dichtung;
er|zäh|lens|wert
Er|zäh|ler; Er|zäh|le|rin; er|zäh|le-
risch
Er|zähl|fluss, der; -es; Er|zähl|freu-
de, die; -; er|zähl|freu|dig; Er-
zähl|kunst, die; -
Er|zäh|lung
Erz|bau[1], der; -[e]s; Erz|berg|bau[1]
der; -[e]s
Erz|bi|schof; erz|bi|schöf|lich; Erz-
bis|tum

erz|bö|se
Erz|di|ö|ze|se
er|zei|gen; sich dankbar erzeigen
er|zen[1] (aus Erz)
Erz|en|gel
er|zeu|gen
Er|zeu|ger; Er|zeu|ge|rin
Er|zeu|ger|land; Er|zeu|ger|preis
Er|zeug|nis, das; -ses, -se
Er|zeu|gung; Er|zeu|gungs|kos|ten
Plur.
erz|faul
Erz|feind; Erz|fein|din; Erz|feind-
schaft
Erz|ge|bir|ge[1], das; -s; Erz|ge|bir-
ger[1]; Erz|ge|bir|ge|rin[1]; erz|ge|bir-
gisch[1]
Erz|ge|birg|ler[1]; Erz|ge|birg|le|rin[1]
Erz|ge|win|nung[1]
Erz|gie|ßer[1]; Erz|gie|ße|rei[1]
erz|hal|tig[1]
Erz|her|zog; Erz|her|zo|gin; erz|her-
zog|lich
Erz|her|zog-Thron|fol|ger ↑K22 ; Erz-
her|zog|tum
erz|höf|fig[1] (reiches Erzvorkom-
men versprechend)
er|zieh|bar
er|zie|hen; Er|zie|her
Er|zie|her|ga|be, die; -
Er|zie|he|rin; er|zie|he|risch; er|zieh-
lich (bes. österr.)
Er|zie|hung, die; -
Er|zie|hungs|be|ra|tung
Er|zie|hungs|be|rech|tig|te, der u.
die; -n, -n
Er|zie|hungs|geld; Er|zie|hungs-
maß|nah|me; Er|zie|hungs|me-
tho|de; Er|zie|hungs|ro|man (Lite-
raturw.); Er|zie|hungs|schwie|rig-
kei|ten Plur.; Er|zie|hungs|sys|tem
Er|zie|hungs|ur|laub; Er|zie|hungs-
wis|sen|schaft; Er|zie|hungs|zeit
er|zie|len; Er|zie|lung, die; -
er|zit|tern
erz|kon|ser|va|tiv
Erz|lüg|ner; Erz|lüg|ne|rin
erz|lump
Erz|pries|ter; Erz|pries|te|rin
Erz|ri|va|le; Erz|ri|va|lin
Erz|schelm; Erz|übel
er|zür|nen; Er|zür|nung
Erz|vor|kom|men[1]
er|zwin|gen; Er|zwin|gung, die; -
Er|zwun|ge|ne, das; -n; etwas
Erzwungenes
er|zwun|ge|ner|ma|ßen
[1]es; ↑K127 : es sei denn[,] dass;
↑K13 : er ists od. ist's; er
sprachs od. sprach's; 's ist nicht
anders; 's war einmal; ↑K76 : das
unbestimmte Es

[2]es; ich bin es zufrieden; ich habe
od. ich bin es satt
[3]es, [1]Es, das; -, - (Tonbezeichnung)
[4]es (Zeichen für es-Moll); in es
[2]Es (Zeichen für Es-Dur); in Es
[3]Es = Einsteinium
[4]Es, das; -, - (Psych.)
ESA, die; - = European Space
Agency (Europäische Welt-
raumorganisation)
Esau (bibl. m. Eigenn.)
Esc = Escudo
Es|cape|tas|te [ɪsˈkeɪp...] ⟨engl.;
dt.⟩ (auf der Computertastatur)
Es|cha|to|lo|gie [ɛsça...], die; -
⟨griech.⟩ (Lehre vom Endschick-
sal des Menschen u. der Welt);
es|cha|to|lo|gisch
Esche, die; -, -n (ein Laubbaum);
eschen (aus Eschenholz); Eschenholz
E-Schicht, die; - ↑K29 (eine
Schicht der Ionosphäre)
Es|co|ri|al, der; -[s] (span. Kloster
u. Schloss)
Es|cu|do, der; -[s], -[s] ⟨port.⟩ (frü-
here port. Währungseinheit)
Es-Dur [auch ˈɛsˈduːɐ̯], das; - (Ton-
art; Zeichen Es); Es-Dur-Ton|lei-
ter ↑K26
Esel, der; -s, -; Esel|chen; Ese|lei;
esel|haft
Esel|hengst
Ese|lin
Esels|brü|cke (ugs.)
Esels|milch, die; -; Esels|ohr; Esels-
rü|cken
Esel|stu|te
es|ka|la|die|ren ⟨franz.⟩ (früher für
mit Sturmleitern erstürmen)
Es|ka|la|dier|wand (veraltet für
Kletterwand)
Es|ka|la|ti|on, die; -, -en ⟨franz.-
engl.⟩ (stufenweise Steigerung,
Verschärfung)
es|ka|lie|ren ([sich] stufenweise
steigern); Es|ka|lie|rung
Es|ka|mo|ta|ge [...ʒə], die; -, -n
⟨franz.⟩ (veraltet für Taschen-
spielerei); Es|ka|mo|teur [...ˈtøːɐ̯],
der; -s, -e (Taschenspieler, Zau-
berkünstler); es|ka|mo|tie|ren
(wegzaubern)
Es|ka|pa|de, die; -, -n ⟨franz.⟩ (Rei-
ten Sprung zur Seite; geh. für
mutwilliger Streich)
Es|ka|pis|mus, der; - ⟨engl.⟩ (Psych.
vor der Realität ausweichendes
Verhalten); es|ka|pis|tisch
Es|ka|ri|ol, der; -s ⟨lat.⟩ (Winter-
endivie)

[1] [auch ˈɛrts(...)]

¹Es|ki|mo, der; -[s], -[s] (Angehöriger eines arktischen Volkes); *vgl.* Inuit

²Es|ki|mo, der; -s, -s ⟨indian.⟩ (ein Wollstoff)

Es|ki|mo|frau

es|ki|mo|isch; Es|ki|mo|i|sche, das; -en (Sprache der Eskimos)

Es|ki|mo|rol|le (*Kanusport*)

Es|ko|ri|al *vgl.* Escorial

Es|kor|te, die; -, -n ⟨franz.⟩ (Geleit; Begleitmannschaft)

es|kor|tie|ren; Es|kor|tie|rung

Es|ku|do *vgl.* Escudo

¹Es|me|ral|da, die; -, -s ⟨span.⟩ (ein span. Tanz)

²Es|me|ral|da (w. Vorn.)

es-Moll [*auch* ˈɛsˈmɔl], das; - (Tonart; *Zeichen* es); **es-Moll-Ton|lei-ter** ↑K26

Eso|te|rik, die; - ⟨griech.⟩ (Geheimlehre; Grenzwissenschaft); **Eso|te|ri|ker** (Anhänger der Esoterik); **Eso|te|ri|ke|rin**

eso|te|risch

ESP = elektronisches Stabilitätsprogramm (*Kfz-Technik*)

Es|pa|d|rille [...ˈdriːj], die; -, -s *meist Plur.* ⟨span.-franz.⟩ (sommerlicher Leinenschuh mit einer Sohle aus Espartogras)

Es|pa|g|no|le [...panˈjoː...], die; -, -n ⟨franz.⟩ (spanischer Tanz)

Es|pa|g|no|lette|ver|schluss [...ˈlɛt...] (Drehstangenverschluss für Fenster)

Es|pan, der; -[e]s, -e (*landsch. für* Viehweide)

Es|par|set|te, die; -, -n ⟨franz.⟩ (eine Futterpflanze)

Es|par|to, der; -s ⟨span.⟩ (ein Gras); **Es|par|to|gras**

Es|pe, die; -, -n (Zitterpappel)

es|pen (aus Espenholz)

Es|pen|laub

Es|pe|ran|tist, der; -en, -en (Kenner, Anhänger des Esperanto); **Es|pe|ran|tis|tin**

Es|pe|ran|to, das; -[s] ⟨nach dem Pseudonym »Dr. Esperanto« des poln. Erfinders L. Zamenhof⟩ (eine künstl. Weltsprache)

Es|pe|ran|to|lo|gie, die; - (Erforschung des Esperantos)

Es|p|la|na|de, die; -, -n ⟨franz.⟩ (freier Platz)

es|pres|si|vo (ital.) (*Musik* ausdrucksvoll)

¹Es|pres|so, der; -[s], *Plur.* -s *od.* ...ssi (in der Maschine bereitetes, starkes Kaffeegetränk)

²Es|pres|so, das; -[s], -s (kleines Café)

Es|pres|so|bar, die; **Es|pres|so|ma|schi|ne**

Es|p|rit [...ˈpriː], der; -s ⟨franz.⟩ (Geist, Witz)

Esq. = Esquire

Es|qui|l|in, der; -s (Hügel in Rom)

Es|qui|re [ɪsˈkvaiə], der; -s, -s ⟨engl.⟩ (engl. Höflichkeitstitel, *Abk.* Esq.)

Es|ra (bibl. m. Vorn.)

Es|say [ˈɛse, *auch* ɛˈseː, *österr. nur* so], der *od.* das; -s, -s ⟨engl.⟩ (kürzere Abhandlung); **Es|say|ist**, der; -en, -en (Verfasser von Essays); **Es|say|is|tin; es|say|is|tisch**

ess|bar; Ess|ba|re, das; -n; etwas Essbares auftreiben; **Ess|bar|keit**

Ess|be|steck

Es|se, die; -, -n (Schmiedeherd; *bes. ostmitteld. für* Schornstein)

Ess|ecke

es sei denn, dass

es|sen; du isst; du aßest; du äßest; gegessen; iss!; jmdm. zu essen geben; zu Mittag essen; [griechisch] essen gehen; selber essen macht fett

¹Es|sen, das; -s, -

²Es|sen (Stadt im Ruhrgebiet)

Es|sen|aus|ga|be

es|sen|disch *vgl.* essensch

Es|sen|emp|fang

¹Es|se|ner *Plur.* ⟨hebr.⟩ (eine altjüdische Sekte)

²Es|se|ner ⟨ *zu* ²Essen⟩

Es|sen|ge|ruch, Es|sens|ge|ruch

Es|sen|ho|ler; Es|sen|kar|te

Es|sen|keh|rer (*bes. ostmitteld. für* Schornsteinfeger)

Es|sen|mar|ke, Es|sens|mar|ke

es|sensch ⟨*zu* ²Essen⟩

Es|sens|ge|ruch *vgl.* Essengeruch

Es|sens|mar|ke *vgl.* Essenmarke; **Es|sens|rest; Es|sens|zeit**

Es|sen|tial [ɪˈsɛnʃəl], das; -s, -s *meist Plur.* ⟨engl.⟩ (wesentlicher Punkt, unentbehrliche Sache)

es|sen|ti|ell *vgl.* essenziell

Es|senz, die; -, -en (*nur Sing.:* Wesen, Kern; konzentrierter Auszug)

es|sen|zi|ell, es|sen|ti|ell ⟨franz.⟩ (*Philos.* wesentlich; *Biol., Chemie* lebensnotwendig); essenzielle Fettsäuren

Es|ser; Es|se|rei, die; - (*ugs. abwertend*); **Es|se|rin**

Ess|ge|schirr

ess|ge|stört

Ess|ge|wohn|heit *meist Plur.*

Ess|gier

Es|sig, der; -s, -e

Es|sig|baum

Es|sig|es|senz; Es|sig|gur|ke

Es|sig|mut|ter, die; - (sich im Essigfass bildende Bakterienkultur)

es|sig|sau|er; essigsaure Tonerde ↑K89 ; **Es|sig|säu|re**

Ess|koh|le (eine Steinkohlenart)

Ess|kul|tur

Ess|löf|fel; ess|löf|fel|wei|se

Ess|lust; ess|lus|tig

Ess|stö|rung, Ess-Stö|rung

Ess|tisch; Ess|un|lust; Ess|ver|hal|ten

Ess|wa|ren *Plur.;* **Ess|zim|mer**

Es|ta|b|lish|ment [ɪsˈtɛblɪʃmə...], das; -s, -s ⟨engl.⟩ (Schicht der Einflussreichen u. Etablierten)

Es|tam|pe [...ˈtã:p(ə)], die; -, -n (Abdruck eines Holz-, Kupferod. Stahlstichs)

Es|tan|zia, die; -, -s ⟨span.⟩ (südamerik. Landgut)

Es|te¹, der; -n, -n (Estländer)

¹Es|ter, der; -s, - (*Chemie* eine organ. Verbindung)

²Es|ter *vgl.* ¹Esther

¹Es|ther, *ökum.* Es|ter (bibl. w. Eigenn.)

²Es|ther (w. Vorn.)

Es|tin¹ (Estländerin)

Est|land¹; Est|län|der¹; Est|län|de|rin¹; est|län|disch¹

est|nisch¹; estnische Sprache *vgl.* deutsch; **Est|nisch¹** das; -[s] (Sprache); *vgl.* Deutsch; **Est|ni|sche¹**, das; -n; *vgl.* Deutsche, das

Es|to|mi|hi ⟨lat., »Sei mir [ein starker Fels]!«⟩ (letzter Sonntag vor der Passionszeit)

Es|t|ra|de, die; -, -n ⟨franz.⟩ (*veraltend für* erhöhter Teil des Fußbodens; Podium; *regional für* volkstüml. künstler. Veranstaltung mit gemischtem Programm)

Es|t|ra|den|kon|zert (*regional*)

Es|t|ra|gon, der; -s ⟨arab.⟩ (eine Gewürzpflanze)

¹Es|t|re|ma|du|ra *vgl.* Extremadura

²Es|t|re|ma|du|ra (port. Landschaft)

³Es|t|re|ma|du|ra, die; -, **Es|t|re|ma|du|ra|garn, Es|t|re|ma|du|ra-Garn**, das; -[e]s ↑K143 (ein glattes Baumwollgarn)

Est|rich, der; -s, -e (fugenloser Fußboden; *schweiz. für* Dachboden, -raum)

Es|zett, das; -, - (Buchstabe: »ß«)

---

et ⟨lat.⟩ (und; *Zeichen [in Firmen-namen]* &); *vgl.* Et-Zeichen

Eta, das; -[s], -s (griech. Buchstabe [langes e]; *H, η*)

eta|b|lie|ren ⟨franz.⟩ (festsetzen); sich etablieren (sich [als selbst-ständiger Geschäftsmann] nie-derlassen; einen sicheren Platz gewinnen); etab|liert (fest gegründet; namhaft)

Etab|lier|te, der *u.* die; -n, -n (jmd., der es zu etwas gebracht hat); Eta|b|lie|rung

Eta|b|lis|se|ment [...'māː, *schweiz. auch* ...blisə'mɛnt], das; -s, -s *u.* (bei deutscher Aussprache:) -e (Betrieb; Niederlassung; [vor-nehme] Gaststätte; *auch für* [Nacht]lokal, Bordell)

Eta|ge [...ʒə], die; -, -n (Stock[werk], [Ober]geschoss)

eta|gen|bett

eta|gen|för|mig

Eta|gen|hei|zung; Eta|gen|tür

Eta|ge|re, die; -, -n (drei überei-nander angeordnete, verbun-dene Schalen für Obst u. Ä.; *ver-altend auch für* Gestell für Bücher od. Geschirr)

et al. *vgl.* et alii

et a|lii ⟨lat.⟩ (und andere; *Abk.* et al.)

Eta|l|lon [...'lõː], der; -s, -s ⟨franz.⟩ (*fachspr. für* Normalmaß, Eich-maß)

Eta|min, das, *auch, bes. österr.* der; -s, Eta|mi|ne, die; - ⟨franz.⟩ (ein Gewebe)

Etap|pe, die; -, -n ⟨franz.⟩ ([Teil]strecke, Abschnitt; Stufe; *Milit.* Versorgungsgebiet hinter der Front)

Etap|pen|ha|se; Etap|pen|hengst; Etap|pen|sieg

etap|pen|wei|se

etap|pie|ren (*schweiz. für* [ein Pro-jekt] in Etappen aufteilen)

Etat [e'taː], der; -s, -s ⟨franz.⟩ ([Staats]haushalt[splan]; Geld-mittel); Etat|auf|stel|lung

eta|ti|sie|ren (in den Etat aufneh-men)

Etat|jahr; Etat|kür|zung; Etat|la|ge

etat|mä|ßig (dem Etat gemäß; *Sport* auch [einer Position regel-mäßig eingesetzt)

Etat|pe|ri|o|de; Etat|pos|ten; Etat-re|de

Etat|über|schrei|tung

Eta|zis|mus, der; - ⟨griech.⟩ (Aus-sprache des griech. Eta [η] wie langes e)

etc. = et cetera; et ce|te|ra (und so

weiter; *Abk.* etc.); etc. pp. (*ver-stärkend für* etc.); *vgl.* pp.

ete|pe|te|te (*ugs. für* geziert, zim-perlich; sehr feinfühlig)

Eter|nit ®, das *od.* der; -s ⟨lat.⟩ (Faserzement); Eter|nit|plat|te

Ete|si|en *Plur.* ⟨griech.⟩ (passat-artige Winde im Mittelmeer); Ete|si|en|kli|ma, das; -s

ETH, die; -, -s = Eidgenössische Technische Hochschule; ETHL (in Lausanne; *oft auch* EPFL = École Polytechnique Fédérale Lausanne); ETHZ (in Zürich)

Ethan *vgl.* Äthan

Etha|nol *vgl.* Äthanol

Ether *vgl.* [2]Äther

ethe|risch *vgl.* [2]ätherisch

Ether|net [*auch* 'iːθənɛt], das; -[s] ⟨engl.⟩ (*EDV* ein Netzwerkstan-dard)

Ethik, die; -, -en *Plur. selten* ⟨griech.⟩ (Sittenlehre; Gesamt-heit der sittlichen und morali-schen Grundsätze); Ethi|ker; Ethi|ke|rin

Ethik|kom|mis|si|on (unabhängiges Gutachtergremium zur Beurtei-lung medizinisch-wissenschaft-licher Forschungsvorhaben); Ethik|rat *vgl.* Ethikkommission); ethisch (sittlich)

ETHL *vgl.* ETH

Eth|nie, die; -, ...ien ⟨griech.⟩ (*Völ-kerk.* Volk, Stamm); eth|nisch (die [einheitliche] Kultur- u. Lebensgemeinschaft einer Volksgruppe betreffend)

Eth|no|graf, Eth|no|graph, der; -en, -en; Eth|no|gra|fie, Eth|no-gra|phie, die; -, ...ien ([beschrei-bende] Völkerkunde); Eth|no-gra|fin, Eth|no|gra|phin; eth|no-gra|fisch, eth|no|gra|phisch

Eth|no|graph usw. *vgl.* Ethnograf usw.

Eth|no|lo|ge, der; -n, -n; Eth|no|lo-gie, die; -, ...ien (Völkerkunde); Eth|no|lo|gin; eth|no|lo|gisch

Eth|no|pop (von der Volksmusik [bes. Afrikas, Asiens, Südameri-kas] beeinflusste Popmusik)

Etho|lo|gie, die; - ⟨griech.⟩ (Verhal-tensforschung)

Ethos, das; - ⟨griech.⟩ (die sittlich-morali-sche Gesamthaltung)

Ethyl usw. *vgl.* Äthyl usw.

ETHZ *vgl.* ETH

Eti|kett, das; -[e]s, *Plur.* -e[n], *auch* -s *u.* (*schweiz., österr., sonst ver-altet)* [1]Eti|ket|te, die; -, -n ⟨franz.⟩ (Zettel mit [Preis]auf-schrift, Schild[chen])

[2]Eti|ket|te, die; -, -n (Gesamtheit der herkömmlichen Umgangs-formen; Vorschriften für den förmlichen Umgang)

Eti|ket|ten|schwin|del (*ugs. für* irre-führende Benennung)

eti|ket|tie|ren (mit einem Etikett versehen); Eti|ket|tie|rung

eti|o|lie|ren ⟨franz.⟩ (*Bot.* vergei-len)

et|li|che; etliche Tage, Stunden usw. sind vergangen; ich weiß etliches darüber zu erzählen; etlicher politischer Zündstoff; die Taten etlicher guter, *selten* guten Menschen

et|li|che Mal, et|li|che Ma|le

Et|mal, das; -[e]s, -e (*Seemannsspr.* Zeit von Mittag bis Mittag; innerhalb dieses Zeitraums zurückgelegte Strecke)

Eton ['iːtn̩] (engl. Schulstadt)

Et|ru|ri|en (altital. Landschaft); Et-rus|ker (Einwohner Etruriens); Et|rus|ke|rin; et|rus|kisch

Etsch, die; - (Zufluss der Adria); *vgl.* Adige

Etsch|tal, Etsch-Tal

Et|ter, der *od.* das; -s, - (*südd. für* bebautes Ortsgebiet)

Etü|de, die; -, -n ⟨franz.⟩ (*Musik* Übungsstück)

Etui [ɛt'viː], das; -s, -s ⟨franz.⟩ (Behälter, [Schutz]hülle)

Etui|kleid (sehr eng geschnittenes Kleid)

et|wa; in etwa (ungefähr); et|wa-ig; etwaige weitere Kosten

et|was ↑K 72; etwas Auffälliges, Derartiges, Passendes usw., *aber* etwas anderes *od.* Anderes

Et|was, das; -, -; ein gewisses Etwas

et|wel|che *Plur.* (*veraltet für* einige)

Ety|mo|lo|ge, der; -n, -n; Ety|mo|lo-gie, die; -, ...ien ⟨griech.⟩ (*Sprachw.* [Lehre von] Ursprung u. Geschichte der Wörter); Ety-mo|lo|gin

ety|mo|lo|gisch; ety|mo|lo|gi|sie|ren

Ety|mon, das; -s, ...ma (Wurzel-, Stammwort)

Et-Zei|chen, das; -s, - (Und-Zei-chen [in Firmennamen]: &)

Et|zel (in der dt. Sage Name des Hunnenkönigs Attila; *vgl. d.*)

Eu = *chem. Zeichen für* Europium

EU, die; - = Europäische Union

eu... ⟨griech.⟩ (wohl..., gut...); Eu... (Wohl..., Gut...)

EU-Bei|tritt [eˈuː...]

Eu|bi|o|tik, die; - ⟨griech.⟩ (Med. Lehre von der gesunden Lebensführung)

Eu|böa (griech. Insel); **eu|bö|isch**

euch ↑K83 : *in Briefen klein- od. großgeschrieben; vgl.* du

Eu|cha|ris|tie, die; -, ...ien ⟨griech.⟩ (*kath. Kirche* Abendmahl, Altarsakrament); **eu|cha|ris|tisch;** eucharistische Taube (ein liturgisches Gefäß) ↑K89 , *aber* ↑K150 : der Eucharistische Kongress

Eu|dä|mo|nie, die; - ⟨griech.⟩ (*Philos.* Glückseligkeit); **Eu|dä|mo|nis|mus,** der; - (Glückseligkeitslehre); **eu|dä|mo|nis|tisch**

eu|er s. Kasten Seite 385

eu[e]|re, eu|ri|ge; *Groß- oder Kleinschreibung:* unser Bauplatz ist dicht bei dem eur[ig]en; *aber* grüße die Euern, Euren, Eurigen *od.* die euern, euren, eurigen; ihr müsst das Eu[e]re, Eurige *od.* eu[e]re, eurige tun

eu|er|seits, eu|rer|seits

eu|ers|glei|chen, eu|res|glei|chen

eu|ert|hal|ben, eu|ret|hal|ben

eu|ert|we|gen, eu|ret|we|gen

eu|ert|wil|len, eu|ret|wil|len; um euertwillen, um euretwillen

EU-Er|wei|te|rung [eˈuː...]

Eu|fo|nie, Eu|pho|nie, die; -, ...ien ⟨griech.⟩ (Wohlklang); **eu|fo|nisch,** eu|pho|nisch (wohlklingend; [von Lauten] des Wohllauts wegen eingeschoben, z. B. »t« in »eigen *t* lich«)

EUFOR, Eu|for, die; - ⟨engl.; *Kurzwort für* European Force⟩ (internationale Truppe unter EU-Führung in Bosnien und Herzegowina)

Eu|ge|nie (w. Vorn.)

Eu|ge|nik, die; - ⟨griech.⟩ (*Med.* Erbgesundheitslehre, -forschung); **eu|ge|nisch**

EU-Gip|fel [eˈuː...] (europ. Gipfeltreffen)

Eu|ka|lyp|tus, der; -, *Plur.* ...ten *u.* - ⟨griech.⟩ (ein Baum)

Eu|ka|lyp|tus|öl

Eu|k|lid (altgriech. Mathematiker); **eu|k|li|disch;** ↑K135 : die euklidische Geometrie; der euklidische Lehrsatz ↑K89

EU-Kom|mis|sar [eˈuː...] (von den Mitgliedstaaten der EU ernannte Person mit der Aufgabe, zu kontrollieren, zu initiieren u. auszuführen); **EU-Kom|mis|sa|rin**

EU-Kom|mis|si|on [eˈuː...], die; - (Gesamtheit der EU-Kommissare)

Eu|le, die; -, -n (*nordd. auch für* [Decken]besen); **eu|len|äu|gig**

Eu|len|flucht, die; - (*nordd. für* Abenddämmerung); **Eu|len|flug,** der; -[e]s; **eu|len|haft**

Eu|len|spie|gel (Titelgestalt eines dt. Volksbuches); **Eu|len|spie|ge|lei**

Eu|ler (schweiz. Mathematiker)

Eu|mel, der; -s, - (*ugs. für* Dummkopf; Gegenstand, Ding)

Eu|me|ni|de, die; -, -n *meist Plur.* ⟨griech.-lat., die »Wohlwollende« (verhüllender Name der Erinnye)

Eu|no|mia [*auch* ...ˈmiːa] (griech. Göttin der Gesetzmäßigkeit, eine der [2]Horen)

Eu|nuch, der; -en, -en, **Eu|nu|che,** der; -n, -n ⟨griech.⟩ (Kastrat [als Haremswächter])

eu|nu|chen|haft

Eu|nu|chen|stim|me

Eu|phe|mis|mus, der; -, ...men ⟨griech.⟩ (beschönigendes Wort, Hüllwort, z. B. »einschlafen« für »sterben« od. »freisetzen« für »entlassen«); **eu|phe|mis|tisch**

Eu|pho|nie usw. *vgl.* Eufonie usw.

Eu|phor|bia, Eu|phor|bie, die; -, ...ien ⟨griech.⟩ (*Bot.* ein Wolfsmilchgewächs)

Eu|pho|rie, die; - ⟨griech.⟩ (Zustand gesteigerten Hochgefühls); **eu|pho|risch**

eu|pho|ri|sie|ren (in Euphorie versetzen)

Eu|ph|rat, der; -[s] (Strom in Vorderasien)

Eu|ph|ro|sy|ne ⟨griech., »die Frohsinnige«⟩ (eine der drei Chariten)

Eu|phu|is|mus, der; - ⟨engl.⟩ (schwülstiger Stil der engl. Barockzeit); **eu|phu|is|tisch**

EUR (Währungscode für Euro)

Eu|ra|si|en (Festland von Europa u. Asien); **Eu|ra|si|er,** der; -s, -; **Eu|ra|si|e|rin;** **eu|ra|sisch**

Eu|ra|tom, die; - (*Kurzw. für* Europäische Atomgemeinschaft)

eu|re, eu|e|re, eu|le|re *u.* eu[e]re; **Eu|rer** (*Abk.* Ew.); *vgl.* euer

eu|[r]er|seits

eu|res|glei|chen, eu|ers|glei|chen

eu|ret|hal|ben, eu|ert|hal|ben

eu|ret|we|gen, eu|ert|we|gen

eu|ret|wil|len, eu|ert|wil|len; um euret-, euertwillen

Eu|rhyth|mie, Eu|ryth|mie, die; - ⟨griech.⟩ (schönes Gleichmaß von Bewegungen; *Med.* Regelmäßigkeit des Pulses)

EU-Richt|li|nie

eu|ri|ge *vgl.* eu[e]re

eu|ri|pi|de|isch; ↑K135 : die euripideischen Dramen; **Eu|ri|pi|des** (altgriech. Tragiker)

Eu|ro, der; -[s], -s (europ. Währungseinheit; Zeichen €; *Währungscode* EUR); 30 Euro

Eu|ro|cent (Untereinheit des Euros)

Eu|ro|cheque, der; -s, -s (*Kurzw. aus* europäisch u. franz. chèque) ([bis 31. 12. 2001] von den Banken zahlreicher europ. Länder einlösbarer Scheck); **Eu|ro|cheque|kar|te, Eu|ro|cheque-Kar|te**

Eu|ro|ci|ty®, der; -s, -s (*kurz für* Eurocityzug); **Eu|ro|ci|ty|zug** (europaweit verkehrender Intercityzug; *Abk.* EC)

Eu|ro|dol|lars *Plur.* (Dollarguthaben in Europa); **Eu|ro|figh|ter** (ein Kampfflugzeug)

Eu|ro|geld

Eu|ro|kom|mu|nis|mus (westeuropäische Richtung des Kommunismus)

Eu|ro|land, -s, *auch* das; -[e]s (an der Europäischen Währungsunion teilnehmende Staatengruppe, *auch* einer dieser Staaten [*Plur.* ...länder])

Eu|ro|mün|ze

Eu|ro|norm (in der EU geltende Norm)

Eu|ro|pa ⟨griech.⟩ (*auch* griech. weibl. Sagengestalt)

Eu|ro|pa|brü|cke (Name mehrerer Brücken in Europa)

Eu|ro|pa|cup *vgl.* Europapokal

Eu|ro|pä|er, der; -s, -; **Eu|ro|pä|e|rin**

eu|ro|pä|isch; der europäische Gedanke; eine europäische Gemeinschaft, der europäische Binnenmarkt ↑K89 , *aber* ↑K150 : die Europäische Gemeinschaft (*Abk.* EG); die Europäische Union (*Abk.* EU); das Europäische Parlament; die Europäische Währungsunion; die Europäische Zentralbank (*Abk.* EZB)

eu|ro|pä|i|sie|ren

Eu|ro|pä|i|sie|rung

Eu|ro|pa|li|ga (*Sport*)

Eu|ro|pa|meis|ter (*Sport*); **Eu|ro|pa|meis|te|rin**

Eu|ro|pa|meis|ter|schaft (*Sport*)

Eu|ro|pa|par|la|ment

Eu|ro|pa|po|kal (internationale Sporttrophäe, bes. im Fußball)

E
Eubi

eu|er

eu[e]|re, eu|er ↑K83
– euer Tisch, eu[e]rem, euerm Tisch usw.
– euer von allen unterschriebener Brief

In Briefen kann groß- od. kleingeschrieben werden:

– Mit herzlichen Grüßen eure *od.* **Eure** Inge

Großschreibung in Titeln:

im Nominativ, Akkusativ:

– Euer, Eure (*Abk. für beide Ew.*) Hochwürden usw.

im Genitiv, Dativ:

– Euer, Eurer (*Abk. für beide Ew.*) Hochwürden usw.

Genitiv von ²ihr *(geh.):*

– euer (*nicht* eurer) sind drei, sind wenige
– ich gedenke, ich erinnere mich euer (*nicht* eurer)
Vgl. eu[e]re

Eu|ro|pa|rat, der; -[e]s
Eu|ro|pa|re|kord
Eu|ro|pa|stra|ße (*Zeichen* E, z. B. E 5)
Eu|ro|pa|uni|on; Eu|ro|pa|wahl; eu|ro|pa|weit
Eu|ro|pi|de, der *u.* die; -n, -n (Angehörige[r] der in Europa, Nordafrika und im Westteil Asiens heimischen Menschengruppen)
Eu|ro|pi|um, das; -s (chemisches Element, Metall; *Zeichen* Eu)
Eu|ro|pol, die; - *meist ohne Artikel* ⟨*Kurzw. aus* Europäisches Polizeiamt⟩ (Behörde der EU zur Bekämpfung von Terrorismus, Drogenhandel usw.)
Eu|ro|star ®, der; -s, -s (Hochgeschwindigkeitszug zwischen London und Paris bzw. Brüssel)
Eu|ro|tun|nel, der; -s (unter dem Ärmelkanal)
Eu|ro|vi|si|on ⟨*Kurzw. aus* europäisch *u.* Television⟩ (europäische Organisation zur gemeinsamen Veranstaltung von Fernsehsendungen); **Eu|ro|vi|si|ons|sen|dung**
Eu|ry|di|ke [...ke, *auch* ...'di:...] (*griech. Mythol.* Gattin des Orpheus)
Eu|ryth|mie, die; - ⟨griech.⟩ (in der Anthroposophie gepflegte Bewegungskunst); **eu|ryth|misch**
eu|ry|top ⟨griech.⟩ (*Biol.* weit verbreitet [von Tieren u. Pflanzen])
Eu|se|bi|us (m. Eigenn.)
EU-Staat
Eus|tach, Eus|ta|chi|us (m. Vorn.)
eus|ta|chisch ⟨nach dem ital. Arzt Eustachi[o]⟩; ↑K135 : in eustachischer Manier; eustachische Röhre, eustachische Tube (*Med.* Ohrtrompete) ↑K89
Eus|ta|chi|us *vgl.* Eustach
Eu|stress, der; -es, -e ⟨griech.; engl.⟩ (*Med., Psych.* anregender, stimulierender Stress)
Eu|ter, das, *landsch. auch* der; -s, -

Eu|ter|pe (Muse der lyr. Poesie u. des lyr. Gesangs)
Eu|tha|na|sie, die; - ⟨griech.⟩ (*Med.* Erleichterung des Sterbens [durch Narkotika]; bewusste Herbeiführung des Todes)
Eu|tin (Stadt im Ostholsteinischen Hügelland)
eu|troph ⟨griech.⟩ (nährstoffreich); eutrophe Pflanzen (an nährstoffreichen Boden gebundene Pflanzen); **Eu|tro|phie**, die; - (*Med.* guter Ernährungszustand); **Eu|tro|phie|rung** (unerwünschte Zunahme von Nährstoffen in Gewässern)
EU-Ver|fas|sung, die; -
EU-weit [e'u:...]
eV = Elektronvolt
ev. = evangelisch
Ev. = Evangelium
e. V. = eingetragener Verein
E. V. = Eingetragener Verein (*vgl.* eingetragen)
Eva [...fa, *auch* ...va] (w. Vorn.)
eva|ku|ie|ren ⟨lat.⟩ ([ein Gebiet von Bewohnern] räumen; [Bewohner aus einem Gebiet] aussiedeln; *Technik* ein Vakuum herstellen); **Eva|ku|ier|te**, der *u.* die; -n, -n; **Eva|ku|ie|rung**
Eva|lu|a|ti|on, die; -, -en ⟨lat.⟩ (Bewertung; Beurteilung)
eva|lu|ie|ren
Evan|ge|li|ar, das; -s, *Plur.* -e *u.* -ien, **Evan|ge|li|a|ri|um**, das; -s, ...ien ⟨mlat.⟩ (Evangelienbuch); **Evan|ge|li|en|buch**
evan|ge|li|kal (die unbedingte Autorität des Evangeliums vertretend); **Evan|ge|li|ka|le**, der *u.* die; -n, -n
Evan|ge|li|sa|ti|on, die; -, -en (Verkündigung des Evangeliums außerhalb des Gottesdienstes)
evan|ge|lisch (das Evangelium betreffend; auf dem Evangelium fußend; protestantisch; *Abk.* ev.); die evangelische Kirche,

aber ↑K150 : die Evangelische Kirche in Deutschland (*Abk.* EKD); der Evangelische Bund
evan|ge|lisch-lu|the|risch [*auch* ...'te:...] (*Abk.* ev.-luth.)
evan|ge|lisch-re|for|miert (*Abk.* ev.-ref.)
evan|ge|li|sie|ren ([Außenstehenden] das Evangelium verkünden); **Evan|ge|list**, der; -en, -en (Verfasser eines der vier Evangelien; Titel in evangelischen Freikirchen; Wanderprediger); **Evan|ge|lis|tin**
Evan|ge|li|um, das; -s, *Plur.* (*für die vier ersten Bücher im N. T.:*) ...ien ⟨»gute Botschaft«⟩ (Heilsbotschaft Christi; *Abk.* Ev.)
Eva|po|ra|ti|on, die; -, -en ⟨lat.⟩ (*fachspr. für* Verdunstung)
Eva|po|ra|tor, der; -s, ...oren (Gerät zur Verdunstung); **eva|po|rie|ren** (verdunsten; eindampfen)
Eva|si|on, die; -, -en ⟨lat.⟩ (Massenflucht)
Evas|kos|tüm; Evas|toch|ter
Eve|li|ne, Eve|lyn [...li:n] (w. Vorn.)
Event [iv...], das *od.* der; -s, -s ⟨engl.⟩ (Veranstaltung); **Event|gas|t|ro|no|mie**
Even|tu|al... ⟨lat.⟩ (möglicherweise eintretend, für mögliche Sonderfälle bestimmt)
Even|tu|al|an|trag (*Rechtsspr.* Neben-, Hilfsantrag); **Even|tu|al|fall**; im Eventualfall[e]; **Even|tu|al|haus|halt**
Even|tu|a|li|tät, die; -, -en (Möglichkeit, möglicher Fall); **even|tu|a|li|ter** (*veraltet für* eventuell)
even|tu|ell ⟨franz.⟩ (möglicherweise eintretend; gegebenenfalls; *Abk.* evtl.)
Eve|rest vgl. Mount Everest
Ever|glades [ˈɛvɐgleːts] *Plur.* (Sumpfgebiet in Florida)
Ever|glaze ® [ˈɛvɐgleːs], das; -, - ⟨engl.⟩ (ein [Baumwoll]gewebe)
Ever|green [...gri:n], der, *auch* das;

-s, -s (populär gebliebener
Schlager usw.)

Ever|te|b|rat, In|ver|te|b|rat, der;
-en, -en ⟨lat.⟩ (*Zool.* wirbelloses
Tier)

Evi [...fi] (w. Vorn.)

evi|dent ⟨lat.⟩ (offenbar; einleuch-
tend); **Evi|denz**, die; - (Deutlich-
keit, völlige Klarheit); in Evidenz
halten (*österr. Amtsspr.* auf dem
Laufenden halten, registrieren)

Evi|denz|bü|ro (*österr. für* Büro, in
dem Personen, Daten registriert
werden)

ev.-luth. = evangelisch-lutherisch

Evo|ka|ti|on, die; -, -en ⟨lat.⟩
(Erweckung von Vorstellungen
bei Betrachtung eines Kunst-
werkes; *Rechtsspr.* Vorladung
eines Beklagten vor ein höheres
Gericht); **evo|ka|tiv**

Evo|lu|ti|on, die; -, -en ⟨lat.⟩ ([all-
mählich fortschreitende] Entwicklung; *Biol.* stammesge-
schichtliche Entwicklung der
Lebewesen); **evo|lu|ti|o|när** (sich
stetig weiterentwickelnd)

Evo|lu|ti|o|nis|mus, der; - (eine
naturphilos. Richtung des
19. Jh.s)

Evo|lu|ti|ons|the|o|rie, die; -

Evol|ven|te, die; -, -n (eine math.
Kurve)

evol|vie|ren (entwickeln, entfalten)

Evo|ny|mus, der; - ⟨griech.⟩ (ein
Zierstrauch, Spindelbaum)

evo|zie|ren ⟨lat.⟩ (hervorrufen;
Rechtsspr. vorladen)

ev.-ref. = evangelisch-reformiert

evtl. = eventuell

ev|vi|va ⟨ital., »er, sie, es lebe
hoch!«⟩ (ital. Hochruf)

Ew. *vgl.* euer

¹Ewe, der; -, - (Angehöriger eines
westafrik. Volkes)

²Ewe, das; - (Sprache); *vgl.* Deutsch

Ewen|ke, der; -n, -n (Angehöriger
eines sibir. Volksstammes; Tun-
guse)

Ewer, der; -s, - (*nordd. für* kleines
Küsten[segel]schiff)

E-Werk, das; -[e]s, -e; ↑K 28 (*kurz
für* Elektrizitätswerk)

EWG, die; - = Europäische Wirt-
schaftsgemeinschaft

ewig; auf ewig; für immer und
ewig; die ewig gleichen Gesich-
ter; ein ewiges Leben; das
ewige Leben; der ewige Frieden;
ewiger Schnee; die ewige Selig-
keit; das ewige *od.* Ewige Licht
↑K 89; die Ewige Stadt (Rom);
der Ewige Jude (Ahasver)

Ewig|gest|ri|ge, der *u.* die; -n, -n

Ewig|keit; **Ewig|keits|sonn|tag**
(Totensonntag, letzter Sonntag
des ev. Kirchenjahres); **ewig|lich**
(*veraltet für* ewig)

Ewig|weib|li|che, das; -n

Ew. M. = Euer *od.* Eure Majestät

EWS, das; - = Europäisches Wäh-
rungssystem

ex ⟨lat.⟩ (*ugs. für* aus; tot); ex trinken

Ex, der *u.* die; -, - (*ugs. kurz für*
Exfreund[in], Exehemann bzw.
Exehefrau)

Ex... (ehemalig, z. B. Exfreundin,
Exminister)

ex|akt ⟨lat.⟩ (genau; sorgfältig;
pünktlich); die exakten Wissenschaften (Naturwissenschaften
u. Mathematik)

Ex|akt|heit, die; -

Ex|al|ta|ti|on, die; -, -en ⟨lat.⟩
(Überspanntheit)

ex|al|tiert; **Ex|al|tiert|heit**

Ex|a|men, das; -s, *Plur.* -, *seltener*
...mina ⟨lat.⟩ ([Abschluss]prü-
fung)

Ex|a|mens|angst; **Ex|a|mens|ar|beit**;
Ex|a|mens|kan|di|dat; **Ex|a|mens-
kan|di|da|tin**

Ex|a|mi|nand, der; -en, -en (Prüf-
ling); **Ex|a|mi|nan|din**

Ex|a|mi|na|tor, der; -s, ...oren (Prü-
fer); **Ex|a|mi|na|to|rin**

ex|a|mi|nie|ren (prüfen)

Ex|an|them, das; -s, -e ⟨griech.⟩
(*Med.* Hautausschlag)

Ex|arch, der; -en, -en ⟨griech.⟩
(byzantinischer weltl. od. geistl.
Statthalter)

Ex|ar|chat, das, *auch* der; -[e]s, -e
(Amt[szeit] od. Verwaltungsge-
biet eines Exarchen)

Ex|ar|ti|ku|la|ti|on, die; -, -en ⟨lat.⟩
(*Med.* Abtrennung eines Gliedes
im Gelenk)

Ex|au|di ⟨lat., »Erhöre!«⟩ (6. Sonn-
tag nach Ostern)

exc., excud. = excudit

ex ca|the|d|ra ⟨lat., vom [Päpstl.]
Stuhl) (aus päpstl. Vollmacht;
unfehlbar)

Ex|change [ıks't∫e:nt∫], die; -, -n
[...dʒˈ] (*Bankw.* Tausch, Kurs)

excud., exc. = excudit

ex|cu|dit ⟨lat., hat es gebildet, ver-
legt od. gedruckt) (Vermerk hinter dem Namen des Verlegers
[Druckers] bei Kupferstichen;
Abk. exc. u. excud.)

Ex-DDR

Ex|e|d|ra, die; -, Exedren ⟨griech.⟩
(*Archit.* [halbrunde] Nische)

Ex|e|ge|se, die; -, -n ⟨griech.⟩
([Bibel]erklärung; Wissenschaft
von der Bibelauslegung)

Ex|e|get, der; -en, -en (Bibelwis-
senschaftler); **Ex|e|ge|tik**, die; -
(*veraltet für* Exegese); **Ex|e|ge-
tin**; **ex|e|ge|tisch**

ex|e|ku|tie|ren ⟨lat.⟩ (vollstrecken);
exekutiert (*österr.* für gepfän-
det) werden; **Ex|e|ku|ti|on**, die; -,
-en (Vollstreckung [eines
Urteils]; Hinrichtung; *österr.
auch für* Pfändung); **Ex|e|ku|ti-
ons|ge|richt** (*österr.)*

ex|e|ku|tiv (ausführend); **Ex|e|ku|ti-
ve**, die; -, -n, **Ex|e|ku|tiv|ge|walt**
(vollziehende Gewalt [im Staat])

Ex|e|ku|tor, der; -s, ...oren (Voll-
strecker; *österr. für* Gerichts-
vollzieher); **Ex|e|ku|to|rin**; **ex|e-
ku|to|risch**

Ex|em|pel, das; -s, - ⟨lat.⟩ ([war-
nendes] Beispiel; Aufgabe)

Ex|em|p|lar, das; -s, -e (⟨einzelnes⟩
Stück; *Abk.* Expl.); **ex|em|p|la-
risch** (beispielhaft; warnend,
abschreckend); exemplarisches
Lernen

Ex|em|p|li|fi|ka|ti|on, die; -, -en
(Erläuterung durch Beispiele);
ex|em|p|li|fi|zie|ren; **Ex|em|p|li|fi-
zie|rung**

ex|emt ⟨lat.⟩ (*Rechtsw.* befreit); **Ex-
em|ti|on**, die; -, -en ([gesetzliche]
Freistellung)

exen ⟨zu lat. ex) (*Schülerspr.* von
der Schule weisen)

Exe|qua|tur, das; -s, ...uren ⟨lat.,
»er vollziehe!«⟩ (Zulassung
eines ausländ. Konsuls)

Exe|qui|en *Plur.* (kath. Toten-
messe)

ex|er|zie|ren ⟨lat.⟩ ([von Truppen]
üben); **Ex|er|zier|platz**

Ex|er|zi|ti|en *Plur.* (geistl. Übun-
gen); **Ex|er|zi|ti|um**, das; -s, ...ien
(Übung; Hausarbeit)

Ex|frau

Ex|freund; **Ex|freun|din**

Ex|ha|la|ti|on, die; -, -en ⟨lat.⟩
(*Med.* Ausatmung; *Geol.* Aus-
strömen vulkan. Gase u.
Dämpfe); **ex|ha|lie|ren**

ex|haus|tiv ⟨lat.⟩ (*geh. für* vollstän-
dig, erschöpfend)

Ex|haus|tor, der; -s, ...oren (*Tech-
nik* Absauger, Entlüfter)

ex|hi|bie|ren ⟨lat.⟩ (zur Schau stel-
len, vorzeigend darbieten); **Ex-
hi|bi|ti|on**, die; -, -en (*Med.* Zur-
schaustellung)

Ex|hi|bi|ti|o|nis|mus, der; - (Nei-

gung zur öffentl. Entblößung der Geschlechtsteile)
Ex|hi|bi|ti|o|nist, der; -en, -en
Ex|hi|bi|ti|o|nis|tin; ex|hi|bi|ti|o|nis|tisch
ex|hu|mie|ren ⟨lat.⟩ ([einen Leichnam] wieder ausgraben)
Ex|hu|mie|rung
Exil, das; -s, -e ⟨lat.⟩ (Verbannung[sort]); Exi|lant, der; -en, -en (im Exil Lebender); Exi|lan|tin; exi|liert (ins Exil geschickt)
Exil|li|te|ra|tur
Exil|po|li|ti|ker; Exil|po|li|ti|ke|rin
Exil|re|gie|rung
ex|i|mie|ren ⟨lat.⟩ (Rechtsspr. von einer Verbindlichkeit befreien)
exis|tent ⟨lat.⟩ (wirklich, vorhanden)
exis|ten|ti|al, E|xis|ten|ti|a|lis|mus usw. vgl. existenzial, Existenzialismus usw.
exis|ten|ti|ell vgl. existenziell
Exis|tenz, die; -, -en (Dasein; Lebensgrundlage)
Exis|tenz|angst (Daseinsangst); exis|tenz|be|dro|hend
Exis|tenz|be|rech|ti|gung, die; -
exis|tenz|fä|hig; exis|tenz|ge|fähr|dend
Exis|tenz|grün|der; Exis|tenz|grün|de|rin
Exis|tenz|grund|la|ge; Exis|tenz|grün|dung
exis|ten|zi|al, exis|ten|ti|al (das Dasein hinsichtlich seines Seinscharakters betreffend)
Exis|ten|zi|a|lis|mus, Exis|ten|ti|a|lis|mus, der; - (philosophische Richtung des 20. Jh.s)
Exis|ten|zi|a|list, Exis|ten|ti|a|list, der; -en, -en; Exis|ten|zi|a|lis|tin, Exis|ten|ti|a|lis|tin
exis|ten|zi|a|lis|tisch, exis|ten|ti|a|lis|tisch
Exis|ten|zi|al|phi|lo|so|phie, Exis|ten|ti|al|phi|lo|so|phie vgl. Existenzialismus
exis|ten|zi|ell, exis|ten|ti|ell ⟨franz.⟩ (auf das unmittelbare u. wesenhafte Dasein bezogen; lebenswichtig)
Exis|tenz|kampf; Exis|tenz|mi|ni|mum
Exis|tenz|phi|lo|so|phie vgl. Existenzialismus
Exis|tenz|recht Plur. selten
exis|tie|ren (vorhanden sein, bestehen)
Ex|i|tus, der; - ⟨lat.⟩ (Med. Tod)
Ex|kai|ser; Ex|kai|se|rin
Ex|kanz|ler; Ex|kanz|le|rin
Ex|kar|di|na|ti|on, die; -, -en ⟨lat.⟩

(kath. Kirche Entlassung eines Geistlichen aus seiner Diözese)
Ex|ka|va|ti|on, die; -, -en ⟨lat.⟩ (Med. Aushöhlung, Ausbohrung; fachspr. für Ausschachtung); ex|ka|vie|ren
exkl. = exklusive
Ex|kla|ma|ti|on, die; -, -en ⟨lat.⟩ (veraltet für Ausruf); ex|kla|ma|to|risch; ex|kla|mie|ren
Ex|kla|ve, die; -, -n ⟨lat.⟩ (ein eigenstaatl. Gebiet in fremdem Staatsgebiet); vgl. Enklave
ex|klu|die|ren ⟨lat.⟩ (veraltet für ausschließen); Ex|klu|si|on, die; -, -en (veraltet für Ausschließung)
ex|klu|siv (nur einem bestimmten Personenkreis zugänglich; sich absondernd; auf etw. beschränkt)

ex|klu|si|ve

(mit Ausschluss von ..., ausschließlich; Abk. exkl.)

Präposition mit Genitiv:

– exklusive aller Versandkosten

Ist der Genitiv nicht erkennbar, steht der Dativ:

– exklusive Getränken

Ein allein stehendes, stark gebeugtes Substantiv steht im Singular ungebeugt:

– exklusive Porto

Ex|klu|siv|in|ter|view
Ex|klu|si|vi|tät, die; - (Ausschließlichkeit, [gesellschaftliche] Abgeschlossenheit)
Ex|klu|siv|recht; Ex|klu|siv|ver|trag
Ex|kom|mu|ni|ka|ti|on, die; -, -en ⟨lat.⟩ (kath. Kirche Ausschluss aus der Kirchengemeinschaft); ex|kom|mu|ni|zie|ren
Ex|kö|nig; Ex|kö|ni|gin
Ex|kre|ment, das; -[e]s, -e meist Plur. ⟨lat.⟩ (Ausscheidungsprodukt, z. B. Kot)
Ex|kret, das; -[e]s, -e ⟨lat.⟩ (Med., Zool. vom Körper ausgeschiedenes wertloses Stoffwechselprodukt); Ex|kre|ti|on, die; -, -en (Ausscheidung von Exkreten)
ex|kre|to|risch (ausscheidend, absondernd)
Ex|kul|pa|ti|on, die; -, -en ⟨lat.⟩ (Rechtsw. Rechtfertigung, Entlastung); ex|kul|pie|ren; sich exkulpieren

Ex|kurs, der; -es, -e ⟨lat.⟩ (Abschweifung; einer Abhandlung beigefügte kürzere Ausarbeitung; Anhang)
Ex|kur|si|on, die; -, -en (Lehrfahrt; Streifzug)
Ex|li|bris, das; -, - ⟨lat.⟩ (Bücherzeichen mit dem Namen[szeichen] des Bucheigentümers)
Ex|mann Plur. ...männer
Ex|ma|t|ri|kel [auch, österr. nur ...'trɪkəl], die; -, -n ⟨lat.⟩ (Bescheinigung über das Verlassen einer Hochschule)
Ex|ma|t|ri|ku|la|ti|on, die; -, -en (Streichung aus der Matrikel einer Hochschule); ex|ma|t|ri|ku|lie|ren
Ex|mi|nis|ter; Ex|mi|nis|te|rin
Ex|mis|si|on, die; -, -en ⟨lat.⟩ (Rechtsw. gerichtliche Ausweisung aus einer Wohnung)
ex|mit|tie|ren; Ex|mit|tie|rung
Exo|bio|lo|gie, die; - ⟨griech.⟩ (Wissenschaft vom außerirdischen Leben); exo|bio|lo|gisch
Ex|o|dus, der; - ⟨griech., »Auszug«⟩ (das 2. Buch Mosis; auch für Auszug aus einem Gebiet)
ex of|fi|cio ⟨lat.⟩ (Rechtsspr. von Amts wegen)
Exo|ga|mie, die; -, ...ien ⟨griech.⟩ (Völkerk. Heirat außerhalb von Stamm, Kaste usw.)
exo|gen ⟨griech.⟩ (Bot. außen entstehend; Med. von außen wirkend; Psych. umweltbedingt)
Exo|karp, das; -s, -e ⟨griech.⟩ (Bot. äußere Schicht der Fruchtwand)
exo|krin ⟨griech.⟩ (Med. nach außen abscheidend; exokrine Drüsen)
Ex|o|nym, das; -s, -e ⟨griech.⟩ (vom amtlichen Namen abweichende Ortsnamenform, z. B. dt. »Mailand« für ital. »Milano«)
ex|or|bi|tant ⟨lat.⟩ (übertrieben; gewaltig)
ex ori|en|te lux ⟨lat., »aus dem Osten [kommt das] Licht«⟩ (von der Sonne, dann von Christentum u. Kultur)
ex|or|zie|ren, ex|or|zi|sie|ren ⟨griech.⟩ (böse Geister durch Beschwörung austreiben)
Ex|or|zis|mus, der; -, ...men (Beschwörung böser Geister)
Ex|or|zist, der; -en, -en (Geisterbeschwörer; früher dritter Grad der kath. niederen Weihen); Ex|or|zis|tin
Exo|sphä|re, die; - ⟨griech.⟩

E

Exos

E

Exot

(oberste Schicht der Erdatmosphäre)

Ex**o**t, der; -en, -en ⟨griech.⟩ (Mensch, Tier, Pflanze aus fernen Ländern; Plur. auch für überseeische Wertpapiere)

Exo|t**a**|ri|um, das; -s, ...ien (Anlage für exotische Tiere)

exo|te|risch ⟨griech.⟩ (für Außenstehende, allgemein verständlich)

exo|therm ⟨griech.⟩ (Physik, Chemie Wärme abgebend)

Exo|tik, die; - ⟨griech.⟩ (Anziehungskraft, die vom Fremdländischen ausgeht)

Exo|tin; exo|tisch

Ex|pan|der, der; -s, - ⟨engl.⟩ (Trainingsgerät zur Stärkung der Arm- u. Oberkörpermuskeln)

ex|pan|die|ren ⟨lat.⟩ ([sich] ausdehnen); ex|pan|si|bel ⟨franz.⟩ (veraltet für ausdehnbar); ...i|b|le Stoffe

Ex|pan|si**o**n, die; -, -en ⟨lat.⟩ (Ausdehnung; Erweiterung; Ausbreitung [eines Staates])

ex|pan|si|o|nis|tisch

Ex|pan|si|ons|be|stre|bun|gen Plur.; Ex|pan|si|ons|drang; Ex|pan|si|ons|ge|schwin|dig|keit

Ex|pan|si|ons|kraft; Ex|pan|si|ons|kurs; Ex|pan|si|ons|po|li|tik

ex|pan|siv ([sich] ausdehnend); Ex|pan|siv|kraft, die (Physik)

ex|pa|t|ri|ie|ren ⟨lat.⟩ (ausbürgern)

Ex|pe|di|ent, der; -en, -en ⟨lat.⟩ (Abfertigungsbeauftragter in der Versandabteilung einer Firma); Ex|pe|di|en|tin

ex|pe|die|ren (abfertigen; absenden; befördern)

Ex|pe|dit, das; -[e]s, -e ⟨österr. für Versandabteilung)

Ex|pe|di|ti|on, die; -, -en (Forschungsreise; Gruppe von Forschungsreisenden; Versand- od. Abfertigungsabteilung)

Ex|pe|di|ti|ons|lei|ter, der; Ex|pe|di|ti|ons|lei|te|rin; Ex|pe|di|ti|ons|mit|glied

Ex|pe|di|tor, der; -s, ...oren (seltener, bes. österr. für Expedient)

Ex|pek|to|rans, das; -, Plur. ...ranzien u. ...rantia, Ex|pek|to|ran|ti|um, das; -s, ...tia ⟨lat.⟩ (Pharm. schleimlösendes [Husten]mittel)

Ex|pek|to|ra|ti|on, die; -, -en (veraltet für Erklärung [von Gefühlen]; Med. Auswurf)

ex|pek|to|rie|ren (veraltet für Gefühle aussprechen; Med. Schleim aushusten)

ex|pen|siv ⟨lat.⟩ (selten für kostspielig)

Ex|pe|ri|m**e**nt, das; -[e]s, -e ⟨lat.⟩ ([wissenschaftlicher] Versuch)

Ex|pe|ri|men|tal... (auf Experimenten beruhend, z. B. Experimentalphysik)

Ex|pe|ri|men|ta|tor, der; -s, ...oren; Ex|pe|ri|men|ta|to|rin

ex|pe|ri|men|tell (auf Experimenten beruhend; experimentelle Psychologie ↑K89

Ex|pe|ri|men|tier|büh|ne (Bühne für experimentelles Theater)

ex|pe|ri|men|tie|ren

ex|pe|ri|men|tier|freu|dig

Ex|per|te, der; -n, -n (Sachverstän-diger, Gutachter); Ex|per|ten|kom|mis|si|on

Ex|per|ten|sys|tem (EDV hoch entwickeltes Programmsystem mit Elementen künstlicher Intelligenz)

Ex|per|tin

Ex|per|ti|se, die; -, -n ⟨franz.⟩ (Gutachten)

Expl. = Exemplar

Ex|pla|na|ti|on, die; -, -en ⟨lat.⟩ (Literaturw. Erklärung eines Textes); ex|pla|na|tiv; ex|pla|nie|ren

Ex|plan|ta|ti|on, die; -, -en ⟨lat.⟩ (Med., Zool. Entnahme von Zellen od. Gewebe aus dem lebenden Organismus); ex|plan|tie|ren

Ex|pli|ka|ti|on, die; -, -en ⟨lat.⟩ (veraltet für Erklärung, Erläuterung); ex|pli|zie|ren

ex|pli|zit (erklärt, ausführlich dargestellt; Ggs. implizit); explizite Funktion (Math.) ↑K89

ex|pli|zi|te [...te] (ausdrücklich); etwas explizite sagen

ex|plo|dier|bar; ex|plo|die|ren ⟨lat.⟩ (krachend [zer]bersten; einen Gefühlsausbruch haben)

Ex|ploi|ta|ti|on [...plǫa...], die; -, -en ⟨franz.⟩ (veraltet für Ausbeutung; Nutzbarmachung)

ex|ploi|tie|ren

Ex|plo|rand, der; -en, -en ⟨lat.⟩ (fachspr. für zu Untersuchender; zu Befragender; Ex|plo|ran|din

Ex|plo|ra|ti|on, die; -, -en (Untersuchung, Erforschung)

ex|plo|ra|to|risch

Ex|plo|rer [ı...], der; -s, - ⟨engl., »Erforscher« (Bez. für die ersten amerik. Erdsatelliten)

ex|plo|rie|ren [ɛ...] ⟨lat.⟩

ex|plo|si|bel ⟨franz.⟩ (explosionsfähig); ...i|b|le Stoffe

Ex|plo|si**o**n, die; -, -en ⟨lat.⟩; ex|plo|si|ons|ar|tig

Ex|plo|si|ons|ge|fahr; Ex|plo|si|ons|herd; Ex|plo|si|ons|ka|ta|s|t|ro|phe; Ex|plo|si|ons|kra|ter (Geol.)

Ex|plo|si|ons|mo|tor

ex|plo|si|ons|si|cher

ex|plo|siv (leicht explodierend, explosionsartig)

Ex|plo|siv, der; -s, -e u. Ex|plo|siv|laut (Sprachw. Verschlusslaut, z. B. b, k)

Ex|plo|siv|ge|schoss

Ex|plo|si|vi|tät, die; - (explosive Beschaffenheit)

Ex|plo|siv|kör|per

Ex|plo|siv|laut vgl. Explosiv

Ex|plo|siv|stoff

Ex|po, die; -, -s ⟨kurz für Exposition⟩ (Ausstellung)

Ex|po|nat, das; -[e]s, -e ⟨russ.⟩ (Ausstellungs-, Museumsstück)

Ex|po|nent, der; -en, -en ⟨lat.⟩ (Hochzahl, bes. in der Wurzel- u. Potenzrechnung; herausgehobener Vertreter [einer bestimmten Richtung, Politik usw.])

Ex|po|nen|ti|al|funk|ti|on (Math.)

Ex|po|nen|ti|al|glei|chung (Math.)

Ex|po|nen|ti|al|grö|ße; Ex|po|nen|ti|al|röh|re (Technik)

ex|po|nen|ti|ell (Math.)

Ex|po|nen|tin

ex|po|nie|ren (hervorheben; [einer Gefahr] aussetzen); ex|po|niert (gefährdet; [Angriffen] ausgesetzt; herausgehoben)

Ex|port, der; -[e]s, -e ⟨engl.⟩ (Ausfuhr); ↑K31 : Ex- u. Import

ex|port|ab|hän|gig

Ex|port|ab|hän|gig|keit

Ex|port|an|teil; Ex|port|ar|ti|kel

Ex|por|ten Plur. (Ausfuhrwaren)

Ex|por|teur [...'tø:ɐ], der; -s, -e ⟨franz.⟩ (Ausfuhrhändler od. -firma); Ex|por|teu|rin

Ex|port|ge|schäft

ex|por|tie|ren

ex|port|in|ten|siv; exportintensive Branchen

Ex|port|kauf|frau; Ex|port|kauf|mann; Ex|port|quo|te

Ex|port|über|schuss; Ex|port|wirt|schaft

Ex|po|sé, Ex|po|see, das; -s, -s ⟨franz.⟩ (Denkschrift, Bericht, Darlegung; Zusammenfassung; Plan, Skizze [für ein Drehbuch])

Ex|po|si|ti|on, die; -, -en ⟨lat.⟩ (Ausstellung, Schau; Literaturw.,

Musik Einleitung, erster Teil; *veraltet für* Darlegung)

Ex|po|si|tur, die; -, -en (*kath. Kirche* abgegrenzter selbstständiger Seelsorgebezirk einer Pfarrei; *österr. für* auswärtige Geschäftsfiliale, auswärtiger Teil einer Schule); **Ex|po|si|tus,** der; -, ...ti (Geistlicher einer Expositur)

ex|press ⟨*lat.*⟩ (*veraltet, noch ugs. für* eilig, Eil...; *landsch. für* eigens, ausdrücklich, zum Trotz)

Ex|press|bo|te (*veraltet für* Eilbote); Ex|press|gut

Ex|pres|si|on, die; -, -en (Ausdruck)

Ex|pres|si|o|nis|mus, der; - (Kunstrichtung im frühen 20. Jh., Ausdruckskunst)

Ex|pres|si|o|nist, der; -en, -en

Ex|pres|si|o|nis|tin; ex|pres|si|o|nistisch

ex|pres|sis ver|bis (ausdrücklich; mit ausdrücklichen Worten)

ex|pres|siv (ausdrucksvoll); **Ex|pres|si|vi|tät,** die; - (Fülle des Ausdrucks, Ausdrucksfähigkeit; *Biol.* Ausprägungsgrad einer Erbanlage)

Ex|pres|sei|ni|gung

Ex|pro|p|ri|a|ti|on, die; -, -en ⟨*lat.*⟩ (Enteignung [marxistischer Begriff]); **ex|pro|p|ri|ie|ren**

Ex|pul|si|on, die; -, -en ⟨*lat.*⟩ (*Med.* Austreibung, Abführung)

ex|pul|siv

ex|qui|sit ⟨*lat.*⟩ (ausgesucht, erlesen)

Ex|qui|sit, das; -s, -s (*kurz für* Exquisitladen); **Ex|qui|sit|la|den** (*in der DDR* Geschäft für auserlesene Waren zu hohen Preisen)

Ex|sik|ka|ti|on, die; -, -en ⟨*lat.*⟩ (*Chemie* Austrocknung); **ex|sik|ka|tiv; Ex|sik|ka|tor,** der; -s, ...oren (Gerät zum Austrocknen od. zum trockenen Aufbewahren von Chemikalien)

ex|spek|ta|tiv (*Med.* abwartend [bei Krankheitsbehandlung])

Ex|spi|ra|ti|on, die; - ⟨*lat.*⟩ (*Med.* Ausatmung); **ex|spi|ra|to|risch** (*Med.* auf Exspiration beruhend); exspiratorischer Akzent (*Sprachw.* Druckakzent); exspiratorische Artikulation (*Sprachw.* Lautbildung beim Ausatmen); **ex|spi|rie|ren** (*Med.*)

Ex|stir|pa|ti|on, die; -, -en ⟨*lat.*⟩ (*Med.* völlige Entfernung [eines Organs]); **ex|stir|pie|ren**

Ex|su|dat, das; -[e]s, -e ⟨*lat.*⟩ (*Med.* Ausschwitzung; *Biol.* Absonderung); **Ex|su|da|ti|on,** die; -, -en (Ausschwitzen, Absondern eines Exsudates)

Ekstase

Das aus dem Griechischen stammende Wort wird nicht mit *Ex-*, sondern mit *Eks-* geschrieben, obwohl es den gleichen Anlaut hat wie z. B. *Export, extra, extrem.*

Ex|tem|po|ra|le, das; -s, ...lien ⟨*lat.*⟩ (*veraltet für* unvorbereitet anzufertigende [Klassen]arbeit)

Ex|tem|po|re [...re], das; -s, -s (*Theater* Zusatz, Einlage; Stegreifspiel)

ex tem|po|re (aus dem Stegreif)

ex|tem|po|rie|ren (aus dem Stegreif reden, schreiben usw.)

ex|ten|die|ren ⟨*lat.*⟩ (strecken; ausdehnen)

Ex|ten|si|on, die; -, -en (Ausdehnung; [Haar]verlängerung)

Ex|ten|si|tät, die; - (Ausdehnung; Umfang)

ex|ten|siv (der Ausdehnung nach; räumlich; nach außen wirkend); extensive Landwirtschaft (Bodennutzung mit geringem Einsatz von Arbeitskraft u. Kapital)

Ex|ten|sor, der; -s, ...oren (*Med.* Streckmuskel)

Ex|te|ri|eur [...'rjøːɐ], das; -s, *Plur.* -s *u.* -e ⟨*franz.*⟩ (Äußeres; Außenseite)

ex|ter|mi|na|to|risch ⟨*lat.*⟩ (auf völlige Vernichtung ausgerichtet)

ex|tern ⟨*lat.*⟩ (draußen befindlich; auswärtig)

ex|ter|na|li|sie|ren ⟨*lat.-engl.*⟩ (*Psych.* nach außen verlagern); **Ex|ter|na|li|sie|rung** (*Psych.*)

Ex|ter|ne, der *u.* die; -n, -n (nicht im Internat wohnender Schüler bzw. nicht dort wohnende Schülerin; von auswärts zugewiesener Prüfling)

Ex|ter|nist, der; -en, -en (*österr. für* Externer); **Ex|ter|nis|tin**

Ex|tern|stei|ne *Plur.* (Felsgruppe im Teutoburger Wald)

ex|ter|ri|to|ri|al ⟨*lat.*⟩ (den Landesgesetzen nicht unterworfen); **Ex|ter|ri|to|ri|a|li|tät,** die; -

Ex|tink|ti|on, die; -, -en ⟨*lat.*⟩ (*fachspr. für* Schwächung einer Strahlung)

ex|t|ra ⟨*lat.*⟩ (nebenbei, außerdem, besonders, eigens; *vgl.* extra dry

Ex|t|ra, das; -s, -s ([nicht serienmäßig mitgeliefertes] Zubehör[teil])

Ex|t|ra|aus|ga|be

Ex|t|ra|blatt (Sonderausgabe)

Ex|t|ra|chor (zusätzlicher, nur in bestimmten Opern eingesetzter Theaterchor)

ex|t|ra dry ⟨*engl.*⟩ (sehr herb)

ex|t|ra|fein

ex|t|ra|gal|lak|tisch ⟨*lat.-griech.*⟩ (*Astron.* außerhalb der Galaxis gelegen)

ex|t|ra|groß; ex|t|ra|hart

ex|t|ra|hie|ren ⟨*lat.*⟩ (einen Auszug machen; [einen Zahn] ausziehen; auslaugen)

Ex|t|ra|klas|se; ein Film, Sportler der Extraklasse

ex|t|ra|kor|po|ral ⟨*Biol., Med.* außerhalb des Organismus befindlich, geschehend)

Ex|trakt, der, *auch* das; -[e]s, -e ⟨*lat.*⟩ (Auszug [aus Büchern, Stoffen]; Hauptinhalt, Kern)

Ex|trak|ti|on, die; -, -en (Auszug; Auslaugung; Herausziehen)

ex|trak|tiv ⟨*franz.*⟩ (ausziehend; auslaugend)

ex|t|ra|or|di|när ⟨*franz.*⟩ (*veraltend für* außergewöhnlich, außerordentlich)

Ex|t|ra|or|di|na|ri|um, das; -s, ...ien ⟨*lat.*⟩ (*früher für* außerordentlicher Haushaltsplan od. Etat)

Ex|t|ra|or|di|na|ri|us, der; -, ...ien (*früher für* außerordentlicher Professor)

Ex|t|ra|po|la|ti|on, die; -, -en ⟨*lat.*⟩ (das Extrapolieren); **ex|t|ra|po|lie|ren** (*Math., Statistik* aus den bisherigen Werten einer Funktion auf weitere schließen)

Ex|t|ra|post (*früher für* besonders eingesetzter Postwagen)

Ex|t|ra|sys|to|le, die; -, -n ⟨*lat.; griech.*⟩ (*Med.* vorzeitige Zusammenziehung des Herzens innerhalb der normalen Herzschlagfolge)

ex|t|ra|ter|res|t|risch ⟨*lat.*⟩ (*Astron., Physik* außerhalb der Erde gelegen)

Ex|t|ra|tour (*ugs. für* eigenwilliges Verhalten od. Vorgehen)

ex|t|ra|va|gant [*auch* 'ɛ...] ⟨*franz.*⟩ (verstiegen, überspannt); **Ex|t|ra|va|ganz,** die; -, -en

Ex|t|ra|ver|si|on, Ex|t|ro|ver|si|on, die; -, -en ⟨*lat.*⟩ (*Psych.* Konzen-

E

extr

tration der eigenen Interessen auf äußere Objekte)

ex|t|ra|ver|tiert vgl. extrover|tiert; Ex|t|ra|ver|tiert|heit

Ex|t|ra|wunsch; Ex|t|ra|wurst (ugs., österr. auch für eine Wurstsorte); jmdm. eine Extrawurst braten

ex|t|ra|zel|lu|lar, ex|t|ra|zel|lu|lär (Biol., Med. außerhalb der Zelle)

Ex|t|ra|zim|mer (österr. für separierter Raum in einem Restaurant)

Ex|t|ra|zug (schweiz. für Sonderzug)

ex|t|rem ⟨lat., »äußerst«⟩ (bis an die äußerste Grenze gehend; radikal; krass)

Ex|t|rem, das; -s, -e (höchster Grad; äußerster Standpunkt)

Ex|t|re|ma|du|ra, ¹Es|t|re|ma|du|ra (historische Landschaft in Spanien)

Ex|t|rem|fall, der; im Extremfall

Ex|t|re|mis|mus, der; -, ...men (übersteigert radikale Haltung); Ex|t|re|mist, der; -en, -en

Ex|t|re|mis|tin; ex|t|re|mis|tisch

Ex|t|re|mi|tät, die; -, -en (äußerstes Ende; nur Plur.: Gliedmaßen)

Ex|t|rem|si|tu|a|ti|on

Ex|t|rem|sport (mit höchster körperlicher Beanspruchung od. mit besonderen Gefahren verbundener Sport [z. B. Freeclimbing]); Ex|t|rem|sport|art; Ex|t|rem|sport|ler; Ex|t|rem|sport|le|rin

Ex|t|ro|ver|si|on vgl. Extraversion

ex|t|ro|ver|tiert, ex|t|ra|ver|tiert (spontan u. kontaktfreudig, seine Gefühle deutlich zeigend); Ex|t|ru|der, der; -s, - ⟨engl.⟩ (Technik Maschine zum Ausformen thermoplastischer Kunststoffe; Schneckenpresse); ex|t|ru|die|ren (mit dem Extruder formen)

Ex|ul|ze|ra|ti|on, die; -, -en ⟨lat.⟩ (Med. Geschwürbildung)

ex|ul|ze|rie|ren

Ex-und-hopp-Fla|sche (ugs. für Einwegflasche)

ex usu ⟨lat., »aus dem Gebrauch heraus«⟩ (aus der Erfahrung, durch Übung)

Ex|u|vie, die; -, -n ⟨lat.⟩ (abgestreifte tierische Körperhülle [z. B. Schlangenhaut])

Ex|vo|to, das; -s, Plur. -s od. ...ten (Weihegabe, Votivbild)

ex vo|to ⟨lat., »aufgrund eines

Gelübdes«⟩ (Inschrift auf Votivgaben)

Ex|welt|meis|ter (Sport); Ex|weltmeis|te|rin (Sport)

Exz. = Exzellenz

Ex|ze|dent, der; -en, -en ⟨lat.⟩ (über die gewählte Versicherungssumme hinausgehender Betrag)

ex|zel|lent ⟨lat.⟩ (hervorragend)

Ex|zel|lenz, die; -, -en (ein Titel; Abk. Exz.); vgl. euer

ex|zel|lie|ren (hervorragen)

Ex|zen|ter, der; -s, -, Ex|zen|terschei|be ⟨nlat.-dt.⟩ (Technik exzentrisch angebrachte Steuerungsscheibe)

Ex|zen|t|rik, die; - ([mit Groteske verbundene] Artistik; Überspanntheit)

Ex|zen|t|ri|ker; Ex|zen|t|ri|ke|rin

ex|zen|t|risch (Math., Astron. außerhalb des Mittelpunktes liegend; geh. für überspannt)

Ex|zen|t|ri|zi|tät, die; -, -en (Abweichen, Abstand vom Mittelpunkt; Überspanntheit)

ex|zep|ti|o|nell ⟨franz.⟩ (ausnahmsweise eintretend, außergewöhnlich)

ex|zep|tiv ⟨lat.⟩ (veraltet für ausschließend)

ex|zer|pie|ren ⟨lat.⟩ (ein Exzerpt machen)

Ex|zerpt, das; -[e]s, -e (schriftl. Auszug aus einem Werk)

Ex|zerp|ti|on, die; -, -en (das Exzerpieren); Ex|zerp|tor, der; -s, ...oren (jmd., der Exzerpte anfertigt); Ex|zerp|to|rin

Ex|zess, der; -es, -e ⟨lat.⟩ (Ausschreitung; Ausschweifung); ex|zes|siv (übermäßig; ausschweifend)

ex|zi|die|ren ⟨lat.⟩ (Med. herausschneiden); Ex|zi|si|on, die; -, -en (Med. Ausschneidung, z. B. einer Geschwulst)

ex|zi|tie|ren ⟨lat.⟩ (Med. anregen)

ey! [ei] ⟨engl.⟩ (ugs.)

Eyck, van [van, auch fan 'aik] (niederl. Maler)

Eye|li|ner ['ailai...], der; -s, - ⟨engl.⟩ (flüssiges Kosmetikum zum Ziehen des Lidstriches)

Eyrir, der; auch: das; -s, Aurar ⟨isländ.⟩ (Untereinheit der isländ. Krone)

EZB, die; - = Europäische Zentralbank

Eze|chi|el [...e:l, auch ...ɛl] (bibl. Prophet; bei Luther Hesekiel)

Ez|zes Plur. ⟨hebr.-jidd.⟩ (österr. ugs. für Tipps, Ratschläge)

F

f

f = Femto...; forte

f, F, das; -, - (Tonbezeichnung)

f (Zeichen für f-Moll); in f

F (Zeichen für F-Dur); in F

F (Buchstabe); das F, des F, die F, aber das f in Haft; der Buchstabe F, f

F = Fahrenheit; Farad; vgl. Franc

F = chem. Zeichen für Fluor

f. = folgende [Seite]; für

fa ⟨ital.⟩ (Solmisationssilbe)

Fa. = Firma

Faa|ker See, der; - -s (in Kärnten)

Fa|bel, die; -, -n ⟨franz.⟩ (erdichtete [lehrhafte] Erzählung; Handlung einer Dichtung)

Fa|bel|buch

Fa|bel|dich|ter; Fa|bel|dich|te|rin

Fa|bel|lei; fa|bel|haft

fa|beln (Erfundenes erzählen); ich fab[e]le; Fa|bel|tier; Fa|belwelt; Fa|bel|we|sen

Fa|bia (w. Vorn.)

Fa|bi|an (m. Vorn.)

Fa|bi|er, der; -s, - (Angehöriger eines altröm. Geschlechtes)

Fa|bi|o|la (w. Vorn.)

Fa|bi|us (Name altröm. Staatsmänner)

Fa|b|rik [auch ...'rɪ...], die; -, -en ⟨franz.⟩; Fa|b|rik|an|la|ge

Fa|b|ri|kant, der; -en, -en (Fabrikbesitzer; Hersteller); Fa|b|ri|kan|tin

Fa|b|rik|ar|beit [auch ...'rɪ...]; Fa|b|rik|ar|bei|ter; Fa|b|rik|ar|bei|te|rin

Fa|b|ri|kat, das; -[e]s, -e ⟨lat.⟩ (Industrieerzeugnis)

Fa|b|ri|ka|ti|on, die; -, -en (fabrikmäßige Herstellung)

Fa|b|ri|ka|ti|ons|feh|ler; Fa|b|ri|ka|ti|ons|ge|heim|nis; Fa|b|ri|ka|ti|ons|me|tho|de; Fa|b|ri|ka|ti|ons|pro|zess

Fa|b|rik|be|sit|zer [auch ...'rɪ...]; Fa|b|rik|be|sit|ze|rin

Fa|b|rik|ge|bäu|de; Fa|b|rik|ge|län|de; Fa|b|rik|hal|le

fa|b|rik|mä|ßig [auch ...'rɪ...]; fa|b|rik|neu

fa|b|riks..., Fa|b|riks... (österr. für

fabrik..., Fabrik..., z. B. fabriks-
neu, Fabriksarbeiter)
Fa|b|rik|schorn|stein [*auch* ...'rɪ...];
Fa|b|rik|si|re|ne
fa|b|ri|zie|ren ([fabrikmäßig] her-
stellen; *ugs. auch für* mühsam
anfertigen; anrichten)
Fa|bu|lant, der; -en, -en ⟨lat.⟩
(Erzähler von fantastisch aus-
geschmückten Geschichten);
Fa|bu|lan|tin
fa|bu|lie|ren (fantasievoll erzäh-
len); Fa|bu|lier|kunst
fa|bu|lös (fantastisch anmutend)
Face|lift ['fe:slɪft], der *od.* das; -s,
-s ⟨engl.⟩ (*svw.* Facelifting; *auch
allgemein für* verschönernde
Neugestaltung)
Face|lif|ting ['fe:slɪftɪŋ], das; -[s],
-s ⟨engl.⟩ (Gesichtsoperation)
Fa|cet|te [...'sɛ...] usw. *vgl.* Fas-
sette usw.; **fa|cet|tie|ren** *vgl.*
fassettieren
Fach, das; -[e]s, Fächer
...fach (z. B. vierfach [*mit Ziffer*
4fach *od.* 4-fach ↑K 66]; *mit
Einzelbuchstabe* n-fach)
Fach|ar|bei|ter; Fach|ar|bei|ter-
brief; Fach|ar|bei|te|rin
Fach|arzt; Fach|ärz|tin
fach|ärzt|lich
Fach|aus|druck; Fach|be|griff;
Fach|be|reich; Fach|bi|b|lio|thek;
Fach|buch
Fach|chi|ne|sisch (Fachjargon)
...fa|che (z. B. Vierfache, das; -n
[*mit Ziffer* 4fache *od.* 4-Fache
↑K 66])
fä|cheln; ich fäch[e]le
fa|chen (*seltener für* anfachen)
Fä|cher, der; -s, -
fä|cher|för|mig; -e; |fä|che|rig
fä|chern; ich fächere
Fä|cher|pal|me; Fä|che|rung
Fach|frau; Fach|ge|biet
fach|ge|mäß; fach|ge|recht
Fach|ge|schäft; Fach|grup|pe;
Fach|han|del (*vgl.* ¹Handel)
Fach|hoch|schu|le (*Abk.* FH); Fach-
hoch|schul|rei|fe
Fach|idi|ot (*abwertend für* jmd.,
der nur sein Fachgebiet kennt);
Fach|idi|o|tin (*abwertend*)
Fach|jar|gon
Fach|ken|ner; Fach|ken|ne|rin
Fach|kennt|nis
Fach|kraft; Fach|kreis; in Fach-
kreisen
Fach|kun|de, die; fach|kun|dig
(Fachkenntnisse habend); fach-
kund|lich (die Fachkunde
betreffend)
Fach|leh|rer; Fach|leh|re|rin

Fach|leu|te
fach|lich
Fach|li|te|ra|tur; Fach|ma|ga|zin
Fach|mann *Plur.* ...leute, *selten*
...männer; **fach|män|nisch**
fach|mä|ßig (*selten für* fachlich)
Fach|ober|schu|le; Fach|per|so|nal;
Fach|pres|se; Fach|re|fe|rent;
Fach|rich|tung
Fach|schaft; Fach|schu|le
Fach|sim|pe|lei (*ugs.*); fach|sim-
peln (*ugs. für* [ausgiebige]
Fachgespräche führen); ich
fachsimp[e]le; gefachsimpelt;
zu fachsimpeln
Fach|spra|che; fach|sprach|lich
Fach|ter|mi|nus
fach|über|grei|fend
Fach|ver|käu|fer; Fach|ver|käu|fe-
rin; Fach|welt, die; -
Fach|werk; Fach|werk|haus
Fach|wis|sen; Fach|wis|sen|schaft;
Fach|wort *Plur.* ...wörter; Fach-
wör|ter|buch; Fach|zeit|schrift
Fa|ckel, die; -, -n ⟨lat.⟩; Fa|ckel-
licht *Plur.* ...lichter
fa|ckeln; ich fack[e]le
Fa|ckel|schein; Fa|ckel|trä|ger; Fa-
ckel|trä|ge|rin; Fa|ckel|zug
Fact [fɛkt], der; -s, -s *meist Plur.*
⟨engl.⟩ (Tatsache; *vgl.* Fakt)
Fac|ti|ce [...'ti:s(ə)], die; -, -n
⟨franz.⟩ ([große] Parfümflasche
zu Werbe- u. Dekorationszwe-
cken)
Fac|to|ring ['fɛktə...], das; -s
(bestimmte Methode der
Absatzfinanzierung)
Fac|to|ry|out|let, **Fac|to|ry-Out|let**
['fɛktəri'autlet], das; -s, -s
⟨engl.⟩ (Direktverkaufsstelle
einer Firma)
Fa|cul|tas Do|cen|di, die; - - ⟨lat.⟩
(Lehrbefähigung)
fad, fa|de, fad[e]s|te ⟨franz.⟩
(schlecht gewürzt, schal; langweilig, geistlos)
Fäd|chen
fa|de *vgl.* fad
fä|deln (einfädeln); ich fäd[e]le
Fa|den, der; -s, *Plur.* Fäden (*u. als
Längenmaß:*) - (*Seemannspr.:*);
4 Faden tief
fa|den|dünn
Fa|den|en|de; Fa|den|hef|tung; Fa-
den|kreuz
Fa|den|lauf (*Weberei*); Fa|den|nu-
del; Fa|den|pilz
fa|den|schei|nig (*auch für* nicht
sehr glaubhaft)
Fa|den|schlag, der; -[e]s (*schweiz.
für* lockere [Heft]naht; Heftfa-
den; *übertr. für* Vorbereitung)

Fa|den|wurm (*Zool.*)
Fa|den|zäh|ler (*Weberei*)
Fa|desse [fa'dɛs], die; - ⟨franz.⟩
(*österr. für* Langeweile)
Fad|heit
...fä|dig (z. B. feinfädig)
Fa|ding ['fe:...], das; -s, -s ⟨engl.⟩
(*Technik* An- und Abschwellen
der Lautstärke im Rundfunk-
gerät; Nachlassen der Brems-
wirkung infolge Erhitzung der
Bremsen)
fa|di|sie|ren (*österr. ugs. für* lang-
weilen); sich fadisieren
Fa|do, der; -[s], -s ⟨port.⟩ (*Musik*
trauriges port. Lied)
Fae|ces *vgl.* Fäzes
Faf|ner, Faf|nir (nord. Sagenge-
stalt)
Fa|gott, das; -[e]s, -e (ein Holz-
blasinstrument); Fa|gott|blä-
ser; Fa|gott|tist, der; -en, -en
(Fagottbläser); Fa|got|tis|tin
Fä|he, die; -, -n (*Jägerspr.* weibl.
Tier bei Fuchs, Marder u. a.)
fä|hig; *mit Genitiv* (eines Betru-
ges fähig) *od. mit* »zu« (zu
allem fähig sein)
...fä|hig (z. B. begeisterungsfähig)
Fä|hig|keit
fahl; Fahl|erz (Silber- od. Kupfer-
erz mit fahlem Glanz)
fahl|gelb; Fahl|heit, die; -
Fahl|le|der, das; -s (*fachspr. für*
Rindsoberleder)
Fähn|chen (*ugs. auch für* leichtes
Kleid)
fahn|den (polizeilich suchen)
Fahn|der; Fähn|de|rin; Fahn|dung
Fahn|dungs|ap|pa|rat; Fahn|dungs-
buch; Fahn|dungs|fo|to; Fahn-
dungs|lis|te
Fah|ne, der; -s, -n
Fah|nen|ab|zug (*Druckw.*); Fah-
nen|eid (*Milit.*)
Fah|nen|flucht, die; -; *vgl.* ²Flucht;
fah|nen|flüch|tig
Fah|nen|jun|ker; Fah|nen|jun|ke|rin
Fah|nen|kor|rek|tur (*Druckw.*);
Fah|nen|mast, der
Fah|nen|schwin|ger; Fah|nen-
schwin|ge|rin
Fah|nen|stan|ge; Fah|nen|wei|he
Fähn|lein (*auch für* Truppenein-
heit; Formation)
Fähn|rich, der; -s, -e; Fähn|ri|chin
Fahr|ab|tei|lung; Fahr|aus|weis
(Fahrkarte, -schein; *schweiz.
auch für* Führerschein)
Fahr|bahn; Fahr|bahn|mar|kie-
rung; Fahr|bahn|ver|en|gung;
Fahr|bahn|wech|sel

fah|ren

- du fährst; er fährt
- du fuhrst; du führest
- gefahren; fahr[e]!
- erster, zweiter Klasse fahren
- ↑K54 u. 55: Auto fahren; Rad fahren: sie fährt Rad; ich bin Rad gefahren; um Rad zu fahren

- spazieren fahren: sie ist spazieren gefahren; um spazieren zu fahren
- wir hatten alle Hoffnung fahren lassen (*seltener* fahren gelassen) *od.* fahrenlassen (*seltener* fahrengelassen) (= aufgegeben)
- sie hat ihn fahren lassen (= ihm erlaubt zu fahren)

fahr|bar
fahr|be|reit; Fahr|be|reit|schaft
Fähr|be|trieb
Fahr|damm (*landsch.*)
Fahr|dau|er, Fahrt|dau|er
Fähr|de, die; -, -n (*geh. für* Gefahr)
Fahr|dienst, der; -[e]s (*Eisenb.*)
Fahr|dienst|lei|ter; Fahr|dienst-lei|te|rin
Fahr|draht (elektr. Oberleitung)
Fäh|re, die; -, -n
fah|ren s. *Kasten*
fah|rend; fahrende Habe (*Rechtsspr.* Fahrnis), fahrende Leute; Fah|ren|de, der u. die; -n, -n (*früher für* umherziehender Spielmann, Gaukler)
Fah|ren|heit ⟨nach dem dt. Physiker⟩ (Einheit der Grade beim 180-teiligen Thermometer; Zeichen F, fachspr. °F); 5 °F
fah|ren las|sen, fah|ren|las|sen vgl. fahren
Fah|rens|mann Plur. ...leute u. ...männer (*Seemannsspr.*)
Fah|rer; Fah|re|rei, die; - (*oft abwertend*)
Fah|rer|flucht, die; -; Fah|rer|haus
Fah|re|rin; fah|re|risch; fahrerisches Können
Fah|rer|laub|nis
Fah|rer|sitz
Fahr|feh|ler
Fahr|gast Plur. ...gäste; Fahr|gast-schiff
Fahr|ge|fühl; Fahr|geld; Fahr|ge-mein|schaft; Fahr|ge|schwin-dig|keit; Fahr|ge|stell; Fahr|ha-be (*schweiz. für* Fahrnis); Fahr-hau|er (*Bergmannsspr.*)
fah|rig (zerstreut); Fah|rig|keit
Fahr|kar|te
Fahr|kar|ten|aus|ga|be; Fahr|kar-ten|au|to|mat; Fahr|kar|ten-kon|t|rol|le; Fahr|kar|ten|schal-ter
Fahr|kom|fort
Fahr|kos|ten vgl. Fahrtkosten
fahr|läs|sig; fahrlässige Tötung; Fahr|läs|sig|keit
Fähr|leh|rer; Fähr|leh|re|rin
Fähr|li|nie (von Fähren befahrene

Strecke; Unternehmen); Fähr-mann Plur. ...männer u. ...leute
Fahr|nis, die; -, -se od. das; -ses, -se (*Rechtsspr.* fahrende Habe, bewegliches Vermögen)
Fähr|nis, die; -, -se (*geh. für* Gefahr)
Fahr|plan vgl. ²Plan; fahr|plan|mä-ßig
Fahr|preis; Fahr|prü|fung
Fahr|rad ↑K54; Fahrrad fahren; Fahr|rad|fah|ren, das; -s ↑K82
Fahr|rad|fah|rer; Fahr|rad|fah|re-rin
Fahr|rad|korb
Fahr|rad|ku|rier; Fahr|rad|ku|rie-rin
Fahr|rad|rei|fen; Fahr|rad|schlüs-sel; Fahr|rad|stän|der
Fahr|rin|ne
Fahr|schein; Fahr|schein|heft
Fähr|schiff
Fahr|schu|le; Fahr|schü|ler; Fahr-schü|le|rin
Fahr|si|cher|heit, die; -; Fahr|spur
Fahr|stei|ger (*Bergmannsspr.*)
Fahr|stil
Fahr|strahl (*Math., Physik*)
Fahr|stra|ße; Fahr|stuhl; Fahr-stun|de
Fahrt, die; -, -en; Fahrt ins Blaue
fahr|taug|lich; Fahr|taug|lich|keit
Fahrt|dau|er, Fahr|dau|er
Fähr|te, die; -, -n (Spur)
Fahr|tech|nik; fahr|tech|nisch
Fahr|ten|buch; Fahr|ten|mes|ser; Fahr|ten|schrei|ber (*amtlich* Fahrtschreiber); Fahr|ten-schwim|mer
Fähr|ten|su|cher; Fähr|ten|su|che-rin
Fahr|test
Fahrt|kos|ten, Fahr|kos|ten Plur.
Fahr|trep|pe (*fachspr. für* Rolltreppe)
Fahrt|rich|tung; Fahrt|schrei|ber vgl. Fahrtenschreiber
fahr|tüch|tig; Fahr|tüch|tig|keit
Fahrt|un|ter|bre|chung; Fahrt-wind
Fahrt|ziel, Fahr|ziel
Fahr|un|tüch|tig|keit, die; -; Fahr|ver-bot; Fahr|ver|hal|ten

Fahr|ver|käu|fer (*bes. österr. für* Verkaufsfahrer); Fahr|ver|käu-fe|rin
Fahr|was|ser; Fahr|weg; Fahr|wei-se; Fahr|werk; Fahr|wind (guter Segelwind); Fahr|zeit
Fahr|zeug; Fahr|zeug|bau, der; -[e]s
Fahr|zeug|füh|rer; Fahr|zeug|füh-re|rin
Fahr|zeug|hal|ter; Fahr|zeug|hal-te|rin; Fahr|zeug|len|ker; Fahr-zeug|len|ke|rin
Fahr|zeug|park; Fahr|zeug|rah-men; Fahr|zeug|typ
Fahr|ziel, Fahrt|ziel
Fai|b|le ['fɛːbl̩], das; -s, -s ⟨franz.⟩ (Schwäche; Neigung, Vorliebe); ein Faible für etwas haben
fair [fɛːɐ̯] ⟨engl.⟩ (gerecht; anständig; den Regeln entsprechend); das war ein faires Spiel; fai|rer|wei|se
Fair|ness ['fɛː...], die; -
Fair Play ['fɛːɐ̯ 'pleː], das; --, -- Fair|play, das; - (anständiges Spiel od. Verhalten [im Sport])
Fair|way ['fɛːɐ̯ve:], das; -s, -s ⟨engl.⟩ (Golf Spielbahn zwischen Abschlag u. Grün)
Fait ac|com|p|li ['fɛːtakɔ̃'pli:], das; - -, -s -s ['fɛːzakɔ̃'pli:] ⟨franz.⟩ (vollendete Tatsache)
fä|kal ⟨lat.⟩ (*Med.* kotig)
Fä|kal|dün|ger; Fä|ka|li|en Plur. (*Med.* Kot); Fä|kal|spra|che
Fake [feɪk], der od. das; -s, -s ⟨engl.⟩ (*ugs. für* Fälschung, Betrug, Schwindel); fa|ken ['feɪkn̩] (*ugs. für* fälschen); gefakte Informationen
Fa|kir [*österr.* ...'kiːɐ̯], der; -s, -e ⟨arab.⟩ ([indischer] Büßer, Asket; Zauberkünstler)
Fak|si|mi|le [...le], das; -s, -s ⟨lat., »mache ähnlich«⟩ (originalgetreue Nachbildung, z. B. einer alten Handschrift)
Fak|si|mi|le|aus|ga|be; Fak|si|mi|le-druck Plur. ...drucke
fak|si|mi|lie|ren
Fakt, der, *auch* das; -[e]s, Plur. -en, *auch* -s (*svw.* Faktum); das

Fakta – fälschen

ist [der] Fakt; Fak|ta (*Plur. von* Faktum); Fak|ten|wis|sen

Fak|ti|on, die; -, -en ⟨lat.⟩ (*veraltet für* polit. Gruppe in einer Partei); fak|ti|ös ⟨franz.⟩ (*veraltet für* aufführerisch)

fak|tisch ⟨lat.⟩ (tatsächlich); faktisches Vertragsverhältnis (*Rechtsspr.*)

fak|ti|tiv [*auch* 'fa...] (bewirkend); Fak|ti|tiv, das; -s, -e (*Sprachw.* Verb des Bewirkens, z. B. »schärfen« = »scharf machen«)

Fak|ti|zi|tät, die; -, -en (Gegebenheit; Wirklichkeit)

Fak|tor, der; -s, ...oren (bestimmender Grund, Umstand; *Math.* Vervielfältigungszahl)

Fak|to|rei (*veraltet für* Handelsniederlassung)

Fak|to|tum, das; -s, *Plur.* -s *u.* ...ten (lat., »tu alles!«) (jmd., der alle anfallenden Arbeiten erledigt; Mädchen für alles)

Fak|tum, das; -s, *Plur.* ...ten, *veraltend auch* ...ta ([nachweisbare] Tatsache; Ereignis); *vgl.* Fakt

Fak|tur, die; -, -en ⟨ital.⟩ ([Waren]rechnung); Fak|tu|ra, die; -, ...ren (*österr. u. schweiz., sonst veraltet für* Faktur); Fak|tu|ren|buch (*veraltend*)

fak|tu|rie|ren ([Waren] berechnen, Fakturen ausschreiben); Fak|tu|rier|ma|schi|ne

Fak|tu|rist, der; -en, -en; Fak|tu|ris|tin

Fa|kul|tas, die; -, ...täten ⟨lat.⟩ ([Lehr]befähigung); *vgl.* Facultas Docendi

Fa|kul|tät, die; -, -en (Abteilung einer Hochschule; math. Ausdruck; *Zeichen* !)

fa|kul|ta|tiv (freigestellt, wahlfrei); fakultative Fächer

Fa|la|fel, die; -, -n, *auch* das; -s, -s ⟨arab.⟩ (pikant gewürztes, frittiertes Bällchen aus Kichererbsenmehl)

falb; Fal|be, der; -n, -n (graugelbes Pferd); zwei Falben

Fal|bel, die; -, -n ⟨franz.⟩ (gekrauster od. gefältelter Kleidbesatz); fäl|beln (mit Falbeln versehen); ich fälb[e]le

Fa|ler|ner, der; -s, - (eine Weinsorte); Falerner Wein

Falk (m. Vorn.)

Fal|ke, der; -n, -n

Fal|ken|au|ge; Fal|ken|bei|ze

Fal|ke|nier, der; -s, -e (*svw.* Falkner)

Fal|ken|jagd

Fal|ken|see; Fal|ken|se|er; Falkenseer Forst

Falk|län|der; Falk|län|de|rin

Falk|land|in|seln *Plur.* (östl. der Südspitze Südamerikas); falk|län|disch

Falk|ner (Falkenabrichter); Falk|ne|rei (Jagd mit Falken); Falk|ne|rin

Fal|ko (m. Vorn.)

¹Fall

der; -[e]s, Fälle

(*auch für* Kasus)
– für den Fall, dass ...; gesetzt den Fall, dass ...; im Fall[e][,] dass ...
– von Fall zu Fall; zu Fall bringen
– erster (1.) Fall

Klein- u. Zusammenschreibung ↑K 70:

– besten-, nötigen-, gegebenenfalls; allen-, ander[e]n-, jeden-, keinesfalls u. Ä.

²Fall, das; -[e]s, -en (*Seemannsspr.* ein Tau)

Fal|la|da (dt. Schriftsteller)

Fall|ana|ly|se (*Kriminalistik* Analyse eines Kriminalfalles); Fall|ana|ly|ti|ker; Fall|ana|ly|ti|ke|rin

Fäll|bad (bei der Chemiefaserherstellung)

Fall|beil

Fall|bei|spiel

Fall|be|schleu|ni|gung (*Physik; Zeichen g*); Fall|brü|cke

Fal|le, die; -, -n

fal|len

– du fällst; er fällt
– du fielst; du fielest
– gefallen (*vgl. d.*)
– fall[e]!

Getrennt- und Zusammenschreibung ↑K 55:

– ich habe den Teller fallen lassen (= losgelassen)
– die Maske fallen lassen (*übertr.* sein wahres Gesicht zeigen)
– er hat eine Bemerkung fallen lassen (*seltener* fallen gelassen) *od.* fallenlassen (*seltener* fallengelassen)

Vgl. auch anheimfallen, leichtfallen, schwerfallen

fäl|len; du fällst; er fällt; du fälltest; gefällt; fäll[e]!

fal|len las|sen, fal|len|las|sen *vgl.* fallen

Fal|len|stel|ler; Fal|len|stel|le|rin

Fal|lers|le|ben (Stadtteil von Wolfsburg); Fal|lers|le|be|ner, Fal|lers|le|ber

Fall|ge|schwin|dig|keit; Fall|ge|setz (*Physik*); Fall|gru|be (*Jägerspr.*); Fall|hö|he (*Physik*)

fal|lie|ren ⟨ital.⟩ (zahlungsunfähig werden; *schweiz. ugs. für* misslingen); die Firma hat falliert; der Kuchen ist falliert

fäl|lig; ein fällig gewordener *od.* fälliggewordener Wechsel

Fäl|lig|keit; Fäl|lig|keits|tag

Fall|li|nie, Fall-Li|nie (Linie des größten Gefälles; *Skisport* kürzeste Abfahrt)

Fall|ma|na|ger (persönlicher Berater für Arbeitslose); Fall|ma|na|ge|rin

Fäll|mit|tel, das (*Chemie* Mittel zum Ausfällen eines Stoffes)

Fall|obst

Fall-out, Fall|out [fo:l'|aut], der; -s, -s ⟨engl.⟩ (*Kernphysik* radioaktiver Niederschlag)

Fall|plätt|chen (Metallplättchen an der Schachuhr, das vom Zeiger mitgenommen wird)

Fall|reep (*Seemannsspr.* äußere Schiffstreppe)

Fall|rohr

Fall|rück|zie|her (*Fußball*)

falls; komme doch[,] falls möglich[,] schon um 17 Uhr ↑K 125

Fall|schirm; Fall|schirm|jä|ger; Fall|schirm|sprin|gen, das; -s; Fall|schirm|sprin|ger; Fall|schirm|sprin|ge|rin; Fall|schirm|trup|pe

Fall|strick; Fall|stu|die (*Psych., Soziol.*)

Fall|sucht, die; - (*veraltet für* Epilepsie); fall|süch|tig

Fall|tür

Fäl|lung

fall|wei|se (*österr. für* von Fall zu Fall erfolgend)

Fall|wind

Fal|lott, der; -en, -en ⟨franz.⟩ (*österr. für* Gauner)

Fal|sa (*Plur. von* Falsum)

falsch *s. Kasten Seite* 394

Falsch, der; *nur noch in* es ist kein Falsch an ihm; sie ist ohne Falsch; *vgl.* falsch

Falsch|aus|sa|ge; Falsch|bu|chung (*Wirtsch.*); Falsch|eid (unwissentlich falsches Schwören)

fäl|schen; du fälschst

F
fäls

falsch

– falscher, falsches|te	*Getrennt- und Zusammenschreibung*
Kleinschreibung ↑K 89:	– ↑K 49 : falsch sein
	– ↑K 56 : eine Melodie falsch spielen; ein Wort falsch schreiben
– falsche Zähne	– beim Skat falschspielen (betrügen)
– unter falscher Flagge segeln	– falsch (an der falschen Stelle o. ä.) liegen
– falscher Hase (Hackbraten)	– mit einer Schätzung falschliegen (sich irren)
Großschreibung ↑K 72:	
– Falsch und Richtig nicht unterscheiden können	

Fäl\|scher; Fäl\|sche\|rin
Falsch\|fah\|rer; Falsch\|fah\|re\|rin
Falsch\|geld
Falsch\|heit, die; -; fälsch\|lich; fälsch\|li\|cher\|wei\|se
falsch\|lie\|gen (*ugs. für* sich irren); *vgl.* falsch
Falsch\|mel\|dung
Falsch\|mün\|zer; Falsch\|mün\|ze\|rei; Falsch\|mün\|ze\|rin
Falsch\|par\|ker; Falsch\|par\|ke\|rin
falsch\|spie\|len (beim Spiel betrügen); *aber* eine Melodie falsch spielen; *vgl.* falsch
Falsch\|spie\|ler; Falsch\|spie\|le\|rin
Fäl\|schung
fäl\|schungs\|si\|cher
Fal\|sett, das; -[e]s, -e ⟨ital.⟩ (*Musik* Kopfstimme); fal\|set\|tie\|ren; Fal\|set\|tist, der; -en, -en
Fal\|sett\|stim\|me
Fal\|si\|fi\|kat, das; -[e]s, -e ⟨lat.⟩ (Fälschung); Fal\|si\|fi\|ka\|ti\|on, die; -, -en (*veraltet für* Fälschung); fal\|si\|fi\|zie\|ren (widerlegen)
Fals\|taff (Gestalt bei Shakespeare)
Fals\|ter (dänische Insel)
Fal\|sum, das; -s, ...sa ⟨lat.⟩ (*veraltet für* Fälschung)
Falt\|ar\|beit; falt\|bar
Falt\|blatt; Falt\|boot
Fält\|chen; Fal\|te, die; -, -n
fäl\|teln; ich fält[e]le
fal\|ten; gefaltet
Fal\|ten\|bil\|dung; Fal\|ten\|ge\|bir\|ge
fal\|ten\|los; fal\|ten\|reich
Fal\|ten\|rock; Fal\|ten\|wurf
Fal\|ter, der; -s, - (Schmetterling; *österr. auch für* Faltblatt)
fal\|tig (Falten habend)
...fäl\|tig (z. B. vielfältig)
Falt\|kar\|te; Falt\|schach\|tel; Falt\|tür
Fal\|tung
Fa\|lun Gong [- ˈguŋ], die; -- ⟨chin.⟩ (Schule des chin. Buddhismus)
Falz, der; -es, -e
Falz\|bein (*Buchbinderei*)
fal\|zen; du falzt
Fal\|zer; Fal\|ze\|rin
fal\|zig; Fal\|zung; Falz\|zie\|gel
Fa\|ma, die; - ⟨lat.⟩ (Ruf; Gerücht)

fa\|mi\|li\|är ⟨lat.⟩ (die Familie betreffend; vertraut)
Fa\|mi\|li\|a\|ri\|tät, die; -, -en
Fa\|mi\|lie, die; -, -n
Fa\|mi\|li\|en\|ähn\|lich\|keit; Fa\|mi\|li\|en\|al\|bum; Fa\|mi\|li\|en\|an\|ge\|hö\|ri\|ge; Fa\|mi\|li\|en\|an\|ge\|le\|gen\|heit; Fa\|mi\|li\|en\|an\|schluss
Fa\|mi\|li\|en\|an\|zei\|ge (in Zeitungen)
Fa\|mi\|li\|en\|be\|sitz; Fa\|mi\|li\|en\|be\|trieb; Fa\|mi\|li\|en\|bild
Fa\|mi\|li\|en\|fei\|er; Fa\|mi\|li\|en\|fest; Fa\|mi\|li\|en\|fla\|sche
Fa\|mi\|li\|en\|for\|schung
fa\|mi\|li\|en\|freund\|lich
Fa\|mi\|li\|en\|ge\|schich\|te
Fa\|mi\|li\|en\|ge\|setz\|buch (*DDR; Abk.* FGB)
Fa\|mi\|li\|en\|grab; Fa\|mi\|li\|en\|gruft
Fa\|mi\|li\|en\|kreis; Fa\|mi\|li\|en\|kun\|de, die; -; Fa\|mi\|li\|en\|las\|ten\|aus\|gleich; Fa\|mi\|li\|en\|le\|ben, das; -s
Fa\|mi\|li\|en\|mi\|nis\|ter; Fa\|mi\|li\|en\|mi\|nis\|te\|rin
Fa\|mi\|li\|en\|mit\|glied; Fa\|mi\|li\|en\|na\|me; Fa\|mi\|li\|en\|ober\|haupt
Fa\|mi\|li\|en\|pa\|ckung
Fa\|mi\|li\|en\|pla\|nung; Fa\|mi\|li\|en\|po\|li\|tik; Fa\|mi\|li\|en\|sinn, der; -[e]s; Fa\|mi\|li\|en\|stand, der; -[e]s
Fa\|mi\|li\|en\|tag; Fa\|mi\|li\|en\|tra\|gö\|die; Fa\|mi\|li\|en\|un\|ter\|neh\|men; Fa\|mi\|li\|en\|va\|ter; Fa\|mi\|li\|en\|ver\|hält\|nis\|se *Plur.*; Fa\|mi\|li\|en\|vor\|stand; Fa\|mi\|li\|en\|wap\|pen; Fa\|mi\|li\|en\|zu\|la\|ge; Fa\|mi\|li\|en\|zu\|sam\|men\|füh\|rung
fa\|mos ⟨lat.⟩ (*ugs. für* großartig)
Fa\|mu\|la, die; -, ...lä (*weibl. Form zu* Famulus)
Fa\|mu\|lant, der; -en, -en ⟨lat.⟩ (Medizinstudent, der seine Famulatur ableistet); Fa\|mu\|lan\|tin; Fa\|mu\|la\|tur, die; -, -en ⟨lat.⟩ (Krankenhauspraktikum für Medizinstudenten)
fa\|mu\|lie\|ren
Fa\|mu\|lus, der; -, *Plur.* -se *u.* ...li ⟨lat., »Diener«⟩ (*veraltet für* Famulant; studentische Hilfskraft)

Fan [fɛn], der; -s, -s ⟨engl.⟩ (begeisterter Anhänger)
Fa\|nal, das; -s, -e ⟨griech.⟩ (Zeichen, das Veränderungen ankündigt)
Fan\|ar\|ti\|kel [ˈfɛn...]
Fa\|na\|ti\|ker ⟨lat.⟩ (blinder, rücksichtsloser Eiferer); Fa\|na\|ti\|ke\|rin; fa\|na\|tisch
fa\|na\|ti\|sie\|ren (fanatisch machen; aufhetzen); Fa\|na\|tis\|mus, der; -
Fan\|be\|treu\|er [ˈfɛn...]; Fan\|be\|treu\|e\|rin; Fan\|club *vgl.* Fanklub
fand *vgl.* finden
Fan\|dan\|go, der; -s, -s (ein schneller span. Tanz)
Fan\|fa\|re, die; -, -n ⟨franz.⟩ (Blasinstrument; Trompetensignal)
Fan\|fa\|ren\|blä\|ser; Fan\|fa\|ren\|blä\|se\|rin; Fan\|fa\|ren\|stoß; Fan\|fa\|ren\|zug
Fang, der; -[e]s, Fänge
Fang\|arm (*Zool.*); Fang\|ball, der; -[e]s; Fang\|ei\|sen
Fan\|ge\|mein\|de [ˈfɛn...]
fan\|gen; du fängst; er fängt; du fingst; gefangen; fang[e]!; Fan\|gen, das; -s; Fangen spielen
Fän\|ger; Fän\|ge\|rin
Fang\|fra\|ge
fang\|frisch
Fang\|ge\|rät; Fang\|gru\|be; Fang\|grün\|de *Plur.*
fän\|gisch (*Jägerspr.* fangbereit [von Fallen])
Fang\|korb; Fang\|lei\|ne; Fang\|mes\|ser (*Jägerspr.*); Fang\|netz
Fan\|go, der; -s ⟨ital.⟩ (heilkräftiger Mineralschlamm); Fan\|go\|bad; Fan\|go\|pa\|ckung
Fang\|quo\|te
Fang\|schnur (Uniformteil); Fang\|schuss (*Jägerspr.*)
fang\|si\|cher; ein fangsicherer Torwart
Fang\|spiel; Fang\|stoß; Fang\|zahn
Fan\|klub, Fan\|club [ˈfɛn...] ⟨engl.⟩
Fan\|ni, Fan\|ny [...ni] (w. Vorn.)
Fan\|shop [ˈfɛnʃɔp] ⟨engl.⟩ (Laden,

in dem man Artikel eines Sportklubs o. Ä. kaufen kann)

Fant, der; -[e]s, -e (*veraltet für* junger, unreifer Mann)

Fan|ta|sia, die; -, -s ⟨griech.⟩ (nordafrik. Reiterkampfspiel)

¹**Fan|ta|sie**, die; -, ...ien (Musikstück)

²**Fan|ta|sie**, Phan|ta|sie, die; -, ...ien ⟨griech.⟩ (Vorstellung[skraft]; Trugbild)

fan|ta|sie|be|gabt, phan|ta|sie|begabt

Fan|ta|sie|ge|bil|de, Phan|ta|sie|gebil|de

fan|ta|sie|los, phan|ta|sie|los; **Fanta|sie|lo|sig|keit**, Phan|ta|sie|losig|keit

¹**fan|ta|sie|ren**, phan|ta|sie|ren (sich in der Fantasie ausmalen; wirr reden)

²**fan|ta|sie|ren** (*Musik* frei über eine Melodie od. über ein Thema musizieren)

fan|ta|sie|voll, phan|ta|sie|voll

Fan|ta|sie|vor|stel|lung, Phan|tasie|vor|stel|lung

Fan|tast, Phan|tast, der; -en, -en (Träumer, Schwärmer); **Fan|taste|rei**, Phan|tas|te|rei; **Fan|tastik**, Phan|tas|tik; **Fan|tas|tin**, Phan|tas|tin

fan|tas|tisch, phan|tas|tisch (schwärmerisch; überspannt; unwirklich; *ugs. für* großartig)

Fan|ta|sy [ˈfɛntəzi], die; - ⟨engl.⟩ (Roman-, Filmgattung, die märchen- u. mythenhafte Traumwelten darstellt); **Fan|ta|sy|film**

Fan|zine [ˈfɛnziːn], das; -s, -s (*Kurzwort für engl.* fan u. magazine; Zeitschrift für Fans bestimmter Personen od. Sachen)

FAQ [ɛfleɪˈkjuː] *Plur.* ⟨engl., frequently asked questions⟩ (*EDV* Informationen zu besonders häufig gestellten Fragen)

Fa|rad, das; -[s], - ⟨nach dem engl. Physiker Faraday⟩ (Maßeinheit der elektr. Kapazität; *Zeichen* F); 3 Farad

Fa|ra|day|kä|fig, Fa|ra|day-Kä|fig [...deː..., *auch* ˈfɛrədi...] (*Physik* Abschirmung gegen äußere elektr. Felder)

fa|ra|day|sche Ge|set|ze, Fa|raday'sche Ge|set|ze [faraˈdeː... -] *Plur.* (Grundgesetze der Elektrolyse)

Fa|ra|di|sa|ti|on, die; -, -en (*med.* Anwendung faradischer Ströme); **fa|ra|disch;** faradische

Ströme (Induktionsströme); ↑K89 ; **fa|ra|di|sie|ren**

Farb|ab|stim|mung; Farb|auf|nahme; Farb|band, das; *Plur.* ...bänder; **Farb|beu|tel**

Farb|be|zeich|nung; Farb|bild; Farb-brü|he

Farb|druck *vgl.* Farbendruck; **Farb-dru|cker**

Far|be, die; -, -n; eine blaue Farbe; die Farbe Blau

farb|echt

Farb|ef|fekt; Farb|ei

Fär|be|mit|tel, das

...**far|ben**, ...far|big; z. B. cremefarben, cremefarbig

fär|ben

Far|ben|be|zeich|nung *vgl.* Farbbezeichnung

far|ben|blind; Far|ben|blind|heit

Far|ben|druck *Plur.* ...drucke

Far|ben|freu|dig; far|ben|froh

Far|ben|kas|ten *vgl.* Farbkasten

Far|ben|leh|re

Far|ben|pracht, die; -; **far|ben-präch|tig**

Far|ben|pro|be; Far|ben|sinn, der; -[e]s; **Far|ben|sym|bo|lik**

Fär|ber; Fär|ber|baum (Pflanze); *vgl.* Sumach

Fär|be|rei; Fär|be|rin

Fär|ber|waid (Pflanze)

Farb|fern|se|hen; Farb|fern|se|her; Farb|fern|seh|ge|rät

Farb|film; Farb|fil|ter; Farb|fo|to; Farb|fo|to|gra|fie, Farb|pho|togra|phie; **Farb|ge|bung**, die; - (*für* Kolorit); **Farb|holz**

far|big, *österr. auch* **fär|big**; farbig ausgeführt

...**far|big**, *österr.* ...**färbig**; z. B. einfarbig, *österr.* einfärbig; *vgl.* ...farben

Far|bi|ge, der u. die; -n, -n (Angehörige[r] einer nicht weißen Bevölkerungsgruppe)

Farb|ig|keit, die; -

Farb|kas|ten; Farb|kom|bi|na|ti|on

Farb|kom|po|nen|te

Farb|kon|t|rast

Farb|kör|per (*für* Pigment)

Farb|leh|re *vgl.* Farbenlehre; **farb-lich**

farb|los; Farb|lo|sig|keit, die; -

Farb|mi|ne; Farb|mo|ni|tor; Farb|nu-an|ce; Farb|pro|be *vgl.* Farbenprobe

Farb|schicht; Farb|stift; Farb|stoff

Farb|ton *Plur.* ...töne; **farb|ton|rich-tig** (*für* isochromatisch)

Farb|tup|fen; Farb|tup|fer

Fär|bung

Farb|wal|ze (*Druckw.*)

Far|ce [...sə, *österr.* ...s], die; -, -n ⟨franz.⟩ (Posse; Verhöhnung, Karikatur eines Geschehens; *Gastron.* Füllsel); **far|cie|ren** (*Gastron.* füllen)

Far|fal|le *Plur.* ⟨ital.⟩ (schmetterlingsförmige Nudeln)

Far|feln *Plur.* (*österr.* eine Suppeneinlage)

Fa|rin, der; -s ⟨lat.⟩ (nicht raffinierter, gelblicher Zucker)

Fä|rin|ger *vgl.* ²Färöer; **Fä|rin|ge|rin**

Farm, die; -, -en ⟨engl.⟩; **Far|mer**, der; -s, -; **Far|me|rin; Far|mers-frau**

Farn, der; -[e]s, -e (eine Sporenpflanze)

Far|ne|se, der; -, - (Angehöriger eines ital. Fürstengeschlechtes); **far|ne|sisch;** *aber* ↑K135 : der Farnesische Stier

Farn|kraut; Farn|pflan|ze; Farn|we-del

¹**Fä|rö|er** [*auch* ...ˈrøː...] *Plur.* ⟨»Schafinseln«⟩ (dän. Inselgruppe im Nordatlantik)

²**Fä|rö|er** [*auch* ...ˈrøː...], Fä|rin|ger, der; -s, - (Bewohner der ¹Färöer); **Fä|rö|e|rin**

fä|rö|isch [*auch* ...ˈrøː...]

Far|re, der; -n, -n (*landsch. für* junger Stier); **Fär|se**, die; -, -n (Kuh, die noch nicht gekalbt hat); *vgl. aber* Ferse

Fa|san, der; -[e]s, -e[n]

Fa|sa|nen|ge|he|ge; Fa|sa|nen|zucht

Fa|sa|ne|rie, die; -, ...ien (Fasanengehege)

Fa|sche, die; -, -n ⟨ital.⟩ (*österr. für* Binde); **fa|schen** (*österr. für* mit einer Fasche umwickeln)

fa|schie|ren ⟨franz.⟩ (*österr. für* Fleisch durch den Fleischwolf drehen); faschierte Laibchen (Frikadellen); **Fa|schier|te**, das; -n (*österr. für* Hackfleisch)

Fa|schi|ne, die; -, -n ⟨franz.⟩ (Reisigbündel zur Sicherung von [Ufer]böschungen o. Ä.)

Fa|schi|nen|mes|ser, das (eine Art Seitengewehr); **Fa|schi|nen|wall**

Fa|sching, der; -s, *Plur.* -e u. -s

Fa|schings|ball; Fa|schings|diens-tag; Fa|schings|kos|tüm; Fa-schings|krap|fen

Fa|schings|prinz; Fa|schings|prin-zes|sin

Fa|schings|scherz; Fa|schings|zeit, die; -; **Fa|schings|zug**

fa|schi|sie|ren (mit faschistischen Tendenzen durchsetzen)

Fa|schis|mus, der; - ⟨ital.⟩ (antidemokratische, nationalistische

Staatsauffassung od. Herr-
schaftsform)

Fa|schist, der; -en, -en; Fa|schis|tin;
fa|schis|tisch; fa|schis|to|id (dem
Faschismus ähnlich); Fa|scho,
der; -s, -s *(ugs. für Faschist)*

Fa|se, die; -, -n (Abschrägung
einer Kante)

Fa|sel, der; -s, - (junges Zuchttier);
Fa|sel|eber

Fa|se|lei; Fa|se|ler *vgl.* Fasler

Fa|sel|hans, der; -[es], *Plur.* -e *u.*
...hänse

fa|se|lig

fa|seln (törichtes Zeug reden); ich
fas[e]le

fa|sen (abkanten); du fast

Fa|ser, die; -, -n; Fä|ser|chen; fa|se-
rig *vgl.* fasrig; fa|sern; das
Gewebe fasert; er behauptet,
das Papier fasere

fa|ser|nackt (völlig nackt)

Fa|ser|pflan|ze; Fa|ser|plat|te

fa|ser|scho|nend; ein faserscho-
nendes Waschmittel

Fa|ser|schrei|ber

Fa|se|rung, die; -

Fa|shion ['fɛʃn̩], die; - ⟨engl.⟩
(Mode; feine Lebensart); fa|shi-
o|na|bel [faʃjoˈnaːbl̩], fa|shio|na-
b|le ['fɛʃənəbl̩] (modisch, fein);
...a|b|le Kleidung

Fas|ler, Fa|se|ler

Fas|nacht *(landsch. u. schweiz. für*
Fastnacht)

fas|rig, fa|se|rig; fasriges Papier

Fass, das; -es, Fässer; zwei Fass
Bier

Fas|sa|de, die; -, -n ⟨franz.⟩ (Vor-
der-, Schauseite; Ansicht)

Fas|sa|den|klet|te|rer; Fas|sa|den-
rei|ni|gung

fass|bar; Fass|bar|keit, die; -

Fass|bier; Fass|bin|der *(südd. u.
österr. für* Böttcher)

Fäss|chen

Fass|dau|be

fas|sen; du fasst; er fasst; du fass-
test; gefasst; fasse! *u.* fass!

fäs|ser|wei|se (in Fässern)

Fas|set|te, Fa|cet|te, ↑K 38 , die; -,
-n ⟨franz.⟩ (eckig geschliffene
Fläche von Edelsteinen u. Glas-
waren; Teilaspekt)

Fas|set|ten|au|ge, Fa|cet|ten|au|ge
(Zool. Netzauge)

Fas|set|ten|glas, Fa|cet|ten|glas
Plur. ...gläser

fas|set|ten|reich, fa|cet|ten|reich
(mannigfaltig, vielfältig); Fas-
set|ten|schliff, Fa|cet|ten|schliff

fas|set|tie|ren, fa|cet|tie|ren (mit
Facetten versehen)

fass|lich; Fass|lich|keit, die; -

¹Fas|son [...'sõː:, *südd., österr. u.
schweiz. meist* ...'soːn], die; -,
Plur. -s, *österr., schweiz. meist*
-en [...'soːnən] ⟨franz.⟩ (Form;
Muster; Art; Zuschnitt)

²Fas|son, das; -s, -s (Revers)

fas|so|nie|ren

Fas|son|schnitt (ein Haarschnitt)

Fass|rei|fen; Fass|spund, Fass-
Spund

Fas|sung; Fas|sungs|kraft, die; -

fas|sungs|los; Fas|sungs|lo|sig|keit

Fas|sungs|ver|mö|gen

Fass|wein; fass|wei|se

fast (beinahe)

Fast|back [...bɛk], das; -s, -s ⟨engl.⟩
(Fließheck [bei Autos])

Fast|ebe|ne *(Geogr.* nicht ganz
ebene Fläche, Rumpffläche)

Fas|tel|abend *(rheinisch für* Fast-
nacht)

fas|ten; ¹Fas|ten, das; -s

²Fas|ten *Plur.* (Fasttage)

Fas|ten|kur; Fas|ten|mo|nat; Fas-
ten|sonn|tag; Fas|ten|spei|se;
Fas|ten|zeit

Fast|food [...fuːt], das; -[s], Fast
Food, das; - -[s] ⟨engl.⟩ (schnell
verzehrbare kleinere Gerichte);
Fast|food|ket|te, Fast-Food-
Ket|te

Fast|nacht, die; -

Fast|nachts|brauch; Fast|nachts-
diens|tag; Fast|nachts|kos|tüm

Fast|nachts|spiel; Fast|nachts|trei-
ben, das; -s; Fast|nachts|zeit, die;
-; Fast|nachts|zug

Fast|tag

Fas|zes *Plur.* ⟨lat.⟩ (Bündel aus
Ruten u. einem Beil, Abzeichen
der altröm. Liktoren)

Fas|zie, die; -, -n *(Med.* sehnenar-
tige Muskelhaut)

Fas|zi|kel, der; -s, - ([Akten]bün-
del; Lieferung)

Fas|zi|na|ti|on, die; -, -en ⟨lat.⟩ (fes-
selnde Wirkung; Anziehungs-
kraft); fas|zi|nie|ren; Fas|zi|no-
sum, das; -s (etwas Fesselndes,
Faszinierendes)

Fa|ta *(Plur. von* Fatum)

fa|tal ⟨lat.⟩ (verhängnisvoll; pein-
lich); fa|ta|ler|wei|se

Fa|ta|lis|mus, der; - (Glaube an
Vorherbestimmung)

Fa|ta|list, der; -en, -en; Fa|ta|lis|tin;
fa|ta|lis|tisch

Fa|ta|li|tät, die; -, -en (Verhängnis)

Fa|ta Mor|ga|na, die; - -, *Plur.*
- ...nen *u.* - -s ⟨ital.⟩ (durch Luft-
spiegelung verursachte Sinnes-
täuschung)

Fat|bur|ner ['fɛtbøːɐ̯...], der; -s, -
⟨engl.⟩ (Fett verbrennende Substanz; ein Fitnesstraining)

fa|tie|ren ⟨lat.⟩ *(veraltet für* beken-
nen; *österr. veraltet für* seine
Steuererklärung abgeben); Fa-
tie|rung

Fa|ti|ma (w. Vorn.)

Fa|tum, das; -s, ...ta ⟨lat.⟩ (Schick-
sal)

Fat|wa, die; -, -s, *auch* das; -s, -s
⟨arab.⟩ (Rechtsgutachten des
Muftis)

Fatz|ke, der; *Gen.* -n *u.* -s, *Plur.* -n
u. -s *(ugs. für* eitler Mensch)

fau|chen; du fauchst

faul; fauler *(ugs. für* deckungslo-
ser) Wechsel; fauler Zauber; auf
der faulen Haut liegen *(ugs.)*

Faul|baum (eine Heilpflanze); Faul-
brut, die; - (eine Bienenkrank-
heit)

Fäu|le, die; -; fau|len

fau|len|zen; du faulenzt; Fau|len-
zer; Fau|len|ze|rei; Fau|len|ze|rin

Faul|gas (Biogas)

Faul|heit, die; -

fau|lig

Faulk|ner ['fɔːk...] (amerik. Schrift-
steller)

Fäul|nis, die; -; Fäul|nis|er|re|ger

Faul|pelz *(ugs. für* fauler Mensch)

Faul|schlamm (Bodenschlamm in
stehenden Gewässern)

Faul|tier

Faun, der; -[e]s, -e (gehörnter
Waldgeist; Faunus)

Fau|na, die; -, ...nen (Tierwelt
[eines Gebiets])

fau|nisch ([lüstern] wie ein Faun)

Fau|nus (röm. Feld- u. Waldgott)

Fau|ré [fo...] (franz. Komponist)

¹Faust (Gestalt der dt. Dichtung)

²Faust, die; -, Fäuste

Faust|ab|wehr; Faust|ball

Fäust|chen

faust|dick; er hat es faustdick hin-
ter den Ohren

Fäus|tel, der; -s, - (Schlägel der
Bergleute; *bes. bayr. u. österr.
für* Fausthammer)

faus|ten; Faust|feu|er|waf|fe

faust|groß

Faust|ham|mer; Faust|hand|schuh;
Faust|hieb

faus|tisch (nach Art u. Wesen des
¹Faust)

Faust|kampf *(veraltend für* Boxen)

Faust|keil

Fäust|ling (Fausthandschuh; *Berg-
mannsspr.* faustgroßer Stein)

Faust|pfand; Faust|recht, das; -[e]s
([gewaltsame] Selbsthilfe)

Faust|re|gel; Faust|schlag; Faust-
skiz|ze

faute de mieux [ˈfoːt də ˈmjøː]
⟨franz.⟩ (in Ermangelung eines
Besseren; im Notfall)

Fau|teuil [foˈtœi], der; -s, -s ⟨franz.⟩
(österr. u. schweiz., sonst veraltend für Lehnsessel)

Faut|fracht ⟨franz.; dt.⟩ (Verkehrsw.
abmachungswidrig nicht
genutzter Frachtraum; Summe,
die beim Rücktritt vom Fracht-
vertrag zu zahlen ist)

Fau|vis|mus [fo...], der; - ⟨franz.⟩
(Richtung der franz. Malerei im
frühen 20. Jh.); Fau|vist, der; -en,
-en meist Plur.; Fau|vis|tin; fau-
vis|tisch

Faux|pas [foˈpa], der; -, - ⟨franz.,
»Fehltritt«⟩ (Taktlosigkeit; Verstoß gegen die Umgangsformen)

Fa|vel|la, die; -, -s ⟨port.⟩ (Slum in
Südamerika)

fa|vo|ri|sie|ren (begünstigen; Sport
als voraussichtlichen Sieger
nennen)

Fa|vo|rit, der; -en, -en (Günstling;
Liebling; Sport voraussichtlicher
Sieger); Fa|vo|ri|ten|rol|le; Fa|vo-
ri|ten|sturz Plur. ...stürze (Sport);
Fa|vo|ri|tin (Geliebte [eines Herr-
schers]; Sport voraussichtliche
Siegerin)

Fa|vus, der; -, Plur. ...ven u. ...vi
⟨lat.⟩ (Med. eine Hautkrankheit;
Zool. Wachsscheibe im Bienen-
stock)

Fax, das, schweiz. meist der; -, -e
(kurz für Telefax); Fax|an|schluss

Fa|xe, die; -, -n meist Plur. (Gri-
masse; dummer Spaß)

fa|xen (kurz für telefaxen)

Fa|xen|ma|cher (Grimassenschnei-
der; Spaßmacher)

Fax|ge|rät; Fax|num|mer

Fa|yence [...ˈjãːs], die; -, -n ⟨franz.⟩
(feinere Töpferware)

Fa|yence|krug; Fa|yence|ofen

Fa|zen|da [auch ...ˈzɛ...], die; -, -s
⟨port.⟩ (Farm in Brasilien)

Fä|zes Plur. ⟨lat.⟩ (Med. Ausschei-
dungen, Kot)

fa|zi|al ⟨lat.⟩ (Med. das Gesicht
betreffend; Gesichts...); Fa|zi|a-
lis, der; - (Med. Gesichtsnerv)

Fa|zi|es, die; -, - ⟨Geol. Merkmal
von Sedimentgesteinen)

Fa|zi|li|tät, die; -, -en ⟨lat.⟩
(Wirtsch. Kreditmöglichkeit)

Fa|zit, das; -s, Plur. -e u. -s (Ergeb-
nis; Schlussfolgerung)

FBI [ɛfbiːˈlai], der od. das; - =
Federal Bureau of Investigation

(Bundeskriminalpolizei der
USA)

FC, der; - = Fußballclub; Fecht-
club

FCKW, das; -, fachspr. nur Plur. =
Fluorchlorkohlenwasserstoff[e]

FDGB, der; - = Freier Deutscher
Gewerkschaftsbund (DDR)

FdH [ɛfdeːˈhaː] ⟨»Friss die
Hälfte!«⟩ (ugs. für Diät, bei der
man, um abzunehmen, weniger
isst)

FDJ, die; - = Freie Deutsche
Jugend (DDR); FDJler ↑K30;
FDJle|rin ↑K30

FDP, die; - = Freisinnig-Demokra-
tische Partei (der Schweiz);
Freie Demokratische Partei
(Deutschlands)

F-Dur [ˈɛfduːɐ̯, auch ˈɛfˈduːɐ̯],
das; - (Tonart; Zeichen F);
F-Dur-Ton|lei|ter ↑K26

Fe = Ferrum

Fea|ture [ˈfiːtʃɐ], das; -s, -s, auch
die; -, -s ⟨engl.⟩ (aktuell aufge-
machter Dokumentarbericht
bes. für Funk od. Fernsehen;
Besonderheit, typ. Merkmal)

Fe|ber, der; -s, - (österr. neben
Februar)

Febr. = Februar

fe|b|ril ⟨lat.⟩ (Med. fieberhaft)

Fe|b|ru|ar, der; -[s], -e ⟨lat.⟩ (der
zweite Monat des Jahres, Hor-
nung; Abk. Febr.)

fec. = fecit

fech|sen (österr. neben ernten)

Fech|ser (Landw. Schössling,
Steckling)

Fech|sung (zu fechsen)

Fecht|bahn; Fecht|bo|den

fech|ten; du fichtst, er ficht; du
fochtest; du föchtest; gefochten;
ficht!; Fech|ter

Fech|ter|flan|ke (Turnen)

Fech|te|rin; fech|te|risch

Fecht|hand|schuh; Fecht|hieb;
Fecht|kunst; Fecht|mas|ke

Fecht|meis|ter; Fecht|meis|te|rin

Fecht|sport

fe|cit ⟨lat., »hat [es] gemacht«⟩
(Abk. fec.); ipse fecit (vgl. d.)

Fe|da|jin, der; -s, - ⟨arab.⟩ (arabi-
scher Freischärler; arabischer
Untergrundkämpfer)

Fe|der, die; -, -n; Fe|der|ball; Fe-
der|bein; Fe|der|bett

Fe|der|boa

Fe|der|büch|se (veraltet)

Fe|der|busch

Fe|der|fuch|ser (Pedant)

fe|der|füh|rend; Fe|der|füh|rung

Fe|der|ge|wicht (Körpergewichts-
klasse in der Schwerathletik)

Fe|der|hal|ter

fe|de|rig vgl. fedrig

Fe|der|kern|ma|t|rat|ze

Fe|der|kiel

Fe|der|kleid; fe|der|leicht

Fe|der|le|sen, das; -s; nicht viel
Federlesen[s] (Umstände)
machen

Fe|der|ling (ein Insekt)

Fe|der|mäpp|chen; Fe|der|mes|ser

fe|dern; ich federe

Fe|der|nel|ke

Fe|der|pen|nal (österr. für Feder-
büchse); Fe|der|schach|tel
(österr. für Federmäppchen)

Fe|der|schmuck

Fe|der|spiel (Jägerspr. zwei Tau-
benflügel zum Zurücklocken
des Beizvogels)

Fe|der|stiel (österr. für Federhal-
ter); Fe|der|strich

Fe|de|rung

Fe|der|vieh (ugs. für Geflügel)

Fe|der|waa|ge

Fe|der|wei|ße, der; -n, -n (gärender
Weinmost)

Fe|der|wild; Fe|der|wol|ke; Fe|der-
zan|ge (für Pinzette); Fe|der-
zeich|nung

Fe|dor, Fe|o|dor (m. Vorn.)

fed|rig; Fed|rig|keit, die; -

Fee, die; -, Feen ⟨franz.⟩ (eine w.
Märchengestalt)

Feed-back, Feed|back [ˈfiːtbɛk],
das; -s, -s ⟨engl.⟩ (Kybernetik
Rückmeldung; bes. Fachspr.
Reaktion)

Fee|ling [ˈfiː...], das; -s, -s ⟨engl.⟩
(Gefühl)

fe|en|haft; Fe|en|mär|chen; Fe|en-
rei|gen; Fe|en|schloss

Feet (Plur. von Foot)

Fe|ge, die; -, -n (Werkzeug zum
Getreidereinigen)

Fe|ge|feu|er, selten Feg|feu|er

fe|gen; Fe|ger

Feg|nest, das; -[e]s, -e (schweiz.
mdal. für unruhiger Mensch
[bes. Kind]); feg|nes|ten
(schweiz. mdal.); gefegnestet; zu
fegnesten

Feg|sel, das; -s, - (landsch. für
Kehricht)

Feh, das; -[e]s, -e (russ. Eichhörn-
chen; Pelzwerk)

Feh|de, die; -, -n (Streit; kriegeri-
sche Auseinandersetzung); Feh-
de|hand|schuh

fehl; fehl am Platz; Fehl, der; nur
noch in ohne Fehl [und Tadel]

Fehl|an|zei|ge

fehl|bar (*schweiz. für* [einer Übertretung] schuldig); **Fehl|bar|keit**, die; -

Fehl|be|die|nung

fehl|be|le|gen *vgl.* fehlbesetzen; **Fehl|be|le|gung; Fehl|be|le|gungs|ab|ga|be** (*Amtsspr.* Abgabe für Fehlbelegungen)

fehl|be|set|zen; er besetzt[e] fehl; fehlbesetzt; fehlzubesetzen; **Fehl|be|set|zung**

Fehl|be|stand; Fehl|be|trag

Fehl|bil|dung; Fehl|bil|dungs|syndrom

Fehl|deu|tung; Fehl|di|a|g|no|se; Fehl|dis|po|si|ti|on; Fehl|einschät|zung

fehl|len; du fehlst

Fehl|ent|schei|dung; Fehl|ent|wicklung

Feh|ler; feh|ler|frei

feh|ler|haft; Feh|ler|haf|tig|keit feh|ler|los; Feh|ler|lo|sig|keit Feh|ler|mel|dung

Feh|ler|quel|le; Feh|ler|zahl

Fehl|far|be; Fehl|funk|ti|on

fehl|ge|bil|det

Fehl|ge|burt

fehl|ge|hen

fehl|grei|fen *vgl.* fehlbesetzen; **Fehl|griff**

Fehl|in|for|ma|ti|on

Fehl|in|ter|pre|ta|ti|on; fehl|in|ter|pre|tie|ren *vgl.* fehlbesetzen

Fehl|in|ves|ti|ti|on; Fehl|kal|ku|la|ti|on; Fehl|kauf; Fehl|kon|s|t|ruk|ti|on; Fehl|leis|tung

fehl|lei|ten *vgl.* fehlbesetzen; **Fehl|lei|tung**

Fehl|mel|dung; Fehl|pass (*Sport*)

Fehl|pla|nung

fehl|schie|ßen *vgl.* fehlbesetzen

Fehl|schlag, der; -[e]s, ...schläge; **fehl|schla|gen** *vgl.* fehlbesetzen

Fehl|sich|tig|keit (*Med.*)

Fehl|sprung (*Sport*); **Fehl|start** (*Sport*)

fehl|tre|ten *vgl.* fehlbesetzen; **Fehl|tritt**

Fehl|ur|teil; Fehl|ver|hal|ten; Fehl|zün|dung

Feh|marn (eine Ostseeinsel); **Fehmarn|belt, Feh|marn-Belt**, der; -[e]s

Fehn, das; -[e]s, -e ‹niederl.›; *vgl.* Fenn

Fehn|ko|lo|nie (Moorsiedlung); **Fehn|kul|tur** (bes. Art Moorkultur)

Fehr|bel|lin (Stadt in Brandenburg)

Feh|werk, das; -[e]s (Pelzwerk)

fei|len (*geh. für* [durch vermeintliche Zaubermittel] schützen); gefeit (sicher, geschützt)

Fei|er, die; -, -n

Fei|er|abend; Fei|er|abend|heim (*regional für* Altenheim); **fei|er|abend|lich**

Fei|e|rei, die; -

fei|er|lich; **Fei|er|lich|keit**

fei|ern; ich feiere

Fei|er|schicht; Fei|er|stun|de

Fei|er|tag; des Feiertags, *aber* ↑K 70 : feiertags, sonn- u. feiertags ↑K 31 ; **fei|er|täg|lich; fei|er|tags** *vgl.* Feiertag; **Fei|er|tags|ar|beit; Fei|er|tags|stimmung**

feig, **fei|ge**

Fei|ge, die; -, -n

Fei|gen|baum; Fei|gen|blatt; Fei|gen|kak|tus

Feig|heit, die; -

feig|her|zig; **Feig|her|zig|keit**

Feig|ling

Feig|war|ze (*Med.* eine Hautwucherung)

feil (*veraltend für* verkäuflich); **feil|bie|ten**; er bietet feil; feilgeboten; feilzubieten; **Feil|bie|tung**

Fei|le, die; -, -n; **fei|len**

Fei|len|hau|er (Berufsbez.); **Fei|len|hau|e|rin**

feil|hal|ten *vgl.* feilbieten

feil|schen; du feilschst

Feil|span; Feil|staub

Feim, der; -[e]s, -e, **Fei|me**, die; -, -n, **Fei|men**, der; -s, - (*landsch. für* geschichteter Getreidehaufen; Schober)

fein *s. Kasten Seite 399*

Fein|ab|stim|mung; Fein|ar|beit; Fein|bä|cke|rei; Fein|blech

feind (*veraltend*); jmdm., einer Sache feind (feindlich gesinnt) sein, werden, bleiben

Feind, der; -[e]s, -e; jmds. Feind sein, werden, bleiben

Feind|be|rüh|rung; Feind|bild; Feind|ein|wir|kung

Fein|des|hand, die; -; in Feindeshand sein, geraten; **Fein|desland**, das; -[e]s

Fein|din

feind|lich; feindlich gesinnte Menschen; *Schreibung in Zusammensetzungen*: menschenfeindlich, kirchenfeindlich; moskaufeindlich ↑K 143 ; **Feind|lich|keit**

Feind|schaft; feind|schaft|lich

feind|se|lig; **Feind|se|lig|keit**

Fei|ne, die; - (Feinheit); **fei|nen** (*Hüttenw.* [Metall] veredeln)

Fein|frost|ge|mü|se (*regional*)

fein|hö|rig; Fein|füh|lig|keit, *Plur. selten*

fein ge|ädert, fein|ge|ädert *vgl.* fein

Fein|ge|bäck; Fein|ge|fühl, das; -[e]s; **Fein|ge|halt**, der

Fein|geist *Plur.* ...geister

fein ge|mah|len, fein|ge|mah|len *vgl.* fein; fein ge|schnit|ten, fein|ge|schnit|ten *vgl.* fein; fein ge|schwun|gen, fein|ge|schwun|gen *vgl.* fein

Fein|ge|wicht

fein|glie|de|rig, fein|glied|rig

Fein|gold; Fein|heit

fein|herb; ein feinherber Duft

Fein|ke|ra|mik; fein|ke|ra|misch

Fein|kör|nig; Fein|kör|nig|keit

Fein|kost; Fein|kost|ge|schäft

fein|ma|chen, fein ma|chen (*ugs. für* schön anziehen); er hat sich, seine Kinder feinegemacht *od.* fein gemacht; *vgl.* fein

fein|ma|schig

Fein|me|cha|ni|ker; Fein|me|cha|ni|ke|rin

Fein|mes|sung

Fein|mo|to|rik; fein|mo|to|risch

fein|ner|vig; fein|po|rig; fein|sandig

fein|schlei|fen (*fachspr.*); *vgl.* fein; **Fein|schliff**

Fein|schme|cker; Fein|schme|cke|rin; Fein|schnitt; Fein|sil|ber

fein|sin|nig; Fein|sin|nig|keit

Feins|lieb|chen (*veraltet für* Geliebte)

Fein|spitz (*österr. für* Feinschmecker)

Fein|staub; Fein|staub|be|las|tung

Fein|strumpf|ho|se

Feinst|waa|ge

Fein|un|ze (Gewichtseinheit für Feingold u. -silber [ca. 31,10 g])

fein ver|mah|len, fein|ver|mahlen *vgl.* fein

Fein|wasch|mit|tel

feiß (*südwestd. u. schweiz. mdal. für* fett, feist)

feist; Feist, das; -[e]s (*Jägerspr.* Fett); **Feis|te, Feist|heit**, die; -

Feist|hirsch (*Jägerspr.*)

Feis|tig|keit, die; -

Fei|tel, der; -s, - (*bayr., österr. ugs. für* einfaches Taschenmesser)

fei|xen (*ugs.*); du feixt

Fel|bel, der; -s, - ‹ital.› (ein Gewebe)

fein

– sehr fein (*Zeichen* ff)
– ihr habt fein (schön) gesungen
– das hast du fein (sehr gut) gemacht

Wenn »fein« das Ergebnis der mit einem folgenden einfachen Verb bezeichneten Tätigkeit angibt, kann getrennt oder zusammengeschrieben werden:

– Marmor fein schleifen od. (*fachspr. meist*) feinschleifen
– das Mehl fein mahlen od. feinmahlen
– *Aber:* das Mehl fein ausmahlen
– sich fein machen od. feinmachen (sich schön anziehen)

In Verbindung mit adjektivisch gebrauchten Partizipien kann getrennt oder zusammengeschrieben werden ↑K58:

– fein gemahlenes od. feingemahlenes Mehl; das Mehl ist fein gemahlen
– fein geäderter od. feingeäderter Marmor

– fein genarbtes od. feingenarbtes Leder
– fein geschliffenes od. feingeschliffenes Kristall
– fein geschnittene od. feingeschnittene Kräuter
– ein fein geschwungener od. feingeschwungener Bogen
– fein gesponnenes od. feingesponnenes Garn
– fein gestreifte od. feingestreifte Wäsche
– fein gezähnte od. feingezähnte Blätter
– fein vermahlenes od. feinvermahlenes Korn
Vgl. feinfühlend, feinkörnig usw.

Großschreibung ↑K72:

– das Feinste vom Feinsten
– ein Kulturangebot vom Feinsten

F
Femi

Fel|ber, Fel|ber|baum, der; -s, - (*südd. mdal. für* Weidenbaum)
Fel|chen, der; -s, - (ein Fisch)
Feld, das; -[e]s, -er; elektrisches Feld; querfeldein; ins Feld (in den Krieg) ziehen; ↑K31 : Feld- u. Gartenfrüchte
Feld|ar|beit; Feld|ar|til|le|rie; Feldbett; Feld|blu|me; Feld|dienst
feld|ein; feldein u. feldaus
Feld|fla|sche; Feld|flüch|ter (verwilderte Haustaube); Feld|flur, die; -
Feld|for|schung (*fachspr.*); Feldfrucht *meist Plur.*; Feld|got|tesdienst
feld|grau
Feld|hand|ball
Feld|heer; Feld|herr; Feld|her|rin; Feld|herrn|blick
Feld|ho|ckey; Feld|huhn
Feld|hü|ter; Feld|hü|te|rin
...fel|dig (z. B. vierfeldig)
Feld|jä|ger (*Milit.*); Feld|jä|ge|rin; Feld|kü|che; Feld|la|ger
Feld|li|nie *meist Plur.* (*Physik*)
Feld|mark, die (¹Flur)
Feld|mar|schall, der; -[e]s (*früher*); Feld|mar|schal|lin
feld|marsch|mä|ßig (*Milit.*)
Feld|maß, das; Feld|maus; Feldmes|ser, der; Feld|post
Feld|sa|lat
Feld|scher, der; -s, -e (*veraltet für* Wundarzt; *DDR* milit. Arzthelfer); Feld|sche|rin (*DDR*)
Feld|spat (ein Mineral)
Feld|spie|ler (*Sport*); Feld|spie|lerin
Feld|stär|ke (*Physik*)

Feld|ste|cher (Fernglas); Feldstein; Feld|stuhl
Feld|the|o|rie (*Sprachw.*)
Feld|über|le|gen|heit
Feld|ver|such (Versuch unter realen Bedingungen)
Feld|ver|weis (*Sport*)
Feld-Wald-und-Wie|sen-... (*ugs. für* durchschnittlich, Allerwelts...); z. B. Feld-Wald-und-Wiesen-Programm
Feld|we|bel, der; -s, -
Feld|weg; Feld|wei|bel (ein Unteroffiziersgrad); Feld|zug
Felg|auf|schwung (Reckübung)
Fel|ge, die; -, -n (Radkranz; eine Reckübung); fel|gen ([ein Rad] mit einer Felge versehen)
Fel|gen|brem|se
Felg|um|schwung (Reckübung)
Fe|lix (m. Vorn.)
Fe|li|zia (w. Vorn.)
Fe|li|zi|tas (w. Vorn.)
Fell, das; -[e]s, -e
Fel|la|che, der; -n, -n ⟨arab.⟩ (Bauer im Vorderen Orient); Fel|la|chin
Fel|la|tio, die; -, ...ones ⟨lat.⟩ (Herbeiführen der Ejakulation mit Lippen u. Zunge)
Fell|ei|sen, das; -s, - (*veraltet für* Rucksack, Tornister)
Fell|müt|ze
Fel|low [...lo], der; -s, -s ⟨engl.⟩ (Mitglied eines College, einer wissenschaftl. Gesellschaft)
Fe|lo|nie, die; -, ...ien ⟨franz.⟩ (Untreue [gegenüber dem Lehnsherrn im MA.])

¹Fels, der; - (hartes Gestein); auf Fels stoßen; im Fels klettern
²Fels, der; *Gen.* -ens, *älter* -en, *Plur.* -en (*geh. für* Felsen, Felsblock); ein Fels in der Brandung
Fels|bild (*vorgeschichtl. Kunst*); Fels|block *Plur.* ...blöcke; Felsbro|cken
Fel|sen, der; -s, - ([aufragende] Gesteinsmasse, Felsblock)
fel|sen|fest
Fel|sen|nest; Fel|sen|riff; Fel|senschlucht *vgl.* Felsschlucht; Felsen|wüs|te *vgl.* Felswüste
fel|sig
Fels|sit, der; -s, -e (Gesteinsart)
Fels|ma|le|rei; Fels|schlucht; Felsspalt; Fels|spal|te; Fels|spit|ze
Fels|stück; Fels|vor|sprung; Felswand; Fels|wüs|te; Fels|zeichnung
Fe|lu|ke, die; -, -n ⟨arab.⟩ (Küstenfahrzeug des Mittelmeers)
Fe|me, die; -, -n (heimliches Gericht, Freigericht); Fe|mege|richt, Fem|ge|richt
Fe|mel, Fim|mel, der; -s (*Landw.* Gesamtheit der männl. Hanfpflanzen)
Fe|mel|be|trieb (Art des Forstbetriebes)
Fe|mel|hanf *vgl.* Hanf
Fe|me|mord; Fem|ge|richt *vgl.* Femegericht
fe|mi|ni|ie|ren ⟨lat.⟩ (*Med., Zool.* verweiblichen)
fe|mi|nin [*auch* ...'ni:n] (weiblich; weibisch)
Fe|mi|ni|num, das; -s, ...na

(*Sprachw.* weibliches Substantiv, z. B. »die Erde«)

Fe|mi|nis|mus, der; -, ...men (Richtung der Frauenbewegung, die ein neues Selbstverständnis der Frau und die Aufhebung der traditionellen Rollenverteilung anstrebt *[nur Sing.]; Med., Zool.* Ausbildung weibl. Merkmale bei männl. Wesen; Verweiblichung); **Fe|mi|nist; Fe|mi|nis|tin; fe|mi|nis|tisch**

Femme fa|tale [ˈfam ...ˈtal], die; - -, -s -s [ˈfam ...ˈtal] ⟨franz.⟩ (charmante Frau, die durch Extravaganz o. Ä. ihrem Partner zum Verhängnis wird)

Fem|to... ⟨skand.⟩ (ein Billiardstel einer Einheit, z. B. Femtofarad = 10^{-15} Farad; *Zeichen* f)

Fench, Fe|nich, der; -[e]s, -e ⟨lat.⟩ (Hirseart)

Fen|chel, der; -s (eine Heil- und Gemüsepflanze)

Fen|chel|ge|mü|se; Fen|chel|öl; Fen|chel|tee

Fen|dant [fãˈdã:], der; -s ⟨franz.⟩ (Weißwein aus dem Wallis)

Fen|der, der; -s, - ⟨engl.⟩ (Stoßschutz an Schiffen)

Fe|nek *vgl.* Fennek

Feng|shui, Feng-Shui, das; - ⟨chin.⟩ (chinesische Kunst der harmonischen Lebens- und Wohnraumgestaltung)

Fenn, das; -[e]s, -e ⟨*nordd.* für Sumpf-, Moorland⟩

Fen|nek, der; -s, *Plur.* -s *u.* -e ⟨arab.⟩ (Wüstenfuchs)

Fen|nich *vgl.* Fench

Fen|no|sar|ma|tia ⟨lat.⟩ (*Geol.* europäischer Urkontinent); **fen|no|sar|ma|tisch; Fen|no|skan|dia** (ein Teil von Fennosarmatia); **fen|no|skan|disch**

Fen|rir (Untier der nord. Mythol.); **Fen|ris|wolf**, der; -[e]s (*svw.* Fenrir)

Fens|ter, das; -s, -

Fens|ter|bal|ken (*österr.* für Fensterladen); **Fens|ter|bank** *Plur.* ...bänke; **Fens|ter|brett**

Fens|ter|brief|um|schlag

Fens|ter|flü|gel; Fens|ter|glas *Plur.* ...gläser; **Fens|ter|griff; Fens|ter|kreuz; Fens|ter|la|den** *Plur.* ...läden, *selten* ...laden; **Fens|ter|lai|bung**

Fens|ter|le|der

fens|ter|ln (*südd., österr., schweiz.* für ans Fenster klopfen; *in älteren Volksbräuchen:* die Geliebte nachts [am od. durchs

Fenster] besuchen); ich fensterle, du fensterlst, er fensterlt; er hat gefensterlt

fens|ter|los

Fens|ter|ni|sche; Fens|ter|öff|nung; Fens|ter|platz; Fens|ter|put|zer; Fens|ter|put|ze|rin; Fens|ter|rah|men

Fens|ter|re|de (Propagandarede)

Fens|ter|ro|se (rundes Kirchenfenster); **Fens|ter|schei|be; Fens|ter|schnal|le** (*österr.* für Fenstergriff); **Fens|ter|sims; Fens|ter|stock** *Plur.* ...stöcke

Fens|ter|tag (*österr.* für Brückentag)

...fenst|rig (z. B. zweifenstrig)

Fenz, die; -, -en ⟨engl.⟩ (Einfried[ig]ung in Nordamerika)

Fe|o|dor (m. Vorn.); **Fe|o|do|ra** (w. Vorn.)

Fe|ra|li|en *Plur.* ⟨lat.⟩ (altröm. jährliches Totenfest)

Fer|di|nand (m. Vorn.); **Fer|di|nan|de** (w. Vorn.); **Ferdl** (m. Vorn.)

Fe|renc [...ents] (m. Vorn.)

Fer|ge, der; -n, -n (*veraltet für* Fährmann)

ferg|gen (*schweiz. früher für* abfertigen, fortschaffen); **Ferg|ger** (*schweiz. früher für* Spediteur)

Fe|ri|al... ⟨lat.⟩ (*österr. neben* Ferien..., z. B. Ferialarbeit, Ferialpraxis, Ferialtag)

Fe|ri|en *Plur.* ⟨lat.⟩; die großen Ferien

Fe|ri|en|ar|beit; Fe|ri|en|be|ginn; Fe|ri|en|dorf; Fe|ri|en|en|de; Fe|ri|en|haus; Fe|ri|en|häus|chen; Fe|ri|en|heim; Fe|ri|en|job; Fe|ri|en|kind; Fe|ri|en|kurs; Fe|ri|en|la|ger

Fe|ri|en|ort, der; -[e]s, -e; **Fe|ri|en|pa|ra|dies; Fe|ri|en|park; Fe|ri|en|rei|se; Fe|ri|en|tag; Fe|ri|en|woh|nung; Fe|ri|en|zeit**

Fer|kel, das; -s, -; **Fer|ke|lei; fer|keln**; ich ferk[e]le; **Fer|kel|zucht**

Fer|man, der; -s, -e ⟨pers.⟩ (*früher* in islam. Ländern Erlass des Landesherrn)

Fer|ma|te, die; -, -n ⟨ital.⟩ (*Musik* Haltezeichen; *Zeichen* ⌢)

Fer|ment, das; -s, -e ⟨lat.⟩ (*veraltend für* Enzym)

Fer|men|ta|ti|on, die; -, -en (Gärung); **fer|men|ta|tiv** (durch Ferment hervorgerufen)

Fer|ment|bil|dung; fer|men|tie|ren (durch Fermentation veredeln)

Fer|mi|um, das; -s ⟨nach dem ital. Physiker Fermi⟩ (chem. Ele-

ment, ein Transuran; *Zeichen* Fm)

fern

– ferne Länder; in der ferneren Umgebung

Vgl. fernbleiben, fernhalten, fernliegen, fernsehen, fernstehen usw.

Kleinschreibung ↑ K 72:

– von nah und fern
– von fern
– von fern her

Vgl. aber fernher

Großschreibung

– ↑ K 140 : der Ferne Osten (*svw.* Ostasien)
– ↑ K 72 : das Ferne suchen

Präposition mit Dativ

– fern dem Heimathaus

fern|ab (*geh.*)

Fer|nam|buk|holz *vgl.* Pernambukholz

Fern|amt; Fern|auf|nah|me; Fern|bahn; Fern|be|die|nung

fern|be|heizt; fernbeheizte Wohnung

fern|blei|ben; er bleibt [dem Unterricht] fern, ist ferngeblieben; *vgl. auch* fern

fer|ne (*geh.*); von ferne [her]; **Fer|ne**, die; -, -n; in weiter Ferne

fer|ner; er rangiert unter »ferner liefen«; *aber* des Ferner[e]n darlegen (*Amtsspr.*; ↑ K 72)

Fer|ner, der; -s, - (*Tirol, bayr. für* Gletscher); *vgl.* Firn

fer|ner|hin [*auch* ˈfɛrnarˈhin]; ferner|lie|gen; nichts würde uns fernerliegen; *vgl.* fernliegen

Fern|fah|rer; Fern|fah|re|rin

fern|ge|lenkt

Fern|ge|spräch; fern|ge|steu|ert; Fern|glas *Plur.* ...gläser

fern|hal|ten; sich, die Kinder von etwas fernhalten; wir hielten uns fern, haben uns ferngehalten; fernzuhalten

Fern|hei|zung

fern|her (*geh. für* aus der Ferne); *aber* von fern her; **fern|hin** (*geh.*)

fern|ko|pie|ren (über das Fernsprechnetz originalgetreu übertragen); **Fern|ko|pie|rer** (Gerät zum Fernkopieren)

Fern|kurs; Fern|kur|sus; Fern|las|ter, der (*ugs. für* Fernlastzug); **Fern|last|zug**

Fern|lei|he; Fern|leih|ver|kehr (Buchw.); Fern|lei|tung

fern|len|ken; sie lenkt [das Flugzeug] fern, hat ferngelenkt; Fern|len|kung

Fern|licht Plur. ...lichter

fern|lie|gen; das sind Gedanken, die uns fernliegen; fern|lie|gend; uns fernliegende Gedanken

Fern|mel|de|amt; Fern|mel|de|dienst; Fern|mel|de|ge|bühr; Fern|mel|de|tech|nik; Fern|mel|de|turm; Fern|mel|de|we|sen, das; -s

fern|münd|lich (für telefonisch)

Fern|ost; in Fernost; fern|öst|lich

Fern|pend|ler; Fern|pend|le|rin

Fern|rei|se; Fern|rohr; Fern|ruf

Fern|schrei|ben; Fern|schrei|ber

fern|schrift|lich

Fern|seh|an|sa|ger; Fern|seh|an|sa|ge|rin

Fern|seh|an|ten|ne; Fern|seh|ap|pa|rat; Fern|seh|bild; Fern|seh|du|ell; Fern|seh|emp|fang Plur. selten; Fern|seh|emp|fän|ger

fern|se|hen; Fern|se|hen, das; -s; Fern|se|her (ugs. für Fernsehgerät; Fernsehteilnehmer); Fern|se|he|rin

Fern|seh|film

Fern|seh|for|mat (Gestalt, Art einer Fernsehsendung)

Fern|seh|ge|bühr; Fern|seh|ge|rät

Fern|seh|in|ter|view; Fern|seh|ka|me|ra; Fern|seh|kom|men|ta|tor

fern|seh|mü|de

Fern|seh|pro|gramm; Fern|seh|re|por|ta|ge; Fern|seh|re|por|ter; Fern|seh|re|por|te|rin

Fern|seh|schirm; Fern|seh|sen|der; Fern|seh|sen|dung

Fern|seh|se|rie; Fern|seh|spiel; Fern|seh|stu|dio; Fern|seh|team; Fern|seh|teil|neh|mer; Fern|seh|teil|neh|me|rin; Fern|seh|tru|he

Fern|seh|turm; Fern|seh|über|tra|gung; Fern|seh|zeit|schrift; Fern|seh|zu|schau|er; Fern|seh|zu|schau|e|rin

Fern|sicht; fern|sich|tig; Fern|sich|tig|keit, die; -

Fern|sprech|amt; Fern|sprech|an|schluss; Fern|sprech|ap|pa|rat

Fern|spre|cher

Fern|sprech|ge|bühr; Fern|sprech|ge|heim|nis, das; -ses; Fern|sprech|num|mer (österr. Amtsspr.); Fern|sprech|teil|neh|mer; Fern|sprech|teil|neh|me|rin

fern|ste|hen (keine innere Beziehung haben); der Kirche fernstehende Personen

fern|steu|ern vgl. fernlenken; Fern|steu|e|rung

Fern|stra|ße

Fern|stu|dent; Fern|stu|den|tin; Fern|stu|di|um

Fern|sucht, die; -

fern|trau|en; nur im Inf. u. Part. II gebr.; Fern|trau|ung

Fern|über|wa|chung (bes. von Patienten)

Fern|un|ter|richt

Fern|ver|kehr, der; -[e]s; Fern|ver|kehrs|stra|ße

Fern|wär|me

Fern|weh, das; -s

Fern|ziel

Fer|ra|ra (ital. Stadt)

Fer|ra|ri ®, der; -s, -s ⟨nach dem Automobilfabrikanten Enzo Ferrari⟩ (ital. Kraftfahrzeug)

Fer|rit, der; -s, -e ⟨lat.⟩ (reine Eisenkristalle; Nachrichtentechnik ein magnetischer Werkstoff); Fer|rit|an|ten|ne

Fer|ro vgl. Hierro

Fer|rum, das; -s ⟨lat.⟩ (lat. Bez. für Eisen, chemisches Element; Zeichen Fe)

Fer|se, die; -, -n (vgl. ¹Hacke); vgl. aber Färse

Fer|sen|geld (Fersengeld geben ⟨scherzh. für fliehen⟩)

fer|serln (österr. Fußball den Ball mit der Hacke spielen); Fers|ler (österr. Fußball Hackentrick)

Schreibung in Verbindung mit Verben ↑K 56 :

– fertig sein
– etwas fertig abliefern

Aber:

– eine Arbeit fertig machen od. fertigmachen
– eine Arbeit fertig bekommen od. fertigbekommen
– eine Arbeit fertig bringen, fertig stellen od. fertigbringen, fertigstellen
– mit der Arbeit fertig werden od. fertigwerden
– mit einem Gegner fertig werden od. fertigwerden
– die Suppe fertig kochen od. fertigkochen
– sich für etwas fertig machen od. fertigmachen

Vgl. fertigbekommen, fertigbringen, fertigmachen

Fer|tig|bau Plur. ...bauten; Fer|tig|bau|wei|se

fer|tig|be|kom|men; sie hat es fertigbekommen, sich mit allen zu überwerfen; vgl. auch fertig

fer|tig|brin|gen (vollbringen); ich bringe es fertig, habe es fertiggebracht, fertigzubringen; vgl. auch fertig

fer|ti|gen

Fer|tig|er|zeug|nis; Fer|tig|ge|richt; Fer|tig|haus

Fer|tig|keit

Fer|tig|klei|dung (für Konfektion)

fer|tig ko|chen, fer|tig|ko|chen vgl. fertig

fer|tig|ma|chen (ugs. für zermürben, besiegen); vgl. auch fertig

Fer|tig|pro|dukt

Fer|tig|so|ße, Fer|tig|sau|ce

fer|tig stel|len, fer|tig|stel|len (abschließen); sie hat ihren neuen Roman fertig gestellt od. fertiggestellt

Fer|tig|stel|lung; Fer|tig|teil

Fer|ti|gung

Fer|ti|gungs|bri|ga|de; Fer|ti|gungs|kos|ten Plur.; Fer|ti|gungs|me|tho|de; Fer|ti|gungs|pro|zess

Fer|ti|gungs|stra|ße; Fer|ti|gungs|tech|nik; Fer|ti|gungs|ver|fah|ren

Fer|tig|wa|re

fer|tig wer|den, fer|tig|wer|den vgl. fertig

fer|til ⟨lat.⟩ (Biol., Med. fruchtbar); Fer|ti|li|sa|ti|on (Med. Befruchtung); Fer|ti|li|tät, die; - (Fruchtbarkeit)

fes, ¹Fes, das; -, - (Tonbezeichnung)

²Fes, der; -[es], -[e] ⟨türk.⟩ (rote Filzkappe)

³Fes (Stadt in Marokko)

fesch ⟨engl.⟩ (ugs. für flott, schneidig); Fe|schak, der; -s, -s (österr. ugs. für fescher Kerl)

¹Fes|sel, die; -, -n (Teil des Beines)

²Fes|sel, die; -, -n (Band, Kette); Fes|sel|bal|lon; fes|sel|frei

Fes|sel|ge|lenk

fes|sel|los

fes|seln; ich fessele u. fessle; fesselnd; Fes|sel|ung, Fess|lung

fest s. Kasten Seite 402

Fest, das; -[e]s, -e; Fest|akt

fest an|ge|stellt, fest|an|ge|stellt vgl. fest; ↑K 58

fest An|ge|stell|te, der u. die; - -n, - -n, Fest|an|ge|stell|te, der u. die; -n, -n ↑K 58

Fest|an|spra|che; Fest|auf|füh|rung

fest|ba|cken (ankleben); der

Fest

fest

- fes|te Kosten; fes|ter Wohnsitz; fes|tes Gehalt

Schreibung in Verbindung mit Partizipien ↑K58:

- die fest geschnürte *od.* festgeschnürte Schlinge; *aber* das Seil an einem Baum festschnüren (anbinden)
- fest angestellte *od.* festangestellte Mitarbeiterinnen, fest besoldete *od.* festbesoldete Beamte, fest umrissene *od.* festumrissene Begriffe usw.
- *aber* zum festgesetzten Zeitpunkt

Schreibung in Verbindung mit Verben ↑K56:

- fest stehen (festen Stand haben); *aber* feststehen (sicher, entschieden sein)

- eine Schleife [ganz] fest binden
- *aber* festbinden (anbinden); die Kuh ist festgebunden
- etwas fest anbinden
- jmdn. fest anstellen
- jmdn. fest besolden

Vgl. festbeißen, festbleiben, festfahren, festhalten, festheften, festklammern, festlegen, festnehmen, festschreiben, festsetzen, festsitzen, festziehen usw.

Schnee backt fest, hat festgebacken, festzubacken; *vgl.* fest

Fest|ban|kett

fest|bei|ßen, sich; der Hund hat sich festgebissen; wir haben uns an dem Problem festgebissen ↑K56

Fest|bei|trag

Fest|be|leuch|tung

fest be|sol|det, fest|be|sol|det *vgl.* fest; ↑K58

fest Be|sol|de|te, der *u.* die; - -n, - -n, **Fest|be|sol|de|te,** der *u.* die; -n, -n ↑K58

Fest|be|trag (feststehender Betrag)

fest|bin|den (anbinden); die Kuh ist festgebunden, *aber* die Schuhe [ganz] fest binden ↑K56

fest|blei|ben (nicht nachgeben); er ist in seinem Entschluss festgeblieben; *vgl.* fest

Fest|brenn|stoff

fest|dre|hen; eine Schraube festdrehen, *aber* fest [an der Schraube] drehen ↑K56

Fes|te, die; -, -n (*veraltet für* Festung; *geh.* für Himmel); *vgl.* Veste

fes|ten (*schweiz., sonst selten für* ein Fest feiern)

Fest|es|sen; Fes|tes|stim|mung (*geh.*)

fest|fah|ren; sich festfahren ↑K56

fest|fres|sen, sich; der Kolben hat sich festgefressen; *vgl.* fest

Fest|freu|de

fest|frie|ren; die Wäsche ist festgefroren ↑K56

fest ge|fügt, fest|ge|fügt *vgl.* fest; ↑K58

Fest|geld (*Bankw.* Einlage mit fester Laufzeit); **Fest|geld|kon|to** (*Bankw.*)

fest ge|schnürt, fest|ge|schnürt *vgl.* fest; ↑K58

Fest|ge|wand; Fest|got|tes|dienst

fest|ha|ken; sich festhaken ↑K56

Fest|hal|le

fest|hal|ten; die Aussage wurde [schriftlich] festgehalten; man hat sie zwei Stunden auf der Wache festgehalten; sich [am Geländer] festhalten; *aber* das Kind [ganz] fest [in den Armen] halten ↑K56

fest|hän|gen ↑K56

fest|hef|ten ↑K56

fes|ti|gen; Fes|ti|ger (*kurz für* Haarfestiger)

Fes|tig|keit, die; -; **Fes|tig|keits|leh|re** (*Technik*); **Fes|ti|gung,** die; -

Fes|ti|val [...v], *auch* ...val], das, -s, -s ⟨engl.⟩ (Musikfest, Festspiel)

Fes|ti|vi|tät, die; -, -en ⟨lat.⟩ (*schweiz., sonst nur noch scherzh. für* Festlichkeit)

fest|klam|mern; sich festklammern ↑K56

fest|kle|ben; um das Foto festzukleben ↑K56

fest|klop|fen (*ugs. auch für* festlegen, besiegeln); ↑K56; **fest|kno|ten;** ein am Mast festgeknotetes Seil; *aber* das Seil [ganz] fest [an den Mast] knoten ↑K56

fest|ko|chend; festkochende Kartoffeln

Fest|ko|mi|tee

Fest|kör|per (*Physik bes. die Kristalle*); **Fest|kör|per|phy|sik**

fest|kral|len, sich; ↑K56

Fest|land *Plur.* ...länder; **fest|län|disch**

Fest|land[s]|block *Plur.* ...blöcke; **Fest|land[s]|so|ckel**

fest|lau|fen; das Schiff ist festgelaufen ↑K56

fest|le|gen (*auch für* anordnen); sie hat die Hausordnung festgelegt; sich festlegen (sich binden); sie hat sich mit dieser Äußerung festgelegt; *vgl.* fest;

Fest|le|gung

fest|lich; Fest|lich|keit

fest|lie|gen; auf einer Sandbank festliegen; *vgl.* fest

Fest|lohn (*svw.* Mindestlohn)

Fest|ma|che|bo|je

fest|ma|chen (*auch für* vereinbaren); um die Taue festzumachen ↑K56

Fest|mahl

Fest|me|ter (*alte Maßeinheit für* 1 m³ fester Holzmasse; *vgl.* Raummeter; *Abk.* Fm, fm)

fest|na|geln (*ugs. auch für* jmdn. auf etwas festlegen); ich nag[e]le fest ↑K56

fest|nä|hen; um einen Knopf festzunähen ↑K56

Fest|nah|me, die; -, -n; **fest|neh|men** (verhaften); *vgl.* fest

Fest|netz (fest verlegte Telefonleitungen); **Fest|netz|te|le|fon**

Fest|of|fer|te (*Kaufmannsspr.* festes Angebot)

Fes|ton [...'tõ:], das; -s, -s ⟨franz.⟩ (Blumengewinde, meist als Ornament; Stickerei); **fes|to|nie|ren** (mit Festons versehen); **Fes|ton|stich**

Fest|ord|ner; Fest|pla|ket|te

Fest|plat|te (*EDV*)

Fest|platz

Fest|preis *vgl.* Preis

Fest|pro|gramm; Fest|re|de; Fest|red|ner; Fest|red|ne|rin

fest|ren|nen, sich; *vgl.* festbeißen, sich

Fest|saal

fest|sau|gen, sich; ↑K56

fest|schnal|len; sich festschnallen ↑K56

fest|schrau|ben ↑K56

fest|schrei|ben; dieser Punkt wurde im Vertrag festgeschrieben ↑K56; **Fest|schrei|bung**

Fest|schrift

fest|set|zen (bestimmen, anord-

nen; gefangen setzen); er wurde nach dieser Straftat festgesetzt ↑K56 ; Fest|set|zung
fest|sit|zen (ugs. für nicht weiterkommen); sie haben festgesessen ↑K56
Fest|spiel
Fest|spiel|haus; Fest|spiel|stadt
fest|ste|cken; sie hat ihre Haare festgesteckt ↑K56
fest|ste|hen (festgelegt, sicher, gewiss sein); fest steht, dass … ↑K47 ; es hat festgestanden, dass …; aber [ganz] fest stehen (festen Stand haben) ↑K56 ; fest|ste|hend (festgelegt, sicher, gewiss)
fest|stell|bar; Fest|stell|brem|se
fest|stel|len (ermitteln, [be]merken, nachdrücklich aussprechen); vgl. fest
Fest|stell|he|bel; Fest|stell|tas|te
Fest|stel|lung; Fest|stel|lungs|kla|ge (Rechtsw.)
Fest|stie|ge (österr. für Prunktreppe); Fest|stim|mung
Fest|tag; des Festtags, aber ↑K70 : festtags, sonn- und festtags; fest|täg|lich; fest|tags vgl. Festtag; Fest|tags|klei|dung; Fest|tags|stim|mung
fest|tre|ten; um das Erdreich festzutreten ↑K56
fest um|ris|sen , fest|um|ris|sen vgl. fest; ↑K58
Fest|um|zug
Fes|tung; Fes|tungs|ge|län|de; Fes|tungs|gra|ben; Fes|tungs|wall
Fest|ver|an|stal|tung; Fest|versamm|lung
fest ver|wur|zelt , fest|ver|wur|zelt vgl. fest; ↑K58
fest|ver|zins|lich; festverzinsliche Wertpapiere
Fest|vor|stel|lung; Fest|vor|trag
fest|wach|sen; [an der Wand] festgewachsenes Efeu ↑K56
Fest|wie|se; Fest|wo|che; Fest|zelt
fest|zie|hen; um die Schnur festzuziehen ↑K56
Fest|zug
fest|zur|ren; den Helm festzurren ↑K56
fe|tal, fö|tal ⟨lat.⟩ (Med. zum Fetus gehörend)
Fe|te [auch 'fɛ:...], die; -, -n ⟨franz.⟩ (ugs. für Fest)
Fe|tisch, der; -[e]s, -e ⟨franz.⟩ (magischer Gegenstand; Götzenbild); fe|ti|schi|sie|ren (zum Fetisch erheben); Fe|ti|schis|mus, der; - (Übertragen des

Geschlechtstriebes auf Gegenstände)
Fe|ti|schist, der; -en, -en; Fe|ti|schis|tin; fe|ti|schis|tisch
fett; fetter Boden; ein Schwein fett füttern; eine Schlagzeile fett drucken; eine fett gedruckte od. fettgedruckte Schlagzeile
Fett, das; -[e]s, -e; Fett|ab|saugung; Fett|an|satz
fett|arm
Fett|au|ge; Fett|bauch
Fett|creme , Fett|krem, Fett|kre|me
Fett|de|pot (Med.)
Fet|te, die; - (geh. für Fettheit)
fet|ten; fett|fein (Druckw.)
Fett|fleck, Fett|fle|cken
fett|frei
fett füt|tern vgl. fett
fett ge|druckt , fett|ge|druckt vgl. fett
Fett|ge|halt; Fett|ge|we|be
fett|glän|zend; fett|hal|tig
Fett|heit, die; -
Fett|hen|ne (Zierpflanze)
fet|tig; Fet|tig|keit, die; - (das Fettigsein)
Fett|koh|le (Steinkohlenart)
Fett|krem, Fett|kre|me vgl. Fettcreme
Fett|le|be, die; - (ugs. für üppige Mahlzeit; Wohlleben); Fettlebe machen (üppig leben)
fett|lei|big; Fett|lei|big|keit, die; -
Fett|näpf|chen; bei jmdm. ins Fettnäpfchen treten (jmds. Unwillen erregen)
Fett|pols|ter; Fett|sack (derb für fetter Mensch); Fett|säu|re
Fett|schicht; Fett|stift, der; Fett|sucht, die; -
fett|trie|fend ↑K25
Fett|trop|fen , Fett-Trop|fen
Fett|tu|sche , Fett-Tu|sche
Fet|tuc|ci|ne [...'tʃi:nə] Plur. ⟨ital.⟩ (Bandnudeln)
Fett|wanst (derb für fetter Mensch)
Fe|tus, Fö|tus, der; Gen. - u. -ses, Plur. -se u. ...ten ⟨lat.⟩ (Med. Leibesfrucht vom dritten Monat an)
Fetz|chen
fet|zeln (landsch. für in Fetzen zerreißen); ich fetz[e]le; fet|zen; du fetzt; Fet|zen, der; -s, -
Fet|zen|markt (österr. für Trödelmarkt, Flohmarkt)
fet|zig (ugs. für toll, mitreißend)
feucht; feucht werden
Feucht|bio|top
Feucht|blat|tern (österr. für Windpocken)

Feuch|te, die; -; feuch|ten (geh.)
feucht|fröh|lich (fröhlich beim Zechen); feucht|heiß
Feuch|tig|keit, die; -
Feuch|tig|keits|ge|halt; Feuch|tig|keits|grad; Feuch|tig|keits|messer
feucht|kalt
Feucht|raum|ar|ma|tur (Technik)
Feucht|wan|ger, Lion (dt. Schriftsteller)
feucht|warm
feu|dal ⟨germ.-mlat.⟩ (das Lehnswesen betreffend; Lehns...; ugs. für vornehm, großartig; abwertend für reaktionär)
Feu|dal|ge|sell|schaft; Feu|dal|herrschaft
Feu|da|lis|mus, der; - (auf dem Lehnswesen beruhende, den Adel privilegierende Gesellschafts- u. Wirtschaftsordnung [im MA.]); feu|da|lis|tisch
Feu|da|li|tät, die; - (Lehnsverhältnis im MA.; Vornehmheit)
Feu|dal|staat; Feu|dal|sys|tem
Feu|del, der; -s, - (nordd. für Scheuerlappen); feu|deln; ich feud[e]le
Feu|er, das; -s, -; offenes Feuer; ein Feuer speiender od. feuerspeiender Vulkan ↑K58
Feu|er|alarm; Feu|er|an|zün|der; Feu|er|ball; Feu|er|be|fehl; Feu|er|be|reit|schaft
feu|er|be|stän|dig
Feu|er|be|stat|tung; Feu|er|dorn (Zierstrauch); Feu|er|ei|fer
feu|er|fest; Feu|er|fes|tig|keit
Feu|er|fres|ser
Feu|er|ge|fahr, die; -; feu|er|ge|fährlich; Feu|er|ge|fähr|lich|keit
Feu|er|ge|fecht
Feu|er|hal|le (österr. neben Krematorium)
Feu|er|herd; Feu|er|holz
Feu|er|land (Südspitze von Südamerika); Feu|er|län|der, der; -; Feu|er|län|de|rin
Feu|er|lei|ter; Feu|er|li|lie; Feu|er|loch
Feu|er|lö|scher
Feu|er|lösch|ge|rät; Feu|er|löschteich; Feu|er|lösch|zug
Feu|er|mau|er; Feu|er|mel|der
feu|ern; ich feu[e]re
Feu|er|pau|se (Milit.)
Feu|er|po|li|zei; feu|er|po|li|zei|lich
Feu|er|pro|be
feu|er|rot
Feu|er|sa|la|man|der
Feu|ers|brunst
Feu|er|scha|den; Feu|er|schein; Feu-

er|schiff; Feu|er|schlu|cker; Feu-
er|schutz
Feu|ers|ge|fahr
feu|er|si|cher
Feu|ers|not, die; - (veraltet)
Feu|er spei|end, feu|er|spei|end,
↑K58
Feu|er|sprit|ze; Feu|er|stät|te; Feu-
er|stein; Feu|er|stel|le
Feu|er|stoß
Feu|er|stuhl (ugs. für Motorrad)
Feu|er|sturm (bei Großbränden
entstehender starker Luftsog)
Feu|er|tau|fe; Feu|er|teu|fel (ugs.
für Brandstifter); Feu|er|tod
Feu|er|über|fall (Milit.)
Feu|e|rung; Feu|e|rungs|an|la|ge
Feu|er|ver|si|che|rung
feu|er|ver|zinkt
Feu|er|wa|che; Feu|er|waf|fe
Feu|er|wall (auch für Firewall)
Feu|er|was|ser, das; -s (ugs. für
Branntwein)
Feu|er|wehr
Feu|er|wehr|au|to; Feu|er|wehr-
frau; Feu|er|wehr|haus; Feu|er-
wehr|mann Plur. ...männer u.
...leute; Feu|er|wehr|übung
Feu|er|werk; feu|er|wer|ken; ich
feuerwerke; gefeuerwerkt; zu
feuerwerken; Feu|er|wer|ker;
Feu|er|wer|ke|rin
Feu|er|werks|kör|per
Feu|er|zan|ge; Feu|er|zan|gen-
bow|le
Feu|er|zei|chen; Feu|er|zeug
Feuil|la|ge [fœ'ja:ʒə], die; -, -n
⟨franz.⟩ (geschnitztes, gemaltes
usw. Laubwerk)
Feuil|le|ton [fœjə'tõ:, auch 'fœjətõ],
das; -s, -s (literarischer, kultureller Teil einer Zeitung; Aufsatz
im Plauderton)
Feuil|le|to|nist, der; -en, -en; Feuil-
le|to|nis|tin; feuil|le|to|nis|tisch
Feuil|le|ton|re|dak|teur; Feuil|le-
ton|re|dak|teu|rin
Feuil|le|ton|stil
feu|rig; feurige Kohlen auf jmds.
Haupt sammeln (ihn beschä-
men); feu|rio! (alter Feuerruf)
Fex, der; Gen. -es, seltener -en,
Plur. -e, seltener -en (südd.,
österr. für jmd., der von etwas
begeistert ist)
¹Fez [fe:ts, auch fe:s] vgl. ²Fes
²Fez, der; -es ⟨franz.⟩ (ugs. für Spaß,
Vergnügen)
ff = sehr fein; vgl. Effeff
ff = fortissimo
ff. = folgende [Seiten]
FGB, das; - = Familiengesetzbuch
FH, die; -, -s = Fachhochschule

FHD, der; - = Frauenhilfs-
dienst[leistende] (früher in der
Schweiz)
FHS = Fachhochschule
Fi|a|ker, der; -s, - ⟨franz.⟩ (österr.
für Pferdedroschke; Kutscher)
Fi|a|le, die; -, -n ⟨ital.⟩ ([gotisches]
Spitztürmchen)
Fi|as|ko, das; -s, -s ⟨ital.⟩ (Miss-
erfolg; Zusammenbruch)
Fi|at ®, der; -s, -s ⟨nach dem
Unternehmen Fabbrica Italiana
Automobili Torino S. p. A.⟩ (ital.
Kraftfahrzeugmarke)
fi|at! ⟨lat., »es geschehe!«⟩
¹Fi|bel, die; -, -n ⟨griech.⟩ (Abc-
Buch; Elementarlehrbuch)
²Fi|bel, die; -, -n ⟨lat.⟩ (frühge-
schichtl. Spange oder Nadel)
Fi|ber, der; -s, - ⟨lat.⟩ ([Muskel- od.
Pflanzen]faser); vgl. aber Fieber
Fi|b|ril|le, die; -, -n ⟨Med. Faser des
Muskel- u. Nervengewebes)
Fi|b|rin, das; -s (Eiweißstoff des
Blutes); Fi|b|ro|in, das; -s
(Eiweißstoff der Naturseide)
Fi|b|rom, das; -s, -e (Med. Bindege-
websgeschwulst); fi|b|rös (aus
Bindegewebe bestehend)
Fi|bu|la, die; -, Plur. Fibuln u.
(Med.) Fibulae ⟨lat.⟩ (²Fibel;
Med. Wadenbein)
¹Fiche [fi:ʃ], die; -, -s ⟨franz.⟩ (Spiel-
marke)
²Fi|che ['fiʃ(ə)], die; -, -n (schweiz.
für Karteikarte)
³Fiche [fi:ʃ], das od. der; -s, -s
(Filmkarte mit Mikrokopien)
ficht vgl. fechten
¹Fich|te (dt. Philosoph)
²Fich|te, die; -, -n (ein Nadelbaum)
Fich|tel|ge|bir|ge, das; -s
fich|ten (aus Fichtenholz)
Fich|ten|hain; Fich|ten|holz; Fich-
ten|na|del
Fi|chu [...'ʃy:], das; -s, -s ⟨franz.⟩
(Schultertuch)
Fick, der; -s, -s (derb für Koitus);
fi|cken (derb für koitieren)
fi|cke|rig (landsch. für nervös,
unruhig; derb für geil)
Fick|fack, der; -[e]s, -e (landsch.
für Vorwand); fick|fa|cken
(landsch. für Ausflüchte
suchen); Fick|fa|cker (landsch.
für unzuverlässiger Mensch);
Fick|fa|cke|rei
Fick|müh|le (landsch. für Zwick-
mühle)
Fi|cus, der; -, ...ci ⟨lat.⟩ (ein
[Zier]baum)
Fi|dei|kom|miss [auch 'fi:...], das;
-es, -e ⟨lat.⟩ (Rechtsspr. unveräu-

ßerliches u. unteilbares Famili-
envermögen)
fi|del ⟨lat.⟩ (ugs. für lustig, heiter)
Fi|del, die; -, -n (der Geige ähnli-
ches Streichinstrument [des
Mittelalters]); vgl. Fiedel
Fi|del Cas|t|ro vgl. Castro
Fi|di|bus, der; Gen. - u. -ses, Plur. -
u. -se (gefalteter Papierstreifen
als [Pfeifen]anzünder)
Fi|d|schi (Inselstaat im Südwestpa-
zifik); Fi|d|schi|a|ner; Fi|d|schi|a-
ne|rin; fi|d|schi|a|nisch
Fi|d|schi|in|seln, Fi|d|schi-In|seln
Plur.
Fi|duz, das; -es (ugs. veraltet für
Mut); kein Fiduz zu etwas
haben
Fie|ber, das; -s, - Plur. selten ⟨lat.⟩;
vgl. aber Fiber
Fie|ber|an|fall; Fie|ber|fan|ta|sie,
Fie|ber|phan|ta|sie meist Plur.
fie|ber|frei; Fie|ber|frost; fie|ber-
haft; Fie|ber|hit|ze
fie|be|rig vgl. fiebrig
fie|ber|krank
Fie|ber|kur|ve; Fie|ber|mes|ser, der
(ugs. für Fieberthermometer)
fie|bern; ich fiebere
fie|ber|sen|kend
Fie|ber|ta|bel|le; Fie|ber|ther|mo-
me|ter; Fie|ber|traum
fieb|rig; Fieb|rig|keit
Fie|del, die; -, -n (veraltend, noch
scherzh. od. abwertend für
Geige); vgl. Fidel; fie|deln; ich
fied[e]le
Fie|der|blatt (Bot. gefiedertes
Blatt); fie|de|rig; fie|der|tei|lig;
Fie|de|rung
Fied|ler; vgl. Fiedel; Fied|le|rin
fiel vgl. fallen
fie|pen (Jägerspr. [von Rehkitz u.
Rehgeiß], auch allg. einen lei-
sen, hohen Ton von sich geben)
Fi|e|rant [fjä..., auch fie...], der;
-en, -en ⟨ital.⟩ (bayr., österr. für
Markthändler)
fie|ren (Seemannsspr. [Tau] ablau-
fen lassen, herablassen)
fies (ugs. für ekelhaft, widerwär-
tig; fieses Gefühl
Fi|es|co, bei Schiller Fi|es|ko
(genuesischer Verschwörer)
Fies|ling (ugs. abwertend für
widerwärtiger Mensch)
Fi|es|ta, die; -, -s ⟨span.⟩ ([span.]
Volksfest)
FIFA, Fi|fa, die; - = Fédération
Internationale de Football Association ⟨franz.⟩ (Internationaler
Fußballverband)
fif|ty-fif|ty [...ti...ti] ⟨engl.⟩ (ugs.

F

Feue

für halbpart); **Fif|ty-fif|ty-Jo|ker** (Halbierung der Antwortmöglichkeiten beim Fernsehquiz »Wer wird Millionär?«)

Fi|ga|ro, der; -s, -s (Lustspiel- u. Opernfigur; *auch* scherzh. für Friseur)

Fight [fait], der; -s, -s ⟨engl.⟩ (Kampf); **figh|ten** (verbissen kämpfen); **Figh|ter,** der; -s, - (Kämpfer); **Figh|te|rin**

Figl, der; -s, - (*österr. kurz für* Firngleiter)

Fi|gur, die; -, -en ⟨lat.⟩

Fi|gu|ra; wie Figura zeigt (wie klar vor Augen liegt)

fi|gu|ral (mit Figuren versehen)

Fi|gu|ral|mu|sik (in der Kirchenmusik des Mittelalters)

Fi|gu|ra|ti|on, die; -, -en, Fi|gu|rie|rung (*Musik* Ausschmückung einer Figur od. Melodie)

fi|gu|ra|tiv (bildlich [darstellend])

fi|gur|be|to|nend; fi|gur|be|to|nt

Fi|gür|chen

fi|gu|rie|ren (in Erscheinung treten; *Musik* eine Figur od. Melodie ausschmücken); **fi|gu|riert** (gemustert; *Musik* ausgeschmückt); figuriertes Gewebe; **Fi|gu|rie|rung** *vgl.* Figuration

...fi|gu|rig (z. B. kleinfigurig)

Fi|gu|ri|ne, die; -, -n ⟨franz.⟩ (Figürchen; Nebenfigur in Landschaftsgemälden; Kostümzeichnung)

Fi|gür|lein; fi|gür|lich

Fik|ti|on, die; -, -en ⟨lat.⟩ (Erdachtes; falsche Annahme); **fik|ti|o|nal** (auf einer Fiktion beruhend); **fik|tiv** (nur angenommen, erdacht)

Fi|la|ment, das; -s, -e ⟨lat.⟩ (*Bot.* Staubfaden der Blüte)

File [fail], das; -s, -s ⟨engl.⟩ (*EDV* bestimmte Art von Datei)

Fi|let [...'le:], das; -s, -s ⟨franz.⟩ (Netzstoff; Lenden-, Rückenstück)

Fi|let|ar|beit; Fi|let|de|cke

fi|le|tie|ren (Filets herausschneiden); **Fi|le|tier|ma|schi|ne**

Fi|let|na|del; Fi|let|spit|ze

Fi|let|steak; Fi|let|stück

Fi|li|a|le, die; -, -n (Zweiggeschäft, -stelle); **Fi|li|a|list,** der; -en, -en (Besitzer mehrerer Filialen; Filialleiter); **Fi|li|a|lis|tin**

Fi|li|al|kir|che (Tochterkirche)

Fi|li|al|lei|ter, der; **Fi|li|al|lei|te|rin; Fi|li|al|netz**

Fi|li|a|ti|on, die; -, -en (rechtliche Abstammung; Gliederung des Staatshaushaltsplanes)

Fi|li|bus|ter *vgl.* Flibustier

fi|lie|ren ⟨franz.⟩ (Netzwerk knüpfen; *auch für* filetieren); **fi|liert** (netzartig)

fi|li|g|ran (sehr feingliedrig)

Fi|li|g|ran, das; -s, -e ⟨ital.⟩ (Goldschmiedearbeit aus feinem Drahtgeflecht)

Fi|li|g|ran|ar|beit; Fi|li|g|ran|glas; Fi|li|g|ran|schmuck

Fi|li|pi|na, die; -, -s ⟨span.⟩ (*weibl. Form zu* Filipino; *vgl.* Philippinerin); **Fi|li|pi|no,** der; -s, -s (Bewohner der Philippinen; *vgl.* Philippiner)

Fi|li|us, der; -, ...usse ⟨lat.⟩ (*scherzh. für* Sohn)

Fil|ler [...lɐ, *auch* ...le:ɐ], der; -[s], - (bis 1999 Untereinheit des Forint)

Film, der; -[e]s, -e ⟨engl.⟩

Film|ama|teur; Film|ama|teu|rin; Film|ar|chiv; Film|ate|li|er; Film|au|tor; Film|au|to|rin

Film|ball; Film|bran|che; Film|di|va

Fil|me|ma|cher; Fil|me|ma|che|rin

fil|men

Film|fan; Film|fes|ti|val; Film|fest|spie|le; Film|ge|sell|schaft; Film|in|dus|t|rie

fil|misch

Film|ka|me|ra; Film|kom|po|nist; Film|kom|po|nis|tin; Film|ko|pie; Film|mu|sik

Fil|mo|thek, die; -, -en ⟨engl.; griech.⟩ (*svw.* Kinemathek)

Film|pla|kat; Film|pro|du|zent; Film|pro|du|zen|tin

Film|rech|te *Plur.* (Berechtigung zur Verfilmung)

Film|riss (Reißen eines Films; *ugs. für* plötzlicher Verlust des Erinnerungsvermögens)

Film|rol|le; Film|schau|spie|ler; Film|schau|spie|le|rin

Film|stadt; Film|star *Plur.* ...stars; **Film|stu|dio; Film|sze|ne; Film|ver|leih; Film|vor|füh|rer; Film|vor|füh|re|rin**

Fil|lou [...'lu:], der; -s, -s ⟨franz.⟩ (*scherzh. für* Betrüger, Spitzbube; Schlaukopf)

Fils, der; -, -⟨arab.⟩ (Untereinheit des Dinar in Bahrain, Irak, Jordanien u. Kuwait; 1 000 Fils = 1 Dinar)

Fil|ter, der, *Technik meist* das; -s, - ⟨mlat.⟩; **fil|ter|fein;** filterfein gemahlener Kaffee

fil|tern; ich filtere

Fil|ter|pa|pier; Fil|t|rier|pa|pier; Fil|ter|staub; Fil|ter|tü|te ®

Fil|te|rung

Fil|ter|zi|ga|ret|te

Fil|t|rat, das; -[e]s, -e (durch Filtration geklärte Flüssigkeit); **Fil|t|ra|ti|on,** die; -, -en (Filterung); **fil|t|rie|ren; Fil|t|rier|pa|pier** *vgl.* Filterpapier

Filz, der; -es, -e (*ugs. auch für* Geizhals; *österr. auch für* unausgeschmolzenes Fett); **Fil|z|de|cke**

fil|zen (*ugs. auch für* nach [verbotenen] Gegenständen durchsuchen; schlafen; du filzt

Filz|hut, der; **fil|zig; Filz|laus**

Fil|zo|k|ra|tie, die; -, ...tien ⟨dt.; griech.⟩ (ineinander verflochtene Machtverhältnisse)

Filz|pan|tof|fel

Filz|schrei|ber; Filz|stift

¹Fim|mel (Hanf); *vgl.* Femel

²Fim|mel, der; -s, - (*ugs. für* übertriebene Vorliebe für etwas)

FINA, Fi|na, die; - = Fédération Internationale de Natation Amateur ⟨franz.⟩ (Internationaler Amateur-Schwimmverband)

fi|nal ⟨lat.⟩ (den Schluss bildend; zweckbezeichnend)

¹Fi|nal, der; -s, -s ⟨franz.⟩ (*schweiz. für* Finale [*Sport*])

²Fi|nal ['fainl], das; -s, -s ⟨engl.⟩ (*engl. für* Finale [*Sport*])

Fi|nal|ab|schluss (*Wirtsch.* Endabschluss)

Fi|na|le, das; -s, *Plur.* -, *im Sport auch* Finals ⟨franz.⟩ (Schlussteil; *Musik* Schlussstück, -satz; *Sport* Endrunde, Endspiel)

fi|na|li|sie|ren (*österr. für* endgültig vereinbaren)

Fi|na|list, der; -en, -en (Endrundenteilnehmer); **Fi|na|lis|tin**

Fi|na|li|tät, die; -, -en (Zweckbestimmtheit)

Fi|nal|pro|dukt (*regional für* End-, Fertigprodukt)

Fi|nal|satz (Umstandssatz der Absicht, Zwecksatz)

Fi|nan|ci|er *vgl.* Finanzier

Fi|nanz, die; - ⟨franz.⟩ (Geldwesen; Gesamtheit der Geld- und Bankfachleute); *vgl.* Finanzen

Fi|nanz|ab|tei|lung; Fi|nanz|amt; Fi|nanz|aus|gleich

Fi|nanz|be|am|te; Fi|nanz|be|am|tin; Fi|nanz|buch|hal|ter; Fi|nanz|buch|hal|te|rin; Fi|nanz|buch|hal|tung

Fi|nanz|dienst|leis|ter (Unternehmen, das finanz. Dienstleistun-

Fina

gen erbringt); Fi|nanz|dienst|leis-
te|rin
Fi|nan|zen Plur. (Geldwesen;
Staatsvermögen; Vermögens-
lage); Fi|nan|zer ⟨österr. ugs. für
Zollbeamter)
Fi|nanz|ex|per|te; Fi|nanz|ex|per|tin;
Fi|nanz|ge|ba|ren; Fi|nanz|ge|nie;
Fi|nanz|hil|fe; Fi|nanz|ho|heit
fi|nan|zi|ell
Fi|nan|zi|er [...'tsje:], Fi|nan|ci|er
[...nã'sje:], der; -s, -s (kapital-
kräftiger Geldgeber)
fi|nan|zier|bar; fi|nan|zie|ren (mit
Geldmitteln ausstatten; geldlich
ermöglichen); Fi|nan|zie|rung; Fi-
nan|zie|rungs|vor|be|halt
fi|nanz|kräf|tig; Fi|nanz|kri|se; Fi-
nanz|la|ge; Fi|nanz|lan|des|di|rek-
ti|on ⟨österr.); Fi|nanz|markt; Fi-
nanz|mi|nis|ter; Fi|nanz|mi|nis|te-
rin; Fi|nanz|plan
Fi|nanz|platz (Ort od. Region mit
bedeutendem Finanzmarkt, vielen Banken o. Ä.)
Fi|nanz|po|li|tik; fi|nanz|po|li|tisch
Fi|nanz|pro|ku|ra|tur, die; -, -en
⟨lat.) ⟨österr. für Vertretung des
Staates bei Gerichten und
Behörden)
fi|nanz|schwach
Fi|nanz|sprit|ze (ugs. für Finanz-
hilfe); fi|nanz|stark
Fi|nanz|ver|wal|tung; Fi|nanz|we-
sen; Fi|nanz|wirt|schaft
Fin|ca, die; -, -s ⟨span.) (Landhaus
mit Garten, Landgut)
Fin|del|kind
fin|den; du fandst (fandest); du
fändest; gefunden; find[e]!; ein
gefundenes Fressen für jmdn.
sein (ugs. für jmdm. gelegen
kommen)
Fin|der; Fin|de|rin
Fin|der|lohn, der; -[e]s
Fin de Si|è|c|le ['fɛ̃: də 'sjɛ:kl], das;
- - - (durch Verfallserscheinun-
gen in Gesellschaft, Kunst u.
Literatur geprägte Zeit des aus-
gehenden 19. Jh.s)
fin|dig; ein findiger Kopf (einfalls-
reicher Mensch); Fin|dig|keit,
die; -
Fin|dung; Find|lings|block Plur.
...blöcke
Fin|dung Plur. selten (das [Her-
aus]finden)
Fines Herbes ['fi:n'zɛrp] Plur.
⟨franz.) ⟨Gastron. fein gehackte
Kräuter)
Fi|nes|se, die; -, -n ⟨franz.) (Fein-
heit; Kniff)
fing vgl. fangen

Fin|ger, der; -s, -; der kleine Finger;
jmdn. um den kleinen Finger
wickeln (ugs.); etwas mit spitzen Fingern (vorsichtig) anfas-
sen; lange, krumme Finger
machen (ugs. für stehlen)
Fin|ger|ab|druck Plur. ...drücke
fin|ger|breit; ein fingerbreiter
Spalt, aber der Spalt ist keinen
Finger breit, 3 Finger breit (vgl.
aber Fingerbreit); Fin|ger|breit,
der; -, -, Fin|ger breit, der; - -, - -;
einen, ein paar Fingerbreit od.
Finger breit größer; keinen Fingerbreit od. Finger breit nach-
geben; fin|ger|dick vgl. finger-
breit
Fin|ger|far|be (für Kinder)
fin|ger|fer|tig; Fin|ger|fer|tig|keit
Fin|ger|food, Fin|ger-Food [...fu:t],
das; -[s] ⟨engl.) (ohne Besteck
zu essende Speisen)
Fin|ger|glied
Fin|ger|ha|keln, das; -s (alpenlän-
discher Wettkampf)
Fin|ger|hand|schuh; Fin|ger|hut
...fin|ge|rig, ...fing|rig (z. B. vier-
fing[e]rig)
Fin|ger|kup|pe (Fingerspitze)
fin|ger|lang vgl. fingerbreit
Fin|ger|ling
fin|gern; ich fingere
Fin|ger|na|gel; Fin|ger|ring
Fin|ger|satz (Musik Fingervertei-
lung beim Spielen eines Instru-
ments)
Fin|ger|spiel
Fin|ger|spit|ze; Fin|ger|spit|zen|ge-
fühl, das; -[e]s
Fin|ger|übung
Fin|ger|zeig, der; -[e]s, -e
fin|gie|ren ⟨lat.) (erdichten; vor-
täuschen; unterstellen)
...fing|rig vgl. ...fingerig
Fi|nis, das; -, - ⟨lat.) »Ende« (ver-
altet für Schlussvermerk in
Druckwerken); Fi|nish [...ɪʃ], das;
-s, -s ⟨engl.) (letzter Schliff; Vollendung; Sport Endspurt, End-
kampf)
Fi|nis|sa|ge [...'sa:ʒə], die; -, -n
⟨franz.) (Veranstaltung zur
Beendigung einer Kunstausstel-
lung)
Fi|nis|ter|re (nordwestspan. Kap)
fi|nit ⟨lat.) (Sprachw. bestimmt,
konjugiert); finite Form (Perso-
nalform, Form des Verbs, die im
Ggs. zur infiniten Form [vgl.
infinit] nach Person u. Zahl
bestimmt ist, z. B. [sie]
»erwacht« [3. Pers. Sing.])
Fink, der; -en, -en (ein Singvogel)

Fin|ken, der; -s, - ⟨schweiz. mdal.
für warmer Hausschuh)
Fin|ken|schlag, der; -[e]s (das Zwit-
schern des Finken)
Fin|ken|wer|der (Elbinsel)
Finn-Din|gi, Finn-Din|ghy, das; -s,
-s ⟨schwed.; Hindi) (kleines Ein-
mann-Sportsegelboot)
¹Fin|ne, die; -, -n (Jugendform
bestimmter Bandwürmer; ent-
zündete Pustel)
²Fin|ne, die; -, -n (Rückenflosse von
Hai u. Wal; zugespitzte Seite des
Hammers)
³Fin|ne, die; - (Höhenzug in Thü-
ringen)
⁴Fin|ne, der; -n, -n (Einwohner von
Finnland)
fin|nig (von ¹Finnen befallen)
Fin|nin; fin|nisch; aber ↑K140: der
Finnische Meerbusen; die Finnische Seenplatte; vgl. deutsch;
Fin|nisch, das; -[s] (Sprache); vgl.
Deutsch; Fin|ni|sche, das; -n; vgl.
Deutsche, das
fin|nisch-ug|risch ↑K145 u. 149 :
finnisch-ugrische Sprachen,
Völker
Finn|land; Finn|län|der (⁴Finne mit
schwed. Muttersprache); Finn-
län|de|rin; finn|län|disch
¹Finn|mark, die; -, - (frühere finn.
Währungseinheit; Abk. Fmk)
²Finn|mark (norw. Verwaltungsbe-
zirk)
fin|no|ug|risch vgl. finnisch-
ugrisch; Fin|no|ug|rist, der; -en,
-en (Fachmann für finnisch-
ugrische Sprachen); Fin|no|ug-
ris|tik, die; -; Fin|no|ug|ris|tin
finn|ug|risch usw. vgl. finnougrisch
usw.
Finn|wal
Fi|now|ka|nal, Fi|now-Ka|nal
[...no...], der; -s
fins|ter; es wurde immer
finst[e]rer; eine finst[e]re
Nacht; finster dreinblicken; im
Finstern tappen (auch für nicht
Bescheid wissen); Fins|ter|keit,
die; -
Fins|ter|ling (grimmig wirkender
Mensch)
Fins|ter|nis, die; -, -se
Fin|te, die; -, -n ⟨ital.) (Vorwand,
Täuschung[smanöver]; Sport
Scheinangriff); fin|ten|reich
fin|ze|lig, finz|lig (landsch. für
überzart, überfein; die Augen
[über]anstrengend)
Fi|o|ret|te, die; -, -n meist Plur.
⟨ital., »Blümchen«) (Musik
Gesangsverzierung); Fi|o|ri|tur,

die; -, -en *meist Plur.* (svw. Fiorette)

Fips, der; -es, -e *(landsch. für* kleiner, unscheinbarer Mensch); Meister Fips (*Spottname für* Schneider); **fip|sig** (*ugs. für* unbedeutend, klein)

Fi|ren|ze (*ital. Form von* Florenz)

Fire|wall [ˈfaɪəwɔːl], die; -, -s *u.* der; -s, -s ⟨engl., »Brandmauer«⟩ (*EDV* Programmsystem, das Netzwerke vor unerwünschtem Zugriff schützt)

Fir|le|fanz, der; -es (*ugs. für* überflüssiges, wertloses Zeug; Unsinn); **Fir|le|fan|ze|rei**

firm ⟨lat.⟩; in etw. firm (erfahren, beschlagen) sein

Fir|ma, die; -, ...men ⟨ital.⟩ *(Abk.* Fa.)

Fir|ma|ment, das; -[e]s ⟨lat.⟩ *(geh.)*

fir|men ⟨lat.⟩ (jmdm. die Firmung erteilen)

Fir|men|auf|druck; Fir|men|buch

Fir|men|chef; Fir|men|che|fin

Fir|men|in|ha|ber; Fir|men|in|ha|be|rin

fir|men|in|tern

Fir|men|kopf (svw. Firmenaufdruck)

Fir|men|kun|de; Fir|men|kun|din

Fir|men|re|gis|ter; Fir|men|schild; Fir|men|sitz; Fir|men|stem|pel

Fir|men|ver|zeich|nis; Fir|men|wert, der; -[e]s; **Fir|men|zei|chen**

fir|mie|ren (einen bestimmten Geschäftsnamen führen)

Firm|ling ⟨lat.⟩ (der *od.* die zu Firmende); **Firm|pa|te; Firm|pa|tin; Fir|mung** (kath. Sakrament)

firn (*fachspr. für* alt, abgelagert [von Wein]); ein firner Wein

Firn, der; -[e]s, *Plur.* -e, *auch* -en (körnig gewordener Altschnee im Hochgebirge; *schweiz. auch für* damit bedeckter Gipfel)

Fir|ne, die; -, -n (Reife des Weines)

Firn|eis, das; -es

Firn|ne|wein

Firn|glei|ter (Kurzski für Gletscherabfahrten)

fir|nig

Fir|nis, der; -ses, -se ⟨franz.⟩ (schnell trocknender Schutzanstrich); **fir|nis|sen;** du firnisst

Firn|schnee

First, der; -[e]s, -e; **First|bal|ken**

first class [ˈføːɐst -] ⟨engl.⟩ (erstklassig, von gehobenem Standard); First-Class-Ho|tel ⟨engl.; franz.⟩ (Luxushotel)

First|fei|ler (*österr. für* Richtfest)

First La|dy, die; - -, - Ladies ⟨engl.,

»Erste Dame«⟩ (Frau eines Staatsoberhauptes)

First|pfet|te; First|zie|gel

Firth [fəːθ], der; -, -es [ˈfəːθɪz] ⟨engl.⟩ (tief ins Landesinnere reichender Meeresarm in Schottland)

fis, Fis, das; -, - (Tonbezeichnung); **fis** (*Zeichen für* fis-Moll); in fis; **Fis** (*Zeichen für* Fis-Dur); in Fis

FIS, Fis, die; - = Fédération Internationale de Ski ⟨franz.⟩ (Internationaler Skiverband)

Fisch, der; -[e]s, -e; faule Fische (*ugs. für* Ausreden); kleine Fische (*ugs. für* Kleinigkeiten); frische Fische; die Fisch verarbeitende *od.* fischverarbeitende Industrie ↑K58

Fisch|ad|ler

fisch|arm

Fisch|au|ge (*auch* ein fotograf. Objektiv); **fisch|äu|gig**

Fisch|bein; Fisch|be|stand; Fisch|besteck

Fisch|bla|se; Fisch|bla|sen|stil, der; -[e]s *(Archit.)*

Fisch|blut; Fisch|bra|te|rei, Fisch|brat|kü|che (Gaststätte für Fischgerichte)

Fisch|bröt|chen; Fisch|brut

fi|scheln (*bes. österr., schweiz. für* nach Fisch riechen); ich fisch[e]le

fi|schen; du fischst

Fi|schenz, die; -, -en (*schweiz. für* Fischpacht)

Fi|scher; Fi|scher|boot

Fi|scher-Dies|kau (dt. Sänger)

Fi|scher|dorf

Fi|sche|rei

Fi|sche|rei|gren|ze; Fi|sche|rei|hafen; Fi|sche|rei|we|sen

Fi|sche|rin

Fi|scher|kar|te (*österr. für* Angelschein); **Fi|scher|netz; Fi|scherste|chen** (Brauch der Fischer, bei dem diese versuchen, sich gegenseitig mit langen Stangen aus dem Boot zu stoßen)

Fi|scher von Er|lach (österr. Barockbaumeister)

Fisch|fi|let; Fisch|frau; Fisch|gericht; Fisch|ge|schäft

Fisch|grä|te; Fisch|grä|ten|mus|ter

Fisch|grün|de *Plur.*

fi|schig

Fisch|kal|ter (*bayr., österr. für* Fischbehälter); **Fisch|kon|ser|ve; Fisch|kut|ter; Fisch|la|den**

Fisch|laich; Fisch|markt; Fisch|maul

Fisch|mehl; Fisch|mes|ser, das; **Fisch|ot|ter,** der

Fisch|res|tau|rant; Fisch|reu|se; Fisch|ro|gen; Fisch|stäb|chen; Fisch|sup|pe

Fisch ver|ar|bei|tend, fisch|ver|ar|bei|tend ↑K58

Fisch|ver|gif|tung; Fisch|zug

Fis-Dur [*auch* ˈfɪsˈduːɐ], das; - (Tonart; *Zeichen* Fis); **Fis-Dur-Ton|lei|ter** ↑K26

Fi|sett|holz, das; -es (einen gelben Farbstoff enthaltendes Holz)

Fi|si|ma|ten|ten *Plur.* (*ugs. für* leere Ausflüchte); mach keine Fisimatenten!

fis|ka|lisch (dem Fiskus gehörend; staatlich); **Fis|kus,** der; -, *Plur.* ...ken *u.* -se *Plur. selten* (der Staat als Eigentümer des Staatsvermögens; Staatskasse)

fis-Moll [*auch* ˈfɪsˈmɔl], das; - (Tonart; *Zeichen* fis); **fis-Moll-Ton|lei|ter** ↑K26

Fi|so|le, die; -, -n ⟨ital.⟩ (*österr. für* grüne Gartenbohne)

fis|se|lig (*landsch. für* dünn, fein; Geschicklichkeit erfordernd)

fis|si|l ⟨lat.⟩ (spaltbar); **Fis|si|li|tät,** die; -; **Fis|si|on,** die; -, -en (*Kernphysik* Kernspaltung)

Fis|sur, die; -, -en (*Med.* Spalte, Riss)

Fis|tel, die; -, -n ⟨lat.⟩ (*Med.* krankhafter od. künstlich angelegter röhrenförmiger Kanal, der ein Organ mit der Körperoberfläche od. einem anderen Organ verbindet)

fis|teln (mit Fistelstimme sprechen, singen); ich fist[e]le; **Fis|tel|stim|me** (Kopfstimme)

Fist|fu|cking [...fakɪŋ], das; -s, -s ⟨engl.⟩ (*vulg.* sexuelle Praktik, bei der die Hand od. Faust in den After des Geschlechtspartners eingeführt wird)

fit, fitter, fittes|te ⟨engl.-amerik.⟩ (in guter [körperlicher] Verfassung; durchtrainiert); sich fit halten; ein fitter Bursche

Fi|tis, der; *Gen.* - *u.* -ses, *Plur.* -se (ein Singvogel)

Fit|ness, die; - ⟨engl.-amerik.⟩ (gute körperliche Gesamtverfassung)

Fit|ness|cen|ter; Fit|ness|stu|dio; Fit|ness-Stu|dio; Fit|ness|trai|ner; Fit|ness|trai|ne|rin; Fit|ness|training

Fit|sche, die; -, -n (*landsch. für* Tür-, Fensterangel, Scharnier)

Fit|tich, der; -[e]s, -e (*geh.* Flügel)

Fit|ting, das; -s, -s *meist Plur.*

⟨engl.⟩ (Formstück zur Installation von Rohrleitungen)

Fitz, der; -es, -e ⟨landsch. für Fadengewirr⟩

Fitz|boh|ne ⟨landsch. für Schnittbohne⟩

Fitz|chen (Kleinigkeit)

Fit|ze, die; -, -n ⟨landsch. für Faden; Garngebinde; geflochtene Rute⟩; **Fit|zel,** der od. das; -s, - ⟨landsch. für Fitzchen⟩; **Fitzel|chen** ⟨ugs. für Fitzchen⟩; **fit-zen** ⟨landsch. für sich verwirren; nervös sein⟩; du fitzt

Fi|u|ma|ra, Fi|u|ma|re, die; -, ...re[n] ⟨ital.⟩ (Geogr. Flusslauf, der nur in regenreicher Zeit Wasser führt)

Fi|u|me ⟨ital. Name von Rijeka⟩

Five o'Clock [ˈfaivəˈklɔk], der; - -, - -s, **Five o'Clock Tea** [- - ˈtiː], der; - - -, - - -s ⟨engl.⟩ (Fünfuhrtee)

fix ⟨lat., »fest«⟩ (sicher, stetig, fest; ugs. für gewandt, schnell); fixe Idee (Zwangsvorstellung); fixer (fester) Preis; fixes Gehalt; fixe Kosten; fix angestellt (österr. für fest angestellt); fix und fertig

Fi|xa|teur [...ˈtøːɐ̯], der; -s, -e ⟨franz.⟩ (Zerstäuber für Fixiermittel); **Fi|xa|tiv,** das; -s, -e ⟨lat.⟩ (Fixiermittel für Zeichnungen)

fi|xen ⟨engl.⟩ (Börsenw. Leerverkäufe von Wertpapieren tätigen; ugs. für sich Drogen spritzen); du fixt; **Fi|xer** ⟨Börsenw. Leerverkäufer; Börsenspekulant; ugs. für jmd., der sich Drogen spritzt); **Fi|xe|rin, Fi|xer|stu|be** ⟨ugs. für behördlich kontrollierter Raum zum Fixen⟩

fix|fer|tig ⟨schweiz. für fix und fertig⟩

Fi|xier|bad ⟨Fotogr.⟩; **fi|xie|ren; Fi-xier|mit|tel,** das; **Fi|xie|rung**

Fi|xig|keit, die; - ⟨ugs. für Gewandtheit⟩

Fix|kos|ten Plur.; **Fix|lein|tuch** ⟨schweiz. für Spannbetttuch⟩

Fix|preis; Fix|punkt (Festpunkt); **Fix|stern** (scheinbar unbeweglicher Stern; vgl. ²Stern)

Fi|xum, das; -s, ...xa (festes Entgelt)

Fix|zeit (Festzeit, während der auch bei gleitender Arbeitszeit alle Arbeitnehmer anwesend sein müssen)

Fjäll ⟨schwed.⟩, **Fjell** ⟨norweg.⟩, älter **Fjeld,** der; -s, -s ⟨dän.⟩ (baumlose Hochfläche in Skandinavien)

Fjord, der; -[e]s, -e ⟨skand.⟩ (schmale Meeresbucht)

FKK, die; - = Freikörperkultur; **FKKler** [ɛfkaːˈkaːlɐ], ↑K30 (ugs.); **FKKle|rin** [ɛfkaːˈkaːlərɪn]; **FKK-Strand** ↑K28

FL = Florida

fl., Fl. = Florin (Gulden)

Flab, die; - ⟨schweiz. Kurzw. für Fliegerabwehr⟩; vgl. Flak

flach; auf dem flachen Land[e] (außerhalb der Stadt) wohnen; flach atmen; einen Hut flach drücken od. flachdrücken; ein Schnitzel flach klopfen od. flachklopfen; sich flach auf den Boden legen, flach auf dem Boden liegen; vgl. flachfallen, flachlegen, flachliegen

Flach, das; -[e]s, -e ⟨Seemannsspr. Untiefe⟩

...flach (z. B. Achtflach, das; -[e]s, -e)

Flach|band|ka|bel; Flach|bau Plur. ...bauten

Flach|bett|scan|ner

Flach|bild|schirm

flach|brüs|tig

Flach|dach; Flach|druck Plur. ...drucke (Druckw.)

flach drü|cken, flach|drü|cken vgl. flach

Flä|che, die; -, -n

Flach|ei|sen (ein Werkzeug)

Flä|chen|aus|deh|nung; Flä|chen-blitz; Flä|chen|brand

flä|chen|de|ckend; Flä|chen|er|trag; flä|chen|haft; flä|chen|in|halt

Flä|chen|nut|zung, Flä|chen|wid-mung; Flä|chen|ta|rif|ver|trag; Flä|chen|wid|mungs|plan

flach|fal|len (↑K56; ugs. für nicht stattfinden)

Flach|feu|er|ge|schütz

Flach|heit; flä|chig

flach klop|fen, flach|klop|fen vgl. flach

Flach|kopf (svw. Dummkopf)

Flach|küs|te

Flach|land Plur. ...länder; **Flach|län-der,** der; **Flach|län|de|rin**

flach|le|gen (ugs. für sich schlafen legen; jmdn. niederschlagen; mit jmdm. koitieren)

flach|lie|gen (ugs. für krank sein); sie hat eine Woche flachgelegen

Flach|mann Plur. ...männer (ugs. für Taschenflasche)

...fläch|ner (z. B. Achtflächner)

Flachs, der; -es (Faserpflanze); **flachs|blond; Flachs|bre|che**

Flach|schuss (bes. Fußball)

Flachs|dar|re

Flach|se (bayr., österr. für Flechse)

flach|sen (ugs. für necken, spotten, scherzen); du flachst

fläch|sen, fläch|sern (aus Flachs)

Flach|se|rei

fläch|sen vgl. flächsen

Flachs|haar; Flachs|kopf

Flach|wich|ser (derb abwertend)

Flach|zan|ge

fla|cken ⟨landsch. für flackern⟩; **Fla|cker|feu|er; fla|cke|rig, flack-rig; fla|ckern**

Fla|den, der; -s, - (flacher Kuchen; breiige Masse; kurz für Kuhfladen); **Fla|den|brot**

Fla|der, die; -, -n (Maser, Holzader; bogenförmiger Jahresring im Schnittholz); **Fla|der|holz; fla|de-rig, flad|rig** (gemasert); **Fla|der-schnitt; Fla|de|rung,** die; - (Maserung)

Fläd|le, das; -s, - ⟨bes. schwäb. für Streifen aus Eierteig als Suppeneinlage⟩; **Fläd|le|sup|pe; Fläd|li,** das; -s, - ⟨schweiz. für Flädle⟩; **Fläd|li|sup|pe**

flad|rig vgl. faderig

Fla|gel|lant, der; -en, -en meist Plur. ⟨lat., »Geißler«⟩ (Angehöriger religiöser Bruderschaften des Mittelalters, die sich zur Sündenvergebung selbst geißelten); **Fla|gel|lan|ten|tum,** das; -s

Fla|gel|lat, der; -en, -en meist Plur. (Biol. Geißeltierchen)

Fla|geo|lett [...ʒo...], das; -s, Plur. -e u. -s ⟨franz.⟩ (kleinster Typ der Schnabelflöte; flötenähnlicher Ton bei Streichinstrumenten u. Harfen; Flötenregister der Orgel); **Fla|geo|lett|ton,** Fla|geo-lett-Ton

Flag|ge, die; -, -n; **flag|gen**

Flag|gen|al|pha|bet; Flag|gen|gruß; Flag|gen|mast (vgl. ¹Mast)

Flag|gof|fi|zier; Flag|gof|fi|zie|rin

Flagg|schiff

fla|g|rant ⟨lat.⟩ (deutlich u. offenkundig); vgl. in flagranti

Flag|ship|store, Flag|ship-Store [ˈflɛgʃɪpstoːɐ̯], der; -s, -s ⟨engl.⟩ (besonders repräsentatives Ladengeschäft einer Firma)

Flair [flɛːɐ̯], das; -s ⟨franz.⟩ (Fluidum, Atmosphäre; bes. schweiz. für feiner Instinkt)

Flak, die; -, Plur. -, auch -s (Kurzw. für Flugzeugabwehrkanone; Flugabwehrartillerie); die leichten und schweren Flak[s]; **Flak-bat|te|rie**

Fla|ke, die; -, -n ⟨nordd. für [Holz]geflecht; Netz⟩

Flak|hel|fer; Flak|hel|fe|rin
Fla|kon [...ˈkõ:], der od. das; -s, -s
⟨franz.⟩ ([Riech]fläschchen)
Flam|beau [flãˈbo:], der; -s, -s
⟨franz.⟩ (mehrarmiger Leuchter
mit hohem Fuß)
Flam|berg, der; -[e]s, -e (zweihän-
diges [meist flammenförmiges]
Schwert der Landsknechte)
flam|bie|ren ([Speisen] mit Alko-
hol übergießen u. anzünden)
Fla|me, der; -n, -n (Angehöriger
der Bevölkerung im Westen u.
Norden Belgiens u. in den
angrenzenden Teilen Frank-
reichs u. der Niederlande)
Fla|men|co, der; -[s], -s ⟨span.⟩
(andalus. [Tanz]lied; Tanz)
Flä|min, Flä|min
Flä|ming, der; -s (Landrücken in
der Mark Brandenburg)
Fla|min|go, der; -s, -s ⟨span.⟩
([rosafarbener] Wasservogel)
flä|misch vgl. deutsch; Flä|misch,
das; -[s] (Sprache); vgl. Deutsch;
Flä|mi|sche, das; -n; vgl. Deut-
sche, das
Flam|län|der vgl. Flame
Flämm|chen; Flam|me, die; -, -n
Flamm|ei|sen (ein Tischlerwerk-
zeug)
flam|men
fläm|men (Technik absengen)
flam|mend (auch für leidenschaft-
lich)
Flam|men|meer; Flam|men|tod;
Flam|men|wer|fer
Flam|me|ri, der; -[s], -s ⟨engl.⟩ (eine
kalte Süßspeise)
Flamm|garn
flam|mig
Flamm|koh|le (mit langer Flamme
brennende Steinkohle)
Flämm|lein; Flamm|punkt (Tempe-
ratur, bei der die Dämpfe über
einer Flüssigkeit entflammbar
sind)
Flan|dern (Gebiet zwischen der
Schelde u. der Nordsee); fländ-
risch; die flandrische Küste
Fla|nell, der; -s, -e ⟨franz.⟩ (gerau-
tes Gewebe); Fla|nell|an|zug
fla|nell|len (aus Flanell)
Fla|nell|hemd; Fla|nell|ho|se
Fla|neur [...ˈnø:ɐ̯], der; -s, -e
⟨franz.⟩ (müßig Umherschlen-
dernder); Fla|neu|rin
fla|nie|ren
Fla|nier|mei|le (ugs. für Straße zum
Flanieren)
Flan|ke, die; -, -n ⟨franz.⟩; flan|ken
Flan|ken|an|griff; Flan|ken|ball;
Flan|ken|wech|sel

Flan|kerl, das; -s, -n (österr. ugs.
für Fussel)
flan|kie|ren ⟨franz.⟩ ([schützend]
begleiten)
Flansch, der; -[e]s, -e (Verbin-
dungsansatz an Rohren,
Maschinenteilen usw.); flan-
schen (mit einem Flansch versehen)
Flan|schen|dich|tung; Flansch|ver-
bin|dung
Fla-Pan|zer (Flugabwehrpanzer)
Flap|pe, die; -, -n (landsch. für
schiefer Mund); eine Flappe ziehen (schmollen)
Flaps, der; -es, -e (ugs. für Flegel);
flap|sig (ugs.)
Fla-Ra|ke|te (Flugabwehrrakete)
Fläsch|chen; Fla|sche, die; -, -n
(ugs. auch für Versager)
Fla|schen|bier; Fla|schen|bürs|te;
Fla|schen|gar|ten (Zierpflanzen
in einer Flasche)
Fla|schen|gä|rung (bei Schaum-
wein)
fla|schen|grün
Fla|schen|hals (Engpass); Fla|schen-
kind; Fla|schen|öff|ner
Fla|schen|pfand, das; -[e]s; Fla-
schen|post; Fla|schen|zug
Fläsch|lein
Flasch|ner (südd. für Klempner);
Flasch|ne|rin
Fla|ser, der; -, -n (Ader im
Gestein); fla|se|rig, flas|rig
fla|shen [ˈflɛʃn] ⟨engl.⟩ (ugs. für
begeistern; EDV ROM-gespei-
cherte Software überschreiben);
du flashst; geflasht
Flat|rate, die; -, -s, Flat Rate [ˈflɛt-
reɪt], die; - -, - -s ⟨engl.⟩
(monatl. Pauschalpreis für
einen unbegrenzten Internetzu-
gang)
Flat|sche [auch ˈfla:...], die; -, -n,
Flat|schen, der; -s, - (landsch.
für großes Stück; breiige Masse)
Flat|ter, die; -; nur in die Flatter
machen (ugs. für verschwinden)
Flat|ter|geist Plur. ...geister
flat|ter|haft; Flat|ter|haf|tig|keit
flat|te|rig, flatt|rig
Flat|ter|mann Plur. ...männer (ugs.
für Nervosität; unruhiger
Mensch; auch für Brathähn-
chen)
Flat|ter|mar|ke (Druckw.)
flat|tern; ich flattere
Flat|ter|satz (Druckw.)
flat|tie|ren ⟨franz.⟩ (schweiz. für
schmeicheln, gut zureden)
flatt|rig vgl. flatterig
Fla|tu|lenz, die; - ⟨lat.⟩ (Med.

Darmaufblähung); Fla|tus, der;
-, - (Med. Blähung)
flau (ugs. für schlecht, übel)
Flau|bert [floˈbɛːɐ̯] (franz. Schrift-
steller)
Flau|heit, die; -
¹Flaum, der; -[e]s; vgl. Flom[en]
²Flaum, der; -[e]s (weiche Bauch-
federn; erster Bartwuchs)
Flau|ma|cher (svw. Miesmacher)
Flau|mer, der; -s, - (schweiz. für
Mopp)
Flaum|fe|der; flau|mig; flaum|weich
vgl. pflaumenweich
Flaus, der; -es, -e (veraltet für
Flausch); Flausch, der; -[e]s, -e
(weiches Wollgewebe); flau-
schig; Flausch|rock
Flau|se, die; -, -n meist Plur. (ugs.
für Ausflucht; törichter Einfall)
Flau|te, die; -, -n (Windstille;
übertr. für Unbelebtheit [z. B. im
Geschäftsleben])
Fla|via (w. Vorn.)
Fla|vi|er, der; -s, - (Angehöriger
eines röm. Kaisergeschlechtes)
Fla|vio (m. Vorn.)
fla|visch
Fläz, der; -es, -e (ugs. für plumper,
roher Mensch; Lümmel); flä|zen,
sich (ugs. für nachlässig sitzen;
sich hinlümmeln); du fläzt dich;
flä|zig (ugs.)
Fleb|be, Flep|pe, die; -, -n meist
Plur. (ugs. für Ausweispapier)
Flech|se, die; -, -n (Sehne); flech|sig
Flech|te, die; -, -n (Pflanze; Haut-
ausschlag; geh. für Zopf)
flech|ten; du flichtst, er flicht; du
flochtest; du flöchtest; geflochten; flicht!
Flech|ter; Flech|te|rin; Flecht|werk,
das; -[e]s
Fleck, der; -[e]s, -e, Fle|cken, der;
-s, -; der blinde Fleck (im Auge);
Fleck|chen
Fle|cke Plur. (landsch. für Kutteln)
fle|cken (Flecke[n] machen,
annehmen; landsch. auch für
vorankommen, z. B. es fleckt)
Fle|cken, der; -s, - (svw. Fleck; grö-
ßeres Dorf)
Fle|cken|ent|fer|ner
fle|cken|los; Fle|cken|lo|sig|keit,
die; -
Fleck|ent|fer|ner (svw. Fleckenent-
ferner); Fle|cken|was|ser
Fle|ckerl, das; -s, -n (österr. für
quadratisch geschnittenes
Nudelteigstück als Suppenein-
lage); Fle|ckerl|spei|se (österr.);
Fle|ckerl|sup|pe (österr.)

F

Flec

Fleckerlteppich – Fliegersprache

Fle|ckerl|tep|pich (*bayr. u. österr.*
für Teppich aus Stoffstreifen)
Fleck|fie|ber, das; -s
fle|ckig; Fle|ckig|keit, die; -
Fleck|ty|phus; Fleck|vieh
Fled|de|rer; fled|dern (*Gaunerspr.*
ausplündern); ich fleddere
Fle|der|maus; Fle|der|wisch
Fleece [fli:s], das; - ⟨engl.⟩ ([syn-
thetischer] Flausch); Fleece|ja-
cke
Fleet, das; -[e]s, -e (Kanal in Küs-
tenstädten, bes. in Hamburg)
Fle|gel, der; -s, -; Fle|ge|lei
fle|gel|haft; Fle|gel|haf|tig|keit
fle|ge|lig
Fle|gel|jah|re *Plur.*
fle|geln, sich; ich fleg[e]le mich
aufs Sofa
fle|hen; fle|hent|lich
fleh|men ([meist von Pferden] die
Oberlippe hochziehen)
Fleisch, das; -[e]s; Fleisch fressende *od.* fleischfressende
Pflanzen, Tiere; der Fleisch
gewordene *od.* fleischgewor-
dene (*veraltend für* personifi-
zierte) Antichrist
Fleisch|be|schau; Fleisch|be|schau-
er; Fleisch|be|schau|e|rin
Fleisch|brü|he; Fleisch|ein|la|ge;
Fleisch|ein|waa|ge
Flei|scher; Flei|sche|rei
Flei|scher|ha|ken
Flei|sche|rin
Flei|scher|in|nung; Flei|scher|meis-
ter; Flei|scher|meis|te|rin
Flei|scher|mes|ser
flei|schern (aus Fleisch)
Flei|sches|lust
Fleisch|es|ser; Fleisch|es|se|rin
Fleisch|ex|t|rakt
fleisch|far|ben, fleisch|far|big
Fleisch fres|send, fleisch|fres|send
↑K 58
Fleisch|ge|richt
Fleisch ge|wor|den, fleisch|ge|wor-
den ↑K 58
Fleisch|ha|cker (*ostösterr. ugs.*);
Fleisch|ha|cke|rin; Fleisch|hau|er
(*österr. für* Fleischer); Fleisch-
hau|e|rei (*österr. für* Fleischerei);
Fleisch|hau|e|rin
flei|schig; Flei|schig|keit, die; -
Fleisch|kä|se (*landsch.*); Fleisch-
klop|fer; Fleisch|klöß|chen;
Fleisch|kon|ser|ve; Fleisch|laib-
chen; Fleisch|lai|berl, das; -, -n
(*österr. für* Frikadelle)
fleisch|lich; Fleisch|lich|keit, die; -
fleisch|los
Fleisch|ma|schi|ne (*österr. für*
Fleischwolf); Fleisch|sa|lat;

Fleisch|to|ma|te; Fleisch|ver|gif|
tung
Fleisch|vo|gel (*schweiz. für* Rou-
lade); Fleisch|wa|ren *Plur.*
Fleisch|wer|dung (Menschwer-
dung, Verkörperung)
Fleisch|wolf; Fleisch|wun|de;
Fleisch|wurst
Fleiß, der; -es; Fleiß|ar|beit
flei|ßig; *aber* ↑K 151: das Fleißige
Lieschen (eine Zierpflanze)
Flei|ver|kehr, der; -[e]s (Flug-Ei-
senbahn-Güterverkehr)
flek|tier|bar ⟨lat.⟩ (*Sprachw.* beug-
bar); flek|tie|ren ([ein Wort] beu-
gen, d. h. deklinieren oder kon-
jugieren); *vgl. auch* Flexion
Fle|ming (dt. Dichter)
flen|nen (*ugs. für* weinen); Flen|ne-
rei (*ugs.*)
Flens|burg (Stadt in Schleswig-
Holstein)
Flep|pe *vgl.* Flebbe
Fles|serl, das; -s, -n (*österr. für* ein
Salz-, Mohngebäck)
flet|schen (die Zähne zeigen); du
fletschst
flet|schern (nach dem Amerikaner
Fletcher⟩ (sorgfältig u. lange
kauen); ich fletschere
Flett, das; -[e]s, -e (Wohn- u.
Herdraum im niedersächs. Bau-
ernhaus)
Flett|ner (dt. Maschinenbauer);
Flett|ner|ru|der, Flett|ner-Ru|der
(Hilfsruder)
Fletz [*auch* flets], das *od.* der; -es,
-e (*südd. für* Hausflur)
fleucht; *nur in* alles, was da
kreucht und fleucht (kriecht
und fliegt = alle Tiere)
Fleur [flø:ɐ̯] (w. Vorn.)
Fleu|ron [flø'rõ:], der; -s, -s ⟨franz.⟩
(Blumenornament)
Fleu|rons [flø'rõ:s] *Plur.* (unge-
süßte Blätterteigstückchen)
Fleu|rop ® [*auch* 'flø:...], die; -
(internationale Blumenge-
schenkvermittlung)
Flex ®, die; -, - (elektr. Säge)
fle|xen; du flext
fle|xi|bel ⟨lat.⟩ (biegsam, elastisch;
sehr anpassungsfähig; *Sprachw.*
beugbar); ...i|b|le Wörter
fle|xi|bi|li|sie|ren (flexibel gestal-
ten); Fle|xi|bi|li|sie|rung; Fle|xi|bi-
li|tät, die; - (Biegsamkeit;
Anpassungsfähigkeit)
Fle|xi|on, die; -, -en (*Med.* Beu-
gung, Abknickung; *Sprachw.*
Beugung, d. h. Deklination od.
Konjugation); Fle|xi|ons|en|dung
fle|xi|ons|fä|hig; fle|xi|ons|los

fle|xi|visch (*Sprachw.* die Beugung
betreffend)
Fle|xur, die; -, -en (*Geol.* Verbie-
gung)
Fli|bus|ti|er, der; -s, - ⟨niederl.⟩
(Seeräuber des 17. Jh.s)
Flic [flik], der; -s, -s ⟨franz.⟩
(*franz. ugs. für* Polizist)
flicht *vgl.* flechten
Flick|ar|beit
fli|cken; Fli|cken, der; -s, -; Fli|cken-
de|cke; Fli|cken|tep|pich
Flick|er; Fli|cke|rei; Fli|cke|rin
Flick|flack, der; -s, -s ⟨franz.⟩ (in
schneller Folge geturnter Hand-
standüberschlag)
Flick|korb; Flick|schus|ter (Stüm-
per); Flick|schus|te|rei
Flick|werk
Flick|boot ⟨niederl.⟩ (kleines
Fischerboot; *auch für* Beiboot)
Flie|der, der; -s, - (Zierstrauch;
landsch. für Holunder)
Flie|der|bee|re; Flie|der|beer|sup-
pe; Flie|der|blü|te; Flie|der|busch
flie|der|far|ben, flie|der|far|big
Flie|der|strauch; Flie|der|tee
(*landsch. für* Tee aus getrockneten Holunderblüten)
Flie|ge, die; -, -n

flie|gen

– er/sie fliegt; du flogst (flogest);
du flögest; geflogen; flieg[e]!
Kleinschreibung ↑K 89:
– fliegende Blätter, fliegende
Hitze, fliegende Brücke (Fähre),
fliegende Untertasse, in fliegender Eile
Großschreibung ↑K 150 u. 151:
– Fliegende Fische (*Zool.*)
– Fliegende Blätter (frühere
humoristische Zeitschrift), der
Fliegende Holländer (Sagengestalt, Oper)

Flie|gen|dreck; Flie|gen|fän|ger;
Flie|gen|fens|ter
Flie|gen|ge|wicht (Körpergewichts-
klasse in der Schwerathletik);
Flie|gen|ge|wicht|ler
Flie|gen|klap|pe; Flie|gen|klat|sche;
Flie|gen|kopf (*Druckerspr.*); Flie-
gen|pilz; Flie|gen|pra|cker (*österr.*
für Fliegenklatsche); Flie|gen-
schnäp|per (ein Singvogel)
Flie|ger (*auch ugs. für* Flugzeug);
Flie|ger|ab|wehr; Flie|ger|alarm
Flie|ge|rei, die; -; Flie|ger|horst
Flie|ge|rin; flie|ge|risch
Flie|ger|ren|nen (*Radsport; Pferde-*
sport); Flie|ger|spra|che

410

Flieh|burg (*früher*)
flie|hen; er flieht; du flohst (flohest); du flöhest; geflohen; flieh[e]!; **flie|hend** (schräg nach hinten verlaufend)
Flieh|kraft (*für* Zentrifugalkraft); **Flieh|kraft|kupp|lung** (*Technik*)
Flie|se, die; -, -n; **flie|sen** (mit Fliesen versehen); du fliest; sie fliest; gefliest; **Flie|sen|bo|den**
Flie|sen|le|ger; **Flie|sen|le|ge|rin**
Fließ, das; -es, -e (*veraltet für* Bach)
Fließ|ar|beit (Arbeit am laufenden Band); **Fließ|band**, das; *Plur.* ...bänder
Fließ|band|ar|beit; **Fließ|band|ar|bei|ter**; **Fließ|band|ar|bei|te|rin**
Fließ|ei (Vogelei ohne Kalkschale)
flie|ßen; du fließt, er fließt; ich floss; du flossest; du flössest; geflossen; fließ[e]!; ineinanderfließen; ineinanderfließende Farben
flie|ßend (ohne Stocken)
Fließ|heck (bei Autos; *vgl.* ¹Heck)
Fließ|laut (Liquida)
Fließ|pa|pier (Löschpapier)
Fließ|text (*Druckerspr.*)
Flim|mer, der; -s, -
Flim|mer|epi|thel (*Biol.* mit Wimpern versehene Zellschicht)
Flim|mer|kis|te (*ugs. für* Fernsehgerät)
flim|mern; ich flimmere
flink; **Flink|heit**, die; -
flink|zün|gig
Flin|serl, das; -s, -n (*österr. ugs. für* Flitter; glitzerndes Metallplättchen [als Ohrschmuck])
Flint, der; -[e]s, -e (*nordd. für* Feuerstein)
Flin|te, die; -, -n (Jagdgewehr, bes. Schrotgewehr); **Flin|ten|ku|gel**; **Flin|ten|schuss**
Flin|ten|weib (abwertend)
Flint|glas *Plur.* ...gläser (sehr reines Glas)
Flinz, der; -es, -e (ein Gestein)
Flip, der; -s, -s ⟨engl.⟩ (ein alkohol. Mischgetränk mit Ei)
Flip|chart, Flip-Chart, die; -s, -s *od.* die; -, -s (auf einem Gestell befestigter großer Papierblock)
¹Flip|flop, das; -s, -s (svw. Flipflopschaltung); **²Flip|flop**, Flip-Flop ®, der; -s, -s *meist Plur.* (badeschuhartige Sandale)
Flip|flop|schal|tung (elektron. Kippschaltung)
Flip|per, der; -s, - (Spielautomat); **flip|pern** (am Flipper spielen); ich flippere

flip|pig (*ugs. für* kess, flott)
flir|ren (flimmern)
Flirt [flœrt, *auch* flɪrt], der; -[e]s, -s ⟨engl.⟩ (Liebelei); **flir|ten**
Flit|scherl, das; -s, -n (*österr. ugs. für* Flittchen)
Flitt|chen (*ugs. abwertend für* leichtlebige junge Frau)
Flit|ter, der; -s, -; **Flit|ter|glanz**; **Flit|ter|gold**; **Flit|ter|kram**
flit|tern (glänzen); **Flit|ter|werk**, das; -[e]s
Flit|ter|wo|chen; **Flit|ter|wöch|ner**; **Flit|ter|wöch|ne|rin**
Flitz, der; -es, -e (*veraltet für* Pfeil); **Flitz|bo|gen** (ugs.); **flit|zen** (*ugs. für* sausen, eilen); du flitzt; du flitztest
Flit|zer (*ugs. für* kleines, schnelles Fahrzeug)
Float [floʊt], der; -s, -s ⟨engl.⟩ (Summe der von Konten abgebuchten, aber noch nicht gutgeschriebenen Zahlungen)
floa|ten [ˈfloʊ...] ⟨engl.⟩ (*Wirtsch.* den Wechselkurs freigeben); **Floa|ting**, das; -s
Flo|bert|ge|wehr, Flo|bert-Ge|wehr [*auch* ...ˈbeːɐ̯...] ⟨nach dem franz. Waffenschmied⟩
F-Loch [ˈɛf...], das; -[e]s, F-Löcher (an Streichinstrumenten)
flocht *vgl.* flechten
Flo|cke, die; -, -n (*nur Plur.: ugs. für* Geld); **flo|cken**; **flo|cken|för|mig**; **flo|cken|wei|se**; **flo|ckig**
Flock|sei|de, die; - (äußere Schicht des Seidenkokons)
Flo|ckung (Chemie); **Flo|ckungs|mit|tel**, das
Flö|del, der; -s, - (schmaler Doppelstreifen am Rand von Decke u. Boden bei Streichinstrumenten)
flog *vgl.* fliegen
floh *vgl.* fliehen
Floh, der; -[e]s, Flöhe; **Floh|biss**
flö|hen
Floh|markt (Trödelmarkt)
Floh|zir|kus, Floh|cir|cus
Flo|ka|ti, der; -s, -s ⟨neugriech.⟩ (Teppich aus langen Wollfäden)
Flom, der; -[e]s *u.* **Flo|men**, der; -s (Bauch- u. Nierenfett des Schweines usw.); *vgl.* ¹Flaum
Floor, der; -s, -s ⟨engl.⟩ (Discotanzboden)
Flop, der; -s, -s ⟨engl.⟩ (Misserfolg; *auch kurz für* Fosburyflop); **flop|pen** (ugs.)
Flop|py Disc, Flop|py Disk, die; - -, - -s ⟨EDV als Datenspeicher dienende [flexible] Magnetplatte⟩

¹Flor, der; -s, -e *Plur. selten* ⟨lat.⟩ (*geh. für* Blüte, Blumenfülle; Gedeihen)
²Flor, der; -s, -e, *selten* Flöre ⟨niederl.⟩ (dünnes Gewebe; samtartige Oberfläche eines Gewebes)
¹Flo|ra (altröm. Göttin; w. Vorn.)
²Flo|ra, die; -, Floren ⟨lat.⟩ (Pflanzenwelt [eines Gebietes]); **flo|ral** (geblümt; mit Blumen, Blüten)
Flor|band, das; *Plur.* ...bänder
Flo|re|al, der; -[s], -s ⟨franz., »Blütenmonat«⟩ (8. Monat des Kalenders der Franz. Revolution: 20. April bis 19. Mai)
Flo|ren|tin (m. Vorn.)
Flo|ren|ti|ne (w. Vorn.)
Flo|ren|ti|ner; Florentiner Hut; **flo|ren|ti|nisch**; **Flo|renz** (ital. Stadt)
Flo|res|zenz, die; -, -en *Plur. selten* ⟨lat.⟩ (*Bot.* Blütenstand; Blütezeit)
Flo|rett, das; -[e]s, -e ⟨franz.⟩; **Flo|rett|fech|ten**; **Flo|rett|sei|de** (Abfallseide)
Flo|ri|an (m. Vorn.)
Flo|ri|a|ni|prin|zip (*bayr., österr. für* Sankt-Florians-Prinzip)
Flo|ri|da (Halbinsel u. Staat in den USA; *Abk.* FL); **Flo|ri|di|a|ner**; **Flo|ri|di|a|nisch**
flo|rie|ren ⟨lat.⟩ (blühen, vorankommen; gedeihen)
Flo|ri|le|gi|um, das; -s, ...ien (*veraltet für* Anthologie; Sammlung von schmückenden Redewendungen)
Flo|rin, der; -s, *Plur.* -e *u.* -s (Gulden in den Niederlanden; ehem. engl. Silbermünze; *Abk.* fl. *u.* Fl.)
Flo|rist, der; -en, -en (Erforscher einer Flora; Blumenbinder); **Flo|ris|tin**; **flo|ris|tisch**
Flos|kel, der; -s, -n ⟨lat.⟩ (-n [inhaltsarme] Redensart); **flos|kel|haft**
floss *vgl.* fließen
Floß, das; -es, Flöße; **flöß|bar**
Flos|se, die; -, -n
flö|ßen; du flößt
Flos|sen|fü|ßer (Zool.)
Flö|ßer
...flos|ser (z. B. Bauchflosser)
Flö|ße|rei, die; -; **Flö|ße|rin**
Floß|fahrt; **Floß|gas|se** (Wasserbau); **Floß|holz**
Flo|ta|ti|on, die; -, -en ⟨engl.⟩ (*Technik* Verfahren zur Aufbereitung von Erzen); **flo|ta|tiv**
Flö|te, die; -, -n; ↑K54 : Flöte spielen, *aber* ↑K82 : beim Flötespielen
¹flö|ten (Flöte spielen)

F

flöt

²flö|ten; *nur in* flöten gehen (*ugs. für* verloren gehen)

Flö|ten|blä|ser; Flö|ten|blä|se|rin

Flö|ten|spiel; Flö|ten|spie|ler; Flö|ten|spie|le|rin; Flö|ten|ton

flo|tie|ren ⟨engl.⟩ (*Technik* Erze durch Flotation aufbereiten)

Flö|tist, der; -en, -en (Flötenbläser); Flö|tis|tin

Flo|tow [...to] (dt. Komponist)

flott (rasch, flink; *Seemannsspr.* frei schwimmend, fahrbereit); solange die Geschäfte so flott gehen; ein flott gehendes *od.* flottgehendes Geschäft ↑K58; flott machen (*ugs. für* sich beeilen); *vgl. aber* flottmachen

Flott, das; -[e]s (*nordd. für* Milchrahm)

flott|be|kom|men (fahrbereit machen)

Flot|te, die; -, -n; Flot|ten|ab|kom|men; Flot|ten|ba|sis; Flot|ten|stütz|punkt

flot|tie|ren (schwimmen; schweben); flottierende (schwebende, kurzfristige) Schuld

Flot|til|le [*auch* ...'tilja], die; -, -en ⟨span.⟩ (Verband kleiner Kriegsschiffe)

flott|ma|chen (*Seemannsspr.* zum Schwimmen bringen; *ugs. für* fahrbereit machen; aus einer finanziellen Not helfen); *vgl.* flott

flott|weg (*ugs. für* in einem weg; zügig)

Flotz|maul (der stets feuchte Nasenteil beim Rind)

Flöz, das, *auch* der; -es, -e (abbaubare [Kohle]schicht)

Flu|at, das; -[e]s, -e (*Kurzw. für* Fluorosilikat)

Fluch, der; -[e]s, Flüche; fluch|be|la|den

flu|chen; Flu|cher; Flu|che|rin

¹Flucht, die; -, -en ⟨zu fliegen⟩ (Fluchtlinie, Richtung, Gerade)

²Flucht, die; -, -en ⟨zu fliehen⟩

flucht|ar|tig; Flucht|burg (*svw.* Fliehburg)

fluch|ten (*Bauw.* in eine gerade Linie bringen)

flüch|ten; sich flüchten

Flucht|fahr|zeug; Flucht|ge|fahr

Flucht|ge|schwin|dig|keit (*Physik* Geschwindigkeit, die nötig ist, um das Gravitationsfeld eines Planeten zu überwinden)

Flucht|hel|fer; Flucht|hel|fe|rin

flüch|tig; Flüch|tig|keit; Flüch|tig|keits|feh|ler

Flücht|ling; Flücht|lings|la|ger

Flucht|li|nie; Flucht|punkt

Flucht|ver|dacht; flucht|ver|däch|tig

Flucht|ver|such; Flucht|wa|gen; Flucht|weg

fluch|wür|dig (*geh.*)

Flüe ['fly:(ə)], Nik[o]laus von (schweiz. Heiliger)

fluf|fig (*ugs. für* leicht u. luftig)

Flug, der; -[e]s, Flüge; die Zeit vergeht im Flug[e]

Flug|ab|wehr; Flug|asche; Flug|bahn; Flug|ball

Flug|be|glei|ter (Steward); Flug|be|glei|te|rin (Stewardess)

flug|be|reit; Flug|be|reit|schaft

Flug|blatt; Flug|boot; Flug|ech|se *vgl.* Flugsaurier

Flü|gel, der; -s, -

Flü|gel|al|tar; Flü|gel|horn

...flü|ge|lig, ...flüg|lig (z. B. einflüg[e]lig)

flü|gel|lahm

Flü|gel|mann *Plur.* ...männer u. ...leute

flü|geln (*Jägerspr.* in den Flügel schießen); ich flüg[e]le; geflügelt (*vgl. d.*)

Flü|gel|schlag; flü|gel|schla|gend

Flü|gel|schrau|be

Flü|gel|stür|mer (*Sport*); Flü|gel|stür|me|rin

Flü|gel|tür

Flug|funk; Flug|gast

flüg|ge

Flug|ge|sell|schaft; Flug|ha|fen (*vgl.* ²Hafen); Flug|hö|he

Flug|hund (Fledermausart)

Flug|ka|pi|tän; Flug|ka|pi|tä|nin

Flug|ki|lo|me|ter

Flug|kör|per

Flug|lärm

Flug|leh|rer; Flug|leh|re|rin

...flüg|lig *vgl.* ...flügelig

Flug|li|nie; Flug|loch; Flug|lot|se; Flug|lot|sin; Flug|plan (*vgl.* ²Plan)

Flug|platz; Flug|rei|se

Flug|ret|tung (Rettungsdienst mit Flugzeugen u. Hubschraubern)

flugs (veraltend *für* schnell, sogleich) ↑K70

Flug|sand; Flug|sau|ri|er (Pterosaurier)

Flug|schan|ze (*Skisport*); Flug|schein; Flug|schrei|ber (Gerät)

Flug|schrift

Flug|schü|ler; Flug|schü|le|rin

Flug|si|che|rung; Flug|steig

Flug|stun|de; Flug|taug|lich|keit

Flug|tech|nik; Flug|ver|bin|dung

Flug|ver|kehr; Flug|we|sen, das; -s

Flug|zet|tel (*österr. für* Flugblatt)

Flug|zeug, das; -[e]s, -e

Flug|zeug|ab|sturz

Flug|zeug|ab|wehr|ka|no|ne (*Kurzw.* Flak)

Flug|zeug|bau, der; -[e]s

Flug|zeug|ent|füh|rer; Flug|zeug|ent|füh|re|rin; Flug|zeug|ent|füh|rung

Flug|zeug|füh|rer; Flug|zeug|füh|re|rin; Flug|zeug|mut|ter|schiff; Flug|zeug|trä|ger

Fluh, die; -, Flühe (*schweiz. für* Fels[wand])

flu|id ⟨lat.⟩ (*Chemie* flüssig); Flu|id [*auch* ...'i:t], das; -s, *Plur.* -e [...'i:də] ⟨engl.⟩ (*fachspr. für* flüssiges Mittel, Flüssigkeit)

Flu|i|dum, das; -s, ...da ⟨lat.⟩ (von einer Person od. Sache ausströmende Wirkung)

Flu|ke, die; -, -n (quer stehende Schwanzflosse der Wale)

Fluk|tu|a|ti|on, die; -, -en ⟨lat.⟩ (Schwanken, Wechsel); fluk|tu|ie|ren

Flum|mi, der; -s, -s ⟨aus »fliegendes Gummi«⟩ (Gummiball)

Flun|der, die; -, -n (ein Fisch)

Flun|ke|rei; Flun|ke|rer; Flun|ke|rin; flun|kern; ich flunkere

Flunsch, die; -, -en u. der; -[e]s, -e (*ugs. für* verzogener Mund)

Flu|or, das; -s ⟨lat.⟩ (chem. Element; Nichtmetall; *Zeichen* F)

Flu|o|res|zenz, die; - (Aufleuchten unter Strahleneinwirkung); flu|o|res|zie|ren; fluoreszierender Stoff (Leuchtstoff)

Flu|o|rid, das; -[e]s, -e (*Chemie* Salz des Fluorwasserstoffs); flu|o|ri|die|ren *vgl.* fluorieren; flu|o|rie|ren (mit Fluor anreichern); Trinkwasser fluorieren

Flu|o|rit, das; -[e]s, -e (*Chemie* Flussspat)

Flu|o|ro|phor, der; -s, -e (Fluoreszenzträger)

Flu|o|ro|si|li|kat (Mittel zur Härtung von Baustoffen); *vgl.* Fluat

Flup|pe, die; -, -n (*ugs. für* Zigarette)

¹Flur, die; -, -en (nutzbare Landfläche; Feldflur)

²Flur, der; -[e]s, -e (Gang [mit Türen], Hausflur)

Flur|be|rei|ni|gung; Flur|buch (Kataster)

Flur|för|de|rer (Fahrzeug)

Flur|funk (*ugs. für* inoffizieller Informationsaustausch innerhalb von Firmen u. Behörden)

Flur|hü|ter; Flur|hü|te|rin

Flur|na|me; Flur|scha|den; Flur|schütz, der; Flur|um|gang (*früher*

fol|gend

– folgende [Seite] (*Abk.* f.), S. 42 f.; folgende [Seiten] (*Abk.* ff.), S. 36 ff.
– folgendes politisches Bekenntnis; folgende lange (*seltener* langen) Ausführungen; wegen folgender wichtiger (*auch* wichtigen) Ereignisse

Großschreibung ↑K 72:

– wir möchten Ihnen Folgendes (dieses) mitteilen
– das Folgende (dieses); aus, in, nach, von Folgendem (diesem)

– das Folgende (das später Erwähnte, Geschehende; die nachfolgenden Ausführungen); aus, in, nach, von dem Folgenden; im, vom Folgenden (dem später Erwähnten, Geschehenden; den folgenden Ausführungen)
– mit Folgendem (hiermit) teilen wir Ihnen das Ergebnis mit
– alle Folgenden (anderen) werden nicht mehr abgefertigt
– jeder Folgende (Weitere) erhält diese Summe

---

für Flurkontrollgang [mit Segnungen])

Flu|se, die; -, -n (*landsch. für* Fadenrest, Fussel)

Fluss, der; -es, Flüsse

fluss|ab, fluss|ab|wärts

Fluss|arm

fluss|auf, fluss|auf|wärts

Fluss|bett

Flüss|chen

Fluss|dia|gramm (grafische Darstellung von Arbeitsabläufen)

Fluss|fisch; Fluss|gott

flüs|sig; flüssige (verfügbare) Gelder; flüssige Kristalle; flüssig schreiben, sprechen; Wachs flüssig machen; *vgl. aber* flüssigmachen

Flüs|sig|ei; Flüs|sig|gas

Flüs|sig|keit; Flüs|sig|keits|brem|se (hydraulische Bremse); **Flüs|sig|keits|maß**, das; **Flüs|sig|keits|men|ge**

Flüs|sig|kris|tall|an|zei|ge ([Ziffern]anzeige mithilfe flüssiger Kristalle)

flüs|sig|ma|chen ([Geld] verfügbar machen); wir mussten 1 000 Euro flüssigmachen; *vgl.* flüssig

Fluss|krebs; Fluss|land|schaft; Fluss|lauf

Flüss|lein

Fluss|mün|dung; Fluss|pferd; Flüss|re|gu|lie|rung

Fluss|sand, Fluss-Sand

Fluss|schiff|fahrt, Fluss-Schifffahrt

Fluss|spat, Fluss-Spat (ein Mineral; *vgl.* ¹Spat)

Fluss|stahl, Fluss-Stahl

Fluss|ufer

Flüs|te|rer; Flüs|te|rin; flüs|tern; ich flüstere

Flüs|ter|pro|pa|gan|da; Flüs|ter|stim|me; Flüs|ter|ton, der; -[e]s; im Flüsterton sprechen; **Flüs|ter|tü|te** (*scherzh. für* Sprachrohr); **Flüs|ter|witz** (gegen ein totalitäres Regime gerichteter Witz)

Flut, die; -, -en; **flu|ten**

Flut|hö|he; Flut|ka|ta|s|t|ro|phe; Flut|licht; Flut|op|fer

flut|schen (*ugs. für* gut vorankommen, -gehen); es flutscht

Flut|war|nung; Flut|wel|le; Flut|zeit

flu|vi|al ⟨lat.⟩ (*Geol.* von fließendem Wasser verursacht)

Fly|er [ˈflaɪ̯ɐ], der; -s, - ⟨engl.⟩ (Vorspinn-, Flügelspinnmaschine; Arbeiter an einer solchen Maschine; Handzettel, Werbezettel); **Fly|e|rin**

Fly|ing Dutch|man [ˈflaɪ̯ɪŋ ˈdatʃmən], der; - -, - ...men ⟨engl.⟩ (ein Zweimann-Sportsegelboot)

Fly-over, Fly|over [flaɪ̯ˈoːvɐ], der; -s, -s (Straßenüberführung)

Flysch [flɪʃ, *schweiz.* fliːʃ, *österr.* fly:ʃ], das, *österr.* der; -[e]s (ein Gestein)

Fm = Fermium

Fm, fm = Festmeter

FMH, die; - = Foederatio Medicorum Helveticorum (Vereinigung schweiz. [Fach]ärzte)

Fmk = Finnmark; *vgl.* Markka

f-Moll [ˈɛfmɔl, *auch* ˈɛfˈmɔl], das; - (Tonart; *Zeichen* f); **f-Moll-Ton|lei|ter** ↑K 26

fob = free on board ⟨engl., »frei an Bord«⟩; **Fob|klau|sel**

focht *vgl.* fechten

Fock, die; -, -en (Vorsegel; unterstes Rahsegel des Vormastes); **Fock|mast**, der; **Fock|ra|he; Fock|se|gel**

fö|de|ral (föderativ); **Fö|de|ra|lis|mus**, der; - ⟨lat.-franz.⟩ ([Streben nach] Selbstständigkeit der einzelnen Länder innerhalb eines Staatsganzen)

Fö|de|ra|list, der; -en, -en; **Fö|de|ra|lis|tin; fö|de|ra|lis|tisch**

Fö|de|ra|ti|on, die; -, -en (loser [Staaten]bund)

fö|de|ra|tiv (bundesmäßig); **Fö|de|ra|tiv|staat** *Plur.* ...staaten

fö|de|riert (verbündet)

Fo|gosch, der; -[e]s, -e ⟨ung.⟩ (*österr. für* Zander)

---

föh|len (ein Fohlen zur Welt bringen); **Föh|len**, das; -s, -

Föhn, der; -[e]s, -e (warmer, trockener Fallwind; *auch für* Haartrockner [als ®: Fön])

föh|nen (föhnig werden; *auch für* mit dem Föhn trocknen); es föhnt; sie föhnt ihr Haar

föh|nig; föhniges Wetter

Föhn|krank|heit; Föhn|wind

Föhr (eine der Nordfries. Inseln)

Föh|re, die; -, -n (*landsch. für* Kiefer); **föh|ren** (aus Föhrenholz); **Föh|ren|wald**

Foie gras [ˈfŏa ˈgra:], die; - -, -s - ⟨franz.⟩ (Gänsestopfleber)

fo|kal ⟨lat.⟩ (den Fokus betreffend, Brenn...); **Fo|kal|in|fek|ti|on** (*Med.* von einem Streuherd ausgehende Infektion)

Fo|kus, der; -, -se (*Physik* Brennpunkt; *Med.* Krankheitsherd); **fo|kus|sie|ren** (scharf stellen; bündeln); ein Objektiv, seine Interessen auf ein Ziel fokussieren; **Fo|kus|sie|rung**

fol., Fol. = Folio; Folioblatt

Fol|der [ˈfoːldɐ], der; -s, - ⟨engl.⟩ (Faltprospekt, -broschüre)

Fol|ge, die; -, -n; Folge leisten; zur Folge haben; für die Folge, in der Folge; demzufolge (*vgl. d.*); infolge; zufolge; infolgedessen

Fol|ge|er|schei|nung

Fol|ge|jahr; Fol|ge|kos|ten *Plur.*

Fol|ge|las|ten *Plur.*

fol|gen; er ist mir gefolgt (nachgekommen); er hat mir gefolgt (Gehorsam geleistet)

fol|gend *s. Kasten*

fol|gen|der|ge|stalt; fol|gen|der|ma|ßen; fol|gen|los

fol|gen|reich; fol|gen|schwer; Fol|gen|schwe|re, die; -

fol|ge|recht (*veraltend*); **fol|ge|rich|tig; Fol|ge|rich|tig|keit**

fol|gern; ich folgere; **fol|ge|rnd**

Fol|ge|rung

Fol|ge|satz (*für* Konsekutivsatz)

Fol|ge|scha|den

Fol|ge|ton|horn (*österr. für* Martinshorn)

fol|ge|wid|rig; Fol|ge|wid|rig|keit

Fol|ge|wo|che

Fol|ge|zeit

folg|lich

folg|sam; Folg|sam|keit, die; -

Fo|lia (*Plur. von* Folium)

Fo|li|ant, der; -en, -en ⟨lat.⟩ (Buch in Folio)

Fo|lie, die; -, -n (dünnes [Metall]blatt; Hintergrund)

Fo|li|en|kar|tof|fel (in Alufolie gegarte Kartoffel)

Fo|li|en|schweiß|ge|rät

fo|li|en|ver|packt; folienverpackte Ware; Fo|li|en|ver|pa|ckung

Fol|lies-Ber|gère [...liber'ʒɛ:ʁ] *Plur.* ⟨franz.⟩ (Varietee u. Tanzkabarett in Paris)

fo|li|ie|ren ⟨lat.⟩ (beziffern; mit einer Folie unterlegen)

Fo|lio, das; -s, *Plur.* Folien *u.* -s (*Buchw.* Halbbogengröße [*nur Sing.;* Buchformat; *Abk.* fol., Fol. *od.* 2°]; Blatt im Geschäftsbuch); in Folio

Fo|lio|band; Fo|lio|blatt (*Abk.* Fol.); Fo|lio|for|mat

Fo|li|um, das; -s, *Plur.* Folia *u.* Folien (*Bot.* Pflanzenblatt)

Folk [fo:k], der; -s ⟨engl.⟩ (an englischsprachige Volksmusik anknüpfende, [vom [2]Rock beeinflusste] populäre Musik)

Fol|ke, Fol|ko (m. Vorn.)

Fol|ke|ting, das; -s (Bez. für das dän. Parlament)

Fol|k|lo|re, die; - ⟨engl.⟩ (volkstüml. Überlieferung; Volksmusik [in großer Vielzahl])

Fol|k|lo|rist, der; -en, -en; Fol|k|lo|ris|tik, die; - (Wissenschaft von der Folklore); Fol|k|lo|ris|tin; fol|k|lo|ris|tisch

Fol|ko *vgl.* Folke

Folk|song ['fo:k...] ⟨engl.⟩ (volksliedhafter [Protest]song)

Folk|wang (*nord. Mythol.* Palast der Freyja)

Fol|li|kel, der; -s, - ⟨lat., *Biol., Med.* Drüsenbläschen; Hülle der reifenden Eizelle im Eierstock)

Fol|li|kel|hor|mon

Fol|li|kel|sprung

fol|li|ku|lar, fol|li|ku|lär (auf den Follikel bezüglich)

Fol|säu|re, die; -

Fol|ter, die; -, -n

Fol|ter|bank *Plur.* ...bänke; Fol|te|rer

Fol|ter|in|s|t|ru|ment; Fol|ter|kam|mer

fol|tern; ich foltere; Fol|te|rung

Fol|ter|werk|zeug

[1]Fon, Phon, das; -s, -s ⟨griech.⟩ (Maßeinheit für die Lautstärke); 50 Fon *od.* Phon

[2]Fon (*kurz für* Telefon *[auf Visitenkarten, in Briefköpfen usw.]*)

Fön® *vgl.* Föhn

fon... *vgl.* phon...

Fon... *vgl.* Phon...

Fond [fõ:], der; -s, -s ⟨franz.⟩ (Hintergrund; Rücksitz im Wagen; ausgebratener od. -gekochter Fleischsaft)

Fon|dant [fõ'dã:], der, *auch, österr. nur* das; -s, -s ⟨franz.⟩ ([Konfekt aus] Zuckermasse)

Fonds [fõ:], der; -, - ⟨franz.⟩ (Geldmittel, -vorrat, Bestand; *Plur. auch für* Anleihen); fonds|ge|bun|den

Fonds|ma|na|ger; Fonds|ma|na|ge|rin

Fon|due [fõ'dy:], *schweiz. auch* 'fõdy:], das; -s, -s *od.* die; -, -s ⟨franz.⟩ (schweiz. Käsegericht; bei Tisch gegartes Fleischgericht); Fon|due|ga|bel

Fo|nem, Pho|nem, das; -s, -e (*Sprachw.* Laut, kleinste bedeutungsdifferenzierende sprachl. Einheit)

Fo|ne|ma|tik, Pho|ne|ma|tik, die; - (*svw.* Phonologie); fo|ne|ma|tisch, pho|ne|ma|tisch (das Phonem betreffend)

fo|ne|misch, pho|ne|misch

fö|nen (*alte Schreibung für* [die Haare] föhnen)

Fo|ne|tik, Pho|ne|tik, die; - (Lehre von der Lautbildung); Fo|ne|ti|ker, Pho|ne|ti|ker; Fo|ne|ti|ke|rin, Pho|ne|ti|ke|rin; fo|ne|tisch, pho|ne|tisch

Fo|ni|a|ter, Pho|ni|a|ter ⟨griech.⟩; Fo|ni|a|te|rin, Pho|ni|a|te|rin; Fo|ni|a|t|rie, Pho|ni|a|t|rie, die; - (*Med.* Lehre von den Erkrankungen des Stimmapparates)

fo|nisch, pho|nisch ⟨griech.⟩ (die Stimme, den Laut betreffend)

fo|no... *vgl.* phono...

Fo|no... *vgl.* Phono...

Fo|no|dik|tat, Pho|no|dik|tat ⟨griech.; lat.⟩ (auf Tonband o. Ä. gesprochenes Diktat)

Fo|no|graf, Pho|no|graph, der; -en, -en (von Edison 1877 erfundenes Tonaufnahmegerät); Fo|no|gra|fie, Pho|no|gra|phie, die; -, ...ien (*veraltet für* lautgetreue Schreibung); fo|no|gra|fisch,

pho|no|gra|phisch (lautgetreu; die Phonographie betreffend)

Fo|no|gramm, Pho|no|gramm, das; -s, -e ⟨griech.⟩ (Aufzeichnung von Schallwellen auf Tonband usw.)

Fo|no|lith, Pho|no|lith [*auch:* ...'lɪt], der; *Gen.* -s *u.* -en, *Plur.* -e[n] (ein Ergussgestein)

Fo|no|lo|gie, Pho|no|lo|gie, die; - (Wissenschaft, die die Funktion der Laute in einem Sprachsystem untersucht); fo|no|lo|gisch, pho|no|lo|gisch

Fo|no|me|ter, Pho|no|me|ter, das; -s, - (Lautstärkemesser)

Fo|no|me|t|rie, Pho|no|me|t|rie, die; - (Messung akust. Reize u. Empfindungen)

Fo|no|tech|nik, Pho|no|tech|nik

Fo|no|thek, Pho|no|thek, die; -, -en (*svw.* Diskothek)

Fo|no|ty|pis|tin, Pho|no|ty|pis|tin (weibl. Schreibkraft, die vorwiegend nach einem Diktiergerät schreibt)

fon|stark, phon|stark *vgl.* [1]Fon

Font, der; -s, -s ⟨engl.⟩ (*EDV* Zeichensatz)

Fon|taine|bleau [fõtɛn'blo:] (Stadt u. Schloss in Frankreich)

Fon|tä|ne, die; -, -n ⟨franz.⟩ ([Spring]brunnen)

Fon|ta|nel|le, die; -, -n (*Med.* Knochenlücke am Schädel Neugeborener)

Fon|tan|ge [fõ'tã:ʒə], die; -, -n ⟨nach einer franz. Herzogin⟩ (Frauenhaartracht des 17. Jh.s)

Fon|zahl, Phon|zahl *vgl.* [1]Fon

Foot [fʊt], der; -, Feet [fi:t] ⟨engl.⟩ (engl. Längenmaß; *Abk.* ft; *Zeichen* ')

Foot|ball [...bo:l], der; -s (amerik. Mannschaftsspiel)

fop|pen

Fop|per

Fop|pe|rei

Fo|ra|mi|ni|fe|re, die; -, -n *meist Plur.* ⟨lat.⟩ (*Biol.* zu den Wurzelfüßern gehörendes Urtierchen)

Force de Frappe ['fɔrs də 'frap], die; - - - ⟨franz.⟩ (Gesamtheit der französischen Atomstreitkräfte)

for|cie|ren (erzwingen; verstärken); for|ciert

Ford®, der; -s, -s ⟨nach dem Automobilfabrikanten Henry Ford⟩ (amerikanische Kraftfahrzeugmarke)

För|de, die; -, -n (*nordd. für* schmale, lange Meeresbucht)

För|der|band, das; *Plur.* ...bänder
För|der|be|trieb
För|de|rer; För|de|rer|kreis *vgl.* Förderkreis
För|de|rin
För|der|koh|le; För|der|korb
För|der|kreis (eines Museums u. Ä.)
För|der|kurs; För|der|land
för|der|lich
För|der|mit|tel *Plur.*
for|dern; ich fordere
för|dern; ich fördere
För|der|preis (zur Förderung junger Künstler u. Ä.); För|der|programm; För|der|schacht; För|der|seil; För|der|stu|fe; För|der|turm
For|de|rung
För|de|rung; För|de|rungs|maß|nah|me
För|der|ver|ein
För|der|werk *(Technik)*
Fö|re, die; - ⟨skand.⟩ *(Skisport* Gefürchtete)
Fore|che|cking ['fo:ɐ̯...], das; -s, -s ⟨engl.⟩ *(Eishockey* das Stören und Angreifen des Gegners in dessen Verteidigungsdrittel)
Fo|reign Of|fice [...rɪn ...fɪs], das; - - (brit. Außenministerium)
Fo|rel|le, die; -, -n (ein Fisch); Fo|rel|len|teich; Fo|rel|len|zucht
Fo|ren|sik, die; -, -en (Gerichtsmedizin; gerichtsmed. Klinik); fo|ren|sisch ⟨lat.⟩ (gerichtlich)
Fo|rint [*österr.* fɔ'rɪnt], der; -[s], -s ⟨ung.⟩ (ung. Währungseinheit; *Währungscode* HUF); 10 Forint
For|ke, die; -, -n (*nordd. für* Heu-, Mistgabel)
for|keln (*Jägerspr.* mit dem Geweih kämpfen)
For|le, die; -, -n (*südd. für* Kiefer)
Forl|eu|le (Schmetterling)
Form, die; -, -en; in Form sein; in Form von; *vgl.* pro forma; for|mal (auf die Form bezüglich; nur der Form nach)
Form|al|de|hyd [*auch* ...'hy:t], der; -s (ein Gas als Desinfektionsmittel)
For|ma|lie, die; -, -n *meist Plur.* (formale Einzelheit)
For|ma|lin ®, das; -s (ein Konservierungs-, Desinfektionsmittel)
for|ma|li|sie|ren ⟨franz.⟩ (in [strenge] Form bringen; formal darstellen)
For|ma|lis|mus, der; -, ...men ⟨lat.⟩ (Überbetonung der Form, des rein Formalen)
For|ma|list, der; -en, -en; For|ma|lis|tin; for|ma|lis|tisch

For|ma|li|tät, die; -, -en (Äußerlichkeit, Formsache; Vorschrift); for|ma|li|ter (förmlich)
for|mal|ju|ris|tisch; for|mal|recht|lich
Form|an|stieg *(Sport)*
For|mat, das; -[e]s, -e ⟨lat.⟩
for|ma|tie|ren (*EDV* Daten anordnen; [eine Diskette] zur Datenaufnahme vorbereiten)
For|ma|ti|on, die; -, -en (Anordnung; Gruppe, Verband; *Geol.* Zeitabschnitt, Folge von Gesteinsschichten); For|ma|ti|ons|flug; For|ma|ti|ons|tanz
for|ma|tiv (auf die Gestaltung bezüglich, gestaltend)
form|bar; Form|bar|keit, die; -
form|be|stän|dig; Form|be|stän|dig|keit
Form|blatt; Form|ei|sen
For|mel, die; -, -n
for|mel|haft; For|mel|haf|tig|keit, die; -
For|mel|kram, der; -[e]s *(ugs.)*
for|mell ⟨franz.⟩ (förmlich, die Formen beachtend; äußerlich)
For|mel|spra|che
For|mel-1-Wa|gen [...'aɪns...] ↑K 26 (ein Rennwagen)
for|men; For|men|leh|re, die; - (Teil der Sprachlehre u. der Musiklehre)
for|men|reich; For|men|reich|tum, der; -s
For|men|sinn, der; -[e]s
For|men|spra|che; die Formensprache der Kubisten
For|men|te|ra (eine Baleareninsel)
For|mer; For|me|rei; For|me|rin
Form|feh|ler
Form|fleisch (in Form gepresstes Fleisch)
Form|fra|ge; Form|ge|bung; Form|ge|fühl
Form|ge|stal|ter (Designer); Form|ge|stal|te|rin; Form|ge|stal|tung
form|ge|wandt; Form|ge|wandt|heit, die; -
for|mi|da|bel ⟨franz.⟩ (*veraltend für* furchtbar; *auch für* großartig); ...a|b|le Erscheinung
for|mie|ren ⟨franz.⟩; sich formieren; For|mie|rung
...för|mig (z. B. nadelförmig)
Form|kri|se *(Sport)*
förm|lich; Förm|lich|keit
form|los; Form|lo|sig|keit, die; -
Form|obst (Spalierobst)
For|mo|sa, -s (*früher für* Taiwan)
Form|sa|che; Form|sand (Gießerei)
form|schön; Form|schön|heit, die; -
Form|schwan|kung *(Sportspr.)*

Form|stren|ge, die; -; Form|tief *(Sportspr.)*
form|treu
For|mu|lar, das; -s, -e ⟨lat.⟩; For|mu|lar|block (*vgl.* Block)
for|mu|lie|ren (in eine angemessene sprachliche Form bringen); For|mu|lie|rung
For|mung
form|vol|l|en|det
For|nix, der; -, ...nices ⟨lat.⟩ (*Med.* Gewölbe eines Organs)
forsch ⟨lat.⟩; For|sche, die; - (*ugs. für* Nachdruck)
for|schen; du forschst; For|scher; For|scher|geist, der; -[e]s
For|sche|rin; for|sche|risch
For|schung; For|schungs|ar|beit; For|schungs|auf|trag; For|schungs|be|richt; For|schungs|er|geb|nis; For|schungs|grup|pe; For|schungs|in|s|ti|tut
For|schungs|me|tho|de; For|schungs|pro|jekt; For|schungs|ra|ke|te; For|schungs|re|ak|tor; For|schungs|rei|se; For|schungs|rei|sen|de; For|schungs|rich|tung
For|schungs|schiff; For|schungs|se|mes|ter; For|schungs|sta|ti|on
For|schungs|sti|pen|di|um
For|schungs|stu|dent; For|schungs|stu|den|tin; For|schungs|stu|di|um
For|schungs|zen|t|rum; For|schungs|zweig
Forst, der; -[e]s, -e[n]; Forst|amt
Förs|ter; Förs|te|rei; Förs|te|rin
Forst|frau
Forst|fre|vel; Forst|haus
forst|lich; Forst|mann *Plur.* ...männer *u.* ...leute
Forst|meis|ter; Forst|meis|te|rin
Forst|rat *Plur.* ...räte (*früher*)
Forst|re|vier; Forst|scha|den; Forst|schu|le; Forst|ver|wal|tung
Forst|we|sen
Forst|wirt; Forst|wir|tin; Forst|wirt|schaft
Forst|wis|sen|schaft
For|sy|thie [...tsjə, ...tjə, *österr. u. schweiz.* ...'zi:tsjə], die; -, -n ⟨nach dem engl. Botaniker Forsyth⟩ (ein Zierstrauch)
fort; fort sein; fort mit ihm!; und so fort (*Abk.* usf.); in einem fort; weiter fort; immerfort
fort... (*in Zus. mit Verben,* z. B. fortbestehen, du bestehst fort, fortbestanden, fortzubestehen)
Fort [fo:ɐ̯], das; -s, -s ⟨franz.⟩ (Festungswerk)
fort|ab; fort|an
Fort|be|stand, der; -[e]s; fort|be|ste|hen

fort

fort|be|we|gen; sich fortbewegen; vgl. [1]bewegen; Fort|be|we|gung

fort|bil|den; Fort|bil|dung; Fort|bil|dungs|kurs

fort|blei|ben

fort|brin|gen

Fort|dau|er; fort|dau|ern; fort|dau|ernd

for|te ⟨ital.⟩ (Musik stark, laut; Abk. f); For|te, das; -s, Plur. -s u. ...ti

fort|ent|wi|ckeln; sich fortentwickeln; Fort|ent|wick|lung

For|te|pi|a|no, das; -s, Plur. -s u. ...ni ⟨ital.⟩ (alte Bez. für Pianoforte)

fort|er|ben, sich

fort|fah|ren

Fort|fall, der; -[e]s; in Fortfall kommen (Amtsspr.); fort|fal|len

fort|flie|gen

fort|füh|ren; Fort|füh|rung

Fort|gang, der; -[e]s; fort|ge|hen

fort|ge|schrit|ten; Fort|ge|schrit|te|ne, der u. die; -n, -n

fort|ge|setzt

fort|ha|ben; etwas forthaben wollen (ugs.)

fort|hin (veraltend)

For|ti|fi|ka|ti|on, die; -, -en ⟨lat.⟩ (veraltet für Befestigungswerk; nur Sing.: Befestigungskunst); for|ti|fi|zie|ren

For|tis, die; -, ...tes ⟨lat.⟩ (Sprachw. starker, mit großer Intensität gesprochener Konsonant, z. B. p, t, k; Ggs. Lenis; [vgl. d.])

for|tis|si|mo ⟨ital.⟩ (Musik sehr stark, sehr laut; Abk. ff); For|tis|si|mo, das; -s, Plur. -s u. ...mi

fort|ja|gen

fort|kom|men; Fort|kom|men, das

fort|kön|nen

fort|las|sen; Fort|las|sung; unter Fortlassung des Titels

fort|lau|fen; fort|lau|fend; fortlaufend nummeriert

fort|le|ben

fort|lo|ben; einen Mitarbeiter fortloben

fort|ma|chen

fort|müs|sen

fort|pflan|zen; sich fortpflanzen; Fort|pflan|zung, die; -; fort|pflan|zungs|fä|hig

Fort|pflan|zungs|me|di|zin; Fort|pflan|zungs|or|gan; Fort|pflan|zungs|trieb

FORTRAN, das; -s ⟨Kurzwort für engl. formula translator »Formelübersetzer«⟩ (eine Programmiersprache)

fort|rei|ßen

fort|ren|nen

fort|rüh|ren, sich

Fort|satz, der; -es, Fortsätze

fort|schaf|fen vgl. [1]schaffen

fort|sche|ren, sich (ugs.)

fort|si|cken

fort|schrei|ben ([eine Statistik] fortlaufend ergänzen; Wirtsch. den Grundstückseinheitswert neu feststellen); Fort|schrei|bung

fort|schrit|ten; fort|schrei|tend

Fort|schritt; Fort|schritt|ler; fort|schritt|lich; Fort|schritt|lich|keit, die; -

fort|schritts|feind|lich

Fort|schritts|glau|be; fort|schritts|gläu|big

fort|set|zen; Fort|set|zung; Fort|set|zungs|ro|man

fort|steh|len, sich

fort|stre|ben

fort|tra|gen

For|tu|na (röm. Glücksgöttin)

For|tu|nat, For|tu|na|tus (m. Vorn.)

For|tune [...'ty:n], For|tü|ne, die; - ⟨franz.⟩ (Glück, Erfolg); keine Fortune haben

fort|wäh|rend

fort|wer|fen; fort|wol|len; fort|zie|hen

Fo|rum, das; -s, Plur. ...ren u. ...ra ⟨lat.⟩ (altröm. Marktplatz, Gerichtsort; Plur. nur ...ren: Öffentlichkeit; öffentliche Diskussion); Fo|rums|ge|spräch

for|za|to vgl. sforzato

Fos|bu|ry|flop, Fos|bu|ry-Flop [...bəri...], der; -s, -s ⟨nach dem amerikanischen Leichtathleten⟩ (ein Hochsprungstil [nur Sing.]; einzelner Sprung in diesem Stil)

Fo|se, die; -, -n (derb für Dirne)

Fo|ße, die; -, -n ⟨franz.⟩ (nordd. für minderwertige Spielkarte)

fos|sil ⟨lat.⟩ (versteinert; vorweltlich); fossile Brennstoffe (z. B. Kohle, Erdöl); fossil befeuerte Kraftwerke; Fos|sil, das; -s, -ien ([versteinerter] Überrest von Tieren od. Pflanzen)

fö|tal vgl. fetal

[1]Fo|to, das; -s, -s, schweiz. auch die; -, -s (kurz für Fotografie)

[2]Fo|to, der; -s, -s (ugs. kurz für Fotoapparat)

Fo|to|al|bum; Fo|to|ama|teur

Fo|to|ama|teu|rin; Fo|to|ap|pa|rat; Fo|to|ar|ti|kel; Fo|to|ate|li|er

Fo|to|che|mie, die; -; Fo|to|che|mie [auch 'fo:...] (Lehre von der chem. Wirkung des Lichtes)

Fo|to|che|mi|gra|fie, Pho|to|che|mi|gra|phie [auch 'fo:...] (Herstellung von Ätzungen aller Art auf fotografischem Wege); Fo|to|che|mi|gra|fisch, pho|to|che|mi|gra|phisch [auch 'fo:...]; Fo|to|che|misch, pho|to|che|misch [auch 'fo:...] (durch Licht bewirkte chem. Reaktionen betreffend)

Fo|to|ef|fekt, Pho|to|ef|fekt (Elektrot. Austritt von Elektronen aus bestimmten Stoffen durch Lichteinwirkung)

Fo|to|elek|t|ri|zi|tät, Pho|to|elek|t|ri|zi|tät [auch 'fo:...]

Fo|to|elek|t|ron, Pho|to|elek|t|ron (bei Lichteinwirkung frei werdendes Elektron)

Fo|to|ele|ment, Pho|to|ele|ment (elektr. Element [Halbleiter], das Lichtenergie in elektr. Energie umwandelt)

Fo|to|fi|nish (Zieleinlauf, bei dem der Sieger durch Zielfoto ermittelt wird)

fo|to..., Fo|to...

(licht..., Licht...)

Das ph in den aus dem Griechischen stammenden Wörtern mit »photo« wird in allgemeinsprachlichen Wörtern meist durch f ersetzt:

– Fotoalbum, Fotoapparat

Auch fachsprachliche Wörter können generell mit f geschrieben werden:

– Fotochemie, Photochemie; Fotosynthese, Photosynthese

Fo|to|gen, pho|to|gen (zum Fotografieren od. Filmen geeignet); Fo|to|ge|ni|tät, Pho|to|ge|ni|tät, die; - (Bildwirksamkeit)

Fo|to|graf, Pho|to|graph, der; -en, -en; Fo|to|gra|fie, Pho|to|gra|phie, die; -, ...ien; fo|to|gra|fie|ren

Fo|to|gra|fik, Pho|to|gra|phik [auch 'fo:...] (fotografisches Verfahren mit gestalterischen Elementen [nur Sing.]; gestaltetes Foto); Fo|to|gra|fin, Pho|to|gra|phin; fo|to|gra|fisch, pho|to|gra|phisch

Fo|to|gramm, Pho|to|gramm, das; -s, -e (Messbild); Fo|to|gram|me|t|rie, Pho|to|gram|me|t|rie, die; - (fachspr. Herstellung von Grund- u. Aufrissen, Karten aus Lichtbildern); fo|to|gram|me|t|risch, pho|to|gram|me|t|risch

Fo|to|gra|vü|re, Pho|to|gra|vü|re (*svw.* Heliogravüre)

Fo|to|han|dy (Handy mit integrierter Fotokamera)

Fo|to|in|dus|t|rie; Fo|to|ka|me|ra

Fo|to|ko|pie (Lichtbildabzug von Schriften, Dokumenten u. a.); **Fo|to|ko|pier|au|to|mat; fo|to|ko-pie|ren; Fo|to|ko|pie|rer** *(ugs.)*

Fo|to|li|tho|gra|fie, Pho|to|li|tho-gra|phie (Verfahren zur Herstellung von Druckformen für den Flachdruck)

fo|to|me|cha|nisch, pho|to|me|cha-nisch [*auch* 'fo:...]

Fo|to|me|ter, Pho|to|me|ter, das; -s, - (Gerät zur Lichtmessung); Fo|to|me|t|rie, Pho|to|me|t|rie, die; -; fo|to|me|t|risch, pho|to-me|t|risch

Fo|to|mo|dell (jmd., der für Fotoaufnahmen Modell steht); **Fo|to-mon|ta|ge** (Zusammenstellung verschiedener Bildausschnitte zu einem Gesamtbild)

Fo|ton, Pho|ton [*auch* fo'to:n], das; -s, ...onen (*Physik* kleinstes Energieteilchen einer elektromagnetischen Strahlung)

Fo|to|phy|sio|lo|gie, Pho|to|physio|lo|gie [*auch* 'fo:...] (modernes Teilgebiet der Physiologie)

Fo|to|re|a|lis|mus (moderne Kunstrichtung)

Fo|to|re|por|ter; Fo|to|re|por|te|rin

Fo|to|sa|fa|ri

Fo|to|satz, Pho|to|satz, der; -es (*Druckw.* Lichtsatz)

Fo|to|shoo|ting (Aufnahme von Werbefotos)

Fo|to|sphä|re, Pho|to|sphä|re [*auch* 'fo:...], die; - (strahlende Gashülle der Sonne)

Fo|to|syn|the|se, Pho|to|syn|the|se [*auch* 'fo:...] (Aufbau chemischer Verbindungen durch Lichteinwirkung)

fo|to|tak|tisch, pho|to|tak|tisch; fototaktische *od.* phototaktische Bewegungen (Bewegungen von Pflanzenteilen zum Licht hin)

Fo|to|ta|pe|te

Fo|to|ter|min

Fo|to|thek, die; -, -en (Lichtbildsammlung)

Fo|to|the|ra|pie, Pho|to|the|ra|pie [*auch* 'fo:...], die; - (*Med.* Lichtheilverfahren)

fo|to|trop, pho|to|trop (*Physik, Biol.* Fototropismus zeigend; lichtwendig; [von Brillengläsern] sich unter Lichteinwir-kung verfärbend); **fo|to|tro-pisch**, pho|to|tro|pisch (Fototropismus zeigend); **Fo|to|tro|pis-mus**, Pho|to|tro|pis|mus, der; -, ...men (*Biol.* Krümmungsreaktion von Pflanzenteilen bei einseitigem Lichteinfall)

Fo|to|vol|ta|ik, Pho|to|vol|ta|ik, die; - (Teilgebiet der Elektronik); fo|to|vol|ta|isch, pho|to|vol|ta-isch

Fo|to|zeit|schrift

Fo|to|zel|le, Pho|to|zel|le

Fö|tus *vgl.* Fetus

Fot|ze, die; -, -n (*derb für* weibl. Scham; *bayr. u. österr. ugs. für* Ohrfeige; Maul)

Föt|zel, der; -s, - (*schweiz. für* Lump, Taugenichts)

fot|zen (*bayr. u. österr. ugs. für* ohrfeigen; du fotzt; **Fotz|ho|bel** (*bayr. u. österr. ugs. für* Mundharmonika)

Fou|cault [fu'ko:] (franz. Physiker); fou|caultsch, foucaultscher *od.* Fou|cault'scher Pendelversuch ↑K135

Fou|ché [fu'ʃe:] (franz. Staatsmann)

foul [faul] ⟨engl.⟩ (*Sport* regelwidrig), **Foul**, das; -s, -s (Regelverstoß)

Fou|lard [fu'la:ɐ], der; -s, -s ⟨franz.⟩ (leichtes [Kunst]seidengewebe; *schweiz. für* Halstuch aus [Kunst]seide)

Fou|lé, der; -[s], -s (ein Gewebe)

Foul|elf|me|ter ['faul...], der *(Sport)*

fou|len ⟨engl.⟩ (*Sport* sich regelwidrig verhalten); **Foul|spiel**, das; -[e]s

Fou|qué [fu'ke:] (dt. Dichter)

Four|gon [fʊr'gõ:], der; -s, -s ⟨franz.⟩ (*veraltet für* Pack-, Vorratswagen)

Four|rier [fu'ri:r], der; -s, -e ⟨franz.⟩ (*österr. u. schweiz. Milit.* der für Unterkunft u. Verpflegung sorgende Unteroffizier)

Fox, der; -[es], -e (*Kurzform für* Foxterrier, Foxtrott)

Fox|ter|ri|er ⟨engl.⟩ (Hunderasse)

Fox|trott, der; -[e]s, *Plur.* -e u. -s ⟨engl.-amerik.⟩ (ein Tanz)

Fo|y|er [fo̯a'je:], das; -s, -s ⟨franz.⟩ (Wandelhalle [im Theater])

FPÖ, die; - = Freiheitliche Partei Österreichs

fr = Franc

Fr = *chem. Zeichen für* Francium

fr. = frei

Fr. = Frau; Freitag; *vgl.* ²Franken

Fra ⟨ital.⟩ (Ordensbruder; *meist* vor konsonantisch beginnenden Namen, z. B. Fra Tommaso); *vgl.* Frate

Fracht, die; -, -en; Fracht|brief; Fracht|damp|fer

Frach|ten|aus|schuss *(Wirtsch.)*

Fräch|ter (Frachtschiff)

Fräch|ter (*österr. für* Transportunternehmer)

fracht|frei; Fracht|gut; Fracht|raum; Fracht|schiff; Fracht|stück; Fracht|ver|kehr

Frack, der; -[e]s, *Plur.* Fräcke, *seltener* -s ⟨engl.⟩; Frack|hemd; Frack|ho|se

Frack|sau|sen; *nur in* Fracksausen haben (*ugs. für* Angst haben)

Frack|wes|te

Fra Di|a|vo|lo ⟨»Bruder Teufel«⟩ (neapolitan. Räuberhauptmann)

Fra|ge, die; -, -n; etwas infrage *od.* in Frage stellen

Fra|ge|bo|gen; Fra|ge|bo|gen|ak|ti|on

Fra|ge|für|wort (*für* Interrogativpronomen)

fra|gen; du fragst (*landsch.* frägst); er fragt (*landsch.* frägt); du fragtest (*landsch.* frugst); gefragt; frag[e]!

Fra|gen|kom|plex

Fra|ger; Fra|ge|rei; Fra|ge|rin

Fra|ge|satz (Interrogativsatz); Fra-ge|stel|lung; Fra|ge|stun|de (im Parlament)

Fra|ge-und-Ant|wort-Spiel ↑K26

Fra|ge|wort *Plur.* ...wörter; Fra|ge-zei|chen

fra|gil ⟨lat.⟩ (zerbrechlich; zart); Fra|gi|li|tät, die; -

frag|lich; Frag|lich|keit

frag|los; Frag|lo|sig|keit, die; -

Frag|ment, das; -[e]s, -e ⟨lat.⟩ (Bruchstück; unvollendetes Werk); frag|men|ta|risch

Frag|ner, der; -s, - (*bayr. u. österr. hist. für* Krämer)

frag|wür|dig; Frag|wür|dig|keit

frais [frɛːs], *österr.* fraise ['frɛːzə] ⟨franz.⟩ (erdbeerfarben); mit einem frais[e] Band; *vgl. auch* beige; in Frais[e] ↑K72

Frai|sen *Plur.* (*südd., österr. für* Krämpfe [bei kleinen Kindern])

frak|tal ⟨lat.-engl.⟩; fraktale Geometrie (Geometrie der Fraktale) ↑K89; Frak|tal, das; -s, -e (komplexes geometrisches Gebilde); Frak|tal|geo|me|t|rie

Frak|ti|on, die; -, -en ⟨franz.⟩ (organisatorischer Zusammenschluss [im Parlament]; *Chemie* Destillat; *westösterr., schweiz. für* Teil einer Gemeinde); frak|ti|o|nell

F

frak

Frak|ti|o|nier|ap|pa|rat *(Chemie);* frak|ti|o|nie|ren (Gemische durch Verdampfung in Destillate zerlegen)

Frak|ti|ons|aus|schuss

Frak|ti|ons|be|schluss

Frak|ti|ons|chef; Frak|ti|ons|che|fin

Frak|ti|ons|dis|zi|p|lin

Frak|ti|ons|füh|rer; Frak|ti|ons|führe|rin; Frak|ti|ons|mit|glied; Frakti|ons|stär|ke

Frak|ti|ons|vor|sit|zen|de; Frak|ti|ons|vor|stand; Frak|ti|ons|zwang

Frak|tur, die; -, -en ⟨lat.⟩ *(Med.* Knochenbruch; *nur Sing.:* dt. Schrift, Bruchschrift)

Frak|tur|satz; Frak|tur|schrift

Fram|bö|sie, die; -, ...ien ⟨franz.⟩ *(Med.* trop. Hautkrankheit)

¹Frame [fre:m], der; -n, -n ⟨engl.⟩ *(Technik* Rahmen, Träger in Eisenbahnfahrzeugen)

²Frame [fre:m], der *u.* das; -s, -s *(EDV* besondere Datenstruktur in Modellen künstlicher Intelligenz)

Franc [frã:], der; -, -s [frã:] ⟨franz.⟩ (Währungseinheit einiger afrikanischer Staaten; frühere Währungseinheit in Belgien, Frankreich und Luxemburg; *vgl.* ²Franken)

Fran|çai|se [frã'sɛ:...], die; -, -n ⟨franz.⟩ (alter franz. Tanz)

France [frã:s], Anatole [...'tɔl] (franz. Schriftsteller); France' Werke ↑K16

Fran|ces|ca [...'tʃɛ...] (w. Vorn.)

Fran|ces|co (m. Vorn.)

¹Fran|chi|se [frã'ʃi:...], die; -, -n ⟨franz.⟩ (Betrag der Selbstbeteiligung an der Versicherung; *veraltet für* Freiheit)

²Fran|chise ['frɛntʃais], das; - ⟨franz.-engl.⟩ *(Wirtsch.* Vertrieb aufgrund von Lizenzverträgen)

Fran|chise|ge|ber *(Wirtsch.);* Franchise|ge|be|rin

Fran|chise|neh|mer *(Wirtsch.);* Fran|chise|neh|me|rin

Fran|chi|sing [...zɪŋ], das; -s *(svw.* ²Franchise)

Fran|ci|um, das; -s (chemisches Element, Metall; Zeichen Fr)

Fran|cke (dt. Theologe u. Pädagoge); Fran|cke|sche Stif|tun|gen *Plur.* ↑K150

Fran|co, Francisco [...'sɪ...] (span. General u. Politiker)

frank ⟨mlat.-franz.⟩ (frei, offen); frank und frei

Frank (m. Vorn.); Fran|ka (w. Vorn.)

Fran|ka|tur, die; -, -en ⟨ital.⟩ (das

Freimachen von Postsendungen, Porto)

Fran|ke, der; -n, -n (Angehöriger eines germanischen Volksstammes; Einwohner von ¹Franken)

¹Fran|ken (Land)

²Fran|ken, der; -s, - (schweiz. Währungseinheit [*Währungscode* CHF; *Abk.* Fr., sFr.; *im dt. Bankwesen* sfr, *Plur.* sfrs]); *vgl.* Franc

Fran|ken|stein (Titelfigur eines Schauerromans)

Fran|ken|wald, der; -[e]s (Gebirge in Bayern); Fran|ken|wein

Frank|furt am Main (Stadt in Hessen); Frank|fur|ter; Frank|furter grüne ↑K89 Soße *od.* Sauce

²Frank|fur|ter, die; -, - *meist Plur.* (Frankfurter Würstchen)

frank|fur|tisch

Frank|furt (Oder) (Stadt in Brandenburg)

fran|kie|ren ⟨ital.⟩ *(Postw.);* Fran|kier|ma|schi|ne

Frän|kin; frän|kisch; ↑K140 : die Fränkische Alb, die Fränkische Schweiz

Frank|lin ['frɛ...] (nordamerik. Staatsmann u. Schriftsteller)

fran|ko ⟨ital.⟩ *(Kaufmannsspr. veraltend* portofrei [für den Empfänger]); franko nach allen Stationen; franko Basel; franko dort; franko hier

fran|ko|fon, fran|ko|phon (französischsprachig); Fran|ko|fo|nie, Fran|ko|pho|nie, die; - (Französischsprachigkeit)

Fran|ko|ka|na|di|er (Französisch sprechender Bewohner Kanadas); Fran|ko|ka|na|di|e|rin; fran|ko|ka|na|disch

fran|ko|phil ⟨germ.; griech.⟩ (frankreichfreundlich)

fran|ko|phon usw. *vgl.* frankofon usw.

Frank|reich

Frank|ti|reur [...'rø:ɐ̯, *auch* frã...], der; -s, *Plur.* -e, *bei franz. Aussp.* -s *(früher für* Freischärler)

Fran|se, die; -, -n; fran|sen; der Stoff hat gefranst; fran|sig

Franz (m. Vorn.)

Franz|band (Ledereinband mit tiefem Falz)

Franz|brannt|wein

Franz|brot (kleines Weißbrot)

fran|zen *(Motorsport* als Beifahrer dem Fahrer den Verlauf der Strecke angeben); du franzt;

Fran|zer *(Motorsport)*

Frän|zi, Fran|zis|ka (w. Vorn.)

Fran|zis|ka|ner, der; -s, - (Angehöriger des Mönchsordens der Franziskaner); Fran|zis|ka|ne|rin (Angehörige des Ordens der Franziskanerinnen); Fran|zis|ka|ner|or|den, der; -s ⟨*Abk.* OFM); fran|zis|ka|nisch

fran|zis|ko|jo|se|phi|nisch ⟨nach dem österr. Kaiser Franz Joseph⟩ *franziskojosephinische* Bauten; *aber* ↑K151 : das Franziskojosephinische Zeitalter

Fran|zis|kus (m. Vorn.)

Fran|zi|um *vgl.* Francium

Franz-Jo|seph-Land, das; -[e]s (eine arktische Inselgruppe)

Fränz|mann *Plur.* ...männer (*ugs. veraltend für* Franzose)

Fran|zo|se, der; -n, -n; fran|zo|sen|feind|lich; fran|zo|sen|freund|lich

fran|zö|sie|ren (franz. Verhältnissen anpassen; nach franz. Art gestalten); Fran|zö|sin; fran|zösisch; französische Broschur ↑K89 ; die französische Schweiz (der französischsprachige Teil der Schweiz), *aber* ↑K150 *u.* 151 : die Französische Republik; die Französische Revolution (1789 bis 1794); *vgl.* Deutsch

Fran|zö|sisch, das; -[s] (Sprache); *vgl.* Deutsch; Fran|zö|si|sche, das; -n; *vgl.* Deutsche, das

Fran|zö|sisch-Gu|a|ya|na (französisches Überseedepartement); Fran|zö|sisch-Po|ly|ne|si|en (französisches Überseeterritorium)

fran|zö|sisch|spra|chig *vgl.* deutschsprachig

fran|zö|si|sie|ren *vgl.* französieren

frap|pant ⟨franz.⟩ (auffallend)

¹Frap|pee, Frap|pé, der; -s, -s (Stoff mit eingepresstem Muster)

²Frap|pee, Frap|pé, das; -s, -s (mit Eis serviertes alkohol. Getränk)

frap|pie|ren (überraschen, verblüffen); Wein u. Sekt in Eis kühlen)

Fras|ca|ti [...'ka:...], der; - (italienischer Weißwein)

Fräs|dorn *Plur.* ...dorne

Frä|se, die; -, -n (Maschine zum spanabhebenden Formen); frä|sen; du fräst, er fräs|te; Frä|ser (Teil an der Fräsmaschine; Berufsbez.); Frä|se|rin; Fräs|ma|schi|ne

fraß *vgl.* fressen

Fraß, der; -es, -e; Fraß|gift; Fraßspur

Fra|te ⟨ital.⟩ (Ordensbruder; *meist vor vokalisch beginnenden*

Namen, z. B. Frate Elia, Frat'Antonio); *vgl.* Fra

Fra|ter, der; -s, Fra|t|res ⟨lat.⟩ ([Ordens]bruder)

fra|ter|ni|sie|ren ⟨franz.⟩ (sich verbrüdern; vertraut werden); **Frater|ni|tät**, die; -, -en ⟨lat.⟩ (Brüderlichkeit; Verbrüderung; kirchl. Bruderschaft); **Fra|ter|ni|té** *vgl.* Liberté

Fra|t|res (*Plur. von* Frater)

Fratz, der; *Gen.* -es, *österr.* -en, *Plur.* -e, *österr.* -en ⟨ital.⟩ (ungezogenes Kind; schelmisches Mädchen); **Frätz|chen**

Frat|ze, die; -, -n (verzerrtes Gesicht; Grimasse); **Frat|zen|gesicht**; **frat|zen|haft**

frau (*bes. im feministischen Sprachgebrauch für* [1]man); da weiß frau, was sie hat

Frau, die; -, -en (*Abk.* Fr.)

Frau|chen

Frau|en|ar|beit

Frau|en|arzt; **Frau|en|ärz|tin**

Frau|en|be|auf|trag|te

Frau|en|be|ruf

Frau|en|be|we|gung

Frau|en|buch|la|den; **Frau|en|ca|fé**

Frau|en|eis (ein Mineral)

Frau|en|eman|zi|pa|ti|on, die; -

Frau|en|feind; **frau|en|feind|lich**

Frau|en|feld (Hauptstadt des Kantons Thurgau)

Frau|en|film; **Frau|en|fra|ge**

Frau|en|fuß|ball; **Frau|en|ge|fäng|nis**

Frau|en|grup|pe

Frau|en|haar

frau|en|haft

Frau|en|haus (für Frauen, die von ihren Männern misshandelt werden)

Frau|en|heil|kun|de (*für* Gynäkologie)

Frau|en|held; **Frau|en|herz**

Frau|en|hilfs|dienst, der; -es (*früher in der Schweiz*; *Abk.* FHD); **Frau|en|hilfs|dienst|leis|ten|de**, die; -n, -n (*Abk.* FHD)

Frau|en|kleid; in Frauenkleidern; **Frau|en|kör|per**

Frau|en|krank|heit; **Frau|en|lei|den**

Frau|en|mann|schaft; **Frau|en|park|platz**

Frau|en|po|w|er (*ugs. für* Macht, Einfluss der Frauen)

Frau|en|quo|te (*ugs. für* Anteil der Frauen [in Betrieben, Verwaltungen, Führungspositionen])

Frau|en|recht|le|rin; **frau|en|recht|le|risch**

Frau|en|rol|le

Frau|en|schuh (*auch* eine Orchideenart)

Frau|en|schutz

Frau|en|schwarm

Frau|ens|per|son (*veraltet*)

Frau|en|stim|me

Frau|en|über|schuss; **Frau|en|ver|band**

Frau|en|wahl|recht; **Frau|en|zeit|schrift**

Frau|en|zim|mer (*veraltet*)

Frau|ke (w. Vorn.)

Fräu|lein, das; -s, *Plur.* -, *ugs. auch* -s (*Abk.* Frl.); die Adresse Fräulein Müllers, des Fräulein Müller, Ihres Fräulein Tochter; Ihr Fräulein Braut, Tochter

Fräulein

Heute ist es üblich, erwachsene weibliche Personen mit *Frau* anzusprechen, und zwar unabhängig von Alter und Familienstand.

frau|lich; **Frau|lich|keit**, die; -

Fraun|ho|fer|li|ni|en, fraun|ho|fer|sche, Fraun|ho|fer'sche Li|ni|en ↑K 136, 89 *u.* 135 *Plur.* ⟨nach dem dt. Physiker⟩ (Linien im Sonnenspektrum)

Frau|schaft (*seltener kurz für* Frauenmannschaft)

frdl. = freundlich

Freak [fri:k], der; -s, -s ⟨amerik.⟩ (jmd., der sich nicht in das bürgerliche Leben einfügt; jmd., der sich sehr für etwas begeistert)

frech; das frechs|te Kind

Frech|dachs (*ugs. scherzh. für* freches Kind)

Frech|heit; **Frech|ling**

Fred [*auch* fret] (m. Vorn.)

Free Clim|bing, das; - -s, Free|clim|bing** ['fri:klaimiŋ], das; -s ⟨engl.⟩ (Bergsteigen ohne Hilfsmittel)

Free Jazz ['fri: dʒɛs], der; - - ⟨(Spielweise des Modern Jazz⟩

Free|lan|cer ['fri:la:nsɐ], der; -s, - ⟨(*engl. Bez. für* freier Mitarbeiter); **Free|lan|ce|rin**

Free|sie, die; -, -n ⟨nach dem Kieler Arzt Freese⟩ (eine Zierpflanze)

Free|style ['fri:staɪl], der; -s ⟨engl.⟩ (freier Stil, freie [im Ggs. zu vorgeschriebener] Ausführungsart)

Free|town ['fri:taun] (Hauptstadt von Sierra Leone)

Free TV, das; - -[s], **Free-TV** ['fri:ti:vi:], das; -[s] ⟨engl.⟩ ↑K 29 *u.* 41 (im Gegensatz zu Pay-TV

frei empfangbares Fernsehprogramm)

Freeze [fri:s], das; - ⟨engl.⟩ (das Einfrieren aller atomaren Rüstung)

Fre|gat|te, die; -, -n ⟨franz.⟩ (Kriegsschiff; *ugs. auch für* [aufgetakelte] Frau); **Fre|gat|ten|ka|pi|tän**

Fre|gatt|vo|gel (ein großer, an [sub]tropischen Küsten lebender Vogel)

frei *s. Kasten Seite 420*

Freia *vgl.* Freyja

Frei|bad

Frei|bank *Plur.* ...bänke

frei be|kom|men, **frei|be|kom|men** *vgl.* frei

Frei|berg (Stadt in Sachsen)

Frei|be|rufler; **Frei|be|ruf|le|rin**

frei|be|ruf|lich

Frei|be|trag

Frei|beu|ter (Seeräuber); **Frei|beu|te|rei**; **Frei|beu|te|rin**; **frei|beu|te|risch**

Frei|bier, das; -[e]s

frei blei|ben *vgl.* frei

frei|blei|bend (*Kaufmannsspr.* ohne Verbindlichkeit, ohne Verpflichtung; das freibleibende Angebot, das Angebot ist freibleibend

Frei|bord (Höhe des Schiffskörpers über der Wasserlinie)

Frei|brief

Frei|burg (Kanton der Schweiz; *franz.* Fribourg)

Frei|burg im Breis|gau (Stadt in Baden-Württemberg)

Frei|burg im Üchtl|and *od.* **Üechtland** ['y:ɛxt...], das; -[s]; -[s] (Hauptstadt des Kantons Freiburg)

Frei|de|mo|krat (Mitglied der Freien Demokratischen Partei); **Frei|de|mo|kra|tin**; **frei|de|mo|kra|tisch**

Frei|den|ker; **Frei|den|ke|rin**; **frei|den|ke|risch**

Freie, der; -n, -n (*früher für* jmd., der Rechtsfähigkeit u. polit. Rechte besitzt)

frei|en (*veraltet für* heiraten; um eine Frau werben); **Frei|er**

Frei|ers|fü|ße *Plur.; nur in* auf Freiersfüßen gehen (*scherzh.*)

Frei|ers|mann *Plur.* ...leute (*veraltet*)

Frei|ex|em|p|lar

Frei|flä|che

Frei|frau; **Frei|fräu|lein**

Frei|ga|be

Frei|gän|ger (*Rechtsw.*); **Frei|gän|ge|rin**

F

Frei

F

frei

frei

– Bahn frei!; ich bin so frei!; frei nach Goethe

In kaufmannssprachlichem Gebrauch mit Akkusativ

– frei Haus, frei deutschen Ausfuhrhafen, frei deutsche Grenze liefern (*Abk.* fr.)

I. Kleinschreibung

– ↑K 89 : der freie Fall; der freie Wille; freie Beweiswürdigung; freie Rücklagen; freie Wahlen; freier Eintritt; freier Journalist; freie Mitarbeiterin; freier Schriftsteller; in freier Wildbahn; die freie Liebe; die freie (nicht staatlich gelenkte) Marktwirtschaft; das Signal steht auf »frei«

II. Großschreibung

a) ↑K 72 : das Freie, im Freien, ins Freie; etwas Freies und Ungezwungenes; es gibt nichts Freieres als sie

b) ↑K 150 : Sender Freies Berlin (*Abk.* SFB); Freie Demokratische Partei (*Abk.* FDP); Freie Deutsche Jugend (*in der DDR; Abk.* FDJ); Freie und Hansestadt Hamburg; Freie Hansestadt Bremen; die Freie Reichsstadt Nürnberg, *aber* Frankfurt war lange Zeit eine freie Reichsstadt

– ↑K 89 : Freier Architekt (*im Titel, sonst* [er ist ein] freier Architekt)

III. *Schreibung in Verbindung mit Verben u. Partizipien* ↑K 56, 58

a) *Getrennt- u. Zusammenschreibung:*

– frei sein, frei werden, frei bleiben

– frei (für sich) stehen; ein frei stehendes *od.* freistehendes Haus; frei stehende *od.* freistehende Zeilen; frei (ohne Manuskript) sprechen

– frei (ohne Stütze, ohne Leine) laufen; Eier von frei laufenden *od.* freilaufenden Hühnern (von Hühnern, die Auslauf haben)

– frei lebende *od.* freilebende Tiere

– die Ausfahrt frei halten, frei geben, frei lassen

– ein Gewicht frei halten

– eine Rede frei halten (*vgl. aber* freihalten)

– den Oberkörper frei machen *od.* freimachen; sich von Vorurteilen frei machen *od.* freimachen; den Weg frei machen *od.* freimachen (*vgl. aber* freimachen)

b) *Zusammenschreibung, wenn eine idiomatisierte Gesamtbedeutung vorliegt:*

– freikaufen; freikommen; [jmdn.] freihalten; einen Brief freimachen; sich freischwimmen; jmdn. [von Schuld] freisprechen; [jmdm.] freistehen; jmdm. etw. freistellen

– freischaffend, freitragend

c) *Wenn nicht eindeutig ist, ob eine idiomatisierte Gesamtbedeutung vorliegt, dann gilt Getrennt- oder Zusammenschreibung:*

– ein paar Tage frei haben *od.* freihaben

– den Vormittag frei bekommen *od.* freibekommen

– jmdm. frei geben *od.* freigeben

– Geiseln frei bekommen *od.* freibekommen

– jmdm. den Rücken frei halten *od.* freihalten

---

frei ge|ben, frei|ge|ben; einen Gefangenen frei geben *od.* **freigeben;** es wurden neue Frequenzen für den Funk frei gegeben *od.* freigegeben; jmdm. den Nachmittag frei geben *od.* **freigeben;** *vgl.* frei

frei|ge|big; Frei|ge|big|keit, die; -

Frei|ge|he|ge

Frei|geist *Plur.* ...geister; **Frei|geis|te|rei,** die; -; **frei|geis|tig**

Frei|ge|las|se|ne, der *u.* die; -n, -n

Frei|ge|richt (*früher für* Feme)

frei|gie|big (*svw.* freigebig)

Frei|graf (*früher für* Vorsitzender des Freigerichts)

Frei|gren|ze (Steuerw.)

Frei|gut (Zollw.)

frei ha|ben, frei|ha|ben (Urlaub, keinen Dienst haben); *vgl.* frei

Frei|ha|fen *vgl.* ²Hafen

frei|hal|ten; ich werde dich freihalten (für dich bezahlen); *aber* eine Rede frei (ohne Manuskript) halten; die Ausfahrt frei halten ↑K 56

Frei|hand|bü|che|rei (Bibliothek, in der man die Bücher selbst aus den Regalen entnehmen kann)

Frei|han|del, der; -s

Frei|han|dels|zo|ne

frei|hän|dig

Frei|hand|zeich|nen, das; -s

Frei|heit; frei|heit|lich

Frei|heits|be|griff *Plur. selten*; **Frei|heits|be|rau|bung; Frei|heits|drang,** der; -[e]s; **Frei|heits|ent|zug; frei|heits|feind|lich**

Frei|heits|kampf; Frei|heits|kämp|fer; Frei|heits|kämp|fe|rin; Frei|heits|krieg; frei|heits|lie|bend

Frei|heits|sinn, der; -[e]s; **Frei|heits|sta|tue; Frei|heits|stra|fe**

frei|he|r|aus; etwas freiheraus (offen) sagen

Frei|herr (*Abk.* Frhr.); **Frei|herrn|stand,** der; -[e]s

Frei|in (Freifräulein)

Frei|kar|te

frei|kau|fen (durch ein Lösegeld befreien)

Frei|kir|che; eine protestantische Freikirche

Frei|klet|tern, das; -s (*svw.* Free-climbing)

frei|kom|men (loskommen)

Frei|kör|per|kul|tur, die; - (*Abk.* FKK)

Frei|korps (*früher*)

frei krat|zen, frei|krat|zen; das

Auto frei kratzen *od.* **freikrat|zen**

Frei|la|de|bahn|hof (Eisenb.)

Frei|land, das; -[e]s; **Frei|land|ge|mü|se; Frei|land|ver|such**

frei las|sen, frei|las|sen; die Gefangenen wurden frei gelassen *od.* **freigelassen;** *vgl.* frei; **Frei|las|sung**

Frei|lauf (Technik); **frei|lau|fen,** sich (Sport); der frei (ohne Leine, ohne Stütze) laufen

frei le|bend, frei|le|bend *vgl.* frei

frei le|gen, frei|le|gen (deckende Schicht entfernen); ↑K 56 ; **Frei|le|gung**

Frei|lei|tung

frei|lich

Frei|licht|büh|ne; Frei|licht|ma|le|rei; Frei|licht|mu|se|um

Frei|lig|rath (dt. Dichter)

Frei|luft|kon|zert; Frei|luft|schu|le

frei|ma|chen; einen Brief freimachen (Postw.); *aber* ein paar Tage frei machen *od.* **freimachen** (Urlaub machen); den Oberkörper frei machen *od.* freimachen; sich von Vorurteilen frei machen *od.* freimachen

Frei|ma|chung *(Postw.);* Frei|mar|ke
Frei|mau|rer; Frei|mau|re|rei, die; -;
frei|mau|re|risch; Frei|mau|rer|lo|ge
Frei|mut; frei|mü|tig; Frei|mü|tig|keit, die; -
frei neh|men, **frei|neh|men**; ein
paar Tage frei nehmen *od.* freinehmen
Frei|plas|tik; Frei|platz
frei|pres|sen (durch Erpressung
jmds. Freilassung erzwingen)
Frei|raum; frei|re|li|gi|ös
Frei|sass; Frei|sas|se *(früher)*
frei|schaf|fend; ein freischaffender
Künstler, Architekt
Frei|schalt|code; frei|schal|ten; die
Leitung wurde freigeschaltet,
aber sie konnte ganz frei schalten (nach Belieben verfahren);
Frei|schal|tung
Frei|schar *(vgl.* [1]Schar); Frei|schär|ler; Frei|schlag *(bes.* Hockey)
frei|schwim|men, sich; Frei|schwimmer (Schwimmprüfung)
frei|set|zen (aus einer Bindung
lösen); Energie, Kräfte freisetzen; **Frei|set|zung**
Frei|sinn, der; -[e]s *(veraltet);* freisin|nig *(veraltet)*
frei|spie|len *(Sport);* sich, einen
Stürmer freispielen; *vgl.* frei, III
Frei|sprech|an|la|ge, Frei|sprech|ein|rich|tung (Einrichtung für
Handy oder Telefon, die freihändiges Telefonieren ermöglicht)
frei|spre|chen (für nicht schuldig
erklären; *Handwerk* zum Gesellen erklären); *aber* frei (ohne
Manuskript) sprechen; **Frei|spre|chung; Frei|spruch**
Frei|staat *Plur.* ...staaten
Frei|statt, Frei|stät|te
frei|ste|hen; das soll dir freistehen
(gestattet sein); *aber* die Wohnung hat lange frei gestanden;
ein frei stehendes *od.* freistehendes Haus ↑K58
frei|stel|len (erlauben); jmdm.
etwas freistellen; **Frei|stel|lung**
Frei|stem|pel *(Postw.);* **Frei|stempler** (Frankiermaschine)
Frei|stil, der; -s *(Sport);* **Frei|stil|ringen; Frei|stil|schwim|men,** das; -s
Frei|stoß (beim Fußball); [in]direkter Freistoß; **Frei|stun|de**
Frei|tag, der; -[e]s, -e *(Abk.* Fr.);
↑K151 : der Stille Freitag (Karfreitag); *vgl.* Dienstag; **frei|tags**
vgl. Dienstag
Frei|te, die; - *(veraltet für* Brautwerbung); auf die Freite gehen
Frei|tod (Selbstmord)

frei|tra|gend *(Bauw.);* freitragende
Brücken, Treppen
Frei|trep|pe; Frei|übung; Frei|wa|che *(Seemannsspr.)*
frei|weg (unbekümmert)
frei wer|den *vgl.* frei, III; *aber* das
Freiwerden ↑K82
Frei|wild
frei|wil|lig; die freiwillige Feuerwehr, *aber* ↑K150 : die Freiwillige Feuerwehr Nassau; freiwilliges soziales Jahr ↑K89 ; **Frei|willi|ge,** der *u.* die; -n, -n; **Frei|willig|keit,** die; -
Frei|wurf (Hand-, Korb-, Wasser-,
Basketball)
Frei|zei|chen; Frei|zeit
Frei|zeit|an|ge|bot; Frei|zeit|an|zug;
Frei|zeit|be|schäf|ti|gung; Frei|zeit|ein|rich|tung
Frei|zeit|ge|stal|tung; Frei|zeit|hemd; Frei|zeit|klei|dung
Frei|zeit|park; Frei|zeit|wert; Frei|zeit|zen|t|rum
frei|zü|gig; Frei|zü|gig|keit, die; -
fremd; frem|d|ar|bei|ter *(veraltend)*
fremd|ar|tig; Fremd|ar|tig|keit
fremd|be|stimmt; Fremd|be|stimmung
fremd|be|zie|hen; Fremd|be|zug
[1]Frem|de, der *u.* die; -n, -n
[2]Frem|de, die; - (Ausland); in der
Fremde
Fremd|ein|wir|kung, die; - *(Verkehrsw.)*
frem|deln (vor Fremden scheu,
ängstlich sein); ich fremd[e]le;
frem|den *(schweiz. für* fremdeln)
Frem|den|bett; Frem|den|buch;
frem|den|feind|lich; Frem|den|feind|lich|keit; Frem|den|füh|rer;
Frem|den|füh|re|rin
Frem|den|heim; Frem|den|le|gi|on,
die; -; Frem|den|pass; Frem|den|po|li|zei *(bes. österr. u. schweiz.
auch für* Ausländerbehörde);
Frem|den|sit|zung (öffentliche
Karnevalssitzung)
Frem|den|ver|kehr, der; -[e]s; **Frem|den|ver|kehrs|amt**
Frem|den|zim|mer
fremd|fi|cken *(derb)*
fremd|ge|hen *(ugs. für* in einer
Partnerschaft untreu sein)
Fremd|heit, die; - (das Fremdsein)
Fremd|herr|schaft *Plur. selten;*
Fremd|ka|pi|tal; Fremd|kör|per
fremd|län|disch
Fremd|ling *(veraltend)*
Fremd|mit|tel *Plur.*
Fremd|spra|che; Fremd|spra|chen|kor|res|pon|dent; Fremd|spra-

chen|kor|res|pon|den|tin; Fremd|spra|chen|un|ter|richt
fremd|spra|chig (eine fremde Sprache sprechend; in einer fremden
Sprache abgefasst, gehalten);
fremdsprachiger (in einer
Fremdsprache gehaltener)
Unterricht
fremd|sprach|lich (auf eine fremde
Sprache bezüglich); fremdsprachlicher (über eine Fremdsprache gehaltener) Unterricht
fremd|stäm|mig; Fremd|stäm|mig|keit, die; -
Fremd|stoff; Fremd|ver|schul|den
(Amtsspr.)
Fremd|wort *Plur.* ...wörter
Fremd|wör|ter|buch
fremd|wort|frei; fremd|wort|reich
fre|ne|tisch ⟨franz.⟩ (rasend)
fre|quent ⟨lat.⟩ (häufig, zahlreich;
Med. beschleunigt [vom Puls])
Fre|quen|ta|ti|on, die; - *(veraltet)*
fre|quen|tie|ren *(geh. für* häufig
besuchen)
Fre|quenz, die; -, -en (Besucherzahl, Verkehrsdichte; Schwingungszahl; Periodenzahl)
Fre|quenz|be|reich; Fre|quenz|mes|ser, der (zur Zählung der Wechselstromperioden)
Fres|ke, die; -, -n ⟨franz.⟩, Fres|ko,
das; -s, ...ken ⟨ital., »frisch«⟩
(Wandmalerei auf feuchtem
Kalkputz); *vgl.* a fresco; **Fres|ko|ma|le|rei**
Fres|nel|lin|se, Fres|nel-Lin|se [fre-
'nel...] ↑K136 ⟨nach dem franz.
Physiker⟩ (eine zusammengesetzte Linse)
Fres|sa|li|en *Plur. (ugs. scherzh. für*
Esswaren)
Fres|se, die; -, -n *(derb für* Mund)
fres|sen; du frisst, er frisst; du fraßest; du fräßest; gefressen;
friss!; **Fres|sen,** das; -s; **Fres|ser;**
Fres|se|rei; Fress|gier
Fress|gier; Fress|korb *(ugs.);* Fress|napf; Fress|pa|ket
Fress|sack, Fress-Sack *(ugs. für*
gefräßiger Mensch)
Fress|tem|pel *(ugs. für* Nobelrestaurant)
Fress|werk|zeu|ge *Plur. (Zool.)*
Fress|zel|le *(Med.* der Infektionsabwehr dienendes weißes Blutkörperchen)
Frett|chen, das; -s, - ⟨niederl.⟩
(Iltisart)
fret|ten, sich *(bayr., österr. für*
sich abmühen)
fret|tie|ren ⟨niederl.⟩ *(Jägerspr.* mit
dem Frettchen jagen)

F

Freu

Freud (österr. Psychiater)
Freu|de, die; -, -n; [in] Freud und
Leid ↑K13
Freu|den|be|cher (geh.); Freu|den-
bot|schaft; Freu|den|fest; Freu-
den|feu|er; Freu|den|ge|heul;
Freu|den|haus (verhüllend für
Bordell)
freu|de[n]|los vgl. freudlos
Freu|den|mäd|chen (veraltend für
Prostituierte)
freu|den|reich
Freu|den|ruf; Freu|den|sprung;
Freu|den|tag; Freu|den|tanz; Freu-
den|tau|mel; Freu|den|trä|ne
freu|de|strah|lend; freu|de|trun|ken
Freu|di|a|ner (Anhänger Freuds);
Freu|di|a|ne|rin; freu|di|a|nisch
freu|dig; ein freudiges Ereignis;
Freu|dig|keit, die; -
freud|los; Freud|lo|sig|keit, die; -
freudsch; eine freudsche od.
Freud'sche Fehlleistung
↑K89 u. 135 (bes. Psych.)
freu|en; sich freuen
freund (veraltend); jmdm. freund
(freundlich gesinnt) sein, bleiben, werden
Freund, der; -[e]s, -e; jemandes
Freund bleiben, sein, werden;
gut Freund [mit jmdm.] sein
Freund|chen (meist [scherzh.] dro-
hend als Anrede)
Freun|des|kreis
Freun|des|treue
Freund-Feind-Den|ken
Freun|din
freund|lich (Abk. frdl.); freundlich
gesinnte Menschen; Schreibung
in Zusammensetzungen: men-
schenfreundlich, kinderfreund-
lich; moskaufreundlich ↑K143
freund|li|cher|wei|se
Freund|lich|keit
freund|nach|bar|lich
Freund|schaft; freund|schaft|lich
Freund|schafts|ban|de; Freund-
schafts|dienst; Freund|schafts-
spiel (Sport); Freund|schafts|ver-
trag
fre|vel (veraltet); frevler Mut; Fre-
vel, der; -s, - (Verstoß, Verbre-
chen)
fre|vel|haft; Fre|vel|haf|tig|keit
Fre|vel|mut (veraltet)
fre|veln; ich frevf[e]le; Fre|vel|tat;
fre|vent|lich (veraltend)
Frev|ler; Frev|le|rin; frev|le|risch
Frey, Freyr ['fraɪɐ] (nord. Mythol.
Gott der Fruchtbarkeit u. des
Friedens)
Frey|burg/Un|strut (Stadt an der
unteren Unstrut)

Frey|ja (nord. Mythol. Liebesgöt-
tin)
Frey|tag (dt. Schriftsteller)
Frhr. = Freiherr
Fri|aul, -s, auch mit Artikel das;
-[s] (ital. Landschaft)
fri|ckeln (landsch. für basteln); ich
frick[e]le
Fri|csay [...tʃai] (ung. Dirigent)
Fri|de|ri|cus (lat. Form für Fried-
rich); Fridericus Rex (König
Friedrich [der Große]); fri|de|ri-
zi|a|nisch
Fri|do|lin (m. Vorn.)
Frie|da (w. Vorn.)
Fried|bert, Frie|de|bert (m. Vorn.)
Frie|de, der; -ns, -n, Frie|den, der;
-s, -
Frie|del (m. u. w. Vorn.)
Frie|dell (österr. Schriftsteller)
Frie|de|mann (m. Vorn.)
frie|den (selten für einfrieden,
befrieden); gefriedet; Frie|den,
der; -s, -, Frie|de, der; -ns, -n
Frie|dens|ab|kom|men; Frie|dens-
be|reit|schaft; Frie|dens|be|we-
gung; Frie|dens|bruch, der
Frie|dens|fahrt (Amateurradren-
nen zwischen Prag, Warschau
und Berlin)
Frie|dens|for|schung; Frie|dens-
freund; Frie|dens|in|i|ti|a|ti|ve;
Frie|dens|kon|fe|renz
Frie|dens|la|ger, das; -s (in der
DDR Bez. für die sozialist. Staaten)
Frie|dens|lie|be; Frie|dens|no|bel-
preis; Frie|dens|ord|nung; Frie-
dens|pfei|fe; Frie|dens|pflicht;
Frie|dens|plan; Frie|dens|po|li|tik,
die; -
Frie|dens|rich|ter; Frie|dens|rich|te-
rin
Frie|dens|schluss
Frie|den[s]|stif|ter; Frie|den[s]|stif-
te|rin
Frie|den[s]|stö|rer; Frie|den[s]|stö-
re|rin
Frie|dens|tau|be; Frie|dens|trup|pe;
Frie|dens|ver|hand|lun|gen Plur.;
Frie|dens|ver|trag; Frie|dens|zei-
chen; Frie|dens|zeit
Frie|der (m. Vorn.)
Frie|de|ri|ke (w. Vorn.)
frie|de|voll vgl. friedvoll
fried|fer|tig; Fried|fer|tig|keit
Fried|fisch
Fried|helm (m. Vorn.)
Fried|hof; Fried|hofs|gärt|ne|rei;
Fried|hofs|ka|pel|le; Fried|hofs-
mau|er; Fried|hofs|ru|he
Fried|län|der (Bez. Wallensteins
nach dem Herzogtum Fried-

land; einer aus Wallensteins
Mannschaft); fried|län|disch
fried|lich; Fried|lich|keit, die; -
fried|lie|bend; fried|los
Frie|do|lin vgl. Fridolin
¹Fried|rich (m. Vorn.); Friedrich der
Große ↑K134
²Fried|rich, Caspar David (dt.
Maler)
Fried|rich|ro|da (Stadt am Nord-
rand des Thüringer Waldes)
Fried|richs|dor, der; -s, -e (alte
preuß. Goldmünze); 10 Fried-
richsdor
Fried|richs|ha|fen (Stadt am
Bodensee)
Fried|rich Wil|helm, der; - -s, - -s
(ugs. für Unterschrift)
fried|voll
Fried|wald® (Urnenbestattung
unter Bäumen)
frie|meln (landsch. für basteln);
ich friem[e]le
Friend|ly Fire ['frentli 'faɪɐ], das; -
-[s], - -s ⟨engl.⟩ (Milit. versehent-
licher Beschuss eigener Truppen; Kritik aus den eigenen Reihen)
frie|ren; du frierst; du frorst; du
frörest; gefroren; frier[e]!; ich
friere an den Füßen; mich friert
an den Füßen
Fries, der; -es, -e ⟨franz.⟩ (Gesims-
streifen; ein Gewebe)
Frie|se, der; -n, -n (Angehöriger
eines germ. Stammes an der
Nordseeküste)
Frie|sel, der od. das; -s, -n meist
Plur. (Pustel); Frie|sel|fie|ber
Frie|sen|nerz (scherzh. für Öljacke)
Frie|sin; frie|sisch
Fries|land; Fries|län|der, der; Fries-
län|de|rin; fries|län|disch
Frigg (nord. Mythol. Wodans Gattin); vgl. Frija
fri|gid vgl. frigide
Fri|gi|daire® [...ʒi'dɛ:ɐ̯, auch
...gi...], Fri|gi|där [...gi...], der; -s,
-[s] ⟨franz.⟩ (Kühlschrank)
Fri|gi|da|ri|um, das; -s, ...ien ⟨lat.⟩
(Abkühlungsraum [in altröm.
Bädern])
fri|gi|de, fri|gid ⟨lat.⟩ (sexuell nicht
erregbar, nicht zum Orgasmus
fähig [von Frauen]); Fri|gi|di|tät,
die; -
Fri|ja (altd. Name für Frigg)
Fri|ka|del|le, die; -, -n ⟨ital.⟩
Fri|kan|deau [...'do:], das; -s, -s
⟨franz.⟩ (Teil der [Kalbs]keule)
Fri|kan|del|le, die; -, -n (Schnitte
aus gedämpftem Fleisch; auch
für Frikadelle)

Fri|kas|see, das; -s, -s (Gericht aus klein geschnittenem Fleisch); fri|kas|sie|ren

fri|ka|tiv (lat.) (auf Reibung beruhend); Fri|ka|tiv, der; -s, -e, Fri|ka|tiv|laut, der; -[e]s, -e (Sprachw. Reibe-, Engelaut, z. B. f, sch)

Frik|ti|on, die; -, -en (Reibung); Frik|ti|ons|kupp|lung (Technik); frik|ti|ons|los

Fri|maire [...'mɛːɐ̯], der; -[s], -s Plur. selten (franz.), »Reifmonat« (3. Monat des Kalenders der Franz. Revolution: 21. Nov. bis 20. Dez.)

Fris|bee ® [...bi], das; -, -s (engl.) (Wurfscheibe)

frisch

– auf frischer Tat ertappen
– frisch-fröhlich ↑K 23

Großschreibung in Namen ↑K 140:

– die Frische Nehrung; das Frische Haff

Getrennt- und Zusammenschreibung ↑K 56 u. 58:

– etwas frisch halten
– sich frisch machen od. frisch-machen
– die Tür wurde frisch gestrichen
– eine frisch gestrichene od. frischgestrichene Tür
– das frisch gebackene od. frisch-gebackene Brot (vgl. aber frisch-backen)
– ein frischgebackenes (gerade erst getrautes) Ehepaar
– die frisch Verliebten od. Frisch-verliebten

Frisch (schweiz. Erzähler u. Dramatiker)

frisch|auf! (veraltend Wanderergruß)

frisch|ba|cken; ein frischbackenes Brot

Frisch|blut (erst vor kurzer Zeit entnommenes Blut)

Fri|sche, die; -

Frisch|ei

fri|schen (Hüttenw. Metall herstellen, reinigen; [vom Wildschwein] Junge werfen); du frischst

frisch-fröh|lich vgl. frisch

frisch ge|ba|cken, frisch|ge|ba|cken vgl. frisch

Frisch|ge|mü|se

frisch ge|stri|chen, frisch|ge|stri-chen vgl. frisch

Frisch|ge|wicht

Frisch|hal|te|fo|lie

Frisch|hal|te|pa|ckung

Frisch|kä|se; Frisch|kost

Frisch|ling (junges Wildschwein)

Frisch|luft; Frisch|luft|zu|fuhr

frisch|mel|kend; nur in frischmel-kende Kuh (Kuh, die gerade gekalbt hat)

Frisch|milch; Frisch|was|ser, das; -s

frisch|weg

Frisch|zel|le; Frisch|zel|len|the|ra-pie

Fris|co (amerik. Abk. für San Francisco)

Fri|sée|sa|lat [...'ze:...] (franz.; dt.) (Kopfsalat mit kraus gefiederten Blättern)

Fri|seur [...'zøːɐ̯], Frisör, der; -s, -e ⟨zu frisieren⟩; Fri|seu|rin [...'zø:...], Fri|sö|rin

Fri|seur|sa|lon, Frisör|sa|lon

Fri|seu|se [...'zø:...], die; -, -n (älter für Friseurin)

fri|sie|ren ⟨franz.⟩ (ugs. auch für herrichten, [unerlaubt] verändern); sich frisieren

Fri|sier|kom|mo|de; Fri|sier|sa|lon; Fri|sier|to|i|let|te; Fri|sier|um-hang

Fri|sis|tik, die; - (Wissenschaft von der Sprache, Literatur u. Landeskunde der Friesen)

Fri|sör usw. vgl. Friseur usw.

frisst vgl. fressen

Frist, die; -, -en

fris|ten

Fris|ten|lö|sung; Fris|ten|re|ge|lung (Regelung für straffreien Schwangerschaftsabbruch in den ersten [drei] Monaten)

frist|ge|bun|den; frist|ge|mäß; frist-ge|recht

frist|los; fristlose Entlassung

Frist|über|schrei|tung

Frist|wech|sel (Kaufmannsspr. Datowechsel)

Fri|sur, die; -, -en

Fri|teu|se [...'tø:...] alte Schreibung für Fritteuse

Frit|flie|ge (Getreideschädling)

Frit|hjof (norweg. Held; m. Vorn.); Frit|hjof[s]|sa|ge, der; -

fri|tie|ren alte Schreibung für frit-tieren

Frit|ta|te, die; -, -n (ital.) (Eierku-chenstreifen als Suppeneinlage); Frit|ta|ten|sup|pe

Frit|te, die; -, -n (franz.) (Schmelz-gemenge; Plur. ugs. auch für Pommes frites); frit|ten (eine

Fritte machen; [von Steinen] sich durch Hitze verändern; ugs. auch für frittieren)

Frit|ten|bu|de (ugs. für Imbiss-stube)

Frit|teu|se [...'tø:...], die; -, -n (elektr. Gerät zum Frittieren)

frit|tie|ren ⟨franz.⟩; Fleisch, Kar-toffeln frittieren (in schwim-mendem Fett braun braten)

Frit|tü|re, die; -, -n ⟨franz.⟩ (heißes Ausbackfett; die darin geba-ckene Speise; auch für Frit-teuse); Fri|tü|re alte Schreibung für Frittüre

Fritz (bot. Vorn.); ...frit|ze, der; -n, -n (ugs. abwertend, z. B. Film-fritze, Zeitungsfritze)

fri|vol ⟨franz.⟩ (leichtfertig; schlüpf-rig); Fri|vo|li|tät, die; -, -en

Frl. = Fräulein

Frö|bel (dt. Pädagoge)

froh; frohen Sinnes; die froh[e]sten Menschen; froh gelaunt od. frohgelaunt ↑K 58 , froher gelaunt; od. aber frohge-mut; frohes Ereignis, aber ↑K150 : die Frohe Botschaft (Evangelium)

Froh|bot|schaft, die; - (svw. Evan-gelium)

froh ge|launt , froh|ge|launt vgl. froh

froh|ge|mut; die frohgemutesten Menschen

fröh|lich; Fröh|lich|keit, die; -

froh|lo|cken; sie hat frohlockt

Froh|mut (geh.); froh|mü|tig (geh.)

Froh|na|tur; Froh|sinn; froh|sin|nig (selten)

frönen

Obwohl das ö in frönen lang gesprochen wird, schreibt man das Verb ohne Dehnungs-h. Gleiches gilt für die etymolo-gisch verwandten Wörter Fron, Frondienst und Fronleichnam.

froh|wüch|sig (Tier- u. Pflanzen-zucht)

Frois|sé [frɔa...], der od. das; -s, -s ⟨franz.⟩ (künstlich geknittertes Gewebe)

Fro|mage de Brie [frɔ'maːʒ də -], der; - - -, -s - - [frɔ'maːʒ - -] ⟨franz.⟩ (Briekäse)

fromm; frömmer od. frommer, frömms|te od. fromms|te

From|me, der; -n (veraltet für Ertrag; Nutzen); noch in zu Nutz und Frommen

F

From

423

Fröm

Fröm|me|lei, die; -; **fröm|meln** (sich [übertrieben] fromm zeigen); ich frömm[e]le

from|men (*veraltend für* nutzen); es frommt ihm nicht

Fromm|heit, die; -; **Fröm|mig|keit**, die; -

Frömm|ler; **Frömm|le|rei**; **Frömm|le|rin**; **frömm|le|risch**

Fron, die; -, -en (dem Lehnsherrn zu leistende Arbeit); **Fron|ar|beit** (*schweiz. auch für* unbezahlte Gemeinschaftsarbeit für Gemeinde, Verein o. Ä.)

Fron|ar|bei|ter; **Fron|ar|bei|te|rin**

¹**Fron|de**, die; -, -n (*veraltet für* Fron)

²**Fron|de** ['frõ:...], die; -, -n ⟨franz.⟩ (regierungsfeindliche Gruppe)

fron|den (*veraltet für* fronen)

Fron|deur [frõ'dø:ɐ̯], der; -s, -e ⟨franz.⟩ (Anhänger der ²Fronde)

Fron|dienst (*früher* Dienst für den Lehnsherrn; *schweiz.* svw. Fronarbeit)

fron|die|ren [frõ...] ⟨franz.⟩ (als Frondeur auftreten)

fro|nen (Frondienste leisten)

frö|nen (sich einer Neigung, Leidenschaft o. Ä. hingeben)

Frö|ner (Arbeiter im Frondienst); **Frö|ne|rin**

Fron|leich|nam, der; -[e]s (*meist ohne Artikel*) ⟨»des Herrn Leib«⟩ (kath. Fest); **Fron|leich|nams|fest**; **Fron|leich|nams|pro|zes|si|on**; **Fron|leich|nams|tag**

Front, die; -, -en ⟨franz.⟩; Front machen (sich widersetzen)

Front|ab|schnitt

front|tal; **Fron|tal|an|griff**; **Fron|tal|zu|sam|men|stoß**

Fron|tan|trieb; **Front|be|richt**; **Front|brei|te**; **Front|dienst**; **Front|ein|satz**; **Front|frau** (*vgl.* Frontmann)

Fron|tis|piz, das; -es, -e ⟨*Archit.* Giebeldreieck; *Buchw.* Titelblatt [mit Titelbild]⟩

Front|kämp|fer; **Front|kämp|fe|rin**

Front|la|der (Schleppfahrzeug)

Front|li|nie

Front|mann (Musiker, der [als Sänger] in einer Gruppe im Vordergrund agiert)

Front|mo|tor

Front Na|tio|nal [frõ nasjɔ'nal], der, *auch* die; - - (*franzö*s. Widerstandsorganisation im 2. Weltkrieg; *franzö*s. Partei)

Front|schei|be

Front|sol|dat

Front|wech|sel (Gesinnungswandel)

fror *vgl.* frieren

Frosch, der; -[e]s, Frösche

Frosch|au|ge; **Frosch|biss** (Sumpf- und Wasserpflanze)

Frösch|chen

Frosch|hüp|fen, das; -s (Springen [und Vorwärtshüpfen] aus dem Hockstand in den Hocksitz)

Frosch|kö|nig (eine Märchengestalt); **Frosch|laich**

Frösch|lein

Frosch|mann *Plur.* ...männer; **Frosch|per|s|pek|ti|ve**; **Frosch|schen|kel**; **Frosch|test** (ein Schwangerschaftstest)

Frost, der; -[e]s, Fröste

frost|an|fäl|lig

Frost|auf|bruch; **Frost|beu|le**

frös|te|lig, **fröst|lig**; **frös|teln**; ich fröst[e]le; mich fröstelt

fros|ten; **Fros|ter**, der; -s, - (Tiefkühlteil einer Kühlvorrichtung)

frost|frei; **Frost|ge|fahr**, die; -; **Frost|gren|ze**

frost|hart

fros|tig; **Fros|tig|keit**, die; -

frost|klar; **frost|klir|rend**

fröst|lig, **frös|te|lig**

Frost|scha|den; **Frost|schutz|mit|tel**; **Frost|span|ner** (ein Schmetterling); **Frost|wet|ter**

Frot|té usw. *vgl.* **Frottee** usw.

Frot|tee, Frotté ['frɔte, *österr.* ...'te:], das *od.* der; -[s], -s ⟨franz.⟩ ([Kleider]stoff aus gekräuseltem Zwirn; *auch für* Frottiergewebe)

Frot|tee|hand|tuch, Frotté|hand|tuch ['frɔte..., *österr.* ...'te:...]

Frot|tee|stoff, Frotté|stoff

Frot|tee|tuch, Frotté|tuch (*vgl.* Frottiertuch)

frot|tie|ren; **Frot|tier|tuch** *Plur.* ...tücher

Frot|ze|lei; **frot|zeln** (*ugs. für* necken, aufziehen); ich frotz[e]le

Frucht, die; -, Früchte

frucht|bar; **Frucht|bar|keit**

Frucht|be|cher (*auch Bot.*); **Frucht|bla|se**; **Frucht|blatt** (Karpell); **Frucht|bo|den**; **Frucht|bon|bon**

Frucht brin|gend, **frucht|brin|gend**; eine Frucht bringende *od.* fruchtbringende Tätigkeit ↑K58

Früch|t|chen (*ugs. auch für* kleiner Taugenichts)

Früch|te|brot

fruch|ten; es fruchtet nichts

früch|te|reich *vgl.* fruchtreich

Früch|te|tee

Frucht|fleisch; **Frucht|fol|ge** (Anbaufolge der einzelnen Feldfrüchte); **Frucht|ge|schmack**

Frucht|holz (Frucht tragendes Holz der Obstbäume)

fruch|tig (z. B. vom Wein)

...fruch|tig (z. B. einfruchtig)

Frucht|jo|gurt, **Frucht|jo|ghurt**

Frucht|kno|ten (*Bot.*)

Frücht|lein

frucht|los; **Frucht|lo|sig|keit**

Frucht|mark, das; -[e]s; **Frucht|pres|se**

frucht|reich, **früch|te|reich**

Frucht|saft; **Frucht|sa|lat**

Frucht tra|gend, **frucht|tra|gend**; Frucht tragende *od.* fruchttragende Bäume ↑K58

Frucht|was|ser, das; -s; **Frucht|was|ser|un|ter|su|chung**

Frucht|wech|sel; **Frucht|zu|cker**

Fruc|to|se *vgl.* Fruktose

fru|gal ⟨lat.⟩ (mäßig; einfach; bescheiden); **Fru|ga|li|tät**, die; -

früh *s. Kasten Seite 425*

Früh|auf|ste|her; **Früh|auf|ste|he|rin**; **Früh|beet**

Früh|bu|cher; **Früh|bu|che|rin**; **Früh|bu|cher|ra|batt**

Früh|chen (Frühgeborenes)

Früh|di|a|g|no|se (*Med.*)

Früh|dienst

Früh|druck *Plur.* ...drucke

Frü|he, die; -; in der Frühe; in aller Frühe; bis in die Früh

Früh|ehe

frü|her

Früh|er|ken|nung, die; - (*bes. Med.*)

frü|hes|tens, frühs|tens

frü|hest|mög|lich; zum frühestmöglichen Termin

Früh|ge|burt; **Früh|ge|mü|se**

Früh|ge|schich|te, die; -; **früh|ge|schicht|lich**

früh|go|tisch

Früh|in|va|li|di|tät

Früh|jahr; **früh|jahrs**

Früh|jahrs|an|fang; **Früh|jahrs|be|stel|lung**; **Früh|jahrs|kol|lek|ti|on**; **Früh|jahrs|mes|se**; **Früh|jahrs|mü|dig|keit**; **Früh|jahrs|putz**

Früh|jahrs-Tag|und|nacht|glei|che, Früh|jahrs-Tag-und-Nacht-Glei|che

Früh|kar|tof|fel

früh|kind|lich

Früh|ling, der; -s, -e

Früh|lings|an|fang; **Früh|lings|fest**

Früh|lings|ge|fühl; Frühlingsgefühle haben (*ugs. scherzh. für* sich [im reifen Alter noch einmal] verlieben); **früh|ling[s]|haft**

Früh|lings|mo|nat, **Früh|lings|mond** (März)

Früh|lings|rol|le (chin. Vorspeise)

Früh|lings|tag

Früh|lings|wet|ter

früh

früher, am frühs|ten *od.* am frü|hes|ten
Groß- und Kleinschreibung:

– von früh bis spät
– von morgens früh bis abends spät
– ich muss immer morgens früh aufstehen (*aber:*
  frühmorgens hat es noch geregnet)
– morgen früh *od.* morgen Früh schlafe ich aus
– frühs|tens *od.* frühes|tens; frühestmöglich
  (*vgl. d.*)

Getrennt- und Zusammenschreibung:

– allzu früh
– von früh auf
– früh verstorben *od.* frühverstorben; früh vollendet *od.* frühvollendet

---

Früh|lings|zeit
Früh|lings|zwie|bel
Früh|met|te
früh|mor|gend|lich
früh|mor|gens *vgl.* früh
früh|neu|hoch|deutsch *vgl.* deutsch;
  Früh|neu|hoch|deutsch, das; -[s];
  vgl. Deutsch; Früh|neu|hoch-
  deut|sche, das; -n; *vgl.* Deutsche,
  das
früh|reif; Früh|reif (gefrorener
  Tau); Früh|rei|fe, die; -
Früh|ren|te; Früh|rent|ner; Früh-
  rent|ne|rin
Früh|schicht; Früh|schop|pen; Früh-
  som|mer; Früh|sport; Früh|sta|di-
  um; Früh|start
frühs|tens, frü|hes|tens
Früh|stück; früh|stü|cken; gefrüh-
  stückt
Früh|stücks|brett|chen; Früh|stücks-
  brot; Früh|stücks|bü|fett; Früh-
  stücks|ei; Früh|stücks|fern|se|hen;
  Früh|stücks|pau|se
früh ver|stor|ben, früh|ver|stor|ben
  ↑K58; *vgl.* früh
früh voll|en|det, früh|voll|en|det
  ↑K58; *vgl.* früh
Früh|warn|sys|tem (*Milit.*)
Früh|zeit; früh|zei|tig
Fruk|ti|dor [fry...], der; -[s], -s
  ⟨franz., »Fruchtmonat«⟩
  (12. Monat des Kalenders der
  Franz. Revolution: 18. Aug. bis
  16. Sept.)
Fruk|ti|fi|ka|ti|on [frʊk...], die; -,
  -en ⟨lat.⟩ (*Bot.* Frucht- bzw. Spo-
  renbildung); fruk|ti|fi|zie|ren
Fruk|to|se, *Fachspr.* Fruc|to|se, die;
  - ⟨lat.⟩ (Fruchtzucker)
Frust, der; -[e]s (*ugs. für* Frustra-
  tion); frus|ten (*ugs. für* frustrie-
  ren)
Frus|t|ra|ti|on[1], die; -, -en ⟨lat.⟩
  (*Psych.* Enttäuschung durch
  Verzicht od. Versagung von
  Befriedigung)
frus|t|rie|ren[1] (enttäuschen); frus-
  triert sein; Frus|t|rie|rung[1]
Frut|ti *Plur.* ⟨ital.⟩ (Früchte); Frut|ti

di Ma|re *Plur.* ⟨»Meeresfrüchte«⟩
  (mit dem Netz gefangene
  Muscheln, Krebse u. Ä.)
F-Schlüs|sel [ˈɛf...] (*Musik*)
ft = Foot, Feet
Fuchs, der; -es, Füchse; Fuchs-
  band|wurm; Fuchs|bau *Plur.*
  ...baue; Füchs|chen
fuch|sen; sich fuchsen (*ugs. für*
  sich ärgern); du fuchst dich; das
  fuchst ihn
Fuchs|hatz (*Jägerspr.*)
Fuch|sie, die; -, -n ⟨nach dem Bota-
  niker Leonhard Fuchs⟩ (eine
  Zierpflanze)
fuch|sig (fuchsrot; fuchswild)
Fuch|sin, das; -s (roter Farbstoff)
Füch|sin; Fuchs|jagd; Füchs|lein
Fuchs|loch; Fuchs|pelz; fuchs|rot
Fuchs|schwanz
fuchs|[teu|fels|]wild
Fuch|tel, die; -, -n (*früher* breiter
  Degen; strenge Zucht); unter
  jmds. Fuchtel stehen
fuch|teln; ich fucht[e]le
fuch|tig (*ugs. für* aufgebracht)
fud. = fudit
Fu|der, das; -s, - (Wagenladung,
  Fuhre; Hohlmaß für Wein); fu-
  der|wei|se
fu|dit ⟨lat., »hat [es] gegossen«⟩
  (auf künstlerischen Gusswer-
  ken; *Abk.* fud.)
Fu|d|schi|ja|ma [...dʒi...], der; -s
  (jap. Vulkan)
Fu|er|te|ven|tu|ra (eine der Kanari-
  schen Inseln)
Fuff|fi, der; -s, -s (*ugs. für* Fünfzig-
  mark- od. -euroschein)
Fuff|zehn (*landsch.*); in 'ne Fuff-
  zehn machen (Pause machen)
Fuff|zi|ger, der; -s, - (*landsch. für*
  Münze oder Schein mit dem
  Wert 50); ein falscher Fuffziger
  (*ugs. für* unaufrichtiger Mensch)
Fug, der; *in* mit Fug und Recht
fu|ga|to ⟨ital.⟩ (*Musik* fugenartig);
  Fu|ga|to, das; -s, *Plur.* -s u. ...ti
[1]Fu|ge, die; -, -n (schmaler Zwi-
  schenraum; Verbindungsstelle)

[2]Fu|ge, die; -, -n ⟨lat.-ital.⟩ (kontra-
  punktisches Musikstück)
fu|gen ([Bau]teile verbinden)
fü|gen; sich fügen
fu|gen|los
Fu|gen-s, das; -, - ↑K29
Fu|gen|stil, der; -[e]s (*Musik*)
Fu|gen|zei|chen (*Sprachw.* die Fuge
  einer Zusammensetzung kenn-
  zeichnender Laut oder kenn-
  zeichnende Silbe, z.B. -es- in
  »Liebesdienst«)
Fug|ger (Augsburger Kaufmanns-
  geschlecht im 15. und 16. Jh.);
  Fug|ge|rei, die; - (Handelsgesell-
  schaft der Fugger; Stadtteil in
  Augsburg)
fu|gie|ren (ein musikal. Thema
  nach Fugenart durchführen)
füg|lich
füg|sam; Füg|sam|keit, die; -
Fu|gung
Fü|gung
fühl|bar; Fühl|bar|keit, die; -
füh|len
Füh|ler
Fühl|horn *Plur.* ...hörner
fühl|los; Fühl|lo|sig|keit, die; -
Füh|lung; Füh|lung|nah|me
fuhr *vgl.* fahren
Fuh|re, die; -, -n
Füh|re, die; -, -n (*Bergsteigen*
  Route)
füh|ren; Buch führen; jmdn.
  spazieren führen; füh|rend;
  Füh|rer
Füh|rer|aus|weis (*schweiz. amtl.
  für* Führerschein); Füh|rer|haus
Füh|re|rin; füh|rer|los
Füh|rer|schaft
Füh|rer|schein; Füh|rer|sitz; Füh|rer-
  stand
Führ|hand (*Boxen*)
Führ|hund (Blindenhund)
füh|rig usw. *vgl.* geführig usw.
Fuhr|lohn; Fuhr|mann *Plur.* ...män-
  ner u. ...leute; Fuhr|park

F

Fuhr

---

[1] Die Trennung zwischen t und r
sollte vermieden werden ↑K168.

Füh|rung; Füh|rungs|an|spruch

Füh|rungs|auf|ga|be; Füh|rungs|eta|ge; Füh|rungs|kraft; Füh|rungs|po|si|ti|on

Füh|rungs|rie|ge

Füh|rungs|schie|ne *(Technik)*

Füh|rungs|spit|ze

Füh|rungs|tor, das *(Sport)*

Füh|rungs|wech|sel

Füh|rungs|zeug|nis

Fuhr|un|ter|neh|men; Fuhr|un|ter|neh|mer; Fuhr|un|ter|neh|me|rin

Fuhr|werk

fuhr|wer|ken; ich fuhrwerke; gefuhrwerkt; zu fuhrwerken

Fu|ji|yal|ma [fudʒiˈjama] ⟨jap.⟩ *(vgl.* Fudschijama)

Ful|be *Plur.* (westafrik. Volk)

¹Ful|da, die; - (Quellfluss der Weser)

²Ful|da (Stadt a. d. Fulda)

Ful|da|er; Ful|da|e|rin

ful|da|isch, ful|disch

Ful|gu|rit, der; -s, -e ⟨lat.⟩ *(Geol.* durch Blitzschlag röhrenförmig zusammengeschmolzene Sandkörner)

Fül|le, die; -; **fül|len**

Fül|len, das; -s, - *(geh. für* Fohlen)

Fül|ler

Füll|fe|der; Füll|fe|der|hal|ter

Füll|horn *Plur.* ...hörner

fül|lig

Füll|ort, der *Plur.* ...örter *(Bergmannsspr.)*

Füll|sel, das; -s, -

Full Ser|vice, der; - -, - -s ⟨engl.⟩ (Rundum-Kundendienst)

Full|time|job, Full|time-Job [...taim...] ⟨engl.⟩ (Ganztagsarbeit)

Fül|lung

Füll|wort *Plur.* ...wörter

ful|mi|nant ⟨lat.⟩ (glänzend, prächtig); Ful|mi|nanz, die; -

Fulp|mes (Ort in Tirol)

Fu|ma|ro|le, die; -, -n ⟨ital.⟩ (vulkan. Dampfquelle)

Fu|mé [fyˈmeː], der; -[s], -s ⟨franz.⟩ (Probeabdruck eines Holzschnittes mithilfe feiner Rußfarbe)

Fum|mel, der; -s, - *(ugs. für* billiges Kleid)

Fum|me|lei; fum|me|lig; eine fummelige Arbeit; **fum|meln** *(ugs. für* sich [unsachgemäß] an etwas zu schaffen machen); ich fumm[e]le

Fun [fan], der; -s ⟨engl.⟩ (Vergnügen, das eine bestimmte Handlung, ein Ereignis o. Ä. bereitet)

Fu|na|fu|ti (Hauptstadt von Tuvalu)

Func|tio|nal Food [ˈfaŋkʃənəl ˈfuːt], das; - -[s], - -s ⟨engl.⟩ (Lebensmittel mit gesundheitsfördernden Zusatzstoffen)

Fund, der; -[e]s, -e

Fun|da|ment, das; -[e]s, -e ⟨lat.⟩; fun|da|men|tal (grundlegend; schwerwiegend)

Fun|da|men|ta|lis|mus, der; -; Fun|da|men|ta|list, der; -en, -en (jmd., der [kompromisslos] an seinen [politischen, religiösen] Grundsätzen festhält); Fun|da|men|ta|lis|tin; fun|da|men|ta|lis|tisch

Fun|da|men|tal|satz

fun|da|men|tie|ren (den Grund legen)

Fun|da|ment|wan|ne *(Bauw.)*

Fund|amt

Fun|da|ti|on, die; -, -en ([kirchliche] Stiftung; *schweiz. für* Fundament[ierung])

Fund|bü|ro

Fund|gru|be

Fun|di, der; -s, -s *(ugs. für* Fundamentalist [bes. bei den Grünen])

fun|die|ren ⟨lat.⟩ (gründen; mit Mitteln versehen); fun|diert (begründet; *Kaufmannsspr.* durch Grundbesitz gedeckt)

fün|dig *(Bergmannsspr.* ergiebig, reich); fündig werden (entdecken, ausfindig machen; *Bergmannsspr.* auf Lagerstätten stoßen)

Fund|ort

Fund|rai|sing, Fund-Rai|sing [ˈfantreːzɪŋ], das; -s, -s ⟨engl.⟩ (Spendensammeln [für wohltätige Zwecke])

Fund|sa|che; Fund|stät|te; Fundstück; Fund|un|ter|schla|gung

Fun|dus, der; -, - ⟨lat.⟩ (Grund u. Boden; Grundlage; Bestand an Kostümen, Kulissen usw.)

Fü|nen (dän. Insel)

Fu|ne|ra|li|en *Plur.* ⟨lat.⟩ *(veraltet für* [feierliches Gepränge bei einem] Leichenbegängnis)

fünf; die fünf Sinne; die fünf od. Fünf Weisen (Sachverständigenrat); wir sind heute zu fünfen od. zu fünft; fünf gerade sein lassen *(ugs. für* etwas nicht so genau nehmen); *vgl.* acht, drei; in fünf viertel Stunden *od.* in fünf Viertelstunden; *vgl.* Viertelstunde

Fünf, die; -, -en (Zahl); eine Fünf würfeln, schreiben; *vgl.* ¹Acht *u.* Eins

Fünf|cent|stück *(mit Ziffer* 5-Cent-Stück; ↑K 26)

Fünf|eck; fünf|eckig

fünf|ein|halb, fünf|und|ein|halb

Fün|fer *(ugs. auch für* Münze od. Schein mit dem Wert 5); *vgl.* Achter

Fün|fer|lei

Fün|fer|rei|he; in Fünferreihen

Fünf|eu|ro|schein *(mit Ziffer* 5-Euro-Schein; ↑K 26)

fünf|fach; Fünf|fa|che, das; -n; *vgl.* Achtfache

Fünf|flach, das; -[e]s, -e, Fünf|flächner *(für* Pentaeder)

Fünf|fran|ken|stück *(mit Ziffer* 5-Franken-Stück; ↑K 26); Fünf|fränk|ler, der; -s, - *(schweiz. svw.* Fünffrankenstück)

fünf|hun|dert *(als röm. Zahlzeichen* D); Fünf|hun|der|ter, der; -s, - *(ugs. auch für* Schein mit dem Wert 500)

Fünf|hun|dert|eu|ro|schein *(mit Ziffern* 500-Euro-Schein; ↑K 26)

Fünf|hun|dert|mark|schein *(früher; mit Ziffern* 500-Mark-Schein; ↑K 26)

Fünf|jahr|plan, Fünf|jah|res|plan *(mit Ziffer* 5-Jahr[es]-Plan ↑K 26; für jeweils fünf Jahre aufgestellter Wirtschaftsplan in sozialistischen Ländern)

Fünf|kampf

Fünf|li|ber, der; -s, - *(schweiz. mdal. für* Fünffrankenstück)

Fünf|ling

fünf|mal *vgl.* achtmal

fünf|ma|lig

Fünf|mark|schein *(früher; mit Ziffer* 5-Mark-Schein; ↑K 26)

Fünf|mark|stück *(früher; mit Ziffer* 5-Mark-Stück; ↑K 26 *)*; fünf|mark|stück|groß

Fünf|pass, der; ...passes, ...passe *(Archit.* Verzierungsform mit fünf Bogen)

Fünf|pfen|nig|stück *(früher; mit Ziffer* 5-Pfennig-Stück; ↑K 26 *)*

Fünf|pro|zent|klau|sel, die; - *(mit Ziffer* 5-Prozent-Klausel ↑K 26; *mit Zeichen* 5 %-Klausel; *vgl.* Prozent *u.* ...prozentig)

Fünf|raum|woh|nung *(mit Ziffer* 5-Raum-Wohnung; *regional für* Fünfzimmerwohnung)

fünf|stel|lig

Fünf|ster|ne|ho|tel ⟨mit Ziffer 5-Sterne-Hotel⟩

Fünf|strom|land, das; -[e]s (für Pandschab)

fünft vgl. fünf

Fünf|ta|ge|fie|ber, das; -s (Infektionskrankheit)

Fünf|ta|ge|wo|che

fünf|tau|send

fünf|te; die fünfte Kolonne; vgl. achte; fünf|tel vgl. achtel; Fünf|tel, das, schweiz. meist der; -s, -; vgl. Achtel; fünf|tens

Fünf|uhr|tee

fünf|und|ein|halb, fünf|ein|halb

fünf|und|sech|zig|jäh|rig vgl. achtjährig

fünf|und|zwan|zig vgl. acht; fünf|zehn vgl. acht u. Fuffzehn; fünf|zehn|hun|dert

fünf|zig (als röm. Zahlzeichen L); usw. vgl. achtzig usw.

Fünf|zig|cent|stück ⟨mit Ziffern 50-Cent-Stück; ↑K 26 ⟩; Fünf|zi|ger, der; -s, - (ugs. auch für Münze od. Schein mit dem Wert 50); vgl. Fuffziger

Fünf|zig|eu|ro|schein ⟨mit Ziffern 50-Euro-Schein; ↑K 26 ⟩; fünf|zig|jäh|rig vgl. achtjährig

Fünf|zig|mark|schein ⟨früher; mit Ziffern 50-Mark-Schein; ↑K 26 ⟩

Fünf|zig|pfen|nig|stück ⟨früher; mit Ziffern 50-Pfennig-Stück; ↑K 26 ⟩

Fünf|zim|mer|woh|nung ⟨mit Ziffer 5-Zimmer-Wohnung)

fun|gi|bel ⟨lat.⟩ (einsetzbar; Rechtsspr. vertretbar); fungi|b|le Sache; Fun|gi|bi|li|tät, die; -

fun|gie|ren (ein Amt verrichten, verwalten; tätig, wirksam sein)

Fun|gi|zid, das; -[e]s, -e ⟨lat.⟩ (Mittel zur Pilzbekämpfung)

Fun|gus, der; -, ...gi ⟨Med. schwammige Geschwulst)

¹Funk, der; -s (Rundfunk[wesen], drahtlose Telegrafie)

²Funk [faŋk], der; -s ⟨engl.⟩ (bluesbetonte Spielweise im Jazz; Popmusik als Mischung aus Rock und Jazz)

Funk|ama|teur; Funk|ama|teu|rin; Funk|an|la|ge; Funk|aus|stel|lung; Funk|bild

Fünk|chen

Funk|dienst

Fun|ke, Fun|ken, der; ...kens, ...ken; ↑K 58 : eine Funken sprühende od. funkensprühende Lokomotive

fun|keln; ich funk[e]le

fun|kel|na|gel|neu (ugs.)

fun|ken (durch Funk übermitteln)

Fun|ken vgl. Funke

Fun|ken|flug; Fun|ken|ma|rie|chen (Tänzerin im Karneval); Fun|ken|re|gen

Fun|ken sprü|hend, fun|ken|sprü|hend vgl. Funke

funk|ent|stö|ren; ein funkentstörtes Elektrogerät

Fun|ker; Fun|ke|rin

Funk|ge|rät; Funk|haus

Fun|kie, die; -, -n ⟨nach dem dt. Apotheker Funck⟩ (eine Zierpflanze)

fun|kig ['fankıç] (in der Art des ²Funk)

Funk|kol|leg; Funk|kon|takt

Fünk|lein

Funk|mess|tech|nik; Funk|pei|lung; Funk|schat|ten

Funk|sprech|ge|rät; Funk|sprech|ver|kehr; Funk|spruch

Funk|sta|ti|on; Funk|stil|le; Funk|stö|rung

Funk|strei|fe; Funk|strei|fen|wa|gen; Funk|ta|xi; Funk|tech|nik

Funk|ti|on, die; -, -en ⟨lat.⟩ (Tätigkeit; Aufgabe; Wirkungsweise; Math. abhängige Größe)

funk|ti|o|nal (funktionell) funktionale Grammatik ↑K 89

funk|ti|o|na|li|sie|ren; Funk|ti|o|na|lis|mus, der; - (Archit., Philos.); Funk|ti|o|na|list, der; -en, -en; Funk|ti|o|na|li|tät, die; -

Funk|ti|o|när, der; -s, -e ⟨franz.⟩; Funk|ti|o|nä|rin

funk|ti|o|nell (auf die Funktion bezüglich; wirksam); funktionelle Erkrankung (Med.) ↑K 89

funk|ti|o|nen|the|o|rie

funk|ti|o|nie|ren

Funk|ti|ons|be|klei|dung (svw. Funktionskleidung)

Funk|ti|ons|ein|heit

funk|ti|ons|fä|hig; Funk|ti|ons|fä|hig|keit

Funk|ti|ons|klei|dung (aus Wasser abweisendem u. atmungsaktivem Kunstfasergewebe)

Funk|ti|ons|leis|te (auf dem PC-Bildschirm)

Funk|ti|ons|stö|rung

funk|ti|ons|tüch|tig

Funk|ti|ons|verb (Sprachw. Verb, das in verblasster Bedeutung in einer festen Verbindung mit einem Substantiv gebraucht wird, z. B. »[zur Durchführung] bringen«)

Funk|ti|ons|wä|sche vgl. Funktionskleidung

Funk|turm; Funk|ver|bin|dung;

Funk|wa|gen; Funk|wer|bung; Funk|we|sen, das; -s; Funk|zel|le

fünsch (nordd. für verärgert; hinterhältig)

Fun|sport ['fan...] (Freizeitsport ohne Leistungsdruck)

Fun|zel, selten Fun|sel, die; -, -n (ugs. für schlecht brennende Lampe); fun|ze|lig, funz|lig

fun|zen (ugs., bes. Internetjargon für funktionieren); es funzt

für (Abk. f.); Präp. mit Akk.: für ihn; ein für alle Mal; für und wider, aber ↑K 81 : das Für und [das] Wider; vgl. fürs

Fu|ra|ge [...ʒə], die; - ⟨franz.⟩ (Milit. Lebensmittel; Mundvorrat; Futter); fu|ra|gie|ren [...'ʒiː...] (Milit. Lebensmittel, Futter empfangen, holen)

für|bass (veraltet für weiter)

Für|bit|te; für|bit|ten; nur im Infinitiv gebräuchlich; fürzubitten; Für|bit|ten, das; -s; Für|bit|ter; Für|bit|te|rin

Fur|che, die; -, -n; fur|chen; fur|chig

Furcht, die; -; jmdm. Furcht einflößen; Furcht erregen; vgl. Furcht einflößend, Furcht erregend

furcht|bar; Furcht|bar|keit

Fürch|te|gott (m. Vorn.)

Furcht ein|flö|ßend, furcht|ein|flö|ßend; eine Furcht einflößende od. furchteinflößende Gestalt, aber nur eine große Furcht einflößende Gestalt, eine höchst furchteinflößende, noch furchteinflößendere Gestalt ↑K 58

fürch|ten; fürch|ter|lich

Furcht er|re|gend, furcht|er|re|gend; ein Furcht erregender od. furchterregender Auftritt, aber nur ein große Furcht erregender Auftritt, ein äußerst furchterregender, noch furchterregenderer Auftritt ↑K 58

furcht|los; Furcht|lo|sig|keit, die; -

furcht|sam; Furcht|sam|keit, die; -

Fur|chung

für|der, für|der|hin (veraltet für von jetzt an, künftig)

für|ei|n|an|der; füreinander da sein, einstehen, leben ↑K 50

Fu|rie [...jə], die; -, -n ⟨lat.⟩ (röm. Rachegöttin; wütende Frau)

Fu|rier, der; -s, -e ⟨franz.⟩ (Milit. veraltet der für Unterkunft u. Verpflegung sorgende Unteroffizier); vgl. Fourier

fü|rio! (schweiz. für feurio!)

fu|ri|os ⟨lat.⟩ (veraltend für hitzig, leidenschaftlich; mitreißend); fu|ri|o|so ⟨ital.⟩ (Musik leidenschaftlich); **Fu|ri|o̱|so**, das; -s, *Plur. -s u. ...si (Musik)*

Fu̱r|ka, die; -, *auch* der; -[s] (schweiz. Alpenpass)

für|lieb|neh|men *(älter für* vorliebnehmen); ich nehme fürlieb; sie hat fürliebgenommen; fürliebzunehmen

Fur|nier, das; -s, -e *(franz.)* (dünnes Deckblatt aus wertvollem Holz); **fur|nie̱|ren; Fur|nie̱r|holz; Fur|nie̱r|plat|te; Fur|nie̱|rung**

Fu̱|ror, der; -s ⟨lat.⟩ (Wut)

Fu|ro̱|re, die; - *od.* das; -s ⟨ital.⟩; Furore machen ([durch Erfolg] Aufsehen erregen)

Fu̱|ror teu|to̱|ni|cus, der; - - ⟨lat., »teutonisches Ungestüm«⟩

fürs ↑K14 (für das); fürs Erste ↑K80

Für|sor|ge, die; - *(früher auch für* Sozialhilfe); **Für|sor|ge|pflicht**

Für|sor|ger *(früher);* **Für|sor|ge|rin**

für|sor|ge|risch (zum Fürsorgewesen gehörend)

für|sorg|lich (pfleglich, liebevoll); **Für|sorg|lich|keit**, die; -

Für|spra̱|che

Für|sprech, der; -s, -e *(veraltet für* Fürsprecher, Wortführer; *schweiz. für* Rechtsanwalt)

Für|spre|cher; Für|spre|che|rin

Fürst, der; -en, -en

Fürst|abt; Fürst|bi|schof; fürst|bischöf|lich

fürs|ten; *fast nur noch im Partizip II;* gefürstet

Fürs|ten|ge|schlecht; Fürs|ten|haus; Fürs|ten|hof; Fürs|ten|sitz; Fürs|ten|tum

Fürst|erz|bi|schof

Fürs|tin, Fürs|tin|mut|ter, die; -

fürst|lich; *in Titeln* ↑K151: Fürstlich; **Fürst|lich|keit**

Fürst-Pück|ler-Eis ⟨nach Hermann Fürst von Pückler-Muskau⟩ (Sahneeis in drei Schichten)

Furt, die; -, -en

Fürth (Stadt in Mittelfranken)

Furt|wäng|ler (dt. Dirigent)

Fu|run|kel, der, *auch* das; -s, - ⟨lat.⟩ (Geschwür, Eiterbeule); **Fu|run|ku|lo̱|se**, die; -, -n

für|wahr *(geh. veraltend)*

Für|witz, der; -es *(älter für* Vorwitz); **für|wit|zig** *(älter für* vorwitzig)

Für|wort, das; -[e]s, ...wörter *(für* Pronomen); **für|wört|lich**

Furz, der; -es, Fürze *(derb für* abgehende Blähung); **Fürz|chen; fur|zen;** du furzt

Fu|sche|lei; fu|scheln *(landsch. für* rasch hin u. her bewegen; täuschen; pfuschen); ich fusch[e]le

fu|schen *(svw.* fuscheln); du fuschst; **fu|schern** *(svw.* fuscheln); ich fuschere

Fu̱|sel, der; -s, - *(ugs. für* schlechter Branntwein)

fu̱|seln *(landsch. für* hastig u. schlecht arbeiten); ich fus[e]le

Fu̱|sel|öl

Fü|si|lier, der; -s, -e ⟨franz.⟩ *(schweiz. für* Infanterist)

fü|si|lie̱|ren (standrechtlich erschießen); **Fü|sil|la|de** [fyzi'ja:...], die; -, -n *(veraltet für* standrechtliche Massenerschießung)

Fu|sil|li *Plur.* ⟨ital.⟩ (spiralig gedrehte Nudeln)

Fu|si̱|on, die; -, -en ⟨lat.⟩ (Verschmelzung, Zusammenschluss); **fu|si̱o|nie̱|ren; Fu|si̱o|nie̱|rung; Fu|si̱|ons|ver|hand|lung**

Fuß, der; -es, Füße; drei Fuß lang; zu Fuß gehen; zu Füßen fallen; Fuß fassen; das Regal ist einen Fuß breit; das Regal ist kaum fußbreit; *vgl.* Fußbreit

Fuß|ab|strei|fer; Fuß|ab|tre|ter; Fuß|ab|wehr *(Sport);* **Fuß|an|gel; Fuß|bad**

Fuß|ball; Fußball spielen ↑K54, *aber* das Fußballspielen ↑K82

fuß|ball|be|geis|tert

Fuß|ball|braut *(ugs.)*

Fuß|ball|bun|des|trai|ner ↑K22; **Fuß|ball|bun|des|trai|ne|rin**

Fuß|ball|club *vgl.* Fußballklub

Fuß|bal|ler; Fuß|bal|le|rin; fuß|bal|le|risch; Fuß|ball|eu|ro|pa|meis|ter|schaft; Fuß|ball|fan; Fuß|ball|feld; Fuß|ball|klub, Fuß|ball|club

Fuß|ball|län|der|spiel, Fuß-ball-Län|der|spiel

Fuß|ball|mann|schaft; Fuß|ball|meis|ter|schaft; Fuß|ball|na|ti|o|nal|mann|schaft; Fuß|ball|platz; Fuß|ball|schuh

Fuß|ball|spiel; Fuß|ball|spie|len, das; -s, *aber* ↑K54: Fußball spielen

Fuß|ball|spie|ler; Fuß|ball|spie|le|rin; Fuß|ball|sta|di|on; Fuß|ball|ten|nis (ein Spiel); **Fuß|ball|tor; Fuß|ball|to|to; Fuß|ball|trai|ner; Fuß|ball|trai|ne|rin; Fuß|ball|ver|ein; Fuß|ball|welt|meis|ter|schaft;** *Abk.:* Fußball-WM

Fuß|bank *Plur.* ...bänke; **Fuß|bett**

Fuß|bo|den; Fuß|bo|den|hei|zung; Fuß|bo|den|le|ger

fuß|breit; eine fußbreite Rinne; *vgl.* Fuß

Fuß|breit, der; -, -, Fuß breit, der; -, -- *(Maß)*; keinen Fußbreit *od.* Fuß breit weichen; keinen Fußbreit *od.* Fuß breit Landes hergeben; *vgl.* Fuß

Fü̱ß|chen

Fus|sel, die; -, -n, *auch* der; -s, -[n] (Fädchen, Faserstückchen); **fus|se|lig, fuss|lig;** sich den Mund fusselig *od.* fusslig reden; **fus|seln;** der Stoff fusselt; sie sagt, der Pullover fussel[e]t

fü̱|ßeln *(landsch. für* mit den Füßen unter dem Tisch Berührung suchen); ich füß[e]le

fu̱|ßen; du fußt; auf einem Vertrag fußen

Fü̱s|sen (Stadt am Lech)

Fu̱ß|en|de

Fus|sen|eg|ger (österr. Schriftstellerin)

...fü̱|ßer (z. B. Bauchfüßer), **...fü̱ß|ler** (z. B. Tausendfüßler)

Fu̱ß|fall; fu̱ß|fäl|lig

Fu̱ß|feh|ler *(Hockey, Tennis)*

Fu̱ß|fes|sel; elektronische Fußfessel; *vgl.* [2]Fessel

fu̱ß|frei (die Füße frei lassend)

Fu̱ß|gän|ger; Fu̱ß|gän|ger|am|pel; Fu̱ß|gän|ge|rin

Fu̱ß|gän|ger|tun|nel; Fu̱ß|gän|ger|über|weg; Fu̱ß|gän|ger|zo|ne

Fu̱ß|ge|her *(österr. neben* Fußgänger); **Fu̱ß|ge|he|rin**

fu̱ß|ge|recht; fußgerechtes Schuhwerk

fu̱ß|hoch; das Wasser steht fußhoch; *vgl.* Fuß

...fü̱ßig (z. B. vierfüßig)

fu̱ß|kalt; ein fußkaltes Zimmer

fu̱ß|krank

fu̱ß|lang *vgl.* Fuß

fu̱ß|läu|fig *(fachspr.* zu Fuß zu erreichen)

fu̱ß|lei|dend

Fü̱ß|lein

...fü̱ß|ler *vgl.* ...füßer

Fü̱ß|li, Füss|li (schweiz.-engl. Maler)

fuss|lig, fus|se|lig

Fü̱ß|ling (Fußteil des Strumpfes)

Fu̱ß|marsch, der; **Fu̱ß|mat|te; Fu̱ß|na|gel; Fu̱ß|no|te; Fu̱ß|pfad**

Fu̱ß|pfle|ge; Fu̱ß|pfle|ger; Fu̱ß|pfle|ge|rin

Fu̱ß|pilz; Fu̱ß|sack; Fu̱ß|soh|le; Fu̱ß|sol|dat; Fu̱ß|spur

Fu̱ß|stap|fe, die; -, -n, **Fu̱ß|stap|fen**, der; -, -

fu̱ß|tief; ein fußtiefes Loch; *vgl.* Fuß

Fu̱ß|tritt; Fu̱ß|volk; Fu̱ß|wan|de|rung; Fu̱ß|wa|schung; Fu̱ß|weg

fuß|wund

Fus|ta|ge [...ʒə], die; -, -n ⟨franz.⟩ ([Preis für] Leergut)

Fus|ta|nel|la, die; -, ...llen ⟨ital.⟩ (kurzer Männerrock der Albaner und Griechen)

Fus|ti Plur. ⟨ital.⟩ (unbrauchbare Bestandteile einer Ware)

Fus|tik|holz ⟨arab.; dt.⟩ (einen gelben Farbstoff enthaltendes Holz)

Fu|thark [...θa...], das; -s, -e (Runenalphabet)

Fu|ton, der; -s, -s ⟨jap.⟩ (jap. Matratze)

futsch, pfutsch ⟨ugs. scherzh. für weg, verloren⟩

¹**Fut|ter**, das; -s (Nahrung [der Tiere])

²**Fut|ter**, das; -s, - (innere Stoffschicht der Oberbekleidung)

Fut|te|ra|ge [...ʒə], die; - ⟨ugs. für Essen⟩

Fut|te|ral, das; -s, -e ⟨germ.-mlat.⟩ (Hülle, Überzug; Behälter)

Fut|ter|ge|trei|de; Fut|ter|häus|chen (für Vögel); **Fut|ter|kar|tof|fel; Fut|ter|krip|pe**

Fut|ter|mau|er (Stützmauer)

Fut|ter|mit|tel, das

fut|tern ⟨ugs. scherzh. für essen⟩; ich futtere

¹**füt|tern**; den Hund füttern; ich füttere

²**füt|tern** (Futterstoff einlegen) ich füttere

Fut|ter|neid; Fut|ter|platz; Fut|ter|rau|fe; Fut|ter|rü|be; Fut|ter|schnei|de|ma|schi|ne, Fut|ter|schneid|ma|schi|ne

Fut|ter|sei|de; Fut|ter|stoff

Fut|ter|trog

Füt|te|rung

Fu|tur, das; -s, -e Plur. selten ⟨lat.⟩ (Sprachw. Zukunftsform, Zukunft); **fu|tu|risch** (das Futur betreffend, im Futur auftretend)

Fu|tu|ris|mus, der; - (Kunstrichtung des 20. Jh.s); **Fu|tu|rist**, der; -en, -en (Anhänger des Futurismus); **Fu|tu|ris|tin; fu|tu|ris|tisch**

Fu|tu|ro|lo|ge, der; -n, -n; **Fu|tu|ro|lo|gie**, die; - (Zukunftsforschung); **Fu|tu|ro|lo|gin; fu|tu|ro|lo|gisch**

Fu|tu|rum, das; -s, ...ra ⟨älter für Futur⟩; **Fu|tu|rum ex|ak|tum**, das; - -, ...ra ...ta ⟨Sprachw. vollendete Zukunft, Vorzukunft⟩

Fu|zel, der; -s, - ⟨österr. ugs. für Fussel⟩; **fu|zeln** ⟨österr. ugs. für sehr klein schreiben; ich

fuz[e]le; **Fu|zerl**, das; -s, -n ⟨svw. Fuzel⟩

Fuz|zi, der; -s, -s ⟨ugs. für nicht ganz ernst zu nehmender Mensch⟩

Fuz|zy|lo|gic [ˈfazilɔdʒɪk], die; -, **Fuz|zy Lo|gic**, die; - -; vgl. Fuzzylogik

Fuz|zy|lo|gik [ˈfazi...] ⟨engl.-griech.⟩ (EDV bei Systemen der künstl. Intelligenz angewandte Methode der Nachahmung des menschlichen Denkens)

g = Gramm

g = Fallbeschleunigung

ᵍ = Gon

g, G, das; -, - (Tonbezeichnung); **g** (Zeichen für g-Moll); in g; **G** (Zeichen für G-Dur); in G

G (Buchstabe); das G; des G, die G, aber das g in Lage; der Buchstabe G, g

G = Geld

G = ²Gauß; Giga...

Γ, γ = Gamma

Ga = Gallium

GA = Georgia

Gäa (griech. Göttin der Erde)

gab vgl. geben

Ga|bar|di|ne [...diːn, auch ...ˈdiːn], der; -s, auch [...ˈdiːnə], die; - ⟨franz.⟩ (ein Gewebe); **Ga|bar|di|ne|man|tel**

Gab|b|ro, der; -s ⟨ital.⟩ (Geol. ein Tiefengestein)

gä|be vgl. gang

Ga|be, die; -, -n

Ga|bel, die; -, -n

Ga|bel|bis|sen; Ga|bel|bock; Gä|bel|chen; Ga|bel|deich|sel; Ga|bel|früh|stück; Ga|bel|hirsch

ga|be|lig, gab|lig

ga|beln; ich gab[e]le

Ga|bels|ber|ger (Familienn.); **ga|bels|ber|gersch;** die gabelsbergersche u. Gabelsberger'sche Stenografie ↑ K 89 u. 135

Ga|bel|schlüs|sel; Ga|bel|stap|ler

Ga|be|lung, Gab|lung

Ga|bel|wei|he (ein Greifvogel)

Ga|ben|tisch

ga|berln ⟨österr. Fußball für den Ball mit dem Fuß in der Luft halten⟩

Ga|bi (w. Vorn.)

Gäb|lein

Gab|ler (Jägerspr. Gabelbock, -hirsch)

gab|lig, ga|be|lig

Gab|lung, Ga|be|lung

Ga|bo|ro|ne (Hpst. von Botsuana)

Ga|b|ri|el [...eːl, auch ...ɛl] (ein Erzengel; m. Vorn.)

Ga|b|ri|e|le (w. Vorn.)

Ga|bun (Staat in Afrika); **Ga|bu|ner; Ga|bu|ne|rin; ga|bu|nisch**

Ga|cke|lei; ga|ckeln ⟨landsch. für gackern⟩; ich gack[e]le

ga|ckern; ich gackere

gack|sen ⟨landsch. für gackern⟩; du gackst; gicksen und gacksen

Gad (bibl. m. Eigenn.)

Ga|den, der; -s, - ⟨landsch. für einräumiges Haus; Kammer⟩

Ga|do|li|ni|um, das; -s ⟨nach dem finn. Chemiker Gadolin⟩ (chem. Grundstoff; Zeichen Gd)

Gaf|fel, die; -, -n (um den Mast drehbare, schräge Segelstange); **Gaf|fel|scho|ner; Gaf|fel|se|gel**

gaf|fen (abwertend); **Gaf|fer; Gaf|fe|rei; Gaf|fe|rin**

Gag [gɛk], der; -s, -s ⟨engl.-amerik.⟩ (witziger Einfall; überraschende Besonderheit)

ga|ga ⟨ugs. für nicht recht bei Verstand⟩

Ga|gat, der; -[e]s, -e ⟨griech.⟩ (Pechkohle, Jett); **Ga|gat|koh|le**

Ga|ge [...ʒə], die; -, -n ⟨germ.-franz.⟩ (Bezahlung, Gehalt [von Künstlern])

gäh|nen; Gäh|ne|rei, die; -

Gail|lar|de [gaˈja...], die; -, -n ⟨franz.⟩ (ein Tanz)

Gains|bo|rough [ˈgeːnsbərə] (engl. Maler)

Ga|jus (altröm. m. Vorn.; Abk. C. [nach der alten Schreibung Cajus])

Ga|la [auch ˈgala], die; - ⟨span.⟩ (Kleiderpracht; Festkleid)

Ga|la|abend; Ga|la|an|zug; Ga|la|auf|füh|rung; Ga|la|di|ner; Ga|la|emp|fang; Ga|la|kon|zert

ga|lak|tisch ⟨griech.⟩ (zur Galaxis gehörend)

Ga|lak|tor|rhö, die; -, -en (Med. Milchfluss nach dem Stillen)

Ga|lak|to|se, die; -, -n (einfacher Zucker)

Ga|lan, der; -s, -e ⟨span.⟩ (veraltend für Liebhaber)

ga|lant ⟨franz.⟩ (betont höflich,

ritterlich; aufmerksam); galante Dichtung (in Europa um 1700); galanter Stil (eine Kompositionsweise des 18. Jh.s in Deutschland) ↑K89

Ga|lan|te|rie, die; -, ...ien (Höflichkeit [gegenüber Frauen])

Ga|lan|te|rie|wa|ren Plur. (veraltet für Schmuck-, Kurzwaren)

Ga|lant|homme [...ˈtɔm], der; -s, -s ⟨franz.⟩ (veraltet für Ehrenmann)

Ga|la|pa|gos|in|seln Plur. (zu Ecuador gehörend)

Ga|la|tea (griech. Meernymphe)

Ga|la|ter Plur. (griech. Name der Kelten in Kleinasien); Ga|la|terbrief, der; -[e]s; ↑K64 (N. T.)

Ga|la|uni|form; Ga|la|vor|stel|lung

Ga|la|xie, die; -, ...xien ⟨griech.⟩ (Astron. großes Sternsystem); Ga|la|xis, die; -, ...xien (die Milchstraße [nur Sing.]; selten für Galaxie)

Gal|ba (röm. Kaiser)

Gä|le, der; -n, -n (irisch-schottischer Kelte)

Gal|le|as|se, die; -, -n ⟨ital.⟩ (Küstenfrachtsegler; früher größere Galeere)

Gal|lee|re, die; -, -n (Ruderkriegsschiff); Gal|lee|ren|skla|ve; Gal|lee|ren|sträf|ling

Ga|len, Ga|le|nus (altgriech. Arzt)

Ga|le|nik, die; - ⟨nach dem Arzt Galen⟩ (Lehre von den natürlichen [pflanzlichen] Arzneimitteln); ga|le|nisch; galenische Schriften ↑K89 u. 135

Gal|le|o|ne, Ga|li|o|ne, die; -, -n ⟨niederl.⟩ (mittelalterl. Segel[kriegs]schiff)

Gal|le|o|te, Ga|li|o|te, die; -, -n (der Galeasse ähnliches kleineres Küstenfahrzeug)

Ga|le|rie, die; -, ...ien ⟨ital.⟩; Ga|le|rist, der; -en, -en (Besitzer, Leiter einer Galerie); Ga|le|ris|tin

Gal|gant|wur|zel ⟨arab.; dt.⟩ (heilkräftige Wurzel)

Gal|gen, der; -s, -

Gal|gen|frist; Gal|gen|hu|mor; Gal|gen|strick (Galgenvogel); Gal|gen|vo|gel (ugs. für Strolch, Taugenichts)

Ga|li|ci|en (autonome Region in Spanien); vgl. aber Galizien; Ga|li|ci|er; ga|li|cisch

Ga|li|läa (Gebirgsland westl. des Jordans); Ga|li|lä|er; Ga|li|lä|e|rin; ga|li|lä|isch; aber ↑K140 : das Galiläische Meer (See Genezareth)

Ga|li|lei (ital. Physiker)

Ga|li|ma|thi|as, der u. das; - ⟨franz.⟩ (veraltend für verworrenes Gerede)

Ga|li|on, das; -s, -s ⟨niederl.⟩ (Vorbau am Bug älterer Schiffe); Ga|li|o|ne vgl. Galeone; Ga|li|ons|fi|gur

Ga|li|o|te vgl. Galeote

Ga|li|pot [...ˈpo:], der; -s ⟨franz.⟩ (ein Fichtenharz)

gä|lisch; gälische Sprache (Zweig des Keltischen); vgl. deutsch; Gä|lisch, das; -[s] (Sprache); vgl. Deutsch; Gä|li|sche, das; -n; vgl. Deutsche, das

Ga|li|zi|en (früher für Gebiet nördl. der Karpaten); vgl. aber Galicien; Ga|li|zi|er; Ga|li|zi|e|rin; ga|li|zisch

Gall|ap|fel (kugelförmiger Auswuchs an Blättern usw.)

¹Gal|le, die; -, -n (Geschwulst [bei Pferden]; Gallapfel)

²Gal|le, die; -, -n (Sekret der Leber; Gallenblase)

gal|le[n]|bit|ter

Gal|len|bla|se; Gal|len|gang; Gal|len|ko|lik; Gal|len|lei|den; Gal|len|stein; Gal|len|tee

gal|len|trei|bend

Gal|len|we|ge Plur.

Galerie

Das Substantiv *Galerie* wird – trotz kurz gesprochenem *a* – dem französischen Vorbild *galérie* folgend mit nur einem *l* geschrieben.

Gal|lert [auch ...ˈlɛ...], das; -[e]s, -e ⟨lat.⟩ (durchsichtige, steife Masse aus eingedickten pflanzl. od. tier. Säften); gal|lert|ar|tig

Gal|ler|te [auch ˈgal...], die; -, -n (svw. Gallert); gal|ler|tig

Gal|lert|mas|se

Gal|li|en (röm. Name Frankreichs); Gal|li|er; Gal|li|e|rin

gal|lig ⟨zu ²Galle⟩ (gallebitter; verbittert); galliger Humor

gal|li|ka|nisch; gallikanische [kath.] Kirche (in Frankreich vor 1789)

gal|lisch ⟨zu Gallien⟩

Gal|li|um, das; -s (chemisches Element, Metall; Zeichen Ga)

Gal|li|zis|mus, der; -, ...men (Sprachw. franz. Spracheigentümlichkeit in einer nichtfranz. Sprache)

Gal|lo|ma|nie, die; - ⟨lat.; griech.⟩

(übertriebene Vorliebe für alles Französische)

Gall|o|ne, die; -, -n ⟨engl.⟩ ⟨brit.-amerik. Hohlmaß⟩

gal|lo|ro|ma|nisch (den roman. Sprachen auf gallischem Boden angehörend, von ihnen abstammend)

Gall|sei|fe

Gal|lup|in|s|ti|tut, Gal|lup-In|s|ti|tut [auch ˈgɛləp...], das; -[e]s ↑K136 ⟨nach dem Gründer George H. Gallup⟩ (amerik. Meinungsforschungsinstitut)

Gal|lus (m. Eigenname)

Gal|lus|säu|re, die; - ⟨zu ¹Galle⟩; Gal|lus|tin|te

Gall|wes|pe

Gal|mei [auch ˈgal...], der; -s, -e ⟨griech.⟩ (Zinkerz)

Ga|lon [...ˈlõ:], der; -s, -s ⟨franz.⟩, Ga|lo|ne, die; -, -n ⟨ital.⟩ (Borte, Tresse); ga|lo|nie|ren (mit Borten, Tressen usw. besetzen)

Ga|lopp, der; -s, Plur. -s u. -e ⟨ital.⟩; Ga|lop|per; Ga|lop|pe|rin

ga|lop|pie|ren; Ga|lopp|renn|bahn; Ga|lopp|ren|nen

Ga|lo|sche, die; -, -n ⟨franz.⟩ (veraltend für Überschuh; ugs. für ausgetretener Schuh)

Gals|wor|thy [ˈgɔːlsvəːˌðɪ] (engl. Schriftsteller)

¹galt (bayr., österr., schweiz. für [von Kühen, Ziegen] keine Milch gebend); vgl. ¹gelt

²galt vgl. gelten

Galt|vieh (bayr., österr., schweiz. für Jungvieh; Kühe, die keine Milch geben)

Gal|va|ni (ital. Naturforscher)

Gal|va|ni|sa|ti|on, die; - ⟨nlat.⟩ (Med. therapeutische Anwendung des elektr. Gleichstroms)

gal|va|nisch; galvanischer Strom; galvanisches Element ↑K89

Gal|va|ni|seur [...ˈzøːɐ], der; -s, -e ⟨franz.⟩ (Facharbeiter für Galvanotechnik); gal|va|ni|sie|ren (durch Elektrolyse mit Metall überziehen)

Gal|va|nis|mus, der; - ⟨nlat.⟩ (Lehre vom galvanischen Strom)

Gal|va|no, das; -s, -s ⟨ital.⟩ (Druckw. galvanische Abformung eines Druckstockes)

Gal|va|no|kaus|tik (Med. Anwendung des Galvanokauters); Gal|va|no|kau|ter (auf galvanischem Wege glühend gemachtes chirurg. Instrument)

Gal|va|no|me|ter, das; -s, - (Strommesser)

Gal|va|no|plas|tik (Verfahren, Gegenstände galvanisch mit Metall zu überziehen, bes. die Herstellung von Galvanos); **Galva|no|plas|ti|ker** (Berufsbez.); **Gal|va|no|plas|ti|ke|rin; gal|va|noplas|tisch**
Gal|va|no|s|kop (ein elektr. Messgerät); **Gal|va|no|tech|nik** (Technik des Galvanisierens)
Ga|man|der, der; -s, - ⟨griech.⟩ (eine Pflanze)
Ga|ma|sche, die; -, -n ⟨arab.⟩ (eine Leder- od. Stoffbekleidung des Beins)
Gam|be, die; -, -n ⟨ital.⟩ (ein Streichinstrument)
Gam|bia (Staat in Afrika); **Gam|bier; Gam|bi|e|rin; gam|bisch**
Gam|bist, der; -en, -en ⟨ital.⟩ (Gambenspieler); **Gam|bis|tin**
Gam|b|ri|nus ([sagenhafter] König, angeblicher Erfinder des Bieres)
Game|boy ® [ˈge:mbɔy], der; -[s], -s ⟨engl.⟩ (ein elektronisches Spielgerät)
Ga|me|lan, das; -s, -s ⟨indones.⟩ (Orchester mit einheimischen Instrumenten auf Java u. Bali)
Ga|mel|le, die; -, -n ⟨franz.⟩ (schweiz. für Koch- u. Essgefäß der Soldaten im Feld)
Game|show [ˈge:mʃo:] ↑K41 (Unterhaltungssendung im Fernsehen)
Ga|met, der; -en, -en ⟨griech.⟩ (Biol. Geschlechtszelle)
Ga|me|to|phyt, der; -en, -en ⟨Bot. Pflanzengeneration, die sich geschlechtlich fortpflanzt)
Gam|ma, das; -[s], -s ⟨griech. Buchstabe; Γ, γ); **Gam|ma|strahlen, γ-Strah|len** [ˈgama...] Plur. ↑K29 (radioaktive Strahlen, kurzwellige Röntgenstrahlen)
Gam|mel, der; -s ⟨ugs. für wertloses Zeug)
Gam|mel|fleisch ⟨ugs. für verdorbenes Fleisch)
gam|me|lig, gamm|lig ⟨ugs. für verkommen; verdorben, faulig)
gam|meln ⟨ugs. für verderben [von Nahrungsmitteln]; auch für [ohne Ansprüche] in den Tag hinein leben); ich gamm[e]le
Gamm|ler; Gamm|le|rin
gamm|lig vgl. gammelig
Gams, der od. die, Jägerspr. u. landsch. das; -, -[en] (bes. Jägerspr. u. landsch. für Gämse)

Gams|bart, Gäms|bart; Gams|bock, Gäms|bock
Gäm|se ↑K133, die; -, -n; vgl. Gams
gäms|far|ben ⟨für chamois)
Gäms|jä|ger; Gäms|le|der
Gams|wild
Gand, die; -, -en od. das; -s, Gänder ⟨tirol. u. schweiz. für Schuttfeld, Geröllhalde)
Gan|dhi, Mahatma (ind. Staatsmann)
Gal|neff vgl. Ganove
Gan|er|be, der ⟨früher für Miterbe); **Gan|erb|schaft**, die; -
gang; nur noch in und gäbe sein, landsch. auch gäng und gäbe sein (allgemein üblich sein)
gäng ⟨landsch. svw. gang)
¹Gang, der; -[e]s, Gänge; im Gang[e] sein; in Gang bringen, halten, setzen; ↑K27 : das Inganghalten, Ingangsetzen
²Gang [gɛŋ], die; -, -s ⟨engl.-amerik.⟩ ([Verbrecher]bande)
Gang|art
gang|bar; Gang|bar|keit, die; -
Gän|gel|band, das; -[e]s, ...bänder; jmdn. am Gängelband führen; **Gän|ge|lei; gän|geln;** ich gängel[e]le; **Gän|ge|lung**
Gan|ges [...ges], der; - (Fluss in Vorderindien)
Gang|ge|stein (Geol.)
gän|gig; gängige Ware; eine gängige Formulierung; **Gän|gig|keit**, die; -
Gan|g|li|en|zel|le [ˈgaŋ(g)liən...] (Med. Nervenzelle); **Gan|g|li|on**, das; -s, ...ien ⟨griech.⟩ (Nervenknoten; Überbein)
Gan|g|rän, die; -, -en, auch das; -s, -e ⟨griech.⟩ (Med. Brand der Gewebe, Knochen); **gan|g|rä|neszie|ren** (brandig werden); **gan|grä|nös** (brandig)
Gang|schal|tung
Gang|spill ⟨niederl.⟩ (Seew. Ankerwinde)
Gangs|ta|rap, Gangs|ta-Rap [ˈgɛŋstarɛp] ⟨amerik.⟩ (Rapmusik mit bes. aggressiven Texten)
Gangs|ter [ˈgɛ...], der; -s, - ⟨engl.amerik.⟩ ([Schwer]verbrecher)
Gangs|ter|ban|de; Gangs|ter|boss; Gangs|ter|braut; Gangs|te|rin
Gangs|ter|kö|nig; Gangs|ter|kö|nigin; Gangs|ter|me|tho|de
Gangs|ter|rap vgl. Gangstarap
Gangs|ter|tum, das; -s
Gang|way [ˈgɛŋve:], die; -, -s ⟨engl.⟩ (Laufgang zum Besteigen eines Schiffes od. Flugzeuges)

Ga|no|ve, der; -n, -n ⟨jidd.-hebr.⟩, Ga|neff, der; -[s], Plur. -e u. -s ⟨ugs. abwertend für Gauner, Betrüger); **Ga|no|ven|eh|re; Gano|ven|spra|che; Ga|no|vin**
Gans, die; -, Gänse; **Gäns|chen**
Gän|se|blüm|chen; Gän|se|bra|ten; Gän|se|brust; Gän|se|fe|der; Gänse|fett; Gän|se|füß|chen ⟨ugs. für Anführungsstrich)
Gän|se|haut; Gän|se|keu|le; Gän|sekiel; Gän|se|klein, das; -s; Gänse|le|ber; Gän|se|marsch, der; im Gänsemarsch
Gan|ser ⟨südd. für Gänserich); **Gän|se|rich**, der; -s, -e
Gän|se|schmalz; Gän|se|wein, der; -[e]s ⟨scherzh. für Wasser)
Gans|jung, das; -s ⟨südd. für Gänseklein); **Gäns|le|ber** ⟨österr. für Gänseleber)
Gäns|lein
Gans|l|jun|ge, das; -n ⟨österr. für Gänseklein)
Gant, die; -, -en ⟨schweiz. für öffentl. Versteigerung)
Gan|ter ⟨nordd. für Gänserich)
Ga|ny|med ⟨auch, österr. nur, ˈga:...], Ga|ny|me|des (Mundschenk des Zeus)
ganz s. Kasten Seite 432
Gän|ze; nur in Wendungen wie zur Gänze (ganz, vollständig); in seiner/ihrer Gänze ⟨geh. für in seinem/ihrem ganzen Umfang)
Ganz|glas|tür
Ganz|heit, die; - (gesamtes Wesen); **ganz|heit|lich**
Ganz|heits|me|di|zin; Ganz|heitsme|tho|de; Ganz|heits|the|o|rie
ganz|jäh|rig
Ganz|le|der|band, der; ganz|le|dern (aus reinem Leder)
ganz|lei|nen (aus reinem Leinen); Ganz|lei|nen, das; -s; Ganz|leinen|band, der
gänz|lich
ganz ma|chen, ganz|ma|chen ⟨ugs.); vgl. ganz
ganz|sei|den (aus reiner Seide); ganz|sei|tig; eine ganzseitige Anzeige; **ganz|tä|gig**
ganz|tags; Ganz|tags|be|treu|ung; Ganz|tags|kin|der|gar|ten; Ganztags|schu|le
Ganz|ton Plur. ...töne
ganz|wol|len (aus reiner Wolle)
Ganz|wort|me|tho|de, die; - (Päd.)
¹gar (fertig gekocht; südd., österr. ugs. für zu Ende); das Fleisch ist noch nicht ganz gar, erst halb gar; das Fleisch gar kochen od. garkochen: gar gekochtes od.

431

ganz

– ganz und gar; ganz und gar nicht
– die ganze Wahrheit; ganze Zahlen *(Math.);* die ganzen Leute *(mdal. u. ugs. für* alle Leute)
– ganz Europa; in ganz Berlin
– etwas wieder ganz machen *od.* ganzmachen *(ugs. für* reparieren)

Großschreibung ↑K 72:

– ein Ganzes; das [große] Ganze; ein großes Ganze *od.* Ganzes; als Ganzes; aufs Ganze gehen; fürs Ganze; ums Ganze

– im Ganzen gesehen; im großen Ganzen; im Großen und Ganzen

Schreibung in Verbindung mit einem Adjektiv:

– ganz allein, ganz hell, ganz groß
– *aber* ein ganzleinener, ganzwollener Kleiderstoff; der Kleiderstoff ist ganzleinen, ganzwollen ↑K57

---

gargekochtes Fleisch ↑K58; um das Fleisch gar zu kochen *od.* garzukochen; die Klöße gar ziehen lassen; der Fisch, der inzwischen gar kochte

²gar (überhaupt); *stets getrennt geschrieben);* ganz und gar, gar kein, gar nicht, gar nichts; gar sehr, gar wohl; du solltest das nicht gar so ernst nehmen

Ga|ra|ge [...ʒə], die; -, -n ⟨franz.⟩

Ga|ra|gen|ein|fahrt; Ga|ra|gen|firma; Ga|ra|gen|tor, das; **Ga|ra|gen|wa|gen** (meist in einer Garage geparktes Auto)

ga|ra|gie|ren *(österr. für* [Wagen] einstellen)

Ga|ra|gist [...ʒɪst], der; -en, -en *(schweiz. für* Inhaber einer Autowerkstatt); **Ga|ra|gis|tin**

Ga|ra|mond [...'mõ:, *fachspr.* 'ga(:)ramɔnt], die; - ⟨nach dem franz. Stempelschneider⟩ (eine Antiquadruckschrift)

Ga|rant, der; -en, -en ⟨franz.⟩

Ga|ran|tie, die; -, ...ien (Gewähr; Zusicherung); **Ga|ran|tie|anspruch; Ga|ran|tie|fonds**

ga|ran|tie|ren; ga|ran|tiert

Ga|ran|tie|schein; Ga|ran|tin

Ga|r|aus, der; *nur in* jmdm. den Garaus machen (jmdn. umbringen)

Gar|be, die; -, -n; **Gar|ben|bund,** das

Gar|bo, Greta (schwed. Filmschauspielerin)

Gar|bot|tich

Gar|cía Lor|ca [gar'si:a -] (span. Dichter)

Gar|çon [...sõ:], der; -s, -s ⟨franz.⟩ *(veraltet für* Kellner; Junggeselle); **Gar|çonne** [...'sɔn], die; -, -n *(veraltet für* Junggesellin); **Gar|çon|ni|ère** [...nĭɛ:r], die; -, -n *(österr. für* Einzimmerwohnung)

Gar|da|see, der; -s (in Oberitalien)

Gar|de, die; -, -n ⟨franz.⟩ *(Milit.* Elitetruppe)

Gar|de|du|korps [...dy'ko:ɐ̯], das; - *(früher für* Leibgarde)

Gar|de|maß, das; -es; **Gar|de|of|fi|zier; Gar|de|re|gi|ment**

Gar|de|ro|be, die; -, -n ⟨franz.⟩ (Kleidung; Kleiderablage; Ankleideraum im Theater)

Gar|de|ro|ben|frau; Gar|de|ro|ben|ha|ken; Gar|de|ro|ben|mann; Gar|de|ro|ben|mar|ke; Gar|de|ro|ben|schrank; Gar|de|ro|ben|stän|der

Gar|de|ro|bi|er [...bĭe:], der; -s, -s *(Theater* jmd., der Künstler[innen] u. ihre Kostüme betreut); **Gar|de|ro|bi|e|re,** die; -, -n (Garderobenfrau; *Theater vgl.* Garderobier)

Gar|di|ne, die; -, -n ⟨niederl.⟩

Gar|di|nen|pre|digt *(ugs.);* **Gar|di|nen|schnur; Gar|di|nen|stan|ge**

Gar|dist, der; -en, -en ⟨franz.⟩ (Soldat der Garde); **Gar|dis|tin**

Ga|re, die; - *(Landw.* günstigster Zustand des Kulturbodens)

ga|ren (gar kochen)

gä|ren; es gor *(auch,* bes. in übertr. Bedeutung* gärte); es göre *(auch* gärte); gegoren *(auch* gegärt); gär[e]!

gar ge|kocht, gar|ge|kocht *vgl.* ¹gar ↑K58

gar kein *vgl.* ²gar

gar ko|chen, gar|ko|chen *vgl.* ¹gar

Gar|kü|che (Küche in einer einfachen Gaststätte o. Ä.)

Gar|misch-Par|ten|kir|chen (bayr. Fremdenverkehrsort)

Garn, das; -[e]s, -e

Gar|ne|le, die; -, -n (ein Krebstier)

gar|ni *vgl.* Hotel garni

gar nichts *vgl.* ²gar

gar|nie|ren ⟨franz.⟩ (schmücken, verzieren); **Gar|nie|rung**

Gar|ni|son, die; -, -en (Standort einer [Besatzungs]truppe); **gar|ni|so|nie|ren** *(veraltend für* in

der Garnison liegen); **Gar|ni|son[s]|kir|che**

Gar|ni|tur, die; -, -en (Verzierung; Anzahl *od.* Satz zusammengehöriger Gegenstände; *österr. auch für* [Straßenbahn]zug)

Garn|knäu|el

Ga|ronne [...'rɔn], die; - (franz. Fluss)

Ga|rot|te usw. *vgl.* Garrotte usw.

Gar|rot|te, die; -, -n ⟨span.⟩ (Würgschraube *od.* Halseisen zum Hinrichten [Erdrosseln]); **gar|rot|tie|ren**

gars|tig; Gars|tig|keit

Gär|stoff

Gärt|chen; gär|teln *(südd. für* Gartenarbeit aus Liebhaberei verrichten); ich gärt[e]le

Gar|ten, der; -s, Gärten

Gar|ten|ar|beit; Gar|ten|ar|chi|tekt; Gar|ten|ar|chi|tek|tin; Gar|ten|bank *Plur.* ...bänke

Gar|ten|bau, der; -[e]s; **Gar|ten|bau|aus|stel|lung**

Gar|ten|beet; Gar|ten|blu|me; Gar|ten|fest; Gar|ten|ge|rät; Gar|ten|haus; Gar|ten|lau|be; Gar|ten|lo|kal; Gar|ten|par|ty

Gar|ten|rot|schwanz (ein Singvogel)

Gar|ten|schach; Gar|ten|schlauch; Gar|ten|stadt; Gar|ten|weg; Gar|ten|wirt|schaft; Gar|ten|zaun; Gar|ten|zwerg

Gärt|lein

Gärt|ner; Gärt|ne|rei; Gärt|ne|rin

Gärt|ne|rin|art; *nur in* nach Gärtnerinart *(Gastron.)*

gärt|ne|risch; gärt|nern; ich gärtnere

Gärt|ners|frau

Gä|rung; Gä|rungs|pro|zess

Gar|zeit

Gas, das; -es, -e; Gas geben

Ga|sa *vgl.* Gaza

Gas|an|griff; Gas|an|zün|der

Gas|chro|ma|to|gra|fie, Gas|chro|ma|to|gra|phie, die; -, ...ien (Verfahren zur Trennung gasförmiger Stoffe)

Ga|sel, Gha|sel [ga...], das; -s, -e ⟨arab.⟩, Ga|se|le, Gha|se|le, die; -, -n (eine [oriental.] Gedichtform)

ga|sen; es gast; es gas|te

Gas|ex|plo|si|on; Gas|feu|er|zeug; Gas|fla|sche

gas|för|mig

Gas|ge|misch; Gas|hahn; Gas|hei|zung; Gas|herd; Gas|hül|le

ga|sie|ren ⟨Textiltechnik Garne durch Absengen von Faserenden befreien)

ga|sig

Gas|ko|cher; Gas|lei|tung

Gas-Luft-Ge|misch

Gas|mann Plur. ...männer; Gas|mas|ke; Gas|ofen; Gas|öl

Ga|so|me|ter, der; -s, - ⟨franz.⟩ (veraltend für großer Gasbehälter)

Gas|pe|dal; Gas|pis|to|le; Gas|rech|nung

Gäss|chen

Gas|schlauch

Gas|schmelz|schwei|ßung, Gas|schwei|ßung (autogene Schweißung)

Gas|se, die; -, -n (enge, schmale Straße; österr. in bestimmten Verwendungen auch für Straße, z. B. über die Gasse); Schreibung in Straßennamen: ↑K162 u. 163

Gas|sen|hau|er (ugs. veraltend für allbekanntes Lied); Gas|sen|lied; Gas|sen|lo|kal (österr.)

gas|sen|sei|tig (österr. für nach zur Straße zu gelegen)

Gas|si; nur in Gassi gehen (ugs. für mit dem Hund auf die Straße [Gasse] gehen)

Gäss|lein

Gast, der; -[e]s, Plur. Gäste u. (Seemannsspr. für bestimmte Matrosen:) -en; zu Gast sein; zu Gast bitten; als Gast (Abk. a. G.)

Gast|ar|bei|ter (veraltend); Gast|ar|bei|te|rin; Gast|ar|bei|ter|kind

Gast|do|zent; Gast|do|zen|tin

Gäs|te|bett; Gäs|te|buch; Gäs|te|hand|tuch; Gäs|te|haus; Gäs|te|heim

Gas|te|rei (veraltet für üppiges Gastmahl)

Gäs|te|to|i|let|te; Gäs|te-WC; Gäs|te|zim|mer

gast|frei; Gast|frei|heit, die; -

Gast|freund (veraltet); Gast|freun|din

gast|freund|lich; Gast|freund|lich|keit; Gast|freund|schaft

Gast|ge|ber; Gast|ge|be|rin

Gast|ge|schenk

Gast|haus; Gast|hof

Gast|hö|rer; Gast|hö|re|rin

gas|tie|ren (Theater)

Gast|land

gast|lich; Gast|lich|keit, die; -

Gast|mahl (geh.)

Gast|mann|schaft (Sport)

Gast|pflan|ze (Schmarotzer)

Gas|t|rä|a, die; -, ...äen ⟨griech.⟩ (Zool. angenommenes Urdarmtier)

gas|t|ral (Med. zum Magen gehörend); Gas|t|ral|gie, die; -, ...ien (Magenkrampf)

Gast|recht; Gast|red|ner; Gast|red|ne|rin

gas|t|risch (griech.) (Med. zum Magen gehörend, vom Magen ausgehend); ↑K89 : gastrisches Fieber; Gas|t|ri|tis, die; -, ...itiden (Magenschleimhautentzündung)

Gast|rol|le

Gas|t|ro|nom, der; -en, -en ⟨griech.⟩ (Gastwirt mit besonderen Kenntnissen der Gastronomie); Gas|t|ro|no|mie, die; - (Gaststättengewerbe; feine Kochkunst); Gas|t|ro|no|min; gas|t|ro|no|misch

Gas|t|ro|po|de, der; -n, -n meist Plur. (Zool. Schnecke)

Gas|t|ro|s|kop, das; -s, -e (Med. ein Gerät zur Untersuchung des Mageninneren)

Gas|t|ro|s|to|mie, die; -, ...ien (Med. Anlegung einer Magenfistel)

Gas|t|ro|to|mie, die; -, ...ien (Med. Magenschnitt)

Gas|t|ru|la, die; - (Biol. Entwicklungsstadium vielzelliger Tiere)

Gast|spiel

Gast|stät|te; Gast|stät|ten|ge|wer|be, das; -s; Gast|stu|be

Gast|tier (Schmarotzer)

Gast|vor|le|sung; Gast|vor|stel|lung; Gast|vor|trag

Gast|wirt; Gast|wir|tin; Gast|wirt|schaft

Gast|zim|mer

Gas|ver|gif|tung; Gas|werk; Gas|zäh|ler

Gat vgl. Gatt

Gate [ge:t], das; -s, -s ⟨engl.⟩ (Flugsteig auf Flughäfen)

Gatsch, der; -[e]s (bayr., österr. ugs. für Schmutz, breiige Masse)

Gatt, Gat, das; -[e]s, Plur. -en u. -s

(Seemannsspr. Öse, Loch; enger Raum; Schiffsheck)

Gat|te, der; -n, -n; gat|ten, sich (geh. für sich paaren); Gat|ten|lie|be; Gat|ten|mord; Gat|ten|wahl

Gat|ter, das; -s, - (Gitter, [Holz]zaun); Gat|ter|sä|ge

gat|tie|ren (Materialien für das Gießen von Gusseisen zusammenstellen)

Gat|tin

Gat|tung; Gat|tungs|na|me (auch für Appellativ)

Gau, der, landsch. das; -[e]s, -e

GAU, der; -s, -s (= größter anzunehmender Unfall)

Gäu, das; -[e]s, -e (landsch. für Gau); das Obere Gäu

Gau|be, Gau|pe, die; -, -n (Bauw. u. landsch. für aus einem Dach herausgebautes Fenster)

Gauch, der; -[e]s, Plur. -e u. Gäuche ⟨»Kuckuck«⟩ (veraltet für Dummkopf)

Gauch|heil, der; -[e]s, -e (Zierpflanze u. Wildkraut)

Gau|cho [...tʃo], der; -[s], -s ⟨indian.-span.⟩ (südamerik. Viehhirt)

Gauck-Be|hör|de, die; - (nach dem ehem. Leiter) (früher für Dienststelle für Aufbewahrung und Aufarbeitung der Akten des Staatssicherheitsdienstes)

Gau|de|a|mus, das; - ⟨lat., »Freuen wir uns!«⟩ (Name [u. Anfang] eines Studentenliedes)

Gau|dee, die; -, -n (österr. Nebenform von Gaudi); Gau|di, die; -, österr. nur so, auch das; -s (ugs. für Gaudium)

Gau|dieb (nordd. veraltet für Gauner)

Gau|di|um, das; -s ⟨lat.⟩ (Freude; Ausgelassenheit; Spaß); Gau|di|wurm (ugs. scherzh. für Fastnachtszug)

Gau|graf (früher Graf, dessen Herrschaftsbereich ein Gau ist); Gau|grä|fin

Gau|guin [goˈgɛ̃] (franz. Maler)

Gau|ke|lei; gau|kel|haft; gau|keln (veraltend); ich gauk[e]le

Gau|kel|spiel; Gau|kel|werk

Gauk|ler; Gauk|le|rei; gauk|ler|haft; Gauk|le|rin; gauk|le|risch; Gauk|ler|trup|pe

Gaul, der; -[e]s, Gäule; Gäul|chen

Gaulle [goːl], de [də] (franz. General u. Staatsmann); vgl. de-Gaulle-freundlich; Gaul|lis|mus, der; - ⟨nach de Gaulle⟩ (politische Bewegung in

Frankreich); **Gaul|list,** der; -en, -en (Anhänger des Gaullismus); **Gaul|lis|tin**

Gault [go:lt], der; -[e]s ⟨engl.⟩ (*Geol.* zweitälteste Stufe der Kreide)

Gau|men, der; -s, - **Gau|men|kit|zel; Gau|men|laut** (Guttural); **Gau|men|schmaus; Gau|men|se|gel; Gau|men|zäpf|chen**

gau|mig; gaumig sprechen

Gau|ner, der; -s, -; **Gau|ner|ban|de; Gau|ne|rei; gau|ner|haft; Gau|ne|rin; gau|ne|risch; gau|nern;** ich gaunere; **Gau|ner|spra|che**

Gau|pe vgl. Gaube

Gaur, der; -s, -[s] ⟨Hindi⟩ (wild lebendes Rind in Indien)

¹Gauß (dt. Mathematiker)

²Gauß, das; -, - (alte Maßeinheit der magnetischen Induktion; *Zeichen* G); vgl. Tesla

Gautsch|brett (Gerät zum Pressen des nassen Papiers); **Gautsch|brief**

Gaut|sche, die; -, -n (*südd. für* Schaukel)

gaut|schen (Papier zum Pressen ins Gautschbrett legen; *auch* Lehrlinge nach altem Buchdruckerbrauch unter die Gehilfen aufnehmen; *südwestd. für* schaukeln); du gautschst

Gaut|scher; Gaut|sche|rin

Gautsch|fest

gau|zen, gäu|zen (*landsch. für* bellen)

GAV, der; -, -s = Gesamtarbeitsvertrag *(schweiz.)*

Ga|vot|te [...ˈvɔt, *österr. nur so, auch* ...ˈvɔtə], die; -, -n ⟨franz.⟩ (ein alter Tanz)

Ga|wein (Gestalt der Artussage)

gay [geɪ] ⟨engl.⟩ (*ugs. für* homosexuell); **Gay,** der; -[s], -s (*ugs. für* Homosexueller)

Ga|za, Ga|sa (Stadt im östl. Mittelmeerraum); **Ga|za|strei|fen, Ga|za-Strei|fen,** der; -s

Ga|ze [...zə], die; -, -n ⟨pers.⟩ (durchsichtiges Gewebe; Verbandmull)

Ga|zel|le, die; -, -n ⟨arab.-ital.⟩ (Antilopenart)

Ga|zet|te [*auch* ...ˈzɛt(ə)], die; -, -n ⟨franz.⟩ (*veraltet, noch abwertend für* Zeitung)

Gaz|pa|cho [gasˈpatʃo], der; -[s], -s, *auch* die; -, -s ⟨span.⟩ (kalte spanische Gemüsesuppe)

GBl. = Gesetzblatt

GBP (*Währungscode für* brit. Pfund)

Gd = chem. Zeichen für Gadolinium

Gdańsk [gdaĩsk] (poln. Hafenstadt an der Ostsee; vgl. Danzig)

G-Dur [ˈgeːduːɐ̯, *auch* ˈgeːˈduːɐ̯], das; - (Tonart; *Zeichen* G); **G-Dur-Ton|lei|ter** ↑K 26

Ge = chem. Zeichen für Germanium

ge... (*Vorsilbe von Verben, z. B.* gehorchen, du gehorchst, gehorcht, zu gehorchen)

Ge|äch|te|te, der u. die; -n, -n

Ge|äch|ze, das; -s

Ge|äder, das; -s; **ge|ädert**

Ge|äf|ter, das; -s, - (*Jägerspr.* die beiden hinteren Zehen beim Schalenwild u. a.)

Ge|al|be|re, das; -s

ge|ar|tet; die Sache ist so geartet, dass ...

Ge|äse, das; -s, - (*Jägerspr.* Äsung; *auch* Maul bei Hirsch und Reh)

Ge|äst, das; -[e]s (Astwerk)

¹geb. = geboren, geborene, geborener (*Zeichen* *)

²geb. = gebunden (bei Büchern)

Ge|bab|bel, das; -s (*landsch. für* Geplapper, dauerndes Reden)

Ge|bäck, das; -[e]s -e

ge|ba|cken vgl. backen; **Ge|ba|cke|ne,** das; -n; (Bäck|scha|lle

Ge|bal|ge, das; -s (Prügelei)

Ge|bälk, das; -[e]s, -e *Plur. selten*

ge|ballt

Ge|bän|de, das; -s, - (eine mittelalterl. Kopftracht)

ge|bannt

Ge|bär vgl. gebären

Ge|bär|de, die; -, -n; **¹ge|bär|den,** sich; **²ge|bär|den** (die Gebärdensprache verwenden); **Ge|bär|den|spiel; Ge|bär|den|spra|che**

ge|ba|ren, sich (*veraltet für* sich gebärden)

ge|bä|ren; du gebärst, sie gebärt (*geh.* gebierst, gebiert); du gebarst, du gebärest; geboren (*vgl. d.*) gebär[e]! (*geh.* gebier!)

Ge|ba|ren, das; -s

Ge|bä|re|rin; Ge|bär|kli|nik (*österr. für* Entbindungsabteilung, -heim)

Ge|bär|mut|ter, die; -, ...mütter; **Ge|bär|mut|ter|spie|gel**

Ge|ba|rung (Gebaren; *österr. für* Buch-, Geschäftsführung)

ge|bauch|pin|selt (*ugs. für* geehrt, geschmeichelt)

ge|baucht (bauchig)

Ge|bäu|de, das; -s, -

Ge|bäu|de|kom|plex

Ge|bäu|de|tech|nik; ge|bäu|de|technisch

Ge|bäu|de|teil, der

Ge|bäu|lich|keit (*südd., schweiz. für* Baulichkeit)

ge|baut; ein gut gebauter *od.* gutgebauter Sportler

ge|be|freu|dig

Ge|bein, das; -[e]s, -e

Ge|bel|fer, das; -s (Belfern, Bellen)

Ge|bell, das; -[e]s; **Ge|bel|le,** das; -s

ge|ben; du gibst, sie gibt; du gabst; du gäbest; gegeben (*vgl. d.*); gib!; ↑K 82 : Geben *od.* geben ist seliger denn Nehmen *od.* nehmen

Ge|ben|de vgl. Gebände

Ge|be|ne|dei|te, die; -n ⟨*zu* benedeien⟩ (Gottesmutter)

Ge|ber; Ge|be|rin

Ge|ber|land

Ge|ber|lau|ne, die; -; in Geberlaune sein

Ge|ber|spra|che *(Sprachw.)*

Ge|bet, das; -[e]s, -e; **Ge|bet|buch**

ge|be|ten vgl. bitten

Ge|bets|man|tel; Ge|bets|müh|le

ge|bets|müh|len|ar|tig; Ge|bets|nische; Ge|bets|rie|men; Ge|bets|tep|pich

Ge|bet|tel, das; -s

ge|beut (*veraltet für* gebietet); die Stunde gebeut, dass ...

Geb|hard (m. Vorn.)

ge|biert vgl. gebären

Ge|biet, das; -[e]s, -e

ge|bie|ten; geboten; **ge|bie|tend**

Ge|bie|ter; Ge|bie|te|rin; ge|bie|te|risch

ge|biet|lich

Ge|biets|an|spruch; Ge|biets|er|wei|te|rung; ge|biets|fremd; Ge|biets|ho|heit

Ge|biets|kör|per|schaft *(Rechtsw.);* **Ge|biets|kran|ken|kas|se** *(österr.);* **Ge|biets|re|form**

ge|biets|wei|se

Ge|bild|brot (Gebäck besonderer Gestalt zu bestimmten Festtagen)

Ge|bil|de, das; -s, -

ge|bil|det; Ge|bil|de|te, der u. die; -n, -n

Ge|bim|mel, das; -s

Ge|bin|de, das; -s, -

Ge|bir|ge, das; -s, -

ge|bir|gig; Ge|bir|gig|keit, die; -; **Ge|bir|gler** (Gebirgsbewohner)

Ge|birgs|bach; Ge|birgs|jä|ger *(Milit.);* **Ge|birgs|jä|ge|rin; Ge|birgs|kamm; Ge|birgs|ket|te; Ge|birgs|land|schaft; Ge|birgs|mas-**

siv; Ge|birgs|stock *Plur.* ...stöcke;
Ge|birgs|zug
Ge|biss, das; Gebisses, Gebisse
ge|bis|sen *vgl.* beißen
Ge|blaf|fe, das; -s *(ugs.)*
Ge|bla|se, das; -s (Blasen)
Ge|blä|se, das; -s, - *(Technik)*
ge|blie|ben *vgl.* bleiben
Ge|blö|del, das; -s *(ugs.)*
Ge|blök, das; -[e]s, Ge|blö|ke,
das; -s
ge|blümt, *österr.* ge|blumt (mit
Blumenmuster)
Ge|blüt, das; -[e]s *(geh.)*
¹ge|bo|gen (gekrümmt)
²ge|bo|gen *vgl.* biegen
ge|bogt (bogenförmig geschnit-
ten); ein gebogter Kragen
ge|bongt *vgl.* bongen

ge|bo|ren

(Abk. geb.; *Zeichen* *)
– sie ist eine geborene Schulz

Kommasetzung ↑K 102:

– Frau Müller geb. Schulz wurde
als Zeugin vernommen *od.* Frau
Müller, geb. Schulz, wurde als
Zeugin vernommen

Ge|bo|ren|zei|chen
¹ge|bor|gen; sich geborgen fühlen
²ge|bor|gen *vgl.* bergen
Ge|bor|gen|heit, die; -
ge|bors|ten *vgl.* bersten
Ge|bot, das; -[e]s, -e; zu Gebot[e]
stehen; das erste, zweite Gebot,
aber die Zehn Gebote
¹ge|bo|ten *vgl.* bieten
²ge|bo|ten *vgl.* gebieten
Ge|bots|schild *Plur.* ...schilder
(Verkehrsw.)
Gebr. = Gebrüder
Ge|bräch, das; -[e]s, -e, Ge|brä|che,
das; -s, - *(Bergmannsspr.*
Gestein, das leicht in Stücke
zerfällt; *Jägerspr.* der vom
Schwarzwild mit dem Rüssel
aufgewühlte Boden)
ge|bracht *vgl.* bringen
Ge|brä|me, das; -s, - *(veraltet für*
Verbrämung)
ge|brand|markt
ge|brannt; gebrannter Kalk
ge|bra|ten *vgl.* braten
Ge|bra|te|ne, das; -n
Ge|bräu, das; -[e]s, -e
Ge|brauch, der; -[e]s, *Plur.* (*für*
Sitte, Verfahrensweise:) Gebräu-
che; von etwas Gebrauch
machen
ge|brau|chen (benutzen)

ge|bräuch|lich; Ge|bräuch|lich|keit,
die; -
Ge|brauchs|an|wei|sung
Ge|brauchs|ar|ti|kel
ge|brauchs|fer|tig
Ge|brauchs|ge|gen|stand
Ge|brauchs|gra|fik, Ge|brauchs|gra-
phik
Ge|brauchs|gut; Ge|brauchs|mu|sik;
Ge|brauchs|mus|ter
Ge|brauch|spur *meist Plur.*
Ge|brauchs|wert
ge|braucht
Ge|braucht|wa|gen; Ge|braucht|wa-
gen|markt
Ge|braus, das; -es, Ge|brau|se, das;
-s
Ge|brech, das; -[e]s, -e *(Berg-
mannsspr.* Gebräch; *Jägerspr.*
Rüssel des Schwarzwildes); Ge-
bre|che, das; -s, - *(Berg-
mannsspr., Jägerspr.* Gebräch)
ge|bre|chen *(geh. für* fehlen, man-
geln); es gebricht mir an der
nötigen Ausdauer
Ge|bre|chen, das; -s, - *(geh. für*
Körperschaden); ge|brech|lich;
Ge|brech|lich|keit, die; -
Ge|bres|ten, das; -s, - *(schweiz.,
sonst veraltet für* Gebrechen)
ge|bro|chen; gebrochene Farben
Ge|brö|ckel, das; -s
Ge|bro|del, das; -s
Ge|brü|der *Plur. (Abk.* Gebr.)
Ge|brüll, das; -[e]s
Ge|brumm, das; -[e]s, Ge|brum|me,
das; -s; Ge|brum|mel, das; -s
ge|buch|tet; eine gebuchtete Küste
Ge|bück, das; -[e]s, -e *(früher für*
geflochtene Hecke zum Schutz
von Anlagen und Siedlungen)
Ge|bühr, die; -, -en; nach, über
Gebühr
ge|büh|ren; etwas gebührt ihr
(kommt ihr zu); es gebührt sich
nicht, dies zu tun ↑K 117
ge|büh|rend; sie erhielt die gebüh-
rende Anerkennung
ge|büh|ren|der|ma|ßen
ge|büh|ren|der|wei|se
Ge|büh|ren|ein|zugs|zen|t|ra|le
(Abk. GEZ)
ge|büh|ren|er|hö|hung
ge|büh|ren|frei; Ge|büh|ren|frei-
heit, die; -
ge|büh|ren|ord|nung
ge|büh|ren|pflich|tig
Ge|büh|ren|vig|net|te (für die
Autobahnbenutzung)
ge|bühr|lich *(veraltend)*; Ge|bühr-
nis, die; -, -se *(veraltet für*
Gebühr, Abgabe)
Ge|bum|se, das; -s *(ugs.)*

Ge|bund, das *(landsch. für* Bund);
4 Gebund Seide
ge|bun|den *(Abk. [bei Büchern]*
geb.); ↑T 89 : gebundenes System *(roman. Baukunst)*; gebun-
dene Rede (Verse); Ge|bun|den-
heit
Ge|burt, die; -, -en
Ge|bur|ten|be|schrän|kung; Ge|bur-
ten|häu|fig|keit; Ge|bur|ten|kon|t-
rol|le; Ge|bur|ten|ra|te
Ge|bur|ten|re|ge|lung, Ge|bur|ten-
reg|lung; Ge|bur|ten|rück|gang
ge|bur|ten|schwach; ge|bur|ten-
stark
Ge|bur|ten|über|schuss; Ge|bur-
ten|zif|fer
ge|bür|tig
Ge|burts|adel; Ge|burts|an|zei|ge;
Ge|burts|da|tum; Ge|burts|haus
Ge|burts|hel|fer; Ge|burts|hel|fe-
rin; Ge|burts|hil|fe, die; -
Ge|burts|jahr; Ge|burts|na|me; Ge-
burts|ort *Plur.* ...orte; Ge|burts-
schein; Ge|burts|stun|de
Ge|burts|tag
Ge|burts|tags|fei|er; Ge|burts|tags-
ge|schenk; Ge|burts|tags|kind;
Ge|burts|tags|tor|te
Ge|burts|ur|kun|de
Ge|büsch, das; -[e]s, -e
ge|chintzt [...'tʃɪ...]; eine
gechintzte Bluse; *vgl.* Chintz
Geck, der; -en, -en; Ge|cken|art,
die; -; ge|cken|haft; Ge|cken|haf-
tig|keit
Ge|cko, der; -s, *Plur.* -s *u.* ...onen
⟨malai.⟩ (eine trop. Eidechse)
ge|dacht ⟨von denken, gedenken⟩;
ich habe nicht daran gedacht;
ich habe seiner gedacht; Ge-
dach|te, das; -n
Ge|dächt|nis, das; -ses, -se
Ge|dächt|nis|aus|stel|lung; Ge-
dächt|nis|fei|er; Ge|dächt|nis|kon-
zert; Ge|dächt|nis|lü|cke
Ge|dächt|nis|pro|to|koll; Ge|dächt-
nis|schwä|che; Ge|dächt|nis-
schwund; Ge|dächt|nis|stö|rung;
Ge|dächt|nis|stüt|ze
ge|dackt *(Orgelbau* oben ver-
schlossen); gedackte Pfeife
Ge|dan|ke, *veraltet* Ge|dan|ken,
der; ...kens, ...ken
Ge|dan|ken|ar|beit; Ge|dan|ken|aus-
tausch; Ge|dan|ken|blitz; Ge|dan-
ken|flug; Ge|dan|ken|frei|heit;
Ge|dan|ken|gang, der; Ge|dan-
ken|gut, das; -[e]s; Ge|dan|ken-
le|sen, das; -s
ge|dan|ken|los; Ge|dan|ken|lo|sig-
keit

G
geda

ge|dan|ken|reich; ge|dan|ken-
schnell
Ge|dan|ken|spiel; Ge|dan|ken|split-
ter; Ge|dan|ken|sprung
Ge|dan|ken|strich
Ge|dan|ken|über|tra|gung; Ge|dan-
ken|ver|bin|dung
ge|dan|ken|ver|lo|ren; ge|dan|ken-
voll; ge|dank|lich
Ge|därm, das; -[e]s, -e, Ge|där|me,
das; -s, -
Ge|deck, das; -[e]s, -e; ge|deckt
Ge|deih, der; nur in auf Gedeih
und Verderb
ge|dei|hen; du gedeihst; du
gediehst; du gediehest; gedie-
hen; gedeih[e]!; Ge|dei|hen,
das; -s
ge|deih|lich (geh. für nützlich,
fruchtbar); Ge|deih|lich|keit,
die; -
Ge|den|ke|mein, das; -s, - (eine
Waldblume)
ge|den|ken; mit Gen.: gedenket
unser!; Ge|den|ken, das; -s
Ge|denk|fei|er; Ge|denk|got|tes-
dienst; Ge|denk|mar|ke; Ge-
denk|mi|nu|te; Ge|denk|mün|ze;
Ge|denk|re|de; Ge|denk|stät|te;
Ge|denk|stun|de; Ge|denk|ta|fel;
Ge|denk|tag
ge|deucht vgl. dünken
Ge|dicht, das; -[e]s, -e
Ge|dicht|in|ter|pre|ta|ti|on; Ge-
dicht|samm|lung
ge|die|gen; Ge|die|gen|heit, die; -
ge|dient; gedienter Soldat
Ge|din|ge, das; -s, - (Akkordlohn
im Bergbau); Ge|din|ge|ar|bei-
ter
Ge|don|ner, das; -s
Ge|döns, das; -es (landsch. für
Aufheben, Getue); viel Gedöns
um etwas machen
Ge|drän|ge, das; -s; Ge|drän|gel,
das; -s (ugs.)
ge|drängt; Ge|drängt|heit
Ge|dröhn, das; -[e]s, Ge|dröh|ne,
das; -s
ge|drückt; ihre Stimmung ist
gedrückt
Ge|druck|te, das; -n
Ge|drückt|heit, die; -
¹ge|drun|gen; eine gedrungene
(untersetzte) Gestalt
²ge|drun|gen vgl. dringen
Ge|drun|gen|heit, die; -
Ge|du|del, das; -s (ugs.)
Ge|duld, die; -
ge|dul|den, sich; ge|dul|dig
Ge|dulds|ar|beit
Ge|dulds|fa|den; nur in jmdm.

reißt der Geduldsfaden; Ge-
dulds|pro|be
Ge|duld[s]|spiel
ge|dun|gen; ein gedungener
Mörder
ge|dun|sen; ein gedunsenes
Gesicht; Ge|dun|sen|heit, die; -
Ge|düns|te|te, das; -n (österr.)
ge|durft vgl. dürfen
ge|eig|net
...ge|eig|net (z. B. mikrowellen-
geeignet)
ge|eig|ne|ten|orts (Amtsspr. ver-
altet)
Ge|eig|net|heit, die; -
Geest, die; -, -en (hoch gelege-
nes, trockenes, weniger
fruchtbares Land im Küsten-
gebiet); Geest|land, das; -[e]s
gef. = gefallen (Zeichen ✕)
Ge|fach, das; -[e]s, Plur. -e u.
Gefächer (Fach, Lade)
Ge|fahr, die; -, -en; Gefahr lau-
fen; ↑K 58 u. 59: Gefahr bringend od. gefahrbringend,
aber nur große Gefahr bringend, äußerst gefahrbringend
ge|fähr|den; Ge|fähr|dung
Ge|fah|re, das; -s (ugs. für häufi-
ges Fahren)
ge|fah|ren vgl. fahren
Ge|fah|ren|be|reich; Ge|fah|ren-
ge|mein|schaft; Ge|fah|ren|herd
Ge|fah|ren|mo|ment, das; Ge|fah-
ren|quel|le; Ge|fah|ren|zo|ne;
Ge|fah|ren|zu|la|ge
ge|fähr|lich; gefährliche Körper-
verletzung (Rechtsspr.); Ge-
fähr|lich|keit, die; -
ge|fahr|los; Ge|fahr|lo|sig|keit,
die; -
Ge|fährt, das; -[e]s, -e (Wagen);
Ge|fähr|te, der; -n, -n (Beglei-
ter); Ge|fähr|tin
ge|fahr|voll
Ge|fäl|le, das; -s, -
Ge|fäl|le|mes|ser, der (Geodäsie)
¹ge|fal|len; es hat mir gefallen;
sich etwas gefallen lassen
²ge|fal|len; er ist gefallen (Abk.
gef.; Zeichen ✕)
¹Ge|fal|len, der; -s, -; jmdm. einen
Gefallen tun; jmdm. etwas zu
Gefallen tun
²Ge|fal|len, das; -s, -s; [kein] Gefal-
len an etwas finden
Ge|fal|le|ne, der u. die; -n, -n
Ge|fal|le|nen|fried|hof; Ge|fal|le-
nen|ge|denk|fei|er
Ge|fäl|le|stre|cke vgl. Gefällestre-
cke
ge|fäl|lig (Abk. gefl.); Ge|fäl|lig-
keit; Ge|fäl|lig|keits|gut|ach-

ten; Ge|fäl|lig|keits|wech|sel
(Bankw.)
ge|fäl|ligst (Abk. gefl.)
Ge|fäll|stre|cke
Ge|fall|sucht, die; -; ge|fall|süch-
tig
Ge|fäl|tel, das; -s (viele kleine Fal-
ten)
ge|fan|gen; gefangen halten,
nehmen, setzen; er wurde
gefangen gehalten; um sie
gefangen zu nehmen ↑K 53;
der gefangen genommene od.
gefangengenommene Spion;
die gefangen gehaltenen od.
gefangengehaltenen Geiseln;
die gefangen gesetzten od.
gefangengesetzten Rebellen
↑K 58
Ge|fan|ge|ne, der u. die; -n, -n
Ge|fan|ge|nen|aus|tausch; Ge|fan-
ge|nen|be|frei|ung; Ge|fan|ge-
nen|haus (österr. neben Gefäng-
nis); Ge|fan|ge|nen|la|ger; Ge-
fan|ge|nen|wär|ter; Ge|fan|ge-
nen|wär|te|rin
ge|fan|gen hal|ten vgl. gefangen
Ge|fan|gen|haus (österr. amtl.
Form für Gefangenenhaus)
Ge|fan|gen|nah|me, die; -
ge|fan|gen neh|men vgl. gefangen
Ge|fan|gen|schaft, die; -, -en
ge|fan|gen set|zen vgl. gefangen
Ge|fäng|nis, das; -ses, -se
Ge|fäng|nis|auf|se|her; Ge|fäng-
nis|auf|se|he|rin; Ge|fäng|nis-
stra|fe; Ge|fäng|nis|zel|le
ge|färbt; blau gefärbt od. blauge-
färbt; vgl. blau
Ge|fa|sel, das; -s (ugs.)
Ge|fa|ser, das; -s
Ge|fäß, das; -es, -e
Ge|fäß|chi|r|ur|gie; Ge|fäß|er|wei-
te|rung; Ge|fäß|krank|heit
ge|fasst; auf alles gefasst sein;
Ge|fasst|heit, die; -
Ge|fecht, das; -[e]s, -e
ge|fechts|be|reit; Ge|fechts|be-
reit|schaft, die; -
Ge|fechts|kopf (Vorderteil mit
Sprengstoff und Zünder bei
Raketen o. Ä.)
ge|fechts|mä|ßig
Ge|fechts|pau|se; Ge|fechts|stand
Ge|fe|ge, das; -s, - (Jägerspr. vom
Geweih abgeriebener Bast)
ge|fei|ert (geehrt, umjubelt); die
gefeiert[e]sten Filmstars
Ge|feil|sche, das; -s
ge|feit (sicher, geschützt); sie ist
gegen böse Einflüsse gefeit
Ge|fels, das; -es (veraltet für Fel-
sen)

ge|fens|tert
Ge|fie|del, das; -s
Ge|fie|der, das; -s, -; **ge|fie|dert**
(mit Federn ausgestattet)
Ge|fil|de, das; -s, - (*geh. für*
Gegend; Landschaft)
ge|fin|gert; gefingertes Blatt
ge|fin|kelt (*österr. für* schlau,
durchtrieben)
Ge|fi|on (nord. Göttin)
ge|fir|nisst; das Brett ist gefir-
nisst
ge|fitzt (*schweiz. mdal. für*
schlau, geschickt)
gefl. = gefällig, gefälligst
Ge|fla|cker, das; -s
ge|flammt; geflammte Muster
Ge|flat|ter, das; -s
ge|fleckt; blau gefleckt *od.*
blaugefleckt; *vgl.* blau
Ge|flen|ne, das; -s (*ugs. für*
andauerndes Weinen)
Ge|flim|mer, das; -s
ge|flis|sent|lich
ge|floch|ten *vgl.* flechten
ge|flo|gen *vgl.* fliegen
ge|flo|hen *vgl.* fliehen
ge|flos|sen *vgl.* fließen
Ge|flu|che, das; -s
Ge|flu|der, das; -s, - (*Berg-
mannsspr.* Wasserrinne)
Ge|flü|gel, das; -s
**Ge|flü|gel|farm; Ge|flü|gel|pest;
Ge|flü|gel|sa|lat; Ge|flü|gel-
sche|re**
ge|flü|gelt; geflügeltes Wort (oft
angeführtes Zitat); geflügelte
Worte ↑K 89
Ge|flun|ker, das; -s (*ugs.*)
Ge|flüs|ter, das; -s
ge|foch|ten *vgl.* fechten
Ge|fol|ge, das; -s, - *Plur. selten;*
im Gefolge von ...; **Ge|folg-
schaft**
Ge|folgs|frau; Ge|folgs|mann
Plur. ...männer u. ...leute
Gefr. = Gefreite
Ge|fra|ge, das; -s; dein dummes
Gefrage; **ge|fragt**
ge|frä|ßig; Ge|frä|ßig|keit, die; -
Ge|frei|te, der u. die; -n, -n (*Abk.*
Gefr.)
ge|fres|sen *vgl.* fressen
Ge|frett *vgl.* Gfrett
ge|freut (*schweiz. mdal. für*
erfreulich)
Ge|frier|beu|tel
Ge|frier|brand (*fachspr.* Verfär-
bung an tiefgefrorenen
Lebensmitteln)
ge|frie|ren
Ge|frier|fach (im Kühlschrank)

Ge|frier|fleisch; Ge|frier|ge|mü|se
ge|frier|ge|trock|net
Ge|frier|ket|te, die; - (System
von Lagerung und Transport
tiefgekühlter Lebensmittel)
**Ge|frier|punkt; Ge|frier|schrank;
Ge|frier|schutz|mit|tel; Ge-
frier|trock|nung; Ge|frier|tru-
he; Ge|frier|ver|fah|ren; Ge-
frier|wa|re**
Ge|frieß *vgl.* Gfrieß
ge|fro|ren *vgl.* frieren
Ge|fro|re|ne, Ge|fror|ne, das; -n
(*südd., österr. veraltet für*
[Speise]eis)
ge|frus|tet (*ugs. für* frustriert)
Ge|fü|ge, das; -s, -
ge|fü|gig; Ge|fü|gig|keit, die; -
Ge|fühl, das; -[e]s, -e
ge|fühl|lig (gefühlvoll); **Ge|füh|lig-
keit,** die; -
ge|fühl|los; Ge|fühl|lo|sig|keit
ge|fühls|arm; ge|fühls|be|tont
Ge|fühls|cha|os
Ge|fühls|du|se|lei (*ugs.*); **ge|fühls-
du|se|lig, ge|fühls|dus|lig**
ge|fühls|echt; ge|fühls|mä|ßig
**Ge|fühls|mensch; Ge|fühls|re-
gung; Ge|fühls|sa|che**
ge|fühl|voll
ge|füh|rig ([vom Schnee] für das
Skilaufen günstig); **Ge|füh|rig-
keit,** die; - (*für* Före)
Ge|fum|mel, das; -s (*ugs.*)
ge|fun|den *vgl.* finden
Ge|fun|kel, das; -s
Ge|furcht; eine gefurchte Rinde
ge|fürch|tet
ge|fürs|tet; gefürstete Abtei
Ge|ga|cker, das; -s
ge|gan|gen *vgl.* gehen
¹**ge|ge|ben;** aus gegebenem
Anlass; etw. als gegeben
voraussetzen; er nahm das
Gegebene gern; es ist das
Gegebene, jetzt zu handeln
↑K 72 u. 117
²**ge|ge|ben** *vgl.* geben
ge|ge|be|nen|falls (*Abk.* ggf.)
Ge|ge|ben|heit
ge|gen; *Präp. mit Akk.:* er
rannte gegen das Tor; *Adverb:*
gegen 20 Leute kamen; *vgl.*
gen
**Ge|gen|ak|ti|on; Ge|gen|an|ge-
bot; Ge|gen|an|griff; Ge|gen-
an|trag; Ge|gen|ar|gu|ment;
Ge|gen|be|haup|tung; Ge|gen-
be|such; Ge|gen|be|weis; Ge-
gen|bu|chung**
Ge|gend, die; -, -en
Ge|gen|dar|stel|lung (*bes. Zei-
tungsw.*); **Ge|gen|de|mons|t|ra-**

**ti|on; Ge|gen|dienst; Ge|gen-
druck,** der; -[e]s; **Ge|gen|ent-
wurf**

G
Gege

ge|gen|ei|n|an|der|pral|len *vgl.*
gegeneinander
Ge|gen|fahr|bahn
**ge|gen|fi|nan|zie|ren; Ge|gen|fi|nan-
zie|rung**
Ge|gen|for|de|rung; Ge|gen|fra|ge
Ge|gen|füß|ler (*veraltend für* Anti-
pode)
Ge|gen|ga|be; Ge|gen|ge|ra|de
(*Sport*); **Ge|gen|ge|walt; Ge|gen-
ge|wicht; Ge|gen|gift**
ge|gen|gleich; Arme gegengleich
schwingen
ge|gen|hal|ten (*ugs. für* Wider-
stand leisten)
**Ge|gen|kan|di|dat; Ge|gen|kan|di-
da|tin; Ge|gen|ka|the|te; Ge|gen-
kla|ge; Ge|gen|kul|tur; Ge|gen-
kurs**
ge|gen|läu|fig
Ge|gen|leis|tung
ge|gen|len|ken (um eine Abwei-
chung von der Fahrtrichtung
auszugleichen)
ge|gen|le|sen (als Zweiter zur Kon-
trolle lesen)
Ge|gen|licht, das; -[e]s; im Gegen-
licht; **Ge|gen|licht|auf|nah|me**
(*Fotogr.*)
**Ge|gen|lie|be; Ge|gen|maß|nah|me;
Ge|gen|mit|tel**
**Ge|gen|papst; Ge|gen|päps|tin;
Ge|gen|part** (Widerpart); **Ge-
gen|par|tei; Ge|gen|pol; Ge|gen-
pro|be**
ge|gen|rech|nen (zur Kontrolle
nochmals rechnen; einer
Berechnung eine andere gegen-
überstellen)
Ge|gen|re|de; Ge|gen|re|for|ma|ti-

G

Gege

on, die; -; Ge|gen|re|gie|rung; Ge-
gen|rich|tung
Ge|gen|satz; ge|gen|sätz|lich;
gegensätzliche Meinungen; *aber*
Gegensätzliches in sich vereinen
↑K 72 ; Ge|gen|sätz|lich|keit
Ge|gen|satz|wort, Ge|gen|wort
Plur. ...wörter *(für* Antonym)
Ge|gen|schlag; Ge|gen|sei|te
ge|gen|sei|tig; Ge|gen|sei|tig|keit,
die; -
Ge|gen|spie|ler; Ge|gen|spie|le|rin
Ge|gen|sprech|an|la|ge
Ge|gen|stand
ge|gen|stän|dig *(Bot.* [von Blät-
tern] gegenüberstehend)
ge|gen|ständ|lich (sachlich,
anschaulich, klar); Ge|gen|ständ-
lich|keit, die; -
ge|gen|stands|los; Ge|gen|stands-
lo|sig|keit, die; -
ge|gen|steu|ern; einer bedrohli-
chen Entwicklung gegensteuern
Ge|gen|stim|me; ge|gen|stim|mig
Ge|gen|stoß; Ge|gen|strom
ge|gen|stro|mig, ge|gen|strö|mig
Ge|gen|strö|mung; Ge|gen|stück
Ge|gen|teil, das; -[e]s, -e; im
Gegenteil; ins Gegenteil
umschlagen; ge|gen|tei|lig;
gegenteilige Informationen;
aber es wurde nichts Gegenteili-
ges bekannt ↑K72
Ge|gen|the|se *(svw.* Antithese)
Ge|gen|tor; Ge|gen|tref|fer *(Sport)*
ge|gen|über; *Präp. mit Dat.:* die
Schule steht gegenüber dem
Rathaus, *auch* dem Rathaus
gegenüber; *bei Ortsnamen auch
mit* »von«: gegenüber von Blan-
kenese. *Schreibung in Verbindung mit Verben* ↑K48 : gegenüber (dort drüben, auf der anderen Seite) stehen zwei Häuser;
vgl. aber gegenüberliegen,
gegenüberstehen usw.; Ge|gen-
über, das; -s, -
ge|gen|über|lie|gen; sie haben sich
gegenübergelegen
ge|gen|über|se|hen; er wird sich
Problemen gegenübersehen
ge|gen|über|sit|zen; um sich
gegenüberzusitzen
ge|gen|über|ste|hen; sie haben sich
gegenübergestanden
ge|gen|über|stel|len; Ge|gen|über-
stel|lung
ge|gen|über|tre|ten
Ge|gen|ver|kehr; Ge|gen|vor|schlag
Ge|gen|wart, die; -
ge|gen|wär|tig [*auch* ...'ve...];
↑K72 : die hier Gegenwärtigen
ge|gen|warts|be|zo|gen

Ge|gen|warts|form, die; - (*für* Prä-
sens)
ge|gen|warts|fremd
Ge|gen|warts|kun|de
ge|gen|warts|nah, ge|gen|warts|na-
he
Ge|gen|warts|spra|che
Ge|gen|wehr; Ge|gen|welt; Ge|gen-
wert; Ge|gen|wind; Ge|gen|wir-
kung
Ge|gen|wort *vgl.* Gegensatzwort
ge|gen|zeich|nen ([als Zweiter] mit
unterschreiben); ich zeichne
gegen; gegengezeichnet; gegen-
zuzeichnen; Ge|gen|zeich|nung
Ge|gen|zeu|ge; Ge|gen|zug
ge|ges|sen *vgl.* essen
Ge|gir|re, das; -s
ge|gli|chen *vgl.* gleichen
ge|glit|ten *vgl.* gleiten
Ge|glit|zer, das; -s
Geg|ner; Geg|ne|rin; geg|ne|risch;
Geg|ner|schaft, die; -
ge|gol|ten *vgl.* gelten
ge|go|ren; der Saft ist gegoren
ge|gos|sen *vgl.* gießen
gegr. = gegründet
ge|gra|ben *vgl.* graben
ge|grif|fen *vgl.* greifen
Ge|grin|se, das; -s
Ge|grö|le, das; -s *(ugs.)*
ge|grün|det *(Abk.* gegr.)
Ge|grun|ze, das; -s
geh. = geheftet
Ge|ha|be, das; -s (Ziererei; eigen-
williges Benehmen)
ge|ha|ben, sich; gehab[e] dich
wohl!; Ge|ha|ben, das; -s
ge|habt *vgl.* haben
Ge|hack|te, das; -n (Hackfleisch)
Ge|hal|der, das; -s
¹Ge|halt, das, *österr. veraltend
auch* der; -[e]s, Gehälter (regelmäßige monatliche Bezahlung)
²Ge|halt, der; -[e]s, -e (Inhalt;
Wert)
ge|halt|arm
¹ge|hal|ten; die Teilnehmer sind
gehalten (verpflichtet) ...
²ge|hal|ten *vgl.* halten
ge|halt|los; Ge|halt|lo|sig|keit,
die; -
ge|halt|reich
Ge|halts|aus|zah|lung
Ge|halts|emp|fän|ger; Ge|halts-
emp|fän|ge|rin
Ge|halts|er|hö|hung; Ge|halts|kon-
to; Ge|halts|nach|zah|lung; Ge-
halts|stu|fe
Ge|halts|ver|rech|ner *(österr. für*
Lohnbuchhalter); Ge|halts|ver-
rech|ne|rin; Ge|halts|ver|rech-
nung

Ge|halts|vor|rü|ckung *(österr. für*
Gehaltserhöhung der Beamten)
Ge|halts|zah|lung; Ge|halts|zu|la|ge
ge|halt|voll
Ge|häm|mer, das; -s
Ge|ham|pel, das; -s *(ugs.)*
ge|han|di|capt, ge|han|di|kapt
[gə'hendikept] (engl.) (behindert, benachteiligt)
Ge|hän|ge, das; -s, - *(auch
Jägerspr.* Tragriemen für das
Jagdhorn, Hirschfängerkoppel)
ge|han|gen *vgl.* ¹hängen
Ge|häng|te, der *u.* die; -n, -n *vgl.*
Gehenkte
ge|har|nischt; ein geharnischter
Reiter; ein geharnischter (scharfer) Protest
ge|häs|sig; Ge|häs|sig|keit
ge|hau|en *vgl.* hauen
Ge|häu|se, das; -s, -
Geh|bahn
geh|be|hin|dert; Geh|be|hin|der|te,
der *u.* die; -n, -n; Geh|be|hin|de-
rung
Ge|heck, das; -[e]s, -e *(Jägerspr.*
die Jungen vom Raubwild; Brut
[bei Entenvögeln])
ge|hef|tet *(Abk.* geh.)
Ge|hel|ge, das; -s, -
ge|hei|ligt
Ge|heim *s. Kasten Seite 439*
Ge|heim|ab|kom|men; Ge|heim-
agent; Ge|heim|agen|tin
Ge|heim|bund, der
Ge|heim|bün|de|lei, die; - *(veral-
tend);* Ge|heim|bünd|ler
Ge|heim|dienst; Ge|heim|di|plo-
ma|tie; Ge|heim|do|ku|ment; Ge-
heim|fach
ge|heim hal|ten *vgl.* geheim; Ge-
heim|hal|tung, die; -
Ge|heim|leh|re; Ge|heim|mit|tel
Ge|heim|nis, das; -ses, -se
Ge|heim|nis|krä|mer; Ge|heim|nis-
krä|me|rei; Ge|heim|nis|krä|me-
rin
Ge|heim|nis|trä|ger; Ge|heim|nis-
trä|ge|rin
Ge|heim|nis|tu|er; Ge|heim|nis|tu|e-
rei; Ge|heim|nis|tu|e|rin; ge|heim-
nis|tu|e|risch
ge|heim|nis|voll
Ge|heim|num|mer; Ge|heim|po|li|zei
Ge|heim|rat *Plur.* ...räte *(vgl.*
geheim); Ge|heim|rä|tin; Ge-
heim|rats|ecken *Plur.;* Ge|heim-
rats|ti|tel
Ge|heim|re|zept; Ge|heim|schrift;
Ge|heim|sen|der; Ge|heim|spra-
che; ge|heim|sprach|lich; Ge-
heim|tipp

ge|heim

Kleinschreibung:

– geheime Wahlen; ein geheimer Vorbehalt

Großschreibung:

– im Geheimen

In Titeln ↑K89:

– [Wirklicher] Geheimer Rat
– Geheime Staatspolizei (politische Polizei im nationalsozialistischen Reich; *Abk.* Gestapo)
– Geheimes Staatsarchiv

Schreibung in Verbindung mit Verben:

– etwas muss geheim bleiben, geschehen, getan werden

– etwas geheim halten
– wir hatten unsere neuen Pläne lange Zeit geheim gehalten
– es war uns gelungen, die neuen Pläne lange Zeit geheim zu halten
– alle waren erstaunt, dass er es geheim getan hatte

Aber:

– mit etwas geheimtun (als habe man ein Geheimnis zu hüten)

Ge|heim|tu|er; Ge|heim|tu|e|rei; Ge|heim|tu|e|rin; ge|heim|tu|e|risch
ge|heim|tun *vgl.* geheim
Ge|heim|tür; Ge|heim|waf|fe
Ge|heiß, das; -es; auf Geheiß des ...; auf ihr Geheiß
ge|hei|ßen *vgl.* ¹heißen
ge|hemmt; Ge|hemmt|heit, die; -

ge|hen

Die Formen lauten: du gehst; du gingst, er/sie/es ging; du gingest; gegangen; geh[e]! (*südd., österr.* Ausdruck der Ablehnung, des Unwillens)

– in sich gehen, vor sich gehen

In Verbindung mit Verben ↑K55:

– baden gehen, essen gehen, schlafen gehen
– jemanden [nach Hause, nach München, ins Ausland] gehen lassen
– sie haben ihn [nach Hause] gehen lassen, *seltener* gehen gelassen
– du sollst die Kleine gehen lassen *od.* gehenlassen (in Ruhe lassen)
– sich gehen lassen *od.* gehenlassen (sich nicht beherrschen, sich undiszipliniert verhalten)
Vgl. auch gut

Ge|hen, das; -s (Sportart); ↑K26: 20-km-Gehen
Ge|henk, das; -[e]s, -e (*selten für* Gehänge)
ge|hen|kelt (mit Henkeln)
Ge|henk|te, der u. die; -n, -n (durch Erhängen hingerichtete Person); *vgl.* Gehängte

ge|hen las|sen, ge|hen|las|sen *vgl.* gehen
Ge|hen|na, die; - ⟨hebr.⟩ (frühjüdisch-neutestamentliche Bez. der Hölle)
Ge|her (*Sport*); Ge|he|rin
Ge|het|ze, das; -s
ge|heu|er; das ist mir nicht geheuer
Ge|heul, das; -[e]s
Geh|fal|te; Geh|feh|ler; Geh|gips (stützender Gipsverband für Bein u. Fuß)
Geh|hil|fe, die; -, -n (*fachspr.* orthopädisches Hilfsmittel)
Geh|hil|fe, der; -n, -n
Geh|hil|fen|brief; Geh|hil|fen|schaft (*schweiz. Rechtsspr. für* Beihilfe); Geh|hil|fin
Ge|hirn, das; -[e]s, -e
Ge|hirn|ak|ro|ba|tik (*ugs. scherzh.*)
ge|hirn|am|pu|tiert (*ugs. abwertend für* dumm, schwer von Begriff)
Ge|hirn|chi|r|ur|gie; Ge|hirn|er|schüt|te|rung; Ge|hirn|er|wei|chung (*für* Paralyse); Ge|hirn|haut; Ge|hirn|scha|le; Ge|hirn|schlag; Ge|hirn|schmalz (*ugs. scherzh.*); Ge|hirn|schwund
Ge|hirn|wä|sche (Versuch der Umorientierung eines Menschen durch physischen und psychischen Druck)
gehl (*landsch. für* gelb)
Gehl|chen (*landsch. für* Pfifferling, Gelbling)
Geh|mi|nu|te
¹ge|ho|ben; gehobene Sprache
²ge|ho|ben *vgl.* heben
Ge|höft [*auch* ...'hœ...], das; -[e]s, -e
Ge|höh|ne, das; -s
ge|hol|fen *vgl.* helfen

Ge|hölz, das; -es, -e; Ge|höl|ze, das; -s (*Sportspr.* rücksichtsloses u. stümperhaftes Spielen)
Ge|hop|se, das; -s
Ge|hör, das; -[e]s; Gehör finden, schenken; Ge|hör|bil|dung (*Musik*)
ge|hor|chen; du musst ihr gehorchen; der Not gehorchend
ge|hö|ren; das mir gehörende Haus; ich gehöre zur Familie; *südd., österr., schweiz. auch* ihm gehört (gebührt) eine Strafe
Ge|hör|feh|ler; Ge|hör|gang, der
ge|hör|ge|schä|digt
ge|hö|rig; gehörigen Ortes (*Amtsspr.*)
ge|hör|los; Ge|hör|lo|se, der u. die; -n, -n; Ge|hör|lo|sen|schu|le; Ge|hör|lo|sig|keit, die; -
Ge|hörn, das; -[e]s, -e; ge|hörnt
ge|hor|sam; Ge|hor|sam, der; -s; Ge|hor|sam|keit, die; -
Ge|hor|sams|pflicht; Ge|hor|sams|ver|wei|ge|rung
Ge|hör|sinn, der; -[e]s
¹Geh|re *vgl.* Gehrung
²Geh|re, die; -, -n, Geh|ren, der; -s, - (*landsch. für* Zwickel, Einsatz, Schoß)
geh|ren (*fachspr. für* schräg abschneiden)
Geh|rock
Geh|rung, die; -, -en, *fachspr. auch* Geh|re, die; -, -n (schräger Zuschnitt von Brettern o. Ä., die unter einem [beliebigen] Winkel zusammenstoßen); Geh|rungs|sä|ge
Geh|schu|le (Laufgitter für Kleinkinder; krankengymnastische Einrichtung für Prothesenträger)
Geh|steig; Geh|steig|kan|te

G

Geht|nicht|mehr; *nur in* bis zum
Gehtnichtmehr ([bis] zum
Überdruss)

Ge|hu|del, das; -s *(landsch.)*

Ge|hu|pe, das; -s

Ge|hüp|fe, das; -s

Geh|ver|band *(Med.);* Geh|weg;
Geh|werk (Teil des Uhrwerkes)

Gei, die; -, -en *(Seemannsspr.* Tau
zum Geien); gei|en ([Segel]
zusammenschnüren)

Gei|er, der; -s, -; Gei|er|na|se

Gei|fer, der; -s; Gei|fe|rer; Gei|fe-
rin; gei|fern; ich geifere

Gei|ge, die; -, -n; die erste Geige
spielen; gei|gen

Gei|gen|bau; Gei|gen|bau|er (*vgl.*
¹Bauer); Gei|gen|bau|e|rin

Gei|gen|bo|gen; Gei|gen|hals; Gei-
gen|kas|ten; Gei|gen|sai|te; Gei-
gen|spie|ler; Gei|gen|spie|le|rin

Gei|ger; Gei|ge|rin

Gei|ger|zäh|ler, Gei|ger-Zäh|ler
↑K136 (nach dem dt. Physiker)
(Gerät zum Nachweis radioakti-
ver Strahlen)

geil *(Jugendspr. auch für* großartig, toll)

¹Gei|le, die; - *(veraltet für* Geilheit)

²Gei|le, die; -, -n *(Jägerspr.* Hoden)

gei|len; Geil|heit, die; -

Gei|sa *(Plur. von* Geison)

Gei|sel, die; -, -n (Geiseln stellen;
vgl. aber Geißel

Gei|sel|be|frei|ung

Gei|sel|dra|ma; Gei|sel|gangs|ter;
Gei|sel|haft

Gei|sel|nah|me, die; -, -n; Gei|sel-
neh|mer; Gei|sel|neh|me|rin

Gei|ser, der; -s, -; *vgl.* Geysir

Gei|se|rich (König der Wandalen)

Gei|sha ['ge:ʃa], die; -, -s ⟨jap.⟩
(jap. Gesellschafterin)

Gei|son, das; -s, *Plur.* -s u. ...sa
⟨griech.⟩ (Kranzgesims des antiken Tempels)

Geiß, die; -, -en *(südd., österr.,
schweiz. für* Ziege)

Geiß|bart, der; -[e]s (eine Wald-
pflanze); Geiß|blatt, das; -[e]s
(ein [Kletter]strauch); Geiß|bock
(südd., österr., schweiz.)

Gei|ßel, die; -, -n *(landsch. auch
für* Peitsche; *übertr. für* Plage);
eine Geißel der Menschheit; *vgl.
aber* Geisel; gei|ßeln; ich
geiß[e]le

Gei|ßel|tier|chen *(Biol.* ein Ein-
zeller)

Gei|ße|lung, Geiß|lung

Geiß|fuß, der; -es, ...füße (Werk-
zeug; zahnärztl. Instrument;
nur Sing.: ein Wiesenkraut)

Geiß|hirt *(südd., österr., schweiz.)*

Geiß|lein (junge Geiß)

Geiß|ler ⟨zu geißeln⟩; Geiß|le|rin;
Geiß|lung *vgl.* Geißelung

Geist, der; -[e]s, *Plur.* (*für*
Gespenst, kluger Mensch:) -er *u.*
(*für* Weingeist usw.:) -e

geist|bil|dend

Geis|ter|bahn; Geis|ter|be|schwö-
rung; Geis|ter|er|schei|nung;
Geis|ter|fah|rer (jmd., der auf
der Autobahn auf der falschen
Seite fährt); Geis|ter|fah|re|rin;
Geis|ter|fahrt

geis|ter|haft; Geis|ter|hand; wie
von Geisterhand

geis|tern; es geistert; ich geistere

Geis|ter|se|her; Geis|ter|se|he|rin;
Geis|ter|stadt (von den Men-
schen verlassene Stadt); Geis-
ter|stun|de

geis|tes|ab|we|send; Geis|tes|ab-
we|sen|heit

Geis|tes|ar|beit; Geis|tes|ar|bei|ter;
Geis|tes|ar|bei|te|rin; Geis|tes-
blitz; Geis|tes|ga|ben *Plur.;* Geis-
tes|ge|gen|wart; geis|tes|ge|gen-
wär|tig

Geis|tes|ge|schich|te, die; -; geis-
tes|ge|schicht|lich

geis|tes|ge|stört

Geis|tes|grö|ße; Geis|tes|hal|tung

geis|tes|krank; Geis|tes|kran|ke,
der *u.* die; -n, -n; Geis|tes|krank-
heit (Psychose; geistige Behinderung)

geis|tes|ver|wandt

Geis|tes|wis|sen|schaft *meist Plur.;*
Geis|tes|wis|sen|schaft|ler; Geis-
tes|wis|sen|schaft|le|rin; geis|tes-
wis|sen|schaft|lich

Geis|tes|zu|stand, der; -[e]s

geist|feind|lich

geis|tig; geistiges Eigentum; geis-
tig behindert sein; die geistig
Behinderten; Geis|tig|be|hin|der-
ten|pä|d|a|go|gik

Geis|tig|keit, die; -

geis|tig-see|lisch ↑K23

geist|lich; geistlicher Beistand,
geistliche Lieder, *aber* ↑K151:
Geistlicher Rat *(kath. Kirche)*

Geist|li|che, der *u.* die; -n, -n;
Geist|lich|keit, die; -

geist|los; geist|reich; geist|tö|tend;
geist|voll

Geiß|tau, das; -[e]s, -e (Tau zum
Geien)

Geiz, der; -es, -e (übertriebene
Sparsamkeit *[nur Sing.];* die
Entwicklung beeinträchtigender
Nebentrieb einer Pflanze); gei-
zen; du geizt

Geiz|hals (geiziger Mensch)

gei|zig

Geiz|kra|gen *(svw.* Geizhals)

Ge|jam|mer, das; -s

Ge|jauch|ze, das; -s

Ge|jau|le, das; -s

Ge|jo|del, das; -s

Ge|joh|le, das; -s

Ge|kälk, das; -[e]s *(Jägerspr.* Aus-
scheidung [von Greifvögeln])

ge|kannt *vgl.* kennen

Ge|kei|fe, das; -s

Ge|ki|cher, das; -s

Ge|ki|cke, das; -s

Ge|kläff, das; -[e]s, Ge|kläf|fe, das;
-s

Ge|klap|per, das; -s

Ge|klat|sche, das; -s

Ge|klim|per, das; -s

Ge|klin|gel, das; -s

Ge|klirr, das; -[e]s, Ge|klir|re, das;
-s

Ge|klop|fe, das; -s

Ge|klüft, das; -[e]s, -e, Ge|klüf|te,
das; -s, - *(geh.)*

ge|klun|gen *vgl.* klingen

Ge|knat|ter, das; -s

ge|knickt *(ugs. auch für* bedrückt,
traurig)

ge|kniff|en *vgl.* kneifen

Ge|knir|sche, das; -s

Ge|knis|ter, das; -s

ge|knüp|pelt; *nur in* geknüppelt
voll *(ugs. für* sehr voll)

ge|kom|men *vgl.* kommen

ge|konnt; ihr Spiel wirkte sehr
gekonnt; Ge|konnt|heit, die; -

ge|kö|pert (in Köperbindung
gewebt)

ge|ko|ren *vgl.* ²kiesen

ge|körnt *(fachspr.);* ein gekörntes
Werkstück

Ge|kräch|ze, das; -s

Ge|kra|kel, das; -s *(ugs.)*

Ge|krätz, das; -es *(Technik* Metall-
abfall)

Ge|krat|ze, das; -s

Ge|kräu|sel, das; -s

Ge|kreisch, das; -[e]s, Ge|krei|sche,
das; -s

Ge|kreu|zig|te, der; -n, -n

Ge|krit|zel, das; -s

ge|kro|chen *vgl.* kriechen

ge|kröpft (hakenförmig gebogen)

Ge|krö|se, das; -s, - (Innereien,
bes. vom Rind)

ge|küns|telt

Gel, das; -s, -e u. -s (gallertartige
Substanz; Gelatine)

Ge|lab|ber, das; -s *(landsch. für*
fades Getränk)

Ge|la|ber, das; -s *(ugs. für* seichtes
Gerede)

Ge|läch|ter, das; -s, -
ge|lack|mei|ert (ugs. für ange-
führt); Ge|lack|mei|er|te, der u.
die; -n, -n
ge|lackt vgl. lacken
ge|la|den; das Gewehr ist geladen;
geladen (ugs. für zornig,
wütend) sein
Ge|la|ge, das; -s, -; Ge|lä|ger, das;
-s, - (Ablagerung im Weinfass
nach der Gärung)
ge|lähmt; Ge|lähm|te, der u. die;
-n, -n; ein halbseitig Gelähmter
ge|lahrt (veraltet, noch scherzh.
für gelehrt); ein gelahrter Mann
Ge|län|de, das; -s, -
Ge|län|de|fahrt; Ge|län|de|fahr-
zeug
ge|län|de|gän|gig
Ge|län|de|lauf; Ge|län|de|marsch,
der
Ge|län|der, das; -s, -
Ge|län|de|ritt; Ge|län|de|spiel; Ge-
län|de|sport, der; -[e]s; Ge|län-
de|übung; Ge|län|de|wa|gen
ge|lang vgl. gelingen
ge|lan|gen; der Brief gelangte
nicht in meine Hände; an jmdn.
gelangen (schweiz. für an jmdn.
herantreten)
ge|lang|weilt
ge|lappt; gelappte Blätter (Bot.)
Ge|lär|me, das; -s
Ge|lass, das; Gelasses, Gelasse
(geh. für Raum)
¹ge|las|sen; etw. gelassen hinneh-
men; gelassen sein
²ge|las|sen vgl. lassen
Ge|las|sen|heit, die; -
Ge|la|ti|ne [ʒ...], die; - ⟨franz.⟩; Ge-
la|ti|ne|kap|sel
ge|la|ti|nie|ren (zu Gelatine erstar-
ren; in Gelatine verwandeln);
ge|la|ti|nös (gelatineartig); gela-
tinöse Masse
Ge|läuf, das; -[e]s, -e (Jägerspr.
Spuren u. Wechsel des Federwildes; Sport Boden einer Pferderennbahn, eines Spielfeldes)
Ge|läu|fe, das; -s
ge|läu|fen vgl. laufen
ge|läu|fig; die Bezeichnung ist
nicht sehr geläufig; Ge|läu|fig-
keit, die; -
ge|launt; der Chef ist gut gelaunt;
vgl. gut
Ge|läut, das; -[e]s, -e (Glocken
einer Kirche); Ge|läu|te, das; -s
(anhaltendes Läuten)
gelb; sich gelb und grün ärgern;
↑K89 : der gelbe Sack, das gelbe
od. Gelbe Trikot (des Spitzen-
reiters im Radsport), die gelbe

od. Gelbe Karte (bes. Fußball);
Gelbe Rüben (Möhren); ↑K150 :
der Gelbe Fluss; die Gelben
Engel (des ADAC); Gelbe Sei-
ten® (Branchentelefonbuch);
vgl. blau
Gelb, das; -s, Plur. -, ugs. -s (gelbe
Farbe); bei Gelb; die Ampel
steht auf Gelb; vgl. Blau
gelb|braun vgl. blau
Gel|be, das; -n
gelb fär|ben, gelb|fär|ben
Gelb|fie|ber; Gelb|fil|ter
gelb|grün ↑K23
Gelb|kör|per|hor|mon (ein Sexual-
hormon)
Gelb|kreuz (ein Giftgas)
gelb|lich; gelblich rot, grün usw.
↑K60
Gelb|licht, das; -[e]s
Gelb|ling (ein Pilz)
Gelb|rand|kä|fer
gelb|rot; der Spieler sah Gelbrot
od. Gelb-Rot ↑K23
Gelb|rü|be (südd. für Möhre);
Gelb|schna|bel (Grünschnabel)
Gelb|sucht, die; -; gelb|süch|tig
Gelb|veil|chen|lein (südd. für Gold-
lack)
Gelb|wurst; Gelb|wur|zel (tropi-
sches Ingwergewächs)
Geld, das; -[e]s, -er (Börse; Abk.
auf dt. Kurszetteln G [vgl. d.])
↑K31 : Geld- und andere Sorgen
Geld|adel; Geld|an|ge|le|gen|heit;
Geld|an|la|ge; Geld|au|to|mat
Geld|beu|tel; Geld|bom|be; Geld-
bör|se
Geld|brief|trä|ger (früher); Geld-
brief|trä|ge|rin
Geld|bu|ße; Geld|ent|wer|tung
Gel|dern (Stadt im Niederrhein.
Tiefland); Gel|der|ner
Gel|des|wert, der; -[e]s
Geld|fra|ge
Geld|ge|ber; Geld|ge|be|rin
Geld|gier; geld|gie|rig
Geld|hahn; meist in jmdm. den
Geldhahn zudrehen (ugs. für
jmdm. kein Geld mehr geben)
Geld|haus; Geld|hei|rat; Geld|ins-
ti|tut; Geld|kar|te (ein elektroni-
sches Zahlungsmittel)
Geld|kat|ze (am oder als Gürtel
getragener Geldbeutel)
Geld|kurs (Bankw.)
geld|lich; aber unentgeltlich
Geld|man|gel; Geld|markt; Geld-
men|ge; Geld|mit|tel Plur.; Geld-
quel|le
gel|drisch ⟨zu Geldern⟩
Geld|sack; Geld|schein; Geld-

schnei|de|rei; Geld|schrank; Geld-
schrank|kna|cker
Geld|sor|gen Plur.; Geld|sor|te;
Geld|stra|fe; Geld|stück; Geld-
sum|me
Geld|ta|sche; Geld|um|tausch;
Geld|ver|le|gen|heit
Geld|wasch|an|la|ge (ugs. für Insti-
tution o. Ä. für Geldwäsche);
Geld|wä|sche (ugs. für Umtausch
von illegal erworbenem Geld in
solches von unverdächtiger Her-
kunft); Geld|wä|sche|rei (bes.
schweiz. für Geldwäsche)
Geld|wech|sel
geld|wert (Finanzw.); geldwerter
Vorteil; Geld|wert, der; -[e]s
Geld|we|sen
Geld|wirt|schaft, die; -
ge|leckt; das Zimmer sieht aus
wie geleckt (ugs. für sehr sauber)
Ge|lee [ʒ...], das, auch der; -s, -s
⟨franz.⟩
Ge|le|ge, das; -s, -
¹ge|le|gen; das kommt mir sehr
gelegen (das kommt zur rechten
Zeit); zu gelegener Zeit
²ge|le|gen vgl. liegen
Ge|le|gen|heit; Ge|le|gen|heits|ar-
beit; Ge|le|gen|heits|ar|bei|ter
Ge|le|gen|heits|ge|dicht; Ge|le|gen-
heits|kauf
ge|le|gent|lich; wir sehen uns gele-
gentlich (ab und zu); als Präp.
mit Gen.: gelegentlich seines
Besuches (Amtsspr., dafür besser bei seinem Besuch)
ge|leh|rig; Ge|leh|rig|keit, die; -
ge|lehr|sam; Ge|lehr|sam|keit, die; -
ge|lehrt; ein gelehrter Mann; Ge-
lehr|te, der u. die; -n, -n; Ge|lehr-
ten|streit; Ge|lehrt|heit, die; -
Ge|lei|er, das; -s
Ge|lei|se, das; -s, - (schweiz.
neben, sonst geh. für Gleis)
Ge|leit, das; -[e]s, -e; Ge|lei|te, das;
-s, - (veraltet); ge|lei|ten
Ge|leit|schutz; Ge|leit|wort Plur.
...worte; Ge|leit|zug
ge|len; er gelt die Haare; gegelt
Ge|lenk, das; -[e]s, -e
Ge|lenk|band, das; Plur. ...bänder;
Ge|lenk|ent|zün|dung; Ge|lenk-
fahr|zeug
ge|len|kig; Ge|len|kig|keit, die; -
Ge|lenk|kap|sel; Ge|lenk|knor|pel;
Ge|lenk|pfan|ne; Ge|lenk|rheu-
ma|tis|mus; Ge|lenk|schmie|re
Ge|lenks|ent|zün|dung (österr. für
Gelenkentzündung)
Ge|lenk|wel|le (für Kardanwelle)
ge|lernt; ein gelernter Maurer

ge|le|sen *vgl.* lesen

Ge|leucht, das; -[e]s, Ge|leuch|te, das; -s (*Bergmannsspr.* Licht, Beleuchtung unter Tage)

Ge|lich|ter, das; -s (*veraltet abwertend* Gesindel)

Ge|lieb|te, der *u.* die; -n, -n

ge|lie|fert; geliefert (*ugs.* verloren, ruiniert) sein

ge|lie|hen *vgl.* leihen

ge|lie|ren [ʒ...] ⟨*franz.*⟩ (zu Gelee werden)

Ge|lier|mit|tel; Ge|lier|zu|cker

ge|lind, ge|lin|de; das ist[,] gelinde gesagt[,] sehr übereilt ↑K 114

ge|lin|gen; es gelang; es gelänge; gelungen; geling[e]!; Ge|lin|gen, das; -s

Ge|lis|pel, das; -s

ge|lis|tet *vgl.* listen

ge|lit|ten *vgl.* leiden

Gel|ker|ze (Kerze aus Gelwachs)

¹gell (hell tönend)

²gell?, gel|le? (*landsch. sww.* ²gelt?)

gel|len; es gellt; es gellte; gegellt

Geln|hau|sen (Stadt a. d. Kinzig)

ge|lo|ben; jmdm. etwas geloben (versprechen); ↑K 140 : das Gelobte Land *(bibl.);* Ge|löb|nis, das; -ses, -se

Ge|lock, das; -[e]s; ge|lockt

ge|lo|gen *vgl.* lügen

ge|löscht; gelöschter Kalk

ge|löst; Ge|löst|heit, die; -

Gel|se, die; -, -n (*österr. für* Stechmücke)

Gel|sen|kir|chen (Stadt im Ruhrgebiet); Gel|sen|kir|che|ner Ba|rock, das *od.* der; *Gen.* - -s, *fachspr. auch* - - (*scherzh. für* neu gefertigte Möbel im traditionellen Stil mit überladenen Verzierungen)

¹gelt (*bayr., österr., schweiz. für* unfruchtbar [bes. von Kühen]; *vgl.* galt

²gelt? (*bes. südd. u. österr. für* nicht wahr?); *vgl. auch* ²gell?

gel|ten; du giltst, er gilt; du galtst (galtest); du gältest, *auch* göltest; gegolten (*selten:* gilt!; gelten lassen; geltend machen

Gel|tend|ma|chung, die; - (*Amtsspr.*)

Gel|tung, die; -

Gel|tungs|be|dürf|nis; Gel|tungs|be|reich, der; Gel|tungs|dau|er; Gel|tungs|sucht

Ge|lüb|de, das; -s, -

Ge|lum|pe, das; -s (*ugs.*)

Ge|lün|ge, das; -s (*sww.* ¹Geräusch)

ge|lun|gen; eine äußerst gelungene Aufführung

Ge|lüst, das; -[e]s, -e, Ge|lüs|te, das; -s, - (*geh.*)

ge|lüs|ten (*geh.*); es gelüstet mich; Ge|lüs|ten, das; -s (*veraltet);* ge|lüs|tig (*landsch. für* begierig)

Gel|wachs (gallertartiges Brennmaterial für Kerzen)

Gel|ze, die; -, -n (*veraltet, noch landsch. für* verschnittene Sau); gel|zen (*veraltet, noch landsch. für* [ein Schwein] verschneiden); du gelzt

GEMA, die; - = Gesellschaft für musikalische Aufführungs- u. mechanische Vervielfältigungsrechte

ge|mach; gemach, gemach! (langsam, nichts überstürzen)

Ge|mach, das; -[e]s, *Plur.* ...mächer, *veraltet* -e

ge|mäch|lich [*auch* ...'mɛ...]; Ge|mäch|lich|keit, die; -

Ge|mächt, das; -[e]s, -e, Ge|mäch|te, das; -s, - (*veraltet, noch scherzh. für* männliche Geschlechtsteile)

¹Ge|mahl, der; -[e]s, -e

²Ge|mahl, das; -[e]s, -e (*veraltet für* Gemahlin)

ge|mah|len *vgl.* mahlen

Ge|mah|lin

ge|mah|nen (*geh. für* erinnern); das gemahnt mich an ...

Ge|mäl|de, das; -s, -

Ge|mäl|de|aus|stel|lung; Ge|mäl|de|ga|le|rie; Ge|mäl|de|samm|lung

Ge|mar|chen *Plur.* (*schweiz. für* Gemarkung); Ge|mar|kung

ge|ma|sert; gemasertes Holz

ge|mäß; dem Befehl gemäß (*seltener* gemäß dem Befehl); *nicht:* gemäß des Befehles); gemäß Erlass vom ...

...ge|mäß (z. B. ordnungsgemäß, zeitgemäß)

Ge|mäß|heit, die; - (Angemessenheit)

ge|mä|ßigt; gemäßigte Zone (*Meteor.*)

Ge|mäu|er, das; -s, -

Ge|mau|schel, das; -s (*ugs.*)

Ge|me|cker, Ge|me|ckre, Ge|me|cke|re, das; -s

ge|mein; das gemeine Recht, *aber* ↑K 151 : die Gemeine Stubenfliege

Ge|mein|be|sitz

Ge|mein|de, die; -, -n

Ge|mein|de|am|mann (*schweiz. für* Gemeindevorsteher; Vollstreckungsbeamter)

Ge|mein|de|amt

Ge|mein|de|amt|frau (*schweiz. für* Gemeindevorsteherin; Vollstreckungsbeamtin)

Ge|mein|de|bau *Plur.* ...bauten (*österr. für* Sozialwohnungsbau der Gemeinde)

Ge|mein|de|be|am|te; Ge|mein|de|be|am|tin

ge|mein|de|ei|gen

Ge|mein|de|gut (Allmende)

Ge|mein|de|haus

Ge|mein|de|hel|fer (*ev. Kirche);* Ge|mein|de|hel|fe|rin

Ge|mein|de|kir|chen|rat *Plur.* ...räte; Ge|mein|de|kir|chen|rä|tin

Ge|mein|de|ord|nung

Ge|mein|de|rat *Plur.* ...räte; Ge|mein|de|rä|tin

Ge|mein|de|saal

Ge|mein|de|schwes|ter

Ge|mein|de|se|kre|tär (*bes. österr. für* Leiter der Gemeindeverwaltung); Ge|mein|de|se|kre|tä|rin

Ge|mein|de|steu|er, die; Ge|mein|de|um|la|ge *meist Plur.*

ge|mein|deutsch

Ge|mein|de|ver|tre|tung; Ge|mein|de|ver|wal|tung; Ge|mein|de|vor|ste|her; Ge|mein|de|vor|ste|he|rin; Ge|mein|de|wahl; Ge|mein|de|zen|t|rum

ge|meind|lich

Ge|mein|ei|gen|tum

ge|mein|fass|lich; ge|mein|ge|fähr|lich

Ge|mein|geist, der; -[e]s; Ge|mein|gut

Ge|mein|heit

ge|mein|hin

ge|mei|nig|lich (*veraltend für* gewöhnlich, im Allgemeinen)

Ge|mein|kos|ten *Plur.* (indirekte Kosten)

ge|mein|ma|chen, sich; sich mit jmdm. gemeinmachen (auf die gleiche [niedrige] Stufe stellen)

Ge|mein|nutz, der; -es; ge|mein|nüt|zig

Ge|mein|platz (*sww.* Phrase)

ge|mein|sam; Ge|mein|sam|keit

Ge|mein|schaft; ge|mein|schaft|lich

Ge|mein|schafts|an|ten|ne; Ge|mein|schafts|ar|beit; Ge|mein|schafts|bild; Ge|mein|schafts|ge|fühl; Ge|mein|schafts|geist, der; -[e]s

Ge|mein|schafts|haus; Ge|mein|schafts|kun|de, die; - (ein Schulfach); Ge|mein|schafts|pra|xis; Ge|mein|schafts|pro|duk|ti|on

Ge|mein|schafts|raum; Ge|mein|schafts|schu|le; Ge|mein|schafts|sen|dung

Ge|mein|schafts|un|ter|neh|men;
Ge|mein|schafts|ver|pfle|gung
Ge|mein|sinn, der; -[e]s
Ge|mein|spra|che (allgemeine Spra-
che); ge|mein|sprach|lich
ge|meint; ein gut gemeinter od.
gutgemeinter Vorschlag
ge|mein|ver|ständ|lich
Ge|mein|werk, das; -[e]s (schweiz.
für unbezahlte gemeinschaftl.
Arbeit für die Gemeinde, eine
Genossenschaft u. Ä.)
Ge|mein|we|sen; Ge|mein|wirt-
schaft; Ge|mein|wohl
Ge|men|ge, das; -s, -; Ge|men|ge|la-
ge, Ge|meng|la|ge, die; - (übertr.
für Mischung); Ge|meng|sel,
das; -s, -
¹ge|mes|sen; in gemessener Hal-
tung
²ge|mes|sen vgl. messen
Ge|mes|sen|heit, die; -
Ge|met|zel, das; -s, -
ge|mie|den vgl. meiden
Ge|mi|na|ti|on, die; -, -en (lat.)
(Sprachw. Konsonantenverdop-
pelung); ge|mi|nie|ren
Ge|misch, das; -[e]s, -e
ge|mischt; gemischtes Doppel
(Sport); ge|mischt|spra|chig
Ge|mischt|wa|ren|hand|lung (veral-
tet, noch österr.)
ge|mischt|wirt|schaft|lich
Gem|ma, die; -, ... mae (lat.) (ein Stern)
Gem|me, die; -, -n (Schmuckstein
mit eingeschnittenem Bild);
Gem|mo|lo|gie, die; - (Edelstein-
kunde)
ge|mocht vgl. mögen
Gem|se usw. alte Schreibung für
Gämse usw.
Ge|mun|kel, das; -s
Ge|mur|mel, das; -s
Ge|mur|re, das; -s
Ge|mü|se, das; -s, -; Mohrrüben u.
Bohnen sind nahrhafte Gemüse
Ge|mü|se|an|bau, Ge|mü|se|bau,
der; -[e]s
Ge|mü|se|beet; Ge|mü|se|bei|la|ge;
Ge|mü|se|ein|topf; Ge|mü|se|gar-
ten
Ge|mü|se|händ|ler; Ge|mü|se|händ-
le|rin
Ge|mü|se|ho|bel; Ge|mü|se|la|den;
Ge|mü|se|pflan|ze; Ge|mü|se|saft;
Ge|mü|se|sup|pe
ge|musst vgl. müssen
ge|mus|tert
Ge|müt, das; -[e]s, -er; zu Gemüte
führen; ge|müt|haft
ge|müt|lich; Ge|müt|lich|keit, die; -
ge|müts|arm
Ge|müts|art; Ge|müts|be|we|gung

ge|müts|krank; Ge|müts|kran|ke;
Ge|müts|krank|heit
Ge|müts|la|ge; Ge|müts|lei|den; Ge-
müts|mensch (ugs.)
Ge|müts|ru|he; Ge|müts|ver|fas-
sung; Ge|müts|zu|stand
ge|müt|voll
gen (veraltend für in Richtung,
nach [vgl. gegen]); gen Himmel
Gen, das; -s, -e meist Plur.
⟨griech.⟩ (Träger der Erbanlage)
gen. = genannt
Gen. = Genitiv; Genosse, Genos-
sin; Genossenschaft
ge|nannt (Abk. gen.)
ge|nant [ʒ...] ⟨franz.⟩ (veraltend
für unangenehm; peinlich)
ge|narbt; genarbtes Leder
ge|nä|schig (geh. für naschhaft)

ge|nau

– genau[e]s|tens arbeiten

Großschreibung:

– wir wissen nichts Genaues
– etwas des Genaueren erläutern
(veraltend)

Groß- oder Kleinschreibung:

– auf das, aufs Genau[e]ste od.
genau[e]ste

Getrenntschreibung:

– die Karten werden genau so verteilt, dass jeder Spieler ...; vgl.
aber genauso
– etwas genau nehmen
– sich genau unterrichten
– genau genommen, bei adjekti-
vischer Verwendung auch
genaugenommen ↑K58 ; sie
hat[,] genau genommen[,] nicht
gelogen
– genau unterrichtete od. genau-
unterrichtete Kreise ↑K58

Ge|nau|ig|keit, die; -
ge|nau|so (ebenso); genauso viele
Freunde; du kannst genauso
gut die Bahn nehmen; das dauert genauso lang[e]; das stört
mich genauso wenig; vgl. aber
genau
ge|nau|so|viel|mal, ge|nau|so viel
Mal; ich bin genausovielmal od.
genauso viel Mal dort gewesen
wie sie
Gen|bank Plur. ...banken; Gen-
check [...tʃ...], der; -s, -s
Gen|darm [ʒa..., auch ʒã...], der;
-en, -en ⟨franz.⟩ (österr., sonst
veraltet für Polizist [auf dem

Lande]); Gen|dar|me|rie, die; -,
...ien
Gen|de|fekt
Gen|der-Main|strea|ming [ˈdʒɛndɐ-
ˈme:nstri:mɪŋ], das; -s ⟨engl.⟩
(Verwirklichung der Gleichstel-
lung von Mann und Frau unter
Berücksichtigung der
geschlechtsspezifischen
Lebensbedingungen und Interessen)
Gen|der|stu|dies [ˈdʒɛndɐstadi:s],
Plur. ⟨engl.⟩ (Frauen- und
Geschlechterforschung)
Gen|di|a|g|nos|tik (Med.)
Ge|nea|lo|ge, der; -n, -n; Ge|nea|lo-
gie, die; -, ...ien ⟨griech.⟩
(Geschlechterkunde, Familien-
forschung); Ge|nea|lo|gin; ge-
nea|lo|gisch
ge|nehm; jmdm. genehm sein
(geh.)
ge|neh|mi|gen; Ge|neh|mi|gung
Ge|neh|mi|gungs|pflicht; ge|neh|mi-
gungs|pflich|tig
Ge|neh|mi|gungs|ver|fah|ren
ge|neigt; er ist geneigt[.] zuzu-
stimmen; Ge|neigt|heit, die; -
Ge|ne|ra (Plur. von Genus)
Ge|ne|ral, der; -s, Plur. -e u. ...räle
⟨lat.⟩
Ge|ne|ral|ab|so|lu|ti|on (kath. Kir-
che); Ge|ne|ral|ad|mi|ral; Ge|ne-
ral|agent (Hauptvertreter); Ge-
ne|ral|agen|tin; Ge|ne|ral|agen-
tur
Ge|ne|ral|am|nes|tie; Ge|ne|ral|an-
griff
Ge|ne|ra|lat, das; -[e]s, -e (Gene-
ralswürde)
Ge|ne|ral|bass (Musik)
Ge|ne|ral|beich|te; Ge|ne|ral|be-
voll|mäch|tig|te; Ge|ne|ral|bun-
des|an|walt; Ge|ne|ral|bun|des-
an|wäl|tin; Ge|ne|ral|di|rek|tor;
Ge|ne|ral|di|rek|to|rin
Ge|ne|ral|feld|mar|schall
Ge|ne|ral|gou|ver|ne|ment; Ge|ne-
ral|gou|ver|neur; Ge|ne|ral|gou-
ver|neu|rin
Ge|ne|ra|lin
Ge|ne|ral|in|s|pek|teur; Ge|ne|ral|in-
s|pek|teu|rin; Ge|ne|ral|in|s|pek-
to|rat (oberste Kontrollbehörde
in Österr.); Ge|ne|ral|in|ten|dant;
Ge|ne|ral|in|ten|dan|tin
Ge|ne|ra|li|sa|ti|on, die; -, -en (Ver-
allgemeinerung); ge|ne|ra|li|sie-
ren (verallgemeinern); Ge|ne|ra-
li|sie|rung
Ge|ne|ra|lis|si|ma, die; -, Plur. ...ae
u. ...mas
Ge|ne|ra|lis|si|mus, der; -, Plur. ...mi

u. ...musse ⟨ital.⟩ (Oberbefehlshaber)
Ge|ne|ra|list, der; -en, -en (jmd.,
der nicht auf ein bestimmtes
Gebiet festgelegt ist); Ge|ne|ra-
lis|tin
Ge|ne|ra|li|tät, die; -, -en ⟨franz.⟩
ge|ne|ra|li|ter ⟨lat.⟩ (veraltend für
im Allgemeinen; allgemein
betrachtet)
Ge|ne|ral|ka|pi|tel (kath. Kirche);
Ge|ne|ral|klau|sel (Rechtsspr.);
Ge|ne|ral|kom|man|do; Ge|ne|ral-
kon|su|lat
Ge|ne|ral|leut|nant; Ge|ne|ral|ma-
jor; Ge|ne|ral|ma|jo|rin
Ge|ne|ral|mu|sik|di|rek|tor (Abk.
GMD); Ge|ne|ral|mu|sik|di|rek|to-
rin
Ge|ne|ral|nen|ner; Ge|ne|ral|oberst;
Ge|ne|ral|pau|se; Ge|ne|ral|pro-
be; Ge|ne|ral|sa|nie|rung
Ge|ne|ral|se|kre|tär; Ge|ne|ral|se-
kre|tä|rin
Ge|ne|rals|rang
Ge|ne|ral|staa|ten Plur. (das nie-
derländische Parlament)
Ge|ne|ral|staats|an|walt
Ge|ne|ral|staats|an|wäl|tin
Ge|ne|ral|stab; Ge|ne|ral|stäb|ler;
Ge|ne|ral|stäb|le|rin; Ge|ne|ral-
stabs|kar|te
Ge|ne|ral|streik
Ge|ne|rals|uni|form
ge|ne|ral|über|ho|len; nur im Infi-
nitiv u. Partizip II gebr.: ich
lasse den Wagen generalüberho-
len; der Wagen wurde general-
überholt
Ge|ne|ral|über|ho|lung
Ge|ne|ral|ver|samm|lung; Ge|ne|ral-
ver|tre|ter; Ge|ne|ral|vi|kar (Ver-
treter des kath. Bischofs, bes. in
der Verwaltung); Ge|ne|ral|vi|ka-
rin
Ge|ne|ra|ti|on, die; -, -en ⟨lat.⟩
(Glied in der Geschlechterfolge;
Gesamtheit der Menschen
ungefähr gleicher Altersstufe)
ge|ne|ra|ti|o|nen|über|grei|fend
Ge|ne|ra|ti|o|nen|ver|trag
Ge|ne|ra|tion Golf (Altersgruppe
der etwa 1965 bis 1975 geborenen Westdeutschen, deren
Lebensgefühl durch eine egois-
tische Grundhaltung und eine
weitgehende Entpolitisierung
geprägt ist)
Ge|ne|ra|ti|ons|kon|flikt; Ge|ne|ra-
ti|ons|wech|sel
Ge|ne|ra|ti|on X [auch dʒenə'reɪʃən
'ɛks] (Altersgruppe der etwa
1965 bis 1975 Geborenen, denen

Orientierungslosigkeit u. Desinteresse unterstellt werden)
ge|ne|ra|tiv (erzeugend; Biol. die
geschlechtl. Fortpflanzung
betreffend); generative Zelle;
generative Grammatik
(Sprachw.)
Ge|ne|ra|tor, der; -s, ...oren
(Maschine, die Strom erzeugt;
Apparat zur Gasgewinnung)
ge|ne|rell ⟨franz.⟩ (allgemein [gül-
tig])
ge|ne|rie|ren ⟨lat.⟩ (hervorbringen)
Ge|ne|ri|kum, das; -s, ...ka (phar-
mazeut. Präparat mit der gleichen Zusammensetzung wie ein
Markenarzneimittel)
ge|ne|risch (das Geschlecht od. die
Gattung betreffend, Gat-
tungs...); generisches Maskulinum (Verwendung der maskuli-
nen Form für weibliche u.
männliche Personen)
ge|ne|rös [seltener ʒ...] ⟨franz.⟩
(groß-, edelmütig; freigebig); Ge-
ne|ro|si|tät, die; -
Ge|ne|se, die; -, -n ⟨griech.⟩ (Ent-
stehung, Entwicklung)
ge|ne|sen; du genest, er/sie
genest; du genasest, er/sie
genas; du genäsest; genesen;
genese!; Ge|ne|sen|de, der u. die;
-n, -n
Ge|ne|sis [auch 'ge:...], die; -
⟨griech.⟩ (Entstehung,
Ursprung; [1. Buch Mosis mit
der] Schöpfungsgeschichte)
ge|ne|tiv (veraltet für Genitiv)
Ge|nève [ʒə'nɛːf] (franz. Form von
Genf)
ge|ne|ver [ʒ..., auch g...], der; -s, -
(Wacholderbranntwein)
Ge|ne|za|reth vgl. See Genezareth
Genf (Kanton u. Stadt in der
Schweiz); vgl. Genève; Gen|fer;
Genfer Konvention; gen|fe|risch
Genfer See, der; - -
Gen|for|schung
ge|ni|al ⟨lat.⟩ (überaus begabt und
schöpferisch; großartig); ge|ni|a-

lisch (nach Art eines Genies);
Ge|ni|a|li|tät, die; -
Ge|nick, das; -[e]s, -e
Ge|nick|fang, der; -[e]s, -e Plur. sel-
ten (Jägerspr.); Ge|nick|fän|ger
(Wildmesser)
Ge|nick|schuss; Ge|nick|star|re
¹Ge|nie [ʒ...], das; -s, -s ⟨franz.⟩ (nur
Sing.: höchste schöpferische
Geisteskraft; äußerst begabter,
schöpferischer Mensch)
²Ge|nie, die; - od. das; -s (meist in
Zusammensetzungen; schweiz.
für Pioniertruppe)
Ge|ni|en ['ge:...] (Plur. von Genius)
Ge|nie|of|fi|zier [ʒ...] (schweiz.)
ge|nie|ren [ʒ...] ⟨franz.⟩; sich
genieren; ge|nier|lich (ugs. für
peinlich; schüchtern)
ge|nieß|bar; Ge|nieß|bar|keit, die; -
ge|nie|ßen; du genießt; ich genoss,
du genossest, er/sie genoss; du
genössest; genossen; genieß[e]!;
Ge|nie|ßer; Ge|nie|ße|rin; ge|nie-
ße|risch
Ge|nie|streich; Ge|nie|trup|pe
ge|ni|tal ⟨lat.⟩ (die Genitalien
betreffend); Ge|ni|ta|le, das; -s,
...lien meist Plur. (Geschlechtsorgan)
Ge|ni|tiv, der; -s, -e ⟨lat.⟩ (Sprachw.
Wesfall, 2. Fall; Abk. Gen.); Ge-
ni|tiv|ob|jekt
Ge|ni|us, der; -, ...ien (Schutzgeist
im römischen Altertum; geh. für
¹Genie)
Ge|ni|us Lo|ci, der; - - (Schutzgeist
eines Ortes)
Gen|mais (gentechnisch veränder-
ter Mais)
Gen|ma|ni|pu|la|ti|on ⟨griech., lat.⟩
(Manipulation des Erbgutes);
gen|ma|ni|pu|liert
Gen|mu|ta|ti|on (erbliche Verände-
rung eines Gens)
Gen|ne|sa|ret vgl. See Genezareth
Ge|nom, das; -s, -e ⟨griech.⟩ (Gene-
tik die im Chromosomensatz
vorhandenen Erbanlagen); Ge-
nom|ana|ly|se; ge|no|misch
ge|nom|men vgl. nehmen
Ge|nom|pro|jekt (das Bestreben,
das Genom eines Organismus,
z. B. des Menschen, umfassend
aufzuklären)
ge|noppt (mit Noppen versehen)
Ge|nör|gel, das; -s
ge|noss vgl. genießen
Ge|nos|se, der; -n, -n (Abk. Gen.)
ge|nos|sen vgl. genießen
Ge|nos|sen|schaft (Abk. Gen.); vgl.
EG

Ge|nos|sen|schaf|ter; Ge|nos|sen|schaf|te|rin

Ge|nos|sen|schaft|ler; Ge|nos|sen|schaft|le|rin

ge|nos|sen|schaft|lich

Ge|nos|sen|schafts|bank *Plur.* ...banken; Ge|nos|sen|schafts|bau|er (*vgl.* ²Bauer; *bes. in der DDR*); Ge|nos|sen|schafts|bäu|e|rin

Ge|nos|sin

Ge|noss|sa|me, die; -, -n (*schweiz. für* Alp-, Allmendgenossenschaft)

Ge|no|typ, der; -s, -en, Ge|no|ty|pus, der; -, ...typen ⟨griech.⟩ (*Biol.* Gesamtheit der Erbfaktoren eines Lebewesens); ge|no|ty|pisch (erbmäßig)

Ge|no|ve|va [...ˈfeːfa] (w. Vorn.)

Ge|no|zid, der, *auch* das; -[e]s, *Plur.* -e *u.* -ien ⟨griech.; lat.⟩ (Völkermord)

Gen|pool [...puːl], der; -s, -s ⟨griech.; engl.⟩ (Gesamtheit der genetischen Informationen einer Population)

Gen|re [ˈʒãː...], das; -s, -s ⟨franz.⟩ (Art, Gattung; Wesen)

Gen|re|bild (Bild aus dem täglichen Leben); gen|re|haft (in der Art der Genremalerei); Gen|re|ma|le|rei

Gent (Stadt in Belgien)

Gen|tech|nik *Plur. selten* ⟨griech.⟩ (Technik der Erforschung und Manipulation der Gene)

gen|tech|nik|frei; gentechnikfreies Essen

gen|tech|nisch

Gen|tech|no|lo|gie, die; -; gen|tech|no|lo|gisch

Gen|test; Gen|the|ra|pie (*Med.*)

Gen|til|homme [ʒãtiˈjɔm], der; -s, -s (*veraltet für* Mann von vornehmer Gesinnung)

Gen|t|le|man [ˈdʒɛntlmən], der; -s, ...men [...mən] ⟨engl.⟩ (Mann von Lebensart u. Charakter [mit tadellosen Umgangsformen])

gen|t|le|man|like [...laik] (nach Art eines Gentlemans; höflich)

Gen|t|le|man's, Gen|t|le|men's Ag|ree|ment, das; - -, - -s (Übereinkunft ohne formalen Vertrag)

Gen|trans|fer ⟨griech.; engl.⟩ (*Genetik* Übertragung fremder Erbanlagen in die befruchtete Eizelle)

Gen|t|ry [dʒɛntri], die; - ⟨engl.⟩ (niederer Adel und wohlhabendes Bürgertum in England)

Ge|nua (ital. Stadt); Ge|nu|e|se,

der; -n, -n; Ge|nu|e|ser; Ge|nu|e|sin; ge|nu|e|sisch

ge|nug; genug u. übergenug; ↑K72 : genug Gutes, Gutes genug; genug des Guten; von etw. genug haben; genug getan haben; *vgl. aber* genugtun

Ge|nü|ge, die; -; Genüge tun, leisten; zur Genüge

ge|nü|gen; ge|nü|gend *vgl.* ausreichend

ge|nug|sam (*veraltend für* hinreichend)

ge|nüg|sam (anspruchslos)

Ge|nüg|sam|keit, die; -

ge|nug|tun (*veraltend*); er hat mir genuggetan (Genugtuung gewährt); ich kann mir damit nicht genugtun (kann damit nicht aufhören); *aber* ich habe jetzt genug (genügend) getan; Ge|nug|tu|ung *Plur. selten*

ge|nu|in ⟨lat.⟩ (echt; *Med.* angeboren, erblich)

Ge|nus [*auch* ˈgeː...], das; -, Genera (Gattung, Art; *Sprachw.* grammatisches Geschlecht); *vgl.* in genere

Ge|nuss, der; Genusses, Genüsse

ge|nuss|freu|dig

Ge|nuss|gift

ge|nüss|lich; Ge|nüss|ling (*veraltend für* Genießer)

Ge|nuss|mit|tel, das

ge|nuss|reich

Ge|nuss|schein , Ge|nuss-Schein (*Börsenw.* Wertpapier, dessen Inhaber an den Erträgen einer Firma teilhat)

Ge|nuss|sucht , Ge|nuss-Sucht, die; -

ge|nuss|süch|tig ↑K25 ; ge|nuss|voll

Ge|nus Ver|bi, das; - -, Genera - ⟨lat.⟩ (*Sprachw.* Verhaltensrichtung des Verbs: Aktiv u. Passiv)

gen|ver|än|dert; genveränderter Mais

Geo|bo|ta|nik ⟨griech.⟩ (Wissenschaft von der geografischen Verbreitung der Pflanzen); geo|bo|ta|nisch[1]

Geo|cache, Geo|ca|ching [...kɛʃ(ɪŋ)], das; -s ⟨engl.⟩ (eine Art Schatzsuchespiel mit GPS)

Geo|che|mie[1] (Wissenschaft von der chemischen Zusammensetzung der Erde); geo|che|misch[1]

Geo|dä|sie, die; - (Vermessungskunde)

Geo|dät, der; -en, -en (Fachmann, Wissenschaftler auf dem Gebiet

der Geodäsie); Geo|dä|tin; geo|dä|tisch

Geo|drei|eck® (transparentes Dreieck zum Ausmessen u. Zeichnen von Winkeln o. Ä.)

Geo|ge|nie, Geo|go|nie, die; - (Lehre von der Entstehung der Erde)

Geo|graf, Geo|graph, der; -en, -en; Geo|gra|fie, Geo|gra|phie

Geo|gra|fin, Geo|gra|phin, die; -, -nen; geo|gra|fisch, geo|graphisch

Geo|graph, Geo|gra|phie usw. *vgl.* Geograf. Geografie usw.

Geo|lo|ge, Geo|lo|gin, die; - (Wissenschaft von Aufbau, Entstehung u. Entwicklung der Erde); Geo|lo|gin; geo|lo|gisch

Geo|man|tie, die; - ⟨griech.⟩ (Kunst, aus Linien u. Figuren im Sand wahrzusagen)

Geo|man|tik, die; - (*svw.* Geomantie)

Geo|ma|tik, die; - (Wissenschaft von der Erfassung, Analyse und Verwaltung raumbezogener Daten und Prozesse)

Geo|me|ter, der; -s, - (*svw.* Geodät)

Geo|me|t|rie, die; - (ein Zweig der Mathematik); geo|me|t|risch; geometrischer Ort; geometrisches Mittel

Geo|mor|pho|lo|gie[1], die; - (Lehre von der äußeren Gestalt der Erde u. deren Veränderungen)

Geo|phy|sik[1] (Lehre von den physikalischen Eigenschaften des Erdkörpers); geo|phy|si|ka|lisch[1] geophysikalische Untersuchungen

Geo|plas|tik[1], die; - (räuml. Darstellung von Teilen der Erdoberfläche)

Geo|po|li|tik[1], die; - (Lehre von der Einwirkung geografischer Faktoren auf politische Vorgänge); geo|po|li|tisch[1]

ge|ord|net; in geordneten Verhältnissen leben; eine gut geordnete *od.* gutgeordnete Bibliothek; die Bibliothek ist gut geordnet

Ge|org (m. Vorn.); George [dʒɔːɐ̯tʃ] (m. Vorn.)

George|town [ˈdʒɔːɐ̯tʃtaun] (Hauptstadt Guyanas)

¹Geor|gette [ʒɔrˈʒɛt] (w. Vorn.)

²Geor|gette, der; -s (*svw.* Crêpe Georgette)

G
Geor

---

¹ [*auch* ˈgeːo...]

ge|ra|de

(ugs.:) gra|de
- eine gerade Zahl
- fünf gerade sein lassen *(ugs.)*
- gerade darum
- der Weg ist gerade (ändert die Richtung nicht)
- er wohnt mir gerade (direkt) gegenüber
- sie fuhr gerade so langsam, dass er mitkam; *vgl. aber* geradeso
- sie kommt gerade (soeben) heraus; *vgl. aber* geradeheraus
- da er gerade sitzt, steht (sich soeben hingesetzt hat, soeben aufgestanden ist)
- er ist gerade mal 40

Schreibung in Verbindung mit Verben:

- die Kerze, sich gerade halten
- das Besteck gerade hinlegen
- sie sollen gerade sitzen, stehen

Wenn »gerade« das Ergebnis der mit einem folgenden einfachen Verb bezeichneten Tätigkeit angibt, kann getrennt oder zusammengeschrieben werden:

- die Stäbe gerade biegen *od.* geradebiegen
- den Zaun gerade richten *od.* geraderichten
- die Möbel gerade stellen *od.* geradestellen
Aber:
- die Stäbe ganz gerade biegen

Bei übertragener Bedeutung gilt Zusammenschreibung; vgl. geradebiegen, geradestehen

---

Geor|gia [ˈdʒoːɐ̯dʒ(i)ə] (Staat in den USA; *Abk.* GA)
Ge|or|gi|en (Staat am Südhang des Kaukasus); **Ge|or|gi|er; Ge|or|gi|e|rin**
Ge|or|gi|ne, die; -, -n ⟨nach dem Botaniker Georgi⟩ (svw. Dahlie)
ge|or|gisch; georgische Sprache; **Ge|or|gisch,** das; -[s] (Sprache); *vgl.* Deutsch; **Ge|or|gi|sche,** das; -n; *vgl.* Deutsche, das
Geo|tek|to|nik[1] ⟨griech.⟩ (Lehre von Entwicklung u. Aufbau der gesamten Erdkruste); **geo|tek|to|nisch**[1]
Geo|ther|mie, Geo|ther|mik, die; - (Wissenschaft von den Wärmeverhältnissen im Erdkörper); **geo|ther|misch**[1]; geothermische Energie
geo|trop, geo|tro|pisch; Geo|tro|pis|mus (*Bot.* Vermögen der Pflanzen, sich in Richtung der Schwerkraft zu orientieren)
Geo|wis|sen|schaft
geo|zen|t|risch[1] (auf die Erde als Mittelpunkt bezogen; auf den Erdmittelpunkt bezogen)
geo|zy|k|lisch[1] (den Umlauf der Erde betreffend)
Ge|päck, das; -[e]s
Ge|päck|ab|fer|ti|gung; Ge|päck|ab|la|ge; Ge|päck|an|nah|me; ↑K 31: Gepäckannahme und -ausgabe
Ge|päck|auf|be|wah|rung; Ge|päck|auf|be|wah|rungs|schein
Ge|päck|aus|ga|be
Ge|päck|fach
Ge|päck|netz
Ge|päcks... (*österr. für* Gepäck..., z. B. Gepäcksaufbewahrung, Gepäcksstück, Gepäcksträger)

Ge|päck|schal|ter
Ge|päck|schein
Ge|päck|stück
Ge|päck|trä|ger; Ge|päck|trä|ge|rin
Ge|päck|wa|gen
Ge|pard [*auch* geˈpart], der; *Gen.* -s, *auch* -en, *Plur.* -e, *auch* -en ⟨franz.⟩ (ein katzenartiges Raubtier)
ge|pfef|fert *(ugs.);* gepfefferte Preise
Ge|pfei|fe, das; -s
ge|pfif|fen *vgl.* pfeifen
ge|pflegt; ein gut gepflegter *od.* gutgepflegter Rasen, *vgl.* gut; der Rasen ist gut gepflegt
Ge|pflegt|heit, die; -
Ge|pflo|gen|heit (Gewohnheit)
Ge|pi|de, der; -n, -n (Angehöriger eines ostgerm. Volkes); **Ge|pi|din**
Ge|pie|pe, das; -s; **Ge|piep|se,** das; -s
Ge|plän|kel, das; -s, -
Ge|plap|per, das; -s
Ge|plärr, das; -[e]s, **Ge|plär|re,** das; -s
Ge|plät|scher, das; -s
Ge|plau|der, das; -s
Ge|po|che, das; -s
Ge|pol|ter, das; -s
Ge|prä|ge, das; -s
Ge|prah|le, das; -s
Ge|prän|ge, das; -s (*geh. für* Prunk, Prachtentfaltung)
Ge|pras|sel, das; -s
ge|punk|tet; gepunkteter Stoff; blau gepunkteter *od.* blaugepunkteter Stoff
Ge|qua|ke, Ge|quä|ke, das; -s
Ge|quas|sel, das; -s *(ugs.)*
Ge|quat|sche, das; -s *(ugs.)*

Ge|quen|gel, Ge|quen|ge|le, Ge|quen|g|le, das; -s *(ugs.)*
Ge|quie|ke, das; -s
ge|quiet|sche, das; -s
ge|quol|len *vgl.* quellen
Ger, der; -[e]s, -e (germ. Wurfspieß)
Ge|ra (Stadt in Thüringen)
ge|rad...[2] (z. B. geradlinig); **Ge|rad...**[3] (z. B. Geradflügler)
ge|ra|de *s. Kasten*
Ge|ra|de[4], die; -n, -n (gerade Linie; ein Boxschlag); vier Gerade[n]
ge|ra|de|aus[5]; geradeaus blicken, gehen, laufen
ge|ra|de|bie|gen[5] *(ugs. für* einrenken); um die Sache wieder geradezubiegen; *vgl. aber* gerade
ge|ra|de ge|wach|sen[5], **ge|ra|de|ge|wach|sen;** eine gerade gewachsene *od.* geradegewachsene Tanne
ge|ra|de hal|ten[5] *vgl.* gerade
ge|ra|de|he|r|aus[5] (freimütig, direkt); etwas geradeheraus sagen; *vgl. aber* gerade
ge|ra|de|hin[5] (leichtfertig); etwas geradehin versprechen
ge|ra|de le|gen[5]
ge|ra|de ma|chen[5], **ge|ra|de|ma|chen**

---

[1] [*auch* geˈo...]
[2] Ugs. häufig in der verkürzten Form »grad...«
[3] Ugs. häufig in der verkürzten Form »Grad...«
[4] Ugs. häufig in der verkürzten Form »Grade«
[5] Ugs. häufig in der verkürzten Form »grade...«

ge|ra|den|wegs[1] vgl. geradewegs
ge|ra|de rich|ten[2], ge|ra|de|rich|ten
vgl. gerade
ge|rä|dert; sich wie gerädert
(erschöpft, zerschlagen) fühlen
ge|ra|de sit|zen[2] vgl. gerade
ge|ra|de|so[2] (ebenso); das kann ich
geradeso gut wie du
ge|ra|de|ste|hen[2]; für etwas gera-
destehen (die Folgen auf sich
nehmen); vgl. aber gerade
ge|ra|de stel|len[2], ge|ra|de|stel|len
vgl. gerade
ge|ra|des|wegs[3] (selten für gerade-
wegs); ge|ra|de|wegs[2], ge|ra|den-
wegs
ge|ra|de|zu[2] [auch ...ˈtsuː:]; das ist
geradezu absurd!; sie ist immer
sehr geradezu (landsch. für
geradeheraus)
Ge|rad|flüg|ler (Zool. Libelle
u. dgl.)
Ge|rad|heit[4], die; -
ge|rad|li|nig[3]; Ge|rad|li|nig|keit[4],
die; -
ge|rad|sin|nig[3]
Ge|rald, Ge|rold (m. Vorn.)
ge|ram|melt; gerammelt voll (ugs.
für übervoll)
Ge|ra|ngel, das; -s
Ge|ra|nie, die; -, -n ⟨griech.⟩, Ge|ra-
ni|um, das; -s, ...ien (svw. Pelar-
gonie)
ge|rannt vgl. rennen
Ge|rant [ʒ...], der; -en, -en ⟨franz.⟩
(schweiz. für Geschäftsführer;
Herausgeber); Ge|ran|tin
Ge|ra|schel, das; -s
Ge|ras|sel, das; -s
Ge|rät, das; -[e]s, -e
[1]ge|ra|ten; es gerät [mir]; geriet;
geraten; ich gerate außer mir
od. mich vor Freude
[2]ge|ra|ten vgl. raten
Ge|rä|te|schup|pen
Ge|rä|te|tur|nen
Ge|rä|te|tur|ner; Ge|rä|te|tur|ne|rin
Ge|rä|te|wart; Ge|rä|te|war|tin
Ge|ra|te|wohl [auch ...ˈraː:...], das;
nur in aufs Geratewohl (auf gut
Glück)
Ge|rät|schaft, die; -, -en meist Plur.
Ge|rat|ter, das; -s
Ge|rät|tur|nen usw. vgl. Geräte|tur-
nen usw.
Ge|räu|cher|te; das; -n
ge|raum (geh.); geraume Zeit
Ge|raum|de, das; -s, - (Forstw.
abgeholztes Waldstück)
ge|räu|mig
Ge|räu|mig|keit, die; -
Ge|räum|te; das; -s, - (svw.
Geräumde)

Ge|rau|ne, das; -s
[1]Ge|räusch, das; -[e]s (Jägerspr.
Herz, Lunge, Leber u. Nieren
des Schalenwildes, Gelünge)
[2]Ge|räusch, das; -[e]s, -e
ge|räusch|arm
Ge|räusch|däm|mung
Ge|räusch|dämp|fung
Ge|rau|sche, das; -s
ge|räusch|emp|find|lich
Ge|räusch|ku|lis|se
ge|räusch|los; Ge|räusch|lo|sig|keit,
die; -
Ge|räusch|pe|gel
ge|räusch|voll
Ge|räus|per, das; -s
ger|ben; Leder gerben; Ger|ber
Ger|be|ra, die; -, -[s] ⟨nach dem dt.
Arzt u. Naturforscher T. Gerber⟩
(eine Schnittblume)
Ger|be|rei
Ger|be|rin
Ger|ber|lo|he, die; -, -n
Gerb|säu|re
Gerb|stoff
Ger|bung
Gerd (m. Vorn.)
Ger|da (w. Vorn.)
Ge|re|bel|te, der; -n, -n (österr. für
Wein aus einzeln abgenomme-
nen Beeren); vgl. rebeln
ge|recht; jmdm., einer Aufgabe
gerecht werden
...ge|recht (z. B. behindertenge-
recht, kindgerecht); Ge|rech|te,
der u. die; -n, -n
Ge|rech|tig|keit, die; -; Ge|rech|tig-
keits|sinn, der; -[e]s
Ge|recht|sa|me, die; -, -n (veraltet
für [Vor]recht)
Ge|re|de, das; -s
ge|re|gelt; geregelter Arbeit nach-
gehen
ge|rei|chen (geh.); es gereicht mir
zur Ehre
Ge|rei|me, das; -s
ge|reizt
Ge|reizt|heit, die; -
Ge|ren|ne, das; -s
ge|reu|en (veraltend); es gereut
mich
Ger|fal|ke (Jagdfalke)
Ger|hardt, Paul (dt. Dichter)
Ge|ri|a|ter ⟨griech.⟩ (Facharzt für
Geriatrie); Ge|ri|a|te|rin; Ge|ri|a-
t|rie, die; - (Med. Altersheil-
kunde)
Ge|ri|a|t|ri|kum, das; -s, ...ka
(Medikament zur Behandlung
von Altersbeschwerden)
ge|ri|a|t|risch
Ge|richt, das; -[e]s, -e
ge|richt|lich; gerichtliche Medizin

Ge|richts|arzt; Ge|richts|ärz|tin
Ge|richts|as|ses|sor; Ge|richts|as-
ses|so|rin
Ge|richts|bar|keit
Ge|richts|be|schluss
Ge|richts|be|zirk
Ge|richts|die|ner; Ge|richts|die|ne|rin
Ge|richts|fe|ri|en Plur.
Ge|richts|ge|bäu|de
Ge|richts|herr (früher); Ge|richts-
her|rin
Ge|richts|hof; ↑K88 : der Oberste
Gerichtshof; Ge|richts|kos|ten
Plur.
Ge|richts|me|di|zin; Ge|richts|me|di-
zi|ner; Ge|richts|me|di|zi|ne|rin
ge|richts|no|to|risch (Rechtsspr.
vom Gericht zur Kenntnis
genommen)
Ge|richts|ort
Ge|richts|prä|si|dent; Ge|richts|prä-
si|den|tin
Ge|richts|saal
Ge|richts|spra|che
Ge|richts|spren|gel (österr.)
Ge|richts|stand (Rechtsspr.)
Ge|richts|ur|teil
Ge|richts|ver|fah|ren
Ge|richts|ver|hand|lung
Ge|richts|voll|zie|her; Ge|richts|voll-
zie|he|rin
Ge|richts|weg
[1]ge|rie|ben (gerissen, schlau)
[2]ge|rie|ben vgl. reiben; Ge|rie|ben-
heit, die; -
ge|rie|hen (landsch. u. fachspr. für
gereiht); vgl. reihen
ge|rie|ren, sich ⟨lat.⟩ (geh. für sich
benehmen, auftreten als ...)
Ge|rie|sel, das; -s
ge|ri|felt
ge|ring s. Kasten Seite 448
ge|ring ach|ten, ge|ring|ach|ten
vgl. gering
ge|rin|gelt; geringelte Socken
ge|ring|fü|gig
Ge|ring|fü|gig|keit
ge|ring|hal|tig (Mineral.)
ge|ring schät|zen, ge|ring|schät-
zen vgl. gering; ge|ring|schät|zig;
Ge|ring|schät|zung, die; -
ge|rings|ten|falls vgl. [1]Fall
Ge|ring|ver|die|ner; Ge|ring|ver|die-
ne|rin

---

[1] Ugs. häufig in der verkürzten
Form »graden...«
[2] Ugs. häufig in der verkürzten
Form »grade...«
[3] Ugs. häufig in der verkürzten
Form »grad...«
[4] Ugs. häufig in der verkürzten
Form »Grad...«

G
Geri

ge|ring

- eine geringe Höhe
- das wird am gerings|ten (wenigsten) auffallen

Großschreibung bei allen Substantivierungen:

- ein Geringes tun
- um ein Geringes erhöhen
- es ist nichts Geringes, nichts Geringeres als dies
- es geht Sie nicht das Geringste an
- sie ist auch im Geringsten treu
- das Geringste, was er tun kann, ist dies

- es stört mich nicht im Geringsten
- auch der Geringste hat Anspruch darauf
- keine Geringere als sie

Schreibung in Verbindung mit Verben:

- jmdn., etwas gering achten *od.* geringachten
- jmdn., etwas gering schätzen *od.* geringschätzen

Aber:

- geringer achten, schätzen

ge|ring|wer|tig; noch geringwerti-
gere *od.* geringerwertige Güter
ge|rinn|bar
Ge|rinn|bar|keit, die; -
Ge|rin|ne, das; -s, -
ge|rin|nen
Ge|rinn|sel, das; -s, -
Ge|rin|nung, die; -
Ge|rip|pe, das; -s, -
ge|rippt
Ge|riss, das; -es *(landsch. für*
Wetteifern)
¹ge|ris|sen (durchtrieben, schlau)
²ge|ris|sen *vgl.* reißen; Ge|ris|sen-
heit, die; -
ge|rit|ten *vgl.* reiten
ge|ritzt; ist geritzt *(ugs. für* ist in
Ordnung; wird erledigt)
Germ, der; -[e]s *od.* die; - *(bayr.,
österr. für* Hefe)
Ger|ma|ne, der; -n, -n; Ger|ma|nen-
tum, das; -s
Ger|ma|nia, die; - (Frauengestalt
als Sinnbild Deutschlands; *lat.
Bez. für* Deutschland)
Ger|ma|ni|en (das zur Römerzeit
von den Germanen besiedelte
Gebiet)
Ger|ma|nin
ger|ma|nisch; germanische Kunst,
aber ↑K150 : Germanisches
Nationalmuseum (Nürnberg)
ger|ma|ni|sie|ren (eindeutschen);
Ger|ma|nis|mus, der; -, ...men
(Sprachw. deutsche Spracheigentümlichkeit in einer nicht-
deutschen Sprache)
Ger|ma|nist, der; -en, -en; Ger|ma-
nis|tik, die; - (deutsche *[auch*
germanische] Sprach- u. Litera-
turwissenschaft); Ger|ma|nis|tin
ger|ma|nis|tisch
Ger|ma|ni|um, das; -s (chemisches
Element; Metall; *Zeichen* Ge)
Ger|mer, der; -s, - (eine Pflanze)
Ger|mi|nal [ʒ...], der; -[s], -s
⟨franz., »Keimmonat«⟩
(7. Monat des Kalenders der
Franz. Revolution: 21. März bis
19. April)

Ger|mi|na|ti|on [g...], die; -, -en
⟨lat.⟩ *(Bot.* Keimungsperiode der
Pflanzen)
Germ|knö|del *(bayr., österr.);*
Germ|strie|zel *(österr. für* Hefe-
zopf)
gern, ger|ne, lieber, am liebsten;
jmdn. gern mögen; etwas gern
tun; gar zu gern; allzu gern; ein
gern gesehener *od.* gerngeseheh-
ner Gast ↑K58 ; *vgl.* gernhaben
Ger|ne|groß, der; -, -e *(ugs.
scherzh.)*
gern|ha|ben (mögen); weil sie uns
gernhat; *aber* das Buch würde
ich auch gern haben
Ger|not *[auch* 'ge...] (m. Vorn.)
Ge|rö|chel, das; -s
ge|ro|chen *vgl.* riechen
Ge|rold *vgl.* Gerald
Ge|röll, das; -[e]s, -e, Ge|röl|le,
das; -s, -
Ge|röll|hal|de
Ge|röll|schutt
Ge|ront, der; -en, -en ⟨griech.⟩
(Mitglied der Gerusia)
Ge|ron|to|lo|ge, Ge|ron|to|lo|gie,
die; - (Alternsforschung; Ge-
ron|to|lo|gin
Ge|ron|to|tech|nik, die; - (techni-
sche Geräte, die älteren Menschen das Leben erleichtern sollen)
Ge|rös|te|te *[auch* ...'rœ...] *Plur.
(südd., österr. für* Bratkartof-
feln)
Gersh|win ['gøːɐʃ...] (amerikani-
scher Komponist)
Gers|te, die; -, *Plur. (Sorten:)* -n
Gers|ten|kalt|scha|le *(scherzh. für*
Bier)
Gers|ten|korn, das; *Plur.* ...körner
(auch Vereiterung einer Drüse
am Augenlid)
Gers|ten|saft, der; -[e]s *(scherzh.
für* Bier)
Gers|ten|sup|pe
Gerstl, das; -s, -[n] *(österr. für*
Graupe)
Gerstl|sup|pe

Gert (m. Vorn.); Ger|ta (w. Vorn.)
Ger|te, die; -, -n
Ger|tel, der; -s, - *(schweiz. für*
¹Hippe)
ger|ten|schlank
Ger|traud, Ger|trau|de, Ger|traut
(w. Vorn.)
Ger|trud, Ger|tru|de (w. Vorn.)
Ge|ruch, der; -[e]s, Gerüche
ge|ruch|frei, ge|ruchs|frei
ge|ruch|los; Ge|ruch|lo|sig|keit,
die; -
Ge|ruchs|be|läs|ti|gung
ge|ruchs|bin|dend; ge|ruchs|frei,
ge|ruch|frei
Ge|ruchs|or|gan
Ge|ruchs|sinn, der; -[e]s
Ge|ruchs|ver|mö|gen
Ge|ruchs|ver|schluss *(für* Trap)
Ge|rücht, das; -[e]s, -e
Ge|rüch|te|kü|che *(ugs.);* Ge|rüch-
te|ma|cher
ge|ruch|til|gend
ge|rüft|wei|se
ge|ru|fen *vgl.* rufen
ge|ru|hen *(veraltend, noch iron.
für* sich bereit finden)
ge|ru|hig *(veraltet für* ruhig)
ge|rührt *vgl.* rühren
ge|ruh|sam
Ge|ruh|sam|keit, die; -
Ge|rum|pel, das; -s *(ugs. für* Rum-
peln)
Ge|rüm|pel, das; -s, -s
Ge|run|di|um, das; -s, ...ien ⟨lat.⟩
(Sprachw. gebeugter Infinitiv
des lat. Verbs)
Ge|run|div, das; -s, -e *(Sprachw.*
Partizip des Passivs des Futurs,
z. B. der »zu billigende« Schritt)
ge|run|gen *vgl.* ringen
Ge|ru|sia, Ge|ru|sie, die; - ⟨griech.⟩
(Rat der Alten [in Sparta])
Ge|rüst, das; -[e]s, -e
Ge|rüst|bau, der; -[e]s; Ge|rüst|bau-
er *(vgl.* ¹Bauer); Ge|rüst|bau|e|rin
Ge|rüs|ter *(österr. für* Gerüst-
bauer); Ge|rüs|te|rin
Ge|rüt|tel, das; -s

ge|rüt|telt; ein gerüttelt Maß; gerüttelt voll

Ger|win (m. Vorn.)

ges, Ges, das; -, - (Tonbezeichnung); Ges (*Zeichen für* Ges-Dur); in Ges

Ge|sa, Ge|se (w. Vorn.)

Ge|sab|ber, das; -s (*ugs. für* dummes Geschwätz)

Ge|salb|te, der *u.* die; -n, -n (*Rel.*)

ge|sal|zen; gesalzene Preise; *vgl.* salzen

Ge|sal|ze|ne, das; -n

ge|sam|melt; gesammelte Aufmerksamkeit

ge|samt; im Gesamten (*veraltend für* insgesamt); Ge|samt, das; -s; im Gesamt

Ge|samt|an|sicht

Ge|samt|ar|beits|ver|trag (*schweiz. für* Tarifvertrag); *Abk.* GAV

Ge|samt|aus|ga|be

Ge|samt|be|trag

Ge|samt|deutsch; gesamtdeutsche Fragen; Ge|samt|deutsch|land ↑K143

Ge|samt|ein|druck; Ge|samt|er|geb|nis

ge|samt|eu|ro|pä|isch

ge|samt|ge|sell|schaft|lich

Ge|samt|ge|winn

ge|samt|haft (*schweiz. u. österr. für* [ins]gesamt)

Ge|samt|heit, die; -

ge|samt|heit|lich

Ge|samt|hoch|schu|le; Ge|samt|jahr (*bes. Wirtsch.*)

Ge|samt|kom|plex

Ge|samt|kon|zep|ti|on

Ge|samt|kunst|werk

Ge|samt|no|te

Ge|samt|scha|den

Ge|samt|schau

Ge|samt|schuld|ner (*Rechtsspr.*); Ge|samt|schuld|ne|rin

Ge|samt|schu|le

Ge|samt|sieg; Ge|samt|sie|ger; Ge|samt|sie|ge|rin

Ge|samt|sum|me

Ge|samt|ver|band

Ge|samt|wer|tung

Ge|samt|zahl

ge|sandt *vgl.* senden

Ge|sand|te, der *u.* die; -n, -n; Ge|sand|tin

Ge|sandt|schaft; ge|sandt|schaft|lich; Ge|sandt|schafts|rat

Ge|sang, der; -[e]s, Gesänge

Ge|sang|buch, *österr.* Ge|sangs|buch

Ge|sang|leh|rer; Ge|sang|leh|re|rin

ge|sang|lich

Ge|sang|schu|le; Ge|sangs|kunst

Ge|sang[s]|pä|d|a|go|ge; Ge|sang[s]|pä|d|a|go|gin

Ge|sang[s]|stück; Ge|sang[s]|stun|de; Ge|sang[s]|un|ter|richt

Ge|sang|ver|ein, *österr.* Ge|sangs|ver|ein

Ge|säß, das; -es, -e; Ge|säß|fal|te; Ge|säß|mus|kel; Ge|säß|ta|sche

ge|sät|tigt; gesättigte Kohlenwasserstoffe (*Chemie*)

Ge|sätz, das; -es, -e (*Literaturw.* Strophe im Meistersang)

Ge|sätz|lein (*südd. für* Abschnitt, Strophe)

Ge|säu|ge, das; -s (*Jägerspr.* Milchdrüsen)

Ge|säu|se, das; -s

Ge|säu|se, das; -s (ein Alpental)

Ge|säu|sel, das; -s

gesch. = geschieden (*Zeichen* ⚭)

Ge|schä|dig|te, der *u.* die; -n, -n

ge|schaf|fen *vgl.* schaffen

Ge|schäft, das; -[e]s, -e; geschäftehalber, *aber* dringender Geschäfte halber

Ge|schäf|te|ma|cher; Ge|schäf|te|ma|che|rei

ge|schäf|tig; Ge|schäf|tig|keit

ge|schäft|lich

Ge|schäfts|ab|schluss; Ge|schäfts|auf|ga|be; Ge|schäfts|auf|lö|sung; Ge|schäfts|be|reich

Ge|schäfts|be|richt

Ge|schäfts|be|zie|hung

Ge|schäfts|brief

Ge|schäfts|buch

Ge|schäfts|er|öff|nung

ge|schäfts|fä|hig (*Rechtsspr.*)

Ge|schäfts|feld

Ge|schäfts|frau

Ge|schäfts|freund; Ge|schäfts|freun|din

ge|schäfts|füh|rend; der geschäftsführende Vorstand; Ge|schäfts|füh|rer; Ge|schäfts|füh|re|rin; Ge|schäfts|füh|rung

Ge|schäfts|ge|ba|ren

Ge|schäfts|ge|heim|nis

Ge|schäfts|idee

Ge|schäfts|in|ha|ber; Ge|schäfts|in|ha|be|rin

Ge|schäfts|in|te|r|es|se; Ge|schäfts|jahr

Ge|schäfts|kos|ten *Plur.*; auf Geschäftskosten

ge|schäfts|kun|dig

Ge|schäfts|la|ge; Ge|schäfts|le|ben; Ge|schäfts|lei|tung; Ge|schäfts|lo|kal (*bayr., österr. für* Geschäftsräume)

Ge|schäfts|mann *Plur.* ...leute, *sel|ten* ...männer

ge|schäfts|mä|ßig

Ge|schäfts|ord|nung; Ge|schäfts|part|ner; Ge|schäfts|part|ne|rin; Ge|schäfts|rei|se

ge|schäfts|schä|di|gend

Ge|schäfts|schluss

Ge|schäfts|sinn, der; -[e]s

Ge|schäfts|sitz

Ge|schäfts|stel|le

Ge|schäfts|stra|ße

Ge|schäfts|stun|den *Plur.*

Ge|schäfts|tä|tig|keit

Ge|schäfts|trä|ger; Ge|schäfts|trä|ge|rin

ge|schäfts|tüch|tig

Ge|schäfts|un|fä|hig (*Rechtsspr.*)

Ge|schäfts|ver|bin|dung; Ge|schäfts|ver|kehr; Ge|schäfts|vier|tel; Ge|schäfts|zei|chen

Ge|schäfts|zeit; Ge|schäfts|zweck; Ge|schäfts|zweig

ge|schah *vgl.* geschehen

Ge|schä|ker, das; -s

Ge|schar|re, das; -s

Ge|schau|kel, das; -s

ge|scheckt; ein gescheckstes Pferd

ge|sche|hen; es geschieht; es geschah; es geschähe; geschehen

Ge|sche|hen, das; -s, -; Ge|scheh|nis, das; -ses, -se

Ge|schei|de, das; -s, - (*Jägerspr.* Magen u. Gedärme des Wildes)

Ge|schein, das; -[e]s, -e (*Bot.* Blütenstand der Weinrebe)

ge|scheit; Ge|scheit|heit

Ge|schenk, das; -[e]s, -e

Ge|schenk|ar|ti|kel

Ge|schenk|pa|ckung

Ge|schenk|pa|pier

Ge|schenk|sen|dung

ge|schenk|wei|se

ge|schert, gschert (*bayr., österr. ugs. für* ungeschlacht, grob, dumm*); Ge|scher|te, Gscher|te, der; -n, -n (*bayr., österr. ugs. für* Tölpel, Landbewohner)

Ge|schich|te, die; -, -n

Ge|schich|ten|buch (Buch mit Geschichten [Erzählungen])

ge|schicht|lich; Ge|schicht|lich|keit, die; -

Ge|schichts|at|las

ge|schichts|be|wusst

Ge|schichts|be|wusst|sein

Ge|schichts|buch

Ge|schichts|fäl|schung

Ge|schichts|for|schung

Ge|schichts|kennt|nis

Ge|schichts|klit|te|rung

Ge|schichts|leh|rer; Ge|schichts|leh|re|rin

ge|schichts|los

Ge|schichts|phi|lo|so|phie; Ge-

G

schichts|schrei|bung; Ge|schichts-
stu|di|um
ge|schichts|träch|tig
Ge|schichts|un|ter|richt; Ge-
schichts|werk
Ge|schichts|wis|sen|schaft; Ge-
schichts|wis|sen|schaft|ler; Ge-
schichts|wis|sen|schaft|le|rin
Ge|schick, das; -[e]s, Plur. (für
Schicksal:) -e
Ge|schick|lich|keit, die; -
Ge|schick|lich|keits|prü|fung
Ge|schick|lich|keits|spiel
ge|schickt
Ge|schickt|heit, die; -
Ge|schie|be, das; -s, -
Ge|schie|be|mer|gel (Geol.)
ge|schie|den (Abk. gesch.; Zeichen
∞); Ge|schie|de|ne, der u. die;
-n, -n
ge|schieht vgl. geschehen
ge|schie|nen vgl. scheinen
Ge|schie|ße, das; -s
Ge|schimp|fe, das; -s
Ge|schirr, das; -[e]s, -e; Ge|schirr-
ma|cher; Ge|schirr|ma|che|rin
Ge|schirr|rei|ni|ger, Ge|schirr-Rei-
ni|ger
Ge|schirr|schrank; Ge|schirr|spü|ler;
Ge|schirr|spül|ma|schi|ne; Ge-
schirr|tuch
Ge|schiss, das; Geschisses (derb);
meist in Geschiss (ärgerliches
Aufheben) [um etw.] machen
ge|schis|sen vgl. scheißen
Ge|schlab|ber, das; -s (ugs.)
ge|schla|fen vgl. schlafen
ge|schla|gen; er hat den Hund ge-
schlagen; eine geschlagene
Stunde; sich geschlagen geben
ge|schlämmt; geschlämmte Kreide
Ge|schlecht, das; -[e]s, -er; das
andere Geschlecht
Ge|schlech|ter|buch; Ge|schlech|ter-
fol|ge; Ge|schlech|ter|kun|de; Ge-
schlech|ter|rol|le (Soziol.)
...ge|schlech|tig (z. B. getrenntge-
schlechtig)
ge|schlecht|lich; geschlechtliche
Fortpflanzung; Ge|schlecht|lich-
keit, die; -
Ge|schlechts|akt; Ge|schlechts|ap-
pa|rat; Ge|schlechts|be|stim-
mung
Ge|schlechts|ge|nos|se; Ge-
schlechts|ge|nos|sin
ge|schlechts|krank; Ge|schlechts-
krank|heit
Ge|schlechts|le|ben
Ge|schlechts|lei|den
ge|schlecht[s]|los
Ge|schlechts|merk|mal
ge|schlechts|neu|t|ral

Ge|schlechts|or|gan
ge|schlechts|reif; Ge|schlechts|rei-
fe
Ge|schlechts|rol|le (svw.
Geschlechterrolle)
ge|schlechts|spe|zi|fisch
Ge|schlechts|teil, das, auch der
Ge|schlechts|trieb, der; -[e]s
Ge|schlechts|um|wand|lung
Ge|schlechts|ver|kehr, der; -[e]s
Ge|schlechts|wort Plur. ...wörter
Ge|schleck, das; -[e]s, Ge|schle|cke,
das; -s
Ge|schleif, das; -[e]s, Ge|schlei|fe,
das; -s (Jägerspr. Röhren des
Dachsbaus)
Ge|schlep|pe, das; -s (Jägerspr.
hinterhergezogener Köder)
ge|schli|chen vgl. schleichen
ge|schlif|fen vgl. schleifen; Ge-
schlif|fen|heit
Ge|schlin|ge, das; -s, - (Herz,
Lunge, Leber bei Schlachttieren)
ge|schlos|sen; geschlossene Gesell-
schaft; Ge|schlos|sen|heit, die; -
Ge|schluch|ze, das; -s
ge|schlun|gen vgl. schlingen
Ge|schmack, der; -[e]s, Plur.
Geschmäcke, scherzh.
Geschmäcker
Ge|schmäck|le, das; -s, - (bes.
schwäb. für Beigeschmack,
leichte Anrüchigkeit)
ge|schmäck|le|risch (abwertend)
ge|schmack|lich
ge|schmack|los; Ge|schmack|lo|sig-
keit
Ge|schmack|sa|che vgl.
Geschmackssache
ge|schmacks|bil|dend
Ge|schmacks|emp|fin|dung; Ge-
schmack|sinn vgl. Geschmacks-
sinn; Ge|schmacks|knos|pe meist
Plur. (Biol., Med.)
ge|schmacks|neu|t|ral
Ge|schmacks|rich|tung
Ge|schmacks|sa|che, die; -; das ist
Geschmackssache; ge-
schmacks|si|cher; Ge|schmacks-
sinn; Ge|schmacks|stoff; Ge-
schmack|stoff
Ge|schmacks|test; Ge|schmacks-
ver|ir|rung; Ge|schmacks|ver|stär-
ker
ge|schmack|voll
Ge|schmat|ze, das; -s
Ge|schmau|se, das; -s
Ge|schmei|chel, das; -s
ge|schmei|chelt; ich fühle mich
geschmeichelt
Ge|schmei|de, das; -s, -
ge|schmei|dig; Ge|schmei|dig|keit
Ge|schmeiß, das; -es (ekelerregen-

des Ungeziefer; Gesindel;
Jägerspr. Raubvogelkot)
Ge|schmet|ter, das; -s
Ge|schmier, das; -[e]s, Ge|schmie-
re, das; -s
ge|schmis|sen vgl. schmeißen
ge|schmol|zen vgl. schmelzen
Ge|schmor|te, das; -n
Ge|schmun|zel, das; -s
Ge|schmu|se, das; -s (ugs.)
Ge|schnä|bel, das; -s
Ge|schnat|ter, das; -s
Ge|schnet|zel|te, das; -n
ge|schnie|gelt; meist in geschnie-
gelt und gebügelt (ugs. scherzh.)
ge|schnit|ten vgl. schneiden
Ge|schnör|kel, das; -s
Ge|schnüf|fel, das; -s
ge|scho|ben vgl. schieben
ge|schol|ten vgl. schelten
Ge|schöpf, das; -[e]s, -e
Ge|schoss, südd., österr. auch Ge-
schoß, das; -es, -e
Ge|schoss|sen vgl. schießen
Ge|schoss|ha|gel
...ge|schos|sig, südd., österr. auch
...ge|scho|ßig [...ʃo:...] (z. B. drei-
geschossig, mit Ziffer
3-geschossig ↑K29)
ge|schraubt (abwertend);
geschraubter Stil; Ge|schraubt-
heit, die; -
Ge|schrei, das; -s
Ge|schrei|be, das; -s; Ge|schreib-
sel, das; -s
ge|schrie|ben vgl. schreiben
ge|schrien [...i:n, auch ...i:ən] vgl.
schreien
Ge|schütz, das; -es, -e; Ge|schütz-
be|die|nung; Ge|schütz|rohr
Ge|schwa|der, das; -s, - (Verband
von Kriegsschiffen od. Kampfflugzeugen)
Ge|schwa|fel, das; -s (ugs.)
Ge|schwätz, das; -es; Ge|schwat|ze,
das; -s
ge|schwät|zig; Ge|schwät|zig|keit,
die; -
ge|schweift; geschweifte Tisch-
beine
ge|schwei|ge [denn] (noch viel
weniger); geschweige[,] dass;
geschweige denn[,] dass
↑K 127
ge|schwie|gen vgl. schweigen
ge|schwind; Ge|schwin|dig|keit
Ge|schwin|dig|keits|be|gren|zung;
Ge|schwin|dig|keits|be|schrän-
kung; Ge|schwin|dig|keits|kon|t-
rol|le; Ge|schwin|dig|keits|mes-
ser; Ge|schwin|dig|keits|über-
schrei|tung

G

Gesc

Geschwindschritt – gesperbert

Ge|schwind|schritt; im Geschwindschritt

Ge|schwirr, das; -s

Ge|schwis|ter, das; -s, - (*im allg. Sprachgebrauch nur Plur.; Sing. fachspr.* für eines der Geschwister [Bruder od. Schwester])

Ge|schwis|ter|kind (Kind, das Bruder od. Schwester eines anderen Kindes ist; *veraltet, noch landsch. für* Neffe, Nichte); **ge|schwis|ter|lich; ge|schwis|ter|lie|be; Ge|schwis|ter|paar**

ge|schwol|len *vgl.* ¹schwellen

ge|schwom|men *vgl.* schwimmen

ge|schwo|ren *vgl.* schwören

Ge|schwo|re|ne, *österr. auch* Geschwor|ne, der *u.* die; -n, -n

Ge|schwo|re|nen|ge|richt, Geschwor|nen|ge|richt

Ge|schwo|re|nen|lis|te

Ge|schwor|ne *vgl.* Geschworene

Ge|schwulst, die; -, *auch* das; -[e]s, *Plur.* Geschwülste, *seltener* Geschwulste

ge|schwulst|ar|tig

Ge|schwulst|bil|dung

ge|schwun|den *vgl.* schwinden

ge|schwun|gen; eine geschwungene Linie

Ge|schwür, das; -[e]s, -e; **Ge|schwür|bil|dung; ge|schwü|rig**

Ges-Dur [*auch* ˈɡɛsˈduːɐ̯], das; - (Tonart; *Zeichen* Ges); **Ges-Dur-Ton|lei|ter** ↑K26

Ge|se, *G*|sa (w. Vorn.)

ge|seg|net; gesegnete Mahlzeit!

ge|se|hen *vgl.* sehen

Ge|seich, das; -s (*landsch. derb für* leeres Geschwätz)

Ge|sei|re, das; -s ⟨jidd.⟩ (*ugs. für* unnützes Gerede, Gejammere)

Ge|selch|te, das; -n (*bayr., österr. für* Rauchfleisch)

Ge|sell, der; -en, -en (*veraltet*); ein fahrender Gesell

Ge|sel|le, der; -n, -n

ge|sel|len, sich

Ge|sel|len|brief; Ge|sel|len|prü|fung; Ge|sel|len|stück

ge|sel|lig; Ge|sel|lig|keit

Ge|sel|lin

Ge|sell|schaft; Gesellschaft mit beschränkter Haftung (*Abk.* GmbH); **Ge|sell|schaf|ter; Ge|sell|schaf|te|rin; Ge|sell|schaf|ter|ver|samm|lung**

ge|sell|schaft|lich

Ge|sell|schafts|an|zug

ge|sell|schafts|fä|hig

Ge|sell|schafts|form; Ge|sell|schafts|in|seln *Plur.* (in der Südsee)

Ge|sell|schafts|klei|dung; Ge|sell|schafts|kri|tik; Ge|sell|schafts|leh|re; Ge|sell|schafts|ord|nung

Ge|sell|schafts|po|li|tik, die; -; **ge|sell|schafts|po|li|tisch**

Ge|sell|schafts|schicht; Ge|sell|schafts|spiel; Ge|sell|schafts|sys|tem

Ge|sell|schafts|tanz; Ge|sell|schafts|wis|sen|schaft

Ge|senk, das; -[e]s, -e (*Technik* Hohlform zum Pressen von Werkstücken; *Bergmannsspr.* von oben nach unten hergestellte Verbindung zweier Sohlen)

ge|ses|sen *vgl.* sitzen

Ge|setz, das; -es, -e

Ge|setz|aus|le|gung; Ge|setz|blatt (*Abk.* GBl.); **Ge|setz|buch; Ge|setz|ent|wurf**

Ge|set|zes|än|de|rung

Ge|set|zes|bre|cher; Ge|set|zes|bre|che|rin

Ge|set|zes|ent|wurf

Ge|set|zes|hü|ter; Ge|set|zes|hü|te|rin

Ge|set|zes|ini|ti|a|ti|ve; Ge|set|zes|kraft; Ge|set|zes|samm|lung, Ge|setz|samm|lung

Ge|set|zes|spra|che; Ge|set|zes|text; Ge|set|zes|vor|la|ge; Ge|set|zes|werk

ge|setz|ge|bend; gesetzgebende Gewalt; **Ge|setz|ge|ber; Ge|setz|ge|be|rin; ge|setz|ge|be|risch; Ge|setz|ge|bung**

ge|setz|lich; gesetzliche Erbfolge; gesetzlicher Richter; gesetzliche Krankenversicherung (*Abk.* GKV); **Ge|setz|lich|keit,** die; -

ge|setz|los; Ge|setz|lo|sig|keit

ge|setz|mä|ßig; Ge|setz|mä|ßig|keit

Ge|setz|samm|lung *vgl.* Gesetzessammlung

ge|setzt; gesetzt[,] dass ...; gesetzt den Fall, [dass] ... ↑K127

Ge|setzt|heit, die; -

ge|setz|wid|rig

Ge|seuf|ze, das; -s

ges. gesch. = gesetzlich geschützt

¹Ge|sicht, das; -[e]s, -er; sein Gesicht wahren

²Ge|sicht, das; -[e]s, -e (*für* Vision)

Ge|sichts|aus|druck

Ge|sichts|creme, Ge|sichts|krem, Ge|sichts|kre|me

Ge|sichts|er|ker (*ugs. scherzh. für* Nase); **Ge|sichts|far|be**

Ge|sichts|feld; Ge|sichts|kon|t|rol|le; Ge|sichts|kreis

Ge|sichts|krem, Ge|sichts|kre|me *vgl.* Gesichtscreme

ge|sichts|los

Ge|sichts|mas|ke; Ge|sichts|par|tie; Ge|sichts|punkt; Ge|sichts|sinn, der; -[e]s; **Ge|sichts|ver|lust**

Ge|sichts|was|ser *Plur.* ...wässer; **Ge|sichts|win|kel; Ge|sichts|zug** *meist Plur.*

Ge|sims, das; -es, -e

Ge|sin|de, das; -s, - (*früher* Gesamtheit der Knechte u. Mägde)

Ge|sin|del, das; -s (*abwertend*)

Ge|sin|de|stu|be

Ge|sin|ge, das; -s

ge|sinnt (von einer bestimmten Gesinnung); ein übel gesinnter *od.* übelgesinnter Mensch; *vgl.* gesonnen

Ge|sin|nung; Ge|sin|nungs|ge|nos|se; Ge|sin|nungs|ge|nos|sin

ge|sin|nungs|los; Ge|sin|nungs|lo|sig|keit, die; -

Ge|sin|nungs|lump (*ugs.*); **Ge|sin|nungs|schnüf|fe|lei; Ge|sin|nungs|tä|ter; Ge|sin|nungs|tä|te|rin; Ge|sin|nungs|wan|del**

ge|sit|tet; Ge|sit|tung, die; -

Ge|socks, das; -[es] (*derb für* Gesindel)

Ge|söff, das; -[e]s, -e (*ugs. für* schlechtes Getränk)

ge|sof|fen *vgl.* saufen

ge|son|dert; gesondert verpacken

ge|son|nen (willens); gesonnen sein[,] etwas zu tun ↑K116; *vgl.* gesinnt

ge|sot|ten; Ge|sot|te|ne, das; -n (*landsch. für* Gekochtes)

ge|spal|ten; gespaltene Fingernägel; *vgl.* spalten

¹Ge|span, der; *Gen.* -[e]s *u.* -en, *Plur.* -e[n] (*veraltet für* Mitarbeiter, Helfer; Genosse)

²Ge|span, der; -[e]s, -e ⟨ung.⟩ (*früher* ung. Verwaltungsbeamter)

Ge|spän|ge, das; -s (Spangenwerk)

Ge|spann, das; -[e]s, -e (Zugtiere; Wagen mit Zugtieren)

ge|spannt; Ge|spannt|heit, die; -

Ge|spär|re, das; -s (*Bauw.* ein Paar sich gegenüberliegender Dachsparren)

Ge|spenst, das; -[e]s, -er

Ge|spens|ter|chen *Plur.*

Ge|spens|ter|furcht; Ge|spens|ter|glau|be[n]

ge|spens|ter|haft; ge|spens|tern; ich gespenstere

Ge|spens|ter|stun|de

ge|spens|tig, ge|spens|tisch

ge|sper|bert (*Jägerspr.* in der Art des Sperbers); gesperbertes Gefieder

451

Ge|sper|re, das; -s, - (*Jägerspr.* bei Auer-, Birkwild, Fasan die Jungen [mit Henne]; *Technik* Hemmvorrichtung)

¹Ge|spie|le, das; -s (andauerndes Spielen)

²Ge|spie|le, der; -n, -n (*veraltend für* Spielkamerad); **Ge|spie|lin**

Ge|spinst, das; -[e]s, -e

ge|spon|nen vgl. spinnen

¹Ge|spons, der; -es, -e (*veraltet, noch scherzh. für* Bräutigam; Gatte)

²Ge|spons, das; -es, -e (*veraltet, noch scherzh. für* Braut; Gattin)

ge|spon|sert vgl. sponsern

Ge|spött, das; -[e]s; jmdn. zum Gespött machen; **Ge|spöt|tel,** das; -s

Ge|spräch, das; -[e]s, -e

ge|sprä|chig; Ge|sprä|chig|keit, die; -

ge|sprächs|be|reit; Ge|sprächs|be-reit|schaft

Ge|sprächs|form; Ge|sprächs|kreis

Ge|sprächs|part|ner; Ge|sprächs-part|ne|rin

Ge|sprächs|run|de; Ge|sprächs|stoff

Ge|sprächs|teil|neh|mer; Ge-sprächs|teil|neh|me|rin

Ge|sprächs|the|ma

ge|sprächs|wei|se

ge|spreizt; Ge|spreizt|heit, die; -

Ge|spren|ge, das; -s, - (*Archit.* Aufbau über spätgotischen Altären; *Bergmannsspr.* steil aufsteigendes Gebirge)

ge|spren|kelt; gesprenkeltes Fell

Ge|spritz|te, der; -n, -n (*südd., österr. für* Weinschorle)

ge|spro|chen vgl. sprechen

Ge|spru|del, das; -s

ge|sprun|gen vgl. springen

Ge|spür, das; -s

Geß|ner, Salomon (schweiz. Dichter u. Maler)

Gest, der; -[e]s *od.* die; - (*nordd. für* Hefe)

gest. [Zeichen †] = gestorben

Ge|sta|de, das; -s, - (*geh. für* Küste, Ufer)

Ge|sta|gen, das; -s, -e ⟨lat.⟩ (*Biol.* Schwangerschaftshormon)

ge|stählt; ein gestählter Körper

Ge|stalt, die; -, -en; *aber* dergestalt (so); **ge|stalt|bar**

ge|stal|ten; ge|stal|ten|reich

Ge|stal|ter; Ge|stal|te|rin

ge|stal|te|risch

ge|stalt|haft; ge|stalt|los

Ge|stal|tung; Ge|stal|tungs|kraft; Ge|stal|tungs|prin|zip

Ge|stam|mel, das; -s

Ge|stamp|fe, das; -s

Ge|stän|de, das; -s, - (*Jägerspr.* Füße, bes. der Beizvögel; ²Horst)

¹ge|stan|den; eine gestandene Bergsteigerin

²ge|stan|den vgl. stehen

ge|stän|dig

Ge|ständ|nis, das; -ses, -se

Ge|stän|ge, das; -s, -

Ge|stank, der; -[e]s

Ge|sta|po, die; - = Geheime Staatspolizei (*nationalsoz.*)

ge|stat|ten

Ge|staub|te, der; -n, -n (*ostösterr. ugs. für* Federweißer)

Ge|ste [auch 'ge:...], die; -, -n ⟨lat.⟩ (Gebärde)

Ge|steck, das; -[e]s, -e (Blumenarrangement; *bayr., österr. für* Hutschmuck)

ge|ste|hen; gestanden

Ge|ste|hungs|kos|ten Plur. (*Wirtsch.* Herstellungs-, Selbstkosten)

Ge|stein, das; -[e]s, -e; **Ge|steins-art; Ge|steins|block** Plur. ...blö-cke; **Ge|steins|boh|rer; Ge|steins-bro|cken**

Ge|steins|kun|de, die; -; **Ge|steins-pro|be; Ge|steins|schicht**

Ge|stell, das; -[e]s, -e

Ge|stel|lung (*Amtsspr.*)

Ge|stel|lungs|be|fehl (*veraltet für* Einberufungsbefehl)

ge|stelzt; eine gestelzte Sprache

ges|ten|reich; gestenreich erklären

– bis gestern; seit gestern
– die Mode von gestern
– ich bin nicht von gestern (*ugs. für* altmodisch, rückständig, dumm)
– zwischen gestern und morgen liegt heute, *auch* ↑K81 : zwischen dem Gestern und dem Morgen liegt das Heute
– ↑K69 : gestern Abend, Mittag, Morgen, Nachmittag, Nacht
– gestern **früh** *od.* Früh
– vorgestern; ehegestern

Ges|tern, das; - (die Vergangenheit)

Ge|sti|chel, das; -s (*ugs.*)

ge|stie|felt; gestiefelt u. gespornt (fertig) sein; *aber* ↑K150 : der Gestiefelte Kater (im Märchen)

ge|stie|gen vgl. steigen

ge|stielt; ein gestielter Besen

Ges|tik [auch 'ge:...], die; - ⟨lat.⟩

(Gesamtheit der Gesten [als Ausdruck einer inneren Haltung])

Ges|ti|ku|la|ti|on, die; -, -en (Gebärde, Gebärdensprache); **ges|ti|ku|lie|ren**

Ge|stimmt|heit (Stimmung)

Ges|ti|on, die; - (*österr. Amtsspr. für* Amtsführung)

Ges|ti|ons|be|richt (*österr. Amtsspr. für* Geschäftsbericht)

Ge|stirn, das; -[e]s, -e; **ge|stirnt;** der gestirnte Himmel

ges|tisch [auch 'ge:...]

ge|sto|ben vgl. stieben

Ge|stö|ber, das; -s, -

¹ge|sto|chen; eine gestochene Handschrift; gestochen scharf

²ge|sto|chen vgl. stechen

ge|stockt; gestockte Milch (*südd. u. österr. für* Dickmilch)

ge|stoh|len; du kannst mir gestohlen bleiben! (*ugs.*); vgl. stehlen

Ge|stöhn, das; -[e]s; **Ge|stöh|ne,** das; -s

Ge|stol|per, das; -s

Ge|stör, das; -[e]s, -e (Teil eines Floßes)

ge|stor|ben (*Abk.* gest.; *Zeichen* †); vgl. sterben

ge|stört

ge|sto|ßen vgl. stoßen

Ge|stot|ter, das; -s

Ge|stram|pel, das; -s

Ge|sträuch, das; -[e]s, -e

ge|streckt; gestreckter Galopp

ge|streift; rot gestreift *od.* rotge-streift; vgl. blau

Ge|strei|te, das; -s

ge|streng (*veraltend*); *aber* ↑K150 : die Gestrengen Herren (Eisheiligen)

ge|stresst; gestresste Eltern

Ge|streu, das; -[e]s

ge|stri|chen vgl. streichen

Ge|strick, das; -[e]s, -e (Strickware)

gest|rig; mein gestriger Brief

Ge|ström, das; -[e]s (Strömung)

ge|stromt (streifig ohne scharfe Abgrenzung)

Ge|strüpp, das; -[e]s, -e

Ge|stü|be, das; -s (*Hüttenw.* Gemisch von Koksrückstand u. Lehm)

Ge|stü|ber, das; -s, - (*Jägerspr.* Kot des Federwildes)

Ge|stühl, das; -[e]s, -e

Ge|stüm|per, das; -s (*ugs.*)

ge|stun|ken vgl. stinken

Ge|stürm, das; -[e]s (*schweiz. mdal. für* aufgeregtes Gerede, Getue)

Ges|tus, der; - ⟨lat.⟩ (Gestik, Ausdruck)
Ge|stüt, das; -[e]s, -e; **Ge|stüt|pferd**
Ge|stüts|brand (Brandzeichen eines Gestütes)
ge|such, das; -[e]s, -e; **Ge|such|stel|ler** *(Amtsspr. veraltet)*
ge|sucht; eine gesuchte Ausdrucksweise; **Ge|such|te**, der u. die; -n, -n; die polizeilich Gesuchten; **Ge|sucht|heit**, die; -
Ge|su|del, das; -s
Ge|summ, das; -[e]s. **Ge|sum|me**, das; -s
Ge|sums, das; -es *(ugs.)*
ge|sund, gesünder, *seltener* gesunder, gesündeste, *seltener* gesundeste; gesund sein, werden, bleiben; gesund leben; jmdn. wieder gesund machen *od.* gesundmachen; jmdn. gesund pflegen *od.* gesundpflegen; *vgl.* gesundbeten, gesundschreiben, gesundschrumpfen, gesundstoßen
ge|sund|be|ten (durch Gebete o. Ä. zu heilen versuchen)
Ge|sund|be|ter; **Ge|sund|be|te|rin**
Ge|sund|brun|nen (etw., was jmdn. gesund macht, in Schwung hält)
Ge|sun|de, der u. die; -n, -n; **ge|sun|den**
Ge|sund|heit, die; -; **ge|sund|heit|lich**; **Ge|sund|heits|amt**
Ge|sund|heits|apo|s|tel *(scherzh.);* **Ge|sund|heits|apo|s|te|lin**
Ge|sund|heits|be|hör|de
ge|sund|heits|be|wusst
Ge|sund|heits|er|zie|hung, die; -
Ge|sund|heits|för|dernd; ge|sund|heits|hal|ber
Ge|sund|heits|mi|nis|ter; Ge|sund|heits|mi|nis|te|rin; Ge|sund|heits|mi|nis|te|ri|um
Ge|sund|heits|pfle|ge, die; -
Ge|sund|heits|po|li|tik
Ge|sund|heits|re|form
ge|sund|heits|schä|di|gend; ge|sund|heits|schäd|lich
Ge|sund|heits|schutz, der; -es; **Ge|sund|heits|sys|tem; Ge|sund|heits|vor|sor|ge**
Ge|sund|heits|we|sen, das; -s; **Ge|sund|heits|zeug|nis; Ge|sund|heits|zu|stand**, der; -[e]s
ge|sund ma|chen, ge|sund|ma|chen *vgl.* gesund
ge|sund pfle|gen, ge|sund|pfle|gen *vgl.* gesund
ge|sund|schrei|ben; der Arzt hat sie gesundgeschrieben
ge|sund|schrump|fen *(ugs. für*

durch Verkleinerung die rentable Größe erreichen)
ge|sund|sto|ßen, sich *(ugs. für sich bereichern)*
Ge|sun|dung, die; -
ge|sun|gen *vgl.* singen
ge|sun|ken *vgl.* sinken
get. *(Zeichen ⟿)* = getauft
Ge|tä|fel, das; -s (Tafelwerk, Täfelung); **ge|tä|felt**
Ge|tä|fer, das; -s *(schweiz. für* Getäfel)*; **ge|tä|fert**
ge|tan *vgl.* tun
Ge|tän|del, das; -s
ge|tauft *(Abk. get.; Zeichen ⟿)*
Ge|tau|mel, das; -s
ge|teilt *vgl.* teilen
Geth|se|ma|ne [...ne], **Geth|se|ma|ni**, *ökum.* Get|se|ma|ni (Garten am Ölberg bei Jerusalem)
Ge|tier, das; -[e]s
ge|ti|gert (geflammt)
Ge|tön, das; -[e]s; **Ge|tö|ne**, das; -s
Ge|to|se, das; -s; **Ge|tö|se**, das; -s
¹**ge|tra|gen**; eine getragene Redeweise
²**ge|tra|gen** *vgl.* tragen
Ge|tra|gen|heit, die; -
Ge|tram|pel, das; -s
Ge|tränk, das; -[e]s, -e
Ge|trän|ke|au|to|mat; Ge|trän|ke|kar|te; Ge|trän|ke|steu|er
Ge|trap|pel, das; -s
Ge|tratsch, das; -[e]s, **Ge|trat|sche**, das; -s *(ugs.)*
ge|trau|en, sich; ich getraue mich *(seltener* mir)[,] das zu tun ↑K116
Ge|trei|de, das; -s, -
Ge|trei|de|an|bau; Ge|trei|de|aus|fuhr; Ge|trei|de|ein|fuhr; Ge|trei|de|ern|te; Ge|trei|de|feld
Ge|trei|de|flo|cken *Plur.;* **Ge|trei|de|müh|le; Ge|trei|de|spei|cher**

– getrennt schreiben; dieses Wort wird getrennt geschrieben; ein **getrennt geschriebenes** *od.* getrenntgeschriebenes Wort ↑K58
– getrennt leben; ein getrennt lebendes *od.* getrenntlebendes Paar ↑K58
– getrennt sein, werden; getrennt vorkommen u. a.

ge|trennt|ge|schlech|tig *(bes. Biol.),* **ge|trennt|ge|schlecht|lich**
Ge|trennt|schrei|bung
ge|tre|ten *vgl.* treten
ge|treu; getreu ihrem Vorsatz; die

getreu[e]sten Freunde; **Ge|treue**, der u. die; -n, -n
ge|treu|lich *(geh.)*
Ge|trie|be, das; -s, -
ge|trie|ben; aus getriebenem Gold; *vgl.* treiben
Ge|trie|be|öl; Ge|trie|be|scha|den
Ge|tril|ler, das; -s
Ge|trip|pel, das; -s
ge|trof|fen *vgl.* treffen
Ge|trom|mel, das; -s
Ge|trost; ge|trös|ten, sich *(geh.)*
ge|trun|ken *vgl.* trinken
Get|se|ma|ni *vgl.* Gethsemane
Get|to, Ghet|to [g...], das; -s, -s ⟨ital.⟩ (abgesondertes [jüdisches] Wohnviertel); **Get|to|blas|ter**, Ghet|to|blas|ter [...bla:stɐ], der; -s, - ⟨engl.⟩ (großer, leistungsstarker tragbarer Radiorekorder)
Get-to|ge|ther, das; -[s], -s ⟨engl.⟩ (geselliges Treffen bei einer Veranstaltung)
get|to i|si e|ren, ghet|to|i|si e|ren (isolieren)
Ge|tue, das; -s
Ge|tüm|mel, das; -s, -
ge|tüp|felt, ge|tupft
ge|türkt *(ugs., oft als diskriminierend empfunden für* vorgetäuscht)*
Ge|tu|schel, das; -s
ge|übt; Ge|übt|heit, die; -
Geu|se, der; -n, -n *meist Plur.* ⟨niederl.⟩ (niederländ. Freiheitskämpfer gegen Spanien)
Ge|vat|ter, der; *Gen.* -s, *älter* -n, *Plur.* -n (veraltet, noch scherzh. für guter Bekannter); **Ge|vat|te|rin** *(veraltet, noch scherzh.);* **Ge|vat|ter|schaft** *(veraltet für* Patenschaft); **Ge|vat|ters|mann** *Plur.* ...leute *(veraltet)*
Ge|viert, das; -[e]s, -e (Viereck, Quadrat); ins Geviert
ge|vier|teilt
Ge|viert|schein *(Astron.)*
Ge|wächs, das; -es, -e
ge|wach|sen; jmdm., einer Sache gewachsen sein; gewachsener Boden; *vgl.* wachsen; **Ge|wächs|haus**
ge|wachst (mit Wachs behandelt)
Ge|wa|ckel, Ge|wa|cke|le, Ge|wack|le, das; -s
Ge|waff, das; -[e]s *(Jägerspr.* Eckzähne des Keilers)
Ge|waf|fen, das; -s *(veraltet für* Gesamtheit der Waffen)
ge|wagt; Ge|wagt|heit
ge|wählt; sich gewählt ausdrücken
ge|wahr; *nur in Wendungen wie*

eine[r] Sache gewahr werden; es u. dessen gewahr werden

Ge|währ, die; - (Bürgschaft, Sicherheit); ohne Gewähr; vgl. gewährleisten

ge|wah|ren (geh. für bemerken, erkennen); sie gewahrte den Freund

ge|wäh|ren (bewilligen)

Ge|währ|frist

---

ge|währ|leis|ten / Ge|währ leis|ten

Zusammenschreibung bei Verwendung mit Akkusativobjekt:

– ich gewährleiste vollen Versicherungsschutz

– wir haben einen glatten Übergang gewährleistet

– um die Sicherheit zu gewährleisten

– wir gewährleisten, dass ...

Getrenntschreibung bei Anschluss mit »für«:

– ich leiste Gewähr für den Versicherungsschutz, habe [dafür] Gewähr geleistet

– um für die Sicherheit Gewähr zu leisten

– wir leisten Gewähr dafür, dass ...

Ge|währ|leis|tung

¹Ge|wahr|sam, der; -s (Haft, Obhut)

²Ge|wahr|sam, das; -s, -e (veraltet für Gefängnis)

Ge|währs|frau

Ge|währs|mann Plur. ...leute, selten ...männer; **Ge|wäh|rung** Plur. selten

ge|walmt ⟨zu ²Walm⟩; gewalmtes Dach

Ge|walt, die; -, -en

Ge|walt|akt; Ge|walt|an|wen|dung

ge|walt|be|reit; Ge|walt|be|reit-schaft

Ge|wal|ten|tei|lung, die; -; **Ge|wal-ten|tren|nung,** die; - (schweiz. für Gewaltenteilung)

ge|walt|frei

ge|wäl|ti|gen (Bergmannsspr. wieder zugänglich machen)

Ge|wal|tig|keit, die; -

ge|walt|los; Ge|walt|lo|sig|keit, die; -

Ge|walt|marsch, der; **Ge|walt|maß-nah|me; Ge|walt|mensch**

ge|walt|sam; Ge|walt|sam|keit

Ge|walt|schuss (Sport); **Ge|walt-streich; Ge|walt|tat**

Ge|walt|tä|ter; Ge|walt|tä|te|rin

ge|walt|tä|tig; Ge|walt|tä|tig|keit

Ge|walt|ver|bre|chen; Ge|walt|ver-bre|cher; Ge|walt|ver|bre|che|rin

Ge|walt|ver|herr|li|chung; Ge|walt-ver|zicht; Ge|walt|ver|zichts|ab-kom|men

Ge|wand, das; -[e]s, ...wänder

Ge|wän|de, das; -s, - (Archit. seitl. Umgrenzung der Fenster und Türen)

ge|wan|den (veraltet, noch geh. od. scherzh. für kleiden)

Ge|wand|haus (früher für Lagerhaus der Tuchhändler); **Ge-wand|haus|or|ches|ter,** das; -s (in Leipzig)

Ge|wand|meis|ter (Theater, Film usw. Leiter der Kostümschneiderei); **Ge|wand|meis|te|rin**

ge|wandt; ein gewandter Tänzer; vgl. wenden; **Ge|wandt|heit,** die; -

Ge|wan|dung

ge|wann vgl. gewinnen

Ge|wann, das; -[e]s, -e, seltener **Ge|wan|ne,** das; -s, - (bes. südd. für Ackergrenze, an der der Pflug gewendet wird)

ge|wär|tig; einer Sache gewärtig sein; ich bin es gewärtig; **ge|wär-ti|gen;** zu gewärtigen (erwarten) haben

Ge|wäsch, das; -[e]s (ugs. für [leeres] Gerede)

ge|wa|schen vgl. waschen

Ge|wäs|ser, das; -s, -; **Ge|wäs|ser-schutz,** der; -es

ge|was|sert ⟨zu wassern⟩

ge|wäs|sert; gewässerte Salzheringe

Ge|we|be, das; -s, -

Ge|we|be|bank Plur. ...banken; **Ge-we|be|brei|te; Ge|we|be|leh|re,** die; - (für Histologie); **Ge|we|be-pro|be**

Ge|we|be|trans|plan|ta|ti|on

Ge|webs|flüs|sig|keit

ge|weckt (aufgeweckt)

Ge|wehr, das; -[e]s, -e

Ge|wehr|kol|ben; Ge|wehr|lauf

Ge|weih, das; -[e]s, -e; **Ge|weih-farn**

¹ge|weiht (Jägerspr. Geweih tragend)

²ge|weiht ⟨zu weihen⟩

ge|wellt; gewellte Haare

Ge|wen|de, das; -s, - (veraltet für Feldstück; noch landsch. für Ackergrenze)

Ge|wer|be, das; -s, -

Ge|wer|be|auf|sicht, die; -; **Ge|wer-be|auf|sichts|amt**

Ge|wer|be|be|rech|ti|gung (österr.)

Ge|wer|be|be|trieb; Ge|wer|be|frei-heit; Ge|wer|be|ge|biet

Ge|wer|be|in|s|pek|tor; Ge|wer|be-in|s|pek|to|rin

Ge|wer|be|leh|rer; Ge|wer|be|leh-re|rin

Ge|wer|be|ord|nung (Abk. GewO); **Ge|wer|be|park** (Gewerbegebiet)

Ge|wer|be|schein

Ge|wer|be|schu|le

Ge|wer|be|steu|er, die

ge|wer|be|trei|bend; Ge|wer|be-trei|ben|de, der u. die; -n, -n

Ge|wer|be|zweig

ge|werb|lich; gewerblicher Rechtsschutz; **ge|werbs|mä|ßig**

Ge|we|re, die; - (bes. im MA. Herrschaftsrecht über Personen u. Sachen)

Ge|werk, das; -[e]s, -e (bes. Fachspr. Zweig des Bauhandwerks; Gewerbe; Zunft)

Ge|wer|ke, der; -n, -n (veraltet für Mitglied einer bergrechtlichen Gewerkschaft)

Ge|werk|schaft; Ge|werk|schaf|ter, Ge|werk|schaf|te|rin, Ge|werk|schaft|le-rin; **Ge|werk|schaft|ler** usw.; vgl. Gewerkschafter usw.; **ge|werk-schaft|lich**

Ge|werk|schafts|ap|pa|rat; Ge-werk|schafts|be|we|gung; Ge-werk|schafts|boss (ugs.)

Ge|werk|schafts|bund, der; -es, ...bünde Plur. selten

Ge|werk|schafts|funk|ti|o|när; Ge-werk|schafts|funk|ti|o|nä|rin; Ge-werk|schafts|mit|glied; Ge|werk-schafts|ver|samm|lung; Ge|werk-schafts|vor|sit|zen|de

Ge|we|se, das; -s, - (ugs. für auffallendes Gebaren [nur Sing.]; nordd. für Anwesen)

ge|we|sen vgl. ²sein

ge|wi|chen vgl. weichen

¹Ge|wicht, das; -[e]s, -er (Jägerspr. Rehgehörn)

²Ge|wicht, das; -[e]s, -e

ge|wich|ten (Schwerpunkte setzen; Statistik einen Durchschnittswert unter Berücksichtigung der Häufigkeit vorhandener Einzelwerte bilden)

Ge|wicht|he|ben, das; -s (Sportart); **Ge|wicht|he|ber; Ge|wicht|he|be-rin**

ge|wich|tig; Ge|wich|tig|keit, die; -

Ge|wichts|klas|se (Sport); **Ge-wichts|kon|t|rol|le**

Ge|wichts|pro|b|lem; Ge|wichts|ver|la|ge|rung; Ge|wichts|ver|lust
Ge|wich|tung
ge|wieft (ugs. für schlau, gerissen)
ge|wiegt (ugs. für sehr erfahren; schlau, durchtrieben)
Ge|wie|her, das; -s
ge|wie|sen vgl. weisen
ge|willt; nur in gewillt (bereit) sein[,] etw. zu tun ↑K116
Ge|wim|mel, das; -s
Ge|wim|mer, das; -s
Ge|win|de, das; -s, -; Ge|win|de|boh|rer; Ge|win|de|gang, der
Ge|winn, der; -[e]s, -e; [großen] Gewinn bringen; vgl. Gewinn bringend
Ge|winn|an|teil; Ge|winn|aus|schüt|tung; Ge|winn|be|tei|li|gung
Ge|winn brin|gend, ge|winn|brin|gend; ↑K58 : eine Gewinn bringende od. gewinnbringende Investition; aber nur eine großen Gewinn bringende Investition; eine äußerst gewinnbringende, noch gewinnbringendere Investition
Ge|winn|chan|ce
Ge|winn|ein|bruch (Bankw.)
ge|win|nen; du gewannst; du gewönnest, auch gewännest; gewonnen; gewinn[e]!; ge|win|nend
Ge|win|ner; Ge|win|ne|rin
Ge|win|ner|stra|ße; auf der Gewinnerstraße sein (ugs.)
Ge|winn|klas|se
Ge|winn|mit|nah|me (Bankw.)
Ge|winn|num|mer , Ge|winn-Nummer
Ge|winn|quo|te; Ge|winn|satz; Ge|winn|span|ne; Ge|winn|spiel
Ge|winn|stre|ben, das; -s
Ge|winn|sucht, die; -; ge|winn|süch|tig
ge|winn|träch|tig
Ge|winn-und-Ver|lust-Rech|nung ↑K26
Ge|win|nung
Ge|winn|war|nung (Börsenw. Ankündigung, dass erwartete Gewinne voraussichtlich nicht erzielt werden können)
Ge|winn|zahl
Ge|winn|zo|ne (Wirtsch.)
Ge|win|sel, das; -s
Ge|winst, der; -[e]s, -e (veraltet für Gewinn)
Ge|wirk, das; -[e]s, -e, Ge|wir|ke, das; -s, - (aus Maschen bestehender Textilstoff)
ge|wirkt; gewirkter Stoff
Ge|wirr, das; -[e]s

Ge|wis|per, das; -s
ge|wiss; ↑K72 : etwas, nichts Gewisses; ↑K76 : ein gewisses Etwas; ein gewisser Jemand
Ge|wis|sen, das; -s, -
ge|wis|sen|haft; Ge|wis|sen|haf|tig|keit, die; -
ge|wis|sen|los; Ge|wis|sen|lo|sig|keit, die; -
Ge|wis|sens|biss meist Plur.
Ge|wis|sens|ent|schei|dung; Ge|wis|sens|er|for|schung; Ge|wis|sens|fra|ge; Ge|wis|sens|frei|heit
Ge|wis|sens|grün|de Plur.; etwas aus Gewissensgründen verweigern; Ge|wis|sens|kon|flikt; Ge|wis|sens|wurm (ugs. scherzh.)
ge|wis|ser|ma|ßen
Ge|wiss|heit
ge|wiss|lich (veraltend)
Ge|wit|ter, das; -s, -; Ge|wit|ter|front
ge|wit|te|rig vgl. gewittrig
ge|wit|tern; es gewittert
Ge|wit|ter|nei|gung; Ge|wit|ter|re|gen; ge|wit|ter|schwül; Ge|wit|ter|stim|mung; Ge|wit|ter|sturm; Ge|wit|ter|wand; Ge|wit|ter|wol|ke
ge|witt|rig, selten ge|wit|te|rig
Ge|wit|zel, das; -s
ge|wit|zigt (klug geworden)
ge|witzt; Ge|witzt|heit, die; -
GewO = Gewerbeordnung
Ge|wo|ge, das; -s
¹ge|wo|gen (zugetan); sie ist mir gewogen
²ge|wo|gen vgl. wiegen
Ge|wo|gen|heit
ge|wöh|nen; sich an etw. od. jmdn. gewöhnen
Ge|wohn|heit; ge|wohn|heits|mä|ßig
Ge|wohn|heits|mensch, der; Ge|wohn|heits|recht; Ge|wohn|heits|tier (scherzh.); Ge|wohn|heits|trin|ker; Ge|wohn|heits|trin|ke|rin; Ge|wohn|heits|ver|bre|cher; Ge|wohn|heits|ver|bre|che|rin
ge|wöhn|lich; für gewöhnlich (meist); Ge|wöhn|lich|keit, die; -
ge|wohnt; ich bin es gewohnt, bin schwere Arbeit gewohnt; die gewohnte Arbeit
ge|wöhnt (Partizip II von gewöhnen); ich habe mich an diese Arbeit gewöhnt; ich bin daran gewöhnt; Ge|wöh|nung, die; -; ge|wöh|nungs|be|dürf|tig
Ge|wöl|be, das; -s, -; Ge|wöl|be|bo|gen; Ge|wöl|be|pfei|ler
Ge|wölk, das; -[e]s

Ge|wöl|le, das; -s, - (Jägerspr. von Greifvögeln herausgewürgter Klumpen unverdaulicher Nahrungsreste)
¹ge|wollt (unnatürlich, gekünstelt); seine Gesten wirken sehr gewollt
²ge|wollt vgl. wollen
ge|won|nen vgl. gewinnen
ge|wor|ben vgl. werben
ge|wor|den vgl. werden
ge|wor|fen vgl. werfen
Ge|wühl, das; -[e]s
ge|wun|den vgl. winden
ge|wünscht; der gewünschte Effekt
ge|wür|felt; gewürfelte Stoffe
Ge|wür|ge, das; -s
Ge|würm, das; -[e]s
Ge|würz, das; -es, -e
Ge|würz|gur|ke
ge|wür|zig (selten für würzig)
Ge|würz|ku|chen; Ge|würz|mi|schung; Ge|würz|nel|ke; Ge|würz|tra|mi|ner (eine Rebsorte)
Ge|wu|sel, das; -s (landsch.)
ge|wusst vgl. wissen
Ge|wusst-wie, das; - ↑K26
Gey|sir, der; -s, -e, Gei|ser, der; -s, - (isländ.) (eine Wasserfontänen ausstoßende heiße Quelle)
GEZ, die; - = Gebühreneinzugszentrale
gez. = gezeichnet
ge|zackt
Ge|zä|he, das; -s, - (Bergmannsspr. Arbeitsgerät)
ge|zahnt, ge|zähnt; ein gezahntes od. gezähntes Blatt
Ge|zänk, das; -[e]s; Ge|zan|ke, das; -s
Ge|zap|pel, das; -s
ge|zeich|net (Abk. gez.)
Ge|zeit, die; -, -en (im allg. Sprachgebrauch Plur.; Sing. fachspr. für eine der Gezeiten [Ebbe od. Flut])
Ge|zei|ten|kraft|werk; Ge|zei|ten|ta|fel; Ge|zei|ten|wech|sel
Ge|zer|re, das; -s
Ge|ze|ter, das; -s
Ge|zie|fer, das; -s (veraltend für Ungeziefer)
ge|zielt; gezielt fragen
ge|zie|men, sich (veraltend); es geziemt sich für ihn; ge|zie|mend; eine geziemende Antwort
Ge|zie|re, das; -s
ge|ziert; Ge|ziert|heit
Ge|zirp, das; -[e]s, Ge|zir|pe, das; -s
Ge|zisch, das; -[e]s, Ge|zi|sche, das; -s
Ge|zi|schel, das; -s

ge|zo|gen *vgl.* ziehen
Ge|zücht, das; -[e]s, -e (*veraltet für* Gesindel)
Ge|zün|gel, das; -s
Ge|zweig, das; -[e]s
ge|zwirnt *vgl.* zwirnen
Ge|zwit|scher, das; -s
ge|zwun|gen *vgl.* zwingen
ge|zwun|ge|ner|ma|ßen
Ge|zwun|gen|heit, die; -
Gfrast, das; -s, -er (*bayr., österr. ugs. für* Fussel; Nichtsnutz)
Gfrett, Ge|frett, das; -s (*südd., österr. ugs. für* Ärger, Plage)
Gfrieß, Ge|frieß, das; -es, -er (*südd., österr. ugs. abwertend für* Gesicht)
GG, das; - = Grundgesetz
ggf. = gegebenenfalls
g.g.T., ggT = größter gemeinsamer Teiler (*Math.*)
Gha|na [g...] (Staat in Afrika); Gha|na|er; Gha|na|e|rin; gha|na|isch
Gha|sel [g...], Gha|se|le *vgl.* Gasel, Gasele
Ghet|to usw. *vgl.* Getto usw.
Ghi|bel|li|ne *vgl.* Gibelline
Ghost|wri|ter [ˈɡoːstraɪtə], der; -s, - ⟨engl.⟩ (für eine andere Person Schreibende[r], nicht genannte[r] Autor[in]); Ghost|wri|te|rin
G.I., GI [dʒiːˈlaɪ], der; -[s], -[s] = government issue (Regierungsausgabe [urspr. für die Ausrüstung der Truppe]; *ugs. für* amerikanischer Soldat)
Gi|aur, der; -s, -s ⟨pers.⟩ (*im Islam* Nichtmoslem, Ungläubiger)
Gib|bon, der; -s, -s ⟨franz.⟩ (ein Affe)
Gi|bel|li|ne, Ghi|bel|li|ne [g...], der; -n, -n ⟨ital.⟩ (ital. Anhänger der Hohenstaufen im 13. Jh.)
Gi|b|ral|tar [*auch* ...ˈtaːɐ̯, *österr.* ˈɡiː...] ⟨arab.⟩ (Halbinsel an der Südspitze Spaniens); Gi|b|ral|ta|rer; Gi|b|ral|ta|re|rin; gi|b|ral|ta|risch
gibt *vgl.* geben
¹Gicht, die; -, -en (*Hüttenw.* oberster Teil des Hochofens)
²Gicht, die; - (eine Stoffwechselkrankheit)
Gicht|bee|re (*bes. nordd., ostd. für* Schwarze Johannisbeere)
gicht|brü|chig (*veraltet*)
gich|tig; gich|tisch
Gicht|kno|ten; gicht|krank
Gi|ckel, der; -s, - (*landsch. für* Hahn)
gi|ckeln, gi|ckern (*landsch. für* kichern); ich gick[e]le *od.* gickere

gicks (*ugs.*); weder gicks noch gacks sagen
gick|sen, kick|sen, kiek|sen (*landsch. für* einen [leichten] Schrei ausstoßen; stechen; stoßen); du gickst; gicksen und gacksen
Gide [ʒiːd] (franz. Schriftsteller)
Gi|de|on (m. Vorn.)
¹Gie|bel, der; -s, - (ein Fisch)
²Gie|bel, der; -s, - (Dachgiebel); Gie|bel|fens|ter; gie|be|lig, gieblig; Gie|bel|wand; gieb|lig, gie|be|lig
Giek|baum (*Seemannsspr.* Rundholz für Gaffelsegel)
Gie|men, das; -s (krankhaftes Atmungsgeräusch)
Gien, das; -s, -e ⟨engl.⟩ (*Seemannsspr.* starker Flaschenzug); Gien|block *Plur.* ...blöcke
Gien|gen an der Brenz [ˈɡɪŋən - - -] (Stadt in Baden-Württemberg)
Gie|per, Jie|per, der; -s (*bes. nordd. für* Gier, Appetit); einen Gieper auf etwas haben; gie|pern, jie|pern; ich giepere nach etwas; giep|rig, jiep|rig
Gier, die; -
¹gie|ren (gierig sein)
²gie|ren ([von Schiffen, Flugzeugen] seitlich abweichen); Gier|fäh|re (Seilfähre)
gie|rig; Gie|rig|keit, die; -
Giersch, der; -[e]s (*landsch. für* Geißfuß [ein Wiesenkraut])
Gieß|bach
gie|ßen; du gießt; ich goss, du gossest; du gössest; gegossen; gieß[e]!
Gie|ßen (Stadt a. d. Lahn)
Gie|ßer; Gie|ße|rei; Gie|ße|rin
Gieß|form; Gieß|harz
Gieß|kan|ne; Gieß|kan|nen|prin|zip, das; -s; etwas nach dem Gießkannenprinzip (unterschiedslos, willkürlich) verteilen
¹Gift, das; -[e]s, -e
²Gift, das; -[e]s (*bes. südd. für* Ärger, Zorn); einen Gift auf jmdn. haben
gif|teln (*österr. ugs. für* Drogen konsumieren); ich gift[e]le
gif|ten (*ugs. für* gehässig reden); sich giften (sich ärgern); das giftet mich
gift|fest; gift|frei
Gift|gas; gift|grün
gif|tig; Gif|tig|keit, die; -
Gift|ler (*österr. ugs. für* Drogenkonsument); Gift|le|rin (*österr. ugs.*)
Gift|mi|scher; Gift|mi|sche|rin

Gift|mord; Gift|müll
Gift|nu|del (*ugs. für* boshafter Mensch)
Gift|pflan|ze; Gift|pilz
Gift|schlan|ge; Gift|schrank; Gift|sta|chel; Gift|stoff; Gift|zahn
Gift|zwerg (*ugs. für* boshafter Mensch)
¹Gig, das; -s, -s ⟨engl.⟩ (leichter Einspänner)
²Gig, die; -, -s, *seltener* das; -s, -s (Sportruderboot)
³Gig, der; -s, -s ⟨engl.⟩ (Auftritt bei einem Pop- od. Jazzkonzert)
Gi|ga... ⟨griech.⟩ (das Milliardenfache einer Einheit, z. B. Gigameter = 10⁹ Meter; *Zeichen* G)
Gi|ga|byte [...baɪt] ⟨griech.; engl.⟩ (*EDV* 2³⁰ Byte; *Zeichen* GByte)
Gi|ga|hertz (*Physik* eine Milliarde Hertz; *Zeichen* GHz)
Gi|gant, der; -en, -en ⟨griech.⟩ (Riese); Gi|gan|tin; gi|gan|tisch
Gi|gan|tis|mus, der; - (übersteigerte Größensucht; *Med.* krankhafter Riesenwuchs)
Gi|gan|to|ma|chie, die; - (Kampf der Giganten gegen Zeus)
Gi|gan|to|ma|nie, die; - (Übertreibungssucht); gi|gan|to|ma|nisch
Gi|gerl, der, *auch* das; -s, -n (*bes. österr. für* Modegeck); gi|gerl|haft
gig|geln (*landsch. für* herumalbern, kichern); ich gigg[e]le; gegiggelt
Gi|g|li [ˈdʒiʎi] (ital. Sänger)
Gi|go|lo [ˈʒi:..., *auch* ˈʒ...], der; -s, -s ⟨franz.⟩ (Eintänzer; *ugs. für* Mann, der sich aushalten lässt)
Gi|got [ʒiɡo], das *u.* der; -s, -s (*schweiz. für* Hammelkeule)
Gigue [ʒiːk], die; -, -n [ˈʒiːɡn̩] (ein alter Tanz)
Gilb, der; -s (gelbliche Verfärbung)
gil|ben (*geh. für* gelb werden)
Gil|bert (m. Vorn.)
Gilb|hard, Gilb|hart, der; -s, -e (*alte Bez. für* Oktober)
Gil|de, die; -, -n (*bes. im MA.* Vereinigung bes. von Handwerkern u. Kaufleuten); Gil|de|haus; Gil|de|meis|ter; Gil|de|meis|te|rin; Gil|den|hal|le; Gil|den|schaft
Gi|let [ʒiˈle:], das; -s, -s ⟨franz.⟩ (*österr., schweiz. für* Weste)
Gil|ga|mesch (sagenhafter babylonischer Herrscher)
Gil|ga|mesch|epos, Gil|ga|mesch-Epos
Gil|ling, die; -, -s, Gil|lung, die; -, -en (*Seemannsspr.* einwärtsgebogene Seite des Rahsegels;

nach innen gewölbter Teil des Hinterschiffs)

gilt vgl. gelten

Gim|mick, der, auch das; -s, -s ⟨engl.⟩ (Werbegag, -geschenk)

Gim|pe, die; -, -n (mit Seide umsponnener Baumwollfaden)

Gim|pel, der; -s, - (ein Singvogel; ugs. für einfältiger Mensch)

Gin [dʒ...], der; -s, -s ⟨engl.⟩ (ein Wacholderbranntwein)

Gin|fizz, Gin-Fizz [...fɪs], der; -, - (Mixgetränk mit Gin)

ging vgl. gehen

Gin|gan [ˈgɪŋgan] ⟨malai.⟩, **Gingham** [ˈgɪŋəm] ⟨engl.⟩ der; -s, -s (ein Baumwollstoff)

Gin|ger [ˈdʒɪndʒɐ], der; -s, - ⟨engl.⟩ (engl. Bez. für Ingwer)

Gin|ger|ale, Gin|ger-Ale, das; -s, -s (ein Erfrischungsgetränk)

Ging|ham vgl. Gingan

Gin|ko, Gink|go [ˈgɪŋko], der; -s, -s ⟨jap.⟩ (ein in Japan u. China heimischer Zierbaum)

Gin|seng [auch ʒ...], der; -s, -s ⟨chin.⟩ (ostasiatische Pflanze mit heilkräftiger Wurzel)

Gins|ter, der; -s, - (ein Strauch)

Gin To|nic [...nɪk], der; -[s], -s ⟨engl.⟩ (Gin mit Tonic)

gio|col|so [dʒo...] ⟨ital.⟩ (Musik heiter, spaßhaft)

Giot|to [ˈdʒɔ...] (ital. Maler)

Gio|van|ni [dʒo...] (m. Vorn.)

Gip|fel, der; -s, - (schweiz. auch für Hörnchen, Kipfel)

gip|fe|lig, gipf|lig

Gip|fel|kon|fe|renz; Gip|fel|kreuz (Kreuz auf dem Berggipfel)

gip|feln; er behauptet, es gipf[e]le im Krieg

Gip|fel|punkt; Gip|fel|stür|mer; Gip|fel|stür|me|rin; Gip|fel|tref|fen

gipf|lig, gip|fe|lig

Gips, der; -es, -e

Gips|ab|druck Plur. ...abdrücke; **Gips|bein; Gips|büs|te**

gip|sen; du gipst

Gip|ser; Gip|se|rin

gip|sern (aus Gips; gipsartig)

Gips|fi|gur; Gips|man|schet|te; Gips|ver|band

Gi|pü|re, die; -, -n ⟨franz.⟩ (Klöppelspitze aus Gimpen)

Gi|raf|fe [südd., österr. ʒ...], die; -, -n ⟨arab.⟩ (langhalsiges Tier)

Gi|ran|do|la [dʒ...], die; -, ...olen ⟨ital.⟩, **Gi|ran|do|le** [ʒ...], die; -, ...olen ⟨franz.⟩ (Feuergarbe beim Feuerwerk; Armleuchter)

Gi|rant [ʒ...], der; -en, -en ⟨ital.⟩ (Bankw. jmd., der einen Scheck od. einen Wechsel durch Giro auf einen anderen überträgt; Indossant); **Gi|ran|tin**

Gi|rat, der; -en, -en, **Gi|ra|tar,** der; -s, -e (Person, der bei der Übertragung eines Orderpapiers ein Indossament erteilt wurde)

Gi|rau|doux [ʒiroˈduː] (franz. Schriftsteller); Giraudoux' [ʒiroˈduːs] Werke ↑K16

gi|rie|ren [ʒ...] ⟨ital.⟩ ([einen Wechsel] übertragen)

Girl [gøːɐl], das; -s, -s ⟨engl.⟩ (scherzh. für Mädchen; weibl. Mitglied einer Tanztruppe)

Gir|lan|de, die; -, -n ⟨franz.⟩ (Gewinde aus Laub, Blumen, buntem Papier o. Ä.)

Gir|lie [ˈgøːɐli], das; -s, -s ⟨engl.⟩ (junge Frau in unkonventioneller Kleidung mit selbstbewusstfrechem Auftreten)

Gir|litz, der; -es, -e (ein Singvogel)

Gi|ro [ʒ...], das; -s, Plur. -s u. österr. auch Giri ⟨ital.⟩ (Überweisung im bargeldlosen Zahlungsverkehr; Übertragungsvermerk eines Orderpapiers); **Gi|ro|bank** Plur. ...banken

Gi|ro d'Ita|lia [dʒ... -], der; - - (in Italien ausgetragenes Radrennen)

Gi|ro|kas|se; Gi|ro|kon|to

Gi|ron|de [ʒiˈrɔ̃ːd], der; - (Mündungstrichter der Garonne; franz. Departement); **Gi|ron|dist,** der; -en, -en meist Plur. (gemäßigter Republikaner der Französischen Revolution)

Gi|ro|ver|kehr (bargeldloser Zahlungsverkehr)

gir|ren; die Taube girrt

gis, Gis, das; -, - (Tonbezeichnung); **gis** (Zeichen für gis-Moll); in gis

Gis|bert (m. Vorn.)

Gis|card d'Es|taing [ʒɪsˈkaːɐ desˈtɛ̃ː] (franz. Staatsmann)

gi|schen (veraltet für gischten); du gischst

Gischt, die; -, -en u., bes. fachspr., der; -[e]s, -e Plur. selten (Schaum; Sprühwasser, aufschäumende See); **gisch|ten**

Gi|seh[...ze] (Stadt in Ägypten)

Gi|se|la [österr. ...ˈzeː...] (w. Vorn.)

Gi|sel|bert (m. Vorn.); **Gi|sel|her,** **Gi|sel|mar** (m. Vorn.)

gis-Moll [auch ˈgɪsˈmɔl], das; - (Tonart; Zeichen gis); **gis-Moll-Ton|lei|ter** ↑K26

gis|sen (Seemannsspr., Fliegerspr.

die Position eines Flugzeugs od. Schiffes schätzen)

Gi|tar|re, die; -, -n ⟨span.⟩; **Gi|tar|ren|riff,** der ⟨span.; engl.⟩

Gi|tar|ren|spie|ler; Gi|tar|ren|spie|le|rin; Gi|tar|re|ro, der; -s, -s ⟨Jargon⟩

Gi|tar|rist, der; -en, -en; **Gi|tar|ris|tin**

Git|ta, Git|te (w. Vorn.)

Git|ter, das; -s, -

Git|ter|bett|chen

Git|ter|fens|ter

git|tern; ich gittere

Git|ter|netz

Git|ter|rost

Git|ter|span|nung (Elektronik)

Give-away [ˈgɪvəve:], das; -s, -s ⟨engl.⟩ (Werbespr. kleines Werbegeschenk)

Glace [glas], die; -, Plur. -s [glas], schweiz. auch -n [ˈglasən] ⟨franz.⟩ (Zuckerglasur; Gelee aus Fleischsaft; schweiz. Speiseeis)

Gla|cee, Gla|cé, der; -[s] -s (ein glänzendes Gewebe)

Gla|cee|hand|schuh, Gla|cé|handschuh; Gla|cee|le|der, **Gla|cé|le|der**

gla|cie|ren (mit Glace überziehen; veraltet für zum Gefrieren bringen)

Gla|cis [...ˈsiː], das; -, - (Milit. Erdaufschüttung vor einem Festungsgraben)

Gla|di|a|tor, der; -s, ...oren ⟨lat.⟩ (altrömischer Schwertkämpfer bei Zirkusspielen)

Gla|di|o|le, die; -, -n (ein Schwertliliengewächs)

gla|go|li|tisch ⟨slaw.⟩; glagolitisches Alphabet (kirchenslawisches Alphabet)

Gla|go|li|za, die; - (die glagolitische Schrift)

Gla|mour [ˈglɛmɐ], der u. das; -s ⟨engl.⟩ (Glanz, betörende Aufmachung); **Gla|mour|girl,** Glamour-Girl (Reklame-, Filmschönheit); **gla|mou|rös** [glamu...]

Glans, die; -, Glandes ⟨lat.⟩ (Med. Eichel des Penis)

Glanz, der; -es, Plur. (fachspr.) -e

glän|zen; du glänzt; **glän|zend;** glänzend schwarze Haare; seine Augen waren glänzend schwarz

Glanz|le|der; Glanz|leis|tung; Glanz|licht Plur. ...lichter

glanz|los

Glanz|num|mer; Glanz|pa|pier

Glanzpunkt – gleichen

glatt

glat|ter, *auch* glät|ter, glat|tes|te, *auch* glät|tes|te

Wenn »glatt« das Ergebnis der mit einem folgenden einfachen Verb bezeichneten Tätigkeit angibt, kann getrennt oder zusammengeschrieben werden:

– glatt bügeln *od.* glattbügeln
– glatt hobeln *od.* glatthobeln
– glatt machen *od.* glattmachen

– glatt rasieren *od.* glattrasieren
– glatt rühren *od.* glattrühren
– glatt streichen *od.* glattstreichen
– *Aber:* glatt abschleifen, glatt zusammenlegen

Bei übertragener Bedeutung gilt Zusammenschreibung; vgl. glattgehen, glattmachen, glattstellen

---

G
Glan

Glanz|punkt (Höhepunkt); Glanz|stück
glanz|voll
Glanz|zeit
Glar|ner ⟨*zu* Glarus⟩; Glar|ner Al|pen *Plur.;* glar|ne|risch
Gla|rus (Kanton und Stadt in der Schweiz)
¹Glas, das; -es, Gläser; zwei Glas Bier; ein Glas voll; Glas blasen
²Glas, das; -es, -en (*Seemannsspr.* halbe Stunde)
glas|ar|tig
Glas|au|ge
Glas|bau|stein
Glas|blä|ser; Glas|blä|se|rei; Glas|blä|se|rin
Gläs|chen
gla|sen (*Seemannsspr.* die halbe Stunde für die Schiffswache schlagen)
Gla|ser; Gla|se|rei; Gla|se|rin
Glä|ser|klang, der; -[e]s (*geh.*)
Gla|ser|meis|ter; Gla|ser|meis|te|rin
glä|sern (aus Glas, glasartig)
Glas|fa|ser; Glas|fa|ser|ka|bel
Glas|fi|ber|stab (*Sport*)
Glas|gow [...go] (Stadt in Schottland)
Glas|har|fe
glas|hart
Glas|haus; Glas|hüt|te
gla|sie|ren (mit Glasur versehen)
gla|sig; Zwiebeln glasig dünsten; glas|klar
Glas|kno|chen|krank|heit, die (*Med.* Entwicklungsstörung des Knochens)
Glas|kopf, der; -[e]s (Eisenerzart); Glas|kör|per (*Med.* gallertiger Teil des Auges)
Glas|ku|gel
Glas|ma|ler; Glas|ma|le|rei; Glas|ma|le|rin
Glas|nost, die; - ⟨russ.⟩ ([polit.] Offenheit)
Glas|nu|del; Glas|per|le; Glas|rei|ni|ger; Glas|schei|be; Glas|schrank
Glas|split|ter; Glas|sturz *Plur.* ...stürze (Glasglocke)
Glast, der; -[e]s (*veraltet, noch südd. für* Glanz); glas|tig

Glas|tür
Gla|sur, die; -, -en (glasiger Überzug, Schmelz; Zucker-, Schokoladenguss)
Glas|ver|si|che|rung; Glas|wol|le
glatt *s. Kasten*
Glät|te, die; -
Glatt|eis; Glatt|eis|bil|dung
glät|ten (*landsch. u. schweiz. auch für* bügeln)
glat|ter|dings
Glät|te|rin (*schweiz. für* Büglerin)
glatt|ge|hen (*ugs. für* ohne Komplikationen ablaufen)
glatt ho|beln, glatt|ho|beln *vgl.* glatt
glatt käm|men, glatt|käm|men *vgl.* glatt
glatt|ma|chen (*ugs. für* bezahlen); *vgl.* glatt
glatt ra|sie|ren, glatt|ra|sie|ren *vgl.* glatt
glatt rüh|ren, glatt|rüh|ren *vgl.* glatt
glatt schlei|fen, glatt|schlei|fen *vgl.* glatt
glatt|stel|len (*Kaufmannsspr.* ausgleichen); Glatt|stel|lung
glatt strei|chen, glatt|strei|chen *vgl.* glatt
Glät|tung
glatt|weg
glatt zie|hen, glatt|zie|hen *vgl.* glatt
glatt|zün|gig; Glatt|zün|gig|keit, die; -
Glat|ze, die; -, -n; Glatz|kopf; glatz|köp|fig
Glau|be, der; -ns, -n *Plur. selten;* jmdm. Glauben schenken
glau|ben; er wollte mich glauben machen, dass ...
Glau|ben, der; -s, - (*selten, veraltend für* Glaube)
Glau|bens|ar|ti|kel; Glau|bens|be|kennt|nis; Glau|bens|ei|fer
Glau|bens|frei|heit; Glau|bens|ge|mein|schaft; Glau|bens|krieg
Glau|bens|leh|re; Glau|bens|sa|che; Glau|bens|satz
glau|bens|stark
Glau|bens|streit

glau|bens|voll
Glau|ber|salz, das; -es (Natriumsulfat)
glaub|haft; Glaub|haf|tig|keit, die; -
gläu|big; Gläu|bi|ge, der u. die; -n, -n
Gläu|bi|ger, der; -s, - (jmd., der berechtigt ist, von einem Schuldner Geld zu fordern); Gläu|bi|ge|rin
Gläu|bi|ger|schutz; Gläu|bi|ger|ver|samm|lung
Gläu|big|keit, die; -
glaub|lich; kaum glaublich
glaub|wür|dig; Glaub|wür|dig|keit, die; -
Glau|kom, das; -s, -e ⟨griech.⟩ (*Med.* grüner Star [Augenkrankheit])
Glau|ko|nit, der; -s, -e (Mineral)
gla|zi|al ⟨lat.⟩ (*Geol.* eiszeitlich, die Gletscher betreffend)
Gla|zi|al|fau|na; Gla|zi|al|flo|ra; Gla|zi|al|see; Gla|zi|al|zeit (Vereisungszeit)
Gla|zio|lo|ge, der; -n, -n ⟨lat.; griech.⟩; Gla|zio|lo|gie, die; - (Eis- u. Gletscherkunde); Gla|zio|lo|gin; gla|zio|lo|gisch
Glei|bo|den ⟨russ.⟩ dt.) (*Geol.* feuchter, mineralischer Boden)
gleich *s. Kasten Seite 459*
gleich|al|te|rig, gleich|alt|rig
gleich|ar|tig; etwas Gleichartiges
↑K 72; Gleich|ar|tig|keit
gleich|auf; gleichauf liegen
gleich|be|deu|tend (das Gleiche bedeutend); gleichbedeutende Wörter, *aber* gleich bedeutende Gelehrte
Gleich|be|hand|lung
gleich|be|rech|tigt; Gleich|be|rech|ti|gung, die; -
gleich be|schaf|fen, gleich|be|schaf|fen, gleich blei|bend, gleich|blei|bend, gleich den|kend, gleich|den|kend *vgl.* gleich
Glei|che, die; -; etwas in die Gleiche bringen
glei|chen (gleich sein); du glichst; geglichen; gleich[e]!

gleich

- der gleiche Hut; die gleichen Rechte; alle Menschen sind gleich
- die Sonne ging gleich einem roten Ball unter *(geh.)*
- er soll gleich (sofort) kommen

Großschreibung ↑K72:

- das Gleiche (dasselbe) tun; das Gleiche gilt für dich
- es kommt aufs Gleiche hinaus
- Gleiches mit Gleichem vergelten; es kann uns Gleiches begegnen
- ins Gleiche (in Ordnung) bringen
- ein Gleiches tun; Gleicher unter Gleichen
- Gleich und Gleich gesellt sich gern

Schreibung in Verbindung mit Adjektiven, Verben und Partizipien:

- gleich alt, gleich groß, gleich gut, gleich lang, gleich schnell, gleich verteilt, gleich wahrscheinlich, gleich weit usw.
- zwei gleich große Kinder; die Kinder waren gleich groß

- gleich sein, gleich werden; gleich denken, gleich klingen, gleich lauten
- die Wörter werden gleich geschrieben
- gleich bedeutende Gelehrte, *aber* gleichbedeutende (das Gleiche bedeutende) Wörter
- ↑K56, 58 u. 62 : sie sind einander [völlig] gleich geblieben; sie ist gleich bleibend *od.* **gleichbleibend** freundlich
- gleich denkende *od.* **gleichdenkende** Menschen; gleich geartete *od.* **gleichgeartete** Verhältnisse; ein nicht nur ähnlich, sondern gleich gelagerter *od.* gleichgelagerter Fall; gleich gesinnte *od.* gleichgesinnte Freunde; zwei gleich gestimmte *od.* gleichgestimmte Seelen
- gleich lautende *od.* **gleichlautende** Wörter

Vgl. aber gleichkommen, gleichmachen, gleichschalten, gleichsehen, gleichsetzen, gleichstehen, gleichstellen, gleichtun, gleichziehen

G
Glei

Glei|chen|fei|er (*österr. für* Richtfest)
glei|chen|tags (*schweiz. für* am selben Tage)
glei|cher|ge|stalt (*veraltet*); gleicher|ma|ßen; glei|cher|wei|se
gleich|falls Fall, der
gleich|far|big
gleich|för|mig; Gleich|för|mig|keit, die; -
gleich ge|ar|tet, **gleich|ge|ar|tet**, gleich ge|la|gert, gleich|ge|la|gert *vgl.* gleich
gleich|ge|schlecht|lich; gleichgeschlechtliche Partnerschaft
gleich ge|sinnt, gleich|ge|sinnt *vgl.* gleich
gleich Ge|sinn|te, der u. die; - -n, - -n, **Gleich|ge|sinn|te**, der u. die; -n, -n ↑K72
gleich ge|stimmt, gleich|ge|stimmt *vgl.* gleich
Gleich|ge|wicht, das; -[e]s, -e; gleich|ge|wich|tig
Gleich|ge|wichts|la|ge; Gleich|ge|wichts|or|gan; Gleich|ge|wichts|sinn; Gleich|ge|wichts|stö|rung
gleich|gül|tig; Gleich|gül|tig|keit, die; -
Gleich|heit
Gleich|heits|grund|satz; Gleich|heits|prin|zip; Gleich|heits|zei|chen (*Zeichen* =)
Gleich|klang
gleich|kom|men ↑K47 (entsprechen); das war einer Kampfansage gleichgekommen, *aber* wir sind gleich (sofort) gekommen

Gleich|lauf, der; -[e]s (*Technik*); gleich|lau|fend (gleichzeitig, parallel)
gleich|läu|fig (*Technik*); Gleich|läu|fig|keit, die; -
gleich lau|tend, **gleich|lau|tend** *vgl.* gleich
gleich|ma|chen ↑K47 (angleichen); dem Erdboden gleichmachen; *vgl.* gleich; Gleich|ma|cher; Gleich|ma|che|rei; Gleich|ma|che|rin; gleich|ma|che|risch
Gleich|maß, das
gleich|mä|ßig; Gleich|mä|ßig|keit, die; -
Gleich|mut, der; -[e]s, *selten* die; -; gleich|mü|tig; Gleich|mü|tig|keit, die; -
gleich|na|mig; Gleich|na|mig|keit, die; -
Gleich|nis, das; -ses, -se; gleich|nis|haft; gleich|nis|wei|se
gleich|ran|gig
Gleich|rich|ter (*Elektrot.*)
gleich|sam; gleichsam[,] als ob/wenn ↑K127
gleich|schal|ten ↑K47 (auf eine einheitliche Linie bringen); *vgl.* gleich; Gleich|schal|tung
gleich|schau|en (*bes. österr. für* ähnlichsehen)
gleich|schen|ke|lig, gleich|schenk|lig
Gleich|schritt, der; -[e]s; im Gleichschritt
gleich|se|hen (ähneln)
gleich|sei|tig; Gleich|sei|tig|keit, die; -

gleich|set|zen ↑K47; etwas mit einer Sache gleichsetzen; *vgl.* gleich; Gleich|set|zung
Gleich|set|zungs|ak|ku|sa|tiv (*Sprachw.* Gleichsetzungsglied neben einem Akkusativobjekt, z. B. er nennt mich »einen Lügner«); Gleich|set|zungs|no|mi|na|tiv (Ergänzung im Nominativ, z. B. er ist »ein Lügner«); Gleich|set|zungs|satz
Gleich|stand, der; -[e]s
gleich|ste|hen ↑K47 (gleich sein); gleich|stel|len ↑K47 (auf die gleiche Stufe stellen); *vgl.* gleich; Gleich|stel|lung; Gleich|stel|lungs|be|auf|trag|te
gleich|stim|mig
Gleich|strom; Gleich|strom|ma|schi|ne
gleich|tun ↑K47 (nacheifern); es jmdm. gleichtun; *aber* du sollst das gleich (sofort) tun!; *vgl.* gleich
Glei|chung
gleich|viel; gleichviel[,] ob/wann/wo ↑K127; gleichviel[,] ob du kommst, *aber* wir haben gleich viel
gleich|wer|tig; Gleich|wer|tig|keit, die; -
gleich|wie
gleich|win|ke|lig, gleich|wink|lig
gleich|wohl; *aber* wir befinden uns alle gleich (in gleicher Weise) wohl
gleich|zei|tig; Gleich|zei|tig|keit, die; -

459

gleich|zie|hen ↑K47 (auf den gleichen Leistungsstand kommen)

Gleis, das; -es, -e; *vgl.* Geleise

Gleis|an|schluss; Gleis|ar|bei|ter; Gleis|ar|bei|te|rin

Gleis|bau, der; -[e]s; **Gleis|bett** (Unterlage aus Schotter für Gleise); **Gleis|drei|eck**

Gleis|ner (*veraltet für* Heuchler); **Gleis|ne|rei,** die; -; **gleis|ne|risch**

Glei|ße, die; -, -n (*landsch. für* Hundspetersilie)

glei|ßen (glänzen, glitzern); du gleißt; du gleißtest; gegleißt; gleiß[e]!

Gleit|bahn; Gleit|boot

glei|ten; du glittst; geglitten; gleit[e]!; gleitende Arbeitszeit, Lohnskala; **Glei|ter** (*Flugw.*)

Gleit|flug; Gleit|klau|sel; Gleit|schirm; Gleit|schutz

gleit|si|cher

Gleit|zeit

Glen|check [...tʃek], der; -[s], -s ⟨engl.⟩ (ein Gewebe; großflächiges Karomuster)

Glet|scher, der; -s, -; **glet|scher|ar|tig**

Glet|scher|brand; Glet|scher|feld; Glet|scher|milch, die; - (milchigtrübes Schmelzwasser des Gletschers); **Glet|scher|müh|le** (ausgespülter Schacht im Eis oder Fels); **Glet|scher|schliff; Glet|scher|spal|te; Glet|scher|tor** (Austrittsstelle des Gletscherbaches); **Glet|scher|zun|ge**

Gle|ve [...fə], die; -, -n ⟨franz.⟩ (eine mittelalterl. Waffe)

Glib|ber, der; -s (*nordd. für* glitschige Masse); **glib|be|rig**

glich *vgl.* gleichen

Glied, das; -[e]s, -er; **Glie|der|fü|ßer** (*für* Arthropoden)

...glie|de|rig, ...glied|rig (z. B. zweigliederig, zweigliedrig, *mit Ziffer* 2-gliederig, 2-gliedrig)

Glie|der|kak|tus

glie|der|lahm

glie|dern; ich gliedere

Glie|der|pup|pe; Glie|der|rei|ßen; Glie|der|schmerz; Glie|der|tier *meist Plur.* (*Zool.*)

Glie|de|rung

Glied|ma|ße, die; -, -n *meist Plur.*

...glied|rig *vgl.* ...gliederig

Glied|satz (*Sprachw.*); **Glied|staat** *Plur.* ...staaten

glied|wei|se

glim|men; es glomm, *auch* glimmte; es glömme, *auch* glömmte; geglommen, *auch* geglimmt; glimm[e]!

Glim|mer, der; -s, - (eine Mineralgruppe); **glim|me|rig** *vgl.* glimmrig; **glim|mern;** ich glimmere

Glimm|er|schie|fer

Glimm|lam|pe

glimm|rig, glim|me|rig (*veraltend*)

Glimm|stän|gel (*scherzh. für* Zigarette)

glimpf|lich

Gli|om, das; -s, -e ⟨griech.⟩ (*Med.* Geschwulst im Gehirn, Rückenmark od. an der Netzhaut)

Glis|sa|de, die; -, -n ⟨franz.⟩ (Gleitschritt beim Tanzen)

glis|san|do ⟨ital.⟩ (*Musik* gleitend); **Glis|san|do,** das; -s, *Plur.* -s u. ...di

Glitsch|bahn

Glit|sche, die; -, -n (*landsch. für* Schlitterbahn); **glit|schen** (*ugs. für* schlittern); du glitschst

glit|sche|rig, glit|schig, glitsch|rig (*ugs. für* glatt, rutschig)

glitt *vgl.* gleiten

Glit|zer, der; -s, -; **glit|ze|rig,** glitz|rig; **Glit|zer|ja|cke; glit|zern;** ich glitzere

glo|bal ⟨lat.⟩ (auf die ganze Erde bezüglich; umfassend; allgemein)

glo|ba|li|sie|ren (weltweit ausrichten); **Glo|ba|li|sie|rung**

Glo|ba|li|sie|rungs|geg|ner; Glo|ba|li|sie|rungs|geg|ne|rin

Glo|ba|lis|mus, der; - ⟨lat.⟩; **Glo|ba|li|tät,** die; -

Glo|bal Play|er [ˈɡloʊbl ˈpleɪɐ], der; - -s, - -[s] (Konzern, Unternehmen, Unternehmer o. Ä. mit weltweitem Wirkungskreis)

Glo|bal|sum|me

Glo|be|trot|ter, der; -s, - ⟨engl.⟩ (Weltenbummler); **Glo|be|trot|te|rin,** die; -, -nen

Glo|bin, das; -s ⟨lat.⟩ (*Med.*, *Biol.* Eiweißbestandteil des Hämoglobins); **Glo|bu|lin,** das; -s, -e (Eiweißkörper)

Glo|bus, der; *Gen.* - u. -ses, *Plur.* ...ben u. -se ⟨lat.⟩, »Kugel« (Nachbildung der Himmelskörper, bes. der Erde)

Glöck|chen

Glo|cke, die; -, -n

Glo|cken|ap|fel; Glo|cken|blu|me; glo|cken|för|mig

Glo|cken|ge|läut, Glo|cken|ge|läu|te; Glo|cken|gie|ßer; Glo|cken|gie|ße|rei; Glo|cken|gie|ße|rin; Glo|cken|guss

Glo|cken|hei|de (Heidekraut, Erika)

glo|cken|hell

Glo|cken|klang; Glo|cken|läu|ten, das; -s; **Glo|cken|man|tel; Glo|cken|rock; Glo|cken|schlag; Glo|cken|spiel; Glo|cken|stuhl; Glo|cken|ton; Glo|cken|turm**

glo|ckig

Glöck|lein; Glöck|ner

Glock|ner|grup|pe (Bergmassiv in den Alpen) ↑K64; **Glöck|ne|rin**

Glogg|nitz (österr. Stadt)

glomm *vgl.* glimmen

¹**Glo|ria,** das; -s u. die; - ⟨lat.⟩ (*meist iron. für* Ruhm, Ehre); mit Glanz und Gloria

²**Glo|ria,** das; -s (Lobgesang in der kath. Messe)

Glo|rie, die; -, -n (*geh. für* Ruhm, Glanz; Heiligenschein); **Glo|ri|en|schein**

Glo|ri|fi|ka|ti|on, die; -, -en (Verherrlichung); **glo|ri|fi|zie|ren;** **Glo|ri|fi|zie|rung**

Glo|ri|o|le, die; -, -n (Heiligenschein)

glo|ri|os (ruhmvoll); **glor|reich**

glo|sen (*landsch. für* glühen, glimmen); es gloste

Glos|sar, das; -s, -e ⟨griech.⟩ (Sammlung von Glossen; Wörterverzeichnis [mit Erklärungen]); **Glos|sa|tor,** der; -s, ...oren (Verfasser von Glossen)

Glos|se [*fachspr. auch* ˈɡlɔːsə], die; -, -n (Erläuterung zu einem Ausdruck innerhalb eines Textes; Kommentar zu aktuellen Problemen)

glos|sie|ren

Glos|so|la|lie, die; -, -n ⟨griech.⟩ (*Psych.* das Hervorbringen unverständlicher Laute in religiöser Ekstase)

glot|tal; glottaler Verschlusslaut (*Sprachw.*); **Glot|tal,** der; -s, -e ⟨griech.⟩ (*Sprachw.* Stimmritzenlaut, Kehlkopflaut)

Glot|ter|tal, das; -[e]s (im südl. Schwarzwald)

Glot|tis, die; -, Glọttides ⟨griech.⟩ (Stimmapparat, Stimmritze); **Glot|tis|schlag** (Stimmritzenverschlusslaut)

Glotz|au|ge; glotz|äu|gig

Glot|ze, die; -, -n (*ugs. für* Fernsehgerät); **glot|zen** (*ugs.*); du glotzt; **Glotz|kopf** (*ugs.*)

Glo|xi|nie, die; -, -n ⟨nach dem Arzt Gloxin⟩ (eine Zimmerpflanze)

glub|schen *vgl.* glupschen

Gluck (dt. Komponist)

Glück, das; -[e]s, -e (*Plur. selten*); jmdm. Glück wünschen; ein

Glück bringendes od. glück-
bringendes Amulett; ein Glück
verheißendes od. glückverhei-
ßendes Vorzeichen ↑K58 u. 59 ;
etwas auf gut Glück versuchen
gluck!; gluck, gluck, gluck!
Glück|ab, das; -s; **Glück ab!** (Flie-
gergruß)
Glück|auf, das; -s; er rief ihm ein
Glückauf zu; **Glück auf!** (Berg-
mannsgruß)
Glück brin|gend, glück|brin|gend;
↑K58 ; vgl. Glück
Glu|cke, die; -, -n; **glu|cken**
glü|cken
glu|ckern; ich gluckere
glück|haft
Glück|hen|ne
glück|lich; glück|li|cher|wei|se
glück|los
Glück|sa|che, die; - (svw. Glückssa-
che)
Glücks|brin|ger; Glücks|bu|de
glück|se|lig; Glück|se|lig|keit
glück|sen; du gluckst
**Glücks|fall; Glücks|fee; Glücks|ge-
fühl; Glücks|göt|tin; Glücks|kä-
fer; Glücks|kind; Glücks|pfen|nig;
Glücks|pilz; Glücks|rad; Glücks-
rit|ter; Glücks|rit|te|rin**
Glücks|sa|che, die; -; **Glücks-
schwein; Glücks|spiel; Glücks|
stern; Glücks|sträh|ne; Glücks|tag**
glück|strah|lend ↑K59
**Glücks|tref|fer; Glücks|um|stand;
Glücks|zahl**
Glück ver|hei|ßend, glück|ver|hei-
ßend ↑K58 ; vgl. Glück
Glück|wunsch
**Glück|wunsch|kar|te; Glück-
wunsch|te|le|gramm**
Glück|zu, das; -; **Glück zu!**
Glu|co|se vgl. Glukose
Glüh|bir|ne
glü|hen; glü|hend; ein glühender
Verehrer; ein glühend heißes
Eisen; das Eisen ist glühend
heiß
glüh|heiß
Glüh|hit|ze vgl. Gluthitze; **Glüh-
lam|pe; Glüh|strumpf; Glüh|wein;
Glüh|würm|chen**
Glu|ko|se, fachspr. Glu|co|se, die; -
⟨griech.⟩ (Traubenzucker)
Glum|pert, das; -s (österr. ugs. für
wertloses Zeug)
Glum|se, die; - (landsch. für
Quark)
Glupsch|au|ge meist Plur.
glup|schen, glub|schen (nordd. für
mit großen Augen starr bli-
cken); du glupschst od.
glubschst

Glut, die; -, -en
Glu|t|a|mat, das; -[e]s, -e ⟨lat.⟩
(Würzzusatz bei Suppen u. Kon-
serven); **Glu|t|a|min|säu|re**
glut|äu|gig (geh.)
Glu|ten, das; -s (Kleber)
Glut|hit|ze
Glu|tin, das; -s ⟨lat.⟩ (Eiweißstoff)
Gly|ce|rin vgl. Glyzerin; **Gly|ce|rol**
vgl. Glyzerin
Gly|k|ä|mie, die; - ⟨griech.⟩
(Zuckergehalt des Blutes)
Gly|ko|gen, das; -s (tierische
Stärke)
Gly|kol, das; -s, -e (ein Frost-
schutz- u. Lösungsmittel)
Gly|ko|se, die; - (ältere Form für
Glukose); **Gly|ko|sid,** das; -[e]s,
-e (Chemie eine zuckerhaltige
Verbindung); **Gly|ko|s|u|rie,** die;
-, ...ien (Med. Zuckerausschei-
dung im Harn)
Glyp|te, die; -, -n ⟨griech.⟩
(geschnittener Stein; Skulptur)
Glyp|tik, die; - (Steinschneide-
kunst); **Glyp|to|thek,** die; -, -en
(Sammlung von geschnittenen
Steinen od. [antiken] Skulptu-
ren)
Gly|san|tin ®, das; -s (ein Frost-
schutzmittel)
Glyx ®, der; -[es] meist ohne Artikel (Kurzwort für glykämischer
Index)
Gly|ze|rin, fachspr. auch Gly|ce|rin,
Gly|ce|rol, das; -s, -e ⟨griech.⟩
(dreiwertiger Alkohol)
Gly|zi|ne, Gly|zi|nie, die; -, -n (ein
Klettergerstrauch)
G-Man [ˈdʒiːmɛn], der; -[s],
G-Men ⟨amerik. Kurzw. aus
government man = Regierungs-
mann⟩ (Sonderagent des FBI)
GmbH, die; -, -s = Gesellschaft mit
beschränkter Haftung
GMD, der u. die; -; -[s] = General-
musikdirektor/-in
g-Moll [ˈgeːmɔl, auch ˈgeːˈmɔl],
das; - (Tonart; Zeichen g);
g-Moll-Ton|lei|ter ↑K26
Gmünd (österr. Stadt)
Gmun|den (österr. Stadt)
Gna|de, die; -, -n; von Gottes Gna-
den; Euer Gnaden (veraltet; vgl.
¹euer)
gna|den (veraltet für gnädig sein);
heute nur noch im Konjunktiv I:
gnade dir Gott!
**Gna|den|be|weis; gna|den|brin|
gend** ↑K59 ; die gnadenbrin-
gende Weihnachtszeit; **Gna|den|
brot; Gna|den|er|lass; Gna|den|
frist; Gna|den|ge|such**

Gna|den|hoch|zeit (siebzigster
Hochzeitstag)
gna|den|los; gna|den|reich
Gna|den|stoß
gna|den|voll
Gna|den|weg, der; -[e]s
gnä|dig
Gna|gi, das; -s, - (schweiz. für
gepökelte Teile von Kopf, Beinen und Schwanz des Schweines)
Gnatz, der; -es, -e (landsch. für
üble Laune); **gnat|zen**
(landsch. für mürrisch, übel-
launig sein); du gnatzt; **gnat-
zig** (landsch.)
Gneis, der; -es, -e (ein Gestein)
Gnei|se|nau (preußischer General-
feldmarschall)
Gnit|te, Gnit|ze, die; -, -n (nordd.
für kleine Mücke)
Gnoc|chi [ˈnjɔki] Plur. ⟨ital.⟩ (Klöß-
chen aus einem Teig mit Kartoffeln und Mehl)
Gnom, der; -en, -en (Kobold;
Zwerg)
Gno|me, die; -, -n ⟨griech.⟩ (lehr-
hafter [Sinn-, Denk]spruch)
gno|men|haft
Gno|mi|ker ⟨griech.⟩ (Verfasser von
[Sinn-, Denk]sprüchen); **gno-
misch**; gnomischer Dichter
(Spruchdichter)
Gno|mon, der; -s, ...mone (antikes
astronom. Instrument [Sonnen-
uhr])
Gno|sis, die; - ([Gottes]erkenntnis;
Wissen um göttliche Geheim-
nisse); **Gnos|tik,** die; - (Lehre der
Gnosis); **Gnos|ti|ker; Gnos|ti|ke-
rin; gnos|tisch; Gnos|ti|zis|mus,**
der; -
Gnu, das; -s, -s ⟨hottentott.⟩ (ein
Steppenhuftier)
Go, das; - (ein japanisches Brett-
spiel)
Goa (indischer Bundesstaat)
Goal [goːl], das; -s, -s ⟨engl.⟩
(österr. u. schweiz. für Tor [beim
Fußball])
Goal|get|ter (bes. österr. u.
schweiz. für Torschütze); **Goal-
get|te|rin**
Goa|li, Goa|lie [beide ˈgoːli], der;
-s, -s (schweiz. Sportspr. Torhü-
ter); **Goal|kee|per** (österr.,
schweiz. für Torhüter); **Goal|kee-
pe|rin; Goal|mann** Plur. ...män-
ner (bes. österr. für Torhüter)
Go|a|ner; Go|a|ne|rin; go|a|nisch
Go|be|lin [...bəˈlɛ̃ː], der; -s, -s
⟨franz.⟩ (Wandteppich mit ein-
gewirkten Bildern)

G

Go|bi, die; - ⟨mong.⟩ (Wüste in Innerasien)

Go|ckel, der; -s, - (*bes. südd. für* Hahn); *vgl.* Gickel; **Go|ckel|hahn**

Göd, der; -en, -en (*österr. für* Pate)

Go|de (*Nebenform von* Gote [Pate]); Go|del, die; -, -n (*südd. für* Patin)

Gode|mi|ché [goːtmɪˈʃeː], der; -, -s ⟨franz.⟩ (künstlich nachgebildeter erigierter Penis)

Go|den, die; -, - (*svw.* Godel)

Go|der, der; -s, - (*österr. ugs. für* Doppelkinn); Go|derl, das; -s, -n; jmdm. das Goderl kratzen (*österr. ugs. für* jmdm. schöntun)

Godl, die; -, -n (*österr. für* Patin)

Godt|håb [ˈɡɔthoːp] ⟨dän.⟩ *vgl.* Nuuk

Goes (dt. Schriftsteller)

Goe|the (dt. Dichter)

Goe|the|anum, das; -s (Tagungs- und Aufführungsgebäude in Dornach bei Basel)

Goe|the|band, der; *Plur.* ...bände, **Goe|the-Band**, der; *Plur.* ...-Bände

goe|the|freund|lich ↑ K 136

Goe|the|haus, Goe|the-Haus, das; -es

goe|thesch, goe|thisch; goethe-sche *od.* Goethe'sche *od.* goethische Dramen; ihm gelangen Verse von goethescher *od.* Goethe'scher *od.* goethischer Klarheit

Goe|the-und-Schil|ler-Denk|mal ↑ K 137

goe|thisch *vgl.* goethesch

Gof, der *od.* das; -s, -en (*schweiz. für* [kleines, ungezogenes] Kind)

Gog (König im A. T.); Gog und Magog

Gogh, van [fan ˈɡɔx, *auch* - ˈɡoːk] (niederl. Maler)

Go-go-Girl, das; -s, -s ⟨amerik.⟩ (Vortänzerin in Tanzlokalen)

Go|gol [*auch* ˈɡɔ...] (russischer Schriftsteller)

Goi, der; -[s], Gojim [*auch* goˈjiːm] ⟨hebr.⟩ (jüdische Bezeichnung für einen Nichtjuden)

Go-in, das; -[s], -s ⟨engl.⟩ (unbefugtes Eindringen demonstrierender Gruppen, meist um eine Diskussion zu erzwingen)

Go|ing-pu|b|lic [ɡoːɪŋ ˈpablɪk], das; -[s] ⟨engl.⟩ (*Wirtsch.* Gang an die Börse als Aktiengesellschaft)

Go|kart, der; -[s], -s ⟨engl.⟩ (niedriger, unverkleideter kleiner Sportrennwagen)

go|keln (*mitteld. für* mit Feuer spielen); ich gok[e]le; *vgl.* kokeln

Go|lat|sche *vgl.* Kolatsche

Gold, das; -[e]s (chemisches Element, Edelmetall; *Zeichen* Au); etwas ist Gold wert; *vgl.* Aurum

Gold|am|mer (ein Singvogel); Gold|am|sel (Pirol); Gold|bar|ren; Gold|barsch

gold|blond

Gold|bro|kat; Gold|bron|ze

Gold|dou|b|lé, Gold|du|b|lee

gol|den *s. Kasten Seite 463*

Gol|den De|li|cious [ˈɡoːl... diˈlɪʃəs, *auch* deˈliːtsjus], der; - -, - - ⟨engl.⟩ (eine Apfelsorte)

Gol|den Goal [ˈɡoːldən ˈɡoːl], das; - -s, - -s ⟨engl.⟩ (*Sport* Spielentscheidung durch das erste gefallene Tor in einer Verlängerung)

gold|far|ben, gold|far|big

Gold|fa|san; Gold|fisch

gold|gelb; gold|ge|rän|dert

Gold|grä|ber; Gold|grä|be|rin; Gold|grä|ber|stim|mung; Gold|gru|be

gold|haa|rig

Gold|hähn|chen (ein Singvogel)

gold|hal|tig, *österr.* gold|häl|tig

Gold|hams|ter; Gold|ha|se (ein Nagetier)

gol|dig

Gold|jun|ge; Gold|kett|chen; Gold|klum|pen; Gold|kro|ne

Gold|küs|te, die; - (in Westafrika)

Gold|lack, der; -s (eine Blume)

Gold|le|gie|rung; Gold|leis|te; Gold|ma|cher

Gold|mäd|chen

Gold|me|dail|le

Gold|mil|ne; Gold|mull, der; -s, -e (ein maulwurfähnlicher Insektenfresser); Gold|mün|ze

Gol|do|ni (ital. Dramatiker)

Gold|pa|pier

Gold|par|mä|ne (eine Apfelsorte)

gold|plat|tiert (*Fachspr.*)

Gold|rand; Gold|rausch; Gold|re|gen (ein Strauch, Baum); Gold|re|ser|ve

gold|rich|tig (*ugs.*)

Gold|ring; Gold|schmied; Gold|schmie|din; Gold|schnitt; Gold|stern (ein Liliengewächs); Gold|stück (auch Kosename); Gold|waa|ge; Gold|wäh|rung; Gold|wert; Gold|zahn

Go|lem, der; -s ⟨hebr.⟩ (durch Zauber zum Leben erweckte menschliche Tonfigur der jüdischen Sage)

Gol|leo VI ® (Maskottchen der Fußball-WM 2006)

¹Golf, der; -[e]s, -e ⟨griech.⟩ (größere Meeresbucht); der Persische Golf

²Golf, das; -s ⟨schott.-engl.⟩ (ein Rasenspiel); Golf spielen

gol|fen (*ugs. für* Golf spielen); Gol|fer, der; -s, - (Golfspieler); Gol|fe|rin

Golf|krieg; Golf|kri|se

Golf|platz; Golf|schlä|ger; Golf|schuh; Golf|spiel

Golf|strom, der; -[e]s

Gol|ga|tha, ökum. Gol|go|ta ⟨hebr., »Schädelstätte«⟩ (Hügel vor dem alten Jerusalem)

¹Go|li|ath, ökum. Go|li|at (Riese im A. T.)

²Go|li|ath, der; -s, -s (riesiger Mensch)

Göl|ler, das; -s, - (*schweiz. für* Schulterpasse)

Gol|lo (m. Vorn.)

Go|me|ra (eine der Kanarischen Inseln)

Go|mor|rha, ökum. Go|mor|ra *vgl.* Sodom

gon = Gon; Gon, das; -s, -e ⟨griech.⟩ (*Geodäsie* Einheit für [ebene] Winkel [1 gon = 100. Teil eines rechten Winkels]; *Zeichen* gon); 5 Gon

Go|na|de, die; -, -n ⟨griech.⟩ (*Med.; Biol.* Keimdrüse)

Go|n|a|g|ra, das; -s ⟨griech.⟩ (*Med.* Gicht im Kniegelenk)

Gon|del, die; -, -n ⟨ital.⟩ (langes venezianisches Ruderboot; Korb am Luftballon; Kabine am Luftschiff); gon|deln (*ugs. für* [gemächlich] fahren); ich gond[e]le; Gon|do|li|e|ra, die; -, ...ren (ital. Schifferlied); Gon|do|li|e|re, der; -, ...ri (Gondelführer)

Gong, der, *selten* das; -s, -s ⟨malai.⟩; gon|gen; es gongt; Gong|schlag

Go|nio|me|ter, das; -s, - ⟨griech.⟩ (Winkelmesser); Go|nio|me|t|rie, die; - (Winkelmessung)

gön|nen; Gön|ner

gön|ner|haft; Gön|ner|haf|tig|keit, die; -

Gön|ne|rin; gön|ne|risch (*selten für* gönnerhaft); Gön|ner|mie|ne

Go|no|kok|kus, der; -, ...kken *meist Plur.* ⟨griech.⟩ (eine Bakterienart [Trippererreger])

Go|nor|rhö, die; -, -en (Tripper); go|nor|rho|isch

Gon|zo|jour|na|lis|mus ⟨amerik.⟩ (sehr subjektiver, emotionaler, übertreibender Journalismus)

good|bye! [ɡʊtˈbai] ⟨engl., »auf Wiedersehen!«⟩

gol|den

– goldener Schmuck; etwas golden färben ↑K56

Kleinschreibung ↑K89:

– goldene Hochzeit; goldene Worte; den goldenen Mittelweg einschlagen
– goldenes Tor (*Sportspr.* den Sieg entscheidendes Tor)
– das goldene *od.* Goldene Zeitalter
– der goldene *od.* Goldene Schnitt *(Math.)*

Großschreibung ↑K140 u. 150:

– die Goldene Aue (Gebiet zwischen Harz u. Kyffhäuser)

– das Goldene Buch (einer Stadt)
– die Goldene Bulle; die Goldene Rose–die Goldene Schallplatte (eine Auszeichnung)
– Goldener Sonntag (*früher* letzter Sonntag vor Weihnachten)
– die Goldene Stadt (Prag)
– das Goldene Kalb *(bibl.);* das Goldene Vlies *(vgl.* Vlies)
– die Goldenen Zwanziger

Good|will ['gʊt'vɪl], der; -s ⟨engl.⟩ (Ansehen; Wohlwollen, freundliche Gesinnung; Firmen-, Geschäftswert); **Good|will|rei|se**
goo|geln ['gu:gln] (mit Google im Internet suchen); ich goog[e]le; **Goo|gle**® ['gu:gl] *ohne Artikel* (Internetsuchmaschine)
Gö|pel, der; -s, - (alte Drehvorrichtung zum Antrieb von Arbeitsmaschinen durch im Kreis herumgehende Menschen od. Tiere); **Gö|pel|werk**
gor *vgl.* gären
Gör, das; -[e]s, -en, **Gö|re**, die; -, -n *(nordd. für* [kleines] Kind; ungezogenes Mädchen)
Go|ra|le, der; -n, -n (Angehöriger eines polnischen Volkes in den Beskiden u. der Tatra)
Gor|balt|schow [...'tʃɔf] (sowjetischer Staatsmann)
Gor|ding, die; -, -s *(Seemannsspr.* Tau zum Zusammenholen der Segel)
gor|disch; der [berühmte] Gordische Knoten; ein [beliebiger] gordischer (unauflösbarer) Knoten
Gor|don [...dn̩] (m. Vorn.)
Gö|re *vgl.* Gör
Gore|tex® ['go:ɐ̯tɛks], das; - ⟨Kunstw.⟩ (wasser- u. windundurchlässiges, atmungsaktives Gewebe für Jacken, Schuhe u. a.)
Gor|go, der; -, ...onen (weibl. Ungeheuer der griech. Sage); **Gor|go|nen|haupt**
Gor|gon|zo|la, der; -s, -s ⟨nach dem gleichnamigen ital. Ort⟩ (ein Käse)
Go|ril|la, der; -s, -s ⟨afrik.⟩ (größter Menschenaffe; *ugs. für* Leibwächter)
Go|ri|zia *(ital. Form von* Görz)
¹Gor|ki (russ. Schriftsteller)
²Gor|ki *vgl.* Nischni Nowgorod

Gör|litz (Stadt an der Neiße)
Gör|res (dt. Publizist)
Görz (ital. Stadt); *vgl.* Gorizia
Gösch, die; -, -en ⟨niederl.⟩ *(Seemannsspr.* kleine rechteckige Nationalflagge; andersfarbiges Obereck am Flaggenstock)
Go|sche, **Gu|sche**, die; -, -n *(landsch. für* Mund)
Go|se, die; -, -n *(mitteld. für* obergäriges Bier)
Gos|lar (Stadt am Nordrand des Harzes)
Go-slow [...'slo:], der u. das; -s, -s ⟨engl.⟩ (Bummelstreik)
Gos|pel, das *od.* der; -s, -s, **Gos|pel|song** (religiöses Lied der Afroamerikaner)
Gos|po|dar *vgl.* Hospodar; **Gos|po|din**, der; -s, ...da ⟨russ., »Herr«⟩ (russische Anrede)
goss *vgl.* gießen
Gos|se, die; -, -n
Gös|sel, das; -s, -[n] *(nordd. für* Gänseküken)
Gos|sen|spra|che (ungepflegte Ausdrucksweise)
Got|cha ['gɔtʃɐ], das; -s ⟨engl.-amerik.⟩ (Paintball)
¹Go|te, der; -n, -n *(landsch. für* Pate)
²Go|te, die; -, -n *(landsch. für* Patin); *vgl.* Gotte u. Gode
³Go|te, der; -n, -n (Angehöriger eines germ. Volkes)
Gö|te|borg (Hafenstadt an der Südwestküste Schwedens)
¹Go|tha (Stadt in Thüringen)
²Go|tha, der; - (Adelskalender)
Go|tha|er
go|tha|isch
Go|tik, die; - ⟨franz.⟩ (Kunststil vom 12. bis 15. Jh.; Zeit des gotischen Stils)
Go|tin ⟨zu ³Gote⟩
go|tisch (die Goten betreffend; im Stil der Gotik)

¹Go|tisch, die; - ⟨zu Gotik⟩ (eine Schriftart)
²Go|tisch, das; -[s] ⟨zu ³Gote⟩ (Sprache); *vgl.* Deutsch; **Go|ti|sche**, das; -n; *vgl.* Deutsche, das
Got|land (schwed. Ostseeinsel)
Gott, der; *Gen.* -es, Götter; um Gottes willen; in Gottes Namen; Gott sei Dank!; Gott befohlen!; weiß Gott!; Gott[,] der Herr[,] hat ...; grüß [dich] Gott!
gott|ähn|lich; Gott|ähn|lich|keit, die; -
gott|be|gna|det
gott be|wah|re! *(ugs.); aber:* Gott bewahre uns davor!
Got|te, die; -, -n *(schweiz. für* Patin)
Gott|er|bar|men; zum Gotterbarmen *(ugs. für* jämmerlich)
Göt|ter|bild
Göt|ter|bo|te; Göt|ter|bo|tin
Göt|ter|däm|me|rung
Göt|ter|gat|te *(scherzh.);* **Göt|ter|gat|tin**
gott|er|ge|ben
göt|ter|gleich
Göt|ter|spei|se *(auch* eine Süßspeise)
Göt|ter|trank
Got|tes|acker *(landsch. für* Friedhof)
Got|tes|an|be|te|rin (eine Heuschreckenart)
Got|tes|be|weis
Got|tes|dienst
Got|tes|frau
Got|tes|furcht; got|tes|fürch|tig
Got|tes|ga|be
Got|tes|ge|richt
Got|tes|gna|de; es ist eine Gottesgnade, *aber in Titeln:* von Gottes Gnaden König ...; **Got|tes|gna|den|tum**, das; -s
Got|tes|haus
Got|tes|kind|schaft

463

Got|tes|krie|ger (Taliban- und El-Kaida-Kämpfer)

got|tes|läs|ter|lich; Got|tes|läs|te|rung

Got|tes|leug|ner; Got|tes|leug|ne|rin; Got|tes|lohn; Got|tes|mann Plur. ...männer

Got|tes|mut|ter; Got|tes|sohn, der; -[e]s

Got|tes|staat; Got|tes|ur|teil

Gott|fried (m. Vorn.)

gott|ge|fäl|lig (geh.); Gott|ge|fäl|lig|keit

gott|ge|ge|ben; gott|ge|wollt; gott|gläu|big

¹Gott|hard (m. Vorn.)

²Gott|hard, der; -s (kurz für Sankt Gotthard)

Gott|hard|bahn, die; -

Gott|heit

¹Gott|helf (m. Vorn.)

²Gott|helf (schweiz. Schriftsteller)

Gott|hold (m. Vorn.)

Göt|ti, der; -s, - (schweiz. für Pate)

Göt|tin

Göt|tin|gen (Stadt a. d. Leine); Göt|tin|ger

gött|lich; die göttliche Gnade, aber ↑K86 : die Göttliche Komödie (von Dante); Gött|lich|keit, die; -

Gott|lieb (m. Vorn.)

gott|lob!; Gott|lob (m. Vorn.)

gott|los; Gott|lo|se, der u. die; -n, -n; Gott|lo|sig|keit

Gott|mensch, der; -en (Christus)

Gott|sched (dt. Gelehrter u. Schriftsteller)

Gott|sei|bei|uns [auch ...'zai...], der; - (verhüllend für Teufel)

gott|se|lig (veraltend); Gott|se|lig|keit, die; - (veraltend)

gotts|er|bärm|lich; gotts|jäm|mer|lich

Gott|su|cher; Gott|su|che|rin

Gott|va|ter meist ohne Artikel

gott|ver|dammt (derb)

gott|ver|las|sen

Gott|ver|trau|en; gott|voll

Gott|we|sen, das; -s (Gott)

Götz (m. Vorn.)

Göt|ze, der; -n, -n (Abgott); Göt|zen|al|tar; Göt|zen|bild; Göt|zen|die|ner; Göt|zen|die|ne|rin; Göt|zen|dienst

Gou|ache [gua(:)ʃ], die; -, -n ⟨franz.⟩ (Malerei mit Wasserdeckfarben [nur Sing.]; Bild in dieser Maltechnik)

¹Gou|da [ˈxau...] (niederländische Stadt bei Rotterdam)

²Gou|da [ˈgau...], der; -s, -s, Gou|da|kä|se, der; -s, -

Gou|d|ron [guˈdrõ:], der, auch das; -s ⟨arab.-franz.⟩ (wasserdichter Anstrich)

Gou|nod [guˈno:] (französischer Komponist)

Gourde [gʊrt], der; -, -s [gurd] ⟨franz.⟩ (Währungseinheit in Haiti)

Gour|mand [gʊrˈmã:], der; -s, -s ⟨franz., »Vielfraß«⟩ (Schlemmer[in]); Gour|man|di|se, die; -, -n (Leckerbissen)

Gour|met [...ˈme:], der; -s, -s (Feinschmecker[in]); Gour|met|tem|pel (ugs. für renommiertes Feinschmeckerlokal)

gou|tie|ren [gu...] ⟨franz.⟩ (Geschmack an etwas finden)

Gou|ver|nan|te [gu...], die; -, -n ⟨franz.⟩ (veraltet für Erzieherin); gou|ver|nan|ten|haft

Gou|ver|ne|ment [...ˈmã:], das; -s, -s (Regierung; Verwaltung, Verwaltungsbezirk); gou|ver|ne|men|tal (schweiz. für regierungsfreundlich; Regierungs...)

Gou|ver|neur [...ˈnø:ɐ], der; -s, -e (Statthalter); Gou|ver|neu|rin

Go|ya [...ja] (spanischer Maler)

Go|zo [ˈgo:zo:] (Insel im Mittelmeer)

GPS, das; - ⟨Abk. aus Global Positioning System⟩ (ein satellitengestütztes Navigationssystem)

GPU, die; - ⟨Abk. aus russ. gossudarstwennoje polititscheskoje uprawlenije = staatliche politische Verwaltung⟩ (sowjetische Geheimpolizei bis 1934)

G-Punkt [ˈge:...] (hinter dem Eingang der Vagina gelegene erogene Zone)

Gr. = Greenwich

Gr.-2° = Großfolio; Gr.-4° = Großquart; Gr.-8° = Großoktav

Grab, das; -[e]s, Gräber

Grab|be (dt. Dichter)

Grab|bei|ga|be

Grab|be|lei; grab|beln (nordd. für herumtasten); ich grabb[e]le; vgl. aber krabbeln

Grab|bel|sack; Grab|bel|tisch

Gräb|chen

Gra|be|land, das; -[e]s (kleingärtnerisch genutztes Brachland; künftiges Bauland)

gra|ben; du gräbst; du grubst; du grübest; gegraben; grab[e]!

Gra|ben, der; -s, Gräben; Schreibung in Straßennamen ↑K162 u. 163

Grä|ber; Grä|ber|feld; Grä|be|rin

Gra|bes|käl|te; Gra|bes|kir|che (in Jerusalem); Gra|bes|ru|he; Gra|bes|stil|le; Gra|bes|stim|me

Grab|ge|sang; Grab|ge|wöl|be; Grab|hü|gel; Grab|kam|mer

Grab|le|gung; Grab|licht Plur. ...lichter

Grab|mal Plur. ...mäler, geh. ...male; Grab|plat|te

Grab|räu|ber; Grab|räu|be|rin

Grab|re|de

Grab|schän|dung

Grab|scheit (landsch. für Spaten)

grab|schen vgl. grapschen; Grab|scher vgl. Grapscher

Grab|sche|rin vgl. Grapscherin

Grab|spruch; Grab|stät|te; Grab|stein; Grab|stel|le; Grab|stel|le

Grab|sti|chel (ein Werkzeug)

Gra|bung

Grac|che [...xə], der; -n, -n meist Plur. (Angehöriger eines altrömischen Geschlechtes)

Gracht, die; -, -en ⟨niederl.⟩ (Kanal[straße] in niederl. Städten)

Grad, der (für Temperatureinheit auch häufiger: das); -[e]s, -e ⟨lat.⟩ (Temperatureinheit; Einheit für [ebene] Winkel [1° = 90. Teil eines rechten Winkels]; Zeichen °); 3 Grad C oder 3° C (fachspr. nur 3°C); der 30. Grad (nicht: 30.°); es ist heute um einige Grad wärmer; ein Winkel von 30°; ein 30°-Winkel

grad. = graduiert; vgl. graduieren

grad..., Grad... (ugs. für gerad..., Gerad...)

Gra|da|ti|on, die; -, -en (stufenweise Erhöhung; Abstufung)

Grad|bo|gen

gra|de (ugs. für gerade; vgl. d.)

Grad|ein|tei|lung

Gra|del, Gradl, der; -s, - (südd., österr. für in Gewebe)

Gra|di|ent, der; -en, -en ⟨lat.⟩ (fachspr. Gefälle od. Anstieg einer Größe auf einer bestimmten Strecke); Gra|di|en|te, die; -, -n (von Gradienten gebildete Neigungslinie)

gra|die|ren (Salzsole konzentrieren; verstärken; in Grade einteilen); Gra|dier|haus (Salzgewinnungsanlage); Gra|die|rung; Gra|dier|werk (Solerieselanlage [in Kurorten])

...gra|dig, österr. u. schweiz. ...grä|dig (z. B. dreigradig ↑K66 , mit Ziffer 3-gradig)

Grä|dig|keit (Chemie)

Gra|ditz (Ort südöstl. von Torgau); Gra|dit|zer

G
Gott

Gra̱dl vgl. Gradel
grad|li̱|nig; Gra̱d|li|nig|keit
gra̱d|mä̱ßig
Gra̱d|mes|ser, der
Gra̱d|netz
Gra̱d|ska|la
gra|du̱|al ⟨lat.⟩ (den Rang betref-
fend)
Gra|du̱|a̱|le, das; -s, ...lien (kurzer
Psalmengesang nach der Epistel
in der katholischen Messe; das
die Choralmessgesänge enthaltende Buch)
gra|du|e̱ll ⟨franz.⟩ (grad-, stufen-
weise, allmählich)
gra|du|ie̱|ren (Technik mit genauer
Einteilung versehen; einen [aka-
dem.] Grad erteilen); graduier-
ter Ingenieur, Abk. Ing. (grad.);
Gra|du|ie̱r|te, der u. die; -n, -n
(jmd., der einen akademischen
Grad besitzt); Gra|du|ie̱|rung
Gra̱d|un|ter|schied

Gratwanderung
Der *Grat* in *Gratwanderung* ist
die Bezeichnung für die oberste
Kante eines Bergrückens und
wird mit *t* geschrieben. Er ist
nicht zu verwechseln mit der
Temperatur- und Winkeleinheit
Grad, die mit *d* geschrieben
wird.

gra̱d|wei|se
Grae̱|cum, das; -s ⟨griech.⟩ (Prü-
fung im Altgriechischen)
¹Gra̱f, ¹Gra̱ph, der; -en, -en
⟨griech.⟩ (Math. grafische Darstellung)
²Gra̱f, ²Gra̱ph, das; -s, -e (Sprachw.
Schriftzeichen)
³Gra̱f, der; -en, -en
Gra|fe̱m, Gra|phe̱m, das; -s, -e
(Sprachw. kleinste bedeutungs-
unterscheidende Einheit der
geschriebenen Sprache)
Gra̱|fen|kro|ne; Gra̱|fen|ti|tel
Gra̱f|fel, das; -s (bayr., österr. ugs.
für Gerümpel)
Gra̱f|fi|ti|spray|er; Gra̱f|fi|ti|spray|e-
rin
Gra̱f|fi|to, der u. das; -[s], ...ti
⟨ital.⟩ (in eine Wand einge-
kratzte Inschrift; meist Plur.:
Wandkritzelei; auf Mauern, Fassaden o. Ä. gesprühte od.
gemalte Parole od. Darstellung)
Gra|fie̱, Gra|phie̱, die; -, -n
(Sprachw. Schreibung)
...gra|fie̱, ...gra|phie̱ (...[be]schrei-
bung, z. B. Geografie)
Gra̱|fik, Gra|phik, die; -, -en

⟨griech.⟩ (Schaubild; nur Sing.:
Sammelbezeichnung für Holz-
schnitt, Kupferstich, Lithogra-
phie u. Handzeichnung)
Gra̱|fik|de|sign, Gra|phik|de|sign
Gra̱|fi|ker, Gra|phi|ker; Gra̱|fi|ke-
rin, Gra|phi|ke|rin
Gra̱|fik|kar|te, Gra|phik|kar|te
(EDV spezielle Steckkarte zur
Erstellung von Grafiken auf
dem Computerbildschirm)
Gra̱|fin; Gra̱|fin|wit|we
gra̱|fisch, gra|phisch
Gra̱|fit, Gra|phi̱t, der; -s, -e (ein
Mineral)
gra̱|fit|grau, gra|phi̱t|grau

Graffito
Das aus dem Italienischen über-
nommene, meist im Plural *Graf-
fiti* erscheinende Substantiv
wird nicht, wie oft fälschlicher-
weise angenommen, mit *-tt-*,
sondern mit *-ff-* geschrieben.

grä̱f|lich; im Titel ↑K89 : Gräflich
Gra|fo̱|lo|ge, Gra|pho̱|lo|ge, der;
-n, -n
Gra|fo|lo|gie̱, Gra|pho|lo|gie̱, die; -
(Lehre von der Deutung der
Handschrift als Ausdruck des
Charakters); Gra|fo|lo|gin, Gra-
pho|lo|gin; gra|fo|lo|gisch, gra-
pho|lo|gisch
Gra|fo|sta̱|tik, Gra|pho|sta̱|tik
(zeichnerische Methode zur
Lösung von Aufgaben der Sta-
tik)
Gra̱f|schaft
Gra̱|ham|brot ⟨nach dem amerika-
nischen Arzt⟩ ↑K136
Grain [greːn], der; -s, -s ⟨engl.⟩
(älteres Gewicht); 5 Grain
Gra̱|ji|sche A̱l|pen Plur. ↑K140 (Teil
der Westalpen)
grä|ko|la|te̱i|nisch ↑K149 (grie-
chisch-lateinisch)
Grä|ko|ma̱|nie, die; - ⟨griech.⟩
([übertriebene] Vorliebe für altgriechische Kultur)
Gra̱l, der; -s ⟨franz.⟩ (Wunder wir-
kende ¹Schale im höfischen
Roman); der Heilige Gral
↑K150
Gra̱ls|burg; Gra̱ls|hü|ter; Gra̱ls|hü-
te|rin; Gra̱ls|rit|ter; Gra̱ls|ro|man;
Gra̱ls|sa|ge
gra̱m; jmdm. gram sein ↑K70
Gra̱m, der; -[e]s
grä̱|meln (bes. mitteld., nordd. für
missmutig sein); ich gräm[e]le
grä̱|men; sich grämen
gra̱m|er|füllt

Gra̱m|fär|bung, Gra̱m-Fär|bung
⟨nach dem dänischen Arzt
H. C. J. Gram⟩ (Färbemethode
zur Unterscheidung von Bakterien); gramnegativ, grampositiv
gra̱m|ge|beugt ↑K59
gra̱m|ge|furcht ↑K59
grä̱m|lich; Grä̱m|lich|keit, die; -
Gra̱mm, das; -s, -e ⟨griech.⟩ (Zeichen g); 2 Gramm
Gram|ma̱|tik, die; -, -en (Sprach-
lehre)
gram|ma̱|ti|ka|lisch (seltener für
grammatisch)
Gram|ma̱|ti|ker; Gram|ma̱|ti|ke|rin
Gram|ma̱|tik|re|gel; Gram|ma̱|tik-
the|o|rie
gram|ma̱|tisch; grammatisches
Geschlecht (Genus)
Gra̱m|mel, die; -, -n (bayr., österr.
für Griebe)
...grä̱m|mig (schweiz.; z. B. hun-
dertgrämmig, mit Ziffern
100-grämmig)
Gramm|mo̱l, Gramm-Mol, Gramm-
mo|le|kül, Gramm-Mo|le|kül
⟨griech.; lat.⟩, Mol, das; -s, -e
⟨lat.⟩ (früher für so viele Gramm
einer chemischen Verbindung,
wie deren Molekulargewicht
angibt)
Gram|mo|fon, Gram|mo|phon®,
das; -s, -e ⟨griech.⟩ (Plattenspie-
ler)
Gra̱m|my [ˈgrɛmi], der; -[s], -s,
Gra̱m|my Award [- ə'wɔːt], der;
- -, - -s (in der Musikbranche
verliehener Preis)
gra̱m|ne|ga|tiv, gra̱m|po|si|tiv vgl.
Gramfärbung
gra̱m|voll
Gra̱n ⟨lat.⟩, Grän ⟨franz.⟩ das; -[e]s,
-e (altes Apotheker- und Edel-
metallgewicht); 3 Gran
Gra|na̱|da (Hauptstadt der gleich-
namigen spanischen Provinz)
¹Gra̱|nat, der; -[e]s, -e ⟨niederl.⟩
(kleines Krebstier, Garnelenart)
²Gra̱|nat, der; -[e]s, -e, österr. der;
-en, -en ⟨lat.⟩ (ein Edelstein)
Gra̱|nat|ap|fel (Frucht einer sub-
tropischen Pflanze)
Gra̱|na|te, die; -, -n ⟨ital.⟩
Gra̱|na|ten|ha|gel, Gra̱|nat|ha|gel
gra̱|na|ten|voll (ugs. für völlig
betrunken)
Gra̱|nat|ket|te
Gra̱|nat|schmuck
Gra̱|nat|split|ter; Gra̱|nat|trich|ter;
Gra̱|nat|wer|fer (ein Geschütz)
Gra̱n Ca|na̱|ria (eine der Kanari-
schen Inseln)

Gran Cha|co [- tʃ...], der; - -s (südamerikanische Landschaft)
[1]**Grand,** der; -[e]s (*nordd. für* Kies)
[2]**Grand,** der; -[e]s, -e (*bayr. für* Wasserbehälter)
[3]**Grand** [grã:], der; -s, -s ‹franz.› (höchstes Spiel im Skat)
Gran|de, der; -n, -n ‹span.› (*früher* Mitglied des Hof-, Hochadels in Spanien)
Grande Dame [grã:d'dam], die; - -, -s -s [grã:d'dam] ‹franz.› (Grand Old Lady)
Gran|del, Grä|ne, die; -, -n (*Jägerspr.* oberer Eckzahn des Rotwildes)
Gran|deur [grã'dø:ɐ̯], die; - ‹franz.› (Großartigkeit, Größe)
Gran|dez|za [gra...], die; - ‹ital.› (würdevoll-elegantes Benehmen)
Grand|ho|tel ['grã:...]
gran|dig ‹roman.› (*landsch. für* groß, stark)
gran|di|os ‹ital.› (großartig, überwältigend)
Grand Old La|dy ['grɛnt 'o:lt 'le:di], die; - - -, *Plur.* - - Ladies ‹engl.› (älteste bedeutende weibliche Persönlichkeit in einem bestimmten Bereich)
Grand Old Man [- - 'mɛn], der; - - -, - - Men [- - 'mɛn] (älteste bedeutende männliche Persönlichkeit in einem bestimmten Bereich)
Grand ou|vert ['grã: u'vɛ:ɐ̯], der; - -[s], - -s ['grã: u'vɛ:ɐ̯s] ‹franz.› (Grand aus der Hand, bei dem der Spieler seine Karten offen hinlegen muss)
Grand Prix ['grã:'pri:], der; - -, -s - ['grã: -] ‹franz., »großer Preis«›
Grand|sei|g|neur [grãsɛn'jø:ɐ̯], der; -s, *Plur.* -s *u.* -e ‹franz.› (vornehmer, weltgewandter Mann)
Grand Slam ['grɛnt 'slɛm], der; - -[s], - -s ‹engl.› *(Tennis)*
Grand-Tou|ris|me-Ren|nen [grãtu'rɪsmə...], das; -s, - (Sportwagenrennen)
Grä|ne *vgl.* Grandel
gra|nie|ren ‹lat.› (*fachspr. für* körnig machen)
Gra|nit, der; -s, -e ‹ital.› (ein Gestein); **gra|nit|ar|tig; Gra|nit|block** *Plur.* ...blöcke; **gra|ni|ten** (aus Granit); **Gra|nit|qua|der**
Gran|ne, die; -, -n (Ährenborste); **gran|nig**
Gran|ny Smith ['grɛni 'smɪθ], der; - -, - - ‹engl.› (eine Apfelsorte)
Grant, der; -s (*bayr., österr. für* Übellaunigkeit; Unmut); **gran|teln** (grantig sein); ich grant[e]le; **gran|tig; Gran|tig|keit,** die; -; **Grant|ler; Grant|le|rin**
Gra|nu|la|ri|tät, die; -, -en (*EDV* Anzahl von Untergliederungen eines Elements)
Gra|nu|lat, das; -[e]s, -e ‹lat.› (Substanz in Körnchenform); **Gra|nu|la|ti|on,** die; -, -en (körnige Struktur; Bildung einer solchen Struktur)
gra|nu|lie|ren; Gra|nu|lit, der; -s, -e (ein Gestein)
Gra|nu|lom, das; -s, -e (*Med.* eine Geschwulstart)
gra|nu|lös (körnig)
Grape|fruit ['gre:pfru:t], die; -, -s ‹engl.› (eine Zitrusfrucht); **Grape|fruit|saft**
[1]**Graph** *vgl.* [1]Graf
[2]**Graph** *vgl.* [2]Graf
Gra|phem *vgl.* Grafem
Gra|phie *vgl.* Grafie
...gra|phie *vgl.* ...grafie
Gra|phik *vgl.* Grafik
Gra|phik|de|sign *vgl.* Grafikdesign
Gra|phi|ker *vgl.* Grafiker
Gra|phi|ke|rin *vgl.* Grafikerin
Gra|phik|kar|te *vgl.* Grafikkarte
gra|phisch *vgl.* grafisch
Gra|phit *vgl.* Grafit
gra|phit|grau *vgl.* grafitgrau
Gra|pho|lo|ge *vgl.* Grafologe; **Gra|pho|lo|gie** *vgl.* Grafologie
Gra|pho|lo|gin *vgl.* Grafologin
gra|pho|lo|gisch *vgl.* grafologisch
Gra|pho|sta|tik *vgl.* Grafostatik
Grap|pa, der; -s, -s, *auch* die; -, -s ‹ital.› (ital. Tresterbranntwein); drei Grappa
grap|schen, grab|schen; du grapschst, grabschst; **Grap|scher**, Grab|scher, der; -s, - (*abwertend für* männliche Person, die eine Frau gegen ihren Willen sexuell berührt); **Grap|sche|rin**, Grab|sche|rin
grap|sen (*österr. ugs. für* stehlen); du grapst
Gras, das; -es, Gräser
Gras|af|fe (*Schimpfwort für* unreifer Mensch)
gras|ar|tig; Gras|bahn|ren|nen *(Motorradsport)*; **gras|be|wach|sen** ↑K59; **Gras|bo|den; Gräs|chen; Gras|de|cke**
gra|sen; du grast; er/sie graste; **Gra|ser** (*Jägerspr. für* Zunge von Rot- u. Damwild)
Grä|ser|chen *Plur.*
Gras|flä|che; Gras|fleck
Gras fres|send, **gras|fres|send** ↑K58
gras|grün
Gras|halm; Gras|hüp|fer
gra|sig; Gras|land, das; -[e]s
Gräs|lein
Gras|li|lie; Gras|mü|cke, die; -, -n (ein Singvogel); **Gras|nar|be; Gras|platz**
Grass (dt. Schriftsteller); Grass' Romane ↑K16
Gras|sa|me; Gras|si|chel
gras|sie|ren ‹lat.› (sich ausbreiten; wüten [von Seuchen])
gräss|lich; Gräss|lich|keit
Gras|step|pe; Gras|strei|fen
gras|über|wach|sen; gras|über|wu|chert
Grat, der; -[e]s, -e (Kante; Bergkamm[linie])
Grä|te, die; -, -n (Fischgräte); **grä|ten|los**
Gra|ti|an, Gra|ti|a|nus (röm. Kaiser; m. Vorn.)
Gra|ti|as, das; -, - (Dank[gebet])
Gra|ti|fi|ka|ti|on, die; -, -en ([freiwillige] [Sonder]zuwendung)
grä|tig (viele Gräten enthaltend; *ugs. für* reizbar, aufbrausend)
Gra|tin [...'tɛ̃:], das; -s, -s ‹franz.› (überbackenes Gericht)
Grä|ting, die; -, *Plur.* -e *od.* -s ‹engl.; »Gitterwerk«› (*Seemannsspr.* Gitterrost [auf Schiffen])
gra|ti|nie|ren ‹franz.› (mit einer Kruste überbacken)
gra|tis ‹lat.› (unentgeltlich); gratis und franko
Gra|tis|ak|tie; Gra|tis|ex|em|p|lar; Gra|tis|pro|be; Gra|tis|pro|s|pekt; Gra|tis|vor|stel|lung
Grat|leis|te (in der Tischlerei)
Grät|sche, die; -, -n (eine Turnübung); **grät|schen** ([die Beine] seitwärts spreizen); du grätschst; **Grätsch|stel|lung,** die; -
Gra|tu|lant, der; -en, -en ‹lat.›; **Gra|tu|lan|tin**
Gra|tu|la|ti|on, die; -, -en; **Gra|tu|la|ti|ons|cour,** die; -, -en ‹lat.; franz.› ([feierliche] Beglückwünschung durch viele Gratulanten)
gra|tu|lie|ren; jmdm. zum Geburtstag gratulieren
Grat|wan|de|rung
Grät|zel, das; -s, -n (*österr. ugs. für* Teil eines Wohngebiets)
grau *s. Kasten Seite 467*
Grau, das; -s, *Plur.* -, *ugs.* -s (graue Farbe); in Grau; *vgl.* Blau
grau|äu|gig
Grau|bart; grau|bär|tig
grau|blau ↑K23

G
Gran

grau

Kleinschreibung:

– in grauer Vorzeit
– sich keine grauen Haare wachsen lassen (*ugs. für* sich keine Sorgen machen)
– die [kleinen] grauen Zellen (*ugs. für* Gehirnzellen, Denkvermögen)
– grau in grau malen
– ↑K151 : grauer Markt; grauer Star
– sie ist eine graue Maus (*ugs.* unscheinbar)
– eine **graue** *od.* Graue Eminenz (nach außen kaum in Erscheinung tretende, aber einflussreiche [politische] Persönlichkeit)

Großschreibung:

– die Grauen Schwestern (katholische Kongregation)
– die Grauen Panther (Seniorenschutzbund)

Schreibung in Verbindung mit Verben und dem 2. Partizip:

– grau sein; grau werden
– **grau färben**, **grau lackieren**, **grau streichen** *od.* graufärben, graulackieren, graustreichen
– ein **grau gestreifter** *od.* graugestreifter Rock; **grau melierte** *od.* graumelierte Haare ↑K58

Vgl. blau

Grau|brot
Grau|bün|den (schweiz. Kanton); *vgl.* Bünden; **Grau|bünd|ner** *vgl.* Bündner; **grau|bünd|ne|risch** *vgl.* bündnerisch
Grau|chen (Eselchen)
Gräu|el, der; -s, -; **Gräu|el|mär|chen**; **Gräu|el|pro|pa|gan|da**; **Gräu|el|tat**
¹**grau|en** (Furcht haben); mir, *seltener* mich graut [es] vor dir
²**grau|en** (dämmern); der Morgen, der Abend graut
Grau|en, das; -s, -; es überkommt ihn ein Grauen (Furcht, Schauder); die Grauen (Schrecken) des Atomkrieges; Grauen erregen; *vgl.* Grauen erregend
Grau|en er|re|gend, **grau|en|er|re|gend** ↑K58 ; ein Grauen erregender *od.* **grauenerregender** Vorfall; *aber nur* ein höchstes Grauen erregender Vorfall; ein höchst grauenerregender, noch grauenerregenderer Vorfall
grau|en|haft; **grau|en|voll**
grau fär|ben, grau|fär|ben *vgl.* grau
Grau|gans
grau|grün ↑K23
grau|haa|rig
Grau|kas, der; -es, **Grau|kä|se** (*westösterr. für* einen Schimmelkäse)
Grau|kopf
grau|len (sich fürchten); es grault mir; ich graule mich
¹**gräu|lich** (*zu* Grauen)
²**gräu|lich, grau|lich** (*zu* grau)
grau me|liert, **grau|me|liert** *vgl.* grau
Grau|pe, die; -, -n *meist Plur.* ([Getreide]korn)
Grau|pel, die; -, -n *meist Plur.*

(Hagelkorn); **grau|peln**; es graupelt
Grau|pel|schau|er; **Grau|pel|wet|ter**
Grau|pen|sup|pe
graus (*veraltet für* grausig); **Graus**, der; -es (*veraltet für* Schrecken); oh *od.* o Graus!
grau|sam; Grau|sam|keit
Grau|schim|mel; Grau|schlei|er
grau|sen (sich fürchten); mir *od.* mich grauste; sich grausen; **Grau|sen**, das; -s
grau|sig (grauenerregend)
graus|lich (*bes. österr. für* unangenehm, hässlich)
Grau|specht; Grau|spieß|glanz (ein Mineral); **Grau|tier** (Esel); **Grau|wa|cke** (*Geol.* Sandstein)
Grau|werk, das; -[e]s (Pelzwerk, bes. aus dem grauen Winterpelz russ. Eichhörnchen; Feh)
Grau|zo|ne (Übergangszone)
gra|ve (*ital.*) (*Musik* schwer)
Gra|ven|ha|ge *vgl.* 's-Gravenhage
Gra|ven|stei|ner [...v...] (eine Apfelsorte)
Gra|veur [...'vø:ɐ̯], der; -s, -e ⟨*franz.*⟩ (Metall-, Steinschneider; Stecher)
Gra|veur|ar|beit *vgl.* Gravierarbeit; **Gra|veu|rin**
gra|vid ⟨*lat.*⟩ (*Med.* schwanger); **Gra|vi|di|tät**, die; -, -en (Schwangerschaft)
Gra|vier|ar|beit, Gra|veur|ar|beit [...v...] ⟨*franz.; dt.*⟩; **gra|vie|ren** ([in Metall, Stein, Glas o. Ä.] [ein]schneiden)
gra|vie|rend ⟨*lat.*⟩ (schwerwiegend; belastend)
Gra|vie|rung
Gra|vi|me|ter, das ⟨*lat.; griech.*⟩ (*Physik* Gerät zum Messen der Schwerkraft[änderungen]); **Gra-**

vi|me|t|rie, die; - *(Physik, Chemie);* **gra|vi|me|t|risch**
Gra|vis, der; -, - ⟨*lat.*⟩ (*Sprachw.* ein Betonungszeichen: `, z. B. è)
Gra|vi|tät, die; - ([steife] Würde)
Gra|vi|ta|ti|on, die; - (Schwerkraft, Anziehungskraft); **Gra|vi|ta|ti|ons|feld; Gra|vi|ta|ti|ons|ge|setz**
gra|vi|tä|tisch (würdevoll)
gra|vi|tie|ren ([aufgrund der Gravitation] zu etwas hinstreben)
Gra|vur, die; -, -en ⟨*franz.*⟩ (eingravierte Schrift, Zeichnung)
Gra|vü|re, die; -, -n ([Kupfer-, Stahl]stich)
Gray [gre:], das; -[e]s, - ⟨nach dem engl. Physiker⟩ (Maßeinheit der Energiedosis; *Zeichen* Gy)
Graz (Hauptstadt der Steiermark); **Gra|zer**
¹**Gra|zie**, die; - ⟨*lat.*⟩ (Anmut)
²**Gra|zie**, die; -, -n (eine der drei römischen Göttinnen der Anmut; *scherzh. für* anmutige Frau)
gra|zil ⟨*lat.*⟩ (schlank, geschmeidig, zierlich); **Gra|zi|li|tät**, die; -
gra|zi|ös ⟨*franz.*⟩ (anmutig)
gra|zi|o|so ⟨*ital.*⟩ (*Musik* anmutig)
grä|zi|sie|ren ⟨*griech.*⟩ (nach griechischem Muster formen)
Grä|zis|mus, der; -, ...men (*Sprachw.* altgriechische Spracheigentümlichkeit [in einer anderen Sprache])
Grä|zist, der; -en, -en; **Grä|zis|tik**, die; - (Erforschung des Altgriechischen); **Grä|zis|tin**
Grä|zi|tät, die; - (Wesen der altgriech. Sprache u. Sitte)
Green [gri:n], das; -s, -s ⟨*engl.*⟩ (*Golf* um das Loch herum kurz geschnittene Rasenfläche)

G
Gree

Green|back [ˈgriːn...], der; -[s], -s ⟨engl.⟩ (*Finanzw. Jargon* für US-Dollar)

Green|card [ˈgriːn...], die; -, -s, **Green Card**, die; - -, - -s ⟨engl.⟩ ([un]befristete Arbeits- u. Aufenthaltserlaubnis)

Greene [griːn] (engl. Autor)

Green|fee, **Green-Fee** [ˈgriːnfiː], die; -, -s, *auch* das; -s, -s ⟨engl.; *zu* Green⟩ (von einem Golfspieler auf fremdem Platz zu entrichtende Gebühr)

Green|horn [ˈgriːn...], das; -s, -s ⟨engl.⟩ (Anfänger, Neuling)

Green|kee|per, **Green-Kee|per** [ˈgriːn...], der; -s, - ⟨engl.; *zu* Green⟩ (jmd., der eine Golfanlage in Ordnung hält); **Green-kee|pe|rin**, **Green-Kee|pe|rin**

Green|peace [ˈgriːnpiːs] ⟨engl.⟩ (internationale Umweltschutzorganisation)

Green|wich [ˈgrɪnɪtʃ] (Stadtteil Londons; *Abk.* Gr.); **Green|wi-cher**; Greenwicher Zeit (westeuropäische Zeit)

Grège [grɛːʃ], die; - ⟨franz.⟩ (Naturseidenfaden); **Grège-sei|de**

Gre|gor, Gre|go|ri|us (m. Vorn.)

gre|go|ri|a|nisch; ↑K 89 *u.* 135 : der gregorianische Kalender; der gregorianische Choral

Gre|gor|ius *vgl.* Gregor

Greif, der; *Gen.* -[e]s *u.* -en, *Plur.* -e[n] (Fabeltier [Vogel]; *auch für* Greifvogel)

Greif|arm; **Greif|bag|ger**

greif|bar; **grei|fen**; du griffst; gegriffen; greif[e]!; um sich greifen; ↑K 82 : zum Greifen nahe; **Grei|fer**

Greifs|wald (Stadt in Vorpommern); **Greifs|wal|der**

Greif|vo|gel; **Greif|zan|ge**

grei|nen (*ugs. für* weinen)

greis (*geh. für* sehr alt); **Greis**, der; -es, -e; **Grei|sen|al|ter**, das; -s

grei|sen|haft; **Grei|sen|haf|tig|keit**, die; -

Grei|sen|stim|me; **Grei|sin**

Greiß|ler (*ostösterr. für* Krämer); **Greiß|le|rei**; **Greiß|le|rin**

grell; ↑K 58 : die grell beleuchtete *od.* grellbeleuchtete Bühne; grellgelb usw.; **Grel|le**, die; -

Gre|mi|al|vor|ste|her (*österr. für* Vorsteher eines Gremiums in einer Interessenvertretung); **Gre|mi|al|vor|ste|he|rin**

Gre|mi|um, das; -s, ...ien ⟨lat.⟩ (Ausschuss; Körperschaft)

Gre|na|da (Staat im Bereich der Westindischen Inseln); **Gre|na-der**; **Gre|na|de|rin**

Gre|na|dier, der; -s, -e ⟨franz.⟩ (Infanterist)

Gre|na|dil|le, die; -, -n ⟨franz.⟩ (Passionsfrucht)

¹**Gre|na|di|ne**, die; - ⟨franz.⟩ (Saft, Sirup aus Granatäpfeln)

²**Gre|na|di|ne**, die; - (ein Gewebe)

Gre|na|di|nen *Plur.* (Inselgruppe der Kleinen Antillen)

gre|na|disch (aus Grenada)

Grenz|aus|gleich; **Grenz|bahn|hof**; **Grenz|baum**

Grenz|be|am|te; **Grenz|be|am|tin**; **Grenz|be|fes|ti|gung** *meist Plur.;* **Grenz|be|reich**; **Grenz|be|woh-ner**; **Grenz|be|woh|ne|rin**

grenz|de|bil (*ugs. für* leicht debil)

Gren|ze, die; -, -n; **gren|zen**; du grenzt; **gren|zen|los**; **Gren|zen|lo-sig|keit**, die; -

Gren|zer (*ugs. für* Grenzjäger, -bewohner); **Gren|ze|rin**

Grenz|fall, der; **Grenz|fluss**; **Grenz-for|ma|li|tät** *meist Plur.;* **Grenz-gän|ger**; **Grenz|gän|ge|rin**

Grenz|ge|biet; **Grenz|kon|t|rol|le**; **Grenz|land**; **Grenz|li|nie**

grenz|nah; grenznahe Gebiete

Grenz|pos|ten; **Grenz|rain**; **Grenz-schutz**; **Grenz|si|tu|a|ti|on**; **Grenz-stadt**

Grenz|stein; **Grenz|strei|tig|keit** *meist Plur.;* **Grenz|trup|pen** *Plur.* (*in der DDR*); **Grenz|über|gang**

grenz|über|schrei|tend; grenzüberschreitender Verkehr; **Grenz-über|schrei|tung**

Grenz|über|tritt; **Grenz|ver|kehr**; **Grenz|ver|let|zung**; **Grenz|wall**; **Grenz|wert**; **grenz|wer|tig**; **Grenz-zwi|schen|fall**

Gret, **Gret|chen** (w. Vorn.); **Gret-chen|fra|ge**

Gre|te, **Gre|tel**, **Gre|ti** (w. Vorn.)

Greu|el usw. *alte Schreibung für* Gräuel usw.; **greu|lich** *alte Schreibung für* ¹gräulich

Gre|ven|broich [...ˈbroːx] (Stadt in Nordrhein-Westfalen)

Grey|erz (schweiz. Ortsn.); **Greyer-zer Käse**; *vgl.* Gruyères

Grey|hound [ˈgreːhaʊnt], der; -[s], -s ⟨engl.⟩ (besonders für Rennen gezüchteter englischer Windhund; ein amerikanischer Überlandbus)

Grie|be, die; -, -n (ausgebratener Speckwürfel)

Grie|ben|fett; **Grie|ben|schmalz**; **Grie|ben|wurst**

Griebs, der; -es, -e (*landsch. für* Kerngehäuse des Obstes; *mitteld. für* Gurgel)

Grie|che, der; -n, -n; **Grie|chen-land**; **Grie|chin**

grie|chisch *vgl.* deutsch; **Grie-chisch**, das; -[s] (Sprache); *vgl.* Deutsch; **Grie|chi|sche**, das; -n; *vgl.* Deutsche, das

grie|chisch-ka|tho|lisch (*Abk.* gr.-kath.); **grie|chisch-or|tho|dox**

grie|chisch-rö|misch (*Ringen*)

grie|chisch-uni|ert

Grie|fe, die; -, -n (*mitteld. für* Griebe)

Grieg, Edvard (norw. Komponist)

grie|meln (*westmitteld. für* schadenfroh in sich hineinlachen); ich griem[e]le

grie|nen (*ugs. für* grinsen)

Grie|sel, der; -s (*Meteor.* Niederschlag in Form von kleinen Eiskörnchen)

grie|seln (*nordd. für* erschauern [vor Kälte usw.]); mich grieselt

Gries|gram, der; -[e]s, -e; **gries|grä-mig**, *seltener* **gries|grä|misch**, **gries|grä|m|lich**

Grieß, der; -es, -e; **Grieß|brei**

grie|ßeln (körnig werden; *auch* rieseln); es grießelt

grie|ßig; grießiges Mehl; **Grie|ßig**, das; -s (Bienenkot)

Grieß|kloß; **Grieß|klöß|chen|sup|pe**

Grieß|koch (*bayr., österr. für* Grießbrei); *vgl.* ²Koch; **Grieß-mehl**; **Grieß|no|ckerl** (*österr.*); **Grieß|schmar|ren** (*österr. für* Süßspeise aus geröstetem Grieß); **Grieß|sup|pe**

griff *vgl.* greifen

Griff, der; -[e]s, -e; **griff|be|reit**; **Griff|brett**

Grif|fel, der; -s, -

griff|fest ↑K 25

grif|fig; **Grif|fig|keit**, die; -

griff|los

Grif|fon [...ˈfõ:], der; -s, -s ⟨franz.⟩ (ein Vorstehhund)

Griff|tech|nik (*Ringen*)

Grill, der; -s, -s ⟨engl.⟩ (Bratrost); **Grill|la|de** [grɪˈjaː...], die; -, -n ⟨franz.⟩ (gegrilltes Stück Fleisch, Fisch o. Ä.); **Grill|an|zün-der**

Gril|le, die; -, -n (ein Insekt; *auch für* sonderbarer Einfall; Laune)

gril|len ⟨engl.⟩ (auf dem Grill braten)

Gril|len|fän|ger (trüben Gedanken nachhängender Mensch); **Gril-len|fän|ge|rin**; **gril|len|fän|ge-risch**

gril|len|haft (sonderbar; launisch); Gril|len|haf|tig|keit, die: -

Grill|let|te [...'let(ə)], die; -, -n (regional für gegrilltes Hacksteak)

Grill|fest; Grill|ge|rät; Grill|ge|richt

gril|lie|ren [auch gri'ji:...] ⟨franz.⟩ (bes. schweiz. für grillen)

gril|lig (svw. grillenhaft); Grill|ligkeit

Grill|par|zer (österr. Dichter)

Grill|platz; Grill|re|s|tau|rant

Grill|room [...ru:m], der; -s, -s ⟨engl.⟩ (Grillrestaurant, -stube)

Gri|mas|se, die; -, -n ⟨franz.⟩; gri|mas|sie|ren

Grim|bart, der; -s (der Dachs in der Tierfabel)

grimm (veraltet für zornig)

¹Grimm, der; -[e]s (veraltend)

²Grimm, Jacob u. Wilhelm (dt. Sprachwissenschaftler); die Brüder Grimm

Grimm|darm (Dickdarmteil)

Grim|mels|hau|sen (dt. Schriftsteller im 17. Jh.)

grim|men (veraltet für ärgern)

Grim|men, das; -s ([Bauch]weh)

grim|mig; Grim|mig|keit, die; -

grimmsch; das grimmsche od. Grimm'sche Wörterbuch; die grimmschen od. Grimm'schen Märchen ↑K 89 u. 135

Grim|sel, die; -, auch der; -[s] (schweiz. Alpenpass)

Grind, der; -[e]s, -e (Schorf; schweiz. derb für Kopf); grin|dig

Grind|wal (eine Delfinart)

Grin|go, der; -s, -s ⟨span.⟩ (abwertend für nichtromanischer Fremder in Südamerika)

grin|sen; du grinst

Grin|zing (Stadtteil von Wien)

Grip, der; -s ⟨engl.⟩ (Bodenhaftung)

grip|pal vgl. grippös

Grip|pe, die; -, -n ⟨franz.⟩ (eine Infektionskrankheit); Grip|pe|an|fall (ugs.); Grip|pe|epi|de|mie; Grip|pe|vi|rus; Grip|pe|wel|le

grip|pös, grip|pal (Med. grippeartig)

Grips, der; -es, -e (ugs. für Verstand, Auffassungsgabe)

Gri|saille [...'zaj], die; -, -n [...'zajən] (schwarz-weißer Seidenstoff; Malerei in Grautönen [nur Sing.]; in dieser Weise hergestelltes Kunstwerk)

Gri|sel|dis (w. Vorn.)

Gris|li|bär, Grizz|ly|bär ⟨engl.; dt.⟩ (großer nordamerikanischer Braunbär)

¹Grit, der; -s, -e ⟨engl.⟩ (grober Sand; Sandstein)

²Grit, Gritt (w. Vorn.)

Griw|na, die; -, ...ni (ukrainische Währungseinheit; Währungscode UAH); 200 Griwna

Grizz|ly|bär ['grɪsli...] vgl. Grislibär

gr.-kath. = griechisch-katholisch

grob, grö|ber, gröbs|te; grob fahrlässig; Korn grob mahlen od. grobmahlen; grob gemahlenes od. grobgemahlenes Korn; grob gestrickte od. grobgestrickte Socken; ↑K 75 : jmdn. aufs Gröbste od. gröbste beleidigen; aus dem Gröbsten heraus sein

Grob|blech

Grö|be, die; - (Siebrückstand)

grob|fa|se|rig

grob ge|mah|len, grob|ge|mah|len vgl. grob

grob ge|strickt, grob|ge|strickt vgl. grob

Grob|heit

Gro|bi|an, der; -[e]s, -e (grober Mensch)

grob|kno|chig; grob|kör|nig

gröb|lich (ziemlich grob; sehr)

grob mah|len, grob|mah|len vgl. grob

grob|ma|schig; Grob|ma|schig|keit, die; -

Grob|mo|to|rik; grob|mo|to|risch

grob|schläch|tig (von grober Art); Grob|schläch|tig|keit, die; -

Grob|schmied; Grob|schnitt

Gro|den, der; -s, - (nordd. für [mit Gras bewachsenes] angeschwemmtes Deichvorland)

Grog, der; -s, -s ⟨vielleicht nach dem Spitznamen des engl. Admirals Vernon: »Old Grog«⟩ (heißes alkoholisches Getränk)

grog|gy [...gi] ⟨eigentl. »vom Grog betrunken«⟩ (Boxen schwer angeschlagen; ugs. auch für zerschlagen, erschöpft)

Groitzsch (Stadt südl. von Leipzig)

grö|len (ugs.); Grö|le|rei

Groll, der; -[e]s; grol|len

Gro|nin|gen (niederl. Stadt)

Grön|land; Grön|län|der; Grön|län|de|rin

Grön|land|fah|rer; grön|län|disch; Grön|land|wal

Groom [gru:m], der; -s, -s ⟨engl.⟩ (Reitknecht)

Groove [gru:v], der; -s ⟨engl.⟩ (rhythmisches Grundmuster [im Jazz]; Gefühl für Rhythmus u. Tempo); groo|ven [gru:vən]; er groovt; groo|vy (auch ugs. für sehr gut, schön)

Gro|pi|us (amerik. Architekt dt. Herkunft)

Grop|pe, die; -, -n (ein Fisch)

¹Gros [gro:], das; -, - ⟨franz.⟩ (überwiegender Teil); vgl. en gros

²Gros [grɔs], das; -es, -e ⟨niederl.⟩ (12 Dutzend); 2 Gros Nadeln

Gro|schen, der; -s, - ⟨mlat.⟩ (Untereinheit des Schillings; ugs. für Zehnpfennigstück)

Gro|schen|blatt (billige, anspruchslose Zeitung); Gro|schen|grab (scherzh. für Spielautomat, Parkuhr o. Ä.); Gro|schen|heft; Gro|schen|ro|man

Gros|ny (Hauptstadt Tschetscheniens)

groß s. Kasten Seite 470

Groß|ab|neh|mer; Groß|ab|neh|me|rin; Groß|ad|mi|ral; Groß|ad|mi|ra|lin; Groß|ak|ti|o|när; Groß|ak|ti|o|nä|rin; Groß|alarm

groß an|ge|legt, groß|an|ge|legt vgl. groß

groß|ar|tig; Groß|ar|tig|keit, die; -

Groß|auf|ge|bot; Groß|auf|nah|me; Groß|auf|trag; Groß|bank; Groß|bau|stel|le

Groß-Ber|lin ↑K 144 ; Groß-Ber|li|ner

Groß|be|trieb

Groß|bild|lein|wand

Groß|bour|geoi|sie; Groß|brand

Groß|bri|tan|ni|en; groß|bri|tan|nisch

Groß|buch|sta|be

groß|bür|ger|lich; Groß|bür|ger|tum

groß|deutsch (bes. nationalsoz.)

Grö|ße, die; -, -n; Schuhe in Größe vierzig

Groß|ein|kauf; Groß|ein|satz

Groß|el|tern Plur.

Grö|ßen|ord|nung

grö|ßen|teils, größ|teils

Grö|ßen|un|ter|schied; Grö|ßen|ver|hält|nis

Grö|ßen|wahn; grö|ßen|wahn|sin|nig

grö|ßer vgl. groß

Grö|ßer|eig|nis

grö|ße|ren|teils, grö|ßern|teils

Groß|fahn|dung; Groß|fa|mi|lie; Groß|feu|er

groß|fi|gu|rig; groß|flä|chig

Groß|flug|zeug

Groß|fo|lio, das; -s (Buchw.; Abk. Gr.-2°); Groß|for|mat; groß|for|ma|tig

Groß|fürst; Groß|fürs|tin

Groß|fürs|tin-Mut|ter

Groß|ge|mein|de

groß ge|mus|tert, groß|ge|mus|tert vgl. groß

G
groß

groß

grö|ßer, größ|te

– groß[en]teils, größer[e]nteils, größtenteils

I. *Kleinschreibung:*

a) ↑K 74 : ihr Haus war am größten
b) ↑K 89 *u.* 151 : die großen Ferien
auf große Fahrt gehen; Kapitän auf großer Fahrt (*Seew.*)
das große Einmaleins; das große Latinum
das große Los
die große Pause
die große (vornehme) Welt
auf großem Fuß (*ugs. für* verschwenderisch) leben
etwas an die große Glocke hängen (*ugs. für* überall erzählen)
einen großen Bahnhof (*ugs. für* feierlichen Empfang) bekommen
im großen Ganzen
der große *od.* Große Lauschangriff
die große *od.* Große Anfrage
die große *od.* Große Koalition
die große *od.* Große Kreisstadt

II. *Großschreibung:*

a) ↑K 72 : etwas, nichts, viel, wenig Großes
Groß und Klein (jedermann)
Große und Kleine, die Großen und die Kleinen
im Großen und Ganzen
im Großen (en gros) einkaufen
vom Kleinen auf das Große schließen; ein Zug ins Große
im Großen wie im Kleinen treu sein

das Größte (*ugs. für* sehr gut) wäre, wenn ...
ein gutes Fußballspiel ist für ihn das Größte
er ist der Größte (*ugs. für* ist uneingeschränkt anerkannt, ist unübertroffen)
b) ↑K134, 140 *u.* 150 : Otto der Große (*Abk.* d. Gr.), *Gen.:* Ottos des Großen
der Große Schweiger (Moltke)
der Große Wagen, der Große Bär (Sternbilder)
die Große Strafkammer
die Große Mauer (in China)
der Große Rat (*schweiz.* das Kantonsparlament)
der Große Teich (*ugs. für* Atlantischer Ozean)
der Große Belt

III. *Schreibung in Verbindung mit Verben:*

groß schreiben (in großer Schrift)
groß herauskommen
jmdn., etwas groß herausbringen
Aber:
großschreiben (mit großem Anfangsbuchstaben)
Teamarbeit wird bei uns großgeschrieben (wichtig genommen); *vgl. d.*
großtun (prahlen)
Kinder großziehen (aufziehen)

IV. *Getrennt- od. Zusammenschreibung bei nicht übertragener Bedeutung in Verbindung mit adjektivisch gebrauchten Partizipien* ↑K58:

ein groß angelegter *od.* großangelegter Plan
ein groß gemusterter *od.* großgemusterter Stoff
ein groß gewachsener *od.* großgewachsener Junge
ein groß karierter *od.* großkarierter Mantel

groß ge|wach|sen, groß|ge|wach|sen *vgl.* groß
Groß|glock|ner [*auch* 'gro:...], der; -s (höchster Berg Österreichs); Großglock|ner|mas|siv, Großglock|ner-Mas|siv
Groß|grund|be|sit|zer; Groß|grundbe|sit|ze|rin
Groß|han|del; Groß|han|dels|preis; Groß|händ|ler; Groß|händ|le|rin
groß|her|zig; Groß|her|zig|keit
Groß|her|zog; Groß|her|zo|gin; groß|her|zog|lich; *im Titel* ↑K89 : Großherzoglich
Groß|hirn; Groß|hirn|rin|de
Groß|in|dus|t|ri|el|le
Gros|sist, der; -en, -en (*franz.*) (Großhändler); Gros|sis|tin
groß|jäh|rig (*veraltend für* volljährig); Groß|jäh|rig|keit, die; -
groß|ka|lib|rig
Groß|kampf|tag (*Milit.; auch ugs. für* harter Arbeitstag)
groß ka|riert, groß|ka|riert *vgl.* groß
Groß|kat|ze (z. B. Löwe)
Groß|kauf|frau; Groß|kauf|mann *Plur.* ...kaufleute

Groß|kind (*schweiz. für* Enkelkind)
Groß|kli|ma; Groß|knecht (*früher*)
Groß|kon|zern
Groß|kop|fe|te, Groß|kop|fer|te, der *u.* die; -n, -n (*ugs. für* einflussreiche Persönlichkeit); groß|köp|fig
Groß|kotz, der; -es, -e (*derb für* Angeber, Protz); groß|kot|zig; Groß|kot|zig|keit, die; -
Groß|kun|de
Groß|kund|ge|bung
Groß|kun|din
Groß|lein|wand
Groß|macht; groß|mäch|tig (*veraltet für* sehr mächtig; sehr groß); Groß|macht|po|li|tik
Groß|ma|ma
Groß|manns|sucht, die; -; großmanns|süch|tig
Groß|markt
groß|ma|schig; groß|maß|stä|big, *häufiger* groß|maß|stäb|lich
Groß|mast (*Seemannsspr.* zweiter Mast von vorn)
Groß|maul (*ugs.*); groß|mäu|lig; Groß|mäu|lig|keit, die; -

Groß|meis|ter; Groß|meis|te|rin; Groß|mo|gul
Groß|mut, die; -; groß|mü|tig; Groß|mü|tig|keit, die; -
Groß|mut|ter *Plur.* ...mütter; großmüt|ter|lich; Groß|nef|fe; Großnich|te
Groß|ok|tav, das; -s (*Buchw.; Abk.* Gr.-8°)
Groß|on|kel
Groß|pa|ckung
Groß|pa|pa
Groß|pro|jekt
Groß|quart, das; -[e]s (*Buchw.; Abk.* Gr.-4°)
Groß|rat *Plur.* ...räte (Mitglied eines schweiz. Kantonsparlaments)
Groß|raum; Groß|raum|bü|ro; Großraum|flug|zeug; groß|räu|mig; Groß|raum|wa|gen
Groß|rech|ner (*EDV*)
Groß|rei|ne|ma|chen, *seltener* Groß|rein|ma|chen, das; -s
Groß|schiff|fahrts|weg, Groß-Schiff|fahrts|weg ↑K22
Groß|schnau|ze, die; -, -n (*ugs. svw.*

grün

I. *Kleinschreibung:*
a) er ist mir nicht grün (*ugs. für* gewogen)
b) ↑K 89 *u.* 151 :
– am grünen Tisch; der grüne Star; die **grüne** *od.*
Grüne Grenze
– die grüne Minna, *österr.* der grüne Heinrich (*ugs.*
für Polizeiauto)
– die grüne Welle *(Verkehrsw.);* der grüne Pfeil
– die grüne Hochzeit; die grüne Versicherungskarte
– die grüne Hölle (tropischer Urwald)
– die **grüne** *od.* Grüne Lunge (Grünflächen) der
Großstadt
– ein grüner (*ugs. für* unerfahrener) Junge
– ach du grüne Neune! (*ugs.* Ausruf des Erstaunens)

– das grüne *od.* Grüne Trikot *(Radsport);* der grüne
od. Grüne Punkt

II. *Großschreibung:*
a) ↑K 72 :
– die Grünen (*vgl. d.*)
– ins Grüne fahren; *vgl.* ¹Grüne
b) ↑K 89 *u.* 150 :
– die Grüne Insel (Irland)
– die Grüne Woche (Berliner Ausstellung)
– das Grüne Gewölbe (Kunstsammlung in Dresden)
– Grüner Veltliner (eine Weinsorte)
– Grüner Knollenblätterpilz
Vgl. blau, Grün

Großmaul; **groß|schnau|zig**,
groß|schnäu|zig
groß|schrei|ben (mit großem
Anfangsbuchstaben schreiben;
ugs. für wichtig nehmen); Substantive großschreiben; Teamarbeit wird bei uns großgeschrieben; *aber* Teamarbeit
wird bei uns sehr groß geschrie-
ben; *vgl.* groß; **Groß|schrei|bung**
Groß|se|gel
groß|spre|che|risch
groß|spu|rig; Groß|spu|rig|keit
Groß|stadt; Groß|städ|ter; Groß-
städ|te|rin; groß|städ|tisch
Groß|stadt|mensch; Groß|stadt|ver-
kehr
Groß|stein|grä|ber|leu|te *Plur.*
(Megalithiker der Jüngeren
Steinzeit)
Groß|tan|te
Groß|tat
größ|te *vgl.* groß
Groß|teil, der; **groß|teils,** gro|ßen-
teils; größ|teils; größ|teils
Größt|maß, das
größt|mög|lich (*falsch:* größtmög-
lichst)
Groß|tu|er; Groß|tu|e|rei, die; -;
Groß|tu|e|rin; groß|tu|e|risch;
groß|tun (prahlen); er soll nicht
so großtun
Groß|un|ter|neh|men *(Wirtsch.)*
Groß|va|ter; groß|vä|ter|lich; Groß-
va|ter|ses|sel
Groß|ver|an|stal|tung; Groß|ver|die-
ner; Groß|ver|die|ne|rin; Groß-
vieh; Groß|we|sir; Groß|wet|ter-
la|ge; Groß|wild; Groß|wild|jagd;
Groß|wild|jä|ger; Groß|wild|jä|ge-
rin
groß|zie|hen (aufziehen)
groß|zü|gig; Groß|zü|gig|keit
Gröstl, das; -s, -n (*bayr., österr. für*
Speise aus gerösteten Kartof-
feln)

¹**Grosz** [grɔs] (dt.-amerik. Maler u.
Grafiker)
²**Grosz** [grɔʃ], der; -, -e, *Gen. Plur.* -y
[...ʃə] ⟨dt.-poln.⟩ (Untereinheit
des Zloty)
gro|tesk ⟨franz.⟩ (wunderlich;
überspannt, verzerrt)
Gro|tesk, die; - *(Druckw.* eine
Schriftgattung)
Gro|tes|ke, die; -, -n (fantastisch
geformte Tier- u. Pflanzenver-
zierung der Antike u. der
Renaissance; fantastische
Erzählung); **gro|tes|ker|wei|se;**
Gro|tesk|tanz
Grot|te, die; -, -n ⟨ital.⟩ ([künstl.]
Felsenhöhle; **Grot|ten|bau** *Plur.*
...bauten
grot|ten|doof (*ugs. für* äußerst
dumm); **grot|ten|falsch** (*ugs. für*
vollkommen falsch)
Grot|ten|olm, der; -[e]s, -e (ein
Lurch); **grot|ten|schlecht** (*ugs.*
für äußerst schlecht); **grot|tig**
(*ugs. für* [sehr] schlecht)
Grot|zen, der; -s, - (*mdal. für*
Griebs, Kerngehäuse)
Ground Ze|ro [ˈɡraʊnt ˈziːro], der,
auch das; - -s ⟨engl.-amerik.⟩
(Gelände in New York, auf dem
das World Trade Center stand)
Grou|pie [ˈɡruːpi], das; -s, -s ⟨engl.⟩
(weibl. Fan, der engen Kontakt
mit seinem Idol sucht)
Gro|wi|an, der; -[e]s, -e, *auch* die;
-, -en (große Windenergiean-
lage zur Erzeugung von Elektri-
zität)
grub *vgl.* graben
grub|ben *vgl.* grubbern; **Grub|ber,**
der; -s, - ⟨engl.⟩ (ein landwirt-
schaftl. Gerät); **grub|bern** (mit
dem Grubber pflügen); ich grub-
bere
Grüb|chen; Gru|be, die; -, -n
Grü|be|lei; grü|beln; ich grüb[e]le

G

Grun

Gru|ben|ar|bei|ter; Gru|ben|ar|bei-
te|rin; Gru|ben|aus|bau; Gru|ben-
bau *Plur.* ...baue; **Gru|ben|brand;**
Gru|ben|gas; Gru|ben|lam|pe;
Gru|ben|un|glück
Grüb|ler; Grüb|le|rin; grüb|le|risch
Gru|de, die; -, -n (Braunkohlen-
koks); **Gru|de|koks**
grüe|zi [ˈɡryːɛt͡si] (schweiz. Gruß-
formel)
Gruft, die; -, Grüfte
Gruf|ti, der; -s, -s *(Jugendspr.* älte-
rer Mensch; Jugendlicher mit
einer Vorliebe für schwarze
Kleidung, Friedhöfe und Todes-
symbole)
grum|meln (*landsch. für* undeut-
lich sprechen; murren); ich
grumm[e]le
Grum|met, das; -s, *österr. nur so,*
Grumt, das; -[e]s (zweites Heu)
grün *s. Kasten*
Grün, das; -s, *Plur.* -, *ugs.* -s (grüne
Farbe); das erste Grün; bei Grün
darf man die Straße überqueren;
die Ampel steht auf, zeigt Grün;
in Grün; das ist dasselbe in
Grün (*ugs. für* [fast] ganz dasselbe); *vgl.* Blau
Grün|al|ge; Grün|an|la|ge
grün|äu|gig; grün|blau, ↑K 23
Grund, der; -[e]s, Gründe; im
Grunde; von Grund auf; von
Grund aus [dessen, von]; **aufgrund** *od.* auf
Grund [dessen, von]; auf Grund
laufen; in [den] Grund bohren;
im Grunde genommen;
zugrunde *od.* zu Grunde gehen,
legen, liegen, richten; der Grund
und Boden *(vgl. d.)*
Grund|ak|kord *(Musik)*
grund|an|stän|dig
Grund|an|strich; Grund|aus|bil-
dung; Grund|aus|stat|tung;
Grund|be|darf; Grund|be|deu-

tung; Grund|be|din|gung; Grund-
be|dürf|nis; Grund|be|griff
Grund|be|sitz; Grund|be|sit|zer;
Grund|be|sit|ze|rin
Grund|buch; Grund|buch|amt;
grund|bü|cher|lich (*österr. für* im
Grundbuch eingetragen); Grund-
buchs|ge|richt (*österr. für*
Grundbuchamt, Liegenschafts-
amt)
Grund|deutsch (*Sprachw.*)
grund|ehr|lich
Grund|ei|gen|tum; Grund|ei|gen|tü-
mer; Grund|ei|gen|tü|me|rin
Grund|eis
Grün|del, Grün|del, die; -, -n, *auch*
der; -s, - (ein Fisch); grün|deln
([von Enten] Nahrung unter
Wasser suchen)
grün|den; gegründet (*Abk.* gegr.);
sich auf eine Tatsache gründen
Grün|der; Grün|de|rin
Grün|der|jah|re *Plur.*; Grün|der|mut-
ter; Grün|der|va|ter *meist Plur.*
Grund|er|werb; Grund|er|werbs-
steu|er, Grund|er|werb|steu|er
Grün|der|zeit, die; -; Grün|der|zen|t-
rum
grund|falsch
Grund|far|be; Grund|feh|ler
Grund|fes|ten *Plur.*; in den Grund-
festen erschüttert
Grund|form (*für* Infinitiv); Grund-
fra|ge; Grund|ge|bühr; Grund|ge-
dan|ke
Grund|ge|setz (Statut); Grundge-
setz für die Bundesrepublik
Deutschland vom 23. Mai 1949
(*Abk.* GG)
Grund|hal|tung
grund|häss|lich
Grund|hol|de, der; -n, -n (ehem. an
Grund und Boden gebundener
Höriger)
grun|die|ren (Grundfarbe auftra-
gen); Grun|die|rung
Grund|kennt|nis *meist Plur.*
Grund|kurs
Grund|la|ge; Grund|la|gen|for-
schung
grund|le|gend ↑K59
grün|d|lich; Grün|d|lich|keit, die; -
Grün|d|ling (ein Fisch)
Grund|li|nie; Grund|li|ni|en|spiel,
das; -[e]s (Tennis)
grund|los; Grund|lo|sig|keit, die; -
Grund|mau|er *meist Plur.*; Grund-
mo|rä|ne (*Geol.*); Grund|nah-
rungs|mit|tel
Grün|don|ners|tag
Grund|ord|nung; Grund|pfei|ler;
Grund|prin|zip; Grund|recht;
Grund|re|gel; Grund|ren|te

Grund|riss
Grund|satz; Grund|satz|de|bat|te;
Grund|satz|ent|schei|dung;
Grund|satz|er|klä|rung; Grund-
satz|fra|ge
grund|sätz|lich ↑K72 : im Grund-
sätzlichen hat sie Recht
Grund|satz|re|de; Grund|satz|re|fe-
rat; Grund|satz|ur|teil
grund|schlecht
Grund|schnel|lig|keit (Sport)
Grund|schuld
Grund|schu|le; Grund|schü|ler;
Grund|schü|le|rin; Grund|schul-
leh|rer; Grund|schul|leh|re|rin
Grund|si|che|rung
grund|so|li|de
grund|stän|dig (*Bot.* unten am
Spross der Pflanze stehend)
Grund|stein; Grund|stein|le|gung
Grund|stel|lung; Grund|steu|er, die;
Grund|stock *Plur.* ...stöcke
Grund|stoff; Grund|stre|cke
(*Bergbau*)
Grund|stück; Grund|stücks|ei|gen-
tü|mer; Grund|stücks|ei|gen|tü-
me|rin
Grund|stu|di|um; Grund|stu|fe (*für*
²Positiv); grund|stür|zend
(grundlegend, radikal); Grund-
ten|denz
Grund|ton *Plur.* ...töne
Grund|übel
Grund|um|satz (*Med.* Energiebe-
darf des ruhenden Menschen)
Grund und Bo|den, der; - - -s; ein
Teil meines Grund und Bodens
Grün|dung; Grün|dungs|fei|er;
Grün|dungs|jahr; Grün|dungs|ka-
pi|tal; Grün|dungs|mit|glied;
Grün|dungs|ver|samm|lung
Grün|dün|gung
grund|ver|kehrt; grund|ver|schie-
den
Grund|ver|sor|gung
Grund|was|ser, das; -s (*Ggs.* Ober-
flächenwasser)
Grund|was|ser|ab|sen|kung (künst-
liches Tieferlegen des Grund-
wasserspiegels); Grund|was|ser-
spie|gel
Grund|wehr|dienst; Grund|wert
Grund|wort *Plur.* ...wörter
(*Sprachw.* durch das Bestimmungswort näher bestimmter
zweiter Bestandteil einer
Zusammensetzung, z. B.
»Wagen« in »Speisewagen«)
Grund|wort|schatz
Grund|zahl (Kardinalzahl)
Grund|zins *Plur.* ...zinsen
Grund|zug; Grund|zu|stand

¹Grü|ne, das; -n; im Grünen lust-
wandeln; Fahrt ins Grüne
²Grü|ne, der *u.* die; -n, -n (Mitglied
der Partei Bündnis 90/Die Grünen)
³Grü|ne, die; - (veraltet, noch geh.
für grüne Farbe, Grünsein)
grü|nen (grün werden, sein)
Grü|nen|ab|ge|ord|ne|te ⟨*zu*
²Grüne⟩
Grü|ne|wald (dt. Maler)
grün fär|ben, grün|fär|ben *vgl.*
blau
Grün|flä|che; Grün|fut|ter (*vgl.*
¹Futter)
Grunge [grandʒ], der; - ⟨engl.-
amerik.⟩ (eine Stilrichtung der
Rockmusik; lässige, bewusst
unansehnliche Kleidung)
grün|gelb ↑K23
Grün|gür|tel; Grün|kern, der; -[e]s;
Grün|kohl
Grün|kram|la|den (landsch.)
Grün|land, das; -[e]s (Landw.)
grün|lich; grünlich gelb ↑K23
Grün|li|lie (eine Zimmerpflanze)
Grün|ling (ugs. auch für unerfahre-
ner, unreifer Mensch)
Grün|pflan|ze; Grün|rock (scherzh.
für Förster, Jäger)
Grün|rot|blind|heit *vgl.* Rotgrün-
blindheit
Grün|schna|bel (ugs. für unerfahre-
ner, vorlauter Mensch)
Grün|span, der; -[e]s (grüner Belag
auf Kupfer od. Messing)
Grün|specht; Grün|strei|fen
grun|zen; du grunzt
Grün|zeug, das; -[e]s (ugs.); Grün-
zo|ne
Grupp, der; -s, -s ⟨franz.⟩ (Paket
aus Geldrollen)
Grüpp|chen
¹Grup|pe, die; -, -n
²Grup|pe, Grüp|pe, die; -, -n
(landsch. für [Wasser]graben,
Rinne); grüp|peln (eine ²Gruppe
ausheben); ich grüpp[e]le; gruppen (svw. grüppeln)
Grup|pen|abend; Grup|pen|ar|beit;
Grup|pen|auf|nah|me
Grup|pen|bild; Grup|pen|bil|dung
Grup|pen|dy|na|mik; Grup|pen|füh-
rer; Grup|pen|füh|re|rin
Grup|pen|lei|ter, der; Grup|pen|lei-
te|rin
Grup|pen|psy|cho|lo|gie; Grup|pen-
rei|se; Grup|pen|sex; Grup|pen-
sieg (Sport); Grup|pen|the|ra|pie;
Grup|pen|un|ter|richt; Grup|pen-
ver|si|che|rung
grup|pen|wei|se
Grup|pen|ziel

grup|pie|ren; Grup|pie|rung
Grüpp|lein
Grus, der; -es, -e ‹»Grieß«› (verwittertes Gestein; Kohlenstaub); vgl. aber Gruß
Gru|sel, der; -s; Gru|sel|ef|fekt; Gru|sel|film; Gru|sel|ge|schich|te
gru|se|lig, grus|lig (schaurig, unheimlich); Gru|sel|ka|bi|nett; Gru|sel|mär|chen
gru|seln; ich grus[e]le mich, mir od. mich gruselt es
gru|sig ‹zu Grus›
Gru|si|ni|en (russ. Name für Georgien); gru|si|nisch
Grus|koh|le, die; - (grobkörniger Kohlenstaub)
grus|lig vgl. gruselig
Gruß, der; -es, Grüße; vgl. aber Grus; Gruß|ad|res|se
grü|ßen; du grüßt; grüß [dich] Gott!; grüß Gott sagen
Gruß|for|mel
gruß|los
Gruß|wort Plur. ...worte
Grütz|beu|tel (Balggeschwulst)
Grüt|ze, die; -, -n
Gru|y|ère [gry'jɛ:ɐ̯], der; -s ‹franz. Bez. für Greyerzer Käse, ein Schweizer Hartkäse›; Gru|y|ères [gry'jɛ:ɐ̯] (Stadt im Kanton Freiburg, dt. Greyerz)
Gry|phi|us (dt. Dichter)
Grzi|mek [gʒ...] (dt. Zoologe)
G-Sai|te ['ge:...] (Musik)
Gschaftl|hu|ber, der; -s, - (bes. südd., österr. für fast unangenehm betriebsamer, wichtigtuerischer Mensch)
gscha|mig, gschä|mig (bayr., österr. für verschämt)
gschert vgl. geschert; Gscher|te vgl. Gescherte
G-Schlüs|sel ['ge:...] (Violinschlüssel)
gschma|ckig (österr. für wohlschmeckend; nett; kitschig)
Gschnas, das; -, - (österr. für Kostümfest, Ball); Gschnas|fest
GSG 9, die; - = Grenzschutzgruppe 9 (Spezialeinheit des Bundesgrenzschutzes zur Bekämpfung des Terrorismus)
GSM = global system for mobile communication (internationaler Standard für digitale Funknetze)
gspa|ßig (bayr., österr. ugs. für spaßig, lustig)
Gspu|si, das; -s, -s ‹ital.› (südd., österr. ugs. für Liebschaft; Liebste[r])
GST, die; - = Gesellschaft für

Sport und Technik (in der DDR paramilitärische Organisation)
Gstaad (schweiz. Kurort)
Gstanzl, das; -s, -n (bayr., österr. für Vierzeiler, der gesungen wird)
Gstät|ten, die; -, - (ostösterr. für verwahrloster Platz)
Gu|a|de|loupe [...'lʊp] (Insel der Kleinen Antillen; französisches Überseedepartement)
Gu|a|jak|harz, das; -es ‹indian.; dt.›; Gu|a|jak|holz, das; -es
Gu|a|ja|kol, das; -s (eine Alkoholart)
Gu|am (größte Insel der Marianen); Gu|a|mer; Gu|a|me|rin; gu|a|misch
Gu|a|na|ko, das, älter der; -s, -s ‹indian.› (südamerikanisches Lama)
Gu|a|no, der; -s ‹indian.› ([Vogel]dünger); Gu|a|no|in|seln Plur. (an der Westküste Südamerikas)
Guan|tá|na|mo (kurz für Guantánamo-Bucht; US-Militärstützpunkt auf Kuba)
Gu|a|ra|ni, der; -, - (Angehöriger eines südamerikanischen Indianerstammes; Währungseinheit in Paraguay)
Gu|ar|dia ci|vil [- si...], die; - - ‹span.› (spanische Gendarmerie)
Gu|ar|di|an [österr. 'gṷa:r...], der; -s, -e ‹mlat.› (Oberer [bei Franziskanern u. Kapuzinern])
Gu|asch [auch gṷaʃ], die; -, -en (selten für Gouache)
Gu|a|te|ma|la (Staat in Mittelamerika); Gu|a|te|ma|la-Stadt
Gu|a|te|mal|te|ke, der; -n, -n (Bewohner von Guatemala); Gu|a|te|mal|te|kin; gu|a|te|mal|te|kisch
Gu|a|ve, die; -, -n ‹indian.-span.› (tropische Frucht)
Gu|a|ya|na (Landschaft in Südamerika; vgl. Guyana)
gu|cken, ku|cken (ugs.); Gu|cker, Ku|cker (ugs.); Gu|cke|rin, Ku|cke|rin (ugs.)
Gu|cker|sche|cken vgl. Gugerschecken
Guck|fens|ter
Gu|cki, der; -s, -s (ugs. für Gerät zum Betrachten von Dias; Skatausdruck)
Guck|in|die|luft; Hans Guckindieluft
Guck|kas|ten (früher); Guck|kas|ten|büh|ne; Guck|loch

Gü|del|diens|tag, Gü|del|mon|tag, Gü|dis|diens|tag, Gü|dis|mon|tag (schweiz. regional für Dienstag, Montag vor Aschermittwoch)
Gud|run (w. Vorn.)
Gu|el|fe ['g(u̯)ɛl...], der; -n, -n ‹ital.› (mittelalterlicher Anhänger der päpstlichen Politik)
Gue|ri|cke ['ge:...] (dt. Physiker); guerickesche Halbkugel ↑K89
¹Gue|ril|la [ge'rɪlja], die; -, -s ‹span.› (kurz für Guerillakrieg)
²Gue|ril|la, der; -[s], -s meist Plur. (Angehöriger einer Einheit, die einen Guerillakrieg führt)
Gue|ril|la|krieg (von Guerilleros geführter Krieg)
Gue|ril|le|ra [...rīl'je:...], die; -, -s; Gue|ril|le|ro [...rīl'je:...], der; -s, -s (Untergrundkämpfer in Lateinamerika)
Guer|ni|ca [ge...] (spanischer Ort; berühmtes Gemälde Picassos)
Guern|sey ['gə:nzi] (eine Kanalinsel)
Gue|va|ra [ge...] (kubanischer Politiker u. Guerillaführer); vgl. Che
Gu|gel|hopf (schweiz. für Gugelhupf); Gu|gel|hupf, der; -[e]s, -e (südd., österr. für Napfkuchen)
Gu|ger|sche|cken, Gu|cker|sche|cken Plur. (österr. landsch. ugs. für Sommersprossen)
Gü|gel, der; -s, - ‹schweiz. mdal. für Gockel); Güg|ge|li, das; -s, - (schweiz. für Backhähnchen)
Gug|gen|mu|sik, die; -, -en (südd., schweiz. für laute [absichtlich misstönende] Musik bei Fastnachtszügen)
Gui|do ['gi:..., österr. meist 'gu:ido] (m. Vorn.)
Guil|loche [gɪl'jɔʃ, gi'jɔʃ, österr. gui'jɔʃ], die; -, -n ‹franz.› (verschlungene Linienzeichnung; Werkzeug zum Anbringen solcher Linien); Guil|lo|cheur [...'ʃø:ɐ̯], der; -s, -e (Liniensteecher); Guil|lo|cheu|rin; guil|lo|chie|ren (Guillochen stechen)
Guil|lo|ti|ne [gɪljo..., gijo...], die; -, -n ‹nach dem franz. Arzt Guillotin› (Fallbeil); guil|lo|ti|nie|ren
¹Gui|nea [gi...] (Staat in Westafrika)
²Gui|nea ['gɪni], die; -, -s ‹engl.›; vgl. Guinee
Gui|nea-Bis|sau [gi...] (Staat in Westafrika); Gui|nea-Bis|sau|er; Gui|nea-Bis|sau|e|rin; gui|nea-bis|sau|isch
Gui|nee, die; -, ...een ‹franz.› (ehem. engl. Münze)

473

Gui|ne|er (Einwohner von ¹Guinea); **Gui|ne|e|rin; gui|ne|isch** (¹Guinea betreffend)

Guin|ness® [ˈgɪ...], das; -, - (eine irische Biersorte)

Guin|ness|buch, Guin|ness-Buch [ˈgɪ...] ⟨zu Guinness®⟩ (Buch, das Rekorde u. Ä. verzeichnet)

Gu|lag, der; -[s], -s ⟨russ.⟩ (Straf- u. Arbeitslager in der UdSSR)

Gu|lasch [auch ˈgʊ...], das, auch der; -[e]s, -e u. -s, österr. nur das; -[e]s, -e ⟨ung.⟩

Gu|lasch|ka|no|ne (scherzh. für Feldküche); **Gu|lasch|sup|pe**

Gul|brans|sen, Trygve (norwegischer Schriftsteller)

Gul|brans|son, Olaf (norwegischer Zeichner u. Karikaturist)

Gul|da (österr. Pianist)

gül|den (geh. für golden)

Gul|den, der; -s, - (frühere niederl. Währungseinheit)

gül|disch (Bergmannsspr. goldhaltig); **Gül|disch|sil|ber** (Bergmannsspr. goldhaltiges Silber)

Gül|le, die; - (Landw. flüssiger Stalldünger; südwestd. u. schweiz. für Jauche); **gül|len** (südwestd., schweiz.); **Gül|len|fass**

Gul|ly [...li], der, auch das; -s, -s ⟨engl.⟩ (Einlaufschacht für Straßenabwässer)

Gült, Gül|te, die; -, ...ten (schweiz. für Art des Grundpfandrechts)

Gült|brief; Gült|buch

gül|tig; Gül|tig|keit, die; -; **Gül|tig|keits|dau|er**

Gu|lyás [...laʃ, auch ˈgʊlaʃ], das od. der; -, - (österr.); vgl. Gulasch

¹Gum|mi, der u. das; -s, -[s] (elastisches Kautschukprodukt)

²Gum|mi, das; -s, -s (kurz für Gummiband)

³Gum|mi, der u. das; -s, -s (kurz für Radiergummi; ugs. für Präservativ)

Gum|mi|ad|ler (ugs. scherzh. für [zähes] Brathähnchen)

Gum|mi|ara|bi|kum, das; -s ⟨nlat.⟩ (Klebstoff)

gum|mi|ar|tig

Gum|mi|ball; Gum|mi|band, das; Plur. ...bänder; **Gum|mi|bär|chen; Gum|mi|baum; Gum|mi|druck,** der; -[e]s

Gum|mi|elas|ti|kum, das; -s (Kautschuk)

gum|mie|ren (mit Gummi[arabikum] bestreichen)

Gum|mi|gutt, das; -s ⟨ägypt.; malai.⟩ (giftiges Harz, Farbe)

Gum|mi|hand|schuh; Gum|mi|ho|se

Gum|mi|hup|fen, Gum|mi|hüp|fen, das; -s (österr. für Gummitwist)

Gum|mi|knüp|pel; Gum|mi|lö|sung (ein Klebstoff); **Gum|mi|man|tel**

Gum|mi|pa|ra|graf, Gum|mi|pa|ragraph (ugs. für Paragraf, der so allgemein formuliert ist, dass er verschiedene Auslegungen zulässt)

Gum|mi|rei|fen; Gum|mi|ring; Gum|mi|schuh; Gum|mi|schür|ze; Gum|mi|soh|le; Gum|mi|stie|fel; Gum|mi|tier

Gum|mi|twist, der od. das (ein Kinderspiel); **Gum|mi|zel|le**

Gum|mo|se, die; -, -n (Bot. krankhafter Harzfluss)

Gum|pe, die; -, -n (südd. für Wasserloch, tiefe Stelle in Wasserläufen und Seen)

Gun|del|re|be, die; -, -n, **Gun|dermann,** der; -[e]s (eine Heilpflanze)

Gun|du|la (w. Vorn.)

Gun|hild [auch ˈgu:...] (w. Vorn.)

Gun|nar (m. Vorn.)

Gün|sel, der; -s, - (eine Pflanze)

Gunst, die; -; nach Gunst; in Gunst stehen; zu seinen Gunsten, zu seines Freundes Gunsten, aber ↑K63 : zugunsten od. zu Gunsten; zuungunsten od. zu Ungunsten der Armen

Gunst|be|weis; Gunst|be|zei|gung

Gunst|ge|wer|be (scherzh. für Prostitution); **Gunst|ge|werb|le|rin**

güns|tig; güns|ti|gen|falls, güns|tigs|ten|falls

Günst|ling; Günst|lings|wirt|schaft, die; -

Gün|ter, Gün|ther (m. Vorn.); **Gunther** (dt. Sagengestalt; m. Vorn.)

Gupf, der; -[e]s, Plur. Güpfe, österr. -e (südd., österr. ugs. u. schweiz. mdal. für Gipfel, Spitze; stumpfer Teil des Eies)

Gup|py [...pi], der; -s, -s ⟨nach dem engl.-westind. Naturforscher⟩ (ein Aquarienfisch)

Gur, die; - (Geol. breiige, erdige Flüssigkeit)

Gur|gel, die; -, -n

gur|geln; ich gurg[e]le; **Gur|gel|was|ser** Plur. ...wässer

Gürk|chen

Gur|ke, die; -, -n (ugs. auch für [große] Nase; unfähiger Mensch)

gur|ken (ugs. für fahren); durch die Gegend gurken

gur|ken|för|mig; Gur|ken|ge|würz; Gur|ken|glas Plur. ...gläser; **Gur|ken|ho|bel; Gur|ken|kraut; Gur-**

ken|sa|lat; Gur|ken|trup|pe (ugs. abwertend für unfähige [Sport]mannschaft)

Gur|kha [...ka], der; -[s], -[s] ⟨angloind.⟩ (Angehöriger eines Volkes in Nepal)

gur|ren; die Taube gurrt

Gurt, der; -[e]s, Plur. -e, landsch. u. fachspr. -en

Gurt|bo|gen (Archit.)

Gur|te, die; -, -n (schweiz. neben Gurt)

Gür|tel, der; -s, -

Gür|tel|li|nie; Gür|tel|rei|fen; Gür|tel|ro|se, die; - (eine Krankheit); **Gür|tel|ta|sche; Gür|tel|tier**

gur|ten (mit einem Gurt anschnallen); **gür|ten**

Gurt|ge|sims (Archit.)

Gürt|ler (Messingschlosser)

Gurt|muf|fel (ugs. für jmd., der sich im Auto nicht anschnallt); **Gurt|straf|fer** (im Kraftfahrzeug)

Gu|ru, der; -s, -s ⟨Hindi⟩ (religiöser Lehrer des Hinduismus)

GUS [auch ge:u:ˈɛs], die; - ⟨= Gemeinschaft Unabhängiger Staaten⟩ (Verbindung unabhängiger Staaten der ehemaligen Sowjetunion)

Gu|sche vgl. Gosche

Gü|sel, der; -s ⟨schweiz. mdal. für Abfall⟩

Guss, der; -es, Güsse

Guss|ei|sen, das; -s; **guss|ei|sern**

Guss|form; Guss|re|gen

Guss|stahl, Guss-Stahl

GUS-Staa|ten vgl. GUS

güst (bes. nordd. für unfruchtbar, nicht Milch gebend [von Tieren])

gus|ta|to|risch ⟨lat.⟩ (Med. den Geschmackssinn betreffend)

Gus|tav (m. Vorn.); **Gus|tav Adolf** (Schwedenkönig); **Gus|tav-Adolf-Werk,** das; -[e]s ↑K137

Gus|te (w. Vorn.); **Gus|tel** (m. u. w. Vorn.)

Güs|ter (ein Karpfenfisch)

Gus|ti (w. Vorn.)

gus|tie|ren (ital.) (svw. goutieren; österr. ugs. für kosten, prüfen); **gus|ti|ös** (österr. ugs. für appetitlich)

Gus|to, der; -s, -s (Appetit; Neigung); **Gus|to|stü|ckerl,** das; -s, -n (österr. ugs. für besonders gutes Stück)

gut s. Kasten Seite 475

Gut, das; -[e]s, Güter; all sein Hab und Gut; vgl. zugute

gut|ach|ten; meist im Infinitiv u. Partizip I; er gutachtet; um zu gutachten; sie hat gegutachtet;

gut

besser *(vgl. d.)*, bes|te *(vgl. d.)*

I. *Kleinschreibung:*

einen guten Morgen wünschen
auf gut Glück; ein gut Teil; guten Mutes; gute Sitten
gut und gern
so gut wie; so weit, so gut
es gut sein lassen
ins gute [Heft] schreiben
Vgl. auch Gut *u.* ausreichend

II. *Großschreibung:*

a) ↑K72 : jmdm. etwas im Guten sagen
im Guten wie im Bösen (allezeit)
Gut und Böse unterscheiden können
jenseits von Gut und Böse sein
ein Guter; Gutes und Böses; sein Gutes haben
des Guten zu viel tun
vom Guten das Beste
zum Guten lenken, wenden
etwas, nichts, viel, wenig Gutes; alles Gute
b) ↑K88 : der Gute Hirte (Christus); das Kap der Guten Hoffnung

III. *Groß- und Kleinschreibung:*

[jmdm.] Guten *od.* guten Morgen sagen

IV. *Schreibung in Verbindung mit Verben:*

das hast du gut gemacht!
es mit jmdm. gut meinen
es bei jmdm. gut haben
sie kann gut schreiben
es wird alles gut werden
in diesen Schuhen kann ich gut gehen
Aber:
im Urlaub lassen wir es uns gut gehen *od.* gutgehen
es ist alles noch einmal gut gegangen *od.* gutgegangen
die Bücher werden gut gehen *od.* gutgehen
Vgl. gutbringen, guthaben, gutheißen, gutmachen, gutsagen, gutschreiben, gutsprechen, gutstehen, guttun

V. *Getrennt- od. Zusammenschreibung bei nicht übertragener Bedeutung in Verbindung mit adjektivisch gebrauchten Partizipien* ↑K58

ein gut aussehender *od.* gutaussehender Mann
eine gut bezahlte *od.* gutbezahlte Fachkraft
ein gut gemeinter *od.* gutgemeinter Rat
ein gut geschriebener *od.* gutgeschriebener Text
gut unterrichtete *od.* gutunterrichtete Kreise

G
guts

Gut|ach|ten, das; -s, -; Gut|ach|ter; Gut|ach|te|rin; gut|ach|ter|lich; gut|acht|lich
gut|ar|tig; Gut|ar|tig|keit, die; -
gut aus|se|hend, gut|aus|se|hend *vgl. gut*
gut be|zahlt, gut|be|zahlt *vgl. gut*
gut|brin|gen (*Kaufmannsspr.* gutschreiben); er hat mir diese Summe gutgebracht; *vgl. gut*
gut|bür|ger|lich; gutbürgerliche Küche
¹Güt|chen; *nur in* sich an etwas ein Gütchen tun (*ugs. für* etwas genießen)
²Güt|chen (kleines Besitztum, kleines Gut)
gut do|tiert, gut|do|tiert *vgl. gut*
Gut|dün|ken, das; -s; nach [seinem] Gutdünken
Gü|te, die; -; sich in Güte einigen
Gut|edel, der; -s (eine Rebsorte)
Gü|te|klas|se (einer Ware)
Gu|te|nacht|gruß; Gu|te|nacht|kuss; Gu|te|nacht|lied
Gu|ten|berg (Erfinder des Buchdrucks mit bewegl. Lettern)
Gu|ten|mor|gen|gruß
Gü|ter|ab|fer|ti|gung; Gü|ter|austausch; Gü|ter|bahn|hof
Gü|ter|fern|ver|kehr; Gü|ter|gemein|schaft; Gü|ter|nah|ver|kehr
Gü|ter|tren|nung; Gü|ter|ver|kehr; Gü|ter|wa|gen; Gü|ter|zug

Gü|te|sie|gel; Gü|te|ver|fah|ren (*Rechtsw.*); Gü|te|zei|chen
gut Freund! (Antwort auf den Ruf: Halt! Wer da?)
gut ge|hen, gut|ge|hen *vgl. gut*; gut ge|hend, gut|ge|hend *vgl. gut*
gut ge|klei|det, gut|ge|klei|det *vgl. gut*
gut ge|launt, gut|ge|launt; eine gut gelaunte *od.* gutgelaunte Gastgeberin
gut ge|meint, gut|ge|meint *vgl. gut*
gut|ge|sinnt; gutgesinnte Menschen; Gut|ge|sinn|te, der *u.* die; -n, -n
gut|gläu|big; Gut|gläu|big|keit, die; -
gut|ha|ben (*Kaufmannsspr.* zu fordern haben); du hast bei mir noch 10 € gut; den Betrag hat er noch gutgehabt; Gut|ha|ben, das; -s, -; Gut|ha|ben|kar|te
gut Heil! (alter Turnergruß)
gut|hei|ßen (billigen); gutgeheißen
Gut|heit, die; -
gut|her|zig; Gut|her|zig|keit, die; -
gut Holz! (Keglergruß)
gü|tig
Gut|leut|haus (*früher für* Heim der Leprakranken)
güt|lich; sich gütlich tun
gut|ma|chen (in Ordnung bringen; erwerben, Vorteil erringen); er hat etwas gutgemacht
Gut|mensch, der (*oft abwertend*

für jmd., der sich besonders für Political Correctness engagiert)
gut|mü|tig; Gut|mü|tig|keit, die; -
gut|nach|bar|lich
Gut|punkt (*Turnen*)
gut|sa|gen (*bürgen*); ich habe für ihn gutgesagt
Guts|be|sit|zer; Guts|be|sit|ze|rin
Gut|schein
gut|schrei|ben (anrechnen); sie versprach, den Betrag gutzuschreiben; Gut|schrift (eingetragenes Guthaben)
gut sein *vgl. gut*
Gut|sel, das; -s, - (*landsch. für* Bonbon)
Guts|haus; Guts|herr; Guts|her|renart; *in der Wendung* nach Gutsherrenart ([von Speisen] mit kräftigen Gewürzen, Speck u. a. zubereitet; *auch für* selbstherrlich); Guts|her|rin; Guts|herrschaft; Guts|hof
gut si|tu|iert, gut|si|tu|iert *vgl. gut*
gut sit|zend, gut|sit|zend *vgl. gut*
Guts|Muths (Mitbegründer des deutschen Turnens)
gut|spre|chen (*veraltet für* bürgen, gutsagen); *vgl. gut*
gut|ste|hen (bürgen); sich gutstehen (wohlhabend sein); *aber* die Chancen würden gut stehen *od.* gutstehen

Guts|ver|wal|ter

Gut|ta|per|cha, die; - od. das; -[s] ⟨malai.⟩ (kautschukartiger Stoff)

Gut|teil, das; -[e]s u. der; -[s] (ein großer Teil)

Gut|temp|ler; Gut|temp|le|rin; Gut|temp|ler|or|den, der; -s (den Alkoholgenuss bekämpfender Bund)

Gut|ti|o|le®, die; -, -n ⟨lat.⟩ (Fläschchen, mit dem man Medizin einträufeln kann)

gut|tun; die Kur hat ihm gutgetan; aber wir werden gut daran tun, ...

gut|tu|ral ⟨lat.⟩ (die Kehle betreffend; Kehl..., kehlig); Gut|tu|ral, der; -s, -e, Gut|tu|ral|laut (Sprachw. Gaumen-, Kehllaut)

gut un|ter|rich|tet, gut|un|ter|rich|tet vgl. gut

gut ver|die|nend, gut|ver|die|nend vgl. gut; gut Ver|die|nen|de, der u. die; - -n, - -n, Gut|ver|die|nen|de, der u. die; -n, -n

gut wer|den vgl. gut

gut|wil|lig; Gut|wil|lig|keit, die; -

Guy [franz.: gi, engl.: gai] (m. Vorn.)

Gu|ya|na (Staat in Südamerika); Gu|ya|ner; Gu|ya|ne|rin; gu|ya|nisch

Gwirkst, das; -s ⟨österr. ugs. für verzwickte Angelegenheit; mühsame Arbeit⟩

Gy = Gray

Gym|kha|na [...'ka:...], das; -s, -s ⟨angloind.⟩ (ein [sportl.] Geschicklichkeitswettbewerb)

Gym|naes|t|ra|da, die; -, - ⟨griech.; span.⟩ (internationales Turnfest)

Gym|na|si|al|bil|dung; Gym|na|si|al|leh|rer; Gym|na|si|al|leh|re|rin

Gym|na|si|ast, der; -en, -en ⟨griech.⟩ (Schüler eines Gymnasiums); Gym|na|si|as|tin

Gym|na|si|um, das; -s, ...ien (im Altertum Schule, Raum für Leibesübungen; in Deutschland, Österreich u. der Schweiz eine Form der höheren Schule)

Gym|nas|tik, die; -; Gym|nas|ti|ker; Gym|nas|tik|un|ter|richt; Gym|nas|tin (Lehrerin der Krankengymnastik); gym|nas|tisch

Gym|no|sper|me, die; -, -n ⟨Bot. nacktsamige Pflanze⟩

Gy|nä|kei|on, das; -s, ...keien ⟨griech.⟩ (Frauengemach des altgriech. Hauses)

Gy|nä|ko|lo|ge, der; -n, -n; Gy|nä-

ko|lo|gie, die; - ⟨Frauenheilkunde⟩; Gy|nä|ko|lo|gin; gy|nä|ko|lo|gisch

Gy|n|an|d|rie, die; -, ...ien ⟨Biol. Verwachsung der männlichen u. weiblichen Blütenorgane; Scheinzwittrigkeit bei Tieren⟩

Gy|nä|ze|um, das; -s, ...een ⟨svw. Gynäkeion; Bot. Gesamtheit der weibl. Blütenorgane⟩

Gy|ros, das; -, - ⟨griech.⟩ (griech. Gericht aus am senkrechten Drehspieß gebratenem Fleisch)

Gy|ro|s|kop, das; -s, -e (Messgerät zum Nachweis der Achsendrehung der Erde)

G-7-Staat [ge:'zi:bən...] Plur. ...staaten, meist Plur. (Staat der Vereinigung der sieben wichtigsten westl. Wirtschaftsnationen); G-8-Staat [ge:'axt-] Plur. ...staaten, meist Plur. (vgl. G-7-Staat, mit Russland)

h = Zeichen für plancksches Wirkungsquantum

h = Hekto...; hora (Stunde); 8 h = 8 Stunden, 8 Uhr; hochgestellt 8^h = 8 Uhr

h, H, das; -, - (Tonbezeichnung); h (Zeichen für h-Moll); in h; H (Zeichen für H-Dur); in H

H (Buchstabe); das H; des H, die H, aber das h in Bahn; der Buchstabe H, h

H = ²Henry; Hydrogenium (chemisches Zeichen für Wasserstoff)

ha = Hektar, Hektare

ha! [auch ha:]; haha!

hä? (ugs., meist als unhöflich empfunden, für »Wie bitte?«)

Haag, Den (Residenzstadt u. Regierungssitz der Niederlande); dt. auch Haag, der; im Haag; in Den Haag, auch in Haag; vgl. 's-Gravenhage; Haa|ger

¹Haar, die; -, Haar|strang, der; -[e]s (Höhenzug in Westfalen)

²Haar, das; -[e]s, -e; aber Härchen

Haar|ana|ly|se; Haar|an|satz; Haar|aus|fall

Haar|band, das; Plur. ...bänder

Haar|breit, Haar breit; nur in nicht [um] ein Haarbreit od. Haar breit

Haard, die; - (Waldhöhen im Münsterland); vgl. Hardt

Haardt, die; - (östl. Teil des Pfälzer Waldes); vgl. Hardt

haa|ren; der Hund hat [sich] gehaart

Haa|res|brei|te; nur in um Haaresbreite, aber um eines Haares Breite

Haar|far|be; Haar|fär|be|mit|tel

Haar|farn

haar|fein

Haar|fes|ti|ger

Haar|garn|tep|pich

haar|ge|nau

haa|rig (ugs. auch für heikel)

Haar|klam|mer; Haar|kleid (geh. für Fell)

haar|klein; jmdm. etw. haarklein (in allen Einzelheiten) erzählen

Haar|kranz

Haar|lem (niederländische Stadt); Haar|le|mer

Haar|ling (eine Lausart)

haar|los

Haar|na|del; Haar|na|del|kur|ve

Haar|netz; Haar|pfle|ge; Haar|pracht; Haar|riss; Haar|röhr|chen

haar|scharf

Haar|schnei|de|ma|schi|ne; Haar|schnei|der; Haar|schnitt; Haar|schopf

Haar|sieb (Sieb aus feinstem Drahtgeflecht)

Haar|spal|ter; Haar|spal|te|rei; Haar|spal|te|rin; haar|spal|te|risch (spitzfindig)

Haar|span|ge

Haar|spit|ze

Haar|spit|zen|ka|tarr, Haar|spit|zen|ka|tarrh (scherzh. für Kopfschmerzen [nach durchzechter Nacht])

Haar|spray; Haar|sträh|ne

Haar|strang vgl. ¹Haar

haar|sträu|bend

Haar|teil, das; Haar|trock|ner; Haar|wasch|mit|tel; Haar|was|ser Plur. ...wässer

Haar|wild (Jägerspr.: Sammelbez. für alle jagdbaren Säugetiere)

Haar|wuchs; Haar|wuchs|mit|tel

Haar|wur|zel

Ha|ba|kuk (bibl. Prophet)

Ha|ba|na, La (span. Form von Havanna); Ha|ba|ne|ra, die; -, -s (ein kubanischer Tanz)

Ha|be, die; -; vgl. Hab und Gut

Ha|be|as-Cor|pus-Ak|te, die; - ⟨lat.⟩ (engl. Staatsgrundgesetz von

G
Guts

1679 zum Schutz der persönlichen Freiheit)

ha|ben; du hast, sie hat; du hattest; du hättest; gehabt; hab[e]!; Gott hab ihn selig! ↑K13; habt Acht! (*österr. Kommando für* »stillgestanden!«); ich habe auf dem Tisch Blumen stehen (*nicht:* ... zu stehen)

Ha|ben, das; -s, -; [das] Soll und [das] Haben

Ha|be|nichts, der; *Gen. - u.* -es, *Plur.* -e

Ha|ben|sei|te ↑K21 (*für* ²Kredit); **Ha|ben|zin|sen** *Plur.*

Ha|ber, der; -s (*südd., österr. u. schweiz. mdal. neben* Hafer)

Ha|be|rer, der; -s, - (*österr. ugs. für* Verehrer; Kumpan)

Ha|ber|feld|trei|ben, das; -s, - (*früher* volkstümliches Rügegericht in Bayern u. Tirol)

Ha|ber|geiß (*bayr. u. österr.* eine Brauchtumsgestalt)

ha|bern (*österr. ugs. für* essen); ich habere

Hab|gier, die; -; **hab|gie|rig**

hab|haft; des Diebes habhaft werden (ihn festnehmen)

Ha|bicht, der; -s, -e

Ha|bichts|kraut; Ha|bichts|na|se

ha|bil (*lat.*) (*veraltet für* geschickt, fähig; handlich; passend)

habil. = habilitatus

Ha|bi|li|tand, der; -en, -en (jmd., der zur Habilitation zugelassen wird); **Ha|bi|li|tan|din**

Ha|bi|li|ta|ti|on, die; -, -en (*lat.*) (Erwerb der Lehrberechtigung an Hochschulen); **Ha|bi|li|ta|ti|ons|schrift; ha|bi|li|tie|ren** (die Lehrberechtigung an Hochschulen erlangen bzw. verleihen)

¹Ha|bit [*österr. u. schweiz. meist* 'ha:...], das, *auch* der; -s, -e ⟨*franz.*⟩ ([Amts]kleidung, [Ordens]tracht; Aufzug)

²Ha|bit ['hɛbɪt], das, *auch* der; -s, -s ⟨*engl.*⟩ (*Psych.* Gewohnheit, Erlerntes; Anerzogenes)

Ha|bi|tat, das; -s, -e ⟨*lat.*⟩ (Wohngebiet [einer Tierart])

ha|bi|tu|a|li|sie|ren (*Psych.* zur Gewohnheit werden bzw. machen)

Ha|bi|tué [(h)abi'tŷe:], der; -s, -s ⟨*franz.*⟩ (*schweiz., sonst veraltet für* Stammgast)

ha|bi|tu|ell ⟨*franz.*⟩ (gewohnheitsmäßig; ständig)

Ha|bi|tus, der; - ⟨*lat.*⟩ (Erscheinungsbild; Benehmen)

hab|lich (*schweiz. veraltend für* wohlhabend)

Habs|burg, die; - (Ort u. Burg im Kanton Aargau)

Habs|bur|ger, der; -s, - (Angehöriger eines europ. Fürstengeschlechtes); **Habs|bur|ge|rin; Habs|bur|ger|mo|n|ar|chie,** die; - ↑K64; **habs|bur|gisch**

Hab|schaft (*veraltet für* Habe); **Hab|se|lig|keit,** die; -, -en *meist Plur.* (Besitztum)

Hab|sucht, die; -; **hab|süch|tig**

Habt-Acht-Stel|lung, Habt|acht-stel|lung (*österr. für* stramme [milit.] Haltung)

Hab und Gut, das; - - -[e]s ↑K13

Há|ček ['ha:tʃɛk], Hat|schek, das; -s, -s ⟨*tschech.*⟩ (Aussprachezeichen bes. in slawischen Sprachen, z.B. č [tʃ] *u.* ž [ʒ])

hach!

Ha|chel, die; -, -n (*bayr., österr. für* Gemüsehobel); **ha|cheln;** ich hach[e]le

Hach|se, *südd.* Ha|xe, die; -, -n (unterer Teil des Beines von Kalb od. Schwein); *vgl.* ²Hesse

Hack, das; -s (*kurz für* Hackfleisch); **Hack|bank** *Plur.* ...bänke; **Hack|bau,** der; -[e]s; **Hack|beil; Hack|block** *Plur.* ...blöcke; **Hack|bra|ten**

Hack|brett (Hackbank für Fleischer; ein Saiteninstrument)

Häkchen
Da *Häkchen* – mit lang gesprochenem *ä* – die Verkleinerungsform von *Haken* ist, schreibt man dieses Substantiv nur mit *k*, nicht aber mit *ck*.

¹Ha|cke, die; -, -n, Ha|cken, der; -s, - (Ferse)

²Ha|cke, die; -, -n (ein Werkzeug; *österr. svw.* Beil)

Ha|cke|beil (*svw.* Hackbeil)

ha|ckeln (*österr. ugs. für* schwer manuell arbeiten); ich hack[e]le

¹ha|cken (hauen; mit dem Beil spalten); gehacktes Fleisch

²ha|cken [*auch* 'hɛkn̩] (sich als Hacker betätigen)

¹Ha|cker *vgl.* ¹Hacke

²Ha|cken, die; -, - (*österr. ugs. für* Arbeit)

Ha|cken|por|sche, der; -s, - (*scherzh. für* Einkaufsroller)

Ha|cken|trick (*Fußball* Spielen des Balls mit der ¹Hacke [zur Täuschung des Gegners])

Ha|cke|pe|ter, der; -s, - (*landsch. für* angemachtes Hackfleisch)

Ha|cker [*auch* 'hɛkɐ], der; -s, - (jmd., der sich unberechtigt Zugang zu fremden Computersystemen zu verschaffen sucht); **Ha|cke|rin**

Hä|cker|ling, der; -s (*veraltend für* Häcksel)

Hack|fleisch; Hack|frucht; Hack|klotz

Hack|ler (*österr. ugs für* Schwerarbeiter); **Hack|le|rin**

Hack|ler|re|ge|lung (*österr. für* Pensionsbestimmungen für Menschen mit langer Versicherungszeit)

Hack|mes|ser, das; **Hack|ord|nung,** die; - (*Verhaltensforschung*)

Hack|schnit|zel *meist Plur.* (gehackte Holzstücke); **Hack|schnit|zel|hei|zung**

Häck|sel, das *od.* der; -s (Schnittstroh); **Häck|se|ler** (*svw.* Häcksler); **häck|seln;** ich häcks[e]le; **Häcks|ler** (Häckselmaschine)

Hack|steak; Hack|stock *Plur.* ...stöcke (*österr. für* Hackklotz)

Haddsch *usw. vgl.* Hadsch *usw.*

¹Ha|der, der; -s, *Plur.* -n u. -[..] (*für* Scheuertücher) - (*bayr., österr. für* Lumpen; *ostmitteld. für* Scheuertuch)

²Ha|der, der; -s (*geh. für* Zank, Streit); **Ha|de|rer,** Had|rer

Ha|der|lump (*österr. für* liederlicher Mensch, Taugenichts)

ha|dern ⟨*zu* ²Hader⟩ (*geh. für* unzufrieden sein; streiten); ich hadere

ha|dern|hal|tig (*fachspr. für* Stoff-, Lumpenreste in der Herstellungsmasse enthaltend); hadernhaltiges Papier

¹Ha|des (griech. Gott der Unterwelt)

²Ha|des, der; - (Unterwelt)

Had|rer *vgl.* Haderer

Ha|d|ri|an [*auch, österr. nur,* 'ha:...] (römischer Kaiser; Papstname); *vgl.* Adrian

Hadsch, Haddsch, der; -, *Plur.* -e *u.* Hı̯dschad [...a:t] ⟨*arab.*⟩ (offizielle Pilgerfahrt nach Mekka)

Ha|d|schi, Had|schi, der; -s, *Plur.* -s *u.* Hı̯dschadsch ⟨*arab.*⟩ (Mekkapilger; *auch für* christlicher Jerusalempilger im Orient)

Ha|du|brand (germanische Sagengestalt)

Hae|ckel ['hɛ...] (dt. Naturforscher)

Hae|m|oc|cult-Test® ⟨*griech.; lat.;*

H
Haem

477

engl.⟩ (zur Krebsvorsorgeunter-
suchung)

¹Ha|fen, der; -s, Häfen (südd.,
schweiz., österr. für Topf)

²Ha|fen, der; -s, Häfen (Lande-,
Ruheplatz)

Hä|fen, der, auch das; -s, - (österr.
für ¹Hafen; österr. ugs. für
Gefängnis)

Ha|fen|amt; Ha|fen|an|la|gen Plur.;
Ha|fen|ar|bei|ter; Ha|fen|ein-
fahrt; Ha|fen|ge|bühr; Ha|fen-
knei|pe; Ha|fen|kom|man|dant
Ha|fen|po|li|zei; Ha|fen|rund|fahrt;
Ha|fen|stadt; Ha|fen|um|schlag;
Ha|fen|vier|tel

Ha|fer, der; -s, Plur. (Sorten:) -; vgl.
auch Haber

Ha|fer|brei; Ha|fer|flo|cken Plur.;
Ha|fer|grüt|ze

Ha|ferl (bayr., österr.), Hä|ferl,
das; -s, -n (ostösterr. ugs. für
Tasse)

Ha|ferl|schuh (südd., österr. für ein
[Trachten]halbschuh)

Ha|fer|mark, das; Ha|fer|mehl; Ha-
fer|sack; Ha|fer|schleim

Haff, das; -[e]s, Plur. -s od. -e
(durch Nehrungen vom Meer
abgetrennte Küstenbucht);
↑K140 : das Frische Haff, das
Kurische Haff

Haff|fi|scher, Haff-Fi|scher

Ha|fis (persischer Dichter)

Haf|lin|ger (Pferd einer Gebirgs-
rasse); Haf|lin|ger|ge|stüt

Haf|ner (südd., österr., schweiz.
für Töpfer, Ofensetzer); Häf|ner
(südd. neben Hafner); Haf|ne|rei;
Haf|ne|rin; Häf|ne|rin

Haf|ni|um ['ha(:)f...], das; -s ⟨nlat.⟩
(chemisches Element, Metall;
Zeichen Hf)

¹Haft, die; - (Gewahrsam)

²Haft, der; -[e]s, -e[n] (veraltet für
Haken; Spange)

...haft (z. B. krankhaft)

Haft|an|stalt; Haft|aus|set|zung

haft|bar; jmdn. für etwas haftbar
machen; Haft|bar|ma|chung;
Haft|be|din|gun|gen Plur.; Haft|be-
fehl; Haft|dau|er

Haf|tel, der od. das, österr. nur so;
-s, - (bayr., österr. für Häkchen
und Öse); häf|teln (landsch. für
durch ein Haftel schließen); ich
häft[e]le

haf|ten; haften bleiben (festhän-
gen); weil der Dreck an den
Schuhen haften bleibt; in übertragener Bedeutung ist auch
Zusammenschreibung möglich:
die Erinnerung daran wird noch

lang in ihrem Gedächtnis haften bleiben od. haftenbleiben

haf|ten blei|ben, haf|ten|blei|ben
vgl. haften

haf|ten blei|bend, haf|ten|blei-
bend ↑K58

Haft|ent|las|sung; Haft|ent|schä|di-
gung; Haft|er|leich|te|rung

haft|fä|hig; Haft|fä|hig|keit

Häft|ling

Haft|pflicht; haft|pflich|tig

haft|pflicht|ver|si|chert; Haft-
pflicht|ver|si|che|rung

Haft|prü|fungs|ter|min; Haft|prü-
fungs|ver|fah|ren

Haft|rei|bung, die; - (Physik); Haft-
rei|fen

Haft|rich|ter; Haft|rich|te|rin

Haft|scha|le

Haft|stra|fe

haft|un|fä|hig; Haft|un|fä|hig|keit

Haf|tung, die; -; vgl. GmbH

Haft|un|ter|bre|chung; Haft|ur|lau-
ber; Haft|ur|lau|be|rin; Haft|ver-
scho|nung

Haft|ze|her (Gecko)

Hag, der; -[e]s, Plur. -e, schweiz.
Häge (schweiz. für Hecke, Zaun;
veraltet für Hecke; umfriedeter
Wald)

Ha|ga|na, Ha|ga|nah, die; - ⟨hebr.⟩
(Vorläufer der israelischen
Nationalarmee)

Ha|gar (bibl. w. Eigenn.)

Ha|ge|bu|che (svw. Hainbuche)

Ha|ge|but|te, die; -, -n; Ha|ge|dorn
Plur. ...dorne (svw. Weißdorn)

Ha|gel, der; -s; ha|gel|dicht

Ha|gel|korn, das; Plur. ...körner

ha|geln; es hagelt; sie sagt, es
hag[e]lle morgen

Ha|gel|scha|den; Ha|gel|schau|er;
Ha|gel|schlag; Ha|gel|schlo|ße;
Ha|gel|sturm; Ha|gel|wet|ter

Ha|gel|zu|cker

Ha|gen (m. Vorn.); Hagen von
Tronje (Gestalt der Nibelungen-
sage)

ha|ger; Ha|ger|keit, die; -

Ha|ge|stolz, der; -es, -e (veraltet
für [alter] Junggeselle)

Hag|gai (bibl. Prophet)

Hag|gis ['hægɪs], der; -, - ⟨schott.-
engl.⟩ (in Schafsmagen gegarte
Innereien des Schafs)

Ha|gia So|phia, die; - - - ⟨griech.⟩
(Kirche in Istanbul [heute ein
Museum])

Ha|gio|graf, Ha|gio|graph, der;
-en, -en (Verfasser von Heiligen-
leben)

Ha|gio|gra|fen , Ha|gio|gra|phen

Plur. (dritter Teil der Bücher des
A. T.)

Ha|gio|gra|fie, Ha|gio|gra|phie,
die; -, ...ien (Erforschung u.
Beschreibung von Heiligenle-
ben); Ha|gio|gra|fin, Ha|gio|gra-
phin

Ha|gio|la|t|rie, die; -, ...ien (Vereh-
rung der Heiligen)

ha|ha!, ha|ha|ha!

Hä|her, der; -s, - (ein Rabenvogel)

Hahn, der; Gen. -[e]s, schweiz.
auch -en, Plur. Hähne, landsch.,
schweiz. u. fachspr. (für techn.
Vorrichtungen:) -en

Hähn|chen

Hah|nen, der; -s, - (schweiz. neben
Hahn)

Hah|nen|bal|ken (Bauw. oberster
Querbalken im Sparrendach)

Hah|nen|fe|der

Hah|nen|fuß, der; -es (eine Wiesen-
blume)

Hah|nen|kamm (auch Zierpflanze)

Hah|nen|kampf

Hah|nen|ruf; Hah|nen|schrei

Hah|nen|tritt, der; -[e]s (Keim-
scheibe im Hühnerei; ein Stoff-
muster; auch für Zuckfuß)

Hah|ne|pot [...po:t], der, auch das;
-s, -en, selten die; -, -en (Seemannsspr. Tau mit auseinander-
laufenden Enden)

Hahn|rei; der; -[e]s, -e (veraltet für
betrogener Ehemann)

Hai, der; -[e]s, -e ⟨niederl.⟩ (ein
Raubfisch)

Hai|fa (Hafenstadt in Israel)

Hai|fisch

Hai|fisch|flos|sen|sup|pe

Hai|kai, Hai|ku, das; -[s], -s ⟨jap.⟩
(eine japanische Gedichtform)

Hai|mons|kin|der Plur. (Helden des
karoling. Sagenkreises)

Hain, der; -[e]s, -e (geh. für kleiner
[lichter] Wald)

Hain|bu|che (ein Baum)

Hain|bund, der; -[e]s (ein dt. Dich-
terbund)

Hain|lei|te, die; - (Höhenzug in
Thüringen)

Hair|sty|list ['hɛːɐ̯staɪlɪst], der; -en,
-en ⟨engl.⟩ (Friseur mit künstle-
rischem Anspruch); Hair|sty|lis-
tin

Ha|i|ti (Staat in Mittelamerika);
Ha|i|ti|a|ner; Ha|i|ti|a|ne|rin; ha|i-
ti|a|nisch

Häk|chen

Hä|kel|ar|beit

Ha|ke|lei (Sport)

Hä|ke|lei

Hä|kel|garn

halb

I. *Beugung*
– ein halbes Brot, eine halbe Scheibe Brot
– der Zeitraum eines halben Monats, einer halben Woche
– in einer halben Stunde
– mit halber Kraft; zum halben Preis
– alle halbe *od.* halben Meter
– alle halbe *od.* halben Jahre
– alle halbe *od.* halben Stunden *od.* (Singular:) alle (besser: jede) halbe Stunde
– drei und ein halbes Prozent, *aber* drei[und]einhalb Prozent
– vor zwei und einer halben Stunde, *aber* vor zwei[und]einhalb Stunden
– vier mit ein halb multipliziert
– ein halb Dutzend neben: ein halbes Dutzend

II. *Groß- oder Kleinschreibung*
Kleinschreibung:
– es ist, es schlägt halb eins
– eine viertel und eine halbe Stunde
– eine halbe und eine Dreiviertelstunde
– der Zeiger steht auf halb
– [um] voll und halb jeder Stunde
– ein halbes Dutzend Mal, ein halbes Hundert Mal

Großschreibung:
– ein Halbes, einen Halben bestellen
– eine Halbe (*bayr. für* halbe Maß)
– ↑K72 : nichts Halbes und nichts Ganzes
III. *Schreibung in Verbindung mit Adjektiven, Partizipien und Verben:*
– ich habe ihn nur halb verstanden
– sie war halb krank vor Angst
– wir haben uns halb totgelacht
– sie hatten ihn halb totgeschlagen
– den Eimer halb vollmachen
– er lief halb bekleidet *od.* halbbekleidet herum
– eine halb automatische *od.* halbautomatische Fertigung
– sich halb links *od.* halblinks einordnen
– ein halb leeres *od.* halbleeres Glas
– halb verwelkte *od.* halbverwelkte Blumen

Getrenntschreibung, wenn »halb« die Bedeutung »teils« hat:

sie machte ein halb freundliches, halb ernstes Gesicht
ein halb seidenes, halb wollenes Gewebe

Vgl. halbbitter, halbfest, halbgebildet, halbhoch usw.

H

halb

---

ha|keln *(Sport);* ich hak[e]le
hä|keln; ich häk[e]le
Hä|kel|na|del
ha|ken; Ha|ken, der; -s, -
Ha|ken|büch|se (*früher eine Hand-*feuerwaffe); **ha|ken|för|mig**
Ha|ken|kreuz (Symbol des Nationalsozialismus)
Ha|ken|na|se
ha|kig
Ha|kim, der; -s, -s ⟨arab.⟩ (Gelehrter, Arzt [im Orient])
Ha|la|cha, die; -, ...chot ⟨hebr.⟩ (aus der Bibel abgeleitete verbindliche Auslegung der Thora)
hal|lal ⟨arab.⟩ (nach islamischem Glauben erlaubt)
Ha|la|li, das; -s, -[s] ⟨franz.⟩ (ein Jagdruf); Halali blasen
halb *s. Kasten*
Halb|af|fe
halb|amt|lich; eine halbamtliche Nachricht, *aber* etwas geschieht halb amtlich, halb privat
halb au|to|ma|tisch, halb|au|to|ma|tisch *vgl.* halb
halb|bat|zig (*schweiz. für* ungenügend, unzulänglich)
halb be|klei|det, halb|be|klei|det *vgl.* halb
Halb|bil|dung, die; -
halb|bit|ter
halb blind, halb|blind; sie ist halb blind *od.* halbblind
Halb|blut, das; -[e]s

Halb|bril|le
Halb|bru|der
halb|bür|tig (nur einen Elternteil gemeinsam habend)
halb|dun|kel; es war halbdunkel, *aber* die Plätzchen waren halb dunkel, halb hell; **Halb|dun|kel**
Hal|be, der, die, das; -n, -n; eine Halbe (*bayr., österr. für* ein halber Liter) Bier
Halb|edel|stein (*veraltet für* Schmuckstein)
hal|be-hal|be; halbe-halbe machen (*ugs. für* teilen)
hal|ber; *Präp. mit Gen.:* der Ehre halber; gewisser Umstände halber; des [guten] Beispiels halber; *aber* ehrenhalber, umstandehalber, beispielshalber
halb er|fro|ren, halb|er|fro|ren *vgl.* halb
halb er|wach|sen, halb|er|wach|sen *vgl.* halb
Halb|fa|b|ri|kat
halb fer|tig, halb|fer|tig; halb fertige *od.* halbfertige Fabrikate
halb|fest; halbfeste Nahrung
halb|fett; halbfette Buchstaben, der Name ist halbfett gesetzt (*Druckw.*)
Halb|fi|nal (*schweiz. für* Halbfinale); **Halb|fi|na|le** (*Sport*)
Halb|franz, das; - (*Buchw.*); in Halbfranz [binden]; **Halb|franz|band,** der (Halblederband)

halb gar, halb|gar; halb gares *od.* halbgares Fleisch
halb|ge|bil|det; halbgebildete Banausen; **Halb|ge|bil|de|te,** der u. die
Halb|ge|fro|re|ne, das; -n
Halb|glat|ze; Halb|gott; Halb|göt|tin
Halb|heit
halb|her|zig; Halb|her|zig|keit
halb|hoch; ein halbhoher Zaun; *vgl.* halb
hal|bie|ren; Hal|bie|rung
Halb|in|sel
Halb|jahr; Halb|jah|res|kurs, Halb|jahrs|kurs
halb|jäh|rig (ein halbes Jahr alt, ein halbes Jahr dauernd); halbjährige Übungszeit
halb|jähr|lich (jedes Halbjahr wiederkehrend, alle halben Jahre); halbjährliche Zusammenkunft
Halb|jahrs|kurs, Halb|jah|res|kurs
Halb|kan|ton (in der Schweiz)
halb krank *vgl.* halb
Halb|kreis; halb|kreis|för|mig; Halb|ku|gel
halb|lang; halblange Haare; *aber* die Haare waren halb lang, halb kurz
halb|laut; halblaute Gespräche; *aber* sie sprachen halb laut, halb leise
Halb|le|der (ein Bucheinband)
halb leer, halb|leer *vgl.* halb

H

halb

halb|lei|nen; ein halbleinenes Tuch, *aber* ein halb leinenes, halb wollenes Tuch; Halb|lei|nen; Halb|lei|nen|band, der

Halb|lei|ter, der (*Elektrot.* Stoff, der bei Zimmertemperatur elektrisch leitet u. bei tieferen Temperaturen isoliert)

Halb|lin|ke, der; -n, -n (*Sport*)

halb links, halb|links; sich halb links *od.* halblinks halten; halb links *od.* halblinks spielen (*Sport*)

halb|mast (als Zeichen der Trauer); [eine Flagge] halbmast hissen; auf halbmast setzen, stehen

halb|matt; halbmatte Fotos

Halb|mes|ser, der (*für* Radius)

Halb|me|tall (Element mit teils metallischen, teils nichtmetallischen Eigenschaften)

halb|me|ter|dick

halb|mi|li|tä|risch

Halb|mond; halb|mond|för|mig

halb nackt, halb|nackt *vgl.* halb

halb of|fen, halb|of|fen *vgl.* halb

halb|part; *meist in* [mit jmdm.] halbpart machen (*ugs. für* teilen)

Halb|pen|si|on, die; - (Unterkunft mit Frühstück u. einer warmen Mahlzeit)

Halb|rech|te, der; -n, -n (*Sport*)

halb rechts, halb|rechts; sich halb rechts *od.* halbrechts halten; halb rechts *od.* halbrechts spielen (*Sport*)

halb reif, halb|reif; halb reife *od.* halbreife Früchte

halb|rund (halbkreisförmig); *aber* die Formen waren halb rund, halb eckig; Halb|rund

Halb|satz (Teilsatz)

Halb|schat|ten

halb|schläch|tig (*veraltet für* nicht eindeutig, schwankend)

Halb|schlaf; Halb|schuh

halb|schü|rig (*veraltet für* minderwertig)

Halb|schwer|ge|wicht (Körpergewichtsklasse in verschiedenen Sportarten); Halb|schwes|ter

Halb|sei|de; halb|sei|den; ein halbseidenes Tuch, *aber* ein halb seidenes, halb wollenes Tuch

halb|sei|tig

halb|staat|lich; ein halbstaatlicher Betrieb (*DDR*), *aber* der Betrieb ist halb staatlich, halb privat

halb|stark; halbstarke Jugendliche

Halb|star|ke, der *u.* die; -n, -n

Halb|stie|fel

halb|stock (*Seemannsspr. svw.* halbmast)

Halb|stock (*österr. für* Zwischengeschoss)

halb|stün|dig (eine halbe Stunde dauernd)

halb|stünd|lich (jede halbe Stunde [stattfindend])

Halb|stür|mer (*bes. Fußball*); Halb|stür|me|rin

halb|tags; Halb|tags|ar|beit; Halb|tags|schu|le

Halb|tax|abon|ne|ment (*schweiz. für* Abonnement zum Bezug von Fahrkarten zum halben Preis)

Halb|ton *Plur.* ...töne

halb tot, halb|tot *vgl.* halb

Halb|to|ta|le (*Film*)

halb tot|la|chen *vgl.* halb

halb tot|schla|gen *vgl.* halb

halb|tro|cken; ein halbtrockener Wein

halb ver|daut, halb|ver|daut *vgl.* halb

halb ver|hun|gert, halb|ver|hun|gert *vgl.* halb

halb ver|welkt, halb|ver|welkt *vgl.* halb

halb voll, halb|voll *vgl.* halb

halb wach, halb|wach *vgl.* halb

Halb|wahr|heit; Halb|wai|se

halb|wegs

Halb|welt, die; -; Halb|welt|da|me

Halb|wel|ter|ge|wicht (*Boxen*)

Halb|werts|zeit (*Kernphysik* Zeit, nach der die Hälfte einer Anzahl radioaktiver Atome zerfallen ist)

halb|wild; halbwilde, halbwild lebende Tiere

Halb|wis|sen

halb|wol|len; ein halbwollenes Tuch, *aber* ein halb wollenes, halb baumwollenes Tuch

halb|wüch|sig; Halb|wüch|si|ge, der u. die; -n, -n

Halb|zeit; Halb|zeit|pau|se; Halb|zeit|pfiff

Halb|zeug (Halbfabrikat)

Hal|de, die; -, -n

Ha|lér [...le:ɐ̯ʃ], der; -, ...řе [...ɐ̯ʒe], *Gen. Plur.* ...řů [...ɐ̯ʒu] (Untereinheit der tschechischen u. slowakischen Krone)

half *vgl.* helfen

Hal|fa|gras *vgl.* Alfagras

Half|pipe [ˈhaːfpaip], die; -, -s (*engl.,* »Halbrohr«) (untere Hälfte einer Röhre, in der Kunststücke mit Skateboard od. Snowboard ausgeführt werden können)

Hälf|te, die; -, -n; meine bessere Hälfte (*scherzh. für* meine Ehefrau, mein Ehemann); zur Hälfte; hälf|ten (*svw.* halbieren)

[1]Half|ter, das *od.* der; -s, -, *schweiz. auch* die; -, -n (Zaum ohne Gebiss)

[2]Half|ter, das; -s, -, *auch* die; -, -n (Pistolentasche)

half|tern (den [1]Halfter anlegen); ich halftere; Half|ter|rie|men

hälf|tig; Hälf|tung

Half|vol|ley [ˈhaːf...], der; -s, -s ⟨engl.⟩ (*Tennis* Ball, der im Augenblick des Abprallens vom Boden geschlagen wird)

Hal|ky|o|ne [*auch* ...ˈkyːone] usw. *vgl.* Alkyone usw.

[1]Hall, der; -[e]s, -e

[2]Hall (Name mehrerer Orte)

Hal|le, die; -, -n

Hall|ef|fekt ([elektronisch erzeugter] Hall, Nachhall)

hal|le|lu|ja! ⟨hebr., »lobet den Herrn!«⟩; Hal|le|lu|ja, das; -s, -s (liturgischer Freudengesang)

hal|len (schallen)

Hal|len|bad; Hal|len|fuß|ball; Hal|len|hand|ball; Hal|len|ho|ckey

Hal|len|kir|che

Hal|len|ser (Einwohner von Halle [Saale]); Hal|len|se|rin

Hal|len|sport; Hal|len|ten|nis; Hal|len|tur|nier

Hal|ler (Einwohner von [2]Hall u. von Halle [Westf.]); Hal|le|rin

Hal|ler|t|au, Hol|le|d|au [*auch* ˈhɔ...], die; - (Landschaft in Bayern)

Hal|le (Saa|le) (Stadt an der mittleren Saale); *vgl.* Hallenser; hal|lesch *od.* hallisch

Hal|le (Westf.) (Stadt am Teutoburger Wald); *vgl.* Haller

Hal|ley-Ko|met [...le...], der; -en, Hal|ley|sche Ko|met, den; -en, den -en ⟨nach dem engl. Astronomen⟩; ↑K150

Hal|lig, die; -, -en (kleinere, bei Sturmflut überflutete Insel im nordfries. Wattenmeer)

Hal|li|gal|li *vgl.* Hully-Gully

Hal|li|gen *Plur.* (eine Inselgruppe im Wattenmeer); Hal|lig|leu|te *Plur.*

hal|li|hal|lo! (*ugs.*)

Hal|li|masch, der; -[e]s, -e (ein Pilz)

hal|lisch (*zu* Halle [Saale])

häl|lisch *vgl.* schwäbisch-hällisch

Hall|jahr (*A. T.* Feier-, Jubeljahr)

hal|lo! [*auch* ...ˈloː]; Hal|lo, das; -s, -s; mit großem Hallo; Hallo *od.* hallo rufen; hal|lö|chen! (*ugs.*)

Hal|lo|d|ri, der; -s, -[s] (*bayr. u. österr. für* ausgelassener Mensch)

Hal|lo|re, der; -n, -n (*früher* Salinenarbeiter in Halle [Saale])

Hal|lo|ween [hɛlo̯ˈviːn], das; -[s], -s ⟨engl.⟩ (Tag vor Allerheiligen [der bes. in den USA gefeiert wird])

Hall|statt (Ort in Oberösterreich); **Hall|stätt|ter See,** der; - -s

Hall|statt|zeit, die; - (ältere Eisenzeit)

Hal|lu|zi|na|ti|on, die; -, -en ⟨lat.⟩ (Sinnestäuschung); **hal|lu|zi|na|tiv; hal|lu|zi|nie|ren; Hal|lu|zi|no|gen,** das; -s, -e (Medikament, das Halluzinationen hervorruft)

Halm, der; -[e]s, -e

Hal|ma, das; -s ⟨griech.⟩ (ein Brettspiel)

Halm|flie|ge (ein Getreideschädling); **Halm|frucht** *meist Plur.*

Ha|lo, der; -[s], *Plur.* -s od. ...onen ⟨griech.⟩ (*Physik* Hof um eine Lichtquelle; *Med.* Ring um die Augen; Warzenhof)

ha|lo... ⟨griech.⟩ (salz...); **Ha|lo...** (Salz...)

Ha|lo|ef|fekt [*auch* ˈheː...] (*Psych.* Beeinflussung einer Beurteilung durch bestimmte Vorkenntnisse)

ha|lo|gen ⟨griech.⟩ (*Chemie* Salz bildend); **Ha|lo|gen,** das; -s, -e (Salz bildendes chem. Element)

Ha|lo|ge|nid, Ha|lo|id, das; -[e]s, -e (Metallsalz eines Halogens); **Ha|lo|ge|nid|salz, Ha|lo|id|salz**

ha|lo|ge|nie|ren (Salz bilden)

Ha|lo|id, das; -[e]s, -e; *vgl.* Halogenid; **Ha|lo|id|salz** *vgl.* Halogenidsalz

Ha|lo|phyt, der; -en, -en (*Bot.* auf Salzboden wachsende Pflanze)

¹Hals, Frans (niederl. Maler)

²Hals, der; -es, Hälse; Hals über Kopf; Hals- und Beinbruch

Hals|ab|schnei|der; Hals|ab|schnei|de|rin; hals|ab|schnei|de|risch

Hals|aus|schnitt; Hals|band, das; *Plur.* ...bänder; **Hals|ber|ge,** die; -, -n (Teil der mittelalterlichen Rüstung)

hals|bre|che|risch

Hal|se, die; -, -n (*Seemannsspr.* ein Wendemanöver); **hal|sen** (*Seemannsspr.* eine Halse durchfahren); du halst

Hals|ent|zün|dung

hals|fern; ein halsferner Kragen

Hals|ge|richt (im späten MA. Gericht für schwere Verbrechen)

Hals|ket|te; Hals|krau|se

hals|nah; ein halsnaher Kragen

Hals-Na|sen-Oh|ren-Arzt (*Abk.* HNO-Arzt); **Hals-Na|sen-Oh|ren-Ärz|tin** (*Abk.* HNO-Ärztin); **Hals|schlag|ader; Hals|schmerz** *meist Plur.*

hals|star|rig; Hals|star|rig|keit

hältst
Die 2. Person Singular von *halten* lautet im Indikativ Präsens *[du] hältst.* Das *t* nach dem *l* darf nicht weggelassen werden, da es zum Wortstamm gehört und deshalb in allen Formen des Verbs erhalten bleibt.

Hals|tuch *Plur.* ...tücher

Hals über Kopf (*ugs.*)

Hals- und Bein|bruch! (*ugs.*)

Hal|sung (*Jägerspr.* Hundehalsband)

Hals|weh; Hals|wei|te; Hals|wir|bel

¹halt (*landsch. u. schweiz. für* eben, wohl, ja, schon)

²halt!; Halt! Wer da?; *vgl.* Werda

Halt, der; -[e]s, *Plur.* -e u. -s [laut] Halt od. halt rufen; Halt finden; Halt machen od. haltmachen; ich mache Halt od. halt; ohne Halt zu machen od. haltzumachen; Halt gemacht od. haltgemacht

halt|bar; Halt|bar|keit, die; -

Halt|bar|milch (*bes. österr. für* H-Milch)

Hal|te|bo|gen; Hal|te|bucht; Hal|te|griff; Hal|te|gurt; Hal|te|li|nie

hal|ten (*landsch., bes. österr. auch für* [Kühe] hüten); du hältst, er hält; du hieltst; du hieltest; gehalten; halt[e]!; an sich halten; ich hielt an mich

Hal|te|punkt

Hal|ter (*landsch., bes. österr. auch für* Viehhirt)

Hal|te|re, die; -, -n *meist Plur.* ⟨griech.⟩ (*Zool.* umgebildeter Hinterflügel der Zweiflügler)

Hal|te|rin

hal|tern (festmachen, festklemmen); ich haltere

Hal|te|rung (Haltevorrichtung)

Hal|te|stel|le; Hal|te|tau, das

Hal|te|ver|bot (*amtl.* Haltverbot); **Hal|te|ver|bots|schild**

hal|tig (*Bergmannsspr.* Erz führend)

...hal|tig, *österr. auch* ...häl|tig (z. B. mehlhaltig)

halt|los; Halt|lo|sig|keit, die; -

halt|ma|chen *vgl.* Halt

Halt|ma|chen *vgl.* Halt

Hal|tung; Hal|tungs|feh|ler; Hal|tungs|no|te (*Sport*)

Halt|ver|bot *vgl.* Halteverbot

Ha|lun|ke, der; -n, -n ⟨tschech.⟩ (*abwertend* Schuft; *scherzh.* Schlingel); **Ha|lun|ken|streich**

Ham (bibl. m. Eigenn.)

Ha|mam, der; -[s], -s ⟨türk.⟩ (türkisches Bad)

Ha|ma|me|lis, die; - ⟨griech.⟩ (Zaubernuss, eine Heilpflanze)

Ha|mas, die; - ⟨arab.⟩ (radikale islamistische Widerstandsbewegung in Palästina)

Hä|ma|tin, das; -s ⟨griech.⟩ (*Med.* eisenhaltiger Bestandteil des roten Blutfarbstoffs)

Hä|ma|ti|non, das; -s (rote Glasmasse)

Hä|ma|tit, der; -s, -e (Eisenerz)

Hä|ma|to|lo|ge, der; -n, -n; **Hä|ma|to|lo|gie,** die; - (Lehre vom Blut u. seinen Krankheiten); **Hä|ma|to|lo|gin**

Hä|ma|tom, das; -s, -e (*Med.* Bluterguss)

Hä|ma|to|zo|on, das; -s, ...zoen *meist Plur.* (*Zool.* im Blut lebender tierischer Parasit)

Hä|ma|t|u|rie, die; -, ...ien (*Med.* Blutharnen)

Ham|burg (Land u. Hafenstadt an der unteren Elbe); **¹Ham|bur|ger** (Einwohner von Hamburg)

²Ham|bur|ger [*auch* ˈhɛmbøːɡɐ], der; -s, *Plur.* -, -s (Brötchen mit gebratenem Rinderhackfleisch)

ham|bur|gern (hamburgisch sprechen); ich hamburgere; **ham|bur|gisch**

Hä|me, die; - (Gehässigkeit)

Ha|meln (Stadt an der Weser); **Ha|mel|ner, Ha|me|ler; ha|melnsch**

hä|men (hämisch reden)

Ha|men, der; -s, - (Fangnetz)

Hä|min, das; -s, -e ⟨griech.⟩ (*Chemie* Salz des Hämatins; *vgl. d.*)

hä|misch

Ha|mit, Ha|mi|te, der; ...ten, ...ten ⟨*zu* Ham⟩ (Angehöriger einer Völkergruppe in Afrika); **Ha|mi|tin; ha|mi|tisch;** hamitische Sprachen

Ham|let (Dänenprinz der Sage)

Hamm (Stadt an der Lippe)

Ham|mel, der; -s, *Plur.* - u. Hämmel

Ham|mel|bein, *meist in* jmdm. die Hammelbeine lang ziehen od. langziehen (*ugs. für* jmdn. heftig tadeln; drillen)

Ham|mel|bra|ten; Ham|mel|keu|le

Ham|mel|sprung (ein parlamentarisches Abstimmungsverfahren)

Ham|mer, der; -s, Hämmer

Ham|mer|hai

ham|mer|hart *(ugs.);* das ist ja hammerhart!

Ham|mer|kla|vier

¹Häm|mer|lein

²Häm|mer|lein, Häm|mer|ling *(veraltet für* böser Geist, Teufel); Meister Hämmerlein, Hämmerling (Teufel; Henker)

ham|mer|mä|ßig *(ugs. für* großartig)

häm|mern; ich hämmere

Ham|mer|schmied

Ham|mer|wer|fen, das; -s *(Sport);* Ham|mer|wer|fer; Ham|mer|wer|fe|rin

Ham|mer|ze|he *(Med.)*

Ham|mond|or|gel ['hɛmənt...] ⟨nach dem amerik. Erfinder⟩ ↑K136 (elektroakustische Orgel)

Ham|mu|ra|bi (babylonischer König)

Hä|mo|glo|bin, das; -s ⟨griech.; lat.⟩ *(Med.* roter Blutfarbstoff; *Zeichen* Hb)

Hä|mo|phi|lie, die; -, ...ien ⟨griech.⟩ (Bluterkrankheit)

Hä|mor|rha|gie, die; -, ...ien (Blutung)

Hä|mor|ri|dal|lei|den, Hä|mor|rho|i|dal|lei|den; Hä|mor|ri|de, Hä|mor|rho|i|de, die; -, -n *meist Plur.* ⟨griech.⟩ ([leicht blutender] Venenknoten des Mastdarms)

Hä|mo|zyt, der; -en, -en (Blutkörperchen)

ham|pe|lig; Ham|pel|mann *Plur.* ...männer; ham|peln (zappeln); ich hamp[e]le

Hams|ter, der; -s, - (ein Nagetier)

Hams|ter|ba|cke *meist Plur. (ugs.)*

Hams|te|rer *(ugs. für* Mensch, der [gesetzwidrig] Vorräte aufhäuft); Hams|te|rin; Hams|ter|kauf; hams|tern; ich hamstere

Ham|sun (norwegischer Dichter)

Ha|na|ni|as vgl. Ananias

Hand *s. Kasten Seite 483*

Hand|än|de|rung *(schweiz. für* Besitzerwechsel bei Grundstücken)

Hand|ap|pa|rat; Hand|ar|beit

hand|ar|bei|ten; gehandarbeitet; *vgl. aber* handgearbeitet

Hand|ar|bei|ter; Hand|ar|bei|te|rin; Hand|ar|beits|un|ter|richt

Hand|auf|he|ben; eine Abstimmung durch Handaufheben

Hand|auf|le|gen, das; -s

Hand|ball; Handball spielen ↑K54 , *aber* das Handballspielen ↑K82

Hand|bal|len; Hand|bal|ler (Handballspieler); Hand|bal|le|rin

Hand|be|sen; Hand|be|trieb; Hand|be|we|gung; Hand|brau|se

hand|breit; ein handbreiter Saum, *aber* der Streifen ist eine Hand breit; **Hand|breit**, die; -, -, Hand breit, die; - -, - -; eine, zwei, keine Handbreit *od.* Hand breit, *aber* ein zwei Hand breiter Streifen

Hand|brem|se; Hand|buch

Händ|chen; ein Händchen haltendes *od.* händchenhaltendes Paar; Händ|chen|hal|ten, das; -s

Händ|chen hal|tend, händ|chen|hal|tend ↑K58

Hand|creme, Hand|krem, Hand|kre|me

Hän|de|druck *Plur.* ...drücke; Hän|de|hand|tuch; Hän|de|klat|schen

¹Han|del, der; -s (Kaufgeschäft); Handel treiben; ein Handel treibendes *od.* handeltreibendes Volk

²Han|del, der; -s, Händel *meist Plur.* *(veraltend für* Streit)

Hän|del (dt. Komponist)

han|del|bar ([bes. von Wertpapieren] im Handel erhältlich)

Han|del-Maz|zet|ti (österr. Schriftstellerin)

¹han|deln; ich hand[e]le; es handelt sich um ...

²han|deln ['hɛn...] ⟨engl.⟩ (handhaben, gebrauchen); ich hand[e]le ['hɛnd[ə]lə]; gehandelt

Han|deln, das; -s

Han|dels|ab|kom|men

Han|dels|aka|de|mie (höhere Handelsschule)

Han|dels|bank *Plur.* ...banken

Han|dels|be|zie|hun|gen *Plur.*

Han|dels|bi|lanz; Han|dels|brauch

han|dels|ei|nig, han|dels|eins

Han|dels|em|bar|go; Han|dels|flot|te

Han|dels|frau *(veraltet)*

Han|dels|ge|richt; han|dels|ge|richt|lich

Han|dels|ge|sell|schaft; Han|dels|ge|setz|buch *(Abk.* HGB); Han|dels|ha|fen; Han|dels|kam|mer

Han|dels|ket|te

Han|dels|klas|se

Han|dels|leh|rer; Han|dels|leh|re|rin

Han|dels|mann *Plur.* ...leute, *selten* ...männer *(veraltet);* Han|dels|ma|ri|ne; Han|dels|mar|ke

Han|dels|or|ga|ni|sa|ti|on *(DDR; Abk.* HO); Han|dels|po|li|tik; han|dels|po|li|tisch

Han|dels|recht; han|dels|recht|lich

Han|dels|re|gis|ter; Han|dels|rei|sen|de

Han|dels|sank|ti|on; Han|dels|schiff

Han|dels|schu|le; Han|dels|span|ne

Han|dels|stand, der; -[e]s; Han|dels|stra|ße; han|dels|üb|lich

Hän|del|sucht, die; - *(veraltet);* hän|del|süch|tig

Han|dels|ver|trag; Han|dels|ver|tre|ter; Han|dels|ver|tre|te|rin; Han|dels|ver|tre|tung

Han|dels|vo|lu|men; Han|dels|wa|re; Han|dels|weg

Han|del trei|bend, han|del|trei|bend ↑K58

Hän|de|rin|gen, das; -s; hän|de|rin|gend ↑K59

Hän|de|wa|schen, das; -s

Hand|fe|ger; Hand|fer|tig|keit

hand|fest; Hand|fes|te *(früher für* Urkunde)

Hand|feu|er|lö|scher; Hand|feu|er|waf|fe

Hand|flä|che; hand|ge|ar|bei|tet; handgearbeitete Möbel; *vgl. aber* handarbeiten

Hand|ge|brauch, der; -[e]s; zum, für den Handgebrauch

hand|ge|bun|den; hand|ge|knüpft

Hand|geld; Hand|ge|lenk

hand|ge|macht

Hand|ge|men|ge; Hand|ge|päck

hand|ge|schöpft; hand|ge|schrieben; hand|ge|strickt; hand|ge|webt

Hand|gra|na|te

hand|greif|lich; Hand|greif|lich|keit

Hand|griff; hand|groß; handgroße Flecken; *vgl.* Hand

hand|hab|bar; Hand|hab|bar|keit, die; -

Hand|ha|be, die; -, -n; hand|ha|ben; du handhabst; du handhabtest; gehandhabt; das ist schwer zu handhaben; Hand|ha|bung

Hand|har|mo|ni|ka

Hand|held ['hɛnthɛlt], der *od.* das; -s, -s ⟨engl.⟩ (Taschencomputer)

Han|di|cap usw. vgl. Handikap usw.

Han|di|kap, Han|di|cap ['hɛndi-kɛp], das; -s, -s ⟨engl.⟩ (Nachteil, Behinderung; *Sport* Ausgleichsvorgabe); han|di|ka|pen, han|di|ca|pen ['hɛndikɛpn]; gehandikapt, gehandicapt; han|di|ka|pie|ren, han|di|ca|pie|ren *(schweiz. für* handikapen)

Hand-in-Hand-Ar|bei|ten, das; -s ↑K27 ; Hand-in-Hand-Ge|hen, das; -s ↑K27

hän|disch (manuell)

Hand|ka|me|ra *(Film)*

Hand

die; -, Hände

1. Getrennt- oder Zusammenschreibung:

– linker Hand, rechter Hand; letzter Hand
– freie Hand haben; [an etwas] Hand anlegen
– etwas an, bei, unter der Hand haben, *auch:* etwas unter der Hand (heimlich, im Stillen) regeln
– jmdm. an die Hand gehen; *aber* anhand des Buches, von Unterlagen
– Hand in Hand arbeiten, die Hand in Hand Arbeitenden, *aber* ↑ K 27: das Hand-in-Hand-Arbeiten
– von langer Hand [her] (lange) vorbereitet
– von Hand zu Hand
– das ist nicht von der Hand zu weisen (ist möglich)
– von Hand (mit der Hand) eintragen
– zur Hand sein; zu Händen *(vgl. d.)*

Zur Zusammenschreibung vgl. auch die folgenden Zusammensetzungen:

– abhandenkommen, allerhand, handhaben, kurzerhand, überhandnehmen, vorderhand, vorhanden, zuhanden

2. Bei Maß- u. Mengenangaben:

– das Regalbrett ist eine Hand breit
– eine Handbreit *(vgl. d.) od.* Hand breit Tuch ansetzen; der Rand ist kaum handbreit; zwei Hände *od.* zwei Handbreit *od.* zwei Hand breit groß, lang
– er hat die eine Hand voll Kirschen
– eine Handvoll *od.* Hand voll Kirschen essen

3. Beim Skat:

– einen Grand aus der Hand, einen Grand Hand spielen

Hand|kan|ten|schlag
Hand|kä|se *(landsch.)*
Hand|ke *(österr. Schriftsteller)*
hand|kehr|um *(schweiz. für unversehens; andererseits)*; **Hand|kehrum;** *nur in* im Handkehrum *(schweiz. für im Handumdrehen)*
Hand|kof|fer; hand|ko|lo|riert
Hand|kom|mu|ni|on *(kath. Kirche)*
Hand|korb
Hand|krem, Hand|kre|me *vgl.* Handcreme
Hand|kuss
hand|lang; ein handlanger Schnitt, *aber* der Schnitt war zwei Hand lang
Hand|lan|ger; Hand|lan|ger|dienst *meist Plur. (oft abwertend);* Hand|lan|ge|rin; hand|lan|gern; ich handlangere
Hand|lauf (an Treppengeländern)
Händ|ler; Händ|le|rin
Hand|le|se|kunst; Hand|le|se|rin
Hand|le|xi|kon
hand|lich; Hand|lich|keit, die; -
Hand|ling ['hɛ...], das; -[s] ⟨engl.⟩ (Handhabung, Gebrauch)
Hand|lung
Hand|lungs|ab|lauf; Hand|lungs|bedarf; Hand|lungs|be|voll|mäch|tigte; hand|lungs|fä|hig; Hand|lungs|fä|hig|keit, die; -
Hand|lungs|frei|heit; Hand|lungs|gehil|fe; Hand|lungs|ge|hil|fin; Hand|lungs|rei|sen|de; Hand|lungs|spiel|raum
Hand|lungs|strang

hand|lungs|un|fä|hig; Hand|lungsun|fä|hig|keit, die; -
Hand|lungs|wei|se, die
Hand|ma|le|rei
Hand|mehr, das; -s *(schweiz. für durch Handaufheben festgestellte Mehrheit)*
Hand|or|gel *(schweiz. für Handharmonika);* hand|or|geln
Hand-out, **Hand|out** ['hɛntlaut], das; -s, -s ⟨engl.⟩ (Informationsunterlage)
Hand|pferd; Hand|pres|se; Handpup|pe
Hand|rei|chung; Hand|rü|cken
Hands [hɛnts], das; -, - ⟨engl.⟩ *(österr., schweiz. für Handspiel)*
hand|sam *(österr., landsch. für handlich)*
Hand|schel|le *meist Plur.;* Hand|schlag; Hand|schrei|ben
Hand|schrift *(in der Bedeutung* »altes Schriftstück« *Abk.* Hs., *Plur.* Hss.); Hand|schrif|ten|deutung; Hand|schrif|ten|kun|de, die; -; Hand|schrif|ten|kun|di|ge; hand|schrift|lich
Hand|schuh; ein Paar Handschuhe; Hand|schuh|fach
Hand|set|zer *(Druckw.);* Hand|set|ze|rin; hand|si|g|niert
Hand|spie|gel; Hand|spiel *(Fußball);* Hand|stand; Hand|stein *(nordd. für Ausguss)*
Hand|streich
Hand|ta|sche; Hand|ta|schen|raub; Hand|ta|schen|räu|ber
Hand|tel|ler

Hand|tuch *Plur.* ...tücher; Handtuch|hal|ter
Hand|um|dre|hen, das; -s; im Handumdrehen
hand|ver|le|sen *(auch für sorgfältig ausgewählt)*
Hand|voll, die; -, -, Hand voll, die; - -, - -; *vgl.* Hand; Hand|wa|gen
hand|warm
Hand|werk; Hand|wer|ker; Handwer|ke|rin; Hand|wer|ker|stand, der; -[e]s; hand|werk|lich
Hand|werks|be|trieb; Hand|werksbur|sche; Hand|werks|kam|mer; Hand|werks|meis|ter; Handwerks|rol|le (Verzeichnis der selbstständigen Handwerker); Hand|werks|zeug, das; -[e]s
Hand|wör|ter|buch; Hand|wur|zel
Han|dy ['hɛndi], das; -s, -s ⟨anglisierend⟩ (handliches schnurloses Funktelefon); Han|dy|dis|play
han|dy|frei; handyfreie Zonen
Han|dy|lo|go (individuelles Bild auf dem Handydisplay)
hand|zahm (besonders zahm)
Hand|zei|chen; Hand|zeich|nung; Hand|zet|tel
ha|ne|bü|chen *(veraltend für unverschämt, unerhört)*
Hanf, der; -[e]s (eine Faserpflanze); han|fen, hän|fen (aus Hanf); Hanf|garn
Hänf|ling (eine Finkenart; Mensch von schwächlicher Statur)
Hanf|sa|men; Hanf|seil
Hang, der; -[e]s, Hänge
hang|ab|wärts

¹hän|gen

- du hängst; du hingst; du hingest; gehangen; häng[e]!
- die Kleider hängen an der Wand; das Bild hing an der Wand, hat dort gehangen
- ↑K82 : mit Hängen und Würgen (ugs. für mit Müh und Not)
- hängende Gärten (terrassenförmig angelegte Gärten im Altertum), aber ↑K150 : die Hängenden Gärten der Semiramis
- das Bild kann hier hängen bleiben

- an einem Nagel hängen bleiben od. hängenbleiben (sich festhaken)
- von dem Gelernten ist wenig hängen geblieben od. hängengeblieben
- du kannst das Bild da hängen lassen; die Ohren hängen lassen
- hängen lassen od. hängenlassen (vergessen; ugs. für [jmdn.] im Stich lassen); du brauchst dich nicht hängen zu lassen od. hängenzulassen (nicht aufzugeben)

Han|gar [auch ...'ga:ɐ̯], der; -s, -s ⟨germ.-franz.⟩ (Flugzeughalle)
Hän|ge|arsch (derb); **Hän|ge|ba|cken** Plur.; **Hän|ge|bank** Plur. ...bänke (Bergbau)
Hän|ge|bauch; Hän|ge|bauch|schwein
Hän|ge|bo|den; Hän|ge|brü|cke; Hän|ge|bu|sen; Hän|ge|lam|pe
han|geln (Turnen); ich hang[e]le
Hän|ge|mat|te
han|gen (schweiz., landsch., sonst veraltet für ¹hängen); mit Hangen und Bangen
¹hän|gen s. Kasten
²hän|gen; du hängst; du hängtest; gehängt; häng[e]!; ich hängte das Bild an die Wand, habe es an die Wand gehängt
hängen blei|ben, **hän|gen|blei|ben** vgl. ¹hängen
Han|gen|de, das; -n (Bergmannsspr. Gesteinsschicht über einer Lagerstätte)
hängen las|sen, **hän|gen|las|sen** vgl. ¹hängen
Hän|ge|par|tie (Schach vorläufig abgebrochene Partie; übertr. für Ungewissheit)
Hän|ger (eine Mantelform; auch für [Fahrzeug]anhänger)
Han|gerl, das; -s, -n! (österr. ugs. für Lätzchen; Wischtuch [der Kellner])
Hän|ge|schloss; Hän|ge|schrank
hän|gig (fachspr. für abschüssig; schweiz. für schwebend, unerledigt); **Hang|la|ge**
Hang|täl|ter (Rechtsspr.)
Hän|gung (von Bildern)
Han|na (w. Vorn.)
Han|ne, Han|ne|lo|re (w. Vorn.)
Han|nes (m. Vorn.)
Han|ni (w. Vorn.)
Han|ni|bal (karthag. Feldherr)
Hann. Mün|den [ha'no:fɐʃ -] (kurz für Hannoversch Münden; vgl. Münden)
Han|no (m. Vorn.)
Han|no|ver [...f...] (Hauptstadt von

Niedersachsen); **Han|no|ve|ra|ner** [...v...] (auch eine Pferderasse); **Han|no|ve|ra|ne|rin**
han|no|ve|risch, han|nö|ve|risch, han|no|versch, han|nö|versch [alle...f...]; aber ↑K72 : im Hannöverschen
Ha|noi (Hauptstadt Vietnams)
Hans (m. Vorn.); Hans' Mütze ↑K16 ; Hans im Glück; vgl. Hansdampf, Hanswurst; der Blanke Hans (nordd. für die stürmische Nordsee)
Han|sa usw. vgl. Hanse usw.
Han|sa|plast ®, das; -[e]s (ein Verbandpflaster)
Häns|chen (Koseform von Hans)
Hans|dampf [auch 'ha...], der; -[e]s, -e; Hansdampf in allen Gassen
Han|se, die; - (mittelalterl. nordd. Kaufmanns- u. Städtebund)
Han|se|at, der; -en, -en (Mitglied der Hanse; Hansestädter); **Han|se|a|ten|geist,** der; -[e]s
Han|se|a|tin; han|se|a|tisch
Han|se|bund, der; -[e]s; **Han|se|kog|ge**
Han|sel, der; -s, -[n] (landsch. für unfähiger od. dummer Mensch)
Hän|sel; Hänsel und Gretel (dt. Märchen)
Han|sel|bank vgl. Heinzelbank
Hän|se|lei; hän|seln (necken); ich häns[e]le
Han|se|stadt; han|se|städ|tisch
Han|si (m. u. w. Vorn.)
han|sisch (hansestädtisch); aber ↑K150 : die Hansische Universität (in Hamburg)
Hans|wurst [auch 'ha...], der; -[e]s, Plur. -e, scherzh. auch ...würste (derbkomische Figur; dummer Mensch); **Hans|wurs|te|rei; Hans|wurs|ti|a|de,** die; -, -n
Han|tel, die; -, -n (ein Sportgerät); **han|teln;** ich hant[e]le
han|tie|ren ⟨niederl.⟩ (handhaben; umgehen mit ...); **Han|tie|rung**
han|tig (bayr., österr. für bitter, scharf; barsch, unwillig)

ha|pe|rig, hap|rig (nordd. für stockend)
ha|pern; es hapert (geht nicht vonstatten; fehlt [an])
ha|p|lo|id ⟨griech.⟩ (Biol. mit einfachem Chromosomensatz)
Häpp|chen
hap|pen (nordd. für zubeißen)
Hap|pen, der; -s, -
Hap|pe|ning ['hɛ...], das; -s, -s ⟨engl.⟩ ([Kunst]veranstaltung, bei der durch Aktionen ein künstlerisches Erlebnis vermittelt werden soll)
hap|pig (ugs. für zu stark, übertrieben)
Happs, der; -[es], -[e]; mit einem Happs
hap|py ['hɛpi] ⟨engl.⟩ (ugs. für glücklich, zufrieden)
Hap|py End ['hɛpi 'ɛnt], das; - -[s], - -s, Hap|py|end ['hɛpiɛnt], das; -[s], -s ⟨zu engl. happy ending, »glückliches Ende«⟩
Hap|py Hour ['hɛpi 'aʊ̯ɐ], die; - -, - -s (festgesetzte Zeit, in der zu bestimmten Lokalen Getränke ermäßigt angeboten werden)
hap|rig vgl. haperig
Hap|tik, die; - ⟨griech.⟩ (Lehre vom Tastsinn); **hap|tisch**
har! (Zuruf an Zugtiere links!)
Ha|ra|ki|ri, das; -[s], -s ⟨jap.⟩ (ritueller Selbstmord durch Bauchaufschneiden [in Japan])
Ha|rald (m. Vorn.)
ha|ram ⟨arab.⟩ (nach islamischem Glauben verboten)
Ha|ra|re (Hauptstadt von Simbabwe)
Ha|rass, der; -es, -e ⟨franz.⟩ (Lattenkiste [zum Verpacken von Glas od. Porzellan])
Här|chen ⟨zu Haar⟩
Hard|core [...kɔ:], der; -s, -s ⟨engl., »harter Kern«⟩ (aggressive Richtung der Rockmusik; auch kurz für Hardcorefilm)
Hard|core|film, Hard|core|por|no (pornografischer Film mit Groß-

aufnahmen u. genauen physischen Details)

Hard|co|ver [...ka...], das; -s, -s ⟨engl.⟩ (Buch mit festem Einband); Hard|co|ver|ein|band, Hard|co|ver-Ein|band

Hard Disk, Hard Disc, die; - -, - -s ⟨engl.⟩ (EDV Festplatte)

Hard|disk, Hard|disc, die; -, -s ⟨engl.⟩ (EDV Festplatte)

Har|de, die; -, -n (früher in Schleswig-Holstein Verwaltungsbezirk von mehreren Dörfern od. Höfen); Har|des|vogt (früher Amtsvorsteher einer Harde)

Hard|di, Har|dy [...di] (m. Vorn.)

Hard|li|ner [...lai...], der; -s, - ⟨engl.⟩ (Vertreter eines harten [politischen] Kurses)

Hard|rock, der; -[s], Hard Rock, der; - -[s] ([laute] Rockmusik mit einfachen Harmonien und Rhythmen)

Hardt, die; - (Teil der Schwäbischen Alb); vgl. Haard u. Haardt

Hard|top, das od. der; -s, -s ⟨engl.⟩ (abnehmbares, nicht faltbares Verdeck von Kraftwagen; auch der Wagen selbst)

Hard|ware [...vɛːɐ], die; -, -s ⟨engl.⟩ (EDV Gesamtheit der techn.-physikal. Teile einer Datenverarbeitungsanlage; Ggs. Software)

Har|dy [...di] vgl. Hardi

Ha|rem, der; -s, -s ⟨arab.⟩ (von Frauen bewohnter Teil des islam. Hauses; die Frauen darin)

hä|ren (aus Haar); härenes Gewand

Hä|re|sie, die; -, ...ien ⟨griech.⟩ (Ketzerei); Hä|re|ti|ker; Hä|re|ti|ke|rin; hä|re|tisch

Har|fe, die; -, -n; har|fen

Har|fe|nist, der; -en, -en (Harfenspieler); Har|fe|nis|tin

Har|fen|klang; Har|fen|spiel, das; -[e]s; Harf|ner (veraltet für Harfenspieler)

Har|ke, die; -, -n (nordd. für Rechen); har|ken (rechen)

Här|lein (zu Haar)

Har|le|kin, der; -s, -e ⟨franz.⟩ (Hanswurst; Narrengestalt)

Har|le|ki|na|de, die; -, -n (Hanswursterei); har|le|ki|nisch

Harm, der; -[e]s (veraltend für Kummer, Leid)

här|men, sich (geh. für sich sorgen)

harm|los; Harm|lo|sig|keit

Har|mo|nie, die; -, ...ien ⟨griech.⟩ (Wohlklang; ausgewogenes Verhältnis; Einklang); Har|mo|nie|be|dürf|tig; Har|mo|nie|leh|re

har|mo|nie|ren (gut zusammenklingen, zusammenpassen)

Har|mo|nik, die; - (Lehre von der Harmonie)

Har|mo|ni|ka, die; -, Plur. -s u. ...ken (ein Musikinstrument); Har|mo|ni|ka|tür (svw. Falttür)

har|mo|nisch; harmonische Funktion (Math.) ↑K89

har|mo|ni|sie|ren (in Einklang bringen); Har|mo|ni|sie|rung

Har|mo|ni|um, das; -s, Plur. ...ien od. -s (ein Tasteninstrument)

Harn, der; -[e]s, -e

Harn|bla|se; Harn|drang, der; -[e]s

har|nen (selten)

Har|nisch, der; -[e]s, -e ([Brust]panzer); jmdn. in Harnisch (in Wut) bringen

Harn|lei|ter, der; Harn|röh|re; Harn|ruhr (für Diabetes); Harn|säu|re; Harn|stoff; harn|trei|bend; der Tee wirkt harntreibend ↑K59

Harn|we|ge Plur. (Med. Gesamtheit von Nierenbecken, Harnleiter, -blase, -röhre); Harn|wegs|in|fek|ti|on (Med.)

Har|pu|ne, die; -, -n ⟨niederl.⟩ (Wurfspeer od. pfeilartiges Geschoss für den [Wal]fischfang)

Har|pu|nier, der; -s, -e u. Har|pu|nie|rer, der; -s, - (Harpunenwerfer)

Har|py|ie [...jə], die; -, -n (Sturmdämon in Gestalt eines vogelartigen Mädchens in der griechischen Sage; ein Greifvogel)

har|ren (geh. für warten)

Har|ri, Har|ry [...ri, auch ˈhɛri] (m. Vorn.)

harsch; Harsch, der; -[e]s (hart gefrorener Schnee)

har|schen (hart, krustig werden); der Schnee harscht; har|schig

Harst, der; -[e]s, -e (schweiz. für [Heer]schar, Haufen)

hart

härter, härteste

– hart auf hart; harte Währung
– hart sein, werden
– ↑K56 : hart kochen od. hartkochen
– hart machen od. hartmachen
– ↑K58 : ein hart gebrannter od. hartgebrannter Stein
– hart gefrorener od. hartgefrorener Boden
– ein hart gekochtes od. hartgekochtes Ei; vgl. aber hartgesotten

Hart|brand|zie|gel

Har|te, der; -n, -n (ugs. für Schnaps)

Här|te, die; -, -n; Här|te|aus|gleich; Här|te|fall; Här|te|fonds

Här|te|grad; Här|te|klau|sel

här|ten

Här|te|pa|ra|graf, Här|te|pa|ra|graph

Här|ter (Chemie)

Här|te|rei (Metallurgie)

Här|te|test

Hart|fa|ser|plat|te

hart ge|brannt, hart|ge|brannt vgl. hart; hart ge|fro|ren, hart|ge|fro|ren vgl. hart; hart ge|kocht, hart|ge|kocht vgl. hart

Hart|geld; das; -[e]s

hart|ge|sot|ten; die hartgesottensten Sünder

Hart|gum|mi, der u. das

hart|her|zig; Hart|her|zig|keit

Hart|heu (Johanniskraut)

Hart|holz

hart|hö|rig; Hart|hö|rig|keit, die; -

Hart|kä|se

hart ko|chen, hart|ko|chen

hart|köp|fig; Hart|köp|fig|keit, die; -

hart|lei|big; Hart|lei|big|keit, die; -

Härt|ling (Geol. Erhebung, die aus abgetragenem Gestein aufragt)

hart|lö|ten (Technik); nur im Infinitiv u. Partizip II gebr.; hartgelötet

hart ma|chen, hart|ma|chen

Hart|mann (m. Vorn.)

hart|mäu|lig (von Pferden); Hart|mäu|lig|keit, die; -

Hart|me|tall

Hart|mo|nat, Hart|mond (alte Bez. für Januar [auch für November od. Dezember])

Hart|mut (m. Vorn.)

hart|nä|ckig; Hart|nä|ckig|keit, die; -

Hart|platz (Sport)

Hart|rie|gel, der; -s, - (ein Strauch)

hart|rin|dig; hart|scha|lig

Hart|schier, der; -s, -e ⟨ital.⟩ (früher Leibwächter [der bayrischen Könige])

Hart|spi|ri|tus, der; - (ein Brennstoff)

hart|tun; sie hat sich damit hartgetan (schwergetan)

Har|tung, der; -s, -e (alte Bez. für Januar)

Här|tung; Hart|wei|zen

Hartz, das; - (ein Arbeitsmarktprogramm); Hartz IV (dessen vierte Stufe); Hartz-IV-Reform

Hartz|kom|mis|si|on, Hartz-Kom|mis|si|on, die; - ⟨nach dem Leiter⟩ (Politik Jargon)

Ha|ru|s|pex, der; -, Plur. -e u. ...spi|zes ⟨lat.⟩ (jmd., der aus den Ein-

H
Haru

geweiden von Opfertieren wahrsagt [bei den Etruskern od. Römern])

Har|vard|uni|ver|si|tät, Har|vard-Uni|ver|si|tät [...vɐt...], die; - ⟨nach dem Mitbegründer J. Harvard⟩ (in Cambridge [Mass.])

¹**Harz,** das; -es, -e (zähflüssige, klebrige Absonderung, bes. aus dem Holz von Nadelbäumen)

²**Harz,** der; -es (dt. Gebirge)

har|zen (Harz ausscheiden; *schweiz. auch für* schwer, schleppend vonstattengehen)

¹**Har|zer** ⟨*zu* ²Harz⟩; Harzer Käse; Harzer Roller (Kanarienvogel)

²**Har|zer,** der; -s, - (eine Käseart)

har|zig (*schweiz. auch für* mühsam, schleppend)

Harz|säu|re

Ha|sard, das; -s ⟨franz.⟩ (*Kurzform für* Hasardspiel)

Ha|sar|deur [...'dø:ɐ], der; -s, -e (Glücksspieler); **Ha|sar|deu|rin**

ha|sar|die|ren (*veraltend für* wagen, aufs Spiel setzen)

Ha|sard|spiel (Glücksspiel)

Hasch, das; -s (*ugs. für* Haschisch)

Ha|schee, das; -s, -s ⟨franz.⟩ (Gericht aus feinem Hackfleisch)

¹**ha|schen** (fangen); du haschst; sich haschen

²**ha|schen** (*ugs. für* Haschisch rauchen); du haschst

Ha|schen, das; -s; Haschen spielen

Ha|scher (*ugs. für* Haschischraucher)

Hä|scher (*veraltet für* Verfolger, Scherge; Gerichtsdiener)

Ha|sche|rin; Hä|sche|rin

Ha|scherl, das; -s, -n (*bayr. u. österr. ugs. für* bedauernswertes Kind)

ha|schie|ren (zu Haschee machen)

Ha|schisch, das, *auch* der; -[s] ⟨arab.⟩ (ein Rauschgift); **Ha|schisch|zi|ga|ret|te**

Hasch|mich, der; *nur in* einen Haschmich haben (*ugs. für* nicht recht bei Verstand sein)

Ha|se, der; -n, -n; falscher Hase (Hackbraten) ↑K 89

¹**Ha|sel,** der; -s, - (ein Fisch)

²**Ha|sel,** die; -, -n (ein Strauch)

Ha|sel|busch; Ha|sel|huhn; Ha|sel|maus

Ha|sel|nuss; Ha|sel|nuss|strauch, Ha|sel|nuss-Strauch

Ha|sel|stau|de; Ha|sel|wurz (eine Pflanze)

Ha|sen|bra|ten; Ha|sen|fell

Ha|sen|fuß (*scherzh. für* überängstlicher Mensch); **Ha|sen|fü|ßig** (*ugs.*); **Ha|sen|herz** (*svw.* Hasenfuß); **ha|sen|her|zig**

Ha|sen|jun|ge, das; -n (*österr. für* Hasenklein); **Ha|sen|klein** (Gericht aus Innereien, Kopf u. Vorderläufen des Hasen)

Ha|sen|pa|nier, das; *nur in* das Hasenpanier ergreifen (*ugs. für* fliehen)

Ha|sen|pfef|fer, der; -s (Hasenklein)

ha|sen|rein; nicht ganz hasenrein (verdächtig, nicht einwandfrei)

Ha|sen|schar|te

Hä|sin

Has|pe, die; -, -n (Tür- od. Fensterhaken)

Has|pel, die; -, -n, *seltener* der; -s, - (Garnwinde; Gerbereibottich; Seilwinde)

has|peln; ich hasp[e]le

Has|pen, der; -s, - (*svw.* Haspe)

Hass, der; -es

has|sen; du hasst; gehasst; hasse! *u.* hass!

hass|sens|wert; Hass|ser

hass|er|füllt

häss|lig (*schweiz. für* verdrießlich)

häss|lich; Häss|lich|keit

Hass|lie|be; Hass|ob|jekt

Hass|pre|di|ger; Hass|pre|di|ge|rin

Hass|ti|ra|de *meist Plur.*

hass|ver|zerrt

Hast, die; -; **has|ten**

has|tig; Has|tig|keit, die; -

Ha|t|schek *vgl.* Háček

Hät|sche|lei; Hät|schel|kind

hät|scheln; ich hätschel[e]le

hat|schen (*bayr., österr. ugs. für* schlendernd gehen; hinken); du hatschst; **Hat|scher,** der; -s, - (*österr. ugs. für* langer Marsch; ausgetretener Schuh)

hat|schi!, hat|zi! [*beide auch* 'ha...]

hat|te *vgl.* haben

Hat|trick ['hɛtrɪk], der; -s, -s ⟨engl.⟩ (*Fußball* dreimaliger Torerfolg hintereinander in einer Halbzeit durch denselben Spieler)

Hatz, die; -, -en (*landsch., bes. bayr. für* Eile, Hetze; *Jägerspr.* Hetzjagd mit Hunden)

hat|zi! *vgl.* hatschi!

Hatz|rü|de (*Jägerspr.*)

Hau, der; -[e]s, -e (*veraltet für* Stelle, wo Holz geschlagen wird; *landsch. für* Hieb); *vgl.* ²Haue

Hau|bank *Plur.* ...bänke (*landsch. für* Werkbank zum Zurichten von Schieferplatten)

Hau|barg, der; -[e]s, -e Bauernhaus mit hohem Reetdach,

unter dem das Heu gelagert wird)

Hau|bar|keits|al|ter (*Forstw.*)

Häub|chen

Hau|be, die; -, -n (*österr. auch für* Mütze)

Hau|ben|ler|che

Hau|ben|res|tau|rant (*österr. für* mit einer od. mehreren Kochmützen ausgezeichnetes Restaurant)

Hau|ben|tau|cher

Hau|bit|ze, die; -, -n ⟨tschech.⟩ (Flach- u. Steilfeuergeschütz)

Hauch, der; -[e]s, -e; **hauch|dünn**

hau|chen

hauch|fein

Hauch|laut (*Sprachw.*)

hauch|zart

Hau|de|gen (alter, erprobter Krieger; Draufgänger)

Hau|drauf, der; -s, -s (*ugs. für* Schläger)

¹**Haue,** die; -, -n (*südd., österr. u. schweiz. für* ²Hacke)

²**Haue,** die; - ⟨*eigtl. Plur. zu* Hau⟩ (*ugs. für* Hiebe); Haue kriegen

hau|en; du haust; du hautest (*österr. svw.* schlug); *landsch. auch* haute; *geh.* du hiebst); gehauen (*landsch.* gehaut); hau[e]!; sich hauen; sie hat ihm (*auch* ihn) ins Gesicht gehauen

Hau|er (Bergmann mit abgeschlossener Ausbildung; *österr. svw.* Weinhauer, Winzer; *Jägerspr.* Eckzahn des Keilers)

Häu|er (*bes. österr. neben* Hauer [Bergmann]); **Hau|e|rin**

Häuf|chen

Hau|fe, der; -ns, -n (*veraltend für* Haufen)

häu|feln; ich häuf[e]le

häu|fen; sich häufen

Hau|fen, der; -s, -; ↑K 63: zuhauf

Hau|fen|dorf; hau|fen|wei|se; Hau|fen|wol|ke

Hauff (dt. Schriftsteller)

häu|fig; Häu|fig|keit

Häuf|lein; Häu|fung

Hauf|werk, Hau|werk, das; -[e]s (*Bergmannsspr.* durch Hauen erhaltenes Rohgesteinis)

Hau|he|chel, die; -, -n (eine Heilpflanze)

Hau|ke (m. Vorn.)

Hau|klotz

Haupt, das; -[e]s, Häupter (*geh.*); zu Häupten

Haupt|al|tar; haupt|amt|lich

Haupt|an|ge|kla|g|te; Haupt|at|t|rak|ti|on; Haupt|auf|ga|be; Haupt|au|gen|merk

Haupt|bahn|hof (*Abk.* Hbf.)

Haupt|be|ruf; haupt|be|ruf|lich

Haupt|be|schäf|ti|gung; Haupt|be-
stand|teil; Haupt|buch

Haupt|dar|stel|ler; Haupt|dar|stel-
le|rin

Haupt|ein|gang

Häup|tel, das; -s, -[n] (*südd.,
österr. für* Kopf einer Gemüsepflanze, z. B. von Salat); Häup-
tel|sa|lat (*landsch., ostösterr. für*
Kopfsalat)

Haup|tes|län|ge; um Haupteslänge

Haupt|fach; Haupt|feld|we|bel;
Haupt|fi|gur; Haupt|film

Haupt|ge|bäu|de; Haupt|ge|richt;
Haupt|ge|schäfts|zeit; Haupt|ge-
wicht

Haupt|ge|winn; Haupt|ge|win|ner;
Haupt|ge|win|ne|rin

Haupt|grund

Haupt|haar, das; -[e]s (*geh.*);
Haupt|hahn

Häupt|ling; häupt|lings

Haupt|mahl|zeit

¹Haupt|mann *Plur.* ...leute

²Haupt|mann, Gerhart (dt. Dichter)

Haupt|mie|te (*österr.*); in Haupt-
miete (als Hauptmieter)

Haupt|mie|ter; Haupt|mie|te|rin

Haupt|nen|ner

Haupt|per|son; Haupt|por|tal;
Haupt|pro|be; Haupt|pro|gramm;
Haupt|punkt

Haupt|quar|tier

Haupt|rei|se|zeit; Haupt|rol|le

Haupt|sa|che; haupt|säch|lich

Haupt|sai|son; Haupt|satz; Haupt-
schlag|ader

Haupt|schul|ab|schluss

Haupt|schuld; Haupt|schu|le

Haupt|schü|ler; Haupt|schü|le|rin

Haupt|schwie|rig|keit

Haupt|se|gel

Haupt|spei|cher (*EDV*)

Haupt|stadt; haupt|städ|tisch

Haupt|stra|ße; Haupt|teil, der;
Haupt|the|ma; Haupt|tref|fer

Haupt- und Staats|ak|ti|on ↑K31

Haupt|ur|sa|che

haupt|ver|ant|wort|lich; Haupt|ver-
ant|wort|li|che, der u. die; -n, -n

Haupt|ver|ant|wor|tung; Haupt|ver-
band

Haupt|ver|die|ner; Haupt|ver|die-
ne|rin

Haupt|ver|hand|lung

Haupt|ver|kehrs|stra|ße; Haupt|ver-
kehrs|zeit

Haupt|ver|le|sen (*schweiz. Milit.*
Appell vor Ausgang od. Urlaub);
Haupt|ver|samm|lung; Haupt|ver-
wal|tung

Haupt|wert; Haupt|wohn|sitz

Haupt|wort *Plur.* ...wörter (Sub-
stantiv); haupt|wört|lich

Haupt|zeu|ge; Haupt|zeu|gin;
Haupt|ziel; Haupt|zweck

hau ruck!, ho ruck!; Hau|ruck, das;
-s; mit einem kräftigen Hauruck

das; -es, Häuser

– Haus halten *od.* haushalten; *vgl.*
haushalten

– außer [dem] Hause; außer
Haus; im Hause, *auch* Haus
(*Abk.* i. H.)

– von Hause; von Haus, *auch*
Hause aus; von Haus zu Haus;
Lieferung frei Haus

– nach Haus[e] *od.* nachhause

– zu Hause *od.* zuhause

– von zu Hause *od.* zuhause

Vgl. Zuhause

Hau|sa *vgl.* Haussa

Haus|an|ge|stell|te; Haus|an|zug;
Haus|apo|the|ke

Haus|ar|beit; Haus|ar|rest

Haus|arzt; Haus|ärz|tin

Haus|auf|ga|be; Haus|auf|ga|ben-
hil|fe; Haus|auf|satz

haus|ba|cken

Haus|ball (*vgl.* ²Ball); Haus|bar;
Haus|bau *Plur.* ...bauten

Haus|be|set|zer; Haus|be|set|ze|rin

Haus|be|sit|zer; Haus|be|sit|ze|rin

Haus|be|sor|ger (*österr. neben*
Hausmeister); Haus|be|sor|ge-
rin; Haus|be|such

Haus|be|woh|ner; Haus|be|woh|ne-
rin; Haus|boot

Haus|buch (*DDR* polizeiliches Kon-
trollbuch über Hausbewohner u.
deren Besucher)

Haus|bur|sche

Häus|chen, Häus|lein, *landsch.
auch* Häu|sel, Häusl, das; -s, -

Haus|da|me; Haus|dra|chen (*ugs.
für* herrschsüchtige Ehefrau)

Haus|durch|su|chung (*bes. österr. u.
schweiz. für* Haussuchung)

haus|ei|gen; hauseigenes
Schwimmbad

Haus|ein|gang

Häu|sel *vgl.* Häuschen

hau|sen; du haust; sie haus|te

Hau|sen, der; -s, - (ein Fisch); Hau-
sen|bla|se, die; - (Fischleim)

Hau|ser (*bayr., westösterr. für*
Haushälter, Wirtschaftsführer)

Häu|ser|block (*vgl.* Block); Häu|ser-
front

Hau|se|rin, Häu|se|rin (*bayr., west-
österr. für* Haushälterin)

Häu|ser|kampf (*Milit.*)

Häu|ser|meer; Häu|ser|rei|he

Haus|flur, der

Haus|frau; haus|frau|lich

Haus|freund; Haus|freun|din

Haus|frie|dens|bruch, der; -[e]s

Haus|ge|brauch; für den Hausge-
brauch genügen

Haus|ge|burt

Haus|ge|hil|fe; Haus|ge|hil|fin

haus|ge|macht

Haus|ge|mein|schaft

Haus|halt, der; -[e]s, -e

haus|hal|ten; sie haushaltet, haus-
haltete; ich habe gehaushaltet;
um zu haushalten; Haus hal|ten;
du hältst, hieltest Haus; du hast
Haus gehalten; um Haus zu
halten

Haus|hal|ter, Haus|häl|ter; Haus|hal-
te|rin, Haus|häl|te|rin; haus|häl-
te|risch

Haus|halt[s]|aus|gleich; Haus-
halt[s]|aus|schuss; Haus|halt[s]-
buch

Haus|halt[s]|de|bat|te; Haus|halt[s]-
de|fi|zit; Haus|halt[s]|ent|wurf

Haus|halt[s]|fra|ge; Haus|halt[s]-
füh|rung; Haus|halt[s]|geld

Haus|halt[s]|ge|rät; Haus|halt[s]|ge-
setz

Haus|halt[s]|hil|fe; Haus|halt[s]-
jahr; Haus|halt[s]|kas|se

Haus|halt[s]|la|ge; Haus|halt[s]-
loch (*ugs.*); Haus|halt[s]|mit|tel
Plur.

Haus|halt[s]|plan; Haus|halt[s]|pla-
nung

Haus|halt[s]|po|li|tik; Haus|halt[s]-
pos|ten

Haus|halt[s]|sper|re; Haus|halt[s]-
sum|me; Haus|halt[s]|tag (*regio-
nal*)

haus|halts|üb|lich; in haushaltsüb-
lichen Mengen

Haus|halts|wa|ren, Haus|halt|wa-
ren *Plur.*

Haus|hal|tung; Haus|hal|tungs|schu-
le; Haus|hal|tungs|vor|stand;
Haus|hal|tungs|we|sen

Haus|halt|wa|ren, Haus|halts|wa-
ren *Plur.*

Haus|herr; Haus|her|rin

haus|hoch; haushohe Wellen

Haus|hof|meis|ter (*früher*)

hau|sie|ren (*veraltend für* Waren
von Haus zu Haus anbieten);
mit etw. hausieren gehen (etw.
überall erzählen); Hau|sie|rer;
Hau|sie|re|rin

487

haus|in|tern; eine hausinterne Regelung

Haus|ju|rist; Haus|ju|ris|tin

Haus|kat|ze

Häusl vgl. Häuschen; Häusl|bau|er (vgl. [1]Bauer; bayr., österr.); Häusl|bau|e|rin

Häus|le|bau|er (vgl. [1]Bauer; ugs.); Häus|le|bau|e|rin

Häus|leh|rer; Häus|leh|re|rin

Häus|lein

Häus|ler (Dorfbewohner, der ein kleines Haus ohne Land besitzt); Häus|le|rin

Haus|leu|te Plur.

häus|lich; Häus|lich|keit, die; -

Haus|ma|cher|art, die; -; nach Hausmacherart; Haus|ma|cher|wurst

Haus|macht, die; -; Haus|mann Plur. ...männer

Haus|man|nit, der; -s (ein Mineral)

Haus|manns|kost

Haus|mär|chen; Haus|mar|ke; Haus|mei|er (Vorsteher der merowing. Hofhaltung)

Haus|meis|ter; Haus|meis|te|rin; Haus|mit|tel; Haus|mu|sik; Haus|müt|ter|chen

Haus|num|mer; Haus|ord|nung

Haus|pfle|ge (Pflege eines Kranken in seiner Wohnung)

Haus|putz

Haus|rat, der; -[e]s; Haus|rat|ver|si|che|rung

[1]Haus|sa, Hau|sa, der; -[s], -[s] (Angehöriger eines afrikanischen Volkes)

[2]Haus|sa, Hau|sa, das; - (Sprache der Haussa)

Haus|samm|lung; Haus|schaf

[1]haus|schlach|ten; nur im Infinitiv u. im Partizip II gebr.; hausgeschlachtet

[2]haus|schlach|ten; hausschlachtene Wurst

Haus|schlach|tung; Haus|schlüs|sel; Haus|schuh; Haus|schwamm; Haus|schwein

Hausse ['ho:s(ə), auch o:s], die; -, -n ⟨franz.⟩ ([starkes] Steigen der Börsenkurse; allg. Aufschwung der Wirtschaft)

Haus|si|er [...'sje:], der; -s, -s (auf Hausse Spekulierender)

haus|sie|ren (im Kurswert steigen)

Haus|stand, der; -[e]s; Haus|stre|cke (Sport); Haus|su|chung

Haus|tech|nik

Haus|tier; Haus|tür

Haus|ty|rann; Haus|ty|ran|nin

Haus|übung (österr. für Hausaufgabe)

Haus|ur|ne (ein vorgeschichtliches Tongefäß); Haus|ver|bot

Haus|ver|stand (österr. für gesunder Menschenverstand)

Haus|ver|wal|ter; Haus|ver|wal|te|rin; Haus|ver|wal|tung

Haus|wand

Haus|wart (landsch.); Haus|war|tin (schweiz.); Haus|we|sen, das; -s

Haus|wirt; Haus|wir|tin; Haus|wirt|schaft

Haus|wirt|schafts|meis|ter; Haus|wirt|schafts|meis|te|rin

Haus|wirt|schafts|pfle|ger (regional); Haus|wirt|schafts|pfle|ge|rin; Haus|wirt|schafts|schu|le

Haus|wurz (eine Pflanze); Haus|zelt; Haus|zins Plur. ...zinse (südd. u. schweiz. für Miete)

Haus[-zu]-Haus-Ver|kehr ↑K 26

Haut, die; -, Häute; ↑K 27; zum Aus-der-Haut-Fahren

Haut|arzt; Haut|ärz|tin

Haut|aus|schlag; Haut|bank Plur. ...banken (Med.)

Haut|creme, Haut|krè|me, Haut|krem

Haute Coif|fure ['(h)o:t koa'fy:ɐ̯], die; - - ⟨franz.⟩ (für die Mode tonangebende Friseurkunst [bes. in Paris])

Haute Cou|ture ['(h)o:tku'ty:ɐ̯], die; - - (für die Mode tonangebende Schneiderkunst [bes. in Paris])

Haute-Cou|ture-Mo|dell ↑K 26

Haute|fi|nance [(h)o:tfi'nā:s], die; - (Hochfinanz)

Haute|lisse [(h)o:t'lɪs], die; -, -n (Webart mit senkrechten Kettfäden); Haute|lisse|stuhl

häu|ten; sich häuten

haut|eng

Haute|vo|lee [(h)o:tvo'le:], die; - ⟨franz.⟩ (vornehmste Gesellschaft)

Haut|far|be; Haut|fet|zen; Haut|flüg|ler (Zool.)

haut|freund|lich

Haut|gout [o'gu:], der; -s ⟨franz.⟩ (scharfer Wildgeschmack; auch übertr. für Anrüchigkeit)

häu|tig

Haut|ju|cken, das; -s; Haut|kli|nik; Haut|krank|heit; Haut|krebs

Haut|krem, Haut|krè|me vgl. Haut|creme

haut|nah

Haut|pfle|ge

Haut|re|li|ef ['o:...] ⟨franz.⟩ (Hochrelief)

Haut-Sau|ter|nes [oso'tɛrn], der; - (ein südwestfranzösischer Weißwein)

haut|scho|nend

Haut|schrift, die; - (für Dermografie)

haut|sym|pa|thisch

Haut|trans|plan|ta|ti|on

Häu|tung

Haut|ver|pflan|zung

Hau|werk vgl. Haufwerk

[1]Ha|van|na (Hauptstadt Kubas); vgl. Habana

[2]Ha|van|na, die; -, -s (Zigarre); Ha|van|na|zi|gar|re ↑K 143

Ha|va|rie, die; -, ...ien ⟨arab.⟩ (Unfall von Schiffen od. Flugzeugen; schwere Betriebsstörung durch Brand, Explosion u. Ä.; österr. auch für Kraftfahrzeugunfall, -schaden); ha|va|rie|ren

Ha|va|rist, der; -en, -en (Seew. havariertes Schiff; dessen Eigentümer); Ha|va|ris|tin

Ha|vel [...f...], die; - (rechter Nebenfluss der Elbe)

Ha|vel|land, das; -[e]s ↑K 143; ha|vel|län|disch; aber ↑K 140 : das Havelländische Luch

Ha|ve|lock, der; -s, -s ⟨nach dem engl. General⟩ (ärmelloser Herrenmantel mit Schulterkragen)

Ha|wai|i (Hauptinsel der Hawaii-Inseln im Pazif. Ozean; Staat der USA; vgl. Hawaii-Inseln)

Ha|wai|i|a|ner; Ha|wai|i|a|ne|rin

ha|wai|i|a|nisch; ha|wai|isch

Ha|waii|gi|tar|re

Ha|waii|in|sel, Ha|waii-In|sel, die; -, -n (eine der Hawaii-Inseln); Ha|waii|in|seln, Ha|waii-In|seln Plur. (Inselgruppe im Pazifischen Ozean, die den Staat Hawaii bildet)

ha|wai|isch, ha|wai|i|a|nisch

Ha|xe, die; -, -n (bes. südd. für Hachse); Haxl, das; -s, -n (bayr., österr. für Hachse); Haxl|bei|ßer (österr. ugs. für Wadenbeißer)

Haydn, Franz Joseph (österr. Komponist); haydnsch; eine haydnsche od. Haydn'sche Sinfonie

Ha|zi|en|da, die; -, Plur. -s, auch ...den ⟨span.⟩ (südamerik. Farm)

Hb = Hämoglobin

HB = Brinellhärte

H. B. = Helvetisches Bekenntnis

Hbf. = Hauptbahnhof

H-Bom|be ['ha:...] ↑K 28 ⟨nach dem chemischen Zeichen H = Wasserstoff⟩ (Wasserstoffbombe)

h. c. = honoris causa

HDTV, das; -s ⟨Abk. für engl. high

definition television⟩ (hochauflösendes Fernsehen); **HDTV-tauglich**

H-Dur ['ha:duːɐ̯, *auch* 'haːˈduːɐ̯], das; - (Tonart; *Zeichen* H); **H-Dur-Ton|lei|ter** ↑K 26

he!; he̱da!

He = *chem. Zeichen für* Helium

Head|ban|ging ['hɛtbɛŋɪŋ] (heftige rhythm. Kopfbewegung)

Head|hun|ter ['hɛt...], der; -s, - ⟨engl.⟩ (jmd., der Führungskräfte abwirbt); **Head|hun|te|rin**

Head|line ['hɛtla̱in], die; -, -s ⟨engl. Bez. für⟩ Schlagzeile)

Head|set ['hɛt...], das; -[s], -s ⟨engl.⟩ (am Kopf getragene Kombination von Mikrofon u. Kopfhörer)

Hea|ring ['hiː...], das; -[s], -s ⟨engl.⟩ (Anhörung)

Hea|vi|side ['hɛvisa̱it] (engl. Physiker); **Hea|vi|side|schicht, Hea|viside-Schicht**, die; - (*svw.* Kennelly-Heaviside-Schicht)

Hea|vy Me̱|tal ['hɛvi 'mɛtl], das; - -[s] ⟨engl.⟩ (aggressivere Variante des Hardrocks)

Heb|am|me, die; -, -n

Heb|bel, Christian Friedrich (dt. Dichter)

He̱|be (griech. Göttin der Jugend)

He̱|be|baum; He̱|be|büh|ne; He̱|befi|gur *(Sport)*

¹**He̱|bel**, Johann Peter (dt. [Mundart]dichter)

²**He̱|bel**, der; -s, -

He̱|bel|arm; He̱|bel|griff

he̱|beln; ich heb[e]le

He̱|bel|wir|kung

he̱|ben; du hobst, *veraltet* hub[e]st; du höbst, *veraltet* hübest; gehoben; heb[e]!

He̱|ber

He̱|be|satz *(Steuerwesen)*

He̱|be|werk

...he̱|big (z. B. vierhebig)

He̱|brä|er (*bes. im A. T. für* Angehörige des Volkes Israel)

He̱|brä|er|brief, der ⟨o. Pl.⟩ *(bibl.);* **He̱|brä|e|rin**

He̱|bra̱|i|cum, das; -s ⟨lat.⟩ (Prüfung über bestimmte Kenntnisse des Hebräischen)

he̱|brä̱|isch *vgl.* deutsch; **He̱|brä̱isch**, das; -[s] (Sprache); *vgl.* Deutsch; **He̱|brä̱|i|sche**, das; -n; *vgl.* Deutsche, das

He̱|bra̱|ist, der; -en, -en; **He̱|bra̱|istik**, die; - (wissenschaftliche Erforschung der hebräischen Sprache u. Literatur); **He̱|bra̱|istin**

He|b|ri̱|den *Plur.* (schott. Inselgruppe; Äußere u. Innere Hebriden; die Neuen Hebriden (Inselgruppe im Pazifischen Ozean; *jetzt* Vanuatu)

He̱|bung

He̱|chel, die; -, -n (ein landwirtschaftliches Gerät)

He̱|che|lei (*ugs. für* boshaftes Gerede); **he̱|cheln**; ich hech[e]le

Hecht, der; -[e]s, -e; **hecht|blau**

hecẖ|ten (*ugs. für* einen Hechtsprung machen); **hecht|grau**

Hecht|rol|le (eine Bodenturnübung); **Hecht|sprung**

Hecht|sup|pe; es zieht wie Hechtsuppe (*ugs. für* es zieht sehr)

¹**Heck**, das; -[e]s, *Plur.* -e *od.* -s (hinterster Teil eines Schiffes, Flugzeugs, Autos)

²**Heck**, das; -[e]s, -e (*nordd. für* Gattertür; Weide, Koppel)

Heck|an|trieb

¹**He̱|cke**, die; -, -n (Umzäunung aus Sträuchern)

²**He̱|cke**, die; -, -n (*veraltet für* Nistplatz; Paarungs- *od.* Brutzeit; Brut); **he̱|cken** (*veraltet für* Junge zur Welt bringen [von Vögeln und kleineren Säugetieren])

He̱|cken|ro|se; He̱|cken|sche|re; He̱cken|schüt|ze; He̱|cken|schüt|zin

Heck|fens|ter; Heck|flos|se; Heckklap|pe

heck|las|tig; Heck|la|ter|ne

Heck|meck, der; -s (*ugs. für* Geschwätz; unnötige Umstände)

Heck|mo|tor

Heck|pfen|nig (*zu* hecken) (*scherzh. für* Münze, die man nicht ausgeben soll); Glückspfennig)

Heck|schei|be

He̱|cu|ba *vgl.* Hekuba

he̱|da! *(veraltend)*

He̱|de, die; -, -n (*nordd. für* Werg); **he̱|den** (aus Hede)

He̱|de|rich, der; -s, -e (ein Wildkraut)

Hedge|fonds, Hedge-Fonds ['hedʒfõː], der; -, - ⟨engl.⟩ (*Wirtsch.* besondere Form des Investmentfonds)

He̱|din, Sven (schwedischer Asienforscher)

He̱|do|ni|ker (griech.) (Hedonist); **He̱|do|ni|ke|rin**

He̱|do|nis|mus, der; - (philosophische Lehre, nach der das höchste ethische Prinzip das Streben nach Sinnenlust ist)

He̱|do|nist, der; -en, -en (Anhänger

des Hedonismus); **He̱|do|nis|tin; he̱|do|nis|tisch**

Heḏ|schas (Landschaft in Arabien); **He̱d|schas|bahn, He̱dschas-Bahn**

He̱dsch|ra, die; - ⟨arab.⟩ (Übersiedlung Mohammeds von Mekka nach Medina; Beginn der islamischen Zeitrechnung)

He̱d|wig (w. Vorn.)

Heer, das; -[e]s, -e; **Heer|bann** *(früher)*

Hee̱|res|be|richt; Hee̱|res|be|stand *meist Plur.*

Hee̱|res|grup|pe; Hee̱|res|lei|tung

Hee̱|res|zug, Hee̱r|zug

Heer|füh|rer; Heer|füh|re|rin; Heerla|ger; Heer|schar; Heer|schau

Heer|stra̱|ße; Heer|we|sen

Heer|zug, Hee̱|res|zug

He̱|fe, die; -, -n

He̱|fe|brot; He̱|fe|kloß; He̱|fe|kranz; He̱|fe|ku|chen

He̱|fe|stück|chen (Kleingebäck); **He̱|fe|teig; He̱|fe|zopf**

he̱|fig

Hef|ner|ker|ze ⟨nach dem dt. Elektrotechniker⟩ (frühere Lichtstärkeeinheit; *Zeichen* HK)

Heft, das; -[e]s, -e

He̱f|tel, das; -s, - (*landsch. für* Häkchen, Spange); **hef|teln** *(landsch.);* ich heft[e]le

hef|ten; gehäftet (*Abk.* geh.)

Hef|ter (Mappe zum Abheften, Gerät zum Heften)

Heft|fa|den *Plur.* ...fäden

hef|tig; Hef|tig|keit

Heft|klam|mer; Heft|la|de (Gerät in der Buchbinderei)

Heft|pflas|ter; Heft|strei|fen (ein Büroartikel); **Heft|zwe̱|cke**

He̱|gau, der; -[e]s (Landschaft am Bodensee)

He̱|ge, die; - (Pflege u. Schutz des Wildes)

He̱|gel (dt. Philosoph)

He̱|ge|li|a|ner (Anhänger Hegels); **He̱|ge|li|a|ne|rin; he̱|ge|li|a|nisch**

he̱|gelsch; hegelsche *od.* Hegel'sche Philosophie

He̱|ge|meis|ter (Forstbeamter); **He̱ge|meis|te|rin**

he̱|ge|mo|ni|al (griech.) (den Herrschaftsbereich [eines Staates] betreffend); **He̱|ge|mo|ni|al...** (Vorherrschafts...)

He̱|ge|mo|nie̱, die; -, ...ien ([staatliche] Vorherrschaft); **he̱|ge|monisch**

he̱|gen; hegen und pflegen

He̱|ger *(Jägerspr.);* **He̱|ge|rin**

hei|lig

– (*Abkürzung* hl., *für den Plural* hll.)

1. Kleinschreibung ↑K89:

– in heiligem Zorn; mit heiligem Ernst; heilige Einfalt! (Ausruf der Verwunderung)
– der heilige Paulus, die heilige Theresia
– das heilige Abendmahl, die heilige Messe, die erste heilige Kommunion, die heilige Taufe
– das heilige Pfingstfest usw. ↑K151

2. Großschreibung:

– der Heilige Abend; Heiliger Abend (24. Dez.)
– der heilige *od.* Heilige Krieg
– die Heilige Allianz
– die Heilige Familie; der Heilige Christ; die Heilige Dreifaltigkeit; der Heilige Geist
– das Heilige Grab
– die Heilige Jungfrau
– der Heilige Gral

– die Heiligen Drei Könige; Heilige Drei Könige (6. Jan.)
– das Heilige Land
– der Heilige Rock von Trier
– die Heilige Nacht
– das Heilige Römische Reich Deutscher Nation
– die Heilige Schrift
– die Heilige Stadt (Jerusalem)
– der Heilige Stuhl
– der Heilige Vater ↑K151

3. Getrenntschreibung:

– jmdn. für heilig halten

4. Zusammenschreibung:

– den Sonntag heilighalten (feiern)
– einen Menschen heiligsprechen (zum *od.* zur Heiligen erklären)
Vgl. heilighalten, heiligsprechen

He|ge|ring (kleinster jagdlicher Bezirk); **He|ge|zeit**
Hehl, das u. der; *nur* kein, *auch* keinen Hehl daraus machen (es nicht verheimlichen); **heh|len**
Heh|ler; **Heh|le|rei**; **Heh|le|rin**
hehr (*geh. für* erhaben; heilig)
hei!
heia; *nur in* heia machen (*Kinderspr. für* schlafen)
Heia, die; -, -[s] (*Kinderspr. für* Bett); **Heia|bett**
heia|po|peia! *vgl.* eiapopeia!
¹**Hei|de**, der; -n, -n (*veraltend* Nichtchrist; *auch für* Ungetaufter, Religionsloser)
²**Hei|de**, die; -, -n (sandiges, unbautes Land; *nur Sing.:* Heidekraut)
³**Hei|de** (w. Vorn.)
Hei|deg|ger (dt. Philosoph)
Hei|de|korn, das; -[e]s; **Hei|dekraut**, das; -[e]s; **Hei|de|land**, das; -[e]s
Hei|del|bee|re; **Hei|del|beer|kraut**, das; -[e]s
Hei|del|berg (Stadt am Neckar)
Hei|de|ler|che
Hei|den, der; -s (*ostösterr. für* Buchweizen)
Hei|den... (*ugs. für* groß, sehr viel, z. B. Heidenangst, Heidenarbeit, Heidenlärm, Heidenspaß, Heidenspektakel)
Hei|den|chris|ten|tum
hei|de|nei! (*südwestd.*)
hei|den|mä|ßig (*ugs. für* sehr, groß)
Hei|den|rös|chen, **Hei|de|rös|chen**
Hei|den|tum, das; -s; **Hei|den|volk**
Hei|de|rös|chen *vgl.* Heidenröschen
hei|di! [*auch* ˈhai...] (*nordd. für*

lustig!; schnell!); heidi gehen (*ugs. für* verloren gehen)
Hei|di (w. Vorn.)
Hei|din
Heid|jer (Bewohner der [Lüneburger] Heide); **Heid|je|rin**
heid|nisch
Heid|schnu|cke, die; -, -n (eine Schafrasse)
Hei|duck, der; -en, -en ⟨ung.⟩ (*früher* ungarischer [Grenz]soldat)
Hei|er|mann (*früher ugs. für* Fünfmarkstück)
Hei|ke (w., *seltener* m. Vorn.)
hei|kel (schwierig; *landsch. auch für* wählerisch [beim Essen]); eine heik|le Sache
Hei|ko (m. Vorn.)
heil; eine heile Welt
Heil, das; -[e]s; Berg Heil!; Ski Heil!; *vgl.* Heil bringend
Hei|land, der; -[e]s, -e (*geh. für* Retter, Erlöser); unser Herr und Heiland [Jesus Christus]
Heil|an|stalt; **Heil|bad**
heil|bar; **Heil|bar|keit**, die; -
Heil brin|gend, **heil|brin|gend**; ↑K58: die Heil bringende *od.* heilbringende Botschaft; *aber nur* göttliches Heil bringend; eine [noch] heilbringendere Wirkung
Heil|bronn (Stadt am Neckar)
Heil|butt (ein Fisch)
hei|len; **Hei|ler**
Hei|ler|de; **Hei|ler|folg**; **Hei|le|rin**
Heil|fas|ten, das; -s (Heilung bewirkendes Fasten)
heil|froh
Heil|gym|nast; **Heil|gym|nas|tik**; **Heil|gym|nas|tin**

hei|lig *s. Kasten*
Hei|lig|abend
Hei|li|ge, der u. die; -n, -n
Hei|li|ge|drei|kö|nigs|tag
hei|li|gen
Hei|li|gen|bild; **Hei|li|gen|fi|gur**
Hei|li|gen|le|ben; **Hei|li|gen|schein**; **Hei|li|gen|schrein**
Hei|lig|geist|kir|che
hei|lig|hal|ten; sie hielten die Gebote heilig
Hei|lig|keit, die; -; Seine Heiligkeit ↑K89 (der Papst)
hei|lig|spre|chen; der Papst sprach sie heilig, hat sie heiliggesprochen; **Hei|lig|spre|chung**
Hei|lig|tum
Hei|li|gung
heil|kli|ma|tisch
Heil|kraft; **heil|kräf|tig**
Heil|kraut, das
Heil|kun|de, die; -, -n; **heil|kun|dig**
Heil|kun|di|ge, der u. die; -n, -n
heil|los
Heil|mit|tel, das
Heil|pä|d|a|go|ge; **Heil|pä|d|a|go|gik**; **Heil|pä|d|a|go|gin**; **heil|pä|d|a|go|gisch**
Heil|pflan|ze; **Heil|prak|ti|ker**; **Heil|prak|ti|ke|rin**; **Heil|quel|le**; **Heil|ruf**
heil|sam; **Heil|sam|keit**, die; -
Heils|ar|mee, die; -; **Heils|bot|schaft**
Heils|brin|ger
Heil|schlaf; **Heil|schlamm**
Heils|leh|re
Heil|lung; **Hei|lungs|be|wäh|rung** (Verminderung einer Behinderung durch Heilung); **Hei|lungs|pro|zess**
Heil|ver|fah|ren; **Heil|wir|kung**

Heil|zweck; zu Heilzwecken

Heim, das; -[e]s, -e

heim...; *vgl.* heimbegeben, heimbegleiten usw.

Heim|abend; Heim|ar|beit

hei|mat|be|rech|tigt

Heim|mat|dich|ter; Heim|mat|dich|tung

Heim|mat|er|de; Heim|mat|fest; Heim|mat|film; Heim|mat|for|scher

Heim|mat|ge|mein|de

hei|mat|ge|nös|sig (*schweiz. neben* heimatberechtigt)

Heim|mat|ha|fen

Heim|mat|kun|de, die; -; hei|mat|kund|lich

Heim|mat|kunst, die; -

Heim|mat|land *Plur.* ...länder

hei|mat|lich

hei|mat|los; Heim|mat|lo|se, der u. die; -n, -n; Heim|mat|lo|sig|keit, die; -

Heim|mat|mu|se|um; Heim|mat|ort *Plur.* ...orte; Heim|mat|recht

Heim|mat|staat *Plur.* ...staaten; Heim|mat|stadt; hei|mat|ver|bun|den; Heim|mat|ver|ein; Heim|mat|ver|trie|be|ne

heim|be|ge|ben, sich; du hast dich heimbegeben

heim|be|glei|ten; er hat sie heimbegleitet

Heim|be|woh|ner; Heim|be|woh|ne|rin

heim|brin|gen; er hat sie heimgebracht

Heim|chen (eine Grille)

Heim|com|pu|ter

Heim|dal[l] (*nord. Mythol.* Wächter der Götter u. ihres Sitzes)

hei|me|lig (anheimelnd)

Hei|met, das; -s, - (*schweiz. für* Bauerngut)

heim|fah|ren; sie ist heimgefahren; Heim|fahrt

Heim|fall, der; -[e]s (*Rechtsspr.* das Zurückfallen [eines Gutes] an den Besitzer)

heim|füh|ren; er hat sie heimgeführt

Heim|gang, der; -[e]s, ...gänge; heim|ge|gan|gen (*verhüllend für* gestorben); Heim|ge|gan|ge|ne, der u. die; -n, -n; heim|ge|hen; sie ist heimgegangen

heim|gei|gen (*svw.* heimleuchten)

heim|ho|len; sie wurde heimgeholt

hei|misch

Heim|kehr, die; -; heim|keh|ren; er ist heimgekehrt; Heim|keh|rer

Heim|ki|no (*auch scherzh. für* Fernsehen)

heim|kom|men; sie ist heimgekommen; Heim|kunft, die; -

Heim|lei|ter, der; Heim|lei|te|rin

heim|leuch|ten; dem haben sie heimgeleuchtet (*ugs. für* ihn derb abgefertigt)

heim|lich; er hat es heimlich getan; *vgl.* heimlichtun; heim|lich|feiß (*schweiz. mdal. für* einen Besitz, ein Können verheimlichend); Heim|lich|keit

Heim|lich|tu|er; Heim|lich|tu|e|rei; Heim|lich|tu|e|rin

heim|lich|tun (geheimnisvoll tun); sie hat damit sehr heimlichgetan

Heim|mann|schaft (*Sport*)

heim|müs|sen

Heim|mut|ter *Plur.* ...mütter

Heim|nie|der|la|ge

Heim|rei|se; heim|rei|sen; sie ist heimgereist

Heim|sei|te (*für* Homepage)

Heim|sieg (*Sport*); Heim|spiel (*Sport*); Heim|statt; Heim|stät|te

heim|su|chen; er wurde schwer heimgesucht; Heim|su|chung

Heim|tier (z. B. Hund, Katze, Meerschweinchen); Heim|trai|ner (Hometrainer; Trainer im heimatlichen Verein)

Heim|tü|cke (hinterlistige Bösartigkeit); Heim|tü|cker (heimtückischer Mensch); heim|tü|ckisch

Heim|volks|hoch|schu|le

Heim|vor|teil, der; -s (*Sport*)

heim|wärts; heimwärts gehen

Heim|weg, der; -[e]s

Heim|weh, das; -s; heim|weh|krank

Heim|wer|ker (jmd., der handwerkliche Arbeiten zu Hause selbst macht; Bastler); Heim|wer|ke|rin; Heim|we|sen (*schweiz. für* Anwesen)

heim|wol|len; sie hat heimgewollt

heim|zah|len; jmdm. etwas heimzahlen

heim|zu (*ugs. für* heimwärts)

Hein (m. Vorn.); Freund Hein (*verhüllend für* der Tod)

Hei|ne (dt. Dichter)

Hei|ne|mann (dritter dt. Bundespräsident)

Hei|ner (m. Vorn.)

hei|nesch; die heineschen *od.* Heine'schen Reisebilder; *vgl.* heinisch

[1]Hei|ni (m. Vorn.)

[2]Hei|ni, der; -s, -s (*ugs. für* einfältiger Mensch)

hei|nisch; dies ist heinische Ironie; die heinischen Reisebilder; *vgl.* heinesch

Hei|no (m. Vorn.)

Hein|rich (m. Vorn.)

[1]Heinz (m. Vorn.)

[2]Heinz, der; -en, -en u. [1]Hein|ze, der; -n, -n (*südd. für* Heureuter; Stiefelknecht)

[2]Hein|ze, die; -, -n (*schweiz. für* Heureuter)

Hein|zel|bank *Plur.* ...bänke (*österr. für* eine Art von Werkbank)

Hein|zel|männ|chen ⟨zu [1]Heinz⟩ (hilfreicher Hausgeist)

Hei|rat, die; -, -en; hei|ra|ten

Hei|rats|ab|sicht *meist Plur.*; Hei|rats|an|non|ce

Hei|rats|an|trag; Hei|rats|an|zei|ge

hei|rats|fä|hig; hei|rats|lus|tig

Hei|rats|markt; Hei|rats|schwind|ler; Hei|rats|ur|kun|de

Hei|rats|ver|mitt|ler; Hei|rats|ver|mitt|le|rin

hei|sa!, hei|ßa!

hei|schen (*geh. für* fordern, verlangen); du heischst

hei|ser; Hei|ser|keit

heiß s. Kasten Seite 492

hei|ßa!, hei|sa!; hei|ßas|sa!

 heiß be|gehrt, heiß|be|gehrt *vgl.* heiß

Heiß|be|hand|lung; heiß|blü|tig

[1]hei|ßen (einen Namen tragen; nennen; befehlen); du heißt; ich hieß, du hießest; geheißen; heiß[e]!; er hat es mich geheißen, *aber* wer hat dich das tun heißen?; sie hat mich kommen heißen, *seltener* geheißen; das heißt (*Abk.* d. h.)

[2]hei|ßen (hissen); du heißt; du heißtest; geheißt; heiß[e]!

heiß er|sehnt, heiß|er|sehnt *vgl.* heiß

heiß ge|liebt, heiß|ge|liebt *vgl.* heiß

Heiß|hun|ger; heiß|hung|rig

heiß lau|fen *vgl.* heiß; Heiß|luft|hei|zung; Heiß|luft|herd

heiß ma|chen, heiß|ma|chen *vgl.* heiß; Heiß|man|gel, die

Heiß|re|den *vgl.* heiß

Heiß|sporn *Plur.* ...sporne (hitziger, draufgängerischer Mensch); heiß|spor|nig

heiß um|kämpft, heiß|um|kämpft *vgl.* heiß

heiß um|strit|ten, heiß|um|strit|ten *vgl.* heiß

Heiß|was|ser|be|rei|ter; Heiß|was|ser|spei|cher

Heis|ter, der; -s, - (junger Laubbaum aus Baumschulen)

...heit (z. B. Keckheit, die; -, -en)

hei|ter, heit[e]rer, heiters|te; Hei-

heiß

heißer, am heißesten

Kleinschreibung:

– ein heißes Eisen (*ugs. für* eine schwierige Angelegenheit); ein heißer (sehnlicher) Wunsch; heißer Draht ([telefonische] Direktverbindung für schnelle Entscheidungen); heiße Höschen (*ugs. veraltend für* Hotpants); heißer Ofen (*ugs. für* Sportwagen, schweres Motorrad; ↑K151)

Schreibung in Verbindung mit Verben:

– das Wasser heiß machen *od.* heißmachen
– jmdn. heiß begehren, lieben
– der Motor hatte sich heiß gelaufen

Zusammenschreibung:

– jmdm. die Hölle heißmachen (*ugs. für* jmdm. heftig zusetzen; jmdn. bedrängen)

– was ich nicht weiß, kann mich nicht heißmachen
– sich die Köpfe heißreden (sehr lebhaft diskutieren)

Getrennt- oder Zusammenschreibung bei nicht übertragener Bedeutung in Verbindung mit einem adjektivisch gebrauchten Partizip ↑K58:

– ein heiß begehrtes *od.* heißbegehrtes Mädchen
– seine heiß ersehnte *od.* heißersehnte Ankunft
– ein heiß umkämpfter *od.* heißumkämpfter Sieg
– das ist eine heiß umstrittene *od.* heißumstrittene Frage
– ein heiß gelaufener *od.* heißgelaufener Motor

Heit

ter|keit, die; -; **Hei**|ter|keits|erfolg

Heiz|an|la|ge; **heiz**|bar; **Heiz**|de|cke

hei|zen; du heizt; **Hei**|zer; **Hei**|ze|rin

Heiz|gas; **Heiz**|ge|rät; **Heiz**|kes|sel; **Heiz**|kis|sen

Heiz|kör|per; **Heiz**|kos|ten *Plur.*

Heiz|kraft|werk

Heiz|öl; **Heiz**|pe|ri|o|de; **Heiz**|plat|te; **Heiz**|rohr; **Heiz**|son|ne; **Heiz**|tech|nik (*svw.* Heizungstechnik)

Hei|zung; **Hei**|zungs|an|la|ge; **Hei**|zungs|kel|ler; **Hei**|zungs|monteur; **Hei**|zungs|rohr; **Hei**|zungs|tank; **Hei**|zungs|tech|nik

He|ka|te [...te, *auch* ...ˈka:...] (griechische Nacht- u. Unterweltsgöttin)

He|ka|tom|be, die; -, -n ⟨griech.⟩ (einem Unglück zum Opfer gefallene, erschütternd große Zahl von Menschen)

hekt..., **hekto**... ⟨griech.⟩ (100)

Hekt|ar [*auch* ...ˈta:ɐ̯], das, *auch* der; -s, -e ⟨griech.; lat.⟩ (100 a; *Zeichen* ha); 3 Hektar gutes Land *od.* guten Landes; **Hekt**|are, die; -, -n ⟨*schweiz. für* Hektar; *Zeichen* ha); **Hekt**|ar|ertrag *meist Plur.* (*Landw.*)

Hek|tik, die; - ⟨griech.⟩ (fieberhafte Aufregung, nervöses Getriebe); **Hek**|ti|ker; **Hek**|ti|ke|rin; **hek**|tisch (fieberhaft, aufgeregt)

hekto... *vgl.* hekt...; **Hekto**... (das Hundertfache einer Einheit, z. B. Hektoliter = 100 Liter; *Zeichen* h)

Hek|to|graf, **Hek**|to|graph, der; -en, -en (Vervielfältigungsgerät); **Hek**|to|gra|fie, **Hek**|to|graphie, die; -, ...ien (Vervielfältigung); **hek**|to|gra|fie|ren, **hek**|to|gra|phie|ren

Hek|to|li|ter (100 l; *Zeichen* hl)

Hek|to|pas|cal (100 Pascal; *Zeichen* hPa)

Hek|tor (Held der griech. Sage)

He|ku|ba (weibliche griechische Sagengestalt)

Hel, die; - *meist ohne Artikel* (nordische Todesgöttin; *auch* Welt der Toten; Unterwelt)

Hel|an|ca®, das; - (hochelastisches Kräuselgarn aus Nylon)

he|lau! (Karnevalsruf)

Held, der; -en, -en

Hel|den|brust; **Hel**|den|dar|stel|ler; **Hel**|den|dar|stel|le|rin; **Hel**|den|epos; **Hel**|den|fried|hof

hel|den|haft

Hel|den|mut; **hel**|den|mü|tig

Hel|den|tat; **Hel**|den|te|nor; **Hel**|den|tod; **Hel**|den|tum, das; -s

Hel|der, der *od.* das; -s, - (*nordd. für* uneingedeichtes Marschland)

Hel|din; **hel**|disch

He|le|na (w. griech. Sagengestalt; w. Vorn.)

He|le|ne (w. Vorn.)

Hel|fe, die; -, -n (Schnur am Webstuhl)

hel|fen; du hilfst; du halfst; du hülfest, *selten* hälfest; geholfen; hilf!; sie hat ihr beim Nähen geholfen, *aber* sie hat ihr nähen helfen *od.* geholfen; sich zu helfen wissen; **Hel**|fer; **Hel**|fe|rin

Hel|fers|hel|fer (Mittäter); **Hel**|fers|hel|fe|rin; **Hel**|fer|syn|d|rom (*Psych.* übertriebenes Bedürfnis zu helfen)

Hel|ga (w. Vorn.)

¹**Hel**|ge (m. u. w. Vorn.)

²**Hel**|ge, die; -, -n *u.* ¹**Hel**|gen, der; -s, - ⟨*aus* Helligen⟩ (*Nebenform von* Helling)

²**Hel**|gen, der; -s, - (*schweiz. mdal. für* [Heiligen]bild)

Hel|go|land; **Hel**|go|län|der; **Hel**|go|län|de|rin; **hel**|go|län|disch

He|li|and, der; -s (»Heiland«) (altsächs. Evangeliendichtung)

He|li|an|thus, der; -, ...then ⟨griech.⟩ (*Bot.* Sonnenblume)

¹**He**|li|kon, das; -s, -s ⟨griech.⟩ (runde Basstuba)

²**He**|li|kon, der; -[s] (Gebirge in Böotien)

He|li|ko|p|ter, der; -s, - ⟨engl.⟩ (Hubschrauber)

He|lio**... ⟨griech.⟩ (Sonnen...)

He|lio|dor, der; -s, -e (ein Edelstein)

He|lio|graf, **He**|lio|graph, der; -en, -en (ein Signalgerät für Blinkzeichen mithilfe des Sonnenlichts); **He**|lio|gra|fie, **He**|lio|gra|phie, die; - (ein Tiefdruckverfahren; Zeichengeben mit dem Heliografen); **He**|lio|gra|fisch, **he**|lio|gra|phisch

He|lio|gra|vü|re, die; -, -n (*nur Sing.:* ein älteres Tiefdruckverfahren; Ergebnis dieses Verfahrens)

He|li|os (griech. Sonnengott)

He|lio|s|kop, das; -s, -e (Gerät mit Lichtschwächung zur direkten Sonnenbeobachtung)

He|lio|s|tat, der; -[e]s *u.* Plur. -en (Spiegelvorrichtung, die den Sonnenstrahlen eine gleich bleibende Richtung gibt)

He|lio|the|ra|pie, die; - (*Med.* Heilbehandlung mit Sonnenlicht)

¹He|lio|trop, das; -s, -e (eine Zierpflanze; *nur Sing.:* eine Farbe; *früher* Spiegelvorrichtung [in der Geodäsie]); **²He|lio|trop**, der; -s, -e (ein Edelstein)

he|lio|tro|pisch (*veraltet für* fototropisch)

he|lio|zen|t|risch (auf die Sonne als Mittelpunkt bezüglich)

He|lio|zo|on, das; -s, ...zo̱en (*Zool.* Sonnentierchen)

He|li|port, der; -s, -s ⟨engl.⟩ (Landeplatz für Hubschrauber)

He|li|ski|ing, He|li-Ski|ing [...ski:ɪŋ], das; -[s] ⟨engl.⟩ (Abfahrt von einem Berggipfel, zu dem der Skiläufer mit dem Helikopter gebracht worden ist)

He|li|um, das; -s (chemisches Element, Edelgas; *Zeichen* He)

He|lix, die; -, ...ices ⟨griech.-lat.⟩ (*Chemie* spiralige Molekülstruktur)

He|lke (w. Vorn.)

---

hell

Getrenntschreibung ↑K 56 *u.* 62:

– hell lachen; hell scheinen, strahlen

– *aber* ↑K 58: ein hell leuchtender *od.* hellleuchtender Stern; die hell lodernde *od.* helllodernde Flamme; hell strahlende *od.* hellstrahlende Lampen

Zusammenschreibung:

– hellblau, hellgelb usw.

Getrennt- od. Zusammenschreibung:

– das Zimmer hell machen *od.* hellmachen

He|l|la (w. Vorn.)

Hel|las (Griechenland)

hell|auf; hellauf lachen (laut u. fröhlich lachen); *aber* hell auflachen (plötzlich zu lachen anfangen); hellauf begeistert

hell|äu|gig; hell|blau; hellblau färben; **hell|blond**

hell|dun|kel ↑K 23 ; **Hell|dun|kel**

Hell|dun|kel|ma|le|rei

hel|le (*landsch. für* aufgeweckt, gewitzt)

¹Hel|le, die; - (Helligkeit)

²Hel|le, das; -n, -n (*ugs. für* [ein Glas] helles Bier); 3 Helle

Hel|le|bar|de [*schweiz.* ˈhɛ...], die; -, -n (Hieb- u. Stoßwaffe im MA.; Paradewaffe der Schweizergarde im Vatikan); **Hel|le|bar|di̱er**, der; -s, -e (mit einer Hellebarde Bewaffneter)

Hel|le|gat[t], das; -s, *Plur.* -en *u.* -s ([Vorrats]raum auf Schiffen)

hel|len, sich (*veraltet für* sich erhellen)

Hel|le|ne, der; -n, -n (Grieche); **Hel|le|nen|tum**, das; -s; **Hel|le|nin;**

hel|le|nisch

hel|le|ni|sie̱|ren (nach griechischem Vorbild gestalten)

Hel|le|nis|mus, der; - (nachklassische griechische Kultur)

Hel|le|nist, der; -en, -en (Gelehrter des nachklass. Griechentums; Forscher u. Kenner des Hellenismus); **Hel|le|nis|tik**, die; - (wissenschaftl. Erforschung der hellenist. Sprache u. Literatur); **Hel|le|nis|tin; hel|le|nis|tisch**

Hel|ler, der; -s, - (ehem. dt. Münze); auf Heller u. Pfennig; ich gebe keinen [roten] Heller dafür; *vgl.* Halér

Hel|les|pont, der; -[e]s ⟨griech.⟩ (*antike Bez. für* Dardanellen)

Hell|gat[t] *vgl.* Hellegat[t]

hell|gelb; hell|grün; hell|haa|rig; hell|häu|tig

hell|hö|rig (schalldurchlässig; hellhörig (stutzig) werden; jmdn. hellhörig machen (jmds. Aufmerksamkeit erregen)

Hel|li|gen (*Plur. von* Helling)

Hel|lig|keit, die; -, *Plur. (fachspr.)* -en; **Hel|lig|keits|reg|ler**

Hel|ling, die; -, *Plur.* -en *u.* Hel|li|gen, *auch* -s, -e (Schiffsbauplatz); *vgl.* Helge[n]

hell leuch|tend, hell|leuch|tend *vgl.* hell

hell|licht; es ist helllichter Tag

hell|li|la; ein helllila Kleid; *vgl.* lila; in Helllila ↑K 72

hell lo|dernd, hell|lo|dernd *vgl.* hell

hell ma|chen, hell|ma|chen *vgl.* hell

Hell|raum|pro|jek|tor (*bes. schweiz. für* Tageslichtprojektor)

hell|rot

hell|se|hen; *nur im Infinitiv gebräuchlich*; **Hell|se|hen**, das; -s

Hell|se|her; Hell|se|he|rei̱; Hell|se|he|rin; **hell|se|he|risch**

hell|sich|tig (scharfsinnig; vorausschauend); **Hell|sich|tig|keit**, die; -

hell|wach

Hell|weg, der; -[e]s (in Westfalen)

¹Helm, der; -[e]s, -e (Kopfschutz)

²Helm, der; -[e]s, -e (Stiel von Werkzeugen zum Hämmern o. Ä.)

Hel|ma (w. Vorn.)

Helm|busch

Helm|holtz (dt. Physiker)

Hel|min|the, die; -, -n *meist Plur.* ⟨griech.⟩ (*Med.* Eingeweidewurm); **Hel|min|thi̱|a|sis**, die; -, ...thi̱asen (*Med.* Wurmkrankheit)

Helm|stedt (Stadt östlich von Braunschweig); **Helm|sted|ter**

Hel|mut (m. Vorn.)

He|lo̱|i̱|se (w. Eigenn.)

He|lot, der; -en, -en, *seltener* **He|lo̱|te**, der; -n, -n ⟨griech.⟩ ([spartan.] Staatssklave); **He|lo̱|ten|tum**, das; -s; **He|lo̱|tin**

H

Hemi

Help|desk, Help-Desk, der, *auch* das; -s, -s ⟨engl.⟩ (telefon. od. über Internet zur Verfügung stehender Informationsdienst)

Hel|sing|fors (*schwed. für* Helsinki)

Hel|sin|ki (Hauptstadt Finnlands)

Hel|ve̱|tia, die; - (Frauengestalt als Sinnbild der Schweiz)

Hel|ve̱|ti|en (Land der Helvetier; *geh. od. iron. für* Schweiz)

Hel|ve̱|ti|er (Angehöriger eines kelt. Volkes); **Hel|ve̱|ti|e|rin; hel|ve̱|tisch**; *aber* ↑K 140 : die Helvetische Republik; das Helvetische Bekenntnis (*Abk.* H. B.)

Hel|ve̱|tis|mus, der; -, ...men ⟨lat.⟩ (schweizerische Spracheigentümlichkeit)

hem!, hm!

Hemd, das; -[e]s, -en; **hemd|är|me|lig** *vgl.* hemdsärmelig

Hemd|blu|se; Hemd|blu|sen|kleid

Hem|den|knopf, Hemd|knopf

Hem|den|matz (*ugs.*)

Hemd|ho|se; Hemd|knopf, Hem|den|knopf; Hemd|kra|gen

Hemds|är|mel *meist Plur.;* **hemds|är|me|lig**, *schweiz. auch* hemdär|me|lig, hemd|ärm|lig

hem, hem!, hm, hm!

he|mi... ⟨griech.⟩ (halb...); **He|mi...** (Halb...)

He|ming|way [...ve:] (amerik. Schriftsteller)

He|mi|ple|gie, die; -, ...ien (*Med.* halbseitige Lähmung)

He|mi|sphä̱|re, die; -, -n ([Erd- od. Himmels]halbkugel; *Med.* rechte bzw. linke Hälfte des Groß- u. Kleinhirns); **he|mi|sphä̱|risch**

He|mi|s|ti̱|chi|on, He|mi|s|ti̱|chi|um,

das; -s, ...ien (Halbvers in der altgriechischen Metrik)

he|mi|zy|k|lisch (halbkreisförmig)

Hem|lock|tan|ne vgl. Tsuga

hem|men

Hemm|nis, das; -ses, -se

Hemm|schuh; Hemm|schwel|le *(bes. Psych.)*; Hemm|stoff *(Chemie* Substanz, die chemische Reaktionen hemmt)

Hemm|ung; hem|mungs|los; Hemmungs|lo|sig|keit

Hemm|wir|kung

Hems|ter|huis [...hɔys], Frans (niederländischer Philosoph)

Hen|de|ka|gon, das; -s, -e ⟨griech.⟩ (Elfeck)

Hen|de|ka|syl|la|bus, der; -, Plur. ...syllaben u. ...syllabi (elfsilbiger Vers)

Hen|di|a|dy|oin, das; -s ⟨griech.⟩, seltener Hen|di|a|dys, das; - *(Rhet.* Ausdrucksverstärkung durch Verwendung von zwei sinnverwandten Wörtern, z. B. »bitten und flehen«)

Hendl, das; -s, -n *(südd., österr. für* [junges] Huhn; Brathuhn)

Hengst, der; -es, -e

Hen|kel, der; -s, -

Hen|kel|glas Plur. ...gläser; Hen|kel|korb; Hen|kel|krug

Hen|kel|mann Plur. ...männer *(ugs. für* Gefäß zum Transport von [warmen] Mahlzeiten)

hen|ken *(veraltend für* durch den Strang hinrichten); Hen|ker; Hen|ke|rin

Hen|kers|beil; Hen|kers|frist; Hen|kers|knecht; Hen|kers|mahl[|zeit] (letzte Mahlzeit)

Hen|na, die; - od. das; -[s] ⟨arab.⟩ (rotgelber Farbstoff, der u. a. zum Färben von Haaren verwendet wird); Hen|na|strauch

Hen|ne, die; -, -n

Hen|ne|gat[t] *(nordd. für* ¹Koker)

Hen|ne|gau, der; -[e]s (belgische Provinz)

Hen|ni (w. Vorn.)

Hen|nig, ¹Hen|ning (m. Vorn.)

²Hen|ning (der Hahn in der Tierfabel)

Hen|ny [...ni] (w. Vorn.)

He|no|the|is|mus ⟨griech.⟩ (Verehrung einer Gottheit, ohne andere Gottheiten zu leugnen)

Hen|ri [ã'...] (m. Vorn.)

Hen|ri|et|te [he...] (w. Vorn.)

Hen|ri|qua|t|re [ãri'katrə], der; -[s] [...rə], -s [...rə] ⟨franz.⟩ (Spitzbart [wie ihn Heinrich IV. von Frankreich trug])

---

¹Hen|ry [...ri] (m. Vorn.)

²Hen|ry [...ri], das; -, - ⟨nach dem amerik. Physiker⟩ (Einheit der Induktivität; *Zeichen* H)

Hen|ze (dt. Komponist)

he|pa|tisch ⟨griech.⟩ *(Med.* zur Leber gehörend)

He|pa|ti|tis, die; -, ...titiden (Leberentzündung)

He|pa|to|lo|gie, die; - (Lehre von den Funktionen u. Krankheiten der Leber)

He|phais|tos, He|phäst, He|phäs|tus (griechischer Gott des Feuers u. der Schmiedekunst)

hepp!

Hep|ta|chord [...k...], der od. das; -[e]s, -e ⟨griech.⟩ *(Musik* große Septime)

Hep|ta|gon, das; -s, -e (Siebeneck)

Hep|t|a|me|ron, das; -s (Novellensammlung, an »sieben Tagen« erzählt, von Margarete von Navarra)

Hep|ta|me|ter, der; -s, - (siebenfüßiger Vers)

Hep|tan, das; -s *(Chemie* Kohlenwasserstoff mit sieben Kohlenstoffatomen, Bestandteil von Erdöl, Benzin usw.)

Hep|ta|teuch, der; -s (die ersten sieben bibl. Bücher)

Hep|t|o|de, die; -, -n *(Physik* Elektronenröhre mit sieben Elektroden)

---

her

(beschreibt meist eine Bewegung auf den Sprechenden zu)

– her zu mir!; her damit!; hin und her

– von früher her

– das kann noch nicht so lange her sein; obwohl es schon drei Jahre her ist, obwohl es schon drei Jahre her gewesen ist

– hinter jmdm. her sein *(für ugs.* nach jmdm. fahnden; sich um jmdn. bemühen)

Vgl. hin

---

her... *(in Zus. mit Verben,* z. B. herbringen, du bringst her, hergebracht, herzubringen)

He|ra, He|re (Gemahlin des Zeus)

he|r|ab; he|r|ab... (z. B. herablassen; er hat sich herabgelassen)

he|r|ab|bli|cken

he|r|ab|fal|len

he|r|ab|hän|gen; die Deckenverkleidung hing herab; vgl. ¹hängen

---

he|r|ab|las|sen; sie ließ sich herab; he|r|ab|las|send; He|r|ab|las|sung, die; -

he|r|ab|se|hen; auf jemanden herabsehen

he|r|ab|set|zen; He|r|ab|set|zung

he|r|ab|stu|fen

he|r|ab|wür|di|gen; He|r|ab|wür|di|gung

He|ra|k|les (Halbgott u. Held der griech.-röm. Sage); vgl. Herkules; He|ra|k|li|de, der; -n, -n (Nachkomme des Herakles)

He|ra|k|lit *[auch* ...'klit] (altgriechischer Philosoph)

He|ral|dik, die; - ⟨franz.⟩ (Wappenkunde); He|ral|di|ker (Wappenforscher); He|ral|di|ke|rin; he|ral|disch

he|r|an, ugs. ran ↑K14; heran sein; sobald er heran ist

he|r|an... (z. B. heranbringen; er hat es mir herangebracht)

he|r|an|ar|bei|ten, sich

he|r|an|bil|den; He|r|an|bil|dung

he|r|an|brin|gen vgl. heran...

he|r|an|dür|fen; he|r|an|fah|ren; er ist zu nahe herangefahren

he|r|an|füh|ren; he|r|an|ge|hen; He|r|an|ge|hens|wei|se

he|r|an|kom|men; he|r|an|kön|nen; he|r|an|las|sen

he|r|an|ma|chen, sich *(ugs. für* sich [mit einer bestimmten Absicht] nähern; beginnen)

he|r|an|müs|sen; he|r|an|rei|chen; he|r|an|rei|fen

he|r|an|rü|cken; he|r|an|schaf|fen vgl. ¹schaffen

he|r|an sein vgl. heran

he|r|an|tas|ten, sich; he|r|an|tra|gen

he|r|an|trau|en, sich *(ugs.)*

he|r|an|tre|ten

he|r|an|wach|sen; He|r|an|wach|sen|de, der u. die; -n, -n

he|r|an|wa|gen, sich; he|r|an|wol|len; he|r|an|zie|hen; he|r|an|züch|ten

he|r|auf, ugs. rauf ↑K14

he|r|auf... (z. B. heraufziehen; er hat den Eimer heraufgezogen)

he|r|auf|be|mü|hen; he|r|auf|be|schwö|ren; he|r|auf|brin|gen; he|r|auf|däm|mern

he|r|auf|ho|len; he|r|auf|las|sen

he|r|auf|set|zen; He|r|auf|set|zung; he|r|auf|zie|hen

he|r|aus, ugs. raus ↑K14; heraus sein; sobald es heraus war

he|r|aus... (z. B. herausstellen; wir haben die Schuhe herausgestellt) he|r|aus|ar|bei|ten; He|r|aus|ar|bei|tung

he|r|aus|be|kom|men

he|r|aus|bil|den, sich; He|r|aus|bil|dung

he|r|aus|brin|gen; he|r|aus|dür|fen; he|r|aus|fah|ren

he|r|aus|fal|len; he|r|aus|fil|tern; ich filtere heraus; he|r|aus|fin|den; he|r|aus|fi|schen

He|r|aus|for|de|rer; He|r|aus|for|de|rin

he|r|aus|for|dern; ich fordere heraus; he|r|aus|for|dernd; He|r|aus|for|de|rung

he|r|aus|füh|ren

He|r|aus|ga|be, die; -

he|r|aus|ge|ben; ich gebe heraus; He|r|aus|ge|ber (Abk. Hg. u. Hrsg.); He|r|aus|ge|be|rin (Abk. Hg. u. Hrsg.); he|r|aus|ge|ge|ben (Abk. hg. u. hrsg.)

he|r|aus|ge|hen; du musst mehr aus dir herausgehen (weniger befangen sein)

he|r|aus|ha|ben (ugs. auch für etwas begriffen haben; etwas gelöst haben)

he|r|aus|hal|ten, sich

[1]he|r|aus|hän|gen; die Fahne hing zum Fenster heraus; vgl. [1]hängen

[2]he|r|aus|hän|gen; sie hängten die Fahne heraus; vgl. [2]hängen

he|r|aus|hau|en; sie haute ihn heraus (befreite ihn); he|r|aus|he|ben, sich; he|r|aus|ho|len; he|r|aus|hö|ren

he|r|aus|keh|ren; den Vorgesetzten herauskehren

he|r|aus|kom|men; es wird nichts dabei herauskommen (ugs.); he|r|aus|kön|nen

he|r|aus|kris|tal|li|sie|ren, sich

he|r|aus|las|sen; he|r|aus|le|sen; he|r|aus|lö|sen

he|r|aus|ma|chen; sich herausmachen (ugs. für sich gut entwickeln)

he|r|aus|müs|sen; he|r|aus|neh|men; sich etwas herausnehmen (ugs. für sich dreisterweise erlauben); he|r|aus|pau|ken (ugs. für befreien; retten); he|r|aus|pi|cken

he|r|aus|plat|zen; he|r|aus|put|zen

he|r|aus|ra|gen; eine herausragende Leistung

he|r|aus|rei|ßen (ugs. auch für befreien; retten); he|r|aus|rü|cken; mit der Sprache herausrücken (ugs.)

he|r|aus|rut|schen

he|r|aus|schaf|fen vgl. [1]schaffen

he|r|aus|schä|len; sich herausschälen (allmählich deutlich, erkennbar werden)

he|r|aus|schau|en (ugs. auch für als Nutzen, Gewinn erbringen)

he|r|aus|schi|cken; he|r|aus|schin|den; he|r|aus|schla|gen; he|r|aus|schnei|den

he|r|aus sein vgl. heraus

he|r|au|ßen (bayr., österr. für hier außen)

he|r|aus|spie|len (Sport)

he|r|aus|sprin|gen (auch für sich als Gewinn, als Vorteil ergeben)

he|r|aus|spru|deln

he|r|aus|stel|len; es hat sich herausgestellt, dass ...

he|r|aus|stre|cken; he|r|aus|strei|chen (auch für hervorheben); he|r|aus|tra|gen

he|r|aus|wach|sen; sie ist aus dem Kleid herausgewachsen; aber ihre Sicherheit ist aus den Erfahrungen heraus gewachsen

he|r|aus|wa|gen, sich; he|r|aus|win|den, sich

he|r|aus|wirt|schaf|ten; he|r|aus|wol|len

he|r|aus|zie|hen

herb

Her|ba|ri|um, das; -s, ...ien ⟨lat.⟩ (Sammlung getrockneter Pflanzen)

Her|bart (dt. Philosoph)

Her|be, die; - (geh. für Herbheit)

her|bei

her|bei... (z. B. herbeieilen; er ist herbeigeeilt)

her|bei|brin|gen; her|bei|füh|ren; her|bei|las|sen, sich

her|bei|lo|cken; her|bei|re|den; ein Unglück herbeireden; her|bei|ru|fen

her|bei|schaf|fen vgl. [1]schaffen; her|bei|schlep|pen; her|bei|seh|nen

her|bei|strö|men; her|bei|wün|schen; her|bei|zi|tie|ren

her|be|kom|men; her|be|mü|hen; sie hat sich herbemüht; her|be|or|dern

Her|ber|ge, die; -, -n; her|ber|gen (veraltet für Unterkunft finden); du herbergtest; geherbergt

Her|bergs|el|tern Plur.; Her|bergs|mut|ter; Her|bergs|va|ter

Her|bert (m. Vorn.)

Herb|heit, die; -

her|bit|ten; sie hat ihn hergebeten

Her|bi|vo|re, der; -n, -n ⟨lat.⟩ (Zool. pflanzenfressendes Tier)

Her|bi|zid, das; -[e]s, -e (Chemie Pflanzenvernichtungsmittel)

Herb|ling (unreife Frucht aus später Blüte)

her|brin|gen

Herbst, der; -[e]s, -e; Herbst|an|fang; Herbst|blu|me

herbs|teln, österr. nur so, od. herbs|ten (landsch. auch für Trauben ernten); es herbste[l]t

Herbst|fe|ri|en Plur.

herbst|lich; herbstlich gelbes Laub; Herbst|ling (ein Pilz)

Herbst|meis|ter; Herbst|meis|ter|schaft (bes. Fußball erster Tabellenplatz nach der Hinrunde)

Herbst|mes|se; Herbst|mo|de; Herbst|mo|nat, Herbst|mond (alte Bez. für September)

Herbst|ne|bel; Herbst|son|ne, die; Herbst|sturm; Herbst|tag

Herbst-Tag|und|nacht|glei|che, Herbst-Tag-und-Nacht-Glei|che, die; -, -n

Herbst|zeit|lo|se, die; -, -n

herb|süß, herb-süß

Her|cu|la|ne|um, Her|cu|la|num (römische Ruinenstadt am Vesuv); her|cu|la|nisch; Her|cu|la|num vgl. Herculaneum

Herd, der; -[e]s, -e

Herd|buch (Landw. Zuchtstammbuch)

Her|de, die; -, -n

Her|den|mensch; Her|den|tier; Her|den|trieb, der; -[e]s

her|den|wei|se

Her|der (dt. Philosoph u. Dichter); her|de|risch, her|dersch; eine herderische od. herdersche od. Herder'sche Betrachtungsweise; die herderische od. herdersche od. Herder'sche Philosophie ↑K 135

Herd|feu|er; Herd|plat|te

her|dür|fen

he|re|di|tär ⟨lat.⟩ (die Erbschaft betreffend; Biol. erblich)

he|r|ein, . ugs. rein ↑K 14; »Herein!« rufen

he|r|ein... (z. B. hereinbrechen; der Abend ist hereingebrochen)

he|r|ein|be|kom|men; he|r|ein|be|mü|hen; he|r|ein|bre|chen

he|r|ein|brin|gen; he|r|ein|drän|gen; he|r|ein|dür|fen; he|r|ein|fah|ren

he|r|ein|fal|len; auf etw. hereinfallen (ugs.)

He|r|ein|ga|be (Sport); he|r|ein|ge|ben

He|r|ein|ge|schmeck|te, Rein|ge|schmeck|te, der u. die; -n, -n (schwäb. für Ortsfremde[r], Zugezogene[r])

H

Here

he|r|ein|ho|len; he|r|ein|kom|men; he|r|ein|kön|nen; he|r|ein|las|sen

he|r|ein|le|gen; jmdn. hereinlegen (*ugs. für* anführen, betrügen)

he|r|ein|müs|sen; he|r|ein|neh|men; he|r|ein|plat|zen (*ugs. für* unerwartet erscheinen)

he|r|ein|ras|seln (*ugs. für* hereinfallen; in eine schlimme Situation geraten)

he|r|ein|reg|nen

he|r|ein|ru|fen; jmdn. hereinrufen; *vgl. aber* herein; **he|r|ein|schaf|fen** *vgl.* ¹schaffen; **he|r|ein|schi|cken; he|r|ein|schlei|chen,** sich; **he|r|ein|schmug|geln;** ich schmugg[e]le herein

he|r|ein|schnei|en (*ugs. für* unvermutet hereinkommen); **he|r|ein|spa|zie|ren** (*ugs.*); hereinspaziert!

he|r|ein|strö|men; he|r|ein|stür|zen; he|r|ein|wa|gen, sich; **he|r|ein|wol|len**

He|re|ro, der; -[s], -[s] *u.* die; -, -[s] (Angehörige[r] eines Bantustammes)

her|fah|ren; Her|fahrt *vgl.* Hin- und Herfahrt ↑K 31

her|fal|len; über jmdn. herfallen

her|fin|den; her|füh|ren

Her|ga|be, die; -

Her|gang, der; -[e]s

her|ge|ben; sich [für *od.* zu etwas] hergeben

her|ge|brach|ter|ma|ßen

her|ge|hen; hinter jmdm. hergehen; hoch hergehen (*ugs. für* laut, toll zugehen)

her|ge|hö|ren

her|ge|lau|fen; Her|ge|lau|fe|ne, der *u.* die; -n, -n

her|ha|ben (*ugs.*); wo sie das wohl herhat?

her|hal|ten; er musste dafür herhalten (büßen)

her|ho|len; das ist weit hergeholt (ist kein naheliegender Gedanke); *aber* diesen Wein haben wir von weither geholt

her|hö|ren; alle mal herhören!

He|ri|bert (m. Vorn.)

He|ring, der; -s, -e (ein Fisch; Zeltpflock)

He|rings|fang; He|rings|fass; He|rings|fi|let

He|rings|milch, die; -; **He|rings|ro|gen; He|rings|sa|lat**

he|r|in|nen (*bayr. u. österr. für* [hier] drinnen)

He|ris, der; -, - ⟨nach dem iran. Ort⟩ (ein Perserteppich)

He|ri|sau (Hauptort des Halbkantons Appenzell Außerrhoden)

her|ja|gen

her|kom|men; er ist hinter mir hergekommen; *aber* er ist von der Tür her gekommen; **Her|kom|men,** das; -s; **her|kömm|lich; her|kömm|li|cher|wei|se**

her|kön|nen; her|krie|gen

¹**Her|ku|les** (*lat.* Form von Herakles)

²**Her|ku|les,** der; - (ein Sternbild)

³**Her|ku|les,** der; -, -se (Mensch von großer Körperkraft); **Her|ku|les|ar|beit; her|ku|lisch** (gewaltig, bes. stark)

Her|kunft, die; -, ...künfte

Her|kunfts|an|ga|be; Her|kunfts|land *Plur.* ...länder; **Her|kunfts|ort** *Plur.* ...orte

her|lau|fen; hinter jmdm. herlaufen

her|lei|hen (*ugs. für* verleihen)

her|lei|ten; sich herleiten

Her|ling (*veraltet für* unreife, harte Weintraube)

Her|lit|ze [*auch* ...'lɪ...], die; -, -n (Kornelkirsche, ein Ziergehölz)

her|ma|chen (*ugs.*); sich über etwas hermachen

Her|mann (m. Vorn.)

Her|manns|denk|mal, das; -[e]s; **Her|manns|schlacht,** die; -

Her|man|stadt (rumän. Sibiu)

Her|m|a|ph|ro|dis|mus *vgl.* Hermaphroditismus; **Her|m|a|ph|ro|dit,** der; -en, -en ⟨griech.⟩ (*Biol.; Med.* Zwitter); **her|m|a|ph|ro|di|tisch; Her|m|a|ph|ro|di|tis|mus,** der; - (Zwittrigkeit)

Her|me, die; -, -n (Büstenpfeiler, -säule)

¹**Her|me|lin,** das; -s, -e (großes Wiesel)

²**Her|me|lin,** der; -s, -e (ein Pelz)

Her|me|lin|kra|gen

Her|me|neu|tik, die; - ⟨griech.⟩ (Auslegekunst, Deutung); **her|me|neu|tisch**

Her|mes (griechischer Götterbote, Gott des Handels, Totenführer)

Her|mes|bürg|schaft, die; -, -en (Ausfuhrgarantien der dt. Bundesregierung)

her|me|tisch ⟨griech.⟩ ([luft- u. wasser]dicht)

Her|mi|ne (w. Vorn.)

Her|mi|no|nen *Plur.* (germ. Stammesgruppe); **her|mi|no|nisch**

Her|mi|ta|ge [ɛ...ˈʒə], der; - ⟨franz.⟩ (ein französischer Wein)

Her|mun|du|re, der; -n, -n (Angehöriger eines germanischen Volksstammes)

her|müs|sen

her|nach (*landsch. für* nachher)

her|neh|men

Her|nie, die; -, -n ⟨lat.⟩ (*Med.* [Eingeweide]bruch; *Biol.* eine Pflanzenkrankheit)

her|nie|der (geh.)

her|nie|der... (z. B. herniedergehen; der Regen ist herniedergegangen)

Her|nio|to|mie, die; -, ...ien ⟨lat.; griech.⟩ (*Med.* Bruchoperation)

He|ro (w. Eigenn.); *vgl.* Hero- und-Leander-Sage

He|roa (*Plur. von* Heroon)

he|r|o|ben (*bayr., österr. für* hier oben)

He|ro|des (jüdischer Königsname)

He|ro|dot [*auch* ...ˈdoːt, österr. 'he...] (griechischer Geschichtsschreiber)

He|roe, der; -n, -n ⟨griech.⟩ (Heros); **He|ro|en|kult, He|ro|en|kul|tus** (Heldenverehrung); **He|ro|ik,** die; - (Heldenhaftigkeit)

¹**He|ro|in,** das; -s (ein Rauschgift)

²**He|ro|in** (Heldin; *auch für* Heroine); **He|ro|i|ne,** die; -, -n (Heldendarstellerin)

he|ro|in|süch|tig; He|ro|in|süch|ti|ge, der *u.* die; -n, -n

he|ro|isch (heldenmütig, heldisch; erhaben); **he|ro|i|sie|ren** (zur Heldin zum Helden erheben; verherrlichen); **He|ro|is|mus,** der; -

He|rold, der; -[e]s, -e (Verkündiger, Ausrufer [im MA.])

He|rolds|amt (Wappenamt); **He|rolds|stab**

He|ron (griechischer Mathematiker)

He|ro|on, das; -s, Heroa ⟨griech.⟩ (Heroentempel)

He|ros, der; -, ...oen (Held; Halbgott [im alten Griechenland])

He|ro|s|t|rat, der; -en, -en ⟨nach dem Griechen Herostratos, der den Artemistempel zu Ephesus anzündete, um berühmt zu werden⟩ (Verbrecher aus Ruhmsucht); **He|ro|s-**

H here

t|ra|ten|tum, das; -s; he|ro|s|t-
ra|tisch (ruhmsüchtig)
He|ro-und-Le|an|der-Sa|ge, die; -
↑K 26
Her|pes, der; - ⟨griech.⟩ (Med.
Bläschenausschlag)
Her|pe|to|lo|gie, die; - (Zweig der
Zoologie, der sich mit den
Lurchen u. Kriechtieren
befasst)

Herr

der; -n, -en

(*Abkürzung* Hr., *für* »Herrn«
Hrn.)
– mein Herr!; meine Herren!
– seines Unmutes Herr werden
– der Besuch eines Ihrer Herren;
die Firma Ihres Herrn Vaters
– aus aller Herren Länder, *auch*
Ländern

In der Anschrift mit Akkusativ:

– Herrn Ersten Staatsanwalt Mül-
ler; Herrn Abgeordneten
Schmitt; Herrn Präsident *od.*
Präsidenten Meyer

Herr|chen
Her|rei|se *vgl.* Hin- und Herreise
↑K 31
Her|ren|abend; Her|ren|aus|stat-
ter; Her|ren|be|glei|tung
Her|ren|be|kannt|schaft; Her|ren-
be|klei|dung; Her|ren|be|such
Her|ren|chiem|see [...'ki:...] (Ort u.
Schloss auf der Herreninsel im
Chiemsee)
Her|ren|dop|pel, das (Sport); Her-
ren|ein|zel (Sport); Her|ren|fah-
rer; Her|ren|fahr|rad; Her|ren-
haus
her|ren|los
Her|ren|ma|ga|zin; Her|ren|mann-
schaft
Her|ren|mensch (bes. national-
soz.)
Her|ren|mo|de; Her|ren|par|tie
Her|ren|pilz (landsch., bes. österr.
für Steinpilz)
Her|ren|rei|ter; Her|ren|sa|lon;
Her|ren|schnei|der; Her|ren|sitz,
der; -es; Her|ren|to|i|let|te
Her|ren|tum, das; -s
Her|ren|witz; Her|ren|zim|mer
Herr|gott, der; -s; Herr|gotts|frü-
he, die; nur in aller Herr-
gottsfrühe
Herr|gotts|schnit|zer (südd.,
österr. für Holzbildhauer, der
bes. Kruzifixe schnitzt); Herr-

gotts|win|kel (südd., österr.,
schweiz. für Ecke, die mit dem
Kruzifix geschmückt ist)
her|rich|ten; etwas herrichten las-
sen; Her|rich|tung
Her|rin; her|risch
herr|je! ⟨aus Herr Jesus!⟩
herr|lich; Herr|lich|keit
Herrn|hut (Stadt im Lausitzer
Bergland); Herrn|hu|ter; Herrn-
huter Brüdergemeine (vgl. d.);
herrn|hu|tisch
Herr|schaft; herr|schaft|lich
Herr|schafts|an|spruch; Herr-
schafts|be|reich; Herr|schafts-
form; Herr|schafts|ord|nung;
Herr|schafts|struk|tur
Herr|schafts|wis|sen (als Macht-
mittel genutztes [anderen
nicht zugängliches] Wissen)
herr|schen; du herrschst; herr-
schend
Herr|scher; Herr|scher|ge|schlecht;
Herr|scher|haus
Herr|sche|rin
Herrsch|sucht, die; -; herrsch|süch-
tig
her|rüh|ren
her|sa|gen; etwas auswendig her-
sagen
her|schau|en (ugs.); da schau her!
(bayr., österr. für sieh mal an!)
Her|schel (engl. Astronom dt.
Herkunft); herschelsches od.
Herschel'sches Teleskop ↑K 135
u. 89
her|schi|cken
her|schie|ben; etwas vor sich her-
schieben
her sein vgl. her
her|stam|men
her|stel|len; Her|stel|ler; Her|stel-
ler|fir|ma; Her|stel|le|rin
Her|stel|lung, die; -
Her|stel|lungs|kos|ten Plur.; Her-
stel|lungs|land Plur. ...länder
Her|ta, Her|tha (w. Vorn.)
her|trei|ben; Kühe vor sich her-
treiben
Hertz, das; -, - ⟨nach dem dt. Phy-
siker⟩ (Maßeinheit der Fre-
quenz; Zeichen Hz); 440 Hertz
he|r|ü|ben (bayr., österr. für hier
auf dieser Seite; diesseits)
he|r|ü|ber, ugs. rü|ber ↑K 14
he|r|ü|ber... (z. B. herüberkom-
men; herübergekommen)
he|r|ü|ber|bit|ten; he|r|ü|ber|brin-
gen; he|r|ü|ber|ho|len; he|r|ü-
ber|kom|men; he|r|ü|ber|rei-
chen; he|r|ü|ber|win|ken; he|r|ü-
ber|zie|hen

he|r|um, ugs. rum ↑K 14 ; um den

Tisch herum; herum sein;
sobald die Zeit herum war
he|r|um... (z. B. herumlaufen; er
ist herumgelaufen)
he|r|um|al|bern (ugs.); he|r|um|är-
gern, sich (ugs.); he|r|um|bal-
gen, sich (ugs.); he|r|um|deu-
teln (ugs.)
he|r|um|dok|tern; an etwas,
jmdm. herumdoktern (etwas,
jmdn. mit dilettantischen
Methoden zu heilen versucht)
he|r|um|dre|hen; he|r|um|drü|cken,
sich (ugs.); he|r|um|druck|sen
(ugs.); he|r|um|ex|pe|ri|men|tie-
ren (ugs.); he|r|um|füh|ren; he|r-
um|fuhr|wer|ken (ugs. für heftig
u. planlos hantieren)
he|r|um|ge|hen; he|r|um|geis|tern
(ugs.)
he|r|um|gur|ken (vgl. gurken); he-
r|um|hän|gen (ugs.); sie hingen
nur im Park herum
he|r|um|kau|en
he|r|um|kli|cken (z. B. auf Links u.
Menüpunkten)
he|r|um|kom|men; nicht darum
herumkommen (ugs.); he|r|um-
krie|gen (ugs. für umstimmen)
he|r|um|lau|fen; he|r|um|lie|gen;
he|r|um|lun|gern (ugs.); ich lun-
gere herum; he|r|um|re|den; he-
r|um|rei|ßen; das Steuer herum-
reißen
he|r|um|schar|wen|zeln (ugs.); ich
scharwenz[e]le herum; he|r|um-
schla|gen, sich (ugs.); he|r|um-
schnüf|feln (ugs. abwertend)
he|r|um sein vgl. herum
he|r|um|sit|zen (ugs.); he|r|um-
spre|chen; etwas spricht sich
herum (wird allgemein
bekannt); he|r|um|ste|hen; he|r-
um|stie|ren (österr. für herum-
stöbern); he|r|um|stö|bern
(ugs.); he|r|um|sto|chern (ugs.);
he|r|um|tol|len
he|r|um|trei|ben, sich (ugs.); He|r-
um|trei|ber; He|r|um|trei|be|rin
he|r|um|wer|fen; das Steuer
herumwerfen
he|r|um|zap|pen (vgl. zappen)
he|r|un|ten (bayr., österr. für hier
unten)
he|r|un|ter, ugs. run|ter ↑K 14 ;
herunter sein (ugs. für abgear-
beitet, elend sein)
he|r|un|ter... (z. B. herunterkom-
men; er ist sofort heruntergekommen); ↑K 48
he|r|un|ter|be|kom|men; he|r|un-
ter|bre|chen; he|r|un|ter|bren-
nen; he|r|un|ter|brin|gen; he|r-

un|ter|dür|fen; he|r|un|ter|fah-
ren; he|r|un|ter|fal|len; he|r|un-
ter|ge|hen
he|r|un|ter|ge|kom|men (ugs. für
in schlechtem Zustand)
he|r|un|ter|hän|gen; der Vorhang
hing herunter; vgl. ¹hängen; he-
r|un|ter|kom|men
he|r|un|ter|kön|nen; he|r|un|ter-
krem|peln; die Ärmel herunter-
krempeln
he|r|un|ter|lad|bar; he|r|un|ter|la-
den (EDV)
he|r|un|ter|las|sen; he|r|un|ter|ma-
chen (ugs. für abwerten,
schlechtmachen; ausschelten);
he|r|un|ter|müs|sen; he|r|un|ter-
rei|ßen; he|r|un|ter|schal|ten
he|r|un|ter sein vgl. herunter
he|r|un|ter|spie|len (ugs. für nicht
so wichtig nehmen); he|r|un-
ter|wirt|schaf|ten; he|r|un|ter-
wol|len; he|r|un|ter|zie|hen
her|vor
her|vor... (z. B. hervorholen; er
hat es hervorgeholt)
her|vor|bre|chen; her|vor|brin|gen;
her|vor|ge|hen; her|vor|he|ben;
her|vor|ho|len; her|vor|keh|ren
her|vor|kra|men
her|vor|ra|gen; her|vor|ra|gend
her|vor|ru|fen; her|vor|ste|chen;
her|vor|trau|en, sich; her|vor-
tre|ten
her|vor|tun, sich; her|vor|wa|gen,
sich; her|vor|zau|bern; her|vor-
zie|hen
her|wärts
Her|weg vgl. Hin- und Herweg
Her|wegh (dt. Dichter)
Her|wig (m. Vorn.)
Herz, das; -ens, Dat. -en, Plur. -en
(Med. auch starke Beugung des
Herzes, am Herz, die Herze);
von Herzen kommen; zu Herzen gehen, nehmen; mit Herz
und Hand; vgl. Herze
herz|al|ler|liebst; Herz|al|ler|liebs-
te, der u. die
Herz|an|fall; Herz|ano|ma|lie
Herz|ass, Herz-Ass [auch 'hɛrts'-
|as]
Herz|asth|ma; Herz|at|ta|cke
herz|be|klem|mend ↑K 59
Herz|beu|tel; Herz|beu|tel|ent|zün-
dung
herz|be|we|gend ↑K 59 ; Herz|blatt;
Herz|blätt|chen; Herz|blut
Herz|chen (auch für naive Person)
Herz|chi|r|ur|gie, die; -
Her|ze, das; -ns, -n (veraltet für
Herz)
Her|ze|go|wi|na [auch ...o'vi:...],

die; - (südl. Teil von Bosnien
und Herzegowina); Her|ze|go-
wi|ner; Her|ze|go|wi|ne|rin
her|zei|gen (ugs.)
Her|ze|leid (veraltend)
her|zen; du herzt
Her|zens|an|ge|le|gen|heit; Her-
zens|angst; Her|zens|be|dürf|nis
Her|zens|bre|cher; Her|zens|bre-
che|rin
Her|zens|bru|der; Her|zens|er|gie-
ßung
Her|zens|freund; Her|zens|freun-
din
her|zens|gut
Her|zens|gü|te; Her|zens|lust (nur
in nach Herzenslust); Her|zens-
sa|che; Her|zens|schwes|ter;
Her|zens|wunsch
herz|er|freu|end ↑K 59 ; herz|er-
fri|schend; herz|er|grei|fend;
herz|er|qui|ckend; herz|er|wei-
chend
Herz|feh|ler; Herz|flim|mern, das;
-s (Med.)
herz|för|mig
Herz|fre|quenz; Herz|ge|gend
herz|haft
Herz|haf|tig|keit, die; -
her|zie|hen; ... weil ich den Sack
hinter mir herzog; er ist, hat
über sie hergezogen (ugs. für
hat schlecht von ihr gesprochen); aber von der Tür her zog
es
her|zig
Herz|in|farkt
herz|in|nig (veraltend); herz|in-
nig|lich (veraltend)
Herz|in|suf|fi|zi|enz (Med.); Herz-
kam|mer
Herz|kas|per (ugs. für Herzanfall)
Herz|ka|the|ter; Herz|kir|sche
Herz|klap|pe; Herz|klap|pen|feh|ler
Herz|klop|fen, das; -s
herz|krank; Herz|kran|ke; Herz-
krank|heit
Herz|kranz|ge|fäß; Herz-Kreis-
lauf-Er|kran|kung ↑K 26
herz|lich; aufs, auf das Herz-
lichste od. herzlichste ↑K 75 ;
Herz|lich|keit
herz|los; Herz|lo|sig|keit
Herz-Lun|gen-Ma|schi|ne (↑K 26
Med.)
Herz|ma|nov|s|ky-Or|lan|do
[...ki...], Fritz von (österr.
Schriftsteller)
Herz|mas|sa|ge; Herz|mit|tel (ugs.)
Herz|mus|kel; Herz|mus|kel|schwä-
che; herz|nah
¹Her|zog, der; -[e]s, Plur. ...zöge,
auch -e

²Her|zog, Roman (siebter dt. Bun-
despräsident)
Her|zo|gen|busch (niederländi-
sche Stadt)
Her|zo|gin; Her|zo|gin|mut|ter
her|zog|lich; im Titel ↑K 89 : Her-
zoglich
Her|zogs|wür|de, die; -; Her|zog-
tum
Herz|ra|sen, das; -s; Herz|rhyth-
mus; Herz|rhyth|mus|stö|rung
Herz|schei|de|wand (Med.); Herz-
schlag; Herz|schmerz; Herz-
schritt|ma|cher; Herz|schwä|che
Herz|spen|der; Herz|spen|de|rin
herz|stär|kend ↑K 59
Herz|stich; Herz|still|stand, der;
-[e]s; Herz|stück
Herz|tä|tig|keit; Herz|tod; Herz|ton
Plur. ...töne; Herz|trans|plan|ta-
ti|on; Herz|trans|plan|tie|rte, der
u. die; -n, -n; Herz|trop|fen Plur.
her|zu; aber [komm] her zu mir!
her|zu... (z. B. herzukommen; er
ist herzugekommen)
Herz|ver|pflan|zung; Herz|ver|sa-
gen
her|zy|nisch (Geol. von Nordwes-
ten nach Südosten verlaufend)
aber ↑K 140 : der Herzynische
Wald (antiker Name der dt.
Mittelgebirge)
herz|zer|rei|ßend ↑K 59
He|se|ki|el [...e:l, auch ...ɛl] (bibl.
Prophet); vgl. Ezechiel
He|si|od [auch ...'zjɔt] (altgrie-
chischer Dichter)
Hes|pe|ri|de, die; -, -n meist Plur.
(Tochter des Atlas); Hes|pe|ri-
den|äp|fel Plur.
Hes|pe|ri|en (im Altertum Bez. für
Land gegen Abend [Italien,
Westeuropa])
Hes|pe|ros, Hes|pe|rus, der; -
(Abendstern in der grie-
chischen Mythologie)
¹Hes|se (dt. Dichter)
²Hes|se, die; -, -n (landsch. für
unterer Teil des Beines von
Rind od. Pferd); vgl. Hachse
³Hes|se, der; -n, -n (zu Hessen)
Hes|sen; Hes|sen-Darm|stadt
Hes|sen|land, das; -[e]s; Hes-
sen-Nas|sau
Hes|sin (zu Hessen); hes|sisch;
aber ↑K 140 : das Hessische
Bergland
Hes|tia (griechische Göttin des
Herdes)
He|tä|re, die; -, -n ⟨griech.⟩
(Freundin, Geliebte bedeuten-
der Männer in der Antike)

H
heru

He|tä|rie, die; -, ...ien (eine alt-
griech. polit. Verbindung)

he|te|ro (ugs. kurz für heterose-
xuell); He|te|ro, der; -s, -s (ugs.
kurz für Heterosexueller)

he|te|ro... (griech.) (anders...,
fremd...); He|te|ro... (Anders...,
Fremd...)

he|te|ro|dox (Rel. von der herr-
schenden Kirchenlehre abwei-
chend); He|te|ro|do|xie, die; -,
...ien

he|te|ro|gen (anders geartet,
ungleichartig, fremdstoffig);
He|te|ro|ge|ni|tät, die; -

he|te|ro|morph (anders-, verschie-
dengestaltig)

He|te|ro|phyl|lie, die; - (Bot. Ver-
schiedengestaltigkeit der Blätter bei einer Pflanze)

He|te|ro|se|xu|a|li|tät, die; - (auf
das andere Geschlecht gerich-
tetes sexuelles Empfinden); he-
te|ro|se|xu|ell; He|te|ro|se|xu|el-
le, der u. die; -n, -n

He|te|ro|sphä|re, die; - (Meteor.
der obere Bereich der Atmosphäre)

he|te|ro|troph (Biol. sich von
organischen Stoffen ernäh-
rend); He|te|ro|tro|phie, die; -

he|te|r|ö|zisch (svw. diözisch)

he|te|ro|zy|got (Biol. ungleich-
erbig)

He|thi|ter, ökum. He|ti|ter, der; -s,
- (Angehöriger eines indoger-
manischen Kulturvolkes in
Kleinasien); He|thi|te|rin, ökum.
He|ti|te|rin; he|thi|tisch, ökum.
he|ti|tisch

Het|man, der; -s, Plur. -e od. -s
(Oberhaupt der Kosaken; in
Polen [bis 1792] vom König
eingesetzter Oberbefehlshaber)

Het|sche|petsch, die; -, - u. Het-
scherl, das; -s, -n (österr. mdal.
für Hagebutte)

Hett|stedt (Stadt östl. des Har-
zes)

Hetz, die; -, -en Plur. selten (bayr.,
österr. ugs. für Spaß); aus Hetz

Het|ze, die; -, -n; het|zen; du hetzt

Het|zer; Het|ze|rei; Het|ze|rin; het-
ze|risch

hetz|hal|ber (österr. ugs. für zum
Spaß)

Hetz|jagd; Hetz|kam|pa|g|ne; Hetz-
re|de; Hetz|ti|ra|de meist Plur.

Heu, das; -[e]s

Heu|bo|den; Heu|büh|ne (Heubo-
den); Heu|bün|del

Heu|che|lei; heu|cheln; ich
heuch[e]lle

Heuch|ler; Heuch|le|rin; heuch|le-
risch; Heuch|ler|mie|ne

Heu|die|le (schweiz. für Heubo-
den); heu|en (landsch. u.
schweiz. für Heu machen)

heu|er (südd., österr., schweiz.
für in diesem Jahr)

¹Heu|er (landsch. u. schweiz. für
Heumacher)

²Heu|er, die; -, -n (Lohn eines See-
manns; Anmusterungsvertrag);
Heu|er|baas; Heu|er|bü|ro

Heu|e|rin (zu ¹Heuer)

heu|ern ([Schiffsleute] einstellen;
[ein Schiff] chartern); ich
heu[e]re

Heu|ern|te

Heu|ert vgl. ¹Heuet; ¹Heu|et, der;
-s, -e (für Heumonat)

²Heu|et, der; -s, südd. auch die; -
(südd. u. schweiz. für Heu-
ernte)

Heu|feim, Heu|fei|me, Heu|fei|men
(landsch. für Heuhaufen)

Heu|fie|ber, das; -s; Heu|ga|bel;
Heu|hüp|fer (Heuschrecke)

Heu|bo|je (Seew.; ugs. abwertend
auch für [schlechter] Sänger)

heu|len; das heulende Elend
bekommen; ↑K 82 : Heulen und
Zähneklappern; das ist [ja]
zum Heulen; Heu|ler

Heul|krampf; Heul|su|se (Schimpf-
wort); Heul|ton Plur. ...töne

Heu|mahd; Heu|mo|nat; Heu|mond
(alte Bez. für Juli)

Heu|pferd (Heuschrecke); Heu|rei-
ter (österr.), Heu|reu|ter (südd.
für Gestell zum Heu- u. Klee-
trocknen)

heu|re|ka! (griech., »ich habs
[gefunden]!«)

Heu|reu|ter vgl. Heureiter

heu|rig (südd., österr., schweiz.
für diesjährig)

Heu|ri|ge, der; -n, -n (bes. österr.
für junger Wein im ersten Jahr;
Lokal für den Ausschank jungen Weins, Straußwirtschaft;
Plur.: Frühkartoffeln)

Heu|ri|gen|abend; Heu|ri|gen|lo-
kal

Heu|ris|tik, die; - (griech.) (Lehre
von den Methoden zur Auffin-
dung neuer wissenschaftlicher
Erkenntnisse)

heu|ris|tisch (griech.) (das Auffin-
den bezweckend); heuristi-
sches Prinzip

Heu|schnup|fen; Heu|scho|ber

Heu|schreck, der; -[e]s, -e (südd.,
österr. neben Heuschrecke)

Heu|schre|cke, die; -, -n; Heu-
schre|cken|ka|pi|ta|lis|mus
(abwertend)

Heuss (erster dt. Bundespräsident); heusssche od.
Heuss'sche Reden ↑K 16 u. 135

Heu|sta|del (bayr., österr.,
schweiz. für Scheune zum Auf-
bewahren von Heu); Heu|stock
Plur. ...stöcke (schweiz., österr.
für Heuvorrat)

heu|te

ugs. auch heut

– bis heute; für heute; seit heute,
von heute an; von heute auf
morgen
– hier und heute
– die Frau von heute

In Verbindung mit »heute« werden die Tageszeitangaben großgeschrieben:

– heute Abend; heute Mittag;
heute Morgen; heute Nachmittag; heute Nacht
– heute früh od. heute Früh
↑K 69

Heu|te, das; - (die Gegenwart); das
Heute und das Morgen

heu|tig; ↑K 72 : am Heutigen; heu-
ti|gen|tags ↑K 70

heut|zu|ta|ge ↑K 70

He|xa|chord [...'k...], der od. das;
-[e]s, -e (griech.) (Musik Aufeinanderfolge von sechs Tönen
der diatonischen Tonleiter)

He|xa|eder, das; -s, - (Sechsfläch-
ner, Würfel); he|xa|ed|risch

He|xa|eme|ron, das; -s (Schöp-
fungswoche außer dem Sabbat)

He|xa|gon, das; -s, -e (Sechseck);
he|xa|go|nal

He|xa|gramm, das; -s, -e (Figur aus
zwei gekreuzten gleichseitigen
Dreiecken; Sechsstern)

He|xa|me|ter, das; -s, - (sechsfüßi-
ger Vers); he|xa|me|t|risch

He|xa|teuch, der; -s (die ersten
sechs biblischen Bücher)

He|xe, die; -, -n; he|xen; du hext

He|xen|jagd; He|xen|kes|sel; He-
xen|kü|che

He|xen|meis|ter; He|xen|meis|te|rin

He|xen|schuss; He|xen|ver|bren-
nung; He|xen|wahn

He|xer; He|xe|rei

He|x|o|de, die; -, -n (griech.) (Elek-
tronenröhre mit sechs Elektro-
den)

hier

- hier und da; von hier aus; hier oben; hier unten usw.
- hier und jetzt, *aber* ↑K81 : im Hier und Jetzt
- hier sein (zugegen sein); ich werde hier sein; wenn ich hier bin; da wir hier sind

Man schreibt »hier« als Verbzusatz mit dem folgenden Verb zusammen:

- hierbehalten, hierbleiben, hierlassen

Man schreibt getrennt, wenn »hier« selbstständiges Adverb ist:

- sie haben sich hier angesiedelt
- sie werden hier gebraucht
- du sollst genau hier (an genau dieser Stelle) bleiben
- er kann doch hier bei uns bleiben

H
hey

hey! [hei] ⟨engl.⟩ *(bes. Jugendspr.);* hey, wie gehts?

Hey|er|dahl (norw. Forscher)

Heym, Georg (dt. Lyriker)

Hf = *chem. Zeichen für* Hafnium

hfl = Hollands florijn (holländ. Gulden)

Hg = Hydrargyrum *(chem. Zeichen für* Quecksilber)

hg., hrsg. = herausgegeben

Hg., Hrsg. = Herausgeber, Herausgeberin[nen]

HGB, das; - = Handelsgesetzbuch

HI = Hawaii

¹hi!; hi|hi!

²hi! [hai] *(vgl.* hey!)

Hi|at, der; -s, -e, **Hi|a|tus,** der; -, - ⟨lat.⟩ *(Sprachw.* Zusammentreffen zweier Vokale im Auslaut des einen u. im Anlaut des folgenden Wortes oder Wortteiles, z. B. »sagte er« *od.* »Kooperation«; *Geol.* zeitliche Lücke bei der Ablagerung von Gesteinen; *Med.* Öffnung, Spalt)

hib|be|lig, hip|pe|lig *(nordd. ugs. für* zappelig)

Hi|ber|na|kel, das; -s, -[n] *meist Plur.* ⟨lat.⟩ (Überwinterungsknospe von Wasserpflanzen)

Hi|ber|na|ti|on, die; - *(Med.* künstl. »Winterschlaf«)

Hi|ber|nia ⟨lat.⟩ *(lat. Name von* Irland)

Hi|bis|kus, der; -, ...ken ⟨griech.⟩ (Eibisch)

hick!

hi|ckeln *(landsch. für* hinken; auf einem Bein hüpfen); ich hick[e]le

Hick|hack, der *u.* das; -s, -s *(ugs. für* nutzlose Streiterei)

¹Hi|cko|ry [...ri], der; -s, -s, *auch* die; -, -s ⟨indian.-engl.⟩ (nordamerik. Walnussbaum)

²Hi|cko|ry, das; -s (Holz des ¹Hickorys)

hick|sen *(landsch. für* Schluckauf haben); du hickst

Hi|dal|go, der; -s, -s ⟨span.⟩ (Angehöriger des niederen spanischen

---

Adels; eine mexikanische Goldmünze)

Hid|den|see (dt. Ostseeinsel); **Hid|den|se|er;** **Hid|den|se|e|rin**

hi|d|ro|tisch ⟨griech.⟩ *(Med.* schweißtreibend)

hie; *nur in Wendungen wie* hie und da; hie Pflicht, hie Neigung

hieb *vgl.* hauen

Hieb, der; -[e]s, -e

hie|bei¹ *(südd., österr., sonst veraltet neben* hierbei)

hieb|fest; *nur in* hieb- und stichfest ↑K 31

Hiebs|art *(Forstw.* Art des Holzfällens)

hie|durch¹ *(südd., österr., sonst veraltet neben* hierdurch)

Hie|fe *(landsch. für* Hagebutte); **Hie|fen|mark,** das

Hie|ferl *vgl.* Hüferl; **Hie|fer|scherzel** *vgl.* Hüferscherzel

hie|für¹, hie|ge|gen¹, hie|her¹, hie|mit¹ *(südd., österr., sonst veraltet neben* hierfür usw.)

hielt *vgl.* halten

hie|nach¹, hie|ne|ben¹ *(südd., österr., sonst veraltet neben* hiernach, hierneben)

hie|nie|den¹ *(geh. für* auf d[ies]er Erde)

hier *s. Kasten*

hier|amts *(österr. Amtsspr.; Abk.* h. a.); **hie|r|an²**

Hi|e|r|ar|chie [hjer..., hir...], die; -, ...ien ⟨griech.⟩ ([pyramidenförmige] Rangordnung); **hi|e|r|ar|chisch;** **hi|e|r|ar|chi|sie|ren**

hie|ra|tisch (priesterlich); hieratische Schrift (altägyptische Priesterschrift) ↑K 89

hie|r|auf²; hie|r|auf|hin²

hie|r|aus²

hier|be|hal|ten *vgl.* hier

hier|bei²

hier|blei|ben *vgl.* hier

hier|durch²; hie|r|ein²; hier|für²; hier|ge|gen²

hier|her²; hierher gehörend *od.* hierhergehörend; hierher gehörig

---

hier|he|r|auf²

hier|her ge|hö|rend, hier|her|ge|hö|rend ↑K58 ; hier|her ge|hö|rig *vgl.* hierher

hier|her|kom|men

hier|he|r|um²

hier|hin²

hier|hin|ter²

hie|r|in²; hie|r|in|nen² *(veraltet)*

hier|las|sen *vgl.* hier

hier|mit²; hier|nach²; hier|ne|ben²

¹Hi|e|ro|du|le [hjer..., hir...], der; -n, -n ⟨griech.⟩ (Tempelsklave des griechischen Altertums)

²Hi|e|ro|du|le, die; -, -n (Tempelsklavin)

Hi|e|ro|gly|phe [hjer..., hir...], die; -, -n (Bilderschriftzeichen; *nur Plur.: scherzh. für* schwer entzifferbare Schriftzeichen); **hi|e|ro|gly|phisch**

Hi|e|ro|kra|tie [hjer..., hir..], die; -, -n (Priesterherrschaft)

Hi|e|ro|mant, der; -en, -en; **Hi|e|ro|man|tie,** die; - (Weissagung aus [Tier]opfern)

Hi|e|ro|ny|mus [hje...] (m. Vorn.; lat. Kirchenvater)

hier|orts² *(Amtsspr.)*

Hier|ro [ˈjɛ...], *früher* Fer|ro (kleinste der Kanarischen Inseln)

hier sein *vgl.* hier; **Hier|sein,** das; -s

hier|selbst² *(veraltet);* hie|r|ü|ber²; hie|r|um²

hie[r] und da *vgl.* hier

hie|r|un|ter²; hier|von²; hier|vor²; hier|wi|der² *(veraltet)*

hier|zu²; hier|zu|lan|de, hier zu Lan|de ↑K63

hier|zwi|schen²

hie|selbst¹ *(südd., österr., sonst veraltet neben* hierselbst)

hie|sig; hiesigen Ort[e]s; **Hie|si|ge,** der *u.* die; -n, -n

hieß *vgl.* ¹heißen

hie|ven [...f..., *auch* ...v...] (See-

---

¹ *[auch* ˈhi:...]

² *[auch* ˈhi:r...]

mannsspr. u. ugs. für [eine Last] hochziehen; heben)
hie|von¹, hie|vor¹, hie|wi|der¹, hie-zu¹, hie|zwi|schen¹ (südd., österr., sonst veraltet neben hiervon usw.)
Hi-Fi ['haifi, auch 'hai'fai] = High Fidelity; Hi-Fi-An|la|ge; Hi-Fi-Turm
Hift|horn Plur. ...hörner (Jagdhorn)
high [hai] ⟨engl.⟩ (ugs. für in gehobener Stimmung [nach dem Genuss von Rauschgift])
High Church ['hai 'tʃøːʁtʃ], die; - - ⟨engl.»Hochkirche«⟩ (Richtung der britischen Staatskirche)
High|end..., High-End-... ['hai-|ent...] ⟨engl.⟩ (im oberen Leistungs- od. Preisbereich; z. B. Highendverstärker, High-End-Verstärker)
High Fi|de|li|ty ['hai fi'deliti], die; - - ⟨engl.⟩ (originalgetreue Wiedergabe bei Tonträgern u. elektroakustischen Geräten; Abk. Hi-Fi)
High|heels ['haihi:ls], High Heels Plur. (Stöckelschuhe)
High|life ['hailaif], das; -[s], High Life, das; - -[s] ⟨engl.⟩; bei uns zu Hause ist Highlife od. High Life (geht es hoch her)
High|light ['hailait], das; -[s], -s ⟨engl.⟩ (Höhepunkt, Glanzpunkt); high|ligh|ten (EDV auf einem Bildschirm optisch hervorheben); gehighlightet
High|ri|ser ['hairaizɐ], der; -[s], - ⟨engl.⟩ (Fahrrad, Moped mit hohem, geteiltem Lenker und Sattel mit Rückenlehne)
High|school ['haisku:l], die; -, -s (amerik. Bez. für höhere Schule)
High So|ci|e|ty ['hai sə'saiəti], die; - - ⟨engl.⟩ (die vornehme Gesellschaft)
High|tech ['haitɛk], das; -[s], auch die; - (Spitzentechnologie); High|tech|in|dus|t|rie
High|way ['haive:], der; -s, -s (amerik. Bez. für Fernstraße)
hi|hi!
Hi|ja|cker ['haidʒɐ...], der; -s, - ⟨engl.⟩ (Luftpirat, Entführer)
Hil|da, Hil|de (w. Vorn.)
Hil|de|brand (m. Eigenn.); Hil|de-brands|lied, das; -[e]s
Hil|de|gard, Hil|de|gund, Hil|de-gun|de (w. Vorn.)
Hil|des|heim (niedersächs. Stadt)
Hil|fe, die; -, -n; ↑K 151 u. 89: die Erste od. erste Hilfe (bei Verletzungen usw.); Hilfe leisten,

suchen; zu Hilfe kommen, eilen; aber der Mechaniker, mithilfe dessen (od. mit Hilfe dessen od. mit dessen Hilfe) sie ihr Auto reparierte; sich Hilfe suchend od. hilfesuchend umschauen
Hil|fe|su|chen
hil|fe|fle|hend ↑K59
Hil|fe|leis|tung
Hil|fe|ruf; hil|fe|ru|fend ↑K59; aber [um] Hilfe rufend
Hil|fe|stel|lung
Hilfe su|chend, hil|fe|su|chend ↑K58; aber nur rasche Hilfe suchend; den Hilfe Suchen-den od. Hilfesuchenden beistehen
hilf|los; Hilf|lo|sig|keit, die; -
hilf|reich (geh.)
Hilfs|ak|ti|on; Hilfs|ar|bei|ter; Hilfs-ar|bei|te|rin
hilfs|be|dürf|tig; Hilfs|be|dürf|tig-keit
hilfs|be|reit; Hilfs|be|reit|schaft
Hilfs|gel|der; Hilfs|kraft, die; Hilfs-mit|tel, das; Hilfs|mo|tor; Hilfs-or|ga|ni|sa|ti|on
Hilfs|po|li|zist; Hilfs|po|li|zis|tin
Hilfs|pro|gramm; Hilfs|quel|le; Hilfs-schiff; Hilfs|schu|le; Hilfs-she|riff; Hilfs|verb; hilfs|wei|se; Hilfs|werk; hilfs|wil|lig; Hilfs|wis-sen|schaft; Hilfs|zeit|wort
hilft vgl. helfen
Hi|li (Plur. von Hilus)
Hil|ke (w. Vorn.)
Hill|bil|ly|mu|sic, [...limju:zik], Hill|bil|ly-mu|sik, die; - (ländliche Musik der nordamerikanischen Südstaaten)
Hil|le|bil|le, die; -, -n (ein altes hölzernes Signalgerät)
Hil|mar (m. Vorn.)
Hil|traud, Hil|trud (w. Vorn.)
Hi|lus, der; -, Hili (lat.) (Med. Einod. Austrittsstelle der Gefäße, Nerven usw. an einem Organ)
Hi|ma|la|ja [auch ...'la:...], Hi|ma|la-ya, der; -[s] (Gebirge in Asien)
Him|bee|re; him|beer|far|ben, him-beer|far|big
Him|beer|geist, der; -[e]s (ein Obstschnaps); Him|beer|saft
Him|mel, der; -s, -; um [des] Himmels willen
him|mel|an (geh.); him|mel|angst; es ist mir himmelangst
Him|mel|bett; him|mel|blau
Him|mel|don|ner|wet|ter!
Him|mel|fahrt (christl. Kirche)
Him|mel|fahrts|kom|man|do ([Kriegs]auftrag, der das Leben

kosten kann; die Ausführenden eines solchen Auftrags)
Him|mel|fahrts|na|se (ugs. für nach oben gebogene Nase)
Him|mel|fahrts|tag
Him|mel|herr|gott!
him|mel|hoch
Him|mel|hund (ugs. für Schuft)
him|meln; ich himm[e]le
him|mel|reich, das; -[e]s
Him|mels|ach|se, die; -; Him|mels-bahn; Him|mels|bo|gen, der; -s; Him|mels|braut (Nonne)
Him|mel|schlüs|sel, seltener Him-mels|schlüs|sel, der, auch das (Schlüsselblume)
him|mel|schrei|end ↑K59
Him|mels|fes|te (geh.)
Him|mels|kör|per; Him|mels|ku|gel
Him|mels|lei|ter, die (A. T.)
Him|mels|rich|tung
Him|mels|schlüs|sel vgl. Himmel-schlüssel
Him|mels|strich
Him|mel[s]|stür|mer; Him|mel[s]-stür|me|rin
Him|mels|tor
Him|mels|zelt (geh.)
him|mel|wärts; him|mel|weit
himm|lisch
hin s. Kasten Seite 502
hin... (in Zus. mit Verben, z. B. hingehen, du gehst hin, hinge-gangen, hinzugehen); aber hin sein
hi|n|ab; etwas weiter hinab
hi|n|ab... (z. B. hinabgehen; er ist hinabgegangen ↑K48)
hi|n|ab|fah|ren; hi|n|ab|fal|len; hi|n-ab|rei|ßen; hi|n|ab|sen|ken; hi|n-ab|sin|ken
hi|n|ab|stei|gen; hi|n|ab|stür|zen; hi|n|ab|tau|chen; hi|n|ab|zie|hen
hi|n|an (geh.); etwas weiter hinan
hi|n|an... (z. B. hinangehen)
hin|ar|bei|ten; auf eine Sache hinarbeiten, aber auf seine Mahnungen hin arbeiten
hi|n|auf, ugs. 'nauf ↑K14; den Rhein hinauf
hi|n|auf... (z. B. hinaufsteigen; er ist hinaufgestiegen); ↑K48
hi|n|auf|bli|cken; hi|n|auf|brin|gen; hi|n|auf|dür|fen; hi|n|auf|füh|ren; hi|n|auf|ge|hen
hi|n|auf|klet|tern; hi|n|auf|kön|nen; hi|n|auf|las|sen; hi|n|auf|müs|sen; hi|n|auf|rei|chen
hi|n|auf|schrau|ben; hi|n|auf|sol|len; hi|n|auf|stei|gen; hi|n|auf|wol|len; hi|n|auf|zie|hen

---

¹ [auch 'hi:...]

hin

(beschreibt meist eine Bewegung vom Sprechenden weg)	Schreibung in Verbindung mit Verben:
– bis zur Mauer hin; gegen Abend hin – über die ganze Welt hin verstreut – vor sich hin brummen, murmeln usw., *seltener auch* hinbrummen, hinmurmeln usw. – hin und zurück – hin und wieder (zuweilen) – nach langem Hin und Her	– hingehen; du gehst hin, hingegangen, hinzugehen – hin und her laufen (= ohne bestimmtes Ziel, ständig die Richtung wechselnd), *aber* ↑K31 : hin- und herlaufen (= hin- und wieder zurücklaufen) – hin sein (*ugs. für* völlig kaputt sein; tot sein; hingerissen sein); das Auto wird hin sein; weil alles hin ist; alles ist hin

H
hina

hi|n|aus, ugs. 'naus ↑K14 ; auf das Meer hinaus; über ein bestimmtes Alter hinaus sein

hi|n|aus... (z. B. hinausgehen; sie ist hinausgegangen); ↑K48

hi|n|aus|be|för|dern; hi|n|aus|be|glei|ten; hi|n|aus|beu|gen; hi|n|aus|bli|cken

hi|n|aus|brin|gen; hi|n|aus|drän|gen; sich hinausdrängen; **hi|n|aus|dür|fen; hi|n|aus|ekeln**

hi|n|aus|fah|ren; hi|n|aus|fin|den; hi|n|aus|füh|ren; hi|n|aus|ge|hen; alles darüber Hinausgehende

hi|n|aus|ge|lei|ten; hi|n|aus|grei|fen; darüber hinausgreifen; **hi|n|aus|ka|ta|pul|tie|ren; hi|n|aus|kom|men**

hi|n|aus|kom|pli|men|tie|ren; hi|n|aus|kön|nen; hi|n|aus|las|sen

hi|n|aus|lau|fen; aufs Gleiche hinauslaufen; **hi|n|aus|müs|sen; hi|n|aus|po|sau|nen** (*ugs.*); **hi|n|aus|schaf|fen** (*vgl.* ¹schaffen); **hi|n|aus|schie|ben; hi|n|aus|schmei|ßen** (*ugs.*)

hi|n|aus sein *vgl.* hinaus

hi|n|aus|sprin|gen

hi|n|aus|stel|len; Hi|n|aus|stel|lung (Sport)

hi|n|aus|tra|gen; hi|n|aus|trei|ben; hi|n|aus|wach|sen; über sich selbst hinauswachsen

hi|n|aus|wa|gen, sich; **hi|n|aus|wer|fen; hi|n|aus|wol|len;** zu hoch hinauswollen

Hi|n|aus|wurf

hi|n|aus|zie|hen; hi|n|aus|zö|gern

hin|be|ge|ben, sich

hin|be|kom|men (*ugs.*)

hin|bie|gen (*ugs. für* in Ordnung bringen)

hin|blät|tern (*ugs.*); Geldscheine hinblättern

Hin|blick; *nur in* im Hinblick auf, *seltener* in Hinblick auf

hin|brin|gen

Hin|de *vgl.* Hindin

Hin|de|mith (dt. Komponist)

hin|der|lich

hin|dern; ich hindere

Hin|der|nis, das; -ses, -se

Hin|der|nis|lauf; Hin|der|nis|ren|nen

Hin|de|rung; Hin|de|rungs|grund

hin|deu|ten; alles scheint darauf hinzudeuten, dass ...

Hin|di, das; - (Amtsspr. in Indien)

Hin|din, die; -, -nen, **Hin|de,** die; -, -n (*veraltet für* Hirschkuh)

¹Hin|du, der; -[s], -[s] (Anhänger des Hinduismus)

²Hin|du, die; -, -[s]; **Hin|du|frau**

Hin|du|is|mus, der; - (indische Volksreligion); **Hin|du|is|tisch**

Hin|du|kusch, der; -[s] (zentralasiatisches Hochgebirge)

hin|durch; durch alles hindurch

hin|durch... (z. B. hindurchgehen; sie ist hindurchgegangen); ↑K48

hin|durch|müs|sen

hin|durch|zwän|gen; sich hindurchzwängen

hin|dür|fen (*ugs. für* hingehen, hinkommen [o. Ä.] dürfen)

Hin|du|s|tan (veraltete Bez. für Indien); **Hin|du|s|ta|ni,** das; -[s] (Form des Westhindi); **hin|du|s|ta|nisch**

hi|n|ein, ugs. 'nein ↑K14

hi|n|ein... (z. B. hineingehen; wir sind hineingegangen); ↑K48

hi|n|ein|be|ge|ben; hi|n|ein|be|mü|hen; hi|n|ein|bit|ten; hi|n|ein|brin|gen; hi|n|ein|dür|fen; hi|n|ein|fal|len; hi|n|ein|fin|den; hi|n|ein|flüch|ten; hi|n|ein|fres|sen; Ärger in sich hineinfressen

hi|n|ein|ge|bo|ren

hi|n|ein|ge|heim|nis|sen; du geheimnisst hinein

hi|n|ein|ge|hen; hi|n|ein|ge|ra|ten; in etwas hineingeraten; **hi|n|ein|grät|schen** (Fußball); **hi|n|ein|grei|fen; hi|n|ein|hor|chen; hi|n|ein|hö|ren; hi|n|ein|in|ter|pre|tie|ren**

hi|n|ein|kom|men; hi|n|ein|kom|pli|men|tie|ren; hi|n|ein|las|sen; hi|n|ein|müs|sen; hi|n|ein|pas|sen; hi|n|ein|pfu|schen; hi|n|ein|plat|zen

hi|n|ein|re|den; hi|n|ein|ren|nen; in

sein Unglück hineinrennen; **hi|n|ein|schaf|fen** (*vgl.* ¹schaffen); **hi|n|ein|schau|en; hi|n|ein|schau|feln; hi|n|ein|schlit|tern**

hi|n|ein|schüt|ten; hi|n|ein|ste|cken; hi|n|ein|stei|gern, sich; **hi|n|ein|stel|len; hi|n|ein|stop|fen; hi|n|ein|tap|pen; hi|n|ein|tra|gen**

hi|n|ein|tre|ten; hi|n|ein|ver|set|zen; sich hineinversetzen; **hi|n|ein|wach|sen; hi|n|ein|wa|gen; hi|n|ein|wol|len; hi|n|ein|zie|hen**

hin|fah|ren; Hin|fahrt; Hin- und Herfahrt, Hin- und Rückfahrt (*vgl. d.*)

hin|fal|len

hin|fäl|lig; Hin|fäl|lig|keit, die; -

hin|fin|den; sich hinfinden

hin|flä|zen, sich (*ugs.*)

hin|fle|geln, sich (*ugs.*)

hin|flie|gen; Hin|flug; Hin- und Rückflug (*vgl. d.*)

hin|fort (*geh., veraltend für* in Zukunft*)

hin|füh|ren

hing *vgl.* ¹hängen

Hin|ga|be, die; -; **hin|ga|be|fä|hig**

Hin|gang (*geh. für* Tod, Sterben)

hin|ge|ben; sich hingeben; wir haben unser Geld hingegeben; *aber* auf sein Verlangen hin geben; **hin|ge|bend; Hin|ge|bung**

hin|ge|bungs|voll

hin|ge|gen

hin|ge|gos|sen (*ugs.*); sie lag wie hingegossen auf dem Sofa

hin|ge|hen

hin|ge|hö|ren

hin|ge|ris|sen (begeistert); er war von diesem Spiel hingerissen

hin|ge|zo|gen; sich hingezogen fühlen

hin|gu|cken (*ugs.*); **Hin|gu|cker** (etwas od. jmd., der große Aufmerksamkeit erregt)

hin|hal|ten; er hat das Buch hingehalten; mit der Rückgabe des Buches hat er sie lange hingehalten; hinhaltend antworten

Hin|hal|te|tak|tik

hin|hän|gen *vgl.* ²hängen

hin|hau|en *(ugs.);* das haute hin (das traf zu, das war in Ordnung); ich haute mich hin (legte mich schlafen); er haut hin *(landsch. u. österr. für* beeilt sich)

hin|ho|cken; sich hinhocken

hin|hor|chen; hin|hö|ren

Hin|ke|bein *(ugs.);* Hin|ke|fuß

Hin|kel, das; -s, - *(landsch. für* [junges] Huhn)

Hin|kel|stein (größerer, unbehauener [kultischer] Stein)

hin|ken; gehinkt

hin|knien, sich hinknien

hin|kom|men; hin|kön|nen *(ugs.)*

hin|krie|gen *(ugs. für* zustande bringen); wir werden das schon hinkriegen; hin|ku|cken *(nordd. für* hingucken)

Hin|kunft, die; -; *nur in* in Hinkunft *(österr. für* in Zukunft); hin|künf|tig

hin|lan|gen *(ugs.);* hin|läng|lich

hin|le|gen; sich hinlegen

hin|ma|chen *(landsch. für* sich beeilen, sich hinbegeben)

hin|müs|sen *(ugs.)*

Hin|nah|me, die; -; hin|nehm|bar; hin|neh|men

hin|nei|gen; sich hinneigen; Hin|nei|gung

hin|nen *(veraltet); noch in* von hinnen gehen

hin|rei|chen; hin|rei|chend

Hin|rei|se; Hin- und Herreise *(vgl. d.);* hin|rei|sen

hin|rei|ßen; sich hinreißen lassen; hin- und hergerissen sein (sich nicht entscheiden können; *scherzh. auch für* begeistert sein); hin|rei|ßend

Hin|rich *(m. Vorn.)*

hin|rich|ten; Hin|rich|tung

Hin|run|de *(Sport; Ggs.* Rückrunde)

hin|sa|gen; das war nur so hingesagt

hin|schau|en; hin|schau|keln *(ugs. für* zustande bringen); hin|schi|cken; hin|schie|ben

Hin|schied, der; -[e]s *(schweiz. für* Ableben, Tod)

hin|schla|gen; er ist lang hingeschlagen *(ugs.)*

hin|schlep|pen; sich hinschleppen

hin|schmei|ßen *(ugs.);* sich hinschmeißen; hin|se|hen

hin sein *vgl.* hin

hin|set|zen; sich hinsetzen

Hin|sicht, die; -, -en; in Hinsicht auf ...; hin|sicht|lich; *Präp. mit Gen.:* hinsichtlich des Briefes

---

hin|sie|chen *(geh.)*

hin|sin|ken *(geh.)*

Hin|spiel *(Sport)*

hin|stel|len; sich hinstellen

hin|stre|cken; sich hinstrecken

hin|streu|en; hin|strö|men; hin|stür|zen

hint|an... *(geh., z. B.* hintansetzen; sie hat ihre Wünsche hintangesetzt); ↑K 48

hint|an|hal|ten; Hint|an|hal|tung, die; -

hint|an|set|zen; Hint|an|set|zung, die; -

hint|an|ste|hen

hint|an|stel|len; Hint|an|stel|lung, die; -; unter Hintanstellung aller Wünsche

hin|ten

hin|ten|an... *vgl.* hintan...; hin|ten|an|set|zen

hin|ten|drauf *(ugs.);* hin|ten|he|r|um; hin|ten|hin; hin|ten|nach *(landsch., bes. südd., österr.);* hin|ten|rum *(ugs. für* hintenherum)

hin|ten|über

hin|ten|über|...; z. B. hintenüberfallen; er ist hintenübergefallen; hin|ten|über|kip|pen; hin|ten|über|stür|zen

hin|ter; *Präp. mit Dat. u. Akk.:* hinter dem Zaun stehen, *aber* hinter den Zaun stellen

hin|ter...; *in Verbindung mit Verben: unfeste Zusammensetzungen,* z. B. hinterbringen *(vgl. d.),* hintergebracht; *feste Zusammensetzungen,* z. B. hinterbringen *(vgl. d.),* hinterbracht

Hin|ter|ab|sicht

Hin|ter|ach|se

Hin|ter|an|sicht

Hin|ter|aus|gang

Hin|ter|ba|cke

Hin|ter|bänk|ler (wenig einflussreicher Parlamentarier [der auf einer der hinteren Bänke sitzt]); Hin|ter|bänk|le|rin

Hin|ter|bein (bei Tieren)

hin|ter|blei|ben; die hinterbliebenen Kinder; Hin|ter|blie|be|ne, der u. die; -n, -n; Hin|ter|blie|be|nen|ren|te

hin|ter|brin|gen *(ugs. für* nach hinten bringen); er hat das Essen kaum hintergebracht *(ostmitteld. für* hinunterschlucken, essen können)

hin|ter|brin|gen (heimlich melden); Hin|ter|brin|gung

hin|ter|drein *(veraltend)*

hin|ter|drein|lau|fen

---

hin|te|re; *vgl. auch* hinterst; Hin|te|re, der; ...ter[e]n, ...ter[e]n *(ugs. für* Gesäß); *vgl.* Hintern *u.* Hinterste

hin|ter|ei|n|an|der

Man schreibt »hintereinander« mit dem folgenden Verb in der Regel zusammen, wenn es den gemeinsamen Hauptakzent trägt ↑K 48:

– hintereinandergehen, hintereinanderkommen, hintereinanderliegen, hintereinanderstellen

Aber:

– hintereinander weggehen, hintereinander ankommen, sich hintereinander aufstellen

---

Hin|ter|ei|n|an|der|schal|tung *(Elektrot.)*

hin|ter|ei|n|an|der|weg *(ugs. für* ohne Pause)

Hin|ter|ein|gang

hin|ter|es|sen *(ostmitteld. für* mit Mühe, *auch* unwillig essen); er hat das Gemüse hintergegessen

hin|ter|fot|zig *(derb für* hinterlistig, heimtückisch); Hin|ter|fot|zig|keit *(derb)*

hin|ter|fra|gen; etwas hinterfragen (nach den Hintergründen von etwas fragen); hinterfragt

Hin|ter|frau

Hin|ter|front; Hin|ter|fuß

Hin|ter|gau|men|laut *(für* Velar)

Hin|ter|ge|dan|ke

hin|ter|ge|hen *(ugs. für* nach hinten gehen); hintergegangen; hin|ter|ge|hen (täuschen, betrügen); hintergangen; Hin|ter|ge|hung

Hin|ter|glas|bild; Hin|ter|glas|ma|le|rei

Hin|ter|grund

hin|ter|grün|dig; Hin|ter|grün|dig|keit

Hin|ter|grund|in|for|ma|ti|on; Hin|ter|grund|mu|sik

hin|ter|ha|ken *(ugs. für* einer Sache auf den Grund gehen)

Hin|ter|halt, der; -[e]s, -e

hin|ter|häl|tig; Hin|ter|häl|tig|keit

Hin|ter|hand, die; -

Hin|ter|haupt *(Med.);* Hin|ter|haupt[s]|bein

Hin|ter|haus

hin|ter|her *[auch* 'hı...]; hinterher (danach) polieren; die Polizei wird ihm hinterher sein *(ugs.);*

H

hint

H
hint

aber hinterherlaufen (nachlaufen); sie ist hinterhergelaufen

hin|ter|her|hin|ken; hin|ter|her|ja|gen; hin|ter|her|kle|ckern (*ugs. abwertend*); hin|ter|her|lau|fen; hin|ter|her|ren|nen

hin|ter|her sein *vgl.* hinterher

hin|ter|her|te|le|fo|nie|ren; hin|ter|her|wer|fen

Hin|ter|hof

Hin|ter|in|di|en (*veraltet für* südöstliche Halbinsel Asiens ↑K143)

Hin|ter|kopf

Hin|ter|la|der (eine Feuerwaffe)

Hin|ter|la|ge (*schweiz. für* Hinterlegung, Faustpfand)

Hin|ter|land, das; -[e]s

hin|ter|las|sen (zurücklassen; vererben); sie hat etwas hinterlassen; Hin|ter|las|se|ne, der u. die; -n, -n (*schweiz. für* Hinterbliebene)

Hin|ter|las|sen|schaft; Hin|ter|las|sung, die; - (*Amtsspr.);* unter Hinterlassung von ...

hin|ter|las|tig

hin|ter|le|gen (als Pfand usw.); Hin|ter|le|ger (*Rechtsspr.);* Hin|ter|le|ge|rin; Hin|ter|le|gung

Hin|ter|leib

Hin|ter|list, die; -; hin|ter|lis|tig; Hin|ter|lis|tig|keit

hin|term ↑K14 (*ugs. für* hinter dem)

Hin|ter|mann *Plur.* ...männer; Hin|ter|mann|schaft (*Sport)*

hin|ter|mau|ern (*Bauw.)*

hin|tern ↑K14 (*ugs. für* hinter den)

Hin|tern, der; -s, - (*ugs. für* Gesäß)

Hin|ter|rad; Hin|ter|rad|an|trieb

Hin|ter|rei|fen

Hin|ter|rhein (Quellfluss des Rheins)

hin|ter|rücks

hin|ters ↑K14 (*ugs. für* hinter das)

Hin|ter|sass, Hin|ter|sas|se, der; ...sassen, ...sassen (*früher vom* Feudalherrn abhängiger Bauer); Hin|ter|sas|sin

Hin|ter|schin|ken

hin|ter|schlin|gen (*landsch. für* hinunterschlingen); hin|ter|schlu|cken (*landsch. für* hinunterschlucken)

Hin|ter|sinn, der; -[e]s (geheime Nebenbedeutung); hin|ter|sin|nen, sich (*südd. u. schweiz. für* grübeln, schwermütig werden); du hast dich hintersonnen; hin|ter|sin|nig

hin|terst; zuhinterst; der hinters|te

Mann, *aber* ↑K72 : die Hintersten müssen stehen; Hin|ters|te, der; -n, -n (*ugs. für* Gesäß)

Hin|ter|ste|ven; Hin|ter|stüb|chen; Hin|ter|teil (Gesäß)

Hin|ter|tref|fen (*ugs.* ins Hintertreffen kommen, geraten)

hin|ter|trei|ben (vereiteln); er hat den Plan hintertrieben

Hin|ter|trep|pe; Hin|ter|trep|pen|ro|man

hin|ter|tup|fin|gen (*ugs. für* abgelegener, unbedeutender Ort)

Hin|ter|tür; Hin|ter|tür|chen

Hin|ter|wäld|ler (rückständiger Mensch); Hin|ter|wäld|le|rin; hin|ter|wäld|le|risch

hin|ter|wärts (*veraltet für* zurück, [nach] hinten)

hin|ter|zie|hen (unterschlagen); er hat die Steuer hinterzogen; Hin|ter|zie|hung

Hin|ter|zim|mer

hin|tra|gen

hin|trei|ben

hin|tre|ten; vor jmdn. hintreten

Hin|tritt, der; -[e]s (*veraltet für* Tod)

hin|tun (*ugs.)*

hin|ü|ber, *ugs.* 'nü|ber ↑K14 ; hinüber sein (*ugs.)*

hin|ü|ber... (z. B. hinübergehen; er ist hinübergegangen) ↑K48

hin|ü|ber|brin|gen; hin|ü|ber|dür|fen; hin|ü|ber|fah|ren; hin|ü|ber|ge|hen; hin|ü|ber|ge|lan|gen; hin|ü|ber|kön|nen

hin|ü|ber|müs|sen; hin|ü|ber|ret|ten; hin|ü|ber|schaf|fen (*vgl.* ¹schaffen)

hin|ü|ber|schau|en; hin|ü|ber|schi|cken; hin|ü|ber|schwim|men

hin|ü|ber sein *vgl.* hinüber

hin|ü|ber|spie|len (ein ins Grünliche hinüberspielendes Blau); hin|ü|ber|wech|seln; hin|ü|ber|wer|fen

hin|ü|ber|win|ken; hin|ü|ber|wol|len; hin|ü|ber|zie|hen

hin und her *vgl.* hin; Hin und Her, das; - - -[s]; nach längerem Hin und Her; ein ewiges Hin und Her

Hin-und-her-Fah|ren, das; -s; *aber* ↑K31 : [das] Hin- und [das] Herfahren

Hin- und Her|fahrt ↑K31 ; Hin- und Her|rei|se; Hin- und Her|weg; Hin- und Rück|fahrt; Hin- und Rück|flug

hin|un|ter, *ugs.* 'nun|ter ↑K14

hin|un|ter... (z. B. hinuntergehen; er ist hinuntergegangen); ↑K48

hi|n|un|ter|be|för|dern; hi|n|un|ter|be|glei|ten; hi|n|un|ter|bli|cken; hi|n|un|ter|brin|gen; hi|n|un|ter|ei|len; hi|n|un|ter|flie|ßen; hi|n|un|ter|ge|hen

hi|n|un|ter|kip|pen; hi|n|un|ter|lau|fen; hi|n|un|ter|rei|chen; hi|n|un|ter|rei|ßen; hi|n|un|ter|rol|len; hi|n|un|ter|schlu|cken

hi|n|un|ter|stür|zen; hi|n|un|ter|tau|chen; hi|n|un|ter|wer|fen; hi|n|un|ter|wür|gen

hin|wa|gen, sich

hin|wärts

hin|weg

hin|weg... (z. B. hinweggehen; er ist hinweggegangen); ↑K48

Hin|weg; Hin- und Herweg ↑K31

hin|weg|brin|gen; hin|weg|fe|gen; hin|weg|ge|hen; hin|weg|hel|fen; sie half ihm darüber hinweg; hin|weg|kom|men; hin|weg|kön|nen; hin|weg|raf|fen

hin|weg|se|hen; hin|weg|set|zen; sich darüber hinwegsetzen

hin|weg|stei|gen; hin|weg|täu|schen; hin|weg|trös|ten

Hin|weis, der; -es, -e; hin|wei|sen; hinweisendes Fürwort (*für* Demonstrativpronomen)

Hin|weis|schild, das

Hin|wei|sung

hin|wen|den; sich hinwenden; Hin|wen|dung

hin|wer|fen; sich hinwerfen

hin|wie|der, hin|wie|de|r|um (*veraltend)*

hin|wir|ken; darauf hinwirken, dass ...

Hinz (m. Vorn.); Hinz und Kunz (*ugs. für* jedermann)

hin|zie|hen (*auch für* verzögern); der Wettkampf hat sich lange hingezogen (hat lange gedauert)

hin|zie|len; auf Erfolg hinzielen

hin|zu

hin|zu... (z. B. hinzukommen; er ist hinzugekommen, *aber* ↑K48 : hinzu kommt, dass ...)

hin|zu|dich|ten

hin|zu|fü|gen; Hin|zu|fü|gung

hin|zu|ge|sel|len; hin|zu|kau|fen; hin|zu|kom|men; hin|zu|ler|nen; hin|zu|rech|nen; hin|zu|sprin|gen; hin|zu|tre|ten

Hin|zu|tun, das; -s

hin|zu|ver|die|nen; hin|zu|zie|hen

Hi|ob, Job, *ökum.* Ijob (bibl. m. Eigenn.); Hi|obs|bot|schaft; Hi|obs|post (Unglücksbotschaft)

hip, hipper, hip[p]ste ⟨engl.⟩ (modern, zeitgemäß, auf dem

Laufenden); hippe Klamotten; das hip[p]ste Lokal der Stadt
Hip-Hop, Hip|hop, der; -s ⟨engl.-amerik.⟩ (eine Richtung der modernen Popmusik)
hipp..., hip|po... ⟨griech.⟩ (pferde...); **Hipp...**, Hip|po... (Pferde...)
Hip|p|arch, der; -en, -en (Befehlshaber der Reiterei bei den alten Griechen)
Hip|pa|ri|on, das; -s, ...ien (fossiles Urpferd)
¹Hip|pe, die; -, -n (sichelförmiges Messer)
²Hip|pe, die; -, -n (*südd. für* eine Art Fladenkuchen)
³Hip|pe, die; -, -n (*landsch. für* Ziege)
hip|pe|lig *vgl.* hibbelig
hipp, hipp, hur|ra!; hipp, hipp, hurra rufen; er rief: »Hipp, hipp, hurra!«; **Hipp|hipp|hur|ra**, das; -s, -s (Hochruf beim [Ruder]sport); er rief ein kräftiges Hipphipphurra
Hip|pi|a|t|rik, die; - ⟨griech.⟩ (Pferdeheilkunde)
Hip|pie [...pi], der; -s, -s ⟨amerik.⟩ (Anhänger[in] einer antibürgerlichen, pazifistischen, naturnahen Lebensform; Blumenkind)
Hip|pie|mäd|chen
hip|po... *vgl.* hipp...
Hip|po... *vgl.* Hipp...
Hip|po|drom, der *od.*, österr. nur, das; -s, -e ⟨griech.⟩ (Reitbahn)
Hip|po|gryph, der; *Gen.* -s *u.* -en, *Plur.* -e[n] (Flügelross der Dichtkunst)
Hip|po|kra|tes (altgriechischer Arzt); **Hip|po|kra|ti|ker** (Anhänger des Hippokrates); **hip|po|kra|tisch**; hippokratischer Eid (Hippokrates zugeschriebenes Gelöbnis als Grundlage der ärztlichen Ethik); hippokratisches Gesicht (*Med.* Gesichtsausdruck von Sterbenden); die hippokratischen Schriften ↑K 89 *u.* 135
Hip|po|lo|gie, die; - ⟨griech.⟩ (wissenschaftliche Pferdekunde); **hip|po|lo|gisch** (die Hippologie betreffend)
Hip|po|lyt, Hip|po|ly|tos, Hip|po|ly|tus (m. Eigenn.)
Hip|po|po|ta|mus, der; -, - (Flusspferd)
Hip|po|the|ra|pie (Therapie mithilfe von Pferden)
Hip|pu|rit, der; -en, -en (fossile Muschel)

Hip|pur|säu|re, die; - (*Biol.; Chemie* eine organische Säure)
Hi|ra|ga|na, das; -[s] *od.* die; - (eine japanische Silbenschrift)
Hirn, das; -[e]s, -e; **Hirn|an|hangs|drü|se**
Hirn|blu|tung
Hirn|er|schüt|te|rung (*schweiz. für* Gehirnerschütterung)
hirn|ge|schä|digt
Hirn|ge|spinst
Hirn|haut|ent|zün|dung
Hirn|holz, das; -es (quer zur Faser geschnittenes Holz mit Jahresringen)
Hir|ni, der; -s, -s (*ugs. abwertend für* törichter Mensch)
Hirn|in|farkt (*Med.*)
hirn|los; Hirn|rin|de
hirn|ris|sig (*ugs. für* unsinnig, verrückt)
Hirn|scha|le; Hirn|strom|bild; Hirn|tod
hirn|ver|brannt (*ugs. für* unsinnig); **hirn|ver|letzt**
Hirn|win|dung
Hi|ro|hi|to (japanischer Kaiser)
Hi|ro|schi|ma [*auch* ... ʃi...], **Hi|ro|shi|ma** [...ʃ...] (japanische Stadt, auf die 1945 die erste Atombombe abgeworfen wurde)
Hirsch, der; -[e]s, -e
Hirsch|art; Hirsch|fän|ger; Hirsch|ge|weih; Hirsch|horn, das; -[e]s
Hirsch|kä|fer; Hirsch|kalb; Hirsch|kuh
hirsch|le|dern
Hir|se, die; -, *Plur. (Sorten:)* -n
Hir|se|brei; Hir|se|korn *Plur.* ...körner
Hirt, der; -en, -en, **Hir|te**, der; -n, -n
Hir|ten|amt; Hir|ten|brief (bischöfliches Rundschreiben)
Hir|ten|flö|te; Hir|ten|ge|dicht; Hir|ten|stab; Hir|ten|tä|schel (eine [Heil]pflanze); **Hir|ten|volk**
Hir|tin
his, His, das; -, - (Tonbezeichnung)
¹His|bol|lah, die; - (Gruppe extremistischer schiitischer Moslems)
²His|bol|lah, der; -s, -s (Anhänger der ¹Hisbollah)
His|kia, His|ki|as, *ökum.* **His|ki|ja** (jüdischer König)
His|pa|ni|en (alter Name der Pyrenäenhalbinsel); **his|pa|nisch; his|pa|ni|sie|ren** (spanisch machen)
His|pa|nist; His|pa|nis|tik, die; - (Wissenschaft von der spanischen Sprache u. Literatur); **His|pa|nis|tin**
his|sen ([Flagge, Segel] hochzie-

hen); du hisst; du hisstest; gehisst; hisse! *od.* hiss!; *vgl.* ²heißen
His|t|a|min, das; -s, -e (ein Gewebehormon)
His|to|gramm, das; -s, -e ⟨griech.⟩ (*Statistik* grafische Darstellung von Häufigkeiten in Form von Säulen)
His|to|lo|ge, der; -n, -n; **His|to|lo|gie**, die; - (*Med.* Lehre von den Geweben des Körpers); **His|to|lo|gin; his|to|lo|gisch**
His|tör|chen ⟨griech.⟩ (Geschichtchen)
His|to|rie, die; -, -n (*nur Sing.: veraltend für* [Welt]geschichte; *veraltet für* Bericht, Erzählung); **His|to|ri|en|ma|le|rei**
His|to|rik, die; - (Geschichtsforschung); **His|to|ri|ker; His|to|ri|ke|rin**
His|to|rio|graf, His|to|rio|graph, der; -en, -en (Geschichtsschreiber)
His|to|rio|gra|fin, His|to|rio|gra|phin**
his|to|risch; ein historischer Augenblick; historisches Präsens
his|to|ri|sie|ren (das Geschichtliche betonen, anstreben)
His|to|ris|mus, der; -, ...men (Überbetonung des Geschichtlichen); **his|to|ris|tisch**
His|t|ri|o|ne, der; -n, -n ⟨lat.⟩ (altrömischer Schauspieler)
Hit, der; -[s], -s ⟨engl.⟩ (*ugs. für* [musikalischer] Verkaufsschlager)
Hitch|cock (brit.-amerik. Filmregisseur)
Hit|lis|te; Hit|pa|ra|de
Hit|sche, Hut|sche, Hüt|sche, die; -, -n (*landsch. für* Fußbank; kleiner Schlitten)
Hit|ze, die; -, *Plur. (fachspr.)* -n
Hit|ze ab|wei|send, hit|ze|ab|wei|send; ↑K 58 : ein Hitze abweisendes *od.* hitzeabweisendes Material, *aber nur* ein äußerst hitzeabweisendes Material, dieses Material ist hitzeabweisender als das alte
hit|ze|be|stän|dig
Hit|ze|bläs|chen; Hit|ze|fe|ri|en *Plur.*
hit|ze|frei; Hit|ze|frei, das; -; Hitzefrei *od.* hitzefrei haben, bekommen; *aber nur groß:* Hitzefrei erteilen; kein Hitzefrei bekommen, haben
Hit|ze|pe|ri|o|de; Hit|ze|schild, der; **Hit|ze|wel|le; hit|zig**

H

Hitz

Hitz|kopf; hitz|köp|fig
Hitz|po|cke *meist Plur.;* Hitz|schlag
HIV [ha:li:'faʊ], das; -[s], -[s] *Plur.
selten* = human immunodeficiency virus ⟨engl.⟩ (ein Aidserreger); HIV-In|fek|ti|on; HIV-in-fi|ziert; HIV-ne|ga|tiv; HIV-po|si-tiv ↑K28
Hi|wi, der; -s, -s ⟨*kurz für* Hilfswilliger⟩ (*ugs. für* Hilfskraft)
Hjal|mar [j...] (m. Vorn.)
HK = Hefnerkerze
hl = Hektoliter
hl. = heilig
hll. = heilige *Plur.*
hm!; hm, hm!
H-Milch ['ha:...] (*kurz für* haltbare Milch)
h-Moll ['ha:mɔl, *auch* 'ha:'mɔl], das; - (Tonart; *Zeichen* h); h-Moll-Ton|lei|ter, die; -, -n ↑K26
HNO-Arzt [ha:lɛn'lo:...] = Hals-Nasen-Ohren-Arzt; HNO-Ärz|tin; HNO-ärzt|lich
Ho = *chem. Zeichen für* Holmium
HO = Handelsorganisation (*in der DDR*); HO-Geschäft ↑K28
ho!; holho!; ho ruck!
Ho|ang|ho *vgl.* Hwangho
Hoax [hoʊks], der; -, -es [...ksɪz] ([durch E-Mail verbreitete] Falschmeldung)
hob *vgl.* heben
Hobbes [hɔps] (engl. Philosoph)
Hob|bock, der; -s, -s (ein Versandbehälter)
Hob|by [...bi], das; -s, -s ⟨engl.⟩ (Steckenpferd; Liebhaberei)
Hob|by|gärt|ner; Hob|by|gärt|ne-rin; Hob|by|ist, der; -en, -en; Hob|by|is|tin
Hob|by|kel|ler; Hob|by|koch; Hob-by|kö|chin; Hob|by|raum
Ho|bel, der; -s, -; Ho|bel|bank *Plur.* ...bänke
ho|beln; ich hob[e]le
Ho|bel|span; Hob|ler
hoch *s. Kasten Seite 507*
Hoch, das; -s, -s (Hochruf; *Meteor.* Gebiet hohen Luftdrucks)
hoch ach|ten, hoch|ach|ten *vgl.* hoch
Hoch|ach|tung; hoch|ach|tungs|voll
Hoch|adel
hoch|ak|tu|ell; hoch|al|pin
Hoch|al|tar; Hoch|amt
hoch an|ge|se|hen, hoch|an|ge|se-hen *vgl.* hoch
hoch|an|stän|dig
hoch|ar|bei|ten, sich
hoch auf|ge|schos|sen, hoch|auf-ge|schos|sen *vgl.* hoch

hoch|auf|lö|send (*bes. Fachspr.*); hochauflösende optische Systeme, ein hochauflösender Computerbildschirm
Hoch|bahn; Hoch|bau *Plur.* ...bauten
hoch be|gabt, hoch|be|gabt; hoch begabte *od.* hochbegabte Schülerinnen
hoch be|glückt, hoch|be|glückt
hoch|bei|nig
hoch|be|kom|men; um den schweren Koffer hochzubekommen
hoch|be|rühmt; sie ist hochberühmt
hoch be|steu|ert, hoch|be|steu|ert *vgl.* hoch
hoch|be|tagt; er ist hochbetagt
Hoch|be|trieb, der; -[e]s; es herrscht Hochbetrieb
hoch be|zahlt, hoch|be|zahlt *vgl.* hoch
hoch|bin|den; die Haare hochbinden
Hoch|blü|te, die; -
hoch|brin|gen (nach oben bringen); um die Wäsche hochzubringen
hoch|bri|sant
Hoch|burg; hoch|bu|sig
hoch|de|ckend (*bes. Fachspr.*); hochdeckende Farben
hoch|de|ko|riert
hoch|deutsch; auf Hochdeutsch; *vgl.* deutsch; Hoch|deutsch, das; -[s] (Sprache); *vgl.* Deutsch; Hoch|deut|sche, das; -n; im Hochdeutschen; *vgl.* Deutsche, das
hoch|die|nen, sich; er hat sich hochgedient
hoch do|siert, hoch|do|siert *vgl.* hoch
hoch do|tiert, hoch|do|tiert *vgl.* hoch
hoch|dre|hen; den Motor hochdrehen (auf hohe Drehzahlen bringen)
Hoch|druck, der; -[e]s, *Plur.* (*für* Erzeugnis im Hochdruckverfahren:) ...drucke
Hoch|druck|ge|biet (*Meteor.*); Hoch-druck|ver|fah|ren
Hoch|ebe|ne
hoch|emp|find|lich; hochempfindliches Filmmaterial
hoch ent|wi|ckelt, hoch|ent|wi-ckelt *vgl.* hoch
hoch|er|freut; hoch|ex|plo|siv; ein hochexplosives Gemisch
hoch|fah|ren; er ist aus dem Schlaf hochgefahren; hoch|fah|rend; ein hochfahrender Plan
hoch|fein (erstklassig)

Hoch|fi|nanz, die; -
hoch|flie|gen; ..., dass die Späne hochfliegen (nach oben fliegen); *aber* ..., dass Eisenspäne höher fliegen als Holzspäne; *vgl.* hoch; hoch|flie|gend; eine hochfliegende Idee
Hoch|form, die; - (*Sportspr.*); in Hochform sein; Hoch|for|mat
hoch|fre|quent (*Physik*); Hoch|fre-quenz; Hoch|fre|quenz|strom
Hoch|fri|sur; Hoch|ga|ra|ge
hoch|ge|bil|det
Hoch|ge|bir|ge
hoch|ge|bo|ren (*veraltet*); *als Titel* Hochgeboren; *in der Anrede* Eure, Euer Hochgeboren
hoch ge|ehrt, hoch|ge|ehrt
hoch|ge|fähr|lich; hochgefährliche Sprengstoffe
Hoch|ge|fühl
hoch|ge|hen; um hochzugehen, hochgegangen
hoch|ge|lehrt; eine hochgelehrte Abhandlung
hoch ge|lobt, hoch|ge|lobt
hoch|ge|mut (*geh.*); ein hochgemuter Mensch
Hoch|ge|nuss
Hoch|ge|richt (*früher*)
hoch|ge|schlos|sen; ein hochgeschlossenes Kleid
hoch|ge|schos|sen; ein hochgeschossener (großer) Junge
Hoch|ge|schwin|dig|keit
Hoch|ge|schwin|dig|keits|zug
hoch|ge|sinnt
hoch|ge|spannt (*Elektrot.*); hochgespannte Ströme; *aber* hoch gespannte *od.* hochgespannte Erwartungen
hoch|ge|steckt; hochgesteckte Haare; hochgesteckte Ziele
hoch|ge|stellt; hochgestellte Zahlen (Indizes); hochgestellte Persönlichkeiten
hoch|ge|stimmt
hoch|ge|sto|chen (*ugs.*); er redet hochgestochen (eingebildet)
hoch|ge|wach|sen; eine hochgewachsene Frau
hoch|ge|züch|tet; hoch|gif|tig
Hoch|glanz; hoch|glän|zend; hochglänzende Seide
Hoch|glanz|pa|pier; hoch|glanz|po-liert
hoch|gra|dig
hoch|ha|ckig; hochhackige Schuhe
hoch|hal|ten; ein Kind hochhalten (nach oben halten); Traditionen hochhalten; *aber* etwas so hoch halten, dass alle es sehen können; etwas noch höher halten

hoch

höher *(vgl. d.)*, höchst *(vgl. d.)*

– bei Hoch und Niedrig *(veraltet für* bei jedermann)

I. Schreibung in Verbindung mit Verben

1. Getrenntschreibung:

– hoch sein; es wird [sehr] hoch hergehen
– sie kann [sehr] hoch springen, sie kann höher springen als ihr Bruder; hoch (weit oben) fliegen, hoch (weit hinauf) steigen usw.
– Produkte hoch besteuern
– den Wagen hoch beladen
– jmdn. hoch achten *od.* hochachten, hoch schätzen *od.* hochschätzen

2. Zusammenschreibung, wenn »hoch« Verbzusatz ist:

– Zahlen statistisch hochrechnen; hochspringen (Hochsprung betreiben); hochstapeln (etwas vortäuschen)

Das gilt besonders, wenn »hoch« als Richtungsangabe gebraucht wird:

– die Haare hochbinden/hochstecken
– [vor Schreck] hochfahren
– sich [zum Direktor] hocharbeiten
– weil Späne hochfliegen (nach oben fliegen)
– die Ärmel hochkrempeln
– das Fenster hochkurbeln
– an der Mauer hochspringen
– die Treppe hochsteigen
– die Preise, seine Erwartungen, den Klavierhocker hochschrauben, *aber* ... zu hoch schrauben

II. Schreibung in Verbindung mit adjektivisch gebrauchten Partizipien

1. ↑K 58 *u.* 62:

– ein hoch kompliziertes *od.* hochkompliziertes Verfahren
– der hoch stehende *od.* hochstehende Wasserstand; *aber* hochstehende Personen
– eine hochgestellte Persönlichkeit; eine hochgestellte Zahl
– hochgesteckte Ziele; hochgesteckte Haare
– hoch besteuerte *od.* hochbesteuerte Einkommen; ein hoch bezahlter *od.* hochbezahlter Job; hoch dotierte *od.* hochdotierte Architektinnen; hoch qualifizierte *od.* hochqualifizierte Akademiker
– ein hochgeschlossenes Kleid

2. Zusammenschreibung, wenn »hoch« rein intensivierend gebraucht wird:

– hochanständig (sehr anständig), hochbetagt, hochberühmt, hocherfreut, hochglänzend usw.

3. Zusammenschreibung, wenn wenn das zugrunde liegende Verb zusammengeschrieben wird:

– hochgejagte Motoren
– mit hochgekrempelten Ärmeln

4. Zusammenschreibung bei übertragener Bedeutung:

– hochtrabende/hochfliegende Pläne
– hochgestochen reden
Vgl. hohe

H

hoch

Hoch|haus
hoch|he|ben; hochgehoben, hochzuheben
hoch|hei|lig; etwas hochheilig versichern
Hoch|hei|mer (ein Wein)
hoch|herr|schaft|lich
hoch|her|zig; Hoch|her|zig|keit, die; -
hoch|ho|len (heraufholen)
Ho Chi Minh [hotʃiˈmɪn] (nordvietnamesischer Politiker); Ho-Chi-Minh-Pfad, der; -[e]s ↑K 137; Ho-Chi-Minh-Stadt (Stadt in Vietnam [*früher* Saigon])
hoch in|dus|t|ri|a|li|siert, hoch|in|dus|t|ri|a|li|siert
hoch|in|te|g|riert *(EDV);* hochintegrierte Schaltkreise
hoch|in|tel|li|gent
hoch|in|te|r|es|sant
hoch|ja|gen (aufscheuchen, aufjagen; *ugs. auch für* auf hohe Drehzahlen bringen); er hat den Motor hochgejagt
hoch|ju|beln (*ugs. für* durch übertriebenes Lob allgemein bekannt machen)
hoch|kant; hochkant stellen; jmdn. hochkant rauswerfen (*ugs.*); hoch|kan|tig; jmdn. hochkantig rauswerfen (*ugs.*)
hoch|ka|rä|tig
Hoch|kir|che
hoch|klap|pen
hoch|klas|sig (*bes. Sport* hervorragend)
hoch|klet|tern
hoch|ko|chen; die Emotionen kochten hoch
hoch|kom|men; hochgekommen; um hochzukommen
hoch|kom|plex
hoch kom|pli|ziert, hoch|kom|pli|ziert
Hoch|kon|junk|tur
hoch kon|zen|t|riert, hoch|kon|zen|t|riert; hochkonzentrierte Säure (*fachspr.*)
hoch|krem|peln; um die Ärmel hochzukrempeln
Hoch|kul|tur
hoch|kur|beln; das Fenster hochkurbeln
hoch|la|den
Hoch|land *Plur.* ...länder, *auch* ...lande; Hoch|län|der, der (*auch für* Schotte); hoch|län|disch (*auch für* schottisch)
Hoch|lau|tung, die; - (*Sprachw.* normierte Aussprache des Deutschen)
hoch|le|ben; wir haben sie hochleben lassen; er lebe hoch!
hoch|le|gen; um die Füße hochzulegen
Hoch|leis|tung
Hoch|leis|tungs|mo|tor; Hoch|leis|tungs|sport, der, -[e]s; Hoch|leis|tungs|trai|ning
höch|lich; hoch|löb|lich
Hoch|meis|ter (*früher*)
hoch|mo|dern; hoch|mo|disch; hoch|mö|gend (*veraltet*)
hoch|mo|le|ku|lar (*Chemie* aus Makromolekülen bestehend)
Hoch|moor
hoch mo|ti|viert, hoch|mo|ti|viert

Hoch|mut; hoch|mü|tig; Hoch|mü-
tig|keit, die; -
hoch|nä|sig (ugs. für hochmütig);
Hoch|nä|sig|keit, die; -
Hoch|ne|bel; Hoch|ne|bel|feld
hoch|neh|men; jmdn. hochnehmen
(ugs. für übervorteilen; necken,
verspotten; verhaften)
hoch|not|pein|lich (sehr streng);
hochnotpeinliches Gericht (früher)
Hoch|ofen
hoch|of|fi|zi|ell
Hoch|öf|ner (am Hochofen tätiger
Arbeiter)
hoch|päp|peln (ugs.)
Hoch|par|ter|re
hoch|po|li|tisch
hoch|prei|sen; er hat Gott hochge-
priesen
hoch|prei|sig; hochpreisige Pro-
dukte
hoch|pro|zen|tig
hoch qua|li|fi|ziert, hoch|qua|li|fi-
ziert vgl. hoch
hoch|rä|de|rig, hoch|räd|rig; ein
hochräd[e]riger Wagen
hoch ra|dio|ak|tiv, hoch|ra|dio|ak-
tiv
hoch|ran|gig; hochrangige Spit-
zenpolitiker
hoch|rap|peln, sich (ugs.)
hoch|rech|nen (Statistik aus reprä-
sentativen Teilergebnissen das
Gesamtergebnis vorausberech-
nen); Hoch|rech|nung
Hoch|re|gal|la|ger
hoch|rein (Fachspr.)
hoch|rei|ßen
Hoch|re|li|ef; Hoch|rip|pe
Hoch|ri|si|ko|pa|ti|ent (Med.); Hoch-
ri|si|ko|pa|ti|en|tin
hoch|rot
Hoch|ruf
hoch|rüs|ten (technisch verbes-
sern)
Hoch|sai|son
hoch schät|zen, hoch|schät|zen;
Hoch|schät|zung, die; -
Hoch|schau|bahn (österr. für Ach-
terbahn)
hoch|schau|keln (ugs.); sich hoch-
schaukeln
Hoch|schein; keinen Hochschein
haben (schweiz. für keine
Ahnung haben)
hoch|scheu|chen; hoch|schie|ben;
hoch|schla|gen; um den Kragen
hochzuschlagen
hoch|schnel|len (aufspringen)
Hoch|schrank
hoch|schrau|ben vgl. hoch
hoch|schre|cken vgl. schrecken

Hoch|schul|ab|schluss
Hoch|schul|ab|sol|vent; Hoch|schul-
ab|sol|ven|tin
Hoch|schu|le; Hoch|schü|ler; Hoch-
schü|le|rin
Hoch|schü|ler|schaft (österr. für
Vertretung der Studierenden)
Hoch|schul|fonds (österr. für Kör-
perschaft zur Aufbringung von
Mitteln für die Wissenschaft)
Hoch|schul|leh|rer; Hoch|schul|leh-
re|rin; Hoch|schul|re|form; Hoch-
schul|rei|fe
Hoch|schul|rek|to|ren|kon|fe|renz
hoch|schul|te|rig, hoch|schult|rig
hoch|schwan|ger
Hoch|see|an|geln, das; -s; Hoch|see-
fi|sche|rei; Hoch|see|jacht, Hoch-
see|yacht
Hoch|seil
hoch|sen|si|bel
Hoch|si|cher|heits|trakt (besonders
ausbruchssicherer Teil
bestimmter Strafvollzugsanstal-
ten)
hoch|sin|nig
Hoch|sitz (Jägerspr.)
Hoch|som|mer; hoch|som|mer|lich
Hoch|span|nung
Hoch|span|nungs|lei|tung; Hoch-
span|nungs|mast, der
hoch spe|zi|a|li|siert, hoch|spe|zi|a-
li|siert
hoch|spie|len; er hat die Angele-
genheit hochgespielt
Hoch|spra|che; hoch|sprach|lich
hoch|sprin|gen (aufspringen; in die
Höhe springen; Hochsprung
betreiben); aber sie kann sehr
hoch, viel höher springen; Hochsprung
höchst; höchs|tens; am höchs|ten;
sie war auf das/aufs höchste
od. auf das/aufs höchste erfreut;
das höchste der Gefühle; sein
Sinn ist auf das/aufs Höchste
gerichtet; nach dem Höchsten
streben
Hoch|stamm (Gartenbau); hoch-
stäm|mig
Hoch|sta|pe|lei; hoch|sta|peln
(etwas vortäuschen); Hoch|stap-
ler; Hoch|stap|le|rin
Höchst|aus|maß (österr. für
Höchstmaß, Obergrenze)
Höchst|be|trag
Höchst|bie|ten|de, der u. die; -n, -n
höchst|der|sel|be (veraltet);
höchstdieselben
hoch|ste|cken; die Haare hochste-
cken; Ziele hochstecken
hoch|ste|hend vgl. hoch

hoch|stei|gen; um die Treppe
hochzusteigen
höchst|ei|gen (veraltend); in
höchsteigener Person
hoch|stel|len; die Stühle hochstel-
len
höchs|tens; Höchst|fall; nur in im
Höchstfall; Höchst|form
Höchst|ge|richt (österr. für obers-
ter Gerichtshof)
Höchst|ge|schwin|dig|keit; Höchst-
gren|ze
Hoch|stift (früher reichsunmittel-
barer Territorialbesitz eines
Bischofs)
hoch|sti|li|sie|ren (übertreibend
hervorheben)
Hoch|stim|mung, die; -
Höchst|leis|tung; Höchst|maß
höchst|mög|lich; die höchstmögli-
che (falsch: höchstmöglichste)
Leistung
höchst|per|sön|lich; sie ist höchst-
persönlich (selbst, in eigener
Person) gekommen, aber das ist
eine höchst (im höchsten Grade,
rein) persönliche Ansicht
Höchst|preis
Hoch|stra|ße
höchst|rich|ter|lich
Höchst|satz
höchst|selbst (veraltend)
Höchst|stand; Höchst|stra|fe;
Höchst|stu|fe (für Superlativ)
höchst|wahr|schein|lich; er hat es
höchstwahrscheinlich getan,
aber es ist höchst (im höchsten
Grade) wahrscheinlich, dass ...
Höchst|wert; Höchst|zahl
höchst|zu|läs|sig
Hoch|tal
hoch tech|ni|siert, hoch|tech|ni-
siert
Hoch|tech|no|lo|gie (svw. Spitzen-
technologie)
Hoch|ton Plur. ...töne (Sprachw.);
hoch|tö|nend; hoch|to|nig
(Sprachw. den Hochton tragend)
Hoch|tour; hoch|tou|rig
Hoch|tou|rist
hoch|tra|bend
hoch|ver|dient
hoch|ver|ehrt; in der Anrede auch
hochverehrtes ↑K 57
Hoch|ver|rat; Hoch|ver|rä|ter; hoch-
ver|rä|te|risch
hoch ver|schul|det, hoch|ver|schul-
det
hoch|ver|zins|lich (Bankw.)
hoch|wach|send (Bot.)
Hoch|wald
Hoch|was|ser Plur. ...wasser

hoch|wer|fen; um eine Münze hochzuwerfen

hoch|wer|tig; hochwertigere *od.* höherwertige Materialien

Hoch|wild

hoch|will|kom|men; hochwillkommene Gäste; sie sind hochwillkommen

hoch|win|den, sich hochwinden; hoch|wir|beln

hoch|wirk|sam; eine hochwirksame Medizin

hoch|wohl|ge|bo|ren *(veraltet); als Titel* Hochwohlgeboren; *in der Anrede* Eure, Euer Hochwohlgeboren; hoch|wohl|löb|lich *(veraltend)*

hoch|wöl|ben; sich hochwölben; hochgewölbte Balken

hoch|wuch|ten *(ugs.)*

Hoch|wür|den (Anrede für kath. Geistliche); Eure, Euer *(Abk. Ew.)* Hochwürden; hoch|wür|dig *(veraltend);* der hochwürdige Herr Pfarrer; hoch|wür|digst (Anrede für höhere katholische Geistliche)

Hoch|zahl *(für* Exponent)

¹Hoch|zeit (Feier der Eheschließung); silberne, goldene Hochzeit

²Hoch|zeit (glänzender Höhepunkt, Hochstand)

Hoch|zei|ter *(landsch.);* Hoch|zei|te|rin; hoch|zeit|lich

Hoch|zeits|bit|ter, der; -s, - *(veraltet);* Hoch|zeits|fei|er; Hoch|zeits-flug *(Zool.);* Hoch|zeits|fo|to; Hoch|zeits|ge|schenk

Hoch|zeits|kleid; Hoch|zeits|kut-sche; Hoch|zeits|nacht; Hoch-zeits|paar; Hoch|zeits|rei|se; Hoch|zeits|schmaus; Hoch|zeits-tag

hoch|zie|hen; um die Strickleiter hochzuziehen

Hoch|ziel

Hoch|zins|po|li|tik *(Wirtsch., Bankw.)*

hoch|zi|vi|li|siert

hoch|zu|frie|den

Hock, Höck, der; -s, Höcke *(schweiz. mdal. für* geselliges Beisammensein)

Ho|cke, die; -, -n (auf dem Feld zusammengesetzte Garben; eine Turnübung)

ho|cken; sich hocken

Ho|cken|heim|ring , Ho|cken-heim-Ring, der; -[e]s (Autorennstrecke in Nordbaden)

Ho|cker, der; -s, - (Schemel)

Hö|cker, der; -s, - (Buckel)

Ho|cker|grab *(Archäol.)*

hö|cke|rig; Hö|cker|schwan

Ho|ckey [...ke, *auch* ...ki], das; -s ⟨engl.⟩ (eine Sportart)

Ho|ckey|feld; Ho|ckey|schlä|ger; Ho-ckey|spie|ler; Ho|ckey|spie|le|rin

Hock|stel|lung

Ho|de, der; -n, -n *od.* die; -, -n *(selten für* Hoden); Ho|den, der; -s, - (männliche Keimdrüse)

Ho|den|bruch, der; -[e]s, ...brüche; Ho|den|sack

Hodl|er (schweiz. Maler)

Ho|do|me|ter, das; -s, - ⟨griech.⟩ (Wegemesser, Schrittzähler)

Hödr, Hö|dur *(nord. Mythol.* der blinde Gott)

Ho|d|scha, der; -[s], -s ⟨pers.⟩ ([geistl.] Lehrer)

Hö|dur *vgl.* Hödr

Hoek van Hol|land [ˈhʊk fan -] (niederländischer Hafen- u. Badeort)

Hof, der; -[e]s, Höfe; Hof halten; ich halte Hof; sie hat Hof gehalten; es gefällt ihm, Hof zu halten

Hof|da|me

hof|fä|hig; Hof|fä|hig|keit, die; -

Hof|fart, die; - *(veraltend für* Dünkel, Hochmut); hof|fär|tig; Hof-fär|tig|keit

hof|fen

Hof|fens|ter

hof|fent|lich

...höf|fig (reiches Vorkommen versprechend, z. B. erdölhöffig); höff|lich *(Bergmannsspr.* reiche Ausbeute verheißend)

Hoff|mann, E. T. A. (dt. Schriftsteller)

Hoff|mann von Fal|lers|le|ben (dt. Dichter)

Hoff|nung

Hoff|nungs|lauf *(Sport)*

hoff|nungs|los; Hoff|nungs|lo|sig-keit, die; -

Hoff|nungs|schim|mer, der; -s; Hoff-nungs|strahl; Hoff|nungs|trä|ger; Hoff|nungs|trä|ge|rin

hoff|nungs|voll

Hof|gas|tein, Bad (österr. Ort)

Hof hal|ten *vgl.* Hof; Hof|hal|tung

Hof|hund

ho|fie|ren (den Hof machen); jmdn. hofieren

hö|fisch; höfische Kunst

Hof|knicks

höf|lich; Höf|lich|keit

Höf|lich|keits|be|such; Höf|lich-keits|flos|kel

höf|lich|keits|hal|ber

Hof|lie|fe|rant; Hof|lie|fe|ran|tin

Höf|ling; Hof|mann Plur. ...leute *(veraltet für* Höfling); hof|män-nisch

Hof|manns|thal (österr. Dichter)

Hof|mann von Hof|manns|wal|dau (dt. Dichter)

Hof|mar|schall (Inhaber des die gesamte fürstliche Hofhaltung umfassenden Hofamtes)

Hof|meis|ter *(veraltet für* Hauslehrer, Erzieher)

Hof|narr; Hof|rat Plur. ...räte; Hof-rä|tin

Hof|rei|te, die; -, -n *(südd. für* bäuerliches Anwesen)

Hof|schran|ze, die; -, -n, *selten* der; -n, -n *meist Plur. (veraltend für* Höfling)

Hof|staat, der; -[e]s

Hof|statt, die; -, -en *u.* ...stätten *(schweiz. für* [Bauernhaus mit Hof und] Hauswiese, Obstgarten)

Höft, das; -[e]s, -e *(nordd. für* Haupt; Landspitze; Buhne)

Hof|tor, das; Hof|trau|er; Hof|tür

hö|gen *(nordd. für* freuen); sich högen

HO-Ge|schäft [haːˈloː...] *vgl.* HO

Hohe

ho|he

1. Kleinschreibung ↑K 89 u. 151:

– die hohe Jagd; das hohe C; auf hoher See

– die hohe *od.* Hohe Schule *(Reiten)*

2. Großschreibung:

– Hohe und Niedrige *od.* Niedere *(veraltet für* jedermann)

– ↑K 89 : das Hohe Haus (Parlament)

– ↑K 140 : die Hohe Tatra; die Hohen Tauern

– ↑K 150 : die Hohe Messe in h-Moll (von J. S. Bach)

Vgl. Hohelied, Hohe Lied; Hohe-priester, Hohe Priester

Vgl. auch hoch, höher

Hö|he, die; -, -n

Ho|heit *vgl.* euer, Ew., ihr *u.* sein; ho|heit|lich

Ho|heits|ad|ler; Ho|heits|akt; Ho-heits|ge|biet; Ho|heits|ge|walt; Ho|heits|ge|wäs|ser *meist Plur.;* Ho|heits|recht

ho|heits|voll

Ho|heits|zei|chen (sinnbildliches Zeichen der Staatsgewalt, z. B. Flagge, Siegel u. a.)

H

Hohe

Groß- u. Kleinschreibung ↑K 89:

– höhere Gewalt; höher[e]n Ort[e]s
– die höhere Laufbahn; höheres Lehramt
– höhere Schule (Oberschule, Gymnasium usw.)
– *aber* ↑K 88 : Höhere Handelsschule in Stuttgart

Schreibung in Verbindung mit Verben u. Partizipien:

– jmdn. höhergruppieren
– eine Beamtin höherstufen (auf eine höhere Stufe bringen); die Ansprüche, Preise höherschrauben

– eine höhergestellte Person
– etwas lässt die Herzen höherschlagen; seine Ziele höherstecken

Aber:

– jmdn. höher eingruppieren
– die Haare höher aufstecken

Vgl. auch hoch

Ho|he|lied, Ho|he Lied, das; des Hoheliedes, dem Hohelied, das Hohelied; ein Hohelied der Treue singen; *bei Beugung des ersten Bestandteils nur getrennt geschrieben:* Hohes Lied, des Hohen Liedes, dem Hohen Lied

hö|hen (*Malerei* bestimmte Stellen hervortreten lassen); weiß gehöht

Hö|hen|an|ga|be; Hö|hen|angst; Hö|hen|flug

Ho|hen|fried|ber|ger, der; -s; der Hohenfriedberger Marsch

hö|hen|gleich (*Verkehrsw.*)

Hö|hen|krank|heit; Hö|hen|kur|ort; Hö|hen|la|ge; Hö|hen|leit|werk (*Flugw.*); Hö|hen|li|nie (*Geogr.*)

Ho|hen|lo|he (Teil von Württemberg)

Hö|hen|luft, die; -; Hö|hen|mar|ke; Hö|hen|mes|ser, der; Hö|hen|messung; Hö|hen|me|ter

Hö|hen|rü|cken; Hö|hen|ru|der (*Flugw.*)

Hö|hen|son|ne (*als* ®: Ultraviolettlampe)

Ho|hen|stau|fe, der; -n, -n (Angehöriger eines deutschen Fürstengeschlechts)

¹Ho|hen|stau|fen (Ort am gleichnamigen Berg)

²Ho|hen|stau|fen, der; -s (Berg vor der Schwäbischen Alb)

ho|hen|stau|fisch

Hö|hen|steu|er, das (*Flugw.*); Hö|hen|strah|lung (kosmische Strahlung)

Ho|hen|twiel, der; -s (Bergkegel bei Singen)

Hö|hen|un|ter|schied; Hö|hen|weg

Ho|hen|zol|ler, der; -n, -n (Angehöriger eines dt. Fürstengeschlechts); Ho|hen|zol|le|rin; ho|hen|zol|le|risch

Ho|hen|zol|lern, der; -s (Berg vor der Schwäbischen Alb); Ho|henzol|lern-Sig|ma|rin|gen

Hö|hen|zug

Ho|he|pries|ter, Ho|he Pries|ter; des Hohepriesters, dem Hohepriester, den Hohepriester; *bei Beugung des ersten Bestandteils nur getrennt geschrieben:* Hoher Priester, des Hohen Priesters, dem Hohen Priester, den Hohen Priester

Ho|he|pries|ter|amt; ho|he|priester|lich

Hö|he|punkt

hö|her *s. Kasten*

Hö|her|ent|wick|lung

hö|he|rer|seits

hö|her|ge|stellt *vgl. höher*

Hö|her|grup|pie|ren

Hö|her|qua|li|fi|zie|rung

hö|her|ran|gig

hö|her|schla|gen *vgl. höher*

hö|her|schrau|ben

hö|her|ste|cken *vgl. höher*

hö|her|stu|fen

Hö|her|stu|fung

ho|he Schu|le, Ho|he Schu|le, die; -n - ↑K 151; *vgl. hohe*

hohl; hohl|äu|gig

Hohl|block|stein

Höh|le, die; -, -n

Hohl|ei|sen (ein Werkzeug)

höh|len

Höh|len|bär

Höh|len|be|woh|ner; Höh|len|be|woh|ne|rin

Höh|len|brü|ter; Höh|len|for|scher; Höh|len|for|sche|rin; Höh|len|ma|le|rei; Höh|len|mensch

Hohl|heit

Hohl|keh|le (rinnenförmige Vertiefung); Hohl|kopf (dummer Mensch)

Hohl|kör|per

Hohl|kreuz; ein Hohlkreuz machen (den Rücken durchbiegen)

Hohl|ku|gel; Hohl|maß, das; Hohlna|del; Hohl|naht

Hohl|raum

Hohl|raum|kon|ser|vie|rung; Hohlraum|ver|sie|ge|lung (*Kfz-Technik*)

Hohl|saum

hohl|schlei|fen (*Technik*); Hohlschliff

Hohl|spie|gel

Höh|lung

Hohl|ve|ne

hohl|wan|gig

Hohl|weg; Hohl|zie|gel

Hohn, der; -[e]s; Hohn lachen, hohnlachen; ich lache Hohn *od.* hohnlache; Hohn sprechen *od.* hohnsprechen; ich spreche Hohn; vgl. hohnlachen; hohnsprechen

höh|nen

Hohn|ge|läch|ter

höh|nisch

hohn|lä|cheln ↑K 54 ; ich hohnläch[e]le; hohnlächelnd; *vgl.* Hohn; hohn|la|chen ↑K 54 ; ich hohnlache; hohnlachend; *vgl.* Hohn

hohn|spre|chen ↑K 54 ; jmdm. hohnsprechen; eine allem Recht hohnsprechende Entscheidung; *vgl.* Hohn

ho|ho!

hoi!

Hö|ker (*veraltet für* Kleinhändler); Hö|ke|rei; Hö|ke|rin; hö|kern; ich hökere

¹Hok|ka|i|do (eine japan. Insel)

²Hok|ka|i|do, der; -s, -s (eine Kürbisart)

Ho|kus|po|kus, der; - ⟨engl.⟩ (Zauberformel der Taschenspieler; Gaukelei; Blendwerk)

Hol|ark|tis, die; - ⟨griech.⟩ (Gebiet zwischen Nordpol u. nördlichem Wendekreis); hol|ark|tisch

Hol|bein (dt. Maler); hol|beinsch; die holbeinsche *od.* Holbein'sche Madonna ↑K 89 *u.* 135

hold

Hol|da, ²Hol|le (Gestalt der deutschen Mythologie); Frau Holle

Hol|der, der; -s, - (landsch. für Holunder); Hol|der|baum

Höl|der|lin (deutscher Dichter)

Hol|ding, die; -, -s (kurz für Holdinggesellschaft); Hol|ding|ge-sell|schaft ⟨engl.; dt.⟩ (Wirtsch. Gesellschaft, die nicht selbst produziert, aber Aktien anderer Gesellschaften besitzt)

hol|d|rio! [auch ...'o:] (Freudenruf); ¹Hol|d|rio, das; -s, -s

²Hol|d|rio, der; -[s], -[s] (veraltet für leichtlebiger Mensch)

hold|se|lig (veraltend für liebreizend); Hold|se|lig|keit, die; -

hol|len; etwas holen lassen

Hol|ger (m. Vorn.)

Hol|lis|mus, der; - ⟨griech.⟩ (eine philosophische Ganzheitslehre)

Holk vgl. Hulk

hol|la!

Hol|la|brunn (österr. Stadt)

Hol|land

¹Hol|län|der; Holländer Käse; der Fliegende Holländer (Oper)

²Hol|län|der (Kinderfahrzeug; Holländermühle, vgl. d.)

³Hol|län|der, der; -s, - (Käse)

Hol|län|de|rin

Hol|län|der|müh|le (Zerkleinerungsmaschine für Papier)

hol|län|dern (Buchw. [ein Buch] mit Fäden heften, die im Buchrücken verleimt werden]; ich holländere

hol|län|disch; Hol|län|disch, das; -[s] (Sprache); vgl. Deutsch; Hol|län|di|sche, das; -n; vgl. Deutsche, das

¹Hol|le, die; -, -n (Federhaube [bei Vögeln])

²Hol|le vgl. ¹Holda

Höl|le, die; -, -n

Hol|le|d|au vgl. Hallertau

Höl|len... (ugs. auch für groß, sehr viel, z. B. Höllenlärm)

Höl|len|brut; Höl|len|fahrt; Höl|len-hund; Höl|len|lärm (ugs.); Höl|len-ma|schi|ne; Höl|len|spek|ta|kel, der; -s (ugs.); Höl|len|stein, der; -[e]s (ein Ätzmittel); Höl|len-tem|po (ugs.)

Hol|ler, der; -s, -, Hol|ler|baum (südd. u. österr. für Holunder)

Höl|ler, Karl (dt. Komponist)

Hol|ler|baum vgl. Holler

hol|le|ri|thie|ren (Datenverarbeitung auf Lochkarten bringen); Hol|le|rith|ma|schi|ne, Hol|le-rith-Ma|schi|ne ⟨nach dem dt.-amerik. Erfinder⟩ (Lochkartenmaschine zum Speichern und Sortieren von Daten)

höl|lisch

Hol|ly|wood [...livʊt] (US-amerik. Filmstadt); Hol|ly|wood|schau|kel ↑K143 (breite, frei aufgehängte Sitzbank)

¹Holm, der; -[e]s, -e (Griffstange des Barrens, Längsstange der Leiter)

²Holm, der; -[e]s, -e (nordd. für kleine Insel)

Holm|gang, der (altnordischer Zweikampf, der auf einem ²Holm ausgetragen wurde)

Hol|mi|um, das; -s (chemisches Element, Metall; Zeichen Ho)

Ho|lo|caust [auch 'hɔlakɔ:st], der; -[s], -s ⟨griech.-engl.⟩ (Tötung einer großen Zahl von Menschen, bes. der Juden in der Zeit des Nationalsozialismus); Ho|lo-caust|mahn|mal

Ho|lo|fer|nes (assyr. Feldherr)

Ho|lo|gra|fie, Ho|lo|gra|phie, die; -, ...ien (besondere Technik zur Bildspeicherung u. -wiedergabe in dreidimensionaler Struktur; Laserfotografie)

ho|lo|gra|fisch, ho|lo|gra|phisch (Rechtsspr. eigenhändig geschrieben)

Ho|lo|gramm, das; -s, -e ⟨griech.⟩ (Optik Speicherbild)

ho|lo|kris|tal|lin ⟨griech.⟩ (ganz kristallin [von Gesteinen])

Ho|lo|zän, das; -s ⟨Geol. jüngste Abteilung des Quartärs)

hol|pe|rig; Hol|pe|rig|keit, die; -; hol|pern; ich holpere; hol|prig; Holp|rig|keit, die; -

Hols|te, der; -n, -n (altertüml. für Holsteiner)

Hol|stein (Teil des Bundeslandes Schleswig-Holstein); Hol|stei|ner (auch für eine Pferderasse); Hol-stei|ne|rin; hol|stei|nisch; holsteinische Butter, aber: die Holsteinische Schweiz

Hols|ter, das; -s, - ⟨engl.⟩ (Pistolen-, Revolvertasche)

hol|ter|die|pol|ter! (ugs.)

hol|über! (veraltet für Ruf an den Fährmann)

Ho|lun|der, der; -s, - (ein Strauch; nur Sing. auch für Holunderbeeren); Schwarzer Holunder (fachspr.); Ho|lun|der|bee|re

Holz, das; -es, Hölzer; er siegte mit 643 Holz (Kegeln) Holz verarbeitendes od. holzverarbeitendes Gewerbe

Holz|ap|fel; Holz|art; Holz|bein; Holz|blä|ser; Holz|blä|se|rin; Holz-blas|in|s|t|ru|ment

Holz|block vgl. Block; Holz|bock; Holz|bo|den; Holz|brin|gung (österr. für Holztransport); Hölz-chen; Holz|ein|schlag (Forstw.)

hol|zen; du holzt

Hol|zer (landsch. für Waldarbeiter; Sport roher Spieler [im Fußball]); Hol|ze|rei (ugs. für Prügelei; Sport rohes Spiel)

höl|zern (aus Holz)

Holz|es|sig; Holz|fäl|ler; Holz|fäl|le-rin

holz|frei; holzfreies Papier

Holz|geist, der; -[e]s (Methylalkohol); Holz|ge|rüst; Holz|ha|cker (bes. österr. für Holzfäller)

Holz|ham|mer; Holz|ham|mer|me-tho|de (plumpe Art und Weise)

Holz|haus

hol|zig

Holz|kis|te

Holz|klas|se, die; - (ugs. für einfachste Komfortklasse im Flugzeug o. Ä.)

Holz|klotz; Holz|koh|le; Holz|pel-lets Plur.; Holz|pflock; Holz|scheit

Holz|schliff (Fachspr.); holz|schliff-frei

Holz|schnei|der; Holz|schnitt; holz-schnitt|ar|tig; Holz|schnit|zer; Holz|schuh; Holz|schutz|mit|tel

Holz|span; Holz|sta|pel; Holz|stoß; Holz|trep|pe

Holz|zung

Holz ver|ar|bei|tend, holz|ver|ar-bei|tend ↑K58

holz|ver|klei|det

Holz|weg; Holz|wol|le; Holz|wurm

Hom|burg, der; -s, -s (ein steifer Herrenhut)

Home|ban|king ['ho:mbɛŋkɪŋ], Home-Ban|king, das; -s ⟨engl.⟩ (Abwicklung von Bankgeschäften mittels EDV-Einrichtungen von der Wohnung aus)

Home|land ['ho:mlɛnt], das; -[s], -s ⟨engl.⟩ (früher für bestimmten Teilen der schwarzen Bevölkerung zugewiesenes Siedlungsgebiet in der Republik Südafrika)

Home|lear|ning ['ho:mlə:ɐ̯nɪŋ], Home-Lear|ning, das; -[s] ⟨engl.⟩ (Form des Lernens mittels Telekommunikationsdiensten von der Wohnung aus)

Home|page ['ho:mpeɪtʃ], die; -, -s [...tʃɪs] ⟨engl.⟩ (im Internet abrufbare Darstellung von Informationen, Angeboten usw.)

Ho|mer (altgriechischer Dichter); Ho|me|ri|de, der; -n, -n ⟨griech.⟩ (Nachfolger Homers); ho|me-

risch; homerisches Gelächter ↑K 89 ; homerische Gedichte ↑K 135 ; Ho|me|ros vgl. Homer

Home|rule [ˈhoːmruːl], die; - ⟨engl.⟩ (Selbstregierung als Schlagwort der irischen Unabhängigkeitsbewegung)

Home|shop|ping, Home-Shop|ping [ˈhoːmʃɔpɪŋ], das; -s ⟨engl.⟩ (das Einkaufen über [Internet]bestellungen)

Home|spun [ˈhoːmspan], das od. der; -s, -s (grobes Wollgewebe)

Home|trai|ner [ˈhoːm...], Home-Trai|ner (Sportgerät für häusliches Training)

Ho|mi|let, der; -en, -en ⟨griech.⟩ (Kenner der Homiletik); **Ho|mi|le|tik,** die; - (Geschichte u. Theorie der Predigt); **ho|mi|le|tisch; Ho|mi|lie,** die; -, ...ien (Predigt über einen Bibeltext)

Ho|mi|ni|de, der; -n, -n ⟨lat.⟩ (Biol. Angehöriger der Familie der Menschenartigen)

Hom|mage [ɔˈmaːʃ], die; -, -n ⟨franz.⟩ (Veranstaltung, Werk als Huldigung für einen Menschen); Hommage à (für) Miró

Ho|mo, der; -s, -s ⟨ugs. für Homosexueller⟩

ho|mo... ⟨griech.⟩ (gleich...); **Ho|mo...** (Gleich...)

Ho|mo|ehe, Homo-Ehe, die ⟨ugs. für gesetzlich anerkannte gleichgeschlechtliche Lebensgemeinschaft⟩

Ho|mo|ero|tik, die; - (gleichgeschlechtliche Erotik); **ho|mo|ero|tisch**

ho|mo|fon, ho|mo|phon; **Ho|mo|fo|nie,** Ho|mo|pho|nie, die; - (Musik Kompositionsstil mit nur einer führenden Melodiestimme)

ho|mo|gen (gleichartig, gleichmäßig zusammengesetzt); homogenes Feld

ho|mo|ge|ni|sie|ren (Chemie [z. B. Fett und Wasser] gleichmäßig vermischen); **Ho|mo|ge|ni|sie|rung**

Ho|mo|ge|ni|tät, die; - (Gleichartigkeit)

ho|mo|log (übereinstimmend, entsprechend)

ho|mo|lo|gie|ren ([einen Serienwagen] in die internationale Zulassungsliste zur Klasseneinteilung für Rennwettbewerbe aufnehmen); **Ho|mo|lo|gie|rung**

ho|mo|nym (gleich lautend [aber in der Bedeutung verschieden]);

Ho|mo|nym, das; -s, -e (Sprachw. Wort, das mit einem anderen gleich lautet, z. B. »Schloss« = Gebäude u. »Schloss« = Verschluss); **ho|mo|ny|misch** (älter für homonym)

ho|möo... ⟨griech.⟩ (ähnlich...); **Ho|möo...** (Ähnlich...)

Ho|möo|path, der; -en, -en (homöopath. Arzt, Anhänger der Homöopathie)

Ho|möo|pa|thie, die; - (ein Heilverfahren); **Ho|möo|pa|thin; ho|möo|pa|thisch**

ho|mo|phil ⟨griech.⟩ (svw. homosexuell); **Ho|mo|phi|lie,** die; - (svw. Homosexualität)

ho|mo|phon usw. vgl. homofon usw.

Ho|mo sa|pi|ens, der; - - ⟨lat.⟩ (wissenschaftliche Bezeichnung für den Menschen)

Ho|mo|se|xu|a|li|tät, die; - ⟨griech.; lat.⟩ (gleichgeschlechtliche Liebe); **ho|mo|se|xu|ell; Ho|mo|se|xu|el|le,** der u. die; -n, -n

ho|mo|zy|got (Biol. reinerbig)

Ho|mun|ku|lus, der; -, Plur. ...lusse od. ...li ⟨lat.⟩ (künstlich erzeugter Mensch)

Ho|nan (chin. Provinz); **Ho|nan|sei|de**

Hon|du|ra|ner; Hon|du|ra|ne|rin; hon|du|ra|nisch; Hon|du|ras (mittelamerik. Staat)

Ho|ne|cker (führender Politiker der DDR)

Ho|neg|ger, Arthur (franz.-schweiz. Komponist)

ho|nen ⟨engl.⟩ ([Metallflächen] sehr fein schleifen)

ho|nett ⟨franz.⟩ (veraltend für ehrenhaft; anständig)

Hong|kong (chin. Hafenstadt)

Ho|ni|a|ra (Hauptstadt der Salomonen)

Ho|nig, der; -s, Plur. (für Sorten:) -e; **Ho|nig|bie|ne**

ho|nig|gelb

Ho|nig|glas Plur. ...gläser

Ho|nig|ku|chen; Ho|nig|ku|chen|pferd; nur in strahlen wie ein Honigkuchenpferd (ugs.)

Ho|nig|le|cken, das; etwas ist kein Honiglecken (ugs.); **Ho|nig|mond** (veraltend für Flitterwochen); **Ho|nig|schle|cken,** das; -s; vgl. Honiglecken

ho|nig|süß

Ho|nig|tau, der; **Ho|nig|wa|be; Ho|nig|wein**

Hon|neurs [(h)ɔˈnøːɐ̯s] Plur. ⟨franz.⟩ (veraltend für [militäri-

sche] Ehrenerweisungen); die Honneurs machen (geh. für die Gäste begrüßen)

Ho|no|lu|lu (Hauptstadt von Hawaii)

ho|no|ra|bel ⟨lat.⟩ (veraltet für ehrbar; ehrenvoll); ...a|b|le Bedingungen

Ho|no|rar, das; -s, -e (Vergütung [für Arbeitsleistung in freien Berufen]); **Ho|no|rar|kon|sul; Ho|no|rar|kon|su|lin; Ho|no|rar|pro|fes|sor; Ho|no|rar|pro|fes|so|rin**

Ho|no|ra|ti|o|ren Plur. (Standespersonen [in kleineren Orten])

ho|no|rie|ren (belohnen; bezahlen; vergüten); **Ho|no|rie|rung**

ho|no|rig (veraltend für ehrenhaft; freigebig)

Ho|no|ris cau|sa (ehrenhalber; Abk. h. c.)

Ho|no|ri|us (römischer Kaiser)

Hool [huːl], der; -s, -s (kurz für Hooligan); **Hoo|li|gan** [ˈhuːlign], der; -s, -s ⟨engl.⟩ (Randalierer, bes. bei Massenveranstaltungen)

Hoorn; Kap Hoorn (Südspitze Amerikas [auf der Insel Hoorn])

hop|fen (Bier mit Hopfen versehen); **Hop|fen,** der; -s, - (eine Kletterpflanze; Bierzusatz); **Hop|fen|stan|ge**

Ho|pi, der; -[s], -[s] (Angehöriger eines nordamerikanischen Indianerstammes)

Ho|p|lit, der; -en, -en ⟨griech.⟩ (Schwerbewaffneter im alten Griechenland)

hopp!; hopp, hopp!; hopp oder dropp (österr. ugs. für ohne langes Zögern)

hop|peln; ich hopp[e]lle

Hop|pel|pop|pel, das; -s, - (landsch. für Bauernfrühstück; heißer Punsch)

hopp|hopp!; hopp|la!

hopp|neh|men (ugs. für festnehmen)

hops; hops (ugs. für verloren) sein; **Hops,** der; -es, -e

hops!; hop|sa!, hop|sa|la!, hop|sa|sa!

hop|sen; du hopst

Hop|ser; Hop|se|rei

hops|ge|hen (ugs. für umkommen; verloren gehen); **hops|neh|men** (vgl. hoppnehmen)

ho|ra ⟨lat., »Stunde«⟩; nur als Zeichen (h) in Abkürzungen von Maßeinheiten, z. B. kWh (= Kilowattstunde), u. als Zeitangabe, z. B. 6 h od. 6^h (= 6 Uhr)

H
Home

Ho|ra, Ho|re, die; -, Horen *meist Plur.* (Stundengebet der katholischen Geistlichen)

Hör|ap|pa|rat

Ho|ra|ti|us, Ho|raz (römischer Dichter); ho|ra|zisch; die horazischen Satiren ↑K 135

hör|bar

Hör|be|reich; Hör|bild; Hör|bril|le; Hör|buch (gesprochener Text auf Kassette od. CD)

horch!; hor|chen

Hor|cher; Hor|che|rin

Horch|ge|rät; Horch|pos|ten

¹Hor|de, die; -, -n (Lattengestell; Rost zum Lagern von Obst u. Gemüse); *vgl.* Hurde

²Hor|de, die; -, -n ⟨tatar.⟩ (wilde Menge, ungeordnete Schar)

hor|den|wei|se

Ho|re *vgl.* Hora

¹Ho|ren (*Plur. von* Hora)

²Ho|ren *Plur.* (griech. Mythol. Töchter des Zeus u. der Themis [Dike, Eunomia, Eirene; *vgl. d.*], Göttinnen der Jahreszeiten)

hö|ren; er hat von dem Unglück heute gehört; sie hat die Glocken läuten hören *od.* gehört; von sich hören lassen

Hö|ren|sa|gen, das; *meist in* etwas nur vom Hörensagen wissen

hö|rens|wert

Hö|rer; Hö|re|rin

Hö|rer|kreis; Hö|rer|schaft

Hör|feh|ler; Hör|fol|ge

Hör|funk (Rundfunk im Ggs. zum Fernsehen); Hör|funk|pro|gramm

Hör|ge|rät; Hör|ge|rä|te|akus|ti|ker; Hör|ge|rä|te|akus|ti|ke|rin

hör|ge|schä|digt

Hör|ge|wohn|heit *meist Plur.*

hö|rig; Hö|rig|keit

Ho|ri|zont, der; -[e]s, -e ⟨griech.⟩ (scheinbare Begrenzungslinie zwischen Himmel u. Erde; Gesichtskreis)

ho|ri|zon|tal (waagerecht); Ho|ri|zon|ta|le, die; -, -n; drei -[n]; Ho|ri|zon|tal|pen|del

Hor|mon, das; -s, -e ⟨griech.⟩ (ein körpereigener Wirkstoff); hor|mo|nal, hor|mo|nell

Hor|mon|be|hand|lung

hor|mo|nell *vgl.* hormonal

Hor|mon|for|schung; Hor|mon|haus|halt; Hor|mon|prä|pa|rat; Hor|mon|spie|gel; Hor|mon|sprit|ze

Hör|mu|schel (des Telefons)

Horn, das; -[e]s, *Plur.* Hörner u. (*für* Hornarten:) -e

Horn|ber|ger Schie|ßen; *nur in* ausgehen wie das Hornberger Schießen (ergebnislos enden)

Horn|blen|de (ein Mineral); Horn|bril|le; Hörn|chen

Hörndl|bau|er (*vgl.* ²Bauer; *bayr.*, *österr. für* Bauer, der vorwiegend Hornviehzucht betreibt)

hör|nen (das Gehörn abwerfen; *ugs. scherzh. für* [den Ehemann] betrügen)

hör|nern (aus Horn)

Hör|ner|schall; Hör|ner|schlit|ten

Horn|haut; hor|nig

Hor|nis|grin|de [*auch* ˈhɔ...], die; - (Berg im Schwarzwald)

Hor|nis|se [*auch* ˈhɔ...], die; -, -n (eine Wespenart); Hor|nis|sen|nest

Hor|nist, der; -en, -en (Hornbläser); Hor|nis|tin

Horn|klee, der; -s

Hörn|li, das; -s, - (*bes. schweiz.* kurze, leicht gebogene röhrenförmige Art von Teigwaren)

Horn|ochs, Horn|och|se (*ugs. für* dummer Mensch)

Horn|si|g|nal; Horn|tier

Hor|nung, der; -s, -e (*alte dt. Bez. für* Februar)

Hor|nuß [...uːs], der; -es, -e[n] (*schweiz. für* Schlagscheibe); hor|nu|ßen (*schweiz. für* eine Art Schlagball spielen)

Horn|vieh (*auch svw.* Hornochse)

Hör|or|gan

Ho|ros (Sohn der Isis)

Ho|ro|s|kop, das; -s, -e ⟨griech.⟩ (astrologische Voraussage nach der Stellung der Gestirne)

Hör|pro|be

hor|rend ⟨lat.⟩ (erschreckend; übermäßig); horrende Preise; hor|ri|bel (furchtbar); ...i|b|le Zustände

hor|ri|bi|le dic|tu (schrecklich zu sagen)

hor|ri|do! (ein Jagdruf); Hor|ri|do, das; -s, -s

Hör|rohr

Hor|ror, der; -s ⟨lat.⟩ (Schauder, Abscheu); Hor|ror|film

Hor|ror|sze|na|rio (*ugs. für* Vorstellung, die vom Schlimmsten ausgeht); Hor|ror|trip (*ugs. für* Drogenrausch mit Angst- u. Panikgefühlen; schreckliches Erlebnis)

Hor|ror Va|cui, der; - - (Scheu vor der Leere)

Hör|saal

Hors|d'œu|v|re [ɔrˈdøːvrə, *auch* ...uːɐ̯...], das; -[s], -s (appetitanregende Vorspeise)

Hör|sel, die; - (r. Nebenfluss der Werra); Hör|sel|ber|ge *Plur.* (Höhen im nördlichen Vorland des Thüringer Waldes)

Hör|spiel; Hör|spiel|au|tor; Hör|spiel|au|to|rin

hors-sol [ˈɔrsɔl] (*schweiz. für* [von Pflanzen] in Nährlösung gezogen); Gemüse hors-sol anbauen; Hors-sol-Ge|mü|se

¹Horst (m. Vorn.)

²Horst, der; -[e]s, -e (Greifvogelnest; Strauchwerk)

hors|ten (nisten [von Greifvögeln])

Hör|sturz (*Med.* plötzlich auftretende Schwerhörigkeit od. Taubheit)

Hort, der; -[e]s, -e (Schatz; Ort; Stätte; *kurz für* Kinderhort)

hört!; hört, hört!

hor|ten ([Geld usw.] aufhäufen)

Hor|ten|sie, die; -, -n (ein Zierstrauch)

hört, hört!; Hört|hört|ruf

Hort|ner (Erzieher in einem Kinderhort); Hort|ne|rin

Hor|tung ⟨zu horten⟩

ho ruck!, hau ruck!

Ho|rus *vgl.* Horos

Hor|váth [...vaːt]; Ödön von (österr. Schriftsteller)

Hör|wei|te; in Hörweite

ho|san|na! usw. *vgl.* hosianna! usw.

Hös|chen

Ho|se, die; -, -n

Ho|sea (biblischer Prophet)

Ho|sen|an|zug; Ho|sen|auf|schlag; Ho|sen|band, das; *Plur.* ...bänder; Ho|sen|band|or|den

Ho|sen|bein; Ho|sen|bo|den; Ho|sen|bund, der; *Plur.* ...bünde; Ho|sen|knopf; Ho|sen|la|den (*ugs. auch für* Hosenschlitz); Ho|sen|latz

Ho|sen|lupf (*schweiz. für* Ringkampf [Schwingen])

Ho|sen|matz; Ho|sen|naht; Ho|sen|rock

Ho|sen|rol|le (von einer Frau gespielte Männerrolle)

Ho|sen|sack (*schweiz. für* Hosentasche)

Ho|sen|schei|ßer (*derb für* sehr ängstlicher Mensch)

Ho|sen|schlitz; Ho|sen|stall (*ugs. scherzh.*); Ho|sen|stoß (*schweiz. für* Hosenaufschlag); Ho|sen|ta|sche; Ho|sen|trä|ger

ho|si|an|na!, ökum. ho|san|na! ⟨hebr.⟩ (Gebets- u. Freudenruf)

Ho|si|an|na, ökum. Ho|san|na, das; -s, -s

Hos|pi|tal, das; -s, *Plur. -e u. ...*täler ⟨lat.⟩ (Krankenhaus)

hos|pi|ta|li|sie|ren (*Amtsspr.* in ein Hospital einweisen)

Hos|pi|ta|lis|mus, der; - (*Med.* durch längere Krankenhaus- od. Heimunterbringung bedingte körperliche u. psychische Störungen, bes. bei Kindern)

Hos|pi|tant, der; -en, -en (Gast[hörer an Hochschulen]; Parlamentarier, der sich als Gast einer Fraktion anschließt); Hos|pi|tan|tin

hos|pi|tie|ren (als Gast [in Schulen] zuhören)

Hos|piz, das; -es, -e (Einrichtung zur Pflege u. Betreuung Sterbender; Beherbergungsbetrieb); Hos|piz|be|we|gung

Hos|po|dar, Gos|po|dar, der; *Gen.* -s *u.* -en, *Plur.* -e[n] (ehem. slawischer Fürstentitel)

Host, der; -[s], -s ⟨engl.⟩ (*EDV* Zentralrechner mit permanenter Zugriffsmöglichkeit)

Hos|tess [*auch* 'hɔ...], die; -, -en ⟨engl.⟩ ([sprachkundige] Begleiterin, Betreuerin [auf ²Messen, in Hotels o. Ä.]; *verhüllend auch für* Prostituierte)

Hos|tie, die; -, -n ⟨lat.⟩ (Abendmahlsbrot)

Hot, der; -s ⟨amerik.⟩ (*kurz für* Hot Jazz)

Hot|dog, das, *auch* der; -s, -s, Hot Dog, das, *auch* der; - -s, - -s ⟨amerik.⟩ (heißes Würstchen in einem Brötchen)

Ho|tel, das; -s, -s ⟨franz.⟩

Ho|tel|bar

Ho|tel|be|sit|zer; Ho|tel|be|sit|ze|rin

Ho|tel|be|trieb; Ho|tel|bett

Ho|tel|de|tek|tiv; Ho|tel|de|tek|ti|vin

Ho|tel|dieb; Ho|tel|die|bin

Ho|tel|di|rek|tor; Ho|tel|di|rek|to|rin

ho|tel|ei|gen

Ho|tel|fach; Ho|tel|fach|frau; Ho|tel|fach|mann; Ho|tel|fach|schu|le; Ho|tel|füh|rer (Hotelverzeichnis)

Ho|tel gar|ni, das; - -, -s -s [- -] (Hotel, das nur Frühstück anbietet)

Ho|tel|ge|wer|be; Ho|tel|hal|le

Ho|te|li|er [...'lie:], der; -s, -s (Hotelbesitzer)

Ho|tel|kauf|frau; Ho|tel|kauf|mann; Ho|tel|ket|te

Ho|tel|le|rie, die; - (Gast-, Hotelgewerbe)

Ho|tel|nach|weis; Ho|tel|rech|nung;

Ho|tel|ver|zeich|nis; Ho|tel|zim|mer

Hot Jazz [- dʒɛs], der; - - ⟨amerik.⟩ (*Musik* scharf akzentuierter, oft synkopischer Jazzstil)

Hot|line [...lain], die; -, -s ⟨engl.⟩ (Telefonanschluss für rasche Serviceleistungen)

Hot|pants [...pents], Hot Pants *Plur.* ⟨engl., »heiße Hosen«⟩ (kurze u. enge Damenhose)

Hot|spot, der; -s, -s, Hot Spot, der; - -s, - -s ⟨engl.⟩ (*Geol.* Schmelzregion im Erdmantel; *EDV* Stelle auf dem Bildschirm, die durch Anklicken zu weiteren Informationen führt; Einwahlpunkt [für drahtlosen Internetzugang])

hott! (*Zuruf an Zugtiere rechts!*); hott und har!; hott und hüst!; hott und hü!

Hot|te, die; -, -n (*bes. südwestd. für* Bütte, Tragkorb); *vgl.* Hutte

hot|te|hü!; Hot|te|hü, das; -s, -s (*Kinderspr.* Pferd)

hot|ten (*amerik.*⟩ (Hot Jazz spielen, [danach] tanzen)

Hot|ten|tot|te, der; -n, -n (*oft abwertend für* Angehöriger eines Mischvolkes in Südwestafrika); Hot|ten|tot|tin; hot|ten|tot|tisch

Hot|ter, der; -s, - (*ostösterr. für* Gemeindegebiet)

hot|to!; Hot|to, das; -s, -s (*Kinderspr.* Pferd)

House [haus], der; - (*meist ohne Artikel*⟩ ⟨engl.⟩ (moderne Tanzmusik mit schnellem Rhythmus)

Hous|se *vgl.* Husse

Ho|va|wart [...f...], der; -s, -s (eine Hunderasse)

Höx|ter (Stadt im Weserbergland)

h. p., *früher* HP = horsepower ⟨engl., »Pferdestärke«⟩ (mechanische Leistungseinheit = 745,7 Watt, nicht gleichzusetzen mit PS = 736 Watt); *vgl.* PS

hPa = Hektopascal

Hptst. = Hauptstadt

HR, der; - = Hessischer Rundfunk

Hr. = Herr

Hra|ban [r...] (dt. Gelehrter des MA.); Hra|ba|nus Mau|rus (*lat. Name für* Hraban)

Hrad|schin ['(h)ratʃiːn], der; -s (Stadtteil von Prag mit Burg)

Hrd|lic|ka ['hɪrdlɪʃka] (österr. Bildhauer u. Grafiker)

HRK (Währungscode für Kuna)

Hrn. = Herrn *Dat. u. Akk.*; *vgl.* Herr

Hro|s|wi|tha [r...] *vgl.* Roswith

hrsg., hg. = herausgegeben

Hrsg., Hg. = Herausgeber, Herausgeberin[nen]

Hs. = Handschrift

Hss. = Handschriften

HTL, die; -, -s = höhere technische Lehranstalt

HTML, das; - *meist ohne Artikel* ⟨engl.⟩ Hypertext Markup Language⟩ (*EDV* Beschreibungssprache, die es ermöglicht, Texte ins World Wide Web zu stellen)

hu!; hu|hu!

hü! (*Zuruf an Zugtiere, meist* vorwärts!); *vgl.* hott

Hub, der; -[e]s, Hübe (Weglänge eines Kolbens usw.)

Hub|bel, der; -s, - (*landsch. für* Unebenheit; kleiner Hügel); hub|be|lig

Hub|b|le|te|le|s|kop, Hub|b|le-Te|le|s|kop ['hʌbl...] (nach dem amerik. Astronomen Hubble⟩ (Weltraumteleskop)

Hub|brü|cke (Brücke, deren Verkehrsbahn angehoben werden kann)

Hu|be, die; -, -n (*südd., österr. für* Hufe)

hü|ben; hüben und drüben

Hu|ber, Hüb|ner, der; -s, - (*südd., österr. für* Hufner, Hüfner)

Hu|bert, Hu|ber|tus (m. Vorn.)

Hu|ber|tus|burg, die; - (Schloss in Sachsen); der Friede von Hubertusburg

Hu|ber|tus|jagd (festliche Treibjagd, ursprünglich am Hubertustag); Hu|ber|tus|tag (3. November)

Hub|hö|he

Hüb|ner *vgl.* Huber

Hub|raum; Hub|raum|steu|er, die

hübsch; Hübsch|heit, die; -

Hub|schrau|ber; Hub|stap|ler; Hub|vo|lu|men (Hubraum)

Huch, Ricarda (dt. Dichterin)

huch!

Hu|chen, der; -s, - (ein Raubfisch)

Hu|cke, der; -, -n (*landsch. für* Rückentrage, auf dem Rücken getragene Last); jmdm. die Hucke vollhauen (*ugs.*)

Hu|cke|bein (*landsch. für* Hinkebein); Hans Huckebein (Gestalt bei W. Busch)

hu|cken (*landsch. für* auf den Rücken laden)

hu|cke|pack; huckepack (*ugs. für* auf dem Rücken) tragen, huckepack nehmen

Hu|cke|pack|ver|kehr (*Eisenb.* Transport von Straßenfahrzeugen auf Waggons)

Hu|de, die; -, -n (*landsch. für* Weideplatz)

Hu|del, der; -s, -[n] (*veraltet, noch landsch. für* Lappen, Lumpen; liederlicher Mensch)

Hu|de|lei

Hu|de|ler; hu|de|lig *vgl.* hudlig

hu|deln (*südd., österr. für* hastig, schlampig arbeiten); ich hud[e]le

hu|dern (die Jungen unter die Flügel nehmen); sich hudern (im Sand baden [von Vögeln])

Hud|ler, Hu|de|ler ⟨*zu* hudeln⟩; hud|lig, hu|de|lig *(landsch.)*

Hud|son|bai, Hud|son-Bai ['hatsn...], die; -, Hud|son Bay [- 'beɪ], die; - - (nordamerikanisches Binnenmeer)

Huf, der; -[e]s, -e

HUF (Währungscode für Forint)

huf!, hüf! (*Zuruf an Zugtiere* zurück!)

Huf|be|schlag

Hu|fe, die; -, -n (Durchschnittsmaß bäuerlichen Grundbesitzes im MA.); *vgl.* Hube

Huf|ei|sen; huf|ei|sen|för|mig

Hu|fe|land (dt. Arzt)

Hü|ferl, Hie|ferl, das; -s, -n (*österr. für* Rindfleisch von der Hüfte)

Hü|fer|scher|zel, Hie|fer|scher|zel, das; -s, -n (*österr. für* Rindfleisch von der Keule)

Huf|lat|tich (Wildkraut u. Heilpflanze); Huf|na|gel

Huf|ner, Hüf|ner (*früher für* Besitzer einer Hufe); *vgl.* Huber, Hübner; Huf|ne|rin, Hüf|ne|rin

Huf|schlag; Huf|schmied

Hüf|te, die; -, -n

Hüft|ge|lenk; Hüft|gür|tel; Hüft|hal|ter

hüft|hoch

Hüft|horn *Plur.* ...hörner; *vgl.* Hifthorn

Hüft|ho|se

Huf|tier

Hüft|kno|chen; Hüft|lei|den; Hüft|schwung; Hüft|speck; Hüft|weh; Hüft|wei|te

Hü|gel, der; -s, -

hü|gel|ab; hü|gel|an; hü|gel|auf

hü|ge|lig, hüg|lig

Hü|gel|ket|te; Hü|gel|land *Plur.* ...länder

Hu|ge|not|te, der; -n, -n ⟨franz.⟩ (französischer Calvinist); Hu|ge|not|tin; hu|ge|not|tisch

Hughes|te|le|graf, Hughes-Tele-

graf ['hju:s...] ↑K136 ⟨nach dem engl. Physiker Hughes⟩ (erster Drucktelegrafenapparat)

Hu|gin (»der Denker«) (*nord. Mythol.* einer der beiden Raben Odins); *vgl.* Munin

hüg|lig, hü|ge|lig

¹Hu|go (m. Vorn.)

²Hu|go [y'go], Victor (französischer Schriftsteller)

Huhn, das; -[e]s, Hühner; Hühn|chen

Hüh|ner|au|ge; Hüh|ner|brü|he; Hüh|ner|brust; Hüh|ner|dreck; Hüh|ner|ei; Hüh|ner|fri|kas|see

Hüh|ner|gott (*regional für* Lochstein [als Amulett])

Hüh|ner|ha|bicht; Hüh|ner|hof; Hüh|ner|hund; Hüh|ner|lei|ter, die; Hüh|ner|stall

Hüh|ner|stei|ge, Hüh|ner|stie|ge

Hüh|ner|volk; Hüh|ner|zucht

hu|hu!

hui!; *aber* ↑K81 : im Hui, in einem Hui

Hu|ka, die; -, -s ⟨arab.⟩ (indische Wasserpfeife)

Huk|boot ⟨niederl.⟩, Hu|ker, der; -s, - (größeres Fischerfahrzeug)

Hu|la, die; -, -s *od.* der; -s, -s ⟨hawaiisch⟩ (Eingeborenentanz auf Hawaii)

Hu|la-Hoop [...'hu:p], *seltener* Hu|la-Hopp, der *od.* das; -s ⟨hawaiisch; engl.⟩ (ein Reifenspiel); Hu|la-Hoop-Rei|fen, *seltener* Hu|la-Hopp-Rei|fen; Hu|la|mäd|chen, Hu|la-Mäd|chen ↑K21

Hül|be, die; -, -n (*schwäb. für* flacher Dorfteich, Wasserstelle)

Huld, die; - (*veraltend für* Wohlwollen, Freundlichkeit)

hul|di|gen; Hul|di|gung

huld|reich; huld|voll

Hulk, Holk, die; -, -e[n] *od.* der; -[e]s, -e[n] ⟨engl.⟩ (ausgedientes Schiff)

Hüll|blatt

Hül|le, die; -, -n; hül|len; sich in etwas hüllen; hül|len|los

Hüll|wort *Plur.* ...wörter (*für* Euphemismus)

Hul|ly-Gul|ly ['hali'gali], der; -[s], -s ⟨engl.⟩ (Modetanz der Sechzigerjahre; *ugs. auch für* fröhliches Treiben)

Hüls|chen

Hül|se, die; -, -n (Kapsel[frucht]); hül|sen; du hülst

Hül|sen|frucht; Hül|sen|frücht|ler (*Bot.*)

hül|sig

Hul|t|schin [*auch* 'hʊ...] (Ort in

Mähren); Hul|t|schi|ner; Hultschiner Ländchen

hu|man ⟨lat.⟩ (menschlich; menschenfreundlich; nachsichtig)

Hu|man|ge|ne|tik (Teilgebiet der Genetik)

hu|ma|ni|sie|ren (menschlich machen; zivilisieren); Hu|ma|ni|sie|rung, die; -

Hu|ma|nis|mus, der; - (auf das Bildungsideal der griechisch-römischen Antike gegründetes Denken u. Handeln; geistige Strömung zur Zeit der Renaissance)

Hu|ma|nist, der; -en, -en (Vertreter des Humanismus; Kenner der alten Sprachen); Hu|ma|nis|tin; hu|ma|nis|tisch; humanistisches Gymnasium

hu|ma|ni|tär (menschenfreundlich; wohltätig); humanitäre Katastrophe (Katastrophe, die eine große Zahl von Menschen trifft); Hu|ma|ni|tät, die; - (Menschlichkeit; humane Gesinnung)

Hu|ma|ni|täts|den|ken; Hu|ma|ni|täts|du|se|lei (abwertend); Hu|ma|ni|täts|ide|al

Hu|man|me|di|zin, die; -

hu|ma|no|id (menschenähnlich)

Hu|man Re|sour|ces ['hju:mən rɪ'sɔːsɪz], *Plur.* ⟨engl.⟩ (alle Mitarbeiter eines Unternehmens; *auch für* Personalabteilung)

Hu|man|wis|sen|schaft

Hum|boldt (Familienn.)

hum|bold|tisch, hum|boldtsch; das humboldtsche *od.* Humboldt'sche *od.* humboldtische Erziehungsideal; die humboldtschen *od.* Humboldt'schen *od.* humboldtischen Schriften ↑K89 u. 135

Hum|boldt-U|ni|ver|si|tät, die; - (in Berlin)

Hum|bug, der; -s ⟨engl.⟩ (*ugs. für* Schwindel; Unsinn)

Hume [hju:m] (engl. Philosoph)

Hu|me|ra|le, das; -s, *Plur.* ...lien u. ...lia ⟨lat.⟩ (liturgisches Schultertuch des kath. Priesters)

hu|mid, hu|mi|de ⟨lat.⟩ (*Geogr.* feucht, nass); Hu|mi|di|tät, die; -

Hu|mi|dor, der; -s, -e (Behälter mit hoher Luftfeuchtigkeit zur Aufbewahrung od. Lagerung von Zigarren)

Hu|mi|fi|ka|ti|on, der; - ⟨lat.⟩ (Vermoderung; Humusbildung); hu|mi|fi|zie|ren; Hu|mi|fi|zie|rung, die; - (*svw.* Humifikation)

Hum|mel, die; -, -n

Hum|mer, der; -s, -

Hum|mer|ma|jo|nä|se, **Hum|mer-ma|yon|nai|se**

Hum|mer|sup|pe

¹Hu|mor, der; -s, -e *Plur.* selten ⟨engl.⟩ (heitere Gelassenheit, Wesensart; [gute] Laune)

²Hu|mor, der; -s, ...ores ⟨lat.⟩ (*Med.* Körperflüssigkeit)

hu|mo|ral (*Med.* die Körperflüssigkeiten betreffend)

Hu|mo|ral|pa|tho|lo|gie, die; - (antike Lehre von den Körpersäften als Ausgangspunkt der Krankheiten)

Hu|mo|res|ke, die; -, -n ⟨zu ¹Humor⟩ (kleine humoristische Erzählung; Musikstück von heiterem Charakter)

hu|mo|rig (launig, mit Humor)

Hu|mo|rist, der; -en, -en; Hu|mo|ris|tin; hu|mo|ris|tisch

hu|mor|los; Hu|mor|lo|sig|keit, die; -

hu|mor|voll

hu|mos ⟨lat.⟩ (reich an Humus)

Hüm|pel, der; -s, - (*nordd. für* Haufen)

Hum|pe|lei

hum|pe|lig, hump|lig (*landsch. für* uneben, holperig)

hum|peln; ich hump[e]le

Hum|pen, der; -s, -

Hum|per|dinck (dt. Komponist)

hump|lig *vgl.* humpelig

Hu|mus, der; - ⟨lat.⟩ (fruchtbarer Bodenbestandteil)

Hu|mus|bo|den; Hu|mus|er|de

hu|mus|reich

Hund, der; -[e]s, -e (*Bergmannsspr. auch* Förderwagen); ↑K 150 : der Große, Kleine Hund (Sternbilder); **Hünd|chen**

Hun|de|art

hun|de|elend (*ugs. für* sehr elend)

Hun|de|hal|ter (*Amtsspr.*); Hun|de-hal|te|rin; Hun|de|hau|fen; Hun|de|hüt|te

hun|de|kalt (*ugs. für* sehr kalt); Hun|de|käl|te (*ugs.*)

Hun|de|kot; Hun|de|ku|chen

Hun|de|le|ben, das; -s (*ugs. für* elendes Leben)

Hun|de|lei|ne

Hun|de|mar|ke (*scherzh. auch für* Erkennungsmarke)

hun|de|mü|de, hunds|mü|de (*ugs. für* sehr müde)

Hun|de|ras|se; Hun|de|ren|nen

hun|dert *s. Kasten Seite 517*

¹Hun|dert, das; -s, -e; [vier] vom Hundert (*Abk.* v. H., p. c.; Zeichen %); *vgl.* hundert

²Hun|dert, die; -, -en (Zahl); *vgl.* ¹Acht

hun|dert|ein[s], hun|dert|und-ein[s] *vgl.* hundert

Hun|der|ter, der; -s, - (*ugs. auch für* Schein mit dem Wert 100); *vgl.* Achter; hun|der|ter|lei; auf hunderterlei Weise

Hun|der|ter|pa|ckung

Hun|dert|eu|ro|schein, Hun|dert-Eu-ro-Schein (*mit Ziffern* 100-Euro-Schein; ↑K 26)

hun|dert|fach; Hun|dert|fa|che, das; -n; *vgl.* Achtfache

hun|dert|fäl|tig

hun|dert|fünf|zig|pro|zen|tig (*ugs. für* übertrieben, fanatisch)

Hun|dert|jahr|fei|er, Hun-dert-Jahr-Fei|er (*mit Ziffern* 100-Jahr-Feier; ↑K 26)

hun|dert|jäh|rig; der hundertjährige, *als Werktitel* Der Hundertjährige Kalender ↑K 89 ; *vgl.* achtjährig

Hun|dert|ki|lo|me|ter|tem|po, Hun-dert-Ki|lo|me|ter-Tem|po, das; -s; im Hundertkilometertempo

hun|dert|mal; einhundertmal; vielhundertmal; *bei besonderer Betonung* hundert Mal, einhundert Mal, vielhundert Mal; ↑K 79 : viele hundert *od.* Hundert Mal[e]; viel hundert *od.* Hundert Male; ein halbes Hundert Mal; *vgl.* achtmal; hun|dert-mal|lig

Hun|dert|mark|schein, Hun-dert-Mark-Schein (*mit Ziffern* 100-Mark-Schein ↑K 26 ; *früher*)

Hun|dert|me|ter|lauf, Hun-dert-Me-ter-Lauf (*mit Ziffern* 100-Meter-Lauf, 100-m-Lauf)

hun|dert|pro (*ugs. für* hundertprozentig); sie kommt hundertpro

hun|dert|pro|zen|tig (*mit Ziffern:* 100-prozentig, 100 %ig)

Hun|dert|satz, Vom|hun|dert|satz (*für* Prozentsatz); Hun|dert-schaft

hun|derts|te; die hundertste Folge; der Hundertste; vom Hundertsten ins Tausendste kommen; *vgl.* achte

hun|derts|tel *vgl.* achtel; Hun|derts-tel, das, *schweiz. meist* der; -s, -; *vgl.* Achtel

Hun|derts|tel|se|kun|de (*mit Ziffern:* 100stel-Sekunde); *auch* hundertstel Sekunde (100stel Sekunde)

hun|derts|tens

hun|dert|tau|send; mehrere hun-derttausend *od.* Hunderttausend Euro; *vgl.* tausend

hun|dert|und|ein[s] *vgl.* hundertein[s]

Hun|dert|was|ser, Friedensreich (österr. Maler u. Gebäudegestalter)

Hun|de|sa|lon; Hun|de|schei|ße (*derb*); Hun|de|schlit|ten; Hun|de-schnau|ze; Hun|de|sper|re; Hun|de|steu|er, die

Hun|de|wa|che (*Seemannsspr.* Nachtwache); Hun|de|wet|ter (*ugs.*); Hun|de|zucht

Hün|din; hün|disch

Hun|d|red|weight ['handrətveɪt], das; -, -s (britisches Handelsgewicht; *Abk.* cwt. [*eigtl. für* centweight])

Hunds|fott, der; -[e]s, *Plur.* -e u. ...fötter (*derb für* gemeiner Kerl, Schurke); Hunds|föt|te|rei; hunds|föt|tisch

hunds|ge|mein (*ugs.*)

Hunds|ka|mil|le (der Kamille ähnliche Pflanze)

hunds|mi|se|ra|bel (*ugs.*)

hunds|mü|de *vgl.* hundemüde

Hunds|ro|se (wilde Rose); Hunds-stern; Hunds|ta|ge *Plur.* (vom 23. Juli bis zum 23. August)

Hunds|vei|gerl, das; -s, -n (*österr. ugs.*), Hunds|veil|chen, das; -s, -n (duftloses Veilchen)

Hü|ne, der; -n, -n

Hü|nen|ge|stalt; Hü|nen|grab

hü|nen|haft

Hun|ger, der; -s; vor Hunger sterben; *aber* hungers sterben

Hun|ger|blüm|chen, Hun|ger|blu|me (eine Pflanze)

Hun|ger|ge|fühl; Hun|ger|künst|ler; Hun|ger|künst|le|rin

Hun|ger|kur; Hun|ger|lei|der (*ugs.*); Hun|ger|lei|de|rin

Hun|ger|lohn

hun|gern; ich hungere; mich hungert

Hun|ger|ödem

hun|gers *vgl.* Hunger

Hun|gers|not

Hun|ger|streik; Hun|ger|tod; Hun-ger|tuch *Plur.* ...tücher (Fastentuch); Hun|ger|turm (*früher*)

hung|rig

Hun|ne, der; -n, -n (*früher* Angehöriger eines ostasiatischen Nomadenvolkes)

Hun|nen|kö|nig; Hun|nen|zug

Hun|ni; hun|nisch

Huns|rück, der; -s (Teil des westli-

hun|dert

(*als römisches Zahlzeichen* C)
I. *Kleinschreibung:*
– hundert Millionen
– [vier] von hundert; bis hundert zählen; Tempo hundert (*für* hundert Stundenkilometer); von null auf hundert beschleunigen
II. *Klein- oder Großschreibung bei unbestimmten (nicht in Ziffern schreibbaren) Mengenangaben:*
– ein paar hundert *od.* Hundert; ein paar hundert *od.* Hundert Bäume, Menschen; einige, mehrere, viele hundert *od.* Hundert Büroklammern
– einige, mehrere, viele hunderte *od.* Hunderte; hunderte *od.* Hunderte von Menschen; sie strömten zu hunderten *od.* Hunderten herein
– hundert und aberhundert *od.* Hundert und Aberhundert Sterne; hunderte und aberhunderte *od.* Hunderte und Aberhunderte bunter Laternen

III. *Zusammenschreibung in Verbindung mit bestimmten Zahlwörtern:*
– einhundert, zweihundert [Menschen]
– hunderteins, hundertundeins, einhunderteins, einhundertundeins
– [ein]hundert[und]siebzig
– [ein]hundert[und]ein Salutschuss, mit [ein]hundert[und]einem Salutschuss *od.* mit hundert[und]ein Salutschüssen
– [ein]hundert[und]ein Euro
– der [ein]hundert[und]erste Tag
– [ein]hunderttausend; zweihunderttausend
– [ein]hunderttausendvierhundert[und]zwölf
– eine Million dreihunderttausend

chen Rheinischen Schiefergebirges)
Huns|rü|cker; Huns|rü|cke|rin
Hunt, der; -[e]s, -e (*Nebenform von* Hund [Förderwagen])
Hun|ter [ˈhan...], der; -s, - ⟨engl.⟩ (*Reiten* Jagdpferd; ein Jagdhund)
Hu|pe, die; -, -n; **hu|pen; Hu|pe|rei**
Hupf, der; -[e]s, -e (*veraltet, noch landsch. für* Sprung)
Hüpf|burg (Spielgerät, auf dem Kinder wie auf einem Trampolin springen können)
Hupf|doh|le (*ugs. scherzh. für* [Revue]tänzerin)
hup|fen (*südd., österr., sonst veraltend für* hüpfen); das ist gehupft wie gesprungen (*ugs. für* das ist völlig gleich)
hüp|fen
Hupf|er (*bayr., österr. für* Hüpfer); **Hüp|fer,** der; -s, - (kleiner Sprung)
Hüp|fer|ling (eine Krebsart)
Hup|kon|zert (*ugs. für* gleichzeitiges Hupen vieler Autofahrer)
Hur|de, die; -, -n (Flechtwerk; *südwestd. u. schweiz. für* ¹Horde)
Hür|de, die; -, -n (Flechtwerk; tragbare Einzäunung [für Schafe]; Hindernis beim Hürdenlauf); *vgl.* ¹Horde
Hür|den|lauf; Hür|den|läu|fer; Hür|den|läu|fe|rin
Hu|re, die; -, -n; **hu|ren**
Hu|ren|bock (Schimpfwort)
Hu|ren|kind (*Druckerspr.* [einen Absatz beschließende] Einzelzeile am Anfang einer neuen Seite od. Spalte)
Hu|ren|sohn (Schimpfwort); **Hu|re|rei**

Hu|ri, die; -, -s ⟨arab.⟩ (schönes Mädchen im Paradies des Islams)
hür|nen (*veraltet für* aus Horn)
Hu|ro|ne, der; -n, -n (Angehöriger eines nordamerikanischen Indianerstammes); **Hu|ro|nin**
hu|ro|nisch
hur|ra!; Hur|ra [*auch* ˈhʊr...], das; -s, -s; viele Hurras; **Hurra** *od.* hurra schreien
Hur|ra|pa|t|ri|o|tis|mus; Hur|ra|ruf
Hur|ri|kan [*engl.* ˈharikən], der; -s, *Plur.* -e, *bei engl. Aussspr.* -s ⟨indian.⟩ (trop. Wirbelsturm)
hur|tig; Hur|tig|keit, die; -
Hus, Jan (tschechischer Reformator)
Hu|sar, der; -en, -en ⟨ung.⟩ (*früher* Angehöriger einer leichten Reitertruppe in ungarischer Nationaltracht)
Hu|sa|ren|ritt; Hu|sa|ren|streich (waghalsiges, tollkühnes Unternehmen); **Hu|sa|ren|stück**
husch!; husch, husch!
Husch, der; -[e]s, -e *Plur. selten* (*ugs.*); ein einen Husch (für kurze Zeit) besuchen; im Husch (rasch)
Hu|sche, die; -, -n (*landsch. für* Regenschauer)
hu|sche|lig, hu|schig, husch|lig (*landsch. für* oberflächlich, eilfertig); **Hu|sche|lig|keit,** Husch|lig|keit
hu|scheln (*landsch. für* ungenau arbeiten); ich husch[e]le; sich huscheln (*landsch. für* sich in einen Mantel usw. wickeln)
hu|schen; du huschst
hu|schig, husch|lig *vgl.* huschelig; **Husch|lig|keit** *vgl.* Huscheligkeit

Hus|ky [ˈhaski], der; -s, -s ⟨engl.⟩ (Eskimohund)
hus|sa!; hus|sa|sa!
Hus|se, House|se [ˈhʊsə], die; -, -n ⟨franz.⟩ (dekorativer textiler Überwurf für Sitzmöbel)
hus|sen (*österr. ugs. für* aufwiegeln, hetzen); du husst
Hus|serl (dt. Philosoph)
Hus|sit, der; -en, -en (Anhänger von Jan Hus); **Hus|si|ten|krieg**
hüst! (*Zuruf an Zugtiere links!*)
hüs|teln; ich hüst[e]le
hus|ten; Hus|ten, der; -s, - *Plur. selten*
Hus|ten|an|fall; Hus|ten|bon|bon; Hus|ten|mit|tel, das; **Hus|ten|reiz,** der; -es; **Hus|ten|saft**
Hu|sum (Stadt an der Nordsee); **Hu|su|mer**
¹**Hut,** der; -[e]s, Hüte (Kopfbedeckung)
²**Hut,** die; - (*geh. für* Schutz, Aufsicht); auf der Hut sein
Hut|ab|la|ge; Hut|ab|tei|lung; Hut|band, das; *Plur.* ...bänder
Hüt|chen; Hüt|chen|spiel; Hüt|chen|spie|ler; Hüt|chen|spie|le|rin
Hü|te|hund; Hü|te|jun|ge, der
hü|ten; sich hüten
Hü|ter; Hü|te|rin
Hut|kof|fer; Hut|krem|pe
hut|los
Hut|ma|cher; Hut|ma|che|rin; Hut|na|del; Hut|schach|tel
¹**Hut|sche,** die; -, -n (*bayr., österr. für* Schaukel)
²**Hut|sche, Hüt|sche** *vgl.* Hitsche
hut|schen (*bayr., österr. für* schaukeln); du hutschst
Hut|schnur; *meist in* das geht über die Hutschnur (*ugs. für* das geht zu weit)

Hutsch|pferd (österr. für Schaukel-
pferd)

Hütt|chen

Hut|te, die; -, -n (schweiz. mdal.
für Rückentragkorb); vgl. Hotte

Hüt|te, die; -, -n (auch kurz für
Eisenhütte, Glashütte u. a.)

Hut|ten (dt. Humanist)

Hüt|ten|ar|bei|ter; Hüt|ten|ar|bei|te-
rin; Hüt|ten|be|trieb; Hüt|ten-
dorf; Hüt|ten|in|dus|t|rie; Hüt-
ten|kä|se; Hüt|ten|kun|de, die; -;
Hüt|ten|schuh; Hüt|ten|werk; Hüt-
ten|we|sen, das; -s; Hüt|ten|wirt;
Hüt|ten|wir|tin

Hu|tu, der; -[s], -[s] u. die; -, -[s]
(Angehörige[r] eines afrikani-
schen Volkes)

Hu|tung (Landw. dürftige Weide)

Hü|tung (Bewachung)

Hut|wei|de (Landw. Gemeinde-
weide, auf die das Vieh täglich
getrieben wird)

Hut|ze, die; -, -n (Kfz-T. bes. bei
Sportwagen Abdeckung aus
Blech für aus der Karosserie
herausstehende Teile)

Hut|zel, die; -, -n (landsch. für
Tannenzapfen; Dörrobstschnit-
zel; auch für alte Frau)

Hut|zel|brot (mit Hutzeln [Dörr-
obstschnitzeln] gebackenes
Brot; südd. Festgebäck)

hut|ze|lig, hutz|lig (landsch. für
welk; alt); Hut|zel|män|chen
(auch für Heinzelmännchen)

hut|zeln (landsch. für dörren;
schrumpfen); ich hutz[e]le; hutz-
lig vgl. hutzelig

Hut|zu|cker

Hux|ley [ˈhaksli], Aldous [ˈoːldəs]
(britischer Schriftsteller)

Huy [hyː], der; -s (Höhenzug nördlich des Harzes)

Huy|gens [ˈhɔy...] (niederl. Physi-
ker u. Mathematiker); huy-
genssch; das huygenssche od.
Huygens'sche Prinzip ↑K89

Huy|wald [ˈhy:...], der; -[e]s; vgl.
Huy

Hu|zu|le, der; -n, -n (Angehöriger
eines ukrain. Volksstammes);
Hu|zu|lin

Hwang|ho, der; -[s] (chin., »gelber
Fluss«) (Strom in China)

Hy|a|den Plur. (griech., »Regen-
sterne«) (Töchter des Atlas)

hy|a|lin (griech.) (Med. durchsich-
tig wie Glas, glasartig)

Hy|a|lit, der; -s, -e (Geol. ein heller,
glasartiger Opal)

Hy|ä|ne, die; -, -n (griech.) (ein
Raubtier)

¹Hy|a|zinth (Liebling Apollos)

²Hy|a|zinth, der; -[e]s, -e (griech.)
(rötlich brauner Zirkon)

³Hy|a|zinth, der; -s, -e (schöner
Jüngling)

Hy|a|zin|the, die; -, -n (eine Zwie-
belpflanze)

¹hy|b|rid (griech.) (überheblich)

²hy|b|rid (lat.) (von zweierlei Her-
kunft; zwitterhaft); hybride Bildung (Sprachw. Zwitterbildung;
zusammengesetztes Wort, dessen Teile verschiedenen Sprachen angehören)

Hy|b|ri|de, die; -, -n, auch der; -n,
-n (Biol. Bastard [Pflanze od.
Tier] als Ergebnis von Kreuzun-
gen)

Hy|b|rid|fahr|zeug (mit einem Ver-
brennungs- u. einem Elektro-
motor angetriebenes Fahrzeug)

Hy|b|ri|di|sa|ti|on; hy|b|ri|di|sie|ren

Hy|b|rid|rech|ner (EDV Rechenan-
lage, die sowohl analog als auch
digital arbeiten kann)

Hy|b|rid|schwein; Hy|b|rid|züch-
tung

Hy|b|ris, die; - (griech.) (frevelhaf-
ter Übermut)

Hyde|park [ˈhait...], der; -[e]s (Park
in London)

hy|d|r... vgl. hydro...; Hy|d|r... vgl.
Hydro...

¹Hy|d|ra, die; - (griech.) (sagenhafte
Seeschlange; ein Sternbild)

²Hy|d|ra, die; -, ...dren (ein Süßwas-
serpolyp)

Hy|d|r|ä|mie, die; -, ...ien (griech.)
(Med. erhöhter Wassergehalt
des Blutes)

Hy|d|rant, der; -en, -en (Zapfstelle
zur Wasserentnahme)

Hy|d|rar|gy|rum, das; -s (Quecksil-
ber, chemisches Element; Zeichen Hg)

Hy|d|rat, das; -[e]s, -e (Verbindung
chem. Stoffe mit Wasser)

Hy|d|ra|[ta]|ti|on, die; -, -en (Bil-
dung von Hydraten); hy|d|ra|ti-
sie|ren

Hy|d|rau|lik, die; - (Lehre von der
Bewegung der Flüssigkeit; deren
technische Anwendung)

hy|d|rau|lisch (mit Flüssigkeits-
druck arbeitend); hydraulische
Bremse, Presse; hydraulischer
Mörtel (Wassermörtel)

Hy|d|ra|zin, das; -s (chemische Ver-
bindung von Stickstoff mit Wasserstoff)

³Hy|d|rier|ben|zin

hy|d|rie|ren (Chemie Wasserstoff
anlagern); Hy|d|rie|rung

Hy|d|rier|ver|fah|ren; Hy|d|rier|werk

hy|d|ro... (griech.), vor Vokalen hy-
d|r... (wasser...); Hy|d|ro..., vor
Vokalen Hy|d|r... (Wasser...)

Hy|d|ro|bio|lo|gie (griech.) (Lehre
von den im Wasser lebenden
Organismen)

Hy|d|ro|chi|non [...çi...], das; -s
(griech.; indian.) (Chemie
besonders als fotografischer
Entwickler verwendete organische Verbindung)

Hy|d|ro|dy|na|mik (griech.) (Strö-
mungslehre); hy|d|ro|dy|na|misch

Hy|d|ro|gen, Hy|d|ro|ge|ni|um, das;
-s (griech.) (Wasserstoff; chemisches Element; Zeichen H)

Hy|d|ro|gra|fie, Hy|d|ro|gra|phie,
die; - (Gewässerkunde); hy|d|ro-
gra|fisch, hy|d|ro|gra|phisch

Hy|d|ro|kul|tur, die; - (griech.)
(Wasserkultur; Pflanzenzucht
in Nährlösungen ohne Erde)

Hy|d|ro|lo|gie, die; - (griech.)
(Lehre vom Wasser); hy|d|ro|lo-
gisch

Hy|d|ro|ly|se, die; -, -n (Spaltung
chemischer Verbindungen
durch Wasser); hy|d|ro|ly|tisch

Hy|d|ro|me|cha|nik, die; - (griech.)
(Mechanik der Flüssigkeiten)

Hy|d|ro|me|ter, das; -s, - (Gerät zur
Messung der Fließgeschwindig-
keit von Wasser)

Hy|d|ro|me|t|rie, die; -; hy|d|ro|me|t-
risch

Hy|d|ro|path, der; -en, -en (griech.)
(hydropathisch Behandelnder)

Hy|d|ro|pa|thie, die; - (svw. Hydro-
therapie); hy|d|ro|pa|thisch

hy|d|ro|phil (Biol. im od. am Was-
ser lebend); hy|d|ro|phob (Biol.
das Wasser meidend)

Hy|d|ro|ph|thal|mus, der; -, ...mi
(Med. Augenwassersucht)

Hy|d|ro|phyt, der; -en, -en (Was-
serpflanze)

hy|d|ro|pisch (Med. wassersüchtig)

hy|d|ro|pneu|ma|tisch (Technik
durch Wasser u. Luft [betrie-
ben])

Hy|d|rops, der; -es, Hy|d|rop|sie, die; -
(Med. Wassersucht)

Hy|d|ro|sphä|re, die; - (Wasserhülle
der Erde)

Hy|d|ro|sta|tik (Physik Lehre von
den Gleichgewichtszuständen
bei Flüssigkeiten)

hy|d|ro|sta|tisch; hydrostatische
Waage (zum Bestimmen des
Auftriebs)

Hy|d|ro|tech|nik, die; - (griech.)
(Wasserbau[kunst])

hy|d|ro|the|ra|peu|tisch; Hy|d|ro|the|ra|pie, die; -, -n (*Med.* Heilbehandlung durch Anwendung von Wasser; *nur Sing.:* Wasserheilkunde)

Hy|d|ro|xid, Hy|d|ro|xyd, das; -[e]s, -e ⟨griech.⟩ (chemische Verbindung); *vgl.* Oxid

Hy|d|ro|xyl|grup|pe ⟨griech.; dt.⟩ (Wasserstoff-Sauerstoff-Gruppe)

Hy|d|ro|ze|pha|lus, der; -, ...alen ⟨griech.⟩ (*Med.* abnorm vergrößerter Schädel durch übermäßige Flüssigkeitsansammlung)

Hy|d|ro|zo|on, das; -s, ...zoen *meist Plur.* (*Zool.* Nesseltier)

Hy|e|to|gra|fie, Hy|e|to|gra|phie, die; - ⟨griech.⟩ (Meteor. Beschreibung der Verteilung von Niederschlägen)

Hy|e|to|me|ter, das; -s, - (Regenmesser)

Hy|gi|eia (griech. Göttin der Gesundheit)

Hy|gi|e|ne, die; - ⟨griech.⟩ (Gesundheitslehre, -fürsorge, -pflege); Hy|gi|e|ni|ker; Hy|gi|e|ni|ke|rin; hy|gi|e|nisch

Hy|g|ro|me|ter, das; -s, - ⟨griech.⟩ (Luftfeuchtigkeitsmesser)

Hy|g|ro|phyt, der; -en, -en (*Bot.* Landpflanze mit hohem Wasserverbrauch)

Hy|g|ro|s|kop, das; -s, -e (*Meteor.* Luftfeuchtigkeitsmesser); hy|g|ro|s|ko|pisch (Feuchtigkeit an sich ziehend)

Hyk|sos *Plur.* (ein asiatisches Eroberervolk im alten Ägypten)

¹Hy|men, Hy|me|nai|os [*auch* ...'me:naiɔs], Hy|me|nä|us (griech. Hochzeitsgott)

²Hy|men, der; -s, - ⟨griech.⟩ (antiker Hochzeitsgesang)

³Hy|men, das, *auch* der; -s, - (*Med.* Jungfernhäutchen)

Hy|me|nai|os [*auch* ...'me:naiɔs], Hy|me|nä|us *vgl.* ¹Hymen

Hy|me|no|p|te|re, die; -, -n *meist Plur.* (*Zool.* Hautflügler)

Hym|ne, die; -, -n, Hym|nus, der; -, ...nen ⟨griech.⟩ (Festgesang; feierliches Gedicht); Hym|nik (Kunstform der Hymne); hym|nisch

Hym|no|lo|gie, die; - (Hymnenkunde); hym|no|lo|gisch

Hym|nus *vgl.* Hymne

Hy|los|cy|a|min, Hy|los|zy|a|min,

das; -s ⟨griech.⟩ (*Chemie* Alkaloid, Heilmittel)

hyp... *vgl.* hypo...

Hyp... *vgl.* Hypo...

Hyp|al|la|ge [*auch* ...'palage], die; - ⟨griech.⟩ (*Sprachw.* Vertauschung eines attributiven Genitivs mit einem attributivischen Adjektiv u. umgekehrt, z. B. jagdliche Ausdrücke *statt* Ausdrücke der Jagd)

Hype [haip], der; -s, -s ⟨engl.⟩ (aggressive Werbung; Betrug)

hy|per... ⟨griech.⟩ (über...); Hyper... (Über...)

Hy|per|aci|di|tät, die; - (*Med.* übermäßig hoher Säuregehalt im Magen)

Hy|per|ak|tiv (übersteigerten Bewegungsdrang zeigend); hyperaktive Kinder; Hy|per|ak|ti|vi|tät, die; -

Hy|per|al|ge|sie, die; -, ...ien (*Med.* gesteigertes Schmerzempfinden); hy|per|al|ge|tisch

Hy|per|äs|the|sie, die; -, ...ien (*Med.* Überempfindlichkeit); hy|per|äs|the|tisch

Hy|per|bel, die; -, -n ⟨griech.⟩ (*Stilk.* Übertreibung des Ausdrucks; *Math.* Kegelschnitt); hy|per|bo|lisch (hyperbelartig; im Ausdruck übertreibend); hyperbolische Funktion (*Math.*)

Hy|per|bo|lo|id, das; -[e]s, -e (*Math.* Körper, der durch Drehung einer Hyperbel um ihre Achse entsteht)

Hy|per|bo|re|er (Angehöriger eines sagenhaften Volkes des hohen Nordens); Hy|per|bo|re|e|rin; hy|per|bo|re|isch

Hy|per|dak|ty|lie, die; -, ...ien ⟨griech.⟩ (*Med.* Bildung von mehr als je fünf Fingern od. Zehen)

Hy|per|eme|sis, die; - ⟨griech.⟩ (*Med.* übermäßiges Erbrechen)

Hy|per|funk|ti|on, die; -, -en ⟨griech.⟩ (*Med.* Überfunktion eines Organs)

hy|per|go|lisch ⟨griech.; lat.⟩ (*Chemie*) hypergolischer Treibstoff (Raketentreibstoff, der bei Berührung mit einem Sauerstoffträger sofort zündet)

Hy|pe|ri|on [*auch* ...'ri:ɔn] (Titan, Vater des Helios)

hy|per|ka|ta|lek|tisch ⟨griech.⟩

(*Verslehre* mit überzähliger Silbe versehen)

hy|per|kor|rekt (überkorrekt)

hy|per|kri|tisch (überstreng)

Hy|per|link ['haipɐ...], der; -[s], -s ⟨engl.⟩ (Stelle auf dem Bildschirm, die durch Anklicken zu weiteren Informationen führt)

Hy|per|me|ter, der; -s, - ⟨griech.⟩ (Vers, der um eine Silbe zu lang ist u. mit der Anfangssilbe des folgenden Verses durch Elision verbunden wird); hy|per|me|t|risch

Hy|per|me|t|ro|pie, die; - (*Med.* Weit-, Übersichtigkeit); hy|per|me|t|ro|pisch

hy|per|mo|dern (übermodern, übertrieben neuzeitlich)

hy|per|ner|vös (extrem nervös)

Hy|pe|ron, das; -s, ...onen ⟨griech.⟩ (*Kernphysik* überschweres Elementarteilchen)

Hy|per|pla|sie, die; -, ...ien ⟨griech.⟩ (*Med., Biol.* abnorme Vermehrung von Zellen)

hy|per|sen|si|bel (überaus sensibel, empfindsam)

hy|per|so|nisch ⟨griech.; lat.⟩ (*Physik* Überschall...)

Hy|per|text ['haipɐ...], der; -s, -e (*EDV* Netz aus Text-, Bild- u. Dateneinheiten, in dem sich die Nutzer je nach Interesse bewegen können)

Hy|per|to|nie, die; -, ...ien ⟨griech.⟩ (*Med.* Bluthochdruck; gesteigerte Muskelspannung; erhöhte Spannung im Augapfel)

hy|per|troph (überspannt, überzogen; *Med., Biol.* durch Zellenwachstum vergrößert); Hy|per|tro|phie, die; -, ...ien ⟨griech.⟩ (übermäßige Vergrößerung von Geweben u. Organen)

Hy|per|ven|ti|la|ti|on, die; -, -en (*Med.* übersteigerte Atmung)

Hy|phe, die; -, -n ⟨griech.⟩ (*Bot.* Pilzfaden)

Hy|ph|en, das; -[s], - ⟨griech.⟩ (Bindestrich bei zusammengesetzten Wörtern)

Hyp|no|pä|die, die; - ⟨griech.⟩ (Schlaflernmethode); hyp|no|pä|disch

Hyp|nos (griechischer Gott des Schlafes)

Hyp|no|se, die; -, -n ([durch Suggestion herbeigeführter] schlafähnlicher Bewusstseins-

zustand); **Hyp|no|tik**, die; -
(Lehre von der Hypnose); **Hyp-
no|ti|kum**, das; -s, ...ka (Schlaf-
mittel); **hyp|no|tisch**
Hyp|no|ti|seur [...ˈzøːɐ̯], der; -s, -e
⟨franz.⟩ (die Hypnose Bewir-
kender); **Hyp|no|ti|seu|rin**
hyp|no|ti|sie|ren (in Hypnose
versetzen; beeinflussen,
widerstandslos machen); **Hyp-
no|tis|mus**, der; - ⟨griech.⟩
(Lehre von der Hypnose;
Beeinflussung)
hy|po... ⟨griech.⟩, *vor Vokalen*
hyp... (unter...); **Hy|po...**, *vor
Vokalen* Hyp... (Unter...)
Hy|po|bank (*kurz für* Hypothe-
kenbank, Hypothekarbank)
Hy|po|chon|der [...x...], der; -s, -
⟨griech.⟩ (Schwermütiger; ein-
gebildeter Kranker); **Hy|po-
chon|de|rin**; **Hy|po|chon|d|rie**,
die; -, ...ien (Einbildung, krank
zu sein; Trübsinn, Schwer-
mut); **hy|po|chon|d|risch**
Hy|po|gas|t|ri|um, das; -s, ...ien
⟨griech.⟩ (*Med.* Unterleib)
Hy|po|gä|um, das; -s, ...gäen
⟨griech.-lat.⟩ (unterirdisches
Gewölbe; Grabraum)
hy|po|kaus|tisch ⟨griech.⟩; **Hy|po-
kaus|tum**, das; -s, ...sten (Fuß-
bodenheizung der Antike)
Hy|po|ko|tyl, das; -s, -e (*Bot.*
Keimstängel der Samenpflan-
zen)
Hy|po|kri|sie, die; -, ...ien (Heu-
chelei); **Hy|po|krit**, der; -en, -en
(Heuchler); **hy|po|kri|tisch**
Hy|po|phy|se, die; -, -n ⟨griech.⟩
(*Med.* Hirnanhang)
hy|po|sen|si|bi|li|sie|ren ⟨lat.⟩
(*Med.* gegen Allergien unemp-
findlich machen); **Hy|po|sen|si-
bi|li|sie|rung**
Hy|po|s|ta|se, die; -, -n ⟨griech.⟩
(Verdinglichung von Begrif-
fen; Personifizierung göttli-
cher Eigenschaften od. religiö-
ser Vorstellungen); **hy|po|s|ta-
sie|ren** (personifizieren; ver-
dinglichen); **hy|po|s|ta|tisch**
(verdinglichend)
Hy|po|s|ty|lon, das; -s, ...la, **Hy-
po|s|ty|los**, der; -, ...loi (*Archit.*
gedeckter Säulengang; Säulenhalle; Tempel mit Säulengang)
hy|po|tak|tisch ⟨griech.⟩
(*Sprachw.* unterordnend); **Hy-
po|ta|xe**, die; -, -n, *älter* **Hy|po-
ta|xis**, die; -, ...taxen (*Sprachw.*
Unterordnung)

Hy|po|te|nu|se, die; -, -n (*Math.*
im rechtwinkligen Dreieck die
Seite gegenüber dem rechten
Winkel)
Hy|po|tha|la|mus, der; -, ...mi
(*Med.* Teil des Zwischenhirns)
Hy|po|thek, die; -, -en ⟨griech.⟩
(im Grundbuch eingetragenes
Pfandrecht an einem Grund-
stück; *übertr. für* ständige
Belastung)
Hy|po|the|kar, der; -s, -e (Hypo-
thekengläubiger); **Hy|po|the-
kar|bank** *Plur.* ...banken
(*schweiz. für* Hypotheken-
bank); **Hy|po|the|ka|rin**; **hy|po-
the|ka|risch**; **Hy|po|the|kar|zins**
(*schweiz. für* Hypothekenzins)
Hy|po|the|ken|bank *Plur.* ...ban-
ken; **Hy|po|the|ken|dar|le|hen**;
Hy|po|the|ken|[pfand|]brief; **Hy-
po|the|ken|zins**
Hy|po|ther|mie, die; -, ...ien
⟨griech.⟩ (*Med.* abnorm niedrige Körpertemperatur)
Hy|po|the|se, die; -, -n ([unbe-
wiesene] Annahme, Vermu-
tung; Vorentwurf für eine
Theorie); **hy|po|the|tisch**
(angenommen; zweifelhaft)
Hy|po|to|nie, die; -, ...ien (*Med.*
zu niedriger Blutdruck; herab-
gesetzte Muskelspannung)
Hy|po|tra|che|li|on, das; -s, ...ien
(Säulenhals unter dem Kapi-
tell)
Hy|po|tro|phie, die; -, ...ien (*Med.*
Unterernährung, Unterent-
wicklung)
Hy|po|zen|t|rum (unter der Erd-
oberfläche liegender Erdbe-
benherd)
Hy|po|zins (*kurz für* Hypothe-
kenzins, Hypothekarzins)
Hy|po|zy|k|lo|i|de, die; -, -n
⟨griech.⟩ (*Math.* eine geometrische Kurve)
Hyp|si|pho|bie, die; -, ...ien
⟨griech.⟩ (*Med.* Höhenangst)
Hyp|so|me|ter, das; -s, - (Höhen-
messer); **Hyp|so|me|t|rie**, die; -;
hyp|so|me|t|risch
Hyr|ka|ni|en ⟨griech.⟩ (*im Alter-
tum Bez. für* die südöstliche
Küste des Kaspischen Mee-
res); **hyr|ka|nisch**
Hys|te|r|al|gie, die; -, ...ien
⟨griech.⟩ (*Med.* Gebärmutter-
schmerz); **Hys|te|r|ek|to|mie**,
die; -, ...ien (operative Entfernung der Gebärmutter)
Hys|te|re|se, **Hys|te|re|sis**, die; -
⟨griech.⟩ (*Physik* Fortdauer

einer Wirkung nach Aufhören
der Ursache)
Hys|te|rie, die; -, ...ien (psycho-
gene körperliche Störung; ner-
vöse Aufgeregtheit, Über-
spanntheit); **Hys|te|ri|ker**; **Hys-
te|ri|ke|rin**; **hys|te|risch** (an
Hysterie leidend; überspannt)
Hys|te|ron-Pro|te|ron, das; -s,
Hystera-Protera ⟨griech.⟩ (*Philos.* Scheinbeweis; *Rhet.* Rede-
figur, bei der das [nach der
Logik] Spätere zuerst steht)
Hys|te|ro|p|to|se, die; -, -n
⟨griech.⟩ (*Med.* Gebärmutter-
senkung); **Hys|te|ro|s|ko|pie**,
die; -, ...ien ⟨griech.⟩ (*Med.*
Untersuchung der Gebärmut-
terhöhle); **Hys|te|ro|to|mie**, die;
- (*Med.* Gebärmutterschnitt)
Hz = Hertz
H5N1-Vi|rus (Bezeichnung einer
gefährlichen Variante des Vogel-
grippevirus [nach der Art der
Bestandteile Hämagglutin und
Neuraminidase benannt])

I (Buchstabe); das I, des I, die I,
aber das i in Bild; der Buchstabe I, i; der Punkt auf dem i
↑ K 97 ; i-Punkt ↑ K 29

I

*Die Schreibung mit dem großen I
im Wortinnern als Kurzform bei
der Doppelnennung weiblicher
und männlicher Formen (z. B.
MitarbeiterInnen, KollegInnen,
StudentInnen) entspricht nicht
den Rechtschreibregeln.*

Ausweichformen sind z. B.

– *Mitarbeiter/-innen od. Mitar-
beiter(innen)*
– *Student(inn)en, Kolleg(inn)en*

i (*Math.; Zeichen für* imaginäre
Zahl)
i!; i bewahre!; i wo!
I = *chem. Zeichen für* Iod; *vgl.*
Jod

I (röm. Zahlzeichen) = 1
I, ι = Iota
i. = in, im (*bei Ortsnamen, z. B.*
Immenstadt i. Allgäu; *vgl.*
i. d.)
Ia *(ugs.);* das ist Ia od. eins a
IA = Iowa

i. A.

= im Auftrag[e]

*Die Abkürzung wird im ersten
Bestandteil kleingeschrieben
(i. A.), wenn sie unmittelbar der
Grußformel oder der Bezeichnung
einer Behörde, Firma u. dgl. folgt,
z. B.*

– Die Oberbürgermeisterin
  i. A. Schmidt

*Die Abkürzung wird dagegen im
ersten Bestandteil großgeschrieben (I. A.), wenn sie nach einem
abgeschlossenen Text allein vor
einer Unterschrift steht, z. B.*

– Ihre Unterlagen erhalten Sie mit
  gleicher Post zurück.
  I. A. Schmidt

IAA, die; - = Internationale
Automobilausstellung
iah!; ia|hen; der Esel [hat] iaht
i. Allg. = im Allgemeinen
Iam|be usw. *vgl.* Jambe usw.
Ia|son *vgl.* Jason
ia|trik, die; - ⟨griech.⟩ (*Med.*
Heilkunst); ia|tro|gen (*Med.*
durch ärztliche Einwirkung
verursacht)
ib., ibd. = ibidem
Ibe|rer (Angehöriger der vorin-
dogermanischen Bevölkerung
der Iberischen Halbinsel); ibe-
risch; *aber* ↑K 140 : die Iberi-
sche Halbinsel
Ibe|ro|ame|ri|ka (Lateiname-
rika); ibe|ro|ame|ri|ka|nisch
↑K 149
ibi|dem [*auch* ˈiː...] ⟨lat.⟩
(ebenda; *Abk.* ib., ibd.)
Ibis, der; Ibisses, Ibisse ⟨ägypt.⟩
(ein Schreitvogel)
Ibi|za (eine Baleareninsel; *vgl.*
Eivissa); Ibi|zen|ker (Einwoh-
ner von Ibiza); Ibi|zen|ke|rin;
ibi|zen|kisch
Ibn ⟨arab., »Sohn«⟩ (Teil von
arabischen Personennamen)
Ib|ra|him [*auch* ...ˈhiːm] (m.
Vorn.)
Ib|sen (norw. Schriftsteller)

Iby|kos, Iby|kus (altgriechischer
Dichter)
IC®, der; -[s], -[s] = Intercity-
zug
ICE®, der; -[s], -[s] = Intercity-
expresszug; ICE-Stre|cke
ich; Ich, das; -[s], -[s]; das liebe
Ich; mein anderes Ich
Ich-AG, die; -, -s (arbeitslose Person, die sich mit staatlicher
Hilfe selbstständig macht)
ich|be|zo|gen
Ich|er|zäh|ler, Ich-Er|zäh|ler; Ich-
er|zäh|le|rin, Ich-Er|zäh|le|rin;
Ich|form, die; -; Erzählung in
der Ichform ↑K 21 ; Ich|ge|fühl,
das; -[e]s ↑K 21
Ich|laut, Ich-Laut, der; -[e]s, -e
Ich|neu|mon, der od. das; -s, *Plur.*
-e u. -s ⟨griech.⟩ (eine
Schleichkatze)
Ich|no|gramm (*Med.* Gipsab-
druck des Fußes)
Ich|ro|man, Ich-Ro|man, der; -s,
-e (Roman in der Ichform)
Ich|sucht, die; - ↑K 21 ; ich|süch-
tig
Ich|thyo|dont, der; -en, -en
⟨griech.⟩ (versteinerter Fisch-
zahn); Ich|thyo|lith, der; *Gen.*
-s u. -en, *Plur.* -e[n] (versteinerter Fisch[rest])
Ich|thyo|lo|ge, der; -n, -n; Ich-
thyo|lo|gie, die; - u. (Wissen-
schaft von den Fischen); Ich-
thyo|lo|gin
Ich|thyo|sau|ri|er, der; -s, -, Ich-
thyo|sau|rus, der; -, ...rier (aus-
gestorbenes fischförmiges
Kriechtier)
Ich|thy|o|se, Ich|thy|o|sis, die; -,
...osen (*Med.* eine Hautkrankheit)
Icing [ˈais...], das; -s, -s ⟨engl.-
amerik.⟩ (*Eishockey* Befrei-
ungsschlag)
Icon [ˈaikən], das; -s, -s ⟨engl.,
»Bild«⟩ (*EDV* grafisches Sinnbild)
ID = Idaho
id. = ¹idem, ²idem
i. d. = in der (*bei Ortsnamen,
z. B.* Neumarkt i. d. Opf. [in
der Oberpfalz])
¹Ida, der; - (Berg auf Kreta; [im
Altertum] Gebirge in Kleinasien)
²Ida (w. Vorn.)
Ida|feld, das; -[e]s (*nord. Mythol.*
Wohnort der Asen)
Ida|ho [ˈaidəho] (Staat in den
USA; *Abk.* ID)
idä|isch ⟨*zu* ¹Ida⟩

Ida|red [ˈaidərɛd], der; -s, -s
(mittelgroßer Tafelapfel)
ide. = indoeuropäisch
ide|al ⟨griech.⟩ (nur in der Vor-
stellung existierend; der Idee
entsprechend; vollkommen)
Ide|al, das; -s, -e (dem Geiste
vorschwebendes Muster der
Vollkommenheit; als ein
höchster Wert erkanntes Ziel)
Ide|al|be|set|zung; Ide|al|bild
ide|a|ler|wei|se
Ide|al|fall, der; im Idealfall; Ide-
al|fi|gur; Ide|al|ge|stalt; Ide|al-
ge|wicht
ide|a|li|sie|ren (der Idee od. dem
Ideal annähern; verklären);
Ide|a|li|sie|rung
Ide|a|lis|mus, der; - (Überord-
nung der Gedanken-, Vorstel-
lungswelt über die wirkliche;
Streben nach Verwirklichung
von Idealen); Ide|a|list, der;
-en, -en; Ide|a|lis|tin; ide|a|lis-
tisch
Ide|a|li|tät, die; - (ideale
Beschaffenheit; *Philos.* das
Sein als Idee oder Vorstellung)
Ide|al|kon|kur|renz (*Rechtsspr.*);
Ide|al|li|nie (*bes. Sport*); Ide|al-
lö|sung; Ide|al|maß; Ide|al|staat
Plur. ...staaten
ide|al|ty|pisch; Ide|al|ty|pus
Ide|al|vor|stel|lung; Ide|al|wert
(Kunstwert); Ide|al|zu|stand
Idee, die; -, Ideen ([Ur]begriff,
Urbild; [Leit-, Grund]gedanke;
Einfall, Plan); eine Idee (*ugs.
auch für* eine Kleinigkeit)
Idée fixe [iˈdeː ˈfiks], die; - -, -s
-s [- -] ⟨franz.⟩ (Zwangsvor-
stellung; leitmotivisches
Kernthema eines musikal.
Werkes)
ide|ell (nur gedacht; geistig)
ide|en|arm; Ide|en|ar|mut
Ide|en|as|so|zi|a|ti|on (Gedan-
kenverbindung)
Ide|en|dra|ma; Ide|en|fül|le
Ide|en|ge|ber (jmd., der Ideen,
Anregungen zu einem Vorha-
ben beisteuert); Ide|en|ge|be-
rin
Ide|en|ge|halt, der; Ide|en|gut
ide|en|los; Ide|en|lo|sig|keit,
die; -
ide|en|reich; Ide|en|reich|tum,
der; -s
Ide|en|welt
¹idem ⟨lat.⟩ (derselbe; *Abk.* id.)
²idem (dasselbe; *Abk.* id.)
Iden, Idus ⟨lat.⟩ (13. od. 15.
Monatstag des altrömischen

Iden

Kalenders); die Iden des März (15. März)

ident (*bes. österr. für* identisch)
Iden|ti|fi|ka|ti|on ⟨lat.⟩, Iden|ti|fi|zie|rung, die; -, -en (Gleichsetzung; Feststellung der Identität)
Iden|ti|fi|ka|ti|ons|fi|gur; Iden|ti|fi|ka|ti|ons|num|mer
iden|ti|fi|zier|bar; iden|ti|fi|zie|ren (miteinander gleichsetzen; genau wiedererkennen); sich identifizieren; **Iden|ti|fi|zie|rung** *vgl.* Identifikation
iden|tisch ([ein und] derselbe; übereinstimmend; völlig gleich)
Iden|ti|tät, die; -, -en (völlige Gleichheit)
Iden|ti|täts|kar|te (*österr. veraltet u. schweiz. für* Personalausweis); **Iden|ti|täts|kri|se; Iden|ti|täts|nach|weis** *(Zollw.);* **iden|ti|täts|stif|tend; Iden|ti|täts|ver|lust**
Ideo|gra|fie, Ideo|gra|phie, die; -, ...ien *Plur. selten* (aus Ideogrammen gebildete Schrift)
ideo|gra|fisch, ideo|gra|phisch
Ideo|gramm ⟨griech.⟩ (Schriftzeichen, das für einen Begriff, nicht für eine bestimmte Lautung steht)
Ideo|lo|ge, der; -n, -n (Lehrer od. Anhänger einer Ideologie)
Ideo|lo|gie, die; -, ...ien (System von Weltanschauungen, [politischen] Grundeinstellungen u. Wertungen)
ideo|lo|gie|frei; ideo|lo|gie|ge|bun|den; Ideo|lo|gie|kri|tik, die; -; **Ideo|lo|gin; ideo|lo|gisch** (eine Ideologie betreffend); **ideo|lo|gi|sie|ren** (ideologisch durchdringen, interpretieren); **Ideo|lo|gi|sie|rung**
ideo|mo|to|risch ⟨griech.; lat.⟩ (*Psych.* unbewusst ausgeführt)
id est ⟨lat.⟩ (*veraltend für* das ist, das heißt; *Abk.* i. e.)
idg. = indogermanisch
idio... ⟨griech.⟩ (eigen..., sonder...); **Idio...** (Eigen..., Sonder...)
Idio|blast, der; -en, -en (*Biol.* Pflanzenzelle mit besonderer Funktion, die in andersartige Gewebe eingelagert ist)
Idio|la|t|rie, die; - (Selbstvergötterung)
Idio|lekt, der; -[e]s, -e (*Sprachw.*

individueller Sprachgebrauch); **idio|lek|tal**
Idi|om, das; -s, -e ⟨griech.⟩ (feste Redewendung; eigentümliche Sprache od. Sprechweise; Mundart); **Idio|ma|tik,** die; - (Lehre von den Idiomen; Gesamtbestand der Idiome einer Sprache; Sammlung von Idiomen); **idio|ma|tisch; idio|ma|ti|siert; Idio|ma|ti|sie|rung**
idio|morph ⟨griech.⟩ (*Mineralogie* von eigenen echten Kristallflächen begrenzt)
Idio|plas|ma, das; -s (*Biol.* Gesamtheit der im Zellplasma vorhandenen Erbanlagen)
Idio|syn|kra|sie, die; -, ...ien (*Med.* Überempfindlichkeit gegen bestimmte Stoffe u. Reize); **idio|syn|kra|tisch**
Idi|ot, der; -en, -en ⟨griech.⟩ (*Med. veraltend* an Idiotie leidender Mensch; *ugs., abwertend* Dummkopf; Trottel)
idi|o|ten|haft
Idi|o|ten|hü|gel (*ugs. scherzh. für* Hügel, an dem Anfänger sich im Skifahren üben)
idi|o|ten|si|cher (*ugs. für* so beschaffen, dass niemand etwas falsch machen kann)
Idi|o|ten|test (*ugs. für* MPU)
Idi|o|tie, die; -, ...ien (*Med. veraltet* angeborener oder im frühen Kindesalter erworbener Intelligenzdefekt schwersten Grades; *ugs. abwertend* Dummheit; törichtes Verhalten)
Idi|o|ti|kon, das; -s, *Plur.* ...ken, *auch* ...ka ⟨griech.⟩ (Mundartwörterbuch)
Idi|o|tin; idi|o|tisch
Idi|o|tis|mus, der; -, ...men (*Sprachw. veraltet* Eigenheit eines Idioms; *Med.* Idiotie)
Ido, das; -s (eine künstliche Weltsprache)
Ido|kras, der; -, -e ⟨griech.⟩ (ein Mineral)
Idol, das; -s, -e ⟨griech.⟩ (Gegenstand der Verehrung; Publikumsliebling; Schwarm; Götzenbild, Abgott)
Ido|la|t|rie, Ido|lo|la|t|rie, die; -, ...ien (Bilderanbetung; Götzendienst)
ido|li|sie|ren
Ido|lo|la|t|rie *vgl.* Idolatrie
i-Dötz|chen (*rhein. für* Abc-Schütze, Abc-Schützin)
Idu|mäa *vgl.* Edom

Idun, Idu|na (nordische Göttin der ewigen Jugend)
Idus *vgl.* Iden
Idyll, das; -s, -e ⟨griech.⟩ (Bereich, Zustand eines friedlichen und einfachen, meist ländlichen Lebens)
Idyl|le, die; -, -n (Schilderung eines Idylls in Literatur u. bildender Kunst; *auch svw.* Idyll)
Idyl|lik, die; - (idyllischer Zustand); **idyl|lisch** (das Idyll, die Idylle betreffend; ländlich; friedlich; einfach; beschaulich)
i. e. = id est
I. E., IE = internationale Einheit
i.-e. = indoeuropäisch
i. f. = ipse fecit
IFOR, Ifor, die; - ⟨engl.; *Kurzwort für* Implementation Force⟩ (ehem. internationale Truppe unter NATO-Führung in Bosnien und Herzegowina); **IFOR-Frie|dens|trup|pe, Ifor-Frie|dens|trup|pe**
I-för|mig (in Form eines lateinischen I); ↑K29
IG, die; - = Industriegewerkschaft
Igel, der; -s, -
Igel|fisch
Igel|fri|sur *(ugs.);* **Igel|kak|tus; Igel|stel|lung** (ringförmige Verteidigungsstellung)
igitt!, igit|ti|gitt!
Ig|lu, der od. das; -s, -s ⟨eskim.⟩ (runde Schneehütte der Eskimos)
Ig|na|ti|us (Name von Heiligen); Ignatius von Loyola (Gründer der Gesellschaft Jesu)
Ig|naz [*auch* ɪˈɡnaːts] (m. Vorn.)
ig|no|rant ⟨lat.⟩ (von Unwissenheit zeugend); **Ig|no|rant,** der; -en, -en (»Nichtwisser«) (Dummkopf); **Ig|no|ran|ten|tum,** das; -s; **Ig|no|ran|tin**
Ig|no|ranz, die; - (Unwissenheit, Dummheit); **ig|no|rie|ren** (nicht wissen [wollen], absichtlich nicht beachten)
Igor (m. Vorn.)
Igor|lied, das; -[e]s ↑K136 (ein altrussisches Heldenepos)
Igu|a|no|don, das; -s, *Plur.* -s od. ...odonten ⟨indian.; griech.⟩ (pflanzenfressender Dinosaurier)
i. H. = im Haus[e]
IHK, die; -, -s = Industrie- und Handelskammer

Ih|le, der; -n, -n (Hering, der abgelaicht hat)

ihm; ihn; ih|nen; er folgte ihnen; *Großschreibung als Anrede (entsprechend »Sie«):* ich wäre Ihnen dankbar, wenn Sie ...

ihr

I. *Possessivpronomen* ihr, ihre, ihr:
der Bruder ihres Vaters; sie kam mit ihrem Sohn, ihrer Tochter

Großschreibung in Titeln

Ihre Majestät (Abk. I. M.) die Königin; Ihre Exzellenz

und in der Anrede (entsprechend »Sie«):

geben Sie mir Ihr Ehrenwort, Ihren Schlüssel, Ihre Adresse
↑K 84

Vgl. dein

II. *Anredepronomen (entsprechend »du«):*

Das Anredepronomen »ihr« kann in Briefen groß- oder kleingeschrieben werden:

Lieber Hans, liebe Elke, wann besucht ihr *od.* Ihr uns einmal?

ih|re, ih|ri|ge[1] *vgl.* deine, deinige
ih|rer|seits[1]
ih|res|glei|chen[1]
ih|res|teils[1]
ih|ret|hal|ben[1] *(veraltend)*
ih|ret|we|gen[1]
ih|ret|wil|len[1]; um ihretwillen
ih|ri|ge[1], ih|re[1] *vgl.* deine, deinige
Ih|ro *(veraltet für* Ihre); Ihro Gnaden

ihr|zen (mit »Ihr« anreden); du ihrzt
IHS = *IH(ΣΟΥ)Σ* = Jesus
I. H. S. = in hoc salus; in hoc signo
i. J. = im Jahre
Ijob *vgl.* Hiob
Ijs|sel, *eigtl.* IJs|sel [ˈai...], die; - (Flussarm im Rheindelta); **Ijs|sel|meer,** das; -[e]s (durch Abschlussdeich gebildeter See in Holland)
ika|risch *(zu* Ikarus); *aber* das Ikarische Meer
Ika|ros, Ika|rus (Gestalt der griechischen Sage)
Ike|ba|na, das; -[s] (jap.) (Kunst des Blumensteckens)
Ikon, das; -s, -e (griech.) (seltener

für Ikone); **Iko|ne,** die; -, -n (Kultbild der Ostkirche)
Iko|nen|ma|le|rei; Iko|no|du|lie, die; - (Bilderverehrung)
Iko|no|graf, Iko|no|graph, der; -en, -en; Iko|no|gra|fie, Iko|no|gra|phie, die; -, ...ien (wiss. Bestimmung, Beschreibung, Erklärung von Bildinhalten)
Iko|no|klas|mus, der; -, ...men (Bildersturm); **Iko|no|klast,** der; -en, -en (Bilderstürmer); iko|no|klas|tisch
Iko|no|la|t|rie, die; - (svw. Ikonodulie); **Iko|no|lo|gie,** die; - (svw. Ikonografie)
Iko|no|s|kop, das; -s, -e (Fernsehen Bildspeicherröhre)
Iko|no|s|tas, der; -, -e u. **Iko|no|s|ta|se,** die; -, -n (dreitürige Bilderwand in orthodoxen Kirchen)
Iko|sa|eder, das; -s, - (griech.) (Math. Zwanzigflächner); **Iko|si|te|t|ra|eder,** das; -s, - (Vierundzwanzigflächner)
IKRK, das; - = Internationales Komitee vom Roten Kreuz (in Genf)
IKS, die; - = Interkantonale Kontrollstelle für Heilmittel (in der Schweiz)
Ik|tus, der; -, - u. Ikten (lat.) (Verslehre Betonung der Hebung im Vers; *Med.* unerwartet u. plötzlich auftretendes Krankheitszeichen)
IL = Illinois
Ilang-Ilang-Öl *vgl.* Ylang-Ylang-Öl
Iler, der; -s, - (Schabeisen der Kammmacher)
Ile|us, der; -, Ileen [...eən] (griech.) (Med. Darmverschluss)
Ilex, die, *auch* der; -, - (lat.) (Stechpalme)
Ili|as, *seltener* Ili|a|de, die; - ([Homers] Heldengedicht über den Krieg gegen Ilion)
Ili|on (griechischer Name von Troja); **Ili|um** (latinisierte Form von Ilion)
Ill, die; - (r. Nebenfluss des Rheins; l. Nebenfluss des Rheins)
ill. = illustriert
Ill. = Illustration, Illustrierte[n]
il|le|gal [*auch* ...ˈgaːl] (lat.) (gesetzwidrig); **Il|le|ga|li|tät** [*auch* ˈɪ...], die; -, -en; in der Illegalität leben
il|le|gi|tim [*auch* ...ˈtiːm] (unrechtmäßig; unehelich); **Il|le|gi|ti|tät** [*auch* ˈɪ...], die; -

Il|ler, die; - (r. Nebenfluss der Donau)
il|lern (landsch. für [verstohlen] gucken); ich illere
Il|le|t|ris|mus, der; - (lat.) (Lese- u. Schreibunfähigkeit)
il|li|be|ral [*auch* ...ˈraːl] (lat.); **Il|li|be|ra|li|tät** [*auch* ˈɪ...], die; -
Il|li|nois [...ˈnɔy(s)] (Staat in den USA; *Abk.* IL)
il|li|quid [*auch* ...ˈkviːt] (lat.) (zahlungsunfähig); **Il|li|qui|di|tät** [*auch* ˈɪ...], die; -
il|li|te|rat [*auch* ...ˈraːt], der; -en, -en (lat.) (selten für Ungelehrter, Ungebildeter); **Il|li|te|ra|tin**
Il|lo|ku|ti|on, die; -, -en (lat.) (Sprachw. Sprechakt im Hinblick auf die kommunikative Funktion); **il|lo|ku|ti|o|när; il|lo|ku|tiv;** illokutiver Akt (Illokution)
il|lo|y|al [ˈɪlɔaˌjaːl, *auch* ...ˈjaːl] (franz.) (den Staat, eine Instanz o. Ä. nicht respektierend; unredlich, untreu; Vereinbarungen nicht einhaltend); **Il|lo|ya|li|tät** [*auch* ˈɪ...], die; -
Il|lu|mi|nat, der; -en, -en (lat.) (Angehöriger verschiedener früherer Geheimverbindungen, bes. des Illuminatenordens); **Il|lu|mi|na|ten|or|den,** der; -s (aufklärerisch-freimaurerische geheime Gesellschaft des 18. Jh.s)
Il|lu|mi|na|ti|on, die; -, -en (Festbeleuchtung; Ausmalung); **Il|lu|mi|na|tor,** der; -s, ...oren (mittelalterlicher Ausmaler von Büchern); **il|lu|mi|nie|ren** (festlich erleuchten; bunt ausmalen); **Il|lu|mi|nie|rung**
Il|lu|si|on, die; -, -en (lat.) (Wunschvorstellung; Wahn, Sinnestäuschung); **il|lu|si|o|när** (auf Illusion beruhend)
Il|lu|si|o|nis|mus, der; - (Philos. Lehre, nach der die Außenwelt nur Illusion ist)
Il|lu|si|o|nist, der; -en, -en (Träumer; Zauberkünstler); **Il|lu|si|o|nis|tin; il|lu|si|o|nis|tisch**
il|lu|si|ons|los; il|lu|so|risch (nur in der Illusion bestehend; trügerisch)
Il|lus|ter (lat.) (glänzend, vornehm); il|lus|t|re Gesellschaft
Il|lus|t|ra|ti|on, die; -, -en (Erläuterung, Bildbeigabe); *Abk.* Ill.; **il-**

[1] *Als Anrede (entsprechend »Sie«)* stets großgeschrieben ↑K 84 f.

523

I

Illu

lus|t|ra|tiv (erläuternd, anschaulich)

Il|lus|t|ra|tor, der; -s, ...oren (Künstler, der ein Buch mit Bildern schmückt); Il|lus|t|ra|to|rin

il|lus|t|rie|ren ([durch Bilder] erläutern; [ein Buch] mit Bildern schmücken; bebildern); il|lus|t|riert (Abk. ill.)

Il|lus|t|rier|te, die; -n, -n; zwei Illustrierte, auch Illustrierten; Abk. Ill.; Il|lus|t|rie|rung (Vorgang des Illustrierens)

Il|ly|rer, Il|ly|ri|er (Angehöriger idg. Stämme in Illyrien); Il|ly|ri|en (das heutige Dalmatien u. Albanien); il|ly|risch

Ilm, die; - (l. Nebenfluss der Saale; r. Nebenfluss der Donau)

¹Il|me|nau (Stadt im Thüringer Wald)

²Il|me|nau, die; - (l. Nebenfluss der unteren Elbe)

Il|me|nit, der; -s, -e ⟨nach dem russ. Ilmengebirge⟩ (ein Mineral)

Ilo|na [auch i'lo:...] (w. Vorn.)

Il|se (w. Vorn.)

Il|tis, der; Iltisses, Iltisse (kleines Raubtier; Pelz aus dessen Fell)

im (in dem; Abk. i. [bei Ortsnamen, z. B. Königshofen i. Grabfeld]); im Auftrag[e] (Abk. i. A. od. I. A. vgl. d.); im Grunde [genommen]; im Haus[e] (Abk. i. H.); im Argen liegen; im Allgemeinen (Abk. i. Allg.); im Besonderen; vgl. auch einzeln, ganz, gering, klar usw.

IM, der; -[s], -[s] = inoffizieller Mitarbeiter (des Staatssicherheitsdienstes der DDR)

I. M. = Ihre Majestät; Innere Mission

Image [...ıtʃ], das; -[s], -s ⟨engl.⟩ (Vorstellung, Bild von jmdm. od. etw. [in der öffentlichen Meinung); Image|kam|pa|gne (bes. Werbespr.); Image|pfle|ge; Image|wer|bung (bes. Werbespr.)

ima|gi|na|bel ⟨lat.⟩ (vorstellbar, erdenklich); ...a|b|le Vorgänge

ima|gi|när (nur in der Vorstellung bestehend); imaginäre Zahl (Math.; Zeichen i)

Ima|gi|na|ti|on, die; -, -en ([dichter.] Einbildung[skraft]); ima|gi|nie|ren ([sich] vorstellen)

Ima|go, die; -, ...gines (Biol. fertig ausgebildetes, geschlechtsreifes Insekt)

im All|ge|mei|nen (Abk. i. Allg.; ↑K 72)

Imam, der; -[s], Plur. -s u. -e ⟨arab.⟩ (Vorbeter in der Moschee; Titel für Gelehrte des Islams; Prophet u. religiöses Oberhaupt der Schiiten)

Iman, das; -s ⟨arab.⟩ (Glaube [im Islam])

im Auf|trag, im Auf|tra|ge (Abk. i. A. od. I. A.)

IMAX® ['aimeks], das; - ⟨Kurzw., engl.⟩ (spezielle Form der Filmprojektion, bei der der Zuschauer sich als Handlungsbeteiligter fühlt)

im Be|griff, im Be|grif|fe; im Begriff[e] sein

im be|son|de|ren vgl. besondere

im|be|zil, im|be|zill ⟨lat.⟩ (Med. veraltet an Imbezillität leidend); Im|be|zil|li|tät, die; - (Med. veraltet Intelligenzdefekt mittleren Grades)

Im|bi|bi|ti|on, die; -, -en ⟨lat.⟩ (Bot. Quellung von Pflanzenteilen; Geol. Durchtränken von Gestein mit magmatischen Gasen od. wässrigen Lösungen)

Im|biss, der; Imbisses, Imbisse; Im|biss|bu|de; Im|biss|hal|le; Im|biss|stand, Im|biss-Stand; Im|biss|stu|be, Im|biss-Stu|be

Inbus®

Mit einem u und nicht mit einem m schreibt sich der Name des gebogenen Sechskantschlüssels: Inbus ist die Abkürzung für Innensechskantschlüssel [der Firma] Bauer und Schaurte.

im Ein|zel|nen vgl. einzeln

im Fall, Fal|le[,] dass ↑K 127

im Grun|de; im Grunde genommen

Imi|tat, das; -[e]s, -e, Imi|ta|ti|on, die; -, -en ⟨lat.⟩ ([minderwertige] Nachahmung)

Imi|ta|tor, der; -s, ...oren (Nachahmer); Imi|ta|to|rin; imi|ta|to|risch

imi|tie|ren; imi|tiert (unecht)

im Jah|re (Abk. i. J.)

Im|ke (w. Vorn.)

Im|ker, der; -s, - (Bienenzüchter); Im|ke|rei; Im|ke|rin; im|kern; ich imkere

im|ma|nent ⟨lat.⟩ (innewohnend, in etwas enthalten); Im|ma|nenz, die; - (das Innewohnen)

Im|ma|nu|el [...e:l, auch ...el] (m. Vorn.)

Im|ma|te|ri|a|li|tät [auch 'ı...], die; - ⟨franz.⟩ (unkörperliche Beschaf-

fenheit); im|ma|te|ri|ell [auch ...'rjel] (unstofflich; geistig)

Im|ma|t|ri|ku|la|ti|on, die; -, -en ⟨lat.⟩ (Einschreibung an einer Hochschule; schweiz. auch für amtliche Zulassung eines Kraftfahrzeugs)

im|ma|t|ri|ku|lie|ren; Im|ma|t|ri|ku|lie|rung

Im|me, die; -, -n (landsch. für Biene)

im|me|di|at ⟨lat.⟩ (veraltend für unmittelbar [dem Staatsoberhaupt unterstehend]); Im|me|di|at|ge|such (unmittelbar an die höchste Behörde gerichtetes Gesuch)

im|mens ⟨lat.⟩ (unermesslich [groß]); Im|men|si|tät, die; - (veraltet für Unermesslichkeit)

Im|men|stock Plur. ...stöcke ⟨zu Imme⟩

im|men|su|ra|bel ⟨lat.⟩ (unmessbar); Im|men|su|ra|bi|li|tät, die; -

im|mer; immer[,] wenn ...; immer wieder; immer mehr; noch immer; für immer; ein immer währender od. immerwährender Frühling; der immer währende od. immerwährende Kalender ↑K 58 u. 89

im|mer|dar (geh.)

im|mer|fort

im|mer|grün; immergrüne Blätter, aber immer grün bleiben

Im|mer|grün, das; -s, -e (eine Pflanze)

im|mer|hin

Im|mer|si|on, die; -, -en ⟨lat.⟩ (Ein-, Untertauchen, z. B. eines Himmelskörpers in den Schatten eines anderen)

im|mer während, im|mer|wäh|rend vgl. immer

im|mer|zu (fortwährend)

Im|mi|g|rant, der; -en, -en ⟨lat.⟩ (Einwanderer); Im|mi|g|ran|tin; Im|mi|g|ra|ti|on, die; -, -en; im|mi|g|rie|ren

im|mi|nent ⟨lat.⟩ (bes. Med. bevorstehend, drohend)

Im|mis|si|on, die; -, -en ⟨lat.⟩ (Einwirkung von Verunreinigungen, Lärm o. Ä. auf Lebewesen); Im|mis|si|ons|schutz, der; -es; Im|mis|si|ons|wert

Im|mo (m. Vorn.)

im|mo|bil [auch ...'bi:l] ⟨lat.⟩ (unbeweglich; Milit. nicht für den Krieg bestimmt od. ausgerüstet)

Im|mo|bi|li|ar|kre|dit (durch Grundbesitz gesicherter Kredit);

Illu

Im|mo|bi|li|ar|ver|si|che|rung (Versicherung von Gebäuden gegen Feuerschäden)

Im|mo|bi|lie, die; -, -n ⟨lat.⟩ (Grundstück, Grundbesitz)

Im|mo|bi|li|en|fonds ⟨Wirtsch.⟩

Im|mo|bi|li|en|händ|ler; Im|mo|bi|li|en|händ|le|rin

Im|mo|bi|li|en|mak|ler; Im|mo|bi|li|en|mak|le|rin

Im|mo|bi|li|en|markt

im|mo|bi|li|sie|ren; Im|mo|bi|lis|mus, der; - ⟨lat.⟩; Im|mo|bi|li|tät, die; - (Unbeweglichkeit)

im|mo|ra|lisch; Im|mo|ra|lis|mus, der; - ⟨lat.⟩ (Ablehnung moralischer Grundsätze); Im|mo|ra|li|tät [auch ˈɪ...], die; - (Gleichgültigkeit gegenüber moralischen Grundsätzen)

im|mor|ta|li|sie|ren ⟨Gentechnik unsterblich machen [z. B. von Zellen]); Im|mor|ta|li|tät [auch ˈɪ...], die; - (Unsterblichkeit)

Im|mor|tel|le, die; -, -n ⟨franz.⟩ (eine Sommerblume mit strohtrockenen Blüten)

im|mun ⟨lat.⟩ (unempfänglich [für Krankheit]; unter Rechtsschutz stehend; unempfindlich)

Im|mun|ant|wort ⟨Med. Reaktion des Körpers auf ein Antigen)

Im|mun|bio|lo|gie; im|mun|bio|lo|gisch

Im|mun|glo|bu|lin, das; -s, -e ⟨Med. Protein, das die Eigenschaften eines Antikörpers aufweist)

im|mu|ni|sie|ren (unempfänglich machen [für Krankheiten]); Im|mu|ni|sie|rung

Im|mu|ni|tät, die; - (Unempfindlichkeit gegenüber Krankheitserregern; Persönlichkeitsschutz der Abgeordneten in der Öffentlichkeit); Im|mu|ni|täts|for|schung

Im|mun|kör|per ⟨Med. Antikörper); Im|mu|no|lo|ge, der; -n, -n; Im|mu|no|lo|gie, die; - ⟨Med. Lehre von der Immunität); Im|mu|no|lo|gin; im|mu|no|lo|gisch

im|mun|schwach ⟨Med.); Im|mun|schwä|che

Im|mun|sup|pres|si|on ⟨Med. Unterdrückung einer immunologischen Reaktion); Im|mun|sys|tem; Im|mun|the|ra|pie ⟨Med.)

Im|mun|zel|le ⟨Biol.)

im Nach|hin|ein vgl. Nachhinein

Imp, der; -s, - ⟨bayr., österr. mdal. für Biene); vgl. Imme

imp. = imprimatur

Imp. = Imperator

Im|pa|la, die; -, -s ⟨afrik.⟩ (eine Antilopenart)

im|pas|tie|ren ⟨ital.⟩ (Farbe [mit dem Spachtel] dick auftragen); Im|pas|to, das; -s, Plur. -s u. ...sti (dickes Auftragen von Farben)

Im|pe|danz, die; -, -en ⟨lat.⟩ (elektrischer Scheinwiderstand)

im|pe|ra|tiv ⟨lat.⟩ (befehlend, zwingend); imperatives Mandat (Mandat, das Abgeordnete an den Wählerauftrag bindet)

Im|pe|ra|tiv [auch ...ˈtiːf], der; -s, -e ⟨Sprachw. Befehlsform, z. B. »lauf!, lauft!«; Philos. unbedingt gültiges sittliches Gebot)

im|pe|ra|ti|visch [auch ˈɪ...] (befehlend; Befehls...); Im|pe|ra|tiv|satz

Im|pe|ra|tor, der; -s, ...oren (im alten Rom Oberfeldherr; später für Kaiser; Abk. Imp.); im|pe|ra|to|risch; Im|pe|ra|tor Rex (Kaiser [und] König; Abk. I. R.)

Im|per|fekt [auch ...ˈfɛkt], das; -s, -e ⟨lat.⟩ (Sprachw. Präteritum); im|per|fek|tisch [auch ...ˈfɛ...]

im|pe|ri|al ⟨lat.⟩ (das Imperium betreffend; kaiserlich)

Im|pe|ri|a|lis|mus, der; - (das Streben von Großmächten nach wirtschaftlicher, politischer u. militärischer Vorherrschaft)

Im|pe|ri|a|list, der; -en, -en; Im|pe|ri|a|lis|tin; im|pe|ri|a|lis|tisch

Im|pe|ri|um, das; -s, ...ien (im alten Rom Oberbefehl; [römisches] Kaiserreich; Weltreich)

im|per|me|a|bel [auch ˈɪ...] ⟨lat.⟩ (fachspr. für undurchlässig); ...a|b|le Schicht; Im|per|me|a|bi|li|tät [auch ˈɪ...], die; -

Im|per|so|na|le, das; -s, Plur. ...lien u. ...lia ⟨lat.⟩ (Sprachw. unpersönliches Verb, z. B. »es schneit«)

im|per|ti|nent ⟨lat.⟩ (ungehörig, frech, unausstehlich); Im|per|ti|nenz, die; -, -en

Im|pe|ti|go, die; -, ...gines ⟨lat.⟩ (eine Hautkrankheit)

im|pe|tu|o|so ⟨ital.⟩ (Musik stürmisch); Im|pe|tus, der; - ⟨lat.⟩ (Ungestüm, Antrieb, Drang)

Impf|ak|ti|on; Impf|arzt; Impf|ärz|tin

impf|fen; Impf|ka|len|der; Impf|ling

Impf|pass; Impf|pflicht; Impf|pis|to|le; Impf|schein; Impf|stoff

Impf|fung; Impf|zeug|nis; Impf|zwang, der; -[e]s

Im|plan|tat, das; -[e]s, -e ⟨lat.⟩ (Med. dem Körper eingepflanztes Gewebestück o. Ä.); Im|plan-

ta|ti|on, die; -, -en (Einpflanzung von Gewebe o. Ä. in den Körper); im|plan|tie|ren

Im|ple|men|ta|ti|on (EDV); im|ple|men|tie|ren ⟨engl.⟩ (einführen, einsetzen; einbauen); Anwendungsprogramme implementieren (EDV); Im|ple|men|tie|rung (das Implementieren)

Im|pli|ka|ti|on, die; -, -en ⟨lat.⟩ (das Einbeziehen)

im|pli|zie|ren (einschließen)

im|pli|zit (inbegriffen, mitgemeint; Ggs. explizit)

im|pli|zi|te [...te] (mit einbegriffen, eingeschlossen)

im|plo|die|ren ⟨lat.⟩ (durch äußeren Überdruck eingedrückt und zertrümmert werden); Im|plo|si|on, die; -, -en

im|pon|de|ra|bel ⟨lat.⟩ (veraltet für unwägbar, unberechenbar); ...a|b|le Faktoren; Im|pon|de|ra|bi|lie, die; -, -en meist Plur. (Unwägbarkeit); Im|pon|de|ra|bi|li|tät, die; - (Unwägbarkeit)

im|po|nie|ren ⟨lat.⟩ (Achtung einflößen, Eindruck machen); im|po|nie|rend

Im|po|nier|ge|ha|be (Zool. bei männl. Tieren vor der Paarung)

Im|port, der; -[e]s, -e ⟨engl.⟩ (Einfuhr); Im- u. Export ↑K 31

im|port|ab|hän|gig; Im|port|ab|hän|gig|keit; Im|port|be|schrän|kung

Im|por|te, die; -, -n meist Plur. (veraltet für eingeführte Ware, bes. Zigarre)

Im|por|teur [...ˈtøːɐ̯], der; -s, -e ⟨franz.⟩ ([Groß]händler, der Waren einführt); Im|por|teu|rin

Im|port|fir|ma; Im|port|ge|schäft; Im|port|han|del vgl. ¹Handel

im|por|tie|ren

Im|port|kauf|frau; Im|port|kauf|mann

im|por|tun ⟨lat.⟩ (ungeeignet, ungelegen; Ggs. opportun)

im|po|sant ⟨franz.⟩ (eindrucksvoll; großartig)

im|po|tent ⟨lat.⟩ (zum Koitus, zur Zeugung nicht fähig); Im|po|tenz, die; -, -en

impr. = imprimatur

Im|prä|gna|ti|on, die; -, -en ⟨lat.⟩ (Geol. feine Verteilung von Erdöl od. Erz in Spalten od. Poren eines Gesteins; Med. Eindringen des Spermiums in das reife Ei, Befruchtung)

im|prä|g|nie|ren (mit einem Schutzmittel [gegen Feuchtig-

I

impr

keit, Zerfall] durchtränken); **Im|prä|g|nie|rung**

im|prak|ti|ka|bel [auch ...'ka:...] ⟨lat.; griech.⟩ (unausführbar, unanwendbar); ...a|b|le Anordnung

Im|pre|sa|ria, die; -, ...rien ⟨ital.⟩; **Im|pre|sa|rio**, der; -s, Plur. -s od. ...ri, auch ...rien ([Theater-, Konzert]agent)

Im|pres|sen (Plur. von Impressum)

Im|pres|si|on, die; -, -en ⟨lat.⟩ (Eindruck; Empfindung; Sinneswahrnehmung); **im|pres|si|o|na|bel** (für Eindrücke empfänglich; erregbar); ...a|b|le Naturen

Im|pres|si|o|nis|mus, der; - (Kunstrichtung der 2. Hälfte des 19.Jh.s)

Im|pres|si|o|nist, der; -en, -en; **Im|pres|si|o|nis|tin**; **im|pres|si|o|nis|tisch**

Im|pres|sum, das; -s, ...ssen (Buchw. Erscheinungsvermerk; Angabe über Verleger, Drucker usw. in Druck-Erzeugnissen)

im|pri|ma|tur (»es werde gedruckt«) (Vermerk auf dem letzten Korrekturabzug; Abk. impr. u. imp.)

Im|pri|ma|tur, das; -s, österr. auch **Im|pri|ma|tur**, die; - (Druckerlaubnis); **im|pri|mie|ren** (das Imprimatur erteilen)

Im|promp|tu [ẽprõ'ty:], das; -s, -s ⟨franz.⟩ (Musik Fantasiekomposition)

Im|pro|vi|sa|ti|on, die; -, -en ⟨ital.⟩ (unvorbereitetes Handeln; Stegreifdichtung, -rede, -musizieren); **Im|pro|vi|sa|ti|ons|ta|lent**

Im|pro|vi|sa|tor, der; -s, ...oren (jmd., der improvisiert; Stegreifdichter usw.); **Im|pro|vi|sa|to|rin**; **im|pro|vi|sie|ren**

Im|puls, der; -es, -e ⟨lat.⟩ (Antrieb; Anregung; [An]stoß; Anreiz)

im|pul|siv (von plötzl. Einfällen abhängig; lebhaft, rasch); **Im|pul|si|vi|tät**, die; -

Imst (österr. Stadt)

im|stand (bes. südd.), **im|stan|de**, im Stand, im Stan|de; imstand[e] od. im Stand[e] sein; vgl. Stand

im Üb|ri|gen vgl. übrig

im Vo|r|aus [auch ...'raus] ↑K81

im Vor|hi|n|ein (im Voraus; ↑K81)

[1]in (Abk. i. [bei Ortsnamen, z. B. Weißenburg i. Bay.]); Präp. mit Dat. u. Akk.: ich gehe in dem (im) Garten auf und ab, aber ich

gehe in den Garten; im (in dem); ins (in das); vgl. ins

[2]in ⟨engl.⟩; in sein (ugs. für dazugehören; zeitgemäß, modern sein)

in, in. = Inch

In = chemisches Zeichen für Indium

...in (z. B. Lehrerin, die; -, -nen)

Ina (w. Vorn.)

in ab|sen|tia ⟨lat.⟩ (in Abwesenheit [des Angeklagten])

in ab|s|t|rac|to ⟨lat.⟩ (im Allgemeinen betrachtet; rein begrifflich); vgl. abstrakt

in|ad|äquat [auch ...'kva:t] ⟨lat.⟩ (nicht angemessen); **In|ad|äquat|heit**, die; -, -en

in ae|ter|num ⟨lat.⟩ (auf ewig)

in|ak|ku|rat [auch ...'ra:t] ⟨lat.⟩ (ungenau)

in|ak|tiv [auch ...'ti:f] ⟨lat.⟩ (untätig; unwirksam; ruhend)

in|ak|ti|vie|ren (Chemie, Med. unwirksam machen)

In|ak|ti|vi|tät [auch 'ı...], die; - (Untätigkeit, Unwirksamkeit)

in|ak|tu|ell [auch ...'tŭel] (nicht aktuell)

in|ak|zep|ta|bel [auch ...'ta:...] ⟨lat.⟩ (unannehmbar); ...a|b|le Bedingungen

in|an ⟨lat.⟩ (Philos. nichtig, leer)

In|an|griff|nah|me, die; -, -n

In|an|spruch|nah|me, die; -, -n

in|ar|ti|ku|liert [auch ...'li:ɐ̯t] ⟨lat.⟩ (ungegliedert; undeutlich [ausgesprochen])

In|au|gen|schein|nah|me, die; -, -n

In|au|gu|ral|dis|ser|ta|ti|on, die; -, -en ⟨lat.⟩ (wiss. Arbeit zur Erlangung der Doktorwürde)

In|au|gu|ra|ti|on, die; -, -en ([feierliche] Einsetzung in ein hohes Amt)

in|au|gu|rie|ren (einsetzen; beginnen, einleiten)

in bar; etwas in bar bezahlen

In|be|griff, der; -[e]s, -e (absolute Verkörperung; Musterbeispiel)

in|be|grif|fen vgl. einbegriffen

In|be|sitz|nah|me, die; -, -n

In Be|treff vgl. Betreff

In|be|trieb|nah|me, die; -, -n; **In|be|trieb|set|zung**

in Be|zug vgl. Bezug

In|bild (geh. für Ideal)

In|brunst, die; -; **in|brüns|tig**

In|bus ®, der; -ses, -se (Kurzw. für Innensechskantschlüssel [der Firma] Bauer und Schaurte); **In|bus|schlüs|sel**

Inc. = incorporated ⟨engl.-ame-

rik.⟩ (amerik. Bez. für eingetragen [von Vereinen o. Ä.])

In|cen|tive [...'sɛntıf], das; -s, -s ⟨engl.⟩ ([wirtschaftlicher] Anreiz; Ansporn; Gratifikation); **In|cen|tive|rei|se**

Inch [ıntʃ], der; -, -es ⟨engl.⟩ (angelsächsisches Längenmaß; Abk. in, in.; Zeichen "); 4 Inch[es]

in|cho|a|tiv [...k...] ⟨lat.⟩; **In|cho|a|tiv** [auch ...'ti:f], das; -s, -e (Sprachw. Verb, das den Beginn eines Geschehens ausdrückt, z. B. »erwachen«)

in|ci|pit ⟨lat., »es beginnt«⟩ (Vermerk am Anfang von Handschriften u. Frühdrucken)

incl. vgl. inkl.

in con|cert [- ...sɐt] ⟨engl.⟩ (in einem öffentlichen Konzert; bei einem öffentlichen Konzert aufgenommen)

in con|cre|to ⟨lat.⟩ (in Wirklichkeit; tatsächlich); vgl. konkret

in con|tu|ma|ci|am ⟨lat.⟩ (Rechtsspr.); in contumaciam urteilen (in Abwesenheit des Beklagten ein Urteil fällen)

in cor|po|re [- ...re] ⟨lat.⟩ (insgesamt; alle gemeinsam)

IND = Indiana

Ind. = Indikativ

I. N. D. = in nomine Dei; in nomine Domini

In|d|an|th|ren, das; -s, -e (ein licht- u. waschechter Farbstoff); **in|d|an|th|ren|far|ben**; **In|d|an|th|ren|farb|stoff**

In|de|fi|nit|pro|no|men [auch 'ı...] ⟨lat.⟩ (Sprachw. unbestimmtes Fürwort, z. B. »jemand«)

in|de|kli|na|bel [auch 'ı...] ⟨lat.⟩ (Sprachw. nicht beugbar); ein ...a|b|les Wort

in|de|li|kat [auch ...'ka:t] ⟨franz.⟩ (unzart; unfein)

in|dem; er diktierte den Brief, indem (während) er im Zimmer umherging ↑K121 ; aber er diktierte den Brief, in dem (in welchem) ...

in|dem|ni|sie|ren ⟨lat.⟩ (veraltet für entschädigen); **In|dem|ni|tät**, die; - (Straflosigkeit der Abgeordneten für Äußerungen im Parlament)

In-den-Ap|ril-Schi|cken, das; -s ↑K27 ; **In-den-Tag-hi|n|ein-Le|ben**, das; -s ↑K27

In|dent|ge|schäft ⟨engl.⟩ (dt.⟩ (eine Art des Exportgeschäftes)

In|de|pen|dence Day [...dı'pɛndns

'de:], der; - - ⟨engl.-amerik.⟩ (Unabhängigkeitstag der USA [4. Juli])

In|de|pen|dent, der; -en, -en *meist Plur.* ⟨engl.⟩ (Anhänger einer britischen puritanischen Richtung des 17. Jh.s); In|de|pen|denz, die; - ⟨lat.⟩ (*veraltet für* Unabhängigkeit)

In|der, der; -s, - (Bewohner Indiens); In|de|rin

in|des, in|des|sen

in|de|ter|mi|na|bel [*auch* ˈɪ...] ⟨lat.⟩ (unbestimmbar); ...a|b|ler Begriff; In|de|ter|mi|na|ti|on [*auch* ˈɪ...], die; - (Unbestimmtheit); in|de|ter|mi|niert [*auch* ˈɪ...] (unbestimmt); In|de|ter|mi|nis|mus [*auch* ˈɪ...], der; - (*Philos.* Lehre von der Willensfreiheit)

In|dex, der; -[es], *Plur.* -e u. ...dizes, *auch* ...dices ⟨lat.⟩ (alphabetisches Namen-, Sachverzeichnis; Liste verbotener Bücher; statistische Messziffer); das Buch steht auf dem Index

In|dex|an|pas|sung (*österr. für* Anpassung an die Inflationsrate)

in|dex|ge|bun|den (*bes. österr.*)

in|de|xie|ren (*fachspr.* ein Verzeichnis erstellen); In|de|xie|rung

In|dex|wäh|rung; In|dex|zahl; In|dex|zif|fer

in|de|zent ⟨lat.⟩ (nicht taktvoll, nicht feinfühlig); In|de|zenz, die; -, -en (Mangel an Takt)

In|di|a|ca® [...ka], das; -s (eine Art Volleyballspiel, Handtennis)

In|di|an, der; -s, -e (*bes. österr. für* Truthahn)

In|di|a|na (Staat in den USA; *Abk.* IND)

In|di|a|na|po|lis|start, In|di|a|na|po|lis-Start (fliegender Start beim Autorennen)

In|di|a|ner, der; -s, - (Angehöriger der Urbevölkerung Amerikas [außer den Eskimos]); *vgl.* Indio

In|di|a|ner|buch; In|di|a|ner|ge|schich|te; In|di|a|ner|häupt|ling

In|di|a|ne|rin

In|di|a|ner|krap|fen (*österr. für* Mohrenkopf)

In|di|a|ner|re|ser|vat; In|di|a|ner|re|ser|va|ti|on; In|di|a|ner|schmuck; In|di|a|ner|spra|che; In|di|a|ner|stamm

in|di|a|nisch; In|di|a|nist, der; -en, -en (Erforscher der indianischen Sprachen und Kulturen); In|di|a|nis|tik, die; -; In|di|a|nis|tin

In|di|ces (*Plur. von* Index); *vgl.* Indizes

In|die, das; -s, -s ⟨engl.⟩ (kleine unabhängige Musik- od. Filmproduktionsfirma)

In|di|en (Staat in Südasien); *vgl.* Bharat

In|dienst|nah|me, die; -, -n (*Amtsspr.);* In|dienst|stel|lung

in|dif|fe|rent [*auch* ...ˈrɛ...] ⟨lat.⟩ (unbestimmt, gleichgültig, teilnahmslos; wirkungslos)

In|dif|fe|ren|tis|mus, der; - (indifferente Haltung, Einstellung)

In|dif|fe|renz [*auch* ...ˈrɛ...], die; -, -en (Unbestimmtheit, Gleichgültigkeit; Wirkungslosigkeit)

in|di|gen (*fachspr.* einheimisch); indigene Sprachen

In|di|ges|ti|on [*auch* ˈɪ...], die; -, -en ⟨lat.⟩ (*Med.* Verdauungsstörung)

In|di|g|na|ti|on, die; - ⟨lat.⟩ (Unwille, Entrüstung); in|di|g|niert (peinlich berührt, entrüstet)

In|di|g|ni|tät, die; - (*Rechtsspr.* Erbunwürdigkeit)

In|di|go, der *od.* das; -s, *Plur.* (*für* Indigoarten:) -s ⟨span.⟩ (ein blauer Farbstoff)

in|di|go|blau; In|di|go|blau

In|di|go|lith, der; *Gen.* -s *u.* -en, *Plur.* -e[n] (ein Mineral)

In|dik, der; -s (Indischer Ozean)

In|di|ka|ti|on, die; -, -en ⟨lat.⟩ (Merkmal; *Med.* Heilanzeige); In|di|ka|ti|ons|mo|dell (Modell zur Freigabe des Schwangerschaftsabbruchs unter bestimmten Voraussetzungen)

In|di|ka|tiv, der; -s, -e (*Sprachw.* Wirklichkeitsform; *Abk.* Ind.); in|di|ka|ti|visch

In|di|ka|tor, der; -s, ...oren (Merkmal, das etwas anzeigt; Gerät zum Messen physikalischer Vorgänge; Stoff, der durch Farbwechsel das Ende einer chemischen Reaktion anzeigt)

In|di|ka|tor|di|a|gramm (Leistungsbild [einer Maschine]); In|di|ka|tor|pflan|ze (*Biol.*)

In|di|ka|t|rix, die; - (mathematisches Hilfsmittel zur Feststellung einer Flächenkrümmung)

In|dio, der; -s, -s ⟨span.⟩ (süd- u. mittelamerikanischer Indianer)

in|di|rekt [*auch* ...ˈrɛ...] ⟨lat.⟩ (mittelbar; auf Umwegen); indirekte Wahl; indirekte Rede (*Sprachw.* abhängige Rede); indirekter Fragesatz (abhängiger Fragesatz); In|di|rekt|heit

in|disch; indische Musik, *aber* ↑K140 : der Indische Ozean; der Indische Elefant (*Zool.);* In|disch|rot (eine Anstrichfarbe)

in|dis|kret [*auch* ...ˈkreːt] ⟨franz.⟩ (nicht verschwiegen; taktlos; zudringlich); In|dis|kre|ti|on [*auch* ˈɪ...], die; -, -en (Vertrauensbruch; Taktlosigkeit)

in|dis|ku|ta|bel [*auch* ...ˈtaː...] ⟨franz.⟩ (nicht der Erörterung wert); ...a|b|le Forderung

in|dis|po|ni|bel [*auch* ...ˈniː...] ⟨lat.⟩ (nicht verfügbar; festgelegt); eine ...i|b|le Menge

in|dis|po|niert (in schlechter körperlich-seelischer Verfassung); In|dis|po|si|ti|on, die; -, -en (schlechte körperlich-seelische Verfassung)

in|dis|zi|p|li|niert [*auch* ...ˈniːɐ̯t]

In|di|um, das; -s (chemisches Element, Metall; *Zeichen* In)

in|di|vi|du|a|li|sie|ren ⟨franz.⟩ (das Besondere, Eigentümliche hervorheben); In|di|vi|du|a|li|sie|rung

In|di|vi|du|a|lis|mus, der; - ⟨lat.⟩ (Anschauung, die dem Individuum den Vorrang vor der Gemeinschaft gibt)

In|di|vi|du|a|list, der; -en, -en (Vertreter des Individualismus; Einzelgänger); In|di|vi|du|a|lis|tin

in|di|vi|du|a|lis|tisch (nur das Individuum berücksichtigend; das Besondere, Eigentümliche betonend)

In|di|vi|du|a|li|tät, die; -, -en ⟨franz.⟩ (*nur Sing.:* Einzigartigkeit der Persönlichkeit; Eigenart; Persönlichkeit)

In|di|vi|du|al|psy|cho|lo|gie

In|di|vi|du|al|recht (Persönlichkeitsrecht)

In|di|vi|du|al|sphä|re

In|di|vi|du|al|tou|ris|mus

In|di|vi|du|al|ver|kehr

In|di|vi|du|a|ti|on, die; -, -en (Entwicklung der Einzelpersönlichkeit; Vereinzelung)

in|di|vi|du|ell ⟨franz.⟩ (dem Individuum eigentümlich; vereinzelt; besonders geartet; *regional für* privat, nicht staatlich)

In|di|vi|du|um, das; -s, ...duen ⟨lat.⟩ (Einzelwesen, einzelne Person; *abwertend für* Kerl, Lump)

In|diz, das; -es, -ien ⟨lat.⟩ (Anzeichen; Verdacht erregender Umstand)

In|di|zes, In|di|ces (*Plur. von* Index)

In|di|zi|en (*Plur. von* Indiz)

I

Indi

Indi

In|di|zi|en|be|weis (auf zwingen-
den Verdachtsmomenten
beruhender Beweis); In|di|zi-
en|ket|te; In|di|zi|en|pro|zess
in|di|zie|ren (auf den Index set-
zen; mit einem Index versehen; anzeigen; *Med.* als ange-
zeigt erscheinen lassen); in|di-
ziert (*Med.* angezeigt, ratsam);
In|di|zie|rung
In|do|chi|na (ehemaliges franzö-
sisches Kolonialgebiet in Südostasien; heute Vietnam, Laos
und Kambodscha)
In|do|eu|ro|pä|er *vgl.* Indoger-
mane; in|do|eu|ro|pä|isch (*Abk.*
ide., i.-e.); *vgl.* indogermanisch
In|do|ger|ma|ne (Angehöriger
einer westasiatisch-europäi-
schen Sprachfamilie); In|do-
ger|ma|nisch (*Abk.* idg.)
In|do|ger|ma|nisch, das; -[s]; *vgl.*
Deutsch; In|do|ger|ma|ni|sche,
das; -n; *vgl.* Deutsche, das
In|do|ger|ma|nist, der; -en, -en;
In|do|ger|ma|nis|tik (Wissen-
schaft, die die indogermani-
schen Sprachen erforscht); In-
do|ger|ma|nis|tin
In|dok|t|ri|na|ti|on, die; -, -en
(massive [ideologische] Beein-
flussung); in|dok|t|ri|na|tiv; in-
dok|t|ri|nie|ren; In|dok|t|ri|nie-
rung
In|dol, das; -s (chemische Ver-
bindung)
in|do|lent [*auch* ...'lɛ...] (*lat.*)
(unempfindlich; gleichgültig);
In|do|lenz [*auch* ...'lɛ...], die; -
In|do|lo|ge, der; -n, -n; In|do|lo-
gie, die; - (*griech.*) (Erforschung der Sprachen u. Kultu-
ren Indiens); In|do|lo|gin
In|do|ne|si|en (Inselstaat in Süd-
ostasien); In|do|ne|si|er; In|do-
ne|si|e|rin; in|do|ne|sisch
in|do|pa|zi|fisch (um den Indi-
schen u. Pazifischen Ozean
gelegen); der indopazifische
Raum
In|dos|sa|ment, das; -s, -e (*ital.*)
(*Bankw.* Wechselübertra-
gungsvermerk)
In|dos|sant, der; -en, -en (Wech-
selüberschreiber)
In|dos|san|tin
In|dos|sat, der; -en, -en, In|dos|sa-
tar, der; -s, -e (durch Indossament ausgewiesener Wechsel-
gläubiger); In|dos|sa|ta|rin; In-
dos|sa|tin
in|dos|sie|ren ([einen Wechsel]
durch Indossament übertra-

gen); In|dos|sie|rung; In|dos|so,
das; -s, *Plur.* -s u. ...dossi
(*Bankw.* Indossament)
In|d|ra (indischer Hauptgott der
wedischen Zeit)
in du|bio ⟨*lat.*⟩ (im Zweifelsfalle)
in du|bio pro reo ⟨»im Zweifel für
den Angeklagten«⟩ (ein alter
Rechtsgrundsatz); In-du-
bio-pro-reo-Grund|satz ↑K26
In|duk|tanz, die; - ⟨*lat.*⟩ (*Elektrot.*
rein induktiver Widerstand)
In|duk|ti|on, die; -, -en (*Logik*
Herleitung allgemeiner Regeln
aus Einzelfällen; *Elektrot.*
Erregung elektrischer Ströme
u. Spannungen durch bewegte
Magnetfelder)
In|duk|ti|ons|ap|pa|rat (Induktor);
In|duk|ti|ons|be|weis (*Logik*);
In|duk|ti|ons|krank|heit (*Med.*);
In|duk|ti|ons|ofen (*Technik*); In-
duk|ti|ons|schlei|fe (*Elektrot.*);
In|duk|ti|ons|strom (durch
Induktion erzeugter Strom)
in|duk|tiv [*auch* 'ı...] (auf Induk-
tion beruhend); In|duk|ti|vi|tät,
die; -, -en (Größe, die für die
Stärke des Induktionsstromes
mit maßgebend ist)
In|duk|tor, der; -s, ...oren (Trans-
formator zur Erzeugung hoher
Spannung)
in dul|ci ju|bi|lo ⟨*lat.*, »in süßem
Jubel«⟩ (*übertr. für* herrlich u.
in Freuden)
in|dul|gent (*lat.*) (nachsichtig);
In|dul|genz, die; -, -en (Nach-
sicht; Straferlass; *Theol.*
Ablass der zeitlichen Sünden-
strafen)
In|dult, der *od.* das; -[e]s, -e
(Frist; vorübergehende Befrei-
ung von einer kirchengesetzli-
chen Verpflichtung)
In|du|ra|ti|on, die; -, -en ⟨*lat.*⟩
(*Med.* Gewebe- od. Organver-
härtung)
In|dus, der; - (Strom in Vorderin-
dien)
In|du|si, die; - ⟨*Kurzw. aus* induk-
tive Zugsicherung⟩ (*Eisenb.*
Zugsicherungseinrichtung)
In|du|si|um, das; -s, ...ien ⟨*lat.*⟩
(*Bot.* häutiger Auswuchs der
Blattunterseite von Farnen)
In|dus|t|ri|al De|sign [ın'dʌstrıəl
dı'zaın], das; - -s ⟨*engl.*⟩ (Formgebung der Gebrauchsgegen-
stände); In|dus|t|ri|al De|si|g-
ner, der; - -s, - - (Formgestalter
für Gebrauchsgegenstände);
Indus|t|ri|al De|si|g|ne|rin, die

in|dus|t|ri|a|li|sie|ren ⟨*franz.*⟩
(Industrie ansiedeln, einfüh-
ren); In|dus|t|ri|a|li|sie|rung
In|dus|t|ri|a|lis|mus, der; - (Prä-
gung einer Volkswirtschaft
durch die Industrie)
In|dus|t|rie, die; -, ...ien
In|dus|t|rie|an|la|ge; In|dus|t|rie-
ar|bei|ter; In|dus|t|rie|ar|bei|te-
rin; In|dus|t|rie|ar|chäo|lo|gie
(Erhaltung u. Erforschung von
industriellen Bauwerken,
Maschinen o. Ä.); In|dus|t|rie-
aus|stel|lung
In|dus|t|rie|bau *Plur.* ...bauten; In-
dus|t|rie|be|trieb; In|dus|t|rie-
de|sign (Gestaltung von
Gebrauchsgegenständen); In-
dus|t|rie|er|zeug|nis
In|dus|t|rie|ge|biet; In|dus|t|rie|ge-
werk|schaft (*Abk.* IG); In|dus|t-
rie|ka|pi|tän (*ugs.*)
In|dus|t|rie|kauf|frau; In|dus|t|rie-
kauf|mann *Plur.* ...leute
In|dus|t|rie|kom|bi|nat (*DDR*); In-
dus|t|rie|la|den (*DDR*); In|dus|t-
rie|land; In|dus|t|rie|land|schaft
in|dus|t|ri|ell; die erste, zweite
industrielle Revolution ↑K89;
In|dus|t|ri|el|le, der u. die; -n, -n
(Eigentümer[in] eines Indus-
triebetriebes); In|dus|t|ri|el|len-
ver|ei|ni|gung (Interessenver-
tretung der österr. Industrie)
In|dus|t|rie|ma|g|nat
In|dus|t|rie|meis|ter; In|dus|t|rie-
meis|te|rin
In|dus|t|rie|mes|se; In|dus|t|rie-
müll; In|dus|t|rie|na|ti|on; In-
dus|t|rie|pro|dukt; In|dus|t|rie-
pro|duk|ti|on; In|dus|t|rie|ro|bo-
ter; In|dus|t|rie|staat; In|dus|t-
rie|stadt
In|dus|t|rie- und Han|dels|kam-
mer (*von den Richtlinien der
Rechtschreibung* ↑K26 *abweichende übliche Schreibung*;
Abk. IHK)
In|dus|t|rie|un|ter|neh|men; In-
dus|t|rie|zeit|al|ter; In|dus|t|rie-
zone (österr., schweiz. neben
Industriegebiet); In|dus|t|rie-
zweig
in|du|zie|ren ⟨*lat.*⟩ (*Verb zu*
Induktion)
in|ef|fek|tiv [*auch* ...'ti:f] ⟨*lat.*⟩
(unwirksam, frucht-, nutzlos)
in ef|fi|gie ⟨*lat.*⟩ (bildlich)
in|ef|fi|zi|ent [*auch* ...'tsjɛnt]
⟨*lat.*⟩ (unwirksam; unwirt-
schaftlich); In|ef|fi|zi|enz [*auch*
...'tsjɛ...], die; -, -en

in|egal [*auch* ...'ga:l] ⟨franz.⟩ (ungleich[mäßig])

in|ei|n|an|der

Man schreibt »ineinander« mit dem folgenden Verb in der Regel zusammen, wenn es den gemeinsamen Hauptakzent trägt ↑ K 48:

– ineinanderfließen, ineinanderfügen, ineinandergreifen, ineinanderschieben
– *Aber:* sich ineinander verkeilen, ineinander verschachteln

in eins; in eins setzen (gleichsetzen); **In|eins|set|zung** *(geh.)*
in|ert ⟨lat.⟩ (*veraltet für* untätig, träge; unbeteiligt); **In|ert|gas** (*Chemie* reaktionsträges Gas)
Ines (w. Vorn.)
in|es|sen|zi|ell, in|es|sen|ti|ell [*auch* ...'tsiel] ⟨lat.⟩ (unwesentlich)
in|ex|akt [*auch* ...'ksa...] ⟨lat.⟩ (ungenau); **In|ex|akt|heit**
in|exis|tent [*auch* ...'tɛ...] ⟨lat.⟩ (nicht vorhanden); **In|exis|tenz,** die; - (das Nichtvorhandensein; *Philos.* das Dasein, Enthaltensein in etwas)
in ex|ten|so ⟨lat.⟩ (ausführlich)
in ex|tre|mis ⟨lat.⟩ (*Med.* im Sterben [liegend])
in|fal|li|bel ⟨lat.⟩ (unfehlbar [vom Papst]); eine ...i|b|le Entscheidung; **In|fal|li|bi|li|tät,** die; -
in|fam ⟨lat.⟩ (niederträchtig); **In|fa|mie,** die; -, ...ien
In|fant, der; -en, -en ⟨span., »Kind«⟩ (Titel spanischer u. portugiesischer Prinzen)
In|fan|te|rie [...ri, *auch* ...'ri:], die; -, ...ien ⟨franz.⟩ (*Milit.* Fußtruppe); **In|fan|te|rie|re|gi|ment** (*Abk.* IR.); **In|fan|te|rist** [*auch* ...'rɪ...], der; -en, -en (Fußsoldat); **In|fan|te|ris|tin;** in|fan|te|ris|tisch
in|fan|til ⟨lat.⟩ (kindlich; unentwickelt, unreif); **in|fan|ti|li|sie|ren; In|fan|ti|li|sie|rung; In|fan|ti|lis|mus,** der; -, ...men (Stehenbleiben auf kindlicher Entwicklungsstufe); **In|fan|ti|li|tät,** die; -
In|fan|tin ⟨span.⟩ (Titel span. u. portugiesischer Prinzessinnen)
In|farkt, der; -[e]s, -e ⟨lat.⟩ (*Med.* Absterben eines Gewebeteils infolge Gefäßverschlusses; kurz *für* **In|farkt|ge|fähr|det; In|farkt|ri|si|ko**
In|fekt, der; -[e]s, -e ⟨lat.⟩ (*Med.* Infektionskrankheit; *kurz für* Infektion); grippaler Infekt

In|fek|tio|lo|gie, die; - (Wissenschaft von den Infektionskrankheiten)
In|fek|ti|on, die; -, -en (Ansteckung durch Krankheitserreger); **In|fek|ti|ons|er|re|ger; In|fek|ti|ons|ge|fahr; In|fek|ti|ons|herd; In|fek|ti|ons|krank|heit**
in|fek|ti|ös (ansteckend)
In|fel *vgl.* Inful
In|fe|ri|o|ri|tät, die; - ⟨lat.⟩ (untergeordnete Stellung; Minderwertigkeit)
in|fer|nal (*seltener für* infernalisch); **in|fer|na|lisch** ⟨lat.⟩ (höllisch; teuflisch)
In|fer|no, das; -s ⟨ital., »Hölle«⟩ (entsetzliches Geschehen)
in|fer|til [*auch* ...'ɪn...] ⟨lat.⟩ (unfruchtbar); **In|fer|ti|li|tät,** die; -
In|fight, der; -[s], -e *u.* **In|figh|ting,** das; -[s], -s ⟨engl.⟩ (Boxen Nahkampf)
In|fil|t|ra|ti|on, die; -, -en ⟨lat.⟩ (Einsickern; Eindringen; [ideologische] Unterwanderung); **In|fil|t|ra|ti|ons|ver|such**
in|fil|t|rie|ren (eindringen); **In|fil|t|rie|rung,** die; -, -en
In|fi|mum, das; -s, ...ma ⟨lat.⟩ (*Math.* untere Grenze einer beschränkten Menge)
in|fi|nit [*auch* ...'ni:t] ⟨lat.⟩ (*Sprachw.* unbestimmt); infinite Form (Form des Verbs, die im Ggs. zur finiten Form [*vgl.* finit] nicht nach Person u. Zahl bestimmt ist, z. B. »schwimmen« [*vgl.* Infinitiv], »schwimmend« u. »geschwommen« [*vgl.* Partizip])
in|fi|ni|te|si|mal (*Math.* zum Grenzwert hin unendlich klein werdend); **In|fi|ni|te|si|mal|rech|nung** *(Math.)*
in|fi|ni|tiv [*auch* ...'ti:f], der; -s, -e (*Sprachw.* Grundform [des Verbs], z. B. »schwimmen«)
In|fi|ni|tiv|kon|junk|ti|on (z. B. »zu«, »ohne zu«, »anstatt zu«)
In|fi|ni|tiv|satz (satzwertiger Infinitiv)
In|fix [*auch* 'ɪ...], das; -es, -e ⟨lat.⟩ (in den Wortstamm eingefügtes Wortbildungselement)
in|fi|zie|ren ⟨lat.⟩ (anstecken; mit Krankheitserregern verunreinigen); **In|fi|zie|rung**
in fla|g|ran|ti ⟨lat.⟩ (auf frischer Tat); in flagranti ertappen
in|flam|ma|bel ⟨lat.⟩ (entzündbar); ...a|b|le Stoffe

In|fla|ti|on, die; -, -en (übermäßige Ausgabe von Zahlungsmitteln; Geldentwertung); **in|fla|ti|o|när, in|fla|ti|o|nis|tisch** (Inflation bewirkend)
In|fla|ti|ons|ab|gel|tung (*österr. für* Inflationsausgleich); **In|fla|ti|ons|aus|gleich; in|fla|ti|ons|be|rei|nigt; In|fla|ti|ons|ra|te**
in|fla|to|risch (*svw.* inflationär)
in|fle|xi|bel [*auch* ...'ksi:...] ⟨lat.⟩ (*selten für* unbiegsam; unveränderlich; *Sprachw.* nicht beugbar); ...i|b|les Wort
In|fle|xi|bi|li|tät [*auch* 'ɪ...], die; - (Unbiegsamkeit; Unbeugsamkeit)
In|flu|enz, die; -, -en ⟨lat.⟩ (Beeinflussung eines elektrisch ungeladenen Körpers durch die Annäherung eines geladenen)
In|flu|en|za, die; - ⟨ital.⟩ (*veraltet für* Grippe)
In|flu|enz|ma|schi|ne (Maschine zur Erzeugung hoher elektrischer Spannung)
¹**In|fo,** das; -s, -s (*ugs. kurz für* Informationsblatt)
²**In|fo,** die; -, -s (*ugs. kurz für* Information)

Info

In|fo|brief *(Postw.)*
In|fo|kas|ten (eingekästelte Informationstexte)
in|fol|ge ↑ K 63 ; *mit Gen. oder mit* »von«: infolge des schlechten Wetters; infolge übermäßigen Stresses; infolge von Krieg, *aber* sie hat drei Mal in Folge (hintereinander) gewonnen
in|fol|ge|des|sen; die Straßen waren überflutet und infolgedessen (deshalb) unpassierbar, *aber* das Hochwasser, infolge dessen die Straßen unpassierbar waren
In|fo|line [...lain], die; -, -s ⟨engl.⟩ (telefonischer Auskunftsdienst)
In|fo|mo|bil, das; -s, -e (Fahrzeug als fahrbarer Informationsstand)
In|fo|post (in größeren Mengen verschickte Postsendungen)
In|for|mand, der; -en, -en ⟨lat.⟩ (eine Person, die informiert wird); **In|for|man|din**
In|for|mant, der; -en, -en (jmd., der [geheime] Informationen liefert); **In|for|man|ten|schutz** *(Rechtsw.);* **In|for|man|tin**
In|for|ma|tik, die; - (Wissenschaft von der Informationsverarbeitung, insbesondere mithilfe von

Informatiker – Initiale

Computern); In|for|ma|ti|ker; In|for|ma|ti|ke|rin

In|for|ma|ti|on, die; -, -en (Auskunft; Nachricht; Belehrung); in|for|ma|ti|o|nell

In|for|ma|ti|ons|aus|tausch; In|for|ma|ti|ons|be|dürf|nis; In|for|ma|ti|ons|blatt; In|for|ma|ti|ons|bü|ro; In|for|ma|ti|ons|fluss; In|for|ma|ti|ons|flut

In|for|ma|ti|ons|ge|halt, der; In|for|ma|ti|ons|ge|sell|schaft; In|for|ma|ti|ons|ma|te|ri|al; In|for|ma|ti|ons|quel|le; In|for|ma|ti|ons|sys|tem

In|for|ma|ti|ons|tech|no|lo|gie (Abk. IT); In|for|ma|ti|ons|the|o|rie; In|for|ma|ti|ons|ver|ar|bei|tung; In|for|ma|ti|ons|zeit|al|ter; In|for|ma|ti|ons|zen|t|rum

in|for|ma|tisch (zu Informatik)

in|for|ma|tiv (belehrend; Auskunft gebend; aufschlussreich)

In|for|ma|tor, der; -s, ...oren (jmd., von dem man Informationen bezieht); In|for|ma|to|rin; in|for|ma|to|risch (der [vorläufigen] Unterrichtung dienend)

In|for|mel [ẽ...], das; - ⟨franz.⟩ (informelle Kunst; vgl. ²informell)

¹in|for|mell ⟨lat.⟩ (informierend)

²in|for|mell [auch ...'mɛl] ⟨franz.⟩ (nicht förmlich; auf Formen verzichtend); informelle Kunst (eine Richtung der modernen Malerei)

in|for|mie|ren ⟨lat.⟩ (Auskunft geben; benachrichtigen); sich informieren (Auskünfte, Erkundigungen einziehen); In|for|miert|heit, die; -; In|for|mie|rung

In|fo|tain|ment [...'te:nment], das; -s ⟨engl.-dt.; Kurzw. aus Information u. Entertainment⟩ (unterhaltende Darbietung von Informationen)

in|frage, in Fra|ge; infrage, in Frage kommen, stehen, stellen; das kommt nicht infrage od. in Frage; ↑K 58 : die infrage od. in Frage kommenden Personen; die infrage od. in Frage gestellte Regelung, aber das Infragestellen

in|f|ra|rot ⟨lat.⟩; dt.⟩ (zum Infrarot gehörend); In|f|ra|rot (unsichtbare Wärmestrahlen, die im Spektrum zwischen dem roten Licht u. den kürzesten Radiowellen liegen)

In|f|ra|rot|film

in|f|ra|rot|ge|steu|ert; In|f|ra|rot|hei|zung; In|f|ra|rot|strah|ler; In|f|ra|rot|strah|lung

In|f|ra|schall, der; -[e]s (Schallwellenbereich unterhalb von 16 Hertz)

In|f|ra|struk|tur (wirtschaftlich-organisatorischer Unterbau einer arbeitsteiligen Wirtschaft); in|f|ra|struk|tu|rell

In|ful, die; -, -n ⟨lat.⟩ (altrömische weiße Stirnbinde; Bez. der Mitra mit herabhängenden Bändern); in|fu|liert (zum Tragen der Inful berechtigt)

in|fun|die|ren ⟨lat.⟩ (Med. durch Infusion einführen)

In|fus, das; -es, -e (Aufguss; Tee)

In|fu|si|on, die; -, -en (Zufuhr von Flüssigkeit in den Körper mittels einer Hohlnadel)

In|fu|si|ons|tier|chen, In|fu|so|ri|um, das; -s, ...ien meist Plur. (Aufgusstierchen [einzelliges Wimpertierchen])

In|fu|sum, das; -s, ...sa (svw. Infus)

Ing. = Ingenieur, Ingenieurin

In|ga (w. Vorn.)

In|gang|hal|tung, die; -; In|gang|set|zung

In|gä|wo|nen usw. vgl. Ingwäonen usw.

In|ge, In|ge|borg (w. Vorn.)

In|ge|brauch|nah|me, die; -, -n

in ge|ne|re [auch - 'ge:...] ⟨lat.⟩ (im Allgemeinen)

In|ge|ni|eur [...ʒe'njø:ɐ̯], der; -s, -e ⟨franz.⟩ (Abk. Ing.)

In|ge|ni|eur|aka|de|mie; In|ge|ni|eur|bau Plur. ...bauten; In|ge|ni|eur|bü|ro

In|ge|ni|eu|rin (Abk. Ing.)

In|ge|ni|eur|öko|nom (DDR auch auf technischem Gebiet ausgebildeter Wirtschaftswissenschaftler); In|ge|ni|eur|öko|no|min

In|ge|ni|eur|schu|le

In|ge|ni|eur|wis|sen|schaft meist Plur.

in|ge|ni|ös [...gen...] ⟨lat.⟩ (sinnreich; erfinderisch; scharfsinnig); In|ge|ni|o|si|tät, die; - (Erfindungsgabe, Scharfsinn)

In|ge|ni|um, das; -s, ...ien (schöpferische Begabung; Genie)

In|ges|ti|on, die; - ⟨lat.⟩ (Med. Nahrungsaufnahme)

in|ge|züch|tet (zu Inzucht)

In|gol|stadt (Stadt in Bayern)

In|got, der; -s, -s ⟨engl.⟩ (Metallblock, -barren)

In|grain|pa|pier [...'gre:n...] ⟨engl.; dt.⟩ (raues Zeichenpapier mit farbigen od. schwarzen Wollfasern)

In|gre|di|ens, das; -, ...ienzien meist

Plur., In|gre|di|enz, die; -, -en meist Plur. ⟨lat.⟩ (Zutat; Bestandteil)

In|g|res ['ɛ̃:grə] (franz. Maler)

In|gress, der; -es, -e ⟨lat.⟩ (veraltet für Eingang, Zutritt)

In|gres|si|on, die; -, -en (Geol. das Eindringen von Meerwasser in Landsenken)

Ing|rid (w. Vorn.)

In|grimm, der; -[e]s (veraltend für Grimm); in|grim|mig

in gros|so ⟨ital.⟩ (veraltend für en gros)

Ing|wä|o|nen Plur. (Kultgemeinschaft westgermanischer Stämme); ing|wä|o|nisch

Ing|wer, der; -s, - ⟨sanskr.⟩ (eine Gewürzpflanze; ein Likör; nur Sing.: ein Gewürz); Ing|wer|bier; Ing|wer|öl

In|ha|ber; In|ha|be|rin

In|ha|ber|pa|pier (Bankw.)

in|haf|tie|ren (in Haft nehmen); In|haf|tier|te, der u. die; -n, -n; In|haf|tie|rung

In|haft|nah|me, die; -, -n (Amtsspr.)

In|ha|la|ti|on, die; -, -en ⟨lat.⟩ (Med. Einatmung meist dampfförmiger od. zerstäubter Heilmittel); In|ha|la|ti|ons|ap|pa|rat

In|ha|la|to|ri|um, das; -s, ...ien (Raum zum Inhalieren); in|ha|lie|ren (auch für [beim Zigarettenrauchen] den Rauch [in die Lunge] einziehen)

In|halt, der; -[e]s, -e; in|halt|lich

In|halts|an|ga|be

in|halts|arm; in|halts|los

in|halts|reich; in|halts|schwer

In|halt[s]|stoff

In|halts|über|sicht; In|halts|ver|zeich|nis

in|halt[s]|voll

in|hä|rent ⟨lat.⟩ (anhaftend; innewohnend); In|hä|renz, die; - (Philos. die Zugehörigkeit der Eigenschaften zu ihren Trägern)

in|hä|rie|ren (anhaften)

in hoc sa|lus ⟨lat., »in diesem [ist] Heil«⟩ (Abk. I. H. S.)

in hoc si|g|no ⟨lat., »in diesem Zeichen«⟩ (Abk. I. H. S.)

in|ho|mo|gen [auch ...'ge:n] ⟨lat.; griech.⟩ (ungleichartig); In|ho|mo|ge|ni|tät [auch 'ɪ...], die; -

in ho|no|rem ⟨lat.⟩ (zu Ehren)

in|hu|man [auch ...'ma:n] ⟨lat.⟩ (unmenschlich); In|hu|ma|ni|tät [auch 'ɪ...], die; -, -en; in in|fi|ni|tum vgl. ad infinitum

In|i|ti|al vgl. Initiale

In|i|ti|al|buch|sta|be; In|i|ti|a|le, die;

Info

530

-, -n, *seltener* In|i|ti|al, das; -s, -e ⟨lat.⟩ (großer [meist verzierter] Anfangsbuchstabe)

In|i|ti|al|spreng|stoff (Zündstoff für Initialzündungen)

In|i|ti|al|wort *Plur.* ...wörter (*Sprachw.*)

In|i|ti|al|zel|len *Plur. (Bot.);* In|i|ti|al|zün|dung (Zündung eines schwer entzündlichen Sprengstoffs durch einen leicht entzündlichen)

In|i|ti|and, der; -en, -en (Anwärter auf eine Initiation); In|i|ti|an|din

In|i|ti|ant, der; -en, -en (jemand, der die Initiative ergreift); In|i|ti|an|tin

In|i|ti|a|ti|on, die; -, -en (*Soziol.* Aufnahme in eine Gemeinschaft; *Völkerk.* Reifefeier bei den Naturvölkern); In|i|ti|a|ti|ons|ri|tus *meist Plur.*

in|i|ti|a|tiv (Initiative ergreifend, besitzend); Initiative werden

In|i|ti|a|tiv|an|trag (die parlamentarische Diskussion eines Problems einleitender Antrag)

In|i|ti|a|ti|ve, die; -, -n ⟨franz.⟩ (erste tätige Anregung zu einer Handlung; Entschlusskraft, Unternehmungsgeist; *schweiz. auch für* Begehren nach Erlass, Änderung od. Aufhebung eines Gesetzes od. Verfassungsartikels); die Initiative ergreifen

In|i|ti|a|tiv|recht, das; -[e]s (das Recht, Gesetzentwürfe einzubringen)

In|i|ti|a|tor, der; -s, ...oren ⟨lat.⟩ (Urheber; Anstifter); In|i|ti|a|to|rin

In|i|ti|en *Plur.* (Anfänge; Anfangsgründe)

in|i|ti|ie|ren (den Anstoß geben; einleiten; [in ein Amt] einführen; einweihen)

In|jek|ti|on, die; -, -en ⟨lat.⟩ (*Med.* Einspritzung; *Geol.* Eindringen von Magma in Gesteinsspalten; *Bauw.* Bodenverfestigung durch das Einspritzen von Zement)

In|jek|ti|ons|lö|sung (*Med.);* In|jek|ti|ons|sprit|ze

In|jek|tor, der; -s, ...oren (*Technik* Pressluftzubringer in Saugpumpen; Pumpe, die Wasser in einen Dampfkessel einspritzt)

in|ji|zie|ren (einspritzen)

In|ju|rie, die; -, -n ⟨lat.⟩ (Unrecht, Beleidigung); in|ju|ri|ie|ren (*veraltet für* beleidigen)

In|ka, der; -[s], -[s] (Bewohner des Inkareichs)

In|ka|bein, In|ka|kno|chen (*Med.* ein Schädelknochen)

in|ka|isch

In|ka|kno|chen *vgl.* Inkabein

in|kar|nat ⟨lat.⟩ (*Kunstwiss.* fleischfarben); In|kar|nat, das; -[e]s (Fleischton [auf Gemälden])

In|kar|na|ti|on, die; -, -en (»Fleischwerdung«) (Verkörperung; *Rel.* Menschwerdung [Christi])

In|kar|nat|rot, das; -s

in|kar|nie|ren, sich (verkörpern)

in|kar|niert (*Rel.* Fleisch geworden)

In|kas|sant, der; -en, -en ⟨ital.⟩ (*österr. für* jmd., der Geld kassiert); In|kas|san|tin

In|kas|so, das; -s, *Plur.* -s *od.,* österr. auch, ...kassi (*Bankw.* Einziehung von Geldforderungen); In|kas|so|bü|ro; In|kas|so|voll|macht

In|kauf|nah|me, die; -

inkl. = inklusive

In|kli|na|ti|on, die; -, -en ⟨lat.⟩ (Vorliebe, Zuneigung; *Physik* Neigung einer frei aufgehängten Magnetnadel zur Waagerechten; *Math.* Neigung zweier Ebenen od. einer Linie u. einer Ebene gegeneinander)

in|klu|die|ren ⟨lat.⟩ (*fachspr. für* mit einschließen)

in|klu|si|ve

⟨lat.⟩ (einschließlich, inbegriffen; *Abk.* inkl.)

Präposition mit Genitiv:

– inklusive des Verpackungsmaterials; inklusive der genannten Beträge

Ein allein stehendes, stark gebeugtes Substantiv steht im Singular ungebeugt:

– inklusive Porto; inklusive Behälter

Im Plural wird bei allein stehenden, stark gebeugten Substantiven häufig der Dativ gesetzt:

– inklusive Getränken; inklusive Abfällen

In|klu|siv|mie|te (*österr. für* Miete einschließlich Nebenkosten)

in|ko|g|ni|to ⟨ital., »unerkannt«⟩ (unter fremdem Namen); inkognito reisen

In|ko|g|ni|to, das; -s, -s

in|ko|hä|rent [*auch* ...'rɛ...] ⟨lat.⟩ (unzusammenhängend);

In|ko|hä|renz [*auch* ...'rɛ...], die; -, -en

In|koh|lung (*Geol.* Umwandlung von Pflanzen in Kohle)

in|kom|men|su|ra|bel ⟨lat.⟩ (nicht messbar; nicht vergleichbar; ...ra|b|le Größen (*Math.)*

In|kom|men|su|ra|bi|li|tät, die; -

in|kom|mo|die|ren ⟨lat.⟩ (*veraltend für* belästigen; bemühen); sich inkommodieren (sich Mühe machen); In|kom|mo|di|tät, die; -, -en (Unbequemlichkeit)

in|kom|pa|ra|bel [*auch* ...'ra:...] ⟨lat.⟩ (*veraltend für* unvergleichbar; *Sprachw.* nicht steigerbar); ...a|b|le Verhältnisse

in|kom|pa|ti|bel [*auch* ...'ti:...] ⟨lat.⟩ (unverträglich; miteinander unvereinbar); ...i|b|le Blutgruppen; In|kom|pa|ti|bi|li|tät [*auch* 'in...], die; -, -en

in|kom|pe|tent [*auch* ...'tɛ...] ⟨lat.⟩ (nicht sachverständig; nicht befugt); In|kom|pe|tenz [*auch* ...'tɛ...], die; -, -en

in|kom|plett [*auch* ...'plɛt] ⟨franz.⟩ (unvollständig)

in|kom|pres|si|bel [*auch* ...'si:...] ⟨lat.⟩ (*Physik* nicht zusammenpressbar); ...i|b|le Materialien; In|kom|pres|si|bi|li|tät [*auch* 'ı...], die; -

in|kon|gru|ent [*auch* ...'ɛ...] ⟨lat.⟩ (nicht übereinstimmend; *Math.* nicht deckungsgleich); In|kon|gru|enz [*auch* ...'ɛ...], die; -, -en

in|kon|se|quent [*auch* ...'kvɛ...] ⟨lat.⟩ (nicht folgerichtig; widersprüchlich); In|kon|se|quenz [*auch* ...'kvɛ...], die; -, -en

in|kon|sis|tent [*auch* ...'tɛ...] ⟨lat.⟩ (unbeständig; widersprüchlich); In|kon|sis|tenz [*auch* ...'tɛ...], die; -

in|kon|s|tant [*auch* ...'ta...] ⟨lat.⟩ (veränderlich, unbeständig); In|kon|s|tanz [*auch* ...'ta...], die; -

in|kon|ti|nent [*auch* ...'nɛ...] ⟨lat.⟩ (*Med.* nicht in der Lage, Harn od. Stuhl zurückzuhalten)

In|kon|ti|nenz [*auch* ...'nɛ...], die; -, -en

in|kon|ver|ti|bel [*auch* ...'ti:...] ⟨lat.⟩ (*Wirtsch.* nicht austauschbar [von Währungen]); ...i|b|le Währungen

in|kon|zi|li|ant [*auch* ...'lɪa...] ⟨lat.⟩ (nicht umgänglich)

in|kor|po|ral ⟨lat.⟩ (*Med.* im Körper [befindlich])

In|kor|po|ra|ti|on, die; -, -en (Ein-

Inko

verleibung; Aufnahme); in|kor|po|rie|ren; In|kor|po|rie|rung

in|kor|rekt [auch ...'rɛ...] ⟨lat.⟩ ([sprachlich] ungenau, fehlerhaft; unangemessen); In|kor|rekt|heit

in Kraft vgl. Kraft; In|kraft|set|zung (Amtsspr.)

In|kraft|tre|ten, das; -s (eines Gesetzes ↑K 82; vgl. auch Kraft)

In|kreis, der; -es, -e (Math. einer Figur einbeschriebener Kreis)

In|kre|ment, das; -[e]s, -e ⟨lat.⟩ (Math. Betrag, um den eine Größe zunimmt)

In|kret, das; -[e]s, -e ⟨lat.⟩ (Med. von Drüsen ins Blut abgegebener Stoff, Hormon); In|kre|ti|on, die; - (innere Sekretion); in|kre|to|risch (die innere Sekretion betreffend, auf ihr beruhend)

in|kri|mi|nie|ren ⟨lat.⟩ (beschuldigen; unter Anklage stellen); in|kri|mi|niert (beschuldigt)

In|krus|ta|ti|on, die; -, -en ⟨lat.⟩ (farbige Verzierung von Flächen durch Einlagen; Geol. Krustenbildung); in|krus|tie|ren

In|ku|ba|ti|on, die; -, -en ⟨lat.⟩ (Tempelschlaf in der Antike; Zool. Bebrütung von Vogeleiern; Med. das Sichfestsetzen von Krankheitserregern im Körper; auch kurz für Inkubationszeit)

In|ku|ba|ti|ons|zeit (Zeit von der Infektion bis zum Ausbruch einer Krankheit)

In|ku|ba|tor, der; -s, ...oren (Brutkasten [für Frühgeburten])

In|ku|bus, der; -, Inkuben (Buhlteufel des mittelalterlichen Hexenglaubens); vgl. Sukkubus

in|ku|lant [auch ...'la...] ⟨franz.⟩ ([geschäftlich] ungefällig); In|ku|lanz [auch ...'la...], die; -, -en

In|kul|pant, der; -en, -en ⟨lat.⟩ (Rechtsspr. veraltet Ankläger); In|kul|pan|tin

In|kul|pat, der; -en, -en ⟨Rechtsspr. veraltet Angeschuldigter); In|kul|pa|tin

In|ku|na|bel, die; -, -n meist Plur. ⟨lat.⟩ (Wiegen-, Frühdruck, Druck aus der Zeit vor 1500)

in|ku|ra|bel [auch ...'ra:...] ⟨lat.⟩ (Med. unheilbar); ...a|b|le Krankheit

in Kürze vgl. Kürze

In|laid, der; -s, -e ⟨engl.⟩ (durchgemustertes Linoleum)

In|land, das; -[e]s; In|land|eis

In|län|der, der; In|län|de|rin

In|land|flug, In|lands|flug

in|län|disch

In|lands|brief; In|lands|flug, In|land|flug; In|lands|ge|spräch; In|lands|markt; In|lands|nach|fra|ge; In|lands|por|to; In|lands|preis; In|lands|rei|se

In|laut (Sprachw.); in|lau|tend

In|lay ['ɪnle:], das; -s, -s ⟨engl.⟩ (aus Metall od. Porzellan gegossene Zahnfüllung)

In|lett, das; -[e]s, Plur. -e od. -s (Baumwollstoff [für Federbetten u. -kissen])

in|lie|gend (Papierdt.); vgl. einliegend

In|lie|gen|de, das; -n

In|li|ner [...lai...], der; -s, - ⟨engl.⟩ (kurz für Inlineskate)

In|line|skate ['ɪnlainske:t], der; -s, -s meist Plur. ⟨engl.⟩ (Rollschuh mit schmalen, in einer Reihe hintereinander angeordneten Rädchen)

in|line|ska|ten ⟨engl.⟩ (Rollschuhlaufen mit Inlineskates)

In|line|ska|ter, der; -s, -; In|line|ska|te|rin; In|line|ska|ting, das; -s

in ma|i|o|rem Dei glo|ri|am vgl. ad maiorem Dei gloriam

in me|di|as res ⟨lat., »mitten in die Dinge hinein«⟩ ([unmittelbar] zur Sache)

in me|mo|ri|am ⟨lat., »zum Gedächtnis«⟩ (zum Andenken); in memoriam Maria Theresia

in|mit|ten (geh.) ↑K 63 ; als Präp. mit Gen.: inmitten des Sees

Inn, der; -[s] (r. Nebenfluss der Donau)

in na|tu|ra ⟨lat.⟩ (in Wirklichkeit; ugs. für in Form von Naturalien)

in|ne

Getrenntschreibung in Verbindung mit »sein« ↑K 49:

inne sein (geh.); er ist dieses Erlebnisses inne gewesen; ehe er dessen inne ist, inne war

Vgl. aber innehaben, innewerden usw.; mitteninne

in|ne|ha|ben; seit er dieses Amt innehat, innegehabt hat

in|ne|hal|ten; um mitten im Satz innezuhalten

in|nen; von, nach innen; innen und außen

In|nen|an|ten|ne; In|nen|ar|bei|ten Plur.

In|nen|ar|chi|tekt; In|nen|ar|chi|tek|tin; In|nen|ar|chi|tek|tur

In|nen|auf|nah|me

In|nen|aus|schuss (Politik)

In|nen|aus|stat|tung; In|nen|bahn (Sport); In|nen|dienst; In|nen|durch|mes|ser; In|nen|ein|rich|tung

In|nen|flä|che; In|nen|hand (Boxen); In|nen|hof

In|nen|kan|te; In|nen|kur|ve

In|nen|le|ben, das; -s

In|nen|mi|nis|ter; In|nen|mi|nis|te|rin; In|nen|mi|nis|te|ri|um

In|nen|po|li|tik, die; -; in|nen|po|li|tisch, in|nen|po|li|tisch

In|nen|raum; In|nen|rist (bes. Fußball innere Seite des Fußrückens); In|nen|sei|te; In|nen|spie|gel

In|nen|stadt; In|nen|stür|mer; In|nen|stür|me|rin; In|nen|ta|sche; In|nen|tem|pe|ra|tur; In|nen|ver|tei|di|ger; In|nen|ver|tei|di|ge|rin

In|nen|welt, die; -

In|ner|asi|en

in|ner|be|trieb|lich; in|ner|deutsch; in|ner|dienst|lich

in|ne|re; innerste; zuinnerst; die innere Medizin; innere Angelegenheiten eines Staates; ↑K 89 : innere, fachspr. auch Innere Führung (Bez. für geistige Rüstung u. zeitgemäße Menschenführung in der deutschen Bundeswehr); die äußere und die innere Mission, aber ↑K 150 : die Innere Mission (Organisation der ev. Kirche; Abk. I. M.); ↑K 140 : die Innere Mongolei

In|ne|re, das; ...r[e]n; das Ministerium des Innern; im Inner[e]n

In|ne|rei meist Plur. (z. B. Leber, Herz, Darm von Schlachttieren)

in|ner|eu|ro|pä|isch

in|ner|fa|mi|li|är

in|ner|halb; als Präp. mit Gen.: innerhalb eines Jahres, zweier Jahre; im Plur. mit Dat., wenn der Gen. nicht erkennbar ist: innerhalb vier Jahren, vier Tagen

in|ner|lich; In|ner|lich|keit, die; -

in|ner|orts (bes. schweiz. für innerhalb des Ortes)

In|ner|ös|ter|reich (hist. Bez. für Steiermark, Kärnten, Krain, Görz; heute westösterr. für Ostösterreich)

in|ner|par|tei|lich; in|ner|po|li|tisch, in|ner|po|li|tisch

In|ner|rho|den (kurz für Appenzell Innerrhoden)

in|ner|se|k|re|to|risch (Med. die innere Sekretion betreffend, auf ihr beruhend)

inko

in|ner|staat|lich

In|ner|stadt (schweiz. regional für Innenstadt)

in|ner|städ|tisch; der innerstädtische Verkehr

In|ners|te, das; -n; im Innersten; bis ins Innerste

in|nert Präp. mit. Gen. od. Dat. (schweiz. u. westösterr. für innerhalb, binnen); innert eines Jahres od. innert einem Jahr; innert drei Tagen

In|ner|va|ti|on, die; -, -en ⟨lat.⟩ (Med. Versorgung der Körperteile mit Nerven; Reizübertragung durch Nerven); in|ner|vie|ren (mit Nerven od. Nervenreizen versehen; übertr. auch für anregen, Auftrieb geben)

in|ne sein vgl. inne

in|ne|wer|den (geh.); er ist sich seines schlechten Verhaltens innegeworden; ehe sie dessen inne-wurde

in|ne|woh|nen (geh.); auch diesen alten Methoden hat Gutes innegewohnt

in|nig; In|nig|keit, die; -; in|nig|lich; in|nigst; aufs Innigste od. innigste verbunden ↑K 75

in no mi|ne [- ...ne] ⟨lat., »im Namen«⟩ (im Auftrage); in nomine Dei (in Gottes Namen; Abk. I. N. D.); in nomine Domini (im Namen des Herrn; Abk. I. N. D.)

In|no|va|ti|on, die; -, -en ⟨lat.⟩ (Erneuerung; Neuerung [durch Anwendung neuer Verfahren u. Techniken]); In|no|va|ti|ons|preis; In|no|va|ti|ons|schub

In|no|va|ti|ons|spross ⟨lat.; dt.⟩ (Bot. Erneuerungsspross einer mehrjährigen Pflanze)

in|no|va|tiv (Innovationen betreffend, schaffend); in|no|va|to|risch (Innovationen anstrebend)

In|no|zenz (m. Vorn.)

Inns|bruck (Hauptstadt von Tirol)

in nu|ce ⟨lat.⟩ (im Kern; in Kürze)

In|nung; In|nungs|meis|ter; In|nungs|meis|te|rin

Inn|vier|tel, das; -s ↑K 143 (Landschaft in Österreich)

in|of|fen|siv [auch ...'zi:f] ⟨lat.⟩ (nicht offensiv)

in|of|fi|zi|ell [auch ...'tsjɛl] ⟨franz.⟩ (nicht amtlich; vertraulich; nicht förmlich)

in|of|fi|zi|ös [auch ...'tsjø:s] (nicht offiziös)

in|ope|ra|bel [auch ...'ra:...] ⟨franz.⟩

(Med. nicht operierbar); ...a|b|le Verletzungen

in|op|por|tun [auch ...'tu:n] ⟨lat.⟩ (unangebracht); In|op|por|tu|ni|tät [auch 'ɪn...], die; -, -en

Ino|sit, der; -s, -e ⟨griech.⟩ (in pflanzlichen u. tierischen Geweben vorkommender Zucker)

Ino|si|t|u|rie, Ino|s|u|rie, die; -, ...ien (Med. Auftreten von Inosit im Harn)

in per|pe|tu|um ⟨lat.⟩ (auf immer)

in per|so|na ⟨lat.⟩ (persönlich)

in pet|to ⟨ital.⟩; etwas in petto (ugs. für bereit) haben

in ple|no ⟨lat.⟩ (in, vor der Vollversammlung, vollzählig)

in pra|xi ⟨lat.; griech.⟩ (im wirklichen Leben; tatsächlich)

in punc|to ⟨lat.⟩ (hinsichtlich); in puncto puncti »im Punkte des Punktes«; scherzh. für hinsichtlich der Keuschheit)

In|put, der, auch das; -s, -s ⟨engl.⟩ (Wirtsch. von außen bezogene u. im Betrieb eingesetzte Produktionsmittel; EDV Eingabe)

In|put-Out|put-Ana|ly|se [...'laut...]

in|qui|rie|ren ⟨lat.⟩ (veraltend für untersuchen, verhören)

In|qui|si|ten|spi|tal (österr. für Gefängniskrankenhaus)

In|qui|si|ti|on, die; -, -en (nur Sing.: mittelalterliches katholisches Ketzergericht; Untersuchung [dieses Gerichts]); In|qui|si|ti|ons|ge|richt

In|qui|si|tor, der; -s, ...oren (Richter der Inquisition); in|qui|si|to|risch

INR (Währungscode für indische Rupie)

In|rech|nung|stel|lung

I. N. R. I. = Jesus Nazarenus Rex Judaeorum

ins ↑K 14 (in das); eins ins andre gerechnet

in sal|do ⟨ital.⟩ (veraltet für im Rückstand)

In|sas|se, der; -n, -n; In|sas|sen|ver|si|che|rung; In|sas|sin

ins|be|son|de|re, ins|be|sond|re; insbesond[e]re[,] wenn ↑K 105 u. 127

in|schal|lah ⟨arab.⟩ (wenn Allah will [muslim. Redensart])

In|schrift; In|schrif|ten|kun|de, die; -; In|schrif|ten|samm|lung

in|schrift|lich

In|sekt, das; -[e]s, -en ⟨lat.⟩ (Kerbtier); Insekten fressende od. insektenfressende Pflanzen, Tiere ↑K 58

In|sek|ta|ri|um, das; -s, ...ien (Anlage für Insektenaufzucht)

In|sek|ten|be|kämp|fung; In|sek|ten|fraß

In|sek|ten fres|send, in|sek|ten-fres|send vgl. Insekt

In|sek|ten|fres|ser; In|sek|ten|gift; In|sek|ten|haus (Insektarium)

In|sek|ten|kun|de, die; -; In|sek|ten|pla|ge; In|sek|ten|pul|ver; In|sek|ten|stich; In|sek|ten|ver|til|gungs|mit|tel, das

¹In|sek|ti|vo|re, der; -n, -n meist Plur. (Zool. Insektenfresser)

²In|sek|ti|vo|re, die; -n, -n meist Plur. (Bot. insektenfressende Pflanze)

In|sek|ti|zid, das; -s, -e (Insekten tötendes Mittel)

In|sel, die; -, -n ⟨lat.⟩; In|sel|berg; In|sel|be|woh|ner, In|sel|be|woh|ne|rin; In|sel|grup|pe; In|sel|hop|ping, das; -s ⟨dt.; engl.⟩ (touristische Unternehmung, bei der nacheinander mehrere Inseln eines Archipels besucht werden)

In|sel|land Plur. ...länder

In|sels|berg, der; -[e]s (im Thüringer Wald)

In|sel|staat Plur. ...staaten

In|se|mi|na|ti|on, die; -, -en ⟨lat.⟩ ([künstliche] Befruchtung)

in|sen|si|bel [auch ...'zi:...] ⟨lat.⟩ (unempfindlich; gefühllos); In|sen|si|bi|li|tät [auch 'ɪ...], die; -

In|se|rat, das; -[e]s, -e ⟨lat.⟩ (Anzeige [in Zeitungen usw.]); In|se|ra|ten|teil, der

In|se|rent, der; -en, -en (jmd., der ein Inserat aufgibt); In|se|ren|tin

in|se|rie|ren (ein Inserat aufgeben)

In|sert, das; -s, -s ⟨engl.⟩ (Inserat mit beigehefteter Bestellkarte; im Fernsehen eingeblendete Schautafel)

In|ser|ti|on, die; -, -en ⟨lat.⟩ (Aufgeben einer Anzeige; Med. Muskelansatz); In|ser|ti|ons|preis

ins|ge|heim [auch 'ɪ...]; ins|ge|mein [auch 'ɪ...] (veraltet); ins|ge|samt [auch 'ɪ...]

In-sich-Ge|schäft (mit sich selbst als Vertretung zweier Parteien abgeschlossenes Geschäft)

In|side [...'said], der; -s, -s ⟨engl.⟩ (schweiz. für Innenstürmer)

In|si|der [..sai...], der; -s, - (jmd., der interne Kenntnisse von etwas besitzt; Eingeweihter); In|si|der|han|del, der (illegale Form des Handels mit Aktien); In|si|de|rin; In|si|der|tipp; In|si|der|wis|sen

In|sie|gel (veraltet für Siegelbild;

533

Insignien – Instrumentarium

Jägerspr. Fährtenzeichen des Rotwildes)

In|si|gi|ni|en Plur. ⟨lat.⟩ (Abzeichen, Symbole der Macht u. Würde)

in|si|gi|ni|fi|kant [auch ...ˈkant] (unwichtig)

in|si|nu|ie|ren ⟨lat.⟩ (geh. für unterstellen, durchblicken lassen)

in|sis|tent ⟨lat.⟩ (beharrlich); In|sistenz, die; - (Beharrlichkeit, Hartnäckigkeit); in|sis|tie|ren (auf etwas bestehen)

in si|tu ⟨lat., »in [natürlicher] Lage«⟩ (bes. Med., Archäol.)

in|skri|bie|ren ⟨lat.⟩ (in eine Liste aufnehmen; bes. österr. für sich für das laufende Semester als Hörer an einer Universität anmelden); In|skrip|ti|on, die; -, -en

ins|künf|tig (schweiz., sonst veraltet für zukünftig, fortan)

in|so|fern [auch ...ˈfern oder, österr., schweiz. nur, ˈɪn...]; insofern hast du Recht; insofern du nichts dagegen hast, werden wir ...; insofern[,] als ↑K127

In|so|la|ti|on, die; -, -en ⟨lat.⟩ (Meteor. Sonnenbestrahlung; Med. Sonnenstich)

in|so|lent [auch ...ˈlɛ...] ⟨lat.⟩ (anmaßend, unverschämt); In|so|lenz [auch ...ˈlɛ...], die; -, -en

in|sol|vent [auch ...ˈvɛ...] ⟨lat.⟩ (Wirtsch. zahlungsunfähig)

In|sol|venz [auch ...ˈvɛ...], die; -, -en (Wirtsch. Zahlungsunfähigkeit); In|sol|venz|ver|fah|ren (Wirtsch.)

In|sol|venz|ver|wal|ter; In|sol|venz|ver|wal|te|rin

in Son|der|heit vgl. Sonderheit

in|so|weit [auch ...ˈvait oder, österr. nur, ˈɪ...]; insoweit hast du recht; insoweit es möglich ist, ...; insoweit[,] als ↑K127

in spe [- ˈspeː] ⟨lat., »in der Hoffnung«⟩ (zukünftig)

In|spek|teur [...ˈtøːɐ̯], der; -s, -e ⟨franz.⟩ (Leiter einer Inspektion; Dienststelle der ranghöchsten Offiziere der Bundeswehr); In|spek|teu|rin

In|spek|ti|on, die; -, -en ⟨lat.⟩ (Besichtigung; [regelmäßige] Wartung [eines Kraftfahrzeugs]; Dienststelle)

In|s|pek|ti|ons|fahrt; In|s|pek|ti|ons|gang, der; In|s|pek|ti|ons|rei|se

In|s|pek|tor, der; -s, ...oren ⟨jmd., der etwas inspiziert; Verwaltungsbeamter); In|s|pek|to|rat, das; -[e]s, -e (österr., schweiz. Kontrollbehörde); In|s|pek|to|rin

In|s|pi|ra|ti|on, die; -, -en ⟨lat.⟩ (Eingebung; Erleuchtung)

In|s|pi|ra|tor, der; -s, ...oren (jmd., der andere zu etwas anregt); In|s|pi|ra|to|rin

in|s|pi|rie|ren (anregen)

In|s|pi|zi|ent, der; -en, -en ⟨lat.⟩ (Theater, Fernsehen usw. jmd., der für den reibungslosen Ablauf einer Aufführung verantwortlich ist); In|s|pi|zi|en|tin

in|s|pi|zie|ren (prüfen); In|s|pi|zie|rung

in|sta|bil [auch ...ˈbiːl] ⟨lat.⟩ (nicht konstant bleibend; unbeständig); In|sta|bi|li|tät [auch ˈɪ...], die; -, -en Plur. selten (Unbeständigkeit)

In|s|tal|la|teur [...ˈtøːɐ̯], der; -s, -e ⟨franz.⟩ (Handwerker für Installationen); In|s|tal|la|teu|rin

In|s|tal|la|ti|on, die; -, -en (Einrichtung, Einbau, Anlage, Anschluss von technischen Anlagen; seltener Amtseinführung) in|s|tal|lie|ren

in|stand, in Stand; etwas instand od. in Stand halten, setzen (schweiz.: stellen); die instand gesetzten od. in Stand gesetzten od. instandgesetzten Gebäude; ein Haus instand od. in Stand besetzen (ugs. für widerrechtlich besetzen und wieder bewohnbar machen)

In|stand|be|set|zer (ugs.); In|stand|be|set|ze|rin

in|stand hal|ten vgl. instand

In|stand|hal|tung; In|stand|hal|tungs|kos|ten Plur.

in|stän|dig (eindringlich; flehentlich); In|stän|dig|keit, die; -

in|stand set|zen vgl. instand

In|stand|set|zung

in|stand stel|len vgl. instand

In|stand|stel|lung (schweiz. neben Instandsetzung)

in|s|tant [auch ...tənt] ⟨engl.⟩ (sofort löslich); nur als nachgestellte Beifügung, z. B. Haferflocken instant

In|s|tant... (in Zusammensetzungen, z. B. Instantgetränk, Instantkaffee)

In|s|tanz, die; -, -en ⟨lat.⟩ (zuständige Stelle bei Behörden od. Gerichten); In|s|tan|zen|weg (Dienstweg)

in sta|tu nas|cen|di [- ˈst... -] ⟨lat.⟩ (im Zustand des Entstehens); in sta|tu quo (im gegenwärtigen Zustand); in sta|tu quo an|te (im früheren Zustand)

In|s|te, der; -n, -n (nordd. früher für Gutstagelöhner)

In|s|til|la|ti|on, die; -, -en ⟨lat.⟩ (Med. Einträufelung); in|s|til|lie|ren

In|s|tinkt, der; -[e]s, -e ⟨lat.⟩ (angeborene Verhaltensweise; auch für sicheres Gefühl)

in|s|tinkt|haft; In|s|tinkt|hand|lung; in|s|tinkt|tiv (trieb-, gefühlsmäßig, unwillkürlich)

in|s|tinkt|los; In|s|tinkt|lo|sig|keit

in|s|tinkt|mä|ßig; in|s|tinkt|si|cher

in|s|ti|tu|ie|ren ⟨lat.⟩ (einrichten)

In|s|ti|tut, das; -[e]s, -e (Unternehmen; Bildungs-, Forschungsanstalt)

In|s|ti|tu|ti|on, die; -, -en (öffentliche [staatliche, kirchliche o. Ä.] Einrichtung)

in|s|ti|tu|ti|o|na|li|sie|ren (in eine feste, auch starre Institution verwandeln); In|s|ti|tu|ti|o|na|li|sie|rung; in|s|ti|tu|ti|o|nell (die Institution betreffend)

In|s|ti|tuts|bi|b|lio|thek; In|s|ti|tuts|di|rek|tor; In|s|ti|tuts|di|rek|to|rin; In|s|ti|tuts|lei|ter, der; In|s|ti|tuts|lei|te|rin

In|st|mann, der; -[e]s, ...leute ⟨zu Inste⟩ (nordd. früher für Gutstagelöhner)

in|s|t|ru|ie|ren ⟨lat.⟩ (unterweisen; anleiten)

In|s|t|ruk|teur [...ˈtøːɐ̯], der; -s, -e ⟨franz.⟩ (jmd., der andere instruiert); In|s|t|ruk|teu|rin [...ˈtøːrɪn]

In|s|t|ruk|ti|on, die; -, -en ⟨lat.⟩ (Anleitung; [Dienst]anweisung)

in|s|t|ruk|tiv (lehrreich); In|s|t|ruk|tor, der; -s, ...oren (österr. u. schweiz. für Instrukteur); In|s|t|ruk|to|rin

In|s|t|ru|ment, das; -[e]s, -e ⟨lat.⟩ (Musikinstrumente verwendend)

In|s|t|ru|men|tal, der; -s, -e (Sprachw. Fall, der das Mittel bezeichnet)

In|s|t|ru|men|tal|be|glei|tung

In|s|t|ru|men|ta|lis, der; -, ...les; vgl. Instrumental

in|s|t|ru|men|ta|li|sie|ren (Musik; auch geh. für als Mittel für die eigenen Zwecke nutzen)

In|s|t|ru|men|ta|list, der; -en, -en; In|s|t|ru|men|ta|lis|tin

In|s|t|ru|men|tal|mu|sik, die; -; In|s|t|ru|men|tal|satz (Sprachw. Umstandssatz des Mittels)

In|s|t|ru|men|ta|ri|um, das; -s, ...ien (Gesamtheit der zur Verfügung stehenden Instrumente); In|s|t-

Insi

ru|men|ta|ti|on, die; -, -en (Instrumentierung)

in|s|t|ru|men|tell

In|s|t|ru|men|ten|bau, der; -[e]s; In|s|t|ru|men|ten|bau|er (vgl. ¹Bauer); In|s|t|ru|men|ten|bau|e|rin; In|s|t|ru|men|ten|brett; In|s|t|ru|men|ten|flug (Flugw.)

In|s|t|ru|men|ten|ma|cher; In|s|t|ru|men|ten|ma|che|rin

in|s|t|ru|men|tie|ren ([ein Musikstück] für Orchesterinstrumente einrichten; mit [technischen] Instrumenten ausstatten); In|s|t|ru|men|tie|rung

In|sub|or|di|na|ti|on [auch ˈɪ...], die; -, -en ⟨lat.⟩ (mangelnde Unterordnung; Ungehorsam)

in|suf|fi|zi|ent [auch ...ˈtsi̯e...] ⟨lat.⟩ (unzulänglich); In|suf|fi|zi|enz [auch ...ˈtsi̯e...], die; -, -en (Unzulänglichkeit; Med. mangelhafte Funktion eines Organs; Rechtsspr. Überschuldung)

In|su|la|ner ⟨lat.⟩ (Inselbewohner); In|su|la|ne|rin

in|su|lar (eine Insel od. Inseln betreffend, inselartig)

In|su|lin, das; -s (ein Hormon; ® ein Arzneimittel); In|su|lin|man|gel, der; -s (Med.); In|su|lin|prä|pa|rat; In|su|lin|schock

In|sult, der; -[e]s, -e ⟨lat.⟩ (Beleidigung; Med. Anfall)

in|sul|tie|ren (beleidigen)

in sum|ma ⟨lat.⟩ (veraltend für insgesamt)

In|sur|gent, der; -en, -en ⟨lat.⟩ (Aufständischer); In|sur|gen|tin; in|sur|gie|ren (zum Aufstand anstacheln)

In|sur|rek|ti|on, die; -, -en (Aufstand)

in|sze|na|to|risch ⟨lat.; griech.⟩ (die Inszenierung betreffend)

in|sze|nie|ren (eine Bühnenaufführung vorbereiten; geschickt ins Werk setzen); In|sze|nie|rung

In|ta|g|lio [...ˈtaljo], das; -s, ...ien [...jən] ⟨ital.⟩ (Gemme mit eingeschnittenen Figuren)

in|takt ⟨lat.⟩ (unversehrt, unberührt; funktionsfähig); In|takt|heit, die; -; In|takt|sein, das; -s

In|tar|sia, häufiger In|tar|sie, die; -, ...ien meist Plur. ⟨ital.⟩ (Einlegearbeit); In|tar|si|en|ma|le|rei

in|te|ger ⟨lat.⟩ (unbescholten); ein in|te|g|rer Charakter

in|te|g|ral (ein Ganzes ausmachend; vollständig; für sich bestehend); In|te|g|ral, das; -s, -e (Math.; Zeichen ∫)

In|te|g|ral|glei|chung (Math.)

In|te|g|ral|helm (Kopf u. Hals bedeckender Schutzhelm bes. für Motorradfahrer)

In|te|g|ral|rech|nung (Math.)

In|te|g|ra|ti|on, die; -, -en (Vervollständigung; Eingliederung)

In|te|g|ra|ti|ons|be|auf|trag|te (mit der Integration von ausländischen Mitbürger[inne]n beauftragte Person)

In|te|g|ra|ti|ons|fi|gur (jmd., der versöhnt, vereinheitlicht); In|te|g|ra|ti|ons|leh|rer (österr. für Lehrer für Klassen, in denen behinderte Kinder integriert sind); In|te|g|ra|ti|ons|leh|re|rin

in|te|g|ra|tiv (eingliedernd)

in|te|g|rier|bar

in|te|g|rie|ren (ergänzen; eingliedern; Math. das Integral berechnen)

in|te|g|rie|rend (notwendig [zu einem Ganzen gehörend]); ein integrierender Bestandteil

in|te|g|riert ↑K 89 : integrierte Gesamtschule; integrierte Schaltung (Elektronik); In|te|g|rie|rung

In|te|g|ri|tät, die; - (Unbescholtenheit; Unverletzlichkeit)

In|te|gu|ment, das; -s, -e ⟨lat.⟩ (Biol. Hautschichten von Tier u. Mensch; Bot. Hülle um die Samenanlage)

In|tel|lekt, der; -[e]s ⟨lat.⟩ (Verstand; Erkenntnis-, Denkvermögen)

In|tel|lek|tu|a|lis|mus, der; - (philosophische Lehre, die dem Intellekt den Vorrang gibt; einseitig verstandesmäßiges Denken)

in|tel|lek|tu|ell ⟨franz.⟩ (den Intellekt betreffend; [einseitig] verstandesmäßig; geistig)

In|tel|lek|tu|el|le, der u. die; -n, -n (Person, die wissenschaftlich od. künstlerisch gebildet ist und geistig arbeitet; Verstandesmensch)

in|tel|li|gent ⟨lat.⟩ (verständig; klug, begabt); intelligente Maschinen (computergesteuerte Automaten)

In|tel|li|genz, die; -, -en (besondere geistige Fähigkeit, Klugheit; meist Plur.: Vernunftwesen; nur Sing.: Schicht der Intellektuellen)

In|tel|li|genz|bes|tie (ugs. für Person, die ihre Intelligenz in auffallender Weise zeigt)

In|tel|li|genz|grad; In|tel|li|genz|leis|tung

In|tel|li|genz|ler, der; -s, - (oft abwertend für Angehöriger der Intelligenz); In|tel|li|genz|le|rin

In|tel|li|genz|quo|ti|ent (Maß für die intellektuelle Leistungsfähigkeit; Abk. IQ); In|tel|li|genz|test

in|tel|li|gi|bel (Philos. nur durch den Intellekt, nicht sinnlich wahrnehmbar); die ...i|b|le Welt (Ideenwelt)

In|ten|dant, der; -en, -en ⟨franz.⟩ (Leiter eines Theaters, eines Rundfunk- od. Fernsehsenders); In|ten|dan|tin

In|ten|da|tur, die; -, -en (veraltet für Amt eines Intendanten; Verwaltungsbehörde eines Heeres); In|ten|danz, die; -, -en (Amt, Büro eines Intendanten)

in|ten|die|ren ⟨lat.⟩ (beabsichtigen, anstreben)

In|ten|si|me|ter, das; -s, - ⟨lat.; griech.⟩ (Messgerät für Röntgenstrahlen)

In|ten|si|on, die; -, -en ⟨lat.⟩ (Anspannung; Eifer; Philos. Begriffsinhalt); vgl. aber Intention

In|ten|si|tät, die; -, -en Plur. selten (Stärke, Kraft; Wirksamkeit)

in|ten|siv (eindringlich; kräftig; gründlich); intensive Bewirtschaftung (Landw. mit großem Einsatz von Arbeitskraft u. Kapital betrieben)

In|ten|siv|an|bau, der; -s; In|ten|siv|hal|tung, die; - (Landw.)

in|ten|si|vie|ren (verstärken, steigern); In|ten|si|vie|rung

In|ten|siv|kurs; In|ten|siv|pfle|ge; In|ten|siv|sta|ti|on

In|ten|si|vum, das; -s, ...va (Sprachw. Verb, das die Intensität eines Geschehens kennzeichnet, z. B. »schnitzen« = kräftig schneiden)

In|ten|ti|on, die; -, -en ⟨lat.⟩ (Absicht; Vorhaben); in|ten|ti|o|nal (zweckbestimmt; zielgerichtet)

In|ter|agie|ren ⟨lat.⟩ (Psych., Soziol. Interaktion betreiben)

In|ter|ak|ti|on, die; -, -en (Wechselbeziehung zwischen Personen u. Gruppen)

in|ter|ak|tiv; In|ter|ak|ti|vi|tät, die; - (bes. EDV Dialog zwischen Computer u. Benutzer)

in|ter|al|li|iert [auch ˈɪ...] ⟨lat.⟩ (mehrere Alliierte betreffend; aus Verbündeten bestehend)

In|ter|ci|ty® [...ˈsɪti], der; -s, -s

I

Inte

⟨engl.-amerik.⟩; (*kurz für* Intercityzug); In|ter|ci|ty|ex|press®, Inter|ci|ty|ex|press|zug (moderner Hochgeschwindigkeitszug; *Abk.* ICE®)

In|ter|ci|ty|zug (schneller, zwischen bestimmten Großstädten [im Stundentakt] eingesetzter Eisenbahnzug; *Abk.* IC®)

In|ter|crosse [...krɔs], das; - ⟨engl.⟩ (aus Lacrosse entwickeltes Mannschaftsspiel)

in|ter|de|pen|dent ⟨lat.⟩ (voneinander abhängend); In|ter|de|pen|denz, die; -, -en (gegenseitige Abhängigkeit)

In|ter|dikt, das; -[e]s, -e ⟨lat.⟩ (Verbot kirchlicher Amtshandlungen als Strafmaßnahme der katholischen Kirchenbehörde)

in|ter|dis|zi|p|li|när [*auch* ˈɪ...] ⟨lat.⟩ (zwischen Disziplinen bestehend; mehrere Disziplinen betreffend)

in|te|r|es|sant ⟨franz.⟩; in|te|r|es|san|ter|wei|se; In|te|r|es|sant|heit, die; -

In|te|r|es|se, das; -s, -n ⟨lat.⟩; Interesse an, für etwas haben; in|te|r|es|se|hal|ber

in|te|r|es|se|los; In|te|r|es|se|lo|sig|keit, die; -

In|te|r|es|sen|aus|gleich; In|te|r|es|sen|ge|biet; In|te|r|es|sen|ge|mein|schaft (Zweckverband); In|te|r|es|sen|grup|pe; In|te|r|es|sen|kon|flikt; In|te|r|es|sen|la|ge; In|te|r|es|sen|sphä|re (Einflussgebiet)

In|te|r|es|sent, der; -en, -en; In|te|r|es|sen|ten|grup|pe; In|te|r|es|sen|ten|kreis; In|te|r|es|sen|ten|weg (*österr. für* öffentlicher Fahrweg, den die Anlieger erhalten); In|te|r|es|sen|tin

In|te|r|es|sen|ver|band; In|te|r|es|sen|ver|tre|tung

in|te|r|es|sie|ren (Teilnahme erwecken); jmdn. an, für etwas interessieren; sich interessieren (Interesse zeigen) für ...

in|te|r|es|siert (Anteil nehmend); In|te|r|es|siert|heit, die; -

In|ter|face [...fe:s], das; -, -s ⟨engl.⟩ (EDV *svw.* Schnittstelle)

In|ter|fe|renz, die; -, -en ⟨lat.⟩ (*Physik* Überlagerung von Wellen; *Sprachw.* Abweichung von der Norm durch den Einfluss anderer sprachlicher Elemente; Verwechslung, falscher Gebrauch); In|ter|fe|renz|er|schei|nung

in|ter|fe|rie|ren (überlagern; einwirken)

In|ter|fe|ro|me|ter, das; -s, - ⟨lat.; griech.⟩ (ein physikalisches Messgerät)

In|ter|fe|ron, das; -s, -e (*Biol., Med.* bei Infektionen wirksame, körpereigene Abwehrsubstanz)

In|ter|flug, die; - ⟨lat.; dt.⟩ (Luftfahrtgesellschaft der DDR)

in|ter|frak|ti|o|nell ⟨lat.⟩ (zwischen Fraktionen bestehend, ihnen gemeinsam)

in|ter|ga|lak|tisch ⟨lat.; griech.⟩ (*Astron.* zwischen mehreren Galaxien gelegen)

in|ter|gla|zi|al ⟨lat.⟩ (*Geol.* zwischeneiszeitlich); In|ter|gla|zi|al|zeit, die; -

In|ter|ho|tel ⟨lat.; franz.⟩ (*DDR* besonders gut ausgestattetes Hotel [für internationale Gäste])

In|te|ri|eur [ɛ̃teˈrjøːɐ̯], das; -s, *Plur.* -s *u.* -e ⟨franz.⟩ (Ausstattung eines Innenraumes; einen Innenraum darstellendes Bild)

In|te|rim, das; -s, -s ⟨lat.⟩ (Zwischenzeit, -zustand; vorläufige Regelung); in|te|ri|mis|tisch (vorläufig, einstweilig)

In|te|rims|kon|to; In|te|rims|lö|sung

In|te|rims|re|ge|lung

In|te|rims|re|gie|rung; In|te|rims|schein (vorläufiger Anteilschein statt der eigentlichen Aktie)

In|ter|jek|ti|on, die; -, -en ⟨lat.⟩ (*Sprachw.* Ausrufe-, Empfindungswort, z. B. »au«, »bäh«)

in|ter|ka|lar ⟨lat.⟩ (eingeschaltet [von Schaltjahren])

in|ter|kan|to|nal ⟨lat.; franz.⟩ (*schweiz.* für mehrere Kantone betreffend)

In|ter|ko|lum|nie, die; -, -n, In|ter|ko|lum|ni|um, das; -s, ...ien ⟨lat.⟩ (*Archit.* Säulenabstand bei einem antiken Tempel)

in|ter|kom|mu|nal ⟨lat.⟩ (zwischen Gemeinden bestehend)

in|ter|kon|fes|si|o|nell ⟨lat.⟩ (das Verhältnis verschiedener Konfessionen zueinander betreffend)

in|ter|kon|ti|nen|tal ⟨lat.⟩ (Erdteile verbindend); In|ter|kon|ti|nen|tal|ra|ke|te (*Milit.* Rakete mit sehr großer Reichweite)

in|ter|kos|tal ⟨lat.⟩ (*Med.* zwischen den Rippen)

in|ter|kul|tu|rell (verschiedene Kulturen verbindend, umfassend)

in|ter|kur|rent ⟨lat.⟩ (*Med.* hinzukommend)

In|ter|la|ken (schweiz. Kurort)

in|ter|li|ne|ar ⟨lat.⟩ (zwischen die Zeilen des Urtextes geschrieben)

In|ter|li|ne|ar|glos|se (zwischen die Zeilen geschriebene Glosse; *vgl.* Glosse); In|ter|li|ne|ar|über|set|zung; In|ter|li|ne|ar|ver|si|on

In|ter|lu|di|um, das; -s, ...ien ⟨lat.⟩ (*Musik* Zwischenspiel)

In|ter|ma|xil|lar|kno|chen ⟨lat.; dt.⟩ (*Med.* Zwischenkiefer)

in|ter|me|di|är ⟨lat.⟩ (*fachspr. für* dazwischen befindlich; ein Zwischenglied bildend)

In|ter|mez|zo, das; -s, *Plur.* -s *u.* ...zzi ⟨ital.⟩ (Zwischenspiel, -fall)

in|ter|mi|nis|te|ri|ell (zwischen Ministerien bestehend, mehrere Ministerien betreffend)

in|ter|mit|tie|rend ⟨lat.⟩ (zeitweilig aussetzend); intermittierendes Fieber

in|tern ⟨lat.⟩ (nur die inneren, eigenen Verhältnisse angehend; vertraulich; *Med.* innerlich; *veraltend für* im Internat wohnend [von Schülern])

In|ter|na (*Plur. von* Internum)

in|ter|na|li|sie|ren (*Psych.* sich [unbewusst] zu eigen machen)

In|ter|nat, das; -[e]s, -e (einer [höheren] Schule angeschlossenes Wohnheim; Internatsschule)

¹In|ter|na|ti|o|na|le, die; -, -n (internationale Vereinigung von

Arbeiterbewegungen; *nur Sing.:* Kampflied der Arbeiterbewegung)

²In|ter|na|ti|o|na|le, der u. die; -n, -n (*Sport* Sportler[in] in der Nationalmannschaft)

in|ter|na|ti|o|na|li|sie|ren (international gestalten); In|ter|na|ti|o|na|li|sie|rung, die; -

In|ter|na|ti|o|na|lis|mus, der; -, *Plur.* (*für* Wörter:) ...men (Streben nach überstaatlicher Gemeinschaft; *Sprachw.* ein international gebräuchliches Wort)

In|ter|na|ti|o|na|li|tät, die; -

In|ter|nats|schu|le ([höhere] Schule mit Wohnheim)

In|ter|ne, der u. die; -n, -n ⟨lat.⟩ (Schüler[in] eines Internats)

In|ter|net, das; -s ⟨engl.⟩ ([internationales] Computernetzwerk); In|ter|net|ad|res|se; In|ter|net|an|bie|ter; In|ter|net|an|bie|te|rin; In|ter|net|auf|tritt

In|ter|net|auk|ti|on

In|ter|net|ban|king, das; -[s] (Erledigung von Bankgeschäften mithilfe des Internets)

In|ter|net|ca|fé (Café, in dem Terminals zur Verfügung gestellt werden, mit denen Gäste das Internet benutzen können)

in|ter|net|fä|hig

In|ter|net|nut|zer; In|ter|net|nut|ze|rin; In|ter|net|por|tal; In|ter|net|sei|te; In|ter|net|shop|ping; In|ter|net|sur|fen [...sə...], das; -s (Herumstöbern im Internet)

In|ter|net|te|le|fo|nie; In|ter|net|zu|gang

in|ter|nie|ren ⟨lat.⟩ (in staatlichen Gewahrsam, in Haft nehmen; [Kranke] isolieren); In|ter|nier|te, der u. die; -n, -n

In|ter|nie|rung; In|ter|nie|rungs|la|ger

In|ter|nist, der; -en, -en (Facharzt für innere Krankheiten); In|ter|nis|tin

In|ter|no|di|um, das; -s, ...ien ⟨lat.⟩ (*Bot.* Sprossabschnitt zwischen zwei Blattknoten)

In|ter|num, das; -s, ...na *meist Plur.* ⟨lat.⟩ (nicht für Außenstehende bestimmte Angelegenheit)

In|ter|nun|ti|us, der; -, ...ien ⟨lat.⟩ (päpstlicher Gesandter in kleineren Staaten)

in|ter|oze|a|nisch ⟨lat.; griech.⟩ (Weltmeere verbindend)

in|ter|par|la|men|ta|risch ⟨lat.; engl.⟩ (die Parlamente der einzelnen Staaten umfassend)

In|ter|pel|lant, der; -en, -en ⟨lat.⟩ (Fragesteller [in einem Parlament]); In|ter|pel|lan|tin; In|ter|pel|la|ti|on, die; -, -en ([parlamentar.] Anfrage; *früher für* Einspruch); in|ter|pel|lie|ren

in|ter|pla|ne|tar, in|ter|pla|ne|ta|risch (zwischen den Planeten)

In|ter|pol, die; - (*Kurzw. für* Internationale Kriminalpolizeiliche Organisation; Zentralstelle zur internationalen Koordination der Ermittlungsarbeit in der Verbrechensbekämpfung)

In|ter|po|la|ti|on, die; -, -en ⟨lat.⟩ (nachträgliche Einfügung od. Änderung [in Texten]; *Math.* Bestimmung von Zwischenwerten); in|ter|po|lie|ren

In|ter|pret, der; -en, -en ⟨lat.⟩ (jmd., der etw. interpretiert; reproduzierender Künstler); In|ter|pre|ta|ti|on, die; -, -en; in|ter|pre|ta|to|risch; in|ter|pre|tie|ren; In|ter|pre|tin

in|ter|pun|gie|ren ⟨lat.⟩ (*seltener für* interpunktieren)

in|ter|punk|tie|ren (Satzzeichen setzen)

In|ter|punk|ti|on, die; - (Zeichensetzung); In|ter|punk|ti|ons|re|gel; In|ter|punk|ti|ons|zei|chen

In|ter|rail|ti|cket ® [...re:l...] ⟨engl.; dt.⟩ (*Eisenb.* verbilligte Jugendfahrkarte für Fahrten in Europa)

In|ter|re|gio ®, der; -[s], -s ⟨lat.⟩, In|ter|re|gio|zug (schneller Eisenbahnzug; *Abk.* IR ®)

In|ter|re|g|num, das; -s, *Plur.* ...gnen u. ...gna ⟨lat.⟩ (Zwischenregierung; kaiserlose Zeit [1254–1273])

in|ter|ro|ga|tiv ⟨lat.⟩ (fragend); In|ter|ro|ga|tiv, das; -s, -e [...və] (*Sprachw.* Frage[für]wort, z. B. »wer?«, »welcher?«)

In|ter|ro|ga|tiv|ad|verb (Frageumstandswort); In|ter|ro|ga|tiv|pro|no|men (Fragefürwort); In|ter|ro|ga|tiv|satz (Fragesatz)

In|ter|rup|ti|on, die; -, -en ⟨lat.⟩ (Unterbrechung)

In|ter|sex [*auch* ˈɪ...], das; -es, -e ⟨lat.⟩ (*Biol.* Organismus mit Intersexualität); In|ter|se|xu|a|li|tät, die; - (das Auftreten männlicher Geschlechtsmerkmale bei einem weiblichen Organismus u. umgekehrt); in|ter|se|xu|ell (zwischengeschlechtlich)

In|ter|shop ⟨lat.; engl.⟩ (*DDR* Geschäft mit konvertierbarer Währung als Zahlungsmittel)

In|ter|stel|lar (zwischen den Sternen befindlich)

in|ter|sti|ti|ell ⟨lat.⟩ (*Med., Biol.* dazwischenliegend)

In|ter|sti|ti|um, das; -s, ...ien (*Biol.* Zwischenraum [zwischen Organen]; *nur Plur.:* kath. Kirche vorgeschriebene Zwischenzeit zwischen dem Empfang zweier geistlicher Weihen)

in|ter|sub|jek|tiv ⟨lat.⟩ (*Psych.* dem Bewusstsein mehrerer Personen gemeinsam)

in|ter|ri|to|ri|al ⟨lat.⟩ (zwischenstaatlich)

In|ter|tri|go, die; -, ...trigines ⟨lat.⟩ (*Med.* Hautwolf)

In|ter|usu|ri|um, das; -s, ...ien ⟨lat.⟩ (*BGB* Zwischenzinsen)

In|ter|vall, das; -s, -e ⟨lat.⟩ (Zeitabstand, Zeitspanne, Zwischenraum; Frist; Abstand [zwischen zwei Tönen])

In|ter|vall|trai|ning (*Sport*)

In|ter|ve|ni|ent, der; -en, -en ⟨lat.⟩ (jmd., der sich in [Rechts]streitigkeiten [als Mittelsmann] einmischt); In|ter|ve|ni|en|tin; in|ter|ve|nie|ren (vermitteln; *Politik* Protest anmelden; sich einmischen)

In|ter|ven|ti|on, die; -, -en ⟨lat.⟩ (Vermittlung; staatliche Einmischung in die Angelegenheiten eines fremden Staates; Eintritt in eine Wechselverbindlichkeit); In|ter|ven|ti|ons|krieg

In|ter|view [...vju:, *auch* ...ˈvju:], das; -s, -s ⟨engl.⟩ (Unterredung [von Reportern] mit [führenden] Persönlichkeiten über Tagesfragen usw.; Befragung)

in|ter|vie|w|en [...ˈvju:..., *auch* ˈɪ...]; interviewt; In|ter|vie|w|er; In|ter|vie|w|e|rin

in|ter|ze|die|ren ⟨lat.⟩ (*veraltend für* vermitteln; sich verbürgen)

in|ter|zel|lu|lar; in|ter|zel|lu|lär (*Biol., Med.* zwischen den Zellen gelegen); In|ter|zel|lu|lar|raum

In|ter|zes|si|on, die; -, -en ⟨lat.⟩ (*Rechtsw.* Schuldübernahme)

in|ter|zo|nal ⟨lat.; griech.⟩ (zwischen den Zonen)

In|ter|zo|nen|han|del (*früher*); In|ter|zo|nen|ver|kehr (*früher*); In|ter|zo|nen|zug (*früher*)

in|tes|ta|bel ⟨lat.⟩ (*Rechtsspr.* veraltet unfähig, ein Testament zu machen od. als Zeuge aufzutreten); ...a|b|le Personen

In|tes|tat|er|be, der (natürlicher, gesetzlicher Erbe)

inte

in|tes|ti|nal ⟨lat.⟩ (*Med.* zum Darmkanal gehörend)

In|thro|ni|sa|ti|on, die; -, -en ⟨lat.; griech.⟩ (Thronerhebung, feierliche Einsetzung); in|thro|ni|sie|ren; In|thro|ni|sie|rung

In|ti, der; -[s], -s ⟨südamerik. Indianerspr.⟩ (frühere Währungseinheit in Peru); 5 Inti

In|ti|fa|da, die; - ⟨arab.⟩ (palästinensischer Widerstand in den von Israel besetzten Gebieten)

in|tim ⟨lat.⟩ (sehr nahe und vertraut; sexuell; verborgen)

In|ti|ma, die; -, ...mä (*veraltend für* vertraute Freundin; *nur Sing.: Med.* innerste Haut der Gefäße)

In|tim|be|reich

In|tim|feind *(ugs.);* In|tim|fein|din *(ugs.)*

In|tim|hy|gi|e|ne

In|ti|mi *(Plur. von* Intimus)

in|ti|mis|tisch (auf das Intime bezogen); In|ti|mi|tät, die; -, -en ⟨zu intim⟩

In|tim|pfle|ge; In|tim|schmuck

In|tim|sphä|re (vertraut-persönlicher Bereich)

In|tim|spray

In|ti|mus, der; -, ...mi (vertrauter Freund)

in|to|le|ra|bel [*auch* ...'ra:...]; ...a|b|le Verhältnisse

in|to|le|rant [*auch* ...'ra...] (unduldsam); In|to|le|ranz [*auch* ...'ra...], die; -, -en

In|to|na|ti|on, die; -, -en ⟨lat.⟩ (*Musik* das An-, Abstimmen; *Sprachw.* die Veränderung des Tones nach Höhe u. Stärke beim Sprechen von Silben oder ganzen Sätzen, Tongebung); in|to|nie|ren (anstimmen)

in to|to ⟨lat.⟩ (im Ganzen)

In|to|xi|ka|ti|on, die; -, -en ⟨lat.; griech.⟩ (*Med.* Vergiftung)

In|t|ra|da, In|t|ra|de, die; -, ...den ⟨ital.⟩ (*Musik* instrumentales Einleitungsstück [der Barockzeit])

in|t|ra|kar|di|al ⟨lat.; griech.⟩ (*Med.* innerhalb des Herzens)

in|t|ra|ku|tan ⟨lat.⟩ (*Med.* im Innern, ins Innere der Haut)

in|t|ra|mo|le|ku|lar ⟨lat.⟩ (*Chemie* sich innerhalb der Moleküle vollziehend)

in|t|ra mu|ros ⟨lat., »innerhalb der Mauern«⟩ (nicht öffentlich)

in|t|ra|mus|ku|lär ⟨lat.⟩ (*Med.* im Innern, ins Innere des Muskels)

In|t|ra|net, das; -s, -s ⟨lat.; engl.⟩ (unternehmensinternes Computernetz)

in|tran|si|gent ⟨lat.⟩ (starr, unnachgiebig); In|tran|si|gent, der; -en, -en (starrer Parteimann; *nur Plur.:* extreme politische Parteien); In|tran|si|gen|tin; In|tran|si|genz, die; -

in|tran|si|tiv ⟨lat.⟩ (*Sprachw.* nicht zum persönlichen Passiv fähig; nicht zielend); intransitives Verb; In|tran|si|tiv, das; -s, -e u. In|tran|si|ti|vum, das; -s, ...va (nicht zielendes Verb, z. B. »blühen«)

in|trans|pa|rent ⟨lat.⟩ (undurchsichtig); In|trans|pa|renz

in|t|ra|oku|lar ⟨lat.⟩ (*Med.* im Augeninnern liegend)

in|t|ra|ute|rin ⟨lat.⟩ (*Med.* innerhalb der Gebärmutter liegend); In|t|ra|ute|rin|pes|sar

in|t|ra|ve|nös ⟨lat.⟩ (*Med.* im Innern, ins Innere der Vene); intravenöse Injektion

in|t|ra|zel|lu|lar, in|t|ra|zel|lu|lär (*Biol., Med.* innerhalb der Zelle liegend)

in|t|ri|gant ⟨franz.⟩ (auf Intrigen sinnend; hinterhältig); In|t|ri|gant, der; -en, -en; In|t|ri|gan|tin

In|t|ri|ge, die; -, -n (hinterhältige Machenschaften, Ränke[spiel]); In|t|ri|gen|spiel; In|t|ri|gen|wirt|schaft; in|t|ri|gie|ren

In|t|ro, das; -s, -s (*bes. Musik kurz für* Introduktion)

In|t|ro|duk|ti|on, die; -, -en ⟨lat.⟩ (Einführung, Einleitung; *Musik* Vorspiel, Einleitungssatz); In|t|ro|du|zie|ren

In|t|ro|i|tus, der; -, - ⟨lat.⟩ (Eingangsgesang der katholischen Messe; Eingangsworte od. -lied im evangelischen Gottesdienst)

In|t|ros|pek|ti|on, die; -, -en ⟨lat.⟩ (*Psych.* Selbstbeobachtung); in|t|ro|s|pek|tiv

In|t|ro|ver|si|on, die; -, -en ⟨lat.⟩ (*Psych.* Konzentration auf die eigene Innenwelt); in|t|ro|ver|tiert

In|t|ru|si|on, die; -, -en ⟨lat.⟩ (*Geol.* Eindringen von Magma in die Erdkruste); In|t|ru|si|v|ge|stein (Tiefengestein)

In|tu|ba|ti|on, die; -, -en ⟨lat.⟩ (*Med.* Einführen eines Beatmungsrohres durch den Kehlkopf); in|tu|bie|ren

In|tu|i|ti|on, die; -, -en ⟨lat.⟩ (Eingebung, ahnendes Erfassen; unmittelbare Erkenntnis [ohne Reflexion]); in|tu|i|tiv

In|tu|mes|zenz, In|tur|ges|zenz, die; -, -en ⟨lat.⟩ (*Med.* Anschwellung)

in|tus ⟨lat., »innen«⟩; *nur in:* etwas intus haben (*ugs. für* etwas im Magen haben; etwas begriffen haben)

Inu|it *Plur. von* Inuk

Inuk, der; -s, Inuit ⟨eskim., »Mensch«⟩ (Selbstbezeichnung der Eskimos)

Inu|lin, das; -s ⟨griech.⟩ (ein Fruchtzucker)

In|un|da|ti|on, die; -, -en ⟨lat.⟩ (*Geogr.* völlige Überflutung durch das Meer od. einen Fluss); In|un|da|ti|ons|ge|biet

In|unk|ti|on, die; -, -en ⟨lat.⟩ (*Med.* Einreibung)

in usum Del|phi|ni *vgl.* ad ...

inv. = invenit

in|va|lid, in|va|li|de ⟨franz.⟩ ([durch Verwundung od. Unfall] dienst-, arbeitsunfähig); In|va|li|de, der u. die; -n, -n, -n

In|va|li|den|ren|te; In|va|li|den|ver|si|che|rung

in|va|li|die|ren (*veraltet für* ungültig machen; entkräften)

In|va|li|di|sie|ren (zum Invaliden erklären); In|va|li|di|sie|rung; In|va|li|di|tät, die; - (Erwerbs-, Dienst-, Arbeitsunfähigkeit)

In|va|ri|a|bel [*auch* ...'rja:...] ⟨lat.⟩ (unveränderlich); ...a|b|le Größen

In|va|ri|an|te, die; -, -n (*Math.* unveränderliche Größe); In|va|ri|an|ten|the|o|rie ⟨franz.⟩

In|va|ri|anz [*auch* ...'rja...], die; -, -en (Unveränderlichkeit)

In|va|si|on, die; -, -en ⟨franz.⟩ ([feindlicher] Einfall; *Med.* das Eindringen [von Krankheitserregern]); in|va|siv (*Med.* eindringend); In|va|sor, der; -s, ...oren *meist Plur.* ⟨lat.⟩ (Eroberer; eindringender Feind); In|va|so|rin

In|vek|ti|ve, die; -, -n ⟨lat.⟩ (Beleidigung, Schmähung)

in|ve|nit ⟨lat., »hat [es] erfunden«⟩ (Vermerk auf grafischen Blättern vor dem Namen des Künstlers, der die Originalzeichnung schuf; *Abk.* inv.)

In|ven|tar, das; -s, -e ⟨lat.⟩ (Einrichtungsgegenstände [eines Unternehmens]; Vermögensverzeichnis; Nachlassverzeich-

nis); In|ven|tar|er|be, der; In|ven-
tar|er|bin

In|ven|ta|ri|sa|ti|on, die; -, -en
(Bestandsaufnahme); in|ven|ta-
ri|sie|ren; In|ven|ta|ri|sie|rung

In|ven|tar|recht, das; -[e]s; In|ven-
tar|ver|zeich|nis

In|ven|ti|on, die; -, -en ([musikal.]
Erfindung)

In|ven|tur, die; -, -en (*Wirtsch.*
Bestandsaufnahme); In|ven|tur-
prü|fung

in|vers ⟨lat.⟩ (umgekehrt); In|ver-
si|on, die; -, -en (*fachspr. für*
Umkehrung, Umstellung); In-
ver|si|ons|wet|ter|la|ge *(Meteor.)*

In|ver|te|b|rat vgl. Evertebrat

In|ver|ter, der; -s, - ⟨engl.⟩ (*EDV*
Gerät zur Verschlüsselung des
Sprechfunkverkehrs)

in|ver|tie|ren ⟨lat.⟩ (umkehren)

In|ver|tin, das; -s ⟨lat.⟩ (ein
Enzym)

in Ver|tre|tung (*Abk.* i. V. *od.* I. V.;
vgl. »i. V.«)

In|vert|zu|cker ⟨lat.⟩ (dt.) (Gemisch
von Trauben- u. Fruchtzucker)

In|ver|wahr|nah|me, die; -, -n
(Amtsspr.)

in|ves|tie|ren ⟨lat.⟩ ([Kapital] anle-
gen; in ein [geistliches] Amt
einweisen); In|ves|tie|rung

In|ves|ti|ga|tiv ⟨engl.⟩ (nachfor-
schend, enthüllend); investiga-
tiver Journalismus

In|ves|ti|ti|on, die; -, -en ⟨lat.⟩
(langfristige [Kapital]anlage);
In|ves|ti|ti|ons|gut *meist Plur.*
(Gut, das der Produktion dient)

In|ves|ti|ti|ons|hil|fe; In|ves|ti|ti-
ons|len|kung; In|ves|ti|ti|ons|pro-
gramm

In|ves|ti|tur, die; -, -en (Einwei-
sung in ein [geistliches] Amt; in
Frankreich Bestätigung des
Ministerpräsidenten durch die
Nationalversammlung); In|ves-
ti|tur|streit, der; -s (im
11./12. Jh.)

in|ves|tiv (für Investitionen
bestimmt); In|ves|tiv|lohn (als
Spareinlage gebundener Teil
des Arbeitnehmerlohnes)

In|vest|ment, das; -s, -s ⟨engl.⟩
(*engl. Bez. für* Investition); In-
vest|ment|fonds (Effektenbe-
stand einer Kapitalanlage-
gesellschaft); In|vest|ment|ge-
sell|schaft (Kapitalverwaltungs-
gesellschaft)

In|vest|ment|pa|pier; In|vest|ment-
trust (*svw.* Investmentgesell-
schaft); In|vest|ment|zer|ti|fi|kat

In|ves|tor, der; -s, ...oren ⟨lat.⟩
(Kapitalanleger); In|ves|to|rin

in vi|no ve|ri|tas ⟨lat., »im Wein
[ist, liegt] Wahrheit«⟩

In-vi|t|ro-Fer|ti|li|sa|ti|on, die; -, -en
⟨lat.⟩ (*Med.* Befruchtung außerhalb des Körpers; *Abk.* IVF)

in vi|vo ⟨lat., »im Leben«⟩ (am
lebenden Objekt); In-vi|vo-Ex-
pe|ri|ment

In|vo|ka|ti|on, die; -, -en ⟨lat.⟩
(Anrufung [Gottes]); In|vo|ka-
vit (erster Fastensonntag)

in Voll|macht (*Abk.* i. V. *od.* I. V.;
Klein- u. Großschreibung vgl.
»i. V.«)

In|vo|lu|ti|on, die; -, -en ⟨lat.⟩ (*bes.
Med.* Rückbildung [eines
Organs])

in|vol|vie|ren (einschließen; in
etwas verwickeln)

in|wärts

in|wen|dig; in- und auswendig

in|wie|fern

in|wie|weit; inwieweit sind die
Angaben zuverlässig?

In|woh|ner (*veraltet für* Bewoh-
ner; *österr. auch für* Mieter); In-
woh|ne|rin

In|zah|lung|nah|me, die; -, -n

In|zest, der; -[e]s, -e ⟨lat.⟩
(Geschlechtsverkehr zwischen
engsten Blutsverwandten); In-
zest|ta|bu, das; -[s], auch -s; in|zes|tu|ös

In|zi|si|on, die; -, -en ⟨lat.⟩ (*Med.*
Einschnitt)

In|zi|siv, der; -s, -en, In|zi|siv|zahn
(Schneidezahn)

In|zucht, die; -, -en *Plur. selten*;
In|zucht|scha|den

in|zwi|schen

IOC [i:|o:ˈtse:], das; -[s] = Inter-
national Olympic Committee
(*svw.* IOK)

Iod, Iod|dat, Iod|did *vgl.* Jod, Jodat,
Jodid

IOK, das; -[s] = Internationales
Olympisches Komitee

Io|kas|te (Mutter u. Gattin des
Ödipus)

Io|lan|the (w. Vorn.)

Ion, das; -s, -en ⟨griech.⟩ (elek-
trisch geladenes Teilchen)

Io|nen|an|trieb; Io|nen|aus|tausch;
Io|nen|strahl; Io|nen|wan|de|rung

Io|nes|co (franz. Dramatiker
rumänischer Abstammung)

Io|ni|en (Küstenlandschaft Klein-
asiens); Io|ni|er

Io|ni|sa|ti|on, die; -, -en ⟨griech.⟩
(*Physik*, *Chemie* Erzeugung von
Ionen)

¹io|nisch ⟨zu Ion⟩; ionische Bin-
dung *(Chemie)*

²io|nisch ⟨zu Ionien⟩; ionischer Stil
↑K 89 , *aber* ↑K 140 : die Ioni-
schen Inseln

io|ni|sie|ren ⟨griech.⟩ (Ionisation
bewirken); Io|ni|sie|rung

Io|no|sphä|re, die; - ⟨griech.⟩
(oberste Schicht der Atmosphäre)

Io|ta usw. *vgl.* Jota usw.

Io|wa [ˈaiəwə] (Staat in den USA;
Abk. IA)

Ipe|ka|ku|an|ha [...ˈkuanja], die; -
⟨indian.-port.⟩ (Brechwurzel,
eine Heilpflanze)

Iphi|ge|nie (Tochter Agamem-
nons)

ip|se fe|cit ⟨lat., »er hat [es] selbst
gemacht«⟩ (auf Kunstwerken;
Abk. i. f.); ip|so fac|to ⟨»durch
die Tat selbst«⟩ (eigenmächtig);
ip|so ju|re ⟨»durch das Recht
selbst«⟩ (ohne Weiteres)

i-Punkt, der; -[e]s, -e ↑K 30

IQ, der; -[s], -[s] = Intelligenzquo-
tient

Ir = *chem. Zeichen für* Iridium

IR®, der; -[s], -[s] = Interregio-
zug

IR. = Infanterieregiment

i. R. = im Ruhestand

I. R. = Imperator Rex

Ira (w. Vorn.)

IRA [iˈɛrˈla:], die; - = Irisch-Repu-
blikanische Armee

Ira|de, der *od.* das; -s, -n ⟨arab.⟩
(*früher* ein Erlass des Sultans)

Irak [*auch* ˈi:...], -s, *auch mit Artikel* der; -[s] (vorderasiatischer
Staat); die Städte Iraks[s],
aber die Städte Iraks; Ira|ker;
Ira|ke|rin; Ira|ki, der; -[s], -[s] *u.*
die; -, -[s]; ira|kisch; Irak|krieg

Iran, -s, *auch mit Artikel* der; -[s],
Islamische Republik Iran (vorderasiatischer Staat); *vgl.* Persien;
Ira|ner; Ira|ne|rin; ira|nisch

Ira|nist, der; -en, -en; Ira|nis|tik,
die; - (Wissenschaft von den
Sprachen u. Kulturen des
Irans); Ira|nis|tin

Ir|bis, der; -ses, -se ⟨mong.⟩
(Schneeleopard)

ir|den (aus gebranntem Ton); Ir-
den|ge|schirr; Ir|den|wa|re

ir|disch; den Weg alles Irdischen
gehen ↑K 72

Ire, der; -n, -n (Irländer)

Ire|nä|us (griech. Kirchenvater)

Ire|ne (w. Vorn.)

Ire|nik, die; - ⟨griech.⟩ (Friedens-
lehre; Friedensstreben, Aussöh-

I

Iren

iren

nung [bei kirchlichen Streitig-
keiten]); ire|nisch

ir|gend; wenn du irgend kannst,
so ...; wenn irgend möglich;
irgend so ein Bettler

ir|gend|ein; irgendeine, irgendei-
ner; ir|gend|ein|mal

irgend|et|was

irgend|je|mand

ir|gend|wann; ir|gend|was *(ugs.)*;
ir|gend|welch; irgendwelche
Fragen; irgendwelches dum-
me[s] Zeug; ir|gend|wer; ir-
gend|wie

ir|gend|wo; irgendwo anders,
irgendwo sonst; sonst
irgendwo; ir|gend|wo|her; ir-
gend|wo|hin

Iri|d|ek|to|mie, die; -, ...ien
⟨griech.⟩ (*Med.* Ausschneiden
der Regenbogenhaut)

Iri|di|um, das; -s (chemisches Ele-
ment, Metall; *Zeichen* Ir)

Iri|do|lo|gie, die; - (Augendiagnos-
tik)

Irin (Irländerin)

Iri|na (w. Vorn.)

¹Iris (griech. Götterbotin; w. Vorn.)

²Iris, die; -, *Plur. auch* Iriden *Plur.
selten* ⟨griech.⟩ (Regenbogenhaut im Auge)

³Iris, die; -, - (Schwertlilie; Regen-
bogen)

Iris|blen|de (*Optik* verstellbare
Blende an der Kamera)

irisch; das irische Bad ↑K 89 *u.*
142, *aber* ↑K 140: die Irische See

Irisch-Re|pu|b|li|ka|ni|sche Ar|mee
(irische Untergrundorganisa-
tion; *Abk.* IRA)

Irish Cof|fee [ˈai̯riʃ ˈkɔfi], der;
- -[s], - -s ⟨engl.⟩ (Kaffee mit
einem Schuss Whiskey u.
Schlagsahne)

Irish Stew [- ˈstjuː], das; - -[s], - -s
(Weißkraut mit Hammelfleisch
u. a.)

iri|sie|ren ⟨griech.⟩ (in Regenbo-
genfarben schillern)

Iri|tis, die; -, ...tiden (*Med.* Ent-
zündung der Regenbogenhaut)

IRK, das; - = Internationales
Rotes Kreuz

Ir|kutsk [*österr.* ˈ...] (Stadt in Sibi-
rien)

Ir|land (nordwesteuropäische
Insel; Staat auf dieser Insel); Ir-
län|der; Ir|län|de|rin; ir|län|disch;
aber ↑K 151: Irländisches Moos
(*svw.* Karrag[h]een)

Ir|ma, Irm|gard (w. Vorn.)

Ir|min|säu|le, Ir|min|sul, die; - (ein
germanisches Heiligtum)

Iro|ke|se, der; -n, -n (Angehöriger
eines nordamerikanischen
Indianerstammes); Iro|ke|sin

Iro|nie, die; -, ...ien ⟨griech.⟩ ([ver-
steckter, feiner] Spott); Iro|ni-
ker; Iro|ni|ke|rin

iro|nisch; iro|ni|sie|ren

Iron|man [ˈai̯ənmən], der; -s
⟨engl., »Eisenmann«⟩ (besonders harter Triathlonwett-
kampf)

irr *vgl.* irre

Ir|ra|di|a|ti|on, die; -, -en ⟨lat.⟩
(*Med., Psych.* Ausstrahlung
[von Schmerzen, Gefühlen,
Affekten]; *Fotogr.* Überbelich-
tung fotografischer Platten)

ir|ra|ti|o|nal [*auch* ...ˈnaːl] ⟨lat.⟩
(verstandesmäßig nicht fassbar;
vernunftwidrig); irrationale
Zahl (*Math.*)

Ir|ra|ti|o|na|lis|mus, der; - ([philo-
sophische Lehre vom] Vorrang
des Gefühlsmäßigen vor dem
logisch-rationalen Denken)

Ir|ra|ti|o|na|li|tät, die; - (das Irra-
tionale)

Ir|ra|ti|o|nal|zahl (*Math.*)

ir|re, irr; irr[e] sein; *vgl. aber* irre-
führen, irregehen, irreleiten,
irremachen, irrereden, irrewer-
den

¹Ir|re, die; -; in die Irre gehen

²Ir|re, der *u.* die; -n, -n (*ugs. veral-
tend*)

ir|re|al [*auch* ...ˈaːl] ⟨lat.⟩ (unwirk-
lich)

Ir|re|al [*auch* ...ˈaːl], der; -s, -e
(*Sprachw.* Verbform, mit der
man einen unerfüllbaren
Wunsch o. Ä. ausdrückt)

Ir|re|a|li|tät [*auch* ˈ...], die; -
(Unwirklichkeit)

Ir|re|den|ta, die; -, ...ten ⟨ital.⟩
(polit. Bewegung, die den
Anschluss abgetrennter
Gebiete an das Mutterland
erstrebt)

Ir|re|den|tis|mus, der; - (*svw.* Irre-
denta); Ir|re|den|tist, der; -en,
-en; Ir|re|den|tis|tin; ir|re|den|tis-
tisch

ir|re|du|zi|bel [*auch* ...ˈtsi:...] ⟨lat.⟩
(*Philos., Math.* nicht ableitbar);
...i|b|le Sätze

ir|re|füh|ren; seine Darstellungs-
weise hat mich irregeführt; eine
irreführende Auskunft; Ir|re-
füh|rung

ir|re|ge|hen; er ist irregegangen

ir|re|gu|lär [*auch* ...ˈlɛːɐ̯] ⟨lat.⟩
(unregelmäßig, ungesetzmä-
ßig); irreguläre Truppen (die

nicht zum eigentlichen Heer
gehören); Ir|re|gu|lä|re, der; -n,
-n (nicht zum eigentlichen Heer
Gehörender)

Ir|re|gu|la|ri|tät [*auch* ˈɪ...], die; -,
-en (Regellosigkeit; Abwei-
chung)

ir|re|lei|ten; er hat die Polizei irre-
geleitet

ir|re|le|vant [*auch* ...ˈva...] ⟨lat.⟩
(unerheblich); Ir|re|le|vanz [*auch*
...ˈva...], die; -, -en

ir|re|li|gi|ös [*auch* ...ˈɡjøːs] ⟨lat.⟩
(nicht religiös); ein irreligiöser
Mann; Ir|re|li|gi|o|si|tät [*auch*
ˈɪ...], die; -

ir|re|ma|chen; sie hat mich irrege-
macht

ir|ren; sich irren; ↑K 82: Irren *od.*
irren ist menschlich

Ir|ren|haus (*veraltet; ugs.*); ir|ren-
haus|reif (*ugs.*)

ir|re|pa|ra|bel [*auch* ...ˈraː...] ⟨lat.⟩
(unersetzlich, nicht wiederher-
stellbar); ...a|b|ler Schaden

ir|re|po|ni|bel [*auch* ...ˈniː...] ⟨lat.⟩
(*Med.* nicht einrenkbar); ...i|b|le
Gelenkköpfe

ir|re|re|den; er hat irregeredet

ir|re sein *vgl.* irre; Ir|re|sein, Irr-
sein, das; -s (*Med. veraltet*)
↑K 82

ir|re|ver|si|bel [*auch* ...ˈzi:...] ⟨lat.⟩
(nicht umkehrbar);...i|b|le Pro-
zesse

ir|re|wer|den, irr|wer|den; wenn
man irrewird, irrwird; du bist
an dir irregeworden, irrgewor-
den; Ir|re|wer|den, Irr|wer|den,
das; -s ↑K 82

Irr|fahrt; Irr|gang, der; Irr|gar|ten;
Irr|gast (*Zool.*)

Irr|glau|be[n]; irr|gläu|big

ir|rig; in der irrigen Annahme,
dass ...

Ir|ri|ga|ti|on, die; -, -en ⟨lat.⟩ (*Med.*
Ab- od. Ausspülung); Ir|ri|ga|tor,
der; -s, ...oren (Spülapparat)

ir|ri|ger|wei|se

ir|ri|ta|bel ⟨lat.⟩ (reizbar); ein
...a|b|ler Mensch; Ir|ri|ta|bi|li|tät,
die; -

Ir|ri|ta|ti|on, die; -, -en (Reiz, Erre-
gung); ir|ri|tie|ren ([auf]reizen,
verwirren, stören)

Irr|läu|fer (falsch beförderter
Gegenstand); Irr|leh|re

Irr|licht *Plur.* ...lichter; irr|lich|te-
lie|ren (*in Goethes Faust svw.*
irrlichtern); irr|lich|tern (wie ein
Irrlicht funkeln, sich hin und
her bewegen); es irrlichtert;
geirrlichtert

irr|ma|chen *vgl.* irremachen
irr|reden *vgl.* irrereden
Irr|sal, das; -[e]s, -e (*geh. für* Zustand des menschlichen Irrens)
irr sein *vgl.* irre; Irr|sein, das; -s; *vgl.* Irresein
Irr|sinn, der; -[e]s; irr|sin|nig; Irr|sin|nig|keit, die; -
Irr|tum, der; -s, ...tümer; irr|tüm|lich; irr|tüm|li|cher|wei|se
Ir|rung (*veraltet für* Irrtum); Irr|weg
irr|wer|den; *vgl.* irrewerden; Irr|wer|den *vgl.* Irrewerden
Irr|wisch, der; -[e]s, -e (Irrlicht; sehr lebhafter Mensch)
irr|wit|zig
Ir|tysch [*auch* ...'tʏʃ], der; -[s] (linker Nebenfluss des Ob)
Isa (*moslem. Name für* Jesus)
Isa|ak [...aak, *auch* ...a(:)k, *österr.* ...ak] (bibl. m. Vorn.)
Isa|bel, Isa|bel|la, ¹Isa|bel|le (w. Vorn.)
²Isa|bel|le, die; -, -n (falbes Pferd); isa|bell|far|ben, isa|bell|far|big (falb, graugelb)
ISAF, Isaf, die; - (engl.; *Kurzwort für* International Security Assistance Force) (internationale Schutztruppe [in Afghanistan])
Isa|i|as (*Schreibung der Vulgata für* Jesaja)
Isar, die; - (r. Nebenfluss der Donau); Isar-Athen (*scherzh. für* München) ↑K144
Isa|tin, das; -s (griech.) (*Chemie* eine Indigoverbindung)
Isau|ri|en (antike Landschaft in Kleinasien)
ISBN, die; -, -[s] = internationale Standardbuchnummer
Is|ch|ä|mie [isç..., *auch* iʃ...], die; -, ...ien (griech.) (*Med.* örtliche Blutleere)
Is|cha|ri|ot (hebr.); *vgl.* Judas
Ische, die; -, -n (hebr.-jidd.) (*ugs. für* Mädchen, Freundin)
Is|chia ['ɪskja] (ital. Insel)
Is|chi|a|di|kus [ɪs'çja:..., *oft auch* iʃja...], der; -, ...dizi (griech.) (Hüftnerv); is|chi|a|disch (den Ischias betreffend)
Is|chi|al|gie [ɪsçjal..., *oft auch* iʃja...], die; -, ...ien (Hüftschmerz)
Is|chi|as [*auch* 'ɪsçi...], der, *auch* das, *fachspr. auch* die; - (svw. Ischialgie); Is|chi|as|nerv
Ischl, Bad (österr. Kurort)
Isch|tar (babylon. Göttin)

Is|ch|u|rie [isç...], die; -, ...ien (griech.) (*Med.* Harnverhaltung)
ISDN, das; - *meist ohne Artikel* (*aus* engl. integrated services digital network) (der schnellen Übermittlung von Sprache, Text, Bild, Daten dienendes Kommunikationsnetz); ISDN-An|schluss; ISDN-Kar|te; ISDN-Netz
Ise|grim, der; -s, -e (der Wolf in der Tierfabel; *übertr. für* mürrischer Mensch)
Isel, der; -[s] (Berg in Tirol)
Iser, die; - (r. Nebenfluss der Elbe); Iser|ge|bir|ge, das; -s
Iser|lohn (Stadt im Sauerland)
Isi|dor (m. Vorn.)
ISIN, die; -, - (international securities identification number) (internationale Wertpapierkennnummer)
Isis (altägyptische Göttin)
ISK (Währungscode für isländ. Krone)
Is|ka|ri|ot *vgl.* Judas
Is|lam [*auch* 'ɪ...], der; -[s] (arab.) (im Koran verkündete Religion)
Is|la|ma|bad (Hauptstadt Pakistans)
Is|la|mi|sa|ti|on, die; -, -en (die Bekehrung zum Islam)
is|la|misch
is|la|mi|sie|ren (zum Islam bekehren; unter die Herrschaft des Islams bringen)
Is|la|mis|mus, der; - (islamischer Fundamentalismus); Is|la|mist, der; -en, -en; Is|la|mis|tin; is|la|mis|tisch
Is|la|mit, der; -en, -en (*veraltet für* Muslim); Is|la|mi|tin; is|la|mi|tisch
Is|land
Is|län|der; Is|län|de|rin
is|län|disch; die isländische Sprache, *aber* ↑K151 : Isländisch[es] Moos (eine Heilpflanze)
Is|län|disch, das; -[s] (Sprache); *vgl.* Deutsch; Is|län|di|sche, das; -n; *vgl.* Deutsche, das
Is|ma|el [...e:l, *auch* ...ɛl] (bibl. m. Eigenn.)
Is|ma|i|lit, der; -en, -en (Angehöriger einer schiit. Sekte); Is|ma|i|li|tin
Is|me|ne (Tochter des Ödipus)
Is|mus, der; -, ...men (griech.) (*abwertend für* bloße Theorie)
ISO, die; - = International Organization for Standardization

(internationale Normierungsorganisation)
iso... (griech.) (gleich...); Iso... (Gleich...)
Iso|ba|re, die; -, -n (*Meteor.* Verbindungslinie zwischen Orten gleichen Luftdrucks)
Iso|bu|tan, das; -s (brennbares Gas, das zur Herstellung von Flugbenzin verwendet wird)
iso|chrom [...k...] (griech.) (svw. isochromatisch); Iso|chro|ma|sie, die; - (gleiche Farbempfindlichkeit von fotografischem Material); iso|chro|ma|tisch (gleichfarbig, farbtonrichtig)
iso|chron [...k...] (*Physik* gleich lang dauernd); Iso|chro|ne, die; -, -n (Linie gleichzeitigen Auftretens [von Erdbeben u. a.])
Iso|drink, der; -s, -s (griech.; engl.) (isotonisches Getränk)
Iso|dy|na|me, die; -, -n (griech.) (Verbindungslinie zwischen Orten mit gleicher magnetischer Stärke)
Iso|dy|ne, die; -, -n (*Physik* Linie, die Punkte gleicher Kraft verbindet)
Iso|ga|mie, die; -, ...ien (griech.) (*Biol.* Fortpflanzung durch gleich gestaltete Geschlechtszellen)
Iso|glos|se, die; -, -n (*Sprachw.* Linie auf Sprachkarten, die Gebiete gleichen Wortgebrauchs begrenzt)
Iso|gon, das; -s, -e (regelmäßiges Vieleck); iso|go|nal (winkeltreu; gleichwinklig)
Iso|go|ne, die; -, -n (*Meteor.* Verbindungslinie zwischen Orten gleicher magnetischer Abweichung od. gleicher Windrichtung)
Iso|hy|e|te, die; -, -n (griech.) (*Meteor.* Verbindungslinie zwischen Orten mit gleicher Niederschlagsmenge)
Iso|hyp|se, die; -, -n (*Geogr.* Verbindungslinie zwischen Orten mit gleicher Höhe ü. d. M.)
Iso|kli|ne, die; -, -n (griech.) (*Geogr.* Verbindungslinie zwischen Orten mit gleicher Neigung der Magnetnadel)
Iso|la|ti|on, die; -, -en (franz.), Isolie|rung ([politische u. a.] Absonderung; Getrennthaltung; [Ab]dämmung)
Iso|la|ti|o|nis|mus, der; - (engl.) (politische Tendenz, sich vom Ausland abzuschließen); Iso|la-

I

Isol

ti|o|nist, der; -en, -en *meist Plur.*; Iso|la|ti|o|nis|tin; iso|la|ti|o|nis|tisch

Iso|la|ti|ons|fol|ter; Iso|la|ti|ons|haft

Iso|la|tor, der; -s, ...oren (Stoff, der Elektrizität schlecht od. gar nicht leitet)

Isol|de (mittelalterliche Sagengestalt; w. Vorn.)

Iso|lier|band, das; *Plur.* ...bänder

iso|lie|ren ⟨franz.⟩ (absondern; getrennt halten; abschließen, [ab]dichten, [ab]dämmen; durch entsprechendes Material schützen); Iso|lie|rer

Iso|lier|ma|te|ri|al; Iso|lier|mat|te; Iso|lier|schicht; Iso|lier|sta|ti|on

iso|liert (*auch für* vereinsamt); Iso|liert|heit, die; -

Iso|lie|rung *vgl.* Isolation

Iso|li|nie, die; -, -n ⟨griech.; lat.⟩ (Verbindungslinie zwischen Punkten gleicher Wertung od. Erscheinung auf geografischen u. a. Karten)

Iso|mat|te (Isoliermatte)

iso|mer ⟨griech.⟩ (Isomerie aufweisend); Iso|mer, das; -s, -e *u.* Iso|me|re, das; -n, -n *meist Plur.* (eine Isomerie aufweisende chemische Verbindung); ein Isomer *od.* Isomere

Iso|me|rie, die; - (*Bot.* Gleichzähligkeit in Bezug auf die Zahl der Glieder in den verschiedenen Blütenkreisen; *Chemie* unterschiedliches Verhalten chemischer Verbindungen trotz der gleichen Anzahl gleichartiger Atome)

Iso|me|t|rie, die; - (Längengleichheit, Längentreue, bes. bei Landkarten); iso|me|t|risch

iso|morph (gleichförmig, von gleicher Gestalt, bes. bei Kristallen); Iso|mor|phie, die; -

Iso|mor|phis|mus, der; - (Eigenschaft gewisser chemischer Stoffe, gemeinsam die gleichen Kristalle zu bilden)

Ison|zo, der; -[s] (Zufluss des Golfs von Triest)

iso|pe|ri|me|t|risch ⟨griech.⟩ (*Math.* von gleichem Ausmaß [von Längen, Flächen u. Körpern])

Iso|po|de, der; -n, -n *meist Plur.* (*Zool.* Assel)

Iso|p|ren, das; -s ⟨Kunstwort⟩ (chem. Stoff, der zur Herstellung von synthetischem Kautschuk verwendet wird)

Iso|seis|te, die; -, -n ⟨griech.⟩ (Verbindungslinie zwischen Orten mit gleicher Erdbebenstärke)

Iso|s|ta|sie, die; - (Gleichgewichtszustand der Krustenschollen der Erde)

Iso|ther|me, die; -, -n ⟨griech.⟩ (*Meteor.* Verbindungslinie zwischen Orten mit gleicher Temperatur)

Iso|ton, das; -s, -e *meist Plur.* (Atomkern, der die gleiche Anzahl Neutronen wie ein anderer enthält)

iso|to|nisch (*Chemie* von gleichem osmotischem Druck); isotonisches Getränk (Getränk mit der gleichen Konzentration von Mineralstoffen wie das menschliche Blut)

Iso|top, das; -s, -e (Atom, das sich von einem andern des gleichen chemischen Elements nur in seiner Masse unterscheidet)

Iso|to|pen|di|a|g|nos|tik (*Med.*); Iso|to|pen|the|ra|pie; Iso|to|pen|tren|nung

Iso|t|ron, das; -s, *Plur.* ...trone, *auch* -s (Gerät zur Isotopentrennung)

iso|t|rop (*Physik, Chemie* nach allen Richtungen hin gleiche Eigenschaften aufweisend); Iso|t|ro|pie, die; -

Is|ra|el [...e:l, *auch* ...ɛl] (Volk der Juden im A. T.; Staat in Vorderasien; das Volk Israel; die Kinder Israel[s]

Is|ra|e|li, der; -[s], -s *u.* die; -, -s (Angehörige[r] des Staates Israel); is|ra|e|lisch (zum Staat Israel gehörend)

Is|ra|e|lit, der; -en, -en (Angehöriger eines der semitischen Stämme im alten Palästina); Is|ra|e|li|tin; is|ra|e|li|tisch

ISS, die; - ⟨International Space Station⟩ (internationale Raumstation)

isst *vgl.* essen

ist *vgl.* ²sein

Is|tan|bul (türkische Stadt)

Ist|auf|kom|men, Ist-Auf|kom|men (der tatsächliche [Steuer]ertrag)

Ist|be|stand, Ist-Be|stand

isth|misch ⟨griech.⟩; *aber* Isthmische Spiele ↑K 150

Isth|mus, der; -, ...men (Landenge, bes. die von Korinth)

Is|t|ri|en (Halbinsel im Adriatischen Meer)

Ist|stär|ke, Ist-Stär|ke

Ist|wä|o|nen *Plur.* (Kultgemeinschaft westgermanischer Stämme); ist|wä|o|nisch

Ist|zu|stand, Ist-Zu|stand

Is|wes|ti|ja, die; - ⟨russ., »Nachrichten«⟩ (eine russische Tageszeitung)

IT [ai̯'ti:] = information technology (Informationstechnologie)

it. = item

Ita|ker, der; -s, - (*ugs. abwertend für* Italiener); Ita|ke|rin

Ita|la, die; - ⟨lat.⟩ (älteste lateinische Bibelübersetzung)

Ita|ler (Einwohner des antiken Italien); Ita|le|rin

Ita|lia (*lat. u. ital. Form von* Italien); ita|li|a|ni|sie|ren, ita|li|e|ni|sie|ren (italienisch machen)

Ita|li|en

Ita|li|e|ner; Ita|li|e|ne|rin

ita|li|e|nisch; die italienische Schweiz; eine italienische Nacht; italienischer Salat ↑K 89 , *aber* ↑K 140 : die Italienische Republik; *vgl.* deutsch; *vgl. aber* italienisch

Ita|li|e|nisch, das; -[s] (Sprache) *vgl.* Deutsch; Ita|li|e|ni|sche, das; -n; *vgl.* Deutsche, das

ita|li|e|ni|sie|ren *vgl.* italianisieren

Ita|li|enne [...'ljɛn, *auch* ...franz.⟩ (*Druckw.* eine Schriftart)

Ita|li|ker ⟨lat.⟩ (Italer); Ita|li|ke|rin

Ita|lique [...'li:k], die; - ⟨franz.⟩ (*Druckw.* eine Schriftart)

ita|lisch ⟨lat.⟩ (das antike Italien betreffend); *vgl. aber* italienisch

Ita|lo|wes|tern (Western in einem von italienischen Regisseuren geprägten Stil)

Ita|zis|mus, der; - (Aussprache der altgriechischen e-Laute wie langes i)

IT-Bran|che *vgl.* IT

item ⟨lat.⟩ (*veraltet für* ebenso, desgleichen; ferner; *Abk.* it.)

Item, das; -s, -s (*veraltet für* das Fernere, Weitere, ein [Frage]punkt; Einzelangabe)

Ite|ra|ti|on, die; -, -en ⟨lat.⟩ (Wiederholung; *Math.* schrittweises Rechenverfahren zur Annäherung an die exakte Lösung)

ite|ra|tiv [*auch* 'i:...] (wiederholend); Ite|ra|tiv, das; -s, -e (*Sprachw.* Verb, das eine stete Wiederholung von Vorgängen ausdrückt, z. B. »sticheln« = immer wieder stechen)

Itha|ka (eine griechische Insel)

Iti|ne|rar, das; -s, -e, Iti|ne|ra|ri|um, das; -s, ...ien ⟨lat.⟩ (Straßenverzeichnis der römischen Zeit; Aufzeichnung noch nicht vermessener Wege bei Forschungsreisen)

i. Tr. = in der Trockenmasse

i-Tüp|fel|chen ↑ K 29

i-Tüp|ferl, das; -s, -n (österr. für i-Tüpfelchen); i-Tüp|ferl-Rei|ter (österr. ugs. für Pedant); i-Tüp-ferl-Rei|te|rin

It|ze|hoe [...'ho:] (Stadt in Schleswig-Holstein); It|ze|ho|er

it|zo, itzt, it|z|und (veraltet für jetzt)

iur. vgl. Dr. iur.

IV = Invalidenversicherung (in der Schweiz)

i. v. = intravenös

= in Vertretung; in Vollmacht

Groß- oder Kleinschreibung:

Die Abkürzung wird mit kleinem i geschrieben, wenn sie unmittelbar der Grußformel oder der Bezeichnung einer Behörde, Firma u. dgl. folgt:

– Der Oberbürgermeister

  i. V. Meyer

Die Abkürzung wird mit großem I geschrieben, wenn sie nach einem abgeschlossenen Text allein vor einer Unterschrift steht:

– Herr Direktor Müller wird Sie nach seiner Rückkehr sofort anrufen.

  I. V. Meyer

IVF, die; -, - = In-vitro-Fertilisation

Ivo (m. Vorn.)

Ivo|rer, der; -s - ⟨eingedeutschte Form von franz. Ivoirien⟩ (Einwohner der Republik Elfenbeinküste); Ivo|re|rin; ivo|risch

Iwan, der; -[s], -s (m. Vorn.; scherzh. Bez. für Russe od. [nur Sing.:] die Russen)

Iwein (Ritter der Artussage)

IWF, der; -[s] (Internationaler Währungsfonds)

i wo! (ugs. für keineswegs)

Iz|mir ['ıs..., auch, österr. nur 'ız...] (heutiger Name von Smyrna)

J [jɔt, österr. je:] (Buchstabe); das J; des J, die J, aber das j in Boje; der Buchstabe J, j; vgl. Jot

J = chemisches Zeichen für Jod; Joule

ja

Kleinschreibung:

– jaja, auch ja, ja!
– jawohl
– ja freilich; ja doch; aber ja; na ja; nun ja; ach ja

Großschreibung:

– das Ja und [das] Nein
– mit [einem] Ja antworten; mit Ja oder [mit] Nein stimmen
– die Folgen seines Ja[s]

Groß- oder Kleinschreibung:

– Ja od. ja sagen
– zu allem Ja und Amen od. ja und amen sagen (ugs.)

Jab [dʒɛp], der; -s, -s ⟨engl.⟩ (kurzer Boxhieb)

Ja|bo, der; -s, -s (kurz für Jagdbomber)

Ja|bot [ʒa'bo:], das; -s, -s ⟨franz.⟩ (Spitzenrüsche [an Hemden])

Jacht, Yacht [j...], die; -, -en ⟨niederl.⟩ (Schiff für Sport- u. Vergnügungsfahrten, auch früher: Segelboot); Jacht|klub, Yacht|klub, Jacht|club, Yacht|club

Jack [dʒɛk] (m. Vorn.)

Jäck|chen

Ja|cke, die; -, -n ⟨arab.-franz.⟩; Ja|cken|kleid; Ja|cken|ta|sche

Ja|cket|kro|ne [ˈdʒɛkɪt...] ⟨engl.⟩ (Zahnkronenersatz)

Ja|ckett [ʒa...], das; -s, Plur. -s, selten -e ⟨franz.⟩ (gefütterte Stoffjacke von Herrenanzügen)

Ja|ckett|ta|sche, Ja|ckett-Ta|sche

Jack|pot [ˈdʒɛkpɔt], der; -s, -s ⟨engl.⟩ (bes. hoher [angesammelter] Gewinn bei einem Glücksspiel)

Jack|stag [ˈdʒɛk...], das; -[e]s, -e[n] ⟨engl.; dt.⟩ (Seemannsspr.

Eisen zum Festmachen von Segeln; Gleitschiene)

Jac|quard [ʒa'ka:ɐ̯], der; -[s], -s ⟨nach dem franz. Seidenweber⟩ (Gewebe mit großem Muster)

Jac|quard|ge|we|be ↑ K 136 ; Jac-quard|ma|schi|ne

Jacque|line [ʒa'kli:n] (w. Vorn.)

Jacques [ʒak] (m. Vorn.)

Ja|cuz|zi ® [auch dʒa'ku:zi], der; -[s], -s ⟨nach der Herstellerfirma⟩ (Bassin mit sprudelndem Wasser)

¹Ja|de, die; - (Zufluss der Nordsee)

²Ja|de, der; -[s] u. die; - ⟨franz.⟩ (blassgrüner Schmuckstein)

Ja|de|bu|sen, der; -s (Nordseebucht bei Wilhelmshaven)

ja|de|grün vgl. ²Jade

Ja|fet vgl. Japhet

Jaf|fa (Teil der Stadt Tel Aviv-Jaffa in Israel)

Jaf|fa|ap|fel|si|ne, Jaf|fa-Ap|fel-si|ne

Jagd, die; -, -en; Jagd|auf|se|her; Jagd|auf|se|he|rin

jagd|bar; Jagd|bar|keit, die; -

Jagd|beu|te

Jagd|bom|ber

Jagd|fie|ber

Jagd|flie|ger

Jagd|flin|te

Jagd|flug|zeug

Jagd|fre|vel

Jagd|ge|schwa|der

Jagd|ge|wehr; Jagd|glück

Jagd|grün|de Plur. ; die ewigen Jagdgründe

Jagd|herr; Jagd|her|rin

Jagd|horn Plur. ...hörner; Jagd-hund; Jagd|hüt|te

jagd|lich; Jagd|mes|ser, das

Jagd|pan|zer

Jagd|ren|nen (Pferdesport)

Jagd|re|vier; Jagd|schein; Jagdschloss

Jagd|sprin|gen (Pferdesport)

Jagd|staf|fel (Verband von Kampfflugzeugen)

Jagd|tro|phäe; Jagd|wurst; Jagd-zeit

Ja|gel|lo|ne, der; -n, -n (Angehöriger eines litauisch-polnischen Königsgeschlechtes)

ja|gen; er, sie jagt; gejagt

Ja|gen, das; -s, - (forstliche Wirtschaftsfläche)

Jä|ger

Ja|ge|rei, die; - (fortwährendes Hetzen)

Jä|ge|rei, die; - (Jagdwesen; Jägerschaft); Jä|ger|hut; Jä|ge|rin

---

Jahr

das; -[e]s, -e

- dieses (*nicht* diesen) Jahres (*Abk.* d. J.)
- im Jahr[e] (*Abk.* i. J.)
- laufenden Jahres (*Abk.* lfd. *od.* l. J.)
- künftigen Jahres (*Abk.* k. J.)
- nächsten Jahres (*Abk.* n. J.)
- vorigen Jahres (*Abk.* v. J.)
- ohne Jahr (*Abk.* o. J.)
- über Jahr und Tag

- das Jahr eins unserer Zeitrechnung
- das neue Jahr; zum neuen Jahr[e] Glück wünschen
- Jahr für Jahr; von Jahr zu Jahr
- zwei, viele Jahre lang
- sie ist über (mehr als) 14 Jahre alt
- Schüler ab 14 Jahre[n], bis zu 18 Jahren
- freiwillige Helfer nicht unter 14 Jahren

Vgl. achtziger

Jä|ger|la|tein; Jä|ger|meis|ter; Jä|ger|prü|fung; Jä|ger|schaft, die; -

Jä|ger|schnit|zel (*Gastron.* Schnitzel mit Soße und Pilzen)

Jä|gers|mann *Plur.* ...leute (*veraltet*); Jä|ger|spra|che, die; -

Ja|ger|tee (*österr. für* Tee mit Schnaps)

Ja|gi|el|lo|ne *vgl.* Jagellone

Jagst, die; - (rechter Nebenfluss des Neckars)

Ja|gu|ar, der; -s, -e (indian.) (ein Raubtier)

jäh; jä|he, die; - (*veraltet*); Jäh|heit, die; -; jäh|lings

Jahn; Turnvater Jahn

Jahnn, Hans Henny (dt. Schriftsteller)

Jahr *s.* Kasten

jahr|aus; *nur in* jahraus, jahrein

Jahr|buch (*Abk.* Jb.); Jähr|chen

jahr|ein *vgl.* jahraus

jah|re|lang; *aber* viele Jahre lang

jäh|ren, sich

Jah|res|abon|ne|ment; Jah|res|ab|schluss; Jah|res|an|fang

Jah|res|aus|gleich (*Steuerwesen*)

Jah|res|aus|klang; Jah|res|aus|stoß

Jah|res|be|ginn; Jah|res|bei|trag; Jah|res|be|richt

Jah|res|best|zeit (*Sport*)

Jah|res|ein|kom|men

Jah|res|en|de

Jah|res|end|ral|ly (*Börsenjargon* Anstieg der Kurse zum Jahresende)

Jah|res|frist; innerhalb Jahresfrist

Jah|res|hälf|te; Jah|res|kar|te; Jah|res|mit|te; Jah|res|ra|te; Jah|res|ring *meist Plur.*

Jah|res|tag; Jah|res|ta|gung

Jah|res|über|schuss; Jah|res|um|satz

Jah|res|ur|laub; Jah|res|wa|gen (von einem Mitarbeiter eines Automobilwerks mit Preisnachlass erworbener neuer Pkw, den dieser erst nach einem Jahr veräußern darf)

Jah|res|wech|sel; Jah|res|wen|de

Jah|res|zahl; Jah|res|zeit; jah|res|zeit|lich

Jahr|fünft, das; -[e]s, -e

Jahr|gang, der; *Plur.* ...gänge (*Abk.* Jg., *Plur.* Jgg.); Jahr|gän|ger (*südwestd., westösterr. u. schweiz. für* Person desselben Geburtsjahres); Jahr|gän|ge|rin

Jahr|hun|dert, das; -s, -e (*Abk.* Jh.)

jahr|hun|der|te|alt; *aber* zwei, viele Jahrhunderte alt; jahr|hun|der|te|lang

Jahr|hun|dert|fei|er; Jahr|hun|dert|flut; Jahr|hun|dert|hoch|was|ser; Jahr|hun|dert|mit|te; Jahr|hun|dert|som|mer; Jahr|hun|dert|wein; Jahr|hun|dert|wen|de

jäh|rig (*veraltet für* ein Jahr her; ein Jahr dauernd; ein Jahr alt)

...jäh|rig (z. B. vierjährig [vier Jahre dauernd, vier Jahre alt], *mit Ziffer* 4-jährig); ein Fünfjähriger (*mit Ziffer* 5-Jähriger); die Vier- bis Fünfjährigen (*mit Ziffern* die 4- bis 5-Jährigen)

jähr|lich (jedes Jahr wiederkehrend)

...jähr|lich (z. B. alljährlich, vierteljährlich)

Jähr|ling (einjähriges Tier)

Jahr|markt; Jahr|markts|bu|de

Jahr|mil|li|o|nen

Jahr|tau|send, das; -s, -e; Jahr|tau|send|wen|de

Jahr|wei|ser (*veraltet für* Kalender)

Jahr|zehnt, das; -[e]s, -e; jahr|zehn|te|alt *vgl.* jahrhundertealt; jahr|zehn|te|lang

Jahr-2000-fä|hig [...tsvai-ˈtauznt...]; Jahr-2000-fähige Computer

Jah|ve, ökum. Jah|we (Name Gottes im A. T.); *vgl. auch* Jehova

Jäh|zorn; jäh|zor|nig

Ja|i|rus (bibl. m. Eigenn.)

ja|ja *vgl.* ja

Jak, Yak [j...], der; -s, -s (tibet.) (asiatisches Hochgebirgsrind)

Ja|ka|ran|da|holz ⟨indian.; dt.⟩ (*svw.* Palisander)

Ja|kar|ta [dʒa...] (Hauptstadt u. wichtigster Hafen Indonesiens)

Ja|ko, der; -s, -s (franz.) (eine Papageienart)

Ja|kob (m. Vorn.); ↑K 151 : der wahre Jakob (*ugs. für* der rechte Mann, das Rechte); der billige Jakob (*ugs. veraltet für* Verkäufer auf Jahrmärkten)

Ja|ko|bi, das; - (Jakobitag)

Ja|ko|bi|ner (Angehöriger der radikalsten Partei in der Franz. Revolution); Ja|ko|bi|ne|rin; Ja|ko|bi|ner|müt|ze; Ja|ko|bi|ner|tum, das; -s; ja|ko|bi|nisch

Ja|ko|bi|tag, Ja|kobs|tag

Ja|kobs|lei|ter, die; -, -n (Himmelsleiter; *Seemannsspr.* Strickleiter); Ja|kobs|mu|schel

Ja|kobs|tag, Ja|ko|bi|tag

Ja|ko|bus (Apostel); ↑K134 : Jakobus der Ältere, Jakobus der Jüngere

Ja|ku|te, der; -n, -n (Angehöriger eines Turkvolkes); ja|ku|tisch

Ja|lon [ʒaˈlõ:], der; -s, -s (franz.) (Absteckpfahl; Fluchtstab [für Vermessungen])

Ja|lou|set|te [ʒalu...], die; -, -n ⟨franz.⟩ (Jalousie aus Leichtmetall- od. Kunststofflamellen)

Ja|lou|sie, die; -, ...ien ([hölzerner] Fensterschutz, Rollladen)

Ja|lou|sie|schrank (Rollschrank)

Jal|ta (Hafenstadt auf der Krim); Jal|ta|ab|kom|men, **Jal|ta-Ab|kom|men**

Jam [dʒɛm], die; -, -s (*kurz für* Jamsession)

Ja|mai|ka (Insel der Großen Antillen; Staat auf dieser Insel)

Ja|mai|ka|ko|a|li|ti|on, Ja|mai|ka-Ko|a|li|ti|on (nach den Farben Schwarz, Gelb und Grün der Nationalflagge Jamaikas) (*Politik* Koalition von CDU/CSU, FDP und Grünen)

Ja|mai|ka|ner; Ja|mai|ka|ne|rin; ja-mai|ka|nisch; Ja|mai|ka|rum, Ja-mai|ka-Rum, der; -s

Jam|be, die; -, -n ⟨griech.⟩, Jam-bus, der; -, ...ben (ein Versfuß);
jam|bisch

Jam|bo|ree [dʒɛmbəˈriː], das; -[s], -s ⟨engl.⟩ ([Pfadfinder]treffen; Zusammenkunft)

Jam|bus vgl. Jambe

James [dʒɛims] (m. Vorn.)

James Grieve [- ˈɡriːf], der; - -, - - ⟨nach dem engl. Apfelzüchter⟩ (eine Apfelsorte)

jam|men [ˈdʒɛmən] (eine Jamsession veranstalten); sie haben gejammt

Jam|mer, der; -s

Jam|mer|bild; Jam|mer|ge|stalt; Jam|mer|lap|pen (ugs. für ängstlicher Mensch, Schwächling)

jäm|mer|lich; Jäm|mer|lich|keit

Jäm|mer|ling; Jam|mer|mie|ne

jam|mern; ich jammere; sie jammert mich; es jammert mich

jam|mer|scha|de; das ist jammerschade

Jam|mer|tal, das; -[e]s

jam|mer|voll

Jam|ses|si|on, Jam-Ses|si|on [ˈdʒɛmˈsɛʃn̩], die; -, -s ⟨engl.⟩ (zwanglose Zusammenkunft von Musikern zu gemeinsamem Spiel)

Jams|wur|zel ⟨engl.; dt.⟩ (eine tropische Staude)

Jan (m. Vorn.)

Jan. = Januar

Ja|ná|ček [...naːtʃɛk] (tschechischer Komponist)

Jandl (österr. Schriftsteller)

Jane [dʒɛin] (w. Vorn.); vgl. Mary Jane

Jan|ga|da [ʒaŋ...], die; -, -s ⟨port.⟩ (indianisches Floßboot)

Jangt|se, der; -[s], Jangt|se|ki|ang [auch ...ˈkjaŋ], der; -[s] (chinesischer Strom)

Ja|ni|ku|lus, der; - (Hügel in Rom)

Ja|ni|t|schar, der; -en, -en ⟨türk.⟩ (Angehöriger der ehem. türkischen [Kern]truppe); Ja|ni|t|scha|ren|mu|sik

Jan|ker, der; -s, - (bayr., österr. für wollene Trachtenjacke)

Jan Maat, der; - -[e]s, Plur. - -e u. - -en, Jan|maat [auch ˈja...], der; -[e]s, Plur. -e u. -en ⟨niederl.⟩ (scherzh. für Matrose)

Jän|ner, der; -[s] ⟨lat.⟩ (österr., seltener auch südd., schweiz. für Januar)

Jan|se|nis|mus, der; - (eine katholisch-theologische Richtung);

Jan|se|nist, der; -en, -en; Jan|se-nis|tin

Ja|nu|ar, der; -[s], -e ⟨lat.⟩ (erster Monat im Jahr, Eismond, Hartung, Schneemond, Wintermonat; Abk. Jan.); vgl. Jänner

Ja|nu|a|ri|us (ital. Heiliger)

Ja|nus (römischer Gott der Türen u. des Anfangs)

Ja|nus|ge|sicht, Ja|nus|kopf (doppelgesichtiger Männerkopf) ↑K136; ja|nus|köp|fig; Ja|nus-köp|fig|keit, die; -

Ja|pan vgl. Nippon

Ja|pa|ner; Ja|pa|ne|rin; ja|pa|nisch; aber ↑K140: das Japanische Meer; vgl. deutsch

Ja|pa|nisch, das; -[s] (Sprache); vgl. Deutsch; Ja|pa|ni|sche, das; -n; vgl. Deutsche, das

Ja|pa|no|lo|ge, der; -n, -n; Ja|pa-no|lo|gie, die; - ⟨jap.; griech.⟩ (Japankunde); Ja|pa|no|lo|gin

Ja|pan|pa|pier

Ja|phet, ökum. Ja|fet (bibl. m. Eigenn.)

jap|pen (nordd. für japsen)

jap|sen (ugs. für nach Luft schnappen); du japst; Jap|ser

Jar|di|ni|e|re [ʒa...], die; -, -n ⟨franz.⟩ (Schale für Blumenpflanzen)

Jar|gon [ʒarˈɡõ:], der; -s, -s ⟨franz.⟩ ([saloppe] Sondersprache einer Berufsgruppe od. Gesellschaftsschicht)

Ja|ro|wi|sa|ti|on, die; -, -en ⟨russ.⟩ (Verfahren, mit dem das Wachstum von Saatgut beschleunigt wird); ja|ro|wi|sie-ren

Ja|sa|ger; Ja|sa|ge|rin

Jas|min, der; -s, -e ⟨pers.-span.⟩ (ein Zierstrauch)

Jas|mund (Halbinsel von Rügen); Jasmunder Bodden

Ja|son (griech. Sage Führer der Argonauten)

Jas|pers (dt. Philosoph)

Jas|per|wa|re [ˈdʒɛs...] ⟨engl.⟩ (farbiges, weiß verziertes Steingut)

Jas|pis, der; Gen. - u. -ses, Plur. -se ⟨semit.⟩ (ein Edelstein)

Jass, der; -es ⟨schweiz., auch südd. u. westösterr. ein Kartenspiel)

jas|sen (Jass spielen); du jasst; sie jasst; du jasstest; gejasst; jass! u. jasse!; Jas|ser; Jas|se|rin

Ja|stim|me

jä|ten

Jau|che, die; -, -n; jau|chen

Jau|che[n]|fass; Jau|che[n]|gru|be; Jau|che[n]|wa|gen; jau|chig

jauch|zen; du jauchzt; Jauch|zer

jau|len (klagend winseln, heulen)

Ja|un|de (Hauptstadt Kameruns)

Jau|se, die; -, -n ⟨slowen.⟩ (österr. für Zwischenmahlzeit)

Jau|sen|brot; Jau|sen|sta|ti|on (Gaststätte, in der man einen Imbiss einnehmen kann); Jau-sen|zeit

jaus|nen (österr. für eine Zwischenmahlzeit zu sich nehmen)

¹Ja|va (eine der Großen Sundainseln)

²Ja|va® [auch ˈdʒa:və], das; -[s] meist ohne Artikel (EDV eine systemunabhängige Programmiersprache)

Ja|va|ner; Ja|va|ne|rin; ja|va|nisch

ja|wohl

Ja|wort Plur. ...worte

Jazz [dʒɛs, auch jats], der; - ⟨amerik.⟩ (Musikstil, der sich aus der Volksmusik der schwarzen Bevölkerung Amerikas entwickelt hat)

J

jede

Jazz|band, die; -, -s (Jazzkapelle)

jaz|zen [ˈdʒɛsn̩, auch ˈjatsn̩]; du jazzt; er jazzt; gejazzt; Jaz|zer, der; -s, - (Jazzmusiker); Jaz|ze|rin

Jazz|fan; Jazz|fes|ti|val

Jazz|gym|nas|tik

jaz|zig (ugs. für wie Jazz wirkend); Jazz|ka|pel|le; Jazz|kel|ler

Jazz|mu|sik; Jazz|mu|si|ker; Jazz-mu|si|ke|rin

Jazz|trom|pe|ter; Jazz|trom|pe|te-rin

Jb. = Jahrbuch

je s. Kasten Seite 546

¹**Jean** [ʒã:] (m. Vorn.)

²Jean [dʒi:n], die; -, -s (österr. für Jeans)

Jeanne [ʒan] (w. Vorn.)

Jeanne d'Arc [ʒanˈdark] (Jungfrau von Orleans)

Jean|nette [ʒaˈnɛt] (w. Vorn.)

Jean Paul [ʒã: -] ⟨eigtl. Johann (Jean) Paul Friedrich Richter⟩ (dt. Schriftsteller)

Jeans [dʒi:ns] Plur. od. die; -, - ⟨amerik.⟩ ([saloppe] Hose im Stil der Bluejeans)

Jeans|an|zug; Jeans|hemd; Jeans-ja|cke; Jeans|kleid; Jeans|rock

jeck (rhein. für närrisch, verrückt); Jeck, der; -en, -en (rhein. für [Fastnachts]narr)

je|de|frau (bes. im feministischen Sprachgebrauch für jeder-

je

- seit je
- je drei; je zwei und zwei
- je länger, je lieber (vgl. aber Jelängerjelieber)
- je mehr, desto lieber
- je kürzer, umso schneller
- je nachdem (vgl. d.)
- je nach Bedarf
- je ein Exemplar wurde an sie verschickt

Als Präposition steht »je« (in der Funktion von »für, pro«) mit Akkusativ:

- je erwachsenen Teilnehmer
- je beschäftigten Arbeiter

Man kann »je« in der gleichen Bedeutung auch als Adverb auffassen; es übt dann keinen Einfluss auf die Rektion aus:

- je erwachsener Teilnehmer
- je beschäftigter Arbeiter

---

mann); das ist Kleidung für jedefrau

je|den|falls

je|der

jede, jedes
- zu jeder Stunde, zu jeder Zeit; auf jeden Fall
- zu Anfang jedes Jahres od. jeden Jahres; die Rinde jedes alten Baumes

Kleinschreibung ↑K76:

- das weiß ein jeder; jedem kann geholfen werden; alles und jedes (alles ohne Ausnahme)
- jeder Beliebige kann daran teilnehmen; jeder Einzelne wurde gefragt
- jedes Mal versprach sie es

je|der|art; je|der|lei
je|der|mann ↑K76: es ist nicht jedermanns Sache
je|der|zeit (immer); aber zu jeder Zeit; je|der|zei|tig
je|des Mal vgl. Mal; jedes Mal[,] wenn ...; je|des|ma|lig
je|doch
jed|we|der (veraltend für jeder); jedwede, jedwedes; jedweden Inhalts; jedweder neue Versuch; jedweder Angestellte
Jeep® [dʒiːp], der; -s, -s ⟨nach dem Unternehmen Jeep Corp.⟩ (kleiner [amerikanischer] Geländekraftwagen)
jeg|li|cher ↑K76 (veraltend für jeder); ein jeglicher; jegliches; jeglichen Geschlechts; jegliche Angestellte; frei von jeglichem neidischen Gefühl
je|her [auch 'je:'he:ɐ̯]; von jeher
Je|ho|va (durch Vokalveränderung entstandene Form von Jahve)
jein (ugs. scherzh. für ja und nein)
Je|län|ger|je|lie|ber, das; -s, - (Geißblatt)

Je|li|nek (österr. Schriftstellerin)
je|mals
je|mand; Gen. jemand[e]s, Dat. jemandem, auch jemand, Akk. jemanden, auch jemand; sonst jemand; aber irgendjemand; jemand anders; mit, von jemand anders, auch anderem; jemand Fremdes; aber ein gewisser Jemand; vgl. irgend
je mehr
Je|men, -s, auch mit Artikel der; -[s] (Staat auf der Arabischen Halbinsel); Je|me|nit, der; -en, -en; Je|me|ni|tin; je|me|ni|tisch
je|mi|ne! ⟨entstellt aus lat. Jesu domine! = »o Herr Jesus!«⟩, herr|je|mi|ne!, oje|mi|ne! (veraltend)
Jen vgl. Yen
Je|na (Stadt an der Saale)
je nach|dem; je nachdem[,] ob/wie ↑K127
Je|na|er, Je|nen|ser; Jenaer Glas®; je|na|isch
Je|nen|ser vgl. Jenaer
je|ner, jene, jenes; ich erinnere mich jenes Tages; ↑K76: da kam jener; jene war es, die ...
je|nisch (die Landfahrer betreffend; rotwelsch für klug, gewitzt); jenische Sprache (Gaunersprache, Rotwelsch)
Je|nis|sei, Je|nis|sej [...'seːi], der; -[s] (sibir. Strom)
Jen|ni, Jen|ny (w. Vorn.)
Jen|ni|fer [dʒɛ...] (w. Vorn.)
Jens (m. Vorn.)
jen|sei|tig[1]; Jen|sei|tig|keit[1], die; -
jen|seits[1]; als Präp. mit Gen.: jenseits des Flusses; jenseits von Gut und Böse
Jen|seits[1], das; -
Jen|seits|glau|be[1]
Je|re|mia, Je|re|mi|as (biblischer Prophet); die Klagelieder Jeremiä (des Jeremia)
Je|re|mi|a|de, die; -, -n (Klagelied)

Je|re|mi|as vgl. Jeremia
Je|re|wan [auch ...'van] (vgl. Eriwan)
Je|rez ['çeːrɛs], der; - (ein spanischer Wein); vgl. Sherry
Je|rez de la Fron|te|ra [xeˈrɛs - - -] (spanische Stadt)
Je|ri|cho (Stadt im Westjordanland); Je|ri|cho|ro|se, Je|ri-cho-Ro|se
Je|ri|chow [...ço] (Stadt südöstlich von Tangermünde)
Jé|rôme [ʒeˈroːm] (m. Vorn.)
[1]Jer|sey ['dʒøːɐ̯zi] (eine Kanalinsel)
[2]Jer|sey, der; -[s], -s ⟨engl.⟩ (eine Stoffart)
[3]Jer|sey, das; -s, -s (Trikot des Sportlers)
je|rum!; oje|rum!
Je|ru|sa|lem (die heilige Stadt der Juden, Christen u. Moslems)
Je|sa|ja (biblischer Prophet); vgl. Isaias
Je|si|de, Je|zi|de [...z...], der; -n, -n (Angehöriger einer kurdischen Religionsgemeinschaft); Je|si-din, Je|zi|din; je|si|disch, je|zi-disch
Jes|si|ca [engl. Ausspr. 'dʒɛsɪkə] (w. Vorn.)
Je|su|it, der; -en, -en (Mitglied des Jesuitenordens); Je|su|i|ten|or-den, der; -s (Gesellschaft Jesu; Abk. SJ); Je|su|i|ten|tum, das; -s; je|su|i|tisch
Je|sus (»Gott hilft« [vgl. Josua]⟩ (bibl. m. Eigenn.)
Je|sus Chris|tus; Gen. Jesu Christi, Dat. Jesu Christus u. Jesu Christo, Akk. Jesus Christus u. Jesum Christum, Anredefall Jesus Christus u. Jesu Christe
Je|sus|kind, das; -[e]s
Je|sus|lat|sche, Je|sus|lat|schen meist Plur. (ugs. für einfache Sandale)
Je|sus Na|za|re|nus Rex Ju|dae|o-

---

[1] [auch 'jɛn...]

rum ⟨lat., »Jesus von Nazareth, König der Juden«⟩; *Abk.* I. N. R. I.

Je|sus Peo|ple [ˈdʒiːzəs ˈpiːpl̩] *Plur.* ⟨engl.⟩ (Anhänger einer religiösen Jugendbewegung)

Je|sus Si|rach (Verfasser einer biblischen Spruchsammlung)

¹Jet [dʒɛt], der; -[s], -s ⟨engl.⟩ (*ugs. für* Düsenflugzeug)

²Jet *vgl.* Jett

Jet|lag [...lɛk], der; -s, -s ⟨*zu* ¹Jet⟩ (Beschwerden nach schnellem Überfliegen mehrerer Zeitzonen)

Jet|li|ner [...ai...], der; -s, - (Düsenverkehrsflugzeug)

Je|ton [ʒaˈtõː], der; -s, -s ⟨franz.⟩ (Spielmarke)

Jet|set, der; -s, -s ⟨engl.⟩ (Gruppe reicher, den Tagesmoden folgender Menschen)

Jet|stream [...iːm], der; -[s], -s (starker Luftstrom in der Tropod. Stratosphäre)

Jett, *fachspr.* Jet [dʒ...], der *od.* das; -[e]s ⟨franz.-engl.⟩ (Pechkohle, Gagat); jett|ar|tig

jet|ten [dʒ...] ⟨engl.⟩ (mit dem ¹Jet fliegen); gejettet

jet|zig

jet|zo (*veraltet für* jetzt)

jetzt; bis jetzt; von jetzt an

Jetzt, das; - (Gegenwart, Neuzeit)

Jetzt|mensch; Jetzt|zeit, die; -

Jeu [ʒøː], das; -s, -s ⟨franz.⟩ (*veraltet für* [Karten]spiel)

Jeu|nesse do|rée [ʒøˈnɛs doˈreː], die; - - ⟨franz.⟩ (reiche, leichtlebige Jugend der Großstädte)

Je|ver [...f..., *auch* ...v...] (Stadt in Niedersachsen)

Je|ve|ra|ner [...v...]; Je|ve|ra|ne|rin

Je|ver|land [...f..., *auch* ...v...], das; -[e]s (Gebiet im nördlichen Oldenburg); Je|ver|län|der; Je|ver|län|de|rin; je|ver|län|disch; je|versch

je|wei|len (*veraltet für* dann und wann; *schweiz. neben* jeweils)

je|wei|lig; je|weils

Je|zi|de usw. *vgl.* Jeside usw.

Jg. = Jahrgang

Jgg. = Jahrgänge

Jh. = Jahrhundert

jid|disch; Jid|disch, das; -[s] (von den Juden in Osteuropa gesprochenes Deutsch); *vgl.* Deutsch; Jid|di|sche, das; -n; *vgl.* Deutsche, das

Jid|dis|tik, die; - (jiddische Literatur- und Sprachwissenschaft)

Jie|per usw. *vgl.* Gieper usw.

Jim [dʒɪm], Jim|my [ˈdʒɪmi] (m. Vorn.)

Jin|gle [ˈdʒɪŋl̩], der; -[s], -[s] ⟨engl.⟩ (kurze, einprägsame Melodie eines Werbespots)

Jit|ter|bug [ˈdʒɪtɐbak], der; -, -[s] ⟨amerik.⟩ (amerik. Jazztanz)

Jiu-Jit|su [dʒiːuˈdʒɪtsu], das; -[s] ⟨jap.⟩ (*älter für* Ju-Jutsu [*vgl. d.*])

Jive [dʒaif], der; -, -[s] ⟨amerik.⟩ (dem Jitterbug ähnlicher Tanz)

j. L. = jüngere[r] Linie (*Genealogie*)

J.-Nr. = Journalnummer

Jo|ab (bibl. m. Eigenn.)

Jo|a|chim [*auch* joˈa...] (m. Vorn.)

Jo|a|chims|ta|ler, der; - ⟨nach dem Ort St. Joachimsthal in Böhmen⟩ (eine Münze)

Jo|as, *ökum.* Jo|asch (bibl. m. Eigenn.)

¹Job (*Schreibung der Vulgata für* Hiob, Ijob)

²Job [dʒɔp], der; -s, -s ⟨engl.-amerik.⟩ ([Gelegenheits]arbeit, Stelle); job|ben (*ugs. für* einen ²Job ausüben); gejobbt

Job|ber, der; -s, - (Händler an der Londoner Börse, der nur in eigenem Namen Geschäfte abschließen darf; *auch allg. für* Börsenspekulant; *ugs. für* jmd., der jobbt); Job|be|rin; Job|ber|tum, das; -s

Job|bör|se

Job|cen|ter, Job-Cen|ter (Zusammenschluss von Arbeitsagenturen u. Sozialämtern)

Job|floa|ter, Job-Floa|ter [...floutɐ], der; -s, - ⟨engl.⟩ (Finanzierungshilfe für kleine und mittlere Unternehmen, die Arbeitslose dauerhaft einstellen)

Job|hop|per, Job-Hop|per; Job|hop|pe|rin, Job-Hop|pe|rin; Job|hop|ping, Job-Hop|ping, das; -s, -s ⟨engl.⟩ (*ugs. für* häufiger Stellenwechsel)

Job|kil|ler (*ugs. abwertend für* etwas, was Arbeitsplätze beseitigt)

Job|ma|schi|ne (*ugs. für* etwas, was Arbeitsplätze schafft)

Job|sha|ring [...dʒɛːə...], das; -[s] (Aufteilung eines Arbeitsplatzes unter mehrere Personen)

Job|si|a|de, die; - (komisches Heldengedicht von K. A. Kortum)

Jobst (m. Vorn.)

Job|su|che; auf Jobsuche sein

Job|ti|cket [dʒɔ...] (Dauerkarte zur Benutzung öffentlicher Ver-

kehrsmittel für Beschäftigte einer Firma)

Joch, das; -[e]s, -e (*auch* ein älteres Feldmaß); 9 Joch Acker, 3 Joch Ochsen

Joch|bein; Joch|bo|gen

Jo|chem, Jo|chen (m. Vorn.)

jo|chen (*landsch. für* ins Joch spannen)

Jo|ckei, Jo|ckey [ˈdʒɔke, ˈdʒɔki, *auch* ˈdʒɔkai, ˈjɔkai], der; -s, -s ⟨engl.⟩ (Berufsrennreiter[in])

Jod, *fachspr. auch* Iod, das; -[e]s ⟨griech.⟩ (chemisches Element, Nichtmetall; *Zeichen* J, *auch* I)

Jo|dat, *fachspr. auch* Io|dat, das; -[e]s, -e (Salz der Jodsauerstoffsäure)

Jo|del, der; -s, *Plur.* - u. Jödel (*landsch. für* Jodelgesang)

jo|deln; ich jod[e]le

jod|hal|tig

Jo|did, *fachspr. auch* Io|did, das; -[e]s, -e ⟨griech.⟩ (Salz der Jodwasserstoffsäure)

jo|die|ren (mit Jod versehen)

Jo|dit, das; -s, -e (ein Mineral)

Jod|ler; Jod|le|rin

Jod|salz

Jod|tink|tur, die; - (*früher* [Wund]desinfektionsmittel)

Jo|el [...eːl, *auch* ...ɛl] (bibl. Prophet)

Joga usw. *vgl.* Yoga usw.

jog|gen [ˈdʒɔ...] (Jogging betreiben); sie joggt, hat/ist gejoggt

Jog|ger; Jog|ge|rin

Jog|ging, das; -s ⟨amerik.⟩ (Laufen in mäßigem Tempo [als Fitnesstraining]); Jog|ging|an|zug; Jog|ging|be|klei|dung; Jog|ging|ho|se

Jo|ghurt *vgl.* Jogurt

Jo|gi, Jo|gin *vgl.* Yogi, Yogin

Jo|gurt, Jo|ghurt [ˈjoːgʊrt], der *u.*, *bes. österr. u. schweiz.*, das; -[s], *Plur.* -[s], *bes. ostösterr. auch* die; -, -[s] ⟨türk.⟩ (durch Zusetzen bestimmter Milchsäurebakterien gewonnene säuerliche Dickmilch)

Jo|hann (m. Vorn.); *vgl.* Johannes

Jo|han|na, Jo|han|ne (w. Vorn.)

jo|han|ne|isch; die johanneischen (von Johannes herrührenden) Briefe ↑K89

¹Jo|han|nes (m. Vorn.); Johannes der Täufer

²Jo|han|nes (Apostel u. Evangelist)

Jo|han|nes|burg (größte Stadt der Republik Südafrika)

Jo|han|nes|evan|ge|li|um; Jo|han|nes|pas|si|on

Johanngeorgenstadt – Juchart

Jo|hann|ge|or|gen|stadt (Stadt im westlichen Erzgebirge)
Jo|han|ni[s], das; - (Johannistag)
Jo|han|nis|bee|re; Rote Johannisbeere, Schwarze Johannisbeere ↑K89
Jo|han|nis|ber|ger (ein Wein)
Jo|han|nis|brot (Hülsenfrucht des Johannisbrotbaumes)
Jo|han|nis|feu|er; Jo|han|nis|kä|fer; Jo|han|nis|kraut; Jo|han|nis|nacht; Jo|han|nis|tag (am 24. Juni); Jo|han|nis|trieb; Jo|han|nis|würm|chen
Jo|han|ni|ter, der; -s, - (Angehöriger des Johanniterordens); Jo|han|ni|ter|or|den, der; -s
Jo|han|ni|ter|un|fall|hil|fe, die; - (eigene Schreibung der Organisation: Johanniter-Unfall-Hilfe)
joh|len
John [dʒɔn] (m. Vorn.)
John|son (dt. Schriftsteller)
Joint [dʒ...], der; -s, -s ⟨engl.⟩ (Haschisch od. Marihuana enthaltende Zigarette)
Joint Ven|ture [ˈdʒɔynt ˈventʃɐ], das; - -[s], - -s (Wirtsch. Zusammenschluss von Unternehmen, Gemeinschaftsunternehmen)
Jo-Jo, Yo-Yo [joˈjoː], das; -s, -s ⟨amerik.⟩ (ein Geschicklichkeitsspiel)
Jo|jo|ba, die; -, -s ⟨mexik.⟩ (ein Buchsbaumgewächs); Jo|jo|ba|öl
Jo-Jo-Ef|fekt (Gewichtsab- u. -wiederzunahme bei Diäten)
Jo|ker [auch ˈdʒoː...], der; -s, - ⟨engl.⟩ (eine Spielkarte; eine Zusatzchance im Quiz; österr. auch ein Zusatzspiel im Lotto)
Jo|ko|ha|ma vgl. Yokohama
jo|kos ⟨lat.⟩ (veraltet für scherzhaft)
Jo|kus, der; -, -se ⟨ugs. für Scherz, Spaß⟩
Jo|li|ot-Cu|rie [ʒoˈljoːky...], Frédéric [fredeˈrik] u. Irène [iˈrɛn] (franz. Physikerehepaar)
Jol|le, die; -, -n (kleines [einmastiges] Boot); Jol|len|kreu|zer
Jom Kip|pur, der; - - (hoher jüdischer Feiertag)
Jo|na vgl. ¹Jonas
Jo|na|gold, der; -s, - (eine Apfelsorte)
¹Jo|nas, ökum. Jo|na (biblischer Prophet)
²Jo|nas (m. Vorn.)
¹Jo|na|than, der; -s, - (ein Winterapfel)
²Jo|na|than, ökum. Jo|na|tan (bibl. m. Eigenn.)

Jon|g|leur [ʒɔŋ(g)ˈløːɐ̯], der; -s, -e ⟨franz.⟩ (Geschicklichkeitskünstler); Jon|g|leu|rin
jon|g|lie|ren
Jons|dorf, Kur|ort (im Zittauer Gebirge)
Jop|pe, die; -, -n (Jacke)
Jor|dan, der; -[s] (größter Fluss Israels u. Jordaniens); über den Jordan gehen (sterben)
Jor|da|ni|en (Staat in Vorderasien); vgl. Transjordanien
Jor|da|ni|er; Jor|da|ni|e|rin
jor|da|nisch
Jörg (m. Vorn.)
Jörn (m. Vorn.)
Jo|sa|phat, ökum. Jo|scha|fat (bibl. m. Eigenn.); das Tal Josaphat, ökum. Joschafat (östl. von Jerusalem)
Jo|schi (bayr., österr. für Josef)
Jo|schi|ja vgl. Josia
Josch|ka (Koseform von Joseph)
Jo|sef usw. vgl. Joseph usw.
¹Jo|seph, Jo|sef (m. Vorn.)
²Jo|seph, ökum. Jo|sef (bibl. m. Eigenn.)
Jo|se|pha, auch u. österr. nur Jo|se|fa [auch joˈzeːfa] (w. Vorn.)
Jo|se|phi|ne, auch u. österr. nur Jo|se|fi|ne (w. Vorn.)
jo|se|phi|nisch; Josephinisches Zeitalter (Zeitalter Josephs II.)
Jo|se|phi|nis|mus, der; - (aufgeklärte katholische Staatskirchenpolitik im Österreich des 18. u. 19. Jh.s)
Jo|se|phus (jüdischer Geschichtsschreiber)
Jo|sia, Jo|si|as, ökum. Jo|schi|ja (bibl. m. Eigenn.)
Jost (m. Vorn.)
Jo|sua ⟨»Gott hilft« [vgl. Jesus]⟩ (bibl. m. Eigenn.)
Jot, das; -, - ⟨semit.⟩ (Buchstabe)
Jo|ta, Io|ta, das; -[s], -s (griechischer Buchstabe: I, ι); kein Jota od. Iota (nicht das Geringste)
Jo|ta|zis|mus, Io|ta|zis|mus (svw. Itazismus)
Joule [dʒuːl], das; -[s], - ⟨nach dem Engländer J. P. Joule⟩ (Physik Maßeinheit für die Energie; Zeichen J)
Jour [ʒuːɐ̯], der; -s, -s ⟨franz.⟩ (früher für [Dienst-, Amts-, Empfangs]tag); Jour fixe (für regelmäßige Treffen fest vereinbarter Tag); vgl. du jour u. à jour
Jour|nail|le [ʒʊrˈnaljə, auch ...ˈnaɪ, österr. ...ˈnaɪjə], die; - (gewissen-

los u. hetzerisch arbeitende Tagespresse)
Jour|nal, das; -s, -e (Tagebuch in der Buchhaltung; [Mode]zeitschrift; veraltet für Zeitung)
Jour|nal|be|am|te (österr. für Dienst habender Beamter); Jour|nal|be|am|tin; Jour|nal|dienst (österr. für Bereitschafts-, Tagesdienst)
Jour|na|lis|mus, der; - ([bes. Wesen, Eigenart der] Zeitungsschriftstellerei; Pressewesen)
Jour|na|list, der; -en, -en (jmd., der beruflich für die Presse, den Rundfunk, das Fernsehen schreibt, publizistisch tätig ist); eingebetteter Journalist (im Krieg mit der Truppe mitziehender und dem Weisungen des Truppenkommandeurs unterstehender Journalist); Jour|na|lis|tik, die; - (Zeitungswesen); Jour|na|lis|tin; jour|na|lis|tisch
Jour|nal|num|mer (Nummer eines kaufmännischen od. behördlichen Tagebuchs; Abk. J.-Nr.)
jo|vi|al [österr. u. schweiz. ʒo...] ⟨lat.⟩ (leutselig, gönnerhaft); Jo|vi|a|li|tät, die; -
Joyce [dʒɔys], James (irischer Schriftsteller)
Joy|stick [ˈdʒɔystɪk], der; -s, -s ⟨engl.⟩ (Steuerhebel für Computer[spiele])
JPY (Währungscode für Yen)
jr., jun. = junior
¹Ju|an [x...] (m. Vorn.); Don Juan (vgl. d.)
²Ju|an vgl. Yuan
Ju|bel, der; -s
Ju|bel|fei|er; Ju|bel|ge|schrei; Ju|bel|greis (ugs. für lebenslustiger alter Mann)
Ju|bel|jahr (bei den Juden jedes 50., in der kath. Kirche jedes 25. Jahr); alle Jubeljahre (ugs. für ganz selten)
ju|beln; ich jub[e]le
Ju|bel|paar; Ju|bel|ruf
Ju|bi|lar, der; -s, -e ⟨lat.⟩; Ju|bi|la|rin
Ju|bi|la|te ⟨»jubelt!«⟩ (dritter Sonntag nach Ostern)
Ju|bi|lä|um, das; -s, ...äen
Ju|bi|lä|ums|aus|ga|be; Ju|bi|lä|ums|aus|stel|lung; Ju|bi|lä|ums|fei|er; Ju|bi|lä|ums|jahr
ju|bi|lie|ren (jubeln; auch ein Jubiläum feiern)
Ju|chart, Ju|chert, der; -s, -e (altes südwestdeutsches Feldmaß); 10 Juchart od. Juchert Ackerland; vgl. Jauchert

548

²Ju|chart, Ju|char|te, die; -, ...ten
(*schweiz. für* ¹Juchart)

ju|chen (*landsch. für* jauchzen)

Ju|chert *vgl.* ¹Juchart

juch|he!

Juch|he, das; -s, -s (*ugs. für* oberste
Galerie im Theater)

juch|hei!; juch|hei|ras|sa!; juch|hei-
ras|sas|sa!

juch|hei|sa!; juch|hei|ßa!

juch|ten (aus Juchten); Juch|ten,
der *od.* das; -s ⟨russ.⟩ (feines,
wasserdichtes Leder)

Juch|ten|le|der; Juch|ten|stie|fel

juch|zen (*Nebenform von* jauch-
zen); du juchzt; Juch|zer

ju|cken

– es juckt mich; es juckt mich am
Arm; es juckt (reizt) mich, ihr
einen Streich zu spielen

– es juckt mir, *auch* mich in den
Fingern (*ugs. für* es drängt
mich), dir eine Ohrfeige zu
geben

– die Hand juckt mir, *auch* mich;
mir, *auch* mich juckt die Hand;
ihm, *auch* ihn juckt das Fell
(*ugs. für* er scheint Prügel haben
zu wollen)

Ju|cker, der; -s, - (leichtes
[ung.] Wagenpferd); Ju|cker-
ge|schirr

Juck|pul|ver; Juck|reiz

¹Ju|da (bibl. m. Eigenn.)

²Ju|da (Sitz des Stammes Juda in u.
um Jerusalem); *vgl.* Judäa

Ju|däa (Bez. des alten Südpalästi-
nas, später ganz Palästinas)

Ju|da|i|ka *Plur.* (Bücher, Sammel-
objekte der jüdischen Kultur u.
Religion)

Ju|da|is|mus, der; - (jüdische Reli-
gion); Ju|da|is|tik, die; - (Wissen-
schaft von der jüdischen Religion, Kultur, Geschichte)

¹Ju|das (bibl. m. Eigenn.); Judas
Ischariot, *ökum.* Judas Iskariot
(Apostel, Verräter Jesu); Judas
Thaddäus (m ein Apostel)

²Ju|das, der; -, -se ⟨nach Judas
Ischariot⟩ (Verräter)

Ju|das|kuss ↑ K 136 ; Ju|das|lohn

Ju|de, der; -n, -n

Ju|den|chris|ten|tum

Ju|den|heit, die; -

Ju|den|kir|sche (eine Zierpflanze);
Ju|den|stern

Ju|den|tum, das; -s

Ju|den|ver|fol|gung; Ju|deo|pho|bie
die; - (krankhafte Angst vor den

Juden, übersteigerte Ablehnung
alles Jüdischen)

Ju|di|ka ⟨lat., »richte!«⟩ (Passions-
sonntag, zweiter Sonntag vor
Ostern)

Ju|di|ka|ti|ve, die; - (*Rechtsspr.*
richterliche Gewalt [im Staat])

ju|di|ka|to|risch (*veraltend für*
richterlich)

Ju|di|ka|tur, die; -, -en (Rechtspre-
chung)

Jü|din

jü|disch; die jüdische Zeitrech-
nung

¹Ju|dith (w. Vorn.)

²Ju|dith, *ökum.* Ju|dit (bibl. w.
Eigenn.)

ju|di|zie|ren ⟨lat.⟩ (*Rechtsspr.* urtei-
len, richten)

Ju|di|zi|um, das; -s, ...ien (aus lang-
jähriger Gerichtspraxis sich ent-
wickelndes Rechtsfindungsver-
mögen)

¹Ju|do, der; -s, -s *u.* die; -, -s (*Kurzw.
für* Jungdemokrat[in])

²Ju|do (*österr. meist* dʒ...), das; -[s]
⟨jap.⟩ (sportliche Ausübung des
Ju-Jutsu); Ju|do|griff

Ju|do|ka, der; -[s], -[s] *u.* die; -, -[s]
(Judosportler[in])

Ju|gend, die; -; Ju|gend|amt

Ju|gend|ar|beit

Ju|gend|ar|beits|lo|sig|keit; Ju-
gend|ar|beits|schutz|ge|setz

Ju|gend|be|geg|nung; Ju|gend|be-
we|gung

Ju|gend|bild; Ju|gend|bild|nis

Ju|gend|club vgl. Ju|gend|klub

Ju|gend|er|in|ne|rung

ju|gend|frei (Prädikat für Filme)

Ju|gend|freund (*DDR auch* Anrede
für ein Mitglied der FDJ); Ju-
gend|freun|din

Ju|gend|für|sor|ge

ju|gend|ge|fähr|dend; ein jugend-
gefährdender Film

Ju|gend|grup|pe

Ju|gend|her|ber|ge

Ju|gend|klub, Ju|gend|club

Ju|gend|kri|mi|na|li|tät, die; -

Ju|gend|kul|tur

ju|gend|lich

Ju|gend|li|che, der *u.* die; -n, -n

Ju|gend|lich|keit, die; -

Ju|gend|lie|be; Ju|gend|li|te|ra|tur;
Ju|gend|or|ga|ni|sa|ti|on

Ju|gend|pfar|rer

Ju|gend|pfar|re|rin

Ju|gend|pfle|ge; Ju|gend|psy|cho|lo-
gie

Ju|gend|recht, das; -[e]s; Ju|gend-
rich|ter; Ju|gend|rich|te|rin; Ju-
gend|schutz

Ju|gend|stil, der; -[e]s (eine Kunst-
richtung); Ju|gend|stil|lam|pe

Ju|gend|stra|fe (*Rechtsw.*)

Ju|gend|streich; Ju|gend|sün|de

Ju|gend|treff, der; Ju|gend|wahn

Ju|gend|wart; Ju|gend|war|tin

Ju|gend|wei|he (feierliche Veran-
staltung beim Übergang der
Jugendlichen in das Leben der
Erwachsenen); Ju|gend|werk; Ju-
gend|zeit; Ju|gend|zen|t|rum

Ju|go|s|la|we, der; -n, -n; Ju|go|s|la-
wi|en (*früher*); Ju|go|s|la|win; ju-
go|s|la|wisch

Ju|gur|tha (König von Numidien);
Ju|gur|thi|ni|sche Krieg, der;
-n -[e]s

ju|he! (*schweiz. für* juchhe!)

ju|hu! [*auch* 'ju:...]

Juice [dʒu:s], der *od.* das; -, -s
⟨engl.⟩ (Obst- od. Gemüsesaft)

Juist [ju:st] (eine der Ostfriesi-
schen Inseln)

Ju|ju|be, die; -, -n ⟨franz.⟩ (ein
Strauch; Beere)

Ju-Jut|su, das; -[s] ⟨jap.⟩ (Technik
der Selbstverteidigung ohne
Waffen)

Juke|box ['dʒu:k...], die; -, -es
⟨engl.⟩ (*svw.* Musikbox)

Jul|bock, der (schwed.) (skandina-
vische Weihnachtsfigur)

Ju|lei (verdeutlichende Sprechform
von Juli)

Jul|fest (Fest der Wintersonnen-
wende); vgl. Julklapp

Ju|li, der; -[s], -s ⟨lat.⟩ (der siebte
Monat im Jahr, Heue[r]t, Heu-
mond, Sommermonat)

Ju|lia, Ju|lie (w. Vorn.)

Ju|li|an, Ju|li|a|nus (röm. Jurist)

Ju|li|a|na, Ju|li|a|ne (w. Vorn.)

ju|li|a|nisch; der julianische Kalen-
der ↑ K 89 u. 135

Ju|li|a|nus vgl. Julian

Ju|lie vgl. Julia

¹Ju|li|enne [ʒy'ljɛn] ⟨franz.⟩ (w.
Vorn.)

²Ju|li|enne, die; - (*Gastron.* feine
Gemüsestreifen als Suppenein-
lage und für Soßen); Ju|li|enne-
sup|pe

¹Ju|li|er, der; -s, - ⟨lat.⟩ (Angehöri-
ger eines römischen [Kaiser]ge-
schlechtes)

²Ju|li|er, der; -s (schweiz. Alpen-
pass); Ju|li|er|pass, der; -es

ju|lisch; *aber* ↑ K 140 : die Julischen
Alpen

Ju|li|us (römischer Geschlechter-
name; m. Vorn.)

Ju|li|us|turm, der; -[e]s ↑ K 136
⟨nach einem Turm der früheren

J
Juli

jung

jünger, am jüngs|ten (*vgl.* jüngste)

– sie haben jung geheiratet; *vgl.* jungverheiratet

Kleinschreibung:

– er ist der jüngere, jüngste meiner Söhne
– die Gedichte des jungen Goethe
– von jung auf
– ein Fest für junge und jung gebliebene *od.* junggebliebene Menschen; ein Fest für Junge und jung Gebliebene *od.* Junggebliebene
– die jungen *od.* Jungen Wilden ↑K89

Großschreibung:

a) der Substantivierung ↑K72:

– Jung und Alt (jedermann); Junge und Alte
– meine Jüngste kommt jetzt in die Schule

– sie ist nicht mehr die Jüngste, sie gehört nicht mehr zu den Jüngsten

b) in Namen und bestimmten namensähnlichen Fügungen:

– ↑K134: Jung Siegfried; der Jüngere (*Abk. [bei Eigennamen]* d. J.)
– ↑K150: das Junge Deutschland (eine Dichtergruppe des 19. Jh.s); die Junge Union (gemeinsame Jugendorganisation von CDU u. CSU)
– ↑K151: das Jüngste Gericht, der Jüngste Tag

Zitadelle in Spandau, in dem der Kriegsschatz des Dt. Reiches lag) *übertr. für* vom Staat angesparte Gelder)

Jul|klapp, der; -s ⟨schwed.⟩ ([scherzhaft mehrfach verpacktes] kleines Weihnachtsgeschenk, das am Julfest von unbekanntem Geber in die Stube geworfen wird)

Jul|mond (*veraltet für* Dezember); **Jul|nacht**

Jum|bo, der; -s, -s ⟨amerik.⟩ (*Kurzform für* Jumbojet); **Jum|bo|jet, Jum|bo-Jet** (Großraumflugzeug)

Ju|me|lage [ʒyməˈlaːʃ], die; -, -n ⟨franz.⟩ (Städtepartnerschaft)

jum|pen [ˈdʒa...] ⟨engl.⟩ (springen); gejumpt

Jum|per [ˈdʒa..., *bes. südd., österr.* ˈdʒɛ...], der; -s, - ⟨engl.⟩ (blusen- od. pulloverähnliches Kleidungsstück); **Jum|per|kleid**

jun., jr. = junior

jung s. Kasten

Jung|brun|nen; Jung|bür|ger (*österr. u. schweiz. für* jmd., der das Wahlalter erreicht hat); **Jung|bür|ge|rin**

Jung|chen (*landsch.*)

Jung|de|mo|krat (Mitglied der ehemaligen Jugendorganisation der FDP; *Kurzw.* Judo); **Jung|de|mo|kra|tin**

¹**Jun|ge,** der; -n, *Plur.* -n, *ugs. auch* Jungs *u.* -ns

²**Jun|ge,** das; -n, -n

Jün|gel|chen (*oft abwertend*)

jun|gen (Junge werfen)

Jun|gen|ge|sicht

jun|gen|haft; Jun|gen|haf|tig|keit, die; -

Jun|gen|schu|le; Jun|gen|streich

Jün|ger, der; -s, -; **Jün|ge|rin; Jün|ger|schaft**

Jung|fer, die; -, -n (*veraltet*); **jüng|fer|lich**

Jung|fern|bra|ten (*österr. für* Filet, Lendenbraten); **Jung|fern|fahrt** (erste Fahrt [eines Schiffes]); **Jung|fern|flug**

jung|fern|haft

Jung|fern|häut|chen (*für* Hymen); **Jung|fern|in|seln** *Plur.* (Inselgruppe der Kleinen Antillen); **Jung|fern|kranz** (*veraltet für* Brautkranz); **Jung|fern|re|de**

Jung|fern|zeu|gung (*für* Parthenogenese)

Jung|frau; jung|fräu|lich; Jung|fräu|lich|keit, die; -

jung Ge|blie|be|ne, der *u.* die; - -n, - -n, **Jung|ge|blie|be|ne,** der *u.* die; -n, -n

jung ge|freit, jung|ge|freit (*veraltet*)

Jung|ge|sel|le; Jung|ge|sel|len|bu|de (*ugs.*); **Jung|ge|sel|len|da|sein; Jung|ge|sel|len|wirt|schaft; Jung|ge|sel|len|woh|nung**

Jung|ge|sel|lin

Jung|gram|ma|ti|ker (Angehöriger der Leipziger Schule der indogermanischen u. allgemeinen Sprachwissenschaft um 1900)

Jung|he|ge|li|a|ner (Angehöriger der radikalen Gruppe der Hegelianer)

Jung|holz; Jung|leh|rer; Jung|leh|re|rin

Jüng|ling; Jüng|lings|al|ter, das; -s; **jüng|ling[s]|haft**

Jung|pflan|ze

jungsch (*berlin. für* jung)

Jung|so|zi|a|list, der; -en, -en (Angehöriger einer Nachwuchs-

organisation der SPD; *Kurzw.* Juso); **Jung|so|zi|a|lis|tin**

jüngst (*veraltend*); **jüngs|te;** *aber* ↑K151: das Jüngste Gericht, der Jüngste Tag; *vgl.* jung

Jung|stein|zeit, die; - (*für* Neolithikum)

Jüngs|ten|recht (*für* Minorat)

jüngs|tens (*veraltet für* jüngst)

jüngst|hin (*veraltend*)

Jung-Stil|ling (dt. Gelehrter u. Schriftsteller)

jüngst|ver|gan|gen (*veraltend*); in jüngstvergangener Zeit

Jung|tier; Jung|un|ter|neh|mer; Jung|un|ter|neh|me|rin

jung|ver|hei|ra|tet (vor Kurzem getraut); *aber* ein jung verheiratetes *od.* jungverheiratetes (in jungen Jahren getrautes) Paar; **Jung|ver|hei|ra|te|te**

jung|ver|mählt *vgl.* jungverheiratet; **Jung|ver|mähl|te**

Jung|vieh; Jung|vo|gel

Jung|volk (*veraltend für* junge Leute)

Jung|wäh|ler; Jung|wäh|le|rin

Jung|zwie|bel (*österr. für* Lauch-, Frühlingszwiebel)

Ju|ni, der; -[s], -s ⟨lat.⟩ (der sechste Monat des Jahres, Brachet, Brachmonat); **Ju|ni|kä|fer**

ju|ni|or ⟨lat., »jünger«⟩ (*hinter Namen* der Jüngere; *Abk.* jr. u. jun.); Karl Meyer junior

Ju|ni|or, der; -s, ...oren (Sohn [im Verhältnis zum Vater]; *Mode* Jugendlicher; *Sport* Sportler zwischen 18 u. 23 Jahren)

Ju|ni|o|rat, das; -[e]s (Minorat)

Ju|ni|or|chef (Sohn des Geschäftsinhabers); **Ju|ni|or|che|fin**

Ju|ni|o|ren|meis|ter (*Sport*); **Ju|ni|o-**

ren|meis|te|rin; Ju|ni|o|ren|meis-
ter|schaft

Ju|ni|o|ren|ren|nen *(Sport)*

Ju|ni|o|rin; Ju|ni|or|part|ner; Ju|ni-
or|part|ne|rin

Ju|ni|or|pro|fes|sor; Ju|ni|or|pro|fes-
so|rin; Ju|ni|or|pro|fes|sur

Ju|ni|us (römischer m. Eigenn.)

Jun|ker, der; -s, -; jun|ker|haft; jun-
ker|lich; Jun|ker|schaft, die; -; Jun-
ker|tum, das; -s

Junk|food, Junk-Food [ˈdʒaŋkfuːt],
das; -[s] ⟨engl.⟩ (minderwertige
Nahrung)

Jun|kie [ˈdʒaŋki], der; -s, -s ⟨*Jargon*
Drogenabhängige[r]⟩

Junk|tim, das; -s, -s ⟨lat.⟩ (Verbin-
dung mehrerer [parlamentari-
scher] Anträge zur gleichzeiti-
gen Erledigung); junk|ti|mie|ren
(*österr. für* verknüpfen); Junk-
tims|vor|la|ge

¹Ju|no (*verdeutlichende Sprechform
von* Juni)

²Ju|no (höchste römische Himmels-
göttin)

³Ju|no, die; - (ein Planetoid)

ju|no|nisch (²Juno betreffend; stolz,
erhaben)

Jun|ta [x..., *auch* j...], die; -, ...ten
⟨span.⟩ (Regierungsausschuss,
bes. in Südamerika; *kurz für*
Militärjunta)

Jupe [ʒyːp], der, *seltener* das; -s, -s
⟨franz.⟩ (*schweiz. für* Frauenrock)

¹Ju|pi|ter, *Gen.* -s, *auch* Jovis
(höchster römischer Gott)

²Ju|pi|ter, der; -s (ein Planet)

³Ju|pi|ter|lam|pe ® ⟨nach der Berli-
ner Firma »Jupiterlicht«⟩ (starke
elektrische Bogenlampe für
Film- u. Fernsehaufnahmen)

Ju|pi|ter|mond

Jupp (m. Vorn.)

jur. *vgl.* Dr. iur.

¹Ju|ra (*Plur. von* ¹Jus)

²Ju|ra, der; -s (*Geol.* mittlere Forma-
tion des Mesozoikums); ↑K 150 :
der Weiße Jura, der Braune Jura,
der Schwarze Jura

³Ju|ra, der; -[s] (Bez. von Gebirgen);
↑K140 : der Fränkische Jura, der
Schwäbische Jura; ↑K 141 : der
Schweizer Jura

⁴Ju|ra, der; -[s] (schweiz. Kanton)

Ju|ra|for|ma|ti|on, die; -

Ju|ras|si|er (Bewohner des ³, ⁴Jura);
Ju|ras|si|e|rin

ju|ras|sisch (zum ²,⁴Jura gehörend)

Ju|ra|stu|dent; Ju|ra|stu|den|tin

Jür|gen (m. Vorn.)

ju|ri|disch ⟨lat.⟩ (*österr., sonst ver-
altend für* juristisch)

ju|rie|ren (in einer Jury mitwirken)

Ju|ris|dik|ti|on, die; -, -en (Recht-
sprechung; Gerichtsbarkeit)

Ju|ris|pru|denz, die; - (Rechtswis-
senschaft)

Ju|rist, der; -en, -en (Rechtskundi-
ger); Ju|ris|ten|deutsch; Ju|ris|te-
rei, die; - (*scherzh. für* Rechtswissenschaft, Rechtsprechung);
Ju|ris|tik (Rechtswissenschaft)

Ju|ris|tin

ju|ris|tisch; juristische Person
(rechtsfähige Körperschaft; *Ggs.*
natürliche Person)

Ju|ror, der; -s, ...oren ⟨engl.⟩ (Mit-
glied einer Jury); Ju|ro|rin

Jur|te, die; -, -n ⟨türk.⟩ (rundes
Filzzelt mittelasiatischer Noma-
den)

Ju|ry [ʒyˈriː, *auch* ˈʒy:...], die; -, -s
(Preisrichter- bzw. Kampfrich-
terkollegium); ju|ry|frei (ohne
Jury u. nicht von Fachleuten
zusammengesetzt); eine jury-
freie Ausstellung

¹Jus [*österr.* juːs], das; -, Jura ⟨lat.⟩
(Recht, Rechtswissenschaft);
Jura, *österr. u. schweiz.* Jus stu-
dieren

²Jus [ʒyː], die; -, *südd. auch* das; -,
schweiz. meist der; - ⟨franz.⟩
(konzentrierter, eingedickter
Fleischsaft; Bratensaft; *schweiz.
auch für* Fruchtsaft)

Ju|so, der; -s, -s *u.* die; -, -s (*Kurzw.
für* Jungsozialist[in])

Jus|stu|dent (*österr. u. schweiz. für*
Jurastudent); Jus|stu|den|tin

just ⟨lat.⟩ (*veraltend für* eben,
gerade; recht); das ist just das
Richtige

jus|ta|ment ⟨franz.⟩ (veraltet, noch
landsch. für richtig, genau; nun
gerade)

jus|tie|ren (genau einstellen, ein-
passen, ausrichten); Jus|tie|rer;
Jus|tie|re|rin; Jus|tie|rung; Jus-
tier|waa|ge (Münzkontroll-
waage)

Jus|ti|fi|ka|ti|on, die; -, -en (*fachspr.
für* Rechtfertigung; *auch svw.*
Justifikatur); Jus|ti|fi|ka|tur, die;
-, -en (*fachspr. für* Genehmigung
von Rechnungen nach Prüfung)

jus|ti|fi|zie|ren (rechtfertigen; [eine
Rechnung] nach Prüfung genehmigen)

Jus|ti|ne (w. Vorn.)

Jus|ti|ni|an, Jus|ti|ni|a|nus (Name
byzantinischer Kaiser)

just in time [dʒʌst ɪn ˈtaɪm] ⟨engl.⟩

(zeitlich abgestimmt);
Just-in-time-Pro|duk|ti|on (wirt-
schaftliches Organisationsprin-
zip mit aufeinander abgestimm-
ten Terminen)

Jus|ti|nus (m. Vorn.)

Jus|ti|tia (altrömische Göttin der
Gerechtigkeit)

jus|ti|ti|a|bel *vgl.* justiziabel

Jus|ti|ti|ar usw. *vgl.* Justiziar usw.

Jus|ti|ti|um *vgl.* Justizium

Jus|tiz, die; - (Gerechtigkeit;
Rechtspflege); Jus|tiz|an|stalt
(*österr. auch für* Justizvollzugs-
anstalt)

Jus|tiz|be|am|te; Jus|tiz|be|am|tin;
Jus|tiz|be|hör|de

jus|ti|zi|a|bel, jus|ti|ti|a|bel (rich-
terlicher Entscheidung unter-
worfen); ...a|b|le Vergehen

Jus|ti|zi|ar, Jus|ti|ti|ar, der; -s, -e
(Rechtsbeistand, Syndikus); Jus-
ti|zi|a|ri|at, Jus|ti|ti|a|ri|at, das;
-[e]s, -e (Amt des Justiziars); Jus-
ti|zi|a|rin, Jus|ti|ti|a|rin

Jus|tiz|irr|tum

Jus|ti|zi|um, Jus|ti|ti|um, das; -s,
...ien (Stillstand der Rechts-
pflege)

Jus|tiz|mi|nis|ter; Jus|tiz|mi|nis|te-
rin; Jus|tiz|mi|nis|te|ri|um

Jus|tiz|mord (Hinrichtung eines
unschuldig Verurteilten)

Jus|tiz|pa|last; Jus|tiz|voll|zugs|an-
stalt (*Abk.* JVA)

Jus|tiz|wa|che (*österr.*); Jus|tiz|wa-
che|be|am|te (*österr.*); Jus|tiz|wa-
che|be|am|tin (*österr.*)

Jus|tus (m. Vorn.)

Ju|te, die; - ⟨bengal.-engl.⟩ (Faser-
pflanze; Bastfaser dieser
Pflanze)

Jü|te, der; -n, -n (Bewohner Jüt-
lands)

Ju|te|garn

Jü|ter|bog (Stadt im Fläming)

Ju|te|sack; Ju|te|spin|ne|rei; Ju|te|ta-
sche

jü|tisch; *aber* ↑K140 : die Jütische
Halbinsel

Jüt|land (festländischer Teil Däne-
marks); jüt|län|disch

Jut|ta, Jut|te (w. Vorn.)

Ju|ve|nal (römischer Satiriker)

ju|ve|na|lisch (satirisch, spöttisch);
die juvenalischen Satiren
↑K135

ju|ve|na|li|sie|ren ⟨lat.⟩ (am Stil,
Geschmack der Jugend orientie-
ren); Ju|ve|na|li|sie|rung

ju|ve|nil (*geh. für* jugendlich, für
junge Menschen charakteris-
tisch)

J

juve

ju|vi|val|le|ra! [...'va..., *auch*
...'fa...] (bes. in Volksliedern)

¹Ju|wel, das, *auch* der; -s, -en *meist*
Plur. ⟨niederl.⟩ (Edelstein;
Schmuckstück)

²Ju|wel, das; -s, -e (Person od.
Sache, die von jmdm. besonders
geschätzt wird)

Ju|we|len|dieb|stahl

Ju|we|lier, der; -s, -e (Schmuck-
händler; Goldschmied); Ju|we-
lier|ge|schäft; Ju|we|lie|rin; Ju-
we|lier|la|den

Jux, der; -es, -e *Plur. selten* ⟨lat.⟩
(*ugs. für* Scherz, Spaß); aus lauter Jux und Tollerei (aus Über-
mut); ju|xen (*ugs. für* scherzen,
Spaß machen); du juxt

Jux|ta, die; -, ...ten ⟨lat.⟩ (Kontroll-
streifen [an Lotterielosen usw.])

Jux|ta|po|si|ti|on, die; -, -en
(*Sprachw.* Nebeneinanderstel-
lung [im Ggs. zur Komposition];
Mineralogie Ausbildung von
zwei miteinander verwachsenen
Kristallen, die eine Fläche
gemeinsam haben)

Jux|ta|po|si|tum, das; -s, ...ta
(*Sprachw.* durch Nebeneinan-
derstellung entstandene
Zusammensetzung, z. B. »Drei-
käsehoch«)

Jux|te (*österr. für* Juxta)

JVA, die; -, -s = Justizvollzugsan-
stalt

jwd [jotve:'de:] (*aus berlinisch*
janz weit draußen) (*ugs.*
scherzh. für abgelegen); die Bau-
stelle ist jwd

k = Kilo...

K (Buchstabe); das K; des K, die K,
aber das k in Haken; der Buchstabe K, k

K = *chemisches Zeichen für*
Kalium; Kelvin

K, κ = Kappa

k. = kaiserlich (*vgl. d.*); königlich (im ehem. Österreich-
Ungarn)

Ka|a|ba, die; - ⟨arab.⟩ (Hauptheil-
ligtum des Islams in Mekka)

Ka|ba|le, die; -, -n ⟨hebr.⟩ (*veraltet*
für Intrige, Ränke)

Ka|ba|nos|si, die; -, - (Wurstsorte)

Ka|ba|rett [*auch* 'ka...], das; -s,
Plur. -s u. -e, *auch [österr. nur*
so] das; -s, -s, *bes. österr.* Ca|ba-
ret [...'re:, *auch* 'kabare], das; -s,
-s ⟨franz.⟩ (Kleinkunst[bühne];
Speiseplatte mit Fächern)

Ka|ba|ret|ti|er [...'tje:], der; -s, -s
(Besitzer einer Kleinkunst-
bühne); Ka|ba|ret|ti|e|re (Besit-
zerin einer Kleinkunstbühne)

Ka|ba|ret|tist, der; -en, -en (Künst-
ler an einer Kleinkunstbühne);
Ka|ba|ret|tis|tin; ka|ba|ret|tis-
tisch

Ka|bäus|chen (*westmitteld. für*
kleines Haus od. Zimmer)

Kab|ba|la, die; - ⟨hebr.⟩ (mittelal-
terl. jüd. Geheimlehre); kab|ba-
lis|tisch

Kab|be|lei (*bes. nordd. für* Zanke-
rei, Streit)

kab|be|lig (*Seemannsspr.* unruhig;
ungleichmäßig)

kab|beln; sich kabbeln (*bes.*
nordd. für zanken, streiten); ich
kabb[e]le mich; die See kabbelt
(ist ungleichmäßig bewegt)

Kab|be|lung (*Seemannsspr.*)

Ka|bel, das; -s, - ⟨franz.⟩

Ka|bel|an|schluss; Ka|bel|fern|se-
hen

Ka|bel|gat[t] (Schiffsraum für Tau-
werk)

Ka|bel|jau, der; -s, *Plur.* -e u. -s
⟨niederl.⟩ (ein Fisch)

Ka|bel|län|ge (seemännisches
Maß); Ka|bel|le|ger (Kabel verle-
gendes Schiff); Ka|bel|lei|tung;
ka|bel|los

ka|beln (*veraltend für* [nach Über-
see] telegrafieren); ich kab[e]le

Ka|bel|nach|richt (*veraltet*)

Ka|bel|netz; Ka|bel|schuh

Ka|bel|sen|der

Ka|bel|tau; das; Ka|bel|trom|mel

Ka|bel|tu|ner (*Fernsehtechnik*)

Kabel-TV, das; -[s]

Ka|bi|ne, die; -, -n ⟨franz.⟩ (Schlaf-,
Wohnraum auf Schiffen; Zelle
[in Badeanstalten usw.]; Abteil);
Ka|bi|nen|bahn

Ka|bi|nett, das; -s, -e ⟨franz.⟩
(Gesamtheit der Minister;
Raum für Sammlungen; Quali-
tätsstufe für Wein; *österr.* für
kleines, einfenstriges Zimmer;
regional für Fachunterrichts-
raum; *früher für* Beraterkreis
eines Fürsten, Geheimkanzlei)

Ka|bi|netts|be|schluss; Ka|bi|netts-
bil|dung

Ka|bi|netts|jus|tiz ([unzulässige]
Einwirkung der Regierung auf
die Rechtsprechung)

Ka|bi|netts|kri|se; Ka|bi|netts|or|der
(Befehl des Herrschers); Ka|bi-
netts|sit|zung

Ka|bi|nett|stück (Prachtstück;
besonders geschicktes Handeln)

Ka|bi|netts|vor|la|ge

Ka|bi|nett|wein

Ka|bis, der; - ⟨lat.⟩ (*südd., schweiz.*
für Kohl); *vgl.* Kappes

Ka|bo|ta|ge [...ʒə], die; - ⟨franz.⟩
(*Rechtsw.* Personen- u. Güterbe-
förderung innerhalb eines Lan-
des); ka|bo|tie|ren

Ka|b|rio, Ca|b|rio, das; -[s], -s
(*Kurzform von* Kabriolett,
Cabriolet); Ka|b|ri|o|lett, Ca|b|ri-
ollet [*auch* ...'le:, *österr. nur so*],
das; -s, -s ⟨franz.⟩ (Pkw mit
zurückklappbarem Verdeck)

Ka|b|rio|li|mou|si|ne, Ca|b|rio|li-
mou|si|ne

Ka|buff, das; -s, *Plur.* -e u. -s
(*landsch. für* kleiner, dunkler
Nebenraum)

Ka|bul [*auch* 'ka:...] (Hauptstadt
Afghanistans)

Ka|bu|se, Ka|bü|se, die; -, -n
(*nordd. für* kleiner, dunkler
Raum; *auch für* Kombüse)

Ka|by|le, der; -n, -n (Angehöriger
eines Berberstammes)

Ka|by|lin

Ka|chel, die; -, -n

ka|cheln; ich kach[e]le

Ka|chel|ofen

Ka|ch|e|xie, die; -, ...jen ⟨griech.⟩
(*Med.* Kräfteverfall)

Ka|cka, das; - (*Kinderspr.* Kot)

Ka|cke, die; - (*derb für* Kot); ka-
cken (*derb*); Ka|cker (derbes
Schimpfwort); kack|fi|del (*derb*
für sehr fidel)

Ka|da|ver, der; -s, - ⟨lat.⟩ (toter
[Tier]körper, Aas)

Ka|da|ver|ge|hor|sam (blinder
Gehorsam)

Ka|da|ver|mehl

Ka|da|ver|ver|wer|tung

Kad|disch, das; -s ⟨hebr.⟩ (jüdi-
sches Gebet für Verstorbene)

Ka|denz, die; -, -en ⟨ital.⟩ (Schluss
eines Verses, eines Musikstü-
ckes; unbegleitetes Improvisie-
ren des Solisten im Konzert;
Sprachw. Schlussfall der
Stimme); ka|den|zie|ren (*Musik*
eine Kadenz spielen)

Ka|der, der, *schweiz.* das; -s, -

J
juvi

⟨franz.⟩ (Stamm von besonders ausgebildeten u. geschulten Nachwuchs- bzw. Führungskräften [in Wirtschaft, Staat u. Ä.]; *Milit.* Kerntruppe einer Armee; *Sport* Stamm von Sportlern, die für einen Wettkampf infrage kommen)

Ka|der|lei|ter, der *(DDR);* Ka|der-lei|te|rin

Ka|der|par|tie (bestimmte Partie im Billard)

Ka|der|schmie|de *(ugs. für* Ausbildungsstelle für Kader)

Ka|dett, der; -en, -en ⟨franz.⟩ *(früher* Zögling einer militärischen Erziehungsanstalt; *schweiz. für* Mitglied einer uniformierten Jugendorganisation; *ugs. scherzh. für* Bursche, Kerl)

Ka|det|ten|an|stalt

Ka|det|ten|korps, Ka|det|ten|corps

Ka|det|ten|schu|le

Ka|di, der; -s, -s ⟨arab.⟩ (Richter in islamischen Ländern; *ugs. für* Richter)

kad|mie|ren, ver|kad|men ⟨griech.⟩ (Metalle mit einer Kadmiumschicht überziehen)

Kad|mi|um, *chem. fachspr.* Cad|mi-um, das; -s (chemisches Element, Metall; *Zeichen* Cd); Kad-mi|um|le|gie|rung

Kad|mos, Kad|mus (König u. Held der griechischen Sage)

ka|du|zie|ren *(Rechtsw.* für verfallen erklären)

Ka|far|na|um *vgl.* Kapernaum

Kä|fer, der; -s, - *(ugs. auch für* Volkswagen); Kä|fer|samm|lung

¹Kaff, das; -[e]s *(nordd. für* Spreu; Wertloses; Geschwätz)

²Kaff, das; -s, *Plur.* -s *u.* -e *(ugs. für* Dorf, armselige Ortschaft)

Käff|chen *(bes. ugs. für* [Tasse] Kaffee)

Kaf|fee [*auch, österr. nur, ...*'fe:], der; -s, -s ⟨arab.-franz.⟩ (Kaffeestrauch, Kaffeebohnen; Getränk); 3 [Tassen] Kaffee

Kaf|fee|baum; Kaf|fee|boh|ne

kaf|fee|braun

Kaf|fee|ern|te, **Kaf|fee-Ern|te**

Kaf|fee|er|satz, **Kaf|fee-Er|satz**

Kaf|fee|ex|port, **Kaf|fee-Ex|port**

Kaf|fee|ex|trakt, **Kaf|fee-Ex|trakt**

Kaf|fee|fahrt; Kaf|fee|fil|ter

Kaf|fee|haus *(österr. für* Café)

Kaf|fee|kan|ne; Kaf|fee|kas|se; Kaf-fee|klatsch; Kaf|fee|kränz|chen; Kaf|fee|kü|che; Kaf|fee|löf|fel

Kaf|fee|ma|schi|ne; Kaf|fee|müh|le;

Kaf|fee|pau|se; Kaf|fee|satz; Kaf-fee|ser|vice

Kaf|fee|sie|der *(österr. amtl., sonst meist abwertend für* Kaffeehausbesitzer); Kaf|fee|sie|de|rin

Kaf|fee|sor|te; Kaf|fee|strauch; Kaf-fee|ta|fel (festlich gedeckter Kaffeetisch); Kaf|fee|tan|te; Kaf-fee|tas|se; Kaf|fee|tisch (zum Kaffee gedeckter Tisch)

Kaf|fee|trin|ker; Kaf|fee|trin|ke|rin

Kaf|fee|was|ser, das; -s; Kaf|fee-wei|ßer, der; -s, - (Milchpulver für den Kaffee)

¹Kaf|fer, der; -n, -n *(frühere Bez. für* Angehöriger eines Bantustammes in Südafrika)

²Kaf|fer, der; -s, - ⟨hebr.-jidd.⟩ *(ugs. für* dummer, blöder Kerl); Kaf-fe|rin

Kaf|fern|büf|fel

Kä|fig, der; -s, -e; kä|fi|gen *(fachspr. für* in einem Käfig halten); Kä|fig|hal|tung

Ka|fil|ler, der; -s, - *(Gaunerspr.* Schinder, Abdecker); Ka|fil|le|rei *(Gaunerspr.* Abdeckerei)

Ka|fir, der; -s, -n ⟨arab.⟩ *(abwertend für* jmd., der nicht dem islamischen Glauben angehört)

Kaf|ka (österr. Schriftsteller); kaf-ka|esk (nach Art der Schilderungen Kafkas)

Kaf|tan, der; -s, -e ⟨pers.⟩ (langes Obergewand der orthodoxen Juden; *ugs. für* langes, weites Kleidungsstück)

kahl

– kahl sein, werden, bleiben

Wenn »kahl« das Ergebnis der mit einem folgenden einfachen Verb bezeichneten Tätigkeit angibt, kann getrennt oder zusammengeschrieben werden ↑K 56:

– die Raupen haben den Baum kahl gefressen *od.* kahlgefressen

– sie ließen sich die Köpfe kahl scheren *od.* kahlscheren

– einen Wald kahl schlagen *od.* kahlschlagen

Kah|len|berg, der; -[e]s (Berg bei Wien)

Kahl|fraß, der; -es

kahl fres|sen, kahl|fres|sen *vgl.* kahl

Kahl|frost (Frost ohne Schnee)

Kahl|heit, die; -

Kahl|hieb (abgeholztes Waldstück)

Kahl|kopf; kahl|köp|fig; Kahl|köp-fig|keit, die; -

kahl sche|ren, kahl|sche|ren *vgl.* kahl

Kahl|schlag (abgeholztes Waldstück)

kahl schla|gen, kahl|schla|gen *vgl.* kahl

Kahl|schlag|sa|nie|rung *(abwertend für* rücksichtslose Sanierung)

Kahl|wild *(Jägerspr.* weibliche Hirsche)

Kahm, der; -[e]s *(fachspr. für* Pilze u. Bakterien, die die Kahmhaut bilden); kah|men (Kahm ansetzen); Kahm|haut (Schimmel auf Flüssigkeiten); kah|mig

Kahn, der; -[e]s, Kähne; Kahn fahren ↑K 54, *aber* das Kahnfahren; Kähn|chen; Kahn|fahrt

¹Kai, Quai, der *od.* das; -s, -s ⟨niederl., franz.⟩ (befestigtes Hafenufer); *vgl.* Quai

²Kai, Kay (m. od. w. Vorn.)

Kai|man, der; -s, -e ⟨indian.⟩ (südamerikanisches Krokodil)

Kai|mau|er

Kain (bibl. m. Eigenn.)

Kai|nit, der; -s, -e ⟨griech.⟩ (ein Mineral)

Kains|mal *Plur.* ...male; Kains|zei-chen

Kai|phas, ökum. Ka|ja|fas (bibl. m. Eigenn.)

Kai|re|ner ⟨zu Kairo⟩ *(selten);* Kai-re|ne|rin

Kai|ro (Hauptstadt Ägyptens); Kai-ro|er; Kai|ro|e|rin

Kai|ser, der; -s, -; des Kaisers Hadrian; Kaiser Hadrians Bauten

Kai|ser|ad|ler (ein Greifvogel); Kai-ser|fleisch *(österr. für* geräuchertes Bauchfleisch); Kai|ser|ge|bir-ge, das; -s (in Tirol)

Kai|se|rin; Kai|se|rin|mut|ter *Plur.* ...mütter

Kai|ser|kro|ne *(auch* eine Zierpflanze)

kai|ser|lich; kaiserlich deutsch; kaiserlich österreichische Staatskanzlei; *im Titel* ↑K 89: Kaiserlich

kai|ser|lich-kö|nig|lich *(Abk.:* k. k.); *im Titel* Kaiserlich-Königlich *(Abk.:* K. K.)

Kai|ser|ling (ein Pilz)

Kai|ser|man|tel (ein Schmetterling)

Kai|ser|pfalz; Kai|ser|reich; Kai|ser-sa|ge

Kai|ser|schmar|ren *(österr., auch*

K
Kais

südd. für in kleine Stücke gerissener Eierkuchen)

Kai|ser|schnitt (Entbindung durch Bauchschnitt)

Kai|ser|sem|mel *(österr.)*

Kai|sers|lau|te|rer; Kai|sers|lau|tern (Stadt in Rheinland-Pfalz); Kaisers|lau|ter|ner

Kai|ser|stuhl, der; -[e]s (Bergland in Baden-Württemberg); Kai|ser|stühl|ler

Kai|ser|tum, das; -s, ...tümer

Kai|ser|wet|ter, das; -s *(scherzh. für* strahlendes Sonnenwetter)

Kai|zen [...zɛn], das; - ⟨jap.⟩ (Unternehmensführungskonzept aus Japan, das auf einer Philosophie der ewigen Veränderung beruht)

Ka|ja|fas *vgl.* Kaiphas

Ka|jak, der, *seltener* das; -s, -s ⟨eskim.⟩ (einsitziges Boot der Eskimos; Sportpaddelboot); Kajak|ei|ner; Ka|jak|zwei|er

Ka|jal, das; -[s] ⟨sanskr.⟩ (Kosmetikfarbe zum Umranden der Augen); Ka|jal|stift

Ka|je, die; -, -n ⟨niederl.⟩ *(nordd. für* Uferbefestigung; Kai); Ka|jedeich ([niedriger] Hilfsdeich)

Ka|je|put|baum ⟨malai.; dt.⟩ (ein Myrtengewächs); Ka|je|put|öl, das; -[e]s

Ka|jüt|boot; Ka|jüt|deck

Ka|jü|te, die; -, -n (Wohn-, Aufenthaltsraum auf Schiffen)

Kak, der; -[e]s, -e *(nordd. veraltet für* Pranger)

Ka|ka|du *[österr. ...ˈduː]*, der; -s, -s ⟨malai.-niederl.⟩ (ein Papagei)

Ka|ka|ni|en, das; -s *(scherzh. od. ironisch für* die k. u. k. Monarchie); ka|ka|nisch

Ka|kao *[...ˈkaʊ, auch ...ˈkaːo]*, der; -s, *Plur. (Sorten:)* -s ⟨mexik.-span.⟩ (eine tropische Frucht; ein Getränk)

Ka|kao|baum; Ka|kao|boh|ne; Kakao|but|ter; Ka|kao|pul|ver

ka|keln *(nordd. ugs. für* über Dummes, Belangloses reden); ich kak[e]le

Ka|ke|mo|no, das; -s, -s ⟨jap.⟩ (japanisches Gemälde im Hochformat auf einer Rolle aus Seide od. Papier)

Ka|ker|lak, der; *Gen.* -s *u.* -en, *Plur.* -en, Ka|ker|la|ke, die; -, -n (Küchenschabe)

¹Ka|ki, Kha|ki [ˈkaː...], ↑K38, das; -[s] (Erdfarbe, Erdbraun)

²Ka|ki, Kha|ki, der; -[s] (gelbbrau-

ner Stoff [für die Tropenuniform])

ka|ki|far|ben, kha|ki|far|ben, ka|kifar|big, kha|ki|far|big; Ka|ki|jacke, Kha|ki|ja|cke; Ka|ki|uniform, Kha|ki|uni|form

ka|ko... ⟨griech.⟩ (schlecht..., übel..., miss...); Ka|ko... (Schlecht..., Übel..., Miss...)

Ka|ko|dyl|ver|bin|dung, die; -, -en *meist Plur. (Chemie* Arsenverbindung)

ka|ko|fon, ka|ko|phon —

Ka|ko|fo|nie, Ka|ko|pho|nie, die; -, ...ien ⟨griech.⟩ (Missklang; *Ggs.* Eufonie); ka|ko|fo|nisch, ka|kopho|nisch

Kak|tee, die; -, -n *(vgl.* Kaktus)

Kak|tus, der; *Gen.* -, *ugs. auch* -ses, *Plur.* ...teen, *ugs. auch* -se ⟨griech.⟩ (eine [sub]tropische Pflanze)

Kak|tus|fei|ge ([Frucht des] Feigenkaktus)

Ka|la-A|zar, die; - ⟨Hindi⟩ (eine tropische Infektionskrankheit)

Ka|la|bas|se *vgl.* Kalebasse

Ka|la|b|re|se, der; -n, -n *(vgl.* Kalabrier)

Ka|la|b|re|ser (breitrandiger Filzhut)

Ka|la|b|re|sin

Ka|la|b|ri|en (Landschaft in Italien); Ka|la|b|ri|er (Bewohner Kalabriens); Ka|la|b|ri|e|rin; ka|la|b|risch

Ka|la|fa|ti, der; - ⟨ital.⟩ (Figur im Wiener Prater)

Ka|la|ha|ri[|step|pe], die; - (in Südafrika)

Ka|la|mai|ka, die; -, ...ken ⟨russ.⟩ (slawisch-ungarischer Nationaltanz)

Ka|la|mit, der; -en, -en *meist Plur.* ⟨griech.⟩ (ausgestorbener baumhoher Schachtelhalm des Karbons)

Ka|la|mi|tät, die; -, -en ⟨lat.⟩ (schlimme, missliche Lage)

Ka|lan|choe [...çoe], die; -, ...cho|en ⟨griech.⟩ (eine Zimmerpflanze)

Ka|lan|der, der; -s, - ⟨franz.⟩ *(Technik* Glätt-, Prägemaschine; Walzenanlage zur Herstellung von Kunststofffolien)

ka|lan|dern *(fachspr. für* mit dem Kalander bearbeiten); ich kalandere; ka|lan|d|rie|ren (Kunststoff zu Folie auswalzen)

Ka|la|sche, die; -, -n ⟨russ.⟩ *(landsch. für* Tracht Prügel); ka|la|schen *(landsch. für* prügeln)

Ka|la|schni|kow, die; -, -s ⟨nach

dem russischen Konstrukteur⟩ (eine Schusswaffe)

Ka|lau|er, der; -s, - ⟨*aus franz.* calembour *unter Anlehnung an* die Stadt Calau⟩ *(ugs. für* nicht sehr geistreicher [Wort]witz); ka|lau|ern; ich kalau[e]re

Kalb, das; -[e]s, Kälber; ↑K150: das Goldene Kalb *(bibl.);* Kälbchen

Kal|be, die; -, -n *(svw.* Färse)

Kal|be (Mil|de) (Stadt in der Altmark); *vgl. aber* Calbe (Saale)

kal|ben (ein Kalb werfen)

Käl|ber|ma|gen; Käl|ber|mast

kal|bern, ¹käl|bern *(ugs. für* umhertollen); ich kalbere, kälbere

²käl|bern *(südd., österr. für* aus Kalbfleisch)

Käl|ber|ne, das; -n *(südd., österr. für* Kalbfleisch)

Käl|ber|zäh|ne *Plur. (ugs. für* große Graupen)

Kalb|fell *vgl.* Kalbsfell; Kalb|fleisch

Kal|bin *(südd., österr. svw.* Färse)

Kalb|le|der, Kalbs|le|der, das; -s

Kälb|lein

Kalbs|bra|ten; Kalbs|bries; Kalbsbries|chen, Kalbs|brös|chen; Kalbs|brust

Kalbs|fell, Kalb|fell *(früher auch für* Trommel)

Kalbs|fri|kas|see; Kalbs|gu|lasch; Kalbs|hach|se *vgl.* Hachse; Kalbskeu|le; Kalbs|le|ber; Kalbs|le|berwurst

Kalbs|le|der, Kalb|le|der, das; -s

Kalbs|me|dail|lon; Kalbs|milch (Brieschen); Kalbs|nie|ren|braten; Kalbs|nuss (kugelförmiges Stück der Kalbskeule); Kalbsroll|bra|ten; Kalbs|schle|gel *(landsch. für* Kalbskeule); Kalbsschnit|zel *(vgl.* ¹Schnitzel); Kalbssteak; Kalbs|stel|ze *(österr. für* Kalbshachse)

Kal|chas (griech. Sagengestalt)

Kalck|reuth (dt. Maler)

Kal|da|ri|um, das; -s, ...ien ⟨lat.⟩ (altrömisches Warmwasserbad)

Kal|dau|ne, die; -, -n *meist Plur.* ⟨lat.⟩ *(nordd., mitteld. für* Kuttel)

Ka|le|bas|se, die; -, -n ⟨arab.-franz.⟩ (aus einem Flaschenkürbis hergestelltes Gefäß)

Ka|le|do|ni|en *(veraltet für* das nördliche Schottland); Ka|le|doni|er; Ka|le|do|ni|e|rin; ka|le|donisch; *aber* ↑K150: der Kaledonische Kanal (in Schottland)

Ka|lei|do|s|kop, das; -s, -e ⟨griech.⟩

(optisches Spielzeug; lebendig-bunte [Bilder]folge; **ka|lei|do|s|ko|pisch**

Ka|lei|ka, das; -s ⟨poln.⟩ (*landsch. für* Aufheben, Umstände); [k]ein Kaleika machen

ka|len|da|risch ⟨lat.⟩ (nach dem Kalender; **Ka|len|da|ri|um**, das; -s, ...ien (Kalender; Verzeichnis kirchlicher Fest- u. Gedenktage); **Ka|len|den** *Plur.* (erster Tag des altrömischen Monats)

Ka|len|der, der; -s, -; der gregorianische, julianische Kalender; der hundertjährige, *als Werktitel* Der Hundertjährige Kalender ↑K 89

Ka|len|der|blatt; Ka|len|der|jahr; Ka|len|der|ma|cher; Ka|len|der|reform; Ka|len|der|spruch Ka|len|der|tag; ka|len|der|täg|lich Ka|len|der|wo|che

Ka|le|sche, die; -, -n ⟨poln.⟩ (leichte, vierrädrige Kutsche)

Ka|le|va|la, Ka|le|wa|la, die *od.* das; - (Titel des finnischen Volksepos)

Kal|fak|ter, der; -s, - ⟨lat.⟩, **Kal|fak|tor**, der; -s, ...oren (*veraltend, oft abwertend für* jmd., der allerlei Arbeiten und Dienste verrichtet); **Kal|fak|te|rin, Kal|fak|to|rin**

kal|fa|tern ⟨arab.-niederl.⟩ (*Seemannsspr.* [hölzerne Schiffswände] in den Fugen abdichten); ich kalfatere; **Kal|fa|te|rung; Kal|fat|ham|mer**

[1]**Ka|li**, das; -s ⟨arab.⟩ (Kalisalze, Kalidünger)

[2]**Ka|li** (indische Göttin, Gemahlin Schiwas)

Ka|li|an, Ka|li|un, der *od.* das; -s, -e ⟨pers.⟩ (persische Wasserpfeife)

Ka|li|ban, der; -s, -e ⟨*nach* Caliban, einer Gestalt in Shakespeares »Sturm«⟩ (*selten für* Unhold, hässliches Ungeheuer)

Ka|li|ber, das; -s, - ⟨griech.⟩ (lichte Weite von Rohren; innerer Durchmesser; *auch für* Messgerät zur Bestimmung des Durchmessers; *ugs. übertr. für* Art, Schlag); **Ka|li|ber|maß**, das

ka|li|b|rie|ren (*Technik* das Kaliber messen, [Werkstücke] auf genaues Maß bringen; [Messinstrumente] eichen)

Ka|li|da|sa (altindischer Dichter)

Ka|li|dün|ger

Ka|lif, der; -en, -en ⟨arab.⟩ (ehemaliger Titel orientalischer Herrscher); **Ka|li|fat**, das; -[e]s, -e

(Reich, Herrschaft eines Kalifen); **Ka|li|fen|tum**, das; -s -s

Ka|li|for|ni|en (mexikanische Halbinsel; Staat in den USA; *Abk.* CA)

Ka|li|for|ni|er; Ka|li|for|ni|e|rin

ka|li|for|nisch; *aber* ↑K 150 : Kalifornische Strom (eine Meeresströmung)

Ka|li|in|dus|t|rie

Ka|li|ko, der; -s, -s ⟨nach der ostind. Stadt Kalikut⟩ (dichter Baumwollstoff)

Ka|li|lau|ge

Ka|li|man|tan (*indones. Name von* Borneo)

Ka|li|nin|grad [*auch* ...'gra:t] (russische Stadt am Pregel; *vgl.* Königsberg)

Ka|li|sal|pe|ter; Ka|li|salz

Ka|li|um, das; -s ⟨arab.-nlat.⟩ (chemisches Element, Metall; *Zeichen* K)

Ka|li|um|bro|mid; Ka|li|um|chlo|rat; Ka|li|um|hy|d|ro|xid, Ka|li|um|hy|d|ro|xyd; Ka|li|um|per|man|ga|nat; Ka|li|um|ver|bin|dung

Ka|li|un *vgl.* Kalian

Ka|lixt, Ka|lix|tus (Papstname)

Ka|lix|ti|ner, der; -s, - ⟨lat.⟩ (Anhänger der gemäßigten Hussiten)

Ka|lix|tus *vgl.* Kalixt

Kalk, der; -[e]s, *Plur. (Sorten:)* -e; Kalk brennen; **Kalk|ab|la|ge|rung; Kalk|al|pen** *Plur.* ; Nördliche, Südliche Kalkalpen

Kalk|ant, der; -en, -en ⟨lat.⟩ (Balgtreter an der Orgel); **Kalk|kan|tin**

Kalk|bo|den

kalk|ken

käl|ken (*Jägerspr.* Exkremente ausscheiden [von Greifvögeln]; *landsch. auch für* kalken)

Kalk|ge|stein; Kalk|gru|be

kalk|hal|tig; kalk|ig

Kalk|man|gel; Kalk|ofen; Kalk|prä|pa|rat (ein Arzneimittel)

Kalk|sin|ter (aus Wasser abgesetzter Kalk[spat]); **Kalk|spat** (ein Mineral)

Kalk|stein; Kalk|tuff

[1]**Kal|kül**, das, *auch* der; -s, -e ⟨franz.⟩ (Berechnung, Schätzung)

[2]**Kal|kül**, der; -s, -e (*Math.* Methode zur systematischen Lösung bestimmter Probleme)

Kal|ku|la|ti|on, die; -, -en ⟨lat.⟩

(Ermittlung der Kosten, [Kosten]voranschlag)

Kal|ku|la|tor, der; -s, ...oren (Angestellter des betrieblichen Rechnungswesens); **Kal|ku|la|to|rin**

kal|ku|la|to|risch (rechnungsmäßig); kalkulatorische Zinsen (*Wirtsch.*)

kal|ku|lier|bar

kal|ku|lie|ren ([be]rechnen)

Kal|kut|ta (größte Stadt Indiens); **kal|kut|tisch**

Kalk|was|ser, das; -s

kalk|weiß

Kal|la *vgl.* Calla

Kal|le, die; -, -n ⟨hebr.-jidd.⟩ (*Gaunerspr.* Braut, Geliebte; Dirne)

Kal|li|graf, Kal|li|graph ↑K 38 , der; -en, -en ⟨griech.⟩ (Schönschreiber); **Kal|li|gra|fie**, Kal|li|gra|phie, die; - (Schönschreibkunst); **Kal|li|gra|fin**, Kal|li|gra|phin; **kal|li|gra|fisch**, kal|li|gra|phisch

Kal|li|graph, Kal|li|gra|phie usw. *vgl.* Kalligraf, Kalligrafie usw.

Kal|li|o|pe [...pe] (Muse der erzählenden Dichtkunst)

Kal|li|py|gos [*auch* ...'li:...] ⟨griech., »mit schönem Gesäß«⟩ (Beiname der Aphrodite)

kal|lös ⟨lat.⟩ (*Med.* schwielig)

Kal|lus, der; -, -se ⟨lat.⟩ (*Bot.* an Wundrändern von Pflanzen entstehendes Gewebe; *Med.* Schwiele; nach Knochenbrüchen neu gebildetes Gewebe)

Kal|mán (ung. Komponist)

[1]**Kal|mar**, der; -s, ...are ⟨franz.⟩ (eine Tintenfischart)

[2]**Kal|mar** (schwed. Hafenstadt); **Kal|ma|rer U|ni|on**, die; - -, **Kal|ma|ri|sche U|ni|on**, die; -n -

Kal|mäu|ser [*auch* ...'mɔy...], der; -s, - (*veraltend, noch landsch. für* jmd., der sehr zurückgezogen lebt)

Kal|me, die; -, -n ⟨franz.⟩ (*Meteor.* Windstille); **Kal|men|gür|tel; Kal|men|zo|ne**

kal|mie|ren ⟨franz.⟩ (*geh. für* beruhigen)

Kal|muck, der; -[e]s, -e (ein Gewebe)

Kal|muck, Kal|mü|cke, der; ...cken, ...cken (Angehöriger eines westmongolischen Volkes); **Kal|mü|ckin**

Kal|mus, der; -, -se ⟨griech.⟩ (eine Heilpflanze); **Kal|mus|öl**

Kal|my|ke, der; -n, -n (*vgl.* Kalmück)

Ka|lo|ka|ga|thie, die; - ⟨griech.⟩

kalt

kälter, am kältes|ten

Kleinschreibung:

– auf kalt und warm reagieren
– ↑K 89 : kalte *od.* Kalte Ente (ein Getränk)
– kalte Fährte
– kalte Küche
– kalte Miete (Miete ohne Heizung)
– kalter Schlag (nicht zündender Blitz)
– ein kalter (nicht mit Waffen geführter) Krieg

Großschreibung:

– der Kalte Krieg (als historische Epoche ↑K 89)
– ↑K 72 : etwas Kaltes (ein kaltes Getränk) zu sich nehmen

Schreibung in Verbindung mit Verben ↑K 56 :

– das Wetter war kalt geblieben
– kalt lächeln
– den Pudding über Nacht kalt stellen *od.* kaltstellen
– den Kühlschrank kälter stellen
Vgl. aber kaltlassen, kaltmachen, kaltstellen, kaltschweißen, kaltwalzen

---

(körperl. u. geistige Vollkommenheit als Bildungsideal im alten Griechenland)

Ka|lo|rie, die; -, ...ien ⟨lat.⟩ (*früher* physikal. Maßeinheit für die Wärmemenge; *auch* Maßeinheit für den Energiewert von Lebensmitteln; *Zeichen* cal)

ka|lo|ri|en|arm; ka|lo|ri|en|be|wusst

Ka|lo|ri|en|bom|be (*ugs. für* Speise oder Getränk mit vielen Kalorien); **Ka|lo|ri|en|ge|halt**

ka|lo|ri|en|re|du|ziert; ka|lo|ri|en|reich

Ka|lo|rik, die; - (Wärmelehre)

Ka|lo|ri|me|ter, das; -s, - ⟨lat.; griech.⟩ (*Physik* Wärmemessgerät); **Ka|lo|ri|me|t|rie**, die; - (*Physik* Lehre von der Messung von Wärmemengen); **ka|lo|ri|me|t|risch**

ka|lo|risch ⟨lat.⟩ (*Physik* die Wärme, die Kalorien betreffend)

ka|lo|ri|sie|ren (*Chemie* eine aluminiumreiche Schicht auf Metallen, v. a. auf Stahl, herstellen)

Ka|lot|te, die; -, -n ⟨franz.⟩ (Käppchen [der kath. Geistlichen]; *Archit.* flache Kuppel; *Med.* Schädeldach)

Kal|pak [*auch* ˈka...], Kol|pak [*auch* ˈkɔ...], der; -s, -s ⟨türk.⟩ (asiat. Lammfell-, Filzmütze; Husarenmütze)

kalt *s.* Kasten

Kalt|an|ruf (ohne Aufforderung erfolgender Anruf zur Werbung von Kunden)

Kalt|blut, das; -[e]s (eine Pferderasse; **Kalt|blü|ter** (*Zool.*)

kalt|blü|tig; Kalt|blü|tig|keit, die; -

Käl|te, die; -

Käl|te|ein|bruch; käl|te|emp|find|lich; Käl|te|grad; Käl|te|ma|schi-

ne; **Käl|te|mit|tel; Käl|te|pe|ri|o|de; Käl|te|pol** (kältester Ort der Erde)

Kal|ter (*bayr., österr. für* [Fisch]behälter)

Käl|te|sturz; Käl|te|tech|nik; käl|te|tech|nisch; Käl|te|wel|le

Kalt|front (*Meteor.*)

kalt ge|presst, kalt|ge|presst; kalt gepresstes *od.* kaltgepresstes Öl

kalt ge|schla|gen, **kalt|ge|schla-gen**; kalt geschlagenes *od.* kaltgeschlagenes Öl

kalt ge|schleu|dert, **kalt|ge|schleu-dert**; kalt geschleuderter *od.* kaltgeschleuderter Honig

Kalt|haus (Gewächshaus mit Innentemperatur um 12 °C)

kalt|her|zig; Kalt|her|zig|keit, die; -

kalt lä|chelnd, **kalt|lä|chelnd** (ohne Mitgefühl)

kalt|las|sen (*ugs. für* nicht interessieren, berühren); seine Vorwürfe haben mich kaltgelassen

Kalt|leim; Kalt|luft (*Meteor.*); **Kalt-luft|ein|bruch** (*Meteor.*)

kalt|ma|chen ↑K 47 (*ugs. für* ermorden); er hat ihn kaltgemacht

Kalt|mam|sell (kalte Mamsell; *vgl.* Mamsell)

Kalt|mie|te (Miete ohne Heizung)

Kalt|na|del|ra|die|rung (ein Kupferdruckverfahren)

Kalt|scha|le (kalte süße Suppe)

kalt|schnäu|zig (*ugs.*); **Kalt|schnäu-zig|keit**, die; - (*ugs.*)

kalt|schwei|ßen (*Technik*); nur im Infinitiv u. Partizip II gebr.; kaltgeschweißt

Kalt|start

kalt|stel|len (*ugs. für* [politisch] einflusslos machen); *vgl. aber* kalt; **Kalt|stel|lung** (*ugs.*)

Kalt|ver|pfle|gung

kalt|wal|zen (*Technik*); nur im Infinitiv u. Partizip II gebr.; kaltgewalzt; **Kalt|walz|werk**

Kalt|was|ser, das; -s; **Kalt|was|ser-heil|an|stalt; Kalt|was|ser|kur**

Kalt|wel|le (mithilfe chem. Mittel hergestellte Dauerwelle)

Ka|lum|bin, das; -s ⟨Bantusprnlat.⟩ (Bitterstoff der Kolombowurzel)

Ka|lu|met, Ca|lu|met [*auch* ...lyˈmɛː], das; -s, -s ⟨lat.-franz.⟩ (Friedenspfeife der nordamerik. Indianer)

Ka|lup|pe, die; -, -n ⟨tschech.⟩ (*landsch. für* schlechtes, baufälliges Haus)

Kal|va|ri|en|berg, der; -[e]s, -e ⟨lat. calvaria »Schädel«; dt.⟩ (Kreuzigungsgruppe; *nur Sing.:* Kreuzigungsort Christi)

kal|vi|nisch, cal|vi|nisch; das kalvinische *od.* calvinische Bekenntnis

Kal|vi|nis|mus, Cal|vi|nis|mus, der; - (evangelisch-reformierter Glaube)

Kal|vi|nist, Cal|vi|nist, der; -en, -en (Anhänger des Calvinismus); **Kal|vi|nis|tin**, Cal|vi|nis|tin; **kal-vi|nis|tisch**, cal|vi|nis|tisch

Ka|ly|do|ni|sche E|ber, der; -n -s ⟨nach der ätolischen Stadt Kalydon⟩ (Riesentier der griech. Sage)

Ka|lyp|so (griech. Nymphe); *vgl. aber* Calypso

Ka|lyp|t|ra, die; -, ...ren ⟨griech.⟩ (*Bot.* Wurzelhaube der Farn- u. Samenpflanzen)

Ka|lze|o|la|rie, die; -, -n ⟨lat.⟩ (*Bot.* Pantoffelblume)

Kal|zi|na|ti|on, chem. fachspr. Calci|na|ti|on, die; - ⟨lat.⟩ (Zersetzung einer chem. Verbindung durch Erhitzen; Umwandlung in kalkähnliche Substanz)

kal|zi|nie|ren, *chem. fachspr.* cal|ci|nie|ren; kalzinierte Soda

Kal|zi|nier|ofen, *chem. fachspr.* Cal|ci|nier|ofen

Kal|zi|nie|rung, *chem. fachspr.* Cal|ci|nie|rung (*svw.* Kalzination)

Kal|zit, *chem. fachspr.* Cal|cit, der; -s, -e (Kalkspat)

Kal|zi|um, *chem. fachspr.* Cal|ci|um, das; -s (chemisches Element, Metall; *Zeichen* Ca)

Kal|zi|um|chlo|rid (*chem. fachspr.* Cal|ci|um...); **Kal|zi|um|kar|bid**; **Kal|zi|um|kar|bo|nat**

kam *vgl.* kommen

Ka|mal|du|len|ser, der; -s, - ⟨nach dem Kloster Camaldoli bei Arezzo⟩ (Angehöriger eines kath. Ordens); **Ka|mal|du|len|se|rin**

Ka|ma|ril|la [...'rɪl(j)a], die; -, ...llen ⟨span.⟩ (einflussreiche, intrigierende Gruppe in der Umgebung einer Regierung)

Ka|ma|su|tra, das; -[s] ⟨sanskr.⟩ (ind. Lehrbuch der Erotik)

Kam|bi|um, das; -s, ...ien ⟨nlat.⟩ (*Bot.* ein zeitlebens teilungsfähig bleibendes Pflanzengewebe)

Kam|bo|d|scha (Staat in Hinterindien); **Kam|bo|d|scha|ner**; **Kam|bo|d|scha|ne|rin**; **kam|bo|d|scha|nisch**

Kam|b|rik [*auch* 'ke:...], der; -s ⟨*zu* Cambrai⟩ (ein Gewebe); **Kam|b|rik|ba|tist**

kam|b|risch (zum Kambrium gehörend); **Kam|b|ri|um**, das; -s ⟨*zu* Cambria = *alter Name von* Wales⟩ (*Geol.* älteste Stufe des Paläozoikums); ↑K151 : das Obere Kambrium usw.

Ka|mee, die; -, -n ⟨franz.⟩ (Schmuckstein mit erhaben geschnittenem Bild); **Ka|me|en|schnei|der**

Ka|mel, das; -[e]s, -e ⟨semit.⟩

Ka|mel|dorn *Plur.* ...dorne (ein Steppenbaum)

Kä|mel|garn, Käm|mel|garn (Garn aus den Haaren der Angoraziege [*früher* = Kamelziege])

Ka|mel|haar; **Ka|mel|haar|man|tel**

Ka|me|lie, die; -, -n ⟨nach dem mährischen Jesuiten Kamel [*latinisiert* Camēllus]⟩ (eine Zierpflanze)

Ka|mel|le, die; -, -n ⟨rhein. für Karamellbonbon)

Ka|mel|len *Plur.* ⟨griech.⟩; olle Kamellen (*ugs. für* Altbekanntes)

Ka|me|lo|pard, der; *Gen.* -[e]s u. -en ⟨griech.⟩ (Sternbild der Giraffe)

Ka|me|lott, der; -s, -e (ein Gewebe)

Ka|menz (Stadt in Sachsen)

Ka|me|ra, die; -, -s ⟨lat.⟩; *vgl.* Camera obscura; **Ka|me|ra|as|sis|tent**; **Ka|me|ra|as|sis|ten|tin**

Ka|me|rad, der; -en, -en ⟨franz.⟩

Ka|me|ra|den|dieb|stahl; **Ka|me|ra|de|rie**, die; - (*meist abwertend für* Kameradschaft)

Ka|me|ra|din

Ka|me|rad|schaft; **ka|me|rad|schaft|lich**; **Ka|me|rad|schaft|lich|keit**, die; -

Ka|me|rad|schafts|ehe; **Ka|me|rad|schafts|geist**, der; -[e]s

Ka|me|ra|ein|stel|lung; **Ka|me|ra|frau**; **Ka|me|ra|füh|rung**

Ka|me|ra|list, der; -en, -en ⟨griech.⟩ (Fachmann auf dem Gebiet der Kameralistik)

Ka|me|ra|lis|tik, die; - (bei staatswirtschaftlichen Abrechnungen gebrauchtes System des Rechnungswesens; *veraltet für* Finanzwissenschaft); **Ka|me|ra|lis|tin**; **ka|me|ra|lis|tisch**; **Ka|me|ral|wis|sen|schaft**

Ka|me|ra|mann *Plur.* ...männer u. ...leute

Ka|me|ra|re|kor|der, **Ka|me|ra|re|cor|der** (Kamera, mit der Videofilme aufgenommen [und abgespielt] werden können)

Ka|me|ra|team; **ka|me|ra|über|wacht**; **Ka|me|ra|über|wa|chung**; **Ka|me|ra|ver|schluss**

Ka|me|run [*auch* ...'ru:n] (Staat im Westen Zentralafrikas); **Ka|me|ru|ner**; **Ka|me|ru|ne|rin**; **ka|me|ru|nisch**

ka|mie|ren, auch ka|mi|nie|ren ⟨ital.⟩ (*Fechtsport* die gegnerische Klinge mit der eigenen umgehen)

Ka|mi|ka|ze, der; -, - ⟨jap.⟩ (jap. Kampfflieger im 2. Weltkrieg, der sich mit seinem Flugzeug auf das feindliche Ziel stürzte)

Ka|mil|la *vgl.* Camilla

Ka|mil|le, die; -, -n ⟨griech.⟩ (eine Heilpflanze); **Ka|mil|len|öl**, das; -[e]s; **Ka|mil|len|tee**

Ka|mil|li|a|ner, der; -s, - ⟨nach dem Ordensgründer Camillo de Lellis⟩ (Angehöriger eines Krankenpflegerordens); **Ka|mil|li|a|ne|rin** (Angehörige einer Frau-

engemeinschaft, die sich der Krankenpflege widmet)

Ka|mil|lo *vgl.* Camillo

Ka|min, der, *schweiz. meist* das; -s, -e ⟨griech.⟩ (offene Feuerstelle mit Rauchabzug; *landsch. für* Schornstein; *Alpinistik* steile und enge Felsenspalte)

Ka|min|fe|ger (*landsch., schweiz.*); **Ka|min|fe|ge|rin**; **Ka|min|feu|er**

¹ka|mi|nie|ren (*Alpinistik* im Kamin klettern)

²ka|mi|nie|ren *vgl.* kamieren

Ka|min|keh|rer (*landsch.*); **Ka|min|keh|re|rin**; **Ka|min|kleid** (langes Hauskleid); **Ka|min|sims**

Ka|mi|sol, das; -s, -e ⟨franz.⟩ (*früher* Unterjacke, kurzes Wams)

Kamm, der; -[e]s, Kämme; **Kämm|chen**

Käm|mel|garn *vgl.* Kämelgarn

käm|meln ([Wolle] fein kämmen); ich kämm[e]le

käm|men; sich kämmen

Kam|mer, die; -, -n

Kam|mer|bul|le (*Soldatenspr.* Unteroffizier, der die Kleiderkammer unter sich hat)

Käm|mer|chen

Käm|mer|die|ner; **Käm|mer|die|ne|rin**

Käm|me|rei (Finanzverwaltung einer Gemeinde)

Käm|me|rer (Finanzverwalter einer Gemeinde)

Kam|mer|ge|richt

Kam|mer|hen

Kam|mer|jä|ger; **Kam|mer|jä|ge|rin**

Kam|mer|jung|fer (*veraltet*); **Kam|mer|jun|ker** (*veraltet*)

Kam|mer|lein

Käm|mer|ling (ein Wurzelfüßer)

Käm|mer|ling (*früher für* Kammerdiener)

Kam|mer|mu|sik, die; -; **Kam|mer|or|ches|ter**; **Kam|mer|rat** *Plur.* ...räte (früherer Titel); **Kam|mer|sän|ger**; **Kam|mer|sän|ge|rin**

Kam|mer|spiel (in einem kleinen Theater aufgeführtes Stück mit wenigen Rollen); **Kam|mer|spie|le** *Plur.* (kleines Theater)

Kam|mer|ton, der; -[e]s (Normalton zum Einstimmen der Instrumente)

Kam|mer|zo|fe

Kamm|fett (vom Kamm des Pferdes)

Kamm|garn; **Kamm|garn|spin|ne|rei**

Kamm|gras, das; -es; **Kamm|griff**, der; -[e]s (*Geräteturnen*); **Kamm|grind**, der; -[e]s (eine Geflügelkrankheit)

K

Kamm

Kamm|la|ge
Kämm|ling (Abfall von Kammgarn)
Kamm|ma|cher, Kamm-Ma|cher
Kämm|ma|schi|ne, Kämm-Ma|schine
Kamm|molch, Kamm-Molch
Kamm|mu|schel, Kamm-Mu|schel
Kamm|weg
Ka|mor|ra, Ca|mor|ra, die; - ⟨ital.⟩ (Geheimbund im ehemaligen Königreich Neapel)
Kamp, der; -s, Kämpe ⟨lat.⟩ (nordd. für abgegrenztes Stück Land, Feldstück)
Kam|pa|gne, Cam|pa|gne [...'panjə], die; -, -n ⟨franz.⟩ (Presse-, Wahlfeldzug; polit. Aktion; Wirtsch. Hauptbetriebszeit; veraltet für milit. Feldzug)
Kam|pa|la (Hauptstadt von Uganda)
Kam|pa|ni|en (ital. Region)
Kam|pa|ni|le, der; -, - ⟨ital.⟩ (frei stehender Glockenturm [in Italien])
Käm|pe, der; -n, -n (veraltet, noch scherzh. für Kämpfer, Krieger)
Kam|pe|lei (landsch.); kam|peln, sich (landsch. für sich balgen; sich streiten, zanken); ich kamp[e]le mich mit ihm
Kam|pe|sche|holz, das; -es ⟨nach dem Staat Campeche in Mexiko⟩ (Färbeholz)
Käm|pe|vi|se, die; -, -r meist Plur. ⟨dän.⟩ (skandinavische, bes. dänische Ballade des Mittelalters mit Stoffen aus der Heldensage)
Kampf, der; -[e]s, Kämpfe; Kampf ums Dasein
Kampf|ab|stim|mung; Kampf|an|sage; Kampf|bahn (für Stadion); Kampf|be|gier[|de], die; -
kampf|be|reit; kampf|be|tont
kämp|fen
Kampfer, der; -s ⟨sanskr.⟩ (eine in Medizin u. chem. Industrie verwendete harzartige Masse)
¹Kämp|fer (Kämpfender)
²Kämp|fer, der; -s, - ⟨Archit. Gewölbeauflage)
Kämp|fe|rin; kämp|fe|risch; Kämpfer|na|tur
Kamp|fer|öl; Kamp|fer|spi|ri|tus
Kampf|es|lärm, Kämpf|lärm; Kampf|es|lust, Kämpf|lust
kampf|fä|hig; Kampf|fä|hig|keit, die; -
Kampf|fisch; Kampf|flie|ger; Kampf|flug|zeug; Kampf|ge|fähr-

te; Kampf|ge|fähr|tin; Kampfgeist, der; -[e]s
Kampf|grup|pe; Kampf|hahn; Kampf|hand|lung; Kampf|hubschrau|ber; Kampf|hund; Kampfjet; Kampf|kan|di|da|tur
Kampf|kraft; Kampf|lärm, Kampfes|lärm
Kampf|läu|fer (ein Vogel)
kampf|los
Kampf|lust, Kampf|es|lust
Kampf|mann|schaft (österr. für die im Wettkampf eingesetzte Mannschaft); Kampf|maß|nahme meist Plur.
Kampf|mo|ral; Kampf|pan|zer; Kampf|pau|se; Kampf|platz
Kampf|preis (Wirtsch.)
Kampf|rich|ter; Kampf|rich|te|rin; Kampf|sport; Kampf|sport|art
kampf|stark
Kampf|stoff
Kampf|trin|ken, das; -s, - (ugs. für das Trinken großer Mengen von Alkohol um die Wette); Kampftrin|ker (ugs.); Kampf|trin|ke|rin
kampf|un|fä|hig; Kampf|un|fä|hig|keit, die; -
kam|pie|ren ⟨franz.⟩ ([im Freien] lagern; ugs. für wohnen, hausen)
Kam|pu|chea [...'tʃe:a], Kam|put|schea (zeitweiliger Name von Kambodscha)
Kam|sin, der; -s, -e ⟨arab.⟩ (heißtrockener Sandwind in der ägyptischen Wüste)
Kam|t|scha|da|le, der; -n, -n (Bewohner von Kamtschatka); Kam|t|scha|da|lin
Kam|t|schat|ka (eine nordostasiatische Halbinsel)
Ka|muf|fel, das; -s, - (Schimpfwort, svw. Dummkopf)
Ka|mut ®, der; -s ⟨ägyptisch-amerik.⟩ (eine alte Getreideart)
Ka|na (bibl. Ort); Hochzeit zu Kana
Ka|na|an (das vorisraelitische Palästina); ka|na|a|nä|isch; Kana|a|ni|ter; Ka|na|a|ni|te|rin; kana|a|ni|tisch
Ka|na|da (Bundesstaat in Nordamerika)
Ka|na|da|bal|sam, der; -s
Ka|na|di|er (Bewohner von Kanada; auch offenes Sportboot); Ka|na|di|e|rin; ka|na|disch; aber ↑K140: der Kanadische Schild (Festlandskern Nordamerikas)
Ka|nail|le, Ca|nail|le [...'naljə, österr. ...'naij(ə)], die; -, -n

⟨franz.⟩ (Schurke; nur Sing.: veraltet für Gesindel)
Ka|na|ke, der; -n, -n ⟨polynes.⟩ (Ureinwohner der Südseeinseln; Ausspr. meist [...'na...]: derb abwertend für Ausländer, bes. Türke); Ka|na|kin
Ka|nal, der; -s, ...näle ⟨ital.⟩ (Sing. auch für Ärmelkanal)
Ka|nal|bau Plur. ...bauten
Ka|näl|chen (kleiner Kanal)
Ka|nal|de|ckel; Ka|nal|ge|bühr
Ka|nal|in|seln Plur. (Gruppe von Inseln und Felsen vor der Küste Nordfrankreichs im Ärmelkanal)
Ka|na|li|sa|ti|on, die; -, -en (Anlage zur Ableitung der Abwässer); ka|na|li|sie|ren (eine Kanalisation bauen; schiffbar machen; übertr. für in eine bestimmte Richtung lenken); Ka|na|li|sie|rung
Ka|nal|schacht; Ka|nal|schleu|se; Ka|nal|tun|nel (unter dem Ärmelkanal)
ka|na|resisch), Ka|na|ni|ter, Ka|na|ni|te|rin, ka|na|ni|tisch vgl. kanaanäisch usw.
Ka|na|pee [österr. ...'pe:], Ca|na|pé, das; -s, -s ⟨franz.⟩ (veraltend für Sofa; meist Plur.: pikant belegte [geröstete] Weißbrotscheibe)
Ka|na|ren Plur. (Kanarische Inseln)
Ka|na|ri, der; -s, - ⟨südd., österr. ugs. für Kanarienvogel); Ka|na|rie, die; -, -n (fachspr. für Kanarienvogel); ka|na|ri|en|gelb (hellgelb); Ka|na|ri|en|vo|gel
Ka|na|ri|er (Bewohner der Kanarischen Inseln); Ka|na|ri|e|rin; ka|na|risch; Ka|na|ri|sche In|seln Plur. (Inselgruppe vor der Nordwestküste Afrikas)
Kan|da|har|ren|nen, Kan|da|har-Ren|nen ↑K136 ⟨nach dem Earl of Kandahar⟩ (jährl. stattfindendes Skirennen)
Kan|da|re, die; -, -n ⟨ung.⟩ (Gebissstange des Pferdes); jmdn. an die Kandare nehmen (streng behandeln)
Kan|del, der; -s, -n od. die; -, -n (landsch. für [Dach]rinne)
Kan|de|la|ber, der; -s, - ⟨franz.⟩ (Ständer für Kerzen od. Lampen)
kan|deln (landsch. für auskehlen); ich kand[e]le
Kan|del|zu|cker (landsch. für Kandis[zucker])
Kan|di|dat, der; -en, -en ⟨lat.⟩ (in der Prüfung Stehender;

[Amts]bewerber, Anwärter; *Abk.* cand.); Kandidat der Medizin (*Abk.* cand. med.); Kandidat des [lutherischen] Predigtamtes (*Abk.* cand. [rev.] min. *od.* c. r. m.; *vgl.* Doktor)

Kan|di|da|ten|lis|te; Kan|di|da|tin; Kan|di|da|tur, die; -, -en (Bewerbung [um ein Amt o. Ä.])

kan|di|del (*nordd. veraltet für* heiter, lustig)

kan|di|die|ren (sich [um ein Amt o. Ä.] bewerben)

Kan|di|dus *vgl.* Candidus

kan|die|ren ⟨arab.⟩ ([Früchte] durch Zucker haltbar machen)

Kan|dins|ky [...ki] (russ. Maler)

Kan|dis, der; - ⟨arab.⟩, **Kan|dis|zucker** (an Fäden auskristallisierter Zucker); **Kan|di|ten** *Plur.* (*bes. österr. für* überzuckerte Früchte; Süßigkeiten)

Ka|neel, der; -s, -e ⟨sumer.⟩ (beste Zimtsorte); **Ka|neel|blu|me**

Ka|ne|pho|re, die; -, -n ⟨griech.⟩ (*Archit.* weibliche Figur als Gebälkträger)

Ka|ne|vas, der; *Gen. - u.* -ses, *Plur.* - *u.* -se ⟨franz.⟩ (Gittergewebe; Akt- u. Szeneneinteilung in der ital. Stegreifkomödie); **ka|nevas|sen** (aus Kanevas)

Kän|gu|ru, das; -s, -s ⟨austral.⟩ (ein Beuteltier); **Kän|gu|ru|ta|sche** (auf Sweatshirts o. Ä. vorn aufgesetzte Tasche)

Ka|ni|den *Plur.* ⟨lat.⟩ (*Zool.; Sammelbez. für* Hunde u. hundeartige Tiere)

Ka|nin, das; -s, -e ⟨iber.⟩ (Kaninchenfell)

Ka|nin|chen; Ka|nin|chen|züch|ter; Ka|nin|chen|züch|te|rin

Ka|nis|ter, der; -s, - ⟨sumer.-ital.⟩ (tragbarer Behälter für Flüssigkeiten)

Kan|ker, der; -s, - ⟨griech.⟩ (*svw.* Weberknecht)

Kan|na *vgl.* Canna

Kan|nä, das; -, - ⟨nach dem Schlachtort des Altertums in Italien: Cannae⟩ (*geh. für* vernichtende Niederlage)

Kan|na|da, das; -[s] (eine Sprache in Indien); *vgl. aber* Kanada

Kann|be|stim|mung, Kann-Be|stimmung

Känn|chen

Kan|ne, die; -, -n

Kan|ne|gie|ßer (*veraltend iron. für* polit. Schwätzer); **Kan|ne|gie|ßerin; kan|ne|gie|ßern;** ich kannegießere; gekannegießert

Kän|nel, der; -s, - (*bes. schweiz. für* Dachrinne); **kan|ne|lie|ren** (*Archit.* mit Kannelüren versehen; auskehlen; riefeln); **Kan|nelie|rung**

Kän|nel|koh|le, die; - ⟨engl.; dt.⟩ (eine Steinkohlenart)

Kan|ne|lur, die; -, -en ⟨sumer.-franz.⟩, **Kan|ne|lü|re,** die; -, -n (*Archit.* senkrechte Rille am Säulenschaft; Hohlkehle)

Kan|ne[n]|bä|cker|land, das; -[e]s (Landschaft im Westerwald)

Kan|nen|pflan|ze (eine insektenfressende Pflanze)

kan|nen|wei|se; das Öl wurde kannenweise abgegeben

Kan|ni|ba|le, der; -n, -n ⟨span.⟩ (Menschenfresser; *übertr. für* roher, ungesitteter Mensch); **Kan|ni|ba|lin; kan|ni|ba|lisch; kanni|ba|li|sie|ren** (*Jargon* einer Sache sehr schaden; ruinieren); **Kan|ni|ba|lis|mus,** der; - (Menschenfresserei; *übertr. für* unmenschliche Rohheit; *Zool.* das Auffressen von Artgenossen)

Kan|nit|ver|stan, der; -s, -e ⟨niederl., »kann nicht verstehen«⟩ (Figur bei J. P. Hebel)

kann|te *vgl.* kennen

Kann|vor|schrift, **Kann-Vor|schrift**

Ka|noldt (dt. Maler)

[1]Ka|non, der; -s, -s ⟨griech.-lat.⟩ (Maßstab, Richtschnur; Regel; Lied, bei dem mehrere Stimmen nacheinander mit der Melodie einsetzen; Liste der kirchl. anerkannten bibl. Schriften; in der kath. Liturgie das Hochgebet der Eucharistie; kirchenamtl. Verzeichnis der Heiligen; kirchenrechtliche Norm [*fachspr. Plur.* Kanones]; Verzeichnis mustergültiger Schriftsteller)

[2]Ka|non, die; - (ein alter Schriftgrad)

Ka|no|na|de, die; -, -n ⟨sumer.-franz.⟩ ([anhaltendes] Geschützfeuer)

Ka|no|ne, die; -, -n ⟨sumer.-ital.⟩ (Geschütz; *ugs. für* Pistole, Revolver; Könner)

Ka|no|nen|boot; Ka|no|nen|boot|poli|tik, die; - (Demonstration militärischer Macht [durch Entsendung von Kriegsschiffen] zur Durchsetzung politischer Ziele)

Ka|no|nen|don|ner; Ka|no|nen|feuer; Ka|no|nen|fut|ter (*ugs. abwertend*); **Ka|no|nen|ku|gel; Ka|nonen|öf|chen; Ka|no|nen|rohr; Kano|nen|schlag** (ein Feuerwerkskörper); **Ka|no|nen|schuss**

Ka|no|nier, der; -s, -e ⟨sumer.-franz.⟩ (Soldat, der ein Geschütz bedient); **ka|no|nie|ren** (*ugs. auch für* kraftvoll schießen, werfen); **Ka|no|nie|rin**

Ka|no|nik, die; - ⟨sumer.-lat.⟩ (Name der Logik bei Epikur)

Ka|no|ni|kat, das; -[e]s, -e (Amt, Würde eines Kanonikers); **Kano|ni|ker,** der; -s, -, **Ka|no|ni|kus,** der; -, ...ker (Mitglied eines geistl. Kapitels, Chorherr)

Ka|no|ni|sa|ti|on, die; -, -en (Heiligsprechung)

ka|no|nisch (den [1]Kanon betreffend, ihm gemäß; mustergültig); kanonisches Recht

ka|no|ni|sie|ren (heilig sprechen, in den [1]Kanon aufnehmen)

Ka|no|nis|se ⟨sumer.-franz.⟩, **Ka|nonis|sin,** die; -, -n (Stiftsdame)

Ka|no|nist, der; -en, -en ⟨sumer.-lat.⟩ (Lehrer des kanon. Rechtes); **Ka|no|nis|tin**

Ka|no|pe, die; -, -n ⟨griech.⟩ (altägyptische u. etruskische Urne)

Ka|no|pos *vgl.* Kanopus

[1]Ka|no|pus (antiker Name eines Ortes an der Nilmündung)

[2]Ka|no|pus, Ca|no|pus, der; - (ein Stern)

Ka|nos|sa, Ca|nos|sa, das; -s, -s ⟨nach der Felsenburg Canossa in Norditalien; ein Gang nach Canossa (*übertr. für* Demütigung); **Ka|nos|sa|gang,** Ca|nossa|gang, der ↑K143

Kä|no|zo|i|kum, das; -s ⟨griech.⟩ (*Geol.* Erdneuzeit [Tertiär u. Quartär]); **kä|no|zo|isch**

Kan|sas (Staat in den USA; *Abk.* KS)

Kant (dt. Philosoph); Kant-Gesellschaft ↑K136

kan|ta|bel ⟨ital.⟩ (*Musik* sangbar; gesanglich vorgetragen); ...a|bles Spiel; **Kan|ta|bi|li|tät,** die; - ⟨lat.⟩ (*Musik* gesanglicher Ausdruck; melod. Schönheit)

Kan|ta|b|rer [*auch* 'ka...], der; -s, - (Angehöriger eines alten iber. Volkes); **Kan|ta|b|re|rin; kan|ta|brisch;** *aber* ↑K140 : das Kantabrische Gebirge

Kan|tar, der *od.* das; -s, -e ⟨lat.-arab.⟩ (altes Gewichtsmaß im Mittelmeerraum); 5 Kantar

[1]Kan|ta|te, die; -, -n ⟨lat.⟩ (mehrteiliges, von Instrumenten begleitetes Gesangsstück für eine Solostimme oder Solo- und Chorstimmen)

K

Kant

²Kan|ta|te ⟨»singet!«⟩ (vierter Sonntag nach Ostern)

Kan|te, die; -, -n; etw. auf die hohe Kante legen (sparen); sich die Kante geben (ugs. *für* sich betrinken)

Kan|tel, der; -, -n (Holzstück mit quadratischem od. rechteckigem Querschnitt für Stuhlbeine usw.)

kan|ten (rechtwinklig behauen; auf die Kante stellen)

Kan|ten, der; -s, - (*bes. nordd. für* Brotrinde; Anschnitt od. Endstück eines Brotes)

Kan|ten|ball (*Tischtennis*)

Kan|ten|ge|schie|be *(Geol.)*

Kan|ten|win|kel *(Kristallografie)*

¹Kan|ter, der; -s, - (Gestell [für Fässer]; Verschlag)

²Kan|ter [*auch* 'ke...], der; -s, - ⟨engl.⟩ (*Reitsport* leichter, kurzer Galopp)

kan|tern (kurz galoppieren); ich kantere

Kan|ter|sieg (*Sport* müheloser [hoher] Sieg)

Kant|ha|ken (ein kurzer Eisenhaken); jmdn. beim Kanthaken kriegen (*ugs. für* jmdn. gehörig zurechtweisen)

Kan|tha|ri|de, der; -n, -n *meist Plur.* ⟨griech.⟩ (*Zool.* Weichkäfer); **Kan|tha|ri|den|pflas|ter** *(Med.);* **Kan|tha|ri|din,** *fachspr.* Can|tha|ri|din, das; -s (Drüsenabsonderung bestimmter Insekten)

Kant|holz

Kan|ti|a|ner (Schüler, Anhänger Kants); **Kan|ti|a|ne|rin**

kan|tig

Kan|ti|le|ne, die; -, -n ⟨ital.⟩ (gesangartige, getragene Melodie)

Kan|til|le [*auch* ...'tɪljə], die; -, -n ⟨lat.-franz.⟩ (gedrehter, vergoldeter od. versilberter Draht [für Tressen u. Borten])

Kan|ti|ne, die; -, -n ⟨franz.⟩ (Speisesaal in Betrieben, Kasernen o. Ä.); **Kan|ti|nen|es|sen; Kan|ti|nen|kost; Kan|ti|nen|wirt; Kan|ti|nen|wir|tin**

kan|tisch (*zu* Kant); die kanti-schen Werke

¹Kan|ton (chin. Stadt)

²Kan|ton, der; -s, -e ⟨franz.⟩ (Bundesland der Schweiz [*Abk.* Kt.]; Bezirk, Kreis in Frankreich u. Belgien); **kan|to|nal** (den Kanton betreffend)

Kan|to|nal|bank *Plur.* ...banken

kan|to|na|li|sie|ren (der Verantwortung des Kantons unterstellen)

Kan|to|ni|e|re, die; -, -n ⟨ital.⟩ (Straßenwärterhaus in den italienischen Alpen)

kan|to|nie|ren ⟨franz.⟩ (*veraltet für* Truppen unterbringen; in Standorte legen)

Kan|to|nist, der; -en, -en (*veraltet für* ausgehobener Rekrut); unsicherer Kantonist (*ugs. für* unzuverlässiger Mensch); **Kan|to|nis|tin**

Kan|tön|li|geist, der; -[e]s (*schweiz.* abwertend für Kirchturmpolitik, Lokalpatriotismus)

Kan|ton|ne|ment [...'mã: u. schweiz. auch ...'mɛnt], das; -s, -s u. (bei deutscher Aussprache:) -[e]s, -e (*schweiz., sonst veraltet für* Truppenunterkunft)

Kan|tons|ge|richt; Kan|tons|rat *Plur.* ...räte; **Kan|tons|rä|tin; Kan|tons|re|gie|rung; Kan|tons|schu|le** (kantonale höhere Schule); **Kan|tons|spi|tal**

Kan|tor, der; -s, ...oren ⟨lat.⟩ (Vorsänger im gregorian. Choral; Leiter des Kirchenchores, Organist); **Kan|to|rat,** das; -[e]s, -e (Amt eines Kantors); **Kan|to|rei** (ev. Kirchenchor; kleine Singgemeinschaft); **Kan|to|ren|amt; Kan|to|rin**

Kant|schu, der; -s, -s ⟨türk.⟩ (Riemenpeitsche)

Kant|stein (*nordd. für* Bordstein)

Kan|tus, der; -, -se ⟨lat.⟩ (*Verbindungsw.* Gesang)

Kant|wurst (*österr. für* eine Dauerwurst)

Ka|nu [*österr.* ...'nu:], das; -s, -s ⟨karib.⟩ (leichtes Boot der Indianer; Einbaum; *zusammenfassende Bez. für* Kajak u. Kanadier)

Ka|nü|le, die; -, -n ⟨sumer.-franz.⟩ (Röhrchen; Hohlnadel)

Ka|nu|sla|lom

Ka|nu|te, der; -n, -n ⟨karib.⟩ (*Sport* Kanufahrer)

Kan|zel, die; -, -n ⟨lat.⟩; **Kan|zel|red|ner; Kan|zel|red|ne|rin; Kan|zel|ton,** der; -[e]s

kan|ze|ro|gen (*svw.* karzinogen); **kan|ze|rös** (*Med.* krebsartig)

Kanz|lei (Büro eines Anwalts od. einer Behörde)

Kanz|lei|aus|druck; Kanz|lei|be|am|te; kanz|lei|mä|ßig; Kanz|lei|spra|che; Kanz|lei|stil, der; -[e]s

Kanz|ler; Kanz|ler|amt; Kanz|ler|amts|mi|nis|ter; Kanz|ler|amts|mi-

nis|te|rin; **Kanz|le|rin; Kanz|ler-kan|di|dat; Kanz|ler|kan|di|da|tin; Kanz|ler|kan|di|da|tur; Kanz|ler-mehr|heit** (*Jargon* Mehrheit, die eine Stimme mehr als die Hälfte der Bundestagsmitglieder ausmacht); **Kanz|ler|run|de; Kanz|ler-schaft,** die; -

Kanz|list, der; -en, -en (*veraltet für* Schreiber, Angestellter in einer Kanzlei); **Kanz|lis|tin**

Kan|zo|ne, die; -, -n ⟨ital.⟩ (Gedichtform; Gesangstück; Instrumentalkomposition)

Ka|o|lin, das *od.* der (*fachspr. nur so);* -s, *Plur.* (Sorten:) -e ⟨chin.-franz.⟩ (Porzellanerde); **Ka|o|lin-er|de** (*svw.* Kaolin)

Kap, das; -s, -s ⟨niederl.⟩ (Vorgebirge); Kap der Guten Hoffnung (an der Südspitze Afrikas); Kap Hoorn (Südspitze Südamerikas)

Kap. = Kapitel (Abschnitt)

Ka|paun, der; -s, -e (kastrierter Masthahn); **ka|pau|nen** (*svw.* kapaunisieren); kapaunt; **ka-pau|ni|sie|ren** (Hähne kastrieren)

Ka|pa|zi|tät, die; -, -en ⟨lat.⟩ (Aufnahmefähigkeit, Fassungsvermögen; hervorragender Fachmann, Experte)

Ka|pa|zi|täts|aus|las|tung; Ka|pa|zi-täts|er|wei|te|rung

ka|pa|zi|tiv (*Physik* auf die [elektr.] Kapazität bezüglich)

Kap Ca|na|ve|ral [- kə'nɛvərəl] (amerik. Raketenstartplatz)

Ka|pee ⟨franz.⟩; **Ka|pee sein** (*ugs. für* begriffsstutzig sein)

Ka|pe|lan, der; -s, -e ⟨franz.⟩ (ein Lachsfisch, Lodde)

Ka|pel|la, Ca|pel|la, die; - ⟨lat.⟩ (ein Stern)

¹Ka|pel|le, die; -, -n ⟨lat.⟩ (kleiner kirchl. Raum; Orchester)

²Ka|pel|le, *älter* Ku|pel|le, die; -, -n ⟨lat.⟩ (*fachspr. für* Tiegel)

Ka|pell|meis|ter; Ka|pell|meis|te|rin

¹Ka|per, die; -, -n *meist Plur.* ⟨griech.⟩ ([eingelegte] Blütenknospe des Kapernstrauches)

²Ka|per, der; -s, - ⟨niederl.⟩ (*früher* Kaperschiff; Freibeuter)

Ka|per|brief

Ka|pe|rei (*früher* Aufbringen feindlicher und Konterbande führender neutraler Handelsschiffe); **Ka|per|fahrt; Ka|per|gut; Ka|per|krieg**

ka|pern; ich kapere

Ka|per|na|um, *ökum.* Ka|far|na|um (bibl. Ort)

K
Kant

Ka|pern|so|ße, Ka|pern|sau|ce; Ka|pern|strauch
Ka|per|schiff ⟨früher⟩; **Ka|pe|rung**
Ka|pe|tin|ger [auch 'ka...], der; -s, - (Angehöriger eines franz. Königsgeschlechtes); **Ka|pe|tin|ge|rin**
ka|pie|ren ⟨lat.⟩ (ugs. für fassen, begreifen, verstehen)
ka|pil|lar ⟨lat.⟩ (haarfein, z. B. von Blutgefäßen)
Ka|pil|lar|ana|ly|se ⟨Chemie⟩
Ka|pil|la|re, die; -, -n (Haargefäß, kleinstes Blutgefäß; Haarröhrchen); **Ka|pil|lar|ge|fäß** (feinstes Blutgefäß); **Ka|pil|la|ri|tät**, die; - ⟨Physik Verhalten von Flüssigkeiten in engen Röhren⟩; **Ka|pil|lar|mi|k|ro|s|ko|pie**, die; - ⟨Med. mikroskopische Untersuchung der Kapillaren⟩
ka|pi|tal ⟨lat.⟩ (hauptsächlich; groß, gewaltig); ein kapitaler Hirsch
Ka|pi|tal, das; -s, Plur. -e u., österr. nur, -ien (Vermögen; Geldsumme)
Ka|pi|täl, das; -s, -e ⟨seltener für Kapitell⟩
Ka|pi|tal|an|la|ge; **Ka|pi|tal|auf|sto|ckung**; **Ka|pi|tal|aus|fuhr**
Ka|pi|tal|band, Kap|tal|band, das; -[e]s, ...bänder (Schutz- u. Zierband am Buchrücken)
Ka|pi|tal|be|darf; **Ka|pi|tal|bil|dung**
Ka|pi|tal|buch|sta|be (Großbuchstabe); **Ka|pi|täl|chen** (lat. Großbuchstabe in der Größe eines kleinen Buchstabens)
Ka|pi|ta|le, die; -, -n ⟨franz.⟩ (veraltet für Hauptstadt)
Ka|pi|tal|eig|ner; **Ka|pi|tal|eig|ne|rin**; **Ka|pi|tal|er|hö|hung**; **Ka|pi|tal|er|trag[s]|steu|er**; **Ka|pi|tal|ex|port**
Ka|pi|tal|feh|ler (besonders schwerer Fehler)
Ka|pi|tal|flucht, die; -; **Ka|pi|tal|ge|ber**; **Ka|pi|tal|ge|be|rin**
ka|pi|tal|ge|deckt; kapitalgedeckte Rente; **Ka|pi|tal|ge|sell|schaft**; **Ka|pi|tal|ge|winn**
Ka|pi|tal|hirsch ⟨Jägerspr.⟩
ka|pi|tal|in|ten|siv (viel Kapital erfordernd)
Ka|pi|tal|in|ves|ti|ti|on
Ka|pi|ta|li|sa|ti|on, die; -, -en (Umwandlung eines laufenden Ertrags od. einer Rente in einen einmaligen Betrag); **ka|pi|ta|li|sie|ren**; **Ka|pi|ta|li|sie|rung**
Ka|pi|ta|lis|mus, der; - (Wirtschafts- u. Gesellschaftsord-

nung, deren treibende Kraft das Gewinnstreben Einzelner ist)
Ka|pi|ta|list, der; -en, -en (oft abwertend für Vertreter des Kapitalismus); **Ka|pi|ta|lis|tin**; **ka|pi|ta|lis|tisch**
Ka|pi|tal|kraft, die; -; **ka|pi|tal|kräf|tig**
Ka|pi|tal|le|bens|ver|si|che|rung
Ka|pi|tal|markt; **Ka|pi|tal|ver|bre|chen** (schweres Verbrechen); **Ka|pi|tal|zins** Plur. ...zinsen
Ka|pi|tän, der; -s, -e ⟨ital.-franz.⟩; **Ka|pi|tä|nin**
Ka|pi|tän|leut|nant; **Ka|pi|täns|ka|jü|te**; **Ka|pi|täns|pa|tent**
Ka|pi|tel, das; -s, - ⟨lat.⟩ ([Haupt]stück, Abschnitt [Abk. Kap.]; geistl. Körperschaft); Kapitel XII; **ka|pi|tel|fest** (ugs. für fest im Wissen)
Ka|pi|tell, das; -s, -e ⟨lat.⟩ ⟨Archit. oberer Säulen-, Pfeilerabschluss⟩
ka|pi|teln ⟨lat.⟩ (landsch. für ausschelten); ich kapit[e]le
Ka|pi|tel|saal (Sitzungssaal im Kloster); **Ka|pi|tel|über|schrift**
Ka|pi|tol, das; -s (Burg Alt-Roms; Kongresspalast in Washington); **ka|pi|to|li|nisch**; ↑K89: die kapitolinischen Gänse, aber ↑K150: der Kapitolinische Hügel
Ka|pi|tu|lant, der; -en, -en ⟨lat.⟩ (jmd., der kapituliert); **Ka|pi|tu|lan|tin**
Ka|pi|tu|lar, der; -s, -e (Mitglied eines Kapitels, z. B. Domherr)
Ka|pi|tu|la|ri|en Plur. (Gesetze u. Verordnungen der karoling. Könige)
Ka|pi|tu|la|ti|on, die; -, -en ⟨franz.⟩ (Übergabe [einer Truppe od. einer Festung], Aufgabe; Übergabevertrag)
ka|pi|tu|lie|ren (sich ergeben, aufgeben)
Ka|p|la|ken, das; -s, - ⟨niederl.⟩ (Seemannsspr. veraltet dem Kapitän zustehende Sondervergütung)
Ka|p|lan, der; -s, ...pläne ⟨lat.⟩ (kath. Hilfsgeistlicher)
Kap|land, das; -[e]s (svw. Kapprovinz)
¹**Ka|po**, der; -s, -s ⟨Kurzform von franz. caporal⟩ (Unteroffizier; Häftling eines Konzentrationslagers, der ein Arbeitskommando leitete; österr. auch für Vorarbeiter)
²**Ka|po**, die; - ⟨schweiz. Kurzform für Kantonspolizei⟩

Ka|po|das|ter, der; -s, - ⟨ital.⟩ (bei Lauten u. Gitarren über alle Saiten reichender, auf dem Griffbrett verschiebbarer Bund)
Ka|pok, der; -s ⟨malai.⟩ (Samenfaser des Kapokbaumes, ein Füllmaterial); **Ka|pok|baum** (Baum der tropischen Regenwälder)
ka|po|res ⟨hebr.-jidd.⟩ (ugs. für entzwei); kapores gehen, sein
Ka|po|si|sar|kom ↑K136 ⟨nach dem österr.-ungar. Hautarzt Moritz Kaposi⟩ ⟨Med. ein [bei Aidspatienten häufiger auftretender] Hautkrebs⟩
Ka|pot|te, die; -, -n ⟨franz.⟩ (um die Jahrhundertwende getragener Damenhut); **Ka|pott|hut**
Kap|pa, das; -[s], -s ⟨griech. Buchstabe: K, κ⟩
Kap|pa|do|ki|en usw. vgl. Kappadozien usw.; **Kap|pa|do|zi|en** (antike Bez. einer Landschaft im östl. Kleinasien); **Kap|pa|do|zi|er**; **Kap|pa|do|zi|e|rin**; **kap|pa|do|zisch**
Kapp|beil ⟨Seemannsspr.⟩
Käpp|chen; **Kap|pe**, die; -, -n ⟨lat.⟩
kap|pen (ab-, beschneiden; abhauen)
Kap|pen|abend (eine Faschingsanstaltung)
Kap|pes, Kap|pus, der; - ⟨lat.⟩ (westd. für Weißkohl)
Kapp|hahn (Kapaun)
Käp|pi, das; -s, -s (kleine, längliche [Uniform]mütze); **Käpp|lein**
Kapp|naht (eine doppelt genähte Naht)
Kap|pro|vinz, die; - (größte Provinz der Republik Südafrika)
Kap|pung; **Kap|pus** vgl. Kappes
Kapp|zaum ⟨ital.⟩ ⟨Reitsport Halfterzaum ohne Mundstück⟩
Kapp|zie|gel (luftdurchlässiger Dachziegel)
Ka|p|ri|ce, Ca|p|ri|ce [...sə], die; -, -n ⟨franz.⟩ (Laune)
Ka|p|ri|o|le, die; -, -n ⟨ital.⟩ (närrischer Einfall, Streich; Luftsprung; Reitsport besonderer Sprung der Hohen Schule); **ka|p|ri|o|len** (selten für Kapriolen machen)
Ka|p|ri|ze (österr. svw. Kaprice)
ka|p|ri|zie|ren, sich ⟨franz.⟩ (veraltend für eigensinnig auf etwas bestehen); **ka|p|ri|zi|ös** (launenhaft, eigenwillig)
Ka|p|riz|pols|ter, der; -s, - ⟨österr. ugs. veraltet für ein kleines Kissen⟩
Ka|p|run (Gemeinde in Österreich)

Kap|sel, die; -, -n; **Käp|sel|chen**
kap|sel|för|mig; kap|se|lig, kaps|lig
kap|seln (*EDV* Code u. Daten eines
Programmteils zu einer Einheit
zusammenfassen, um die Daten
vor dem Zugriff anderer Pro-
grammteile zu schützen); ich
kaps[e]le
Kap|sel|riss (*Med.*)
Kap|se|lung (*Technik*)
Kap|si|kum, das; -s ⟨lat.⟩ (span.
Pfeffer)
kaps|lig, kap|se|lig
Kap|stadt (Hauptstadt der Kap-
provinz; Sitz des Parlaments der
Republik Südafrika)
Kap|tal, das; -s, -e ⟨lat.⟩ (Kapital-
band); **Kap|tal|band** vgl. Kapital-
band
Kap|tein, Käp|ten, der; -s, -s
(*nordd. für* Kapitän)
Kap|ti|on, die; -, -en ⟨lat.⟩ (*veraltet
für* Fangfrage; verfänglicher
Trugschluss); **kap|ti|ös** (*veraltet
für* verfänglich)
Ka|put, der; -s, -e ⟨roman.⟩
(*schweiz. für* Soldatenmantel)
ka|putt ⟨franz.⟩; kaputt sein
ka|putt drü|cken, **ka|putt|drü|cken**
ka|putt|ge|hen; kaputtgegangen
ka|putt|heit, die; - (*ugs.*)
ka|putt|la|chen, sich; wir haben
uns kaputtgelacht
ka|putt ma|chen, **ka|putt|ma|chen;**
das Spielzeug kaputt machen
od. kaputtmachen; *aber nur*
sich kaputtmachen (sich aufrei-
ben)
ka|putt schla|gen, **ka|putt|schla-**
gen
ka|putt|spa|ren; sich kaputtspa-
ren; kaputtgespart
ka|putt tre|ten, **ka|putt|tre|ten**
Ka|pu|ze, die; -, -n ⟨ital.⟩ (an einen
Mantel od. eine Jacke angear-
beitete Kopfbedeckung)
Ka|pu|zi|na|de, die; -, -n ⟨franz.⟩
(*veraltet für* Kapuzinerpredigt)
Ka|pu|zi|ner, der; -s, - ⟨ital.⟩ (Ange-
höriger eines kath. Ordens;
österr. auch für Kaffee mit
wenig Milch)
Ka|pu|zi|ner|af|fe; Ka|pu|zi|ne|rin;
Ka|pu|zi|ner|kres|se
Ka|pu|zi|ner|mönch; Ka|pu|zi|ner|or-
den, der; -s (*Abk.* O. [F.] M. Cap.
[*vgl. d.*])
Ka|pu|zi|ner|pre|digt ([derbe] Straf-
rede)
Kap Ver|de (Staat, der die Kapver-
dischen Inseln umfasst); **Kap-**
ver|den *Plur.* (Kapverdische

Inseln; *bes. schweiz. neben* Kap
Verde)
Kap|ver|di|er ⟨zu Kapverden⟩,
Kap-Ver|di|er, Kap Ver|di|er ⟨zu
Kap Verde⟩; **Kap|ver|di|e|rin,**
Kap-Ver|di|e|rin, Kap Ver|di|e|rin
kap|ver|disch; Kap|ver|di|sche In-
seln *Plur.* (Inselgruppe vor der
Westküste Afrikas)
Kap|wein (Wein aus der Kappro-
vinz)
Kar, das; -[e]s, -e (Mulde [an ver-
gletscherten Hängen])
Ka|ra|bi|ner, der; -s, - ⟨franz.⟩ (kur-
zes Gewehr; *österr. auch für*
Karabinerhaken)
Ka|ra|bi|ner|ha|ken (federnder Ver-
schlusshaken)
Ka|ra|bi|ni|er [...'nĭe:], der; -s, -s
([urspr. mit Karabiner ausgerüs-
teter] Reiter; Jäger zu Fuß); **Ka-**
ra|bi|ni|e|re, Ca|ra|bi|ni|e|re, der;
-[s], ...ri ⟨ital.⟩ (Angehöriger
einer italienischen Polizei-
truppe)
Ka|ra|cho [...xo], das; - ⟨span.⟩
(*ugs. für* große Geschwindigkeit,
Tempo); mit Karacho
Ka|rä|er, der; -s, - ⟨hebr.⟩ (Angehö-
riger einer jüd. Sekte); **Ka|rä|e|rin**
Ka|raf|fe, die; -, -n ⟨arab.-franz.⟩
([geschliffene] bauchige Glasfla-
sche [mit Glasstöpsel]); **Ka|raf|fi-**
ne, die; -, -n (*veraltet, noch
landsch. für* kleine Karaffe)
Ka|ra|gös, der; - ⟨türk.⟩ (Hans-
wurst im türk.-arab. Schatten-
spiel)
Ka|ra|i|be usw. *vgl.* Karibe usw.
Ka|ra|jan ['ka(:)...], Herbert von
(österr. Dirigent)
Ka|ra|kal, der; -s, -s ⟨turkotatar.⟩
(Wüstenluchs)
Ka|ra|kal|pa|ke, der; -n, -n (Ange-
höriger eines Turkvolkes); **Ka|ra-**
kal|pa|kin
Ka|ra|ko|rum [*auch* ...'rʊm], der;
-[s] (Hochgebirge in Mittel-
asien)
Ka|ra|kul|schaf ⟨nach dem See im
Hochland von Pamir⟩ (Fett-
schwanzschaf, dessen Lämmer
den Persianerpelz liefern)
Ka|ra|kum, die; - (Wüstengebiet in
Turkmenistan)
Ka|ram|bo|la|ge [...ʒə], die; -, -n
⟨franz.⟩ (*ugs. für* Zusammenstoß; *Billard* Treffer [durch
Karambolieren])
Ka|ram|bo|le, die; -, -n (eine tropi-
sche Frucht, Sternfrucht; *Billard* roter Ball)
ka|ram|bo|lie|ren (*ugs. für* zusam-

menstoßen; *Billard* mit dem
Spielball die beiden anderen
Bälle treffen)
Ka|ra|mell, der, *schweiz. auch* das;
-s ⟨franz.⟩ (gebrannter Zucker);
Ka|ra|mell|bier; Ka|ra|mell|bon-
bon
Ka|ra|mel|le, die; -, -n *meist Plur.*
(Bonbon mit Zusatz aus
Milch[produkten])
ka|ra|mel|li|sie|ren (Zucker[lösun-
gen] trocken erhitzen; Karamell
zusetzen); **Ka|ra|mell|pud|ding;**
Ka|ra|mell|zu|cker
Ka|ra|o|ke, das; -[s] ⟨jap.⟩ (Veran-
staltung, bei der Laien zur
Instrumentalmusik eines Schla-
gers den Text singen)
Ka|ra|see, die; - ⟨nach dem Fluss
Kara⟩ (Teil des Nordpolarmee-
res)
Ka|rat, das; -[e]s, -e ⟨griech.⟩
(Gewichtseinheit von Edelsteinen; Maß für die Feinheit einer
Goldlegierung); 24 Karat
Ka|ra|te, das; -[s] ⟨jap.⟩ (eine
sportliche Methode der waffen-
losen Selbstverteidigung); **Ka|ra-**
te|ka, der; -[s], -[s] u. die; -, -[s]
(jmd., der Karate betreibt); **Ka-**
ra|te|kämp|fer; Ka|ra|te|kämp|fe-
rin
...ka|rä|ter (z. B. Zehnkaräter, *mit
Ziffern* 10-Karäter ↑K29); ...**ka-**
rä|tig, *österr. auch* ...**ka|ra|tig**
(z. B. zehnkarätig; *mit Ziffern*
10-karätig ↑K29)
Ka|ra|t|schi (pakistanische Hafen-
stadt)
Ka|rau|sche, die; -, -n ⟨lit.⟩ (ein
karpfenartiger Fisch)
Ka|ra|vel|le, die; -, -n ⟨niederl.⟩
(mittelalterl. Segelschiff)
Ka|ra|wa|ne, die; -, -n ⟨pers.⟩
(durch Wüsten u. Ä. ziehende
Gruppe von Reisenden)
Ka|ra|wa|nen|füh|rer; Ka|ra|wa|nen-
füh|re|rin; Ka|ra|wa|nen|han|del;
Ka|ra|wa|nen|stra|ße; Ka|ra|wa-
nen|zug
Ka|ra|wan|ken *Plur.* (Berggruppe
im südöstl. Teil der Alpen)
Ka|ra|wan|se|rei ⟨pers.⟩ (Unter-
kunft für Karawanen)
Kar|bat|sche, die; -, -n ⟨türk.⟩ (Rie-
menpeitsche)
¹Kar|bid, das; -[e]s ⟨lat.⟩ (Kalzium-
karbid)
²Kar|bid, *chem. fachspr.* Car|bid,
das; -[e]s, -e (Verbindung aus
Kohlenstoff u. einem Metall od.
Bor od. Silicium)
Kar|bid|lam|pe

kar|bo... (kohlen...); Kar|bo...
(Kohlen...)

Kar|bol, das; -s ⟨ugs. für Karbol-
säure⟩; Kar|bo|li|ne|um, das; -s
(Imprägnierungs- und Schäd-
lingsbekämpfungsmittel)

Kar|bol|säu|re, die; - ⟨veraltet ein
Desinfektionsmittel⟩

Kar|bon, das; -s ⟨Geol. Steinkoh-
lenformation⟩

Kar|bo|na|de, die; -, -n ⟨franz.⟩
⟨landsch. für gebratenes Rip-
penstück⟩

Kar|bo|na|do, der; -s, -s ⟨span.⟩
⟨svw. ¹Karbonat⟩

Kar|bo|na|ri Plur. ⟨ital.⟩ (Angehö-
rige eines im 19. Jh. für die Freiheit u. Einheit Italiens eintre-
tenden Geheimbundes)

¹Kar|bo|nat, der; -[e]s, -e ⟨lat.⟩ (eine
Diamantenart)

²Kar|bo|nat, fachspr. Car|bo|nat,
das; -[e]s, -e (Salz der Kohlensäure)

Kar|bo|ni|sa|ti|on, die; - (Verkoh-
lung, Umwandlung in ²Karbo-
nat); kar|bo|nisch ⟨Geol. das Kar-
bon betreffend⟩; kar|bo|ni|sie|ren
(verkohlen lassen, in ²Karbonat
umwandeln; Zellulosereste in
Wolle durch Schwefelsäure od.
andere Chemikalien zerstören)

Kar|bon|pa|pier ⟨selten für Kohle-
papier⟩

Kar|bon|säu|re, fachspr. meist Car-
bon|säu|re (eine organ. Säure)

Kar|bo|rund, das; -[e]s (Carborun-
dum®; ein Schleifmittel)

Kar|bun|kel, der; -s, - (Häufung
dicht beieinanderliegender
Furunkel)

kar|bu|rie|ren ⟨Technik die Leucht-
kraft von Gasgemischen durch
Zusatz von Kohlenstaub o. Ä.
steigern⟩

Kar|da|mom, der od. das; -s, -e[n]
Plur. selten ⟨griech.⟩ (ein scharfes Gewürz)

Kar|dan|an|trieb ⟨nach dem Erfin-
der G. Cardano⟩ ⟨Technik⟩; Kar-
dan|ge|lenk (Verbindungsstück
zweier Wellen, das Kraftüber-
tragung unter wechselnden
Winkeln ermöglicht)

kar|da|nisch; kardanische Aufhän-
gung (Vorrichtung, die Schwankungen der aufgehängten Körper ausschließt)

Kar|dan|tun|nel (im Kraftfahr-
zeug); Kar|dan|wel|le (Antriebs-
welle mit Kardangelenk)

Kar|dät|sche, die; -, -n ⟨ital.⟩ (grobe
[Pferde]bürste); vgl. aber Kar-

tätsche; kar|dät|schen (strie-
geln); du kardätschst; vgl. aber
kartätschen

Kar|de, die; -, -n ⟨lat.⟩ (eine dis-
telähnliche, krautige Pflanze;
Textiltechnik eine Maschine
zum Aufteilen von Faserbü-
scheln)

Kar|deel, das; -s, -e ⟨niederl.⟩ ⟨See-
mannsspr. Strang einer Trosse⟩

kar|den, kar|die|ren ⟨lat.⟩ (rauen,
kämmen [von Wolle])

Kar|den|dis|tel; Kar|den|ge|wächs

kar|di... usw. vgl. kardio... usw.

Kar|di|a|kum, das; -s, ...ka ⟨griech.-
lat.⟩ ⟨Med. herzstärkendes Mit-
tel⟩; kar|di|al ⟨griech.⟩ ⟨Med. das
Herz betreffend⟩; Kar|di|al|gie,
die; -, ...ien ⟨Med. Magen-
krampf; Herzschmerzen⟩

kar|die|ren vgl. karden

kar|di|nal ⟨lat.⟩ ⟨veraltet für grund-
legend; hauptsächlich⟩

Kar|di|nal, der; -s, ...äle (Titel der
höchsten katholischen Würdenträger nach dem Papst)

Kar|di|nal... (Haupt...; Grund...)

Kar|di|na|le, das; -[s], ...lia meist
Plur. ⟨veraltet für Grundzahl⟩

Kar|di|nal|feh|ler; Kar|di|nal|fra|ge;
Kar|di|nal|pro|b|lem; Kar|di|nal-
punkt

Kar|di|nals|hut; Kar|di|nals|kol|le|gi-
um; Kar|di|nals|kon|gre|ga|ti|on
(eine Hauptbehörde der päpstli-
chen Kurie); Kar|di|nals|man|tel

Kar|di|nal|staats|se|k|re|tär

Kar|di|nals|wür|de, die; -

Kar|di|nal|tu|gend

Kar|di|nal|vi|kar (päpstlicher Gene-
ralvikar von Rom)

Kar|di|nal|zahl (Grundzahl, z. B.
null, eins, zwei)

kar|di[|o]... ⟨griech.⟩ (herz...;
magen...); Kar|di[|o]... (Herz...;
Magen...)

Kar|dio|graf, Kar|dio|graph, der;
-en, -en ⟨Med. Gerät zur Aufzeichnung des Herzrhythmus⟩

Kar|dio|gramm, das; -s, -e ⟨Med.
Herzrhythmuskurve⟩

Kar|di|o|i|de, die; -, -n ⟨Math.
[herzförmige] Kurve⟩

Kar|dio|lo|ge, der; -n, -n ⟨Med.
Facharzt für Kardiologie⟩

Kar|dio|lo|gie, die; - ⟨Med. Lehre
vom Herzen u. den Herzkrank-
heiten⟩

Kar|dio|lo|gin

kar|dio|lo|gisch ⟨Med.⟩

Kar|dio|spas|mus, der; -, ...men
⟨Med. Krampf des Magenein-
ganges⟩; Kar|di|tis, die; -, ...tiden

⟨Med. entzündliche Erkrankung
des Herzens⟩

Ka|re|li|en (nordosteuropäische
Landschaft)

Ka|re|li|er, der; -s, - (Angehöriger
eines finnischen Volksstam-
mes); Ka|re|li|e|rin; ka|re|lisch

Ka|ren (w. Vorn.)

Ka|renz, die; -, -en ⟨lat.⟩ (Warte-
zeit, Sperrfrist; Enthaltsamkeit,
Verzicht; österr. auch für
Karenzurlaub); Ka|renz|geld
⟨svw. Karenzurlaubsgeld⟩

ka|ren|zie|ren ⟨österr. für für unbe-
zahlten Urlaub freistellen⟩

Ka|renz|ur|laub ⟨österr. für unbe-
zahlter Urlaub, Elternzeit⟩; Ka-
renz|ur|laubs|geld ⟨österr.⟩

Ka|renz|zeit

Ka|rer (Bewohner Kariens); Ka|re-
rin

ka|res|sie|ren ⟨franz.⟩ ⟨veraltet für
liebkosen; schmeicheln⟩

Ka|ret|te, die; -, -n ⟨franz.⟩ (Mee-
resschildkröte); Ka|rett|schild-
krö|te

Ka|rez|za, die; - ⟨ital.⟩ (Koitus, bei
dem der Samenerguss vermie-
den wird)

Kar|fi|ol, der; -s ⟨ital.⟩ ⟨österr. für
Blumenkohl⟩

Kar|frei|tag (Freitag vor Ostern)

Kar|fun|kel, der; -s, - ⟨lat.⟩ ⟨volks-
tüml. für roter Granat; ugs. auch
für Karbunkel⟩; kar|fun|kel|rot;
Kar|fun|kel|stein

karg; karger ⟨auch kärger⟩, kargste
⟨auch kärgste⟩

Kar|ga|deur [...'dø:ɐ̯] ⟨span.-
franz.⟩, Kar|ga|dor, der; -s, -e
⟨span.⟩ ⟨Seew. Begleiter einer
Schiffsladung, der den Transport bis zur Übergabe an den
Empfänger überwacht⟩

kar|gen ⟨geh.⟩; Kärg|heit, die; -;
kärg|lich; Kärg|lich|keit, die; -

Kar|go, Car|go, der; -s, -s ⟨span.⟩
⟨Seew. Schiffsladung⟩

Ka|ri|be, der; -n, -n (Angehöriger
einer indian. Sprachfamilie u.
Völkergruppe in Mittel- u. Südamerika)

Ka|ri|bik, die; - (Karibisches Meer
mit den Antillen)

Ka|ri|bin

ka|ri|bisch; aber ↑K140 : das Kari-
bische Meer

Ka|ri|bu, das; -s, -s ⟨indian.⟩ (kana-
disches Ren)

Ka|ri|en (historische Landschaft in
Kleinasien)

ka|rie|ren ⟨franz.⟩ ⟨selten für mit

K
kari

Würfelzeichnung mustern, kästeln)

ka|riert (gewürfelt, gekästelt); rot karierter od. rotkarierter Stoff

Ka|ri|es, die; - ⟨lat.⟩ (Med. Zerstörung der harten Zahnsubstanz bzw. von Knochengewebe)

Ka|ri|ka|tur, die; -, -en ⟨ital.⟩ (Zerr-, Spottbild, kritische od. satirische Darstellung)

Ka|ri|ka|tu|ren|zeich|ner; Ka|ri|ka|tu|ren|zeich|ne|rin; Ka|ri|ka|tu|rist, der; -en, -en; Ka|ri|ka|tu|ris|tin; ka|ri|ka|tu|ris|tisch; ka|ri|ka|kie|ren

Ka|rin (w. Vorn.)

Ka|ri|na (w. Vorn.)

ka|rio|gen ⟨lat.; griech.⟩ (Med. Karies hervorrufend); ka|ri|ös ⟨lat.⟩ (Med. von Karies befallen); kariöse Zähne

ka|risch (aus Karien)

Ka|ri|sche Meer, das; -n -[e]s (ältere Bez. der Karasee)

Charisma

Das Substantiv stammt aus dem Griechischen und wird, obwohl häufig mit *[k-]* ausgesprochen, wie das Herkunftswort mit *Ch-* geschrieben.

Ka|ri|tas, die; - ⟨lat.⟩ (Nächstenliebe; Wohltätigkeit); vgl. Caritas; ka|ri|ta|tiv (wohltätig)

kar|ju|ckeln (landsch. für gemächlich umherfahren); ich karjuck[e]le

Kar|kas|se, die; -, -n ⟨franz.⟩ (Technik fester Unterbau [eines Fahrzeugreifens]; Gastron. Gerippe von zerlegtem Geflügel, Wild od. Fisch)

Karl (m. Vorn.)

Kar|la (w. Vorn.)

Karl-Heinz, Karl|heinz, Karl Heinz (m. Vorn.)

kar|lin|gisch (für karolingisch)

Kar|list, der; -en, -en (Anhänger der spanischen Thronanwärter mit Namen Don Carlos aus einer bourbon. Seitenlinie); Kar|lis|tin

Karl|mann (dt. m. Eigenn.)

Karl-Marx-Stadt (Name für Chemnitz [1953–1990])

Kar|lo|vy Va|ry [...vi ...ri] (Kurort in Böhmen); vgl. Karlsbad

Karls|bad (tschech. Karlovy Vary); Karls|ba|der ↑K14; Karlsbader Salz, Karlsbader Oblaten

Karls|kro|na [...ˈkru:...] (schwed. Hafenstadt)

Karls|preis (internationaler Preis der Stadt Aachen für Verdienste um die Einigung Europas)

Karls|ru|he (Stadt in Baden-Württemberg); Karls|ru|he-Rüp|purr

Karls|sa|ge; Karls|sa|gen|kreis, der; -es

[1]Karl|stadt (Stadt am Main)

[2]Karl|stadt (dt. Reformator)

Kar|ma[n], das; -s ⟨sanskr.⟩ (in östl. Religionen [z. B. im Hinduismus] das den Menschen bestimmende Schicksal)

Kar|mel, der; -[s] (Gebirgszug in Israel)

Kar|me|lit, der; -en, -en, Kar|me|li|ter, der; -s, - (Angehöriger eines kath. Ordens)

Kar|me|li|ter|geist, der; -[e]s (ein Heilkräuterdestillat)

Kar|me|li|te|rin, Kar|me|li|tin; Kar|me|li|ter|or|den; Kar|me|li|tin vgl. Karmeliterin

Kar|men, das; -s, ...mina ⟨lat.⟩ (veraltet für Fest-, Gelegenheitsgedicht)

Kar|me|sin ⟨pers.⟩ (svw. Karmin); kar|me|sin|rot (svw. karminrot)

Kar|min, das; -s ⟨franz.⟩ (ein roter Farbstoff); kar|min|rot; Kar|min|säu|re, die; -

kar|mo|sie|ren ⟨arab.⟩ ([einen Edelstein] mit weiteren kleinen Steinen umranden)

[1]Karn, die; -, -en (nordd. für Butterfass)

[2]Karn, das; -s ⟨nach den Karnischen Alpen⟩ (Geol. eine Stufe der alpinen Trias)

Kar|nal|lit, Car|nal|lit, der; -s ⟨nach dem Geologen R. v. Carnall⟩ (ein Mineral)

Kar|na|ti|on, die; - ⟨lat.⟩ (svw. Inkarnat)

Kar|nau|ba|wachs, das; -es ⟨indian.; dt.⟩ (ein Pflanzenwachs)

Kar|ne|ol, der; -s, -e ⟨ital.⟩ (ein rot bis gelblich gefärbter Schmuckstein)

[1]Kar|ner, Ker|ner, der; -s, - ⟨Archit. [Friedhofskapelle mit] Beinhaus)

[2]Kar|ner, der; -s, - (Angehöriger eines ehem. kelt. Volkes in den Karnischen Alpen)

Kar|ne|val, der; -s, Plur. -e u. -s ⟨ital.⟩ (Fastnacht[szeit], Fasching)

Kar|ne|va|list, der; -en, -en; Kar|ne|va|lis|tin; kar|ne|va|lis|tisch

Kar|ne|vals|ge|sell|schaft; Kar|ne|vals|prinz; Kar|ne|vals|prin|zes|sin; Kar|ne|vals|schla|ger; Kar|ne-

vals|tru|bel; Kar|ne|vals|ver|an|stal|tung; Kar|ne|vals|ver|ein; Kar|ne|vals|zeit, die; -; Kar|ne|vals|zug

Kar|ni|ckel, das; -s, - (landsch. für Kaninchen)

Kar|nies, das; -es, -e ⟨roman.⟩ (Bauw. Leiste od. Gesims mit s-förmigem Querschnitt); Kar|nie|se, selten Kar|ni|sche, die; -, -n (österr. für Gardinenleiste)

kar|nisch ⟨zu [2]Karn⟩ (Geol.); ↑K140 die Karnischen Alpen

Kar|ni|sche vgl. Karniese

kar|ni|vor ⟨lat.⟩ (fleischfressend)

[1]Kar|ni|vo|re, der; -n, -n (fleischfressendes Tier)

[2]Kar|ni|vo|re, die; -, -n (fleischfressende Pflanze)

Kar|nöf|fel, der; -s (ein altes Kartenspiel)

Kärn|ten (österr. Bundesland); Kärn|te|ner; Kärn|te|ne|rin; kärn|tisch, kärnt|ne|risch; Kärnt|ner; Kärnt|ne|rin

Kar|nüf|fel vgl. Karnöffel

[1]Ka|ro (Hundename)

[2]Ka|ro, das; -s, -s ⟨franz.⟩ (Raute, [auf der Spitze stehendes] Viereck; nur Sing.: eine Spielkartenfarbe); Ka|ro|ass, Ka|ro-Ass, das; -es, -e

Ka|ro|be vgl. Karube

Ka|ro|la [auch ˈka:...] (w. Vorn.); Ka|ro|li|ne (w. Vorn.)

Ka|ro|li|nen Plur. (Inselgruppe im Pazifischen Ozean)

Ka|ro|lin|ger, der; -s, - (Angehöriger eines fränk. Herrschergeschlechtes); Ka|ro|lin|ge|rin; Ka|ro|lin|ger|zeit, die; -; ka|ro|lin|gisch; karolingische Minuskel (alte Schriftart)

ka|ro|li|nisch (auf einen der fränk. Herrscher mit dem Namen Karl bezüglich)

Ka|ros|se, die; -, -n ⟨franz.⟩ (Prunkwagen; kurz für Staatskarosse; ugs. für Karosserie)

Ka|ros|se|rie, die; -, ...ien (Wagenoberbau, -aufbau [von Kraftfahrzeugen]); Ka|ros|se|rie|bau|er (vgl. [1]Bauer)

Ka|ros|seur [...ˈsøːɐ] ⟨österr. amtl. für Karosseriebauer)

Ka|ros|seu|rin [...ˈsø:...]

Ka|ros|si|er [...ˈsjeː], der; -s, -s (Karosserieentwerfer; veraltet für Kutschpferd); Ka|ros|si|e|re (Karosserieentwerferin); ka|ros|sie|ren (mit einer Karosserie versehen)

Ka|ro|tin, fachspr. Ca|ro|tin, das; -s

⟨lat.⟩ (ein gelbroter Farbstoff in
Pflanzenzellen)
Ka|ro|tis, die; -, ...iden ⟨griech.⟩
(*Med.* Kopf-, Halsschlagader)
Ka|rot|te, die; -, -n ⟨niederl.⟩ (eine
Mohrrübenart); **Ka|rot|ten|beet**
Ka|rot|ten|ho|se (lange Hose mit
stark betonter Hüftweite und
sehr enger Fußweite)
Kar|pa|ten *Plur.* (Gebirge in Mittel-
europa); **kar|pa|tisch**
Kar|pell, das; -s, *Plur.* ...pelle *u.*
...pella ⟨nlat.⟩ (*Bot.* die Samen-
anlage tragender Teil der Blüte;
Fruchtblatt)
Karp|fen, der; -s, - (ein Fisch);
Karp|fen|teich; Karp|fen|zucht
Kar|po|lith, der; *Gen.* -s *od.* -en,
Plur. -e[n] ⟨griech.⟩ (*veraltet für*
fossile Frucht)
Kar|po|lo|gie, die; - (Lehre von den
Pflanzenfrüchten)
Kar|ra|g[h]een [...ˈgeːn], das; -[s]
(nach dem irischen Ort Carra-
geen [ˈkɛraːgiːn]) (ein Heilmittel
aus getrockneten Algen)
kar|ra|risch (*svw.* carrarisch)
Kärr|chen
[1]**Kar|re**, die; -, -n, *auch u. österr.*
nur Kar|ren, der; -s, -
[2]**Kar|re**, die; -, -n *meist Plur.* (*Geol.*
Rinne *od.* Furche in Kalkge-
stein)
Kar|ree, das; -s, -s ⟨franz.⟩ (Vier-
eck; *bes. österr. für* Rippenstück)
kar|ren (mit einer Karre beför-
dern); **Kar|ren** *vgl.* [1]Karre
Kar|ren|feld (*Geol.*)
Kar|re|te, die; -, -n ⟨ital.⟩ (*bes. ost-
mitteld. für* schlechter Wagen)
Kar|ret|te [*auch* ˈka...], die; -, -n
(*schweiz. für* Schubkarren)
Kar|ri|e|re, die; -, -n ⟨franz.⟩
([bedeutende, erfolgreiche]
Laufbahn; schnellste Gangart
des Pferdes)
Kar|ri|e|re|frau (*auch abwertend*);
**Kar|ri|e|re|knick; Kar|ri|e|re|lei-
ter**, die; die Karriereleiter
erklimmen; **Kar|ri|e|re|ma|cher**
(*meist abwertend*); **Kar|ri|e|re-
ma|che|rin; Kar|ri|e|re|netz|werk;
Kar|ri|e|re|plan**
Kar|ri|e|ris|mus, der; - (*abwertend
für* rücksichtsloses Streben
nach Erfolg); **Kar|ri|e|rist**, der;
-en, -en (*abwertend für* rück-
sichtsloser Karrieremacher);
Kar|ri|e|ris|tin; kar|ri|e|ris|tisch
Kar|ri|ol, das; -s, -s, **Kar|ri|o|le**, die;
-, -n ⟨franz.⟩ (*veraltet für* leich-
tes, zweirädriges Fuhrwerk mit

Kasten; Briefpostwagen); **kar|ri-
o|len** (*veraltet für* mit Kar-
riol[post] fahren; *übertr. für*
umherfahren, drauflosfahren)
Kärr|ner (*veraltet für* Arbeiter, der
harte körperliche Arbeit ver-
richten muss); **Kärr|ner|ar|beit**
Kar|sams|tag (Samstag vor Ostern)
[1]**Karst**, der; -[e]s, -e (*landsch. u.*
schweiz. für zweizinkige Erdha-
cke)
[2]**Karst**, der; -[e]s, -e (*nur Sing.:* Teil
der Dinarischen Alpen; *Geol.*
durch Wasser ausgelaugte,
meist unbewachsene Gebirgs-
landschaft aus Kalkstein *od.*
Gips)
Kars|ten (m. Vorn.)
**Karst|höh|le; kars|tig; Karst|land-
schaft**
Kart, der; -[s], -s ⟨engl.⟩ (*kurz für*
Gokart)
kart. = kartoniert
Kar|tät|sche, die; -, -n ⟨ital.
(-franz.-engl.)⟩ (*früher* mit Blei-
kugeln gefülltes Artilleriege-
schoss; *Bauw.* Brett zum Verrei-
ben des Putzes); *vgl. aber* Kar-
dätsche; **kar|tät|schen** (*früher*
für mit Kartätschen schießen);
du kartätschst; *vgl. aber* kardät-
schen
Kar|tau|ne, die; -, -n ⟨ital.⟩ (*früher*
großes Geschütz)
Kar|tau|se, die; -, -n (Kartäuser-
kloster); **Kar|täu|ser** (Angehöri-
ger eines kath. Einsiedleror-
dens; ein Kräuterlikör); **Kar|täu-
se|rin; Kar|täu|ser|kat|ze; Kar|täu-
ser|klö|ße** *Plur.;* **Kar|täu|ser-
mönch; Kar|täu|ser|nel|ke**
Kärt|chen
Kar|te, die; -, -n; alles auf eine
Karte setzen; ↑K89 ↑die Gelbe
od. gelbe Karte, die Rote *od.*
rote Karte *(Sport);* Karten spielen ↑K54
Kar|tei (Zettelkasten); **Kar|tei|kar-
te; Kar|tei|kas|ten; Kar|tei|lei|che**
(scherzh.); **Kar|tei|zet|tel**
Kar|tell, das; -s, -e ⟨franz.⟩ (Inte-
ressenvereinigung in der Industrie; Zusammenschluss von student. Verbindungen mit gleicher
Zielsetzung); **Kar|tell|amt; Kar-
tell|be|hör|de; Kar|tell|ge|richt**
(österr.); **Kar|tell|ge|setz**
kar|tell|lie|ren (in Kartellen
zusammenfassen); **Kar|tell|lie-
rung**
kar|tell|recht|lich
Kar|tell|ver|band
kar|ten (*ugs. für* Karten spielen)

Kar|ten|blatt; Kar|ten|block (*vgl.*
Block); **Kar|ten|brief; Kar|ten-
haus**
Kar|ten|le|gen, das; -s; **Kar|ten|le-
ge|rin; Kar|ten|schlä|ge|rin** (*ugs.*
für Kartenlegerin)
Kar|ten|schlüs|sel (Plastikkarte
zum Öffnen elektronischer Tür-
schlösser, z.B. von Hotelzim-
mern, Schlafwagenabteilen)
**Kar|ten|spiel; Kar|ten|te|le|fon; Kar-
ten|trick; Kar|ten|[vor]|ver|kauf;
Kar|ten|zeich|ner; Kar|ten|zeich-
ne|rin**
kar|te|si|a|nisch, kar|te|sisch ⟨nach
R. Cartesius (= Descartes)
benannt⟩; kartesianisches *od.*
kartesisches Blatt *(Math.);* kar-
tesianischer *od.* kartesischer
Teufel *od.* Taucher ↑K89 *u.* 135
Kar|tha|ger, *veraltet* **Kar|tha|gi|ni-
en|ser; Kar|tha|ge|rin**, *veraltet*
**Kar|tha|gi|ni|en|se|rin; kar|tha-
gisch; Kar|tha|go** (antike Stadt in
Nordafrika)
Kar|tha|min, *fachspr.* Car|tha|min,
das; -s ⟨arab.⟩ (roter Farbstoff)
kar|tie|ren ⟨franz.⟩ (*Geogr.* vermes-
sen u. auf einer Karte darstellen;
auch für in die Kartei einord-
nen); **Kar|tie|rung**
Kar|ting, das; -s ⟨engl.⟩ (Ausübung
des Gokartsports)
Kar|tof|fel, die; -, -n; Kartoffeln
schälen, *aber* das Kartoffelschä-
len; **Kar|tof|fel|acker; Kar|tof|fel-
bo|vist, Kar|tof|fel|bo|fist; Kar-
tof|fel|brei**
Kar|tof|fel|chen
**Kar|tof|fel|chip; Kar|tof|fel|ern|te;
Kar|tof|fel|feu|er**
**Kar|tof|fel|hor|de; Kar|tof|fel|kä-
fer; Kar|tof|fel|kloß; Kar|tof|fel-
knö|del** *(südd.);* **Kar|tof|fel|mehl**
**Kar|tof|fel|mus; Kar|tof|fel|puf|fer;
Kar|tof|fel|pü|ree; Kar|tof|fel-
sack; Kar|tof|fel|sa|lat**
**Kar|tof|fel|schal|le, Kar|tof|fel-
schnaps; Kar|tof|fel|stock**, der;
-[e]s *(schweiz. für* Kartoffelbrei);
Kar|tof|fel|sup|pe
Kar|to|graf, Kar|to|graph, der; -en,
-en (Landkartenzeichner; wissenschaftl. Bearbeiter einer
Karte); **Kar|to|gra|fie**, Kar|to-
gra|phie, die; - (Technik, Lehre,
Geschichte der Herstellung von
Karten[bildern]); **kar|to|gra|fie-
ren**, kar|to|gra|phie|ren (auf
Karten aufnehmen); **Kar|to|gra-
fin**, Kar|to|gra|phin; **kar|to|gra-
fisch**, kar|to|gra|phisch
Kar|to|gramm, das; -s, -e ⟨franz.;

K
Kart

griech.〉 (Darstellung statisti-
scher Daten auf Landkarten)
Kar|to|graph, Kar|to|gra|phie usw.
vgl. Kartograf. Kartografie usw.
Kar|to|man|tie, die; - (Kartenlege-
kunst)
Kar|to|me|ter, das (Kurvenmesser);
Kar|to|me|t|rie, die; - (Karten-
messung)
Kar|ton [...'tõː:, auch, österr. nur,
...'toːn], der; -s, Plur. -s, seltener
-e [...'toːnə] 〈franz.〉 (auch
Kunstwiss. Vorzeichnung zu
einem [Wand]gemälde); 5 Karton[s] Seife
Kar|to|na|ge [...ʒə], die; -, -n
(Pappverpackung; Einbandart);
Kar|to|na|ge|ar|beit
Kar|to|na|gen|fa|b|rik; Kar|to|na-
gen|ma|cher; Kar|to|na|gen|ma-
che|rin
kar|to|nie|ren (in Pappe [leicht]
einbinden, steif heften); kar|to-
niert (Abk. kart.)
Kar|to|thek, die; -, -en 〈franz.;
griech.〉 (Kartei)
Kar|tu|sche, die; -, -n 〈franz.〉
(Milit. Metallhülse [mit der Pul-
verladung] für Artilleriege-
schosse; Kunstwiss. schildför-
miges Ornament des Barocks
mit Laubwerk usw.)
Ka|ru|be, Ka|ro|be, die; -, -n 〈arab.〉
(Johannisbrot)
Ka|run|kel, die; -, -n 〈lat.〉 (Med.
kleine Warze aus gefäßreichem
Bindegewebe)
Ka|rus|sell, das; -s, Plur. -s u. -e
〈franz.〉 (Drehgestell mit kleinen
Pferden, Fahrzeugen, an Ketten
aufgehängten Sitzen o. Ä.); Ka-
rus|sell|pferd
kar|weel|ge|baut usw. vgl. kraweel-
gebaut usw.
Kar|wen|del, Kar|wen|del|ge|bir|ge,
das; -s (Gebirgsgruppe der Tiro-
lisch-Bayer. Kalkalpen)
Kar|wo|che (Woche vor Ostern)
Ka|ry|a|ti|de, die; -, -n 〈griech.〉
(Archit. weibl. Säulenfigur als
Gebälkträgerin)
Ka|ry|op|se, die; -, -n 〈griech.〉 (Bot.
Frucht der Gräser)
Kar|zer, der; -s, - 〈lat.〉 (früher für
Schul-, Hochschulgefängnis; nur
Sing.: verschärfter Arrest)
kar|zi|no|gen 〈griech.〉 (Med.
Krebs[geschwülste] erzeugend);
Kar|zi|no|gen, das; -s, -e (krebs-
erregende Substanz)
Kar|zi|no|lo|gie, die; - (wissen-
schaftliche Erforschung der
Krebserkrankungen)

Kar|zi|nom, das; -s, -e (Krebs[ge-
schwulst]; Abk. Ca. [für Carci-
noma]); kar|zi|no|ma|tös (krebs-
artig, von Krebs befallen); karzi-
nomatöse Geschwulst
Kar|zi|no|se, die; -, -n (über den
Körper verbreitete Krebsbil-
dung)
Ka|sach, Ka|sak, der; -[s], -s (hand-
geknüpfter kaukasischer Teppich)
Ka|sa|che, der; -n, -n (Einwohner
von Kasachstan); Ka|sa|chin; ka-
sa|chisch; aber ↑K 140 : die Kasa-
chische Schwelle (mittelasiat.
Berg- u. Hügellandschaft)
Ka|sach|s|tan (Staat in Mittelasien)
¹Ka|sack (dt. Schriftsteller)
²Ka|sack, der; -s, -s 〈türk.〉 (dreivier-
tellange Damenbluse)
Ka|sak vgl. Kasach
Ka|san (Stadt an der Wolga)
Ka|sat|schok, der; -s, -s 〈russ.〉 (ein
russ. Volkstanz)
Kas|ba[h], die; -, -s od. Ksa|bi
〈arab.〉 (arabisches Altstadtvier-
tel in nordafrikan. Städten)
Kasch, der; -s, -e, Ka|scha, die; -
〈russ.〉 (Brei, Grütze)
ka|scheln 〈landsch. für [auf der
Eisbahn] schlittern); ich
kasch[e]le
Ka|schem|me, die; -, -n 〈Zigeu-
nerspr.〉 (Lokal mit schlechtem
Ruf)
ka|schen (ugs. für ergreifen, ver-
haften); du kaschst
Käs|chen
Kä|scher vgl. Kescher
ka|schie|ren 〈franz.〉 (verdecken,
verbergen; Druckw. überkleben;
Theater nachbilden); Ka|schie-
rung
¹Kasch|mir (Landschaft in Vorder-
indien)
²Kasch|mir, der; -s, -e (ein Gewebe)
Kasch|mi|rer; Kasch|mi|re|rin;
Kasch|mi|ri, der; -[s], -[s] u. die; -,
-[s] (Kaschmirer[in]); kasch|mi-
risch
Kasch|mir|schal; Kasch|mir|wol|le
Kasch|nitz, Marie Luise (dt.
Schriftstellerin)
Ka|scho|long, der; -s, -s 〈mong.〉
(ein Schmuckstein)
Ka|schu|be, der; -n, -n (Angehöri-
ger eines westslaw. Stammes);
Ka|schu|bin; ka|schu|bisch; aber
↑K 140 : die Kaschubische
Schweiz (östlicher Teil des Pom-
merschen Höhenrückens [in
Polen])
Kä|se, der; -s, -

Kä|se|auf|schnitt; Kä|se|be|rei|tung
Kä|se|blatt (ugs. für niveaulose
Zeitung)
Kä|se|ecke; Kä|se|ge|bäck; Kä|se-
glo|cke
Ka|se|in, das; -s (Eiweißbestand-
teil der Milch)
Kä|se|krai|ner, die; -, - (österr. eine
Grillwurst)
Kä|se|ku|chen (Quarkkuchen)
Ka|sel, die; -, -n 〈lat.〉 (liturg. Mess-
gewand)
Kä|se|laib
Ka|se|mat|te, die; -, -n 〈franz.〉
(Milit. beschusssicherer Raum
in Festungen; Geschützraum
eines Kriegsschiffes); ka|se|mat-
tie|ren (Milit. veraltet mit Kase-
matten versehen)
Kä|se|mes|ser, das
Kä|se|mil|be
kä|sen; du käst; er käs|te; die
Milch käst (gerinnt, wird zu
Käse)
¹Ka|ser (landsch., bes. österr. für
Käser)
²Ka|ser, die; -, -n (westösterr. mdal.
für Sennhütte)
Kä|ser (Facharbeiter in der Käse-
herstellung; landsch. auch für
Käsehändler, Senn o. Ä.)
Kä|se|rei ([Betrieb für] Käseher-
stellung)
Kä|se|rin; Kä|se|rin
Kä|se|rin|de
Kai|ser|ne, die; -, -n 〈franz.〉; Kai|ser-
nen|block vgl. Block
Kai|ser|nen|hof; Kai|ser|nen|hof|ton
(lauter, herrischer Ton)
ka|ser|nie|ren; Ka|ser|nie|rung
Kä|se|sah|ne|tor|te; Kä|se|spätz|le;
Kä|se|stan|ge; Kä|se|stoff
(Kasein); Kä|se|tor|te (Quark-
torte)
kä|se|weiß (ugs. für sehr bleich)
kä|sig
Ka|si|mir (m. Vorn.)
Ka|si|no, das; österr. auch Ca|si|no, das;
-s, -s 〈ital.〉 (»Gesellschaftshaus«)
(Speiseraum [für Offiziere]; kurz
für Spielkasino)
Kas|ka|de, die; -, -n 〈franz.〉
([künstlicher] stufenförmiger
Wasserfall; Artistik Sturz-
sprung); Kas|ka|den|för|mig
Kas|ka|den|schal|tung (Technik
Reihenschaltung gleichartiger
Teile)
Kas|ka|deur [...dø:ɐ̯], der; -s, -e
(Artist, der eine Kaskade aus-
führt); Kas|ka|deu|rin
Kas|ka|rill|rin|de 〈span.; dt.〉 (ein
westind. Gewürz)

¹**Kas|ko**, der; -s, -s ⟨span.⟩ (See-
mannsspr. Schiffsrumpf od.
Fahrzeug [im Ggs. zur Ladung];
Spielart des Lombers)

²**Kas|ko**, die; -, -s (ugs. für Kasko-
versicherung); **kas|ko|ver|si-
chert; Kas|ko|ver|si|che|rung**
(Versicherung gegen Schäden
an Fahrzeugen)

Kas|no|cken Plur. (west-, südösterr.
für Käsespätzle)

Kas|par (m. Vorn.)

Kas|per, der; -s, - (auch ugs. für
alberner Kerl)

Kas|perl, der; -s, -n (österr. nur so),
Kas|per|le, das od. der; -s, -; **Kas-
per|le|the|a|ter**

Kas|per|li, der; -s, - (schweiz.); **Kas-
per|li|the|a|ter** (schweiz.)

Kas|perl|the|a|ter (österr.)

kas|pern (ugs. für sich wie ein Kas-
per benehmen); ich kaspere;
Kas|perl|the|a|ter

Kas|pisch (in geogr. Namen
↑K140); z. B. das Kaspische
Meer; **Kas|pi|sche Meer**, das; -n
-[e]s, **Kas|pi|see**, der; -s (östlich
des Kaukasus)

Kas|sa, die; -, Kassen ⟨ital.⟩ (österr.
für Kasse); vgl. per cassa

Kas|sa|buch (österr. für Kassen-
buch); **Kas|sa|ge|schäft** (Börse,
Wirtsch. Geschäft, das sofort
od. kurzfristig erfüllt werden
soll)

Kas|san|d|ra (griech. Mythol. eine
Seherin, Tochter des Priamos);
Kas|san|d|ra|ruf (übertr. für
Unheil verheißende Warnung)

¹**Kas|sa|ti|on**, die; -, -en ⟨ital.⟩
(mehrsätziges instrumentales
Musikstück im 18. Jh.)

²**Kas|sa|ti|on**, die; -, -en ⟨lat.⟩, **Kas-
sie|rung** (Rechtsw. Ungültigma-
chung einer Urkunde; Aufhebung eines gerichtlichen Urteils;
früher für unehrenvolle Dienst-
entlassung)

Kas|sa|ti|ons|hof (Rechtsw. obers-
ter Gerichtshof mancher roma-
nischer Länder)

kas|sa|to|risch (Rechtsw. die Kas-
sation betreffend)

Kas|sa|zah|lung ⟨ital.; dt.⟩ (Barzah-
lung)

Kas|se, die; -, -n ⟨ital.⟩ (Geldkas-
ten, -vorrat; Zahlraum, -schal-
ter; Bargeld); vgl. Kassa

Kas|sel (Stadt an der Fulda); **Kas-
se|ler**, Kass|ler, Kas|se|la|ner;
Kasseler Leberwurst

Kas|se|ler Braun, das; - -s

Kas|se|ler Rip|pen|speer, das od.

der; - -[e]s (gepökeltes Schwei-
nebruststück mit Rippen)

Kas|sen|ab|rech|nung

Kas|sen|arzt; Kas|sen|ärz|tin

kas|sen|ärzt|lich

**Kas|sen|be|leg; Kas|sen|be|stand;
Kas|sen|block; Kas|sen|bon**

Kas|sen|bril|le (von der Kranken-
kasse bezahlte Brille)

Kas|sen|buch; Kas|sen|la|ge; nach
Kassenlage

Kas|sen|ma|g|net (ugs. für Person
od. Sache, die ein großes zah-
lendes Publikum anzieht)

**Kas|sen|pa|ti|ent; Kas|sen|pa|ti|en-
tin**

Kas|sen|schal|ter; Kas|sen|schla|ger

Kas|sen|sturz (Feststellung des
Kassenbestandes)

Kas|sen|wart; Kas|sen|war|tin

Kas|sen|zet|tel

Kas|se|rol|le, die; -, -n, landsch.
Kas|se|rol, das; -s, -e ⟨franz.⟩
(Schmortopf, -pfanne)

Kas|set|te, die; -, -n ⟨franz.⟩ (ver-
schließbares Kästchen für Wert-
sachen; Buchw. vertieftes Feld;
Schutzhülle für Bücher u. a.;
Behältnis für Bild- od. Tonauf-
zeichnungen, Fotoplatten od.
Filme)

Kas|set|ten|deck, das; -s, -s (Kas-
settenrekorder ohne Verstärker
u. Lautsprecher)

Kas|set|ten|de|cke (Bauw.)

Kas|set|ten|film

Kas|set|ten|re|kor|der, Kas|set|ten-
re|cor|der

kas|set|tie|ren (Bauw. mit Kasset-
ten versehen, täfeln)

Kas|sia usw. vgl. Kassie usw.

Kas|si|ber, der; -s, - ⟨hebr.-jidd.⟩
(Gaunerspr. heimliches Schreiben zwischen Gefangenen)

Kas|si|de, die; -, -n ⟨arab.⟩ (eine
arab. Gedichtgattung)

Kas|sie, Kas|sia, die; -, ...ien
(semit.) (eine Heil- u. Gewürz-
pflanze); **Kas|si|en|baum**, Kas-
sia|baum; **Kas|si|en|öl**, Kas|sia|öl,
das; -[e]s

Kas|sier, der; -s, -e ⟨ital.⟩ (österr.,
schweiz., südd. häufig für Kas-
sierer); **kas|sie|ren** (Geld einneh-
men; [Münzen] für ungültig
erklären; ugs. für wegnehmen;
verhaften)

Kas|sie|rer; Kas|sie|re|rin

Kas|sie|rin (österr., schweiz., südd.
häufig für Kassiererin)

Kas|sie|rung vgl. ²Kassation

¹**Kas|si|o|pe|ia** (Mutter der Andro-
meda)

²**Kas|si|o|peia**, die; - ⟨griech.⟩ (ein
Sternbild)

Kas|si|te, der; -n, -n (Angehöriger
eines Gebirgsvolkes im Iran)

Kas|si|te|rit, der; -s, -e ⟨griech.⟩
(Zinnerz)

Kas|si|tin

Kass|ler vgl. Kasseler

Käs|spätz|le (südd., österr. für
Käsespätzle)

Kas|ta|g|net|te [...ta'nje...], die; -,
-n meist Plur. ⟨span.(-franz.)⟩
(kleines Rhythmusinstrument
aus zwei Holzschälchen, die mit
einer Hand aneinandergeschla-
gen werden)

Kas|ta|lia (griech. Nymphe); **Kas-
ta|li|sche Quel|le**, die; -n - (am
Parnass)

Kas|ta|nie, die; -, -n ⟨griech.⟩ (ein
Baum, dessen Frucht); **Kas|ta|ni-
en|baum**

kas|ta|ni|en|braun

Kas|ta|ni|en|holz; Kas|ta|ni|en|wald

Käst|chen

Kas|te, die; -, -n ⟨franz.⟩ (Gruppe
in der hinduist. Gesellschafts-
ordnung; sich streng abschließende Gesellschaftsschicht)

kas|tei|en; sich (sich [zur Buße]
Entbehrungen auferlegen; sich
züchtigen); kasteit; **Kas|tei|ung**

Kas|tell, das; -s, -e ⟨lat.⟩ (fester
Platz, Burg, Schloss [bes. in Süd-
europa]; früher römische Grenz-
befestigungsanlage)

Kas|tel|lan, der; -s, -e (Aufsichts-
beamter in Schlössern u. öffentl.
Gebäuden); **Kas|tel|la|nei**
(Schlossverwaltung); **Kas|tel|la-
nin**

käs|teln (karieren); ich käst[e]le

Kas|ten, der; -s, Plur. Kästen, sel-
ten - (südd., österr., schweiz.
auch für Schrank); **Kas|ten|brot**

Kas|ten|geist, der; -[e]s (abwer-
tend für Standesdünkel)

Kas|ten|wa|gen

Kas|ten|we|sen, das; -s; **Kas|ten|zei-
chen**

**Kas|ti|li|a|ner; Kas|ti|li|a|ne|rin; Kas-
ti|li|en** (ehem. Königreich auf
der Iberischen Halbinsel); **Kas|ti-
li|er; Kas|ti|li|e|rin; kas|ti|lisch**

Käst|lein

Käst|ner (dt. Schriftsteller)

¹**Kas|tor** (Held der griech. Sage);
Kastor und Pollux (Zwillings-
brüder der griech. Sage; übertr.
für zwei eng befreundete Männer)

²**Kas|tor**, der; -s (ein Stern)

K

Kast

Kas|tor|öl, das; -[e]s ⟨Handelsbez. für Rizinusöl⟩

Kas|t|rat, der; -en, -en ⟨ital.⟩ (kastrierter Mann)

Kas|t|ra|ti|on, die; -, -en ⟨lat.⟩ (Entfernung od. Ausschaltung der männlichen Keimdrüsen); **Kas|t-ra|ti|ons|angst**

kas|t|rie|ren; **Kas|t|rie|rung**

Ka|su|a|li|en Plur. ⟨lat.⟩ ([geistliche] Amtshandlungen aus besonderem Anlass)

Ka|su|ar [auch 'ka:...], der; -s, -e ⟨malai.-niederl.⟩ (straußenähnlicher Laufvogel)

Ka|su|a|ri|ne, die; -, -n ⟨austral.-ostind. Baum⟩

Ka|su|ist, der; -en, -en ⟨lat.⟩ (Vertreter der Kasuistik; übertr. für Wortverdreher, Haarspalter)

Ka|su|is|tik, die; - (Lehre von der Anwendung sittl. u. religiöser Normen auf den Einzelfall; Rechtsw. Rechtsfindung aufgrund von Einzelfällen gleicher od. ähnl. Art; Med. Beschreibung von Krankheitsfällen; übertr. für Haarspalterei); **Ka|su-is|tin**

ka|su|is|tisch

Ka|sus, der; -, - (Fall; Vorkommnis); vgl. Casus Belli, Casus obliquus u. Casus rectus

Ka|sus|en|dung (Sprachw.)

Kat, der; -s, -s (kurz für Katalysator [an Kraftfahrzeugen])

Ka|ta|bo|lis|mus, der; - ⟨griech.⟩ (Abbau von Substanzen im Körper durch den Stoffwechsel)

Ka|ta|chre|se, Ka|ta|chre|sis [beide ...ç...], die; -, ...chresen ⟨griech.⟩ (Rhet., Stilk. Bildbruch; Vermengung von nicht zusammengehörenden Bildern im Satz, z. B. »das schlägt dem Fass die Krone ins Gesicht«)

ka|ta|chres|tisch

Ka|ta|falk, der; -s, -e ⟨franz.⟩ (schwarz verhängtes Gerüst für den Sarg bei Trauerfeiern)

Ka|ta|ka|na, das; -[s] od. die; - ⟨jap.⟩ (eine jap. Silbenschrift)

ka|ta|kaus|tisch ⟨griech.⟩ (Optik einbrennend); katakaustische Fläche (Brennfläche)

Ka|ta|kla|se, die; -, -n ⟨griech.⟩ (Geol. Zerbrechen u. Zerreiben eines Gesteins durch tekton. Kräfte)

Ka|ta|klas|struk|tur, die; - ⟨griech.; lat.⟩ (Trümmergefüge eines Gesteins); **ka|ta|klas|tisch**

Ka|ta|klys|mus, der; -, ...men ⟨griech.⟩ (erdgeschichtl. Katastrophe)

Ka|ta|kom|be, die; -, -n meist Plur. ⟨ital.⟩ (unterird. Begräbnisstätte)

Ka|ta|la|ne, der; -n, -n (Bewohner Kataloniens); **Ka|ta|la|nin**

ka|ta|la|nisch; Ka|ta|la|nisch, das; -[s] (Sprache); vgl. Deutsch; **Ka-ta|la|ni|sche**, das; -n; vgl. Deutsche, das

Ka|ta|la|se, die; -, -n ⟨griech.⟩ (Biochemie ein Enzym)

Ka|ta|lau|ni|sche Fel|der Plur. (in der Champagne; Kampfstätte der Hunnenschlacht i. J. 451)

ka|ta|lek|tisch ⟨griech.⟩ (Verslehre verkürzt, unvollständig); katalektischer Vers

Ka|ta|lep|sie, die; -, ...ien ⟨griech.⟩ (Med. Muskelverkrampfung)

ka|ta|lep|tisch

Ka|ta|le|xe, Ka|ta|le|xis [auch ...'lɛ...], die; -, ...lexen ⟨griech.⟩ (Verslehre Unvollständigkeit des letzten Versfußes)

Ka|ta|log, der; -[e]s, -e ⟨griech.⟩ (Verzeichnis [von Bildern, Büchern, Waren usw.])

ka|ta|lo|gi|sie|ren ([nach bestimmten Regeln] in einen Katalog aufnehmen); **Ka|ta|lo|gi|sie|rung**

Ka|ta|lo|ni|en (autonome Region im Nordosten der Iberischen Halbinsel; hist. span. Provinz)

Ka|tal|pa, Ka|tal|pe, die; -, ...pen ⟨indian.⟩ (Trompetenbaum)

Ka|ta|ly|sa|tor, der; -s, ...oren ⟨griech.⟩ (Chemie Stoff, der eine Reaktion auslöst od. beeinflusst; Kfz-Technik Gerät zur Abgasreinigung; geregelter Katalysator; **Ka|ta|ly|sa|tor|au|to**

Ka|ta|ly|se, die; -, -n ⟨Chemie Herbeiführung, Beschleunigung od. Verlangsamung einer chemischen Reaktion)

ka|ta|ly|sie|ren; ka|ta|ly|tisch

Ka|ta|ma|ran [auch ...'ta:...], der; -s, -e ⟨tamil.-engl.⟩ (offenes Segelboot mit Doppelrumpf)

Ka|ta|m|ne|se, die; -, -n ⟨griech.⟩ (Med. abschließender Krankenbericht)

Ka|ta|pho|re|se, die; -, -n ⟨griech.⟩ (Physik Wanderung positiv elektr. geladener Teilchen in einer Flüssigkeit)

Ka|ta|pla|sie, die; -, ...ien ⟨griech.⟩ (Med. Rückbildung)

Ka|ta|plas|ma, das; -s, ...men ⟨griech.⟩ (Med. heißer Breiumschlag)

ka|ta|plek|tisch ⟨griech.⟩ (Med. zur Kataplexie neigend); **Ka|ta|ple-xie**, die; -, ...ien (durch Emotionen ausgelöste Muskelerschlaffung)

Ka|ta|pult, das, auch der; -[e]s, -e ⟨griech.⟩ (Wurf-, Schleudermaschine); **Ka|ta|pult|flug** (Schleuderflug); **Ka|ta|pult|flug|zeug**

ka|ta|pul|tie|ren

Ka|ta|pult|schuh (Leichtathletik)

Ka|ta|pult|sitz

Ka|tar [auch 'ka:...] (Scheichtum am Persischen Golf)

¹Ka|ta|rakt, der; -[e]s, -e ⟨griech.⟩ (Wasserfall; Stromschnelle)

²Ka|ta|rakt, die; -, -e, **Ka|ta|rak|ta**, die; -, ...ten (Med. grauer Star)

Ka|ta|rer (Einwohner von Katar); **Ka|ta|re|rin; ka|ta|risch**

Ka|tarr, Ka|tarrh, der; -s, -e ⟨griech.⟩ (Med. Schleimhautentzündung)

ka|tar|ra|lisch, ka|tar|rha|lisch

ka|tarr|ar|tig, ka|tarrh|ar|tig

Ka|tarrh, ka|tar|rha|lisch usw. vgl. Katarr, katarralisch usw.

Ka|ta|s|ter, der (österr. nur so) od. das; -s, - ⟨ital.⟩ (amtl. Grundstücksverzeichnis)

Ka|ta|s|ter|amt; Ka|ta|s|ter|aus|zug; Ka|ta|s|ter|steu|ern Plur.

Ka|ta|s|t|ral|ge|mein|de (österr. für Verwaltungseinheit [innerhalb einer Gemeinde], Steuergemeinde)

ka|ta|s|t|rie|ren (in ein Kataster eintragen)

ka|ta|s|t|ro|phal ⟨griech.⟩ (verhängnisvoll; entsetzlich)

Ka|ta|s|t|ro|phe, die; -, -n (Unglück[sfall] großen Ausmaßes; Zusammenbruch)

Ka|ta|s|t|ro|phen|alarm

ka|ta|s|t|ro|phen|ar|tig

Ka|ta|s|t|ro|phen|dienst; Ka|ta|s|t-ro|phen|ein|satz; Ka|ta|s|t|ro-phen|fall; Ka|ta|s|t|ro|phen|ge-biet; Ka|ta|s|t|ro|phen|mel|dung; Ka|ta|s|t|ro|phen|schutz; Ka|ta|s|t-ro|phen|tou|ris|mus (abwertend)

ka|ta|s|t|ro|phisch (unheilvoll)

Ka|ta|to|nie, die; -, ...ien ⟨griech.⟩ (Med. psych. Krankheitsbild mit starker Störung der Handlungsmotorik); **ka|ta|to|nisch**

Kät|chen, Kä|te vgl. Käthchen, Käthe

Ka|te, die; -, -n, **Ka|ten**, der; -s, - (nordd. oft abwertend für kleines, ärmliches Bauernhaus)

Ka|te|che|se, die; -, -n ⟨griech.⟩ (Religionsunterricht)

Ka|te|chet, der; -en, -en (Religionslehrer, insbes. für die kirchl. Christenlehre außerhalb der Schule); Ka|te|che|tik, die; - (Lehre von der Katechese); Ka|te|che|tin; ka|te|che|tisch
Ka|te|chi|sa|ti|on, die; -, -en (svw. Katechese); ka|te|chi|sie|ren (Religionsunterricht erteilen)
Ka|te|chis|mus, der; -, ...men (in Frage u. Antwort abgefasstes Lehrbuch des christl. Glaubens)
Ka|te|chist, der; -en, -en (einheimischer Laienhelfer in der kath. Mission); Ka|te|chis|tin
Ka|te|chu, das; -s, -s ⟨malai.-port.⟩ (Biol., Pharm. ein Gerbstoff)
Ka|te|chu|me|ne [auch ...'çu:...], der; -n, -n ⟨griech.⟩ ([erwachsener] Taufbewerber im Vorbereitungsunterricht; Teilnehmer am Konfirmandenunterricht); Ka|te|chu|me|nen|un|ter|richt; Ka|te|chu|me|nin
ka|te|go|ri|al ⟨griech.⟩; Ka|te|go|rie, die; -, ...ien (Klasse; Gattung; Begriffsform)
ka|te|go|risch (nachdrücklich, entschieden; unbedingt gültig); kategorischer Imperativ (unbedingtes ethisches Gesetz)
ka|te|go|ri|sie|ren (nach Kategorien ordnen); Ka|te|go|ri|sie|rung
Ka|ten vgl. Kate
Ka|te|ne, die; -, -n meist Plur. ⟨lat.⟩ (Sammlung von Bibelauslegungen alter Schriftsteller)
Ka|ter, der; -s, - (ugs. auch Folge übermäßigen Alkoholgenusses)
Ka|ter|bum|mel (ugs.)
Ka|ter|früh|stück (ugs.)
Ka|ter|stim|mung (ugs.)
kat|exo|chen ⟨griech.⟩ (schlechthin; beispielhaft)
Kat|gut [auch 'kɛtgat], das; -s ⟨engl.⟩ (Med. chirurg. Nähmaterial aus Darmsaiten)
kath. = katholisch
Ka|tha|rer [auch 'ka...], der; -s, - ⟨griech.⟩ (Angehöriger einer Sekte im MA.); Ka|tha|re|rin
Ka|tha|ri|na, Ka|tha|ri|ne (w. Vorn.)
Ka|thar|sis ['ka(:)..., auch ...'ta...], die; - ⟨griech., »Reinigung«⟩ (Literaturw. innere Läuterung als Wirkung des Trauerspiels; Psych. das Sichbefreien); ka|thar|tisch
Käth|chen, Kä|the, Kät|chen, Kä|te (w. Vorn.)
Ka|the|der, das od. der (österr. nur so); -s, - ⟨griech.⟩ ([Lehrer]pult, Podium); vgl. aber Katheter; Ka-

the|der|blü|te (ungewollt komischer Ausdruck eines Lehrers)
Ka|the|der|so|zi|a|lis|mus (Volkswirtschaftslehre, die staatl. Eingreifen zum Abbau von Klassengegensätzen forderte)
Ka|the|d|ra|le, die; -, -n (bischöfl. Hauptkirche)
Ka|the|d|ra|l|ent|schei|dung (unfehlbare päpstl. Entscheidung)
Ka|the|d|ral|glas, das; -es
Ka|the|te, die; -, -n ⟨griech.⟩ (Math. eine der beiden Seiten im rechtwinkligen Dreieck, die die Schenkel des rechten Winkels bilden)
Ka|the|ter, der; -s, - ⟨griech.⟩ (Med. röhrenförmiges Instrument zur Entleerung od. Spülung von Körperhohlorganen); vgl. aber Katheder
ka|the|te|ri|sie|ren, ka|the|tern (den Katheter einführen); ich katheterisiere u. kathetere
Ka|thin|ka, Ka|tin|ka (w. Vorn.)
Kath|man|du [auch ...'du:] (Hauptstadt Nepals)
Ka|tho|de, fachspr. auch Ka|to|de, die; -, -n ⟨griech.⟩ (Physik negative Elektrode, Minuspol); Ka|tho|den|strahl, Ka|to|den|strahl (Physik)
Ka|tho|lik, der; -en, -en ⟨griech.⟩ (Anhänger der kath. Kirche u. Glaubenslehre)
Ka|tho|li|ken|tag (Generalversammlung der Katholiken eines Landes); Ka|tho|li|kin
ka|tho|lisch (die kath. Kirche betreffend od. ihr angehörend; Abk. kath.); die katholische Kirche ↑K 89, aber ↑K 150: Katholisches Bibelwerk (ein Verlag)
ka|tho|li|sie|ren (für die kath. Kirche gewinnen)
Ka|tho|li|zis|mus, der; - (Geist u. Lehre des kath. Glaubens)
Ka|tho|li|zi|tät, die; - (Rechtgläubigkeit im Sinne der kath. Kirche)
Ka|th|rin, Ka|t|rin [auch ...'ri:n] (w. Vorn.)
ka|ti|li|na|risch ⟨nach dem röm. Verschwörer Catilina); eine katilinarische (heruntergekommene, zu verzweifelten Schritten neigende) Existenz; ↑K 89: die Erste Katilinarische Verschwörung (66 v. Chr.)
Ka|tin|ka, Ka|thin|ka (w. Vorn.)
Kat|ion ⟨griech.⟩ (Physik positiv geladenes Ion)
Kat|ja (w. Vorn.)

Kät|ner ⟨nordd. für Häusler, Besitzer einer ²Kate); Kät|ne|rin
Ka|to|de usw. vgl. Kathode usw.
ka|to|nisch ⟨nach dem röm. Zensor Cato⟩; katonische Reden; katonische Strenge
Ka|t|rin [auch ...'ri:n] vgl. Kathrin
kat|schen, kät|schen (landsch. für schmatzend kauen); du katschst od. kätschst
Katt|an|ker (Seemannsspr. zweiter Anker)
Kat|te|gat, das; -s ⟨dän., »Katzenloch«⟩ (Meerenge zwischen Schweden u. Jütland)
kat|ten (Seemannsspr. [Anker] hochziehen)
Kat|tun, der; -s, -e ⟨arab.-niederl.⟩ (feinfädiges Gewebe aus Baumwolle od. Chemiefasern)
kat|tu|nen; kattunener Stoff
Ka|tyn (Ort bei Smolensk)
katz|bal|gen, sich (ugs.); ich katzbalge mich; gekatzbalgt; zu katzbalgen; Katz|bal|ge|rei
katz|bu|ckeln (ugs. für sich unterwürfig zeigen); er hat gekatzbuckelt
Kätz|chen; Kat|ze, die; -, -n; ↑K 13: für die Katz (ugs. für umsonst); Katz und Maus mit jmdm. spielen (ugs.)
Kat|zel|ma|cher ⟨ital.⟩ (bes. bayr., österr. diskriminierend für Italiener); Kat|zel|ma|che|rin
Kat|zen|au|ge (auch ein Mineral; ugs. Rückstrahler am Fahrrad)
Kat|zen|bu|ckel (höchster Berg des Odenwaldes)
Kat|zen|dreck; Kat|zen|fell
kat|zen|freund|lich (ugs. für heuchlerisch freundlich)
Kat|zen|fut|ter (vgl. ¹Futter)
kat|zen|gleich
Kat|zen|gold (Pyrit); kat|zen|haft
Kat|zen|jam|mer (ugs.)
Kat|zen|klo (ugs.)
Kat|zen|kopf; Kat|zen|kopf|pflas|ter
Kat|zen|mu|sik (ugs.); Kat|zen|sprung (ugs.); Kat|zen|tisch (ugs.); Kat|zen|wä|sche (ugs.)
Kat|zen|zun|gen Plur. (Schokoladetäfelchen)
Kät|zin
Katz-und-Maus-Spiel ↑K 26
Kaub (Stadt am Mittelrhein)
Kau|be|we|gung
kau|dal ⟨lat.⟩ (Zool. den Schwanz betreffend; Med. fußwärts liegend)
kau|dern (landsch., sonst veraltet für unverständlich sprechen); ich kaudere

K

kaud

Kau|der|welsch, das; -[s]; ein Kauderwelsch sprechen; **kau|der|wel|schen** (svw. kaudern); du kauderwelschst; gekauderwelscht

kau|di|nisch; ein kaudinisches Joch (übertr. für schimpfliche Demütigung), aber ↑K 150 : das Kaudinische Joch (Joch, durch das die bei Caudium geschlagenen Römer schreiten mussten); ↑K 140 : die Kaudinischen Pässe

Kau|e, die; -, -n (Bergmannsspr. Gebäude über dem Schacht; Wasch- u. Umkleideraum)

kau|en

kau|ern (hocken); ich kau[e]re

Kau|er|start (Leichtathletik)

Kauf, der; -[e]s, Käufe; in Kauf nehmen

kau|fen; du kaufst usw., landsch. käufst usw.; **kau|fens|wert**

Käu|fer; Käu|fe|rin; Käu|fer|ver|hal|ten

Kauf|fah|rer (veraltet für Handelsschiff)

Kauf|fahr|tei|schiff (veraltet für Handelsschiff)

Kauf|frau (Abk. Kffr.)

kauf|freu|dig

Kauf|haus; Kauf|haus|de|tek|tiv; Kauf|haus|de|tek|ti|vin

Kauf|in|te|r|es|sent

Kauf|kraft; kauf|kräf|tig

Kauf|la|den

käuf|lich; Käuf|lich|keit, die; -

kauf|lus|tig

Kauf|mann Plur. ...leute; Abk. Kfm.; **kauf|män|nisch;** kaufmännischer Angestellter; kaufmännisches Rechnen; Abk. kfm.

Kauf|mann|schaft, die; - (veraltend)

Kauf|manns|ge|hil|fe (älter für Handlungsgehilfe); **Kauf|manns|ge|hil|fin; Kauf|manns|gil|de** (früher); **Kauf|manns|la|den; Kauf|manns|spra|che**

Kauf|manns|stand (veraltend)

Kauf|preis; Kauf|rausch

Kauf|sum|me

Kau|fun|ger Wald, der; - -[e]s (Teil des Hessischen Berglandes)

Kauf|ver|trag; Kauf|wert

kauf|wil|lig

Kauf|zu|rück|hal|tung; Kauf|zwang

Kau|gum|mi, der, auch das; -s, -[s]

Kau|kamm (Bergmannsspr. Grubenbeil)

Kau|ka|si|en (Gebiet zwischen Schwarzem Meer u. Kaspischem Meer)

Kau|ka|si|er; Kau|ka|si|e|rin

kau|ka|sisch; Kau|ka|sus, der; - (Hochgebirge in Kaukasien)

Kaul|barsch (ein Fisch)

Käul|chen vgl. Quarkkäulchen

Kau|le, die; -, -n (mitteld. für Grube, Loch; Kugel)

Kau|leis|te (ugs. Zahnreihe)

kau|li|flor (lat.) (Bot. am Stamm ansetzend [von Blüten])

Kaul|quap|pe (Froschlarve)

kaum; das ist kaum glaublich; er war kaum hinausgegangen, da kam ...; kaum[,] dass ↑K 127

Kau|ma|zit, der; -s, Plur. (Sorten:) -e (griech.) (Braunkohlenkoks)

Kau|mus|kel

Kau|pe|l|lei (ostmitteld. für heimlicher Handel); **kau|peln;** ich kaup[e]le

Kau|ri, der; -s, -s od. die; -, -s (Hindi) (Porzellanschnecke; so genanntes Muschelgeld)

Kau|ri|fich|te (maorisch; dt.) (svw. Kopalfichte)

Kau|ri|mu|schel; Kau|ri|schne|cke

kau|sal (lat.) (ursächlich zusammenhängend; begründend); kausale Konjunktion (Sprachw.; z. B. »denn«)

Kau|sal|be|zie|hung

Kau|sal|ge|setz (bes. Philos.)

Kau|sa|li|tät, die; -, -en (Ursächlichkeit)

Kau|sal|ket|te

Kau|sal|kon|junk|ti|on (Sprachw.)

Kau|sal|ne|xus (fachspr. für ursächl. Zusammenhang)

Kau|sal|satz (Sprachw. Umstandssatz des Grundes)

Kau|sal|zu|sam|men|hang

kau|sa|tiv [auch ...'ti:f] (Sprachw. bewirkend; als Kausativ gebraucht); **Kau|sa|tiv,** das; -s, -e (veranlassendes Verb, z. B. »tränken« = »trinken machen«); **Kau|sa|ti|vum,** das; -s, ...va (älter für Kausativ)

Kausch, Kau|sche, die; -, ...schen (Seemannsspr. Ring mit Hohlrand, zur Verstärkung von Tau- u. Seilschlingen)

Kaus|tik, die; - (griech.) (Optik Brennfläche; svw. Kauterisation)

Kaus|ti|kum, das; -s, ...ka (Med. ein Ätzmittel); **kaus|tisch** (Chemie ätzend, scharf; übertr. für beißend, spöttisch); kaustischer Witz

Kaus|to|bio|lith, der; Gen. -s od. -en, Plur. -e[n] meist Plur. (brennbares Produkt fossiler Lebewesen; z. B. Torf)

Kau|ta|bak; Kau|ta|b|let|te

Kau|tel, die; -, -en (lat.) (Rechtsspr. Vorsichtsmaßregel; Vorbehalt; Absicherung)

Kau|ter, der; -s, - (griech.) (Med. chirurgisches Instrument zum Ausbrennen von Gewebeteilen)

Kau|te|ri|sa|ti|on, die; -, -en (Ätzung zu Heilzwecken)

kau|te|ri|sie|ren; Kau|te|ri|um, das; -s, ...ien (Chemie ein Ätzmittel; Med. Brenneisen)

Kau|ti|on, die; -, -en (lat.) (Geldsumme als Bürgschaft, Sicherheit); **kau|ti|ons|fä|hig** (bürgfähig); **Kau|ti|ons|sum|me**

Kau|t|schuk, der; -s, -e (indian.) (Milchsaft des Kautschukbaumes; Rohstoff zur Gummiherstellung)

Kau|t|schuk|milch, die; -

Kau|t|schuk|pa|ra|graf, Kau|t|schuk|pa|ra|graph (dehnbare Rechtsvorschrift)

Kau|t|schuk|plan|ta|ge

kau|t|schu|tie|ren (aus Kautschuk herstellen)

Kau|werk|zeu|ge Plur.

Kauz, der; -es, Käuze

Käuz|chen; kau|zig

Ka|val, der; -s, -s (ital.) (Spielkarte im Tarockspiel: Ritter)

Ka|va|lier, der; -s, -e (franz.)

Ka|va|liers|de|likt

ka|va|liers|mä|ßig

Ka|va|liers|spitz (österr. für Rindfleischsorte); **Ka|va|lier[s]-start** (schnelles, geräuschvolles Anfahren mit dem Auto)

Ka|val|ka|de, die; -, -n (Reiterzug)

Ka|val|le|rie [...ri:, auch ...'ri:], die; -, ...ien (Milit. früher Reiterei; Reitertruppe)

Ka|val|le|rist, der; -en, -en

Ka|va|ti|ne, die; -, -n (ital.) (Musik [kurze] Opernarie; liedartiger Instrumentalsatz)

Ka|ve|ling, die; -, -en (niederl.) (Wirtsch. Mindestmenge, die ein Käufer auf einer Auktion erwerben muss)

Ka|vents|mann Plur. ...männer (landsch. für beleibter Mann; Prachtexemplar; Seemannsspr. bes. hoher Wellenberg)

Ka|ver|ne, die; -, -n (lat.) (Höhle, Hohlraum)

Ka|ver|nom, das; -s, -e (Med. Blutgefäßgeschwulst)

ka|ver|nös (Kavernen bildend; voll Höhlungen)

Ka|vi|ar, der; -s, -e (türk.) (Rogen des Störs); **Ka|vi|ar|bröt|chen**

Ka|vi|tät, die; -, -en (lat.) (Med.

Hohlraum); **Ka|vi|ta|ti|on**, die; -,
-en (*Technik* Hohlraumbildung)
Ka|wa, die; - ⟨polynes.⟩ (ein berau-
schendes Getränk)
Ka|wass, **Ka|was|se**, der; Kawassen,
Kawassen ⟨arab.⟩ (*früher* oriental. Polizeisoldat; Ehrenwache)
Ka|wi, das; -[s], **Ka|wi|spra|che**, die;
- ⟨sanskr.⟩ (alte Schriftsprache
Javas)
Kay, Kai (m. *od.* w. Vorn.)
Ka|zi|ke, der; -n, -n ⟨indian.⟩
(Häuptling bei den süd- u. mit-
telamerik. Indianern)
KB = Kilobyte
kbit, Kbit, KBit = Kilobit
kByte, KByte = Kilobyte
Kč = tschech. Krone
kcal = Kilokalorie
Kea, der; -s, -s ⟨maorisch⟩ (Papa-
geienart)
Keats [kiːts] (engl. Dichter)
Ke|bab, der; -[s], -s ⟨türk.⟩ (am
Spieß gebratene [Ham-
mel]fleischstückchen)
Ke|bap (*türkische Schreibung von*
Kebab)
keb|beln *vgl.* kibbeln
Keb|se, die; -, -n (*früher für*
Nebenfrau); **Kebs|ehe; Kebs|weib**
keck
ke|ckern (zornige Laute ausstoßen
[von Fuchs, Marder, Iltis])
Keck|heit; keck|lich (*veraltet*)
Ke|der, der; -s, - (Randverstärkung
aus Leder od. Kunststoff)
Keep, die; -, -en (*Seemannsspr.*
Kerbe, Rille)
Kee|per [ˈkiːpɐ], der; -s, - ⟨engl.⟩
(Torhüter); **Kee|pe|rin**
Keep|smi|ling [ˈkiːpˈsmailɪŋ], das; -
⟨»lächle weiter«⟩ ([zur Schau
getragene] optimistische
Lebensanschauung)
Kees, das; -es, -e (*österr. landsch.*
für Gletscher)
Ke|fe, die; -, -n (*schweiz. für*
Zuckererbse)
Ke|fir, der; -s ⟨tatar.⟩ (Getränk aus
gegorener Milch)

(geometrischer Körper; *Druckw.*
auch Stärke des Typenkörpers)
– mit Kind und Kegel
– Kegel schieben, *(bayrisch,*
österreichisch:) Kegel scheiben
– ich schiebe Kegel; weil ich Kegel
schob; ich habe Kegel geschoben; um Kegel zu schieben

Ke|gel|bahn
Ke|gel|bre|cher (eine Zerkleine-
rungsmaschine)
Ke|gel|club vgl. Kegelklub
ke|gel|för|mig; ke|ge|lig, keg|lig
Ke|gel|klub; **Ke|gel|**club
Ke|gel|ku|gel; Ke|gel|man|tel
(*Math.*)
ke|geln; ich keg[e]le
Ke|gel|schei|ben, das; -s *(bayr.,*
österr.); Ke|gel schei|ben *vgl.*
Kegel
Ke|gel|schie|ben, das; -s; Ke|gel
schie|ben *vgl.* Kegel
Ke|gel|schnitt (*Math.*)
Ke|gel|sport; Ke|gel|statt *Plur.*
...stätten (*österr. neben* Kegel-
bahn)
Ke|gel|stumpf (*Math.*)
Keg|ler; Keg|le|rin
keg|lig vgl. kegelig
Keh|din|gen vgl. Land Kehdingen
Kehl (Stadt am Oberrhein)
Kehl|chen; Keh|le, die; -, -n
keh|len (rinnenartig aushöhlen;
[Fisch] aufschneiden u. ausneh-
men)
Kehl|ho|bel
keh|lig
Kehl|kopf; Kehl|kopf|ka|tarr, **Kehl-**
kopf|ka|tarrh; Kehl|kopf|krebs
Kehl|kopf|mi|k ro|fon, Kehl|kopf-
mi|k ro|phon
Kehl|kopf|schnitt; Kehl|kopf|spie-
gel
Kehl|laut; Kehl|leis|te
Keh|lung (*svw.* Hohlkehle)
Kehr, der; -s, -e (*schweiz. kurz für*
Kehrordnung)
Kehr|aus, der; -; **Kehr|be|sen**
Keh|re, die; -, -n (Wendekurve;
eine turnerische Übung)
¹**keh|ren** (umwenden); sich nicht an
etwas kehren (*ugs. für* sich nicht
um etwas kümmern)
²**keh|ren** (*bes. südd. für* fegen); **Keh-**
richt, der, *auch* das; -s
Kehr|richt|ei|mer; Kehr|richt|hau|fen;
Kehr|richt|schau|fel
Kehr|ma|schi|ne
Kehr|ord|nung (*schweiz. für* festge-
legte Wechselfolge, Turnus)
Kehr|reim
Kehr|schlei|fe (Wendeschleife; Ser-
pentine)
Kehr|sei|te
kehrt! (*auch Milit.*); rechtsum
kehrt!; **kehrt|ma|chen**; ich
mache kehrt; kehrtgemacht;
kehrtzumachen; **kehrt|um**
(*schweiz. für:* Wendung um 180
Grad); kehrtum machen; **Kehrt-**
wen|de; Kehrt|wen|dung

Kehr|wert (*für* reziproker Wert)
Kehr|wie|der, der *od.* das; -s (Name
von Sackgassen, Gasthäusern
u. Ä.)
Kehr|wisch (*südd. für* Handbesen)
Keib, der; -s, -e u. -en (*schwäb. u.*
schweiz. mdal. für Lump,
gemeiner Kerl)
kei|fen; Kei|fe|rei
Keil, der; -[e]s, -e
Keil|bein (Schädelknochen)
Kei|le, die; - (*ugs. für* Prügel); Keile
kriegen; **kei|len** (*ugs. für* stoßen;
[für eine Studentenverbindung]
anwerben); sich keilen (*ugs. für*
sich prügeln)
Kei|ler (*Jägerspr.* männl. Wild-
schwein; *österr. auch für* Kun-
denwerber mit aggressiven
Methoden)
Kei|le|rei (*ugs. für* Prügelei)
keil|för|mig
Keil|haue (*Bergmannsspr.*)
Keil|kis|sen
Keil|pols|ter (*österr.*)
Keil|rie|men (*Technik*)
Keil|schrift
Keim, der; -[e]s, -e
Keim|blatt; Keim|drü|se
kei|men; keim|fä|hig; keim|frei
keim|haft
kei|mig (*ugs. für* schmutzig)
Keim|ling; Keim|plas|ma (*Biol.*)
keim|tö|tend; keimtötende Mittel
Kei|mung; Keim|zel|le
kein, -e, -, -, *Plur.* -e; kein and[e]rer;
in keinem Falle, auf keinen Fall;
zu keiner Zeit; keine unreifen
Früchte; es bedarf keiner großen Erörterungen mehr. *Allein*
stehend ↑K 76 : keiner, keine,
kein[e]s; keiner, keine,
kein[e]s
von beiden
kei|ner|lei; kei|ner|seits
kei|nes|falls
kei|nes|wegs
kein|mal; *bei besonderer Betonung*
auch kein Mal; *aber nur*
getrennt kein einziges Mal
...keit (z. B. Ähnlichkeit, die; -, -en)
Keks, der; *auch* das; *Gen. - u.* -es,
Plur. - u. -e, *österr.* -, -[e]
⟨engl.⟩; **Keks|do|se**
Kelch, der; -[e]s, -e; **Kelch|blatt**
kelch|för|mig
Kelch|glas *Plur.* ...gläser
Kelch|kom|mu|ni|on (*kath. Rel.*)
Kell|heim (Stadt in Bayern)
Ke|lim, der; -s, -s ⟨türk.⟩ (ein orien-
tal. Teppich); **Ke|lim|sti|cke|rei**
Kel|le, die; -, -n
¹**Kel|ler** (schweiz. Schriftsteller)
²**Kel|ler**, der; -s, -; **Kel|ler|as|sel**

K
Kell

Kel|le|rei
Kel|ler|fal|te *(Schneiderei)*
Kel|ler|fens|ter; Kel|ler|ge|schoss
¹Kel|ler|hals *(svw.* Seidelbast)
²Kel|ler|hals (ansteigendes Gewölbe über einer Kellertreppe)
Kel|ler|kind; Kel|ler|meis|ter; Kel|ler|meis|te|rin
Kel|ler|trep|pe; Kel|ler|tür
Kel|ler|woh|nung
Kell|ner, der; -s, -; Kell|ne|rin; kell|nern *(ugs.);* ich kellnere
Kel|logg|pakt, **Kel|logg-Pakt** *vgl.* Briand-Kellogg-Pakt
Ke|lo|id, das; -[e]s, -e ⟨griech.-nlat.⟩ *(Med.* Wucherung im Bindegewebe; Wulstnarbe)
Kelt, der; -[e]s, -e ⟨kelt.-lat.⟩ *(veraltet für* bronzezeitliches Beil)
Kel|te, der; -n, -n (Angehöriger eines indogerm. Volkes)
Kel|ter, die; -, -n (Weinpresse)
Kel|te|rei; Kel|te|rer; Kel|te|rin
kel|tern; ich keltere
Kelt|ibe|rer (Angehöriger eines Mischvolkes im alten Spanien); Kelt|ibe|re|rin; kelt|ibe|risch
Kel|tin; kel|tisch; Kel|tisch, das; -[s] (Sprache); *vgl.* Deutsch; **Kel|ti|sche,** das; -n; *vgl.* Deutsche, das
kel|to|ro|ma|nisch
Kel|vin, das; -s, - ⟨nach dem engl. Physiker W. T. Kelvin⟩ (Maßeinheit der absoluten Temperaturskala; *Zeichen* K); 0 K = −273,15 °C
Ke|ma|lis|mus, der; - (von Kemal Atatürk begründete polit. Richtung); **Ke|ma|list,** der; -en, -en; **Ke|ma|lis|tin**
Ke|me|na|te, die; -, -n ([Frauen]gemach einer Burg)
Ken, das; -, - ⟨jap.⟩ (jap. Verwaltungsbezirk, Präfektur)
Ken|do, das; -[s] ⟨jap.⟩ (jap. Form des Fechtens mit Bambusstäben)
Ke|nia (Staat in Ostafrika); Ke|ni|a|ner; Ke|ni|a|ne|rin; ke|ni|a|nisch
Ken|ne|dy, John F. (Präsident der USA)
Ken|nel, der; -s, - ⟨engl.⟩ (Hundezwinger)
Ken|nel|ly [...n(ə)li] (amerik. Ingenieur u. Physiker); **Ken|nel|ly-Hea|vi|side-Schicht** ['kɛ...'he...], die; - *(Meteor.* elektr. leitende Schicht in der Atmosphäre); *vgl.* Heaviside
ken|nen, du kanntest; *selten* du kenntest; gekannt; kenn[e]!; jmdn., etwas kennen lernen *od.* kennenlernen; wenn wir uns

erst näher kennen gelernt *od.* kennengelernt haben; sie hat die Schrecken des Krieges kennen gelernt *od.* kennengelernt
ken|nen ler|nen, **ken|nen|ler|nen** *vgl.* kennen
Ken|ner; Ken|ner|blick
Ken|ne|rin; ken|ne|risch
Ken|ner|mie|ne; Ken|ner|schaft
Kenn|far|be
Ken|ning, die; -, Plur. -ar, *auch* -e ⟨altnord.⟩ *(altnord. Dichtung* bildl. Umschreibung eines Begriffes durch eine mehrgliedrige Benennung)
Kenn|kar|te; Kenn|mar|ke
Kenn|num|mer, Kenn-Num|mer
Kenn|si|g|nal
kennt|lich; kenntlich machen
Kennt|lich|ma|chung
Kennt|nis, die; -, -se; von etwas Kenntnis nehmen; in Kenntnis setzen; zur Kenntnis nehmen

Kenntnis

Feminine Substantive auf *-nis* werden im Singular mit nur einem *-s* geschrieben, obwohl die Pluralformen mit Doppel-s gebildet werden: gute Kenntnisse, mit guten Kenntnissen.

Kennt|nis|nah|me, die; -; kennt|nis|reich
Kennt|nis|stand, der; -[e]s
Ken|nung (charakteristisches Merkmal; typ. Kennzeichen)
Kenn|wort *Plur.* ...wörter; Kenn|zahl; Kenn|zei|chen
kenn|zeich|nen; gekennzeichnet; zu kennzeichnen; kenn|zeich|nen|der|wei|se; Kenn|zeich|nung
Kenn|zeich|nungs|pflicht; kenn|zeich|nungs|pflich|tig
Kenn|zif|fer
Ke|no|taph, Ze|no|taph, das; -s, -e ⟨griech.⟩ (Grabmal für einen andernorts bestatteten Toten)
Kent (engl. Grafschaft)
Ken|taur, Zen|taur, der; -en, -en ⟨griech.⟩ (Wesen der griech. Sage mit menschlichem Oberkörper u. Pferdeleib)
ken|tern (umkippen [von Schiffen]); ich kentere; Ken|te|rung
Ken|tu|cky [...'taki] (Staat in den USA; *Abk.* KY)
Ken|tum|spra|che ⟨lat.; dt.⟩ (Sprache aus einer bestimmten Gruppe der indogerm. Sprachen)
¹Ke|pheus (griech. Sagengestalt)
²Ke|pheus, der; - (ein Sternbild)

Ke|phi|sos, der; - (griech. Fluss)
Kep|ler (dt. Astronom); kep|lersch; das keplersche *od.* Kepler'sche Gesetz ↑K135
kep|peln *(österr. ugs. für* fortwährend schimpfen); ich kepp[e]le; Kep|pel|weib; Kepp|le|rin
Ke|ra|bau, der; -s, -s ⟨malai.⟩ (ind. Wasserbüffel)
Ke|ra|mik, die; -, *Plur.* (*für* Erzeugnisse:) -en ⟨griech.⟩ ([Erzeugnis der] [Kunst]töpferei)
ke|ra|misch
Ke|ra|tin, das; -s, -e ⟨griech.⟩ *(Biochemie* Hornsubstanz)
Ke|ra|ti|tis, die; -, ...iti|den *(Med.* Hornhautentzündung des Auges)
Ke|ra|tom, das; -s, -e (Horngeschwulst der Haut)
Ke|ra|to|s|kop, das; -s, -e (Instrument zur Untersuchung der Hornhautkrümmung)
¹Kerb, die; -, -en *(hess.-pfälz. für* Kirchweih); *vgl.* Kerwe
²Kerb, der; -[e]s, -e *(Technik neben* Kerbe); Ker|be, die; -, -n (Einschnitt)
Ker|bel, der; -s (eine Gewürzpflanze); Ker|bel|kraut, das; -[e]s
ker|ben (Einschnitte machen)
Ker|be|ros *vgl.* Zerberus
Kerb|holz; etwas auf dem Kerbholz haben *(ugs. für* etwas auf dem Gewissen haben)
Kerb|schnitt, der; -[e]s (Holzverzierung); Kerb|tier
Ker|bung
Ke|ren *Plur.* (griech. Schicksalsgöttinnen)
Kerf, der; -[e]s, -e (Kerbtier)
Ker|gue|len [...'ge:...] *Plur.* (Inseln im Indischen Ozean)
Ker|ker, der; -s, - *(früher* sehr festes Gefängnis; *österr. früher für* schwere Freiheitsstrafe); Ker|ker|meis|ter; Ker|ker|stra|fe
Ker|kops, der; -, ...open ⟨griech.⟩ (Kobold der antiken Sage)
Ker|ky|ra *(griech. Name für* Korfu)
Kerl, der; -[e]s, *Plur.* -e, *landsch., bes. nordd.* -s; Kerl|chen
Ker|mes|bee|re ⟨arab.; dt.⟩ (Pflanze, deren Beeren zum Färben verwendet werden)
Ker|mes|ei|che (Eichenart des Mittelmeergebietes); Ker|mes|schild|laus (auf der Kermeseiche lebende Schildlaus, aus der ein roter Farbstoff gewonnen wird)
Kern, der; -[e]s, -e
Kern|auf|ga|be; Kern|aus|sa|ge
Kern|bei|ßer (ein Singvogel)

Kern|be|reich
kern|nen (*seltener für* auskernen)
Kern|ener|gie (*svw.* Atomenergie)
¹Ker|ner, der; -s, - ⟨nach dem Dichter J. Kerner⟩ (eine Rebsorte)
²Ker|ner *vgl.* ¹Karner
Kern|ex|plo|si|on (Zertrümmerung eines Atomkerns)
Kern|fäu|le (Fäule des Kernholzes von lebenden Bäumen)
Kern|for|de|rung
Kern|for|schung (Atomforschung)
Kern|fra|ge; Kern|frucht
Kern|fu|si|on
Kern|ge|häu|se
Kern|ge|schäft
kern|ge|sund
Kern|holz; ker|nig
Kern|kom|pe|tenz
Kern|kraft|geg|ner; Kern|kraft|geg|ne|rin; Kern|kraft|werk
Kern|land
Kern|ling (aus einem Kern gezogener Baum od. Strauch)
kern|los; Kern|obst
Kern|phy|sik (Lehre von den Kernreaktionen); kern|phy|si|ka|lisch; Kern|phy|si|ker; Kern|phy|si|ke|rin
Kern|pro|b|lem; Kern|punkt
Kern|re|ak|ti|on; Kern|re|ak|tor
Kern|schat|ten (*Optik, Astron.*)
Kern|schmel|ze
Kern|sei|fe
Kern|spal|tung
Kern|spin|to|mo|gra|fie, Kern|spin|to|mo|gra|phie (*Med.*)
Kern|spruch; Kern|stadt; Kern|stück
Kern|tech|nik; Kern|tei|lung
Kern|trup|pe
Kern|um|wand|lung; Kern|ver|schmel|zung
Kern|waf|fen *Plur.*
Kern|ziel|grup|pe
Ke|ro|plas|tik *vgl.* Zeroplastik
Ke|ro|sin, das; -s ⟨griech.⟩ (ein Treibstoff)
Kers|tin (w. Vorn.)
Ke|rub *vgl.* Cherub
Ker|we, die; -, -n (*hess.-pfälz. für* Kirchweih)
Ke|ryg|ma, das; -s ⟨griech.⟩ (*Theol.* Verkündigung [des Evangeliums]); ke|ryg|ma|tisch (verkündigend, predigend); kerygmatische Theologie
Ker|ze, die; -, -n
Ker|zen|be|leuch|tung
ker|zen|ge|ra|de, ker|zen|gra|de
Ker|zen|hal|ter; Ker|zen|licht *Plur.* ...lichter; Ker|zen|schein, der; -[e]s; Ker|zen|stän|der

Ke|scher, Kä|scher, der; -s, - (Fangnetz)
kess (*ugs. für* frech; schneidig; flott); ein kesses Mädchen
Kes|sel, der; -s, -
Kes|sel|bo|den; Kes|sel|fleisch (Wellfleisch)
Kes|sel|fli|cker; Kes|sel|fli|cke|rin; Kes|sel|haus
kes|seln (ein Kesseltreiben veranstalten); es kesselt (*ugs. für* es geht hoch her)
Kes|sel|pau|ke
Kes|sel|schmied; Kes|sel|schmie|din; Kes|sel|stein
Kes|sel|trei|ben
Kess|heit
Ket|ch|up *vgl.* Ketschup
Ke|ton, das; -s, -e *meist Plur.* (eine chem. Verbindung); Ke|ton|harz
Ketsch, die; -, -en ⟨engl.⟩ (eine zweimastige [Sport]segeljacht)
ket|schen (*Nebenform von* kätschen)
Ket|schua *vgl.* Quechua
Ket|sch|up, Ket|ch|up [...tʃap, *auch* ...ʊp, ...əp], der *od.* das; -[s], -s ⟨malai.-engl.⟩ (pikante [Tomaten]soße)
Kett|baum, Ket|ten|baum (Teil des Webstuhls)
Kett|car ®, der *od.* das; -s, -s ⟨dt.; engl.⟩ (ein Kinderfahrzeug)
Ket|tchen; Ket|te, die; -, -n
Ket|tel, der; -s, - *od.* die; -, -n (*landsch. für* Krampe)
Ket|tel|ma|schi|ne; ket|teln ([kettenähnlich] verbinden); ich kett[e]le
ket|ten
Ket|ten|baum *vgl.* Kettbaum
Ket|ten|blu|me (Löwenzahn)
Ket|ten|brief
Ket|ten|bruch, der (*Math.*)
Ket|ten|brü|cke
Ket|ten|fa|den *vgl.* Kettfaden
Ket|ten|garn *vgl.* Kettgarn
Ket|ten|glied
Ket|ten|haus (*Bauw.*)
Ket|ten|hemd; Ket|ten|hund; Ket|ten|pan|zer; Ket|ten|rad
Ket|ten|rau|chen, das; -s; ket|ten|rau|chend; Ket|ten|rau|cher; Ket|ten|rau|che|rin
Ket|ten|re|ak|ti|on; Ket|ten|sä|ge; Ket|ten|schal|tung; Ket|ten|schutz; Ket|ten|stich
Kett|fa|den (*Weberei*); Kett|garn (*Weberei*)
Kett|tung
Ket|zer; Ket|ze|rei
Ket|zer|ge|richt
Ket|ze|rin; ket|ze|risch

Ket|zer|tau|fe; Ket|zer|ver|fol|gung
keu|chen; Keuch|hus|ten
Keu|le, die; -, -n
keu|len (*Tiermed.* seuchenkranke Tiere töten)
Keu|len|är|mel
keu|len|för|mig
Keu|len|schlag
Keu|len|schwin|gen, das; -s
Keu|lung
Keu|per, der; -s (*landsch. für* roter, sandiger Ton; *Geol.* oberste Stufe der Trias)
keusch
Keu|sche, die; -, -n (*österr. für* Bauernhäuschen, Kate)
Keusch|heit, die; -; Keusch|heits|ge|lüb|de; Keusch|heits|gür|tel (*früher*)
Keusch|lamm|strauch
Keusch|ler (*österr. für* Bewohner einer Keusche, Häusler); Keusch|le|rin
Ke|ve|laer [ˈkeːvəlaːɐ̯] (Stadt in Nordrhein-Westfalen)
Ke|vin (m. Vorn.)
Key-Ac|coun|ter [ˈkiːˈkaʊntɐ], der; -s, - ⟨engl.⟩ (Vertriebsspezialist, der besonders wichtige Kunden betreut); Key-Ac|coun|te|rin
Key|board [ˈkiːbɔːɐ̯t], das; -s, -s ⟨engl.⟩ (elektronisches Tasteninstrument); Key|boar|der; Key|boar|de|rin
Keynes [ˈkeːnz], John Maynard [ˈmeːnət] (brit. Wirtschaftswissenschaftler)
Keyne|si|a|nis|mus, der; - (eine Form der Wirtschaftspolitik)
Key|ser|ling (balt. Adelsgeschlecht)
Kffr., Kfr. = Kauffrau
kfm. = kaufmännisch
Kfm. = Kaufmann
Kfor, **KFOR** [ˈkaːfoːɐ̯], die; - (UN-Friedenstruppe im Kosovo)
K-Fra|ge [ˈkaː...], die; - (*ugs. kurz für* Frage, wer Kanzlerkandidat od. -kandidatin wird)
Kfz, das; -, - = Kraftfahrzeug; Kfz-Kenn|zei|chen [kaːɛfˈtsɛt...]; Kfz-Schlos|ser; Kfz-Schlos|se|rin; Kfz-Steu|er, die; Kfz-Ver|si|che|rung; Kfz-Werk|statt; Kfz-Werk|stät|te (*österr.*)
kg = Kilogramm; 2-kg-Dose
KG, die; -, -s = Kommanditgesellschaft
KGaA = Kommanditgesellschaft auf Aktien
KGB, der; -[s] ⟨russ.⟩ (Geheimdienst der Sowjetunion)

K
KGB

kgl. – kiesen

kgl. = königlich, *im Titel* Kgl.
K-Grup|pe [ˈkaː...] (*Bez. für* bestimmte unabhängige kommunistische Organisationen in der Bundesrepublik Deutschland)
k. g. V., kgV = kleinstes gemeinsames Vielfaches
Khai|ber|pass *vgl.* Khyberpass
Kha|ki, kha|ki|far|ben usw. *vgl.* Kaki, kakifarben usw.
Khan [k...], **Chan** [k..., *auch* x...], der; -s, -e ⟨mong.⟩ (mong.-türk. Herrschertitel); **Kha|nat**, das; -[e]s, -e (Amt, Land eines Khans)
Khar|toum [ˈkartʊm, *auch* ...ˈtuːm] (Hauptstadt Sudans)
Khe|di|ve [k...], der; *Gen.* -s *u.* -n, *Plur.* -n (Titel des früheren Vizekönigs von Ägypten)
Khmer [k...], der; -, - (Angehöriger eines Volkes in Kambodscha)
Kho|mei|ni [xoˈmeː...] (iran. Schiitenführer)
Khy|ber|pass, Khai|ber|pass, Chai|ber|pass [ˈkaɪbə...], der; -es ⟨Gebirgspass zwischen Afghanistan und Pakistan⟩
kHz = Kilohertz
kib|beln, keb|beln (*landsch. Nebenform von* kabbeln); ich kibb[e]le, kebb[e]le mich
Kib|buz, der; -, *Plur.* ...uzim *od.* -e ⟨hebr.⟩ (Gemeinschaftssiedlung in Israel); **Kib|buz|nik**, der; -s, -s (Angehöriger eines Kibbuz)
Ki|be|rer, Kie|be|rer ⟨Gaunerspr.⟩ (*österr. ugs. für* Kriminalpolizist)
Ki|bit|ka, die; -, -s ⟨russ.⟩, **Ki|bit|ke**, die; -, -n (Filzzelt asiat. Nomadenstämme; russ. Bretterwagen, russ. Schlitten)
Ki|che|rei
Ki|cher|erb|se
ki|chern; ich kichere
Kick, der; -[s], -s ⟨engl.⟩ (*ugs. für* Tritt, Stoß [beim Fußball]; *auch für* Nervenkitzel)
Kick|board [...boːɐ̯t], das; -s, -s ⟨engl.⟩ (eine Art Tretroller)
kick|bo|xen; ich kickboxe, gekickboxt; **Kick|bo|xen**, das; -s (Sportart)
Kick-down, **Kick|down**, der *od.* das; -s, -s (*Kfz-Technik* plötzliches Durchtreten des Gaspedals)
Ki|ckel|hahn, der; -[e]s (ein Berg im Thüringer Wald)
ki|cken ⟨engl.⟩ (*ugs. für* Fußball spielen); **Ki|cker**, der; -s, -[s] (*ugs. für* Fußballspieler); **Ki|cke|rin; Ki|-**

ckers *Plur.* (Name von Fußballvereinen)
Kick-off, **Kick|off**, der; -s, -s (*schweiz. für* Anstoß beim Fußballspiel)
kick|sen *vgl.* gicksen
Kick|star|ter (Fußhebel zum Anlassen bei Motorrädern)
Kick|xia [ˈkɪksi̯a], die; -, ...ien ⟨nach dem belg. Botaniker Kickx⟩ (ein Kautschukbaum)
Kid, das; -s, -s ⟨engl.⟩ ([Handschuh aus] Kalb-, Ziegen-, Schafleder; *Plur.: ugs. für* Jugendliche, Kinder)
Kid|die, das; -s, -s *meist Plur.* ⟨engl.⟩ (*ugs. für* Jugendlicher, Kind)
kid|nap|pen [...nepn̩] (entführen); gekidnappt; **Kid|nap|per**, der; -s, -; **Kid|nap|pe|rin; Kid|nap|ping**, das; -s, -s
Kid|ney|boh|ne [ˈkɪtni...]
Ki|d|ron (Bachtal östl. von Jerusalem)
Kids *vgl.* Kid
Kie|be|rer *vgl.* Kiberer
kie|big (*landsch. für* zänkisch, schlecht gelaunt; frech, prahlerisch, aufbegehrend)
Kie|bitz, der; -es, -e (ein Vogel)
kie|bit|zen ⟨Gaunerspr.⟩ (*ugs. für* beim [Karten-, Schach]spiel zuschauen); du kiebitzt
kie|feln (*österr. ugs. für* nagen)
¹**Kie|fer**, die; -, -n (ein Nadelbaum)
²**Kie|fer**, der; -s, - (ein Schädelknochen)
Kie|fer|ano|ma|lie (*Med.*); **Kie|fer|bruch; Kie|fer|chi|r|ur|gie**
Kie|fer|höh|le; Kie|fer|höh|len|ent|zün|dung
Kie|fer|kno|chen
kie|fern (aus Kiefernholz)
Kie|fern|eu|le (ein Schmetterling)
Kie|fern|holz; Kie|fern|na|del *meist Plur.*
Kie|fern|schwär|mer (ein Schmetterling); **Kie|fern|span|ner** (ein Schmetterling); **Kie|fern|spin|ner** (ein Schmetterling)
Kie|fern|wald; Kie|fern|zap|fen
Kie|fer|or|tho|pä|de; Kie|fer|or|tho|pä|din
Kie|ke, die; -, -n (*nordd. für* Kohlenbecken zum Fußwärmen)
kie|ken (*nordd. für* sehen)
Kie|ker (*Seemannsspr. u. landsch. für* Fernglas); jmdn. auf dem Kieker haben (*ugs. für* jmdn. misstrauisch beobachten)
Kiek|in|die|welt, der; -s, -s (*ugs. scherzh. für* kleines Kind; unerfahrener Mensch)

kiek|sen; *vgl.* gicksen
¹**Kiel**, der; -[e]s, -e (Blütenteil; Federschaft)
²**Kiel** (Hauptstadt von Schleswig-Holstein)
³**Kiel**, der; -[e]s, -e (Grundbalken der Wasserfahrzeuge); **Kiel|boot**
kie|len (*veraltet für* Kielfedern bekommen)
Kie|ler ⟨*zu* ²Kiel⟩; Kieler Bucht; Kieler Förde; Kieler Sprotten; Kieler Woche
Kiel|fe|der
kiel|ho|len ([ein Schiff] umlegen [zum Ausbessern]; frühere seemänn. Strafe: jmdn. unter dem Schiff durchs Wasser ziehen); er wurde gekielholt
Kiel|li|nie (Formation von [Kriegs]schiffen); in Kiellinie fahren
kiel|oben (*Seemannsspr.*); kieloben liegen
Kiel|raum; Kiel|schwein (*Seemannsspr.* auf dem Hauptkiel von Schiffen liegender Verstärkungsbalken oder -träger)
Kiel|schwert (*Schiffbau*)
Kiel|was|ser *Plur.* ...wasser (Wasserspur hinter einem fahrenden Schiff)
Kie|me, die; -, -n *meist Plur.* (Atmungsorgan im Wasser lebender Tiere)
Kie|men|at|mer (*Zool.*); **Kie|men|at|mung; Kie|men|spal|te**
¹**Kien** ⟨Herkunft unsicher⟩; *nur in* auf dem Kien sein (*landsch. für* wachsam sein, gut aufpassen)
²**Kien**, der; -[e]s (harzreiches [Kiefern]holz)
Kien|ap|fel; Kien|fa|ckel; Kien|holz, das; -es
kie|nig
Kien|span; Kien|zap|fen
Kie|pe, die; -, -n (*nordd., mitteld. für* auf dem Rücken getragener, hoher Tragekorb); **Kie|pen|hut**, der (ein Frauenhut, Schute)
Kier|ke|gaard [ˈkɪrkəɡart] (dän. Philosoph u. Theologe)
Kies, der; -es, *Plur.* (*für* Kiesarten:) -e (*ugs. auch für* Geld)
kies|be|deckt; kies|be|streut
Kie|sel, der; -s, -
Kie|sel|al|ge; Kie|sel|er|de; Kie|sel|gur, die; - (Erdart von den Panzern von Kieselalgen)
kie|seln (mit Kies beschütten); ich kies[e]le
Kie|sel|säu|re, die; -; **Kie|sel|stein**
¹**kie|sen** (*svw.* kieseln); du kiest; er kies|te; gekiest; kies[e]!

²**kie|sen** (*veraltet für* wählen); du kiest; kies[e]!; du kor[e]st, körest; gekoren; *vgl.* küren

Kie|se|rit, der; -s, *Plur. (Sorten:)* -e (ein Mineral)

Kies|gru|be; Kies|hau|fen

kie|sig; Kies|weg

Ki|ew ['ki:ɛf] (Hauptstadt der Ukraine); **Ki|e|wer**

Kiez, der; -es, -e ⟨slaw.⟩ (*bes. berlin.* Ort, Stadtteil; *bes. hamburg.* Vergnügungsviertel, Rotlichtbezirk)

kif|fen ⟨arab.-amerik.⟩ (*Jargon* Haschisch od. Marihuana rauchen); **Kif|fer; Kif|fe|rin**

Ki|ga|li (Hauptstadt von Ruanda)

ki|ke|ri|ki!

¹**Ki|ke|ri|ki,** das; -s, -s (Hahnenschrei)

²**Ki|ke|ri|ki,** der; -s, -s (*Kinderspr.* Hahn)

Ki|ki, der; -s (*ugs. für* überflüssiges Zeug; Unsinn)

Kil|bi, die; -, ...benen (*schweiz. mundartl. für* Kirchweih; *vgl.* Chilbi); **Kil|bi|tanz**

Ki|li|an (m. Vorn.)

Ki|li|ki|en, Zi|li|zi|en (im Altertum Landschaft in Kleinasien); **ki|li|kisch,** zi|li|zisch

Ki|li|mand|scha|ro, der; -[s] (höchster Berg Afrikas)

kil|le|kil|le; killekille machen (*ugs. für* kitzeln)

¹**kil|len** ⟨engl.⟩ (*ugs. für* töten); er hat ihn gekillt

²**kil|len** ⟨niederd.⟩ (*Seemannsspr.* leicht flattern [von Segeln])

Kil|ler (*ugs. für* Totschläger, [berufsmäßiger] Mörder)

Kil|ler|al|ge (*ugs.*); **Kil|ler|ap|pli|ka|ti|on** ⟨engl.⟩ (*EDV* Softwareanwendung, die zahlreiche Nutzer oder Käufer findet)

Kil|le|rin

Kil|ler|sa|tel|lit (*ugs. für* Satellit, der Flugkörper im All zerstören soll); **Kil|ler|vi|rus** (*ugs.*)

Kil|ler|wal (*svw.* Schwertwal)

Kil|ler|zel|le (*Jargon*)

Kiln, der; -[e]s, -e ⟨engl.⟩ (Schachtofen zur Holzverkohlung od. Metallgewinnung)

ki|lo... ⟨griech.⟩ (tausend...)

Ki|lo, das; -s, -[s] (*Kurzform für* Kilogramm)

Ki|lo... (Tausend...; das Tausendfache einer Einheit, z. B. Kilometer = 1 000 Meter; *Zeichen* k)

Ki|lo|bit (*EDV* Einheit von 1 024 Bit; *Zeichen* kbit, Kbit, KBit)

Ki|lo|byte [...'baɪt, *auch* 'ki:...]

(*EDV* Einheit von 1 024 Byte; *Zeichen* kByte, KByte, KB)

Ki|lo|gramm [*auch* 'ki:...] (1 000 Gramm; Maßeinheit für Masse; *Zeichen* kg); 3 Kilogramm

Ki|lo|hertz [*auch* 'ki:...] (1 000 Hertz; Maßeinheit für die Frequenz; *Zeichen* kHz)

Ki|lo|joule [...'dʒu:l, *auch* 'ki:...] (1 000 Joule; *Zeichen* kJ)

Ki|lo|ka|lo|rie [*auch* 'ki:...] (1 000 Kalorien; *Zeichen* kcal)

Ki|lo|li|ter [*auch* 'ki:...] (1 000 Liter; *Zeichen* kl)

Ki|lo|me|ter [*auch* 'ki:...], der; -s, - (1 000 m; *Zeichen* km); 80 Kilometer je Stunde (*Abk.* km/h)

Ki|lo|me|ter|fres|ser (*ugs.*)

Ki|lo|me|ter|geld; Ki|lo|me|ter|geld|pau|scha|le

ki|lo|me|ter|lang; *aber* 3 Kilometer lang

Ki|lo|me|ter|mar|ke; Ki|lo|me|ter|pau|scha|le; Ki|lo|me|ter|stand; Ki|lo|me|ter|ta|rif

ki|lo|me|ter|weit *vgl.* kilometerlang

Ki|lo|me|ter|zäh|ler

ki|lo|me|t|rie|ren ([Straßen, Flüsse usw.] mit Kilometereinteilung versehen); **Ki|lo|me|t|rie|rung; ki|lo|me|t|risch**

Ki|lo|new|ton [...'nju:tn, *auch* 'ki:...] (1 000 Newton; *Zeichen* kN)

Ki|lo|ohm [*auch* 'ki:...] (1 000 Ohm; *Zeichen* kΩ)

Ki|lo|pas|cal [*auch* 'ki:...] (1 000 Pascal; *Zeichen* kPa)

Ki|lo|pond [*auch* 'ki:...] (1 000 Pond; ältere Maßeinheit für Kraft u. Gewicht; *Zeichen* kp); **Ki|lo|pond|me|ter** (ältere Einheit der Energie; *Zeichen* kpm)

Ki|lo|volt ['ki:...] (1 000 Volt; *Zeichen* kV); **Ki|lo|volt|am|pere** [...'pɛ:ɐ̯] (1 000 Voltampere; *Zeichen* kVA)

Ki|lo|watt [*auch* 'ki:...] (1 000 Watt; *Zeichen* kW); **Ki|lo|watt|stun|de** (1 000 Wattstunden; *Zeichen* kWh)

ki|lo|wei|se

¹**Kilt,** der; -[e]s (*früher südwestd. u. schweiz. für* das Fensterln)

²**Kilt,** der; -[e]s, -s ⟨engl.⟩ (zur schottischen Männertracht gehörender karierter Faltenrock)

Kilt|gang ⟨zu ¹Kilt⟩

Kim|ber usw. *vgl.* Zimber usw.

Kimm, die; - (*Seew.* Horizontlinie zwischen Meer u. Himmel;

Schiffbau Krümmung des Schiffsrumpfes zwischen Bordwand u. Boden)

Kim|me, die; -, -n (Einschnitt; Kerbe; Teil der Visiereinrichtung)

Kimm|ho|bel

Kim|mung (*Seew.* Luftspiegelung; Horizont)

Ki|mon (athen. Feldherr)

Ki|mo|no [*auch* 'kɪ...] *od.* ki'mo:no], der; -s, -s ⟨jap.⟩ (weitärmeliges Gewand)

Ki|mo|no|är|mel (weiter, angeschnittener Ärmel); **Ki|mo|no|blu|se**

Ki|nä|de, der; -n, -n ⟨griech.⟩ (männl. Hetäre im alten Griechenland; Päderast)

Ki|n|äs|the|sie, die; - ⟨griech.⟩ (*Med.* Fähigkeit der unbewussten Steuerung von Körperbewegungen)

Kind, das; -[e]s, -er; an Kindes statt; von Kind auf; sich bei jmdm. lieb Kind machen (einschmeicheln)

Kind|bett, das; -[e]s (*veraltend*)

Kind|bett|fie|ber, das; -s (*veraltend*)

Kind|chen; Kind|chen|sche|ma (*Verhaltensforschung*)

Kin|del|bier (*nordd. für* Bewirtung bei der Kindtaufe)

Kin|der|ar|beit; Kin|der|ar|mut

Kin|der|arzt; Kin|der|ärz|tin

Kin|der|be|treu|ung

Kin|der|be|treu|ungs|geld (*österr. für* Erziehungsgeld)

Kin|der|bett; Kin|der|buch

Kin|der|chen *Plur.*

Kin|der|dorf; Kin|der|ehe

Kin|de|rei

Kin|der|er|zie|hung

kin|der|feind|lich

Kin|der|fern|se|hen

Kin|der|fräu|lein

kin|der|freund|lich

Kin|der|gar|ten; Kin|der|gar|ten|platz; Kin|der|gärt|ner; Kin|der|gärt|ne|rin; Kin|der|ge|burts|tag; Kin|der|geld

kin|der|ge|recht (*svw.* kindgerecht)

Kin|der|got|tes|dienst

Kin|der|heim; Kin|der|hort

Kin|der|kli|nik

Kin|der|kram

Kin|der|kran|ken|pfle|ger; Kin|der|kran|ken|schwes|ter

Kin|der|krank|heit

Kin|der|krie|gen, das; -s (*ugs.*)

Kin|der|krip|pe

Kin|der|la|den (*auch für* nicht

K

Kind

autoritär geleiteter Kindergarten)

Kin|der|läh|mung

kin|der|leicht

Kin|der|lein *Plur.*

kin|der|lieb

Kin|der|lied

kin|der|los; Kin|der|lo|sig|keit

Kin|der|mäd|chen; Kin|der|mund; Kin|der|nah|rung

Kin|der|pfle|ger; Kin|der|pfle|ge|rin

Kin|der|por|no|gra|fie, Kin|der|por|no|gra|phie

Kin|der|post

Kin|der|pro|s|ti|tu|ti|on

kin|der|reich; Kin|der|reich|tum, der; -s

Kin|der|schän|der; Kin|der|schän|de|rin; Kin|der|schreck, der; -s; Kin|der|schrift; Kin|der|schuh

Kin|der|schutz

Kin|der|sei|te (einer Zeitung); Kin|der|sen|dung

kin|der|si|cher; ein kindersicherer Verschluss

Kin|der|sitz

Kin|der|sol|dat; Kin|der|sol|da|tin

Kin|der|spiel; Kin|der|spra|che; Kin|der|stu|be

Kin|der|ta|ges|heim; Kin|der|ta|ges|stät|te

Kin|der|tel|ler

kin|der|tüm|lich

Kin|der|uhr; Kin|der|wa|gen; Kin|der|wunsch; Kin|der|zeit; Kin|der|zim|mer

Kin|des|al|ter; Kin|des|aus|set|zung; Kin|des|bei|ne *Plur.; in* von Kindesbeinen an

Kin|des|ent|zie|hung *(Rechtsw.)*

Kin|des|kind (Enkelkind)

Kin|des|lie|be

Kin|des|miss|brauch; Kin|des|miss|hand|lung

Kin|des|mord; Kin|des|mör|der; Kin|des|mör|de|rin

Kin|des|un|ter|schie|bung

Kind|frau

kind|ge|mäß; kind|ge|recht

kind|haft

Kind|heit, die; -; Kind|heits|er|in|ne|rung; Kind|heits|er|leb|nis; Kind|heits|trau|ma

kin|disch; Kind|lein

kind|lich; Kind|lich|keit, die; -

Kinds|be|we|gung

Kinds|kopf *(ugs. abwertend);* kinds|köp|fig *(ugs. abwertend)*

Kinds|pech (Stuhlgang des neugeborenen Kindes); Kinds|tod

Kinds|tau|fe *(bes. südd., österr. u. schweiz.),* Kind|tau|fe

Ki|ne|ma|thek, die; -, -en (griech.)

(Sammlung von Filmen; Filmarchiv)

Ki|ne|ma|tik, die; - (*Physik* Lehre von den Bewegungen); ki|ne|ma|tisch (die Kinematik betreffend)

Ki|ne|ma|to|graf, Ki|ne|ma|to|graph, der; -en, -en (der erste Apparat zur Aufnahme u. Wiedergabe bewegter Bilder; *Kurzform* Kino)

Ki|ne|ma|to|gra|fie, Ki|ne|ma|to|gra|phie, die; - (Filmwissenschaft u. -technik, Aufnahme u. Wiedergabe von Filmen)

ki|ne|ma|to|gra|fisch, ki|ne|ma|to|gra|phisch

Ki|ne|sio|lo|gie, die; - (Lehre von den Bewegungsabläufen); ki|ne|sio|lo|gisch (die Kinesiologie betreffend); Ki|ne|sio|the|ra|pie (Heilgymnastik, Bewegungstherapie)

Ki|ne|tik, die; - (*Physik* Lehre von den Kräften, die nicht im Gleichgewicht sind); ki|ne|tisch; kinetische Energie (Bewegungsenergie)

Ki|ne|to|se, die; -, -n (Bewegungsod. Reisekrankheit)

King, der; -[s], -s ⟨engl.⟩ (*engl. für* König; *ugs. für* Anführer; jmd., der größtes Ansehen genießt)

King|size [...sais], die, *auch* das; - (Großformat, Überlänge [von Zigaretten])

Kings|ton [...tn̩] (Hauptstadt Jamaikas)

Kings|town [...taun] (Hauptstadt des Staates St. Vincent und die Grenadinen)

Kink, der, *auch* die; -en, -en (*Seemannsspr. u. nordd. für* Knoten, Fehler im Tau)

Kin|ker|litz|chen *Plur. (ugs. für* Nichtigkeiten)

Kinn, das; -[e]s, -e

Kinn|ba|cke[n]; Kinn|ha|ken; Kinn|la|de; Kinn|län|ge; die Haare auf Kinnlänge schneiden lassen; Kinn|rie|men; Kinn|spit|ze

Ki|no, das; -s, -s (Lichtspieltheater); *vgl.* Kinematograf

Ki|no|be|sit|zer; Ki|no|be|sit|ze|rin; Ki|no|be|su|cher; Ki|no|be|su|che|rin

Ki|no|film; Ki|no|hit

Ki|no|kar|te; Ki|no|kas|se; Ki|no|pro|gramm

Ki|no|re|k|la|me; Ki|no|start

Kin|sha|sa [...ʃaːza] (Hauptstadt der Demokratischen Republik Kongo)

Kin|topp, der; -s, *Plur.* -s u. ...töppe (*ugs. für* Kino, Film)

Kin|zig, die; - (r. Nebenfluss des unteren Mains; r. Nebenfluss des Oberrheins)

Kin|zi|git, der; -s (eine Gneisart)

Ki|osk [*auch* kiɔ...], der; -[e]s, -e ⟨pers.⟩ (Verkaufshäuschen; oriental. Gartenhaus)

Ki|o|to (jap. Stadt)

Ki|pa *vgl.* Kippa

Kipf, der; -[e]s, -e (*südd. für* länglich geformtes [Weiß]brot)

Kip|fel, das; -s, -, Kip|ferl, das; -s, -n (*österr. für* Hörnchen [Gebäck]); Kipf|ler *Plur.* (*österr. für* eine Kartoffelsorte)

Kip|ling (engl. Schriftsteller)

Kip|pa, Ki|pa, Kip|pah, die; -, ...pot ⟨hebr.⟩ (kleine, flache Kopfbedeckung der jüdischen Männer)

Kip|pe, die; -, -n (Spitze, Kante; eine Turnübung; *ugs. für* Zigarettenstummel)

kip|pe|lig, kipp|lig; kip|peln (*ugs.*); ich kipp[e]le; kip|pen

¹Kip|per (*früher* jmd., der Münzen mit zu geringem Edelmetallgehalt in Umlauf brachte); Kipper und Wipper

²Kip|per (Wagen mit kippbarem Wagenkasten); Kip|pe|rin

Kipp|fens|ter

kipp|lig *vgl.* kippelig

Kipp|lo|re

Kipp|pflug, Kipp-Pflug

Kipp|re|gel (ein Vermessungsgerät); Kipp|schal|ter

Kipp|schwin|gun|gen *Plur. (Physik);* Kipp|wa|gen

Kips, das; -es, -e *meist Plur.* ⟨engl.⟩ (getrocknete Haut des Zebus)

Kir, der; -s, -s ⟨nach dem Dijoner Bürgermeister Félix Kir⟩ (Getränk aus Johannisbeerlikör und Weißwein)

Kir|be, die; -, -n (*bayr. für* Kirchweih)

Kir|che, die; -, -n

Kir|chen|äl|tes|te, der u. die; Kir|chen|amt; Kir|chen|asyl; Kir|chen|aus|tritt

Kir|chen|bann; Kir|chen|bau *Plur.* ...bauten; Kir|chen|bei|trag (*österr. für* Kirchensteuer); Kir|chen|be|su|cher

Kir|chen|bu|ße; Kir|chen|chor

Kir|chen|die|ner; Kir|chen|die|ne|rin

Kir|chen|fa|b|rik (Stiftungsvermögen einer kath. Kirche)

Kir|chen|fens|ter

Kir|chen|fest; Kir|chen|gän|ger

K

Kind

(*svw.* Kirchgänger); **Kir|chen|gän|ge|rin**
Kir|chen|ge|mein|de
Kir|chen|ge|schich|te, die; -
Kir|chen|glo|cke; Kir|chen|jahr
Kir|chen|leh|rer; Kir|chen|leh|re|rin
Kir|chen|licht *Plur.* -er; er ist kein [großes] Kirchenlicht (*ugs.* für er ist nicht sehr klug)
Kir|chen|lied; Kir|chen|maus; Kir|chen|mu|sik
Kir|chen|rat *Plur.* ...räte; **Kir|chen|rä|tin**
Kir|chen|recht; Kir|chen|schiff
Kir|chen|spren|gel, Kirch|spren|gel
Kir|chen|staat, der; -[e]s; **Kir|chen|steu|er,** die; **Kir|chen|tag;** z. B. Deutscher Evangelischer Kirchentag
Kir|chen|tür; Kir|chen|uhr
Kir|chen|va|ter *meist Plur.* (besonders anerkannter Kirchenschriftsteller aus der Frühzeit der christlichen Kirche)
Kir|chen|vor|stand
Kirch|gang, der; **Kirch|gän|ger; Kirch|gän|ge|rin**
Kirch|geld
Kirch|hof; Kirch|hofs|mau|er
Kirch|hofs|stil|le
kirch|lich; Kirch|lich|keit, die; -
Kirch|ner (*veraltet für* Küster); **Kirch|ne|rin**
Kirch|spiel (Kirchensprengel)
Kirch|spren|gel, Kir|chen|spren|gel; Kirch|tag (*österr. für* Kirchweih)
Kirch|turm; Kirch|turm|po|li|tik, die; - (auf engen Gesichtskreis beschränkte Politik)
Kirch|va|ter (*landsch. für* Kirchenältester); **Kirch|weih,** die; -, -en
Kir|gi|se, der; -n, -n
Kir|gi|si|en, Kir|gi|sis|tan (Staat in Mittelasien); **Kir|gi|sin; kir|gi|sisch**
Kir|gi|s|tan *vgl.* Kirgisistan
Ki|ri|ba|ti (Inselstaat im Pazifik); **Ki|ri|ba|ti|er; Ki|ri|ba|ti|e|rin; ki|ri|ba|tisch**
Kir|ke *vgl.* Circe
Kir|mes, die; -, ...messen (*bes. mittel- u. nordd. für* Kirchweih)
Kir|mes|ku|chen
kir|nen (*landsch. für* buttern; [Erbsen] ausschoten)
kir|re (*ugs. für* zutraulich, zahm; nervös, unsicher); jmdn. kirre machen *od.* kirremachen; **kir|ren** (*noch ugs. für* kirre machen)
Kir ro|yal [- rɔaˈjaːl], der; - -[s], -s -s (*vgl.* Kir u. royal) (Getränk aus Johannisbeerlikör und Champagner)

Kir|rung (*Jägerspr.* Lockfutter)
Kirsch, der; -[e]s, - (ein Branntwein)
Kirsch|baum; Kirsch|blü|te
Kir|sche, die; -, -n
Kir|schen|baum usw. (*seltener für* Kirschbaum usw.)
Kirsch|geist, der; -[e]s (ein Branntwein); **Kirsch|holz**
Kirsch|kern; Kirsch|ku|chen; Kirsch|li|kör
kirsch|rot
Kirsch|saft; Kirsch|tor|te; Kirsch|was|ser, das; -s, - (ein Branntwein)
Kirs|ten (m. od. w. Vorn.)
Kir|tag (*bayr., österr. für* Kirchweih)
Kis|met, das; -s (arab., »Zugeteiltes«) (Los; gottergeben hinzunehmendes Schicksal im Islam)
Kis|sen, das; -s, -
Kis|sen|be|zug; Kis|sen|fül|lung
Kis|sen|hül|le; Kis|sen|schlacht
Kis|sen|über|zug
Kis|te, die; -, -n
Kis|ten|de|ckel; Kis|ten|grab
kis|ten|wei|se
Ki|su|a|he|li, Ki|swa|hi|li, Swa|hi|li, das; -[s] (Sprache der Suaheli)
Ki|ta, die; -, -s (*kurz für* Kindertagesstätte)
kiten [ˈkaɪtən] ⟨engl.⟩ (mit Lenkdrachen surfen); sie kitet, gekitet
Kite|sur|fen [ˈkaɪt...], das; -s ⟨engl.⟩ (das Surfen über das Wasser auf einem Surfbrett u. mit einem Lenkdrachen); **Kite|sur|fer; Kite|sur|fe|rin**
Kit|fuchs *vgl.* Kittfuchs
Ki|tha|ra, die; -, *Plur.* -s u. ...tharen ⟨griech.⟩ (altgriech. Saiteninstrument); **Ki|tha|rö|de,** der; -n, -n (altgriech. Zitherspieler u. Sänger); **Ki|tha|rö|din**
Ki|thä|ron, der; -s (griech. Gebirge)
Kitsch, der; -[e]s (als geschmacklos empfundenes Produkt der Kunst, der Musik od. der Literatur; geschmacklos gestalteter Gebrauchsgegenstand)
kit|schen (*landsch. für* zusammenscharren); du kitschst
kit|schig; Kitsch|ro|man
Kitt, der; -[e]s, -e
Kitt|chen, das; -s, - (*ugs. für* Gefängnis)
Kit|tel, der; -s, -; **Kit|tel|schür|ze**
kit|ten
Kitt|fuchs, Kit|fuchs (Fuchs einer nordamerik. Art; Fell dieses Fuchses)

Kitz, das; -es, -e u. **Kit|ze,** die; -, -n (Junges von Reh, Gämse, Ziege)
Kitz|bü|hel (österr. Stadt)
Kitz|chen; Kit|ze *vgl.* Kitz
Kit|zel, der; -s, -; **kit|ze|lig,** kitz|lig; **kit|zeln;** ich kitz[e]le
Kitz|lein
Kitz|ler (*für* Klitoris)
kitz|lig *vgl.* kitzelig
¹**Ki|wi,** der; -s, -s ⟨maorisch⟩ (ein flugunfähiger Laufvogel in Neuseeland)
²**Ki|wi,** die; -, -s (eine exotische Frucht)
kJ = Kilojoule
k. J. = künftigen Jahres
Kjök|ken|möd|din|ger *vgl.* Kökkenmöddinger
k. k. = kaiserlich-königlich (im ehem. österr. Reichsteil von Österreich-Ungarn für die Behörden); *vgl.* kaiserlich; *vgl.* k. u., k. u. k.
K. K. = Kaiserlich-Königlich; *vgl.* kaiserlich
KKW, das; -[s], -[s] = Kernkraftwerk
kl = Kiloliter
Kl. = Klasse, *österr. auch* = Klappe (*für* Telefonnebenstelle, Apparat)
Kl.-8° = Kleinoktav
kla|bas|tern (*landsch. für* schwerfällig gehen); ich klabastere
Kla|bau|ter|mann *Plur.* ...männer (ein Schiffskobold)
klack!; klack, klack!
kla|cken (klack machen)
kla|ckern (*landsch. für* gluckern u. klecksen); ich klackere
klacks!; Klacks, der; -es, -e (*ugs. für* kleine Menge; klatschendes Geräusch)
Klad|de, die; -, -n (*landsch. für* Schmierheft; Geschäftsbuch)
Klad|de|ra|datsch, der; -[e]s, -e (*ugs. für* Durcheinander nach einem Zusammenbruch; Skandal)
Kla|do|ze|re, die; -, -n *meist Plur.* (*Zool.* Wasserfloh)
klaf|fen; kläf|fen; Kläf|fer (*ugs. abwertend*); **Klaff|mu|schel**
Klaf|ter, der od. das; -s, -, *selten* die; -, -n (altes Längen-, Raummaß); 5 Klafter Holz; **Klaf|ter|holz,** das; -es
klaf|ter|lang; ein klafterlanger Riss, *aber* 3 Klafter lang; **klaf|tern;** ich klaftere Holz (schichte es auf); **klaf|ter|tief**
klag|bar (*Rechtsspr.*); klagbar werden; **Klag|bar|keit** (*Rechtsspr.*)

klar

Kleinschreibung:

– klares Wasser; klare Suppe
– klare Verhältnisse; klare Sicht; eine klare Nacht
– klar Schiff! (seemänn. Kommando)

Großschreibung der Substantivierung ↑K 72:

– das war das einzig Klare an diesen Ausführungen; ich bin mir längst darüber im Klaren

Schreibung in Verbindung mit Verben ↑K 56:

– klar sein, klar werden; das Wetter ist klar geworden

– nicht mehr klar denken können
– wieder klar (deutlich) sehen können

Aber:

– mir ist jetzt Verschiedenes klar geworden *od.* klargeworden

Vgl. klargehen, klarkommen, klarlegen, klarmachen, klarsehen, klarstellen

Getrennt- od. Zusammenschreibung bei nicht übertragener Bedeutung in Verbindung mit einem adjektivisch gebrauchten Partizip ↑K 58:

– ein klar denkender *od.* klardenkender Mensch

Kla|ge, die; -, -n
Kla|ge|ge|schrei, Klag|ge|schrei
Kla|ge|laut; Kla|ge|lied
Kla|ge|mau|er (Überreste des Tempels in Jerusalem)
kla|gen
Kla|gen|furt (Hauptstadt Kärntens)
Kla|ge|punkt; Klä|ger
Klag|er|he|bung *(BGB); Klä|ge|rin*
klä|ge|risch; klä|ge|ri|scher|seits *(Rechtsspr.)*
Klä|ger|schaft *(bes. schweiz.)*
Kla|ge|schrift; Kla|ge|weg
Klag|ge|schrei *vgl.* Klagegeschrei
kläg|lich; Kläg|lich|keit
klag|los
Klai|pe|da (Hafenstadt in Litauen; *vgl.* ²Memel)
Kla|mauk, der; -s *(ugs. für* Lärm; Ulk); **kla|mau|kig** *(ugs.)*
klamm (feucht; steif [vor Kälte]); klamme Finger
Klamm, die; -, -en (Felsenschlucht [mit Wasserlauf])
Klam|mer, die; -, -n
Klam|mer|af|fe *(auch für* @)
Klam|mer|beu|tel
Kläm|mer|chen
Klam|mer|griff
klam|mern; ich klammere; sich an etw. *od.* jmdn. klammern
klamm|heim|lich *(ugs.)*
Kla|mot|te, die; -, -n *(ugs. für* [Gesteins]brocken; minderwertiges [Theater]stück; *meist Plur.:* [alte] Kleidungsstücke)
Klam|pe, die; -, -n (Seemannsspr. Holz- od. Metallstück zum Festmachen der Taue)
Klamp|fe, die; -, -n *(volkstüml.* Gitarre; *österr.* Bauklammer)
kla|mü|sern (nordd. ugs. für* nachsinnen); ich klamüsere
Klan, Clan [*auch* klen], der; -s, *Plur.* -e, *bei engl. Ausspr.* -s ⟨engl.⟩ ([schott.] Lehns-, Stam-

mesverband; Gruppe von Personen, die jmd. um sich schart)
klan|des|tin ⟨lat.⟩ *(veraltet für* heimlich); klandestine Ehe (nicht nach kanon. Vorschrift geschlossene Ehe)
¹klang *vgl.* klingen
²klang!; kling, klang!
Klang, der; -[e]s, Klänge
Klang|ef|fekt; Klang|far|be; Klang|fül|le; Klang|kör|per
klang|lich; klang|los
Klang|schön|heit, die; -
Klang|tep|pich *(Musik)*
klang|voll; Klang|wir|kung
Klapf, der; -s, Kläpfe *(südd., schweiz. mdal. für* Knall, Schlag; Ohrfeige)
Kla|po|tetz, der; -[es], -e ⟨slowen.⟩ *(südostösterr.* ein Windrad)
klapp!; klipp, klapp!
klapp|bar; Klapp|bett
Klap|pe, die; -, -n *(österr. auch für* Nebenstelle eines Telefonanschlusses, *svw.* Apparat)
klap|pen
Klap|pen|feh|ler (Herzklappenfehler)
Klap|pen|horn *Plur.* ...hörner (ein älteres Musikinstrument)
Klap|pen|text *(Buchw.)*
Klap|per, die; -, -n
klap|per|dürr
klap|pe|rig, klapp|rig
Klap|per|kas|ten; Klap|per|kis|te (altes Auto, alte Schreibmaschine u. a.)
klap|pern; ich klappere
Klap|per|schlan|ge
Klap|per|storch *(Kinderspr.)*
Klapp|fahr|rad; Klapp|fens|ter
Klapp|han|dy
Klapp|horn|vers (Scherzvers in Form eines Vierzeilers, beginnend mit: Zwei Knaben ...)
Klapp|hut, der; **Klapp|lei|ter,** die; **Klapp|lie|ge; Klapp|mes|ser,** das

Klapp|rad
klapp|rig *vgl.* klapperig
Klapp|ses|sel; Klapp|sitz; Klapp|stuhl
Klapp|stul|le *(landsch.);* **Klapp|tisch; Klapp|ver|deck**
Klaps, der; -es, -e; **Kläps|chen**
klap|sen
Klaps|müh|le *(ugs., auch diskriminierend für* psychiatrische Klinik)
klar *s.* Kasten
Klar *vgl.* Eiklar
Kla|ra (w. Vorn.)
Klär|an|la|ge
Klar|ap|fel
Klär|be|cken
Klar|blick
Klär|chen (w. Vorn.)
klar den|kend, klar|den|kend *vgl.* klar
Kla|re, der; -n, -n (Schnaps)
klä|ren
Kla|rett, der; -s, -s ⟨franz.⟩ (gewürzter Rotwein)
klar|ge|hen *(ugs. für* reibungslos ablaufen); es ist alles klargegangen ↑K 47
Klar|heit *Plur. selten*
kla|rie|ren ⟨lat.⟩ (beim Ein- u. Auslaufen eines Schiffes die Zollformalitäten erledigen); ein Schiff klarieren
Kla|ri|net|te, die; -, -n ⟨ital.(-franz.)⟩ (ein Holzblasinstrument); **Kla|ri|net|tist,** der; -en, -en (Klarinettenbläser); **Kla|ri|net|tis|tin**
Kla|ris|sa (w. Vorn.); **Kla|ris|sen|or|den,** der; -s *(kath. Kirche);* **Kla|ris|sin** (Angehörige des Klarissenordens)
klar|kom|men *(ugs. für* zurechtkommen); ich bin damit, mit ihm klargekommen ↑K 47
klar|le|gen (erklären); er hat ihm den Vorgang klargelegt ↑K 47

klär|lich (*veraltet für* klar, deutlich)

klar|ma|chen (erklären; [Schiff] fahr-, gefechtsbereit machen); wir haben ihm seinen Irrtum klargemacht; das Schiff hat klargemacht ↑K47

Klär|mit|tel, das

Klar|na|me (richtiger Name im Gegensatz zum Decknamen)

kla|ro (*ugs. für* klar); alles klaro?; aber klaro kommt er mit

Klar|schiff, das; -[e]s (*Seemannsspr.* Gefechtsbereitschaft); Klarschiff machen (*ugs. für* Ordnung schaffen); *vgl.* klar

Klär|schlamm

Klar|schrift|le|ser (EDV-Eingabegerät, das Daten in lesbarer Form verarbeitet)

klar|se|hen (verstehen, Bescheid wissen); *vgl. aber* klar

Klar|sicht|do|se

Klar|sicht|fo|lie

klar|sich|tig

Klar|sicht|pa|ckung

klar|stel|len (Irrtümer beseitigen); er hat das Missverständnis klargestellt ↑K47; Klar|stel|lung

Klar|text, der (entzifferter [dechiffrierter] Text)

Klä|rung; Klä|rungs|be|darf

klar wer|den, klar|wer|den *vgl.* klar

Klas (m. Vorn.)

klass *vgl.* klasse

Klass... (*südd. in Zusammensetzungen für* Klassen... [= Schulklasse], z. B. Klasslehrer)

klas|se, *österr. auch* klass (*ugs. für* hervorragend, großartig); ein klasse Auto; sie hat klasse gespielt; die neue Lehrerin ist klasse

Klas|se, die; -, -n ⟨lat.(-franz.)⟩ (*Abk.* Kl.); jmd. *od.* etwas hat Klasse; das ist ganz große Klasse (*ugs. für* großartig, hervorragend)

Klas|se|leis|tung (*ugs.*)

Klas|se|ment [...'mã..., *schweiz.* ...'mɛnt], das; -s, *Plur.* -s *u.* (bei deutscher Aussprache:) -e ⟨franz.⟩ (Einreihung; Reihenfolge)

Klas|sen|äl|tes|te, der *u.* die

Klas|sen|ar|beit; Klas|sen|auf|satz

Klas|sen|bes|te, der *u.* die

Klas|sen|be|wusst|sein

klas|sen|bil|dend (*Sprachw.*)

Klas|sen|buch

Klas|sen|clown

Klas|sen|er|halt (*Sport*)

Klas|sen|fahrt

Klas|sen|feind (*marxist.*); Klas|sen|fein|din

Klas|sen|ge|sell|schaft; Klas|sen|hass; Klas|sen|in|te|r|es|se

Klas|sen|jus|tiz

Klas|sen|ka|me|rad; Klas|sen|ka|me|ra|din

Klas|sen|kampf

Klas|sen|leh|rer; Klas|sen|leh|re|rin

klas|sen|los; die klassenlose Gesellschaft

Klas|sen|lot|te|rie

Klas|sen|pri|mus; Klas|sen|raum; Klas|sen|sie|ger (*Sport*); Klas|sen|sie|ge|rin; Klas|sen|spre|cher; Klas|sen|spre|che|rin

Klas|sen|staat *Plur.* ...staaten

Klas|sen|tref|fen; Klas|sen|vor|stand (*österr. für* Klassenlehrer)

Klas|sen|wahl|recht

klas|sen|wei|se

Klas|sen|ziel; Klas|sen|zim|mer

klas|sie|ren (in ein System einordnen; *Bergmannsspr.* nach der Größe trennen); Klas|sie|rung

Klas|si|fi|ka|ti|on, die; -, -en (*vgl.* Klassifizierung)

klas|si|fi|zie|ren (*österr. auch für* mit Noten beurteilen); Klas|si|fi|zie|rung (Einteilung, Einordnung [in Klassen])

...klas|sig (z. B. erst-, zweitklassig)

Klas|sik, die; - (Epoche kultureller Höchstleistungen u. ihre mustergültigen Werke); Klas|si|ker (maßgebender Künstler *od.* Schriftsteller [bes. der antiken u. der dt. Klassik]); Klas|si|ke|rin

klas|sisch (mustergültig; die Klassik betreffend; typisch; traditionell); klassische Philologie; klassischer Jazz

Klas|si|zis|mus, der; - (die Klassik nachahmende Stilrichtung, bes. der Stil um 1800); klas|si|zis|tisch

Klas|si|zi|tät, die; - (Mustergültigkeit)

...kläss|ler (z. B. Erst-, Zweitklässler)

klas|tisch ⟨griech.⟩ (*Geol.*) klastisches Gestein (Trümmergestein)

Kla|ter, der; -s, -n (*nordd. für* Lumpen, zerrissenes Kleid; *nur Sing.:* Schmutz); kla|te|rig, klat|rig (*nordd. für* schmutzig; schlimm, bedenklich; elend)

Klatsch, der; -[e]s, -e (*ugs. auch für* Rederei, Geschwätz)

klatsch!; klitsch, klatsch!

Klatsch|ba|se (*ugs. abwertend*)

Klat|sche, die; -, -n (*kurz für* Fliegenklatsche; Klatschbase)

klat|schen; du klatschst; Beifall klatschen

klat|sche|nass *vgl.* klatschnass

Klat|scher; Klat|sche|rei (*ugs.*); Klat|sche|rin

Klatsch|ge|schich|te

klatsch|haft (*ugs.*); Klatsch|haf|tig|keit, die; -

Klatsch|ko|lum|nist; Klatsch|ko|lum|nis|tin; Klatsch|maul (*ugs. abwertend für* geschwätzige Person)

Klatsch|mohn, der; -[e]s

klatsch|nass (*ugs. für* völlig durchnässt)

Klatsch|nest (*ugs. für* kleiner Ort, in dem viel geklatscht wird)

Klatsch|re|por|ter; Klatsch|re|por|te|rin; Klatsch|spal|te

Klatsch|sucht, die; -; klatsch|süch|tig

Klatsch|tan|te (*ugs. abwertend*); Klatsch|weib (*ugs. abwertend*)

Klau, die; -, -en (*nordd. für* gabelförmiges Ende der Gaffel)

Klaub|ar|beit (*Bergmannsspr.* das Sondern des haltigen u. tauben Gesteins, der Steine aus der Kohle)

klau|ben (sondern; mit Mühe heraussuchen; *österr. für* pflücken, sammeln)

Klau|ber; Klau|be|rei

Klaue, die; -, -n

klau|en (*ugs. für* stehlen)

Klau|en|seu|che, die; -; Maul- u. Klauenseuche ↑K31

...klau|ig (z. B. scharfklauig)

Klaus (m. Vorn.)

Klau|se, die; -, -n ⟨lat.⟩ (Klosterzelle, Einsiedelei; Talenge)

Klau|sel, die; -, -n (Nebenbestimmung; Einschränkung, Vorbehalt)

Klau|sen|pass, Klau|sen-Pass, der; -es (ein Alpenpass)

Klaus|ner ⟨lat.⟩ (Bewohner einer Klause, Einsiedler); Klaus|ne|rin

Klaus|t|ro|pho|bie, die; -, ...ien ⟨lat.; griech.⟩ (*Psych.* krankhafte Angst vor dem Aufenthalt in geschlossenen Räumen); klaus|t|ro|pho|bisch

Klau|sur, die; -, -en ⟨lat.⟩ (abgeschlossener Gebäudeteil [im Kloster]; svw. Klausurarbeit)

Klau|sur|ar|beit (Prüfungsarbeit)

Klau|sur|ta|gung (geschlossene Tagung)

Kla|vi|a|tur, die; -, -en ⟨lat.⟩ (Tasten [eines Klaviers], Tastbrett)

Kla|vi|chord [...'k...], das; -[e]s, -e

⟨lat.; griech.⟩ (altes Tasteninstrument)

Kla|vier, das; -s, -e ⟨franz.⟩; Klavier spielen ↑K54

Kla|vier|abend; Kla|vier|aus|zug; Kla|vier|be|glei|tung

kla|vie|ren ⟨ugs. für an etwas herumfingern⟩

kla|vie|ris|tisch (der Technik des Klavierspiels entsprechend)

Kla|vier|kon|zert; Kla|vier|leh|rer; Kla|vier|leh|re|rin

Kla|vier|so|na|te

Kla|vier|spiel; Kla|vier|spie|ler; Kla|vier|spie|le|rin

Kla|vier|stim|mer; Kla|vier|stim|me|rin; Kla|vier|stuhl; Kla|vier|stun|de

Kla|vier|un|ter|richt

Kla|vi|ku|la, fachspr. Cla|vi|cu|la, die; -, ...lae (Schlüsselbein); kla|vi|ku|lar (das Schlüsselbein betreffend)

Kla|vi|zim|bel, das (svw. Clavicembalo)

Kle|be, die; - ⟨ugs. für Klebstoff⟩

Kle|be|band Plur. ...bänder

Kle|be|bin|dung ⟨Buchw.⟩; Kle|be|mit|tel, Kleb|mit|tel, das

kle|ben; aber sie ist in der dritten Klasse kleben geblieben od. klebengeblieben ⟨ugs. für nicht versetzt worden⟩ ↑K55

Kle|ber ⟨auch Bestandteil des Getreideeiweißes⟩

Kle|be|strei|fen vgl. Klebstreifen

Kleb|mit|tel vgl. Klebemittel

kleb|rig; Kleb|rig|keit, die; -

Kleb|stoff; Kleb|strei|fen, Kle|be|strei|fen

Kle|bung

¹kle|cken ⟨landsch. für ausreichen; vonstattengehen⟩; es kleckt

²kle|cken ⟨landsch. für geräuschvoll fallen [von Flüssigkeiten]⟩

Kle|cker|be|trag ⟨ugs.⟩; Kle|cker|frit|ze ⟨ugs.⟩

kle|ckern ⟨ugs. für beim Essen od. Trinken Flecke machen, sich beschmutzen⟩; ich kleckere; kle|cker|wei|se ⟨ugs. für mehrmals in kleinen Mengen⟩

Klecks, der; -es, -e

kleck|sen (Kleckse machen)

Kleck|ser; Kleck|se|rei

kleck|sig

Kleck|so|gra|fie, Kleck|so|gra|phie, die; -, ...ien (Tintenklecksbild für psycholog. Tests)

Kle|da|ge [...ʒə], Kle|da|sche, die; -, -n Plur. selten ⟨nordd. für Kleidung⟩

---

¹Klee (dt. Maler)

²Klee, der; -s; Klee|blatt

Klee|ein|saat, Klee-Ein|saat

Klee|ern|te, Klee-Ern|te

Klee|gras (mit Klee vermischtes Gras); Klee|salz, das; -es (ein Fleckenbeseitigungsmittel)

Klei, der; -[e]s ⟨landsch. für fetter, zäher Boden⟩

klei|ben ⟨landsch. für kleben [bleiben]⟩

Klei|ber (ein Vogel; landsch. für Klebstoff)

Klei|bo|den ⟨landsch.⟩

Kleid, das; -[e]s, -er; Kleid|chen

klei|den, sich kleiden; es kleidet mich gut usw.

Klei|der|bad; Klei|der|bü|gel

Klei|der|bürs|te

Klei|der|chen Plur.

Klei|der|grö|ße

Klei|der|ha|ken

Klei|der|kam|mer (bes. Milit.)

Klei|der|kas|ten (südd., österr., schweiz. für Kleiderschrank)

Klei|der|ma|cher (veraltet, noch österr. amtl. für Schneider); Klei|der|mot|te

Klei|der|schrank; Klei|der|stän|der; Klei|der|stoff

kleid|sam; Kleid|sam|keit, die; -

Klei|dung Plur. selten

Klei|dungs|stück

Kleie, die; -, -n (Abfallprodukt beim Mahlen von Getreide)

klei|ig (von Klei od. Kleie)

klein s. Kasten Seite 581

Klein, das; -s ⟨kurz für Gänseklein o. Ä.⟩

Klein|ak|ti|o|när; Klein|ak|ti|o|nä|rin

Klein|an|le|ger; Klein|an|le|ge|rin

Klein|an|zei|ge

Klein|ar|beit

klein|asi|a|tisch; Klein|asi|en ↑K143

Klein|bahn

klein bei|ge|ben (kleinlaut nachgeben)

klein|be|kom|men (↑K47 svw. kleinkriegen)

Klein|be|trieb; Klein|bild|ka|me|ra

Klein|buch|sta|be

Klein|bür|ger; Klein|bür|ge|rin; klein|bür|ger|lich; Klein|bür|ger|tum

Klein|bus

Klein|chen (kleines Kind)

klein|den|kend (kleinlich)

Klei|ne, der, die, das; -n, -n

Klei|ne|leu|te|mi|li|eu

Klein|emp|fän|ger (ein Rundfunkgerät)

klei|ne|ren|teils, klei|nern|teils

Klein|fa|mi|lie; Klein|feld (Sport)

Klein|for|mat

Klein|gar|ten; Klein|gärt|ner; Klein|gärt|ne|rin

klein ge|druckt, klein|ge|druckt vgl. klein, IV

klein Ge|druck|te, klein|Ge|druck|te, das; - -n, Klein|ge|druck|te, das; -n; vgl. klein, IV

Klein|geist (abwertend)

Klein|geld

klein ge|mus|tert, klein|ge|mus|tert vgl. klein, IV

klein ge|wach|sen, klein|ge|wach|sen (kleinwüchsig)

klein|gläu|big; Klein|gläu|big|keit

klein ha|cken, klein|ha|cken vgl. klein

Klein|han|del

Klein|häus|ler (österr. für Kleinbauer); Klein|häus|le|rin

Klein|heit, die; -

klein|her|zig

Klein|hirn; Klein|holz

Klei|nig|keit

Klein|ka|li|ber|schie|ßen, das; -s

klein|ka|lib|rig

klein|ka|riert (engherzig, engstirnig); ein kleinkarierter Mensch, er ist der kleinkarierteste Mensch, den ich kenne; aber klein kariertes od. kleinkariertes Papier ↑K58 ; vgl. auch klein, IV

Klein|kat|ze (z. B. Luchs, Wildkatze); Klein|kind

Klein|kle|ckers|dorf ⟨ugs. für unbedeutender Ort⟩

Klein-Klein, das; -s (Sport)

Klein|kli|ma (Meteor.); Klein|kraft|rad; Klein|kraft|wa|gen; Klein|kram, der; -[e]s; Klein|krä|me|rei, die; -; Klein|krieg

klein|krie|gen (↑K47 ugs. für gefügig machen; aufbrauchen; zerstören); ich kriege den Kerl schon klein; sie hatten den Kuchen schnell kleingekriegt; der Teppich ist nicht kleinzukriegen

Klein|kunst, die; -; Klein|kunst|büh|ne

klein|laut

klein|lich; kleinlich denkende od. kleinlichdenkende Menschen; Klein|lich|keit

klein|ma|chen; sich kleinmachen (sich ducken, unterwürfig sein); einen Fünfzigeuroschein kleinmachen (wechseln) ; vgl. aber klein

klein mah|len, klein|mah|len vgl. klein

klein|maß|stä|big, klein|maß|stäb|lich

Klein|mö|bel

K
Klav

klein

– kleiner als (*Math.; Zeichen* <)
– kleiner[e]nteils

I. Kleinschreibung

a) ↑K 72 *u.* 74 : am kleins|ten; von klein auf; ein klein wenig; die Flamme auf klein drehen, stellen
b) ↑K 89 *u.* 151 : das Schiff macht kleine Fahrt *(Seemannsspr.);* das sind kleine Fische (*ugs. für* Kleinigkeiten); der kleine Grenzverkehr; das kleine Latinum; er ist kleiner Leute Kind; das Auto für den kleinen Mann

II. Großschreibung

a) *der Substantivierung* ↑K 72 :
– Groß und Klein; Kleine und Große; die Kleinen und die Großen
– die Kleinen (*für* Kinder); die Kleine (*für* junges Mädchen); meine Kleine *(ugs.)*
– einen Kleinen sitzen haben (*ugs. für* leicht betrunken sein); das ist dasselbe in Klein (*für* im Kleinen); vom Kleinen auf das Große schließen; es ist mir ein Kleines (eine kleine Mühe), dies zu tun;
– die Gemeinde ist ein Staat im Kleinen; um ein Kleines (wenig); über ein Kleines (*veraltet für* bald)
– bis ins Kleins|te (sehr eingehend)
– etwas, nichts, viel, wenig Kleines
b) *in Namen und bestimmten namensähnlichen Fügungen*
↑K 134 *u.* 150 : Pippin der Kleine; Klein Dora, Klein Udo; der Kleine Bär, der Kleine Wagen *(Astron.);* die Kleine Strafkammer; die Kleine *od.* kleine Anfrage (im Parlament)
↑K 140 : Kleiner Belt; Kleines Walsertal; Kleine Sundainseln

III. Schreibung in Verbindung mit Verben:

– klein schreiben (in kleiner Schrift)
– klein beigeben (kleinlaut nachgeben)

Aber:

– kleinschreiben (mit kleinem Anfangsbuchstaben)
– Rücksichtnahme wird bei diesen Leuten kleingeschrieben (*ugs. für* nicht wichtig genommen)

Wenn »klein« das Ergebnis der mit einem folgenden einfachen Verb bezeichneten Tätigkeit angibt, kann getrennt oder zusammengeschrieben werden:

– klein schneiden *od.* kleinschneiden
– klein hacken *od.* kleinhacken
– klein mahlen *od.* kleinmahlen

Bei übertragener Bedeutung gilt Zusammenschreibung; vgl. kleinbekommen, kleinkriegen

IV. In Verbindung mit einem adjektivisch gebrauchten Partizip kann bei nicht übertragener Bedeutung getrennt oder zusammengeschrieben werden:

– ↑K 58 : klein gemusterte *od.* kleingemusterte Stoffe; ein klein kariertes *od.* kleinkariertes Muster; ein klein gedruckter *od.* kleingedruckter Text; ein klein geschnittenes *od.* kleingeschnittenes Papier; das klein Gedruckte *od.* Kleingedruckte lesen; *vgl. aber* kleindenkend, kleinkariert

V. In Straßennamen gilt Getrennt- u. Großschreibung

– ↑K 161 *u.* 162 : Kleine Bockenheimer Straße; Kleine Riedgasse

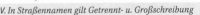

Kleim|mut, der; -[e]s
klein|mü|tig; Klein|mü|tig|keit
Klein|od, das; -[e]s, *Plur.* (*für* Kostbarkeit:) -e, (*für* Schmuckstück:) ...odien
Klein|ok|tav, das; -s (*Abk.* Kl.-8°)
Klein-Pa|ris ↑K 144 (*Bez. für* Leipzig)
Klein|rech|ner
klein|re|den (als unbedeutend darstellen)
Klein|rent|ner; Klein|rent|ne|rin
klein schnei|den, **klein|schnei|den** *vgl.* klein
klein|schrei|ben (mit kleinem Anfangsbuchstaben schreiben; nicht wichtig nehmen); das Wort wird kleingeschrieben; Rücksichtnahme wird hier kleingeschrieben; *aber* sie hat immer sehr klein (in kleiner Schrift) geschrieben; *vgl.* klein
Klein|schrei|bung
klein|schrit|tig; Klein|sied|lung
Klein|staat *Plur.* ...staaten; **Klein-staa|te|rei**, die; -

Klein|stadt; Klein|städ|ter; Klein-städ|te|rin; klein|städ|tisch
Kleinst|be|trag; Kleinst|kind
Kleinst|le|be|we|sen
kleinst|mög|lich; *dafür besser:* möglichst klein; *nicht korrekt:* kleinstmöglichst
klein|tei|lig
Klein|tier|zucht
Klein|trans|por|ter
Klein|ver|brau|cher; Klein|ver|brau-che|rin; Klein|ver|die|ner; Klein-ver|die|ne|rin
Klein|vieh
Klein|wa|gen
klein|weis (*bayr., österr. ugs. für* im Kleinen, nach und nach)
klein|win|zig
Klein|woh|nung
klein|wüch|sig
Klein|wüch|si|ge, der u. die
Kleio *vgl.* Klio
Kleist (dt. Dichter)
Kleis|ter, der; -s, -
kleis|te|rig, kleist|rig; kleis|tern; ich kleistere; **Kleis|ter|topf**

kleis|to|gam ⟨griech.⟩ (*Bot.* selbst bestäubend, selbst befruchtend); **Kleis|to|ga|mie**, die; -
kleist|rig *vgl.* kleisterig
Kle|ma|tis [*auch* ...'ma:...], die; -, - ⟨griech.⟩ (eine Kletterpflanze)
Kle|mens, Kle|men|tia, [1]**Kle|men|ti-ne** *vgl.* Clemens, Clementia, [1]Clementine
[2]**Kle|men|ti|ne**, die; -, -n ⟨vermutl. nach dem franz. Trappistenmönch Père Clément⟩ (kernlose Sorte der Mandarine)
Klemm|brett
Klem|me, die; -, -n (*ugs. auch für* Notlage, Verlegenheit)
klem|men; Klem|mer (*landsch. für* Kneifer, Zwicker)
klem|mig (*Bergmannsspr.* fest); klemmiges Gestein
Klemm|map|pe, **Klemm-Map|pe**
Klemm|schrau|be
klem|pern (*veraltet für* Blech hämmern; lärmen); ich klempere;
Klemp|ner (Blechschmied);
Klemp|ne|rei; Klemp|ne|rin

Klemp|ner|la|den (ugs. für viele Orden u. Ehrenzeichen auf der Brust); Klemp|ner|meis|ter; Klemp|ner|meis|te|rin

klemp|nern (Klempnerarbeiten ausführen); ich klempnere

Klemp|ner|werk|statt

Kleng|an|stalt (Darre zur Gewinnung von Nadelholzsamen)

klen|gen (Nadelholzsamen gewinnen)

Kle|o|pa|t|ra (ägypt. Königin)

¹Klep|per, der; -s, - (ugs. für ausgemergeltes Pferd)

²Klep|per ® (Kleppermantel)

Klep|per|boot ↑K136 (Faltboot)

Klep|per|man|tel ↑K136 (wasser-, winddichter Mantel)

Klep|to|kra|tie, die; -, ...ien ⟨griech.⟩ (persönliche Bereicherung durch Ausnutzen gesellschaftlicher Privilegien)

Klep|to|ma|ne, der; -n, -n; Klep|to|ma|nie, die; - ⟨griech.⟩ (krankhafter Trieb zum Stehlen); Klep|to|ma|nin; klep|to|ma|nisch

kle|ri|kal ⟨griech.⟩ (die Geistlichkeit betreffend; kirchlich)

Kle|ri|ka|lis|mus, der; - (überstarker Einfluss des Klerus auf Staat u. Gesellschaft)

Kle|ri|ker (kath. Geistlicher)

Kle|ri|sei, die; - (veraltet für Klerus)

Kle|rus, der; - (kath. Geistlichkeit, Priesterschaft)

Kles|til (früherer österr. Bundespräsident)

Klet|te, die; -, -n

Klet|ten|[haft]|ver|schluss ⟨zum ® »Kletten«⟩ (svw. Klettverschluss)

Klet|ten|wur|zel|öl, das; -[e]s

Klet|te|rei; Klet|te|rer

Klet|ter|farn; Klet|ter|ge|rüst

Klet|te|rin

Klet|ter|max, der; -es, -e, Klet|ter|ma|xe, der; -n, -n (ugs. für Fassadenkletterer)

klet|tern; ich klettere

Klet|ter|par|tie; Klet|ter|pflan|ze

Klet|ter|ro|se; Klet|ter|schuh

Klet|ter|seil; Klet|ter|stan|ge

Klet|ter|tour

Klett|ver|schluss ® ⟨zu Klette⟩ (Haftverschluss, z. B. an Schuhen)

Klet|ze, die; -, -n (österr. für getrocknete Birne); Klet|zen|brot

Kle|ve (Stadt im westl. Niederrheinischen Tiefland); Kle|ver; Kle|ve|rin; kle|visch

Klev|ner (schweiz. für blauer Burgunder [eine Reb- u. Weinsorte])

Kle|wi|an, der; -[e]s, -e, auch die; -, -en (Kurzw. für kleine Windenergieanlage [zur Erzeugung von Elektrizität])

Klez|mer ['kles...], der od. die ⟨hebr.-jidd.-amerik.⟩ (traditionelle jüdische Volksmusik)

klick!; Klick, der; -s, -s meist Plur. ⟨engl.⟩ (Sprachw. Schnalzlaut)

kli|cken

Kli|cker, der; -s, - (landsch. für Ton-, Steinkügelchen zum Spielen); kli|ckern; ich klickere

klie|ben (veraltet, aber noch landsch. für [sich] spalten); du klobst u. kliebtest u. klöbest u. kliebtest; gekloben u. gekliebt; klieb[e]!

Kli|ent, der; -en, -en ⟨lat.⟩ (Auftraggeber [eines Anwaltes])

Kli|en|tel, die; -, -en (Auftraggeberkreis [eines Anwaltes])

Kli|en|te|le, die; -, -n (schweiz. svw. Klientel)

Kli|en|tin

klie|ren (landsch. für unsauber, schlecht schreiben)

Klie|sche, die; -, -n (Zool. eine Schollenart)

Kliff, das; -[e]s, -e (bes. nordd. für steiler Abfall einer [felsigen] Küste)

Kli|ma, das; -s, Plur. -ta, selten -s, fachspr. ...mate ⟨griech.⟩ (Gesamtheit des meteorol. Erscheinungen in einem bestimmten Gebiet)

Kli|ma|än|de|rung

Kli|ma|an|la|ge

Kli|ma|fak|tor meist Plur.

Kli|ma|kam|mer (Raum, in dem zu Versuchs- u. Heilzwecken ein Klima künstlich erzeugt wird)

Kli|ma|ka|ta|s|t|ro|phe

kli|mak|te|risch (das Klimakterium betreffend); klimakterische Jahre (Wechseljahre)

Kli|mak|te|ri|um, das; -s (Med. Wechseljahre der Frau)

Kli|ma|schutz; Kli|ma|schwan|kung; Kli|ma|sün|der

Kli|ma|tech|nik; kli|ma|tech|nisch

kli|ma|tisch

kli|ma|ti|sie|ren (eine Klimaanlage einbauen; Frischluftzufuhr, Temperatur u. Luftfeuchtigkeit in geschlossenen Räumen automatisch regeln); Kli|ma|ti|sie|rung

Kli|ma|to|lo|gie, die; - (Lehre vom Klima)

Kli|ma|wan|del; Kli|ma|wech|sel

Kli|max, die; -, -e Plur. selten (Steigerung; Höhepunkt; auch für Klimakterium)

Klim|bim, der; -s (ugs. für überflüssige Aufregung; lautes Treiben; unnützes Beiwerk)

Klim|me, die; -, -n (eine Kletterpflanze)

klim|men (klettern); du klommst (auch klimmtest); du klömmest (auch klimmtest); geklommen (auch geklimmt); klimm[e]!; Klimm|zug (eine Turnübung)

Klim|pe|rei (ugs.); Klim|per|kas|ten (ugs. scherzh. für Klavier)

klim|per|klein (landsch. für sehr klein)

klim|pern (klingen lassen, z. B. mit Geld klimpern; ugs. für [schlecht] auf dem Klavier o. Ä. spielen); ich klimpere

Klimt (österr. Maler)

kling!; kling, klang!

Klin|ge, die; -, -n

Klin|gel, die; -, -n

Klin|gel|beu|tel; Klin|gel|draht

Klin|ge|lei (ugs.)

Klin|gel|gangs|ter (ugs. für Verbrecher, der an der Wohnungstür klingelt, den Öffnenden überfällt u. in die Wohnung eindringt); Klin|gel|gangs|te|rin

Klin|gel|knopf

klin|geln; ich kling[e]lle

Klin|gel|ton Plur. ...töne

Klin|gel|zei|chen; Klin|gel|zug

klin|gen; du klangst; es klang; es klänge; geklungen; kling[e]!

kling, klang!; Kling|klang, der; -[e]s; kling|ling!

Kling|sor, bei Novalis Kling|sohr (Name eines sagenhaften Zauberers)

Kli|nik, die; -, -en ⟨griech.⟩ ([Spezial]krankenhaus; nur Sing.: Unterricht am Krankenbett); Kli|ni|kum, das; -s, Plur. ...ka u. ...ken (Komplex von Kliniken; nur Sing.: Hauptteil der ärztlichen Ausbildung)

kli|nisch; klinisch tot sein

Klin|ke, die; -, -n; klin|ken

Klin|ken|put|zer (ugs. für Vertreter; Bettler); Klin|ken|put|ze|rin

Klin|ker, der; -s, - (bes. hart gebrannter Ziegel)

Klin|ker|bau Plur. ...bauten

Klin|ker|boot (mit ziegelartig übereinandergreifenden Planken)

klin|kern; ein rot geklinkertes od. rotgeklinkertes Haus

Klin|ker|stein

Kli|no|chlor, das; -s, Plur. (Sorten:) -e ⟨griech.⟩ (ein Mineral)

Kli|no|me|ter, das; -s, - (Neigungsmesser)
Kli|no|mo|bil, das; -s, -e ⟨griech.; lat.⟩ (Notarztwagen mit klinischer Ausrüstung)
Kli|no|s|tat, der; Gen. -[e]s u. -en, Plur. -e[n] (Apparat für Pflanzenversuche)
Klin|se, Klin|ze, Klụn|se, die; -, -n (landsch. für Ritze, Spalte)
Klio (Muse der Geschichte)
¹**klipp**; nur in klipp und klar (ugs. für ganz deutlich, unmissverständlich)
²**klipp!**; klipp, klapp!
Klipp, Clip, der; -s, -s ⟨engl.⟩ (Klemme; Schmuckstück [am Ohr])
Klip|pe, die; -, -n
klip|pen (landsch. für hell tönen)
Klip|pen|rand; klip|pen|reich
Klip|per, der; -s, - ⟨engl.⟩ (früher schnelles Segelschiff); vgl. aber Clipper
Klipp|fisch (luftgetrockneter Kabeljau od. Schellfisch)
Klipp|kram (veraltet für Trödel-, Kleinkram)
Klipp|schlie|fer (einem Murmeltier ähnliches afrikan. Säugetier)
Klipp|schu|le (landsch. u. abwertend für Elementarschule)
Klips, Clips, der; -s, -s ⟨engl.⟩ (svw. Clip [Ohrschmuck])
klirr!; klir|ren; Klịrr|fak|tor
Kli|schee, das; -s, -s ⟨franz.⟩ (Druckstock; Abklatsch; eingefahrene Vorstellung)
kli|schee|haft; Kli|schee|vor|stel|lung
Kli|schee|wort Plur. ...wörter
kli|schie|ren (ein Klischee anfertigen)
Kli|scho|graf, Kli|scho|graph, der; -en, -en ⟨franz.; griech.⟩ (eine elektr. Graviermaschine)
Klis|tier, das; -s, -e ⟨griech.⟩ (Einlauf); **klis|tie|ren** (einen Einlauf geben); **Klis|tier|sprit|ze**
Kli|to|ris, die; -, Plur. - u. ...orides ⟨griech.⟩ (Med. Teil der weibl. Geschlechtsorgane)
klitsch!; klịtsch, klạtsch!; Klịtsch, der; -[e]s, -e (mitteld. für Schlag; breiige Masse)
Klit|sche, die; -, -n (ugs. für [ärmlicher] kleiner Betrieb)
klit|schen (landsch.)
klit|sche|nass vgl. klitschnass
klit|schig (landsch. für feucht und klebrig; unausgebacken)
klitsch, klatsch!
klitsch|nass, klịt|sche|nass (ugs.)

klit|tern (abwertend für zerstückeln; landsch. für zerkleinern, schmieren); ich klittere
Klit|te|rung
klit|ze|klein (ugs. für sehr klein)
Klit|zing|ef|fekt, **Klit|zing-Ef|fekt,** der; -[e]s ⟨nach dem dt. Physiker Klaus von Klitzing⟩ (ein physikal. Effekt)
Kli|vie vgl. Clivia
KLM (Königliche Niederländische Luftfahrtgesellschaft)
Klo, das; -s, -s (ugs. für Klosett)
Klo|a|ke, die; -, -n ⟨lat.⟩ ([unterirdischer] Abwasserkanal; Senkgrube; Zool. gemeinsamer Ausgang für Darm-, Harn- u. Geschlechtswege); **Klo|a|ken|tier**
Klö|bas|se, Klo|bas|si, die; -, ...sen ⟨slaw.⟩ (österr. eine Wurstsorte)
Klo|ben, der; -s, - (Eisenhaken; gespaltenes Holzstück; auch für ungehobelter Mensch)
Klö|ben, der; -s, - (nordd. ein Hefegebäck)
klo|big
Klo|bril|le ⟨zu Klo⟩ (ugs.); **Klo|frau** (ugs.)
Klon, der; -s, -e ⟨engl.⟩ (durch Klonen entstandenes Lebewesen)
Klon|dike [...dạik], der; -[s] (Fluss in Kanada)
klo|nen ⟨engl.⟩ (durch ungeschlechtliche Vermehrung genetisch identische Kopien von Lebewesen herstellen)
klö|nen (nordd. für gemütlich plaudern; schwatzen)
klo|nie|ren (svw. klonen); **Klo|nie|rung**
klo|nisch ⟨griech.⟩ (Med. krampfartig)
Klon|schaf (geklontes Schaf; Dolly, das erste Klonschaf
Klön|schnack (nordd.)
Klo|nung, die; -, -en (das Klonen)
Klo|nus, der; -, ...ni (Med. krampfartige Zuckungen)
Kloot, der; -[e]s, -en (nordd. für Kloß, Kugel); **Kloot|schie|ßen,** das; -s (fries. Eis- od. Rasenspiel [Boßeln])
Klo|pa|pier (ugs.)
Klo|pein (Ort in Kärnten); **Klo|pei|ner See,** der; - -s
Klöp|fel, der; -s, - (veraltet für Klöppel)
klop|fen; Klop|fer
klopf|fest; klopffestes Benzin
Klopf|fes|tig|keit, die; -
Klopf|pei|tsche; Klopf|zei|chen
Klop|pe, die; - (nordd., mitteld. für ²Prügel); Kloppe kriegen

Klöp|pel, der; -s, -
Klöp|pe|lei
Klöp|pel|kis|sen
Klöp|pel|ma|schi|ne
klöp|peln; ich klöpp[e]le
Klöp|pel|spit|ze
klop|pen (nordd., mitteld. für klopfen, schlagen); sich kloppen; **Klop|pe|rei** (nordd., mitteld. für Klopfen; Schlägerei)
Klöpp|le|rin
Klops, der; -es, -e (Fleischkloß)
Klop|stock (dt. Dichter)
klop|sto|ckisch, klop|stock|sch; klopstocksche od. Klopstock'sche od. klopstockische Verse (nach der Art Klopstocks); eine klopstocksche od. Klopstock'sche od. klopstockische Ode (von Klopstock)
Klo|sett, das; -s, Plur. -s, auch -e ⟨engl.⟩
Klo|sett|bril|le; Klo|sett|bürs|te; Klo|sett|de|ckel
Klo|sett|pa|pier; Klo|sett|schüs|sel
Kloß, der; -es, Klöße; **Kloß|brü|he**
Klöß|chen, Klöß|lein
Klos|ter, das; -s, Klöster
Klos|ter|bi|b|lio|thek; Klos|ter|bru|der; Klos|ter|frau; Klos|ter|gar|ten; Klos|ter|gut; Klos|ter|kir|che
klös|ter|lich
Klos|ter|pfor|te; Klos|ter|re|gel
Klos|ters (Kurort in Graubünden)
Klos|ter|schu|le
Klö|ten Plur. (nordd. derb für Hoden)
Klot|hil|de (w. Vorn.); vgl. Chlothilde
Klo|tho ⟨griech.⟩ (eine der drei Parzen)
Klotz, der; -es, Plur. Klötze, ugs. Klötzer (nur Sing. schweiz. ugs. auch für Geld); **Klotz|beu|te** (eine Art Bienenstock); **Klötz|chen**
¹**klot|zen** (Textiltechnik färben [auf der Klotzmaschine]
²**klot|zen;** klotzen, nicht kleckern (ugs. für ordentlich zupacken, statt sich mit Kleinigkeiten abzugeben)
klot|zig (ugs. auch für sehr viel)
Klub, Club, der; -s, -s ⟨engl.⟩ ([geschlossene] Vereinigung, auch deren Räume; österr. auch für Fraktion)
Klub|gar|ni|tur, Club|gar|ni|tur (Gruppe von [gepolsterten] Sitzmöbeln)
Klub|haus, Club|haus
Klub|ja|cke, Club|ja|cke
Klub|mit|glied, Club|mit|glied

Klub|ob|frau, Club|ob|frau (*österr. für* Fraktionsvorsitzende)
Klub|ob|mann, Club|ob|mann (*österr. für* Fraktionsvorsitzender)
Klub|ses|sel, Club|ses|sel
Klub|zwang, Club|zwang (*österr. für* Fraktionszwang)
¹**Kluft**, die; -, -en ⟨hebr.-jidd.⟩ (*ugs. für* [alte] Kleidung; Uniform)
²**Kluft**, die; -, Klüfte (Spalte); **kluf-tig** (*selten*); **klüf|tig** (*Bergbau, sonst veraltet für* zerklüftet)

klug

klüger, klügs|te

Großschreibung der Substantivie-rung ↑K 72:

– der/die Klügere gibt nach
– es ist das Klügs|te[,] nachzuge-ben

Kleinschreibung:

– es ist am klügs|ten[,] nachzuge-ben

Schreibung in Verbindung mit Verben ↑K 49 u. 56:

– klug sein; klug werden
– sie können sehr klug reden (ver-ständig reden)

Vgl. aber klugreden; klugscheißen

Klü|ge|lei; klü|geln; ich klüg[e]le
klu|ger|wei|se; *aber* in kluger Weise
Klug|heit
Klüg|ler; klüg|lich (*veraltet*)
klug|re|den (alles besser wissen wollen); weil er dauernd klugge-redet; **Klug|red|ner**
klug|schei|ßen (*derb für* klugre-den); **Klug|schei|ßer** (*derb*); **Klug-schei|ße|rin**
Klug|schna|cker (*nordd. für* Besser-wisser); **Klug|schna|cke|rin; Klug-schwät|zer; Klug|schwät|ze|rin**
Klump, der; -s, *Plur.* -e u. Klümpe (*nordd. für* Klumpen)
Klum|patsch, der; -es (*ugs. für* [ungeordneter, wertloser] Hau-fen)
Klümp|chen
klum|pen; der Pudding klumpt
Klum|pen, der; -s, -
klüm|pe|rig, klümp|rig (*landsch.*); klümp[e]riger Pudding
Klump|fuß; klump|fü|ßig
klum|pig; Klümp|lein
klümp|rig *vgl.* klümperig

Klün|gel, der; -s, - (*abwertend* Gruppe, die Vetternwirtschaft betreibt; Sippschaft, Clique); **Klün|ge|lei** (Vettern-, Partei-wirtschaft); **klün|geln;** ich klüng[e]le
Klu|ni|a|zen|ser, der; -s, - ⟨nach dem ostfranz. Kloster Cluny⟩ (Anhänger einer mittelalterl. kirchl. Reformbewegung); **klu-ni|a|zen|sisch**
Klun|ker, die; -, - *od.* der; -s, - (*landsch. für* Quaste, Troddel; Klümpchen; *ugs. für* Schmuck-stein, Juwel); **klun|ke|rig,** klunk-rig (*landsch. für* mit Klunkern)
Klun|se *vgl.* Klinse
Klunt|je, das; -s, -s (*nordd. für* wei-ßes Kandiszuckerstück)
Klup|pe, die; -, -n (zangenartiges Messgerät; *österr. ugs. für* Wäscheklammer); **klup|pen** (*ver-altet für* einzwängen); **Klup|perl**, das; -s, - (*bayr. für* Wäsche-klammer; *scherzh. für* Finger)
Klus, die; -, -en ⟨lat.⟩ (*schweiz. für* Kluse); **Klu|se**, die; -, -n (schluchtartiges Quertal)
Klü|se, die; -, -n ⟨niederl.⟩ (*See-mannsspr.* Öffnung im Schiffs-bug für die Ankerkette)
Klu|sil, der; -s, -e ⟨lat.⟩ (*Sprachw.* Verschlusslaut, z. B. p, t, d, g)
Klü|ten *Plur.* (*nordd. für* Klumpen)
Klü|ver [...v...], der; -s, - ⟨niederl.⟩ (*Seemannsspr.* dreieckiges Vor-segel); **Klü|ver|baum**
Klys|ma, das; -s, ...men ⟨griech.⟩ (*Med.* Klistier)
Klys|t|ron, das; -s, *Plur.* ...one, *auch* -s ⟨griech.⟩ (Elektronenröhre zur Erzeugung und Verstärkung von Mikrowellen)
Kly|täm|nes|t|ra (Gattin Agamem-nons)
km = Kilometer
km² = Quadratkilometer
km³ = Kubikkilometer
k. M. = künftigen Monats
km/h = Kilometer je Stunde
KMK = Kultusministerkonferenz
km-Zahl ↑K28
kn = Knoten (*Seew.*)
kN = Kilonewton
knab|bern; ich knabbere; *vgl.* knappern, knuppern
Knab|ber|zeug (*ugs.*)
Kna|be, der; -n, -n; **Kna|ben|al|ter**, das; -s
kna|ben|haft; Kna|ben|haf|tig|keit
Kna|ben|kraut (eine zu den Orchi-deen gehörende Pflanze)
Knäb|lein

knack!; Knack, der; -[e]s, -e (kur-zer, harter, heller Ton)
Knack|arsch (*ugs.*)
Knä|cke, das; -s, - (*kurz für* Knä-ckebrot)
Knä|cke|brot
kna|cken
Kna|cker (*ugs. abwertend für* Mann; *landsch. für* Knack-wurst); alter Knacker
knack|frisch
Kna|cki, der; -s, -s (*ugs. für* Vorbe-strafter; Gefängnisinsasse)
kna|ckig; etwas ist knackig frisch
Knack|laut; Knack|man|del
Knack|punkt (entscheidender, pro-blematischer Punkt)
knacks!; knicks, knacks!
Knacks, der; -es, -e (*svw.* Knack; *ugs. auch für* Riss, Schaden)
knack|sen (knacken); du knackst
Knack|wurst
Knag|ge, die; -, -n, **Knag|gen**, der; -s, - (*nordd. für* dreieckige Stütze, Leiste; Winkelstück)
Knäk|en|te (eine Wildente)
Knall, der; -[e]s, -e; Knall und/auf Fall (*ugs. für* plötzlich, sofort)
Knall|bon|bon
knall|bunt
Knall|ef|fekt (*ugs. für* große Über-raschung)
knal|len
knall|eng (*ugs. für* sehr eng)
Knal|ler, der; -s, - (*ugs.*)
Knall|erb|se
Knal|le|rei
Knall|frosch; Knall|gas
knall|gelb; knall|grün
knall|hart (*ugs. für* sehr hart)
knal|lig (*ugs. für* grell; sehr, über-aus); die knalligs|ten Farben
Knall|kopp, der; -s, ...köppe (*ugs. abwertend für* verrückter Kerl)
Knall|kör|per
knall|rot
knapp; knapps|te ↑K 49 u. 56 : knapp sein, werden, schneiden usw.; ↑K58 : ein knapp sitzen-der *od.* knappsitzender Anzug; eine knapp gehaltene *od.* knappgehaltene Beschreibung; *vgl.* knapphalten
Knap|pe, der; -n, -n (Bergmann; früher noch nicht zum Ritter geschlagener jüngerer Adliger)
knap|pern (*landsch. für* knab-bern); ich knappere
knapp|hal|ten (*ugs. für* wenig Geld geben); er hat seine Kinder immer knappgehalten; *vgl.* knapp
Knapp|heit, die; -

Knapp|sack (*veraltet für* Reiseta-sche, Brotsack)

Knapp|schaft (Gesamtheit der Bergarbeiter eines Bergwerks od. Reviers); knapp|schaft|lich

Knapp|schafts|kas|se; Knapp|schafts|ren|te; Knapp|schafts|ver-ein; Knapp|schafts|ver|si|che|rung

knaps!; knips, knaps!

knap|sen (*ugs. für* geizen; einge-schränkt leben); du knapst

Knar|re, die; -, -n (*ugs. für* Gewehr)

knar|ren

knar|zen (*landsch. für* knarren); knar|zig

¹Knast, der; -[e]s, Knäste (*landsch. für* Knorren; Brotkanten)

²Knast, der; -[e]s, *Plur.* Knäste, *auch* -e ⟨jidd.⟩ (*ugs. für* Gefäng-nis; *nur Sing.:* Freiheitsstrafe)

Knast|auf|ent|halt (*ugs.*)

Knast|bru|der (*ugs. für* [ehemali-ger] Gefängnisinsasse)

¹Knas|ter, der; -s, - ⟨niederl.⟩ (*ugs. für* [schlechter] Tabak)

²Knas|ter, Knas|trer, Knas|te|rer (*landsch. für* verdrießlicher, mürrischer [alter] Mann); Knas-ter|bart (*svw.* ²Knaster); Knas|te-rer *vgl.* ²Knaster

knas|tern (*landsch. für* verdrieß-lich brummen); ich knastere

Knast|rer *vgl.* ²Knaster

Knatsch, der; -[e]s (*landsch. für* Ärger, Streit); knat|schen (*landsch. für* nörgeln, mit wei-nerl. Stimme reden); knat|schig

knat|tern; ich knattere

Knäu|el, der *od.* das; -s, -

Knäu|el|gras, Knaul|gras

knäu|eln *vgl.* knäulen

Knauf, der; -[e]s, Knäufe

Knäuf|chen, Knäuf|lein

Knaul, der *od.* das; -s, *Plur.* -e u. Knäule (*landsch. für* Knäuel)

Knäul|chen; knäu|len (*ugs. für* zusammendrücken)

Knaul|gras *vgl.* Knäuelgras

Knau|pe|lei (*landsch.*); knau|pe|lig, knaup|lig (*landsch. für* knifflig)

Knau|pel|kno|chen

knau|peln (*landsch. für* benagen; abknabbern; sich abmühen; schwer an etwas tragen); ich knaup|le]le

knaup|lig *vgl.* knaupelig

Knau|ser (*ugs.*); Knau|se|rei (*ugs.*)

knau|se|rig, knaus|rig (*ugs.*)

Knau|se|rig|keit, Knaus|rig|keit; Knau|se|rin

knau|sern (*ugs. für* übertrieben sparsam sein); ich knausere

Knaus-Ogi|no-Me|tho|de, die; -

⟨nach den Gynäkologen H. Knaus (Österreich) u. K. Ogino (Japan) (Methode zur Bestim-mung der fruchtbaren Tage des weibl. Zyklus)

knaus|rig usw. *vgl.* knauserig usw.

Knau|tie, die; -, -n ⟨nach dem dt. Botaniker Chr. Knaut⟩ (eine Feld- u. Wiesenblume)

knaut|schen (knittern; *landsch. für* schmatzend essen; verhalten weinen); du knautschst

knaut|schig

Knautsch|lack; Knautsch|le|der

Knautsch|zo|ne (*Kfz-Technik*)

Kne|bel, der; -s, -; Kne|bel|bart

kne|beln; ich kneb[e]le

Kne|be|lung, Kneb|lung

Knecht, der; -[e]s, -e

knech|ten; knech|tisch

Knecht Ru|p|recht, der; - -[e]s, - -e

Knecht|schaft, die; -; Knechts|ge-stalt (*veraltet*); Knech|tung

Kneif, der; -[e]s, -e ([Schus-ter]messer); *vgl.* Kneip

knei|fen; du kniffst; du kniffest; gekniffen; kneif[e]!; er kneift ihn (*auch* ihm) in den Arm

Knei|fer (*nordd. für* Klemmer, Zwicker)

Kneif|zan|ge

Kneip, der; -[e]s, -e (*Nebenform von* Kneif)

Knei|pe, die; -, -n (*ugs. für* [einfa-ches] Lokal mit Alkoholaus-schank)

¹knei|pen (*landsch. für* kneifen); ich kneipte (*auch* knipp); gekneipt (*auch* geknippen)

²knei|pen (*ugs. für* sich in Kneipen aufhalten; trinken); ich kneipte; gekneipt

Knei|pen|tour (*ugs.*); Knei|pen|wirt; Knei|pen|wir|tin; Knei|pe|rei (*ugs.*)

Knei|pi|er […ˈpi̯e:], der; -s, -s (*ugs. für* Kneipenwirt)

Kneipp (dt. kath. Geistlicher u. Heilkundiger; ® ein von ihm entwickeltes Wasserheilverfah-ren); kneip|pen (eine Wasserkur nach Kneipp machen); Kneipp-kur ↑K 136

Kneip|zan|ge (*landsch. für* Kneif-zange)

Knes|set[h], die; - ⟨hebr., »Ver-sammlung«⟩ (israel. Parlament)

knet|bar

Kne|te, die; - (*ugs. für* Knetmasse; *auch für* Geld)

kne|ten

Knet|gum|mi, der *od.* das; -s, -s (Knetmasse)

Knet|ha|ken

Knet|kur

Knet|ma|schi|ne; Knet|mas|sa|ge; Knet|mas|se; Knet|mes|ser, das

knib|beln (*mitteld. für* sich mit den Fingern an etwas zu schaf-fen machen); ich knibb[e]le

Knick, der; -[e]s, *Plur.* -e, (*für* Hecke:) -s (scharfer Falz, scharfe Krümmung, Bruch; *nordd. auch für* Hecke als Einfriedung)

Kni|cke|bein, der; -s (Eierlikör [als Füllung in Pralinen u. Ä.])

Knick|ei (angeschlagenes Ei)

kni|cken

¹Kni|cker (Jagdmesser; *ugs. für* Geizhals)

²Kni|cker, der; -s, - (*nordd. für* Mur-mel)

Kni|cker|bo|cker, *engl.* Kni|cker|bo-ckers [ˈnɪ...] *Plur.* (halblange Pumphose)

Kni|cke|rei (*ugs.*)

kni|cke|rig, knick|rig (*ugs.*); Kni|cke|rig|keit, Knick|rig|keit, die; - (*ugs.*)

kni|ckern (*ugs. für* geizig sein); ich knickere

knick|rig usw. *vgl.* knickerig usw.

knicks!; knicks, knacks!

Knicks, der; -es, -e; knick|sen; du knickst

Kni|ckung

Knie, das; -s, - [ˈkniːə, *auch* kniː]; auf den Knien liegen; auf die Knie!; Knie|beu|ge

Knie|bis, der; - (Erhebung im nördl. Schwarzwald)

Knie|bre|che, die; - (*mitteld.* Name steiler Höhenwege)

Knie|bund; Knie|bund|ho|se

Knie|fall, der; knie|fäl|lig

knie|frei

Knie|gei|ge (*für* Gambe)

Knie|ge|lenk; Knie|ge|lenk|ent|zün-dung

knie|hoch; der Schnee liegt knie-hoch

Knie|holz, das; -es (niedrige Berg-kiefern); Knie|ho|se; Knie|keh|le

knie|lang; Knie|län|ge; knie|lings (*selten für* kniend)

kni|en [ˈkniːn, *auch* ˈkniːən]; ich knie [ˈkniːə, *auch* kniː]; du knie-test; kniend; gekniet; knie! [ˈkniːə, *auch* kniː]

Kniep|au|gen (*landsch. für* kleine, lebhafte Augen)

Knies, der; -es (*landsch. für* Dreck; Streit)

Knie|schei|be; Knie|scho|ner; Knie-schüt|zer; Knie|strumpf

knie|tief; knietiefes Wasser

kniet|schen, knit|schen (*landsch. für* zerdrücken; weinerlich sein); du kni[e]tschst

kniff *vgl.* kneifen

Kniff, der; -[e]s, -e; **Knif|fe|lei** (kniffelige Arbeit); **knif|fe|lig**, kniff|lig; **Knif|fe|lig|keit**, Kniff|lig|keit; **knif|fen**; geknifft

kniff|lig usw. *vgl.* kniffelig usw.

Knig|ge, der; -[s], - ⟨nach Adolph Freiherr von Knigge⟩ (Buch über Umgangsformen)

Knilch, Knülch, der; -s, -e (*ugs. für* unangenehmer Mensch)

knil|le *vgl.* knülle

knips!; knips, knaps!

Knips, der; -es, -e

knip|sen; du knipst

Knip|ser (*ugs.*); Knip|se|rin; Knips-zan|ge (*ugs.*)

Knirps, der; -es, -e (kleiner Junge od. Mann; ® ein zusammenschiebbarer Regenschirm)

knir|schen; du knirschst

knis|tern; ich knistere

knit|schen *vgl.* knietschen

Knit|tel, der; -s, -; *vgl.* Knüttel

Knit|tel|vers (vierhebiger, unregelmäßiger Reimvers)

Knit|ter, der; -s, -

knit|ter|arm

Knit|ter|fal|te

knit|ter|fest; knit|ter|frei

knit|te|rig, knitt|rig; knit|tern; ich knittere; **knitt|rig** *vgl.* knitterig

Kno|bel, der; -s, - (*landsch. für* [Finger]knöchel; Würfel)

Kno|bel|be|cher (*scherzh. auch für* Militärstiefel)

kno|beln ([aus]losen; würfeln; lange nachdenken); ich knob[e]le

Knob|lauch ['kno:p..., *auch* 'knɔp...], der; -[e]s

Knob|lauch|but|ter; Knob|lauch|pil-le; Knob|lauch|salz; Knob|lauch-wurst; Knob|lauch|ze|he; Knob-lauch|zwie|bel

Knö|chel, der; -s, -; **Knö|chel|chen**

knö|chel|lang; knö|chel|tief

Kno|chen, der; -s, -

Kno|chen|ar|beit (*ugs. für* sehr anstrengende körperliche Arbeit)

Kno|chen|bau, der; -[e]s; **Kno|chen-bruch**, der; **Kno|chen|er|wei-chung**; **Kno|chen|fraß**, der; -es; **Kno|chen|ge|rüst** (*ugs. auch für* magerer Mensch)

kno|chen|hart (sehr hart)

Kno|chen|hau|er (*nordd. veraltet für* Fleischer)

Kno|chen|haut; Kno|chen|haut|ent-zün|dung

Kno|chen|job, der (*ugs. für* besonders anstrengende, unangenehme Arbeit)

Kno|chen|mann, der; -[e]s (*volkstüml. für* Tod als Gerippe)

Kno|chen|mark; Kno|chen|mark[s]-trans|plan|ta|ti|on (*Med.*); **Kno-chen|mehl**

Kno|chen|müh|le (altes, ungefedertes Fahrzeug; Unternehmen, in dem strapaziöse Arbeit geleistet werden muss)

Kno|chen|na|ge|lung (*Med.*); **Kno-chen|schwund**; **Kno|chen|split|ter**

kno|chen|tro|cken (*ugs. für* sehr trocken)

knö|che|rig, knöch|rig (aus Knochen; knochenartig); **knö|chern** (aus Knochen)

kno|chig (mit starken Knochen)

Kno|chig|keit, die; -

knöch|rig *vgl.* knöcherig

knock-out, knock|out [nɔk'|aʊt] ⟨engl.⟩ (*Boxen* niedergeschlagen, kampfunfähig; *Abk.* k. o. [ka:'|o:]); jmdn. k. o. schlagen; jmdn. k. o. schlagen

Knock-out, Knock|out, der; -[s], -s (Niederschlag; *übertr. für* völlige Vernichtung; *Abk.* K. o.);

Knock-out-Schlag, Knock|out-schlag (*Abk.* K.-o.-Schlag)

Knö|del, der; -s, - (*südd., österr. für* Kloß)

knö|deln (*ugs. für* undeutlich singen od. sprechen); ich knöd[e]le

Kno|fel, der; -s (*landsch.*), **Kno|fi**, der; -s (*ugs. für* Knoblauch)

Knöll|lein

Knol|le, die; -, -n, *landsch.* **Knol-len**, der; -s, -

Knol|len|blät|ter|pilz (ein Giftpilz)

Knol|len|fäu|le (Krankheit der Kartoffel)

knol|len|för|mig

Knol|len|frucht; Knol|len|na|se; knol|len|na|sig; Knol|len|sel|le|rie

knol|lig

Knopf, der; -[e]s, Knöpfe (*österr. ugs. auch für* Knoten)

Knopf|au|ge *meist Plur.*

Knöpf|chen

Knopf|druck; ein Knopfdruck genügt

knöp|fen; Knöpf|lein

Knöpf|li *Plur.* (*schweiz. für* [eine Art] Spätzle)

Knopf|loch

Knopf|loch|chi|r|ur|gie (*ugs. für* minimalinvasive Chirurgie)

Knopf|loch|sei|de

Knop|per, die; -, -n (Gallapfel, z. B. an grünen Eichelkelchen)

knö|ren (*Jägerspr.* leise röhren [vom Hirsch])

knor|ke (*berlin. veraltet für* fein, tadellos)

Knor|pel, der; -s, -; **knor|pe|lig**, knorp|lig

Knorr-Brem|se® ⟨nach dem dt. Ingenieur G. Knorr⟩; †K 136

Knor|ren, der; -s, - (*landsch. für* krummer Teil eines Astes od. Baumstammes mit vielen Verdickungen; Baumstumpf); **knor-rig**

Knorz, der; -es, -e (*südd., landsch. für* Knorren); **Knor|zer** ⟨zu knorzen⟩ (*schweiz. mundartl. für* geiziger Mensch); **Knor|ze|rin**; knor|zig

Knösp|chen

Knos|pe, die; -, -n; **knos|pen**; geknospt; **knos|pig**

Knösp|lein; Knos|pung

Knos|sos (altkret. Stadt)

Knöt|chen

knö|teln (kleine Knoten sticken); ich knöt[e]le

kno|ten; geknotet

Kno|ten, der; -s, - (*auch* Marke an der Logleine, Seemeile je Stunde [*Zeichen* kn])

kno|ten|för|mig

Kno|ten|punkt; Kno|ten|stock

Knö|te|rich, der; -s, -e (eine Pflanze)

kno|tig

Knot|ten|erz (Buntsandstein mit eingesprengtem Bleiglanz)

Know-how, Know|how [no:'hau, *auch* 'no:...], das; -[s] ⟨engl.⟩ (Wissen, wie man eine Sache praktisch verwirklicht od. anwendet)

Know-how-Trans|fer, Know|how-trans|fer †K26

Knub|be, die; -, -n, Knub|ben, der; -s, - (*nordd. für* Knorren, Knospe; Geschwulst)

Knub|bel, der; -s, - (*landsch. für* knotenähnliche Verdickung)

knub|be|lig, knubb|lig (*landsch.*)

knub|beln, sich (*ugs. für* sich drängen); ich knubb[e]le mich

Knub|ben *vgl.* Knubbe

knubb|lig *vgl.* knubbelig

knud|de|lig (*landsch.*)

knud|deln (*landsch. für* umarmen [u. küssen]; zerknüllen); ich knudd[e]le

Knuff, der; -[e]s, Knüffe (*ugs. für* Puff, Stoß); **knuf|fen** (*ugs.*); **knuf-fig** (*ugs.*)

Knülch – Kodizill

Knülch *vgl.* Kni̱lch

knüll, knül|le (*ugs. für* betrunken; *landsch. für* erschöpft)

knül|len (zerknittern)

Knül|ler (*ugs. für* Sensation)

Knüpf|ar|beit

knüp|fen

Knüpf|tep|pich; Knüp|fung

Knüpf|werk

Knüp|pel, der; -s, -

Knüp|pel|aus|dem|sack [*auch* ...ˈzak], der; -; Knüppelausdemsack spielen (*scherzh.* prügeln)

Knüp|pel|damm

knüp|pel|dick (*ugs. für* sehr schlimm)

knüp|pel|hart (*ugs. für* sehr hart)

knüp|peln (mit einem Knüppel schlagen; *ugs. auch für* gehäuft auftreten); ich knüpp[e]le

Knüp|pel|schal|tung

knup|pern (*landsch. für* knabbern); ich knuppere

knur|ren

Knurr|hahn (ein Fisch; *ugs. für* mürrischer Mensch)

knur|rig (ein knurriger Mensch; Knur|rig|keit, die; -

Knurr|laut

knü|se|lig (*landsch. für* unsauber)

Knus|per|chen (Gebäck)

Knus|per|flo|cken *Plur.*

knus|per|häus|chen

knus|pe|rig *vgl.* knusprig

knus|pern; ich knuspere

knusp|rig, knus|pe|rig; am knusp[e]rigs|ten; Brot knusp[e]rig backen

Knust, der; -[e]s, *Plur.* -e *u.* Knüste (*nordd. für* Endstück des Brotes)

Knut (m. Vorn.)

Knu|te, die; -, -n (germ.-russ.) (Lederpeitsche); unter jmds. Knute (von jmdm. unterdrückt); knu̱|ten (knechten)

knut|schen (*ugs. für* heftig liebkosen); du knutschst

Knut|sche|rei (*ugs.*)

Knutsch|fleck (*ugs.*)

Knüt|tel, der; -s, -

Knüt|tel|vers *vgl.* Knittelvers

kΩ = Kiloohm

k. o. = knock-out (*vgl. d.*); k. o. schlagen

K. o. = Knock-out (*vgl. d.*); K.-o.-Schlag, K.-o.-Niederlage

Ko|ad|ju̱|tor, der; -s, ...o̱ren ⟨lat.⟩ (Amtsgehilfe eines kath. Geistlichen, bes. eines Bischofs)

Ko|agu|lans, das; -, ...la̱ntia *u.* ...la̱nzien *meist Plur.* ⟨lat.⟩ (*Med.*

die Blutgerinnung förderndes Mittel)

Ko|agu|la̱t, das; -[e]s, -e ⟨lat.⟩ (*Chemie* aus kolloidaler Lösung ausgeflockter Stoff)

Ko|agu|la|ti̱|on, die; -, -en (Ausflockung); ko|agu|lie̱|ren

Ko|agu|lum, das; -s, ...la (*Med.* Blutgerinnsel)

Ko|a̱|la, der; -s, -s ⟨austral.⟩ (kleiner austral. Beutelbär); Ko|a̱|la|bär

ko|a|lie̱|ren, ko|a|li|sie̱|ren ⟨franz.⟩ (verbinden; sich verbünden)

Ko|a|li|ti̱|on, die; -, -en (Vereinigung, Bündnis; Zusammenschluss [von Staaten]); ↑K 89 : die Kleine Koalition, die Große Koalition

Ko|a|li|ti|o|när, der; -s, -e *meist Plur.* (Koalitionspartner); Ko|a|li|ti|o|nä|rin

Ko|a|li|ti|ons|frei|heit; Ko|a|li|ti|ons|krieg; Ko|a|li|ti|ons|par|tei

Ko|a|li|ti|ons|part|ner; Ko|a|li|ti|ons|part|ne|rin; Ko|a|li|ti|ons|recht; Ko|a|li|ti|ons|re|gie|rung

Ko|a|li|ti|ons|ver|hand|lung *meist Plur.*; Ko|a|li|ti|ons|ver|trag

Ko|au̱|tor, Ko̱n|au|tor ⟨lat.⟩ (Mitverfasser); Ko|au̱|to|rin, Ko̱n|au|to|rin

ko|axi̱|al ⟨lat.⟩ (mit gleicher Achse); Ko|axi|al|ka|bel (*Technik*)

Ko|balt, *fachspr.* Co|balt, das; -s ⟨*nach* Kobold *gebildet*⟩ (chemisches Element, Metall; *Zeichen* Co); ko|balt|blau

Ko|balt|bom|be; Ko|balt|ka|no|ne (*Med.* ein Bestrahlungsgerät); Ko|balt|ver|bin|dung

Ko|bel, der; -s, - (Nest des Eichhörnchens; *südd., österr. für* Verschlag, Koben)

Ko|ben, der; -s, - (Verschlag; Käfig; Stall)

Ko|ben|havn [køˈbn̩ˈhau̯n] (*dän.* Form von Kopenhagen)

Ko|ber, der; -s, - (*landsch. für* Korb [für Esswaren])

Kob|lenz (Stadt an der Mündung der Mosel); Ko̱b|len|zer; ko̱b|len|zisch

Ko|bold, der; -[e]s, -e (neckischer Geist); ko|bold|haft

Ko|bolz, der; *nur noch in* Kobolz schießen (Purzelbaum schlagen); ko|bol|zen; kobolzt

Ko̱b|ra, die; -, -s ⟨port.⟩ (Brillenschlange)

¹Koch, der; -[e]s, Köche

²Koch, das; -s (*bayr., österr.* Brei)

Koch|beu|tel; Koch|buch

ko̱ch|echt

kö|cheln (leicht kochen); die Soße köchelt; ich köch[e]le

Kö|chel|ver|zeich|nis, das; -ses ⟨nach dem Musikgelehrten Ludwig von Köchel⟩ (Verzeichnis der Werke Mozarts; *Abk.* KV) ↑K 136

ko|chen; kochend heißes Wasser; das Wasser ist kochend heiß

¹Ko|cher, der; -s, - (Kochgerät)

²Ko|cher, der; -s (r. Nebenfluss des Neckars)

Kö|cher, der; -s, - (Behälter für Pfeile)

Ko|che|rei, die; -

Koch|feld

koch|fer|tig; koch|fest

Koch|ge|le|gen|heit; Koch|ge|schirr

Kö|chin

Koch|kä|se; Koch|kunst; Koch|kurs

Koch|löf|fel; Koch|mü|tze

Koch|ni|sche; Koch|plat|te

Koch|re|zept

Koch|salz, das; -es; koch|salz|arm

Koch|schin|ken

Koch|scho|ko|la|de; Koch|stel|le; Koch|topf; Koch|wä|sche, die; -

Koch|zeit

Ko|da, Co̱|da, die; -, -s ⟨ital.⟩ (*Musik* Schlussteil eines Satzes)

Ko|dak® (fotograf. Erzeugnisse)

Ko|dá|ly [...dai], Zoltán [ˈzɔlta:n] (ung. Komponist)

kod|de|rig, kodd|rig (*landsch. für* schlecht; unverschämt, frech; übel); Kod|der|schnau|ze

kodd|rig *vgl.* kodderig

Kode, *bes. fachspr.* Code [*beide* ko:t], der; -s, -s ⟨franz.-engl.⟩ (System verabredeter Zeichen; Schlüssel zum Dechiffrieren)

Ko|de|in, Co̱|de|in, das; -s ⟨griech.⟩ (ein Beruhigungsmittel)

Kö|der, der; -s, - (Lockmittel); Kö|der|fisch; kö|dern; ich ködere

Ko|dex, der; *Gen.* -es *u.* -, *Plur.* -e *u.* ...dizes, Co̱|dex, der; -, ...dices ⟨lat.⟩ (Handschriftensammlung; Gesetzbuch; ungeschriebene Verhaltensregeln)

ko|die|ren, *bes. fachspr.* co|die|ren (durch einen Code verschlüsseln); Ko|die|rung, *bes. fachspr.* Co|die|rung

Ko|di|fi|ka|ti̱|on, die; -, -en (zusammenfassende Regelung eines größeren Rechtsgebietes; Gesetzessammlung)

ko|di|fi|zie̱|ren; Ko|di|fi|zie̱|rung (Kodifikation)

Ko|di|zi̱ll, das; -s, -e (*Rechtsw.*

K
Kodi

587

letztwillige Verfügung; Zusatz zum Testament)

Ko|edu|ka|ti|on [*auch* ...'tsi̯o:n], die; - ⟨engl.⟩ (Gemeinschaftserziehung beider Geschlechter)

Ko|ef|fi|zi|ent, der; -en, -en ⟨lat.⟩ (*Math.* Multiplikator der veränderl. Größe[n] einer Funktion; *Physik* kennzeichnende Größe)

Ko|er|zi|tiv|feld|stär|ke, die; - ⟨lat.; dt.⟩ *(Physik)*

ko|exis|tent [*auch* ...'tɛnt]; **Ko|exis|tenz** [*auch* ...'tɛnts], die; - ⟨lat.⟩ (gleichzeitiges Vorhandensein unterschiedlicher Dinge); friedliche Koexistenz *(Politik)*

ko|exis|tie|ren [*auch* ...'ti:...]

Ko|fel, der; -s, - ⟨*bayr. u. westösterr. für* Bergkuppe)

Ko|fen, der; -s, - ⟨*nordd. für* Koben⟩

Kof|fe|in, Cof|fe|in, das; -s ⟨arab.⟩ (Wirkstoff von Kaffee u. Tee)

kof|fe|in|frei; kof|fe|in|hal|tig

Kof|fer, der; -s, - ⟨franz.⟩; **Kof|fer|an|hän|ger; Köf|fer|chen**

Kof|fer|de|ckel; Kof|fer|ge|rät; Kof|fer|ku|li (Transportwagen auf Bahnhöfen, Flughäfen usw.)

Kof|fer|ra|dio; Kof|fer|raum; Kof|fer|schloss; Kof|fer|schlüs|sel

Kof|fer|schreib|ma|schi|ne

Kog, Koog, der; -[e]s, Köge ⟨*nordd.* dem Meer abgewonnenes eingedeichtes Land; Polder)

¹Ko|gel, der; -s, - ⟨*österr. für* Bergkuppe)

²Ko|gel, die; -, -n ⟨*veraltet für* Kapuze)

Kog|ge, die; -, -n (dickbauchiges Hanseschiff)

Ko|g|nak ['kɔnjak], der; -s, -s ⟨*ugs. für* Weinbrand); drei Kognak; *vgl. aber* ²Cognac

Ko|g|nak|boh|ne; Ko|g|nak|glas

Ko|g|nak|kir|sche

Ko|g|nak|schwen|ker

Ko|g|nat, der; -en, -en ⟨lat.⟩ (Blutsverwandter, der nicht Agnat ist)

Ko|g|ni|ti|on, die; -, -en ⟨lat.⟩ (das Erkennen, Wahrnehmen); **ko|g|ni|tiv** (die Erkenntnis betreffend)

Ko|g|no|men, das; -s, *Plur. u.* ...mina ⟨lat.⟩ (Beiname im antiken Rom)

Ko|ha|bi|ta|ti|on, die; -, -en ⟨lat.⟩ (*Med.* Geschlechtsverkehr; *Politik* [in Frankreich] Zusammenarbeit des Staatspräsidenten mit einer Regierung einer anderen polit. Richtung)

ko|ha|bi|tie|ren

ko|hä|rent ⟨lat.⟩ (zusammenhängend); kohärentes Licht *(Physik)*; **Ko|hä|renz**, die; -

ko|hä|rie|ren (Kohäsion zeigen); **Ko|hä|si|on**, die; - *(Physik* Zusammenhalt der Moleküle eines Körpers); **ko|hä|siv**

¹Kohl, der; -[e]s, *Plur. (Sorten:)* -e (ein Gemüse)

²Kohl, der; -[e]s ⟨hebr.⟩ (*ugs. für* Unsinn); Kohl reden

Kohl|dampf, der; -[e]s (*ugs. für* Hunger); Kohldampf schieben

Koh|le, die; -, -n; Kohle führende *od.* kohleführende Flöze

Koh|le|fa|den usw. *vgl.* Kohlenfaden usw.

Koh|le füh|rend, koh|le|füh|rend
↑ K 58

koh|le|hal|tig

Koh|le|herd, Koh|len|herd

Koh|le|hy|d|rat *vgl.* Kohlenhydrat

Koh|le|hy|d|rie|rung, die; - *(Chemie)*

Koh|le|im|port, Koh|len|im|port

Koh|le|kraft|werk

¹koh|len (nicht mit voller Flamme brennen; *Seemannsspr.* Kohlen übernehmen)

²koh|len ⟨*zu* ²kohlen⟩ (*ugs. für* aufschneiden, schwindeln)

Koh|len|be|cken

Koh|len|berg|bau; Koh|len|berg|werk; Koh|len|bun|ker

Koh|len|di|oxid, Koh|len|di|oxyd *vgl.* Oxid; **Koh|len|di|oxid|ver|gif|tung**, Koh|len|di|oxyd|ver|gif|tung

Koh|len|ei|mer

Koh|le[n]|fa|den; Koh|le[n]|fa|den|lam|pe

Koh|len|feu|er; Koh|len|flöz; Koh|len|gru|be; Koh|len|grus; Koh|len|hal|de; Koh|len|hei|zung

Koh|le[n]|herd; Koh|le[n]|hy|d|rat (zucker- od. stärkeartige chem. Verbindung)

Koh|le[n]|im|port

Koh|len|mei|ler

Koh|len|mo|n|o|xid, Koh|len|mo|n|o|xyd *vgl.* Oxid; **Koh|len|mo|n|o|xid|ver|gif|tung**, Koh|len|mo|n|o|xyd|ver|gif|tung

Koh|len|pott, der; -s (*ugs. für* Ruhrgebiet)

koh|len|sau|er; kohlensaures Natron; Koh|len|säu|re

Koh|len|schau|fel; Koh|len|staub

Koh|len|stoff (chemisches Element; *Zeichen* C)

Koh|len|was|ser|stoff

Koh|le|pa|pier; Koh|le|pfen|nig (*ugs. für* die bis 1995 dem

Strompreis zugeschlagene Abgabe zugunsten des Kohlenbergbaus)

¹Köh|ler

²Köh|ler, Horst (neunter dt. Bundespräsident)

Köh|le|rei; Köh|ler|glau|be, der; -ns (blinder Glaube); **Köh|le|rin**

Kohl|le|stift, der (ein Zeichenstift)

Kohl|le|ver|flüs|si|gung; Kohl|le|ver|ga|sung; Kohl|le|zeich|nung

Kohl|her|nie (eine Pflanzenkrankheit); **Kohl|kopf**

Kohl|mei|se (ein Vogel)

Kohl|ra|be (*für* Kolkrabe); **kohl|ra|ben|schwarz**

Kohl|ra|bi, der; -[s], -[s] ⟨ital.⟩ (ein Gemüse)

Kohl|rau|pe

Kohl|rou|la|de; Kohl|rü|be

kohl|schwarz

Kohl|spros|se (*österr. für* Röschen des Rosenkohls); **Kohl|strunk; Kohl|sup|pe**

Kohl|weiß|ling (ein Schmetterling)

Ko|hor|te, die; -, -n ⟨lat.⟩ (*hist. der* 10. Teil einer röm. Legion; *Soziol., Med., Tiermed.* nach bestimmten Kriterien zusammengestellte Gruppe von Menschen od. Tieren); **Ko|hor|ten|tö|tung** *(Tiermed.)*

Koi, der; -s, -s ⟨jap.⟩ (Farbkarpfen)

Koi|ne, die; -, Koinai ⟨griech.⟩ (griech. Gemeinsprache der hellenist. Welt; *Sprachw.* übermundartl. Gemeinsprache)

ko|in|zi|dent ⟨lat.⟩ (*fachspr. für* zusammenfallend); **Ko|in|zi|denz**, die; -, -en (Zusammentreffen von Ereignissen); **ko|in|zi|die|ren**

Koi|teich ⟨*zu* Koi⟩

ko|i|tie|ren ⟨lat.⟩ (*Med.* den Koitus vollziehen); **Ko|i|tus**, Co|i|tus, der; -, *Plur. -* u. -se (*Med.* Geschlechtsakt)

Ko|je, die; -, -n ⟨niederl.⟩ (Schlafstelle [auf Schiffen]; Ausstellungsstand)

Ko|jo|te, Co|yo|te, der; -n, -n ⟨mexik.⟩ (nordamerik. Präriewolf; Schimpfwort)

Ko|ka, die; -, - ⟨indian.⟩ (*kurz für* Kokastrauch); **Ko|ka|in**, das; -s (ein Betäubungsmittel; eine Droge); **Ko|ka|i|nis|mus**, der; - (Kokainabhängigkeit); **ko|ka|in|süch|tig**

Ko|kar|de, die; -, -n ⟨franz.⟩ (Abzeichen, Hoheitszeichen an Uniformmützen)

Ko|ka|strauch (ein Strauch mit Kokain enthaltenden Blättern)

ko|keln (*landsch.* mit Feuer spielen); ich kok[e]le; *vgl.* gokeln

ko|ken ⟨engl.⟩ (¹Koks herstellen)

¹Ko|ker, der; -s, - (*Seemannsspr.* Öffnung im Schiffsdeck für den Ruderschaft)

²Ko|ker (Koksarbeiter); **Ko|ke|rei** (Kokswerk; *nur Sing.:* Koksgewinnung)

ko|kett ⟨franz.⟩ (eitel, gefallsüchtig); **Ko|ket|te|rie**, die; -, ...ien

ko|ket|tie|ren

Ko|kil|le, die; -, -n ⟨franz.⟩ (mehrfach verwendbare Gussform)

Ko|kil|len|guss

Kok|ke, die; -, -n, **Kok|kus**, der; -, -n, Kokken *meist Plur.* ⟨griech.⟩ (kugelförmige Bakterie)

Kok|kels|kör|ner *Plur.* ⟨griech.; dt.⟩ (Giftsamen zum Fischfang)

Kök|ken|möd|din|ger *Plur.* ⟨dän., »Küchenabfälle«⟩ (steinzeitl. Abfallhaufen)

Kok|ko|lith, der; *Gen.* -s *u.* -en, *Plur.* -e[n] ⟨griech.⟩ (*Geol.* Gestein der Tiefsee)

Kok|kus *vgl.* Kokke

Ko|ko|lo|res, der; - (*ugs. für* Unsinn)

Ko|kon [...'kõ:, *österr.* ko'ko:n], der; -s, -s ⟨franz.⟩ (Hülle der Insektenpuppen); **Ko|kon|fa|ser**

Ko|kos|bus|serl (*österr.* ein Gebäck) **Ko|kosch|ka** [*auch* 'kɔ...] (österr. Maler u. Dichter)

Ko|ko|sette [...'zɛt], das; -s ⟨span.⟩ (*österr. für* Kokosflocken)

Ko|kos|fa|ser; Ko|kos|fett; Ko|kos|flo|cken *Plur.*

Ko|kos|läu|fer; Ko|kos|mat|te

Ko|kos|milch; Ko|kos|nuss; **Ko|kos|öl**, das; -[e]s; **Ko|kos|pal|me; Ko|kos|ras|pel**, der *meist Plur.*

Ko|kos|tep|pich

Ko|kot|te, die; -, -n ⟨franz.⟩ (*veraltet für* Dirne, Halbweltdame)

¹Koks, der; -es, -e ⟨engl.⟩ (ein Brennstoff aus Kohle; *nur Sing.:* *ugs. scherzh. für* Geld)

²Koks, der, *auch* das; -es ⟨indian.⟩ (*ugs. für* Kokain)

³Koks, der; -[es], -e ⟨jidd.⟩ (*ugs. für* steifer Hut)

kok|sen (*ugs. für* Kokain nehmen; schlafen); du kokst; **Kok|ser** (*ugs. für* Kokainkonsument); **Kok|se|rin**

Koks|ofen; Koks|staub

Ko|ky|tos, der; - (ein Fluss der Unterwelt in der griech. Sage)

Kok|zi|die, die; -, -n *meist Plur.* ⟨griech.⟩ (krankheitserregende Sporentierchen); **Kok|zi|di|o|se**,

die; -, -n (durch Kokzidien verursachte Tierkrankheit)

¹Ko|la (*Plur. von* Kolon)

²Ko|la (Halbinsel im Nordwesten Russlands)

Ko|la|ni, Co|la|ni, der; -s, -s (warmes, hüftlanges Jackett)

Ko|la|nuss; **Ko|la|strauch**

Ko|lat|sche, Gollat|sche, die; -, -n ⟨tschech.⟩ (*österr. für* kleiner, gefüllter Hefekuchen)

Kol|ben, der; -s, -; **Kol|ben|dampf|ma|schi|ne**

Kol|ben|fres|ser (*ugs. für* Motorschaden durch festsitzenden Kolben)

Kol|ben|hir|se

Kol|ben|hub; Kol|ben|ring; Kol|ben|stan|ge

kol|big

Kol|chis, die; - (antike Landschaft am Schwarzen Meer)

Kol|chos, der; -, ...ose *u.* Kol|cho|se, die; -, -n ⟨russ.⟩ (landwirtschaftl. Produktionsgenossenschaft in der ehem. Sowjetunion); **Kol|chos|bau|er** (*vgl.* ²Bauer); **Kol|chos|bäu|e|rin**

Kol|cho|se, die; -, -e ⟨russ.⟩ *vgl.* Kolchos

kol|dern (*südd., schweiz. mdal. für* schmollen); ich koldere

Kol|le|o|p|te|ren *Plur.* ⟨griech.⟩ (*Zool.* Käfer)

Ko|li|bak|te|rie, Ko|li|bak|te|rium *meist Plur.* ⟨griech.⟩ ([Dick]darmbakterie)

Ko|li|b|ri, der; -s, -s ⟨karib.⟩ (kleiner Vogel)

ko|lie|ren ⟨lat.⟩ (*Pharm.* [durch ein Tuch] seihen); **Ko|lier|tuch** *Plur.* ...tücher

Ko|lik [*auch* ...'li:k], die; -, -en ⟨griech.⟩ (Anfall von krampfartigen Leibschmerzen)

Ko|li|tis, die; -, ...it|den (*Med.* Dickdarmentzündung)

Kolk, der; -[e]s, -e (*nordd. für* Wasserloch)

Kol|ko|thar, der; -s, -e ⟨arab.⟩ (rotes Eisenoxid)

Kolk|ra|be

Koll. = Kolleg, Kollege[n], Kollegin

Kol|la, die; - ⟨griech.⟩ (*Chemie, Med.* Leim)

kol|la|bie|ren ⟨lat.⟩ (*Med.* einen Kollaps erleiden)

Kol|la|bo|ra|teur [...'tø:ɐ], der; -s, -e ⟨franz.⟩ (jmd., der mit dem Feind zusammenarbeitet); **Kol|la|bo|ra|teu|rin; Kol|la|bo|ra|ti|on**, die; -, -en; **kol|la|bo|rie|ren** ⟨»mit-

arbeiten«⟩ (mit dem Feind zusammenarbeiten)

kol|la|gen ⟨griech.⟩ (*Med., Biol.* aus Kollagenen bestehend); **Kol|la|gen**, das; -s, -e (leimartiges Eiweiß des Bindegewebes)

Kol|laps [*auch* ...'laps], der; -es, -e ⟨lat.⟩ (Zusammenbruch)

Kol|lar, das; -s, -e ⟨lat.⟩ (steifer Halskragen, bes. des kath. Geistlichen)

kol|la|te|ral ⟨lat.⟩ (seitlich gelagert; *fachspr. für* nebenständig)

Kol|la|te|ral|scha|den (*militär. verhüllend für* bei einer militärischen Aktion in Kauf genommener schwerer Schaden, bes. Tod von Zivilisten)

Kol|la|ti|on, die; -, -en ⟨lat.⟩ ([Text]vergleich; Übertragung eines kirchl. Amtes)

kol|la|ti|o|nie|ren ([Abschrift mit der Urschrift] vergleichen)

Kol|la|tur, die; -, -en (Recht zur Verleihung eines Kirchenamtes)

Kol|lau|da|ti|on, die; -, -en ⟨lat.⟩ (*schweiz. neben* Kollaudierung)

kol|lau|die|ren; Kol|lau|die|rung (*österr. u. schweiz. für* amtl. Prüfung eines Bauwerkes, Schlussgenehmigung)

¹Kol|leg, das; -s, *Plur.* -s *u.* -ien ⟨lat.⟩ (akadem. Vorlesung; Bildungseinrichtung)

²Kol|leg, das; -s, -s (*österr. für* Lehrgang, Kurzstudium nach dem Abitur)

Kol|le|ge, der; -n, -n (*Abk.* Koll.); **Kol|le|gen|kreis; Kol|le|gen|schaft**, die; -

Kol|leg|heft (Vorlesungsheft)

kol|le|gi|al (einem [guten] Verhältnis zwischen Kollegen entsprechend); **Kol|le|gi|a|li|tät**

Kol|le|gi|at, der; -en, -en (Stiftsgenosse; Teilnehmer an einem [Funk]kolleg)

Kol|le|gin (*Abk.* Koll.)

Kol|le|g(inn)en (*Kurzform für* Kolleginnen und Kollegen)

Kol|le|gi|um, das; -s, ...ien (Gruppe von Personen mit gleichem Amt od. Beruf; Lehrkörper); **Kol|le|gi|ums|mit|glied**

Kol|leg|map|pe

Kol|lek|ta|ne|en [*auch* ...'ta:...] *Plur.* ⟨lat.⟩ (*veraltet für* gesammelte literar. u. wissenschaftl. Auszüge)

Kol|lek|te, die; -, -n (Sammlung von Geldspenden in der Kirche)

Kol|lek|ti|on, die; -, -en ([Mus-

ter]sammlung [von Waren],
Auswahl)

kol|lek|tiv (gemeinschaftlich,
gruppenweise, umfassend)

Kol|lek|tiv, das; -s, Plur. -e, auch -s
(Team, Gruppe; Arbeits- u. Pro-
duktionsgemeinschaft, bes. in
der sozialist. Wirtschaft)

Kol|lek|tiv|ar|beit; Kol|lek|tiv|be-
wusst|sein; Kol|lek|tiv|bil|lett
(schweiz. für Gruppenfahr-
schein); Kol|lek|tiv|ei|gen|tum

kol|lek|ti|vie|ren (Privateigentum
in Gemeineigentum überfüh-
ren); Kol|lek|ti|vie|rung

Kol|lek|ti|vis|mus, der; - (starke
Betonung des gesellschaftlichen
Ganzen); Kol|lek|ti|vist, der; -en,
-en; Kol|lek|ti|vis|tin; kol|lek|ti-
vis|tisch

Kol|lek|ti|vi|tät, die; - (Gemein-
schaft[lichkeit])

Kol|lek|tiv|no|te (gemeinsame
diplomatische Note); Kol|lek|tiv-
schuld; Kol|lek|tiv|stra|fe

Kol|lek|tiv|suf|fix (Sprachw.)

Kol|lek|ti|vum, das; -s, ...va
(Sprachw. Sammelbezeichnung,
z. B. »Wald«, »Gebirge«)

Kol|lek|tiv|ver|trag; Kol|lek|tiv|wirt-
schaft

Kol|lek|tor, der; -s, ...oren (Strom-
abnehmer, -wender; Sammler
für Strahlungsenergie)

Kol|l|en|chym, das; -s, -e ⟨griech.⟩
(Bot. pflanzl. Festigungsgewebe)

¹Kol|ler, das; -s, - (Schulterpasse;
veraltet, aber noch landsch. für
[breiter] Kragen; Wams)

²Kol|ler, der; -s, - (eine Pferde-
krankheit; ugs. für Wutaus-
bruch)

Kol|ler|gang, der (Mahlwerk)

kol|le|rig, koll|rig (ugs. für leicht
aufbrausend, erregbar)

¹kol|lern (veraltet für den ²Koller
haben; knurrig sein); ich kollere

²kol|lern (landsch. für kullern); ich
kollere

Kol|lett, das; -s, -e ⟨franz.⟩ (veraltet
für Reitjacke)

Kol|li (Plur. von Kollo)

kol|li|die|ren ⟨lat.⟩ (zusammensto-
ßen; sich überschneiden)

Kol|li|er, Col|li|er [...'lje:], das; -s,
-s ⟨franz.⟩ (ein Halsschmuck)

Kol|li|ma|ti|on, die; -, -en ⟨nlat.⟩
(fachspr. Zusammenfallen
zweier Linien, z. B. bei Einstel-
lung des Fernrohrs); Kol|li|ma|ti-
ons|feh|ler

Kol|li|ma|tor, der; -s, ...oren

(astron. Hilfsfernrohr; Spaltrohr
beim Spektralapparat)

Kol|li|si|on, die; -, -en ⟨lat.⟩
(Zusammenstoß); Kol|li|si|ons-
kurs, der; -es; auf Kollisionskurs
gehen

Kol|lo, das; -s, Plur. -s u. Kolli
⟨ital.⟩ (Frachtstück, Warenbal-
len)

Kol|lo|di|um, das; -s ⟨griech.⟩ (zäh-
flüssige Zelluloselösung)

kol|lo|id, kol|lo|i|dal (Chemie fein
zerteilt); Kol|lo|id, das; -[e]s, -e
(Chemie fein zerteilter Stoff [in
Wasser od. Gas]); kol|lo|i|dal vgl.
kolloid; Kol|lo|id|che|mie; Kol|lo-
id|re|ak|ti|on

kol|lo|qui|al (Sprachw. wie im
Gespräch üblich)

Kol|lo|qui|um [auch ...'lo:...], das;
-s, ...ien ⟨lat.⟩ (wissenschaftl.
Gespräch; Zusammenkunft von
Wissenschaftlern; bes. österr.
kleinere Universitätsprüfung)

koll|rig vgl. kollerig

kol|lu|die|ren ⟨lat.⟩ (Rechtsspr. im
geheimen Einverständnis ste-
hen); Kol|lu|si|on, die; -, -en (Ver-
schleierung einer Straftat; uner-
laubte Verabredung); kol|lu|siv
⟨zu Kollision⟩

Koll|witz (dt. Malerin u. Grafike-
rin)

Kolm, der; -[e]s, -e (svw. ¹Kulm)

kol|ma|tie|ren ⟨franz.⟩ (fachspr. für
[Sumpfboden u. Ä.] aufhöhen);
Kol|ma|ti|on, die; -, -en

Köln (Stadt am Rhein); Köl|ner;
Kölner Messe; Köl|ner Braun,
das; - -s (Umbra)

köl|nisch; kölnisch[es] Wasser
↑K 89; vgl. Kölnischwasser

Köl|nisch|braun (Umbra)

Köl|nisch|was|ser [auch ...'va...],
das; -s

Ko|lom|bi|ne, Ko|lum|bi|ne, die; -,
-n ⟨ital., »Täubchen«⟩ (w.
Hauptrolle des ital. Stegreif-
theaters)

Ko|lon, das; -s, Plur. -s u. Kola
⟨griech.⟩ (veraltet für Doppelpunkt; Med. Grimmdarm)

Ko|lo|nat, das, auch der; -[e]s, -e
⟨lat.⟩ (Rechtsverhältnis der
Kolonen im alten Rom; Erbzins-
gut); Ko|lo|ne, der; -n, -n (per-
sönl. freier, aber an seinen
Landbesitz gebundener Pächter
in der röm. Kaiserzeit; Erbzins-
bauer)

Ko|lo|nel, der; - ⟨franz.⟩ (Druckw. ein
Schriftgrad)

Ko|lo|nia|kü|bel vgl. Coloniakübel

ko|lo|ni|al ⟨lat.⟩ (die Kolonie[n]
betreffend; zu Kolonien gehörend; aus Kolonien stammend)

Ko|lo|ni|al|ge|biet; Ko|lo|ni|al|herr-
schaft, die; -; ko|lo|ni|a|li|sie|ren

Ko|lo|ni|a|lis|mus, der; - (auf
Erwerb von Kolonien ausgerich-
tete Politik eines Staates); Ko|lo-
ni|a|list, der; -en, -en (Anhänger
des Kolonialismus); Ko|lo|ni|a|lis-
tin

Ko|lo|ni|al|krieg; Ko|lo|ni|al|po|li|tik;
Ko|lo|ni|al|stil, der; -s; Ko|lo|ni|al-
wa|ren Plur. (veraltend); Ko|lo|ni-
al|zeit, die; -

Ko|lo|nie, die; -, ...ien (auch für
Siedlung)

Ko|lo|ni|sa|ti|on, die; -, -en

Ko|lo|ni|sa|tor, der; -s, ...oren; Ko|lo-
ni|sa|to|risch

ko|lo|ni|sa|to|risch

ko|lo|ni|sie|ren; Ko|lo|ni|sie|rung

Ko|lo|nist, der; -en, -en (Ansiedler in
einer Kolonie); Ko|lo|nis|tin

Ko|lon|na|de, die; -, -n ⟨franz.⟩ (Säu-
lengang, -halle)

Ko|lon|ne, die; -, -n; die fünfte
Kolonne (Spionagetrupp)

Ko|lon|nen|ap|pa|rat (Destillierappa-
rat); Ko|lon|nen|fah|ren, das; -s;
Ko|lon|nen|schrift (z. B. das Chine-
sische); Ko|lon|nen|sprin|ger (in
einer Kolonne ständig überholen-
der Autofahrer); Ko|lon|nen|sprin-
ge|rin

¹Ko|lo|phon, der; -s, -e ⟨griech.⟩
(Schlussformel mittelalterl.
Handschriften u. Frühdrucke)

²Ko|lo|phon (altgriech. Stadt in
Lydien)

Ko|lo|pho|ni|um, das; -s ⟨nach der
altgriech. Stadt Kolophon⟩ (ein
Harzprodukt)

Ko|lo|quin|te, die; -, -n ⟨lat.⟩
(Frucht einer subtrop. Kürbis-
pflanze)

Ko|lo|ra|do|kä|fer, Ko|lo|ra|do-Kä|fer
⟨nach dem Staat Colorado⟩ (Kar-
toffelkäfer)

Ko|lo|ra|tur, die; -, -en ⟨ital.⟩ (vir-
tuose gesangliche Verzierung)

ko|lo|ra|tu|ren|si|cher (Musik); Ko|lo-
ra|tur|sän|ge|rin; Ko|lo|ra|tur|sop|-
ran

ko|lo|rie|ren (färben; aus-, bemalen);
Ko|lo|rie|rung

Ko|lo|ri|me|ter, das; -s, - ⟨lat.;
griech.⟩ (Gerät zur Bestimmung
von Farbtönen)

Ko|lo|ri|me|t|rie, die; -; ko|lo|ri|me|t-
risch

Ko|lo|rist, der; -en, -en ⟨lat.⟩ (jmd.,
der koloriert; Maler, der den

K

koll

Schwerpunkt auf das Kolorit legt); **Ko|lo|ris|tin; ko|lo|ris|tisch**
Ko|lo|rit, das; -[e]s, *Plur.* -e, *auch* -s ⟨ital.⟩ (Farbgebung, -wirkung; Klangfarbe)
Ko|lo|s|kop, das; -s, -e ⟨griech.⟩ (*Med.* Gerät zur direkten Untersuchung des Grimmdarms)
Ko|loss [*auch* ˈkɔ...], der; -es, -e ⟨griech.⟩ (Riesenstandbild; Riese, Ungetüm)
Ko|los|sä (im Altertum Stadt in Phrygien)
ko|los|sal ⟨franz.⟩ (riesig, gewaltig, Riesen...; übergroß)
Ko|los|sal|bau *Plur.* ...bauten
Ko|los|sal|fi|gur; Ko|los|sal|film; Ko|los|sal|ge|mäl|de
ko|los|sa|lisch (*geh. für* kolossal)
Ko|los|sal|sta|tue
Ko|los|ser (Einwohner von Kolossä); **Ko|los|ser|brief,** der; -[e]s (*N. T.*)
Ko|los|se|um, das; -s (Amphitheater in Rom)
Ko|los|t|ral|milch, die; - ⟨lat.; dt.⟩, **Ko|los|t|rum,** das; -s ⟨lat.⟩ (*Med.* Sekret der Brustdrüsen)
Ko|lo|to|mie, die; -, ...ien ⟨griech.⟩ (*Med.* operative Öffnung des Dickdarms); **Kol|pak** [*auch* ˈkɔ...], der; -s, -e ⟨türk.⟩; *vgl.* Kalpak
Kol|ping (kath. Priester); **Kol|ping|haus; Kol|ping|ju|gend; Kol|pings|fa|mi|lie; Kol|ping|werk,** das; -[e]s (internationaler kath. Sozialverband)
Kol|pi|tis, die; -, ...iti|den ⟨griech.⟩ (*Med.* Scheidenentzündung)
Kol|por|ta|ge [...ʒə], die; -, -n ⟨franz.⟩ (Verbreitung von Gerüchten); **kol|por|ta|ge|haft**
Kol|por|ta|ge|ro|man
Kol|por|teur [...ˈtøːɐ̯], der; -s, -e (Verbreiter von Gerüchten); **Kol|por|teu|rin**
kol|por|tie|ren
Kol|po|s|kop, das; -s, -e ⟨griech.⟩ (*Med.* Spiegelgerät zur gynäkolog. Untersuchung); **Kol|po|s|ko|pie,** die; -, ...ien
¹**Kölsch,** das; -[s] (»aus Köln, kölnisch«) (ein obergäriges Bier; Kölner Mundart)
²**Kölsch,** der; -[e]s (*schweiz. für* gewürfelter Baumwollstoff)
¹**Kol|ter,** der; -s, - *u.* die; -, -n ⟨franz.⟩ (*südwestd. für* Wolldecke, Steppdecke)
²**Kol|ter,** das; -s, - ⟨franz.⟩ (*bes. nordwestd. für* Messer vor der Pflugschar)

Ko|lum|ba|ri|um, das; -s, ...ien ⟨lat.⟩ (altröm. Grabkammer; *heute für* Urnenhalle eines Friedhofs)
Ko|lum|bi|a|ner; Ko|lum|bi|a|ne|rin; ko|lum|bi|a|nisch; Ko|lum|bi|en (Staat in Südamerika)
Ko|lum|bi|ne *vgl.* Kolombine
Ko|lum|bus (Entdecker Amerikas)
Ko|lum|ne, die; -, -n ⟨lat., »Säule«⟩ ([Druck]spalte; regelmäßig veröffentlichter Meinungsbeitrag); **Ko|lum|nen|maß,** das; **Ko|lum|nen|ti|tel**
Ko|lum|nist, der; -en, -en (Journalist, dem eine bestimmte Spalte einer Zeitung zur Verfügung steht); **Ko|lum|nis|tin**
Kõm, der; -s, -s (*nordd. für* Kümmelschnaps); 3 Kõm
Ko|ma, das; -s, *Plur.* -s *u.* -ta ⟨griech.⟩ (*Med.* tiefe Bewusstlosigkeit)
Ko|mant|sche, der; -n, -n (Angehöriger eines nordamerik. Indianerstammes); **Ko|mant|schin**
Ko|ma|pa|ti|ent; Ko|ma|pa|ti|en|tin
ko|ma|tös (in tiefer Bewusstlosigkeit; komatöser Zustand)
Kom|bat|tant, der; -en, -en ⟨franz.⟩ (*Rechtsspr. u. veraltet für* [Mit]kämpfer; Kriegsteilnehmer); **Kom|bat|tan|tin**
¹**Kom|bi,** der; -[s], -s (*kurz für* kombinierter Liefer- u. Personenwagen)
²**Kom|bi,** die; -s, -s (*kurz für* ²Kombination)
Kom|bi... (kombiniert)
Kom|bi|lohn (staatlich bezuschusster Lohn zur Verminderung von Arbeitslosigkeit)
Kom|bi|nat, das; -[e]s, -e ⟨russ.⟩ (Zusammenschluss eng zusammengehörender Betriebe in sozialist. Staaten)
¹**Kom|bi|na|ti|on,** die; -, -en ⟨lat.⟩ (berechnende Verbindung; gedankliche Folgerung; Zusammenstellung; *Sport* planmäßiges, flüssiges Zusammenspiel)
²**Kom|bi|na|ti|on** [*auch* ...naˈʃn̩], die; -, *Plur.* -en, *bei engl. Aussspr.* -s ⟨engl.⟩ (Hemdhose; einteiliger [Schutz]anzug, bes. der Flieger)
Kom|bi|na|ti|ons|ga|be, die; -
Kom|bi|na|ti|ons|mög|lich|keit
Kom|bi|na|ti|ons|schloss
Kom|bi|na|ti|ons|spiel (*Sport*); **Kom|bi|na|ti|ons|ver|mö|gen**
kom|bi|na|to|risch ⟨lat.⟩; kombinatorischer Lautwandel (*Sprachw.*)
Kom|bine [...ˈbain], die; -, -s, *auch*

[...ˈbiː...], die; -, -n ⟨engl.⟩ (Mähdrescher)
kom|bi|nier|bar
kom|bi|nie|ren ⟨lat.⟩ (vereinigen, zusammenstellen; berechnen; vermuten; *Sport* planmäßig zusammenspielen)
Kom|bi|nier|te, der *u.* die; -n, -n (*Skisport* Teilnehmer[in] an der nordischen Kombination)
Kom|bi|nie|rung
Kom|bi|prä|pa|rat (*Pharm.*)
Kom|bi|schlüs|sel; Kom|bi|schrank
Kom|bi|wa|gen; Kom|bi|zan|ge
Kom|bu|cha, der; -s ⟨Herkunft unsicher⟩ (*fachspr. auch* die; -: aus Meeresalgen gewonnener Teepilz; *auch* das; -s: mit Kombucha vergorener Tee)
Kom|büse, die; -, -n (*Seemannsspr.* Schiffsküche)
Ko|m|e|do, der; -s, ...onen ⟨lat.⟩ (*veraltet für* Fresser, Schlemmer; *Med., meist Plur.* Mitesser); **Ko|m|e|do|nen|quet|scher** (*Med.* Gerät zum Entfernen von Mitessern)
Ko|met, der; -en, -en ⟨griech.⟩ (Schweifstern); **Ko|me|ten|bahn**
ko|me|ten|haft; Ko|me|ten|schweif
Kö|me|te|ri|on *vgl.* Zömeterium
Kom|fort [...ˈfoːɐ̯, *schweiz.* ...ˈfɔrt], der; -s ⟨engl.⟩ (Bequemlichkeiten, Annehmlichkeiten; Ausstattung mit gewissem Luxus)
kom|for|ta|bel; ...a|b|le Wohnung
Ko|mik, die; - ⟨griech.⟩ (erheiternde, Lachen erregende Wirkung); **Ko|mi|ker; Ko|mi|ke|rin**
Ko|m|in|form, das; -s (= Kommunistisches Informationsbüro, 1947 bis 1956)
Ko|m|in|tern, die; - (= Kommunistische Internationale, 1919 bis 1943)
ko|misch ⟨griech.⟩ (belustigend; sonderbar, seltsam); am komischs|ten
ko|mi|scher|wei|se
Ko|mi|tat, das, *auch* der; -[e]s, -e ⟨lat.⟩ (*früher* feierliches Geleit, Ehrengeleit; Grafschaft; ehem. Verwaltungsbezirk in Ungarn)
Ko|mi|tee, das; -s, -s ⟨franz.⟩ (leitender Ausschuss)
Ko|mi|ti|en *Plur.* ⟨lat.⟩ (altröm. Bürgerversammlungen)
Kom|ma, das, *Plur.* -s, *auch* -ta ⟨griech.⟩ (Beistrich)
Kom|ma|ba|zil|lus (*Med.*)
Kom|man|dant, der; -en, -en ⟨franz.⟩ (Befehlshaber einer Festung, eines Schiffes usw.;

K
Komm

schweiz. auch svw. Kommandeur); Kom|man|dan|tin; Kom|man|dan|tur, die; -, -en ⟨lat.⟩ (Dienstgebäude eines Kommandanten; Amt des Befehlshabers) Kom|man|deur [...'døːɐ̯], der; -s, -e ⟨franz.⟩ (Befehlshaber eines größeren Truppenteils); Kom|man|deu|rin
kom|man|die|ren; ↑K151 : der Kommandierende General
Kom|man|die|rung
Kom|man|di|tär, der; -s, -e ⟨franz.⟩ (schweiz. für Kommanditist); Kom|man|di|tä|rin
Kom|man|di|te, die; -, -n (Zweiggeschäft, Nebenstelle; veraltet für Kommanditgesellschaft)
Kom|man|dit|ge|sell|schaft (eine Form der Handelsgesellschaft; Abk. KG); Kommanditgesellschaft auf Aktien (Abk. KGaA)
Kom|man|di|tist, der; -en, -en (Gesellschafter einer Kommanditgesellschaft); Kom|man|di|tis|tin
Kom|man|do, das; -s, Plur. -s, österr. auch ...den ⟨ital.⟩ (Befehl; Milit. Einheit, Dienststelle; nur Sing.: Befehlsgewalt)
Kom|man|do|brü|cke
Kom|man|do|ge|walt, die; -
Kom|man|do|kap|sel (Raumfahrt)
Kom|man|do|sa|che; geheime Kommandosache
Kom|man|do|stand; Kom|man|do|stim|me; Kom|man|do|ton; Kom|man|do|zen|t|ra|le
Kom|mas|sa|ti|on, die; -, -en ⟨lat.⟩ (fachspr. für Zusammenlegung [von Grundstücken]); kom|mas|sie|ren; Kom|mas|sie|rung (bes. österr. für Kommassation)
Kom|ma|ta (Plur. von Komma)
Kom|me|mo|ra|ti|on, die; -, -en ⟨lat.⟩ (Fürbitte in der kath. Messe; kirchl. Gedächtnisfeier)
kom|men; du kamst, er/sie kam; du kämest; gekommen; komm[e]!; einen Arzt kommen lassen; den Gegner kommen lassen od. kommenlassen (angreifen lassen); die Kupplung kommen lassen od. kommenlassen (einkuppeln)
Kom|men, das; -s; wir warten auf sein Kommen; das Kommen und Gehen; im Kommen sein
Kom|men|de, die; -, -n ⟨lat.⟩ (früher kirchl. Pfründe ohne Amtsverpflichtung; Komturei)
kom|men las|sen; kom|men|las|sen vgl. kommen

Kom|men|sa|lis|mus, der; - ⟨lat.⟩ (Biol. Ernährungsgemeinschaft von Tieren od. Pflanzen)
kom|men|su|ra|bel ⟨lat.⟩ (mit gleichem Maß messbar; vergleichbar); ...a|b|le Größen
Kom|men|su|ra|bi|li|tät, die; -
Kom|ment [...'mãː], der; -s, -s ⟨franz., »wie«⟩ (Verbindungsw. Brauch, Sitte, Regel)
Kom|men|tar, der; -s, -e ⟨lat.⟩ (Erläuterung, Auslegung; kritische Stellungnahme; ugs. für Bemerkung); kom|men|tar|los
Kom|men|ta|tor, der; -s, ...oren (Verfasser eines Kommentars); Kom|men|ta|to|rin
kom|men|tie|ren
Kom|men|tie|rung
Kom|mers, der; -es, -e ⟨franz.⟩ (Verbindungsw. feierlicher Trinkabend); Kom|mers|buch (student. Liederbuch)
Kom|merz, der; -es ⟨lat.⟩ (Handel u. Geschäftsverkehr)
Kom|merz|fern|se|hen (meist abwertend für Privatfernsehen)
kom|mer|zi|a|li|sie|ren (kommerziellen Interessen unterordnen; Finanzw. öffentl. Schulden in privatwirtschaftl. umwandeln)
Kom|mer|zi|a|li|sie|rung
Kom|mer|zi|al|rat Plur. ...räte (österr. für Kommerzienrat); Kom|mer|zi|al|rä|tin
kom|mer|zi|ell (zu Kommerz)
Kom|mer|zi|en|rat Plur. ...räte (früher Titel für Großkaufleute u. Industrielle); Kom|mer|zi|en|rä|tin
Kom|mi|li|to|ne, der; -n, -n ⟨lat.⟩ (Studienkollege)
Kom|mi|li|to|nin
Kom|mi|li|to|n(in|n)en (Kurzform für Kommilitoninnen u. Kommilitonen)
Kom|mis [...'miː], der; -, - ⟨franz.⟩ (veraltet für Handlungsgehilfe)
Kom|miss, der; -es ⟨lat.⟩ (ugs. für Militär[dienst]); beim Kommiss
Kom|mis|sar, der; -s, -e ([vom Staat] Beauftragter; Dienstbez., z. B. Polizeikommissar)
Kom|mis|sär, der; -s, -e ⟨franz.⟩ (südd., schweiz. neben österr. für Kommissar); Kom|mis|sa|ri|at, das; -[e]s, -e ⟨lat.⟩ (Amt[szimmer] eines Kommissars; österr. für Polizeidienststelle)
Kom|mis|sa|rin
kom|mis|sa|risch (auftragsweise, vorübergehend); kommissari-

scher Leiter; kommissarische Vernehmung (Rechtsspr.)
Kom|miss|brot
Kom|mis|si|on, die; -, -en (Ausschuss [von Beauftragten]; Wirtsch. Handel für fremde Rechnung); Kom|mis|si|o|när, der; -s, -e ⟨franz.⟩ (Händler auf fremde Rechnung; Kommissionsbuchhändler); Kom|mis|si|o|nä|rin
kom|mis|si|o|nie|ren ⟨lat.⟩ (österr. für [einen Neubau] prüfen und zur Benutzung freigeben)
Kom|mis|si|o|nie|rung, die; -, -en (Fachspr. Prüfung von Bestellvorgängen)
Kom|mis|si|ons|buch|han|del (Zwischenbuchhandel [zwischen Verlag u. Sortiment]); Kom|mis|si|ons|ge|schäft (Geschäft im eigenen Namen für fremde Rechnung); Kom|mis|si|ons|gut (Ware, die für den Besteller ein Rückgaberecht hat); Kom|mis|si|ons|sen|dung (Sendung von Kommissionsgut)
Kom|miss|stie|fel, Kom|miss-Stiefel (veraltend); Kom|miss|zeit (veraltend)
Kom|mit|tent, der; -en, -en (Auftraggeber des Kommissionärs); Kom|mit|ten|tin
kom|mit|tie|ren (leinen Kommissionär] beauftragen)
kom|mod ⟨franz.⟩ (bes. österr. für bequem)
Kom|mo|de, die; -, -n; Kom|mo|den|schub|la|de
Kom|mo|di|tät, die; -, -en (landsch., sonst veraltet für Bequemlichkeit)
Kom|mo|do|re, der; -s, Plur. -n u. -s ⟨engl.⟩ (Geschwaderführer; erprobter, älterer Kapitän bei großen Schifffahrtslinien)
kom|mun ⟨lat.⟩ (veraltend für gemeinschaftlich; gemein)
kom|mu|nal (die Gemeinde[n] betreffend, Gemeinde..., gemeindeeigen); kommunale Angelegenheiten
Kom|mu|nal|ab|ga|be (bes. österr.); Kom|mu|nal|be|am|te; Kom|mu|nal|be|am|tin; Kom|mu|nal|be|hör|de
kom|mu|na|li|sie|ren (in Gemeindebesitz od. -verwaltung überführen); Kom|mu|na|li|sie|rung
Kom|mu|nal|po|li|tik; Kom|mu|nal|ver|wal|tung; Kom|mu|nal|wahl
Kom|mu|nar|de, der; -n, -n ⟨franz.⟩ (Anhänger der Pariser Kom-

K
Komm

mune; Mitglied einer der frühen Wohngemeinschaften); **Kom|mu|nar|din**

Kom|mu|ne, die; -, -n (politische Gemeinde; Wohn- und Wirtschaftsgemeinschaft; *veraltend, abwertend für* Kommunisten; [*auch* kɔˈmyːn(ə)] *nur Sing.*: Herrschaft des Pariser Gemeinderates 1789–1795 und 1871)

Kom|mu|ni|kant, der; -en, -en ⟨lat.⟩ (Teilnehmer am Abendmahl); **Kom|mu|ni|kan|tin**

Kom|mu|ni|ka|ti|on, die; -, -en (Verständigung untereinander; Verbindung, Zusammenhang)

Kom|mu|ni|ka|ti|ons|mit|tel, das

Kom|mu|ni|ka|ti|ons|stö|rung

Kom|mu|ni|ka|ti|ons|sys|tem

Kom|mu|ni|ka|ti|ons|tech|nik; kom|mu|ni|ka|ti|ons|tech|nisch

Kom|mu|ni|ka|ti|ons|tech|no|lo|gie;

Kom|mu|ni|ka|ti|ons|zen|t|rum

kom|mu|ni|ka|tiv (mitteilsam; die Kommunikation betreffend)

Kom|mu|ni|ka|tor, der; -s, ...oren (jmd., der mit anderen mühelos kommuniziert); **Kom|mu|ni|ka|to|rin**

Kom|mu|ni|kee, **Kom|mu|ni|qué** [...myniˈkeː, ...mu...], das; -s, -s ⟨franz.⟩ (Denkschrift; [regierungs]amtliche Mitteilung)

Kom|mu|ni|on, die; -, -en (*kath. Kirche* [Teilnahme am] Abendmahl); **Kom|mu|ni|on|bank** *Plur.* ...bänke; **Kom|mu|ni|on|kind** (Erstkommunikant[in])

Kom|mu|ni|qué *vgl.* Kommunikee

Kom|mu|nis|mus, der; - (*nach* Karl Marx die auf den Sozialismus folgende, von Klassengegensätzen freie Entwicklungsstufe der Gesellschaft; politische Richtung, die sich gegen den Kapitalismus wendet)

Kom|mu|nist, der; -en, -en; **Kom|mu|nis|tin; kom|mu|nis|tisch;** ↑K150 : das Kommunistische Manifest

Kom|mu|ni|ta|ris|mus, der; - ⟨engl.⟩ (von den USA ausgehende politische Bewegung, die den Gemeinsinn u. soziale Tugenden in den Vordergrund stellt); **kom|mu|ni|ta|ris|tisch**

Kom|mu|ni|tät, die; -, -en ⟨lat.⟩ (ev. Bruderschaft; *veraltet für* Gemeinschaft; Gemeingut)

kom|mu|ni|zie|ren (zusammenhängen, in Verbindung stehen; miteinander sprechen, sich verstän-

digen; mitteilen; *kath. Kirche* die Kommunion empfangen)

kom|mu|ni|zie|rend; kommunizierende (verbundene) Röhren

kom|mu|ta|bel ⟨lat.⟩ (veränderlich, vertauschbar); ...a|b|le Objekte

Kom|mu|ta|ti|on, die; -, -en (*bes. Math.* Umstellbarkeit, Vertauschbarkeit; bestimmter astronomischer Winkel)

kom|mu|ta|tiv (vertauschbar)

Kom|mu|ta|tor, der; -s, ...oren (*Technik* Stromwender, Kollektor); **kom|mu|tie|ren** (vertauschen; die Richtung des Stroms ändern); **Kom|mu|tie|rung**

Ko|mö|di|ant, der; -en, -en ⟨ital.(-engl.)⟩ (Schauspieler; *auch für* jmd., der sich verstellt); **ko|mö|di|an|ten|haft; Ko|mö|di|an|ten|tum,** das; -s; **Ko|mö|di|an|tin; ko|mö|di|an|tisch**

Ko|mö|die, die; -, -n (Lustspiel; *auch für* Vortäuschung, Verstellung); **Ko|mö|di|en|dich|ter; Ko|mö|di|en|dich|te|rin; Ko|mö|di|en|schrei|ber; Ko|mö|di|en|schrei|be|rin**

Ko|mo|ren *Plur.* (Inselgruppe u. Staat im Indischen Ozean); **Ko|mo|rer; Ko|mo|re|rin; ko|mo|risch**

Komp., Co, Co. = Kompanie

Kom|pa|g|non [...panjõ, *auch* ...n'jõː], der; -s, -s ⟨franz.⟩ (*Kaufmannsspr.* [Geschäfts]teilhaber; Mitinhaber)

kom|pakt ⟨franz.⟩ (gedrungen; dicht; fest); am kompakte|sten

Kom|pakt|bau|wei|se

Kom|pakt|heit, die; -

Kom|pakt|ka|me|ra; Kom|pakt|schall|plat|te (CD)

Kom|pakt|se|mi|nar (auf wenige Tage od. Stunden konzentrierte Lehr- od. Informationsveranstaltung)

Kom|pa|nie, die; -, ...ien ⟨ital. u. franz.⟩ (militärische Einheit [*Abk.* Komp., *schweiz.* Kp]; *Kaufmannsspr. veraltet für* [Handels]gesellschaft; *Abk.* Co. *od.* Co, *seltener* Cie.)

Kom|pa|nie|chef; Kom|pa|nie|che|fin; Kom|pa|nie|füh|rer; Kom|pa|nie|füh|re|rin; Kom|pa|nie|ge|schäft

kom|pa|ra|bel ⟨lat.⟩ (vergleichbar; *Sprachw.* steigerungsfähig); ...a|b|le Größen

Kom|pa|ra|ti|on, die; -, -en (*Sprachw.* Steigerung)

Kom|pa|ra|tis|tik, die; - (verglei-

chende Literatur- od. Sprachwissenschaft)

Kom|pa|ra|tiv, der; -s, -e (*Sprachw.* erste Steigerungsstufe, z. B. »schöner«); **Kom|pa|ra|tiv|satz** (*Sprachw.* Vergleichssatz)

Kom|pa|ra|tor, der; -s, ...oren (Gerät zum Vergleichen von Längenmaßen)

kom|pa|rie|ren (vergleichen; *Sprachw.* steigern)

Kom|par|se, der; -n, -n ⟨franz.⟩ (Statist, stumme Person [bei Bühne und Film]); **Kom|par|se|rie,** die; -, ...ien (Gesamtheit der Komparsen); **Kom|par|sin**

Kom|pass, der; -es, -e ⟨ital.⟩ (Gerät zur Bestimmung der Himmelsrichtung); **Kom|pass|na|del; Kom|pass|ro|se**

kom|pa|ti|bel ⟨franz.(-engl.)⟩ (vereinbar, zusammenpassend, kombinierbar); ...i|b|le Ämter

Kom|pa|ti|bi|li|tät, die; -, -en

Kom|pa|t|ri|ot, der; -en, -en ⟨franz.⟩ (*veraltet für* Landsmann); **Kom|pa|t|ri|o|tin**

kom|pen|di|a|risch, kom|pen|di|ös ⟨lat.⟩ (*veraltet für* zusammengefasst; gedrängt)

Kom|pen|di|um, das; -s, ...ien (Abriss, kurzes Lehrbuch)

Kom|pen|sa|ti|on, die; -, -en ⟨lat.⟩ (Ausgleich, Entschädigung; *BGB* Aufrechnung)

Kom|pen|sa|ti|ons|ge|schäft

Kom|pen|sa|tor, der; -s, ...oren (Ausgleicher; Gerät zur Messung einer Spannung); **kom|pen|sa|to|risch** (ausgleichend)

kom|pen|sie|ren (gegeneinander ausgleichen; *BGB* aufrechnen)

kom|pe|tent ⟨lat.⟩ (sachverständig; zuständig); am kompetentesten; **Kom|pe|tenz,** die; -, -en (Sachverstand, Fähigkeiten; Zuständigkeit; *Sprachw., nur Sing.* Beherrschung eines Sprachsystems)

Kom|pe|tenz|be|reich, der

Kom|pe|tenz|fra|ge

Kom|pe|tenz|kom|pe|tenz (*Rechtsspr.* Befugnis zur Bestimmung der Zuständigkeit); **Kom|pe|tenz|kon|flikt; Kom|pe|tenz|strei|tig|keit** *meist Plur.*

Kom|pe|tenz|team

Kom|pe|tenz|zen|t|rum

Kom|pi|la|ti|on, die; -, -en ⟨lat.⟩ (das Zusammentragen mehrerer [wissenschaftl.] Quellen; durch Zusammentragen entstandene Schrift)

Kom|pi|la|tor, der; -s, ...oren (Zusammenträger); Kom|pi|la|to|rin; kom|pi|la|to|risch; kom|pi|lie|ren

Kom|ple|ment, das; -[e]s, -e ⟨lat.⟩ (Ergänzung); kom|ple|men|tär ⟨franz.⟩ (ergänzend)

Kom|ple|men|tär, der; -s, -e (persönlich haftender Gesellschafter einer Kommanditgesellschaft; *in der DDR* Eigentümer einer privaten Firma, an der der Staat beteiligt ist)

Kom|ple|men|tär|far|be (*Optik* Ergänzungsfarbe); Kom|ple|men|tä|rin

kom|ple|men|tie|ren (ergänzen, vervollständigen)

Kom|ple|men|tie|rung

Kom|ple|ment|win|kel (*Math.* Ergänzungswinkel)

¹Kom|plet [... ple:, *auch* kö'ple:], das; -[s], -s (Mantel [od. Jacke] u. Kleid aus gleichem Stoff)

²Kom|plet, die; -, -e ⟨lat.⟩ (Abendgebet als Schluss der kath. kirchl. Tageszeiten)

kom|plett ⟨franz.⟩ (vollständig, abgeschlossen; *österr. veraltend auch für* voll besetzt); kom|plet|tie|ren (vervollständigen; auffüllen); Kom|plet|tie|rung

Kom|plett|preis (*bes.* Werbespr.)

kom|plex ⟨lat.⟩ (umfassend; vielfältig verflochten; *Math.* aus reellen u. imaginären Zahlen zusammengesetzt)

Kom|plex, der; -es, -e (zusammengefasster Bereich; [Sach-, Gebäude]gruppe; *Psych.* seelisch bedrückende, negative Vorstellung [in Bezug auf sich selbst])

Kom|plex|bri|ga|de (*DDR* Arbeitsgruppe aus verschiedenen Berufen)

Kom|ple|xi|on, die; -, -en (*veraltet für* Zusammenfassung)

Kom|ple|xi|tät, die; -

Kom|plex|ver|bin|dung (*Chemie*)

Kom|pli|ce usw. *vgl.* Komplize usw.

Kom|pli|ka|ti|on, die; -, -en ⟨lat.⟩ (Verwicklung; Erschwerung)

kom|pli|ka|ti|ons|los

Kom|pli|ment, das; -[e]s, -e ⟨franz.⟩ (lobende, schmeichelnde Äußerung; *veraltet für* Gruß); kom|pli|men|tie|ren (*geh.* mit höflichen Gesten und Worten [ins Zimmer o. Ä.] geleiten)

Kom|pli|ze, Kom|pli|ce [...tsə, ...sə], der; -n, -n ⟨franz.⟩ (*abwertend für* Mitschuldiger; Mittäter);

kom|pli|zen|haft; Kom|pli|zen|schaft, die; -

kom|pli|zie|ren ⟨lat.⟩ (verwickeln; erschweren); kom|pli|ziert (verwickelt, schwierig, umständlich); Kom|pli|ziert|heit, die; -; Kom|pli|zie|rung

Kom|pli|zin (*abwertend*)

Kom|plott, das, *ugs. auch* der; -[e]s, -e ⟨franz.⟩ (heimlicher Anschlag, Verschwörung); kom|plot|tie|ren (*veraltet*)

Kom|po|nen|te, die; -, -n ⟨lat.⟩ (Bestandteil eines Ganzen)

kom|po|nie|ren (*Musik* [eine Komposition] schaffen; *geh. für* [kunstvoll] gestalten); Kom|po|nist, der; -en, -en; Kom|po|nis|tin

Kom|po|si|te, die; -, -n *meist* Plur. (*Bot.* Korbblütler)

Kom|po|si|ti|on, die; -, -en (Zusammensetzung; Aufbau u. Gestaltung eines Kunstwerkes; *Musik* das Komponieren; Tonschöpfung); kom|po|si|to|risch

Kom|po|si|tum, das; -s, Plur. ...ta, *selten* ...siten (*Sprachw.* [Wort]zusammensetzung, z. B. ›Haustür‹)

Kom|post [*auch* 'kɔ...], der; -[e]s, -e ⟨franz.⟩ (natürl. Mischdünger); Kom|post|er|de; Kom|post|hau|fen

kom|pos|tier|bar; kom|pos|tie|ren (zu Kompost verarbeiten); Kom|pos|tie|rung; Kom|pos|tie|rungs|an|la|ge

Kom|pott, das; -[e]s, -e (gekochtes Obst); Kom|pott|tel|ler, Kom|pott-Tel|ler

kom|press ⟨lat.⟩ (*veraltet für* eng zusammengedrängt; *Druckw.* ohne Durchschuss)

Kom|pres|se, die; -, -n ⟨franz.⟩ (*Med.* feuchter Umschlag; Mullstück)

kom|pres|si|bel ⟨lat.⟩ (*Physik* zusammenpressbar; verdichtbar); ...i|b|le Flüssigkeiten; Kom|pres|si|bi|li|tät, die; - (*Physik* Zusammendrückbarkeit)

Kom|pres|si|on, die; -, -en (*Technik* Zusammendrückung; Verdichtung; *Skisport* flacherer Teil einer Abfahrtsstrecke [nach einem Steilhang])

Kom|pres|si|ons|dia|gramm (*Kfz-Technik*)

Kom|pres|si|ons|strumpf (*Med.*)

Kom|pres|si|ons|ver|band (*Med.*)

Kom|pres|sor, der; -s, ...oren (*Technik* Verdichter)

Kom|pri|mat, das; -[e]s, -e

(*fachspr. für* Zusammengefasstes, -gepresstes)

kom|pri|mier|bar; kom|pri|mie|ren (zusammenpressen; verdichten); kom|pri|miert; Kom|pri|mie|rung

Kom|pro|miss, der, *selten* das; -es, -e ⟨lat.⟩ (Übereinkunft; Ausgleich, Zugeständnis)

kom|pro|miss|be|reit; Kom|pro|miss|be|reit|schaft

kom|pro|miss|fä|hig; Kom|pro|miss|fä|hig|keit

Kom|pro|miss|kan|di|dat (*Politik*); Kom|pro|miss|kan|di|da|tin

Kom|pro|miss|ler (*abwertend für* jmd., der dazu neigt, Kompromisse zu schließen); Kom|pro|miss|le|rin; kom|pro|miss|le|risch (*abwertend*)

kom|pro|miss|los; Kom|pro|miss|lo|sig|keit

Kom|pro|miss|lö|sung; Kom|pro|miss|ver|such; Kom|pro|miss|vor|schlag

kom|pro|mit|tie|ren (bloßstellen)

Komp|ta|bi|li|tät, die; - ⟨franz.⟩ (Verantwortlichkeit, Rechenschaftspflicht)

Kom|so|mol, der; - ⟨russ.⟩ (kommunist. Jugendorganisation in der UdSSR); Kom|so|mol|ze, der; -n, -n (Mitglied des Komsomol); Kom|so|mol|zin

Kom|tess, Kom|tes|se [*beide auch* kö'tɛs], die; -, Komtessen ⟨franz.⟩ (unverheiratete Gräfin)

Kom|tur, der; -s, -e ⟨franz.⟩ (Ordensritter; Leiter einer Komturei); Kom|tu|rei (Verwaltungsbezirk eines Ritterordens); Kom|tur|kreuz (Halskreuz eines Verdienstordens)

Ko|nak, der; -s, -e ⟨türk.⟩ (Palast, Amtsgebäude in der Türkei)

Kon|au|tor usw. *vgl.* Koautor usw.

Kon|cha, die; -, Plur. -s u. ...chen ⟨griech.⟩ (*svw.* Konche; *Med.* muschelähnliches Organ)

Kon|che, die; -, -n (*Archit.* Nischenwölbung)

kon|chie|ren (Schokoladenmasse zur Veredelung mit Wärme behandeln)

Kon|chi|fe|re, die; -, -n *meist* Plur. (griech.; lat.) (*Zool.* Weichtier mit einheitlicher Schale)

kon|chi|form (muschelförmig)

Kon|cho|i|de, die; -, -n ⟨griech.⟩ (*Math.* einer Muschel ähnliche Kurve vierten Grades)

Kon|chy|lie, die; -, -n *meist* Plur. (*Zool.* Schale der Weichtiere);

Konchyliologe – Konfitent

Kon|chy|lio|lo|ge, der; -n, -n; Kon|chy|lio|lo|gie, die; - (Lehre von den Konchylien); Kon|chy|lio|lo|gin

Kon|dem|na|ti|on, die; -, -en ⟨lat.⟩ (*veraltet für* Verurteilung, Verdammung; *Seew.* Erklärung eines Experten, dass die Reparatur eines beschädigten Schiffes nicht mehr lohnt)

Kon|den|sat, das; -[e]s, -e ⟨lat.⟩ (Niederschlag[swasser])

Kon|den|sa|ti|on, die; -, -en (Verdichtung; Verflüssigung); Kon|den|sa|ti|ons|punkt (*Physik*)

Kon|den|sa|tor, der; -s, ...oren (Gerät zum Speichern von Elektrizität od. zum Verflüssigen von Dämpfen)

kon|den|sie|ren (verdichten; verflüssigen); Kon|den|sie|rung

Kon|dens|milch

Kon|den|sor, der; -s, ...oren (*Optik* Lichtsammler, -verstärker)

Kon|dens|strei|fen

Kon|dens|was|ser, das; -s

Kon|dik|ti|on, die; -, -en ⟨lat.⟩ (*Rechtsw.* Klage auf Rückgabe)

kon|di|tern (Konditorwaren herstellen; *ugs. für* eine Konditorei besuchen); ich konditere

Kon|di|ti|on, die; -, -en ⟨lat.⟩ (Bedingung; *nur Sing.:* körperlicher Zustand; *vgl.* à condition)

kon|di|ti|o|nal (*Sprachw.* bedingend); Kon|di|ti|o|nal, der; -s, -e (*Sprachw.* Bedingungsform)

Kon|di|ti|o|na|lis|mus, der; - (eine philosophische Lehre)

Kon|di|ti|o|nal|satz (*Sprachw.* Bedingungssatz)

kon|di|ti|o|nell

kon|di|ti|o|nie|ren (*Fachspr.* Werkstoffe vor der Bearbeitung an die erforderlichen Bedingungen anpassen; *Psych.* einen ursprünglich neutralen Reiz mit einem reflexauslösenden koppeln); kon|di|ti|o|niert (beschaffen [von Waren]); Kon|di|ti|o|nie|rung

Kon|di|ti|ons|schwä|che

Kon|di|ti|ons|trai|ner; Kon|di|ti|ons|trai|ne|rin; Kon|di|ti|ons|trai|ning

Kon|di|tor, der; -s, ...oren ⟨lat.⟩; Kon|di|to|rei; Kon|di|to|rin [*auch* ...'di:...]; Kon|di|tor|meis|ter; Kon|di|tor|meis|te|rin

Kon|do|lenz, die; -, -en ⟨lat.⟩ (Beileid[sbezeigung]); Kon|do|lenz|be|such; Kon|do|lenz|buch

Kon|do|lenz|kar|te; Kon|do|lenz|lis|te; Kon|do|lenz|schrei|ben

kon|do|lie|ren; jmdm. kondolieren

Kon|dom, das *od.* der; -s, Plur. -e, *selten* -s ⟨engl.⟩ (Präservativ)

Kon|do|mi|nat, das *od.* der; -[e]s, -e ⟨lat.⟩, Kon|do|mi|ni|um, das; -s, ...ien (Herrschaft mehrerer Staaten über dasselbe Gebiet; *auch* dieses Gebiet selbst)

Kon|dor, der; -s, -e ⟨indian.⟩ (sehr großer südamerik. Geier)

Kon|dot|ti|e|re, der; -s, ...ri ⟨ital.⟩ (italien. Söldnerführer im 14. u. 15. Jh.)

Kon|du|i|te [*auch* kõ'dyi:t], die; - ⟨franz.⟩ (*veraltet für* Führung)

Kon|dukt, der; -[e]s, -e ⟨lat.⟩ (*veraltend für* Geleit, Leichenzug)

Kon|duk|teur [...'tø:ɐ̯, *schweiz.* 'kɔ...], der; -s, -e ⟨franz.⟩ (*schweiz., sonst veraltet für* Schaffner); Kon|duk|teu|rin [...'tø:...]

Kon|duk|tor, der; -s, ...oren ⟨lat.⟩ ([elektr.] Leiter; *Med.* Überträger einer Erbkrankheit); Kon|duk|to|rin

Kon|du|ran|go, die; -, -s ⟨indian.⟩ (südamerik. Kletterstrauch, dessen Rinde ein Magenmittel liefert); Kon|du|ran|go|rin|de

Kon|dy|lom, das; -s, -e ⟨griech.⟩ (*Med.* Feigwarze)

Ko|nen (*Plur. von* Konus)

Kon|fekt, das; -[e]s, -e ⟨lat.⟩ (Pralinen; *südd., schweiz., österr. auch für* Teegebäck)

Kon|fek|ti|on, die; -, -en Plur. selten ⟨franz.⟩ (industrielle Anfertigung von Kleidung; industriell angefertigte Kleidung; Bekleidungsindustrie)

Kon|fek|ti|o|när, der; -s, -e (Hersteller von Fertigkleidung; Unternehmer, Angestellter in der Konfektion); Kon|fek|ti|o|nä|rin

kon|fek|ti|o|nie|ren (fabrikmäßig herstellen); Kon|fek|ti|o|nie|rung

Kon|fek|ti|ons|an|zug

Kon|fek|ti|ons|ge|schäft

Kon|fek|ti|ons|grö|ße

Kon|fe|renz, die; -, -en ⟨lat.⟩ (Besprechung; Zusammenkunft von Experten)

Kon|fe|renz|be|schluss

Kon|fe|renz|saal; Kon|fe|renz|schal|tung (*Fernmeldetechnik*); Kon|fe|renz|sen|dung (*Rundf.*); Kon|fe|renz|teil|neh|mer; Kon|fe|renz|teil|neh|me|rin; Kon|fe|renz|tisch; Kon|fe|renz|zim|mer

kon|fe|rie|ren ⟨franz.⟩ (eine Konferenz abhalten; als Conférencier sprechen)

Kon|fes|si|on, die; -, -en ⟨lat.⟩ ([Glaubens]bekenntnis; [christl.] Bekenntnisgruppe)

Kon|fes|si|o|na|lis|mus, der; - ([übermäßige] Betonung der eigenen Konfession)

kon|fes|si|o|nell (zu einer Konfession gehörend)

Kon|fes|si|ons|los

Kon|fes|si|ons|lo|sig|keit

Kon|fes|si|ons|schu|le

Kon|fet|ti Plur., *heute meist* das; -[s] ⟨ital.⟩ (bunte Papierblättchen); Kon|fet|ti|pa|ra|de; Kon|fet|ti|re|gen

Kon|fi|dent, der; -en, -en ⟨franz.⟩ (*veraltet für* Vertrauter, Busenfreund; *österr.* für [Polizei]spitzel); kon|fi|den|ti|ell (*veraltet für* vertraulich); Kon|fi|den|tin

Kon|fi|gu|ra|ti|on, die; -, -en ⟨lat.⟩ (*Astron., Astrol.* bestimmte Stellung der Planeten; *Med.* Verformung; *Chemie* räumliche Anordnung der Atome eines Moleküls; *Kunst* Gestaltung; *EDV* Zusammenstellung eines Systems); Kon|fi|gu|ra|tor, der; -s, ...oren (*EDV* Website eines Herstellers, auf der der Kunde die Ausstattung eines Produkts, z. B. eines Autos oder Handys, nach eigenem Wunsch zusammenstellen kann); kon|fi|gu|rie|ren (*EDV*)

Kon|fir|mand, der; -en, -en ⟨lat.⟩

Kon|fir|man|den|stun|de; Kon|fir|man|den|un|ter|richt

Kon|fir|man|din

Kon|fir|ma|ti|on, die; -, -en (Aufnahme jugendl. evangel. Christen in die Erwachsenengemeinde); goldene Konfirmation

Kon|fir|ma|ti|ons|an|zug

Kon|fir|ma|ti|ons|ge|schenk

Kon|fir|ma|ti|ons|spruch

kon|fir|mie|ren

Kon|fi|se|rie, Con|fi|se|rie [*auch* kõ...], die; -, ...ien ⟨franz.⟩ (*schweiz.* [Geschäft für] Süßwaren, Pralinen u. Ä. aus eigener Herstellung); Kon|fi|seur, Con|fi|seur [*beide* ...'zø:ɐ̯] [Polizei]spitzel], der; -s, -e (Berufsbez.); Kon|fi|seu|rin, Con|fi|seu|rin

Kon|fis|ka|ti|on, die; -, -en ⟨lat.⟩ ([entschädigungslose] Enteignung; Beschlagnahmung)

kon|fis|zie|ren (beschlagnahmen)

Kon|fi|tent, der; -en, -en ⟨lat.⟩ (*veraltet für* Beichtender)

595

Kon|fi|tü|re, die; -, -n ⟨franz.⟩ (Marmelade mit Früchten od. Fruchtstücken)

kon|fli|gie|ren ⟨lat.⟩ (in Konflikt geraten)

Kon|flikt, der; -[e]s, -e ⟨lat., »Zusammenstoß«⟩ (Zwiespalt, [Wider]streit)

Kon|flikt|fä|hig; Kon|flikt|fä|hig|keit

Kon|flikt|feld (Spannungsfeld)

Kon|flikt|for|schung; Kon|flikt|herd; Kon|flikt|kom|mis|si|on (DDR außergerichtl. Schiedskommission)

kon|flikt|los; kon|flikt|scheu

Kon|flikt|si|tu|a|ti|on

Kon|flikt|stoff

kon|flikt|träch|tig

Kon|flu|enz, die; -, -en ⟨lat.⟩ (Geol. Zusammenfluss zweier Gletscher)

Kon|fö|de|ra|ti|on, die; -, -en ⟨lat., »Bündnis«⟩ ([Staaten]bund); **kon|fö|de|rie|ren**, sich (sich verbünden); **Kon|fö|de|rier|te**, der u. die; -n, -n

kon|fo|kal ⟨lat.⟩ (Optik mit gleichen Brennpunkten); konfokale Kegelschnitte

kon|form ⟨lat.⟩ (einig, übereinstimmend); konform sein (übereinstimmen)

kon|form ge|hen, kon|form|ge|hen (übereinstimmen)

Kon|for|mis|mus, der; - (abwertend für [Geistes]haltung, die [stets] um Anpassung bemüht ist)

Kon|for|mist, der; -en, -en (Anhänger der anglikan. Kirche; Vertreter des Konformismus); **Kon|for|mis|tin; kon|for|mis|tisch**

Kon|for|mi|tät, die; - (Übereinstimmung)

Kon|fra|ter, der; ⟨lat., »Mitbruder«⟩ ([kath.] Amtsbruder); **Kon|fra|ter|ni|tät**, die; -, -en (veraltet für Bruderschaft kath. Geistlicher)

Kon|fron|ta|ti|on, die; -, -en ⟨lat.⟩ (Gegenüberstellung; Auseinandersetzung); **Kon|fron|ta|ti|ons|kurs**

kon|fron|tie|ren; mit jmdm., mit etwas konfrontiert werden; **Kon|fron|tie|rung**

kon|fus ⟨lat.⟩ (verwirrt, verworren); am konfuses|ten; **Kon|fu|si|on**, die; -, -en (Verwirrung, Durcheinander; BGB Vereinigung von Forderung u. Schuld in einer Person)

Kon|fu|t|se, Kon|fu|zi|us (chin. Philosoph)

kon|fu|zi|a|nisch; konfuzianische Aussprüche (von Konfuzius); konfuzianische Philosophie (nach Art des Konfuzius) ↑K 89 u. 135

Kon|fu|zi|a|nis|mus, der; - (sich auf die Lehre von Konfuzius berufende Geisteshaltung)

kon|fu|zi|a|nis|tisch (den Konfuzianismus betreffend)

Kon|fu|zi|us vgl. Konfutse

kon|ge|ni|al [auch 'kɔ...] ⟨lat.⟩ (geistesverwandt; geistig ebenbürtig); **Kon|ge|ni|a|li|tät** [auch 'kɔ...], die; -

kon|ge|ni|tal ⟨lat.⟩ (Med. angeboren)

Kon|ges|ti|on, die; -, -en ⟨lat.⟩ (Med. Blutandrang); **kon|ges|tiv** (Blutandrang erzeugend)

Kon|glo|me|rat, das; -[e]s, -e ⟨lat.⟩ (Zusammenballung; Gemisch; Geol. Sedimentgestein)

¹**Kon|go**, der; -[s] (Strom in Mittelafrika)

²**Kon|go**, -s auch mit Artikel der; -[s] (Staat in Mittelafrika)

³**Kon|go**; Demokratische Republik Kongo (Staat in Mittelafrika; früher Zaire)

Kon|go|be|cken, das; -s

Kon|go|le|se, der; -n, -n; **Kon|go|le|sin; kon|go|le|sisch**

kon|go|rot; Kon|go|rot (ein Farbstoff)

Kon|gre|ga|ti|on, die; -, -en ⟨lat.⟩ ([kath.] Vereinigung)

Kon|gre|ga|ti|o|na|list, der; -en, -en ⟨engl.⟩ (Angehöriger einer engl.-nordamerik. Freikirche); **Kon|gre|ga|ti|o|na|lis|tin**

Kon|gre|ga|ti|o|nist, der; -en, -en ⟨lat.⟩ (Angehöriger einer Kongregation); **Kon|gre|ga|ti|o|nis|tin**

Kon|gress, der; -es, -e ⟨lat.⟩ ([größere] fachl. od. polit. Versammlung; nur Sing.: Parlament in den USA); **Kon|gress|hal|le**

Kon|gress|saal, Kon|gress-Saal

Kon|gress|stadt, Kon|gress-Stadt

Kon|gress|teil|neh|mer; Kon|gress|teil|neh|me|rin

Kon|gress|zen|t|rum

kon|gru|ent ⟨lat.⟩ (übereinstimmend; Math. deckungsgleich)

Kon|gru|enz, die; -, -en Plur. selten (Übereinstimmung; Math. Deckungsgleichheit)

Kon|gru|enz|satz (Geom.)

kon|gru|ie|ren

Ko|ni|die, die; -, -n meist Plur. ⟨griech.⟩ (Bot. Pilzspore)

K.-o.-Nie|der|la|ge ↑K 26 (Boxen

Niederlage durch K. o.); vgl. auch Knock-out-Schlag

Ko|ni|fe|re, die; -, -n meist Plur. ⟨lat.⟩ (Bot. zapfentragendes Nadelholzgewächs)

Kö|nig [...nıç], der; -s, -e

Kö|ni|gin; Kö|ni|gin|mut|ter Plur. ...mütter; **Kö|ni|gin|pas|te|te; Kö|ni|gin|wit|we**

kö|nig|lich [...nıklıç] (Abk. kgl.); das königliche Spiel (Schach); im Titel ↑K 151 : Königlich (Abk. Kgl.); Königliche Hoheit (Anrede eines Fürsten od. Prinzen); vgl. kaiserlich

Kö|nig|reich [...nık...]

Kö|nigs|ad|ler [...nıçs...] (svw. Steinadler)

Kö|nigs|berg (russ. Kaliningrad); **Kö|nigs|ber|ger;** Königsberger Klopse (ein Fleischgericht)

kö|nigs|blau; Kö|nigs|blau

Kö|nigs|burg; Kö|nigs|dis|zi|plin (anspruchsvollste Disziplin); **Kö|nigs|farn**

Kö|nigs|haus; Kö|nigs|hof

Kö|nigs|ker|ze (eine Heil- u. Zierpflanze)

Kö|nigs|klas|se (Sport höchste Klasse)

Kö|nigs|kro|ne; Kö|nigs|ku|chen

Kö|nigs|ma|cher (Jargon jmd., der anderen zur Macht verhelfen kann); **Kö|nigs|ma|che|rin**

Kö|nigs|pal|me

Kö|nigs|schloss

Kö|nigs|see, der; -s (in Bayern)

Kö|nigs|sohn

Kö|nigs|stuhl, der; -[e]s (Kreidefelsen auf Rügen)

Kö|nig|stein, der; -s (Tafelberg im Elbsandsteingebirge); die Festung Königstein

Kö|nigs|thron; Kö|nigs|ti|ger; Kö|nigs|toch|ter

kö|nigs|treu

Kö|nig|stuhl, der; -[e]s (Berg bei Heidelberg)

Kö|nigs|was|ser, das; -s (Chemie)

Kö|nigs|weg (bester, idealer Weg)

Kö|nigs Wus|ter|hau|sen (Stadt südöstl. Berlins); **Kö|nigs-Wus|ter|hau|se|ner,** Kö|nigs Wus|ter|hau|se|ner ↑K 145

Kö|nig|tum

Ko|ni|in, das; -s ⟨griech.⟩ (Biol., Chemie ein giftiges Alkaloid)

ko|nisch ⟨griech.⟩ (kegelförmig); konische Spirale

Konj. = Konjunktiv

Kon|jek|tur, die; -, -en ⟨lat.⟩ (Textkritik verbessernder Eingriff in

K
Konf

einen nicht einwandfrei überlieferten Text); **kon|jek|tu|ral**

kon|ji|zie|ren (Konjekturen machen);

Kon|ju|ga|ti|on, die; -, -en (*Sprachw.* Beugung des Verbs);

Kon|ju|ga|ti|ons|en|dung

kon|ju|gier|bar (beugungsfähig);

kon|ju|gie|ren ([Verb] beugen)

kon|jun|gie|ren (*veraltet für* verbinden)

Kon|junk|ti|on, die; -, -en (*Sprachw.* Bindewort, z. B. »und«, »weil«; *Astron.* Stellung zweier Gestirne im gleichen Längengrad)

Kon|junk|ti|o|nal|ad|verb; Kon|junk|ti|o|nal|satz (*Sprachw.* von einer Konjunktion eingeleiteter Nebensatz)

Kon|junk|tiv, der; -s, -e (*Sprachw.* Möglichkeitsform; *Abk.* Konj.)

Kon|junk|ti|va, die; -, ...vä (*Med.* Bindehaut [des Auges])

kon|junk|ti|visch (*Sprachw.* den Konjunktiv betreffend, auf ihn bezüglich)

Kon|junk|ti|vi|tis, die; -, ...iti|den (*Med.* Bindehautentzündung [des Auges])

Kon|junk|tiv|satz

Kon|junk|tur, die; -, -en (wirtschaftl. Gesamtlage von bestimmter Entwicklungstendenz; wirtschaftl. Aufschwung)

kon|junk|tur|be|dingt

Kon|junk|tur|be|richt; Kon|junk|tur|da|ten

kon|junk|tu|rell (der Konjunktur gemäß)

Kon|junk|tur|flau|te; Kon|junk|tur|for|schung, die; -; **Kon|junk|tur|kri|se**

Kon|junk|tur|la|ge

Kon|junk|tur|po|li|tik; kon|junk|tur|po|li|tisch

Kon|junk|tur|pro|gramm; Kon|junk|tur|rit|ter *(abwertend);* **Kon|junk|tur|schwan|kung**

Kon|junk|tur|sprit|ze (*ugs. für* Maßnahme zur Konjunkturbelebung); **Kon|junk|tur|tief; Kon|junk|tur|zu|schlag**

kon|kav ⟨lat.⟩ (*Optik* hohl, vertieft, nach innen gewölbt)

Kon|kav|glas *Plur.* ...gläser

Kon|ka|vi|tät, die; - (konkaver Zustand)

Kon|kav|spie|gel

Kon|kla|ve, das; -s, -n ⟨lat.⟩ (Versammlung[sort] der Kardinäle zur Papstwahl)

kon|klu|dent ⟨lat.⟩ (schlüssig); konkludentes Verhalten (*Rechtsw.*);

kon|klu|die|ren (*Philos.* folgern);

Kon|klu|si|on, die; -, -en (Schluss[folgerung]); **kon|klu|siv** (schließend, folgernd)

kon|kor|dant ⟨lat.⟩ (übereinstimmend)

Kon|kor|danz, die; -, -en (*Biol., auch schweiz. für* Übereinstimmung; *Buchw.* alphabet. Verzeichnis der in einem Buch vorkommenden Wörter u. Begriffe [bes. als Bibelkonkordanz]; *Druckw.* typograf. Maßeinheit; *Geol.* gleich laufende Lagerung mehrerer Gesteinsschichten; *schweiz. auch für* Mehrparteienregierung); 5 Konkordanz (*Druckw.)*

Kon|kor|danz|de|mo|k|ra|tie (*schweiz.)*

Kon|kor|dat, das; -[e]s, -e (Vertrag zwischen Staat u. kath. Kirche; *schweiz. für* Vertrag zwischen Kantonen)

Kon|kor|dia, die; - (Name von Vereinen usw.)

Kon|kor|di|en|for|mel, die; - (letzte lutherische Bekenntnisschrift von 1577)

Kon|kre|ment, das; -[e]s, -e ⟨lat.⟩ (*Med.* krankhaftes festes Gebilde, das in Körperflüssigkeiten u. -hohlräumen entsteht)

kon|kret ⟨lat.⟩ (gegenständlich, anschaubar, greifbar); *vgl.* in concreto; konkrete Malerei; konkrete Musik

Kon|kre|ti|on, die; -, -en (*Geol.* mineralischer Körper in Gesteinen)

kon|kre|ti|sie|ren (verdeutlichen; [im Einzelnen] ausführen)

Kon|kre|ti|sie|rung

Kon|kre|tum, das; -s, ...ta (*Sprachw.* Substantiv, das etwas Gegenständliches benennt, z. B. »Tisch«)

Kon|ku|bi|nat, das; -[e]s, -e ⟨lat.⟩ (*Rechtsspr.* eheähnliche Gemeinschaft ohne Eheschließung); **Kon|ku|bi|ne**, die; -, -n (*veraltet für* im Konkubinat lebende Frau; *veraltet abwertend für* Geliebte)

Kon|ku|pis|zenz, die; - ⟨lat.⟩ (*Philos., Theol.* Begehrlichkeit; sinnl. Begierde)

Kon|kur|rent, der; -en, -en ⟨lat.⟩ (Mitbewerber, [geschäftl.] Rivale); **Kon|kur|ren|tin**

Kon|kur|renz, die; -, -en (Wettbewerb; Zusammentreffen zweier Tatbestände od. Möglichkeiten;

nur *Sing.*: Konkurrent, Gesamtheit der Konkurrenten); **Kon|kur|renz|be|trieb**

Kon|kur|renz|druck

kon|kur|renz|fä|hig

kon|kur|ren|zie|ren (*österr., schweiz. für* jmdm. Konkurrenz machen); jmdn. konkurrenzieren; **Kon|kur|ren|zie|rung** (*österr., schweiz.)*

Kon|kur|renz|kampf

kon|kur|renz|los

Kon|kur|renz|neid

Kon|kur|renz|un|ter|neh|men

kon|kur|rie|ren (wetteifern; miteinander in Wettbewerb stehen; zusammentreffen [von mehreren strafrechtl. Tatbeständen])

Kon|kurs, der; -es, -e (Zahlungseinstellung, -unfähigkeit); Konkurs anmelden

Kon|kurs|er|öff|nung; Kon|kurs|mas|se; Kon|kurs|ver|fah|ren; Kon|kurs|ver|wal|ter; Kon|kurs|ver|wal|te|rin

kön|nen

– du kannst; du konntest; du könntest

Partizipbildung

a) bei »können« als Vollverb:

– er hat seine Aufgaben nicht gekonnt

b) bei »können« als Modalverb:

– ich habe das nicht glauben können

Kön|nen, das; -s

Kön|ner; Kön|ne|rin; Kön|ner|schaft, die; -

Kon|ne|ta|bel, der; -s, -s ⟨franz.⟩ (franz. Kronfeldherr [bis ins 17. Jh.])

Kon|nex, der; -es, -e ⟨lat.⟩ (Zusammenhang, Verbindung; persönlicher Kontakt)

Kon|ne|xi|on, die; -, -en *meist Plur.* (*selten für* [vorteilhafte] Beziehung)

Kon|ne|xi|täts|prin|zip (*Rechtsw.* Verpflichtung einer staatlichen Ebene, für finanziellen Ausgleich zu sorgen, wenn sie Aufgaben an eine andere Ebene überträgt)

kon|ni|vent ⟨lat.⟩ (*Rechtsw.* nachsichtig); **Kon|ni|venz**, die; -, -en (Nachsicht); **kon|ni|vie|ren** (*veraltet für* Nachsicht üben)

Kon|nos|se|ment, das; -[e]s, -e
⟨ital.⟩ (*Seew.* Frachtbrief)

Kon|no|ta|ti|on, die; -, -en ⟨lat.⟩
(*Sprachw.* mit einem Wort verbundene zusätzliche Vorstellung, z. B. »Nacht« bei »Mond«)

kon|no|ta|tiv; kon|no|tie|ren (eine
Konnotation hervorrufen)

konn|te *vgl.* können

Kon|nu|bi|um, das; -s, ...ien ⟨lat.⟩
(*Rechtsspr.* veraltet für Ehe[ge-
meinschaft])

Ko|no|id, das; -[e]s, -e ⟨griech.⟩
(*Geom.* kegelähnlicher Körper)

Kon|quis|ta|dor [...k(v)ɪ...], der; -en,
-en ⟨span.⟩ (span. Eroberer von
Mittel- u. Südamerika im 16. Jh.)

Kon|rad (m. Vorn.)

Kon|rek|tor, der; -s, ...oren ⟨lat.⟩
(Vertreter des Rektors einer
Schule); Kon|rek|to|rin

Kon|se|k|ra|ti|on, die; -, -en ⟨lat.⟩
(liturg. Weihe einer Person od.
Sache; Verwandlung von Brot u.
Wein beim Abendmahl)

kon|se|k|rie|ren

kon|se|ku|tiv ⟨lat.⟩ (die Folge
bezeichnend); Kon|se|ku|tiv|satz
(*Sprachw.* Umstandssatz der
Folge)

Kon|sens, der; -es, -e ⟨lat.⟩ (Mei-
nungsübereinstimmung; *veraltend für* Genehmigung); kon-
sens|fä|hig; Kon|sen|sus, der; -, -
[...zu:s] (*svw.* Konsens)

kon|sen|tie|ren (*veraltet für* einwil-
ligen, genehmigen)

kon|se|quent ⟨lat.⟩ (folgerichtig;
bestimmt; beharrlich, zielbe-
wusst); Kon|se|quenz, die; -, -en
(Folgerichtigkeit; Beharrlich-
keit; Folge[rung])

Kon|ser|va|tis|mus ⟨lat.⟩ *vgl.* Kon-
servativismus

kon|ser|va|tiv [*auch* 'kɔ...] (am
Hergebrachten festhaltend;
polit. dem Konservativismus
zugehörend); am konservativs-
ten; eine konservative Partei;
aber ↑K 150 : die Konservative
Partei (in England); Kon|ser|va-
ti|ve, der *u.* die; -n, -n

Kon|ser|va|ti|vis|mus, der; - (am
Überlieferten orientierte Einstellung; auf Erhalt der beste-
henden Ordnung gerichtete
Haltung)

Kon|ser|va|ti|vi|tät, die; -

Kon|ser|va|tor, der; -s, ...oren (für
die Instandhaltung von Kunst-
denkmälern verantwortl. Beam-
ter); Kon|ser|va|to|rin

kon|ser|va|to|risch (pfleglich; das
Konservatorium betreffend);
konservatorisch gebildet (auf
einem Konservatorium ausge-
bildet)

Kon|ser|va|to|rist, der; -en, -en
(Schüler eines Konservatori-
ums); Kon|ser|va|to|ris|tin

Kon|ser|va|to|ri|um, das; -s, ...ien
⟨ital.⟩ (Musik[hoch]schule)

Kon|ser|ve, die; -, -n ⟨mlat.⟩ (halt-
bar gemachtes Lebensmittel;
Konservenbüchse, -glas mit
Inhalt; *ugs. für* auf Tonband,
Film usw. Festgehaltenes; *kurz
für* Blutkonserve)

Kon|ser|ven|büch|se; Kon|ser|ven-
do|se; Kon|ser|ven|fa|b|rik

Kon|ser|ven|ver|gif|tung (*Med.*)

kon|ser|vie|ren ⟨lat.⟩ (einmachen;
haltbar machen; beibehalten)

Kon|ser|vie|rung; Kon|ser|vie|rungs-
mit|tel, das

Kon|si|g|nant, der; -en, -en ⟨lat.⟩
(*Wirtsch.* Versender von Kon-
signationsgut); Kon|si|g|nan|tin;
Kon|si|g|na|tar, Kon|si|g|na|tär,
der; -s, -e (Empfänger von Kon-
signationsgut); Kon|si|g|na|ta-
rin; Kon|si|g|na|tä|rin

Kon|si|g|na|ti|on, die; -, -en (Kom-
missionsgeschäft); Kon|si|g|na|ti-
ons|gut

kon|si|g|nie|ren (Waren zum Ver-
kauf übersenden)

Kon|si|li|um, das; -s, ...ien (Bera-
tung; beratende Versammlung);
vgl. Consilium Abeundi

kon|sis|tent ⟨lat.⟩ (fest, zäh zusam-
menhaltend; dickflüssig); Kon-
sis|tenz, die; -

Kon|sis|to|ri|al|rat *Plur.* ...räte (ev.
Titel)

Kon|sis|to|ri|um, das; -s, ...ien ⟨lat.⟩
(außerordentl. Versammlung
der Kardinäle unter dem Vorsitz
des Papstes; oberste Verwal-
tungsbehörde in ev. Landeskir-
chen)

kon|skri|bie|ren ⟨lat.⟩ (*früher für*
zum Heeres-, Kriegsdienst aus-
heben); Kon|skri|bier|te, der; -n,
-n; Kon|skrip|ti|on, die; -, -en

Kon|so|le, die; -, -n ⟨franz.⟩ (Wand-
brett; *Bauw.* herausragender
Mauerteil; *EDV* Gerät für elektronische Spiele mit eigenem
Bildschirm oder Anschlussmög-
lichkeit an ein Fernsehgerät)

Kon|so|li|da|ti|on, die; -, -en
⟨lat.(-franz.)⟩ (Vereinigung mehrerer Staatsanleihen zu einer
einheitlichen Anleihe;
Umwandlung kurzfristiger
Staatsschulden in Anleihen)

kon|so|li|die|ren (in seinem
Bestand sichern, festigen); Kon-
so|li|die|rung; Kon|so|li|die|rungs-
pha|se

Kon|sol|tisch

Kon|som|mee [kõ...] *vgl.* Con-
sommé

kon|so|nant ⟨lat.⟩ (*Musik* harmo-
nisch, zusammenklingend; *veraltet für* einstimmig, übereinstimmend)

Kon|so|nant, der; -en, -en
(*Sprachw.* Mitlaut, z. B. p, t, k)

Kon|so|nan|ten|häu|fung

Kon|so|nan|ten|schwund

kon|so|nan|tisch (Konsonanten
betreffend)

Kon|so|nanz, die; -, -en (*Musik* har-
monischer Gleichklang;
Sprachw. Anhäufung von Mitlauten, Mitlautfolge)

Kon|sor|te, der; -n, -n ⟨lat.,
»Genosse«⟩ (*Wirtsch.* Mitglied
eines Konsortiums; *nur Plur.:
abwertend für* Mittäter); Kon-
sor|tin

Kon|sor|ti|um, das; -s, ...ien
(Genossenschaft; vorübergehende Vereinigung von Unternehmen, bes. von Banken, für
größere Finanzierungsaufga-
ben)

Kon|s|pekt, der; -[e]s, -e ⟨lat.⟩
(Zusammenfassung, Inhalts-
übersicht); kon|s|pek|tie|ren
(einen Konspekt anfertigen)

Kon|s|pi|ra|ti|on, die; -, -en ⟨lat.⟩
(Verschwörung); kon|s|pi|ra|tiv
(verschwörerisch); kon|s|pi|rie-
ren (sich verschwören)

¹Kon|s|ta|b|ler, der; -s, - ⟨lat.⟩ (*frü-
her für* Geschützmeister usw.
[auf Kriegsschiffen]

²Kon|s|ta|b|ler, der; -s, - ⟨engl.⟩ (*ver-
altet für* Polizist)

kon|s|tant ⟨lat.⟩ (beharrlich,
fest[stehend], ständig, unveränderlich, stet[ig])

Kon|s|tan|te, die; -[n], *Plur.* -n,
ohne Artikel fachspr. auch -
(eine mathemat. Größe, deren
Wert sich nicht ändert; *Ggs.*
Veränderliche, Variable); zwei
Konstante[n]

Kon|s|tan|tin [*österr. nur so, auch*
...'ti:n] (m. Vorn.); Konstantin
der Große (röm. Kaiser); Kon|s-
tan|ti|nisch; *aber* ↑K 89 : die Kon-
stantinische Schenkung

Kon|s|tan|ti|no|pel (*früherer Name
für* Istanbul); Kon|s|tan|ti|no|pe-

ler, Kon|stan|ti|nop|ler, Kon|stan-
ti|no|po|li|ta|ner
¹Kon|s|tanz, die; - ⟨lat.⟩ (Beharrlich-
keit; Stetigkeit)
²Kon|s|tanz (Stadt am Bodensee)
Kon|s|tan|ze (w. Vorn.)
kon|s|ta|tie|ren ⟨franz.⟩ (feststel-
len); Kon|s|ta|tie|rung
Kon|s|tel|la|ti|on, die; -, -en ⟨lat.⟩
(Zusammentreffen von
Umständen; Lage; Astron. Stellung der Gestirne zueinander)
Kon|s|ter|na|ti|on, die; -, -en ⟨lat.⟩
(Bestürzung); kon|s|ter|nie|ren
(verblüffen, verwirren); jmdn.
konsternieren; kon|s|ter|niert
Kon|s|ti|pa|ti|on, die; -, -en ⟨lat.⟩
(Med. Verstopfung); Kon|s|ti|tu-
an|te, die; -, -n ⟨franz.⟩; vgl. Con-
stituante
Kon|s|ti|tu|en|te, die; -, -n ⟨lat.⟩
(Sprachw. sprachl. Bestandteil
eines größeren Ganzen)
kon|s|ti|tu|ie|ren ⟨lat.(-franz.)⟩ (ein-
setzen, festsetzen, gründen);
sich konstituieren (zusammen-
treten [zur Beschlussfassung]);
konstituierende Versammlung;
Kon|s|ti|tu|ie|rung
Kon|s|ti|tu|ti|on, die; -, -en (allge-
meine, bes. körperliche Verfassung; Med. Körperbau; Politik
Verfassung, Satzung)
Kon|s|ti|tu|ti|o|na|lis|mus, der; -
(Staatsform auf dem Boden
einer Verfassung); kon|s|ti|tu|ti-
o|nell ⟨franz.⟩ (verfassungsmä-
ßig; Med. auf die Körperbe-
schaffenheit bezüglich; anlage-
bedingt); konstitutionelle
Monarchie
Kon|s|ti|tu|ti|ons|typ
kon|s|ti|tu|tiv ⟨lat.⟩ (das Wesen
einer Sache bestimmend)
Kon|s|t|rik|ti|on, die; -, -en ⟨lat.⟩
(Med. Zusammenziehung [eines
Muskels]; Biol. Einschnürung,
Verengung); Kon|s|t|rik|tor, der;
-s, ...oren (Med. Schließmuskel);
kon|s|t|rin|gie|ren (Med. zusam-
menziehen [von Muskeln])
kon|s|t|ru|ie|ren ⟨lat.⟩ (gestalten;
zeichnen; bilden; [künstlich]
herstellen)
Kon|s|t|rukt, das; -[e]s, Plur. -e u. -s
(Arbeitshypothese)
Kon|s|t|ruk|teur [...ˈtøːɐ̯], der; -s, -e
⟨franz.⟩ (Erbauer, Erfinder,
Gestalter); Kon|s|t|ruk|teu|rin
Kon|s|t|ruk|ti|on, die; -, -en ⟨lat.⟩;
kon|s|t|ruk|ti|ons|be|dingt
Kon|s|t|ruk|ti|ons|bü|ro; Kon|s|t|ruk-

ti|ons|feh|ler; Kon|s|t|ruk|ti|ons-
zeich|nung
kon|s|t|ruk|tiv [auch ˈkɔ...] (die
Konstruktion betreffend; folge-
richtig; aufbauend); konstrukti-
ves Misstrauensvotum
Kon|s|t|ruk|ti|vis|mus, der; - (Rich-
tung der bildenden Kunst u. der
Architektur um 1920)
Kon|s|t|ruk|ti|vist, der; -en, -en;
Kon|s|t|ruk|ti|vis|tin
kon|s|t|ruk|ti|vis|tisch
Kon|sub|s|tan|ti|a|ti|on, die; -, -en
⟨lat.⟩ (ev. Rel. [nach Luther] Verbindung der realen Gegenwart
Christi mit Brot u. Wein beim
Abendmahl)
Kon|sul, der; -s, -n ⟨lat.⟩ (höchster
Beamter der röm. Republik;
Diplomatie Vertreter eines Staates zur Wahrnehmung seiner
[wirtschaftl.] Interessen in
einem anderen Staat); Kon|su-
lar|agent (Diplomatie Bevoll-
mächtiger eines Konsuls)
kon|su|la|risch; aber das Konsula-
rische Korps (Abk. CC)
Kon|su|lar|recht, das; -[e]s -e
Kon|su|lar|ver|trag
Kon|su|lat, das; -[e]s, -e (Amt[sge-
bäude] eines Konsuls); Kon|su-
lats|ge|bäu|de
Kon|su|lent, der; -en, -en (veraltet
für [Rechts]berater; österr. u.
schweiz. für Berater einer Firma
od. Behörde); Kon|su|len|tin
Kon|su|lin
Kon|sul|tant, der; -en, -en (fach-
männ. Berater); Kon|sul|tan|tin
Kon|sul|ta|ti|on, die; -, -en (Befra-
gung, bes. eines Arztes; Bera-
tung von Regierungen); Kon|sul-
ta|ti|ons|mög|lich|keit
kon|sul|ta|tiv (beratend); kon|sul-
tie|ren ([einen Arzt] befragen;
zurate ziehen)
¹Kon|sum, der; -s ⟨ital.⟩ (Verbrauch,
Verzehr)
²Kon|sum [österr. u. schweiz.
...ˈzuːm], der; -s, -s (kurz für
Konsumgenossenschaft)
Kon|sum|ar|ti|kel
Kon|su|ma|ti|on, die; -, -en ⟨franz.⟩
(österr. u. schweiz. für Verzehr,
Zeche)
Kon|sum|den|ken (auf ¹Konsum
ausgerichtete Lebenshaltung)
Kon|su|ment, der; -en, -en ⟨lat.⟩
(Verbraucher; Käufer); Kon|su-
men|ten|freund|lich; Kon|su|men-
ten|schutz (österr., schweiz. für
Verbraucherschutz); Kon|su-
men|tin

Kon|sum|for|schung, die; -
kon|sum|freu|dig
Kon|sum|ge|nos|sen|schaft (Ver-
brauchergenossenschaft; Kurzw.
²Konsum); Kon|sum|ge|sell|schaft
Kon|sum|gut meist Plur. (Wirtsch.)
Kon|sum|gü|ter|in|dus|t|rie
kon|su|mier|bar; kon|su|mie|ren
(verbrauchen; verzehren); Kon-
su|mie|rung; Kon|su|mis|mus, der;
- (svw. Konsumdenken)
Kon|sum|kli|ma (Wirtsch.)
Kon|sump|ti|on vgl. Konsumtion
kon|sump|tiv vgl. konsumtiv
Kon|sum|tem|pel (abwertend für
Kaufhaus)
Kon|sum|ter|ror (abwertend für
[durch Werbung ausgeübter]
Druck auf die Verbraucher zur
Steigerung ihres Konsums)
Kon|sum|ti|on, Kon|sump|ti|on,
die; -, -en (Verbrauch; Rechtsw.
Aufgehen eines einfachen Tat-
bestandes in einem übergeordneten; Med. starke Abmage-
rung); kon|sum|tiv, kon|sump|tiv
(zum Verbrauch bestimmt)
Kon|sum|ver|ein (Verbraucherge-
nossenschaft); vgl. ²Konsum
Kon|sum|ver|zicht
kon|ta|gi|ös (Med. ansteckend,
übertragbar); Kon|ta|gi|o|si|tät
(Med. Ansteckungsfähigkeit)
Kon|takt, der; -[e]s, -e ⟨lat.⟩
(Berührung, Verbindung); Kon-
takt|ad|res|se; Kon|takt|an|zei|ge
kon|takt|arm; Kon|takt|ar|mut
Kon|takt|auf|nah|me; Kon|takt|be-
reichs|be|am|te (Revierpolizist;
Kurzw. Kob)
Kon|takt|bör|se ([virtueller] Ort, an
dem Kontakte geknüpft werden
können)
kon|tak|ten (bes. Wirtsch. kontak-
tieren); Kon|tak|ter (Wirtsch.)
Kon|takt|for|mu|lar (EDV Teil einer
Homepage, über den man einen
Kontakt zum Anbieter herstellen kann)
Kon|takt|frau
kon|takt|freu|dig
Kon|takt|gift, das
kon|tak|tie|ren (Kontakt[e] auf-
nehmen); jmdn. od. mit jmdm.
kontaktieren
Kon|takt|in|fek|ti|on
Kon|takt|lin|se
kon|takt|los; Kon|takt|lo|sig|keit
Kon|takt|man|gel, der; -s; Kon|takt-
mann Plur. ...männer u. ...leute;
Kon|takt|nah|me, die; -, -n; Kon-
takt|per|son
Kon|takt|scha|le; Kon|takt|schwä-

che; Kon|takt|sper|re; Kon|takt-
stoff; Kon|takt|stö|rung; Kon-
takt|stu|di|um
Kon|ta|mi|na|ti|on, die; -, -en ⟨lat.⟩
(*Sprachw.* Verschmelzung,
Wortkreuzung, z. B. »Gebäulich-
keiten« aus »Gebäude« u. »Bau-
lichkeiten«; *fachspr. für* [radio-
aktive] Verunreinigung, Verseu-
chung); kon|ta|mi|nie|ren
kon|tant ⟨ital.⟩ (bar); Kon|tan|ten
Plur. (ausländ. Münzen, die als
Ware gehandelt werden)
Kon|tem|p|la|ti|on, die; -, -en ⟨lat.⟩
(religiöse Versenkung, Versun-
kenheit; Beschaulichkeit,
Betrachtung); kon|tem|p|la|tiv
Kon|ten (*Plur. von* Konto); Kon|ten-
plan; Kon|ten|rah|men
Kon|ten|ten *Plur.* ⟨lat.⟩ (*Seew.*
Ladeverzeichnisse der See-
schiffe)
Kon|ten|tiv|ver|band (med. Stütz-
verband)
Kon|ter, der; -s, - ⟨franz. u. engl.⟩
(*Sport* schneller Gegenangriff)
kon|ter... (gegen...)
Kon|ter... (Gegen...)
Kon|ter|ad|mi|ral (Offiziersdienst-
grad bei der Marine)
Kon|ter|an|griff (*Sport*)
Kon|ter|ban|de, die; - (*veraltet für*
Schmuggelware)
Kon|ter|fei [*auch* ...'faɪ], das; -s, -s
(veraltet, noch scherzh. für
[Ab]bild, Bildnis); kon|ter|fei|en
[*auch* ...'faɪ...] (veraltet, noch
scherzh. für abbilden); konter-
feit
Kon|ter|fuß|ball (defensive, auf
Konterangriffe ausgerichtete
Spielweise)
kon|ter|ka|rie|ren (hintertreiben)
Kon|ter|mi|ne (Gegenmine; *Börse*
Gegen-, Baissespekulation)
kon|tern (schlagfertig erwidern;
sich zur Wehr setzen; *Druckw.*
ein Druckbild umkehren; *Sport*
den Gegner im Angriff durch
gezielte Gegenschläge abfangen); ich kontere
Kon|ter|part, der; -s, -s ⟨engl.⟩
(passendes Gegenstück; Gegen-
spieler)
Kon|ter|re|vo|lu|ti|on (Gegenrevo-
lution); kon|ter|re|vo|lu|ti|o|när
Kon|ter|schlag (*bes.* Boxen)
Kon|text [*auch* ...'tɛ...], der; -[e]s,
-e ⟨lat.⟩ (umgebender Text;
Zusammenhang; Inhalt)
Kon|text|glos|se (*Literaturw.*
Glosse, die in den Text [einer
Handschrift] eingefügt ist)

kon|tex|tu|ell (den Kontext betref-
fend)
Kon|ti (*Plur. von* Konto); kon|tie-
ren ⟨ital.⟩ (ein Konto benennen;
auf ein Konto verbuchen)
Kon|ti|gu|i|tät, die; - ⟨lat.⟩ (*Psych.*
zeitl. Zusammenfließen verschiedener Erlebnisinhalte)
Kon|ti|nent [*auch* 'kɔ...], der; -[e]s,
-e ⟨lat.⟩ (Festland; Erdteil)
kon|ti|nen|tal
Kon|ti|nen|tal|eu|ro|pa; kon|ti|nen-
tal|eu|ro|pä|isch
Kon|ti|nen|tal|kli|ma, das; -s; Kon-
ti|nen|tal|macht; Kon|ti|nen|tal-
plat|te (*Geol.*); Kon|ti|nen|tal-
sper|re, die; - (*früher*); Kon|ti-
nen|tal|ver|schie|bung (*Geol.*)
Kon|ti|nenz, die; - ⟨lat.⟩ (*Med.*
Fähigkeit, Stuhl u. Urin zurück-
zuhalten)
kon|tin|gent ⟨lat.⟩ (*Philos.* zufällig;
wirklich od. möglich, aber nicht
[wesens]notwendig)
Kon|tin|gent, das; -[e]s, -e ⟨lat.⟩
(anteilig zu erbringende Menge,
Leistung, Anzahl)
kon|tin|gen|tie|ren (das Kontingent
festsetzen; ein-, zuteilen); Kon-
tin|gen|tie|rung
Kon|tin|gent[s]|zu|wei|sung
Kon|tin|genz, die; -, -en ⟨lat.⟩
(*Logik* Möglichkeit u. gleichzei-
tige Nichtnotwendigkeit; *Statis-
tik, Psych.* die Häufigkeit des
gemeinsamen Auftretens zweier
Sachverhalte; *Philos.* kontin-
gente Beschaffenheit)
kon|ti|nu|ier|lich (stetig, fortdau-
ernd, durchlaufend); kontinuier-
licher Bruch (*Math.* Ketten-
bruch); Kon|ti|nu|i|tät, die; - (Ste-
tigkeit, Fortdauer)
Kon|ti|nu|um, das; -s, ...nua
(lückenlos Zusammenhängendes, Stetiges)
Kon|to, das; -s, *Plur.* ...ten, *selten*
-s u. ...ti ⟨ital.⟩ (Rechnung, Aufstellung über Forderungen u.
Schulden); *vgl.* a conto
Kon|to|aus|zug
Kon|to|aus|zugs|dru|cker; Kon|to-
be|we|gung
kon|to|füh|rend ↑K59; Kon|to|füh-
rung; Kon|to|in|ha|ber; Kon|to|in-
ha|be|rin
Kon|to|kor|rent, das; -s, -e
(*Wirtsch.* laufende Rechnung)
Kon|to|num|mer
Kon|tor, das; -s, -e ⟨niederl.⟩ (Han-
delsniederlassung im Ausland;
DDR Handelszentrale)

Kon|to|rist, der; -en, -en; Kon|to|ris-
tin
Kon|tor|si|on, die; -, -en ⟨lat.⟩ (*Med.*
Verdrehung, Verrenkung eines
Gliedes); Kon|tor|si|o|nist, der;
-en, -en (*Artistik* Schlangen-
mensch); Kon|tor|si|o|nis|tin
Kon|to|stand
kon|t|ra, con|t|ra ⟨lat.⟩ (gegen, ent-
gegengesetzt); Kon|t|ra, das; -s,
-s (*Kartenspiel* Gegenansage);
jmdm. Kontra geben
Kon|t|ra|alt (tiefer Alt); Kon|t|ra-
bass (Bassgeige); Kon|t|ra|bas-
sist; Kon|t|ra|bas|sis|tin
Kon|t|ra|dik|ti|on, die; -, -en (*Philos.*
Widerspruch); kon|t|ra|dik|to|risch
(*Philos.* widersprechend)
Kon|t|ra|fa|gott (tiefes Fagott)
Kon|t|ra|fak|tur, die; -, -en (*Litera-
turw.* geistl. Nachdichtung eines
weltl. Liedes [u. umgekehrt]
unter Beibehaltung der Melodie)
Kon|t|ra|ha|ge [...ʒə], die; -, -n
⟨franz.⟩ (*Verbindungsw. früher*
Verabredung eines Duells)
Kon|t|ra|hent, der; -en, -en ⟨lat.⟩
(*Rechtsspr.* Vertragspartner;
Gegner); Kon|t|ra|hen|tin
kon|t|ra|hie|ren (einen Kontrakt
abschließen, vereinbaren; *Biol.,
Med.* sich zusammenziehen;
Verbindungsw. früher ein Duel
verabreden); sich kontrahieren
(sich zusammenziehen)
Kon|t|ra|hie|rungs|zwang
(*Rechtsspr.* Verpflichtung von
Monopolbetrieben zum Ver-
tragsabschluss mit dem Kunden)
Kon|t|ra|in|di|ka|ti|on, die; -, -en
⟨lat., »Gegenanzeige«⟩ (*Med.*
Umstand, der die Anwendung
einer Arznei o. Ä. verbietet)
kon|t|rakt ⟨lat.⟩ (*veraltet für*
zusammengezogen; gelähmt)
Kon|t|rakt, der; -[e]s, -e (Vertrag,
Abmachung); Kon|t|rakt|ab-
schluss; Kon|t|rakt|bruch; der;
kon|t|rakt|brü|chig
kon|t|rak|til (*Med.* zusammenzieh-
bar); Kon|t|rak|ti|li|tät, die; -
(*Med.* Fähigkeit, sich zusam-
menzuziehen)
Kon|t|rak|ti|on, die; -, -en (*Med.*
Zusammenziehung; *Physik* Verringerung des Volumens); Kon-
trak|ti|ons|vor|gang
kon|t|rakt|lich (vertragsgemäß)
Kon|t|rak|tur, die; -, -en (*Med.* Ver-
kürzung [von Muskeln, Sehnen];
Versteifung)
Kon|t|ra|post, der; -[e]s, -e ⟨ital.⟩

(*bild. Kunst* Ausgleich [bes. von Stand- u. Spielbein])

kon|t|ra|pro|duk|tiv (negativ, entgegenwirkend; ein gewünschtes Ergebnis verhindernd)

Kon|t|ra|punkt, der; -[e]s ⟨lat.⟩ (*Musik* Führung mehrerer selbstständiger Stimmen im Tonsatz); **Kon|t|ra|punk|tik**, die; - (Lehre des Kontrapunktes); **kon|t|ra|punk|tisch**

kon|t|rär ⟨franz.⟩ (gegensätzlich; widrig)

Kon|t|rast, der; -[e]s, -e ⟨franz.⟩ ([starker] Gegensatz; auffallender [Farb]unterschied)

Kon|t|rast|brei (*Med.*)

Kon|t|rast|far|be

kon|t|ras|tie|ren ⟨franz.⟩ (sich unterscheiden, einen [starken] Gegensatz bilden); **kon|t|ras|tiv** ⟨engl.⟩ (*Sprachw.* vergleichend; kontrastive Grammatik

Kon|t|rast|mit|tel, das (*Med.*)

Kon|t|rast|pro|gramm

kon|t|rast|reich

Kon|t|ra|zep|ti|on, die; - ⟨lat.⟩ (*Med.* Empfängnisverhütung)

kon|t|ra|zep|tiv (empfängnisverhütend); **Kon|t|ra|zep|tiv**, das; -s, -e, **Kon|t|ra|zep|ti|vum**, das; -s, ...va (Verhütungsmittel)

Kon|t|re|tanz (alter Gesellschaftstanz)

Kon|t|ri|bu|ti|on, die; -, -en ⟨lat.⟩ (Kriegssteuer, -entschädigung)

Kon|t|ri|ti|on, die; -, -en ⟨lat.⟩ (*kath. Kirche* tiefe Reue)

Kon|t|roll|ab|schnitt

Kon|t|roll|ap|pa|rat; **Kon|t|roll|befug|nis**; **Kon|t|roll|be|hör|de**; **Kon|t|roll|da|tum**

Kon|t|rol|le, die; -, -n ⟨franz.⟩ (Überwachung; Überprüfung; Beherrschung)

Kon|t|rol|ler, der; -s, - ⟨engl.⟩ (*Technik* Steuerschalter an Elektromotoren)

Kon|t|rol|leur [...løːɐ̯], der; -s, -e ⟨franz.⟩ (Aufsichtsbeamter, Prüfer); **Kon|t|rol|leu|rin**

Kon|t|roll|gang

Kon|t|roll|grup|pe (*bes. Psych.*)

kon|t|rol|lier|bar; **Kon|t|rol|lier|barkeit**, die; -

kon|t|rol|lie|ren

Kon|t|roll|kas|se

Kon|t|roll|kom|mis|si|on

Kon|t|roll|lam|pe

Kon|t|roll|lis|te, Kon|t|roll-Lis|te

Kon|t|roll|me|cha|nis|mus

Kon|t|rol|lor, der; -s, -e ⟨ital.⟩ (*österr.* für Kontrolleur)

Kon|t|roll|or|gan; **Kon|t|roll|lo|rin**; **Kon|t|roll|pflicht**; **Kon|t|roll|punkt**

Kon|t|roll|rat, der; -[e]s (oberstes Besatzungsorgan in Deutschland nach dem 2. Weltkrieg)

Kon|t|roll|raum; **Kon|t|roll|sta|ti|on**; **Kon|t|roll|stel|le**; **Kon|t|roll|sys|tem**; **Kon|t|roll|turm**

Kon|t|roll|uhr

Kon|t|roll|zen|t|rum

kon|t|ro|vers ⟨lat.⟩ (entgegengesetzt; strittig; umstritten); **Kon|t|ro|ver|se**, die; -, -n (Meinungsverschiedenheit; [wissenschaftl.] Streit[frage]); **kon|t|ro|ver|si|ell** (*österr.* für kontrovers)

Kon|tu|maz, die; - ⟨lat.⟩ (*veraltet für* Nichterscheinen vor Gericht; *österr. veraltet für* Quarantäne); vgl. in contumaciam; **Kon|tu|ma|zi|al|ver|fah|ren** (*Rechtsspr.* Gerichtsverfahren in Abwesenheit einer Partei od. des Beschuldigten)

Kon|tur, die; -, -en *meist Plur.* ⟨franz.⟩ (Umriss[linie]; andeutende Linie[nführung]); **Kon|tur|buch|sta|be** (nur im Umriss gezeichneter Buchstabe)

kon|tu|ren|los, kon|tur|los

kon|tu|ren|reich

Kon|tu|ren|schär|fe (*Fotogr.*); **Kon|tu|ren|stift** (zum Nachziehen der Lippenkonturen)

kon|tu|rie|ren (die äußeren Umrisse ziehen; andeuten)

kon|tur|los, kon|tu|ren|los

Kon|tur|schrift (*Druckw.* Zierschrift mit Konturbuchstaben)

Kon|tu|si|on, die; -, -en ⟨lat.⟩ (*Med.* Quetschung)

Ko|nus, der; -, *Plur.* Konusse, *Technik auch* Konen ⟨griech.⟩ (Kegel[stumpf]; bei Drucktypen die Seitenflächen des schriftbildtragenden Oberteils)

Kon|va|les|zent, der; -en, -en ⟨lat.⟩ (*svw.* Rekonvaleszent); **Kon|va|les|zenz**, die; -, -en *Plur. selten* (*Rechtsw.* nachträgliches Gültigwerden von Rechtsgeschäften; *Med. svw.* Rekonvaleszenz)

Kon|vek|ti|on, die; -, -en ⟨lat., »Mitführung«⟩ (*Physik* Transport von Energie od. elektr. Ladung durch kleinste Teilchen einer Strömung); **kon|vek|tiv**

Kon|vek|tor, der; -s, ...oren (ein Heizkörper)

kon|ve|na|bel ⟨franz.⟩ (*veraltet für* schicklich; passend, bequem; annehmbar); ...a|b|le Preise

Kon|ve|ni|at, das; -s, -s ⟨lat.⟩

(Zusammenkunft der kath. Geistlichen eines Dekanats)

Kon|ve|ni|enz, die; -, -en (*veraltet für* Herkommen; Schicklichkeit; Zuträglichkeit; Bequemlichkeit); **kon|ve|nie|ren** (*veraltet für* passen, annehmbar sein)

Kon|vent, der; -[e]s, -e (*kath. Kirche* Versammlung der Mönche; Gesamtheit der Konventualen; *ev. Kirche* Zusammenkunft der Geistlichen zur Beratung; Versammlung einer Studentenverbindung; *nur Sing.:* Nationalversammlung in Frankreich 1792 bis 1795)

Kon|ven|ti|kel, das; -s, - ([heimliche] Zusammenkunft; private religiöse Versammlung)

Kon|ven|ti|on, die; -, -en ⟨franz.⟩ (Abkommen, [völkerrechtl.] Vertrag; *meist Plur.:* Herkommen, Brauch, Förmlichkeit)

kon|ven|ti|o|nal ⟨lat.⟩ (die Konvention betreffend)

Kon|ven|ti|o|nal|stra|fe (*Rechtsspr.* Vertragsstrafe)

kon|ven|ti|o|nell ⟨franz.⟩ (herkömmlich, üblich; förmlich)

Kon|ven|tu|a|le, der; -n, -n ⟨lat.⟩ (stimmberechtigtes Klostermitglied; Angehöriger eines kath. Ordens)

kon|ver|gent ⟨lat.⟩ (sich zuneigend, zusammenlaufend; übereinstimmend); **Kon|ver|genz**, die; -, -en (Annäherung, Übereinstimmung)

Kon|ver|genz|kri|te|ri|um (*Math.; auch für* Bedingung für die Teilnahme an der Europäischen Wirtschafts- u. Währungsunion)

Kon|ver|genz|the|o|rie, die; - (*Politik*)

kon|ver|gie|ren

Kon|ver|sa|ti|on, die; -, -en ⟨franz.⟩ (gesellige Unterhaltung, Plauderei); **Kon|ver|sa|ti|ons|le|xi|kon**; **Kon|ver|sa|ti|ons|stück**

kon|ver|sie|ren (*veraltet für* sich unterhalten)

Kon|ver|si|on, die; -, -en ⟨lat.⟩ (*Rel.* Glaubenswechsel; *Sprachw.* Übergang in eine andere Wortart ohne eine formale Änderung, z. B. »Dank« → »dank«)

Kon|ver|ter, der; -s, - ⟨engl.⟩ (*Hüttenw.* Gefäß zur Stahlherstellung; *Physik* Gerät zum Umformen von Frequenzen)

kon|ver|ti|bel ⟨franz.⟩ (*svw.* konvertierbar); ...i|b|le Währungen

Kon|ver|ti|bi|li|tät, die; - (Konvertierbarkeit)
kon|ver|tier|bar (austauschbar zum jeweiligen Wechselkurs [von Währungen]); frei konvertierbare Währung; Kon|ver|tier|bar|keit, die; - *(Wirtsch.)*
kon|ver|tie|ren ⟨lat.(-franz.)⟩ *(Rel.* den Glauben, die Konfession wechseln; *Wirtsch.* Währung zum Wechselkurs tauschen); Kon|ver|tie|rung
Kon|ver|tit, der; -en, -en ⟨engl.⟩ *(Rel.* zu anderem Glauben od. anderer Konfession Übergetretener); Kon|ver|ti|ten|tum, das; -s *(Rel.);* Kon|ver|ti|tin
kon|vex ⟨lat.⟩ *(Optik* erhaben, nach außen gewölbt); Kon|ve|xi|tät, die; - (konvexer Zustand)
Kon|vex|lin|se; Kon|vex|spie|gel
Kon|vikt, das; -[e]s, -e ⟨lat.⟩ (kirchl. Internat); Kon|vik|tu|a|le, der; -n, -n *(veraltet für* Angehöriger eines Konvikts)
Kon|vi|vi|um, das; -s, ...ien *(veraltet für* Gelage)
Kon|voi *[auch* ˈkɔn...], der; -s, -s ⟨engl.⟩ *(bes. Milit.* Geleitzug [für Schiffe]; Fahrzeugkolonne)
Kon|vo|ka|ti|on, die; -, -en ⟨lat., »Zusammenrufen«⟩ *(veraltet für* Einberufung)
Kon|vo|lut, das; -[e]s, -e ⟨lat.⟩ *(Buchw.* Bündel [von Schriftstücken]; Sammelband)
Kon|vul|si|on, die; -, -en ⟨lat.⟩ *(Med.* Schüttelkrampf)
kon|vul|siv, kon|vul|si|visch (krampfhaft [zuckend])
kon|ze|die|ren ⟨lat.⟩ (zugestehen, einräumen)
Kon|ze|le|b|ra|ti|on, die; -, -en ⟨lat.⟩ *(kath. Kirche* gemeinsame Eucharistiefeier durch mehrere Geistliche); kon|ze|le|b|rie|ren
Kon|zen|t|rat, das; -[e]s, -e ⟨lat.; griech.⟩ (angereicherter Stoff, hochprozentige Lösung; hochprozentiger Auszug)
Kon|zen|t|ra|ti|on, die; -, -en (Zusammenziehung [von Truppen]; [geistige] Sammlung; *Chemie* Gehalt einer Lösung); Kon|zen|t|ra|ti|ons|fä|hig|keit
Kon|zen|t|ra|ti|ons|la|ger, das; -s, - *(Abk.* KZ)
Kon|zen|t|ra|ti|ons|man|gel, der
Kon|zen|t|ra|ti|ons|schwä|che
kon|zen|t|rie|ren ([Truppen] zusammenziehen, vereinigen; *Chemie* anreichern, gehaltreich machen); sich konzentrieren

(sich [geistig] sammeln); kon|zen|t|riert *(Chemie* angereichert, gehaltreich; *übertr. für* gesammelt, aufmerksam)
Kon|zen|t|riert|heit, die; -
Kon|zen|t|rie|rung
kon|zen|t|risch (mit gemeinsamem Mittelpunkt); konzentrische Kreise; Kon|zen|t|ri|zi|tät, die; - (Gemeinsamkeit des Mittelpunktes)
Kon|zept, das; -[e]s, -e ⟨lat.⟩ (Entwurf; erste Fassung; grober Plan); Kon|zep|ti|on, die; -, -en (Entwurf eines Werkes; *Med.* Empfängnis); kon|zep|ti|o|nell
kon|zep|ti|o|nie|ren (planen, entwerfen); Kon|zep|ti|o|nie|rung
kon|zep|ti|ons|los; Kon|zep|ti|ons|lo|sig|keit, die; -
Kon|zept|kunst, die; - (Concept-Art)
Kon|zept|pa|pier
kon|zep|tu|a|li|sie|ren (als Konzept gestalten; ein Konzept entwerfen); kon|zep|tu|ell (auf ein Konzept bezogen)
Kon|zern, der; -[e]s, -e ⟨engl.⟩ (Zusammenschluss wirtschaftl. Unternehmen); kon|zer|nie|ren (zu einem Konzern zusammenschließen); Kon|zer|nie|rung
Kon|zern|mut|ter *(Wirtsch.* Muttergesellschaft eines Konzerns); Kon|zern|spit|ze; Kon|zern|toch|ter (Tochtergesellschaft eines Konzerns)
Kon|zert, das; -[e]s, -e ⟨ital.⟩; Kon|zert|abend; Kon|zert|agen|tur
kon|zer|tant (konzertmäßig, in Konzertform)
Kon|zer|ta|ti|on, die; -, -en ⟨franz.⟩ (Übereinkunft; Wettstreit)
Kon|zert|flü|gel
kon|zer|tie|ren (ein Konzert geben); kon|zer|tiert; eine konzertierte Aktion *(Wirtsch.* gemeinsam zwischen Partnern abgestimmtes Handeln)
Kon|zer|ti|na, die; -, -s (eine Handharmonika)
Kon|zert|meis|ter; Kon|zert|meis|te|rin; Kon|zert|pro|gramm
kon|zert|reif; Kon|zert|rei|fe
Kon|zert|rei|se; Kon|zert|saal; Kon|zert|stück; Kon|zert|tour|nee; Kon|zert|ver|an|stal|tung
Kon|zes|si|on, die; -, -en ⟨lat.⟩ (behördl. Genehmigung; *meist Plur.:* Zugeständnis); Kon|zes|si|o|när, der; -s, -e (Inhaber einer Konzession); Kon|zes|si|o|nä|rin

kon|zes|si|o|nie|ren (behördlich genehmigen)
Kon|zes|si|ons|be|reit|schaft
Kon|zes|si|ons|in|ha|ber; Kon|zes|si|ons|in|ha|be|rin
kon|zes|siv *(Sprachw.* einräumend); konzessive Konjunktion; Kon|zes|siv|satz (Umstandssatz der Einräumung)
Kon|zil, das; -s, -e und -ien ⟨lat.⟩ (Versammlung kath. Würdenträger; Universitätsgremium)
kon|zi|li|ant (versöhnlich, umgänglich, verbindlich); Kon|zi|li|anz, die; - (Umgänglichkeit, Entgegenkommen)
Kon|zi|li|a|ris|mus, der; - (kirchenrechtl. Theorie, die das Konzil über den Papst stellt)
Kon|zils|va|ter (stimmberechtigter Teilnehmer an einem Konzil)
kon|zinn ⟨lat.⟩ *(Rhet.* ebenmäßig gebaut; *veraltet für* gefällig)
Kon|zi|pi|ent, der; -en, -en ⟨lat.⟩ *(veraltet* Verfasser eines Schriftstückes; *österr. für* Jurist [zur Ausbildung] in einem Anwaltsbüro); Kon|zi|pi|en|tin *(österr.)*
kon|zi|pie|ren (verfassen, entwerfen; *Med.* schwanger werden)
kon|zis ⟨lat.⟩ *(Rhet.* kurz, gedrängt)
Koof|mich, der; -s, -s u. -e *(berlin. ugs. für* Kaufmann)
Koog *vgl.* Kog
Ko|ope|ra|ti|on, die; -, -en ⟨lat.⟩ (Zusammenarbeit); Ko|ope|ra|ti|ons|ab|kom|men
ko|ope|ra|ti|ons|be|reit
Ko|ope|ra|ti|ons|be|reit|schaft
Ko|ope|ra|ti|ons|mög|lich|keit
ko|ope|ra|tiv; Ko|ope|ra|tiv, das; -s, Plur. -e, auch -s, Ko|ope|ra|ti|ve, die; -, -n (Arbeitsgemeinschaft, Genossenschaft)
Ko|ope|ra|tor, der; -s, ...oren *(veraltet für* Mitarbeiter; *landsch. u. österr. für* kath. Vikar); Ko|ope|ra|to|rin
ko|ope|rie|ren (zusammenarbeiten)
Ko|op|ta|ti|on, die; -, -en ⟨lat.⟩ *(selten für* Ergänzungs-, Zuwahl)
ko|op|tie|ren *(selten für* hinzuwählen)
Ko|or|di|na|te, die; -, -n *meist Plur.* ⟨lat.⟩ *(Math.* Abszisse u. Ordinate; Zahl, die die Lage eines Punktes bestimmt)
Ko|or|di|na|ten|ach|se *(Math.)*
Ko|or|di|na|ten|sys|tem *(Math.)*
Ko|or|di|na|ti|on, die; -, -en ⟨lat.⟩; Ko|or|di|na|tor, der; -s, ...natoren (jmd., der koordiniert); Ko|or|di|na|to|rin

K
Konv

ko|or|di|nie|ren (in ein Gefüge einbauen; aufeinander abstimmen; nebeneinanderstellen; *Sprachw.* beiordnen); koordinierende (nebenordnende) Konjunktion (z. B. »und«)

Ko|or|di|nie|rung

Kop. = Kopeke

Ko|pa|i|va|bal|sam, der; -s ⟨indian.; hebr.⟩ (ein Harz)

Ko|pal, der; -s, -e ⟨indian.-span.⟩ (ein Harz); Ko|pal|fich|te; Ko|pal|harz; Ko|pal|lack

Ko|pe|ke, die; -, -n ⟨russ.⟩ (Untereinheit des russ. Rubels und der Griwna; *Abk.* Kop.)

Ko|pen|ha|gen (Hauptstadt Dänemarks); *vgl.* København; Ko|pen|ha|ge|ner

Kö|pe|nick (Stadtteil von Berlin); Kö|pe|ni|cker; Kö|pe|ni|cki|a|de, die; -, -n ⟨nach dem Hauptmann von Köpenick⟩ (toller Streich)

Ko|pe|po|de, der; -n, -n *meist Plur.* ⟨griech.⟩ (*Zool.* Ruderfußkrebs)

Kö|per, der; -s, - ⟨niederl.⟩ (ein Gewebe); Kö|per|bin|dung

ko|per|ni|ka|nisch; das kopernikanische Weltsystem; eine kopernikanische (tief greifende) Wende; die kopernikanischen »Sechs Bücher über die Umläufe der Himmelskörper« (Hauptwerk des Kopernikus) ↑K89 *u.* 135; Ko|per|ni|kus (poln. Astronom)

Kopf, der; -[e]s, Köpfe; Kopf hoch!; von Kopf bis Fuß; jmdm. zu Kopf steigen; die Haare über Kopf föhnen; auf dem Kopf stehen; das Bild, der Turner steht auf dem Kopf; *vgl. aber* kopfstehen

Kopf|air|bag

Kopf-an-Kopf-Ren|nen ↑K26

Kopf|ar|beit; Kopf|ar|bei|ter; Kopf|ar|bei|te|rin

Kopf|bahn|hof

Kopf|ball; Kopf|ball|tor, das

Kopf|be|de|ckung; Kopf|be|we|gung

Köpf|chen

Kopf|dün|ger (zur Düngung während des Wachstumszeit); Kopf|dün|gung

köp|feln (*südd., österr., schweiz.* für einen Kopfsprung machen; den Ball mit dem Kopf stoßen); ich köpf[e]le

köp|fen

Kopf|en|de; Kopf|form

Kopf|fü|ßer (*Zool.*)

Kopf|ge|burt (Erdachtes, Ersonnenes)

Kopf|geld; Kopf|geld|jä|ger; Kopf|geld|jä|ge|rin

Kopf|grip|pe; Kopf|haar; Kopf|hal|tung

Kopf|haut; Kopf|hö|rer

...köp|fig (z. B. vielköpfig); ...köpfisch (z. B. rappelköpfisch)

Kopf|jä|ger; Kopf|jä|ge|rin; Kopf|keil; Kopf|kis|sen

kopf|las|tig; Kopf|las|tig|keit, die; -

Köpf|ler (*österr. u. schweiz. für* Kopfsprung; Kopfstoß)

kopf|los; Kopf|lo|sig|keit

Kopf|ni|cken, das; -s; Kopf|nuss

Kopf|pau|scha|le (einkommensunabhängige pauschale Krankenversicherungsprämie)

Kopf|putz; Kopf|quo|te

kopf|rech|nen *nur im Infinitiv gebr.*; Kopf|rech|nen, das; -s

Kopf|sa|lat

kopf|scheu

Kopf|schmerz *meist Plur.*; Kopf|schmerz|ta|b|let|te

Kopf|schmuck; Kopf|schup|pe *meist Plur.*; Kopf|schuss

Kopf|schüt|teln, das; -s; kopf|schüt|telnd

Kopf|schutz; Kopf|schüt|zer

Kopf|sprung; Kopf|stand

kopf|ste|hen; ich stehe kopf, habe kopfgestanden, um kopfzustehen; *aber:* auf dem Kopf stehen

Kopf|ste|hen, das; -s

kopf|stein|ge|pflas|tert; ein kopfsteingepflasterter Platz; Kopf|stein|pflas|ter

Kopf|steu|er, die; Kopf|stim|me

Kopf|stoß (*Fußball, Boxen*)

Kopf|stüt|ze; Kopf|teil, das *od.* der; Kopf|tuch *Plur.* ...tücher; Kopf|tuch|ver|bot

kopf|über; kopf|un|ter

Kopf|ver|let|zung

kopf|wa|ckelnd; ein kopfwackelnder Greis

Kopf|wä|sche; Kopf|weh, das; -s

Kopf|wei|de (*vgl.* ¹Weide)

Kopf|wun|de; Kopf|zahl

Kopf|zer|bre|chen, das; -s; viel Kopfzerbrechen

Koph|ta, der; -s, -s (geheimnisvoller ägypt. Magier); koph|tisch

Ko|pi|al|buch ⟨lat.; dt.⟩ (Buch für Urkundenabschriften usw.)

Ko|pi|a|li|en *Plur.* (veraltet für Abschreibgebühren)

Ko|pi|a|tur, die; -, -en (veraltet für Abschreiben)

Ko|pie [*österr. auch* ˈko:pjə], die; -, ...ien [*österr. auch* ˈko:pjən] (Abschrift; Abdruck; Nachbildung; *Film* Abzug)

ko|pie|ren (eine Kopie machen)

Ko|pie|rer (*ugs. für* Kopiergerät)

Ko|pier|ge|rät; ko|pier|ge|schützt (*EDV*); Ko|pier|pa|pier

Ko|pier|schutz (*EDV*)

Ko|pier|stift, der

Ko|pi|lot (zweiter Flugzeugführer; zweiter Fahrer); Ko|pi|lo|tin

ko|pi|ös ⟨franz.⟩ (*Med.* reichlich, in Fülle)

Ko|pist, der; -en, -en ⟨lat.⟩ (jmd., der eine Kopie anfertigt); Ko|pis|tin

Kop|pe, die; -, -n (ein Fisch; *landsch. für* Kuppe)

¹Kop|pel, die; -, -n (eingezäunte Weide; Riemen; durch Riemen verbundene Tiere)

²Kop|pel, das; -s, -, *österr.* die; -, -n (Gürtel)

kop|pel|gän|gig (*Jägerspr.*); koppelgängiger Hund

kop|peln (verbinden); ich kopp[e]le; *vgl.* kuppeln

Kop|pel|schloss

Kop|pe|lung, Kopp|lung; Kop|pe|lungs|ma|nö|ver, Kopp|lungs|ma|nö|ver

Kop|pel|wei|de (*vgl.* ²Weide); Kop|pel|wirt|schaft; Kop|pel|wort *Plur.* ...wörter (*Sprachw.*)

kop|pen (Luft schlucken [eine Pferdekrankheit])

Köp|per, der; -s, - (*landsch. ugs.* für Kopfsprung)

kopp|heis|ter (*nordd. für* kopfüber); koppheister schießen (einen Purzelbaum schlagen)

Kopp|lung usw. *vgl.* Koppelung usw.

Ko|p|ra, die; - ⟨tamil.-port.⟩ (zerkleinertes u. getrocknetes Mark der Kokosnuss)

Ko|pro|duk|ti|on, die; -, -en (Gemeinschaftsherstellung)

Ko|pro|du|zent, der; -en, -en; Ko|pro|du|zen|tin; ko|pro|du|zie|ren

Ko|p|ro|lith, der; *Gen.* -s *od.* -en, *Plur.* -e[n] ⟨griech.⟩ (versteinerter Kot [urweltl. Tiere])

Ko|p|rom, der; -s, -e (*Med.* Kotgeschwulst)

ko|p|ro|phag (*Biol.* kotfressend)

Ko|p|ro|pha|gie, die; - (Kotessen)

Kops, der; -es, -e ⟨engl.⟩ (Spule, Spindel mit Garn)

Kop|te, der; -n, -n ⟨griech.⟩ (Angehöriger der christl. Kirche in Ägypten); Kop|tin; kop|tisch; koptische Kirche; koptische Schrift

Ko|pu|la, die; -, *Plur.* -s *u.* ...lae ⟨lat., »Band«⟩ (*Sprachw.* Satzband)

K

Kopu

Ko|pu|la|ti|on, die; -, -en (*Biol.* Begattung; *Gartenbau* bestimmte Veredelung von Pflanzen)

ko|pu|la|tiv (*Sprachw.* verbindend, anreihend); kopulative Konjunktion (z. B. »und«)

Ko|pu|la|ti|vum, das; -s, ...va (*Sprachw.* Zusammensetzung aus zwei gleichwertigen Bestandteilen, z. B. »taubstumm«, »Hemdhose«)

ko|pu|lie|ren ⟨*zu* Kopulation⟩

Ko|rah, ökum. **Ko|rach** (bibl. m. Eigenn.)

Ko|ral|le, die; -, -n ⟨griech.⟩ (ein Nesseltier; aus seinem Skelett gewonnener Schmuckstein); **ko|ral|len** (aus Korallen, korallenrot)

Ko|ral|len|bank *Plur.* ...bänke; **Ko|ral|len|baum**; **Ko|ral|len|in|sel**; **Ko|ral|len|ket|te**

Ko|ral|len|riff

ko|ral|len|rot

ko|ram ⟨lat., »vor aller Augen«⟩; jmdn. koram nehmen (*veraltet für* scharf tadeln); *vgl.* coram publico

Ko|ran [*auch* 'ko:...], der; -s, -e ⟨arab.⟩ (das heilige Buch des Islams); **Ko|ran|schu|le**; **Ko|ran|su|re**

Korb, der; -[e]s, Körbe; drei Korb Kabeljau

Korb|ball; **Korb|ball|spiel**

Korb|blüt|ler

Körb|chen; **Körb|chen|grö|ße** (genormte Größe für die Schale des Büstenhalters)

Kor|ber (*schweiz. früher für* Korbmacher); **Kor|be|rin**

Kör|berl|geld (*österr. für* Zubrot)

Korb|fla|sche; **Korb|flech|ter**; **Korb|flech|te|rin**

Kor|bi|ni|an [*auch* ...'bi:...] (ein Heiliger; *auch* m. Vorn.)

Korb|jä|ger (*Sport*); **Korb|jä|ge|rin**

Körb|lein

Korb|ma|cher; **Korb|ma|che|rin**; **Korb|ses|sel**; **Korb|stuhl**; **Korb|wa|gen**

Korb|wei|de (*vgl.* ¹Weide)

Korb|wurf

¹**Kord** (m. Vorn.)

²**Kord** usw. *vgl.* Cord usw.; **Kord|an|zug** *vgl.* Cordanzug

Kor|de, die; -, -n ⟨franz.⟩ (*veraltet für* schnurartiger Besatz)

Kor|del, die; -, -n (gedrehte oder geflochtene Schnur; *landsch. für* Bindfaden; *österr. svw.* Korde); **Kör|del|chen**

Kor|de|lia, **Kor|de|lie** *vgl.* Cordelia, Cordelie

Kord|ho|se *vgl.* Cordhose

kor|di|al ⟨lat.⟩ (*veraltet für* herzlich; vertraulich)

kor|die|ren (franz.) (vertiefte Muster in zu glatte Griffe von Werkzeugen einarbeiten); **Kor|dier|ma|schi|ne**

Kor|dil|le|ren [...dıl'je:...] *Plur.* ⟨span.⟩ (amerik. Gebirgszug)

Kor|dit, der; -s (franz.) (ein Schießpulver)

Kor|don [...'dõ:, *österr.* ...'do:n], der; -s, *Plur.* -s, *österr.* -e (franz.) (Postenkette; Ordensband)

Kor|do|nett|sei|de (Zwirn-, Schnurseide); **Kor|do|nett|stich** (ein Zierstich)

Kord|samt *vgl.* Cordsamt

Kor|du|la *vgl.* Cordula

Ko|re, die; -, -n ⟨griech.⟩ ([Gebälk tragende] Frauengestalt)

Ko|rea (eine Halbinsel Ostasiens; Demokratische Volksrepublik Korea [Nordkorea]; Republik Korea [Südkorea])

Ko|rea|krieg, der; -[e]s (1950 bis 1953)

Ko|re|a|ner; **Ko|re|a|ne|rin**; **ko|re|a|nisch**

Ko|re|fe|rat, **ko|re|fe|rie|ren**, **Ko|re|fe|rent** *vgl.* Korreferat usw.

Ko|re|gis|seur; **Ko|re|gis|seu|rin**

kö|ren (*fachspr. für* [männl. Haustiere] zur Zucht auswählen)

Kor|fi|ot, der; -en, -en (Bewohner der Insel Korfu); **Kor|fi|o|tin**; **kor|fi|o|tisch**

Kor|fu (ionische Insel u. Stadt); *vgl.* Kerkyra

Kör|ge|setz (*fachspr.*); **Kör|hengst**

Ko|ri|an|der, der; -s, - *Plur. selten* ⟨griech.⟩ (Gewürzpflanze u. deren Samen); **Ko|ri|an|der|öl**; **Ko|ri|an|der|schnaps**

Ko|ri|an|do|li, das; -[s], - ⟨ital.⟩ (*österr. veraltet für* Konfetti)

Ko|rin|na (altgriech. Dichterin); *vgl.* Corinna

Ko|rinth (griech. Stadt)

Ko|rin|the, die; -, -n *meist Plur.* (kleine Rosine); **Ko|rin|then|brot**; **Ko|rin|then|ka|cker** (*derb für* kleinlicher Mensch); **Ko|rin|then|ka|cke|rin**

Ko|rin|ther; **Ko|rin|ther|brief** ↑ K 143

ko|rin|thisch; korinthische Säulenordnung, *aber* ↑ K 89 *u.* K 142 : die Korinthische Krieg

Kork, der; -[e]s, -e (Rinde der Korkeiche; Korken)

Kork|brand; **Kork|ei|che**

kor|ken (aus Kork); **Kor|ken**, der; -s, - (Stöpsel aus Kork)

Kor|ken|geld (*veraltend für* Entschädigung für den Wirt, wenn der Gast im Wirtshaus seinen eigenen Wein o. Ä. trinkt)

Kor|ken|zie|her

Kork|geld (svw. Korkengeld)

kor|kig; der Wein schmeckt korkig

Kork|soh|le; **Kork|wes|te**; **Kork|zie|her** (Korkenzieher)

Kor|mo|phyt, der; -en, -en *meist Plur.* ⟨griech.⟩ (*Bot.* Sammelbezeichnung für Farn- u. Samenpflanzen)

Kor|mo|ran [*österr.* 'kɔr...], der; -s, -e ⟨lat.⟩ (ein Schwimmvogel)

Kor|mus, der; - ⟨griech.⟩ (*Bot.* aus Wurzel u. Sprossachse bestehender Pflanzenkörper)

¹**Korn**, das; -[e]s, *Plur.* Körner *u.* (*für* Getreidearten:) -e

²**Korn**, das; -[e]s, -e *Plur. selten* (Teil der Visiereinrichtung)

³**Korn**, der; -[e]s (*ugs. für* Kornbranntwein); 3 Korn

Korn|äh|re

Korn|blu|me; **korn|blu|men|blau**

Korn|brannt|wein

Körn|chen

Körndl|bau|er (*vgl.* ²Bauer; *bayr.*, *österr. für* Bauer, der hauptsächlich Getreide anbaut); **Körndl|bäu|e|rin**

Kor|nea *vgl.* Cornea

Kor|ne|lia, **Kor|ne|lie**, **Kor|ne|li|us** *vgl.* Cornelia, Cornelie, Cornelius

Kor|nel|kir|sche, die; -, -n ⟨lat.; dt.⟩ (ein Zierstrauch)

kör|nen

Kor|ner *vgl.* Corner

¹**Kör|ner** (dt. Dichter)

²**Kör|ner** (Markierstift zum Ankörnen)

Kör|ner|fres|ser

Kör|ner|fut|ter (*vgl.* ¹Futter)

¹**Kor|nett**, der; -[e]s, *Plur.* -e *u.* -s ⟨franz.⟩ (*früher* Fähnrich [bei der Reiterei])

²**Kor|nett**, das; -[e]s, *Plur.* -e *u.* -s (ein Blechblasinstrument); **Kor|net|tist**, der; -en, -en (Kornettspieler); **Kor|net|tis|tin**

Korn|feld

kör|nig

kor|nisch; **Kor|nisch**, das; -[s] (früher in Cornwall gesprochene kelt. Sprache); *vgl.* Deutsch; **Kor|ni|sche**, das; -n; *vgl.* Deutsche, das

Korn|kam|mer

Korn|ra|de (ein Ackerwildkraut)

Korn|spei|cher

Kör|nung (best. Größe kleiner Materialteilchen; das Körnen; *Jägerspr.* Futter zur Wildfütterung; *auch für* Futterplatz)

Ko|rol|la, Ko|rol|le, die; -, ...llen (griech.) (Blumenkrone)

Ko|rol|lar, das; -s, -e, Ko|rol|la|ri|um, das; -s, ...ien (*Logik* Satz, der selbstverständlich aus einem bewiesenen Satz folgt)

Ko|rol|le *vgl.* Korolla

Ko|ro|man|del|holz

Ko|ro|man|del|küs|te, die; - (vorderind. Küstengebiet)

¹Ko|ro|na, die; -, ...nen (griech.-lat., »Kranz, Krone«) (*Kunstwiss.* Heiligenschein; *Astron.* Strahlenkranz [um die Sonne]; *ugs.* [fröhliche] Runde, [Zuhörer]kreis; *auch für* Horde)

²Ko|ro|na *vgl.* Corona

ko|ro|nar (*Med.* die Herzkranzgefäße betreffend); Ko|ro|nar|in|suf|fi|zi|enz; Ko|ro|nar|skle|ro|se

Kör|per, der; -s, -; Kör|per|bau, der; -[e]s; Kör|per|be|herr|schung

kör|per|be|hin|dert; Kör|per|be|hin|der|te, der u. die; -n, -n

kör|per|be|tont; ein körperbetontes Kleid; Kör|per|be|we|gung; Kör|per|be|wusst|sein

kör|per|ei|gen; körpereigene Abwehrstoffe

Kör|per|ein|satz; Kör|per|er|tüch|ti|gung; Kör|per|er|zie|hung

Kör|per|flüs|sig|keit, die; -, -en (z. B. Blut od. Schweiß); Kör|per|fül|le

Kör|per|ge|ruch; Kör|per|ge|wicht; Kör|per|grö|ße

kör|per|haft

Kör|per|hal|tung; Kör|per|kon|takt; Kör|per|kraft, die

Kör|per|kult; Kör|per|kul|tur, die; -

Kör|per|län|ge

kör|per|lich; Kör|per|lich|keit

Kör|per|los; Kör|per|lo|ti|on [*auch* ...lo:ʃn] (Körperpflegemilch)

Kör|per|pfle|ge, die; -

Kör|per|schaft; kör|per|schaft|lich

Kör|per|schafts|steu|er, Kör|per|schaft|steu|er, die

Kör|per|spra|che

Kör|per|teil, der; -[e]s; Kör|per|tem|pe|ra|tur; Kör|per|ver|let|zung

Kör|per|wär|me

Kor|po|ra (*Plur. von* ²Korpus)

Kor|po|ral, der; -s, *Plur.* -e, *auch* ...äle (franz.) (*früher* Führer einer Korporalschaft; Unteroffizier; *schweiz.* niedrigster Unteroffiziersgrad)

Kor|po|ral|schaft (*früher* Untergruppe der Kompanie für den inneren Dienst)

Kor|po|ra|ti|on, die; -, -en (lat.) (Körperschaft; Studentenverbindung)

Kor|po|ra|tis|mus, der; -, ...men (*Politik* Beteiligung gesellschaftlicher Gruppen an politischen Entscheidungsprozessen); kor|po|ra|tis|tisch

kor|po|ra|tiv (körperschaftlich; einheitlich; eine Studentenverbindung betreffend)

kor|po|riert (einer stud. Korporation angehörend)

Korps, Corps [ko:ɐ̯], das; -, - (franz.) (Heeresabteilung; [schlagende] stud. Verbindung)

Korps|bru|der, Corps|bru|der; Korps|geist, Corps|geist, der; -[e]s

kor|pu|lent (lat.) (beleibt)

Kor|pu|lenz, die; - (Beleibtheit)

¹Kor|pus, der; -, -se (Christusfigur am Kreuz; *fachspr. für* massiver Teil von Möbeln; *ugs. scherzh. für* Körper)

²Kor|pus, das; -, ...pora (einer wissenschaftl. Untersuchung zugrunde liegender Text; *Musik* [*meist Sing.*] *nur Sing.*] Klangkörper eines Instruments)

³Kor|pus, die; - (ein alter Schriftgrad)

Kor|pus|kel, das; -s, -n, *fachspr.* häufig die; -, -n (lat., »Körperchen«) (kleines Teilchen der Materie)

Kor|pus|ku|lar|strah|len *Plur.* (*Physik* Strahlen aus elektr. geladenen Teilchen); Kor|pus|ku|lar|the|o|rie, die; - (Theorie, nach der das Licht aus Korpuskeln besteht)

Kor|ral, der; -s, -e (span.) ([Fang]gehege für Wildtiere)

Kor|ra|si|on, die; -, -en (lat.) (*Geol.* Abschabung, Abschleifung)

Kor|re|fe|rat [*auch* ...ˈraːt], *landsch.* Ko|re|fe|rat, das; -[e]s, -e (lat.) (zweiter Bericht; Nebenbericht)

Kor|re|fe|rent [*auch* ...ˈrɛ...], *landsch.* Ko|re|fe|rent, der; -en, -en (zweiter Referent; Mitgutachter); Kor|re|fe|ren|tin [*auch* ...ˈrɛn...], *landsch.* Ko|re|fe|ren|tin; kor|re|fe|rie|ren [*auch* ...ˈriː...], *landsch.* ko|re|fe|rie|ren

kor|rekt (lat.); kor|rekt|ter|wei|se

Kor|rekt|heit, die; -

Kor|rek|ti|on, die; -, -en (*schweiz.*

für Verbreiterung, Begradigung [einer Straße, eines Bachs o. Ä.])

kor|rek|tiv (*veraltet für* bessernd; zurechtweisend); Kor|rek|tiv, das; -s, -e (Besserungs-, Ausgleichsmittel)

Kor|rek|tor, der; -s, ...oren (Berichtiger von Manuskripten od. Druckabzügen); Kor|rek|to|rat, das; -[e]s, -e (Abteilung der Korrektoren); Kor|rek|to|rin

Kor|rek|tur, die; -, -en (Berichtigung [des Schriftsatzes], Verbesserung); Korrektur lesen

Kor|rek|tur|ab|zug; Kor|rek|tur|bo|gen; Kor|rek|tur|fah|ne; Kor|rek|tur|le|sen, das; -s

Kor|rek|tur|vor|schrif|ten *Plur.*

Kor|rek|tur|zei|chen

kor|re|lat, kor|re|la|tiv (lat.) (sich wechselseitig erfordernd und bedingend); Kor|re|lat, das; -[e]s, -e (Ergänzung, Entsprechung; *Sprachw.* Wort, das auf ein anderes bezogen ist)

Kor|re|la|ti|on, die; -, -en (Wechselbeziehung); Kor|re|la|ti|ons|rech|nung (*Math.*)

kor|re|la|tiv *vgl.* korrelat

kor|re|lie|ren

kor|re|pe|tie|ren (lat.) (*Musik* mit jmdm. eine Gesangspartie vom Klavier aus einüben); Kor|re|pe|ti|tor; Kor|re|pe|ti|to|rin (lat.)

kor|re|s|pek|tiv (lat.) (*Rechtsspr.* gemeinschaftlich); korrespektives Testament

Kor|re|s|pon|dent, der; -en, - (lat.) (auswärtiger, fest engagierter Berichterstatter; Bearbeiter des [kaufmänn.] Schriftwechsels); Kor|re|s|pon|den|tin

Kor|re|s|pon|denz, die; -, -en (Briefverkehr, -wechsel; *regional für* Berichterstattung; *veraltend für* Übereinstimmung)

Kor|re|s|pon|denz|buch

Kor|re|s|pon|denz|bü|ro; Kor|re|s|pon|denz|kar|te (*österr. veraltet für* Postkarte)

kor|re|s|pon|die|ren (im Briefverkehr stehen; übereinstimmen); korrespondierendes Mitglied (auswärtiges Mitglied)

Kor|ri|dor, der; -s, -e (ital.) ([Wohnungs]flur, Gang; schmaler Gebietsstreifen); Kor|ri|dor|tür

kor|ri|gend, der; -en, -en (lat., »der zu Bessernde«) (*veraltet für* Sträfling)

Kor|ri|gen|da *Plur.* ([Druck]fehler, Fehlerverzeichnis)

Kor|ri|gens, das; -, *Plur.* ...gentia u.

...genzien *meist Plur.* (*Pharm.* geschmackverbessernder Zusatz zu Arzneien)

kor|ri|gie|ren (berichtigen; verbessern)

kor|ro|die|ren ⟨lat.⟩ (*fachspr. für* zersetzen, zerstören; der Korrosion unterliegen)

Kor|ro|si|on, die; -, -en (Zersetzung, Zerstörung); kor|ro|si|ons|be|stän|dig; kor|ro|si|ons|fest

Kor|ro|si|ons|schutz; kor|ro|si|on[s]|ver|hü|tend

kor|ro|siv (zerfressend, zerstörend; durch Korrosion hervorgerufen)

kor|rum|pie|ren ⟨lat.⟩ ([charakterlich] verderben; bestechen)

kor|rum|piert (verderbt [von Stellen in alten Texten])

Kor|rum|pie|rung

kor|rupt ([moralisch] verdorben; bestechlich)

Kor|rup|ti|on, die; -, -en (Bestechlichkeit; das Verderben, Bestechung; [Sitten]verfall, -verderbnis); Kor|rup|ti|ons|skan|dal

Kor|sa|ge [...ʒə], die; -, -n ⟨franz.⟩ (trägerloses, versteiftes Oberteil eines Kleides)

Kor|sar, der; -en, -en ⟨ital.⟩ (*früher für* Seeräuber[schiff]; kleine Zweimannjolle)

Kor|se, der; -n, -n (Bewohner Korsikas)

Kor|se|lett, das; -s, *Plur.* -s, *auch* -e ⟨franz.⟩ (bequemes, leichtes Korsett)

Kor|sett, das; -s, *Plur.* -s, *auch* -e (Mieder; *Med.* Stützvorrichtung für die Wirbelsäule)

Kor|sett|stan|ge

Kor|si|ka (Insel im Mittelmeer); Kor|sin; kor|sisch

Kor|so, der; -s, -s ⟨ital.⟩ (Schaufahrt; Umzug; Straße [für das Schaufahren])

Kors|te, der; -, -n (*landsch. für* Endstück des Brotes)

Kor|tex, der; -[es], *Plur.* -e, *auch* ...tizes ⟨lat.⟩ (*Med.* äußere Zellschicht eines Organs, bes. Hirnrinde); kor|ti|kal (den Kortex betreffend)

Kor|ti|son, *fachspr.* Cor|ti|son, das; -s ⟨Kunstwort⟩ (*Pharm.* ein Hormonpräparat)

Ko|rund, der; -[e]s, -e ⟨tamil.⟩ (ein Mineral)

Kö|rung ⟨zu kören⟩

Kor|vet|te, die; -, -n ⟨franz.⟩ (leichtes [Segel]kriegsschiff)

Kor|vet|ten|ka|pi|tän

Kor|vey *vgl.* Corvey

Ko|ry|bant, der; -en, -en ⟨griech.⟩ (Priester der Kybele); ko|ry|ban|tisch (wild begeistert, ausgelassen)

Ko|ry|phäe, die; -, -n ⟨griech.⟩ (bedeutende Persönlichkeit, hervorragender Gelehrter usw.)

Kos (Insel des Dodekanes)

Ko|sak, der; -en, -en ⟨russ.⟩ (Angehöriger der militär. organisierten Grenzbevölkerung im zarist. Russland; leichter Reiter)

Ko|sa|ken|müt|ze; Ko|sa|ken|pferd; Ko|sa|kin

Ko|sche|nil|le [...ˈnɪljə], die; -, -n ⟨span.⟩ (eine Schildlaus; *nur Sing.:* ein roter Farbstoff); Ko|sche|nil|le|laus

ko|scher ⟨hebr.-jidd.⟩ (den jüd. Speisegesetzen gemäß [erlaubt]; *ugs. für* einwandfrei)

K.-o.-Schlag ↑K 26 (*Boxen* Niederschlag); *vgl. auch* Knock-out-Schlag

Koś|ci|usz|ko [kɔʃˈtʃiʊʃko] (poln. Nationalheld)

Ko|se|form

Ko|se|kans, der; -, *Plur.* -, *auch* ...anten ⟨lat.⟩ (*Math.* Kehrwert des Sinus im rechtwinkligen Dreieck; *Zeichen* cosec)

ko|sen; du kost; Ko|se|na|me

Ko|se|wort *Plur.* ...wörter, *auch* ...worte

K.-o.-Sie|ger ↑K 26; *vgl. auch* Knock-out-Schlag; K.-o.-Sie|ge|rin

Ko|si|ma *vgl.* Cosima

Ko|si|nus, der; -, *Plur.* - u. -se *Plur.* selten ⟨lat.⟩ (*Math.* eine Winkelfunktion im rechtwinkligen Dreieck; *Zeichen* cos)

Kos|me|tik, die; - ⟨griech.⟩ (Körper- u. Schönheitspflege)

Kos|me|ti|ke|rin

Kos|me|tik|sa|lon

Kos|me|tik|ta|sche

Kos|me|ti|kum, das; -s, ...ka *meist Plur.* ⟨griech.-lat.⟩

kos|me|tisch

kos|misch ⟨griech.⟩ (im Kosmos; das Weltall betreffend; All...); kosmische Strahlung

Kos|mo|bio|lo|gie [*auch* ˈkɔs...] (Lehre von den außerird. Einflüssen auf die Gesamtheit der Lebenserscheinungen)

Kos|mo|drom, das; -s, -e ⟨griech.-russ.⟩ (Startplatz für Raumschiffe)

Kos|mo|go|nie, die; -, ...ien ⟨griech.⟩ (Weltentstehungslehre); kos|mo|go|nisch

Kos|mo|gra|fie, Kos|mo|gra|phie, die; -, ...ien (*veraltet für* Weltbeschreibung)

Kos|mo|lo|gie, die; -, ...ien (Lehre von der Entstehung u. Entwicklung des Weltalls)

kos|mo|lo|gisch

Kos|mo|naut, der; -en, -en ⟨griech.-russ.⟩ (Weltraumfahrer); Kos|mo|nau|tik, die; -; Kos|mo|nau|tin

Kos|mo|po|lit, der; -en, -en ⟨griech.⟩ (Weltbürger); Kos|mo|po|li|tin

kos|mo|po|li|tisch; Kos|mo|po|li|tis|mus, der; - (Weltbürgertum)

Kos|mos, der; - (Weltall, Weltraum)

Kos|mo|the|is|mus, der; - (philos. Anschauung, die Gott und die Welt als Einheit begreift)

Kos|mo|t|ron [*auch* ...ˈtro:n], das; -s, *Plur.* ...trone, *auch* -s (*Kernphysik* Teilchenbeschleuniger)

Ko|so|va|re, der; -n, -n (Bewohner des Kosovos); Ko|so|va|rin; ko|so|va|risch

Ko|so|vo, -s *auch mit Artikel* der *od.* das; -[s] (Provinz in Serbien); Ko|so|vo-Al|ba|ner; Ko|so|vo-Al|ba|ne|rin; ko|so|vo-al|ba|nisch

Kos|suth [ˈkɔʃʊt] (ung. Nationalheld)

Kost, der; -

kos|tal ⟨lat.⟩ (*Med.* zu den Rippen gehörend)

kost|bar; Kost|bar|keit

¹kos|ten (schmecken)

²kos|ten (wert sein); es kostet mich viel [Geld], nichts, hundert Euro; das kostet ihn *od.* ihm die Stellung; Kos|ten|frei; Kosten senken, sparen; ↑K 58 : Kosten senkende *od.* kostensenkende, Kosten sparende *od.* kostensparende Maßnahmen; auf Kosten des ... *od.* von ...

Kos|ten|an|schlag; Kos|ten|be|rech|nung

kos|ten|be|wusst; Kos|ten|be|wusst|sein

Kos|ten|dämp|fung

Kos|ten de|ckend, kos|ten|de|ckend

Kos|ten|ein|spa|rung; Kos|ten|ent|wick|lung; Kos|ten|er|stat|tung; Kos|ten|ex|plo|si|on; Kos|ten|fak|tor; Kos|ten|fest|set|zung; Kos|ten|fra|ge

kos|ten|frei; kos|ten|ge|recht

Kos|ten|grün|de *Plur.;* aus Kostengründen

kos|ten|güns|tig; kos|ten|in|ten|siv

Kos|ten|la|wi|ne

kos|ten|los

Kos|ten|mie|te; kos|ten|neu|t|ral

Kos|ten-Nut|zen-Ana|ly|se ↑K 26

kos|ten|pflich|tig

Kos|ten|punkt; Kos|ten|rah|men, der; -s

Kos|ten sen|kend, kos|ten|sen|kend; Kosten senkende od. kostensenkende Maßnahmen ↑K58; Kos|ten|sen|kung

Kos|ten spa|rend, kos|ten|spa|rend; eine Kosten sparende od. kostensparende Lösung, *aber* nur eine kostensparendere Lösung, die kostensparends|te Lösung ↑K58

Kos|ten|stei|ge|rung; Kos|ten|vor|an|schlag

Kost|gän|ger; Kost|gän|ge|rin; Kost|ge|ber; Kost|ge|be|rin

Kost|geld

köst|lich; Köst|lich|keit

Kost|pro|be

kost|spie|lig; Kost|spie|lig|keit

Kos|tüm, das; -s, -e ⟨franz.⟩ (aus Rock und Jacke bestehende Damenkleidung; Verkleidung)

Kos|tüm|bild|ner; Kos|tüm|bild|ne|rin

Kos|tüm|fest; Kos|tüm|film; Kos|tüm|fun|dus; Kos|tüm|ge|schich|te

kos|tü|mie|ren; sich kostümieren ([ver]kleiden); Kos|tü|mie|rung

Kos|tüm|ver|leih

Kost|ver|äch|ter *(scherzh.)*; Kost|ver|äch|te|rin

K.-o.-Sys|tem (Austragungsmodus von Wettkämpfen, bei dem der Unterliegende ausscheidet)

Kot, der; -[e]s, -e *Plur. selten*

Ko|tan|gens, der; -, - *Plur. selten* ⟨lat.⟩ (*Math.* eine Winkelfunktion im Dreieck; *Zeichen* cot)

Ko|tau, der; -s, -s ⟨chin.⟩ (demütige Ehrerweisung); Kotau machen

¹Ko|te, die; -, -n ⟨franz.⟩ (*Geogr.* Geländepunkt [einer Karte], dessen Höhenlage genau vermessen ist)

²Ko|te, die; -, -n od. Kot|ten, der; -s, - (*nordd. für* kleines Haus)

³Ko|te, die; -, -n ⟨finn.⟩ (Lappenzelt)

Kö|te, die; -, -n (*fachspr. für* hintere Seite der Zehe bei Rindern u. Pferden)

Kö|tel, der; -s, - (*nordd. für* Kotklümpchen)

Ko|te|lett [*auch* kɔt'lɛt], das; -s, -e ⟨franz., »Rippchen«⟩ (Rippenstück)

Ko|te|let|ten *Plur.* (Backenbart)

Ko|ten|ge|lenk (*Zool.* Fesselgelenk)

Ko|ten|ta|fel (*Geogr.* Höhentafel)

Kö|ter, der; -s, - (*abwertend für* Hund)

Ko|te|rie, die; -, ...ien ⟨franz.⟩ (veraltet für Kaste; Klüngel)

Kot|flü|gel

Kö|then (Stadt südwestl. von Dessau); Kö|the|ner

Ko|thurn, der; -s, -e ⟨griech.⟩ (dicksohliger Bühnenschuh der Schauspieler im antiken Theater)

ko|tie|ren ⟨franz.⟩ (*Kaufmannsspr.* ein Wertpapier an der Börse zulassen); Ko|tie|rung

ko|tig

Ko|til|lon [...tɪljõ, *auch* kotɪl'jõ:], der; -s, -s ⟨franz.⟩ (ein alter Gesellschaftstanz)

Köt|ner (*nordd.; svw.* Kätner); Köt|ne|rin

Ko|to, das; -s, -s, *auch* die; -, -s ⟨jap.⟩ (ein zitherähnliches jap. Musikinstrument)

Ko|ton [...'tõ:], der; -s, -s ⟨arab.-franz.⟩ (*selten für* Baumwolle); *vgl.* Cotton; ko|to|ni|sie|ren (*Textilw.* baumwollähnlich machen); Ko|to|ni|sie|rung

Ko|tor, Cat|ta|ro (Stadt in Montenegro)

Ko|to|rin|de ⟨indian.; dt.⟩ (ein altes Heilmittel)

Ko|trai|ner (*svw.* Assistenztrainer); Ko|trai|ne|rin

K.-o.-Trop|fen (Tropfen, die nach Einnahme zur Bewusstlosigkeit führen)

Kot|sass, Kot|sas|se (*nordd.; svw.* Kötner)

Ko|t|schin|chi|na ⟨»Kleinchina«⟩ (alte Bez. des Südteils von Vietnam); Ko|t|schin|chi|na|huhn

Köt|ten *vgl.* ²Kote; Köt|ter, der; -s, - (*nordd. veraltend für* ²Kote; *österr. für* Arrest); Köt|ter (*nordd. für* Inhaber einer ²Kote); Köt|te|rin

Ko|ty|le|do|ne, die; -, -n *meist Plur.* ⟨griech.⟩ (*Zool.* Zotte der tierischen Embryohülle; *Bot.* pflanzl. Keimblatt)

Ko|ty|lo|sau|ri|er (ausgestorbenes eidechsenähnliches Kriechtier)

Kotz|bro|cken (*derb für* widerwärtiger Mensch)

¹Kot|ze, die; -, -n (*landsch. für* wollene Decke, Wollzeug; wollener Umhang); *vgl.* Kotzen

²Kot|ze, die; - (*derb für* Erbrochenes)

Köt|ze, die; -, -n (*mitteld. für* Rückentragkorb)

Kot|ze|bue [...bu] (dt. Dichter)

kot|zen (*derb für* sich übergeben); du kotzt

Kot|zen, der; -s, - (*Nebenform von* ¹Kotze)

kot|zen|grob (*landsch. für* sehr grob)

Köt|zer, der; -s, - (*svw.* Kops)

kotz|e|rig (*derb für* zum Erbrechen übel)

kotz|lang|wei|lig; kotz|übel (*derb*)

ko|va|lent; kovalente Bindung (*Chemie* Atombindung)

Ko|va|ri|an|ten|phä|no|men [*auch* 'ko:...] ⟨lat.; griech.⟩ (*Psych.* Täuschung der Raum-, Tiefenwahrnehmung); Ko|va|ri|anz, die; -, -en ⟨lat.⟩ (*Physik, Math.*)

Ko|x|al|gie, die; -, ...ien ⟨lat.; griech.⟩ (*Med.* Hüftgelenkschmerz)

Ko|xi|tis, die; -, ...itiden ⟨lat.⟩ (Hüftgelenkentzündung)

Ko|zy|tus *vgl.* Kokytos

kp = Kilopond

kPa = Kilopascal

KPD, die; - = Kommunistische Partei Deutschlands

kpm = Kilopondmeter

kr = Krone

Kr = *chem. Zeichen für* Krypton

Kr., Krs. = Kreis

Kraal *vgl.* Kral

Krab|be, die; -, -n (ein Krebs; *ugs. auch für* Garnele; *Archit.* Steinblume an Giebeln usw.; *ugs. für* Kind)

Krab|bel|al|ter; Krab|be|lei (*ugs.*); Krab|bel|grup|pe

krab|be|lig *vgl.* krabblig

Krab|bel|kind; krab|beln; ich krabb[e]le; es kribbelt u. krabbelt; *vgl. aber* grabbeln

krab|ben (*fachspr. für* [Geweben] Glätte u. Glanz verleihen)

Krab|ben|fi|scher; Krab|ben|fi|sche|rin; Krab|ben|kut|ter

krabb|lig, krab|be|lig (*ugs.*)

krach!; Krach, der; -[e]s, Kräche (*nur Sing.:* Lärm; *ugs. für* Streit; Zusammenbruch); mit Ach und Krach (mit Müh und Not); Krach schlagen

kra|chen; sich mit jmdm. krachen (*ugs. für* streiten); es mal richtig krachen lassen od. krachenlassen (*ugs. für* ausgelassen feiern)

Kra|chen, der; -s, -n (*schweiz. mdal. für* Schlucht, kleines Tal, abgelegenes Dorf od. Tal)

Kra|cher (*ugs. für* Knallkörper)

Kra|cherl, das; -s, -n (*österr., bayr. für* Brauselimonade)

kra|chig; Krach|le|der|ne, die; -, -n (*bayr. für* kurze Lederhose)

Krach|man|del *(landsch.)*
kräch|zen; du krächzt; Kräch|zer
Kra|cke, die; -, -n *(landsch. für
altes Pferd)*
kra|cken *[auch* 'krɛ...*] ⟨engl.⟩ (Chemie* Schweröle in Leichtöle umwandeln)
Krä|cker, der; -s, -; *vgl.* Cracker
Kra|ckung *[auch* 'krɛ...*] (Chemie)*
Krack|ver|fah|ren
Krad, das; -[e]s, Kräder *(Kurzform für* Kraftrad)
Krad|fah|rer; Krad|fah|re|rin; Krad-mel|der *(Milit.)*; Krad|mel|de|rin
kraft ↑K70 *Präp. mit Gen.:* kraft meines Amtes
¹Kraft, die; -, Kräfte; [viel] Kraft rauben; Kraft raubende od. kraftraubende, Kraft sparende od. kraftsparende Methoden ↑K58; in Kraft treten, sein; das in Kraft getretene Gesetz; ↑K27 *u.* 82: das Inkrafttreten; etwas außer Kraft setzen
²Kraft *(m. Vorn.)*
Kraft|akt; Kraft|an|stren|gung; Kraft|auf|wand
Kraft|aus|druck
Kraft|brü|he
Kräf|te|mes|sen, das; -s
Kräf|te|paar *(Physik);* Kräf|te|pa|r-al|le|lo|gramm *(Physik)*
Kräf|te rau|bend, **kräf|te|rau|bend** ↑K58; *vgl.* Kraft raubend
kraft|er|füllt
Kräf|te scho|nend, **kräf|te|scho-nend** ↑K58
Kräf|te spa|rend, **kräf|te|spa|rend** ↑K58; *vgl.* Kraft sparend
Kräf|te|ver|hält|nis
kräf|te|zeh|rend
Kraft|fah|rer; Kraft|fah|re|rin
Kraft|fahr|zeug *(Abk.* Kfz*);* Kraft-fahr|zeug|brief; Kraft|fahr-zeug-Haft|pflicht|ver|si|che|rung ↑K22
Kraft|fahr|zeug|hal|ter; Kraft|fahr-zeug|hal|te|rin; Kraft|fahr|zeug-in|dus|t|rie; Kraft|fahr|zeug|kenn-zei|chen; Kraft|fahr|zeug|re|pa|ra-tur|werk|statt
Kraft|fahr|zeug|schein
Kraft|fahr|zeug|steu|er, die
Kraft|fahr|zeug|ver|si|che|rung
Kraft|feld *(Physik);* Kraft|fut|ter
kräf|tig; kräf|ti|gen; Kräf|ti|gung; Kräf|ti|gungs|mit|tel, das
kraft|los; saft- und kraftlos ↑K31; Kraft|los|er|klä|rung *(Rechtsw.);* Kraft|lo|sig|keit
Kraft|mei|er *(ugs. für* jmd., der mit seiner Kraft protzt); Kraft|mei|e-rei; kraft|mei|e|risch

Kraft|post *(früher);* Kraft|pro|be; Kraft|protz
Kraft|rad *(Kurzform* Krad)
Kraft rau|bend, **kraft|rau|bend**; ↑K58: eine Kraft raubende od. kraftraubende Arbeit, *aber nur* eine viel Kraft raubende Arbeit, eine äußerst kraftraubende, noch kraftraubendere Arbeit
Kraft spa|rend, **kraft|spa|rend**; ↑K58: eine Kraft sparende od. kraftsparende Technik, *aber nur* eine viel Kraft sparende Technik, eine äußerst kraftsparende, noch kraftsparendere Technik
Kraft|sport
Kraft|stoff; Kraft|stoff|pum|pe
Kraft|stoff|ver|brauch
Kraft|strom
kraft|strot|zend
Kraft|ver|geu|dung; Kraft|ver|kehr
kraft|voll
Kraft|wa|gen
Kraft-Wär|me-Kopp|lung ↑K26 (ein Energiegewinnungsverfah-ren; *Abk.* KWK)
Kraft|werk; Kraft|werk[s]|be|trei-ber; Kraft|werk[s]|be|trei|be|rin
Kraft|wort *Plur.* ...worte *u.* ...wör-ter
Kra|le, die; -, -n *(Archit.* Konsole)
Krä|gel|chen; Krä|ge|lein; Kra|gen, der; -s, *Plur.* -, *südd., österr. u. schweiz. auch* Krägen
Kra|gen|bär; Kra|gen|knopf; Kra-gen|num|mer; Kra|gen|wei|te
Krag|stein *(Archit.* vorspringender, als Träger verwendeter Stein); Krag|trä|ger *(Archit.* Konsole)
Krä|he, die; -, -n; krä|hen
Krä|hen|fü|ße *Plur. (ugs. für* Fält-chen in den Augenwinkeln; unleserlich gekritzelte Schrift; kleine, spitze Eisenstücke, die die Reifen verfolgender Autos beschädigen sollen)
Krä|hen|nest *(auch für* Ausguck am Schiffsmast)
Krähl, der; -[e]s, -e *(Berg-mannsspr.* besonderer Rechen); kräh|len
Kräh|win|kel, das; -s *meist ohne Artikel* ⟨nach dem Ortsnamen in Kotzebues »Kleinstädtern« (spießbürgerliche Kleinstadt)
Kräh|win|ke|lei *(spießiges Verhal-ten); Kräh|wink|ler; Kräh|wink|le-rin
Kraich|gau, der; -[e]s (Hügelland zwischen Odenwald u. Schwarz-wald); Kraich|gau|er; Kraich|gau-e|rin
Krain *(Westteil von Slowenien)*

Kra|ka|tau *[auch* ...'tau*]* (vulkani-sche Insel zwischen Sumatra u. Java)
Kra|kau *(Stadt in Polen)*
¹Kra|kau|er; Krakauer Kulturgut
²Kra|kau|er, die; -, - (eine Art Knackwurst)
Kra|ke, der; -n, -n, *ugs. auch* die; -, -n ⟨norw.⟩ (Riesentintenfisch)
Kra|keel, der; -s *(ugs. für* Lärm u. Streit; Unruhe); kra|kee|len *(ugs.);* er hat krakeelt; Kra|kee-ler *(ugs.);* Kra|kee|le|rei *(ugs.);* Kra|kee|le|rin
Kra|kel, der; -s, - *(ugs. für* schwer leserliches Schriftzeichen)
Kra|ke|lee *vgl.* Craquelé
Kra|ke|lei *(ugs.)*
Kra|kel|fuß *meist Plur. (ugs. für* krakeliges Schriftzeichen)
kra|ke|lig *(ugs.);* kra|keln *(ugs.);* ich krak[e]le
Kra|kel|schrift, die; - *(ugs.)*
krak|lig *(ugs.)*
Kra|ko|wi|ak, der; -s, -s ⟨poln.⟩ (poln. Nationaltanz)
Kral, der; -s, *Plur.* -e, *auch* -s (port.-afrikaans) (Runddorf afrik. Stämme)
Kral|le, die; -, -n
kral|len (mit den Krallen zufassen; *ugs.* unerlaubt wegnehmen); sich an etwas od. jmdn. krallen
Kral|len|af|fe; Kral|len|frosch
kral|lig
Kram, der; -[e]s
Kram|bam|bu|li, der; -[s], -[s] (ein alkohol. Mixgetränk)
kra|men *(ugs. für* durchsuchen; aufräumen)
Krä|mer *(veraltet, aber noch landsch. für* Kleinhändler)
Krä|me|rei
Krä|me|rei *(veraltet, aber noch landsch. für* kleiner Laden)
Krä|mer|geist, der; -[e]s *(abwer-tend)*
krä|mer|haft; Krä|me|rin
Krä|mer|la|tein *(veraltet, aber noch landsch. für* Kauderwelsch, Händlersprache); Krä|mer|see|le (kleinlicher Mensch)
Kram|la|den *(abwertend)*
Kram|mets|vo|gel *(landsch. für* Wacholderdrossel)
Kram|pe, die; -, -n (u-förmig gebo-gener Metallhaken); kram|pen (anklammern); Kram|pen, der; -s, - *(Nebenform von* Krampe; *bayr., österr. für* Spitzhacke)
Krampf, der; -[e]s, Krämpfe
Krampf|ader; Krampf|ader|bil|dung
krampf|ar|tig

kramp|fen; sich krampfen
krampf|haft
Krampf|hus|ten
kramp|fig; krampf|stil|lend
¹Kram|pus, der; -, ...pi (Med. Muskelkrampf)
²Kram|pus, der; Gen. - u. -ses, Plur. -se (österr. für Begleiter des Sankt Nikolaus; Knecht Ruprecht)
Kra|mu|ri, die; - (österr. ugs. für Kram, Gerümpel)
Kran, der; -[e]s, Plur. Kräne u. (fachspr.) Krane (Hebevorrichtung; landsch. für Zapfen, Zapfröhre, Wasserhahn)
kran|bar (Technik was gekrant werden kann); Krän|chen (landsch. für Zapfen; auch das Gezapfte); kra|nen (Technik mit dem Kran transportieren)
Kra|ne|wit, der; -s, -en (bayr., österr. für Wacholder)
Kra|ne|wit|ter, der; -s, - (bayr., österr. für Wacholderschnaps)
Kran|füh|rer; Kran|füh|re|rin
Kran|gel, der; -, -n (Bergsteigen verdrehte Stelle im Seil); kran|geln; ich krang[e]le
krän|gen (Seemannsspr. sich seitwärts neigen [vom Schiff]); Krän|gung
kra|ni|al (griech.) (Med. den Schädel betreffend, Schädel...)
Kra|nich, der; -s, -e (ein Stelzvogel)
Kra|nio|lo|gie, die; - (griech.) (Med. Schädellehre); Kra|nio|me|t|rie, die; -, ...ien (Schädelmessung); Kra|ni|o|te, der; -n, -n meist Plur. (Zool. Wirbeltier mit Schädel); Kra|nio|to|mie, die; -, ...ien (Med. Schädelöffnung)

krank

kränker, kränks|te

Schreibung in Verbindung mit Verben ↑K56:

– krank sein, werden, liegen; sich [sehr] krank fühlen, stellen; weil die Belastungen uns krank machen od. krankmachen Vgl. aber krankärgern; krankfeiern; kranklachen; krankmachen ↑K48; krankschießen; krankmelden; krankschreiben

krank|är|gern, sich ↑K47 (ugs. für sich sehr ärgern); ich habe mich krankgeärgert
Kran|ke, der u. die; -n, -n
krän|keln; ich kränk[e]le

kran|ken; an etwas kranken (durch etwas beeinträchtigt sein; veraltet für an etwas erkrankt sein)
krän|ken (beleidigen, verletzen)
Kran|ken|be|richt; Kran|ken|besuch; Kran|ken|bett; Kran|ken|blatt
krän|kend
Kran|ken|geld
Kran|ken|ge|schich|te
Kran|ken|gym|nast; Kran|ken|gym|nas|tik; Kran|ken|gym|nas|tin
Kran|ken|haus; kran|ken|haus|reif; sie haben ihn krankenhausreif geschlagen
Kran|ken|kas|se
Kran|ken|la|ger
Kran|ken|pfle|ge; Kran|ken|pfle|ger; Kran|ken|pfle|ge|rin
Kran|ken|sal|bung (kath. Sakrament); Kran|ken|schein; Kran|ken|schwes|ter; Kran|ken|transport
kran|ken|ver|si|chert; Kran|ken|ver|si|che|rung; kran|ken|ver|si|che|rungs|pflich|tig
Kran|ken|wa|gen
Kran|ken|zim|mer
krank|fei|ern (↑K47; ugs. für der Arbeit fernbleiben, ohne ernstlich krank zu sein; landsch. für arbeitsunfähig sein); er hat gestern krankgefeiert
krank|haft; Krank|haf|tig|keit
Krank|heit; krank|heits|be|dingt; Krank|heits|bild
krank|heits|er|re|gend; Krank|heits|er|re|ger
Krank|heits|fall; im Krankheitsfall
krank|heits|hal|ber
Krank|heits|herd; Krank|heits|verlauf
krank|la|chen, sich ↑K47 (ugs. für heftig lachen); ich habe mich krankgelacht
kränk|lich; Kränk|lich|keit, die; -
krank|ma|chen (↑K47; svw. krankfeiern); sie hat krankgemacht; vgl. aber krank
krank|mel|den ↑K47; er hat sich krankgemeldet; Krank|mel|dung
krank|schie|ßen (↑K47; Jägerspr. anschießen); er hat das Reh krankgeschossen
krank|schrei|ben ↑K47; sie wurde [für] eine Woche krankgeschrieben
Krän|kung
Kran|wa|gen; Kran|win|de
Kranz, der; -es, Kränze
Kränz|chen
krän|zen (dafür häufiger bekränzen); du kränzt

Kranz|ge|fäß meist Plur. (Med.)
Kranz|geld (Rechtsspr.)
Kranz|ge|sims (Archit.); Kranz|jung|fer (landsch. für Brautjungfer); Kranz|ku|chen
Kranzl|jung|fer (bayr., österr. für Brautjungfer)
Kranz|nie|der|le|gung; Kranz|schlei|fe; Kranz|spen|de
Kräpf|chen; Kräp|fel, der; -s, - (südd. für Krapfen; vgl. Kräppel
Krap|fen, der; -s, - (ein Gebäck)
Krapp, der; -[e]s ⟨niederl.⟩ (eine Färberpflanze)
Kräp|pel, der; -s, - (mitteld. für Krapfen)
krap|pen vgl. krabben
krapp|rot ⟨zu Krapp⟩
krass (extrem; extrem scharf; grell; Jugendspr.: extrem gut, extrem schlecht); Krass|heit
¹Kra|ter, der; -s, -e ⟨griech.⟩ (altgriech. Krug)
²Kra|ter, der; -s, - (Vulkanöffnung; Abgrund); Kra|ter|land|schaft; Kra|ter|see, der
kra|ti|ku|lie|ren ⟨lat.⟩ (Math. durch ein Gitternetz ausmessen od. übertragen)
Kratt, das; -s, -e (nordd. für Eichengestrüpp)
Krat|ten, der; -s, - (südd. u. schweiz. für [kleinerer, enger u. tiefer] Korb)
Kratz, der; -es, -e (landsch. für Schramme)
Kratz|band (Bergmannsspr. ein Fördergerät); Kratz|bee|re (landsch. meist für Brombeere)
Kratz|bürs|te; kratz|bürs|tig (widerspenstig); Kratz|bürs|tig|keit
Krätz|chen (Soldatenspr. Feldmütze)
Krat|ze, die; -, -n (ein Werkzeug)
¹Krät|ze, die; -, -n (südd. für Korb)
²Krät|ze, die; - (Hautkrankheit; metallhaltiger Abfall)
Krätz|ei|sen
krat|zen; du kratzt; sich kratzen
Krätz|en|kraut, das; -[e]s
Krat|zer (ugs. für Schramme; Biol. ein Eingeweidewurm)
Krät|zer (saurer Wein, gärender Weinmost)
Kratz|fuß (früher für tiefe Verbeugung)
krat|zig
krät|zig; Krätz|mil|be
Kratz|putz (Sgraffito); Kratz|spur
krau|chen (landsch. für kriechen)
Kräu|el, der; -s, - (landsch. für Haken, Kratze)

krau|eln *(selten)*; ich krau[e]le; *vgl.*
²kraulen

krau|en (mit den Fingerkuppen
sanft kratzen)

Kraul, Crawl [kro:l], das; -[s] *meist
ohne Artikel* ⟨engl.⟩ (ein
Schwimmstil)

¹krau|len, craw|len ['kro:...] (im
Kraulstil schwimmen)

²krau|len (zart kraulen)

Krau|ler; Kraul|schwim|men, das;
-s; Kraul|schwim|mer; Kraul-
schwim|me|rin

Kraul|sprint; Kraul|staf|fel

kraus

Kraus (österr. Schriftsteller)

Krau|se, die; -, -n

Kräu|sel|band, das; *Plur.* ...bänder;
Kräu|sel|garn; Kräu|sel|krank|heit
(eine Pflanzenkrankheit); Kräu-
sel|krepp, der

kräu|seln; ich kräus[e]le; das Haar
kräuselt sich; Kräu|se|lung

Krau|se|min|ze (eine Heil- u.
Gewürzpflanze)

krau|sen; du kraust; sie kraus|te;
sich krausen

Kraus|haar; kraus|haa|rig

Kraus|kopf; kraus|köp|fig

Krauss, Clemens (österr. Dirigent)

kraus|zie|hen; die Nase, Stirn
krausziehen (rümpfen, in Falten
legen)

¹Kraut, das; -[e]s, Kräuter *(südd.,
österr. Sing. auch für* Kohl)

²Kraut *(nordd. für* Garnelen, Krab-
ben)

kraut|ar|tig; Kräut|chen; krau|ten
(landsch. für Unkraut jäten)

Krau|ter *(scherzh. für* Sonderling)

Kräu|ter *Plur.* (Gewürz- und Heil-
pflanzen)

Kräu|ter|buch; Kräu|ter|but|ter;
Kräu|ter|gar|ten; Kräu|te|rin;
Kräu|ter|kä|se; Kräu|ter|li|kör;
Kräu|ter|schnaps

Kräu|ter|tee

Kraut|fäu|le (eine Kartoffelkrank-
heit); Kraut|gar|ten *(landsch. für*
Gemüsegarten); Kraut|gärt|ner
(landsch. für Gemüsegärtner);
Kraut|gärt|ne|rin; Kraut|häup|tel
(österr. für Kraut-, Kohlkopf)

Kräu|ticht, das; -s, -e *(veraltet für*
Bohnen-, Kartoffelkraut usw.
nach der Ernte); krau|tig (kraut-
artig); Kraut|kopf *(südd., österr.
für* Kohlkopf)

Kräut|lein Rühr|mich|nicht|an, das;
-s -, - -

Kraut|rock, der; -[s] *(Jargon* deut-
sche Rockmusik)

Kraut|stie|le *Plur.* *(schweiz. für*
Mangoldrippen [als Gemüse])

Kraut|wi|ckel *(südd., österr. für*
Kohlroulade)

Kra|wall, der; -s, -e (Aufruhr; *nur
Sing.: ugs. für* Lärm); kra|wal|lig;
Kra|wall|ma|cher; Kra|wall|ma-
che|rin

Kra|wat|te, die; -, -n ([Hals]binde,
Schlips); Kra|wat|ten|muf|fel;
Kra|wat|ten|na|del; Kra|wat|ten-
zwang, der; -[e]s

Kra|weel|be|plan|kung, Kar|weel-
be|plan|kung ⟨von Karavelle⟩
(Schiffbau); kra|weel|ge|baut,
kar|weel|ge|baut; ein kraweelge-
bautes Boot (mit aneinander-
stoßenden Planken)

Kra|xe, die; -, -n *(ostmitteld., bayr.,
österr. für* Rückentrage); Kra|xe-
lei *(ugs.);* kra|xeln *(ugs. für* müh-
sam steigen; klettern); ich
krax[e]le; Krax|ler; Krax|le|rin

Kra|yon [krɛ'jő:], der; -s, -s ⟨franz.⟩
(veraltet für Blei-, Kreidestift);
Kra|yon|ma|nier, die; - *(bild.
Kunst* ein Radierverfahren)

Krä|ze, die; -, -n *(schweiz. mdal.
für* Rückentragkorb); *vgl.*
¹Krätze

Kre|as, das; - ⟨span.⟩ (ungebleichte
Leinwand)

Kre|a|tin, das; -s ⟨griech.⟩ *(Biol.,
Med.* organ. Verbindung in der
Muskulatur)

Kre|a|ti|on, die; -, -en ⟨lat.-(franz.)⟩
(Modeschöpfung; *veraltend für*
Erschaffung)

kre|a|tiv (schöpferisch)

Kre|a|ti|ve, der *u.* die; -n, -n
(schöpferisch tätiger Mensch)

Kre|a|ti|vi|tät, die; - (schöpferische
Kraft)

Kre|a|ti|vi|täts|test; Kre|a|ti|vi|täts-
trai|ning

Kre|a|tiv|ur|laub (Urlaub, in dem
man eine künstlerische Tätigkeit erlernt od. ausübt)

Kre|a|tur, die; -, -en ⟨lat.⟩ (Lebewe-
sen, Geschöpf; bedauerns- od.
verachtenswerter Mensch); kre-
a|tür|lich; Kre|a|tür|lich|keit,
die; -

Krebs, der; -es, -e (Krebstier; bös-
artige Geschwulst; *nur Sing.:*
Sternbild); Krebs erregen

krebs|ar|tig

kreb|sen (Krebse fangen; *ugs. für*
sich mühsam bewegen; erfolglos
bleiben); du krebst

Krebs er|re|gend, krebs|er|re-
gend; ↑K58 : eine Krebs erregende *od.* krebserregende (kar-

zinogene) Chemikalie, *aber nur*
eine äußerst krebserregende
Chemikalie

Krebs|for|schung; Krebs|früh|er-
ken|nung

Krebs|gang, der; -[e]s

Krebs|ge|schwulst

Krebs|ge|schwür

kreb|sig

krebs|krank; Krebs|lei|den; Krebs-
pa|ti|ent; Krebs|pa|ti|en|tin

Krebs|ri|si|ko, das; -s

krebs|rot

Krebs|scha|den

Krebs|sup|pe

Krebs|vor|sor|ge; Krebs|zel|le

Kre|denz, die; -, -en ⟨ital.⟩ *(veral-
tend für* Anrichte); kre|den|zen
(geh. für [ein Getränk] feierlich
anbieten, darreichen, einschenken); du kredenzt

¹Kre|dit [*auch* ...'dɪt], der; -[e]s, -e
⟨franz.⟩ (befristet zur Verfügung
gestellter Geldbetrag; *nur Sing.:*
Zahlungsaufschub; Vertrauens-
würdigkeit in Bezug auf Zah-
lungsfähigkeit u. Zahlungsbe-
reitschaft; *übertr. für* Glaubwür-
digkeit); Kredit suchende *od.*
kreditsuchende Personen ↑K58 ;
auf Kredit

²Kre|dit, das; -s, -s ⟨lat.⟩ (die rechte
Seite, Habenseite eines Kontos)

Kre|dit|an|stalt; Kre|dit|auf|nah|me;
Kre|dit|bank *Plur.* ...banken; Kre-
dit|brief; Kre|dit|bü|ro

kre|dit|fä|hig

Kre|dit|ge|ber; Kre|dit|ge|be|rin

Kre|dit|ge|nos|sen|schaft

Kre|dit|ge|schäft

Kre|dit|hai *(ugs. für* skrupelloser,
überhöhte Zinsen fordernder
Geldverleiher); Kre|dit|hil|fe

kre|di|tie|ren *(franz.)* (Kredit
gewähren, vorschießen); Kre|di-
tie|rung

Kre|dit|in|s|ti|tut; Kre|dit|kar|te

Kre|dit|kauf; Kre|dit|li|nie (Ober-
grenze für einen Kredit); Kre|dit-
markt

Kre|dit|neh|mer; Kre|dit|neh|me|rin

Kre|di|tor [*österr.* ...'di:...], der; -s,
...oren ⟨lat.⟩ (Kreditgeber, Gläu-
biger); Kre|di|to|ren|kon|to; Kre-
di|to|rin

Kre|dit|po|li|tik

Kre|dit su|chend, kre|dit|su|chend
↑K58 ; Kre|dit|we|sen, das; -s

kre|dit|wür|dig; Kre|dit|wür|dig-
keit, die; -

Kre|do, Cre|do, das; -s, -s ⟨lat.;
»ich glaube«⟩ (Glaubensbe-
kenntnis)

K
krau

Kre|feld (Stadt in Nordrhein-Westfalen); **Kre|fel|der**

kre|gel (*bes. nordd. für* gesund, munter)

Krehl, der; -s, -e (Gerät zum Jäten); *vgl. aber* Krähl

Krei|de, die; -, -n

krei|de|bleich

krei|de|fel|sen; Krei|de|for|ma|ti|on, die; - *(Geol.);* **Krei|de|küs|te**

krei|den (*selten für* mit Kreide bestreichen); **Krei|de|strich; krei|de|weiß**

Krei|de|zeich|nung

Krei|de|zeit, die; - *(Geol.)*

krei|dig

krei|ie|ren ⟨lat.(-franz.)⟩ ([er]schaffen); **Krei|ie|rung**

Kreis, der; -es, -e (*auch für* Verwaltungsgebiet; *Abk.* Kr., *auch* Krs.)

Kreis|ab|schnitt

Kreis|amt; Kreis|arzt; Kreis|ärz|tin

Kreis|bahn; Kreis|be|we|gung

Kreis|bo|gen

krei|schen; du kreischst; er kreischte; gekreischt

Kreis|durch|mes|ser

Krei|sel, der; -s, -

Krei|sel|kom|pass

krei|seln; ich kreis[e]le

Krei|sel|pum|pe; Krei|sel|ver|dich|ter (Turbokompressor)

krei|sen; du kreist; den Becher kreisen lassen; *vgl. aber* kreißen

Krei|ser (*Jägerspr.* jmd., der bei Neuschnee Wild ausmacht)

Kreis|flä|che; kreis|för|mig

kreis|frei; eine kreisfreie Stadt

Kreis|in|halt

Kreis|klas|se *(Sport)*

Kreis|ky [...ki] (österr. Politiker)

Kreis|lauf; Kreis|lauf|be|schwer|den; Kreis|läu|fer *(Handball);* **Kreis|läu|fe|rin**

Kreis|lauf|kol|laps; Kreis|lauf|mit|tel, das; **Kreis|lauf|schwä|che**

Kreis|lauf|stö|rung; Kreis|lauf|ver|sa|gen, das; -s

kreis|rund; Kreis|sä|ge

Kreis|schrei|ben (*schweiz.* neben Rundschreiben)

krei|ßen (veraltet für in Geburtswehen liegen); du kreißt; *vgl. aber* kreisen; **Krei|ßen|de**, die; -n, -n; **Kreiß|saal** (Entbindungsraum im Krankenhaus)

Kreis|stadt; Kreis|tag; Kreis|tags|ab|ge|ord|ne|te

Kreis|um|fang

Kreis|ver|band

Kreis|ver|kehr; Kreis|vor|sit|zen|de

Kreis|wehr|er|satz|amt

Krem, die; -, -s, *ugs. auch* der; -s,

Plur. -e *od.* -s, Kre|me *usw. vgl.* Creme *usw.*

Kre|ma|ti|on, die; -, -en ⟨lat.⟩ (Einäscherung [von Leichen]); **Kre|ma|to|ri|um**, das; -s, ...ien (Anlage für Feuerbestattungen)

Kre|me, die; -, -s, **Krem** *usw. vgl.* Creme *usw.*

kre|men *vgl.* cremen

kre|mie|ren (*schweiz.*, sonst veraltet *für* einäschern)

kre|mig *vgl.* cremig

Kreml [*auch* 'kre:...], der; -[s], - ⟨russ.⟩ (burgartiger Stadtteil in russ. Städten, bes. in Moskau; *nur Sing.: übertr. für* Regierung Russlands); **Kreml|füh|rung**

Krem|pe, die; -, -n ⟨*zu* Krampe⟩ ([Hut]rand)

¹**Krem|pel**, der; -s (*ugs. für* [Trö-del]kram)

²**Krem|pel**, die; -, -n (*Textilw.* Maschine zum Auflockern der Faserbüschel)

¹**krem|peln** (Faserbüschel auflockern); ich kremp[e]le

²**krem|peln**, veraltet **krem|pen** ([nach oben] umschlagen); ich kremp[e]le

Kremp|ling (ein Pilz)

Krems an der Do|nau (österr. Stadt)

Krem|ser, der; -s, - ⟨nach dem Berliner Fuhrunternehmer⟩ (offener Wagen mit Verdeck)

Krem|ser Weiß, das; - -[es] (Bleiweiß)

Kren, der; -[e]s ⟨slaw.⟩ (*bayr. mdal., österr. für* Meerrettich)

Kře|nek ['krʃɛnɛk] (österr. Komponist)

Kren|fleisch (österr. für gekochtes Schweinefleisch mit Meerrettich)

Kren|gel, der; -s, - (*landsch. für* Brezel; *vgl.* Kringel); **kren|geln**, sich (*landsch. für* sich winden, sich herumdrücken; umherschlendern); ich kreng[e]le mich

kren|gen *usw. vgl.* krängen usw.

Kren|wur|zen, die; -, - (*bayr., österr. für* Meerrettichwurzel)

Kre|ol, das; -s (*Sprachw.* Mischsprache in ehem. überseeischen Kolonien auf der Grundlage der jeweils dominierenden europ. Sprache)

Kre|o|le, der; -n, -n ⟨franz.⟩ (in Mittel- u. Südamerika urspr. Abkömmling roman. Einwanderer; *auch für* Abkömmling von schwarzen Sklaven in Brasilien); **Kre|o|lin**

kre|o|lisch; Kre|o|lisch, das; -[s] (Sprache); *vgl.* Deutsch; **Kre|o|li|sche**, das; -n; *vgl.* Deutsche, das; **Kre|o|lis|tik**, die; - (Wissenschaft von den kreol. Sprachen u. Literaturen)

Kre|o|pha|ge, der; -n, -n ⟨griech.⟩ (svw. Karnivore)

Kre|o|sot, das; -[e]s (*Med., Pharm.* ein Desinfektions- u. Arzneimittel)

kre|pie|ren ⟨ital.⟩ (bersten, platzen, zerspringen [von Sprenggeschossen]; *derb für* verenden)

Kre|pi|ta|ti|on, die; -, -en ⟨lat.⟩ (*Med.* Reiben u. Knirschen [bei Knochenbrüchen usw.])

¹**Krepp**, der; -s, *Plur.* -s u. -e, Crêpe [krɛp], der; -s, -s (krauses Gewebe)

²**Krepp, Crêpe** [krɛp], die; -, -s (dünner Eierkuchen)

krepp|ar|tig

krep|pen (zu ¹Krepp, Krepppapier verarbeiten)

Krepp|flor; Krepp|gum|mi; Krepp-pa|pier, Krepp-Pa|pier

Krepp|soh|le

Kre|sol, das; -s (*Chemie* ein Desinfektionsmittel)

¹**Kres|se**, die; -, -n (Name verschiedener Pflanzen)

²**Kres|se**, die; -, -n (*landsch. svw.* Kressling); **Kress|ling** (Gründling)

Kres|zen|tia (w. Vorn.)

¹**Kres|zenz**, die; -, -en ⟨lat., »Wachstum«⟩ (Herkunft [edler Weine])

²**Kres|zenz** (w. Vorn.)

Kre|ta (eine griech. Insel)

kre|ta|ze|isch, kre|ta|zisch ⟨lat.⟩ (*Geol.* zur Kreideformation gehörend)

Kre|te, die; -, -n ⟨franz.⟩ (*schweiz. für* Geländekamm, -grat)

Kre|ter (Bewohner Kretas); **Kre|te|rin**

Kre|thi und Ple|thi *Plur., auch Sing., ohne Artikel* ⟨nach den »Kretern und Philistern« in Davids Leibwache⟩ (*abwertend für* alle möglichen Leute); Krethi und Plethi war[en] da

Kre|ti|kus, der; -, ...izi ⟨griech.⟩ (*Verslehre* ein antiker Versfuß)

Kre|tin [...tɛ̃:], der; -s, -s ⟨franz.⟩ (jmd., der an Kretinismus leidet; *ugs. abwertend für* Dummkopf); **Kre|ti|nis|mus**, der; - (*Med.* durch Unterfunktion der Schilddrüse bedingtes Zurückbleiben der geistigen u. körperlichen Entwicklung)

K

Kret

kre|tisch (von Kreta)

Kre|ti|zi (*Plur. von* Kretikus)

Kre|ton, der; -s, -e (*österr. neben* Cretonne); **Kre|tonne** [...'tɔn] *vgl.* Cretonne

Kret|scham, Kret|schem, der; -s, -e ⟨slaw.⟩ (*ostmitteld. für* Schenke); **Kretsch|mer**, der; -s, - (*ostmitteld. für* Wirt); **Kretsch|me|rin**

kreuchst (*veraltet für* kriechst); **kreucht** (*veraltet für* kriecht); was da kreucht u. fleucht

Kreut|zer|so|na|te, die; - (von Beethoven dem franz. Geiger R. Kreutzer gewidmet ↑K 136)

Kreuz, das; -es, -e ⟨lat.⟩; ↑K 150 : das Blaue, Rote, Weiße, Eiserne Kreuz; über Kreuz; in die Kreuz und [in die] Quere [laufen], *aber* ↑K 70 : kreuz und quer

Kreuz|ab|nah|me

Kreuz|al|ler|gie

Kreuz|ass , Kreuz-Ass

Kreuz|auf|fin|dung, die; - (kath. Fest)

Kreuz|band, das; *Plur.* ...bänder (*Med.*); **Kreuz|band|riss**

Kreuz|bein (*Med.*)

Kreuz|blu|me

Kreuz|blüt|ler (eine Pflanzenfamilie)

kreuz|brav (*ugs.*)

Kreuz|chor, der; -[e]s (Knabenchor des Kreuzgymnasiums in Dresden)

kreuz|ehr|lich (*ugs.*)

kreu|zen (über Kreuz legen; *Biol.* paaren; *Seemannsspr.* im Zickzackkurs fahren); du kreuzt; sich kreuzen (sich überschneiden); **Kreu|zer** (ehem. Münze; Kriegsschiff; größere Segeljacht; großer, kleiner Kreuzer)

Kreuz|er|hö|hung, die; - (kath. Fest)

Kreu|zes|tod; Kreu|zes|weg (Christi Weg zum Kreuz; *vgl.* Kreuzweg); **Kreu|zes|zei|chen** *vgl.* Kreuzzeichen

Kreuz|fah|rer; Kreuz|fahrt; Kreuz|fahrt|schiff

Kreuz|feu|er

kreuz|fi|del (*ugs.*); **kreuz|för|mig**

Kreuz|gang, der

kreuz|ge|fähr|lich (*ugs.*)

Kreuz|ge|lenk

Kreuz|ge|wöl|be

kreuz|hohl (mit durchgebogenem Rücken)

kreu|zi|gen; Kreu|zi|gung

kreuz|lahm

Kreuz|ot|ter, die

Kreuz|rit|ter

kreuz|sai|tig (beim Klavier)

Kreuz|schlitz|schrau|be

Kreuz|schlüs|sel (für die Radmuttern beim Auto)

Kreuz|schmerz *meist Plur.*

Kreuz|schna|bel (ein Vogel)

Kreuz|spin|ne

Kreuz|stich (ein Zierstich)

kreuz und quer

Kreu|zung

kreuz|un|glück|lich (*ugs.*)

kreu|zungs|frei; Kreu|zungs|punkt

Kreuz|ver|band; Kreuz|ver|hör

Kreuz|weg (*auch für* Darstellung des Leidens Christi; *vgl.* Kreuzesweg)

kreuz|wei|se

Kreuz|wort|rät|sel

Kreuz|zei|chen, Kreu|zes|zei|chen

Kreuz|zug

Kre|vet|te , Cre|vet|te, die; -, -n ⟨franz.⟩ (eine Garnelenart)

Krib|be, die; -, -n (*nordd. für* Buhne)

krib|be|lig, kribb|lig (*ugs. für* ungeduldig, gereizt)

Krib|bel|krank|heit, die; - (*Med.* Mutterkornvergiftung)

krib|beln (*ugs. für* prickeln, jucken; wimmeln); ich kribb[e]le; es kribbelt mich; es kribbelt u. krabbelt

kribb|lig *vgl.* kribbelig

Kri|ckel, das; -s, -[n] *meist Plur.* (*Jägerspr.* Horn der Gämse); *vgl.* Krucke

kri|cke|lig, krick|lig (*ostmitteld. für* unzufrieden; nörgelnd)

Kri|ckel|kra|kel, das; -s, - (*ugs. für* unleserliche Schrift)

kri|ckeln (*landsch. für* streiten, nörgeln; *ugs. auch für* kritzeln); ich krick[e]le

Kri|ckel|wild (Gamswild)

Krick|en|te, Kriek|en|te (eine Wildente)

Kri|cket, das; -s ⟨engl.⟩ (ein Ballspiel); **Kri|cket|ball; Kri|cket|spie|ler; Kri|cket|spie|le|rin**

krick|lig *vgl.* krickelig

Kri|da, die; - ⟨mlat.⟩ (*österr. für* Konkursvergehen); **Kri|dar, Kri|da|tar**, der; -s, -e (*österr. für* Gemeinschuldner); **Kri|da|rin, Kri|da|ta|rin**

Krie|bel|mü|cke

Krie|che, die; -, -n (*landsch.* eine Pflaumensorte)

krie|chen; du krochst; du kröchest; gekrochen; kriech[e]!; *vgl.* kreuchst usw.; **Krie|cher** (*abwertend*); **Krie|che|rei; Krie|che|rin; krie|che|risch**

Krie|cherl, das; -s, -n (*österr. für* Krieche); **Krie|cherl|baum**

Kriech|spur

Kriech|strom (*Elektrot.*)

Kriech|tier

Krieg, der; -[e]s, -e; die Krieg führenden *od.* kriegführenden Parteien ↑K 58

¹**krie|gen** (*veraltet für* Krieg führen)

²**krie|gen** (*ugs. für* erhalten, bekommen)

Krie|ger; Krie|ger|denk|mal *Plur.* ...mäler; **Krie|ger|grab**

Krie|ge|rin; krie|ge|risch; Krie|ger|tum, das; -s; **Krie|ger|wit|we**

Krieg füh|rend , krieg|füh|rend *vgl.* Krieg; **Krieg|füh|rung, Kriegs|füh|rung**

Kriegs|an|fang

Kriegs|angst; Kriegs|an|lei|he; Kriegs|aus|bruch, der; -[e]s

kriegs|be|dingt; kriegs|be|geis|tert

Kriegs|be|ginn; Kriegs|beil; Kriegs|be|ma|lung

Kriegs|be|richt; Kriegs|be|richt|er|stat|ter; Kriegs|be|richt|er|stat|te|rin

kriegs|be|schä|digt; Kriegs|be|schä|dig|te, der u. die; -n, -n

Kriegs|be|schä|dig|ten|für|sor|ge

Kriegs|blin|de

Kriegs|dienst; Kriegs|dienst|ver|wei|ge|rer; Kriegs|dienst|ver|wei|ge|rung

Kriegs|ein|wir|kung; Kriegs|en|de

Kriegs|er|klä|rung; Kriegs|flot|te; Kriegs|frei|wil|li|ge

Kriegs|füh|rung *vgl.* Kriegführung

Kriegs|fuß; *nur in* auf [dem] Kriegsfuß mit jmdm. *od.* etwas stehen

Kriegs|ge|biet

kriegs|ge|fan|gen; Kriegs|ge|fan|ge|ne; Kriegs|ge|fan|gen|schaft

Kriegs|geg|ner; Kriegs|ge|gne|rin; Kriegs|ge|richt; Kriegs|ge|schrei

Kriegs|ge|winn|ler (*abwertend*); **Kriegs|ge|winn|le|rin**

Kriegs|grä|ber|für|sor|ge

Kriegs|ha|fen *vgl.* ²Hafen; **Kriegs|het|ze**, die; -

Kriegs|hin|ter|blie|be|ne; Kriegs|hin|ter|blie|be|nen|für|sor|ge

kriegs|in|va|li|de; Kriegs|ka|me|rad; Kriegs|ka|me|ra|din; Kriegs|kunst; Kriegs|list

Kriegs|ma|ri|ne; Kriegs|op|fer

Kriegs|pfad; Kriegs|rat, der; -[e]s

Kriegs|recht, das; -[e]s

Kriegs|ro|man; Kriegs|scha|den; Kriegs|schau|platz; Kriegs|schiff; Kriegs|schuld

Kriegs|teil|neh|mer; Kriegs|teil|neh|me|rin; Kriegs|to|te

K

kret

Kriegs|trau|ung; Kriegs|trei|ber; Kriegs|trei|be|rin

Kriegs|ver|bre|chen; Kriegs|ver|bre|cher; Kriegs|ver|bre|che|rin; Kriegs|ver|bre|cher|tri|bu|nal; Kriegs|ver|let|zung; Kriegs|ver|sehr|te

kriegs|ver|wen|dungs|fä|hig (*Abk.* kv.)

Kriegs|wai|se; Kriegs|wir|ren *Plur.*

Kriegs|zu|stand *Plur. selten*

Kriek|en|te *vgl.* Krickente

Kriem|hild, Kriem|hil|de (w. Vorn.)

Kri|ko|to|mie, die; -, ...ien ⟨griech.⟩ (*Med.* operative Spaltung des Ringknorpels der Luftröhre)

Krill, der; -[e]s ⟨norw.⟩ (tierisches Plankton)

Krim, die; - (Halbinsel im Süden der Ukraine)

Kri|mi [*auch* ˈkri:...], der; -s, -s (*ugs. für* Kriminalroman, -film)

kri|mi|nal ⟨lat.⟩ (*veraltet* strafrechtlich); Kri|mi|nal, das; -s, -e (*österr. veraltend für* Strafanstalt, Zuchthaus)

Kri|mi|nal|be|am|te; Kri|mi|nal|be|am|tin

Kri|mi|na|le, der *u.* die; -n, -n (*ugs. für* Kriminalbeamter, -beamtin)

Kri|mi|na|ler, der; -s, - (*ugs. für* Kriminalbeamter); Kri|mi|na|le|rin

Kri|mi|nal|film, der; Kri|mi|nal|film; Kri|mi|nal|ge|schich|te

kri|mi|na|li|sie|ren (als kriminell hinstellen); Kri|mi|na|li|sie|rung

Kri|mi|na|list, der; -en, -en (Kriminalpolizist; Strafrechtslehrer); Kri|mi|na|lis|tik, die; - (Lehre vom Verbrechen, von seiner Aufklärung usw.); Kri|mi|na|lis|tin; kri|mi|na|lis|tisch

Kri|mi|na|li|tät, die; -

Kri|mi|nal|kom|mis|sar; Kri|mi|nal|kom|mis|sa|rin; Kri|mi|nal|mu|se|um; Kri|mi|nal|po|li|zei (*Kurzw.* Kripo)

Kri|mi|nal|psy|cho|lo|gie

Kri|mi|nal|recht, das; -[e]s (*veraltet für* Strafrecht); Kri|mi|nal|ro|man

kri|mi|nell ⟨franz.⟩; Kri|mi|nel|le, der *u.* die; -n, -n (straffällig Gewordene[r]); ein Krimineller

Kri|mi|no|lo|gie, die; - ⟨lat.; griech.⟩ (Wissenschaft vom Verbrechen); kri|mi|no|lo|gisch

Krim|krieg, der; -[e]s ↑K 143

krim|meln (*nordd.*); *nur in* es krimmelt u. wimmelt

Krim|mer, der; -s, - ⟨nach der Halbinsel Krim⟩ (*urspr.* ein Lammfell, *heute* ein Wollgewebe)

krim|pen (*nordd. für* einschrumpfen [lassen]; sich von West nach Ost drehen [vom Wind]); gekrimpt u. gekrumpen

Krim|sekt

Krims|krams, der; -[es] (*ugs. für* Plunder, wertloses Zeug)

Krin|gel, der; -s, - ([kleiner, gezeichneter] Kreis; *auch für* [Zucker]gebäck); krin|ge|lig (sich ringelnd); sich kringelig lachen (*ugs.*); krin|geln; ich kring[e]le; sich [vor Lachen] kringeln

Kri|no|il|de, der; -n, -n *meist Plur.* ⟨griech.⟩ (*Zool.* Haarstern od. Seelilie, ein Stachelhäuter)

Kri|no|li|ne, die; -, -n ⟨franz.⟩ (*früher* Reifrock)

Kri|po, die; -, -s (*kurz für* Kriminalpolizei); Kri|po|chef (*ugs.*); Kri|po|che|fin

Krip|pe, die; -, -n; krip|pen (*veraltet für* mit Flechtwerk sichern)

Krip|pen|bei|ßer (Pferd mit der Unart, die Zähne aufzusetzen u. Luft hinunterzuschlucken)

Krip|pen|platz

Krip|pen|set|zer (*svw.* Krippenbeißer)

Krip|pen|spiel (Weihnachtsspiel)

Kris *od.* Kriss, der; -es, -e ⟨malai.⟩ (Dolch der Malaien)

Kri|se, Kri|sis, die; -, Krisen ⟨griech.⟩; kri|seln; er sagt, es kris[e]le dort sehr

kri|sen|an|fäl|lig; kri|sen|fest; kri|sen|ge|beu|telt

Kri|sen|ge|biet

kri|sen|ge|schüt|telt; kri|sen|haft

Kri|sen|herd; Kri|sen|ma|nage|ment; Kri|sen|re|gi|on; Kri|sen|si|tu|a|ti|on; Kri|sen|sit|zung; Kri|sen|stab; Kri|sen|zei|chen; Kri|sen|zeit

Kri|sis *vgl.* Krise

kris|peln (*Gerberei*) narben); ich krisp[e]le

kris|se|lig, kris|slig (körnig, flockig)

¹Kris|tall, der; -s, -e ⟨griech.⟩ (fester, regelmäßig geformter, von ebenen Flächen begrenzter Körper)

²Kris|tall, das; -s (geschliffenes Glas)

kris|tall|ar|tig; Kris|tall|che|mie; Kris|täll|chen

kris|tal|len

Kris|tall|git|ter (*Chemie*); Kris|tall|glas *Plur.* ...gläser

kris|tal|lin, kris|tal|li|nisch (aus vielen kleinen Kristallen bestehend); kristalline, kristallinische Schiefer, Flüssigkeiten

Kris|tal|li|sa|ti|on, die; -, -en (Kristallbildung); Kris|tal|li|sa|ti|ons|punkt; Kris|tal|li|sa|ti|ons|vor|gang

kris|tal|lisch (*seltener für* kristallen)

kris|tal|li|sier|bar

kris|tal|li|sie|ren (Kristalle bilden); Kris|tal|li|sie|rung

Kris|tal|lit, der; -s, -e (kristallähnliches Gebilde)

kris|tall|klar

Kris|tall|ku|gel

Kris|tall|leuch|ter, Kris|tall-Leuch|ter

Kris|tall|lin|se, Kris|tall-Lin|se

Kris|tall|lüs|ter, Kris|tall-Lüs|ter, Kris|tall|lus|ter, Kris|tall-Lus|ter

Kris|tall|nacht, die; - (*nationalsoz.* Pogromnacht)

Kris|tall|lo|gra|fie, Kris|tall|lo|gra|phie, die; - (Lehre von den Kristallen); kris|tall|lo|gra|fisch, kris|tal|lo|gra|phisch

Kris|tal|lo|id, das; -[e]s, -e (kristallähnlicher Körper)

Kris|tall|phy|sik; Kris|tall|va|se; Kris|tall|zu|cker

¹Kris|ti|a|nia (Name Oslos bis 1924); *vgl.* Christiania

²Kris|ti|a|nia, der; -s, -s ⟨*nach* Kristiania = Oslo⟩ (früher üblicher Querschwung beim Skilauf)

Kris|tin (w. Vorn.)

Kri|te|ri|um, das; -s, ...ien ⟨griech.⟩ (unterscheidendes Merkmal; *bes. im Radsport* Zusammenfassung mehrerer Wertungsrennen zu einem Wettkampf)

Kri|tik, die; -, -en (kritische Beurteilung; *nur Sing.:* Gesamtheit der Kritiker[innen])

Kri|ti|ka|li|tät, die; -, -en (*Kernphysik* Zustand eines Reaktors, in dem eine sich stetig erhaltende Kettenreaktion abläuft)

Kri|ti|kas|ter, der; -s, - (kleinlicher Kritiker, Nörgler); Kri|ti|kas|te|rin

Kri|ti|ker [*auch* ˈkrı...]; Kri|ti|ke|rin

kri|tik|fä|hig; Kri|tik|fä|hig|keit, die; -

kri|tik|los; Kri|tik|lo|sig|keit, die; - Kri|tik|punkt

kri|tisch [*auch* ˈkrı...] (streng beurteilend, prüfend, wissenschaftl. verfahrend; *oft für* anspruchsvoll; die Wendung [zum Guten od. Schlimmen] bringend; gefährlich, bedenklich); kri|ti|sier|bar; kri|ti|sie|ren

Kri|ti|zis|mus, der; - (ein philos. Verfahren)

Krit|te|lei; Krit|te|ler, Kritt|ler; Krit|te|le|rin, Kritt|le|rin; krit|te|lig, krittlig; kritteln (mäkelnd urteilen); ich kritt[e]le; Krittelsucht, die; -

Kritzelei (ugs.); kritzelig, kritzlig (ugs.); kritzeln (ugs.); ich kritz[e]le; kritzlig vgl. kritzelig

Kroate, der; -n, -n; Kroatien (Staat im Südosten Europas); Kroatin

kroatisch; Kroatisch, das; -[s] (Sprache); vgl. Deutsch; Kroatische, das; -n; vgl. Deutsche, das

Kroatzbeere vgl. Kratzbeere

kroch vgl. kriechen

Krocket [auch ...'kεt], das; -s ⟨engl.⟩ (ein Ballspiel)

Krokant, der; -s ⟨franz.⟩ (knusprige Masse aus zerkleinerten Mandeln od. Nüssen)

Krokette, die; -, -n meist Plur. ⟨franz.⟩ (frittiertes Röllchen aus Kartoffelbrei)

Kroki [schweiz. 'kro...], das; -s, -s ⟨franz.⟩ (fachspr. für Riss, Plan, einfache Geländezeichnung); krokieren; Krokizeichnung

Kroko, das; -[s], -s (kurz für Krokodilleder)

Krokodil, das; -s, -e ⟨griech.⟩; Krokodilleder; Krokodilsträne meist Plur. (heuchlerische Träne); Krokodilstränen weinen; Krokodilwächter (ein Vogel)

Krokus, der; -, Plur. - u. -se ⟨griech.⟩ (eine früh blühende Gartenpflanze)

Krolle, die; -, -n (rhein. u. nordd. für Locke)

Kromlech [...lεk, auch ...leç, 'kro:m...], der; -s, Plur. -e u. -s ⟨kelt.⟩ (jungsteinzeitliche Kultstätte)

Kronach (Stadt in Oberfranken)

Krönchen

¹Krone, die; -, -n ⟨griech.⟩ (Kopfschmuck usw.); ↑K 150 : die Nördliche Krone, die Südliche Krone (Sternbilder)

²Krone, die; -, -n (Währungseinheit in Dänemark [Währungscode DKK, Abk. dkr], Estland [EEK], Island [ISK], Norwegen [NOK, nkr], Schweden [SEK, skr], Tschechien [CZK] und in der Slowakei [SKK])

krönen

Kronenkorken, Kronkorken

Kronenmutter Plur. ...muttern

Kronenorden (ehem. Verdienstorden)

Kronentaler, Krontaler (ehem. Münze)

Kronerbe, der; Kronerbin

Kronglas, das; -es (ein optisches Glas)

Kronide, der; -n, Plur. (für Nachkommen des Kronos:) -n ⟨griech.⟩ (Beiname des Zeus); Kronion (Zeus)

Kronjuwel meist Plur.; Kronkolonie; Kronkorken vgl. Kronenkorken

Kronland Plur. ...länder; Kronleuchter

Kronos (Vater des Zeus)

Kronprätendent (Thronbewerber); Kronprätendentin; Kronprinz; Kronprinzessin; kronprinzesslich; kronprinzlich

Kronrat, der; -[e]s

Kronsbeere (nordd. für Preiselbeere)

Kronschatz; Krontaler vgl. Kronentaler

Krönung; Krönungsmantel; Krönungsornat

Kronzeuge (Hauptzeuge); Kronzeugin

Kröpel, der; -s, - (nordd. für Krüppel)

Kropf, der; -[e]s, Kröpfe; Kröpfchen

kröpfen (Technik u. Bauw. krumm biegen; fressen [von Greifvögeln])

Kröpfer (männl. Kropftaube); kropfig; Kropfstein (Bauw.); Kropftaube; Kröpfung (fachspr.)

Kroppzeug, das; -[e]s (ugs., oft scherzh. für kleine Kinder; ugs. abwertend für Pack, Gesindel, nutzloses Zeug)

Kröse, die; -, -n (steife Halskrause; Böttcherei Einschnitt in den Fassdauben; Kröseleisen (ein Böttcherwerkzeug)

kröseln ([Glas] wegbrechen); ich krös[e]le; Kröselzange (ein Glaserwerkzeug)

kross (nordd. für knusprig); das Fleisch kross braten od. krossbraten

¹Krösus (griech.) (König von Lydien)

²Krösus, der; Gen. -, auch -ses, Plur. -se (sehr reicher Mann)

Krot, die; -, -en (österr. mdal. für Kröte); die Krot schlucken müssen (österr. für die Kröte schlucken müssen); Kröte, die; -, -n; Kröten Plur. (ugs. für Geld)

Krötenstein (tierische Versteinerung); Krötenwanderung

Kroton, der; -s, -e ⟨griech.⟩ (ein ostasiat. Wolfsmilchgewächs); Krotonöl, das; -[e]s (ein Abführmittel)

Kröv (Ort an der Mosel); Kröver [...vɐ]; Kröver Nacktarsch (ein Wein)

Krs., Kr. = Kreis

Krucke, die; -, -n meist Plur. (Jägerspr. Horn der Gämse); vgl. Krickel

Krücke, die; -, -n; Krückenkreuz, Krückenkreuz; Krückstock Plur. ...stöcke

krud, krude (lat.) (grob, roh); Krudität, die; -, -en

Krug, der; -[e]s, Krüge (ein Gefäß; landsch., bes. nordd. für Schenke)

Krügel, das; -s, - (österr. für Bierglas mit Henkel); zwei Krügel Bier; Krügelchen

Krüger (nordd. für Wirt; Pächter); Krügerin

Kruke, die; -, -n (nordd. für großer Krug; Tonflasche; ulkiger, eigenartiger Mensch)

Krüllschnitt (ein Tabakschnitt); Krülltabak

Krümchen; Krüme, die; -, -n

Krümel, der; -s, -, landsch. auch das; -s, - (kleine Krume); Krümelchen; krümelig, krümlig; krümeln; ich krüm[e]le

Krümelzucker; Krümlein; krümlig vgl. krümelig

krummer, krummste (landsch. krümmer, krümmste)

Schreibung in Verbindung mit Verben ↑ K 56:

– krumm dasitzen
– etwas krumm biegen od. krummbiegen
– das Knie krumm machen od. krummmachen
– keinen Finger krumm machen od. krummmachen (nichts tun, nicht helfen)
– krumm (gekrümmt) gehen; aber die Sache darf nicht krummgehen (ugs. für misslingen)

Vgl. krummlachen, krummlegen, krummnehmen

Krumme, der; -n, -n (Jägerspr. scherzh. für Feldhase)

krümmen; sich krümmen

Krümmer (gebogenes

[Rohr]stück; Gerät zur Bodenbearbeitung)

krumm|ge|hen (*ugs. für* misslingen); *vgl. aber* krumm

Krumm|holz (von Natur gebogenes Holz); **Krumm|holz|kie|fer**, die; *vgl.* Latsche; **Krumm|horn** (altes Holzblasinstrument)

krumm|la|chen, sich (*ugs. für* sehr lachen); **krumm|le|gen**, sich (*ugs. für* sich abmühen, sich nichts gönnen)

Krümm|ling (*fachspr. für* gebogener Teil von Treppenwangen u. -geländern)

krumm|li|nig

krumm ma|chen, krumm|machen *vgl.* krumm

krumm|na|sig

krumm|neh|men (*ugs. für* übelnehmen)

Krumm|sä|bel; Krumm|schwert; Krumm|stab

Krüm|mung; Krüm|mungs|kreis; Krüm|mungs|ra|di|us

krum|pe|lig, krump|lig; **krüm|peln** (*landsch. für* knittern); ich krump[e]le

Krüm|per (vor 1813 kurzfristig ausgebildeter preuß. Wehrpflichtiger); **Krüm|per|sys|tem**, das; -s

krumpf|echt (nicht einlaufend [von Geweben]); **krump|fen** (einlaufen lassen); **krumpf|frei**

krump|lig *vgl.* krumpelig

Krupp, der; -s ⟨engl.⟩ (*Med.* akute Entzündung der Schleimhaut des Kehlkopfes)

Krup|pa|de, die; -, -n ⟨franz.⟩ (*Reitsport* Sprung der Hohen Schule); **Krup|pe**, die; -, -n (Kreuz [des Pferdes])

Krüp|pel, der; -s, -; **krüp|pel|haft; Krüp|pel|holz; krüp|pe|lig**, krüpplig

Krüp|pel|walm|dach (eine Dachform)

krüpp|lig *vgl.* krüppelig

krup|pös ⟨engl.⟩ (*Med.* kruppartig); kruppöser Husten

kru|ral ⟨lat.⟩ (*Med.* zum Schenkel gehörend; Schenkel...)

krüsch (*nordd. für* wählerisch im Essen)

Krü|sel|wind (*nordd. für* kreiselnder, sich drehender Wind)

Krus|pel|spitz (*österr. für* eine Rindfleischsorte)

Krus|ta|ze|e, die; -, ...een *meist Plur.* ⟨lat.⟩ (*Zool.* Krebstier)

Krüst|chen; Krüs|te, die; -, -n; **Krus|ten|tier; krus|tig**

Krux, Crux, die; - ⟨lat., »Kreuz«⟩ (Last, Kummer)

Kru|zi|a|ner ⟨lat.⟩ (Mitglied des Dresdner Kreuzchors)

Kru|zi|fe|re, die; -, -n *meist Plur.* ⟨lat.⟩ (*Bot.* Kreuzblütler)

Kru|zi|fix [*auch* ...'fi..., *österr. nur so*], das; -es, -e (plastische Darstellung des gekreuzigten Christus); **Kru|zi|fi|xus**, der; - (*Kunstwiss.* Christus am Kreuz)

Kru|zi|tür|ken! (ein Fluch)

Kryo|bio|lo|gie ⟨griech.⟩ (Teilgebiet der Biologie, das sich mit der Einwirkung sehr tiefer Temperaturen auf Organismen befasst); **Kryo|chi|r|ur|gie** (*Med.* Kältechirurgie)

Kryo|lith, der; *Gen.* -s *od.* -en, *Plur.* -e[n] (ein Mineral)

Kryo|the|ra|pie, die; - (Anwendung von Kälte zur Zerstörung von krankem Gewebe)

Kryo|tron, das; -s, *Plur.* ...one, *auch* -s (*EDV* ein Schaltelement)

Kryp|ta, die; -, ...ten ⟨griech.⟩ (Gruft, unterirdischer Kirchenraum)

Kryp|ten *Plur.* (*Med.* verborgene Einbuchtungen in den Rachenmandeln; Drüsen im Darmkanal)

kryp|tisch (unklar, schwer zu deuten)

kryp|to... (geheim, verborgen); **Kryp|to...** (Geheim...)

Kryp|to|ga|me, die; -, -n *meist Plur.* (*Bot.* Sporenpflanze)

kryp|to|gen, kryp|to|ge|ne|tisch (*Biol.* von unbekannter Entstehung)

Kryp|to|gra|fie, Kryp|to|gra|phie, die; -, ...ien (*Psychol.* absichtslos entstandene Kritzelzeichnung bei Erwachsenen; Disziplin der Informatik; *veraltet für* Geheimschrift)

Kryp|to|gramm, das; -s, -e (Verstext mit verborgener Nebenbedeutung; *veraltet für* Geheimtext)

kryp|to|kris|tal|lin, kryp|to|kris|tal|li|nisch (*Geol.* erst bei mikroskop. Untersuchung als kristallinisch erkennbar)

Kryp|ton [*auch* ...'to:n], das; -s (chemisches Element, Edelgas; *Zeichen* Kr)

Kryp|t|or|chis|mus, der; -, ...men (*Med.* Zurückbleiben des Hodens in Bauchhöhle od. Leistenkanal)

Chrysantheme

Das mit *[k-]* ausgesprochene Substantiv folgt in seiner für das Deutsche ungewöhnlichen Schreibweise dem griechischen Herkunftswort.

KS = Kansas

KSZE, die; - = Konferenz über Sicherheit und Zusammenarbeit in Europa (frühere Bez. für OSZE *[vgl. d.]*); **KSZE-Schluss|ak|te** [ka:|ɛstsɛtˈleː...], die; - ↑K28

Kt. = ²Kanton

Kte|no|id|schup|pe ⟨griech.; dt.⟩ (*Zool.* Kammschuppe vieler Fische)

Kto. = Konto

Kto.-Nr. = Kontonummer

k. u. = königlich ungarisch (im ehem. Reichsteil Ungarn von Österreich-Ungarn für alle Behörden); *vgl.* k. k., k. u. k.

Ku|a|la Lum|pur (Hauptstadt Malaysias)

Ku|ba (mittelamerik. Staat; Insel der Großen Antillen); **Ku|ba|ner; Ku|ba|ne|rin; ku|ba|nisch**

Ku|ba|tur, die; -, -en ⟨griech.⟩ (*Math.* Erhebung zur dritten Potenz; Berechnung des Rauminhalts von [Rotations]körpern)

Küb|bung, die; -, -en (*Archit.* Seitenschiff des niedersächs. Bauernhauses)

Ku|be|be, die; -, -n ⟨arab.⟩ (Frucht eines indones. Pfefferstrauchs)

Kü|bel, der; -s, -; **kü|beln** (*ugs. auch für* viel [Alkohol] trinken); ich küb[e]le; **Kü|bel|pflan|ze; Kü|bel|wa|gen**

kü|bel|wei|se (in Kübeln; in großen Mengen)

Ku|ben (*Plur. von* Kubus); **ku|bie|ren** ⟨griech.⟩ (*Forstw.* den Rauminhalt eines Baumstammes ermitteln; *Math.* zur dritten Potenz erheben); **Ku|bie|rung**

Ku|bik|de|zi|me|ter (*Zeichen* dm³); **Ku|bik|fuß**, der; -es; 3 Kubikfuß; **Ku|bik|ki|lo|me|ter** (*Zeichen* km³)

Ku|bik|maß, das; **Ku|bik|me|ter** (*Zeichen* m³); **Ku|bik|mil|li|me|ter** (*Zeichen* mm³)

Ku|bik|wur|zel (*Math.* dritte Wurzel); **Ku|bik|zahl; Ku|bik|zen|ti|me|ter** (*Zeichen* cm³)

Ku|bin [*auch* ...'bi:n] (österr. Zeichner u. Schriftsteller)

ku|bisch (würfelförmig; *Math.* in der dritten Potenz vorliegend); kubische Gleichung

Ku|bis|mus, der; - (Kunststil, der in kubischen Formen gestaltet);

Ku|bist, der; -en, -en; **Ku|bis|tin**

ku|bis|tisch

ku|bi|tal ⟨lat.⟩ (*Med.* zum Ellbogen gehörend)

Ku|bus, der; -, Kuben ⟨griech.⟩ (Würfel; *Math.* dritte Potenz)

Kü|che, die; -, -n

¹**Kü|chel|chen** (kleine Küche)

²**Kü|chel|chen** *vgl.* ³Küchlein

kü|cheln (*schweiz.* für Fettgebackenes bereiten); ich küch[e]lte

Ku|chen, der; -s, -

Ku|chen|ab|fall *meist Plur.*

Ku|chen|bä|cker; Ku|chen|blech

Ku|chen|bo|den; Ku|chen|bü|fett; Ku|chen|buf|fet; Ku|chen|bul|le (*ugs., Soldatenspr.* Koch einer Großküche, Kantine u. Ä.)

Ku|chen|chef; Kü|chen|che|fin; Kü|chen|fee (*scherzh.* für Köchin); **Kü|chen|fens|ter**

Ku|chen|form; Ku|chen|ga|bel

Kü|chen|hand|tuch; Kü|chen|herd; Kü|chen|hil|fe; Kü|chen|ka|bi|nett (*geh. scherzh. für* [inoffizieller] Beraterstab, bes. eines Politikers)

Kü|chen|kraut *meist Plur.;* **Kü|chen|la|tein** (*scherzh. für* schlechtes Latein); **Kü|chen|mes|ser,** das; **Kü|chen|per|so|nal; Kü|chen|scha|be** (ein Insekt)

Kü|chen|schel|le, die; -, -n (eine Pflanze)

Kü|chen|schrank; Kü|chen|schür|ze

Ku|chen|teig; Ku|chen|tel|ler

Kü|chen|tisch; Kü|chen|tuch; Kü|chen|uhr

Kü|chen|waa|ge; Kü|chen|wa|gen (Gerätewagen der Feldküche); **Kü|chen|zei|le; Kü|chen|zet|tel**

¹**Küch|lein** (*vgl.* ¹Küken)

²**Küch|lein** (kleine Küche)

³**Küch|lein** (kleiner Kuchen)

ku|cken (*nordd. für* gucken)

Kü|cken *vgl.* ¹Küken

Ku|cker usw. *vgl.* Gucker usw.

Ku|ckuck!; Ku|ckuck, der; -s, -e

Ku|ckucks|blu|me (Pflanzenname)

Ku|ckucks|ei

Ku|ckucks|kind (*ugs.* für Kind, dessen leiblicher Vater nicht der Mann ist, der sich dafür hält)

Ku|ckucks|uhr

Ku|ckucks|uhr

Ku|'|damm, der; -[e]s (*ugs. kurz für* Kurfürstendamm)

Kud|del|mud|del, der *od.* das; -s (*ugs. für* Durcheinander)

Ku|del|kraut *vgl.* Kuttelkraut

Ku|der, der; -, -s, - (*Jägerspr.* männl. Wildkatze)

Ku|du, der; -s, -s ⟨afrikaans⟩ (afrik. Antilope)

Kues [ku:s], Nikolaus von (dt. Philosoph u. Theologe)

¹**Ku|fe,** die; -, -n (Gleitschiene [eines Schlittens])

²**Ku|fe,** die; -, -n (*landsch. für* Bottich, Kübel)

Kü|fer (*südwestd. u. schweiz. für* Böttcher; *auch svw.* Kellermeister); **Kü|fe|rei; Kü|fe|rin**

Kuff, die; -, -e (breit gebautes Küstenfahrzeug)

ku|fi|sche Schrift, die; -n - ⟨nach Kufa, einer ehem. Stadt bei Bagdad⟩ (eine alte arab. Schrift)

Kuf|stein [*auch* 'ku:...] (Stadt im Unterinntal, Österreich)

Ku|gel, die; -, -n; Kugel scheiben (*österr. für* Murmeln spielen)

Ku|gel|blitz; Ku|gel|chen; Ku|gel|fang; ku|gel|fest; Ku|gel|fisch; Ku|gel|form, die; -; **ku|gel|för|mig; Ku|gel|ge|lenk**

Ku|gel|gen (dt. Maler)

Ku|gel|ha|gel; ku|ge|lig, kug|lig; Ku|gel|kopf; Ku|gel|kopf|ma|schi|ne (eine Schreibmaschine)

Ku|gel|la|ger

ku|geln; ich kug[e]le; sich kugeln

Ku|gel|re|gen

ku|gel|rund

Ku|gel schei|ben *vgl.* Kugel

Ku|gel|schrei|ber; Ku|gel|si|cher; ku|gel|sto|ßen *nur im Infinitiv gebräuchlich;* **Ku|gel|sto|ßen,** das; -s; **kug|lig** *vgl.* kugelig

Ku|gu|ar, der; -s, -e ⟨indian.⟩ (Puma)

Kuh, die; -, Kühe; die Kuh vom Eis kriegen (*ugs.* für ein schwieriges Problem lösen)

Kuh|dorf (*abwertend);* **Kuh|dung; Kuh|eu|ter; Kuh|fla|den**

Kuh|fuß (*fachspr. für* Brechstange)

Kuh|glo|cke; Kuh|han|del (*vgl.* ¹Handel; *ugs. für* kleinliches Aushandeln von Vorteilen); **kuh|han|deln** (*ugs.*); ich kuh|hand[e]le; gekuhhandelt

Kuh|haut; das geht auf keine Kuhhaut (*ugs. für* das ist unerhört)

kuh|hes|sig (wie bei den ²Hessen der Kuh eng zusammenstehend [Fehler der Hinterbeine von Haustieren])

Kuh|hirt; Kuh|hir|tin

kühl; ↑K 72 : im Kühlen; ins Kühle setzen; den Pudding über Nacht *kühl stellen od.* kühlstellen

Kühl|ag|gre|gat; Kühl|an|la|ge; Kühl|box

Kuh|le, die; -, -n (*ugs. für* Grube, Loch)

Küh|le, die; -; **küh|len; Küh|ler**

Küh|ler|fi|gur; Küh|ler|grill; Küh|ler|hau|be

Kühl|flüs|sig|keit; Kühl|haus; Kühl|ket|te, die; - (Gefrierkette)

Kühl|mit|tel; Kühl|raum; Kühl|schiff

Kühl|schrank; Kühl|ta|sche

Kühl|te, die; -, -n (*Seemannsspr.* mäßiger Wind)

Kühl|tru|he; Kühl|turm

Küh|lung, die; -

Kühl|lungs|born, Ost|see|bad (westl. von Rostock)

Kühl|wa|gen; Kühl|was|ser, das; -

Kuh|milch; Kuh|mist

kühn; Kühn|heit

Kuh|po|cken *Plur.;* **Kuh|rei|gen, Kuh|rei|hen; Kuh|schel|le** (*svw.* Küchenschelle); **Kuh|stall; kuh|warm;** kuhwarme Milch

Kul|jon, der; -s, -e ⟨franz.⟩ (*veraltend für* Schuft); **kul|jo|nie|ren** (*ugs. abwertend für* verächtlich behandeln; schikanieren)

k. u. k. ['ka:ʊnt'ka:] = kaiserlich u. königlich (im ehem. Österreich-Ungarn beide Reichsteile betreffend); *vgl.* k. k., k. u.

¹**Kü|ken,** österr. Kü|cken, das; -s, - (das Junge des Huhnes)

²**Kü|ken,** das; -s, - (*Technik* drehbarer Teil, Kegel des [Fass]hahns)

Ku-Klux-Klan [*selten* 'kju:klaks-'klɛn], der; -[s] ⟨engl.-amerik.⟩ (terroristischer Geheimbund in den USA)

Ku|ku|mer, die; -, -n ⟨lat.⟩ (*südwestd. für* Gurke)

Ku|ku|ruz [*auch* 'ku:...], der; -[es] ⟨slaw.⟩ (*bes. österr. für* Mais)

Ku|lak, der; -en, -en ⟨russ.⟩ (Großbauer im zaristischen Russland)

Ku|lan, der; -s, -e ⟨kirgis.⟩ (asiat. Wildesel)

ku|lant ⟨franz.⟩ (entgegenkommend, großzügig [im Geschäftsverkehr]); **Ku|lanz,** die; -

¹**Ku|li,** der; -s, -s ⟨Hindi⟩ (Tagelöhner in Südostasien; *abwertend für* rücksichtslos Ausgenutzter)

²**Ku|li,** der; -s, -s (*ugs. kurz für* Kugelschreiber)

Ku|lier|wa|re ⟨franz.; dt.⟩ (Wirkware)

ku|li|na|rik, die; - ⟨lat.⟩ (Kochkunst)

ku|li|na|risch ⟨lat.⟩ (auf die Küche, die Kochkunst bezüglich; ausschließlich dem Genuss dienend); kulinarische Genüsse

K
kubi

Ku|lis|se, die; -, -n ⟨franz.⟩ (*Theater* Teil der Bühnendekoration; *übertr. für* Rahmen, Hintergrund); **Ku|lis|sen|schie|ber; Ku|lis|sen|schie|be|rin; Ku|lis|senwech|sel**

Kul|ler, die; -, -n (*landsch. für* kleine Kugel); **Kul|ler|au|gen** *Plur.* (*ugs. für* erstaunte, große, runde Augen); **kul|lern** (*ugs. für* rollen); ich kullere

¹Kulm, der *od.* das; -[e]s, -e ⟨slaw. u. roman.⟩ (abgerundete [Berg]kuppe)

²Kulm, das; -s ⟨engl.⟩ (*Geol.* schiefrige Ausbildung der Steinkohlenformation)

Kulm|bach (Stadt in Oberfranken); **Kulm|ba|cher**

Kul|mi|na|ti|on, die; -, -en ⟨lat.⟩ (Erreichung des Höhe-, Scheitel-, Gipfelpunktes; *Astron.* höchster und tiefster Stand eines Gestirns); **Kul|mi|na|ti|ons|punkt** (Höhepunkt); **kul|mi|nie|ren** (den Höhepunkt erreichen)

Kult, der; -[e]s, -e u. Kul|tus, der; -, Kulte ⟨lat.⟩ (Verehrung; Form der Religionsausübung; *auch für* übertriebene Verehrung)

Kult|buch vgl. Kultfilm; **Kult|fi|gur; Kult|film** (als besonders eindrucksvoll beurteilter und immer wieder angesehener Film)

Kult|hand|lung; kul|tig (*ugs.* Kultstatus habend); ein kultiger Film; **kul|tisch** (zum Kult gehörend); kultische Tänze

Kul|ti|va|tor, der; -s, ...oren (*Landw.* Bodenbearbeitungsgerät); **kul|ti|vie|ren** ⟨franz.⟩ ([Land] bearbeiten, urbar machen; [aus]bilden; pflegen); **Kul|ti|viert** (gesittet; hochgebildet); **Kul|ti|vie|rung** *Plur. selten*

Kult|ob|jekt; Kult|se|rie vgl. Kultfilm

Kult|stät|te; Kult|sta|tus

Kul|tur, die; -, -en

Kul|tur|ab|kom|men; Kul|tur|at|ta|ché; Kul|tur|at|ta|chée; Kul|tur|aus|tausch; Kul|tur|ba|nau|se; Kul|tur|ba|nau|sin

Kul|tur|be|trieb, der; -[e]s; **Kul|tur|beu|tel** (Beutel für Toilettensachen); **Kul|tur|denk|mal**

kul|tu|rell

Kul|tur|er|be, das; **Kul|tur|film**

Kul|tur|flüch|ter (*Biol.* Pflanzenod. Tierart, die von der Kulturlandschaft verdrängt wird)

Kul|tur|fol|ger (*Biol.* Pflanzenod.

Tierart, die den menschlichen Kulturbereich als Lebensraum bevorzugt)

Kul|tur|form; Kul|tur|ge|schich|te, die; -; **kul|tur|ge|schicht|lich**

Kul|tur|gut; Kul|tur|haupt|stadt (von der EU benannte Stadt in Europa, die für ein Jahr im Mittelpunkt des kulturellen Interesses steht); **kul|tur|his|to|risch; Kul|tur|kampf,** der; -[e]s (zwischen dem protestant. preuß. Staat u. der kath. Kirche 1871 bis 1887)

Kul|tur|kreis; Kul|tur|kri|tik, die; -; **Kul|tur|land|schaft; Kul|tur|le|ben,** das; -s

kul|tur|los; Kul|tur|lo|sig|keit

Kul|tur|pflan|ze

Kul|tur|po|li|tik, die; -; **kul|tur|po|li|tisch**

Kul|tur|re|vo|lu|ti|on (radikale kulturelle Umgestaltung, bes. 1965–69 in China); **Kul|tur|schaf|fen|de,** der u. die; -n, -n (*regional*); **Kul|tur|spon|so|ring; Kul|tur|teil,** der; den Kulturteil einer Zeitung lesen; **Kul|tur|tou|ris|mus**

kul|tur|über|grei|fend

Kul|tur|wis|sen|schaft|ler; Kul|tur|wis|sen|schaft|le|rin

Kul|tur|zen|t|rum

Kul|tus vgl. Kult

Kul|tus|frei|heit, die; - (*Rechtsspr.*); **Kul|tus|ge|mein|de**

Kul|tus|mi|nis|ter; Kul|tus|mi|nis|te|rin; Kul|tus|mi|nis|te|ri|um; Kul|tus|mi|nis|ter|kon|fe|renz

Ku|ma|ne, der; -n, -n (Angehöriger eines in südosteurop. Völkern aufgegangenen Turkvolkes); **Ku|ma|nin**

Ku|ma|rin, das; -s ⟨indian.⟩ (pflanzl. Duft- u. Wirkstoff)

Ku|ma|ron, das; -s (*Chemie* Bestandteil des Steinkohlenteers); **Ku|ma|ron|harz**

Kumm, der; -[e]s, -e (*nordd. für* Kasten; tiefe, runde Schüssel, Futtertrog); **Kum|me,** die; -, -n (*Seemannsspr. u. nordd. für* Schüssel)

Küm|mel, der; -s, - (Gewürzpflanze; ein Branntwein); **Küm|mel|brannt|wein,** der; -[e]s; **Küm|mel|brot**

küm|meln (mit Kümmel zubereiten; *ugs. für* [Alkohol] trinken); ich kümm[e]le

Küm|mel|tür|ke (*veraltet* Schimpfwort; *abwertend für* Türke, Türkischstämmiger)

Kum|mer, der; -s

Kum|mer|bund, der; -[e]s, -e ⟨Hindi-engl.⟩ (breite Leibbinde aus Seide)

Küm|me|rer (verkümmernde Pflanze; in der Entwicklung zurückgebliebenes Tier); **Küm|mer|form** (*Biol.*)

küm|mer|lich; Küm|mer|ling (schwaches, zurückgebliebenes Geschöpf; Kümmerer)

küm|mern (in der Entwicklung zurückbleiben [von Pflanzen u. Tieren]); sich [um jmdn., etwas] kümmern ([für jmdn., etwas] sorgen); ich kümmere mich um euch; es kümmert mich nicht

¹Küm|mer|nis, die; -, -se (*geh.*)

²Küm|mer|nis, Kum|mer|nus (eine legendäre Heilige)

Kum|mer|num|mer (*bes. österr. für* telefonischer Beratungsdienst)

Kum|mer|speck (*ugs. für* aus Kummer angegessenes Übergewicht); **kum|mer|voll**

Kum|met, das, *schweiz.* der; -s, -e (gepolsterter Bügel um den Hals von Zugtieren; *vgl.* Kumt)

Kü|mo, das; -s, -s (*kurz für* Küstenmotorschiff)

Kump, der; -[e]s, -e (*landsch. für* kleines, rundes Gefäß, [Milch]schale; *Technik* Form zum Wölben von Platten); *vgl.* Kumpf

Kum|pan, der; -s, -e (*ugs. für* Kamerad, Gefährte; *abwertend für* Helfershelfer; Mittäter); **Kum|pa|nei** (*ugs., oft abwertend*); **Kum|pa|nin**

Kum|pel, der; -s, Plur. -, *ugs.* -s (Bergmann; *ugs. auch für* Arbeitskollege u. Freund); **kum|pel|haft**

küm|peln (*Technik* [Platten] wölben u. formen); ich kümp[e]le

Kum|pen, der; -s, - (*nordd. für* Gefäß, Schüssel); **Kumpf,** der; -[e]s, Plur. -e u. Kümpfe (*südd., österr. für* Gefäß, Behälter)

Kum|ran, Qum|ran (Ruinenstätte am Nordwestufer des Toten Meeres)

Kumst, der; -[e]s (*landsch. für* [Sauer]kohl)

Kumt, das; -[e]s, -e (svw. Kummet)

Ku|mu|la|ti|on, die; -, -en ⟨lat.⟩ (*fachspr. für* Anhäufung); **ku|mu|la|tiv** (anhäufend)

ku|mu|lie|ren (anhäufen); sich kumulieren; **Ku|mu|lie|rung**

Ku|mu|lo|nim|bus (*Meteor.* Gewit-

K

Kumu

terwolke); Ku|mu|lus, der; -, ...li
(*Meteor.* Haufenwolke)
Ku|mys, Ku|myss [*auch* ...'mys],
der; - ⟨russ.⟩ (gegorene Stuten-
milch)
Ku|na, die; -, -s (kroatische Wäh-
rungseinheit; *Währungscode*
HRK); 10 Kuna
kund; kund und zu wissen tun;
vgl. kundgeben usw.
künd|bar (die Möglichkeit einer
Kündigung enthaltend); **Künd-
bar|keit,** die; -
¹Kun|de, der; -n, -n (Käufer; *Gau-
nerspr.* Landstreicher; *abwertend für* Kerl)
²Kun|de, die; -, -n *Plur.* selten
(Kenntnis, Lehre, Botschaft)
³Kun|de, die; -, -n (*österr. für* Kund-
schaft)
kün|den (*geh. für* kundtun;
schweiz. veraltend für kündigen)
Kun|den|be|ra|ter; Kun|den|be|ra-
te|rin; Kun|den|be|ra|tung
Kun|den|be|such; Kun|den|bin-
dung; Kun|den|dienst; Kun|den-
fang, der; -[e]s *(abwertend)*
kun|den|freund|lich
Kun|den|ge|spräch; Kun|den|kar|te;
Kun|den|kreis
kun|den|ori|en|tiert
Kun|den|ser|vice, der
Kun|den|stamm; Kun|den|stock
Plur. ...stöcke (*österr.*)
Kun|den|wer|bung
kun|den|zen|t|riert (auf den Kun-
den, die Kundin ausgerichtet)
Kün|der *(geh.);* Kün|de|rin
Kund|ga|be, die; -; kund|ge|ben; ich
gebe kund; kundgegeben; kund-
zugeben; ich gebe etwas kund,
aber ich gebe Kunde von etwas;
Kund|ge|bung
kun|dig; Kun|di|ge, der u. die; -n,
-n
kün|di|gen; er kündigt ihm; er
kündigt ihm das Darlehen, die
Wohnung; es wurde ihm *od.*
ihm wurde gekündigt
Kün|di|gung *vgl.* vierteljährig *u.*
vierteljährlich
Kün|di|gungs|frist; Kün|di|gungs-
grund; Kün|di|gungs|schrei|ben;
Kün|di|gungs|schutz; Kün|di-
gungs|ter|min
Kun|din (Käuferin)
kund|ma|chen (*österr. Amtsspr.,*
sonst geh. für bekanntgeben);
ich mache kund; kundgemacht;
kundzumachen; **Kund|ma|chung**
(*österr. für* Bekanntmachung)
Kund|schaft

kund|schaf|ten; gekundschaftet;
Kund|schaf|ter; Kund|schaf|te|rin
kund|tun; ich tue kund; kundge-
tan; kundzutun; kund|wer|den
(*geh.);* es wird kund; es ist kund-
geworden; kundzuwerden
ku|ne|i|form ⟨lat.⟩ (*Med.* keilför-
mig)
Kü|net|te, die; -, -n ⟨franz.⟩
(Abflussgraben)
künf|tig; künftigen Jahres (*Abk.*
k. J.); künftigen Monats (*Abk.*
k. M.); künf|tig|hin
Kun|ge|lei; kun|geln (*ugs. abwer-
tend für* heimliche, unlautere
Geschäfte abschließen); ich
kung[e]le
Kung-Fu, das; -[s] ⟨chin.-engl.⟩
(eine sportliche Methode der
Selbstverteidigung)
Ku|ni|bert (m. Vorn.)
Ku|ni|gund, Ku|ni|gun|de (w. Vorn.)
Kun|kel, die; -, -n (*südd. u. westd.*
für Spindel, Spinnrocken)
Kün|ne|ke (dt. Operettenkompo-
nist)
Ku|no (m. Vorn.)
Kunst, die; -, Künste
Kunst|aka|de|mie; Kunst|aus|stel-
lung; Kunst|bau *Plur.* ...bauten
(*Technik*); Kunst|be|trach|tung
Kunst|darm
Kunst|denk|mal
Kunst|druck *Plur.* ...drucke; Kunst-
druck|pa|pier
Kunst|dün|ger; Kunst|eis|bahn
küns|teln; ich künst[e]le
Kunst|er|zie|her; Kunst|er|zie|he|rin;
Kunst|er|zie|hung
Kunst|fäl|schung
Kunst|fa|ser; Kunst|feh|ler
kunst|fer|tig; Kunst|fer|tig|keit;
Kunst|fi|gur
Kunst|flug; Kunst|form; Kunst|gat-
tung; Kunst|ge|gen|stand
Kunst|ge|lehr|te, der u. die
kunst|ge|mäß; kunst|ge|recht
Kunst|ge|schich|te, die; -
Kunst|ge|wer|be, das; -s; Kunst|ge-
wer|be|mu|se|um; Kunst|ge|werb-
ler; Kunst|ge|werb|le|rin; kunst-
ge|werb|lich
Kunst|griff
Kunst|hal|le
Kunst|han|del *vgl.* ¹Handel; Kunst-
händ|ler; Kunst|händ|le|rin;
Kunst|hand|lung; Kunst|hand-
werk
Kunst|harz; Kunst|herz
Kunst|his|to|ri|ker; Kunst|his|to|ri-
ke|rin; kunst|his|to|risch
Kunst|ho|nig; Kunst|horn *Plur.*

...horne (chem. gehärtetes
Kasein); Kunst|kopf *(Rundfunk)*
Kunst|kri|tik; Kunst|kri|ti|ker;
Kunst|kri|ti|ke|rin
Künst|ler; Künst|le|rin; künst|le-
risch
Künst|ler|knei|pe; Künst|ler|ko|lo-
nie; Künst|ler|na|me
Künst|ler|pech *(ugs.)*
Künst|ler|tum, das; -s
künst|lich; künstliche Befruch-
tung; künstliche Niere; künstli-
che Intelligenz; Künst|lich|keit
Kunst|licht, das; -[e]s
kunst|los
Kunst|ma|ler; Kunst|ma|le|rin;
Kunst|markt
kunst|mä|ßig
Kunst|mu|se|um
Kunst|pau|se; Kunst|ra|sen; Kunst-
raub
kunst|reich; Kunst|rich|tung
Kunst|samm|ler; Kunst|samm|le|rin;
Kunst|samm|lung; Kunst|schatz
Kunst|schnee; Kunst|schu|le; Kunst-
sei|de
kunst|sin|nig
Kunst|spra|che; Kunst|stein
Kunst|stoff; Kunst|stoff|fla|sche,
Kunst|stoff-Fla|sche
Kunst|stoff|fo|lie, Kunst|stoff-Fo-
lie
Kunst|stoff|ra|sen
kunst|stoff|ver|leimt
kunst|stop|fen; *nur im Infinitiv u.*
Partizip II gebr.; kunstgestopft
Kunst|stück; Kunst|stu|dent; Kunst-
stu|den|tin; Kunst|tisch|ler;
Kunst|tisch|le|rin
Kunst|tur|nen; Kunst|ver|ein; Kunst-
ver|lag; Kunst|ver|stand; kunst-
ver|stän|dig; kunst|voll
Kunst|werk
Kunst|wis|sen|schaft; Kunst|wis-
sen|schaft|ler; Kunst|wis|sen-
schaft|le|rin
Kunst|wort *Plur.* ...wörter
Kunst|zeit|schrift
kun|ter|bunt (durcheinander,
gemischt); Kun|ter|bunt, das; -s
Kunz (m. Vorn.); *vgl.* Hinz
Kü|pe, die; -, -n ⟨lat.⟩ (Färbekessel;
Färbebad, Lösung eines Küpen-
farbstoffes)
Ku|pee *vgl.* Coupé; Ku|pel|le *vgl.*
²Kapelle; ku|pel|lie|ren (franz.)
(unedle Metalle aus Edelmetal-
len herausschmelzen)
Kü|pen|farb|stoff (ein wasch- u.
lichtechter Textilfarbstoff)
Kü|per (*nordd. für* Küfer, Böttcher;
auch für Warenkontrolleur in
Häfen); Kü|pe|rin

Kup|fer, das; -s (chemisches Element, Metall; *Zeichen* Cu)
Kup|fer|draht; Kup|fer|druck *Plur.* ...drucke; **Kup|fer|erz; Kup|fer|far|ben; Kup|fer|geld,** das; -[e]s
kup|fe|rig, kupfrig
Kup|fer|kan|ne; Kup|fer|kes|sel; Kup|fer|mün|ze
kup|fern (aus Kupfer); kupferne Hochzeit, *aber* ↑K 151 : Kupferner Sonntag (*früher* drittletzter Sonntag vor Weihnachten); **kup|fer|rot**
Kup|fer|schmied; Kup|fer|schmiedin; Kup|fer|ste|cher; Kup|fer|steche|rin; Kup|fer|stich; Kup|fer|stich|ka|bi|nett
Kup|fer|tief|druck; Kup|fer|vi|t|ri|ol, das; -s
kupf|rig *vgl.* kupferig
ku|pie|ren (franz.) ([Ohren, Schwanz bei Hunden oder Pferden] stutzen; *Med.* im Entstehen unterdrücken); **ku|piert;** kupiertes ([von Gräben usw.] durchschnittenes) Gelände
Ku|pol|ofen, Kup|pel|ofen (ital.; dt.) (Schmelz-, Schachtofen)
Ku|pon, Cou|pon [ku'põ:, *österr.* ...'poːn], der; -s, -s (franz.) (abtrennbarer Zettel; [Stoff]abschnitt; Zinsschein)
Kup|pe, die; -, -n
Kup|pel, die; -, -n (lat.); **Kup|pelbau** *Plur.* ...bauten
Kup|pe|lei (*veraltend abwertend für* Vermittlung einer Heirat durch unlautere Mittel; *Rechtsspr.* strafbare Förderung zwischenmenschlicher sexueller Handlungen)
Kup|pel|grab
kup|peln (*svw.* koppeln; *veraltend auch für* Kuppelei betreiben); ich kupp[e]le
Kup|pel|ofen (ital.; dt.); *vgl.* Kupolofen
Kup|pel|pelz; *meist in der Wendung* sich einen (den) Kuppelpelz verdienen (*abwertend für* eine Heirat vermitteln)
Kup|pe|lung *vgl.* Kupplung
kup|pen (stutzen, die Kuppe abhauen); Bäume kuppen
Kupp|ler (*abwertend);* **Kupp|le|rin; kupp|le|risch**
Kupp|lung, *seltener* Kup|pe|lung; **Kupp|lungs|au|to|mat; Kupp|lungs|be|lag; Kupp|lungs|he|bel**
Kupp|lungs|pe|dal; Kupp|lungsscha|den; Kupp|lungs|schei|be
Ku|p|ris|mus, der; - (*Med.* Kupfervergiftung)

¹Kur, die; -, -en (lat.) (Heilverfahren; [Heil]behandlung, Pflege)
²Kur, die; -, -en (*veraltet für* Wahl); kurbrandenburgisch, Kurfürst usw.

die; -, -en

(Wahl; Wahlübung im Sport)
– sie muss noch ihre Kür laufen; sie ist eine sensationelle Kür gelaufen
– sie muss noch Kür laufen, ist schon Kür gelaufen, um Kür zu laufen, *aber* sie ist beim Kürlaufen gestürzt

ku|ra|bel (lat.) (*Med.* heilbar); ...ab|le Krankheit
Kur|an|stalt (*veraltet*)
ku|rant (lat.) (*veraltet für* in Umlauf befindlich; *Abk.* crt.); **Kurant,** das; -[e]s, -e (*veraltet für* Währungsmünze, deren Metallwert dem aufgeprägten Wert entspricht); zwei Mark Kurant
Ku|ra|re, das; -[s] (indian.-span.) (ein [Pfeil]gift, als Narkosehilfsmittel verwendet)
Kü|rass, der; Kürasses, Kürasse (franz.) (Brustharnisch); **Kü|rassier,** der; -s, -e (*früher für* Panzerreiter; schwerer Reiter)
Ku|rat, der; -en, -en (lat.) (wie ein Pfarrer eingesetzter kath. Seelsorgegeistlicher mit eigenem Seelsorgebezirk)
Ku|ra|tel, die; -, -en (*veraltet für* Vormundschaft; Pflegschaft); unter Kuratel stehen (*ugs.* unter Aufsicht, Kontrolle stehen)
Ku|ra|tie, die; -, ...ien (Seelsorgezirk eines Kuraten)
ku|ra|tie|ren (*österr. für* eine Ausstellung als Kurator betreuen)
ku|ra|tiv (*Med.* heilend, Heil-); eine kurative Behandlung
Ku|ra|tor, der; -s, ...oren (Verwalter einer Stiftung; Vertreter des Staates in der Universitätsverwaltung; [wissenschaftlicher] Leiter eines Museums, einer Ausstellung o. Ä.; *österr. auch für* Treuhänder; *früher für* Vormund); **Ku|ra|to|rin; Ku|ra|to|rium,** das; -s, ...ien (Aufsichtsbehörde)
Kur|auf|ent|halt
Kur|bel, die; -, -n; **Kur|be|lei,** die; -; **kur|beln;** ich kurb[e]le; **Kur|belstan|ge; Kur|bel|wel|le**

Kur|bet|te, die; -, -n (franz.) (Bogensprung [eines Pferdes]); **kur|bet|tie|ren**
Kür|bis, der; -ses, -se (eine Kletterod. Kriechpflanze); **Kür|bis|flasche; Kür|bis|kern; Kür|bis|sup|pe**
Kur|de, der; -n, -n (Angehöriger eines Volkes in Vorderasien); **Kur|din; Ø ur|disch; Kur|di|s|tan** (Gebirgs- u. Hochland in Vorderasien)
ku|ren (eine Kur machen)
kü|ren (*geh. für* wählen); du kürtest, *seltener* korst, korest; du kürtest, *seltener* körest; gekürt, *seltener* gekoren; kür[e]!; *vgl.* kiesen
Kü|ret|ta|ge [...ʒə], die; -, -en (franz.) (*Med.* Ausschabung der Gebärmutter mit der Kürette); **Kü|ret|te,** die; -, -n (ein med. Instrument); **kü|ret|tie|ren**
Kur|fürst; der Große Kurfürst ↑K 134
Kur|fürs|ten|damm, der; -[e]s (eine Straße in Berlin; *ugs. Kurzform* Ku'damm ↑K 15)
Kur|fürs|ten|tum; Kur|fürs|tin; kurfürst|lich; kurfürstlich sächsische Staatskanzlei; *im Titel* ↑K 151 : Kurfürstlich
Kur|gast *Plur.* ...gäste; **Kur|haus**
Kur|hes|se [*auch* kuːˈhɛs...]
Kur|hes|sen [*auch* kuːˈhɛs...] (früheres Kurfürstentum Hessen-Kassel)
Kur|hes|sin [*auch* kuːˈhɛs...]; **kurhes|sisch** [*auch* kuːˈhɛs...]
ku|ri|al (lat.) (zur päpstl. Kurie gehörend); **Ku|ri|at|stim|me** (*früher für* Gesamtstimme eines Wahlkörpers); **Ku|rie,** die; - ([Sitz der] päpstl. Zentralbehörde; *österr. auch für* Standesvertretung in Universitätsgremien); **Ku|ri|en|kar|di|nal**
Ku|rier, der; -s, -e (franz.) (Bote); **Ku|rier|dienst**
ku|rie|ren (lat.) (ärztlich behandeln; heilen)
Ku|rier|flug|zeug; Ku|rier|ge|päck; Ku|rie|rin
Ku|ri|len *Plur.* (Inseln im Pazifischen Ozean)
ku|ri|os (lat.(-franz.)) (seltsam, sonderbar); **ku|ri|o|ser|wei|se; Ku|ri|o|si|tät,** die; -, -en; **Ku|ri|o|sitä|ten|hand|el; Ku|ri|o|si|tä|tenhänd|le|rin; Ku|ri|o|si|tä|ten|ka|binett**
Ku|ri|sum, das; -s, ...sa
ku|risch; *aber* ↑K 140 : das Kurische Haff, die Kurische Nehrung

Kur|ka|pel|le (Orchester eines Kurortes); Kur|kar|te; Kur|kli|nik

Kur|köln [auch ˈkuːɐ̯...] (Erzbistum Köln vor 1803); kur|köl|nisch [auch ˈkuːɐ̯...]

Kur|kon|zert

Kur|ku|ma, die; -, Kur|ku|men ⟨arab.⟩ (Gelbwurzel; ein Gewürz); Kur|ku|ma|gelb; Kur|ku|ma|pa|pier

Kur|laub, der; -[e]s, -e (mit einer Kur verbundener Urlaub)

Kür|lauf (Sport); Kür|lau|fen, das; -s; Kür lau|fen vgl. Kür

Kur|mainz [auch ˈkuːɐ̯...] (Erzbistum Mainz vor 1803)

Kur|mark, die; - (Hauptteil der ehem. Mark Brandenburg); Kurmär|ker; Kur|mär|ke|rin; kur|märkisch

Kur|mit|tel, das; Kur|mit|tel|haus

Kur|or|ches|ter; Kur|ort Plur. ...orte; Kur|park

Kur|pfalz [auch ˈkuːɐ̯...], die; - (ehem. Kurfürstentum Pfalz); Kur|pfäl|zer [auch ˈkuːɐ̯...]; Kurpfäl|ze|rin [auch ˈkuːɐ̯...]; kurpfäl|zisch [auch ˈkuːɐ̯...]

kur|pfu|schen (abwertend); ich kurpfusche; gekurpfuscht; zu kurpfuschen; Kur|pfu|scher; Kurpfu|sche|rei; Kur|pfu|sche|rin

Kur|prinz (Erbprinz eines Kurfürstentums); Kur|prin|zes|sin; kurprinz|lich

Kur|pro|me|na|de

Kur|re, die; -, -n (Seemannsspr. Grundschleppnetz)

Kur|ren|da|ner (lat.) (Mitglied einer Kurrende); Kur|ren|de, die; -, -n (früher Knabenchor, der vor Häusern, bei Begräbnissen o. Ä. gegen Geld geistl. Lieder singt; heute ev. Kinderchor)

kur|rent ⟨lat.⟩ (österr. für in deutscher Schrift; Kur|rent|schrift (veraltet für »laufende«, d. h. Schreibschrift; österr. für deutsche Schreibschrift)

kur|rig (landsch. für mürrisch, launisch)

Kur|ri|ku|lum, das; -s, ...la ⟨lat.⟩; vgl. Curriculum u. Curriculum Vitae

Kurs, der; -es, -e ⟨lat.⟩

Kurs|ab|schlag (Bankw.); Kurs|abwei|chung; Kurs|än|de|rung; Kursan|stieg

Kur|sant, der; -en, -en (regional für Kursteilnehmer); Kur|san|tin

Kurs|auf|schlag (Bankw.)

Kurs|buch

Kürsch, das; -[e]s (Heraldik Pelzwerk)

Kur|schat|ten (ugs. scherzh. für Person des anderen Geschlechts, mit der sich jmd. für die Zeit der Kur anfreundet)

Kürsch|ner (Pelzverarbeiter); Kürsch|ne|rei; Kürsch|ne|rin

Kur|se (Plur. von Kurs u. Kursus)

Kurs|ein|bruch; Kurs|ein|bu|ße; Kurs|ge|winn

kur|sie|ren ⟨lat.⟩ (umlaufen, im Umlauf sein); kursierende Gerüchte

kur|siv (laufend, schräg); Kur|sivdruck, der; -[e]s; Kur|si|ve, die; -, -n (schräg liegende Druckschrift); Kur|siv|schrift

Kurs|kor|rek|tur

kur|so|risch (fortlaufend, rasch durchlaufend)

Kurs|ral|ly, Kurs|ral|lye (Börsenw.); Kurs|rück|gang; Kurs|schwankung; Kurs|stei|ge|rung; Kurssturz

Kurs|sys|tem (Schulw.)

Kürs|te, die; -, -n (landsch. für [harte] Brotrinde)

Kurs|teil|neh|mer; Kurs|teil|neh|merin

Kur|sus, der; -, Kurse ⟨lat.⟩ (Lehrgang; auch für Gesamtheit der Lehrgangsteilnehmer)

Kurs|ver|lust

Kurs|wa|gen

Kurs|wech|sel; Kurs|wert; Kurs|zettel

Kurt (m. Vorn.)

Kur|ta|ge [...ʒə] vgl. Courtage

Kur|ta|xe

Kur|ti|sa|ne, die; -, -n ⟨franz.⟩ (früher Geliebte am Fürstenhof)

Kur|trier [auch ˈkuːɐ̯...] (Erzbistum Trier vor 1803); kur|trierisch[1]

Kür|tur|nen (Turnen mit freier Wahl der Übungen); Kür|übung

ku|ru|lisch ⟨lat.⟩; kurulischer Stuhl (Amtssessel der höchsten Beamten im alten Rom)

Ku|ruş [...ˈrʊʃ], der; -, - ⟨türk.⟩ (Untereinheit der türk. Lira)

Kur|va|tur, die; -, -en ⟨lat.⟩ (Med. Krümmung eines Organs, bes. des Magens)

Kur|ve [...və, auch ...fə], die; -, -n; ballistische Kurve (Flug-, Geschossbahn); kur|ven; gekurvt; Kur|ven|dis|kus|si|on (Math.); kur|ven|för|mig

Kur|ven|li|ne|al; Kur|ven|mes|ser, der; kur|ven|reich

Kur|ven|schar (Math. vgl. ²Schar; Kur|ven|tech|nik; Kur|ven|vor|gabe (Leichtathletik)

Kur|ver|wal|tung

kur|vig

Kur|vi|me|ter, das; -s, - (Kurvenmesser)

Kur|wür|de, die; - (Würde eines Kurfürsten)

kurz s. Kasten Seite 621

Kurz|ar|beit, die; -; kurz|ar|bei|ten (aus Betriebsgründen eine kürzere Arbeitszeit einhalten); ich arbeite kurz; kurzgearbeitet; kurzzuarbeiten; vgl. aber kurz; Kurz|ar|bei|ter; Kurz|arbei|te|rin

kurz|är|me|lig, kurz|ärm|lig; Kurzarm|ja|cke; kurz|at|mig; Kurz|atmig|keit, die; -

Kurz|be|richt; Kurz|bio|gra|fie, Kurz|bio|gra|phie

Kür|ze, der; -n, -n (ugs. für kleines Glas Branntwein; Kurzschluss)

Kür|ze, die; -; in Kürze

Kür|zel, das; -s, - (festgelegtes [stenografisches] Abkürzungszeichen; vgl. Sigel)

kür|zen; du kürzt

kurz Ent|schlos|se|ne, der u. die; - -n, - -n, Kurz|ent|schlos|se|ne, der u. die; -n, -n; vgl. kurz

kur|zer|hand

kür|zer|tre|ten (sich schonen; sich einschränken)

Kurz|er|zäh|lung

kurz|fas|sen, sich; vgl. aber kurz

Kurz|fas|sung; Kurz|film; Kurz|flügler (Zool.)

kurz|fris|tig

kurz ge|bra|ten, kurz|ge|bra|ten vgl. kurz

kurz ge|fasst, kurz|ge|fasst vgl. kurz

Kurz|ge|schich|te

kurz ge|schnit|ten, kurz|ge|schnitten vgl. kurz

Kurz|haar|fri|sur; kurz|haa|rig; kurzhal|sig

kurz|hal|ten (wenig Geld geben); sie hat ihre Kinder immer kurzgehalten; aber kannst du das mal kurz (kurze Zeit) halten? (ugs.)

kurz|le|big; Kurz|le|big|keit, die; - kürz|lich

Kurz|mel|dung; Kurz|mit|tei|lung; Kurz|nach|richt

Kurz|par|ker; Kurz|par|ke|rin; Kurzpark|zo|ne

Kurz|pass (Sport); Kurz|pro|gramm (Eiskunstlauf)

kurz|schlie|ßen; einen Stromkreis kurzschließen; sich kurzschließen (unmittelbaren Kontakt aufnehmen); ich schließe kurz;

kurz

kür|zer, kür|zes|te

I. Groß- und Kleinschreibung:

– kurz und gut; kurz und bündig; kurz und klein; kurz und schmerzlos; über kurz oder lang
– am kürzesten
– binnen, seit, vor kurzem *od.* Kurzem
– den Kürzer[e]n ziehen; etwas des Kürzeren darlegen; etwas Kurzes spielen, vortragen
– ↑K 134 : Pippin der Kurze

II. Schreibung in Verbindung mit Verben:

– sie hat hier nur kurz (für kurze Zeit) gearbeitet (*vgl. aber* kurzarbeiten)
– kannst du das mal kurz halten? (*vgl. aber* kurzhalten)
– zu kurz kommen

– es kurz machen *od.* kurzmachen
– den Rasen kurz mähen *od.* kurzmähen
– sich die Haare kurz schneiden *od.* kurzschneiden lassen

Vgl. aber kurzfassen, kurzhalten, kurzschließen, kurztreten, kürzertreten

In Verbindung mit einem adjektivisch oder substantivisch gebrauchten Partizip kann getrennt oder zusammengeschrieben werden ↑K 58:

– kurz gebratenes *od.* kurzgebratenes Fleisch
– kurz geschnittene *od.* kurzgeschnittene Haare
– ein kurz gefasster *od.* kurzgefasster Überblick
– Urlaub für kurz Entschlossene *od.* Kurzentschlossene

kurzgeschlossen; kurzzuschließen

Kurz|schluss; Kurz|schluss|handlung; Kurz|schluss|re|ak|ti|on

kurz schnei|den, kurz|schnei|den; kurz geschnittene *od.* kurzgeschnittene Haare

Kurz|schrift (*für* Stenografie); **Kurz|schrift|ler** (*für* Stenograf); Kurz|schrift|le|rin; kurz|schrift|lich (*für* stenografisch)

kurz|sich|tig; Kurz|sich|tig|keit

kurz|sil|big (*übertr. auch für* wortkarg); **Kurz|ski,** Kurz|schi; kurz|stäm|mig

Kurz|stre|cke; Kurz|stre|cken|lauf; Kurz|stre|cken|läu|fer; Kurz|stre|cken|läu|fe|rin

Kurz|stre|cken|ra|ke|te

Kurz|streck|ler (*Sportspr.* Kurzstreckenläufer); **Kurz|streck|le|rin**

Kurz|stun|de (*Schulw.*)

Kurz|tag|pflan|ze (*Bot.*)

kurz|tre|ten (sich schonen; sich einschränken)

kurz|um [*auch* ˈkʊrtsˈʊm]

Kür|zung

Kurz|ur|laub

kurz|weg [*auch* ˈkʊrtsˈvɛk]

Kurz|weil, die; -; kurz|wei|lig

Kurz|wel|le (*Physik, Rundf.*); **Kurz|wel|len|sen|der; Kurz|wel|len|the|ra|pie** (*Med.*); kurz|wel|lig

Kurz|wort *Plur.* ...wörter

Kurz|zeit|ge|dächt|nis, das; -ses (*Psych.*); kurz|zei|tig

Kurz|zug (*bes. Eisenb.*)

kusch! (*Befehl an den Hund* leg dich still nieder!); *vgl.* kuschen

Ku|schel, Kus|sel, die; -, -n (*nordd. für* niedrige Kiefer; Gebüsch)

Ku|schel|ecke

ku|sche|lig, kusch|lig (gut zum Kuscheln); **ku|scheln;** sich kuscheln (sich anschmiegen); ich kusch[e]le mich; **Ku|schel|sex; Ku|schel|tier** (weiches Stofftier)

ku|schen (sich lautlos hinlegen [vom Hund]; *ugs. auch für* stillschweigen); du kuschst; kusch dich! (leg dich still nieder!)

kusch|lig *vgl.* kuschelig

Ku|sel (Stadt im Saar-Nahe-Bergland); Kuseler Schichten (*Geol.*)

Ku|sin|chen, Cou|sin|chen

Ku|si|ne, Cou|si|ne [ku...], die; -, -n (¹Base)

¹Kus|kus, der; -, - ⟨westindones.⟩

²Kus|kus, der *u.* das; -, - ⟨arab.⟩ (ein nordafrik. Gericht)

Küs|nacht (Ort am Zürichsee); *vgl. aber* Küssnacht

Kuss, der; Kusses, Küsse; Küsschen; kuss|echt

Kus|sel *vgl.* Kuschel

küs|sen; du küsst, er/sie küsst; du küsstest; geküsst; küsse *u.* küss mich!; küss die Hand! (*österr. veraltend*); sie küsst ihn auf die Stirn

Kuss|hand; Kuss|händ|chen

Küss|nacht am Ri|gi (Ort am Vierwaldstätter See); *vgl. aber* Küsnacht

Kuss|sze|ne, Kuss-Sze|ne

Küs|te, die; -, -n

Küs|ten|be|feu|e|rung (Kennzeichnung durch Leuchtfeuer u. a.); Küs|ten|fah|rer (Schiff); Küs|ten|fi|sche|rei; Küs|ten|ge|bir|ge

Küs|ten|mo|tor|schiff; Küs|ten|nä|he; Küs|ten|schiff|fahrt; Küs|ten|stra|ße; Küs|ten|strich

Küs|ter (Kirchendiener); Küs|te|rei; Küs|te|rin

¹Kus|to|de, die; -, -n ⟨lat.⟩ (*früher* Kennzeichen der einzelnen Lagen einer Handschrift; *Druckw. Nebenform von* Kustos)

²Kus|to|de, der; -n, -n (*Nebenform von* Kustos)

Kus|to|din; Kus|tos, der; -, Kustoden ⟨lat.⟩ (»Wächter«) (wissenschaftlicher Sachbearbeiter an Museen u. Ä.; *Druckw. früher für* Silbe od. Wort am Fuß einer Seite zur Verbindung mit der folgenden Seite; *veraltet für* Küster, Kirchendiener)

Ku|te, die; -, -n (*nordd., bes. berlin. für* Vertiefung; Grube)

Ku|ti|ku|lla, die; -, *Plur.* -s *u.* ...lä ⟨lat.⟩ (*Biol.* Häutchen der äußeren Zellschicht bei Pflanzen u. Tieren)

Ku|tis, die; - (*Biol.* Lederhaut der Wirbeltiere; nachträglich verkorktes Pflanzengewebe)

Kutsch|bock

Kut|sche, die; -, -n ⟨nach dem ung. Ort Kocs [kɔtʃ], d. h. Wagen aus Kocs⟩

kut|schen (*veraltet für* kutschieren); du kutschst; Kut|schen|schlag

Kut|scher; Kut|sche|rin; Kut|scher|knei|pe; Kut|scher|sitz

kut|schie|ren

Kutsch|kas|ten

Kut|te, die; -, -n

K
Kutt

Kut|tel, die; -, -n *meist Plur.* (essbares Stück vom Magen *od.* Darm des Rindes); **Kut|tel|fleck**, der; -[e]s, -e *meist Plur.* (Kuttel)
Kut|tel|hof (*veraltet für* Schlachthof)
Kut|tel|kraut (*österr. für* Thymian)
Kut|ter, der; -s, - ⟨engl.⟩ (ein kleines Fischereifahrzeug)
Kü|ve|la|ge [...ʒə], die; -, -n ⟨franz.⟩ (*Bergbau* Ausbau eines wasserdichten Schachtes mit gusseisernen Ringen)
kü|ve|lie|ren; Kü|ve|lie|rung (*svw.* Küvelage)
Ku|vert [...'veːɐ̯, ...'veːɐ̯], das; -s, -s, *auch* [...'vɛrt], -[e]s [...rtəs, ...rts], -e [...rtə] ⟨franz.⟩ ([Brief]umschlag; [Tafel]gedeck für eine Person)
ku|ver|tie|ren (mit einem Umschlag versehen)
Ku|ver|tü|re, die; -, -n (Überzugsmasse für Kuchen, Gebäck u. a.)
Kü|vet|te, die; -, -n ⟨franz.⟩ (*veraltet für* Innendeckel [der Taschenuhr]; kleines Gefäß, Trog)
Ku|wait, Ku|weit [*auch* 'kuː..., ...'veːt] (Scheichtum am Persischen Golf)
Ku|wai|ter, Ku|wei|ter; Ku|wai|te|rin, Ku|wei|te|rin
ku|wai|tisch, ku|wei|tisch
Kux, der; -es, -e ⟨tschech.-mlat.⟩ (börsenmäßig gehandelter Bergwerksanteil)
kV = Kilovolt
¹KV = Köchelverzeichnis
²KV, die; -, -s = Kassenärztliche Vereinigung
kv. = kriegsverwendungsfähig
kVA = Kilovoltampere
kW = Kilowatt
Kwass, der; *Gen.* - *u.* Kwasses ⟨russ.⟩ (gegorenes Getränk)
kWh = Kilowattstunde
KWK, die; - = Kraft-Wärme-Kopplung
KY = Kentucky
Ky|a|ni|sa|ti|on, die; - ⟨nach dem engl. Erfinder J. H. Kyan⟩ (ein Imprägnierungsverfahren für Holz); **ky|a|ni|sie|ren**
Ky|a|thos, der; -, - (antiker einhenkliger Becher)
Ky|be|le [...le, *auch* ...'beː...] (phryg. Göttin)
Ky|ber|ne|tik, die; - ⟨griech.⟩ (wissenschaftliche Forschungsrichtung, die vergleichende Betrachtungen über Steuerungs- u. Regelungsvorgänge anstellt; *ev.*

Theol. Lehre von der Kirchen- u. Gemeindeleitung)
Ky|ber|ne|ti|ker; Ky|ber|ne|ti|ke|rin
ky|ber|ne|tisch
Kyff|häu|ser ['kɪf...], der; -[s] (Bergrücken südl. des Harzes)
Ky|k|la|den *Plur.* (Inselgruppe in der Ägäis)
Ky|k|li|ker *vgl.* Zykliker
Ky|k|lop *vgl.* Zyklop
Ky|ma, das; -s, -s, **Ky|ma|ti|on**, das; -s, *Plur.* -s *u.* ...ien ⟨griech.⟩ (*Archit.* Zierleiste aus stilisierten Blattformen [bes. am Gesims griech. Tempel])
Ky|mo|graf, Ky|mo|graph, der; -en, -en (Gerät zur automatischen Aufzeichnung von rhythm. Bewegungen, z. B. des Pulsschlages); **Ky|mo|gra|fie, Ky|mo|gra|phie**, die; - (Röntgenverfahren zur Darstellung von Organbewegungen)
Ky|mo|gramm, das; -s, -e ⟨griech.⟩ (*Med.* Röntgenbild von sich bewegenden Organen)
Kym|re, der; -n, -n (keltischer Bewohner von Wales); **Kym|rin**
kym|risch; Kym|risch, das; -[s] (Sprache); *vgl.* Deutsch; **Kym|ri|sche**, das; -n; *vgl.* Deutsche, das
Ky|ni|ker ⟨griech.⟩ (Angehöriger der von Antisthenes gegründeten Philosophenschule); *vgl. aber* Zyniker; **Ky|ni|ke|rin**
Ky|no|lo|ge, der; -n, -n; **Ky|no|lo|gie**, die; - (Lehre von Zucht, Dressur u. Krankheiten der Hunde); **Ky|no|lo|gin**
Ky|o|to *vgl.* Kioto
Ky|pho|se, die; -, -n ⟨griech.⟩ (*Med.* Wirbelsäulenverkrümmung nach hinten)
Ky|re|nai|ka *vgl.* Cyrenaika
Ky|rie, das; -, -s ⟨griech.⟩ (*kurz für* Kyrieeleison)
Ky|rie elei|son! [*auch* - e'leː:i...], **Ky|ri|e|leis** [»Herr, erbarme dich!«] (Bittformel im gottesdienstlichen Gesang); *vgl.* Leis; **Ky|rie|elei|son**, das; -s, -s (Bittruf); **Ky|ri|e|leis!** *vgl.* Kyrie eleison!
ky|ril|lisch, zy|ril|lisch ⟨nach dem Slawenapostel Kyrill⟩; kyrillische, zyrillische Schrift ↑K 135; **Ky|ril|lisch, Zy|ril|lisch**, das; -s (die kyrillische Schrift); in Kyrillisch, Zyrillisch
Ky|ros (pers. König)
Ky|the|ra (alter Name der griech. Insel Kithira)

KZ, das; -[s], -[s] (*kurz für* Konzentrationslager)
KZ-Ge|denk|stät|te

l = lävogyr; Liter
L (Buchstabe); das L; des L, die L, *aber* das l in Schale; der Buchstabe L, l
L = (röm. Zahlzeichen) = 50
L = large
Λ, λ = Lambda
£, £ Stg = Pfund (Livre) Sterling
l. = lies!; links
L. = Linné; **¹Lira** *Sing. u.* Lire *Plur.;* Lucius *od.* Luzius
la ⟨ital.⟩ (Solmisationssilbe)
La = *chem. Zeichen für* Lanthan
¹LA = Lastenausgleich
²LA = Louisiana
l. a. = lege artis
Laa an der Tha|ya [...ja] (österr. Stadt)
Laa|cher See, der; - -s (See in der Eifel)
Laa|ser Mar|mor, der; - -s
Lab, das; -[e]s, -e (*Biol.* Enzym im [Kälber]magen)
La Bam|ba, die; - -, - -s, *ugs. auch* der; - -[s], - -s ⟨brasilian.⟩ (ein Tanz)
La|ban (bibl. m. Eigenn.); langer Laban (*ugs. für* große, hagere männliche Person)
lab|be|rig, lab|brig (*nordd. für* schwach; fade; breiig)
lab|bern (*nordd. für* schlürfend essen od. trinken; *Seemannsspr.* schlaff werden); ich labbere
lab|brig *vgl.* labberig
Lab|da|num *vgl.* Ladanum
La|be, die; - (*dichter. für* etwas Labendes)
La|be|fla|sche (*Radsport*)
La|bel ['leː:...], das; -s, -s ⟨engl.⟩ ([Ton- u. Datenträger]etikett; Tonträgerproduzent; Markenname); **la|beln** (mit einem Label versehen); ich labele; gelabelt
la|ben; sich laben
La|ber|dan, der; -s, -e ⟨niederl.⟩ (eingesalzener Kabeljau)
la|bern (*ugs. für* schwatzen, unauf-

hörlich u. einfältig reden); ich
labere

La|be|trunk

LAbg. = *österr. für* Landtagsabge-
ordnete[r]

la|bi|al ⟨lat.⟩ (die Lippen betref-
fend); **La|bi|al,** der; -s, -e, **La|bi|al-
laut** (*Sprachw.* Lippenlaut, mit
den Lippen gebildeter Laut, z. B.
p, m)

La|bi|al|pfei|fe (eine Orgelpfeife)

La|bi|a|te, die; -, -n *meist Plur.*
(*Bot.* Lippenblütler)

la|bil ⟨lat.⟩ (schwankend; verän-
derlich, unsicher); **La|bi|li|tät,**
die; -, -en *Plur. selten*

La|bio|den|tal ⟨lat.⟩, **La|bio|den|tal-
laut** (*Sprachw.* Lippenzahnlaut,
mit Unterlippe u. oberen
Schneidezähnen gebildeter
Laut, z. B. f, w)

La|bio|ve|lar, La|bio|ve|lar|laut
(*Sprachw.* Lippengaumenlaut)

Lab|kraut (eine Pflanzengattung)

Lab|ma|gen (Teil des Magens der
Wiederkäuer)

La|boe (Ostseebad); **La|boer**
[...'bø:ɐ̯]

La|bor [*österr. auch, schweiz.
meist* 'la:...], das; -s, *Plur.* -s,
auch -e ⟨lat.⟩ (*Kurzform von*
Laboratorium)

La|bo|rant, der; -en, -en; **La|bo|ran-
tin**

La|bo|ra|to|ri|um, das; -s, ...ien

La|bor|be|fund

la|bo|rie|ren; an einer Krankheit
laborieren (*ugs. für* an einer
Krankheit leiden u. sie zu überwinden suchen); an einer Arbeit
laborieren (*ugs. für* sich abmühen)

**La|bor|tier; La|bor|ver|such; La|bor-
wert**

La Bos|tel|la, die; - - -, - -s, *ugs. auch*
der; - -[s], - -s ⟨Herkunft unsi-
cher⟩ (ein Modetanz)

La|bour Par|ty ['le:bɐ ...ti], die; - -
⟨engl.⟩ (engl. Arbeiterpartei)

[1]**La|b|ra|dor** (eine nordamerik.
Halbinsel)

[2]**La|b|ra|dor,** der; -s, -e (*svw.* Labra-
dorit)

La|b|ra|do|rer (Bewohner von
[1]Labrador); **La|b|ra|do|re|rin**

La|b|ra|dor|hund

la|b|ra|do|risch ⟨*zu* [1]Labrador⟩

La|b|ra|do|rit, der; -s, -e (ein Mine-
ral, ein Schmuckstein)

Lab|sal, das; -[e]s, -e, *österr. u.
südd. auch* die; -, -e

lab|sal|ben ⟨niederl.⟩ (See-

---

mannsspr. teeren); ich labsalbe;
gelabsalbt; zu labsalben

Labs|kaus, das; - ⟨engl.⟩ (ein see-
männ. Eintopfgericht)

La|bung

La|by|rinth, das; -[e]s -e ⟨griech.⟩

La|by|rinth|fisch

la|by|rin|thisch

Lach|an|fall

La Chaux-de-Fonds [la ʃot'fõ:]
(Stadt im Schweizer Jura)

[1]**La|che,** die; -, -n (Gelächter)

[2]**La|che** [*auch* 'la:...], die; -, -n
(Pfütze)

[3]**La|che,** *fachspr. meist* Lach|te, die;
-, -n (*Forstw.* Einschnitt [in
Baumrinde])

lä|cheln; ich läch[e]le

la|chen; Tränen lachen; sie hat gut
lachen; ↑K 72 : zum Lachen sein;
La|chen, das; -s; ein ängstliches
Lachen; **La|cher**

Lach|er|folg; La|che|rin

lä|cher|lich; etwas Lächerliches;
ins Lächerliche ziehen; **lä|cher|li-
cher|wei|se; Lä|cher|lich|keit**

lä|chern (*landsch. für* zum Lachen
reizen); ich lächere

La|che|sis (eine der drei Parzen)

Lach|fält|chen *meist Plur.*

Lach|gas

Lach|haft; Lach|haf|tig|keit, die; -

Lach|krampf; Lach|lust, die; -; **Lach-
mö|we; Lach|num|mer** (*ugs. für*
lächerliche Angelegenheit)

Lachs, der; -es, -e (ein Fisch)

Lach|sal|ve

Lachs|bröt|chen; Lachs|fang

lachs|far|ben, lachs|far|big

lachs|ro|sa; lachs|rot

Lachs|schin|ken; Lachs|schnit|zel
Plur.

Lach|tau|be

Lach|te *vgl.* [3]Lache

Lach|ter, die; -, -n *od.* das; -s, -
(altes bergmänn. Längenmaß)

Lach|trä|ne *meist Plur.*

la|cie|ren [...'si:...] ⟨franz.⟩ (ein-
schnüren; mit Band durchflech-
ten)

Lack, der; -[e]s, -e ⟨sanskr.⟩

Lack|af|fe (*ugs.*)

Lack|ar|beit

La|cke, die; -, -n (*österr. ugs. für*
[2]Lache)

La|ckel, der; -s, - (*südd., österr.
ugs. für* grober, auch unbeholfener, tölpelhafter Mensch)

la|cken (Lack auftragen; *ugs. auch
für* übervorteilen); gelackt

lack|glän|zend

Lack|gür|tel

la|ckie|ren (Lack auftragen; *ugs.*

---

für anführen; übervorteilen); **La-
ckie|rer; La|ckie|re|rei; La|ckie|re-
rin; La|ckie|rung**

**La|ckier|werk|statt, La|ckier|werk-
stät|te**

Lack|le|der; Lack|man|tel

Lack|mus, der *od.* das- ⟨niederl.⟩
(chem. Reagens); **Lack|mus|pa-
pier**

**Lack|scha|den; Lack|schuh; Lack-
stie|fel**

**La|c|ri|ma Chris|ti, La|c|ri|mae Chris-
ti,** der; - -, - - ⟨lat., »Christusträ-
ne[n]«⟩ (Wein von den Hängen
des Vesuvs)

la|c|ri|mo|so ⟨ital.⟩ (*Musik* kla-
gend); **La|c|ri|mo|so,** das; -[s],
...si

La|crosse [...'krɔs], das; - (ein dem
Hockey verwandtes amerikani-
sches Ballspiel)

Lac|tam, das; -s, -e ⟨lat.; griech.⟩
(eine chem. Verbindung)

Lac|tat, das; -s, -e (*Chemie* Salz der
Milchsäure); **Lac|tat|test; Lac|tat-
wert** *meist Plur.*

La|dakh [...k] (Hochplateau in
Nordindien)

La|da|num, das; -s ⟨griech.⟩ (ein
Harz)

Läd|chen (kleine Lade; kleiner
Laden)

La|de, die; -, -n (*landsch. für*
Truhe, Schublade)

**La|de|baum; La|de|flä|che; La|de-
ge|rät; La|de|ge|wicht; La|de|gut;
La|de|hem|mung; La|de|kon|t|rol|le;
La|de|lu|ke; La|de|mast,** der

[1]**la|den** (aufladen); du lädst, er/sie
lädt; du ludst; du lüdest; geladen; lad[e]!

[2]**la|den** (einladen); du lädst, er/sie
lädt (*veraltet, aber noch
landsch.* du ladest, er/sie ladet);
du ludst; du lüdest; geladen;
lad[e]!

La|den, der; -s, *Plur.* Läden, *selten
auch* -

**La|den|dieb; La|den|die|bin; La|den-
dieb|stahl**

La|den|hü|ter (schlecht absetzbare
Ware); **La|den|kas|se; La|den|ket-
te; La|den|öff|nungs|zeit** *meist
Plur.;* **La|den|pas|sa|ge; La|den-
preis**

La|den|schluss, der; -es; **La|den-
schluss|ge|setz; La|den|schluss-
zeit**

**La|den|stra|ße; La|den|tisch; La-
den|zen|t|rum**

La|de|platz

La|der (Auflader)

La|de|ram|pe; La|de|raum

La|de|sta|ti|on (für Batterien, Akkus o. Ä.)

La|de|stock *Plur.* ...stöcke (Teil der früheren Gewehre; *Bergbau* runder Holzstock zum Einführen der Sprengstoffpatronen in die Bohrlöcher)

lä|die|ren ⟨lat.⟩ (verletzen; beschädigen); lädiert sein; **Lä|die|rung**

La|din, das; -s (ladinische Sprache)

La|di|ner (Angehöriger eines rätoroman. Volksteils in Südtirol); **La|di|ne|rin**

la|di|nisch; La|di|nisch, das; -[s] (Sprache); *vgl.* Deutsch; **La|di|ni|sche,** das; -n; *vgl.* Deutsche, das

La|dis|laus (m. Vorn.)

La|do|ga|see, La|do|ga-See, der; -s (nordöstl. von Sankt Petersburg)

La|dung

La|dy ['le:di], die; -, -s (Titel der engl. adligen Frau; *scherzh.* für Dame); **la|dy|like** [...laik] (nach Art einer Lady; vornehm)

La|er|tes (Vater des Odysseus)

La Fa|yette, La|fa|yette [*beide* ...'jet] (franz. Staatsmann)

La|fet|te, die; -, -n ⟨franz.⟩ (Untergestell der Geschütze)

¹**Laf|fe,** der; -n, -n (*ugs.* für Geck)

²**Laf|fe,** die; -, -n (*südwestd.* für Schöpfteil des Löffels; Ausguss; *schweiz.* für Bug, Schulterstück vom Rind, Schwein usw.)

La Fon|taine [la fõ'tɛːn] (franz. Dichter); die la-fontaineschen *od.* La-Fontaine'schen Fabeln ↑K 89 u. 135

lag *vgl.* liegen

LAG = Lastenausgleichsgesetz

La|ge, die; -, -n; in der Lage sein

La|ge|be|richt; La|ge|be|sprechung

Lä|gel, das; -s, - (*landsch.* für Fässchen [für Fische]; Traggefäß; ein altes Maß, Gewicht)

La|gen|schwim|men, das; -s; **La|gen|staf|fel**

la|gen|wei|se

La|ge|plan

La|ger, das; -s, *Plur.* - u. (*Kaufmannsspr.* für Warenvorräte:) Läger; etwas auf Lager halten

La|ger|bier

la|ger|fä|hig; la|ger|fest

La|ger|feu|er; La|ger|ge|bühr; La|ger|haft; La|ger|hal|le; La|ger-

hal|tung; La|ger|haus; La|ger|in|sas|se; La|ger|in|sas|sin

La|ge|rist, der; -en, -en (Lagerverwalter); **La|ge|ris|tin**

La|ger|kol|ler

La|ger|löf, Selma (schwed. Schriftstellerin)

la|gern; ich lagere; sich lagern

La|ger|obst; La|ger|platz; La|ger|raum

La|ger|schild, der; -es, -e *(Technik)*

La|ger|statt *Plur.* ...stätten *(geh.* für Bett, Lager); **La|ger|stät|te** (*Geol.* Fundort; *seltener für* Lagerstatt)

La|ge|rung; La|ger|ver|wal|ter; La|ger|ver|wal|te|rin

La|ge|skiz|ze

La|go Mag|gio|re [- ...'dʒo:...], der; - - ⟨ital.⟩ (ital.-schweiz. See); *vgl.* Langensee

La|gos (frühere Hauptstadt Nigerias); *vgl.* Abuja

la|g|ri|mo|so *vgl.* lacrimoso

Lag|ting, das; -s ⟨norw.⟩ (das norw. Oberhaus)

La|gu|ne, die; -, -n ⟨ital.⟩ (durch einen Landstreifen vom offenen Meer getrennter flacher Meeresteil); **La|gu|nen|stadt**

lahm; ein lahmes Bein; eine lahme Ausrede; *vgl.* lahmlegen

Lahm|arsch (*derb für* energieloser, langsamer Mensch); **lahm|ar|schig**

Läh|me, die; - (eine Jungtierkrankheit)

lah|men (lahm gehen)

läh|men (lahm machen); **lähmend;** lähmende Stille

Lahm|heit, die; -

lahm|le|gen; eine Demonstration hat den Verkehr lahmgelegt; **Lahm|le|gung**

Läh|mung; Läh|mungs|er|scheinung *meist Plur.*

¹**Lahn,** der; - (r. Nebenfluss des Rheins)

²**Lahn,** der; -[e]s, -e ⟨franz.⟩ (*fachspr.* ein Metalldraht)

³**Lahn,** die; -, -en (*bayr. u. österr. mdal.* für Lawine)

Lahn|spu|le (*zu* ²Lahn)

Lah|nung (*Wasserbau* ins Meer hineingebauter Damm)

Lahr (Stadt am Westrand des Schwarzwaldes); Lahrer Hinkender Bote (Name eines Kalenders)

Laib, der; -[e]s, -e; ein Laib Brot

Lai|bach (*slowen.* Ljubljana)

Laib|chen (*österr.* ein kleines, rundes Gebäck)

Lai|bung, Lei|bung (innere Maueröffnungen; innere Wölbfläche bei Wölbungen)

Laich, der; -[e]s, -e (Eier von Wassertieren); **lai|chen** (Laich absetzen)

Laich|kraut; Laich|platz; Laich|zeit

Laie, der; -n, -n ⟨griech.⟩ (Nichtfachmann; Nichtpriester)

Lai|en|apos|to|lat; Lai|en|brevier; Lai|en|bru|der; Lai|en|bühne; Lai|en|chor; Lai|en|dar|steller; Lai|en|dar|stel|le|rin

lai|en|haft; Lai|en|kunst; Lai|en|pries|ter; Lai|en|pries|te|rin; Lai|en|rich|ter; Lai|en|rich|te|rin; Lai|en|schwes|ter; Lai|en|spiel; Lai|en|stand, der; -[e]s

Lai|in

la|i|sie|ren (einen Kleriker regulär od. strafweise in den Laienstand versetzen); **La|i|sie|rung**

Lais|ser-al|ler [lɛsea'le:], das; - ⟨franz.⟩ (das Gewährenlassen; Nichteinmischung)

Lais|ser-faire [lɛse'fɛːʀ], das; - (das Gewähren-, Treibenlassen; *veraltet für* Ungezwungenheit)

Lais|sez-pas|ser [lɛsepa'se:], der; -, - (*veraltet für* Passierschein)

La|i|zis|mus, der; - ⟨griech.⟩ (weltanschauliche Richtung, die die radikale Trennung von Kirche u. Staat fordert); **la|i|zis|tisch**

La|kai, der; -en, -en ⟨franz.⟩ (*abwertend für* Kriecher; *früher für* herrschaftl. Diener [in Livree]); **la|kai|en|haft; La|kai|in**

La|ke, die; -, -n (Salzlösung zum Einlegen von Fisch, Fleisch)

La|ke|dä|mon (anderer Name für den altgriech. Stadtstaat Sparta)

La|ke|dä|mo|ni|er (Bewohner von Lakedämon); **La|ke|dä|mo|ni|e|rin; la|ke|dä|mo|nisch**

La|ken, das; -s, - (*nordd., mitteld.* für Betttuch; Tuch)

Lak|ko|lith, der; *Gen.* -s u. -en, *Plur.* -e[n] ⟨griech.⟩ (*Geol.* ein Tiefengesteinskörper)

La|ko|da, der; -[s], -s ⟨nach einer Insellandschaft im Beringmeer⟩ (ein Robbenpelz)

La|ko|nie, La|ko|nik, die; - ⟨griech.⟩ (*geh.* für lakonische Art des Ausdrucks)

L

Lade

La|ko|ni|en (Verwaltungsbezirk im Peloponnes)

La|ko|nik vgl. Lakonie; la|ko|nisch (auch für kurz u. treffend)

La|ko|nis|mus, der; -, ...men (Kürze des Ausdrucks)

La|k|rit|ze, die; -, -n, landsch. La-k|ritz, der, auch das; -es, -e ⟨griech.⟩ (eingedickter Süßholzsaft); La|k|rit|zen|saft, der; -[e]s; La|k|rit|zen|stan|ge, La|k|ritz|stan|ge

lakt... ⟨lat.⟩ (milch...); Lakt... (Milch...)

Lak|tam vgl. Lactam

Lak|ta|se, die; -, -n (ein Enzym)

Lak|tat usw. vgl. Lactat usw.

Lak|ta|ti|on, die; -, -en (Milchabsonderung; Zeit des Stillens); lak|tie|ren (Milch absondern; säugen)

Lak|to|me|ter, das; -s, - (Vorrichtung zur Milchprüfung)

Lak|to|se, die; - (Milchzucker)

Lak|to|s|kop, das; -s, -e ⟨lat.; griech.⟩ (Vorrichtung zur Milchprüfung)

Lak|to|s|u|rie, die; -, ...ien (Med. Ausscheidung von Milchzucker mit dem Harn)

Lak|to|ve|ge|ta|ri|er (Person, die kein Fleisch, keinen Fisch und keine Eier isst); Lak|to|ve|ge|ta|ri|e|rin

la|ku|när ⟨lat.⟩ (Med., Biol. Gewebelücken bildend, höhlenartig)

La|ku|ne, die; -, -n (Sprachw. Lücke in einem Text; Med., Biol. Hohlraum in Geweben)

la|kus|t|risch (Geol., Biol. in Seen sich bildend od. vorkommend)

la|la (ugs.); es ging ihr so lala (einigermaßen)

lal|len; Lall|pe|ri|o|de (Päd. [frühkindl.] Lebensphase); Lall|wort Plur. ...wörter (Sprachw.)

L. A. M. = Liberalium Artium Magister

¹La|ma, das; -s, -s ⟨peruan.⟩ (eine südamerik. Kamelart; ein flanellartiges Gewebe)

²La|ma, der; -[s], -s ⟨tibet.⟩ (buddhist. Priester od. Mönch in Tibet u. der Mongolei)

La|ma|is|mus, der; - (Form des Buddhismus); la|ma|is|tisch

La|mäng ⟨nach franz. la main »die Hand«; aus der [kalten] Lamäng (scherzh. für aus dem Stegreif, sofort)

La|man|tin, der; -s, -e ⟨indian.⟩ (amerik. Seekuh)

La|marck (franz. Naturforscher)

La|mar|ckis|mus, der; - (von Lamarck begründete Abstammungslehre)

Lam|ba|da, die; -, -s, auch der; -[s], -s ⟨port.⟩ (ein Modetanz)

Lam|ba|re|ne (Ort in Gabun; Wirkungsstätte Albert Schweitzers)

Lamb|da, das; -[s], -s (griech. Buchstabe: Λ, λ)

Lamb|da|naht (Med.); Lamb|da|son|de (beim Abgaskatalysator)

Lamb|da|zis|mus, der; - ⟨griech.⟩ (fehlerhafte Aussprache des R als L)

Lam|bert, Lam|b|recht, Lam|p-recht (m. Vorn.)

Lam|ber|ta (w. Vorn.)

Lam|berts|nuss ⟨zu lombardisch⟩ (Nuss einer Haselnussart)

Lam|b|recht vgl. Lambert

Lam|b|re|quin [lãbrəˈkɛ̃:], der; -s, -s ⟨franz.⟩ (veraltet für Querbehang [über Fenstern])

Lam|b|rie, Lam|pe|rie, die; -, ...ien ⟨franz.⟩ (landsch. für Lambris); Lam|b|ris [lãˈbri:], der; -, -, österr. die; -, Plur. - u. ... ien (untere Wandverkleidung aus Holz, Marmor od. Stuck)

Lamb|skin [ˈlɛms...], das; -[s], -s ⟨engl.⟩ (Lammfellimitation)

Lambs|wool [ˈlɛmsvʊl], die; - (zarte Lamm-, Schafwolle)

la|mee, la|mé [laˈme:] ⟨franz.⟩ (mit Lamé durchwirkt); La|mee, Lamé, der; -s, -s (Gewebe aus Metallfäden, die mit Seide übersponnen sind)

la|mel|lar ⟨lat.⟩ (streifig, schichtig, geblättert)

La|mel|le, die; -, -n ⟨franz.⟩ (Streifen, dünnes Blättchen; Blatt unter dem Hut von Blätterpilzen); la|mel|len|för|mig

La|mel|len|ver|schluss (Fotogr.)

la|men|ta|bel ⟨lat.⟩ (veraltet für jämmerlich, kläglich; beweinenswert); ...a|b|le Lage

La|men|ta|ti|on, die; -, -en (veraltet für Jammern, Wehklagen)

la|men|tie|ren (ugs. für laut klagen, jammern)

La|men|to, das; -s, Plur. -s od. (für Klagelieder:) ...ti ⟨ital.⟩ (ugs. für Gejammer; Musik Klagelied)

La|met|ta, das; -s ⟨ital.⟩ (Metallfäden [als Christbaumschmuck])

La|met|ta|syn|drom (eine durch Umweltvergiftung hervorgerufene Baumkrankheit)

la|mi|nar ⟨lat.⟩ (Physik ohne Wirbel nebeneinander herlaufend); laminare Strömung

La|mi|na|ria, die; -, ...ien (Bot. eine Gattung der Braunalgen)

La|mi|nat, das; -[e]s, -e (ein Schichtpressstoff [für Bodenbeläge]); La|mi|nat|bo|den

la|mi|nie|ren ⟨franz.⟩ (Weberei [Material] strecken, um die Fasern längs zu richten; fachspr. für [Werkstoffe] mit einer [Deck]schicht überziehen; Buchw. [ein Buch] mit Glanzfolie überziehen)

Lamm, das; -[e]s, Lämmer

Lämm|bra|ten; Lämm|chen

lam|men (ein Lamm werfen)

Läm|mer|gei|er (ein Greifvogel)

Läm|mer|ne, das; -n (bes. österr. für Lammfleisch)

Läm|mer|wol|ke meist Plur.

Lam|mes|ge|duld (svw. Lammsgeduld)

Lamm|fell; Lamm|fleisch

lamm|fromm (ugs.)

Lamm|ko|te|lett

Lämm|lein

Lamms|ge|duld (ugs. für große Geduld)

Lam|mung, die; -

Lam|pas, der; -, - ⟨franz.⟩ (ein Damastgewebe)

Lam|pas|sen Plur. (breite Streifen an [Uniform]hosen)

Lämp|chen (kleine ²Lampe)

¹Lam|pe (Kurzform von Lampert; der Hase der Tierfabel); Meister Lampe

²Lam|pe, die; -, -n

Lam|pen|docht; Lam|pen|fie|ber; Lam|pen|licht, das; -[e]s

Lam|pen|schein, der; -[e]s; Lam|pen|schirm; Lam|pen|stu|be (Bergmannsspr.)

Lam|pe|rie vgl. Lambrie

Lam|pi|on [... ˈpi̯ō:, österr. ... ˈpi̯o:n], der, seltener das; -s, -s ⟨franz.⟩ ([Papier]laterne)

Lam|pi|on|blu|me

Lam|p|recht vgl. Lambert

Lam|p|re|te, die; -, -n ⟨mlat.⟩ (ein Fisch)

LAN, das; -[s], -s ⟨aus engl. local area network⟩ (EDV lokales Netzwerk)

Lan|ça|de [lãˈsa:...], die; -, -n ⟨franz.⟩ (ein Sprung eines Pferdes in der Hohen Schule)

L

Lanç

Lan|cas|ter [ˈlɛŋkəstə] (engl. Herzogsfamilie; engl. Stadt)

Lan|ci|er [lãˈsi̯eː], der; -s, -s ⟨franz.; »Lanzenreiter«⟩ (ein Tanz; *früher für* Ulan)

lan|cie|ren (fördern; zu Anerkennung, Verbreitung verhelfen; gezielt in die Öffentlichkeit dringen lassen); **lan|ciert;** lancierte (in bestimmter Art gemusterte) Gewebe; **Lan|cie|rung**

Land

das; -[e]s, *Plural* Länder *u.* (geh.) Lande

– an Land; auf dem Land; außer Landes; von Land zu Land; zu Lande und zu Wasser
– bei uns zu Lande
– hierzulande *od.* hier zu Lande
– aus aller Herren Länder, *auch* aus aller Herren Ländern
– die Halligen melden »Land unter« (Überflutung)

land|ab *vgl.* landauf
Land|adel; Land|am|bu|la|to|ri|um *(in der DDR);* **Land|am|mann** *(schweiz.* Titel des Präsidenten einiger Kantonsregierungen)
Land|ar|beit; Land|ar|bei|ter; Land|ar|bei|te|rin
Land|arzt; Land|ärz|tin
Lan|d|au|er (viersitziger Wagen)
land|auf; landauf, landab (überall)
Land|auf|ent|halt
Lan|d|au in der Pfalz (Stadt im Vorland der Haardt)
land|aus; landaus, landein (überall)
Land|bau, der; -[e]s; **Land|be|sitz; Land|be|völ|ke|rung; Land|be|woh|ner; Land|be|woh|ne|rin**
Land|brot
Länd|chen
Län|de, die; -, -n *(landsch. für* Landungsplatz)
Lan|de|bahn; Lan|de|er|laub|nis; Lan|de|fäh|re
Land|ei *(ugs. abwertend od. scherzh. auch für* Landpomeranze)
Land|ei|gen|tü|mer; Land|ei|gen|tü|me|rin
land|ein *vgl.* landaus; **land|ein|wärts**
Lan|de|kap|sel *(Raumfahrt);* **Lan|de|klap|pe** (am Flugzeug); **Lan|de|ma|nö|ver**
lan|den

län|den *(landsch. u. schweiz. neben* landen, ans Ufer bringen)
Land|en|ge
Lan|de|pis|te; Lan|de|platz
Län|de|rei|en *Plur.*
Län|der|fi|nanz|aus|gleich *(Abk.* LFA)
Län|der|kampf *(Sport)*
Län|der|kun|de, die; - (Wissenschaftsfach); **län|der|kun|dig** (die Länder kennend); **län|der|kund|lich** (die Länderkunde betreffend)
Län|der|na|me; Län|der|spiel *(Sport);* **län|der|über|grei|fend**
Landes [lãːt] *Plur.* (eine franz. Landschaft)
Lan|des|amt; Lan|des|art, die; -; **Lan|des|auf|nah|me** *(svw.* Landvermessung)
Lan|des|bank *Plur.* ...banken; **Lan|des|be|hör|de; Lan|des|bi|schof; Lan|des|bi|schö|fin; Lan|des|brauch; Lan|des|bür|g|schaft**
Lan|de|schlei|fe *(Flugw.)*
Lan|des|ebe|ne; auf Landesebene verhandeln; **Lan|des|far|ben** *Plur.;* **Lan|des|feind**
lan|des|flüch|tig, land|flüch|tig
Lan|des|fürst; Lan|des|fürs|tin
Lan|des|ge|richt *(österr. svw.* Landgericht); **Lan|des|ge|schich|te; Lan|des|gren|ze**
Lan|des|haupt|frau *(österr. für* Regierungschefin eines Bundeslandes); **Lan|des|haupt|mann** *Plur.* ...leute *u.* ...männer; *vgl.* Landeshauptfrau
Lan|des|haupt|stadt
Lan|des|herr; Lan|des|her|rin; lan|des|herr|lich
Lan|des|ho|heit; Lan|des|hym|ne *(österr. für* offizielle Hymne eines Bundeslandes); **Lan|des|in|ne|re; Lan|des|kind; Lan|des|kir|che**
Lan|des|kro|ne (Berg bei Görlitz)
Lan|des|kun|de, die; - (Unterrichtsfach); **lan|des|kun|dig** (das Land kennend); **lan|des|kund|lich** (die Landeskunde betreffend)
Lan|des|lis|te; Lan|des|meis|ter|schaft; Lan|des|mut|ter *Plur.* ...mütter; **Lan|des|par|la|ment**
Lan|des|po|li|tik; lan|des|po|li|tisch
Lan|des|rat *Plur.* ...räte *(österr. für* Mitglied einer Landesregierung); **Lan|des|rech|nungs|hof** *(Abk.* LRH); **Lan|des|recht,** das; -[e]s (Recht der Länder im Gegensatz zum Bundesrecht); **Lan|des|re|gie|rung**
Lan|des|schul|rat *(österr. für* Schul-

behörde eines Bundeslandes); **Lan|des|schul|rä|tin; Lan|des|so|zi|al|ge|richt** *(Abk.* LSG)
Lan|des|spra|che
Lan|des|stra|ße *(österr.; Zeichen* L)
Lan|des|the|a|ter; Lan|des|tracht
lan|des|üb|lich
Lan|des|va|ter; Lan|des|ver|band
Lan|des|ver|mes|sung
Lan|des|ver|rat; Lan|des|ver|rä|ter; Lan|des|ver|rä|te|rin
Lan|des|ver|si|che|rungs|an|stalt *(Abk.* LVA)
Lan|des|ver|wei|sung; lan|des|ver|wie|sen
Lan|des|wäh|rung; Lan|des|wap|pen
lan|des|weit
Lan|des|zen|t|ral|bank *(Abk.* LZB)
Lan|de|ver|bot
Land|fah|rer; Land|fah|re|rin
land|fein *(Seemannsspr.);* sich landfein machen
Land|flucht, die; - (Abwanderung der ländl. Bevölkerung in die [Groß]städte); **land|flüch|tig** *vgl.* landesflüchtig
Land|frau (Landwirtin); **Land|frau|en|schu|le**
land|fremd
Land|frie|de|de[n]; Land|frie|dens|bruch, der
Land|gang, der *(Seemannsspr.);* **Land|ge|mein|de**
Land|ge|richt *(Abk.* LG); **Land|ge|richts|prä|si|dent; Land|ge|richts|prä|si|den|tin**
land|ge|stützt (von Raketen)
Land|ge|win|nung
Land|graf *(früher);* **Land|grä|fin; Land|gut**
Land|haus *(österr. auch für* Sitz des Landtags)
Land|heim; Land|jä|ger (eine Dauerwurst; *früher für* Landpolizist, Gendarm)
Land|kaf|fee (kaffeeähnliches Getränk); **Land|kar|te**
Land Keh|din|gen, das; -es - (Teil der Elbmarschen)
Land|kind; Land|kli|ma; Land|kom|mu|ne; Land|kreis
land|läu|fig
Länd|le, das; -[s] *(landsch. Bez. für* Baden-Württemberg *od.* Vorarlberg)
Land|le|ben, das; -s
Länd|ler (ein Volkstanz)
länd|lich; Länd|lich|keit, die; -
land|lie|bend *(Zool.)*
Land|luft; Land|macht
Land|mann *Plur.* ...leute (veraltet *für* Landwirt); **Land|ma|schi|ne; Land|mes|ser,** der *(veraltend)*

L

Lanc

lang

län|ger, am längs|ten

I. *Groß- und Kleinschreibung* ↑K 72 :
– über kurz oder lang
– seit langem *od.* Langem ; seit, vor längerem *od.* Längerem
II. *Großschreibung:*
a) *der Substantivierung* ↑K 72 :
– in Lang (*ugs. für* im langen Abendkleid) gehen
– ein Langes und Breites (viel) reden
– sich des Langen und Breiten, des Längeren und Breiteren über etwas äußern
b) *in bestimmten namensähnlichen Fügungen* ↑K 151 :
– der Lange Marsch (der Marsch der chinesischen Kommunisten quer durch China 1934/35)
III. *Getrennt- und Zusammenschreibung:*
a) zu lang, allzu lang
b) *Schreibung in Verbindung mit Verben:*
– lang hinschlagen (der Länge nach)
– sich lang ausstrecken

– ein Gummiband lang ziehen *od.* langziehen
– jmdm. die Hammelbeine lang ziehen *od.* langziehen (*ugs. für* jmdn. heftig tadeln)
– jmdm. die Ohren lang ziehen *od.* langziehen (jmdn. [an den Ohren ziehend] strafen)
– der Torwart musste sich langmachen (sich sehr strecken)
Vgl. aber langgehen; langlegen, sich
c) *Getrennt- oder Zusammenschreibung in Verbindung mit adjektivisch gebrauchten Partizipien* ↑K 58 :
– ein lang gehegter *od.* langgehegter Wunsch
– ein lang gestrecktes *od.* langgestrecktes Gebäude
– eine lang gezogene *od.* langgezogene Kurve
d) *bei »lang« als zweitem Bestandteil* ↑K 59 :
– meterlang (*aber* zehn Meter lang, einen Fuß lang)
– jahrelang (*aber* zwei Jahre lang)
– tagelang (*aber* drei Tage lang) usw.
e) langhin (*vgl. d.*)
Vgl. auch lange

Land|mi|ne (verdeckt im Boden verlegter Sprengkörper)
Land|nah|me, die; - (*früher für* Inbesitznahme von Land durch ein Volk)
Land|par|tie
Land|pfar|rer; Land|pfar|re|rin
Land|pla|ge
Land|po|me|ran|ze (*ugs. für* Mädchen vom Lande, Provinzlerin)
Land|pra|xis
Land|rat *Plur.* ...räte; **Land|rä|tin**
Land|rats|amt
Land|rat|te (*Seemannsspr.* Nichtseemann)
Land|recht (im MA.)
Land|re|form
Land|re|gen
Land|ro|ver ® ['le...], der; -[s], - ⟨engl.⟩ (ein geländegängiges Kraftfahrzeug)
Land|rü|cken
Lands|berg a. Lech [- am -] (Stadt in Oberbayern)
Land|schaft
land|schaft|lich
Land|schafts|ar|chi|tekt; Land-schafts|ar|chi|tek|tin
Land|schafts|gärt|ner; Land|schafts-gärt|ne|rin
Land|schafts|ma|ler; Land|schafts-ma|le|rin
Land|schafts|pfle|ge; Land|schafts-schutz|ge|biet (*Abk.* LSG)
Land|schrei|ber (*schweiz. für* Kanzleivorsteher eines Landkantons, Bezirks); **Land|schrei-be|rin**
Land|schu|le; Land|schul|heim
Land|see, der

Land|ser (*ugs. für* Soldat)
Lands|frau (*svw.* Landsmännin)
Lands|ge|mein|de (*schweiz. für* Versammlung der Stimmberechtigten eines Kantons, Bezirks)
Lands|hut (Stadt a. d. Isar)
Land|sitz
Lands|knecht
Lands|mål [...mo:l], das; -[s] ⟨norw., »Landessprache«⟩ (*ältere Bez. für* Nynorsk [*vgl. d.*])
Lands|mann *Plur.* ...leute (Landes-, Heimatgenosse); **Lands|män|nin; lands|män|nisch**
Lands|mann|schaft; lands|mann-schaft|lich
Land|stadt
Land|stän|de *Plur.* (*früher*)
Lands|ting, das; -s ⟨dän.⟩ (bis 1953 der Senat des dän. Reichstages)
Land|stör|zer (*veraltet für* Fahrender); **Land|stör|ze|rin**
Land|stra|ße
Land|strei|cher; Land|strei|che|rei, die; -; **Land|strei|che|rin**
Land|streit|kräf|te *Plur.*
Land|strich
Land|sturm (*vgl.* ¹Sturm); **Land-sturm|mann** *Plur.* ...männer
Land|tag; der Hessische Landtag ↑K 150 ; der Landtag von Baden-Württemberg
Land|tags|ab|ge|ord|ne|te; Land-tags|wahl
Lan|dung; Lan|dungs|boot; Lan-dungs|brü|cke; Lan|dungs|steg
Land|ur|laub

Land|ver|mes|ser; Land|ver|mes|se-rin; Land|ver|mes|sung
Land|vogt (*früher*); **Land|vog|tin; Land|volk,** das; -[e]s
land|wärts
Land-Was|ser-Tier ↑K 26
Land|wehr, die (*früher*); **Land-wehr|mann** *Plur.* ...männer
Land|wein
Land|wind
Land|wirt; Land|wir|tin; Land|wirt-schaft
land|wirt|schaft|lich; landwirtschaftliche Produktionsgenossenschaft (*in der DDR; Abk.* LPG), *aber* ↑K 150 : »Landwirtschaftliche Produktionsgenossenschaft Einheit«
Land|wirt|schafts|aus|stel|lung; Land|wirt|schafts|kam|mer
Land|wirt|schafts|mi|nis|ter; Land-wirt|schafts|mi|nis|te|rin
Land|zun|ge
lang *s. Kasten*
lang|är|me|lig, lang|ärm|lig; lang-ar|mig
lang|at|mig; lang|bär|tig
Lang|baum (Langwied[e])
Lang|bein (*scherzh.*); **lang|bei|nig**
lan|ge, lang; länger, am längsten ↑K 74 ; lang ersehnte *od.* langersehnte Hilfe, lang anhaltender *od.* langanhaltender Beifall usw.; es ist lange her; lang, lang ists her (*vgl.* lang); das Ende der langen Weile; aus langer Weile; *vgl.* Langeweile
Län|ge, die; -, -n; **län|ge|lang** (*ugs. für* der Länge nach); längelang hinfallen

L

läng

L

lang

lan|gen (*ugs. für* ausreichen; [nach etwas] greifen)

län|gen (länger machen; *veraltet für* länger werden)

Län|gen|grad; Län|gen|kreis; Län|gen|maß, das

Lan|gen|see, der; -s (*dt. Name für* Lago Maggiore)

Lan|ge|oog (eine der Ostfries. Inseln)

län|ger|fris|tig

Lan|get|te, die; -, -n ⟨franz.⟩ (Randstickerei als Abschluss; Trennungswand zwischen zwei Schornsteinen); lan|get|tie|ren (mit Randstickereien versehen)

Lan|ge|wei|le [*auch* 'la...], Lang|wei|le, die; *Gen.* der Lang[e]-weile; *bei Beugung des ersten Bestandteils getrennt geschrieben; vgl.* lange

Lan|ge|zeit, die; *zur Beugung vgl.* Langeweile u. lange (*schweiz. für* Sehnsucht, Heimweh)

lang|fä|dig (*schweiz. für* weitschweifig, langatmig)

Lang|fin|ger (*ugs. für* Dieb[in])

lang|fin|ge|rig, lang|fing|rig

lang|fris|tig

Lang|gäs|ser (dt. Dichterin)

lang ge|hegt, lang|ge|hegt *vgl.* lang

lang|ge|hen (*ugs. für* entlanggehen); wissen, wo es langgeht

lang ge|streckt, lang|ge|streckt *vgl.* lang; lang ge|zo|gen, lang-ge|zo|gen *vgl.* lang

lang|glie|de|rig, lang|glied|rig

Lang|haar|da|ckel

lang|haa|rig

lang|hal|sig

Lang|haus (*Archit.*)

lang|hin; ein langhin rollendes Echo

Lang|holz

lang|jäh|rig

lang|köp|fig

Lang|lauf (*Sport*); lang|lau|fen (*Skisport* Langlauf betreiben)

Lang|läu|fer (*Sport; auch Wirtsch. für* festverzinsliches Wertpapier mit langer Laufzeit); Lang|läu|fe|rin (*Sport*)

Lang|lauf|ski, Lang|lauf|schi

lang|le|big; Lang|le|big|keit, die; -

lang|le|gen, sich (*ugs. für* sich zum Ausruhen hinlegen)

läng|lich; länglich rund

lang|ma|chen, sich (sich strecken)

lang|mäh|nig

Lang|mut, die; - (*geh.*); lang|mü|tig; Lang|mü|tig|keit, die; -

lang|na|sig

Lan|go|bar|de, der; -n, -n (Angehöriger eines westgerm. Volkes); Lan|go|bar|din; lan|go|bar|disch

Lang|ohr, das; -[e]s, -en (*scherzh. für* Hase; Esel)

Lang|pferd (*Turnen*); Lang|ril|le (*scherzh. für* Langspielplatte)

lang|rip|pig

längs (der Länge nach); etwas längs trennen; *als Präp. mit Gen.:* längs des Weges, gelegentl. *mit Dat.:* längs dem Wege; ein längs gestreifter *od.* längsgestreifter Stoff

Längs|ach|se

lang|sam; langsamer Walzer; Lang|sam|keit, die; -

lang|schä|de|lig, lang|schäd|lig

Lang|schäf|ter (Stiefel mit langem Schaft); Lang|schlä|fer; Lang-schlä|fe|rin

lang|schnä|be|lig, lang|schnä|blig

längs|deck[s] (*Seemannsspr.* auf dem Deck entlang)

Lang|sei|te

Längs|fa|den; Längs|fal|te

längs ge|streift, längs|ge|streift ↑K 58

Längs|li|nie

Lang|spiel|plat|te (*Abk.* LP)

Längs|rich|tung

längs|schiffs (*Seemannsspr.* in Kielrichtung)

Längs|schnitt

längs|seit (*Seemannsspr.* an der langen Seite, an die lange Seite des Schiffes)

Längs|sei|te; längs|seits (parallel zur Längsrichtung); *als Präp. mit Gen.:* längsseits des Schiffes

Längs|strei|fen

längst (schon lange)

lang|stän|ge|lig, lang|stäng|lig

längs|tens (*landsch. für* längst; spätestens)

lang|stie|lig (*ugs. auch für* langweilig, einförmig)

Lang|stre|cke; Lang|stre|cken|bom-ber; Lang|stre|cken|flug; Lang-stre|cken|lauf; Lang|stre|cken|läu-fer; Lang|stre|cken|läu|fe|rin

Lang|streck|ler (*Sportspr.* Langstreckenläufer); Lang|streck|le-rin

Längs|wand

Langue|doc [lãk'dɔk], das *od.* die; - (eine südfranz. Landschaft); Langue|doc|wein, Langue-doc-Wein

Lan|gus|te, die; -, -n ⟨franz.⟩ (ein Krebs)

Lang|wei|le *vgl.* Langeweile; lang-wei|len; du langweilst; gelang-

weilt; zu langweilen; sich langweilen; Lang|wei|ler (*ugs. für* langweiliger Mensch); Lang|wei-le|rin

lang|wei|lig; Lang|wei|lig|keit

Lang|wel|le (*Physik, Rundf.*); lang-wel|lig

Lang|wied, Lang|wie|de, die; -, ...den (*landsch. für* Rundholz, das Vorder- u. Hintergestell eines großen Leiterwagens verbindet)

lang|wie|rig; Lang|wie|rig|keit

Lang|zei|le

lang|zeit|ar|beits|lo|se

Lang|zeit|ge|dächt|nis (*Psych.*)

Lang|zeit|kran|ke; Lang|zeit|pro-gramm; Lang|zeit|scha|den *meist Plur.*

Lang|zeit|stu|die; Lang|zeit|wir-kung

lang zie|hen, lang|zie|hen *vgl.* lang

La|no|lin, das; -s ⟨lat.⟩ (Wollfett, Salbengrundstoff)

LAN-Par|ty (Treffen zu gemeinsamen Computerspielen an vernetzten PCs)

Lan|ta|na, die; - ⟨nlat.⟩ (Wandelröschen, ein Zierstrauch)

Lan|than, das; -s ⟨griech.⟩ (chemisches Element, Metall; *Zeichen* La)

Lan|tha|nit, der; -s, -e (ein Mineral)

La|nu|go, die; -, ...gines ⟨lat.⟩ (Wollhaarflaum des Embryos)

Lan|za|ro|te (eine der Kanarischen Inseln)

Lan|ze, die; -, -n

Lan|zen|farn; Lan|zen|rei|ter; Lan|zen|spit|ze; Lan|zen|stich; Lan|zen|stoß

Lan|zet|te, die; -, -n ⟨franz.⟩ (ein chirurg. Instrument)

Lan|zett|fens|ter; Lan|zett|fisch

lan|zett|för|mig

lan|zi|nie|ren ⟨lat.⟩ (*Med.* [von Schmerzen] plötzlich mit Heftigkeit auftreten)

La|o|gai, das; -s, -[s] ⟨chin.⟩ (System von Umerziehungslagern in China)

La|o|ko|on (griech. Sagengestalt)

La Ola, die; - -, - -s *meist ohne Artikel* ⟨span., »die Welle«⟩ (besondere Art der Begeisterungsbezeigung in Sportstadien); La-Ola-Wel|le

Laon [lã:] (franz. Stadt)

La|os; Demokratische Volksrepublik Laos (Staat in Hinterindien); La|o|te, der; -n, -n; La|o-tin; la|o|tisch

La|o̱|t|se [*auch* 'la̱u...] (chin. Weiser)

Lappalie
Die Bezeichnung für eine höchst belanglose Angelegenheit stammt aus der Studentensprache. Sie geht auf die scherzhafte Latinisierung des Wortes *Lappen* zurück und wird deshalb mit zwei *p* geschrieben.

La Pa̱l|ma (eine der Kanarischen Inseln)
La|pa|ro̱|s|ko̱p, das; -s, -e ⟨griech.⟩ (*Med.* Instrument zur Untersuchung der Bauchhöhle); La|pa|ro̱|s|ko̱|pie̱, die; -, ...ien (*Med.* Untersuchung mit dem Laparoskop)
La|pa|ro̱|to̱|mie̱, die; -, ...ien (*Med.* Bauchschnitt)
La Paz [- ' pa(:)s] (größte Stadt u. Regierungssitz von Bolivien)
la|pi|da̱r ⟨lat.⟩ (einfach, elementar; kurz u. bündig)
La|pi|da̱r, der; -s, -e (ein Schleif- u. Poliergerät der Uhrmacher)
La|pi|da̱ri|um, das; -s, ...ien (*fachspr. für* Sammlung von Steindenkmälern)
La|pi|da̱r|schrift (Versalschrift, meist auf Stein); La|pi|da̱r|stil, der; -[e]s
La|pil|li Plur. ⟨ital.⟩ (kleine Steinchen, die bei einem Vulkanausbruch ausgeworfen werden)
La|pis|la̱|zu|li, der; -, - (*svw.* Lasurit)
La|pi̱|the, der; -n, -n (Angehöriger eines myth. Volkes in Thessalien)
La|place [...'pla:s] (franz. Astronom und Mathematiker); die laplacesche *od.* Laplace'sche Theorie ↑K 89 *u.* 135
¹La Pla̱|ta (Stadt in Argentinien)
²La Pla̱|ta, der; - - (*svw.* Rio de la Plata; *vgl. d.*); La-Pla̱|ta-Staa̱|ten Plur. ↑K26 (Argentinien, Paraguay, Uruguay)
La̱pp, der; -en, -en (*bayr., österr. mdal. für* einfältiger Mensch)
La̱p|pa̱|lie, die; -, -n (Kleinigkeit; Nichtigkeit)
Lä̱pp|chen (kleiner Lappen)
La̱p|pe, der; -n, -n (Angehöriger eines Volksstammes im nördl. Nordeuropa; *vgl.* ¹Same)
lä̱p|pen (*fachspr. für* metallische Werkstoffe fein bearbeiten)
La̱p|pen, der; -s, -
La̱p|pen|zelt ⟨*zu* Lappe⟩

Lap|pe|re̱i (*seltener für* Läpperei); Lä̱p|pe|re̱i (*landsch. für* Kleinigkeit; Wertloses)
lä̱p|pern (*landsch. für* schlürfen; in kleinen Teilen sammeln; zusammenkommen); ich läppere; es läppert sich
la̱p|pig
La̱p|pin ⟨*zu* Lappe⟩; la̱p|pisch
lä̱p|pisch
La̱pp|land (Landschaft in Nordeuropa)
La̱pp|län|der (Bewohner Lapplands); La̱pp|län|de|rin; la̱pp|län|disch
Lä̱pp|ma|schi|ne (Maschine zum Läppen)
La̱p|sus, der; -, - ⟨lat.⟩ ([geringfügiger] Fehler, Versehen)
La̱p|sus Ca̱|la|mi, der; - -, - - (Schreibfehler)
La̱p|sus Lin|gu|ae, der; - -, - - (das Sichversprechen)
La̱p|sus Me|mo̱|ri|ae, der; - -, - - (Gedächtnisfehler)
La̱p|top ['lɛ...], der, *auch* das; -s, -s ⟨engl.⟩ (kleiner, tragbarer Personal Computer)
La̱r, der; -s, -en ⟨malai.⟩ (ein Langarmaffe, Weißhandgibbon)
La̱|ra (w. Vorn.)
Lä̱r|che, die; -, -n (ein Nadelbaum); *vgl. aber* Lerche
La̱|ren Plur. ⟨lat.⟩ (altröm. Schutzgeister)
large [la:ʁʃ] ⟨franz.⟩ (*bes. schweiz. für* großzügig, weitherzig); La̱rge|heit
lar|ghet|to [...'gɛ...] ⟨ital.⟩ (*Musik* etwas breit, etwas langsam); Lar|ghet|to, das; -s, Plur. -s u. ...tti
la̱r|go (*Musik* breit, langsam); La̱r|go, das; -s, Plur. -s, *auch* ...ghi [...gi]
la|ri|fa̱|ri! (Ausruf der Ablehnung); La|ri|fa̱|ri, das; -s (*ugs. für* Geschwätz, Unsinn)
Lärm, der; Gen. -s, *seltener* -es; **lärm|arm**
Lärm|be|kämp̱|fung; Lärm|be|läs̱|ti|gung; Lärm|emis|si|on
lärm|emp|find|lich
lär|men; lär|mig (*schweiz., sonst veraltet für* lärmend laut)
Lärm|ma|cher; Lärm|min|de|rung
lar|mo̱|yant [...mŏa'jant] ⟨franz.⟩ (*geh. für* weinerlich, rührselig); Lar|mo̱|yanz, die; - (*geh.*)
Lärm|pe|gel; Lärm|quel|le
Lärm|schutz; Lärm|schutz|wall; Lärm|schutz|zaun
Lars (m. Vorn.)
L'art pour l'art ['la:ʁ pu:ʁ 'la:ʁ],

das; - - - ⟨franz., »die Kunst für die Kunst«⟩ (die Kunst als Selbstzweck)
lar|va̱l ⟨lat.⟩ (*Biol.* die Tierlarve betreffend)
La̱r|ve [...fə], die; -, -n (Gespenst, Maske; *oft abwertend für* Gesicht; *Zool.* Jugendstadium bestimmter Tiere); la̱r|ven|äẖn|lich
La|ryṉ|gal, der; -s, -e ⟨griech.⟩, La|ryṉ|ga̱l|laut (*Sprachw.* Laut, der in der Stimmritze [im Kehlkopf] gebildet wird, Stimmritzen-, Kehlkopflaut)
La|ryn|gen (Plur. von Larynx)
La|ryn|gi̱|tis, die; -, ...iti̱den (*Med.* Kehlkopfentzündung)
La|ryn|go̱|s|ko̱p, das; -s, -e (*Med.* Kehlkopfspiegel); la|ryn|go̱|s|ko̱|pisch
La̱|rynx, der; -, Laryngen (*Med.* Kehlkopf)
la̱s *vgl.* lesen
La̱|sa̱g|ne [...'zanjə], die; -, -n ⟨ital.⟩ (ein ital. Nudelgericht)
Las|caux [...'ko:] (Steinzeithöhle in Südfrankreich)
la̱sch (*ugs. für* schlaff, träge; *landsch. für* fade, nicht gewürzt)
La̱|sche, die; -, -n (ein Verbindungsstück)
la̱|schen (durch Lasche[n] verbinden); du laschst; La̱|schen|kupp|lung (*Bergbau*)
La̱sch|heit ⟨*zu* lasch⟩
La̱|schung (Verbindung durch Lasche[n])
La̱|se, die; -, -n (*mitteld. für* [Bier]gefäß)
La̱|ser ['le:..., *auch* 'la:...], der; -s, - ⟨engl.⟩ (*Physik* Gerät zur Verstärkung von Licht od. zur Erzeugung eines scharf gebündelten Lichtstrahles); La̱|ser|chi|r|ur|gie
La̱|ser|drom, das; -s, -e (Spielstätte, in der die Spieler aus Pistolen Laserstrahlen auf ihre Gegner abfeuern)
La̱|ser|dru|cker; La̱|ser|im|puls; La̱|ser|licht Plur. ...lichter; la̱|sern (mit einem Laserstrahl behandeln); ich lasere; gelasertes Metall
La̱|ser|poin|ter, der; -s, - ⟨engl.⟩ (Lasergerät, mit dem ein farbiger Lichtpunkt zur Hervorhebung bestimmter Stellen auf Projektionen erzeugt werden kann)
La̱|ser|prin|ter (Laserdrucker)

L

Lase

La|ser|strahl; La|ser|tech|nik; La-
ser|waf|fe

la|sie|ren ⟨pers.⟩ (mit Lasur ver-
sehen); La|sie|rung

LASIK, La|sik, die; - ⟨aus laser-
assistierte In-situ-Keratomi-
leusis⟩ (Med. operatives Verfahren zur Behandlung der
Kurzsichtigkeit)

Lä|si|on, die; -, -en ⟨lat.⟩ (Med.
Verletzung)

Las|kar, der; -s, ...ka̠ren ⟨anglo-
ind.⟩ (früher ostind. Matrose,
Soldat)

Las|ker-Schü|ler (dt. Dichterin)

Las Pal|mas (Hauptstadt der
spanischen Insel Gran Cana-
ria)

lass (geh. für matt, müde,
schlaff)

Las|sa|fie|ber, Las|sa-Fie|ber, das;
-s ⟨nach dem Ort Lassa in
Nigeria⟩ (eine Infektionskrankheit)

Las|salle [...'sal] (Mitbegründer
der dt. Arbeiterbewegung)

Las|sal|le|a|ner (Anhänger Las-
salles); Las|sal|le|a|ne|rin

las|sen

Lase

– du lässt, veraltet lässest; er/
sie/es lässt
– du ließest, er/sie/es ließ, hat
gelassen
– lasse! u. lass!
– ich lass sie nicht
– ich habe es gelassen (unterlas-
sen), aber ich habe dich rufen
lassen; ich habe sie dies wissen
lassen
Vgl. bleiben, fahren, fallen usw.

Lass|heit, die; - ⟨zu lass⟩

läs|sig

Läs|sig|keit, die; -

läss|lich (bes. Rel. verzeihlich);
lässliche (kleinere) Sünden;
Läss|lich|keit

Las|so, das, österr. nur so, selte-
ner der; -s, -s ⟨span.⟩ (Wurf-
schlinge; Figur im Eis- u. Roll-
kunstlauf)

Last, die; -, -en ⟨Seemannsspr.
auch Vorratsraum unter
Deck⟩; zu meinen Lasten;
zulasten od. zu Lasten des
od. von ...; Last|au|to

las|ten

Las|ten|auf|zug

Las|ten|aus|gleich (Abk. LA); Las-
ten|aus|gleichs|ge|setz (Abk.
LAG)

las|ten|frei

Las|ten|seg|ler; Las|ten|zug
(schweiz. neben Lastzug)

¹Las|ter, der; -s, - (ugs. für Last-
kraftwagen)

²Las|ter, das; -s, -

Läs|te|rei; Läs|te|rer

las|ter|haft; Las|ter|haf|tig|keit,
die; -

Las|ter|höh|le

Läs|te|rin

Las|ter|le|ben, das; -s

läs|ter|lich; Läs|ter|lich|keit

Läs|ter|maul (ugs. für jmd., der
viel lästert)

läs|tern; ich lästere; Läs|te|rung

Läs|ter|zun|ge (svw. Lästermaul)

Last|esel

Las|tex®, das; - ⟨Kunstwort⟩
([[Gewebe aus]] mit Fasern
umsponnenen Gummifäden)

Last|fuh|re

läs|tig; lästig werden; jmdm.
lästig fallen od. lästigfallen

...las|tig (z. B. zweilastig; Flugw.
schwanzlastig); Las|tig|keit,
die; - (Fluglage eines Flugzeugs; Schwimmlage eines
Schiffs)

Läs|tig|keit

Las|ting, der; -s, -s ⟨engl.⟩ (ein
Gewebe)

Last|kahn; Last|kraft|wa|gen
(Abk. Lkw od. LKW)

Läst|ling (svw. Schädling)

Last-Mi|nute-An|ge|bot ['la:st'mɪ-
nɪt...]; Last-Mi|nute-Rei|se
⟨engl.; deutsch⟩ (verbilligt
angebotene, kurzfristig anzu-
tretende Reise)

last, not least [- nɔt 'li:...] ⟨engl.,
als Letzter/Letztes, nicht
Geringster/Geringstes⟩
(zuletzt der Stelle, nicht dem
Wert nach)

Last|pferd; Last|schiff; Last-
schrift (Buchhaltung)

Last|schrift|zet|tel

Last|spit|ze (größte Belastung
eines Kraftwerks in einer
bestimmten Zeit); Last|tier;
Last|trä|ger; Last|trä|ge|rin

Last|wa|gen (Lastkraftwagen);
Last|zug

La|sur, die; -, -en ⟨pers.⟩ (durch-
sichtige Farbschicht)

Lä|sur, die; -, -en ⟨lat.⟩ (Beschä-
digung [bes. eines Buches])

La|sur|far|be

La|su|rit, La|sur|stein (ein blauer
Schmuckstein)

La|sur|lack (durchsichtige Farbe)

La|sur|stein vgl. Lasurit

Las Ve|gas (Stadt in Nevada)

las|ziv ⟨lat.⟩ (schlüpfrig, anstö-
ßig; übertrieben sinnlich); Las-
zi|vi|tät, die; -

Lä|ta|re ⟨lat., »freue dich!«⟩
(dritter Sonntag vor Ostern)

La|tein, das; -s

La|tein|ame|ri|ka (Gesamtheit
der spanisch- od. portugie-
sischsprachigen Staaten von
Amerika); la|tein|ame|ri|ka-
nisch

La|tei|ner (jmd., der Latein
kennt, spricht); La|tei|ne|rin

la|tei|nisch; lateinische Schrift;
ein lateinisch-deutsches Wör-
terbuch; vgl. deutsch; La|tei-
nisch, das; -[s] (Sprache); vgl.
Deutsch; La|tei|ni|sche, das;
-n; vgl. Deutsche, das

La|tein|schrift; La|tein|schu|le; La-
tein|se|gel (dreieckiges Segel);
La|tein|un|ter|richt

La-Tène-Zeit [...'tɛ:n...], die; -
⟨nach der Untiefe im Neuen-
burger See⟩ (Abschnitt der
Eisenzeit); La-Tène-zeit|lich

Late-Night-Show ['le:tnaɪt...],
die; -, -s ⟨engl.-amerik.⟩ (Veranstaltung, Unterhaltungs-
sendung am späten Abend)

la|tent ⟨lat.⟩ (vorhanden, aber
[noch] nicht in Erscheinung
tretend); ein latenter Gegensatz; latentes Bild (Fotogr.);
eine latente Krankheit; latente
(gebundene) Wärme

La|tenz, die; -; La|tenz|pe|ri|o|de;
La|tenz|zeit

la|te|ral ⟨lat.⟩ (fachspr. für seit-
lich)

La|te|ran, der; -s (ehem. Palast
des Papstes in Rom)

La|te|ran|kon|zil; La|te|ran|pa-
last; La|te|ran|ver|trä|ge Plur.

La|te|rit, der; -s, -e ⟨lat.⟩ (ein
roter Verwitterungsboden);
La|te|rit|bo|den

La|ter|na ma|gi|ca, die; - -, ...nae
...cae ⟨lat.⟩ (einfachster Pro-
jektionsapparat)

La|ter|ne, die; -, -n ⟨griech.⟩
(Archit. auch turmartiger
Aufsatz)

La|ter|nen|ga|ra|ge (scherzh.); La-
ter|nen|licht, das; -[e]s; La|ter-
nen|pfahl

La|tex, der; -, Latizes ⟨griech.⟩
(Kautschukmilch); la|te|xie|ren

La|tier|baum (Stange im Pferde-
stall zur Abgrenzung der
Plätze)

La|ti|fun|di|en|wirt|schaft, die; -; La-

ti|fun|di|um, das; -s, ...ien ⟨lat.⟩
(Landgut im Röm. Reich; Groß-
grundbesitz)
La|ti|na, die; -, -s ⟨span.-amerik.⟩
(*weibl. Form zu* Latino)
La|ti|ner, der; -s, - (Angehöriger
eines altitalischen Volkes in
Latium); **la|ti|nisch**
la|ti|ni|sie|ren ⟨lat.⟩ (in lat. Sprach-
form bringen); **La|ti|ni|sie|rung**
La|ti|nis|mus, der; -, ...men (lat.
Spracheigentümlichkeit in einer
nichtlat. Sprache); **La|ti|nist**, der;
-en, -en (Kenner u. Erforscher
des Lateinischen); **La|ti|nis|tin**
La|ti|ni|tät, die; - ([klassische,
mustergültige] lateinische
Schreibweise, desgl. Schrifttum)
La|tin|lo|ver, der; -[s], -, **La|tin Lo-
ver** [*beide* ˈlɛtɪnlavɐ], der; - -[s],
- - ⟨engl.⟩ (feuriger, südländi-
scher Liebhaber)
La|ti|no, der; -s, -s ⟨span.-amerik.⟩
(in den USA lebender Einwan-
derer aus den Spanisch sprechenden Ländern Lateiname-
rikas)
La|ti|num, das; -s (Prüfung im
Lateinischen); das kleine, große
Latinum
Lä|ti|tia (w. Vorn.)
La|ti|um (hist. Landschaft in Mit-
telitalien)
La|t|ri|ne, die; -, -n ⟨lat.⟩ (Abort,
Senkgrube)
La|t|ri|nen|ge|rücht (ugs.); **La|t|ri-
nen|pa|ro|le** (ugs.)
Lats, der; -, - (lettische Währungseinheit)
Latsch, der; -[e]s, -e (ugs. für nachlässig gehender Mensch; Haus-
schuh)
¹**Lat|sche**, die; -, -n, Lat|schen, der;
-s, - (ugs. für Hausschuh, abge-
tretener Schuh)
²**Lat|sche**, die; -, -n (Krummholz-
kiefer, Legföhre)
lat|schen (ugs. für nachlässig,
schleppend gehen); du latschst
Lat|schen vgl. ¹Latsche
**Lat|schen|ge|büsch; Lat|schen|kie-
fer**, die; **Lat|schen[|kie|fern]|öl**,
das; -[e]s
lat|schig (ugs. für nachlässig im
Gang u. Wesen)
Lat|te, die; -, -n
Lat|te mac|chi|a|to [- ...ˈkja:...], der;
u. die; - -, - -s ⟨ital.⟩ (Kaffeege-
tränk)
**Lat|ten|holz; Lat|ten|kis|te; Lat|ten-
kreuz** (von Pfosten u. Querlatte
gebildete Ecke des Tores)
Lat|ten|rost (vgl. ¹Rost); Lat|ten-

schuss (*Sport* Schuss an die
Querlatte des Tores); **Lat|ten-
zaun**
Lat|tich, der; -s, -e ⟨lat.⟩ (ein Korb-
blütler)
La|tüch|te, die; -, -n (ugs. für
Laterne, Licht)
Lat|wer|ge, die; -, -n ⟨griech.⟩ (eine
breiförmige Arznei; *veraltet,
aber noch landsch. für* Frucht-
mus)
Latz, der; -es, Lätze (Kleidungsteil
[z. B. Brustlatz]); **Lätz|chen**
lat|zen (ugs. für bezahlen)
Latz|ho|se; Latz|schür|ze
lau
Laub, das; -[e]s; Laub tragende
od. laubtragende Bäume; **Laubbaum**
¹**Lau|be**, die; -, -n
²**Lau|be**, der; -n, -n (ein Fisch, Uke-
lei)
Lau|ben|gang, der; **Lau|ben|haus;
Lau|ben|ko|lo|nie; Lau|ben|pie|per**
(*landsch. für* Kleingärtner); **Lau-
ben|pie|pe|rin**
Laub|fall, der; -[e]s; **Laub|fär|bung;
Laub|frosch; Laub|ge|höl|ze** Plur.
(*Bot.*); **Laub|holz**
Laub|hüt|ten|fest (jüd. Fest)
lau|big (veraltet für [viel] Laub
tragend)
Laub|sä|ge
Laub tra|gend, **laub|tra|gend**
↑K 58; *vgl.* Laub
Laub|wald; Laub|werk
Lauch, der; -[e]s, -e (eine Zwiebel-
pflanze); **lauch|grün; Lauch|zwie-
bel**
Lau|da|num, das; -s ⟨lat.⟩ (in Alko-
hol gelöstes Opium)
Lau|da|tio, die; -, ...iones ⟨lat.,
»Lob[rede]«⟩ (feierl. Würdi-
gung); **Lau|da|tor**, der; -s, ...oren;
Lau|da|to|rin
Lau|des Plur. ⟨lat., »Lobgesänge«⟩
(Morgengebet des kath. Breviers)
¹**Lau|er**, die; -; auf der Lauer sein,
liegen (ugs.)
²**Lau|er**, der; -s, - ⟨lat.⟩ (Trester-
wein)
lau|ern; ich lau[e]re
Lauf, der; -[e]s, Läufe; im Lauf[e]
der Zeit; 100-m-Lauf ↑K 26
Lauf|ar|beit, die; - (*Sport*); **Lauf-
bahn; Lauf|band**, das; Plur.
...bänder; **Lauf|brett; Lauf|bur-
sche** (abwertend)
Läu|fel, die; -, - (südwestd. für
äußere Schale [der Walnuss])
lau|fen; du läufst, er/sie läuft; du
liefst (liefest); du liefst; gelau-

fen; lauf[e]!; einen Hund nicht
auf die Straße laufen lassen; die
Dinge einfach laufen lassen od.
laufenlassen (nicht eingreifen);
ich habe sie laufen lassen od.
laufenlassen, seltener laufen
gelassen od. laufengelassen
(*ugs. für* freigegeben, entkom-
men lassen); Gefahr laufen; Ski
laufen; *vgl. aber* eislaufen
lau|fend (Abk. lfd.); laufendes
Jahr u. laufenden Jahres (Abk.
lfd. J.); laufender Meter u. laufenden Meters (Abk. lfd. M.);
laufender Monat u. laufenden
Monats (Abk. lfd. M.); laufende
Nummer u. laufender Nummer
(Abk. lfd. Nr.); am laufenden
Band arbeiten; ↑K 72 : auf dem
Laufenden sein, bleiben, halten
lau|fen las|sen, lau|fen|las|sen vgl.
laufen
Läu|fer (*auch für* längerer,
schmaler Teppich)
Lau|fe|rei (ugs.)
Läu|fe|rin; Läu|fe|risch
Lauf|feu|er; Lauf|flä|che
lauf|freu|dig (Sportspr.)
Lauf|gang; Lauf|git|ter
läu|fig (brünstig [von der Hün-
din]); **Läu|fig|keit**, die; - (Brunst
der Hündin)
Lauf|kä|fer; Lauf|kat|ze (Technik);
Lauf|kund|schaft, die; -
**Lauf|ma|sche; Lauf|pass; nur in
ugs.** jmdm. den Laufpass geben
Lauf|pen|sum (Sport); **Lauf|rad;
Lauf|rich|tung; lauf|ru|hig**
Lauf|schie|ne; Lauf|schrift (sich
bewegende [Leucht]schrift);
**Lauf|schritt; Lauf|ställ|chen;
Lauf|steg; Lauf|stil** (Sport); **Lauf-
text** (svw. Laufschrift); **Lauf-
treff** vgl. ³Treff
Lauf|vo|gel; Lauf|werk (Technik,
EDV); **Lauf|wett|be|werb; Lauf-
zeit; Lauf|zet|tel**
Lau|ge, die; -, -n (alkal. [wässrige]
Lösung; Auszug)
lau|gen (veraltend); **lau|gen|ar|tig**
Lau|gen|bad; Lau|gen|bre|zel
(landsch.); **Lau|gen|bröt|chen;
Lau|gen|was|ser**, das; -s
Lau|heit, die; -
Lau|mann (ugs. für Mensch ohne
eigene Meinung)
Lau|ne, die; -, -n ⟨lat.⟩
lau|nen|haft; Lau|nen|haf|tig|keit
lau|nig (humorvoll)
lau|nisch (launenhaft)
Lau|ra (w. Vorn.)
Lau|re|at, der; -en, -en ⟨lat.⟩

([öffentl.] ausgezeichneter Wissenschaftler; *früher für* lorbeergekrönter Dichter); *vgl.* Poeta laureatus; **Lau|re|a|tin**

Lau|ren|tia (w. Vorn.)

lau|ren|tisch ⟨nach dem latinisierten Namen des Sankt-Lorenz-Stromes⟩; laurentische Gebirgsbildung (am Ende des Archaikums) ↑K 89

Lau|ren|ti|us (m. Vorn.)

lau|re|ta|nisch (aus Loreto); *aber* ↑K 150 : Lauretanische Litanei (in Loreto entstandene Marienlitanei)

Lau|rin (Zwergenkönig, mittelalterl. Sagengestalt)

Lau|rus, der; *Gen.* - *u.* -ses, *Plur.* - *u.* -se ⟨lat.⟩ (*Bot.* Lorbeerbaum)

Laus, die; -, Läuse

Lau|sanne [loˈzan] (Stadt am Genfer See); **Lau|san|ner**

Laus|bub *(ugs.);* **Laus|bu|ben-streich; Laus|bü|be|rei; laus|bü-bisch**

Lau|scha|er Glas|wa|ren *Plur.* ⟨nach dem Ort Lauscha im Thüringer Wald⟩

Lausch|ak|ti|on; **Lausch|an|griff** (heimliches Anbringen von Abhörgeräten [in einer Privatwohnung]); der große *od.* Große Lauschangriff

Lau|sche, die; - (höchster Berg im Zittauer Gebirge)

lau|schen; du lauschst

Läus|chen

Lau|scher (Lauschender; *Jägerspr.* Ohr des Haarwildes); **Lau|sche|rin**

lau|schig (gemütlich)

Läu|se|be|fall

Läu|se|ben|gel, Läu|se|jun|ge, Läu|se|kerl *(ugs.)*

Läu|se|kraut, das; -[e]s (eine Pflanzengattung)

lau|sen; du laust

Lau|ser *(landsch. für* Lausbub)

Lau|se|rei *(ugs.)*

Lau|se|rin ⟨zu Lauser⟩

lau|sig *(ugs. auch für* erbärmlich, schlecht); lausig kalt; lausige Zeiten

Lau|sitz, die; -, -en (Landschaft um Bautzen u. Görlitz [Oberlausitz] u. um Cottbus [Niederlausitz]); **Lau|sit|zer;** das Lausitzer Bergland; **lau|sit-zisch**

¹**laut;** laut reden; etwas laut werden lassen; laut redende *od.* lautredende Nachbarn; muss

ich erst laut werden *od.* lautwerden (schimpfen; drohend die Stimme erheben)?

²**laut**

(↑K 70 ; *Abkürzung* lt.)

Präposition mit Dativ, auch mit Genitiv:

– laut unserem Schreiben, *auch* laut unseres Schreibens
– laut ärztlichem Gutachten, *auch* laut ärztlichen Gutachtens
– laut amtlichem Nachweisen, *auch* laut amtlicher Nachweise

Ein allein stehendes, stark gebeugtes Substantiv steht im Singular gewöhnlich ungebeugt; im Plural aber mit Dativ:

– laut Befehl, laut Übereinkommen; *aber*
– laut Befehlen, laut Berichten

Laut, der; -[e]s, -e; Laut geben *(Jägerspr. u. ugs.)*

Laut|ar|chiv (Tonbandsammlung zur gesprochenen Sprache)

laut|bar *(veraltet);* lautbar werden

Laut|bil|dung *(für* Artikulation)

Lau|te, die; -, -n (ein Saiteninstrument)

lau|ten; die Antwort lautet ...

läu|ten; die Glocken läuten; sie läutet die Glocken

Lau|te|nist, der; -en, -en (Lautenspieler); **Lau|te|nis|tin**

Lau|ten|spiel, das; -[e]s

¹**lau|ter** *(geh. für* rein; ungetrübt); lauterer Wein; lautere Gesinnung

²**lau|ter** (nur, nichts als); lauter (nur) Jungen; lauter (nichts als) Wasser

Lau|ter|keit, die; -

läu|tern *(geh. für* reinigen; von Fehlern befreien); ich läutere; **Läu|te|rung** *(geh.)*

Läu|te|werk, Läut|werk

Laut|ge|setz

laut|ge|treu, laut|treu

laut|hals (aus voller Kehle)

laut|tie|ren (Worte, Text nach Lauten zergliedern); **Lau|tier|me-tho|de**

Laut|leh|re *(für* Phonetik *u.* Phonologie)

laut|lich

laut|los; Laut|lo|sig|keit, die; -

laut|ma|lend; Laut|ma|le|rei

laut|nach|ah|mend

Laut|schrift

Laut|spre|cher; Laut|spre|cher|box; Laut|spre|cher|wa|gen

laut|stark; Laut|stär|ke; Laut|stär-ke|reg|ler

laut|treu *vgl.* lautgetreu

Lau|tung

Laut|ver|än|de|rung; Laut|ver|schie-bung *(Sprachw.);* **Laut|wan|del; Laut|wech|sel**

laut wer|den, laut|wer|den *vgl.* laut

Läut|werk *vgl.* Läutewerk

Laut|zei|chen

lau|warm

La|va, die; -, Laven ⟨ital.⟩ (feurigflüssiger Schmelzfluss aus Vulkanen u. das daraus entstandene Gestein)

La|va|bel, der; -s ⟨franz.⟩ (waschbares Kreppgewebe)

La|va|bo [*schweiz.* ˈlaː...], das; -[s], -s ⟨lat.⟩ (Handwaschung des Priesters in der Messe u. das dazu verwendete Waschbecken mit Kanne; *schweiz. für* Waschbecken)

La|va|bom|be (Geol.)

La|va|lam|pe (Lampe mit sich in zäher Flüssigkeit bewegenden Blasen)

La|vant [...f...], die; - (l. Nebenfluss der Drau); **La|vant|tal**

La|va|strom

La|va|ter [ˈlaːvaː..., *schweiz. auch* ˈlaːfa...], Johann Caspar (schweiz. Schriftsteller u. Physiognom)

La|ven (*Plur. von* Lava)

la|ven|del ⟨ital.⟩ (blauviolett); ein lavendel Kleid; *vgl.* beige; **La-ven|del,** der; -s, - (Heil- u. Gewürzpflanze)

La|ven|del|öl; La|ven|del|was|ser

¹**la|vie|ren** ⟨niederl.⟩ (sich mit Geschick durch Schwierigkeiten hindurchwinden; *veraltet für* gegen den Wind kreuzen)

²**la|vie|ren** ⟨ital.⟩ (aufgetragene Farben auf einem Bild verwischen; *auch für* mit verlaufenden Farbflächen arbeiten); lavierte Zeichnung

La|vi|nia (röm. w. Eigenn.)

lä|vo|gyr ⟨griech.⟩ (*Chemie* linksdrehend; *Zeichen* l)

La|voir [...ˈvɔaːɐ̯], das; -s, -s ⟨franz.⟩ (*veraltet für* Waschschüssel)

Lä|vu|lo|se, die; - ⟨lat.⟩ (Fruchtzucker)

Law and Or|der [ˈlɔː ɛnt -] ⟨engl.,
»Gesetz und Ordnung«⟩ (*oft
iron.* Schlagwort, das die Bekämpfung von Kriminalität u.

Gewalt durch drastische Maßnahmen fordert)

La|wi|ne, die; -, -n ⟨lat.⟩; la|wi|nen|ar|tig

La|wi|nen|ge|fahr, die; -; La|wi|nen|hund (svw. Lawinensuchhund); La|wi|nen|ka|ta|s|t|ro|phe; La|wi|nen|schutz

la|wi|nen|si|cher

La|wi|nen|such|hund

Lawn|ten|nis, Lawn-Ten|nis ['lɔ:n...] ⟨engl.⟩ (Rasentennis)

Law|ren|ci|um [lo...], das; -s ⟨nach dem amerik. Physiker Lawrence⟩ (künstliches radioaktives chemisches Element, ein Transuran; Zeichen Lr)

lax ⟨lat.⟩ (schlaff; lau [von Sitten])

La|xans, das; -, ...antia u. ...anzien, La|xa|tiv, das; -s, -e, La|xa|ti|vum, das; -s, ...va (Med. Abführmittel)

Lax|heit (Schlaffheit; Lässigkeit)

la|xie|ren (Med. abführen)

Lax|ness, Halldór (isländ. Schriftsteller)

Lay-out, Lay|out [le:'laut, auch 'le:...], das; -s, -s ⟨engl.⟩ (Druckw. Text- und Bildgestaltung); lay|ou|ten; ich habe den Text [ge]layoutet; Lay|ou|ter (Gestalter eines Layouts); Lay|ou|te|rin

La|za|rett, das; -[e]s, -e ⟨franz.⟩ (Militärkrankenhaus)

La|za|rett|schiff; La|za|rett|zug

La|za|rist, der; -en, -en (Angehöriger einer kath. Kongregation)

¹La|za|rus (bibl. m. Eigenn.); der arme Lazarus

²La|za|rus, der; -[ses], -se (leidender, bedauernswerter Mensch)

La|ze|dä|mo|ni|er usw. vgl. Lakedämonier usw.

La|ze|ra|ti|on, die; -, -en ⟨lat.⟩ (Med. Einriss); la|ze|rie|ren

La|zer|te, die; -, -n ⟨lat.⟩ (Zool. Eidechse)

La|zu|lith, der; Gen. -s od. -en, Plur. -e[n] ⟨lat.: griech.⟩ (ein Mineral)

Laz|za|ro|ne, der; Gen. -[n] u. -s, Plur. -n u. ...ni ⟨ital.⟩ (Gelegenheitsarbeiter, Bettler in Neapel)

LBS = Location-based Services (standortbezogene Dienste bei Mobiltelefonen)

l. c. = loco citato

LCD-An|zei|ge [ɛltse:'de:...] ⟨aus engl. liquid crystal display⟩ (Flüssigkristallanzeige)

LDPD, die; - = Liberal-Demokratische Partei Deutschlands (DDR)

Lea (bibl. w. Eigenn.; w. Vorn.)

Lead [li:t], das; -[s] ⟨engl.⟩ (die Führungsstimme im Jazz)

Lea|der ['li:dɐ], der; -s, - (kurz für Bandleader; österr. u. schweiz. Sportspr. Tabellenführer); Lea|de|rin

Lead|gi|tar|rist; Lead|gi|tar|ris|tin

Le|an|der (griech. m. Eigenn.; m. Vorn.)

Lean Ma|nage|ment ['li:n 'mɛnɛdʒ-mənt], das; - -s, - -s ⟨engl.⟩ (verkleinerte Unternehmensführung)

Lean Pro|duc|tion ['li:n prə'dʌkʃn], die; - - (Industriefertigung unter größtmöglicher Einsparung von Arbeitskräften, Kosten usw.)

Lear [li:ɐ] (sagenhafter kelt. König, Titelheld bei Shakespeare)

Lear|jet® ['li:ɐ...], der; -[s], -s (ein Geschäftsflugzeug)

Lear|ning by Do|ing ['lə:nɪŋ baɪ 'du:ɪŋ], das; - - - ⟨engl.⟩ (Lernen durch unmittelbares Anwenden); Lear|ning-by-Do|ing-Me|tho|de

lea|sen ['li:...] ⟨engl.⟩ (mieten, pachten); er/sie leas|te, hat geleast; ein Auto leasen; Lea|sing, das; -s, -s (Vermietung von [Investitions]gütern [mit Anrechnung der Mietzahlungen bei späterem Kauf]); Lea|sing|fir|ma

Le|be|da|me

Le|be|hoch, das; -s, -s; er rief ein herzliches Lebehoch, aber er rief: »Sie lebe hoch!«

Le|be|mann Plur. ...männer; le|be|män|nisch

le|ben; leben und leben lassen; ↑K 82 : das In-den-Tag-hinein-Leben

le|ben|be|ja|hend vgl. lebensbejahend ↑K 59

Le|ben

das; -s, -

– mein Leben lang; das süße Leben, das ewige Leben
– wie das blühende Leben aussehen (ugs. für sehr gesund aussehen)
– ↑K 58 : die Leben spendende od. lebenspendende Kraft der Sonne; eine Leben zerstörende od. lebenzerstörende Strahlung Vgl. aber lebensbedrohend, lebensbejahend usw.

le|bend ge|bä|rend, le|bend|ge|bä|rend, lebend gebärende od. lebendgebärende Tiere ↑K 58

Le|bend|ge|wicht, das; -[e]s

le|ben|dig, lebendig gebärende od. lebendiggebärende Tiere ↑K 58 ; Le|ben|dig|keit, die; -

Le|bend|mas|se; Le|bend|vieh

Le|bens|abend; Le|bens|ab|schnitt; Le|bens|ab|schnitts|ge|fähr|te vgl. Lebensabschnittspartner; Le|bens|ab|schnitts|ge|fähr|tin; Le|bens|ab|schnitts|part|ner (Lebensgefährte für eine bestimmte Zeit); Le|bens|ab|schnitts|part|ne|rin

Le|bens|ader; Le|bens|al|ter; Le|bens|angst; Le|bens|ar|beit; Le|bens|ar|beits|zeit, die; -

Le|bens|art; Le|bens|auf|fas|sung; Le|bens|auf|ga|be

Le|bens|bahn; Le|bens|baum (ein symbolisches Ornament; auch für Thuja); Le|bens|be|din|gung meist Plur.

le|bens|be|dro|hend; le|bens|be|droh|lich

le|bens|be|ja|hend; Le|bens|be|ja|hung

Le|bens|be|ra|ter; Le|bens|be|ra|te|rin; Le|bens|be|ra|tung

Le|bens|be|reich; Le|bens|be|schrei|bung; Le|bens|bild; Le|bens|bund, der (geh.)

Le|bens|dau|er; le|bens|echt; Le|bens|ele|ment; Le|bens|eli|xier; Le|bens|en|de

Le|bens|ener|gie; Le|bens|er|fah|rung; Le|bens|er|in|ne|run|gen Plur.; Le|bens|er|war|tung

Le|bens|fä|hig; Le|bens|fä|hig|keit, die; -

le|bens|feind|lich

le|bens|fern

Le|bens|form; Le|bens|fra|ge

le|bens|fremd

Le|bens|freu|de; le|bens|froh

Le|bens|füh|rung

Le|bens|ge|fahr, die; -; le|bens|ge|fähr|lich

Le|bens|ge|fähr|te; Le|bens|ge|fähr|tin

Le|bens|ge|fühl; Le|bens|geis|ter Plur.; Le|bens|ge|mein|schaft; Le|bens|ge|nuss; Le|bens|ge|schich|te; Le|bens|ge|wohn|heit meist Plur.

le|bens|groß; Le|bens|grö|ße Le|bens|hal|tung; Le|bens|hal|tungs|in|dex; Le|bens|hal|tungs|kos|ten Plur.

Le|bens|hil|fe; Le|bens|hun|ger;

Le|bens|in|halt; Le|bens|in|te|r-
es|se *meist Plur.*; Le|bens|jahr
Le|bens|kampf; le|bens|klug; Le-
bens|kraft, die; Le|bens|kreis;
Le|bens|künst|ler; Le|bens-
künst|le|rin; Le|bens|la|ge
le|bens|lang; auf lebenslang; le-
bens|läng|lich; zu »lebensläng-
lich« verurteilt werden
Le|bens|lauf; Le|bens|leis|tung;
Le|bens|licht, das; -[e]s
Le|bens|lü|ge
Le|bens|lust, die; -; le|bens|lus|tig
Le|bens|mit|tel, das *meist Plur.*;
Le|bens|mit|tel|che|mie
Le|bens|mit|tel|punkt (*svw.*
Hauptwohnsitz)
Le|bens|mit|tel|ver|gif|tung
Le|bens|mot|to
le|bens|mü|de
Le|bens|mut
le|bens|nah
Le|bens|nerv; Le|bens|ni|veau
le|bens|not|wen|dig
Le|bens|part|ner; Le|bens|part|ne-
rin; Le|bens|part|ner|schaft *vgl.*
eingetragen; Le|bens|part|ner-
schafts|ge|setz
Le|ben spen|dend, le|ben|spen-
dend ↑K 58; *vgl.* Leben
Le|bens|pfad (*geh.*): Le|bens|phi-
lo|so|phie
le|ben|sprü|hend ↑K 59
Le|bens|qua|li|tät, die; -; Le|bens-
raum
Le|bens|ret|ter; Le|bens|ret|te|rin;
Le|bens|ret|tungs|me|dail|le
Le|bens|schick|sal
Le|bens|span|ne; Le|bens|stan-
dard, der; -s; Le|bens|stel|lung;
Le|bens|stil; Le|bens|traum
Le|bens|tüch|tig; le|bens|über-
drüs|sig
Le|bens|un|ter|halt; Le|bens|ver-
si|che|rung; Le|bens|ver|si|che-
rungs|ge|sell|schaft
le|bens|wahr
Le|bens|wan|del; Le|bens|weg;
Le|bens|wei|se, die; Le|bens-
weis|heit; Le|bens|welt; Le-
bens|werk
le|bens|wert; le|bens|wich|tig
Le|bens|wil|le; Le|bens|zei|chen;
Le|bens|zeit; auf Lebenszeit
Le|bens|ziel; Le|bens|zu|ver|sicht;
Le|bens|zweck; Le|bens|zy|k|lus
Le|ben zer|stö|rend, le|ben|zer-
stö|rend ↑K 58; *vgl.* Leben
Le|ber, die; -, -n
Le|ber|ab|s|zess
Le|ber|bal|sam (Name verschie-
dener Pflanzen)
Le|ber|blüm|chen (eine der Ane-

mone verwandte Waldblume);
Le|ber|di|ät, die; -
Le|be|recht, Leb|recht (m. Vorn.)
Le|ber|egel; Le|ber|fleck; Le|ber-
ha|ken (*Boxen*)
Le|ber|kä|se (*bes. südd. u. österr.*
für Fleischkäse); Le|ber|knö-
del
Le|ber|krebs; Le|ber|lei|den
Le|ber|pas|te|te; Le|ber|tran
Le|ber|wert (*Med.*); |Le|ber-
wurst; Le|ber|zir|rho|se
Le|be|we|sen
Le|be|wohl, das; -[e]s, *Plur.* -e u.
-s; jmdm. Lebewohl sagen; er
rief ein herzliches Lebewohl,
aber er rief: »Leb[e] wohl!«
leb|haft; Leb|haf|tig|keit, die; -
...le|big (z. B. kurzlebig)
Leb|ku|chen
Leb|küch|ler, Leb|küch|ner
(*fränk. für* Lebkuchenbäcker)
Leb|küch|le|rei, Leb|küch|ne|rei
Leb|küch|le|rin, Leb|küch|ne|rin
leb|los; Leb|lo|sig|keit, die; -
Leb|recht *vgl.* Leberecht
Leb|tag, der; ich denke mein
(*nicht:* meinen) Lebtag daran;
meine Lebtag[e], *landsch.*
meiner Lebtage
Le|bus [*auch* 'le:...] (Stadt an der
Oder); Le|bu|ser
Leb|zei|ten *Plur.*; zu seinen Leb-
zeiten
Leb|zel|ten, der; -s, - (*bayr.*,
österr. veraltend für Lebku-
chen); Leb|zel|ter (*österr. ver-*
altend für Lebkuchenbäcker);
Leb|zel|te|rin
Lech, der; -s (r. Nebenfluss der
Donau); Lech|feld, das; -[e]s
(Ebene bei Augsburg)
lech|zen; du lechzt
Le|ci|thin *vgl.* Lezithin
leck (*Seemannsspr.* undicht);
das Boot könnte leck sein; ein
leck geschlagener *od.* leckge-
schlagener Tanker; Leck, das;
-[e]s, -s (*Seemannsspr.*
undichte Stelle [bei Schiffen,
an Gefäßen u. a.])
Le|cka|ge [...ʒə], die; -, -n
(Gewichtsverlust bei flüssigen
Waren durch Verdunsten *od.*
Aussickern; Leck)
Le|cke, die; -, -n (Stelle, an der
Wild *od.* Vieh Salz leckt)
¹le|cken (*Seemannsspr.* leck sein);
das Boot leckt
²le|cken (mit der Zunge)
le|cker (wohlschmeckend)
Le|cker (*Jägerspr.* Zunge beim
Schalenwild)

Le|cker|bis|sen; Le|cke|rei
(Leckerbissen); Le|cker|li, das;
-s, -; Basler Leckerli (in Recht-
ecke geschnittenes, honigku-
chenähnliches Gebäck)
Le|cker|maul (*ugs. für* Person, die
gern Süßigkeiten isst)
leck schla|gen, **leck|schla|gen**
(leck werden [vom Schiff]);
der Tanker ist leck geschlagen
od. leckgeschlagen; *vgl.* leck
Le Cor|bu|si|er [lə ...by'zje:]
(franz.-schweiz. Architekt)
led. = ledig
Le|da (sagenhafte Königin von
Sparta)
LED-An|zei|ge [ɛlle:'de:...] ⟨aus
engl. light emitting diode⟩ (als
Kontrollanzeige verwendete
Leuchtdiode)
Le|der, das; -s, -; die Leder ver-
arbeitende *od.* lederverarbei-
tende Industrie ↑K 58
le|der|ar|tig
Le|der|ball; Le|der|band
le|der|braun
Le|der|ein|band
le|der|far|ben, le|der|far|big
Le|der|fett; Le|der|gür|tel; Le|der-
hand|schuh; Le|der|haut
(Schicht der menschlichen u.
tierischen Haut)
Le|der|her|stel|lung ↑K 31: Leder-
herstellung und -vertrieb
Le|der|ho|se
le|de|rig, led|rig (lederartig)
Le|der|ja|cke; Le|der|man|tel; Le-
der|map|pe
¹le|dern (mit einem Lederlappen
putzen, abreiben; *landsch. für*
prügeln); ich ledere
²le|dern (aus Leder; zäh, langwei-
lig)
Le|der|pols|ter; Le|der|rie|men;
Le|der|schuh; Le|der|schurz; Le-
der|ses|sel; Le|der|sitz; Le|der-
so|fa; Le|der|sohle; Le|der|ta-
sche
Le|der ver|ar|bei|tend, le|der-
ver|ar|bei|tend ↑K 58 *vgl.*
Leder
le|dig (*Abk.* led.); ledig sein, blei-
ben; jmdn. seiner Sünden
ledig sprechen; Le|di|ge, der u.
die; -n, -n
le|dig|lich
Le|di|schiff (*schweiz. für* Last-
schiff)
led|rig *vgl.* lederig
Lee, die; -, *auch* (*Geogr. nur:*)
das; -s (*Seemannsspr.* die dem
Wind abgekehrte Seite; *Ggs.*
Luv); in, nach Lee

L
Lebe

leer

Schreibung in Verbindung mit Verben ↑K56:

– leer ausgehen (nichts bekommen)
– den Teller leer essen *od.* leeressen, das Glas leer trinken *od.* leertrinken
– ein Gefäß leerlaufen lassen
– den Motor leerlaufen lassen (im Leerlauf)
– leer machen *od.* leermachen
– leer räumen *od.* leerräumen
– leer stehen
– *aber* ↑K58 : eine leer stehende *od.* leerstehende Wohnung

Großschreibung der Substantivierung ↑K72:

– ins Leere fallen, gehen, starren

Lee|re, die; - (Leerheit); *vgl.* leer
lee|ren (leer machen); sich leeren
leer es|sen, leer|es|sen *vgl.* leer
leer fe|gen, leer|fe|gen; ein leer gefegtes *od.* leergefegtes Zimmer, leer gefegte *od.* leergefegte (menschenleere) Straßen
Leer|for|mel; Leer|ge|wicht; Leer|gut, das; -[e]s
Leer|gut|rück|nah|me
Leer|heit, die; -
Leer|lauf; leer|lau|fen *vgl.* leer
Leer|schlag (*schweiz. für* Leerschritt)
Leer|schritt (durch Anschlag der Leertaste erzeugter Abstand)
Leer|stand (von Wohnungen, Büros usw.)
leer ste|hend , leer|ste|hend *vgl.* leer
Leer|stel|le (nicht besetzte Stelle); **Leer|tas|te** (z. B. auf der Computertastatur)
leer trinken, leer|trin|ken *vgl.* leer
Lee|rung
Leer|woh|nung; Leer|zim|mer
Lee|sei|te (*Seemannsspr.* die dem Wind abgekehrte Seite); **leewärts**
Le Fort [lə ˈfoːɐ̯], Gertrud von (dt. Schriftstellerin)
Lef|ze, die; -, -n (Lippe bei Tieren)
leg. = legato
le|gal ⟨lat.⟩ (gesetzlich, gesetzmäßig)
Le|ga|li|sa|ti|on, die; -, -en (Beglaubigung von Urkunden)
le|ga|li|sie|ren (gesetzlich machen); **Le|ga|li|sie|rung**

Le|ga|lis|mus (*geh. für* striktes Befolgen der Gesetze); **le|ga|lis|tisch** (übertrieben legal)
Le|ga|li|tät, die; - (Gesetzlichkeit, Rechtsgültigkeit)
Le|ga|li|täts|prin|zip, das; -s (*Rechtsw.*)
le|g|as|then ⟨lat.; griech.⟩ (*Med.* legasthenisch); **Le|g|as|the|nie**, die; -, ...ien (Lese- u. Rechtschreibschwäche); **Le|g|as|the|ni|ker** (an Legasthenie Leidender); **Le|g|as|the|ni|ke|rin; le|g|as|the|nisch**
¹**Le|gat**, der; -en, -en ⟨lat.⟩ (*im alten Rom* Gesandter, Unterfeldherr; *heute* [päpstl.] Gesandter)
²**Le|gat**, das; -[e]s, -e (*Rechtsspr.* Vermächtnis)
Le|ga|tar, der; -s, -e (Vermächtnisnehmer)
Le|ga|tin ⟨*zu* ¹Legat⟩
Le|ga|ti|on, die; -, -en ([päpstl.] Gesandtschaft); **Le|ga|ti|ons|rat** *Plur.* ...räte
le|ga|to ⟨ital.⟩ (*Musik* gebunden; *Ggs.* staccato; *Abk.* leg.); **Le|ga|to**, das; -s, *Plur.* -s u. ...ti
le|ge ar|tis ⟨lat.⟩ (nach den Regeln der Kunst; *Abk.* l. a.)
Le|ge|bat|te|rie (in mehreren Etagen angeordnete Drahtkäfige zur Haltung von Legehennen)
Le|ge|hen|ne, Leg|hen|ne
Le|gel, der *od.* das; -s, - (*Seemannsspr.* Ring zum Befestigen eines Segels)
le|gen; gelegt; *vgl. aber* gelegen
le|gen|där ⟨lat.⟩ (legendenhaft; unwahrscheinlich)
Le|gen|dar, das; -s, -e (Legendenbuch; Sammlung von Heiligenleben)
Le|gen|da|ri|um, das; -s, ...ien (*älter für* Legendar)
Le|gen|de, die; -, -n ([Heiligen]erzählung; [fromme] Sage; Umschrift [von Münzen, Siegeln]; Zeichenerklärung [auf Karten])
Le|gen|den|bil|dung
Le|gen|den|er|zäh|ler; Le|gen|den|er|zäh|le|rin
le|gen|den|haft
le|ger [...ˈʒeːɐ̯] ⟨franz.⟩ (ungezwungen, [nach]lässig)
Le|ger (zu legen)
Le|ges (*Plur. von* Lex)
Le|ge|zeit
Leg|föh|re (*svw.* ²Latsche)
Leg|gings, Leg|gins *Plur.* ⟨engl.⟩ (hosenähnliches ledernes Klei-

dungsstück der nordamerik. Indianer; Strumpfhose ohne Füßlinge)
Leg|hen|ne *vgl.* Legehenne
Leg|horn, das; -s, *Plur.* -[s], *landsch. auch* Leghörner ⟨nach dem engl. Namen der ital. Stadt Livorno⟩ (Huhn der Rasse Leghorn)
le|gie|ren ⟨ital.⟩ ([Metalle] verschmelzen; [Suppen, Soßen] mit Eigelb anrühren, binden); **Le|gie|rung**
Le|gi|on, die; -, -en ⟨lat.⟩ (röm. Heereseinheit; *in der Neuzeit für* Freiwilligentruppe, Söldnerschar; große Menge)
Le|gi|o|nar, der; -s, -e (Soldat einer röm. Legion)
Le|gi|o|när, der; -s, -e ⟨franz.⟩ (Soldat einer Legion [z. B. der Fremdenlegion]); **Le|gi|o|närs|krank|heit**, die; - (*Med.* eine Infektionskrankheit)
Le|gi|o|nel|le, die; -, -n *meist Plur.* (Erreger der Legionärskrankheit)
Le|gi|ons|sol|dat
le|gis|la|tiv ⟨lat.⟩ (gesetzgebend); **Le|gis|la|ti|ve**, die; -, -n (gesetzgebende Versammlung, gesetzgebende Gewalt)
le|gis|la|to|risch (gesetzgeberisch); **Le|gis|la|tur**, die; -, -en (*selten für* Gesetzgebung; *früher auch für* gesetzgebende Körperschaft; *kurz für* Legislaturperiode); **Le|gis|la|tur|pe|ri|o|de** (Amtsdauer einer Volksvertretung)
Le|gist, der; -en, -en (*bes. österr.* Verfasser von Gesetzestexten); **Le|gis|tin; le|gis|tisch**
le|gi|tim (gesetzlich; rechtmäßig; als ehelich anerkannt; begründet)
Le|gi|ti|ma|ti|on, die; -, -en (Echtheitserklärung, Beglaubigung; [Rechts]ausweis; *im BGB für* Nachweis der Empfangsberechtigung, Befugnis, Ehelichkeitserklärung); **Le|gi|ti|ma|ti|ons|kar|te**
le|gi|ti|mie|ren (beglaubigen; [Kinder] als ehelich erklären; sich legitimieren (sich ausweisen); **Le|gi|ti|mie|rung**
Le|gi|ti|mis|mus, der; - (Lehre von der Unabsetzbarkeit des angestammten Herrscherhauses); **Le|gi|ti|mist**, der; -en, -en; **Le|gi|ti|mis|tin; le|gi|ti|mis|tisch**
Le|gi|ti|mi|tät, die; - (Rechtmä-

L

Legi

ßigkeit einer Staatsgewalt; Gesetzmäßigkeit)

Le|gu|an [*auch* 'le:...], der; -s, -e ⟨karib.⟩ (trop. Baumeidechse)

Le|gu|min, das; -s ⟨lat.⟩ (Eiweiß der Hülsenfrüchte); **Le|gu|mi|no|se**, die; -, -n *meist Plur.* (*Bot.* Hülsenfrüchtler)

Leg|war|mer [...vo:mɐ], der; -s, -[s] *meist Plur.* ⟨engl.⟩ (langer Wollstrumpf ohne Füßling)

Le|hár [...'ha:ɐ̯, *österr.* 'lɛha:r] (ung. Operettenkomponist)

Le Ha|v|re [lə '(h)a:vrə] (franz. Hafenstadt)

Le|hen, das; -s, -; **Le|hens|we|sen** vgl. Lehnswesen

Lehm, der; -[e]s, -e

Lehm|bat|zen; Lehm|bo|den

lehm|gelb

lehm|mig

Leh|ne, die; -, -n; **leh|nen**; sich lehnen

Lehn|gut vgl. Lehnsgut; **Lehns|eid** (*früher*)

Lehn|ses|sel

Lehns|frau (*hist.*)

Lehns|gut, Lehn|gut

Lehns|herr; Lehns|her|rin; Lehnsmann *Plur.* ...leute; **Lehns|trä|ger; Lehns|treue**

Lehn|stuhl

Lehns|we|sen, Le|hens|we|sen, das; -s (*früher*)

Lehn|über|set|zung; Lehn|übertra|gung; Lehn|wort *Plur.* ...wörter

Lehr, das; -[e]s, -e (*Bauw., Technik* svw. ²Lehre)

Lehr|ab|schluss (*bes. schweiz., österr. für* abgeschlossene Lehre); **Lehr|ab|schluss|zeugnis**

Lehr|amt; Lehr|amts|an|wär|ter; Lehr|amts|an|wär|te|rin; Lehramts|stu|di|um

Lehr|an|ge|bot; Lehr|an|stalt; Lehr|auf|trag; Lehr|aus|bil|der; Lehr|aus|bil|de|rin

lehr|bar; Lehr|bar|keit, die; -

Lehr|be|fä|hi|gung; Lehr|be|helf (Lehrmittel); **Lehr|be|ruf**

Lehr|bo|gen (*Bauw.* Gerüst für Bogen-, Gewölbebau; *zu* ²Lehre)

Lehr|brief; Lehr|bub (*südd., österr.);* **Lehr|buch**

Lehr|dorn (Prüfgerät für Bohrungen; *zu* ²Lehre)

¹Leh|re, die; -, -n (Unterricht, Unterweisung; Lehrmeinung)

²Leh|re, die; -, -n (Messwerkzeug)

leh|ren

(unterweisen)

Beugung:

– jmdn., *auch* jmdm. etwas lehren
– er lehrt sie, *auch* ihr das Lesen; *aber nur:* er lehrt sie lesen
– er lehrt ihn ein, *seltener* einen Helfer der Armen zu sein

Nach einem reinen Infinitiv steht meist das zweite Partizip:

– sie hat ihn reiten gelehrt

Das Komma vor dem Infinitiv mit »zu« ist fakultativ ↑K 116: er lehrt ihn[,] ein Helfer der Armen zu sein

Leh|rer

Leh|rer|aus|bil|dung

leh|rer|haft

Leh|re|rin

Leh|rer/-innen, Leh|rer(innen) (*Kurzformen für* Lehrerinnen u. Lehrer)

Leh|re|rin|nen|schaft, die; -

Leh|rer|kol|le|gi|um; Leh|rer|kon|ferenz

Leh|rer|schaft, die; -

Leh|rer|zim|mer

Lehr|fach; Lehr|film; Lehr|frei|heit, die; -

Lehr|gang, der; **Lehr|gangs|teil|nehmer; Lehr|gangs|teil|neh|me|rin**

Lehr|ge|dicht; Lehr|geld; Lehr|gerüst (beim Stahlbetonbau; *zu* ²Lehre)

lehr|haft; Lehr|haf|tig|keit, die; -

Lehr|hau|er (angehender Bergmann); **Lehr|herr; Lehr|her|rin; Lehr|jahr; Lehr|jun|ge**, der

Lehr|kan|zel (*österr. früher für* Lehrstuhl); **Lehr|kör|per; Lehrkraft**

Lehr|ling (Auszubildende[r])

Lehr|mäd|chen (*südd., österr., sonst veraltend*); **Lehr|mei|nung; Lehr|meis|ter; Lehr|meis|te|rin; Lehr|me|tho|de**

Lehr|mit|tel, das; -s, - (Hilfsmittel für Lehrende); **Lehr|mit|tel|freiheit**

Lehr|pfad; Lehr|plan vgl. ²Plan; **Lehr|pro|be**

lehr|reich

Lehr|ret|tungs|as|sis|tent (Ausbilder im Rettungsdienst); **Lehr|rettungs|as|sis|ten|tin**

Lehr|satz; Lehr|stel|le; Lehr|stoff; Lehr|stück; Lehr|stuhl

Lehr|tä|tig|keit; Lehr|toch|ter

(*schweiz. für* Lehrmädchen); **Lehr|ver|an|stal|tung**

Lehr|ver|trag (Ausbildungsvertrag); **Lehr|werk|statt; Lehr|zeit**

¹Lei (*Plur. von* ²Leu)

²Lei, die; -, -en (*rhein. für* Fels; Schiefer); Lorelei (*vgl.* Loreley)

Leib, der; -[e]s, -er (Körper; *veraltet auch für* Leben); gut bei Leibe (wohlgenährt) sein, *aber* beileibe nicht; jmdm. zu Leibe rücken; Leib und Leben wagen

Leib|arzt; Leib|är|z|tin; Leib|bin|de

Leib|chen (*auch* ein Kleidungsstück, *österr. u. schweiz. für* Unterhemd, Trikot; *vgl.* Leiberl)

leib|ei|gen (*früher*); **Leib|ei|ge|ne**, der u. die; -n, -n; **Leib|ei|genschaft**, die; -

lei|ben; *nur in* wie er leibt u. lebt

Lei|berl, das; -s, -n (*österr. für* Leibchen)

Lei|bes|er|be, der; **Lei|bes|er|bin; Lei|bes|er|tüch|ti|gung** (*veraltend*); **Lei|bes|er|zie|her; Lei|beser|zie|he|rin; Lei|bes|er|zie|hung**

Lei|bes|frucht; Lei|bes|fül|le

Lei|bes|kräf|te *Plur.; nur in* aus od. nach Leibeskräften

Lei|bes|übun|gen *Plur.;* **Lei|bes|umfang; Lei|bes|vi|si|ta|ti|on**

leib|feind|lich

Leib|gar|de; Leib|gar|dist; Leib|gardis|tin

Leib|ge|richt

leib|haft (*selten für* leibhaftig)

leib|haf|tig [*auch* 'laip...]; **Leib|hafti|ge**, der; -n (*verhüllend für* Teufel); **Leib|haf|tig|keit**, die; -

...lei|big (z. B. dickleibig)

leib|lich; Leib|lich|keit, die; -

Leib|nitz (österr. Stadt)

Leib|niz (dt. Philosoph); **leib|nizisch** ↑K 89 *u.* 135 ; leibnizisches Denken; die leibnizische Philosophie; **leib|nizsch**; die leibnizsche od. Leibniz'sche Philosophie; **leibnizsches** od. Leibniz'sches Denken ↑K 89 *u.* 135

Leib|ren|te (lebenslängliche Rente); **Leib|rie|men** (*veraltet für* Gürtel)

Leib|schmerz; Leib|schnei|den (*landsch. für* Leibschmerzen)

Leib-See|le-Pro|b|lem, das; -s (*Psych.*); **leib|see|lisch**

Leib|spei|se (svw. Leibgericht)

leibt vgl. leiben

Lei|bung vgl. Laibung

Leib|wa|che; Leib|wäch|ter; Leibwäch|te|rin; Leib|wä|sche, die; -; **Leib|weh; Leib|wi|ckel**

leicht

leich|ter, am leich|tes|ten

Kleinschreibung:

– leichte Artillerie; leichtes Heizöl; leichte Musik

Großschreibung der Substantivierung ↑K 72:

– er isst gern etwas Leichtes
– es ist mir ein Leichtes (fällt mir sehr leicht)

Getrennt- und Zusammenschreibung in Verbindung mit Verben u. Adjektiven ↑K 56 u. 62:

– leicht atmen; sie hat leicht geatmet
– hier kann man leicht [hin]fallen
– das kann man leicht lernen
– sich leicht entzünden, leicht verletzen
– du musst dich leicht machen od. leichtmachen
– die Preise sind leicht gefallen; *aber:* es ist mir leichtgefallen (hat mich keine Anstrengung gekostet)
– er hat es sich leicht gemacht od. leichtgemacht (hat sich wenig Mühe gemacht)

– etwas leichtnehmen (unbekümmert sein, kein großes Verantwortungsgefühl haben)
– ich habe mir od. mich leichtgetan dabei (es ohne Schwierigkeiten, Hemmungen bewältigt)
– ein leicht entzündlicher od. leichtentzündlicher Stoff
– eine leicht verdauliche od. leichtverdauliche Speise
– ein leicht bekömmliches od. leichtbekömmliches Essen
– leicht verderbliche od. leichtverderbliche Waren
– eine leicht verständliche od. leichtverständliche Sprache
– *Aber nur:* eine sehr leicht verdauliche Speise; leichter verderbliche Waren
– ein leicht bewaffneter od. leichtbewaffneter Soldat
– die leicht Bewaffneten od. Leichtbewaffneten
– eine leicht verletzte od. leichtverletzte Sportlerin die leicht Verletzten od. Leichtverletzten
– ein leicht verwundeter od. leichtverwundeter Offizier

Lei|ca ®, die; -, -s (*Kurzw. für* Leitz-Camera [der Firma Ernst Leitz])

Leich, der; -[e]s, -e (eine mittelhochd. Liedform)

Leich|dorn, der; -[e]s, *Plur.* -e u. ...dörner (*mitteld. für* Hühnerauge)

Lei|che, die; -, -n

Lei|chen|acker (*landsch.*)

Lei|chen|be|gäng|nis

Lei|chen|be|schau|er; Lei|chen|be|schau|e|rin

Lei|chen|bit|ter (*veraltend für* Person, die zur Beerdigung einlädt); **Lei|chen|bit|ter|mie|ne** (*ugs. für* düsterer, trauriger Gesichtsausdruck)

lei|chen|blass; Lei|chen|fahl

Lei|chen|fled|de|rei ⟨Gaunerspr.⟩ (*Rechtsw.* Ausplünderung toter od. schlafender Menschen); **Lei|chen|fled|de|rer; Lei|chen|fled|de|rin**

Lei|chen|frau

Lei|chen|gift

Lei|chen|hal|le; Lei|chen|hemd

Lei|chen|öff|nung (Obduktion)

Lei|chen|pass

Lei|chen|re|de

Lei|chen|schän|dung

Lei|chen|schau|haus

Lei|chen|schmaus; Lei|chen|star|re; Lei|chen|trä|ger; Lei|chen|tuch; Lei|chen|ver|bren|nung; Lei|chen|wa|gen; Lei|chen|zug

Leich|nam, der; -[e]s, -e

Leicht *s. Kasten*

Leicht|ath|let; Leicht|ath|le|tik

Leicht|ath|le|tik|ver|band; Leicht|ath|le|tin; leicht|ath|le|tisch

Leicht|bau, der; -[e]s (*svw.* Leichtbauweise); **Leicht|bau|plat|te** (*Bauw.* Platte aus leichtem Material)

leicht be|hin|dert, **leicht|be|hin|dert** *vgl.* leicht

leicht be|kömm|lich, **leicht|be|kömm|lich** *vgl.* leicht

Leicht|ben|zin

leicht be|schwingt, **leicht|be|schwingt** *vgl.* leicht

leicht be|waff|net, **leicht|be|waff|net** *vgl.* leicht

leicht Be|waff|ne|te, der u. die; -n, - -n, - -n, **Leicht|be|waff|ne|te,** der u. die; -n, -n; *vgl.* leicht ↑K 58

leicht|blü|tig

¹**Leich|te,** die; - (*geh. für* Leichtheit)

²**Leich|te,** die; -, -n (*nordd. für* Tragriemen beim Schubkarrenfahren)

leicht ent|zünd|lich, **leicht|ent|zünd|lich** *vgl.* leicht

Leich|ter, Lich|ter (*Seemannsspr.* [kleineres] Wasserfahrzeug zum Leichtern); **leich|tern, lich|tern** (größere Schiffe entfrachten); ich leichtere, lichtere

leicht|fal|len (keine Mühe bereiten); *vgl.* leicht

leicht|fer|tig; Leicht|fer|tig|keit

Leicht|flug|zeug

leicht|flüs|sig (*fachspr.*); leichtflüssige Legierungen

Leicht|fuß (*ugs. scherzh.*); **leicht|fü|ßig; Leicht|fü|ßig|keit,** die; -

leicht|gän|gig; eine leichtgängige Lenkung

leicht ge|schürzt, **leicht|ge|schürzt** *vgl.* leicht

Leicht|ge|wicht (Körpergewichtsklasse in der Schwerathletik); **leicht|ge|wich|tig; Leicht|ge|wicht|ler; Leicht|ge|wicht|le|rin,** die; -

Leicht|heit, die; -

leicht|her|zig; Leicht|her|zig|keit

leicht|hin

Leich|tig|keit, die; -

Leicht|in|dus|t|rie

leicht|le|big; Leicht|le|big|keit

leicht|lich (*veraltend für* mühelos)

Leicht|lohn|grup|pe (unterste Tarifgruppe)

leicht ma|chen, **leicht|ma|chen;** du machst es dir leicht (machst dir wenig Mühe); *vgl.* leicht

Leicht|ma|t|ro|se; Leicht|ma|t|ro|sin

Leicht|me|tall

leicht|neh|men (unbekümmert hinnehmen); *vgl.* leicht

Leicht|öl

Leicht|schwer|ge|wicht (Körpergewichtsklasse beim Gewichtheben)

Leicht|sinn, der; -[e]s; **leicht|sin|nig; Leicht|sin|nig|keit,** die; -; **Leicht|sinns|feh|ler**

leicht|tun; du hast dich od. dir damit leichtgetan (es ist dir nicht schwergefallen); *vgl.* leicht

leicht ver|dau|lich, **leicht|ver|dau|lich** *vgl.* leicht

leicht ver|derb|lich, **leicht|ver|derb|lich** *vgl.* leicht

L

leic

leid / Leid

(*als Adjektiv schweiz. mdal. auch für* hässlich, ungut, unlieb)

Großschreibung:

– das Leid, des Leid[e]s
– geteiltes Leid ist halbes Leid
– jmdm. sein Leid klagen
– [sich] ein Leid, *veraltet* Leids [an]tun
– ihr soll kein Leid, *veraltet* Leids geschehen
– [in] Freud und Leid
– schweres Leid [um jmdn.] tragen, erdulden

Schreibung in Verbindung mit »tun«:

– leidtun; es tut mir leid; es wird ihm noch leidtun

Groß- und Getrenntschreibung od. Klein- und Zusammenschreibung:

– jmdm. etwas zuleid, zuleide *od.* zu Leid, zu Leide tun ↑K 63

Kleinschreibung in Verbindung mit »sein« und »werden« ↑K 70:

– leid sein, leid werden
– ich bin es leid, das immer wieder zu hören
– meine zornige Äußerung ist mir leid (tut mir leid)
– es sich nicht leid sein lassen

Schreibung in Verbindung mit »tragend«:

– die leidtragende Zivilbevölkerung
– die Leidtragenden sind die Kinder

---

leicht ver|letzt, leicht|ver|letzt *vgl.* leicht

leicht Ver|letz|te, der *u.* die; - - -n, - -n, Leicht|ver|letz|te, der *u.* die; -n, -n; *vgl.* leicht ↑K 58

leicht ver|ständ|lich, leicht|ver|ständ|lich *vgl.* leicht

leicht ver|wun|det, leicht|ver|wun|det *vgl.* leicht

leicht Ver|wun|de|te, der *u.* die; - -n, - -n, Leicht|ver|wun|de|te, der *u.* die; -n, -n; *vgl.* leicht ↑K 58

leid / Leid *s. Kasten*

Lei|de|form (*für* Passiv)

lei|den; du littst; du littest; gelitten; leid[e]!; Not leiden

¹Lei|den, das; -s, - (Krankheit)

²Lei|den [*niederl.* 'lɛidə] (niederl. Stadt)

lei|dend

Lei|den|de, der *u.* die; -n, -n

Lei|de|ner (*zu* ²Leiden); Leidener Flasche (*Physik*)

Lei|den|schaft; lei|den|schaft|lich; Lei|den|schaft|lich|keit, die; -

lei|den|schafts|los

Lei|dens|druck, der; -[e]s

lei|dens|fä|hig; Lei|dens|fä|hig|keit, die; -

Lei|dens|ge|fähr|te; Lei|dens|ge|fähr|tin; Lei|dens|ge|nos|se; Lei|dens|ge|nos|sin

Lei|dens|ge|schich|te; Lei|dens|ge|sicht; Lei|dens|mie|ne; Lei|dens|weg; Lei|dens|zeit

lei|der; leider Gottes (*entstanden aus* bei dem) Leiden Gottes)

leid|ge|prüft

lei|dig (unangenehm); ein leidiges Thema

Leid|kar|te (*schweiz. für* Trauerkarte)

leid|lich (gerade noch ausreichend)

Leid|mahl (*schweiz. für* Trauermahl)

leid sein *vgl.* leid/Leid

leid|tra|gend *vgl.* leid/Leid; Leid|tra|gen|de, der *u.* die; -n, -n; *vgl.* leid/Leid

leid|tun; sie tut uns leid, hat uns leidgetan; das braucht dir nicht leidzutun; *vgl.* leid/Leid

leid|voll (*geh.*)

Leid|we|sen, das; *nur in* zu meinem, seinem usw. Leidwesen (Bedauern)

Leid|zir|ku|lar (*schweiz. für* Todesanzeige)

Lei|er, die; -, -n ⟨griech.⟩ (ein Saiteninstrument; *auch* ein Sternbild); Lei|e|rei (*ugs.*); Lei|e|rer; Lei|e|rin

Lei|er|kas|ten; Lei|er|kas|ten|frau; Lei|er|kas|ten|mann *Plur.* ...männer

lei|ern; ich leiere

Lei|er|schwanz (ein austral. Vogel)

Leif (m. Vorn.)

Leih|amt; Leih|an|stalt (Leihhaus); Leih|ar|beit; Leih|ar|bei|ter; Leih|ar|bei|te|rin

Leih|bi|b|lio|thek; Leih|bü|che|rei

Lei|he, die; -, -n (*BGB* unentgeltliches Verleihen; *ugs. für* Leihhaus)

lei|hen; du leihst; du liehst; du liehest; geliehen; leih[e]!; ich leihe mir einen Frack

Leih|ga|be; Leih|ge|ber; Leih|ge|be|rin; Leih|ge|bühr; Leih|haus

Leih|mut|ter (Frau, die ein Kind für eine andere Frau austrägt)

Leih|schein; Leih|stim|me; Leih|ver|kehr; Leih|ver|trag; Leih|wa|gen

leih|wei|se

Leik (*selten für* Liek)

Lei|kauf, Leit|kauf, der; -[e]s, ...käufe ⟨zu dem veralteten Wort »Leit« = Obstwein⟩ (*landsch. für* Trunk zur Bestätigung eines Vertragsabschlusses)

Lei|lach, Lei|lak, das; -[e]s, -e[n] ⟨aus Leinlachen = Leinenlaken⟩ (*nordd. veraltet für* Leintuch)

Leim, der; -[e]s, -e; lei|men

Leim|far|be

lei|mig

Leim|ring; Leim|ru|te

Leim|sie|der (*landsch. für* langweiliger Mensch); Leim|sie|de|rin

Leim|topf

Lein, der; -[e]s, *Plur. (Sorten:)* -e (Flachs)

...lein (z. B. Brüderlein, das; -s, -)

Lein|a|cker

¹Lei|ne, die; - (l. Nebenfluss der Aller)

²Lei|ne, die; -, -n (Strick)

¹lei|nen (aus Leinen)

²lei|nen (an die Leine nehmen)

Lei|nen, das; -s, -

Lei|nen|band, der (*Abk.* Ln., Lnbd.); Lei|nen|bin|dung (*svw.* Leinwandbindung); Lei|nen|ein|band; Lei|nen|garn

Lei|nen|kleid; Lei|nen|tuch *Plur.* ...tücher (Tuch aus Leinen; *vgl. aber* Leintuch)

Lei|nen|we|ber (*svw.* Leinweber); Lei|nen|we|be|rei; Lei|nen|we|be|rin; Lei|nen|zeug

leic

L

Lei|ne|we|ber (svw. Leinweber); **Lei|ne|we|be|rin**

Lein|ku|chen

Lein|öl; Lein|öl|brot

Lein|pfad (Treidelweg)

Lein|saat; Lein|sa|men; Lein|tuch Plur. ...tücher (Betttuch; vgl. aber Leinentuch)

Lein|wand (für Maler-, Kinoleinwand u. Ä. Plur. ...wände); das ist Leinwand (österr. ugs. für das ist großartig)

lein|wand|bin|dig; Lein|wand|bin|dung, die; - (einfachste u. festeste Webart)

Lein|wand|grö|ße (scherzh. für bekannter Filmstar)

Lein|we|ber (Weber, der Leinwand herstellt); **Lein|we|be|rin; Lein|zeug** (Wäsche o. Ä. aus Leinen)

Leip|zig (Stadt in Sachsen); **Leip|zi|ger;** Leipziger Allerlei; Leipziger Messe

leis vgl. leise

Leis, der; Gen. - u. -es, Plur. -e[n] ⟨aus Kyrieleis (vgl. d.)⟩ (mittelalterl. geistl. Volkslied)

lei|se ↑K 72 : nicht im Leises|ten (durchaus nicht) zweifeln

lei|se|tre|ten (sich unauffällig, duckmäuserisch verhalten); **Lei|se|tre|ter; Lei|se|tre|te|rei**, die; -; **Lei|se|tre|te|rin; lei|se|tre|te|risch**

¹**Leist**, der; -[e]s (eine Pferdekrankheit)

²**Leist**, der; -[e]s, -e (schweiz. regional für Verein zur Förderung der Interessen einzelner Stadtviertel)

Leis|te, die; -, -n

leis|ten; ich leiste mir ein neues Auto

Leis|ten, der; -s, -

Leis|ten|beu|ge; Leis|ten|bruch, der; **Leis|ten|ge|gend**, die; -; **Leis|ten|zer|rung**

Leis|tung; Leis|tungs|ab|fall

leis|tungs|ab|hän|gig; leistungsabhängige Schwerverkehrsabgabe (Schweiz; Abk. LSVA); **Leis|tungs|an|stieg; Leis|tungs|auf|trag** (schweiz. für Auftrag von einer Behörde od. Institution für Dienstleistungen); **Leis|tungs|be|reit|schaft; Leis|tungs|bi|lanz** (Wirtsch.); **Leis|tungs|druck**, der; -[e]s

leis|tungs|fä|hig; Leis|tungs|fä|hig|keit

leis|tungs|ge|recht

Leis|tungs|ge|sell|schaft; Leis|tungs|gren|ze, die; -; **Leis|tungs|knick; Leis|tungs|kon|t|rol|le**

Leis|tungs|kraft, die; **Leis|tungs|kurs** (Schulw.); **Leis|tungs|kur|ve** (Arbeitskurve); **Leis|tungs|lohn; Leis|tungs|merk|mal**

leis|tungs|ori|en|tiert

Leis|tungs|prä|mie; Leis|tungs|prin|zip; Leis|tungs|schau; leis|tungs|schwach; Leis|tungs|spek|t|rum; Leis|tungs|sport

Leis|tungs|sport|ler; Leis|tungs|sport|le|rin

leis|tungs|stark

Leis|tungs|stei|ge|rung; Leis|tungs|test; Leis|tungs|trä|ger; Leis|tungs|trä|ge|rin; Leis|tungs|ver|gleich; Leis|tungs|ver|mö|gen, das; -s

Leis|tungs|wett|be|werb; Leis|tungs|zen|t|rum (Sport); **Leis|tungs|zu|la|ge; Leis|tungs|zu|schlag**

Leit|an|trag (bes. Politik; von einem leitenden Gremium eingebrachter Antrag, dessen Inhalt für alle weiteren gestellten Anträge als Leitlinie gilt)

Leit|ar|ti|kel (Stellungnahme der Zeitung zu aktuellen Fragen); **Leit|ar|tik|ler** (ugs. für Verfasser von Leitartikeln); **Leit|ar|tik|le|rin**

leit|bar; Leit|bar|keit, die; -

Leit|bild; Leit|bün|del (Bot.)

Lei|te, die; -, -n (südd., österr. für Berghang)

Leit|ein|rich|tung (Verkehrsw.)

leit|en; leitender Angestellter

Lei|ten|de, der u. die; -n, -n

¹**Lei|ter**, der

²**Lei|ter**, die; -, -n (ein Steiggerät)

lei|ter|ar|tig

Lei|ter|baum

Lei|te|rin

Lei|ter|plat|te (Elektronik)

Lei|ter|spros|se; Lei|ter|wa|gen

Leit|fa|den Plur. ...fäden

leit|fä|hig; Leit|fä|hig|keit, die; -

Leit|fi|gur; Leit|form

Leit|fos|sil (Geol. für bestimmte Gesteinsschichten charakteristisches Fossil)

Leit|geb, der; -en, -en, **Leit|ge|ber** ⟨zu dem veralteten Wort »Leit« = Obstwein⟩ (landsch. veraltet für Wirt)

Leit|ge|dan|ke; Leit|ge|we|be (Biol.)

Leit|tha, die; - (r. Nebenfluss der Donau); **Leit|tha|ge|bir|ge**, das; -s

Leit|ham|mel; Leit|hund; Leit|idee

Leit|kauf vgl. Leikauf

Leit|ke|gel (an Straßenbaustellen)

Leit|kul|tur; Leit|li|nie

Leit|me|di|um

Leit|mo|tiv; leit|mo|ti|visch

Leit|plan|ke; Leit|satz; Leit|schie|ne (österr. neben Leitplanke)

Leit|schnur, die; -; **Leit|spruch; Leit|stel|le; Leit|stern** (vgl. ²Stern)

Leit|strahl (Funkw., Math., Physik); **Leit|tier** (führendes Tier einer Herde); **Leit|ton** Plur. ...töne

Lei|tung; Lei|tungs|draht; lei|tungs|ge|bun|den; Lei|tungs|mast, der; **Lei|tungs|netz; Lei|tungs|rohr; Lei|tungs|strom; Lei|tungs|was|ser**, das; -s

Leit|ver|mö|gen; Leit|wäh|rung; Leit|werk

Leit|wert (Physik); **Leit|wolf; Leit|wöl|fin; Leit|wort** Plur. ...wörter; **Leit|zins** (Wirtsch.)

¹**Lek**, der; - (Mündungsarm des Rheins)

²**Lek**, der; -, - ⟨alban.⟩ (alban. Währungseinheit)

Lek|ti|on, die; -, -en ⟨lat.⟩ (Unterricht[sstunde]; Lernabschnitt, Aufgabe; Zurechtweisung)

Lek|tor, der; -s, ...oren (Lehrer für praktische Übungen [in neueren Sprachen usw.] an einer Hochschule; Mitarbeiter eines Verlags, der die eingehenden Manuskripte prüft und bearbeitet; kath. Kirche jemand, der liturg. Lesungen hält; ev. Kirche jemand, der Lesegottesdienste hält)

Lek|to|rat, das; -[e]s, -e (Lehrauftrag eines Lektors/einer Lektorin; Verlagsabteilung, in der eingehende Manuskripte geprüft u. bearbeitet werden)

lek|to|rie|ren (ein Manuskript prüfen u. bearbeiten); **Lek|to|rin**

Lek|tü|re, die; -, -n ⟨franz.⟩ (Lesestoff; nur Sing.: Lesen); **Lek|tü|re|stun|de**

Le|ky|thos, die; -, Lekythen ⟨griech.⟩ (altgriech. Salbengefäß)

Le Mans [lə ˈmãː] (franz. Stadt); Le Mans' [lə ˈmãːs] Umgebung ↑K 16

Lem|ma, das; -s, -ta ⟨griech.⟩ (Sprachw. Stichwort; Logik Vordersatz eines Schlusses); **lem|ma|ti|sie|ren** (mit einem Stichwort versehen, zum Stichwort machen)

Lem|ming, der; -s, -e ⟨dän. u. norw.⟩ (skand. Wühlmaus)

Lem|nis|ka|te, die; -, -n ⟨griech.⟩ (eine math. Kurve)

Le|mur, der; -en, -en, **Le|mu|re**, der;

lemurenhaft – Lernsoftware

ler|nen

– ein gelernter Tischler
– Deutsch, Englisch lernen
– lesen (*auch* [das] Lesen) lernen
– Klavier spielen (*auch* [das] Klavierspielen) lernen

– rechnen, schwimmen, kochen lernen
– sie lernte die Maschine bedienen; sie lernte[,] die
  Maschine zu bedienen ↑K116

Vgl. aber kennen lernen, **kennenlernen**

*Man schreibt »lernen« vom vorangehenden Verb in
der Regel getrennt* ↑K 55:

– lieben lernen; schätzen lernen
– wir haben ihn schätzen und lieben gelernt

-n, -n *meist Plur.* ⟨lat.⟩ (Geist
eines Verstorbenen; Gespenst;
Halbaffe); **le|mu|ren|haft**
Le|mu|ria, die; - (für die Triaszeit
vermutete Landmasse zwischen
Vorderindien u. Madagaskar);
le|mu|risch
¹Le|na, die; - (Strom in Sibirien)
²Le|na, Le|ne, Le|ni (w. Vorn.)
Le|nau (österr. Lyriker)
Len|de, die; -, -n; **Len|den|bra|ten**
len|den|lahm
Len|den|schmerz; Len|den|schurz
(*Völkerk.*); **Len|den|stück; Len-
den|wir|bel**
Le|ne *vgl.* ²Lena
Leng, der; -[e]s, -e (ein Fisch)
Le|ni *vgl.* ²Lena
Le|nin (sowjet. Politiker)
Le|nin|grad *vgl.* Sankt Petersburg;
Le|nin|gra|der; Leningrader Sin-
fonie (von Schostakowitsch)
Le|ni|nis|mus, der; - (Lehre Lenins;
Bolschewismus); **Le|ni|nist,** der;
-en, -en; **Le|ni|nis|tin; le|ni|nis-
tisch**
Le|nis, die; -, Lenes ⟨lat.⟩ (*Sprachw.*
mit geringer Intensität gesprochener Verschluss- od. Reibe-
laut, z. B. b, w; *Ggs.* Fortis
[*vgl. d.*])
Lenk|ach|se
lenk|bar; Lenk|bar|keit, die; -
Lenk|dra|chen
len|ken; Len|ker; Len|ke|rin
Len|ker|prü|fung (*österr. neben*
Fahrprüfung)
Lenk|rad; Lenk|rad|schal|tung;
Lenk|rad|schloss
lenk|sam; Lenk|sam|keit, die; -
Lenk|stan|ge
Len|kung; Len|kungs|aus|schuss
(*bes. Politik*)
Lenk|waf|fe
Len|ne, die; - (l. Nebenfluss der
Ruhr)
Le|no|re (w. Vorn.)
len|tan|do (ital.) (*Musik nach u.*
nach langsamer [werdend])
Len|tan|do, das; -s, *Plur.* -s u. ...di
len|to (langsam, gedehnt)

Len|to, das; -s, *Plur.* -s u. ...ti
lenz (*Seemannsspr.* leer)
Lenz, der; -es, -e (*geh. für* Frühling; *Plur. auch für* Jahre)
¹len|zen (*geh. für* Frühling werden);
es lenzt
²len|zen (*Seemannsspr.* vor schwe-
rem Sturm mit gerefften Segeln
laufen; leer pumpen); du lenzt
Len|zing, der; -s, -e; **Lenz|mo|nat,**
Lenz|mond (*alte Bez. für* März)
Lenz|pum|pe (*Seemannsspr.*)
Leo (m. Vorn.)
Le|o|ben (österr. Stadt)
Le|on (m. Vorn.)
Le|o|nar|do da Vin|ci *vgl.* Vinci
Le|on|ber|ger ⟨nach der baden-
württembergischen Stadt Leon-
berg⟩ (eine Hunderasse)
Le|on|hard, Lien|hard (m. Vorn.)
Le|o|ni|das (spartan. König)
Le|o|ni|den *Plur.* ⟨lat.⟩ (Stern-
schnuppen im November)
¹le|o|ni|nisch ⟨lat.; nach einem mit-
telalterl. Dichter *od.* nach einem
Papst Leo); leoninischer Vers
(ein Vers, dessen Mitte u. Ende
sich reimen) ↑K 89 *u.* 135
²le|o|ni|nisch ⟨nach einer Fabel
Äsops); *in der Fügung* leoninischer Vertrag (Vertrag, bei dem
der eine Teil allen Nutzen, den
»Löwenanteil«, hat) ↑K 89 *u.* 135
le|o|nisch ⟨nach der span. Stadt
León); leonische Gespinste,
Fäden (Metallfäden) ↑K 89 *u.*
135
Le|o|no|re (w. Vorn.)
Le|o|pard, der; -en, -en ⟨lat.⟩ (asiat.
u. afrik. Großkatze)
Le|o|pold (m. Vorn.)
Le|o|pol|di|na, die; - ⟨nach dem dt.
Kaiser Leopold I.⟩ (*kurz für*
Deutsche Akademie der Natur-
forscher »Leopoldina«)
Le|o|pol|di|ne (w. Vorn.)
Lé|o|pold|ville [le...'vi:l] (*früherer*
Name von Kinshasa)
¹Le|po|rel|lo (Diener in Mozarts
»Don Giovanni«)
²Le|po|rel|lo, das; -s, -s (harmoni-

kaartig zusammenzufaltender
Papierstreifen)
Le|po|rel|lo|al|bum ↑K 136
Le|p|ra, die; - ⟨griech.⟩ (*Med.* Aus-
satz); **Le|p|rom,** das; -s, -e
(Lepraknoten)
le|p|rös, le|p|rös (aussätzig);
leprose, lepröse Kranke
Lep|ta (*Plur. von* ¹Lepton)
Lep|to... ⟨griech.⟩ (schmal...); **Lep-
to...** (Schmal...)
Lep|to|kar|di|er *Plur.* (*Zool.* Lan-
zettfischchen)
¹Lep|ton, das; -s, Lepta (altgriech.
Gewicht; frühere griech. Münze
[100 Lepta = 1 Drachme])
²Lep|ton, das; -s, ...onen (»leichtes«
Elementarteilchen)
lep|to|som (*Anthrop., Med.*
schmal-, schlankwüchsig); lep-
tosomer Typ; **Lep|to|so|me,** der
u. die; -n, -n (Schmalgebaute[r])
LER, das; - *meist ohne Artikel* =
Lebensgestaltung – Ethik – Religion (Unterrichtsfach in Brandenburg)
Ler|che, die; -, -n (eine Vogelart);
vgl. auch Lärche
Ler|chen|sporn *Plur.* ...sporne (eine
Wald- u. Zierpflanze)
Ler|nä|i|sche Schlan|ge, die; -n -
⟨nach dem Sumpfsee Lerna⟩
(Ungeheuer der griech. Sage)
lern|bar
Lern|be|gier[|de], die; -; **lern|be|gie-
rig**
lern|be|hin|dert; Lern|be|hin|der|te,
der *u.* die; -n, -n
Ler|nei|fer; lern|eif|rig
ler|nen *s.* Kasten
Ler|ner (*Sprachw.*); **Ler|ne|rin; lern-
fä|hig**
Lern|mit|tel, das (Hilfsmittel für
Lernende); **Lern|mit|tel|frei|heit,**
die; -
Lern|pro|zess
Lern|schritt
Lern|schwes|ter
Lern|soft|ware (Computerpro-
gramm, das Lerninhalte vermit-
telt)

L
lemu

letz|te

Kleinschreibung ↑K 89:

– letzte Ehre
– die letzte Ruhestätte
– der letzte Schrei
– das letzte Stündlein
– letzten Endes
– eine Ausgabe letzter Hand (Buchw.)
– das letzte Mal; zum letzten Mal (*vgl.* Mal)
– der letzte *od.* Letzte Wille (Testament)
– die letzten *od.* Letzten Dinge (nach kath. Lehre)

Großschreibung

a) der Substantivierung ↑K 72:

– der Letzte, der kam
– als Letzter fertig werden
– er ist der Letzte, den ich wählen würde
– dies ist das Letzte, was ich tun würde
– den Letzten beißen die Hunde
– die Letzten werden die Ersten sein
– sein Letztes hergeben

– ein Letztes habe ich zu sagen
– am, zum Letzten (zuletzt)
– sich bis aufs Letzte (völlig, total) verausgaben
– im Letzten (zutiefst) getroffen sein
– bis ins Letzte (genau)
– bis zum Letzten (sehr) angespannt sein
– bis zum Letzten (Äußersten) gehen
– fürs Letzte (zuletzt)
– der Letzte des Monats
– das ist das Letzte (das Schlimmste)

b) in bestimmten namensähnlichen Fügungen
↑K 151:

– das Letzte Gericht
– die Letzte Ölung (*kath. Kirche früher für* Krankensalbung)

Wortstellung:

– die zwei letzten Tage des Urlaubs waren besonders ereignisreich
– die letzten zwei Tage habe ich fast nichts gegessen

Lern|stoff; Lern|zeit; Lern|ziel
Les|art
les|bar; Les|bar|keit, die; -
Les|be, die; -, -n (*ugs. u. Eigenbezeichnung für* ²Lesbierin)
¹Les|bi|e|rin (Bewohner von Lesbos)
¹Les|bi|e|rin (Bewohnerin von Lesbos)
²Les|bi|e|rin (homosexuell veranlagte Frau)
les|bisch; lesbische Liebe (Homosexualität bei Frauen)
Les|bos (eine Insel im Ägäischen Meer)
Le|se, die; -, -n (Weinernte)
Le|se|abend; Le|se|au|to|mat; Le|se|bril|le; Le|se|buch; Le|se|dra|ma
Le|se|ecke
Le|se|frucht
Le|se|ge|rät; Le|se|hun|ger; Le|se|lam|pe; Le|se|lu|pe
le|sen; du liest; er liest; du lasest; du läsest; gelesen; lies! (*Abk.* l.); lesen lernen, *aber* ↑K 82 : beim Lesenlernen
le|sens|wert
Le|se|pro|be; Le|se|pult
Le|ser
Le|se|rat|te (*ugs. für* leidenschaftlicher Leser)
Le|ser|brief
Le|se-Recht|schreib-Schwä|che
↑K 26 (*Med., Psych.* Lernstörung beim Lesen od. Rechtschreiben von Wörtern; *Abk.* LRS); *vgl.* Legasthenie
Le|se|rei, die; -; Le|se|rei|se (Reise eines Autors zu Lesungen in Buchhandlungen u. a.); Le|se|rin

Le|ser/-innen, Le|ser(innen) (*Kurzformen für* Leserinnen u. Leser)
Le|ser|kreis
le|ser|lich; Le|ser|lich|keit, die; -
Le|ser|rei|se; Le|ser|schaft
Le|ser|wunsch; Le|ser|zu|schrift
Le|se|saal; Le|se|stoff; Le|se|wut (*ugs.*); Le|se|zei|chen; Le|se|zim|mer; Le|se|zir|kel
Le|so|ther; Le|so|the|rin; le|so|thisch; Le|so|tho (Staat in Afrika)
Les|sing (dt. Dichter); les|singsch; lessingsches *od.* Lessing'sches Denken; lessingsche *od.* Lessing'sche Dramen ↑K 89 u. 135
Le|sung
le|tal (lat.) (*Med.* tödlich)
Le|thar|gie, die; - ⟨griech.⟩ (Schlafsucht; Trägheit, Teilnahms-, Interesselosigkeit); le|thar|gisch
Le|the, die; - ⟨nach dem Unterweltfluss der griech. Sage⟩ (*geh. für* Vergessenheit[strank])
Let|kiss, der; - ⟨finn.-engl.⟩ (ein Modetanz)
Let|scho, das, *auch* der; -[s] ⟨ungar.⟩ (ungar. Gemüsegericht)
Let|te, der; -n, -n (Angehöriger eines balt. Volkes)
Let|te, die; -, -n ⟨lat.⟩ (Ton, Lehm)
Let|ter, die; -, -n ⟨lat.⟩ (Druckbuchstabe)
Let|tern|gieß|ma|schi|ne; Let|tern|gut, das; -[e]s; Let|tern|me|tall
Let|te-Ver|ein ↑K 136 , der; -s (von W. A. Lette 1866 gegründeter Verein zur Förderung der Berufsausbildung von Mädchen)

let|tig ⟨*zu* Letten⟩ (ton-, lehmhaltig)
Let|tin; let|tisch; lettische Sprache; *vgl.* deutsch; Let|tisch, das; -[s] (Sprache); *vgl.* Deutsch; Let|ti|sche, das; -n; *vgl.* Deutsche, das;
Lett|land
Lett|ner, der; -s, - ⟨lat.⟩ (Schranke zwischen Chor u. Langhaus in mittelalterl. Kirchen)
letz, letzer, letzeste (*südd. u. schweiz. mdal. für* verkehrt, falsch)
let|zen (*veraltet für* laben, erquicken); du letzt; sich letzen
Letzt, die; - (*veraltet für* Abschiedsmahl); zu guter Letzt; auf die Letzt (*bayr., österr. ugs. für* schließlich)
letz|te s. Kasten
letzt|end|lich; letz|tens
letz|te|re; der letztere (zuletzt genannte) Fall; ↑K 72 : Letzterer *od.* der Letztere kommt nicht in Betracht; Letzteres muss noch geprüft werden
letzt|ge|nannt; Letzt|ge|nann|te, der u. die; -n, -n
letzt|hän|dig (noch zu Lebzeiten eigenhändig vorgenommen)
letzt|hin; letzt|jäh|rig; letzt|lich
letzt|ma|lig; letzt|mals
letzt|mög|lich
Letzt|ver|brau|cher (*Wirtsch.* svw. Endverbraucher); Letzt|ver|brau|che|rin; letzt|wil|lig; letztwillige Verfügung
¹Leu, der; -en, -en (*geh. für* Löwe)
²Leu, der; -, Lei (rumän., »Löwe«)

Leuchtbake – liassisch

(rumän. Währungseinheit; *Währungscode* ROL)
Leucht|ba|ke; Leucht|bo|je; Leucht-
bom|be
Leuch|te, die; -, -n
leuch|ten; leuch|tend; leuchtend
blaue Augen; leuchtend rotes
Herbstlaub
Leuch|ter; Leucht|er|schei|nung
Leucht|far|be; Leucht|feu|er
Leucht|gas, das; -es; Leucht|kä|fer;
Leucht|kraft; Leucht|ku|gel
Leucht|pis|to|le; Leucht|ra|ke|te;
Leucht|re|k|la|me; Leucht|röh|re
Leucht|schirm; Leucht|schrift
Leucht|si|g|nal; Leucht|spur
Leucht|stoff|lam|pe
Leucht|turm; Leucht|zif|fer; Leucht-
zif|fer|blatt
leug|nen; Leug|ner; Leug|ne|rin;
Leug|nung
leuk... ⟨griech.⟩ (weiß...); Leuk...
(Weiß...)
Leu|k|ä|mie, die; -, ...ien (*Med.*
»Weißblütigkeit«, Blutkrebs);
leu|k|ä|misch (an Leukämie lei-
dend)
leu|ko|derm (*Med.* hellhäutig);
Leu|ko|der|ma, das; -s, ...men
(Auftreten weißer Flecken auf
der Haut)
Leu|kom, das; -s, -e (weißer Horn-
hautfleck)
Leu|ko|pa|thie, die; -, ...ien (*svw.*
Leukoderma)
¹Leu|ko|plast, der; -en, -en (*Biol.*
Bestandteil der Pflanzenzelle)
²Leu|ko|plast®, das; -[e]s, -e (Heft-
pflaster)
Leu|kor|rhö, die; -, -en (*Med.* wei-
ßer [Aus]fluss bei Gebärmutter-
katarrh); leu|kor|rhö|isch
Leu|ko|to|mie, die; -, ...ien (*Med.*
chirurg. Eingriff in die weiße
Gehirnsubstanz; *svw.* Lobotó-
mie)
Leu|ko|zyt, der; -en, -en *meist Plur.*
(*Med.* weißes Blutkörperchen);
Leu|ko|zy|to|se, die; - (krank-
hafte Vermehrung der weißen
Blutkörperchen)
Leu|mund, der; -[e]s (Ruf); Leu-
munds|zeug|nis
Leu|na (Stadt an der Saale; ®)
Leut|chen *Plur. (ugs.)*
Leu|te *Plur.;* leu|te|scheu
Leu|te|schin|der *(abwertend);* Leu-
te|schin|de|rin
Leut|nant, der; -s, *Plur.* -s, *seltener*
-e ⟨franz.⟩ (unterster Offiziers-
grad; *Abk.* Lt., Ltn.)
Leut|nants|rang, der; -[e]s
Leut|nants|uni|form

Leut|pries|ter (*veraltet für* Welt-
geistlicher, Laienpriester)
leut|se|lig; Leut|se|lig|keit, die; -
Leu|wa|gen, der; -s, - (*nordd. für*
Schrubber)
Leu|zit, der; -s, -e ⟨griech.⟩ (ein
Mineral)
Le|va|de, die; -, -n ⟨franz.⟩ (*Reit-
sport* Aufrichten des Pferdes
auf der Hinterhand)
Le|van|te, die; - ⟨ital.⟩ (Mittel-
meerländer östl. von Italien)
Le|van|ti|ne, die; - (ein Gewebe)
Le|van|ti|ner (Bewohner der
Levante); Le|van|ti|ne|rin; le-
van|ti|nisch
Le|vee [lə...], die; -, -s ⟨franz.⟩
(*früher für* Aushebung von
Rekruten)
Le|vel, das u. der; -s, -[s] ⟨engl.⟩
(Niveau, [Schwierigkeits]stufe)
Le|ver [lə'veː], das; -s, -s ⟨franz.⟩
(*früher* Morgenempfang bei
Fürsten)
Le|ver|ku|sen [...v..., *auch*
...'kuː...] (Stadt am Niederrhein)
Le|vi (bibl. m. Eigenn.)
Le|vi|a|than, ökum. Le|vi|a|tan
[*auch* ...'taːn], der; -s ⟨hebr.⟩
(Ungeheuer der altoriental.
Mythol.)
Le|vin, Le|win (m. Vorn.)
Le|vi|rats|ehe ⟨lat.; dt.⟩ (Ehe eines
Mannes mit der Frau seines
kinderlos verstorbenen Bru-
ders)
Le|vit, der; -en, -en (Angehöriger
des jüdischen Stammes Levi;
Tempeldiener im A. T.; *Plur.:*
kath. Kirche früher Helfer des
Priesters beim feierlichen
Hochamt)
Le|vi|ta|ti|on, die; -, -en ⟨lat.⟩
(*Parapsychologie* [vermeintli-
che] Aufhebung der Schwer-
kraft)
Le|vi|ten ⟨zu Levit⟩; nur in jmdm.
die Leviten lesen ⟨nach den
Verhaltensvorschriften des
Levitikus⟩ (*ugs. für* [ernste]
Vorhaltungen machen)
le|vi|tie|ren ⟨zu Levitation⟩
Le|vi|ti|kus, der; - (3. Buch Mosis);
le|vi|tisch ⟨zu Levit⟩
Lev|koie ⟨älter für Levkoje⟩; Lev-
ko|je, die; -, -n ⟨griech.⟩ (eine
Zierpflanze)
Lew, der; -[s], Lewa ⟨bulgar.,
»Löwe«⟩ (bulgar. Währungs-
einheit; *Währungscode* BGN;
Abk. Lw)
Le|win vgl. Levin

Lex, die; -, Leges ⟨lat.⟩ (Gesetz;
Gesetzesantrag); Lex Heinze
Lex.-8° = Lexikonoktav, Lexi-
konformat
Le|xem, das; -s, -e ⟨russ.⟩
(*Sprachw.* Wortschatzeinheit
im Wörterbuch)
Le|xik, die; - (Wortschatz einer
[Fach]sprache)
le|xi|kal (*seltener für* lexikalisch)
le|xi|ka|lisch (das Lexikon betref-
fend, in der Art eines Lexi-
kons)
le|xi|ka|li|siert (*Sprachw.* als
Worteinheit festgelegt [z. B.
Zaunkönig, hochnäsig])
Le|xi|ko|graf, Le|xi|ko|graph, der;
-en, -en (Verfasser eines Wör-
terbuchs)
Le|xi|ko|gra|fie, Le|xi|ko|gra|phie,
die; - ([Lehre von der] Abfas-
sung eines Wörterbuches)
Le|xi|ko|gra|fin, Le|xi|ko|gra-
phin; le|xi|ko|gra|fisch, le|xi-
ko|gra|phisch
Le|xi|ko|graph, Le|xi|ko|gra|phie
usw. vgl. Lexikograf, Lexiko-
grafie usw.
Le|xi|ko|lo|ge, der; -n, -n; Le|xi|ko-
lo|gie (Lehre von Aufbau und
Struktur des Wortschatzes);
Le|xi|ko|lo|gin; le|xi|ko|lo|gisch
Le|xi|kon, das; -s, *Plur.* ...ka, *auch*
...ken (alphabetisch geordnetes
Nachschlagewerk; *auch für*
Wörterbuch)
Le|xi|kon|for|mat, das; -[e]s, Le|xi-
kon|ok|tav, das; -s (*Abk.*
Lex.-8°)
le|xisch (die Lexik betreffend)
Le|zi|thin, *fachspr.* Le|ci|thin, das;
-s ⟨griech.⟩ (*Chemie, Biol.* phosphorhaltiger Nährstoff)
LFA, das; der; -[s] = Länderfinanzaus-
gleich
lfd. = laufend *(vgl. d.)*
L-för|mig ['ɛl...] (in Form eines
lat. L); ↑K29
lfr vgl. Franc
LG, das; - = Landgericht
Lha|sa ['laː...] (Hauptstadt
Tibets)
Li = *chem. Zeichen für* Lithium
Li|ai|son [liɛ'zõ:], die; -, -s ⟨franz.⟩
(*veraltend für* Verbindung; Lie-
besverhältnis)
¹Li|a|ne, die; -, -n *meist Plur.*
⟨franz.⟩ (eine Schlingpflanze)
²Li|a|ne (w. Vorn.)
Li|as, der *od.* die; - ⟨franz.⟩ (*Geol.*
untere Abteilung der Jurafor-
mation); Li|as|for|ma|ti|on; li|as-
sisch (zum Lias gehörend)

642

Li|ba|ne|se, der; -n, -n; Li|ba|ne-
sin; li|ba|ne|sisch

¹Li|ba|non, -s, *auch mit Artikel*
der; -[s] (Staat im Vorderen
Orient)

²Li|ba|non, der; -[s] (Gebirge im
Vorderen Orient)

Li|ba|ti|on, die; -, -en ⟨lat.⟩ (alt-
röm. Trankopfer)

Li|bell, das; -s, -e ⟨lat., »Büch-
lein«⟩ (Klageschrift im alten
Rom; Schmähschrift)

Li|bel|le, die; -, -n ⟨lat.⟩ (ein
Insekt; Teil der Wasserwaage)

Li|bel|len|waa|ge

Li|bel|list, der; -en, -en ⟨lat.⟩ (*ver-
altet für* Verfasser einer
Schmähschrift); Li|bel|lis|tin

Li|be|ra, die; -, -s ⟨*zu* Libero⟩

li|be|ral ⟨lat.⟩ (vorurteilslos; frei-
heitlich; den Liberalismus vertretend); eine liberale Partei;
aber ↑K150 : Liberal-Demokratische Partei Deutschlands
(*DDR; Abk.* LDPD); das Liberale Forum *(österr.)*

Li|be|ra|le, der u. die; -n, -n
(Anhänger[in] des Liberalismus)

li|be|ra|li|sie|ren (von Einschrän-
kungen befreien, freiheitlich
gestalten); Li|be|ra|li|sie|rung
(das Liberalisieren; *Wirtsch.*
Aufhebung der staatl. Außen-
handelsbeschränkungen)

Li|be|ra|lis|mus, der; - (Denkrich-
tung, die die freie Entfaltung
des Individuums fordert)

Li|be|ra|list, der; -en, -en; Li|be|ra-
lis|tin; li|be|ra|lis|tisch (freiheit-
lich im Sinne des Liberalismus;
auch extrem liberal)

Li|be|ra|li|tät, die; - (Freiheitlich-
keit; Vorurteilslosigkeit)

Li|be|ra|li|um Ar|ti|um Ma|gis|ter
⟨lat.⟩ (Magister der freien
Künste; *Abk.* L. A. M.)

Li|be|ria (Staat in Westafrika); Li-
be|ri|a|ner; Li|be|ri|a|ne|rin; li-
be|ri|a|nisch

Li|be|ro, der; -s, -s ⟨ital.⟩ (*Fußball*
freier Verteidiger)

Li|ber|tas (röm. Göttin der Frei-
heit)

Li|ber|tät, die; -, -en ⟨franz.⟩ (*frü-
her für* ständische Freiheit)

Li|ber|té, Éga|li|té, Fra|ter|ni|té
(»Freiheit, Gleichheit, Brüder-
lichkeit«, die drei Losungs-
worte der Franz. Revolution)

Li|ber|tin [...'tɛ̃:], der; -s, -s
⟨franz.⟩ (*veraltet für* Wüstling);

Li|ber|ti|na|ge [...ʒə], die; -, -n
(*geh. für* Zügellosigkeit)

li|bi|di|nös; Li|bi|do [*auch* ...'bi:...],
die; - (Geschlechtstrieb)

Li|b|ra|ti|on, die; -, -en ⟨lat.⟩
(*Astron.* scheinbare Mond-
schwankung)

Li|b|ret|tist, der; -en, -en ⟨ital.⟩
(Verfasser von Librettos); Li|b-
ret|tis|tin; Li|b|ret|to, das; -s,
Plur. -s u. ...tti (Text[buch] von
Opern, Operetten usw.)

Li|b|re|ville [...'vi:l] (Hauptstadt
Gabuns)

Li|bus|sa (sagenhafte tschech.
Königin)

Li|by|en (Staat in Nordafrika); Li-
by|er; Li|by|e|rin; li|bysch; *aber*
↑K140 : die Libysche Wüste

lic. (*schweiz. für* Lic.)

Lic. = Licentiatus; *vgl.* ²Lizenziat

li|cet ⟨lat.⟩ (»es ist erlaubt«)

...lich (z. B. weiblich)

Li|che|no|lo|ge, der; -n, -n; Li|che-
no|lo|gie, die; - ⟨lat.⟩ (*Bot.*
Flechtenkunde); Li|che|no|lo|gin

licht; es wird licht; ein lichter
Wald; im Lichten (↑K72 ; im
Hellen; im Inneren gemessen);
lichte Weite (Abstand von
Wand zu Wand bei einer Röhre
u. a.); lichte Höhe (lotrechter
Abstand von Kante zu Kante
bei einem Tor u. a.)

Licht, das; -[e]s, *Plur.* -er, *veraltet
u. geh.* Lichte (*auch Jägerspr.
für* Auge des Schalenwildes
[*Plur. nur* Lichter])

Licht|al|ler|gie

Licht|an|la|ge; licht|arm

Licht|bad (*Med.*)

Licht|be|hand|lung (*Med.*)

licht|be|stän|dig; Licht|be|stän|dig-
keit

Licht|bild (*für* Passbild; Fotogra-
fie; Diapositiv); Licht|bil|der-
vor|trag

licht|blau; Licht|blick; licht|blond

Licht|bo|gen (*Technik*)

licht|braun

licht|bre|chend (*für* dioptrisch);
Licht|bre|chung (*Physik*)

Licht|chen

Licht|druck *Plur.* ...drucke

licht|durch|flu|tet

licht|durch|läs|sig

Lich|te, die; - (lichte Weite)

licht|echt; Licht|echt|heit, die; -

Licht|ef|fekt; Licht|ein|fall

licht|elek|t|risch (*Physik*)

licht|teln (*landsch. für* Kerzen
brennen lassen)

licht|emp|find|lich

¹lich|ten (licht machen); das Dun-
kel lichtet sich

²lich|ten (*Seemannsspr.* anheben);
den Anker lichten

Lich|ten|berg (dt. Physiker u.
Schriftsteller)

Licht|ener|gie

Lich|ten|stein (Schloss südlich
von Reutlingen); *vgl. aber*
Liechtenstein

Lich|ter *vgl.* Leichter

Lich|ter|baum (Weihnachtsbaum)

Lich|ter|fest (jüd. Fest der Tem-
peleinweihung)

Lich|ter|glanz; Lich|ter|ket|te

lich|ter|loh; Lich|ter|meer

lich|tern *vgl.* leichtern

Licht|fil|ter; Licht|ge|schwin|dig-
keit, die; -; Licht|ge|stalt

licht|grau; licht|grün

Licht|hof; Licht|hu|pe

Licht|jahr (astron. Längeneinheit;
Zeichen ly)

Licht|ke|gel; Licht|kreis

Licht|lein; Licht|lei|tung

licht|los

Licht|man|gel; Licht|ma|schi|ne

Licht|mess (kath. Fest)

Licht|mes|sung (Fotometrie);
Licht|nel|ke; Licht|or|gel; Licht-
pau|se; Licht[|putz]|sche|re

Licht|quel|le; Licht|re|f|lex

Licht|satz (fotograf. Setzverfah-
ren); Licht|schacht; Licht|schal-
ter; Licht|schein

licht|scheu

Licht|schim|mer; Licht|schran|ke
(*Elektrot.*); Licht|schutz|fak|tor
(bei Sonnenschutzmitteln und
Kosmetika); Licht|sig|nal

Licht|spiel|haus; Licht|spiel|the|a-
ter (*veraltend für* Kino)

licht|stark; Licht|stär|ke; Licht-
strahl

Licht|tech|nik; licht|tech|nisch

Licht|the|ra|pie

licht|trun|ken (*geh.*)

Lich|tung

Licht|ver|hält|nis|se *Plur.*

licht|voll (*geh.*)

licht|wen|dig (*für* fototropisch);
Licht|wen|dig|keit, die; - (*für*
Fototropismus)

Licht|zei|chen (*svw.* Lichtsignal)

Lic. theol. = Licentiatus theologiae; *vgl.* ²Lizenziat

Lid, das; -[e]s, -er (Augendeckel);
vgl. aber Lied

Li|di|ce (tschech. Ort)

Lid|krampf (*Med.* krampfhaftes
Schließen der Augenlider)

Li|do, der; -s, *Plur.* -s, *auch* Lidi

L

Lido

lieb

Kleinschreibung:	Schreibung in Verbindung mit Verben:
– ein liebes Kind; lieber Besuch – der liebe Gott – am liebsten; es wäre mir am liebsten	– sich bei jmdm. lieb Kind machen – sie hat ihn immer lieb behalten *od.* liebbehalten – er wird sie lieb gewinnen *od.* liebgewinnen
Großschreibung a) *der Substantivierung* ↑K72:	– lieb haben *od.* liebhaben; sie haben sich [sehr] lieb gehabt *od.* liebgehabt
– etwas, viel, nichts Liebes – mein Lieber; meine Liebe; mein Liebes – sich vom Liebsten trennen – es ist mir das Liebste (sehr lieb), wenn ...	– ↑K58: eine lieb gewordene *od.* liebgewordene Gewohnheit *Vgl. aber* liebäugeln, liebkosen
b) *in Namen* ↑K89:	
– [Kirche] Zu Unsrer Lieben Frau[en]	

⟨ital.⟩ (Nehrung, bes. die bei Venedig)

Lid|rand; Lid|sack; Lid|schat|ten; Lid|spal|te; Lid|strich

lieb *s.* Kasten

Lieb, das; -s (Geliebte[r]); mein Lieb

lieb|äu|geln; er hat mit diesem Plan geliebäugelt; zu liebäugeln

lieb be|hal|ten, lieb|be|hal|ten *vgl.* lieb

Lieb|chen

Lieb|den, die; - (*veraltet* Anrede an Adlige); Euer Liebden

Lie|be, die; -, *Plur.* (*ugs. für* Liebschaften:) -n; Lieb und Lust ↑K13; mir zuliebe; jmdm. etwas zuliebe tun ↑K63

lie|be|be|dürf|tig

Lie|be|die|ner (*abwertend für* unterwürfiger Mensch)

Lie|be|die|ne|rei; Lie|be|die|ne|rin; lie|be|die|ne|risch; lie|be|die|nern (unterwürfig schmeicheln); er hat liebgedient; zu liebedienern

lie|be|leer

Lie|be|lei; lie|beln (*veraltet für* flirten); ich lieb[e]le

lie|ben; sie haben sich lieben gelernt ↑K55

Lie|ben|de, der *u.* die; -n, -n

lie|ben ler|nen *vgl.* lieben

lie|bens|wert

lie|bens|wür|dig; lie|bens|wür|di|ger|wei|se; Lie|bens|wür|dig|keit

lie|ber *vgl.* gern

Lie|ber|mann (dt. Maler)

Lie|bes|aben|teu|er; Lie|bes|af|fä|re; Lie|bes|akt; Lie|bes|ap|fel

Lie|bes|ban|de *Plur.* (*geh.*); **Lie|bes|be|zei|gung** (*veraltet*); **Lie|bes|be|zie|hung; Lie|bes|brief**

Lie|bes|die|ne|rin (*ugs. für* Prostituierte); **Lie|bes|dienst**

Lie|bes|ent|zug (*Psych.*)

Lie|bes|er|klä|rung

Lie|bes|film; Lie|bes|ga|be; Lie|bes|ge|dicht; Lie|bes|ge|schich|te

Lie|bes|gott; Lie|bes|göt|tin

Lie|bes|hei|rat

lie|bes|hung|rig

Lie|bes|kno|chen (*landsch. für* Eclair); **lie|bes|krank; Lie|bes|kum|mer; Lie|bes|lau|be; Lie|bes|le|ben,** das; -s; **Lie|bes|lied**

Lie|bes|müh; Lie|bes|mü|he

Lie|bes|nacht; Lie|bes|nest; Lie|bes|paar; Lie|bes|per|len *Plur.* (zur Verzierung von Gebäck)

Lie|bes|ro|man; Lie|bes|schwur; Lie|bes|spiel

Lie|bes|sze|ne

lie|bes|toll

Lie|bes|tö|ter *Plur.* (*ugs. scherzh. für* lange, warme Unterhose)

lie|bes|trun|ken

Lie|bes|ver|hält|nis

Lie|bes|zau|ber

lie|be|voll

Lieb|frau|en|kir|che (Kirche Zu Unsrer Lieben Frau[en]); **Lieb|frau|en|milch** (ein Wein); *als* ®: Liebfraumilch

lieb ge|win|nen, lieb|ge|win|nen *vgl.* lieb

lieb ge|wor|den, lieb|ge|wor|den *vgl.* lieb

lieb ha|ben, lieb|ha|ben *vgl.* lieb

Lieb|ha|ber; Lieb|ha|ber|büh|ne

Lieb|ha|be|rei; Lieb|ha|be|rin

Lieb|ha|ber|preis; Lieb|ha|ber|wert

Lieb|hard (m. Vorn.)

Lie|big (dt. Chemiker; ®)

Lieb|knecht (Mitbegründer der Sozialist. Arbeiterpartei Deutschlands)

lieb|ko|sen [*auch* 'li:...]; er hat liebkost (*auch* geliebkost); **Lieb|ko|sung**

lieb|lich; Lieb|lich|keit, die; -

Lieb|ling

Lieb|lings|buch; Lieb|lings|dich|ter; Lieb|lings|dich|te|rin; Lieb|lings|far|be; Lieb|lings|ge|richt; Lieb|lings|kind

Lieb|lings|lied; Lieb|lings|platz; Lieb|lings|schü|ler; Lieb|lings|schü|le|rin

Lieb|lings|wort *Plur.* ...wörter

lieb|los; Lieb|lo|sig|keit

lieb|reich

Lieb|reiz, der; -es; **lieb|rei|zend**

Lieb|schaft

Liebs|te, der *u.* die; -n, -n

Lieb|stö|ckel, das *od.* der; -s, - (eine Heil- u. Gewürzpflanze)

lieb|wert (*veraltet*)

Liech|ten|stein ['lɪ...] (Fürstentum); *vgl. aber* Lichtenstein; **Liech|ten|stei|ner; Liech|ten|stei|ne|rin; liech|ten|stei|nisch**

Lied, das; -[e]s, -er (Gedicht; Gesang); *vgl. aber* Lid

Lied|chen

Lie|der|a|bend; Lie|der|buch

Lie|der|hand|schrift

Lie|der|jan, der; -[e]s, -e (*ugs. veraltend für* liederlicher Mensch)

lie|der|lich; Lie|der|lich|keit

Lie|der|ma|cher; Lie|der|ma|che|rin

lie|der|reich; lied|haft

Lied|lein

lief *vgl.* laufen

Lie|fe|rant, der; -en, -en ⟨zu liefern, mit lat. Endung⟩ (Lieferer); **Lie|fe|ran|tin**

lie|fer|bar

Lie|fer|be|din|gun|gen *Plur.*

Lie|fer|be|trieb

Lie|fe|rer

Lie|fer|fir|ma; Lie|fer|frist

Lie|fe|rin

lie|fern; ich liefere

Lieferschein – Lilongwe

Lie|fer|schein; Lie|fer|stopp; Lie|fer|ter|min; Lie|fer|um|fang
Lie|fe|rung; Lie|fe|rungs|ort, der; -[e]s, -e; Lie|fe|rungs|sper|re
lie|fe|rungs|wei|se
Lie|fer|ver|trag; Lie|fer|wa|gen; Lie|fer|zeit
Lie|ge, die; -, -n (ein Möbelstück)
Liège [ljɛːʒ] (franz. Form von Lüttich)
Lie|ge|geld (Seew.); Lie|ge|hal|le; Lie|ge|kur

lie|gen

– du lagst; du lägest; gelegen; lieg[e]!
– ich habe (südd., österr., schweiz. bin) gelegen
– ich habe eine Flasche Wein im Keller liegen (nicht zu liegen)
– sie ist im Bett liegen geblieben
– Aber: die Arbeit ist liegen geblieben od. liegengeblieben (wurde nicht erledigt)
– du sollst den Stein liegen lassen Aber: ich habe meine Brieftasche liegen lassen od. liegenlassen (vergessen)
– sie hat ihn links liegen lassen od. liegenlassen, seltener liegen gelassen od. liegengelassen (vergessen, nicht beachten)

lie|gen blei|ben, lie|gen|blei|ben vgl. liegen
lie|gend; liegendes Gut, liegende Güter; Lie|gen|de, das; -n (Bergmannsspr.; Ggs. Hangende)
lie|gen las|sen, lie|gen|las|sen vgl. liegen
Lie|gen|schaft (Grundbesitz)
Lie|ge|platz (Seew.); Lie|ge|pols|ter
Lie|ger (Seemannsspr. Wächter auf einem außer Dienst befindlichen Schiff; großes Trinkwasserfass [als Notvorrat])
Lie|ge|rad
Lie|ge|sitz; Lie|ge|so|fa; Lie|ge|statt, die; -, ...stätten; Lie|ge|stuhl
Lie|ge|stütz, der; -es, -e (Sport)
Lie|ge|wa|gen; Lie|ge|wie|se; Lie|ge|zeit
lieh vgl. leihen
Liek, das; -[e]s, -en (Seemannsspr. Tauwerk als Einfassung eines Segels); vgl. Leik
Li|en, der; -s, Lienes (lat.) (Med. Milz); li|e|nal (die Milz betreffend)
Lien|hard vgl. Leonhard

Li|e|ni|tis, die; -, ...itiden (griech.) (Med. Milzentzündung)
Li|enz (Stadt in Österreich)
lies! (Abk. l.)
Liesch, das; -[e]s (eine Grasgattung)
¹Lie|schen Plur. (Vorblätter am Maiskolben)
²Lie|schen (w. Vorn.); vgl. fleißig
¹Lie|se, die; -, -n (Bergmannsspr. enge ²Kluft)
²Lie|se, Lie|sel, Liesl, Lise (w. Vorn.)
Lie|se|lot|te [auch ...'lɔ...] (w. Vorn.); vgl. Liselotte
Lie|sen Plur. (nordd. für Schweinefett)
Liesl vgl. Liesel
ließ vgl. lassen
liest vgl. lesen
Lies|tal (Hauptstadt des Halbkantons Basel-Landschaft)
Life|style ['laifstail], der; -s (engl.) (Lebensstil); Life|style|ma|ga|zin
Life|time|sport ['laiftaim...], der; -s (Sportart, die man lebenslang ausüben kann)
¹Lift, der; -[e]s, Plur. -e u. -s (engl.) (Fahrstuhl, Aufzug)
²Lift, der oder das; -s, -s (engl.) (kosmetische Operation zur Straffung der Haut)
Lift|boy (zu ¹Lift)
lif|ten (heben, stemmen; einen ²Lift durchführen)
Lif|ting, das; -s, -s (das Liften; vgl. ²Lift)
Li|ga, die; -, ...gen (span.) (Bund, Bündnis; Sport Bez. einer Wettkampfklasse)
Li|ga|de, die; -, -n (Fechten Zur-Seite-Drücken der gegnerischen Klinge)
Li|ga|ment, das; -[e]s, -e (lat.), Li|ga|men|tum, das; -s, ...ta (Med. Band)
Li|ga|tur, die; -, -en (Druckw. [Buchstaben]verbindung; Med. Unterbindung [einer Ader usw.]; Musik Verbindung zweier gleicher Töne zu einem)
Li|ge|ti (ungar. Komponist)
light ['lait] (engl.) (Werbespr. von unerwünschten, belastenden o. ä. Inhaltsstoffen weniger enthaltend); Bier light; Light|pro|dukt
Light|show ['lait...] (engl.) (Show mit besonderen Lichteffekten)
Light|ver|si|on ['lait...]
li|gie|ren (lat.) (Fechten die gegnerische Klinge zur Seite drücken)

Li|gist, der; -en, -en (Angehöriger einer Liga); Li|gis|tin; li|gis|tisch
Li|g|nin, das; -s, -e (lat.) (Holzstoff); Li|g|nit, der; -s, -e (Braunkohle mit Holzstruktur)
Li|g|ro|in, das; -s (Kunstwort) (ein Leichtöl)
Li|gu|rer, der; -s, - (Angehöriger eines voridg. Volkes in Südfrankreich u. Oberitalien); Li|gu|ri|en (ital. Region); li|gu|risch; aber ↑K140: das Ligurische Meer
Li|gus|ter, der; -s, - (lat.) (ein Ölbaumgewächs); Li|gus|ter|he|cke; Li|gus|ter|schwär|mer (Schmetterling)
li|li|e|ren (franz.) (eng verbinden); sich -; Li|li|er|te, der u. die; -n, -n (veraltet für Vertraute[r]); Li|lie|rung (enge Verbindung)
Like|li|hood ['laiklihʊt], die; - (engl.) (Statistik Maß, das die Wahrscheinlichkeit verschiedener unbekannter Werte eines Parameters angibt)
Li|kör, der; -s, -e (franz.) (süßer Branntwein)
Li|kör|es|senz; Li|kör|fla|sche
Li|kör|glas Plur. ...gläser
Lik|tor, der; -s, ...oren (Diener der Obrigkeit im alten Rom); Lik|to|ren|bün|del
Li|kud|block, der; -[e]s (hebr.) (Parteienbündnis in Israel)
li|la (franz.) (fliederblau; ugs. für mittelmäßig); ein lila (ugs. auch gebeugt lila[n]es) Kleid; sich die Haare lila färben od. lilafärben; vgl. blau; Li|la, das; -s, Plur. -, ugs. -s (ein fliederblauer Farbton)
li|la|far|ben, li|la|far|big
Li|lak, der; -s, -s (span. Flieder)
Li|li vgl. Lilli
Li|lie, die; -, -n (lat.) (eine [Garten]blume)
Li|li|en|cron (dt. Dichter)
Li|li|en|ge|wächs
Li|li|en|thal (dt. Luftfahrtpionier)
li|li|en|weiß
Li|li|put (nach engl. Lilliput) (Land der Däumlinge in J. Swifts Buch »Gullivers Reisen«); Li|li|pu|ta|ner (Bewohner von Liliput; auch diskriminierend für Kleinwüchsiger); Li|li|pu|ta|ne|rin
Li|li|put|bahn; Li|li|put|for|mat
Lille [li:l] (franz. Stadt)
Lil|li, Lili (w. Vorn.); Lil|ly, Lilly [...i] (w. Vorname)
Li|long|we (Hauptstadt von Malawi)

L
Lilo

Li|ly *vgl.* Lilly

lim = ²Limes

lim., Lim. = limited

Li|ma (Hauptstadt von Peru)

Lim|ba, das; -s (ein Furnierholz)

Lim|bi (*Plur. von* ²Limbus)

lim|bisch ⟨lat.⟩; limbisches System
↑K89 (*Med.* Randgebiet zwischen Großhirn u. Gehirnstamm)

Lim|bo, der; -s, -s ⟨karib.⟩ (akrobatischer Tanz unter einer Querstange hindurch)

Lim|burg (belg. u. niederl. Landschaft; Stadt in Belgien)

Lim|burg a. d. Lahn (Stadt in Hessen)

¹Lim|bur|ger; Limburger Käse
(urspr. aus der belg. Landschaft)

²Lim|bur|ger, der; -s, - (ein Käse)

¹Lim|bus, der; - ⟨lat.⟩ (Teil der Unterwelt; *christl. Rel.* Vorhölle)

²Lim|bus, der; -, ...bi (*Technik* Gradkreis, Teilkreis an Winkelmessinstrumenten)

Li|me|rick, der; -[s], -s ⟨engl.; nach der irischen Stadt Limerick⟩
(fünfzeiliges Gedicht groteskkomischen Inhalts)

¹Li|mes, der; - ⟨lat. (fachspr.)
Limites ⟨lat.⟩⟩ (von den Römern angelegter Grenzwall)

²Li|mes, der; -, *Plur.* -, *fachspr. auch* Limites (*Math.* Grenzwert; *Zeichen* lim)

Li|mes|kas|tell

Li|met|te, Li|met|ta, die; -, ...tten ⟨pers.-ital.⟩ (westind. Zitrone);
Li|met|ten|saft

Li|mit, das; -s, *Plur.* -s *u.* -e ⟨engl.⟩ (Grenze, Begrenzung; *Kaufmannsspr.* Preisgrenze)

Li|mi|ta|ti|on, die; -, -en ⟨lat.⟩ (Begrenzung, Beschränkung)

Li|mi|te, die; -, -n ⟨franz.⟩ (*schweiz.* svw. Limit)

li|mi|ted [...tit] ⟨engl.⟩ (*in engl. u. amerik.* Firmennamen »mit beschränkter Haftung«; *Abk.* Ltd., lim., Lim., Ld.)

li|mi|tie|ren ⟨lat.⟩ ([den Preis] begrenzen; beschränken); limitierte Auflage (z. B. einer Grafik); Li|mi|tie|rung

Lim|mat, die; - (r. Nebenfluss der Aare)

Lim|ni|me|ter, das; -s, - ⟨griech.⟩ (Pegel zum Messen des Wasserstandes eines Sees)

lim|nisch (*Biol., Geol.* im Süßwasser lebend, abgelagert)

Lim|no|graf, Lim|no|graph, der; -en, -en (svw. Limnimeter)

Lim|no|lo|ge, der; -n, -n; Lim|no|lo|gie, die; - (Süßwasser-, Seenkunde); Lim|no|lo|gin; lim|no|lo|gisch (auf Binnengewässer bezüglich)

Lim|no|plank|ton (*Biol.*)

Li|mo, die; -, -s (*ugs. Kurzform für* Limonade); Li|mo|na|de, die; -, -n ⟨pers.⟩

Li|mo|ne, die; -, -n (svw. Limette; *auch für* Zitrone)

Li|mo|nit, der; -s, -e ⟨griech.⟩ (ein Mineral)

li|mos, li|mös ⟨lat.⟩ (*Biol.* schlammig, sumpfig)

Li|mou|si|ne [...mu...], die; -, -n ⟨franz.⟩ (Pkw mit festem Verdeck)

Li|na, Li|ne (w. Vorn.)

Lin|cke (dt. Komponist)

Lin|coln [...kn] (Präsident der USA)

lind; ein linder Regen

Lin|da (w. Vorn.)

Lin|d|au (Bo|den|see) (Stadt in Bayern)

Lin|de, die; -, -n; lin|den (aus Lindenholz)

Lin|den|al|lee; Lin|den|baum; Lin|den|blatt

Lin|den|blü|te; Lin|den|blü|ten|tee

Lin|den|holz; Lin|den|ho|nig

lin|dern; ich lindere

Lin|de|rung; Lin|de|rungs|mit|tel, das

lind|grün ⟨zu Linde⟩

Lind|heit, die; -

Lind|wurm (Drache in der Sage)

Li|ne *vgl.* Lina

Li|ne|al, das; -s, -e ⟨lat.⟩

li|ne|ar (geradlinig; auf gerader Linie verlaufend; linienförmig)
↑K89 : lineare Gleichung (*Math.*); lineare Algebra (*Math.*)

Li|ne|ar|be|schleu|ni|ger (*Kernphysik*); Li|ne|a|ri|tät, die; -; Li|ne|ar|mo|tor (*Elektrot.*)

Li|ne|ar|zeich|nung (Umrisszeichnung, Riss)

Li|ne|a|tur, die; -, -en (Linierung; Linienführung)

...ling (z. B. Frühling, der; -s, -e)

Lin|ga[m], das; -s ⟨sanskr.⟩ (Phallus als Sinnbild des ind. Gottes der Zeugungskraft)

Lin|ge|rie [lɛ̃ʒ(ə)ri:], die; -, ...ien (*schweiz. für* Wäsche[raum]; betriebsinterne Wäscherei; Wäschegeschäft)

...lings (z. B. jählings)

Lin|gua fran|ca, die; - - ⟨ital.⟩ (Verkehrssprache des MA.; Ver-

kehrssprache eines größeren mehrsprachigen Raums)

lin|gu|al ⟨lat.⟩ (auf die Zunge bezüglich, Zungen...); Lin|gu|al, der; -s, -e, Lin|gu|al|laut (*Sprachw.* Zungenlaut)

Lin|gu|ist, der; -en, -en (Sprachwissenschaftler); Lin|gu|is|tik, die; - (Sprachwissenschaft); Lin|gu|is|tin; lin|gu|is|tisch

Li|nie, die; -, -n ⟨lat.⟩; Linie halten (*Druckw.*); absteigende, aufsteigende Linie (*Genealogie*)

Li|ni|en|ball (*Tennis; vgl.* ¹Ball); Li|ni|en|blatt; Li|ni|en|bus; Li|ni|en|dienst

Li|ni|en|flug; Li|ni|en|flug|zeug

Li|ni|en|füh|rung; Li|ni|en|netz

Li|ni|en|pa|pier

Li|ni|en|rich|ter (*Sport*); Li|ni|en|rich|te|rin

Li|ni|en|schiff; Li|ni|en|spie|gel (*österr. für* Linienblatt); Li|ni|en|ste|cher (*für* Guillocheur); Li|ni|en|ste|che|rin

Li|ni|en|treu (engstirnig einer politischen Ideologie folgend)

Li|ni|en|ver|kehr

li|nie|ren (*österr. nur so*), li|ni|ie|ren (mit Linien versehen; Linien ziehen)

Li|nier|ma|schi|ne; Li|nier|plat|te

Li|nie|rung (*österr. nur so*), Li|ni|ie|rung

li|ni|ie|ren usw. *vgl.* linieren usw.

...li|nig (z. B. geradlinig)

Li|ni|ment, das; -[e]s, -e ⟨lat.⟩ (*Med.* Mittel zum Einreiben)

link; linker Hand (links)

Link, der, *auch* das; -[s], -s ⟨engl.⟩ (*EDV* feste Kabelverbindung, die zwei Vermittlungsstellen miteinander verbindet; *auch* Kurzform für Hyperlink; *vgl. d.*)

¹Lin|ke, der *u.* die; -n, -n (*Angehörige[r] einer links stehenden Partei od. Gruppe)

²Lin|ke, die; -n, -n (linke Hand, linke Seite; *Politik* die links stehenden Parteien, eine links stehende Gruppe); zur Linken; in meiner Linken; er traf ihn mit einer blitzschnellen Linken (*Boxen*); die radikale Linke; die neue od. Neue Linke (*Philosophie, Politik*)

Lin|ke|hand|re|gel, die; - (*Physik*)

lin|ken (*ugs. für* täuschen)

lin|ker Hand

lin|ker|seits; lin|kisch

links *s. Kasten Seite 647*

Links|ab|bie|ger (*Verkehrsw.*)

Links|aus|la|ge, die; - (*Boxen*);

links

(*Abk.* l.)
- links von mir, links vom Eingang
- links abbiegen
- links sitzen, stehen
- politisch links stehen
- links außen spielen, stürmen *(Sport); vgl. aber* Linksaußen
- links um! (milit. Kommando; *vgl. aber* linksum)
- links sein (*ugs.* Linkshänder sein)
- mit links (mit der linken Hand) schreiben
- etwas mit links (*ugs.* mit Leichtigkeit) machen

Als Präposition mit Genitiv:

- links des Waldes, links der Isar, links des Rheins

Nur Kleinschreibung:

- von, gegen, nach links; von links nach rechts
- von links her, nach links hin, Terror von links
- an der Kreuzung gilt rechts vor links
- er weiß nicht, was rechts und was links ist

Getrennt- oder Zusammenschreibung bei adjektivisch gebrauchten Partizipien:

- ↑K58 : [politisch] links stehende *od.* linksstehende Abgeordnete
- ein links abbiegendes *od.* linksabbiegendes Fahrzeug
- die links sitzenden *od.* linkssitzenden Zuschauer

Links|aus|le|ger; Links|aus|le|ge|rin
links au|ßen *vgl.* links; Links|au|ßen, der; -, - *(Sport);* er spielt Linksaußen
links|bün|dig
Links|drall
links|dre|hend; *aber* nach links drehend; Links|dre|hung
Link|ser (*ugs.* für Linkshänder); Link|se|rin
links|ex|t|rem; Links|ex|t|re|mis|mus, der; -; Links|ex|t|re|mist; Links|ex|t|re|mis|tin
Links|ga|lopp
links|ge|rich|tet
links|ge|win|de
Links|hän|der; Links|hän|de|rin; links|hän|dig; Links|hän|dig|keit
links|her (*veraltet für* von links her); links|he|r|um; linksherum drehen, *aber* nach links herumdrehen; links|hin (*veraltet für* nach links hin)
Links|hörn|chen (eine Schnecke)
Links|in|tel|lek|tu|el|le; Links|kurs
Links|kur|ve
links|las|tig; links|läu|fig; links|li|be|ral (linksliberale Koalition)
Links|par|tei
Links|po|pu|lis|mus (zur extremen politischen Linken neigender Populismus)
links|ra|di|kal; Links|ra|di|ka|le; Links|ra|di|ka|lis|mus
Links-rechts-Kom|bi|na|ti|on *(Boxen)*
links|rhei|nisch (auf der linken Rheinseite)
Links|ruck *(Politik)*
links|rum (*ugs.*); links|sei|tig
links ste|hend, links|ste|hend *vgl.* links
links|uf|rig; links|um [*auch* 'lɪ...]; linksum machen; linksum kehrt! *vgl. aber* links

Links|un|ter|zeich|ne|te (*vgl.* Unterzeichnete)
Links|ver|kehr; Links|wen|dung
Lin|né (schwed. Naturforscher; *Abk.* hinter biol. Namen L.)
lin|nen (*geh. für* leinen); Lin|nen, das; -s, - (*geh. für* Leinen)
lin|nesch: linnésches *od.* Lin|né'sches System ↑K89 *u.* 135
Li|no|le|um [*österr. u. schweiz. meist* ...'le:...], das; -s ⟨lat.⟩ (ein Fußbodenbelag); Li|no|le|um|be|lag
Li|no|l|schnitt (ein grafisches Verfahren u. dessen Ergebnis)
Li|non [...'nõ:, *auch* 'lɪnɔn], der; -[s], -s ⟨franz.⟩ (Baumwollgewebe [mit Leinencharakter])
Li|no|type® ['laɪnotaɪp], die; -, -s ⟨engl.⟩ (Setz- u. Zeilengießmaschine); Li|no|type-Setz|ma|schi|ne ['laɪ...], ↑K22 , die; -, -n
Lin|se, die; -, -n
lin|sen (*ugs. für* schauen, scharf äugen)
Lin|sen|feh|ler *(Optik)*
lin|sen|för|mig
Lin|sen|ge|richt; Lin|sen|sup|pe
Lin|sen|trü|bung *(Med.)*
...lin|sig (z. B. vierlinsig, *mit Ziffer* 4-linsig)
Linth, die; - (Oberlauf der Limmat)
Li|nus (m. Vorn.)
Li|nux®, das; - ⟨Kunstwort⟩ *(EDV* ein freies Betriebssystem)
Linz (Hauptstadt von Oberösterreich)
Linz am Rhein (Stadt am Mittelrhein)
Lin|zer; Linzer Torte
Li|o|ba (w. Vorn.)
Li|on ['laɪən], der; -s, -s (Mitglied des Lions Clubs)
Li|ons Club ['laɪəns 'klap], der; - -s, - -s, Li|ons In|ter|na|tio|nal [engl. - ...'nɛʃənl], der; - - (karitativ

tätige, um internationale Verständigung bemühte Vereinigung führender Persönlichkeiten des öffentlichen Lebens)
Li|pa, die; -, -s (Untereinheit der Kuna); 50 Lipa
Li|p|ä|mie, die; -, ...ien ⟨griech.⟩ *(Med.* Vermehrung des Fettgehaltes im Blut); li|p|ä|misch
Li|pa|ri|sche In|seln, Ä|o|li|sche In|seln *Plur.* (im Mittelmeer)
Lip|gloss, das; -, - ⟨engl.⟩ (Kosmetikmittel, das den Lippen Glanz verleiht)
Li|pid, das; -[e]s, -e *(Biochemie* Fett od. fettähnliche Substanz)
Li|piz|za|ner, der; -s, - (edles Warmblutpferd, meist Schimmel)
li|po|id ⟨griech.⟩ (fettähnlich); Li|po|id, das; -s, -e *meist Plur. (Biol.* fettähnlicher, lebenswichtiger Stoff im Körper)
Li|pom, das; -s, -e, Li|po|ma, das; -s, -ta *(Med.* Fettgeschwulst); Li|po|ma|to|se, die; -, -n *(Med.* Fettsucht); Li|po|suk|ti|on, die; -, -en *(Med.* Fettabsaugung)
[1]Lip|pe, die; -, -n (Rand der Mundöffnung)
[2]Lip|pe (Land des ehem. Deutschen Reiches)
[3]Lip|pe, die; - (r. Nebenfluss des Niederrheins)
Lip|pen|bär
Lip|pen|be|kennt|nis
Lip|pen|blüt|ler, der; -s, -
Lip|pen|laut (*für* Labial)
Lip|pen|spal|te *(Med.)*
Lip|pen|stift, der
Lip|pen|syn|chro|ni|sa|ti|on *(Film)*
Lip|pe-Sei|ten|ka|nal ↑K143
Lipp|fisch
...lip|pig (z. B. mehrlippig)
lip|pisch (*zu* [2]Lippe); *aber* ↑K140 : Lippischer Wald

L

lipp

Lip|si, der; -s, -s (Tanz im $^6/_4$-Takt)
Lip|tau (deutscher Name einer slowak. Landschaft); Lip|tau|er; Liptauer Käse; Lip|tau|er, der; -s, - (ein Käse)
Li|p|u|rie, die; -, ...ien ⟨griech.⟩ (*Med.* Ausscheidung von Fett durch den Harn)
liq., Liq. = Liquor
Li|que|fak|ti|on, die; -, -en ⟨lat.⟩ (Verflüssigung)
li|quid, li|qui|de (flüssig; fällig; verfügbar); liquide Gelder, liquide Forderung
Li|qui|da, die; -, *Plur.* ...dä *u.* ...quiden, Li|qu|id|laut (*Sprachw.* Fließlaut, z. B. l, r)
Li|qui|da|ti|on, die; -, -en ([Kosten]abrechnung freier Berufe; Tötung [aus polit. Gründen]; Auflösung [eines Geschäftes]); Li|qui|da|ti|ons|ver|hand|lung
Li|qui|da|tor, der; -s, ...oren (jmd., der eine Liquidation durchführt); Li|qui|da|to|rin
li|qui|de vgl. liquid
li|qui|die|ren ([eine Forderung] in Rechnung stellen; [einen Verein o. Ä.] auflösen; Sachwerte in Geld umwandeln; beseitigen, tilgen; [aus polit. Gründen] töten); Li|qui|die|rung (*bes. für* Beseitigung [einer Person]; Beilegung eines Konflikts)
Li|qui|di|tät, die; - (Verhältnis der Verbindlichkeiten eines Unternehmens zu den liquiden Vermögensbestandteilen)
Li|qu|id|laut vgl. Liquida
Li|quor, der; -s, ...ores (*Med.* Körperflüssigkeit; *Pharm.* flüssiges Arzneimittel; *Abk.* liq., Liq.)
^{1}Li|ra, die; -, Lire (frühere ital. Währungseinheit)
^{2}Li|ra, die; -, - (türk. Währungseinheit [türk. Pfund]; *Währungscode* TRL; *Abk.* TL)
Lis|beth [*auch* ...'lı...] (w. Vorn.)
Lis|boa [*port. Name für* Lissabon)
Li|se vgl. ^{2}Liese
Li|se|lot|te [*auch* ...'lɔtə]; Liselotte von der Pfalz; vgl. Lieselotte
Li|se|ne, die; -, -n ⟨franz.⟩ (*Archit.* pfeilerartiger Mauerstreifen)
Lis|mer, der; -s, - (*schweiz. mdal. für* Strickweste)
lis|peln; ich lisp[e]le
Lis|pel|ton *Plur.* ...töne
Lisp|ler; Lisp|le|rin
Lis|sa|bon [*auch* ...'bɔn] (Hauptstadt Portugals); vgl. Lisboa; Lis|sa|bon|ner; Lis|sa|bon|ne|rin; lis|sa|bon|nisch

Lis|se, die; -, -n (*landsch. für* Stützleiste an Leiterwagen)
^{1}List, die; -, -en
^{2}List (dt. Volkswirt); vgl. Liszt
Lis|te, die; -, -n; die schwarze Liste
lis|ten (in Listenform bringen); gelistet
Lis|ten|platz (*Politik*)
Lis|ten|preis
lis|ten|reich
Lis|ten|ver|bin|dung (*Politik*); Lis|ten|wahl
Lis|te|ria, die; -, ...ien *u.* ...iae (*Med.* krankheitserregende Bakterie, z. B. in Fäkalien vorkommend)
lis|tig; lis|ti|ger|wei|se; Lis|tig|keit, die; -
Lis|ting (*Börsenw.* Zulassung von Wertpapieren zum Börsenhandel)
Liszt [lıst] (ung. Komponist)
Lit = ^{1}Lira *Sing. u.* Lire *Plur.*
Lit. = Litera; Literatur
Li|ta|nei, die; -, -en ⟨griech.⟩ (Wechselgebet; eintöniges Gerede; endlose Aufzählung)
Li|tas, der; -, - (litauische Währungseinheit)
Li|tau|en [*auch* 'lı...]; Li|tau|er; Li|tau|e|rin; li|tau|isch; litauische Sprache; vgl. deutsch; Li|tau|isch, das; -[s] (Sprache); vgl. Deutsch; Li|tau|i|sche, das; -n; vgl. Deutsche, das
Li|ter [*auch* 'lı...], der, *schweiz. nur* so, *auch* das; -s, - ⟨griech.⟩ (1 Kubikdezimeter; *Zeichen* l); ein halber, *auch* halbes Liter, ein viertel Liter *od.* Viertelliter
Li|te|ra, die; -, *Plur.* -s *u.* ...rä ⟨lat.⟩ (Buchstabe; *Abk.* Lit.)
Li|te|rar|his|to|ri|ker; Li|te|rar|his|to|ri|ke|rin; li|te|rar|his|to|risch
li|te|ra|risch (schriftstellerisch, die Literatur betreffend)
Li|te|rar|kri|tik (Verfahren zur Rekonstruktion bes. von bibl. Texten; *auch svw.* Literaturkritik)
Li|te|rat, der; -en, -en (*oft abwertend für* Schriftsteller); Li|te|ra|ten|tum, das; -s; Li|te|ra|tin
Li|te|ra|tur, die; -, -en
Li|te|ra|tur|an|ga|be *meist Plur.*; Li|te|ra|tur|bei|la|ge
Li|te|ra|tur|denk|mal *Plur.* ...mäler, *geh.* ...male; Li|te|ra|tur|gat|tung
Li|te|ra|tur|ge|schich|te; li|te|ra|tur|ge|schicht|lich
Li|te|ra|tur|haus

Li|te|ra|tur|hin|weis
Li|te|ra|tur|kri|tik; Li|te|ra|tur|kri|ti|ker; Li|te|ra|tur|kri|ti|ke|rin
Li|te|ra|tur|preis; Li|te|ra|tur|spra|che
Li|te|ra|tur|ver|fil|mung; Li|te|ra|tur|ver|zeich|nis
Li|te|ra|tur|wis|sen|schaft; Li|te|ra|tur|wis|sen|schaft|ler; Li|te|ra|tur|wis|sen|schaft|le|rin; li|te|ra|tur|wis|sen|schaft|lich
Li|te|ra|tur|zeit|schrift
Li|ter|fla|sche [*auch* 'lı...]
Li|ter|leis|tung [*auch* 'lı...] (Leistung, die aus jeweils 1 000 cm^3 Hubraum eines Kfz-Motors erzielt werden kann)
li|ter|wei|se [*auch* 'lı...]
Li|tew|ka, die; -, ...ken ⟨poln.⟩ (*früher* ein Uniformrock)
Lit|faß|säu|le ⟨nach dem Berliner Buchdrucker E. Litfaß⟩ (Anschlagsäule)

Litfaßsäule

Die Regel, dass nach einem kurzen Vokal *-ss* zu schreiben ist, findet in dem Substantiv *Litfaßsäule* keine Anwendung. Das Wort geht nämlich zurück auf den Namen des Erfinders, des Buchdruckers Ernst Litfaß. Personennamen sind aber nicht von den neuen Rechtschreibregeln betroffen, sie bleiben unverändert.

---

lith... ⟨griech.⟩ (stein...); Lith... (Stein...)
Li|thi|a|sis, die; -, ...iasen (*Med.* Steinbildung)
Li|thi|um, das; -s (chemisches Element, Metall; *Zeichen* Li)
Li|tho, das; -s, -s ⟨griech.⟩ (*Kurzform für* Lithografie)
Li|tho|graf, Li|tho|graph, der; -en, -en (Steinzeichner)
Li|tho|gra|fie, Li|tho|gra|phie, die; -, ...ien (Steinzeichnung; *nur Sing.:* Herstellung von Platten für den Steindruck; Kunstblatt in Steindruck)
li|tho|gra|fie|ren, li|tho|gra|phie|ren; li|tho|gra|fisch, li|tho|gra|phisch
Li|tho|graph, Li|tho|gra|phie usw. vgl. Lithograf, Lithografie usw.
Li|tho|klast, der; -en, -en ⟨griech.⟩ (*Med.* Instrument zum Zertrümmern von Blasensteinen)
Li|tho|lo|ge, der; -n, -n; Li|tho|lo|gie, die; - (Gesteinskunde); Li|tho|lo|gin
Li|tho|ly|se, die; -, -n (*Med.* Auflö-

L
Lips

sung von Nieren- und Harnsteinen durch Arzneien)

li|tho|phag ⟨Zool. sich in Gestein einbohrend)

Li|tho|po|ne, die; - (lichtechte Weißfarbe)

Li|tho|sphä|re, die; - (Geol. Gesteinsmantel der Erde)

Li|tho|tom, der od. das; -s, -e (Med. chirurg. Messer zur Durchführung der Lithotomie); Li|tho|to|mie, die; -, ...ien ([Blasen]steinoperation)

Li|tho|trip|sie, die; -, ...ien ([Blasen]steinzertrümmerung); Li|tho|trip|ter, der; -s, - (Lithoklast)

Li|th|ur|gik, die; - (Lehre von der Verwendung u. Verarbeitung von Gesteinen u. Mineralien); vgl. aber Liturgik

li|to|ral ⟨lat.⟩ (Geogr. der Küste angehörend); Li|to|ral, das; -s, -e (Uferzone [Lebensraum im Wasser]); Li|to|ra|le, das; -s, -s ⟨ital.⟩ (Küstenland)

Li|to|ral|fau|na ⟨lat.⟩; Li|to|ral|flo|ra

Li|to|ri|na, die; -, ...nen (Zool. Uferschnecke); Li|to|ri|na|meer, das; -[e]s (Entwicklungsstufe der Ostsee mit der Litorina als Leitfossil)

Li|to|tes, die; -, - ⟨griech.⟩ (Rhet. Bejahung durch doppelte Verneinung, z. B. »nicht unklug«)

Lit|schi, die; -, -s ⟨chin.⟩ (pflaumengroße, erdbeerähnlich schmeckende Frucht)

litt vgl. leiden

Lit|te|ring, das; -s ⟨engl.⟩ (das Wegwerfen von Müll in die Umgebung)

Li|turg, der; -en, -en ⟨griech.⟩ (den Gottesdienst haltender Geistlicher)

Li|tur|gie, die; -, ...ien (amtliche od. gewohnheitsrechtliche Form des kirchl. Gottesdienstes, bes. der am Altar gehaltene Teil); Li|tur|gi|en|samm|lung

Li|tur|gik, die; - (Theol. Theorie u. Geschichte der Liturgie); vgl. aber Liturgik

Li|tur|gin

li|tur|gisch; liturgische Gefäße

Lit|ze, die; -, -n ⟨lat.⟩

Li|u|dol|fin|ger (svw. Ludolfinger)

live [laif] ⟨engl.⟩ (Rundf., Fernsehen direkt, original); live senden

Li|ve, der; -n, -n (Angehöriger eines im Westen Lettlands lebenden Volkes)

Live|act, Live-Act, der; -s, -s ([musikal.] Auftritt, bei dem jmd. persönlich singt, spielt, auftritt usw.)

Live|at|mo|sphä|re, Live-At|mo|sphä|re; Live|auf|zeich|nung, Live-Auf|zeich|nung (Rundf., Ferns.); Live|mit|schnitt, Live-Mit|schnitt; Live|mu|sik, Live-Mu|sik

Li|ver|pool [...pu:l] (engl. Stadt)

Live|sen|dung, Live-Sen|dung (Rundf., Fernsehen Direktsendung, Originalübertragung)

Live|show, Live-Show

Live|über|tra|gung, Live-Über|tra|gung

Li|via (Gemahlin des Kaisers Augustus)

li|visch ⟨zu Live⟩

Li|vi|us (röm. Geschichtsschreiber)

Liv|land; Liv|län|der; Liv|län|de|rin; liv|län|disch

Li|v|re, der od. das; -[s], -[s] ⟨franz.⟩ (alte franz. Münze); 6 Livre

Li|v|ree, die; -, ...een ⟨franz.⟩ (uniformartige Dienerkleidung); li|v|riert (in Livree [gekleidet])

Li|zen|ti|at vgl. [1,2] Lizenziat

Li|zenz, die; -, -en ⟨lat.⟩ (Erlaubnis, Genehmigung, bes. zur Nutzung eines Patents od. eines Softwareprogramms od. zur Herausgabe eines Druckwerks)

Li|zenz|aus|ga|be; Li|zenz|ge|ber; Li|zenz|ge|bühr

[1] Li|zen|zi|at, Li|zen|ti|at, das; -[e]s, -e (akademischer Grad in der Schweiz und bei einigen kath.-theol. Fakultäten); er ist Inhaber des Lizenziats, auch Lizentiats der Theologie

[2] Li|zen|zi|at, Li|zen|ti|at, der; -en, -en (Inhaber des [1]Lizenziats; Abk. Lic. [theol.], schweiz. lic. phil. usw.); Li|zen|zi|a|tin, Li|zen|ti|a|tin

li|zen|zie|ren (Lizenz erteilen); Li|zen|zie|rung

Li|zenz|in|ha|ber; Li|zenz|in|ha|be|rin; Li|zenz|neh|mer; Li|zenz|neh|me|rin; Li|zenz|num|mer; Li|zenz|spie|ler (Fußball); Li|zenz|spie|le|rin; Li|zenz|trä|ger; Li|zenz|trä|ge|rin; Li|zenz|ver|trag

Li|zi|ta|ti|on (bes. österr. für Versteigerung)

li|zi|tie|ren (veraltend, noch österr. für [bei einer Versteigerung] mitbieten)

Lju|bl|ja|na (Hauptstadt Sloweniens; vgl. Laibach)

LKR (Währungscode für sri-lank. Rupie)

Lkw, LKW, der; -[s] Plur. -s, selten - = Lastkraftwagen

Lkw-Fah|rer, LKW-Fah|rer; Lkw-Fah|re|rin, LKW-Fah|re|rin

Lkw-Maut, LKW-Maut

Lla|ne|ra ⟨zu Llanero⟩

Lla|ne|ro [lja...], der; -s, -s ⟨span.⟩ (Bewohner der Llanos); Lla|no ['lja:...], der; -s, -s meist Plur. (baumarme Hochgrassteppe in [Süd]amerika)

LL. B. = Bachelor of Laws; vgl. Bachelor

LL. M. = Master of Laws; vgl. Master

Lloyd, der; -[s] (nach dem Londoner Kaffeehausbesitzer E. Lloyd) (Name von Seeversicherungs-, auch von Schifffahrtsgesellschaften; Name von Zeitungen [mit Schiffsnachrichten]); Norddeutscher Lloyd, jetzt Hapag-Lloyd AG

lm = Lumen

Ln., Lnbd. = Leinen[ein]band

Loa|fer ['lo:fɐ], der; -s, - ⟨engl.⟩ (mokassinartiger Halbschuh)

[1]Lob, das; -[e]s, -e Plur. selten; Lob spenden

[2]Lob, der; -[s], -s ⟨engl.⟩ (Tennis einen hohen Bogen beschreibender Ball); lob|ben (einen [2]Lob schlagen)

Lob|by [...bi], die; -, -s ⟨engl.⟩ (Wandelhalle im [engl. od. amerik.] Parlament; auch für Gesamtheit der Lobbyisten)

Lob|by|ing ['lɔbiiŋ], das; -s, -s (Beeinflussung von Abgeordneten durch Interessengruppen)

Lob|by|is|mus, der; - (Versuch, Gepflogenheit, Zustand der Beeinflussung von Abgeordneten durch Interessengruppen)

Lob|by|ist, der; -en, -en (jmd., Abgeordnete für seine Interessen zu gewinnen sucht); Lob|by|is|tin

Lo|be|lie [...ịa], die; -, -n ⟨nach dem flandrischen Botaniker M. de l'Obel⟩ (eine Zierpflanze)

lo|ben

lo|bens|wert; lo|bens|wür|dig

lo|be|sam (veraltet)

Lo|bes|er|he|bung meist Plur. (geh.); Lo|bes|hym|ne

Lob|ge|sang

Lob|gier; lob|gie|rig

Lob|hu|de|lei (abwertend); lob|hu|deln (abwertend für übertrieben loben); ich lobhud[e]le; gelobhudelt; zu lobhudeln; Lob|hud|ler (abwertend); Lob|hud|le|rin

Lobh

löb|lich; Lob|lied

Lo|bo|to|mie *u.* Leukotomie

Lob|preis; lob|prei|sen; du lobpreist; du lobpreistest *u.* lobpriesest; gelobpreist *u.* lobgepriesen; zu lobpreisen; lobpreise!; Lob|prei|sung *(geh.)*

Lob|re|de; Lob|red|ner; Lob|red|ne|rin; lob|red|ne|risch

lob|sin|gen; du lobsingst; du lobsangst (lobangest); lobgesungen; zu lobsingen; lobsinge!

Lob|spruch *meist Plur.*

Lo|car|ner, Lo|car|ne|se, der; -n, -n (Bewohner von Locarno); Lo|car|ne|rin, Lo|car|ne|sin; Lo|car|no (Stadt am Lago Maggiore)

Lo|ca|tion [loˈkeɪʃən], die; -, -s ⟨engl.⟩ (Örtlichkeit; *Film* Drehort im Freien)

Lo|ca|ti|on-ba|sed Ser|vi|ces [loˈkeɪʃənbe:st ˈzøːɐ̯vɪsɪs] *Plur.* ⟨engl.⟩ *(Abk.* LBS; *vgl. d.)*

Loc|cum (Ort südl. von Nienburg [Weser])

Loch, das; -[e]s, Löcher; Lö|chel|chen

lo|chen; Lo|cher (Gerät zum Lochen)

lö|che|rig *(svw.* löchrig)

lö|chern; ich löchere

Loch|fraß (punktuelle Korrosion)

Lo|chi|en [...xiən] *Plur.* ⟨griech.⟩ *(Med.* Wochenfluss nach der Geburt)

Loch|ka|me|ra

Loch|kar|te; Loch|kar|ten|ma|schi|ne

Loch|leh|re (Gerät zur Prüfung der Durchmesser von Bolzen)

Loch Ness, der; - - (ein See in Schottland)

löch|rig

Loch|sti|cke|rei; Loch|strei|fen

Lo|chung; Loch|zan|ge

Löck|chen; Lo|cke, die; -, -n

¹lo|cken (lockig machen)

²lo|cken (anlocken)

lö|cken (sich widersetzen); *noch in* wider den Stachel löcken *(geh.)*

Lo|cken|haar

Lo|cken|kopf; lo|cken|köp|fig

Lo|cken|pracht; Lo|cken|stab; Lo|cken|wi|ckel, Lo|cken|wick|ler

lo|cker *(auch ugs. für* entspannt, zwanglos); locker sein, sitzen, werden; die Schraube locker machen *od.* lockermachen; die Zügel locker/locker lassen; *vgl. aber* lockerlassen, lockermachen ↑K47; Lo|cker|heit

lo|cker|las|sen (↑K47; *ugs. für* nachgeben); er hat nicht locker-

gelassen; *aber* die Zügel locker/lockerer lassen

lo|cker|ma|chen (↑K47; *ugs. für* hergeben; von jmdm. erlangen); er hat viel Geld lockergemacht; *aber* einen Knoten locker/lockerer machen; *vgl.* locker

lo|ckern; ich lockere; Lo|cke|rung

Lo|cke|rungs|mit|tel; Lo|cke|rungs|übung

lo|ckig

Lock|mit|tel, das; Lock|ruf; Lock|spei|se *(geh. für* Köder); Lock|spit|zel *(abwertend)*

Lo|ckung

Lock|vo|gel; Lock|vo|gel|an|ge|bot

Lock|wel|le (Lockenfrisur mit kleineren Wellen)

lo|co ⟨lat.⟩ *(Kaufmannsspr.* am Ort; hier; greifbar; vorrätig); loco Berlin (ab Berlin); *vgl. aber* Lokoverkehr

lo|co ci|ta|to (am angeführten Orte; *Abk.* l. c.)

Lod|de, die; -, -n *(svw.* Kapelan)

Lod|del, der; -s, - *(ugs.* Zuhälter)

lod|de|rig *(landsch. für* lotterig)

Lo|de, die; -, -n (Schössling)

Lo|den, der; -s, - (ein Wollgewebe); Lo|den|man|tel; Lo|den|stoff

lo|dern; ich lodere

Lodge [lɔdʒ], die; -, -s [...ɪz] ⟨engl.⟩ (Ferienhotel; Anlage mit Ferienwohnungen)

Lodz [lɔtʃ], Lodsch *(dt. Schreibung von Łódź)*; Łódź [ˈuʊtʃ] (Stadt in Polen)

Löf|fel, der; -s, -

Löf|fel|bag|ger; Löf|fel|bis|kuit

Löf|fel|chen *(auch für* eine Schlafstellung); Löf|fel|en|te; Löf|fel|kraut

löf|feln; ich löff[e]le

Löf|fel|rei|her *(vgl.* Löffler); Löf|fel|stiel

löf|fel|wei|se

Löff|ler (ein Stelzvogel)

Lo|fo|ten *[auch ...ˈfo:...] Plur.* (norw. Name der Lofotinseln); Lo|fot|in|seln *Plur.* (Gebiet u. Inselgruppe vor der Küste Nordnorwegens)

Loft, der *u.* das; -[s] ⟨engl.⟩ (aus der Etage einer Fabrik o. Ä. umgebaute Großraumwohnung)

log = Logarithmus

log *vgl.* lügen

Log, das; -s, -e ⟨engl.⟩ (Fahrgeschwindigkeitsmesser eines Schiffes)

Lo|ga|rith|men|ta|fel *(Math.);* lo|ga|rith|mie|ren ⟨griech.⟩ (mit

Logarithmen rechnen; den Logarithmus berechnen); lo|ga|rith|misch; Lo|ga|rith|mus, der; -, ...men (math. Größe; *Zeichen* log)

Log|buch ⟨engl.; dt.⟩ (Schiffstagebuch)

Lo|ge [...ʒə], die; -, -n ⟨franz.⟩ (Pförtnerraum; Theaterraum; [geheime] Gesellschaft)

Lo|ge|ment [loʒəˈmãː], das; -s, -s *(veraltet für* Wohnung, Bleibe)

Lo|gen|bru|der (Freimaurer); Lo|gen|platz; Lo|gen|schlie|ßer (Beschließer [im Theater]); Lo|gen|schlie|ße|rin

Log|gast, der; -[e]s, -en (Matrose zur Bedienung des Logs); Log|ge, die; -, -n *(seltener für* Log); log|gen *(Seemannsspr.* mit dem Log messen)

Log|ger, der; -s, - ⟨niederl.⟩ *(See|mannsspr.* ein Fischereifahrzeug)

Log|gia [...dʒ(i)a], die; -, ...ien [...dʒn, *auch* ...dʒiən] ⟨ital., »Laube«⟩ *(Archit.* halb offene Bogenhalle; nach einer Seite offener, überdeckter Raum am Haus)

Log|glas *Plur.* ...gläser *(Seemannsspr.* Sanduhr zum Loggen)

Lo|gi|cal [...dʒɪkl], das; -s, -s (anglisierend) (nach den Gesetzen der Logik aufgebautes Rätsel)

Lo|gier|be|such [...ˈʒi:ɐ̯...]; lo|gie|ren ⟨franz.⟩ ([vorübergehend] wohnen; *veraltend für* beherbergen); Lo|gier|gast *Plur.* ...gäste

Lo|gik, die; - ⟨griech.⟩ (Lehre von den Gesetzen, der Struktur, den Formen des Denkens; folgerichtiges Denken)

Lo|gi|ker (Lehrer der Logik; scharfer, klarer Denker); Lo|gi|ke|rin

Log-in, das; -s, -s *(EDV* das Einloggen)

Lo|gis [...ˈʒi:], das; - [...ʒi:(s)], - [...ʒi:s] ⟨franz.⟩ (Wohnung, Bleibe; *Seemannsspr. veraltend* Mannschaftsraum auf Schiffen)

lo|gisch ⟨griech.⟩ (folgerichtig; denknotwendig; *ugs. für* natürlich, selbstverständlich, klar); lo|gi|scher|wei|se

Lo|gis|mus, der; -, ...men *(Philos.* Vernunftschluss)

¹Lo|gis|tik, die; - (Behandlung der logischen Gesetze mithilfe von math. Symbolen; math. Logik)

L
löbl

²Lo|gis|tik, die; - ⟨nlat.⟩ (militärisches Nachschubwesen; Wirtsch. Gesamtheit aller Aktivitäten eines Unternehmens)
Lo|gis|tik|dienst|leis|ter
Lo|gis|ti|ker ⟨griech.⟩ (Vertreter der ¹Logistik); Lo|gis|ti|ke|rin
¹lo|gis|tisch (die ¹Logistik betreffend)
²lo|gis|tisch ⟨nlat.⟩ (die ²Logistik betreffend); logistische Kette
Log|lei|ne (Seew.)
lo|go (ugs.; logisch); das ist doch logo
Lo|go, der od. das; -s, -s ⟨engl.⟩ (Firmenzeichen, Signet)
Lo|go|griph, der; Gen. -s u. -en, Plur. -e[n] ⟨griech.⟩ (Buchstabenrätsel)
Lo|go|pä|de, der; -n, -n (Sprachheilkundiger); Lo|go|pä|die, die; - (Sprachheilkunde); Lo|go|pä|din; lo|go|pä|disch
Lo|gor|rhö, die; -, -en (Med. krankhafte Geschwätzigkeit)
Lo|gos, der; -, ...goi Plur. selten (sinnvolle Rede; Vernunft; Wort)
...loh (in Ortsnamen Gelände mit strauchartigem Baumbewuchs, z. B. Gütersloh)
Loh|bei|ze (Gerberei)
Loh|blü|te (Schleimpilz)
¹Lo|he, die; -, -n (Gerbrinde)
²Lo|he, die; -, -n (geh. für Glut, Flamme); lo|hen (geh.)
Lo|hen|grin (altd. Sagen- u. Epengestalt)
loh|gar (mit ¹Lohe gegerbt); Loh|ger|ber; Loh|ger|be|rin
Lohn, der; -[e]s, Löhne
lohn|ab|hän|gig; Lohn|ab|hän|gi|ge, der u. die; -n, -n
Lohn|ab|zug; Lohn|an|pas|sung; Lohn|aus|fall; Lohn|aus|gleich; Lohn|aus|weis (schweiz. für Lohnsteuerkarte); Lohn|aus|zah|lung
Lohn|buch|hal|ter; Lohn|buch|hal|te|rin; Lohn|buch|hal|tung
Lohn|bü|ro; Lohn|dum|ping (Zahlung von Löhnen, die deutlich unter Tarif liegen); Lohn|emp|fän|ger; Lohn|emp|fän|ge|rin
loh|nen; es lohnt den Einsatz; es lohnt die, der Mühe nicht; der Einsatz lohnt [sich]
löh|nen (Lohn auszahlen)
lohn|ens|wert
Lohn|er|hö|hung; Lohn|for|de|rung; Lohn|fort|zah|lung (bei Krankheit); Lohn|grup|pe
lohn|in|ten|siv

Lohn|kos|ten Plur.; Lohn|kür|zung; Lohn|ne|ben|kos|ten Plur.
Lohn|ni|veau; Lohn|pfän|dung
Lohn-Preis-Spi|ra|le ↑K26
Lohn|sa|ckerl (österr. für Lohntüte)
Lohn|ska|la
Lohn|steu|er, die; Lohn|steu|er|jah|res|aus|gleich; Lohn|steu|er|kar|te
Lohn|stopp
Lohn|sum|men|steu|er, die
Lohn|tü|te
Löh|nung
Lohn|ver|hand|lung; Lohn|ver|rech|ner (österr. für Lohnbuchhalter); Lohn|ver|rech|ne|rin
Lohn|ver|zicht; Lohn|zet|tel
Loh|rin|de ⟨zu ¹Lohe⟩
Loi|pe, die; -, -n ⟨norw.⟩ (Skisport Langlaufbahn, -spur); Loi|pen|be|trei|ber
Loire [lo̯aːʀ], die; - (franz. Fluss)
Lo|ja Dschir|ga, die; - - (die Große Ratsversammlung in Afghanistan)
Lok, die; -, -s (Kurzform von Lokomotive)
lo|kal ⟨lat.⟩ (örtlich; örtlich beschränkt); Lo|kal, das; -[e]s, -e (Örtlichkeit; [Gast]wirtschaft)
Lo|kal|an|äs|the|sie (Med. örtl. Betäubung); Lo|kal|au|gen|schein (österr. für Lokaltermin); Lo|kal|bahn; Lo|kal|be|richt; Lo|kal|der|by (Sport)
Lo|ka|le, das; -n (in Zeitungen Nachrichten aus dem Ort)
Lo|ka|li|sa|ti|on, die; -, -en (örtl. Beschränkung, Ortsbestimmung, -zuordnung); lo|ka|li|sie|ren (auch EDV); Lo|ka|li|sie|rung (das Lokalisieren, auch svw. Lokalisation)
Lo|ka|li|tät, die; -, -en (Örtlichkeit; Raum; scherzh. für Lokal)
Lo|kal|ko|lo|rit; Lo|kal|ma|ta|dor (örtliche Berühmtheit); Lo|kal|ma|ta|do|rin; Lo|kal|pa|t|ri|o|tis|mus
Lo|kal|pres|se; Lo|kal|ra|dio (bes. schweiz.); Lo|kal|re|dak|ti|on; Lo|kal|re|por|ter; Lo|kal|re|por|te|rin
Lo|kal|satz (Sprachw. Umstandssatz des Ortes)
Lo|kal|teil; Lo|kal|ter|min (Rechtsspr.); Lo|kal|zei|tung
Lo|ka|ti|on, die; -, -en (moderne Wohnsiedlung; Bohrstelle [bei der Erdölförderung]; Ort, Standort)

Lo|ka|tiv [auch ...'tiːf], der; -s, -e (Sprachw. Ortsfall)
Lo|ka|tor, der; -s, ...oren (im MA. [Kolonial]land verteilender Ritter)
Lok|füh|rer (Kurzform von Lokomotivführer); Lok|füh|re|rin
Lo|ki (germ. Gott)
lo|ko vgl. loco
Lo|ko|ge|schäft (Kaufmannsspr. zur sofortigen Erfüllung abgeschlossenes Geschäft)
Lo|ko|mo|ti|on, die; -, -en (Med. Gang[art], Fortbewegung)
Lo|ko|mo|ti|ve, die; -, -n ⟨engl.⟩ (Kurzform Lok)
Lo|ko|mo|tiv|füh|rer (Kurzform Lokführer); Lo|ko|mo|tiv|füh|re|rin; Lo|ko|mo|tiv|schup|pen
lo|ko|mo|to|risch ⟨lat.⟩ (Med. die Fortbewegung, den Gang betreffend)
Lo|ko|ver|kehr; Lo|ko|wa|re (Kaufmannsspr. sofort lieferbare Ware)
Lo|kus, der; Gen. - u. -ses, Plur. - u. -se (ugs. für ¹Abort)
Lo|la (w. Vorn.)
Lolch, der; -[e]s, -e ⟨lat.⟩ (Bot. eine Grasart)
Lo|li|ta, die; -, -s (nach einer Romanfigur) (Kindfrau)
Lol|li, der; -s, -s (bes. nordd. ugs. für Lutscher)
Lol|lo ros|so, auch Lol|lo ros|sa, der; - -s ⟨ital.⟩ (ital. Salatsorte mit rötlich geränderten, krausen Blättern)
Lom|bard [auch ...'baː...], der od. das; -[e]s, -e (Bankw. Kredit gegen Verpfändung beweglicher Sachen)
Lom|bar|de, der; -n, -n (Bewohner der Lombardei); Lom|bar|dei, die; - (ital. Region)
Lom|bard|ge|schäft (Bankw.); lom|bar|die|ren (bewegliche Sachen beleihen)
Lom|bar|din; lom|bar|disch (aus der Lombardei); aber ↑K140: die Lombardische Tiefebene
Lom|bard|lis|te (Bankw.); Lom|bard|satz; Lom|bard|zins|fuß
Lom|ber, das; -s ⟨franz.⟩ (ein Kartenspiel); Lom|ber|spiel, das; -[e]s
Lo|mé ['lo:me] (Hauptstadt von Togo)
Lom|matzsch [...at͡ʃ] (Stadt in Sachsen); Lom|matz|scher Pfle|ge, die; - - (Ebene nordwestl. von Meißen)
Lo|mo|nos|sow (russ. Gelehrter);

L
Lomo

Lo|mo|nos|sow|uni|ver|si|tät, Lo|mo|nos|sow-Uni|ver|si|tät, die; - ↑K 136 (in Moskau)

Lon|don (Hauptstadt Großbritanniens); Lon|do|ner

Long Drink, der; - -[s], - -s, **Longdrink**, der; -[s], -s ⟨engl.⟩ (mit Soda, Eiswasser o. Ä. verlängerter Drink); Long-Drink-Glas, **Long|drink|glas**

Lon|ge ['lɔ̃:ʒə], die; -, -n ⟨franz.⟩ (Reiten Laufleine für Pferde; Akrobatik Sicherheitsleine)

lon|gie|ren [lɔ̃'ʒi:...] (Reiten ein Pferd an der Longe laufen lassen)

Lon|gi|me|t|rie, die; - ⟨lat.; griech.⟩ (Physik Längenmessung)

lon|gi|tu|di|nal ⟨lat.⟩ (in der Längsrichtung); Lon|gi|tu|dinal|schwin|gung (Physik Längsschwingung); Lon|gi|tudi|nal|wel|le

long|line [...lain] ⟨engl.⟩ (Tennis an der Seitenlinie entlang); den Ball longline spielen; **Long|line**, der; -[s], -s (entlang der Seitenlinie gespielter Ball)

Long|sel|ler, der; -s, - ⟨anglisierend⟩ (lange zu den Bestsellern gehörendes Buch)

Lo|ni (w. Vorn.)

Löns [auch lœns] (dt. Schriftsteller)

Look [luk], der; -s, -s ⟨engl.⟩ (bestimmtes Aussehen; Moderichtung)

Look|alike ['lukəlaik], der; -s, -s ⟨engl.⟩ (Doppelgänger [einer prominenten Person]); **Lookalike|con|test, Look|alike-Contest** (Ähnlichkeitswettbewerb)

Loo|ping ['lu:...], der, auch das; -s, -s ⟨engl.⟩ (Flugw. senkrechter Schleifenflug, Überschlagrolle)

Loos (österr. Architekt)

Loser
Häufig wird im Englischen der Laut /u/ durch u (June »Juni«) oder durch zwei o (good »gut«) wiedergegeben. Loser gehört zu den relativ seltenen Fällen, in denen ein einfaches o für /u/ steht.

Lo|pe de Ve|ga [- - 've:ga] (span. Dichter)

Lor|bass, der; -es, -e (ostpreuß. für Lümmel, Taugenichts)

Lor|beer, der; -s, -en ⟨lat.⟩ (ein Baum; ein Gewürz); Lor|beerbaum

Lor|beer|blatt; das Silberne Lorbeerblatt (Sport)

lor|beer|grün

Lor|beer|kranz; Lor|beer|zweig

Lor|chel, die; -, -n (ein Pilz)

Lord, der; -s, -s ⟨engl.⟩ (hoher englischer Adelstitel)

Lord|kanz|ler (höchster englischer Staatsbeamter)

Lord Ma|y|or [- 'me:ɐ], der; - -s, - -s (Titel der Oberbürgermeister mehrerer englischer Großstädte)

Lor|do|se, die; -, -n ⟨griech.⟩ (Med. Rückgratverkrümmung nach vorn)

Lord|schaft; Ihre, Eure Lordschaft

Lord|ship [...ʃip], die; - ⟨engl.⟩ (Lordschaft; Würde od. Herrschaft eines Lords)

¹Lo|re, die; -, -n ⟨engl.⟩ (offener Eisenbahngüterwagen, Feldbahnwagen)

²Lo|re (w. Vorn.)

Lo|re|ley [...lai, auch 'lo:...], Lo|relei [auch 'lo:...], die; - (Rheinnixe der dt. Sage; Felsen am rechten Rheinufer bei St. Goarshausen)

Lo|renz (m. Vorn.)

Lo|renz|strom vgl. Sankt-Lorenz-Strom

Lo|re|to (Wallfahrtsort in Italien)

Lo|ret|to|hö|he, die; - (franz.; dt.) (Anhöhe bei Arras)

Lor|g|net|te [lɔr'njɛ...], die; -, -n ⟨franz.⟩ (Stielbrille); lor|g|net|tieren (früher für durch die Lorgnette betrachten; scharf mustern)

Lor|g|non [...'njõ:], das; -s, -s (Stieleinglas, -brille)

¹Lo|ri, der; -s, -s ⟨karib.-span.⟩ (ein Papagei)

²Lo|ri, der; -s, -s ⟨niederl.⟩ (ein schwanzloser Halbaffe)

Lork, der; -[e]s, Lörke (nordd. für Kröte)

Lor|ke, die; - (landsch. für dünner, schlechter Kaffee)

Lorm|al|pha|bet, Lorm-Al|pha|bet, das; -[e]s (nach Hieronymus Lorm entwickeltes Tastalphabet für Taubblinde); lor|men (kommunizieren mithilfe des Lormalphabets)

Lo|ro|kon|to ⟨ital.⟩ (das bei einer Bank geführte Kontokorrentkonto einer anderen Bank)

Lort|zing (dt. Komponist)

---

los

(vgl. lose)
– los!; los (weg) von Rom

Getrenntschreibung in Verbindung mit »haben« oder »sein«:

– der Knopf ist los (abgetrennt)
– der Hund ist [von der Kette] los
– er wird das Brett gleich los haben
– ugs. er wird die Sorgen bald los sein (selten haben)
– auf dem Fest ist nichts los gewesen (war es langweilig); dort drüben muss etwas los (passiert) sein
– los und ledig sein

Zusammenschreibung in Verbindung mit allen anderen Verben:

– vgl. losbinden (er bindet los, losgebunden, loszubinden), losfahren, losgehen, loslassen usw.

Los, das; -es, -e; das große Los ↑K 151

...los (z. B. arbeitslos)

Los An|ge|les [lɔs 'ɛndʒə...] (größte Stadt Kaliforniens)

lös|bar; Lös|bar|keit, die; -

los|be|kom|men; ich habe den Deckel nicht losbekommen

los|bin|den; losgebunden

los|brau|sen (ugs.)

los|bre|chen; ein Sturm brach los

Lösch|ap|pa|rat; Lösch|ar|beit meist Plur.

lösch|bar

Lösch|blatt; Lösch|boot

Lösch|ein|satz

¹lö|schen (einen Brand ersticken); du löschst, er löscht; du löschtest; gelöscht; lösch[e]!

²lö|schen (nur noch geh. für erlöschen); du lischst er lischt; du loschst; du löschest; geloschen; lisch!

³lö|schen ⟨zu los⟩ (Seemannsspr. ausladen); du löschst; du löschtest; gelöscht; lösch[e]!

Lö|scher; Lö|sche|rin; Lösch|fahrzeug; Lösch|ge|rät; Lösch|kalk

Lösch|pa|pier; Lösch|tas|te

Lö|schung

Lösch|was|ser, das; -s; Lösch|zug

lo|se; das lose Blatt; lose Ware (nicht in Originalpackung, sondern einzeln); eine lose Zunge haben (leichtfertig reden); die Zügel lose, landsch. auch: los (locker) halten; der Knopf ist lose (locker); vgl. aber los

Lo|se, die; -, -n (*Seemannsspr.* schlaffes Tau[stück])

Lo|se|blatt|aus|ga|be; Lo|se|blatt|samm|lung

Lö|se|geld

Lö|se|geld|for|de|rung

los|ei|sen (*ugs. für* mit Mühe frei machen, abspenstig machen); er eis|te los; sich loseisen; ich habe mich endlich von ihnen losge-eist

Lö|se|mit|tel, das

lo|sen (das Los ziehen); du lost; er/sie los|te; gelost; los[e]!

lö|sen (*auch für* befreien; *Bergmannsspr.* entwässern, mit frischer Luft beschicken); du löst; er/sie lös|te; gelöst; lös[e]!

Los|ent|scheid

Lo|ser ['lu:zɐ], der; -s, - ⟨engl.⟩ (*ugs. für* Verlierer; Versager); Lo|se|rin

los|fah|ren; er ist losgefahren

los|ge|hen (*ugs. auch für* anfangen); der Streit ist losgegangen

los|ha|ben (*ugs. für* etwas verstehen; mit Leichtigkeit können); sie hat in ihrem Beruf viel losgehabt

los|heu|len (*ugs. auch für* zu weinen beginnen); die Sirene heulte los

...lo|sig|keit (z. B. Regellosigkeit, die; -, -en)

Los|kauf; los|kau|fen; die Gefangenen wurden losgekauft

los|kom|men; er ist von diesem Gedanken nicht losgekommen

los|krie|gen (*ugs.*); den Deckel nicht loskriegen

los|la|chen; sie musste laut loslachen

los|las|sen; sie hat den Hund [von der Kette] losgelassen

los|lau|fen; er ist losgelaufen

los|le|gen (*ugs. für* ungestüm beginnen); sie hat ordentlich losgelegt (z. B. energisch geredet)

lös|lich; Lös|lich|keit, die; -

los|lö|sen, sich loslösen; er hat die Briefmarke losgelöst; du hast dich von diesen Anschauungen losgelöst; Los|lö|sung

los|ma|chen; er hat das Brett losgemacht; mach los! (*ugs. für* beeile dich!)

los|mar|schie|ren; er ist sofort losmarschiert

Los|num|mer

los|prus|ten (*ugs. für* prustend loslachen)

los|rei|ßen; du hast dich losgerissen

Löss, Löß, der; -es, -e (*Geol.* kalkhaltige Ablagerung des Pleistozäns)

los|sa|gen; sich von etwas lossagen; du hast dich von ihm losgesagt; Los|sa|gung

Löss|bo|den, Löß|bo|den

los|schi|cken; er hat den Trupp losgeschickt

los|schie|ßen (*ugs.*); sie ist auf mich losgeschossen

los|schla|gen; er hat das Brett losgeschlagen; die Feinde haben losgeschlagen (mit dem Kampf begonnen)

los|schrau|ben; sie hat den Griff losgeschraubt

los sein *vgl.* los

lös|sig, lö|ßig (*Geol.*)

Löss|kin|del, Löß|kin|del, das; -s, - (Konkretion in Löss)

Löss|land|schaft, Löß|land|schaft

Löß|nitz, die; - (Landschaft nordwestl. von Dresden)

los|spre|chen (von Schuld); er hat ihn losgesprochen; Los|spre|chung (*für* Absolution)

Löss|schicht, Löss-Schicht, Löß|schicht (*Geol.*)

los|steu|ern; auf ein Ziel lossteuern

los|stür|zen (*ugs.*); er ist losgestürzt, als ...

Lost, der; -[e]s (Deckname für einen chem. Kampfstoff)

Los|tag (nach dem Volksglauben für die Wetterprophezeiung bedeutsamer Tag)

los|tre|ten; eine Lawine lostreten

Los|trom|mel

¹Lo|sung (Wahl-, Leitspruch; Erkennungswort)

²Lo|sung (*Jägerspr.* Kot des Wildes u. des Hundes; *Kaufmannsspr.* Tageseinnahme)

Lö|sung

Lö|sungs|mit|tel, das

Lö|sungs|ver|such

Lo|sungs|wort Plur. ...worte

Los-von-Rom-Be|we|gung, die; - ↑K26 (*hist.*)

los|wer|den; etwas loswerden (von etwas befreit werden; *ugs. für* etwas verkaufen); sie ist ihm glücklich losgeworden; ..., damit du alle Sorgen loswirst; sie muss sehen, wie sie die Ware loswird

los|zie|hen (*ugs. für* sich zu einer [vergnüglichen] Unternehmung aufmachen); wir sind losgezogen; gegen jmdn. losziehen (*ugs. für* gehässig von ihm reden)

¹Lot, das; -[e]s, -e (metall. Bindemittel; Vorrichtung zum Messen der Wassertiefe u. zur Bestimmung der Senkrechten; *früher* [Münz]gewicht, Hohlmaß); 3 Lot Kaffee

²Lot, das; -[s], -s ⟨engl.⟩ (ein Posten Ware, bes. bei Briefmarken)

³Lot (bibl. m. Eigenn.)

lo|ten (senkrechte Richtung bestimmen; Wassertiefe messen)

lö|ten (durch Lötmetall verbinden); Löt|fu|ge; Löt|ge|rät

Lo|thar (m. Vorn.)

Loth|rin|gen; Loth|rin|ger; Loth|rin|ge|rin; loth|rin|gisch

...lö|tig (z. B. sechzehnlötig)

Lo|ti|on [*auch* 'lo:ʃn], die; -, *Plur.* -en, *bei engl. Aussprache* -s ⟨engl.⟩ (flüssiges Reinigungs-, Pflegemittel für die Haut)

Löt|kol|ben; Löt|lam|pe; Löt|me|tall

Lo|to|pha|ge, der; -n, -n ⟨griech., »Lotosesser«⟩ (Angehöriger eines sagenhaften Volkes in Homers Odyssee)

Lo|tos, der; -, - (eine Seerose)

Lo|tos|blu|me; Lo|tos|blü|te

Lo|tos|sitz

lot|recht; Lot|rech|te, die; -n, -n; vier Lotrechte[n]

Löt|rohr; Löt|rohr|ana|ly|se (ein chemisches Prüfverfahren)

Lötsch|berg|bahn; Lötsch|berg|tun|nel; Löt|schen|pass, Löt|schen-Pass, der; -es

Lot|se, der; -, -n ⟨engl.⟩; lot|sen; du lotst; gelotst; Lot|sen|boot; Lot|sen|dienst; Lot|sen|fisch; Lot|sen|sta|ti|on

Lot|sin

Löt|stel|le

Lott|chen, Lot|te, Lot|ti (w. Vorn.)

Lot|ter, der; -s, - (*noch landsch. für* Herumtreiber, Faulenzer)

Lot|ter|bett (*veraltet, noch scherzh. für* Sofa)

Lot|te|rie, die; -, ...ien ⟨niederl.⟩ (Glücksspiel, Verlosung); Lot|te|rie|ein|neh|mer; Lot|te|rie|ein|neh|me|rin; Lot|te|rie|los; Lot|te|rie|spiel

lot|te|rig, lott|rig (*ugs. für* unordentlich)

Lot|ter|le|ben, das; -s (abwertend)

lot|tern (*landsch. für* ein Lotterleben führen; *schweiz. für* lose sein, aus den Fugen gehen); ich lottere

L

lott

Lot|ter|wirt|schaft, die; - *(abwertend)*

Lot|ti *vgl.* Lotte

Lot|to, das; -s, -s ⟨ital.⟩ (Zahlenlotterie; Gesellschaftsspiel)

Lot|to|an|nah|me|stel|le, **Lot|to-An-nah|me|stel|le**

Lot|to|fee *(scherzh. für* Fernsehansagerin bei der Ziehung der Lottozahlen); Lot|to|ge|winn; Lot|to-kol|lek|tur *(österr. für* Geschäftsstelle für das Lottospiel); Lot|to-schein; Lot|to|spiel

Lot|to|zah|len *Plur.;* Lot|to|zet|tel

lott|rig *vgl.* lotterig

Lo|tung

Lö|tung

Lo|tus, der; -, - ⟨griech.⟩ (Hornklee; *auch svw.* Lotos)

lot|wei|se

Löt|zinn

¹Lou|is [ˈluːi] (m. Vorn.)

²Lou|is, der; -, - *(ugs. für* Zuhälter)

Lou|is|dor [luiˈdoːɐ̯], der; -s, -e (eine alte franz. Münze); 6 Louisdor

Lou|i|si|a|na [lui..., *auch* ...ˈzjɛnə] (Staat der USA; *Abk.* LA)

Lou|is-qua|tor|ze [luikaˈtɔrs], das; - ⟨franz.⟩ (Stil zur Zeit Ludwigs XIV.); Lou|is-quinze [...kɛ̃ːs], das; - (Stil zur Zeit Ludwigs XV.); Lou|is-seize [...ˈsɛːs], das; - (Stil zur Zeit Ludwigs XVI.)

Lounge [launt͡ʃ], die; -, -s ⟨engl.⟩ ([Hotel]halle; [Cocktail]bar)

Lourdes [lʊrt] (franz. Wallfahrtsort); Lourdes|grot|te

Lou|v|re [ˈluːvrə], der; -[s] (ein Museum in Paris)

Love|pa|rade, **Love-Pa|rade** [ˈlafpəreɪd], die; - ⟨engl.⟩ (Umzug der Raver[innen])

Lo|ver [ˈlavɐ], der; -s, -[s] ⟨engl.⟩ (Liebhaber; Liebespartner)

Love|sto|ry [ˈlaf...] ⟨engl.⟩ (Liebesgeschichte)

Low-Bud|get-Pro|duk|ti|on [loːˈbadʒɪt...] (Filmproduktion mit geringen finanziellen Mitteln)

Low-Cost-Car|ri|er [ˈloːkɔstkɛrɪ̯ɐ], der; -s, -s ⟨engl.⟩ (Billigfluglinie)

Lö|we, der; -n, -n ⟨griech.⟩

Lö|wen|an|teil (Hauptanteil)

Lö|wen|bän|di|ger; Lö|wen|bän|di-ge|rin

Lö|wen|herz (m. Eigenn.)

Lö|wen|jagd; Lö|wen|kä|fig; Lö-wen|mäh|ne

Lö|wen|maul (eine Gartenblume); Lö|wen|mäul|chen (Löwenmaul)

Lö|wen|mut

lö|wen|stark

Lö|wen|zahn, der; -[e]s (eine Wiesenblume)

Low|fat|di|ät, **Low-Fat-Di|ät** [ˈloːfɛt...] ⟨engl.; griech.⟩ (Diät, bei der man möglichst wenig Fett zu sich nimmt)

Lö|win

Low|tech [ˈloːtɛk], das; -[s], *auch* die; - (einfache, wenig entwickelte Technologie)

lo|y|al [lɔaˈjaːl] ⟨franz.⟩ (redlich, [regierungs]treu)

Lo|ya|li|tät, die; -, -en; Lo|ya|li|täts-er|klä|rung

Lo|yo|la [...ˈjo:...]; Ignatius von Loyola

¹LP = Läuten u. Pfeifen (Eisenbahnzeichen)

²LP, die; -, -[s] ⟨aus engl. long-playing record⟩ (Langspielplatte)

LPG, die; -, -[s] = landwirtschaftliche Produktionsgenossenschaft *(DDR)*

Lr = Lawrencium

LRH, der; -[s], -[s] = Landesrechnungshof

LRS, die; = = Lese-Rechtschreib-Schwäche

LSD, das; -[s] ⟨kurz für Lysergsäurediäthylamid⟩ (ein Rauschgift)

LSG, das; -[s], -[s] = Landschaftsschutzgebiet; Landessozialgericht

LSVA, die; = = leistungsabhängige Schwerverkehrsabgabe *(Schweiz)*

lt. = ²laut

Lt. = Leutnant

ltd., Ltd. = limited

Ltn. = Leutnant

Lu = *chem. Zeichen für* Lutetium

Lu|an|da (Hauptstadt Angolas)

Lu|ba, Ba|lu|ba, der; -[s], -[s] (Angehöriger eines Bantustammes in der Demokratischen Republik Kongo)

Lü|beck (Hafenstadt an der Ostsee); Lü|be|cker; die Lübecker Bucht; lü|be|ckisch, lü|bisch (von Lübeck)

Lüb|ke (zweiter dt. Bundespräsident)

Luch, die; -, Lüche *od.* das; -[e]s, -e *(landsch. für* Sumpf)

Luchs, der; -es, -e (ein Raubtier)

Luchs|au|ge *(auch ugs. übertr.);* luchs|äu|gig

luch|sen *(ugs. für* sehr genau aufpassen); du luchst

Luch|sin

Lucht, die; -, -en ⟨niederl.⟩ *(nordd. für* Dachboden)

Lu|cia *vgl.* Luzia; *vgl.* Santa Lucia

Lu|ci|an *vgl.* Lukian

Lu|ci|a|ner (Einwohner von St. Lucia); Lu|ci|a|ne|rin; lu|ci|a|nisch

Lu|ci|us (röm. m. Vorn.; *Abk.* L.)

Lü|cke, die; -, -n

Lü|cken|bü|ßer *(ugs. für* Ersatzmann); Lü|cken|bü|ße|rin; Lü-cken|fül|ler (Ersatz)

lü|cken|haft; Lü|cken|haf|tig|keit, die; -

lü|cken|los; Lü|cken|lo|sig|keit, die; -

Lü|cken|test *(Psych.)*

lu|ckig *(Bergmannsspr.* großporig); luckiges Gestein

Lu|c|re|tia *vgl.* Lukretia; Lu|c|re|ti-us, Lu|k|rez (altröm. Dichter); Lu|c|re|zia *vgl.* Lukretia

Lu|cul|lus (röm. Feldherr); *vgl.* Lukullus

lud *vgl.* ¹, ²laden

Lu|de, der; -n, -n *(ugs. abwertend für* Zuhälter)

Lü|den|scheid (Stadt im Sauerland)

Lu|der, das; -s, - *(Jägerspr.* Köder, Aas; *auch* Schimpfwort)

Lu|de|rer *(veraltet für* liederlicher Mensch); lu|der|haft *(veraltet)*

Lu|der|jan *(svw.* Liederjan)

Lu|der|le|ben, das; -s

lu|der|mä|ßig *(landsch. für* sehr, überaus)

lu|dern *(veraltet für* liederlich leben); ich ludere

Lud|ger (m. Vorn.)

Lud|mil|la (w. Vorn.)

Lu|dolf (m. Vorn.)

Lu|dol|fin|ger (Angehöriger eines mittelalterl. dt. Herrschergeschlechtes)

lu|dolf|sche Zahl, Lu|dolf'sche Zahl, die; -n - ⟨nach dem Mathematiker Ludolf van Ceulen [ˈkøːlən]⟩ *(selten für* die Zahl π [Pi]); Lu|dolf|zahl, Lu|dolf-Zahl ↑K 136, die; - *(svw.* ludolfsche Zahl)

Lu|do|wi|ka (w. Vorn.)

Lu|do|win|ger (Angehöriger eines thüring. Landgrafengeschlechtes)

Lud|wig (m. Vorn.)

Lud|wigs|burg (Stadt nördl. von Stuttgart)

Lud|wigs|ha|fen am Rhein (Stadt in Rheinland-Pfalz)

Lu|es, die; - ⟨lat.⟩ *(Med.* Syphilis); lu|e|tisch, lu|isch *(Med.* syphilitisch)

Luf|fa, die; -, -s ⟨arab.⟩ (eine kürbisartige Pflanze); Luf|fa-

L
Lott

Luft – lumineszieren

schwamm (schwammartige Frucht der Luffa)

Luft, die; -, Lüfte

Luft|ab|wehr; Luft|alarm; Luft|an|griff; Luft|auf|klä|rung; Luft|auf|nah|me; Luft|auf|sicht

Luft|bad; Luft|bal|lon

Luft|be|we|gung (Meteor.)

Luft|bild; Luft|bild|ar|chäo|lo|gie

Luft|bla|se

Luft-Bo|den-Ra|ke|te; Luft|brü|cke

Lüft|chen

luft|dicht; luftdicht verschließen; Luft|dich|te; Luft|druck, der; -[e]s

luft|durch|läs|sig

Luft|elek|t|ri|zi|tät; Luft|em|bo|lie

lüf|ten; Lüf|ter

Luft|fahrt, die; -, Plur. (für Fahrten durch die Luft:) -en; Luft|fahrt|for|schung; Luft|fahrt|in|dus|t|rie; Luft|fahrt|me|di|zin

Luft|fahr|zeug

Luft|feuch|te, die; -; Luft|feuch|tig|keit, die; -

Luft|fil|ter; Luft|flot|te; Luft|fracht

luft|ge|kühlt; luftgekühlter Motor; luft|ge|schützt; ein luftgeschützter Ort; luft|ge|trock|net; luftgetrocknete Wurst

Luft|ge|wehr

Luft|gi|tar|re (scherzh.); Luftgitarre spielen (so tun, als ob man Gitarre spielt)

Luft|ha|fen (vgl. 2Hafen); Luft|han|sa (für Deutsche Lufthansa AG); Luft|hei|zung; Luft|ho|heit, die; -; Luft|hül|le; Luft|hut|ze (Kfz.-Technik)

luf|tig; Luf|tig|keit, die; -

Luf|ti|kus, der; -[ses], -se (scherzh. für oberflächlicher Mensch)

Luft|kampf

Luft|kis|sen; Luft|kis|sen|fahr|zeug

Luft|klap|pe (für Ventil); Luft|kor|ri|dor; Luft|krank|heit; Luft|krieg; Luft|küh|lung, die; -; Luft|kur|ort Plur. ...orte

Luft|lan|de|trup|pe (für die Landung aus der Luft besonders ausgebildete u. ausgerüstete militär. Einheit)

luft|leer; Lüft|lein; Luft|li|nie

Lüftl|ma|le|rei (Fassadenmalerei in Bayern)

Luft|loch; Luft|man|gel, der; -s

Luft|ma|sche

Luft|mat|rat|ze; Luft|mi|ne

Luft|num|mer (Akrobatik; auch ugs. für sich als unwahr od. unwichtig erweisende Behauptung)

Luft|pi|rat; Luft|pi|ra|tin; Luft|po|li|zist; Luft|po|li|zis|tin

Luft|pols|ter; Luft|post, die; -; Luftpum|pe; Luft|qua|li|tät, die; -; Luft|raum; Luft|röh|re

Luft|sack (Zool.)

Luft|schacht

Luft|schau|kel (landsch. für Schiffschaukel)

Luft|schicht

Luft|schiff; Luft|schif|fer

Luft|schiff|fahrt, Luft-schiff-Fahrt, die; -, Plur. (für Fahrten mit dem Luftschiff:) -en

Luft|schlacht; Luft|schlan|ge meist Plur.; Luft|schloss; Luft|schrau|be (für Propeller)

Luft|schutz; Luft|schutz|bun|ker; Luft|schutz|kel|ler; Luft|schutz|raum

Luft|sper|re; Luft|sperr|ge|biet

Luft|spie|ge|lung, Luft|spieg|lung

Luft|sprung; Luft|streit|kräf|te Plur.; Luft|strom

Luft|ta|xi; Luft|tem|pe|ra|tur

luft|tüch|tig; ein lufttüchtiges Flugzeug

Lüf|tung; Lüf|tungs|klap|pe

Luft|ver|än|de|rung

Luft|ver|kehr; Luft|ver|kehrs|ge|sell|schaft

Luft|ver|schmut|zung; Luft|waf|fe

Luft|wech|sel; Luft|weg; auf dem Luftweg[e]; Luft|wi|der|stand; Luft|wir|bel; Luft|wur|zel; Luft|zu|fuhr, die; -; Luft|zug

1Lug, der; -[e]s (Lüge); [mit] Lug und Trug

2Lug, der; -s, -e (landsch. für Ausguck)

Lu|ga|ner; Lu|ga|ner See, der; - -s; Lu|ga|ne|se, der; -n, -n (Luganer); Lu|ga|ne|sin; lu|ga|ne|sisch; Lu|ga|no (Stadt in der Schweiz)

Lug|aus, der; -, - (landsch., auch geh. für Aussichtsturm)

Lü|ge, die; -, -n; jmdn. Lügen strafen (der Unwahrheit überführen)

lu|gen (landsch. für ausschauen, spähen)

lü|gen; du logst; du lögest; gelogen; lüg[e]!

Lü|gen|bold, der; -[e]s, -e (abwertend)

Lü|gen|de|tek|tor (Gerät, mit dem die unwillkürliche körperliche Reaktionen eines Befragten gemessen werden können)

Lü|gen|dich|tung; Lü|gen|ge|bäu|de; Lü|gen|ge|schich|te; Lü|gen|gespinst; Lü|gen|ge|we|be

lü|gen|haft; Lü|gen|haf|tig|keit

Lü|gen|maul (ugs. für Lügner)

Lü|ge|rei (ugs.)

Lug|ins|land, der; -[e]s, -e (veraltend für Wachtturm, Aussichtsturm)

Lüg|ner; Lüg|ne|rin; lüg|ne|risch

lu|isch vgl. luetisch

Lu|is|chen, Lu|i|se (w. Vorn.)

Lu|it|gard (w. Vorn.); Lu|it|ger (m. Vorn.); Lu|it|pold (m. Vorn.)

Luk, das; -[e]s, -e; vgl. Luke

Lu|kar|ne, die; -, -n (franz.) (landsch. für Dachfenster, -luke)

Lu|kas (Evangelist); Evangelium Lucä (des Lukas)

Lu|ke, die; -, -n (kleines Dach- od. Kellerfenster; Öffnung im Deck od. in der Wand des Schiffes)

Lu|ki|an (griech. Satiriker)

Luk|ma|ni|er, der; -s, auch Luk|mani|er|pass, Luk|ma|ni|er-Pass, der; -es (ein schweiz. Alpenpass)

lu|k|ra|tiv (lat.) (Gewinn bringend)

Lu|k|re|tia, Lu|c|re|tia, Lu|c|re|zia (w. Vorn.); Lu|k|rez vgl. Lucretius; Lu|k|re|zia (w. Vorn.)

lu|k|rie|ren (lat.) (österr. für Gewinn erzielen)

lu|kul|lisch (üppig); lukullisches Mahl; Lu|kul|lus, der; -, -se (Schlemmer [nach Art des Lucullus])

Lu|latsch, der; -[e]s, -e (ugs. für langer, schlaksiger Mann)

Lul|le, die; -, -n (ugs. für Zigarette)

lul|len (volkstüml. für leise singen); das Kind in den Schlaf lullen

Lul|ler (österr. landsch. für Schnuller)

Lu|lu [auch ...'lu:] (w. Vorn.)

Lum|ba|go, die; - (lat.) (Med. Schmerzen in der Lendengegend; Hexenschuss)

lum|bal (die Lenden[gegend] betreffend); Lum|bal|an|äs|the|sie; Lum|bal|punk|ti|on

lum|be|cken (nach dem dt. Erfinder E. Lumbeck) (Bücher durch Aneinanderkleben der einzelnen Blätter binden); gelumbeckt

Lum|ber|jack ['la...], der; -s, -s (engl.) (eine Art Jacke)

Lu|men, das; -s, Plur. - u. ...mina (lat., »Licht«) (Physik Einheit des Lichtstromes [Zeichen lm]; Biol., Med. innerer Durchmesser [lichte Weite] od. Hohlraum von Zellen od. Organen)

Lu|mi|nes|zenz, die; -, -en (Physik Lichterscheinung, die nicht durch erhöhte Temperatur bewirkt ist); lu|mi|nes|zie|ren

655

Lu|mi|no|phọr, der; -s, -e ⟨lat.; griech.⟩ (*Physik* Leuchtstoff)

Lụm|me, die; -, -n ⟨nord.⟩ (ein arktischer Seevogel)

Lụm|mel, der; -s, - (*südd. für* Lendenfleisch, -braten)

Lüm|mel, der; -s, -; Lüm|me|lẹi; lüm|mel|haft; lüm|meln, sich (*ugs.*); ich lümm[e]le mich

Lụmp, der; -en, -en (schlechter Mensch); Lụm|pa|zi|us, der; -, -se (*scherzh. veraltend für* Lump); Lụm|pa|zi|va|ga|bụn|dus, der; -, *Plur.* -se u. ...di (Landstreicher)

lụm|pen (*ugs. für* liederlich leben); sich nicht lumpen lassen (*ugs.* freigebig sein; Geld ausgeben)

Lụm|pen, der; -s, - (Lappen)

Lụm|pen|ge|sin|del; Lụm|pen|händ|ler (*ugs. für* Altwarenhändler); Lụm|pen|händ|le|rin; Lụm|pen|pack; Lụm|pen|pro|le|ta|ri|at (*marxist. Theorie*); Lụm|pen|sack; Lụm|pen|samm|ler (*auch übertr. scherzh. für* letzte [Straßen]bahn, letzter Omnibus in der Nacht); Lụm|pen|samm|le|rin

Lụm|pe|rẹi

lụm|pig

Lụ|na ⟨lat.⟩ (römische Mondgöttin; *geh. für* Mond; Name sowjetischer unbemannter Mondsonden); lu|nạr (den Mond betreffend, Mond...); lu|nạ|risch (*älter für* lunar)

Lu|nạ|ri|um, das; -s, ...ien (Gerät zur Veranschaulichung der Mondbewegung)

Lu|na|tịs|mus, der; - (*Med.* Mondsüchtigkeit)

Lunch [lantʃ], der; *Gen.* -[e]s *od.* -, *Plur.* -[e]s *od.* -e ⟨engl.⟩ (leichte Mittagsmahlzeit [in angelsächsischen Ländern]); Lunch|bü|fett, Lunch|buf|fet

lun|chen; du lunchst

lynchen

Das aus dem amerikanischen Englisch entlehnte Verb wird wie in der Herkunftssprache mit *-y-* geschrieben.

Lunch|pa|ket; Lunch|zeit

¹Lụnd (Stadt in Schweden)

²Lụnd, der; -[e]s, -e (Papageitaucher, ein Vogel)

Lü|ne|burg (Stadt am Nordrand der Lüneburger Heide); Lü|ne|bur|ger Hei|de, die; - - (Teil des Norddeutschen Tieflandes)

Lü|nẹt|te, die; -, -n ⟨franz.⟩ (*Technik* Stütze für lange Werkstücke

auf der Drehbank; *Archit.* Bogenfeld, Stichkappe; *früher* eine Grundrissform im Festungsbau)

Lụn|ge, die; -, -n; die eiserne Lunge

Lụn|gen|bläs|chen; Lụn|gen|bra|ten (*österr. für* Lendenbraten); Lụn|gen|ent|zün|dung; Lụn|gen|fisch (*Zool.*); Lụn|gen|flü|gel; Lụn|gen|ha|schee

lụn|gen|krank; Lụn|gen|krebs

lụn|gen|lei|dend

Lụn|gen|ödem

Lụn|gen|spit|zen|ka|tarr, Lụn|gen|spit|zen|ka|tarrh

Lụn|gen|stru|del (*österr. für* eine Suppeneinlage)

Lụn|gen-Tbc ↑K 28; Lụn|gen|tu|ber|ku|lo|se

Lụn|gen|tu|mor; Lụn|gen|zug

lụn|gern (*ugs.*); ich lungere

Lü|ning, der; -s, -e (*nordd. für* Sperling)

Lụn|ker, der; -s, - (fehlerhafter Hohlraum in Gussstücken)

Lün|se, die; -, -n (Achsnagel)

Lünt, die; - (*landsch. für* Schweinenierenfett)

Lụn|te, die; -, -n (ein Zündmittel; *Jägerspr.* Schwanz des Fuchses); Lunte riechen (*ugs. für* Gefahr wittern); Lụn|ten|schnur *Plur.* ...schnüre

Lụ|pe, die; -, -n ⟨franz.⟩ (Vergrößerungsglas)

lu|pen|rein (sehr rein, ganz ohne Mängel [von Edelsteinen]; *übertr. für* einwandfrei, hundertprozentig)

Lu|per|ka|li|en *Plur.* (ein altrömisches Fest)

Lụpf, der; -[e]s, -e (*südd. u. schweiz. für* das Hochheben; Last, die man eben noch heben kann; *auch für* Hosenlupf); lụp|fen (*südd., schweiz., österr. für* lüpfen); lụ̈p|fen (leicht anheben, kurz hochheben, lüften)

Lu|pị|ne, die; -, -n ⟨lat.⟩ (eine Futter- od. Zierpflanze); Lu|pị|nen|feld

Lu|pị|nen|krank|heit, die; - (Lupinose); Lu|pị|no|se, die; - (Leberentzündung bei Wiederkäuern)

Lụp|pe, die; -, -n (*Technik* Eisenklumpen); lụp|pen (gerinnen lassen)

Lu|pu|lịn, das; -s ⟨lat.⟩ (Bitterstoff der Hopfenpflanze)

Lụ|pus, der; -, *Plur.* - u. -se ⟨lat.⟩ (*Med.* tuberkulöse Hautflechte)

Lụ|pus in fạ|bu|la, der; - - - (»der

Wolf in der Fabel«) (jemand, der kommt, wenn man gerade von ihm spricht)

¹Lụrch, der; -[e]s, -e (Amphibie)

²Lụrch, der; -[e]s (*österr. für* zusammengeballter, mit Fasern durchsetzter Staub)

Lụ|re, die; -, -n ⟨nord.⟩ (ein altes nord. Blasinstrument)

Lụ|rex ®, das; - ⟨Kunstwort⟩ (Garn mit metallischen Fasern)

Lu|sạ|ka (Hauptstadt Sambias)

Lụ|sche, die; -, -n (*ugs. für* Spielkarte [von geringem Wert])

lụ|schig (*landsch. für* liederlich, flüchtig)

Lu|si|tạ|ner, Lu|si|tạ|ni|er, der; -s, - (Angehöriger eines iber. Volksstammes); Lu|si|tạ|ni|en (röm. Provinz, das heutige Portugal); Lu|si|tạ|ni|er *vgl.* Lusitaner; lu|si|tạ|nisch

Lụst, die; -, Lüste; Lust haben

Lụst|bar|keit (*veraltend*)

lụst|be|tont

Lụs|ter, der; -s, - ⟨franz.⟩ (*österr. für* Kronleuchter); Lụs|ter, der; -s, - (Kronleuchter; Glanzüberzug auf Glas-, Ton-, Porzellanwaren; glänzendes Gewebe)

Lụs|ter|far|be; Lụs|ter|glas *Plur.* ...gläser; Lụs|ter|klem|me

lụs|tern; er hat lüsterne Augen; der Mann ist lüstern; Lụs|tern|heit, die; -

lụst|feind|lich; Lụst|feind|lich|keit

Lụst|gar|ten (*früher für* parkartiger Garten); Lụst|ge|fühl; Lụst|ge|winn, der; -[e]s; Lụst|greis (*ugs. abwertend*)

lụs|tig; Schluss mit lustig; *vgl. aber* Bruder Lustig; Lụs|tig|keit

lụst|los; Lụst|lo|sig|keit, die; -

Lụst|molch (*ugs., oft scherzh.*)

Lụst|mord; Lụst|mör|der; Lụst|mör|de|rin

Lụst|ob|jekt; Lụst|prin|zip, das; -s (*Psych.*)

Lụs|t|ra (*Plur. von* Lustrum)

Lụs|t|ra|ti|on, die; -, -en ⟨lat.⟩ (*Rel.* feierliche Reinigung [durch Sühneopfer])

Lụs|t|ren (*Plur. von* Lustrum)

lụs|t|rie|ren (*Rel.* feierlich reinigen); lụ̈s|t|rie|ren ⟨franz.⟩ (*Textilind.* [Baumwoll- u. Leinengarne] fest u. glänzend machen)

Lụs|t|rum, das; -s, *Plur.* ...ren u. ...ra ⟨lat.⟩ (altröm. Sühneopfer; Zeitraum von fünf Jahren)

Lụst|schloss

L

Lumi

Lustspiel – Lysis

Lust|spiel; Lust|spiel|dich|ter; Lust|spiel|dich|te|rin

lust|voll

lust|wan|deln *(veraltend)*; ich lustwand[e]le; er ist gelustwandelt; zu lustwandeln

Lust|wie|se *(ugs. scherzh. für großes Bett)*

Lu|te|in, das; -s ⟨lat.⟩ (gelber Farbstoff in Pflanzenblättern u. im Eidotter)

Lu|te|tia (w. Eigenn.; *lat. Name von* Paris)

Lu|te|ti|um, das; -s (chemisches Element; *Zeichen* Lu)

Lu|ther (dt. Reformator); Lu|the|ra|ner; Lu|the|ra|ne|rin

lu|ther|feind|lich, Lu|ther-feindlich; lu|the|risch [*auch* ...'te:...]; eine lutherische Kirche; die lutherische Bibelübersetzung ↑K135

Lu|ther|ro|se (ein ev. Sinnbild); lu|thersch; die luthersche *od.* Luther'sche Bibelübersetzung; ein Text mit lutherscher *od.* Luther'scher Schärfe ↑K89 *u.* 135

Lu|ther|stadt Wit|ten|berg *vgl.* Wittenberg

Lu|ther|tum, das; -s

Lutsch|beu|tel; lut|schen; du lutschst; Lut|scher; Lutsch|ta|b|let|te

lütt *(nordd. ugs. für klein)*

Lut|te, die; -, -n *(Bergmannsspr.* Röhre zur Lenkung des Wetterstromes)

Lut|ter, der; -s, - (noch unreines Spiritusdestillat)

Lut|ter am Ba|ren|ber|ge (Ort nordwestl. von Goslar)

Lüt|tich (Stadt in Belgien)

¹Lutz (m. Vorn.)

²Lutz, der; -, - *(nach dem österr. Eiskunstläufer A. Lutz)* (Drehsprung beim Eiskunstlauf)

Lüt|zel|burg *(ehem. dt. Name von* Luxemburg)

Lüt|zow [...tso] (Familienn.); die Lützowschen Jäger (ein Freikorps)

Luv [lu:f], die; -, *auch (Geogr. nur:)* das; -s *(Seemannsspr., Geogr.* die dem Wind zugekehrte Seite [bes. eines Schiffes, eines Gebirges]; *Ggs.* Lee; *meist ohne Artikel* in, von Luv

lu|ven [...f...] *(Seemannsspr.* das Schiff mehr an den Wind bringen)

Luv|sei|te; luv|wärts (dem Winde zugekehrt)

Lux, das; -, - ⟨lat.⟩ (Einheit der Beleuchtungsstärke; *Zeichen* lx)

Lu|xa|ti|on, die; -, -en ⟨lat.⟩ *(Med.* Verrenkung)

¹Lu|xem|burg (belg. Provinz)

²Lu|xem|burg (Großherzogtum)

³Lu|xem|burg (Hauptstadt von ²Luxemburg)

Lu|xem|bur|ger; Lu|xem|bur|ge|rin; lu|xem|bur|gisch

lu|xie|ren ⟨lat.⟩ *(Med.* verrenken, ausrenken)

Lux|me|ter, das; -s, - ⟨lat.; griech.⟩ (Gerät zum Messen der Beleuchtungsstärke)

Lu|xor (ägypt. Stadt)

lu|xu|rie|ren ⟨lat.⟩ *(Bot.* üppig wachsen [bes. von Pflanzenbastarden]; *veraltet für* schwelgen)

lu|xu|ri|ös

Lu|xus, der; - (Verschwendung, Prunksucht)

Lu|xus|ar|ti|kel; Lu|xus|aus|ga|be

Lu|xus|damp|fer; Lu|xus|ge|genstand; Lu|xus|ge|schöpf *(oft abwertend für* verwöhnte Person); Lu|xus|gü|ter *Plur.*; Lu|xus|ho|tel

Lu|xus|jacht, Lu|xus|yacht

Lu|xus|li|mou|si|ne; Lu|xus|steu|er, die; Lu|xus|vil|la; Lu|xus|wa|gen; Lu|xus|woh|nung

Lu|zern (Kanton u. Stadt in der Schweiz); Lu|zern|biet, das; -s *(schweiz. für* Kanton Luzern)

Lu|zer|ne, die; -, -n ⟨franz.⟩ (eine Futterpflanze); Lu|zer|nen|heu

Lu|zer|ner; Lu|zer|ne|rin; lu|zer|nisch

Lu|zia, Lu|zie [...tsi, *auch* ...tsjə] (w. Vorn.)

Lu|zi|an *vgl.* Lukian

lu|zid ⟨lat.⟩ (klar, einleuchtend)

Lu|zi|di|tät, die; - (luzide Beschaffenheit)

Lu|zie [...tsi, *auch* ...tsjə] *vgl.* Luzia

¹Lu|zi|fer, der; -s ⟨lat.⟩, »Lichtbringer« *(röm. Mythol.* Morgenstern)

²Lu|zi|fer (Satan)

Lu|zi|fe|rin, das; -s *(Biol., Chemie* Leuchtstoff vieler Tiere u. Pflanzen)

lu|zi|fe|risch (teuflisch)

Lu|zi|us *vgl.* Lucius

LVA, die; -, -[s] = Landesversicherungsanstalt

lx = Lux

ly = Lichtjahr

Ly|der, Ly|di|er (Einwohner Lydiens); Ly|de|rin, Ly|di|e|rin

Ly|dia (w. Vorn.)

Ly|di|en *(früher* Landschaft in Kleinasien); Ly|di|er *vgl.* Lyder; Ly|di|e|rin *vgl.* Lyderin

Ly|ki|en *(früher* Landschaft in Kleinasien); Ly|ki|er; ly|kisch

Ly|ko|po|di|um, das; -s, ...ien ⟨griech.⟩ *(Bot.* Bärlapp)

Ly|kurg (Gesetzgeber Spartas; ein athen. Redner); ly|kur|gisch; die lykurgischen Reden ↑K135

lym|pha|tisch ⟨griech.⟩ *(Med.* Lymphe, Lymphknötchen, -drüsen betreffend)

Lymph|bahn

Lymph|drai|na|ge, Lymph|drä|na|ge

Lymph|drü|se *(veraltet für* Lymphknoten)

Lym|phe, die; -, -n (weißliche Körperflüssigkeit, ein Impfstoff)

Lymph|ge|fäß; Lymph|kno|ten

lym|pho|gen (lymphatischen Ursprungs); lym|pho|id (lymphartig)

Lym|pho|zyt, der; -en, -en *meist Plur.* (bes. Form der weißen Blutkörperchen); Lym|pho|zy|to|se, die; -, -n (krankhafte Vermehrung der Lymphozyten)

lyn|chen [*auch* 'lı...] ⟨wahrscheinlich nach dem amerik. Friedensrichter Charles Lynch⟩ (ungesetzl. Volksjustiz ausüben); du lynchst; er wurde gelyncht

Lynch|jus|tiz; Lynch|mord

Lyn|keus ⟨griech., »Luchs«⟩ (scharfsichtiger Steuermann der Argonauten)

Ly|on [ljõː] (Stadt in Frankreich)

¹Ly|o|ner (Bewohner von Lyon)

²Ly|o|ner, die; - *(Kurzform von* Lyoner Wurst); Ly|o|ner Wurst

Ly|o|ne|ser *vgl.* Lyoner; ly|o|ne|sisch

lyo|phil ⟨griech.⟩ *(Chemie* leicht löslich); lyo|phob *(Chemie* schwer löslich)

Ly|ra, die; -, ...ren ⟨griech.⟩ (ein altgriech. Saiteninstrument; Leier; *nur Sing.* ein Sternbild); Ly|ra|gi|tar|re (einer Kithara ähnliche Gitarre)

Ly|rik, die; - ([liedmäßige] Dichtung); Ly|ri|ker; Ly|ri|ke|rin

ly|risch (der persönlichen Stimmung u. dem Erleben unmittelbaren Ausdruck gebend; gefühl-, stimmungsvoll; liedartig); lyrisches Drama; lyrische Dichtung

Ly|san|der (spartan. Feldherr u. Staatsmann)

Ly|sin, das; -s, -e *meist Plur.* ⟨griech.⟩ *(Med.* ein Bakterien auflösender Antikörper)

Ly|sis, die; -, Lysen *(Med.* langsa-

L

Lysi

mer Fieberabfall; *Psych.* Persönlichkeitszerfall)

Ly|sis|t|ra|ta (Titelheldin einer Komödie von Aristophanes)

Ly|sol ®, das; -s (ein Desinfektionsmittel)

Lys|sa, die; - ⟨griech.⟩ (*Med., Tiermed.* Tollwut, Raserei)

Ly|ze|um, das; -s, ...een ⟨griech.⟩ (*veraltet für* höhere Schule für Mädchen; *schweiz. regional für* Oberstufe des Gymnasiums)

Ly|zi|en usw. *vgl.* Lykien usw.

LZ = Ladezone

Lz. = Lizenz

LZB, die; -, -[s] = Landeszentralbank

M

m = Meter; Milli...

M (Buchstabe); das M; des M, die M, *aber* das m in Wimpel; der Buchstabe M, m

M (röm. Zahlzeichen) = 1 000

M = Mark; Mega...; Mille

M = medium (Kleidergröße: mittel)

μ = Mikro...; Mikron

M, μ = ^{1}My

M', Mc = Mac

M. = Markus; Monsieur

m² (*früher auch* qm) = Quadratmeter

m³ (*früher auch* cbm) = Kubikmeter

mA = Milliampere

Ma = Machzahl

MA = Massachusetts

ma. = mittelalterlich

MA. = Mittelalter

M. A. = Magister/Magistra Artium; Master of Arts; *vgl.* Magister, Master

¹Mä|an|der, der; -[s] (alter Name eines Flusses in Kleinasien)

²Mä|an|der, der; -s, - (geschlängelter Flusslauf; ein bandförmiges Ornament); **Mä|an|der|li|nie**

mä|an|dern, mä|an|d|rie|ren (*Geogr.* in Mäandern verlaufen; *Kunstwiss.* mit Mäandern verzieren); **mä|an|d|risch**

Maar, das; -[e]s, -e (*Geogr.* kraterförmige Senke)

Maas, die; - (ein Fluss)

Maa|sai (*svw.* Massai)

Maas|t|richt [*auch* 'ma:...] (niederl. Stadt an der Maas)

Maat, der; -[e]s, *Plur.* -e u. -en (*Seemannsspr.* Schiffsmann; Unteroffizier auf Schiffen)

Mac [mɛk; *vor dem Namen, wenn unbetont* mək] ⟨kelt., »Sohn«⟩ (Bestandteil von schottischen [oder irischen] Namen [z. B. MacLeod]; *Abk.* M', Mc)

Ma|cau, *älter* **Ma|cao** [...'kau] (bis 1999 portugiesisch verwaltetes Territorium an der südchinesischen Küste)

Mac|beth [mək'bɛθ] (König von Schottland; Titelheld eines Dramas von Shakespeare)

Mac|chie [...kjə], *auch* **Mac|chia** [...kja], die; -, Macchien ⟨ital.⟩ (immergrüner Buschwald des Mittelmeergebietes)

Mach, das; -[s], - (*Kurzform für* Machzahl)

Ma|chan|del, der; -s, - (*nordd. für* Wacholder); **Ma|chan|del|baum**

Mach|art

mach|bar; Mach|bar|keit, die; -; **Mach|bar|keits|stu|die**

Ma|che, die; - (*ugs. für* Schein, Vortäuschung)

Ma|che|ein|heit, Ma|che-Ein|heit ⟨nach dem österr. Physiker H. Mache⟩ (*früher* Maßeinheit für radioaktive Strahlung; *Zeichen* ME)

ma|chen; er/sie hat es gemacht; du hast mich lachen gemacht; nun mach schon!

Ma|chen|schaft, die; -, -en *meist Plur.*

Ma|cher, der; -s, - (Person, die etwas zustande bringt; durchsetzungsfähiger Mensch)

...ma|cher (z. B. Schuhmacher)

Ma|che|rin

Ma|cher|lohn

Ma|che|te [*auch* ...'tʃe:...], die; -, -n ⟨span.⟩ (Buschmesser)

Ma|chi|a|vel|li [...kja...] (ital. Politiker, Schriftsteller u. Geschichtsschreiber)

Ma|chi|a|vel|lis|mus, der; - (polit. Lehre Machiavellis; *auch für* bedenkenlose Machtpolitik); **ma|chi|a|vel|lis|tisch**

Ma|chi|na|ti|on, die; -, -en ⟨lat.⟩ (*nur Plur.:* Machenschaften; *veraltet für* Kniff, Trick)

Ma|chis|mo [...'tʃɪ...], der; -[s]

⟨span.⟩ (übersteigertes Männlichkeitsgefühl)

Ma|cho ['matʃo], der; -s, -s (sich betont männlich gebender Mann); **ma|cho|haft**

Ma|chor|ka, der; -s, -s ⟨russ.⟩ (ein russ. Tabak)

Macht, die; -, Mächte; alles in unserer Macht Stehende

Macht|an|spruch

Macht|ap|pa|rat; Macht|be|fug|nis; Macht|be|reich, der; **macht|be|ses|sen; Macht|block,** der *Plur.* Block

Mäch|te|grup|pe; Mäch|te|grup|pie|rung

Macht|ent|fal|tung; Macht|er|grei|fung; Macht|fra|ge; Macht|fül|le

Macht|ha|ber; Macht|ha|be|rin

Macht|hun|ger; macht|hung|rig

mäch|tig; Mäch|tig|keit

Mäch|tig|keits|sprin|gen (*Pferdesport*)

Macht|kampf

macht|los; Macht|lo|sig|keit, die; -

Macht|miss|brauch; Macht|mit|tel, das; **Macht|po|si|ti|on**

Macht|pro|be; Macht|spruch; Macht|stel|lung; Macht|stre|ben

Macht|über|nah|me

macht|voll

Macht|voll|kom|men|heit

Macht|wech|sel; Macht|wil|le

Macht|wort *Plur.* ...worte

ma|chul|le ⟨hebr.-jidd.⟩ (*ugs. für* bankrott; *landsch. für* ermüdet)

Ma|chu Pic|chu [...tʃu 'pɪktʃu] (Ruinenstadt der Inka in Peru)

Mach|werk (*abwertend für* minderwertiges [geistiges] Produkt)

Mach|zahl, Mach-Zahl ⟨nach dem österr. Physiker u. Philosophen E. Mach⟩ (Verhältnis der Geschwindigkeit einer Strömung od. eines Körpers zur Schallgeschwindigkeit; *Kurzform* Mach; *Abk.* Ma; 1 Mach = Schallgeschwindigkeit)

¹Ma|cke, die; -, -n ⟨hebr.-jidd.⟩ (*ugs. für* Tick; Fehler)

²Ma|cke (dt. Maler)

Ma|cker (*ugs. für* Freund [bes. eines Mädchens]; Kerl)

mack|lich (*nordd. für* ruhig, behaglich; *Seemannsspr.* ruhig im Wasser liegend)

MAD, der; -[s] = Militärischer Abschirmdienst

Ma|da|gas|kar (Insel u. Staat östl. von Afrika); **Ma|da|gas|se,** der; -n, -n (Bewohner von Madagaskar); **Ma|da|gas|sin; ma|da|gas|sisch**

L

Lysi

Ma|dam, die; -, *Plur.* -s *u.* -en ‹franz.› (*veraltet, aber noch ugs. für* gnädige Frau; *scherzh. für* [dickliche, behäbige] Frau)
Ma|dame [...ˈdam] (franz. Anrede für eine Frau, *svw.* »gnädige Frau«; *als Anrede ohne Artikel; Abk. [nur in Verbindung mit dem Namen]* Mme. *[schweiz. ohne Punkt]*); *Plur.* Mesdames [mɛˈdam] (*Abk.* Mmes. *[schweiz. ohne Punkt]*)
Mäd|chen; Mädchen für alles
Mäd|chen|au|ge (*auch* eine Blume)
mäd|chen|haft; Mäd|chen|haf|tig|keit, die; -
Mäd|chen|han|del (*vgl.* [1]Handel); **Mäd|chen|händ|ler; Mäd|chen|händ|le|rin**
Mäd|chen|klas|se; Mäd|chen|na|me; Mäd|chen|pen|si|o|nat; Mäd|chen|schu|le; Mäd|chen|schwarm
Ma|de, die; -, -n (Insektenlarve)
made in Ger|ma|ny [ˈme:t - ˈdʒø:ɐ̯məni] ‹engl., »hergestellt in Deutschland«› (ein Warenstempel)
[1]**Ma|dei|ra** [...ˈde:...] (Insel im Atlantischen Ozean)
[2]**Ma|dei|ra,** Ma|de|ra, der; -s, -s (Süßwein aus Madeira); **Ma|dei|ra|wein**
Ma|dei|rer (zu [1]Madeira); **Ma|dei|re|rin; ma|dei|risch**
Mä|del, das; -s, *Plur.* - *od. (bes. nordd.)* -s *u. bayr., österr.* -n
Made|leine [...ˈdlɛ(:)n] (w. Vorn.)
Ma|de|moi|selle [...d(ə)mo̯aˈzɛl] ‹franz.› (*franz. Bez. für* unverheiratete Frau; *als Anrede ohne Artikel; Abk. [nur in Verbindung mit dem Namen]* Mlle. *[schweiz. ohne Punkt]*); *Plur.* Mesdemoiselles [mɛd(ə)mo̯aˈzɛl] (*Abk.* Mlles. *[schweiz. ohne Punkt]*)
Ma|den|wurm
Ma|de|ra usw. *vgl.* [2]Madeira usw.
Mä|de|süß, das; -, - (ein Rosengewächs)
ma|dig; ma|dig|ma|chen; jmdn. madigmachen (*ugs. für* in schlechten Ruf bringen); jmdm. etwas madigmachen (*ugs. für* verleiden)
Ma|d|jar [*ung. Schreibung* Magyar usw.], der; -en, -en (Ungar); **Ma|d|ja|ren|reich,** das; -[e]s; **Ma|d|ja|rin; ma|d|ja|risch; Ma|d|ja|ri|sie|rung**
Ma|don|na, die; -, ...nnen ‹ital., »meine Herrin«› (*nur Sing.:* Maria, Mutter Gottes; *bild. Kunst* Mariendarstellung)
Ma|don|nen|bild; Ma|don|nen|ge|sicht
ma|don|nen|haft
Ma|don|nen|li|lie
Ma|d|ras (*früherer Name für* Chennai); **Ma|d|ras|ge|we|be**
Ma|d|re|po|re, die; -, -n *meist Plur.* ‹franz.› (*Zool.* Steinkoralle); **Ma|d|re|po|ren|kalk** (*Geol.* Korallenkalk der Juraformation)
Ma|d|rid (Hauptstadt Spaniens); **Ma|d|ri|der;** Madrider Paläste
Ma|d|ri|gal, das; -s, -e ‹ital.› ([Hirten]lied; mehrstimmiges Gesangstück); **Ma|d|ri|gal|chor; Ma|d|ri|gal|stil**
Ma|d|ri|le|ne, der; -n, -n (Einwohner Madrids); **Ma|d|ri|le|nin**
ma|es|to|so ‹ital.› (*Musik* feierlich, würdevoll); **Ma|es|to|so,** das; -s, *Plur.* -s *u.* ...si
Ma|es|t|ro, der; -s, *Plur.* -s, *auch* ...stri ‹ital., »Meister«› (großer Musiker, Komponist *[bes. als Anrede]*)
Ma|es|t|ro-Kar|te® (*Bankw.*)
Mä|eu|tik, die; - ‹griech.› (Fragemethode des Sokrates); **mä|eu|tisch**
Maf|fia usw. *vgl.* Mafia usw.
Ma|fia, die; -, -s ‹ital.› (erpresserische Geheimorganisation [in Sizilien]); **Ma|fia|me|tho|den** *Plur.*; **ma|fi|os, ma|fi|ös** (nach Art der Mafia)
Ma|fi|o|so, der; -[s], ...si (Mitglied der Mafia)
Mag. (*in Österr.*) = Magister/Magistra; *vgl. d.*
Ma|gal|hães [...galˈjẽ:ɪʃ] (port. Seefahrer); **Ma|gal|hães|stra|ße, Ma|gal|hães-Stra|ße,** die; - (Meeresstraße zwischen dem südamerik. Festland u. Feuerland); *vgl.* Magellanstraße
Mag. arch. (*in Österr.*) = magister/magistra architecturae; *vgl.* Magister
Mag. art. (*in Österr.*) = magister/magistra artium; *vgl.* Magister
Ma|ga|zin, das; -s, -e ‹arab.-ital.›
Ma|ga|zi|ner (*schweiz. für* Magazinarbeiter); **Ma|ga|zi|ne|rin**
Ma|ga|zi|neur [...ˈnø:ɐ̯], der; -s, -e ‹franz.› (*österr. für* Magazinverwalter); **Ma|ga|zi|neu|rin; ma|ga|zi|nie|ren** (einspeichern; lagern)
Magd, die; -, Mägde
Mag|da (w. Vorn.)
Mag|da|la (Dorf am See Genezareth)
Mag|da|le|na, Mag|da|le|ne (w. Vorn.)
Mag|da|le|nen|stift, das
Mag|da|le|nen|strom, der; -[e]s (in Kolumbien)
Mag|da|lé|ni|en [...leˈnjɛ̃:], das; -[s] ‹franz.› (Kultur der Älteren Steinzeit)
Mag|de|burg (Stadt an der mittleren Elbe); **Mag|de|bur|ger; Mag|de|bur|ger Bör|de** (Gebiet westl. der Elbe); **mag|de|bur|gisch**
Mäg|de|lein (*veraltet*)
Mag. des. ind. (*in Österr.*) = magister/magistra designationis industrialis; *vgl.* Magister
Mäg|de|stu|be (*früher*)
Mägd|lein *vgl.* Mägdelein
Magd|tum, das; -s (*veraltet für* Jungfräulichkeit)
Ma|gel|lan|stra|ße, Ma|gel|lan-Stra|ße [*auch* ...gɛlˈja:n..., ˈmagɛljan...], die; - (*eindeutschende Schreibung für* Magalhãesstraße)
Ma|ge|lo|ne (neapolitan. Königstochter; Gestalt des franz. u. dt. Volksbuches)
Ma|gen, der; -s, *Plur.* Mägen *od.* -
Ma|gen|aus|gang; Ma|gen|aus|he|be|rung (*vgl.* aushebern); **Ma|gen|be|schwer|den** *Plur.*; **Ma|gen|bit|ter,** der; -s, - (bitterer Kräuterlikör)
Ma|gen-Darm-Ka|tarr, **Ma|gen-Darm-Ka|tarrh** ↑K 26 (*Med.*)
Ma|gen|drü|cken; Ma|gen|ein|gang; Ma|gen|er|wei|te|rung (*Med.*); **Ma|gen|fahr|plan** (*ugs. für* feststehender Küchenzettel für eine bestimmte Zeit)
Ma|gen|fis|tel (*Med.*); **ma|gen|freund|lich; Ma|gen|ge|gend; Ma|gen|ge|schwür; Ma|gen|gru|be**
Ma|gen|ka|tarr, **Ma|gen|ka|tarrh**
Ma|gen|knur|ren, das; -s; **Ma|gen|krampf**
ma|gen|krank; Ma|gen|krebs
Ma|gen|lei|den; ma|gen|lei|dend
Ma|gen|ope|ra|ti|on
Ma|gen|saft; Ma|gen|säu|re
Ma|gen|schleim|haut; Ma|gen|schleim|haut|ent|zün|dung
Ma|gen|schmerz *meist Plur.*; **Ma|gen|spie|ge|lung; Ma|gen|spü|lung**
Ma|gen|ta [*auch* ...ˈdʒɛ...], das; -s ‹nach einem ital. Ort› (Anilinrot)
Ma|gen|ver|stim|mung
Ma|gen|wand
ma|ger; Ma|ger|keit, die; -
Ma|ger|koh|le; Ma|ger|milch; Ma|ger|quark; Ma|ger|sucht, die; -; **ma|ger|süch|tig**

Ma|ger|wie|se (*Landw.* wenig Heu bringende Wiese)

Mag|gi [*schweiz.* ...dʒi] (Familienn.; ®)

Mag|gie ['mɛgi] (w. Vorn.)

Ma|gh|reb, der; -⟨arab., »Westen«⟩ (der Westteil der arab.-moslem. Welt: Tunesien, Nordalgerien, Marokko); ma|gh|re|bi|nisch

Ma|gie, die; -⟨pers.⟩ (Zauber-, Geheimkunst); Ma|gi|er (Zauberer); Ma|gi|e|rin; ma|gisch; magisches Quadrat

Ma|gis|ter s. Kasten Seite 661

Ma|gis|t|ra, die; -, ...ae (*weibl. Form zu* Magister); s. Kasten Seite 661

Ma|gis|t|ra|le, die; -, -n (*regional u. fachspr. für* Hauptverkehrsstraße, -linie)

¹Ma|gis|t|rat, der; -[e]s, -e (Stadtverwaltung, -behörde)

²Ma|gis|t|rat, der; -en, -en (*schweiz. für* Inhaber eines hohen öffentlichen Amtes)

Ma|gis|t|ra|tin (*schweiz.*)

Ma|gis|t|rats|be|schluss

Mag. iur. (*in Österr.*) = magister/magistra iuris; *vgl.* Magister

Mag. iur. rer. oec. (*in Österr.*) = magister/magistra iuris rerum oeconomicarum; *vgl.* Magister

Mag|ma, das; -s, ...men ⟨griech.⟩ (*Geol.* Gesteinsschmelzfluss des Erdinnern); mag|ma|tisch

Mag. med. vet. (*in Österr.*) = magister/magistra medicinae veterinariae; *vgl.* Magister

Ma|g|na Char|ta, die; - - ⟨lat.⟩ (englisches [Grund]gesetz von 1215; *geh. für* Grundgesetz, Verfassung)

ma|g|na cum lau|de ⟨lat., »mit großem Lob«⟩ (zweitbeste Note der Doktorprüfung)

Ma|g|nat, der; -en, -en ⟨lat.⟩ (Grundbesitzer, Großindustrieller); Ma|g|na|tin

¹Ma|g|ne|sia (Landschaft Thessaliens; *heute* Magnisia)

²Ma|g|ne|sia, die; - (Magnesiumoxid)

Ma|g|ne|sit, der; -s, -e (Mineral)

Ma|g|ne|si|um, das; -s (chemisches Element, Metall; *Zeichen* Mg); Ma|g|ne|si|um|le|gie|rung

Ma|g|net, der; *Gen.* -en *u.* -[e]s, *Plur.* -e, *seltener* -en ⟨griech.⟩

Ma|g|net|band, das; *Plur.* ...bänder; Ma|g|net|berg; Ma|g|net|ei|sen|stein; Ma|g|net|feld (*Physik*)

ma|g|ne|tisch; magnetische Feldstärke; magnetischer Pol; magnetischer Sturm

ma|g|ne|ti|sie|ren (magnetisch machen); Ma|g|ne|ti|sie|rung

Ma|g|ne|tis|mus, der; - (Gesamtheit der magnetischen Erscheinungen; ein Heilverfahren)

Ma|g|ne|tit, der; -s, -e (Magneteisenstein)

Ma|g|net|kar|te; Ma|g|net|na|del

Ma|g|ne|to|fon , Ma|g|ne|to|phon ®, das; -s, -e (ein Tonbandgerät)

Ma|g|ne|to|me|ter, das; -s, - (*Physik*); Ma|g|ne|ton [*auch* ...'to:n], das; -s, -[s] (*Physik* Einheit des magnetischen Moments); 2 Magneton

Ma|g|ne|to|sphä|re, die; - (*Meteor.* höchster Teil der Atmosphäre)

Ma|g|ne|t|ron [*auch* ...'tro:n], das; -s, *Plur.* ...one, *auch* -s (*Physik* Elektronenröhre, die magnetische Energie verwendet)

Ma|g|net|ton|ver|fah|ren

ma|g|ni|fik [manji...] (franz.) (*veraltet für* herrlich, großartig)

Ma|g|ni|fi|kat [mag...], das; -[s], -s ⟨lat.⟩ (Lobgesang Marias)

Ma|g|ni|fi|kus, der; -, ...fizi (*veraltet für* Rektor einer Hochschule); *vgl.* Rector magnificus

Ma|g|ni|fi|zenz, die; -, -en (Titel für Hochschulrektor[inn]en u. a.); *als Anrede* Euer, Eure (*Abk.* Ew.) Magnifizenz

Ma|g|ni|sia *vgl.* ¹Magnesia

Ma|g|no|lie, die; -, -n ⟨nach dem franz. Mediziner u. Botaniker Magnol⟩ (ein Zierbaum)

Ma|g|num, die; -, ...gna ⟨lat.⟩ (Wein- oder Sektflasche mit 1,5 l Fassungsvermögen; *Waffentechnik* spezielle Patrone mit verstärkter Ladung)

Ma|g|nus (m. Vorn.)

Ma|g|gog (Reich des Gog); *vgl.* Gog

Mag. pharm. (*in Österr.*) = magister/magistra pharmaciae; *vgl.* Magister

Mag. phil. (*in Österr.*) = magister/magistra philosophiae; *vgl.* Magister

Mag. phil. fac. theol. (*in Österr.*) = magister/magistra philosophiae facultatis theologicae; *vgl.* Magister

Mag. rer. nat. (*in Österr.*) = magister/magistra rerum naturalium; *vgl.* Magister

Mag. rer. soc. oec. (*in Österr.*) = magister/magistra rerum socialium oeconomicarumque; *vgl.* Magister

Ma|g|ritte [...'grɪt] (belg. Maler)

Mag. theol. (*in Österr.*) = magis-

---

ter/magistra theologiae; *vgl.* Magister

Ma|g|yar [ma'dja:ɐ̯] usw. *vgl.* Madjar usw.

mäh!; mäh, mäh!; mäh schreien

Ma|ha|go|ni, das; -s ⟨indian.⟩ (ein Edelholz); Ma|ha|go|ni|holz; Ma|ha|go|ni|mö|bel

Ma|ha|ra|d|scha, der; -s, -s ⟨sanskr.⟩ (ind. Großfürst); Ma|ha|ra|ni, die; -, -s (Frau eines Maharadschas, ind. Fürstin)

Ma|ha|ri|schi, der; -[s], -s ⟨Hindi⟩ (ein ind. religiöser Ehrentitel)

Ma|hat|ma, der; -s, -s ⟨sanskr.⟩ (ind. Ehrentitel für geistig hochstehende Männer); Mahatma Gandhi

Mäh|bin|der

Mahd, die; -, -en (*landsch. für* Mähen; das Abgemähte [meist Gras])

Mäh|der (*landsch. für* Mäher); Mäh|de|rin

Mah|di ['max..., *auch* 'ma:...], der; -[s], -s (von den Moslems erwarteter Welterneuerer)

Mäh|dre|scher; Mäh|drusch

¹mä|hen (Gras schneiden)

²mä|hen; mähende Schafe

Mä|her; Mä|he|rin

Mahl, das; -[e]s, *Plur.* Mähler *u.* -e (Gastmahl)

mah|len (Korn u. a.); gemahlen

Mah|ler (österr. Komponist)

Mahl|gang, der (*Technik*)

Mahl|geld; Mahl|gut

mäh|lich (*geh. für* allmählich)

Mahl|knecht (*veraltet*)

Mahl|sand (*Seemannsspr.*)

Mahl|schatz (*Rechtsspr. veraltet für* Brautgabe); Mahl|statt, Mahl|stät|te (Gerichts- u. Versammlungsstätte der alten Germanen)

Mahl|stein; Mahl|stei|ne, die (*früher*); Mahl|strom (Strudel); Mahl|werk (*Technik*); Mahl|zahn (*für* Molar)

Mahl|zeit; gesegnete Mahlzeit!

Mäh|ma|schi|ne

Mahn|be|scheid (*Rechtsw.*); Mahn|brief

Mäh|ne, die; -, -n

mah|nen

mäh|nen|ar|tig

Mah|ner; Mah|ne|rin

Mahn|ge|bühr

mäh|nig (*zu* Mähne)

Mahn|mal *Plur.* ...male, *selten* ...mäler; Mahn|ruf (*geh.*)

Mahn|schrei|ben

Mah|nung

Mahn|ver|fah|ren (*Rechtsw.*)

Ma|gis|ter

der; -s, -

〈lat., »Meister«〉
(akadem. Grad; *veraltet für* Lehrer; *Abk. [bei Titeln]* Mag.)
– Magister/Magistra Artium (akadem. Grad; *Abk.* M. A., z. B.: Claudia Meier M. A.; *österr.* Mag. art.)
– Magister/Magistra der Architektur (*österr., Abk.* Mag. arch.)
– Magister/Magistra des Industrial Design (*österr., Abk.* Mag. des. ind.)
– Magister/Magistra der Künste (*österr., Abk.* Mag. art.)
– Magister/Magistra der Naturwissenschaften (*österr., Abk.* Mag. rer. nat.)
– Magister/Magistra der Pharmazie (*österr., Abk.* Mag. pharm.)

– Magister/Magistra der Philosophie (*österr., Abk.* Mag. phil.)
– Magister/Magistra der Philosophie der Theologischen Fakultät (*österr., Abk.* Mag. phil. fac. theol.)
– Magister/Magistra des Rechts der Wirtschaft (*österr., Abk.* Mag. iur. oec.)
– Magister/Magistra der Rechtswissenschaften (*österr., Abk.* Mag. iur.)
– Magister/Magistra der Sozial- und Wirtschaftswissenschaften (*österr., Abk.* Mag. rer. soc. oec.)
– Magister/Magistra der Theologie (*österr., Abk.* Mag. theol.)
– Magister/Magistra der Tierheilkunde (*österr., Abk.* Mag. med. vet.)

Mahn|wa|che; Mahn|wort *Plur.* ...worte, *meist Plur. (geh.)*

Mahn|zei|chen

Ma|ho|nie, die; -, -n 〈nach dem amerik. Gärtner B. MacMahon〉 (ein Zierstrauch)

Mahr, der; -[e]s, -e (quälendes Nachtgespenst, [1]Alb)

[1]**Mäh|re,** die; -, -n ([altes, abgemagertes] Pferd)

[2]**Mäh|re,** der; -n, -n; **Mäh|ren** (Gebiet in der Tschechischen Republik); **Mäh|rer** (*svw.* [2]Mähre); **Mäh|re|rin, Mäh|rin; mäh|risch;** *aber* ↑K 140 : die Mährische Pforte

Mai, der; *Gen.* -[e]s *u.* - (*geh. gelegentl. noch* -en), *Plur.* -e 〈lat.〉 (der fünfte Monat des Jahres, Wonnemond, Weidemonat); ↑K 151 : der Erste Mai (Feiertag)

Ma|ia *vgl.* [2]Maja

Mai|an|dacht *(kath. Kirche)*

Mai|baum [1]

Mai|blu|me [1]; **Mai|blu|men|strauß**

Mai|bow|le

Maid, die; -, -en (*veraltet, noch scherzh. für* Mädchen)

Mai|de|mons|t|ra|ti|on

Maie, die; -, -n (*veraltend für* Maibaum)

mai|en; es grünt und mait

Mai|en, Mei|en, der; -s, - (*schweiz. mdal. für* Blumenstrauß)

mai|en|haft

Mai|en|nacht *(geh.)*

Mai|en|säß, Mei|en|säß, das; -es, -e (*schweiz. für* Bergweide, Alpgebäude); *vgl.* Maisäß

Mai|fei|er; Mai|glöck|chen; Mai|kä|fer; Mai|kätz|chen

Mai|ke, Mei|ke (w. Vorn.)

Mai|kö|ni|gin [1]

Mai|krin|gel (Kuchenspezialität aus Kiel); **Mai|kund|ge|bung**

Mail [me:l], die; -, -s, *auch (bes. südd., österr., schweiz.)* das; -s, -s (*kurz für* E-Mail)

Mai|land (ital. Stadt); *vgl.* Milano; **Mai|län|der; mai|län|disch**

Mail|box ['me:...], die; -, -en 〈engl.〉 (Speicher für das Hinterlassen von Nachrichten in Computersystemen oder beim Mobilfunk)

mai|len ['me:lən] 〈engl.〉 (als E-Mail senden); gemailt

Mai|ling ['me:...], das; -[s], -s (Versenden von Werbematerial durch die Post)

Mai|ling|lis|te ['me:...] (*EDV* E-Mail-Adressenliste im Internet für das Versenden u. Empfangen von Beiträgen)

Mail|lol [ma'jɔl] (franz. Bildhauer u. Grafiker)

Mai|luft [1]

Main, der; -[e]s (rechter Nebenfluss des Rheins)

Mai|nacht [1]

Mai|n|au, die; - (Insel im Bodensee)

Main-Do|nau-Ka|nal, der; -s ↑K 146

Maine [me:n] (Staat in den USA; *Abk.* ME)

Main|fran|ken

Main|li|nie, die; -

Main|me|t|ro|po|le, die; - (*svw.* Frankfurt a. Main)

Main|stream ['me:nstri:m], der; -s 〈engl.〉 (*oft abwertend für* vorherrschende Richtung); **mainstrea|mig** *(ugs.)*

Mainz (Stadt am Rhein); **Main|zer; main|zisch**

Maire [mɛːɐ̯], der; -s, -s 〈franz.〉 (Bürgermeister in Frankreich); **Mai|rie,** die; -, ...ien (*franz. Bez. für* Rathaus)

Mais, der; -es, *Plur. (Sorten:)* -e 〈indian.〉 (eine Getreidepflanze)

Mai|säß, das; -es, -e (*westösterr. für* Voralpe, vorübergehend im Frühjahr bewirtschaftete Alm)

Mais|bir|ne (Trainingsgerät für Boxer)

Mais|brei; Mais|brot

Maisch, der; -[e]s, -e (*selten für* Maische); **Maisch|bot|tich; Mai|sche,** die; -, -n (Gemisch zur Wein-, Bier- od. Spiritusherstellung); **mai|schen;** du maischst

Mais|flo|cken *Plur.*; **mais|gelb; Mais|kol|ben; Mais|korn,** das; *Plur.* ...körner; **Mais|mehl**

Mai|so|nette, Mai|so|nette [mɛzɔ'net], die; -, *Plur.* -s 〈franz.〉 (zweistöckige Wohnung)

Maiß, der; -es, -e *od.* die; -, -en (*bayr., österr. für* Holzschlag; Jungwald)

Mais|stär|ke; Mais|stroh

Maî|t|re de Plai|sir ['mɛːtrə də plɛ'ziːɐ̯], der; - - -, -s ['mɛːtrə] - 〈franz.〉 (*veraltet, noch scherzh. für* jmd., der ein Unterhaltungsprogramm leitet)

[1]**Ma|ja,** die; - 〈sanskr.〉 (*ind. Philos.* [als verschleierte Schönheit dargestellte] Erscheinungswelt, Blendwerk)

[2]**Ma|ja** (röm. Göttin des Erdwachs-

---

[1]*Geh. auch* Maien...

M
Maja

tums; *griech. Mythol.* Mutter des Hermes)
Ma|ja|kow|s|ki (russ. Dichter)
Maj|da|nek [maiˈda(ː)...] (im 2. Weltkrieg nationalsozialistisches Konzentrationslager in Polen)
Ma|jes|tät, die; -, *Plur.* (als Titel u. Anrede von Kaisern u. Königen:) -en ⟨lat.⟩ (Herrlichkeit; Erhabenheit); Seine Majestät (*Abk.* S[e].M.), Ihre Majestät (*Abk.* I.M.), Euer Majestät *od.* Eure Majestät (*Abk.* Ew.M.)
ma|jes|tä|tisch (herrlich, erhaben); **Ma|jes|täts|be|lei|di|gung**
Ma|jo, die; -, -s (*ugs. kurz für* Majonäse)
Ma|jo|li|ka, die; -, *Plur.* ...ken *u.* -s ⟨nach der Insel Mallorca⟩ (Töpferware mit Zinnglasur)
Ma|jo|nä|se, Ma|yon|nai|se [...joˈnɛː...., *österr.* ...ˈnɛːz], die; -, -n ⟨franz.; nach der Stadt Mahón auf Menorca⟩ (kalte, dicke Soße aus Eigelb u. Öl)
¹Ma|jor, der; -s, -e ⟨lat.-span.⟩ (unterster Stabsoffizier)
²Ma|jor [ˈmeɪdʒə], die; -, -s *meist Plur.* ⟨engl.⟩ (große, den Markt dominierende Firma, bes. der Filmindustrie)
Ma|jo|ran [*auch* ...ˈraːn], seltener Mei|ran, der; -s, -e *Plur.* selten ⟨mlat.⟩ (eine Gewürzpflanze; deren getrocknete Blätter)
Ma|jo|rat, das; -[e]s, -e ⟨lat.⟩ (*Rechtsspr.* Vorrecht des Ältesten auf das Erbgut; nach dem Ältestenrecht zu vererbendes Gut); **Ma|jo|rats|gut**
Ma|jor|do|mus, der; -, - ⟨lat.⟩ (Hausmeier; Stellvertreter der fränk. Könige)
ma|jo|renn (*Rechtsspr.* veraltet für volljährig, mündig); **Ma|jo|ren|ni|tät,** die; - (*veraltet für* Volljährigkeit, Mündigkeit)
Ma|jo|rette [...ˈrɛt], die; -, *Plur.* -s *u.* -n ⟨engl.⟩ (junge Frau in Uniform, die bei festlichen Umzügen paradiert); **Ma|jo|ret|ten|grup|pe**
Ma|jo|rin
ma|jo|ri|sie|ren ⟨lat.⟩ (überstimmen, durch Stimmenmehrheit zwingen)
Ma|jo|ri|tät, die; -, -en ([Stimmen]mehrheit); Ma|jo|ri|täts|be|schluss; **Ma|jo|ri|täts|prin|zip,** das; -s; **Ma|jo|ri|täts|wahl** (Mehrheitswahl)
Ma|jors|rang, der; -[e]s

Ma|jorz, der; -es ⟨lat.⟩ (*schweiz. für* Mehrheitswahlsystem)
Ma|jus|kel, die; -, -n ⟨lat.⟩ (Großbuchstabe)
ma|ka|ber, makab[e]rer, makabers|te ⟨franz.⟩ (unheimlich; schaudererregend; frivol); maka|b|res Aussehen
Ma|ka|dam, der *od.* das; -s, -e ⟨nach dem schott. Ingenieur McAdam⟩ (Straßenbelag); **ma|ka|da|mi|sie|ren** (mit Makadam versehen, belegen)
Ma|kak, der; *Gen.* -s *u.* ...ka|ken, *Plur.* ...ka|ken ⟨afrik.-port.⟩ (meerkatzenartiger Affe)
Ma|ka|me, die; -, -n ⟨arab.⟩ (*Literaturw.* kunstvolle alte arab. Stegreifdichtung)
¹Ma|kao [*auch* ...ˈkaʊ], der; -s, -s ⟨Hindi-port.⟩ (ein Papagei)
²Ma|kao [*auch* ...ˈkaʊ], das; -s ⟨*nach Macau*⟩ (*vgl. d.*) (ein Glücksspiel)
Ma|kart (österr. Maler); **Ma|kart|bou|quet, Ma|kart|bu|kett** (↑ K136; Strauß aus getrockneten Blumen)
Ma|ke|do|ni|en (Balkanlandschaft); *vgl.* ¹Mazedonien
Ma|ke|do|ni|er; Ma|ke|do|ni|e|rin; ma|ke|do|nisch
Ma|kel, der; -s, - (*geh. für* Schande; Fleck; Fehler)
Mä|ke|lei (*svw.* Nörgelei); **mä|ke|lig, mäk|lig** (gern mäkelnd)
ma|kel|los; Ma|kel|lo|sig|keit
ma|keln (Vermittlergeschäfte machen); ich mak[e]le
mä|keln (*svw.* nörgeln); ich mäk[e]le; **Mä|kel|sucht,** die; -; **mä|kel|süch|tig**
Ma|ket|te, die; -, -n (*eindeutschend für* Maquette)
Make-up [meˈkˈlap], das; -s, -s ⟨engl.⟩ (kosmet. Verschönerung; kosmet. Präparat)
Ma|ki, der; -s, -s ⟨madagass.-franz.⟩ (ein Halbaffe)
Ma|ki|mo|no, das; -s, -s ⟨jap.⟩ (ostasiat. Rollbild im Querformat auf Seide od. Papier)
Ma|king-of [meˈkɪŋˈˌɔf], das; -[s], -s ⟨engl.⟩ ([filmischer] Bericht über die Entstehung und Produktion eines Films)
Mak|ka|bä|er, der; -s, - (Angehöriger eines jüd. Geschlechtes); **Mak|ka|bä|e|rin; Mak|ka|bä|er|mün|ze; mak|ka|bä|isch**
Mak|ka|bi, der; -[s], -s ⟨hebr.⟩ (Name jüd. Sportvereinigungen); **Mak|ka|bi|a|de,** die; -, -n

(jüd. Sporttreffen nach Art der Olympiade)
Mak|ka|ro|ni *Plur.* ⟨ital.⟩ (röhrenförmige Nudeln)
mak|ka|ro|nisch (aus lateinischen [u. lat. deklinierten] Wörtern lebender Sprachen gemischt); makkaronische Dichtung
Mak|ler (Geschäftsvermittler); **¹Mäk|ler** (*selten für* Makler)
²Mäk|ler (*svw.* Nörgler)
Mak|ler|ge|bühr; Mak|le|rin; Mak|ler|pro|vi|si|on
mäk|lig *vgl.* mäkelig
Ma|ko, die; -, -s *od.* der *od.* das; -[s], -s ⟨nach dem Ägypter Mako Bey⟩ (ägypt. Baumwolle); **Ma|ko|baum|wol|le**
Ma|ko|ré, das; -[s] ⟨franz.⟩ (afrik. Hartholz)
Ma|k|ra|mee, das; -[s], -s ⟨arab.-ital.⟩ (Knüpfarbeit [mit Fransen])
Ma|k|re|le, die; -, -n ⟨niederl.⟩ (ein Fisch)
Ma|k|ro, der *od.* das; -s, -s (*EDV kurz für* Makrobefehl)
ma|k|ro... ⟨griech.⟩ (lang..., groß...); **Ma|k|ro...** (Lang..., Groß...)
Ma|k|ro|be|fehl (*EDV* zu einer Einheit zusammengefasste Folge von Befehlen an Rechenanlagen)
Ma|k|ro|bi|o|tik, die; - (eine best. Lebens- u. Ernährungsweise); **ma|k|ro|bi|o|tisch**
ma|k|ro|ce|phal usw. *vgl.* makrozephal usw.
Ma|k|ro|kli|ma (Großklima)
ma|k|ro|kos|misch [*auch* ˈmaː...]; **Ma|k|ro|kos|mos, Ma|k|ro|kos|mus,** der; - (die große Welt, Weltall); *Ggs.* Mikrokosmos
Ma|k|ro|mo|le|kül [*auch* ˈmaː...] (*Chemie* aus 1 000 u. mehr Atomen aufgebautes Molekül); **ma|k|ro|mo|le|ku|lar**
Ma|k|ro|ne, die; -, -n ⟨ital.⟩ (ein Gebäck)
Ma|k|ro|öko|no|mie [*auch* ˈmaː...] (*Wirtsch.* Teilgebiet der Wirtschaftstheorie); **ma|k|ro|öko|no|misch**
ma|k|ro|seis|misch [*auch* ˈmaː...] ⟨griech.⟩ (*Geol.* ohne Instrumente wahrnehmbar [von starken Erdbeben])
ma|k|ro|s|ko|pisch (mit freiem Auge sichtbar)
Ma|k|ro|spo|re [*auch* ˈmaː...] (*Bot.* große weibl. Spore einiger Farnpflanzen)

¹Mal

das; -[e]s, -e

I. *Groß- und Getrenntschreibung als Substantiv:*
– das erste, zweite usw. Mal; das and[e]re, einzige, letzte, nächste, vorige usw. Mal
– ein erstes usw. Mal; ein and[e]res, einziges, letztes Mal; ein Mal über das and[e]re, ein ums and[e]re Mal
– von Mal zu Mal; Mal für Mal; jedes Mal
– dieses, manches, nächstes, voriges Mal; manches liebe, manch liebes Mal
– mit einem Mal[e]; beim, zum ersten Mal[e]; beim, zum zweiten, letzten, ander[e]n, soundsovielten, x-ten Mal[e]
– die letzten, nächsten Male
– einige, etliche, mehrere, unendliche, unzählige, viele, viele tausend *od.* Tausend, wie viele Mal[e]
– ein Dutzend Mal, ein paar Dutzend *od.* dutzend Mal; eine Million Mal[e], drei Millionen Mal[e], Millionen Mal

– ein oder mehrere Male; ein für alle Mal[e]; diese paar Mal[e]
– zu fünf Dutzend Malen; zu verschiedenen, wiederholten Malen

II. *Zusammenschreibung als Adverb:*
– noch einmal, noch einmal so viel, auf einmal (*vgl.* mal)
– keinmal, vielmal, manchmal, x-mal, allemal, diesmal, ein andermal
– zweimal (*mit Ziffer* 2-mal); drei- bis viermal (*mit Ziffern* 3- bis 4-mal *od.* 3–4-mal)

III. *Getrennt- oder Zusammenschreibung:*
– einmal (*aber* ein Mal; hier sind beide Wörter betont); fünfundsiebzigmal (*aber* fünfundsiebzig Mal; *beide Wörter betont*); hundertmal (*aber* hundert Mal); tausendmal (*aber* tausend Mal)
– Genauso: ein paarmal (*auch, bei besonderer Betonung,* ein paar Mal), sovielmal (*auch* so viel Mal), wievielmal (*auch* wie viel Mal), vieltausendmal (*auch* vieltausend Mal)

Ma|k|ro|struk|tur (*fachspr. für* ohne optische Hilfsmittel erkennbare Struktur)
Ma|k|ro|the|o|rie (Teilbereich der wirtschaftswissenschaftlichen Theorie)
ma|k|ro|ze|phal (*Med.* großköpfig); **Ma|k|ro|ze|pha|lie,** die; -, ...ien
Ma|k|ru|lie, die; -, ...ien (*Med.* Wucherung des Zahnfleisches)
Ma|ku|la|tur, die; -, -en (lat.) (*Druckw.* schadhaft gewordene *od.* fehlerhafte Bogen; Fehldruck; Altpapier); **ma|ku|lie|ren** (zu Makulatur machen)
mal; acht mal zwei (*mit Ziffern [u. Zeichen]:* 8 mal 2, 8 × 2 *od.* 8 · 2); acht mal zwei ist, macht, gibt (*nicht:* sind, machen, geben) sechzehn; eine Fläche von drei mal fünf Metern (*mit Ziffern [u. Zeichen]:* 3 m × 5 m); *vgl. aber* achtmal und ¹Mal; mal (*ugs. für* einmal [*vgl.* ¹Mal], z. B. komm mal her!; wenn das mal gut geht!; das ist nun mal so; öfter mal was Neues; sag das noch mal *od.* nochmal!)
¹Mal s. Kasten
²Mal, das; -[e]s, *Plur.* -e u. Mäler (Fleck; Merkmal; *geh. für* Denkmal; *Sport* Ablaufstelle)
Ma|la|bar|küs|te, die; - (südl. Teil der Westküste Vorderindiens)
Ma|la|bo (Hauptstadt Äquatorialguineas)
Ma|la|chi|as, ökum. Ma|le|a|chi (bibl. Prophet)
Ma|la|chit, der; -s, -e (griech.) (ein

Mineral); **ma|la|chit|grün; Ma|la|chit|va|se**
mal|lad (*selten für* malade); **ma|la|de** (franz.) (*ugs. für* krank)
ma|la fi|de (lat.) (in böser Absicht; wider besseres Wissen)
Ma|la|ga, der; -s, -s (ein Süßwein)
Má|la|ga (span. Provinz u. Hafenstadt)
Ma|la|gas|si, das; - (Sprache der Madagassen)
Ma|la|ga|wein
Ma|la|gue|ña [...'genja], die; -, -s (span.) (ein südspan., dem Fandango ähnl. Tanz)
Mal|laie, der; -n, -n (Angehöriger mongol. Völker Südostasiens); **Ma|lai|in; ma|lai|isch;** *aber* ↑ K 140 : der Malaiische Archipel; Malaiischer Bund
Ma|lai|se *vgl.* Maläse
Ma|la|ja|lam *vgl.* Malayalam
Ma|lak|ka (südostasiat. Halbinsel)
Ma|la|ko|lo|ge, der; -n, -n; **Ma|la|ko|lo|gie,** die; - (griech.) (Lehre von den Weichtieren); **Ma|la|ko|lo|gin**
Ma|la|ria, die; - (ital.) (eine trop. Infektionskrankheit)
Ma|la|ria|er|re|ger; ma|la|ria|krank
Ma|la|ria|lo|gie, die; - (Erforschung der Malaria)
Ma|lä|se, Ma|lai|se [...'lɛ:...], die; -, -n, *schweiz.* das; -s, -s (franz.) (Misere; Missstimmung)
Ma|la|wi (Staat in Afrika); **Ma|la|wi|er; Ma|la|wi|e|rin; ma|la|wisch**
Mal|axt (Axt zum Bezeichnen der zu fällenden Bäume)

Ma|la|ya|lam, Ma|la|ja|lam, das; -[s] (eine drawidische Sprache in Südindien)
Ma|lay|sia (Staat in Südostasien); **Ma|lay|si|er; Ma|lay|si|e|rin; ma|lay|sisch**
Mal|bec [...'bɛk], der; -[s] (franz.) (eine Reb- u. Weinsorte)
Mal|buch
Mal|chen *vgl.* Melibocus
Mal|chus (bibl. m. Eigenn.)
Ma|le [...le] (Hauptstadt der Malediven)
Ma|le|a|chi *vgl.* Malachias
Ma|le|di|ven *Plur.* (Inselstaat im Ind. Ozean); **Ma|le|di|ver; Ma|le|di|ve|rin; ma|le|di|visch**
ma|len (Bilder usw.); gemalt
Ma|le|par|tus, der; - (Wohnung des Fuchses in der Tierfabel)
Ma|ler; Ma|ler|ar|beit
Ma|le|rei
Ma|ler|email (Schmelzmalerei)
Ma|ler|far|be
Ma|le|rin
ma|le|risch
Ma|ler|meis|ter; Ma|ler|meis|te|rin; **ma|lern** (*ugs. für* Malerarbeiten ausführen); ich malere
Ma|le|sche, die; -, -n (franz., »Malaise«) (*nordd. für* Ungelegenheit, Unannehmlichkeit)
Mal|feld (*Rugby*)
Mal|grund (*Kunstwiss.*)
Mal|heur [ma'lø:ɐ̯], das; -s, *Plur.* -e u. -s (franz.) (*ugs. für* [kleines] Missgeschick; Unglück)
Ma|li (Staat in Afrika)

Ma|li|ce [...sə], die; -, -n ⟨franz.⟩ (veraltet für Bosheit)

Ma|li|er ⟨zu Mali⟩; Ma|li|e|rin

...ma|lig (z. B. dreimalig, mit Ziffer 3-malig)

ma|li|g|ne ⟨lat.⟩ (Med. bösartig); Ma|li|g|ni|tät, die; - (Bösartigkeit [einer Krankheit, bes. einer Geschwulst])

ma|lisch ⟨zu Mali⟩

ma|li|zi|ös (boshaft, hämisch)

Mal|kas|ten

mal|kon|tent ⟨franz.⟩ (veraltet, noch landsch. für [mit polit. Zuständen] unzufrieden)

mall, ma|lle ⟨niederl.⟩ (Seew. umspringend, verkehrt, verdreht; nordd. übertr. für von Sinnen)

¹Mall, das; -[e]s, -e (Seemannsspr. Modell für Schiffsteile)

²Mall [mɔːl], die; -, -s ⟨engl.⟩ ([bes. in den USA] Einkaufszentrum)

Mal|lar|mé (franz. Dichter)

ma|lle vgl. mall

ma|llen (Seemannsspr. nach dem Mall bearbeiten; umspringen [vom Wind])

Mal|lor|ca [maˈjɔr..., auch maˈlɔr...] (Hauptinsel der Balearen)

Mal|lor|qui|ner [...ˈkiː...] (Einwohner Mallorcas); Mal|lor|qui|ne|rin; mal|lor|qui|nisch

Mal|lung (Seemannsspr. Umspringen des Windes)

Malm, der; -[e]s ⟨engl.⟩ (Geol. obere Abteilung der Juraformation; Weißer Jura)

mal|men (selten für zermalmen, knirschen)

Mal|mö (schwed. Hafenstadt)

mal|neh|men (vervielfachen); ich nehme mal; malgenommen; malzunehmen

Ma|lo|che [auch ...ˈlɔ...], die; - ⟨hebr.-jidd.⟩ (ugs. für schwere Arbeit); ma|lo|chen (ugs. für schwer arbeiten, schuften); Ma|lo|cher (ugs. für Arbeiter); Ma|lo|che|rin

¹Ma|lo|ja (Ort in Graubünden)

²Ma|lo|ja, der; -[s] u. die; - (schweiz. Alpenpass); Ma|lo|ja-pass, Ma|lo|ja-Pass, der; -es

Ma|los|sol, der; -s ⟨russ.⟩ (schwach gesalzener Kaviar)

mal|pro|per ⟨franz.⟩ (veraltet, noch landsch. für unsauber)

...mals (z. B. mehrmals)

Mal|säu|le (veraltet für Grenzstein; Gedenksäule)

Mal|ta (Insel u. Staat im Mittelmeer); Mal|ta|fie|ber ↑K 143

Mal|te (m. Vorn.)

Mal|tech|nik

Mal|ter, der od. das; -s, - (altes Getreide-, Kartoffelmaß; österr. veraltet auch für Mörtel)

Mal|te|se, der; -n, -n (Bewohner von Malta)

Mal|te|ser (Bewohner von Malta; Angehöriger des Malteserordens; ein Schoßhund mit langem Fell)

Mal|te|ser-Hilfs|dienst

Mal|te|se|rin

Mal|te|ser|kreuz; Mal|te|ser|or|den, der; -s; Mal|te|ser|rit|ter

Mal|te|sin; mal|te|sisch; aber
↑K 140 : Maltesische Inseln

Mal|thus (engl. Sozialphilosoph); Mal|thu|si|a|ner (Vertreter des Malthusianismus); Mal|thu|si|a|ne|rin; Mal|thu|si|a|nis|mus; mal|thu|sisch; malthusisches Bevölkerungsgesetz ↑K 89

Mal|to|se, die; - (Chemie Malzzucker)

mal|t|rä|tie|ren ⟨franz.⟩ (misshandeln, quälen); Mal|t|rä|tie|rung

Ma|lus, der; Gen. - u. -ses, Plur. - u. -se ⟨lat.⟩ (Kfz-Versicherung Prämienzuschlag bei Häufung von Schadensfällen)

Mal|uten|si|li|en Plur.

Mal|va|sier, der; -s (ein Süßwein); Mal|va|sier|wein

Mal|ve, die; -, -n ⟨ital.⟩ (eine Zier-, Heilpflanze); mal|ven|far|ben, mal|ven|far|big

Mal|ver|sa|ti|on, die; -, -en ⟨franz.⟩ (österr. für Misswirtschaft, Unregelmäßigkeit)

Mal|vi|nen vgl. Malwinen

Mal|ware [...vɛːɐ̯], die; - ⟨aus engl. malicious software⟩ (EDV schädliche Programme wie z. B. Viren oder Würmer)

Mal|wi|ne (w. Vorn.)

Mal|wi|nen, Mal|vi|nen Plur. (svw. Falklandinseln)

Malz, das; -es; Malz|bier

Malz|bon|bon

Mal|zei|chen (Multiplikationszeichen; Zeichen · od. ×)

Mäl|zel (dt. Instrumentenmacher); Mälzels Metronom, auch Metronom Mälzel (Abk. M. M.)

mäl|zen (Malz bereiten); du mälzt; Mäl|zer; Mäl|ze|rei; Mäl|ze|rin

Malz|ex|trakt; Malz|kaf|fee

Ma|ma [auch ...ˈmaː], die; -, -s; Ma|ma|chen

Mam|ba, die; -, -s ⟨Zulu⟩ (eine afrikanische Giftschlange)

Mam|bo, der; -[s], -s, auch die; -, -s ⟨kreol.⟩ (südamerik. Tanz)

Ma|me|luck, der; -en, -en ⟨arab.-ital.⟩ (Söldner islam. Herrscher)

Ma|mer|tus (ein Heiliger)

Ma|mi (Kinderspr.)

Mam|ma|lia Plur. ⟨lat.⟩ (Zool. Sammelbez. für alle Säugetiere)

Mam|mo|gra|fie, Mam|mo|gra|phie, die; -, ...ien (Med. Röntgenuntersuchung der weiblichen Brust)

Mam|mon, der; -s ⟨aram.⟩ (abwertend für Reichtum; Geld); Mam|mo|nis|mus, der; - (Geldgier)

Mam|mut, das; -s, Plur. -e u. -s ⟨russ.-franz.⟩ (Elefant einer ausgestorbenen Art)

Mam|mut... (auch für Riesen...)

Mam|mut|baum; Mam|mut|knochen; Mam|mut|pro|gramm; Mam|mut|pro|jekt; Mam|mut|pro|zess

Mam|mut|ske|lett

Mam|mut|un|ter|neh|men

Mam|mut|ver|an|stal|tung

mamp|fen (ugs. für [mit vollen Backen] essen)

Mam|sell, die; -, -en u. -s ⟨franz.⟩ (veraltet, noch scherzh. für unverheiratete Frau, Hausgehilfin); ↑K 151 : kalte Mamsell, auch Kaltmamsell (Angestellte für die Zubereitung der kalten Speisen)

¹man; Dat. einem, Akk. einen; man kann nicht wissen, was einem zustoßen wird; du siehst einen an, als ob man ...

²man (nordd. ugs. für nur, mal); das lass man bleiben

¹Man [mɛn] (Insel in der Irischen See)

²Man, der od. das; -s, -s ⟨pers.⟩ (früheres pers. Gewicht); 3 Man

m. A. n. = meiner Ansicht nach

Mä|na|de, die; -, -n ⟨griech.⟩ (rasendes Weib [im Kult des griech. Weingottes Dionysos])

Ma|nage|ment [ˈmɛnɪdʒmənt], das; -s, -s ⟨engl.-amerik.⟩ (Leitung eines Unternehmens)

Ma|nage|ment-Buy-out, Ma|nage|ment-Buy|out, das; -s, -s (Übernahme einer Firma durch die eigene Geschäftsleitung)

ma|na|gen [...nɪdʒn] (ugs. für leiten, unternehmen; zustande bringen); gemanagt

Ma|na|ger, der; -s, - (leitende Persönlichkeit in einem Unterneh-

M
Mali

men, in einer Institution o. Ä.);
Ma|na|ge|rin; Ma|na|ger|krankheit

Ma|na|gua (Hauptstadt Nicaraguas)

Ma|na|ma (Hauptstadt Bahrains)

Ma|nas|se (bibl. m. Eigenn.)

manch

Man schreibt »manch« immer klein ↑K 76:

– mancher weiß das nicht; manche sagen; bei manchen
– manches ist wahr; in manchem
– mancher, der; manches, was

Beugung:

– manch einer; mancher Tag; Waren mancher Art; manche Stunde; manches u. manch Buch
– manch guter Vorsatz; mancher gute Vorsatz; mit manch gutem Vorsatz, mit manchem guten Vorsatz
– manch böses Wort, manches böse Wort
– manchmal; manches Mal; manch liebes Mal, manches liebe Mal
– manch Schönes u. manches Schöne; mit manch Schönem u. mit manchem Schönen
– mancher stimmfähiger (*auch noch* stimmfähigen) Mitglieder
– für manche ältere (*auch noch* älteren) Leute
– manche Stimmberechtigte (*auch* Stimmberechtigten)

Man|cha [...tʃa], die; - (span. Landschaft)

man|chen|orts

man|cher *vgl.* manch

man|cher|lei; mancherlei, was

man|cher|or|ten, häufiger mancher|orts

man|ches *vgl.* manch

¹**Man|ches|ter** [ˈmɛntʃɛstɐ] (engl. Stadt)

²**Man|ches|ter** [manˈʃɛstɐ], der; -s (ein Gewebe); **Man|ches|ter|ho|se**

Man|ches|ter|tum [ˈmɛntʃɛstɐ...], das; -s (liberalistische volkswirtschaftliche Anschauung)

manch|mal *vgl.* manch

Man|da|la, das; -[s], -s ⟨sanskr.⟩ (Bild als Meditationshilfe)

Man|dant, der; -en, -en ⟨lat.⟩ (*Rechtsspr.* Auftraggeber; Vollmachtgeber); **Man|dan|tin**

Man|da|rin, der; -s, -e ⟨sanskr.-port.⟩ (*früher* europ. Bezeichnung hoher chin. Beamter)

Man|da|ri|ne, die; -, -n (kleine apfelsinenähnliche Frucht); **Man|da|ri|nen|öl,** das; -[e]s

Man|da|rin|en|te (eine asiatische Ente)

Man|dat, das; -[e]s, -e ⟨lat.⟩ (Auftrag, Vollmacht; Sitz im Parlament; in Treuhand von einem Staat verwaltetes Gebiet)

Man|da|tar, der; -s, -e (jmd., der im Auftrag eines anderen handelt; Rechtsanwalt; *österr. für* Abgeordneter); **Man|da|ta|rin; Man|da|tar|staat** *Plur.* ...staaten; **man|da|tie|ren** (*veraltet für* zum Mandatar machen)

Man|dats|ge|biet; Man|dats|trä|ger; Man|dats|trä|ge|rin; Man|datsver|lust

¹**Man|del, die; -, -n** ⟨griech.⟩ (Kern einer Steinfrucht; *meist Plur.:* Gaumenmandeln)

²**Man|del, die; -, -[n]** ⟨mlat.⟩ (altes Zählmaß; Gruppe von etwa 15 Garben; kleine Mandel = 15 Stück, große Mandel = 16 Stück); 3 Mandel[n] Eier

Man|del|la, Nelson (südafrik. Politiker)

Man|del|au|ge; man|del|äu|gig

Man|del|baum; man|del|blü|te

Man|del|ent|zün|dung

man|del|för|mig; mandelförmige Augen

Man|del|ge|bäck; Man|del|hörnchen

Man|del|kern; Man|del|kleie

Man|del|milch; Man|del|öl, das; -[e]s

Man|del|ope|ra|ti|on

Man|derl *vgl.* Mandl

Man|di|beln *Plur.* ⟨lat.⟩ (*Biol.* Oberkiefer der Gliederfüßer)

man|di|bu|lar, man|di|bu|lär (zum Unterkiefer gehörend)

Mandl, Man|derl, das; -s, -n (*bayr. u. österr. ugs. für* Männlein; Vogelscheuche; Wegzeichen aus Steinen); *vgl.* Steinmandl

Man|do|la, die; -, ...len ⟨ital.⟩ (eine Oktave tiefer als die Mandoline klingendes Zupfinstrument)

Man|do|li|ne, die; -, -n ⟨franz.⟩ (ein Saiteninstrument)

Man|dor|la, die; -, ...dorlen ⟨ital.⟩ (mandelförmiger Heiligenschein)

Man|d|ra|go|ra, Man|d|ra|go|re, die; -, ...oren ⟨griech.⟩ (ein Nachtschattengewächs)

Man|d|rill, der; -s, -e ⟨engl.⟩ (ein in Westafrika heimischer Affe)

¹**Man|d|schu, der; -[s], -** (Angehöriger eines mongol. Volkes)

²**Man|d|schu, das; -[s]** (Sprache)

Man|d|schu|kuo (Name der Mandschurei als Kaiserreich 1934–45)

Man|d|schu|rei, die; - (nordostchin. Tiefland)

man|d|schu|risch; mandschurisches Fleckfieber

Ma|ne|ge [...ʒə], die; -, -n ⟨franz.⟩ (runde Vorführfläche od. Reitbahn im Zirkus)

Ma|nen *Plur.* ⟨lat.⟩ (die guten Geister der Toten im altröm. Glauben)

ma|nes|sisch; *aber* ↑K 150 : die Manessische Handschrift (eine Minnesängerhandschrift)

Ma|net [...ˈneː], Edouard [eˈdŭaːɐ̯] (franz. Maler)

Man|fred (m. Vorn.)

mang (*nordd. ugs. für* unter, dazwischen); mittenmang

Man|ga, das od. der; -s, -[s] ⟨jap.⟩ (Comic aus Japan)

Man|ga|be, die; -, -n ⟨afrik.⟩ (ein afrik. Affe)

Man|ga|lit|za, das; -s, -s ⟨ung.⟩ (Wollschwein)

Man|gan, das; -s ⟨griech.⟩ (chemisches Element, Metall; *Zeichen* Mn); **Man|ga|nat, das; -s, -e** (Salz der Mangansäure)

Man|gan|ei|sen; Man|ga|nit, der; -s, -e (ein Mineral)

Man|ge, die; -, -n (*südd., schweiz. für* ¹Mangel); ¹**Man|gel, die; -, -n** ([Wäsche]rolle)

²**Man|gel, der; -s, Mängel** (Fehler, Unvollkommenheit; *nur Sing.:* das Fehlen)

Man|gel|be|ruf

Man|gel|er|schei|nung

man|gel|frei, män|gel|frei

Man|gel|haf|tig|keit, die; -

Män|gel|haf|tung (*Rechtsw.*)

Man|gel|holz

Man|gel|krank|heit

¹**man|geln** ([Wäsche] rollen); ich mang[e]le

²**man|geln** (nicht [ausreichend] vorhanden sein); sie sagt, es mang[e]le an allem

Män|gel|rü|ge (Klage über mangelhafte Ware od. Arbeit)

man|gels ↑K 70 : *Präposition mit Genitiv:* mangels des nötigen Geldes, mangels eindeutiger Beweise; *im Plur. mit Dativ:*

M

mang

wenn der Genitiv nicht erkennbar ist: mangels Beweisen

Man|gel|wa|re

Man|gel|wä|sche, die; -; **man|gen** (landsch. für **¹mangeln**)

Mang|fut|ter (landsch. für Mischfutter; vgl. **¹Futter**); **Mang|ge|trei|de**

Mang|le|rin ⟨zu **¹mangeln**⟩

Man|go, die; -, Plur. ...onen od. -s ⟨tamil.-port.⟩ (eine tropische Frucht); **Man|go|baum**

Man|gold, der; -[e]s, -e Plur. selten (ein Blatt- u. Stängelgemüse)

Man|g|ro|ve, die; -, -n ⟨engl.⟩ (immergrüner Laubwald in flachen Küstengewässern tropischer Gebiete)

Man|g|ro|ve[n]|baum; Man|g|ro|ve[n]|küs|te

Man|gus|te, die; -, -n ⟨Marathi⟩ (in Südeurasien u. Afrika heimische Schleichkatze)

Man|hat|tan [mɛn'hætn̩] (Stadtteil von New York)

Ma|ni (babylonischer Religionsstifter); **Ma|ni|chä|er** (Anhänger des Manichäismus); **Ma|ni|chä|e|rin; Ma|ni|chä|is|mus**, der; - (von Mani gestiftete Religionsform)

Ma|nie, die; -, ...ien ⟨griech.⟩ (Sucht; Besessenheit)

Ma|nier, die; - ⟨franz.⟩ (Art u. Weise, Eigenart; Unnatur, Künstelei)

Ma|nie|ren Plur. (Umgangsformen; [gutes] Benehmen)

ma|nie|riert (gekünstelt; unnatürlich); **Ma|nie|riert|heit**

Ma|nie|ris|mus, der; - ⟨lat.⟩ (Stilbegriff für die Kunst der Zeit zwischen Renaissance u. Barock; gekünstelte Anwendung eines Stils)

Ma|nie|rist, der; -en, -en (Vertreter des Manierismus); **Ma|nie|ris|tin; ma|nie|ris|tisch**

ma|nier|lich (gesittet; fein)

ma|ni|fest ⟨lat.⟩ (handgreiflich, offenbar, deutlich); **Ma|ni|fest**, das; -es, -e (öffentl. Erklärung, Kundgebung; Seew. Verzeichnis der Güter auf einem Schiff); das Kommunistische Manifest

Ma|ni|fes|tant, der; -en, -en (veraltet für den Offenbarungseid Leistender; schweiz., sonst veraltet für Teilnehmer an einer politischen Kundgebung); **Ma|ni|fes|tan|tin**

Ma|ni|fes|ta|ti|on, die; -, -en (Offenbarwerden; Rechtsw. Offenlegung; Bekundung; Med.

Erkennbarwerden [von Krankheiten]; regional u. schweiz. für politische Kundgebung)

ma|ni|fes|tie|ren (offenbaren; bekunden; veraltet für den Offenbarungseid leisten; regional u. schweiz. für demonstrieren); sich manifestieren (deutlich werden, sich zu erkennen geben)

Ma|ni|kü|re, die; -, -n ⟨franz.⟩ (Handpflege, bes. Nagelpflege; Etui mit Geräten für die Nagelpflege; Hand-, Nagelpflegerin); **ma|ni|kü|ren;** manikürt

Ma|ni|la (Hauptstadt der Philippinen); **Ma|ni|la|hanf, Ma|ni|la-Hanf** (Spinnfaser der philippin. Faserbanane)

Ma|nil|le [...'nɪljə], die; -, -n ⟨franz.⟩ (Trumpfkarte im Lomberspiel)

Ma|ni|ok, der; -s, -s ⟨indian.-franz.⟩ (eine tropische Nutzpflanze)

Ma|ni|ok|mehl, das; -[e]s; **Ma|ni|ok|wur|zel**

¹Ma|ni|pel, der; -s, - ⟨lat.⟩ (Teil der röm. Kohorte)

²Ma|ni|pel, der; -s, -, auch die; -, -n (Teil der kath. Priestergewandung)

Ma|ni|pu|lant, der; -en, -en; **Ma|ni|pu|lan|tin**

Ma|ni|pu|la|ti|on, die; -, -en (Handgriff; Verfahren; meist Plur.: Machenschaft); **Ma|ni|pu|la|ti|ons|ge|bühr** (österr. für Bearbeitungsgebühr); **ma|ni|pu|la|tiv**

Ma|ni|pu|la|tor, der; -s, ...oren (jmd., der manipuliert; Technik Vorrichtung zur Handhabung gefährlicher Substanzen; veraltet für fingerfertiger Zauberkünstler); **Ma|ni|pu|la|to|rin**

ma|ni|pu|lier|bar; Ma|ni|pu|lier|bar|keit, die; -

ma|ni|pu|lie|ren; manipulierte (gesteuerte) Währung; der manipulierte Mensch; **Ma|ni|pu|lie|rung**

ma|nisch ⟨griech.⟩ (Psych., Med. an einer Manie erkrankt; abnorm heiter erregt)

ma|nisch-de|pres|siv ↑K 23 (Psych. abwechselnd manisch und depressiv)

Ma|nis|mus, der; - ⟨lat.⟩ (Völkerk. Ahnenkult, Totenverehrung)

Ma|ni|to|ba [auch mɛni'to:ba] (kanad. Provinz)

Ma|ni|tu, der; -s ⟨indian.⟩ (zauberhafte Macht des indian. Glau-

bens, oft ohne Artikel personifiziert als »Großer Geist«)

Man|ko, das; -s, -s ⟨ital.⟩ (Fehlbetrag; Ausfall; Mangel); **Man|ko|geld** (pauschaler Ausgleich für Fehlbeträge)

¹Mann, Heinrich u. Thomas (dt. Schriftsteller)

²Mann, der; -[e]s, Plur. Männer u. (früher für Lehnsleute, ritterl. Dienstmannen od. scherzh.:) Mannen; vier Mann hoch (ugs.), alle Mann an Bord, an Deck!, tausend Mann; er ist Manns genug; seinen Mann stehen; Mann, ist das schön! (ugs.)

Man|na, das; -[s], österr. nur so, od. die; - ⟨hebr.⟩ (legendäres [vom Himmel gefallenes] Brot der Israeliten; Pflanzensaft)

mann|bar; Mann|bar|keit, die; -

Männ|chen

Man|nde|ckung (Sport)

Män|ne (Koseform zu Mann)

man|nen (Seemannsspr. von Mann zu Mann reichen)

Man|ne|quin [...kɛ̃, auch ...'kɛ:], das, selten der; -s, -s ⟨franz.⟩ (Frau, die Modellkleider u. Ä. vorführt; veraltet für Gliederpuppe)

Män|ner|be|kannt|schaft; Män|ner|be|ruf; Män|ner|bund

Män|ner|chen Plur. (ugs.)

Män|ner|chor, der; **Män|ner|ehe; Män|ner|fang;** meist nur in auf Männerfang ausgehen

män|ner|feind|lich

Män|ner|freund|schaft

Män|ner|heil|kun|de, die; -

män|ner|mor|dend (ugs. scherzh.)

Män|ner|sa|che; Män|ner|stim|me; Män|ner|strip

Män|ner|treu, die; -, -, schweiz. das; -s, - (Name verschiedener Pflanzen)

Man|nes|al|ter; Man|nes|eh|re; Man|nes|kraft, die; **Man|nes|stamm** (männl. Linie einer Familie); **Man|nes|stär|ke; Man|nes|wort** Plur. ...worte

mann|haft; Mann|haf|tig|keit

Mann|heim (Stadt am Rhein); **Mann|hei|mer;** Mannheimer Schule (Musik)

Mann|heit, die; - (veraltet)

man|nig|fach

man|nig|fal|tig ['manɪçfaltɪç]; **Man|nig|fal|tig|keit**, die; -

män|nig|lich ['mɛnɪklɪç] (veraltet für jeder)

Män|nin, die; - (nur bibl.)

...män|nisch (z. B. bergmännisch)

Man|nit, der; -s, -e ⟨hebr.⟩ (sechswertiger Alkohol im Manna)

Männ|lein; Männlein und Weiblein *(Plur.)*

männ|lich; männliches Geschlecht; **Männ|lich|keit,** die; -; **Männ|lichkeits|wahn,** der; -[e]s (svw. Machismo)

Mann|loch (Öffnung zum Einsteigen in große Behälter wie Kessel, Tanks o. Ä.)

Man|no|mann! *(ugs.)*

Manns|bild *(ugs.)*

Mann|schaft; mann|schaft|lich

Mann|schafts|auf|stel|lung; Mannschafts|geist, der; -[e]s

Mann|schafts|ka|pi|tän; Mannschafts|ka|pi|tä|nin

Mann|schafts|raum

Mann|schafts|sie|ger; Mann|schaftssie|ge|rin; Mann|schafts|stär|ke; Mann|schafts|wa|gen; Mannschafts|wer|tung

manns|dick

manns|hoch; Manns|hö|he; in Mannshöhe

Manns|leu|te *Plur. (ugs.);* **Mannsper|son**

manns|toll

Manns|volk

Man|nus (Gestalt der germ. Mythol.)

Mann|weib *(abwertend für* männlich wirkende Frau)

Ma|no|me|ter, das; -s, - ⟨griech.⟩ *(Physik* ein Druckmessgerät); **ma|no|me|trisch**

Ma|nö|ver, das; -s, - ⟨franz.⟩ (größere Truppen-, Flottenübung; Bewegung, die mit einem Schiff, Flugzeug usw. ausgeführt wird; Winkelzug)

Ma|nö|ver|kri|tik *(auch* Besprechung mit kritischem Rückblick); **Ma|nö|ver|scha|den**

ma|nö|v|rie|ren (Manöver vornehmen; geschickt handeln)

ma|nö|v|rier|fä|hig; Ma|nö|v|rier|fähig|keit, die; -

Ma|nö|v|rier|mas|se

Man|po|w|er [ˈmæn...], die; - ⟨engl.⟩ (Personal; Arbeitskräfte)

Man|sard|dach, Man|sard-Dach ⟨nach dem franz. Baumeister Mansart⟩ (Dach mit gebrochenen Flächen)

Man|sar|de, die; -, -n (Dachgeschoss, -zimmer); **Man|sarden|woh|nung; Man|sar|denzim|mer**

Mansch, der; -[e]s *(ugs. für* Schneewasser; breiige Masse)

man|schen *(ugs. für* mischen; im Wasser planschen); du manschst; **Man|sche|rei** *(ugs.)*

Man|schet|te, die; -, -n ⟨franz.⟩ (Ärmelaufschlag; Papierkrause für Blumentöpfe; unerlaubter Würgegriff beim Ringkampf); Manschetten haben *(ugs. für* Angst haben)

Man|schet|ten|knopf

Mans, Le vgl. Le Mans

Man|tel, der; -s, Mäntel; **Män|telchen**

Man|tel|fut|ter vgl. ²Futter

Man|tel|ge|setz (Rahmengesetz)

Man|tel|kra|gen

Man|tel|rohr *(Technik)*

Man|tel|sack *(veraltet für* Reisetasche)

Man|tel|ta|rif *(Wirtsch.);* **Man|telta|rif|ver|trag**

Man|tel|ta|sche

Man|tel-und-De|gen-Film ↑K 26 (Abenteuerfilm, der in der Zeit degentragender Kavaliere spielt)

Man|tik, die; - ⟨griech.⟩ (Seher-, Wahrsagekunst)

Man|til|le [...ˈtil(j)ə], die; -, -n ⟨span.⟩ (Schleiertuch)

Man|tis|se, die; -, -n ⟨lat.⟩ *(Math.* hinter dem Komma stehende Ziffern der Logarithmen)

Man|t|ra, das; -[s], -s ⟨sanskr.⟩ ([im Hinduismus u. a. verwendete] magische Formel)

Man|tua (ital. Stadt); **Man|tu|a|ner; man|tu|a|nisch**

¹Ma|nu|al, das; -s, -e ⟨lat.⟩ (Handklaviatur der Orgel; *veraltet für* Handbuch, Tagebuch)

²Ma|nu|al [ˈmɛnjuəl] ⟨engl.⟩ *(bes. EDV* Handbuch)

Ma|nu|el [...eːl, *auch* ...ɛl] (m. Vorn.); **Ma|nu|e|la** (w. Vorn.)

ma|nu|ell ⟨lat.⟩ (mit der Hand; Hand...); manuelle Fertigkeit

Ma|nu|fakt, das; -[e]s, -e *(veraltet für* handgearbeitetes Erzeugnis)

Ma|nu|fak|tur, die; -, -en ([vorindustrieller] gewerbl. Großbetrieb mit Handarbeit; *veraltet für* in Handarbeit hergestelltes Erzeugnis); **Ma|nu|fak|tur|be|trieb**

ma|nu|fak|tu|rie|ren *(veraltet für* anfertigen; verarbeiten); **Ma|nufak|tu|rist,** der; -en, -en *(früher für* Leiter einer Manufaktur; Händler in Manufakturwaren)

Ma|nu|fak|tur|wa|ren *Plur.* (Textilwaren)

Ma|nul|druck *Plur.* ...drucke (besonderes Druckverfahren; danach hergestelltes Druckwerk)

ma|nu pro|p|ria ⟨lat.⟩ (mit eigener Hand; eigenhändig; *Abk.* m. p.)

Ma|nus, das; -, - *(bes. österr. u. schweiz. Kurzform von* Manuskript);* **Ma|nu|skript,** das; -[e]s, -e ⟨lat.⟩ (hand- od. maschinenschriftl. Ausarbeitung; Urschrift; Satzvorlage; *Abk.* Ms. [*Plur.* Mss.] *od.* Mskr.)

Ma|nu|skript|blatt; Ma|nu|skript|seite

Ma|nu|ti|us (ital. Buchdrucker)

Man|za|nil|la [...tsaˈnilja, ...sa...], der; -s ⟨span.⟩ (ein span. Weißwein)

Mao|is|mus, der; - (kommunist. Ideologie in der chin. Ausprägung von Mao Tse-tung)

Mao|ist, der; -en, -en (Anhänger des Maoismus); **Mao|is|tin; maois|tisch**

¹Ma|o|ri [*auch* ˈmau...], der; -[s], -[s] (Polynesier auf Neuseeland)

²Ma|o|ri, das; - (Sprache der Maoris)

ma|o|risch

Mao Tse-tung, Mao Ze|dong (chin. Staatsmann)

Ma|pai, die; - ⟨hebr.⟩ (gemäßigte sozialist. Partei Israels)

Ma|pam, die; - (Arbeiterpartei Israels)

Mäpp|chen; Map|pe, die; -, -n

Ma|pu|to (Hauptstadt Mosambiks)

Ma|quet|te [...ˈkɛt(ə)], die; -, -n ⟨franz.⟩ (Entwurf für ein Kunstwerk)

Ma|quis [...ˈkiː], der; - ⟨franz., »Gestrüpp, Unterholz«⟩ (franz. Widerstandsorganisation im 2. Weltkrieg)

Ma|qui|sard [...ˈzaːɐ̯], der; -, *Plur.* -s u. -en [...ˈzardn̩] (Angehöriger des Maquis)

Mär, Mä|re, die; -, Mären *(veraltet, heute noch scherzh. für* Kunde, Nachricht; Sage)

Ma|ra|bu, der; -s, -s ⟨arab.⟩ (ein Storchvogel)

Ma|ra|but, der; *Gen.* - od. -[e]s, *Plur.* - od. -s (moslem. Einsiedler, Heiliger)

Ma|ra|cu|ja, die; -, -s ⟨indian.⟩ (essbare Frucht der Passionsblume)

ma|ra|na|tha!, *ökum.* **ma|ra|na|ta!** ⟨aram., »unser Herr, komm!«⟩ (Gebetsruf der altchristl. Abendmahlsfeier); **Ma|ra|na|tha,** *ökum.* **Ma|ra|na|ta,** das; -s, -s

Ma|rä|ne, die; -, -n ⟨slaw.⟩ (ein Fisch)

Ma|ran|te, *auch* **Ma|ran|ta,** die; -, ...ten ⟨nach dem venezian. Arzt

marantisch – Marine

Maranta⟩ (Pfeilwurz, eine Zimmerpflanze)
ma|ran|tisch (svw. marastisch)
Ma|ras|chi|no [...'ki:...], der; -s, -s ⟨ital.⟩ (ein Kirschlikör)
Ma|ras|mus, der; - ⟨griech.⟩ (Med. Entkräftung, [Alters]schwäche); ma|ras|tisch (an Marasmus leidend, entkräftet, erschöpft)
Ma|rat [...'ra] (franz. Revolutionär)
Ma|ra|thi, das; -[s] (westindische Sprache)
¹Ma|ra|thon ['ma(:)...] (Ort nördl. von Athen)
²Ma|ra|thon, der; -s, -s (kurz für Marathonlauf)
³Ma|ra|thon, das; -s, -s (etwas durch übermäßig lange Dauer Anstrengendes)
Ma|ra|tho|ni, der; -s, -[s] u. die; -, -[s] (ugs. für Marathonläufer[in])
Ma|ra|thon|lauf ↑K 143 (leichtathletischer Wettlauf über 42,195 km); Ma|ra|thon lau|fen, ma|rathon|lau|fen; aber nur ich laufe Marathon; einen Marathon laufen
Ma|ra|thon|läu|fer; Ma|ra|thon|läufe|rin
Ma|ra|thon|re|de; Ma|ra|thon|sitzung; Ma|ra|thon|ver|an|stal|tung
Mar|bel, Mär|bel, Mar|mel, Murmel, die; -, -n (landsch. für kleine Kugel zum Spielen)
Mar|bod (markomann. König)
Mar|burg [auch 'mar...] (Stadt in Hessen); Mar|bur|ger
¹Marc (dt. Maler u. Grafiker)
²Marc (m. Vorn.)
mar|ca|to ⟨ital.⟩ (Musik markiert, betont)
Mar|cel [...'sɛl] (m. Vorn.)
¹March, die; - (linker Nebenfluss der Donau)
²March, die; - (Gebiet am Ostende des Zürichsees)
³March, die; -, -en (schweiz. für Flurgrenze, Grenzzeichen)
Mär|chen
Mär|chen|buch; Mär|chen|dichtung; Mär|chen|er|zäh|ler; Märchen|er|zäh|le|rin; Mär|chen|film; Mär|chen|for|schung
mär|chen|haft
Mär|chen|land, das; -[e]s
Mär|chen|on|kel (ugs. auch für jmd., der [häufig] Märchen erzählt); Mär|chen|pracht
Mär|chen|prinz; Mär|chen|prin|zessin; Mär|chen|stun|de
Mär|chen|tan|te
Mar|che|sa [...'ke:...], die; -, Plur. -s

u. ...sen ⟨ital.⟩ (w. Form von Marchese); Mar|che|se [...'ke:...], der; -, -n (hoher ital. Adelstitel)
March|feld, das; -[e]s (Ebene in Niederösterreich)
March|zins Plur. ...zinsen (schweiz. Bankw. Stückzins)
Mar|co|ni (ital. Physiker)
Mar|co Po|lo (ital. Reisender)
Mar|der, der; -s, -; Mar|der|fell
Mä|re vgl. Mär
Ma|rées [...'re:] (dt. Maler)
Ma|rel|le vgl. Marille u. Morelle
Ma|rem|men Plur. ⟨ital.⟩ (sumpfige Küstengegend in Mittelitalien); Ma|rem|men|land|schaft
mä|ren (landsch. für in etwas herumwühlen; langsam sein; umständlich reden)
Ma|ren (w. Vorn.)
Ma|ren|de, die; -, -n ⟨ital.⟩ (tirol. für Zwischenmahlzeit, Vesper)
Ma|ren|go, der; -s ⟨nach dem oberital. Ort⟩ (grau melierter Kammgarnstoff)
Mä|re|rei ⟨zu mären⟩
Mar|ga|re|ta, Mar|ga|re|te (w. Vorn.)
Mar|ga|ri|ne, die; - ⟨franz.⟩; Mar|gari|ne|fa|b|rik
Mar|ge [...ʒə], die; -, -n ⟨franz.⟩ (Abstand, Spielraum; Wirtsch. Spanne zwischen zwei Preisen, Handelsspanne); mar|genschwach (Wirtsch.)
Mar|ge|ri|te, die; -, -n ⟨franz.⟩ (eine Wiesenblume, Wucherblume)
Mar|ge|ri|ten|strauß; Mar|ge|ri|tenwie|se
Mar|ghe|ri|ta [...ge...] (w. Vorn.)
mar|gi|nal ⟨lat.⟩ (auf dem Rand stehend; am Rand liegend; Bot. randständig)
Mar|gi|nal|be|mer|kung; Mar|gi|nalglos|se (an den Rand der Seite geschriebene od. gedruckte Glosse [vgl. d.])
Mar|gi|na|lie, die; -, -n meist Plur. (Randbemerkung auf der Seite einer Handschrift, eines Buches)
mar|gi|na|li|sie|ren (auch für [politisch] ins Abseits schieben); Mar|gi|na|li|sie|rung
Mar|git, Mar|git|ta, Mar|got, Mar|grit, Mar|gue|rite [...gə'ri:t] (w. Vorn.)
Ma|ria (w. Vorn.; gelegentl. zusätzlicher m. Vorn.); Mariä (der Maria) Himmelfahrt (kath. Fest); die Himmelfahrt Mariens; vgl. Marie

Ma|ri|a|ge [...ʒə], die; -, -n (König-Dame-Paar in Kartenspielen)
Ma|riä-Him|mel|fahrts-Fest, das; -[e]s ↑K 26
Ma|ria Laach (Benediktinerabtei in der Eifel)
Ma|ri|a|nen Plur. (Inselgruppe im Pazifischen Ozean)
Ma|ri|a|nen|gra|ben, der; -s (im Pazifik)
ma|ri|a|nisch ⟨zu Maria⟩; marianische Frömmigkeit, aber ↑K150: Marianische Kongregation
Ma|ri|an|ne (w. Vorn.; symbol. Verkörperung der Französischen Republik)
ma|ria-the|re|si|a|nisch
Ma|ria|the|re|si|en|ta|ler (frühere Münze)
Ma|ria|zell (Wallfahrtsort in der Steiermark)
Ma|rie, Ma|rie-Lu|i|se, auch Ma|rielu|i|se (w. Vorn.)
Ma|ri|en|bild; Ma|ri|en|dich|tung; Ma|ri|en|fest
Ma|ri|en|kä|fer
Ma|ri|en|kir|che; aber St.-Marien-Kirche ↑K136 u. 137
Ma|ri|en|kult; Ma|ri|en|le|ben; Mari|en|le|gen|de; Ma|ri|en|tag; Mari|en|ver|eh|rung
Ma|ri|en|wer|der (Stadt am Ostrand des Weichseltales); Mari|en|wer|der|stra|ße ↑K 162
Ma|ri|et|ta (w. Vorn.)
Ma|ri|hu|a|na, das; -s ⟨mexik.; aus den Vornamen María u. Juana ['xʊa:na = Johanna]⟩ (ein Rauschgift)
Ma|ri|ka (w. Vorn.)
Ma|ril|le, die; -, -n ⟨ital.⟩ (bes. österr. für Aprikose)
Ma|ril|len|knö|del; Ma|ril|len|marme|la|de; Ma|ril|len|schnaps
Ma|ri|lyn ['mɛərilin] (w. Vorname)
Ma|rim|ba, die; -, -s ⟨afrik.-span.⟩ (dem Xylofon ähnliches Musikinstrument); Ma|rim|ba|fon, Ma|rim|ba|phon, das; -s, -e (Marimba mit Resonanzkörpern aus Metall)
ma|rin ⟨lat.⟩ (zum Meer gehörend, Meer[es]...)
¹Ma|ri|na (w. Vorn.)
²Ma|ri|na, die; -s, -s ⟨lat.-engl.⟩ (Jacht-, Motorboothafen)
Ma|ri|na|de, die; -, -n ⟨franz.⟩ (Flüssigkeit mit Essig, Kräutern, Gewürzen zum Einlegen von Fleisch, Gurken usw.; Salatsoße; eingelegter Fisch)
Ma|ri|ne, die; -, -n ⟨franz.⟩ (Seewe

sen eines Staates; Flottenwesen; Kriegsflotte, Flotte)

Ma|ri|ne|ar|til|le|rie

Ma|ri|ne|at|ta|ché

ma|ri|ne|blau (dunkelblau)

Ma|ri|ne|flie|ger; Ma|ri|ne|flie|ge-rin; Ma|ri|ne|in|fan|te|rie; Ma|ri-ne|ma|ler; Ma|ri|ne|of|fi|zier; Ma-ri|ne|of|fi|zie|rin

¹Ma|ri|ner, der; -s, - (*Jargon* Matrose, Marinesoldat)

²Ma|ri|ner [ˈmɛ...], der; -s, - ⟨ame-rik.⟩ (unbemannte amerik. Raumsonde zur Planetenerkun-dung)

Ma|ri|ne|rin (*Jargon*)

Ma|ri|ne|sol|dat; Ma|ri|ne|sol|da|tin; Ma|ri|ne|stück (*svw.* Seestück); Ma|ri|ne|stütz|punkt; Ma|ri|ne-uni|form

ma|ri|nie|ren ⟨franz.⟩ (in Marinade einlegen)

Ma|rio (m. Vorn.)

Ma|rio|la|trie, die; - ⟨griech.⟩ (Marienverehrung)

Ma|rio|lo|ge, der; -n, -n (Vertreter der Mariologie); Ma|rio|lo|gie, die; - (kath.-theol. Lehre von der Gottesmutter); Ma|rio|lo|gin; ma|rio|lo|gisch

Ma|ri|on (w. Vorn.)

Ma|ri|o|net|te, die; -, -n ⟨franz.⟩ (Gliederpuppe; willenloser Mensch als Werkzeug anderer); Ma|ri|o|net|ten|büh|ne

ma|ri|o|net|ten|haft

Ma|ri|o|net|ten|re|gie|rung

Ma|ri|o|net|ten|spiel; Ma|ri|o|net-ten|the|a|ter

Ma|ri|otte [...ˈrɔt] (franz. Physi-ker); mariottesches *od.* Mari-otte'sche Gesetz

Ma|rist, der; -en, -en ⟨*zu* Maria⟩ (Angehöriger einer kath. Missi-onskongregation)

Ma|ri|ta (w. Vorn.)

ma|ri|tim ⟨lat.⟩ (das Meer, das See-wesen betreffend; Meer[es]..., See...); maritimes Klima

Ma|ri|us (röm. Feldherr u. Staats-mann)

Mar|jell, die; -, -en, Mar|jell|chen ⟨lit.⟩ (*ostpreuß. für* Mädchen)

¹Mark, die; -, Plur. -, ugs. scherzh. Märker (frühere dt. Währungs-einheit; Abk. [DDR] M); Deut-sche Mark (Abk. DM)

²Mark, die; -, -en (früher für Grenz-land); die Mark Brandenburg

³Mark, das; -[e]s (Med., Bot.; auch übertr. für das Innerste, Beste)

⁴Mark (m. Vorn.)

mar|kant ⟨franz.⟩ (stark ausge-prägt)

Mar|ka|sit, der; -s, -e ⟨arab.⟩ (ein Mineral)

Mark Au|rel (röm. Kaiser)

mark|durch|drin|gend; markdurch-dringende Schreie

Mar|ke, die; -, -n (Zeichen; Han-dels-, Waren-, Wertzeichen)

Mär|ke, die; -, -n (österr. für [Namens]zeichen); mär|ken (österr. für mit einer Märke ver-sehen)

Mar|ken|ar|ti|kel

mar|ken|be|wusst; Mar|ken|be-wusst|sein; Mar|ken|but|ter

Mar|ken|er|zeug|nis; Mar|ken|fa-bri|kat; Mar|ken|na|me; Mar|ken-pi|ra|te|rie; Mar|ken|pro|dukt

Mar|ken|samm|ler; Mar|ken|samm-le|rin

Mar|ken|schutz; Mar|ken|wa|re; Mar|ken|zei|chen

Mar|ker, der; -s, -[s] ⟨engl.⟩ (Stift zum Markieren; fachspr. für Merkmal)

Mär|ker (Bewohner der ²Mark); Mär|ke|rin

mark|er|schüt|ternd; markerschüt-ternde Schreie

Mar|ke|ten|der, der; -s, - ⟨ital.⟩ (früher Händler bei der Feld-truppe); Mar|ke|ten|de|rei; Mar-ke|ten|de|rin

Mar|ke|ten|der|wa|gen; Mar|ke|ten-der|wa|re

Mar|ke|te|rie, die; -, ...ien ⟨franz.⟩ (Kunstwiss. Einlegearbeit [von farbigem Holz usw.])

Mar|ke|ting, das; -s ⟨engl.⟩ (Wirtsch. Ausrichtung eines Unternehmens auf die Förde-rung des Absatzes); Mar|ke|ting-stra|te|gie

Mark|graf (Verwalter einer ²Mark); Mark|grä|fin

Mark|gräf|ler, der; -s, - (ein süd-bad. Wein); Mark|gräf|ler Land, das; - -[e]s (Landschaft am Oberrhein)

mark|gräf|lich; Mark|graf|schaft (früher)

mar|kie|ren ⟨franz.⟩ (be-, kenn-zeichnen; eine Rolle o. Ä. [bei der Probe] nur andeuten; österr. für [eine Fahrkarte] entwerten, stempeln; ugs. für vortäuschen; Sport [einen Treffer] erzielen, [einen Gegenspieler] decken)

Mar|kier|ham|mer (Forstw.)

Mar|kie|rung; Mar|kie|rungs|fähn-chen; Mar|kie|rungs|li|nie; Mar-kie|rungs|punkt

mar|kig; Mar|kig|keit, die; -

mär|kisch (aus der ²Mark stam-mend, sie betreffend); märki-sche Heimat, *aber* ↑K 150 : das Märkische Museum

Mar|ki|se, die; -, -n ⟨franz.⟩ ([leine-nes] Sonnendach, Schutzdach, -vorhang); vgl. aber Marquise; Mar|ki|sen|stoff

Mar|ki|set|te vgl. Marquisette

Mark|ka, die; -, -[a]; 10 Markkaa [...ka] ⟨germ.-finn.⟩ (svw. Finn-mark; Abk. mk)

Mark|klöß|chen (eine Suppenein-lage); Mark|kno|chen

mark|los

Mar|ko (m. Vorn.)

¹Mar|kolf (m. Vorn.)

²Mar|kolf, der; -[e]s, -e (landsch. für Häher)

Mar|ko|man|ne, der; -n, -n (Ange-höriger eines germ. Volksstam-mes); Mar|ko|man|nin

Mar|kör, der; -s, -e ⟨franz.⟩ (Aufse-her, Punktezähler beim Billard-spiel; Landw. Gerät zum Anzeichnen von Pflanzenreihen); Mar|kö|rin

Mark|ran|städt (Stadt südwestl. von Leipzig)

Mark|schei|de (Grenze [eines Gru-benfeldes])

Mark|schei|de|kun|de, die; -; Mark-schei|de|kunst, die; - (Berg-mannsspr. Vermessung, Darstel-lung der Lagerungs- u. Abbau-verhältnisse)

Mark|schei|der (Vermesser im Bergbau); mark|schei|de|risch

Mark|stamm|kohl (als Grün- od. Gärfutter verwendete Form des Kohls)

Mark|stein

Mark|stück (früher); mark|stück-groß vgl. fünfmarkstückgroß

Markt, der; -[e]s, Märkte (bayr., österr. auch für Titel einer Gemeinde, urspr. mit altem Marktrecht); zu Markte tragen

Markt|ab|spra|che

Markt|amt (österr. für Lebensmit-tel-Kontrollbehörde)

Markt|ana|ly|se; Markt|an|teil

markt|be|herr|schend; eine markt-beherrschende Stellung

Markt|be|richt; Markt|brun|nen

Markt|bu|de; Markt|chan|ce

markt|en|gen|schrein; ⟨...⟩ markt|en|gen (abhandeln, feilschen)

Markt|fah|rer (österr., schweiz. für Wanderhändler); Markt|fah|re-rin; Markt|fle|cken; Markt|for-schung; Markt|frau

markt|füh|rend; Markt|füh|rer;

M

Mark

Markt|füh|re|rin; Markt|füh|rer-
schaft
markt|gän|gig
Markt|ge|mein|de (bayr., österr.
für Markt[flecken])
Markt|hal|le; Markt|la|ge
Markt|lea|der (schweiz. neben
Marktführer); Markt|lea|de|rin
Markt|lü|cke; Markt|macht
Markt|ober|dorf (Stadt im Allgäu)
Markt|ord|nung
markt|ori|en|tiert
Markt|ort; Markt|platz; Markt|po-
ten|zi|al, Markt|po|ten|ti|al;
Markt|preis; Markt|recht
markt|reif; Markt|rei|fe
Markt|schrei|er; Markt|schrei|e|rin;
markt|schrei|e|risch
Markt|seg|ment; Markt|stand;
Markt|tag
markt|üb|lich
Markt|weib; Markt|wert
Markt|wirt|schaft (Wirtschaftssys-
tem mit freiem Wettbewerb);
freie Marktwirtschaft; soziale
Marktwirtschaft; markt|wirt-
schaft|lich
Mar|kung (veraltet für Grenze)
Mar|kus (Evangelist; röm. m. Vorn.
[Abk. M.]); Evangelium Marci
(des Markus)
Mar|kus|kir|che ↑K 136
Mark|ward (m. Vorn.)
Marl|bo|rough ['mo:lbərə, auch
...rə] (engl. Feldherr)
Mär|lein (veraltet für Märchen)
Mar|le|ne (w. Vorn.)
Mar|lies, Mar|lis (w. Vorn.)
Mar|lowe [...lo] (engl. Dramatiker)
Mar|ma|ra|meer, das; -[e]s (zwi-
schen Bosporus und Dardanel-
len)
[1]Mar|mel vgl. Marbel
[2]Mar|mel, der; -s, - ⟨lat.⟩ (veraltet
für Marmor)
Mar|me|la|de, die; -, -n; Mar|me|la-
de[n]|brot; Mar|me|la|de[n]|ei-
mer; Mar|me|la|de[n]|glas Plur.
...gläser; Mar|me|la|de[n]|re|zept
mar|meln ⟨lat.⟩ (landsch. für mit
[1]Marmeln spielen); ich
marm[e]le
Mar|mel|stein (veraltet für Mar-
mor)
Mar|mor, der; -s, -e (Gesteinsart);
mar|mor|ar|tig
Mar|mor|block Plur. ...blöcke
Mar|mor|büs|te
mar|mo|rie|ren (marmorartig
bemalen, ädern)
Mar|mor|ku|chen
mar|morn (aus Marmor)

Mar|mor|plat|te; Mar|mor|säu|le
Mar|mor|sta|tue; Mar|mor|trep|pe
Mar|ne [auch marn], die; - (franz.
Fluss)
Ma|ro|cain [...'kɛ̃:], der od. das; -s,
-s ⟨franz.⟩ (fein gerippter Kleiderstoff)
ma|rod (österr. ugs. für leicht
krank)
ma|ro|de ⟨franz.⟩ (heruntergekom-
men, abgewirtschaftet; veraltend für erschöpft)
Ma|ro|deur [...'dø:ɐ̯], der; -s, -e
(Soldatenspr. plündernder
Nachzügler); ma|ro|die|ren
Ma|rok|ka|ner; Ma|rok|ka|ne|rin;
ma|rok|ka|nisch; Ma|rok|ko (Staat
in Nordwestafrika)
[1]Ma|ro|ne, die; -, Plur. -n, landsch.
auch ...ni ⟨franz.⟩ ([geröstete]
essbare Kastanie)
[2]Ma|ro|ne, die; -, -n (ein Pilz); Ma-
ro|nen|pilz
Ma|ro|ni, die; -, - (südd., österr.
svw. [1]Marone; vgl. Marroni); Ma-
ro|ni|bra|ter
Ma|ro|nit, der; -en, -en ⟨nach der
hl. Maro) (Angehöriger der mit
Rom unierten syrischen Kirche
im Libanon); ma|ro|ni|tisch;
maronitische Liturgie
Ma|ro|quin [...'kɛ̃:], der, auch das;
-s ⟨franz., »aus Marokko«⟩ (Zie-
genleder)
Ma|rot|te, die; -, -n ⟨franz.⟩
(Schrulle, wunderliche Neigung,
Grille)
Mar|quis [...'ki:], der; -, - ⟨franz.,
»Markgraf«⟩ (franz. Titel)
Mar|qui|sat, der; -[e]s, -e (Würde,
Gebiet eines Marquis)
Mar|qui|se, die; -, -n (»Markgrä-
fin«⟩ (franz. Titel); vgl. aber
Markise
Mar|qui|set|te, Mar|ki|set|te, die; -,
auch der; -s (ein Gardinenge-
webe)
Mar|ra|kesch (Stadt u. Provinz in
Marokko)
Mar|ro|ni (schweiz. neben Maroni)
[1]Mars (röm. Kriegsgott)
[2]Mars, der; - (ein Planet)
[3]Mars, der; -, -e, auch die; -, -en
⟨niederd.⟩ (Seemannsspr. Plattform zur Führung u. Befestigung der Marsstenge)
[1]Mar|sa|la (ital. Stadt)
[2]Mar|sa|la, der; -s, -s (ein Süßwein);
Mar|sa|la|wein, Mar|sa|la-Wein
marsch!; marsch, marsch!; vorwärts marsch!
[1]Marsch, der; -[e]s, Märsche
[2]Marsch, die; -, -en (vor Küsten

angeschwemmter fruchtbarer
Boden)
Mar|schall, der; -s, ...schälle
(»Pferdeknecht«⟩ (hoher milit.
Dienstgrad; Haushofmeister);
Mar|schall|lin
Mar|schall[s]|stab
Mar|schall[s]|wür|de
Mar|schall|be|fehl
marsch|be|reit; Marsch|be|reit-
schaft, die; -
Marsch|block Plur. ...blöcke od.
...blocks
Marsch|bo|den
Mar|schen|dorf
marsch|fer|tig
Marsch|flug|kör|per (Milit.)
Marsch|ge|päck
mar|schie|ren; Mar|schie|rer; Mar-
schie|re|rin
Marsch|ko|lon|ne; Marsch|kom|pass
Marsch|land Plur. ...länder (svw.
[2]Marsch)
Marsch|lied
marsch|mä|ßig
Marsch|mu|sik; Marsch|ord|nung;
Marsch|rich|tung; Marsch|rou|te
Marsch|tem|po; Marsch|tritt
Marsch|ver|pfle|gung; Marsch|ziel
Mar|seil|lai|se [...se'jɛ:zə], die; -
(franz. Revolutionslied, dann
Nationalhymne)
Mar|seille [...'sɛ:j] (franz. Stadt);
Mar|seil|ler [...'sɛ:jɐ]
Mars|feld, das; -[e]s (Versamm-
lungs- u. Übungsplatz im alten
Rom; großer Platz in Paris)
Mar|shal|ler (Einwohner der Mar-
shallinseln); Mar|shal|le|rin; Mar-
shall|in|seln, Mar|shall-In|seln
[...ʃ..., auch 'ma:ɐ̯ʃ...] Plur.
(Inselgruppe u. Staat im Pazifi-
schen Ozean); mar|shall|lisch
Mar|shall|plan, Mar|shall-Plan
[...ʃ..., auch 'ma:ɐ̯ʃ...], der; -[e]s
⟨nach dem amerik. Außenmi-
nister G. C. Marshall⟩ (amerik.
Hilfsprogramm für Westeuropa
nach dem 2. Weltkrieg)
Marsh|mal|low ['ma:ɐ̯ʃmɛlo], das;
-s, -s (weiche Süßigkeit aus
Zucker, Eiweiß u. Gelatine)
Mars|männ|chen; Mars|mensch,
der; Mars|son|de
Mars|sten|ge (Seemannsspr. erste
Verlängerung des Mastes)
Mar|stall, der; -[e]s, ...ställe (»Pfer-
destall«⟩ (Pferdehaltung eines
Fürsten u. a.)
Mar|sy|as (meisterhaft Flöte spie-
lender Satyr der altgriech.
Mythologie)
Mar|ta vgl. [2]Martha

M

Mark

Mär|te, die; -, -n (mitteld. für Mischmasch; Kaltschale)

Mar|ten|sit, der; -s, -e ⟨nach dem dt. Ingenieur Martens⟩ (beim Härten von Stahl entstehendes Gefüge von Eisen und Kohlenstoff)

Mar|ter, die; -, -n; **Mar|ter|in|s|t|ru|ment**

Mar|terl, das; -s, -n (bayr. u. österr. für Tafel mit Bild und Inschrift zur Erinnerung an Verunglückte; Pfeiler mit Nische für Kruzifix od. Heiligenbild)

mar|tern; ich martere

Mar|ter|pfahl; Mar|ter|qual; Mar|ter|tod

Mar|te|rung

mar|ter|voll

mar|ter|werk|zeug

¹Mar|tha (w. Vorn.)

²Mar|tha, ökum. Mar|ta (bibl. w. Eigenn.)

mar|ti|a|lisch ⟨lat.⟩ (kriegerisch; grimmig; verwegen)

¹Mar|tin (m. Vorn.)

²Mar|tin [...'tɛ̃:] (schweiz. Komponist)

Mar|ti|na (w. Vorn.)

Mar|tin|gal, das; -s, Plur. -e u. -s ⟨franz.⟩ (Reiten zwischen den Vorderbeinen des Pferdes durchlaufender Sprungzügel)

Mar|tin-Horn® vgl. Martinshorn

Mar|ti|ni, das; - (Martinstag)

Mar|ti|ni|ka|ner (Bewohner von Martinique); **Mar|ti|ni|ka|ne|rin; Mar|ti|nique** [...'ni:k] (Insel der Kleinen Antillen; franz. Überseedepartement)

Mar|tins|gans

Mar|tins|horn (als ®: Martin-Horn; Plur. ...hörner)

Mar|tins|tag (11. Nov.); **Mar|tins|um|zug**

Mär|ty|rer, kath. Kirche auch **Mar|ty|rer,** der; -s, - ⟨griech.⟩ (jmd., der wegen seines Glaubens od. seiner Überzeugung Verfolgung od. den Tod erleidet); **Mär|ty|re|rin,** kath. Kirche auch **Mar|ty|re|rin,** Mär|ty|rin, Mar|ty|rin

Mär|ty|rer|kro|ne, kath. Kirche auch **Mar|ty|rer|kro|ne**

Mär|ty|rer|tod, kath. Kirche auch **Mar|ty|rer|tod**

Mär|ty|rer|tum, kath. Kirche auch **Mar|ty|rer|tum,** das; -s

Mär|ty|rin, Mar|ty|rin vgl. Märtyrerin

Mar|ty|ri|um, das; -s, ...ien (schweres Leiden [um des Glaubens od. der Überzeugung willen])

Mar|ty|ro|lo|gi|um, das; -s, ...ien (Verzeichnis der Märtyrer u. Heiligen u. ihrer Feste)

Ma|run|ke, die; -, -n (ostmitteld. eine Pflaume)

Marx, Karl (dt. Philosoph, Begründer der nach ihm benannten Lehre)

Mar|xis|mus, der; - (die von Marx u. Engels begründete Theorie des Kommunismus)

Mar|xis|mus-Le|ni|nis|mus (Bez. für die kommunist. Ideologie nach Marx, Engels u. Lenin)

Mar|xist, der; -en, -en; **Mar|xis|tin**

Mar|xis|tin-Le|ni|nis|tin, die; -, Plur. Marxistinnen-Leninistinnen

mar|xis|tisch

Mar|xist-Le|ni|nist, der; des Marxisten-Leninisten, Plur. Marxisten-Leninisten

marxsch; die marxsche od. Marx'sche Philosophie

Ma|ry ['mɛri] (w. Vorn.)

Ma|ry Jane, die; - - ⟨engl.⟩ (Jargon Marihuana)

Ma|ry|land ['mɛrilənt] (Staat der USA; Abk. MD)

März, der; Gen. -[es], geh. auch noch -en, Plur. -e ⟨lat.; nach dem röm. Kriegsgott Mars⟩ (dritter Monat im Jahr, Lenzing, Lenzmond, Frühlingsmonat)

März|be|cher; Mär|zen|be|cher (eine Frühlingsblume)

März|bier, Mär|zen|bier

März|feld, das; -[es]-s (merowing. Wehrmännerversammlung)

März|ge|fal|le|ne, der; -n, -n (der Revolution von 1848)

März|glöck|chen (eine Frühlingsblume)

Mar|zi|pan [auch, österr. nur, 'ma...], das, österr., sonst selten, der; -s, -e ⟨arab.⟩ (süße Masse aus Mandeln u. Zucker)

Mar|zi|pan|kar|tof|fel; Mar|zi|pan|schwein|chen

märz|lich

März|nacht; März|re|vo|lu|ti|on (1848); **März|son|ne,** die; -; **März|veil|chen**

MAS [ɛmle:'ɛs] = Master of Advanced Studies; vgl. Master

Ma|sa|ryk [...rɪk] (tschechoslowak. Soziologe u. Staatsmann)

Mas|ca|g|ni [...'kanji] (ital. Komponist)

Mas|ca|ra, die; -, -s u. der; -[s], -s ⟨span.-engl.⟩ (pastenförmige Wimperntusche)

Mas|car|po|ne, der; -s ⟨ital.⟩ (ein ital. Frischkäse)

Ma|schans|ker, der; -s, - ⟨tschech.⟩ (österr. eine Apfelsorte)

Ma|sche, die; -, -n (Schlinge; österr. u. schweiz. auch für Schleife; ugs. für Lösung; Trick); die neu[e]ste Masche; **Ma|schek|sei|te** vgl. Maschikseite

Ma|schen|draht (Drahtgeflecht); **Ma|schen|draht|zaun**

Ma|schen|mo|de; Ma|schen|netz; Ma|schen|pan|zer; Ma|schen|wa|re

Ma|scherl, das; -s, -n (österr. für Schleife, Fliege)

ma|schig

Ma|schik|sei|te, Ma|schek|sei|te ⟨ung.⟩ (ostösterr. für entgegengesetzte Seite, Rückseite)

Masc

Ma|schi|ne

die; -, -n ⟨franz.⟩

Getrenntschreibung:

– ich schreibe Maschine; weil sie Maschine schreibt; ich habe Maschine geschrieben; um Maschine zu schreiben

Zusammenschreibung:

– ein maschinegeschriebener (mit der Maschine geschriebener) Brief

Vgl. maschinegeschrieben, maschinengeschrieben

ma|schi|ne|ge|schrie|ben vgl. maschinengeschrieben

ma|schi|nell (maschinenmäßig [hergestellt])

Ma|schi|nen|bau, der; -[e]s; **Ma|schi|nen|bau|er** (vgl. ¹Bauer); **Ma|schi|nen|bau|e|rin**

Ma|schi|nen|fa|b|rik

ma|schi|nen|ge|schrie|ben, maschi|ne|ge|schrie|ben, österr. ma|schin|ge|schrie|ben; ein maschinengeschriebener, maschinegeschriebener, österr. maschingeschriebener Brief; **ma|schi|nen|ge|stickt; ma|schi|nen|ge|strickt**

Ma|schi|nen|ge|wehr (Abk. MG)

Ma|schi|nen|haus

Ma|schi|nen|lauf|zeit

ma|schi|nen|les|bar (EDV)

Ma|schi|nen|meis|ter; Ma|schi|nen|meis|te|rin; Ma|schi|nen|nä|he|rin; Ma|schi|nen|öl

Ma|schi|nen|pis|to|le (Abk. MP, MPi)

Ma|schi|nen|re|vi|si|on (Druckw. Überprüfung der Druckbogen vor Druckbeginn)

Maschinensatz – Massenorganisation

Ma|schi|nen|satz (zwei miteinander starr gekoppelte Maschinen; *Druckw.*, *nur Sing.*: mit der Setzmaschine hergestellter Schriftsatz)

Ma|schi|nen|scha|den

Ma|schi|nen|schlos|ser; Ma|schi|nen|schlos|se|rin

Ma|schi|ne[n]|schrei|ben, das; -s (*Abk.* Masch.-Schr.); Ma|schi|ne[n]|schrei|ber; Ma|schi|ne[n]-schrei|be|rin

Ma|schi|nen|schrift; ma|schi|nen|schrift|lich

Ma|schi|nen|set|zer (*Druckw.*); Ma|schi|nen|set|ze|rin; Ma|schi|nen|spra|che; Ma|schi|nen|te|le|graf, Ma|schi|nen|te|le|graph; Ma|schi|nen|wär|ter; Ma|schi|nen|wär|te-rin; Ma|schi|nen|zeit|al|ter

Ma|schi|ne|rie, die; -, ...ien (maschinelle Einrichtung; Getriebe)

Ma|schi|ne|schrei|ben usw. *vgl.* Maschine[n]schreiben usw.

Ma|schi|ne schrei|ben *vgl.* Maschine

Ma|schi|nist, der; -en, -en (Maschinenmeister); Ma|schi|nis|tin

ma|schin|schrei|ben (*österr. für* Maschine schreiben); Ma|schin-schrei|ben, das; -s (*österr.*); Ma-schin|schrei|ber (*österr.*); Ma-schin|schrei|be|rin; ma|schin-schrift|lich (*österr.*)

Masch.-Schr. = Maschine[n]schreiben ↑ K 28

Ma|sel, das; -s, Ma|sen, die; - (*österr. für* [1]Massel)

[1]Ma|ser [ˈmeː..., *auch* ˈmaː...], der; -s, - (*engl.*) (*Physik* Gerät zur Verstärkung oder Erzeugung von Mikrowellen)

[2]Ma|ser, die; -, -n (Zeichnung [im Holz]; Narbe)

Ma|se|reel, Frans (belgischer Grafiker u. Maler)

Ma|ser|holz

ma|se|rig

ma|sern; ich masere; gemasertes Holz

Ma|sern *Plur.* (eine Kinderkrankheit)

Ma|se|ru (Hauptstadt Lesothos)

Ma|se|rung (Zeichnung des Holzes)

Mas|ka|rill, der; -[s], -e ⟨span.⟩ (span. Lustspielgestalt)

Mas|ka|ron, der; -s, -e ⟨franz.⟩ (*Archit.* Menschen- od. Fratzengesicht)

Mas|kat (Hauptstadt von Oman)

Mas|kat und Oman (*frühere Bez. für* Oman)

Mas|ke, die; -, -n ⟨franz.⟩ (künstl.

Hohlgesichtsform; Verkleidung; kostümierte Person)

Mas|ken|ball (*vgl.* [2]Ball); Mas|ken-bild|ner; Mas|ken|bild|ne|rin

mas|ken|haft

Mas|ken|kos|tüm

Mas|ken|spiel; Mas|ken|ver|leih; Mas|ken|zug

Mas|ke|ra|de, die; -, -n ⟨span.⟩ (Verkleidung; Maskenfest; Mummenschanz)

mas|kie|ren ⟨franz.⟩ ([mit einer Maske] unkenntlich machen; verkleiden; verbergen); sich maskieren; Mas|kie|rung

Mas|kott|chen ⟨franz.⟩ (Glück bringender Talisman, Anhänger; Puppe u. a. [als Amulett])

Mas|kot|te, die; -, -n (*svw.* Maskottchen)

mas|ku|lin [*auch* ...ˈliːn] ⟨lat.⟩ (männlich); mas|ku|li|nisch (*älter für* maskulin)

Mas|ku|li|num, das; -s, ...na (*Sprachw.* männl. Substantiv, z. B. »der Wagen«; *nur Sing.*: männl. Geschlecht)

Ma|so|chis|mus, der; - ⟨nach dem österr. Schriftsteller L. v. Sacher-Masoch⟩ (geschlechtl. Erregung durch Erdulden von Misshandlungen)

Ma|so|chist, der; -en, -en; Ma|so-chis|tin; ma|so|chis|tisch

Ma|so|wi|en (Region u. Woiwodschaft in Polen)

maß *vgl.* messen

[1]Maß

das; -es, -e ⟨zu messen⟩

Getrennt- oder Zusammenschreibung:

– Maß halten *od.* maßhalten; er hält Maß *od.* maß; dass sie Maß hält *od.* maßhält; sie haben Maß gehalten *od.* maßgehalten; um Maß zu halten *od.* maßzu-halten; eine Maß haltende *od.* maßhaltende Forderung ↑ K 58

Getrenntschreibung:

– Maß nehmen; er nimmt Maß; dass sie Maß nimmt; sie haben Maß genommen; um Maß zu nehmen

– *Aber* ↑ K 82: das Maßhalten, das Maßnehmen

[2]Maß, Maß, die; -, -[e] (*bayr. u. österr.* ein Flüssigkeitsmaß); 2 Maß *od.* Mass Bier

Mas|sa|chu|setts [mesəˈtʃuːsɛts] (Staat in den USA; *Abk.* MA)

Mas|sa|ge [...ʒə], die; -, -n ⟨franz.⟩ (Heilbehandlung durch Streichen, Kneten usw. des Körpergewebes)

Mas|sa|ge|in|s|ti|tut; Mas|sa|ge|sa-lon; Mas|sa|ge|stab

Mas|sai [*auch* ˈma...], der; -, - (Angehöriger eines Nomadenvolkes in Ostafrika)

Mas|sa|ker, das; -s, - ⟨franz.⟩ (Gemetzel)

mas|sa|k|rie|ren (niedermetzeln); Mas|sa|k|rie|rung

Maß|ana|ly|se (*Chemie*); maß|ana-ly|tisch

Maß|an|ga|be; Maß|an|zug; Maß|ar-beit

Maß|band, das; *Plur.* ...bänder; Maß|be|zeich|nung

Mäß|chen (altes Hohlmaß)

Mas|se, die; -, -n

Ma|ße, die; -, -n (*veraltet für* Mäßigkeit; Art u. Weise); *noch in* in, mit, ohne Maßen; über die/alle Maßen

Mas|se|gläu|bi|ger (*Wirtsch.*); Mas-se|gläu|bi|ge|rin

Maß|ein|heit; Maß|ein|tei|lung

[1]Mas|sel, der; -s ⟨hebr.-jidd.⟩ (*Gaunerspr.* Glück); *vgl.* Masel

[2]Mas|sel, die; -, -n (Form für Roheisen; Roheisenbarren)

mas|sel|los; masselose Elementarteilchen

ma|ßen (*veraltet für* weil)

Ma|ßen (*Plur. von* Maße)

...ma|ßen (z. B. einigermaßen)

Mas|sen|ab|fer|ti|gung; Mas|sen|ab-satz; Mas|sen|an|drang; Mas|sen-ar|beits|lo|sig|keit; Mas|sen|ar|ti-kel; Mas|sen|auf|ge|bot

Mas|sen|be|darf; Mas|sen|be|darfs-ar|ti|kel

Mas|sen|blatt (*abwertend für* [Boulevard]zeitung mit hoher Auflage)

Mas|sen|ent|las|sung; Mas|sen|fa|b-ri|ka|ti|on; Mas|sen|ge|schmack; Mas|sen|ge|sell|schaft (*Soziol.*); Mas|sen|grab

mas|sen|haft

Mas|sen|hin|rich|tung

Mas|sen|hys|te|rie

Mas|sen|ka|ram|bo|la|ge

Mas|sen|kund|ge|bung

mas|sen|me|di|al; Mas|sen|me|di-um *meist Plur.*

Mas|sen|mord; Mas|sen|mör|der; Mas|sen|mör|de|rin

Mas|sen|or|ga|ni|sa|ti|on; Mas|sen-

M
Masc

Mas|ter

der; -s, -

⟨engl., »Meister«⟩
(engl. Anrede an junge Leute; akadem. Grad, bes. in englischsprachigen Ländern; Leiter bei Parforcejagden)

Im deutschsprachigen Raum vergebene Mastergrade und die zugehörigen Abkürzungen in Auswahl:

– Master of Advanced Studies [- - ət'va:ntst 'stadi:s] (Abschluss eines in unterschiedlichen Fachgebieten angebotenen Aufbaustudiengangs; *Abk.* MAS)
– Master of Arts [- - 'a:ɐts] (Abschluss in den Geistes-, Sozial- od. Wirtschaftswissenschaften; *Abk.* M. A.)
– Master of Business Administration [- - 'bɪznɪs ɛtmɪnɪs'tre:ʃn] (Abschluss eines Aufbaustudiengangs für Manager; *Abk.* MBA)
– Master of Business and Engineering [- - 'bɪznɪs ɛnt ɛndʒi'ni:rɪŋ] (Abschluss eines Aufbaustudiengangs zur Verbindung wirtschaftlicher u. technischer Kenntnisse; *Abk.* MBE)
– Master of Business Law [- - 'bɪznɪs 'lɔ:] (Abschluss eines Aufbaustudiengangs in Wirtschaftsrecht; *Abk.* M. B. L.)

– Master of Education [- - ɛdju'ke:ʃn] (Abschluss für das Lehramt in Grund-, Haupt- u. Realschule; *Abk.* M. Ed.)
– Master of Engineering [- - ɛndʒi'ni:rɪŋ] (Abschluss in den Ingenieurwissenschaften; *Abk.* M. Eng.)
– Master in/of European Studies [- - juro'pi:ən'stadi:s] (Abschluss eines interdisziplinären Aufbaustudiengangs mit besonderem Bezug zur EU; *Abk.* M. E. S.)
– Master of International Business [- - ɪntɐ'nɛʃənl 'bɪznɪs] (Abschluss eines Aufbaustudiengangs für internationales Management; *Abk.* MIB)
– Master of Laws [- - 'lɔ:s] (Abschluss eines rechtswissenschaftlichen Aufbaustudiengangs; *Abk.* LL. M.)
– Master in Psychoanalytic Observational Studies [- - saikoləna'lɪtɪk ɔpzɐ've:ʃənl'stadi:s] (Abschluss eines Aufbaustudiengangs in psychoanalytischer Pädagogik; *Abk.* MPOS)
– Master of Public Health [- - 'pablɪk 'hɛlθ] (Abschluss eines Aufbaustudiengangs in den Gesundheitswissenschaften; *Abk.* MPH)
– Master of Science [- - 'saiəns] (Abschluss in den Natur-, Ingenieur- od. Wirtschaftswissenschaften; *Abk.* M. Sc.)

---

pro|duk|ti|on; Mas|sen|psy|cho|se; Mas|sen|quar|tier
Mas|sen|sport
Mas|sen|ster|ben
Mas|sen|tier|hal|tung
Mas|sen|tou|ris|mus
Mas|sen|ver|an|stal|tung
Mas|sen|ver|kehrs|mit|tel
Mas|sen|ver|nich|tungs|waf|fe *meist Plur.*
Mas|sen|wa|re *(oft abwertend)*
mas|sen|wei|se
Mas|se|schul|den *Plur. (Wirtsch.)*
Mas|set|te, die; -, -n *(österr. für Eintrittskartenblock)*
Mas|seur [...'sø:ɐ̯], der; -s, -e ⟨franz.⟩ (die Massage Ausübender); Mas|seu|rin, die; -, -nen *(Berufsbez.);* Mas|seu|se [...'sø:...], die; -, -n
Mas|se|ver|wal|ter *(österr. Rechtsw.* Konkursverwalter);
Mas|se|ver|wal|te|rin
Maß|ga|be, die; - *(Amtsspr. für* Bestimmung); mit der Maßgabe; nach Maßgabe (entsprechend)
maß|ge|bend
maß|geb|lich
maß|ge|fer|tigt; ein maßgefertigter Anzug, *aber* ein nach Maß gefertigter Anzug
maß|ge|recht; maß|ge|schnei|dert
Maß hal|ten, maß|hal|ten *vgl.* ¹Maß

maß|hal|tig *(Technik* das Maß einhaltend); Maß|hal|tig|keit, die; -
Maß|hol|der, der; -s, - (Feldahorn)
¹mas|sie|ren ⟨franz.⟩ (durch Massage behandeln, kneten)
²mas|sie|ren ⟨franz.⟩ (Truppen zusammenziehen; verstärken, intensivieren); Mas|sie|rung
mas|sig
mä|ßig
...mä|ßig (z. B. behelfsmäßig)
mä|ßi|gen; sich mäßigen
Mas|sig|keit, die; -
Mä|ßig|keit, die; -; Mä|ßi|gung
mas|siv ⟨franz.⟩ (schwer; voll [nicht hohl]; fest, dauerhaft; roh, grob); ich musste erst mas|siv werden *od.* massivwerden (deutlich drohen, ausfallend werden)
Mas|siv, das; -s, -e (Gebirgsstock)
Mas|siv|bau *Plur.* ...bauten; Mas|siv|bau|wei|se
Mas|siv|vi|tät, die; -
Maß|kon|fek|ti|on; Maß|krug
maß|lei|dig *(südd. für* verdrossen)
Maß|lieb, das; -[e]s, -e ⟨niederl.⟩ (eine Blume); Maß|lieb|chen
maß|los; Maß|lo|sig|keit
Maß|nah|me, die; -, -n; Maß|nah|men|ka|ta|log; Maß|nah|me[n]|plan
Maß|neh|men, das; -s; *vgl.* ¹Maß

Mas|so|ra, die; - ⟨hebr.⟩ ([jüd.] Textkritik des A. T.)
Mas|so|ret, der; -en, -en (mit der Massora beschäftigter jüd. Schriftgelehrter u. Textkritiker); mas|so|re|tisch
Maß|re|gel
maß|re|geln; ich maßreg[e]le; gemaßregelt; zu maßregeln
Maß|re|ge|lung, Maß|reg|lung
Maß|re|gel|voll|zug *(Amtsspr.* eine Form des Strafvollzuges)
Maß|sa|chen *Plur. (ugs.)*
Maß|schnei|der; Maß|schnei|de|rin
Maß|stab; maß|stäb|lich
maß|stab[s]|ge|recht
maß|stab[s]|ge|treu
maß|voll
Maß|werk, das; -[e]s (Ornament an gotischen Bauwerken)
¹Mast, der; -[e]s, *Plur.* -en, *auch* -e (Mastbaum)
²Mast, die; -, -en (Mästung)
Mas|ta|ba, die; -, *Plur.* -s u. ...taben ⟨arab.⟩ (altägypt. Grabkammer)
Mast|baum
Mast|darm; Mast|darm|fis|tel
mäs|ten
Mast|en|te
Mas|ter *s. Kasten*
Mäs|ter
...mas|ter (z. B. Dreimaster)
Mäs|te|rei

M

Mäst

Mas|ter|plan ⟨engl.⟩ (umfassender, übergeordneter Plan)
Mast|fut|ter (vgl. ¹Futter)
Mast|gans; Mast|huhn
Mas|tiff, der; -s, -s ⟨engl.⟩ (Hunderasse)
mas|tig (landsch. für fett, feist; auch für feucht [von Wiesen])
Mas|ti|ka|tor, der; -s, ...oren ⟨lat.⟩ (Knetmaschine)
Mas|tix, der; -[es] (ein Harz)
Mast|korb
Mast|kur; Mast|och|se
Mas|to|don, das; -s, ...donten ⟨griech.⟩ (ausgestorbene Elefantenart)
Mast|schwein
Mast|spit|ze
Mäs|tung
Mas|tur|ba|ti|on, die; -, -en ⟨lat.⟩ (geschlechtliche Selbstbefriedigung); **mas|tur|ba|to|risch**
mas|tur|bie|ren
Mast|vieh
Ma|su|re, der; -n, -n (Bewohner Masurens)
Ma|su|ren (Landschaft im ehem. Ostpreußen)
ma|su|rin; ma|su|risch; aber
↑K 140 : die Masurischen Seen
Ma|sur|ka, Ma|zur|ka [maˈzʊrka], die; -, Plur. ...ken u. -s ⟨poln.⟩ (poln. Nationaltanz)
Ma|sut, das; -[e]s ⟨russ.⟩ (Erdölrückstand, der zum Heizen von Kesseln verwendet wird)
Ma|ta|dor, der; Gen. -s, auch -en, Plur. -e, auch -en ⟨span.⟩ (Hauptkämpfer im Stierkampf; Hauptperson); **Ma|ta|do|rin**
Match [mɛtʃ, schweiz. auch matʃ], das, schweiz. der; -[e]s, Plur. -s, auch -e, österr. u. schweiz. auch -es ⟨engl.⟩ (Wettkampf, -spiel)
Match|ball (Sport spielentscheidender Ball [Aufschlag])
Match|beu|tel; Match|sack
Match|stra|fe (Eishockey Feldverweis für die gesamte Spieldauer)
Match|win|ner, der; -s, - (Sport Gewinner eines Matchs); **Match|win|ne|rin**
¹**Ma|te**, der; - ⟨indian.⟩ (ein Tee)
²**Ma|te**, die; -, -n ⟨südamerik. Stechpalmengewächs, Teepflanze)
Ma|te|baum; Ma|te|blatt
Ma|ter, die; -, -n ⟨lat.⟩ (Druckw. Pappmatrize mit negativer Prägung eines Schriftsatzes; Matrize; Med. die das Hirn einhüllende Haut)
Ma|ter do|lo|ro|sa, die; - - ⟨»schmerzensreiche Mutter«⟩

(christl. Rel. Beiname Marias, der Mutter Jesu)
ma|te|ri|al ⟨lat.⟩ (stofflich, inhaltlich, sachlich); materiale Ethik
Ma|te|ri|al, das; -s, ...ien
Ma|te|ri|al|aus|ga|be; Ma|te|ri|al|be|darf; Ma|te|ri|al|be|schaf|fung; Ma|te|ri|al|ein|spa|rung
Ma|te|ri|al|er|mü|dung (Technik); **Ma|te|ri|al|feh|ler**
Ma|te|ri|a|li|sa|ti|on, die; -, -en (Verkörperung, Verstofflichung; Physik Umwandlung von Energie in materielle Teilchen; Parapsychologie Entwicklung körperhafter Gebilde in Abhängigkeit von einem Medium); **ma|te|ri|a|li|sie|ren**
Ma|te|ri|a|lis|mus, der; - (philos. Anschauung, die alles Wirkliche auf Kräfte od. Bedingungen der Materie zurückführt; auf Besitz und Gewinn ausgerichtete Haltung)
Ma|te|ri|a|list, der; -en, -en; **Ma|te|ri|a|lis|tin; ma|te|ri|a|lis|tisch**
Ma|te|ri|al|kos|ten Plur.; **Ma|te|ri|al|man|gel**, der; **Ma|te|ri|al|prü|fung; Ma|te|ri|al|samm|lung**
Ma|te|ri|al|schlacht
Ma|te|rie, die; -, -n (Stoff; Inhalt; Gegenstand [einer Untersuchung]; Philos., nur Sing.: Urstoff; die außerhalb unseres Bewusstseins vorhandene Wirklichkeit)
ma|te|ri|ell ⟨franz.⟩ (stofflich; wirtschaftlich, finanziell; auf den eigenen Nutzen bedacht)
¹**ma|tern** ⟨lat.⟩ (Druckw. von einem Satz Matern herstellen); ich matere
²**ma|tern** (Med. mütterlich)
Ma|ter|ni|tät, die; - (Med. Mutterschaft)
Ma|te|tee
Math. = Mathematik
Ma|the, die; - (Schülerspr. Mathematik); **Ma|the|ma|tik** [österr. ...ˈma...], die; - ⟨griech.⟩ (Wissenschaft von den Raum- u. Zahlengrößen; Abk. Math.)
Ma|the|ma|ti|ker; Ma|the|ma|ti|ke|rin
ma|the|ma|tisch [österr. ...ˈma...]; mathematischer Zweig; **ma|the|ma|ti|sie|ren**
Mat|hil|de (w. Vorn.)
Ma|ti|nee [auch ˈma...], die; -, ...een ⟨franz.⟩ (am Vormittag stattfindende künstlerische Veranstaltung)
Ma|tisse [...ˈtɪs] (franz. Maler)

Mat|jes|he|ring ⟨niederl.; dt.⟩ (junger Hering)
Ma|t|rat|ze, die; -, -n (Bettpolster); **Ma|t|rat|zen|la|ger**
Mä|t|res|se, die; -, -n ⟨franz.⟩ (früher Geliebte [eines Fürsten]); **Mä|t|res|sen|wirt|schaft**, die; -
ma|t|ri|ar|cha|lisch ⟨lat.; griech.⟩ (das Matriarchat betreffend); **Ma|t|ri|ar|chat**, das; -[e]s, -e Plur. selten (Mutterherrschaft); **Ma|t|ri|ar|chin**
Ma|t|ri|kel [auch, österr. nur, maˈtriːkəl], die; -, -n ⟨lat.⟩ (Verzeichnis; österr. für Personenstandsregister)
Ma|t|ri|losch|ka vgl. Matroschka
Ma|t|rix, die; -, Plur. Matrizes, Matrices u. Matrizen (Math. rechteckiges Schema von Zahlen, für das bestimmte Rechenregeln gelten; EDV System zur Darstellung zusammengehörender Einzelfaktoren; Med. Keimschicht)
Ma|t|ri|ze, die; -, -n ⟨franz.⟩ (Druckw. Hohlform bei der Setzmaschine [zur Aufnahme der Patrize]; die von einem Druckstock zur Anfertigung eines Galvanos hergestellte [Wachs]form); **Ma|t|ri|zen|rand**
Ma|t|r|josch|ka vgl. Matroschka
Ma|t|ro|ne, die; -, -n ⟨lat.⟩ (ältere, ehrwürdige Frau, Greisin; abwertend für [ältere] korpulente Frau); **ma|t|ro|nen|haft**
Ma|t|ro|sch|ka, seltener auch Ma|t|ri|losch|ka, Ma|t|r|josch|ka, die; -, -s ⟨russ.⟩ (Holzpuppe mit ineinandergesetzten kleineren Puppen)
Ma|t|ro|se, der; -n, -n ⟨niederl.⟩
Ma|t|ro|sen|an|zug; Ma|t|ro|sen|kra|gen; Ma|t|ro|sen|müt|ze; Ma|t|ro|sen|uni|form; Ma|t|ro|sin
matsch ⟨ital.⟩ (ugs. für schlapp, erschöpft); matsch sein
¹**Matsch**, der; -[e]s, -e (gänzlicher Verlust beim Kartenspiel)
²**Matsch**, der; -[e]s (ugs. für breiiger Schmutz, nasse Erde)
mat|schen (ugs.); du matschst; **mat|schig** (ugs.)
Matsch-und-Schnee-Rei|fen ↑K 28 (Abk. M-und-S-Reifen)
Matsch|wet|ter
matt ⟨arab.⟩ (schwach; glanzlos); jmdn. matt setzen od. mattsetzen (im Schach); Schach und matt!; mattblau u. a.; ein Auto in Blau matt od. in Blaumatt, in

matt Blau *od.* in Mattblau; *vgl.*
mattsetzen

Matt, das; -s, -s

Mat|tä|us *vgl.* Matthäus

¹**Mat|te,** die; -, -n (Decke, Unterlage; Bodenbelag)

²**Mat|te,** die; -, -n (*geh. für* Weide [in den Hochalpen]; *schweiz. für* Wiese)

³**Mat|te,** die; - (*mitteld. für* Quark)

Mat|ter|horn, das; -[e]s (Berg in den Walliser Alpen)

Matt|glas *Plur.* ...gläser

Matt|gold; matt|gol|den

Mat|thä|us, ökum. Mat|tä|us (Apostel u. Evangelist); Evangelium Matthäi (des Matthäus); bei jmdm. ist Matthäi am Letzten ⟨mit Bezug auf das letzte Kapitel des Matthäusevangeliums⟩ (*ugs. für* jmd. ist finanziell am Ende)

Mat|thä|us|pas|si|on (Vertonung der Leidensgeschichte Christi nach Matthäus)

Matt|heit, die; -

matt|her|zig

¹**Mat|thi|as** (m. Vorn.)

²**Mat|thi|as, ökum.** Mat|ti|as (bibl. m. Eigenn.)

mat|tie|ren ⟨franz.⟩ (matt, glanzlos machen); **Mat|tie|rung**

Mat|tig|keit, die; -

Matt|schei|be; [eine] Mattscheibe haben (*übertr. ugs. für* begriffsstutzig, benommen sein)

matt|set|zen (als Gegner ausschalten); *vgl.* matt

Ma|tur, die; - ⟨lat.⟩ (*schweiz. für* Reifeprüfung); **Ma|tu|ra,** die; - (*österr. u. schweiz. für* Reifeprüfung)

Ma|tu|rand, der; -en, -en (*schweiz. für* Abiturient); **Ma|tu|ran|din**

Ma|tu|rant, der; -en, -en (*österr. für* Abiturient); **Ma|tu|ran|tin**

Ma|tu|ra|zeug|nis (österr.)

ma|tu|rie|ren (österr. für die Reifeprüfung ablegen)

Ma|tu|ri|tas prae|cox, die; - - (*Med., Psych.* [sexuelle] Frühreife)

Ma|tu|ri|tät, die; - (*schweiz. für* Hochschulreife); **Ma|tu|ri|täts|prü|fung; Ma|tu|ri|täts|zeug|nis**

Ma|tu|tin, die; -, -e[n] ⟨lat.⟩ (nächtliches Stundengebet)

Matz, der; -es, *Plur.* -e u. Mätze (*scherzh.*); *meist in Zusammensetzungen,* z.B. Hosenmatz

Mätz|chen; Mätzchen machen (*ugs. für* Ausflüchte machen, sich sträuben)

Mat|ze, die; -, -n, **Mat|zen,** der; -s, - ⟨hebr.⟩ (ungesäuertes Passahbrot der Juden)

mau (*ugs. für* schlecht; dürftig; *nur in* das ist mau; mir ist mau

Maud [moːt] (w. Vorn.)

Mau|er, die; -, -n; **Mau|er|ar|beit,** Mau|rer|ar|beit

Mau|er|as|sel

Mau|er|bau, der; -[e]s (der Bau der Berliner Mauer [1961])

Mau|er|blüm|chen (*ugs. für* Person od. Sache, der wenig Beachtung zuteilwird)

Mäu|er|chen

Mau|e|rei, Mau|re|rei, die; - (das Mauern)

Mau|er|fall, der; -[e]s (Öffnung u. Abbau der Berliner Mauer)

Mau|er|ha|ken; Mau|er|kel|le, Mau|rer|kel|le

Mau|er|kro|ne; Mau|er|loch

Mau|er|meis|ter, Mau|rer|meis|ter; **Mau|er|meis|te|rin,** Mau|rer|meis|te|rin

mau|ern; ich mau[e]re

Mau|er|po|lier, Mau|rer|po|lier (Vorarbeiter)

Mau|er|rit|ze

Mau|er|schau (*für* Teichoskopie)

Mau|er|seg|ler (ein Vogel)

Mau|er|specht (*ugs. für* jmd., der Stücke aus der Berliner Mauer [als Souvenirs] herausbrach)

Mau|e|rung

Mau|er|vor|sprung; Mau|er|werk

Maugham [mɔːm] (engl. Schriftsteller)

Mau|ke, die; -, -n (eine Hauterkrankung bei Tieren; *landsch. ugs. für* Fuß)

Maul, das; -[e]s, Mäuler

Maul|af|fen *Plur.; meist in* Maulaffen feilhalten (*ugs. für* gaffend, untätig herumstehen)

Maul|beer|baum; Maul|bee|re; Maul|beer|sei|den|spin|ner

Maul|bronn (Stadt in Baden-Württemberg)

Mäul|chen (kleiner Mund)

mau|len (*ugs. für* murren)

Maul|esel (Kreuzung aus Pferdehengst u. Eselstute)

maul|faul (*ugs.*)

Maul|held (*ugs.*); **Maul|hel|din** (*ugs.*)

Maul|korb; Maul|korb|er|lass (*ugs.*)

Maul|schel|le (*landsch.*); **Maul|sper|re** (*ugs.*)

Maul|ta|sche *meist Plur.* (schwäb. Pastetchen aus Nudelteig)

Maul|tier (Kreuzung aus Eselhengst u. Pferdestute)

Maul|trom|mel (ein Musikinstrument)

Maul- und Klau|en|seu|che, die; - (*Abk.* MKS)

Maul|werk (*ugs.*)

Maul|wurf, der; -[e]s, ...würfe (*auch für* Spion)

Maul|wurfs|gril|le; Maul|wurfs|hau|fen; Maul|wurfs|hü|gel

¹**Mau-Mau** *Plur.* ⟨afrik.⟩ (Geheimbund in Kenia)

²**Mau-Mau,** das; -[s] (ein Kartenspiel)

maun|zen (*ugs. für* weinerlich sein, klägliche Laute von sich geben); du maunzt

Mau|pas|sant [mopaˈsãː] (franz. Schriftsteller)

Mau|re, der; -, -n (Angehöriger eines nordafrik. Mischvolkes)

Mau|rer; Mau|rer|ar|beit, Mau|er|ar|beit

Mau|re|rei, Mau|e|rei, die; -

Mau|rer|ge|sel|le; Mau|rer|hand|werk, das; -[e]s

Mau|re|rin

mau|re|risch (freimaurerisch); *aber* ↑K150 : Maurerische Trauermusik (Orchesterstück von W. A. Mozart)

Mau|rer|kel|le, Mau|er|kel|le

Mau|rer|meis|ter, Mau|er|meis|ter; **Mau|rer|meis|te|rin,** Mau|er|meis|te|rin

Mau|rer|po|lier, Mau|er|po|lier; **Mau|rer|po|lie|rin**

Mau|rer|zunft

Mau|res|ke *vgl.* Moreske

Mau|re|ta|ni|en (im Altertum Name Marokkos; *heute* selbstständiger Staat in Afrika)

Mau|re|ta|ni|er; Mau|re|ta|ni|e|rin; mau|re|ta|nisch

Mau|rice [moˈriːs] (m. Vorn.)

Mau|rin ⟨zu Maure⟩

Mau|ri|ner, der; -s, - ⟨nach dem hl. Patron Maurus⟩ (Angehöriger einer Kongregation der Benediktiner im 17./18.Jh.)

mau|risch (die Mauren betreffend); maurischer Bau, Stil

Mau|ri|ti|er (Bewohner von ¹Mauritius); **Mau|ri|ti|e|rin**

mau|ri|tisch; mau|ri|zisch

¹**Mau|ri|ti|us** (Insel[staat] im Ind. Ozean); die blaue Mauritius (eine Briefmarke der Insel Mauritius aus dem Jahre 1847)

²**Mau|ri|ti|us** ⟨lat.⟩ (ein Heiliger)

mau|ri|zisch *vgl.* mauritisch

Maus, die; -, Mäuse

Mau|schel|be|te, die; -, -n ⟨jidd.;

M
Maus

franz.⟩ (*Kartenspiel* doppelter
Strafsatz beim Mauscheln)

Mau|sche|lei ⟨hebr.-jidd.⟩ ([heimli-
ches] Aushandeln von Vorteilen,
Geschäften)

mau|scheln (jiddisch sprechen;
[heimlich] Vorteile aushandeln,
Geschäfte machen; *übertr. für*
unverständlich sprechen; Mauscheln spielen); ich mausch[e]le

Mau|scheln, das; -s (ein Karten-
glücksspiel)

Mäus|chen; mäus|chen|still

Mäu|se|bus|sard

Mau|se|fal|le, *seltener* **Mäu|se|fal|le**

Mäu|se|fraß; Mäu|se|gift, das

mäu|seln (*Jägerspr.* das Pfeifen der
Mäuse nachahmen); ich
mäus[e]le

Mau|se|loch, *seltener* **Mäu|se|loch**

mau|sen (*ugs. scherzh. für* stehlen;
landsch. für Mäuse fangen); du
maust; er maus|te

Mäu|se|nest; Mäu|se|pla|ge

¹Mau|ser, die; - ⟨lat.⟩ (jährlicher
Wechsel der Federn bei Vögeln)

²Mau|ser (Familienn.; ®); *vgl.* Mau-
serpistole

Mau|se|rei (*ugs. scherzh. für* Steh-
lerei)

Mäu|se|rich, der; -s, -e (männl.
Maus)

mau|sern; ich mausere mich

Mau|ser|pis|to|le (*vgl.* ²Mauser)

Mau|se|rung

mau|se|tot, *österr. auch* mau|s|tot
(*ugs.*); mausetot, *österr. auch*
maustot schlagen

Mäu|se|turm, der; -[e]s (Turm auf
einer Rheininsel bei Bingen)

**maus|far|ben, maus|far|big; maus-
grau**

mau|sig; mau|sig|ma|chen, sich
(*ugs. für* frech, vorlaut sein)

Maus|klick (*EDV* Betätigen der
Maustaste)

Mau|so|le|um, das; -s, ...een
⟨griech.; nach dem König Mau-
solos⟩ (monumentales Grabmal)

Maus|pad [...pɛt] ⟨dt.; engl.⟩,
Mouse|pad ['maʊspɛt], das; -s,
-s ⟨engl.⟩ (*EDV* Unterlage, auf
der die Computermaus bewegt
wird)

Maus|tas|te (*EDV* Taste der Com-
putermaus)

maus|tot (*ugs. österr. neben* mau-
setot)

Maus|zei|ger (*EDV* mit der Com-
putermaus zu bewegender Pfeil
auf dem Monitor)

Maut, die; -, -en (*bes. bayr., österr.
für* Gebühr für Straßen- u. Brü-

ckenbenutzung; *veraltet für*
Zoll)

Maut|box (Bordgerät zur elektro-
nischen Erfassung der Auto-
bahnmaut)

Maut|ge|bühr

Maut|hau|sen (Ort in Oberöster-
reich; ehem. Konzentrationslager)

Maut|in|kas|so (*österr.*)

Maut|ner, der; -s, - (*österr. früher
für* Zöllner, *heute für* Mautkas-
sierer); **Maut|ne|rin**

Maut|prel|ler (jmd., der eine vor-
geschriebene Maut nicht
bezahlt); **Maut|prel|le|rin**

Maut|stel|le; Maut|stra|ße (*österr.
für* Straße, die nur gegen
Gebühr befahren werden darf);
Maut|sys|tem; Maut|ter|mi|nal
(zur bargeldlosen Bezahlung der
Maut)

mauve [mo:v, *auch* mo:f] ⟨franz.⟩
(malvenfarbig); ein mauve
Kleid; *vgl.* beige; in Mauve

↑ K 72 ; **mauve|far|ben, mauve|far-
big**

Mau|ve|in [move'i:n], das; -s (ein
Anilinfarbstoff)

mau|zen (svw. maunzen); du
mauzt

m. a. W. = mit ander[e]n Worten

Max (m. Vorn.); **Mäx|chen**

ma|xi (*Mode* knöchellang); der
Rock ist maxi

¹Ma|xi, das; -s, -s (*ugs. für* Maxi-
kleid; *meist ohne Artikel, nur
Sing.:* knöchellange Kleidung);
Maxi tragen

²Ma|xi, der; -s, -s (*ugs. für* Maxi-
rock, -mantel usw.)

Ma|xi... (bis zu den Knöcheln rei-
chend, z. B. Maxirock)

Ma|xi-CD, die (CD mit nur einem
od. nur wenigen Titeln bes. der
Popmusik)

Ma|xil|la, die; -, ...llae ⟨lat.⟩ (*Med.*
Oberkiefer); **ma|xil|lar**

Ma|xi|ma (*Plur. von* Maximum)

ma|xi|mal ⟨lat.⟩ (sehr groß,
größt..., höchst...)

**Ma|xi|mal|be|las|tung; Ma|xi|mal-
for|de|rung; Ma|xi|mal|hö|he**

**Ma|xi|mal|leis|tung; Ma|xi|mal|pro-
fit; Ma|xi|mal|stra|fe; Ma|xi|mal-
wert**

Ma|xi|me, die; -, -n (allgemeiner
Grundsatz, Hauptgrundsatz)

ma|xi|mie|ren (maximal machen);
Ma|xi|mie|rung

Ma|xi|mi|li|an (m. Vorn.)

Ma|xi|mum, das; -s, ...ma
(Höchstwert, -maß); barome-

trisches Maximum (*Meteor.*
Hoch)

Ma|xi|sin|g|le, die (²Single von der
Größe einer LP für längere Stü-
cke der Popmusik; *auch für*
Maxi-CD)

Max-Planck-Ge|sell|schaft, die; -
(*kurz für* Max-Planck-Gesell-
schaft zur Förderung der Wissenschaften)

Max-Planck-In|s|ti|tut, das;
-[e]s, -e

Max-Planck-Me|dail|le, die; -, -n
(seit 1929 für besondere Ver-
dienste um die theoretische
Physik verliehen)

Max|well ['mɛksvɛl] (engl. Physi-
ker)

May (dt. Schriftsteller)

Ma|ya, der; -[s], -[s] (Angehöriger
eines indian. Kulturvolkes in
Mittelamerika); **Ma|ya|kul|tur,**
die; -

May|day ['me:de:] ⟨engl.⟩ (inter-
nationaler Notruf im Funk-
sprechverkehr)

Ma|yo, die; -, -s (*ugs. kurz für*
Mayonnaise)

Ma|yon|nai|se *vgl.* Majonäse

Ma|y|or ['me:ɐ], der; -s, -s ⟨engl.⟩
(Bürgermeister in England u.
in den USA); *vgl.* Lord Mayor

May|rö|cker (österr. Schriftstelle-
rin)

MAZ, die; - = magnetische Bild-
aufzeichnung

Maz|daz|nan [masdas...], das,
auch der; -s (von O. Hanish
begründete, auf der Lehre
Zarathustras fußende religiöse
Heilsbewegung)

¹Ma|ze|do|ni|en (Balkanland-
schaft)

²Ma|ze|do|ni|en (Bez. für die ehe-
malige jugoslawische Republik)

**Ma|ze|do|ni|er; Ma|ze|do|ni|e|rin;
ma|ze|do|nisch**

Mä|zen, der; -s, -e ⟨lat.; nach dem
Römer Maecenas⟩ (Kunst-
freund; freigebiger Gönner)

Mä|ze|na|ten|tum, das; -s; **mä|ze-
na|tisch**

Mä|ze|nin

Ma|ze|rat, das; -[e]s, -e ⟨lat.⟩
(Auszug aus Kräutern od.
Gewürzen)

Ma|ze|ra|ti|on, die; -, -en ⟨lat.⟩
(*Med.* Aufweichung von
Gewebe durch Flüssigkeit)

ma|ze|rie|ren

Ma|zis, der; - ⟨franz.⟩, **Ma|zis|blü-
te,** die; -, -n (getrocknete
Samenhülle des Muskatnuss-

baumes [als Gewürz und Heilmittel verwendet])

Ma|zur|ka [...ˈzʊ...] *vgl.* Masurka

Maz|zi|ni (ital. Politiker u. Frei-
heitskämpfer)

mb = Millibar

MB = Megabyte

MBA [ɛmbiːˈleː] = Master of Business Administration; *vgl.* Master

Mba|ba|ne (Hauptstadt von Swasi-
land)

mbH = mit beschränkter Haftung

M. B. L. = Master of Business Law;
vgl. Master

Mbyte, MByte = Megabyte

Mc, M' = Mac

MC, die; -, -[s] ⟨engl.⟩ = musicas-
sette (Musikkassette)

m. c. = mensis currentis, *dafür
besser* laufenden Monats
(lfd. M.)

Mc|Car|thy|is|mus [məkaːɐ̯θi...],
der; - ⟨nach dem amerik. Politiker McCarthy⟩ (zu Beginn der
50er-Jahre in den USA betrie-
bene Verfolgung von Kommunisten u. Linksintellektuellen)

Mc-Job [ˈmækdʒɔp], der; -s, -s
⟨engl.⟩ (*ugs. für* schlecht bezahlter, ungesicherter Arbeitsplatz)

Mc|Kin|ley *vgl.* Mount McKinley

M-Com|merce [ˈɛmkɔmøːɐ̯s], der; -
⟨engl.⟩ (Vertrieb von Waren od.
Dienstleistungen mithilfe mobi-
ler, internetfähiger Geräte)

Md = *chem. Zeichen für* Mendele-
vium

¹MD = Maryland

²MD, der u. die; -, -[s] = Musikdi-
rektor[in]

Md., Mia., Mrd. = Milliarde[n]

mdal. = mundartlich

MdB, M.d.B. = Mitglied des Bundestages

MdB

Die Abkürzung für *Mitglied des
Bundestages* wird dem Familiennamen in der Regel ohne
Komma oder in Klammern
nachgestellt: *Vera Müller MdB*
oder *Vera Müller (MdB)*. Die
Abkürzung kann auch mit
Punkten *(M.d.B.)* geschrieben
werden.

MdL, M.d.L. = Mitglied des Land-
tages

MDR, der; - = Mitteldeutscher
Rundfunk

ME = Macheinheit; Maine

m. E. = meines Erachtens

MEADS = Medium Extended Air
Defense System ⟨engl.⟩ (*Milit.*
ein bodengestütztes Luftab-
wehrsystem)

Me|cha|nik, die; -, -en ⟨griech.⟩
(*nur Sing.:* Lehre von den Kräften u. Bewegungen; *auch für*
Getriebe, Trieb-, Räderwerk)

Me|cha|ni|ker; Me|cha|ni|ke|rin

me|cha|nisch (den Gesetzen der
Mechanik entsprechend; auto-
matisch; unwillkürlich, gewohn-
heitsmäßig, gedankenlos)

me|cha|ni|sie|ren ⟨franz.⟩ (auf
mechanischen Ablauf umstel-
len)

**Me|cha|ni|sie|rung; Me|cha|ni|sie-
rungs|pro|zess**

Me|cha|nis|mus, der; -, ...men (sich
bewegende techn. Einrichtung;
[selbsttätiger] Ablauf)

me|cha|nis|tisch (nur mechan.
Ursachen anerkennend)

Me|cha|tro|nik (interdisziplinäres
Fachgebiet, das sich mit der
Verknüpfung mechanischer und
elektronischer Komponenten
befasst); **Me|cha|tro|ni|ker; Me-
cha|tro|ni|ke|rin**

Mèche [mɛʃ], Me|sche, die; -, -n
⟨franz.⟩ (*österr. für* gefärbte
Haarsträhne)

Me|cheln, *amtlich* Me|che|len
(Stadt in Belgien)

mè|chen [ˈmɛʃn], me|schen (*österr.
für* Farbstreifen ins Haar färben)

Mecht|hild, Mecht|hil|de (w. Vorn.)

meck!; meck, meck!

Me|cke|rei; Me|cke|rer (*ugs. abwer-
tend*); **Me|cker|frit|ze** (*ugs.
abwertend*); **Me|cke|rin; Me|cker-
lie|se** (*ugs. abwertend*)

me|ckern; ich meckere (*ugs.
abwertend*)

Me|cker|stim|me; Me|cker|zie|ge
(*ugs. abwertend*)

Meck|len|burg [*auch* ˈmɛk...];
**Meck|len|bur|ger; Meck|len|bur-
ge|rin**

meck|len|bur|gisch; *aber* ↑K 140 :
die Mecklenburgische Seen-
platte; die Mecklenburgische
Schweiz

Meck|len|burg-Schwe|rin

Meck|len|burg-Stre|litz

**Meck|len|burg-Vor|pom|mer; Meck-
len|burg-Vor|pom|me|rin; meck-
len|burg-vor|pom|me|risch** *vgl.*
pommerisch; **Meck|len|burg-Vor-
pom|mern** ↑K 144

Me|dail|le [...ˈdaljə, *österr.*
...ˈdailjə], die; -, -n (Plakette zur

Erinnerung od. als Auszeich-
nung); **Me|dail|len|ge|win|ner;
Me|dail|len|ge|win|ne|rin; Me-
dail|len|spie|gel** (Tabelle über die
Verteilung der Medaillen bei
Sportwettkämpfen)

Me|dail|leur [...dalˈjøːɐ̯], der; -s, -e
(Stempelschneider); **Me|dail|leu-
rin**

Me|dail|lon [...dalˈjõː], das; -s, -s
(Bildkapsel; Rundbild[chen];
Kunstwiss. rundes od. ovales
Relief; kleine, runde Fleisch-
schnitte)

Me|dard, Me|dar|dus (Heiliger)

Me|dea (griech. Sagengestalt, kol-
chische Königstochter)

Me|der, der; -s, - (Bewohner von
³Medien); **Me|de|rin**

Me|dia, die; -, Plur. ...diä u. ...dien
⟨lat.⟩ (*Sprachw.* stimmhafter
Laut, der durch die Aufhebung
eines Verschlusses entsteht, z. B.
b; *Med.* mittlere Schicht der
Gefäßwand)

me|di|al (von den ¹Medien ausge-
hend, zu ihnen gehörend; *Med.*
nach der Körpermitte hin gelegen; *Parapsychologie* das spiri-
tistische Medium betreffend)

me|di|an (*Med.* in der Mittellinie
des Körpers gelegen); **Me|di|an-
ebe|ne** (*Med.* Symmetrieebene
des menschl. Körpers)

Me|di|an|te, die; -, -n ⟨ital.⟩ (*Musik*
Mittelton der Tonleiter; *auch
für* Dreiklang über der 3. Stufe)

Me|di|a|ti|on, die; -, -en ⟨lat.⟩ (Ver-
mittlung eines Staates in einem
Konflikt zwischen anderen
Staaten; Vermittlung zwischen
Streitenden)

me|di|a|ti|sie|ren ⟨franz.⟩ (*früher*
[reichsunmittelbare Besitzun-
gen] der Landeshoheit unter-
werfen); **Me|di|a|ti|sie|rung**

Me|di|a|tor, der; -s, ...oren (Ver-
mittler); **Me|di|a|to|rin**

me|di|ä|val ⟨lat.⟩ (mittelalterlich)

Me|di|ä|val [*Druckw. meist*
...ˈdievl], die; - (eine Schriftgattung)

Me|di|ä|vist, der; -en, -en (Erfor-
scher u. Kenner des MA.); **Me|di-
ä|vis|tik, die; -** (Erforschung des
MA.); **Me|di|ä|vis|tin**

Me|di|ce|er [...ˈtseː..., *auch, österr.
nur,* ...ˈtʃeː...], der; -s, - (Medici);
Me|di|ce|e|rin

me|di|ce|isch; die Mediceische
Venus ↑K 150

Me|di|ci [...tʃi], der u. die; -, -

(Angehörige[r] eines florentin. Geschlechts)

¹Me|di|en *Plur.* (Trägersysteme zur Informationsvermittlung [z. B. Presse, Hörfunk, Fernsehen])

²Me|di|en (*Plur. von* ¹Media *u.* Medium)

³Me|di|en (*früher* Land im Iran)

me|di|en|ge|recht; Me|di|en|kon|zern

Me|di|en|land|schaft, die; -

me|di|en|prä|sent; *aber* in den Medien präsent [sein]; Me|di|en|prä|senz

Me|di|en|rum|mel (*ugs.*); Me|di|en|spek|ta|kel, das (*ugs.*)

me|di|en|über|grei|fend

Me|di|en|ver|bund (Verbindung verschiedener ¹Medien)

me|di|en|wirk|sam

Me|di|ka|ment, das; -[e]s, -e ⟨lat.⟩ (Arzneimittel); me|di|ka|men|tös; medikamentöse Behandlung

Me|di|ka|ti|on, die; -, -en (Arzneimittelverabreichung, -verordnung)

Me|di|kus, der; -, *Plur.* Medizi, *ugs.* -se (*scherzh. für* Arzt)

¹Me|di|na (saudi-arab. Stadt)

²Me|di|na, die; -, -s ⟨arab. »Stadt«⟩ (Gesamtheit der alten islam. Stadtteile im Ggs. zu den Europäervierteln)

me|dio (ital., »in der Mitte«); medio (Mitte) Mai; Me|dio, der; -[s], -s (*Kaufmannsspr.* Monatsmitte); zum Medio abschließen

me|di|o|ker ⟨franz.⟩ (*selten für* mittelmäßig); ...o|k|re Leistung; Me|di|o|k|ri|tät, die; -, -en

Me|dio|wech|sel (*Kaufmannsspr.* in der Mitte eines Monats fälliger Wechsel)

Me|di|ta|ti|on, die; -, -en ⟨lat.⟩ (Nachdenken; sinnende Betrachtung; religiöse Versenkung); me|di|ta|tiv

me|di|ter|ran ⟨lat., »mittelländisch«⟩ (dem Mittelmeerraum angehörend, eigen)

Me|di|ter|ran|flo|ra, die; - (Pflanzenwelt der Mittelmeerländer)

me|di|tie|ren ⟨lat.⟩ (nachdenken; Meditation üben)

Me|di|um ['mi:djəm] ⟨engl.⟩ (*Gastron.* halb durchgebraten)

Me|di|um, das; -s, ...ien ⟨lat.⟩ (Mittel[glied]; Mittler[in], Mittelsperson [bes. beim Spiritismus]; Kommunikationsmittel)

Me|di|zi (*Plur. von* Medikus)

Me|di|zin, die; -, -en ⟨lat.⟩ (Arznei; *nur Sing.:* Heilkunde)

Me|di|zi|nal|rat *Plur.* ...räte; Me|di|zi|nal|rä|tin; Me|di|zi|nal|sta|tis|tik; Me|di|zi|nal|we|sen, das; -s

Me|di|zin|ball (großer, schwerer, nicht elastischer Lederball)

Me|di|zi|ner (Arzt); Me|di|zi|ne|rin

Me|di|zin|frau

me|di|zi|nisch

me|di|zi|nisch-tech|nisch ↑K 23 ; medizinisch-technische Assistentin (*Abk.* MTA)

Me|di|zin|mann *Plur.* ...männer; Me|di|zin|schränk|chen

Me|di|zin|stu|dent; Me|di|zin|stu|den|tin; Me|di|zin|stu|di|um

Me|di|zin|tech|nik

Med|ley [...li], das; -s, -s ⟨engl.⟩ (Melodienstrauß, Potpourri)

Me|doc [...'dɔk], der; -s, -s ⟨nach der franz. Landschaft Médoc⟩ (franz. Rotwein)

Me|d|re|se, Me|d|res|se, die; -, -n ⟨arab.⟩ (islam. jurist. u. theolog. Hochschule; Koranschule einer Moschee)

Me|du|sa, ¹Me|du|se, die; - (eine der Gorgonen)

²Me|du|se, die; -, -n (*Zool.* Qualle)

me|du|sisch (*geh. für* medusenähnlich, schrecklich)

Meer, das; -[e]s, -e

Mee|ra|ne (Stadt bei Zwickau)

Meer|bu|sen; Meer|en|ge

Mee|res|al|ge; Mee|res|arm; Mee|res|bio|lo|ge; Mee|res|bio|lo|gie; Mee|res|bio|lo|gin

Mee|res|bo|den; Mee|res|bucht

Mee|res|for|schung; Mee|res|frei|heit, die; - (*Völkerrecht*)

Mee|res|früch|te *Plur.*; Mee|res|grund, der; -[e]s

Mee|res|kun|de, die; - (*für* Ozeanografie); Mee|res|leuch|ten, das; -s; Mee|res|ober|flä|che, die; -

Mee|res|säu|ger (*Zool.* im Meer lebendes Säugetier)

Mee|res|spie|gel, der; -s; über dem Meeresspiegel (*Abk.* ü. d. M. *od.* ü. M.); unter dem Meeresspiegel (*Abk.* u. d. M. *od.* u. M.)

Mee|res|strand; Mee|res|stra|ße; Mee|res|strö|mung; Mee|res|tie|fe

Meer|frau; Meer|gott

meer|grün

Meer|jung|frau; Meer|kat|ze (ein Affe)

Meer|ret|tich (Heil- u. Gewürzpflanze); Meer|ret|tich|so|ße, Meer|ret|tich|sau|ce

Meer|salz, das; -es

Meers|burg (Stadt am Bodensee)

¹Meers|bur|ger

²Meers|bur|ger, der; -s (ein [Rot]wein)

Meer|schaum, der; -[e]s

Meer|schaum|pfei|fe; Meer|schaum|spit|ze

Meer|schwein|chen

meer|um|schlun|gen (*geh.*); meer|wärts

Meer|was|ser, das; -s; Meer|was|ser|wel|len|bad

Meer|weib (Meerjungfrau); Meer|zwie|bel (ein Liliengewächs)

Mee|ting ['mi:...], das; -s, -s ⟨engl.⟩ (Zusammenkunft; Treffen; Sportveranstaltung)

me|ga... ⟨griech.⟩ (groß...); Me|ga... (Groß...; das Millionenfache einer Einheit; z. B. Megawatt = 10⁶ Watt; *Zeichen* M)

Me|ga|byte [*auch* 'mε...,...'baɪt], das; -[s], -[s] (2²⁰ Byte; *Zeichen* MB, MByte)

me|ga|cool (*bes. Jugendspr.*)

Me|ga|elek|t|ro|nen|volt [*auch* 'mε...,...'tro:...] (1 Million Elektron[en]volt; *Zeichen* MeV)

Me|ga|fon, Me|ga|phon, das; -s, -e ⟨griech.⟩ (Sprachrohr)

Me|ga|hertz [*auch* 'mε...,...'herts] (1 Million Hertz; *Zeichen* MHz)

Me|ga|hit (*ugs.*)

me|ga-in; mega-in sein (*ugs. für* äußerst gefragt sein) ↑K 24

Me|ga|joule [*auch* 'mε...,...'dʒu:l] (1 Million Joule; *Zeichen* MJ)

Me|ga|lith, der; *Gen.* -s *u.* -en, *Plur.* -e[n] ⟨griech.⟩ (großer Steinblock bei vorgeschichtlichen Grabanlagen); Me|ga|lith|grab (vorgeschichtl., aus großen Steinen angelegtes Grab)

Me|ga|li|thi|ker, der; -s, - (Träger der Megalithkultur [Großsteingräberleute]); me|ga|li|thisch; Me|ga|lith|kul|tur, die; -

me|ga|lo|man ⟨griech.⟩ (*Psych.* größenwahnsinnig); Me|ga|lo|ma|nie, die; -, ...ien; me|ga|lo|ma|nisch

Me|ga|lo|po|lis, die; -, ...polen ⟨griech.⟩ (Riesenstadt)

Me|ga|ohm [*auch* 'mε...,...'o:m], Meg|ohm [*auch* 'mε...,...'o:m] (1 Million Ohm; *Zeichen* MΩ)

me|ga-out [...aʊt]; mega-out sein (*ugs. für* ganz aus der Mode, überholt sein) ↑K 24

M Medi

Me|ga|pas|cal [*auch* 'mε..., ...'kal]
(1 Million Pascal; *Zeichen* MPa)
Me|ga|phon *vgl.* Megafon
Me|ga|pi|xel [*auch:* 'mε..., ...'pɪksal] (1 Million Pixel)
¹Me|gä|re (*griech. Mythol.* eine der drei Erinnyen)
²Me|gä|re, die; -, -n (*geh. für* böse Frau)
Me|ga|sel|ler ⟨griech.; engl.⟩ (*ugs. für* überaus erfolgreicher Bestseller); Me|ga|star (*ugs.; vgl.* ²Star)
Me|ga|the|ri|um, das; -s, ...ien ⟨griech.⟩ (ein ausgestorbenes Riesenfaultier)
Me|ga|ton|ne [*auch* 'mε..., ...'tɔnə] (das Millionenfache einer Tonne; *Abk.* Mt; 1 Mt = 1 000 000 t); Me|ga|ton|nen|bombe
Me|ga|volt [*auch* 'mε..., ...'vɔ...] (1 Million Volt; *Zeichen* MV)
Me|ga|watt [*auch* 'mε..., ...'vat] (1 Million Watt; *Zeichen* MW)
Meg|ohm [*auch* 'mεk..., ...'oːm] *vgl.* Megaohm
Mehl, das; -[e]s, *Plur. (Sorten:)* -e
mehl|ar|tig
Mehl|bee|re; Mehl|brei
meh|lig
Mehl|kleis|ter; Mehl|papp (*landsch.*)
Mehl|sack; Mehl|schwit|ze (in Fett gebräuntes Mehl)
Mehl|sor|te; Mehl|spei|se (mit Mehl zubereitetes Gericht; *österr. für* Süßspeise, Kuchen)
Mehl|tau, der (durch bestimmte Pilze hervorgerufene Pflanzenkrankheit); *vgl. aber* Meltau
Mehl|wurm
Mehn|di, das; -[s], -s ⟨Hindi⟩ ([aus Indien stammende] mit Hennafarbe aufgetragene Hautmalerei)
mehr; mehr Freunde als Feinde; mehr Geld; mit mehr Hoffnung; mehr oder weniger (minder); umso mehr; vieles mehr; mehr denn je; wir können nicht mehr als arbeiten
Mehr, das; -[s] (*auch für* Mehrheit); ein Mehr an Kosten; das Mehr oder Weniger
Mehr|ar|beit; Mehr|auf|wand; Mehr|aus|ga|be
Mehr|be|darf; Mehr|be|las|tung; mehr|deu|tig; Mehr|deu|tig|keit
Mehr|dienst|leis|tung (*österr. amtl. für* Überstunden)
mehr|di|men|si|o|nal; Mehr|di|men|si|o|na|li|tät, die; -

Mehr|ein|nah|me
meh|ren (*geh.*); Meh|rer (*geh.*)

meh|re|re

Kleinschreibung ↑K 77:

– mehrere behaupteten dies
– bei, mit mehreren; von mehreren habe ich das gehört

Beugung:

– mehrere Bücher, Euro, Teilnehmer
– mehrere ältere Teilnehmer; die Forderung mehrerer älterer, *seltener* älteren Teilnehmer; mit mehreren älteren Teilnehmern
– mehrere Abgeordnete; die Forderung mehrerer Abgeordneter, *seltener* Abgeordneten; von mehreren Abgeordneten

meh|re|res; ich habe noch mehreres zu tun
Meh|re|rin (*geh.*)
meh|rer|lei (*ugs.*)
Mehr|er|lös; Mehr|er|trag
mehr|fach *vgl. auch* Mehrfache
mehr|fach|be|hin|dert (*Amtsspr.*); Mehr|fach|be|hin|der|te, der u. die; -n, -n (*Amtsspr.*)
Mehr|fa|che, das; -n; um ein Mehrfaches, um das Mehrfache vergrößern; *vgl.* Achtfache
Mehr|fach|impf|stoff; Mehr|fach|nut|zung; Mehr|fach|sprengkopf
Mehr|fa|mi|li|en|haus
Mehr|far|ben|druck *Plur.* ...drucke
mehr|far|big, *österr.* mehr|fär|big
mehr|glie|de|rig, mehr|glied|rig
Mehr|heit; einfache, qualifizierte, absolute Mehrheit; die schweigende Mehrheit
mehr|heit|lich
Mehr|heits|be|schaf|fer (Gruppe, Partei, mit deren Hilfe eine Mehrheit zustande kommt)
Mehr|heits|be|schluss
mehr|heits|fä|hig; eine mehrheitsfähige Partei, Gesetzesvorlage
Mehr|heits|wahl|recht
mehr|jäh|rig
Mehr|kampf (*Sport*); Mehr|kämp|fer (*Sport*); Mehr|kämp|fe|rin (*Sport*)
Mehr|kos|ten *Plur.*
Mehr|la|der (eine Feuerwaffe)
Mehr|leis|tung
Mehr|ling (Zwilling, Drilling usw.); Mehr|lings|ge|burt

mehr|ma|lig; mehr|mals
mehr|mo|na|tig
Mehr|par|tei|en|sys|tem
Mehr|pha|sen|strom (mehrfach verketteter Wechselstrom)
mehr|sil|big
mehr|spra|chig; Mehr|spra|chig|keit, die; -
mehr|spu|rig; mehrspurige Autobahn
mehr|stim|mig; mehr|stö|ckig
Mehr|stu|fe (*für* Komparativ); Mehr|stu|fen|ra|ke|te; mehr|stu|fig
mehr|stün|dig; mehr|tä|gig
Mehr|tei|ler (mehrteiliges Fernsehspiel u. Ä.); mehr|tei|lig
Meh|rung, die; - (*geh.*)
Mehr|völ|ker|staat *Plur.* ...staaten (Nationalitätenstaat)
Mehr|weg|fla|sche (*svw.* Pfandflasche)
Mehr|wert, der; -[e]s (*Wirtsch.*); Mehr|wert|steu|er, die (*Abk.* MwSt. *od.* Mw.-St.)
mehr|wö|chig
Mehr|zahl, die; - (*auch für* Plural)
mehr|zei|lig; mehr|zel|lig
Mehr|zweck|ge|rät; Mehr|zweck|hal|le; Mehr|zweck|ma|schi|ne; Mehr|zweck|mö|bel; Mehr|zweck|raum; Mehr|zweck|tisch
mei|den; du miedst; du miedest; gemieden; meid[e]!
Mei|len *vgl.* Maien
Mei|len|säß *vgl.* Maiensäß
Mei|er (*veraltet für* Gutspächter, -verwalter); Mei|e|rei (*veraltet für* Pachtgut; *landsch. für* Molkerei); Mei|er|hof; Mei|e|rin
Mei|ke (w. Vorn.)
Mei|le, die; -, -n (ein Längenmaß)
mei|len|lang [*auch* 'mailən'laŋ]; *aber* drei Meilen lang
Mei|len|stein; Mei|len|stie|fel (*seltener für* Siebenmeilenstiefel)
mei|len|weit [*auch* 'mailən'vait]; *aber* zwei Meilen weit
Mei|ler, der; -s, - (*kurz für* Kohlen-, Atommeiler); Mei|ler|ofen
mein, meine; mein; mein Ein u. [mein] Alles; *vgl.* dein u. deine
mei|ne, mei|ni|ge *vgl.* deine, deinige
Mein|eid (Falscheid)
mein|ei|dig; Mein|ei|dig|keit, die; -
mei|nen; er meint es gut mit ihm
mei|ner (*Gen. von* »ich«); gedenke meiner
mei|ner An|sicht nach (*Abk.* m. A. n.)

M

mein

mei|ner|seits
mei|nes Er|ach|tens (Abk. m. E.);
   falsch meines Erachtens nach
mei|nes|glei|chen
mei|nes|teils
mei|nes Wis|sens (Abk. m. W.);
   falsch meines Wissens nach
mei|net|hal|ben (veraltend); mei-
   net|we|gen
mei|net|wil|len; um meinetwillen
Mein|hard (m. Vorn.)
Mein|hild, Mein|hil|de (w. Vorn.)
mei|ni|ge vgl. meine
Mei|nin|gen (Stadt an der oberen
   Werra)
Mei|nin|ger; mei|nin|gisch
Mein|olf (m. Vorn.)
Mein|rad (m. Vorn.)
Mein|ulf (m. Vorn.)
Mei|nung; Mei|nungs|äu|ße|rung;
   Mei|nungs|aus|tausch
mei|nungs|bil|dend; Mei|nungs-
   bil|dung
Mei|nungs|for|scher; Mei|nungs-
   for|sche|rin; Mei|nungs|for-
   schung; Mei|nungs|for|schungs-
   in|s|ti|tut
Mei|nungs|frei|heit, die; -
Mei|nungs|ma|cher; Mei|nungs-
   ma|che|rin
Mei|nungs|streit; Mei|nungs|test;
   Mei|nungs|um|fra|ge
Mei|nungs|ver|schie|den|heit;
   Mei|nungs|viel|falt
Mei|o|se, die; -, -n ⟨griech.⟩ (Biol.
   Reifeteilung der Keimzellen)
Mei|ran vgl. Majoran
Mei|se, die; -, -n (ein Singvogel);
   Mei|sen|nest
Meis|je, das; -s, -s ⟨niederl.⟩ (hol-
   länd. Mädchen)
Mei|ßel, der; -s, -
mei|ßeln; ich meiß[e]le; Mei|ße-
   lung
Mei|ßen (Stadt an der Elbe)
Mei|ße|ner, Meiß|ner; Meiß[e]ner
   Porzellan (als ®: Meissener
   Porzellan)
mei|ße|nisch, meiß|nisch
¹Meiß|ner, der; -s (Teil des Hessi-
   schen Berglandes); der Hohe
   Meißner
²Meiß|ner vgl. Meißener; meiß-
   nisch vgl. meißenisch
meist; meist kommt er viel zu
   spät; vgl. meiste
meist|be|güns|tigt; Meist|be|güns-
   ti|gung (eine Bestimmung in
   internationalen Handelsver-
   trägen); Meist|be|güns|ti|gungs-
   klau|sel
meist|be|tei|ligt
meist|bie|tend; meistbietend ver-

kaufen, versteigern, aber
   Meistbietender bleiben; Meist-
   bie|ten|de, der u. die; -n, -n

meis|te

*Im Allgemeinen wird »meiste«
kleingeschrieben:*

– ↑K77 : der meiste Kummer, die
   meiste Zeit, das meiste Geld;
   die meisten Menschen
– ↑K74 : am meisten

*Bei Substantivierung ist auch
Großschreibung möglich:*

– die meisten od. Meisten glauben, …
– das meiste od. Meiste ist
   bekannt
– mit den meisten od. Meisten
   habe ich Kontakt

meis|ten|orts
meis|tens
meis|ten|teils
Meis|ter
Meis|ter|be|trieb; Meis|ter|brief
Meis|ter|de|tek|tiv; Meis|ter|de|tek-
   ti|vin
Meis|ter|dieb; Meis|ter|die|bin
Meis|ter|ge|sang vgl. Meistersang
meis|ter|haft; Meis|ter|haf|tig|keit,
   die; -
Meis|ter|hand; von Meisterhand
   [gefertigt]
Meis|te|rin
Meis|ter|klas|se; Meis|ter|leis|tung
meis|ter|lich (veraltend)
Meis|ter|ma|cher (ugs. für sehr
   erfolgreicher Trainer); Meis|ter-
   ma|che|rin
meis|tern; ich meistere
Meis|ter|prü|fung
Meis|ter|sang, der; -[e]s (Kunst-
   dichtung des 15. u. 16. Jh.s);
   Meis|ter|sän|ger vgl. Meistersin-
   ger
Meis|ter|schaft; Meis|ter|schafts-
   kampf; Meis|ter|schafts|spiel;
   Meis|ter|schafts|ti|tel
Meis|ter|schü|ler; Meis|ter|schü|le-
   rin
Meis|ter|schuss
Meis|ter|sin|ger (Dichter des Meis-
   tersangs)
Meis|ter|stück; Meis|ter|ti|tel
   (Handw.; Sport)
Meis|te|rung, die; -
Meis|ter|werk; Meis|ter|wür|de,
   die; -; Meis|ter|wurz (ein Dolden-
   gewächs)
Meist|ge|bot

meist|ge|bräuch|lich; meist|ge-
   fragt; meist|ge|kauft
meist|ge|le|sen; meist|ge|nannt
Meist|stu|fe (für Superlativ)
meist|ver|brei|tet
¹Mek|ka (saudi-arab. Stadt)
²Mek|ka, das; -s, -s (Zentrum, das
   viele Besucher anlockt); ein
   Mekka der Touristen
Me|kong [auch …'kɔŋ], der; -[s]
   (Fluss in Südostasien); Me|kong-
   del|ta, Me|kong-Del|ta
Me|la|min|harz ⟨Kunstwort⟩ (ein
   Kunstharz)
Me|lan|cho|lie [...laŋko...], die; -,
   ...ien ⟨griech.⟩ (Schwermut)
Me|lan|cho|li|ker; Me|lan|cho|li|ke-
   rin; me|lan|cho|lisch
Me|lan|ch|thon [österr. 'me:...]
   ⟨griech.⟩ (eigtl. Name Schwar-
   zert; dt. Humanist u. Reformator)
Me|la|ne|si|en ⟨griech.⟩ (westpazif.
   Inselgebiet)
Me|la|ne|si|er; Me|la|ne|si|e|rin; me-
   la|ne|sisch
Me|lan|ge [...'lã:ʒə, österr. ...'lã:ʒ],
   die; -, -n (Mischung, Gemisch;
   österr. für Milchkaffee)
Me|la|nie [auch 'me..., seltener
   mɛ'la:ni̯e] (w. Vorn.)
Me|la|nin, das; -s, -e ⟨griech.⟩ (Biol.
   brauner od. schwarzer Farbstoff)
Me|la|nis|mus, der; -, ...men (Biol.
   durch Melanine bewirkte Ver-
   dunklung der Grundkörperfär-
   bung)
Me|la|nit, der; -s, -e (ein Mineral)
Me|la|nom, das; -s, -e (Med. bösar-
   tige Geschwulst an der Haut od.
   den Schleimhäuten)
Me|la|no|se, die; -, -n (Med. krank-
   hafte Dunkelfärbung der Haut)
Me|la|no|zyt, der; -en, -en meist
   Plur. (Med. Zelle, in der Melanin
   gebildet wird); me|la|no|zy|tär
   (Med. einen Melanozyten
   betreffend)
Me|lan|za|ni, die; -, - ⟨ital.⟩ (österr.
   für Aubergine)
Me|la|phyr, der; -s, -e (ein Gestein)
Me|las|ma, das; -s, Plur. ...men u.
   ...lasmata (Med. schwärzliche
   Hautflecken)
Me|las|se, die; -, -n ⟨franz.⟩ (Rück-
   stand bei der Zuckergewin-
   nung)
Me|la|to|nin, das; -s ⟨griech.⟩ (ein
   Gewebshormon)
Mel|ber, der; -s, - (bayr. für Mehl-
   händler); Mel|be|rin
Mel|bourne [...bən] (austral. Stadt)

Mel|chi|or (m. Vorn.)

Mel|chi|se|dek [*auch, österr. nur,* ...'çi:...] (bibl. m. Eigenn.)

Melch|ter, die; -, -n (*schweiz. für* Melkeimer)

Mel|de, die; -, -n (eine Pflanzengattung)

Mel|de|amt; Mel|de|bü|ro; Mel|de|fah|rer; Mel|de|frist; Mel|de|hund

mel|den

Mel|de|pflicht; polizeiliche Meldepflicht; mel|de|pflich|tig; meldepflichtige Krankheit

Mel|der; Mel|de|rei|ter; Mel|de|rei|te|rin; Mel|de|rin

Mel|de|schluss

Mel|de|stel|le; Mel|de|ter|min; Mel|de|zet|tel (*bes. österr. für* Formular, Bestätigung für polizeiliche Anmeldung)

Mel|dung

Mel|li|bo|cus, Mel|li|bo|kus, der; -, Mal|chen, der; -s (Berg im Odenwald)

me|lie|ren ⟨franz.⟩ (mischen)

me|liert (aus verschiedenen Farben gemischt; leicht ergraut [vom Haar]; grau meliert *od.* graumeliert

Me|li|o|ra|ti|on, die; -, -en ⟨lat.⟩ (*Landw.* [Boden]verbesserung); me|li|o|rie|ren (*Landw.* Ackerboden] verbessern)

Me|lis, der; - ⟨griech.⟩ (weißer Zucker verschiedener Zuckersorten)

me|lisch (*zu* Melos; griech.) (*Musik, Literaturw.* liedhaft)

Me|lis|ma, das; -s, ...men (*Musik* melod. Verzierung, Koloratur)

Me|lis|ma|tik, die; - (Kunst der melod. Verzierung); me|lis|ma|tisch

Me|lis|sa (w. Vorn.)

Me|lis|se, die; -, -n ⟨griech.⟩ (eine Heil- u. Gewürzpflanze); Me|lis|sen|geist ®, der; -[e]s (ein Heilkräuterdestillat)

Me|lit|ta (w. Vorn.)

melk (*veraltet für* Milch gebend, melkbar); eine melke Kuh

Melk (österr. Stadt)

Melk|ei|mer

mel|ken; du melkst, *veraltet* milkst; du melktest, *veraltet* molkst; du melktest, *veraltend* mölkest; gemolken, *auch* gemelkt; melk[e]!, *veraltet* milk!; frisch gemolkene Milch; eine melkende Kuh (*ugs. für* gute Einnahmequelle)

Mel|ker; Mel|ke|rei (das Melken; Milchwirtschaft); Mel|ke|rin

Melk|kü|bel; Melk|ma|schi|ne; Melk|sche|mel

Me|lo|die, die; -, ...ien ⟨griech.⟩ (sangbare, in sich geschlossene Folge von Tönen)

Me|lo|di|en|fol|ge; Me|lo|di|en|rei|gen

Me|lo|dik, die; - (Lehre von der Melodie)

me|lo|di|ös; me|lo|disch (wohlklingend)

Me|lo|dram, Me|lo|dra|ma, das; -s, ...men (Musikschauspiel; Schauspiel, Film in pathetischer Inszenierung); Me|lo|dra|ma|tik; me|lo|dra|ma|tisch

Me|lo|ne, die; -, -n ⟨griech.⟩ (großes Kürbisgewächs; *ugs. scherzh. für* runder, steifer Hut)

Me|los, das; - ⟨griech.⟩ (*Musik* Melodie, melodische Eigenschaft)

Mel|po|me|ne [...ne] (Muse des Trauerspiels)

Mel|tau, der; -[e]s (Honigtau); *vgl. aber* Mehltau

Me|lu|si|ne (altfranz. Sagengestalt, Meerfee)

Mel|ville [...vɪl], Herman (amerik. Schriftsteller)

Mem|b|ran, die; -, -en ⟨lat.⟩, *seltener* Mem|b|ra|ne, die; -, -n (gespanntes Häutchen; Schwingblatt)

¹Me|mel, die; - (ein Fluss)

²Me|mel (*lit.* Klaipeda)

Me|me|ler

Me|men|to, das; -s, -s ⟨lat.⟩ (Erinnerung, Mahnruf)

me|men|to mo|ri ⟨lat., »gedenke des Todes!«⟩ (häufige Grabsteininschrift); Me|men|to mo|ri, das; - -, - - (etwas, was an den Tod gemahnt)

Mem|me, die; -, -n (*ugs. abwertend für* Feigling)

mem|men (*bayr. für* mummeln); ich memm[e]le

mem|men|haft (*ugs. abwertend*); Mem|men|haf|tig|keit, die; -

Mem|non (sagenhafter äthiop. König); Mem|nons|säu|len *Plur.* (bei Luxor in Ägypten) ↑K136

Me|mo, das; -s, -s (*kurz für* Memorandum; Merkzettel)

Me|moire [...'mŏa:ʀ], das; -s, -s ⟨franz.⟩ (Memorandum)

Me|moi|ren [...'mŏa:rən] *Plur.* (Lebenserinnerungen)

Me|mo|ra|bi|li|en *Plur.* ⟨lat.⟩ (*geh. für* Denkwürdigkeiten)

Me|mo|ran|dum, das; -s, *Plur.* ...den *u.* ...da (Denkschrift)

¹Me|mo|ri|al, das; -s, *Plur.* -e *u.* -ien ⟨lat.⟩ (*veraltet für* Tagebuch; [Vor]merkbuch)

²Me|mo|ri|al [mi'mo:rɪəl], das; -s, -s ⟨engl.⟩ (Gedenkveranstaltung; Denkmal)

me|mo|rie|ren [me...] (*veraltend für* auswendig lernen)

Me|mo|ry ® ['mɛmɔri], das; -s, -s ⟨engl.⟩ (ein Gesellschaftsspiel)

Me|mo|ry|stick ® [...stɪk], der; -s, -s ⟨engl.⟩ (*EDV* ein kleinformatiger Datenspeicher)

Mem|phis (altägypt. Stadt)

Me|na|ge [...ʒə], die; -, -n ⟨franz.⟩ (Gewürzständer; *österr. für* [Truppen]verpflegung)

Me|na|ge|rie, die; -, ...ien (Tierschau, Tiergehege)

me|na|gie|ren (*veraltet, aber noch landsch. für* sich selbst verkösti-gen; *österr. für* Essen fassen [beim Militär])

Me|n|ar|che, die; -, -n ⟨griech.⟩ (*Med.* erster Eintritt der Regelblutung)

Me|nas|se (österr. Schriftsteller)

Men|del (österr. Biologe)

Men|de|le|vi|um, das; -s, - ⟨nach dem russischen Chemiker Mendelejew⟩ (chemisches Element, ein Transuran; *Zeichen* Md)

Men|de|lis|mus, der; - (mendelsche Vererbungslehre)

men|deln (*Biol.* nach den Vererbungsregeln Mendels in Erscheinung treten); men|delsch; mendelsche *od.* Men|del'sche Regeln ↑K89 *u.* 135

Men|dels|sohn Bar|thol|dy [...di] (dt. Komponist; *als Familienname mit Bindestrich*)

Men|di|kant, der; -en, -en ⟨lat.⟩ (Bettelmönch); Men|di|kan|ten|or|den

Me|ne|la|os, Me|ne|la|us (griech. Sagengestalt, König von Sparta)

Me|ne|te|kel, das; -s, - ⟨aram.⟩ (unheildrohendes Zeichen)

M. Eng. = Master of Engineering; *vgl.* Master

Men|ge, die; -, -n

men|gen (mischen)

Men|gen|an|ga|be; Men|gen|be|zeich|nung; Men|gen|kon|junk|tur (*Wirtsch.*); Men|gen|leh|re, die; - (*Math., Logik*)

men|gen|mä|ßig (*für* quantitativ)

Men|gen|preis; Men|gen|ra|batt

Meng|sel, das; -s, - (*landsch. für* Gemisch)

Men|hir, der; -s, -e ⟨breton.-franz.⟩

(unbehauene vorgeschichtliche Steinsäule)

Me|nin|gi|tis, die; -, ...iti|den ⟨griech.⟩ (*Med.* Hirnhautentzündung)

me|nip|pisch ↑K135 ; menippische Satire, die menippische Philosophie; **Me|nip|pos** (altgriech. Philosoph)

Me|nis|kus, der; -, ...ken ⟨griech.⟩ (*Med.* Zwischenknorpel im Kniegelenk; *Physik* gewölbte Flüssigkeitsoberfläche)

Me|nis|kus|ope|ra|ti|on; Me|nis|kus-riss (eine Sportverletzung)

Men|jou|bärt|chen [...ʒu...] ⟨nach dem amerik. Filmschauspieler A. Menjou⟩ (schmaler, gestutzter Schnurrbart); ↑K136

Men|ken|ke, die; - (*landsch. ugs. für* Durcheinander; Umstände)

Men|ni|ge, die; - ⟨iber.⟩ (Bleiverbindung; rote Malerfarbe); **Men-nig|rot**

men|no! (ugs. Ausruf der Verärgerung, Verzweiflung)

Men|no|nit, der; -en, -en ⟨nach dem Gründer Menno Simons⟩ (Angehöriger einer evangelischen Freikirche); **Men|no|ni|tin**

Me|no|pau|se, die; -, -n ⟨griech.⟩ (*Med.* Aufhören der Regelblutungen im Klimakterium)

Me|no|ra, die; -, - ⟨hebr.⟩ (siebenarmiger Leuchter der jüd. Liturgie)

Me|nor|ca (eine Baleareninsel)

Me|nor|qui|ner [...'ki:...] (Einwohner Menorcas); **Me|nor|qui|ne-rin;** **me|nor|qui|nisch**

Me|nor|rha|gie, die; -, -n ⟨griech.⟩ (*Med.* verlängerte Menstruation)

Me|no|s|ta|se, die; -, -n (*Med.* Ausbleiben der Monatsblutung)

Me|not|ti (amerik. Komponist ital. Herkunft)

Men|sa, die; -, *Plur.* -s u. ...sen ⟨lat.⟩ (restaurantähnliche Einrichtung an Universitäten [für die Studierenden]; *Kunstwiss.* Altarplatte); **Men|sa|es|sen**

¹**Mensch,** der; -en, -en; eine Menschen verachtende *od.* menschenverachtende Ideologie; *aber nur:* eine äußerst menschenverachtende, noch menschenverachtendere Ideologie

²**Mensch,** das; -[e]s, -er ⟨*abwertend für* weibliche Person⟩

men|scheln (*ugs. für* menschliche Schwächen deutlich werden las-

sen); er sagt, es mensch[e]le dort gewaltig

Men|schen|af|fe

men|schen|ähn|lich

Men|schen|al|ter

men|schen|arm

Men|schen|auf|lauf

Men|schen|bild

Men|schen|feind; Men|schen|fein-din; men|schen|feind|lich

Men|schen|fleisch; Men|schen|fres-ser; Men|schen|fres|se|rin

Men|schen|freund; Men|schen-freun|din; men|schen|freund|lich

Men|schen|füh|rung, die; -; **Men-schen|ge|den|ken;** seit Menschengedenken; **Men|schen-geist,** der; -[e]s

Men|schen|ge|schlecht, das; -[e]s; **Men|schen|ge|stalt;** in Menschengestalt; **Men|schen|ge|wühl**

Men|schen|hand; von Menschenhand; **Men|schen|han|del** (*vgl.* ¹Handel); **Men|schen|händ|ler; Men|schen|händ|le|rin**

Men|schen|herz *(geh.);* **Men|schen-ken|ner; Men|schen|ken|ne|rin; Men|schen|kennt|nis,** die; -

Men|schen|ket|te

Men|schen|kind

Men|schen|kun|de, die; - (*für* Anthropologie)

Men|schen|le|ben

men|schen|leer

Men|schen|lie|be; Men|schen|mas-se *meist Plur.;* **Men|schen|men|ge**

men|schen|mög|lich; was menschenmöglich war, wurde getan; *aber* sie hat das Menschenmögliche getan

Men|schen|op|fer; Men|schen-pflicht; Men|schen|raub

Men|schen|recht *meist Plur.;* **Men-schen|recht|ler; Men|schen|recht-le|rin**

Men|schen|rechts|er|klä|rung; Men-schen|rechts|or|ga|ni|sa|ti|on; Men|schen|rechts|ver|let|zung

men|schen|scheu; Men|schen|scheu, die; -

Men|schen|schlag, der; -[e]s; **Men-schen|see|le;** keine Menschenseele war zu sehen

Men|schens|kind! (ugs. Ausruf)

Men|schen|sohn, der; -[e]s (Selbstbezeichnung Jesu Christi)

Men|schen|tum, das; -s

men|schen|un|wür|dig

Men|schen ver|ach|tend, men-schen|ver|ach|tend; *aber nur* alle Menschen verachtend; eine äußerst menschenverachtende

Ideologie; noch menschenverachtender ↑K58 ; *vgl.* Mensch

Men|schen|ver|ach|tung

Men|schen|ver|stand; der gesunde Menschenverstand

Men|schen|werk *(geh.)*

Men|schen|wür|de, die; -; **men-schen|wür|dig**

Men|sche|wik, der; -en, *Plur.* -en *u.* -i ⟨russ.⟩ (Anhänger des Menschewismus); **Men|sche|wi|kin; Men|sche|wis|mus,** der; - (ehem. gemäßigter russ. Sozialismus)

Men|sche|wist, der; -en, -en (*svw.* Menschewik); **Men|sche|wis|tin; men|sche|wis|tisch**

Mensch|heit, die; -; **mensch|heit|lich**

Mensch|heits|ent|wick|lung, die; -; **Mensch|heits|ge|schich|te,** die; -; **Mensch|heits|traum**

mensch|lich; ihr ist nichts Menschliches fremd ↑K72

Mensch|lich|keit, die; -

Mensch|wer|dung, die; -

Men|ses *Plur.* ⟨lat.⟩ (*Med.* Monatsblutungen)

men|sis cur|ren|tis ⟨lat.⟩ (*veraltet für* [des] laufenden Monats; *Abk.* m. c.)

mens|t|ru|al (*Med.* zur Menstruation gehörend); **Mens|t|ru|al|blu-tung**

Mens|t|ru|a|ti|on, die; -, -en (Monatsblutung, Regel); **mens|t-ru|ie|ren**

Men|sur, die; -, -en ⟨lat.⟩ (Abstand der beiden Fechter; stud. Zweikampf; Zeitmaß der Noten; Maßverhältnis bei Musikinstrumenten; *Chemie* Messglas)

men|su|ra|bel *(geh. für* messbar); ...a|b|le Größe; **Men|su|ra|bi|li-tät,** die; - *(geh.)*

Men|su|ral|mu|sik, die; - (in Mensuralnotation aufgezeichnete Musik des 13. bis 16.Jh.s)

Men|su|ral|no|ta|ti|on, die; - (im 13.Jh. ausgebildete, die Tondauer angebende Notenschrift)

men|tal ⟨lat.⟩ (geistig; gedanklich); **Men|ta|li|tät,** die; -, -en (Denk-, Anschauungsweise; Sinnes-, Geistesart)

Men|tal|re|ser|va|ti|on (*Rechtsspr.* stiller Vorbehalt)

Men|thol, das; -s ⟨lat.⟩ (Bestandteil des Pfefferminzöls)

¹**Men|tor** ⟨griech.⟩ (Erzieher des Telemach)

²**Men|tor,** der; -s, ...oren (Erzieher; Ratgeber)

Me|nü, das; -s, -s ⟨franz.⟩ (Speisenfolge; *EDV* auf dem Bildschirm angebotene Programmauswahl)

Me|nu|ett, das; -[e]s, *Plur.* -e, *auch* -s (ein Tanz)

Me|nü|füh|rung *(EDV)*

Me|nu|hin [*auch* ...ˈhiːn], Yehudi (amerik. Geigenvirtuose)

Me|nü|leis|te *(EDV);* **Me|nü|punkt**

Men|zel (dt. Maler u. Grafiker)

Me|phis|to, Me|phis|to|phe|les (Teufel in Goethes »Faust«); **me|phis|to|phe|lisch**

Me|ran (Stadt in Südtirol)

Mer|ca|tor (flandrischer Geograf); **Mer|ca|tor|pro|jek|ti|on, Mer|ca|tor-Pro|jek|ti|on** *(Geogr.* Netzentwurf von Landkarten)

Mer|ce|des-Benz®, der; -, - (dt. Kraftfahrzeug)

Mer|ce|rie [...sa...], die; -, ...ien ⟨franz.⟩ *(schweiz.* für Kurzwaren[handlung])

Mer|ce|ri|sa|ti|on usw. *vgl.* Merzerisation usw.

Mer|chan|di|sing [ˈmøːɐ̯tʃndaɪ...], das; -s ⟨engl.⟩ *(Wirtsch.* verkaufsfördernde Maßnahmen; Vermarktung aller mit einem populären Film, einer Popgruppe, einem Sportereignis o. Ä. in Zusammenhang stehenden Produkte)

mer|ci! [...ˈsiː] ⟨franz.⟩ (danke!)

Me|re|dith [...dɪθ] (engl. Schriftsteller) ↑K16

Mer|gel, der; -s, - (aus Ton u. Kalk bestehendes Sedimentgestein); **Mer|gel|bo|den**

mer|ge|lig, mergllig

Mer|ger [ˈmɜː.dʒɐ], der; -s, - ⟨engl.⟩ *(Wirtsch.* Zusammenschluss von Firmen; Fusion)

Me|ri|an, Maria Sibylla (dt. Künstlerin u. Naturforscherin)

Me|ri|an d. Ä., Matthäus (schweiz. Kupferstecher u. Buchhändler)

Me|ri|di|an, der; -s, -e ⟨lat.⟩ *(Geogr., Astron.* Mittags-, Längenkreis); **Me|ri|di|an|kreis** (astron. Messinstrument)

me|ri|di|o|nal *(Geogr.* den Längenkreis betreffend)

Mé|ri|mée [meriˈmeː], Prosper [...ˈpɛːɐ̯] (franz. Schriftsteller)

Me|rin|ge, die; -, -n, **Me|rin|gel**, das; -s, -, *schweiz.* **Me|ringue**, die; -, -s [ˈmɛrɛŋ, məˈrɛ̃ːg] ⟨franz.⟩ (ein Schaumgebäck)

Me|ri|no, der; -s, -s ⟨span.⟩ (Schaf einer span. Rasse)

Me|ri|no|schaf; Me|ri|no|wol|le

Me|ris|tem, das; -s, -e ⟨griech.⟩ *(Bot.* pflanzl. Bildungsgewebe);

me|ris|te|ma|tisch *(Bot.* teilungsfähig [von pflanzl. Geweben])

Me|ri|ten *(Plur. von* Meritum); **Me|ri|tum**, das; -s, ...iten *meist Plur.* (das Verdienst)

Merk, der; -s, -e (ein Doldengewächs)

mer|kan|til, veraltet mer|kan|ti|lisch ⟨lat.⟩ (kaufmännisch; Handels...); **Mer|kan|ti|lis|mus**, der; - (Wirtschaftspolitik in der Zeit des Absolutismus)

Mer|kan|ti|list, der; -en, -en; **Mer|kan|ti|lis|tin; mer|kan|ti|lis|tisch**

Mer|kan|til|sys|tem, das; -s

merk|bar

Merk|blatt; Merk|buch

mer|ken; ich merke mir etwas

Mer|ker *(ugs. iron.* für jmd., der alles bemerkt); **Mer|ke|rin**

Merk|heft; Merk|hil|fe

merk|lich; merkliche Besserung; *aber* um ein Merkliches

Merk|mal *Plur.* ...male; **Merk|satz; Merk|spruch**

¹Mer|kur (röm. Gott des Handels; Götterbote)

²Mer|kur, der; -s (ein Planet)

³Mer|kur, der *od.* das; -s (*[alchemist.] Bez. für* Quecksilber)

Mer|ku|ri|a|lis|mus, der; - (Quecksilbervergiftung)

Mer|kur|stab

Merk|vers; Merk|wort *vgl.* Wort

merk|wür|dig; merk|wür|di|ger|wei|se

Merk|wür|dig|keit, die; -, -en

Merk|zei|chen; Merk|zet|tel

Mer|lan, der; -s, -e ⟨franz.⟩ *(svw.* Wittling)

Mer|le, die; -, -n ⟨lat.⟩ *(landsch. für* Amsel)

¹Mer|lin [*auch* ˈmɛ...] (kelt. Sagengestalt, Zauberer)

²Mer|lin [*auch* ˈmɛ...], der; -s, -e ⟨engl.⟩ (ein Greifvogel)

¹Mer|lot [mɛrˈloː], die; - ⟨franz.⟩ (eine Rebsorte)

²Mer|lot, der; -[s], -s (ein Rotwein)

Me|ro|win|ger, der; -s, - (Angehöriger eines fränk. Königsgeschlechtes); **Me|ro|win|ge|rin; Me|ro|win|ger|reich**, das; -[e]s; **me|ro|win|gisch**

Mer|se|burg (Stadt an der Saale); **Mer|se|bur|ger;** Merseburger Zaubersprüche; **mer|se|bur|gisch**

Mer|ten (m. Vorn.)

Mer|ze|ri|sa|ti|on, die; -, -en ⟨nach dem engl. Erfinder Mercer⟩ (Veredlungsverfahren [bes. bei Baumwolle]); **mer|ze|ri|sie|ren; Mer|ze|ri|sie|rung**

Merz|schaf; Merz|vieh (zur Zucht nicht geeignetes Vieh)

M. E. S. = Master in/of European Studies; *vgl.* Master

Me|s|al|li|ance [...ˈljãːs], die; -, -n ⟨franz.⟩ (*bes. früher* nicht standesgemäße Ehe; *übertr. für* unglückliche Verbindung)

me|schant ⟨franz.⟩ *(landsch. für* boshaft, ungezogen)

Me|sche, me|schen *vgl.* Mèche, mèchen

me|schug|ge ⟨hebr.-jidd.⟩ *(ugs. für* verrückt)

Mes|dames [meˈdam] *(Plur. von* Madame); **Mes|de|moi|selles** [med(ə)mɔaˈzɛl, *österr. nur* medˈmɔa...] *(Plur. von* Mademoiselle)

Me|s|en|chym, das; -s, -e ⟨griech.⟩ *(Biol., Med.* embryonales Bindegewebe)

Me|se|ta, die; -, *Plur.* ...ten, *auch* ...tas ⟨span. Bez. für* Hochebene)

Mesh [...ʃ], das; -[s] ⟨engl.⟩ (netzartiges Material, bes. für Textilien)

Mes|ka|lin, das; -s ⟨indian.-span.⟩ (Alkaloid einer mexikan. Kaktee, ein Rauschmittel)

Mes|mer, Mess|mer, der; -s, - *(schweiz. für* Kirchendiener)

Mes|me|rin, Mess|me|rin

Mes|me|ris|mus, der; - ⟨nach dem dt. Arzt Mesmer⟩ (Lehre von der heilenden Wirkung magnetischer Kräfte)

Mes|ner, Mess|ner ⟨mlat.⟩ *(landsch. für* Kirchendiener); **Mes|ne|rei, Mess|ne|rei** *(landsch. für* Amt und Wohnung des Mesners); **Mes|ne|rin, Mess|ne|rin**

me|so... ⟨griech.⟩ (mittel..., mitten...)

Me|so... (Mittel..., Mitten...)

Me|so|derm, das; -s, -e *(Biol., Med.* mittleres Keimblatt in der Embryonalentwicklung)

Me|so|karp, das; -s, -e *(Bot.* Mittelschicht von Pflanzenfrüchten)

Me|so|li|thi|kum [*auch* ...ˈlıt...], das; -s (Mittelsteinzeit); **me|so|li|thisch**

Me|son, *älter* Me|so|t|ron, das; -s, ...onen *meist Plur.* ⟨griech.⟩ *(Physik* instabiles Elementarteilchen mittlerer Masse)

Me|so|phyt, der; -en, -en ⟨griech.⟩ *(Bot.* Pflanze, die Böden mittleren Feuchtigkeitsgrades bevorzugt)

Me|so|po|ta|mi|en (hist. Landschaft

im Irak [zwischen Euphrat u. Tigris]); **Me|so|po|ta|mi|er; Me|so|po|ta|mi|e|rin**

me|so|po|ta|misch

Me|so|sphä|re, die; - ⟨griech.⟩ (*Meteor.* in etwa 50 bis 80 km Höhe liegende Schicht der Erdatmosphäre)

Me|so|t|ron *vgl.* Meson

Me|so|zo|i|kum, das; -s ⟨*Geol.* Mittelalter der Erde); **me|so|zo|isch**

Mes|sage [...sɪtʃ], die; -, -s ⟨engl.⟩ (Nachricht; Information; *auch* für Gehalt, Aussage eines Kunstwerks u. Ä.)

Mes|sa|li|na (Gemahlin des Kaisers Claudius)

Mess|band, das; *Plur.* ...bänder

mess|bar; Mess|bar|keit, die; -

Mess|be|cher; Mess|brief (*Seew.* amtl. Bescheinigung über die Vermessung eines Schiffes)

Mess|buch (*für* Missale)

Mess|da|ten *Plur.*

Mess|die|ner; Mess|die|ne|rin

¹**Mes|se,** die; -, -n ⟨lat.⟩ (kath. Gottesdienst mit Eucharistiefeier; Chorwerk); die, eine Messe lesen, *aber* ↑K 72 : das Messelesen

²**Mes|se,** die; -, -n (Großmarkt, Ausstellung)

³**Mes|se,** die; -, -n ⟨engl.⟩ (Speise- u. Aufenthaltsraum, Tischgesellschaft der Schiffsbesatzung)

Mes|se|aus|weis; Mes|se|be|su|cher; Mes|se|be|su|che|rin; Mes|se|ge|län|de; Mes|se|hal|le; Mes|se|ka|ta|log

Mes|se|le|sen, das; -s

mes|sen; du misst, er misst; ich maß, du maßest; du mäßest; gemessen; miss!; sich [mit jmdm.] messen

Mes|se|ni|en (altgriech. Landschaft des Peloponnes); **mes|se|nisch** ↑K 142 ; die messenischen Kriege

¹**Mes|ser,** der ⟨*zu* messen⟩ (Messender, Messgerät; *fast nur als 2. Bestandteil in Zusammensetzungen,* z. B. Zeitmesser)

²**Mes|ser,** das; -s, - (ein Schneidwerkzeug)

Mes|ser|bänk|chen

Mes|ser|[form]|schnitt (ein [kurzer] Haarschnitt)

Mes|ser|geb|nis

Mes|ser|held (*abwertend*)

mes|ser|scharf

Mes|ser|schmied; Mes|ser|schmie|din

Mes|ser|spit|ze

Mes|ser|ste|cher; Mes|ser|ste|che|rei; Mes|ser|ste|che|rin

Mes|ser|stich; Mes|ser|wer|fer; Mes|ser|wer|fe|rin

Mes|se|schla|ger; Mes|se|stadt; Mes|se|stand

Mess|feh|ler; Mess|füh|ler (*Technik*)**; Mess|ge|rät**

Mess|ge|wand; Mess|glas *Plur.* ...gläser

Mes|si|a|de, die; -, -n (Dichtung vom Messias)

Mes|si|aen [mesˈjã] (franz. Komponist)

mes|si|a|nisch (auf den Messias bezüglich)**; Mes|si|a|nis|mus,** der; - (religiös, sozial od. politisch motivierte Erneuerungsbewegung mit der Erwartung eines dem Messias vergleichbaren Heilbringers)

Mes|si|as, der; -, -se ⟨hebr., »Gesalbter«⟩ (*nur Sing.:* Beiname Jesu Christi; *A. T.* der verheißene Erlöser; *auch für* Befreier)

Mes|si|dor, der; -[s], -s ⟨»Erntemonat«⟩ (10. Monat des Kalenders der Franz. Revolution: 19. Juni bis 18. Juli)

Mes|sie, der; -s, -s ⟨engl.⟩ (*ugs. für* Mensch, dessen Wohnung eine chaotische Unordnung aufweist)

Mes|sieurs [meˈsjø:] (*Plur. von* Monsieur; *Abk.* MM)

Mes|si|na (Stadt auf Sizilien); **Mes|si|na|ap|fel|si|ne**

Mes|sing, das; -s, *Plur. (Sorten:)* -e (Kupfer-Zink-Legierung)

Mes|sing|bett

Mes|sing|draht

mes|sin|gen (aus Messing); eine messing[e]ne Platte

Mes|sing|griff

Mes|sing|leuch|ter

Mes|sing|schild, das

Mes|sing|stan|ge

Mes|s|in|s|t|ru|ment; Mess|lat|te

Mes|s|mer, Mess|ner usw. *vgl.* Mesmer, Mesner usw.

Mess|op|fer (in der kath. Feier der Eucharistie)

Mess|satz, Mess-Satz (mehrere zusammengefasste Messgeräte)

Mess|schie|ber, Mess-Schie|ber (ein Messgerät)

Mess|schnur, Mess-Schnur

Mess|schrau|be, Mess-Schrau|be (ein Feinmessgerät)

Mess|stab, Mess-Stab

Mess|tech|nik

Mess|tisch; Mess|tisch|blatt

Mess|sung

Mess|ver|fah|ren; Mess|wert; Mess|zy|lin|der

Mes|te, die; -, -n (altes mitteld. Maß; ein [Holz]gefäß)

Mes|ti|ze, der; -n, -n ⟨lat.-span.⟩ (Nachkomme eines weißen u. eines indian. Elternteils); **Mes|ti|zin**

MESZ = mitteleuropäische Sommerzeit

Met, der; -[e]s (gegorener Honigsaft)

Me|ta (w. Vorn.)

me|ta... ⟨griech.⟩ (zwischen..., mit..., um..., nach...)

Me|ta... (Zwischen..., Mit..., Um..., Nach...)

me|ta|bol, me|ta|bo|lisch (*Biol.* veränderlich; *Biol., Med.* den Stoffwechsel betreffend); **Me|ta|bo|lis|mus,** der; - (*Biol., Med.* Stoffwechsel)

Me|ta|ge|ne|se, die; -, -n ⟨griech.⟩ (*Biol.* besondere Form des Generationswechsels bei vielzelligen Tieren); **me|ta|ge|ne|tisch**

Me|ta|ge|schäft ⟨ital.; dt.⟩ (*Kaufmannsspr.* gemeinschaftlich durchgeführtes Waren- od. Bankgeschäft zweier Firmen mit gleichmäßiger Verteilung von Gewinn u. Verlust)

Me|ta|kri|tik [*auch* ˈmɛ...], die; - ⟨griech.⟩ (auf die Kritik folgende Kritik; Kritik der Kritik)

Me|tal [ˈmetl], das; [-]s (*kurz für* Heavy Metal)

Me|ta|lep|se, Me|ta|lep|sis, die; -, ...epsen (*Rhet.* Verwechslung)

Me|tall, das; -s, -e ⟨griech.⟩; die Metall verarbeitende *od.* metallverarbeitende Industrie

Me|tall|ar|bei|ter; Me|tall|ar|bei|te|rin; Me|tall|be|ar|bei|tung, die; -; **Me|tall|block** *Plur.* ...blöcke

me|tal|len (aus Metall)

Me|tal|ler (*ugs. für* Metallarbeiter; Angehöriger der IG Metall; **Me|tal|le|rin**

Me|tall|guss

me|tall|hal|tig; Me|tall|hal|tig|keit, die; -

me|tal|lic [...lɪk] (metallisch schimmernd [lackiert]); ein Auto in Blau metallic *od.* in Blaumetallic, in metallic Blau *od.* in Metallicblau

Me|tall|lic|la|ckie|rung

Me|tall|in|dus|t|rie

Me|tall|i|sa|ti|on, die; -, -en (*Technik* Vererzung beim Versteinerungsvorgang)

me|tal|lisch (metallartig)

mé|tal|li|sé (metallic)
me|tal|li|sie|ren (Technik mit
Metall überziehen); Me|tal|li|sie|
rung
Me|tall|kun|de, die; -; Me|tall|kund|
ler; Me|tall|kund|le|rin
Me|tall|le|gie|rung, Me|tall-Le|gie|
rung
Me|tall|lo|chro|mie, die; - (Technik
galvanische Metallfärbung)
Me|tal|lo|gie, die; - (Metallkunde)
Me|tal|lo|gra|fie, Me|tal|lo|gra|phie,
die; - (Zweig der Metallkunde)
Me|tall|lo|id, das; -[e]s, -e (veraltete
Bez. für nichtmetall. Grund-
stoff)
Me|tall|plat|te; Me|tall|ski, Me|tall-
schi; Me|tall|über|zug
Me|tal|l|urg, Me|tal|l|ur|ge, der;
...gen, ...gen; Me|tal|l|ur|gie, die; -
(Hüttenkunde); Me|tal|l|ur|gin;
me|tal|l|ur|gisch
Me|tall ver|ar|bei|tend, me|tall|ver|
ar|bei|tend ↑K 58
me|ta|morph, Me|ta|mor|phisch
⟨griech.⟩ (die Gestalt, den
Zustand wandelnd)
Me|ta|mor|phis|mus, der; -, ...men
(svw. Metamorphose); Me|ta-
mor|pho|se, die; -, -n (Umgestal-
tung, Verwandlung); me|ta|mor-
pho|sie|ren
Me|ta|pha|se, die; -, -n (Biol. zweite
Phase der indirekten Zellkern-
teilung)
Me|ta|pher, die; -, -n (Sprachw.
Wort mit übertragener Bedeutung, bildliche Wendung, z.B.
»Haupt der Familie«)
Me|ta|pho|rik, die; - (Verbildli-
chung, Übertragung in eine
Metapher); me|ta|pho|risch (bild-
lich, im übertragenen Sinne)
Me|ta|phra|se, die; -, -n (Umschrei-
bung); me|ta|phras|tisch
(umschreibend)
Me|ta|phy|sik, die; -, -en Plur. selten
(philos. Lehre von den letzten,
nicht erfahr- u. erkennbaren
Gründen u. Zusammenhängen
des Seins); Me|ta|phy|si|ker, Me-
ta|phy|si|ke|rin; me|ta|phy|sisch
Me|ta|plas|mus, der; -, ...men
(Sprachw. Umbildung von Wortformen)
Me|ta|psy|chik, die; - (svw. Parapsy-
chologie); me|ta|psy|chisch; Me-
ta|psy|cho|lo|gie, die; - (svw.
Parapsychologie)
Me|ta|se|quo|ia, die; -, ...oien (Ver-
treter einer Gattung der Sumpf-
zypressengewächse)
Me|ta|spra|che (EDV, Sprachw.,

Math. zur Beschreibung einer
anderen Sprache benutzte Spra-
che); me|ta|sprach|lich
Me|ta|s|ta|se, die; -, -n (Med. Toch-
tergeschwulst); me|ta|s|ta|sie|ren
(Tochtergeschwülste bilden);
me|ta|s|ta|tisch
Me|ta|the|se, Me|ta|the|sis, die; -,
...esen (Sprachw. Lautumstel-
lung, z. B. »Born« – »Bronn«)
Me|ta|tro|pis|mus, der; - (Psych.
Umkehrung des geschlechtl.
Empfindens; Vertauschung der
Rollen von Frau u. Mann)
Me|ta|xa®, der; -[s], -s (ein milder
griech. Branntwein)
me|ta|zent|risch (das Metazentrum
betreffend); Me|ta|zen|t|rum
(Schiffbau Schwankpunkt)
Me|ta|zo|on, das; -s, ...zoen meist
Plur. (vielzelliges Tier)
Me|t|em|psy|cho|se, die; -, -n
⟨griech.⟩ (Seelenwanderung)
Me|te|or, der, selten das; -s, -e
⟨griech.⟩ (Leuchterscheinung
beim Eintritt eines Meteoriten
in die Erdatmosphäre)
Me|te|or|ei|sen
me|te|o|risch (auf Lufterscheinun-
gen, -verhältnisse bezogen)
Me|te|o|rit, der; Gen. -en u. -s, Plur.
-en u. -e (in die Erdatmosphäre
eindringender kosmischer Kör-
per); me|te|o|ri|tisch (von einem
Meteor stammend, meteorartig)
Me|te|o|ro|lo|ge, der; -n, -n; Me|te-
o|ro|lo|gie, die; - (Lehre von Wet-
ter u. Klima); Me|te|o|ro|lo|gin;
me|te|o|ro|lo|gisch
me|te|o|ro|trop (wetter-, klimabe-
dingt); Me|te|o|ro|tro|pis|mus,
der; -, ...men (wetterbedingter
Krankheitszustand)
Me|te|or|stein

Me|ter

der, auch das; -s, -; schweiz. nur
der ⟨griech.⟩ (Längenmaß; Zeichen m)

– eine Länge von zehn Metern,
auch von zehn Meter
– eine Mauer von drei Meter, auch
von drei Metern Höhe
– von 10 Meter, auch von 10
Metern an
– ein[en] Meter lang, acht Meter
lang
– laufender Meter (Abk. lfd. M.)

...me|ter (z. B. Zentimeter)
me|ter|dick; meterdicke Mauern;

aber die Mauern sind zwei
Meter dick; me|ter|hoch; der
Schnee liegt meterhoch; aber
drei Meter hoch; me|ter|lang;
aber ein[en] Meter lang
Me|ter|maß, das; Me|ter|wa|re,
die; -
me|ter|wei|se; me|ter|weit; aber
drei Meter weit
Me|tha|don, das; -s ⟨engl.⟩ (Che-
mie, Med. synthet. Derivat des
Morphins [als Ersatzdroge für
Heroinabhängige])
Me|tha|don|the|ra|pie, Me|tha-
don-The|ra|pie
Me|than, das; -s ⟨griech.⟩ (Gru-
ben-, Sumpfgas); Me|than|gas
Me|tha|nol, das; -s (Methylalko-
hol)
Me|thod-Ac|ting [ˈmɛθəd|ˈɛktɪŋ],
das; -s ⟨amerik.⟩ (fachspr. Art
der Schauspielerei, bei der die
Schauspieler auf eigene Erfah-
rungen zurückgreifen)
Me|tho|de, die; -, -n ⟨griech.⟩
(planmäßiges u. folgerichtiges
Verfahren; Vorgehensweise);
Me|tho|den|leh|re
Me|tho|dik, die; -, -en (Verfahrens-
lehre, -weise; Vortrags-, Unter-
richtslehre; nur Sing.: methodi-
sches Vorgehen)
Me|tho|di|ker (planmäßig Verfah-
render; Begründer einer
Methode); Me|tho|di|ke|rin; me-
tho|disch (planmäßig; überlegt,
durchdacht); me|tho|di|sie|ren
Me|tho|dist, der; -en, -en (Angehö-
riger der Methodistenkirche);
Me|tho|dis|ten|kir|che (eine ev.
Freikirche); Me|tho|dis|tin; me-
tho|dis|tisch
Me|tho|do|lo|gie, die; -, ...ien
(Lehre von den wissenschaftl.
Methoden); me|tho|do|lo|gisch
Me|tho|ma|nie, die; - ⟨griech.⟩
(Med. Bewusstseinsverände-
rung durch Missbrauch von
Alkohol od. Medikamenten)
[1]Me|thu|sa|lem, ökum. Me|tu|sche-
lach (bibl. Eigenname)
[2]Me|thu|sa|lem, der; -[s], -s (ugs. für
sehr alter Mann)
Me|thyl, das; -s ⟨griech.⟩ (einwerti-
ger Methanrest in zahlreichen
organ.-chem. Verbindungen)
Me|thyl|al|ko|hol, der; -s (Holz-
geist, Methanol); Me|thy|l|a|min,
das; -s, -e (einfachste organ.
Base); Me|thy|len|blau (ein syn-
thet. Farbstoff)
Me|ti|er [...ˈtie:], das; -s, -s ⟨franz.⟩
(Beruf; Aufgabe)

M
Meti

Me|tist, der; -en, -en ⟨ital.⟩ (Teilnehmer an einem Metageschäft); Me|tis|tin

Me|t|ö|ke, der; -n, -n ⟨griech.⟩ (rechtloser ortsansässiger Fremder [in altgriech. Städten])

Me|ton (altgriech. Mathematiker); me|to|ni|scher Zy|k|lus ↑K89 u. 135 , der; -n - (alter Kalenderzyklus [Zeitraum von 19 Jahren], der der Berechnung des christl. Osterdatums zugrunde liegt)

Me|t|o|no|ma|sie, die; -, ...ien ⟨griech.⟩ (Namensveränderung durch Übersetzung in eine fremde Sprache)

Me|t|o|ny|mie, die; -, ...ien (Stilk. Ersetzung eines Wortes durch einen verwandten Begriff, z. B. »Dolch« durch »Stahl«); me|t|o|ny|misch

Me|t|o|pe, die; -, -n ⟨griech.⟩ (Archit. Zwischenfeld in einem antiken Tempelfries)

Me|t|ra, Me|t|ren (Plur. von Metrum)

Me|t|rik, die; -, -en ⟨griech.⟩ (Verslehre, -kunst; Musik Lehre vom Takt); Me|t|ri|ker; Me|t|ri|ke|rin; me|t|risch (die Verslehre, das Versmaß, den Takt betreffend; in Versen abgefasst; nach dem Meter messbar); metrischer Raum; metrisches System ↑K89

Me|t|ro [auch 'mε...], die; -, -s ⟨griech.-franz.⟩ (Untergrundbahn, bes. in Paris u. Moskau)

Me|t|ro|lo|gie, die; - ⟨griech.⟩ (Maß- u. Gewichtskunde); me|t|ro|lo|gisch

Me|t|ro|nom, das; -s, -e ⟨griech.⟩ (Musik Taktmesser); vgl. Mälzel

Me|t|ro|po|le, die; -, -n ⟨griech.⟩ (Hauptstadt, Weltstadt); Me|t|ro|po|lis, die; -, ...polen (veraltet für Metropole)

Me|t|ro|po|lit, der; -en, -en (Erzbischof); Me|t|ro|po|li|tan|kir|che

Me|t|ro|ra|pid, der; -[s] (eine [für den Einsatz im Ruhrgebiet geplante] Magnetschwebebahn)

Me|t|ro|se|xu|a|li|tät

me|t|ro|se|xu|ell ⟨engl.⟩ (als heterosexueller Mann bestimmte, sonst eher als feminin angesehene Interessen kultivierend)

Me|t|rum, das; -s, Plur. ...tren, älter ...tra ⟨griech.⟩ (Versmaß; Musik Takt)

Mett, das; -[e]s (nordd. für gehacktes Schweinefleisch)

Met|ta|ge [...ʒə], die; -, -n ⟨franz.⟩ (Druckw. Umbruch)

Met|te, die; -, -n ⟨lat.⟩ (nächtl. Gottesdienst; nächtl. Gebet)

Met|ter|nich (österr. Staatskanzler)

Met|teur [...'tø:ɐ̯], der; -s, -e ⟨franz.⟩ (Druckw. Umbrecher, Hersteller der Seiten); Met|teu|rin

Mett|wurst

Me|tu|sche|lach vgl. ¹Methusalem

Metz (franz. Stadt)

¹Met|ze, die; -, -n, südd. u. österr. Met|zen, der; -s, - (altes Getreidemaß)

²Met|ze, die; -, -n (veraltet für Prostituierte)

Met|ze|lei (ugs.); met|zeln (landsch. für schlachten; selten für niedermachen, morden); ich metz[e]le; Met|zel|sup|pe (südd. für Wurstsuppe)

Met|zen vgl. ¹Metze

Metzg, die; -, -en (schweiz. neben Metzgerei); Metz|ge, die; -, -n (südd. für Metzgerei, Schlachtbank); metz|gen (landsch. u. schweiz. für schlachten)

Metz|ger (westmitteld., südd., schweiz. für Fleischer); Metz|ge|rei (westmitteld., südd., schweiz.); Metz|ge|rin; Metz|germeis|ter; Metz|ger|meis|te|rin

Metz|ger[s]|gang, der (landsch. für erfolglose Bemühung)

Metz|ge|te, die; -, -n (schweiz. für Schlachtung; Schlachtfest; Schlachtplatte)

Metz|ig, die; -, -en (svw. Metzge)

Metz|ler (rhein. für Fleischer); Metz|le|rin

Meu|b|le|ment [møbləˈmãː], das; -s, -s ⟨franz.⟩ (veraltet für Zimmer-, Wohnungseinrichtung)

Meu|chel|mord; Meu|chel|mör|der; Meu|chel|mör|de|rin

meu|cheln (veraltend für heimtückisch ermorden); ich meuch[e]le

Meuch|ler; Meuch|le|rin; meuch|le|risch; meuch|lings (veraltend für heimtückisch)

Meu|nier [mœ'nje:] (belg. Bildhauer u. Maler)

Meu|te, die; -, -n (Jägerspr. Gruppe von Hunden; übertr. abwertend für größere Zahl von Menschen)

Meu|te|rei; Meu|te|rer

Meu|te|rin; meu|tern; ich meutere

MeV = Megaelektronenvolt

Me|xi|ka|ner; Me|xi|ka|ne|rin; me|xi|ka|nisch

Me|xi|ko (Staat in Mittelamerika u. dessen Hauptstadt); Me|xi|ko-Stadt (Hauptstadt von Mexiko)

Mey|er, Conrad Ferdinand (schweiz. Schriftsteller)

Mey|er|beer (dt. Komponist)

MEZ = mitteleuropäische Zeit

Mez|za|nin, das, auch der; -s, -e ⟨ital.⟩ (niedriges Halb-, Zwischengeschoss, bes. in der Baukunst der Renaissance u. des Barocks); Mez|za|nin|woh|nung

mez|za vo|ce [- ...t͡ʃə] ⟨ital.⟩ (Musik mit halber Stimme; Abk. m. v.)

Mez|zie [me'tsi:ɛ], die; -, -n ⟨jidd.⟩ (ostösterr. für Schnäppchen)

mez|zo|for|te (Musik halbstark; Abk. mf)

Mez|zo|gior|no [...'dʒɔ...], der; - (der Teil Italiens südl. von Rom, einschließlich Siziliens)

mez|zo|pi|a|no (Musik halbleise; Abk. mp)

Mez|zo|so|p|ran [auch ...'pra:n] (mittlere Frauenstimme zwischen Sopran u. Alt; Sängerin der mittleren Stimmlage)

Mez|zo|tin|to, das; -[s], Plur. -s od. ...ti (nur Sing.: Schabkunst, bes. Technik des Kupferstichs; auch für Erzeugnis dieser Technik)

mf = mezzoforte

μF = Mikrofarad

MFK = Motorfahrzeugkontrolle (in der Schweiz)

mg = Milligramm

Mg = chem. Zeichen für Magnesium

MG, das; -[s], -[s] = Maschinengewehr

μg = Mikrogramm

¹Mgr. = Monseigneur

²Mgr., Msgr. = Monsignore

MG-Schüt|ze, der ↑K28

mhd. = mittelhochdeutsch

MHz = Megahertz

mi ⟨ital.⟩ (Solmisationssilbe)

MI = Michigan

Mi. = Mittwoch

Mia (w. Vorn.)

Mia., Md., Mrd. = Milliarde[n]

Mi|a|mi [maiˈɛ...] (Stadt an der Küste Floridas)

Mi|as|ma, das; -s, ...men ⟨griech.⟩ (früher angenommene giftige Ausdünstung des Bodens); mi|as|ma|tisch (giftig)

mi|au!; mi|au|en; die Katze hat miaut

MIB [ɛm|aiˈbiː] = Master of International Business; *vgl.* Master

mich (*Akk. von* »ich«)

Mi|cha (bibl. Prophet)

Mi|cha|el [...eːl, *auch* ...ɛl] (einer der Erzengel; m. Vorn.)

Mi|cha|e|la (w. Vorn.)

Mi|cha|e|li[s], das; - (Michaelstag); deutscher Michel

¹Mi|chel (m. Vorn.)

²Mi|chel (*Spottname für den Deutschen*); deutscher Michel

Mi|chel|an|ge|lo Bu|o|nar|ro|ti [...keˈlandʒe... -] (ital. Künstler)

Mi|chelle [...ʃɛl] (w. Vorn.)

Mi|chels|tag (*landsch. für* Michaelstag)

Mi|chi|gan [...ʃiɡn̩] (Staat in den USA; *Abk.* MI); **Mi|chi|gan|see**, **Mi|chi|gan-See,** der; -s

mi|cke|rig, mick|rig (*ugs. für* schwach, zurückgeblieben); **Mi|cke|rig|keit,** Mick|rig|keit, die; -; **mi|ckern** (*landsch. für* sich schlecht entwickeln); ich mickere; die Pflanze mickert

Mic|ki|e|wicz [mɪtsˈkjevɪtʃ] (poln. Dichter)

mick|rig usw. *vgl.* mickerig usw.

Mi|cky|maus, die; -, ...mäuse (eine Trickfilm- u. Comicfigur)

Mi|cky Maus, die; --

Mi|das (phryg. König); **Mi|das|oh|ren** *Plur.* ↑K135 (Eselsohren)

Mid|der, das; -s (*landsch. für* Kalbsmilch)

Mid|gard, der; - (*nord. Mythol.* die Welt der Menschen, die Erde); **Mid|gard|schlan|ge,** die; - (Sinnbild des die Erde umschlingenden Meeres)

Mi|di... (*Mode* bis zu den Waden reichend, z. B. Midikleid)

Mi|di|a|ni|ter, der; -s, - (Angehöriger eines nordarab. Volkes im A. T.); **Mi|di|a|ni|te|rin**

Mi|di|nette [...ˈnɛt], die; -, -n ⟨franz.⟩ (Pariser Modistin)

Mid|life|cri|sis, Mid|life-Cri|sis [ˈmɪtlaifˈkraɪsɪs], die; - ⟨engl.-amerik.⟩ (Krise in der Mitte des Lebens)

Mid|ship|man [ˈmɪtʃɪpmən], der; -s, ...men [...mən] (unterster brit. Marineoffiziersrang; nordamerik. Seeoffiziersanwärter)

mied *vgl.* meiden

Mie|der, das; -s, -; **Mie|der|ho|se; Mie|der|wa|ren** *Plur.*

Mief, der; -[e]s (*ugs. für* schlechte Luft); **mie|fen** (*ugs.*); es mieft; **mie|fig**

Mie|ke (w. Vorn.)

Mie|ne, die; -, -n (Gesichtsausdruck); **Mie|nen|spiel**

Miene
Nicht zu verwechseln sind *Miene* und *Mine*. Das einen Gesichtsausdruck bezeichnende Substantiv *Miene* wird mit *-ie* geschrieben, mit einfachem *-i-* schreibt sich *Mine*. Letzteres steht für einen unterirdischen Gang, einen Sprengkörper oder eine Kugelschreibereinlage.

Mie|re, die; -, -n (Name einiger Pflanzen)

mies ⟨hebr.-jidd.⟩ (*ugs. für* schlecht; gemein; unwohl); miese Laune; *vgl.* miesmachen

¹Mies, die; -, -en (*Nebenform von* Miez, Mieze)

²Mies, das; -es, -e (*südd. für* Sumpf, Moor)

Mies|chen *vgl.* Miezchen

Mie|se *Plur.* (*ugs. für* Minuspunkte, Minusbetrag); in den Miesen sein

Mie|se|kat|ze *vgl.* Miezekatze

Mie|se|pe|ter, der; -s, - (*ugs. für* stets unzufriedener Mensch); **mie|se|pe|te|rig,** mie|se|pet|rig (*ugs.*); **Mie|se|pe|te|rin**

Mie|sig|keit, die; - (*ugs. abwertend*)

Mies|ling (*ugs. abwertend für* unsympathischer Mensch)

mies|ma|chen (*ugs. für* herabsetzen, schlechtmachen)

Mies|ma|cher (*ugs. abwertend für* Schwarzseher); **Mies|ma|che|rei** (*ugs. abwertend*); **Mies|ma|che|rin** (*ugs. abwertend*)

Mies|mu|schel (Pfahlmuschel)

Mies van der Ro|he [- fan - -] (dt.-amerik. Architekt)

Miet|aus|fall; Miet|au|to; Miet|be|trag

¹Mie|te, die; -, -n (Preis, der für das Benutzen von Wohnungen u. a. zu zahlen ist)

²Mie|te, die; -, -n ⟨lat.⟩ (gegen Frost gesicherte Grube u. a. zur Lagerung von Feldfrüchten)

¹mie|ten (lat.) (*landsch. für* Feldfrüchte in Mieten einlagern)

²mie|ten; eine Wohnung mieten

Mie|ten|re|ge|lung, Miet|re|ge|lung

Mie|ter; Miet|er|hö|hung; Mie|te|rin

Mie|ter/-innen, Mie|ter(innen) (*Kurzformen für* Mieterinnen u. Mieter)

Mie|ter|schutz; Mie|ter|schutz|ge|setz

Miet|er|trag; Miet|fi|nan|zie|rung (besondere Form des Leasings)

miet|frei; mietfrei wohnen

Miet|ge|setz; Miet|kauf

Miet|no|ma|de, der (*ugs. für* Mieter, der bewusst seine Miete prellt und erst im Zuge einer Räumungsklage auszieht); **Miet|no|ma|din**

Miet|par|tei

Miet|preis; Miet|preis|po|li|tik

Miet|recht

Miet|re|ge|lung, Mie|ten|re|ge|lung

Miets|haus; Miets|ka|ser|ne (*abwertend für* großes Miethaus)

Miet|spie|gel (Tabelle ortsüblicher Mieten)

Miet[s]|stei|ge|rung; Miet[s]|strei|tig|kei|ten *Plur.*

Mie|tung

Miet|ver|lust; Miet|ver|trag; Miet|wa|gen; Miet|woh|nung; Miet|wu|cher

Miet|zah|lung; Miet|zins *Plur.* ...zinse (*südd., österr., schweiz. für* ¹Miete)

Miez *vgl.* Mieze; **Miez|chen** (Kätzchen); **Mie|ze,** die; -, -n (*fam. für* Katze; *ugs. für* Freundin, Mädchen)

Mie|ze|kätz|chen (*Kinderspr.*); **Mie|ze|kat|ze**

Mi|fe|gy|ne®, die; - (Medikament zur Auslösung einer Fehlgeburt)

MiG, die; -, -[s] ⟨nach den Konstrukteuren Mikojan und Gurewitsch⟩ (*Bez. für* Flugzeugtypen der Sowjetunion)

Mig|non [ˈmɪnjõ, *auch* mɪnˈjõː] (w. Vorn.; Gestalt aus Goethes »Wilhelm Meister«)

Mig|no|net|te [mɪnjoˈnɛt], die; -, -s (schmale Zwirnspitze)

Mig|non|fas|sung (für kleine Glühlampen)

Mig|rä|ne, die; -, -n ⟨griech.⟩ ([halb-, einseitiger] heftiger Kopfschmerz)

Mig|rant, der; -en, -en ⟨lat.⟩ (*Soziol.* Aus- od. Einwanderer); **Mig|ran|tin**

Mig|ra|ti|on, die; -, -en ⟨lat.⟩ (*Biol., Soziol.* Wanderung); **mig|rie|ren** (*Fachspr.*)

Mig|ros [ˈmigro], die; - ⟨franz.⟩ (eine schweiz. Verkaufsgenossenschaft)

Mi|guel [...ˈɡɛl] (m. Vorn.)

Mijn|heer [məˈneːɐ̯], der; -s, -s ⟨niederl., »mein Herr«⟩ (*ohne Artikel:* niederl. Anrede; *auch scherzh. Bez. für den Holländer*)

¹Mi|ka|do, der; -s, -s ⟨jap.⟩ (*frühere Bez. für* den jap. Kaiser); *vgl.* Tenno

²Mi|ka|do, das; -s, -s (ein Geschicklichkeitsspiel mit Holzstäbchen)

³Mi|ka|do, der; -s, -s (Hauptstäbchen im ²Mikado)

Mike [maik] (m. Vorn.)

Mi|ko, der; -s, -s (*ugs. kurz für* Minderwertigkeitskomplex)

Mi|k|ro, das; -s, -s (*Kurzw. für* Mikrofon)

mi|k|ro... ⟨griech.⟩ (klein...)

Mi|k|ro... (Klein...; ein Millionstel einer Einheit, z. B. Mikrometer = 10^{-6} Meter; *Zeichen* µ)

Mi|k|ro|be, die; -, -n (*svw.* Mikroorganismus); mi|k|ro|bi|ell (*Biol.* die Mikroben betreffend, durch Mikroben)

Mi|k|ro|bio|lo|ge; Mi|k|ro|bio|lo|gie (Wissenschaft von den Mikroorganismen); Mi|k|ro|bio|lo|gin; mi|k|ro|bio|lo|gisch

Mi|k|ro|che|mie (Zweig der Chemie, der kleinste Mengen von Substanzen analysiert)

Mi|k|ro|chip; Mi|k|ro|com|pu|ter

Mi|k|ro|elek|t|ro|nik; mi|k|ro|elek|t|ro|nisch

Mi|k|ro|fa|rad [*auch* 'mi:...] (ein millionstel Farad; *Zeichen* µF)

Mi|k|ro|fa|ser

Mi|k|ro|fau|na (*Biol.* Kleintierwelt)

Mi|k|ro|fiche (*svw.* ³Fiche); Mi|k|ro|film

Mi|k|ro|fon, Mi|k|ro|phon, das; -s, -e (Gerät, durch das Töne, Geräusche u. Ä. auf Tonträger, über Lautsprecher u. Ä. übertragen werden können); mi|k|ro|fo|nisch, mi|k|ro|pho|nisch

Mi|k|ro|gramm [*auch* 'mi:...] (ein millionstel Gramm; *Zeichen* µg)

mi|k|ro|ke|phal usw. *vgl.* mikrozephal usw.

Mi|k|ro|kli|ma (*Meteor.* Kleinklima, Klima der bodennahen Luftschicht)

Mi|k|ro|kok|kus, der; -, ...kokken (*Biol.* Kugelbakterie)

Mi|k|ro|ko|pie (fotogr. Kleinaufnahme, meist von Buchseiten)

mi|k|ro|kos|misch [*auch* 'mi:...]; Mi|k|ro|kos|mos [*auch* 'mi:...], Mi|k|ro|kos|mus, der; - (Welt des Menschen als verkleinertes Abbild des Universums; *Ggs.* Makrokosmos; *Biol.* Welt der Kleinlebewesen)

¹Mi|k|ro|me|ter, das; -s, - (ein Feinmessgerät)

²Mi|k|ro|me|ter [*auch* 'mi:...], das;

-s, - (ein millionstel Meter; *Zeichen* µm)

Mi|k|ron, das; -s, - (*veraltet für* ²Mikrometer; *Kurzform* My; *Zeichen* µ)

Mi|k|ro|ne|si|en (»Kleininselland«) (Inselgruppe u. Staat im Pazifischen Ozean); Föderierte Staaten von Mikronesien; Mi|k|ro|ne|si|er; Mi|k|ro|ne|si|e|rin; mi|k|ro|ne|sisch

Mi|k|ro|or|ga|nis|mus ⟨griech.⟩ (*Biol.* kleinstes Lebewesen)

Mi|k|ro|phon usw. *vgl.* Mikrofon usw.

Mi|k|ro|phy|sik (Physik der Moleküle u. Atome)

Mi|k|ro|phyt, der; -en, -en (*Biol.* pflanzl. Mikroorganismus)

Mi|k|ro|pro|zes|sor (*EDV*)

Mi|k|ro|ra|dio|me|ter, das; -s, - (Messgerät für kleinste Strahlungsmengen)

mi|k|ro|seis|misch [*auch* 'mi:...] (nur mit Instrumenten wahrnehmbar [von Erdbeben])

Mi|k|ro|s|kop, das; -s, -e (opt. Vergrößerungsgerät); mi|k|ro|s|ko|pie|ren (mit dem Mikroskop arbeiten, untersuchen); mi|k|ro|s|ko|pisch (verschwindend klein; mithilfe des Mikroskops durchgeführt)

Mi|k|ro|spo|re [*auch* 'mi:...](kleine männl. Spore einiger Farnpflanzen)

Mi|k|ro|the|ra|pie (*Med.* lokal stark eingegrenzte Behandlung od. Operation)

Mi|k|ro|tom, der od. das; -s, -e (Gerät zur Herstellung feinster Schnitte für mikroskop. Untersuchungen)

Mi|k|ro|wel|le (elektromagnet. Welle; *auch kurz für* Mikrowellenherd)

mi|k|ro|wel|len|ge|eig|net

Mi|k|ro|wel|len|ge|rät

Mi|k|ro|wel|len|herd

Mi|k|ro|zen|sus ⟨griech.; lat.⟩ (jährlich durchgeführte statistische Repräsentativerhebung der Bevölkerung u. des Erwerbslebens)

mi|k|ro|ze|phal (*Med.* kleinköpfig); Mi|k|ro|ze|pha|lie, die; - (*Med.* Kleinköpfigkeit)

Mik|we, die; -, -n Mikwaot u. -n ⟨hebr.⟩ (jüdisches Ritualbad)

Mi|lak (*österr. u. schweiz. kurz für* Militärakademie)

¹Mi|lan [*auch* ...'la:n], der; -s, -e ⟨franz.⟩ (ein Greifvogel)

²Mi|lan (m. Vorn.)

Mi|la|no (*ital. Form von* Mailand)

Mil|be, die; -, -n (ein Spinnentier); mil|big

Milch, die; -, Plur. (*fachspr.*) -en; eine Milch gebende *od.* milchgebende Kuh

Milch|auf|schäu|mer, der; -s, -

Milch|aus|tau|scher, der; -s, - (*Fachspr.* ein Futtermittel)

Milch|bar, die

Milch|bart (*svw.* Milchgesicht); milch|bär|tig

Milch|brei; Milch|bröt|chen

Milch|drü|se; Milch|eis; Milch|ei|weiß

¹mil|chen (aus Milch)

²mil|chen (*landsch. für* Milch geben)

¹Mil|cher *vgl.* Milchner

²Mil|cher (*landsch. für* Melker); Mil|che|rin (*landsch.*)

Milch|er|trag; Milch|fla|sche; Milch|frau (*ugs.*)

Milch ge|bend, milch|ge|bend *vgl.* Milch

Milch|ge|biss

Milch|ge|sicht (unreifer junger Mann)

Milch|glas Plur. ...gläser

mil|chig

Milch|kaf|fee; Milch|känn|chen; Milch|kan|ne; Milch|kuh; Milch|kur

Milch|ling (ein Pilz)

Milch|mäd|chen; Milch|mäd|chen|rech|nung (*ugs. für* auf Trugschlüssen beruhende Rechnung)

Milch|mann Plur. ...männer (*ugs.*)

Milch|mix|ge|tränk; Milch|napf

Milch|ner, ¹Mil|cher (männl. Fisch)

Milch|pro|dukt; Milch|pul|ver; Milch|pum|pe

Milch|rahm|stru|del (*österr. für* eine Mehlspeise); Milch|reis; Milch|saft (*Bot.*)

Milch|säu|re; Milch|säu|re|bak|te|ri|en Plur.

Milch|scho|ko|la|de

Milch|stra|ße, die; - (*Astron.*)

Milch|tü|te

milch|weiß

Milch|wirt|schaft; Milch|zahn; Milch|zu|cker

mild, mil|de; Mil|de, die; -

mil|dern; ich mildere; mildernde Umstände (*Rechtsspr.*)

Mil|de|rung; Mil|de|rungs|grund

mild|her|zig; Mild|her|zig|keit, die; -

mild|tä|tig; Mild|tä|tig|keit, die; -

Mil|le̱|na [*auch* ˈmiː...] (w. Vorn.)

Mil|le̱|si|er (Bewohner von Milet); Mil|let (altgriech. Stadt)

Mil|haud [miˈjoː], Darius (franz. Komponist)

Mi|li|ar|tu|ber|ku|lo|se ⟨lat.⟩ (*Med.* meist rasch tödlich verlaufende Allgemeininfektion des Körpers mit Tuberkelbazillen)

Mi̱|li|eu [miˈljøː], das; -s, -s ⟨franz.⟩ (Umwelt; *bes. schweiz. auch für* Dirnenwelt); mi|li|eu|be|dingt; milieubedingte Kriminalität; Mi|li|eu|for|schung

mi|li|eu|ge|schä̱|digt; Mi|li|eu|ge|schä̱|dig|te, der *u.* die; -n, -n

Mi|li|eu|scha|den (*Psych.*)

Mi|li|eu|the|o|rie (*Psych.*)

mi|li|ta̱nt ⟨lat.⟩ (kämpferisch); Mi|li|tanz, die; -

¹Mi|li|tä̱r, der; -s, -s ⟨franz.⟩ (höherer Offizier)

²Mi|li|tä̱r, das; -s (Soldatenstand; Streitkräfte)

Mi|li|tär|ad|mi|nis|t|ra|ti|on; Mi|li|tär|aka|de|mie; Mi|li|tär|ak|ti|on; Mi|li|tär|arzt; Mi|li|tär|ärz|tin; Mi|li|tär|at|ta|ché

Mi|li|tär|block *Plur.* ...blöcke, *selten* ...blocks; *vgl.* Block; Mi|li|tär|bud|get; Mi|li|tär|bünd|nis; Mi|li|tär|dienst; Mi|li|tär|dik|ta|tur

Mi|li|tär|ein|satz; Mi|li|tär|etat; Mi|li|tär|flug|ha|fen (*vgl.* ²Hafen); Mi|li|tär|ge|richts|bar|keit; Mi|li|tär|hil|fe

Mi|li|ta̱|ria *Plur.* ⟨lat.⟩ (Bücher über das Militärwesen; milit. Sammlerstücke)

mi|li|ta|risch ⟨franz.⟩

mi|li|ta|ri|sie|ren (milit. Anlagen errichten, Truppen aufstellen); Mi|li|ta|ri|sie|rung

Mi|li|ta|ris|mus, der; - ⟨lat.⟩ (Vorherrschen milit. Denkens); Mi|li|ta|rist, der; -en, -en; Mi|li|ta|ris|tin; mi|li|ta|ris|tisch

Mi|li|tär|jun|ta (von Offizieren [nach einem Putsch] gebildete Regierung)

Mi|li|tär|kom|man|do (*österr. auch für* milit. Dienststelle eines Bundeslandes)

Mi|li|tär|marsch, der; Mi|li|tär|mis|si|on; Mi|li|tär|mu|sik

Mi|li|tär|pflicht, die; -; mi|li|tär|pflich|tig; Mi|li|tär|pflich|ti|ge, der; -n, -n

Mi|li|tär|po|li|zei; Mi|li|tär|re|gie|rung; Mi|li|tär|schlag; Mi|li|tär|schu|le; Mi|li|tär|seel|sor|ge; Mi|li|tär|strei|fe; Mi|li|tär|stütz|punkt

Mi|li|ta|ry [...təri], die; -, -s ⟨engl.⟩ (Vielseitigkeitsprüfung [im Reitsport])

Mi|li|tär|zeit, die; -

Mi|li̱z, die; -, -en ⟨lat.⟩ (kurz ausgebildete Truppen, Bürgerwehr; *in einigen [ehemals] sozialistischen Staaten auch für* Polizei); Mi|liz|heer; Mi|li|zi|o|nä̱r, der; -s, -e (Angehöriger der Miliz); Mi|li|zi|o|nä̱|rin; Mi|liz|sol|dat; Mi|liz|sol|da|tin

Mil|ke, die; -, Mil|ken, der; -s (*schweiz. für* Kalbsbries)

Mill., Mio. = Million[en]

Mil|le, die; -, - ⟨lat.⟩ (Tausend; *Zeichen* M; *ugs. für* tausend Euro o. Ä.); 5 Mille; *vgl.* per, pro mille

Mil|le|fi|o|ri|glas *Plur.* ...gläser ⟨ital.; dt.⟩ (vielfarbiges Mosaikglas)

¹Mille|fleurs [milˈfløːɐ̯], das; - ⟨franz.⟩ (Streublumenmuster)

²Mille|fleurs, der; - (Stoff mit Streublumenmuster)

Mil|le Mi|g|lia [- ˈmɪlja] *Plur.* ⟨ital.⟩ (Langstreckenrennen für Sportwagen in Italien)

Mil|l|en|ni|um, das; -s, ...ien ⟨lat.⟩ (Jahrtausend); Mil|l|en|ni|um[s]-fei|er (Tausendjahrfeier)

Mil|li (w. Vorn.)

Mil|li... ⟨lat.⟩ (ein Tausendstel einer Einheit, z. B. Millimeter = 10⁻³ Meter; *Zeichen* m)

Mil|li|am|pere [*auch* ...amˈpeːɐ̯] (Maßeinheit kleiner elektr. Stromstärken; *Zeichen* mA); Mil|li|am|pere|me|ter [*auch* ...ˈmeː...], das; -s, - (Gerät zur Messung geringer Stromstärken)

Mil|li|ar|där, der; -s, -e ⟨franz.⟩ (Besitzer eines Vermögens von mindestens einer Milliarde; sehr reicher Mann); Mil|li|ar|dä̱|rin

Mil|li|ar|de, die; -, -n (1 000 Millionen; *Abk.* Md., Mrd. *u.* Mia.)

Mil|li|ar|den|an|lei|he; Mil|li|ar|den|be|trag; Mil|li|ar|den|grab (*Jargon* große Geldsummen verschlingendes [erfolgloses] Geschäft, Unternehmen); Mil|li|ar|den|hö̱|he; in Milliardenhöhe; Mil|li|ar|den|sum|me

mil|li|ards|te *vgl.* achte; mil|li|ards|tel *vgl.* achtel; Mil|li|ards|tel *vgl.* Achtel

Mil|li|bar [*auch* ...ˈbaːɐ̯], das (¹/₁₀₀₀ Bar; alte Maßeinheit für den

Luftdruck; *Abk.* mbar, *in der Meteor. nur* mb)

Mil|li|gramm [*auch* ...ˈgr...] (¹/₁₀₀₀ g; *Zeichen* mg); 10 Milligramm

Mil|li|li|ter [*auch* ...ˈliː...] (¹/₁₀₀₀ l; *Zeichen* ml)

Mil|li|me|ter [*auch* ...ˈmeː...] (¹/₁₀₀₀ m; *Zeichen* mm)

Mil|li|me|ter|ar|beit, die; - (*ugs.*)

mil|li|me|ter|dünn

mil|li|me|ter|ge|nau

mil|li|me|ter|groß

Mil|li|me|ter|pa|pier

Mil|li|mol [*auch* ...ˈmoːl] (¹/₁₀₀₀ mol; *Zeichen* mmol)

Mil|li|on, die; -, -en ⟨ital.⟩ (1 000 mal 1 000; *Abk.* Mill. *u.* Mio.); eine Million; ein[und]dreiviertel Millionen; zwei Millionen fünfhundertfünfzigtausend; mit 0,8 Millionen

Mil|li|o|nä̱r, der; -s, -e ⟨franz.⟩ (Besitzer eines Vermögens von mindestens einer Million; sehr reicher Mann); Mil|li|o|nä̱|rin

Mil|li|o|nen|auf|la|ge; Mil|li|o|nen|auf|trag; Mil|li|o|nen|be|trag

mil|li|o|nen|fach

Mil|li|o|nen|ge|schäft; Mil|li|o|nen|ge|winn; Mil|li|o|nen|heer; Mil|li|o|nen|hö̱|he; in Millionenhöhe

Mil|li|o|nen Mal *vgl.* ¹Mal

Mil|li|o|nen|scha|den; mil|li|o|nen|schwer; Mil|li|o|nen|stadt

mil|li|ons|te *vgl.* achte; mil|li|ons|tel, mil|li|o̱n|tel *vgl.* achtel; Mil|li|ons|tel, Mil|li|o̱n|tel, das, *schweiz. meist* der; -s, -; *vgl.* Achtel

Mil|lö̱|cker (österr. Komponist)

Mill|statt (österr. Ort); Mill|stät|ter; Millstätter See

Mil|ly [...li] (w. Vorn.)

Mil|reis, das; -, - ⟨port.⟩ (1 000 Reis; ehem. Währungseinheit in Portugal u. Brasilien)

Mil|ti|a|des (athen. Feldherr)

Mil|ton [...tn̩] (engl. Dichter)

Milz, die; -, -en (Organ)

Milz|brand (eine gefährliche Infektionskrankheit); Milz|quet|schung; Milz|riss

¹Mi̱|me (*eingedeutschte Form von* Mimus)

²Mi̱|me, der; -n, -n ⟨griech.⟩ (*veraltend für* Schauspieler)

mi̱|men (*veraltend für* als Mime wirken; *ugs. für* so tun, als ob)

Mi̱|men (*Plur. von* ²Mime *u.* Mimus)

Mi̱|me|se, die; -, -n (*Zool.* Nachahmung des Aussehens von Gegenständen od. Lebewesen bei Tieren [zum Schutz]); **Mi̱-me|sis,** die; -, ...esen (Nachahmung); **mi̱|me|tisch** (die Mimese betreffend; nachahmend)

Mi̱|mik, die; - (Gebärden- u. Mienenspiel [des Schauspielers])

Mi̱|mi|ker vgl. Mimus

Mi̱|mi|k|ry [...ri], die; - ⟨engl.⟩ (Zool. Nachahmung wehrhafter Tiere durch nichtwehrhafte in Körpergestalt u. Färbung; übertr. für Anpassung)

Mi̱|min (weibliche Form zu Mime)

Mi̱|mir (Gestalt der nord. Mythologie u. der germ. Heldensage)

mi̱|misch ⟨griech.⟩ (schauspielerisch; mit Gebärden)

Mi̱|mo̱|se, die; -, -n ⟨griech.⟩ (Pflanzengattung; Blüte der Silberakazie; übertr. für überempfindlicher Mensch); **mi̱|mo̱|senhaft** (zart; [über]empfindlich)

Mi̱|mus, der; -, ...men ⟨griech.⟩ (Possenreißer der Antike; auch die Posse selbst)

min, Min. = Minute

Mi̱|na, Mi̱|ne (w. Vorn.)

Mi̱|na|rett, das; -s, Plur. -e u. -s ⟨arab.-franz.⟩ (Moscheeturm)

Mi̱n|chen (w. Vorn.)

Min|da|na̱o (eine Philippineninsel)

Min|den (Stadt a. d. Weser); **Mi̱n-de|ner**

mi̱n|der; minder gut, minder wichtig; von mind[e]rer Qualität

mi̱n|der|be|gabt; Mi̱n|der|be|gab-te, der u. die; -n, -n

mi̱n|der|be|mit|telt; Mi̱n|der|be-mit|tel|te, der u. die; -n, -n

Mi̱n|der|bru|der (Franziskaner)

Mi̱n|der|ein|nah|me

Mi̱n|der|heit; Mi̱n|der|hei|ten|fra-ge; Mi̱n|der|hei|ten|schutz

Mi̱n|der|heits|re|gie|rung

mi̱n|der|jäh|rig; Mi̱n|der|jäh|ri|ge, der u. die; -n, -n; **Mi̱n|der|jäh|rig-keit,** die; -

Mi̱n|der|leis|tung

mi̱n|dern; ich mindere

mi̱n|der|qua|li|fi|ziert; Mi̱n|der|qua-li|fi|zier|te, der u. die; -n, -n

Mi̱n|de|rung

Mi̱n|der|wert; mi̱n|der|wer|tig

Mi̱n|der|wer|tig|keit; Mi̱n|der|wer-tig|keits|ge|fühl; Mi̱n|der|wer-tig|keits|kom|plex (ugs. Kurzwort Miko)

Mi̱n|der|zahl, die; -

Mi̱n|dest|ab|stand; Mi̱n|dest|al|ter; Mi̱n|dest|an|for|de|rung

Mi̱n|dest|bei|trag; Mi̱n|dest|be-steu|e|rung; Mi̱n|dest|be|trag

Mi̱n|dest|bie|ten|de, der u. die; -n, -n

mi̱n|des|tens

Mi̱n|dest|for|dern|de, der u. die; -n, -n

Mi̱n|dest|for|de|rung; Mi̱n|dest|ge-bot; Mi̱n|dest|ge|schwin|dig|keit; Mi̱n|dest|grö̱|ße

Mi̱n|dest|lohn; Mi̱n|dest|maß, das; **Mi̱n|dest|preis; Mi̱n|dest|re|ser|ve** meist Plur. (Bankw.)

Mi̱n|dest|satz; Mi̱n|dest|stra|fe

Mi̱n|dest|stu|di|en|dau|er (bes. österr.); **Mi̱n|dest|zahl; Mi̱n|dest-zeit**

mi̱n|disch (aus Minden)

¹Mi̱|ne, die; -, -n ⟨franz.⟩ (unterird. Gang [mit Sprengladung]; Bergwerk; Sprengkörper; Kugelschreiber-, Bleistifteinlage)

²Mi̱|ne, die; -, -n ⟨griech.⟩ (altgriech. Münze, Gewicht)

³Mi̱|ne vgl. Mina

Mi̱|nen|ar|bei|ter; Mi̱|nen|ar|bei|te-rin; Mi̱|nen|feld; Mi̱|nen|le|ger; Mi̱|nen|räum|boot

Mi̱|nen|stol|len; Mi̱|nen|such|boot; Mi̱|nen|such|ge|rät; Mi̱|nen|wer-fer

Mi̱|ne|ral, das; -s, Plur. -e u. -ien ⟨franz.⟩ (anorganischer, chem. einheitlicher u. natürlich gebildeter Bestandteil der Erdkruste; österr. u. schweiz. auch kurz für Mineralwasser)

Mi̱|ne|ral|bad; Mi̱|ne|ral|dün|ger

Mi̱|ne|ra|li|en|samm|lung

mi̱|ne|ra|lisch; Mi̱|ne|ra|lo|ge, der; -n, -n ⟨franz.; griech.⟩; **Mi̱|ne|ra-lo|gie,** die; - (Wissenschaft von den Mineralen); **Mi̱|ne|ra|lo|gin; mi̱|ne|ra|lo̱|gisch**

Mi̱|ne|ral|öl; Mi̱|ne|ral|öl|ge|sell-schaft; Mi̱|ne|ral|öl|in|dus|t|rie; Mi̱|ne|ral|öl|steu|er, die

Mi̱|ne|ral|quel|le; Mi̱|ne|ral|stoff; Mi̱|ne|ral|was|ser Plur. ...wässer

Mi̱|ner|va (röm. Göttin des Handwerks, der Weisheit u. der Künste)

Mi̱|nes|t|ro̱|ne, die; -, -n ⟨ital.⟩ (ital. Gemüsesuppe)

Mi̱|net|te, die; -, -n ⟨franz.⟩ (Eisenerz); **Mi̱|neur** [...ˈnøːɐ̯], der; -s, -e (früher für im Minenbau ausgebildeter Pionier)

mi̱|ni (Mode sehr kurz); der Rock ist mini

¹Mi̱|ni, das; -s, -s (ugs. für Minikleid; meist ohne Artikel, nur Sing.: sehr kurze Kleidung); Mini tragen

²Mi̱|ni, der; -s, -s (ugs. für Minirock)

Mi̱|ni... (sehr klein; Mode äußerst kurz, z. B. Minirock)

Mi̱|ni|a|tur, die; -, -en (kleines Bild; [kleine] Illustration); **Mi̱|ni|a|tur-aus|ga|be** (kleine[re] Ausgabe); **Mi̱|ni|a|tur|bild**

mi̱|ni|a|tu|ri|sie|ren (Elektrot. verkleinern); **Mi̱|ni|a|tu|ri|sie̱|rung**

Mi̱|ni|a|tur|ma|le|rei

Mi̱|ni|bar, die (kleiner Kühlschrank im Hotelzimmer; Wagen mit Esswaren u. Getränken in Fernzügen)

Mi̱|ni|bi|ki|ni (sehr knapper Bikini)

Mi̱|ni|break (Tennis)

Mi̱|ni|car ⟨engl.⟩ (Kleintaxi); **Mi̱|ni-com|pu|ter**

mi̱|nie|ren ⟨franz.⟩ (unterirdische Gänge, Stollen anlegen); vgl. ¹Mine

Mi̱|ni|golf (Miniaturgolfanlage; Kleingolfspiel)

Mi̱|ni|job (geringfügiges Beschäftigungsverhältnis)

Mi̱|ni|ka|me|ra

Mi̱|ni|ki|ni, der; -s, -s (Damenbadebekleidung ohne Oberteil); **Mi̱|ni|kleid**

mi̱|nim ⟨lat.⟩ (schweiz., sonst veraltet für geringfügig, minimal); **Mi̱|ni|ma** [auch ˈmɪ...] (Plur. von Minimum); **mi̱|ni|mal** (sehr klein, niedrigst, winzig)

Mi̱|ni|mal Art [ˈmɪnɪməl ˈaːɐ̯t], die; - - (Kunstrichtung, die mit einfachsten Grundformen arbeitet)

Mi̱|ni|mal|be|trag; Mi̱|ni|mal|for|de-rung

mi̱|ni|mal|in|va|siv (Med. mit kleinstmöglichem Aufwand eingreifend)

Mi̱|ni|ma|lis|mus (Minimal Art; Stilrichtung, Haltung, die sich auf das Wesentliche beschränkt); **Mi̱|ni|ma|list; Mi̱|ni-ma|lis|tin; mi̱|ni|ma|lis|tisch; Mi̱-ni|mal|kon|sens**

Mi̱|ni|mal Mu|sic [ˈmɪnɪməl]

'mju:zɪk], die; - - (Musikrichtung, die mit einfachsten Grundformen arbeitet)

Mi|ni|mal|pro|gramm; Mi|ni|mal|wert

mi|ni|mie|ren (minimal machen); **Mi|ni|mie|rung**

Mi|ni|mum [*auch* 'mɪ…], das; -s, …ma (»das Geringste, Kleinste«) (Mindestpreis, -maß, -wert)

Mi|ni|rock; Mi|ni|slip; Mi|ni|spi|on (Kleinstabhörgerät)

Mi|nis|ter, der; -s, - ⟨lat.⟩ (einen bestimmten Geschäftsbereich leitendes Regierungsmitglied)

Mi|nis|ter|amt; Mi|nis|ter|ebe|ne; auf Ministerebene

Mi|nis|te|ri|al|be|am|te; Mi|nis|te|ri|al|be|am|tin; Mi|nis|te|ri|al|di|rek|tor; Mi|nis|te|ri|al|di|rek|to|rin; Mi|nis|te|ri|al|di|ri|gent; Mi|nis|te|ri|al|di|ri|gen|tin

Mi|nis|te|ri|a|le, der *u.* die; -n, -n (Angehörige[r] des mittelalterl. Dienstadels oder eines Ministeriums); **Mi|nis|te|ri|a|lin; Mi|nis|te|ri|al|rat** *Plur.* …räte; **Mi|nis|te|ri|al|rä|tin**

mi|nis|te|ri|ell ⟨franz.⟩ (von einem Minister od. Ministerium ausgehend); **Mi|nis|te|rin**

Mi|nis|te|ri|um, das; -s, …ien ⟨lat.⟩ (höchste [Verwaltungs]behörde des Staates mit bestimmtem Aufgabenbereich)

Mi|nis|ter|prä|si|dent; Mi|nis|ter|prä|si|den|tin; Mi|nis|ter|rat *Plur.* …räte

mi|nis|t|ra|bel (fähig, Minister zu werden)

Mi|nis|t|rant, der; -en, -en (kath. Messdiener); **Mi|nis|t|ran|tin; mi|nis|t|rie|ren** (als Messdiener tätig sein)

Mi|ni|um, das; -s ⟨lat.⟩ (Mennige)

Mink, der; -s, -e ⟨engl.⟩ (amerik. Nerz)

Min|ka (w. Vorn.)

Mink|fell

Min|na (w. Vorn.); *vgl.* grün I b

Min|ne, die; - (*mhd. Bez. für* Liebe; *heute noch scherzh.*); **Min|ne|dienst; Min|ne|lied; min|nen** (*noch scherzh.*)

Min|ne|sang, der; -[e]s; **Min|ne|sän|ger, Min|ne|sin|ger**

Min|ne|so|ta (Staat in den USA; *Abk.* MN)

min|nig|lich (*veraltet für* wonnig, liebevoll)

mi|no|isch ⟨nach dem sagenhaften

altgriech. König Minos auf Kreta⟩; minoische Kultur ↑K 89

Mi|no|rat, das; -[e]s, -e ⟨lat.⟩ (Vorrecht des Jüngsten auf das Erbgut; nach dem Jüngstenrecht zu vererbendes Gut; *Ggs.* Majorat)

mi|no|renn (*veraltet für* minderjährig)

Mi|no|rist, der; -en, -en (kath. Kleriker, der eine niedere Weihe erhalten hat); **Mi|no|rit,** der; -en, -en (Minderbruder)

Mi|no|ri|tät, die; -, -en (Minderzahl, Minderheit)

Mi|no|taur, der; -s, **Mi|no|tau|rus,** der; - ⟨griech.⟩ (Ungeheuer der griech. Sage, halb Mensch, halb Stier)

Minsk (Hauptstadt Weißrusslands)

Mins|t|rel, der; -s, -e ⟨engl.⟩ (Spielmann, Minnesänger in England)

mi|nu|end, der; -en, -en ⟨lat.⟩ (Zahl, von der etwas abgezogen werden soll)

mi|nus (weniger; *Zeichen* − [negativ]; *Ggs.* plus); fünf minus drei ist, macht, gibt (*nicht* sind, machen, geben) zwei; minus 15 Grad *od.* 15 Grad minus; **Mi|nus,** das; -, - (Minder-, Fehlbetrag, Verlust); **Mi|nus|be|trag**

Mi|nus|kel, die; -, -n (Kleinbuchstabe)

Mi|nus|pol; Mi|nus|punkt; Mi|nus|re|kord; Mi|nus|zei|chen (Subtraktionszeichen)

Mi|nu|te, die; -, -n ($^{1}/_{60}$ Stunde; *Zeichen* min, *Abk.* Min.; *Geom.* $^{1}/_{60}$ Grad; *Zeichen* '); **mi|nu|ten|lang;** minutenlanger Beifall; *aber* mehrere Minuten lang; **Mi|nu|ten|preis** (fürs Telefonieren o. Ä.); **Mi|nu|ten|zei|ger**

…mi|nü|tig, …mi|nu|tig (z. B. fünfminütig [fünf Minuten dauernd], *mit Ziffer* 5-minütig)

mi|nu|ti|ös, mi|nu|zi|ös ⟨franz.⟩ (peinlich genau)

mi|nüt|lich (jede Minute); **…mi|nüt|lich, …mi|nut|lich** (z. B. fünfminütlich [alle fünf Minuten wiederkehrend], *mit Ziffer* 5-minütlich)

Mi|nu|zi|en *Plur.* ⟨lat.⟩ (*veraltet für* Kleinigkeiten); **Mi|nu|zi|en|stift,** der (Aufstecknadel für Insektensammlungen)

mi|nu|zi|ös *vgl.* minutiös

Min|ze, die; -, -n (Name verschiedener Pflanzenarten)

Mio., Mill. = Million[en]

mio|zän ⟨griech.⟩ (*Geol.* zum Mio-

zän gehörend); **Mio|zän,** das; -s (*Geol.* zweitjüngste Abteilung des Tertiärs)

mir (*Dat. des Pronomens* »ich«); mir nichts, dir nichts; mir alten, *selten* alter Frau; mir jungem, *auch* jungen Menschen; mir Geliebten (weibl.; *selten* Geliebter); mir Geliebtem (männl.; *auch* Geliebten)

¹Mir, der; -s ⟨russ.⟩ (Dorfgemeinschaft mit Gemeinschaftsbesitz im zarist. Russland)

²Mir ⟨russ. für Frieden⟩ (Name der 1986–2001 betriebenen sowjet.-russ. Raumstation)

Mi|ra, die; - ⟨lat.⟩ (ein Stern)

Mi|ra|beau […'bo:] (franz. Publizist u. Politiker)

Mi|ra|bel|le, die; -, -n ⟨franz.⟩ (eine kleine, gelbe Pflaume); **Mi|ra|bel|len|kom|pott; Mi|ra|bel|len|schnaps**

Mi|rage […'ra:ʃ], die; -, -s ⟨franz.⟩ (ein franz. Jagdbomber)

Mi|ra|kel, das; -s, - ⟨lat.⟩ (*veraltend für* Wunder[werk]); **Mi|ra|kel|spiel** (mittelalterl. Drama); **mi|ra|ku|lös** (*veraltet für* wunderbar)

Mi|ra|ma|re ⟨ital.⟩ (Schloss unweit von Triest)

Mi|ri|am, Mir|jam (w. Vorn.)

Mi|ró, Joan [ʒuˈan] (span. Maler)

Mir|za, der; -s, -s ⟨pers., »Fürstensohn«⟩ (*vor dem Namen* Herr; *hinter dem Namen* Prinz)

Mis|an|d|rie, die; - ⟨griech.⟩ (Männerhass, -scheu)

Mis|an|th|rop, der; -en, -en ⟨griech.⟩ (Menschenhasser, -feind); **Mis|an|th|ro|pie,** die; -, …ien; **Mis|an|th|ro|pin; mis|an|th|ro|pisch**

Misch|bat|te|rie; Misch|be|cher; Misch|blut; Misch|brot

Misch|ehe (Ehe zwischen Angehörigen verschiedener Konfessionen od. Kulturkreise)

mi|schen; du mischst; sich mischen

Mi|scher; Mi|sche|rei; Mi|sche|rin; Misch|far|be; misch|far|ben; misch|far|big

Misch|form; Misch|fut|ter *vgl.* ¹Futter; **Misch|gas** (Leuchtgas); **Misch|ge|mü|se**

Misch|ge|tränk; Misch|ge|we|be; Misch|haut

Misch|kal|ku|la|ti|on; Misch|kon|zern; Misch|krug; Misch|kul|tur

Misch|ling

Misch|masch, der; -[e]s, -e (*ugs. für* Durcheinander)

Misch|na, die; - ⟨hebr.⟩ (grundlegender Teil des Talmuds)
Misch|po|che, Misch|po|ke, die; - ⟨hebr.-jidd.⟩ (ugs. für Verwandtschaft; üble Gesellschaft)
Misch|pult (Rundf., Film); **Misch|spra|che; Misch|trom|mel** (zum Mischen des Baustoffs)
Mi|schung; Mi|schungs|ver|hält|nis Misch|wald
Mi|se, die; -, -n ⟨franz.⟩ (Spieleinsatz)
Mi|sel, das; -s, -s ⟨elsäss., »Mäuschen«⟩ ([bei Goethe:] junges Mädchen, Liebchen)
mi|se|ra|bel ⟨franz.⟩ (ugs. für erbärmlich [schlecht]; nichtswürdig); ...a|b|ler Kerl
Mi|se|re, die; -, -n (Jammer, Not[lage], Elend, Armseligkeit)
Mi|se|re|or, das; -[s] ⟨lat., »ich erbarme mich«⟩ (kath. Fastenopferspende für die Entwicklungsländer)
Mi|se|re|re, das; -[s] ⟨»erbarme dich!«⟩ (Anfang u. Bez. des 51. Psalms [Bußpsalm] in der Vulgata; Med. Kotbrechen)
Mi|se|ri|cor|di|as Do|mi|ni ⟨»die Barmherzigkeit des Herrn« [Psalm 89,2]⟩ (zweiter Sonntag nach Ostern)
Mi|se|ri|kor|die, die; -, -n (Vorsprung an den Klappsitzen des Chorgestühls als Stütze während des Stehens)
Mi|so|gam, der; Gen. -s u. -en, Plur. -e[n] ⟨griech.⟩ (Psych. jmd., der eine krankhafte Abscheu vor der Ehe hat); **Mi|so|ga|mie**, die; - (Psych. Ehescheu)
mi|so|gyn (Psych. frauenfeindlich); **Mi|so|gyn**, der; Gen. -s u. -en, Plur. -e[n] (Psych. Frauenfeind); **Mi|so|gy|nie**, die; - (Psych. Frauenhass, -scheu)
Mi|sox, das; - (Tal im Südwesten von Graubünden; ital. Val Mesolcina)
Mis|pel, die; -, -n ⟨griech.⟩ (Obstgehölz, Frucht)
Mis|ra|chi, die; - ⟨hebr.⟩ (eine Weltorganisation orthodoxer Zionisten)
Miss, die; -, Misses ⟨engl.⟩ ([engl. u. nordamerik.] für unverheiratete Frau; ohne Artikel als Anrede vor dem Eigenn. Fräulein; in Verbindung mit einem Länder- od. Ortsnamen für Schönheitskönigin, z. B. Miss Australien)
miss... (Vorsilbe von Verben; zum

Verhältnis von Betonung und Partizip II vgl. missachten)
Mis|sa, die; -, Missae ⟨kirchenlat. Bez. der Messe⟩ (kirchenlat. Bez. der Messe); **Mis|sa so|lem|nis** (feierliches Hochamt; auch Titel eines Werkes von Beethoven)
miss|ach|ten; ich missachte; ich habe missachtet; zu missachten; seltener **m|ach|ten**, ge|m|ach|tet, zu m|ach|ten; **Miss|ach|tung**, die; -
[1]**Mis|sal**, das; -s, -e, **Mis|sa|le**, das; -s, Plur. -n u. ...alien ⟨lat.⟩ (kath. Messbuch)
[2]**Mis|sa|le**, die; - (Druckw. ein Schriftgrad)
Mis|sa|le vgl. [1]Missal
miss|be|ha|gen; es missbehagt mir; es hat mir missbehagt; misszubehagen; **Miss|be|ha|gen**; **miss|be|hag|lich**
miss|be|schaf|fen; Miss|be|schaf|fen|heit, die; -
Miss|bil|dung
miss|bil|li|gen; ich missbillige; ich habe missbilligt; zu missbilligen; **Miss|bil|li|gung; Miss|bil|li|gungs|an|trag** (Politik)
Miss|brauch; miss|brau|chen; ich missbrauche; ich habe missbraucht; zu missbrauchen; **missbräuch|lich**; **miss|bräuch|li|cher|wei|se**
miss|deut|bar; miss|deu|ten; ich missdeute; ich habe missdeutet; zu missdeuten; **Miss|deu|tung**
Miss|emp|fin|dung
mis|sen; du misst; gemisst; misse! od. miss!
Miss|er|folg; Miss|ern|te
Mis|ses (Plur. von Miss)
Mis|se|tat (veraltend); **Mis|se|tä|ter; Mis|se|tä|te|rin**
miss|fal|len; ich missfalle, missfiel; ich habe missfallen; zu missfallen; es missfällt mir; **Miss|fal|len**, das; -s; **Miss|fal|lens|äu|ße|rung; Miss|fal|lens|kund|ge|bung; miss|fäl|lig** (mit Missfallen)
Miss|far|be; miss|far|ben, miss|far|big
miss|ge|bil|det
Miss|ge|burt (abwertend für mit schweren Fehlbildungen geborenes Lebewesen)
miss|ge|launt; Miss|ge|launt|heit, die; -
Miss|ge|schick
miss|ge|stalt (selten für missgestaltet); **Miss|ge|stalt; miss|ge|stal|ten**; er missgestaltet; er hat

missgestaltet; misszugestalten; **miss|ge|stal|tet** (hässlich)
miss|ge|stimmt
miss|ge|wach|sen, **miss|wach|sen**; eine miss[ge]wachsene Pflanze
miss|glü|cken; es missglückt; es ist missglückt; zu missglücken
miss|gön|nen; ich missgönne; ich habe missgönnt; zu missgönnen
Miss|griff
Miss|gunst; miss|güns|tig
miss|han|deln; ich misshand[e]le; ich habe misshandelt; zu misshandeln; **Miss|hand|lung**
Miss|hei|rat
miss|hel|lig (veraltet für nicht übereinstimmend, unharmonisch); **Miss|hel|lig|keit**, die; -, -en meist Plur.
Mis|sile [...sail], das; -s, -s (kurz für Cruise-Missile)
Mis|sing Link, das, auch der; - -s, - -s ⟨engl.⟩ (Biol. [noch] nicht nachgewiesene Übergangsform in tierischen u. pflanzlichen Stammbäumen)
mis|singsch; Mis|singsch, das; -[s] (der Schriftsprache angenäherte [niederdeutsche] Sprachform)
Miss|in|ter|pre|ta|ti|on; miss|in|ter|pre|tie|ren
Mis|sio ca|no|ni|ca, die; - - ⟨lat.⟩ (Ermächtigung zur Ausübung der kirchl. Lehrgewalt)
Mis|si|on, die; -, -en (Sendung; Auftrag, Botschaft; diplomatische Vertretung im Ausland; nur Sing.: Glaubensverkündung [unter Andersgläubigen]); die Innere Mission (Organisation der ev. Kirche; Abk. I. M.)
Mis|si|o|nar, auch, bes. österr. Mis|si|o|när, der; -s, -e (Sendbote; in der Mission tätiger Geistlicher); **Mis|si|o|na|rin, auch, bes. österr. Mis|si|o|nä|rin; mis|si|o|na|risch**
mis|si|o|nie|ren (eine Glaubenslehre verbreiten); **Mis|si|o|nie|rung**
Mis|si|ons|chef; Mis|si|ons|che|fin; Mis|si|ons|sta|ti|on; Mis|si|ons|wis|sen|schaft; Mis|si|ons|zelt
[1]**Mis|sis|sip|pi**, der; -[s] (nordamerik. Strom)
[2]**Mis|sis|sip|pi** (Staat in den USA; Abk. MS)
Miss|klang
Miss|kre|dit, der; -[e]s (schlechter Ruf); jmdn. in Misskredit bringen
miss|lang vgl. misslingen
miss|lau|nig
Miss|laut (svw. Misston)

mit

Präposition mit Dativ:

– mit Kartoffeln; mit aufrichtigem Bedauern; mit anderen Worten (*Abk.* m. a. W.)

Als (getrennt geschriebenes) Adverb drückt »mit« die vorübergehende Beteiligung oder den Gedanken des Anschlusses aus (svw. »auch«), z. B.:

– mit nach oben gehen; wir wollen alle mit hinüber-gehen; das muss mit eingeschlossen werden

Mit dem Verb zusammengeschrieben wird »mit«, wenn es eine dauernde Vereinigung oder Teilnahme ausdrückt:

– *vgl.* mitarbeiten, mitbringen, mitfahren, mitreißen, mitteilen usw.

Im Zweifelsfall sind beide Schreibweisen zulässig:

– mitberücksichtigen *od.* mit berücksichtigen
– mitunterzeichnen *od.* mit unterzeichnen

---

miss|lei|ten; ich missleite; ich habe missleitet, *auch* missgeleitet; zu missleiten; Miss|lei|tung

miss|lich (unangenehm); die Verhältnisse sind misslich; Miss|lich|keit

miss|lie|big (unbeliebt); Miss|lie|big|keit

miss|lin|gen; es misslingt; es misslang; es misslänge; es ist misslungen; zu misslingen; Miss|lin|gen, das; -s

miss|lun|gen *vgl.* misslingen

Miss|ma|nage|ment (schlechtes Management)

Miss|mut; miss|mu|tig

¹Mis|sou|ri [...ˈsuː...], der; -[s] (r. Nebenstrom des Mississippi)

²Mis|sou|ri (Staat in den USA; *Abk.* MO)

Miss|pi|ckel, der; -s (Arsenkies, ein Mineral)

miss|ra|ten (schlecht geraten); es missrät; der Kuchen ist missraten; zu missraten

Miss|stand, Miss-Stand

Miss|stim|mung, Miss-Stim|mung

misst *vgl.* messen

Miss|ton *Plur.* ...töne; miss|tö|nend; miss|tö|nig

miss|trau|en; ich misstraue; ich habe misstraut; zu misstrauen; Miss|trau|en, das; -s; Misstrauen gegen jmdn. hegen; Miss|trau|ens|an|trag; Miss|trau|ens|vo|tum; miss|trau|isch

Miss|tritt (*schweiz. neben* Fehltritt [falscher, ungeschickter Tritt]); Miss|ver|gnü|gen, das; -s; miss|ver|gnügt

Miss|ver|hält|nis

miss|ver|ständ|lich; Miss|ver|ständ|nis

miss|ver|ste|hen; ich missverstehe; ich habe missverstanden; miss-zuverstehen; sich missverstehen

Miss|wachs, der; -es (*Landw.* dürftiges Wachstum); miss|wach|sen *vgl.* missgewachsen

Miss|wahl ⟨*zu* Miss⟩

Miss|wei|sung (*für* Deklination [Abweichung der Magnetnadel])

Miss|wirt|schaft

Miss|wuchs, der; -es (*von Pflanzen* fehlerhafter Wuchs)

miss|zu|frie|den (*veraltet*)

Mist, der; -[e]s (*österr. auch für* Kehricht, Müll); Mist|beet

Mis|tel, die; -, -n (eine immergrüne Schmarotzerpflanze); Mis|tel|ge|wächs; Mis|tel|zweig

mis|ten

Mis|ter *vgl.* Mr

Mist|fink, der; *Gen.* -en, *auch* -s, *Plur.* -en (svw. Mistkerl)

Mist|for|ke (*nordd.*); Mist|ga|bel; Mist|hau|fen

Mist|hund (Schimpfwort)

mis|tig (*landsch. für* schmutzig); Mis|tig|keit, die; - (*landsch.*)

Mist|jau|che; Mist|kä|fer

Mist|kerl (Schimpfwort)

Mist|kü|bel (*österr. für* Abfalleimer)

Mi|s|t|ral, der; -s, -e ⟨franz.⟩ (kalter, stürmischer Nord[west]wind bes. zwischen Pyrenäen u. Alpen u. im nordwestl. Mittelmeer)

Mis|t|ress *vgl.* Mrs

Mist|schau|fel (*österr. für* Kehrichtschaufel); Mist|stock *Plur.* ...stöcke (*schweiz. für* Misthaufen)

Mist|stück (Schimpfwort); Mist|vieh (Schimpfwort)

Mist|wet|ter (*ugs. für* sehr schlechtes Wetter)

Mis|zel|la|ne|en [*auch* ...ˈlaːneən], Mis|zel|len *Plur.* ⟨lat.⟩ (Vermischtes; kleine Aufsätze verschiedenen Inhalts)

mit *s.* Kasten

Mit|an|ge|klag|te, der u. die; -n, -n

Mit|ar|beit, die; -; mit|ar|bei|ten; sie hat an diesem Werk mitgearbeitet; Mit|ar|bei|ter; Mit|ar|bei|ter|füh|rung; Mit|ar|bei|te|rin

Mit|ar|bei|ter/-innen, Mit|ar|bei|ter(innen) (*Kurzformen für* Mitarbeiterinnen u. Mitarbeiter)

Mit|ar|bei|ter|mo|ti|va|ti|on

Mit|ar|bei|ter|stab

Mit|au|tor; Mit|au|to|rin; Mit|be|grün|der; Mit|be|grün|de|rin

mit|be|kom|men

mit|be|nut|zen, *bes. südd., österr. u. schweiz.* mit|be|nüt|zen; Mit|be|nut|zung, *bes. südd., österr. u. schweiz.* Mit|be|nüt|zung

mit|be|rück|sich|ti|gen, mit be|rück-sich|ti|gen

Mit|be|sit|zer; Mit|be|sit|ze|rin

mit|be|stim|men; Mit|be|stim|mung, die; -; Mit|be|stim|mungs|ge|setz; Mit|be|stim|mungs|recht

Mit|be|wer|ber; Mit|be|wer|be|rin

Mit|be|woh|ner; Mit|be|woh|ne|rin

mit|brin|gen

Mit|bring|sel, das; -s, -

Mit|bür|ger; Mit|bür|ge|rin; Mit|bür|ger|schaft, die; -

mit|den|ken

mit|dür|fen; die Kinder haben nicht mitgedurft

Mit|ei|gen|tum; Mit|ei|gen|tü|mer; Mit|ei|gen|tü|me|rin

mit|ei|n|an|der (miteinander (einer mit dem andern) auskommen, gehen, leben usw.; *vgl.* aneinander; Mit|ei|n|an|der [*auch* ˈmɪ...], das; -[s]

Mit|emp|fin|den; Mit|er|be, der

mit|er|le|ben

mit|es|sen; Mit|es|ser

mit|fah|ren; Mit|fah|rer; Mit|fah|re|rin; Mit|fahr|ge|le|gen|heit; Mit|fahr|zen|t|rale

mit|fi|nan|zie|ren

mit|füh|len; mit|füh|lend

mit|füh|ren

mit|ge|ben

mit|ge|fan|gen; mitgefangen, mitgehangen; Mit|ge|fan|ge|ne

Mit|ge|fühl, das; -[e]s

mit|ge|hen

mit|ge|nom|men; er sah sehr mitgenommen (ermattet) aus

¹Mit|tag

der; -s, -e

(Das Wort wird nicht mit drei, sondern nur mit zwei t geschrieben, weil die Zusammensetzung aus Mitt- und Tag kaum noch als solche erkannt wird.)

Großschreibung:

– über Mittag wegbleiben; [zu] Mittag essen; Mittag *(ugs. für* Mittagspause) machen

– des Mittags, eines Mittags
– gestern, heute, morgen Mittag
– bis, von gestern, heute, morgen Mittag ↑K 69

Kleinschreibung:

– mittags [um] 12 Uhr, [um] 12 Uhr mittags; von morgens bis mittags

Zu Dienstagmittag usw. *vgl.* Dienstagabend

Mit|ge|sell|schaf|ter; Mit|ge|sell-schaf|te|rin

Mit|gift, die; -, -en *(veraltend für* Mitgabe; Aussteuer); Mit|gift-jä|ger *(abwertend)*

Mit|glied; Mitglied des Bundestages *(Abk.* M. d. B. *od.* MdB); Mitglied des Landtages *(Abk.* M. d. L. *od.* MdL)

Mit|glie|der|kar|tei; Mit|glie|der-lis|te; Mit|glie|der|schwund; mit-glie|der|stark; Mit|glie|der|ver-samm|lung; Mit|glie|der|ver-zeich|nis; Mit|glie|der|zahl

Mit|glieds|aus|weis; Mit|glieds-bei|trag

Mit|glied|schaft, die; -, -en

Mit|glieds|kar|te; Mit|glieds|land *Plur.* ...länder; Mit|glieds|staat, Mit|glied|staat *Plur.* ...staaten

mit|ha|ben; alle Sachen mithaben

mit|hal|ten; mit jmdm. mithalten

mit|hel|fen; Mit|hel|fer; Mit|hel|fe-rin

Mit|he|raus|ge|ber; Mit|he|raus|ge-be|rin

mit|hil|fe, mit Hil|fe; mithilfe *od.* mit Hilfe einiger Zeugen; *vgl. auch* Hilfe

Mit|hil|fe, die; -

mit|hin *(somit)*

mit|hö|ren; am Telefon mithören

Mith|ra[s] *(altiran. Lichtgott)*

Mith|ri|da|tes *(König von Pontus)*

Mi|ti|li|ni *vgl.* Mytilene

Mit|in|ha|ber; Mit|in|ha|be|rin

Mit|kämp|fer; Mit|kämp|fe|rin

Mit|klä|ger; Mit|klä|ge|rin

mit|klin|gen

mit|ko|chen; die Kartoffeln mit-kochen

mit|kom|men

mit|kön|nen; mit jmdm. nicht mitkönnen *(ugs. für* nicht kon-kurrieren können)

mit|krie|gen *(ugs. für* mitbekom-men)

mit|lau|fen; Mit|läu|fer; Mit|läu|fe-rin

Mit|laut *(für* Konsonant)

Mit|leid, das; -[e]s; ↑K 58 : sie

waren in einem Mitleid erre-genden *od.* mitleiderregenden Zustand

Mit|lei|den, das; -s *(geh.);* Mit|lei-den|schaft; *nur in* etwas *od.* jmdn. in Mitleidenschaft ziehen

Mit|leid er|re|gend, mit|leid|er|re-gend ↑K58 ; ein Mitleid erre-gender *od.* mitleiderregender Fall; *aber nur* ein großes Mit-leid erregender Fall, ein äußerst mitleiderregender, noch mitleiderregenderer Fall

mit|lei|dig; mit|leid[s]|los; mit-leid[s]|voll

mit|le|sen

mit|lie|fern

mit|ma|chen *(ugs.)*

Mit|mensch, der; mit|mensch|lich; Mit|mensch|lich|keit, die; -

mit|mi|schen *(ugs. für* sich aktiv an etwas beteiligen)

mit|mö|gen *(ugs. für* mitgehen, mitkommen mögen)

mit|müs|sen; auf die Wache mit-müssen

Mit|nah|me, die; - *(das* Mitneh-men); Mit|nah|me|preis

mit|neh|men; ↑K82 : Eis zum Mit-nehmen; *vgl.* mitgenommen

Mit|neh|mer *(Technik)*

mit|nich|ten *(veraltend)*

Mi|to|chon|d|ri|um [...x...], das; -s, ...rien *meist Plur.* (Gebilde in Zellen von Lebewesen, das der Atmung und dem Stoffwechsel der Zelle dient)

Mi|to|se, die; -, -n *(griech.)* (Biol. eine Art der Zellkernteilung)

Mit|pas|sa|gier; Mit|pas|sa|gie|rin

Mit|pa|ti|ent; Mit|pa|ti|en|tin

Mi|t|ra, die; -, ...tren *(griech.)* (Bischofsmütze; *Med.* hauben-artiger Kopfverband)

Mi|t|rail|leur [...traˈjøː];], der; -s, -e *(franz.) (schweiz. Milit. für* Maschinengewehrschütze); Mi-t|rail|leu|se [...tra(l)ˈjøː...], die; -, -n (ein Vorläufer des Maschi-nengewehrs)

mit|rau|chen; ↑K 82 : passives Mit-rauchen

mit|rech|nen

mit|re|den; bei etwas mitreden können

mit|rei|sen; Mit|rei|sen|de

mit|rei|ßen; von der Menge mit-gerissen werden; der Redner riss alle Zuhörer mit; mit|rei-ßend; eine mitreißende Musik

Mi|t|ro|pa, die; - (Mitteleuropäi-sche Schlaf- u. Speisewagen-Aktiengesellschaft)

mit|sam|men *(landsch. für* zusammen, gemeinsam); mit-samt *Präp. mit Dat.* (gemein-sam mit); mitsamt seinem Eigentum

mit|schlei|fen

mit|schlep|pen

mit|schnei|den (vom Rundfunk od. Fernsehen Gesendetes auf Tonband, Kassette aufneh-men); Mit|schnitt

mit|schrei|ben

Mit|schuld, die; -; mit|schul|dig; Mit|schul|di|ge

Mit|schü|ler; Mit|schü|le|rin

mit|schun|keln

mit|schwin|gen

mit|sin|gen

mit|sol|len; weil der Hund mitsoll

mit|spie|len; lasst die Kleine mit-spielen; Mit|spie|ler; Mit|spie|le-rin

Mit|spra|che, die; -; Mit|spra|che-recht

mit|spre|chen

mit|ste|no|gra|fie|ren, mit|ste|no-gra|phie|ren

Mit|strei|ter; Mit|strei|te|rin

Mitt|acht|zi|ger *vgl.* Mittdreißiger

¹Mit|tag *s.* Kasten

²Mit|tag, das; -s *(ugs. für* Mittag-essen); ein karges Mittag

Mit|tag|brot *(landsch.)*

mit|tag|es|sen *(österr. für* [zu] Mittag essen); wir gehen mit-tagessen; wir haben schon mit-taggegessen; *vgl.* abendessen u. Mittag; Mit|tag|es|sen

---

M
Mitg

mit|tels

⟨erstarrter Genitiv zu das Mittel⟩, auch noch mit|telst
↑ K 70

Präposition mit Genitiv:

– mittels eines Löffels (*als stilistisch meist besser
gilt:* mit einem Löffel)
– mittels Wasserkraft (*als stilistisch meist besser gilt:
durch Wasserkraft*)
– mittels zweier Lineale (*als stilistisch meist besser
gilt:* mithilfe von zwei Linealen)

*Ein allein stehendes, stark gebeugtes Substantiv
steht im Singular meist ungebeugt:*

– mittels Draht, *auch* mittels Drahtes

*Im Plural wird bei allein stehenden, stark gebeugten
Substantiven der Dativ gesetzt:*

– mittels Drähten (*aber* mittels langer Drähte); mittels Kindern (*aber* mittels kleiner Kinder)

---

mit|tä|gig vgl. ...tägig; mit|täg|lich
vgl. ...täglich
mit|tags ↑ K 70 ; 12 Uhr mittags;
aber des Mittags; dienstagmit-
tags; *vgl.* Abend, Dienstagabend, Mittag
Mit|tags|brot (*landsch.*); Mit|tags-
hit|ze; Mit|tags|kreis (*für* Meri-
dian); Mit|tags|li|nie (*für* Meri-
dianlinie)
Mit|tag[s]|mahl (*geh.*)
Mit|tags|pau|se; Mit|tags|ru|he
Mit|tag[s]|schicht; Mit|tag[s]|schlaf;
Mit|tag[s]|son|ne; Mit|tag[s]|stun-
de
Mit|tags|tisch; Mit|tags|zeit
Mit|tä|ter; Mit|tä|te|rin; Mit|tä|ter-
schaft
Mitt|drei|ßi|ger (Mann in der Mitte
der Dreißigerjahre); Mitt|drei|ßi-
ge|rin
Mit|te, die; -, -n; in der Mitte;
Mitte Januar; Mitte dreißig,
Mitte der Dreißiger; Seite 3 [in
der] Mitte, Obergeschoss Mitte
mit|tei|len (melden); er hat ihm
das Geheimnis mitgeteilt; mit-
tei|lens|wert
mit|teil|sam; Mit|teil|sam|keit,
die; -
Mit|tei|lung; Mit|tei|lungs|be|dürf-
nis, das; -ses; Mit|tei|lungs|drang
mit|tel (*nur adverbial; ugs. für*
mittelmäßig)
¹Mit|tel, das; -s, -; sich ins Mittel
legen
²Mit|tel, die; - (*Druckw.* ein Schrift-
grad)
mit|tel|alt; mittelalter Gouda
Mit|tel|al|ter, das; -s (*Abk.* MA.)
mit|tel|al|te|rig, mit|tel|alt|rig (in
mittlerem Alter stehend)
mit|tel|al|ter|lich (dem Mittelalter
angehörend; *Abk.* ma.)
mit|tel|alt|rig vgl. mittelalterig
Mit|tel|ame|ri|ka
mit|tel|bar
Mit|tel|bau, der; -[e]s, -ten (*Bauw.*
mittlerer Flügel eines Gebäudes;
nur Sing.: Gruppe der Assisten-

ten u. akademischen Räte einer
Hochschule)
Mit|tel|be|trieb
Mit|tel|chen
mit|tel|deutsch vgl. deutsch; Mit-
tel|deutsch, das; -[s] (Sprache);
vgl. Deutsch; Mit|tel|deut|sche,
das; -n; vgl. Deutsche, das; Mit-
tel|deutsch|land
Mit|tel|ding
Mit|tel|eu|ro|pa; Mit|tel|eu|ro|pä|er;
Mit|tel|eu|ro|pä|e|rin; mit|tel|eu-
ro|pä|isch; mitteleuropäische
Zeit (*Abk.* MEZ)
mit|tel|fein (*Kaufmannsspr.*)
Mit|tel|feld (*bes. Sport*); Mit|tel-
feld|spie|ler; Mit|tel|feld|spie|le-
rin
Mit|tel|fin|ger
Mit|tel|fran|ken
mit|tel|fris|tig
Mit|tel|fuß; Mit|tel|fuß|kno|chen
Mit|tel|ge|bir|ge; Mit|tel|ge|birgs-
land|schaft
Mit|tel|ge|wicht (Körpergewichts-
klasse in der Schwerathletik);
Mit|tel|ge|wicht|ler; Mit|tel|ge-
wicht|le|rin; Mit|tel|glied
mit|tel|groß; mit|tel|gut
Mit|tel|hand, die; -; in der Mittel-
hand sitzen (*Kartenspiel*)
mit|tel|hoch|deutsch (*Abk.* mhd.);
vgl. deutsch/Deutsch; Mit|tel-
hoch|deutsch, das; -[s] (Sprache);
Mit|tel|hoch|deut|sche, das; -n;
vgl. Deutsche, das
Mit|te-links-Bünd|nis ([Regie-
rungs]bündnis von Parteien der
politischen Mitte u. der politischen Linken)
Mit|tel|in|s|tanz
Mit|tel|klas|se; Mit|tel|klas|se|wa-
gen
Mit|tel|kreis (*Fußball, Eishockey
u. a.*)
mit|tel|län|disch; mittelländisches
Klima, *aber* ↑ K 140 : das Mittel-
ländische Meer
Mit|tel|land|ka|nal, der; -s

Mit|tel|la|tein; mit|tel|la|tei|nisch
(*Abk.* mlat.)
Mit|tel|läu|fer (*Sport*); Mit|tel|läu-
fe|rin
Mit|tel|li|nie
mit|tel|los; Mit|tel|lo|sig|keit, die; -
Mit|tel|maß, das; -es; mit|tel|mä-
ßig; Mit|tel|mä|ßig|keit
Mit|tel|meer, das; -[e]s; Mit|tel-
meer|kli|ma; Mit|tel|meer|raum
mit|teln (auf den Mittelwert brin-
gen); ich mitt[e]le
Mit|tel|na|me
mit|tel|nie|der|deutsch (*Abk.* mnd.)
Mit|tel|ohr, das; -[e]s; Mit|tel|ohr-
ent|zün|dung; Mit|tel|ohr|ver-
ei|te|rung
mit|tel|präch|tig (*ugs. scherzh.*)
mit|tel|prei|sig; mittelpreisige Pro-
dukte
Mit|tel|punkt; Mit|tel|punkt|schu|le
Mit|tel|punkts|glei|chung (*Astron.*)
mit|tels s. Kasten
Mit|tel|schei|tel; Mit|tel|schicht
(*Soziol.*); Mit|tel|schiff
Mit|tel|schu|le (Realschule;
schweiz. für höhere Schule)
Mit|tel|schul|leh|rer; Mit|tel|schul-
leh|re|rin
mit|tel|schwer; mittelschwere Ver-
letzungen
Mit|tels|frau; Mit|tels|mann Plur.
...männer u. ...leute (Vermittler);
Mit|tels|per|son
mit|telst vgl. mittels
Mit|tel|stand, der; -[e]s
mit|tel|stän|dig (*Bot., Genetik für*
intermediär)
mit|tel|stän|disch (den Mittelstand
betreffend); Mit|tel|ständ|ler;
Mit|tel|ständ|le|rin
mit|tels|te; die mittelste Säule; vgl.
mittlere
Mit|tel|stein|zeit (*svw.* Mesolithi-
kum)
Mit|tel|stel|lung
Mit|tel|stim|me (*Musik*)
Mit|tel|stre|cke
Mit|tel|stre|cken|flug|zeug
Mit|tel|stre|cken|lauf; Mit|tel|stre-

M

Mitt

M
Mitt

cken|läu|fer; Mit|tel|stre|cken|läu-
fe|rin
Mit|tel|stre|cken|ra|ke|te
Mit|tel|streck|ler (Sportspr. Mittel-
streckenläufer); Mit|tel|streck|le-
rin
Mit|tel|strei|fen; Mit|tel|stück; Mit-
tel|stu|fe
Mit|tel|stür|mer (Fußball); Mit|tel-
stür|me|rin
Mit|tel|teil, der
Mit|te|lung (Bestimmung des Mit-
telwertes)
Mit|tel|wald (Wald, bei dem dich-
tes Unterholz mit höheren Stäm-
men gemischt ist)
Mit|tel|was|ser Plur. ...wasser
(Wasserstand zwischen Hoch- u.
Niedrigwasser; durchschnittli-
cher Wasserstand)
Mit|tel|weg
Mit|tel|wel|le (Rundf.)
Mit|tel|wert
Mit|tel|wort Plur. ...wörter (für
Partizip)
mit|ten ↑K 70 ; inmitten (vgl. d.);
Getrennt- oder Zusammen-
schreibung: mitten darein, mitten darin, mitten darunter; vgl.
aber mittendrein, mittendrin,
mittendrunter; mitten entzwei-
brechen; mitten hindurchgehen;
er will mitten durch den Wald
gehen; vgl. aber mittendurch;
mitten in dem Becken liegen;
vgl. aber mitteninne
mit|ten|drein (mitten hinein); er
hat den Stein mittendrein
geworfen; vgl. aber mitten
mit|ten|drin (mitten darin); sie
befand sich mittendrin; vgl. aber
mitten
mit|ten|drun|ter (mitten darunter);
er geriet mittendrunter; vgl. aber
mitten
mit|ten|durch (mitten hindurch);
sie fiel mittendurch; der Stab
brach mittendurch; vgl. aber
mitten
mit|ten|in|ne (veraltend); mitten-
inne sitzen; vgl. aber mitten
mit|ten|mang (nordd. für mitten
dazwischen); er befand sich mittenmang
Mit|ten|wald (Ort an der Isar)
Mit|te-rechts-Bünd|nis vgl. Mitte-
links-Bündnis
Mit|ter|nacht, die; -; um Mitter-
nacht; vgl. Abend; mit|ter|näch-
tig (seltener für mitternächtlich);
mit|ter|nächt|lich; mit|ter|nachts
↑K 70 , aber des Mitternachts
mit|ter|nachts|blau

Mit|ter|nachts|got|tes|dienst; Mit-
ter|nachts|mes|se; Mit|ter|nachts-
son|ne, die; -; Mit|ter|nachts|stun-
de
Mit|ter|rand [...'rã:] (franz. Staats-
mann)
Mit|te|strich (Binde-, Gedanken-
strich der Schreibmaschine)
Mitt|fas|ten Plur. (Mittwoch vor
Lätare od. Lätare selbst)
Mitt|fünf|zi|ger vgl. Mittdreißiger;
Mitt|fünf|zi|ge|rin
mit|tig (Technik für zentrisch)
Mitt|ler (geh. für Vermittler; Sing.
auch für Christus)
mitt|le|re; die mittlere Reife ↑K 89
(Abschluss der Realschule od.
der Mittelstufe der höheren
Schule), aber ↑K 140 : der Mittlere Osten; vgl. mittelste
Mitt|le|rin; Mitt|ler|rol|le; Mitt|ler-
tum, das; -s
mitt|ler|wei|le
mit|tra|gen; eine Entscheidung
mittragen
mitt|schiffs (Seemannsspr. in der
Mitte des Schiffes)
Mitt|sech|zi|ger, Mitt|sieb|zi|ger
usw. vgl. Mittdreißiger usw.
Mitt|som|mer; Mitt|som|mer|nacht;
Mitt|som|mer|nachts|traum vgl.
Sommernachtstraum; mitt|som-
mers ↑K 70
mit|tun (ugs.); er hat mitgetan
Mitt|vier|zi|ger vgl. Mittdreißiger;
Mitt|vier|zi|ge|rin
Mitt|win|ter; Mitt|win|ter|käl|te;
mitt|win|ters ↑K 70
Mitt|woch, der; -[e]s, -e; Abk. Mi.;
vgl. Dienstag; mitt|wochs ↑K 70
Mitt|wochs|lot|to, das; -s (Lotto,
bei dem mittwochs die Gewinn-
zahlen gezogen werden)
Mitt|zwan|zi|ger vgl. Mittdreißiger
Mitt|zwan|zi|ge|rin
mit|un|ter (zuweilen)
mit|un|ter|zeich|nen, mit un|ter-
zeich|nen
mit|ver|ant|wort|lich; Mit|ver|ant-
wort|lich|keit; Mit|ver|ant|wor-
tung
mit|ver|die|nen; mitverdienen müs-
sen
Mit|ver|fas|ser; Mit|ver|fas|se|rin
mit|ver|fol|gen
Mit|ver|gan|gen|heit (österr. für
Imperfekt)
Mit|ver|schul|den
Mit|ver|schwo|re|ne, Mit|ver-
schwor|ne; Mit|ver|schwö|rer;
Mit|ver|schwö|re|rin
mit|ver|si|chert; Mit|ver|si|che|rung
mit|wach|sen

Mit|welt, die; -
mit|wir|ken; Mit|wir|ken|de, der u.
die; -n, -n; Mit|wir|kung, die; -;
Mit|wir|kungs|recht
Mit|wis|ser; Mit|wis|se|rin; Mit|wis-
ser|schaft, die; -
mit|wol|len; er hat mitgewollt
mit|zäh|len
Mit|zi (w. Vorn.)
mit|zie|hen
Mix, der; -, -e (Gemisch, spezielle
Mischung)
Mixed [mɪkst], das; -[s], -[s] ⟨engl.⟩
(Sport gemischtes Doppel)
Mixed Grill ['mɪkst 'grɪl], der; - -[s],
- -s (Gastron. Gericht aus verschiedenen gegrillten Fleisch-
stücken [u. Würstchen])
Mixed-Me|dia-Show ['mɪkst-
'mi:dɪə...] (svw. Multimedia-
show)
Mixed|pi|ck|les, Mixed Pi|ck|les
['mɪkstpɪkls], Mix|pi|ck|les
[...pɪkls] Plur. (in Essig einge-
machtes Mischgemüse)
mi|xen ([Getränke] mischen; Film,
Funk, Fernsehen verschiedene
Tonaufnahmen zu einem Klang-
bild vereinigen); du mixt; ein
bunt gemixtes Programm
Mi|xer, der; -s, - (Barmixer; Gerät
zum Mixen; Film, Funk, Fernse-
hen Tonmischer); Mi|xe|rin
Mix|ge|tränk
Mix|pi|ck|les vgl. Mixedpickles
Mix|tum com|po|si|tum, das; - -, ...ta
...ta ⟨lat.⟩ (Durcheinander, bun-
tes Gemisch)
Mix|tur, die; -, -en (flüssige Arznei-
mischung; gemischte Stimme
der Orgel)
MJ = Megajoule
Mjöll|nir, der; -s ⟨»Zermalmer«⟩
(Thors Hammer [Waffe])
MKS, die; - auch ohne Artikel =
Maul- und Klauenseuche
ml = Milliliter
mlat. = mittellateinisch
Mlle., schweiz. meist Mlle = Made-
moiselle
Mlles., schweiz. meist Mlles =
Mesdemoiselles
mm = Millimeter
µm = ²Mikrometer
MM. = Messieurs (vgl. Monsieur)
mm² = Quadratmillimeter
mm³ = Kubikmillimeter
m. m. = mutatis mutandis
M. M. = Mälzels Metronom,
Metronom Mälzel
Mme., schweiz. meist Mme =
Madame

M
mode

Mmes., *schweiz. meist* **Mmes** = Mesdames

mmol = Millimol

MMS®, der; - *meist ohne Artikel* ⟨aus engl. Multimedia Messaging Service⟩ (Mobilfunkdienst zur Übermittlung von Multimediadaten); **MMS-Han|dy**

Mn = *chem. Zeichen für* Mangan

MN = Minnesota

mnd. = mittelniederdeutsch

Mne̜|me, die; - ⟨griech.⟩ (Erinnerung, Gedächtnis); **Mne̜|mis|mus**, der; - (Lehre von der Mneme)

Mne̜|mo̜|nik, Mne|mo|te̜ch|nik, die; - (die Kunst, das Gedächtnis durch Hilfsmittel zu unterstützen); **Mne̜|mo̜|ni|ker**, Mne|mo̜tech|ni|ker; **Mne̜|mo̜|ni|ke|rin**, Mne|mo|te̜ch|ni|ke|rin; **mne̜|mo̜nisch**, mne|mo|te̜ch|nisch

Mne̜|mo̜|sy̜|ne (griech. Göttin des Gedächtnisses, Mutter der Musen)

Mne|mo̜|te̜ch|nik usw. *vgl.* Mnemonik usw.

Mo = *chem. Zeichen für* Molybdän

MO = ²Missouri

MΩ = Megaohm

Mo. = Montag

Mo̜a, der; -[s], -s ⟨Maori⟩ (ausgestorbener straußenähnlicher Vogel)

Mo̜|ab (Landschaft östl. des Jordans)

Mo̜|a|bit (Stadtteil von Berlin); **Mo̜a|bi̜|ter** (Bewohner von Moab; Bewohner von Berlin-Moabit); **Mo̜|a|bi̜|te|rin**

Mo̜|ar, der; -s, -e ⟨bayr., »Meier«⟩ (Kapitän einer Moarschaft); **Mo̜a|rin**; **Mo̜|ar|schaft**, die; -, -en (Vierermannschaft beim Eisschießen)

Mo̜b, der; -s ⟨engl.⟩ (Pöbel, randalierender Haufen)

mo̜b|ben (Arbeitskolleg[inn]en ständig schikanieren [mit der Absicht, sie von ihrem Arbeitsplatz zu vertreiben]); **Mo̜b|bing**, das; -s

Mö̜|bel, das; -s, - *meist Plur.* ⟨franz.⟩

Mö̜|bel|fa̜|b|rik; **Mö̜|bel|fir|ma**; **Mö̜bel|ge|schäft**; **Mö̜|bel|händ|ler**; **Mö̜|bel|händ|le|rin**; **Mö̜|bel|la̜ger**

Mö̜|bel|pa̜|cker; **Mö̜|bel|pa̜|cke|rin**; **Mö̜|bel|po|li̜|tur**; **Mö̜|bel|spe|di̜teur**; **Mö̜|bel|stoff**; **Mö̜|bel|stück**; **Mö̜|bel|tisch|ler**; **Mö̜|bel|tisch|le|rin**; **Mö̜|bel|wa̜gen**

mo̜|bil ⟨lat.⟩ (beweglich, munter;

ugs. für wohlauf; *Milit.* auf Kriegsstand gebracht)

Mo̜|bil|com|pu̜ter

Mo̜|bi|le, das; -s, -s ⟨engl.⟩ (hängend zu befestigendes, durch Luftzug bewegtes Gebilde)

Mo̜|bil|funk (Funk zwischen mobilen od. zwischen mobilen und festen Stationen)

Mo̜|bil|funk|netz

Mo̜|bi|li̜|ar, das; -s, -e ⟨lat.⟩ (bewegliche Habe; Hausrat, Möbel); **Mo̜|bi|li|ar|ver|si̜|che|rung**

Mo̜|bi|li|en Plur. (*veraltet für* Hausrat, Möbel)

Mo̜|bi|li|sa|ti|o̜n, die; -, -en

mo̜|bi|li|sie|ren (*Milit.* auf Kriegsstand bringen; [Kapital] flüssig machen; aktivieren, in Gang bringen; wieder beweglich machen); **Mo̜|bi|li|sie|rung**

Mo̜|bi|li|tät, die; - ([geistige] Beweglichkeit; Häufigkeit des Wohnsitzwechsels)

Mo̜|bi|li|täts|ga|ran|tie (Garantie, die im Falle einer Fahrzeugpanne das weitere Fortkommen des Berechtigten gewährleistet)

mo̜|bil|ma|chen (*Milit.* auf Kriegsstand bringen); **Mo̜|bil|ma|chung**

Mo̜|bil|te|le|fon (drahtloses Telefon für unterwegs)

mö̜b|lie̜ren ⟨franz.⟩ ([mit Hausrat] einrichten); **mö̜b|liert**; möbliertes Zimmer; **Mö̜b|lie̜|rung**

Mo̜bs|ter, der; -s, - ⟨amerik.⟩ (*seltener für* Gangster)

Mo̜|çam|bique [...sam'bi:k] *vgl.* Mosambik

Mo̜c|ca (*österr. auch für* ²Mokka)

Mo̜|cha [*auch* ...ka], der; -s ⟨nach der jemenit. Hafenstadt, heute Mokka⟩ (ein Mineral)

mo̜ch|te *vgl.* mögen

Mö̜ch|te|gern, der; -[s], Plur. -e od. -s (*ugs.*)

Mö̜ch|te|gern|ca̜|sa|no̜|va; **Mö̜ch|te|gern|künst|ler**; **Mö̜ch|te|gern-künst|le|rin**; **Mö̜ch|te|gern|renn|fah̜|rer**

Mo̜|cke, die; -, -n (*fränk. für* Zuchtschwein)

Mo̜|cken, der; -s, - (*südd. u. schweiz. mdal. für* Brocken, dickes Stück)

Mo̜ck|tur|tle|sup|pe [...tø:ɐ̯tl...] ⟨engl.⟩ (unechte Schildkrötensuppe)

mod. = moderato

mo̜|dal ⟨lat.⟩ (die Art u. Weise bezeichnend)

Mo̜|dal|be|stim|mung (*Sprachw.*)

Mo̜|da|li̜|tät (Art u. Weise, Ausfüh-

rungsart); **Mo̜|da|li|tä̜|ten|lo|gik** (Zweig der math. Logik)

Mo̜|dal|satz (*Sprachw.* Umstandssatz der Art u. Weise); **Mo̜|dal-verb** (Verb, das vorwiegend ein anderes Sein od. Geschehen modifiziert, z. B. »wollen« in: »wir wollen warten«)

Mo̜d|der, der; -s (*nordd. für* Morast, Schlamm); **mo̜d|de|rig**, **mo̜dd|rig**

Mo̜|de, die; -, -n ⟨franz.⟩ (als zeitgemäß geltende Art, sich zu kleiden; etwas, was dem gerade herrschenden Geschmack entspricht; in Mode sein, kommen

Mo̜|de|ar|ti̜|kel; **Mo̜|de|aus|druck**

mo̜|de|be|wusst

Mo̜|de|cen̜ter; **Mo̜|de|de|si̜g|ner**; **Mo̜|de|de|si̜g|ne|rin**; **Mo̜|de|dro̜ge**; **Mo̜|de|far|be**; **Mo̜|de|fim̜mel** (*ugs.*)

Mo̜|de|ge|schäft; **Mo̜|de|haus**; **Mo̜de|heft**; **Mo̜|de|jour|nal**; **Mo̜de|krank|heit**

¹Mo̜|del, der; -s, - ⟨lat.⟩ (Backform; Hohlform für Gusserzeugnisse; erhabene Druckform für Zeugdruck; *auch svw.* ¹Modul)

²Mo̜|del, das; -s, -s ⟨engl.⟩ (Fotomodell; Mannequin)

Mo̜|dell, das; -s, -e ⟨ital.⟩ (Muster, Vorbild, Typ; Entwurf, Nachbildung; Person od. Sache als Vorbild für ein Kunstwerk); Modell stehen

Mo̜|dell|bahn; **Mo̜|dell|bah|ner**; **Mo̜dell|bah|ne|rin**

Mo̜|dell|bau, der; -s; **Mo̜|dell|bau|er** (*vgl.* ¹Bauer); **Mo̜|dell|bau|e|rin**

Mo̜|dell|ei|sen|bahn

Mo̜|dell|leur [...lø:ɐ̯], der; -s, -e ⟨franz.⟩ (*svw.* Modellierer); **Mo̜dell|leu|rin**

Mo̜|dell|fall, der; **Mo̜|dell|flug|zeug**

mo̜|dell|haft

Mo̜|dell|lier|bo|gen

mo̜|del|lie̜|ren (künstlerisch formen, bilden; ein Modell herstellen); **Mo̜|del|lie̜|rer**; **Mo̜|del|lie̜|re|rin**

Mo̜|dell|lier|holz; **Mo̜|del|lier|mas|se**; **Mo̜|del|lie̜|rung**

mo̜|dell|lig (in der Art eines Modells)

Mo̜|dell|kleid; **Mo̜|dell|pup|pe**; **Mo̜dell|rech|nung**; **Mo̜|dell|schutz**; **Mo̜|dell|the̜|a|ter**; **Mo̜|dell|ver|such**; **Mo̜|dell|zeich|nung**

¹mo̜|deln ⟨lat.⟩ (*selten für* gestalten); ich mod[e]le

²mo̜|deln ⟨engl.⟩ (als ²Model arbeiten); ich mod[e]le

M
Mode

Mo|del|tuch *Plur.* ...tücher (*älter für* Stickmustertuch)
Mo|de|lung
Mo|dem, der, *auch* das; -s, -s ⟨engl.⟩ (Gerät zur Datenübertragung über Fernsprechleitungen)
Mo|de|ma|cher; Mo|de|ma|che|rin
Mo|de|na (ital. Stadt); Mo|de|na|er; mo|de|na|isch
Mo|den|haus (*svw.* Modehaus); Mo|den|heft (*svw.* Modeheft); Mo|den|schau
Mo|de|püpp|chen; Mo|de|pup|pe
Mo|der, der; -s (Faulendes, Fäulnisstoff)
Mo|de|ra|men, das; -s, *Plur.* - u. ...mina ⟨lat.⟩ (Vorstandskollegium einer ev. reformierten Synode)
mo|de|rat (gemäßigt)
Mo|de|ra|ti|on, die; -, -en (*Rundf., Fernsehen* Tätigkeit des Moderators; *veraltet für* Mäßigung)
mo|de|ra|to ⟨ital.⟩ (*Musik* mäßig [bewegt]; *Abk.* mod.); Mo|de|ra|to, das; -s, *Plur.* -s u. ...ti
Mo|de|ra|tor, der; -s, ...oren ⟨lat.⟩ (*Rundf., Fernsehen* jmd., der eine Sendung moderiert; *Kernphysik* bremsende Substanz in Kernreaktoren); Mo|de|ra|to|rin
Mo|der|ge|ruch
mo|de|rie|ren ⟨lat.⟩ (*Rundf., Fernsehen* durch eine Sendung führen; *veraltet, aber noch landsch. für* mäßigen)
mo|de|rig, mod|rig
[1]mo|dern (faulen); sie sagt, es modere hier stark
[2]mo|dern ⟨franz.⟩ (modisch, der Mode entsprechend; neu[zeitlich]; zeitgemäß); moderner Fünfkampf (*Sport*)
Mo|der|ne, die; - (moderne Richtung [in der Kunst]; moderner Zeitgeist)
mo|der|ni|sie|ren (modisch machen; auf einen neueren [technischen] Stand bringen); Mo|der|ni|sie|rer; Mo|der|ni|sie|re|rin; Mo|der|ni|sie|rung
Mo|der|nis|mus, der; - ⟨lat.⟩ (moderner Geschmack, Bejahung des Modernen; Bewegung innerhalb der kath. Kirche); Mo|der|nist, der; -en, -en; Mo|der|nis|tin; mo|der|nis|tisch
Mo|der|ni|tät (neuzeitl. Gepräge; Neues; Neuheit)
Mo|dern Jazz [ˈmɔdən ˈdʒes], der; - - ⟨engl.⟩ (nach 1945 entstandener Jazzstil)
Mo|der|sohn (dt. Maler u. Grafiker); Mo|der|sohn-Be|cker (dt. Malerin)
Mo|de|sa|che; Mo|de|sa|lon; Mo|de|schaf|fen; Mo|de|schau (*svw.* Modenschau)
Mo|de|schmuck; Mo|de|schöp|fer; Mo|de|schöp|fe|rin
mo|dest ⟨lat.⟩ (*veraltet für* bescheiden, sittsam)
Mo|de|tanz; Mo|de|tor|heit; Mo|de|trend; Mo|de|wa|re; Mo|de|welt, die; -
Mo|de|wort *Plur.* ...wörter; Mo|de|zeich|ner; Mo|de|zeich|ne|rin; Mo|de|zeit|schrift
Mo|di (*Plur. von* Modus)
Mo|di|fi|ka|ti|on, Mo|di|fi|zie|rung, die; -, -en ⟨lat.⟩; mo|di|fi|zie|ren (abwandeln, [ab]ändern)
Mo|di|g|li|a|ni [...dɪlˈjaː...] (ital. Maler)
mo|disch ⟨*zu* Mode⟩ (in od. nach der Mode); Mo|dist, der; -en, -en; Mo|dis|tin (Hutmacherin)
mod|rig *vgl.* moderig
[1]Mo|dul, der; -s, -n ⟨lat.⟩ ([1]Model; Verhältniszahl math. od. techn. Größen; Materialkonstante)
[2]Mo|dul, das; -s, -e ⟨lat.-engl.⟩ (*bes. Elektrot.* Bau- od. Schaltungseinheit)
mo|du|lar (in der Art eines [2]Moduls)
Mo|du|la|ti|on, die; -, -en (*Musik* das Steigen u. Fallen der Stimme, des Tones; Übergang in eine andere Tonart; *Technik* Änderung einer Schwingung)
Mo|du|la|ti|ons|fä|hig|keit, die; - (Anpassungsvermögen, Biegsamkeit [der Stimme])
mo|du|lie|ren (abwandeln; in eine andere Tonart übergehen)
Mo|dus [*auch* ˈmoː...], der; -, Modi ⟨lat.⟩ (Art u. Weise; *Sprachw.* Aussageweise; *mittelalterl. Musik* Melodie, Kirchentonart)
Mo|dus Ope|ran|di, der; - -, Modi - (Art und Weise des Handelns, des Tätigwerdens)
Mo|dus Pro|ce|den|di, der; - -, Modi - (Art und Weise des Verfahrens); Mo|dus Vi|ven|di, der; - -, Modi - (erträgliche Übereinkunft; Verständigung)
Moers (Stadt westl. von Duisburg)
Mo|fa, das; -s, -s (*Kurzw. für* Motorfahrrad)
Mo|fet|te, die; -, -n ⟨franz.⟩ (*Geol.* Kohlensäureausströmung in vulkan. Gebiet)
Mof|fe, der; -n, -n ⟨niederl.⟩ (abwertende Bez. der Niederländer für den Deutschen)
Mo|ga|di|schu (Hauptstadt von Somalia)
Mo|ge|lei; mo|geln (*ugs. für* betrügen [beim Spiel], nicht ehrlich sein); ich mog[e]le
Mo|gel|pa|ckung (*ugs.*)
mö|gen; ich mag, du magst, er mag; du mochtest; du möchtest; du hast es nicht gemocht, *aber* das hätte ich hören mögen
Mog|ler ⟨*zu* mogeln⟩ (*ugs.*); Mog|le|rin
mög|lich s. *Kasten Seite 699*
mög|li|chen|falls *vgl.* [1]Fall
mög|li|cher|wei|se
Mög|lich|keit; nach Möglichkeit
Mög|lich|keits|form (*für* Konjunktiv)
mög|lichst; möglichst schnell; möglichst viel Geld verdienen
Mo|gul [*auch* ...guːl], der; -s, -n ⟨pers.⟩ (*früher* Beherrscher eines oriental. Reiches)
Mo|hair *vgl.* Mohär
Mo|ham|med (Stifter des Islams); Mo|ham|me|da|ner (*ugs. veraltend für* Moslem); Mo|ham|me|da|ne|rin; Mo|ham|me|da|nis|mus, der; - (*svw.* Islam)
Mo|här, Mo|hair [...ˈhɛːɐ̯], der; -s, -e ⟨arab.-ital.-engl.⟩ (Wolle der Angoraziege)
Mo|hi|ka|ner, der; -s, - (Angehöriger eines ausgestorbenen nordamerik. Indianerstammes); der Letzte *od.* letzte der Mohikaner *od.* der letzte Mohikaner; Mo|hi|ka|ne|rin
Mohn, der; -[e]s, *Plur. (Sorten:)* -e
Mohn|beu|gel (*österr.*); Mohn|blu|me; Mohn|bröt|chen; Mohn|kip|ferl (*österr.*); Mohn|ku|chen; Mohn|nu|deln *Plur.* (*österr.*)
Mohn|öl; Mohn|saft; Mohn|sa|men; Mohn|stru|del (*österr.*); Mohn|zopf
Mohr, der; -en, -en (*veraltet für* dunkelhäutiger Afrikaner)
Möh|re, die; -, -n (eine Gemüsepflanze)
Moh|ren|hir|se; Moh|ren|kopf (*oft als diskriminierend empfunden* ein Gebäck)
moh|ren|schwarz (*veraltet*)
Moh|ren|wä|sche (*oft als diskriminierend empfunden* Versuch, einen offensichtlich Schuldigen durch Scheinbeweise reinzuwaschen)
Moh|rin (*veraltet*)

möglich

- so viel wie, *älter* als möglich; so gut wie, *älter* als möglich
- wir sollten uns, wo möglich (*kurz für* wenn es möglich ist), selbst darum kümmern; *vgl. aber* womöglich
- Unmögliches möglich machen

Großschreibung der Substantivierung ↑K 72:

- im Rahmen des Möglichen
- Mögliches und Unmögliches verlangen
- Mögliches und Unmögliches zu unterscheiden wissen

- das Mögliche (im Gegensatz zum Unmöglichen) tun
- etwas, nichts Mögliches
- man sollte alles Mögliche (alle Möglichkeiten) bedenken
- wir haben das Mögliche (alles) getan
- sie werden alles Mögliche (viel, allerlei) versuchen
- er wird sein Möglichstes tun

Mohr|rü|be (*svw.* Möhre)

Mohs|här|te ↑K 136 , die; - ⟨nach dem dt. Mineralogen F. Mohs⟩ (Skala zur Bestimmung der Härtegrade von Mineralien)

moin, moin!, Moin, Moin! (nordd. Grußformel, *oft auch nur* moin! *od.* Moin!)

Moi|ra, die; -, ...ren *meist Plur.* ⟨griech.⟩ (griech. Schicksalsgöttin [Klotho, Lachesis, Atropos])

Moi|ré [moa...], der *od.* das; -s, -s ⟨franz.⟩ (Gewebe mit geflammtem Muster; *Druckw.* fehlerhaftes Fleckenmuster in der Bildreproduktion); **moi|rie|ren** (flammen); **moi|riert** (geflammt)

Mo|ji|to [mo'xi:to], der; -s, -s ⟨span.⟩ (ein Mixgetränk)

mo|kant ⟨franz.⟩ (spöttisch)

Mo|kas|sin [*auch* ...'si:n], der; -s, *Plur.* -s *u.* -e ⟨indian.⟩ (lederner Halbschuh [nach der Art] der nordamerik. Indianer)

Mo|kett, der; -s ⟨franz.⟩ (Möbel-, Deckenplüsch)

Mo|kick, das; -s, -s ⟨*Kurzw. aus* Motor *u.* Kickstarter⟩ (kleines Motorrad)

mo|kie|ren, sich ⟨franz.⟩ (sich abfällig od. spöttisch äußern); ich mokierte mich über dich

¹**Mok|ka** (Stadt im Jemen)

²**Mok|ka**, der; -s, -s (eine Kaffeesorte; sehr starker Kaffee); *vgl.* Mocca; **Mok|ka|tas|se; Mok|ka|tor|te**

Mol, das; -s, -e ⟨lat.⟩ (*früher svw.* Grammmolekül; Einheit der Stoffmenge; *Zeichen* mol); **mo|lar** ⟨lat.⟩ (auf das Mol bezüglich; je 1 Mol)

Mo|lar, der; -s, -en ⟨lat.⟩ (*Med.* [hinterer] Backenzahn, Mahlzahn); **Mo|lar|zahn**

Mo|las|se, die; - ⟨franz.⟩ (*Geol.* Tertiärschicht)

Molch, der; -[e]s, -e (im Wasser lebender Lurch)

¹**Mol|dau**, die; - (l. Nebenfluss der Elbe)

²**Mol|dau** (Republik Moldau; Staat in Osteuropa); **Mol|dau|er; Mol|dau|e|rin; mol|dau|isch**

Mol|da|wi|en (*vgl.* ²Moldau); **Mol|do|va** (*amtl. für* ²Moldau)

¹**Mo|le**, die; -, -n ⟨ital.⟩ (Hafendamm); *vgl.* Molo

²**Mo|le**, die; -, -n ⟨griech.⟩ (*Med.* abgestorbene, fehlentwickelte Leibesfrucht)

Mo|le|kel, das; -, -n, *österr. auch* das; -s, - ⟨lat.⟩ (*älter für* Molekül)

Mo|le|kül, das; -s, -e ⟨franz.⟩ (kleinste Einheit einer chem. Verbindung); **mo|le|ku|lar**

Mo|le|ku|lar|bio|lo|ge; Mo|le|ku|lar|bio|lo|gie; Mo|le|ku|lar|bio|lo|gin; Mo|le|ku|lar|ge|ne|tik; Mo|le|ku|lar|ge|wicht

Mo|len|kopf (Ende der ¹Mole)

Mole|skin ['mo:lskɪn], der *od.* das; -s, -s ⟨engl.⟩ (Englischleder, aufgerautes Baumwollgewebe)

Mo|les|ten *Plur.* ⟨lat.⟩ (*veraltet für* Beschwerden; Belästigungen); **mo|les|tie|ren** (*veraltet für* belästigen)

Mo|let|te, die; -, -n ⟨franz.⟩ (Prägwalze; Mörserstößel)

Mo|li *vgl.* Molo

Mo|li|ère [...'lje:ɐ̯] (franz. Lustspieldichter); **mo|li|e|risch**; die molierischen Charaktere, Komödien ↑K 135

Mol|ke, die; - (bei der Käseherstellung übrig bleibende Milchflüssigkeit); **Mol|ken**, der; -s ⟨landsch. für* Molke); **Mol|ken|kur**

Mol|ke|rei; Mol|ke|rei|but|ter; Mol|ke|rei|ge|nos|sen|schaft; Mol|ke|rei|pro|dukt *meist Plur.;* **mol|kig**

¹**Moll**, das; - ⟨lat.⟩ (*Musik* Tonge-

schlecht mit kleiner Terz); a-Moll; a-Moll-Tonleiter ↑K 26 ; *vgl.* Dur

²**Moll**, der; -[e]s, *Plur.* -e *u.* -s (*svw.* Molton)

Moll|ak|kord *(Musik);* **Moll|drei|klang**

Mol|le, die; -, -n (*nordd. für* Mulde, Backtrog; *berlin. für* Bierglas, ein Glas Bier); **Mol|len|fried|hof** (*berlin. scherzh. für* Bierbauch)

Möl|ler, der; -s, - (*Hüttenw.* Gemenge von Erz u. Zuschlag); **möl|lern** (mengen); ich möllere

mol|lert (*bayr., österr. für* mollig)

Möl|le|rung (*Hüttenw.*)

mol|lig (*ugs.*); **Mol|lig|keit**, die; -

Moll|ton|art; Moll|ton|lei|ter

Mol|lus|ke, die; -, -n *meist Plur.* ⟨lat.⟩ (*Biol.* Weichtier); **mol|lus|ken|ar|tig**

Mol|ly [...li] (w. Vorn.)

Mo|lo, der; -s, Moli (*österr. für* ¹Mole)

¹**Mo|loch** [*auch* 'mɔ...] (ein semit. Gott)

²**Mo|loch**, der; -s, -e (Macht, die alles verschlingt)

Mo|lo|tow|cock|tail, Mo|lotow-Cock|tail ⟨nach dem sowjet. Außenminister W. M. Molotow⟩ (mit Benzin [u. Phosphor] gefüllte Flasche, die wie eine Handgranate verwendet wird)

Molt|ke (Familienn.); **molt|kesch;** ↑K 135 : die molt|ke|schen *od.* Molt|ke|schen Briefe

mol|to ⟨ital.⟩ (*Musik* sehr); molto allegro (sehr schnell); molto vivace (sehr lebhaft)

Mol|ton, der; -s, -s ⟨franz.⟩ (ein Gewebe)

Mol|to|pren ®, das; -s, -e (ein leichter, druckfester, schaumartiger Kunststoff)

Mo|luk|ken *Plur.* (eine indones. Inselgruppe)

M

Molu

Mo|ly, das; -s (sagenumwobene
Zauberpflanze)
Mo|lyb|dän, das; -s ⟨griech.⟩ (che-
misches Element, Metall; *Zeichen* Mo)
Mom|ba|sa (Hafenstadt in Kenia)
¹Mo|ment, der; -[e]s, -e ⟨lat.⟩
(Augenblick; Zeit[punkt]; kurze
Zeitspanne)
²Mo|ment, das; -[e]s, -e ([aus-
schlaggebender] Umstand;
Gesichtspunkt; Produkt aus
zwei physikal. Größen)
mo|men|tan (augenblicklich)
Mo|ment|auf|nah|me; Mo|ment-
bild; mo|ment|wei|se
Momm|sen (dt. Historiker)
Mo|na (w. Vorn.)
¹Mo|na|co [*auch* 'mo:...] (Staat in
Südeuropa)
²Mo|na|co [*auch* 'mo:...] (Stadtbe-
zirk von ¹Monaco); *vgl.* Mone-
gasse
Mo|na|de, die; -, -n ⟨griech.⟩ (*Phi-
los.* das Einfache, Unteilbare;
[bei Leibniz:] die letzte, in sich
geschlossene, vollendete Urein-
heit); Mo|na|den|leh|re, die; -;
mo|na|disch; Mo|na|do|lo|gie,
die; - (Lehre von den Monaden)
Mo|na|ko [*auch* 'mo:...] *vgl.*
Monaco
Mo|na Li|sa, die; - - (Gemälde von
Leonardo da Vinci)
Mo|n|arch, der; -en, -en ⟨griech.⟩
(gekröntes Staatsoberhaupt);
Mo|n|ar|chie, die; -, ...ien; Mo|n-
ar|chin; mo|n|ar|chisch
Mo|n|ar|chis|mus, der; -; Mo|n|ar-
chist, der; -en, -en (Anhänger
der Monarchie); Mo|n|ar|chis|tin;
mo|n|ar|chis|tisch
Mo|nas|te|ri|um, das; -s, ...ien
⟨griech.⟩ (Kloster[kirche],
Münster)
Mo|nat, der; -[e]s, -e; alle zwei
Monate; dieses Monats (*Abk.*
d. M.); laufenden Monats (*Abk.*
lfd. M.); künftigen Monats (*Abk.*
k. M.); nächsten Monats (*Abk.*
n. M.); vorigen Monats (*Abk.*
v. M.)
mo|na|te|lang; *aber* viele Monate
lang
...mo|na|tig (z. B. dreimonatig
[drei Monate dauernd], *mit Ziffer* 3-monatig)
mo|nat|lich; ...mo|nat|lich (z. B.
dreimonatlich [alle drei Monate
wiederkehrend], *mit Ziffer*
3-monatlich)
Mo|nats|an|fang; Mo|nats|bei|trag
Mo|nats|bin|de; Mo|nats|blu|tung

Mo|nats|ein|kom|men; Mo|nats|en-
de; Mo|nats|ers|te; Mo|nats|frist;
innerhalb Monatsfrist
Mo|nats|ge|halt, das; Mo|nats|hälf-
te; Mo|nats|heft; Mo|nats|kar|te;
Mo|nats|letz|te; Mo|nats|lohn;
Mo|nats|mie|te
Mo|nats|na|me; Mo|nats|ra|te; Mo-
nats|schrift; Mo|nats|wech|sel
mo|nat[s]|wei|se
mo|n|au|ral ⟨griech.; lat.⟩ (*Tontech-
nik* einkanalig)
Mo|na|zit, der; -s, -e ⟨griech.⟩ (ein
Mineral)
Mönch, der; -[e]s, -e ⟨griech.⟩
(Angehöriger eines geistl.
Ordens)
Mön|chen|glad|bach (Stadt in
Nordrhein-Westfalen)
mön|chisch
Mönchs|klos|ter; Mönchs|kut|te;
Mönchs|la|tein (mittelalterl.
[schlechtes] Latein); Mönchs|or-
den; Mönchs|rob|be
Mönch[s]|tum, das; -s
Mönchs|we|sen; Mönchs|zel|le
Mond, der; -[e]s, -e (ein Himmels-
körper; *veraltet für* Monat)
mon|dän ⟨franz.⟩ (betont elegant);
Mon|dä|ni|tät, die; -
Mond|auf|gang; Mond|bahn
mond|be|schie|nen ↑K 59
Mond|blind|heit (Augenentzün-
dung, bes. bei Pferden)
Mon|den|schein, der; -[e]s (*geh.*)
Mon|des|fins|ter|nis (*österr. neben*
Mondfinsternis); Mon|des|glanz
(*dichter.*)
Mond|fäh|re; Mond|fins|ter|nis;
Mond|flug
mond|för|mig; mond|hell
Mond|jahr
Mond|kalb (fehlgebildetes tieri-
sches Lebewesen; *ugs. für*
Dummkopf)
Mond|kra|ter
Mond|lan|de|fäh|re; Mond|land-
schaft; Mond|lan|dung
Mond|licht, das; -[e]s
mond|los
Mond|mo|bil, das; -[e]s, -e; Mond-
nacht; Mond|ober|flä|che; Mond-
or|bit; Mond|pha|se
Mond|preis (*ugs. für* willkürlich
festgesetzter [überhöhter] Preis)
Mond|ra|ke|te
Mon|d|ri|an (niederl. Maler)
Mond|schein, der; -[e]s
Mond|schein|ta|rif (verbilligter
Telefontarif in den Abend- u.
Nachtstunden [bis 1980])
Mond|see (österr. Ort und See);

Mond|se|er ↑K 143 ; Mondseer
Rauchhaus; *vgl.* Monseer
Mond|si|chel; Mond|son|de (unbe-
manntes Raumflugzeug zur
Erkundung des Monds)
Mond|stein (*svw.* Adular)
Mond|sucht, die; -; mond|süch|tig;
Mond|süch|tig|keit
Mond|um|lauf|bahn; Mond|un|ter-
gang; Mond|wech|sel
Mo|ne|gas|se, der; -n, -n (Bewoh-
ner Monacos); Mo|ne|gas|sin;
mo|ne|gas|sisch
Mo|net [...'ne:], Claude [klo:d]
(franz. Maler)
mo|ne|tär ⟨lat.⟩ (das Geld betref-
fend, geldlich); Mo|ne|ten *Plur.*
(*ugs. für* Geld)
Mon|go|le, der; -n, -n (Angehöri-
ger einer Völkergruppe in Asien;
Einwohner der Mongolei)
Mon|go|lei, die; - (Hochland u.
Staat in Zentralasien); ↑K 140 :
die Innere, Äußere Mongolei
Mon|go|len|fal|te; Mon|go|len|fleck
mon|go|lid (*Anthropol.* zu der vor-
wiegend in Asien, Grönland u.
im arkt. Nordamerika verbreite-
ten Menschengruppe gehö-
rend); Mon|go|li|de, der u. die;
-n, -n
Mon|go|lin
mon|go|lisch; *aber* ↑K 140 : die
Mongolische Volksrepublik
Mon|go|lis|mus, der; - (*wird häufig
als abwertend empfunden*
Downsyndrom)
mon|go|lo|id (*abwertend* die Merk-
male des Downsyndroms auf-
weisend; *Anthropol.* den Mon-
golen ähnlich); Mon|go|lo|i|de,
der u. die; -n, -n
Mo|nier|bau|wei|se [*auch* ...'nje:...],
die; - ↑K 136 ⟨nach dem franz.
Gärtner J. Monier⟩ (Stahlbeton-
bauweise); Mo|nier|ei|sen (*veral-
tet für* in [Stahl]beton eingebet-
tetes [Rund]eisen)
mo|nie|ren ⟨lat.⟩ (beanstanden)
Mo|nier|zan|ge ↑K 136 ⟨nach dem
franz. Gärtner J. Monier⟩ (Zange
für Eisendrahtarbeiten)
Mo|ni|ka (w. Vorn.)
Mo|ni|lia, die; - ⟨lat.⟩ (Pilz, der eine
Erkrankung an Obstbäumen
hervorruft)
Mo|nis|mus, der; - ⟨griech.⟩ (philos.
Lehre, die jede Erscheinung auf
ein einheitliches Prinzip
zurückführt); Mo|nist, der; -en,
-en (Anhänger des Monismus);
Mo|nis|tin; mo|nis|tisch
Mo|ni|ta (*Plur. von* Monitum)

Mo|ni|tor, der; -s, *Plur.* ...oren, *auch* -e ⟨engl.⟩ (Bildschirm; Kontrollgerät, bes. beim Fernsehen; Strahlennachweis- u. -messgerät; *Bergbau* Wasserwerfer zum Losspülen von Gestein)

Mo|ni|to|ring [ˈmɔnɪtərɪŋ], das; -s, -s ⟨engl.⟩ ([Dauer]beobachtung [eines best. Systems])

Mo|ni|to|ri|um, das; -s, ...ien ⟨lat.⟩ (*veraltet für* Mahnschreiben)

Mo|ni|tum, das; -s, ...ta (Rüge, Beanstandung)

mo|no [*auch* ˈmoː...] ⟨griech.⟩ (*kurz für* monofon); die Schallplatte wurde mono aufgenommen; Mo|no, das; -s (*kurz für* Monofonie)

mo|no... (allein...); Mo|no... (Allein...)

Mo|no|chord [...k...], das; -[e]s, -e ⟨griech.⟩ (ein Instrument zur Ton- und Intervallmessung)

mo|no|chrom [...k...] ⟨griech.⟩ (einfarbig)

mo|no|col|lor ⟨griech.; lat.⟩; eine monocolore Regierung (*österr. ugs. für* Einparteienregierung)

Mo|n|o|die, die; - ⟨griech.⟩ (*Musik* einstimmiger Gesang; Sologesang); mo|n|o|disch

mo|no|fil ⟨griech.; lat.⟩ (aus einer einzigen Faser bestehend)

mo|no|fon, mo|no|phon ⟨griech.⟩ (*Tontechnik* einkanalig)

Mo|no|fo|nie, Mo|no|pho|nie, die; -

mo|no|gam; Mo|no|ga|mie, die; - ⟨griech.⟩ (Zusammenleben mit nur einem Geschlechtspartner; Einehe; *Ggs.* Polygamie); mo|no|ga|misch

mo|no|gen ⟨griech.⟩ (*Genetik* durch nur ein Gen bedingt); Mo|no|ge|ne|se, Mo|no|ge|nie, die; - (*Biol.* ungeschlechtl. Fortpflanzung)

Mo|no|gra|fie, Mo|no|gra|phie, die; -, ...ien (wissenschaftl. Untersuchung über einen einzelnen Gegenstand)

mo|no|gra|fisch, mo|no|gra|phisch

Mo|no|gramm, das; -s, -e ⟨griech.⟩ (Namenszug [aus den Anfangsbuchstaben eines Namens])

Mo|no|gra|phie usw. *vgl.* Monografie usw.

mo|no|kau|sal ⟨griech.; lat.⟩ (auf nur eine Ursache beruhend)

Mo|n|o|kel, das; -s, - ⟨franz.⟩ (Augenglas für nur ein Auge)

mo|no|klin ⟨griech.⟩ (*Geol.* mit einer geneigten Achse; *Bot.* gemischtgeschlechtig [Staub- u. Fruchtblätter in einer Blüte tragend])

mo|no|klo|nal ⟨griech.⟩ (*Med.* aus einem Zellklon gebildet)

Mo|no|ko|ty|le|do|ne, die; -, -n ⟨griech.⟩ (*Bot.* einkeimblättrige Pflanze)

mo|n|o|ku|lar ⟨griech.; lat.⟩ (mit einem Auge, für ein Auge)

Mo|no|kul|tur [*auch* ˈmoː...] ⟨griech.; lat.⟩ (einseitiger Anbau einer bestimmten Wirtschafts- od. Kulturpflanze)

Mo|no|la|t|rie, die; - ⟨griech.⟩ (Verehrung nur eines Gottes)

Mo|no|lith, der; *Gen.* -s *od.* -en, *Plur.* -e[n] ⟨griech.⟩ (Säule, Denkmal aus einem einzigen Steinblock); mo|no|li|thisch

Mo|no|log, der; -s, -e ⟨griech.⟩ (Selbstgespräch [bes. im Drama]); mo|no|lo|gisch; mo|no|lo|gi|sie|ren

Mo|nom, Mo|no|nom, das; -s, -e ⟨griech.⟩ (*Math.* eingliedrige Zahlengröße)

mo|no|man, mo|no|ma|nisch ⟨griech.⟩ (*Psych.* an Monomanie leidend); Mo|no|ma|ne, der; -n, -n; Mo|no|ma|nie, die; - (auf eine einzige spezifische Verhaltensweise bezogene Manie); Mo|no|ma|nin; mo|no|ma|nisch

mo|no|mer ⟨griech.⟩ (*Chemie* aus einzelnen, voneinander getrennten, selbstständigen Molekülen bestehend); Mo|no|mer, das; -s, -e, Mo|no|me|re, das; -n, -n *meist Plur.* (Stoff, dessen Moleküle monomer sind)

mo|no|misch, mo|no|no|misch ⟨griech.⟩ (*Math.* eingliedrig); Mo|no|nom *vgl.* Monom; mo|no|no|misch *vgl.* monomisch

mo|no|phon usw. *vgl.* monofon usw.

Mo|no|ph|thong, der; -s, -e ⟨griech.⟩ (*Sprachw.* einfacher Vokal, z. B. a, i; *Ggs.* Diphthong); mo|no|ph|thon|gie|ren ([einen Diphthong] zum Monophthong umbilden); Mo|no|ph|thon|gie|rung

mo|no|phy|le|tisch ⟨griech.⟩ (*Biol.* auf eine Urform zurückgehend)

Mo|no|ple|gie, die; -, ...ien ⟨griech.⟩ (*Med.* Lähmung eines einzelnen Gliedes)

Mo|no|pol, das; -s, -e ⟨griech.⟩ (das Recht auf Alleinhandel u. -verkauf; Vorrecht, alleiniger Anspruch); Mo|no|pol|bren|ne|rei; Mo|no|pol|in|ha|ber; Mo|no|pol|in|ha|be|ln

mo|no|po|li|sie|ren (ein Monopol aufbauen, die Entwicklung von Monopolen vorantreiben); Mo|no|po|li|sie|rung

Mo|no|po|list, der; -en, -en (Besitzer eines Monopols); Mo|no|po|lis|tin; mo|no|po|lis|tisch

Mo|no|pol|ka|pi|tal; Mo|no|pol|ka|pi|ta|lis|mus; Mo|no|pol|ka|pi|ta|list; Mo|no|pol|ka|pi|ta|lis|tin; mo|no|pol|ka|pi|ta|lis|tisch

Mo|no|pol|stel|lung

Mo|no|po|ly ® [...li], das; - ⟨engl.⟩ (ein Gesellschaftsspiel)

Mo|no|pos|to, der; -s, -s ⟨ital.⟩ (*Automobilrennsport* Einsitzer mit unverkleideten Rädern)

Mo|no|p|te|ros, der; -, ...eren ⟨griech.⟩ (von einem Säulenring umgebener antiker Tempel)

mo|no|sem ⟨griech.⟩ (*Sprachw.* nur eine Bedeutung habend); Mo|no|se|mie, die; -

mo|no|s|ti|chisch ⟨griech.⟩ (*Verslehre* in Einzelversen [abgefasst usw.]); Mo|no|s|ti|chon, das; -s, ...cha (Einzelvers)

mo|no|syl|la|bisch ⟨griech.⟩ (*Sprachw.* einsilbig)

mo|no|syn|de|tisch ⟨griech.⟩ (*Sprachw.* nur im letzten Glied einer Reihung durch eine Konjunktion verbunden, z. B. »Ehre, Macht und Ansehen«)

Mo|no|the|is|mus, der; - ⟨griech.⟩ (Glaube an einen einzigen Gott); Mo|no|the|ist, der; -en, -en; Mo|no|the|is|tin; mo|no|the|is|tisch

mo|no|the|ma|tisch (ein einzelnes Thema aufweisend, behandelnd)

mo|no|ton ⟨griech.⟩ (eintönig; gleichförmig; ermüdend); Mo|no|to|nie, die; -, ...ien

Mo|no|t|re|men *Plur.* ⟨griech.⟩ (*Zool.* Kloakentiere)

mo|no|trop ⟨griech.⟩ (*Biol.* beschränkt anpassungsfähig)

Mo|no|type ® [...taip], die; -, -s ⟨griech.-engl.⟩ (*Druckw.* Gieß- u. Setzmaschine für Einzelbuchstaben); Mo|no|ty|pie [...ty...], die; -, ...ien (ein grafisches Verfahren)

mo|no|va|lent (*fachspr. für* einwertig)

Mo|n|o|xid, Mo|n|o|xyd [*beide auch* ...ˈksyːt] ⟨griech.⟩ (Oxid, das ein Sauerstoffatom enthält); *vgl.* Oxid

Mo|no|zel|le [*auch* ˈmoː...] ⟨griech.; dt.⟩ (kleines elektrochem. Element als Stromquelle)

Mo|n|ö|zie, die; – ⟨griech.⟩ (*Bot.* Einhäusigkeit, Vorkommen männl. u. weibl. Blüten auf einer Pflanze); **mo|n|ö|zisch** (einhäusig)

Mo|no|zyt, der; -en, -en *meist Plur.* ⟨griech.⟩ (*Med.* größtes [weißes] Blutkörperchen); **Mo|no|zy|to|se,** die; –, -n (krankhafte Vermehrung der Monozyten)

Mon|roe|dok|t|rin [...roː:...] ↑K 136, die; – (von dem nordamerik. Präsidenten Monroe 1823 verkündeter Grundsatz der gegenseitigen Nichteinmischung)

Mon|ro|via (Hauptstadt Liberias)

Mon|se|er; Mon|see-Wie|ner Frag|men|te (altd. Schriftdenkmal); *vgl.* Mondsee

Mon|sei|g|neur [mõsɛnˈjøːɐ̯], der; -s, *Plur.* -e *u.* -s *u.* Messeigneurs ⟨franz.⟩ (Titel u. Anrede hoher franz. Geistlicher, Adliger u. hochgestellter Personen; *Abk.* Mgr.)

Mon|ser|rat *vgl.* Montserrat

Mon|si|eur [məˈsjøː], der; -[s], Messieurs [mɛˈsjøː] ⟨franz., »mein Herr«⟩ (*franz. Bez. für* Herr; *als Anrede ohne Artikel; Abk.* M., *Plur.* MM.)

Mon|si|g|no|re [...ɪnˈjoː:...], der; -[s], ...ri ⟨ital.⟩ (Titel hoher Würdenträger der kath. Kirche; *Abk.* Mgr., Msgr.)

Mons|ter, das; -s, – ⟨engl.⟩ (Ungeheuer); **Mons|ter...** (*ugs. für* riesig, Riesen...)

Mons|te|ra, die; -, ...rae ⟨nlat.⟩ (eine Zimmerpflanze)

Mons|ter|bau *Plur.* ...bauten; **Mons|ter|film; Mons|ter|kon|zert; Mons|ter|pro|gramm; Mons|ter|schau**

Mons|t|ra (*Plur. von* Monstrum)

Mons|t|ranz, die; -, -en ⟨lat.⟩ (Gefäß zum Tragen u. Zeigen der geweihten Hostie)

mons|t|rös ⟨lat.(-franz.)⟩ (furchterregend scheußlich; ungeheuer aufwendig); **Mons|t|ro|si|tät,** die; -, -en; **Mons|t|rum,** das; -s, *Plur.* ...ren *u.* ...ra (Ungeheuer)

Mon|sun, der; -s, -e ⟨arab.⟩ (jahreszeitlich wechselnder Wind, bes. im Indischen Ozean); **mon|su|nisch; Mon|sun|re|gen**

Mon|ta|baur [*auch* ...ˈbau̯ɐ̯] (Stadt im Westerwald)

Mon|ta|fon, das; -s (Alpental in Vorarlberg); **mon|ta|fo|ne|risch**

Mon|tag, der; -[e]s, -e; *Abk.* Mo.; *vgl.* Dienstag

Mon|ta|ge [mɔnˈtaːʒə, *auch* mõ...], die; -, -n ⟨franz.⟩ (Aufstellung [einer Maschine], Auf-, Zusammenbau)

Mon|ta|ge|band, das; **Mon|ta|ge|bau|wei|se; Mon|ta|ge|hal|le; Mon|ta|ge|zeit**

mon|tä|gig *vgl.* ...tägig; **mon|täg|lich** *vgl.* ...täglich

Mon|ta|gnard [mõtanˈjaːɐ̯], der; -s, -s (Mitglied der »Bergpartei« der Franz. Revolution)

mon|tags ↑K 70; *vgl.* Dienstag

Mon|tags|aus|ga|be; Mon|tags|au|to (*scherzh. für* Auto mit Produktionsfehlern)

Mon|tags|de|mons|t|ra|ti|on (bes. in Leipzig [1989])

Mon|tags|wa|gen (*svw.* Montagsauto)

Mon|tai|g|ne [mõˈtɛnjə] (franz. Schriftsteller u. Philosoph)

mon|tan, mon|ta|nis|tisch ⟨lat.⟩ (Bergbau u. Hüttenwesen betreffend)

Mon|ta|na (Staat in den USA; *Abk.* MT)

Mon|tan|ge|sell|schaft; Mon|tan|in|dus|t|rie

Mon|ta|nis|mus, der; – ⟨nach dem Begründer Montanus⟩ (schwärmer. altkirchl. Bewegung in Kleinasien); **Mon|ta|nist,** der; -en, -en (Sachverständiger im Bergbau- u. Hüttenwesen; Anhänger des Montanus; **Mon|ta|nis|tin; mon|ta|nis|tisch** *vgl.* montan

Mon|tan|mit|be|stim|mung

Mon|tan|uni|on, der; – (Europäische Gemeinschaft für Kohle u. Stahl)

Mon|ta|nus (Gründer einer altchristl. Sekte)

Mont|blanc [mõˈblãː], der; -[s] ⟨franz.⟩ (höchster Gipfel der Alpen u. Europas)

Mont|bre|tie [mõˈbreːtsjə], die; -, -n ⟨nach dem franz. Naturforscher de Montbret⟩ (ein Irisgewächs)

Mont Ce|nis [mõsəˈniː], der; – – (ein Alpenpass); **Mont-Ce|nis-Stra|ße,** die; – ↑K 146

Mon|te Car|lo (Stadtbezirk von ¹Monaco)

Mon|te Cas|si|no, der; – –, *ital.*

Schreibung Mon|te|cas|si|no, der; – (Berg u. Kloster bei Cassino)

Mon|te|cris|to, franz. **Mon|te-Cris|to** (*bei Dumas in dt. Übersetzung* Monte Chris|to; Insel im Ligurischen Meer)

Mon|te|ne|g|ri|ner; mon|te|ne|g|ri|nisch; Mon|te|ne|g|ro (Teilrepublik von Serbien und Montenegro)

Mon|te Ro|sa, der; – – (Gebirgsmassiv in den Westalpen)

Mon|tes|qui|eu [mõtɛsˈkjø:] (franz. Staatsphilosoph u. Schriftsteller)

Mon|tes|so|ri, Maria (ital. Ärztin u. Pädagogin); **mon|tes|so|ri|pä|d|a|go|gisch** ↑K 136

Mon|tes|so|ri|schu|le

Mon|teur [...ˈtøːɐ̯, *auch* mõ...], der; -s, -e (Montagefacharbeiter); **Mon|teur|an|zug; Mon|teu|rin**

Mon|te|ver|di (ital. Komponist)

Mon|te|vi|de|a|ner; Mon|te|vi|deo (Hauptstadt von Uruguay)

Mon|te|zu|ma (aztek. Herrscher); Montezumas Rache (*ugs. scherzh. für* Erkrankung an Durchfall [beim Aufenthalt in Lateinamerika])

Mont|gol|fi|e|re [mõ...], die; -, -n ⟨nach den Brüdern Montgolfier⟩ (ein Heißluftballon)

mon|tie|ren [*auch* mõ...] ⟨franz.⟩ ([eine Maschine, ein Gerüst u. a.] [auf]bauen, aufstellen, zusammenbauen); **Mon|tie|rer; Mon|tie|re|rin; Mon|tie|rung**

Mont|mar|t|re [mõˈmartrə] (Stadtteil von Paris)

Mon|t|re|al [*auch* ...riˈoːl] (Stadt in Kanada)

Mon|t|reux [mõˈtrø:] (Stadt am Genfer See)

Mont-Saint-Mi|chel [mõsɛ̃miˈʃɛl] (Felsen u. Ort an der franz. Kanalküste)

Mont|sal|watsch, der; -[es] ⟨altfranz.⟩ (Name der Gralsburg in der Gralsdichtung)

Mont|ser|rat (Berg u. Kloster bei Barcelona)

Mon|tur, die; -, -en ⟨franz.⟩ (*ugs. für* [Arbeits]kleidung; *österr. auch für* Dienstkleidung, Uniform)

Mo|nu|ment, das; -[e]s, -e ⟨lat.⟩ (Denkmal); **mo|nu|men|tal** (gewaltig; großartig)

Mo|nu|men|tal|bau *Plur.* ...bauten; **Mo|nu|men|tal|film; Mo|nu|men|tal|ge|mäl|de**

Mo|nu|men|ta|li|tät, die; –

Moon|boot ['mu:nbu:t], der; -s, -s ⟨engl.⟩ (dick gefütterter Winterstiefel [aus Kunststoff])

Moor, das; -[e]s, -e; Moor|bad; moor|ba|den nur im Infinitiv gebräuchlich; Moor|bo|den

Moore [mu:ɐ̯], Henry (engl. Bildhauer)

Moor|huhn (svw. Moorschneehuhn); Moor|huhn|jagd (auch ein Computerspiel)

moo|rig

Moor|ko|lo|nie; Moor|kul|tur; Moor|lei|che; Moor|pa|ckung; Moor|schnee|huhn (nordeurop. Schneehuhn); Moor|sied|lung

¹Moos, das; -es, Plur. -e u. (für Sumpf usw.:) Möser (eine Pflanze; bayr., österr., schweiz. auch für Sumpf, ²Bruch)

²Moos, das; -es ⟨hebr.-jidd.⟩ (ugs. für Geld)

Moos|art; moos|ar|tig

moos|be|deckt ↑K 59

Moos|bee|re; Moos|farn; Moosflech|te

moos|grün; moo|sig

Moos|krepp; Moos|pols|ter; Moosro|se

Mop alte Schreibung für Mopp

Mo|ped, das; -s, -s (leichtes Motorrad); Mo|ped|fah|rer; Moped|fah|re|rin

Mopp, der; -s, -s ⟨engl.⟩ (Staubbesen mit langen Fransen)

Mop|pel, der; -s, - (ugs. für kleiner, dicklicher Mensch)

mop|pen (mit dem Mopp reinigen)

mop|pern (westmitteld. für meckern, murren); ich moppere

Mops, der; -es, Möpse (ein Hund); Möps|chen

Möp|se Plur. (derb für Busen)

möp|seln (landsch. für muffig riechen); ich möps[e]le

mop|sen (ugs. für stehlen); du mopst; sich mopsen (ugs. für sich langweilen; sich ärgern)

mops|fi|del (ugs. für sehr fidel)

Mops|ge|sicht

mop|sig (ugs. für langweilig; dick)

Mo|quette [...'ket] vgl. Mokett

¹Mo|ra, die; - ⟨ital.⟩ (ein Fingerspiel)

²Mo|ra, die; -, ...ren ⟨lat.⟩ (kleinste Zeiteinheit im Verstakt)

Mo|ral, die; -, -en Plur. selten ⟨lat.⟩ (Sittlichkeit; Sittenlehre); Mo|ral|be|griff

Mo|ra|lin, das; -s (spießige Entrüstung in moral. Dingen); mo|ra|lin|sau|er; ...sau|res Gehabe

mo|ra|lisch ⟨lat.⟩ (der Moral gemäß; sittlich); moralische Maßstäbe; mo|ra|li|sie|ren ⟨franz.⟩ (moral. Betrachtungen anstellen; den Sittenprediger spielen)

Mo|ra|lis|mus, der; - ⟨lat.⟩ (Anerkennung der Sittlichkeit als Zweck u. Sinn des menschl. Lebens; [übertrieben strenge] Beurteilung aller Dinge unter moral. Gesichtspunkten); Mo|ra|list, der; -en, -en; Mo|ra|lis|tin; mo|ra|lis|tisch

Mo|ra|li|tät, die; -, -en ⟨franz.⟩ (Sittenlehre, Sittlichkeit; mittelalterl. geistl. Schauspiel)

Mo|ral|ko|dex; Mo|ral|pau|ke; Mo|ral|phi|lo|so|phie; Mo|ral|pre|di|ger; Mo|ral|pre|di|ge|rin; Mo|ral|pre|digt; Mo|ral|theo|lo|gie

Mo|rä|ne, die; -, -n ⟨franz.⟩ (Geol. Gletschergeröll); Mo|rä|nen|landschaft

Mo|rast, der; -[e]s, Plur. -e u. Moräste (sumpfige schwarze Erde, Sumpf[land]); mo|ras|tig

Mo|ra|to|ri|um, das; -s, ...ien ⟨lat.⟩ (befristete Stundung [von Schulden]; Aufschub)

mor|bid ⟨lat.⟩ (kränklich; im [moral.] Verfall begriffen)

Mor|bi|dez|za, die; - ⟨ital.⟩ (bes. Malerei Zartheit [der Farben])

Mor|bi|di|tät, die; - ⟨lat.⟩ (Med. Krankheitsstand; Erkrankungsziffer)

mor|bi|phor (ansteckend)

Mor|bo|si|tät, die; - ⟨lat.⟩ (Kränklichkeit, Siechtum); Mor|bus, der; -, ...bi (Krankheit)

Mor|chel, die; -, -n (ein Pilz)

Mord, der; -[e]s, -e

Mord|an|kla|ge; Mord|an|schlag

mord|[be]|gie|rig

Mord|bren|ner (jmd., der einen Brand legt und dadurch Menschen tötet); Mord|bren|ne|rin; Mord|bu|be (veraltet für Mörder); Mord|dro|hung

mor|den

Mor|dent, der; -s, -e ⟨ital.⟩ (Musik Wechsel zwischen Hauptnote u. nächsttieferer Note, Triller)

Mör|der

Mör|der|gru|be; aus seinem Herzen keine Mördergrube machen (ugs. für mit seiner Meinung nicht zurückhalten)

Mör|der|hand; nur in durch, von Mörderhand (durch einen Mörder); Mör|de|rin

mör|de|risch (veraltend für mordend; ugs. für schrecklich, sehr stark, gewaltig); mörderische Kälte; er schimpfte mörderisch; mör|der|lich (ugs. für mörderisch)

Mord|fall, der

Mord|gier; mord|gie|rig vgl. mordbegierig

Mord|in|s|t|ru|ment

mor|dio! (veraltet für Mord!; zu Hilfe!); vgl. zetermordio

Mord|kom|mis|si|on; Mord|lust; Mord|nacht; Mord|pro|zess

mords..., Mords... (ugs. für sehr groß, gewaltig)

Mords|ar|beit; Mords|ding; Mordsdurst; Mords|du|sel; Mords|gau|di; Mords|ge|schrei

Mords|hit|ze; Mords|hun|ger; Mords|kerl; Mords|krach

mords|mä|ßig (ugs. für sehr, ganz gewaltig); das war ein mordsmäßiger Lärm

Mords|schreck, Mords|schre|cken; Mords|spaß (ugs. für großer Spaß); Mords|spek|ta|kel

mords|we|nig (ugs. für sehr wenig)

Mords|wut

Mord|tat; Mord|ver|dacht; Mordver|such; Mord|waf|fe

Mo|rel|le, Ma|rel|le, die; -, -n ⟨ital.⟩ (eine Sauerkirschenart)

Mo|ren (Plur. von ²Mora)

mo|ren|do ⟨ital.⟩ (Musik immer leiser werdend); Mo|ren|do, das; -s, Plur. -s u. ...di

Mo|res Plur. ⟨lat., »[gute] Sitten«; nur in jmdn. Mores lehren (ugs. für jmdn. zurechtweisen)

Mo|res|ke, Mau|res|ke, die; -, -n ⟨franz.⟩ (svw. Arabeske)

mor|ga|na|tisch ⟨althochd.-mlat.⟩ (zur linken Hand [getraut]); morganatische Ehe (standesungleiche Ehe)

Mor|gar|ten, der; -s (schweiz. Berg)

mor|gen

– jmdn. auf morgen vertrösten; bis morgen; Hausaufgaben für morgen

– die Technik von morgen (der nächsten Zukunft), Entscheidung für morgen (die Zukunft)

– morgen Abend, morgen früh od. morgen Früh, morgen Mittag, morgen Nachmittag ↑K 69

Vgl. Abend, Dienstag, ¹Morgen

¹Mor|gen, der; -s, - (Tageszeit); guten Morgen! (Gruß); ↑K 69 :

heute, gestern Morgen; ↑K 70 :
morgens; morgens früh; *vgl.*
Abend *u.* früh

²**Mor|gen**, der; -s, - ⟨*urspr.* Land,
das ein Gespann an einem Mor-
gen pflügen kann⟩ (ein altes
Feldmaß); fünf Morgen Land

³**Mor|gen**, das; - (die Zukunft); das
Heute und das Morgen

Mor|gen|an|dacht

Mor|gen|aus|ga|be

mor|gend (*veraltet für* morgig);
der morgende Tag

Mor|gen|däm|me|rung

mor|gend|lich (am Morgen gesche-
hend)

Mor|gen|duft, der; -[e]s (eine
Apfelsorte); **Mor|gen|es|sen**
(*schweiz. für* Frühstück)

mor|gen|frisch

Mor|gen|frü|he; **Mor|gen|ga|be**
(früher); **Mor|gen|grau|en**; **Mor-
gen|gym|nas|tik**

Mor|gen|land, das; -[e]s (*veraltet
für* Orient; Land, in dem die
Sonne aufgeht); **Mor|gen|län|der**;
Mor|gen|län|de|rin; **mor|gen|län-
disch**

Mor|gen|licht, das; -[e]s; **Mor|gen-
luft**; **Mor|gen|ma|ga|zin**; **Mor-
gen|man|tel**

Mor|gen|muf|fel (*ugs. für* jmd., der
morgens nach dem Aufstehen
mürrisch ist)

Mor|gen|ne|bel

Mor|gen|rock *vgl.* ¹Rock

Mor|gen|rot, **Mor|gen|rö|te**

mor|gens ↑K 70 , *aber* des Mor-
gens; *vgl.* ¹Morgen, Abend,
Dienstag

Mor|gen|son|ne; **Mor|gen|spa|zier-
gang**; **Mor|gen|stern** (als Stern
vor Sonnenaufgang erscheinen-
der Planet Venus; mittelalterl.
Schlagwaffe)

Mor|gen|streich, der; -s (*schweiz.*
Eröffnung der Basler Straßen-
fastnacht)

Mor|gen|stun|de

Mor|gen|thau|plan ↑K 136 , der;
-[e]s ⟨nach dem US-Finanzmi-
nister Henry Morgenthau⟩ (Vorschlag, Deutschland nach dem
Zweiten Weltkrieg in einen
Agrarstaat umzuwandeln)

Mor|gen|zei|tung

mor|gig; der morgige Tag

Mo|ria, die; - ⟨griech.⟩ (*Med.*
krankhafte Geschwätzigkeit
und Albernheit)

mo|ri|bund ⟨lat.⟩ (*Med.* im Sterben
liegend)

Mö|ri|ke (dt. Dichter)

Mo|rio-Mus|kat, der; -s ⟨nach dem
dt. Züchter P. Morio⟩ (eine Reb-
u. Weinsorte)

Mo|ris|ke, der; -n, -n ⟨span.⟩ (in
Spanien sesshaft gewordener
Maure)

Mo|ri|tat [*auch* 'mo:...], die; -, -en
([zu einer Bildertafel] vorgetra-
genes Lied über ein schreckli-
ches od. rührendes Ereignis);
Mo|ri|ta|ten|sän|ger; **Mo|ri|ta|ten-
sän|ge|rin**

Mo|ritz, *österr. auch* **Mo|riz** (m.
Vorn.); der kleine Moritz (*ugs.
für* naiver Mensch)

Mor|mo|ne, der; -n, -n (Angehöri-
ger einer nordamerik. Glaubens-
gemeinschaft); **Mor|mo|nen|tum**,
das; -s; **Mor|mo|nin**

Mo|ro|ni (Hauptstadt der Komo-
ren)

mo|ros ⟨lat.⟩ (*veraltet für* verdrieß-
lich); **Mo|ro|si|tät**, die; -

Mor|phe, die; - ⟨griech.⟩ (Gestalt,
Form)

Mor|phem, das; -s, -e (*Sprachw.*
kleinste bedeutungstragende
Einheit in der Sprache)

mor|phen (durch computerge-
stützte Verfahren die Abbildung von etw. übergangslos in
eine andere wechseln lassen)

Mor|pheus (griech. Gott des Trau-
mes); in Morpheus' Armen

Mor|phin, das; -s ⟨nach Morpheus⟩
(Hauptalkaloid des Opiums;
Schmerzmittel)

Mor|phing, das; -s (das Morphen)

Mor|phi|nis|mus, der; - ⟨griech.⟩
(Morphiumsucht); **Mor|phi|nist**,
der; -en, -en; **Mor|phi|nis|tin**

Mor|phi|um, das; -s (*allgemein-
sprachlich für* Morphin)

Mor|phi|um|sprit|ze; **Mor|phi|um-
sucht**, die; -; **mor|phi|um|süch|tig**

Mor|pho|ge|ne|se, **Mor|pho|ge|ne-
sis** [*auch* ...'ge:...], die; -, ...nesen
(*Biol.* Ursprung und Entwick-
lung von Organen od. Geweben
eines pflanzl. od. tierischen
Organismus); **mor|pho|ge|ne-
tisch** (gestaltbildend); **Mor|pho-
ge|nie**, die; -, ...ien (*svw.* Mor-
phogenese)

Mor|pho|lo|ge, der; -n, -n; **Mor-
pho|lo|gie**, die; - (*Biol.* Gestalt-
lehre; *Sprachw.* Formenlehre);
Mor|pho|lo|gin; **mor|pho|lo|gisch**
(die äußere Gestalt betreffend)

morsch; **Morsch|heit**, die; -

Mor|se|al|pha|bet, **Mor|se-Al|pha-
bet** ⟨nach dem nordamerik.

Erfinder Morse⟩ (Alphabet für
die Telegrafie)

Mor|se|ap|pa|rat, **Mor|se-Ap|pa|rat**
(Telegrafengerät); **mor|sen** (den
Morseapparat bedienen); du
morst

Mör|ser, der; -s, - (schweres
Geschütz; schalenförmiges
Gefäß zum Zerkleinern); **mör-
sern**; ich mörsere

Mör|ser|stö|ßel

Mor|se|zei|chen

Mor|ta|del|la, die; -, -s ⟨ital.⟩ (eine
Wurstsorte)

Mor|ta|li|tät, die; - ⟨lat.⟩ (*Med.*
Sterblichkeit[sziffer])

Mör|tel, der; -s, *Plur.* (Sorten:) -
Mör|tel|kas|ten; **Mör|tel|kel|le**

mör|teln; ich mört[e]le

Mör|tel|pfan|ne

Mo|ru|la, die; - ⟨lat.⟩ (*Biol.* Ent-
wicklungsstufe des Embryos)

Mo|sa|ik, das; -s, *Plur.* -en, *auch* -e
⟨griech.-franz.⟩; **Mo|sa|ik|ar|beit**

mo|sa|ik|ar|tig

Mo|sa|ik|bild; **Mo|sa|ik|fuß|bo|den**;
Mo|sa|ik|stein

mo|sa|isch (nach Moses benannt;
jüdisch); mosaisches Bekenntnis; die mosaischen Bücher
↑K 135 *u.* 89 ; **Mo|sa|is|mus**, der; -
(*veraltet für* Judentum)

Mo|sam|bik (Staat in Ostafrika);
Mo|sam|bi|ka|ner; **Mo|sam|bi|ka-
ne|rin**; **mo|sam|bi|ka|nisch**

Mosch, der; -[e]s (*landsch. für*
allerhand Abfälle, ...Überbleibsel)

Mo|schee, die; -, ...scheen ⟨arab.-
franz.⟩ (islam. Bethaus)

Mo|schus, der; - ⟨sanskr.⟩ (ein
Riechstoff); **mo|schus|ar|tig**

Mo|schus|ge|ruch; **Mo|schus|och|se**

Mo|se *vgl.* Moses

Mö|se, die; -, -n (*derb für* weibl.
Scham)

¹**Mo|sel**, die; - (l. Nebenfluss des
Rheins)

²**Mo|sel**, der; -s, - (*kurz für* Mosel-
wein)

Mo|se|la|ner, **Mo|sel|la|ner** (Bewoh-
ner des Mosellandes)

Mo|sel|wein

Mö|ser (*Plur. von* ¹Moos)

mo|sern ⟨hebr.-jidd.⟩ (*ugs. für* nör-
geln); ich mosere

¹**Mo|ses**, *ökum.* Mose (jüd. Gesetz-
geber im A. T.); fünf Bücher
Mosis (des Moses) *od.* Mose

²**Mo|ses**, der; -, - (*Seemannsspr.*
Beiboot einer Jacht; *auch für*
jüngstes Besatzungsmitglied an
Bord, Schiffsjunge)

Mos|kau (Hauptstadt Russlands);

M

Morg

Mos|kau|er; Moskauer Zeit; mos|kau|isch

Mos|ki|to, der; -s, -s *meist Plur.* ⟨span.⟩ (eine trop. Stechmücke); Mos|ki|to|netz

Mos|ko|wi|ter (*veraltend für* Bewohner von Moskau); Mos|ko|wi|te|rin; Mos|ko|wi|ter|tum, das; -s; mos|ko|wi|tisch

¹Mosk|wa, die; - (russ. Fluss)

²Mosk|wa (*russ. Form von* Moskau)

Mos|lem, der; -s, -s ⟨arab.⟩ (Anhänger des Islams); *vgl.* Muslim

Mos|lem|bru|der|schaft, die; -, -en (ägypt. polit. Vereinigung)

Mos|le|min, die; -, -nen (*w. Form von* Moslem)

mos|le|mi|nisch (*veraltet*), mos|le|misch *vgl.* muslimisch

Mos|li|me, die; -, -n (*selten; w. Form von* Moslem); *vgl.* Muslime

mos|so ⟨ital.⟩ (*Musik* bewegt, lebhaft)

Mos|sul *vgl.* Mosul

Most, der; -[e]s, -e (unvergorener Frucht-, bes. Traubensaft; *südd., österr. u. schweiz. für* Obstwein, -saft; *schweiz. ugs. für* Benzin); Most|bir|ne

mos|ten

Mos|tert, der; -s (*nordwestd. für* Senf); Most|rich, der; -[e]s (*nordostd. für* Senf)

Most|schen|ke (*österr.*)

Mo|sul, Mos|sul (Stadt im Irak)

Mo|tel [*auch* ...'tɛl], das; -s, -s ⟨amerik.; *aus* motorists' hotel⟩ (Hotel an der Autobahn)

Mo|tet|te, die; -, -n ⟨ital.⟩ (geistl. Chorwerk); Mo|tet|ten|stil

Mo|ther|board [ˈmaðɐbɔːɐ̯t], das; -s, -s ⟨engl.⟩ (Hauptplatine im Computer)

Mo|ti|li|tät, die; - ⟨lat.⟩ (*Med.* unwillkürlich gesteuerte Muskelbewegungen)

Mo|ti|on, die; -, -en ⟨franz.⟩ (*Sprachw.* Bildung weiblicher Personenbezeichnungen aus den männlichen mit einem Suffix, z. B. »Freundin« zu »Freund«; *schweiz. für* gewichtigste Form des Antrags in einem Parlament); Mo|ti|o|när, der; -s, -e (*schweiz. für* jmd., der eine Motion einreicht); Mo|ti|o|nä|rin

Mo|tiv, das; -s, -e ⟨lat.(-franz.)⟩ ([Beweg]grund, Antrieb, Ursache; Leitgedanke; Gegenstand, Thema einer [künstler.] Darstel-

lung; kleinstes musikal. Gebilde)

Mo|ti|va|ti|on, die; -, -en ⟨lat.⟩ (die Beweggründe, die das Handeln eines Menschen bestimmen)

Mo|ti|va|tor, der; -s, ...oren (Person oder Sache, die motiviert); Mo|ti|va|to|rin

Mo|tiv|for|schung, die; - (Zweig der Marktforschung)

mo|ti|vie|ren ⟨franz.⟩ (begründen; anregen, anspornen); Mo|ti|vie|rung

Mo|ti|vik, die; - ⟨lat.⟩ (Kunst der Motivverarbeitung [in einem Tonwerk]); mo|ti|visch; mo|ti|visch-the|ma|tisch; Brahms' motivisch-thematische Arbeit

Mo|tiv|samm|ler (*Philatelie*); Mo|tiv|samm|le|rin

Mo|to, das; -s, -s ⟨franz.⟩ (*schweiz. Kurzform von* Motorrad)

Mo|to|cross, Mo|to-Cross, das; -, -e ⟨engl.⟩ (Geschwindigkeitsprüfung im Gelände für Motorradsportler)

Mo|to|drom, das; -s, -e ⟨franz.⟩ ([ovale] Rennstrecke)

Mo|tor, der; -s, ...toren, *auch* [...'toːɐ̯] das; -s, -e ⟨lat.⟩ (Antriebskraft erzeugende Maschine; *übertr. für* vorwärtstreibende Kraft)

Mo|tor|block *Plur.* ...blöcke; Mo|tor|boot

Mo|to|ren|bau, der; -[e]s; Mo|to|ren|ge|räusch; Mo|to|ren|lärm; Mo|to|ren|öl

Mo|tor|fahr|zeug; Mo|tor|fahr|zeug|kon|t|rol|le (*schweiz.*)

Mo|tor|hau|be

...mo|to|rig (z. B. zweimotorig, *mit Ziffer* 2-motorig)

Mo|to|rik, die; - (Gesamtheit der Bewegungsabläufe des menschl. Körpers; Bewegungslehre); Mo|to|ri|ker (*Psych.* jmd., dessen Erinnerungen, Assoziationen o. Ä. vorwiegend von Bewegungsvorstellungen geleitet werden); Mo|to|ri|ke|rin; mo|to|risch; motorisches Gehirnzentrum (Sitz der Bewegungsantriebe)

mo|to|ri|sie|ren (mit Kraftmaschinen, -fahrzeugen ausstatten); Mo|to|ri|sie|rung

Mo|tor|jacht, Mo|tor|yacht; Mo|tor|leis|tung; Mo|tor|öl (*vgl.* Motorenöl)

Mo|tor|rad

Mo|tor|rad|bril|le; Mo|tor|rad|fah|rer; Mo|tor|rad|fah|re|rin

Mo|tor|rad|freak; Mo|tor|rad|ren|nen

Mo|tor|rol|ler; Mo|tor|sä|ge; Mo|tor|scha|den; Mo|tor|schiff; Mo|tor|schlep|per

Mo|tor|schlit|ten; Mo|tor|seg|ler; Mo|tor|sport; Mo|tor|sprit|ze; Mo|tor|yacht, Mo|tor|jacht

Mot|sche|kieb|chen, das; -s, - (*landsch. für* Marienkäfer)

Mot|te, die; -, -n

mot|ten (*südd. u. schweiz. für* schwelen, glimmen)

mot|ten|echt; mot|ten|fest

Mot|ten|fif|fi, der; -s, -s (*ugs. scherzh. für* Pelzmantel)

Mot|ten|fraß; Mot|ten|kis|te; Mot|ten|ku|gel; Mot|ten|pul|ver; mot|ten|zer|fres|sen

Mot|to, das; -s, -s ⟨ital.⟩ (Denk-, Wahl-, Leitspruch; Devise)

Mo|tu|pro|p|rio, das; -s, -s ⟨lat.⟩ (ein nicht auf Eingaben beruhender päpstl. Erlass)

mot|zen (*ugs. für* nörgelnd schimpfen; *landsch. auch für* schmollen); du motzt; Mot|ze|rei (*ugs.*); mot|zig (*ugs.*)

Mouche [muʃ], die; -, -s ⟨franz.⟩ (Schönheitspfläserchen)

mouil|lie|ren [mu'ji:...] ⟨franz.⟩ (*Sprachw.* erweichen; ein »j« nachklingen lassen, z. B. nach l in »brillant« = [brɪlˈjant]); Mouil|lie|rung

Mou|la|ge [mu'la:ʒə], der; -, -s, *auch* die; -, -n ⟨franz.⟩ (*Med.* Abdruck, Abguss, bes. farbiges anatom. Wachsmodell)

Mou|li|né [mu...], der; -s, -s (Garn, Gewebe); mou|li|nie|ren (Seide zwirnen)

Moun|tain|bike, Moun|tain-Bike [ˈmaʊntɪnbaɪk], das; -s, -s ⟨engl.⟩ (Fahrrad für Gelände- bzw. Gebirgsfahrten); moun|tain|bi|ken *nur im Infinitiv üblich*; Moun|tain|bi|ker, Moun|tain-Bi|ker, der; -s, -[s] (jmd., der Mountainbike fährt); Moun|tain|bi|ke|rin, Moun|tain-Bi|ke|rin; Moun|tain|bi|king, Moun|tain-Bi|king, das; -[s]

Mount Eve|rest [ˈmaʊnt ˈɛvərɪst], der; - -[s] ⟨engl.⟩ (höchster Berg der Erde)

Mount Mc|Kin|ley [- məˈkɪnli], der; - -[s] (höchster Berg Nordamerikas)

Mouse|pad *vgl.* Mauspad

Mousse [mus], die; -, -s ⟨franz.⟩ (schaumige Süßspeise; Vorspeise aus püriertem Fleisch)

Mousse au Cho|co|lat [musoʃo-

M
Mous

ko'la], die; - - -, -s - - [mʊs - -] ⟨franz.⟩ (mit Schokolade hergestellte Mousse)

Mous|se|line [mus(ə)'li:n], die; - ⟨franz.⟩ (schweiz. für Musselin)

mous|sie|ren [mʊ...] ⟨franz.⟩ (schäumen)

Mous|té|ri|en [mʊste'ri̯ẽː], das; -[s] ⟨nach dem franz. Fundort Le Monstier⟩ (Kulturstufe der Älteren Altsteinzeit)

mo|vie|ren (Sprachw. die weibliche Form zu einer männlichen Personenbezeichnung bilden; z. B. Lehrerin); **Mo|vie|rung**

Mö|we, die; -, -n (ein Vogel)

Mö|wen|ei; Mö|wen|ko|lo|nie; Mö-wen|schrei

Mo|xa, die; -, ...xen ⟨jap.-engl.⟩ (als Brennkraut verwendete Beifußwolle; Moxibustion); **mo|xen** (eine Moxibustion vornehmen); du moxt; **Mo|xi|bus|ti|on,** die; - (ostasiatische Heilbehandlung durch gezielte Wärmeeinwirkung mithilfe von Moxa-Zigarren)

Moz|ara|ber [auch ...'tsa...] meist Plur. (Angehöriger der »arabisierten« span. Christen der Maurenzeit); **moz|ara|bisch**

Mo|zart (österr. Komponist)

Mo|zar|te|um, das; -s (Musikinstitut in Salzburg)

mo|zar|tisch; ↑K 135: mozartische Kompositionen (von Mozart)

Mo|zart|kon|zert|abend, Mo-zart-Kon|zert|abend ↑K 136

Mo|zart|ku|gel ↑K 136

Mo|zart|zopf ↑K 136 (am Hinterkopf mit einer Schleife zusammengebundener Zopf)

Moz|za|rel|la, der; -s, -s ⟨ital.⟩ (ein ital. Käse aus Büffel- od. Kuhmilch)

mp = mezzopiano

MP, MPi, die; -, -s = Maschinenpistole

m. p. = manu propria

MPH [ɛmpiːˈeːtʃ] = Master of Public Health; vgl. Master

MPOS [ɛmpiːoːˈɛs] = Master of Psychoanalytic Observational Studies; vgl. Master

MPU, die; -, -s = medizinisch-psychologische Untersuchung (z. B. nach einem Führerscheinentzug)

MP3 (ein Standard der Datenkompression für Musikdateien); **MP3-For|mat** (EDV); **MP3-Play|er**

Mr = Mister ⟨engl.⟩ (engl. Anrede [nur mit Eigenn.])

Mrd., Md., Mia. = Milliarde[n]

Mrs ['mɪsɪs] = Mistress ⟨engl.⟩ (engl. Anrede für verheiratete Frauen [nur mit Eigenn.])

Ms (schriftl. engl. Anrede für verheiratete od. unverheiratete Frauen [nur mit Eigenn.])

[1]MS = Motorschiff

[2]MS, die, - meist ohne Artikel = multiple Sklerose

[3]MS = Mississippi

Ms., Mskr. = Manuskript

m/s = Meter je Sekunde

M. Sc. = Master of Science; vgl. Master

Msgr., Mgr. = Monsignore

Mskr., Ms. = Manuskript

Mss. = Manuskripte

Mt = Megatonne

MT = Montana

MTA, der u. die; -, -[s] = medizinisch-technische[r] Assistent[in]

Mu|ba = Schweizerische Mustermesse Basel

Much|tar, der; -s, -s ⟨arab.⟩ (Dorfschulze)

Mu|ci|lus (altröm. m. Eigenn.); Mucius Scaevola (röm. Sagengestalt)

Muck vgl. Mucks

Mu|cke, die; -, -n (ugs. für Grille, Laune; Musik; Nebengeschäft [vgl. Mugge]; südd. für Mücke)

Mü|cke, die; -, -n

Mu|cke|fuck, der; -s (ugs. für Ersatzkaffee; sehr dünner Kaffee)

mu|cken (ugs. für leise murren)

Mü|cken|dreck (ugs. für Kleinigkeit, lächerliche Angelegenheit); **Mü|cken|pla|ge;** Mü|cken|schiss (derb für Mückendreck); **Mü-cken|stich**

Mu|cker (heuchlerischer Frömmler; Duckmäuser); **Mu|cke|rin;** mu|cke|risch; Mu|cker|tum, das; -s

Mu|cki|bu|de (ugs. scherzhaft für Fitnessstudio); **Mu|ckis** Plur. (ugs. scherzhaft für Muskeln)

mu|ckisch (landsch. für launisch)

Mucks, der; -es, -e, Muck, der; -s, -e, Muck|ser, der; -s, - (ugs. für leiser, halb unterdrückter Laut); keinen Mucks od. Muck od. Muckser tun

mucksch (svw. muckisch); **muck-schen** (landsch. für muckisch sein)

muck|sen (ugs. für einen Laut geben; eine Bewegung machen); er hat sich nicht gemuckst

Muck|ser vgl. Mucks; **mucks|mäus-chen|still** (ugs. für ganz still)

Mud, der; -s (nordd. für Schlamm [an Flussmündungen]; Morast); **mud|dig** (nordd. für schlammig)

mü|de; sich müde toben; einer Sache müde (überdrüssig) sein; ich bin es müde

Mü|dig|keit, die; -

Mu|dir, der; -s, -e ⟨arab.(-türk.)⟩ (Leiter eines Verwaltungsbezirkes [in Ägypten])

M. U. Dr. (in Österr.) = medicinae universae doctor

Mu|d|scha|hed, der; -, ...din ⟨arab., »Kämpfer«⟩ (Freischärler [im islam. Raum])

Mües|li (schweiz. Form von Müsli)

Mu|ez|zin [auch, österr. nur, 'muː...], der; -s, -s ⟨arab.⟩ (Gebetsrufer im Islam)

[1]Muff, der; -[e]s (nordd. für [1]Schimmel, Kellerfeuchtigkeit)

[2]Muff, der; -[e]s, -e ⟨niederl.⟩ (Handwärmer)

Muf|fe, die; -, -n (Rohr-, Ansatzstück); Muffe haben (ugs. für Angst haben)

[1]Muf|fel, der; -s, - (Jägerspr. kurze Schnauze; Zool. unbehaarter Teil der Nase bei manchen Säugetieren; ugs. für mürrischer Mensch)

[2]Muf|fel, die; -, -n (Schmelztiegel)

[3]Muf|fel, das; -s, - vgl. Mufflon

muf|fe|lig, muff|lig (nordd. für mürrisch)

[1]muf|feln (ugs. für ständig [mit sehr vollem Mund] kauen; mürrisch sein); ich muff[e]le

[2]muf|feln, müf|feln (landsch. ugs. für schlecht, muffig riechen); ich muff[e]le

Muf|fel|ofen ⟨zu [2]Muffel⟩

Muf|fel|wild (Mufflon)

muf|fen (landsch. für dumpf riechen)

Muf|fen|sau|sen, das; -s (derb für Angst)

[1]muf|fig (landsch. für mürrisch)

[2]muf|fig (dumpf, nach Muff [[1]Schimmel] riechend)

Muf|fig|keit, die; - ⟨zu [1,2]muffig⟩

muff|lig vgl. muffelig

Muf|f|lon, der; -s, -s, [3]Muf|fel, das; -s, - ⟨franz.⟩ (ein Wildschaf)

Muf|ti, der; -s, -s ⟨arab.⟩ (islam. Gesetzeskundiger)

Mu|gel, der; -s, -[n] (österr. ugs. für Hügel); **mu|ge|lig, mug|lig**

(*österr. ugs. für* hügelig; *fachspr. für* mit gewölbter Fläche)

Mug|ge, die; -, -n (*landsch. für* Gelegenheit, Nebengeschäft [bes. für Musiker]; *vgl.* Mucke)

Mug|gel, der; -s, -s ⟨nach den Harry-Potter-Romanen von J. K. Rowling⟩ (Person, die nicht zaubern kann)

Müg|gel|see, der; -s (südöstl. von Berlin)

mug|lig *vgl.* mugelig

muh!; Muh *od.* muh machen; Muh *od.* muh schreien

Mü|he, die; -, -n; mit Müh und Not ↑K 13; es kostet mich keine Mühe; ich gebe mir Mühe

mü|he|los; Mü|he|lo|sig|keit, die; - **mu|hen**

mü|hen, sich; ich mühe mich

mü|he|voll

Mü|he|wal|tung

Muh|kuh (*Kinderspr. für* Kuh)

Mühl|bach

Müh|le, die; -, -n; Müh|len|rad usw. *vgl.* Mühlrad usw.

Müh|le|spiel

Mühl|gra|ben

Mühl|hau|sen, Tho|mas-Münt-zer-Stadt (Stadt in Thüringen); **Mühl|häu|ser**

Mühl|heim a. Main [- am -] (Stadt bei Offenbach)

Mühl|heim an der Do|nau (Stadt in Baden-Württemberg)

Mühl|rad; Mühl|stein; Mühl|wehr, das; **Mühl|werk**

Muh|me, die; -, -n (*veraltet für* Tante)

Müh|sal, die; -, -e

müh|sam; Müh|sam|keit, die; -

müh|se|lig; Müh|se|lig|keit

Muk|den (*früher für* Schenjang)

mu|kös ⟨*lat.*⟩ (*Med.* schleimig)

Mu|ko|sa, die; -, ...sen (Schleimhaut)

Mu|ko|vis|zi|do|se, die; -, -n ⟨*lat.*⟩ (Erbkrankheit mit Störungen der Sekrete produzierenden Drüsen)

mu|la|tie|ren (*österr.* an einem Mulatschag teilnehmen); **Mu|la|t|schag,** der; -s, -s ⟨*ung.*⟩ (*österr. für* ausgelassenes Fest)

Mu|lat|te, der; -, -n, -n ⟨*span.*⟩ (*wird häufig als diskriminierend empfunden* Nachkomme eines weißen u. eines schwarzen Elternteils); **Mu|lat|tin**

Mulch, der; -[e]s, -e (Schicht aus zerkleinerten Pflanzen, Torf o. Ä. auf dem Acker- od. Gartenboden)

Mulch|blech (Laubzerkleinerer an Rasenmähern)

mul|chen (mit Mulch bedecken)

Mul|de, die; -, -n; **mul|den|för|mig**

Mu|le|ta, die; -, -s ⟨span.⟩ (rotes Tuch der Stierkämpfer)

Mül|hau|sen, *franz.* Mul|house [my'lu:z] (Stadt im Elsass)

Mül|heim (Ort bei Koblenz)

Mül|heim a. d. Ruhr [- an de:ɐ̯ -] (Stadt im Ruhrgebiet)

Mu|li, das; -s, -[s] ⟨*lat.*⟩ (Maulesel)

¹Mull, der; -[e]s, -e ⟨Hindi-engl.⟩ (ein Baumwollgewebe)

²Mull, der; -[e]s, -e (*nordd. für* weicher, lockerer Humusboden)

³Mull, Gold|mull, der; -s, -e (maulwurfähnliches Tier)

Müll, der; -[e]s (Abfälle [der Haushalte, der Industrie])

Müll|ab|fuhr; Müll|ab|la|de|platz

Mul|lah, der; -s, -s ⟨*arab.*⟩ (Titel von islam. Geistlichen u. Gelehrten)

Müll|auf|be|rei|tung; Müll|au|to; Müll|berg; Müll|beu|tel

Mull|bin|de

Müll|con|tai|ner; Müll|de|po|nie

Müll|ei|mer; Müll|ent|sor|gung

Mül|ler; Mül|ler|bursch, Mül|ler|bur-sche

Mül|le|rei; Mül|le|rin

Mül|le|rin|art; *in den Wendungen* auf *od.* nach Müllerinart (in Mehl gewendet, gebraten u. mit Butter übergossen)

Mül|ler-Thur|gau, der; - ⟨nach dem schweiz. Pflanzenphysiologen H. Müller aus dem Thurgau⟩ (eine Reb- u. Weinsorte)

Müll|frau (*ugs.*)

Müll|gar|di|ne

Müll|gru|be; Müll|hau|fen

Müll|heim (Stadt in Baden-Württemberg)

Müll|kip|pe

Müll|läpp|chen, Mull-Läpp|chen

Müll|mann *Plur.* ...männer (*ugs.*)

Müll|schlu|cker; Müll|ton|ne; Müll|tren|nung

Müll|ver|bren|nung; Müll|ver|bren-nungs|an|la|ge

Müll|ver|mei|dung; Müll|wa|gen

Müll|wer|ker (Berufsbez.); **Müll-wer|ke|rin**

Mull|win|del

Mulm, der; -[e]s (lockere Erde; faules Holz); **mul|men** (zu Mulm machen; in Mulm zerfallen)

mul|mig (*ugs. auch für* bedenklich; unwohl); mir ist mulmig (*ugs.*)

Mul|ti, der; -s, -s ⟨*lat.*⟩ (*ugs. Kurz-*

wort für multinationaler Konzern)

mul|ti|funk|ti|o|nal (vielen Funktionen gerecht werdend)

mul|ti|kul|ti (*ugs. für* multikulturell); **mul|ti|kul|tu|rell** (viele Kulturen, Angehörige mehrerer Kulturen umfassend, aufweisend)

mul|ti|la|te|ral (mehrseitig); multilaterale Verträge

Mul|ti|me|dia, das; -[s] (*EDV* Zusammenwirken von verschiedenen Medientypen wie Texten, Bildern, Grafiken, Ton, Animationen, Videoclips)

mul|ti|me|di|al (viele Medien betreffend, berücksichtigend; für viele Medien bestimmt)

Mul|ti|me|dia|show (multimediale Darstellung verschiedener Kunstarten); **Mul|ti|me|dia|sys-tem** (System, das mehrere Medien [z. B. Fernsehen u. Bücher] verwendet); **Mul|ti|me-dia|ver|an|stal|tung**

mul|ti|mil|li|o|när; Mul|ti|mil|li|o|nä-rin

mul|ti|na|ti|o|nal (aus vielen Nationen bestehend; in vielen Staaten vertreten)

mul|ti|pel (vielfältig); ...i|p|le Sklerose (eine Nervenkrankheit; *Abk.* MS)

Mul|ti|p|le-Choice-Ver|fah|ren ['maltipl'tʃɔys...] ⟨engl.; dt.⟩ ([Prüfungs]verfahren, bei dem von mehreren vorgegebenen Antworten eine od. mehrere als richtig zu kennzeichnen sind)

mul|ti|plex (*veraltet für* vielfältig); *vgl.* Dr. [h. c.] mult.

Mul|ti|plex, das; -[es], -e (großes Kinozentrum)

Mul|ti|pli|kand, der; -en, -en (*Math.* Zahl, die mit einer anderen multipliziert werden soll)

Mul|ti|pli|ka|ti|on, die; -, -en (Vervielfachung)

Mul|ti|pli|ka|ti|vum, das; -s, ...va (*Sprachw.* Vervielfältigungszahlwort)

Mul|ti|pli|ka|tor, der; -s, ...oren (Zahl, mit der eine vorgegebene Zahl multipliziert werden soll; jmd., der Wissen, Informationen weitergibt und verbreitet); **Mul|ti|pli|ka|to|rin**

mul|ti|pli|zie|ren (malnehmen, vervielfachen); zwei multipliziert mit zwei ist, macht, gibt (*nicht:* sind, machen, geben) vier

mul|ti|re|sis|tent (*Med.* gegenüber einer Vielzahl von Stoffen widerstandsfähig)

Mul|ti|ta|lent (vielseitig begabter Mensch)

Mul|ti|tas|king [...ta:s..., *auch* ˈmʌl...], das; -[s] (gleichzeitiges Ausführen mehrerer Aufgaben, Tätigkeiten [in einem Computer])

mul|ti|va|lent (*Psych.* mehr-, vielwertig [von Tests, die mehrere Lösungen zulassen]); Mul|ti|va|lenz, die; -, -en (*bes. Psych.* Mehrwertigkeit [von psychischen Eigenschaften, Schriftmerkmalen, Tests])

Mul|ti|vi|b|ra|tor, der; -s, ...oren (Bauelement in EDV-Anlagen u. Fernsehgeräten)

Mul|ti|vi|si|ons|wand (Projektionswand, auf die mehrere Dias gleichzeitig projiziert werden)

mul|tum, non mul|ta (lat., »viel, nicht vielerlei«) (Gründlichkeit, nicht Oberflächlichkeit)

Mum [mam], die; -, -s (*engl. ugs. Bezeichnung für* Mutter)

Mum|bai [...bai] (*früher* Bombay; Stadt in Indien)

Mu|mie, die; -, -n ⟨pers.-ital.⟩ ([durch Einbalsamieren usw.] vor Verwesung geschützter Leichnam)

mu|mi|en|haft; Mu|mi|en|sarg

Mu|mi|fi|ka|ti|on, die; -, -en ⟨pers.-ital.; lat.⟩ (*seltener für* Mumifizierung; *Med.* Gewebeeintrocknung)

mu|mi|fi|zie|ren; Mu|mi|fi|zie|rung (Einbalsamierung)

Mumm, der; -s (*ugs. für* Mut, Schneid); keinen Mumm haben

¹Mum|me, die; -, (*landsch. für* Malzbier); Braunschweiger Mumme

²Mum|me, die; -, -n (*veraltet für* Larve; Vermummter)

Mum|mel, die; -, -n (Teichrose)

Mum|mel|greis (*ugs. für* alter [zahnloser] Mann)

Müm|mel|mann *Plur.* ...männer (*scherzh. für* Hase)

mum|meln (*landsch. für* murmeln; behaglich kauen, wie ein Zahnloser kauen; *auch für* mummen); ich mumm[e]le

müm|meln (fressen [vom Hasen, Kaninchen]); ich mümm[e]le

Mum|mel|see, der; -s

mum|men (*veraltet für* einhüllen); Mum|men|schanz, der; -es (*veraltend für* Maskenfest)

Mum|pitz, der; -es (*ugs. für* Unsinn; Schwindel)

Mumps, der, *landsch. auch* die; - ⟨engl.⟩ (eine Infektionskrankheit)

Munch [muŋk], Edvard (norweg. Maler)

Mün|chen (Stadt a. d. Isar); München-Schwabing ↑K 144 ; Mün|che|ner, Münch|ner; Münch[e]ner Kindl; Münch[e]ner Straße ↑K 162

¹Münch|hau|sen, Karl Friedrich Hieronymus von, *genannt* »Lügenbaron« (Verfasser unglaubhafter Abenteuergeschichten)

²Münch|hau|sen, der; -, - (Aufschneider)

Münch|hau|se|ni|a|de, Münch|hau|si|a|de (Erzählung in Münchhausens Art)

münch|hau|sisch; die münchhausischen Schriften ↑K 135 u. 89

Münch|ner *vgl.* Münchener

¹Mund, der; -[e]s *Plur.* Münder, *selten auch* Munde u. Munde; einen, zwei, ein paar Mund voll *od.* Mundvoll nehmen; einige Mund voll *od.* Mundvoll Brot; den Mund vollnehmen (großsprecherisch sein)

²Mund, Munt, die; - (Schutzverhältnis im germ. Recht); *vgl.* Mundium

Mund|art (Dialekt); Mund|art|dich|ter; Mund|art|dich|te|rin; Mund|art|dich|tung

Mund|ar|ten|for|schung, Mund|art|for|schung

mund|art|lich (*Abk.* mdal.)

Mund|art|spre|cher; Mund|art|spre|che|rin; Mund|art|wör|ter|buch

Münd|chen

Mund|du|sche

Mün|del, das, BGB (*für beide Geschlechter*) der; -s, -, *für eine weibliche Person selten auch* die; -, -n ⟨zu ²Mund, Munt⟩ (*Rechtsspr.* unter Vormundschaft stehende Person)

Mün|del|geld

mün|del|si|cher (*Bankw.*); Mün|del|si|cher|heit, die; -

mun|den (*geh. für* schmecken)

mün|den

Mün|den (Stadt am Zusammenfluss der Fulda u. der Werra zur Weser; *vgl.* Hann. Münden)

Mün|de|ner

mund|faul (*ugs. für* wortkarg)

Mund|fäu|le (eitrige Entzündung der Mundschleimhaut u. des Zahnfleisches)

Mund|faul|heit

mund|fer|tig

Mund|flo|ra (*Med.* die Bakterien und Pilze in der Mundhöhle)

mund|ge|bla|sen; mundgeblasene Gläser; mund|ge|recht

Mund|ge|ruch

Mund|har|mo|ni|ka

Mund|höh|le; Mund|hy|gi|e|ne

mün|dig; mündig sein, werden; *vgl.* mündig sprechen

Mün|dig|keit, die; -; Mün|dig|keits|er|klä|rung

mün|dig spre|chen, mün|dig|spre|chen (für mündig erklären); Mün|dig|spre|chung

Mun|di|um, das; -s, *Plur.* ...ien u. ...ia (germ.-mlat.) (Schutzverpflichtung, -gewalt im frühen dt. Recht); *vgl.* ²Mund

Mund|kom|mu|ni|on (*kath. Kirche*)

münd|lich; Münd|lich|keit, die; -

Mund|ma|ler; Mund|ma|le|rin

Mund|öff|nung (*Zool.*)

Mund|par|tie; Mund|pfle|ge

Mund|pro|pa|gan|da

Mund|raub, der; -[e]s

Mund|rohr (*veraltet für* Mundstück)

Mund|schaft (*früher* Verhältnis zwischen Schützer u. Beschütztem; Schutzverhältnis)

Mund|schenk (*früher* an Fürstenhöfen für die Getränke verantwortlicher Hofbeamter)

Mund|schleim|haut; Mund|schutz, der; -es, -e *Plur. selten* (*Med., Sport*)

M-und-S-Rei|fen [ˈɛmˌʊntˈɛs...] = Matsch-und-Schnee-Reifen

Mund|stück

mund|tot; jmdn. mundtot machen (zum Schweigen bringen)

Mund|tuch *Plur.* ...tücher (*veraltet für* Serviette)

Mün|dung; Mün|dungs|feu|er

Mün|dungs|scho|ner

Mund|voll, Mund voll *vgl.* Mund

Mund|vor|rat; Mund|was|ser *Plur.* ...wässer

Mund|werk, das; -s, -e; ein großes Mundwerk haben (*ugs. für* großsprecherisch sein)

Mund|werk|zeug *meist Plur.*; Mund|win|kel

Mund-zu-Mund-Be|at|mung ↑K 26

Mund-zu-Na|se-Be|at|mung ↑K 26

Mun|ge|nast [ˈmuŋə...] (österr. Barockbaumeisterfamilie)

¹Mun|go, der; -s, -s ⟨angloind.⟩ (eine Schleichkatze)

²Mun|go, der; -[s], -s ⟨engl.⟩ (Garn, Gewebe aus Reißwolle)

Mu|ni, der; -s, - (schweiz. für Zuchtstier)

Mu|nin (»der Erinnerer«) (nord. Mythol. einer der beiden Raben Odins); vgl. Hugin

Mu|ni|ti|on, die; -, -en (franz.); **mu|ni|ti|o|nie|ren** (mit Munition versehen); **Mu|ni|ti|o|nie|rung**

Mu|ni|ti|ons|de|pot; Mu|ni|ti|ons|fa|b|rik; Mu|ni|ti|ons|la|ger

Mu|ni|ti|ons|zug

mu|ni|zi|pal (lat.) (veraltet für städtisch; Verwaltungs...)

Mu|ni|zi|pi|um, das; -s, ...ien (altröm. Landstadt mit Selbstverwaltung)

Mun|ke|lei (ugs.); **mun|keln** (ugs. für im Geheimen reden); ich munk[e]le

Müns|ter, das, selten der; -s, - (Stiftskirche, Dom)

Müns|te|ra|ner (Einwohner von Münster [Westf.]); **Müns|te|ra|ne|rin**

Müns|ter|bau Plur. ...bauten

Müns|ter|kä|se, der; -s, - (nach der franz. Stadt Munster im Elsass) (ein Weichkäse)

Müns|ter|land, das; -[e]s (Teil der Westfälischen Bucht)

Müns|ter|turm

Müns|ter (Westf.) (Stadt im Münsterland)

Munt vgl. ²Mund

mun|ter; jmdn. munter machen od. muntermachen

Mun|ter|keit, die; -

Mun|ter|ma|cher (ugs. für Anregungsmittel)

Münt|zer, Thomas (dt. ev. Theologe)

Münz|amt; Münz|an|stalt; Münz|ap|pa|rat; Münz|au|to|mat

Mün|ze, die; -, -n (Geldstück; Geldprägestätte)

mün|zen; du münzt; das ist auf mich gemünzt (ugs. für das zielt auf mich ab)

Mün|zen|samm|lung

Mün|zer (veraltet Münzenpräger)

Münz|fern|spre|cher

Münz|fuß (Verhältnis zwischen Gewicht u. Feingehalt bei Münzen)

Münz|ge|wicht; Münz|ho|heit; Münz|ka|bi|nett; Münz|kun|de, die; - (für Numismatik)

münz|mä|ßig

Münz|recht; Münz|samm|lung (vgl. Münzensammlung)

Münz|sor|tier|ma|schi|ne

Münz|stät|te; Münz|tank; Münz|tech|nik; Münz|ver|bre|chen

Münz|wechs|ler

Münz|we|sen, das; -s

Mur, die; - (l. Nebenfluss der Drau)

Mu|rä|ne, die; -, -n (griech.) (ein Fisch)

mürb, häufiger **mür|be**; mürbes Gebäck; Natron kann den Teig mürbe machen od. mürbemachen; vgl. mürbemachen

Mür|be, die; -; **Mür|be|bra|ten** (nordd. für Lendenbraten)

mür|be|ma|chen (ugs. für jmds. Widerstand brechen)

Mür|be|teig

Mürb|heit, die; -; **Mür|big|keit**, die; - (veraltet)

Mur|bruch, der; -[e]s, ...brüche, **Mu|re**, die; -, -n (Geol. Schutt- od. Schlammstrom im Hochgebirge)

Mürb|teig (bes. österr. für Mürbeteig)

Mu|re vgl. Murbruch

mu|ren (engl.) (Seew. mit einer Muring verankern)

mu|ri|a|tisch (lat.) (kochsalzhaltig)

mu|rig (zu Mure); muriges Gelände

Mu|ril|lo [...ˈrɪljo] (span. Maler)

Mu|ring, die; -, -e (engl.) (Seew. Vorrichtung zum Verankern mit zwei Ankern)

Mu|rings|bo|je; Mu|rings|schä|kel

Mü|ritz, die; - (See in Mecklenburg)

Mur|kel, der; -s, - (landsch. für kleines Kind); **mur|ke|lig, murk|lig** (landsch. für klein)

Murks, der; -es (ugs. für unordentliche Arbeit; fehlerhaftes Produkt); **murk|sen**; du murkst; **Murk|ser; Murk|se|rin**

Mur|mansk (russ. Hafenstadt)

Mur|mel, die; -, -n (landsch. für Spielkügelchen)

¹mur|meln; ich murm[e]le (leise u. undeutlich sprechen); vor sich hin murmeln

²mur|meln; ich murm[e]le (landsch. für mit Murmeln spielen)

Mur|mel|tier (ein Nagetier); schlafen wie ein Murmeltier

Mur|ner, der; -s (Kater in der Tierfabel)

Mur|phys Ge|setz [ˈmɜːɐfɪːs -] (nach engl. »Murphy's Law«) (angenommene Gesetzmäßigkeit, nach der alles misslingt, was misslingen kann)

Murr, die; - (r. Nebenfluss des Neckars)

---

mur|ren

mur|risch; Mür|risch|keit, die; -

Murr|kopf (veraltet für mürrischer Mensch); **murr|köp|fig, murr|köp|fisch**

Mur|ten (Stadt im Kanton Freiburg); **Mur|ten|see**, der; -s

Mürz, die; - (l. Nebenfluss der Mur)

Mus, das, landsch. der; -es, -e

Mu|sa, die; - (arab.) (Bananenart)

Mu|sal|fa|ser (Manilahanf)

¹Mu|sa|get, der; -en (griech., »Musen[an]führer«) (Beiname Apollos)

²Mu|sa|get, der; -en, -en (veraltet für Freund u. Förderer der Künste u. Wissenschaft)

Mus|ca|det [myskaˈdeː], der; -[s], -s (trockener franz. Weißwein)

Mu|sche, die; -, -n (franz.) vgl. Mouche

Mu|schel, die; -, -n (österr. auch für Becken, z. B. Waschmuschel); **Mu|schel|bank** Plur. ...bänke

Mü|schel|chen

mu|schel|för|mig

mu|sche|lig, musch|lig

Mu|schel|kalk (Geol. mittlere Abteilung der Triasformation); **Mu|schel|samm|lung; Mu|schel|scha|le; Mu|schel|tau|cher; Mu|schel|tau|che|rin**

Mu|schel|werk, das; -[e]s (Kunstwiss.)

Mu|schi, die; -, -s (Kinderspr. Katze; ugs. für Vulva)

Mu|schik [auch ...ˈʃɪk], der; -s, -s (russ.) (Bauer im zaristischen Russland)

Mu|schir, der; -s, -e (arab.) (früher türkischer Feldmarschall)

Musch|ko|te, der; -n, -n (zu Musketier) (veraltend für Soldat [ohne Rang]; einfacher Mensch)

musch|lig, mu|sche|lig

Mu|se, die; -, -n (griech.) (eine der [neun] griech. Göttinnen der Künste); die zehnte Muse (scherzh. für Kleinkunst, Kabarett); vgl. aber Muße

mu|se|al (zum, ins Museum gehörend; Museums...)

Mu|se|en (Plur. von Museum)

Mu|sel|man [...maːn], der; -en, -en (veraltet für Anhänger des Islams); vgl. Moslem u. Muslim; **Mu|sel|ma|nin; mu|sel|ma|nisch**

Mu|sel|mann Plur. ...männer (veraltet, noch scherzh.)

mu|sen (zu Mus machen); du must

Mu|sen|al|ma|nach

M

Muse

M

Muse

Mu|sen|sohn (*scherzh. für* Dichter); Mu|sen|tem|pel (*scherzh. für* Theater); Mu|sen|toch|ter (*scherzh.*)

Mu|seo|lo|gie, die; - (Museumskunde); mu|seo|lo|gisch

Mu|sette [my'zɛt], die; -, *Plur.* -s *od.* -n ⟨franz.⟩ (franz. Tanz im $^3/_4$- *od.* $^6/_8$-Takt)

Mu|se|um, das; -s, ...een ⟨griech.⟩ ([der Öffentlichkeit zugängliche] Sammlung von Altertümern, Kunstwerken o. Ä.)

Mu|se|ums|auf|se|her; Mu|se|ums|auf|se|he|rin; Mu|se|ums|bau *Plur.* ...bauten; Mu|se|ums|die|ner; Mu|se|ums|die|ne|rin

Mu|se|ums|füh|rer; Mu|se|ums|füh|re|rin; Mu|se|ums|ka|ta|log

mu|se|ums|reif

Mu|se|ums|shop; Mu|se|ums|stück

Mu|si|cal ['mju:zikl], das; -s, -s ⟨amerik.⟩ (populäres Musiktheater[stück])

Mu|sic|box ['mju:zık...], die; -, -es ⟨amerik.⟩ (*svw.* Musikbox)

mu|siert ⟨griech.⟩ (*svw.* musivisch)

Mu|sik, die; -, -en ⟨griech.⟩ (*nur Sing.:* Tonkunst; Komposition, Musikstück); [die] Musik lieben

Mu|sik|aka|de|mie

Mu|si|ka|li|en *Plur.* (gedruckte Musikwerke); Mu|si|ka|li|en|hand|lung

mu|si|ka|lisch (tonkünstlerisch; musikbegabt, Musik liebend); Mu|si|ka|li|tät, die; - (musikal. Wirkung; musikal. Empfinden od. Nacherleben)

Mu|si|kant, der; -en, -en (Musiker, der zum Tanz u. dgl. aufspielt)

Mu|si|kan|ten|kno|chen (*ugs. für* schmerzempfindlicher Ellenbogenknochen)

Mu|si|kan|tin; mu|si|kan|tisch (musizierfreudig)

Mu|sik|au|to|mat; Mu|sik|bi|b|lio|thek; Mu|sik|box (Schallplattenapparat in Gaststätten); Mu|sik|di|rek|tor (MD); Mu|sik|di|rek|to|rin; Mu|sik|dra|ma

Mu|si|ker; Mu|si|ke|rin

Mu|sik|er|zie|hung; Mu|sik|ge|schich|te; Mu|sik|hoch|schu|le

Mu|sik|in|s|t|ru|ment; Mu|sik|in|s|t|ru|men|ten|in|dus|t|rie

Mu|sik|ka|pel|le; Mu|sik|kas|set|te; Mu|sik|kon|ser|ve; Mu|sik|kri|ti|ker; Mu|sik|kri|ti|ke|rin; Mu|sik|leh|rer; Mu|sik|leh|re|rin; Mu|sik|le|xi|kon

Mu|sik lie|bend, mu|sik|lie|bend; ↑K 58 : ein Musik liebender *od.*

musikliebender Mensch; Mu|sik|lieb|ha|ber; Mu|sik|lieb|ha|be|rin

Mu|si|ko|lo|ge, der; -n, -n (Musikwissenschaftler); Mu|si|ko|lo|gie, die; - (Musikwissenschaft); Mu|si|ko|lo|gin

Mu|sik|preis; Mu|sik|schu|le; Mu|sik|sen|der; Mu|sik|stück

Mu|sik|tausch|bör|se (im Internet)

Mu|sik|the|a|ter

Mu|sik|tru|he; Mu|sik|über|tra|gung; Mu|sik|un|ter|richt

Mu|si|kus, der; -, *Plur.* ...sizi *u.* ...kusse (*scherzh. für* Musiker)

Mu|sik|ver|lag

mu|sik|ver|stän|dig; Mu|sik|werk

Mu|sik|wis|sen|schaft; Mu|sik|wis|sen|schaft|ler; Mu|sik|wis|sen|schaft|le|rin

Mu|sik|zeit|schrift

Mu|sil (österr. Schriftsteller)

mu|sisch ⟨griech.⟩ (künstlerisch [aufgeschlossen, hochbegabt]; die schönen Künste betreffend); musisches Gymnasium

Mu|siv|ar|beit (Einlegearbeit, Mosaik); Mu|siv|gold (unechtes Gold); mu|si|visch ⟨griech.⟩ (eingelegt); musivische Arbeit

Mu|siv|sil|ber (Legierung aus Zinn, Wismut u. Quecksilber zum Bronzieren)

mu|si|zie|ren; Mu|si|zier|stil

Mus|kat [*österr. u. schweiz.* 'mʊ...], der; -[e]s, -e ⟨sanskr.-franz.⟩ (ein Gewürz); Mus|kat|blü|te

Mus|ka|te, die; -, -n (*veraltet für* Muskatnuss)

Mus|ka|tel|ler, der; -s, - ⟨ital.⟩ (eine Reb- u. Weinsorte); Mus|ka|tel|ler|wein

Mus|kat|nuss; Mus|kat|nuss|baum

Mus|kel, der; -s, -n ⟨lat.⟩

Mus|kel|atro|phie (*Med.* Muskelschwund); mus|kel|be|packt; Mus|kel|fa|ser

Mus|kel|frau (*ugs.*)

Mus|kel|ka|ter (*ugs. für* Muskelschmerzen); Mus|kel|kraft; Mus|kel|krampf

Mus|kel|mann *Plur.* ...männer (*ugs. für* muskulöser [starker] Mann); Mus|kel|pa|ket (*ugs. für* Muskelmann); Mus|kel|protz (*ugs. für* jmd., der mit seinen Muskeln prahlt)

Mus|kel|riss; Mus|kel|schwund

Mus|kel|shirt (ärmelloses, die Oberarmmuskeln betonendes Shirt)

Mus|kel|zer|rung

Mus|ke|te, die; -, -n ⟨franz.⟩ (*früher* schwere Handfeuerwaffe)

Mus|ke|tier, der; -s, -e (*früher* Fußsoldat)

Mus|ko|vit, Mus|ko|wit, der; -s, -e (heller Glimmer)

mus|ku|lär ⟨lat.⟩ (auf die Muskeln bezüglich, sie betreffend)

Mus|ku|la|tur, die; -, -en (Muskelgefüge, starke Muskeln)

mus|ku|lös ⟨franz.⟩ (mit starken Muskeln versehen; äußerst kräftig)

¹Müs|li, *schweiz.* Mües|li, das; -s, - ⟨schweiz.⟩ (ein Rohkostgericht, bes. aus Getreideflocken)

²Müs|li, der; -s, -s (*ugs. scherzh. für* jmd., der sich vorwiegend von Rohkost ernährt)

Mus|lim, der; -[s], *Plur.* -e *u.* -s (Anhänger des Islams)

Mus|li|ma, die; -, *Plur.* -s *u.* (selten) ...men, Mus|li|me, die; -, -n, Mus|li|min; die; -, -nen (*w.* Formen zu Muslim)

mus|li|misch, mos|le|misch (die Muslime betreffend)

Mus|pel|heim (*nord. Mythol.* Welt des Feuers, Reich der Feuerriesen)

Mus|pil|li, das; -s ⟨»Weltbrand«⟩ (altd. Gedicht vom Weltuntergang)

Muss, das; - (Zwang); es ist ein Muss (notwendig)

Muss|be|stim|mung, Muss-Be|stim|mung

Mu|ße, die; - (freie Zeit, [innere] Ruhe); *vgl. aber* Muse

Muss|ehe (*ugs. veraltend*)

Mus|se|lin, der; -s, -e ⟨nach der Stadt Mosul⟩ (ein Gewebe); mus|se|li|nen (aus Musselin)

müs|sen; ich muss; du musst; du musst|test; du müss|test; gemusst; müsse!; ich habe gemusst, *aber* was habe ich hören müssen!

Mus|se|ron [mʊsə'rõː], der; -s, -s ⟨franz.⟩ (ein Pilz)

Mu|ße|stun|de

Muss|hei|rat (*ugs. veraltend*)

mü|ßig; müßig sein; müßig hin und her gehen; *vgl.* müßiggehen

mü|ßi|gen; *noch in* sich gemüßigt (veranlasst, genötigt) sehen

Mü|ßig|gang; der; -[e]s; Mü|ßig|gän|ger; Mü|ßig|gän|ge|rin; mü|ßig|gän|ge|risch

mü|ßig|ge|hen (nichts tun, faulenzen)

Mü|ßig|keit, die; - (geh.)

Mus|sorgs|ki (russ. Komponist)

muss|te *vgl.* müssen

Muss|vor|schrift, Muss-Vor|schrift

Mus|ta|fa (m. Vorn.)

Mus|tang, der; -s, -s ⟨engl.⟩ (wild lebendes Präriepferd)

Mus|ter, das; -s, -; nach Muster

Mus|ter|bei|spiel; Mus|ter|be|trieb; Mus|ter|bild; Mus|ter|brief

Mus|ter|buch

Mus|ter|ehe; Mus|ter|ex|em|p|lar; Mus|ter|gat|te; Mus|ter|gat|tin

mus|ter|gül|tig; Mus|ter|gül|tig|keit, die; -

mus|ter|haft; Mus|ter|haf|tig|keit, die; -

Mus|ter|kar|te; Mus|ter|kna|be; Mus|ter|kof|fer; Mus|ter|land; Mus|ter|mes|se (vgl. ²Messe)

mus|tern; ich mustere

Mus|ter|pro|zess

Mus|ter|schü|ler; Mus|ter|schü|le|rin

Mus|ter|schutz; Mus|ter|stück

Mus|te|rung; Mus|te|rungs|be|scheid

Mus|ter|zeich|ner; Mus|ter|zeich|ne|rin; Mus|ter|zeich|nung

Mus|topf; aus dem Mustopf kommen (ugs. für ahnungslos sein)

Mut, der; -[e]s; jmdm. Mut machen; guten Mut[e]s sein; mir ist traurig zumute od. zu Mute

Mu|ta, die; -, ...tä ⟨lat.⟩ (Sprachw. Explosivlaut); Muta cum Liquida (Verbindung von Verschluss- u. Fließlaut, z. B. pl, pr)

mu|ta|bel ⟨lat.⟩ (veränderlich); ...a|b|le Merkmale; Mu|ta|bi|li|tät, die; - (Veränderlichkeit)

Mu|tant, der; -en, -en (svw. Mutante; bes. österr. auch für Jugendlicher im Stimmwechsel)

Mu|tan|te, die; -, -n (Biol. durch Mutation entstandenes Lebewesen); Mu|tan|tin

Mu|ta|ti|on, die; -, -en (Biol. spontan entstandene od. künstlich erzeugte Veränderung im Erbgefüge; Med. Stimmwechsel; schweiz. auch für Änderung im Personal- od. Mitgliederbestand)

mu|ta|tis mu|tan|dis (mit den nötigen Abänderungen; Abk. m. m.)

Müt|chen, das; -s; an jmdm. sein Mütchen kühlen (an jmdm. seinen Zorn auslassen)

mu|ten (Bergmannsspr. Genehmigung zum Abbau beantragen; Handw. um die Erlaubnis nachsuchen, das Meisterstück zu machen); [wohl] gemutet (veraltet für gestimmt, gesinnt) sein, aber wohlgemut sein

Mu|ter (Bergmannsspr. jmd., der Mutung einlegt)

mut|er|füllt

Mut|geld (veraltet für Abgabe für das Meisterstück); vgl. muten

mu|tie|ren ⟨lat.⟩ (Biol. sich spontan im Erbgefüge ändern; Med. die Stimme wechseln)

mu|tig

...mü|tig (z. B. wehmütig)

Müt|lein vgl. Mütchen

mut|los; Mut|lo|sig|keit, die; -

mut|ma|ßen (vermuten); du mutmaßt; gemutmaßt; zu mutmaßen; mut|maß|lich; der mutmaßliche Täter; Mut|ma|ßung

Mut|pro|be

Mut|schein (Bergmannsspr. Urkunde über die Genehmigung zum Abbau)

Mutt|chen (landsch. Koseform von ²Mutter)

¹Mut|ter, die; -, -n (Schraubenteil)

²Mut|ter, die; -, Mütter; Mutter Erde, Mutter Natur

Müt|ter|be|ra|tungs|stel|le

Mut|ter|bo|den, der; -s (humusreiche oberste Bodenschicht)

Müt|ter|chen

Mut|ter|er|de, die; - (svw. Mutterboden)

Mut|ter|freu|den Plur.; in Mutterfreuden entgegensehen (geh. für schwanger sein)

Müt|ter|ge|ne|sungs|heim; Müt|ter-Ge|ne|sungs|werk; Deutsches Mütter-Genesungswerk

Mut|ter|ge|sell|schaft (Wirtsch.)

Mut|ter|ge|stein

Mut|ter Got|tes, die; - -, Mut|ter|got|tes, die; -

Mut|ter|got|tes|bild

Mut|ter|haus

Mut|ter|herz

Mut|ter|in|s|tinkt; Mut|ter|kir|che

Mut|ter|korn Plur. ...korne

Mut|ter|ku|chen (Plazenta)

Mut|ter|land Plur. ...länder

Mut|ter|leib, der; -[e]s

Müt|ter|lein

müt|ter|lich; müt|ter|li|cher|seits; Müt|ter|lich|keit, die; -

Mut|ter|lie|be

mut|ter|los

Mut|ter|mal Plur. ...male

Mut|ter|milch

Mut|ter|mund, der; -[e]s (Med.)

Mut|tern|fa|b|rik

Mut|tern|schlüs|sel

Mut|ter|pass

Mut|ter|pflan|ze

Mut|ter|recht, das; -[e]s

Mut|ter|schaf

Müt|ter|schaft, die; -; Müt|ter-schafts|ur|laub (veraltend)

Mut|ter|schiff

Mut|ter|schutz; Mut|ter|schutz|ge|setz

Mut|ter|schwein

mut|ter|see|len|al|lein (ganz allein)

Mut|ter|söhn|chen (abwertend)

Mut|ter|spra|che; Mut|ter|sprach|ler; Mut|ter|sprach|le|rin

Mut|ter|stel|le; an jmdm. Mutterstelle vertreten; Mut|ter|stolz

Mut|ter|tag; Mut|ter|tier

Mut|ter|witz, der; -es

Mut|ti, die; -, -s (Koseform von ²Mutter)

mu|tu|al, mu|tu|ell ⟨lat.⟩ (wechselseitig)

Mu|tu|a|lis|mus, der; - (Biol. Beziehung zwischen Lebewesen verschiedener Art zu beiderseitigem Nutzen)

mu|tu|ell vgl. mutual

Mu|tung (Bergmannsspr. Antrag auf Erteilung des Abbaurechts); Mutung einlegen (Antrag stellen)

Mut|wil|le, der; -ns

mut|wil|lig; Mut|wil|lig|keit

Mutz, der; -es, -e (landsch. für Tier mit gestutztem Schwanz)

Müt|zchen; Müt|ze, die; -, -n; Müt|zen|schirm

Mu|zak ['mju:zɛk], die; - ⟨engl.⟩ (Jargon [anspruchslose] Hintergrundmusik für Büros, Einkaufszentren o. Ä.)

MV = Megavolt

m. v. = mezza voce

MW = Megawatt

m. W. = meines Wissens

MwSt., Mw.-St. = Mehrwertsteuer

¹My, das; -[s], -s (griech. Buchstabe: M, μ)

²My (kurz für Mikron)

My|al|gie, die; -, ...ien ⟨griech.⟩ (Med. Muskelschmerz)

My|an|mar (['mia...] (Staat in Hinterindien); vgl. Birma u. Burma; My|an|ma|re, der; -n, -n; My|an|ma|rin; my|an|ma|risch

My|as|the|nie, die; -, ...ien (Med. krankhafte Muskelschwäche)

My|ato|nie, die; -, ...ien (Med. [angeborene] Muskelschlaffung)

My|e|li|tis, die; -, ...litiden ⟨griech.⟩ (Med. Entzündung des Rückenod. Knochenmarks)

My|ke|nä, My|ke|ne (griech. Ort u. antike Ruinenstätte); my|ke|nisch

My|ko|lo|ge, der; -n, -n; My|ko|lo-

M

Myko

gie, die; - ⟨griech.⟩ (Pilzkunde);
My|ko|lo|gin; my|ko|lo|gisch
My|kor|rhi|za, die; -, ...zen (*Bot.* Lebensgemeinschaft zwischen den Wurzeln von höheren Pflanzen u. Pilzen)
My|ko|se, die; -, -n (*Med.* Pilzerkrankung)
My|la|dy [miˈleːdi] ⟨engl.⟩ (frühere engl. Anrede an eine Dame = gnädige Frau)
My|lo|nit, der; -s, -e ⟨griech.⟩ (*Geol.* Gestein)
My|lord [mi...] ⟨engl.⟩ (frühere engl. Anrede an einen Herrn = gnädiger Herr)
Myn|heer [məˈneːɐ̯] ⟨niederl.⟩; *vgl.* Mijnheer
Myo|kard, das; -[e]s, -e, Myo|kar|di|um, das; -s, ...dia ⟨griech.⟩ (*Med.* Herzmuskel)
Myo|kar|die, die; -, ...ien, Myo|kar|do|se, die; -, -n (nicht entzündliche Herzmuskelerkrankung)
Myo|kard|in|farkt (Herzinfarkt)
Myo|kar|di|tis, die; -, ...it|den (Herzmuskelentzündung)
Myo|kar|do|se *vgl.* Myokardie
Myo|kard|scha|den
Myo|lo|gie, die; - (*Med.* Muskellehre)
My|om, das; -s, -e (gutartige Muskelgewebsgeschwulst)
myo|morph (muskelfaserig)
My|on, das; -s, ...onen *meist Plur.* ⟨griech.⟩ (*Kernphysik* instabiles Elementarteilchen)
my|op, my|o|pisch ⟨griech.⟩ (*Med.* kurzsichtig); **My|o|pe,** der *od.* die; -n, -n (Kurzsichtige[r]); **My|o|pie,** die; - (Kurzsichtigkeit); **my|o|pisch** *vgl.* myop
My|o|sin, das; -s (Muskeleiweiß)
My|o|si|tis, die; -, ...it|den ⟨griech.⟩ (*Med.* Muskelentzündung)
Myo|to|mie, die; -, ...ien (operative Muskeldurchtrennung)
Myo|to|nie, die; -, ...ien (Muskelkrampf)
My|ri|a... ⟨griech.⟩ (10 000 Einheiten enthaltend)
My|ri|a|de, die; -, -n (Anzahl von 10 000; *meist Plur.: übertr. für* unzählig große Menge)
My|ria|po|de, My|rio|po|de, der; -n, -n *meist Plur.* (*Zool.* Tausendfüßer)
Myr|me|ko|lo|gie, die; - ⟨griech.⟩ (*Zool.* Ameisenkunde)
Myr|mi|do|ne, der; -n, -n (Angehöriger eines antiken Volksstammes)
My|ro|ba|la|ne, die; -, -n ⟨griech.⟩

(Gerbstoff enthaltende Frucht vorderind. Holzgewächse)
Myr|re, Myr|rhe, die; -, -n ⟨semit.⟩ (ein aromat. Harz); Myr|ren|öl, **Myr|rhen|öl,** das; -[e]s; Myr|ren|tink|tur, **Myr|rhen|tink|tur,** die; -
Myr|te, die; -, -n (immergrüner Baum od. Strauch des Mittelmeergebietes u. Südamerikas)
Myr|ten|kranz; Myr|ten|zweig
Mys|te|ri|en|spiel ⟨griech.; dt.⟩ (mittelalterliches geistliches Drama)
mys|te|ri|ös ⟨franz.⟩ (geheimnisvoll)
Mys|te|ri|um, das; -s, ...ien ⟨griech.⟩ (unergründliches Geheimnis [religiöser Art])
Mys|te|ry [ˈmɪstəri], die; -, -s *od.* das; -s, -s *meist ohne Artikel* ⟨engl.⟩ (Film, Roman o. Ä., in dem es um schaurige, übernatürliche Ereignisse geht); **Mys|te|ry|se|rie** (*bes. Ferns.*)
Mys|ti|fi|ka|ti|on, die; -, -en ⟨griech.; lat.⟩ (Täuschung; Vorspiegelung)
mys|ti|fi|zie|ren (mystisch betrachten); **Mys|ti|fi|zie|rung**
Mys|tik, die; - ⟨griech.⟩ (*urspr.* Geheimlehre; relig. Richtung, die den Menschen durch Hingabe u. Versenkung zu persönl. Vereinigung mit Gott zu bringen sucht); **Mys|ti|ker; Mys|ti|ke|rin; mys|tisch** (geheimnisvoll)
Mys|ti|zis|mus, der; - (Wunderglaube, [Glaubens]schwärmerei); **mys|ti|zis|tisch**
My|the, die; -, -n (*älter für* Mythos)
My|then [ˈmiː...], der; -s, - (Gebirgsstock bei Schwyz); der Große, der Kleine Mythen
My|then|bil|dung; My|then|forschung, die; -
my|then|haft; my|thisch ⟨griech.⟩ (sagenhaft, erdichtet)
My|tho|lo|gie, die; -, ...ien (überlieferte Götter-, Helden-, Dämonensagen eines Volkes; wissenschaftl. Behandlung der Mythen); **my|tho|lo|gisch; my|tho|lo|gi|sie|ren** (in mythischer Form darstellen)
My|thos, My|thus, der; -, ...then (Sage u. Dichtung von Göttern, Helden u. Geistern; legendäre, glorifizierte Person od. Sache)
My|ti|le|ne, neugriech. Mi|ti|li|ni (Hauptstadt von Lesbos)
Myx|ödem ⟨griech.⟩ (*Med.* körperl. u. geistige Erkrankung mit heftigen Hautanschwellungen)

My|xo|ma|to|se, die; -, -n (tödlich verlaufende Viruskrankheit bei Hasen- u. [Wild]kaninchen)
My|xo|my|zet, der; -en, -en (*Bot.* ein Schleimpilz)
My|zel, das; -s, -ien ⟨griech.⟩, **My|ze|li|um,** das; -s, ...lien (*Bot.* [unter der Erde wachsendes] Fadengeflecht der Pilze)
My|zet, der; -en, -en (*selten für* Pilz); **My|ze|tis|mus,** der; -, ...men (*Med.* Pilzvergiftung)

N

n = Nano...; Neutron
N (Buchstabe); das N; des N, die N, *aber* das n in Wand; der Buchstabe N, n
N = Newton; *chem. Zeichen für* Nitrogenium (Stickstoff); Nord[en]
N, ν = Ny
'n ↑K14 (*ugs. für* ein, einen)
Na = *chem. Zeichen für* Natrium
na! (*bayr., österr. ugs. für* nein!)
na!; na, na!; na ja!; na und?; na gut!; na, so was!
Naab, die; - (l. Nebenfluss der Donau); **Naab|eck** (Ortsn.); **Nab|burg** (Stadt an der Naab)
Na|be, die; -, -n (Mittelhülse des Rades)
Na|bel, der; -s, -; **Na|bel|bruch na|bel|frei; Na|bel|pier|cing**
Na|bel|schau (*ugs.*)
Na|bel|schnur *Plur.* ...schnüre
Na|ben|boh|rer; Na|ben|schal|tung (beim Fahrrad)
Na|bob, der; -s, -s ⟨Hindi-engl.⟩ (Provinzgouverneur in Indien; reicher Mann)
Na|bo|kov [...kɔf] (amerik. Schriftsteller)
NABU = Naturschutz, Artenschutz, Biotopschutz, Umweltschutz (dt. Naturschutzbund)
Na|buc|co (*ital. Kurzform von* Nabucodonosor = Nebukadnezar; Oper von Verdi)
nach; nach und nach; nach wie vor; *Präp. mit Dat.:* nach ihm; nach außen; nach Haus[e] *od.*

M
Myko

nachhause; nach langem, schwerem Leiden

nach… (*in Zus. mit Verben*, z. B. nachmachen, du machst nach, nachgemacht, nachzumachen)

nach|äf|fen (*ugs. für* nachahmen); Nach|äf|fe|rei; Nach|äf|fung

nach|ah|men; er hat sie nachgeahmt; nach|ah|mens|wert

Nach|ah|mer; Nach|ah|me|rin

Nach|ah|mung; Nach|ah|mungs|tä|ter; Nach|ah|mungs|tä|te|rin; Nach|ah|mungs|trieb; nach|ah|mungs|wür|dig

nach|ar|bei|ten

Nach|bar, der; *Gen.* -n, *seltener* -s, *Plur.* -n

Nach|bar|dorf; Nach|bar|gar|ten; Nach|bar|haus; Nach|ba|rin; Nach|bar|land *Plur.* …länder

nach|bar|lich

Nach|bar|ort (*vgl.* [1]Ort)

Nach|bar|recht, das; -[e]s

Nach|bar|schaft; nach|bar|schaft|lich; Nach|bar|schafts|hil|fe

Nach|bars|fa|mi|lie; Nach|bars|frau; Nach|bars|kind; Nach|bars|leu|te *Plur.*

Nach|bar|staat *Plur.* …staaten

Nach|bar|stadt

Nach|bar|wis|sen|schaft

Nach|bau, der; -[e]s, *Plur.* (*für* etwas Nachgebautes) -ten; nach|bau|en

nach|be|ar|bei|ten

Nach|be|ben (nach einem Erdbeben)

nach|be|han|deln; Nach|be|hand|lung

nach|be|kom|men (*ugs.*)

nach|be|rei|ten (*Päd.* [den bereits behandelten Unterrichtsstoff] vertiefen o. Ä.); Nach|be|rei|tung

nach|be|set|zen (*bes. österr. für* neu besetzen, einen Nachfolger bestimmen)

nach|bes|sern; ich bessere *od.* bessre nach; Nach|bes|se|rung, Nach|bess|rung

nach|be|stel|len; Nach|be|stel|lung

nach|be|ten; Nach|be|ter; Nach|be|te|rin

Nach|be|treu|ung, die; -

nach|be|zeich|net (*bes. Kaufmannsspr.);* nachbezeichnete Waren

nach|bil|den; Nach|bil|dung

nach|blei|ben (*landsch. für* zurückbleiben; nachsitzen)

nach|bli|cken

nach|blu|ten; Nach|blu|tung

nach|boh|ren (*auch für* hartnäckig nachfragen)

nach|börs|lich (nach der Börsenzeit)

nach Chris|ti Ge|burt (*Abk.* n. Chr. G.)

nach|christ|lich

nach Chris|to, nach Chris|tus (*Abk.* n. Chr.)

nach|da|tie|ren (mit einem früheren, *auch* späteren Datum versehen); sie hat das Schreiben nachdatiert; *vgl.* zurückdatieren *u.* vorausdatieren; Nach|da|tie|rung

nach|dem; je nachdem; je nachdem[,] ob … *od.* wie … ↑K 127

nach|den|ken; nach|denk|lich; Nach|denk|lich|keit, die; -

nach|dich|ten; Nach|dich|tung

nach|die|seln *vgl.* dieseln

nach|dop|peln (*schweiz. für* nachbessern; zum zweiten Mal in Angriff nehmen)

nach|drän|gen

nach|dre|hen; eine Szene nachdrehen

Nach|druck, der; -[e]s, *Plur.* (*Druckw.:*) …drucke

nach|dru|cken; Nach|druck|er|laub|nis

nach|drück|lich; Nach|drück|lich|keit, die; -

nach|drucks|voll

Nach|druck|ver|fah|ren

nach|dun|keln; der Anstrich ist *od.* hat nachgedunkelt; er sagt, das Holz dunk[e]le nach

Nach|durst (nach Alkoholgenuss)

nach|ei|fern; nach|ei|ferns|wert; Nach|ei|fe|rung

nach|ei|len

nach|ei|n|an|der; nacheinander starten; die Schüler wurden nacheinander aufgerufen usw.; *vgl.* aneinander

nach|eis|zeit|lich

nach|emp|fin|den; Nach|emp|fin|dung

Na|chen, der; -s, - (*landsch. u. geh. für* Kahn)

nach|ent|rich|ten; Versicherungsbeiträge nachentrichten; Nach|ent|rich|tung

Nach|er|be, der; Nach|erb|schaft

nach|er|le|ben

Nach|ern|te

nach|er|zäh|len; Nach|er|zäh|lung

Nachf. = Nachfolger[in]

Nach|fahr, der; *Gen.* -en, *selten* -s, *Plur.* -en, Nach|fah|re, der; -n, -n (*selten für* Nachkomme)

nach|fah|ren

Nach|fah|ren|ta|fel; Nach|fah|rin

Nach|fall, der (*Bergmannsspr.* Gestein, das bei der Kohlegewinnung nachfällt und die Kohle verunreinigt)

nach|fär|ben

nach|fas|sen (*auch für* hartnäckig weitere Fragen stellen)

Nach|fei|er; nach|fei|ern

nach|fi|nan|zie|ren; Nach|fi|nan|zie|rung

Nach|fol|ge, die; -; nach|fol|gen

nach|fol|gend; die nachfolgenden Bestimmungen; ↑K 72 : das Nachfolgende; Nachfolgendes gilt nur mit Einschränkungen; im Nachfolgenden (weiter unten) ist zu lesen …

Nach|fol|gen|de, der u. die; -n, -n

Nach|fol|ge|or|ga|ni|sa|ti|on

Nach|fol|ger (*Abk.* N[a]chf.); Nach|fol|ge|rin (*Abk.* N[a]chf.); Nach|fol|ger|schaft

Nach|fol|ge|staat *Plur.* …staaten

nach|for|dern; Nach|for|de|rung

nach|for|men; eine Plastik nachformen

nach|for|schen; Nach|for|schung

Nach|fra|ge; nach|fra|gen; nach|fra|ge|ori|en|tiert

Nach|fra|ger (*Wirtsch.);* Nach|fra|ge|rin; Nach|fra|ge|schwan|kung

nach|füh|len; nach|füh|lend

nach|fül|len; Nach|fül|lung

Nach|gang; im Nachgang (*Amtsspr.* als Nachtrag)

nach|gä|ren; Nach|gä|rung

nach|ge|ben

nach|ge|bo|ren; nachgebor[e]ner Sohn; Nach|ge|bo|re|ne, der u. die; -n, -n

Nach|ge|bühr (z. B. Strafporto)

Nach|ge|burt

Nach|ge|fühl

nach|ge|hen

nach|ge|la|gert; nachgelagerte Besteuerung

nach|ge|las|sen (*veraltend für* hinterlassen); ein nachgelassenes Werk

nach|ge|ord|net

nach|ge|ra|de

nach|ge|ra|ten; jmdm. nachgeraten

Nach|ge|schmack, der; -[e]s

nach|ge|wie|se|ner|ma|ßen

nach|gie|big; Nach|gie|big|keit

nach|gie|ßen

nach|grü|beln

nach|gu|cken (*ugs.*)

nach|ha|ken (*ugs. auch für* eine [weitere] Frage stellen)

Nach|hall; nach|hal|len

nach|hal|tig (sich für länger stark auswirkend; *Ökologie* nur in dem Maße, wie die Natur es verträgt; *Jargon* nur so groß, viel, dass zukünftige Entwicklungen nicht gefährdet sind); **Nach|haltig|keit**, die; -; **Nach|hal|tig|keits|fak|tor**

nach|hän|gen; ich hing nach, du hingst nach; nachgehangen; einer Sache nachhängen; *vgl.* ¹hängen

nach Haus[e], nach|hau|se
Nach|hau|se|weg
nach|hel|fen
nach|her [*auch, österr. nur,* 'na:...];
nach|he|rig
Nach|hil|fe; **Nach|hil|fe|leh|rer**;
Nach|hil|fe|leh|re|rin; **Nach|hil|fe|schü|ler**; **Nach|hil|fe|schü|le|rin**
Nach|hil|fe|stun|de; **Nach|hil|fe|un|ter|richt**
Nach|hi|n|ein ↑K81 ; *nur in:* im
Nachhinein (hinterher, nachträglich)
nach|hin|ken
Nach|hol|be|darf; **nach|ho|len**;
Nach|hol|spiel (*Sport*)
Nach|hut, die; -, -en (*Milit.*)
nach|ja|gen; dem Glück nachjagen
nach|kar|ten (*ugs. für* eine nachträgliche Bemerkung machen)
Nach|kauf; **nach|kau|fen**; man kann alle Teile des Geschirrs nachkaufen
Nach|klang
Nach|klapp, der; -s, -s (*ugs. für* Nachtrag)
nach|klin|gen
nach|ko|chen
Nach|kom|ma|stel|le; das Ergebnis auf die zweite Nachkommastelle aufrunden
Nach|kom|me, der; -n, -n; **nach|kom|men**; **Nach|kom|men|schaft**
Nach|kömm|ling
Nach|kon|t|rol|le; **nach|kon|t|rol|lie|ren**
Nach|kriegs|er|schei|nung; **Nach|kriegs|ge|ne|ra|ti|on**; **Nach|kriegs|zeit**
nach|ku|cken (*nordd. für* nachgucken)
Nach|kur
nach|la|den
Nach|lass, der; -es, *Plur.* -e *u.* ...lässe
nach|las|sen
Nach|las|ser (*selten für* Erblasser);
Nach|las|se|rin
Nach|lass|ge|richt
nach|läs|sig; **nach|läs|si|ger|wei|se**;
Nach|läs|sig|keit
Nach|lass|pfle|ger; **Nach|lass|pfle|ge|rin**, Nach|lass|sa|che, Nach-

lass-Sa|che; **Nach|lass|ver|wal|ter**; **Nach|lass|ver|wal|te|rin**
nach|lau|fen; **Nach|läu|fer**
nach|le|ben; einem Vorbild nachleben
Nach|le|ben, das; -s (Leben eines Verstorbenen in der Erinnerung der Hinterbliebenen)
nach|le|gen
Nach|le|se; **nach|le|sen**
nach|lie|fern; **Nach|lie|fe|rung**
nach|lö|sen
nachm. = nachmittags
nach|ma|chen (*ugs.*)
Nach|mahd (*landsch. für* Grummet)
nach|ma|len
nach|ma|lig (*veraltend für* später);
nach|mals (*veraltet für* später)
nach|mes|sen; **Nach|mes|sung**
Nach|mie|ter; **Nach|mie|te|rin**
Nach|mit|tag; ↑K70 : nachmittags; (*Abk.* nachm., *bei* Raummangel nm.); *aber* des Nachmittags; ↑K69 : gestern, heute, morgen Nachmittag; Dienstagnachmittag; *vgl.* ¹Mittag
nach|mit|tä|gig *vgl.* ...tägig
nach|mit|täg|lich *vgl.* ...täglich
nach|mit|tags *vgl.* Nachmittag
Nach|mit|tags|schlaf; **Nach|mit|tags|stun|de**; **Nach|mit|tags|un|ter|richt**; **Nach|mit|tags|vor|stel|lung**
Nach|nah|me, die; -, -n; **Nach|nah|me|ge|bühr**; **Nach|nah|me|sen|dung**
Nach|na|me (Familienname)
nach|no|mi|nie|ren
nach|plap|pern (*ugs.*)
nach|po|lie|ren
Nach|por|to
nach|prä|gen; **Nach|prä|gung**
nach|prüf|bar; **Nach|prüf|bar|keit**
nach|prü|fen; **Nach|prü|fung**
Nach|rang (*österr. für* Gegensatz zu Vorrang, Vorfahrt im Straßenverkehr); **nach|ran|gig** (*svw.* zweitrangig); **Nach|ran|gig|keit**, die; -
Nach|raum, der; -[e]s (*Forstw.* Ausschuss)
nach|rech|nen; **Nach|rech|nung**
Nach|re|de; üble Nachrede
nach|re|den
nach|rei|chen; Unterlagen nachreichen
Nach|rei|fe; **nach|rei|fen**
nach|rei|sen
nach|ren|nen
Nach|richt, die; -, -en
Nach|rich|ten|agen|tur; **Nach|rich|ten|bü|ro**

Nach|rich|ten|dienst
nach|rich|ten|dienst|lich
Nach|rich|ten|ma|ga|zin; **Nach|rich|ten|sa|tel|lit**; **Nach|rich|ten|sen|der**; **Nach|rich|ten|sen|dung**; **Nach|rich|ten|sper|re**
Nach|rich|ten|spre|cher; **Nach|rich|ten|spre|che|rin**; **Nach|rich|ten|tech|nik**; **Nach|rich|ten|über|mitt|lung**; **Nach|rich|ten|we|sen**
nach|richt|lich
Nach|rü|cken; **Nach|rü|cker**; **Nach|rü|cke|rin**
Nach|ruf, der; -[e]s, -e; **nach|ru|fen**
Nach|ruhm; **nach|rüh|men**
nach|rüs|ten (nachträglich mit einem Zusatzgerät versehen; die militärische Bewaffnung ergänzen, ausbauen); **Nach|rüs|tung**
nach|sa|gen; jmdm. etw. nachsagen
Nach|sai|son
nach|sal|zen
Nach|satz
¹**nach|schaf|fen** (ein Vorbild nachgestalten); *vgl.* ²schaffen
²**nach|schaf|fen** (nacharbeiten); *vgl.* ¹schaffen
nach|schau|en (*bes. südd., österr., schweiz.*)
nach|schen|ken; Wein nachschenken
nach|schi|cken
nach|schie|ben
Nach|schlag, der; -[e]s, Nachschläge (*Musik; ugs. für* zusätzliche Essensportion)
nach|schla|gen; er ist seinem Vater nachgeschlagen (nachgeartet); sie hat in einem Buch nachgeschlagen
Nach|schla|ge|werk, *südd., österr. u. schweiz.* **Nach|schlag|werk**
nach|schlei|chen
Nach|schlüs|sel; **Nach|schlüs|sel|dieb|stahl** (Diebstahl mithilfe von Nachschlüsseln)
Nach|schöp|fung
nach|schrei|ben; **Nach|schrift** (*Abk.* NS)
Nach|schub, der; -[e]s, Nachschübe *Plur. selten;* **Nach|schub|ko|lon|ne**; **Nach|schub|trup|pe**
Nach|schuss (*Wirtsch.* zusätzliche Einzahlung über die Stammeinlage hinaus; *Sport* erneuter Schuss auf das Tor); **Nach|schuss|pflicht**
nach|schwat|zen
nach|schwin|gen
nach|se|hen; jmdm. etwas nachsehen; **Nach|se|hen**, das; -s
Nach|sen|de|auf|trag

N

Nach

¹nächst

– nächsten Jahres (*Abk.* n. J.), nächsten Monats (*Abk.* n. M.)
– nächstes Mal, das nächste Mal (*vgl.* ¹Mal, I)
– die nächsthöhere Nummer; bei nächstbester Gelegenheit

Großschreibung der Substantivierung ↑K72:

– der Nächste, die Nächste[,] bitte!
– das ist das Nächste, was zu tun ist

– das müssen wir als Nächstes in Angriff nehmen
– *aber* das kommt der Wahrheit am nächsten
– der nächste Beste; *aber* das Nächstbeste, was sich ihm bietet
Vgl. ²nächst *u.* Nächste

---

nach|sen|den; Nach|sen|dung
nach|set|zen; jmdm. nachsetzen
Nach|sicht, die; -; nach|sich|tig; Nach|sich|tig|keit, die; -
nach|sichts|voll
Nach|sil|be
nach|sin|gen
nach|sin|nen (*geh. für* nachdenken)
nach|sit|zen (zur Strafe nach dem Unterricht noch in der Schule bleiben müssen); er hat nachgesessen
Nach|som|mer
Nach|sor|ge, die; - (*Med.*)
Nach|spann (*Film, Fernsehen* einem Film o. Ä. folgende Angaben über Mitwirkende u. Ä.)
Nach|spei|se
Nach|spiel
nach|spie|len; Nach|spiel|zeit
nach|spi|o|nie|ren (*ugs.*)
nach|spre|chen; Nach|spre|cher; Nach|spre|che|rin
nach|spü|len
nach|spü|ren
¹nächst *s. Kasten*
²nächst (hinter, gleich nach); *Präp. mit Dat.:* nächst dem Hause, nächst ihm
nächst|bes|ser; die nächstbessere Platzierung; nächst|be|ste *vgl.* nächst; Nächst|bes|te, der *u.* die *u.* das; -n, -n
nächst|dem
Nächs|te, der; -n, -n (Mitmensch); liebe deinen Nächsten; *vgl.* ¹nächst
nach|ste|hen; jmdm. in nichts nachstehen; nach|ste|hend; die nachstehende Erläuterung; *aber* ↑K72: ich möchte Ihnen Nachstehendes zur Kenntnis bringen; Einzelheiten werden in Nachstehenden behandelt; das Nachstehende muss geprüft werden
nach|stei|gen (*ugs. für* folgen)
nach|stel|len; Nach|stel|lung
Nächs|ten|lie|be
nächs|tens

nächs|tes Mal; das nächste Mal; *vgl.* ¹Mal, I
nächst|fol|gend; Nächst|fol|gen|de, der *u.* die; -n, -n
nächst|ge|le|gen
nächst|hö|her; Nächst|hö|he|re, der *u.* die *u.* das; -n, -n
nächst|jäh|rig
nächst|lie|gend *vgl.* naheliegen
Nächst|lie|gen|de, das; -n
nächst|mög|lich; zum nächstmöglichen Termin; *nicht korrekt:* nächstmöglichst
nach|sto|ßen
nach|stür|zen
nach|su|chen; Nach|su|chung
Nacht, die; -, Nächte; bei, über Nacht; die Nächte über; Tag und Nacht; es wird Nacht; des Nachts, eines Nachts; ↑K69: [bis, von] gestern, heute, morgen Nacht; Dienstagnacht; *vgl.* nachts
Nacht|ab|sen|kung (bei der Zentralheizung)
nacht|ak|tiv; nachtaktive Tiere
Nacht|an|griff
nach|tan|ken
Nacht|ar|beit; Nacht|aus|ga|be; Nacht|bar
nacht|blau
nacht|blind; Nacht|blind|heit
Nacht|creme, Nacht|krem, Nacht|kre|me
Nacht|dienst; nacht|dun|kel
Nach|teil, der; nach|tei|lig
näch|te|lang; *aber* drei Nächte lang
nach|ten (*schweiz. u. geh. für* Nacht werden)
näch|tens (*geh. für* nachts)
Nacht|es|sen (*bes. südd., schweiz. für* Abendessen); Nacht|eu|le (*ugs. auch für* jmd., der bis spät in die Nacht hinein aufbleibt)
Nacht|fahrt; Nacht|fal|ter
nacht|far|ben; nachtfarbener Stoff
Nacht|flug|ver|bot
Nacht|frost; Nacht|ge|bet; Nacht|ge|schirr; Nacht|ge|spenst
Nacht|ge|wand (*geh.*)

Nacht|glei|che, die; -, -n (*svw.* Tag-undnachtgleiche)
Nacht|hemd; Nacht|him|mel
Nacht|gall, die; -, -en (ein Singvogel); Nach|ti|gal|len|schlag, der; -[e]s
näch|ti|gen (übernachten); sie hat bei uns genächtigt; Näch|ti|gung
Nacht|tisch, der; -[e]s
Nacht|ka|ba|rett
Nacht|käst|chen (*bes. österr. für* Nachttisch)
Nacht|ker|ze (eine Heil- und Zierpflanze)
Nacht|klub, Nacht|club
Nacht|krem, Nacht|kre|me, Nacht|creme
Nacht|küh|le; Nacht|la|ger *Plur.* ...lager; Nacht|le|ben
nächt|lich; nächt|li|cher|wei|le
Nacht|licht *Plur.* ...lichter; Nacht|lo|kal; Nacht|luft
Nacht|mahl (*bes. österr.*); nacht|mah|len (*österr. für* zu Abend essen); ich nachtmahle; genachtmahlt; zu nachtmahlen
Nacht|mahr (Spukgestalt im Traum); Nacht|marsch; Nacht|mensch; Nacht|mu|sik; Nacht|por|ti|er; Nacht|por|ti|e|rin; Nacht|pro|gramm; Nacht|quar|tier
Nacht|trag, der; -[e]s, ...träge; nach|tra|gen; nach|tra|gend
nach|trä|ge|risch (*geh. für* nachtragend, nicht vergebend)
nach|träg|lich (später, danach)
Nach|trags|bud|get (*bes. österr., schweiz.*); Nach|trags|haus|halt; Nach|trags|prü|fung (*österr. für* Nachprüfung)
nach|trau|ern
nach|tre|ten; er hat nachgetreten
Nacht|ru|he
Nach|trupp
nachts; *aber* des Nachts, eines Nachts; nachtsüber, *aber* die Nacht über ↑K70; *vgl.* Abend
Nacht|schat|ten (eine Pflanze); Nacht|schat|ten|ge|wächs *meist Plur.* (eine Pflanzenfamilie)
Nacht|schicht

Nacht|schlaf; nacht|schla|fend; zu, bei nachtschlafender Zeit
Nacht|schränk|chen
Nacht|schwär|mer (scherzh. für jmd., der sich die Nacht über vergnügt); Nacht|schwär|me|rin
nacht|schwarz
Nacht|schwes|ter
Nacht|sei|te
Nacht|spei|cher|ofen; Nacht|strom
nachts|über vgl. nachts
Nacht|ta|rif; Nacht|tier; Nachttisch; Nacht|topf; Nacht|tre|sor
nach|tun; es jmdm. nachtun
Nacht-und-Ne|bel-Ak|ti|on
Nacht|vi|o|le (eine Zierpflanze); Nacht|vo|gel; Nacht|vor|stellung
Nacht|wa|che; Nacht|wäch|ter; Nacht|wäch|te|rin; Nacht|wächter|lied
nacht|wan|deln; ich nachtwand[e]le; ich bin od. habe genachtwandelt; zu nachtwandeln
Nacht|wan|de|rung
Nacht|wand|ler; Nacht|wand|lerin; nacht|wand|le|risch; mit nachtwandlerischer Sicherheit
Nacht|wä|sche
Nacht|zeit; zur Nachtzeit
Nacht|zug; Nacht|zu|schlag
nach|un|ter|su|chen; Nach|un|tersu|chung
Nach|ver|an|la|gung (Finanzw.)
nach|ver|si|chern; Nach|ver|si|cherung
nach|voll|zieh|bar; nach|voll|ziehen
nach|wach|sen
Nach|wahl
Nach|we|he, die meist Plur.
nach|wei|nen
Nach|weis, der; -es, -e; nach|weisbar; nach|wei|sen (beweisen); er hat den Tatbestand nachgewiesen; nach|weis|lich
nach|wei|ßen (nochmals weißen)
Nach|welt, die; -
Nach|wen|de|zeit
nach|wer|fen
nach|wie|gen
nach|win|ken
Nach|win|ter; nach|win|ter|lich
nach|wir|ken; Nach|wir|kung
nach|wol|len (ugs. für folgen wollen); er hat ihm nachgewollt
Nach|wort Plur. ...worte
Nach|wuchs, der; -es
Nach|wuchs|au|tor; Nach|wuchsau|to|rin; Nach|wuchs|fah|rer; Nach|wuchs|fah|re|rin
Nach|wuchs|ka|der (DDR)

Nach|wuchs|kraft, die; Nachwuchs|man|gel, der; -s
Nach|wuchs|spie|ler; Nach|wuchsspie|le|rin; Nach|wuchs|star; Nach|wuchs|ta|lent
nach|wür|zen
nach|zah|len
nach|zäh|len
Nach|zah|lung
nach|zeich|nen; Nach|zeich|nung
Nach|zei|tig|keit, die; - (Sprachw.)
nach|zie|hen
Nach|zoll
nach|zot|teln (ugs.)
Nach|zucht, die; -; nach|züch|ten
Nach|zug; Nach|züg|ler; Nach|zügle|rin; nach|züg|le|risch
Nach|zugs|ver|bot
Na|cke|dei, der; -s, -s (scherzh. für nacktes Kind; Nackte[r])
Na|cken, der; -s, -
na|ckend (landsch. für nackt)
Na|cken|haar meist Plur.; Na|ckenschlag; Na|cken|schutz; Na|ckenstüt|ze; Na|cken|wir|bel
na|ckert (landsch. für nackt)
Nack|frosch vgl. Nacktfrosch
na|ckig (ugs. für nackt)
...na|ckig (z. B. kurznackig)
nackt; nackt|ar|mig; Nackt|auf|nahme (svw. Nacktfoto)
Nackt|ba|den, das; -s; aber sie gehen gern nackt baden
Nackt|ba|de|strand; Nackt|fo|to
Nackt|frosch, seltener Nack|frosch (scherzh. für nacktes Kind)
Nackt|heit, die; -
Nackt|kul|tur, die; -; Nackt|mo|dell
Nackt|sa|mer, der; -s, - meist Plur. (Bot. Pflanze, deren Samenanlage offen an den Fruchtblättern sitzt); nackt|sa|mig (Bot.)
Nackt|schne|cke; Nackt|sze|ne; Nackt|tän|zer; Nackt|tän|ze|rin
Na|del, die; -, -n; Na|del|ar|beit; Na|del|baum; Na|del|büch|se
Nä|del|chen
na|del|fein; na|del|fer|tig (zum Nähen vorbereitet [von Stoffen]); na|del|för|mig
Na|del|ge|hölz meist Plur. (Bot.)
Na|del|geld (früher Art Taschengeld für Frau od. Tochter)
Na|del|holz
na|de|lig, nad|lig (fachspr.); nadelige, nadlige Baumarten
Na|del|kis|sen; Na|del|ma|le|rei (gesticktes buntes Bild)
na|deln (Nadeln verlieren [von Tannen u. a.]); er sagt, der Baum nad[e]le nicht
Na|del|öhr; Na|del|spit|ze; Na|delstich

Na|del|streif (österr.); Na|del|streifen (sehr feiner Streifen in Stoffen); Na|del|strei|fen|an|zug
Na|del|wald
Na|de|rer (österr. ugs. für Spitzel)
Na|di|ne [auch na'di:n] (w. Vorn.)
Na|dir, der; -s ⟨arab.⟩ (Astron. Fußpunkt, Gegenpunkt des Zenits an der Himmelskugel)
Nad|ja (w. Vorn.)
Nad|ler (früher für Nadelmacher)
nad|lig vgl. nadelig
NAFTA, die; - ⟨engl.⟩ = North American Free Trade Agreement od. Area (nordamerik. Freihandelszone)
Naf|ta|li vgl. Naphthali
Na|ga|na, die; - ⟨Zulu⟩ (eine afrik. Viehseuche)
Na|ga|sa|ki (jap. Stadt; am 9.8. 1945 durch eine Atombombe fast völlig zerstört)
Na|gel, der; -s, Nägel
Na|gel|bett Plur. ...betten, seltener ...bette
Na|gel|brett (für Fakire)
Na|gel|bürs|te
Nä|gel|chen (kleiner Nagel)
Na|gel|falz; Na|gel|fei|le
na|gel|fest; nur in niet- u. nagelfest ↑K31
Na|gel|fluh (Geol. ein Gestein)
Na|gel|haut; Na|gel|haut|ent|fer|ner
Nä|gel|kau|en, das; -s
Na|gel|knip|ser
Na|gel|kopf
Na|gel|lack; Na|gel|lack|ent|fer|ner
na|geln; ich nagel|e]le
na|gel|neu (ugs.)
Na|gel|pfle|ge
Na|gel|pro|be (Prüfstein für etwas)
Na|gel|rei|ni|ger
Na|gel|ring, der; -[e]s (Schwert der german. Heldensage)
Na|gel|sche|re; Na|gel|schuh; Nagel|stie|fel; Na|gel|wur|zel; Nagel|zwi|cker (bes. österr. für Nagelknipser)
na|gen; Na|ger; Na|ge|tier
Näg|lein (veraltet für Nelke; vgl. Nägelchen)
NAGRA, die; -s (Kurzwort für Fachnormenausschuss Graphisches Gewerbe)
nah vgl. nahe
Näh|ar|beit
Näh|auf|nah|me; Näh|be|reich, der
Näh|bril|le (z. B. für Weitsichtige)
¹na|he, s. Kasten Seite 717
²na|he, seltener näh; Präp. mit Dat.: nahe dem Ufer
Na|he, die; - (l. Nebenfluss des Rheins)

¹na|he

seltener nah

näher *(vgl. d.);* nächst *(vgl. d.)*

1. Kleinschreibung:

– die nahe Stadt
– in der näheren Umgebung
– das nächste Kino
– ↑K72 : aus nah und fern
– von nah und fern
– von nahem *od.* Nahem

2. Großschreibung ↑K150:

– der Nahe Osten

3. Zusammenschreibung:

– nahebei parken (*aber* sie parkt nahe bei der Kirche); nahezu die Hälfte
– *aber* ich bin nah[e] daran

4. Schreibung in Verbindung mit Verben, Adjektiven und Partizipien:

– nahe bekannt sein
– nahe herangehen, [heran]kommen
– Sie dürfen ruhig näher kommen, näher treten, näher rücken
– ein nahe liegendes *od.* naheliegendes Gehöft
– ein nahe stehendes *od.* nahestehendes Haus
– nah verwandte *od.* nahverwandte Personen

Bei übertragener Bedeutung gilt in der Regel Zusammenschreibung: vgl. nahebringen, näherbringen, nahegehen, nahekommen, nahelegen, naheliegen, nahestehen, nahetreten

---

Nä|he, die; -; in der Nähe
na|he|bei; er wohnt nahebei, *aber* er wohnt nahe bei der Post
na|he|brin|gen (Interesse für etwas wecken); den Schülerinnen die Klassiker nahebringen
na|he|ge|hen (stark treffen, bewegen); sein schwerer Unfall ist uns allen sehr nahegegangen
Nah|ein|stel|lung *(Fotogr.)*
na|he|kom|men (sich annähern, fast gleichkommen); sie sind einander sehr nahegekommen; einer perfekten Lösung nahekommen
na|he|le|gen (hinlenken, empfehlen); man hat uns einen Vergleich nahegelegt
na|he|lie|gen (sich eher anbieten); es liegt nahe, auf den Vorschlag einzugehen; ein naheliegender Vorschlag; die Lösung hat nahegelegen; ein näherliegender *od.* naheliegenderer Gedanke; die am nächsten liegende *od.* naheliegendere *od.* nächstliegende Lösung; *vgl. auch* näherliegen
na|he lie|gend, na|he|lie|gend; eine nahe liegende *od.* naheliegende Ortschaft; *vgl. aber* naheliegen
na|hen; sich [jmdm.] nahen
nä|hen
nä|her; nähere Erläuterungen; *aber* ↑K72 : Näheres folgt; das Nähere findet sich bei ...; ich kann mich des Näher[e]n (der besonderen Umstände) nicht entsinnen; jmdm. etw. des Näher[e]n (genauer) auseinandersetzen; alles Nähere können Sie der Gebrauchsanweisung

entnehmen; näher kommen (in größere Nähe kommen); dem Abgrund immer näher kommen; weil der Termin näher gekommen, näher gerückt ist; Sie dürfen ruhig näher [heran]treten; *vgl.* nahe u. näherkommen, näherliegen usw.
Nä|he|rei
nä|her|hin *(bes. Fachspr.)*
Nah|er|ho|lungs|ge|biet
Nä|he|rin
nä|her|kom|men (in engere Beziehung treten); sie sind einander wieder nähergekommen; *vgl.* näher
nä|her|lie|gen (sich eher anbieten); es hatte nähergelegen, den Bus zu nehmen; *aber:* die näher gelegenen *od.* nähergelegenen Ortschaften
nä|hern, sich (nähern); ich nähere mich
nä|her|ste|hen (in engerer Beziehung stehen); sie hatten sich damals nähergestanden; *aber:* die näher stehenden *od.* näherstehenden Bäume
nä|her|tre|ten (sein Interesse zuwenden); bevor ich Ihrem Vorschlag nähertrete, ...; *vgl.* näher
Nä|he|rung *(Math.* Annäherung); Nä|he|rungs|wert *(Math.)*
na|he|ste|hen (befreundet, vertraut sein); sie hat dem Verstorbenen sehr nahegestanden
na|he|tre|ten (befreundet, vertraut werden); er ist mir in letzter Zeit sehr nahegetreten; *aber:*

jmdm. zu nahe treten (jmdn. verletzen, beleidigen)
Na|he|wein
na|he|zu
Näh|fa|den; Näh|garn
Nah|kampf; Nah|kampf|mit|tel
Näh|käst|chen; aus dem Nähkästchen plaudern (*ugs. für* Geheimnisse ausplaudern); Näh|kas|ten
Näh|kis|sen; Näh|korb
nahm *vgl.* nehmen
Näh|ma|schi|ne; Näh|ma|schi|nen|öl
Näh|na|del
Nah|ost (der Nahe Osten); für, in, nach, über Nahost; Nah|ost|kon|flikt, der; -[e]s; nah|öst|lich
Nah|raum
Näh|bo|den
Nähr|creme, Nähr|krem, Nähr|kre|me
näh|ren; sich nähren; nahr|haft
Nähr|he|fe; Nähr|lö|sung; Nähr|mit|tel, das *meist Plur.;* Nähr|prä|pa|rat; Nähr|salz
Nähr|stoff *meist Plur.;* nähr|stoff|arm; nähr|stoff|reich
Nah|rung, die; -, Plur. *(fachspr.:)* -en
Nah|rungs|auf|nah|me, die; -
Nah|rungs|er|gän|zungs|mit|tel, das (Vitamine o. Ä. in Form von Tabletten, Pulver o. Ä.)
Nah|rungs|ket|te *(Biol.)*
Nah|rungs|man|gel, der
Nah|rungs|mit|tel *meist Plur.;* Nah|rungs|mit|tel|che|mie; Nah|rungs|mit|tel|in|dus|t|rie; Nah|rungs|mit|tel|ver|gif|tung
Nah|rungs|quel|le
Nah|rungs|su|che
Nähr|wert; Nähr|wert|ta|bel|le

N
Nähr

Näh|sei|de
Näh|sicht
Naht, die; -, Nähte
Näh|te|rin (veraltet für Näherin)
Näh|tisch
naht|los
Naht|tod|er|fah|rung
Naht|stel|le
Na|hum (bibl. Prophet)
Nah|ver|kehr, der; -[e]s
Nah|ver|sor|ger (österr. für
[Lebensmittel]geschäft in der
Umgebung)
Nah|ver|sor|gung
nah ver|wandt, nah|ver|wandt vgl.
¹nahe
Näh|zeug
Nah|ziel; Nah|zo|ne
Na|im, ökum. Na|in (bibl. Ort in
Galiläa)
Nai|ro|bi (Hauptstadt Kenias)
na|iv ⟨lat.-franz.⟩ (natürlich; unbe-
fangen; kindlich; einfältig);
naive Malerei; naive u. senti-
mentalische Dichtung (bei
Schiller); Na|i|ve, die; -n, -n
(Darstellerin, die das Rollenfach
der jugendlichen Liebhaberin
vertritt)
Na|i|vi|tät, die; -
Na|iv|ling (gutgläubiger, törichter
Mensch)
na ja!
Na|ja|de, die; -, -n meist Plur.
⟨griech.⟩ (griech. Mythol. Quell-
nymphe; Zool. Flussmuschel)
Na|ma, der; -[s], -[s] (Angehöriger
eines afrik. Stammes); Na|ma-
land, das; -[e]s
Na|me, der; -ns, -n; im Namen;
mit Namen; Na|men, der; -s, -
(selten für Name)
Na|men|buch; Na|men|for|schung,
Na|mens|for|schung; Na|men|ge-
bung, Na|mens|ge|bung; Na-
men|ge|dächt|nis
Na|men-Je|su-Fest ↑K 137
Na|men|kun|de, die; -; na|men-
kund|lich
Na|men|lis|te
na|men|los; Na|men|lo|se, der u.
die; -n, -n; Na|men|lo|sig|keit
Na|men|nen|nung (seltener für
Namensnennung); Na|men|re-
gis|ter
na|mens ↑K 70 (im Namen, im
Auftrag [von]; mit Namen); als
Präp. mit Gen. (Amtsspr.):
namens der Regierung
Na|mens|ak|tie (Aktie, die auf den
Namen des Aktionärs ausge-
stellt ist)
Na|mens|än|de|rung

Na|mens|fest (svw. Namenstag)
Na|mens|form
Na|mens|for|schung vgl. Namenfor-
schung; Na|mens|ge|bung vgl.
Namengebung
Na|mens|nen|nung, die; -; Na|mens-
pa|pier (für Rektapapier); Na-
mens|pa|t|ron; Na|mens|pa|t|ro-
nin; Na|mens|schild Plur. ...schil-
der; Na|mens|tag; Na|mens|vet-
ter; Na|mens|zei|chen; Na|mens-
zug
na|ment|lich; namentlich[,] wenn
↑K 107 u. 127
Na|men|ver|wechs|lung; Na|men-
ver|zeich|nis; Na|men|wort Plur.
...wörter (svw. Nomen)
nam|haft; jmdn. namhaft machen;
Nam|haft|ma|chung (Amtsspr.)
Na|mi|bia (Republik in Südwest-
afrika); Na|mi|bi|er; Na|mi|bi|e-
rin; na|mi|bisch
...na|mig (z. B. vielnamig)
näm|lich; ↑K 107 u. 127 : nämlich[,]
dass/wenn; ↑K 72 : er ist noch
der Nämliche (veraltend für
derselbe); er sagt immer das
Nämliche (veraltend für dasselbe)
Näm|lich|keit, die; - (Amtsspr. sel-
ten für Identität); Näm|lich|keits-
be|schei|ni|gung (Zollw. svw.
Identitätsnachweis)
Na|mur [...'my:ɐ̯] (belg. Stadt)
na, na!
¹Nan|cy ['nä:si, auch nã'si:] (Stadt
in Frankreich)
²Nan|cy ['nɛnsi] (w. Vorn.)
Nan|du, der; -s, -s ⟨indian.-span.⟩
(ein südamerik. Laufvogel)
Nan|ga Par|bat, der; - - (Berg im
Himalaja)
Nä|nie, die; -, -n ⟨lat.⟩ ([altröm.]
Totenklage, Klagegesang)
Na|nis|mus, der; - ⟨griech.⟩ (Med.,
Biol. Kleinwüchsigkeit)
¹Nan|king (chines. Stadt)
²Nan|king, der; -s, Plur. -e u. -s (ein
Baumwollgewebe)
Nan|ni, Nan|ny [...ni] (w. Vorn.)
nann|te vgl. nennen
Na|no... ⟨griech.⟩ (ein Milliardstel
einer Einheit, z. B. Nanometer =
10^{-9} Meter; Zeichen n); Na|no-
fa|rad (Zeichen nF); Na|no|me-
ter (Zeichen nm); Na|no|se|kun-
de (Zeichen ns); Na|no|tech|nik;
Na|no|tech|no|lo|gie, die; - (For-
schung u. Fertigung im Nano-
meterbereich)
Nan|sen (norw. Polarforscher);
Nan|sen|pass (↑K 136 ; Ausweis
für Staatenlose)

Nantes [nã:t] (franz. Stadt); das
Edikt von Nantes
na|nu!
Na|palm®, das; -s ⟨Kurzwort aus
Naphthensäure u. Palmitin-
säure⟩ (hochwirksamer Füllstoff
für Benzinbrandbomben); Na-
palm|bom|be
Napf, der; -[e]s, Näpfe; Näpf|chen
Napf|ku|chen
Naph|tha, das; -s od. die; - ⟨pers.⟩
(Roherdöl)
Naph|tha|li, ökum. Naf|ta|li (bibl.
m. Eigenn.)
Naph|tha|lin, das; -s ⟨pers.⟩ (Che-
mie aus Steinkohlenteer gewon-
nener Kohlenwasserstoff)
Naph|the|ne Plur. (gesättigte Koh-
lenwasserstoffe)
Naph|tho|le Plur. (aromat. Alko-
hole zur Herstellung künstlicher
Farbstoffe)
Na|po|le|on (franz. Kaiser)
Na|po|le|on|dor, der; -s, -e ⟨franz.⟩
(unter Napoleon I. u. III.
geprägte Goldmünze); fünf
Napoleondor
na|po|le|on|freund|lich, Na|po|le-
on-freund|lich
Na|po|le|o|ni|de, der; -n, -n
(Abkömmling der Familie Napo-
leons)
na|po|le|o|nisch; napoleonischer
Eroberungsdrang; die napoleo-
nischen Kriege (die Kriege von
Napoleon), aber die Napoleoni-
schen Kriege (Epochenbez.)
Na|po|le|on|kra|gen ↑K 136
Na|po|li (ital. Form von Neapel)
Na|po|li|tain [...'tɛ̃:], das; -s, -s
⟨franz.⟩ (Schokoladentäfelchen)
Na|po|li|taine [...'tɛ:n], die; - (ein
Gewebe)
Nap|pa, das; -[s], -s ⟨nach der kali-
forn. Stadt Napa⟩ (kurz für Nap-
paleder); Nap|pa|le|der
Nar|be, die; -, -n
nar|ben (Gerberei [Leder] mit Nar-
ben versehen); Nar|ben, der; -s, -
(Gerberei für Narbe)
Nar|ben|bil|dung; Nar|ben|ge|we-
be; Nar|ben|le|der
nar|big
Nar|bonne [...'bɔn] (franz. Stadt)
Nar|cis|sus (lat. Form von Narziss)
Nar|de, die; -, -n ⟨semit.⟩ (Bez. für
verschiedene duftende Pflan-
zen); Nar|den|öl
Nar|gi|leh [auch ...'gi:le], die; -, -[s]
od. das; -s, -s ⟨pers.⟩ (oriental.
Wasserpfeife)
Nar|ko|lep|sie, die; -, ...ien ⟨griech.⟩
(Med. anfallartiger Schlafdrang)

Nar|ko|se, die; -, -n ⟨Med. Betäubung⟩; Nar|ko|se|ap|pa|rat
Nar|ko|se|arzt ⟨für Anästhesist⟩; Nar|ko|se|ärz|tin
Nar|ko|se|ge|wehr ⟨Tiermed.⟩
Nar|ko|se|mit|tel, das
Nar|ko|se|schwes|ter; Nar|ko|ti|kum, das; -s, ...ka ⟨Rausch-, Betäubungsmittel⟩; nar|ko|tisch; nar|ko|ti|sie|ren ⟨betäuben⟩
Narr, der; -en, -en
nar|ra|tiv ⟨lat.⟩ ⟨erzählend⟩
nar|ren ⟨geh. für täuschen⟩
Nar|ren|bein ⟨schweiz. für Musikantenknochen⟩
Nar|ren|frei|heit
Nar|ren|gil|de ⟨bayr., österr. für Karnevalsverein⟩
nar|ren|haft
Nar|ren|kap|pe
nar|ren|si|cher ⟨ugs.⟩
Nar|ren[s]|pos|se; Narren[s]possen treiben
Nar|ren|streich
Nar|ren|tum, das; -s
Nar|ren|zep|ter
Nar|re|tei ⟨veraltend für Scherz; Unsinn⟩
Narr|hal|la|marsch, der; -[e]s ⟨auf Karnevalssitzungen gespielter Marsch⟩; Narr|hal|le|se, der; -n, -n ⟨svw. Narr beim Karneval⟩; Narr|hal|le|sin, die; -, -nen
När|rin
Nar|ri, Nar|ro! ⟨schwäbisch-alemannischer Karnevalsruf⟩; när|risch
Nar|vik ⟨norw. Hafenstadt⟩
Nar|wal ⟨nord.⟩ ⟨Wal einer bestimmten Art⟩
¹Nar|ziss ⟨griech.⟩ ⟨in sein Bild verliebter schöner Jüngling der griech. Sage⟩
²Nar|ziss, der; Gen. - u. Narzisses, Plur. Narzisse ⟨jmd., der sich selbst bewundert u. liebt⟩
Nar|zis|se, die; -, -n ⟨eine Frühjahrsblume⟩; Nar|zis|sen|blü|te
Nar|ziss|mus, der; - ⟨übersteigerte Selbstliebe⟩
Nar|zisst, der; -en, -en; Nar|ziss|tin; nar|ziss|tisch
NASA, die; - = National Aeronautics and Space Administration ⟨nationale Luft- und Raumfahrtbehörde der USA⟩
na|sal ⟨lat.⟩ ⟨durch die Nase gesprochen; zur Nase gehörend⟩
Na|sal, der; -s, -e u. Na|sal|laut ⟨Sprachw. mit Beteiligung des Nasenraumes od. durch die Nase gesprochener Laut, z. B. m, ng⟩

na|sa|lie|ren ⟨[einen Laut] durch die Nase aussprechen, näseln⟩; Na|sa|lie|rung
Na|sal|laut vgl. Nasal
Na|sal|vo|kal ⟨Vokal mit nasaler Färbung, z. B. o in Bon [bõ:]⟩
na|schen; du naschst
Näs|chen
Na|scher, älter Nä|scher
Na|sche|rei ⟨wiederholtes Naschen [nur Sing.]; auch für Näscherei⟩; Nä|sche|rei meist Plur. ⟨veraltend für Süßigkeit⟩; Na|sche|rin, älter Nä|sche|rin
nasch|haft; Nasch|haf|tig|keit
Nasch|kat|ze ⟨jmd., der gerne nascht⟩; Nasch|maul ⟨derb svw. Naschkatze⟩
Nasch|sucht, die; -; nasch|süch|tig
Nasch|werk, das; -[e]s ⟨veraltet für Süßigkeiten⟩
NASDAQ® [ˈnɛsdɛk], der; -[s] ⟨engl.; Kurzwort für National Association of Securities Dealers Automated Quotations System⟩ ⟨Computerbörse⟩
Na|se, die; -, -n
na|se|lang vgl. nasenlang
nä|seln; ich näs[e]le
Na|sen|bär
Na|sen|bein; Na|sen|bein|bruch; Na|sen|blu|ten, das; -s; Na|sen|du|sche; Na|sen|flü|gel; Na|sen|höh|le; Na|sen|klam|mer
na|sen|lang, nas[e]lang; nur in alle nasenlang, alle naselang, alle naslang ⟨sich in kurzen Abständen wiederholend⟩; vgl. all
Na|sen|län|ge; Na|sen|laut ⟨für Nasal⟩; Na|sen|loch; Na|sen|ne|ben|höh|le; Na|sen|pflas|ter
Na|sen-Ra|chen-Raum ↑K 26
Na|sen|ring
Na|sen|rü|cken; Na|sen|schei|de|wand; Na|sen|schleim|haut
Na|sen|schmuck ⟨Völkerk.⟩
Na|sen|spie|gel ⟨Med.⟩
Na|sen|spit|ze; Na|sen|spray; Na|sen|stü|ber; Na|sen|trop|fen; Na|sen|wur|zel
Na|se|rümp|fen, das; -s; na|se|rümp|fend; aber ↑K 59: die Nase rümpfend
na|se|weis; Na|se|weis, der; -es, -e ⟨ugs. für neugieriger Mensch⟩; Herr, Jungfer Naseweis ⟨scherzh.⟩
nas|füh|ren; ich nasführe; genasführt; zu nasführen
Nas|horn Plur. ...hörner; Nas|horn|kä|fer; Nas|horn|vo|gel
...na|sig (z. B. langnasig)
...nä|sig (z. B. hochnäsig)

Na|si|go|reng, das; -[s], -s ⟨malai.⟩ ⟨indones. Reisgericht⟩
nas|lang vgl. nasenlang
nass, nasser od. nässer, nasses|te od. nässes|te; Boden nass wischen; vgl. nass machen, nass schwitzen, nass spritzen
Nass, das; -es ⟨Wasser⟩; gut Nass! ⟨Gruß der Schwimmer⟩
¹Nas|sau ⟨Stadt a. d. Lahn; ehem. Herzogtum⟩
²Nas|sau ⟨engl. ˈnɛsɔː] ⟨Hauptstadt der Bahamas⟩
¹Nas|sau|er
²Nas|sau|er ⟨ugs. für jmd., der nassauert⟩
Nas|sau|e|rin
nas|sau|ern ⟨ugs. für auf Kosten anderer leben⟩; ich nassau[e]re
nas|sau|isch
Näs|se, die; -
näs|seln ⟨veraltet, noch landsch. für ein wenig nass sein, werden⟩; es nässelt
näs|sen; du nässt (nässest), sie nässt; du näss|test; genässt; nässe! u. näss!
nass|fest; nassfestes Papier
nass|forsch ⟨ugs. für übertrieben forsch⟩
nass ge|schwitzt, nass|ge|schwitzt vgl. nass schwitzen
Nass-in-Nass-Druck Plur. ...drucke ⟨Druckw.⟩; ↑K 26
nass|kalt
näss|lich ⟨ein wenig feucht⟩
nass ma|chen, nass|ma|chen
Nass|ra|sie|rer; Nass|ra|sur
Nass|schnee, Nass-Schnee
nass schwit|zen, nass|schwit|zen; sie hat ihr Trikot nass geschwitzt od. nassgeschwitzt
nass sprit|zen, nass|sprit|zen
Nass|wä|sche; Nass|zel|le ⟨Bauw. Raum mit Wasserleitungen⟩
Nas|tie, die; - ⟨griech.⟩ ⟨Bot. durch Reiz ausgelöste Bewegung von Teilen einer Pflanze⟩
Nas|tuch Plur. ...tücher ⟨südd., schweiz. neben Taschentuch⟩
nas|zie|rend ⟨lat.⟩ ⟨entstehend, im Werden begriffen⟩
Na|tal ⟨Provinz der Republik Südafrika⟩
Na|ta|lie [...li, auch ...ˈtaːli̯ə, ...ˈliː] ⟨w. Vorn.⟩
Na|ta|li|tät, die; - ⟨lat.⟩ ⟨Statistik Geburtenhäufigkeit⟩
Na|tan vgl. Nathan
Na|ta|na|el vgl. Nathanael
Na|ta|scha ⟨w. Vorn.⟩
Na|tel, das; -s, -s ⟨schweiz. neben Handy⟩

N
Nate

Na|than, *ökum.* Na|tan (bibl. Prophet)

¹Na|tha|na|el [...e:l, *auch* ...ɛl], *ökum.* Na|ta|na|el (Jünger Jesu)

²Na|tha|na|el (m. Vorn.)

Na|ti ['natsi], die; - (*schweiz. kurz für* Nationalmannschaft)

Na|ti|on, die; -, -en ⟨lat.⟩ (Staatsvolk)

na|ti|o|nal; nationales Interesse; nationale Unabhängigkeit, Einigung, Kultur; ↑ K 150 : Nationales Olympisches Komitee (*Abk.* NOK)

na|ti|o|nal|be|wusst; Na|ti|o|nal|bewusst|sein

Na|ti|o|nal|cha|rak|ter

na|ti|o|nal|de|mo|kra|tisch

Na|ti|o|nal|denk|mal; Na|ti|o|nal|dress (*svw.* Nationaltrikot)

Na|ti|o|na|le, das; -s, - (*österr. für* Personalangaben, Personenbeschreibung)

Na|ti|o|nal|ein|kom|men

Na|ti|o|nal|elf (*vgl.* ³Elf)

Na|ti|o|nal|epos

Na|ti|o|nal|far|ben *Plur.;* Na|ti|o|nal|fei|er|tag; Na|ti|o|nal|flag|ge

Na|ti|o|nal|ge|fühl, das; -[e]s

Na|ti|o|nal|ge|richt; Na|ti|o|nal|ge|tränk

Na|ti|o|nal|hei|lig|tum

Na|ti|o|nal|held; Na|ti|o|nal|hel|din

Na|ti|o|nal|hym|ne

na|ti|o|na|li|sie|ren (einbürgern; verstaatlichen); Na|ti|o|na|li|sie|rung

Na|ti|o|na|lis|mus, der; - (übertriebenes Nationalbewusstsein); Na|ti|o|na|list, der; -en, -en; Na|ti|o|na|lis|tin; na|ti|o|na|lis|tisch

Na|ti|o|na|li|tät, die; -, -en (Staatsangehörigkeit; nationale Minderheit)

Na|ti|o|na|li|tä|ten|fra|ge, die; -; Na|ti|o|na|li|tä|ten|po|li|tik; Na|ti|o|na|li|tä|ten|staat *Plur.* ...staaten (Mehrvölkerstaat)

Na|ti|o|na|li|täts|prin|zip, das; -s

Na|ti|o|nal|kir|che

na|ti|o|nal|kon|ser|va|tiv

Na|ti|o|nal|kon|vent

na|ti|o|nal|li|be|ral

Na|ti|o|nal|li|ga (*schweiz. für* die höchste Spielklasse im Sport)

Na|ti|o|nal|li|te|ra|tur; Na|ti|o|nal|mann|schaft

Na|ti|o|nal|öko|nom (Volkswirtschaftler); Na|ti|o|nal|öko|no|mie (Volkswirtschaftslehre); Na|ti|o|nal|öko|no|min

Na|ti|o|nal|park

Na|ti|o|nal|preis (*früher* höchste

Auszeichnung der DDR); Na|ti|o|nal|preis|trä|ger (*Abk.* NPT)

Na|ti|o|nal|rat (Bez. von Volksvertretungen in der Schweiz u. in Österreich; *auch für* deren Mitglied); Na|ti|o|nal|rats|ab|ge|ord|ne|te[r] (*österr.*)

Na|ti|o|nal|so|zi|a|lis|mus (*Abk.* NS); Na|ti|o|nal|so|zi|a|list; Na|ti|o|nal|so|zi|a|lis|tin; na|ti|o|nal|so|zi|a|lis|tisch

Na|ti|o|nal|spie|ler (*Sport*); Na|ti|o|nal|spie|le|rin; Na|ti|o|nal|sport

Na|ti|o|nal|spra|che

Na|ti|o|nal|staat *Plur.* ...staaten; na|ti|o|nal|staat|lich

Na|ti|o|nal|stif|tung

Na|ti|o|nal|stolz; Na|ti|o|nal|stra|ße (*schweiz. für* Autobahn, Autostraße); Na|ti|o|nal|tanz

Na|ti|o|nal|team; Na|ti|o|nal|the|a|ter; Na|ti|o|nal|tracht; Na|ti|o|nal|tri|kot; Na|ti|o|nal|ver|samm|lung

na|tiv ⟨lat.⟩ (natürlich, unverändert); natives Olivenöl

Na|ti|vis|mus, der; - ⟨lat.⟩ (*Psych.* Lehre, nach der es angeborene Vorstellungen, Begriffe, Grundeinsichten usw. gibt)

Na|ti|vist, der; -en, -en; Na|ti|vis|tin; na|ti|vis|tisch

Na|ti|vi|tät, die; -, -en (*Astrologie* Stand der Gestirne bei der Geburt eines Menschen)

NATO, Na|to, die; - ⟨engl.; *Kurzwort für* North Atlantic Treaty Organization) (Organisation der Signatarmächte des Nordatlantikpakts, Verteidigungsbündnis); na|to|grün (graugrün); NATO-Ost|er|wei|te|rung, Na|to-Ost|er|wei|te|rung, die; -

Na|t|ri|um, das; -s ⟨ägypt.⟩ (chemisches Element, Metall; *Zeichen* Na); Na|t|ri|um|chlo|rid, das; -[e]s, -e (Kochsalz)

Na|t|ron, das; -s (*ugs. für* doppeltkohlensaures Natrium); Na|t|ron|lau|ge

Na|t|schal|nik, der; -s, -s ⟨russ.⟩ (*russ. Bez. für* Vorgesetzter)

Nat|té [na'te:], der; -[s], -s ⟨franz.⟩ (*Textilw.* feines, glänzendes Gewebe [mit Würfelmusterung])

Nat|ter, die; -, -n; Nat|tern|brut; Nat|tern|ge|zücht (*abwertend*)

Na|tur, die; -, -en ⟨lat.⟩; in Eiche natur od. Natur; *vgl. auch* in natura

Na|tu|ral|ab|ga|ben *Plur.;* Na|tu|ral|be|zü|ge *Plur.*

Na|tu|ral|ein|kom|men

Na|tu|ra|li|en *Plur.* (Natur-, Landwirtschaftserzeugnisse)

Na|tu|ra|li|en|ka|bi|nett (naturwissenschaftliche Sammlung); Na|tu|ra|li|en|samm|lung

Na|tu|ra|li|sa|ti|on, die; -, -en (*svw.* Naturalisierung); na|tu|ra|li|sie|ren; Na|tu|ra|li|sie|rung (Einbürgerung, Aufnahme in den Staatsverband; allmähl. Anpassung von Pflanzen u. Tieren)

Na|tu|ra|lis|mus, der; -, ...men (Naturglaube; *nur Sing.:* Wirklichkeitstreue; nach naturgetreuer Darstellung strebende Kunstrichtung); Na|tu|ra|list, der; -en, -en; Na|tu|ra|lis|tin; na|tu|ra|lis|tisch

Na|tu|ral|lohn; Na|tu|ral|wirt|schaft

Na|tur|apos|tel; Na|tur|arzt; Na|tur|ärz|tin

Na|tur|be|ga|bung

na|tur|be|las|sen

Na|tur|be|ob|ach|tung; Na|tur|be|schrei|bung; na|tur|blond

Na|tur|bur|sche; Na|tur|darm; Na|tur|denk|mal; Na|tur|dün|ger

na|ture [...'ty:ɐ̯] (franz.); Schnitzel nature (ohne Panade)

Na|tur|ell, das; -s, -e (Veranlagung; Wesensart)

Na|tur|er|eig|nis; Na|tur|er|leb|nis; Na|tur|er|schei|nung

na|tur|far|ben; naturfarbenes Holz; Na|tur|far|ben|druck (Farbendruck nach fotografischen Farbaufnahmen)

Na|tur|fa|ser; Na|tur|film; Na|tur|flä|che

Na|tur|for|scher; Na|tur|for|sche|rin

Na|tur|freund; Na|tur|freun|din

Na|tur|gas (*svw.* Erdgas); Na|tur|ge|fühl, das; -[e]s

na|tur|ge|ge|ben; na|tur|ge|mäß

Na|tur|ge|schich|te, die; -; na|tur|ge|schicht|lich

Na|tur|ge|setz; na|tur|ge|setz|lich

na|tur|ge|treu

Na|tur|ge|walt

na|tur|haft

Na|tur|haus|halt

Na|tur|heil|kun|de, die; -; Na|tur|heil|mit|tel; Na|tur|heil|ver|fah|ren

na|tur|iden|tisch; natürliche und naturidentische Aromastoffe

Na|tu|ris|mus, der; - (Freikörperkultur); Na|tu|rist, der; -en, -en; Na|tu|ris|tin

Na|tur|ka|ta|s|t|ro|phe; Na|tur|kind; Na|tur|kost; Na|tur|kraft, die

---

Na|tur|kun|de, die; -; na|tur|kund|lich

Na|tur|leh|re (veraltet für physikalisch-chemischer Teil des naturwissenschaftl. Unterrichts an Schulen); Na|tur|lehr|pfad

na|tür|lich; ↑K 89 : natürliche Geometrie, Gleichung (Math.); natürliche Person (Ggs. juristische Person); na|tür|li|cher|wei|se; Na|tür|lich|keit, die; -

Na|tur|me|di|zin, die; -

Na|tur|mensch, der

na|tur|nah; Na|tur|nä|he

Na|tur|not|wen|dig|keit

Na|tur|park

Na|tur|phi|lo|so|phie

Na|tur|pro|dukt

Na|tur|recht, das; -[e]s

na|tur|rein

Na|tur|re|li|gi|on; Na|tur|schau|spiel; Na|tur|schön|heit

Na|tur|schutz; Na|tur|schutz|bund, der; Na|tur|schüt|zer; Na|tur|schüt|ze|rin; Na|tur|schutz|ge|biet (Abk. NSG); Na|tur|schutz|ge|setz; Na|tur|schutz|park

Na|tur|sei|de; Na|tur|ta|lent

Na|tur|the|a|ter (Freilichtbühne)

Na|tur|treue; Na|tur|trieb

na|tur|trüb

na|tur|ver|bun|den; na|tur|ver|träg|lich; na|tur|wid|rig

Na|tur|wis|sen|schaft meist Plur.; Na|tur|wis|sen|schaft|ler; Na|tur|wis|sen|schaft|le|rin; na|tur|wis|sen|schaft|lich; der naturwissenschaftliche Zweig

na|tur|wüch|sig; Na|tur|wüch|sig|keit, die; -

Na|tur|wun|der

Na|tur|zer|stö|rung, die; -

Na|tur|zu|stand, der; -[e]s

Nau|arch, der; -en, -en ⟨griech.⟩ (Schiffsbefehlshaber im alten Griechenland)

Naue, die; -, -n, u., schweiz. nur, Nau|en, der; -s, - (südd. neben Nachen, Kahn; schweiz. für großer [Last]kahn auf Seen)

'nauf (landsch. für hinauf)

Naum|burg (Stadt an der Saale); Naum|bur|ger; Naumburger Dom

Nau|p|li|us, der; -, ...ien ⟨griech.⟩ (Zool. Krebstierlarve)

Na|u|ru (Inselrepublik im Pazifischen Ozean); Na|u|ru|er; Na|u|ru|e|rin; na|u|ru|isch

'naus (landsch. für hinaus)

Nau|sea, die; - ⟨griech.⟩ (Med. Übelkeit; Seekrankheit)

Nau|si|kaa [...kaa] (Königstochter in der griech. Sage)

Nau|tik, die; - ⟨griech.⟩ (Schifffahrtskunde); Nau|ti|ker

Nau|ti|lus, der; -, Plur. - u. -se (Tintenfisch)

nau|tisch; nautisches Dreieck (svw. sphärisches Dreieck)

Na|va|ho, Na|va|jo [beide 'nevəho, auch na'vaxo], der; -[s], -[s] (Angehöriger eines nordamerik. Indianerstammes)

Na|var|ra (nordspan. Provinz; auch für hist. Provinz in den Westpyrenäen); Na|var|re|se, der; -n, -n; Na|var|re|sin; na|var|re|sisch

Na|vel [auch 'ne:...], die; -, -s ⟨engl.⟩ (Kurzform von Navelorange); Na|vel|oran|ge (kernlose Orange, die eine zweite kleine Frucht einschließt)

Na|vi, das; -s, -s (ugs. kurz für Navigationssystem)

Na|vi|ga|ti|on, die; - ⟨lat.⟩ (Orts- u. Kursbestimmung von Schiffen u. Flugzeugen)

Na|vi|ga|ti|ons|feh|ler; Na|vi|ga|ti|ons|in|s|t|ru|ment; Na|vi|ga|ti|ons|of|fi|zier (für die Navigation verantwortlicher Offizier; Na|vi|ga|ti|ons|of|fi|zie|rin; Na|vi|ga|ti|ons|sys|tem (zur Positionsbestimmung u. Zielführung von Fahrzeugen)

Na|vi|ga|tor, der; -s, ...oren (Flugw., Seew. für die Navigation verantwortliches Besatzungsmitglied); na|vi|ga|to|risch

na|vi|gie|ren (ein Schiff od. Flugzeug führen)

na|xisch (von Naxos); Na|xos (griech. Insel)

¹Na|za|rä|er, ökum. Na|zo|rä|er, der; -s ⟨hebr.⟩ (Beiname Jesu)

²Na|za|rä|er, ökum. Na|zo|rä|er, der; -s, - (Mitglied der frühen Christengemeinden)

¹Na|za|re|ner, der; -s (Beiname Jesu)

²Na|za|re|ner, der; -s, - (Angehöriger einer Künstlergruppe der Romantik)

Na|za|reth, ökum. Na|za|ret (Stadt in Israel)

Na|zi, der; -s, -s (kurz für Nationalsozialist); Na|zi|bar|ba|rei; Na|zi|dik|ta|tur

Na|zi|gold, das; -[e]s (von den Nationalsozialisten geraubtes [Gold]vermögen aus vorwiegend jüd. Besitz)

Na|zi|herr|schaft, die; -; Na|zi|par-

tei; Na|zi|re|gime; Na|zi|reich, das; -[e]s

Na|zis|mus, der; - (svw. Nationalsozialismus); na|zis|tisch (svw. nationalsozialistisch)

Na|zi|ver|bre|cher; Na|zi|ver|bre|che|rin; Na|zi|zeit

Na|zo|rä|er vgl. ¹Nazaräer u. ²Nazaräer

Nb = chem. Zeichen für Niob

NB = notabene!

n. Br. = nördl. Br. = nördlicher Breite; 50° n. Br.

NC = North Carolina; vgl. Nordkarolina

Nchf., Nachf. = Nachfolger[in]

n. Chr. = nach Christus, nach Christo; vgl. Christus

n. Chr. G. = nach Christi Geburt; vgl. Christus

Nd = chem. Zeichen für Neodym

ND = North Dakota; vgl. Norddakota

nd. = niederdeutsch

N'Dja|me|na [ndʒa..., auch ...'na] (Hauptstadt von Tschad)

NDR, der; - = Norddeutscher Rundfunk

ne!, nee! (ugs. für nein!)

Ne = chem. Zeichen für Neon

NE = Nebraska

'ne [nə] ↑K 14 (ugs. für eine)

Ne|an|der|ta|ler (nach dem Fundort Neandertal bei Düsseldorf) (vorgeschichtlicher Mensch)

Ne|a|pel (ital. Stadt); vgl. Napoli

Ne|a|pel|ler, Ne|ap|ler, ¹Ne|a|po|li|ta|ner

²Ne|a|po|li|ta|ner, Ne|a|po|li|ta|ner|schnit|te (österr. für gefüllte Waffel)

ne|a|po|li|ta|nisch

Ne|ark|tis, die; - ⟨griech.⟩ (tiergeografisches Gebiet, das Nordamerika u. Mexiko umfasst); ne|ark|tisch; nearktische Region

NEAT, Ne|at, die; - = Neue Eisenbahn-Alpentransversale (Schweiz)

neb|bich ⟨jidd.⟩ (ugs. für wenn schon!; was macht das!); Neb|bich, der; -s, -s (ugs. für Nichtsnutz; unbedeutender Mensch)

Ne|bel, der; -s, -

Ne|bel|bank Plur. ...bänke; Ne|bel|bil|dung; Ne|bel|bo|je (Seew.); Ne|bel|de|cke; Ne|bel|feld

ne|bel|grau

ne|bel|haft

Ne|bel|horn Plur. ...hörner (Seew.)

ne|be|lig vgl. neblig

Ne|bel|kam|mer (Atomphysik); Ne|bel|kap|pe (Tarnkappe); Ne|belker|ze *(Milit.);* Ne|bel|krä|he; Ne|bel|lam|pe

Ne|bel|mo|nat, Ne|bel|mond *(alte Bez. für* November)

ne|beln; es nebelt; ich neb[e]le

Ne|bel|näs|sen, das; -s (nieselndes Regnen bei dichtem Nebel); Ne|bel|rei|ßen, das; -s *(österr. für* Nebelschwaden); Ne|bel|schein|wer|fer; Ne|bel|schlei|er; Ne|bel|schluss|leuch|te; Ne|bel|schwa|den; Ne|bel|strei|fen

Ne|be|lung, Neb|lung, der; -s, -e *(alte Bez. für* November; *vgl.* Nebelmond)

ne|bel|ver|han|gen

Ne|bel|wand

Ne|bel|wer|fer ⟨nach dem Erfinder R. Nebel⟩ *(Milit.* ein Raketenwerfer)

ne|ben; *Präp. mit Dat. u. Akk.:* neben dem Hause stehen, *aber* neben das Haus stellen; *als Adverb in Zusammensetzungen wie* nebenan, nebenbei u. a.

Ne|ben|ab|re|de *(Rechtsspr.);* Ne|ben|ab|sicht

Ne|ben|amt; ne|ben|amt|lich

ne|ben|an

Ne|ben|an|schluss; Ne|ben|ar|beit; Ne|ben|aus|ga|be; Ne|ben|aus|gang; Ne|ben|bahn; Ne|ben|be|deu|tung

ne|ben|bei; nebenbei bemerkt

Ne|ben|be|ruf; ne|ben|be|ruf|lich

Ne|ben|be|schäf|ti|gung

Ne|ben|buh|ler; Ne|ben|buh|le|rin; Ne|ben|buh|ler|schaft

Ne|ben|ef|fekt

---

ne|ben|ei|n|an|der

Man schreibt »nebeneinander« mit dem folgenden Verb in der Regel zusammen, wenn es den gemeinsamen Hauptakzent trägt ↑K48:

– nebeneinanderlegen, nebeneinanderliegen, nebeneinandersetzen, nebeneinandersitzen, nebeneinanderstehen, nebeneinanderstellen

Aber:

– sich nebeneinander aufstellen
– wir sind nebeneinander hergegangen; *vgl.* nebeneinanderher
– nebeneinander herunterrutschen

Ne|ben|ei|n|an|der [*auch* 'neː:...], das; -s

ne|ben|ei|n|an|der|her; sie haben nebeneinanderher gelebt; sie sind nebeneinanderher über die Wiese gegangen

ne|ben|ei|n|an|der|schal|ten; Ne|ben|ei|n|an|der|schal|tung

ne|ben|ei|n|an|der|sit|zen, ne|ben|ei|n|an|der|ste|hen, ne|ben|ei|n|an|der|stel|len

Ne|ben|ein|gang

Ne|ben|ein|künf|te *Plur.;* Ne|ben|ein|nah|men *Plur.*

Ne|ben|er|schei|nung

Ne|ben|er|werb; Ne|ben|er|werbs|land|wirt|schaft

Ne|ben|er|zeug|nis; Ne|ben|fach; Ne|ben|fi|gur; Ne|ben|fluss

Ne|ben|form; Ne|ben|frau; Ne|ben|ge|bäu|de; Ne|ben|ge|dan|ke

Ne|ben|ge|lass

Ne|ben|ge|räusch

Ne|ben|ge|stein *(Bergmannsspr.* Gestein unmittelbar über u. unter dem Flöz)

Ne|ben|gleis

Ne|ben|hand|lung

Ne|ben|haus

ne|ben|her; etwas nebenher erledigen; sich etwas nebenher verdienen

ne|ben|her|fah|ren ↑K48

ne|ben|her|ge|hen ↑K48

ne|ben|her|lau|fen ↑K48

ne|ben|hin; etwas nebenhin sagen

Ne|ben|höh|le (an die Nasenhöhle angrenzender Hohlraum)

Ne|ben|job

Ne|ben|kla|ge; Ne|ben|klä|ger; Ne|ben|klä|ge|rin

Ne|ben|kos|ten *Plur.;* Ne|ben|kra|ter; Ne|ben|kriegs|schau|platz; Ne|ben|li|nie; Ne|ben|mann *Plur.* ...männer u. ...leute; Ne|ben|me|tall; Ne|ben|nie|re; Ne|ben|nut|zung

ne|ben|ord|nen *(Sprachw.);* nebenordnende Konjunktionen; Ne|ben|ord|nung *(Sprachw.)*

Ne|ben|pro|dukt

Ne|ben|raum; Ne|ben|rol|le

Ne|ben|sa|che; ne|ben|säch|lich; Ne|ben|säch|lich|keit

Ne|ben|sai|son

Ne|ben|satz *(Sprachw.)*

ne|ben|schal|ten *(für* parallel schalten); Ne|ben|schal|tung *(für* Parallelschaltung)

Ne|ben|spie|ler; Ne|ben|spie|le|rin

ne|ben|ste|hend; ↑K72: Nebenstehendes, das Nebenstehende bitte vergleichen; im Nebenstehenden *(Amtsspr.* hierneben)

Ne|ben|stel|le; Ne|ben|stra|ße; Ne|ben|stre|cke; Ne|ben|tä|tig|keit

Ne|ben|tisch

Ne|ben|ton *Plur.* ...töne; ne|ben|to|nig

Ne|ben|ver|dienst, der; Ne|ben|weg; Ne|ben|wir|kung

Ne|ben|woh|nung; Ne|ben|zim|mer

Ne|ben|zweck

neb|lig, ne|be|lig

Neb|lung *vgl.* Nebelung

Ne|b|ras|ka (Staat in den USA; *Abk.* NE)

nebst; *Präp. mit Dat. (veraltend):* nebst seinem Hunde

nebst|bei *(österr. neben* nebenbei)

Ne|bu|kad|ne|zar, ökum. Ne|bu|kad|nez|zar (Name babylon. Könige); *vgl.* Nabucco

ne|bu|los, ne|bu|lös ⟨lat.⟩ (unklar, verschwommen)

Ne|ces|saire [...sɛˈsɛːɐ̯], Nes|ses|sär, das; -s, -s ⟨franz.⟩ ([Reise]behältnis für Toiletten-, Nähutensilien u. a.)

Neck, Nöck, der; -en, -en (ein Wassergeist)

n-Eck ['ɛn...] ↑K29 *(Math.)*

Ne|ckar, der; -s (rechter Nebenfluss des Rheins)

Ne|ckar|sulm (Stadt an der Mündung der Sulm in den Neckar)

ne|cken; Ne|cke|rei

Ne|cking, das; -[s], -s ⟨amerik.⟩ (Austausch von Zärtlichkeiten)

ne|ckisch

Ned|bal (tschech. Komponist)

nee! *vgl.* ne!

Neer, die; -, -en *(nordd. für* Wasserstrudel mit starker Gegenströmung); Neer|strom

Nef|fe, der; -n, -n

Ne|ga|ti|on, die; -, -en ⟨lat.⟩ (Verneinung, Verwerfung einer Aussage; Verneinungswort, z. B. »nicht«)

ne|ga|tiv [*auch* ...'tiːf] (verneinend; ergebnislos; *Math.* kleiner als null; *Elektrot.:* Ggs. zu positiv)

Ne|ga|tiv, das; -s, -e *(Fotogr.* Gegen-, Kehrbild)

Ne|ga|tiv|bei|spiel

Ne|ga|tiv|bild *(vgl.* Negativ)

Ne|ga|ti|ve, die; -, -n *(veraltet für* Verneinung)

Ne|ga|tiv|image

Ne|ga|ti|vi|tät, die; -; Ne|ga|tiv|lis|te (Verzeichnis von nicht zu verwendenden Wörtern, Sachen o. Ä.)

Ne|geb [*auch* 'nɛɡɛp] *vgl.* Negev

Ne|ger, der; -s, - ⟨lat.⟩ *(wird häufig*

als diskriminierend empfunden; s. Kasten); **Ne|ge|rin**

Neger

Viele Menschen empfinden die Bezeichnungen *Neger, Negerin* heute als diskriminierend. Alternative Bezeichnungen sind *Schwarzafrikaner, Schwarzafrikanerin, Afroamerikaner, Afroamerikanerin, Afrodeutscher, Afrodeutsche;* in bestimmten Kontexten auch *Schwarzer, Schwarze.* Vermieden werden sollten auch Zusammensetzungen mit *Neger* wie *Negerkuss,* stattdessen verwendet man besser *Schokokuss.*

Ne|ger|kuss (*svw.* Schokokuss); *vgl.* Neger

Ne|ger|skla|ve (schwarzer Sklave); *vgl.* Neger; **Ne|ger|skla|vin**

Ne|gev [*auch* ˈnɛgɛf], der; -, *auch* die; - (Wüstenlandschaft im Süden Israels)

ne|gie|ren (lat.) (verneinen; bestreiten); **Ne|gie|rung**

Ne|gli|gé, Né|gli|gé *vgl.* Negligee

ne|gli|gie|ren [...ˈʒant] (*veraltend für* nachlässig)

Ne|g|li|gee, **Ne|g|li|gé, Né|g|li|gé** [*alle* ...ˈʒeː], das; -s, -s (franz.) (Hauskleid; leichter Morgenmantel)

ne|g|li|gen|te [...ˈdʒɛntə] (ital.) (*Musik* darüber hinnuschend)

ne|g|li|gie|ren [...ˈʒiː...] (*veraltend für* vernachlässigen)

ne|g|rid (lat.); negrider Menschentyp (*Anthropol. veraltend*)

Ne|g|ri|to, der; -[s], -[s] (kleinwüchsiger u. dunkelhäutiger Mensch [auf den Philippinen])

Né|g|ri|tude [negriˈtyːt], die; - ⟨franz.⟩ (Forderung nach kultureller Eigenständigkeit der Französisch sprechenden Länder Afrikas)

Ne|g|ro|spi|ri|tu|al [ˈniːgroˈspɪrɪtjuəl], das, *auch* der; -s, -s ⟨lat.-engl.-amerik.⟩ (geistl. Lied der Schwarzen im Süden der USA)

Ne|gus, der; -, *Plur.* -u. -se (*früher* Kaiser von Äthiopien)

Ne|he|mia, Ne|he|mi|as (Gestalt des A. T.)

neh|men; du nimmst, er nimmt; ich nahm, du nahmst; du nähmest; genommen; nimm!; ich nehme es an mich; ↑K82 : Geben *od.* geben ist seliger

denn Nehmen *od.* nehmen; sich etwas nicht nehmen lassen

Neh|mer (*auch für* Käufer); **Neh|me|rin**

Neh|mer|qua|li|tä|ten *Plur. (Boxen)*

Neh|ru (indischer Staatsmann)

Neh|rung, die; -, -en (schmale Landzunge)

Neid, der; -[e]s; **nei|den**

Nei|der; neid|er|füllt ↑K59 ; **Nei|de|rin**

Neid|ham|mel (*ugs. für* neidischer Mensch)

Neid|hard, Neid|hart (m. Vorn.)

nei|disch

neid|los; Neid|lo|sig|keit, die; -

Neid|na|gel *vgl.* Niednagel

neid|voll

Nei|ge, die; -, -n; zur Neige gehen

nei|gen; sich neigen

Nei|ge|tech|nik *(Eisenb.)*

Nei|gung; Nei|gungs|ehe; Nei|gungs|win|kel

nein

– nein, nein; nein danke; oh nein *od.* o nein

– Nein sagen *od.* nein sagen

– das Ja und das Nein; mit [einem] Nein antworten; mit Nein stimmen; das ist die Folge seines Neins ↑K81

'**nein** (*landsch. für* hinein)

Nein|sa|gen, das; -s; **Nein|sa|ger; Nein|sa|ge|rin**

Nein|stim|me

Nei|ße, die; - (ein Flussname); die Oder-Neiße-Grenze ↑K146

Ne|k|ro|bi|o|se, die; - ⟨griech.⟩ (*Biol.* langsames Absterben einzelner Zellen)

Ne|k|ro|log, der; -[e]s, -e (Nachruf); **Ne|k|ro|lo|gi|um,** das, -s, ...ien (Totenverzeichnis in Klöstern und Stiften)

Ne|k|ro|mant, der; -en, -en (Toten-, Geisterbeschwörer); **Ne|k|ro|man|tie,** die; - (Toten-, Geisterbeschwörung)

Ne|k|ro|phi|lie, die; - (*Psych.* auf Leichen gerichteter Sexualtrieb)

Ne|k|ro|po|le, die; -, ...polen (Totenstadt, Gräberfeld alter Zeit)

Ne|k|rop|sie, die; -, ...ien (Leichenbesichtigung, -öffnung)

Ne|k|ro|se, die; -, -n (*Med.* das Absterben von Geweben, Organen od. Organteilen)

Ne|k|ro|sper|mie, die; - (*Med.* Abgestorbensein od. Funktions-

unfähigkeit männl. Samenzellen; Zeugungsunfähigkeit)

ne|k|ro|tisch (*Med.* abgestorben)

Nek|tar, der; -s, -e ⟨griech.⟩ (zuckerhaltige Blütenabsonderung; *griech. Mythol.* ewige Jugend spendender Göttertrank)

Nek|ta|ri|ne, die; -, -n (Pfirsichart mit glatthäutigen Früchten)

Nek|ta|ri|um, das; -s, ...ien (Nektardrüse bei Blütenpflanzen)

Nek|ton, das; -s ⟨griech.⟩ (*Biol.* die Gesamtheit der im Wasser sich aktiv bewegenden Tiere); **nek|to|nisch**

Nel|ke, die; -, -n (eine Blume; ein Gewürz); **Nel|ken|öl**

Nel|ken|strauß *Plur.* ...sträuße

Nel|ken|wurz (eine Pflanze)

Nell, das; -s, - (*schweiz. für* Trumpfneun beim Jass)

Nel|li, Nel|ly (w. Vorn.)

¹**Nel|son** [...zn̩, *auch* ...sn̩] (engl. Admiral)

²**Nel|son,** der; -[s], -s ⟨engl.⟩ (Ringergriff)

Ne|ma|to|de, der; -n, -n *meist Plur.* ⟨griech.⟩ (*Zool.* Fadenwurm)

ne|me|isch (aus Nemea [Tal in Argolis]); *aber* ↑K150 : der Nemeische Löwe (*griech. Myth.*)

¹**Ne|me|sis** (griech. Rachegöttin)

²**Ne|me|sis,** die; - ⟨griech.⟩ (ausgleichende Gerechtigkeit)

NE-Me|tall [ɛnˈleː...] (↑K28 ; *kurz für* Nichteisenmetall)

'**nen** ↑K14 (*ugs. für* einen)

Ne|na (w. Vorn.)

Nen|be|trag

nen|nen; du nanntest; *selten* du nenntest; genannt; nenn[e]!; sie nannte ihn einen Dummkopf; **nen|nens|wert**

Nen|ner (*Math.*)

Nenn|form (*für* Infinitiv); **Nenn|form|satz** (*für* Infinitivsatz)

Nenn|leis|tung (*Technik*)

Nenn|on|kel; Nenn|tan|te

Nen|nung

Nenn|wert

Nenn|wort *Plur.* ...wörter (*für* Nomen)

Nen|ze, der; -n, -n (Angehöriger eines Volkes im Nordwesten Sibiriens); *vgl.* Samojede

neo... ⟨griech.⟩ (neu...); **Neo...** (Neu...)

Neo|dym, das; -s (chemisches Element, Metall; *Zeichen* Nd)

Neo|fa|schis|mus (faschistische Bestrebungen nach dem 2. Weltkrieg); **Neo|fa|schist; Neo|fa|schis|tin; neo|fa|schis|tisch**

Neo|gen, das; -s (Geol. Jungtertiär)

Neo|klas|si|zis|mus; Neo|ko|lo|ni|a-
lis|mus; neo|kon|ser|va|tiv
(Wirtsch.)

Neo|li|thi|kum [auch ...'lIt...], das;
-s (Jungsteinzeit); neo|li|thisch
(jungsteinzeitlich)

Neo|lo|gis|mus, der; -, ...men
(sprachl. Neubildung)

Neo|mar|xis|mus, der; -

Ne|on, das; -s (chemisches Ele-
ment, Edelgas; Zeichen Ne)

Neo|na|zi; Neo|na|zis|mus; Neo|na-
zist; Neo|na|zis|tin; neo|na|zis-
tisch

ne|on|far|ben (grell)

Ne|on|fisch

Ne|on|lam|pe; Ne|on|licht Plur.
...lichter; Ne|on|re|kla|me; Ne|on-
röh|re

Neo|phyt, der; -en, -en (erwachse-
ner Neugetaufter im Urchristen-
tum)

Neo|plas|ma, die; - (Med. [bösartige]
Geschwulst)

Neo|po|si|ti|vis|mus

Neo|pren®, das; -s, -e ⟨Kunstwort⟩
(synthetischer Kautschuk); Neo-
pren|an|zug (vor Kälte schützen-
der Anzug für Taucher u. a.)

Neo|te|nie, die; - (Med. unvoll-
kommener Entwicklungszu-
stand eines Organs; Biol. Eintritt der Geschlechtsreife im
Larvenstadium)

neo|tro|pisch (den Tropen der
Neuen Welt angehörend); neo-
tropische Region (tiergeografi-
sches Gebiet, das Mittel- u. Südamerika umfasst)

Neo|vi|ta|lis|mus (Lehre von den
Eigengesetzlichkeiten des
Lebendigen)

Neo|zo|i|kum, das; -s (svw. Käno-
zoikum); neo|zo|isch (svw. käno-
zoisch)

Ne|pal [auch ...'pa:l] (Himalaja-
staat); Ne|pa|le|se, der; -n, -n;
Ne|pa|le|sin; ne|pa|le|sisch

Ne|per, das; -s, - (nach dem schott.
Mathematiker J. Napier) (eine
physikalische Maßeinheit; Abk.
Np)

Ne|phe|lin, der; -s, -e (griech.) (ein
Mineral)

Ne|phe|lo|me|t|rie, die; - (Chemie
Messung der Trübung von Flüssigkeiten od. Gasen)

Ne|pho|graf, Ne|pho|graph, der;
-en, -en (Meteor. Gerät, das die
verschiedenen Arten u. die
Dichte der Bewölkung fotogr.

aufzeichnet); Ne|pho|s|kop, das;
-s, -e (Gerät zur Bestimmung
der Zugrichtung u. -geschwin-
digkeit von Wolken)

Ne|ph|ral|gie, die; -, ...ien ⟨griech.⟩
(Med. Nierenschmerzen)

Ne|ph|rit, der; -s, -e (ein Mineral)

Ne|ph|ri|tis, die; -, ...itiden (Med.
Nierenentzündung); Ne|ph|ro|se,
die; -, -n (Nierenerkrankung mit
Gewebeschädigung)

Ne|po|muk (m. Vorn.)

Ne|po|tis|mus, der; - ⟨lat.⟩ (Vet-
ternwirtschaft)

Nepp, der; -s; nep|pen (durch
überhöhte Preisforderungen
übervorteilen); Nep|per; Nep|pe-
rei; Nepp|lo|kal

¹Nep|tun (röm. Gott des Meeres)

²Nep|tun, der; -s (ein Planet)

nep|tu|nisch (durch Einwirkung
des Wassers entstanden); nep-
tunische Gesteine (veraltet für
Sedimentgesteine) ↑K89

Nep|tu|ni|um, das; -s (chemisches
Element, ein Transuran; Zeichen Np)

Nerd [nø:ɐ̯t], der; -s, -s ⟨engl.,
»Schwachkopf«⟩ (Jargon abwertend für sehr intelligenter, aber
sozial isolierter Computerfan)

Ne|re|i|de, die; -, -n meist Plur.;
(meerbewohnende Tochter des
Nereus); Ne|reus (griech. Meer-
gott)

Nerf|ling (ein Fisch)

Nernst|lam|pe ↑K136 ⟨nach dem
dt. Physiker u. Chemiker⟩

Ne|ro (röm. Kaiser)

Ne|ro|li|öl, das; -[e]s ⟨ital.; dt.⟩
(Pomeranzenblütenöl)

ne|ro|nisch ⟨zu Nero⟩; neronische
Christenverfolgung ↑K135

Ner|thus (germ. Göttin)

Ne|ru|da, Pablo (chilen. Lyriker)

Nerv, der; -s, -en ⟨lat.⟩

Ner|va (röm. Kaiser)

Ner|va|tur, die; -, -en ⟨lat.⟩ (Ade-
rung des Blattes, der Insekten-
flügel)

ner|ven [...f...] (ugs. für nervlich
strapazieren; belästigen)

Ner|ven|an|span|nung

Ner|ven|arzt; Ner|ven|ärz|tin

ner|ven|auf|peit|schend; ner|ven-
auf|rei|bend

Ner|ven|bahn; Ner|ven|be|las|tung

ner|ven|be|ru|hi|gend; Ner|ven|be-
ru|hi|gungs|mit|tel

Ner|ven|bün|del; Ner|ven|chi|r|ur-
gie, die; -; Ner|ven|ent|zün|dung

Ner|ven|gas; Ner|ven|gift, das

Ner|ven|kit|zel; Ner|ven|kli|nik

Ner|ven|kos|tüm, das; -s (ugs.
scherzh.)

Ner|ven|kraft, die

ner|ven|krank; Ner|ven|krank|heit

Ner|ven|krieg; Ner|ven|kri|se

Ner|ven|lei|den; ner|ven|lei|dend

Ner|ven|nah|rung; Ner|ven|pro|be

Ner|ven|sa|che (ugs.); meist in das
ist Nervensache

Ner|ven|sä|ge (ugs.)

Ner|ven|schmerz meist Plur.

ner|ven|schwach; Ner|ven|schwä-
che, die; -

ner|ven|stark; Ner|ven|stär|ke,
die; -

Ner|ven|sys|tem; vegetatives Ner-
vensystem ↑K89; Ner|ven|zel|le

ner|ven|zer|rei|ßend; Ner|ven|zu-
sam|men|bruch

ner|vig [...f..., auch ...v...] (sehnig,
kräftig; ugs. für die Nerven stra-
pazierend, lästig)

nerv|lich (das Nervensystem
betreffend)

ner|vös [...v...] (nervenschwach;
unruhig, gereizt; Med. svw.
nervlich); jmdn. nervös machen;
sich nicht nervös machen las-
sen; Ner|vo|si|tät, die; -

nerv|tö|tend

Ner|vus Re|rum, der; - - (Hauptsa-
che; scherzh. für Geld)

Nerz, der; -es, -e ⟨slaw.⟩
(Pelz[tier]); Nerz|farm; Nerz|fell

Nerz|kra|gen; Nerz|man|tel

Nerz|öl

Nerz|sto|la

Nes|ca|fé®, der; -s, -s ⟨nach der
schweiz. Firma Nestlé⟩ (lösli-
cher Kaffeeextrakt)

Nes|chi [...ki, auch ...çi], das od.
die; - ⟨arab.⟩ (arab. Schreib-
schrift)

¹Nes|sel, die; -, -n

²Nes|sel, der; -s, - (ein Gewebe)

Nes|sel|aus|schlag; Nes|sel|fa|den
(Zool.); Nes|sel|fie|ber; Nes|sel-
pflan|ze; Nes|sel|qual|le; Nes|sel-
stoff; Nes|sel|sucht; Nes|sel|tier

Nes|ses|sär vgl. Necessaire

Nes|sus|ge|wand ↑K136 ⟨nach dem
vergifteten Gewand des Hera-
kles in der griech. Sage⟩ (Verderben bringende Gabe)

Nest, das; -[e]s, -er; Nest|bau Plur.
...bauten

Nest|be|schmut|zer (abwertend für
jmd., der schlecht über die
eigene Familie, Gruppe o. Ä.
spricht); Nest|be|schmut|ze|rin;
Nest|chen

Nes|tel, die; -, -n (landsch. für
Schnur); nes|teln; ich nest[e]le

neu

neu|er, neu|es|te/neus|te; neu|es|tens/neus|tens

Kleinschreibung:

– aus alt wird neu; etwas auf neu herrichten; neu für alt *(Kaufmannsspr.)*
– seit neuestem *od.* Neuestem; von neuem *od.* Neuem
↑K 89:
– das neue Jahr; ein gutes neues Jahr!
– die neue Armut; die neuen Bundesländer
– neue Sprachen; neuer Wein
– die neue Mathematik (auf der formalen Logik u. der Mengenlehre basierende Mathematik)
– die neuen *od.* Neuen Medien; die neue *od.* Neue Mitte (Politik); die neue *od.* Neue Linke (eine philos. u. politische Richtung)

Großschreibung

a) der Substantivierung ↑K 72:

– das Alte und das Neue; etwas, nichts Neues
– er ist aufs Neue (auf Neuerungen) erpicht; sie hat es aufs Neue (wieder) versucht
– auf ein Neues

b) in Namen ↑K 88:

– der Neue Bund *(christl. Rel.)*
– das Neue Forum (1989 in der DDR gegründete Bürgerbewegung; *Abk.* NF)

– die Neue Maas (Flussarm im Mündungsgebiet des Rheins)
– der Neue Markt *(Börsenw.* ehem. Aktienmarkt für junge Unternehmen aus zukunftsorientierten Branchen)
– die Neue Rundschau (Zeitschrift)
– das Neue Testament *(Abk.* N. T.)
– die Neue Welt (Amerika)

Getrenntschreibung in Verbindung mit Verben ↑K 56:

– neu bauen, neu einrichten, neu bearbeiten, neu entwickeln, neu hinzukommen, neu ordnen
– die Wand soll neu gestrichen werden; das Geschäft ist neu eröffnet; der Text wurde neu gesetzt

In Verbindung mit einem adjektivisch gebrauchten Partizip kann getrennt oder zusammengeschrieben werden ↑K 58:

– das neu eröffnete *od.* neueröffnete Zweiggeschäft; das Geschäft ist neu eröffnet
– das neu bearbeitete *od.* neubearbeitete Werk
– die neu geschaffenen *od.* neugeschaffenen Anlagen

Vgl. aber neugeboren

Nes|ter|chen *Plur.*
Nest|flüch|ter; Nest|flüch|te|rin
Nest|häk|chen (das jüngste Kind in der Familie)
Nest|ho|cker; Nest|ho|cke|rin; Nest|jun|ge *(vgl.* ²Junge)
Nest|ling (noch nicht flügger Vogel)
¹Nes|tor (greiser König der griech. Sage)
²Nes|tor, der; -s, ...oren (ältester [anerkannter] Vertreter einer bestimmten Wissenschaft o. Ä.)
Nes|to|ri|a|ner, der; -s, - (Anhänger des Nestorius); **Nes|to|ri|a|nis|mus,** der; - (Lehre des Nestorius)
Nes|to|rin *(zu* ²Nestor)
Nes|to|ri|us (Patriarch von Konstantinopel)
Nes|t|roy (österr. Dramatiker)
Nest|treue
nest|warm; nestwarme Eier; **Nest|wär|me,** die; -
Net, das; -s *(ugs. kurz für* Internet)
Ne|ti|quet|te [...'kɛtə], die; - *(EDV* Gesamtheit der Regeln für soziales Kommunikationsverhalten im Internet)
nett
net|ter|wei|se *(ugs.)*
Net|tig|keit *(zu* nett)

net|to ⟨ital.⟩ (rein, nach Abzug der Verpackung, der Unkosten, der Steuern u. Ä.)
Net|to|ein|kom|men; Net|to|er|trag; Net|to|ge|wicht; Net|to|ge|winn; Net|to|lohn; Net|to|mas|se, die; -; **Net|to|preis**
Net|to|raum|zahl *(Abk.* NRZ); **Net|to|re|gis|ter|ton|ne** *(früher für* Nettoraumzahl; *Abk.* NRT)
Net|to|ver|dienst, der
Net|wor|king [...vøː‿ɐkɪŋ], das; -s ⟨engl.⟩ (Bildung von Netzwerken)
Netz, das; -es, -e
Netz|an|schluss; Netz|an|schluss|ge|rät *(Rundf.)*
netz|ar|tig
Netz|ball *(Sport)*
Netz|be|trei|ber; Netz|be|trei|be|rin
net|zen *(geh. für* nass machen, befeuchten); du netzt
Netz|flüg|ler, der; -s, - *(für* Neuropteren)
netz|för|mig
Netz|ge|rät *(kurz für* Netzanschlussgerät); **Netz|gleich|rich|ter** *(Rundf.)*
Netz|haut; Netz|haut|ab|lö|sung; Netz|haut|ent|zün|dung
Netz|hemd

Netz|kar|te *(Verkehrsw.)*
Netz|mit|tel, das (Stoff, der die Oberflächenspannung von Flüssigkeiten verringert)
Netz|plan *(Wirtsch.);* **Netz|plan|tech|nik,** die; - *(Wirtsch.)*
Netz|rol|ler *(bes. Tennis)*
Netz|span|nung
Netz|spie|ler *(Sport);* **Netz|spie|le|rin**
Netz|ste|cker; Netz|teil, das
Netz|werk; netz|werk|ba|siert *(EDV);* netzwerkbasierte Datenbanken; **netz|wer|ken** *(ugs.);* meist im Inf. u. Part. II gebr.; genetzwerkt
neu s. Kasten
Neu|an|fang; Neu|an|fer|ti|gung
Neu|an|kömm|ling
Neu|an|la|ge; Neu|an|schaf|fung
neu|apo|s|to|lisch; *aber* ↑K 88: die Neuapostolische Gemeinde (eine christl. Religionsgemeinschaft)
neu|ar|tig; Neu|ar|tig|keit, die; -
Neu|auf|la|ge; Neu|auf|nah|me
Neu|aus|ga|be
Neu|bau *Plur.* ...bauten; **Neu|bau|ge|biet; Neu|bau|vier|tel; Neu|bau|woh|nung**

neu

neu be|ar|bei|tet, neu|be|ar|bei|tet
vgl. neu; Neu|be|ar|bei|tung
Neu|be|ginn
Neu|be|set|zung; Neu|bil|dung
Neu|bran|den|burg (Stadt in Mecklenburg-Vorpommern)
Neu|braun|schweig (kanad. Provinz)
Neu|bür|ger; Neu|bür|ge|rin
Neu|châ|tel [nøʃaˈtɛl] (franz. Form von Neuenburg)
Neu-De|lhi (südl. Stadtteil von Delhi, Regierungssitz der Republik Indien)
neu|deutsch (meist abwertend); die schicke Bar, neudeutsch »Lounge«; Neu|deutsch (meist abwertend)
Neu|druck Plur. ...drucke
Neue, die; - (Jägerspr. frisch gefallener Schnee)
Neu|ein|stel|lung
Neu|ein|stu|die|rung
Neue Ker|ze (bis 1948 dt. Lichtstärkeeinheit [heute Candela])
Neu|en|ahr, Bad (Stadt an der Ahr)
Neu|en|burg (Kanton u. Stadt in der Schweiz; franz. Neuchâtel); Neu|en|bur|ger; Neu|en|bur|ger See, der; - -s
Neu|eng|land (die nordöstl. Staaten der USA)
neu|eng|lisch vgl. deutsch
Neu|ent|de|ckung
neu ent|wi|ckeln vgl. neu; Neu|entwick|lung
neu|er|dings (kürzlich; südd., österr., schweiz. auch für erneut)
Neu|e|rer; Neu|e|rer|be|we|gung, die; - (DDR); Neu|e|rin
neu|er|lich (erneut)
neu|ern (veraltend für erneuern); ich neuere
neu er|öff|net, neu|er|öff|net vgl. neu; Neu|er|öff|nung; Neu|er|schei|nung
Neu|e|rung; Neu|e|rungs|sucht
Neu|er|werb; Neu|er|wer|bung
neu|es|tens, selten neus|tens
Neu|fas|sung; Neu|fest|set|zung
neu|fran|zö|sisch vgl. deutsch
Neu|fund|land (kanad. Provinz)
Neu|fund|län|der (Bewohner Neufundlands; auch eine Hunderasse); Neu|fund|län|de|rin; neu|fund|län|disch
neu|ge|bo|ren; die neugeborenen Kinder; sich wie neugeboren fühlen; Neu|ge|bo|re|ne, das; -n, -n (Säugling)
Neu|ge|burt

neu ge|schaf|fen, neu|ge|schaf|fen
vgl. neu
Neu|ge|schäft
Neu|ge|stal|tung; Neu|ge|würz, das; -es (österr. für Piment)
Neu|gier, Neu|gier|de, die; -; neu|gie|rig
Neu|glie|de|rung; Neu|go|tik
Neu|grad vgl. Gon
neu|grie|chisch vgl. deutsch; Neu|grie|chisch, das; -[s] (Sprache); vgl. Deutsch; Neu|grie|chi|sche, das; -n; vgl. Deutsche, das
Neu|grün|dung
Neu|gui|nea [...gi...] ↑K143 (Insel nördl. von Australien); Neu|gui|ne|er; Neu|gui|ne|e|rin; neu|gui|ne|isch
neu|he|b|rä|isch vgl. deutsch; Neu|he|b|rä|isch, das; -[s] (Sprache); vgl. Deutsch; Neu|he|b|rä|i|sche, das; -n; vgl. Deutsche, das; vgl. Iwrith
Neu|he|ge|li|a|ner; Neu|he|ge|li|a|ne|rin; neu|he|ge|li|a|nisch; Neu|he|ge|li|a|nis|mus, der; -
Neu|heit
neu|hoch|deutsch (Abk. nhd.); vgl. deutsch; Neu|hoch|deutsch, das; -[s] (Sprache); vgl. Deutsch; Neu|hoch|deut|sche, das; -n; vgl. Deutsche, das
Neu|hu|ma|nis|mus
Neu|ig|keit; Neu|in|sze|nie|rung
Neu|jahr; Neu|jahrs|an|spra|che
Neu|jahrs|bot|schaft; Neu|jahrs|fest; Neu|jahrs|glück|wunsch
Neu|jahrs|gruß; Neu|jahrs|kar|te
Neu|jahrs|tag; Neu|jahrs|wunsch
Neu|ka|le|do|ni|en (Inselgruppe östlich von Australien); Neu|ka|le|do|ni|er; Neu|ka|le|do|ni|e|rin; neu|ka|le|do|nisch
Neu|kan|ti|a|ner; Neu|kan|ti|a|ne|rin; Neu|kan|ti|a|nis|mus (philos. Schule)
Neu|kauf (Kaufmannsspr.)
Neu|klas|si|zis|mus
Neu|kölln (Stadtteil von Berlin)
Neu|kon|s|t|ruk|ti|on
Neu|land, das; -[e]s
Neu|la|tein; neu|la|tei|nisch (Abk. nlat.); vgl. deutsch
neu|lich; Neu|ling
Neu|mark, die; - (hist. Landschaft in der Mark Brandenburg)
Neu|me, die; -, -n meist Plur. (griech.) (mittelalterl. Notenzeichen)
neu|mo|disch
Neu|mond, der; -[e]s
neun, ugs. neu|ne; alle neun[e]!; wir sind zu neunen od. zu

neunt; vgl. acht; Neun, die; -, -en (Ziffer, Zahl); vgl. [1]Acht
Neun|au|ge (ein Fisch)
neun|bän|dig; neun|eckig
neun|ein|halb, neun|und|ein|halb
Neu|ner; einen Neuner schieben (beim Kegeln); vgl. Achter
neu|ner|lei
neun|fach; Neun|fa|che, das; -n; vgl. Achtfache
neun|hun|dert
neun|mal vgl. achtmal
neun|ma|lig; neun|mal|klug (ugs. für überklug)
neun|schwän|zig; die neunschwänzige Katze (Seemannsspr. Peitsche mit neun Riemen)
neun|stel|lig; neun|stö|ckig
neun|stün|dig
neunt vgl. neun
neun|tä|gig; neun|tau|send
neun|te vgl. achte
neun|tel vgl. achtel
Neun|tel, das, schweiz. meist der; -s, -; vgl. Achtel
neun|tens
Neun|tö|ter (ein Vogel)
neun|und|ein|halb, neun|ein|halb; neun|und|zwan|zig vgl. acht
neun|zehn vgl. acht
neun|zig usw. vgl. achtzig usw.
Neu|ord|nung; Neu|or|ga|ni|sa|ti|on; Neu|ori|en|tie|rung
Neu|phi|lo|lo|ge; Neu|phi|lo|lo|gie; Neu|phi|lo|lo|gin; neu|phi|lo|lo|gisch
Neu|pla|to|ni|ker; Neu|pla|to|ni|ke|rin; Neu|pla|to|nis|mus, der; -
Neu|prä|gung; Neu|preis
neu|r... vgl. neuro...
Neu|r... vgl. Neuro...
Neu|r|al|gie, die; -, ...ien (griech.) (Med. in Anfällen auftretender Nervenschmerz); Neu|r|al|gi|ker (an Neuralgie Leidender); Neu|r|al|gi|ke|rin; neu|r|al|gisch
Neu|r|as|the|nie, die; -, ...ien (Med. veraltend durch viele Symptome gekennzeichnete Krankheit ohne organ. Ursache); Neu|r|as|the|ni|ker (an Neurasthenie Leidender); Neu|r|as|the|ni|ke|rin; neu|r|as|the|nisch
Neu|re|ge|lung, Neu|reg|lung
neu|reich; Neu|rei|che, der u. die; -n, -n
Neu|ries (Papiermaß; 1 000 Bogen)
Neu|rin, das; -s (griech.) (starkes Fäulnisgift)
Neu|ri|tis, die; -, ...iti|den (Med. Nervenentzündung)
neu|ro..., vor Vokalen neu|r...

(nerven...); **Neu|ro...**, *vor Vokalen* Neu|r... (Nerven...)

Neu|ro|bio|lo|gie, die; -

Neu|ro|chi|r|ur|gie, die; - (Chirurgie des Nervensystems)

Neu|ro|der|mi|tis, die; -, ...iti̱den (*Med.* entzündliche Hauterkrankung); **neu|ro|gen** (*Med.* von den Nerven ausgehend)

Neu|ro|lo|ge, der; -n, -n; **Neu|ro|lo̱gie**, die; - (Lehre vom Nervensystem und seinen Erkrankungen); **Neu|ro|lo|gin**; **neu|ro|lo̱-gisch**

Neu|rom, das; -s, -e (*Med.* Nervenfasergeschwulst)

Neu|ro|man|tik; **Neu|ro|man|ti|ker**; **Neu|ro|man|ti|ke|rin**; **neu|ro|man-tisch**

Neu|ron, das; -s, Plur. ...one, *auch* ...onen ⟨griech.⟩ (*Med.* Nervenzelle); **neu|ro|nal**

Neu|ro|pa|thie, die; -, ...i̱en (*Med.* Nervenkrankheit); **neu|ro|pa-thisch**; **Neu|ro|pa|tho|lo|gie**, die; - (Lehre von den Krankheiten des Nervensystems)

Neu|ro|p|te|ren Plur. (*Zool.* Netzflügler)

Neu|ro̱se, die; -, -n (*Med.*, *Psych.* psychische Störung); **Neu|ro̱|ti-ker** (an Neurose Leidender); **Neu|ro̱|ti|ke|rin**; **neu|ro̱|tisch**

Neu|ro|to|mie, die; -, ...i̱en (*Med.* Nervendurchtrennung)

Neu|rup|pin (Stadt in Brandenburg); **Neu|rup|pi̱ner**; **neu|rup|pi̱-nisch**

Neu|satz (*Druckw.*); **Neu|schnee**

Neu|scho|las|tik (Erneuerung der Scholastik; *vgl. d.*)

Neu|schöp|fung

Neu|schott|land (kanad. Prov.)

Neu|schwan|stein (Schloss König Ludwigs II. von Bayern)

Neu|see|land ↑K 143 (Inselgruppe u. Staat im Pazifischen Ozean); **Neu|see|län|der**; **Neu|see|län|de-rin**; **neu|see|län|disch**

Neu|siedl am See (österr. Stadt)

Neu|siedler See, der; - - s (in Österreich u. Ungarn)

Neu|sil|ber (eine Legierung); **neu-sil|bern**; neusilberne Uhr

Neu|sprach|ler (Lehrer, Kenner der neueren Sprachen); **Neu|sprach-le|rin**; **neu|sprach|lich**; neusprachlicher Unterricht, Zweig

Neu|sprech, der od. das; -[s] ⟨nach engl. »Newspeak«⟩ (*svw.* Neudeutsch)

Neuss (Stadt am Niederrhein;

Schreibung bis 1970: Neuß); **Neus|ser**

Neu|start

neus|tens *vgl.* neuestens

Neu|stre|litz (Stadt in Mecklenburg)

Neu|s|t|ri|en (alter Name für das westliche Frankenreich)

Neu|struk|tu|rie|rung

Neu|süd|wales ↑K143 (Gliedstaat des Australischen Bundes)

Neu|tes|ta|ment|ler; **neu|tes|ta-ment|lich**

Neu|tö̱ner (Vertreter neuer Musik); **Neu|tö̱ne|rin**; **neu|tö̱ne-risch** (*auch für* ganz modern)

Neu|t|ra [österr. ˈneːuˈ...] (Plur. von Neutrum)

neu|t|ral ⟨lat.⟩ (keiner der Krieg führenden Parteien angehörend; unparteiisch; keine besonderen Merkmale aufweisend); ein neutrales Land; die neutrale Ecke *(Boxen)*

Neu|t|ra|li|sa|ti|on, die; -, -en

neu|t|ra|li|sie|ren; **Neu|t|ra|li|sie-rung**

Neu|t|ra|lis|mus, der; - (Grundsatz der Nichteinmischung in fremde Angelegenheiten); **Neu|t-ra|list**, der; -en, -en; **neu|t|ra|lis-tisch**

Neu|t|ra|li|tät, die; -

Neu|t|ra|li|täts|ab|kom|men

Neu|t|ra|li|täts|bruch; der; **Neu|t|ra-li|täts|er|klä|rung**; **Neu|t|ra|li|täts-po|li|tik**; **Neu|t|ra|li|täts|ver|let-zung**

Neu|t|ren (Plur. von Neutrum)

Neu|t|ri̱no, das; -s, -s ⟨ital.⟩ (*Kernphysik* masseloses Elementarteilchen ohne elektr. Ladung)

Neu|t|ron, das; -s, ...onen ⟨lat.⟩ (*Kernphysik* Elementarteilchen ohne elektr. Ladung als Baustein des Atomkerns; *Zeichen* n)

Neu|t|ro|nen|bom|be; **Neu|t|ro|nen-strah|len** Plur.

Neu|t|ro|nen|waf|fe

Neu|t|rum [österr. ˈneːuˈ...], das; -s, Plur. ...tra, *auch* ...tren (*Sprachw.* sächliches Substantiv, z. B. »das Buch«; *nur Sing.:* sächl. Geschlecht)

neu|ver|mählt (gerade, eben erst vermählt); *aber* neu ver|mählt (wieder, erneut vermählt); neu Ver|mähl|te, der u. die; - -n, - -n; **Neu|ver|mähl|te**, der u. die; -n, -n ↑K58

Neu|ver|schul|dung; **Neu|wa|gen**; **Neu|wahl**

neu|wa|schen (*landsch. für* frisch gewaschen)

Neu|wert; **neu|wer|tig**; **Neu|wert-ver|si|che|rung**

Neu-Wi̱en ↑K141; Neu-Wie|ner; neu-wie̱ne|risch

Neu|wort Plur. ...wörter

Neu|zeit, die; -; **neu|zeit|feind|lich**; **neu|zeit|lich**

Neu|züch|tung; **Neu|zu|gang**; **Neu-zu|las|sung**; **Neu|zu|stand**

Ne|va̱da (Staat in den USA; *Abk.* NV)

Ne̱|wa, die; - (Abfluss des Ladogasees)

New Age [ˈnjuːˈeːdʒ], das; - - ⟨engl.⟩ (neues Zeitalter als Inbegriff eines neuen Weltbildes)

New|co|mer [ˈnjuːka...], der; -s, - (Neuling); **New|co|me|rin**

New Deal [ˈnjuːˈdiːl], der; - - ⟨amerik.⟩ (Reformprogramm des amerik. Präsidenten F. D. Roosevelt)

New De̱|lhi [nju: -] *vgl.* Neu-Delhi

New Eco|no|my [ˈnjuːˈɪˈkɔnəmi], die; - - (Wirtschaftsbereich mit Unternehmen aus Zukunftsbranchen)

New Hamp|shire [njuːˈhɛmpʃɐ] (Staat in den USA; *Abk.* NH)

New Jer|sey [njuːˈdʒøːɐzi] (Staat in den USA; *Abk.* NJ)

New Look [ˈnjuːˈlʊk], der od. das; - -[s] ⟨amerik.⟩ (Moderichtung nach dem 2. Weltkrieg)

New Me̱|xi|co [nju: -] (Staat in den USA; *Abk.* NM)

New Or|leans [njuːˈoːɐˈliːns, *auch* -ˈoːɐ...] (Stadt in Louisiana); **New-Or|leans-Jazz** [...dʒɛs], der; - (frühester, improvisierender Jazzstil der nordamerik. Schwarzen)

News [njuːs] Plur. ⟨engl.⟩ (Nachrichten)

News|group [ˈnjuːsgruːp], die; -, -s ⟨engl.⟩ (*EDV* öffentliche Diskussionsrunde im Internet zu einem bestimmten Thema)

News|let|ter, der; -[s], - [s] (regelmäßig erscheinender Internetbeitrag; regelmäßig zu beziehende elektron. Post)

¹**New|ton** [ˈnjuːtn̩] (engl. Physiker)

²**New|ton**, das; -s, - (Einheit der Kraft; *Zeichen* N)

New|ton|me|ter (Einheit der Energie; *Zeichen* Nm)

New York [njuːˈjoːɐk] (Staat [*Abk.* NY] u. Stadt in den USA); **New-Yor|ker**, **New Yor|ker** ↑K145

Ne|xus, der; -, - [ˈnɛksuːs] ⟨lat.⟩ (Zusammenhang, Verbindung)

nF = Nanofarad

NF, das; - = Neues Forum

N. F. = Neue Folge

n-fach [ˈɛn...] ↑K30

NGO [ɛndʒiːˈou], die; - = nongovernmental organization (Nichtregierungsorganisation, nichtstaatliche Organisation)

Ngo|ro|ngo|ro|kra|ter (Kraterhochland in Tansania)

NH = New Hampshire

NH, N. H. = Normalhöhenpunkt

nhd. = neuhochdeutsch

Ni = chem. Zeichen für Nickel

Ni|a|ga|ra|fäl|le [österr. auch ...ˈa...] Plur.

Nia|mey [njaˈmɛ] (Hauptstadt von Niger)

Ni|am-Ni|am Plur. (Volksstamm im Sudan)

nib|beln ⟨engl.⟩ ([Bleche o. Ä.] schneiden od. abtrennen); ich nibb[e]le; **Nibb|ler** (Gerät zum Schneiden von Blechen)

ni|beln (südd. für nebeln, fein regnen); es nibelt

Ni|be|lun|gen (germ. Sagengeschlecht; die Burgunden)

Ni|be|lun|gen|hort, der; -[e]s; **Ni|be|lun|gen|lied,** das; -[e]s; **Ni|be|lun|gen|sa|ge,** die; -; **Ni|be|lun|gen|treue**

Ni|cäa usw. vgl. Nizäa usw.

Ni|ca|ra|gua (Staat in Mittelamerika); **Ni|ca|ra|gua|ner; Ni|ca|ra|gua|ne|rin; ni|ca|ra|gua|nisch**

nicht s. Kasten Seite 729

Nicht|ach|tung

nicht|amt|lich, nicht amt|lich vgl. nicht

Nicht|an|er|ken|nung, die; -

Nicht|an|griffs|pakt [auch ...ˈan...]

Nicht|be|ach|tung, die; -

Nicht|be|fol|gung, die; -

nicht|be|rufs|tä|tig, nicht be|rufs|tä|tig vgl. nicht

nicht Be|rufs|tä|ti|ge, der u. die; --n, --n, **Nicht|be|rufs|tä|ti|ge,** der u. die; -n, -n ↑K60

Nicht|christ, der; **Nicht|chris|tin; nicht|christ|lich, nicht christ|lich** vgl. nicht

Nicht|te, die; -, -n

nicht|ehe|lich, nicht ehe|lich vgl. nicht

Nicht|ein|brin|gungs|fall, der (österr. Amtsspr. Zahlungsunfähigkeit); im Nichteinbringungsfall

Nicht|ein|hal|tung

Nicht|ein|mi|schung

Nicht|ei|sen|me|tall

Nicht|er|fül|lung

Nicht|er|schei|nen, das; -s

nicht|eu|k|li|disch, nicht eu|k|li|disch (Math.); die nichteuklidische od. nicht euklidische Geometrie ↑K135 u. 89; vgl. auch nicht

Nicht-EU-Staat Plur. ...staaten

Nicht|fach|frau; Nicht|fach|mann

nicht|flek|tier|bar, nicht flek|tier|bar (Sprachw.); vgl. nicht

Nicht|ge|fal|len, das; -s (Kaufmannsspr.); bei Nichtgefallen

nicht Ge|schäfts|fä|hi|ge, der u. die; --n, --n, **Nicht|ge|schäfts|fä|hi|ge,** der u. die; -n, -n ↑K60

nicht Ge|wünsch|te, das; --n, **Nicht|ge|wünsch|te,** das; -n ↑K58

Nicht-hel|fen-Kön|nen, das

Nicht-Ich, das; -[s], -[s] (Philos. ↑K21)

nich|tig; null u. nichtig; **Nich|tig|keit; Nich|tig|keits|kla|ge**

Nicht|in|an|spruch|nah|me (Amtsspr.)

nicht|kom|mu|nis|tisch, nicht kom|mu|nis|tisch vgl. nicht

nicht lei|tend, **nicht|lei|tend** vgl. nicht; **Nicht|lei|ter,** der (für Isolator)

Nicht|me|tall

Nicht|mit|glied

nicht|öf|fent|lich, nicht öf|fent|lich vgl. nicht

nicht or|ga|ni|siert, **nicht|or|ga|ni|siert** vgl. nicht

Nicht|rau|cher; Nicht|rau|cher|ab|teil; Nicht|rau|che|rin; Nicht|rau|cher|ta|xi; Nicht|rau|cher|zo|ne

Nicht|re|gie|rungs|or|ga|ni|sa|ti|on

nicht ros|tend, **nicht|ros|tend** vgl. nicht

Nichts, das; -, -e; etwas aus dem Nichts erschaffen; aus dem Nichts auftauchen; wir stehen vor dem Nichts

nichts ah|nend, **nichts|ah|nend** vgl. nichts

Nicht|schwim|mer; Nicht|schwim|mer|be|cken; Nicht|schwim|me|rin

nichts|des|to|min|der; nichts|des|to|trotz (ugs.); **nichts|des|to|we|ni|ger**

nicht selbst|stän|dig, nicht selb|stän|dig, nicht|selbst|stän|dig, **nicht|selb|stän|dig;** vgl. auch nicht u. selbstständig

nicht Sess|haf|te, der u. die; --n, --n, **Nicht|sess|haf|te,** der u. die; -n, -n ↑K60

Nichts|kön|ner

Nichts|nutz, der; -es, -e; **nichts|nut|zig**

nichts sa|gend, **nichts|sa|gend** vgl. nichts

Nichts|tu|er (ugs.); **Nichts|tu|e|rin; nichts|tu|e|risch; Nichts|tun,** das; -s

nichts|wür|dig; Nichts|wür|dig|keit

Nicht|tän|zer; Nicht|tän|ze|rin

Nicht|ver|fol|ger|land Plur. ...länder (Land, Staat, in dem keine [polit.] Verfolgung stattfindet)

Nicht|wäh|ler; Nicht|wäh|le|rin

Nicht|wei|ter|ga|be, die; -

nicht zie|lend, **nicht|zie|lend** (für intransitiv); **nicht zielendes** od. nichtzielendes Verb

Nicht|zu|las|sung

Nicht-zu|stan|de-Kom|men, Nicht-zu-Stan|de-Kom|men

nicht Zu|tref|fen|de, das; --n, **Nicht|zu|tref|fen|de,** das; -n ↑K58; nicht Zutreffendes od. Nichtzutreffendes streichen; vgl. nicht

¹Ni|ckel, der; -s, - (landsch. für boshaftes Kind)

²Ni|ckel, das; -s (chemisches Element, Metall; Zeichen Ni)

³Ni|ckel, der; -s, - (früheres Zehnpfennigstück)

Ni|ckel|al|ler|gie, die; -; **Ni|ckel|bril|le; Ni|ckel|hoch|zeit** (nach zwölfeinhalbjähriger Ehe)

ni|cke|lig, nick|lig (zu ¹Nickel) (landsch. frech, mutwillig); **Ni|cke|lig|keit, Nick|lig|keit**

Ni|ckel|mün|ze

ni|cken; Ni|cker (ugs. für Kopfnicken)

Ni|cker|chen (ugs. für kurzer Schlaf)

Nick|fän|ger (Jägerspr. Genickfänger)

nicht

- nicht wahr?; gar nicht; nicht einmal, nicht mal
- mitnichten
- zunichtemachen, zunichtewerden

Getrennt- od. Zusammenschreibung in Verbindung mit Adjektiven und Partizipien ↑K60:

- nicht berufstätige *od.* nichtberufstätige Frauen; nicht flektierbare *od.* nichtflektierbare Wörter
- die Darstellung ist nicht amtlich *od.* nichtamtlich; dieses Kind ist nicht ehelich *od.*, *Rechtsspr. meist* nichtehelich; die Sitzung war nicht öffentlich *od.* nichtöffentlich usw.
- die nicht Krieg führenden *od.* nichtkriegführenden Parteien
- nicht leitende *od.* nichtleitende Stoffe
- die nicht organisierten *od.* nichtorganisierten Arbeiter

- nicht rostende *od.* nichtrostende Stähle
- eine nicht zutreffende *od.* nichtzutreffende Behauptung
- nicht Zutreffendes *od.* Nichtzutreffendes streichen ↑K72

Nur getrennt schreibt man, wenn sich »nicht« auf größere Textteile, z. B. einen ganzen Satz, bezieht:

- die Sitzung kann nicht öffentlich stattfinden
- Frauen, die damals nicht berufstätig sein konnten ...

Schreibung substantivierter Infinitive ↑K27 u. 82:

- das Nichtkönnen; das Nichtwissen; das Nichtwollen
- *aber* das Nicht-bekannt-Sein; das Nicht-loslassen-Können; das Nicht-wissen-Wollen

---

Nick|haut (drittes Augenlid vieler Wirbeltiere)

Ni|cki, der; -s, -s (Pullover aus samtartigem Baumwollstoff); Ni|cki|pul|lo|ver

Ni|cki|tuch (kleines Halstuch)

nick|lig usw. *vgl.* nickelig usw.

Ni|col, das; -s, -s ⟨nach dem engl. Erfinder⟩ (*Optik* Prisma zur Polarisation des Lichts)

Ni|cole [...'kol] (w. Vorn.)

Ni|co|sia *vgl.* Nikosia

Ni|co|tin *vgl.* Nikotin

nid (*südd. u. schweiz. mdal. für* unterhalb)

Ni|da|ti|on, die; -, -en ⟨lat.⟩ (*Med.* Einnistung der befruchteten Eizelle in die Gebärmutterschleimhaut)

¹Nid|da, die; - (r. Nebenfluss des Mains)

²Nid|da (Stadt an der ¹Nidda)

Ni|del, der; -s *od.* die; -, Nid|le, die; - (*schweiz. mdal. für* Sahne)

Nid|wal|den *vgl.* Unterwalden nid dem Wald; Nid|wald|ner; nid|wald|ne|risch

nie; nie mehr; nie und nimmer

nie|der; nieder mit ihm!; auf und nieder

nie|der... (*in Zus. mit Verben, z. B.* niederlegen, du legst nieder, niedergelegt, niederzulegen)

nie|der|bay|e|risch, *auch* nie|der|bay|risch; Nie|der|bay|ern ↑K143

nie|der|bay|risch

nie|der|beu|gen; sich niederbeugen

nie|der|bren|nen

nie|der|brin|gen; einen Schacht niederbringen (*Bergmannsspr.* herstellen)

nie|der|brül|len

nie|der|deutsch (*Abk.* nd.); *vgl.* deutsch; Nie|der|deutsch, das; -[s] (Sprache); *vgl.* Deutsch; Nie|der|deut|sche, das; -n; *vgl.* Deutsche, das

Nie|der|deutsch|land ↑K143

Nie|der|druck, der; -[e]s

nie|der|drü|cken; nie|der|drü|ckend

Nie|der|druck|hei|zung

nie|de|re, niederer, nieders|te; ↑K151 : die niedere Jagd; aus niederem Stande; der niedere Adel; ↑K72 : Hohe und Niedere (jedermann); Hohe und Niedere trafen sich zum Fest; ↑K140 : die Niedere Tatra (Teil der Westkarpaten); die Niederen Tauern *Plur.* (Teil der Zentralalpen)

nie|der|ener|ge|tisch (wenig Energie freisetzend, verbrauchend)

nie|der|fah|ren (*bayr., österr. für* überfahren)

nie|der|fal|len

Nie|der|flur|wa|gen (*Technik*)

nie|der|fran|ken

nie|der|fre|quent (*Physik*); Nie|der|fre|quenz

Nie|der|gang, der

nie|der|ge|drückt

nie|der|ge|hen

nie|der|ge|las|sen; ein niedergelassener Arzt

Nie|der|ge|las|se|ne, der *u.* die; -n, -n (*schweiz. für* Einwohner mit dauerndem Wohnsitz)

nie|der|ge|schla|gen (bedrückt, traurig); Nie|der|ge|schla|gen|heit

nie|der|hal|ten; niedergehalten; Nie|der|hal|tung

nie|der|hau|en; er hieb den Flüchtenden nieder

nie|der|ho|len; die Flagge wurde niedergeholt

Nie|der|holz, das; -es (Unterholz)

Nie|der|jagd (*Jägerspr.* Jagd auf Kleinwild)

nie|der|kämp|fen

nie|der|kau|ern, sich

nie|der|knal|len

nie|der|kni|en; niedergekniet

nie|der|knü|peln

nie|der|kom|men; sie ist [mit Zwillingen] niedergekommen (*veraltend*); Nie|der|kunft, die; -, ...künfte (*veraltend für* Geburt)

Nie|der|la|ge

Nie|der|lan|de *Plur.*; Nie|der|län|der; Nie|der|län|de|rin

nie|der|län|disch; *aber* ↑K150 : Niederländisches Dankgebet (ein Lied aus dem niederländischen Freiheitskampf gegen Spanien); Nie|der|län|disch, das; -[s] (Sprache); *vgl.* Deutsch; Nie|der|län|di|sche, das; -n; *vgl.* Deutsche, das

nie|der|las|sen; sich auf dem *od.* auf den Stuhl niederlassen; der Vorhang wurde niedergelassen

Nie|der|las|sung; Nie|der|las|sungs|frei|heit, die; -

nie|der|läu|fig; eine niederläufige Hunderasse

Nie|der|lau|sitz [*auch* ...'lau...] ↑K143 (Landschaft um Cottbus; *Abk.* N. L.)

nie|der|le|gen; sie hat den Kranz auf der *od.* auf die Platte niedergelegt; sich niederlegen; Nie|der|le|gung

nie|der|ma|chen (*ugs.*); nie|der|mä|hen; nie|der|met|zeln

Nie|der|ös|ter|reich (österr. Bundesland) ↑K143

N

Nied

nied|rig

- ein niedriges Haus
- niedrige Absätze
- niedrige Beweggründe
- niedrige Temperaturen
- von niedrigem Niveau
- niedriger Wasserstand

Großschreibung ↑K72:

- Hoch und Niedrig (jedermann)
- Hohe und Niedrige

Schreibung in Verbindung mit Verben und Partizipien:

- ↑K56 : das Brett niedrig[er] halten, die Ausgaben niedrig halten; ein Bild niedrig[er] hängen
- etwas niedrighängen, niedrigerhängen (*weniger wichtig nehmen); aber* etwas zu niedrig hängen
- die niedrig gesinnten *od.* niedriggesinnten Gegner
- die niedrig stehende *od.* niedrigstehende Sonne

N
nied

nie|der|pras|seln; nie|der|reg|nen; nie|der|rei|ßen; das Haus wurde niedergerissen

Nie|der|rhein; nie|der|rhei|nisch; *aber* ↑K140 : die Niederrheinische Bucht (Tiefland in Nordrhein-Westfalen)

nie|der|rin|gen; der Feind wurde niedergerungen

Nie|der|sach|se; Nie|der|sach|sen ↑K143 ; Nie|der|säch|sin; nie|der|säch|sisch

nie|der|schie|ßen; jmdn. niederschießen; der Adler ist auf die Beute niedergeschossen

Nie|der|schlag, der; -[e]s, ...schläge; nie|der|schla|gen; sich niederschlagen; der Prozess wurde dann niedergeschlagen

nie|der|schlags|arm; nie|der|schlags|frei

Nie|der|schlags|men|ge

nie|der|schlags|reich

Nie|der|schla|gung

Nie|der|schle|si|en ↑K143

nie|der|schmet|tern; jmdn., etwas niederschmettern; dieser Brief hat ihn niedergeschmettert

nie|der|schrei|ben

nie|der|schrei|en; die Menge hat ihn niedergeschrien

Nie|der|schrift

nie|der|set|zen; ich habe mich niedergesetzt

nie|der|sin|ken

nie|der|sit|zen (*landsch. für* sich [nieder]setzen)

Nie|der|span|nung (*Elektrot.*)

nie|ders|te *vgl.* niedere

nie|der|ste|chen

nie|der|stei|gen; sie ist niedergestiegen

nie|der|stim|men; einen Antrag niederstimmen

nie|der|sto|ßen; er hat sie niedergestoßen

nie|der|stre|cken; sie hat ihn niedergestreckt

Nie|der|sturz; nie|der|stür|zen; die Lawine ist niedergestürzt

nie|der|tou|rig (*Technik*)

Nie|der|tracht, die; -

nie|der|träch|tig; Nie|der|träch|tig|keit

nie|der|tram|peln

nie|der|tre|ten

Nie|de|rung; Nie|de|rungs|moor

¹Nie|der|wald, der; -[e]s (Teil des Rheingaugebirges)

²Nie|der|wald (durch Austriebe erneuerter Laubwald)

Nie|der|wald|denk|mal, Nie|der|wald-Denk|mal, das; -[e]s

nie|der|wal|zen

nie|der|wärts

Nie|der|was|ser Plur. ...wasser (*österr. für* Niedrigwasser)

nie|der|wer|fen; niedergeworfen; Nie|der|wer|fung

Nie|der|wild

nie|der|zie|hen

nie|der|zwin|gen

nied|lich; Nied|lich|keit, die; -

Nied|na|gel (am Fingernagel losgelöstes Hautstückchen)

nied|rig *s. Kasten*

Nied|rig|ener|gie|bau|wei|se

Nied|rig|ener|gie|haus

nied|ri|ger|hän|gen *vgl.* niedrig

nied|rig ge|sinnt, nied|rig|ge|sinnt (*veraltend); vgl.* niedrig

Nied|rig|hal|tung, die; -

Nied|rig|keit

Nied|rig|lohn|land Plur. ...länder

Nied|rig|lohn|sek|tor

Nied|rig|preis; nied|rig|prei|sig; niedrigpreisige Produkte

nied|rig|pro|zen|tig

nied|rig ste|hend, nied|rig|ste|hend *vgl.* niedrig

Nied|rig|was|ser Plur. ...wasser

Ni|el|lo, das; -[s], Plur. -s u. ...llen, *auch* ...lli (*ital.*) (eine Verzierungstechnik der Goldschmiedekunst *[nur Sing.];* mit dieser Technik verziertes Kunstwerk); Ni|el|lo|ar|beit

Niels (m. Vorn.)

nie|mals

nie|mand ↑K76 ; *Gen.* niemand[e]s; *Dat.* niemandem *od.* niemand; *Akk.* niemanden *od.* niemand; ↑K72 : niemand Fremdes usw., *aber* ↑K76 : niemand anders; niemand kann es besser wissen als sie; Nie|mand, der; -[e]s; er, sie ist ein Niemand; der böse Niemand (*auch für* Teufel)

Nie|mands|land, das; -[e]s (Kampfgebiet zwischen feindlichen Linien; unerforschtes, herrenloses Land)

Nie|re, die; -, -n; eine künstliche Niere (med. Gerät)

Nie|ren|be|cken; Nie|ren|be|cken|ent|zün|dung

Nie|ren|bra|ten

Nie|ren|ent|zün|dung

nie|ren|för|mig

Nie|ren|ko|lik

Nie|ren|krank; Nie|ren|krank|heit

Nie|ren|sen|kung; Nie|ren|stein; Nie|ren|tisch; Nie|ren|trans|plan|ta|ti|on; Nie|ren|tu|ber|ku|lo|se

nie|rig (nierenförmig [von Mineralien])

Nierndl, das; -s, -n (*österr. für* Niere [als Gericht])

Nier|stei|ner (ein Rheinwein)

Nies|an|fall

nie|seln (*ugs. für* leise regnen); es nieselt; Nie|sel|re|gen

nie|sen; du niest; sie nies|te; geniest

Nies|pul|ver; Nies|reiz

Nieß|brauch, der; -[e]s ⟨*zu* nießen = genießen⟩ (*Rechtsspr.* Nutzungsrecht)

Nieß|nutz, der; -es; Nieß|nut|zer; Nieß|nut|ze|rin

Nies|wurz, die; -, -en ⟨*zu* niesen⟩ (eine Pflanzengattung)

Niet, der, *auch* das; -[e]s, -e (*fachspr. für* ¹Niete)

¹Nie|te, die; -, -n (Metallbolzen zum Verbinden)

²Nie|te, die; -, -n ⟨niederl.⟩ (Los, das nichts gewonnen hat; Reinfall, Versager)

nie|ten; Nie|ten|ho|se

Nie|ter (Berufsbez.)

Nie|te|rin

Niet|ham|mer

Niet|ho|se (*selten für* Nietenhose)

Niet|na|gel; Niet|pres|se

niet- und na|gel|fest ↑K31

Nie|tung

Nietz|sche (dt. Philosoph); Nietz-sche-Ar|chiv ↑K136

Ni|fe [...fe], das; - ⟨*Kurzw. aus* Ni[ckel] u. Fe [Eisen]⟩ (*Bez. für* den nach älterer Theorie aus Nickel u. Eisen bestehenden Erdkern); Ni|fe|kern

Nifl|heim [*auch* ˈnɪ...], das; -[e]s ⟨»Nebelheim«⟩ (*nord. Mythol.* Reich der Kälte; *auch für* Totenreich)

Ni|gel, der; -s, - (*österr. ugs. für* kleiner Kerl)

ni|gel|na|gel|neu (*südd., schweiz. für* funkelnagelneu)

¹Ni|ger, der; -[s] (afrik. Strom)

²Ni|ger, -s, *auch mit Artikel:* der; -s (Staat in Westafrika)

Ni|ge|ria (Staat in Westafrika); Ni-ge|ri|a|ner; Ni|ge|ri|a|ne|rin; ni-ge|ri|a|nisch

Nig|ger, der; -s, - ⟨amerik.⟩ (*diskriminierend für* Schwarzer)

Night|club [ˈnaɪt...], der; -s, -s ⟨engl.⟩ (Nachtlokal)

Night|ska|ting [...ske:...], das; -s, -s ⟨engl.⟩ (gemeinsame nächtliche Skatingtouren in [größeren] Städten)

Ni|g|rer (*zu* ²Niger); Ni|g|re|rin

ni|g|risch

Ni|g|ro|sin, das; -s, -e ⟨lat.⟩ (ein Farbstoff)

Ni|hi|lis|mus, der; - ⟨lat.⟩ (Philosophie, die alles Bestehende für nichtig hält; völlige Verneinung aller Normen u. Werte)

Ni|hi|list, der; -en, -en; Ni|hi|lis|tin; ni|hi|lis|tisch

Nij|me|gen [ˈnɛiˌmeːxə] (niederl. Stadt); *vgl.* Nimwegen

Ni|käa *usw. vgl.* Nizäa usw.

Ni|ka|ra|gua *usw. vgl.* Nicaragua usw.

Ni|ke (griech. Siegesgöttin)

Ni|ki|ta (m. Vorn.)

Nik|kei-In|dex [ˈnɪke...], der; - (*Wirtsch.* jap. Aktienindex)

Ni|k|las (m. Vorn.)

Ni|k|laus (*schweiz. für* hl. Nikolaus; *auch* m. Vorn.)

Ni|ko|ba|ren *Plur.* (Inselgruppe im Ind. Ozean)

Ni|ko|de|mus (Jesus anhängender jüdischer Schriftgelehrter)

Ni|kol *vgl.* Nicol

¹Ni|ko|laus, der; -, *Plur.* -e, ugs. *scherzh. auch* ...läuse ⟨griech.⟩ (als hl. Nikolaus verkleidete Person; den hl. Nikolaus darstellende Figur aus Schokolade)

²Ni|ko|laus (m. Vorn.)

Ni|ko|laus|abend; Ni|ko|laus|tag (6. Dez.)

Ni|ko|lo [*auch* ...ˈlo:], der; -s, -s ⟨ital.⟩ (*österr. für* hl. Nikolaus); Ni|ko|lo|abend; Ni|ko|lo|tag

Ni|ko|sia [*auch* ...ˈko:...] (Hauptstadt von Zypern); Ni|ko|si|a|ner

Ni|ko|tin, *fachspr.* Ni|co|tin, das; -s ⟨nach dem franz. Gelehrten Nicot⟩ (Alkaloid im Tabak)

ni|ko|tin|arm; ni|ko|tin|frei

Ni|ko|tin|ge|halt, der

ni|ko|tin|gelb

ni|ko|tin|hal|tig; Ni|ko|tin|hal|tig-keit, die; -; Ni|ko|tin|pflas|ter

Ni|ko|tin|ver|gif|tung

Nil, der; -[s] (afrik. Fluss)

Nil|del|ta ↑K143; Nil|gans

Nil|gau, der; -[e]s, -e ⟨Hindi⟩ (antilopenartiger ind. Waldbock)

nil|grün

Ni|lo|te, der; -n, -n (Angehöriger negrider Völker am oberen Nil); Ni|lo|tin; ni|lo|tisch

Nil|pferd

Nils (m. Vorn.)

Nim|bus, der; -, -se ⟨lat.⟩ (besonderes Ansehen, Ruf; *bild. Kunst* Heiligenschein, Strahlenkranz)

nim|mer (*landsch. für* niemals; nicht mehr); nie und nimmer

Nim|mer|leins|tag (*ugs.*); am, bis zum Nimmerleinstag

nim|mer|mehr (*landsch. für* niemals); nie und nimmermehr, nun und nimmermehr; Nim|mer-mehrs|tag *vgl.* Nimmerleinstag

nim|mer|mü|de

Nim|mer|satt, der; *Gen.* - u. -[e]s, *Plur.* -e (jmd., der nicht genug bekommen kann)

Nim|mer|wie|der|se|hen, das; -s; auf Nimmerwiedersehen (*ugs.*)

nimmt *vgl.* nehmen

¹Nim|rod (hebr.) (A. T. Herrscher von Babylon, Gründer Ninives)

²Nim|rod, der; -s, -e ([leidenschaftlicher] Jäger)

Nim|we|gen (dt. Form von Nijmegen)

Ni|na (w. Vorn.)

nin|geln (*mitteld. für* wimmern); ich ning[e]le

Ni|ni|ve [...ve] (Hauptstadt des antiken Assyrerreiches)

Ni|ni|vit, der; -en, -en (Bewohner von Ninive); Ni|ni|vi|tin; ni|ni|vi-tisch

Nin|ja, der; -[s], -[s] ⟨jap.⟩ (*früher in Japan* in Geheimbünden organisierter Krieger)

Ni|ob, *fachspr.* Ni|o|bi|um, das; -s ⟨nach Niobe⟩ (chemisches Element, Metall; *Zeichen* Nb)

Ni|o|be [...be] (griech. w. Sagengestalt)

Ni|o|bi|de, der u. die; -n, -n (Kind der Niobe)

Ni|o|bi|um *vgl.* Niob

Nipf (*österr. ugs. für* Mut); jmdm. den Nipf nehmen

Nip|pel, der; -s, - (kurzes Rohrstück mit Gewinde; ab- od. vorstehendes [Anschluss]stück)

nip|pen

Nip|pes [...p(ə)s] *Plur.* ⟨franz.⟩ (kleine Ziergegenstände [aus Porzellan])

Nipp|flut (*nordd. für* geringe Flut)

Nipp|pon (*jap. Name von Japan*)

Nipp|sa|chen *Plur.* (*svw.* Nippes)

Nipp|ti|de (*svw.* Nippflut)

nir|gend (*veraltend für* nirgends)

nir|gend|her; nir|gend|hin

nir|gends

nir|gends|her *usw. vgl.* nirgendher usw.

nir|gend|wo; nir|gend|wo|her; nir-gend|wo|hin

Ni|ros|ta ®, der; -s (*Kurzw. aus* nicht rostender Stahl)

Nir|wa|na, das; -[s] ⟨sanskr.⟩ (völlige, selige Ruhe als Endzustand des gläubigen Buddhisten)

Ni|sche, die; -, -n ⟨franz.⟩

Ni|schel, der; -s, - (*bes. mitteld. für* Kopf)

Ni|schen|al|tar

Ni|schen|markt; Ni|schen|pro|dukt

Nisch|ni Now|go|rod (Stadt a. d. Wolga [*früherer Name* Gorki])

Nis|se, die; -, -n, *älter* Niss, die; -, Nisse (Ei der Laus)

Nis|sen|hüt|te ↑K136 ⟨nach dem engl. Offizier P. N. Nissen⟩ (halbrunde Wellblechbaracke)

nis|sig (voller Nisse[n], filzig)

nis|ten; Nist|hil|fe

Nist|höh|le; Nist|kas|ten; Nist|platz; Nist|stät|te; Nist|zeit

Nit|hard (fränk. Geschichtsschreiber)

Ni|t|rat, das; -[e]s, -e ⟨ägypt.⟩ (*Chemie* Salz der Salpetersäure)

Ni|t|rid, das; -[e]s, -e (Verbindung von Stickstoff mit Metall)

ni|t|rie|ren (mit Salpetersäure behandeln)

Ni|t|ri|fi|ka|ti|on, die; -, -en (Salpe-

N

terbildung durch Bodenbakterien)

ni|t|ri|fi|zie|ren ([durch Bodenbakterien] Salpeter bilden); nitrifizierende Bakterien; Ni|t|ri|fi|zie|rung

Ni|t|r|il, das; -s, -e (Zyanverbindung)

Ni|t|r|it, das; -s, -e (Salz der salpetrigen Säure)

Ni|t|ro|fen, das; -s (ein Unkrautvernichtungsmittel)

Ni|t|ro|ge|la|ti|ne [...ʒe...] (ein Sprengstoff)

Ni|t|ro|ge|ni|um [...'ge:...], das; -s (Stickstoff; Zeichen N)

Ni|t|ro|gly|ze|rin, fachspr. Ni|t|ro|gly|ce|rin (ein Heilmittel; ein Sprengstoff)

Ni|t|ro|lack (gelöste Nitrozellulose enthaltender Lack)

Ni|t|ro|phos|phat (Düngemittel)

Ni|t|ro|s|a|mi|ne Plur. (eine Gruppe chem. Verbindungen)

Ni|t|ro|zel|lu|lo|se, fachspr. Ni|t|ro|cel|lu|lo|se (ein sehr schnell verbrennender Stoff, Schießbaumwolle)

Ni|t|rum, das; -s (veraltet für Salpeter)

nit|scheln (Textilw.); ich nitsch[e]le; Nit|schel|werk (Maschine, mit der Fasern zum Spinnen vorbereitet werden)

ni|t|sche|wo! (russ.) (scherzh. für macht nichts!, hat nichts zu bedeuten!)

Ni|ue [ni:'ueɪ] (Inselstaat im Pazifik); Ni|u|e|a|ner; Ni|u|e|a|ne|rin; ni|u|e|a|nisch

Ni|veau [...'vo:], das; -s, -s ⟨franz.⟩ (waagerechte Fläche auf einer gewissen Höhenstufe; Höhenlage; [Bildungs]stand, Rang)

Ni|veau|dif|fe|renz; ni|veau|frei (Verkehrsw. sich nicht in gleicher Höhe kreuzend)

Ni|veau|ge|fäl|le; ni|veau|gleich

Ni|veau|li|nie (Höhenlinie)

ni|veau|los; Ni|veau|lo|sig|keit

Ni|veau|un|ter|schied; ni|veau|voll

Ni|vel|le|ment [...'mã:], das; -s, -s (Ebnung, Gleichmachung; Höhenmessung)

ni|vel|lie|ren (gleichmachen; ebnen; Höhenunterschiede [im Gelände] bestimmen)

Ni|vel|lier|in|s|t|ru|ment

Ni|vel|lie|rung

Ni|vose [...'vo:s], der; -, -s ⟨franz., »Schneemonat«⟩ (4. Monat des Kalenders der Franz. Revolution: 21. Dez. bis 19. Jan.)

---

nix (ugs. für nichts)

Nix, der; -es, -e (germ. Wassergeist)

Nix|chen; Ni|xe, die; -, -n (Meerjungfrau; [badendes] Mädchen); ni|xen|haft

Ni|zäa (Stadt [jetziger Name Isnik] im alten Bithynien); ni|zä|isch; aber ↑ K 150: Nizäisches Glaubensbekenntnis

ni|zä|nisch vgl. nizäisch

Ni|zä|num, Ni|zä|um, das; -s (Nizäisches Glaubensbekenntnis)

Niz|za (franz. Stadt); Niz|za|er; niz|za|isch

NJ = New Jersey

n. J. = nächsten Jahres

Njas|sa, der; -[s] (afrik. See)

Njas|sa|land, das; -[e]s (früherer Name von Malawi)

Nje|men, der; -[s] (russ. Name der Memel)

nkr = norwegische Krone

NKWD, der; - ⟨Abk. aus russ. Naródny Komissariát Wnutrennich Del = Volkskommissariat des Innern⟩ (sowjet. polit. Geheimpolizei [1934–46])

N. L. = Niederlausitz

nlat. = neulateinisch

nm = Nanometer

Nm = Newtonmeter

NM = New Mexico

nm., nachm. = nachmittags

n. M. = nächsten Monats

N. N., NN = Normalnull

N. N. = nomen nescio [- 'nɛstsio] ⟨lat., »den Namen weiß ich nicht«⟩ od. nomen nominandum ⟨»der zu nennende Name«⟩ (z. B. Herr/Frau N. N.)

NNO = Nordnordost[en]

NNW = Nordnordwest[en]

nö (ugs. für nein)

No = Nobelium

NO = Nordost[en]

NÖ = Niederösterreich

No., N° = Numero

No|ah, ökum. No|ach (bibl. m. Eigenn.); des -, aber (ohne Artikel) Noah[s] u. Noä; die Arche Noah

no|bel ⟨franz.⟩ (edel; ugs. für freigebig); ein no|b|ler Mensch

¹No|bel, der; -s (Löwe in der Tierfabel)

²No|bel (schwed. Chemiker)

No|bel|ball (bes. österr.)

No|bel|bou|tique

No|bel|her|ber|ge (luxuriöses Hotel); No|bel|ho|tel

No|be|li|um, das; -s ⟨zu ²Nobel⟩ (chemisches Element, Transuran; Zeichen No)

No|bel|ka|ros|se (ugs. für luxuriöses Auto)

No|bel|mar|ke

No|bel|preis; No|bel|preis|trä|ger; No|bel|preis|trä|ge|rin

No|bel|stif|tung, die; -

No|bi|li|tät, die; -, -en ⟨lat.⟩ (Adel); no|bi|li|tie|ren (früher für adeln)

No|b|les|se, die; -, -n ⟨franz.⟩ (veraltet für Adel; nur Sing.: veraltend für vornehmes Benehmen)

no|b|lesse o|b|lige [...'blɛs o'bli:ʃ] (Adel verpflichtet)

No|bo|dy [...di], der; -s, -s ⟨engl.⟩ (jmd., der unbedeutend, ein Niemand ist)

noch; noch nicht; noch immer; noch mehr; noch und noch; noch einmal; noch einmal so viel; noch mal od. nochmal

Noch|ge|schäft (Börse)

noch mal, nochmal (ugs.)

noch|ma|lig; noch|mals

¹Nock, das; -[e]s, -e, auch die; -, -en ⟨niederl.⟩ (Seemannsspr. Ende eines Rundholzes)

²Nock, der; -s, -e (österr. in Bergnamen für Felskopf, Hügel)

Nöck vgl. Neck

No|cken, der; -s, - (Technik Vorsprung an einer Welle oder Scheibe); No|cken|wel|le

No|ckerl, das; -s, -n (österr. für Klößchen; naives Mädchen); No|ckerl|sup|pe (österr.)

Noc|turne [nɔk'tʏrn], das; -s, -s od. die; -, -s ⟨franz., »Nachtstück«⟩ (Musik lyrisches, stimmungsvolles Klavierstück)

No|e|sis, die; - ⟨griech.⟩ (Philos. geistiges Wahrnehmen, Denken, Erkennen)

No|e|tik, die; - (Lehre vom Denken, vom Erkennen geistiger Gegenstände); no|e|tisch

No|f|re|te|te (altägypt. Königin)

no fu|ture ['no: 'fju:tʃɐ] ⟨engl., »keine Zukunft«⟩ (Schlagwort meist arbeitsloser Jugendlicher)

No-Fu|ture-Ge|ne|ra|ti|on ['no:'fju:tsɐ...]; die; -

no iron ['no: 'aɪrən] ⟨engl.⟩ (nicht bügeln, bügelfrei [Hinweis an Kleidungsstücken])

Noi|sette [nɔa'zɛt], die; -, Plur. (Sorten:) -s ⟨franz.⟩, Noi|sette-scho|ko|la|de (Milchschokolade mit Haselnusscreme)

¹NOK, das; -[s], -s = Nationales Olympisches Komitee

²NOK (Währungscode für norweg. Krone)

Nol|de (dt. Maler u. Grafiker)

N
nitr

nö|len (*nordd. ugs. abwertend für* jammern)

no|lens vo|lens ⟨lat., »nicht wollend wollend«⟩ (wohl oder übel)

No|li|me|tan|ge|re [...ge...], das; -, - ⟨»rühr mich nicht an«⟩ (Springkraut)

Nöl|lie|se, die; -, -n; Nöl|pe|ter, der; -s, - (*nordd. ugs. abwertend für* herumjammernde Person)

Nom. = Nominativ

No|ma|de, der; -n, -n ⟨griech.⟩ (Angehöriger eines Hirten-, Wandervolkes)

No|ma|den|da|sein; no|ma|den|haft

No|ma|den|le|ben; No|ma|den|volk

No|ma|din; no|ma|disch (umherziehend, unstet)

no|ma|di|sie|ren (umherziehen)

No|men, das; -s, Plur. ...mina od. - ⟨lat., »Name«⟩ (*Sprachw.* Nennwort, Substantiv, z. B. »Haus«; *häufig auch für* Adjektiv u. andere deklinierbare Wortarten)

No|men Ac|ti, das; - -, ...mina - (*Sprachw.* Substantiv, das den Abschluss od. das Ergebnis eines Geschehens bezeichnet, z. B. »Lähmung, Guss«)

No|men Ac|ti|o|nis, das; - -, ...mina - (*Sprachw.* Substantiv, das ein Geschehen bezeichnet, z. B. »Schlaf«)

No|men Agen|tis, das; - -, ...mina - (*Sprachw.* Substantiv, das den Träger eines Geschehens bezeichnet, z. B. »Schläfer«)

no|men est omen (der Name deutet schon darauf hin)

No|men In|s|t|ru|men|ti, das; - -, ...mina - (*Sprachw.* Substantiv, das ein Werkzeug od. Gerät bezeichnet, z. B. »Bohrer«)

No|men|kla|tor, der; -s, ...oren (Verzeichnis für die in einem Wissenschaftszweig vorkommenden gültigen Namen); no|men|kla|to|risch

No|men|kla|tur, die; -, -en (Zusammenstellung, System von [wissenschaftlichen] Fachausdrücken)

No|men|kla|tu|ra, die; - ⟨russ.⟩ (*in der Sowjetunion* Verzeichnis der wichtigsten Führungspositionen; *übertr. für* Oberschicht); No|men|kla|tur|ka|der (*DDR*)

No|men pro|p|ri|um, das; - -, ...mina ...pria ⟨lat.⟩ (Eigenname)

No|mi|na (Plur. von Nomen)

no|mi|nal (zum Namen gehörend; *Wirtsch.* zum Nennwert); No|mi-

nal|be|trag (Nennbetrag); No|mi|na|le, das; -[s], ...ia (*österr. für* Nominalwert)

No|mi|na|lis|mus, der; - (eine philos. Lehre); No|mi|na|list, der; -en, -en

No|mi|nal|lohn

No|mi|nal|stil, der; -[e]s (Stil, der das Substantiv, das Nomen, bevorzugt; *Ggs.* Verbalstil)

No|mi|nal|wert

No|mi|na|ti|on, die; -, -en (*früher* [Recht der] Benennung von Anwärtern auf höhere Kirchenämter durch die Landesregierung; *seltener für* Nominierung)

No|mi|na|tiv, der; -s, -e (*Sprachw.* Werfall, 1. Fall; *Abk.* Nom.)

no|mi|nell ([nur] dem Namen nach [bestehend], vorgeblich; zum Nennwert); *vgl.* nominal

no|mi|nie|ren (benennen, bezeichnen; ernennen); No|mi|nie|rung

No|mo|gramm, das; -s, -e ⟨griech.⟩ (*Math.* Schaubild od. Zeichnung zum graf. Rechnen)

Non, No|ne, die; -, -n ⟨lat.⟩ (Teil des kath. Stundengebets)

No|na|gon, das; -s, -e ⟨lat.; griech.⟩ (Neuneck)

No|name|pro|dukt [ˈnoːneːm...], No-Name-Pro|dukt ⟨engl.; lat.⟩ (neutral verpackte Ware ohne Marken- od. Firmenzeichen)

Non|book|ab|tei|lung [ˈnɔnˌbʊk...], Non-Book-Ab|tei|lung ⟨engl.; dt.⟩ (Abteilung in Buchläden, in der Schallplatten, Poster o. Ä. verkauft werden)

Non|cha|lance [nɔ̃ʃaˈlãːs], die; - ⟨franz.⟩ (Lässigkeit, formlose Ungezwungenheit)

non|cha|lant [...ˈlã, *attributiv* ...ˈlant], nonchalanteste [...ˈlantəstə] (formlos, ungezwungen, [nach]lässig)

No|ne, der; -, -n ⟨lat.⟩ (*Musik* neunter Ton [vom Grundton an]; ein Intervall); *vgl.* Non

No|nen Plur. (*im altröm. Kalender* neunter Tag vor den Iden)

No|nen|ak|kord (*Musik*)

No|nett, das; -[e]s, -e (Musikstück für neun Instrumente; *auch* die neun Ausführenden)

Non|food|ab|tei|lung [ˈnɔnˈfuːt...], Non-Food-Ab|tei|lung ⟨engl.; dt.⟩ (Abteilung in Einkaufszentren, in der keine Lebensmittel, sondern andere Gebrauchsgüter verkauft werden)

No|ni|us, der; -, Plur. ...ien u. -se ⟨nach dem Portugiesen Nunes⟩

(verschiebbarer Messstabzusatz)

non|kon|form (nicht angepasst)

Non|kon|for|mis|mus [*auch* ˈnɔ...] ⟨lat.-engl.⟩ (von der herrschenden Meinung unabhängige Einstellung)

Non|kon|for|mist, der; -en, -en; Non|kon|for|mis|tin; non|kon|for|mis|tisch; Non|kon|for|mi|tät, die; -

Non|ne, die; -, -n; non|nen|haft

Non|nen|klos|ter; Non|nen|or|den

Non|nen|schu|le

Non|nen|zie|gel (ein Dachziegel)

Non|pa|reille [nõpaˈrɛj], die; - ⟨franz.⟩ (*Druckw.* ein Schriftgrad)

Non|plus|ul|t|ra, das; - ⟨lat.⟩ (Unübertreffbares, Unvergleichliches)

Non|pro|fit|un|ter|neh|men [ˈnɔnˈprɔfit...], Non-Pro|fit-Un|ter|neh|men ⟨engl.; dt.⟩ (ohne Gewinnerzielungsabsicht agierendes Unternehmen)

Non|pro|li|fe|ra|ti|on [*engl. Aussprache* nɔnprolifəˈreːʃn], die; - ⟨engl.-amerik.⟩ (Nichtweitergabe [von Atomwaffen])

non schol|lae, sed vi|tae dis|ci|mus [- ˈsç..., *auch* ˈsk... - - -] ⟨lat., »nicht für die Schule, sondern für das Leben lernen wir«⟩

Non|sens, der; *Gen.* - u. -es ⟨lat.-engl.⟩ (Unsinn; törichtes Gerede)

non|stop ⟨engl.⟩ (ohne Halt, ohne Pause); nonstop fliegen, spielen

Non|stop|flug, Non|stop-Flug (Flug ohne Zwischenlandung)

Non|stop|ki|no, Non|stop-Ki|no (Kino mit fortlaufenden Vorführungen und durchgehendem Einlass)

non trop|po ⟨ital.⟩ (*Musik* nicht zu viel)

Non|va|leur [nõvaˈløːɐ̯], der; -s, -s ⟨franz.⟩ (entwertetes Wertpapier; Investition, die keinen Ertrag abwirft)

non|ver|bal [*auch* ˈnɔ...] (nicht mithilfe der Sprache)

Noor, das; -[e]s, -e ⟨dän.⟩ (*nordd. für* Haff)

Nop|pe, die; -, -n (Knoten in Geweben)

Nopp|ei|sen

nop|pen (Knoten aus dem Gewebe entfernen)

Nop|pen|garn; Nop|pen|ge|we|be

Nop|pen|glas Plur. ...gläser

Nop|pen|stoff

nop|pig

Nopp|zan|ge

No|ra (w. Vorn.)

Nor|bert (m. Vorn.)

Nör|chen ⟨zu nören⟩ (nordwestd. *für* Schläfchen)

¹Nord (Himmelsrichtung; *Abk.* N); Nord und Süd; *fachspr.* der Wind kommt aus Nord; Autobahnausfahrt Frankfurt Nord *od.* Frankfurt-Nord ↑K148 ; *vgl.* Norden

²Nord, der; -[e]s, -e *Plur. selten* (*geh. für* Nordwind)

Nord|af|ri|ka; Nord|af|ri|ka|ner; Nord|af|ri|ka|ne|rin; nord|af|ri|ka|nisch

Nord|ame|ri|ka; Nord|ame|ri|ka|ner; Nord|ame|ri|ka|ne|rin; nord|ame|ri|ka|nisch

Nord|at|lan|tik|pakt, der; -[e]s (*vgl.* NATO)

Nord|aus|t|ra|li|en

Nord|ba|den *vgl.* Baden

Nord|bra|bant (niederl. Prov.)

Nord|da|ko|ta (Staat in den USA; *Abk.* ND)

nord|deutsch; *aber* ↑K140 : das Norddeutsche Tiefland, *auch* die Norddeutsche Tiefebene; ↑K150 : der Norddeutsche Bund; *vgl.* deutsch; Nord|deut-sche, der *u.* die; Nord|deutsch-land

Nor|den, der; -s (*Abk.* N); das Gewitter kommt aus Norden; sie zogen gen Norden; *vgl.*

Nor|den|skiöld [ˈnuːɐ̯dnʃœlt] (schwed. Polarforscher)

Nor|der|dith|mar|schen (Teil von Dithmarschen)

Nor|der|ney (eine der Ostfriesischen Inseln)

Nord|eu|ro|pa; nord|eu|ro|pä|isch

Nord|frank|reich

nord|frie|sisch; *aber* ↑K140 : die Nordfriesischen Inseln; Nord-fries|land

Nord|ger|ma|ne; Nord|ger|ma|nin; nord|ger|ma|nisch

Nord|hang

Nord|häu|ser ⟨nach der Stadt Nordhausen⟩ ([Korn]brannt-wein)

Nor|dic Wal|king [...ˈwɔːkɪŋ], das; - -s ⟨engl.⟩ (als Sport betriebenes Gehen mit Stöcken)

Nord|ire; Nord|irin; nord|irisch; Nord|ir|land

nor|disch (den Norden betreffend); nordische Kälte; die nordischen Sprachen; nordische Kombination (*Skisport* Sprunglauf u. 15-km-Langlauf), *aber* ↑K150 : der Nordische Krieg (1700–21)

Nor|dist, der; -en, -en; Nor|dis|tik, die; - (Erforschung der nordischen Sprachen u. Kulturen); Nor|dis|tin

Nord|ita|li|en

Nord|kap, das; -s (auf einer norweg. Insel)

Nord|ka|ro|li|na (Staat in den USA; *Abk.* NC)

Nord|ko|rea ↑K143 (*nicht amtliche Bez. für* Demokratische Volksre-publik Korea); Nord|ko|re|a|ner; Nord|ko|re|a|ne|rin; nord|ko|re|a-nisch

Nord|küs|te

Nord|län|der, der; Nord|län|de|rin

Nord|land|fahrt; nord|län|disch; Nord|land|rei|se

n[ördl]. Br. = nördlicher Breite

– die nördliche Halbkugel; nördli-cher Breite (*Abk.* n[ördl]. Br.)
– der nördliche Stern[en]himmel, *aber* ↑K140 : das Nördliche Eis-meer (*älter für* Nordpolarmeer)

An »nördlich« kann ein Substan-tiv im Genitiv oder mit »von« angeschlossen werden. Der Anschluss mit »von« wird bei arti-kellosen [geografischen] Namen bevorzugt:

– nördlich dieser Linie; nördlich des Mains
– nördlich von Berlin, *selten* nörd-lich Berlins

Nörd|li|che Dwi|na, die; -n - (russi-scher Strom; *vgl.* Dwina)

Nord|licht Plur. ...lichter (*auch scherzh. für* Norddeutscher)

Nörd|lin|gen (Stadt im Ries in Bay-ern); Nörd|lin|ger

Nord|manns|tan|ne, Nord|mann-tan|ne, Nord|mann-Tan|ne ⟨nach dem finn. Naturwissenschaftler A. v. Nordmann⟩ (mitteleuropäi-scher Nadelbaum)

¹Nord|nord|ost (Himmelsrichtung; *Abk.* NNO); *vgl.* Nordnordosten

²Nord|nord|ost, der; -[e]s -e *Plur. selten* (Nordnordostwind; *Abk.* NNO)

Nord|nord|os|ten, der; -s (*Abk.* NNO); *vgl.* ¹Nordnordost

¹Nord|nord|west (Himmelsrich-tung; *Abk.* NNW); *vgl.* Nord-nordwesten

²Nord|nord|west, der; -[e]s, -e *Plur. selten* (Nordnordwestwind; *Abk.* NNW)

Nord|nord|wes|ten, der; -s (*Abk.* NNW); *vgl.* ¹Nordnordwest

¹Nord|ost (Himmelsrichtung; *Abk.* NO); *vgl.* Nordosten

²Nord|ost, der; -[e]s, -e *Plur. selten* (Nordostwind)

Nord|os|ten, der; -s (*Abk.* NO); *vgl.* ¹Nordost; nord|öst|lich; *aber* ↑K140 : die Nordöstliche Durch-fahrt

Nord-Ost|see-Ka|nal, der; -s

Nord|ost|wind

Nord|pol, der; -s

Nord|po|lar|ge|biet; Nord|po|lar-meer

Nord|pol|ex|pe|di|ti|on; Nord|pol-fah|rer

Nord|punkt, der; -[e]s

Nord|rhein-West|fa|len ↑K144

nord|rhein-west|fä|lisch ↑K145

Nord|rho|de|si|en (*früherer Name von* Sambia)

Nord|see, die; - (Meer); Nord|see-ka|nal, der; -s; Nord|see|küs|te

Nord|sei|te

Nord-Süd-Ge|fäl|le (wirtschaftl. Gefälle zwischen Industrie- u. Entwicklungsländern)

nord|süd|lich; in nordsüdlicher Richtung

Nord|ter|ri|to|ri|um (in Australien)

Nord|viet|nam

Nord|wand

nord|wärts

¹Nord|west (Himmelsrichtung; *Abk.* NW); *vgl.* Nordwesten

²Nord|west, der; -[e]s, -e *Plur. sel-ten* (Nordwestwind)

Nord|wes|ten, der; -s (*Abk.* NW); *vgl.* ¹Nordwest; nord|west|lich; *aber* ↑K140 : die Nordwestliche Durchfahrt

Nord|west|ter|ri|to|ri|en Plur. (in Kanada)

Nord|west|wind

Nord|wind

nö|ren (nordwestd. *für* schlum-mern); *vgl.* Nörchen

Nör|gel|ei; Nör|gel|frit|ze, der; -n, -n (*ugs.*)

nör|ge|lig, nörg|lig

nör|geln; ich nörg[e]le

Nörg|ler; Nörg|le|rin; nörg|le|risch

Nörg|ler|tum, das; -s

nörg|lig *vgl.* nörgelig

no|risch (ostalpin); *aber* ↑K140 : die Norischen Alpen

Norm, die; -, -en ⟨griech.-lat.⟩

(Richtschnur, Regel; sittliches Gebot oder Verbot als Grundlage der Rechtsordnung; Größenanweisung in der Technik; *Druckerspr.* Bogensignatur)

nor|mal (der Norm entsprechend, vorschriftsmäßig; gewöhnlich, üblich, durchschnittlich)

Nor|mal, das; -s, -e (besonders genauer Maßstab; *meist ohne Artikel, nur Sing.:* kurz für Normalbenzin)

Nor|mal|aus|füh|rung; Nor|mal|benzin; Nor|mal|bür|ger; Nor|mal|bür|ge|rin; Nor|mal|druck *Plur.* ...drücke

Nor|ma|le, die; -[n], -n; zwei Normale[n] (*Math.* Senkrechte)

nor|ma|ler|wei|se

Nor|mal|fall, der; Nor|mal|film; Nor|mal|form (*Sport*)

Nor|mal|ge|wicht; Nor|mal|grö|ße

Nor|mal|hö|he; Nor|mal|hö|hen|punkt, der; -[e]s (*Zeichen* NH, N. H.)

Nor|mal|ho|ri|zont (Ausgangsfläche für Höhenmessungen)

Nor|mal|lie, die; -, -n (*Technik* nach einem bestimmten System vereinheitlichtes Bauelement; *meist Plur.:* Grundform, Vorschrift)

nor|ma|li|sie|ren (wieder normal gestalten); sich normalisieren (wieder normal werden); Nor|ma|li|sie|rung

Nor|ma|li|tät, die; - (normaler Zustand)

Nor|mal|maß, das; Nor|mal|null, das; -s (*Abk.* N. N., NN)

Nor|ma|lo, der; -s, -s (*ugs. für* Durchschnittsmensch)

Nor|mal|pro|fil (Walzeisenquerschnitt)

Nor|mal|spur, die; - (*Eisenb.* Vollspur); nor|mal|spu|rig (vollspurig)

Nor|mal|sterb|li|che, der *u.* die; -n, -n

Nor|mal|tem|pe|ra|tur; Nor|mal|ton *Plur.* ...töne; Nor|mal|uhr

Nor|mal|ver|tei|lung (*Math.*); Nor|mal|ver|tei|lungs|kur|ve

Nor|mal|zeit (Einheitszeit)

Nor|mal|zu|stand

Nor|man (m. Vorn.)

Nor|man|die [*auch* ...mã...], die; - (Landschaft in Nordwestfrankreich)

Nor|man|ne, der; -n, -n (Angehöriger eines nordgerman. Volkes);

Nor|man|nin; nor|man|nisch; normannischer Eroberungszug, *aber* ↑K 140 : die Normannischen Inseln

nor|ma|tiv ⟨griech.⟩ (maßgebend, als Richtschnur dienend); Nor|ma|tiv, das; -s, -e (*regional für* Richtschnur, Anweisung)

Norm|blatt

nor|men (einheitlich festsetzen, gestalten; [Größen] regeln)

Nor|men|aus|schuss

Nor|men|kon|t|rol|le (*Rechtsspr.*); Nor|men|kon|t|roll|kla|ge

norm|ge|recht

nor|mie|ren (normgerecht gestalten); Nor|mie|rung

Nor|mung (das Normen)

Norm|ver|brauchs|ab|ga|be (*österr. für* treibstoffbezogene Kraftfahrzeugsteuer; *Abk.* NOVA)

Nor|ne, die; -, -n *meist Plur.* (altnord.) (nord. Schicksalsgöttin [Urd, Werdandi, Skuld])

North Ca|ro|li|na [ˈnɔːθ kɛrəˈlainə] (Nordkarolina; *Abk.* NC)

North Da|ko|ta [ˈnɔːθ dəˈkoːtə] (Norddakota; *Abk.* ND)

Nor|th|um|ber|land [nɔːɐ̯ˈθambə-lənt] (engl. Grafschaft)

Nor|we|gen

Nor|we|ger; Nor|we|ge|rin

Nor|we|ger|mus|ter (ein Strickmuster); Nor|we|ger|pul|li

nor|we|gisch; Nor|we|gisch, das; -[s] (Sprache); *vgl.* Deutsch; Nor|we|gi|sche, das; -n; *vgl.* Deutsche, das

No|se|ma|seu|che ⟨griech.; dt.⟩ (eine Bienenkrankheit)

No|so|gra|fie, No|so|gra|phie, die; - ⟨griech.⟩ (*Med.* Krankheitsbeschreibung)

No|so|lo|gie, die; - (Lehre von den Krankheiten, systematische Beschreibung der Krankheiten); no|so|lo|gisch

No-Spiel ↑K 21 ⟨jap.-dt.⟩ (eine Form des klassischen jap. Theaters)

Nos|sack (dt. Schriftsteller)

Nö|ßel, der *od.* das; -s, - (altes Flüssigkeitsmaß)

Nos|tal|gie, die; -, ...ien ⟨griech.⟩ ([sehnsuchtsvolle] Rückwendung zu früheren Zeiten u. Erscheinungen, z. B. in Kunst od. Mode); Nos|tal|gie|wel|le

Nos|tal|gi|ker; Nos|tal|gi|ke|rin; nos|tal|gisch

Nos|t|ra|da|mus (französischer Astrologe des 16. Jh.s)

Nos|t|ri|fi|ka|ti|on, die; -, -en ⟨lat.⟩

(Einbürgerung; Anerkennung eines ausländischen Diploms); nos|t|ri|fi|zie|ren; Nos|t|ri|fi|zie|rung (*svw.* Nostrifikation)

Nos|t|ro|gut|ha|ben, Nos|t|ro|kon|to ⟨ital.⟩ (Eigenguthaben im Verkehr zwischen Banken)

Not

die; -, Nöte

– ohne Not; zur Not; mit Müh und Not
– wenn Not am Mann ist; seine [liebe] Not haben
– Not sein, Not werden (*veraltend für* nötig sein, werden)

Aber: nottun; Seefahrt tut not

– in Not, in Nöten sein

Aber: vonnöten sein

– Not leiden; *vgl.* Not leidend, notleidend

No|ta, die; -, -s ⟨lat.⟩ (*Wirtsch.* [kleine] Rechnung, Vormerkung); *vgl.* ad notam

No|ta|beln *Plur.* ⟨franz.⟩ (durch Bildung, Rang u. Vermögen ausgezeichnete Mitglieder des [franz.] Bürgertums)

no|ta|be|ne ⟨lat., »merke wohl!«⟩ (übrigens; *Abk.* NB); No|ta|be|ne, das; -[s], -[s] (Merkzeichen, Vermerk, Denkzettel)

No|ta|bi|li|tät, die; -, -en (*nur Sing.:* Vornehmheit; *meist Plur.:* hervorragende Persönlichkeit)

Not|an|ker

No|tar, der; -s, -e ⟨lat.⟩ (Amtsperson zur Beurkundung von Rechtsgeschäften)

No|ta|ri|at, das; -[e]s, -e (Amt eines Notars)

No|ta|ri|ats|ge|hil|fe; No|ta|ri|ats|ge|hil|fin

no|ta|ri|ell (von einem Notar [ausgefertigt]); notariell beglaubigt

No|ta|rin

no|ta|risch (*seltener für* notariell)

Not|arzt; Not|ärz|tin; Not|arzt|wa|gen

No|tat, das; -[e]s, -e (niedergeschriebene Bemerkung, Notiz)

No|ta|ti|on, die; -, -en (Aufzeichnung [in Notenschrift]; System von Zeichen od. Symbolen)

Not|auf|nah|me; Not|auf|nah|me|la|ger *Plur.* ...lager

Not|aus|gang; Not|aus|rüs|tung;

Not|aus|stieg; Not|be|helf; Not-
be|leuch|tung; Not|bett
Not|brem|se; Not|brem|sung
Not|brü|cke
Not|burg, Not|bur|ga (w. Vorn.)
Not|dienst; ärztlicher Notdienst
Not|durft, die; - (*veraltend für*
Drang, den Darm, die Blase zu
entleeren; Stuhlgang)
not|dürf|tig
No|te, die; -, -n ⟨lat.⟩; eine ganze,
eine halbe Note; die Note Drei;
vgl. ausreichend *u.* drei
Note|book ['noːtbʊk], das; -s, -s
⟨engl.⟩ (Personal Computer im
Buchformat)
No|ten *Plur.* ⟨lat.⟩ (*ugs. für* Musika-
lien)
No|ten|aus|tausch; No|ten|bank
Plur. ...banken; No|ten|blatt
No|ten|durch|schnitt; No|ten|heft
No|ten|kon|fe|renz; No|ten|li|nie
meist Plur.
No|ten|pres|se
No|ten|pult; No|ten|satz, der; -es
No|ten|schlüs|sel; No|ten|schrift
No|ten|stän|der
No|ten|ste|cher (Berufsbez.); No-
ten|ste|che|rin
No|ten|sys|tem; No|ten|um|lauf;
No|ten|wech|sel
Note|pad ['noːtpɛt], das; -s, -s
⟨engl.⟩ (Personal Computer im
Notizblockformat)
Not|er|be, der (Erbe, der nicht
übergangen werden darf); Not-
er|bin
Not|fall, der
Not|fall|me|di|zin, die; -
not|falls ↑K 70
Not|feu|er; Not|ge|biet
not|ge|drun|gen
Not|geld; Not|ge|mein|schaft
Not|gro|schen
Not|ha|fen (*vgl.* ²Hafen)
Not|hel|fer (die vierzehn Nothelfer
[Heilige] ↑K 89); Not|hel|fe|rin;
Not|hil|fe
no|tie|ren ⟨lat.⟩ (aufzeichnen; vor-
merken; *Kaufmannsspr.* den
Kurs eines Papiers, den Preis
einer Ware festsetzen; einen
bestimmten Kurswert, Preis
haben); No|tie|rung
No|ti|fi|ka|ti|on, die; -, -en (*veraltet
für* Anzeige; Benachrichtigung);
no|ti|fi|zie|ren (*veraltet*)
nö|tig; für nötig halten; etwas
nötig haben, machen; das ist am
nötigsten; das Nötigste; es fehlt
ihnen an Nötigsten ↑K 72
nö|ti|gen
nö|ti|gen|falls

Nö|ti|gung
No|tiz, die; -, -en ⟨lat.⟩; von etwas
Notiz nehmen; No|tiz|block (*vgl.*
Block); No|tiz|buch
No|tiz|samm|lung, No|ti|zen|samm-
lung; No|tiz|zet|tel
Not|ker (m. Vorn.)
Not|la|ge
not|lan|den; ich notlande; notge-
landet; notzulanden; Not|lan-
dung
Not lei|dend, not|lei|dend ↑K 58 ;
die Not leidende *od.* notleidende Bevölkerung; *aber nur:*
äußerste Not leidend, äußerst
notleidend; notleidende Kredite
(*Bankw.*); Not Lei|den|de, der *u.*
die; - -n, - -n, Not|lei|den|de, der
u. die; -n, -n
Not|lei|ter, die; Not|licht *Plur.*
...lichter
Not|lö|sung; Not|lü|ge; Not|maß-
nah|me
Not|na|gel (*ugs. für* jmd., mit dem
man in einer Notlage vorlieb-
nimmt)
Not|ope|ra|ti|on; Not|op|fer
no|to|risch ⟨lat.⟩ (offenkundig, all-
bekannt; berüchtigt)
Not|pfen|nig; Not|pro|gramm
Not|quar|tier
No|t|re-Dame [nɔtrə'dam], die; -
(*franz. Bez. der Jungfrau Maria;
Name vieler franz. Kirchen*)
not|reif; Not|rei|fe
Not|ruf; Not|ruf|an|la|ge; Not|ruf-
num|mer; Not|ruf|säu|le; Not|ruf-
zen|t|ra|le
not|schlach|ten; ich notschlachte;
notgeschlachtet; notzuschlach-
ten; Not|schlach|tung
Not|schrei; Not|si|g|nal
Not|sitz|tu|a|ti|on; Not|sitz
Not|stand; Not|stands|ge|biet
Not|stands|ge|setz|ge|bung
Not|stands|hil|fe (*österr.*)
Not|strom|ag|gre|gat
Not|tau|fe; not|tau|fen; ich not-
taufe; notgetauft; notzutaufen
not|tun; eine Verordnung, die not-
tut; die Verordnung tat not, hat
notgetan; *vgl. auch* Not
Not|tür
Not|tur|no, das; -s, *Plur.* -s *u.* ...ni
⟨ital.⟩ (*svw.* Nocturne)
Not|un|ter|kunft; Not|ver|band;
Not|ver|ord|nung; Not|ver|sor-
gung
not|voll
not|was|sern; ich notwassere; not-
gewassert; notzuwassern; Not-
was|se|rung
Not|wehr, die; -

not|wen|dig [*auch* ...'vɛn...]; ↑K 72 :
[sich] auf das, aufs Notwen-
digste beschränken; es fehlt am
Notwendigsten; alles Notwen-
dige tun
not|wen|di|gen|falls; not|wen|di-
ger|wei|se; Not|wen|dig|keit
Not|zei|chen
Not|zucht, die; -; not|züch|ti|gen;
genotzüchtigt; zu notzüchtigen
Nou|ak|chott [nu̯ak'ʃɔt] (Haupt-
stadt Mauretaniens)
Nou|gat ['nuːgat] usw. *vgl.* Nugat
usw.
Nou|veau|té [nuvo...], die; -, -s
⟨franz.⟩ (Neuheit, Neuigkeit)
Nou|velle Cui|sine [nu'vɛl ky̆i-
'zi:n], die; - - ⟨franz.⟩ (moderne
Richtung der Kochkunst)
Nov. = November
¹No|va, die; -, ...vä ⟨lat.⟩ (neuer
Stern)
²No|va (*Plur. von* Novum; Neuer-
scheinungen im Buchhandel)
NOVA = Normverbrauchsabgabe
No|va|lis (dt. Dichter)
No|va|ti|on, die; -, -en ⟨lat.⟩
(*Rechtsw.* Schuldumwandlung)
No|ve|cen|to [...'tʃe...], das; -[s]
⟨ital.⟩ ([Kunst]zeitalter des
20. Jh.s in Italien)
No|vel|food, das; -s, **No|vel Food**
['nɔvlfuːd], das; - -s ⟨engl.⟩ (gen-
technisch veränderte Nahrung)
No|vel|le, die; -, -n ⟨lat.⟩ (Prosaer-
zählung; Nachtragsgesetz); no-
vel|len|ar|tig
No|vel|len|band, der; No|vel|len-
dich|ter; No|vel|len|dich|te|rin;
No|vel|len|form; No|vel|len-
samm|lung; No|vel|len|schrei|ber;
No|vel|len|schrei|be|rin
No|vel|let|te, die; -, -n (kleine
Novelle)
no|vel|lie|ren (durch ein Nach-
tragsgesetz ändern, ergänzen);
No|vel|lie|rung
No|vel|list, der; -en, -en (Novellen-
schreiber); No|vel|lis|tin; no|vel-
lis|tisch (novellenartig; unterhal-
tend)
No|vem|ber, der; -[s], - ⟨lat.⟩ (elfter
Monat im Jahr; Nebelmond,
Neb[e]lung, Windmonat, Win-
termonat; *Abk.* Nov.)
no|vem|ber|haft; no|vem|ber|lich
No|vem|ber|ne|bel
No|vem|ber|re|vo|lu|ti|on, die; -
No|ve|ne, die; -, -n ⟨lat.⟩ (neuntä-
gige kath. Andacht)
No|vi|lon®, das *u.* der; -s (*schweiz.
für* verschiedene Kunststoffbe-
läge)

N
Nota

null

Kleinschreibung des Zahlworts:

– null Fehler haben
– null Grad
– null Uhr, null Sekunden
– der Wert der Gleichung geht gegen null
– die erste Ableitung gleich null setzen
– null Komma eins (0,1); sie verloren drei zu null (3:0)
– das Thermometer, der Zeiger der Waage steht auf null

– die Stunde null
– er fängt wieder bei null an
– die Temperatur, die Stimmung sinkt unter null
– in null Komma nichts (*ugs. für* sehr schnell)
– null und nichtig (*emotional verstärkend für* [rechtlich] ungültig)
– null (*ugs. für* keine) Ahnung haben; null Bock (*ugs. für* keine Lust) auf etwas haben

Zur Großschreibung vgl. ¹Null

No|vi|lu|ni|um, das; -s, ...ien ⟨lat.⟩ (*Astron.* erstes Sichtbarwerden der Mondsichel nach Neumond)
No|vi|tät, die; -, -en ⟨lat.⟩ (Neuerscheinung; Neuheit [der Mode u. a.]; *veraltet für* Neuigkeit)
No|vi|ze, der; -n, -n *u.* die; -, -n (Mönch od. Nonne während der Probezeit; Neuling); **No|vi|zen|meis|ter**; **No|vi|zen|meis|te|rin**
No|vi|zi|at, das; -[e]s, -e (dem Ordensgelübde vorausgehende Probezeit); **No|vi|zi|at|jahr**
No|vi|zin
No|vum, das; -s, ...va (absolute Neuheit, noch nie Dagewesenes); *vgl.* ²Nova
No|wa|ja Sem|l|ja ⟨russ.⟩ (russ. Inselgruppe im Nordpolarmeer)
No|wo|si|birsk (Stadt in Sibirien)
No|xe, die; -, -n ⟨lat.⟩ (*Med.* krankheitserregende Ursache)
No|xin, das; -s, -e (*Med.* aus abgestorbenem Körpereiweiß stammender Giftstoff)
Np = *chem. Zeichen für* Neptunium; Neper
NPD, die; - = Nationaldemokratische Partei Deutschlands
Nr. = Nummer
Nrn. = Nummern
NRT = Nettoregistertonne
NRW = Nordrhein-Westfalen
NRZ = Nettoraumzahl
ns = Nanosekunde
¹NS = Nachschrift; *auf Wechseln* nach Sicht
²NS = Nationalsozialismus
NSG = Naturschutzgebiet
NS-Op|fer [ɛn'|ɛs...] ↑K72 (jmd., der unter dem Nationalsozialismus zu leiden hatte)
n. St. = neuen Stils (*Zeitrechnung* nach dem gregorianischen Kalender)
NS-Ver|bre|cher [ɛn'|ɛs...] ↑K72 (Naziverbrecher); **NS-Ver|bre|che|rin**; **NS-Zeit**
N. T. = Neues Testament

n-te ['ɛn...] ↑K30 ; *vgl.* x-te
nu (*ugs. für* nun); **Nu**, der (sehr kurze Zeitspanne); *nur in* im Nu, in einem Nu
Nu|an|ce [ny'ã:sə, *österr.* ny'ã:s], die; -, -n ⟨franz.⟩ (feiner Unterschied; Feinheit; Kleinigkeit); **nu|an|cen|reich**
nu|an|cie|ren; **Nu|an|cie|rung**
Nu|ba, der; -[s], -[s] (Angehöriger eines Mischvolkes im Sudan)
'nü|ber (*landsch. für* hinüber)
Nu|bi|en (Landschaft in Nordafrika); **Nu|bi|er**; **Nu|bi|e|rin**
nu|bisch; *aber* ↑K140 : die Nubische Wüste
Nu|buk, das; -[s] ⟨engl.⟩ (wildlederartiges Kalbsleder); **Nu|buk|le|der**
nüch|tern; **Nüch|tern|heit**, die; -
Nu|cke, Nü|cke, die; -, -n (*landsch. für* Laune, Schrulle)
Nu|ckel, der; -s, - (*ugs. für* Schnuller); **nu|ckeln** (*ugs. für* saugen); ich nuck[e]le
Nu|ckel|pin|ne, die; -, -n (*ugs. für* altes, klappriges Auto)
nü|ckisch ⟨*zu* Nucke⟩
Nud|del, der; -s, - (*landsch. für* Schnuller)
nud|deln (*landsch. für* nuckeln); ich nudd[e]le
Nu|del, die; -, -n (*in der Schweiz nur für* Bandnudeln)
Nu|del|brett
nu|del|dick (*ugs. für* sehr dick)
Nu|del|ge|richt; **Nu|del|holz**
nu|deln; ich nud[e]le
Nu|del|sa|lat; **Nu|del|sup|pe**
Nu|del|teig
Nu|del|wal|ker (*österr. für* Nudelholz)
Nu|dis|mus, der; - ⟨lat.⟩ (Freikörperkultur); **Nu|dist**, der; -en, -en; **Nu|dis|tin**
Nu|di|tät (*selten für* [anzügliche] Nacktheit)
Nu|gat, Nou|gat ['nu:...], der *od.*

das; -s, -s ⟨franz.⟩ (süße Masse aus Zucker und Nüssen)
Nu|gat|fül|lung, Nou|gat|fül|lung; **Nu|gat|scho|ko|la|de**, Nou|gat|scho|ko|la|de
Nug|get ['nagɪt], das; -[s], -s ⟨engl.⟩ (natürl. Goldklumpen)
Nug|gi ['nuki], der; -s, - (*südd., schweiz. mdal. für* Schnuller)
nu|k|le|ar ⟨lat.⟩ (den Atomkern, Kernwaffen betreffend); nukleare Waffen
Nu|k|le|ar|kri|mi|na|li|tät; Nu|k|le|ar|macht
Nu|k|le|ar|me|di|zin, die; - (Teilgebiet der Strahlenmedizin)
Nu|k|le|ar|spreng|kopf; Nu|k|le|ar|waf|fe *meist Plur.*
Nu|k|le|a|se, die; -, -n (*Chemie* Nukleinsäuren spaltendes Enzym)
Nu|k|le|in, das; -s, -e (*svw.* Nukleoproteid); **Nu|k|le|in|säu|re**
Nu|k|le|on, das; -s, ...onen (Atomkernbaustein); **Nu|k|le|o|nik**, die; - (Atomlehre)
Nu|k|leo|pro|te|id, das; -[e]s, -e (*Biochemie* Eiweißverbindung des Zellkerns)
Nu|k|le|us, der; -, ...ei (*Biol.* [Zell]kern)
Nu|ku'a|lo|fa (Hauptstadt von Tonga)
null *s. Kasten*
¹Null, die; -, -en (Ziffer; *ugs. für* gänzlich unfähiger Mensch); die Zahl Null; eine Zahl mit fünf Nullen; die Ziffern Null bis Neun; er ist eine reine Null
²Null, der, *auch* das; -[s], -s (*Skat* Nullspiel)
null|acht|fünf|zehn (*ugs. für* wie üblich, Allerwelts...; *in Ziffern* 08/15); **Null|acht|fünf|zehn-So|ße** (*ugs.*)
nul|la poe|na si|ne le|ge ⟨lat., »keine Strafe ohne Gesetz«⟩
Null-Bock-Ge|ne|ra|ti|on, die; - (*ugs. für* junge Generation, die durch

N
Null

Unlust u. Desinteresse gekennzeichnet ist)

Null|di|ät, die; - *(Med.* [fast] kalorienfreie Diät)

nul|len (mit dem Nullleiter verbinden; *ugs. für* ein neues Jahrzehnt beginnen)

Null|ent|scheid *(schweiz. für* Entscheidung, die alles beim Alten lässt); einen Nullentscheid treffen

Null|feh|ler|ritt, Null-Feh|ler-Ritt *(Reitsport)*

Nul|li|fi|ka|ti|on, die; -, -en; **nul|li|fi|zie|ren** (zunichtemachen, für nichtig erklären)

Nul|li|tät, die; -, -en *(selten für* Nichtigkeit; Ungültigkeit)

Null|la|ge, Null-La|ge, die; - (Nullstellung bei Messgeräten)

Null|lei|ter, Null-Lei|ter, der *(Elektrot.)*

Null|li|nie, Null-Li|nie

Null|lö|sung, Null-Lö|sung

Null|men|ge *(Mengenlehre)*

Null|me|ri|di|an, der; -s

Null ou|vert [- uˈvɛːɐ], der, *auch* das; - -[s], - -s ⟨lat.; franz.⟩ (offenes Nullspiel [beim Skat])

Null|punkt; die Stimmung sank auf den Nullpunkt *(ugs.)*

Null|run|de *(ugs. für* Lohnrunde ohne [reale] Lohnerhöhung)

Null|se|rie (erste Versuchsserie einer Fertigung)

Null|spiel *(Skat)*

Null|sum|men|spiel, Null-Summen-Spiel (Spiel, bei dem die Summe der Einsätze, Verluste u. Gewinne gleich null ist)

Null|ta|rif (kostenlose Gewährung üblicherweise nicht unentgeltlicher Leistungen)

null|te *(Math.* Ordnungszahl zu null)

Null|wachs|tum, das; -s *(Wirtsch.)*

Nul|pe, die; -, -n *(ugs. für* dummer, langweiliger Mensch)

Nu|me|ra|le, das; -s, *Plur.* ...lien u. ...lia ⟨lat.⟩ *(Sprachw.* Zahlwort, z. B. »eins«)

Nu|me|ri *[auch* ˈnʊ...] *(Plur. von* Numerus; Name des 4. Buches Mosis)

nu|me|rie|ren, Nu|me|rie|rung *alte Schreibungen für* nummerieren, Nummerierung

Nu|me|rik, die; - *(EDV* numerische Steuerung); **nu|me|risch** (zahlenmäßig, der Zahl nach; mit Ziffern [verschlüsselt])

Nu|me|ro *[auch* ˈnʊ...], das; -s, -s

⟨ital.⟩ *(veraltet für* Zahl; *Abk.* No., N°); *vgl.* Nummer

Nu|me|rus *[auch* ˈnʊ...], der; -, ...ri ⟨lat., »Zahl«⟩ *(Sprachw.* Zahlform des Substantivs [Singular, Plural]; *Math.* die zu logarithmierende Zahl)

Nu|me|rus clau|sus, der; - - (zahlenmäßig beschränkte Zulassung [bes. zum Studium])

Nu|mi|der *[auch* ˈnuː...], Nu|mi|di|er; **Nu|mi|de|rin,** Nu|mi|di|e|rin

Nu|mi|di|en (antikes nordafrik. Reich); **Nu|mi|di|er** *vgl.* Numider; **Nu|mi|di|e|rin** *vgl.* Numiderin; **nu|mi|disch**

nu|mi|nos ⟨lat.⟩ *(Theol.* [auf das Göttliche bezogen] schauervoll und anziehend zugleich)

Nu|mis|ma|tik, die; - ⟨griech.⟩ (Münzkunde)

Nu|mis|ma|ti|ker; Nu|mis|ma|ti|ke|rin; **nu|mis|ma|tisch**

Num|mer, die; -, -n ⟨lat.⟩ (Zahl; *Abk.* Nr., *Plur.* Nrn.); Nummer fünf; etwas ist Gesprächsthema Nummer eins *(ugs.);* Nummer null; auf Nummer sicher gehen *(ugs. für* nichts tun, ohne sich abzusichern); laufende Nummer *(Abk.* lfd. Nr.); *vgl.* Numero

num|me|rie|ren (beziffern, [be]nummern); nummerierte Ausgabe *(Druckw.);* Num|me|rie|rung

num|me|risch *(für* numerisch)

num|mern *(für* nummerieren); ich nummere

Num|mern|girl (im Varieté)

Num|mern|kon|to; Num|mern|schei|be; Num|mern|schild, das; Num|mern|stem|pel; Num|mern|ta|fel

Num|me|rung *(für* Nummerierung)

Num|mu|lit, der; *Gen.* -s u. -en, *Plur.* -e[n] ⟨lat.⟩ (versteinerter Wurzelfüßer im Eozän)

nun; nun mal; nun wohlan!; nun und nimmer; von nun an

Nun|cha|ku [...ˈtʃaːku], das; -s, -s ⟨jap.⟩, **Nun|cha|ku|holz** (asiat. Verteidigungswaffe aus zwei verbundenen Holzstäben)

nun|mehr *(geh.);* **nun|meh|rig** *(geh.)*

'nun|ter *(landsch. für* hinunter)

Nun|ti|a|tur, die; -, -en ⟨lat.⟩ (Amt und Sitz eines Nuntius)

Nun|ti|us, der; -, ...ien (ständiger Botschafter des Papstes bei weltlichen Regierungen)

nup|ti|al ⟨lat.⟩ *(veraltet für* ehelich, hochzeitlich)

nur; nur Gutes empfangen; nur mehr *(landsch. für* nur noch); warum nur?; nur zu!

Nür|burg|ring, der; -[e]s ↑K143 (Autorennstrecke in der Eifel)

Nur|haus|frau

Nürn|berg (Stadt in Mittelfranken)

Nürn|ber|ger; Nürnberger Lebkuchen; Nürnberger Trichter

Nurse [nøːɐs], die; -, *Plur.* -s u. -n [...s(ə)n] ⟨engl.⟩ *(engl. Bez. für* Kinderpflegerin)

nu|sche|lig, nusch|lig

nu|scheln *(ugs. für* undeutlich sprechen); ich nusch[e]le

Nuss, die; -, Nüsse; Nuss|baum; Nuss|baum|holz

Nuss|beu|gel *(österr.)*

nuss|braun; Nüss|chen

Nuss|ecke; Nuss|fül|lung; Nuss|gip|fel *(schweiz.)*

nus|sig; ein nussiger Geschmack

Nuss|kip|ferl *(österr.)*

Nuss|kna|cker; Nuss|koh|le; Nuss|ku|chen

Nüss|li|sa|lat *(schweiz. für* Feldsalat)

Nuss|nu|deln *Plur.*

Nuss|öl

Nuss|scha|le, Nuss-Scha|le *(auch für* kleines Boot)

Nuss|schin|ken, Nuss-Schin|ken

Nuss|scho|ko|la|de, Nuss-Scho|ko|la|de

Nuss|stru|del, Nuss-Stru|del *(österr.)*

Nuss|tor|te

Nüs|ter *[auch* ˈny:...], die; -, -n *meist Plur.*

Nut, die; -, -en *(in der Technik nur so)* , **Nu|te,** die; -, -n (Furche, Fuge)

Nu|ta|ti|on, die; -, -en ⟨lat.⟩ *(Astron.* Schwankung der Erdachse gegen den Himmelspol; *Bot.* Wachstumsbewegung der Pflanze)

Nu|te *vgl.* Nut

Nut|ei|sen

nu|ten

Nut|en|frä|ser

Nu|the, die; - (linker Nebenfluss der Havel)

Nut|ho|bel

'Nu|t|ria, die; -, -s ⟨span.⟩ (Biberratte)

²Nu|t|ria, der; -s, -s (Pelz aus dem Fell der 'Nutria)

Nu|t|ri|ment, das; -[e]s, -e ⟨lat.⟩ *(Med.* Nahrungsmittel)

Nu|t|ri|ti|on, die; -, -en (Ernährung); **nu|t|ri|tiv** (nährend, nahrungsmäßig)

N
Null

Nut|sche, die; -, -n (*Chemie* Filtriereinrichtung, Trichter)

nut|schen (*ugs. u. landsch. für* lutschen; *Chemie* durch einen Filter absaugen); du nutschst

Nut|te, die; -, -n (*derb für* Prostituierte); **nut|ten|haft**, **nut|tig** (*derb für* wie eine Nutte)

nutz; zu nichts nutz sein (*südd., österr. für* zu nichts nütze sein); *vgl.* Nichtsnutz

Nutz, der (*veraltet für* Nutzen); zu Nutz und Frommen; sich etwas zunutze *od.* zu Nutze machen; **Nutz|an|wen|dung**

nutz|bar; nutzbar machen; **Nutz|bar|keit**, die; -; **Nutz|bar|ma|chung**

Nutz|bau *Plur.* ...bauten

nutz|brin|gend

nüt|ze; [zu] nichts nütze

Nutz|ef|fekt (Nutzleistung, Wirkungsgrad)

nut|zen; du nutzt; *vgl.* nützen

nüt|zen; du nützt; es nützt mir nichts

Nut|zen, der; -s; es ist von [großem, geringem] Nutzen

Nut|zen-Kos|ten-Ana|ly|se (*Wirtsch.*)

Nut|zer; Nut|ze|rin

Nutz|fahr|zeug; Nutz|flä|che; Nutz|gar|ten; Nutz|holz

Nutz|kos|ten *Plur.* (*Wirtsch.*); **Nutz|last**

Nutz|leis|tung (*Technik*)

nütz|lich; sich nützlich machen; **Nütz|lich|keit**, die; -

Nütz|lich|keits|den|ken; Nütz|lich|keits|prin|zip, das; -s

Nütz|ling (*Ggs.* Schädling)

nutz|los; Nutz|lo|sig|keit, die; -

nutz|nie|ßen (*geh. für* von etwas Nutzen haben); du nutznießt; genutznießt

Nutz|nie|ßer; Nutz|nie|ße|rin

nutz|nie|ße|risch; Nutz|nie|ßung (*auch Rechtsspr.* Nießbrauch)

Nutz|pflan|ze; Nutz|tier

Nut|zung; Nut|zungs|dau|er

Nut|zungs|ge|bühr

Nut|zungs|recht (*Rechtsspr.*)

Nutz|wert

Nuuk (Hauptstadt Grönlands); *vgl.* Godthåb

NV = Nevada

n. V. = nach Vereinbarung; nach Verlängerung (*Sport*)

NVA, die; - = Nationale Volksarmee

NW = Nordwest[en]

Ny, das; -[s], -s (griech. Buchstabe; N, ν)

NY = New York

Nyk|t|a|l|o|pie, die; - ⟨griech.⟩ (*Med.* Nachtblindheit)

Nyk|to|pho|bie, die; -, - (*Med., Psych.* [krankhafte] Furcht vor Dunkelheit)

Ny|lon [ˈnai...], das; -[s] ⟨engl.⟩ (haltbare synthet. Textilfaser)

Ny|lons *Plur.* (*ugs. veraltend für* Nylonstrümpfe); **Ny|lon|strumpf**

Nym|phäa, Nym|phäe, die; -, ...äen ⟨griech.⟩ (*Bot.* Seerose)

Nym|phä|um, das; -s, ...äen (Brunnentempel [in der Antike])

Nym|phe, die; -, -n (griech. Naturgottheit; *Zool.* Entwicklungsstufe [der Libelle])

Nym|phen|burg (Schlossanlage in München)

nym|phen|haft

Nym|phen|sit|tich (ein Papagei)

nym|pho|man (an Nymphomanie leidend); **Nym|pho|ma|nie**, die; - (übermäßig gesteigerter Geschlechtstrieb bei der Frau); **Nym|pho|ma|nin** (nymphomane Frau); **nym|pho|ma|nisch**

Ny|norsk, das; - ⟨norw.⟩ (norw. Schriftsprache, die auf den Dialekten beruht; *vgl.* Landsmål)

Nys|tag|mus, der; - ⟨griech.⟩ (*Med.* Zittern des Augapfels)

Nyx (griech. Göttin der Nacht)

NZD (Währungscode für neuseeländ. Dollar)

---

o vgl. oh

O (Buchstabe); das O; des O, die O, *aber* das o in Tor; der Buchstabe O, o

Ö (Buchstabe; Umlaut); das Ö; des Ö, die Ö, *aber* das ö in König; der Buchstabe Ö, ö

O = Ost[en]

O = Oxygenium (*chem. Zeichen für* Sauerstoff)

O, o = Omikron

Ω, ω = Omega

Ω = Ohm

O' (»Nachkomme«) (Bestandteil irischer Eigennamen, z. B. O'Neill [oˈniːl])

o. a. = oben angeführt

o. ä. = oder ähnlich

o. Ä. = oder Ähnliche[s] (*vgl.* ähnlich)

ÖAMTC, der; -[s] = Österr. Automobil-, Motorrad- und Touring-Club

OAPEC [oˈlaːpɛk], die; - = Organization of the Arab Petroleum Exporting Countries (Organisation der arabischen Erdöl exportierenden Länder)

Oa|se, die; -, -n ⟨ägypt.⟩ (Wasserstelle in der Wüste)

OAU, die; - = Organization of African Unity; **OAU-Staa|ten**

¹ob ↑K81 : das Ob und Wann

²ob *Präp. mit Dativ* (*veraltet, noch landsch. für* oberhalb, über); z. B. ob dem Walde, Rothenburg ob der Tauber; *Präp. mit Gen., seltener mit Dat.* (*geh. veraltend für* wegen), z. B. ob des Glückes, ob gutem Fang erfreut sein

Ob, der; -[s] (Strom in Sibirien)

¹OB, der; -[s], -s, *selten* - (Oberbürgermeister)

²OB, die; -, -s, *selten* - (Oberbürgermeisterin)

o. B. = ohne Befund

Ob|acht, die; -; Obacht geben

Obad|ja (bibl. Prophet)

ÖBB = Österr. Bundesbahnen

obd. = oberdeutsch

Ob|dach, das; -[e]s (*veraltend für* Unterkunft, Wohnung)

ob|dach|los; Ob|dach|lo|se, der *u.* die; -n, -n; **Ob|dach|lo|sen|asyl; Ob|dach|lo|sen|heim**

Ob|dach|lo|sen|zei|tung

Ob|dach|lo|sig|keit, die; -

Ob|duk|ti|on, die; -, -en ⟨lat.⟩ (*Med.* Leichenöffnung); **Ob|duk|ti|ons|be|fund**

ob|du|zie|ren

Ob|e|di|enz, die; - ⟨lat.⟩ (*kath. Kirche* kanonischer Gehorsam der Kleriker gegenüber den geistl. Oberen)

O-Bei|ne *Plur.* ↑K29

o-bei|nig, O-bei|nig

Obe|lisk, der; -en, -en ⟨griech.⟩ (vierkantige, nach oben spitz zulaufende Säule)

oben *s. Kasten Seite 740*

oben|an; obenan stehen, sitzen

oben|auf; obenauf liegen; obenauf (*ugs. für* gesund, guter Laune) sein; obenauf *od.* obenaus schwingen (*schweiz. für* die Oberhand gewinnen, an der Spitze liegen)

oben|aus *vgl.* obenauf

O

oben

oben

- nach, von, bis oben; nach oben hin, zu
- von oben her; von oben herab
- man wusste kaum noch, was oben und was unten war
- wie oben erwähnt wurde, ...
- oben liegen, stehen, sitzen
- alles Gute kommt von oben
- oben ohne (*ugs. für* busenfrei)

Getrenntschreibung in Verbindung mit Verben:

- oben sein; oben bleiben; oben liegen; oben stehen usw.

In Verbindung mit einem adjektivisch gebrauchten Partizip kann getrennt oder zusammengeschrieben werden ↑K 58 u. 72:

- die oben angeführte *od.* obenangeführte Erklärung
- das oben erwähnte *od.* obenerwähnte Faktum
- die oben genannte *od.* obengenannte Tatsache (*Abk.:* o. g.)
- die oben stehenden *od.* obenstehenden, oben zitierten *od.* obenzitierten Bemerkungen
- das oben Erwähnte *od.* das Obenerwähnte
- die oben Genannten *od.* die Obengenannten

O
oben

oben|dr**au**f; obendrauf liegen, stellen
oben|dr**ei**n
oben|dr**ü**|ber; obendrüber legen
oben|d**u**rch
oben er|**wäh**nt, oben|er|wähnt vgl. oben; o|ben Er|wähn|te, der, die, das; - -n, - -n, **Oben|er|wähn|te**, der, die, das; -n, -n; **oben ge-nannt**, oben|ge|nannt vgl. oben; o|ben Ge|nann|te, der, die, das; - -n, - -n, **Oben|ge|nann|te**, der, die, das; -n, -n
oben|h**e**r; du musst obenher gehen; *aber* von oben her; **oben-he|r|um** (*ugs. für* im oberen Teil; oben am Körper)
oben|h**i**n (flüchtig); *aber* nach oben hin
Oben-**oh**|ne-Ba|de|an|zug ↑K 26; Oben-**oh**|ne-Lo|kal
oben|rum (*sww.* obenherum)
oben ste|hend, oben|ste|hend vgl. oben; o|ben Ste|hen|de, das; - -n, **Oben|ste|hen|de**, das; -n; oben zi|tiert, oben|zi|tiert vgl. oben
¹**ober** (*österr. für* über); Präp. mit Dat., z. B. das Schild hängt ober der Tür
²**ober** vgl. obere
Ober, der; -s, - ([Ober]kellner; eine Spielkarte)
Ober|alp, der; -s (schweiz. Alpenpass)
Ober|am|mer|gau ↑K 143 (Ort am Oberlauf der Ammer)
Ober|arm; **Ober|arzt**; **Ober|ärz|tin**; **Ober|auf|sicht**; **Ober|bau** *Plur.* ...bauten; **Ober|bauch**
ober|bay|e|risch, ober|bay|risch; **Ober|bay|ern** ↑K 143
Ober|be|fehl, der; -[e]s; **Ober|be-fehls|ha|ber**; **Ober|be|fehls|ha|be-rin**
Ober|be|griff; **Ober|be|klei|dung**
Ober|berg|amt
Ober|bett

Ober|bür|ger|meis|ter [*auch* ...'byr...] (*Abk.* OB, OBM); **Ober-bür|ger|meis|te|rin** (*Abk.* OB, OBM)
ober|cool (*Jugendspr.*)
Ober|deck
ober|deutsch (*Abk.* obd.); vgl. deutsch; **Ober|deutsch**, das; -[s] (Sprache); vgl. Deutsch; **Ober-deut|sche**, das; -n; vgl. Deutsche, das
obe|re; der obere Stock; die ober[e]n Klassen; *aber* ↑K 140: das Obere Eichsfeld
¹**Obe|re**, das; -n (Höheres)
²**Obe|re**, der u. die; -n, -n (Vorgesetzter, Vorgesetzte)
ober|faul (*ugs. für* sehr verdächtig)
Ober|flä|che; **ober|flä|chen|ak|tiv** (*Chemie, Physik*)
Ober|flä|chen|be|hand|lung
ober|flä|chen|nah
Ober|flä|chen|span|nung
Ober|flä|chen|struk|tur
Ober|flä|chen|ver|bren|nung
ober|flä|chen|ver|edelt
Ober|flä|chen|was|ser, das; -s
ober|fläch|lich; **Ober|fläch|lich|keit**
Ober|förs|ter; **Ober|förs|te|rin**
Ober|fran|ken ↑K 143
ober|gä|rig; obergäriges Bier
Ober|ge|frei|te; **Ober|ge|richt** (Kantonsgericht)
O|ber|ge|schoss; **Ober|gren|ze**
ober|halb; *als Präp. mit Gen.:* der Neckar oberhalb Heidelbergs (von Heidelberg aus flussaufwärts)
Ober|hand, die; -
Ober|haupt; **Ober|haus** (im Zweikammerparlament)
Ober|hau|sen (Stadt im Ruhrgebiet)
Ober|hemd; **Ober|herr|schaft**
Ober|hes|sen ↑K 143
Ober|hit|ze; bei Oberhitze backen
Ober|hof|meis|ter [*auch* ...'ho:f...]; **Ober|hof|meis|te|rin**

Ober|ho|heit, die; -
Obe|rin (Oberschwester; Leiterin eines Nonnenklosters)
Ober|in|ge|ni|eur (Ob.-Ing.); **Ober-in|ge|ni|eu|rin**
Ober|in|spek|tor (Ob.-Insp.); **Ober-in|spek|to|rin**
ober|ir|disch
Ober|ita|li|en ↑K 143
ober|kant (*schweiz.*); Präp. mit Gen.: oberkant des Fensters *od.* oberkant Fenster
Ober|kan|te
Ober|kell|ner; **Ober|kell|ne|rin**; **Ober|kie|fer**, der
Ober|kir|chen|rat [*auch* ...'kir...]; **Ober|kir|chen|rä|tin**
Ober|klas|se
Ober|kom|man|die|ren|de, der u. die; -n, -n; **Ober|kom|man|do**
Ober|kör|per; **Ober|kreis|di|rek|tor**; **Ober|kreis|di|rek|to|rin**
Ober|land, das; -[e]s; **Ober|län|der**, der; -s, - (Bewohner des Oberlandes); **Ober|län|de|rin**
Ober|lan|des|ge|richt [*auch* ...'lan...] (*Abk.* OLG)
Ober|län|ge
ober|las|tig (*Seemannsspr.* zu hoch beladen); oberlastige Schiffe
Ober|lauf, der; -[e]s, ...läufe
Ober|lau|sitz [*auch* ...'lau...] ↑K 143 (Landschaft zwischen Bautzen u. Görlitz; *Abk.* O. L.)
Ober|le|der
Ober|leh|rer; **ober|leh|rer|haft**; **Ober|leh|re|rin**
Ober|lei|tung; **Ober|lei|tungs|om|ni-bus** (*Kurzform* Obus)
Ober|leut|nant (Oblt.; Oberleutnant z. [zur] See); **Ober|leut|nan-tin**
Ober|licht; **Ober|lich|te**, die; -, -n (*bayr., österr. für* hoch gelegenes Fenster, oberster Fensterflügel)
Ober|li|ga; **Ober|li|gist**

Ober|lip|pe; Ober|lip|pen|bart; Ober|maat; Ober|ma|te|ri|al

Obe|ron (König der Elfen)

Ober|ös|ter|reich ↑K143 (österr. Bundesland)

Ober|pfalz, die; - ↑K141 (Regierungsbezirk des Landes Bayern)

Ober|post|di|rek|ti|on [auch ...'post...]; Ober|pri|ma [auch ...'pri:...]

Ober|rat (Akademischer Oberrat); Ober|rä|tin

Ober|re|gie|rungs|rat [auch ...'gi:...]; Ober|re|gie|rungs|rä|tin

Ober|rhein; ober|rhei|nisch; aber ↑K140 : das Oberrheinische Tiefland

Obers, das; - (ostösterr. für Sahne)

Ober|schen|kel; Ober|schen|kel|hals; Ober|schen|kel|hals|bruch

Ober|schicht

ober|schläch|tig (durch Wasser von oben angetrieben); oberschlächtiges Mühlrad

ober|schlau (ugs. für sich für besonders schlau haltend)

Ober|schle|si|en ↑K143

Ober|schul|amt

Ober|schu|le; Ober|schü|ler; Oberschü|le|rin

Ober|schwes|ter

Obers|creme, Obers|krem, Oberskre|me (österr. eine Tortenfüllung)

Ober|sei|te; ober|seits (an der Oberseite)

Ober|se|kun|da [auch ...'kʊn...]

Obers|krem, Obers|kre|me vgl. Oberscreme

Obers|kren (österr. für Meerrettichsoße)

oberst vgl. oberste

Oberst, der; Gen. -en u. -s, Plur. -en, seltener -e

Ober|staats|an|walt [auch ...'ʃta:ts...]; Ober|staats|an|wältin

Ober|stabs|arzt; Ober|stabs|ärz|tin

Ober|stadt|di|rek|tor; Ober|stadt|di|rek|to|rin

ober|stän|dig (Bot.)

Oberst|dorf (Ort im Allgäu)

obers|te; oberstes Stockwerk; dort das Buch, das oberste, hätte ich gern; die obersten Gerichtshöfe; aber ↑K150 : der Oberste Gerichtshof; ↑K72 : das Oberste zuunterst, das Unterste zuoberst kehren

Obers|te, der u. die; -n, -n (Vorgesetzter, Vorgesetzte)

Ober|stei|ger (Bergbau)

Ober|stim|me; Obers|tin

Oberst|leut|nant [auch ...'lɔy...]; Oberst|leut|nan|tin

Ober|stock, der; -[e]s (Stockwerk)

Ober|stüb|chen; meist in im Oberstübchen nicht ganz richtig sein (ugs.)

Ober|stu|di|en|di|rek|tor [auch ...'ʃtu:...]; Ober|stu|di|en|di|rek|to|rin

Ober|stu|di|en|rat [auch ...'ʃtu:...]; Ober|stu|di|en|rä|tin

Ober|stu|fe

Ober|teil, das, auch der

Ober|ter|tia

Ober|ton Plur. ...töne

Ober|ver|wal|tungs|ge|richt [auch ...'val...]

Ober|vol|ta (früher für Burkina Faso); Ober|vol|ta|er; Ober|vol|ta|e|rin; ober|vol|ta|isch

ober|wärts (veraltet für oberhalb)

Ober|was|ser, das; -s; Oberwasser haben (ugs. für im Vorteil sein)

Ober|wei|te

Ober|wie|sen|thal, Kur|ort (im Erzgebirge)

Ob|frau

ob|ge|nannt (österr. Amtsspr., sonst veraltet für oben genannt)

ob|gleich

Ob|hut, die; - (geh.)

Obi, der od. das; -[s], -s (jap.) (Kimonogürtel; Judo Gürtel der Kampfbekleidung)

obig; die obigen Paragrafen; der Obige (der oben Genannte; Abk. d. O.); Obiges gilt auch weiterhin; im Obigen (Amtsspr. weiter oben); vgl. folgend

Ob.-Ing. = Oberingenieur[in]

Ob.-Insp. = Oberinspektor[in]

Ob|jekt, das; -[e]s, -e (lat.) (Ziel, Gegenstand; DDR auch für die Allgemeinheit geschaffene Einrichtung; österr. Amtsspr. auch für Gebäude; Sprachw. Ergänzung)

Ob|jek|te|ma|cher (Kunstwiss.); Ob|jek|te|ma|che|rin

ob|jek|tiv [auch ...'ɔp...] (gegenständlich; tatsächlich; sachlich)

Ob|jek|tiv, das; -s, -e (bei optischen Instrumenten die dem Gegenstand zugewandte Linse)

Ob|jek|ti|va|ti|on, die; -, -en (Vergegenständlichung); ob|jek|ti|vier|bar; ob|jek|ti|vie|ren (vergegenständlichen; von subjektiven Einflüssen befreien); Ob|jek|ti|vie|rung

Ob|jek|ti|vis|mus, der; - (philosoph. Denkrichtung, die vom Subjekt unabhängige objektive Wahrheiten u. Werte annimmt); ob|jek|ti|vis|tisch (in der Art des Objektivismus)

Ob|jek|ti|vi|tät, die; - (Sachlichkeit; Vorurteilslosigkeit)

Ob|jekt|kunst, die; - (moderne Kunstrichtung, die statt der Darstellung eines Gegenstandes diesen selbst präsentiert)

Ob|jekt|satz (Sprachw. Nebensatz in der Funktion eines Objektes)

Ob|jekt|schutz ([polizeil.] Schutz für Gebäude, Sachwerte o. Ä.)

Ob|jekts|ge|ni|tiv (Sprachw.)

Ob|jekt|spra|che (Sprachw.)

Ob|jekt|tisch (am Mikroskop); Ob|jekt|trä|ger (Glasplättchen [mit Objekt])

¹Ob|la|te [österr. 'ɔp...], die; -, -n (lat.) (ungeweihte Hostie; dünnes, rundes Gebäck; Unterlage für Konfekt, Lebkuchen)

²Ob|la|te, der; -n, -n (Laienbruder; Angehöriger einer kath. Genossenschaft); Ob|la|tin

Ob|la|ti|on, die; -, -en (Darbringungsgebet der kath. Messe)

Ob|leu|te (Plur. von Obmann; Bez. für Obfrauen u. Obmänner)

ob|lie|gen [auch, österr. nur, ...'li:...]; es obliegt, oblag mir es ist mir oblegen; zu obliegen, veraltend auch es, liegt, lag mir ob; es hat mir obgelegen; obzuliegen; Ob|lie|gen|heit

ob|li|gat (lat.) (unerlässlich, unvermeidlich, unentbehrlich); mit obligater Flöte (Musik)

Ob|li|ga|ti|on, die; -, -en (Rechtsspr. persönl. Haftung für eine Verbindlichkeit; Wirtsch. festverzinsl. Wertpapier)

Ob|li|ga|ti|o|nen|recht, das; -[e]s (schweiz. für Schuldrecht; Abk. OR)

ob|li|ga|to|risch (verbindlich; auch svw. obligat); obligatorische Stunden (Pflichtstunden)

Ob|li|ga|to|ri|um, das; -s, ...ien (schweiz. für Verpflichtung; Pflichtfach, -leistung)

Ob|li|go [auch 'ɔb...], das; -s, -s (ital.) (Wirtsch. Haftung; Verpflichtung); ohne Obligo (unverbindlich; ohne Gewähr; Abk. o. O.), österr. außer Obligo

ob|lique [ɔ'bli:k] (lat.); obliquer [...kvə] Kasus (Sprachw. abhängiger Fall); vgl. Casus obliquus; Ob|li|qui|tät, die; -

Ob|li|te|ra|ti|on, die; -, -en (lat.) (Wirtsch. Tilgung; Med. Ver-

O

Obli

stopfung von Hohlräumen,
Kanälen, Gefäßen des Körpers)
ob|long ⟨lat.⟩ (*veraltet für* länglich,
rechteckig)
Oblt. = Oberleutnant
OBM, der *u.* die; -, - = Oberbürger-
meister[in]
Ob|mann *Plur.* ...männer *u.* ...leute;
Ob|män|nin (*veraltend für*
Obfrau)
Oboe [*österr. auch* 'o:...], die; -, -n
⟨ital.⟩ (ein Holzblasinstrument);
Obo|ist, der; -en, -en (Oboeblä-
ser); **Obo|is|tin**
Obo|lus, der; -, *Plur.* -u. -se
⟨griech.⟩ (kleine Münze im alten
Griechenland; *übertr. für* kleine
Geldspende)
Obo|trit, der; -en, -en (Angehöri-
ger eines westslaw. Volksstam-
mes); **Obo|t|ri|tin**
Ob|rig|keit (Träger der Macht, der
Regierungsgewalt); **ob|rig|keit|-
lich; Ob|rig|keits|den|ken; ob|rig-
keits|hö|rig**
Ob|rig|keits|staat *Plur.* ...staaten
Ob|rist, der; -en, -en (*veraltet für*
Oberst; *auch für* Mitglied einer
Militärjunta); **Ob|ris|tin**
ob|schon
Ob|ser|vant, der; -en, -en ⟨lat.⟩
(Mönch der strengeren Ordens-
regel)
Ob|ser|vanz, die; -, -en (*Rechtsspr.*
örtl. begrenztes Gewohnheits-
recht; Befolgung der strengeren
Regel eines Mönchsordens)
Ob|ser|va|ti|on, die; -, -en ([wissen-
schaftl.] Beobachtung; Überwa-
chung)
Ob|ser|va|tor, der; -s, ...oren (wis-
senschaftl. Beobachter an einem
Observatorium); **Ob|ser|va|to|rin;
Ob|ser|va|to|ri|um**, das; -s, ...ien
([astron., meteorolog., geophysi-
kal.] Beobachtungsstation)
ob|ser|vie|ren (*auch für* polizeilich
überwachen)
Ob|ses|si|on, die; -, -en ⟨lat.⟩ (*Psych.*
Zwangsvorstellung)
ob|ses|siv
Ob|si|di|an, der; -s, -e ⟨lat.⟩ (ein
Gestein)
ob|sie|gen [*auch* 'ɔp...] (*veraltend
für* siegen, siegreich sein); ich
obsieg[t]e, habe obsiegt, zu
obsiegen (*österr. nur so*); *auch*
ich sieg[t]e ob, habe obgesiegt,
obzusiegen
ob|s|kur ⟨lat.⟩ (dunkel; verdächtig;
fragwürdig); **Ob|s|ku|ran|tis|mus**,
der; - (Aufklärungs- u. Wissen-
schaftsfeindlichkeit)

Ob|s|ku|ri|tät, die; -, -en (Dunkel-
heit, Unklarheit)
ob|so|let ⟨lat.⟩ (nicht mehr üblich;
veraltet)
Ob|sor|ge, die; - (*österr. Amtsspr.*,
sonst veraltet für sorgende Aufsicht)
Obst, das; -[e]s; **Obst|an|bau**
Obst|bau, der; -[e]s; **obst|bau|lich**
Obst|baum; Obst|blü|te
Obst|ern|te
Obst|es|sig
Ob|s|te|t|rik, die; - ⟨lat.⟩ (*Med.*
Lehre von der Geburtshilfe)
**Obst|gar|ten; Obst|händ|ler; Obst-
händ|le|rin**
ob|s|ti|nat ⟨lat.⟩ (starrsinnig, wider-
spenstig)
Ob|s|ti|pa|ti|on, die; -, -en ⟨lat.⟩
(*Med.* Stuhlverstopfung); **ob|s|ti-
piert** (verstopft)
Obst|kern; Obst|ku|chen
Obst|ler, Öbst|ler (*landsch. für*
Obsthändler; aus Obst gebrannter Schnaps)
Obst|le|rin, Öbst|le|rin (*landsch. für*
Obstverkäuferin)
Obst|mes|ser, das; **Obst|plan|ta|ge**
obst|reich
ob|s|t|ru|ie|ren ⟨lat.⟩ ([Parlaments-
beschlüsse] zu verhindern
suchen; hemmen); **Ob|s|t|ruk|ti-
on**, die; -, -en (Verschleppung
[der Arbeiten], Verhinderung
[der Beschlussfassung]; *Med.*
Verstopfung)
Ob|s|t|ruk|ti|ons|po|li|tik
Ob|s|t|ruk|ti|ons|tak|tik
ob|s|t|ruk|tiv (hemmend; *Med.* ver-
stopfend)
**Obst|saft; Obst|sa|lat; Obst|schaum-
wein; Obst|stei|ge** (*österr. für*
Obstkiste); **Obst|tag; Obst|tel|ler;
Obst|tor|te; Obst|was|ser** *Plur.*
...wässer; **Obst|wein**
ob|s|zön ⟨lat.⟩ (unanständig,
schamlos, schlüpfrig)
Ob|s|zö|ni|tät, die; -, -en
Obus, der; -ses, -se (*Kurzform von*
Oberleitungsomnibus)
Ob|wal|den (w.) Unterwalden ob
dem Wald; **Ob|wald|ner; ob|wald-
ne|risch**
ob|wal|ten [*auch* ...'val...]; es wal-
tet[e] ob, *auch* es obwaltet[e];
obgewaltet; obzuwalten; **ob|wal-
tend**; unter den obwaltenden
Umständen
ob|wohl; ob|zwar (*veraltend*)
Oc|ca|si|on, die; -, -en ⟨franz.⟩
(*schweiz. für* Okkasion [Gelegen-
heitskauf, Gebrauchtware])
och!

Och|lo|kra|tie, die; -, ...ien ⟨griech.⟩
(Pöbelherrschaft [im alten Grie-
chenland]); **och|lo|kra|tisch**
ochots|kisch (die russ. Hafenstadt
Ochotsk betreffend); *aber*
↑K 140 : das Ochotskische Meer
Ochs, der; -en, -en (*landsch. u.
österr. für* Ochse); **Öchs|chen**
Och|se, der; -n, -n
och|sen (*ugs. für* angestrengt arbei-
ten); du ochst
Och|sen|au|ge (*Archit.* ovales od.
rundes Dachfenster; *landsch. für*
Spiegelei)
Och|sen|brust; Och|sen|fie|sel
(*landsch. für* Ochsenziemer)
**Och|sen|fleisch; Och|sen|frosch;
Och|sen|kar|ren**
Och|sen|maul; Och|sen|maul|sa|lat
Och|sen|schlepp, der; -[e]s, -e
(*österr. für* Ochsenschwanz [als
Gericht]); **Och|sen|schlepp|sup|pe**
(*österr.*)
**Och|sen|schwanz; Och|sen|schwanz-
sup|pe**
Och|sen|tour (*ugs. für* anstren-
gende Arbeit, mühevolle [Beam-
ten]laufbahn)
Och|sen|zie|mer
Och|se|rei (*ugs.*)
och|sig (*ugs. für* dumm; plump)
Öchs|le, das; -s, - ⟨nach dem
Mechaniker⟩ (Maßeinheit für
das spezif. Gewicht des Mostes);
90° Öchsle; **Öchs|le|grad** ↑K 136
ocker ⟨griech.⟩ (gelbbraun); eine
ocker Wand; *vgl.* beige; **Ocker**,
der *od.*, österr. nur, das; -s, - (zur
Farbenherstellung verwendete
Tonerde; gelbbraune Maler-
farbe); in Ocker ↑K 72
ocker|braun
**Ocker|far|be; ocker|far|ben, ocker-
far|big**
ocker|gelb; ocker|hal|tig
Ock|ham ['ɔkɛm] (engl. mittelal-
terl. Theologe); **Ock|ha|mis|mus**,
der; - (Lehre des Ockham)
Oc|ta|via usw. *vgl.* Oktavia usw.
Od, das; -[e]s (angebl. Ausstrahlung des menschl. Körpers)
öd, öde
od. = oder
Oda (w. Vorn.)
Odal, das; -s, -e (*germ. Recht* Sip-
peneigentum an Grund und
Boden)
Oda|lis|ke, die; -, -n ⟨türk.⟩ (*früher*
weiße türk. Haremssklavin)
Odd|fel|low, der; -s, -s, **Odd Fel|low**,
der; - -s, - -s ⟨engl.⟩ (Angehöriger
einer urspr. engl. humanitären
Bruderschaft)

O
oblo

of|fen

↑K 89:

– ein offener Brief
– das offene Meer
– ein offener Wein (im Ausschank)
– offene Rücklage *(Wirtsch.)*
– auf offener Straße, Strecke
– offene Szene
– Beifall auf offener Bühne
– Tag der offenen Tür
– offene Handelsgesellschaft *(Abk.* OHG)
– mit offenen Karten spielen *(übertr. für* ohne Hintergedanken handeln)

Schreibung in Verbindung mit Verben ↑K 56:

– die Tür wird offen sein ↑K 49
– das Fenster muss offen bleiben, das Fenster offen lassen

– offen (im Ausschank) verkaufter Wein
– jmdm. etwas offen sagen
– die Tür offen stehen lassen

Aber:

– sie mussten ihre Vermögensverhältnisse offenlegen
Vgl. auch offenbleiben, offenhalten, offenlassen, offenstehen

In Verbindung mit einem adjektivisch gebrauchten Partizip kann bei nicht übertragener Bedeutung getrennt oder zusammengeschrieben werden:

– offen gesagt; offen gestanden
– ein offen gebliebenes *od.* offengebliebenes Fenster
– eine offen stehende *od.* offenstehende Tür
– *Aber nur:* eine noch offenstehende Frage

Odds *Plur.* ⟨engl.⟩ *(Sport* Vorgaben [bes. bei Pferderennen])

Ode, die; -, -n ⟨griech.⟩ (feierliches Gedicht)

öde, öd; Öde, die; -, -n

Odel *vgl.* ²Adel

Odem, der; -s *(geh. für* Atem)

Ödem, das; -s, -e ⟨griech.⟩ *(Med.* Gewebewassersucht); **öde|ma|tös** (ödemartig)

öden *(ugs. für* langweilen; *landsch. für* roden)

Oden|burg *(ung.* Sopron)

Oden|wald, der; -[e]s (Bergland östl. des Oberrheinischen Tieflandes); **Oden|wäl|der**

Ode|on, das; -s, -s ⟨franz.⟩ *(svw.* Odeum; *auch* Name von Gebäuden für Tanzveranstaltungen u. Ä.)

oder *(Abk.* od.); *vgl.* ähnlich *u.* entweder

Oder, die; - (ein Fluss); **Oder|bruch,** das *od.* der; -[e]s ↑K 143; **Oderhaff** *vgl.* Stettiner Haff ↑K 143

Oder|men|nig, Acker|men|nig, der; -[e]s, -e (eine Heilpflanze)

Oder-Nei|ße-Gren|ze, die; - ↑K 146; **Oder-Spree-Ka|nal,** der; -s ↑K 146

Odes|sa (ukrain. Hafenstadt)

Ode|um, das; -s, Odeen ⟨griech.-lat.⟩ (im Altertum rundes, theaterähnliches Gebäude für Musik- u. Theateraufführungen)

Odeur [o'dø:ɐ], das; -s, *Plur.* -s *u.* -e ⟨franz.⟩ (wohlriechender Duft)

OdF = Opfer des Faschismus

Öd|heit, die; -; **Ödig|keit,** die; -

Odin *(nord. Form für* Wodan)

odi|os, odi|ös ⟨lat.⟩ (widerwärtig, verhasst)

ödi|pal *(Psychoanalyse);* die ödipale Phase (Entwicklungsphase des Kindes)

Ödi|pus (in der griech. Sage König von Theben)

Ödi|pus|kom|plex (starke Bindung eines Kindes an den gegengeschlechtl. Elternteil, meist eines Jungen an seine Mutter)

Odi|um, das; -s ⟨lat.⟩ (übler Beigeschmack, Makel)

Öd|land, das; -[e]s

Öd|nis, die; - *(geh.)*

Odo (m. Vorn.)

Odo|a|ker (germ. Heerführer)

Odon|to|lo|ge, der; -n, -n; **Odon|to|lo|gie,** die; - ⟨griech.⟩ (Zahn[heil]kunde); **Odon|to|lo|gin**

Odys|see, die; -, ...sseen *(nur Sing.:* griech. Heldengedicht; *übertr. für* Irrfahrt); **odys|se|isch** (die Odyssee betreffend)

Odys|seus (in der griech. Sage König von Ithaka); *vgl.* Ulixes, Ulysses

Oe|bis|fel|de (Stadt in der Altmark)

OECD, die; - ⟨aus engl. Organization for Economic Cooperation and Development⟩ (Organisation für wirtschaftliche Entwicklung und Zusammenarbeit)

Oels|nitz ['œ...] (Stadt im Vogtland); **Oels|nitz (Erz|ge|bir|ge)** (Stadt am Rande des Erzgebirges)

OeNB, die; - = Oesterreichische Nationalbank

Oe|so|pha|gus *vgl.* Ösophagus

Œu|v|re ['ø:vrə], das; -, -s ⟨franz.⟩ ([Gesamt]werk eines Künstlers);

Œu|v|re|ka|ta|log; Œu|v|re|ver|zeich|nis

Oeyn|hau|sen, Bad ['ø:n...] (Badeort im Ravensberger Land)

OEZ = osteuropäische Zeit

Öf|chen

Ofen, der; -s, Öfen

Ofen|bank *Plur.* ...bänke

Ofen|bau|er *(vgl.* ¹Bauer); **Ofen|bau|e|rin**

ofen|fer|tig; ofenfertige Pizza

ofen|frisch

Ofen|hei|zung; Ofen|ka|chel

Ofen|rohr; Ofen|röh|re

Ofen|set|zer; Ofen|set|ze|rin

Ofen|tür

off ⟨engl.⟩ *(bes. Film, Fernsehen* nicht sichtbar [von einer/einem Sprechenden]; *Ggs.* on)

Off, das; - (das Unsichtbarbleiben der/des Sprechenden; *Ggs.* On); im, aus dem Off sprechen

Off|beat, der; - (rhythm. Eigentümlichkeit der Jazzmusik)

of|fen *s.* Kasten

Of|fen|bach, Jacques (dt.-franz. Komponist)

Of|fen|bach am Main; Of|fen|ba|cher

of|fen|bar [*auch* ...'ba:ɐ]

öf|fen|bar; öffenbare Fenster

of|fen|ba|ren *[österr. u. schweiz.* 'ɔf...]; du offenbarst, hast offenbart *od.* geoffenbart; zu offenbaren; sich offenbaren

Of|fen|ba|rung; Of|fen|ba|rungs|eid

of|fen|blei|ben; es ist keine Frage offengeblieben; *vgl. aber* offen

of|fen|hal|ten; wir werden uns mehrere Möglichkeiten offenhalten

Of|fen|heit, die; -

of|fen|her|zig; Of|fen|her|zig|keit
of|fen|kun|dig [auch ...'kʊn...];
Of|fen|kun|dig|keit, die; -
of|fen|las|sen; sie hat sich alle
Möglichkeiten offengelassen;
wen ich damit meine, möchte
ich vorerst noch offenlassen;
vgl. aber offen
of|fen|le|gen; seine Vermögens-
verhältnisse offenlegen
Of|fen|le|gung
Of|fen|markt|po|li|tik (Bankw.)
of|fen|sicht|lich [auch ...'zɪçt...];
Of|fen|sicht|lich|keit, die; -
of|fen|siv (lat.) (angreifend)
Of|fen|siv|bünd|nis
Of|fen|si|ve, die; -, -n ([militär.]
Angriff)
Of|fen|siv|krieg; Of|fen|siv|spiel
(Sport); Of|fen|siv|ver|tei|di|ger
(bes. Fußball); Of|fen|siv|ver-
tei|di|ge|rin; Of|fen|siv|waf|fe
Of|fen|stall (nach einer Seite hin
offener Stall)
of|fen|ste|hen; Ihnen stehen alle
Möglichkeiten offen; noch
offenstehende Fragen klären
wir später; vgl. aber offen
öf|fent|lich; ↑K 89 : die öffentliche
Meinung; die öffentliche Hand;
im öffentlichen od. Öffentlichen Dienst; ↑K 31 : öffentliche
und Privatmittel, aber Privat-
und öffentliche Mittel
Öf|fent|lich|keit, die; -; Öf|fent-
lich|keits|ar|beit, die; -
öf|fent|lich|keits|scheu; Öf|fent-
lich|keits|scheu, die; -
öf|fent|lich-recht|lich ↑K 23 ; die
öffentlich-rechtlichen Rundfunkanstalten
Of|fe|rent, der; -en, -en (Kauf-
mannsspr.) jmd., der eine
Offerte macht); Of|fe|ren|tin
of|fe|rie|ren (lat.) (anbieten, dar-
bieten)
Of|fert, das; -[e]s, -e (österr.), Of-
fer|te, die; -, -n (franz.) (Ange-
bot, Anerbieten); Of|fer|ten|ab-
ga|be
Of|fer|to|ri|um, das; -s, ...ien (lat.)
(Teil der kath. Messe)
Öf|fi, das; -s, -s (österr. ugs. für
öffentliches Verkehrsmittel)
[1]Of|fice [...fɪs], das; -, -s (engl.)
(engl. Bez. für Büro)
[2]Of|fice [...fɪs], das; -, -s (franz.)
(schweiz. für Anrichteraum im
Gasthaus)
Of|fi|zi|al, der; -s, -e (lat.) (Beam-
ter, bes. Vertreter des Bischofs
bei Ausübung der Gerichtsbar-

keit; österr. Beamtentitel, z. B.
Postoffizial)
Of|fi|zi|al|de|likt (Rechtsspr.)
Of|fi|zi|al|ver|tei|di|ger (amtlich
bestellter Verteidiger); Of|fi|zi-
al|ver|tei|di|ge|rin
Of|fi|zi|ant, der; -en, -en (einen
Gottesdienst haltender kath.
Priester; veraltet für Unterbe-
amter, Bediensteter)
of|fi|zi|ell (franz.) (amtlich; ver-
bürgt; förmlich)
Of|fi|zier [österr. auch ...'si:r], der;
-s, -e (franz.); Of|fi|zie|rin
Of|fi|ziers|an|wär|ter[1]; Of|fi|ziers-
an|wär|te|rin[1]
Of|fi|ziers|ka|si|no[1]
Of|fi|ziers|korps[1]
Of|fi|ziers|lauf|bahn[1]
Of|fi|ziers|mes|se[1] (vgl. [3]Messe)
Of|fi|ziers|rang[1]
Of|fi|zin, die; -, -en (lat.) (veraltet
für [größere] Buchdruckerei;
Apotheke); of|fi|zi|nal, of|fi|zi-
nell (arzneilich; als Heilmittel
anerkannt)
of|fi|zi|ös (lat.) (halbamtlich;
nicht verbürgt)
Of|fi|zi|um, das; -s, ...ien (kath.
Kirche [1]Messe [an hohen Feier-
tagen]; Stunden-, Chorgebet;
veraltet für [Dienst]pflicht)
off li|mits! (engl.) (Eintritt verbo-
ten!, Sperrzone!)
off|line [...laɪn] (EDV getrennt
von der Datenverarbeitungsan-
lage arbeitend); Off|line|be|trieb
öff|nen; sich öffnen
Öff|ner; Öff|nung
Öff|nungs|win|kel; Öff|nungs|zeit
Off|road|er [...roʊdɐ], der; -s, -
(engl.) (Geländefahrzeug); Off-
road|fahr|zeug [...roʊt...]
Off|set|druck Plur. ...drucke
(engl.; dt.) (Flachdruck[verfah-
ren]); Off|set|druck|ma|schi|ne
Off|shore|boh|rung [...ʃoːɐ̯...],
Off-Shore-Boh|rung (Bohrung
[nach Erdöl] von einer Bohrin-
sel aus)
Off|shore|wind|park,
Off-Shore-Wind|park (Wind-
energieanlage auf See)
off|side ['ɔfsaɪd] (engl.) (schweiz.
Sportspr. abseits); Off|side, das;
-s, -s (schweiz. Sportspr.
Abseits)
Off|spre|cher, Off-Spre|cher
(engl.; dt.) (Ferns., Film,
Theater); Off|spre|che|rin,
Off-Spre|che|rin; Off|stim|me,
Off-Stim|me
Ofir vgl. Ophir

O. F. M. = Ordo Fratrum Minorum (lat.) (Orden der Minder-
brüder, Franziskanerorden)
O. [F.] M. Cap. = Ordo [Fratrum]
Minorum Capucinorum (lat.)
(Orden der Minderen Kapuzi-
ner[brüder], Kapuzinerorden)
o-för|mig, O-för|mig ↑K 29
oft; öfter (vgl. d.), öftest (vgl. d.);
wie oft; so oft (vgl. sooft)
öf|ter; öfter als ...; öfter mal was
Neues; ↑K 72 : des Öfter[e]n;
öf|ters (landsch. für öfter)
öf|test; am öftesten (selten für am
häufigsten)
oft|ma|lig; oft|mals
o. g. = oben genannt
ÖGB, der; - = Österr. Gewerkschaftsbund
Oger, der; -s, - (franz.) (Menschen-
fresser in franz. Märchen)
ogi|val [auch ɔʒi...] (franz.)
(Kunstwiss. spitzbogig); Ogi|val-
stil (Baustil der [franz.] Gotik)
oh!; oh, das ist schade; ein über-
raschtes Oh; (in Verbindung mit
anderen Wörtern oft ohne h
geschrieben:) oh ja! od. o ja!; oh
weh! od. o weh!
OH = Ohio
oha!
Oheim, der; -s, -e (veraltet für
Onkel); vgl. [4]Ohm
OHG, die; -, -s = offene Handelsgesellschaft
[1]Ohio [o'hajo], der; -[s] (Nebenfluss
des Mississippis)
[2]Ohio (Staat in den USA; Abk. OH)
o[h], là, là! (ola'la) (franz.) (Ausruf
der Verwunderung)
[1]Ohm, das; -[e]s, -e (griech.) (früheres Flüssigkeitsmaß); 3 Ohm
[2]Ohm (dt. Physiker)
[3]Ohm, das; -[e]s, - (Einheit für den
elektr. Widerstand; Zeichen Ω);
vgl. ohmsch
[4]Ohm, der; -[e]s, -e (veraltet für
Onkel; vgl. Oheim)
Öhm, der; -[e]s, -e (westd. für
Oheim)
Öhmd, das; -[e]s (südwestd. für
das zweite Mähen); öhm|den
(südwestd. für nachmähen)
Ohm|me|ter, das; -s, - (zu [3]Ohm)
(Gerät zur Messung des elektr.
Widerstandes)
O. H. M. S. = On His (Her) Majes-
ty's Service (engl.) (Im Dienste
Seiner [Ihrer] Majestät)
ohmsch (zu [2]Ohm); der ohmsche

---

[1]Beim Militär meist ohne
Fugen-s.

O
offe

od. Ohm'sche Widerstand; das ohmsche *od.* Ohm'sche Gesetz ↑K 135 *u.* 89

oh|ne; *Präp. mit Akk.:* ohne ihren Willen; ohne dass ↑K 126 ; ohne weiteres *od.* Weiteres; ohne ohne (*ugs. für* busenfrei); zweifelsohne

oh|ne Be|fund (*Abk.* o. B.)

oh|ne|dem (*veraltet für* ohnedies)

oh|ne|dies

oh|ne|ei|n|an|der; ohneeinander auskommen; *aber:* ohne einander zu sehen

oh|ne|glei|chen

oh|ne|hin

oh|ne Jahr (bei Buchtitelangaben; *Abk.* o. J.)

Oh|ne-mich-Stand|punkt ↑K 26

oh|ne Ob|li|go [*auch* ...'ob...] (ohne Verbindlichkeit; *Abk.* o. O.)

oh|ne Ort (bei Buchtitelangaben; *Abk.* o. O.); oh|ne Ort und Jahr (bei Buchtitelangaben; *Abk.* o. O. u. J.)

oh|ne wei|te|res, ohne Wei|te|res; oh|ne|wei|ters (*österr. für* ohne weiteres)

Ohn|macht, die; -, -en; ohn|mäch|tig; Ohn|machts|an|fall

oho!

Ohr, das; -[e]s, -en; zu Ohren kommen

Öhr, das; -[e]s, -e (Nadelloch)

Öhr|chen (kleines Ohr *od.* Öhr)

Ohr|druf (Stadt in Thüringen)

Oh|ren|arzt; Oh|ren|ärz|tin; Oh|ren-beich|te

oh|ren|be|täu|bend

Oh|ren|ent|zün|dung

oh|ren|fäl|lig

Oh|ren|heil|kun|de, die; -; Oh|ren-klap|pe

Oh|ren|klipp *vgl.* Ohrklipp

oh|ren|krank

Oh|ren|krie|cher (Ohrwurm); Oh-ren|sau|sen, das; -s; Oh|ren-schmalz, das; -es

Oh|ren|schmaus, der; -es (Genuss für die Ohren); Oh|ren|schmerz *meist Plur.;* Oh|ren|schüt|zer; Oh-ren|ses|sel; Oh|ren|stöp|sel

Oh|ren|wei|de, die; - (*vgl.* Ohrenschmaus); Oh|ren|zeu|ge; Oh|ren|zeu|gin

Ohr|fei|ge; ohr|fei|gen; er hat mich geohrfeigt

...oh|rig (z. B. langohrig)

Ohr|klipp, Oh|ren|klipp (Ohr-schmuck); Ohr|läpp|chen

Ohr|mar|ke (bei Zuchttieren)

Ohr|mu|schel

Oh|ro|pax ®, das; -, - (Gehör-schutzstöpsel)

Ohr|ring; Ohr|schmuck

Ohr|spei|chel|drü|se; Ohr|spü|lung

Ohr|ste|cker

Ohr|trom|pe|te

Ohr|wa|schel, das; -s, -n (*österr. ugs. für* Ohrläppchen, Ohrmu-schel); Ohr|wurm (*ugs. auch für* leicht eingängige Melodie)

Oie, die; -, -n (Insel); Greifswalder Oie

Ois|t|rach (russ. Geiger)

o. J. = ohne Jahr

oje!; oje|mi|ne! *vgl.* jemine; oje-rum

OK = Oklahoma

o. k., O. K. = okay

Oka [*auch* 'oka], die; - (r. Neben-fluss der Wolga)

Oka|pi, das; -s, -s ⟨afrik.⟩ (kurzhal-sige Giraffenart)

Oka|ri|na, die; -, *Plur.* -s *u.* ...nen ⟨ital.⟩ (tönernes Blasinstru-ment)

okay [o'ke:] ⟨amerik.⟩ (richtig, in Ordnung; *Abk.* o. k. *od.* O. K.); Okay, das; -[s], -s; sein Okay geben

Oke|a|ni|de, Oze|a|ni|de, die; -, -n ⟨griech.⟩ (*griech. Mythol.* Meer-nymphe); Oke|a|nos (Weltstrom; Gott des Weltstromes)

Oker, die; - (l. Nebenfluss der Aller); Oker|tal|sper|re, Oker-Tal-sper|re, die; -

Ok|ka|si|on, die; -, -en ⟨lat.⟩ (*veral-tet für* Gelegenheit; *Kauf-mannsspr.* Gelegenheitskauf)

Ok|ka|si|o|na|lis|mus, der; - (eine philos. Lehre); Ok|ka|si|o|na|list, der; -en, -en; Ok|ka|si|o|na|lis|tin

ok|ka|si|o|nell ⟨franz.⟩ (gelegent-lich, Gelegenheits...)

Ok|ki|ar|beit ⟨ital.⟩ dt.⟩ (mit Schiff-chen ausgeführte Handarbeit, bei der aus Knoten Bogen und Ringe gebildet und zu einer Spitze vereinigt werden)

ok|klu|die|ren ⟨lat.⟩ (*veraltet für* einschließen; verdecken); Ok-klu|si|on, die; -, -en (*Med.* nor-male Schlussbissstellung der Zähne; *Meteor.* Zusammentref-fen von Kalt- u. Warmfront)

ok|klu|siv; Ok|klu|siv, der; -s, -e (*Sprachw.* Verschlusslaut, z. B. p, t, k)

ok|kult ⟨lat.⟩ (verborgen; heimlich; geheim); Ok|kul|tis|mus, der; - (Lehre vom Übersinnlichen); Ok|kul|tist, der; -en, -en; Ok|kul-tis|tin; ok|kul|tis|tisch

Ok|ku|pant, der; -en, -en ⟨lat.⟩ (*abwertend für* jmd., der frem-des Gebiet okkupiert); Ok|ku-pan|tin; Ok|ku|pa|ti|on, die; -, -en (Besetzung [fremden Gebietes] mit *od.* ohne Gewalt; *Rechtsw.* Aneignung herrenlosen Gutes); Ok|ku|pa|ti|ons|heer; Ok|ku|pa|ti-ons|macht

ok|ku|pie|ren

Ok|la|ho|ma (Staat in den USA; *Abk.* OK)

öko (*ugs. kurz für* ökologisch)

Öko, der; -s, -s (*ugs. scherzhaft für* Anhänger der Ökologiebewe-gung)

Öko|au|dit [*auch* ...'ɔ:dıt], das; -s, -s (Betriebsprüfung nach ökolo-gischen Gesichtspunkten)

Öko|bank *Plur.* ...banken (Kredit-institut zur Förderung von Umwelt- u. Friedensprojekten)

Öko|bi|lanz (Bilanz der Auswir-kungen eines Produkts auf die Umwelt); die Ökobilanz von Mehrwegflaschen

Öko|la|den (Laden, in dem nur umweltfreundliche Waren ver-kauft werden)

Öko|lo|ge, der; -n, -n; Öko|lo|gie, die; - ⟨griech.⟩ (Lehre von den Beziehungen der Lebewesen zur Umwelt); Öko|lo|gin; öko|lo-gisch; ökologische Nische; öko-logisches Bauen; ökologisches Gleichgewicht

Öko|nom, der; -en, -en ⟨griech.⟩ (Wirtschaftswissenschaftler; *veraltend für* [Land]wirt); Öko-no|mie, die; -, ...ien (Wirtschaft-lichkeit, sparsame Lebensfüh-rung *[nur Sing.];* Lehre von der Wirtschaft; *veraltet für* Land-wirtschaft[sbetrieb])

Öko|no|mie|rat (österr. Titel); Öko-no|mie|rä|tin

Öko|no|mik, die; - (Wirtschafts-wissenschaft, -theorie; wirt-schaftliche Verhältnisse [eines Landes, Gebietes]; *nach mar-xist. Lehre* Produktionsweise einer Gesellschaftsordnung); Öko|no|min; öko|no|misch

öko|no|mi|sie|ren (ökonomisch gestalten); Öko|no|mi|sie|rung

Öko|par|tei (*ugs. für* der Ökologie verschriebene politische Partei); Öko|steu|er (an ökologischen Gesichtspunkten orientierte Steuer, z. B. auf Energie)

Öko|strom (Strom, der nur aus umweltfreundlichen Energie-quellen stammt)

O

Ökos

Öko|sys|tem (zwischen Lebewesen und ihrem Lebensraum bestehende Wechselbeziehung)
Öko|tou|ris|mus (umweltbewusstes Reisen)
Öko|tro|pho|lo|ge, der; -n, -n; **Öko|tro|pho|lo|gie,** die; - (Haushalts- u. Ernährungswissenschaft);
Öko|tro|pho|lo|gin
Okt. = Oktober
Ok|ta|eder, das; -s, - ⟨griech.⟩ (Achtflächner); **ok|ta|ed|risch**
Ok|ta|gon vgl. Oktogon
Ok|tant, der; -en, -en ⟨lat.⟩ (achter Teil des Kreises od. der Kugel; nautisches Winkelmessgerät)
Ok|tan|zahl (Maßzahl für die Klopffestigkeit von Treibstoffen)
¹**Ok|tav,** das; -s ⟨Buchw. Achtelbogengröße [Buchformat]; *Zeichen* 8°, z. B. Lex.-8°); in Oktav; Großoktav *(vgl. d.)*
²**Ok|tav,** die; -, -en (kath. Feier; *österr. auch svw.* Oktave)
Ok|ta|va, die; -, ...ven *(österr. für* 8. Klasse des Gymnasiums)
Ok|tav|band, der *(Buchw.);* **Ok|tav|bo|gen**
Ok|ta|ve, die; -, ...ven, **Ok|tav,** die; -, -en *(Musik* achter Ton [vom Grundton an]; ein Intervall; *svw.* Ottaverime)
Ok|tav|for|mat *(Buchw.* Achtelgröße)
Ok|ta|via, Ok|ta|vie (röm. w. Eigenn.); **Ok|ta|vi|an, Ok|ta|vi|a|nus** (röm. Kaiser)
ok|ta|vie|ren ⟨lat.⟩ (in die Oktave überschlagen [von Blasinstrumenten])
Ok|tett, das; -[e]s, -e ⟨ital.⟩ (Komposition für acht Soloinstrumente od. -stimmen; Gruppe von acht Instrumentalsolisten; Achtergruppe von Elektronen)
Ok|to|ber, der; -[s], - ⟨lat.⟩ (zehnter Monat im Jahr; Gilbhard, Weinmonat, Weinmond; *Abk.* Okt.)
Ok|to|ber|fest (in München)
Ok|to|ber|re|vo|lu|ti|on (1917 in Russland)
Ok|t|o|de, die; -, -n ⟨griech.⟩ (Elektronenröhre mit acht Elektroden)
Ok|to|gon, das; -s, -e (Achteck; Bau mit achteckigem Grundriss); **ok|to|go|nal** (achteckig)
Ok|to|po|de, der; -n, -n *(Zool.* Achtfüßer)
Ok|to|pus, der; -, ...poden (Gattung achtarmiger Kraken)
ok|t|ro|y|ie|ren [...troa'ji:...]

⟨franz.⟩ (aufdrängen, aufzwingen)
oku|lar ⟨lat.⟩ (mit dem Auge, fürs Auge); **Oku|lar,** das; -s, -e (die dem Auge zugewandte Linse eines optischen Gerätes)
Oku|la|ti|on, die; -, -en (Pflanzenveredelungsart)
Oku|li (»Augen«) (vierter Sonntag vor Ostern)
oku|lie|ren (durch Okulation veredeln, äugeln); **Oku|lier|mes|ser,** das; **Oku|lie|rung**
Öku|me|ne, die; - ⟨griech.⟩ (bewohnte Erde; Gesamtheit der Christen; ökumenische Bewegung)
öku|me|nisch (allgemein; die ganze bewohnte Erde betreffend, Welt...); ↑ K 89 : ökumenische Bewegung (zwischen- u. überkirchl. Bestrebungen christlicher Kirchen u. Konfessionen); ökumenisches Konzil (allgemeine kath. Kirchenversammlung), *aber* ↑K 150 : der Ökumenische Rat der Kirchen
Öku|me|nis|mus, der; - *(kath. Kirche* Gesamtheit der Bemühungen um die Einheit der Christen)
Ok|zi|dent *[auch* ...'dent], der; -s ⟨lat.⟩ (Abendland; Westen; *vgl.* Orient); **ok|zi|den|tal, ok|zi|den|ta|lisch**
Öl, das; -[e]s, -e
O. L. = Oberlausitz
ö. L. = östliche Länge
Olaf (m. Vorn.)
Öl|alarm; Öl|ba|ron; Öl|ba|ro|nin; Öl|baum; Öl|be|häl|ter
Öl|berg, der; -[e]s (bei Jerusalem)
Öl|bild; Öl|boh|rung; Öl|bren|ner
Old Eco|no|my [...ɪˈkɔnəmi], die; - - ⟨engl.⟩ (traditionelle Wirtschaft im Ggs. zur New Economy)
Ol|den|burg (Landkreis in Niedersachsen)
¹**Ol|den|bur|ger**
²**Ol|den|bur|ger,** der; -s, - (eine Pferderasse)
Ol|den|bur|ger Geest, die; - - (Gebiet in Niedersachsen)
Ol|den|burg (Hol|stein) (Stadt in Schleswig-Holstein)
ol|den|bur|gisch; *aber* ↑K 140 : Oldenburgisches Münsterland
Ol|den|burg (Ol|den|burg) (Stadt in Niedersachsen)
Ol|des|loe, Bad [...'lo:] (Stadt in Schleswig-Holstein); **Ol|des|lo|er**
Ol|die [...di], der; -s, -s ⟨engl.-ame-

rik.⟩ (alter, beliebt gebliebener Schlager; *auch scherzh. für* Angehöriger einer älteren Generation)
Öl|druck; Öl|druck|brem|se *(Kfz-Technik)*
Old|ti|mer [...tai...], der; -s, - ⟨engl.⟩ (altes Modell eines Fahrzeugs [bes. Auto]; *auch scherzh. für* langjähriges Mitglied, älterer Mann)
olé! ⟨span.⟩ (los!, auf!, hurra!)
Olea *(Plur. von* Oleum)
Ole|an|der, der; -s, - ⟨ital.⟩ (ein immergrüner Strauch od. Baum); **Ole|an|der|schwär|mer** (ein Schmetterling)
Ole|at, das; -[e]s, -e ⟨griech.⟩ *(Chemie* Salz der Ölsäure)
Ole|fin, das; -s, -e (ein ungesättigter Kohlenwasserstoff); **ole|fin|reich**
Ole|in, das; -s, -e (ungereinigte Ölsäure)
ölen; Öler, der; -s, - (Gefäß zum Ölen)
Ole|um, das; -s, Olea (Öl; rauchende Schwefelsäure)
ol|fak|to|risch ⟨lat.⟩ *(Med., Psych.* den Geruchssinn betreffend)
Öl|far|be; Öl|far|ben|druck *Plur.* ...drucke
Öl|feu|e|rung; Öl|film (dünne Ölschicht); **Öl|fil|ter; Öl|fleck; Öl|för|de|rung; Öl|frucht**
OLG, das; - = Oberlandesgericht
Ol|ga (w. Vorn.)
Öl|ge|mäl|de
Öl|göt|ze; *nur in* dastehen, dasitzen wie ein Ölgötze *(ugs. für* stumm, unbeteiligt, verständnislos dastehen, dasitzen)
Öl|haut; Öl|hei|zung
öl|höf|fig (erdölhöffig)
Oli|fant *[auch* ...'fa...], der; -[e]s, -e ([Rolands] elfenbeinernes Hifthorn)
ölig
Oli|g|lä|mie, die; -, ...ien ⟨griech.⟩ *(Med.* Blutarmut)
Oli|g|arch, der; -en, -en (Anhänger der Oligarchie); **Oli|g|ar|chie,** die; -, ...ien (Herrschaft einer kleinen Gruppe); **Oli|g|ar|chin; oli|g|ar|chisch**
Oli|go|phre|nie, die; -, ...ien *(Med.* auf erblicher Grundlage beruhender od. sehr früh erworbener Intelligenzdefekt)
Oli|go|pol, das; -s, -e *(Wirtsch.* Marktbeherrschung durch wenige Großunternehmen)

oli|go|troph (nährstoffarm [von Ackerböden])

oli|go|zän (das Oligozän betreffend); Oli|go|zän, das; -s ⟨Geol. mittlerer Teil des Tertiärs⟩

Olim ⟨lat., »ehemals«⟩; nur in seit, zu Olims Zeiten ⟨scherzh. für vor langer Zeit⟩

Öl|in|dus|t|rie

Oli|tä|ten ® Plur. ⟨lat.⟩ (Naturheilmittel)

oliv ⟨griech.⟩ (olivenfarben); ein oliv Kleid; vgl. beige; Oliv, das; -s, Plur. -, ugs. -s; ein Kleid in Oliv ↑K 72

Oli|ve […və, österr. …fə], die; -, -n ⟨griech.⟩ (Frucht des Ölbaumes); Oli|ven|baum; Oli|ven|ern|te

oli|ven|far|ben, oli|ven|far|big

Oli|ven|öl

Oli|ver (m. Vorn.)

oliv|grau; oliv|grün

Oli|vin, der; -s, -e ⟨griech.⟩ (ein Mineral)

Öl|kan|ne; Öl|kri|se; Öl|ku|chen

oll (landsch. für alt); olle Kamellen (vgl. Kamellen)

Öl|lam|pe

Ol|le, der u. die; -n, -n (landsch. für Alte)

Öl|lei|tung; Öl|luft|pum|pe

Olm, der; -[e]s, -e (ein Lurch)

Ol|ma = Ostschweizerische landund milchwirtschaftliche Ausstellung (heute Schweizerische Messe für Land- und Milchwirtschaft, St. Gallen)

Öl|ma|le|rei; Öl|mess|stab; Öl|müh|le

Öl|mul|ti (ugs.; vgl. Multi)

Öl|ofen; Öl|pal|me; Öl|pa|pier

Öl|pest, die; - (Verschmutzung von Meeresküsten durch [auf dem Wasser treibendes] Rohöl)

Öl|pflan|ze; Öl|platt|form; Öl|preis

Öl|quel|le; Öl|raf|fi|ne|rie

Öl|sar|di|ne; Öl|säu|re, die; -; Öl|scheich (ugs.); Öl|schicht; Öl|stand; Öl|tank; Öl|tan|ker

Ol|ten (schweiz. Stadt); Ol|te|ner, Olt|ner

Öl|tep|pich

Olt|ner vgl. Oltener

Ölung; die Letzte Ölung (kath. Kirche früher für Krankensalbung)

öl|ver|schmiert

Öl|vor|kom|men; Öl|vor|rat; Öl|wan|ne (Technik); Öl|wech|sel

Olymp, der; -s (Gebirgsstock in Griechenland; Wohnsitz der Götter; scherzh. für Galerieplätze im Theater)

¹Olym|pia (altgriech. Nationalheiligtum)

²Olym|pia, das; -[s] (geh. für Olympische Spiele)

Olym|pi|a|de, die; -, -n (Olympische Spiele; selten für Zeitraum von vier Jahren zwischen zwei Olympischen Spielen; auch regional für Wettbewerb)

Olym|pia|dorf; Olym|pia|jahr

Olym|pia|mann|schaft; Olym|pia|me|dail|le; Olym|pia|norm

olym|pia|reif

Olym|pia|sieg; Olym|pia|sie|ger; Olym|pia|sie|ge|rin

Olym|pia|sta|di|on

Olym|pia|teil|neh|mer; Olym|pia|teil|neh|me|rin

olym|pia|ver|däch|tig (ugs. für sportlich hervorragend)

Olym|pia|zwei|te, der u. die; -n, -n

Olym|pi|er (Beiname der griech. Götter, bes. des Zeus; gelegentlicher Beiname Goethes)

Olym|pi|o|ni|ke, der; -n, -n (Sieger od. Teilnehmer an den Olympischen Spielen); Olym|pi|o|ni|kin

olym|pisch

(göttlich, himmlisch; die Olympischen Spiele betreffend)

Kleinschreibung ↑K 89:

– olympische Ruhe, olympisches Dorf

– der olympische Eid, das olympische Feuer

Großschreibung in Namen ↑K 88:

– die Olympischen Spiele

– Internationales Olympisches Komitee (Abk. IOK)

– Nationales Olympisches Komitee (Abk. NOK)

Olynth (altgriech. Stadt); olyn|thisch; ↑K 89 die olynthischen Reden des Demosthenes

Öl|zeug; Öl|zweig

Oma, die; -, -s (fam. für Großmutter)

Omai|ja|de, der; -n, -n (Angehöriger eines arab. Herrschergeschlechtes)

Oma|ma, die; -, -s (svw. Oma)

Oman (Staat auf der Arabischen Halbinsel); Oma|ner; Oma|ne|rin; oma|nisch

Omar [auch ˈɔ…] (arab. Eigenn.)

Om|b|ro|graf, Om|b|ro|graph, der; -en, -en ⟨griech.⟩ (Meteor. Gerät

zur Aufzeichnung des Niederschlags)

Om|buds|frau ⟨engl.; dt.⟩ (Frau, die die Rechte der Bürger[innen] gegenüber den Behörden wahrnimmt); Om|buds|leu|te Plur. von Ombudsmann; Gesamtheit der Ombudsfrauen u. Ombudsmänner); Om|buds|mann Plur. …männer, selten …leute; vgl. Ombudsfrau

O. M. Cap. vgl. O. [F.] M. Cap.

Ome|ga, das; -[s], -s (griech. Buchstabe [langes O]; Ω ω); vgl. Alpha

Ome|lett [ɔm(ə)…], das; -[e]s, Plur. -e u. -s und, österr., schweiz. nur, Ome|lette [ɔm(ə)ˈlɛt], die; -, -n ⟨franz.⟩ (Eierkuchen); Omelette aux fines herbes [- ofinˈzɛrb] (mit Kräutern)

Omen, das; -s, Plur. - u. Omina ⟨lat.⟩ (Vorzeichen; Vorbedeutung)

Omi, die; -, -s ⟨Koseform von Oma⟩

Omi|k|ron, das; -[s], -s ⟨griech. Buchstabe [kurzes O]; O, ο⟩

Omi|na (Plur. von Omen)

omi|nös ⟨lat.⟩ (unheilvoll; anrüchig)

Omis|siv|de|likt ⟨lat.⟩ (Rechtsw. Unterlassungsdelikt)

om ma|ni pad|me hum (myst. Formel des lamaist. Buddhismus)

om|nia ad ma|io|rem Dei glo|ri|am vgl. ad maiorem …

Om|ni|bus, der; -ses, -se ⟨lat.⟩ (Kurzw. Bus)

Om|ni|bus|bahn|hof; Om|ni|bus|fahrt; Om|ni|bus|li|nie

om|ni|po|tent (allmächtig); Om|ni|po|tenz, die; - (Allmacht)

om|ni|prä|sent (allgegenwärtig)

Om|ni|prä|senz (Allgegenwart)

Om|ni|um, das; -s, …ien (Radsport aus mehreren Bahnwettbewerben bestehender Wettkampf)

Om|ni|vo|re, der; -n, -n meist Plur. (Zool. Allesfresser)

Om|pha|le […le] (lyd. Königin)

Om|pha|li|tis, die; -, …itiden ⟨griech.⟩ (Med. Nabelentzündung)

Omsk (Stadt in Sibirien)

O. m. U. = Originalfassung mit Untertiteln (Film, Fernsehen)

on ⟨engl.⟩ (bes. Ferns. sichtbar [von einer/einem Sprechenden]); On, das; - (das Sichtbarsein der/des Sprechenden); im On

Ona|ger, der; -s, - ⟨lat.⟩ (Halbesel in Südwestasien)

O

Onag

747

on air [...'ɐ:ɐ̯] (*Rundf.* auf Sendung)

Onan (bibl. m. Eigenn.)

Ona|nie, die; - ⟨nach Onan⟩ (geschlechtl. Selbstbefriedigung); **ona|nie|ren**

ÖNB, die; - = Österr. Nationalbibliothek

On|dit [õ'di:], das; -, -s ⟨franz.⟩ (Gerücht); einem Ondit zufolge

On|du|la|ti|on, die; -, -en ⟨franz.⟩ (das Wellen der Haare mit der Brennschere); **on|du|lie|ren; On|du|lie|rung**

One|ga|see, One|ga-See, der; -s (See in Russland)

Onei|da|see, Onei|da-See, der; -s (See im Staat New York)

O'Neill [o'ni:l] (amerik. Dramatiker)

One-Night-Stand ['wannaitstɛnd], der; -s, -s ⟨engl.⟩ (flüchtiges sexuelles Abenteuer)

One|stepp ['wanstɛp], der; -s, -s ⟨engl., »Einschritt«⟩ (ein Tanz)

On|kel, der; -s, *Plur.* -, *ugs. auch* -s; **on|kel|haft**

On|ko|lo|ge, der; -n, -n ⟨griech.⟩; **On|ko|lo|gie,** die; - (*Med.* Lehre von den Geschwülsten); **On|ko|lo|gin; on|ko|lo|gisch**

on|line [...lain] ⟨engl.⟩ (*EDV* in direkter Verbindung mit der Datenverarbeitungsanlage arbeitend)

On|line|ban|king [...bɛŋkɪŋ], das; -[s] (computergestützte Abwicklung von Bankgeschäften); **On|line|be|trieb; On|line-dienst; On|line|shop|ping; On|line|zei|tung**

ONO = Ostnordost[en]

Öno|lo|gie, die; - ⟨griech.⟩ (Wein[bau]kunde); **öno|lo|gisch**

Ono|ma|sio|lo|gie, die; - ⟨griech.⟩ (*Sprachw.* Bezeichnungslehre); **ono|ma|sio|lo|gisch**

Ono|mas|tik, die; - (Namenkunde); **Ono|mas|ti|kon,** das; -s, *Plur.* ...ken *u.* ...ka (Wörterverzeichnis in Antike u. Mittelalter)

ono|ma|to|po|e|tisch (laut-, klang-, schallnachahmend)

Ono|ma|to|pö|ie, die; -, ...jen (Bildung eines Wortes durch Lautnachahmung, Lautmalerei, z. B. »Kuckuck«)

Öno|me|ter, das; -s, - ⟨griech.⟩ (Weinmesser [zur Bestimmung des Alkoholgehaltes])

Ōnorm (österr. Norm)

On|spre|cher, Ọn-Spre|cher ⟨engl.;

dt.⟩ (*Ferns., Film, Theater*); **On|spre|che|rin, Ọn-Spre|che|rin**

On|ta|rio [*auch* ...'tɛ:...] (kanad. Provinz); **On|ta|rio|see, On|ta-rio-See,** der; -s

on the rocks [- ðə -] ⟨engl.⟩ (mit Eiswürfeln [bei Getränken])

On|to|ge|ne|se, On|to|ge|nie, die; - ⟨griech.⟩ (*Biol.* Entwicklung des Einzelwesens); **on|to|ge|ne|tisch**

On|to|lo|gie, die; - (*Philos.* Wissenschaft vom Seienden); **on|to|lo|gisch**

Ọnyx, der; -[es], -e ⟨griech.⟩ (ein Halbedelstein)

OÖ = Oberösterreich

o. O. = ohne Obligo; ohne Ort

o. ö. = ordentliche[r] öffentliche[r] (z. B. Professor[in] [*Abk.* o. ö. Prof.])

Oo|ge|ne|se, die; - ⟨griech.⟩ (*Med.* Entwicklung der Eizelle); **oo|ge-ne|tisch**

Oo|lith, der; *Gen.* -s *u.* -en, *Plur.* -e[n] (ein Gestein)

Oo|lo|gie, die; - (Wissenschaft vom Vogelei)

o. ö. Prof. = ordentliche[r] öffentliche[r] Professor[in]

o. O. u. J. = ohne Ort und Jahr

¹OP [o'pe:], der; -[s], -[s] (Operationssaal)

²OP [o'pe:], die; -, -s (Operation)

op. = opus; *vgl.* Opus

o. P. = ordentliche[r] Professor[in]; *vgl.* Professor

O. P., O. Pr. = Ọrdo [Fratrum] Praedicatọrum ⟨lat.⟩ (Orden der Prediger; Dominikanerorden)

Ọpa, der; -s, -s (*fam. für* Großvater)

opak ⟨lat.⟩ (*fachspr. für* undurchsichtig, lichtundurchlässig)

Opal, der; -s, -e ⟨sanskr.⟩ (ein Schmuckstein; ein Gewebe); **opa|len** (aus Opal, durchscheinend wie Opal)

Opa|les|zenz, die; - (opalartiges Schillern); **opa|les|zie|ren, opa|li-sie|ren**

Opal|glas *Plur.* ...gläser

Opan|ke, die; -, -n ⟨serb.⟩ (sandalenartiger Schuh [mit am Unterschenkel kreuzweise gebundenen Lederriemen])

Opa|pa, der; -s, -s (*svw.* Opa)

Ọp-Art, die; - ⟨amerik.⟩ (eine moderne Kunstrichtung)

Opa|zi|tät, die; - ⟨*zu* opak⟩ (*fachspr. für* Undurchsichtigkeit)

OPEC ['o:pɛk], die; - = Organization of the Petroleum Exporting

Countries (Organisation der Erdöl exportierenden Länder)

Ọpel ®, der; -s, - ⟨nach dem Maschinenbauer u. Unternehmer Adam Opel⟩ (deutsche Kraftfahrzeugmarke)

Open Air [...'lɛ:ɐ̯], das; - -s, - -s ⟨*kurz für* Open-Air-Festival od. -Konzert⟩

Open-Air-Fes|ti|val ⟨engl.⟩ (Musikveranstaltung im Freien); **O|pen-Air-Kon|zert**

open end ⟨engl.⟩ (ohne ein vorher auf einen bestimmten Zeitpunkt festgesetztes Ende)

Open End, das; - -s, - -s (*kurz für* Open-End-Veranstaltung)

O|pen-End-Dis|kus|si|on; O|pen-End-Ver|an|stal|tung

Open Source [... 'so:ɐs], die; --, --s [...sɪs] (*kurz für* Open-Source-Software)

Open-Source-Soft|ware ⟨engl.⟩ (*EDV* frei zugängliche u. verwendbare Software)

Ọper, die; -, -n ⟨ital.⟩

Ope|ra (*Plur. von* Opus)

ope|ra|bel ⟨lat.⟩ (so, dass man damit arbeiten kann; *Med.* operierbar)

Ọpe|ra buf|fa, die; - -, ...re ...ffe ⟨ital.⟩ (komische Oper)

Ope|rand, der; -en, -en ⟨lat.⟩ (*Math., EDV* Gegenstand einer Operation)

Ọpe|ra se|ria, die; - -, ...re ...rie (ernste Oper)

Ope|ra|teur [...'tø:ɐ̯], der; -s, -e ⟨franz.⟩ (eine Operation vornehmender Arzt; Kameramann; Filmvorführer; *auch für* Operator); **Ope|ra|teu|rin**

Ope|ra|ti|on, die; -, -en ⟨lat.⟩ (chirurg. Eingriff, *Abk.* OP; [militärische] Unternehmung; Rechenvorgang; Verfahren)

ope|ra|ti|o|nal (sich durch bestimmte Verfahren vollziehend); **ope|ra|ti|o|na|li|sie|ren** (durch Angabe der Verfahren präzisieren)

Ope|ra|ti|ons|ba|sis

Ope|ra|ti|ons|saal (*Abk.* OP); **Ope-ra|ti|ons|schwes|ter; Ope|ra|ti-ons|tisch**

ope|ra|tiv (*Med.* auf chirurgischem Wege, durch Operation; *Milit.* strategisch); operativer Eingriff

Ope|ra|tor [*auch* 'ɔpəre:tɐ], der; -s, *Plur.* ...ọren, *auch* -s ['ɔpəre:tɐs] (jmd., der eine EDV-Anlage überwacht u. bedient); **Ope|ra-to|rin**

O

Onan

Ope|ret|te, die; -, -n ⟨ital.⟩ (heiteres musikal. Bühnenwerk)

ope|ret|ten|haft

Ope|ret|ten|kom|po|nist; Ope|ret|ten|me|lo|die; Ope|ret|ten|mu|sik; Ope|ret|ten|staat Plur. ...staaten (scherzh.)

ope|rie|ren ⟨lat.⟩ (eine Operation durchführen; in best. Weise vorgehen; mit etwas arbeiten)

Opern|arie; Opern|ball (vgl. ²Ball); Opern|füh|rer; Opern|glas Plur. ...gläser; Opern|gu|cker (ugs. für Opernglas)

opern|haft

Opern|haus; Opern|me|lo|die; Opern|mu|sik; Opern|sän|ger; Opern|sän|ge|rin

Op|fer, das; -s, -; Opfer des Faschismus (Abk. OdF)

op|fer|be|reit; Op|fer|be|reit|schaft, die; -

Op|fer|freu|dig|keit; Op|fer|ga|be; Op|fer|gang, der; Op|fer|geist, der; -[e]s; Op|fer|geld, das; -[e]s; Op|fer|lamm

op|fern; ich opfere; sich opfern

Op|fer|pfen|nig; Op|fer|scha|le

Op|fer|sinn, der; -[e]s

Op|fer|stock Plur. ...stöcke (in Kirchen aufgestellter Sammelkasten); Op|fer|tier; Op|fer|tod

Op|fe|rung

Op|fer|wil|le; op|fer|wil|lig; Op|fer|wil|lig|keit, die; -

Ophe|lia (Frauengestalt bei Shakespeare)

Ophio|la|t|rie, die; - ⟨griech.⟩ (religiöse Schlangenverehrung)

Ophir, ökum. Ofir ⟨hebr.⟩ (Goldland im A. T.)

Ophit, der; -en, -en ⟨griech.⟩ (Schlangenanbeter, Angehöriger einer Sekte); Ophi|u|chus, der; - ⟨»Schlangenträger«⟩ (ein Sternbild)

Oph|thal|m|i|a|t|rie, Oph|thal|mi|a|t|rik, die; - ⟨griech.⟩ (Med. Augenheilkunde); Oph|thal|mie, die; -, ...ien (Augenentzündung)

Oph|thal|mo|lo|ge, der; -n, -n (Augenarzt); Oph|thal|mo|lo|gie, die; - (Lehre von den Augenkrankheiten); Oph|thal|mo|lo|gin; oph|thal|mo|lo|gisch

Opi|at, das; -[e]s, -e ⟨griech.⟩ (opiumhaltiges Arzneimittel)

Opi|o|id, das; -s, -e (ein Schmerzmittel)

Opi|um, das; -s (ein Betäubungsmittel u. Rauschgift); Opi|um|ge|setz

opi|um|hal|tig

Opi|um|han|del (vgl. ¹Handel); Opi|um|krieg, der; -[e]s (1840–42)

Opi|um|pfei|fe; Opi|um|rau|cher; Opi|um|rau|che|rin; Opi|um|schmug|gel

Op|la|den (Stadt in Nordrhein-Westfalen)

ÖPNV, der; - = öffentlicher Personennahverkehr

Opo|le (poln. Stadt an der Oder; vgl. Oppeln)

Opos|sum, das; -s, -s ⟨indian.⟩ (amerik. Beutelratte; auch für Pelz dieses Tieres)

Op|peln (poln. Opole); Op|pel|ner

Op|po|nent, der; -en, -en ⟨lat.⟩ (Gegner [im Redestreit]); Op|po|nen|tin; op|po|nie|ren (widersprechen; sich widersetzen)

op|por|tun ⟨lat.⟩ (passend, nützlich, angebracht; zweckmäßig)

Op|por|tu|nis|mus, der; - (prinzipienloses Anpassen an die jeweilige Lage; Handeln nach Zweckmäßigkeit)

Op|por|tu|nist, der; -en, -en; Op|por|tu|nis|tin; op|por|tu|nis|tisch

Op|por|tu|ni|tät, die; -, -en (günstige Gelegenheit, Vorteil, Zweckmäßigkeit)

Op|por|tu|ni|täts|prin|zip (strafrechtlicher Grundsatz, nach dem die Erhebung einer Anklage in das Ermessen der Anklagebehörde gestellt ist)

Op|po|si|ti|on, die; -, -en ⟨lat.⟩; op|po|si|ti|o|nell ⟨franz.⟩ (gegensätzlich; gegnerisch; zum Widerspruch neigend)

Op|po|si|ti|ons|füh|rer; Op|po|si|ti|ons|füh|re|rin; Op|po|si|ti|ons|geist, der; -[e]s; Op|po|si|ti|ons|par|tei; Op|po|si|ti|ons|po|li|ti|ker; Op|po|si|ti|ons|po|li|ti|ke|rin

Op|po|si|ti|ons|wort Plur. ...wörter (für Antonym)

Op|pres|si|on, die; -, -en ⟨lat.⟩ (veraltet für Unterdrückung; Med. Beklemmung)

O. Pr. vgl. O. P.

OP-Schwes|ter [o:'pe:...] (Med.)

Op|tant, der; -en, -en ⟨lat.⟩ (jmd., der optiert)

Op|ta|tiv, der; -s, -e (Sprachw. Wunsch-, auch Möglichkeitsform des Verbs)

op|tie|ren (sich für etwas entscheiden; die Voranwartschaft auf etwas geltend machen)

Op|tik, die; -, -en Plur. selten ⟨griech.⟩ (Lehre vom Licht; Linsensystem eines opt. Gerätes; optischer Eindruck, optische

Wirkung); Op|ti|ker (Hersteller od. Verkäufer von Brillen u. optischen Geräten); Op|ti|ke|rin

Op|ti|ma (Plur. von Optimum)

op|ti|ma fi|de ⟨lat., »in bestem Glauben«⟩

op|ti|mal (bestmöglich)

Op|ti|mat, der; -en, -en (Angehöriger der herrschenden Geschlechter im alten Rom)

op|ti|mie|ren (optimal gestalten); Op|ti|mie|rung

Op|ti|mis|mus, der; - (Ggs. Pessimismus); Op|ti|mist, der; -en, -en; Op|ti|mis|tin; op|ti|mis|tisch

Op|ti|mum, das; -s, ...tima (höchster erreichbarer Wert)

Op|ti|on, die; -, -en ⟨lat.⟩ (Wahl einer bestimmten Staatsangehörigkeit; Rechtsw., Wirtsch. Voranwartschaft auf Erwerb od. zukünftige Lieferung einer Sache)

op|ti|o|nal (nicht zwingend; nach eigener Wahl); Op|ti|ons|schein (Wirtsch. Urkunde, die die Option garantiert u. an der Börse gehandelt wird)

op|tisch ⟨griech.⟩ (die Optik, das Sehen betreffend); optische Täuschung

Op|to|elek|t|ro|nik (Teilgebiet der Elektronik, das sich mit den auf der Wechselwirkung von Optik u. Elektronik beruhenden physikalischen Effekten befasst); op|to|elek|t|ro|nisch

Op|to|me|ter, das; -s, - (Med. Sehweitenmesser); Op|to|me|t|rie, die; - (Sehkraftbestimmung)

opu|lent ⟨lat.⟩ (reich[lich], üppig); Opu|lenz, die; -

Opun|tie, die; -, -n ⟨griech.⟩ (Feigenkaktus)

Opus [auch 'ɔ...], das; -, Opera ⟨lat.⟩ ([musikal.] Werk; Abk. in der Musik op.)

OR = Oregon

Ora|dour-sur-Glane [...dursyr'glan] (franz. Ort)

ora et la|bo|ra! ⟨lat., »bete und arbeite!«⟩ (Mönchsregel des Benediktinerordens)

Ora|kel, das; -s, - ⟨lat.⟩ (rätselhafte Weissagung; auch Ort, an dem Seherinnen od. Priester Weissagungen verkünden)

ora|kel|haft; ora|keln (in dunklen Andeutungen sprechen); ich orak[e]le

Ora|kel|spruch

oral ⟨lat.⟩ (Med. den Mund betreffend, durch den Mund; mit dem

O

oral

Mund); Oral|sex (*ugs. für* Oralverkehr); Oral|ver|kehr, der; -[e]s (oraler Geschlechtsverkehr)

oran|ge [oˈrãːʒə, *auch, bes. österr.* oˈrãːʃ] ⟨pers.-franz.⟩ (goldgelb; orangenfarbig); ein orange Band; *vgl.* beige

¹Oran|ge, die; -, -n (*bes. südd., österr. u. schweiz. für* Apfelsine)

²Oran|ge, das; -, *Plur.* -, *ugs.* -s (orange Farbe); in Orange ↑K 72

Oran|gea|de [...ˈʒaː...], die; -, -n (unter Verwendung von Orangensaft bereitetes Getränk)

Oran|geat [...ˈʒaːt], das; -s, *Plur. (Sorten:)* -e (eingezuckerte Apfelsinenschalen)

oran|gen; der Himmel färbt sich orangen

Oran|gen|baum; Oran|gen|blü|te

oran|ge[n]|far|ben, oran|ge[n]|far|big

Oran|gen|haut, die; - (*Med.* Zellulitis)

Oran|gen|juice *(bes. österr.)*; Orangen|mar|me|la|de; Oran|gen|saft; Oran|gen|scha|le

Oran|ge|rie [orãʒəˈriː], die; -, ...ien (Gewächshaus zum Überwintern von empfindlichen Pflanzen)

oran|ge|rot

Orang-Utan, der; -s, -s ⟨malai.⟩ (ein Menschenaffe)

Ora|ni|en (niederl. Fürstengeschlecht); Ora|ni|er, der; -s, - (zu Oranien Gehörender); Ora|ni|e|rin

Oran|je, der; -[s] (Fluss in Südafrika); Oran|je|frei|staat, Oranje-Frei|staat, der; -[e]s (Provinz der Republik Südafrika)

ora pro no|bis! ⟨lat., »bitte für uns!«⟩ (formelhafte Bitte in Litaneien)

Ora|tio ob|li|qua, die; - - ⟨lat.⟩ (*Sprachw.* indirekte Rede)

Ora|tio rec|ta, die; - - (*Sprachw.* direkte Rede)

Ora|to|ri|a|ner, der; -s, - (Angehöriger einer kath. Weltpriestervereinigung)

ora|to|risch (rednerisch; *Musik* in der Art eines Oratoriums)

Ora|to|ri|um, das; -s, ...ien (episch-dramat. Komposition für Solostimmen, Chor u. Orchester; *kath. Kirche* Andachtsraum)

ORB, der; - = Ostdeutscher Rundfunk Brandenburg

Or|bis pic|tus, der; - - ⟨lat.,

»gemalte Welt«⟩ (Unterrichtsbuch des Comenius)

Or|bit, der; -s, -s ⟨engl.⟩ (*Raumfahrt* Umlaufbahn)

Or|bi|ta, die; -, ...tae ⟨lat.⟩ (*Med.* Augenhöhle)

or|bi|tal (*Raumfahrt* den Orbit betreffend; *Med.* zur Augenhöhle gehörend)

Or|bi|tal|bahn; Or|bi|tal|ra|ke|te; Or|bi|ter, der; -s, - (*Raumfahrt* Flugkörper, der in einen Orbit gebracht wird)

Or|ca, der; -s, -s, Or|ca|wal ⟨lat.⟩ (Schwertwal)

Or|ches|ter [...ˈkɛs...], österr. auch ...ˈçɛs...], das; -s, - ⟨griech.⟩ (Vereinigung einer größeren Zahl von Instrumentalmusiker[inne]n; vertiefter Raum für die Musizierenden vor der Bühne)

Or|ches|ter|be|glei|tung; Or|ches|ter|gra|ben; Or|ches|ter|lei|ter, der; Or|ches|ter|lei|te|rin

Or|ches|t|ra [ɔrˈçɛs...], die; -, ...stren (Tanzraum des Chors im altgriech. Theater)

or|ches|t|ral [...kɛs..., österr. auch ...çɛs...] (zum Orchester gehörend); or|ches|t|rie|ren (für Orchester bearbeiten, instrumentieren); Or|ches|t|rie|rung

Or|ches|t|ri|on [...ˈçɛs...], das; -s, ...ien (ein mechan. Musikinstrument)

Or|chi|dee, die; -, -n ⟨griech.⟩ (eine Zierpflanze); Or|chi|de|en|art; Or|chi|de|en|fach (ausgefallenes Studienfach)

Or|chis, die; -, - (Knabenkraut); Or|chi|tis, die; -, ...itiden (*Med.* Hodenentzündung)

Or|dal, das; -s, ...ien ⟨angelsächs.⟩ (mittelalterl. Gottesurteil)

Or|den, der; -s, - ⟨lat.⟩ ([klösterliche] Gemeinschaft mit best. Regeln; Ehrenzeichen)

or|den|ge|schmückt ↑K 59

Or|dens|band, das; *Plur.* ...bänder

Or|dens|bru|der; Or|dens|frau; Or|dens|mann *Plur.* ...männer u. ...leute; Or|dens|re|gel; Or|dens|rit|ter; Or|dens|schwes|ter

Or|dens|span|ge; Or|dens|stern

Or|dens|tracht

Or|dens|ver|lei|hung

or|dent|lich; ordentliches (zuständiges) Gericht; ordentliche Professorin, ordentlicher Professor (*Abk.* o. P.); ordentliche öffentliche Professorin, ordentlicher öffentlicher Professor (*Abk.* o. ö. Prof.)

or|dent|li|cher|wei|se; Or|dent|lichkeit, die; -

Or|der, die; -, *Plur.* -n *od. (Kaufmannsspr. nur:)* -s ⟨franz.⟩ (Befehl; *Kaufmannsspr.* Bestellung, Auftrag)

Or|der|buch; Or|der|ein|gang

or|dern (*Kaufmannsspr.* bestellen); ich ordere

Or|der|pa|pier (Wertpapier, das im Papier bezeichnete Person durch Indossament übertragen kann)

Or|di|na|le, das; -[s], ...lia *meist Plur.* ⟨lat.⟩ (Ordinalzahl)

Or|di|nal|zahl (Ordnungszahl, z. B. »zweite«)

or|di|när ⟨franz.⟩ (gewöhnlich, alltäglich; unfein, unanständig)

Or|di|na|ria, die; -, ...ien *od.* ...iae ⟨lat.⟩ (Inhaberin eines Lehrstuhls an einer Hochschule)

Or|di|na|ri|at, das; -[e]s, -e (ordentliche Hochschulprofessur; eine kirchl. Behörde)

Or|di|na|ri|um, das; -s, ...ien (ordentlicher Staatshaushalt)

Or|di|na|ri|us, der; -, ...ien (Inhaber eines Lehrstuhls an einer Hochschule)

Or|di|när|preis (vom Verleger festgesetzter Buchverkaufspreis; Marktpreis im Warenhandel)

Or|di|na|te, die; -, -n (*Math.* auf der Ordinatenachse abgetragene zweite Koordinate eines Punktes); Or|di|na|ten|ach|se (senkrechte Achse des rechtwinkligen Koordinatensystems)

Or|di|na|ti|on, die; -, -en (Weihe, Einsetzung [eines Geistlichen] ins Amt; ärztliche Verordnung, Sprechstunde; *österr. auch für* Arztpraxis)

Or|di|na|ti|ons|hil|fe *(österr.)*; Or|di|na|ti|ons|zim|mer *(österr.)*

or|di|nie|ren (*Verb zu* Ordination)

ord|nen; Ord|ner

Ord|nung; Ordnung halten

Ord|nungs|amt

ord|nungs|ge|mäß; ord|nungs|hal|ber; *aber* der Ordnung halber

Ord|nungs|hü|ter (*scherzh. für* Polizist); Ord|nungs|hü|te|rin

Ord|nungs|kraft *meist Plur.* (jmd., der für die Wahrung u. Wiederherstellung der öffentlichen Ordnung u. Sicherheit zuständig ist)

Ord|nungs|lie|be; ord|nungs|lie|bend

Ord|nungs|po|li|zei; Ord|nungs|prin|zip; Ord|nungs|ruf

Ord|nungs|sinn, der; -[e]s

Ord|nungs|stra|fe

**ord|nungs|wid|rig; Ord|nungs|wid-
rig|keit**

Ord|nungs|zahl (*für* Ordinalzahl)

or|do|li|be|ral (einen durch straffe
Ordnung gezügelten Liberalis-
mus vertretend)

Or|don|nanz, Or|do|nanz, die; -, -en
⟨franz.⟩ (*Milit.* zu dienstlichen
Zwecken abkommandierter Soldat; *veraltet für* Anordnung,
Befehl); **Or|don|nanz|of|fi|zier,**
Or|do|nanz|of|fi|zier

Or|d|re, die; -, -s; *vgl.* Order

Öre, das; -s, -, *auch* die; -, - (Untereinheit der dän., norw. u.
schwed. Krone); 5 Öre

Ore|a|de, die; -, -n *meist Plur.*
⟨griech.⟩ (*griech. Mythol.* Berg-
nymphe); **Ore|ga|no,** Ori|ga|no,
der; - ⟨ital.⟩ (eine Gewürzpflanze)

Ore|gon [*auch* ˈɔrɪgn] (Staat in den
USA; *Abk.* OR)

Orest, Ores|tes (Sohn Agamem-
nons)

Ores|tie, die; - (Trilogie des Äschy-
lus)

ORF, der; -[s] = Österr. Rundfunk

Or|fe, die; -, -n ⟨griech.⟩ (ein Fisch)

Orff, Carl (dt. Komponist)

Or|gan, das; -s, -e ⟨griech.⟩ (Kör-
perteil; Stimme; Beauftragter;
Fachblatt, Vereinsblatt)

Or|gan|bank *Plur.* ...banken (*Med.*)

Or|gan|dy [...di], der; -s ⟨engl.⟩ (ein
Baumwollgewebe)

Or|ga|nell, das; -s, -en ⟨griech.⟩, **Or-
ga|nel|le,** die; -, -n (*Biol.* organ-
artige Bildung des Zellplasmas
von Einzellern)

**Or|gan|emp|fän|ger; Or|gan|emp-
fän|ge|rin; Or|gan|ent|nah|me**

Or|ga|ni|gramm, das; -s, -e (sche-
matische Darstellung des Auf-
baus einer Organisation)

Or|ga|nik, die; - (Wissenschaft von
den Organismen)

Or|ga|ni|sa|ti|on, die; -, -en ⟨franz.⟩
(Aufbau, planmäßige Gestal-
tung, Einrichtung, Gliederung
[nur Sing.]; Gruppe, Verband
mit best. Zielen)

**Or|ga|ni|sa|ti|ons|bü|ro; Or|ga|ni|sa-
ti|ons|feh|ler; Or|ga|ni|sa|ti|ons-
form; Or|ga|ni|sa|ti|ons|ga|be; Or-
ga|ni|sa|ti|ons|ko|mi|tee; Or|ga-
ni|sa|ti|ons|plan** (*vgl.* ²Plan); **Or-
ga|ni|sa|ti|ons|ta|lent**

Or|ga|ni|sa|tor, der; -s, ...oren; **Or-
ga|ni|sa|to|rin; or|ga|ni|sa|to|risch**

or|ga|nisch ⟨griech.⟩ (belebt, leben-

dig; auf ein Organ od. auf den
Organismus bezüglich); organische Verbindung (*Chemie*)

or|ga|ni|sie|ren ⟨franz.⟩ (*auch ugs.*
für auf unredliche Weise
beschaffen); sich organisieren;
or|ga|ni|siert; die Arbeiter sind
gewerkschaftlich organisiert; **Or|ga-
ni|sie|rung**

or|ga|nis|misch (zu einem Organis-
mus gehörend)

Or|ga|nis|mus, der; -, ...men
(Gefüge; gegliedertes [lebendi-
ges] Ganzes; Lebewesen)

Or|ga|nist, der; -en, -en ⟨griech.⟩
(Orgelspieler); **Or|ga|nis|tin**

Or|ga|ni|zer [ˈɔːɡənaɪzɐ], der; -s, -
⟨engl.⟩ (als Terminkalender u. Ä.
nutzbarer Mikrocomputer)

Or|gan|kon|ser|ve (*Med.*); **Or|gan-
kon|ser|vie|rung**

Or|gan|man|dat (*österr. Amtsspr.*
vom Polizisten direkt verfügtes
Strafmandat)

or|ga|no|gen (Organe bildend;
organischen Ursprungs)

Or|ga|no|gra|fie, **Or|ga|no|gra|phie,**
die; -, ...ien (*Med.* Beschreibung
der Organe und ihrer Entstehung; *auch svw.* Organigramm);
or|ga|no|gra|fisch, or|ga|no|gra-
phisch

Or|ga|no|lo|gie, die; - (*Med., Biol.*
Organlehre; *Musik*
Orgel[bau]kunde); **or|ga|no|lo-
gisch**

Or|gan|sin, der *od.* das; -s ⟨franz.⟩
(Kettenseide)

Or|gan|spen|der; Or|gan|spen|de|rin

Or|gan|straf|ver|fü|gung (*vgl.*
Organmandat)

Or|gan|trans|plan|ta|ti|on

Or|gan|ver|pflan|zung

Or|gan|za, der; -s ⟨ital.⟩ (ein Sei-
dengewebe)

Or|gas|mus, der; -, ...men ⟨griech.⟩
(Höhepunkt der geschlechtl.
Erregung); **or|gas|tisch**

Or|gel, die; -, -n ⟨griech.⟩

Or|gel|bau|er (*vgl.* ¹Bauer); **Or|gel-
bau|e|rin**

Or|gel|kon|zert; Or|gel|mu|sik

or|geln (*veraltet für* auf der Orgel
spielen; *derb für* koitieren); ich
org[e]le

Or|gel|pfei|fe; wie die Orgelpfeifen
(*scherzh. für* [in einer Reihe] der
Größe nach)

Or|gel|punkt; Or|gel|re|gis|ter

Or|gel|spiel

Or|gi|as|mus, der; -, ...men

⟨griech.⟩ (ausschweifende kult.
Feier in antiken Mysterien)

or|gi|as|tisch (wild, zügellos)

Or|gie, die; -, -n (ausschweifendes
Gelage; Ausschweifung)

---

original
Nicht immer wird das erste *i* in
original (von lateinisch *origina-
lis* »ursprünglich«) deutlich
gesprochen, wodurch sich die
häufig begegnende falsche
Schreibung mit nur einem *i*
erklärt.

Ori|ent [*auch* oˈriɛnt...], der; -s ⟨lat.⟩
(die vorder- u. mittelasiat. Län-
der; östl. Welt; *veraltet für*
Osten; *vgl.* Okzident; ↑K 140 :
der Vordere Orient

Ori|en|ta|le, der; -n, -n (Bewohner
der Länder des Orients); **Ori|en-
ta|lin; ori|en|ta|lisch** (den Orient
betreffend, östlich); orientalische Sprachen, *aber* ↑K 150 :
das Orientalische Institut (in
Rom)

Ori|en|ta|list, der; -en, -en; **Ori|en-
ta|lis|tik,** die; - (Wissenschaft
von den oriental. Sprachen und
Kulturen); **Ori|en|ta|lis|tin; ori-
en|ta|lis|tisch**

Ori|ent|ex|press, Ori|ent-Ex|press

ori|en|tie|ren; sich orientieren; auf
etw. orientieren (*regional*)

...ori|en|tiert (z. B. ergebnisorien-
tiert, nachfrageorientiert); **Ori-
en|tie|rung**

Ori|en|tie|rungs|hil|fe

Ori|en|tie|rungs|lauf (*Sport*)

**ori|en|tie|rungs|los; Ori|en|tie-
rungs|lo|sig|keit,** die; -

**Ori|en|tie|rungs|marsch; Ori|en|tie-
rungs|punkt; Ori|en|tie|rungs-
sinn,** der; -[e]s; **Ori|en|tie|rungs-
stu|fe; Ori|en|tie|rungs|ver|mö-
gen,** das; -s

Ori|ent|kun|de, die; -

Ori|ent|tep|pich

Ori|ga|no, Ore|ga|no, der; - ⟨ital.⟩
(eine Gewürzpflanze)

ori|gi|nal ⟨lat.⟩ (ursprünglich, echt;
urschriftlich); original Lübecker
Marzipan; original französi-
scher Sekt; **Ori|gi|nal,** das; -s, -e
(Urschrift; Vorlage; Urtext;
eigentümlicher Mensch)

**Ori|gi|nal|auf|nah|me; Ori|gi|nal-
aus|ga|be; Ori|gi|nal|do|ku|ment;
Ori|gi|nal|druck** *Plur.* ...drucke;
Ori|gi|nal|fas|sung

ori|gi|nal|ge|treu

Ori|gi|na|li|tät, die; -, -en *Plur. sel-*

O

ten ⟨franz.⟩ (Echtheit; Besonderheit, wesenhafte Eigentümlichkeit)

Ori|gi|nal|pro|gramm (Eiskunstlauf); Ori|gi|nal|re|zept; Ori|gi|nal|spra|che; Ori|gi|nal|text, der; Ori|gi|nal|ton, der; -[e]s; Ori|gi|nal|treue

ori|gi|nal|ver|packt (bes. Kaufmannsspr.)

Ori|gi|nal|zeich|nung

ori|gi|när ⟨lat.⟩ (grundlegend neu; eigenständig)

ori|gi|nell ⟨franz.⟩ (in seiner Art neu, schöpferisch; ugs. auch für komisch)

Ori|no|ko, der; -[s] (Strom in Venezuela)

¹Ori|on (Held der griech. Sage)

²Ori|on, der; -[s] (ein Sternbild)

Ori|on|ne|bel, der; -s

Or|kan, der; -[e]s, -e ⟨karib.⟩ (stärkster Sturm); or|kan|ar|tig

Or|kan|stär|ke

Ork|ney|in|seln, Ork|ney-In|seln […ni…] Plur. (Inselgruppe nördl. von Schottland)

¹Or|kus (in der röm. Sage Beherrscher der Unterwelt)

²Or|kus, der; - (Unterwelt)

Or|le|a|ner (Einwohner von Orleans)

Or|le|a|nist (Einwohner des Hauses Orleans); Or|le|a|nis|tin

¹Or|le|ans […leã], franz. ¹Or|lé|ans [orle′ã:] (franz. Stadt)

²Or|le|ans, ²Or|lé|ans […le′ã:], der; -, - (Angehöriger eines Zweiges des ehem. franz. Königshauses)

³Or|le|ans […leã], der; - (ein Gewebe)

Or|log, der; -s, Plur. -e u. -s (niederl.) (veraltet für Krieg); Or|log|schiff (früher für Kriegsschiff)

Or|muzd (spätpers. Name für den altiran. Gott Ahura Masdah)

Or|na|ment, das; -[e]s, -e ⟨lat.⟩ (Verzierung; Verzierungsmotiv)

or|na|men|tal (schmückend, zierend); or|na|ment|ar|tig

Or|na|men|ten|stil, der; -[e]s; Or|na|ment|form

or|na|men|tie|ren (mit Verzierungen versehen); Or|na|men|tik, die; - (Verzierungskunst)

Or|na|ment|stich

Or|nat, der, auch das; -[e]s, -e ⟨lat.⟩ (feierl. Amtstracht)

Or|nis, die; - ⟨griech.⟩ (Zool. Vogelwelt [einer Landschaft])

Or|ni|tho|lo|ge, der; -n, -n; Or|ni|tho|lo|gie, die; - (Vogelkunde);

Or|ni|tho|lo|gin; or|ni|tho|lo|gisch (vogelkundlich)

Or|ni|tho|phi|lie, die; - (Biol. Blütenbefruchtung durch Vögel)

oro… ⟨griech.⟩ (berg…, gebirgs…); Oro… (Berg…, Gebirgs…)

Oro|ge|ne|se, die; -, -n (Geol. Gebirgsbildung)

Oro|gra|fie, Oro|gra|phie, die; -, …ien (Geogr. Beschreibung der Reliefformen eines Landes); oro|gra|fisch, oro|gra|phisch

Oro|hy|d|ro|gra|fie, Oro|hy|d|ro|gra|phie, die; -, …ien (Geogr. Gebirgs- u. Wasserlaufbeschreibung); oro|hy|d|ro|gra|fisch, oro|hy|d|ro|gra|phisch

Or|pheus (sagenhafter griech. Sänger)

Or|phi|ker, der; -s, - (Anhänger einer altgriech. Geheimlehre); or|phisch (geheimnisvoll)

Or|p|lid [auch ′or…] (von Mörike erfundener Name einer Wunsch- u. Märcheninsel)

¹Ort, der; -[e]s, Plur. -e, bes. Seemannsspr. u. Math. Örter (Ortschaft; Stelle); geometrische Örter; am angeführten od. angegebenen Ort (Abk. a. a. O.); an Ort und Stelle; höher[e]n Ort[e]s; allerorten, allerorts

²Ort, das; -[e]s, Örter (Bergmannsspr. Ende einer Strecke, Arbeitsort); vor Ort

³Ort, der od. das; -[e]s, -e (schweiz. früher für Bundesglied, Kanton); die 13 Alten Orte

⁴Ort, der od. das; -[e]s, -e ([Schuster]ahle, Pfriem; in erdkundlichen Namen für Spitze, z. B. Darßer Ort [Nordspitze der Halbinsel Darß])

Ort|band, das; Plur. …bänder (Beschlag an der Spitze der Säbelscheide)

Ort|brett (landsch. für Eckbrett)

Ört|chen

Or|te|ga y Gas|set [- i -] (span. Philosoph u. Soziologe)

or|ten (die Position, Lage ermitteln, bestimmen)

Or|te|n|au (Landschaft in Baden-Württemberg)

Or|ter (mit dem Orten Beauftragter)

Ör|ter|bau, der; -[e]s (Bergmannsspr. Abbauverfahren, bei dem ein Teil der Lagerstätte stehen bleibt)

ör|tern (Strecken anlegen); ich örtere

or|tho… ⟨griech.⟩ (gerade…, auf-

recht…; richtig…, recht…); Ortho… (Gerade…, Aufrecht…; Richtig…, Recht…)

Or|tho|chro|ma|sie […kro…], die; - (Fähigkeit einer fotogr. Schicht, für alle Farben außer Rot empfindlich zu sein); or|tho|chro|ma|tisch

or|tho|dox (recht-, strenggläubig); die orthodoxe Kirche; Or|tho|do|xie, die; -

Or|tho|epie, die; - (Sprachw. Lehre von der richtigen Aussprache der Wörter); Or|tho|epik, die; - (seltener für Orthoepie); or|tho|episch

Or|tho|ge|ne|se, die; -, -n (Biol. Hypothese, nach der die stammesgeschichtl. Entwicklung der Lebewesen zielgerichtet ist)

Or|tho|gna|thie, die; - (Med. gerade Kieferstellung)

Or|tho|gon, das; -s, -e (Geom. Rechteck); or|tho|go|nal (rechtwinklig)

Or|tho|gra|fie, Or|tho|gra|phie, die; -, …ien (Rechtschreibung); or|tho|gra|fisch, or|tho|gra|phisch (rechtschreiblich)

Or|tho|klas, der; -es, -e (Mineral. ein Feldspat)

Or|tho|pä|de, der; -n, -n; Or|tho|pä|die, die; - (Lehre u. Behandlung von Fehlbildungen u. Erkrankungen der Bewegungsorgane)

Or|tho|pä|die|me|cha|ni|ker; Or|tho|pä|die|me|cha|ni|ke|rin; Or|tho|pä|die|schuh|ma|cher; Or|tho|pä|die|schuh|ma|che|rin

or|tho|pä|din; or|tho|pä|disch

Or|tho|pä|dist, der; -en, -en (Hersteller orthopädischer Geräte); Or|tho|pä|dis|tin

Or|tho|p|te|re, der; -, -, -n, Or|tho|p|te|ron, das; -s, …pteren beide meist Plur. (Zool. Geradflügler)

Or|th|op|tist, der; -en, -en (Mitarbeiter des Arztes bei der Heilbehandlung von Sehstörungen); Or|th|op|tis|tin

Or|tho|s|ko|pie, die; - (Optik unverzerrte Abbildung durch Linsen); or|tho|s|ko|pisch

Ort|ler, der; -s (höchster Gipfel der Ortlergruppe); Ort|ler|grup|pe, die; - (Gebirgsgruppe der Zentralalpen)

ört|lich; Ört|lich|keit

Ort|lieb (m. Vorn.)

Or|to|lan, der; -s, -e ⟨ital.⟩ (ein Vogel)

Or|trud (w. Vorn.)

Ort|run (w. Vorn.)

orts|ab|hän|gig

Orts|an|ga|be

orts|an|säs|sig

Orts|aus|gang; Orts|bei|rat; Orts-
be|stim|mung

orts|be|weg|lich

Ort|schaft

Ort|scheit *Plur.* ...scheite (Querholz
zur Befestigung der Geschirr-
stränge am Fuhrwerk)

Orts|durch|fahrt; Orts|ein|gang;
Orts|ein|gangs|schild

Orts|et|ter (*vgl.* Etter)

orts|fest; orts|fremd

Orts|ge|spräch; Orts|grup|pe; Orts-
kennt|nis; Orts|kern; Orts|klas|se

Orts|kran|ken|kas|se; Allgemeine
Ortskrankenkasse ↑K 150 (*Abk.*
AOK)

Orts|kun|de, die; -; orts|kun|dig

Orts|na|me; Orts|na|men|for-
schung, die; -

Orts|netz (*Telefonwesen*); Orts-
netz|kenn|zahl (*Telefonwesen*)

Orts|sinn, der; -[e]s; Orts|ta|fel

Orts|teil, der

Ort|stein (durch Witterungsein-
flüsse verfestigte Bodenschicht)

Orts|ter|min (*Rechtsw.*)

orts|üb|lich

Orts|um|fah|rung (*bes. österr.*);
Orts|um|ge|hung; orts|un|ab|hän-
gig; orts|un|kun|dig; Orts|ver-
band; Orts|ver|ein; Orts|ver|kehr

Orts|vor|ste|her; Orts|vor|ste|he|rin

Orts|wech|sel; Orts|zeit; Orts|zu-
schlag

Or|tung (*zu* orten); Or|tungs|kar|te

Ort|win (m. Vorn.)

Ort|zie|gel (ein Dachziegel)

Or|well [...vəl] (engl. Schriftsteller)

Os, der, *auch* das; -[es], -er *meist
Plur.* ⟨schwed.⟩ (*Geol.* durch
Schmelzwasser der Eiszeit ent-
standener Höhenrücken)

Os = *chem. Zeichen für* Osmium

öS = österr. Schilling

O-Saft (*ugs.*) = Orangensaft

Osa|ka [*auch* 'o:...] (jap. Stadt)

OSB, O. S. B. = Ordinis Sancti
Benedicti ⟨lat., »vom Orden des
hl. Benedikt«⟩ (Benediktineror-
den)

Os|car, der; -[s], -s ⟨amerik.⟩
(volkstüml. Name der Statuette,
die als Academy Award [amerik.
Filmpreis] verliehen wird); Os-
car|preis|trä|ger; Os|car|preis|trä-
ge|rin; Os|car|ver|lei|hung

Oschi, der; -s, -s (*ugs. für* großes
Ding, große Sache)

Öse, die; -, -n

Ösel (estnische Insel)

Oser (*Plur. von* Os)

¹Ösi, der; -s, -s (*ugs. scherzh. für*
Österreicher); ²Ösi, die; -, -s (*ugs.
scherzh. für* Österreicherin)

Osi|ris (ägypt. Gott des Nils und
des Totenreiches)

Os|kar (m. Vorn.)

Os|ker, der; -s, - (Angehöriger
eines idg. Volksstammes in Mit-
telitalien); os|kisch

Os|ku|la|ti|on, die; -, -en ⟨lat.⟩
(*Math.* Berührung zweier Kur-
ven); os|ku|lie|ren

Os|lo (Hauptstadt Norwegens);
Os|lo|er

OSM, O. S. M. = Ordinis Servorum
od. Servarum Mariae ⟨lat., »vom
Orden der Diener[innen]
Marias«⟩; *vgl.* Servit, Servitin

Os|man (m. Vorname; Begründer
der nach ihm benannten Dynas-
tie); Os|ma|ne, der; -n, -n
(Bewohner des Osmanischen
Reiches; [*nur Plur.:*] Name einer
von 1300 bis 1922 herrschenden
turkmen. Dynastie); *vgl.* ²Otto-
mane; Os|ma|nen|tum, das; -s

Os|ma|nin; os|ma|nisch; osmani-
sche Literatur, *aber* ↑K 150 : das
Osmanische Reich (das türk.
Reich bis 1922)

Os|mi|um, das; -s ⟨griech.⟩ (chemi-
sches Element, Metall; *Zeichen*
Os)

Os|mo|lo|gie, die; - (Lehre von den
Riechstoffen u. vom Geruchs-
sinn)

Os|mo|se, die; - (*Chemie, Biol.*
Übergang des Lösungsmittels
einer Lösung in eine stärker
konzentrierte Lösung durch
eine feinporige Scheidewand);
os|mo|tisch

Os|na|brück (Stadt in Niedersach-
sen)

Os|ning, der; -s (mittlerer Teil des
Teutoburger Waldes)

OSO = Ostsüdost[en]

Öso|pha|gus, *fachspr.* Oe|so|pha-
gus, der; -, ...gi ⟨griech.⟩ (*Med.*
Speiseröhre)

Os|sa|ri|um, Os|su|a|ri|um, das; -s,
...ien ⟨lat.⟩ (Beinhaus auf Fried-
höfen; antike Gebeinurne)

Os|ser|va|to|re Ro|ma|no, der; - -
⟨»Röm. Beobachter«⟩ (päpstl.
Zeitung)

Os|se|te, der; -n, -n (Angehöriger
eines Bergvolkes im Kaukasus);
os|se|tisch

¹Os|si, der; -s, -s (*ugs. für* Ostdeut-
scher); ²Os|si, die; -, -s (*ugs. für*
Ostdeutsche)

Os|si|an [*auch* ɔ'sja:n] (sagenhaf-
ter kelt. Barde)

Os|si|etz|ky [...ki], Carl von (dt.
Publizist)

Os|si|fi|ka|ti|on, die; -, -en ⟨lat.⟩
(*Med.* Knochenbildung, Verknö-
cherung); os|si|fi|zie|ren

Os|su|a|ri|um *vgl.* Ossarium

¹Ost (Himmelsrichtung; *Abk.* O);
Ost und West; *fachspr.* der
Wind kommt aus Ost; Auto-
bahnausfahrt Saarbrücken Ost
od. Saarbrücken-Ost ↑K 148 ;
vgl. Osten

²Ost, der; -[e]s, -e *Plur. selten* (*geh.
für* Ostwind)

Ost|af|ri|ka; ost|af|ri|ka|nisch

Ost|al|gie, die; - (Sehnsucht nach
der DDR); os|tal|gisch

ost|asi|a|tisch; Ost|asi|en

ost|bal|tisch

Ost|ber|lin ↑K 143 ; Ost|ber|li|ner

Ost|block, der; -[e]s (*früher
Gesamtheit der Staaten des
Warschauer Pakts); Ost|block-
land *Plur.* ...länder; Ost|block-
staat *Plur.* ...staaten

Ost|chi|na

ost|deutsch; Ost|deut|sche, der *u.*
die; Ost|deutsch|land

Os|te|al|gie, die; -, ...ien ⟨griech.⟩
(*Med.* Knochenschmerzen)

Ost|el|bi|en; Ost|el|bi|er (*früher für*
Großgrundbesitzer und Junker);
Ost|el|bi|e|rin; ost|el|bisch

os|ten (*Bauw.* nach Osten
[aus]richten)

Os|ten, der; -s (Himmelsrichtung;
Abk. O); ↑K 140 : die Ferne
Osten; der Nahe Osten; der
Mittlere Osten; *vgl.* Ost

Ost|en|de (Seebad in Belgien)

os|ten|si|bel ⟨lat.⟩ (auffällig);
...i|b|le Gegenstände

os|ten|siv (*veraltend für* augen-
scheinlich, offensichtlich)

Os|ten|ta|ti|on, die; -, -en (*veral-
tend für* Prahlerei)

os|ten|ta|tiv (herausfordernd)

Os|teo|lo|gie, die; - ⟨griech.⟩ (*Med.*
Knochenlehre)

Os|teo|ma|la|zie, die; -, ...ien (*Med.*
Knochenerweichung)

Os|teo|mye|li|tis, die; -, ...iti|den
(*Med.* Knochenmarkentzün-
dung)

Os|teo|pa|thie, die; -, ...ien
⟨griech.⟩ (*Med.* eine Knochener-
krankung; *nur Sing.* therapeu-
tisches Verfahren, durch das die
Funktionsfähigkeit des Kno-
chengerüsts erhalten od. wiederhergestellt wird)

O

Oste

Os|teo|plas|tik (*Med.* operatives Schließen von Knochenlücken); os|teo|plas|tisch

Os|teo|po|ro|se, die; -, -n (*Med.* Knochenschwund)

Os|ter|brauch; Os|ter|ei; Os|ter|fe|ri|en *Plur.*; Os|ter|fest; Os|ter|feu|er; Os|ter|glo|cke; Os|ter|ha|se

Os|te|ria, die; -, *Plur.* -s u. ...ien (Gasthaus [in Italien])

Os|ter|in|sel, die; - (im Pazif. Ozean)

Os|ter|ker|ze (*kath. Kirche*); Os|ter|lamm

ös|ter|lich

Os|ter|lu|zei [*auch* ...'tsai], die; -, -en (ein Schlinggewächs)

Os|ter|marsch, der; Os|ter|mar|schie|rer; Os|ter|mar|schie|re|rin

Os|ter|mes|se

Os|ter|mo|nat, Os|ter|mond (*alte Bez. für* April)

Os|ter|mon|tag

Os|ter|nacht

Os|ter|pin|ze, die; -, -n (*österr.* ein Hefegebäck)

Ös|ter|reich; Ös|ter|rei|cher; Ös|ter|rei|che|rin

ös|ter|rei|chisch; *aber* ↑K 150 : die Österreichischen Bundesbahnen (*Abk.* ÖBB)

ös|ter|rei|chisch-un|ga|risch; die österreichisch-ungarische Monarchie; Ös|ter|reich-Un|garn (ehem. Doppelmonarchie)

ös|ter|reich|weit

Os|ter|sonn|tag; Os|ter|spiel; Os|ter|was|ser, das; -s

Os|ter|wei|te|rung

Os|ter|wo|che (Woche nach Ostern; *auch für* Karwoche)

Os|ter|eu|ro|pa; Ost|eu|ro|pä|er; Ost-

eu|ro|pä|e|rin; ost|eu|ro|pä|isch; osteuropäische Zeit (*Abk.* OEZ)

Ost|fa|le, der; -n, -n (Angehöriger eines altsächsischen Volksstammes); Ost|fa|len; Ost|fä|lin; ost|fä|lisch

Ost|flan|dern (belg. Prov.)

Ost|fran|ken (hist. Landschaft); ost|frän|kisch

Ost|frie|se; Ost|frie|sen|witz

Ost|frie|sin; ost|frie|sisch; *aber* ↑K 140 : die Ostfriesischen Inseln; Ost|fries|land

Ost|geld, das; -[e]s; *vgl.* ²Ostmark

Ost|ger|ma|ne; Ost|ger|ma|nin; ost|ger|ma|nisch

Os|tia (Hafen des alten Roms)

os|ti|nat, os|ti|na|to ⟨ital.⟩ (*Musik* stetig wiederkehrend, ständig wiederholt [vom Bassthema]); Os|ti|na|to, der od. das; -s, -s u. ...ti (Basso ostinato)

Ost|in|di|en; ost|in|disch; ostindische Waren, *aber* ↑K 150 : die Ostindische Kompanie (*früher*)

Os|ti|tis, die; -, ...iti|den ⟨griech.⟩ (*Med.* Knochenentzündung)

Ost|ja|ke, der; -n, -n (Angehöriger eines finn.-ugr. Volkes in Westsibirien)

Ost|kir|che; Ost|küs|te

Ost|ler, der; -s, - (*abwertend für* Bewohner Ostdeutschlands); Ost|le|rin

¹Ost|mark (hist. Landschaft)

²Ost|mark, die; -, - (*früher ugs. für* Währung der DDR)

¹Ost|nord|ost (Himmelsrichtung; *Abk.* ONO); *vgl.* Ostnordosten

²Ost|nord|ost, der; -[e]s, -e *Plur. selten* (Ostnordostwind; *Abk.* ONO)

Ost|nord|os|ten, der; -s (*Abk.* ONO); *vgl.* ¹Ostnordost

Ost|po|li|tik

Ost|preu|ßen; ost|preu|ßisch

Os|t|ra|zis|mus, der; - ⟨griech.⟩ (Scherbengericht, altathen. Volksgericht)

Ös|t|ro|gen, das; -s, -e ⟨griech.⟩ (*Med.* w. Geschlechtshormon)

Ost|rom; ost|rö|misch; *aber* ↑K 150 : das Oströmische Reich

Os|t|row|s|ki (russ. Dramatiker)

Ost|see, die; -; Ost|see|bad; Ostseebad Prerow [...ro]

Ost|see|in|sel

Ost|sei|te

¹Ost|süd|ost (Himmelsrichtung; *Abk.* OSO); *vgl.* ²Ostsüdosten

²Ost|süd|ost, der; -[e]s, -e *Plur. selten* (Ostsüdostwind; *Abk.* OSO)

Ost|süd|os|ten, der; -s (*Abk.* OSO); *vgl.* ¹Ostsüdost

Ost|ti|mor (*früher für* Timor-Leste)

Ost|ti|rol

Os|tung, die; - ⟨*zu* osten⟩

Ost|wald (dt. Chemiker); ostwaldsche *od.* Ostwald'sche Farbenlehre ↑K 89

ost|wärts

Ost-West-Ge|spräch, das; -[e]s, -e

ost|west|lich; in ostwestlicher Richtung

Ost|wind; Ost|zo|ne (*veraltet für* sowjetische Besatzungszone)

Os|wald (m. Vorn.)

Os|win (m. Vorn.)

OSZE, die; - = Organisation für Sicherheit und Zusammenarbeit in Europa

Os|zil|la|ti|on, die; -, -en ⟨lat.⟩ (*Physik* Schwingung); Os|zil|la|tor, der; -s, ...to|ren (Gerät zur Erzeugung elektr. Schwingungen); os|zil|lie|ren (schwingen)

Os|zil|lo|graf, Os|zil|lo|graph, der; -en, -en (Schwingungsschreiber)

Os|zil|lo|gramm, das; -s, -e ⟨lat.; griech.⟩ (Schwingungsbild)

Ota, der; -[s] (griech. Gebirge)

Ot|al|gie, die; -, ...ien ⟨griech.⟩ (*Med.* Ohrenschmerz)

Ot|fried (m. Vorn.)

Othel|lo (Figur bei Shakespeare)

Oth|mar *vgl.* Otmar

Otho (röm. Kaiser)

Ot|i|a|t|rie, die; - ⟨griech.⟩ (*Med.* Ohrenheilkunde)

Oti|tis, die; -, ...iti|den (*Med.* Ohrenentzündung)

Ot|mar, Oth|mar (m. Vorn.)

Oto|lith, der; *Gen.* -s *od.* -en, *Plur.* -e[n] ⟨griech., »Gehörstein-

chen«⟩ (*Med.* Teil des Gleichge-
wichtsorgans)

Oto|lo|gie, die; - (*svw.* Otiatrie)

O-Ton = Originalton

Oto|s|kop, das; -s, -e ⟨griech.⟩
(*Med.* Ohrenspiegel)

Öt|scher, der; -s (Berg in Nieder-
österreich)

Ot|ta|ve|ri|me *Plur.* ⟨ital.⟩ (*Vers-
lehre* Stanze)

¹**Ot|ta|wa**, der; -[s] (Fluss in
Kanada)

²**Ot|ta|wa** (Hauptstadt Kanadas)

³**Ot|ta|wa**, der; -[s], -[s] (Angehöri-
ger eines nordamerik. Indianerstammes)

¹**Ot|ter**, der; -s, - (eine Marderart)

²**Ot|ter**, die; -, -n (eine Schlange)

Ot|tern|brut; **Ot|tern|ge|zücht**
(*bibl.*)

Ot|ter|zun|ge (versteinerter Fisch-
zahn)

Ott|hein|rich (m. Vorn.)

Ot|ti|lia, **Ot|ti|lie** (w. Vorn.)

Ot|to (m. Vorn.); Otto Normalver-
braucher (*ugs.* für Durch-
schnittsmensch)

Ot|to|kar (m. Vorn.)

Ot|to|man, der; -s, -e ⟨türk.⟩ (ein
Ripsgewebe)

¹**Ot|to|ma|ne**, die; -, -n (*veraltet für*
niedriges Sofa)

²**Ot|to|ma|ne**; der; -n, -n (*svw.*
Osmane); **Ot|to|ma|nin**

Ot|to|mo|tor® ↑K136 ⟨nach dem
Erfinder⟩ (Vergasermotor)

Ot|to|ne, der; -n, -n (Bez. für
einen der sächsischen Kaiser
Otto I., II. und III.); **ot|to|nisch**

Öt|zi, der; -s ⟨nach dem Fundort
in den Ötztaler Alpen⟩
(*scherzh. für* die mumifizierte
Leiche eines Vorzeitmen-
schen); **Ötz|tal**; **Ötz|ta|ler**; **Ötz-
taler** Alpen

Oua|ga|dou|gou [ṵaga'du:gu]
(Hauptstadt von Burkina Faso)

out [aṵt] ⟨engl.⟩ (*österr.,
schweiz., sonst veraltet für* aus,
außerhalb des Spielfeldes [bei
Ballspielen]; *ugs. für* unzeitge-
mäß, unmodern); **Out**, das;
-[s], -[s]

Out|back ['aṵtbɛk], das; - ⟨engl.⟩
(das Landesinnere Australiens)

Out|cast ['aṵtka:st], der; -s, -s
⟨engl.⟩ (von der Gesellschaft
Ausgestoßener)

Out|door ['aṵtdɔ:], der; - ⟨engl.⟩
(Freizeitaktivitäten im Freien);
Out|door|be|klei|dung; **Out-
door|ja|cke**

Out|ein|wurf (*österr. Sportspr.*)

ou|ten ['aṵtn̩] ⟨engl.⟩; jmdn.
outen (jmds. Homosexualität
o. Ä. ohne dessen Zustimmung
öffentl. bekannt machen); sich
outen; er, sie hat sich geoutet;
sie outete sich als Raucherin

Out|fit ['aṵt...], das; -[s], -s ⟨engl.⟩
(Kleidung; Ausrüstung)

Ou|ting ['aṵtɪŋ], das; -s ⟨engl.⟩
(das [Sich]outen)

Out|law ['aṵtlo:], der; -[s], -s
⟨engl.⟩ (Geächteter, Verbre-
cher)

Out|li|nie (*österr. Sportspr.*)

Out-of-area-Ein|satz [aṵtlɔf-
'|ɛrɪə...] ⟨engl.⟩ (*Milit., Politik*
[bes. von milit. Unternehmun-
gen] Einsatz außerhalb des
Bereichs der eigenen vertrag-
lich festgelegten Zuständig-
keit)

Out|per|for|mer ['aṵt...], der; -s, -
⟨engl.⟩ (*Börsenwesen* Aktie mit
überdurchschnittlicher Kursentwicklung)

Out|put ['aṵt...], der, *auch* das; -s,
-s ⟨engl.⟩ (*Wirtsch.* Produkti-
on[smenge]; *EDV* Arbeitser-
gebnisse einer Datenverarbei-
tungsanlage, Ausgabe)

ou|t|rie|ren [u'tri:rən] ⟨franz.⟩
(*geh. für* übertreiben); ein
outriert modern eingerichtetes
Zimmer

Out|si|der ['aṵtsaɪ...], der; -s, -
⟨engl.⟩ (Außenseiter); **Out|si|de-
rin**

out|sour|cen ['aṵtsɔ:sn] (*Wirtsch.*
ausgliedern, nach außen verlegen); ich source out; du, er, ihr
sourct out; der Vertrieb wird
outgesourct; outzusourcen);
Out|sour|cing [...sɪŋ], das; -s
⟨engl.⟩ (*Wirtsch.* Übergabe von
bestimmten Firmenbereichen
an spezialisierte Dienstleis-
tungsunternehmen)

Out|take ['aṵtte:k], der *u.* das; -s,
-s ⟨engl.⟩ (herausgeschnittene
Filmszene)

Out|wach|ler (*österr. ugs. für* Lini-
enrichter); **Out|wach|le|rin**

Ou|ver|tü|re [u...], die; -, -n
⟨franz.; »Öffnung«⟩ (instrumentales Eröffnungsstück)

Ou|zo ['u:zo], der; -[s], -s ⟨griech.⟩
(griech. Anisbranntwein)

oval ⟨lat.⟩ (eirund, länglich rund);
Oval, das; -s, -e

Oval Of|fice ['o:vəl -], das; - -[s]
⟨engl.⟩ (Amtszimmer des ame-
rik. Präsidenten im Weißen
Haus)

Ovar, das; -s, -e; *vgl.* Ovarium;
Ova|ri|um, das; -s, ...ien (*Biol.,
Med.* Eierstock)

Ova|ti|on, die; -, -en ⟨lat.⟩ (begeis-
terter Beifall)

Ove|r|all ['o:vərɔ:l, *auch* ...ral],
der; -s, -s ⟨engl.⟩ (einteiliger
[Schutz]anzug)

over|dressed ['o:vɐdrɛst] (zu gut,
fein angezogen)

Over|drive ['o:vɐdraɪf], der; -[s],
-s ⟨engl.⟩ (*Kfz-Technik* Schnell-
gang)

Over|head|pro|jek|tor ['o:vɐhɛt...]
(Projektor, der transparente
Vorlagen auf eine hinter dem
Vortragenden liegende Fläche
projiziert)

Over|kill ['o:vɐ...], der; -[s] ⟨engl.⟩
(*Milit.* das Vorhandensein von
mehr Waffen, als nötig sind,
um den Gegner zu vernichten)

Ovid (röm. Dichter); **ovi|disch**; die
ovidischen Liebeselegien

ovi|par ⟨lat.⟩ (*Biol.* Eier legend,
sich durch Eier fortpflanzend)

ovo|id ⟨lat.; griech.⟩ (eiförmig);
ovo|i|disch ⟨lat.; griech.⟩

ovo|vi|vi|par ⟨lat.⟩ (Eier mit schon
weit entwickelten Embryonen
legend)

ÖVP, die; - = Österreichische
Volkspartei

Ovu|la|ti|on, die; -, -en ⟨lat.⟩ (*Biol.*
Ausstoßung des reifen Eies aus
dem Eierstock)

Ovu|la|ti|ons|hem|mer (*Med.*);
Ovu|la|ti|ons|zy|k|lus

...ow [...o, *österr. ugs.* ...ɔf] (*in
deutschen geografischen
Namen u. Personennamen*, z. B.
Teltow, Wussow ↑K165)

Ow|en ['aṵən] (Stadt in Baden-
Württemberg)

Oxa|lit, der; -s, -e ⟨griech.⟩ (ein
Mineral)

Oxal|säu|re, die; - ⟨griech.; dt.⟩
(Kleesäure)

Oxer, der; -s, - ⟨engl.⟩ (Zaun zwischen Viehweiden; *Pferdesport*
Hindernis bei Springprüfun-
gen)

Ox|ford (engl. Stadt)

Ox|hoft, das; -[e]s, -e (altes Flüs-
sigkeitsmaß); 10 Oxhoft

Oxid, Oxyd, das; -[e]s, -e ⟨griech.⟩
(Sauerstoffverbindung; **Oxi|da-
ti|on**, Oxy|da|ti|on, die; -, -en

oxi|die|ren, oxy|die|ren (*Chemie*
sich mit Sauerstoff verbinden,
Sauerstoff aufnehmen; bewir-
ken, dass sich eine Substanz mit

Sauerstoff verbindet); **Oxi|die|rung**, Oxy|die|rung

oxi|disch, oxy|disch (*Chemie* ein Oxid enthaltend)

oxy... (scharf...; sauerstoff...);

Oxy... (Scharf...; Sauerstoff...)

Oxyd usw. *vgl.* Oxid usw.

Oxy|gen, Oxy|ge|ni|um, das; -s (*griech.-lat. Bez. für* Sauerstoff; chem. Element; *Zeichen* O)

Oxy|hä|mo|glo|bin ⟨griech.; lat.⟩ (sauerstoffhaltiger Blutfarbstoff)

Oxy|mo|ron, das; -s, ...ra ⟨griech.⟩ (*Rhet.* Zusammenstellung zweier sich widersprechender Begriffe als rhet. Figur, z. B. »Eile mit Weile«)

Oxy|to|non, das; -s, ...na (*Sprachw.* auf der letzten, kurzen Silbe betontes Wort)

Oy|bin (Kurort u. Berg im Zittauer Gebirge)

Oza|lid® (*Markenbez. für* Papiere, Gewebe, Filme mit lichtempfindlichen Emulsionen)

Oza|lid|pa|pier

Oza|lid|ver|fah|ren

Oze|an, der; -s, -e ⟨griech.⟩ (Weltmeer); der große (endlos scheinende) Ozean, *aber* ↑K 140 : der Große (der Pazifische) Ozean

Oze|a|na|ri|um, das; -s, ...ien (Anlage mit Meerwasseraquarien)

Oze|a|naut, der; -en, -en (*svw.* Aquanaut); **Oze|a|nau|tin**

Oze|an|damp|fer

Oze|a|ni|de *vgl.* Okeanide

Oze|a|ni|en (Gesamtheit der Pazifikinseln zwischen Amerika, den Philippinen u. Australien); **oze|a|nisch** (Meeres...; zu Ozeanen gehörend)

Oze|a|no|gra|fie, **Oze|a|no|gra|phie**, die; - (Meereskunde); **oze|a|no|gra|fisch**, **oze|a|no|gra|phisch**

Ozel|le, die; -, -n ⟨lat.⟩ (*Zool.* Lichtsinnesorgan bei Insekten u. Spinnentieren)

Oze|lot [*auch* 'ɔ...], der; -s, *Plur.* -e u. -s ⟨aztek.⟩ (ein katzenartiges Raubtier Nord- u. Südamerikas; *auch für* Pelz dieses Tieres)

Ozo|ke|rit, der; -s ⟨griech.⟩ (Erdwachs)

Ozon, der *od.* (*fachspr. nur:*) das; -s ⟨griech.⟩ (besondere Form des Sauerstoffs)

Ozon|alarm; Ozon|be|las|tung; Ozon|ge|halt, der

ozon|hal|tig, *österr.* **ozon|häl|tig**

ozo|ni|sie|ren (mit Ozon behandeln)

Ozon|kil|ler (*ugs. für* Ozon zerstörende Substanz)

Ozon|loch (bes. durch Treibgase verursachte Zerstörung der Ozonschicht in der Stratosphäre); **ozon|reich**

Ozon|schicht, die; - (*Meteor.*); **Ozon|the|ra|pie** (*Med.*)

P

p = ¹Para; Penni; Penny; piano; Pico..., Piko...; Pond; typografischer Punkt

P (Buchstabe); das P; des P, die P, *aber* das p in hupen; der Buchstabe P, p

P (*auf dt. Kurszetteln*) = Papier (*vgl.* B); Peta...; *chem. Zeichen für* Phosphor

Π, π = ¹Pi; π = ²Pi

p. = pinxit

p., pag. = Pagina

P. = Pastor; Pater; ²Papa

Pa = *chem. Zeichen für* Protactinium; Pascal

PA = Pennsylvania

p. a. = pro anno

p. A. = per Adresse

Pä|an, der; -s, -e ⟨griech.⟩ (altgriech. Hymne)

¹paar

⟨lat.⟩

– es hatten sich viele angemeldet, aber es kamen nur ein paar (nur wenige)

– ein paar (einige) Leute; die paar (wenigen) Groschen; für ein paar Euro; in den paar Tagen; mit ein paar Worten

– ein paar Hundert *od.* hundert Bücher; ein paar Dutzend *od.* dutzend Mal[e]

– diese paar Mal[e]; ein paar Male; ein paarmal *od.* (*bei besonderer Betonung*) ein paar Mal

²paar (*Biol. selten für* paarig); paare Blätter

Paar

das; -[e]s, -e (zwei zusammengehörende Personen od. Dinge)

– ein glückliches Paar; die Kür der Paare; sich in/zu Paaren aufstellen; zu Paaren treiben (*veraltend für* bändigen, bewältigen)

– ein Paar Schuhe, ein Paar Strümpfe; von diesen Socken habe ich noch zwei Paar

Beugung:

– ein Paar neue, *selten* neuer Schuhe; für zwei Paar neue, *selten* neuer Schuhe

– der Preis eines Paar[e]s neuer Schuhe

– mit einem Paar Schuhe[n]

Paar|be|zie|hung; Paar|bil|dung

paa|ren; sich paaren

Paar|hu|fer (*Zool.*)

paa|rig (paarweise vorhanden); **Paa|rig|keit**, die; -

Paar|lauf (*Sport*); **paar|lau|fen** *nur im Infinitiv u. im Partizip II gebr.*; **Paar|läu|fer** (*Sport*); **Paar|läu|fe|rin**

paar|mal; ein paarmal *od.* (*bei besonderer Betonung*) paar Mal; *vgl.* ¹paar u. ¹Mal

Paa|rung; paa|rungs|be|reit; paa|rungs|wil|lig

paar|wei|se

Paar|ze|her (*svw.* Paarhufer)

Pace [pe:s], die; - ⟨engl.⟩ (Gangart des Pferdes; Renntempo); **Pace|ma|cher** (Pferd, das das Renntempo bestimmt)

Pace|ma|ker [...me:kɐ], der; -s, - (Pacemacher; *Med.* Herzschrittmacher)

Pacht, die; -, -en; **pach|ten**

Päch|ter; Päch|te|rin

Pacht|geld; Pacht|gut; Pacht|land, das; -[e]s; **Pacht|sum|me**

Pach|tung

Pacht|ver|trag

pacht|wei|se

Pacht|zins *Plur.* ...zinsen

Pa|chul|ke, der; -n, -n ⟨slaw.⟩ (*landsch. für* ungehobelter Bursche, Tölpel)

¹Pack, der; -[e]s, *Plur.* -e u. Päcke (Gepacktes; Bündel)

²Pack, der; -[e]s (*abwertend für* Gesindel, Pöbel)

Pa|ckage ['pɛkɪtʃ], das; -s, -s ⟨engl.⟩

O

Oxid

(Paket); **Pa|ckage|tour**, die; -, *Plur.* -en, *seltener* -s ⟨engl.⟩ (durch ein Reisebüro vorbereitete Reise im eigenen Auto mit vorher bezahlten Unterkünften u. sonstigen Leistungen)

Päck|chen

Pack|eis ([übereinandergeschobenes] Scholleneis)

Pa|cke|lei (*österr. ugs. für* heimliches Paktieren); **pa|ckeln** (paktieren)

pa|cken; sich packen (*ugs. für* sich fortscheren)

Pa|cken, der; -s -

pa|ckend; ein packender Film

Pa|cker; Pa|cke|rei; Pa|cke|rin

Pack|esel (*ugs. für* jmd., dem viele Lasten aufgepackt werden)

Pack|fong, das; -s ⟨chin.⟩ (im 18. Jh. aus China eingeführte Kupfer-Nickel-Zink-Legierung)

Pack|kis|te

Pack|lein|wand; Pack|pa|pier; Pack|raum; Pack|set, das; -s -s (Karton mit Kordel u. Aufkleber für Pakete u. Päckchen); **Pack|tisch**

Pa|ckung (*ugs. auch für* hohe Niederlage im Sport)

Pack|wa|gen; Pack|werk (*Wasserbau*); **Pack|zet|tel** (*Wirtsch.*)

Pä|d|a|go|ge, der; -n, -n ⟨griech.⟩ (Erzieher; Lehrer; Erziehungswissenschaftler)

Pä|d|a|go|gik, die; - (Erziehungslehre, -wissenschaft); **Pä|d|a|go|gi|kum**, das; -s, ...ka (Prüfung in Erziehungswissenschaften für Lehramtskandidat[inn]en)

Pä|d|a|go|gin; pä|d|a|go|gisch (erzieherisch); pädagogische Fähigkeit; [eine] pädagogische Hochschule, *aber* ↑K150 : die Pädagogische Hochschule (*Abk.* PH) in Münster; die Pädagogische Akademie (*in Österr.*)

pä|d|a|go|gi|sie|ren; Pä|d|a|go|gi|sie|rung, die; -

Pä|d|a|go|gi|um, das; -s, ...ien (*früher* Vorbereitungsschule für das Studium an einer pädagogischen Hochschule)

Pä|d|ak, die; -, -s (*österr. kurz für* Pädagogische Akademie)

PADAM = partial androgen deficiency in the aging male (partielles Androgendefizit des alternden Mannes)

Pad|del, das; -s, - ⟨engl.⟩; **Pad|del|boot; Pad|del|boot|fahrt**

pad|deln; ich padd[e]le

Padd|ler; Padd|le|rin

Pad|dock ['pε...], der; -s, -s ⟨engl.⟩ (umzäunter Auslauf)

¹Pad|dy ['pεdi], der; -s ⟨malai.-engl.⟩ (ungeschälter Reis)

²Pad|dy ['pεdi], der; -s, -s ⟨engl.; Koseform des m. Vornamens Patrick⟩ (Spitzname des Iren)

Pä|d|e|rast, der; -en, -en ⟨griech.⟩ (Homosexueller mit bes. auf männl. Jugendliche gerichtetem Sexualempfinden); **Pä|d|e|ras|tie**, die; -

Pa|der|born (Stadt in Nordrhein-Westfalen)

Pä|d|i|a|ter, der; -s, - ⟨griech.⟩ (Kinderarzt); **Pä|d|i|a|te|rin; Pä|d|i|a|t|rie**, die; - (Kinderheilkunde); **pä|d|i|a|t|risch**

Pa|di|schah, der; -s, -s ⟨pers.⟩ (*früher* Titel islam. Fürsten)

Pä|do|ge|ne|se, Pä|do|ge|ne|sis [*auch* ...'ge:...], die; - ⟨griech.⟩ (*Biol.* Fortpflanzung im Larvenstadium)

pä|do|phil; Pä|do|phi|le, der u. die; -n, -n; **Pä|do|phi|lie**, die; - ⟨griech.⟩ (auf Kinder gerichteter Sexualtrieb Erwachsener)

Pa|douk [...'dauk], das; -s ⟨birman.⟩ (ein Edelholz)

Pa|dua (ital. Stadt); **Pa|du|a|ner; pa|du|a|nisch**

Pa|el|la [...'εlja], die; -, -s ⟨span.⟩ (span. Reisgericht mit Fleisch, Fisch, Gemüse u. a.)

Pa|fe|se, Po|fe|se, die; -, -n *meist Plur.* ⟨ital.⟩ (*bayr. u. österr. für* gebackene Weißbrotschnitte)

paff *vgl.* baff

paff!; piff, paff!

paf|fen (*ugs. für* rauchen)

pag., p. = Pagina

Pa|ga|ni|ni (ital. Geigenvirtuose u. Komponist)

Pa|ga|nis|mus, der; -, ...men ⟨lat.⟩ (*nur Sing.:* Heidentum; *auch für* heidnische Elemente im christl. Glauben u. Brauchtum)

Pa|gat, der; -[e]s, -e ⟨ital.⟩ (Karte im Tarockspiel)

pa|ga|to|risch ⟨lat.-ital.⟩ (*Wirtsch.* auf Zahlungsvorgänge bezogen); pagatorische Buchhaltung

Pa|ge [...ʒə], der; -n, -n ⟨franz.⟩ (livrierter junger [Hotel]diener; *früher* Edelknabe)

Page|im|pres|sion ['pe:dʒ-ɪmprɛʃən], die; -, -s ⟨engl.⟩ (Aufruf einer Internetseite)

Pa|gen|dienst; Pa|gen|fri|sur; Pa|gen|kopf

Pa|ger ['peidʒɐ], der; -s, - ⟨engl.⟩ (Funkempfangsgerät, das einen eintreffenden Ruf akustisch od. optisch signalisiert)

Page|view ['pe:dʒvju:], der; -s, -s ⟨engl.⟩ (*svw.* Pageimpression)

Pa|gi|na, die; -, -s ⟨lat.⟩ (*veraltet für* [Buch-, Blatt]seite; *Abk.* p. *od.* pag.)

pa|gi|nie|ren (mit Seitenzahl[en] versehen); **Pa|gi|nier|ma|schi|ne; Pa|gi|nie|rung**

¹Pa|go|de, die; -, -n ⟨drawid.-port.⟩ (Tempel in Ostasien)

²Pa|go|de, die; -, -n, *auch* der; -s, -n (*veraltet für* ostasiat. Götterbild; kleine sitzende Porzellanfigur mit beweglichem Kopf)

Pa|go|den|dach; Pa|go|den|kra|gen (aus mehreren in Stufen übereinandergelegten Teilen bestehender Kragen)

pah!, bah!

Pail|let|te [pa'jε...], die; -, -n ⟨franz.⟩ (glitzerndes Metallblättchen zum Aufnähen); **pail|let|ten|be|setzt; Pail|let|ten|kleid**

Paint|ball ['pe:ntbo:l], der; -[s] ⟨engl.⟩ (einen milit. Kampf simulierendes Spiel)

Pair [pε:ʁ], der; -s, -s ⟨franz.⟩ (*früher* Mitglied des höchsten franz. Adels); *vgl.* Peer; **Pai|rie**, die; -, ...ien (Würde eines Pairs); **Pairs|wür|de**, die; -

Pak, die; -, -[s] (*Kurzw. für* Panzerabwehrkanone)

Pa|ket, das; -[e]s, -e

Pa|ket|ad|res|se; Pa|ket|an|nah|me; Pa|ket|boot

pa|ke|tie|ren (zu einem Paket machen); **Pa|ke|tier|ma|schi|ne**

Pa|ket|kar|te; Pa|ket|post; Pa|ket|zu|stel|lung

Pa|ki|s|tan (Staat in Asien); **Pa|ki|s|ta|ner; Pa|ki|s|ta|ne|rin; Pa|ki|s|ta|ni**, der; -[s], *auch* die; -, -[s] (Pakistaner[in]); **pa|ki|s|ta|nisch**

Pa|ko, der; -s, -s ⟨indian.-span.⟩ (*svw.* ¹Alpaka)

Pakt, der; -[e]s, -e ⟨lat.⟩ (Vertrag; Bündnis)

pak|tie|ren (einen Vertrag schließen; gemeinsame Sache machen); **Pak|tie|rer; Pak|tie|re|rin**

pa|lä|ark|tisch ⟨griech.⟩; paläarktische Region (*Tiergeogr.* Europa, Nordafrika, Asien außer Indien)

Pa|la|din [*auch* 'pa(:)...], der; -s, -e ⟨lat.⟩ (Angehöriger des Heldenkreises am Hofe Karls d. Gr.; treuer, ergebener Anhänger)

Pa|l|lais [...'lε:], das; -, [pa'lε:(s)], -

[pa'le:s] ⟨franz.⟩ (Palast, Schloss)

Pa|lan|kin, der; -s, *Plur.* -e *u.* -s ⟨Hindi⟩ (ind. Tragsessel; Sänfte)

pa|läo... ⟨griech.⟩ (alt..., ur...); **Pa|läo...** (Alt..., Ur...)

Pa|läo|bio|lo|gie (Biologie ausgestorbener Lebewesen); **Pa|läo|bo|ta|nik** (Botanik ausgestorbener Pflanzen); **Pa|läo|geo|gra|fie, Pa|läo|geo|gra|phie** (Geografie der Erdgeschichte)

Pa|läo|graf, Pa|läo|graph, der; -en, -en (Wissenschaftler auf dem Gebiet der Paläografie); **Pa|läo|gra|fie, Pa|läo|gra|phie,** die; - (Lehre von den Schriftarten des Altertums u. des MA.); **Pa|läo|gra|fin, Pa|läo|gra|phin; pa|läo|gra|fisch, pa|läo|gra|phisch**

Pa|läo|his|to|lo|gie, die; - (Lehre von den Geweben der fossilen Lebewesen); **Pa|läo|kli|ma|to|lo|gie,** die; - (Lehre von den Klimaten der Erdgeschichte)

Pa|läo|lith, der; *Gen.* -s *od.* -en, *Plur.* -e[n] (Steinwerkzeug des Paläolithikums)

Pa|läo|li|thi|kum, das; -s (Altsteinzeit); **pa|läo|li|thisch**

Pa|lä|on|to|lo|ge, der; -n, -n; **Pa|läo|on|to|lo|gie,** die; - (Lehre von den Lebewesen vergangener Erdperioden); **Pa|lä|on|to|lo|gin; pa|lä|on|to|lo|gisch**

Pa|läo|phy|ti|kum, das; -s (Frühzeit der Pflanzenentwicklung im Verlauf der Erdgeschichte)

Pa|läo|zän, Pa|leo|zän, das; -s ⟨*Geol.* älteste Abteilung des Tertiärs⟩

Pa|läo|zo|i|kum, das; -s (erdgeschichtl. Altertum); **pa|läo|zo|isch; Pa|läo|zoo|lo|gie,** die; - (Zoologie der fossilen Tiere)

Pa|las, der; -, -se ⟨lat.⟩ (Hauptgebäude der mittelalterl. Burg)

Pa|last, der; -[e]s, Paläste (Schloss; Prachtbau)

Pa|läs|ti|na (Gebiet zwischen Mittelmeer u. Jordan); **Pa|läs|ti|na|pil|ger**

Pa|läs|ti|nen|ser; Pa|läs|ti|na|ser|füh|rer

Pa|läs|ti|nen|se|rin; Pa|läs|ti|nen|ser|prä|si|dent; Pa|läs|ti|nen|ser|staat; pa|läs|ti|nen|sisch; pa|läs|ti|nisch

Pa|läs|t|ra, die; -, ...ren ⟨griech.⟩ (altgriechische Ring-, Fechtschule)

Pa|last|re|vol|te; Pa|last|re|vo|lu|ti|on; Pa|last|wa|che

---

pa|la|tal ⟨lat.⟩ (den Gaumen betreffend, Gaumen...); **Pa|la|tal,** der; -s, -e, **Pa|la|tal|laut,** der; -[e]s, -e (*Sprachw.* am vorderen Gaumen gebildeter Laut, z. B. j)

¹Pa|la|tin, der; -s ⟨lat.⟩ (ein Hügel in Rom)

²Pa|la|tin, der; -s, -e (*früher* Pfalzgraf); **Pa|la|ti|na,** die; - (Heidelberger Bibliothek)

Pa|la|ti|nat, das; -[e]s, -e (*früher* Würde eines Pfalzgrafen); **pa|la|ti|nisch** (pfälzisch); *aber* ↑K140: der Palatinische Hügel (in Rom)

Pa|la|t|schin|ke, die; -, -n *meist Plur.* ⟨ung.⟩ (*österr. für* gefüllter Eierkuchen)

Pa|lau (Staat im westlichen Pazifik); **Pa|lau|er; Pa|lau|e|rin; pa|lau|isch**

Pa|la|ver, das; -s, - ⟨lat.-port.-engl.⟩ (Ratsversammlung afrikan. Stämme; *ugs. für* endloses Gerede u. Verhandeln); **pa|la|vern;** ich palavere; sie haben palavert

Pa|laz|zo, der; -[s], ...zzi ⟨ital.⟩ (*ital. Bez. für* Palast); **Pa|laz|zo|ho|se** (weit geschnittene lange Damenhose)

Pa|le, die; -, -n (*nordd. für* Schote, Hülse)

Pale Ale ['pe:l 'e:l], das; - - ⟨engl.⟩ (helles engl. Bier)

pa|len (*nordd. für* [Erbsen] aus den Hülsen [Palen] lösen)

Pa|leo|zän *vgl.* Paläozän

Pa|ler|mer; pa|ler|misch; Pa|ler|mo (Stadt auf Sizilien)

Pa|les|t|ri|na (italien. Komponist)

Pa|le|tot [...to, *auch, österr. nur,* pal(ə)'to:], der; -s, -s (taillierter doppelreihiger Herrenmantel; dreiviertellanger Mantel)

Pa|let|te, die; -, -n ⟨franz.⟩ (Farbenmischbrett; genormtes Lademittel für Stückgüter; *übertr. für* bunte Mischung); **pa|let|ten|wei|se**

pa|let|ti; alles paletti (*ugs. für* in Ordnung)

pa|let|tie|ren ⟨franz.⟩ (Versandgut auf einer Palette stapeln)

Pa|li, das; -[s] (Schriftsprache der Buddhisten in Sri Lanka u. Hinterindien)

pa|lim..., pal|in... ⟨griech.⟩ (wieder...); **Pa|lim..., Pa|lin...** (Wieder...)

Pa|lim|p|sest, der *od.* das; -es, -e (von Neuem beschriebenes Pergament)

Pa|lin|drom, das; -s, -e (Wort[folge] od. Satz, die vorwärts- wie rückwärtsgelesen [den gleichen] Sinn ergeben, z. B. Reliefpfeiler)

Pa|lin|ge|ne|se, die; -, -n (*Rel.* Wiedergeburt; *Biol.* Auftreten von Merkmalen stammesgeschichtl. Vorfahren während der Keimesentwicklung)

Pa|li|n|o|die, die; -, ...ien (*Literaturw.* [dichterischer] Widerruf)

Pa|li|sa|de, die; -, -n ⟨franz.⟩ (aus Pfählen bestehendes Hindernis); **Pa|li|sa|den|pfahl; Pa|li|sa|den|wand**

Pa|li|san|der, der; -s, - ⟨indian.-franz.⟩ (brasil. Edelholz); **Pa|li|san|der|holz; pa|li|san|dern** (aus Palisander)

¹Pa|l|la|di|um, das; -s, ...ien ⟨griech.⟩ (Bild der Pallas; schützendes Heiligtum)

²Pa|l|la|di|um, das; -s (chemisches Element, Metall; *Zeichen* Pd)

Pal|las ⟨griech.⟩ (Beiname der Athene)

Pal|lasch, der; -[e]s, -e ⟨ung.⟩ (schwerer Säbel)

Pal|la|watsch, Bal|la|watsch, der; - (*österr. ugs. für* Durcheinander, Blödsinn)

pal|li|a|tiv (*Med.* schmerzlindernd); **Pal|li|a|tiv,** das; -s, -e, **Pal|li|a|ti|vum,** das; -s, ...va ⟨lat.⟩ (*Med.* Linderungsmittel); **Pal|li|a|tiv|me|di|zin** (*Med.*)

Pal|li|um, das; -s, ...ien (im Schulterbinde des erzbischöfl. Ornats)

Pal|lot|ti|ner, der; -s, - ⟨nach dem ital. Priester Pallotti⟩ (Angehöriger einer kath. Vereinigung); **Pal|lot|ti|ne|rin; Pal|lot|ti|ner|or|den,** der; -s

¹Palm, der; -[e]s, -e ⟨lat., »flache Hand«⟩ (altes Maß zum Messen von Rundhölzern); 10 Palm

²Palm® [pa:m], der; -s, -s ⟨engl.⟩ (*kurz für* Palmtop)

Pa|l|ma de Mal|l|or|ca (Hauptstadt von Mallorca)

Palm|art *vgl.* Palmenart

Pal|ma|rum (Palmsonntag)

Palm|baum (*veraltet für* Palme)

Palm|blatt, Pal|men|blatt

Pal|me, die; -, -n; **Pal|men|art; pal|men|ar|tig**

Pal|men|blatt *vgl.* Palmblatt

Pal|men|hain

Pal|men|her|zen *Plur.* (*svw.* Palmherzen)

Pal|men|rol|ler (eine südasiatische Schleichkatze)

Pal|men|we|del vgl. Palmwedel; Pal|men|zweig vgl. Palmzweig

Pal|met|te, die; -, -n ⟨franz.⟩ (Kunstwiss. Verzierung; Gartenbau Spalierobstbaum)

Palm|her|zen Plur. (als Gemüse od. Salat zubereitetes Mark bestimmter Palmen)

pal|mie|ren ⟨lat.⟩ ([bei einem Zaubertrick] in der Handfläche verbergen)

Pal|mi|tin, das; -s (Hauptbestandteil der meisten Fette)

Palm|kätz|chen; Palm|öl, das; -[e]s

Palm|sonn|tag [auch 'palm...]

Palm|top® ['pa:m...], der; -s, -s ⟨engl.⟩ (Taschencomputer)

Palm|we|del, Pal|men|we|del

Palm|wei|de; Palm|wein

Pal|my|ra ([Ruinen]stadt in der Syrischen Wüste); Pal|my|ra|pal|me; Pal|my|rer; pal|my|risch

Palm|zweig, Pal|men|zweig

Pa|lo|lo|wurm ⟨polynes.; dt.⟩ (ein trop. Borstenwurm)

pal|pa|bel ⟨lat.⟩ (Med. tast-, fühl-, greifbar); ...a|b|le Organe; Pal|pa|ti|on, die; -, -en (Med. Untersuchung durch Abtasten)

Pal|pe, die; -, -n (Zool. Taster [bei Gliederfüßern])

pal|pie|ren (Med. betastend untersuchen)

Pal|pi|ta|ti|on, die; -, -en (Pulsschlag, Herzklopfen); pal|pi|tie|ren (schlagen, pulsieren)

Pal|stek [...ste:k], der; -s, -s (Seemannsspr. leicht lösbarer Knoten [bes. zum Festmachen eines Bootes])

Pa|me|la, Pa|me|le [beide auch ...'me...] (w. Vorn.)

Pa|mir [auch 'pa:...], der, auch das; -[s] (Hochland in Asien)

Pamp, der; -[e]s (nordd. für Pamps)

Pam|pa, die; -, -s meist Plur. (indian.) (baumlose Grassteppe in Südamerika); Pam|pa[s]|gras

Pam|pe, die; - (nordd., mitteld. für dicke, breiige Masse aus Sand o. Ä. u. Wasser)

Pam|pel|mu|se [auch 'pam...], die; -, -n ⟨niederl.⟩ (eine Zitrusfrucht)

Pam|per|letsch vgl. Bamperletsch

Pampf, der; -[e]s (südd. für Pamps)

Pam|ph|let, das; -[e]s, -e ⟨franz.⟩ (Streit-, Schmähschrift); Pam|ph|le|tist, der; -en, -en (Verfasser von Pamphleten); Pam|ph|le|tis|tin

pam|pig (nordd., mitteld. für breiig; ugs. für frech, patzig)

Pamps, der; -[es] (landsch. für dicker Brei [zum Essen])

Pam|pu|sche vgl. Babusche

¹Pan (griech. Hirten-, Waldgott)

²Pan, der; -s, -s ⟨poln.⟩ (früher in Polen Besitzer eines kleineren Landgutes; poln. [in Verbindung mit dem Namen]: Herr); vgl. Panje

pan... ⟨griech.⟩ (gesamt..., all...); Pan... (Gesamt..., All...)

Pa|na|ché [...'ʃe:] vgl. Panaschee

Pa|na|de, die; -, -n ⟨franz.⟩ (Weißbrotbrei zur Bereitung von Füllungen; Mischung aus Ei u. Semmelmehl zum Panieren)

Pa|na|del|sup|pe (südd. u. österr. für Suppe mit Weißbroteinlage)

pan|af|ri|ka|nisch; ↑K150 : Panafrikanische Spiele; Pan|af|ri|ka|nis|mus, der; -; vgl. Panamerikanismus

Pa|na|ma (Staat in Mittelamerika u. dessen Hauptstadt); Pa|na|ma|er; Pa|na|ma|e|rin

Pa|na|ma|hut, Pa|na|ma-Hut, der ↑K143 ; pa|na|ma|isch

Pa|na|ma|ka|nal, Pa|na|ma-Ka|nal, der; -s ↑K143

pan|ame|ri|ka|nisch; panamerikanische Bewegung; Pan|ame|ri|ka|nis|mus, der; - (Bestreben, die wirtschaftl. u. polit. Zusammenarbeit aller amerik. Staaten zu verstärken)

pan|ara|bisch; panarabische Bewegung; Pan|ara|bis|mus, der; -; vgl. Panislamismus

Pa|na|ri|ti|um, das; -s, ...ien ⟨griech.⟩ (Med. eitrige Entzündung am Finger)

Pa|nasch, der; -[e]s, -e ⟨franz.⟩ (Feder-, Helmbusch)

Pa|na|schee, das; -s, -s (veraltet für gemischtes, mehrfarbiges Eis; Kompott, Gelee aus verschiedenen Obstsorten)

pa|na|schie|ren (Kandidaten verschiedener Listen wählen); Pa|na|schier|sys|tem, das; -s (ein Wahlsystem)

Pa|na|schie|rung, die; -, -en, Pa|na|schü|re, die; -, -en (Bot. weiße Musterung auf Pflanzenblättern)

pan|asi|a|tisch

Pan|athe|nä|en Plur. ⟨griech.⟩ (Fest zu Ehren der Athene im alten Athen)

Pa|n|a|zee [auch ...'tse:], die; -, -n

[...'tse:ən] ⟨griech.⟩ (Allheil-, Wundermittel)

Pan|cet|ta [...'tʃɛ...], die; -, auch der; - ⟨ital.⟩ (eine Art Speck)

pan|chro|ma|tisch ⟨griech.⟩ (Fotogr. empfindlich für alle Farben u. Spektralbereiche)

Pan|c|ra|ti|us vgl. Pankratius

Pan|da, der; -s, -s (asiat. Bärenart)

Pan|dai|mo|ni|on, Pan|dä|mo|ni|um, das; -s, ...ien ⟨griech.⟩ (Aufenthalt od. Gesamtheit der [bösen] Geister)

Pan|da|ne, die; -, -n ⟨malai.⟩ (eine Zierpflanze)

Pan|dek|ten Plur. ⟨griech.⟩ (Sammlung altröm. Rechtssprüche)

Pan|de|mie, die; -, ...ien ⟨griech.⟩ (Med. Epidemie größeren Ausmaßes)

pan|de|misch (sehr weit verbreitet); eine pandemische Seuche

Pan|dit, der; -s, -e u. -s ⟨sanskr.-Hindi⟩ ([Titel] brahmanischer Gelehrter)

Pan|do|ra (Gestalt der griech. Mythologie); die Büchse der Pandora

Pand|sch|ab [...'dʒa:p, auch 'pa...], das; -s ⟨sanskr., »Fünfstromland«⟩ (Landschaft in Vorderindien); Pand|sch|a|bi, das; -[s] (eine neuind. Sprache)

Pa|neel, das; -s, -e ⟨niederl.⟩ (Täfelung der Innenwände); pa|nee|lie|ren

Pa|n|e|gy|ri|ker ⟨griech.⟩ (Verfasser eines Panegyrikus)

Pa|n|e|gy|ri|kon, das; -[s], ...ka (liturg. Buch der orthodoxen Kirche)

Pa|n|e|gy|ri|kos vgl. Panegyrikus

Pa|n|e|gy|ri|kus, der; -, Plur. ...ken u. ...zi (Fest-, Lobrede; Fest-, Lobgedicht); pa|n|e|gy|risch

Pa|nel ['pɛnl], das; -s, -s ⟨engl.⟩ (repräsentative Personengruppe für die Meinungsforschung); Pa|nel|tech|nik, die; - (Methode der Meinungsforschung, die gleiche Personengruppe innerhalb eines bestimmten Zeitraums mehrfach zu befragen)

pa|nem et cir|cen|ses ⟨lat., »Brot u. Zirkusspiele«⟩ (Lebensunterhalt u. Vergnügungen zur Zufriedenstellung des Volkes)

Pan|en|the|is|mus, der; - ⟨griech.⟩ (Lehre, nach der das All in Gott eingeschlossen ist); pan|en|the|is|tisch

Pa|net|to|ne, der; -[s], ...ni ⟨ital.⟩ (ein ital. Kuchen)

Pan|eu|ro|pa (erstrebte Gemeinschaft der europäischen Staaten); pan|eu|ro|pä|isch

Pan|flö|te, Pans|flö|te ([antike] Hirtenflöte aus aneinandergereihten Pfeifen)

Pan|has, der; - (niederrhein.-westfäl. Gericht aus Wurstbrühe u. Buchweizenmehl)

Pan|hel|le|nis|mus, der; - (Bewegung zur polit. Einigung der griech. Staaten [in der Antike]); pan|hel|le|nis|tisch

¹Pa|nier, das; -s, -e ⟨germ.-franz.⟩ (veraltet für Banner; geh. für Wahlspruch)

²Pa|nier, die; - ⟨franz.⟩ (österr. für Hülle aus Ei u. Semmelbröseln)

pa|nie|ren (in Ei u. Semmelbröseln wenden); Pa|nier|mehl; Pa|nierung

Pa|nik, die; -, -en ⟨nach ¹Pan⟩ (durch plötzlichen Schrecken entstandene, unkontrollierte [Massen]angst)

Pa|nik|an|fall; pa|nik|ar|tig; Pa|nik|at|ta|cke

Pa|nik|ma|che; Pa|nik|re|ak|ti|on; Pa|nik|stim|mung

pa|nisch (lähmend); panischer Schrecken

Pan|is|la|mis|mus, der; - (Streben, alle islam. Völker zu vereinigen)

Pan|je, der; -s, -s ⟨slaw.⟩ (veraltet für poln. od. russ. Bauer); vgl. ²Pan; Pan|je|pferd (poln. od. russ. Landpferd); Pan|je|wa|gen

Pan|kar|di|tis, die; -, ...itiden ⟨griech.⟩ (Med. Entzündung aller Schichten der Herzwand)

Pan|kow [...ko] (Stadtteil von Berlin)

Pan|k|ra|ti|on, das; -s, -s ⟨griech.⟩ (altgriechischer Ring- u. Faustkampf)

Pan|k|ra|ti|us [österr. 'pa...], Pan|c|ra|ti|us, Pan|k|raz [österr. 'pa...] (m. Vorn.)

Pan|k|re|as, das; - ⟨griech.⟩ (Med. Bauchspeicheldrüse); Pan|k|re|a|ti|tis, die; -, ...itiden (Entzündung der Bauchspeicheldrüse)

Pan|lo|gis|mus, der; - ⟨griech.⟩ (philos. Lehre, nach der das ganze Weltall als Verwirklichung der Vernunft aufzufassen ist)

Pan|mi|xie, die; -, ...ien ⟨griech.⟩ (Biol. Kreuzung mit jedem beliebigen Partner der gleichen Tierart)

Pan|ne, die; -, -n ⟨franz.⟩ (Unfall, Schaden, Störung [bes. bei Fahrzeugen]; Missgeschick); Pan|nen|dienst; pan|nen|frei

Pan|nen|hil|fe; Pan|nen|kof|fer; Pan|nen|kurs (Lehrgang über das Beheben von Autopannen); Pan|nen|se|rie; Pan|nen|strei|fen (bes. österr., schweiz. für Standspur, -streifen)

Pan|no|ni|en (früher röm. Donauprovinz); pan|no|nisch (österr. auch für burgenländisch); pannonisches Klima, aber ↑K151: das Pannonische Becken

Pa|n|op|ti|kum, das; -s, ...ken ⟨griech.⟩ (Kuriositäten-, Wachsfigurenkabinett)

Pa|n|o|ra|ma, das; -s, ...men ⟨griech.⟩ (Rundblick; Rundgemälde; [fotogr.] Rundbild); Pa|n|o|ra|ma|blick; Pa|n|o|ra|ma|bus; Pa|n|o|ra|ma|fens|ter; Pa|n|o|ra|ma|spie|gel

Pan|ple|gie, die; - ⟨griech.⟩ (Med. allgemeine, vollständige Muskellähmung)

Pan|psy|chis|mus, der; - ⟨griech.⟩ (Philos. Lehre, nach der auch die unbelebte Natur beseelt ist)

pan|schen, pant|schen (ugs. für mischend verfälschen, verdünnen; mit den Händen od. Füßen im Wasser patschen, planschen); du pan[t]schst

Pan|scher, Pant|scher (ugs.); Pan|sche|rei, Pant|sche|rei (ugs.); Pan|sche|rin, Pant|sche|rin (ugs.)

Pan|sen, der; -s, - (Magenteil der Wiederkäuer); vgl. Panzen

Pan|se|xu|a|lis|mus, der; - ⟨griech.; lat.⟩ (psychoanalyt. Richtung, die in der Sexualität den Auslöser für alle psychischen Vorgänge sieht)

Pans|flö|te vgl. Panflöte

Pan|sla|wis|mus, der; - (Streben im 19.Jh., alle slaw. Völker zu vereinigen); pan|sla|wis|tisch

Pan|so|phie, die; - ⟨griech., »Gesamtwissenschaft«⟩ (vom 16. bis zum 18.Jh. Bewegung mit dem Ziel einer Gesamtdarstellung aller Wissenschaften)

Pan|sper|mie, die; - ⟨griech.⟩ (Theorie von der Entstehung des Lebens auf der Erde durch Keime von anderen Planeten)

Pan|ta|le|on (ein Heiliger)

Pan|ta|lo|ne, der; -[s], Plur. -s u. ...ni ⟨ital.⟩ (Figur der ital. Volkslustspiele)

Pan|ta|lons [pãta'lõːs, 'pantalõːs] Plur. ⟨franz.⟩ (lange Männerhose mit röhrenförmigen Beinen)

pan|ta rhei ⟨griech., »alles fließt«⟩ (Heraklit [fälschlich?] zugeschriebener Grundsatz, nach dem das Sein als ewiges Werden gedacht wird)

Pan|ter, Pan|ther, der; -s, - ⟨griech.⟩ (svw. Leopard); Pan|ter|fell, Pan|ther|fell

Pan|the|is|mus, der; - ⟨griech.⟩ (Weltanschauung, nach der Gott u. Welt eins sind)

Pan|the|ist, der; -en, -en; Pan|the|is|tin; pan|the|is|tisch

Pan|the|on, das; -s, -s (antiker Tempel für alle Götter)

Pan|ther usw. vgl. Panter usw.

Pan|ti|ne, die; -, -n meist Plur. ⟨niederl.⟩ (nordd. für Holzschuh, -pantoffel)

pan|to... ⟨griech.⟩ (all...); Pan|to... (All...)

Pan|tof|fel, der; -s, -n ⟨franz.⟩ (Hausschuh)

Pan|tof|fel|blu|me

Pan|töf|fel|chen

Pan|tof|fel|held (ugs. für Mann, der von seiner Ehefrau beherrscht wird); Pan|tof|fel|ki|no (ugs. scherzh. für Fernsehen)

Pan|tof|fel|tier|chen (Biol.)

Pan|to|graf, Pan|to|graph, der; -en, -en ⟨griech.⟩ (Storchschnabel, Instrument zum Übertragen von Zeichnungen im gleichen, größeren od. kleineren Maßstab); Pan|to|gra|fie, Pan|to|gra|phie, die; -, ...ien (mit dem Pantografen hergestelltes Bild)

Pan|to|let|te, die; -, -n meist Plur. ⟨Kunstwort⟩ (leichter Sommerschuh ohne Fersenteil)

¹Pan|to|mi|me, die; -, -n ⟨griech. (-franz.)⟩ (Darstellung einer Szene nur mit Gebärden u. Mienenspiel)

²Pan|to|mi|me, der; -n, -n (Darsteller einer Pantomime)

Pan|to|mi|mik, die; - (Gebärdenspiel; Kunst der Pantomime); pan|to|mi|min; pan|to|mi|misch

Pan|t|ry ['pɛntri], die; -, -s ⟨engl.⟩ (Speise-, Anrichtekammer)

pant|schen usw. vgl. panschen usw.

Pant|schen-La|ma, der; -[s] ⟨tibet.⟩ (zweites, kirchliches Oberhaupt des tibetanischen Priesterstaates)

Pan|ty ['pɛnti], die; -, -s ⟨engl.⟩ (Miederhose)

Pä|n|ul|ti|ma, die; -, Plur. ...mä u. ...men ⟨lat.⟩ (Sprachw. vorletzte Silbe eines Wortes)

P

Pane

Pan|zen, der; -s, - (*landsch. für* dicker Bauch)

Pan|zer (Kampffahrzeug; feste Hülle; *früher* Rüstung)

Pan|zer|ab|wehr; Pan|zer|ab|wehr|ka|no|ne (*Kurzw.* Pak); Pan|zer|ab|wehr|ra|ke|te

pan|zer|bre|chend; panzerbrechende Munition

Pan|zer|di|vi|si|on; Pan|zer|ech|se; Pan|zer|faust; Pan|zer|glas; das; -es; Pan|zer|gra|ben

Pan|zer|gra|na|te; Pan|zer|gre|na|dier; Pan|zer|hemd (*früher*); Pan|zer|jä|ger; Pan|zer|kampf|wa|gen; Pan|zer|kreu|zer

pan|zern; ich panzere

Pan|zer|plat|te; Pan|zer|schiff; Pan|zer|schrank; Pan|zer|späh|wa|gen; Pan|zer|sper|re

Pan|ze|rung; Pan|zer|wa|gen

Pä|o|nie, die; -, -n ⟨griech.⟩ (Pfingstrose)

¹Pa|pa [*veraltend, geh.* ...'pa:], der; -s, -s ⟨franz.⟩ (Vater)

²Pa|pa, der; -s ⟨griech., »Vater«⟩ (kirchl. Bez. des Papstes; *Abk.* P.); Pa|pa|bi|li *Plur.* ⟨lat.⟩ (ital. Bez. der als Papstkandidaten infrage kommenden Kardinäle)

Pa|pa|chen

Pa|pa|gal|lo, der; -[s], *Plur.* -s u. ...lli ⟨ital.⟩ (ital. [junger] Mann, der erotische Abenteuer mit Touristinnen sucht)

Pa|pa|gei [*österr. u. schweiz. auch* 'pa...], der; *Gen.* auch ... 'pa:, -en, *seltener* -e ⟨franz.⟩

Pa|pa|gei|en|grün, das; -s; pa|pa|gei|en|haft

Pa|pa|gei|en|krank|heit, die; - ([bes. von Papageien übertragene] bakterielle Infektionskrankheit); Pa|pa|gei|fisch; Pa|pa|gei|tau|cher (ein Vogel)

Pa|pa|ge|no (Vogelhändler in Mozarts »Zauberflöte«)

pa|pal ⟨lat.⟩ (päpstlich); Pa|pal|sys|tem, das; -s; Pa|pa|mo|bil, das; -s, -e (Fahrzeug des Papstes)

Pa|pa|raz|za, die; -, -s ⟨ital.⟩ ([aufdringliche] Pressefotografin, Skandalreporterin); Pa|pa|raz|zo, der; -s, ...zzi

Pa|pat, der, *auch* das; -[e]s (Amt u. Würde des Papstes)

Pa|pa|ve|ra|ze|en *Plur.* ⟨lat.⟩ (*Bot.* Familie der Mohngewächse)

Pa|pa|ve|rin, das; -s (Opiumalkaloid)

Pa|pa|ya, die; -, -s ⟨span.⟩ (der Melone ähnliche Frucht)

Pap|chen (*Koseform für* ¹Papa)

Pa|per ['pe:pɐ], das; -s, -s ⟨engl.⟩ (Schriftstück; schriftl. Unterlage)

Pa|per|back [...bɛk], das; -s, -s (kartoniertes [Taschen]buch)

Pa|pe|te|rie, die; -, ...ien ⟨franz.⟩ (*schweiz. für* Papier-, Schreibwaren[geschäft])

pa|phisch (aus Paphos)

Pa|phla|go|ni|en (antike Landschaft in Kleinasien)

Pa|phos (im Altertum Stadt auf Zypern)

Pa|pi, der; -s, -s (*Koseform von* ¹Papa)

Pa|pier, das; -s, -e (*Abk. auf dt. Kurzzetteln* P); die Papier verarbeitende *od.* papierverarbeitende Industrie

Pa|pier|bahn; Pa|pier|block *vgl.* Block; Pa|pier|bo|gen; Pa|pier|deutsch (umständliches, geschraubtes Deutsch)

pa|pie|ren (aus Papier); papier[e]nes Tischtuch; papier[e]ner Stil

Pa|pier|fa|b|rik; Pa|pier|fet|zen; Pa|pier|flie|ger (*ugs.*); Pa|pier|for|mat; Pa|pier|geld, das; -[e]s; Pa|pier|in|dus|t|rie; Pa|pier|korb; Pa|pier|kram (*ugs. abwertend für* als lästig empfundene Briefe o. Ä.); Pa|pier|krieg (*ugs. für* lange dauernder Schriftverkehr)

pa|pier|los; papierloses Büro

Pa|pier|ma|schee, Pa|pier|ma|ché [...pjema'ʃe:, *auch* ...'pi:ɐ...], das; -s, -s ↑K38 ⟨franz.⟩ (verformbare Papiermasse)

Pa|pier|mes|ser, das; Pa|pier|müh|le; Pa|pier|sack; Pa|pier|sche|re; Pa|pier|schlan|ge

Pa|pier|schnip|sel (*ugs.*); Pa|pier|schnit|zel *vgl.* ²Schnitzel; Pa|pier|ser|vi|et|te; Pa|pier|stau; Pa|pier|ta|schen|tuch

Pa|pier|ti|ger (*übertr. für* nur dem Schein nach starke Person)

Pa|pier|tü|te

Pa|pier ver|ar|bei|tend, pa|pier|ver|ar|bei|tend ↑K58 ; Pa|pier|ver|ar|bei|tung

Pa|pier|wa|ren *Plur.*; Pa|pier|wa|ren|hand|lung

Pa|pier|win|del; Pa|pier|wol|le (Verpackungsmaterial)

pa|pil|lar ⟨lat.⟩ (*Med.* warzenartig); Pa|pil|lar|ge|schwulst; Pa|pil|lar|kör|per; Pa|pil|lar|li|ni|en *Plur.*

Pa|pil|le, die; -, -n (Warze); Pa|pil|lom, das; -s, -e (warzenartige Geschwulst der Schleimhaut)

Pa|pil|lon [...pi'jõ:], der; -s, -s ⟨franz., »Schmetterling«⟩ (weicher Kleiderstoff; Zwergspaniel)

Pa|pil|lo|te [...pi'jo:...], die; -, -n (Haarwickel; *Gastron.* Hülle aus Pergamentpapier für das Braten *od.* Grillen)

Pa|pin|topf, Pa|pin-Topf [...'pɛ̃...] ↑K136 ⟨nach dem franz. Physiker Papin⟩ (fest schließendes Gefäß zum Erhitzen von Flüssigkeiten über deren Siedepunkt hinaus)

Pa|pi|ros|sa, die; -, ...ossy [...si] (russ. Zigarette mit langem Pappmundstück)

Pa|pis|mus, der; - ⟨griech.⟩ (*abwertend für* Papsttum); Pa|pist, der; -en, -en (Anhänger des Papsttums); Pa|pis|tin; pa|pis|tisch

papp; nicht mehr papp sagen können (*ugs. für* sehr satt sein)

Papp, der; -[e]s, -e *Plur. selten* (*landsch. für* Brei; Kleister)

Papp|band, der (in Pappe gebundenes Buch; *Abk.* Pp[bd].); Papp|be|cher; Papp|de|ckel, Pappen|de|ckel

Pap|pe, die; -, -n (steifes, papierähnliches Material)

Pap|pel, die; -, -n ⟨lat.⟩ (ein Laubbaum); Pap|pel|al|lee; Pap|pel|holz

pap|peln (aus Pappelholz)

päp|peln (*landsch. für* [ein Kind] füttern); ich päpp[e]le

pap|pen (*ugs. für* kleistern, kleben); der Schnee pappt

Papp|en|de|ckel *vgl.* Pappdeckel

Papp|en|hei|mer, der; -s, - (Angehöriger des Reiterregiments des dt. Reitergenerals Graf zu Pappenheim); ich kenne meine Pappenheimer (*ugs. für* ich weiß, mit wem ich es zu tun habe)

Papp|en|stiel (*ugs. für* Wertloses); kein Pappenstiel sein

papp|[en]|la|papp!

pap|pig (*ugs.*)

Papp|ka|me|rad (*ugs. für* Figur aus Pappe für Schießübungen)

Papp|kar|ton; Papp|ma|schee, Papp|ma|ché [...'ʃe:] ↑K38 ; *vgl.* Papiermaschee

Papp|na|se

Papp|pla|kat, Papp-Pla|kat

papp|satt (*ugs. für* sehr satt)

Papp|schach|tel; Papp|schnee, der; -s; Papp|tel|ler

Pap|pus, der; -, *Plur.* - u. -se ⟨griech.⟩ (*Bot.* Haarkrone der Frucht von Korbblütlern)

¹Pa|p|ri|ka, der; -s, -[s] ⟨serb.-ung.⟩ (ein Gewürz; ein Gemüse)

²**Pa̱p|ri|ka**, der od. die; -, -[s] (*kurz für* Paprikaschote) **Pa̱p|ri|ka|ge|mü|se; Pa̱p|ri|ka|schnit|zel; Pa̱p|ri|ka|scho|te** (*vgl.* ³**Schote**)

palp|ri|zie|ren (*bes. österr. für* mit Paprika würzen)

Pa̱ps, der; -, -e (*Kinderspr. für* ¹**Papa**; *meist als Anrede*)

Pa̱pst, der; -[e]s, Päpste ⟨griech.⟩ (Oberhaupt der kath. Kirche; *auch übertr. für* anerkannte Autorität)

Pa̱pst|fa|mi|lie (Umgebung des Papstes)

Päps|tin

Pa̱pst|ka|ta|log (Verzeichnis der Päpste)

pa̱pst|lich; *aber* ↑K150 : das Päpstliche Bibelinstitut

Pa̱pst|na|me; Pa̱pst|tum, das; -s; **Pa̱pst|wahl**

Pa̱|pua [*auch* ...'pu:a], der; -[s], -[s] *u.* die; -, -[s] (Ureinwohner[in] Neuguineas)

Pa̱|pua-Neu|gui|ne̱a (Staat auf Neuguinea); **Pa̱|pua-Neu|gui|ne̱|er; Pa̱|pua-Neu|gui|ne̱|e|rin; pa̱|pua-neu|gui|ne̱|isch**

pa|pu|a̱|nisch; Pa̱|pua|spra|che

Pa̱|py|ri̱n, das; -s ⟨griech.⟩ (Pergamentpapier)

Pa|py|ro|lo|gie, die; - (Wissenschaft vom Papyrus); **Pa|py̱|rus**, der; -, ...ri (Papyrusstaude; Papyrusrolle); **Pa|py̱|rus|rol|le; Pa|py̱|rus|stau|de**

Par, das; -[s], -s ⟨engl.⟩ (*Golf* festgesetzte Anzahl von Schlägen für ein Loch)

par..., **pa|ra...** ⟨griech.⟩ (bei..., neben..., falsch...); **Par...**, **Pa|ra...** (Bei..., Neben..., Falsch...)

Pa̱|ra, der; -s, -s ⟨franz.⟩ (Kurzform *für* parachutiste = franz. Fallschirmjäger)

Pa|ra|ba|se, die; -, -n ⟨griech.⟩ (Teil der attischen Komödie)

Pa|ra|bel, die; -, -n ⟨griech.⟩ (Gleichnis[rede]; *Math.* Kegelschnittkurve)

Pa|ra|bel|lum®, die; -, -s ⟨lat.⟩ (Pistole mit Selbstladevorrichtung); **Pa|ra|bel|lum|pis|to|le**

Pa|ra|bol|an|ten|ne, die; -, -n (Antenne in der Form eines Parabolspiegels)

pa|ra|bo̱|lisch ⟨griech.⟩ (gleichnisweise; *Math.* parabelförmig gekrümmt); **Pa|ra|bo|lo|i̱d**, das; -[e]s, -e (*Math.* gekrümmte Fläche)

Pa|ra|bo̱l|spie|gel (Hohlspiegel)

pa|ra|cẹl|sisch; paracelsischer Forschergeist; paracelsische Schriften ↑K135 ; **Pa|ra|cẹl|sus** (dt. Naturforscher, Arzt u. Philosoph); **Pa|ra|cẹl|sus-Me|dail|le**

Pa|ra̱|de, die; -, -n ⟨franz.⟩ (Truppenschau, prunkvoller Aufmarsch; *Reitsport* annehmende Zügelhilfe des Reiters, z. B. bei Gangwechsel, Anhalten; *Sport* Abwehrbewegung)

Pa|ra̱|de|bei|spiel; Pa|ra̱|de|dis|zi|p|lin (*Sport*)

Pa|ra̱|dei|ser, der; -s, - (*österr. für* Tomate); **Pa|ra̱|deis|sa|lat** (*österr.*); **Pa|ra̱|deis|sup|pe** (*österr.*)

Pa|ra̱|de|kis|sen

Pa|ra̱|de|marsch, der

Pa|ra|den|to|se vgl. Parodontose

Pa|ra̱|de|pferd (*ugs. für* Person, Sache, mit der sich renommieren lässt); **Pa|ra̱|de|rol|le; Pa|ra̱|de|stück; Pa|ra̱|de|uni|form**

pa|ra̱|die|ren ⟨franz.⟩ (*Milit.* in einer Parade vorüberziehen)

Pa|ra̱|dies, das; -es, -e ⟨pers.⟩ (*nur Sing.:* der Garten Eden, Himmel; *übertr. für* Ort der Seligkeit; *Archit.* Portalvorbau an mittelalterl. Kirchen)

Pa|ra̱|dies|ap|fel (*landsch. für* Tomate; *auch* Zierapfel)

pa|ra̱|die|sisch (himmlisch)

Pa|ra̱|dies|vo|gel (*ugs. auch für* Person, die durch ihr Äußeres od. Gebaren auffällt)

Pa|ra|di̱g|ma, das; -s, *Plur.* ...men, *auch* -ta ⟨griech.⟩ (Beispiel, Muster; *Sprachw.* Beugungsmuster); **pa|ra|di̱g|ma|tisch** (beispielhaft; als Muster dienend)

Pa|ra|di̱g|men|wech|sel (Wechsel von einer [wissenschaftlichen] Grundauffassung zur anderen)

Pa|ra|do̱x ⟨griech.⟩ ([scheinbar] widersinnig; *ugs. für* sonderbar); **Pa|ra|do̱x**, das; -es, -e (etwas, was einen Widerspruch in sich enthält; *auch svw.* Paradoxon)

pa|ra|do̱x|er|wei|se; Pa|ra|do̱|xie, die; -, ...ien (Widersinnigkeit)

Pa|ra|do̱|xon, das; -s, ...xa (scheinbar falsche Aussage, die aber auf eine höhere Wahrheit hinweist; *auch svw.* Paradox)

Pa|r|af|fi̱n, das; -s, -e ⟨lat.⟩ (wachsähnlicher Stoff; *meist Plur.:* Chemie gesättigter, aliphatischer Kohlenwasserstoff)

pa|r|af|fi̱|nie|ren (mit Paraffin behandeln); **pa|r|af|fi̱|nisch**

Pa|r|af|fi̱n|ker|ze

Pa|r|af|fi̱n|öl, das; -[e]s

Pa|ra|glei̱|ten, Pa̱|ra|gli|den [...glai...], das; -s (Gleitschirmfliegen); **Pa̱|ra|glei|ter, Pa̱|ra|gli|der**, der; -s, - (Gleitschirm; Gleitschirmflieger); **Pa̱|ra|glei̱|te|rin, Pa̱|ra|gli|de|rin** (Gleitschirmfliegerin)

Pa̱|ra|gli|den [...glai...] usw. vgl. Paragleiten usw.

Pa̱|ra|gli|ding [...glai...], das; -s ⟨engl.⟩ (*svw.* Paragleiten)

Pa|ra|gra̱f, Pa|ra|gra̱ph, der; -en, -en ([in Gesetzestexten u. wissenschaftlichen Werken] fortlaufend nummerierter Absatz, Abschnitt; *Zeichen* §, *Plur.* §§); §5-Schein (*Amtsspr.* Wohnberechtigungsschein)

Pa|ra|gra̱|fen|di|ckicht, Pa|ra|gra̱phen|di|ckicht; Pa|ra|gra̱|fen|dschun|gel, Pa|ra|gra̱phen|dschun|gel; Pa|ra|gra̱|fen|rei|ter, Pa|ra|gra̱phen|rei|ter (*abwertend für* sich übergenau an Vorschriften haltender Mensch); **Pa|ra|gra̱|fen|rei|te|rin, Pa|ra|gra̱phen|rei|te|rin**

pa|ra|gra̱|fen|wei|se, pa|ra|gra̱phen|wei|se

Pa|ra|gra̱|fen|zei|chen, Pa|ra|gra̱phen|zei|chen vgl. Paragrafzeichen

Pa|ra|gra|fie̱, Pa|ra|gra|phie̱, die; -, -n (*Med.* Störung des Schreibvermögens)

pa|ra|gra|fie̱|ren, pa|ra|gra|phie̱ren (in Paragrafen einteilen); **Pa|ra|gra|fie̱|rung, Pa|ra|gra|phie̱|rung**

Pa|ra|gra̱f|zei|chen, Pa|ra|gra̱ph|zei|chen, Pa|ra|gra̱|fen|zei|chen, Pa|ra|gra|phen|zei|chen (das Zeichen §)

Pa|ra|gra̱mm, das; -s, -e ⟨griech.⟩ (Buchstabenänderung in einem Wort od. Namen, wodurch ein scherzhaft-komischer Sinn entstehen kann)

Pa|ra|gra̱ph usw. vgl. Paragraf usw.

¹**Pa̱|ra|gu|ay**, der; -[s] (r. Nebenfluss des Paraná)

²**Pa̱|ra|gu|ay** (südamerik. Staat); **Pa̱|ra|gu|a̱|yer; Pa̱|ra|gu|a̱|ye|rin; pa̱|ra|gu|a̱|yisch**

Pa|ra|ki|ne̱|se, die; -, -n ⟨griech.⟩ (*Med.* Koordinationsstörungen im Bewegungsablauf)

Pa|ra|kla̱|se, die; -, -n ⟨griech.⟩ (*Geol.* Verwerfung)

Pa|ra|kle̱t, der; *Gen.* -[e]s *u.* -en, *Plur.* -e[n] ⟨griech.⟩ (*nur Sing.:*

Heiliger Geist; Helfer, Fürsprecher vor Gott)

Pa|ra|la|lie, die; - ⟨griech.⟩ (*Med., Psych.* Wort- u. Lautverwechslung)

Pa|ra|le|xie, die; - ⟨griech.⟩ (*Med., Psych.* Lesestörung mit Verwechslung der gelesenen Wörter)

Pa|ra|li|po|me|non, das; -s, ...mena *meist Plur.* ⟨griech.⟩ (*Literaturw.* Ergänzung; Randbemerkung)

pa|r|al|lak|tisch ⟨griech.⟩; **Pa|r|al|la-xe,** die; -, -n (*Physik* Winkel, den zwei Gerade bilden, die von verschiedenen Standorten zu einem Punkt gerichtet sind; *Astron.* Entfernungsbestimmung u. -angabe von Sternen; *Fotogr.* Unterschied zwischen dem Bildausschnitt im Sucher u. auf dem Film)

pa|r|al|lel ⟨griech.⟩; [mit etwas] parallel laufen; parallel verlaufen; parallel laufende *od.* parallellaufende Geraden; zwei Systeme parallel schalten; zwei parallel geschaltete *od.* parallelgeschaltete Systeme

Pa|r|al|le|le, die; -, -n (Gerade, die zu einer anderen Geraden in gleichem Abstand u. ohne Schnittpunkt verläuft; Vergleich, vergleichbarer Fall); vier Parallele[n]

Pa|r|al|lel|epi|ped [...pe:t], das; -[e]s, -e, **Pa|r|al|lel|epi|pe|don,** das; -s, *Plur.* ...da u. ...pe̲den (*Math.* Parallelflach)

Pa|r|al|le|ler|schei|nung; Pa|r|al|lel|-fall, der

Pa|r|al|lel|flach, das; -[e]s, -e (*Math.* von drei Paaren paralleler Ebenen begrenzter Raumteil)

pa|r|al|lel ge|schal|tet, pa|r|al|lel|-ge|schal|tet ↑K58

Pa|r|al|lel|ge|sell|schaft (größere, nicht integrierte Gruppe innerhalb einer Gesellschaft)

pa|r|al|le|li|sie|ren ([vergleichend] nebeneinanderstellen, zusammenstellen); **Pa|r|al|le|li|sie|rung**

Pa|r|al|le|lis|mus, der; -, ...men (Übereinstimmung verschiedener Dinge od. Vorgänge; *Sprachw.* inhaltlich u. grammatisch gleichmäßiger Bau von Satzgliedern od. Sätzen)

Pa|r|al|le|li|tät, die; - (Eigenschaft zweier paralleler Geraden)

Pa|r|al|lel|klas|se; Pa|r|al|lel|kreis (*Geogr.* Breitenkreis)

pa|r|al|lel lau|fend, pa|r|al|lel|lau-fend ↑K58

Pa|r|al|lel|li|nie

Pa|r|al|le|lo|gramm, das; -s, -e ⟨griech.⟩ (*Math.* Viereck mit paarweise parallelen Seiten)

Pa|r|al|lel|pro|jek|ti|on (*Math.*)

pa|r|al|lel schal|ten *vgl.* parallel; **Pa|r|al|lel|schal|tung** (*Elektrot.* Nebenschaltung)

Pa|r|al|lel|schwung (*Skisport*); **Pa|r|al|lel|stel|le; Pa|r|al|lel|stra|ße; Pa|r|al|lel|ton|art** (*Musik*); **Pa|r|al|lel|uni|ver|sum**

Pa|ra|lo|gie, die; -, ...ien ⟨griech.⟩ (Vernunftwidrigkeit); **pa|ra|lo-gisch; Pa|ra|lo|gis|mus,** der; -, ...men (*Logik* auf Denkfehlern beruhender Fehlschluss)

Pa|r|a|lym|pics [*auch* peraˈlɪmpɪks] *Plur.* ⟨engl.⟩ (*internationale Bez.* für die Weltspiele der Menschen mit Behinderung); **pa|ra|lym|pisch;** ↑K89 : die paralympischen Athleten; *aber* ↑K88 : die Paralympischen Spiele

Pa|ra|ly|se, die; -, -n (*Med.* Lähmung; Gehirnerweichung; **pa|ra|ly|sie|ren**

Pa|ra|ly|ti|ker (an Paralyse Erkrankter); **Pa|ra|ly|ti|ke|rin; pa|ra|ly|tisch**

pa|ra|mag|ne|tisch ⟨griech.⟩ (*Physik*); **Pa|ra|mag|ne|tis|mus,** der; - (Verstärkung des Magnetismus)

Pa|ra|ma|ri|bo (Hauptstadt von Surinam)

Pa|ra|me|di|zin, die; - (von der Schulmedizin abweichende Lehre in Bezug auf die Erkennung u. Behandlung von Krankheiten); **pa|ra|me|di|zi|nisch**

Pa|ra|ment, das; -[e]s, -e *meist Plur.* ⟨lat.⟩ (Altar- u. Kanzeldecke; liturg. Kleidung); **Pa|ra|men|ten|ma|cher**

Pa|ra|me|ter, der; -s, - ⟨griech.⟩ (*Math.* konstante od. unbestimmt gegebene Hilfsvariable; *Technik* die Leistungsfähigkeit einer Maschine charakterisierende Kennziffer); **pa|ra|me|t|rie-ren, pa|ra|me|t|ri|sie|ren** (mit einem Parameter versehen)

pa|ra|mi|li|tä|risch (halbmilitärisch, militärähnlich)

Pa|ra|my|xo|vi|rus, das; -, ...ren *meist Plur.* ⟨griech.⟩ (*Med.* Gruppe von Viren, zu denen u. a. die Erreger von Masern u. Mumps gehören)

Pa|ra|nà, der; -[s] (südamerik. Strom)

Pa|ra|noia, die; - ⟨griech.⟩ (*Med.* geistig-seelische Funktionsstörung mit Wahnvorstellungen); **pa|ra|no|id** (an Paranoia leidend)

Pa|ra|no|i|ker; Pa|ra|no|i|ke|rin; pa|ra|no|isch

pa|ra|nor|mal ⟨griech.⟩ (*Parapsychologie* übersinnlich)

Pa|ra|nuss ⟨nach dem brasilian. Ausfuhrhafen Pará⟩ ↑K143 (dreikantige Nuss des Paranussbaumes); **Pa|ra|nuss|baum**

Pa|ra|phe, die; -, -n ⟨griech.⟩ (Namenszeichen; [Stempel mit] Namenszug); **pa|ra|phie|ren** (mit der Paraphe versehen, zeichnen); **Pa|ra|phie|rung**

Pa|ra|phra|se, die; -, -n ⟨griech.⟩ (*Sprachw.* verdeutlichende Umschreibung; *Musik* ausschmückende Bearbeitung); **pa|ra|phra|sie|ren**

Pa|ra|ple|gie, die; -, ...ien ⟨griech.⟩ (*Med.* doppelseitige Lähmung)

Pa|ra|p|luie [...ˈply:], der *od.* das; -s, -s ⟨franz.⟩ (*veraltet für* Regenschirm)

Pa|ra|psy|cho|lo|gie, die; - ⟨griech.⟩ (Psychologie der okkulten seelischen Erscheinungen)

pa|ra|psy|cho|lo|gisch

Pa|ra|schi *vgl.* Paraski

Pa|ra|sit, der; -en, -en ⟨griech.⟩ (Schmarotzer[pflanze, -tier]); **pa|ra|si|tär** ⟨franz.⟩ (schmarotzerhaft; durch Schmarotzer hervorgebracht)

Pa|ra|si|ten|tum, das; -s ⟨griech.⟩; **pa|ra|si|tisch; Pa|ra|si|tis|mus,** der; - (Schmarotzertum)

Pa|ra|si|to|lo|gie, die; - (Lehre von den Schmarotzern)

Pa|ra|ski, Pa|ra|schi, der; - (*Sport* Kombination aus Fallschirmspringen und Riesenslalom)

¹**Pa|ra|sol,** der *od.* das; -s, -s ⟨franz.⟩ (*veraltet für* Sonnenschirm)

²**Pa|ra|sol,** der; -s, *Plur.* -e u. -s (Schirmpilz); **Pa|ra|sol|pilz**

Pa|r|äs|the|sie, die; -, ...ien ⟨griech.⟩ (*Med.* anormale Körperempfindung, z. B. Einschlafen der Glieder)

Pa|ra|sym|pa|thi|kus, der; - ⟨griech.⟩ (*Med.* Teil des Nervensystems)

pa|rat ⟨lat.⟩ (bereit; fertig); etwas parat haben

pa|ra|tak|tisch ⟨griech.⟩ (*Sprachw.* nebenordnend, -geordnet); **Pa-**

ra|ta|xe, *älter* Pa|ra|ta|xis, die; -, ...ta̱xen (Nebenordnung)

Pa̱|ra|text (Text, der nicht eigentlich zu einem literarischen Werk gehört, wie z. B. Titel, Vorwort)

Pa̱|ra|ty|phus, der; - ⟨griech.⟩ (*Med.* dem Typhus ähnliche Erkrankung)

Pa̱|ra|vent [...'vã:], der *od.* das; -s, -s ⟨franz.⟩ (*veraltet für* Wind-, Ofenschirm, spanische Wand)

par avi|on [- a'vi̯õ:] ⟨franz., »durch Luftpost«⟩

pa|ra|zen|t|risch ⟨griech.⟩ (*Math.* um den Mittelpunkt liegend *od.* beweglich)

par|boiled [...bɔylt] ⟨engl.⟩ (vitaminschonend vorbehandelt [vom Reis])

Pär|chen ⟨*zu* Paar⟩

Par|cours [...'ku:ɐ̯], der; -, - ⟨franz.⟩ (*Reitsport* Hindernisbahn für Springturniere; *schweiz. Sportspr.* Renn-, Laufstrecke)

par|dauz!

Par|del, Par|der, der; -s, - (*veraltend für* Leopard)

par dis|tance [- ...'tã:s] ⟨franz.⟩ (aus der Ferne)

Par|don [...'dõ:, *österr. auch* ...'do:n], der, *auch* das; -s ⟨franz.⟩ (*veraltend für* Verzeihung; Nachsicht); Pardon geben; um Pardon bitten; Pardon! (*landsch. für* Verzeihung!)

Par|dun, das; -[e]s, -s ⟨niederl.⟩, Par|du|ne, die; -, -n (*Seemannsspr.* Tau, das die Masten *od.* Stengen nach hinten hält)

Pa|r|en|chym, das; -s, -e ⟨griech.⟩ (*Biol.* pflanzliches u. tierisches Grundgewebe; *Bot.* Schwammschicht des Blattes)

Pa|ren|tel, die; -, -en ⟨lat.⟩ (*Rechtsw.* Gesamtheit der Abkömmlinge eines Stammvaters); Pa|ren|tel|sys|tem, das; -s (*Rechtsw.* für die 1. bis 3. Ordnung gültige Erbfolge)

Pa|r|en|the|se, die; -, -n ⟨griech.⟩ (*Sprachw.* Redeteil, der außerhalb des eigtl. Satzverbandes steht; Einschaltung; Klammer[zeichen]); in Parenthese setzen; pa|r|en|the|tisch (eingeschaltet; nebenbei [gesagt])

Pa̱|reo, der; -s, -s ⟨polynes.-span.⟩ (Wickeltuch)

Pa̱|re|re, das; -[s], -[s] ⟨ital.⟩ (*österr. für* medizin. Gutachten)

par ex|cel|lence [- ɛksɛ'lã:s] ⟨franz.⟩ (schlechthin)

Par|fait [...'fɛ:], das; -s, -s ⟨franz.⟩ (gefrorene Speiseeismasse; gebundene u. erstarrte Masse aus fein gehacktem Fleisch *od.* Fisch)

par force [- 'fɔrs] ⟨franz.⟩ (*geh. für* mit Gewalt; unbedingt)

Par|force|horn *Plur.* ...hörner; Par|force|jagd (Hetzjagd); Par|force|rei|ter; Par|force|rei|te|rin; Par|force|ritt

Par|fum [...'fœ:], das; -s, -s, Par|füm, das; -s, *Plur.* -e *u.* -s ⟨franz.⟩ (wohlriechender Duft)

Par|fü|me|rie, die; -, ...ien (Geschäft für Parfüms u. Kosmetikartikel; Betrieb zur Herstellung von Parfümen)

Par|fü|meur [...'mø:ɐ̯], der; -s, -e (Fachkraft der Parfümherstellung); Par|fü|meu|rin [...'mø:rɪn]

Par|fum|fla|sche, Par|füm|fla|sche

par|fü|mie|ren; sich parfümieren

Par|fum|zer|stäu|ber, Par|füm|zer|stäu|ber

pa̱|ri ⟨ital.⟩ (*Bankw.* zum Nennwert; gleich); über, unter pari; die Chancen stehen pari; *vgl.* al pari

Pa̱|ria, der; -s, -s ⟨tamil.-angloind.⟩ (kastenloser Inder; *übertr. für* von der menschlichen Gesellschaft Ausgestoßener); Pa̱|ri|a|tum, das; -s

¹pa|rie|ren ⟨franz.⟩ ([einen Hieb] abwehren; *Reiten* [ein Pferd] in eine andere Gangart *od.* zum Stehen bringen)

²pa|rie|ren ⟨lat.⟩ (gehorchen)

Pa̱|ri|e|tal|au|ge (*Biol.* lichtempfindl. Sinnesorgan niederer Wirbeltiere)

Pa̱|ri|kurs (*Wirtsch.* Nennwert eines Wertpapiers)

¹Pa̱|ris ⟨griech. Sagengestalt⟩

²Pa̱|ris (Hauptstadt Frankreichs)

pa|risch (von der Insel Paros)

¹Pa̱|ri|ser; Pariser Verträge (von 1954)

²Pa̱|ri|ser, der; -s, - (*ugs. für* Präservativ)

Pa|ri|ser Blau, das; - -s

pa|ri|se|risch (nach Art der in Paris Lebenden)

Pa|ri|si|enne [...'zi̯ɛn], die; - (Seidengewebe; *franz.* Freiheitslied)

pa|ri|sisch (von [der Stadt] Paris)

pa|ri|syl|la|bisch ⟨lat.; griech.⟩ (*Sprachw.* gleichsilbig in allen Beugungsfällen); Pa|ri|syl|la|bum, das; -s, ...ba (in Sing. u. Plur. parisyllabisches Wort)

Pa|ri|tät, die; -, -en ⟨lat.⟩ (Gleichstellung, -berechtigung; *Wirtsch.* Austauschverhältnis zwischen zwei *od.* mehreren Währungen)

pa|ri|tä|tisch (gleichgestellt, -berechtigt); paritätisch getragene Kosten; *aber* ↑ K 150 : Deutscher Paritätischer Wohlfahrtsverband

Pa̱|ri|wert (*Bankw.*)

Park, der; -s, *Plur.* -s, *seltener* -e, *schweiz.* Pärke ⟨franz.(-engl.)⟩ (großer Landschaftsgarten; Depot [*meist in Zusammensetzungen*, z. B. Wagenpark])

Par|ka, der; -s, -s *od.* die; -, -s ⟨eskim.⟩ (knielanger, warmer Anorak mit Kapuze)

Park-and-ride-Sys|tem [...ɛnt'rait...] ⟨engl.-amerik.⟩ (Verkehrssystem, bei dem die Autofahrer am Stadtrand parken u. mit öffentlichen Verkehrsmitteln in die Innenstadt weiterfahren)

Park|an|la|ge; park|ar|tig

Park|aus|weis; Park|bahn (*Raumfahrt* Umlaufbahn, von der aus eine Raumsonde gestartet wird); Park|bank *Plur.* ...bänke; Park|bucht; Park|dau|er; Park|deck

par|ken (ein Kraftfahrzeug abstellen); Par|ker; Par|ke|rin

Par|kett, das; -[e]s, *Plur.* -e *u.* -s ⟨franz.⟩ (im Parkett meist vorderer Raum zu ebener Erde; getäfelter Fußboden); Par|kett|bo|den

Par|ket|te, die; -, -n (*österr. für* Einzelbrett des Parkettfußbodens)

Par|kett|han|del (*Börsenwesen; vgl.* ¹Handel)

par|ket|tie|ren (mit Parkettfußboden versehen)

Par|kett|le|ger; Par|kett|le|ge|rin; Par|kett|sitz

Park|ga|ra|ge (*bes. österr. für* Parkhaus, Tiefgarage); Park|haus

par|kie|ren (*schweiz. für* parken)

Par|king, das; -s, -s ⟨engl.⟩ (*schweiz. neben* Parkhaus); Par|king|me|ter, der; -s, - (*schweiz. neben* Parkuhr)

Par|kin|son (engl. Chirurg)

Par|kin|son|krank|heit, Par|kin|son-Krank|heit, die; -, par|kin|son|sche Krank|heit, Par|kin|son'sche Krank|heit, die; -n - ↑ K 89 *u.* 135

Park|kral|le (Vorrichtung zum Blockieren der Räder eines [falsch parkenden] Autos); Park|leit|sys-

P

Para

tem; Park|leuch|te; Park|licht *Plur.* ...lichter; Park|lü|cke; Park|mög|lich|keit

Par|ko|me|ter, das, *auch* der; -s, - (Parkuhr)

Park|platz; Park|raum; Park|schei|be; Park|schein

Park|stu|di|um (*ugs. für* vorläufiges Studium bis zum Erhalt des eigentlich erstrebten Studienplatzes)

Park|sün|der; Park|sün|de|rin; Park|uhr; Park|ver|bot

Park|wäch|ter; Park|wäch|te|rin

Park|weg; Park|zeit

Par|la|ment, das; -[e]s, -e ⟨engl.⟩ (gewählte Volksvertretung)

Par|la|men|tär, der; -s, -e ⟨franz.⟩ (Unterhändler); Par|la|men|tär|flag|ge

Par|la|men|ta|ri|er, der; -s, - ⟨engl.⟩ (Abgeordneter, Mitglied des Parlamentes); Par|la|men|ta|ri|e|rin

Par|la|men|tä|rin

par|la|men|ta|risch (das Parlament betreffend); ↑K89: eine parlamentarische Anfrage; parlamentarischer Staatssekretär; *aber:* der Parlamentarische Rat (Versammlung von Ländervertretern, die das Grundgesetz ausarbeiteten ↑K150)

par|la|men|ta|risch-de|mo|kra|tisch

Par|la|men|ta|ris|mus, der; - (Regierungsform, in der die Regierung dem Parlament verantwortlich ist); par|la|men|tie|ren ⟨franz.⟩ (*veraltet für* unter-, verhandeln; *landsch. für* hin u. her reden)

Par|la|ments|aus|schuss; Par|la|ments|be|schluss; Par|la|ments|de|bat|te; Par|la|ments|fe|ri|en *Plur.*

Par|la|ments|mit|glied; Par|la|ments|sit|zung; Par|la|ments|vor|be|halt (*Politik, Rechtsw.);* Par|la|ments|wahl *meist Plur.*

par|lan|do ⟨ital.⟩ (*Musik* mehr gesprochen als gesungen); Par|lan|do, das; -s, *Plur.* -s *u.* ...di

Pär|lein ⟨*zu* Paar⟩

par|lie|ren ⟨franz.⟩ (*veraltend für* Konversation machen; in einer fremden Sprache reden)

Par|ma (ital. Stadt); Par|ma|er; par|ma|isch

Par|mä|ne, die; -, -n (eine Apfelsorte)

Par|me|san, der; -[s] (*kurz für* Parmesankäse)

Par|me|sa|ner *vgl.* Parmaer; par|me|sa|nisch *vgl.* parmaisch

Par|me|san|kä|se (ein Reibkäse)

Par|nass, der; *Gen.* Parnass *u.* Parnasses (mittelgriech. Gebirgszug; Musenberg, Dichtersitz)

par|nas|sisch

Par|nas|sos, Par|nas|sus, der; -; *vgl.* Parnass

pa|ro|chi|al ⟨griech.⟩ (zur Pfarrei gehörend); Pa|ro|chi|al|kir|che (Pfarrkirche); Pa|ro|chie, die; -, ...ien (Pfarrei; Amtsbezirk eines Geistlichen)

Pa|ro|die, die; -, ...ien ⟨griech.⟩ (komische Umbildung ernster Dichtung; scherzh. Nachahmung; *Musik* Vertauschung geistl. u. weltl. Texte u. Kompositionen [zur Zeit Bachs])

Pa|ro|die|mes|se (Messenkomposition unter Verwendung eines schon vorhandenen Musikstücks); *vgl.* ¹Messe

pa|ro|die|ren (auf scherzhafte Weise nachahmen); Pa|ro|dist, der; -en, -en (jmd., der parodiert); Pa|ro|dis|tik, die; -; Pa|ro|dis|tin; pa|ro|dis|tisch

Pa|ro|don|ti|tis, die; -, ...itiden ⟨griech.⟩ (*Med.* Zahnbettentzündung); Pa|ro|don|to|se, Pa|ra|den|to|se, die; -, -n (Zahnbetterkrankung mit Lockerung der Zähne)

Pa|ro|le, die; -, -n ⟨franz.⟩ (Kennwort; Losung; *auch für* Leit-, Wahlspruch); Pa|ro|le|aus|ga|be

Pa|role d'Hon|neur [... rɔl dɔˈnœːʀ], das; - - ⟨franz.⟩ (*veraltend für* Ehrenwort)

Pa|ro|li, das; -s, -s ⟨franz.⟩; *nur in* Paroli bieten (Widerstand entgegensetzen)

Pa|rö|mie, die; -, ...ien ⟨griech.⟩ ([altgriech.] Sprichwort, Denkspruch); Pa|rö|mio|lo|gie, die; - (Sprichwortkunde)

Pa|ro|no|ma|sie, die; -, ...ien (*Rhet.* Zusammenstellung lautlich gleicher od. ähnlich klingender Wörter von gleicher Herkunft)

Pa|ro|ny|ma, Pa|ro|ny|me *Plur. von* Paronymon); Pa|ro|ny|mik, die; - (Lehre von der Ableitung der Wörter); pa|ro|ny|misch (stammverwandt); Pa|ro|ny|mon, das; -s, *Plur.* ...ma *u.* ...onyme (*veraltet für* mit anderen Wörtern vom gleichen Stamm abgeleitetes Wort)

Pa|ros (griech. Insel)

Pa|ro|tis, die; -, ...iden ⟨griech.⟩ (*Med.* Ohrspeicheldrüse); Pa|ro|ti|tis, die; -, ...itiden (Mumps)

Pa|r|o|xys|mus, der; -, ...men (*Med.* anfallartige Steigerung von Krankheitserscheinungen; *Geol.* aufs Höchste gesteigerte Tätigkeit eines Vulkans); Pa|r|o|xy|to|non, das; -s, ...tona (*Sprachw.* auf der vorletzten Silbe betontes Wort)

Par|se, der; -n, -n ⟨pers.⟩ (Anhänger des Zarathustra)

Par|sec, das; -, - ⟨Kurzw. aus Parallaxe u. Sekunde⟩ (astron. Längenmaß; *Abk.* pc)

Par|si|fal (*von Richard Wagner gebrauchte Schreibung für* Parzival)

par|sisch (die Parsen betreffend); Par|sis|mus, der; - (Religion der Parsen)

Pars pro To|to, das; - - - ⟨lat.⟩ (*Sprachw.* Redefigur, die einen Teil für das Ganze setzt)

Part, der; -s, *Plur.* -s, *auch* -e ⟨franz.⟩ (Anteil; Stimme eines Instrumental- od. Gesangsstücks)

part. = parterre

Part. = Parterre

¹Par|te, die; -, -n ⟨ital.⟩ (*österr. für* Todesanzeige)

²Par|te, die; -, -n (*landsch. für* Mietpartei)

Par|tei, die; -, -en ⟨franz.⟩; Par|tei|ab|zei|chen; Par|tei|amt; par|tei|amt|lich

Par|tei|an|hän|ger; Par|tei|an|hän|ge|rin; Par|tei|ap|pa|rat; Par|tei|aus|weis; Par|tei|ba|sis; Par|tei|bon|ze (abwertend); Par|tei|buch; Par|tei|büro

Par|tei|chef; Par|tei|che|fin

Par|tei|chi|ne|sisch, das; -[s] (*iron. für* den Außenstehenden unverständliche Parteisprache)

Par|tei|dis|zip|lin, die; -; Par|tei|en|fi|nan|zie|rung; Par|tei|en|ge|setz; Par|tei|en|land|schaft; Par|tei|en|staat *Plur.* ...staaten; Par|tei|en|stel|lung (*österr. Rechtsw.* Beteiligung am Verfahren); er hat Parteienstellung; Par|tei|en|ver|kehr, der; -s (*österr. für* Amtsstunden)

Par|tei|freund; Par|tei|freun|din; Par|tei|füh|rer; Par|tei|füh|re|rin; Par|tei|füh|rung, die; -

Par|tei|funk|ti|o|när; Par|tei|funk|ti|o|nä|rin; Par|tei|gän|ger; Par|tei|gän|ge|rin; Par|tei|ge|nos|se; Par|tei|ge|nos|sin

Par|tei|ideo|lo|ge; Par|tei|ideo|lo|gin; Par|tei|in|s|tanz

par|tei|in|tern

par|tei|isch (nicht neutral, nicht objektiv; der einen od. der anderen Seite zugeneigt)

Par|tei|ka|der; Par|tei|kon|gress; Par|tei|lehr|jahr *(in der DDR* obligator. Schulung der SED-Mitglieder); Par|tei|lei|tung

par|tei|lich (im Sinne einer polit. Partei, eine Partei betreffend); Par|tei|lich|keit, die; -

Par|tei|li|nie

par|tei|los

Par|tei|lo|se, der *u.* die; -n, -n; Par|tei|lo|sig|keit, die; -

par|tei|mä|ßig

Par|tei|mit|glied; Par|tei|nah|me, die; -, -n; Par|tei|or|gan; Par|tei|or|ga|ni|sa|ti|on, die; -

Par|tei|po|li|tik; par|tei|po|li|tisch; parteipolitisch neutral sein

Par|tei|prä|si|di|um; Par|tei|pro|gramm; Par|tei|pro|pa|gan|da

Par|tei|se|kre|tär; Par|tei|se|kre|tä|rin; Par|tei|spen|den|af|fä|re; Par|tei|spit|ze; Par|tei|tag; Par|tei|tags|be|schluss; par|tei|über|grei|fend; par|tei|un|ab|hän|gig

Par|tei|ung *(selten für* Zerfall in Parteien; [polit.] Gruppierung)

Par|tei|ver|samm|lung; Par|tei|vor|sitz; Par|tei|vor|sit|zen|de; Par|tei|vor|stand; Par|tei|zen|t|ra|le

par|terre [...'tɛr] ⟨franz.⟩ (zu ebener Erde; *Abk.* part.); parterre wohnen

Par|ter|re [...'tɛr(ə)], das; -s, -s (Erdgeschoss [*Abk.* Part.]; Saalplatz im Theater; Plätze hinter dem Parkett)

Par|ter|re|ak|ro|ba|tik (artistisches Bodenturnen); Par|ter|re|woh|nung

Par|te|zet|tel *(österr. svw.* ¹Parte)

Par|the|no|ge|ne|se, *älter* Par|the|no|ge|ne|sis *[auch* ...'ge:...], die; - ⟨griech.⟩ *(Biol.* Jungfernzeugung, Entwicklung aus unbefruchteten Eizellen); par|the|no|ge|ne|tisch

Par|the|non, der; -s (Tempel der Athene)

Par|ther, der; -s, - (Angehöriger eines nordiran. Volksstammes im Altertum); Par|the|rin

Par|thi|en (Land der Parther); par|thisch

par|ti|al ⟨lat.⟩ *(veraltet für* partiell); Par|ti|al... (Teil...)

Par|ti|al|bruch, der; -[e]s, ...brüche *(Math.* Teilbruch eines Bruches mit zusammengesetzten Nennern); Par|ti|al|ob|li|ga|ti|on *(Bankw.* Teilschuldverschrei-

bung); Par|ti|al|tö|ne *Plur.* *(Musik* Obertöne, Teiltöne eines Klanges)

Par|tie, die; -, ...ien ⟨franz.⟩ (Teil, Abschnitt; bestimmte Bühnenrolle; *Kaufmannsspr.* Posten, größere Menge einer Ware; *österr. auch* für eine bestimmte Aufgabe zusammengestellte Gruppe von Arbeitern; *Sport* Durchgang, Spiel; *veraltend für* Ausflug); eine gute Partie machen (reich heiraten)

Par|tie|be|zug, der; -[e]s *(Kaufmannsspr.);* Par|tie|füh|rer *(österr. auch für* Vorarbeiter); Par|tie|füh|re|rin

par|ti|ell (teilweise [vorhanden]); partielle Sonnenfinsternis

par|ti|en|wei|se

Par|tie|preis; Par|tie|wa|re *(Kaufmannsspr.* fehlerhafte Ware)

par|tie|wei|se

¹Par|ti|kel *[auch* ...'ti...], die; -, -n ⟨lat.⟩ *(kath. Kirche* Teilchen der Hostie, Kreuzreliquie; *Sprachw.* unflektierbare Wortart, z. B. Präposition)

²Par|ti|kel, das; -s, -, *auch* die; -, -n *(Physik* Elementarteilchen)

par|ti|ku|lar, par|ti|ku|lär (einen Teil betreffend, einzeln)

Par|ti|ku|la|ris|mus, der; - (Sonderbestrebungen staatl. Teilgebiete, Kleinstaaterei)

Par|ti|ku|la|rist, der; -en, -en; Par|ti|ku|la|ris|tin; par|ti|ku|la|ris|tisch

Par|ti|ku|lar|recht *(veraltet für* Einzel-, Sonderrecht)

Par|ti|ku|lier, der; -s, -e ⟨franz.⟩ (selbstständiger Schiffseigentümer; Selbstfahrer in der Binnenschifffahrt)

Par|ti|men|to, das *u.* der; -[s], ...ti ⟨ital.⟩ *(Musik* Generalbassstimme)

Par|ti|san, der; *Gen.* -s *u.* -en, *Plur.* -en ⟨franz.⟩ (bewaffneter Widerstandskämpfer im feindlich besetzten Hinterland)

Par|ti|sa|ne, die; -, -n (spießartige Stoßwaffe des 15. bis 18. Jh.s)

Par|ti|sa|nen|ge|biet; Par|ti|sa|nen|kampf; Par|ti|sa|nen|krieg

Par|ti|sa|nin

Par|ti|ta, die; -, ...ten ⟨ital.⟩ *(Musik svw.* Suite)

Par|ti|te, die; -, -n *(Kaufmannsspr.* einzelner Posten einer Rechnung)

Par|ti|ti|on, die; -, -en ⟨lat.⟩ *(geh. für* Teilung, Einteilung; *Logik*

Zerlegung des Begriffsinhaltes in seine Teile od. Merkmale)

par|ti|tiv *(Sprachw.* die Teilung bezeichnend)

Par|ti|tur, die; -, -en ⟨ital.⟩ (Zusammenstellung aller zu einem Musikstück gehörenden Stimmen)

Par|ti|zip, das; -s, -ien ⟨lat.⟩ *(Sprachw.* Mittelwort); Partizip I (Partizip Präsens, Mittelwort der Gegenwart, z. B. »sehend«); Partizip II (Partizip Perfekt, Mittelwort der Vergangenheit, z. B. »gesehen«)

Par|ti|zi|pa|ti|on, die; -, -en (das Teilhaben); Par|ti|zi|pa|ti|ons|ge|schäft *(Wirtsch.);* Par|ti|zi|pa|ti|ons|kon|to *(Wirtsch.)*

par|ti|zi|pi|al *(Sprachw.* mittelwörtlich, Mittelwort...); Par|ti|zi|pi|al|bil|dung; Par|ti|zi|pi|al|grup|pe *(vgl.* ¹Gruppe); Par|ti|zi|pi|al|kon|s|t|ruk|ti|on; Par|ti|zi|pi|al|satz

par|ti|zi|pie|ren (Anteil haben, teilnehmen)

Par|ti|zi|pi|um, das; -s, ...pia *(älter für* Partizip)

Part|ner, der; -s, - ⟨engl.⟩ (Gefährte; Teilhaber; Teilnehmer; Mitspieler); Part|ne|rin

Part|ner|land

Part|ner|look, der; -s *(Mode)*

Part|ner|schaft; part|ner|schaft|lich

Part|ner|staat *Plur.* ...staaten; Part|ner|stadt

Part|ner|tausch; Part|ner|wahl; Part|ner|wech|sel

par|tout [...'tu:] ⟨franz.⟩ *(ugs. für* durchaus; um jeden Preis)

Par|ty [...ti], die; -, -s (engl.-amerik.) (zwangloses Fest)

Par|ty|dro|ge; Par|ty|girl; Par|ty|kel|ler; Par|ty|lö|we (jmd., der auf Partys umschwärmt wird); Par|ty|lu|der *(ugs. für* junge Frau, die häufig auf Prominentenpartys zu sehen ist); Par|ty|ser|vice, der (Unternehmen, das Speisen u. Getränke für Festlichkeiten ins Haus liefert)

Pa|ru|sie, die; - ⟨griech.⟩ *(christl. Rel.* Wiederkunft Christi beim Jüngsten Gericht)

Par|ve|nü *u., österr. nur,* Par|ve|nu [...'ny:], der; -s, -s ⟨franz.⟩ (Emporkömmling; Neureicher)

Par|ze, die; -, -n *meist Plur.* ⟨lat.⟩ (röm. Schicksalsgöttin [Atropos, Klotho, Lachesis]; *vgl.* Moira

Par|zel|lar|ver|mes|sung

Par|zel|le, die; -, -n ⟨lat.⟩ (vermessenes Stück Land, Baustelle); Par|zel|len|wirt|schaft
par|zel|lie|ren (in Parzellen zerlegen)
Par|zi|val [...f...] (Held der Artussage); *vgl.* Parsifal
Pas [pa], der; -, - ⟨franz.⟩ ([Tanz]schritt)
¹Pas|cal (franz. Mathematiker u. Philosoph)
²Pas|cal, das; -s, - (Einheit des Drucks; *Zeichen* Pa)
PASCAL, das; -s ⟨Kunstwort, an ¹Pascal angelehnt⟩ (eine Programmiersprache)
Pasch, der; -[e]s, *Plur.* -e u. Päsche ⟨franz.⟩ (Wurf mit gleicher Augenzahl auf mehreren Würfeln; *Domino* Stein mit Doppelzahl)
¹Pa|scha usw. *vgl.* Passah usw.
²Pa|scha, der; -s, -s ⟨türk.⟩ (früherer oriental. Titel; *ugs. für* rücksichtsloser Mann, der sich [von Frauen] bedienen lässt); Pa|scha|al|lü|ren *Plur.*
Pa|scha|lis [*auch* pas'ça:...] ⟨hebr.⟩ (Papstname)
¹pa|schen ⟨franz.⟩ (würfeln; *bayr. u. österr. mdal. für* klatschen); du paschst
²pa|schen ⟨hebr.⟩ (*ugs. für* schmuggeln); du paschst
Pa|scher; Pa|sche|rei
Pasch|mi|na, der; -s, -s ⟨pers.⟩ (dem Kaschmir ähnliches, sehr leichtes u. weiches Gewebe); Paschmi|na|schal
pa|scholl! ⟨russ.⟩ (*ugs. veraltend für* pack dich!; vorwärts!)
Pasch|tu, das; -s (Amtssprache in Afghanistan)
Pasch|tu|ne, der; -n, -n (Angehöriger eines Volkes in Afghanistan u. Pakistan); Pasch|tu|nin; paschtu|nisch
Pas de Ca|lais ['pa də ...'lɛ:], der; - - - ⟨franz.⟩ (franz. Name der Straße von Dover)
Pas de deux ['pa də 'dø:], der; - - -, - - - ⟨franz.⟩ (Tanz für zwei Solotänzer)
Pas|lack, der; -s, -s ⟨slaw.⟩ (*nordostd. für* jmd., der für andere schwer arbeiten muss)
Pa|so dob|le, der; - -, - - ⟨span.⟩ (aus einem spanischen Volkstanz entstandener lateinamerikan. Gesellschaftstanz im lebhaften ²/₄- oder ³/₄-Takt)
Pas|pel, die; -, -n, *selten* der; -s, - ⟨franz.⟩ u., *bes. österr.*, Passe-

poil [pas'poal], der; -s, -s (schmaler Nahtbesatz bei Kleidungsstücken)
pas|pe|lie|ren, *bes. österr. u. schweiz.* passe|poi|lie|ren (mit Paspeln versehen); Pas|pe|lierung, *bes. österr. u. schweiz.* Passe|poi|lie|rung
pas|peln; *ich* pasp[e]le
Pas|quill, das; -s, -e ⟨ital.⟩ (*veraltend für* Schmäh-, Spottschrift)
Pas|quil|lant, der; -en, -en (Verfasser od. Verbreiter eines Pasquills)
Pass, der; -es, Pässe ⟨lat.⟩ (Bergübergang; Ausweis [für Reisende]; gezielte Ballabgabe beim Fußball); *vgl. aber* zupasskommen, zupassekommen
Pas|sa usw. *vgl.* Passah usw.
pas|sa|bel ⟨lat.⟩ (annehmbar; leidlich); ...a|b|le Gesundheit
Pas|sa|ca|g|lia [...'kalja], die; -, ...ien [...jən] ⟨ital.⟩ (*Musik* Instrumentalstück aus Variationen über einem ostinaten Bass)
Pas|sa|ge [...ʒə], die; -, -n ⟨franz.⟩ (Durchfahrt, -gang; Überfahrt mit Schiff od. Flugzeug; *Musik* schnelle Tonfolge; fortlaufender Teil einer Rede od. eines Textes; *Reitsport* Gangart in der Hohen Schule)
pas|sa|ger [...'ʒe:] ⟨franz.⟩ (*Med.* nur vorübergehend auftretend)
Pas|sa|gier, der; -s, -e ⟨ital.(-franz.)⟩ (Schiffsreisender, Fahrgast, Fluggast)
Pas|sa|gier|damp|fer; Pas|sa|gierflug|zeug; Pas|sa|gier|gut
Pas|sa|gie|rin
Pas|sa|gier|lis|te
Pas|sah, *ökum.* Pas|cha ['pasça], das; -s ⟨jüd.⟩ (Fest zum Gedenken an den Auszug aus Ägypten; das beim Passahmahl gegessene Lamm); *vgl. auch* Pessach
Pas|sah|fest, *auch* Pes|sach|fest, *ökum.* Pas|cha|fest
Pas|sah|lamm, *auch* Pes|sachlamm, *ökum.* Pas|cha|lamm
Pas|sah|mahl, *auch* Pes|sach|mahl, *ökum.* Pas|cha|mahl *Plur.* ...mahle
Pass|amt
Pas|sant, der; -en, -en ⟨franz.⟩ (Fußgänger; Vorübergehender); Pas|san|tin
Pas|sat, der; -[e]s, -e ⟨niederl.⟩ (gleichmäßig wehender Tropenwind)
Pas|sat|wind

Pas|sau (Stadt in Bayern); Passau|er
Pass|bild
pas|sé *vgl.* passee
Pas|se, die; -, -n ⟨franz.⟩ (glattes Hals- u. Schulterteil an Kleidungsstücken)
pas|see, pas|sé ↑K38 ⟨franz.⟩ (*ugs. für* vorbei, abgetan); das ist passee, passé
Pas|sei|er, das; -s, Pas|sei|er|tal, Pas|sei|er-Tal, das; -[e]s (Alpental in Südtirol)
pas|sen ⟨franz.⟩ (*auch Kartenspiel* auf ein Spiel verzichten; *bes. Fußball* den Ball genau zuspielen); du passt; gepasst; passe! *u.* passt!; das passt sich nicht (*ugs.*)
pas|send; etwas Passendes
Pas|se|par|tout [paspar'tu:], das, *schweiz.* der; -s, -s (Umrahmung aus leichter Pappe für Grafiken, Zeichnungen u. a.; *schweiz. auch für* Dauerkarte; Hauptschlüssel)
Passe|poil usw. *vgl.* Paspel usw.
Pas|ser, der; -s, - (*Druckw.* das genaue Übereinanderliegen der einzelnen Formteile u. Druckelemente, bes. beim Mehrfarbendruck)
Pas|se|rel|le, die; -, -n ⟨franz.⟩ (*schweiz. für* Fußgängerbrücke)
Pass|form; Pass|fo|to
Pass|gang, der (Gangart, bei der beide Beine einer Seite gleichzeitig vorgesetzt werden [bes. bei Reittieren]); Pass|gän|ger
pass|ge|nau; pass|ge|recht
Pass|hö|he
Pas|sier|ball (*Tennis*; vgl. ¹Ball)
pas|sier|bar (überschreitbar)
pas|sie|ren ⟨franz.⟩ (vorübergehen, -fahren; durchqueren, überqueren; geschehen; *Gastron.* durch ein Sieb drücken; *Tennis* den Ball am Gegner vorbeischlagen)
Pas|sier|ge|wicht (*Münzw.* Mindestgewicht); Pas|sier|ma|schi|ne
Pas|sier|schein; Pas|sier|schein|ab|kom|men; Pas|sier|schein|stel|le
Pas|sier|schlag (*Tennis*)
Pas|sier|sieb
pas|sim ⟨lat.⟩ ([im angegebenen Werk] an verschiedenen Stellen)
Pas|si|on, die; -, -en ⟨lat.⟩ (*nur Sing.:* Leidensgeschichte Christi; Leidenschaft, leidenschaftliche Hingabe)
pas|si|o|na|to ⟨ital.⟩ (*Musik* mit Leidenschaft); Pas|si|o|na|to, das; -s, *Plur.* -s u. ...ti

pas|si|o|niert ⟨franz.⟩ (leidenschaftlich, begeistert)

Pas|si|ons|blu|me; Pas|si|ons|frucht

Pas|si|ons|sonn|tag (*auch für* zweiter Sonntag vor Ostern, *vgl.* Judika); Pas|si|ons|spiel (Darstellung der Leidensgeschichte Christi); Pas|si|ons|weg; Pas|si|ons|wo|che; Pas|si|ons|zeit

pas|siv [*auch* ...ˈsiːf] ⟨lat.⟩ (untätig; teilnahmslos; duldend); passive [Handels]bilanz; passives Wahlrecht (Recht, gewählt zu werden)

Pas|siv, das; -s, -e Plur. selten (*Sprachw.* Leideform)

Pas|si|va, Pas|si|ven Plur. (*Kaufmannsspr.* Schulden)

Pas|siv|bil|dung (*Sprachw.*)

Pas|siv|ge|schäft (*Bankw.*); Pas|siv|han|del (*Kaufmannsspr.*); vgl. ¹Handel

Pas|siv|haus (Haus mit sehr geringem Energieverbrauch)

pas|si|vie|ren ([Verbindlichkeiten] in der Bilanz erfassen u. ausweisen; *Chemie* Metalle auf [elektro]chem. Wege korrosionsbeständig machen)

pas|si|visch [*auch* ˈpas...] (*Sprachw.* das Passiv betreffend)

Pas|si|vi|tät, die; -

Pas|siv|le|gi|ti|ma|ti|on (*Rechtsw.*); Pas|siv|mas|se; Pas|siv|pos|ten (*Kaufmannsspr.*)

Pas|siv|rau|chen, das; -s

Pas|siv|sal|do (Verlustvortrag); Pas|siv|zin|sen Plur.

Pas|s|kon|t|rol|le

Pas|s|stel|le, Pass-Stel|le

Pas|s|stra|ße, Pass-Stra|ße

Pas|sung (*Technik* Beziehung zwischen zusammengefügten Maschinenteilen)

Pas|sus, der; -, - ⟨lat.⟩ (Schriftstelle, Absatz)

pas|s|wärts

Pas|s|wort Plur. ...wörter (*EDV* Kennwort); pas|s|wort|ge|schützt; Pas|s|zwang, der; -[e]s

¹Pas|ta vgl. Paste

²Pas|ta, die; - ⟨ital.⟩ (*ital. Bez. für* Teigwaren)

Pas|ta asciut|ta [- a ˈʃʊ...], Pas|ta|sciut|ta [...ˈʃʊ...], die; -, ...tte (ital. Spaghettigericht)

Pas|te, selten ¹Pas|ta, die; -, ...sten (streichbare Masse; Teigmasse als Grundlage für Arzneien u. kosmetische Mittel)

Pas|tell, das; -[e]s, -e ⟨ital.(-franz.)⟩ (mit Pastellfarben gemaltes Bild); pas|tel|len

Pas|tell|far|be; pas|tell|far|ben; pas|tel|lig

Pas|tell|ma|le|rei; Pas|tell|stift (*vgl.* ¹Stift); Pas|tell|ton Plur. ...töne

Pas|ter|nak (russischer Schriftsteller)

Pas|ter|ze, die; - (größter österreichischer Gletscher)

Pas|tet|chen; Pas|te|te, die; -, -n ⟨roman.⟩ (Fleisch-, Fischspeise u. a. [in Teighülle])

Pas|teur [...ˈtøːɐ̯] (franz. Bakteriologe); Pas|teu|ri|sa|ti|on, die; -, -en; pas|teu|ri|sie|ren; pasteurisierte Milch; Pas|teu|ri|sie|rung (Entkeimung)

Pas|til|le, die; -, -n ⟨lat.⟩ (Kügelchen, Plätzchen, Pille)

Pas|ti|nak, der; -s, -e, häufiger Pas|ti|na|ke, die; -, -n ⟨lat.⟩ (krautige Pflanze, deren Wurzeln als Gemüse u. Viehfutter dienen)

Past|milch (*schweiz. Kurzform von* pasteurisierte Milch)

Pas|tor [*auch* ...ˈtoːɐ̯], der; -s, Plur. ...oren, auch ...ore, landsch. auch ...öre ⟨lat.⟩ (ev. od. kath. Geistlicher; *Abk.* P.); pas|to|ral (seelsorgerisch; feierlich); Pas|to|ral|brief (*christl. Rel.*)

¹Pas|to|ra|le, das; -s, -s od. die; -, -n ⟨ital.⟩ (ländlich-friedvolles Tonstück; Schäferspiel)

²Pas|to|ra|le, das; -s, -s (Hirtenstab des katholischen Bischofs)

Pas|to|ral|theo|lo|gie, die; - (praktische Theologie)

Pas|to|rat, das; -[e]s, -e (*bes. nordd. für* Pfarramt, -wohnung)

Pas|to|rel|le, die; -, -n ⟨ital.⟩ (mittelalterl. Hirtenliedchen)

Pas|to|rin

Pas|tor pri|ma|ri|us, der; - -, ...ores ...rii (Hauptpastor; Oberpfarrer; *Abk.* P. prim.)

pas|tos ⟨ital.⟩ (*bild. Kunst* dick aufgetragen); pas|tös ⟨franz.⟩ (breiig, dickflüssig; *Med.* gedunsen)

Pa|ta|go|ni|en (südlichster Teil Amerikas); Pa|ta|go|ni|er; Pa|ta|go|ni|e|rin; pa|ta|go|nisch

Patch [petʃ], das; -[s], -s ⟨engl.⟩ (*EDV* Softwareprogramm, das in einem Programm enthaltene Fehler beheben soll)

Pat|chen (*fam. für* Patenkind)

Patch|work [ˈpetʃvøːɐ̯k], das; -s, -s ⟨amerik.⟩ (aus bunten Flicken zusammengesetzter Stoff, auch Leder in entsprechender Verarbeitung)

Patch|work|bio|gra|fie, Patch|work-

bio|gra|phie (Lebenslauf mit vielen verschiedenartigen Ausbildungs- und Berufsstationen)

Patch|work|fa|mi|lie (*ugs. für* Familie, in der außer den gemeinsamen Kindern auch Kinder aus früheren Beziehungen der Eltern leben)

¹Pa|te, der; -n, -n (Taufzeuge, auch für Patenkind)

²Pa|te, die; -, -n (*svw.* Patin)

Pa|tel|la, die; -, ...llen ⟨lat.⟩ (*Med.* Kniescheibe); Pa|tel|lar|re|flex

Pa|ten|be|trieb (*in der DDR*); Pa|ten|bri|ga|de (*in der DDR*)

Pa|te|ne, die; -, -n ⟨griech.⟩ (*christl. Kirche* Hostienteller)

Pa|ten|ge|schenk; Pa|ten|kind; Pa|ten|on|kel

Pa|ten|schaft; Pa|ten|schafts|ver|trag (*in der DDR* Vertrag zwischen einem Betrieb u. einer Bildungseinrichtung zum Zwecke gegenseitiger Hilfe sowie kultureller u. polit. Zusammenarbeit)

Pa|ten|sohn

pa|tent ⟨lat.⟩ (*ugs. für* praktisch, tüchtig, brauchbar)

Pa|tent, das; -[e]s, -e (Urkunde über die Berechtigung, eine Erfindung allein zu verwerten; Bestallungsurkunde eines [Schiffs]offiziers; *schweiz. auch für* amtliche Bewilligung zum Ausüben einer Tätigkeit, eines Berufes); Pa|tent|amt

Pa|ten|tan|te

Pa|tent|an|walt; Pa|tent|an|wäl|tin; pa|tent|fä|hig; pa|tent|ge|schützt; pa|ten|tier|bar; pa|ten|tie|ren (durch ein Patent schützen)

Pa|tent|in|ha|ber; Pa|tent|in|ha|be|rin; Pa|tent|knopf; Pa|tent|lö|sung (*ugs.*)

Pa|ten|toch|ter

Pa|tent|recht; Pa|tent|re|zept (*ugs.*); Pa|tent|rol|le

Pa|tent|schrift; Pa|tent|schutz, der; -es; Pa|tent|ver|schluss

Pa|ter, der; -s, Plur. - u. Pa|t|res ⟨lat.⟩ (kath. Ordensgeistlicher; *Abk.* P., *Plur.* PP.); Pa|ter|fa|mi|li|as, der; -, - (*veraltet scherzh. für* Familienoberhaupt, Hausherr); Pa|ter|ni|tät, die; - (*veraltet für* Vaterschaft)

¹Pa|ter|nos|ter, das; -s, - (Vaterunser)

²Pa|ter|nos|ter, der; -s, - (ständig umlaufender Aufzug); Pa|ter|nos|ter|auf|zug

pa|ter, pec|ca|vi ⟨»Vater, ich habe gesündigt«); »pater, peccavi«

P

pass

sagen (flehentlich um Verzeihung bitten); **Pa|ter|pec|ca|vi**, das; -, - (reuiges Geständnis)

Pa|the|tik, die; - ⟨griech.⟩ (übertriebene, gespreizte Feierlichkeit); **Pa|thé|tique** [...te'ti:k], die; - ⟨franz.⟩ (Titel einer Klaviersonate Beethovens u. einer Sinfonie Tschaikowskys); **pa|the|tisch** ⟨griech.⟩ (voller Pathos; [übertrieben] feierlich)

pa|tho|gen (*Med.* krankheitserregend; pathogene Bakterien; **Pa|tho|ge|ne|se**, die; -, -n (Entstehung u. Entwicklung einer Krankheit); **Pa|tho|ge|ni|tät**, die; - (Fähigkeit, Krankheiten hervorzurufen); **pa|tho|g|no|mo|nisch, pa|tho|g|nos|tisch** (für eine Krankheit kennzeichnend)

Pa|tho|lo|ge, der; -n, -n; **Pa|tho|lo|gie**, die; -, ...ien (*nur Sing.:* allgemeine Lehre von den Krankheiten; pathologisches Institut); **pa|tho|lo|gin; pa|tho|lo|gisch** (die Pathologie betr.; krankhaft); pathologische Anatomie

Pa|tho|pho|bie, die; -, ...ien (*Psych.* Furcht vor Krankheiten); **Pa|tho|phy|sio|lo|gie** (Lehre von den Krankheitsvorgängen u. Funktionsstörungen [in einem Organ]); **Pa|tho|psy|cho|lo|gie** (*svw.* Psychopathologie)

Pa|thos, das; - ([übertriebene] Gefühlserregung; feierliche Ergriffenheit)

Pa|ti|ence [...'sjã:s], die; -, -n ⟨franz.⟩ (Geduldsspiel mit Karten); **Pa|ti|ence|spiel**

Pa|ti|ent, der; -en, -en ⟨lat.⟩ (vom Arzt behandelte od. betreute Person); **Pa|ti|en|ten|ver|fü|gung**; **Pa|ti|en|tin**

Pa|tin

Pa|ti|na, die; - ⟨ital.⟩ (ein grünlicher Überzug auf Kupfer; Edelrost); **pa|ti|nie|ren** (mit einer künstlichen Patina versehen)

Pa|tio, der; -s, -s ⟨span.⟩ (Innenhof eines [span.] Hauses)

Pa|tis|se|rie, die; -, ...ien ⟨franz.⟩ (Raum zur Herstellung von Backwaren; *schweiz. für* feines Gebäck; Konditorei); **Pa|tis|si|er** [...'sje:], der; -s, -s (Konditor); **Pa|tis|si|è|re** [...'sje:rə], die; -, -n

Pat|mos (griech. Insel)

Pat|na|reis ⟨nach der ind. Stadt⟩ ([langkörniger] Reis); ↑K143

Pa|tois [...'tǫa], das; -, - ⟨franz.⟩ (*franz. Bez. für* Sprechweise der Landbevölkerung)

Pa|t|ras (griech. Stadt)

Pa|t|res (*Plur. von* Pater)

Pa|t|ri|arch, der; -en, -en ⟨griech.⟩ (Stammvater im A. T.; Ehren-, Amtstitel einiger Bischöfe; Titel hoher orthodoxer Geistlicher)

pa|t|ri|ar|chal (das Patriarchat betreffend)

pa|t|ri|ar|cha|lisch (altväterlich; ehrwürdig; väterlich-bestimmend; männlich-autoritativ)

Pa|t|ri|ar|chal|kir|che (Hauptkirche)

Pa|t|ri|ar|chat, das, *in der Theol. auch* der; -[e]s, -e (Würde, Sitz u. Amtsbereich eines Patriarchen; Vaterherrschaft, -recht)

pa|t|ri|ar|chisch (einem Patriarchen entsprechend)

Pa|t|ri|cia (lat.) (w. Vorn.)

Pa|t|rick (m. Vorn.)

pa|t|ri|mo|ni|al ⟨lat.⟩ (erbherrlich); **Pa|t|ri|mo|ni|al|ge|richts|bar|keit** (*früher* Rechtsprechung durch den Grundherrn)

Pa|t|ri|mo|ni|um, das; -s, ...ien (*röm. Recht* väterl. Erbgut)

¹**Pa|t|ri|ot**, der; -en, -en ⟨griech.⟩ (jmd., der für sein Vaterland eintritt)

²**Pa|t|ri|ot** ['petriət], die; -, -s ⟨engl.⟩ (eine amerik. Flugabwehrrakete)

Pa|t|ri|o|tin

pa|t|ri|o|tisch ⟨griech.⟩

Pa|t|ri|o|tis|mus, der; -

Pa|t|ris|tik, die; - (Wissenschaft von den Schriften u. Lehren der Kirchenväter); **Pa|t|ris|ti|ker** (Kenner, Erforscher der Patristik); **pa|t|ris|tisch**

Pa|t|ri|ze, die; -, -n ⟨lat.⟩ (*Druckw.* Stempel, Prägestock; Gegenform zur Matrize)

Pa|t|ri|zia (lat.) (w. Vorn.)

Pa|t|ri|zi|at, das; -[e]s, -e ⟨lat.⟩ (Gesamtheit der altröm. Adelsgeschlechter; ratsfähige Bürgerfamilien der dt. Städte im MA.)

Pa|t|ri|zi|er (Angehöriger des Patriziats; **Pa|t|ri|zi|er|ge|schlecht; Pa|t|ri|zi|er|haus; Pa|t|ri|zi|e|rin; pa|t|ri|zisch**

Pa|t|rok|los (Freund Achills); **Pa|t|rok|lus** [*auch* 'pa:...] *vgl.* Patroklos

Pa|t|rol|lo|gie, die; - ⟨griech.⟩ (*svw.* Patristik)

¹**Pa|t|ron**, der; -s, -e ⟨lat.⟩ (Schutzherr, -heiliger; Stifter einer Kirche; *ugs. für* übler Kerl)

²**Pa|t|ron** [patrõ], der; -s, -s ⟨franz.⟩ (*schweiz. für* Betriebsinhaber)

Pa|t|ro|na, die; -, ...nä ⟨lat.⟩ ([heilige] Beschützerin)

Pa|t|ro|na|ge [...ʒə], die; -, -n ⟨franz.⟩ (Günstlingswirtschaft)

Pa|t|ro|nanz, die; - ⟨lat.⟩ (*österr. meist für* Schirmherrschaft)

Pa|t|ro|nat, das; -[e]s, -e (Würde, Amt, Recht eines Schutzherrn [im alten Rom]; Rechtsstellung des Stifters einer christlichen Kirche od. seines Nachfolgers; Schirmherrschaft); **Pa|t|ro|nats|fest; Pa|t|ro|nats|herr; Pa|t|ro|nats|her|rin**

Pa|t|ro|ne, die; -, -n ⟨franz.⟩ (Geschoss u. Treibladung enthaltende [Metall]hülse; Behälter [z. B. für Tinte])

Pa|t|ro|nen|gurt; Pa|t|ro|nen|hül|se; Pa|t|ro|nen|kam|mer; Pa|t|ro|nen|ta|sche; Pa|t|ro|nen|trom|mel

Pa|t|ro|nin ⟨lat.⟩ (Schutzherrin, Schutzheilige)

Pa|t|ro|ny|mi|kon, Pa|t|ro|ny|mi|kum, das; -s, ...ka ⟨griech.⟩ (nach dem Namen des Vaters gebildeter Name, z. B. Petersen = Peters Sohn); **pa|t|ro|ny|misch**

Pa|t|rouil|le [...'trulja, *österr.* ...'tru:jə], die; -, -n ⟨franz.⟩ (Spähtrupp; Kontrollgang)

Pa|t|rouil|len|boot; Pa|t|rouil|len|fahrt; Pa|t|rouil|len|flug; Pa|t|rouil|len|füh|rer; Pa|t|rouil|len|füh|re|rin; Pa|t|rouil|len|gang, der

pa|t|rouil|lie|ren [...trul'ji:..., *auch*, *österr. nur*, ...tru'ji:...] (auf Patrouille gehen; [als Posten] auf u. ab gehen)

Pa|t|ro|zi|ni|um, das; -s, ...ien ⟨lat.⟩ (im alten Rom die Vertretung durch einen Patron vor Gericht; Schutzherrschaft eines Heiligen über eine kath. Kirche; Patronatsfest); **Pa|t|ro|zi|ni|ums|fest**

¹**Patsch**, der; -[e]s, -e (klatschendes Geräusch)

²**Patsch**, der; -en, -en (*österr. ugs. für* Tollpatsch)

patsch!; pitsch, patsch!

Pat|sche, die; -, -n (*ugs. für* Hand; Gegenstand zum Schlagen [z. B. Feuerpatsche; *nur Sing.:* Schlamm, Matsch); in der Patsche sitzen (*ugs. für* in einer unangenehmen Lage sein)

pät|scheln (*landsch. für* [spielerisch] rudern); ich pätsch[e]le

pat|schen (*ugs.):* du patschst

Pat|schen, der; -s, - (*österr. für* Hausschuh; Reifendefekt)

pat|sche|nass *vgl.* patschnass

Pat|scherl, das; -s, -n (*österr. ugs.*

für ungeschicktes Kind); **pat|schert** (*bayr., österr. ugs. für* unbeholfen)
Patsch|hand, Patsch|händ|chen (*Kinderspr.*)
patsch|nass, pat|sche|nass (*ugs. für* klatschnass)
Pat|schu|li, das; -s, -s ⟨tamil.⟩ (Duftstoff aus der Patschulipflanze); **Pat|schu|li|öl; Pat|schu|li|pflan|ze** (eine asiat. Pflanze)
patt ⟨franz.⟩ (*Schach* nicht mehr in der Lage, einen Zug zu machen, ohne seinen König ins Schach zu bringen); patt sein; den Gegner patt setzen *od.* pattsetzen
Patt, das; -s, -s (*auch für* Situation, in der keine Partei einen Vorteil erringen kann)
Pat|te, die; -, -n ⟨franz.⟩ (Taschenklappe, Taschenbesatz)
Pat|tern [ˈpɛ...], das; -s, -s ⟨engl.⟩ (*Psych.* [Verhaltens]muster, [Denk]schema; *Sprachw.* Sprachmuster)
Patt|si|tu|a|ti|on *vgl.* Patt
pat|zen (*ugs. für* kleinere Fehler machen; *bayr., österr. für* klecksen); du patzt
Pat|zen, der; -s, - (*bayr. u. österr. für* Klecks, Klumpen)
Pat|zer (*ugs. für* jmd., der patzt; Fehler); **Pat|ze|rei** (*ugs.*)
pat|zig (*ugs. für* frech, grob; *südd. auch für* klebrig, breiig; **Pat|zig|keit** (*ugs.*)
Pau|kant, der; -en, -en (*Verbindungsw.* Fechter bei einer Mensur)
Pauk|arzt (*Verbindungsw.);* **Pauk|bo|den; Pauk|bril|le**
Pau|ke, die; -, -n; auf die Pauke hauen (*ugs. für* ausgelassen sein)
pau|ken (die Pauke schlagen; *Verbindungsw.* eine Mensur fechten; *ugs. für* angestrengt lernen)
Pau|ken|fell; Pau|ken|höh|le (*Med.* Teil des Mittelohrs); **Pau|ken|schall**
Pau|ken|schlag; Pau|ken|schlä|gel; Pau|ken|schlä|ger; Pau|ken|wir|bel
Pau|ker (*Schülerspr. auch für* Lehrer); **Pau|ke|rei; Pau|ke|rin**
Pau|kist, der; -en, -en (Paukenspieler); **Pau|kis|tin**
Pauk|tag (*Verbindungsw.)*
Paul (m. Vorn.)
Pau|la, die (w. Vorn.)
pau|li|nisch ⟨*zu* Paulus⟩; eine paulinische Erleuchtung haben; pau-

linische Briefe, Schriften ↑K 89 u. 135 ; **Pau|li|nis|mus,** der; - (*christl. Theol.* Lehre des Apostels Paulus)
Pau|low|nia, die; -, ...ien ⟨nach der russ. Großfürstin Anna Pawlowna⟩ (ein Zierbaum)
Pauls|kir|che, die; -
Pau|lus (Apostel); Pauli (des Paulus) Bekehrung (kath. Fest)
Paun|zen, der; -s, - *u.* die; -, - *meist Plur.* (eine österr. Mehlspeise; Erdäpfelpaunzen
Pau|pe|ris|mus, der; - ⟨lat.⟩ (*veraltend für* Massenarmut)
Pau|sa|ni|as (spartan. Feldherr u. Staatsmann; griech. Reiseschriftsteller)
Paus|back, der; -[e]s, -e ⟨*landsch. für* pausbäckiger Mensch); **Paus|ba|cken** *Plur.* (*landsch. für* dicke Wangen); **paus|ba|ckig,** *häufiger* **paus|bä|ckig**
pau|schal (alles zusammen; rund); **Pau|schal|ab|schrei|bung; Pau|schal|be|steu|e|rung; Pau|schal|be|wer|tung**
Pau|scha|le, die; -, -n ⟨*latinisierende Bildung zu dt.* Pauschsumme⟩ (geschätzte Summe; Gesamtbetrag); **pau|scha|lie|ren** (abrunden); **Pau|scha|lie|rung**
pau|scha|li|sie|ren (stark verallgemeinern); **Pau|scha|li|tät,** die; - (Undifferenziertheit)
Pau|schal|preis; Pau|schal|rei|se; Pau|schal|sum|me; Pau|schal|tou|ris|mus; Pau|schal|ur|teil; Pau|schal|ver|si|che|rung
Pausch|be|trag
Pau|sche, die; -, -n (Wulst am Sattel; Handgriff am Seitpferd); **Päu|schel** *vgl.* Bäuschel; **Pau|schen|pferd** (*bes. österr. u. schweiz. für* Seitpferd)
Pausch|quan|tum; Pausch|sum|me
¹**Pau|se,** die; -, -n ⟨griech.⟩ (Ruhezeit; Unterbrechung); die große Pause (in der Schule, im Theater)
²**Pau|se,** die; -, -n ⟨franz.⟩ (Kopie mittels Durchzeichnung)
pau|sen (durchzeichnen); du paust; er paus|te
Pau|sen|brot (*bes. für* Schüler); **Pau|sen|fül|ler** (*ugs.*); **Pau|sen|gong,** der (*bes. in Schulen); **Pau|sen|gym|nas|tik; Pau|sen|hal|le; Pau|sen|hof**
pau|sen|los
Pau|sen|pfiff (*Sport);* **Pau|sen|platz** (*schweiz. für* Schulhof); **Pau|sen-**

raum; Pau|sen|stand (*Sport);* **Pau|sen|tee** (*Sport);* **Pau|sen|zei|chen**
pau|sie|ren ⟨griech.⟩ (innehalten, ruhen, zeitweilig aufhören)
Paus|pa|pier; Paus|zeich|nung
Pa|va|ne, die; -, -n ⟨franz.⟩ (langsamer Schreittanz; *später* Einleitungssatz der Suite)
Pa|via (ital. Stadt)
Pa|vi|an, der; -s, -e ⟨niederl.⟩ (ein Affe)
Pa|vil|lon [ˈpavɪljõː, *österr.* ˈpavijõː], der; -s, -s ⟨franz.⟩ (kleiner, frei stehender, meist runder Bau; Ausstellungsgebäude; Festzelt; *Archit.* vorspringender Gebäudeteil); **Pa|vil|lon|sys|tem** (*Archit.*)
Paw|lat|sche, die; -, -n ⟨tschech.⟩ (*österr. für* Bretterbühne; baufälliges Haus); **Paw|lat|schen|haus** (*österr. für* Laubenganghaus); **Paw|lat|schen|the|a|ter** (*österr.*)
Paw|low (russ. Physiologe); **paw|lowsch;** die pawlowschen *od.* Pawlow'schen Hunde ↑K 135 u. 89
Pax, die; - ⟨lat.⟩, »Frieden« (*kath. Kirche* Friedensgruß, -kuss)
Pax vo|bis|cum! ⟨»Friede [sei] mit euch!«⟩
Pay-back [ˈpeːbɛk], **Pay|back**®, das; -s ⟨engl.⟩ (Rückzahlungs- und Bonussystem); **Pay-back-Kar|te, Pay|back|kar|te** (Kundenkarte, mit der beim Einkauf Rabatte [u. andere Vergünstigungen] erworben werden können)
Pay|card [ˈpeːkaːɐ̯t], die; -, -s ⟨engl.⟩ (aufladbare Chipkarte zum bargeldlosen Bezahlen)
Pay|ing Guest [ˈpeːɪŋ ˈɡɛst], der; - -s, - -s ⟨engl.⟩ (jmd., der bei einer Familie als Gast wohnt, aber für Unterkunft u. Verpflegung bezahlt)
Pay-per-View [ˈpeːpəˈvjuː], das; -s ⟨engl.⟩ (Verfahren für den Empfang einzeln abrechenbarer Programme des Privatfernsehens)
Pay|roll [ˈpeːroːl] ⟨engl.⟩ (*ugs. für* Lohnliste)
Pay-TV [ˈpeːtiːviː], das; -[s] ⟨engl.⟩ (nur gegen Gebühr zu empfangendes Privatfernsehen)
Pa|zi|fik [*auch* ˈpa...], der; -s ⟨lat.-engl.⟩ (Großer *od.* Pazifischer Ozean); **Pa|zi|fik|bahn,** die; -; **pa|zi|fisch;** pazifische Inseln, *aber* ↑K 140 : der Pazifische Ozean
Pa|zi|fis|mus, der; - ⟨lat.⟩ (Ablehnung des Krieges aus religiösen *od.* ethischen Gründen); **Pa|zi-**

fist, der; -en, -en; **Pa|zi|fis|tin; pa|zi|fis|tisch**

pa|zi|fi|zie|ren (veraltend für beruhigen; befrieden); **Pa|zi|fi|zie|rung**

Pb = Plumbum

P. b. b. = Postgebühr bar bezahlt (Österreich)

pc = Parsec

¹**PC**, der; -[s], -[s] (Personal Computer)

²**PC**, die; - (Political Correctness)

p. c., %, v. H. = pro centum; vgl. Prozent

PCB, das; - = polychlorierte Biphenyle (bestimmte giftige, krebserregende chem. Verbindungen)

p. Chr. [n.] = post Christum [natum]

PC-Nut|zer; PC-Nut|ze|rin

Pd = chem. Zeichen für ²Palladium

PdA, die; - = Partei der Arbeit (kommunistische Partei in der Schweiz)

PDA, der; -[s], -s = Personal Digital Assistant (svw. Organizer)

PDF = Portable Document Format (EDV ein Dateiformat)

PDF-Da|tei (EDV)

PDF-For|mat (EDV)

PDI = Präimplantationsdiagnostik

PDS, die; - = Partei des Demokratischen Sozialismus

Pea|nuts [ˈpiːnats] Plur. ⟨engl., »Erdnüsse«⟩ (ugs. für Kleinigkeiten; unbedeutende Geldsumme)

Pearl Har|bor [ˈpøːɐ̯l ...bə] (amerik. Flottenstützpunkt im Pazifik)

Pech, das; Gen. -s, seltener -es, Plur. ⟨Arten:⟩ -e (südd. u. österr. auch für Harz)

Pech|blen|de (ein Mineral); **Pech|draht; Pech|fa|ckel**

pech|fins|ter (ugs.)

pe|chig

Pech|koh|le; Pech|nel|ke

pech|ra|ben|schwarz (ugs.); **pech-schwarz** (ugs.)

Pech|sträh|ne (ugs.); **Pech|vo|gel** (ugs. für Mensch, der [häufig] Unglück hat)

pe|cken (bayr., österr. für picken)

Pe|co|ri|no, der; -s, -s ⟨ital.⟩ (ein ital. Hartkäse aus Schafsmilch)

Pe|dal, das; -s, -e ⟨lat.⟩ (Fußhebel; Teil an der Fahrradtretkurbel); **Pe|da|le**, die; -, -n (landsch. für Pedal [am Fahrrad])

Pe|da|lo, das; -s, -s ⟨franz.⟩ (schweiz. für Tretboot)

Pe|dal|weg (Kfz-Technik)

pe|dant (österr. neben pedantisch)

pe|dant, der; -en, -en ⟨griech.⟩ (ein in übertriebener Weise genauer, kleinlicher Mensch); **Pe|dan|te|rie**, die; -, ...ien; **pe|dan|tin; pe|dan|tisch**

Ped|dig|rohr, das; -[e]s (Markrohr der Rotangpalme zum Flechten von Korbwaren)

Pe|dell, der; -s, -e, österr. meist der; -en, -en (veraltet für Hausmeister einer Schule)

Pe|di|g|ree [...ri], der; -s, -s ⟨engl.⟩ (Stammbaum bei Tieren u. Pflanzen)

Pe|di|kü|re, die; -, -n ⟨franz.⟩ (nur Sing.: Fußpflege; Fußpflegerin); **pe|di|kü|ren**; sie hat pediküurt

Pe|di|ment, das; -s, -e ⟨lat.⟩ (Geogr. terrassenartige Fläche am Fuß eines Gebirges); Pe|do|graf, **Pe-do|graph**, der; -en, -en ⟨lat.⟩ (Wegmesser); **Pe|do|me|ter**, das; -s, - (Schrittzähler)

Pe|d|ro (m. Vorn.)

Pee|ling [ˈpiː...], das; -s, -s ⟨engl.⟩ (kosmetische Schälung der [Gesichts]haut; kosmetisches Produkt zur Beseitigung von Hautunreinheiten und abgestorbenen Hautschüppchen)

Pee|ne, die; - (Fluss in Mecklenburg-Vorpommern)

Peep|show [ˈpiːp...], die; -, -s ⟨engl.⟩ (Möglichkeit, gegen Geldeinwurf durch ein Guckfenster eine unbekleidete Frau zu betrachten)

¹**Peer**, Per (m. Vorn.); vgl. Peer Gynt

²**Peer** [piːɐ̯], der; -s, -s ⟨engl.⟩ (Mitglied des höchsten engl. Adels; Mitglied des engl. Oberhauses); vgl. Pair; **Pee|rage** [ˈpiːərɪtʃ], die; - (Würde eines Peers; Gesamtheit der Peers); **Pee|ress** [ˈpiːrɛs], die; -, -es (Gattin eines Peers; weibliches Mitglied des englischen Hochadels, des Oberhauses)

Peer|group [ˈpiːɐ̯gruːp], die; -, -s ⟨engl.⟩ (Päd. Gruppe von gleichaltrigen Kindern od. Jugendlichen)

Peer Gynt (norweg. Sagengestalt)

Peers|wür|de, die; -

Pe|ga|sos ⟨griech.⟩, ¹**Pe|ga|sus**, der; - (geflügeltes Ross der griech. Sage; Dichterross)

²**Pe|ga|sus**, der; - (ein Sternbild)

Pe|gel, der; -s, - (Wasserstandsmesser); **Pe|gel|hö|he; Pe|gel-stand**

Peg|ma|tit, der; -s, -e ⟨griech.⟩ (ein grobkörniges Gestein)

¹**Peg|nitz**, die; - (r. Nebenfluss der Rednitz [Regnitz])

²**Peg|nitz** (Stadt an der Pegnitz)

Peg|nitz|or|den, der; -s ↑K 143

Peh|le|wi [ˈpɛç...], das; -s (Mittelpersisch)

Pei|es Plur. ⟨hebr.⟩ (Schläfenlocken [der orthodoxen Ostjuden])

pei|len (die Richtung, Entfernung, Wassertiefe bestimmen)

Pei|ler; Peil|fre|quenz; Peil|li|nie; Peil|rah|men (Funkw.)

Pei|lung

Pein, die; - (Schmerz, Qual)

pei|ni|gen; Pei|ni|ger; Pei|ni|ge|rin; Pei|ni|gung

pein|lich; (Rechtsspr. veraltet): peinliches Recht (Strafrecht), peinliche Gerichtsordnung (Strafprozessordnung), **pein|li-cher|wei|se; Pein|lich|keit**

pein|sam; pein|voll

Pei|sis|t|ra|tos (athen. Tyrann)

Peit|sche, die; -, -n; **peit|schen;** du peitschst

Peit|schen|hieb; Peit|schen|knall; Peit|schen|leuch|te (Straßenlaterne mit gebogenem Mast); **Peit|schen|schlag; Peit|schen|stiel; Peit|schen|wurm** (ein Fadenwurm)

pe|jo|ra|tiv (Sprachw. verschlechternd, abwertend); **Pe|jo|ra|ti-vum**, das; -s, ...va (Wort mit abwertendem Sinn)

Pe|ka|ri, das; -s, -s ⟨karib.-franz.⟩ (amerik. Wildschwein)

Pe|ke|sche, die; -, -n ⟨poln.⟩ (Schnürrock; student. Festjacke)

Pe|ki|ne|se, fachspr. Pe|kin|ge|se, der; -n, -n ⟨nach der chin. Hauptstadt Peking⟩ (eine Hunderasse)

Pe|king, amtlich Beijing (Hauptstadt Chinas); **Pe|king|mensch** (Anthropol.); **Pe|king|oper**

PEKiP = Prager Eltern-Kind-Programm (ein Konzept zur Begleitung der frühkindlichen Entwicklung)

Pek|ten|mu|schel ⟨lat.; dt.⟩ (Zool. Kammmuschel)

Pek|tin, das; -s, -e meist Plur. ⟨griech.⟩ (gelierender Pflanzenstoff)

pek|to|ral ⟨lat.⟩ (Med. die Brust betreffend; Brust...)

Pek|to|ra|le, das; -[s], Plur. -s u. ...lien (Brustkreuz kath. geistl. Würdenträger; ein mittelalterl. Brustschmuck)

pe|ku|ni|är ⟨lat.-franz.⟩ (geldlich; in Geld bestehend; Geld...)

pek|zie|ren ⟨lat.⟩ (*landsch. für* etwas anstellen); *vgl.* pexieren

Pe|la|gi|al, das; -s ⟨griech.⟩ (*Ökologie* das freie Wasser der Meere u. Binnengewässer)

Pe|la|gi|a|ner (Anhänger der Lehre des Pelagius); **Pe|la|gi|a|nis|mus,** der; -

pe|la|gisch ⟨griech.⟩ (*Biol.* im freien Wasser lebend); *aber* ↑K 140 : Pelagische Inseln (Inselgruppe südl. von Sizilien)

Pe|la|gi|us (engl. Mönch)

Pe|lar|go|nie, die; -, -n ⟨griech.⟩ (eine Zierpflanze)

Pe|las|ger meist Plur. (Angehöriger einer Urbevölkerung Griechenlands); **pe|las|gisch**

Pe|la|ti Plur. ⟨ital.⟩ (*österr., schweiz. für* Dosentomaten)

Pele|mele [pɛlˈmɛl], das; - (Mischmasch; eine Süßspeise)

Pe|le|ri|ne, die; -, -n ⟨franz.⟩ ([ärmelloser] Umhang; *veraltend für* Regenmantel)

Pe|leus (Vater des Achill); **Pe|li|de,** der; -n (Beiname des Achill)

Pe|li|kan [*auch* ...ˈkaːn], der; -s, -e ⟨griech.⟩ (ein Vogel)

Pe|li|on, der; -s (Gebirge in Thessalien)

Pell|a|gra, das; -[s] ⟨griech.⟩ (*Med.* Krankheit durch Mangel an Vitamin B₂)

Pel|le, die; -, -n ⟨lat.⟩ (*landsch. für* Haut, Schale); jmdm. auf die Pelle rücken (*ugs. für* energisch zusetzen); jmdm. auf der Pelle sitzen (*ugs. für* lästig sein)

pel|len (*landsch. für* schälen)

Pel|let, das; -s, -s *meist Plur.* ⟨engl.⟩ (Kügelchen, kleiner Zylinder o. Ä., bes. aus gepresstem Tierfutter); **pel|le|tie|ren**

Pell|kar|tof|fel

Pe|lo|pon|nes, der; -[es], *fachspr. auch* die; - (südgriechische Halbinsel)

pe|lo|pon|ne|sisch; *aber* ↑K 151 : der Peloponnesische Krieg

Pe|lops (Sohn des Tantalus)

Pe|lo|ta, die; - ⟨span.⟩ (ein baskisches Ballspiel)

Pe|lo|ton [...ˈtõː], das; -s, -s ⟨franz.⟩ (*früher für* kleine milit. Einheit; *Radsport* geschlossenes Fahrerfeld bei Straßenrennen)

Pe|lot|te, die; -, -n (*Med.* ballenförmiges Druckpolster)

Pel|sei|de, die; - ⟨ital.; dt.⟩ (geringwertiges Rohseidengarn)

Pel|tast, der; -en, -en ⟨griech.⟩ (alt-

griech. leicht bewaffneter Fußsoldat)

Pe|lusch|ke, die; -, -n ⟨slaw.⟩ (*landsch. für* Ackererbse)

Pelz, der; -es, -e; jmdm. auf den Pelz rücken (*ugs. für* jmdn. drängen)

Pelz|be|satz; pelz|be|setzt

¹**pel|zen** (*fachspr. für* den Pelz abziehen; *ugs. für* faulenzen); du pelzt

²**pel|zen** (*bayr., österr. für* pfropfen); du pelzt

pelz|ge|füt|tert

pel|zig

Pelz|kap|pe; Pelz|kra|gen; Pelz|man|tel

Pelz|mär|te, der; -s, -n, **Pelz|märtel,** der; -s, - ⟨nach dem hl. Martin⟩ (*südd. für* Knecht Ruprecht)

Pelz|müt|ze; Pelz|ni|ckel vgl. Belznickel; **Pelz|sto|la**

Pelz|tier; Pelz|tier|farm

pelz|ver|brämt; Pelz|ver|brä|mung

Pelz|wa|re; Pelz|werk, das; -[e]s

Pem|ba (Insel vor Ostafrika); **Pem|ba|er; Pem|ba|e|rin; pem|ba|isch**

Pem|mi|kan, der; -s ⟨indian.⟩ (haltbarer Dauerproviant nordamerik. Indianer aus getrocknetem Fleisch u. Fett)

Pem|phi|gus, der; - ⟨griech.⟩ (*Med.* eine Hautkrankheit)

PEN, P.E.N. [*beide* pɛn], der; -[s] ⟨engl.; *Kurzw. aus* poets, essayists, novelists⟩ (internationale Schriftstellervereinigung)

Pe|nal|ty [ˈpɛnəlti], der; -[s], -s ⟨engl.⟩ (*Sport, bes. Eishockey* Strafstoß; *schweiz. Fußball* Elfmeter)

Pe|na|ten Plur. ⟨lat.⟩ (röm. Hausgötter; *übertr. für* häuslicher Herd, Wohnung, Heim)

Pence [pɛns] (Plur. von Penny)

PEN-Club, P.E.N.-Club

Pen|dant [pãˈdãː], das; -s, -s ⟨franz.⟩ (Gegenstück)

Pen|del, das; -s, - ⟨lat.⟩ (um eine Achse od. einen Punkt frei schwingender Körper)

pen|deln; ich pend[e]le

Pen|del|ach|se (*Kfz-Technik*); **Pen|del|lam|pe**

Pen|del|sä|ge; Pen|del|schwin|gung; Pen|del|tür; Pen|del|uhr; Pen|del|ver|kehr, der; -s

pen|dent ⟨ital.⟩ (*schweiz. für* schwebend, unerledigt)

Pen|den|tif [pãdã...], das; -s, -s ⟨*Archit.* Zwickel⟩

Pen|denz, die; -, -en ⟨ital.⟩

(*schweiz. für* schwebendes Geschäft, unerledigte Aufgabe)

Pen|de|rec|ki [...ˈrɛt͜ski], Krzysztof [ˈkʃɣʃtɔf] (poln. Komponist)

Pend|ler; Pend|le|rin; Pend|ler|pau|scha|le (steuerliche Vergünstigung für Berufspendler); **Pend|ler|ver|kehr,** der; -s

Pen|do|li|no ®, der; -s, -s (Hochgeschwindigkeitszug mit besonderer Neigetechnik)

Pen|du|le [pãˈdy:...], **Pen|dü|le,** die; -, -n ⟨franz.⟩ (Pendeluhr)

Pe|ne|lo|pe [...pe] (Frau des Odysseus)

Pe|nes (*Plur. von* Penis)

pe|ne|t|rant ⟨franz.⟩ (durchdringend; aufdringlich); **Pe|ne|t|ranz,** die; -, -en (Aufdringlichkeit; *Genetik* Häufigkeit, mit der ein Erbfaktor wirksam wird)

Pe|ne|t|ra|ti|on, die; -, -en ⟨lat.⟩ (Durchdringung; das Eindringen); **pe|ne|t|rie|ren**

peng!; peng, peng!

Pen|hol|der|griff [...ho:l...] ⟨engl.; dt.⟩ (*Tischtennis* Schlägerhaltung, bei der der Griff zwischen Daumen u. Zeigefinger nach oben zeigt)

pe|ni|bel ⟨franz.⟩ (sehr genau, fast kleinlich; *landsch. für* peinlich); ...i|b|le Lage; **Pe|ni|bi|li|tät,** die; - (Genauigkeit)

Pe|ni|cil|lin vgl. Penizillin

Pe|nin|su|la, die; -, ...suln ⟨lat.⟩ (veraltet für Halbinsel)

Pe|nis, der; -, Plur. -se u. Penes ⟨lat.⟩ (männl. Glied)

Pe|nis|bruch, der

Pe|nis|neid (*Psychoanalyse*)

Pe|ni|zil|lin, fachspr. u. österr. Pe|ni|cil|lin, das; -s, -e ⟨lat.⟩ (ein Antibiotikum); **Pe|ni|zil|lin|am|pul|le; Pe|ni|zil|lin|sprit|ze**

Pen|nal, das; -s, -e ⟨lat.⟩ (*österr. für* Federbüchse)

Pen|nä|ler, der; -s, - (*ugs. für* Schüler einer höheren Lehranstalt); **pen|nä|ler|haft; Pen|nä|le|rin**

Penn|bru|der (svw. Penner)

¹**Pen|ne,** die; -, -n ⟨jidd.⟩ (*ugs. für* behelfsmäßiges Nachtquartier)

²**Pen|ne,** die; -, -n ⟨lat.⟩ (*Schülerspr.* Schule)

pen|nen (*ugs. für* schlafen)

Pen|ner, der; -s, - (*ugs. für* Stadt-, Landstreicher; *auch* Schimpfwort); **Pen|ne|rin**

Pen|ni, der; -[s], -[s] (Untereinheit der Markka; *Abk.* p)

Penn|syl|va|nia [...sɪlˈveːnjə], *eingedeutscht* **Penn|syl|va|ni|en**

P

pekz

[...zıl...] (Staat in den USA; *Abk.* PA); **pen|syl|va|nisch**

Pen|ny [...ni], der; -s, *Plur.* (*für einige Stücke:*) Pennys u. (*bei Wertangabe:*) Pence [pɛns] ⟨engl.⟩ (engl. Münze; Untereinheit des brit. Pfunds; *Abk.* p, *früher* d [= denarius])

Pen|sa (*Plur. von* Pensum)

pen|see [pãˈse...] ⟨franz.⟩ (dunkellila); ein pensee Kleid; *vgl.* blau u. beige; **Pen|see**, das; -s, -s ⟨*franz. Bez. für* Gartenstiefmütterchen⟩; **pen|see|far|big; Pen|see|kleid**

Pen|sen (*Plur. von* Pensum)

Pen|si|on [pãˈsi̯oːn...; *südd., österr., schweiz.* pɛn...], die; -, -en ⟨franz.⟩ (Ruhestand *[nur Sing.]*; Ruhegehalt für Beamte u. Beamtinnen; kleineres Hotel, Fremdenheim); **Pen|si|o|när**, der; -s, -e (Ruheständler; *bes. schweiz. für* Kostgänger, [Dauer]gast einer Pension); **Pen|si|o|nä|rin**

Pen|si|o|nat, das; -[e]s, -e (Internat, bes. für Mädchen)

pen|si|o|nie|ren (in den Ruhestand versetzen); **Pen|si|o|nier|te**, der u. die; -n, -n (*schweiz. für* Ruheständler, Ruheständlerin); **Pen|si|o|nie|rung**

Pen|si|o|nist [pɛn...], der; -en, -en (*österr. für* Ruheständler); **Pen|si|o|nis|tin**

Pen|si|ons|al|ter [pã...; *südd., österr., schweiz.* pɛn...]; **Pen|si|ons|an|spruch**

pen|si|ons|be|rech|tigt

Pen|si|ons|fonds (*Finanzw.* Einrichtung zur betrieblichen Altersversorgung)

Pen|si|ons|gast *Plur.* ...gäste

Pen|si|ons|ge|schäft (*Bankw.* Verkauf von Wechseln od. Effekten mit einer Rückkaufverpflichtung); **Pen|si|ons|kas|se** (*Versicherungsw.* Einrichtung zur betrieblichen Altersversorgung)

Pen|si|ons|preis

pen|si|ons|reif (*ugs.*)

Pen|si|ons|rück|stel|lun|gen *Plur.* (*Wirtsch.*)

Pen|si|ons|ver|si|che|rung (*österr. für* Rentenversicherung)

Pen|si|ons|ver|si|che|rungs|an|stalt

Pen|sum, das; -s, *Plur.* ...sen u. ...sa ⟨lat.⟩ (zugeteilte Arbeit; Lehrstoff)

pent..., pen|ta... ⟨griech.⟩ (fünf...); **Pent..., Pen|ta...** (Fünf...)

Pen|ta|de, die; -, -n (Zeitraum von fünf Tagen); **Pen|ta|eder**, das; -s, - (Fünfflach)

¹Pen|ta|gon, das; -s, -e (Fünfeck)

²Pen|ta|gon, das; -s (das auf einem fünfeckigen Grundriss errichtete amerik. Verteidigungsministerium)

Pen|ta|gon|do|de|ka|eder (von zwölf Fünfecken begrenzter Körper)

Pen|ta|gramm, das; -s, -e, **Pent|al|pha**, das; -, -s (fünfeckiger Stern; Drudenfuß)

Pen|ta|me|ter, der; -s, - (ein [nach dt. Messung] sechsfüßiger Vers)

Pen|tan, das; -s, -e (ein Kohlenwasserstoff)

Pen|t|ar|chie, die; -, ...i̯en (Herrschaft von fünf Mächten)

Pen|ta|teuch, der; -s (die fünf Bücher Mose im A.T.)

Pen|t|ath|lon [*auch* ...ˈaːtlɔn], das; -s (antiker Fünfkampf)

Pen|ta|to|nik, die; - (Fünftonmusik)

Pen|te|kos|te, die; - ⟨griech.⟩ (50. Tag nach Ostern; Pfingsten)

Pen|te|li|kon, der; -s ⟨Gebirge in Attika⟩; **pen|te|lisch**; pentelischer Marmor ↑K89

Pen|te|re, die; -, -n ⟨griech., »Fünfruderer«⟩ (antikes Kriegsschiff)

Pent|haus *vgl.* Penthouse

Pen|the|si|lea, Pen|the|si|leia ⟨griech.⟩ (eine Amazonenkönigin in der griech. Sage)

Pent|house [...ha̯us] ⟨amerik.⟩, **Pent|haus**, das; -es, -e (exklusive Dachterrassenwohnung über einem Etagenhaus)

Pen|ti|um®, der; -s (besonders schneller Mikroprozessor)

Pen|t|o|de, die; -, -n ⟨griech.⟩ (Elektronenröhre mit 5 Elektroden)

Pe|nun|ze, die; -, -n *meist Plur.* ⟨poln.⟩ (*ugs. für* Geld)

Pep, der; -[s] ⟨amerik.; *von* pepper = Pfeffer⟩ (Schwung; besonderer Reiz)

Pe|pe|ro|ne, der; -, ...ni, *häufiger* **Pe|pe|ro|ni**, die; -, - *meist Plur.* ⟨ital.⟩ (scharfe, kleine [in Essig eingemachte] Paprikaschote)

Pe|pi|ta, der *od.* das; -s, -s ⟨span.⟩ (kariertes Gewebe); **Pe|pi|ta|kleid; Pe|pi|ta|kos|tüm**

Pe|p|lon, das; -s, ...len u. -s, **Pe|p|los**, der; -, *Plur.* ...len u. -⟨griech.⟩ (altgriech. Umschlagtuch der Frauen)

Pep|mit|tel (*ugs. für* Aufputschmittel); **pep|pig** (mit Pep)

Pep|po (m. Vorn.)

Pep|sin, das; -s, -e ⟨griech.⟩ (Enzym des Magensaftes; ein Arzneimittel); **Pep|sin|wein**

Pep|ti|sa|ti|on, die; - *(Chemie)*

pep|tisch (verdauungsfördernd)

pep|ti|sie|ren (in kolloide Lösung überführen)

Pep|ton, das; -s, -e (Abbaustoff des Eiweißes; **Pep|ton|u|rie**, die; - (*Med.* Ausscheidung von Peptonen im Harn)

per ⟨lat.⟩ *Präp. mit Akk.* (durch, mit, gegen, für); per Bahn reisen; per Boten schicken; mit jmdm. per **du** sein; *häufig in der Amts- u. Kaufmannsspr.,* z. B. per Adresse ([*Abk.* p. A.], *besser:* bei); per (*besser:* für *od.* zum) ersten Januar

¹Per, Peer (m. Vorn.)

²Per, das; -s (*kurz für* bes. bei der chem. Reinigung verwendetes Perchloräthylen)

per an|num ⟨lat.⟩ (*veraltet für* jährlich; *Abk.* p. a.)

per as|pe|ra ad as|t|ra ⟨lat., »auf rauen Wegen zu den Sternen«⟩

Per|bo|rat, das; -[e]s, -e *meist Plur.* ⟨lat.; pers.⟩ (chem. Verbindung aus Wasserstoffperoxid u. Boraten); **Per|bor|säu|re**, die; -

per cas|sa ⟨ital.⟩ ([gegen] bar, bei Barzahlung); *vgl.* Kassa

Perche|akt, **Perche-Akt** [ˈpɛrʃ...], der; -[e]s, -e ⟨franz.⟩ (artist. Darbietung an einer langen, elastischen Stange)

Per|chlor|äthy|len (*Chemie* ein Lösungsmittel bes. für Fette u. Öle); *vgl.* Äthylen u. ²Per

Percht, die; -, -en (myth. Gestalt); **Percht|en|lauf** (Umzug u. Tänze in Perchtenmasken [zur Fastnachtszeit]); **Percht|en|mas|ke**

per con|to ⟨ital.⟩ (*Kaufmannsspr.* auf Rechnung)

Per|cus|si|on [pəˈkaʃn], die; -, -s ⟨engl.⟩ (*Musik* Gruppe von Schlaginstrumenten); *vgl. auch* Perkussion

per de|fi|ni|ti|o|nem ⟨lat.⟩ (erklärtermaßen)

per|du [...ˈdy:] ⟨franz.⟩ (*ugs. für* verloren, weg, auf und davon)

pe|r|em[p]|to|risch (*Rechtsspr.* aufhebend; endgültig)

pe|r|en|nie|rend ⟨lat.⟩ (*Bot.* ausdauernd; mehrjährig [von Stauden- u. Holzgewächsen])

Pe|res|t|ro|i|ka, die; - ⟨russ., »Umbau«⟩ (Umbildung, Neugestaltung [urspr. des polit. u. wirtschaftl. Systems der Sowjetunion])

per|fekt ⟨lat.⟩ (vollendet, vollkommen; abgemacht; gültig); einen Vertrag, eine Vereinbarung perfekt machen

Per|fekt [*auch* ...'fɛkt], das; -[e]s, -e *Plur. selten* (*Sprachw.* vollendete Gegenwart, Vorgegenwart)

per|fek|ti|bel (vervollkommnungsfähig); ...i|b|le Dinge

Per|fek|ti|bi|lis|mus, der; - (*Philos.* Lehre von der Vervollkommnung); Per|fek|ti|bi|list, der; -en, -en; Per|fek|ti|bi|lis|tin; Per|fek|ti|bi|li|tät, die; - (Vervollkommnungsfähigkeit)

Per|fek|ti|on, die; - (Vollendung, Vollkommenheit); per|fek|ti|o|nie|ren; Per|fek|ti|o|nie|rung

Per|fek|ti|o|nis|mus, der; - (übertriebenes Streben nach Vervollkommnung); Per|fek|ti|o|nist, der; -en, -en; Per|fek|ti|o|nis|tin; per|fek|ti|o|nis|tisch

per|fek|tisch (das Perfekt betreffend); per|fek|tiv; *in der Fügung* perfektive Aktionsart (*Sprachw.* Aktionsart eines Verbs, die eine zeitl. Begrenzung des Geschehens ausdrückt, z. B. »verblühen«); per|fek|ti|visch (perfektisch; *veraltet für* perfektiv)

per|fid *österr. nur so,* per|fi|de ⟨lat.-franz.⟩ (niederträchtig, gemein); Per|fi|die, die; -, ...ien (Niedertracht, Gemeinheit); Per|fi|di|tät, die; -, -en (*selten für* Perfidie)

Per|fo|ra|ti|on, die; -, -en ⟨lat.⟩ (Durchbohrung; Lochung; Reiß-, Trennlinie; Zähnung [bei Briefmarken]); Per|fo|ra|tor, der; -s, ...oren (Gerät zum Perforieren)

per|fo|rie|ren; Per|fo|rier|ma|schi|ne

Per|for|mance [pə'fɔːməns], die; -, -s ⟨engl., »Vorführung«⟩ (einem Happening ähnliche künstlerische Aktion; *Finanzw.* Wertentwicklung einer Kapitalanlage; *EDV* Leistungsstärke eines Rechners)

Per|for|manz, die; - ⟨lat.⟩ (*Sprachw.* Sprachverwendung in einer bestimmten Situation)

per|for|ma|tiv, per|for|ma|to|risch (*Sprachw.* eine mit einer Äußerung beschriebene Handlung zugleich vollziehend, z. B. »ich gratuliere dir«)

per|for|men [pɛr'fɔːmən, *auch:*

...'fɔrm...] ⟨engl.⟩ (*Finanzw.* sich wertmäßig entwickeln)

Per|for|mer [pɛr'fɔːɐmɐ, *auch* ...for...], der; -s, - ⟨engl.⟩ (Künstler, der Performances zeigt); Per|for|me|rin

per|ga|me|nisch (aus Pergamon)

Per|ga|ment, das; -[e]s, -e ⟨griech.⟩ (bearbeitete Tierhaut; alte Handschrift); Per|ga|ment|band, der; *Plur.* ...bände; per|ga|men|ten (aus Pergament)

Per|ga|ment|pa|pier; Per|ga|ment|rol|le

Per|ga|min, das; -s (durchscheinendes, pergamentartiges Papier)

Per|ga|mon (antike Stadt in Nordwestkleinasien); **Per|ga|mon|al|tar**, Per|ga|mon-Al|tar; Per|ga|mon|mu|se|um, Per|ga|mon-Mu|se|um, das; -s

Per|gel, das; -s, - ⟨ital.⟩ (*südd. für* Weinlaube); Per|go|la, die; -, ...len (Weinlaube; berankter Laubengang)

per|hor|res|zie|ren ⟨lat.⟩ (verabscheuen, zurückschrecken)

Pe|ri, der; -s, -s *od.* die; -, -s *meist Plur.* ⟨pers.⟩ (feenhaftes Wesen der altpers. Sage)

pe|ri... ⟨griech.⟩ (um..., herum...); Pe|ri... (Um..., Herum...)

Pe|ri|ar|th|ri|tis, die; -, ...itiden ⟨griech.⟩ (*Med.* Entzündung in der Umgebung von Gelenken)

Pe|ri|car|di|um *vgl.* Perikard

Pe|ri|chon|d|ri|tis [...çɔn...], die; -, ...itiden ⟨griech.⟩ (*Med.* Knorpelhautentzündung); Pe|ri|chon|d|ri|um, das; -s, ...ien (*Med.* Knorpelhaut)

pe|ri|cu|lum in mo|ra ⟨lat.⟩ (Gefahr besteht, wenn man zögert)

Pe|ri|derm, das; -s, -e ⟨griech.⟩ (*Bot.* ein Pflanzengewebe)

Pe|ri|dot, das; -s ⟨franz.⟩ (ein Mineral); Pe|ri|do|tit, der; -s, -e (ein Tiefengestein)

Pe|ri|gas|t|ri|tis, die; -, ...itiden ⟨griech.⟩ (*Med.* Entzündung des Bauchfellüberzuges des Magens)

Pe|ri|gä|um, das; -s, ...äen ⟨griech.⟩ (*Astron.* der Punkt der größten Erdnähe des Mondes od. eines Satelliten; *Ggs.* Apogäum)

Pe|ri|gon, das; -s, -e *u.* Pe|ri|go|ni|um, das; -s, ...ien (*Bot.* Blütenhülle aus gleichartigen Blättern)

Pe|ri|hel, das; -s, -e (*Astron.* der Punkt einer Planeten- od. Kome-

tenbahn, der der Sonne am nächsten liegt; *Ggs.* Aphel)

Pe|ri|he|pa|ti|tis, die; -, ...itiden (*Med.* Entzündung des Bauchfellüberzuges der Leber)

Pe|ri|kard, das; -s, -e, Pe|ri|kar|di|um, *med. fachspr.* Pe|ri|car|di|um, das; -s, ...ien (*Med.* Herzbeutel); Pe|ri|kar|di|tis, die; -, ...itiden (*Med.* Herzbeutelentzündung); Pe|ri|kar|di|um *vgl.* Perikard

Pe|ri|karp, das; -s, -e ⟨*Bot.* [äußere] Hülle der Früchte von Samenpflanzen)

Pe|ri|klas, der; *Gen.* - *u.* -es, *Plur.* -e (ein Mineral)

pe|ri|k|le|isch (perikleischer Geist, *perikleische* Verwaltung; Pe|ri|k|les (athen. Staatsmann)

Pe|ri|ko|pe, die; -, -n ⟨griech.⟩ (zu gottesdienstl. Verlesung vorgeschriebener Bibelabschnitt; *Verslehre* Strophengruppe)

Pe|ri|me|ter [*schweiz.* 'peri...], das, *schweiz.* der; -s, - (*Med.* Vorrichtung zur Messung des Gesichtsfeldes; *schweiz.* für Umfang eines Gebietes); pe|ri|me|t|rie|ren; pe|ri|me|t|risch

pe|ri|na|tal (*Med.* die Zeit während, kurz vor u. nach der Geburt betreffend)

Pe|ri|o|de, die; -, -n ⟨griech.⟩ (Umlauf eines Gestirns, Kreislauf; Zeit[abschnitt]; Menstruation; Satzgefüge; Schwingungsdauer; unendlicher Dezimalbruch)

Pe|ri|o|den|er|folg (*Wirtsch.*); Pe|ri|o|den|rech|nung (*Wirtsch.);* Pe|ri|o|den|sys|tem (*Chemie*); Pe|ri|o|den|zahl (*Elektrot.*)

...pe|ri|o|dig (z. B. zweiperiodig)

Pe|ri|o|dik, die; - (*svw.* Periodizität)

Pe|ri|o|di|kum, das; -s, ...ka *meist Plur.* (periodisch erscheinende [Zeit]schrift)

pe|ri|o|disch (regelmäßig auftretend, wiederkehrend; periodischer Dezimalbruch; periodisches System (*Chemie*)

pe|ri|o|di|sie|ren (in Zeitabschnitte einteilen); Pe|ri|o|di|sie|rung

Pe|ri|o|di|zi|tät, die; - (regelmäßige Wiederkehr)

Pe|ri|o|don|ti|tis, die; -, ...itiden ⟨griech.⟩ (*Med.* Entzündung der Zahnwurzelhaut)

Pe|ri|ö|ke, der; -n, -n ⟨»Umwohner«⟩ (freier, aber polit. rechtloser Bewohner im alten Sparta)

pe|ri|o|ral (*Med.* um den Mund herum)

Pe|ri|ost, das; -[e]s, -e (*Med.* Knochenhaut); **Pe|ri|os|ti|tis**, die; -, ...ti|den (*Med.* Knochenhautentzündung)

Pe|ri|pa|te|ti|ker ⟨griech.⟩ (Philosoph aus der Schule des Aristoteles); **pe|ri|pa|te|tisch**; **Pe|ri|pa|tos**, der; - (Wandelgang; Teil der Schule in Athen, wo Aristoteles lehrte)

Pe|ri|pe|tie, die; -, ...i̯en (entscheidender Wendepunkt, Umschwung [in einem Drama])

pe|ri|pher (am Rande befindlich, Rand...); **Pe|ri|phe|rie**, die; -, ...i̯en ([Kreis]umfang; Umkreis; Stadtrand, Randgebiet); **Pe|ri|phe|rie|ge|rät** (*EDV* an einen Computer anschließbares Gerät)

Pe|ri|phra|se, die; -, -n (*Rhet.* Umschreibung); **pe|ri|phra|sie|ren**; **pe|ri|phras|tisch** (umschreibend)

Pe|ri|p|te|ros, der; -, *Plur.* - od. ...te̯ren (griech. Tempel mit umlaufendem Säulengang)

Pe|ri|s|kop, das; -s, -e ⟨griech.⟩ (Fernrohr mit geknicktem Strahlengang); **pe|ri|s|ko|pisch**

Pe|ri|s|po|me|non, das; -s, ...na (*Sprachw.* Wort mit einem Zirkumflex auf der letzten Silbe)

Pe|ri|s|tal|tik, die; - (*Med.* wellenförmig fortschreitendes Zusammenziehen, z. B. der Speiseröhre); **pe|ri|s|tal|tisch**

Pe|ri|s|ta|se, die; -, -n (*Biol.*, *Med.* die auf die Entwicklung des Organismus einwirkende Umwelt); **pe|ri|s|ta|tisch** (umweltbedingt)

Pe|ri|s|te|ri|um, das; -s, ...i̯en (mittelalterl. Hostiengefäß in Gestalt einer Taube)

Pe|ri|s|tyl, das; -s, -e, **Pe|ri|s|ty|li|um**, das; -s, ...i̯en (von Säulen umgebener Innenhof des antiken Hauses)

Pe|ri|to|ne|um, das; -s, ...ne̯en (*Med.* Bauchfell)

Pe|ri|to|ni|tis, die; -, ...iti|den (*Med.* Bauchfellentzündung)

Per|kal, der; -s, -e ⟨pers.⟩ (ein Baumwollgewebe)

Per|ka|lin, das; -s, -e (stark appretiertes Gewebe [für Bucheinbände])

Per|ko|lat, das; -[e]s, -e ⟨lat.⟩ (*Pharm.* durch Perkolation gewonnener Pflanzenextrakt); **Per|ko|la|ti|on**, die; -, -en (Herstellung konzentrierter Pflanzenextrakte)

Per|ko|la|tor, der; -s, ...o̯ren (Gerät zur Perkolation); **per|ko|lie|ren**

Per|kus|si|on, die; -, -en ⟨lat.⟩ (Zündung durch Stoß od. Schlag [beim Perkussionsgewehr des 19. Jh.s]; ärztl. Organuntersuchung durch Beklopfen der Körperoberfläche; Anschlagvorrichtung beim Harmonium); *vgl. auch* Percussion

Per|kus|si|ons|ge|wehr; **Per|kus|si|ons|ham|mer** (*Med.*); **Per|kus|si|ons|in|s|t|ru|ment** (Schlaginstrument)

Per|kus|si|ons|schloss; **Per|kus|si|ons|zün|dung**

per|kus|siv (*Musik* überwiegend vom Rhythmus geprägt, durch rhythmische Geräusche erzeugt)

per|kus|so|risch (*Med.* durch Perkussion nachweisbar)

per|ku|tan ⟨lat.⟩ (*Med.* durch die Haut hindurch)

per|ku|tie|ren ⟨lat.⟩ (*Med.* abklopfen); **per|ku|to|risch** (svw. perkussorisch)

Perl, die; - (*Druckw.* ein Schriftgrad)

Per|le, die; -, -n

¹**per|len** (tropfen; Bläschen bilden)

²**per|len** (aus Perlen [hergestellt]); **per|len|be|setzt**; **per|len|be|stickt**

Perl|en|fi|scher; **Per|len|fi|sche|rin**

Per|len|ket|te; **Per|len|kol|li|er**; **Per|len|schnur** *Plur.* ...schnüre

Per|len|sti|cke|rei

Per|len|tau|cher; **Per|len|tau|che|rin**

Perl|garn

perl|grau

Perl|huhn

perl|lig

Per|lit, der; -s, -e ⟨lat.⟩ (ein Gestein; Gefügebestandteil des Eisens); **Per|lit|guss** (Spezialgusseisen für hohe Beanspruchungen)

Perl|mu|schel

Perl|mutt [*auch* ...'mut], das; -s ⟨verkürzt aus »Perlmutter«⟩

Perl|mut|ter [*auch* ...'mʊt...], die; - od. das; -s (glänzende Innenschicht von Perlmuschel- u. Seeschneckenschalen); **Perl|mut|ter|fal|ter** (ein Schmetterling)

perl|mut|ter|far|ben (svw. perlmuttfarben)

Perl|mut|ter|knopf (svw. Perlmuttknopf)

perl|mut|tern (aus Perlmutter); **perl|mutt|far|ben**

Perl|mutt|knopf

Per|lon ®, das; -s (eine synthet. Textilfaser); **Per|lon|strumpf**

per|lon|ver|stärkt

Perl|schrift, die; -; **Perl|stich**

Per|lus|t|ra|ti|on, die; -, -en ⟨lat.⟩, **Per|lus|t|rie|rung** (österr., sonst veraltet für Durchmusterung, genaue Untersuchung); **per|lus|t|rie|ren**; **Per|lus|t|rie|rung** *vgl.* Perlustration

Perl|wein

perl|weiß

Perl|zwie|bel

¹**Perm** (Stadt in Russland)

²**Perm**, das; -s (*Geol.* jüngster Teil des Paläozoikums)

per|ma|nent ⟨lat.⟩ (dauernd, ununterbrochen, ständig)

Per|ma|nent|gelb, das; -s (lichtechtes Gelb); **Per|ma|nent|weiß**, das; -[es]

Per|ma|nenz, die; - (Dauer[haftigkeit]); in Permanenz (dauernd, ständig); **Per|ma|nenz|the|o|rie**, die; - (*Geol.*)

Per|man|ga|nat, das; -s, -e ⟨lat.; griech.⟩ (chem. Verbindung, die als Oxidations- u. Desinfektionsmittel verwendet wird)

per|me|a|bel ⟨lat.⟩ (durchdringbar, durchlässig); ...a|b|le Körper; **Per|me|a|bi|li|tät**, die; -

per mil|le (svw. pro mille)

per|misch ⟨zu ²Perm⟩

Per|mis|si|on, die; -, -en ⟨lat.⟩ (veraltend für Erlaubnis)

per|mis|siv (Soziol., Psych. nachgiebig, frei gewähren lassend); **Per|mis|si|vi|tät**, die; -

per|mit|tie|ren (veraltend für erlauben, zulassen)

per|mu|ta|bel ⟨lat.⟩ (umstellbar, aus-, vertauschbar); ...a|b|le Größen

Per|mu|ta|ti|on, die; -, -en (Umstellung, Vertauschung; *Math.* Umstellung von Elementen einer geordneten Menge); **per|mu|tie|ren**

Per|nam|bu|co ⟨früherer Name von Recife⟩

Per|nam|buk|holz, Fer|nam|buk|holz (Brasilienholz)

Per|nio, der; -, *Plur.* ...io̯nes u. ...io̯nen ⟨lat.⟩ (*Med.* Frostbeule); **Per|ni|o|sis**, die; -, ...sen (Frostschaden der Haut)

per|ni|zi|ös ⟨franz.⟩ (bösartig); perniziöse Anämie (*Med.*)

Per|nod ® [...'noː], der; -[s], -[s] ⟨franz.⟩ (ein alkohol. Getränk)

Pe|ro|nis|mus, der; - ⟨nach dem ehem. argentin. Staatspräsidenten Perón⟩ (eine polit.-soziale Bewegung in Argentinien); Pe|ro|nist, der; -en, -en (Anhänger des Peronismus); Pe|ro|nistin; pe|ro|nis|tisch

Pe|ro|no|s|po|ra, die; - ⟨griech.⟩ (Gattung Pflanzen schädigender Algenpilze)

per|oral ⟨lat.⟩ (*Med.* durch den Mund)

Per|oxid, Per|oxyd, das; -[e]s, -e ⟨lat.; griech.⟩ (sauerstoffreiche chem. Verbindung)

per pe|des [apo|s|to|lo|rum] ⟨lat., »zu Fuß [wie die Apostel]«⟩

Per|pen|di|kel, der *od.* das; -s, - ⟨lat.⟩ (Uhrpendel; Senkrechte)

per|pen|di|ku|lär, per|pen|di|ku|lär (senk-, lotrecht)

Per|pe|tua (eine Heilige)

per|pe|tu|ie|ren ⟨lat.⟩ (ständig weitermachen; fortdauern)

Per|pe|tu|um mo|bi|le, das; - -[s], *Plur.* - -[s] *u.* ...tua ...bi|lia (utopische Maschine, die ohne Energieverbrauch ständig Arbeit leistet; *Musik* in kurzwertigen Noten verlaufendes virtuoses Instrumentalstück)

per|plex ⟨lat.⟩ (*ugs. für* verwirrt, verblüfft; bestürzt); Per|ple|xi|tät, die; - (Bestürzung, Verwirrung)

per pro|cu|ra ⟨lat.⟩ (*Kaufmannsspr.* in Vollmacht; *Abk.* pp., ppa.); *vgl.* Prokura

Per|ron [...'rõ:, *österr.* pɛ'ro:n, *schweiz.* 'pɛrõ], der; -s, -s ⟨franz.⟩ (*veraltet, noch schweiz. für* Bahnsteig)

per sal|do ⟨ital.⟩ (*Kaufmannsspr.* als Rest zum Ausgleich)

per se ⟨lat.⟩ (von selbst); das versteht sich per se

Per|sen|ning, die; -, *Plur.* -e[n] *od.* -s ⟨niederl.⟩ (*nur Sing.:* Gewebe für Segel, Zelte u. a.; *Seemannsspr.* Schutzbezug aus Persenning)

Per|se|pho|ne [...ne] (griech. Göttin der Unterwelt)

Per|se|po|lis (Hauptstadt Altpersiens)

Per|ser (Bewohner von Persien; Perserteppich); Per|se|rin

Per|ser|kat|ze; Per|ser|krieg *meist Plur.*; Per|ser|tep|pich

¹Per|seus (Held der griech. Sage)

²Per|seus, der; - (Sternbild)

Per|se|ve|ranz, die; - ⟨lat.⟩ (*veraltend für* Beharrlichkeit, Ausdauer)

Per|se|ve|ra|ti|on, die; -, -en

(*Psych.* [krankhaftes] Verweilen bei einem bestimmten Gedanken); per|se|ve|rie|ren

Per|shing ['pə:ʃɪŋ], die; -, -s ⟨nach dem amerik. General⟩ (eine militär. Mittelstreckenrakete)

Per|si|a|ner (Karakulschafpelz [früher über Persien gehandelt]); Per|si|a|ner|man|tel

Per|si|en (*ältere Bez. für* Iran)

Per|si|f|la|ge [...ʒə], die; -, -n ⟨franz.⟩ (Verspottung); per|si|f|lie|ren

Per|si|ko, der; -s, -s ⟨franz.⟩ (aus Pfirsich- *od.* Bittermandelkernen bereiteter Likör)

Per|sil|schein ⟨nach dem Waschmittel Persil ®⟩ (*ugs. für* entlastende Bescheinigung)

Per|si|mo|ne, die; -, -n ⟨indian.⟩ (essbare Frucht einer nordamerik. Dattelpflaumenart)

Per|si|pan [*auch* 'pɛr...], das; -s, -e ⟨nach lat. persicus (Pfirsich) *u.* Marzipan gebildet⟩ (Ersatz für Marzipan aus Pfirsich- *od.* Aprikosenkernen)

per|sisch; persischer Teppich, *aber* ↑K 140 : der Persische Golf; Per|sisch, das; -[s] (Sprache); *vgl.* Deutsch; Per|si|sche, das; -n; *vgl.* Deutsche, das

per|sis|tent (anhaltend, beharrlich); Per|sis|tenz, die; -, -en

Per|so, der; -s, -s ⟨*ugs. kurz für* Personalausweis⟩

Per|son, die; -, -en ⟨etrusk.-lat.⟩ (Mensch; Wesen); *vgl.* in persona

Per|so|na gra|ta, die; - - (gern gesehener Mensch; Diplomat, gegen den das Gastland keine Einwände erhebt)

Per|so|na in|gra|ta, die; - -, Per|so|nae non gra|ta, die; - - - (unerwünschte Person; Diplomat, dessen Aufenthalt vom Gastland nicht gewünscht wird)

per|so|nal (persönlich; Persönlichkeits...); im personalen Bereich; Per|so|nal, das; -s (Belegschaft, alle Angestellten [eines Betriebes])

Per|so|nal|ab|bau, der; -[e]s; Per|so|nal|ab|tei|lung; Per|so|nal|ak|te *meist Plur.*; Per|so|nal|aus|weis; Per|so|nal|bü|ro; Per|so|nal|chef; Per|so|nal|de|fin

Per|so|nal Com|pu|ter ['pø:ɐsənal kɔm'pju:tɐ], der; - -s, - - ⟨engl.⟩ (*Abk.* PC)

Per|so|nal|de|cke (Gesamtheit des

zur Verfügung stehenden Personals in einem Betrieb o. Ä.)

Per|so|na|le, die; -, -n (*österr. für* Ausstellung der Werke eines einzelnen Künstlers)

Per|so|nal|ein|satz; Per|so|nal|ein|spa|rung

Per|so|na|ler, der; -s, - ([leitender] Mitarbeiter der Personalabteilung eines Unternehmens); Per|so|na|le|rin

Per|so|nal|fach|frau (*bes. schweiz.*); Per|so|nal|fach|mann, der; -s, *Plur.* ...leute (*bes. schweiz.*)

Per|so|nal|form (*Sprachw.* nach Person u. Zahl bestimmte Verbform)

Per|so|na|lia *Plur.* (*svw.* Personalien)

Per|so|na|lie, die; -, -n ([allgemeine] Information, Einzelheit zu einer Person; *nur Plur.:* Ausweispapiere; [bes. behördliche] Angaben über Lebenslauf u. Verhältnisse eines Menschen)

per|so|nal|in|ten|siv; personalintensive Betriebe

per|so|na|li|sie|ren (auf eine Person beziehen od. ausrichten)

Per|so|na|li|tät, die; -, -en (Persönlichkeit); Per|so|na|li|täts|prin|zip, das; -s (*Rechtsw.*)

per|so|na|li|ter (*veraltet für* persönlich)

Per|so|na|li|ty|show [pø:ɐsaʹnæliti...], die; -, -s ⟨amerik.⟩ (Show, die von der Persönlichkeit eines Künstlers getragen wird)

Per|so|nal|ka|rus|sell (*ugs. für* Neubesetzung mehrerer Positionen mit bereits vorhandenem Personal)

Per|so|nal|kos|ten *Plur.*; Per|so|nal|lei|ter, Per|so|nal|lei|te|rin; Per|so|nal|pla|nung; Per|so|nal|po|li|tik

Per|so|nal|pro|no|men (*Sprachw.* persönliches Fürwort, z. B. »er, wir«)

Per|so|nal|rat *Plur.* ...räte

Per|so|nal|re|fe|rent; Per|so|nal|re|fe|ren|tin

Per|so|nal-Ser|vice-Agen|tur, Per|so|nal|ser|vice|agen|tur (Einrichtung, in der Arbeitslose befristet als Leiharbeitnehmer eingestellt u. weitervermittelt od. -qualifiziert werden; *Abk.* PSA)

Per|so|nal|uni|on (Vereinigung

Pero

mehrerer Ämter in einer Person)

Per|so|nal|ver|rech|ner (*österr. für* Lohnbuchhalter); **Per|so|nal|ver|rech|ne|rin; Per|so|nal|ver|rech|nung**

Per|so|nal|ver|wal|tung; Per|so|nal|wech|sel

Per|so|na non gra|ta *vgl.* Persona ingrata

Per|sön|chen

per|so|nell ⟨franz.⟩ (das Personal betreffend)

Per|so|nen|auf|zug; Per|so|nen|be|för|de|rung; Per|so|nen|be|för|de|rungs|ge|setz

Per|so|nen|be|schrei|bung

per|so|nen|be|zo|gen; personenbezogene Daten

Per|so|nen|fir|ma (Firma, deren Name aus einem od. mehreren Personennamen besteht; *Ggs.* Sachfirma)

per|so|nen|ge|bun|den

Per|so|nen|kon|t|rol|le; Per|so|nen|kraft|wa|gen (*Abk.* Pkw *od.* PKW); **Per|so|nen|kreis; Per|so|nen|kult; Per|so|nen|na|me; Per|so|nen|scha|den** (*Ggs.* Sachschaden)

Per|so|nen|schiff|fahrt

Per|so|nen|schutz

Per|so|nen|stand, der; -[e]s (Familienstand); **Per|so|nen|stands|re|gis|ter**

Per|so|nen|ver|kehr; Per|so|nen|ver|si|che|rung; Per|so|nen|waa|ge; Per|so|nen|wa|gen; Per|so|nen|zahl; Per|so|nen|zug

Per|so|ni|fi|ka|ti|on, die; -, -en; **per|so|ni|fi|zie|ren; Per|so|ni|fi|zie|rung** (Verkörperung)

per|sön|lich (in [eigener] Person; eigen[artig]; selbst); persönliches Fürwort (*für* Personalpronomen)

Per|sön|lich|keit; per|sön|lich|keits|be|wusst

Per|sön|lich|keits|ent|fal|tung

per|sön|lich|keits|fremd (einer Person wesensfremd)

Per|sön|lich|keits|kult (*selten für* Personenkult); **Per|sön|lich|keits|recht; Per|sön|lich|keits|stö|rung; Per|sön|lich|keits|wahl; Per|sön|lich|keits|wert**

Per|sons|be|schrei|bung (*österr. für* Personbeschreibung)

Per|s|pek|tiv, das; -s, -e ⟨lat.⟩ (kleines Fernrohr)

Per|s|pek|ti|ve, die; -, -n (Darstellung von Raumverhältnissen in der ebenen Fläche; Sicht, Blick-

winkel; Aussicht [für die Zukunft]); **per|s|pek|ti|visch** (die Perspektive betreffend); perspektivische Verkürzung

per|s|pek|tiv|los; Per|s|pek|tiv|lo|sig|keit

Per|s|pek|tiv|pla|nung (*Wirtsch.* langfristige Globalplanung)

Per|s|pi|ra|ti|on, die; - ⟨lat.⟩ (*Med.* Hautatmung); **per|s|pi|ra|to|risch**

Per|su|a|si|on, die; -, -en ⟨lat.⟩ (Überredung[skunst]); **per|su|a|siv** (der Überredung dienend)

¹**Perth** [pɔ:θ] (schott. Grafschaft u. deren Hauptstadt)

²**Perth** [pø:θ] (Hauptstadt Westaustraliens)

Pe|ru (südamerik. Staat)

Pe|ru|a|ner; Pe|ru|a|ne|rin; pe|ru|a|nisch

Pe|ru|bal|sam, der; -s

Pe|rü|cke, die; -, -n ⟨franz.⟩ (Haarersatz, künstl. Haartracht); **Pe|rü|cken|ma|cher**

Pe|ru|gia [...dʒa] (ital. Stadt)

per|vers (lat.[-franz.]) (abartig, widernatürlich; verderbt)

Per|ver|si|on, die; -, -en

Per|ver|si|tät, die; -, -en

per|ver|tie|ren (verfälschen, [sich] ins Negative verkehren); **Per|ver|tiert|heit; Per|ver|tie|rung**

Per|zent, das; -[e]s, -e ⟨lat.⟩ (*österr. veraltet für* Prozent)

per|zep|ti|bel ⟨lat.⟩ (wahrnehmbar; fassbar); ...i|b|le Geräusche; **Per|zep|ti|bi|li|tät,** die; - (Wahrnehmbarkeit; Fasslichkeit)

Per|zep|ti|on, die; -, -en (sinnliche Wahrnehmung)

per|zep|tiv, per|zep|to|risch (wahrnehmend); **per|zi|pie|ren** (erfassen; wahrnehmen)

Pe|sa|de, die; -, -n ⟨franz.⟩ (*Reiten* Figur der Hohen Schule)

pe|san|te ⟨ital.⟩ (*Musik* schleppend, wuchtig); **Pe|san|te,** das; -s, -s (*Musik* pesante gespieltes Musikstück)

Pesch|mer|ga, der; -s, - (Selbstbezeichnung der kurdischen Freiheitskämpfer im Irak)

Pe|sel, der; -s, - (*nordd. für* bäuerl. Wohnraum)

pe|sen (*ugs. für* eilen, rennen); du pest; er/sie pes|te

Pe|se|ta, Pe|se|te, die; -, ...ten ⟨span.⟩ (frühere span. Währungseinheit; *Abk.* Pta)

Pe|so, der; -[s], -[s] (Währungs-

einheit in Mittel- u. Südamerika u. auf den Philippinen)

Pes|sach, das; -s ⟨hebr.⟩ (*svw.* Passah)

Pes|sar, das; -s, -e ⟨griech.⟩ (*Med.* [Kunststoff]ring o. Ä., der den Gebärmuttermund zur Empfängnisverhütung verschließt)

Pes|si|mis|mus, der; - ⟨lat.⟩ (seelische Gedrücktheit; Schwarzseherei; *Ggs.* Optimismus)

Pes|si|mist, der; -en, -en; **Pes|si|mis|tin; pes|si|mis|tisch**

Pes|si|mum, das; -s, ...ma (*Biol.* schlechteste Umweltbedingungen)

¹**Pest,** die; - ⟨lat.⟩ (eine Seuche)

²**Pest** (Stadtteil von Budapest)

Pes|ta|loz|zi (schweiz. Pädagoge u. Sozialreformer)

pest|ar|tig; pestartiger Gestank

Pest|beu|le; Pest|hauch

Pes|ti|lenz, die; -, -en ⟨lat.⟩ (*veraltet für* ¹Pest); **pes|ti|len|zi|a|lisch**

Pes|ti|zid, das; -s, -e (Schädlingsbekämpfungsmittel)

pest|krank; Pest|kran|ke

Pes|to, das *od.* der; -s, -s ⟨ital.⟩ (Würzpaste aus Olivenöl, Knoblauch, Basilikum, Pinienkernen u. a.)

PET = Polyethylenterephthalat (ein Kunststoff)

Pe|ta... ⟨griech.⟩ (das Billiardenfache einer Einheit, z. B. Petajoule = 10^{15} Joule)

Pe|tar|de, die; -, -n ⟨franz.⟩ (*früher* Sprengmörser, -ladung)

Pe|tent, der; -en, -en ⟨lat.⟩ (*Amtsspr.* Antrag-, Bittsteller); **Pe|ten|tin**

Pe|ter (m. Vorn.)

Pe|ter|le, das; -[s] (*landsch. für* Petersilie); **Pe|ter|li,** das; -[s] (*schweiz. mdal. für* Petersilie)

Pe|ter|männ|chen (ein Fisch)

Pe|ter-Paul-Kir|che ↑K 137

Pe|ters|burg (*kurz für* Sankt Petersburg)

Pe|ters|fisch (ein Speisefisch)

Pe|ter|sil, der; -s ⟨griech.⟩ (*bayr., österr. neben* Petersilie); **Pe|ter|si|lie,** die; -, -n (ein Küchenkraut)

Pe|ter|si|li|en|kar|tof|feln *Plur.*; **Pe|ter|si|li|en|wur|zel**

Pe|ters|kir|che; Pe|ters|pfen|nig

Pe|ter-und-Paul-Kir|che ↑K 137

Pe|ter-und-Pauls-Tag ↑K 137 (kath. Fest)

Pe|ter|wa|gen (*ugs. für* Funkstreifenwagen)

PET-Fla|sche

Pe|tit [pə'tiː]; die; - ⟨franz.⟩ (*Druckw.* ein Schriftgrad)

Pe|ti|tes|se, die; -, -n (Geringfügigkeit)

Pe|tit Four [pəti'fuːɐ̯], das; - -, - -s [pəti'fuːɐ̯] ⟨franz.⟩ (feines Kleingebäck)

Pe|ti|ti|on, die; -, -en ⟨lat.⟩ (Gesuch); pe|ti|ti|o|nie|ren

Pe|ti|ti|ons|aus|schuss; Pe|ti|ti|ons|recht (Bittrecht, Beschwerderecht)

Pe|tit|satz, der; -es; Pe|tit|schrift (*Druckw.*)

Pe|tő|fi [...tø:...] (ungar. Lyriker)

Pe|t|ra (w. Vorn.)

Pe|t|rar|ca (ital. Dichter u. Gelehrter)

Pe|t|ras|si (ital. Komponist)

Pe|t|re|fakt, das; -[e]s, -e[n] ⟨griech.; lat.⟩ (*veraltet für* Versteinerung)

Pe|t|ri *vgl.* Petrus

Pe|t|ri|fi|ka|ti|on, die; -, -en ⟨griech.; lat.⟩ (Versteinerungsprozess); pe|t|ri|fi|zie|ren (versteinern)

Pe|t|ri Heil! *vgl.* Petrus; Pe|t|ri|jün|ger (*scherzh. für* Angler)

Pe|t|ri|kir|che

pe|t|ri|nisch; petrinischer Lehrgriff, petrinische Briefe

Pe|t|ri|scha|le ⟨nach dem dt. Bakteriologen Petri⟩ (Glasschale, in der Bakterienkulturen angelegt werden)

Pe|t|ro|che|mie ⟨griech.⟩ (Wissenschaft von der chem. Zusammensetzung der Gesteine; *auch für* Petrolchemie); pe|t|ro|che|misch

Pe|t|ro|dol|lar, der; -[s], -[s] (von Erdöl fördernden Staaten eingenommenes Geld in amerik. Währung)

Pe|t|ro|ge|ne|se, die; -, -n ⟨griech.⟩ (Gesteinsbildung); pe|t|ro|ge|ne|tisch

Pe|t|ro|graf, Pe|t|ro|graph, der; -en, -en (Kenner u. Forscher auf dem Gebiet der Petrografie)

Pe|t|ro|gra|fie, Pe|t|ro|gra|phie, die; - (Gesteinskunde, -beschreibung); Pe|t|ro|gra|fin, Pe|t|ro|gra|phin; pe|t|ro|gra|fisch, pe|t|ro|gra|phisch

Pe|t|rol, das; -s ⟨schweiz. neben Petroleum⟩

Pe|t|rol|che|mie (auf Erdöl u. Erdgas beruhende techn. Rohstoffgewinnung in der chem. Industrie); pe|t|rol|che|misch

Pe|t|ro|le|um, das; -s (*auch veraltet für* Erdöl)

Pe|t|ro|le|um|ko|cher; Pe|t|ro|le|um|lam|pe; Pe|t|ro|le|um|ofen

Pe|t|ro|lo|gie, die; - (Wissenschaft von der Bildung u. Umwandlung der Gesteine); Pe|t|ro|lo|gin

Pe|t|rus (Apostel); Petri Heil! (Anglergruß); Petri Stuhlfeier (kath. Fest), Petri Kettenfeier (kath. Fest), *aber* Petrikirche usw.

Pet|schaft, das; -s, -e ⟨tschech.⟩ (Stempel zum Siegeln)

pet|schie|ren (mit einem Petschaft schließen); pet|schiert (*österr. ugs. für* in einer peinlichen Situation, ruiniert); petschiert sein

Pet|ti|coat ['petikoːt], der; -s, -s ⟨engl.⟩ (steifer Taillenunterrock)

Pet|ting, das; -[s], -s ⟨amerik.⟩ (sexuelles Liebesspiel ohne eigentlichen Geschlechtsverkehr)

pet|to *vgl.* in petto

Pe|tu|nie, die; -, -n ⟨indian.⟩ (eine Zierpflanze)

Petz, der; -es, -e (*scherzh. für* Bär); Meister Petz

¹Pet|ze, die; -, -n (*landsch. für* Hündin)

²Pet|ze, die; -, -n (*Schülerspr.*)

¹pet|zen (*Schülerspr.* mitteilen, dass jmd. etwas Unerlaubtes getan hat); du petzt

²pet|zen (*landsch. für* zwicken, kneifen); du petzt

Pet|zer (*zu* ¹petzen); Pet|ze|rin

peu à peu ['pøː a 'pøː] ⟨franz.⟩ (*ugs. für* nach und nach)

pe|xie|ren (*svw.* pekzieren)

pF = Pikofarad

Pf. = Pfennig

Pfad, der; -[e]s, -e; Pfäd|chen

pfa|den (*schweiz. für* [einen verschneiten Weg] begeh-, befahrbar machen)

Pfa|der (*schweiz. Kurzform für* Pfadfinder)

Pfad|fin|der; Pfad|fin|de|rin

pfad|los

Pfaf|fe, der; -n, -n (*abwertend für* Geistlicher)

Pfaf|fen|hüt|chen (ein giftiger Zierstrauch)

Pfaf|fen|knecht (*abwertend*)

Pfaf|fen|tum, das; -s (*abwertend*)

pfäf|fisch (*abwertend*)

Pfahl, der; -[e]s, Pfähle

Pfahl|bau *Plur.* ...bauten; Pfahlbau|er (*vgl.* ¹Bauer); Pfähl|bür|ger (*veraltend für* Kleinbürger)

pfäh|len

Pfahl|gra|ben; Pfahl|grün|dung (*Bauw.*); Pfahl|mu|schel

Pfäh|lung

Pfahl|werk; Pfahl|wur|zel

¹Pfalz, die; -, -en ⟨lat.⟩ ([kaiserl.] Palast; Hofburg für kaiserl. Hofgericht; Gebiet, auch Burg des Pfalzgrafen)

²Pfalz, die; - (südl. Teil des Bundeslandes Rheinland-Pfalz)

Pfäl|zer; Pfälzer Wein; **Pfäl|zer Wald**, Pfäl|zer|wald

Pfalz|graf (im MA.); pfalz|gräf|lich

pfäl|zisch

Pfand, das; -[e]s, Pfänder

pfänd|bar; Pfänd|bar|keit, die; -

Pfand|brief (*Bankw.*)

Pfand|bruch, der; -[e]s, ...brüche (Beseitigung gepfändeter Sachen)

Pfand|ef|fek|ten *Plur.* (*Bankw.*)

pfän|den

¹Pfän|der (*südd. für* Gerichtsvollzieher)

²Pfän|der, der; -s (Berg bei Bregenz)

Pfän|der|spiel

Pfand|fla|sche; Pfand|geld; Pfand|haus

Pfand|kehr, die; - (*Rechtsspr.*)

Pfand|leih|an|stalt (*österr.*); Pfandlei|he; Pfand|lei|her; Pfand|lei|he|rin

Pfand|pflicht; Pfand|recht; Pfand|schein

Pfän|dung; Pfän|dungs|auf|trag; Pfän|dungs|schutz (Schutz vor zu weit gehenden Pfändungen); Pfän|dungs|ver|fü|gung

pfand|wei|se; Pfand|zet|tel

Pfänn|chen; Pfan|ne, die; -, -n; jmdn. in die Pfanne hauen (*ugs. für* jmdn. zurechtweisen, erledigen, ausschalten)

Pfan|nen|ge|richt; Pfan|nen|stiel

Pfän|ner (*früher für* Besitzer einer Saline); Pfän|ner|schaft (*früher für* Genossenschaft zur Nutzung der Solquellen)

Pfann|ku|chen

Pfarr|ad|mi|nis|t|ra|tor; Pfarr|amt

Pfar|re, die; -, -n (*landsch.*); Pfarrei; pfar|rei|lich

Pfar|rer; Pfar|re|rin

Pfar|rers|frau (*svw.* Pfarrfrau); Pfar|rers|kö|chin; Pfar|rers|sohn; Pfar|rers|toch|ter

Pfarr|frau; Pfarr|haus

Pfarr|hel|fer; Pfarr|hel|fe|rin
Pfarr|herr *(veraltet)*; Pfarr|hof;
Pfarr|kir|che
pfarr|lich; Pfarr|saal
Pfarr|stel|le
Pfarr|vi|kar; Pfarr|vi|ka|rin
Pfau, der; -[e]s, -e[n], *österr. auch*
der; -en, en (ein Vogel)
pfau|chen *(österr. für* fauchen)
Pfau|en|au|ge; Pfau|en|fe|der;
Pfau|en|rad
Pfau|en|thron, der; -[e]s (Thron
früherer Herrscher des Iran)
Pfau|hahn; Pfau|hen|ne
Pfd. = Pfund
Pfef|fer, der; -s, *Plur. (Sorten:)* -
(eine Pflanze; Gewürz); weißer,
schwarzer Pfeffer ↑K 151
Pfef|fer|fres|ser *(für* Tukan)
pfef|fe|rig, pfeff|rig
Pfef|fer|ku|chen; Pfef|fer|ku|chen-
häus|chen
Pfef|fer|ling *(selten für* Pfifferling
[Pilz])
[1]**Pfef|fer|minz** [*auch* ...ˈmin...], der;
-es, -e (ein Likör); 3 Pfefferminz
[2]**Pfef|fer|minz** [*auch* ...ˈmin...], das;
-es, -e (Bonbon, Plätzchen mit
Pfefferminzgeschmack); **Pfef-
fer|minz|bon|bon**
Pfef|fer|min|ze [*auch* ...ˈmin...],
die; - (eine Heil- u. Gewürzpflanze)
Pfef|fer|minz|li|kör [*auch*
...ˈmin...]; Pfef|fer|minz|pas|til-
le; Pfef|fer|minz|tee
Pfef|fer|müh|le; Pfef|fer|mu|schel
pfef|fern; ich pfeffere
Pfef|fer|nuss
Pfef|fe|ro|ne, der; -, *Plur.* ...oni,
selten -n *(svw.* Pfefferoni); **Pfef-
fe|ro|ni,** der; -, - ⟨sanskr.; ital.⟩
(österr. für Peperoni)
Pfef|fer|sack *(veraltend für* Groß-
kaufmann)
Pfef|fer|spray; Pfef|fer|steak; Pfef-
fer|strauch; Pfef|fer|streu|er
Pfef|fer-und-Salz-Mus|ter ↑K 26
pfeff|rig, pfef|fe|rig
Pfei|fe, die; -, -n *(ugs. auch für*
ängstlicher Mensch; Versager)
pfei|fen; du pfiffst; du pfiffest;
gepfiffen; pfeif[e]!; auf etwas
pfeifen *(ugs. für* an etwas nicht
interessiert sein)
Pfei|fen|be|steck; Pfei|fen|de|ckel;
Pfei|fen|kopf; Pfei|fen|kraut
Pfei|fen|mann *Plur.* ...männer
(ugs. für Schiedsrichter)
Pfei|fen|rau|cher; Pfei|fen|rau|che-
rin; Pfei|fen|rei|ni|ger; Pfei|fen-
stän|der; Pfei|fen|stop|fer; Pfei-
fen|ta|bak

Pfei|fer; Pfei|fe|rei
Pfeif|kes|sel; Pfeif|kon|zert; Pfeif-
ton *Plur.* ...töne
Pfeil, der; -[e]s, -e
Pfei|ler, der; -s, -
Pfei|ler|ba|si|li|ka; Pfei|ler|bau,
der; -[e]s *(Bergmannsspr.* ein
Abbauverfahren)
pfeil|ge|ra|de; pfeil|ge|schwind
Pfeil|gift, das; **Pfeil|hecht; Pfeil-
kraut; Pfeil|rich|tung**
pfeil|schnell
Pfeil|wurz (eine trop. Staude)
pfel|zen *(österr. landsch. für*
pfropfen)
Pfen|nig, der; -s, -e (Untereinheit
der Mark; *Abk.* Pf.; 100 Pf. =
1 [Deutsche] Mark); 6 Pfennig
Pfen|nig|ab|satz (hoher, dünner
Absatz bei Damenschuhen);
Pfen|nig|be|trag (sehr geringer
Betrag)
Pfen|nig|fuch|ser *(ugs. für* Geiz-
hals); Pfen|nig|fuch|se|rei; Pfen-
nig|fuch|se|rin
pfen|nig|groß
Pfen|nig|stück *(früher);* pfen|nig-
stück|groß
Pfen|nig|wa|re (Kleinigkeit)
pfen|nig|wei|se
Pferch, der; -[e]s, -e (Einhegung,
eingezäunte Fläche); **pfer|chen**
(hineinzwängen)
Pferd, das; -[e]s, -e; zu Pferde
Pfer|de|ap|fel; Pfer|de|bahn (von
Pferden gezogene Straßen-
bahn); **Pfer|de|de|cke**
Pfer|de|drosch|ke; Pfer|de|fleisch;
Pfer|de|fuß; Pfer|de|ge|biss
(ugs.); Pfer|de|ge|sicht *(ugs.)*
Pfer|de|kar|re[n]; Pfer|de|kop|pel,
die; **Pfer|de|kur** (Rosskur; *vgl.*
[1]Kur); **Pfer|de|län|ge** *(Reitsport)*
Pfer|de|na|tur *(ugs.);* Pfer|de|ren-
nen; Pfer|de|schwanz *(auch für*
eine Frisur)
Pfer|de|sport; Pfer|de|stall; Pfer-
de|stär|ke (frühere techn. Maß-
einheit; *Abk.* PS; *vgl.* HP)
Pfer|de|strie|gel; Pfer|de|wa|gen;
Pfer|de|wirt; Pfer|de|zucht
...pfer|dig (z. B. sechspferdig)
Pferd|sprung *(Turnen)*
Pfet|te, die; -, -n (waagerechter,
tragender Balken im Dach-
stuhl); **Pfet|ten|dach**
pfet|zen *(landsch. für* kneifen)
pfiff *vgl.* pfeifen
Pfiff, der; -[e]s, -e
Pfif|fer|ling (ein Pilz); keinen Pfif-
ferling wert sein *(ugs.)*
pfif|fig; **Pfif|fig|keit,** die; -

Pfif|fi|kus, der; -[ses], -se *(ugs. für*
schlauer Mensch)

Pfings|ten

das; -, - ⟨griech.⟩

(christlicher Feiertag am 50. Tag
nach Ostern)
– zu Pfingsten *(bes. nordd. u.
österr.),* an Pfingsten *(bes. südwestd.)*
– Pfingsten fällt früh; Pfingsten
ist bald vorüber

*In landschaftlichem (bes. österr.
u. schweiz.) Sprachgebrauch als
Plural:*

– die[se] Pfingsten fallen früh
– nach den Pfingsten

*In Wunschformeln auch allgemein
als Plural:*

– Fröhliche Pfingsten!

Pfingst|fe|ri|en *Plur.;* Pfingst|fest
Pfingst|ler (Anhänger einer reli-
giösen Bewegung); **Pfingst|le|rin**
pfingst|lich
Pfingst|mon|tag
Pfingst|och|se
Pfingst|ro|se (Päonie)
Pfingst|sonn|tag
Pfingst|ver|kehr; Pfingst|wo|che
Pfir|sich, der; -s, -e; Pfirsich Melba
(Pfirsich mit Vanilleeis und
Himbeermark)
Pfir|sich|baum; Pfir|sich|blü|te; Pfir-
sich|bow|le
pfir|sich|far|ben
Pfir|sich|haut *(übertr. auch für*
samtige, rosige Gesichts-
haut)
Pfis|ter *(veraltet für* [Hof-, Klos-
ter]bäcker); **Pfis|te|rei**
Pfit|scher Joch, das; - -s (Alpen-
pass in Südtirol)
Pfitz|ner (dt. Komponist)
Pflanz, der; - *(österr. ugs. für*
Hohn, Schwindel)
Pflänz|chen; Pflan|ze, die; -, -n
pflan|zen *(österr. ugs. auch für*
zum Narren halten); du pflanzt;
pflan|zen|ar|tig
Pflan|zen|bau, der; -[e]s; **Pflan|zen-
de|cke; Pflan|zen|ex|trakt; Pflan-
zen|fa|ser; Pflan|zen|fett; Pflan-
zen|fres|ser**
Pflan|zen|gift, das; **Pflan|zen|grün;
Pflan|zen|kost; Pflan|zen|krank-
heit; Pflan|zen|kun|de,** die; -
Pflan|zen|milch; Pflan|zen|öl; Pflan-
zen|reich, das; -[e]s

**P
Pfla**

P

Pfla

Pflan|zen|schutz; Pflan|zen|schutz-
mit|tel, das
Pflan|zer; Pflan|ze|rin
Pflanz|gar|ten; Pflanz|kar|tof|feln
Plur.
pflanz|lich; pflanzliche Kost
Pflänz|ling
Pflanz|stock Plur. ...stöcke
Pflan|zung (auch für Plantage)
Pflas|ter, das; -s, - (Heil- od.
Schutzverband; Straßenbelag);
ein teures Pflaster (ugs. für
Stadt mit teuren Lebensverhält-
nissen); Pfläs|ter|chen
Pflas|te|rer, landsch. u. schweiz.
Pfläs|te|rer; Pflas|te|rin, landsch.
u. schweiz. Pfläs|te|rin
Pflas|ter|ma|ler (jmd., der auf Bür-
gersteige o. Ä. [Kreide]bilder
malt); Pflas|ter|ma|le|rin
pflas|ter|mü|de
pflas|tern, landsch. u. schweiz.
pfläs|tern; ich pflastere,
landsch. u. schweiz. pflästere
Pflas|ter|stein; Pflas|ter|tre|ter
(veraltend für müßig Herum-
schlendernder); Pflas|ter|tre|te-
rin; Pflas|te|rung, landsch. u.
schweiz. Pfläs|te|rung
Pflatsch, der; -[e]s, -e, Pflat|schen,
der; -s, - (landsch. für Fleck
durch verschüttete Flüssigkeit;
jäher Regenguss)
pflat|schen (landsch. für klat-
schend aufschlagen); du
pflatschst
Pfläum|chen
Pflau|me, die; -, -n
pflau|men (ugs. für scherzhafte
Bemerkungen machen)
Pflau|men|au|gust (abwertend für
nichtssagender, charakterloser
Mann; vgl. ²August); Pflau|men-
baum; Pflau|men|brannt|wein
(Slibowitz)
Pflau|men|ku|chen; Pflau|men|mus;
Pflau|men|schnaps
pflau|men|weich
Pfle|ge, die; -
Pfle|ge|amt; pfle|ge|arm; pfle|ge-
be|dürf|tig
Pfle|ge|be|foh|le|ne, der u. die;
-n, -n
Pfle|ge|dienst
Pfle|ge|el|tern Plur.
Pfle|ge|fall, der; Pfle|ge|geld; Pfle-
ge|heim
Pfle|ge|kind; Pfle|ge|kraft
pfle|ge|leicht
Pfle|ge|mut|ter
pfle|gen; du pflegtest; gepflegt;
pfleg[e]!; in der Wendung »der

Ruhe pflegen« auch du pflogst;
du pflögest; gepflogen
Pfle|ge|not|stand; Pfle|ge|per|so|nal
Pfle|ger (auch für Vormund); Pfle-
ge|rin; pfle|ge|risch
Pfle|ge|satz; allgemeiner Pflege-
satz
Pfle|ge|sohn; Pfle|ge|sta|ti|on; Pfle-
ge|stät|te; Pfle|ge|stel|le
Pfle|ge|toch|ter; Pfle|ge|va|ter;
Pfle|ge|ver|si|che|rung
pfleg|lich; Pfleg|ling
pfleg|sam (selten für sorgsam)
Pfleg|schaft (Rechtsspr.); Pflegg-
schafts|ge|richt (österr. für Vor-
mundschaftsgericht)
Pflicht, die; -, -en ⟨zu pflegen⟩
Pflicht|ar|beit; Pflicht|be|such
pflicht|be|wusst; Pflicht|be|wusst-
sein
Pflicht|ei|fer; pflicht|eif|rig
Pflicht|ein|stel|lung
Pflicht|en|heft; Pflich|ten|kreis
Pflicht|er|fül|lung, die; -; Pflicht|ex-
em|p|lar; Pflicht|fach; Pflicht|ge-
fühl, das; -[e]s
pflicht|ge|mäß
...pflich|tig (z. B. schulpflichtig)
Pflicht|jahr, das; -[e]s; Pflicht|kür
Pflicht|lauf (Sport); Pflicht|lau|fen,
das; -s (Sport)
Pflicht|leis|tung; Pflicht|lek|tü|re
Pflicht|pfand (Pfandgeld, das auf
bestimmte Getränkeverpackun-
gen erhoben wird); Pflicht|platz
(Arbeitsplatz, der mit einem
Schwerbeschädigten besetzt
werden muss)
Pflicht|pro|gramm
Pflicht|re|ser|ve meist Plur.
(Wirtsch.)
pflicht|schul|dig, pflicht|schul|digst
Pflicht|schu|le (bes. österr. für
Volks- u. Hauptschule)
Pflicht|teil, der, österr. nur so, od.
das
pflicht|treu; Pflicht|treue
Pflicht|übung; Pflicht|um|tausch
(vorgeschriebener Geldum-
tausch bei Reisen in bestimmte
Länder)
pflicht|ver|ges|sen (der pflichtver-
gessene Mensch; Pflicht|ver|ges-
sen|heit
Pflicht|ver|let|zung
pflicht|ver|si|chert; Pflicht|ver|si-
che|rung
Pflicht|ver|tei|di|ger; Pflicht|ver|tei-
di|ge|rin; Pflicht|ver|tei|di|gung
pflicht|wid|rig; pflichtwidriges
Verhalten
Pflock, der; -[e]s, Pflöcke; Pflöck-
chen

pflo|cken, pflö|cken
Pflotsch, der; -[e]s (schweiz. mdal.
für Schneematsch)
Pflü|cke, die; -, -n (Pflücken)
pflü|cken; Pflü|cker; Pflü|cke|rin
Pflück|rei|fe; Pflück|sa|lat
Pflug, der; -[e]s, Pflüge
pflü|gen; Pflü|ger; Pflü|ge|rin
Pflug|mes|ser, das; Pflug|schar, die;
-, -en, landwirtschaftl. auch das;
-[e]s, -e; Pflug|sterz, der; -es, -e
(vgl. ²Sterz)
Pflüm|li, das u. der; -s (schweiz.
mdal. für Pflaumenschnaps)
Pfort|ader (Med.); Pfört|chen
Pfor|te, die; -, -n; ↑K 140 : die Bur-
gundische Pforte; Pfor|ten|ring
(früher für Klopfring an einer
Pforte)
Pfört|ner; Pfört|ne|rin
Pfört|ner|lo|ge
Pforz|heim (Stadt am Nordrand
des Schwarzwaldes)
Pföst|chen
Pfos|ten, der; -s, -; Pfos|ten|schuss
(Sport)
Pföt|chen; Pfo|te, die; -, -n
Pfriem, der; -[e]s, -e (ein [Schus-
ter]werkzeug); vgl. Ahle
pfrie|meln (landsch. für mit den
Fingerspitzen hin und her drehen; ugs. für mit den Fingern
nestelnd, pulend zu schaffen
machen); ich pfriem[e]lle
Pfrie|men|gras
Pfril|le, die; -, -n (svw. Elritze)
Pfropf, der; -[e]s, -e (zusammenge-
presste Masse, die etwas ver-
stopft, verschließt); Pfröpf|chen
¹pfrop|fen (durch Einsetzen eines
wertvolleren Sprosses veredeln)
²pfrop|fen ([eine Flasche] verschlie-
ßen); Pfrop|fen, der; -s, - (Kork,
Stöpsel)
Pfröpf|ling
Pfropf|mes|ser, das; Pfropf|reis, das
Pfrün|de, die; -, -n (Einkommen
durch ein Kirchenamt; auch
scherzh. für [fast] müheloses
Einkommen)
Pfrün|der (schweiz. für Pfründner)
Pfrund|haus (schweiz.), Pfründ|haus
(landsch. für Altenheim)
Pfründ|ner (landsch. für Insasse
eines Pfründhauses); Pfründ|ne-
rin
Pfuhl, der; -[e]s, -e (große Pfütze;
Sumpf; landsch. für Jauche)
Pfühl, der, auch das; -[e]s, -e (veraltet für Kissen)
pfui!; pfui, pfui!; pfui Teufel!; pfui,
schäm dich!; pfui gack (österr.
Kinderspr.)

Pfui, das; -s, -s; Pfui *od.* pfui rufen; ein verächtliches Pfui ertönte; **Pfui**|**ruf**

Pful|**men,** der *u.* das; -s, - (*schweiz. für* breites Kopfkissen)

Pfund, das; -[e]s, -e ⟨lat.⟩ (Gewichtseinheit; *Abk.* Pfd.; *Zeichen:* ℔; Währungseinheit in Großbritannien [*Währungscode* GBP] u. anderen Staaten; *in Deutschland u. in der Schweiz als amtliche Gewichtsbezeichnung abgeschafft*); 4 Pfund Butter

Pfünd|**chen**

...pfün|**der** (z. B. Zehnpfünder, *mit Ziffern* 10-Pfünder; ↑K 29)

pfun|**dig** (*ugs. für* großartig, toll)

...pfün|**dig** (z. B. zehnpfündig, *mit Ziffern* 10-pfündig; ↑K 29)

Pfund|**no**|**te**

Pfunds|**kerl** (*ugs.*); **Pfunds**|**spaß** (*ugs.*)

Pfund Ster|**ling** [- ˈst..., - ˈʃt..., *auch* - ˈstœː(r)...], das; - -, - - (brit. Währungseinheit; *Zeichen* £, *Währungscode* GBP)

pfund|**wei**|**se**

Pfusch, der; -[e]s (Pfuscherei; *österr. auch für* Schwarzarbeit); **Pfusch**|**ar**|**beit**

pfu|**schen** (*ugs. für* liederlich arbeiten; *österr. u. landsch. für* schwarzarbeiten); du pfuschst

Pfu|**scher;** **Pfu**|**sche**|**rei;** **pfu**|**scher**|**haft;** **Pfu**|**sche**|**rin**

pfutsch (*österr. für* futsch)

Pfütz|**chen;** **Pfüt**|**ze,** die; -, -n

Pfütz|**ei**|**mer** (*Bergmannsspr.* Schöpfeimer)

Pfüt|**zen**|**was**|**ser,** das; -s

PGH = Produktionsgenossenschaft des Handwerks (*regional*)

ph = Phot

PH, die; -, -s = pädagogische Hochschule; *vgl.* pädagogisch

Phä|**a**|**ke,** der; -n, -n (Angehöriger eines [genussliebenden] Seefahrervolkes der griech. Sage; *übertr. für* sorgloser Genießer); **Phä**|**a**|**ken**|**le**|**ben,** das; -s

Phä|**don** (altgriech. Philosoph)

Phä|**d**|**ra** (Gattin des Theseus)

Phä|**d**|**rus** (röm. Fabeldichter)

Pha|**e**|**thon** (griech. Sagengestalt; Sohn des Helios)

Pha|**ge,** der; -n, -n (*svw.* Bakteriophage)

Pha|**go**|**zyt,** der; -en, -en *meist Plur.* ⟨griech.⟩ (*Med.* weißes Blutkörperchen, das bes. Bakterien unschädlich macht)

Pha|**lanx,** die; -, ...langen ⟨griech.⟩

(geschlossene Schlachtreihe [*bes. übertr.*]; *Med.* Finger-, Zehenglied)

Pha|**le**|**ron** (Vorstadt des antiken Athen)

phal|**lisch** ⟨griech.⟩ (den Phallus betreffend)

Phal|**lo**|**krat,** der; -en, -en (*abwertend für* phallokratischer Mann); **Phal**|**lo**|**kra**|**tie,** die; - (*abwertend für* gesellschaftliche Vorherrschaft des Mannes); **phal**|**lo**|**kra**|**tisch** (*abwertend*)

Phal|**los,** der; -, *Plur.* ...lloi *u.* ...llen *vgl.* Phallus; **Phal**|**lus,** der; -, *Plur.* ...lli *u.* ...llen, *auch* -se ([erigiertes] männl. Glied)

Phal|**lus**|**kult** (*Völkerk.* relig. Verehrung des Phallus als Sinnbild der Naturkraft); **Phal**|**lus**|**sym**|**bol** (*bes. Psych.*)

Pha|**ne**|**ro**|**ga**|**me,** die; -, -n ⟨griech.⟩ (*Bot.* Samenpflanze)

Phä|**no**|**lo**|**gie,** die; - ⟨griech.⟩ (Lehre von den Erscheinungen des jahreszeitl. Ablaufs in der Pflanzen- u. Tierwelt, z. B. der Laubverfärbung der Bäume)

Phä|**no**|**men,** das; -s, -e ([Natur]erscheinung; seltenes Ereignis; Wunder[ding]; *übertr. für* Genie)

phä|**no**|**me**|**nal** (außerordentlich, außergewöhnlich, erstaunlich)

Phä|**no**|**me**|**na**|**lis**|**mus,** der; - (philos. Lehre, nach der nur die Erscheinungen der Dinge, nicht diese selbst erkennbar sind)

Phä|**no**|**me**|**no**|**lo**|**gie,** die; - (Lehre von den Wesenserscheinungen der Dinge); **phä**|**no**|**me**|**no**|**lo**|**gisch**

Phä|**no**|**me**|**non,** das; -s, ...na (*svw.* Phänomenen)

Phä|**no**|**typ** *vgl.* Phänotypus; **phä**|**no**|**ty**|**pisch;** **Phä**|**no**|**ty**|**pus,** der; -, ...pen (*Biol.* Erscheinungsbild, -form eines Organismus)

Phan|**ta**|**sie** *vgl.* Fantasie

phan|**ta**|**sie**|**be**|**gabt** *vgl.* fantasiebegabt

Phan|**ta**|**sie**|**ge**|**bil**|**de** *vgl.* Fantasiegebilde

phan|**ta**|**sie**|**los** *vgl.* fantasielos; **Phan**|**ta**|**sie**|**lo**|**sig**|**keit** *vgl.* Fantasielosigkeit

phan|**ta**|**sie**|**ren** *vgl.* fantasieren

phan|**ta**|**sie**|**voll** *vgl.* fantasievoll

Phan|**ta**|**sie**|**vor**|**stel**|**lung** *vgl.* Fantasievorstellung

Phan|**tas**|**ma,** das; -s, ...men (Trugbild)

Phan|**tas**|**ma**|**go**|**rie,** die; -, ...ien

(Zauber, Truggebilde; künstl. Darstellung von Trugbildern, Gespenstern u. a.); **phan**|**tas**|**ma**|**go**|**risch**

Phan|**ta**|**sos** *vgl.* Phantasus

Phan|**tast** *vgl.* Fantast; **Phan**|**tas**|**te**|**rei** *vgl.* Fantasterei; **Phan**|**tas**|**tik** *vgl.* Fantastik; **Phan**|**tas**|**tin** *vgl.* Fantastin

phan|**tas**|**tisch** *vgl.* fantastisch

Phan|**ta**|**sus** (griech. Traumgott)

Phan|**tom,** das; -s, -e (Trugbild; *Med.* Nachbildung eines Körperteils od. Organs für Versuche od. für den Unterricht)

Phan|**tom**|**bild** (*Kriminalistik* nach Zeugenaussagen gezeichnetes Porträt); **Phan**|**tom**|**schmerz** (*Med.* Schmerzgefühl an einem amputierten Glied)

¹Pha|**rao,** der; -[s], ...onen ⟨ägypt.⟩ (altägypt. König)

²Pha|**rao,** das; -s ⟨franz.⟩ (altes franz. Kartenglücksspiel)

Pha|**rao**|**amei**|**se**

Pha|**ra**|**o**|**nen**|**grab;** **Pha**|**ra**|**o**|**nen**|**rat**|**te** (Ichneumon); **Pha**|**ra**|**o**|**nen**|**reich**

pha|**ra**|**o**|**nisch**

Pha|**ri**|**sä**|**er** ⟨hebr.⟩ (Angehöriger einer altjüd., die religiösen Gesetze streng einhaltenden Partei; *übertr. für* hochmütiger, selbstgerechter Heuchler; heißer Kaffee mit Rum u. Schlagsahne)

pha|**ri**|**sä**|**er**|**haft;** **Pha**|**ri**|**sä**|**e**|**rin;** **Pha**|**ri**|**sä**|**er**|**tum,** das; -s (*geh.*); **pha**|**ri**|**sä**|**isch**

Pha|**ri**|**sä**|**is**|**mus,** der; - (Lehre der Pharisäer; *übertr. für* Selbstgerechtigkeit, Heuchelei)

Phar|**ma**|**be**|**ra**|**ter** (Arzneimittelvertreter); **Phar**|**ma**|**be**|**ra**|**te**|**rin**

Phar|**ma**|**in**|**dus**|**t**|**rie** (Arzneimittelindustrie)

Phar|**ma**|**kant,** der; -en, -en ⟨griech.⟩ (Facharbeiter in der Pharmaindustrie); **Phar**|**ma**|**kan**|**tin**

Phar|**ma**|**ko**|**lo**|**ge,** der; -n, -n (Wissenschaftler auf dem Gebiet der Pharmakologie); **Phar**|**ma**|**ko**|**lo**|**gie,** die; - (Arzneimittelkunde); **Phar**|**ma**|**ko**|**lo**|**gin**

phar|**ma**|**ko**|**lo**|**gisch**

Phar|**ma**|**kon,** das; -s, ...ka (Arzneimittel; Gift)

Phar|**ma**|**ko**|**pöe** [...ˈpøː, *selten* ...ˈpøː], die; -, -n [...ˈpøːən] (amtl. Arzneibuch)

Phar|**ma**|**re**|**fe**|**rent** (Arzneimittelvertreter); **Phar**|**ma**|**re**|**fe**|**ren**|**tin**

Phar|ma|un|ter|neh|men

Phar|ma|zeut, der; -en, -en (Arz-
neikundiger); Phar|ma|zeu|tik,
die; - (Arzneimittelkunde); Phar-
ma|zeu|ti|kum, das; -s, ...ka (Arz-
neimittel); Phar|ma|zeu|tin
phar|ma|zeu|tisch; phar|ma|zeu-
tisch-tech|nisch ↑K23 ; pharma-
zeutisch-technischer Assistent,
pharmazeutisch-technische
Assistentin (*Abk.* PTA)

Phar|ma|zie, die; - (Lehre von der
Arzneimittelzubereitung, Arzneimittelkunde)

Pha|ro, das; -s (*verkürzte Bildung
zu* ²Pharao)

Pha|ryn|gis|mus, der; -, ...men
⟨griech.⟩ (*Med.* Schlundkrampf)

Pha|ryn|gi|tis, die; -, ...iti|den
(Rachenentzündung)

Pha|ryn|go|s|kop, das; -s, -e (Endo-
skop zur Untersuchung des
Rachens); Pha|ryn|go|s|ko|pie,
die; -, ...ien (Ausspiegelung des
Rachens)

Pha|rynx, der; -, ...ryngen (Rachen)

Pha|se, die; -, -n ⟨griech.⟩
(Abschnitt einer [stetigen] Ent-
wicklung, [Zu]stand; *Physik*
Schwingungszustand beim
Wechselstrom)

Pha|sen|bild (*Film*); Pha|sen|mes-
ser, der; Pha|sen|ver|schie|bung
pha|sen|wei|se
...pha|sig (z. B. einphasig)

phatt [fet] ⟨engl.⟩ (*Jugendspr.* hervorragend); phatte Beats

Phei|di|as *vgl.* Phidias

Phe|n|a|ce|t|in, das; -s ⟨griech.-
nlat.⟩ (Schmerzen stillender
Wirkstoff)

Phe|nol, das; -s ⟨griech.⟩ (Karbol-
säure)

Phe|nol|ph|tha|le|in, das; -s (chem.
Indikator)

Phe|no|plast, der; -[e]s, -e *meist
Plur.* (ein Kunstharz)

Phe|nyl|grup|pe (*Chemie* einwer-
tige Atomgruppe in vielen aro-
mat. Kohlenwasserstoffen)

Phe|ro|mon, das; -s, -e ⟨griech.-
nlat.⟩ (*Biol.* Wirkstoff, der auf
andere Individuen der gleichen
Art Einfluss hat, sie z. B.
anlockt)

Phi, das; -[s], -s (griech. Buchstabe; Φ, φ)

Phi|a|le, die; -, -n ⟨griech.⟩ (alt-
griech. flache [Opfer]schale)

Phi|di|as (altgriech. Bildhauer);
phi|di|as|sisch; phidiassische
Elemente; die phidiassische
Athenastatue ↑K89

---

phil..., phi|lo... ⟨griech.⟩ (...lie-
bend); Phil..., Phi|lo... (...freund)

Phi|l|a|del|phia (Stadt in Pennsyl-
vanien)

Phi|l|a|del|phi|er; Phi|l|a|del|phi|e-
rin; phi|l|a|del|phisch

Phi|l|an|th|rop, der; -en, -en
⟨griech.⟩ (Menschenfreund); Phi-
l|an|th|ro|pie, die; - (Menschen-
liebe); Phi|l|an|th|ro|pin

Phi|l|an|th|ro|pi|nis|mus (*svw.* Phil-
anthropismus)

phi|l|an|th|ro|pisch (menschen-
freundlich)

Phi|l|an|th|ro|pis|mus, der; - ([von
Basedow u. a. begründete]
Erziehungsbewegung)

Phi|l|a|te|lie, die; - ⟨griech.⟩ (Brief-
markenkunde)

Phi|l|a|te|list, der; -en, -en (Brief-
markensammler); Phi|l|a|te|lis-
tin; phi|l|a|te|lis|tisch

Phi|le|mon (phryg. Sagengestalt;
Gatte der Baucis)

Phi|le|mon und Bau|cis (antikes
Vorbild ehelicher Liebe u. Treue
sowie selbstloser Gastfreund-
schaft)

Phil|har|mo|nie, die; -, ...ien
⟨griech.⟩ (Name von musikalischen Gesellschaften, von
Orchestern u. ihren Konzertsä-
len)

Phil|har|mo|ni|ker [*österr. auch*
'fil...] (Künstler, der in einem
philharmonischen Orchester
spielt); Phil|har|mo|ni|ke|rin
phil|har|mo|nisch

Phil|hel|le|ne, der; -n, -n ⟨griech.⟩
(Freund der Griechen [der den
Befreiungskampf gegen die Tür-
ken unterstützte]); Phil|hel|le-
nin; Phil|hel|le|nis|mus, der; -

Phi|l|ipp (m. Vorn.)

Phi|l|ip|per|brief, der; -[e]s ↑K64
(Brief des Paulus an die
Gemeinde von Philippi)

Phi|l|ip|pi (im Altertum Stadt in
Makedonien)

Phi|l|ip|pi|ka, die; -, ...ken (Kampf-
rede [des Demosthenes gegen
König Philipp von Makedonien];
Strafrede)

Phi|l|ip|pi|ne (w. Vorn.)

Phi|l|ip|pi|nen *Plur.* (Inselgruppe u.
Staat in Südostasien)

Phi|l|ip|pi|ner (Bewohner der Phi-
lippinen, *vgl.* Filipino); Phi|l|ip-
pi|ne|rin *vgl.* Filipina

phi|l|ip|pi|nisch

phi|l|ip|pisch; in philippischer
Manier; philippische Reden
↑K89

Phi|l|ip|pus (Apostel)

Phi|l|is|ter, der; -s, - (Angehöriger
des Nachbarvolkes der Israe-
liten im A. T.; *übertr. für* Spieß-
bürger; *Verbindungsw.* im
Berufsleben stehender Alter
Herr)

Phi|l|is|te|rei; phi|l|is|ter|haft

Phi|l|is|te|ri|um, das; -s (*Verbin-
dungsw.* das spätere Berufsleben
eines Studenten)

Phi|l|is|ter|tum, das; -s

phi|l|is|t|rös (beschränkt; spießig)

Phil|lu|me|nie, die; - ⟨griech.; lat.⟩
(das Sammeln von Streichholz-
schachteln od. deren Etiketten)

Phil|lu|me|nist, der; -en, -en; Phil-
lu|me|nis|tin

phi|lo... usw. *vgl.* phil... usw.

Phi|lo|den|d|ron, der, *auch* das, -s,
...ren ⟨griech.⟩ (eine Blatt-
pflanze)

Phi|lo|lo|ge, der; -n, -n ⟨griech.⟩
(Sprach- u. Literaturforscher)

Phi|lo|lo|gie, die; -, ...ien (Sprach-
u. Literaturwissenschaft)

Phi|lo|lo|gin; phi|lo|lo|gisch

¹Phi|lo|me|la, ¹Phi|lo|me|le, die; -,
...len ⟨griech.⟩ (*veraltet für*
Nachtigall)

²Phi|lo|me|la, ²Phi|lo|me|le (w.
Vorn.)

Phi|lo|me|na (w. Vorn.)

Phi|lo|se|mit, der; -en, -en
⟨griech.⟩; Phi|lo|se|mi|tin; phi|lo-
se|mi|tisch

Phi|lo|se|mi|tis|mus, der; - (juden-
freundl. Bewegung im 18.Jh.;
abwertend für unkrit. Haltung
gegenüber der Politik Israels)

Phi|lo|soph, der; -en, -en ⟨griech.⟩
(jmd., der sich mit Philosophie
beschäftigt)

Phi|lo|so|phas|ter, der; -s, -
(Scheinphilosoph)

Phi|lo|so|phem, das; -s, -e (Ergeb-
nis philos. Lehre, Ausspruch des
Philosophen)

Phi|lo|so|phie, die; -, ...ien (Streben
nach Erkenntnis des Zusam-
menhanges der Dinge in der
Welt; Denk-, Grundwissen-
schaft); phi|lo|so|phie|ren

Phi|lo|so|phi|kum, das; -s, ...ka
(*früher für* philosophisch-päda-
gogische Prüfung beim Staats-
examen für das Gymnasiallehr-
amt)

Phi|lo|so|phin

phi|lo|so|phisch

Phi|mo|se, die; -, -n ⟨griech.⟩ (*Med.*
Verengung der Vorhaut)

Phi|o|le, die; -, -n ⟨griech.⟩ (bau-

P

Phar

chiges Glasgefäß mit langem Hals)

Phi|shing [ˈfɪʃɪŋ], das; -[s], -s ⟨engl.⟩ (*EDV* das Erschleichen von persönlichen Daten mit gefälschten E-Mails o. Ä.)

Phle|bi|tis, die; -, ...iti̱den ⟨griech.⟩ (*Med.* Venenentzündung)

Phleg|ma, das; -s ⟨griech.⟩ (Ruhe, [Geistes]trägheit, Gleichgültigkeit, Schwerfälligkeit)

Phleg|ma|ti|ker (körperlich träger, geistig wenig regsamer Mensch); **Phleg|ma|ti|ke|rin**

Phleg|ma|ti|kus, der; -, -se (*ugs. scherzh. für* träger, schwerfälliger Mensch); **phleg|ma|tisch**

Phlox, der; -es, -e, *auch* die; -, -e ⟨griech.⟩ (eine Zierpflanze)

Phlo|xin, das; -s (ein roter Farbstoff)

Phnom Penh [pnɔm ˈpɛn] (Hauptstadt von Kambodscha)

Phö|be (griech. Mondgöttin; Beiname der Artemis)

Pho|bie, die; -, ...i̱en ⟨griech.⟩ (*Med.* krankhafte Angst)

Phö|bos vgl. Phöbus; **Phö|bus** (Beiname Apollos)

phon..., Phon...

pho|no..., Pho|no...
(laut..., Laut...)

Das ph in den aus dem Griechischen stammenden Wörtern mit »phon« kann generell durch f ersetzt werden:

– fon..., Fon..., fo|no..., Fo|no...

Phon vgl. ¹Fon
Pho|nem vgl. Fonem
Pho|ne|ma|tik vgl. Fonematik; **pho|ne|ma|tisch** vgl. fonematisch
pho|ne|misch vgl. fonemisch
Pho|ne|tik vgl. Fonetik; **Pho|ne|ti|ker** vgl. Fonetiker
Pho|ne|ti|ke|rin vgl. Fonetikerin
pho|ne|tisch vgl. fonetisch
Pho|ni|a|ter vgl. Foniater; **Pho|ni|a|te|rin** vgl. Foniaterin; **Pho|ni|a|t|rie** vgl. Foniatrie
Phö|ni|ker vgl. Phönizier
phö|nisch vgl. fonisch
Phö|nix, der; -[es], -e ⟨griech.⟩ (Vogel der altägypt. Sage, der sich im Feuer verjüngt)
Phö|ni|zi|en (im Altertum Küstenland an der Ostküste des Mittelmeeres); **Phö|ni|zi|er;** **Phö|ni|zi|e|rin;** **phö|ni|zisch**
Pho|no|dik|tat vgl. Fonodiktat

Pho|no|gramm vgl. Fonogramm
Pho|no|graph vgl. Fonograf; **Pho|no|gra|phie** vgl. Fonografie; **pho|no|gra|phisch** vgl. fonografisch
Pho|no|lith vgl. Fonolith
Pho|no|lo|gie vgl. Fonologie
pho|no|lo|gisch vgl. fonologisch
Pho|no|me|ter vgl. Fonometer; **Pho|no|me|t|rie** vgl. Fonometrie
pho|no..., Pho|no..., fo|no..., Fo|no... vgl. phon..., Phon...
Pho|no|tech|nik vgl. Fonotechnik
Pho|no|thek vgl. Fonothek
Pho|no|ty|pis|tin vgl. Fonotypistin
phon|stark vgl. fonstark; **Phon|zahl** vgl. Fonzahl

Phos|gen, das; -s ⟨griech.⟩ (ein giftiges Gas)
Phos|phat, das; -[e]s, -e (Salz der Phosphorsäure); **phos|phat|hal|tig**
Phos|phin, das; -s (Phosphorwasserstoff)
Phos|phit, das; -s, -e (Salz der phosphorigen Säure)
Phos|phor, der; -s (chem. Grundstoff; *Zeichen* P)
Phos|pho|res|zenz, die; - (Nachleuchten vorher bestrahlter Stoffe); **phos|pho|res|zie|ren**
phos|phor|hal|tig; **phos|pho|rig**
Phos|pho|ris|mus, der; -, ...men (Phosphorvergiftung)
Phos|pho|rit, der; -s, -e (ein Sedimentgestein)
Phos|phor|säu|re, die; -; **Phos|phor|ver|gif|tung**
Phot, das; -s, - ⟨griech.⟩ (alte Leuchtstärkeeinheit; *Zeichen* ph)

pho|to..., Pho|to...

(licht..., Licht...)

Das ph in den aus dem Griechischen stammenden Wörtern mit »photo« kann generell durch f ersetzt werden:

– foto..., Foto...

Pho|to *alte Schreibung für* ¹Foto
Pho|to|al|bum usw. *alte Schreibung für* Fotoalbum usw.
Pho|to|che|mie vgl. Fotochemie; **Pho|to|che|mi|gra|phie** vgl. Fotochemigrafie; **pho|to|che|mi|gra|phisch** vgl. fotochemigrafisch; **pho|to|che|misch** vgl. fotochemisch
Pho|to|ef|fekt vgl. Fotoeffekt
Pho|to|elek|t|ri|zi|tät vgl. Fotoelektrizität

Pho|to|elek|t|ron vgl. Fotoelektron
Pho|to|ele|ment vgl. Fotoelement
pho|to|gen vgl. fotogen; **Pho|to|ge|ni|tät** vgl. Fotogenität
Pho|to|gramm vgl. Fotogramm; **Pho|to|gram|me|t|rie** vgl. Fotogrammetrie; **pho|to|gram|me|t|risch** vgl. fotogrammetrisch
Pho|to|graph usw. vgl. Fotograf usw.
pho|to|gra|phie|ren *alte Schreibung für* fotografieren
Pho|to|gra|vü|re vgl. Fotogravüre
Pho|to|in|dus|t|rie *alte Schreibung für* Fotoindustrie
Pho|to|ko|pie usw. vgl. Fotokopie usw.
Pho|to|li|tho|gra|phie vgl. Fotolithografie
pho|to|me|cha|nisch vgl. fotomechanisch
Pho|to|me|ter usw. vgl. Fotometer usw.
Pho|ton vgl. Foton
Pho|to|phy|sio|lo|gie vgl. Fotophysiologie
Pho|to|satz vgl. Fotosatz
Pho|to|sphä|re vgl. Fotosphäre
Pho|to|syn|the|se vgl. Fotosynthese
pho|to|tak|tisch vgl. fototaktisch
Pho|to|the|ra|pie vgl. Fototherapie
pho|to|trop usw. vgl. fototrop usw.
Pho|to|vol|ta|ik vgl. Fotovoltaik; **pho|to|vol|ta|isch** vgl. fotovoltaisch
Pho|to|zel|le vgl. Fotozelle
Phra|se, die; -, -n ⟨griech.⟩ (leere Redensart, nichtssagende Äußerung; Redewendung; *Musik* selbstständige Tonfolge)
Phra|sen|dre|scher (*abwertend*); **Phra|sen|dre|sche|rei** (nichtssagendes Gerede); **Phra|sen|dre|sche|rin** (*abwertend*)
phra|sen|haft; **phra|sen|reich**
Phra|seo|lo|gie, die; -, ...i̱en (*Sprachw.* Lehre od. Sammlung von den eigentümlichen Redewendungen einer Sprache); **phra|seo|lo|gisch;** **Phra|seo|lo|gis|mus,** der; -, ...men (*svw.* Idiom)
phra|sie|ren (*Musik* der Gliederung der Motive [u. a.] entsprechend interpretieren); **Phra|sie|rung** (melodisch-rhythmische Einteilung eines Tonstücks)
Phre|ne|sie, die; - ⟨griech.⟩ (*Med. veraltet für* Geisteskrankheit); **phre|ne|tisch** (geisteskrank); *vgl. aber* frenetisch

P

phre

Phre|ni|tis, die; -, ...iti̱den (*Med.*
Zwerchfellentzündung)
Phry|gi|en (antikes Reich in Nord-
westkleinasien)
Phry|gi|er; Phry|gi|e|rin
phry|gisch; phrygische Mütze
(Sinnbild der Freiheit bei den
Jakobinern)
Phry|ne (griech. Hetäre)
Phthi̱|sis, die; -, ...sen ⟨griech.⟩
(*Med.* Schrumpfung, Schwund)
pH-Wert [peːˈhaː...] (↑K29 ; Maß-
zahl für die Konzentration der
Wasserstoffionen in einer
Lösung)
Phy|ko|lo|gie̱, die; - ⟨griech.⟩
(Algenkunde)
Phy|le, die; -, -n ⟨griech.⟩
(Geschlechterverband im anti-
ken Griechenland)
phy|le|tisch (*Biol.* die Abstam-
mung betreffend)
Phyl|lis (w. Eigenn.)
Phyl|li̱t, der; -s, -e ⟨griech.⟩ (ein
Gestein)
Phyl|lo|kak|tus (ein Blattkaktus)
Phyl|lo|kla̱|di|um, das; -s, ...ien
(*Bot.* blattähnlicher Pflanzen-
spross)
Phyl|lo|pha̱|ge, der; -n, -n (*Zool.*
Pflanzen-, Blattfresser)
Phyl|lo|po̱|de, der; -n, -n *meist
Plur.* (*Zool.* Blattfüßer [Krebs])
Phyl|lo|ta̱|xis, die; -, ...xen (*Bot.*
Blattstellung)
Phyl|lo|xe̱|ra, die; -, ...ren (*Zool.*
Reblaus)
Phy|lo|ge|ne̱|se, die; -, -n ⟨griech.⟩
(*svw.* Phylogenie); phy|lo|ge|ne̱-
tisch
Phy|lo|ge|ni̱e, die; -, ...ien (Stam-
mesgeschichte der Lebewesen)
Phy|lum, das; -s, ...la (*Biol.* Tier-
od. Pflanzenstamm)
Phy|sa̱|lis, die; -, *Plur.* - u. ...alen
⟨griech.⟩ (*Bot.* Blasen-, Judenkir-
sche; Kapstachelbeere)
Phy|s|i̱|a|ter, der; -s, - ⟨griech.⟩
(Naturarzt); Phy|s|i̱|a|te|rin; Phy-
s|i̱|a|t|ri̱e, die; - (Naturheil-
kunde)
Phy|si̱k, die; - (Wissenschaft von
der Struktur u. der Bewegung
der unbelebten Materie)
phy|si|ka̱|lisch; physikalische Che-
mie, physikalische Maßeinheit,
aber ↑K 151 : die Physikalische
Institut der Universität Bonn
Phy|si̱|ker; Phy|si̱|ke|rin
Phy|si|ko|che|mi̱e (physikalische
Chemie); phy|si|ko|che̱|misch
Phy|si̱|kum, das; -s, ...ka (Vorprü-
fung im Medizinstudium)

Phy|si|o|g|no̱m, der; -en, -en
⟨griech.⟩ (Deuter der äußeren
Erscheinung eines Menschen)
Phy|si|o|g|no̱|mie̱, die; -, ...ien
(äußere Erscheinung eines
Lebewesens, bes. Gesichtsausdruck)
Phy|si|o|g|no̱|mik, die; - (Aus-
drucksdeutung [Kunst, von der
Physiognomie her auf seelische
Eigenschaften zu schließen])
Phy|si|o|g|no̱|mi|ker (*svw.* Physio-
gnom); Phy|si|o|g|no̱|mi|ke|rin;
phy|si|o|g|no̱|misch
Phy|sio|kra̱t, der; -en, -en ⟨griech.⟩
(Vertreter des Physiokratismus);
phy|sio|kra̱|tisch
Phy|sio|kra̱|tis|mus, der; - (volks-
wirtschaftl. Theorie des 18. Jh.s,
die die Landwirtschaft als die
Quelle des Nationalreichtums
ansah)
Phy|sio|lo̱|ge, der; -n, -n ⟨griech.⟩
(Erforscher der Lebensvor-
gänge); Phy|sio|lo̱|gie̱, die; -
(Lehre von den Lebensvorgän-
gen); Phy|sio|lo̱|gin; phy|sio|lo̱-
gisch (die Physiologie betreffend)
Phy|sio|the̱|ra|peut (jmd., der die
Physiotherapie anwendet;
Berufsbez.); Phy|sio|the̱|ra|peu-
tin; phy|sio|the̱|ra|peu̱|tisch
Phy|sio|the̱|ra|pie̱ (Heilbehandlung
mit Wärme, Wasser, Strom usw.
sowie Krankengymnastik und
Massage)
Phy|sis, die; - (Körper; körperliche
Beschaffenheit, Natur)
phy|sisch (natürlich; körperlich)
phy|to|gen ⟨griech.⟩ (aus Pflanzen
entstanden)

Phy|to|geo|gra|fie̱, Phy|to|geo|gra-
phie̱ (Pflanzengeografie)
Phy|to|me|di|zin; Phy|to|pa|tho|lo-
gie̱ (Wissenschaft von den
Pflanzenkrankheiten); phy|to-
pa|tho|lo̱|gisch
phy|to|phag (*Zool.* Pflanzen fres-
send); Phy|to|pha̱|ge, der; -n, -n
meist Plur. (*Zool.* Pflanzenfres-
ser)
Phy|to|phar|ma|zi̱e; Phy|to|plank-
ton (Gesamtheit der im Wasser
lebenden pflanzl. Organismen);
Phy|to|the̱|ra|pie̱, die; - (Pflan-
zenheilkunde)
¹Pi, das; -[s], -s (griech. Buchstabe;
Π, π)
²Pi, das; -[s] (*Math.* Zahl, die das
Verhältnis von Kreisumfang zu
Kreisdurchmesser angibt; π =
3,1415...); das π-fache, 2π-fache

Pi̱a (w. Vorn.)
Pi|af|fe, die; -, -n ⟨franz.⟩ (*Reiten*
Trab auf der Stelle); pi|af|fie̱|ren
(die Piaffe ausführen)
Pi|a|ni̱|no, das; -s, -s ⟨ital.⟩ (kleines
²Piano)
pi|a|nis|si̱mo (*Musik* sehr leise;
Abk. pp); Pi|a|nis|si̱mo, das; -s,
Plur. -s u. ...mi
Pi|a|ni̱st, der; -en, -en (Klavierspie-
ler, -künstler); Pi|a|nis|tin; pi|a-
nis|tisch (die Technik, Kunst des
Klavierspielens betreffend)
pi|a̱|no (*Musik* leise; *Abk.* p)
¹Pi|a̱|no, das; -s, *Plur.* -s u. ...ni (lei-
ses Spielen, Singen)
²Pi|a̱|no, das; -s, -s u. -s (*Kurzform von*
Pianoforte); Pi|a̱|no|bar; Pi|a̱|no-
foṟ|te, das; -s, -s (*veraltet für*
Klavier); *vgl.* Fortepiano
Pi|a̱|no|la, das; -s, -s (selbsttätig
spielendes Klavier)
Pi|a̱|rist, der; -en, -en ⟨lat.⟩ (Ange-
höriger eines kath. Lehrordens)
Pi|as|sa̱|va, die; -, ...ven ⟨indian.-
port.⟩ (Palmenblattfaser); Pi|as-
sa̱|va|be|sen
Pi|ast, der; -en, -en (Angehöriger
eines poln. Geschlechtes)
Pi|as|ter, der; -s, - ⟨griech.⟩ (Wäh-
rungseinheit in Ägypten, Liba-
non, Sudan, Syrien)
Pi|as|tin (vgl. Piast)
Pi|a̱|ve, die, *auch* der; - (ital. Fluss)
Pi|az|za, die; -, ...zze ⟨ital.⟩
([Markt]platz); Pi|az|zeṯ|ta, die;
-, ...tte[n] (kleine Piazza)
Pi̱|ca, die; - ⟨lat.⟩ (genormter
Schriftgrad für Schreibmaschine u. Computer)
Pi|car|de, die; -, -n; Pi|car|die̱,
die; - (hist. Provinz in Nord-
frankreich); pi|car|disch
Pi|cas|so, Pablo (span. Maler u.
Grafiker)
Pic|ca|dil|ly [...kəˈdɪli] (eine Haupt-
straße in London)
Pic|card [...ˈkaːr], Auguste
[oˈɡyst] (schweiz. Physiker)
¹Pic|co|llo, ¹Pik|ko|lo, der; -s, -s
⟨ital.⟩ (Kellnerlehrling)
²Pic|co|llo, ²Pik|ko|lo, das; -s, -s
(*kurz für* Piccoloflöte)
Pic|co|lo|fla|sche, Pik|ko|lo|fla|sche
(kleine Sektflasche)
Pic|co|lo|flö|te, Pik|ko|lo|flö|te
(kleine Querflöte)
Pic|co|lo|mi|ni, der; -[s], - (Angehö-
riger eines ital. Geschlechtes)
Pi|che|lei (*ugs.*); Pi|che|ler usw. *vgl.*
Pichler usw.; pi|cheln (*ugs. für*
trinken); ich piche[e]le
Pi|chel|stei|ner Fleisch, das; - -[e]s,

P
Phre

Pi|chel|stei|ner Topf, der; - -[e]s (ein Eintopfgericht)

¹pi|chen (*landsch. für* mit Pech überziehen)

²pi|chen (kleben, heften)

Pich|ler, Pi|che|ler (*ugs. für* Trinker); **Pich|le|rin,** Pi|che|le|rin

Pick, der; -s (*österr. ugs. für* Klebstoff)

Pi|cke, die; -, -n (Spitzhacke; *Fußball* Fußspitze)

¹Pi|ckel, der; -s, - (Spitzhacke)

²Pi|ckel, der; -s, - (Hautpustel, Mitesser)

Pi|ckel|hau|be (preuß. Infanteriehelm)

Pi|ckel|he|ring (gepökelter Hering; *übertr. für* Spaßmacher im älteren Lustspiel)

pi|cke|lig, pick|lig ⟨*zu* ²Pickel⟩

pi|ckeln (*landsch. für* mit der Spitzhacke arbeiten); ich pick[e]le

pi|cken (*österr. ugs. auch für* kleben, heften); **Pi|ckerl,** das; -s, -n (*österr. für* Klebeetikett)

pi|ckern (*landsch. für* essen); ich pickere

pi|ckert, pi|ckig (*österr. ugs. für* klebrig)

Pick|ham|mer (*Bergmannsspr.* Abbauhammer)

pi|ckig vgl. pickert

Pi|ck|els [ˈpɪk|s] *Plur.; vgl.* Mixedpickles

pick|lig vgl. pickelig

Pick|nick, das; -s, *Plur. -e u.* -s ⟨franz.⟩ (Essen im Freien); **pick|ni|cken;** gepicknickt; **Pick|nick|korb**

pick|süß ⟨ital.; dt.⟩ (*österr. für* sehr süß); das picksüße Hölzl (die Piccoloklarinette) ↑K 89

Pick-up [pɪkˈlap, *auch* ˈpɪkap], der; -s, -s ⟨engl.⟩ (elektr. Tonabnehmer für Schallplatten; kleiner Lieferwagen mit Pritsche)

Pi|co... vgl. Piko...

pi|co|bel|lo ⟨niederd.; ital.⟩ (*ugs. für* tadellos)

Pi|cot [...ˈkoː], der; -s, -s ⟨franz.⟩ (Spitzenmasche)

Pic|pus|mis|si|o|nar [ˈpɪkpys...], **Pic|pus-Mis|si|o|nar** ⟨nach dem ersten Haus in der Picpusstraße in Paris⟩ (Angehöriger der kath. Genossenschaft der hl. Herzen Jesu u. Mariä)

Pid|gin|eng|lisch [...dʒ...], **Pid|gin-Eng|lisch,** das; -[s] (vereinfachte Mischsprache aus Englisch u. einer anderen Sprache)

Pi|e|ce [ˈpiɛːs(ə)], die; -, -n ⟨franz.⟩ ([musikal.] Zwischenspiel; Theaterstück)

Pieck (erster Präsident der DDR)

Pi|e|des|tal, das; -s, -e ⟨franz.⟩ (Sockel; Untersatz)

pie|fig (*ugs. für* kleinbürgerlich, spießig)

Pief|ke, der; -s, -s (*landsch. für* Wichtigtuer, Angeber; *österr. abwertend für* Deutscher)

Piek, die; -, -en (*Seemannsspr.* unterster Teil des Schiffsraumes)

piek|fein (*ugs. für* besonders fein); **piek|sau|ber** (*ugs. für* besonders sauber)

Pi|e|mont (Landschaft in Nordwestitalien)

Pi|e|mon|te|se, der; -n, -n; **Pi|e|mon|te|sin; pi|e|mon|te|sisch, pi|e|mon|tisch**

pien|sen (*landsch. für* mit weinerlicher Stimme klagen, jammern; quälend bitten)

piep!; piep, piep!

Piep, der; *nur in ugs. Wendungen wie* einen Piep haben (*ugs. für* nicht recht bei Verstand sein); sie tut, sagt, macht keinen Piep mehr (*ugs. für* sie ist tot)

pie|pe, piep|egal (*ugs. für* gleichgültig; das ist mir piepe *od.* piepegal

Pie|pel, der; -s, -[s] (*landsch. für* kleiner Junge; Penis)

pie|pen; es ist zum Piepen (*ugs. für* es ist zum Lachen)

Pie|pen *Plur.* (*ugs. für* Geld)

Piep|hahn (*landsch. für* Penis)

Piep|matz (*ugs. für* Vogel)

pieps (*ugs.*); er kann nicht mehr pieps *od.* Pieps sagen

Pieps, der; -es, -e (*ugs.*); keinen Pieps von sich geben

piep|sen; du piepst; **Piep|ser**

piep|sig (*ugs. für* hoch u. dünn [von der Stimme]; winzig); **Piep|sig|keit,** die; - (*ugs.*)

Piep|ton *Plur.* ...töne

Piep|vo|gel (*Kinderspr.*)

¹Pier, der; -s, *Plur. -e od.* -s, *Seemannsspr.* die; -, -s ⟨engl.⟩ (Hafendamm; Landungsbrücke)

²Pier, der; -[e]s, -e (*nordd. für* Sandwurm als Fischköder)

pier|cen ⟨engl.⟩ (die Haut zur Anbringung von Körperschmuck durchbohren *od.* durchstechen); du piercst; gepierct; **Pier|cing,** das; -s, -s

Pi|er|re [pjɛːr] (m. Vorn.)

Pi|er|ret|te, die; -, -n ⟨franz.⟩ (weibl. Lustspielfigur)

Pi|er|rot [...ˈroː], der; -s, -s ⟨männl. Lustspielfigur⟩

pie|sa|cken (*ugs. für* quälen); gepiesackt; **Pie|sa|cke|rei**

pie|schern (*nordd. für* urinieren)

pie|seln (*ugs. für* regnen; urinieren); ich pies[e]le

Pie|se|pam|pel, der; -s, - (*landsch. abwertend für* dummer, engstirniger Mensch)

Pies|por|ter (ein Moselwein)

Pi|e|ta, Pi|e|tà [...ˈta], die; -, -s ⟨ital.⟩ (Darstellung der Maria mit dem Leichnam Christi auf dem Schoß; Vesperbild)

Pi|e|tät, die; - ⟨lat.⟩ (Respekt, taktvolle Rücksichtnahme)

pi|e|tät|los; Pi|e|tät|lo|sig|keit

pi|e|tät|voll

Pi|e|tis|mus, der; - (ev. Erweckungsbewegung; *auch für* schwärmerische Frömmigkeit)

Pi|e|tist, der; -en, -en; **Pi|e|tis|tin; pi|e|tis|tisch**

piet|schen (*landsch. für* ausgiebig Alkohol trinken); du pietschst

pi|e|zo|elek|t|risch ⟨griech...⟩; **Pi|e|zo|elek|t|ri|zi|tät,** die; - (*Physik* durch Druck entstehende Elektrizität an der Oberfläche bestimmter Kristalle)

Pi|e|zo|kris|tall; Pi|e|zo|me|ter, das; -s, - (Druckmesser); **Pi|e|zo|quarz**

piff, paff!

Pig|ment, das; -[e]s, -e ⟨lat.⟩ (Farbstoff, -körper); **Pig|men|ta|ti|on,** die; -, -en (Färbung)

Pig|ment|druck *Plur.* ...drucke (Kohledruck, fotogr. Kopierverfahren u. dessen Erzeugnis); **Pig|ment|far|be; Pig|ment|fleck**

pig|men|tie|ren (Pigment bilden; sich durch Pigmente einfärben); **Pig|men|tie|rung**

pig|ment|los; Pig|ment|mal *Plur.* ...male (Muttermal)

Pi|g|no|le [pin'joː...], die; -, - ⟨ital.⟩ (Pinienuss); **Pi|g|no|li, Pi|g|no|lie,** die; -, ...ien (*österr. für* Pignole)

Pil|ja|cke, die; -, -n ⟨engl.⟩ (*nordd. für* blaue Seemannsüberjacke)

¹Pik, der; -s, *Plur. -e u.* -s ⟨franz.⟩ (Bergspitze); *vgl.* Piz

²Pik, der; -s, -e (*ugs. für* heiml. Groll); einen Pik auf jmdn. haben

³Pik, das; -[s], *österr. auch* die; - (Spielkartenfarbe)

pi|kant (scharf [gewürzt]; reizvoll; schlüpfrig); pikantes Abenteuer; **Pi|kan|te|rie,** die; -, ...ien; **pi|kan|ter|wei|se**

P

pika

Pi|kar|de usw. (*eindeutschend für* Picarde usw.)

pi|ka|resk, pi|ka|risch ⟨span.⟩; pikaresker, pikarischer Roman (*Literaturw.* Schelmenroman)

Pik|ass, Pik-Ass, das; -es, -e

Pi|ke, die; -, -n ⟨franz.⟩ (Spieß [des Landsknechts]); von der Pike auf dienen (*ugs. für* im Beruf bei der untersten Stellung anfangen)

¹Pi|kee, der, *österr. auch* das; -s, -s ([Baumwoll]gewebe)

²Pi|kee *vgl.* Piqué

pi|kee|ar|tig

Pi|kee|ni|ger; Pi|kee|wes|te

pi|ken, pik|sen (*ugs. für* stechen); du pikst

Pi|ke|nier, der; -s, -e (mit der Pike bewaffneter Landsknecht)

Pi|kett, das; -[e]s, -e (ein Kartenspiel; *schweiz. für* einsatzbereite Mannschaft [bei Militär u. Feuerwehr]); Pi|kett|stel|lung (*schweiz. für* Bereitschaftsstellung)

pi|kie|ren ([zu dicht stehende Jungpflanzen] in größeren Abständen neu einpflanzen)

pi|kiert (ein wenig beleidigt, gekränkt, verstimmt)

¹Pik|ko|lo, ¹Pic|co|lo, der; -s, -s ⟨ital.⟩ (Kellnerlehrling)

²Pik|ko|lo, ²Pic|co|lo, das; -s, -s (*kurz für* Pikkoloflöte)

Pik|ko|lo|fla|sche, Pic|co|lo|fla|sche (kleine Sektflasche)

Pik|ko|lo|flö|te, Pic|co|lo|flö|te (kleine Querflöte)

Pik|ko|lo|mi|ni (*dt. Schreibung für* Piccolomini)

Pi|ko..., Pi|co... ⟨ital.⟩ (ein Billionstel einer Einheit; *Zeichen* p; *vgl.* Pikofarad)

Pi|ko|fa|rad, Pi|co|fa|rad (ein billionstel Farad; *Abk.* pF)

Pi|kör, der; -s, -e ⟨franz.⟩ (Vorreiter bei der Parforcejagd)

Pik|rat, das; -[e]s, -e ⟨griech.⟩ (*Chemie* Pikrinsäuresalz)

Pik|rin|säu|re, die; - (organ. Verbindung, die früher als Färbemittel u. Sprengstoff verwendet wurde)

pik|sen *vgl.* piken

Pik|ser, der; -s, - (*ugs.*)

Pik|sie|ben; dastehen wie Piksieben (*ugs. für* verwirrt, hilflos sein)

Pik|te, der; -n, -n (Angehöriger der ältesten Bevölkerung Schottlands)

Pik|to|gramm, das; -s, -e ⟨lat.; griech.⟩ (grafisches Symbol [mit international festgelegter Bed.], z. B. Totenkopf für »Gift«)

Pi|kul, der *od.* das; -s, - ⟨malai.⟩ (Gewicht in Ostasien)

Pi|lar, der; -en, -en ⟨span.⟩ (*Reiten* Pflock zum Anbinden der Halteleine bei der Pferdedressur)

Pi|las|ter, der; -s, - ⟨lat.⟩ ([flacher] Wandpfeiler)

Pi|la|tes, das; - ⟨nach dem Erfinder⟩ (ein Fitnessprogramm)

¹Pi|la|tus (röm. Landpfleger in Palästina); *vgl.* Pontius Pilatus

²Pi|la|tus, der; - (Berg bei Luzern)

Pi|lau, Pi|law, der; -s ⟨pers. *u.* türk.⟩ (oriental. Reiseintopf)

Pil|ger (Wallfahrer; *auch* Wanderer); Pil|ger|fahrt; Pil|ge|rin

pil|gern; ich pilgere

Pil|ger|schaft, die; -; Pil|gers|mann *Plur.* ...männer *u.* ...leute (*älter für* Pilger); Pil|ger|stab

Pil|g|rim, der; -s, -e (*veraltet für* Pilger)

pil|lie|ren ⟨franz.⟩ (zerstoßen, schnitzeln [bes. Rohseife])

Pil|ke, die; -, -n (*veraltend*), Pil|ker, der; -s, - (fischförmiger, mit vier Haken versehener Köder beim Hochseeangeln); pil|ken (mit der Pilke angeln)

Pil|le, die; -, -n ⟨lat.⟩ ([kugelförmiges] Arzneimittel; *nur Sing.,* meist mit bestimmtem Artikel: *kurz für* Antibabypille)

Pil|len|dre|her (ein Käfer; *ugs. scherzh. für* Apotheker)

Pil|len|knick (*ugs. für* Geburtenrückgang durch Verbreitung der Antibabypille); Pil|len|schach|tel

Pil|le|pal|le, das; -s (*ugs. für* Kleinkram, Gleichgültiges)

Pil|ler, Pil|ler|mann *Plur.* ...männer (*ugs. für* Penis)

pil|lie|ren (*Landw.* Saatgut zu Kügelchen rollen); Pil|lie|rung

Pil|ling, das; -s ⟨engl.⟩ (Knötchenbildung in Textilien); pil|ling|frei

Pi|lot, der; -en, -en ⟨franz.⟩ (Flugzeugführer; Rennfahrer; Lotsenfisch; *veraltet für* Lotse, Steuermann)

Pi|lot|an|la|ge (*Technik* Versuchsanlage); Pi|lot|bal|lon (unbemannter Ballon zur Feststellung des Höhenwinds)

Pi|lo|te, die; -, -n ⟨franz.⟩ (*Bauw.* Rammpfahl)

Pi|lo|ten|schein

Pi|lot|film (Testfilm für eine geplante Fernsehserie)

---

¹pi|lo|tie|ren (steuern)

²pi|lo|tie|ren (*zu* Pilote) ([Piloten] einrammen); Pi|lo|tie|rung

Pi|lo|tin

Pi|lot|pro|jekt (Testprojekt)

Pi|lot|sen|dung *vgl.* Pilotfilm

Pi|lot|stu|die (vorläufige, wegweisende Untersuchung); Pi|lot|ton (zur synchronen Steuerung von Bild u. Ton; *vgl.* ¹Ton)

Pi|lot|ver|such *vgl.* Pilotstudie

Pils, das; - (*Kurzform von* Pils[e]ner Bier); 3 Pils

¹Pil|se|ner, Pils|ner

²Pil|se|ner, Pils|ner, das; -s, - (Bier)

Pilz, der; -es, -e; Pilz|fa|den

pil|zig

Pilz|in|fek|ti|on

Pilz|kopf (*ugs. veraltend für* Beatle)

Pilz|krank|heit; Pilz|kun|de, die; -

pilz|re|sis|tent (widerstandsfähig gegen Pilzbefall)

Pilz|samm|ler; Pilz|samm|le|rin

Pilz|ver|gif|tung

Pi|ment, der *od.* das; -[e]s, -e ⟨lat.⟩ (Nelkenpfeffer, Küchengewürz)

Pim|mel, der; -s, - (*ugs. für* Penis)

pim|pe (*nordd. für* gleichgültig)

Pim|pe|lei (*ugs.*); pim|pe|lig, pimplig (*ugs. für* zimperlich, wehleidig)

pim|peln (*ugs. für* zimperlich, wehleidig sein); ich pimp[e]lle

¹pim|pern (*bayr. für* klimpern; klingeln); ich pimpere

²pim|pern (*derb für* koitieren)

Pim|per|nell, der; -s, -e *u.* Pim|pi|nel|le, die; -, -n ⟨sanskr.⟩ (eine Küchen- u. Heilpflanze)

Pim|per|nuss ⟨zu ¹pimpern⟩ (ein Zierstrauch)

Pimpf, der; -[e]s, -e (kleiner Junge; jüngster Angehöriger einer Jugendbewegung); Pimpf|fin

Pim|pi|nel|le *vgl.* Pimpernell

pimp|lig *vgl.* pimpelig

Pin, der; -s, -s ⟨engl.⟩ (*fachspr. für* [Verbindungs]stift; [getroffener] Kegel beim Bowling)

PIN, die; -, -s = personal identification number (persönl. Geheimzahl)

Pi|na|ko|id, das; -[e]s, -e ⟨griech.⟩ (eine Kristallform)

Pi|na|ko|thek, die; -, -en (Bilder-, Gemäldesammlung)

Pi|nas|se, die; -, -n ⟨niederl.⟩ (Beiboot [von Kriegsschiffen])

Pin|ce|nez [pɛ̃s(ə)ˈne:], das; -, - [...ˈne:s] ⟨franz.⟩ (*veraltet für* Klemmer, Kneifer)

PIN-Code, PIN-Kode vgl. PIN
Pin|dar (altgriech. Lyriker); Pin|da|risch; pindarische Verse ↑K135; Pin|da|ros vgl. Pindar
Pin|ge vgl. Binge
pin|ge|lig (ugs. für kleinlich; empfindlich); Pin|ge|lig|keit
Ping|pong [österr. ...'pɔŋ], das; -s ⟨engl.⟩ (veraltet für Tischtennis); Ping|pong|schlä|ger
Pin|gu|in, der; -s, -e (ein Vogel der Antarktis)
Pi|nie, die; -, -n ⟨lat.⟩ (Kiefer einer bestimmten Art); Pi|ni|en|kern; Pi|ni|en|wald; Pi|ni|en|zap|fen
pink ⟨engl.⟩ (rosa); ein pink Kleid; vgl. beige; ¹Pink, das; -s, -s (kräftiges Rosa); in Pink ↑K72
²Pink, die; -, -en, ¹Pin|ke, die; -, -n (nordd. für Segelschiff; Fischerboot)
²Pin|ke, Pin|ke|pin|ke, die; - (ugs. für Geld)
¹Pin|kel, der; -s, - (ugs.); meist in feiner Pinkel (vornehm tuender Mensch)
²Pin|kel, die; -, -n (nordd. eine fette, gewürzte Wurst)
pin|keln (ugs. für urinieren); ich pink[e]le; Pin|kel|pau|se (ugs.)
pin|ken (landsch. für hämmern)
Pin|ke|pin|ke vgl. ²Pinke
pink|far|ben ⟨zu pink⟩
Pink La|dy, die; - -, - -s ⟨engl.⟩ (eine Apfelsorte)
PIN-Kode, PIN-Code vgl. PIN
Pin|ne, die; -, -n ([Kompass]stift; Teil des Hammers; bes. nordd. für Reißzwecke; Seemannsspr. Hebelarm am Steuerruder)
pin|nen (bes. nordd. für mit Pinnen versehen, befestigen)
Pinn|na|del, Pinn-Na|del (Stecknadel, mit der Notizzettel u. Ä. an einer Pinnwand befestigt werden)
PIN-Num|mer vgl. PIN
Pinn|wand (Tafel zum Anheften von Merkzetteln u. Ä.)
Pi|noc|chio [...'nɔkjo], der, -[s] ⟨ital.⟩ (Titelgestalt eines Kinderbuchs)
Pi|no|le, die; -, -n ⟨ital.⟩ (Technik Teil der Spitzendrehmaschine)
Pin|scher, der; -s, - (eine Hunderasse)
¹Pin|sel, der; -s, - (ugs. für törichter Mensch, Dummkopf)
²Pin|sel, die; -, -n ⟨lat.⟩
pin|sel|ar|tig
Pin|se|lei (ugs. abwertend); Pin|se|ler, Pins|ler
pin|seln; ich pins[e]le

Pin|sel|stiel; Pin|sel|strich
Pins|ler vgl. Pinseler
¹Pint, der; -s, -e (ugs. für Penis)
²Pint [paint], das; -s, -s ⟨engl.⟩ (engl. u. amerik. Hohlmaß; Abk. pt)
Pin|te, die; -, -n (landsch. für Wirtshaus, Schenke)
Pin-up [...'ap], das; -s, -s ⟨engl.⟩ (kurz für Pin-up-Girl); Pin-up-Boy, der; -s, -s (leicht bekleideter Mann auf [Illustrierten]bildern, die an die Wand geheftet werden können); Pin-up-Girl
pinx. = pinxit; pin|xit ⟨lat., »hat es gemalt«⟩ (neben dem Namen des Künstlers auf Gemälden; Abk. p. od. pinx.)
Pin|zet|te, die; -, -n ⟨franz.⟩ (kleine Greif-, Federzange)
Pinz|gau, der; -[e]s (österr. Landschaft)
Pi|om|bi Plur. ⟨ital.⟩ (hist. Bez. für die Staatsgefängnisse im Dogenpalast von Venedig)
Pi|o|nier, der; -s, -e ⟨franz.⟩ (Soldat der techn. Truppe; übertr. für Wegbereiter; DDR Angehöriger einer Kinderorganisation)
Pi|o|nier|ar|beit; Pi|o|nier|geist, der; -[e]s; Pi|o|nie|rin
Pi|o|nier|la|ger Plur. ...lager (DDR); Pi|o|nier|lei|ter, der (DDR)
Pi|o|nier|pflan|ze (Bot.); Pi|o|nier|trup|pe (Milit.); Pi|o|nier|zeit
Pi|pa|po, das; -s (ugs. für was dazugehört); mit allem Pipapo
¹Pi|pe, Pip|pe, die; -, -n (österr. für Fass-, Wasserhahn)
²Pipe [paip], das od. die; -, -s ⟨engl.⟩ (engl. u. amerik. Hohlmaß für Wein u. Branntwein)
Pipe|line [...'paiplain], die; -, -s (Rohrleitung [für Gas, Erdöl])
Pi|pet|te, die; -, -n ⟨franz.⟩ (Saugröhrchen, Stechheber); pi|pet|tie|ren
Pi|pi, das; -s (Kinderspr.); Pipi machen; Pi|pi|fax, der; - (ugs. für überflüssiges Zeug; Unsinn)
Pip|pau, der; -[e]s (eine Pflanzengattung)
Pip|pe vgl. ¹Pipe
Pip|pin [auch, österr. nur, 'pɪ...] (Name fränk. Fürsten)
Pips, der; -es (eine Geflügelkrankheit); den Pips haben (ugs. für erkältet sein); pip|sig
Pi|qué [...'ke:], das; -s, -s ⟨franz.⟩ (Reinheitsgrad für Diamanten)
Pi|ran|del|lo (ital. Schriftsteller)
Pi|ran|ha [...'ranja] ⟨indian.-port.⟩,

Pi|ra|ya [...ja] ⟨indian.⟩ der; -[s], -s (ein Raubfisch)
Pi|rat, der; -en, -en ⟨griech.⟩ (Seeräuber)
Pi|ra|ten|schiff; Pi|ra|ten|sen|der
Pi|ra|ten|tum, das; -s; Pi|ra|te|rie, die; -, ...ien ⟨franz.⟩; Pi|ra|tin
Pi|rä|us, der; - (Hafen von Athen)
Pi|ra|ya vgl. Piranha
Pir|ma|sens (Stadt in Rheinland-Pfalz)
Pi|ro|ge, die; -, -n ⟨karib.-franz.⟩ (indian. Einbaum)
Pi|rog|ge, die; -, -n ⟨russ.⟩ (eine Pastetenart; ein russ. Gericht)
Pi|rol, der; -s, -e (ein Singvogel)
Pi|rou|et|te [...'rɥ...], die; -, -n ⟨franz.⟩ (Tanz, Eiskunstlauf schnelle Drehung um die eigene Achse; Reiten Drehung in der Hohen Schule)
pi|rou|et|tie|ren
Pirsch, die; -, -en (Schleichjagd); auf der Pirsch sein; pir|schen; du pirschst; Pirsch|gang, der
¹Pi|sa (ital. Stadt); der Schiefe Turm von Pisa ↑K150
PISA, ²Pi|sa = Programme for International Student Assessment (svw. PISA-Studie)
PISA-E, Pi|sa-E (die PISA-Studie ergänzend, auf die dt. Bundesländer bezogener Schulleistungsvergleich)
Pi|sa|ner ⟨zu ¹Pisa⟩
Pi|sang, der; -s, -e ⟨malai.-niederl.⟩ (eine Bananenart)
pi|sa|nisch ⟨zu ¹Pisa⟩
PISA-Schock, Pi|sa-Schock, der (allgemeine Bestürzung nach dem schlechten Abschneiden deutscher Schülerinnen u. Schüler bei der PISA-Studie)
PISA-Stu|die, Pi|sa-Stu|die (internationale Studie, in der Schülerleistungen verglichen werden)
Pi|see|bau, der; -[e]s ⟨franz.; dt.⟩ (Bauweise, bei der die Mauern aus fest gestampftem Lehm o. Ä. bestehen)
pis|pern (landsch. für wispern); ich pispere
Piss, der; -es (svw. Pisse)
Pis|sar|ro (franz. Maler)
Pis|se, die; - (derb für Harn); pis|sen (derb); du pisst; Pis|ser (derbes Schimpfwort)
Pis|soir [...'soa:], das; -s, Plur. -e u. -s ⟨franz.⟩ (öffentl. Toilette für Männer)
Pis|ta|zie, die; -, -n ⟨pers.⟩ (ein Baum mit essbaren Samen; der

P
Pist

Samenkern dieses Baumes); Pis|ta|zi|en|nuss

Pis|te, die; -, -n ⟨franz.⟩ (Ski-, Radod. Autorennstrecke; Rollbahn auf Flugplätzen; unbefestigter Verkehrsweg; Rand der Manege)

Pis|ten|sau Plur. ...säue (derb für rücksichtsloser Skifahrer); Pis|ten|schwein (svw. Pistensau)

Pis|till, das; -s, -e ⟨lat.⟩ (Pharm. Stampfer; Bot. Blütenstempel)

Pis|to|ia [...ja] (ital. Stadt); Pis|to|ia|er; pis|to|ia|isch

¹Pis|to|le, die; -, -n ⟨tschech.-roman.⟩ (alte Goldmünze)

²Pis|to|le, die; -, -n ⟨tschech.⟩; jmdm. die Pistole auf die Brust setzen (ugs. für jmdn. zu einer Entscheidung zwingen); wie aus der Pistole geschossen (ugs. für spontan, sofort)

Pis|to|len|lauf; Pis|to|len|schuss; Pis|to|len|ta|sche

Pis|ton [...'tõ:], das; -s, -s ⟨franz.⟩ (Pumpenkolben; Zündstift bei Perkussionsgewehren; Pumpenventil der Blechinstrumente; franz. Bez. für ²Kornett); Pis|ton|blä|ser

Pi|ta, Pit|ta, das; -s, -s od. die; -, -s ⟨neugriech.⟩ ([gefülltes] Fladenbrot)

Pi|ta|val, der; -[s], -s ⟨nach dem franz. Rechtsgelehrten (Sammlung berühmter Rechtsfälle); Neuer Pitaval

Pit|bull, der; -s, -s ⟨engl.⟩ (eine Hunderasse)

Pitch|pine ['pɪtʃpaɪn], die; -, -s ⟨engl.⟩ (nordamerik. Pechkiefer); Pitch|pine|holz

Pi|the|k|an|th|ro|pus, der; -, ...pi ⟨griech.⟩ (javan. u. chin. Frühmensch des Diluviums)

pi|the|ko|id (affenähnlich)

pit|sche|nass, pit|sche|pat|sche-nass, pitsch|nass (ugs.); pitsch, patsch (Kinderspr.); pitsch-patsch|nass (ugs.)

Pit|ta vgl. Pita

pit|to|resk (franz.) (malerisch)

Pi|us (m. Vorn.)

Pi|vot [...'vo:], der od. das; -s, -s ⟨franz.⟩ (Technik Schwenkzapfen an Drehkränen u. a.)

Pi|xel, das; -[s] - ⟨Kunstwort aus engl. picture element⟩ (EDV kleinstes Element bei der gerasterten, digitalisierten Darstellung eines Bildes; Bildpunkt); mit 20 000 Pixeln

Piz, der; -es, -e ⟨ladin.⟩ (Bergspitze); Piz Bu|in (Gipfel in der

Silvrettagruppe); Piz Pa|lü (Gipfel in der Berninagruppe)

Piz|za, die; -, Plur. -s, auch Pizzen ⟨ital.⟩ (mit Tomaten, Käse u. a. belegtes Hefegebäck)

Piz|za|bä|cker; Piz|za|bä|cke|rin

Piz|za|bring|dienst; Piz|za|ser|vice [...zø:ɐvɪs], der

Piz|ze|ria, die; -, Plur. -s, auch ...rien (Lokal, in dem Pizzas angeboten werden)

piz|zi|ca|to ⟨ital.⟩ (Musik mit den Fingern gezupft)

Piz|zi|ka|to, das; -s, Plur. -s u. ...ti

Pjöng|jang (Hauptstadt von Nordkorea)

PKR (Währungscode für pakistanische Rupie)

Pkt. = Punkt

Pkw, PKW, der; -[s], Plur. -s, selten - = Personenkraftwagen

Pkw-Fah|rer, PKW-Fah|rer; Pkw-Fah|re|rin, PKW-Fah|re|rin

pl., Pl., Plur. = Plural

Pla|ce|bo, das; -s, -s ⟨lat.⟩ (Med. Scheinmedikament ohne Wirkstoffe); Pla|ce|bo|ef|fekt (durch ein Placebo hervorgerufene Wirkung)

Pla|ce|ment [plasə'mã:], das; -s, -s ⟨franz.⟩ (Wirtsch. Anlage von Kapitalien; Absatz von Waren)

Pla|cet vgl. Plazet

pla|chan|dern (ostd. für plaudern; [einfältig] reden)

Pla|che vgl. Blahe

Pla|ci|da (altröm. w. Vorn.); Pla|ci|dus (altröm. m. Vorn.)

pla|cie|ren [...'si:...] ⟨älter für platzieren⟩

pla|cken, sich (ugs. für sich abmühen)

Pla|cken, der; -s, - (landsch. für großer Fleck)

Pla|cke|rei (ugs.)

pla|dauz! (nordwestd. für pardauz!)

plad|dern (nordd. für heftig regnen); es pladdert

plä|die|ren; auf schuldig plädieren

Plä|do|yer [...doa'je:], das; -s, -s (zusammenfassende Rede des Strafverteidigers od. Staatsanwaltes vor Gericht)

Pla|fond ['fõ:, österr. meist ...'fo:n], der; -s, -s ⟨franz.⟩ (oberer Grenzbetrag; landsch. für [Zimmer]decke)

pla|fo|nie|ren (nach oben hin begrenzen); Pla|fo|nie|rung

Pla|ge, die; -, -n; Pla|ge|geist Plur. ...geister

pla|gen; sich plagen; Pla|ge|rei

Plag|ge, die; -, -n (nordd. für ausgestochenes Rasenstück)

Pla|gi|at, das; -[e]s, -e ⟨lat.⟩ (Diebstahl geistigen Eigentums); Pla|gi|a|tor, der; -s, ...oren; Pla|gi|a|to|rin; pla|gi|a|to|risch

pla|gi|ie|ren (ein Plagiat begehen)

Pla|gi|o|klas, der; -es, -e ⟨griech.⟩ (ein Mineral)

Plaid [ple:t], das, älter der; -s, -s ⟨engl.⟩ ([Reise]decke; auch großes Umhangtuch aus Wolle)

Pla|kat, das; -[e]s, -e ⟨niederl.⟩ (großformatiger öffentlicher Aushang od. Anschlag)

pla|ka|tie|ren (Plakate ankleben; durch Plakate bekannt machen); Pla|ka|tie|rung

pla|ka|tiv (bewusst herausgestellt, sehr auffällig)

Pla|kat|kunst, die; -; Pla|kat|ma|le|rei; Pla|kat|säu|le; Pla|kat|schrift; Pla|kat|wand; Pla|kat|wer|bung

Pla|ket|te, die; -, -n ⟨franz.⟩ (kleine Platte mit einer Reliefdarstellung; Abzeichen; auch für Aufkleber [als Prüfzeichen])

Pla|ko|der|men Plur. ⟨griech.⟩ (ausgestorbene Panzerfische)

Pla|ko|dont, der; -en, -en (»Breitzahner«) (ausgestorbene Echsenart)

Pla|ko|id|schup|pe (Schuppe der Haie)

plan ⟨lat.⟩ (flach, eben); etwas plan schleifen od. planschleifen; plan geschliffene od. plangeschliffene Fläche

¹Plan, der; -[e]s, Pläne (veraltet für Ebene; Kampfplatz); noch in auf den Plan rufen (zum Erscheinen veranlassen)

²Plan, der; -[e]s, Pläne (Grundriss, Entwurf, Karte; Absicht)

Pla|na|rie, die; -, -n (ein Strudelwurm)

plan|bar ⟨zu ²Plan⟩

Planche [plã:ʃ], die; -, -n ⟨franz.⟩ (Fechtbahn)

Plan|chet|te [plã'ʃɛt(ə)], die; -, -n ⟨franz.⟩ (Miederstäbchen; Parapsychologie Gerät zum automatischen Schreiben)

Planck (dt. Physiker)

planck|sch; planck'sches od. Planck'sches Strahlungsgesetz ↑K 89 u. 135

Plä|ne, die; -, -n ([Wagen]decke)

Plä|ne, die; -, -n ⟨franz.⟩ (veraltet für Ebene)

plä|nen; Plä|ner

Plä|ner, der; -s (heller Mergel)

Plan|er|fül|lung (in der DDR)

P
Pist

Pla|ne|rin
pla|ne|risch
Plä|ne|schmied; Plä|ne|schmie|den, das; -s; Plä|ne|schmie|din
Pla|net, der; -en, -en ⟨griech.⟩ (sich um eine Sonne bewegender Himmelskörper)
pla|ne|tar vgl. planetarisch; pla|ne|ta|risch; planetarischer Nebel
Pla|ne|ta|ri|um, das; -s, ...ien ([Gebäude mit einem] Instrument zur Darstellung der Bewegung der Gestirne)
Pla|ne|ten|bahn; Pla|ne|ten|ge|trie|be (Technik); Pla|ne|ten|jahr; Pla|ne|ten|kon|s|tel|la|ti|on
Pla|ne|ten|sys|tem
Pla|ne|to|id, der; -en, -en (kleiner Planet)
Plan|fest|stel|lung; Plan|fest|stel|lungs|ver|fah|ren (Amtsspr.)
Plan|film (flach gelagerter Film im Gegensatz zum Rollfilm)
plan|ge|mäß
Plan|heit, die; - (Flächigkeit)
Pla|nier|bank Plur. ...bänke (Technik); pla|nie|ren ⟨lat.⟩ ([ein]ebnen); Pla|nier|rau|pe; Pla|nier|schild, der; Pla|nie|rung
Pla|ni|fi|ka|teur [...'tø:ɐ̯], der; -s, -e ⟨franz.⟩ (Fachmann für volkswirtschaftliche Gesamtplanung); Pla|ni|fi|ka|teu|rin
Pla|ni|fi|ka|ti|on, die; -, -en ⟨lat.⟩ (wirtschaftl. Rahmenplanung des Staates als Orientierungshilfe für Privatunternehmen)
Pla|ni|glob, das; -s, -en ⟨lat.⟩, Pla|ni|glo|bi|um, das; -s, ...ien (kreisförmige Karte einer Erdhalbkugel)
Pla|ni|me|ter, das; -s, - ⟨lat.; griech.⟩ (Gerät zum Messen des Flächeninhaltes)
Pla|ni|me|t|rie, die; - (Geometrie der Ebene); pla|ni|me|t|risch
Plan|kal|ku|la|ti|on (Kalkulation mithilfe der Plankostenrechnung)
Plan|ke, die; -, -n (starkes Brett, Bohle; Bretterzaun)
Plän|ke|lei; plän|keln (sich streiten; ein Gefecht austragen); ich plänk[e]le
Plan|ken|zaun
Plan|kos|ten Plur.; Plan|kos|ten|rech|nung (Wirtsch.)
Plank|ton, das; -s ⟨griech.⟩ (Biol. Gesamtheit der im Wasser schwebenden niederen Lebewesen); plank|to|nisch
Plank|ton|netz

Plank|tont, der; -en, -en (im Wasser schwebendes Lebewesen)
Plank|los; Plan|lo|sig|keit
plan|mä|ßig; Plan|mä|ßig|keit
Plan|num|mer
pla|no ⟨lat.⟩ (fachspr. für glatt, ungefalzt [bes. von Druckbogen u. Karten])
Plan|pos|ten (österr. für Planstelle)
Plan|qua|d|rat
Plan|rück|stand (DDR)
Plansch|be|cken, Plantsch|be|cken; plan|schen, plant|schen; du planschst, plantschst
plan schlei|fen, plan|schlei|fen vgl. plan
Plan|schul|den Plur. (DDR)
Plan|soll (DDR); vgl. ²Soll
Plan|spiel; Plan|spra|che (svw. Kunstsprache); Plan|stel|le
Plan|ta|ge [...ʒə], die; -, -n ⟨franz.⟩ ([An]pflanzung, landwirtschaftl. Großbetrieb [in trop. Gegenden]); Plan|ta|gen|be|sit|zer; Plan|ta|gen|be|sit|ze|rin; Plan|ta|gen|wirt|schaft
plan|tar ⟨lat.⟩ (Med. die Fußsohle betreffend)
Plantsch|be|cken, Plansch|be|cken; plant|schen, plan|schen
Pla|num, das; -s ⟨lat.⟩ (eingeebnete Untergrundfläche beim Straßen- u. Gleisbau)
Pla|nung
Pla|nungs|bü|ro; Pla|nungs|kom|mis|si|on; Pla|nungs|rech|nung (Math.); Pla|nungs|si|cher|heit; Pla|nungs|sta|di|um
plan|voll
Plan|wa|gen
Plan|wirt|schaft (zentral geleitete Wirtschaft)
plan|zeich|nen (fachspr. Grundrisse, Karten o. Ä. zeichnen [nur im Infinitiv gebräuchlich])
Plan|zeich|ner; Plan|zeich|ne|rin
Plan|zeich|nung
Plan|ziel
Plap|pe|rei (ugs.); Plap|pe|rer (ugs.)
plap|per|haft (ugs.); Plap|per|haf|tig|keit, die; - (ugs.)
Plap|pe|rin (ugs.)
Plap|per|maul (ugs. für jmd., der plappert); Plap|per|mäul|chen
plap|pern (ugs. für viel u. schnell reden); ich plappere
Plaque [plak], die; -, -s ⟨franz.⟩ (Med. Zahnbelag; Hautfleck)
plär|ren (ugs.); Plär|rer; Plär|re|rin
Plä|san|te|rie, die; -, ...ien ⟨franz.⟩ (veraltet für Scherz)
Plä|sier, das; -s, -e (veraltend, noch scherzh. für Vergnügen, Spaß);

plä|sier|lich (veraltet für vergnüglich, heiter)
Plas|ma, das; -s, ...men ⟨griech.⟩ (Protoplasma; flüssiger Bestandteil des Blutes; leuchtendes, elektr. leitendes Gasgemisch)
Plas|ma|bild|schirm
Plas|ma|che|mie
Plas|ma|fern|se|her
Plas|ma|phy|sik; Plas|ma|wol|ke (Astron.)
Plas|mo|di|um, das; -s, ...ien (vielkernige Protoplasmamasse)
Plast, der; -[e]s, -e meist Plur. ⟨griech.⟩ (regional für Kunststoff)
Plas|te, die; -, -n (regional für ²Plastik); Plas|te|tü|te
Plas|tics ['plɛstɪks] Plur. ⟨engl.⟩ (engl. Bez. für Kunststoffe)
Plas|ti|de, die; -, -n meist Plur. ⟨griech.⟩ (Bot. Bestandteil der Pflanzenzelle)
¹Plas|tik, die; -, -en (nur Sing.: Bildhauerkunst; Bildwerk; übertr. für Körperlichkeit; Med. operativer Ersatz von zerstörten Gewebs- u. Organteilen)
²Plas|tik, das; -s (Kunststoff)
Plas|tik|beu|tel; Plas|tik|blu|me; Plas|tik|bom|be
Plas|tik|bom|be (Bildhauer); Plas|ti|ke|rin
Plas|tik|fo|lie; Plas|tik|geld, das; -[e]s (ugs. für Kreditkarte); Plas|tik|helm; Plas|tik|sack; Plas|tik|spreng|stoff; Plas|tik|tra|ge|ta|sche; Plas|tik|tü|te
Plas|ti|lin, das; -s, österr. nur so, Plas|ti|li|na, die; - (Knetmasse zum Modellieren)
Plas|ti|na|ti|on, die; - (ein Konservierungsverfahren, das vor allem bei der anatomischen Präparierung angewendet wird)
plas|tisch (knetbar; deutlich hervortretend; anschaulich; einprägsam)
Plas|ti|zi|tät, die; - (Formbarkeit, Körperlichkeit; Bildhaftigkeit, Anschaulichkeit)
Plas|t|ron [...'trõ:, österr. ...'tro:n], das od. das; -s, -s ⟨franz.⟩ (breite [weiße] Krawatte; gesteckter Brustlatz an Frauentrachten; eiserner Brust- od. Armschutz im MA.; Stoßkissen beim Fechttraining)
Pla|täa (im Altertum Stadt in Böotien); Pla|tä|er
Pla|ta|ne, die; -, -n ⟨griech.⟩ (ein Laubbaum); Pla|ta|nen|blatt
Pla|teau [...'to:], das; -s, -s ⟨franz.⟩

(Hochebene, Hochfläche; Tafelland); pla|teau|för|mig

Pla|teau|schuh (Schuh mit einer sehr dicken Sohle); Pla|teau|sohle (sehr dicke Schuhsohle)

Pla|te|resk, das; -[e]s ⟨span.⟩ (Baustil der span. Spätgotik u. der ital. Frührenaissance)

Pla|tin [österr. ...'ti:n], das; -s ⟨span.⟩ (chemisches Element, Edelmetall; Zeichen Pt); pla|tin|blond (weißblond); Pla|tin|draht

Pla|ti|ne, die; -, -n ⟨griech.⟩ (Montageplatte für elektrische Bauteile; Teil der Web- od. Wirkmaschine; Hüttenw. Formteil)

pla|ti|nie|ren (mit Platin überziehen); Pla|ti|no|id, das; -[e]s, -e ⟨span.; griech.⟩ (eine Legierung)

Pla|tin|schmuck

Pla|ti|tude vgl. Plattitüde

Pla|to vgl. Platon; Pla|ton (altgriechischer Philosoph); Pla|to|ni|ker (Anhänger der Lehre Platos)

pla|to|nisch; platonische (geistige) Liebe; platonisches Jahr; die platonischen Schriften ↑K 89 u. 135

Pla|to|nis|mus, der; - (Weiterentwicklung u. Abwandlung der Philosophie Platos)

platsch!; plat|schen (ugs.); du platschst

plät|schern; ich plätschere

platsch|nass (ugs.)

platt (flach); das platte Land; da bist du platt! (ugs. für da bist du sprachlos, sehr erstaunt!); die Nase platt drücken od. plattdrücken

Platt, das; -[s] (das Niederdeutsche; Dialekt)

Plätt|brett

Plätt|chen

platt|deutsch; vgl. deutsch; Plattdeutsch, das; -[s] (Sprache); vgl. Deutsch; Platt|deut|sche, das; -n; vgl. Deutsche, das

platt drü|cken, platt|drü|cken vgl. platt

¹Plat|te, die; -, -n (österr. ugs. auch für [Gangster]bande)

²Plat|te, der; -n, -n (ugs. für Autoreifen ohne Luft)

Plät|te, die; -, -n (landsch. für Bügeleisen; bayr. u. österr. für flaches Schiff)

Plat|tei ([Adrema]plattensammlung)

Plätt|ei|sen (landsch.)

plät|teln (mit Platten, Fliesen auslegen od. verkleiden); ich

plätt[e]le; plat|ten (landsch. für platt machen; Platten legen)

plät|ten (landsch. für bügeln)

Plat|ten|al|bum; Plat|ten|ar|chiv

Plat|ten|bau Plur. ...bauten; Plat|ten|bau|wei|se, die; -

Plat|ten|be|lag

Plat|ten|boss; Plat|ten|la|bel; Plat|ten|la|den

Plat|ten|le|ger; Plat|ten|le|ge|rin

Plat|ten|samm|lung; Plat|ten|schrank

Plat|ten|see, der; -s (ungarischer See); vgl. Balaton

¹Plat|ten|se|er

²Plat|ten|se|er, der; -s (ein Wein)

Plat|ten|spie|ler

Plat|ten|ste|cher (ein Lehrberuf)

Plat|ten|tel|ler; Plat|ten|wechs|ler

Plat|ten|weg

Platt|erb|se

platt|er|dings (ugs. für schlechterdings)

Plät|te|rei (landsch.); Plät|te|rin

Platt|fisch

Platt|form; platt|form|über|greifend

Platt|frost (Frost ohne Schnee)

Platt|fuß; platt|fü|ßig; Platt|fuß|in|di|a|ner (ugs.)

Platt|heit

Platt|hirsch (Jägerspr. geweihloser Rothirsch)

platt|tie|ren ⟨franz.⟩ ([mit Metall] überziehen; umspinnen); Platt|tie|rung; Platt|tier|ver|fah|ren

platt|tig (glatt [von Felsen])

Platt|ti|tü|de, Pla|ti|tude [...'ty:d(ə)], die; -, -n ⟨franz.⟩ (geh. für Plattheit, Seichtheit)

Plätt|ler (ein Älplertanz)

platt|ma|chen (ugs. für zerstören, dem Erdboden gleichmachen)

Plätt|ma|schi|ne (landsch.)

platt|na|sig

Platt|stich; Platt- und Stielstich; Platt|[stich]|sti|cke|rei

Platt|wan|ze; Platt|wurm

Platz, der; -es, Plätze (landsch. auch für Kuchen, Plätzchen); Schreibung in Straßennamen: ↑K 162 u. 163; Platz finden, greifen, haben; Platz machen, nehmen; Platz sparen; vgl. Platz sparend; am Platz[e] sein

Platz|angst, die; -

Platz|an|wei|ser; Platz|an|wei|se|rin

Platz|be|darf

Plätz|chen

Platz|deck|chen

Plat|ze; in die Platze kriegen (landsch. für wütend werden)

plat|zen; du platzt; einen Ballon

platzen lassen; aber eine Veranstaltung platzen lassen od. platzenlassen

plät|zen (landsch. für mit lautem Knall schießen; Bäume durch Abschlagen eines Rindenstückes zeichnen; den Boden mit den Vorderläufen aufscharren [vom Schalenwild]); du plätzt

plat|zen las|sen, platz|zen|las|sen vgl. platzen

...plät|zer (schweiz. für ...sitzer)

Platz|hal|ter (bes. Sprachw.)

Platz|hirsch (stärkster Hirsch eines Brunftplatzes)

plat|zie|ren ⟨franz.⟩ (aufstellen, an einen bestimmten Platz stellen, bringen; Kaufmannsspr. [Kapitalien] unterbringen, anlegen); sich platzieren (Sport einen vorderen Platz erreichen)

plat|ziert (Sport genau gezielt); ein platzierter Schuss, Schlag

Plat|zie|rung; Plat|zie|rungs|vorschrift (für Werbeanzeigen o. Ä.)

...plät|zig (schweiz. für ...sitzig)

Platz|kar|te; Platz|kon|zert

Platz|kos|ten|rech|nung (Wirtsch. Berechnung der Kosten für einzelne Abteilungen eines Betriebes)

Plätz|li, das; -s, - (schweiz. mdal. für flaches Stück, bes. für Plätzchen, Schnitzel)

Platz|man|gel, der; -s

Platz|mie|te; Platz|ord|ner

Platz|pa|t|ro|ne

Platz|re|gen

Platz|run|de (bes. Sport)

Platz spa|rend, platz|spa|rend; ↑K 58: eine Platz sparende od. platzsparende Lösung; aber nur eine viel Platz sparende Lösung; eine besonders platzsparende, noch platzsparendere Lösung

Platz|tel|ler

Platz|ver|hält|nis|se Plur.

Platz|ver|tre|tung (Kaufmannsspr.)

Platz|ver|weis (Sport)

Platz|wart; Platz|war|tin

Platz|wech|sel

Platz|wet|te

Platz|wun|de

Platz|zif|fer (Sport)

Plau|de|rei; Plau|de|rer, Plaud|rer; Plau|de|rin, Plaud|re|rin

plau|dern; ich plaudere

Plau|der|stünd|chen; Plau|der|ta|sche (ugs. scherzh. für jmd., der gern plaudert, geschwätzig ist);

Plau|der|ton, der; -[e]s

Plaud|rer vgl. Plauderer

Plaud|re|rin vgl. Plauderin

Plau|en (Stadt im Vogtland); Plaue|ner; Plauener Spitzen; **plauensch**, p|au|isch; plauensche, *auch* plauische Ware

Plau|en|sche Grund, der; -n -[e]s (bei Dresden)

Plau|er Ka|nal, der; - -s ⟨*nach* Plaue (Ortsteil von Brandenburg)⟩

Plau|er See, der; - -s ⟨*nach* Plau (Stadt in Mecklenburg)⟩

plau|isch *vgl.* plauensch

Plausch, der; -[e]s, -e (*bes. südd., österr. für* gemütliche Plauderei; *schweiz. mdal. für* Vergnügen, Spaß); **plau|schen** (*bes. südd., österr. für* gemütlich plaudern); du plauschst

plau|si|bel ⟨lat.⟩ (einleuchtend, begreiflich); plausi|b|le Gründe; **Plau|si|bi|li|tät**, die; -

plaus|tern (*landsch. für* plustern)

Plau|tus (römischer Komödiendichter)

plauz!; Plauz, der; -es, -e (*ugs. für* Fall; Schall); einen Plauz tun

Plau|ze, die; -, -n ⟨slaw.⟩ (*landsch. für* Lunge; Bauch); es auf der Plauze haben (stark erkältet sein)

plau|zen ⟨*zu* Plauz⟩; du plauzt

Play-back, Play|back ['ple:bɛk], das; -, -s ⟨engl.⟩ (*Film u. Ferns.* Verfahren der synchronen Bildaufnahme zu einer bereits vorliegenden Tonaufzeichnung; Bandaufzeichnung); Play-back-Ver|fah|ren, Play|back|ver|fahren, Play|back-Ver|fah|ren

Play|boy ['ple:...], der; -s, -s ⟨engl.amerik.⟩ ([reicher jüngerer] Mann, der vor allem seinem Vergnügen lebt)

Play|girl ['ple:...], das; -s, -s (leichtlebige, attraktive jüngere Frau)

Play-off, Play|off, das; -[s], -s [ple:'ɔf, *auch* 'ple:ɔf] (*Sport* System von Ausscheidungsspielen); **Play-off-Run|de**, Play|off|run|de, Play|off-Run|de

Play|sta|tion ® ['ple:ste:ʃn̩], die; -, -s (Spielkonsole mit CD-ROM- bzw. DVD-Laufwerk)

Pla|zen|ta, die; -, *Plur.* -s *u.* ...ten ⟨griech.-lat.⟩ (*Med., Biol.* Mutterkuchen, Nachgeburt); **plazen|tal, pla|zen|tar**

Pla|zet, das; -s, -s ⟨lat.⟩ (Bestätigung, Erlaubnis)

pla|zie|ren usw. *alte Schreibung für* platzieren usw.

Ple|be|jer, der; -s, - ⟨lat.⟩ (Angehöriger der niederen Schichten [im alten Rom]; ungehobelter Mensch); Ple|be|je|rin; ple|bejisch (ungebildet, ungehobelt, pöbelhaft)

Ple|bis|zit, das; -[e]s, -e (Entscheidung durch Volksabstimmung); **ple|bis|zi|tär**

¹Plebs [*auch* ple:ps], der; -es, *österr.* die; - (Volk; Pöbel)

²Plebs [*auch* ple:ps], die; - (das [arme] Volk im alten Rom)

Plein|air [plɛ'nɛːɐ̯], das; -s, -s ⟨franz.⟩ (Freilichtmalerei)

Plein|air|ma|le|rei

Pleiß|e, die; - (rechter Nebenfluss der Weißen Elster)

pleis|to|zän ⟨griech.⟩; Pleis|to|zän, das; -s (*Geol.* Eiszeitalter)

plei|te ⟨hebr.-jidd.⟩ (*ugs. für* zahlungsunfähig); pleite sein, werden; ich bin pleite

Plei|te, die; -, -n; das ist, wird ja eine Pleite (ein Reinfall); Pleite machen, wir machten Pleite; vor der Pleite stehen

plei|te|ge|hen (*ugs. für* Bankrott machen); die Firma ging pleite

Plei|te|gei|er (*ugs.*)

Plei|ti|er [...'tje:], der; -s, -s (*ugs. für* jmd., der pleite ist)

Ple|ja|de, die; - (griech. Regengöttin); Ple|ja|den Plur. (Siebengestirn [eine Sterngruppe])

Plek|t|ron, das; -s, *Plur.* ...tren *u.* ...tra ⟨griech.⟩ (Stäbchen od. Plättchen, mit dem die Saiten mancher Zupfinstrumente angerissen werden)

Plek|t|rum *vgl.* Plektron

Plem|plem, das; -s, -n (*ugs. für* dünnes, fades Getränk); **plem|pern** (*landsch. für* spritzen; [ver]schütten; seine Zeit mit nichtigen Dingen vertun); ich plempere

plem|plem (*ugs. für* verrückt)

Ple|nar|saal (Vollsaal; dt.); Ple|nar|sitzung (Vollsitzung); Ple|nar|versamm|lung (Vollversammlung)

ple|ni|po|tent (*veraltet für* ohne Einschränkung bevollmächtigt, allmächtig); **Ple|ni|po|tenz**

ple|no or|ga|no ⟨lat.⟩ (mit vollen Registern [bei der Orgel])

ple|no ti|tu|lo ⟨lat.⟩ (*österr., sonst veraltet für* mit vollem Titel; *Abk.* P. T., p. t.)

Plen|te, die; -, -n (*südd.), Plen|ten, der; -s, - (österr.)* ⟨ital.⟩ (Brei aus Mais- od. Buchweizenmehl)

Plen|ter|be|trieb (*svw.* Femelbetrieb)

plen|tern (*Forstw.* einzelne Bäume schlagen); ich plentere

Ple|num, das; -s, ...nen ⟨lat.⟩ (Gesamtheit [des Parlaments, Gerichts u. a.], Vollversammlung)

Pleo|chro|is|mus [...k...], der; - ⟨griech.⟩ (Eigenschaft gewisser Kristalle, Licht nach mehreren Richtungen in verschiedene Farben zu zerlegen)

pleo|morph usw. *vgl.* polymorph usw.

Ple|o|nas|mus, der; -, ...men (*Rhet.* überflüssige Häufung sinngleicher od. sinnähnlicher Ausdrücke; z. B. weißer Schimmel); **ple|o|nas|tisch** (überflüssig gesetzt; überladen)

Ple|o|ne|xie, die; - (Habsucht; Geltungssucht)

Ple|sio|sau|ri|er, Ple|sio|sau|rus, der; -, ...rier ⟨griech.⟩ (ein ausgestorbenes Reptil)

Ple|thi *vgl.* Krethi

Ple|tho|ra, die; -, *Plur.* ...ren, *fachspr.* ...rae ⟨griech.⟩ (*Med.* vermehrter Blutandrang)

Ple|thys|mo|graf, Ple|thys|mograph, der; -en, -en ⟨griech.⟩ (*Med.* Apparat zur Messung von Umfangsveränderungen eines Gliedes od. Organs)

Pleu|el, der; -s, - (*Technik* Schubstange); **Pleu|el|stan|ge**

Pleu|ra, die; -, ...ren ⟨griech.⟩ (*Med.* Brust-, Rippenfell)

Pleu|reu|se [plø'rø:...], die; -, -n ⟨franz.⟩ (*früher* Trauerbesatz an Kleidern; lange Straußenfeder auf Frauenhüten)

Pleu|ri|tis, die; -, ...iti|den ⟨griech.⟩ (*Med.* Brust-, Rippenfellentzündung)

Pleu|ro|dy|nie, die; -, ...i|en (Seitenschmerz, Seitenstechen)

Pleu|ro|pneu|mo|nie, die; -, ...i|en (Rippenfell- u. Lungenentzündung)

ple|xi|form ⟨lat.⟩ (*Med.* geflechtartig)

Ple|xi|glas ® ⟨lat.; dt.⟩ (ein glasartiger Kunststoff)

Ple|xus, der; -, - ⟨lat.⟩ (*Med.* Gefäß- od. Nervengeflecht)

Pli, der; -s ⟨franz.⟩ (*landsch. für* Gewandtheit [im Benehmen])

Plicht, die; -, -en (offener Sitzraum hinten in Motor- u. Segelbooten)

plie|ren (*nordd. für* blinzelnd schauen; weinen); **plie|rig** (*nordd. für* blinzelnd; verweint)

plietsch (*nordd. für* pfiffig)
Plie|vi|er [...'vie:] (dt. Schriftsteller)
Pli|ni|us (röm. Schriftsteller)
plin|kern (*nordd. für* blinzeln)
Plin|se, die; -, -n ⟨slaw.⟩ (*landsch. für* Eier- od. Kartoffelspeise)
plin|sen (*nordd. für* weinen); du plinst
Plin|sen|teig (*landsch.*)
Plin|the, die; -, -n ⟨griech.⟩ ([Säulen]platte; Sockel[mauer])
Plin|ze, die; -, -n (*vgl.* Plinse)
plio|zän ⟨griech.⟩; Plio|zän, das; -s (*Geol.* jüngste Stufe des Tertiärs)
Plis|see, das; -s, -s ⟨franz.⟩ (in Fältchen gelegtes Gewebe); Plis|seerock; plis|sie|ren
PLN (Währungscode für Zloty)
PLO, die; - ⟨aus engl. Palestine Liberation Organization⟩ (Dachorganisation der palästinensischen Befreiungsorganisationen)
Plock|wurst (eine Dauerwurst)
Plom|be, die; -, -n ⟨franz.⟩ (Bleisiegel, -verschluss; [Zahn]füllung); plom|bie|ren; Plom|bie|rung
Plör|re, die; -, -n (*nordd. für* wässriges, fades Getränk)
Plot, der, *auch* das; -s, -s ⟨engl.⟩ (*Literaturw.* Handlung[sablauf]; *EDV* grafische Darstellung); Plot|ter (*EDV*)
Plötz|ze, die; -, -n ⟨slaw.⟩ (ein Fisch)
plötz|lich; Plötz|lich|keit, die; -
Plu|der|ho|se; plu|de|rig, plu|drig
plu|dern (sich bauschen); ich pludere
plu|drig *vgl.* pluderig
Plug and play ['plʌg ənd 'pleɪ], das; - - - ⟨engl.⟩ (*EDV* Computerfunktion, die die Inbetriebnahme vereinfacht); Plug-and-play-Funk|ti|on (*EDV*)
Plum|bum, das; -s ⟨lat. Bez. für* Blei; Zeichen Pb)
Plu|meau [ply'mo:], das; -s, -s ⟨franz.⟩ (Federdeckbett)
plump; eine plumpe Falle
Plum|pe, die; -, -n (*ostmitteld. für* Pumpe); plum|pen (*ostmitteld. für* pumpen)
Plump|heit
plumps!; plötzlich hat es plumps gemacht; Plumps, der; -es, -e (*ugs.*)
Plump|sack (im Kinderspiel)
plump|sen (*ugs. für* dumpf fallen); du plumpst
Plumps|klo (*ugs. für* Toilette ohne Spülung)

Plum|pud|ding ['plam...] ⟨engl.⟩ (englische Süßspeise)
plump|ver|trau|lich, plump-ver-trau|lich ↑K 23
Plun|der, der; -s, -n (*nur Sing.: ugs. für* altes Zeug; Backwerk aus Blätterteig mit Hefe)
Plun|der|bre|zel
Plün|de|rei; Plün|de|rer, Plünd|rer
Plun|der|ge|bäck
Plün|de|rin, Plünd|re|rin
plün|dern; ich plündere
Plun|der|teig
Plün|de|rung
Plünd|rer *vgl.* Plünderer; Plünd|re|rin *vgl.* Plünderin
Plün|nen *Plur.* (*nordd. für* [alte] Kleider)
Plun|ze, die; -, -n (*ostmitteld. für* Blutwurst); Plun|zen, die; -, - (*bayr. für* Blutwurst; *scherzh. für* dicke, schwerfällige Person)
Plur. = Plural
plu|ral *vgl.* pluralistisch
Plu|ral, der; -s, -e ⟨lat.⟩ (*Sprachw.* Mehrzahl; *Abk.* pl., Pl., Plur.); Plu|ral|en|dung
Plu|ra|le|tan|tum, das; -s, *Plur.* -s *u.* Pluraliatantum (*Sprachw.* nur im Plural vorkommendes Wort, z. B. »die Leute«)
plu|ra|lisch (im Plural [gebraucht, vorkommend])
Plu|ra|li|sie|rung
Plu|ra|lis Ma|jes|ta|tis, der; - -, ...les - (auf die eigene Person angewandte Pluralform)
Plu|ra|lis|mus, der; - (philosophische Meinung, dass die Wirklichkeit aus vielen selbstständigen Weltprinzipien besteht; Vielgestaltigkeit gesellschaftlicher, politischer u. anderer Phänomene); plu|ra|lis|tisch
Plu|ra|li|tät, die; -, -en (Mehrheit; Vielfältigkeit)
Plu|ral|wahl|recht (Wahlrecht, bei dem best. Wählergruppen zusätzliche Stimmen haben)
plu|ri|form (vielgestaltig)
Plu|ri|pa|ra, die; -, ...paren ⟨lat.⟩ (*Med.* Frau, die mehrmals geboren hat)
plu|ri|po|tent ⟨lat.⟩ (*Biol., Med.* mehrere Entwicklungsmöglichkeiten in sich tragend)
plus (und; *Zeichen* + [positiv]; *Ggs.* minus); drei plus drei ist, macht, gibt (*nicht:* sind, machen, geben) sechs; plus 15 Grad *od.* 15 Grad plus; mit einer Genauigkeit von plus/minus 5 Prozent; eine Drei plus in Mathe schreiben

Plus, das; -, - (Mehr, Überschuss, Gewinn; Vorteil); die Firma hat im letzten Jahr [ein] Plus gemacht; Plus|be|trag
Plüsch [plyʃ, *auch* ply:ʃ], der; -[e]s, -e ⟨franz.⟩ (Florgewebe)
Plüsch|au|gen *Plur.* (*ugs. für* sanft blickende [große] Augen)
plü|schig (wie Plüsch); Plüsch|ses|sel; Plüsch|so|fa; Plüsch|tier
Plus|pol; Plus|punkt
Plus|quam|per|fekt, das; -s, -e ⟨lat.⟩ (*Sprachw.* Vorvergangenheit)
plus|tern; die Federn plustern (sträuben, aufrichten); ich plustere mich
Plus|zei|chen (Zusammenzähl-, Additionszeichen; *Zeichen* +)
Plu|t|arch (griechischer philosophischer Schriftsteller)
Plu|t|ar|chos *vgl.* Plutarch
¹Plu|to (Beiname des Gottes Hades; griech. Gott des Reichtums und des Überflusses)
²Plu|to, der; - (ein Planet)
Plu|to|krat, der; -en, -en ⟨griech.⟩ (jmd., der durch seinen Reichtum politische Macht ausübt); Plu|to|kra|tie, die; -, ...ien (Geldherrschaft; Geldmacht)
Plu|ton *vgl.* ¹Pluto; plu|to|nisch (der Unterwelt zugehörig); plutonische Gesteine (Tiefengesteine); Plu|to|nis|mus, der; - (Tiefenvulkanismus; veraltete geol. Lehre, nach der die Gesteine ursprünglich in glutflüssigem Zustand waren)
Plu|to|ni|um, das; -s (chem. Element, Transuran; *Zeichen* Pu)
Plutz|er (*österr. mdal. für* Kürbis; Steingutflasche; grober Fehler)
plu|vi|al ⟨lat.⟩ (*Geol.* als Regen fallend)
Plu|vi|a|le, das; -s, -[s] (Vespermantel des katholischen Priesters; Krönungsmantel)
Plu|vi|al|zeit (*Geol.* in den subtropischen Gebieten eine den Eiszeiten entsprechende Periode mit kühlerem Klima u. stärkeren Niederschlägen)
Plu|vio|graf, Plu|vio|graph, der; -en, -en ⟨lat.; griech.⟩ (*Meteor.* Regenmesser)
Plu|vio|me|ter, das; -s, - (*Meteor.* Regenmesser); Plu|vio|ni|vo|me|ter, das; -s, - (*Meteor.* Gerät zur Aufzeichnung des Niederschlags)
Plu|vi|ose [ply'vjo:s], der; -, -s ⟨franz., »Regenmonat«⟩

P
plie

(5. Monat des Kalenders der Franz. Revolution: 20. Jan. bis 18. Febr.)

Plu|vi|us ⟨lat.⟩ (Beiname Jupiters)

Ply|mouth [ˈplɪməθ] (engl. Stadt)

Ply|mouth Rocks *Plur.* (eine Hühnerrasse)

PLZ = Postleitzahl

Plzeň [ˈpɪlzɛn] (Hauptstadt des Westböhmischen Kreises; *vgl.* Pilsen)

Pm = *chem. Zeichen für* Promethium

p. m. = post meridiem; post mortem; pro memoria

p. m., v. T., ‰ = per od. pro mille

PMS, das; - *auch ohne Artikel =* prämenstruelles Syndrom *(Med.)*

Pneu, der; -s, -s ⟨griech.⟩ (*kurz für* ²Pneumatik *od.* Pneumothorax)

Pneu|ma, das; -s ⟨»Hauch«⟩ (*Theol.* Heiliger Geist)

¹Pneu|ma|tik, die; - (Lehre vom Verhalten der Gase; deren Anwendung in der Technik)

²Pneu|ma|tik [*österr.* …ˈmaː…], der; -s, -s, *österr.* die; -, -en (Luftreifen; *Kurzform* Pneu)

pneu|ma|tisch (die Luft, das Atmen betreffend; durch Luft[druck] bewegt, bewirkt)

Pneu|mo|graf, **Pneu|mo|graph**, der; -en, -en *(Med.* Vorrichtung zur Aufzeichnung der Atembewegungen)

Pneu|mo|kok|kus, der; -, …kken (Erreger der Lungenentzündung); **Pneu|mo|ko|ni|o|se**, die; - (Staublunge)

Pneu|mo|nie, die; -, …ien (Lungenentzündung); **Pneu|mo|pe|ri|kard**, das; -[e]s (Luftansammlung im Herzbeutel)

Pneu|mo|pleu|ri|tis, die; -, …itiden (Rippenfellentzündung bei leichter Lungenentzündung)

Pneu|mo|tho|rax, der; -[es], -e (krankhafte od. künstliche Luft-, Gasansammlung im Brustfellraum; *Kurzform* Pneu)

¹Po, der; -[s] (italienischer Fluss)

²Po, der; -s, -s (*kurz für* Popo)

Po = *chem. Zeichen für* Polonium

P. O. = Professor ordinarius (ordentlicher Professor, ordentliche Professorin *vgl. d.*)

Po|ba|cke (*ugs.*)

Pö|bel, der; -s ⟨franz.⟩ (Gesindel)

Pö|be|lei

pö|bel|haft; Pö|bel|haf|tig|keit

Pö|bel|herr|schaft, die; -

pö|beln (*ugs. für* durch beleidi-

---

gende Äußerungen provozieren); ich pöb[e]le

Poch, das, *auch* der; -[e]s (ein Kartenglücksspiel); **Poch|brett**

po|chen

po|chie|ren […ˈʃiː…] ⟨franz.⟩ (*Gastron.* in kochendem Wasser gar werden lassen)

Poch|stem|pel (Balken zum Zerkleinern von Erzen); **Poch|werk** *(Bergbau)*

Po|cke, die; -, -n (Eiterbläschen; Impfpustel)

Po|cken *Plur.* (eine Infektionskrankheit); **Po|cken|imp|fung**

Po|cken|nar|be; po|cken|nar|big

Po|cken|schutz|imp|fung; Po|cken|vi|rus

Po|cket|ka|me|ra ⟨engl.; lat.⟩ (Taschenkamera)

Pock|holz (Guajakholz)

po|ckig

po|co ⟨ital.⟩ (*Musik* [ein] wenig); poco a poco (nach und nach); poco largo (ein wenig langsam)

Po|d|a|g|ra, das; -s ⟨griech.⟩ (*Med.* Fußgicht); **po|d|a|g|risch**

Po|d|al|gie, die; -, …ien (*Med.* Fußschmerzen)

Pod|cast [ˈpɔtkaːst], der; -s, -s ⟨engl.⟩ (Reportage, [Radio]beitrag o. Ä. zum Herunterladen als Audiodatei aus dem Internet); **pod|cas|ten** (einen Podcast bereitstellen, herunterladen oder abspielen); ich podcaste; gepodcastet

Po|dest, das, *österr. nur so, auch* der; -[e]s, -e ⟨griech.⟩ ([Treppen]absatz; kleines Podium)

Po|des|ta, *ital. Schreibung* **Po|destà**, der; -[s], -s (*ital. Bez. für* Bürgermeister)

Po|dex, der; -[es], -e ⟨lat.⟩ (*scherzh. für* Gesäß)

Po|di|um, das; -s, …ien ⟨griech.⟩ (trittartige Erhöhung [für Redner usw.]); **Po|di|ums|dis|kus|si|on; Po|di|ums|ge|spräch**

Po|do|lo|ge, der; -n, -n (Fachkraft für med. Fußpflege); **Po|do|lo|gie** (Fußheilkunde); **Po|do|lo|gin**

Po|do|me|ter, das; -s, - ⟨griech.⟩ (Schrittzähler)

Pod|sol, der; -s ⟨russ.⟩ (graue bis weiße Bleicherde)

Poe [poː], Edgar Allan [ˈɛtgə ˈɛlən] (amerik. Schriftsteller)

Po|ebe|ne, **Po-Ebe|ne**, die; - ↑K143 (Ebene des Flusses Po)

Po|em, das; -s, -e ⟨griech.⟩ (*veraltend, noch scherzh. für* größere lyrisch-epische Dichtung)

Po|e|sie, die; -, …ien (Dichtung; Dichtkunst; dichterischer Stimmungsgehalt, Zauber)

Po|e|sie|al|bum

po|e|sie|los; Po|e|sie|lo|sig|keit

Po|et, der; -en, -en (*oft scherzh. für* [lyrischer] Dichter); **Po|e|ta lau|re|a|tus**, der; - -, …tae …ti ⟨lat.⟩ ([lorbeer]gekrönter, mit einem Ehrentitel ausgezeichneter Dichter)

Po|e|tas|ter, der; -s, - ⟨griech.⟩ (*abwertend für* schlechter Dichter)

Po|e|tik, die; -, -en ([Lehre von der] Dichtkunst)

Po|e|tin *vgl.* Poet

po|e|tisch (dichterisch)

po|e|ti|sie|ren (dichterisch ausschmücken; dichtend erfassen)

Po|e|t|ry|slam, **Po|e|t|ry-Slam** [ˈpoːətrɪslɛm], der; -s, -s ⟨engl.⟩ (vor Publikum ausgetragenes Wettreimen)

Po|fel, der; -s (*südd. u. österr. svw.* Bafel; Wertloses)

po|fen (*ugs. für* schlafen)

Po|fe|se *vgl.* Pafese

Po|gat|sche, die; -, -n ⟨ung.⟩ (*österr. für* eine Art Weißbrot)

Po|go, der; -s ⟨engl.⟩ (Tanz zu Punk- u. Heavy-Metal-Musik)

Po|g|rom, der *od.* das; -s, -e ⟨russ.⟩ (Ausschreitungen gegen nationale, religiöse, ethnische Minderheiten); **Po|g|rom|het|ze**

Po|g|rom|nacht, die; - (Nacht vom 9. zum 10. Nov. 1938 mit nationalsozialistischen Pogromen gegen die deutschen Juden); **Po-g|rom|op|fer**

poi|ki|lo|therm ⟨griech.⟩ (wechselwarm [von Tieren])

Poi|lu [poaˈly:], der; -[s], -s ⟨franz.⟩ (Spitzname des franz. Soldaten im Ersten Weltkrieg)

Point [poɛ̃:], der; -s, -s ⟨franz.⟩ (*Würfelspiel* Auge; *Kartenspiel* Stich; *Kaufmannsspr.* Notierungseinheit von Warenpreisen an Produktenbörsen)

Point d'Hon|neur [poɛ̃: dɔˈnøːr̩], der; - - (*veraltet für* Punkt, an dem sich jmd. in seiner Ehre getroffen fühlt)

Poin|te [ˈpoɛ̃:…], die; -, -n (überraschender Schlusseffekt [bes. eines Witzes])

Poin|ter, der; -s, - ⟨engl.⟩ (Vorstehhund)

poin|tie|ren [poɛ̃:…] ⟨franz.⟩ (unterstreichen, betonen); **poin|tiert**

Poin|til|lis|mus [poɛ̃ti'jɪ…, *auch*

...'lɪs...], der; - (Richtung der impressionistischen Malerei); **Poin|til|list**, der; -en, -en; **Poin|til|lis|tin**; **poin|til|lis|tisch**

Po|jatz, der; -, -e (*landsch. für* Bajazzo, Hanswurst)

Po|kal, der; -s, -e ⟨ital.⟩ (Trinkgefäß mit Fuß; Sportpreis); **Po|kal|end|spiel**; **Po|kal|fi|na|le**; **Po|kal|fi|na|list**; **Po|kal|sie|ger**; **Po|kal|spiel**; **Po|kal|sys|tem**; **Po|kal|ver|tei|di|ger**; **Po|kal|wett|be|werb**

Pö|kel, der; -s, - ([Salz]lake); **Pö|kel|fass**; **Pö|kel|fleisch**; **Pö|kel|he|ring**; **Pö|kel|la|ke**

pö|keln; ich pök[e]le

Po|ke|mon ®, das; -[s], -[s] (Figur einer japanischen Zeichentrickserie für Kinder)

Po|ker, das; -s ⟨amerik.⟩ (ein Kartenglücksspiel)

Pö|ker, der; -s, - ⟨*nordd. Kindersp. für* Podex, Gesäß⟩

Po|ker|face [...fe:s], das; -, -s [...fe:sɪs] ⟨amerik.⟩; **Po|ker|ge|sicht**; **Po|ker|mie|ne**

po|kern ⟨amerik.⟩; ich pokere

Po|ker|spiel

po|ku|lie|ren ⟨lat.⟩ (*veraltet für* bechern, zechen)

¹Pol, der; -s, -e ⟨griech.⟩ (Drehpunkt; Endpunkt der Erdachse; *Math.* Bezugspunkt; *Elektrot.* Aus- u. Eintrittspunkt des Stromes)

²Pol, der; -s, -e ⟨franz.⟩ (Oberseite von Samt u. Plüsch)

Pol|lack, der; -en, -en ⟨poln.⟩ (*diskriminierende Bez. für* Pole)

po|lar ⟨griech.⟩ (am Pol befindlich, die Pole betreffend; entgegengesetzt wirkend); polare Strömungen, Luftmassen

Po|la|re, die; -, -n (*Math.* Verbindungslinie der Berührungspunkte zweier Tangenten an einem Kegelschnitt); zwei Polare[n]

Po|lar|eis; **Po|lar|ex|pe|di|ti|on**

Po|lar|fau|na

Po|lar|for|scher; **Po|lar|for|sche|rin**

Po|lar|front (*Meteor.* Front zwischen polarer Kaltluft u. tropischer Warmluft)

Po|lar|fuchs; **Po|lar|ge|biet**; **Po|lar|ge|gend**; **Po|lar|hund**

Po|la|ri|sa|ti|on, die; -, -en (deutliches Hervortreten von Gegensätzen; *Physik* das Herstellen einer festen Schwingungsrichtung aus sonst unregelmäßigen Schwingungen des natürlichen Lichtes)

Po|la|ri|sa|ti|ons|ebe|ne

Po|la|ri|sa|ti|ons|fil|ter

Po|la|ri|sa|ti|ons|mi|k|ro|s|kop

Po|la|ri|sa|ti|ons|strom

Po|la|ri|sa|tor, der; -s, ...oren (Vorrichtung, die polarisierte Strahlung aus natürlicher erzeugt)

po|la|ri|sie|ren (der Polarisation unterwerfen); sich polarisieren (in seiner Gegensätzlichkeit immer stärker hervortreten); **Po|la|ri|sie|rung**

Po|la|ri|tät, die; -, -en (Vorhandensein zweier ¹Pole, Gegensätzlichkeit)

Po|lar|kreis; **Po|lar|land** *Plur.* ...länder; **Po|lar|licht** *Plur.* ...lichter; **Po|lar|luft**, die; -; **Po|lar|meer**; **Po|lar|nacht**

Po|la|ro|id|ka|me|ra ® [...'rɔyt..., *auch* ...ro'it...] (Fotoapparat, der kurz nach der Aufnahme das fertige Bild liefert)

Po|lar|stern, der; -[e]s; **Po|lar|zo|ne**

Pol|der, der; -s, - ⟨niederl.⟩ (eingedeichtes Land); **Pol|der|deich**

Po|le, der; -n, -n

Po|lei, der; -[e]s, -e ⟨lat.⟩ (Bez. verschiedener Heil- u. Gewürzpflanzen); **Po|lei|min|ze**

Po|le|mik, die; -, -en ⟨griech.⟩ (wissenschaftliche, literarische Fehde, Auseinandersetzung; [unsachlicher] Angriff)

Po|le|mi|ker; **Po|le|mi|ke|rin**

po|le|misch; **po|le|mi|sie|ren**

po|len ⟨griech.⟩ (an einen elektrischen Pol anschließen)

Po|len

Po|len|ta, die; -, *Plur.* -s u. ...ten ⟨ital.⟩ (ein Maisgericht)

Po|len|te, die; - ⟨jidd.⟩ (*ugs. für* Polizei)

Pole po|si|tion, Pole-Po|si|tion ['po:lpəzɪʃn], die; - ⟨engl.⟩ (beste Startposition beim Autorennen)

Po|les|je, Po|less|je, die; - (osteurop. Wald- u. Sumpflandschaft)

Pol|gar (österr. Schriftsteller)

Pol|hö|he (*Geogr.*)

Po|li|ce [...sə], die; -, -n ⟨franz.⟩ (Versicherungsschein)

Po|li|ci|nel|lo [...tʃi...], der; -s, ...lli ⟨ital.⟩ (*veraltete Nebenform von* Pulcinella)

Po|lier, der; -s, -e ⟨franz.⟩ (Vorarbeiter der Maurer u. Zimmerleute; Bauführer)

Po|lier|bürs|te

po|lie|ren ⟨franz.⟩

Po|lie|rer; **Po|lie|re|rin**

Po|lie|rin

Po|lier|mit|tel; **Po|lier|stahl** (*Druckw.*); **Po|lier|wachs**

Po|li|kli|nik (medizinische Einrichtung zur ambulanten Behandlung); **po|li|kli|nisch**

Po|lin

Po|lio, die; - (*Kurzform von* Poliomyelitis); **Po|lio|in|fek|ti|on**; **Po|lio|my|e|li|tis**, die; -, ...itiden ⟨griech.⟩ (*Med.* Kinderlähmung)

Po|lis, die; -, Poleis ⟨griech.⟩ (altgriechischer Stadtstaat)

Po|lit|bü|ro ⟨*Kurzw. für* Politisches Büro⟩ (Führungsorgan von kommunistischen Parteien)

¹Po|li|tes|se, die; - ⟨franz.⟩ (*veraltet für* Höflichkeit, Artigkeit)

²Po|li|tes|se, die; -, -n ⟨aus Polizei u. Hostess⟩ (Angestellte einer Gemeinde, des bes. die Einhaltung des Parkverbots kontrolliert)

Po|li|ti|cal Cor|rect|ness [...k] kɔ'rɛk...] ↑K40 ; die; - - ⟨engl.⟩ (Einstellung, die alle diskriminierenden Ausdrucksweisen und Handlungen ablehnt)

po|li|tie|ren ⟨lat.-franz.⟩ (*ostösterr. für* polieren)

Po|li|tik, die; -, -en *Plur.* selten ⟨griech.⟩ ([Lehre von der] Staatsführung; zielgerichtetes Verhalten)

Po|li|ti|kas|ter, der; -s, - (*abwertend für* jmd., der viel von Politik spricht, ohne etwas davon zu verstehen)

Po|li|ti|ker; **Po|li|ti|ke|rin**

po|li|tik|fä|hig; **Po|li|tik|fä|hig|keit**

Po|li|ti|kum, das; -s, ...ka (Tatsache, Vorgang von politischer Bedeutung)

Po|li|ti|kus, der; -, -se (*ugs. scherzh. für* jmd., der sich gern mit Politik beschäftigt)

Po|li|tik|ver|dros|sen|heit; **Po|li|tik|ver|ständ|nis**

po|li|tisch (die Politik betreffend); ↑K89 : politische Karte (Staatenkarte); politische Wissenschaft; politische Geografie; politische Geschichte; politische Ökonomie; sich politisch korrekt äußern, verhalten; politisch-gesellschaftlich ↑K23

po|li|ti|sie|ren (von Politik reden; politisch behandeln); **Po|li|ti|sie|rung**, die; -, -en

Po|lit|land|schaft

Po|lit|of|fi|zier (*DDR*)

Po|li|to|lo|ge, der; -n, -n; **Po|li|to|lo|gie**, die; - (Wissenschaft von der Politik); **Po|li|to|lo|gin**

P
Poin

Po|lit|re|vue

Po|lit|ruk, der; -s, -s ⟨russ.⟩ (*früher* politischer Führer in einer sowjetischen Truppe)

Po|lit|sze|ne

Po|li|tur, die; -, -en ⟨lat.⟩ (Glätte, Glanz; Poliermittel; *nur Sing.:* äußerer Anstrich, Lebensart)

Po|li|zei, die; -, -en ⟨griech.⟩

Po|li|zei|ak|ti|on; Po|li|zei|an|ga|ben *Plur.;* Po|li|zei|ap|pa|rat; Po|li|zei|auf|ge|bot

Po|li|zei|au|to

Po|li|zei|be|am|te

Po|li|zei|be|am|tin

Po|li|zei|be|hör|de

Po|li|zei|chef; Po|li|zei|che|fin

Po|li|zei|di|rek|ti|on

Po|li|zei|ein|satz; Po|li|zei|es|kor|te; Po|li|zei|funk; Po|li|zei|ge|wahr|sam; Po|li|zei|griff

Po|li|zei|hund

Po|li|zei|in|s|pek|ti|on

Po|li|zei|kom|mis|sar

Po|li|zei|kom|mis|sa|rin

Po|li|zei|kon|tin|gent; Po|li|zei|kon|t|rol|le; Po|li|zei|kräf|te *Plur.*

po|li|zei|lich; ↑K89 : polizeiliches Führungszeugnis; polizeiliche Meldepflicht; ↑K72 : der polizeilich Gesuchte

Po|li|zei|meis|ter; Po|li|zei|meis|te|rin

Po|li|zei|ober|meis|ter; Po|li|zei|ober|meis|te|rin

Po|li|zei|or|gan

Po|li|zei|prä|si|dent; Po|li|zei|prä|si|den|tin; Po|li|zei|prä|si|di|um

Po|li|zei|re|vier; Po|li|zei|schutz, der; -es; Po|li|zei|si|re|ne; Po|li|zei|spit|zel

Po|li|zei|spre|cher; Po|li|zei|spre|che|rin

Po|li|zei|staat *Plur.* ...staaten

Po|li|zei|strei|fe

Po|li|zei|stun|de, die; -; Po|li|zei|wa|che

po|li|zei|wid|rig

Po|li|zist, der; -en, -en; Po|li|zis|tin

Po|liz|ze, die; -, -n (*österr. für* Police)

Pölk, das *od.* der; -[e]s, -e (*nordd. für* halb erwachsenes, männliches kastriertes Schwein)

Pol|ka, die; -, -s ⟨poln.-tschech.⟩ (ein Tanz)

pol|ken (*nordd. für* bohren, mit den Fingern entfernen)

Pol|lack, der; -s, -s (eine Schellfischart)

Pol|len, der; -s, - ⟨lat.⟩ (Blütenstaub); Pol|len|al|l|er|gie; Pol|len|ana|ly|se; Pol|len|flug; pol|len-

frei; Pol|len|korn, das; *Plur.* ...körner; Pol|len|schlauch

Pol|ler, der; -s, - (*Seemannsspr.* Holz- od. Metallpfosten zum Befestigen der Taue; Markierungsklotz im Straßenverkehr)

Pol|lu|ti|on, die; -, -en ⟨lat.⟩ (*Med.* unwillkürlicher [nächtlicher] Samenerguss)

¹Pol|lux (Held der griechischen Sage); Kastor und Pollux (Zwillingsbrüder)

²Pol|lux, der; - (Zwillingsstern im Sternbild Gemini)

pol|nisch; polnische Wurst, *aber* ↑K150 : der Polnische Erbfolgekrieg; Pol|nisch, das; -[s] (Sprache); *vgl.* Deutsch; Pol|ni|sche, das; -n; *vgl.* Deutsche, das

Po|lo, das; -s ⟨engl.⟩ (Ballspiel vom Pferd aus)

Po|lo|hemd (kurzärmeliges Trikothemd)

Po|lo|nä|se, Po|lo|nai|se [...'nɛ:...], die; -, -n ⟨franz.⟩ (ein Reihentanz)

Po|lo|nia (lateinischer Name von Polen); po|lo|ni|sie|ren (polnisch machen)

Po|lo|nist, der; -en, -en; Po|lo|nis|tik, die; - (Wissenschaft von der polnischen Sprache u. Kultur); Po|lo|nis|tin; po|lo|nis|tisch

Po|lo|ni|um, das (chemisches Element, Halbmetall; *Zeichen* Po)

Po|lo|shirt (*svw.* Polohemd)

Po|lo|spiel, das; -[e]s (*svw.* Polo)

Pols|ter, das, *österr.* der; -s, *Plur.* -, *österr.* Pölster (*österr. auch für* Kissen); Pöls|ter|chen

Pols|te|rer

Pols|ter|gar|ni|tur

Pols|te|rin

Pols|ter|mö|bel

pols|tern; ich polstere

Pols|ter|ses|sel; Pols|ter|stoff; Pols|ter|stuhl

Pols|te|rung

Pol|ter, der *od.* das; -s, - (*südwestd. für* Holzstoß)

Pol|ter|abend

Pol|te|rer

Pol|ter|geist *Plur.* ...geister

pol|te|rig, polt|rig

pol|tern; ich poltere

polt|rig *vgl.* polterig

Pol|wechs|ler, Pol|wen|der (*Elektrot.*)

po|ly... ⟨griech.⟩ (viel...); Po|ly... (Viel...)

Po|ly|ac|ryl, das; -s ⟨griech.⟩ (ein Kunststoff)

Po|ly|amid, das; -[e]s, -e ⟨griech.⟩ (ein elastischer Kunststoff)

Po|ly|an|d|rie, die; - ⟨griech.⟩ (*Völkerk.* Vielmännerei)

Po|ly|ar|th|ri|tis, die; -, ...itiden ⟨griech.⟩ (*Med.* Entzündung mehrerer Gelenke)

Po|ly|äs|the|sie, die; -, ...ien ⟨griech.⟩ (*Med.* das Mehrfachempfinden eines Berührungsreizes)

Po|ly|äthy|len, *chem. fachspr.* Po|ly|ethy|len, das; -s, -e ⟨griech.⟩ (ein Kunststoff)

Po|ly|bi|os, Po|ly|bi|us (griechischer Geschichtsschreiber)

po|ly|chrom [...k...] ⟨griech.⟩ (vielfarbig, bunt); Po|ly|chro|mie, die; -, ...ien (Vielfarbigkeit); po|ly|chro|mie|ren (vielfarbig, bunt ausstatten)

Po|ly|dak|ty|lie, die; - ⟨griech.⟩ (*Med.* Bildung von überzähligen Fingern od. Zehen)

Po|ly|deu|kes (griechischer Name von ¹Pollux)

Po|ly|eder, das; -s, - ⟨griech.⟩ (*Math.* Vielflächner); Po|ly|eder|krank|heit, die; - (*Biol.* eine Raupenkrankheit); po|ly|ed|risch (*Math.* vielflächig)

Po|ly|es|ter, der; -s, - ⟨griech.⟩ (ein Kunststoff)

Po|ly|ethy|len *vgl.* Polyäthylen

po|ly|fon, po|ly|phon ⟨griech.⟩ (*Musik* mehrstimmig, vielstimmig); polyfoner, polyphoner Satz; Po|ly|fo|nie, Po|ly|pho|nie, die; - (Mehrstimmigkeit, Vielstimmigkeit; ein Kompositionsstil); po|ly|fo|nisch, po|ly|pho|nisch (*veraltend für* polyfon)

po|ly|gam ⟨griech.⟩ (mehr-, vielehig); Po|ly|ga|mie, die; - (Mehr-, Vielehe); Po|ly|ga|mist, der; -en, -en

po|ly|gen ⟨griech.⟩ (vielfachen Ursprungs; *Biol.* durch mehrere Erbfaktoren bedingt)

po|ly|glott ⟨griech.⟩ (vielsprachig; viele Sprachen sprechend)

¹Po|ly|glot|te, der *u.* die; -n, -n (jmd., der viele Sprachen spricht)

²Po|ly|glot|te, die; -, -n (*Buchw.* mehrsprachige Ausgabe von Texten); Po|ly|glot|ten|bi|bel

Po|ly|gon, das; -s, -e ⟨griech.⟩ (*Math.* Vieleck); po|ly|go|nal (vieleckig)

Po|ly|gon|aus|bau, der; -[e]s (*Bergmannsspr.*)

Po|ly|gon|bo|den (*Geol.*)

P

Poly

P

Poly

Po|ly|graf, Po|ly|graph, der; -en, -en ⟨griech.⟩ (Gerät zur gleichzeitigen Registrierung mehrerer [medizin. od. psych.] Vorgänge)

Po|ly|gra|fie, Po|ly|gra|phie, die; -, ...ien (Med. Röntgenuntersuchung zur Darstellung von Organbewegungen; *nur Sing.:* *regional für* Gesamtheit des grafischen Gewerbes)

Po|ly|gy|nie, die; - ⟨griech.⟩ (*Völkerk.* Vielweiberei)

Po|ly|his|tor, der; -s, ...oren ⟨griech.⟩ (*veraltet für* in vielen Fächern bewanderter Gelehrter)

Po|ly|hym|nia, Po|lym|nia (Muse des ernsten Gesanges)

po|ly|karp, po|ly|kar|pisch ⟨griech.⟩ (*Bot.* in einem bestimmten Zeitraum mehrmals Blüten und Früchte ausbildend)

Po|ly|karp (ein Heiliger)

Po|ly|kla|die, die; - ⟨griech.⟩ (*Bot.* Bildung von Seitensprossen nach Verletzung einer Pflanze)

Po|ly|kon|den|sa|ti|on, die; -, -en ⟨griech.; lat.⟩ (*Chemie* Zusammenfügen einfachster Moleküle zu größeren zur Gewinnung von Kunststoffen)

Po|ly|kra|tes (ein Tyrann von Samos)

po|ly|mer ⟨griech.⟩ (*Chemie* aus größeren Molekülen bestehend); Po|ly|mer, das; -s, -e, Po|ly|me|re, das; -n, -n *meist Plur.* (*Chemie* eine Verbindung aus Riesenmolekülen)

Po|ly|me|rie, die; -, ...ien (*Biol.* das Zusammenwirken mehrerer gleichartiger Erbfaktoren bei der Ausbildung eines Merkmals; *Chemie* Bez. für die besonderen Eigenschaften polymerer Verbindungen)

Po|ly|me|ri|sat, das; -[e]s, -e (*Chemie* durch Polymerisation entstandener neuer Stoff); Po|ly|me|ri|sa|ti|on, die; -, -en (auf Polymerie beruhendes chemisches Verfahren zur Herstellung von Kunststoffen)

po|ly|me|ri|sier|bar; po|ly|me|ri|sie|ren; Po|ly|me|ri|sie|rung

Po|ly|me|ter, das; -s, - ⟨griech.⟩ (meteorologisches Messgerät)

Po|ly|me|t|rie, die; -, ...ien ⟨griech.⟩ (*Verslehre, Musik* Vielfalt in Metrik u. Takt)

Po|lym|nia vgl. Polyhymnia

po|ly|morph ⟨griech.⟩ (viel-, verschiedengestaltig); Po|ly|mor|phie, die; -, Po|ly|mor|phis|mus,

der; - (Vielgestaltigkeit, Verschiedengestaltigkeit)

Po|ly|ne|si|en ⟨griech.⟩ (Inselwelt im mittleren Pazifik); Po|ly|ne|si|er; Po|ly|ne|si|e|rin; po|ly|ne|sisch

Po|ly|nom, das; -s, -e ⟨griech.⟩ (*Math.* vielgliedrige Größe); po|ly|no|misch

po|ly|nu|k|le|är ⟨griech.; lat.⟩ (*Med.* vielkernig)

Po|lyp, der; -en, -en ⟨griech.⟩ (ein Nesseltier mit Fangarmen; *veraltet für* Tintenfisch; *Med.* gestielte Geschwulst, [Nasen]wucherung; *ugs. für* Polizeibeamter); po|ly|par|tig

Po|ly|pha|ge, der; -n, -n *meist Plur.* ⟨griech.⟩ (*Zool.* sich von verschiedenartigen Pflanzen od. Beutetieren ernährendes Tier); Po|ly|pha|gie, die; -

Po|ly|phem, Po|ly|phe|mos (griechische Sagengestalt; Zyklop)

po|ly|phon usw. *vgl.* polyfon usw.

Po|ly|pi|o|nie, die; - ⟨griech.⟩ (*Med.* Fettsucht)

po|ly|plo|id ⟨griech.⟩ (*Biol.* mit mehrfachem Chromosomensatz [von Zellen])

Po|ly|re|ak|ti|on ⟨griech.; lat.⟩ (*Chemie* Bildung hochmolekularer Verbindungen)

Po|ly|rhyth|mik ⟨griech.⟩ (*Musik* verschiedenartige, aber gleichzeitig ablaufende Rhythmen in einer Komposition); po|ly|rhyth|misch

Po|ly|sac|cha|rid, Po|ly|sa|cha|rid [beide ...zaxa...], das; -[e]s, -e ⟨griech.⟩ (Vielfachzucker, z. B. Stärke, Zellulose)

po|ly|sem, po|ly|se|man|tisch ⟨griech.⟩ (*Sprachw.* mehr-, vieldeutig); Po|ly|se|mie, die; - (Mehrdeutigkeit [von Wörtern])

Po|ly|sty|rol, das; -s, -e ⟨griech.; lat.⟩ (*Chemie* ein Kunststoff)

po|ly|syn|de|tisch ⟨griech.⟩ (*Sprachw.* durch Konjunktionen verbunden); Po|ly|syn|de|ton, das; -s, ...ta (durch Konjunktionen verbundene Wort- od. Satzreihe)

po|ly|syn|the|tisch ⟨griech.⟩ (*Sprachw.* vielfach zusammengesetzt); polysynthetische Sprachen; Po|ly|syn|the|tis|mus, der; - (Verschmelzung von Bestandteilen des Satzes in ein großes Satzwort)

Po|ly|tech|ni|ker ⟨griech.⟩ (an einem Polytechnikum Ausgebildeter); Po|ly|tech|ni|ke|rin; Po|ly-

tech|ni|kum (*früher* höhere technische Lehranstalt)

po|ly|tech|nisch (viele Zweige der Technik umfassend); ↑K 89: polytechnische Oberschule (*in der DDR* zehnklassige Schule; *Abk.* POS); polytechnischer Lehrgang (9. Jahr der allgemeinen Schulpflicht in Österreich)

Po|ly|the|is|mus, der; - ⟨griech.⟩ (Glaube an viele Götter); Po|ly|the|ist, der; -en, -en; Po|ly|the|is|tin; po|ly|the|is|tisch

Po|ly|to|na|li|tät, die; - ⟨griech.⟩ (*Musik* gleichzeitiges Auftreten mehrerer Tonarten in den verschiedenen Stimmen eines Tonstücks)

po|ly|trop ⟨griech.⟩ (*Biol.* vielfach anpassungsfähig)

Po|ly|va|lenz, die; - ⟨griech.; lat.⟩ (breit gefächerte Einsatzmöglichkeit)

Po|ly|vi|nyl|chlo|rid, das; -[e]s ⟨griech.⟩ (*Chemie* ein säurefester Kunststoff; *Abk.* PVC)

pöl|zen (*bayr., österr. für* [durch Stützen, Verschalung] abstützen); du pölzt

Po|ma|de, die; - ⟨franz.⟩ ([Haar]fett); po|ma|dig (mit Pomade eingerieben; *ugs. für* träge; blasiert); po|ma|di|sie|ren (mit Pomade einreiben)

Po|me|ran|ze, die; -, -n ⟨ital.⟩ (apfelsinenähnliche Zitrusfrucht); Po|me|ran|zen|öl

Pom|mer, der; -n, -n; Pom|me|rin

pom|me|risch, pom|mersch; *aber* ↑K 140: die Pommersche Bucht

Pom|mer|land, das; -[e]s; Pom|mern; pom|mersch vgl. pommerisch

Pom|mes *Plur.* (*ugs. für* Pommes frites); Pommes Cro|quettes ['pɔm kro'kɛt] *Plur.* ⟨franz.⟩ (Kroketten aus Kartoffelbrei); Pommes Dau|phine ['pɔm do'fi:n] *Plur.* (eine Art Kartoffelkroketten); Pommes frites ['pɔm 'frit] *Plur.* (in Fett gebackene Kartoffelstäbchen)

Po|mo|lo|gie, die; - ⟨lat.; griech.⟩ (Obst[bau]kunde)

Po|mo|na (römische Göttin der Baumfrüchte)

Pomp, der; -[e]s ⟨franz.⟩ (prachtvolle Ausstattung; [übertriebener] Prunk)

¹Pom|pa|dour [pōpaˈduːɐ̯] (Mätresse Ludwigs XV.)

²Pom|pa|dour [...duːɐ̯], der; -s, *Plur.*

-e u. -s (*früher* beutelartige Handtasche)

Pom|pei vgl. Pompeji; **Pom|pe|ja|ner** (*seltener für* Pompejer); **pom|pe|ja|nisch** (*seltener für* pompejisch); **Pom|pe|jer**; **Pom|pe|ji**, Pom|pej (Stadt u. Ruinenstätte am Vesuv); **pom|pe|jisch**

Pom|pe|jus (römischer Feldherr u. Staatsmann)

pomp|haft; Pomp|haf|tig|keit

Pom|pon [põ'põ:, *auch* pɔm'põ:], der; -s, -s ⟨franz.⟩ (knäuelartige Quaste aus Wolle od. Seide)

pom|pös ⟨franz.⟩ ([übertrieben] prächtig; prunkhaft)

Po|mu|chel, der; -s, - ⟨slaw.⟩ (*nordostd. für* Dorsch); **Po|mu|chels|kopp**, der; -s, ...köppe (*nordostd. für* dummer, plumper Mensch)

pö|nal ⟨griech.⟩ (*veraltet für* die Strafe, das Strafrecht betreffend); **Pö|na|le**, das; -s, ...ien, *auch* die; -, -n (*österr., sonst veraltet für* Strafe, Buße)

Pö|nal|ge|setz (*kath. Moraltheologie*)

Po|na|pe (eine Karolineninsel)

pon|ceau [põ'so:] ⟨franz.⟩ (leuchtend orangerot); ein ponceau Kleid; vgl. beige; **Pon|ceau**, das; -s, -s (leuchtendes Orangerot); in Ponceau ↑K72

Pon|cho [...tʃo], der; -s, -s ⟨indian.⟩ (capeartiger [Indio]mantel)

pon|cie|ren [põ'si:...] ⟨franz.⟩ (mit Bimsstein abreiben; mit Kohlenstaubbeutel durchpausen)

Pond, das; -s, - ⟨lat.⟩ (alte physikal. Krafteinheit; *Zeichen* p)

pon|de|ra|bel (*veraltet für* wägbar); ponde|ra|b|le Angelegenheiten; **Pon|de|ra|bi|li|en** Plur. (*veraltet für* kalkulierbare, wägbare Dinge)

Pon|gau, der; -[e]s (salzburgische Alpenlandschaft)

Pö|ni|tent, der; -en, -en ⟨lat.⟩ (*kath. Kirche veraltend für* Büßender, Beichtender); **Pö|ni|ten|tin**

Pö|ni|tenz, die; -, -en (*veraltend für* Buße, Bußübung); Pö|ni|ten|zi|ar, Pö|ni|ten|ti|ar, der; -s, -e (*veraltend für* Beichtvater)

Pon|te, die; -, -n ⟨lat.⟩ (*landsch. für* breite Fähre)

Pon|ti|cel|lo [...'tʃɛ...], der; -s, Plur. -s u. ...lli ⟨ital.⟩ (*Musik* Steg der Streichinstrumente)

Pon|ti|fex, der; -, ...tifizes, *auch* ...tifices (Oberpriester im alten Rom); **Pon|ti|fex ma|xi|mus**, der; - -, ...tifices ...mi (oberster Priester im alten Rom; Titel des römischen Kaisers u. danach des Papstes)

Pon|ti|fi|ces (Plur. von Pontifex)

pon|ti|fi|kal (*kath. Kirche* bischöflich); vgl. in pontificalibus

Pon|ti|fi|kal|amt, das; -[e]s (eine von einem Bischof od. Prälaten gehaltene feierliche Messe)

Pon|ti|fi|ka|le, das; -[s], ...lien (liturgisches Buch für die bischöflichen Amtshandlungen); **Pon|ti|fi|ka|li|en** Plur. (die den katholischen Bischof auszeichnenden liturgischen Gewänder u. Abzeichen)

Pon|ti|fi|kat, das od. der; -[e]s, -e (Amtsdauer u. Würde des Papstes od. eines Bischofs)

Pon|ti|fi|zes (Plur. von Pontifex)

Pon|ti|ni|sche Sümp|fe Plur. (ehemaliges Sumpfgebiet bei Rom)

pon|tisch ⟨griech.⟩ (steppenhaft, aus der Steppe stammend)

Pon|ti|us Pi|la|tus (römischer Statthalter in Palästina); von Pontius zu Pilatus laufen (*ugs. für* mit einem Anliegen [vergeblich] von einer Stelle zur anderen gehen)

Pon|ton [põ'tõ:, *österr.* põ'to:n], der; -s, -s ⟨franz.⟩ (Brückenschiff)

Pon|ton|brü|cke; Pon|ton|form

Pon|to|nier, der; -s, -e (*schweiz. Milit.* Soldat einer Spezialtruppe für das Übersetzen über Flüsse und Seen und den Bau von Kriegsbrücken)

Pon|t|re|si|na (schweiz. Kurort)

Pon|tus (im Altertum Reich in Kleinasien); **Pon|tus Eu|xi|nus**, der; - - ⟨lat.⟩ (im Altertum das Schwarze Meer)

¹Po|ny [...ni, *selten* 'po:...], das; -s, -s ⟨engl.⟩ (Kleinpferd)

²Po|ny, der; -s, -s (fransenartig in die Stirn gekämmtes Haar)

Po|ny|fran|sen Plur.; **Po|ny|fri|sur**

Po|ny|rei|ten, das; -s

¹Pool [pu:l], der; -s, -s ⟨engl.⟩ (*kurz für* Swimmingpool)

²Pool, der; -s, -s (*Wirtsch.* Gewinnverteilungskartell)

Pool|bil|lard (Billard, bei dem die Kugeln in Löcher am Rand des Spieltisches gespielt werden müssen)

Pop, der; -[s] ⟨engl.⟩ (*Kurzf. von* Popmusik, Pop-Art u. a.)

Po|panz, der; -es, -e ⟨slaw.⟩ ([vermummte] Schreckgestalt; *ugs. für* willenloser Mensch)

Pop-Art, die; - ⟨amerik.⟩ (eine moderne Kunstrichtung); **Pop-Art-Künst|ler; Pop-Art-Künst|le|rin**

Pop|corn, das; -s ⟨engl.⟩ (Puffmais)

Po|pe, der; -n, -n ⟨griech.-russ.⟩ (niederer Geistlicher der russisch-orthodoxen Kirche; *auch abwertend für* Geistlicher)

Po|pel, der; -s, - (*ugs. für* verhärteter Nasenschleim; *landsch. für* schmutziger kleiner Junge)

po|pe|lig, pop|lig (*ugs. für* armselig, schäbig; knauserig)

Po|pe|lin, der; -s, -e ⟨franz.⟩, **Po|pe|li|ne** [...'li:n(ə), *österr. beide* po'pli:n], der; -s, - [...nə] u. die; -, - [...nə] (*Sammelbez. für* feinere ripsartige Stoffe in Leinenbindung)

po|peln (*ugs. für* in der Nase bohren); ich pop[e]le

Pop|far|be; pop|far|ben; der popfarbene Wagen

Pop|fes|ti|val; Pop|grup|pe

Pop|idol, Pop-Idol; Pop|iko|ne, Pop-Iko|ne (Kultfigur des Pop)

Pop|kon|zert; Pop|kul|tur; Pop|kunst

pop|lig vgl. popelig

Pop|mo|de; Pop|mu|sik, die; -

Po|po, Po, der; -s, -s (*fam. für* Gesäß)

Po|po|ca|te|petl, der; -[s] (Vulkan in Mexiko)

pop|pen (*ugs. für* koitieren); wir poppten

Pop|per, der; -s, - ⟨zu Pop⟩ (Jugendlicher [bes. in den 80er-Jahren], der sich durch modische Kleidung und gepflegtes Äußeres bewusst abheben will)

pop|pig (mit Stilelementen der Pop-Art; auffallend); ein poppiges Plakat; poppige Farben

Pop|sän|ger; Pop|sän|ge|rin; Pop|star (vgl. ²Star); **Pop|sze|ne**

po|pu|lär ⟨lat.⟩ (volkstümlich; beliebt; gemeinverständlich)

po|pu|la|ri|sie|ren (gemeinverständlich darstellen; in die Öffentlichkeit bringen); **Po|pu|la|ri|sie|rung**

Po|pu|la|ri|tät, die; - (Volkstümlichkeit, Beliebtheit)

po|pu|lär|wis|sen|schaft|lich; eine populärwissenschaftliche Buchreihe

Po|pu|la|ti|on, die; -, -en (*Biol.* Gesamtheit der Individuen einer Art in einem eng begrenzten Bereich; *veraltet für* Bevölkerung); **Po|pu|la|ti|ons|dich|te** (*Biol.*)

P

Popu

Po|pu|lis|mus, der; - (opportunisti-
sche Politik, die die Gunst der
Massen zu gewinnen sucht); Po-
pu|list, der; -en, -en; Po|pu|lis|tin;
po|pu|lis|tisch

Pop-up-Buch [...|ap...] ⟨engl.; dt.⟩
(Bilderbuch, in dem sich beim
Aufschlagen Bildteile aufstel-
len); Pop-up-Fens|ter (EDV [klei-
nes] rechteckiges Feld mit Informationen, das sich durch Maus-
klick auf eine bestimmte Fläche
öffnet)

Por|cia (altrömischer w. Eigenn.)

Po|re, die; -, -n ⟨griech.⟩ (feine
[Haut]öffnung); po|ren|tief
(Werbespr.); porentief sauber

po|rig (Poren aufweisend, löchrig)

Pör|kel[t], Pör|költ, das; -s ⟨ung.⟩
(dem Gulasch ähnliches Fleischgericht mit Paprika)

Por|ling (ein Baumpilz)

Por|no, der; -s, -s (ugs. Kurzform
für pornografischer Film,
Roman u. Ä.); Por|no|film (ugs.)

Por|no|graf, Por|no|graph, der;
-en, -en ⟨griech.⟩ (Verfasser pornografischer Werke)

Por|no|gra|fie, Por|no|gra|phie,
die; - (einseitig das Sexuelle darstellende Schriften od. Bilder);
Por|no|gra|fin, Por|no|gra|phin;
por|no|gra|fisch, por|no|gra-
phisch

Por|no|graph usw. vgl. Pornograf
usw.

Por|no|heft (ugs.)

por|no|phil (Pornografie liebend)

Por|no|vi|deo (ugs.)

po|rös ⟨griech.⟩ (durchlässig, löch-
rig); Po|ro|si|tät, die; -

Por|phyr [auch ...'fyːɐ̯], der; -s, -e
⟨griech.⟩ (ein Ergussgestein);
Por|phy|rit, der; -s, -e (ein
Ergussgestein)

Por|ree, der; -s, -s ⟨franz.⟩ (eine
Gemüsepflanze)

Por|ridge [...tʃ], der, auch das; -s
⟨engl.⟩ (Haferbrei)

Por|sche ®, der; -[s], -s ⟨nach dem
österr. Automobilkonstrukteur
Ferdinand Porsche⟩ (Kraftfahrzeugmarke)

Porst, der; -[e]s, -e (ein Heide-
krautgewächs)

Port, der; -[e]s, -e ⟨lat.⟩ (veraltet
für Hafen, Zufluchtsort)

Por|ta, die; - (Kurzform von Porta
Westfalica)

Por|ta|b|le [...təbl̩], der, auch das;
-s, -s ⟨engl.⟩ (tragbares Rund-
funk- od. Fernsehgerät)

Por|ta Hun|ga|ri|ca, die; - - ⟨lat.,

»Ungarische Pforte«⟩ (Donautal
zwischen Wiener Becken u.
Oberungarischem Tiefland)

Por|tal, das; -s, -e ([Haupt]ein-
gang, [prunkvolles] Tor; auch
EDV Website, die als Einstieg
ins Internet dient); Por|tal|seite

Por|ta|men|to, das; -s, Plur. -s od.
...ti ⟨ital.⟩ (Musik Hinüberschlei-
fen von einem Ton zum anderen)

Por|ta Ni|g|ra, die; - - ⟨lat.,
»schwarzes Tor«⟩ (monumentales römisches Stadttor in Trier)

Por|ta|tiv, das; -s, -e ⟨lat.⟩ (kleine
tragbare Zimmerorgel)

por|ta|to ⟨ital.⟩ (Musik getragen,
abgehoben, ohne Bindung)

Port-au-Prince [portoˈprɛ̃ːs]
(Hauptstadt Haitis)

¹Por|ta West|fa|li|ca, die; - - ⟨lat.⟩,
West|fä|li|sche Pfor|te, die; -n -
(Weserdurchbruch zwischen
Weser- u. Wiehengebirge)

²Por|ta West|fa|li|ca (Stadt an der
¹Porta Westfalica)

Porte|chai|se [pɔrtˈʃɛː...], die; -, -n
⟨franz.⟩ (veraltet für Tragsessel,
Sänfte)

Porte|feuille [...ˈfœi], das; -s, -s
(veraltet für Brieftasche;
Mappe; Politik Geschäftsbereich
eines Ministers; Wirtsch.
Bestand an Wertpapieren)

Porte|mon|naie vgl. Portmonee

Por|t|e|pee [ˈpɔrtə...], das; -s, -s
(früher Degen-, Säbelquaste);
Por|t|e|pee|trä|ger (früher Offi-
zier od. höherer Unteroffizier)

Por|ter, der, auch das; -s, - ⟨engl.⟩
(starkes [englisches] Bier)

Por|ter|house|steak [...ˈhaus...]
(dicke Scheibe aus dem Rippenstück des Rinds mit [Knochen
u.] Filet)

Port|fo|lio, das; -s, -s ⟨ital.⟩ (Mappe
mit Grafiken; Wirtsch. Wertpa-
pierbestand)

Por|ti (Plur. von Porto)

Por|ti|ci [...tʃi] (italienische Stadt)

Por|ti|er [...ˈtjeː, österr. ...ˈtiːr], der;
-s, Plur. -s, österr. -e ⟨franz.⟩
(Pförtner; Hauswart)

Por|ti|e|re, die; -, -n (Türvorhang)

por|tie|ren ⟨franz.⟩ (schweiz. für
zur Wahl vorschlagen)

Por|tiers|frau

Por|ti|kus, der, fachspr. auch die; -,
Plur. - od. ...ken ⟨lat.⟩ (Säulenhalle)

Por|ti|on, die; -, -en ⟨lat.⟩ ([An]teil,
abgemessene Menge); er ist nur
eine halbe Portion (ugs. für er ist

sehr klein, er zählt nicht); Por|ti-
ön|chen

por|ti|o|nen|wei|se vgl. portions-
weise; por|ti|o|nie|ren (in Portio-
nen einteilen); por|ti|ons|wei|se,
por|ti|o|nen|wei|se

Por|ti|un|ku|la, die; - (Marienka-
pelle bei Assisi); Por|ti|un|ku|la-
ab|lass, der; -es (vollkommener
Ablass)

Port|juch|he, das; -s, -s (ugs.
scherzh. für Portemonnaie)

Port|land|ze|ment, der; -[e]s

Port Lou|is [- ˈluːɪs] (Hauptstadt
von Mauritius)

Port|mo|nee, Porte|mon|naie
[pɔrtmɔˈneː, auch ˈpɔrt...]
↑K38 , das; -s, -s (Geldtäschchen,
Börse)

Port Mores|by [- ˈmoːɐ̯sbi] (Haupt-
stadt von Papua-Neuguinea)

Por|to, das; -s, Plur. -s u. ...ti ⟨ital.⟩
(Beförderungsentgelt für Post-
sendungen); Por|to|buch

por|to|frei

Port of Spain [- - ˈspeːn] (Hauptstadt von Trinidad u. Tobago)

Por|to|kas|se

Por|to No|vo (Hauptstadt Benins)

por|to|pflich|tig

Por|to Ri|co (alter Name für Puerto
Rico)

Por|t|rät [...ˈtrɛː], das; -s, -s ⟨franz.⟩
(Bildnis eines Menschen); Por|t-
rät|auf|nah|me; Por|t|rät|fo|to-
gra|fie, Por|t|rät|pho|to|gra|phie

por|t|rä|tie|ren; Por|t|rä|tist, der;
-en, -en (Porträtmaler); Por|t|rä-
tis|tin

Por|t|rät|ma|ler; Por|t|rät|ma|le|rin;
Por|t|rät|sta|tue; Por|t|rät|stu|die;
Por|t|rät|zeich|nung

Port Said (ägyptische Stadt)

Ports|mouth [...məθ] (englischer u.
amerikanischer Ortsname)

Port Su|dan (Stadt am Roten Meer)

Por|tu|gal

Por|tu|ga|le|ser, der; -s, - (alte Gold-
münze)

Por|tu|gie|se, der; -n, -n (Bewohner
von Portugal)

Por|tu|gie|ser (eine Reb- und Wein-
sorte)

Por|tu|gie|sin

por|tu|gie|sisch; Por|tu|gie|sisch,
das; -[s] (Sprache); vgl. Deutsch;
Por|tu|gie|si|sche, das; -n; vgl.
Deutsche, das

Por|tu|gie|sisch-Gui|nea ↑K140
(früherer Name von Guinea-Bis-
sau)

Por|tu|lak, der; -s, Plur. -e u. -s ⟨lat.⟩
(eine Gemüse- u. Zierpflanze)

Port|wein ⟨nach der portugies. Stadt Porto⟩

Por|zel|lan, das; -s, -e ⟨ital.⟩; echt Meißner Porzellan; chinesisches Porzellan; por|zel|la|nen (aus Porzellan)

Por|zel|lan|er|de; Por|zel|lan|fi|gur; Por|zel|lan|la|den; Por|zel|lan|male|rei; Por|zel|lan|ma|nu|fak|tur; Por|zel|lan|schne|cke; Por|zel|lan|tel|ler

Por|zia (w. Vorn.)

POS, die; -, - = polytechnische Oberschule; vgl. polytechnisch

Pos. = Position

Po|sa|da, die; -, ...den ⟨span.⟩ (Wirtshaus)

Po|sa|ment, das; -[e]s, -en meist Plur. ⟨lat.⟩ (Besatz zum Verzieren von Kleidung, Polstermöbeln u. Ä., z. B. Borte, Schnur)

Po|sa|men|ter, der; -s, - u. Po|samen|tier, der; -s, -e, österr. nur Po|sa|men|tie|rer (Posamentenhersteller und -händler)

Po|sa|men|te|rie, die; -, ...ien ([Geschäft für] Posamenten)

Po|sa|men|tier vgl. Posamenter

Po|sa|men|tier|ar|beit

po|sa|men|tie|ren; Po|sa|men|tie|rer vgl. Posamenter

Po|sau|ne, die; -, -n ⟨lat.⟩ (ein Blechblasinstrument)

po|sau|nen; ich habe posaunt

Po|sau|nen|blä|ser; Po|sau|nen|chor, der; Po|sau|nen|en|gel

Po|sau|nist, der; -en, -en; Po|saunis|tin

¹Po|se, die; -, -n (nordd. für Feder[kiel], Bett; Angeln an der Schnur befestigter Schwimmer)

²Po|se, die; -, -n (franz.) ([gekünstelte] Stellung, Körperhaltung)

Po|sei|don (griechischer Gott des Meeres)

Po|se|mu|ckel, Po|se|mu|kel [beide auch 'po:...] (ugs. für kleiner, unbedeutender Ort)

po|sen (svw. posieren); er pos|te

Po|seur [...'zø:ɐ], der; -s, -e ⟨franz.⟩ (veraltend für Wichtigtuer)

po|sie|ren (eine ²Pose einnehmen, schauspielern)

Po|sil|li|po, der; -[s] (Bergrücken am Golf von Neapel)

Po|si|ti|on, die; -, -en ⟨franz.⟩ ([An]stellung, Stelle, Lage; Einzelposten [Abk. Pos.]; Standort eines Schiffes od. Flugzeuges; Standpunkt, grundsätzliche Auffassung; po|si|ti|o|nell (die Position betreffend)

po|si|ti|o|nie|ren (in eine bestimmte Position bringen; ein Produkt auf dem Markt einordnen); Po|si|ti|o|nie|rung

Po|si|ti|ons|be|stim|mung; Po|si|ti|ons|lam|pe; Po|si|ti|ons|la|ter|ne; Po|si|ti|ons|licht Plur. ...lichter; Po|si|ti|ons|pa|pier (bes. Politik); Po|si|ti|ons|win|kel (Astron.)

po|si|tiv [auch ...'ti:f] ⟨lat.⟩ (zustimmend; günstig; bestimmt, gewiss; auch kurz für HIV-positiv); ↑K89: positive Theologie; (Math.:) positive Zahlen; (Physik:) positiver Pol; ↑K72: im Positiven wie im Negativen

¹Po|si|tiv [auch ...'ti:f], das; -s, -e (kleine Standorgel ohne Pedal; Fotogr. vom Negativ gewonnenes, seitenrichtiges Bild)

²Po|si|tiv [auch ...'ti:f], der; -s, -e (Sprachw. Grundstufe, nicht gesteigerte Form, z. B. »schön«)

Po|si|ti|vis|mus, der; - (philosophische Position, die allein das Tatsächliche als Gegenstand der Erkenntnis zulässt); Po|si|ti|vist, der; -en, -en; Po|si|ti|vis|tin; po|si|ti|vis|tisch

Po|si|tiv|lis|te (Liste zugelassener Stoffe)

Po|si|ti|vum, das; -s, ...va ⟨lat.⟩ (das Positive)

Po|si|t|ron, das; -s, ...onen ⟨lat.; griech.⟩ (Kernphysik positiv geladenes Elementarteilchen)

Po|si|tur, die; -, -en ⟨lat.⟩ ([herausfordernde] Haltung; landsch. für Gestalt, Statur); sich in Positur setzen, stellen

Pos|se, die; -, -n (derb-komisches Bühnenstück)

Pos|se|kel, der; -s, - (nordostd. für großer Schmiedehammer)

Pos|sen, der; -s, - (derber, lustiger Streich); Possen reißen

pos|sen|haft; Pos|sen|haf|tig|keit

Pos|sen|rei|ßer; Pos|sen|rei|ße|rin

Pos|ses|si|on, die; -, -en ⟨lat.⟩ (Rechtsspr. Besitz)

pos|ses|siv [auch ...'si:f] (Sprachw. besitzanzeigend); Pos|ses|siv [auch ...'si:f], das; -s, -e (bes. fachspr. svw. Possessivpronomen); Pos|ses|siv|pro|no|men (Sprachw. besitzanzeigendes Fürwort, z. B. »mein«)

Pos|ses|si|vum, das; -s, ...va (älter für Possessivpronomen)

pos|ses|so|risch (Rechtsspr. den Besitz betreffend)

pos|sier|lich (spaßhaft, drollig); Pos|sier|lich|keit, die; -

Pöß|neck (Stadt in Thüringen)

Post, die; - ⟨ital.⟩; ↑K150 : er wohnt im Gasthaus »Zur Alten Post«; Post|ab|ho|ler; Post|ab|ho|le|rin

pos|ta|lisch (die Post betreffend, durch die Post, Post...)

Pos|ta|ment, das; -[e]s, -e ⟨ital.⟩ (Unterbau)

Post|amt (früher); post|amt|lich

Post|an|ge|stell|te, der u. die

Post|an|schrift

Post|an|wei|sung (früher)

Post|ar|beit (österr. veraltend für dringende Arbeit)

Post|au|to; Post|au|to|bus, Post|bus (bes. österr., schweiz. für Linienbus der Post)

Post|bank Plur. ...banken; Post|bar|scheck

Post|be|am|te; Post|be|am|tin

Post|be|diens|te|te, der u. die

Post|be|zirk; Post|bo|te (ugs.); Post|bo|tin; Post|brief|kas|ten

Pöst|chen (kleiner Posten)

post Chris|tum [na|tum] ⟨lat.⟩ (veraltet für nach Christi Geburt; Abk. p. Chr. [n.])

post|da|tie|ren (veraltet für nachdatieren)

Post|dienst; Post|di|rek|ti|on

Post|doc, der; -s, -s u. die; -, -s ⟨engl.⟩ (nach der Promotion auf dem jeweiligen Spezialgebiet noch weiter forschender Wissenschaftler bzw. Wissenschaftlerin); Post|doc|stel|le, Post-doc-Stel|le

post|em|b|ry|o|nal ⟨lat.; griech.⟩ (Med. nach dem embryonalen Stadium)

pos|ten ⟨ital.⟩ (schweiz. regional mdal. für einkaufen)

Pos|ten, der; -s, - (bestimmte Menge einer Ware; Rechnungsbetrag; Amt, Stellung; Wache; Schrotsorte); ein Posten Kleider; [auf] Posten stehen ↑K54

Pos|ten|kom|man|dant (österr. für Leiter einer Polizeidienststelle); Pos|ten|kom|man|dan|tin

Pos|ter [auch 'poʊstə], das od. der; -s, Plur. -, bei engl. Ausspr. -s ⟨engl.⟩ (plakatartiges, großformatig gedrucktes Bild)

poste res|tante ['pɔst ...'tã:t] ⟨franz.⟩ (franz. Bez. für postlagernd)

Pos|te|ri|o|ri|tät, die; - (veraltet für niedrigerer Rang)

Pos|te|ri|tät, die; -, -en (veraltet für Nachkommenschaft, Nachwelt)

Post|fach

P

Post

post fes|tum ⟨lat., »nach dem
Fest«⟩ (hinterher, zu spät)
Post|fi|li|a|le
post|frisch *(Philatelie)*
Post|ge|bühr *(früher, noch österr.)*
Post|ge|heim|nis, das; -ses; Post|gi-
ro|dienst; Post|gi|ro|kon|to; Post-
gi|ro|ver|kehr
post|gla|zi|al ⟨lat.⟩ *(Geol.* nacheis-
zeitlich)
Post|hal|te|re *(früher)*
Post|horn *Plur.* ...hörner
post|hum, pos|tum ⟨lat.⟩ (nach
jmds. Tod; nachgelassen)
pos|tie|ren ⟨franz.⟩ (aufstellen);
sich postieren; Pos|tie|rung
Pos|til|le, die; -, -n ⟨lat.⟩ (Erbau-
ungs-, Predigtbuch)
Pos|til|li|on *[österr. nur so, auch*
...'ljo:n], der; -s, -e ⟨ital.(-franz.)⟩
(früher für Postkutscher); Pos-
til|lon d'A|mour [...ti'jõ:
da'mu:ɐ], der; - -, - -s - [...jõ: -]
⟨franz.⟩ (Liebesbote, Überbrin-
ger eines Liebesbriefes)
Post-it®, das; -s, -s ⟨engl.⟩ (selbst-
klebender, leicht wieder ent-
fernbarer Notizzettel)
post|kar|bo|nisch ⟨lat.⟩ *(Geol.* nach
dem Karbon [liegend])
Post|kar|te; Post|kar|ten|grö|ße;
Post|kar|ten|gruß
Post|kas|ten *(landsch.)*
post|ko|lo|ni|al (nach der Kolonial-
zeit)
Post|kom|mu|ni|on ⟨lat.⟩ (ein
Schlussgebet in der kath. Messe)
post|kom|mu|nis|tisch (nach dem
Zusammenbruch eines kommu-
nistischen Regierungssystems)
Post|kon|fe|renz (Zusammenkunft
zur Postbearbeitung u. -vertei-
lung)
post|kul|misch ⟨lat.; engl.⟩ *(Geol.*
nach dem Kulm [liegend])
Post|kun|de, der; Post|kun|din
Post|kut|sche
post|la|gernd; postlagernde Sen-
dungen
Post|leit|zahl *(Abk.* PLZ)
Post|ler *(ugs. für* bei der Post
Beschäftigter); Pöst|ler *(schweiz.*
svw. Postler); Post|le|rin *(ugs.);*
Pöst|le|rin *(schweiz.)*
Post|meis|ter *(früher)*
post me|ri|di|em ⟨lat.⟩ (nachmit-
tags; *Abk.* p. m.)
Post|mi|nis|ter; Post|mi|nis|te|rin;
Post|mi|nis|te|ri|um
post|mo|dern ⟨engl.⟩; postmoderne
Architektur; Post|mo|der|ne,
die; - ([umstrittene] Bez. für
verschiedene Strömungen der

gegenwärtiger Architektur,
Kunst und Kultur)
post|mor|tal ⟨lat.⟩ *(Med.* nach dem
Tode eintretend); post mor|tem
(nach dem Tode; *Abk.* p. m.)
post|na|tal *(Med.* nach der Geburt
auftretend)
post|nu|me|ran|do ⟨lat.⟩ *(Wirtsch.*
nachträglich [zahlbar]); Post|nu-
me|ra|ti|on, die; -, -en (Nachzah-
lung)
Pos|to ⟨ital.⟩; *nur in* Posto fassen
(veraltet für sich aufstellen)
post|ope|ra|tiv ⟨lat.⟩ *(Med.* nach
der Operation)
Post|pa|ket
post|pu|ber|tär *(Med.* nach der
Pubertät auftretend)
Post|rat *Plur.* ...räte
Post|re|gal, das; -s (Recht des
Staates, das Postwesen in eigener Regie zu führen)
Post|sack
Post|scheck; Post|scheck|amt *(frü-*
her für Postgiroamt; *Abk.*
PSchA); Post|scheck|kon|to *(frü-*
her für Postgirokonto)
Post|schiff
Post|schließ|fach *(Abk.* PSF)
Post|sen|dung
Post|skript, das; -[e]s, -e *u., österr.*
nur, Post|skrip|tum, das; -s, *Plur.*
...ta, *österr. auch* ...te ⟨lat.⟩
(Nachschrift; *Abk.* PS)
post|so|zi|a|lis|tisch *(svw.* postkom-
munistisch)
Post|spar|buch; Post|spa|ren, das;
-s; Post|spar|kas|se; Post|spar-
kas|sen|dienst
Post|stem|pel
post|sze|ni|um, das; -s, ...ien ⟨lat.;
griech.⟩ (Raum hinter der
Bühne; *Ggs.* Proszenium)
post|ter|ti|är ⟨lat.⟩ *(Geol.* nach dem
Tertiär [liegend])
post|trau|ma|tisch ⟨lat.; griech.⟩
(Med. nach einer Verletzung
auftretend)
Pos|tu|lant, der; -en, -en ⟨lat.⟩ *(ver-*
altet für Bewerber)
Pos|tu|lat, das; -[e]s, -e (Forde-
rung); pos|tu|lie|ren; Pos|tu|lie-
rung
pos|tum *vgl.* posthum
Pos|tur, die; -, -en *(schweiz. mdal.*
für Statur; *vgl.* Positur)
post ur|bem con|di|tam ⟨lat.⟩ (nach
Gründung der Stadt [Rom];
Abk. p. u. c.)
Post|ver|bin|dung; Post|ver|kehr;
Post|voll|macht
Post|weg; auf dem Postweg (mit
der Post verschickt)

post|wen|dend
Post|wert|zei|chen; Post|we|sen,
das; -s; Post|wurf|sen|dung; Post-
zu|stel|lung
¹Pot, das; -s ⟨engl.⟩ *(ugs. für* Marihuana)
²Pot, der; -s ⟨engl.⟩ *(ugs. für*
Summe aller Gewinneinsätze)
po|tem|kinsch ⟨nach dem russ.
Fürsten⟩; ↑K 89 *u.* 135 : potemkinsche *od.* Potemkin'sche *od.*
Potemkinsche Dörfer (Vorspie-
gelungen)
po|tent ⟨lat.⟩ (mächtig, einfluss-
reich; zahlungskräftig, vermö-
gend; *Med.* zum Geschlechtsverkehr fähig, zeugungsfähig)
Po|ten|tat, der; -en, -en (Machtha-
ber; Herrscher); Po|ten|ta|tin
po|ten|ti|al usw. *vgl.* potenzial
Po|ten|ti|a|lis *vgl.* Potenzialis
po|ten|ti|ell usw. *vgl.* potenziell
usw.
Po|ten|til|la, die; -, ...llen ⟨lat.⟩
(Fingerkraut)
Po|ten|tio|me|ter usw. *vgl.* Poten-
ziometer usw.
Po|tenz, die; -, -en ⟨lat., »Macht«⟩
(nur Sing.: Fähigkeit des Mannes, den Geschlechtsverkehr
auszuüben, Zeugungsfähigkeit;
innewohnende Kraft, Leistungsfähigkeit; *Med.* Verdünnungs-
grad eines homöopath. Mittels;
Math. Produkt aus gleichen
Faktoren)
Po|tenz|ex|po|nent *(Math.* Hoch-
zahl einer Potenz)
po|ten|zi|al, po|ten|ti|al usw. ⟨lat.⟩
(möglich; die [bloße] Möglichkeit bezeichnend)
Po|ten|zi|al, Po|ten|ti|al, das; -s, -e
(Leistungsfähigkeit); *Physik*
Maß für die Stärke eines Kraft-
feldes)
Po|ten|zi|al|dif|fe|renz, Po|ten|ti|al-
dif|fe|renz *(Physik* Unterschied
elektrischer Kräfte bei aufgela-
denen Körpern)
Po|ten|zi|a|lis, Po|ten|ti|a|lis, der;
-, ...les ⟨lat.⟩ *(Sprachw.* Modus
der Möglichkeit)
Po|ten|zi|a|li|tät, Po|ten|ti|a|li|tät,
die; -, -en *(bes. Philos.* Möglichkeit)
po|ten|zi|ell, po|ten|ti|ell ⟨franz.⟩
(möglich [im Gegensatz zu
wirklich]; der Anlage nach);
potenzielle *od.* potentielle
Energie *(Physik)* ↑K 89
po|ten|zie|ren (verstärken, erhö-
hen, steigern; *Math.* zur Potenz

erheben, mit sich selbst vervielfältigen); **Po|ten|zie|rung**
Po|ten|zio|me|ter, Po|ten|tio|me̱-
ter, das; -s, - ⟨lat.; griech.⟩ (*Elektrot.* regelbarer Widerstand als Spannungsteiler); po|ten|zio-
me̱|t|risch, po|ten|tio|me̱|t|risch
Po|tenz|pil|le (*ugs.*); **Po|tenz|schwä-
che**; **Po|tenz|schwie|rig|kei|ten** *Plur.*; **po|tenz|stei|gernd**
Po|te|rie, die; -, -s ⟨franz.⟩ (*veraltet für* Töpferware, Töpferei)
Po|ti|phar, *ökum.* **Po̱|ti|far** (bibl. m. Eigenn.)
Pot|pour|ri [...pʊri, *österr.* ...ˈriː], das; -s, -s ⟨franz.⟩ (Allerlei; aus populären Melodien zusammengesetztes Musikstück)
Pots|dam (Hauptstadt Brandenburgs); **Pots|da|mer**; das Potsdamer Abkommen
Pott, der; -[e]s, Pötte (*bes. nordd. ugs. für* Topf; [altes] Schiff); zu Potte kommen (*ugs. für* zurechtkommen; etwas [mit einem Ergebnis] abschließen)
Pott|asche, die; - (Kaliumkarbonat)
Pott|bä|cker (*landsch. für* Töpfer)
Pott|harst *vgl.* Potthast
pott|häss|lich (*ugs. für sehr hässlich*)
Pott|hast, **Pott|harst**, der; -[e]s, -e (westfälisches Schmorgericht aus Gemüse und Rindfleisch)
Pott|sau *Plur.* ...säue (derbes Schimpfwort)
Pott|wal (ein Zahnwal)
potz Blitz!; **potz|tau|send!**
Po|ufer, Po-Ufer ⟨zu ¹Po⟩
Pou|lar|de [pu...], die; -, -n ⟨franz.⟩ (noch nicht geschlechtsreifes Masthuhn)
Poule [puːl], die; -, -n ([Spiel]einsatz [beim Billard o. Ä.])
Pou|let [...ˈleː], das; -s, -s (junges Masthuhn)
Pour le Mé|rite [ˈpuːʁ lə meˈriːt], der; - - - (hoher preußischer Verdienstorden)
pous|sie|ren (*ugs. veraltend für* flirten)
Pou|voir [puˈvoaːʀ], das; -s, -s ⟨franz.⟩ (*österr. für* Handlungsvollmacht)
po|wer ⟨franz.⟩ (*landsch. für* armselig); pow[e]re Leute
Po|wer [ˈpaʊ...], die; - ⟨engl.⟩ (*ugs. für* Stärke, Leistung, Wucht); **Po|wer|frau**
po|wern (große Leistung entfalten; mit großem Einsatz unterstützen); ich powere

---

Po|wer|play, das; -[s] (*bes. Eishockey* anhaltender gemeinsamer Ansturm auf das gegnerische Tor); **Po|wer|slide** [...slaɪt], das; -[s] (eine Kurvenfahrtechnik bei Autorennen)
Po|widl, der; -s, - ⟨tschech.⟩ (*ostösterr. für* Pflaumenmus); **Po̱-widl|knö|del**
Poz|z[u]o|lan|er|de *vgl.* Puzzolanerde
pp = pianissimo
pp., **perge**, perge ⟨lat. »fahre fort«⟩ (und so weiter)
pp., **ppa.** = per procura
Pp., **Ppbd.** = Pappband
PP. = Patres
P. P. = praemissis praemittendis
ppa., **pp.** = per procura
Ppbd., Pp. = Pappband
P. prim. = Pastor primarius
Pr = *chem. Zeichen für* Praseodym
PR [peːˈʔɛr] = Public Relations (Öffentlichkeitsarbeit)
Prä, das; -s ⟨lat. »vor«⟩; das Prä haben (*ugs. für* den Vorrang haben)
prä... (vor...); **Prä...** (Vor...)
Prä|am|bel, die; -, -n (feierliche Einleitung; Vorrede)
prä|bi|o|tisch *vgl.* prebiotisch
PR-Ab|tei|lung ⟨zu PR = Public Relations⟩
Prä|cher, der; -s, - ⟨slaw.⟩ (*bes. nordd. für* zudringlicher Bettler); **Prä|che|rin**; **prä|chern** (*bes. nordd. für* betteln); ich prachere
Pracht, die; -
Pracht|aus|ga|be; **Pracht|band**, der; **Pracht|bau** *Plur.* ...bauten; **Pracht|exem|p|lar**
präch|tig; **Präch|tig|keit**, die; -
Pracht|jun|ge, der; **Pracht|kerl** (*ugs.*); **Pracht|mä|del**
Pracht|stra|ße
Pracht|stück
Pracht|trep|pe
pracht|voll; **Pracht|weib** (*ugs.*); **Pracht|werk**
pra|cken (*österr. ugs. für* schlagen); **Pra|cker** (*österr. ugs. für* Teppichklopfer, Fliegenklatsche)
Prä|des|ti|na|ti|on, die; - ⟨lat.⟩ (Vorherbestimmung); **Prä|des-ti|na|ti|ons|leh|re**, die; - (*Theol.*)
prä|des|ti|nie|ren; **prä|des|ti|niert** (vorherbestimmt; wie geschaffen [für etwas]); **Prä|des|ti|nie-rung**, die; -
Prä|di|kant, der; -en, -en ⟨lat.⟩ ([Hilfs]prediger); **Prä|di|kan|ten-**

---

or|den, der; -s (*selten für* Dominikanerorden); **Prä|di|kan|tin**
Prä|di|kat, das; -[e]s, -e ⟨lat.⟩ ([gute] Zensur, Beurteilung; *kurz für* Adelsprädikat; *Sprachw.* Satzaussage)
prä|di|ka|ti|sie|ren ([einen Film o. Ä.] mit einem Prädikat versehen)
prä|di|ka|tiv (aussagend; das Prädikat betreffend); **Prä|di|ka|tiv**, das; -s, -e (*Sprachw.* auf das Subjekt od. Objekt bezogener Teil des Prädikats)
Prä|di|ka|tiv|satz (*Sprachw.*); **Prä-di|ka|ti|vum**, das; -s, ...va (*älter für* Prädikativ)
Prä|di|kats|exa|men (mit einer sehr guten Note bestandenes Examen)
Prä|di|kats|no|men (*älter für* Prädikativ)
Prä|di|kats|wein
prä|dis|po|nie|ren ⟨lat.⟩ (im Vorhinein festlegen; empfänglich machen, *bes. für* Krankheiten); **Prä|dis|po|si|ti|on**, die; -, -en (*Med.* Anlage, Empfänglichkeit [für eine Krankheit])
Pra|do, der; -[s] (spanisches Nationalmuseum in Madrid)
prä|do|mi|nie|ren ⟨lat.⟩ (vorherrschen, überwiegen)
prae|mis|sis prae|mit|ten|dis ⟨lat.⟩ (*veraltet für* der gebührende Titel sei vorausgeschickt; *Abk.* P. P.)
prä|emp|tiv ⟨engl.⟩ (vorbeugend, einer sich bereits abzeichnenden Entwicklung zuvorkommend)
Prä|exis|tenz, die; - ⟨lat.⟩ (*Philos., Theol.* das Existieren in einem früheren Leben)
prä|fa|b|ri|zie|ren (im Voraus festlegen)
Prä|fa|ti|on, die; -, -en ⟨lat.⟩ (Dankgebet als Teil des katholischen Eucharistiefeier u. des evangelischen Abendmahlsgottesdienstes)
Prä|fekt, der; -en, -en ⟨lat.⟩ (hoher Beamter im alten Rom; oberster Verwaltungsbeamter eines Departements in Frankreich, einer Provinz in Italien; Leiter des Chors als Vertreter des Kantors); **Prä|fek|tin**; **Prä|fek|tur**, die; -, -en (Amt, Bezirk, Amtsräume eines Präfekten)
prä|fe|ren|ti|ell *vgl.* präferenziell
Prä|fe|renz, die; -, -en (Vorzug, Vorrang; Bevorzugung)

prä|fe|ren|zi|ell, prä|fe|ren|ti|ell
⟨lat.⟩ (vorrangig)
Prä|fe|renz|lis|te; Prä|fe|renz|span-
ne *(Wirtsch.)*; Prä|fe|renz|zoll
(Zoll, der einen Handelspartner
bes. begünstigt)
prä|fe|rie|ren (den Vorzug geben)
Prä|fix *[auch ...'fiks]*, das; -es, -e
⟨lat.⟩ *(Sprachw.* vorn an den
Wortstamm angefügtes Wortbildungselement, z. B. »be-« in
»beladen«)
Prä|for|ma|ti|on, die; -, -en ⟨lat.⟩
(Biol. angenommene Vorherbil-
dung des fertigen Organismus
im Keim); prä|for|mie|ren; Prä-
for|mie|rung
Prag (Hauptstadt der Tsche-
chischen Republik); *vgl.* Praha
präg|bar; Präg|bar|keit, die; -
Prä|ge|bild *(Münzw.)*; Prä|ge|druck
(Druckw.); Prä|ge|ei|sen (Präge-
stempel); Prä|ge|form *(Münzw.)*;
Prä|ge|ma|schi|ne (Prägestock)
prä|gen
Prä|ge|pres|se *(Druckw.)*
Pra|ger ⟨*zu* Prag); der Prager Fens-
tersturz
Prä|ger; Prä|ge|rin
Prä|ge|stät|te; Prä|ge|stem|pel; Prä-
ge|stock, der; -[e]s, ...stöcke
prä|gla|zi|al ⟨lat.⟩ *(Geol.* voreiszeit-
lich)
Prag|ma|tik, die; -, -en ⟨griech.⟩
(nur Sing.: Orientierung auf das
Nützliche, Sachbezogenheit;
Sprachw. Lehre von sprachlichen Handeln; *österr. auch für*
Dienstpragmatik); Prag|ma|ti-
ker; Prag|ma|ti|ke|rin
prag|ma|tisch (auf praktisches
Handeln gerichtet; sachbezo-
gen); ↑K 89 : pragmatische Angaben (Gebrauchsangaben im
Wörterbuch); pragmatische
(den ursächlichen Zusammenhang darlegende) Geschichts-
schreibung; *aber* ↑K 150 : Pragmatische Sanktion (Grundgesetz des Hauses Habsburg von
1713)
prag|ma|ti|sie|ren *(österr. für* in ein
Beamtendienstverhältnis über-
nehmen); Prag|ma|ti|sie|rung
(österr.)
Prag|ma|tis|mus, der; - (philoso-
phische Richtung, die alles Denken u. Handeln vom Stand-
punkt des prakt. Nutzens aus
beurteilt); Prag|ma|tist, der; -en,
-en; Prag|ma|tis|tin
präg|nant ⟨lat.⟩ (knapp und tref-
fend); Präg|nanz, die; -

Prä|gung
Pra|ha *(tschech. Form von* Prag)
Prä|his|to|rie *[auch, österr. nur,*
'pre:...], die; - ⟨lat.⟩ (Vorge-
schichte); Prä|his|to|ri|ker; Prä-
his|to|ri|ke|rin; prä|his|to|risch
(vorgeschichtlich)
prah|len; Prah|ler; Prah|le|rei; Prah-
le|rin; prah|le|risch
Prahl|hans, der; -es, ...hänse *(ugs.
für* jmd., der gern prahlt)
Prahl|sucht, die; -; prahl|süch|tig
Prahm, der; -[e]s, Plur. -e od.
Prähme ⟨tschech.⟩ (großer Last-
kahn)
Praia (Hauptstadt von Kap Verde)
Prai|ri|al *[pre...], der; -[s], -s*
⟨franz., »Wiesenmonat«⟩ (9.
Monat des Kalenders der Franz.
Revolution: 20. Mai bis 18. Juni)
prä|ju|diz, das; -es, Plur. -e od. -ien
⟨lat.⟩ (Vorentscheidung; hoch-
richterliche Entscheidung, die
bei Beurteilung künftiger
Rechtsfälle herangezogen wird)
prä|ju|di|zi|ell ⟨franz.⟩ (bedeutsam
für die Beurteilung eines späteren Sachverhalts)
prä|ju|di|zie|ren ⟨lat.⟩ (der [richter-
lichen] Entscheidung vorgrei-
fen); präjudizierter Wechsel
(Bankw. nicht eingelöster
Wechsel, dessen Protest versäumt wurde)
prä|kam|b|risch *(Geol.* vor dem
Kambrium [liegend]); Prä|kam-
b|ri|um, das; -s (vor dem Kam-
brium liegender erdgeschichtli-
cher Zeitraum)
prä|kar|bo|nisch ⟨lat.⟩ *(Geol.* vor
dem Karbon [liegend])
prä|kar|di|al, prä|kor|di|al *(Med.*
vor dem Herzen [liegend]); Prä-
kar|di|al|gie, die; -, ...ien ⟨lat.;
griech.⟩ (Schmerzen in der
Herzgegend)
prä|klu|die|ren ⟨lat.⟩ *(Rechtsspr.*
jmdm. die Geltendmachung
eines Rechtes gerichtlich ver-
weigern); Prä|klu|si|on, die; -, -en
(Ausschließung; Rechtsverwir-
kung); prä|klu|siv, prä|klu|si-
visch; Prä|klu|siv|frist
prä|ko|lum|bi|a|nisch, prä|ko|lum-
bisch (die Zeit vor der Entde-
ckung Amerikas durch Kolum-
bus betreffend)
prä|kor|di|al *vgl.* präkardial; Prä-
kor|di|al|angst *(Med.)*
Prak|rit, das; -s (die mittelindi-
schen Volkssprachen)
prakt. Arzt, prakt. Ärz|tin *vgl.* prak-
tisch

prak|ti|fi|zie|ren ⟨griech.; lat.⟩ (in
die Praxis umsetzen, verwirkli-
chen); Prak|ti|fi|zie|rung
Prak|tik, die; -, -en ⟨griech.⟩ (Art
der Ausübung von etwas; Handhabung; Verfahrensweise; *meist
Plur.:* nicht einwandfreies [uner-
laubtes] Vorgehen)
Prak|ti|ka *(Plur. von* Praktikum)
prak|ti|ka|bel (brauchbar; benutz-
bar; zweckmäßig); eine
praktika|b|le Einrichtung
Prak|ti|ka|bel, das; -s, - *(Theater*
fest gebauter, begehbarer Teil
der Bühnendekoration)
Prak|ti|ka|bi|li|tät, die; -
Prak|ti|kant, der; -en, -en (jmd.,
der ein Praktikum absolviert);
Prak|ti|kan|tin
Prak|ti|ker (Mensch mit Erfahrung
u. Geschick; *Ggs.* Theoretiker);
Prak|ti|ke|rin
Prak|ti|kum, das; -s, ...ka (prakti-
sche Übung an der Hochschule;
im Rahmen einer Ausbildung
außerhalb der [Hoch]schule
abzuleistende praktische Tätigkeit)
Prak|ti|kums|be|richt; Prak|ti|kums-
platz; Prak|ti|kums|stel|le
Prak|ti|kus, der; -, -se *(scherzh. für*
jmd., der immer u. überall Rat
weiß)
PR-Ak|ti|on ⟨*zu* PR = Public Rela-
tions⟩
prak|tisch (auf die Praxis bezüg-
lich; zweckmäßig; geschickt;
tatsächlich); ↑K 89 : praktische
Ärztin/praktischer Arzt (Ärz-
tin/Arzt für Allgemeinmedizin;
Abk. prakt. Ärztin/prakt. Arzt);
praktisches Jahr (einjähriges
Praktikum); praktisches (tätiges) Christentum; ↑K 72 : etwas
Praktisches schenken; so hat
praktisch *(ugs. für* so gut wie)
kein Geld
prak|ti|zie|ren (in der Praxis
anwenden; als Arzt usw. tätig
sein; ein Praktikum machen)
prä|ku|l|misch ⟨lat.; engl.⟩ *(Geol.* vor
dem ²Kulm [liegend])
Prä|lat, der; -en, -en ⟨lat.⟩ (geistli-
cher Würdenträger); Prä|la|tur,
die; -, -en (Amt, Sitz eines Präla-
ten)
Prä|li|mi|nar|frie|den ⟨lat.; dt.⟩ (vor-
läufiger Frieden)
Prä|li|mi|na|ri|en *Plur.* ⟨lat.⟩ ([diplo-
matische] Vorverhandlungen;
Einleitung)
Pra|li|ne, die; -, -n ⟨nach dem
franz. Marschall du Plessis-Pras-

lin⟩ (mit Schokolade überzogene
Süßigkeit); **Pra|li|né**, das; -s, -s
(*schweiz. für* Praline); **Pra|li|nee**,
das; -s, -s (*bes. österr. u.
schweiz. für* Praline)
prall (voll; stramm); einen Sack
prall füllen *od.* prallfüllen
Prall, der; -[e]s, -e (heftiges Auf-
treffen); **prall|len**
Prall|ler, Prall|tril|ler (*Musik* Wech-
sel zwischen Hauptnote u.
nächsthöherer Note)
prall|voll (*ugs.*)
prä|lu|die|ren ⟨lat.⟩ (*Musik* einlei-
tend spielen); **Prä|lu|di|um**, das;
-s, ...ien (Vorspiel)
Prä|ma|tu|ri|tät, die; - ⟨lat.⟩ (*Med.*
Frühreife)
prä|mens|t|ru|ell ⟨lat.⟩ (*Med.* der
Menstruation vorausgehend);
prämenstruelles Syndrom (*Abk.*
PMS)
Prä|mie, die; -, -n ⟨lat.⟩ (Beloh-
nung, Preis; [Zusatz]gewinn;
zusätzliche Vergütung; Versi-
cherungsbeitrag)
Prä|mi|en|an|lei|he (*Wirtsch.*); **Prä-
mi|en|aus|lo|sung**
prä|mi|en|be|güns|tigt; prämienbe-
günstigtes Sparen
Prä|mi|en|de|pot (*Versicherungsw.*)
prä|mi|en|frei
Prä|mi|en|ge|schäft (*Kauf-
mannsspr.*)
Prä|mi|en|lohn (*Wirtsch.*); **Prä|mi-
en|lohn|sys|tem**
Prä|mi|en|los; **Prä|mi|en|rück|ge-
währ** (Gewähr für Beitragsrück-
zahlung); **Prä|mi|en|schein**
Prä|mi|en|spa|ren *meist nur im
Infinitiv gebr.*; **Prä|mi|en|spa|ren**,
das; -s; **Prä|mi|en|spa|rer**; **Prä|mi-
en|spa|re|rin**; **Prä|mi|en|spar|ver-
trag**
Prä|mi|en|zah|lung; **Prä|mi|en|zu-
schlag**
prä|mie|ren, prä|mi|ie|ren; **Prä|mie-
rung**, **Prä|mi|ie|rung**
Prä|mis|se, die; -, -n ⟨lat.⟩ (Voraus-
setzung; Vordersatz eines logi-
schen Schlusses)
Prä|mons|t|ra|ten|ser, der; -s, -
⟨nach dem franz. Kloster Pré-
montré⟩ (Angehöriger eines
katholischen Ordens)
prä|na|tal ⟨lat.⟩ (*Med.* der Geburt
vorausgehend)
Prand|tau|er (österreichischer
Barockbaumeister)
Prandtl|rohr, **Prandtl-Rohr** ⟨nach
dem dt. Physiker⟩ (*Physik* Gerät
zum Messen des Drucks in einer
Strömung)

pran|gen
Pran|ger, der; -s, - (*MA.*
Schandpfahl)
Pran|ke, die; -, -n (Klaue, Tatze;
ugs. für große, derbe Hand);
Pran|ken|hieb
Prä|no|men, das; -s, ...mina ⟨lat.⟩
(Vorname [der alten Römer])
prä|nu|me|ran|do ⟨lat.⟩ (*Wirtsch.*
im Voraus [zu zahlen])
Prä|nu|me|ra|ti|on, die; -, -en
(Vorauszahlung); **prä|nu|me|rie-
ren**
Pranz, der; -es (*landsch. für* Prah-
lerei); **pran|zen**; **Pran|zer**; **Pran-
ze|rin**
Prä|pa|rand, der; -en, -en ⟨lat.⟩
(*früher* jmd., der sich auf das
Lehrerseminar vorbereitet); **Prä-
pa|ran|din**
Prä|pa|rat, das; -[e]s, -e ⟨lat.⟩
(zubereitete Substanz, z. B. Arzneimittel; *Biol.* zu Lehrzwecken
konservierter Pflanzen- od.
Tierkörper; *Med.* zum Mikro-
skopieren vorbereiteter Gewe-
beteil); **Prä|pa|ra|ten|samm|lung**
Prä|pa|ra|ti|on, die; -, -en ⟨lat.⟩
(*bes. Biol., Med.* Herstellung
eines Präparates); **Prä|pa|ra|tor**,
der; -s, ...oren; **Prä|pa|ra|to|rin**
prä|pa|rie|ren ⟨lat.⟩; sich präparie-
ren (vorbereiten); Körper- od.
Pflanzenteile präparieren (dau-
erhaft, haltbar machen)
prä|peln (*landsch. für* [etwas
Gutes] essen); ich präp[e]le
Prä|pon|de|ranz, die; - ⟨lat.⟩ (*veral-
tet für* Übergewicht)
Prä|po|si|ti|on, die; -, -en ⟨lat.⟩
(*Sprachw.* Verhältniswort, z. B.
auf, bei, in, vor, zwischen); **prä-
po|si|ti|o|nal**
Prä|po|si|ti|o|nal|at|t|ri|but; **Prä|po-
si|ti|o|nal|ge|fü|ge**; **Prä|po|si|ti|o-
nal|ob|jekt**
Prä|po|si|tur, die; -, -en (Stelle
eines Präpositus); **Prä|po|si|tus**,
der; -, ...ti (Vorgesetzter; Propst)
prä|po|tent ⟨lat.⟩ (*veraltet für* über-
mächtig, *österr. für* überheblich,
aufdringlich); **Prä|po|tenz**, die; -
Prä|pu|ti|um, das; -s, ...ien ⟨lat.⟩
(*Med.* Vorhaut)
Prä|raf|fa|e|lit, der; -en, -en ⟨lat.;
ital.⟩ (*Kunstwiss.* Nachahmer
des vorraffaelischen Malstils)
PR-Ar|beit ⟨*zu* PR = Public Relati-
ons⟩
Prä|rie, die; -, ...ien ⟨franz.⟩ (Gras-
ebene in Nordamerika)
Prä|rie|aus|ter; **Prä|rie|gras**; **Prä|rie|hund** (ein

Nagetier); **Prä|rie|in|di|a|ner**; **Prä-
rie|in|di|a|ne|rin**; **Prä|rie|wolf**
Prä|ro|ga|tiv, das; -s, -e ⟨lat.⟩, **Prä-
ro|ga|ti|ve**, die; -, -n (Vorrecht;
früher nur dem Herrscher vor-
behaltenes Recht)
Prä|sens, das; -, *Plur.* ...sentia *od.*
...senzien ⟨lat.⟩ (*Sprachw.*
Gegenwart); **Prä|sens|par|ti|zip**
vgl. Partizip Präsens
prä|sent (anwesend; gegenwärtig)
Prä|sent, das; -[e]s, -e ⟨franz.⟩
([kleineres] Geschenk)
prä|sen|ta|bel (*veraltend für*
ansehnlich; vorzeigbar);
präsenta|b|le Ergebnisse
Prä|sen|tant, der; -en, -en ⟨lat.⟩
(*Wirtsch.* jmd., der einen fälli-
gen Wechsel vorlegt)
Prä|sen|ta|ti|on, die; -, -en (das
Vorstellen, das Präsentieren;
Wirtsch. Vorlegung eines fälli-
gen Wechsels)
Prä|sen|ta|ti|ons|recht, das; -[e]s
(*kath. Kirche* Vorschlagsrecht)
Prä|sen|tia (*Plur. von* Präsens)
prä|sen|tie|ren ⟨franz.⟩ (vorstellen;
vorlegen [bes. einen Wechsel];
milit. Ehrenbezeigung [mit dem
Gewehr] machen); sich präsentieren (sich zeigen)
Prä|sen|tier|tel|ler; auf dem Prä-
sentierteller sitzen (*ugs. für*
allen Blicken ausgesetzt sein)
Prä|sen|tie|rung
prä|sen|tisch ⟨lat.⟩ (*Sprachw.* das
Präsens betreffend)
Prä|sent|korb
Prä|senz, die; - (Gegenwart, Anwe-
senheit; Ausstrahlung)
Prä|senz|bi|b|lio|thek (Bibliothek,
deren Bücher nicht nach Hause
mitgenommen werden dürfen)
Prä|senz|die|ner (*österr. für* Soldat
im Grundwehrdienst des österr-
reichischen Bundesheeres); **Prä-
senz|dienst** (*österr. für* Grund-
wehrdienst)
Prä|sen|zi|en (*Plur. von* Präsens)
Prä|senz|lis|te (Anwesenheitsliste);
Prä|senz|pflicht, die; -; **Prä|senz-
stär|ke** (augenblickliche Perso-
nalstärke [bei der Truppe])
Pra|seo|dym, das; -s ⟨griech.⟩ (che-
misches Element, Seltenerdme-
tall; *Zeichen* Pr)
Prä|ser (*ugs. kurz für* Präservativ)
prä|ser|va|tiv ⟨lat.⟩ (vorbeugend,
verhütend); **Prä|ser|va|tiv**, das;
-s, -e ⟨lat.⟩ (Gummischutz für
das männliche Glied zur Emp-
fängnisverhütung u. zum
Schutz vor Infektionen)

P

Präs

Prä|ser|ve, die; -, -n *meist Plur.* (Halbkonserve)

Prä|ses, der u. die; -, *Plur.* ...sides u. ...siden ⟨lat.⟩ (*kath. u. ev. Kirche* Vorsitzende[r], Vorstand)

Prä|si|de, der; -n, -n (*Verbindungsw.* Leiter einer Kneipe, eines Kommerses)

Prä|si|dent, der; -en, -en (Vorsitzender; Staatsoberhaupt in einer Republik); **Prä|si|den|ten|wahl**; **Prä|si|den|tin**

Prä|si|dent|schaft; **Prä|si|dent|schafts|kan|di|dat**; **Prä|si|dent|schafts|kan|di|da|tin**; **Prä|si|dent|schafts|wahl**; **Prä|si|dent|schafts|wahl|kampf**

Prä|si|des (*Plur. von* Präses)

prä|si|di|al (den Präsidenten, das Präsidium betreffend)

Prä|si|di|al|de|mo|kra|tie

Prä|si|di|a|le, die; - (*österr. für* [Konferenz des] Präsidium[s] des Nationalrats)

Prä|si|di|al|ge|walt; **Prä|si|di|al|re|gie|rung**

Prä|si|di|al|sys|tem (Regierungsform, bei der das Staatsoberhaupt gleichzeitig Regierungschef ist)

prä|si|die|ren (den Vorsitz führen, leiten); einem (*schweiz.* einen) Ausschuss präsidieren

Prä|si|di|um, das; -s, ...ien (leitendes Gremium; Vorsitz; Amtsgebäude eines [Polizei]präsidenten); **Prä|si|di|ums|sit|zung**

prä|si|lu|risch ⟨nlat.⟩ (*Geol.* vor dem Silur [liegend])

prä|skri|bie|ren ⟨lat.⟩ (vorschreiben; verordnen); **Prä|skrip|ti|on**, die; -, -en; **prä|skrip|tiv** (vorschreibend; regelnd)

Prass, der; -es (*veraltet für* Plunder)

prass|seln; sie sagt, der Regen prass[e]le jetzt weniger

pras|sen (schlemmen); du prasst, er/sie prasst; du prasstest; er/sie hat geprasst; prasse! u. prasst!; **Pras|ser**; **Pras|se|rei**; **Pras|se|rin**

prä|sta|bi|lie|ren ⟨lat.⟩ (*veraltet für* vorher festsetzen); prästabilierte Harmonie (Leibniz)

Prä|s|tant, der; -en, -en (große, zinnerne Orgelpfeife)

prä|su|mie|ren ⟨lat.⟩ (*Philos., Rechtsw.* annehmen; voraussetzen); **Prä|sum|ti|on**, die; -, -en (Annahme; Vermutung; Voraussetzung); **prä|sum|tiv** (mutmaßlich)

Prä|ten|dent, der; -en, -en ⟨lat.⟩ (jmd., der Anspruch auf eine Stellung, ein Amt, bes. auf einen Thron, erhebt); **Prä|ten|den|tin**; **prä|ten|die|ren**

Prä|ten|ti|on, die; -, -en (Anspruch; Anmaßung); **prä|ten|ti|ös** (anspruchsvoll; anmaßend)

Pra|ter, der; -s (Park mit Vergnügungsplatz in Wien)

Prä|te|r|i|tio, die; -, ...onen ⟨lat.⟩, **Prä|te|r|i|ti|on**, die; -, -en (*Rhet.* scheinbare Übergehung)

Prä|te|r|i|to|prä|sens, das; -, *Plur.* ...sentia od. ...senzien (*Sprachw.* Verb, dessen Präsens [Gegenwart] ein früheres starkes Präteritum [Vergangenheit] ist u. dessen neue Vergangenheitsformen schwach gebeugt werden, z. B. »können, wissen«)

Prä|te|r|i|tum, das; -s, ...ta (*Sprachw.* Vergangenheit)

prä|ter|prop|ter ⟨lat.⟩ (etwa, ungefähr)

Prä|tor, der; -s, ...oren ⟨lat.⟩ (höchster [Justiz]beamter im alten Rom); **Prä|to|ri|a|ner** (Angehöriger der Leibwache der römischen Feldherren od. Kaiser)

Prät|ti|gau, das; -s (Talschaft in Graubünden)

Prä|tur, die; -, -en ⟨lat.⟩ (Amt eines Prätors)

Prat|ze, die; -, -n (svw. Pranke)

Prau, die; -, -e ⟨malai.⟩ (Boot der Malaien)

Prä|ven|ti|on, die; -, -en ⟨lat.⟩ (Vorbeugung, Verhütung)

prä|ven|tiv

Prä|ven|tiv|an|griff; **Prä|ven|tiv|be|hand|lung** (*Med.*); **Prä|ven|tiv|krieg**; **Prä|ven|tiv|maß|nah|me**; **Prä|ven|tiv|me|di|zin**, die; -; **Prä|ven|tiv|schlag** (*Milit.*)

prä|ver|bal (vor dem Spracherwerb [liegend])

Pra|w|da, die; - ⟨russ., »Wahrheit«⟩ (Moskauer Tageszeitung)

Pra|xe|dis [*auch* 'pra...] (eine Heilige)

Pra|xis, die; -, ...xen ⟨griech.⟩ (*nur Sing.:* Tätigkeit, Ausübung, Erfahrung, Ggs. Theorie; Räumlichkeiten für die Berufsausübung bestimmter Berufsgruppen); *vgl.* in praxi

pra|xis|be|zo|gen; **Pra|xis|be|zug**

pra|xis|fern; **pra|xis|fremd**; **Pra|xis|ge|bühr**, die; - (von Kassenpatienten vierteljährlich zu entrichtende Gebühr beim Arztbesuch); **pra|xis|ge|recht**

pra|xis|nah; **pra|xis|ori|en|tiert**

pra|xis|taug|lich; **Pra|xis|taug|lich|keit**; **pra|xis|ver|bun|den**

Pra|xi|te|les (altgriechischer Bildhauer)

Prä|ze|dens, das; -, ...denzien ⟨lat.⟩ (früherer Fall, früheres Beispiel; Beispielsfall)

Prä|ze|denz|fall, der (Präzedens)

Prä|ze|denz|strei|tig|keit (Rangstreitigkeit)

Prä|zep|tor, der; -s, ...oren (*veraltet für* Lehrer; Erzieher)

Prä|zes|si|on, die; -, -en (*Astron.* das Fortschreiten des Frühlingspunktes)

Prä|zi|pi|tat, das; -[e]s, -e (*Chemie* Bodensatz, Niederschlag); **Prä|zi|pi|ta|ti|on**, die; - (Ausfällung); **prä|zi|pi|tie|ren** (ausfällen)

Prä|zi|pi|tin, das; -s, -e (*Med.* immunisierender Stoff im Blut)

prä|zis *österr., schweiz. meist so*, **prä|zi|se** ⟨lat.⟩ (genau; pünktlich; eindeutig); **prä|zi|sie|ren** (genau[er] angeben); **Prä|zi|sie|rung**

Prä|zi|si|on, die; - (Genauigkeit)

Prä|zi|si|ons|ar|beit; **Prä|zi|si|ons|in|s|t|ru|ment**; **Prä|zi|si|ons|ka|me|ra**

Prä|zi|si|ons|mess|ge|rät; **Prä|zi|si|ons|mes|sung**; **Prä|zi|si|ons|mo|tor**; **Prä|zi|si|ons|uhr**; **Prä|zi|si|ons|waa|ge**

pre|bi|o|tisch (svw. probiotisch)

Pré|cis [pre'si:], der; -, - ⟨franz.⟩ (kurze Inhaltsangabe)

Pre|del|la, die; -, *Plur.* -s u. ...llen ⟨ital.⟩ (Sockel eines Altaraufsatzes)

pre|di|gen

Pre|di|ger; **Pre|di|ge|rin**; **Pre|di|ger|or|den**, den; -s; **Pre|di|ger|se|mi|nar**

Pre|digt, die; -, -en

Pre|digt|amt; **Pre|digt|stuhl** (*veraltend für* Kanzel); **Pre|digt|text**

Pre|fe|rence [...'rã:s], die; -, -n ⟨franz.⟩ (ein franz. Kartenspiel)

Pre|gel, der; -s (ein Fluss)

prei|en ⟨niederl.⟩ (*Seemannsspr.*); ein Schiff preien (anrufen)

Preis, der; -es, -e (Geldbetrag; Belohnung; *geh. für* Lob); um jeden, keinen Preis; Preis freibleibend (*Kaufmannsspr.*)

Preis|ab|bau, der; -[e]s; **Preis|ab|schlag**; **Preis|ab|spra|che**

Preis|agen|tur (Unternehmen, das Waren gegen Entgelt zu einem

P
Präs

möglichst günstigen Preis ver-
mittelt)
Preis|an|ga|be; Preis|an|ord|nung
(in der DDR; Abk. PAO)
Preis|an|stieg; Preis|auf|ga|be;
Preis|auf|trieb (Wirtsch.)
Preis|aus|schrei|ben, das; -s, -
preis|be|wusst
Preis|bil|dung (Wirtsch.); Preis|bin-
dung
Preis|bo|xer (früher); Preis|bo|xe-
rin
Preis|bre|cher; Preis|bre|che|rin
Prei|sel|bee|re
Preis|emp|feh|lung; unverbindliche
Preisempfehlung
prei|sen; du preist, er preist; du
priesest, sie pries; gepriesen;
preis[e]!
Preis|ent|wick|lung; Preis|er|hö-
hung; Preis|er|mä|ßi|gung; Preis-
ex|plo|si|on
Preis|fra|ge
Preis|ga|be, die; -; preis|ge|ben; du
gibst preis; preisgegeben; preis-
zugeben
preis|ge|bun|den
Preis|ge|fäl|le; Preis|ge|fü|ge
preis|ge|krönt
Preis|geld; Preis|ge|richt
Preis|ge|stal|tung; Preis|gren|ze
preis|güns|tig
Preis|in|dex Plur. ...indizes, auch
...indices (Wirtsch.); Preis|kal-
ku|la|ti|on
Preis|kampf; Preis|kar|tell
(Wirtsch.)
preis|ke|geln nur im Infinitiv und
Partizip II gebräuchlich; wir
wollen preiskegeln; Preis|ke-
geln, das; -s
Preis|klas|se; Preis|kom|mis|si|on
(österr. für Kommission zur
Preisüberwachung); Preis|kon-
junk|tur (Wirtsch.); Preis|kon|t-
rol|le; Preis|kon|ven|ti|on
(Wirtsch.); Preis|kor|rek|tur
Preis|la|ge; in jeder Preislage
Preis-Leis|tungs-Ver|gleich
Preis-Leis|tungs-Ver|hält|nis
preis|lich; preisliche Unterschiede
Preis|lied
Preis|lis|te
Preis-Lohn-Spi|ra|le, die; - ↑K 26
(Wirtsch.)
Preis|nach|lass; Preis|ni|veau;
Preis|po|li|tik
Preis|rät|sel
preis|re|du|ziert
Preis|rich|ter; Preis|rich|te|rin
Preis|rück|gang
Preis|schie|ßen
Preis|schild, das; Preis|schla|ger

(ugs.); Preis|schub; Preis|sen-
kung
Preis|skat
Preis|sprung
preis|sta|bil; Preis|sta|bi|li|tät
Preis|stei|ge|rung; Preis|stei|ge-
rungs|ra|te (Wirtsch.)
Preis|stopp (Verbot der Preiserhö-
hung); Preis|stopp|ver|ord|nung
Preis|sturz; Preis|sys|tem; Preis|ta-
fel
Preis|trä|ger; Preis|trä|ge|rin
preis|trei|bend
Preis|trei|ber; Preis|trei|be|rei;
Preis|trei|be|rin
Preis|über|wa|chung; Preis|un|ter-
gren|ze; Preis|un|ter|schied;
Preis|ver|gleich
Preis|ver|lei|hung; Preis|ver|tei|lung
Preis|ver|zeich|nis; Preis|vor|be-
halt; Preis|vor|schrift
preis|wert
Preis|wu|cher
preis|wür|dig; Preis|wür|dig|keit,
die; -
pre|kär ⟨franz.⟩ (misslich, schwie-
rig, bedenklich)
Prell|ball, der; -[e]s (dem Faustball
ähnliches Spiel)
Prell|bock (Eisenb.)
prel|len; Prel|ler; Prel|le|rei; Prel|le-
rin
Prell|schuss; Prell|stein; Prel|lung
Pré|lude [pre'ly:t], das; -s, -s
⟨franz.⟩ (der Fantasie ähnliches
Klavier- od. Instrumentalstück;
auch svw. Präludium)
Pre|mi|er [prə'mje:, pre...], der; -s,
-s ⟨franz.⟩ (Premierminister)
Pre|mi|e|re [österr. ...'mje:r], die; -,
-n (Erst-, Uraufführung)
Pre|mi|e|ren|abend; Pre|mi|e|ren-
be|su|cher; Pre|mi|e|ren|besu-
che|rin; Pre|mi|e|ren|pub|li|kum
Pre|mi|er|mi|nis|ter; Pre|mi|er|mi-
nis|te|rin
pre|mi|um ⟨lat.-engl.⟩ (von beson-
derer, bester Qualität)
Pre|mi|um|mar|ke
Pre|paid|han|dy ['pri:pe:t...] ⟨engl.⟩
(Handy, das mit einer Prepaid-
karte funktioniert); Pre|paid|kar-
te (wiederaufladbare Guthaben-
karte [für Handys])
Pre|quel ['pri:kwəl], das; -s, -s
⟨engl.⟩ (Fortsetzungsfilm, dessen Handlung nicht nach-, sondern vor den Ereignissen des
älteren Films liegt; Ggs. Sequel)
Pres|by|ter, der; -s, - ⟨griech.⟩
([urchristlicher] Gemeindeältes-
ter; Priester; Mitglied des Pres-
byteriums)

Pres|by|te|ri|al|ver|fas|sung (ev.-re-
formierte Kirche)
Pres|by|te|ri|a|ner, der; -s, - (Ange-
höriger protestantischer Kirchen mit Presbyterialverfassung
in England u. Amerika); Pres|by-
te|ri|a|ne|rin; pres|by|te|ri|a|nisch
Pres|by|te|rin; Pres|by|te|ri|um, das;
-s, ...ien (Versammlung[sraum]
der Presbyter; Kirchenvorstand;
Chorraum)
pre|schen (ugs. für rennen, eilen);
du preschst
Pre|shave ['pri:ʃe:f], das; -[s], -s
⟨engl.⟩ (kurz für Preshave-
Lotion); Pre|shave|lo|tion
[...lo:ʃn], Pre|shave-Lo|tion, die;
-, -s (Gesichtswasser zum
Gebrauch vor der Rasur)
press (Sportspr. eng, nah); jmdn.
press decken
pres|sant ⟨franz.⟩ (noch landsch.
für dringlich, eilig)
Press|ball (Fußball)
Press|burg (slowak. Bratislava;
Hauptstadt der Slowakei)
Pres|se, die; -, -n (kurz für Druck-,
Obst-, Ölpresse usw.; nur Sing.:
Gesamtheit der periodischen
Druckschriften; nur Sing.: Zei-
tungs-, Zeitschriftenwesen); die
freie Presse
Pres|se|agen|tur; Pres|se|amt; Pres-
se|aus|weis
Pres|se|be|richt; Pres|se|be|richt|er-
stat|ter; Pres|se|be|richt|er|stat-
te|rin
Pres|se|bü|ro (Agentur)
Pres|se|chef; Pres|se|che|fin
Pres|se|dienst; Pres|se|emp|fang;
Pres|se|er|klä|rung
Pres|se|fo|to|graf; Pres|se|pho|to-
graph; Pres|se|fo|to|gra|fin,
Pres|se|pho|to|gra|phin
Pres|se|frei|heit, die; -; Pres|se|ge-
setz; Pres|se|in|for|ma|ti|on; Pres-
se|kam|pa|gne; Pres|se|kom-
men|tar; Pres|se|kon|fe|renz;
Pres|se|land|schaft; Pres|se|mel-
dung; Pres|se|mit|tei|lung
pres|sen; du presst, er/sie presst;
du presstest; gepresst; presse!
u. press!
Pres|se|no|tiz; Pres|se|or|gan; Pres-
se|rat Plur. selten; Pres|se|recht,
das; -[e]s
Pres|se|re|fe|rent; Pres|se|re|fe|ren-
tin
Pres|se|schau
Pres|se|spre|cher; Pres|se|spre|che-
rin
Pres|se|stel|le; Pres|se|stim|me;
Pres|se|text, der; Pres|se|tri|bü|ne

Pres|se|ver|tre|ter; Pres|se|ver|tre-te|rin

Pres|se|we|sen, das; -s; Pres|se|zen-sur, die; -; Pres|se|zen|t|rum

Press|form

press|frisch; pressfrische CDs

Press|glas Plur. ...gläser; Press|he-fe; Press|holz

pres|sie|ren (bes. südd., österr. u. schweiz. für drängen, eilig sein; sich beeilen); es pressiert

Pres|sing, das; -s ⟨engl.⟩ (Fußball eine Spieltaktik)

Pres|si|on, die; -, -en ⟨lat.⟩ (Druck; Nötigung, Zwang)

Press|koh|le; Press|kopf (eine Wurstart)

Press|ling (für Brikett)

Press|luft, die; -; Press|luft|boh|rer; Press|luft|fla|sche; Press|luft-ham|mer

Press|sack, Press-Sack, der; -[e]s (svw. Presskopf)

Press|schlag, Press-Schlag (Fuß-ball)

Press|span, Press-Span; Press-span|plat|te, Press-Span|plat|te

Press|stoff, Press-Stoff

Press|stroh, Press-Stroh

Press|sung

Pres|sure|group ['prɛʃəgruːp], Pres|sure-Group, die; -, -s ⟨engl.-amerik.⟩ (Interessenverband, der [oft mit Druckmitteln] Einfluss zu gewinnen sucht)

Press|we|he meist Plur. (Med.)

Press|wurst (svw. Presskopf)

Pres|ti (Plur. von Presto)

Pres|ti|ge [...'tiːʒə, ...'tiːʃ], das; -s ⟨franz.⟩ (Ansehen, Geltung)

Pres|ti|ge|den|ken; Pres|ti|ge|ge-winn; Pres|ti|ge|grund meist Plur.; Pres|ti|ge|ob|jekt; Pres|ti-ge|sa|che; pres|ti|ge|träch|tig; Pres|ti|ge|ver|lust

pres|tis|si|mo ⟨ital.⟩ (Musik sehr schnell); Pres|tis|si|mo, das; -s, Plur. -s u. ...mi

pres|to (Musik schnell); Pres|to, das; -s, Plur. -s u. ...ti

Prêt-à-por|ter [prɛtapɔr'teː], das; -s, -s ⟨franz.⟩ (von einem Modeschöpfer entworfenes Konfektionskleid)

pre|ti|ös vgl. preziös

Pre|ti|o|se vgl. Preziose

Pre|to|ria (früherer Name von Tshwane)

Preu|ße, der; -n, -n; Preu|ßen; Preu-ßin; preu|ßisch ↑ K 89 : preußi-sche Reformen, aber ↑ K 140 : der Preußische Höhenrücken

Preu|ßisch|blau

Pre|view ['priːvjuː], die; -, -s ⟨engl.⟩ (Voraufführung [eines Films]; EDV Vorschau)

prel|zi|ös, pre|ti|ös ⟨franz.⟩ (kostbar; gekünstelt)

Pre|zi|o|se, Pre|ti|o|se, die; -, -n meist Plur. ⟨lat.⟩ (Kostbarkeit; Schmuckstück)

PR-Frau ⟨zu PR = Public Relations⟩ (ugs. für für die Öffentlichkeitsarbeit zuständige Mitarbeiterin)

Pri|a|mel, die; -, -n, auch das; -s, - ⟨lat.⟩ (Spruchgedicht, bes. des deutschen Spätmittelalters)

Pri|a|mos, Pri|a|mus (griechische Sagengestalt)

pri|a|pe|isch ⟨griech.⟩ (den Priapus betreffend; veraltet für unzüchtig); priapeische Gedichte; Pri|a-pos, Pri|a|pus (griech.-röm. Gott der Fruchtbarkeit)

Pri|cke, die; -, -n (Markierung in flachen Küstengewässern)

Pri|ckel, der; -s, - (Reiz, Erregung); pri|cke|lig, prick|lig (prickelnd); pri|ckeln ↑ K 82 : ein Prickeln auf der Haut empfinden; pri|ckelnd ↑ K 72 : etwas Prickelndes für den Gaumen

pri|cken (mit Pricken versehen; landsch., bes. nordd. für [aus]stechen; abstecken)

prick|lig vgl. prickelig

¹Priel, der; -s (Bergname); ↑ K 140 : der Große, Kleine Priel

²Priel, der; -[e]s, -e (schmaler Wasserlauf im Wattenmeer)

Priem, der; -[e]s, -e ⟨niederl.⟩ (Stück Kautabak); prie|men (Tabak kauen); Priem|ta|bak

Prieß|nitz (Begründer einer Naturheilmethode)

Prieß|nitz|kur ↑ K 136 (eine Kaltwasserkur); Prieß|nitz|um|schlag

Pries|ter, der; -s, -; Pries|ter|amt, das; -[e]s; pries|ter|haft

Pries|te|rin; Pries|ter|kon|gre|ga|ti-on; Pries|ter|kö|nig; Pries|ter|kö-ni|gin

pries|ter|lich; Pries|ter|schaft, die; -; Pries|ter|se|mi|nar; Pries|ter-tum, das; -s; Pries|ter|wei|he

Priest|ley [...li] (englischer Schriftsteller)

Prig|nitz, die; - (Landschaft in Nordostdeutschland)

Prim, die; -, -en ⟨lat.⟩ (Fechthieb; Morgengebet im katholischen Brevier; svw. Prime [Musik])

Prim. = Primar, Primararzt, Primarius; Primaria

pri|ma ⟨ital.⟩ (Kaufmannsspr. ver-

---

altend für vom Besten, erstklassig; Abk. Ia; ugs. für ausgezeichnet, großartig); prima Essen

Pri|ma, die; -, ...men ⟨lat.⟩ (veraltende Bez. für die beiden oberen Klassen eines Gymnasiums)

Pri|ma|bal|le|ri|na, die; -, ...nen ⟨ital.⟩ (erste Tänzerin)

Pri|ma|don|na, die; -, ...nnen (erste Sängerin)

Pri|ma|ge [...ʒə], die; -, -n ⟨franz.⟩ (Primgeld)

Pri|ma|ner ⟨lat.⟩ (Schüler der Prima); pri|ma|ner|haft (unerfahren, unreif); Pri|ma|ne|rin

Pri|mar, der; -s, -e (österr. für Chefarzt einer Krankenhausabteilung; Abk. Prim.)

pri|mär ⟨franz.⟩ (die Grundlage bildend; ursprünglich, erst...)

Pri|mar|arzt (österr.) vgl. Primar; Pri|mar|ärz|tin (österr.) vgl. Primaria

Pri|mär|ener|gie (Energiegehalt der natürlichen Energieträger, z. B. Wasserkraft)

Pri|ma|ria, die; -, ...iae ⟨lat.⟩ (österr. für Chefärztin einer Krankenhausabteilung; Abk. Prim.)

Pri|ma|ri|us, der; -, ...ien ⟨lat.⟩ (erster Geiger im Streichquartett; österr. svw. Primar)

Pri|mar|leh|rer (schweiz.); Pri|mar-leh|re|rin (schweiz.)

Pri|mär|li|te|ra|tur (der eigentliche dichterische od. literarische Text; vgl. Sekundärliteratur)

Pri|mar|schu|le (schweiz. für Volksschule, Grundschule)

Pri|mär|strom (Elektrot.)

Pri|mar|stu|fe (1. bis 4. Schuljahr)

Pri|mär|wick|lung (Elektrot.)

¹Pri|mas, der; -, Plur. -se, auch ...aten ⟨»der Erste, Vornehmste«⟩ (Ehrentitel bestimmter Erzbischöfe)

²Pri|mas, der; -, -se (Solist u. Vorgeiger einer Zigeunerkapelle)

¹Pri|mat, der od. das; -[e]s, -e (Vorrang, bevorzugte Stellung; [Vor]herrschaft; oberste Kirchengewalt des Papstes)

²Pri|mat, der; -en, -en meist Plur. (Biol. Angehöriger einer Menschen, Affen u. Halbaffen umfassenden Ordnung der Säugetiere); Pri|ma|tin

Pri|ma|wech|sel (Bankw.)

Pri|me, die; -, -n (Musik erster Ton der diatonischen Tonleiter; Intervall im Einklang)

Pri|mel, die; -, -n (eine Frühjahrsblume)

Pri|men (*Plur. von* Prim, Prima *u.* Prime)

Prime|time ['praim'taim], die; -, -s, Prime Time, die; - -, - -s ⟨engl.⟩ (abendliche Hauptsendezeit [beim Fernsehen])

Prim|gei|ger (erster Geiger im Streichquartett)

Prim|geld ⟨lat.⟩ (Sondervergütung für den Schiffskapitän)

Pri|mi (*Plur. von* Primus)

pri|mis|si|ma ⟨ital.⟩ (*ugs. für* ganz prima, ausgezeichnet)

pri|mi|tiv ⟨lat.⟩ (einfach, dürftig; *abwertend für* von geringem geistig-kulturellem Niveau)

Pri|mi|ti|ve, der *u.* die; -n, -n *meist Plur.* (*veraltend für* Angehörige[r] eines naturverbundenen, auf einer niedrigen Zivilisationsstufe stehenden Volkes)

pri|mi|ti|vi|sie|ren; Pri|mi|ti|vi|sie|rung

Pri|mi|ti|vis|mus, der; - (künstlerische Tendenz zu naiver, vereinfachender Darstellung)

Pri|mi|ti|vi|tät, die; -

Pri|mi|tiv|ling (*ugs.*)

Pri|mi|ti|vum, das; -s, ...va (*Sprachw.* Stamm-, Wurzelwort)

Pri|miz, die; -, -en (*kath. Kirche* erste [feierliche] Messe des Primizianten); **Pri|miz|fei|er; Pri|mi|zi|ant,** der; -en, -en (neu geweihter katholischer Priester)

Pri|mi|zi|en *Plur.* (den römischen Göttern dargebrachte »Erstlinge« von Früchten u. Ä.)

Pri|mo|ge|ni|tur, die; -, -en (*früher* Erbfolgerecht des Erstgeborenen u. seiner Nachkommen)

Pri|mus, der; -, *Plur.* ...mi *u.* -se (Klassenbester); **Pri|mus in|ter Pa|res,** der; - - -, ...mi - - (der Erste unter Gleichen, ohne Vorrang)

Prim|zahl (nur durch 1 u. durch sich selbst teilbare Zahl)

Prince of Wales ['prins - 've:ls], der; - - - (Titel des britischen Thronfolgers); **Prin|cess of Wales**

Print, der; -[s], -s ⟨engl.⟩ (*Buchw., Fotogr.* Druck; *nur Sing. u. meist ohne Artikel* Printmedien); im Print sein; die Sparten Funk, Fernsehen und Print

Prin|te, die; -, -n ⟨niederl.⟩ (ein Gebäck); Aachener Printen

prin|ted in ... ['printid in] ⟨engl.⟩ (in ... gedruckt [Vermerk in Büchern])

Prin|ter, der; -s, - (automatisches Kopiergerät; Drucker)

Prin|ting-on-De|mand [...di'ma:nd], das; - ⟨engl.⟩ (schnelle Herstellung von Druckerzeugnissen [in kleinerer Zahl] auf Bestellung)

Print|me|di|um *meist Plur.* (z. B. Zeitung, Zeitschrift, Buch)

Prinz, der; -en, -en ⟨lat.⟩

Prin|zen|gar|de (Garde eines Karnevalsprinzen)

Prin|zen|in|seln *Plur.* (im Marmarameer)

Prin|zen|paar, das; -[e]s, -e (Prinz u. Prinzessin [im Karneval])

Prin|zess, die; -, -en (*veraltet für* Prinzessin)

Prin|zess|boh|ne *meist Plur.*

Prin|zes|sin; Prin|zess|kleid

Prinz|ge|mahl (Ehemann einer regierenden Herrscherin)

Prinz-Hein|rich-Müt|ze (nach dem preuß. Prinzen) (Schiffermütze)

Prin|zip, das; -s, *Plur.* -ien, *seltener* -e ⟨lat.⟩ (Grundlage; Grundsatz)

¹**Prin|zi|pal,** der; -s, -e (*veraltet für* Lehrherr; Geschäftsführer)

²**Prin|zi|pal,** das; -s, -e (Hauptregister der Orgel)

Prin|zi|pal|gläu|bi|ger (Hauptgläubiger)

Prin|zi|pa|lin (*veraltet für* Geschäftsführerin; Theaterleiterin)

Prin|zi|pat, das, *auch* der; -[e]s, -e (*veraltet für* Vorrang; römische Verfassungsform der ersten Kaiserzeit)

prin|zi|pi|ell (grundsätzlich)

prin|zi|pi|en|fest

Prin|zi|pi|en|fra|ge

prin|zi|pi|en|los; Prin|zi|pi|en|lo|sig|keit, die; -

Prin|zi|pi|en|rei|ter (jmd., der kleinlich auf seinen Prinzipien beharrt); **Prin|zi|pi|en|rei|te|rei; Prin|zi|pi|en|streit**

prin|zi|pi|en|treu; Prin|zi|pi|en|treue

prinz|lich

Prinz|re|gent

Pri|on, das; -s, ...onen ⟨Kunstwort⟩ (*Med.* Eiweißpartikel, das Erreger einer Gehirnerkrankung sein könnte)

Pri|or, der; -s, Prioren ⟨lat.⟩ ([Kloster]oberer, -vorsteher; *auch für* Stellvertreter eines Abtes); **Pri|o|rat,** das; -[e]s, -e (Amt, Würde eines Priors; von einer Abtei abhängiges Kloster); **Pri|o|rin** [*auch* pri:...]

pri|o|ri|sie|ren (den Vorrang einräumen, bevorzugen); **Pri|o|ri|sie|rung; pri|o|ri|tär** (oberste Priorität habend, dringlich)

Pri|o|ri|tät, die; -, -en ⟨franz.⟩ (Vor[zugs]recht, Erstrecht, Vorrang; *nur Sing.:* zeitliches Vorhergehen); Prioritäten setzen (festlegen, was vorrangig ist)

Pri|o|ri|tä|ten *Plur.* (Wertpapiere mit Vorzugsrechten)

Pri|o|ri|tä|ten|lis|te

Pri|o|ri|täts|ak|tie (Vorzugsaktie)

Pris|chen (kleine Prise)

Pri|se, die; -, -n ⟨franz.⟩ (*Seew.* [im Krieg] erbeutetes [Handels]schiff od. -gut; kleine Menge [Tabak, Salz u. a.], die zwischen Daumen u. Zeigefinger zu greifen ist); **Pri|sen|ge|richt** *(Seew.);* **Pri|sen|kom|man|do; Pri|sen|recht,** das; -[e]s

Pris|ma, das; -s, ...men ⟨griech.⟩ (*Math.* Polyeder; *Optik* Licht brechender Körper); **pris|ma|tisch** (prismenförmig); **Pris|ma|to|id,** das; -[e]s, -e (prismenähnlicher Körper)

Pris|men|fern|rohr; Pris|men|glas *Plur.* ...gläser; **Pris|men|su|cher** (bei Spiegelreflexkameras)

Prit|sche, die; -, -n (flaches Schlagholz [beim Karneval]; hölzerne Liegestatt; Ladefläche eines Lkw)

prit|schen (*Sport* den Volleyball mit den Fingern weiterspielen); du pritschst

Prit|schen|wa|gen

---

pri|vat

⟨lat.⟩
(persönlich; nicht öffentlich; vertraulich; vertraut)
– eine private Meinung, Angelegenheit; die private Wirtschaft
– Verkauf an privat; Kauf von privat
– sich privat versichern; eine privat versicherte *od.* privatversicherte Patientin

Vgl. auch Private

Pri|vat|ad|res|se; Pri|vat|an|ge|le|gen|heit; Pri|vat|ar|mee; Pri|vat|au|di|enz; Pri|vat|bahn; Pri|vat|bank *Plur.* ...banken; **Pri|vat|be|sitz; Pri|vat|brief**

Pri|vat|de|tek|tiv; Pri|vat|de|tek|ti|vin

Pri|vat|do|zent (Hochschullehrer ohne Beamtenstelle); **Pri|vat|do|zen|tin**

Pri|vat|druck *Plur.* ...drucke

Pri|va|te, der *u.* die; -n, -n (Privat-

person; *Plur. auch für* die privaten Fernsehsender)
Pri|vate Ban|king [ˈpraɪvɪt ˈbɛŋkɪŋ], das; - -s 〈engl.〉 〈*Bankw.* Privatkundengeschäft)
Pri|vat|ei|gen|tum; Pri|vat|fern|se|hen; Pri|vat|flug|zeug; Pri|vat|frau; Pri|vat|ge|brauch, der; -[e]s; **Pri|vat|ge|lehr|te; Pri|vat|ge|spräch; Pri|vat|hand;** *nur in* aus, von, in Privathand; **Pri|vat|haus; Pri|vat|heit,** die; -, -en *Plur. selten*
Pri|va|ti|er [...ˈtʃeː], der; -s, -s 〈*veraltet für* Privatmann, Rentner)
pri|va|tim 〈*veraltend für* [ganz] persönlich, vertraulich)
Pri|vat|in|i|ti|a|ti|ve; Pri|vat|in|te|res|se
Pri|va|ti|on, die; -, -en 〈*veraltet für* Beraubung; Entziehung)
pri|va|ti|sie|ren (staatliches Vermögen in Privatvermögen umwandeln; als Rentner[in] od. als Privatperson vom eigenen Vermögen leben); **Pri|va|ti|sie|rung**
pri|va|tis|si|me [...me] (im engsten Kreise; streng vertraulich); **Pri|va|tis|si|mum,** das; -s, ...ma (Vorlesung für einen ausgewählten Kreis; *übertr. für* Ermahnung)
Pri|va|tist, der; -en, -en 〈*österr. für* Schüler, der sich ohne Schulbesuch auf die Prüfung an einer Schule vorbereitet); **Pri|va|tis|tin**
Pri|vat|kla|ge; Pri|vat|kli|nik; Pri|vat|kon|tor; Pri|vat|kun|de, der; **Pri|vat|kun|din; Pri|vat|kund|schaft; Pri|vat|le|ben,** das; -s
Pri|vat|leh|rer; Pri|vat|leh|re|rin
Pri|vat|leu|te *Plur.;* **Pri|vat|mann** *Plur.* ...leute, *selten* ...männer
Pri|vat|mit|tel *Plur.;* ↑K31 : Privatu. öffentliche Mittel, *aber* öffentliche und Privatmittel
pri|vat|nüt|zig; privatnützigen Zwecken dienend
Pri|vat|pa|ti|ent; Pri|vat|pa|ti|en|tin
Pri|vat|per|son; Pri|vat|quar|tier
Pri|vat|ra|dio 〈*österr. für* privater Radiosender)
Pri|vat|recht; pri|vat|recht|lich
Pri|vat|sa|che; Pri|vat|schu|le
Pri|vat|se|kre|tär; Pri|vat|se|kre|tä|rin
Pri|vat|sen|der; Pri|vat|sphä|re; Pri|vat|sta|ti|on; Pri|vat|stun|de; Pri|vat|un|ter|richt; Pri|vat|ver|gnü|gen; Pri|vat|ver|mö|gen
pri|vat ver|si|chert, pri|vat|ver|si|chert ↑K58 *vgl.* privat; **Pri|vat|ver|si|che|rung**

Pri|vat|weg
Pri|vat|wirt|schaft; pri|vat|wirt|schaft|lich
Pri|vat|woh|nung; Pri|vat|zim|mer
Pri|vi|leg, das; -[e]s, *Plur.* -ien, *auch* -e 〈*lat.*) (Vor-, Sonderrecht); **pri|vi|le|gie|ren; pri|vi|le|giert; Pri|vi|le|gi|um,** das; -s, ...ien (*älter für* Privileg)
Prix [priː], der; -, - 〈*franz.*) (*franz. Bez. für* Preis); **Prix Goncourt** [ˈpri: gõˈkuːɐ̯] (französischer Literaturpreis)
PR-Mann *Plur.* PR-Leute 〈*zu* PR = Public Relations〉 (*ugs; vgl.* PR-Frau)

pro

〈*lat.*)

Präposition mit Akkusativ od. Dativ

(für, je)
– pro Stück
– pro Band
– pro gefahrenen *od.* gefahrenem Kilometer
– pro verkauftes *od.* verkauftem Exemplar
– pro Angestellten *od.* Angestelltem
– pro Kranken *od.* Kranken

Pro, das; -s (Für); das Pro und Kontra (das Für und Wider)
pro... (z. B. proamerikanisch, prowestlich)
pro an|no 〈*lat.*〉 (*veraltet für* jährlich; *Abk.* p. a.)
pro|ba|bel 〈*lat.*) (*veraltet für* wahrscheinlich); proba|b|le Gründe
Pro|ba|bi|lis|mus, der; - (*Philos.* Wahrscheinlichkeitslehre; *kath. Moraltheologie* Lehre, nach der in Zweifelsfällen eine Handlung erlaubt ist, wenn gute Gründe dafürsprechen)
Pro|ba|bi|li|tät, die; -, -en (Wahrscheinlichkeit)
Pro|band, der; -en, -en (Testperson; *Genealogie* jmd., für den eine Ahnentafel aufgestellt werden soll); **Pro|ban|din**
pro|bat (erprobt; bewährt)
Pröb|chen
Pro|be s. *Kasten Seite 809*
Pro|be|ab|zug; Pro|be|alarm; Pro|be|ar|beit; Pro|be|auf|nah|me; Pro|be|boh|rung; Pro|be|druck *Plur.* ...drucke; **Pro|be|ex|em|p|lar**
Pro|be fah|ren *vgl.* Probe. **Pro|be|fahrt**

pro|be|hal|ber
pro|be|hal|tig (*veraltet für* die Probe bestehend, aushaltend)
Pro|be|jahr; Pro|be|lauf
Pro|be lau|fen *vgl.* Probe.
prö|beln (*schweiz.* für allerlei Versuche anstellen); ich pröb[e]le
pro|ben
Pro|ben|ar|beit; Pro|ben|ent|nah|me, *fachspr.* **Pro|be[n]|nah|me,** die; -, -n
Pro|be|num|mer
Pro|be schrei|ben *vgl.* Probe
Pro|be|sei|te (*Druckw.*); **Pro|be|sen|dung**
Pro|be sin|gen *vgl.* Probe.
Pro|be|stück
Pro|be tur|nen *vgl.* Probe.
pro|be|wei|se; Pro|be|zeit
pro|bie|ren (versuchen, kosten, prüfen); ↑K 82 : Probieren *od.* probieren geht über Studieren *od.* studieren
Pro|bie|rer (Prüfer); **Pro|bie|re|rin**
Pro|bier|glas *Plur.* ...gläser; **Pro|bier|stu|be**
pro|bio|tisch 〈engl.) (mit bestimmten Bakterien o. Ä. versehen, die die Darmflora verbessern sollen)
Pro|b|lem, das; -s, -e 〈griech.) (zu lösende Aufgabe; Frage[stellung]; Schwierigkeit)
Pro|b|le|ma|tik, die; -, -en (Gesamtheit von Problemen; Schwierigkeit [etwas zu klären]); **pro|b|le|ma|tisch; pro|b|le|ma|ti|sie|ren** (die Problematik von etwas aufzeigen)
Pro|b|lem|be|reich; Pro|b|lem|be|wusst|sein; Pro|b|lem|fall, der; **Pro|b|lem|film; Pro|b|lem|grup|pe; Pro|b|lem|haar; Pro|b|lem|haut; Pro|b|lem|kind; Pro|b|lem|kreis**
pro|b|lem|los
Pro|b|lem|lö|sung
Pro|b|lem|müll
pro|b|lem|ori|en|tiert
Pro|b|lem|schach; Pro|b|lem|schwan|ger|schaft; Pro|b|lem|stel|lung; Pro|b|lem|stück; Pro|b|lem|zo|ne
Probst|zel|la (Ort im nordwestlichen Frankenwald)
Pro|ce|de|re, Pro|ze|de|re, das; -, - 〈*lat.*〉 (Verfahrensordnung, -weise; Prozedur)
pro cen|tum 〈lat.) (für das Hundert; *Abk.* p. c.; *Zeichen* %); *vgl.* Prozent
Pro|de|kan, der; -s, -e 〈lat.) (Ver-

P
Priv

Pro|be

die; -, -n

– zur Probe, auf Probe
– die Probe aufs Exempel machen; jmdn. auf die Probe stellen
– [einen Wagen] Probe fahren; wir sind Probe gefahren; wir haben das Auto Probe gefahren; ohne Probe zu fahren
– lass die Maschine Probe laufen; die Maschine ist Probe gelaufen

– wir mussten [eine Seite] Probe schreiben
– wann wollen Sie Probe singen?; hat sie schon Probe gesungen?
– sie haben vormittags Probe geturnt

Aber ↑K72: Zum Probesingen, Probeturnen usw. bitte pünktlich kommen!

---

treter des Dekans an einer Hochschule); **Pro|de|ka|nin**

pro do|mo ⟨lat.⟩ (in eigener Sache; für sich selbst); pro domo reden

Pro|drom, das; -s, -e ⟨griech.⟩, **Pro|dro|mal|sym|p|tom** (*Med.* Vorbote einer Krankheit)

Pro|du|cer [...'dju:sɐ], der; -s, - ⟨engl.⟩ (*engl. Bez. für* Hersteller, [Film]produzent, Fabrikant); **Pro|du|ce|rin**

Pro|duct|place|ment ['prɔdakt-'ple:sment], **Pro|duct-Place-ment**, das; -s, -s ⟨engl.⟩ (Werbemaßnahme im Film, bei der ein Produkt als Requisit in die Spielhandlung einbezogen wird)

Pro|dukt, das; -[e]s, -e ⟨lat.⟩ (Erzeugnis; Ertrag; Folge, Ergebnis [*Math.* der Multiplikation])

pro|dukt|be|glei|tend; pro|dukt|be|zo|gen

Pro|duk|ten|bör|se (*Wirtsch.* Warenbörse); **Pro|duk|ten|han|del; Pro|duk|ten|markt**

Pro|dukt|haf|tung (*Wirtsch.*)

Pro|duk|ti|on, die; -, -en (Herstellung, Erzeugung)

Pro|duk|ti|ons|an|la|ge; Pro|duk|ti|ons|aus|fall

Pro|duk|ti|ons|ba|sis

pro|duk|ti|ons|be|zo|gen

Pro|duk|ti|ons|bri|ga|de *(in der DDR);* **Pro|duk|ti|ons|fak|tor; Pro|duk|ti|ons|fir|ma; Pro|duk|ti|ons|form**

Pro|duk|ti|ons|gang, der; **Pro|duk|ti|ons|gü|ter** *Plur.*

Pro|duk|ti|ons|ka|pa|zi|tät; Pro|duk|ti|ons-Know-how; Pro|duk|ti|ons|kol|lek|tiv *(in der DDR);* **Pro|duk|ti|ons|kos|ten** *Plur.*

Pro|duk|ti|ons|lei|ter, der; **Pro|duk|ti|ons|lei|te|rin**

Pro|duk|ti|ons|mit|tel; Pro|duk|ti|ons|plan; Pro|duk|ti|ons|pro|zess

Pro|duk|ti|ons|stät|te; Pro|duk|ti|ons|stei|ge|rung

Pro|duk|ti|ons|ver|hält|nis|se *Plur.;* **Pro|duk|ti|ons|vo|lu|men**

Pro|duk|ti|ons|zif|fer; Pro|duk|ti|ons|zweig

pro|duk|tiv (ergiebig; fruchtbar, schöpferisch)

Pro|duk|ti|vi|tät, die; -

Pro|duk|ti|vi|täts|ren|te (Rente, die der wirtschaftlichen Produktivität angepasst wird); **Pro|duk|ti|vi|täts|stei|ge|rung; Pro|duk|ti|vi|täts|stu|fe**

Pro|duk|tiv|kraft, die; -, ...kräfte; **Pro|duk|tiv|kre|dit** (Kredit für die Errichtung von Anlagen od. die Bestreitung der laufenden Betriebsausgaben)

Pro|dukt|li|nie *(Wirtsch.);* **Pro|dukt|pa|let|te**

Pro|du|zent, der; -en, -en (Hersteller, Erzeuger); **Pro|du|zen|tin**

pro|du|zie|ren ([Güter] hervorbringen, [er]zeugen, schaffen); sich produzieren (die Aufmerksamkeit auf sich lenken)

Pro|en|zym, das; -s, -e ⟨lat.; griech.⟩ (Vorstufe eines Enzyms)

Prof, der; -s, -s *u.* die; -, -s ⟨*ugs.* Kurzwort für Professor[in])

Prof. = Professor[en]

pro|fan ⟨lat.⟩ (unheilig, weltlich; alltäglich)

Pro|fa|na|ti|on, **Pro|fa|nie|rung**, die; -, -en (Entweihung)

Pro|fan|bau *Plur.* ...bauten (*Kunstwiss.* nicht kirchliches Bauwerk; *Ggs.* Sakralbau)

Pro|fa|ne, der *u.* die; -n, -n (Unheilige[r], Ungeweihte[r])

pro|fa|nie|ren (entweihen; säkularisieren)

Pro|fa|nie|rung *vgl.* Profanation

Pro|fa|ni|tät, die; - (Unheiligkeit, Weltlichkeit; Alltäglichkeit)

pro|fa|schis|tisch (dem Faschismus zuneigend)

¹**Pro|fess**, der; -en, -en ⟨lat.⟩ (Mitglied eines geistl. Ordens nach Ablegung der Gelübde)

²**Pro|fess**, die; -, -e (Ablegung der [Ordens]gelübde)

Pro|fes|si|on, die; -, -en ⟨franz.⟩ (*veraltet für* Beruf; Gewerbe)

Pro|fes|sio|nal [prə'fɛʃ(ə)nəl], der; -s, -s ⟨engl.⟩ (Berufssportler; *Kurzw.* Profi)

pro|fes|si|o|na|li|sie|ren (zum Beruf machen); **Pro|fes|si|o|na|li|sie|rung**

Pro|fes|si|o|na|lis|mus, der; - ⟨lat.⟩ (Berufssportlertum)

Pro|fes|si|o|na|li|tät, die; - (das Professionellsein); **pro|fes|si|o|nell** ⟨franz.⟩ (berufsmäßig; fachmännisch)

Pro|fes|si|o|nist, der; -en, -en (*österr. für* Handwerker, Facharbeiter); **Pro|fes|si|o|nis|tin**

pro|fes|si|ons|mä|ßig

Pro|fes|sor, der; -s, ...oren ⟨lat.⟩ (Hochschullehrer; Titel für verdiente Lehrkräfte, Forscher u. Künstler; *österr. auch für* definitiv angestellter Lehrer an höheren Schulen; *Abk.* Prof.); ordentlicher Professor (*Abk.* o. P.); außerordentlicher Professor (*Abk.* ao., a. o. Prof.); emeritierter Professor

pro|fes|so|ral (professorenhaft, würdevoll)

Pro|fes|so|ren|frau; Pro|fes|so|ren|kol|le|gi|um

Pro|fes|so|ren|schaft; Pro|fes|so|ren|ti|tel, **Pro|fes|sor|ti|tel**

Pro|fes|so|rin [*auch* ...'fe...] (*im Titel u. in der Anrede auch* Frau Professor); **Pro|fes|so|r(inn)en** (*Kurzform für* Professorinnen u. Professoren)

Pro|fes|sor|ti|tel *vgl.* Professorentitel

Pro|fes|sur, die; -, -en (Lehrstuhl, -amt)

Pro|fi, der; -s, -s ⟨*Kurzw. für* Professional⟩ (Berufssportler; jmd., der etwas fachmännisch betreibt)

Pro|fi|bo|xer; Pro|fi|bo|xe|rin; Pro|fi|fuß|ball; Pro|fi|ge|schäft

pro|fi|haft

Pro|fi|kil|ler; Pro|fi|kil|le|rin

Pro|fil, das; -s, -e (ital.(-franz.))
(Seitenansicht; Längs- od. Querschnitt; Riffelung bei Gummireifen; charakteristisches Erscheinungsbild)

Pro|fi|la|ger, das; -s (Sport); ins Profilager wechseln

Pro|fil|bild; Pro|fil|ei|sen

Pro|fi|ler [pro'faɪlɐ, auch 'pro:...], der; -s, - (engl.) (Fachmann für die Erstellung eines psychologischen Profils eines gesuchten Täters); Pro|fi|le|rin

pro|fi|lie|ren (franz.) (im Querschnitt darstellen); sich profilieren (sich ausprägen, hervortreten); pro|fi|liert (auch für gerillt, geformt; scharf umrissen von ausgeprägter Art); Pro|fi|lie|rung

Pro|fil|li|nie; pro|fil|los

Pro|fil|neu|ro|se (Psych. übertriebene Sorge um die Profilierung der eigenen Persönlichkeit); Pro|fil|neu|ro|ti|ker; Pro|fil|neu|ro|ti|ke|rin

Pro|fil|soh|le; Pro|fil|stahl (Technik); Pro|fil|tie|fe (Kfz-Technik)

Pro|fi|sport, der; -[e]s

Pro|fit [auch ...'fit], der; -[e]s, -e (franz.) (Nutzen; Gewinn; Vorteil); ↑K58: ein Profit bringendes od. profitbringendes Geschäft; aber nur ein äußerst profitbringendes Geschäft; ein großen Profit bringendes Geschäft

pro|fi|ta|bel (Gewinn bringend); ein pro|fi|ta|b|les Geschäft; Pro|fi|ta|bi|li|tät

Pro|fit brin|gend, pro|fit|brin|gend vgl. Profit

Pro|fit|cen|ter, Pro|fit-Cen|ter (Unternehmensbereich mit eigener Verantwortung für geschäftlichen Erfolg)

Pro|fit|chen (meist für nicht ganz ehrlicher Gewinn)

Pro|fi|teur [...'tø:ɐ̯], der; -s, -e (franz.); Pro|fi|teu|rin

pro|fit|geil (ugs. abwertend für profitgierig); Pro|fit|gier; pro|fit|gie|rig

pro|fi|tie|ren (Nutzen ziehen)

Pro|fit|jä|ger (jmd., der profitgierig ist); Pro|fit|jä|ge|rin

pro|fit|lich (landsch. für gewinnsüchtig; Gewinn bringend)

Pro|fit|stre|ben, das; -s

pro for|ma (lat.) (der Form wegen, zum Schein); Pro-for|ma-An|kla|ge ↑K26

Pro|fos, der; Gen. -es u. -en, Plur. -e[n] (niederl.) (früher Verwalter der Militärgerichtsbarkeit)

pro|fund (lat.) (tief, gründlich; Med. tief liegend)

pro|fus (Med. reichlich, übermäßig; stark)

Pro|ge|ni|tur, die; -, - (lat.) (Med. Nachkommen[schaft])

Pro|ges|te|ron, das; -s (Gelbkörperhormon)

Pro|g|no|se, die; -, -n (griech.) (Vorhersage); Pro|g|nos|tik, die; - (Lehre von der Prognose); Pro|g|nos|ti|kon, Pro|g|nos|ti|kum, das; -s, Plur. ...ken u. ...ka (Vorzeichen); pro|g|nos|tisch

pro|g|nos|ti|zie|ren; Pro|g|nos|ti|zie|rung

Pro|gramm, das; -s, -e (griech.) (Plan; Darlegung von Grundsätzen; Ankündigung; Spiel-, Sende-, Fest-, Arbeits-, Vortragsfolge; EDV Folge von Anweisungen für einen Computer)

Pro|gramm|ab|lauf; Pro|gramm|än|de|rung; Pro|gramm|an|zei|ger

Pro|gramm|ma|tik, die; -, -en (Zielsetzung, -vorstellung); Pro|gram|ma|ti|ker; Pro|gramm|ma|ti|ke|rin; pro|gramm|ma|tisch

Pro|gramm|di|rek|tor (bes. Fernsehen); Pro|gramm|di|rek|to|rin

Pro|gramm|fol|ge

pro|gramm|fül|lend

Pro|gramm|fül|ler (Fernsehen Sendung, die eingesetzt werden kann, um Lücken im Programm zu füllen)

Pro|gramm|ge|mäß

Pro|gramm|ge|stal|tung

pro|gramm|ge|steu|ert (EDV)

Pro|gramm|heft; Pro|gramm|hin|weis

pro|gram|mier|bar

pro|gram|mie|ren ([im Ablauf] festlegen; [einen Computer] mit einem Programm versorgen); Pro|gram|mie|rer (EDV); Pro|gram|mie|re|rin

Pro|gramm|mier|spra|che

Pro|gramm|mie|rung

Pro|gramm|ki|no

pro|gramm|lich

pro|gramm|mä|ßig

Pro|gramm|mu|sik, Pro|gramm-Mu|sik ↑K25

Pro|gramm|punkt; Pro|gramm|steu|e|rung (automatische Steuerung); Pro|gramm|vor|schau; Pro|gramm|zeit|schrift

Pro|gress, der; -es, -e (lat.) (Fortschritt; Fortgang); Pro|gres|si|on,

die; -, -en (das Fortschreiten; [Stufen]folge, Steigerung; Math. veraltet Aufeinanderfolge von Zahlen usw.); arithmetische, geometrische Progression

Pro|gres|sis|mus, der; - ([übertriebene] Fortschrittlichkeit); Pro|gres|sist, der; -en, -en; Pro|gres|sis|tin; pro|gres|sis|tisch

pro|gres|siv (franz.) (stufenweise fortschreitend, sich entwickelnd; fortschrittlich)

Pro|gres|sive Jazz [pro:'ɡresɪv '-], der; - - (engl.) (moderne Stilrichtung des Jazz)

Pro|gres|si|vist, der; -en, -en

Pro|gres|siv|steu|er, die (Wirtsch.)

Pogrom

Das Substantiv stammt aus dem Russischen und ist nicht mit der lateinischen Vorsilbe Pro- (wie etwa in Programm, Produkt, Profit) gebildet worden.

Pro|gym|na|si|um, das; -s, ...ien (Gymnasium ohne Oberstufe)

pro|hi|bie|ren (lat.) (veraltet für verhindern; verbieten)

Pro|hi|bi|ti|on, die; -, -en (Verbot, bes. von Alkoholherstellung u. -abgabe); Pro|hi|bi|ti|o|nist, der; -en, -en (Befürworter der Prohibition); Pro|hi|bi|ti|o|nis|tin

pro|hi|bi|tiv (verhindernd, abhaltend, vorbeugend); Pro|hi|bi|tiv|maß|re|gel; Pro|hi|bi|tiv|zoll (Sperr-, Schutzzoll)

Pro|jekt, das; -[e]s, -e (lat.) (Plan[ung], Entwurf, Vorhaben); Pro|jek|tant, der; -en, -en (Planer); Pro|jek|tan|tin

pro|jekt|be|zo|gen; projektbezogene Fördermittel

Pro|jek|te[n]|ma|cher; Pro|jek|te[n]-ma|che|rin

Pro|jekt|ent|wick|lung

Pro|jekt|grup|pe (Arbeitsgruppe für ein bestimmtes Projekt)

pro|jek|tie|ren; Pro|jek|tie|rung

Pro|jek|til, das; -s, -e (franz.) (Geschoss)

Pro|jek|ti|on, die; -, -en (lat.) (Darstellung auf einer Fläche; Vorführung mit dem Bildwerfer); Pro|jek|ti|ons|ap|pa|rat (Bildwerfer); Pro|jek|ti|ons|ebe|ne (Math.); Pro|jek|ti|ons|flä|che (bes. Psych.); Pro|jek|ti|ons|lam|pe; Pro|jek|ti|ons|schirm; Pro|jek|ti|ons|wand

Pro|jekt|lei|ter, der; Pro|jekt|lei|te|rin

Pro|jekt|ma|nage|ment

Pro|jek|tor, der; -s, ...oren (Bildwerfer)

Pro|jekt|wo|che (Unterrichtswoche mit fächerübergreifendem Themenschwerpunkt; *österr. auch für* Klassenfahrt)

pro|ji|zie|ren (auf einer Fläche darstellen; mit dem Projektor vorführen); **Pro|ji|zie|rung**

Pro|kla|ma|ti|on, die; -, -en ⟨lat.⟩ (amtliche Bekanntmachung, Verkündigung; Aufruf); **pro|klamie|ren; Pro|kla|mie|rung**

Pro|kli|se, Pro|kli|sis, die; -, ...klisen ⟨griech.⟩ (*Sprachw.* Anlehnung eines unbetonten Wortes an das folgende betonte; *Ggs.* Enklise); **Pro|kli|ti|kon,** das; -s, ...ka (unbetontes Wort, das sich an das folgende betonte anlehnt, z. B. »und 's Mädchen [= und das Mädchen] sprach«); **pro|kli|tisch**

Pro|ko|f|jew [...jef], Sergej [...'gɛi] (russischer Komponist)

pro|kom|mu|nis|tisch (dem Kommunismus zuneigend)

Pro|kon|sul, der; -s, -n ⟨lat.⟩ (ehem. Konsul; Statthalter einer römischen Provinz); **Pro|kon|su|lat,** das; -[e]s, -e

Pro|kop, Pro|ko|pi|us (byzantinischer Geschichtsschreiber)

pro Kopf; Pro-Kopf-Ver|brauch ↑K 26

Pro|k|rus|tes (Gestalt der griechischen Sage); **Pro|k|rus|tesbett,** das; -[e]s ↑K 136 (Schema, in das jmd. od. etwas hineingezwängt wird)

Prok|t|al|gie, die; -, ...ien ⟨griech.⟩ (*Med.* neuralgische Schmerzen in After u. Mastdarm)

Prok|ti|tis, die; -, ...itiden ⟨griech.⟩ (Mastdarmentzündung)

Prok|to|lo|ge, der; -n, -n (Facharzt für Erkrankungen im Bereich des Mastdarms); **Prok|to|lo|gie,** die; -; **Prok|to|lo|gin; prok|to|logisch**

Prok|to|spas|mus, der; -, ...men (Krampf des Afterschließmuskels)

Prok|to|s|ta|se, die; - (Kotzurückhaltung im Mastdarm)

Pro|ku|ra, die; -, ...ren ⟨lat.-ital.⟩ (Handlungsvollmacht; Recht, den Geschäftsinhaber zu vertreten); in Prokura; *vgl.* per procura; **Pro|ku|ra|ti|on,** die; -, -en (Stellvertretung durch einen Bevollmächtigten; Vollmacht)

Pro|ku|ra|tor, der; -s, ...oren (Statthalter einer römischen Provinz;

hoher Staatsbeamter der Republik Venedig; Vermögensverwalter eines Klosters)

Pro|ku|rist, der; -en, -en (Inhaber einer Prokura); **Pro|ku|ris|tin**

Pro|ky|on, der; -[s] ⟨griech.⟩ (ein Stern)

Pro|laps, der; -es, -e ⟨lat.⟩, **Pro|lapsus,** der; -, - (*Med.* Vorfall, Heraustreten von inneren Organen)

Pro|le|go|me|na *Plur.* ⟨griech.⟩ (einleitende Vorbemerkungen)

Pro|lep|se, Pro|lep|sis [*auch* 'pro:...], die; -, ...lepsen ⟨griech.⟩ (*Rhet.* Vorwegnahme eines Satzgliedes); **pro|lep|tisch**

Pro|let, der; -en, -en ⟨lat.⟩ (*abwertend für* ungebildeter, ungehobelter Mensch)

Pro|le|ta|ri|at, das; -[e]s, -e (Gesamtheit der Proletarier); **Pro|le|ta|ri|er,** der; -s, - (Angehöriger der wirtschaftlich unselbstständigen, besitzlosen Klasse); **Pro|le|ta|ri|e|rin**

Pro|le|ta|ri|er|vier|tel

pro|le|ta|risch; pro|le|ta|ri|sie|ren (zu Proletariern machen); **Pro|leta|ri|sie|rung,** die; -

pro|le|ten|haft (ungebildet u. ungehobelt); **Pro|le|tin**

Pro|let|kult, der; -[e]s (von der russischen Oktoberrevolution ausgehende kulturrevolutionäre Bewegung der 20er-Jahre)

¹Pro|li|fe|ra|ti|on, die; -, -en ⟨lat.⟩ (*Med.* Sprossung, Wucherung)

²Pro|li|fe|ra|ti|on [*engl. Aussprache* ...fə'reːʃn], die; - ⟨engl.-amerik.⟩ (Weitergabe von Atomwaffen od. Mitteln zu ihrer Herstellung)

pro|li|fe|rie|ren ⟨lat.⟩ (*Med.* sprossen, wuchern)

Proll, der; -s, -s (*ugs. für* Prolet); **prol|len** (*ugs. für* sich wie ein Prolet aufführen); **prol|lig** (*ugs. für* proletenhaft)

Pro|log, der; -[e]s, -e ⟨griech.⟩ (Einleitung; Vorwort, -spiel, -rede; *Radsport* Rennen zum Auftakt einer Etappenfahrt)

Pro|lon|ga|ti|on, die; -, -en ⟨lat.⟩ (*Wirtsch.* Verlängerung [einer Frist, bes. einer Kreditfrist]; Aufschub, Stundung); **Pro|longa|ti|ons|ge|schäft; Pro|lon|ga|tions|wech|sel**

pro|lon|gie|ren (verlängern; stunden); **Pro|lon|gie|rung**

pro me|mo|ria ⟨lat.⟩ (zum Gedächtnis; *Abk.* p. m.)

Pro|me|na|de, die; -, -n ⟨franz.⟩ (Spazierweg; Spaziergang); *Schreibung in Straßennamen:* ↑K 162 *u.* 163

Pro|me|na|den|deck (auf Schiffen); **Pro|me|na|den|kon|zert; Pro|mena|den|mi|schung** (*ugs. scherzh. für* nicht reinrassiger Hund); **Pro|me|na|den|weg**

pro|me|nie|ren (spazieren gehen)

Pro|mes|se, die; -, -n ⟨franz.⟩ (*Rechtsspr.* Schuldverschreibung; Urkunde, in der eine Leistung versprochen wird)

pro|me|the|isch ⟨griech.⟩ (↑K 135 ; *auch für* himmelstürmend); prometheisches Ringen; **Pro|metheus** (griech. Sagengestalt)

Pro|me|thi|um, das; -s (chemisches Element, Metall; *Zeichen* Pm)

Pro|mi, der; -s, -s *u.* die; -, -s (*ugs. kurz für* Prominente[r])

pro mil|le ⟨lat.⟩ (für tausend, für das Tausend, vom Tausend; *Abk.* p. m., v. T.; *Zeichen* ‰); **Pro|mil|le,** das; -[s], - (Tausendstel); 2 Promille

Pro|mil|le|gren|ze; Pro|mil|le|satz (Vomtausendsatz)

pro|mi|nent ⟨lat.⟩ (hervorragend, bedeutend, maßgebend)

Pro|mi|nen|te, der *u.* die; -n, -n (bekannte Persönlichkeit)

Pro|mi|nenz, die; - (Gesamtheit der Prominenten; *veraltet für* [hervorragende] Bedeutung); **Pro|minen|zen** *Plur.* (hervorragende Persönlichkeiten)

pro|misk (*Fachspr.* promiskuitiv)

Pro|mis|ku|i|tät, die; - ⟨lat., »Vermischung«⟩ (Geschlechtsverkehr mit häufig wechselnden Partnern); **pro|mis|ku|i|tiv**

pro|mo|ten ⟨engl.⟩ (für etwas Werbung machen); er/sie promotet, hat promotet

Pro|mo|ter, der; -s, - ⟨engl.⟩ (Veranstalter von Berufssportwettkämpfen; Salespromoter); **Promo|te|rin**

¹Pro|mo|ti|on, die; -, -en ⟨lat.⟩ (Erlangung, Verleihung der Doktorwürde); Promotion sub auspiciis [praesidentis] (*österr. für* Ehrenpromotion unter der Schirmherrschaft des Bundespräsidenten)

²Pro|mo|tion [...ʃn], die; -, -s ⟨amerik.⟩ (Förderung durch gezielte Werbemaßnahmen)

Pro|mo|tor, der; -s, ...oren ⟨lat.⟩ (*selten für* Förderer, Manager)

Pro|mo|vend, der; -en, -en (jmd.,

der die Doktorwürde anstrebt); **Pro|mo|ven|din**

pro|mo|vie|ren (die Doktorwürde erlangen, verleihen); ich habe promoviert; ich bin [von der ...] Fakultät zum Doktor ...] promoviert worden

prompt ⟨lat.⟩ (sofort; rasch); prompte (schnelle) Bedienung

Promp|ter, der; -s, - (*kurz für* Teleprompter ®); **Prompt|heit**, die; -

Pro|no|men, das; -s, *Plur.* -, älter ...mina ⟨lat.⟩ (*Sprachw.* Fürwort, z. B. »ich, mein«); **pro|no|mi|nal** (fürwörtlich)

Pro|no|mi|nal|ad|jek|tiv (unbestimmtes Für- od. Zahlwort, nach dem das folgende [substantivisch gebrauchte] Adjektiv wie nach einem Pronomen oder wie nach einem Adjektiv gebeugt wird, z. B. »manche«: manche geeignete, *auch noch:* geeigneten Einrichtungen)

Pro|no|mi|nal|ad|verb (Adverb, das für eine Fügung aus Präposition u. Pronomen steht, z. B. »darüber« = »über das« od. »über es«)

pro|non|cie|ren [...nõ'si:...] ⟨franz.⟩ (*veraltet für* deutlich aussprechen; scharf betonen); **pro|non-ciert**

Pro|ömi|um, das; -s, ...ien ⟨griech.⟩ (Vorrede; Einleitung)

Pro|pä|deu|tik, die; -, -en ⟨griech.⟩ (Einführung in die Vorkenntnisse, die zu einem Studium gehören); **Pro|pä|deu|ti|kum**, das; -s, ...ka (*schweiz. für* medizin. Vorprüfung); **pro|pä|deu|tisch**

Pro|pa|gan|da, die; - ⟨lat.⟩ (Werbung für politische Grundsätze, kulturelle Belange od. wirtschaftliche Zwecke)

Pro|pa|gan|da|ap|pa|rat

Pro|pa|gan|da|chef; **Pro|pa|gan|da|che|fin**

Pro|pa|gan|da|feld|zug; **Pro|pa|gan|da|film**; **Pro|pa|gan|da|lü|ge**; **Pro|pa|gan|da|ma|te|ri|al**; **Pro|pa|gan|da|schrift**; **Pro|pa|gan|da|sen|dung**

pro|pa|gan|da|wirk|sam

Pro|pa|gan|dist, der; -en, -en (jmd., der Propaganda treibt; Werber); **Pro|pa|gan|dis|tin**; **pro|pa|gan|dis|tisch**

Pro|pa|ga|tor, der; -s, ...oren (jmd., der etwas propagiert); **Pro|pa|ga|to|rin**

pro|pa|gie|ren ⟨lat.⟩ (verbreiten,

werben für etwas); **Pro|pa|gie-rung**

Pro|pan, das; -s ⟨griech.⟩ (ein Brenn-, Treibgas); **Pro|pan|gas**, das; -es

Pro|par|oxy|to|non, das; -s, ...tona ⟨griech.⟩ (*Sprachw.* auf der drittletzten, kurzen Silbe betontes Wort)

Pro|pel|ler, der; -s, - ⟨engl.⟩; **Pro|pel|ler|an|trieb**; **Pro|pel|ler|flug-zeug**; **Pro|pel|ler|tur|bi|ne**

Pro|pen *vgl.* Propylen

pro|per, pro|p|re ⟨franz.⟩ (sauber, ordentlich); **Pro|per|ge|schäft**, Pro|p|re|ge|schäft (*Wirtsch.* Geschäft für eigene Rechnung)

Pro|pe|ri|s|po|me|non, das; -s, ...mena ⟨griech.⟩ (*Sprachw.* auf der vorletzten, langen Silbe betontes Wort)

Pro|pha|se, die; -, -n ⟨griech.⟩ (*Biol.* erste Phase der indirekten Zellkernteilung)

Pro|phet, der; -en, -en ⟨griech.⟩ (Weissager, Seher; Mahner); ↑ K 150 : die Großen Propheten (z. B. Jesaja), die Kleinen Propheten (z. B. Hosea); **Pro|phe-ten|ga|be**, die; -

Pro|phe|tie, die; -, ...ien (Weissagung)

Pro|phe|tin; **pro|phe|tisch** (seherisch, vorausschauend)

pro|phe|zei|en (voraussagen); er hat prophezeit; **Pro|phe|zei-ung**

Pro|phy|lak|ti|kum, das; -s, ...ka ⟨griech.⟩ (*Med.* vorbeugendes Mittel)

pro|phy|lak|tisch (vorbeugend, verhütend); **Pro|phy|la|xe**, die; -, -n (Maßnahme[n] zur Vorbeugung, [Krankheits]verhütung)

Pro|pi|on|säu|re (ein Konservierungsmittel)

Pro|po|nent, der; -en, -en ⟨lat.⟩ (*veraltet für* Antragsteller); **pro-po|nie|ren**

Pro|pon|tis, die; - ⟨griech.⟩ (Marmarameer)

Pro|por|ti|on, die; -, -en ⟨lat.⟩ ([Größen]verhältnis; *Math.* Verhältnisgleichung) **pro|por|ti|o-nal** (verhältnismäßig; in gleichem Verhältnis stehend; entsprechend)

Pro|por|ti|o|na|le, die; -, -n (*Math.* Glied einer Verhältnisgleichung); drei Proportionale[n]; mittlere Proportionale

Pro|por|ti|o|na|li|tät, die; -, -en (Verhältnismäßigkeit, propor-

tionales Verhältnis); **Pro|por|ti|o-nal|wahl** (*bes. österr. u. schweiz. für* Verhältniswahl)

pro|por|ti|o|nell (*österr. für* dem Proporz entsprechend)

pro|por|ti|o|niert (bestimmte Proportionen aufweisend); gut, schlecht proportioniert; **Pro|por-ti|o|niert|heit**, die; -

Pro|por|ti|ons|glei|chung (*Math.* Verhältnisgleichung)

Pro|porz, der; -es, -e (Verteilung von Sitzen u. Ämtern nach dem Stimmenverhältnis bzw. dem Verhältnis der Partei- oder Konfessionszugehörigkeit; *bes. österr. u. schweiz. für* Verhältniswahlsystem)

Pro|porz|den|ken; **Pro|porz|wahl** (*bes. österr. u. schweiz. für* Verhältniswahl)

Pro|po|si|ti|on, die; -, -en ⟨lat.⟩ (Ausschreibung bei Pferderennen; *veraltet für* Vorschlag, Antrag; *Sprachw.* Satzinhalt)

Pro|po|si|tum, das; -s, ...ta (*veraltet für* Äußerung, Rede)

Prop|pen, der; -s, - (*nordd. für* Pfropfen); **prop|pen|voll** (*ugs. für* ganz voll; übervoll)

Pro|prä|tor, der; -s, ...oren (römischer Provinzstatthalter, der vorher Prätor war)

pro|p|re *vgl.* proper; **Pro|p|re|ge-schäft** *vgl.* Propergeschäft

Pro|p|re|tät, die; - ⟨franz.⟩ (*veraltet, aber noch landsch. für* Reinlichkeit, Sauberkeit)

Pro|p|ri|e|tär, der; -s, -e (*veraltet für* Eigentümer)

Pro|p|ri|e|tät, die; -, -en (*veraltet für* Eigentum, Eigentumsrecht); **Pro|p|ri|e|täts|recht**

Pro|p|ri|um, das; -s ⟨lat.⟩ (*Psych.* Identität, Selbstgefühl; *kath. Kirche* die wechselnden Texte u. Gesänge der Messe)

Propst, der; -[e]s, Pröpste ⟨lat.⟩ (Kloster-, Stiftsvorsteher; Superintendent); **Props|tei**, die; -, -en (Amt[ssitz], Sprengel, Wohnung einer Pröpstin/eines Propstes); **Pröps|tin**

Pro|pusk [*auch* ...'pʊsk], der; -s, -e ⟨russ.⟩ (*russ. Bez. für* Passierschein, Ausweis)

Pro|py|lä|en *Plur.* ⟨griech.⟩ (Vorhalle griechischer Tempel)

Pro|py|len, Pro|pen, das; -s ⟨griech.⟩ (ein gasförmiger ungesättigter Kohlenwasserstoff)

Pro|rek|tor, der; -s, ...oren ⟨lat.⟩ (Stellvertreter des Rektors); **Pro-**

P

Prom

rek|to|rat, das; -[e]s, -e; Pro|rek|to|rin

Pro|sa, die; - ⟨lat.⟩ (Rede [Schrift] in ungebundener Form; *übertr. für* Nüchternheit); Pro|sa|dich|tung

Pro|sa|i|ker (nüchterner Mensch; *älter für* Prosaist); Pro|sa|i|ke|rin

pro|sa|isch (in Prosa; *übertr. für* nüchtern)

Pro|sa|ist, der; -en, -en (Prosa schreibender Schriftsteller); Pro|sa|is|tin

Pro|sa|schrift|stel|ler; Pro|sa|schrift|stel|le|rin

Pro|sa|werk

Pro|sec|co, der; -[s], -s ⟨ital.⟩ (ein italienischer Schaum-, Perl- od. Weißwein)

Pro|sek|tor [*auch* ...'zek...], der; -s, ...oren ⟨lat.⟩ (Arzt, der Sektionen durchführt; Leiter der Prosektur); Pro|sek|tur, die; -, -en (Abteilung eines Krankenhauses, in der Sektionen durchgeführt werden)

Pro|se|lyt, der; -en, -en ⟨griech.⟩ (*im Altertum* ein zum Judentum übergetretener Heide; Neubekehrter); Pro|se|ly|ten|ma|cher; Pro|se|ly|ten|ma|che|rei *(abwertend)*

Pro|se|ly|tin

Pro|se|mi|nar, das; -s, -e ⟨lat.⟩ (Seminar für Studienanfänger)

Pro|ser|pi|na (*lat. Form von* Persephone)

pro|sit!, prost! ⟨lat.⟩ (wohl bekomms!); pros[i]t Neujahr!; pros[i]t allerseits!; prost Mahlzeit! *(ugs.);* prost, das; -s, -s *u.* Prost (Zutrunk); ein Prosit der Gemütlichkeit!

pro|skri|bie|ren ⟨lat.⟩ (ächten); Pro|skrip|ti|on, die; -, -en (Ächtung)

Pro|s|o|die, die; -, ...ien ⟨griech.⟩ (Silbenmessung[slehre]; Lehre von der metrisch-rhythmischen Behandlung der Sprache); Pro|s|o|dik, die; -, -en *(seltener für* Prosodie); pro|s|o|disch

Pro|s|pekt, der, *österr. auch* das; -[e]s, -e ⟨lat.⟩ (Werbeschrift; Ansicht [von Gebäuden, Straßen u. a.]; Bühnenhintergrund; Pfeifengehäuse der Orgel; *Wirtsch.* allgemeine Darlegung der Lage eines Unternehmens)

pro|s|pek|tie|ren; Pro|s|pek|tie|rung, Pro|s|pek|ti|on, die; -, -en (Erkundung nutzbarer Bodenschätze; *Wirtsch.* Drucksachenwerbung)

pro|s|pek|tiv (der Aussicht, Möglichkeit nach)

Pro|s|pek|tor, der; -s, ...oren (jmd., der Bodenschätze erkundet); Pro|s|pek|to|rin

pro|s|pe|rie|ren ⟨lat.⟩ (gedeihen, vorankommen); Pro|s|pe|ri|tät, die; - (Wohlstand, wirtschaftlicher Aufschwung)

Prost *vgl.* Prosit; prost! *vgl.* prosit!

Pro|s|ta|ta, die; -, ...tae ⟨griech.-lat.⟩ (Vorsteherdrüse); Pro|s|ta|ti|ker (*Med.* jmd., der an einer übermäßigen Vergrößerung der Prostata leidet); Pro|s|ta|ti|tis, die; -, ...iti|den (Entzündung der Prostata)

pro|s|ten; prös|ter|chen! *(ugs.);* Prös|ter|chen *(vgl.* Prosit)

pro|s|ti|tu|ie|ren ⟨lat.⟩; sich prostituieren; Pro|s|ti|tu|ier|te, die; -n, -n (Frau, die Prostitution betreibt); Pro|s|ti|tu|ti|on, die; - ⟨franz.⟩ (gewerbsmäßige Ausübung sexueller Handlungen)

Pro|s|t|ra|ti|on, die; -, -en ⟨lat.⟩ (*kath. Kirche* Fußfall; *Med.* hochgradige Erschöpfung)

Pro|s|ze|ni|um, das; -s, ...ien ⟨griech.⟩ (vorderster Teil der Bühne, Vorbühne); Pro|s|ze|ni|ums|lo|ge (Bühnenloge)

prot. = protestantisch

Pro|t|ac|ti|ni|um, das; -s ⟨griech.⟩ (radioaktives chemisches Element, Metall; *Zeichen* Pa)

Pro|t|a|go|nist, der; -en, -en ⟨griech.⟩ (*altgriech. Theater* erster Schauspieler; zentrale Gestalt; Vorkämpfer); Pro|t|a|go|nis|tin (zentrale Gestalt; Vorkämpferin)

Pro|te|gé [...'ʒe:], der; -s, -s ⟨franz.⟩ (Günstling; Schützling); pro|te|gie|ren [...'ʒi:...]

Pro|te|id, das; -[e]s, -e ⟨griech.⟩ (mit anderen chemischen Verbindungen zusammengesetzter Eiweißkörper); Pro|te|in, das; -s, -e (vorwiegend aus Aminosäuren aufgebauter Eiweißkörper)

pro|te|isch (in der Art des ¹Proteus, wandelbar, unzuverlässig)

Pro|tek|ti|on, die; -, -en ⟨lat.⟩ (Förderung; Schutz)

Pro|tek|ti|o|nis|mus, der; - (Politik, die z. B. durch Schutzzölle die inländische Wirtschaft begünstigt); Pro|tek|ti|o|nist, der; -en, -en; Pro|tek|ti|o|nis|tin; pro|tek|ti|o|nis|tisch

Pro|tek|tor, der; -s, ...oren (Beschützer; Förderer; Schutz-, Schirmherr); Pro|tek|to|rat, das; -[e]s, -e (Schirmherrschaft; Schutzherrschaft; das unter Schutzherrschaft stehende Gebiet); Pro|tek|to|rin

Pro|te|ro|zo|i|kum, das; -s ⟨griech.⟩ (*Geol.* Abschnitt der erdgeschichtl. Frühzeit)

Pro|test, der; -[e]s, -e ⟨lat.-ital.⟩ (Einspruch; Missfallensbekundung; *Wirtsch.* beurkundete) Verweigerung der Annahme od. der Zahlung eines Wechsels od. Schecks); zu Protest gehen (von Wechseln); Pro|test|ak|ti|on

Pro|tes|tant, der; -en, -en ⟨lat.⟩ (Angehöriger des Protestantismus); Pro|tes|tan|tin; pro|tes|tan|tisch (*Abk.* prot.); Pro|tes|tan|tis|mus, der; - (Gesamtheit der auf die Reformation zurückgehenden evangelischen Kirchengemeinschaften)

Pro|tes|ta|ti|on, die; -, -en (*veraltet für* Protest)

Pro|test|be|we|gung; Pro|test|de|mons|t|ra|ti|on; Pro|test|ge|schrei; Pro|test|hal|tung

pro|tes|tie|ren (Einspruch erheben, Verwahrung einlegen); einen Wechsel protestieren (*Wirtsch.* zu Protest gehen lassen)

Pro|test|kund|ge|bung

Pro|test|ler *(ugs.);* Pro|test|le|rin; Pro|test|marsch; Pro|test|no|te; Pro|test|par|tei; Pro|test|re|so|lu|ti|on; Pro|test|ruf

Pro|test|sän|ger; Pro|test|sän|ge|rin; Pro|test|schrei|ben; Pro|test|song; Pro|test|streik; Pro|test|sturm; Pro|test|ver|samm|lung

Pro|test|wäh|ler; Pro|test|wäh|le|rin; Pro|test|wel|le

¹Pro|teus (verwandlungsfähiger griechischer Meergott)

²Pro|teus, der; -, - (Mensch, der leicht seine Gesinnung ändert)

pro|teus|haft

Prot|evan|ge|li|um *vgl.* Protoevangelium

Pro|the|se, die; -, -n ⟨griech.⟩ (künstlicher Ersatz eines fehlenden Körperteils; Zahnersatz; *Sprachw.* Bildung eines neuen Lautes am Wortanfang); Pro|the|sen|trä|ger; Pro|the|sen|trä|ge|rin

Pro|the|tik, die; - (Wissenschaftsbereich, der sich mit der Entwicklung u. Herstellung von Prothesen befasst); pro|the|tisch

Pro|tist, der; -en, -en ⟨griech.⟩ (*Biol.* Einzeller)

Pro|to|evan|ge|li|um, das; -s ⟨griech.⟩ (*kath. Kirche* erste Verkündigung des Erlösers [1. Mose 3, 15])

pro|to|gen ⟨griech.⟩ (*Geol.* am Fundort entstanden [von Erzlagern])

Pro|to|koll, das; -s, -e ⟨griech.⟩ (förmliche Niederschrift, Tagungsbericht; Beurkundung einer Aussage, Verhandlung u. a.; *nur Sing.:* Gesamtheit der im diplomatischen Verkehr gebräuchlichen Formen); zu Protokoll geben

Pro|to|koll|ab|tei|lung

Pro|to|kol|lant, der; -en, -en ([Sitzungs]schriftführer); Pro|to|kol|lan|tin; pro|to|kol|la|risch

Pro|to|koll|chef; Pro|to|koll|che|fin

Pro|to|koll|füh|rer; Pro|to|koll|füh|re|rin

pro|to|kol|lie|ren (ein Protokoll aufnehmen; beurkunden); Pro|to|kol|lie|rung

Pro|ton, das; -s, ...onen ⟨griech.⟩ (*Kernphysik* ein Elementarteilchen); Pro|to|nen|be|schleu|ni|ger

Pro|to|no|tar, der; -s, -e ⟨griech.; lat.⟩ (Notar der päpstlichen Kanzlei; *auch* Ehrentitel)

Pro|to|phy|te, die; -, -n ⟨griech.⟩, Pro|to|phy|ton, das; -s, ...yten *meist Plur.* (*Bot.* einzellige Pflanze)

Pro|to|plas|ma, das; -s ⟨*Biol.* Lebenssubstanz aller pflanzl., tier. u. menschl. Zellen)

Pro|to|typ [*selten* ...'ty:p], der; -s, -en ⟨griech.; lat.⟩ (Muster; Urbild; Inbegriff); pro|to|ty|pisch

Pro|to|zo|on, das; -s, ...zoen *meist Plur.* (*Biol.* Urtierchen)

pro|tra|hie|ren ⟨lat.⟩ (*Med.* verzögern)

Pro|tu|be|ranz, die; -, -en *meist Plur.* ⟨lat.⟩ (aus dem Sonneninnern ausströmende glühende Gasmasse; *Med.* stumpfer Vorsprung an Organen, bes. an Knochen)

Protz, der; *Gen.* -es, *älter* -en, *Plur.* -e, *älter* -en (*ugs. für* Angeber; *landsch. für* Kröte)

Prot|ze, die; -, -n ⟨ital.⟩ (*früher* Vorderwagen von Geschützen u. a.)

prot|zen (*ugs.*); du protzt; prot|zen|haft (*veraltend*); Prot|zen|tum, das; -s; Prot|ze|rei; Prot|zer|tum (*svw.* Protzentum)

prot|zig; Prot|zig|keit

Protz|wa|gen (*Milit. früher*)

Proust [pru:st] (französischer Schriftsteller)

Prov. = Provinz

Pro|vence [...'vã:s], die; - (französische Landschaft)

Pro|ve|ni|enz, die; -, -en ⟨lat.⟩ (Herkunft, Ursprung)

Pro|ven|za|le, der; -n, -n (Bewohner der Provence); Pro|ven|za|lin; pro|ven|za|lisch

Pro|verb, das; -s, -en ⟨lat.⟩, Pro|ver|bi|um, das; -s, ...ien (*veraltet für* Sprichwort); pro|ver|bi|al, pro|ver|bi|a|lisch, pro|ver|bi|ell (*veraltet für* sprichwörtlich)

Pro|ver|bi|um *vgl.* Proverb

Pro|vi|ant, der; -s, -e *Plur. selten* ⟨ital. u. franz.⟩ ([Mund]vorrat; Wegzehrung; Verpflegung); pro|vi|an|tie|ren (*veraltet für* verproviantieren); Pro|vi|ant|wa|gen

Pro|vi|der [pro'vaidɐ], der; -s, - (*EDV* Anbieter eines Zugangs zum Internet o. Ä.)

Pro|vinz, die; -, -en ⟨lat.⟩ (Land[esteil]; größeres staatliches od. kirchliches Verwaltungsgebiet; das Land im Gegensatz zur Hauptstadt; *abwertend für* [kulturell] rückständige Gegend; *Abk.* Prov.)

Pro|vinz|büh|ne

Pro|vin|zi|al, der; -s, -e (*kath. Kirche* Vorsteher einer Ordensprovinz)

pro|vin|zi|a|li|sie|ren

Pro|vin|zi|a|lis|mus, der; -, ...men (*Sprachw.* vom hochsprachlichen Wortschatz abweichender Ausdruck; *abwertend für* provinzielles Denken, Verhalten)

pro|vin|zi|ell ⟨franz.⟩ (die Provinz betreffend; landschaftlich; mundartlich; *abwertend für* hinterwäldlerisch); Pro|vinz|ler (*abwertend für* Provinzbewohner; [kulturell] rückständiger Mensch); Pro|vinz|le|rin; pro|vinz|le|risch

Pro|vinz|nest (*abwertend*); Pro|vinz|pos|se (*abwertend*); Pro|vinz|stadt; Pro|vinz|the|a|ter

Pro|vi|si|on, die; -, -en ⟨ital.⟩ (Vergütung, [Vermittlungs]gebühr)

Pro|vi|si|ons|ba|sis; auf Provisionsbasis [arbeiten]; pro|vi|si|ons|frei; Pro|vi|si|ons|rei|sen|de

Pro|vi|sor, der; -s, ...oren ⟨lat.⟩ (*früher* erster Gehilfe des Apothekers; *österr. für* als Vertreter amtierender Geistlicher)

pro|vi|so|risch ⟨franz.⟩ (vorläufig); Pro|vi|so|ri|um, das; -s, ...ien (vorläufige Einrichtung; Übergangslösung)

Pro|vi|ta|min, das; -s, -e (Vorstufe eines Vitamins)

Pro|vo, der; -s, -s ⟨lat.-niederl.⟩ (Vertreter einer [1965 in Amsterdam entstandenen] antibürgerlichen Protestbewegung)

pro|vo|kant ⟨lat.⟩ (provozierend); Pro|vo|ka|teur [...'tø:ɐ], der; -s, -e ⟨franz.⟩ (jmd., der provoziert); Pro|vo|ka|teu|rin

Pro|vo|ka|ti|on, die; -, -en (Herausforderung; Aufreizung); pro|vo|ka|tiv, pro|vo|ka|to|risch (herausfordernd)

pro|vo|zie|ren (herausfordern, reizen; auslösen); Pro|vo|zie|rung

pro|xi|mal ⟨lat.⟩ (*Med.* der [Körper]mitte zu gelegen)

Pro|xy|ser|ver [...sø:ɐvɐ], der; -s, - ⟨engl.⟩ (*EDV* Zwischenspeicher im Internet)

Pro|ze|de|re *vgl.* Procedere

pro|ze|die|ren ⟨lat.⟩ (*veraltet für* zu Werke gehen, verfahren)

Pro|ze|dur, die; -, -en ⟨lat.⟩ (Verfahren, [schwierige, unangenehme] Behandlungsweise)

Pro|zent, das; -[e]s, -e ⟨ital.⟩ ([Zinsen, Gewinn] vom Hundert, Hundertstel; *Abk.* p. c., v. H.; *Zeichen* %); 5 Prozent od. 5%; *vgl.* Fünfprozentklausel

...pro|zen|tig (z. B. fünfprozentig, *mit Ziffer* 5-prozentig; eine 5%ige Anleihe *od.* 5%-Anleihe usw.)

pro|zen|tisch *vgl.* prozentual

Pro|zent|kurs (*Börsenw.*); Pro|zent|punkt (Prozent [als Differenz zweier Prozentzahlen]); Pro|zent|rech|nung, die; -; Pro|zent|satz

pro|zen|tu|al, *österr.* pro|zen|tu|ell (im Verhältnis zum Hundert, in Prozenten ausgedrückt); pro|zen|tu|a|li|ter (*veraltet für* prozentual)

pro|zen|tu|ell *vgl.* prozentual; pro|zen|tu|ie|ren (in Prozenten ausdrücken); Pro|zent|wert; Pro|zent|zei|chen (das Zeichen %)

Pro|zess, der; -es, -e ⟨lat.⟩ (Vorgang, Ablauf; Verfahren; Entwicklung; gerichtliche Durchführung von Rechtsstreitigkeiten)

Pro|zess|ak|te; Pro|zess|be|ob|ach|ter; Pro|zess|be|ob|ach|te|rin;

P
Prot

Pro|zess|be|richt; Pro|zess|be|tei-lig|te, der u. die; -n, -n

pro|zess|be|voll|mäch|tigt; Pro-zess|be|voll|mäch|tig|te, der u. die; -n, -n

pro|zess|fä|hig; Pro|zess|fä|hig-keit, die; -

Pro|zess|fi|nan|zie|rung

pro|zess|füh|rend; die prozessfüh-renden Parteien; Pro|zess|füh-rungs|klau|sel (Versicherungs-wesen)

Pro|zess|geg|ner; Pro|zess|geg|ne-rin

Pro|zess|han|sel, der; -s, -[n] (ugs. für jmd., der bei jeder Gelegen-heit prozessiert)

pro|zes|sie|ren (einen Prozess füh-ren)

Pro|zes|si|on, die; -, -en ([feierli-cher kirchlicher] Umzug, Bitt-od. Dankgang); Pro|zes|si|ons-kreuz (kath. Kirche)

Pro|zes|si|ons|spin|ner (ein Schmet-terling)

Pro|zess|kos|ten Plur.

Pro|zes|sor, der; -s, ...oren (zentra-ler Teil einer Datenverarbei-tungsanlage); Pro|zess|par|tei

Pro|zess|rech|ner (besonderer Computer für industrielle Ferti-gungsabläufe)

Pro|zes|su|al; das; -[e]s

pro|zes|su|al (auf einen Rechts-streit bezüglich)

Pro|zess|voll|macht

pro|zy|k|lisch (Wirtsch. einem bestehenden Konjunkturzu-stand gemäß)

prü|de ⟨franz.⟩ (zimperlich, spröde [in sittlich-erotischer Bezie-hung])

Pru|de|lei (landsch. für Pfusche-rei); pru|de|lig, prud|lig (landsch. für unordentlich); pru-deln (landsch. für pfuschen); ich prud[e]le

Pru|den|tia (w. Vorn.)

Pru|den|ti|us (christlich-lateini-scher Dichter)

Prü|de|rie, die; - ⟨franz.⟩ (Zimper-lichkeit, Ziererei)

prud|lig vgl. prudelig

Prüf|au|to|mat; prüf|bar; Prüf|be-richt

prü|fen; Prü|fer; Prü|fer|bi|lanz, Prü|fungs|bi|lanz (Wirtsch.)

Prü|fe|rin

Prüf|feld; Prüf|ge|rät

Prüf|ling

Prüf|me|tho|de; Prüf|norm; Prüf-stand; Prüf|stein

Prü|fung; mündliche, schriftliche Prüfung

Prü|fungs|angst; Prü|fungs|ar-beit; Prü|fungs|auf|ga|be; Prü|fungs-be|din|gun|gen Plur.; Prü|fungs-bi|lanz vgl. Prüferbilanz; Prü-fungs|fach; Prü|fungs|fahrt; Prü-fungs|fra|ge; Prü|fungs|ge|bühr; Prü|fungs|kom|mis|si|on; Prü-fungs|ord|nung; Prü|fungs|ter-min; Prü|fungs|un|ter|la|gen Plur.; Prü|fungs|ver|fah|ren; Prü-fungs|ver|merk

Prüf|ver|fah|ren; Prüf|vor|schrift

¹Prü|gel, der; -s, - (Stock)

²Prü|gel Plur. (ugs. für Schläge)

Prü|ge|lei

Prü|gel|kna|be (jmd., der anstelle des Schuldigen bestraft wird)

prü|geln; ich prüg[e]le; sich prü-geln

Prü|gel|stra|fe; Prü|gel|sze|ne; Prü-gel|tor|te (westösterr. Kochk. Baumkuchen)

Prü|nel|le, die; -, -n ⟨franz.⟩ (ent-steinte, getrocknete Pflaume)

Prunk, der; -[e]s; Prunk|bau Plur. ...bauten; Prunk|bett

prun|ken

Prunk|ge|mach; Prunk|ge|wand

prunk|haft; prunk|los; Prunk|lo|sig-keit, die; -

Prunk|saal; Prunk|schwert (Kunst-wiss.); Prunk|ses|sel; Prunk|sit-zung (im Karneval); Prunk|stück

Prunk|sucht, die; - (abwertend); prunk|süch|tig

prunk|voll; Prunk|wa|gen

Prun|t|rut (Stadt im Kanton Jura; franz. Porrentruy)

Pru|ri|go, der; -, - meist Plur. ⟨lat.⟩ (Med. Juck-flechte); Pru|ri|tus, der; - (Hautjucken)

Prü|ße, der; -n, -n meist Plur. (alte Bez. für Preuße [Angehöriger eines der zu den baltischen Völkern gehörenden Stammes])

prus|ten (stark schnauben)

Pruth, der; -[s] (linker Nebenfluss der Donau)

Pry|ta|ne, der; -n, -n ⟨griech.⟩ (Mit-glied der in altgriechischen Staaten regierenden Behörde); Pry|ta|nei|on, das; -s, ...e|ien, Pry-ta|ne|um, das; -s, ...e|en (Ver-sammlungshaus der Prytanen)

PS = Pferdestärke; Postskript[um]

PSA = Personal-Service-Agentur

Psal|li|gra|fie, Psal|li|gra|phie, die; - ⟨griech.⟩ (Kunst des Scheren-schnittes)

Psalm, der; -s, -en ⟨griech.⟩ (geist-

liches Lied); Psal|men|dich|ter; Psal|men|sän|ger

Psal|mist, der; -en, -en (Psalmen-dichter, -sänger)

Psal|mo|die, die; -, ...ien (Psalmen-gesang); psal|mo|die|ren (Psal-men vortragen; eintönig sin-gen); psal|mo|disch

Psal|ter, der; -s, - (Buch der Psal-men im A.T.; ein Saiteninstru-ment; Zool. Blättermagen der Wiederkäuer)

PSchA = Postscheckamt

pscht!, pst!

pseud..., pseudo... ⟨griech.⟩ (falsch...)

Pseud..., Pseudo... (Falsch...)

Pseu|d|e|pi|gra|fen, Pseu|d|e|pi-gra|phen Plur. (Schriften aus der Antike, die einem Autor fälsch-lich zugeschrieben wurden)

pseu|do... usw. vgl. pseud... usw.

Pseu|do|krupp (Med. Anfall von Atemnot u. Husten bei Kehl-kopfentzündung)

Pseu|do|lo|gie, die; -, ...ien (Med. krankhaftes Lügen)

pseu|do|morph (Mineralogie Pseu-domorphose zeigend); Pseu|do-mor|pho|se, die; -, -n (Mineralo-gie [Auftreten eines] Mineral[s] in der Kristallform eines ande-ren Minerals)

pseu|d|o|nym (unter einem Deck-namen [verfasst]); Pseu|d|o|nym, das; -s, -e (Deckname, Künstler-name)

Pseu|do|po|di|um, das; -s, ...ien (Biol. Scheinfüßchen mancher Einzeller)

Pseu|do|wis|sen|schaft; pseu|do-wis|sen|schaft|lich

PSF = Postschließfach

¹Psi, das; -[s], -s (griechischer Buchstabe: Ψ, ψ)

²Psi, das; -[s] meist ohne Artikel (bestimmendes Element para-psychologischer Vorgänge)

Psi|lo|me|lan, der; -s, -e ⟨griech.⟩ (ein Manganerz)

Psi|phä|no|men ⟨griech.⟩ (parapsy-chologische Erscheinung)

Psit|ta|ko|se, die; -, -n ⟨griech.⟩ (Med. Papageienkrankheit)

Pso|ri|a|sis, die; -, ...iasen ⟨griech.⟩ (Med. Schuppenflechte); Pso|ri-a|ti|ker; Pso|ri|a|ti|ke|rin

PS-stark [pe:'|es...] ↑K 28

pst!, pscht!

Psy|ch|a|go|ge, der; -n, -n ⟨griech.⟩; Psy|ch|a|go|gik, die; - (pädago-gisch-therapeutische Betreuung

P

Psyc

zum Abbau von Verhaltensstörungen o. Ä.); **Psy|ch|a|go|gin**

¹**Psy|che** (griech. Mythol. Gattin des Eros)

²**Psy|che,** die; -, -n (Seele; österr. veraltend auch für mit Spiegel versehene Frisiertoilette)

psy|che|de|lisch (in einem [durch Rauschmittel hervorgerufenen] euphorischen, tranceartigen Gemütszustand befindlich; Glücksgefühle hervorrufend)

Psy|ch|i|a|ter, der; -s, - (Facharzt für Psychiatrie); **Psy|ch|i|a|te|rin**

Psy|ch|i|a|t|rie, die; -, ...ien (nur Sing.: Lehre von den seelischen Störungen, von den Geisteskrankheiten; ugs. für psychiatrische Klinik)

psy|ch|i|a|t|rie|ren (bes. österr. für psychiatrisch untersuchen); **psy|ch|i|a|t|risch**

psy|chisch (seelisch); psychische Krankheiten

Psy|cho|ana|ly|se, die; - (Verfahren zur Untersuchung unbewusster seelischer Vorgänge); **psy|cho|ana|ly|sie|ren**

Psy|cho|ana|ly|ti|ker (die Psychoanalyse vertretender od. anwendender Psychologe, Arzt); **Psy|cho|ana|ly|ti|ke|rin; psy|cho|ana|ly|tisch**

Psy|cho|di|a|g|nos|tik, die; - (Lehre von den Methoden zur Erkenntnis u. Erforschung psychischer Besonderheiten)

Psy|cho|dra|ma, das; -s, ...men

psy|cho|gen (seelisch bedingt); **Psy|cho|ge|ne|se** [auch... ge:...], **Psy|cho|ge|ne|sis** [auch ... ge:...], die; -, ...nesen (Entstehung u. Entwicklung der Seele, des Seelenlebens)

Psy|cho|gramm, das; -s, -e (grafische Darstellung von Fähigkeiten u. Eigenschaften einer Persönlichkeit; psychologische Persönlichkeitsstudie)

Psy|cho|ki|ne|se, die; - (parapsychologische Einflussnahme auf Bewegungsvorgänge ohne physikalische Ursache)

Psy|cho|kri|mi (ugs. kurz für psychologischer Kriminalfilm, -roman)

Psy|cho|lin|gu|is|tik, die; - (Wissenschaft von den psychischen Vorgängen bei Gebrauch und Erlernen der Sprache)

Psy|cho|lo|ge, der; -n, -n

Psy|cho|lo|gie, die; - (Wissenschaft von den psychischen Vorgängen)

Psy|cho|lo|gin

psy|cho|lo|gisch

psy|cho|lo|gi|sie|ren (nach psychologischen Gesichtspunkten untersuchen od. darstellen); **Psy|cho|lo|gi|sie|rung**

Psy|cho|lo|gis|mus, der; - (Überbewertung der Psychologie)

Psy|cho|me|t|rie, die; - (Messung psychischer Vorgänge; Hellsehen durch Betasten von Gegenständen)

Psy|cho|neu|ro|se, die; -, -n (psychisch bedingte Neurose)

Psy|cho|path, der; -en, -en; **Psy|cho|pa|thie,** die; - (veraltet für Persönlichkeitsstörung); **Psy|cho|pa|thin; psy|cho|pa|thisch**

Psy|cho|pa|tho|lo|gie, die; - (Wissenschaft von den Störungen des seelischen Erlebens)

Psy|cho|phar|ma|kon, das; -s, ...ka (auf die Psyche einwirkendes Arzneimittel)

Psy|cho|phy|sik, die; - (Lehre von den Wechselbeziehungen des Physischen u. des Psychischen); **psy|cho|phy|sisch**

Psy|cho|se, die; -, -n (krankhafte geistig-seelische Störung)

Psy|cho|so|ma|tik, die; - (Wissenschaft von der Bedeutung seelischer Vorgänge für Entstehung u. Verlauf körperlicher Krankheiten); **psy|cho|so|ma|tisch**

Psy|cho|ter|ror, der; -s (Einschüchterung mit psychischen Mitteln)

Psy|cho|the|ra|peut, der; -en, -en (die Psychotherapie anwendender Arzt od. Psychologe); **Psy|cho|the|ra|peu|tik,** die; - (Seelenheilkunde); **Psy|cho|the|ra|peu|tin; psy|cho|the|ra|peu|tisch**

Psy|cho|the|ra|pie, die; -, ...ien (Heilbehandlung für psychische Störungen)

Psy|cho|thril|ler (mit psychologischen Effekten spannend gemachter Kriminalfilm od. -roman)

psy|cho|tisch (zu Psychose)

Psy|ch|ro|me|ter [...ç...], das; -s, - (griech.) (Meteor. Luftfeuchtigkeitsmesser)

pt = Pint

Pt = chem. Zeichen für Platin

P. T. = pleno titulo

Pta = Peseta

PTA, der u. die; -, -[s] = pharmazeutisch-technischer Assistent, pharmazeutisch-technische Assistentin

Ptah (ägyptischer Gott)

Pte|r|a|n|o|don, das; -s, ...donten (griech.) (Flugsaurier der Kreidezeit); **Pte|ro|dak|ty|lus,** der; -, ...ylen (Flugsaurier des Juras)

Pte|ro|po|de, die; -, -n meist Plur. (Zool. Ruderschnecke)

Pte|ro|sau|ri|er meist Plur. (urzeitliche Flugechse)

Pte|ry|gi|um, das; -s, ...ia (Zool. Flug-, Schwimmhaut)

Pto|le|mä|er, der; -s, - (Angehöriger eines makedonischen Herrschergeschlechtes im hellenistischen Ägypten); **pto|le|mä|isch;** das ptolemäische Weltsystem; **Pto|le|mä|us** (griechischer Geograph, Astronom u. Mathematiker in Alexandria)

Pto|ma|in, das; -s, -e (griech.) (Med. Leichengift)

PTT (schweiz. früher Abk. für Post, Telefon, Telegraf)

Pty|a|lin, das; -s (griech.) (ein Speichelenzym)

Pu = chem. Zeichen für Plutonium

Pub [pap], das, auch der; -s, -s (engl.) (Wirtshaus im englischen Stil, Bar)

pu|ber|tär (lat.) (mit der Geschlechtsreife zusammenhängend)

Pu|ber|tät, die; - ([Zeit der eintretenden] Geschlechtsreife; Reifezeit); **Pu|ber|täts|zeit**

pu|ber|tie|ren (in die Pubertät eintreten, sich in ihr befinden)

Pu|bes|zenz, die; - (Med. Geschlechtsreifung)

pu|b|li|ce [...tse] (lat.) (öffentlich [von bestimmten Universitätsvorlesungen])

Pu|b|li|ci|ty [pa'blɪsiti], die; - (engl.) (Öffentlichkeit; Reklame; [Bemühung um] öffentliches Aufsehen); **pu|b|li|ci|ty|scheu; pu|b|li|ci|ty|träch|tig**

Pu|b|lic Re|la|tions ['pablɪk ri'le:ʃns] Plur. (amerik.) (Öffentlichkeitsarbeit; Kontaktpflege; Abk. PR)

pu|b|lik (franz.) (öffentlich; offenkundig; allgemein bekannt); publik werden; einen Skandal publik machen od. publikmachen

Pu|b|li|ka|ti|on, die; -, -en (Veröffentlichung); **Pu|b|li|ka|ti|ons|mit|tel,** das; **Pu|b|li|ka|ti|ons|or|gan; pu|b|li|ka|ti|ons|reif; Pu|b|li|ka|ti|ons|ver|bot**

pu|b|lik ma|chen, pu|b|lik|ma|chen vgl. publik

Pu|b|li|kum, das; -s (lat.)

Pu|b|li|kums|er|folg; Pu|b|li|kums-ge|schmack; Pu|b|li|kums|in|te|r-es|se

Pu|b|li|kums|jo|ker (Hilfestellung des Studiopublikums beim Fernsehquiz »Wer wird Millionär?«); Pu|b|li|kums|lieb|ling; Pu|b|li|kums|ma|g|net

pu|b|li|kums|nah

Pu|b|li|kums|rat (österr. für Gremium im öffentlich-rechtlichen Rundfunk, das Hörer- und Zuschauerinteressen vertritt)

Pu|b|li|kums|ver|kehr, der; -s

pu|b|li|kums|wirk|sam

pu|b|li|zie|ren (veröffentlichen, herausgeben); pu|b|li|zier|freu-dig

Pu|b|li|zist, der; -en, -en (polit. Schriftsteller; Tagesschriftsteller; Journalist); Pu|b|li|zis|tik, die; -; Pu|b|li|zis|tin; pu|b|li|zis-tisch; Pu|b|li|zi|tät, die; - (Öffentlichkeit, Bekanntheit)

p. u. c. = post urbem conditam

Puc|ci|ni [...'tʃi:...], Giacomo (ital. Komponist)

Puck, der; -s, -s ⟨engl.⟩ (Kobold; Hartgummischeibe beim Eishockey)

pu|ckern (ugs. für klopfen); sie sagt, die Wunde puckere

Pud, das; -, - ⟨russ.⟩ (altes russisches Gewicht); 5 Pud

Pud|del|ei|sen ⟨engl.; dt.⟩ (Hüttenw.)

¹pud|deln (bes. westmitteld. für jauchen; im Wasser planschen); ich pudd[e]le

²pud|deln ⟨engl.⟩ (Hüttenw. aus Roheisen Schmiedstahl gewinnen); ich pudd[e]le; Pud|del|ofen

Pud|ding, der; -s, Plur. -e u. -s ⟨engl.⟩ (eine Süß-, Mehlspeise); Pud|ding|form; Pud|ding|pul|ver

Pu|del, der; -s, - (eine Hunderasse; ugs. für Fehlwurf [beim Kegeln])

Pu|del|müt|ze

pu|deln (ugs. für vorbeiwerfen [beim Kegeln]); ich pud[e]le

pu|del|nackt (ugs.); pu|del|nass (ugs.); pu|del|wohl (ugs.); sich pudelwohl fühlen

Pu|der, der, ugs. auch das; -s, - ⟨franz.⟩; Pu|der|do|se

pu|de|rig, pud|rig

pu|dern; ich pudere; sich pudern

Pu|der|quas|te; Pu|de|rung

Pu|der|zu|cker; der; -s

pud|rig, pu|de|rig

Pu|e|b|lo, der; -s, -s ⟨span.⟩ (Dorf der Puebloindianer); Pu|e|b|lo-in|di|a|ner (Angehöriger eines Indianerstammes im Südwesten Nordamerikas)

Pu-Erh-Tee ⟨nach dem Ort Pu' er in China⟩ (chin. Teesorte)

pu|e|ril ⟨lat.⟩ (knabenhaft; kindlich); Pu|e|ri|li|tät, die; - (kindliches, kindisches Wesen)

Pu|er|pe|ral|fie|ber, das; -s (Med. Kindbettfieber); Pu|er|pe|ri|um, das; -s, ...ien (Med. Wochenbett)

Pu|er|to-Ri|ca|ner, Pu|er|to Ri|ca-ner (Bewohner von Puerto Rico); Pu|er|to-Ri|ca|ne|rin, Pu|er|to Ri|ca|ne|rin

pu|er|to-ri|ca|nisch

Pu|er|to Ri|co (Insel der Großen Antillen)

puff! (Schallwort)

¹Puff, der; -[e]s, -e (veraltet, aber noch landsch. für Bausch; landsch. für gepolsterter Wäschebehälter)

²Puff, das; -[e]s (ein Brett- u. Würfelspiel)

³Puff, der, auch das; -s, -s (ugs. für Bordell)

⁴Puff, der; -[e]s, Plur. Püffe, seltener Puffe (ugs. für Stoß)

Puff|är|mel; Puff|boh|ne

Püff|chen (kleiner ¹,⁴Puff)

Puf|fe, die; -, -n (Bausch); puf|fen (bauschen; ugs. für stoßen); er pufft ihn, auch ihm in die Seite

Puf|fer (federnde, Druck u. Aufprall abfangende Vorrichtung [an Eisenbahnwagen u. a.]; kurz für Kartoffelpuffer); Püf|fer-chen; puf|fern; ich puffere

Puf|fer|staat; Puf|fer|zo|ne

puf|fig (bauschig)

Puff|mais

Puff|mut|ter Plur. ...mütter (ugs.; zu ³Puff)

Puff|ot|ter, die (eine Schlange)

Puff|reis, der; -es

Puff|spiel (zu ²Puff)

puh!

Pul, der; -, -s ⟨pers.⟩ (Untereinheit des Afghani)

Pül|cher, der; -s, - (österr. ugs. für Strolch)

Pul|ci|nell [...tʃi...], der; -s, -e (eindeutschend für Pulcinella); Pul-ci|nel|la, der; -[s], ...lle ⟨ital.⟩ (komischer Diener, Hanswurst in der italienischen Komödie); vgl. Policinello

pu|len (nordd. für bohren, herausklauben)

Pu|lit|zer (amerikanischer Journalist u. Verleger); Pu|lit|zer|preis, Pu|lit|zer-Preis

Pulk, der; -[e]s, Plur. -s, selten auch -e ⟨slaw.⟩ (Verband von Kampfflugzeugen od. milit. Kraftfahrzeugen; Anhäufung)

Pull-down-Me|nü [...'daun...] ⟨engl.⟩ (EDV Menü, das bei Aktivierung [nach unten] aufklappt)

Pul|le, der; -, -n ⟨lat.⟩ (ugs. für Flasche)

¹pul|len (nordd. für rudern; Reiten in unregelmäßiger Gangart vorwärtsdrängen [vom Pferd])

²pul|len, pul|lern (landsch. für urinieren); ich pulle, pullere

Pul|ler, Pul|ler|mann Plur. ...männer (landsch. für Penis)

pul|lern vgl. ²pullen

Pul|li, der; -s, -s (ugs. für leichter Pullover)

Pull|man|kap|pe (österr. für Baskenmütze)

Pull|man|wa|gen, Pull|man-Wa|gen ⟨nach dem amerik. Konstrukteur⟩ (sehr komfortabler [Schnellzug]wagen)

Pul|lo|ver, der; -s, -s, - ⟨engl.⟩

Pul|l|un|der, der; -s, - (kurzer, ärmelloser Pullover)

pul|mo|nal ⟨lat.⟩ (Med. die Lunge betreffend, Lungen...)

Pulp, der; -s, -en ⟨engl.⟩, Pul|pe ⟨lat.⟩, Pül|pe, die; -, -n ⟨franz.⟩ (breiige Masse mit Fruchtstücken zur Herstellung von Obstsaft od. Konfitüre)

Pul|pa, die; -, ...pae ⟨lat.⟩ (Med. weiche, gefäßreiche Gewebemasse im Zahn u. in der Milz)

Pul|pe, Pül|pe vgl. Pulp

Pul|pi|tis, die; -, ...itiden (Med. Zahnmarkentzündung)

pul|pös (Med. fleischig; markig; aus weicher Masse bestehend)

Pul|que [...kə], der; -[s] ⟨indian.-span.⟩ (gegorener Agavensaft)

Puls, der; -es, -e ⟨lat., »Stoß, Schlag«⟩ (Aderschlag; Pulsader am Handgelenk); Puls|ader

Pul|sar, der; -s, -e (Astron. kosmische Radioquelle mit periodischen Strahlungspulsen)

Pul|sa|ti|on, die; -, -en (Med. Pulsschlag; Astron. Veränderung eines Sterndurchmessers)

Pul|sa|tor, der; -s, ...oren (Gerät zur Erzeugung pulsierender Bewegungen, z. B. bei der Melkmaschine)

pul|sen (seltener für pulsieren); du pulst

pul|sie|ren ⟨lat.⟩ (rhythmisch

P

puls

schlagen, klopfen; an- und abschwellen)

Pul|si|on, die; -, -en (fachspr. für Stoß, Schlag)

Puls|mes|sung

Pul|so|me|ter, das; -s, - ⟨lat.; griech.⟩ (eine kolbenlose Dampfpumpe)

Puls|schlag; Puls|wär|mer; Puls|zahl

Pult, das; -[e]s, -e ⟨lat.⟩; Pult|dach

Pül|ver [...f..., auch ...v...], das; -s, - ⟨lat.⟩; Pül|ver|chen

Pul|ver|dampf, der; -[e]s

Pul|ver|fass

pul|ver|fein; pulverfeiner Kaffee

pul|ve|rig, pulv|rig

Pul|ve|ri|sa|tor [...v...], der; -s, ...oren (Maschine zur Herstellung von Pulver durch Stampfen od. Mahlen)

pul|ve|ri|sie|ren ⟨franz.⟩ (zu Pulver zerreiben); Pul|ve|ri|sie|rung

Pul|ver|kaf|fee

Pul|ver|ma|ga|zin; Pul|ver|mühl|le (früher Fabrik für die Herstellung von Schießpulver)

pul|vern; ich pulvere

Pul|ver|schnee

Pul|ver|tro|cken

Pul|ver|turm (früher)

pulv|rig, pul|ve|rig

Pu|ma, der; -s, -s ⟨peruan.⟩ (ein Raubtier)

Pum|mel, der; -s, - (ugs. für rundliches Kind); Pum|mel|chen; pum|me|lig, pum|mlig (ugs. für dicklich)

Pump, der; -s, -e; auf Pump leben (ugs. für von Geborgtem leben)

Pum|pe, der; -, -n

Püm|pel, der; -s, - (nordd. für Saugglocke zur Abflussreinigung)

pum|pen (ugs. auch für borgen)

Pum|pen|an|la|ge; Pum|pen|haus; Pum|pen|schwen|gel

pum|pl|ge|sund (bayr. u. österr. ugs. für kerngesund)

pum|pern (landsch., bes. bayr., österr. ugs. für laut u. heftig klopfen, rumoren); ich pumpere

Pum|per|ni|ckel, der, auch das; -s, - (ein Schwarzbrot)

Pump|gun ['pampgan], die; -, -s ⟨engl.⟩ (mehrschüssiges Gewehr, bei dem das Repetieren durch Zurückziehen des Vorderschaftes erfolgt)

Pump|ho|se (weite Hose [mit Kniebund])

Pumps [pœmps], der; -, - ⟨engl.⟩ (ausgeschnittener Damenschuh mit höherem Absatz)

Pump|spei|cher|werk; Pump|werk

Pu|muckl (Kobold aus einem bekannten Kinderbuch)

Pu|na, die; - ⟨indian.⟩ (Hochfläche der südamerikanischen Anden mit Steppennatur)

Punch [pantʃ], der; -s, -s ⟨engl.⟩ (Boxhieb; große Schlagkraft); Pun|cher, der; -s, - (Boxer, der besonders kraftvoll schlagen kann); Pun|ching|ball (Übungsgerät für Boxer)

Punc|tum sa|li|ens, das; - - ⟨lat., »springender Punkt«⟩ (Kernpunkt; Entscheidendes)

Pu|ni|er (Karthager); pu|nisch ↑K 151 : die Punischen Kriege; der Erste, Zweite, Dritte Punische Krieg

Punk [paŋk], der; -[s], -s ⟨engl.⟩ (nur Sing.: bewusst primitivexaltierte Rockmusik; Punker); Pun|ker (Jugendlicher, der durch Verhalten und spezielle Aufmachung seine antibürgerliche Einstellung ausdrückt); Pun|ke|rin; pun|kig; Punk|rock, Punk-Rock, der; -[s]; vgl. ²Rock

Punkt, der; -[e]s, -e ⟨lat.⟩ (Abk. Pkt.); Punkt 8 Uhr; typografischer Punkt (Druckw. frühere Maßeinheit für Schriftgröße u. Zeilenabstand; Abk. p); 2 Punkt Durchschuss; der Punkt auf dem i

Punkt|ab|zug

Punkt|tal|glas® Plur. ...gläser (Optik)

Punk|ta|ti|on, die; -, -en (Rechtsw. Vorvertrag, Vertragsentwurf)

Punkt|ball (Übungsgerät für Boxer)

Pünkt|chen

Punk|te|kampf (Sport)

punk|ten

Punk|te|sys|tem, Punkt|sys|tem

punkt|ge|nau

Punkt|ge|winn (Sport)

punkt|gleich (Sport); Punkt|gleich|heit, die; -

punk|tie|ren (mit Punkten versehen, tüpfeln; Med. eine Punktion ausführen); punktierte Note (Musik); Punk|tier|na|del (Med.); Punk|tie|rung; Punk|ti|on, Punk|tur, die; -, -en (Med. Einstich in eine Körperhöhle zur Entnahme von Flüssigkeit)

Punkt|lan|dung (bes. Raumfahrt Landung genau am vorausberechneten Punkt)

pünkt|lich; Pünkt|lich|keit, die; -

Punkt|nie|der|la|ge (Sport)

punk|to (bes. österr. u. schweiz. für betreffs); Präposition mit Genitiv: punkto gottloser Reden; allein stehende, stark zu beugende Substantive im Singular bleiben ungebeugt: punkto Geld; vgl. in puncto

Punkt|rich|ter (Sport); Punkt|rich|te|rin

Punkt|rol|ler (ein Massagegerät)

Punkt|schrift (Blindenschrift)

punkt|schwei|ßen; nur im Infinitiv u. im Partizip II gebräuchlich; punktgeschweißt; Punkt|schwei|ßung

Punkt|sieg (Sport); Punkt|spiel (Sport); Punkt|sys|tem vgl. Punktesystem

punk|tu|ell (punktweise; einzelne Punkte betreffend)

Punk|tum; nur in [und damit] Punktum! (und damit Schluss!)

Punk|tur vgl. Punktion

Punkt|ver|lust; Punkt|wer|tung; Punkt|zahl

Punsch, der; -[e]s, Plur. -e, auch Pünsche ⟨engl.⟩ (ein alkohol. Getränk); Punsch|es|senz; Punsch|glas Plur. ...gläser; Punsch|schüs|sel

Punz|ar|beit

Pun|ze, die; -, -n (Stahlstäbchen für Treibarbeit; eingestanztes Zeichen zur Angabe des Edelmetallgehalts)

pun|zen, pun|zie|ren (Metall treiben; ziselieren; den Feingehalt von Gold- u. Silberwaren kennzeichnen); du punzt; Punz|ham|mer; pun|zie|ren vgl. punzen

Pup, der; -[e]s, -e, Pups, der; -es, Plur. -e, Pup|ser (ugs. für abgehende Blähung)

Pu|pe, der od. die; -n, -n (derb für Homosexueller; berlin. auch für verdorbenes Weißbier)

pu|pen, pup|sen (ugs. für eine Blähung abgehen lassen); du pupst

pu|pil|lar ⟨lat.⟩ (zur Pupille gehörend)

Pu|pil|le, die; -, -n ⟨lat.⟩ (Sehöffnung im Auge); Pu|pil|len|er|wei|te|rung; Pu|pil|len|ver|en|gung

pu|pi|ni|sie|ren ⟨nach dem amerik. Elektrotechniker Pupin⟩ (Pupinspulen einbauen)

Pu|pin|spu|le, Pu|pin-Spu|le (eine Induktionsspule)

pu|pi|par ⟨lat.⟩ (Zool.); pupipare Insekten (Insekten, deren Larven sich gleich nach der Geburt verpuppen)

Püpp|chen

Pup|pe, die; -, -n
pup|pen (*landsch. für* mit Puppen spielen); du puppst
Pup|pen|dok|tor; Pup|pen|film; Pup|pen|ge|sicht
pup|pen|haft
Pup|pen|haus; Pup|pen|kli|nik; Pup|pen|kü|che; Pup|pen|mut|ter
Pup|pen|spiel; Pup|pen|spie|ler; Pup|pen|spie|le|rin
Pup|pen|stu|be; Pup|pen|the|a|ter; Pup|pen|wa|gen; Pup|pen|woh|nung
pup|pig (*ugs. für* klein u. niedlich)
Pups *vgl.* Pup; pup|sen *vgl.* pupen; Pup|ser *vgl.* Pup
pur ⟨lat.⟩ (rein, unverfälscht, lauter); pures Gold; Whisky pur
Pü|ree, das; -s, -s ⟨franz.⟩ (Brei, breiförmige Speise)
Pur|gans, die; -, *Plur.* ...anzien *u.* ...antia, Pur|ga|tiv, das; -s, -e ⟨lat.⟩ (*Med.* Abführmittel)
Pur|ga|to|ri|um, das; -s (Fegefeuer)
pur|gie|ren (*Med.* abführen); Pur|gier|mit|tel, das
pü|rie|ren (zu Püree machen)
Pü|rier|stab (elektrisches Gerät zum Pürieren)
Pu|ri|fi|ka|ti|on, die; -, -en (liturgische Reinigung); pu|ri|fi|zie|ren (*veraltet für* reinigen, läutern)
Pu|rim [*auch* 'pu:...], das; -s ⟨hebr.⟩ (ein jüdisches Fest)
Pu|rin, das; -s, -e *meist Plur.* ⟨lat.⟩ (*Chemie* eine organische Verbindung)
Pu|ris|mus, der; - ⟨lat.⟩ (Reinigungseifer; [übertriebenes] Streben nach Sprachreinheit); Pu|rist, der; -en, -en; Pu|ris|tin; pu|ris|tisch
Pu|ri|ta|ner (Anhänger des Puritanismus); Pu|ri|ta|ne|rin; pu|ri|ta|nisch (sittenstreng); Pu|ri|ta|nis|mus, der; - (streng kalvinistische Richtung im England des 16./17. Jh.s)
Pur|pur, der; -s ⟨griech.⟩ (hochroter Farbstoff); prächtiges, purpurfarbiges Gewand); pur|pur|far|ben, pur|pur|far|big
Pur|pur|man|tel
pur|purn; pur|pur|rot; Pur|pur|rö|te
Pur|pur|schne|cke
pur|ren (*landsch. für* stochern; necken, stören; *Seemannsspr.* [zur Wache] wecken)
Pur|ser ['pø:ɐ ̯sɐ], der; -s, - ⟨engl.⟩ (Zahlmeister auf einem Schiff; Chefsteward im Flugzeug)
Pur|se|rette [...'rɛt], die; -, -s (*weibl. Form zu* Purser)

pu|ru|lent ⟨lat.⟩ (*Med.* eitrig)
Pür|zel, der; -s, - (*fam. für* kleiner Kerl)
Pür|zel, der; -s, - (*Jägerspr.* Schwanz des Wildschweins)
Pür|zel|baum
pur|zeln; ich purz[e]le
Pu|schel, Pü|schel, der; -s, - *u.* die; -, -n (*landsch. für* Quaste; fixe Idee, Steckenpferd)
pu|schen; du puschst; *vgl.* pushen
Pu|schen [*auch* 'pu:...], der; -s, - (*nordd. svw.* Babusche)
Pusch|kin (russischer Dichter)
Pusch|lav, das; -s (Tal im Süden von Graubünden; *ital.* Val [di] Poschiavo)
pu|shen [...ʃ..], pu|schen ⟨engl.-amerik.⟩ (mit Rauschgift handeln; *auch für* in Schwung bringen, propagieren); du pushst
Pu|sher, der; -s, - (Rauschgifthändler); Pu|she|rin
Push-up-BH ['pʊʃ]apbeha:] (ein üppiges Dekolletee formender BH)
Pus|sel|ar|beit (*ugs. für* mühsame Arbeit)
Pus|sel|chen (*fam. für* kleines Kind od. Tier)
pus|se|lig, pusslig (*ugs. für* Geschicklichkeit erfordernd, umständlich); Pus|sel|kram (*ugs.*); pus|seln (*ugs. für* sich mit Kleinigkeiten beschäftigen; herumbasteln); ich pussele *u.* pussle
puss|lig *vgl.* pusselig
Pus|te, die; - (*ugs.*); aus der Puste (außer Atem) sein; [ja,] Puste *od.* Pustekuchen! (*ugs. für* aber nein, gerade das Gegenteil)
Pus|te|blu|me (*Kinderspr.* Löwenzahn)
Pus|te|ku|chen (*ugs.*); nur in [ja,] Pustekuchen!; *vgl.* Puste
Pus|tel, die; -, -n ⟨lat.⟩ (Hitze-, Eiterbläschen, [2]Pickel)
pus|ten (*landsch. für* blasen; heftig atmen)
Pus|ter|tal, das; -[e]s (ein Alpental)
pus|tu|lös ⟨lat.⟩ (voll Pusteln); pustulöse Haut
Pusz|ta ['pʊsta...], die; -, ...ten ⟨ung.⟩ (Grassteppe, Weideland in Ungarn)
pu|ta|tiv ⟨lat.⟩ (*Rechtsspr.* vermeintlich, irrigerweise für gültig gehalten); Pu|ta|tiv|ehe; Pu|ta|tiv|not|wehr
Put|bus (Ort auf Rügen); Put|bus|ser, Put|bu|ser

Pu|te, die; -, -n (Truthenne); Pu|ter (Truthahn); pu|ter|rot; puterrot werden
put, put (Lockruf für Hühner); Put|put, das; -s, -[s] (Lockruf; *Kinderspr.* Huhn)
Pu|t|re|fak|ti|on, Pu|t|res|zenz, die; -, -en ⟨lat.⟩ (*Med.* Verwesung, Fäulnis); pu|t|res|zie|ren
Putsch, der; -[e]s, -e (politischer Handstreich); put|schen; du putschst
püt|sche|rig (*nordd. für* kleinlich, umständlich); püt|schern (*nordd. für* umständlich arbeiten, ohne etwas zustande zu bringen); ich pütschere
Put|schist, der; -en, -en; Put|schis|tin; Putsch|ver|such
Putt [*auch* pat], der; -[s], -s ⟨engl.⟩ (*Golf* Schlag mit dem Putter)
Pütt, der; -s, *Plur.* -e, *auch* -s (*rhein. u. westfäl. für* Bergwerk)
Put|te, die; -, -n ⟨ital.⟩, Put|to, der; -s, *Plur.* ...tti *u.* ...tten (*bild. Kunst* nackte Kinderfigur, kleine Engelsfigur)
put|ten [*auch* 'pa...] ⟨engl.⟩ (*Golf* den Ball mit dem Putter schlagen); Put|ter, der; -s, - (Spezialgolfschläger [für das Einlochen])
Put|to *vgl.* Putte
Putz, der; -es
Pütz, Püt|ze, die; -, ...tzen (*Seemannsspr.* Eimer)
Put|ze, die; -, -n (*ugs. für* Putzfrau)
put|zen; du putzt; sich putzen; ein Kleid putzen lassen (*österr. für* chemisch reinigen lassen)
Put|zer; Put|ze|rei (*österr. auch für* chem. Reinigung); Put|ze|rin (*westösterr. für* Putzfrau)
Putz|fim|mel (*ugs.*)
Putz|frau
put|zig (*ugs. für* drollig)
Putz|kas|ten; Putz|ko|lon|ne; Putz|lap|pen; Putz|lum|pen (*landsch. für* Putzlappen)
Putz|ma|cher (*veraltet für* Modist); Putz|ma|che|rin
Putz|mit|tel
Putz|sucht, die; -; putz|süch|tig
Putz|tag; Putz|teu|fel (*ugs. für* jmd., der übertrieben oft u. gründlich sauber macht); Putz|tuch *Plur.* ...tücher; Putz|wol|le; Putz|zeug
puz|zeln ['paslṇ, *auch* 'pʊ...] ⟨engl.⟩ (ein Puzzle zusammensetzen); ich puzz[e]le; Puz|zle

P
Puzz

[...s]], das; -s, -s (ein Geduldsspiel); **Puzz**|ler; **Puz**|zle|spiel

Puz|zo|lan|er|de, die; - ⟨nach Pozzuoli bei Neapel⟩ (ein Sedimentgestein, Aschentuff)

PVC, das; -[s] ⟨aus: Polyvinylchlorid⟩ (ein Kunststoff)

PW, der; -[s], Plur. -s, selten - (schweiz.) = Personenwagen

Py|**lämie**, die; -, ...ien ⟨griech.⟩ (Med. Infektion durch Eitererreger in der Blutbahn)

Py|**e**|**li**|**tis**, die; -, ...it|iden ⟨griech.⟩ (Med. Entzündung des Nierenbeckens); Py|e|lo|gra|fie, Py|e|lo|gra|phie, die; - (Röntgenaufnahme des Nierenbeckens); Py|e|lo|gramm, das; -s, -e (Röntgenbild von Nierenbecken und Harnwegen); Py|e|lo|ne|ph|ri|tis, die; -, ...it|iden (Entzündung von Nierenbecken u. Nieren); Py|e|lo|zys|ti|tis, die; -, ...it|iden (Entzündung von Nierenbecken u. Blase)

Pyg|mäe, der; -n, -n ⟨griech.⟩ (Angehöriger der kleinwüchsigen Bevölkerungsgruppe in Afrika); **pyg**|mä|en|haft; **pyg**|mä|isch (kleinwüchsig)

Pyg|ma|li|on ⟨griech. Sagengestalt⟩

Pyhrn|pass, der; -es ⟨österr. Alpenpass⟩

Py|**ja**|ma [pydʒ..., auch pidʒ...], der, österr. u. schweiz. auch das; -s, -s ⟨Hindi-engl.⟩ (Schlafanzug); Py|ja|ma|ho|se; Py|ja|ma|ja|cke

Py|**k**|**ni**|**ker** ⟨griech.⟩ (Anthropol. kräftiger, gedrungen gebauter Mensch); py|k|nisch; Py|k|no|me|ter, das; -s, - (Physik Dichtemesser); py|k|no|tisch (Med. dicht zusammengedrängt)

Py|**la**|**des** (Freund des Orest in der griechischen Sage)

Py|**lon**, der; -en, -en, Py|lo|ne, die; -, -n ⟨griech.⟩ (großes, von Ecktürmen flankiertes Eingangstor altägyptischer Tempel u. Paläste; torähnlicher, tragender Pfeiler einer Hängebrücke; kegelförmige Absperrmarkierung auf Straßen)

Py|**lo**|**rus**, der; -, ...ren ⟨griech.⟩ (Med. Pförtner; Schließmuskel am Magenausgang)

pyo|**gen** ⟨griech.⟩ (Med. Eiterungen verursachend); Py|or|rhö, die; -, -en (Med. eitriger Ausfluss); py|or|rho|isch

py|**ra**|**mi**|**dal** ⟨ägypt.⟩ (pyramidenförmig; ugs. für gewaltig, riesenhaft)

Py|**ra**|**mi**|**de**, die; -, -n (ägyptischer Grabbau; geometrischer Körper); py|ra|mi|den|för|mig; Py|ra|mi|den|stadt; Py|ra|mi|den|stumpf (Math.)

Py|**r**|**a**|**no**|**me**|**ter**, das; -s, - ⟨griech.⟩ (Meteor. Gerät zur Messung der Sonnen- u. Himmelsstrahlung)

Py|**re**|**nä**|**en** Plur. (Gebirge zwischen Spanien u. Frankreich); Py|re|nä|en|halb|in|sel, die; -; py|re|nä|isch

Py|**re**|**th**|**rum**, das; -s, ...ra ⟨griech.⟩ (aus einer Chrysantheme gewonnenes Insektizid)

Py|**re**|**ti**|**kum**, das; -s, ...ka ⟨griech.⟩ (Med. Fieber erzeugendes Arzneimittel); py|re|tisch (Fieber erzeugend); Py|r|e|xie, die; -, ...ien (Fieber[anfall])

Py|**rit**, der; -s, -e ⟨griech.⟩ (Eisen-, Schwefelkies)

Pyr|**mont**, **Bad** (Stadt im Weserbergland)

py|**ro**|**gen** ⟨griech.⟩ (Geol. magmatisch entstanden; Med. auch svw. pyretisch)

Py|**ro**|**ly**|**se**, die; -, -n (Chemie Zersetzung von Stoffen durch Hitze); py|ro|ly|sie|ren; py|ro|ly|tisch

py|**ro**|**man** (an Pyromanie leidend)

Py|**ro**|**ma**|**ne**, der; -n, -n (an Pyromanie Leidender); Py|ro|ma|nie, die; - (krankhafter Trieb, Brände zu legen); py|ro|ma|nin; Py|ro|me|ter, das; -s, - (Messgerät für hohe Temperaturen)

py|**ro**|**phor** (selbstentzündlich, in feinster Verteilung an der Luft aufglühend); Py|ro|phor, der; -s, -e (Stoff mit pyrophoren Eigenschaften)

Py|**ro**|**tech**|**nik** [auch 'py:...], die; - (Herstellung u. Gebrauch von Feuerwerkskörpern); Py|ro|tech|ni|ker; py|ro|tech|nisch

Py|**ro**|**xen**, der; -s, -e meist Plur. (gesteinsbildendes Mineral)

Pyr|**rhus** (König von Epirus); **Pyr**|**rhus**|**sieg** ↑K 136 (Scheinsieg, zu teuer erkaufter Sieg)

Pyr|**rol**, das; -s ⟨griech.⟩ (eine chem. Verbindung)

Py|**tha**|**go**|**rä**|**er** usw. vgl. Pythagoreer usw.

¹**Py**|**tha**|**go**|**ras** (altgriechischer Philosoph)

²**Py**|**tha**|**go**|**ras**, der; - (kurz für pythagoreischer Lehrsatz)

Py|**tha**|**go**|**re**|**er**, österr. Py|tha|go-

räler (Anhänger der Lehre des Pythagoras); **py**|**tha**|**go**|**re**|**isch**, österr. py|tha|go|rä|isch; ↑K 89 u. 135 : die pythagoreische Philosophie; pythagoreischer Lehrsatz (grundlegender Satz der Geometrie)

¹**Py**|**thia** (Priesterin in Delphi)

²**Py**|**thia**, die; -, ...ien (Frau, die orakelhafte Anspielungen macht)

py|**thisch** (dunkel, orakelhaft); pythische Worte, aber: Pythische (zu Pytho [Delphi] gefeierte) Spiele ↑K 89 u. 151

Py|**thon**, der; -s, -s (eine Riesenschlange)

Py|**xis**, die; -, Plur. ...iden, auch ...ides ⟨griech.⟩ (Hostienbehälter)

q Q

q = Quintal

q = schweiz. Zentner (100 kg)

Q [ku:, österr., außer Math., kve:] (Buchstabe); das Q; des Q, die Q, aber das q in verquer; der Buchstabe Q, q

Q. = Quintus

qcm vgl. cm²; **qdm** vgl. dm²

q. e. d. = quod erat demonstrandum

Qi, Chi [tʃi:], das; -[s] ⟨chin.⟩ (die Lebensenergie in der chin. Philosophie)

Qi|**gong** [tʃi'gʊŋ], das; -; meist ohne Artikel ⟨chin.⟩ (eine chinesische Heilmethode)

Qin|**dar** ['kin...], der; -, -s, -ka [...'darka] (Untereinheit von ²Lek)

qkm vgl. km²; **qm** vgl. m²; **qmm** vgl. mm²

qua ⟨lat.⟩ ([in der Eigenschaft] als; gemäß); qua Beamter; qua amtliche, auch amtlicher Befugnis

Quab|**be**, die; -, -n (nordd. für Fettwulst); **quab**|**be**|**lig**, quabb|lig (für schwabbelig, fett); **quab**|**beln**; ich quabb[e]le; **quab**|**big**; **quabb**|**lig** vgl. quabbelig

Qua|**cke**|**lei** (landsch. für ständiges, törichtes Reden); **Qua**|**cke**|**ler**, **Quack**|**ler** (landsch. für

P
Puzz

Schwätzer); **qua|ckeln** (*landsch. für* viel u. töricht reden); ich quack[e]le

Quack|sal|ber (*svw.* Kurpfuscher); **Quack|sal|be|rei**; **Quack|sal|be|rin**; **quack|sal|be|risch**; **quack|sal|bern**; ich quacksalbere; gequacksalbert; zu quacksalbern

Quad [kvɔt], das; -s, -s ⟨engl.⟩ (vierrädriges Motorrad)

Quad|del, die; -, -n (juckende Anschwellung der Haut)

Qua|de, der; -n, -n (Angehöriger eines westgermanischen Volkes)

Qua|der, der; -s, - *od.* die; -, -n ⟨lat.⟩ (*Math.* ein von sechs Rechtecken begrenzter Körper; behauener [viereckiger] Bruchsteinblock); **Qua|der|bau** *Plur.* ...bauten; **Qua|der|stein**

Qua|d|ra|ge|si|ma, die; - ⟨lat.⟩ (vierzigtägige christliche Fastenzeit vor Ostern)

Qua|d|ran|gel, das; -s, - ⟨lat.⟩ (*svw.* Viereck)

Qua|d|rant, der; -en, -en ⟨lat.⟩ (*Math.* Viertelkreis)

¹**Qua|d|rat**, das; -[e]s, -e ⟨lat.⟩ (Viereck mit vier rechten Winkeln u. vier gleichen Seiten; zweite Potenz einer Zahl)

²**Qua|d|rat**, das; -[e]s, -e[n] (*Druckw.* Geviert, Bleistück zum Ausfüllen nicht druckender Stellen)

Qua|d|rat|de|zi|me|ter (*Zeichen* dm²)

qua|d|rä|teln (mit Geviertstücken würfeln [Würfelspiel der Buchdrucker u. Setzer]); ich quadrät[e]le

Qua|d|ra|ten|kas|ten (*Druckw.*)

Qua|d|rat|fuß, der; -es; 10 Quadratfuß

qua|d|ra|tisch; quadratische Gleichung (Gleichung zweiten Grades)

Qua|d|rat|ki|lo|me|ter (*Zeichen* km²)

Qua|d|rat|lat|schen *Plur.* (*ugs. scherzh. für* große, unförmige Schuhe)

Qua|d|rat|mei|le; **Qua|d|rat|me|ter** (*Zeichen* m²); **Qua|d|rat|me|ter|preis**; **Qua|d|rat|mil|li|me|ter** (*Zeichen* mm²)

Qua|d|rat|schä|del (*ugs. für* breiter, eckiger Kopf; *übertr. für* starrsinniger, begriffsstutziger Mensch)

Qua|d|ra|tur, die; -, -en (Verfahren zur Flächenberechnung); **Qua|d|ra|tur|ma|le|rei** (*Kunstwiss.*)

Qua|d|rat|wur|zel; **Qua|d|rat|zahl**; **Qua|d|rat|zen|ti|me|ter** (*Zeichen* cm²)

Qua|d|ri|en|na|le, die; -, -n ⟨ital.⟩ (alle vier Jahre stattfindende Veranstaltung); **Qua|d|ri|en|ni|um**, das; -s, ...ien ⟨lat.⟩ (*veraltet für* Zeitraum von vier Jahren)

qua|d|rie|ren ⟨lat.⟩ (*Math.* [eine Zahl] in die zweite Potenz erheben)

Qua|d|ri|ga, die; -, ...gen ⟨lat.⟩ (Viergespann in der Antike)

Qua|d|ril|le [k(v)a'drıljə, *österr.* ka'drıl], die; -, -n ⟨span.-franz.⟩ (ein Tanz)

Qua|d|ril|li|on, die; -, -en ⟨franz.⟩ (vierte Potenz einer Million); **Qua|d|ri|nom**, das; -s, -e ⟨lat.; griech.⟩ (*Math.* die Summe aus vier Gliedern)

Qua|d|ri|re|me, die; -, -n ⟨lat.⟩ (antikes Kriegsschiff mit vier übereinanderliegenden Ruderbänken)

Qua|d|ri|vi|um, das; -s (im mittelalterlichen Universitätsunterricht die vier höheren Fächer Arithmetik, Geometrie, Astronomie, Musik)

Qua|d|ro, das; -s ⟨lat.⟩ (*Kurzw. für* Quadrofonie)

qua|d|ro|fon, **qua|d|ro|phon** ⟨lat.; griech.⟩ (*svw.* quadrofonisch); **Qua|d|ro|fo|nie**, **Qua|d|ro|pho|nie**, die; - (Vierkanalstereofonie); **qua|d|ro|fo|nisch**, **qua|d|ro|pho|nisch**

Qua|d|ro|sound, der; -s ⟨engl.-amerik.⟩ (quadrofonische Klangwirkung)

Qua|d|ru|pe|de, der; -n, -n *meist Plur.* ⟨lat.⟩ (*Zool. veraltet für* Vierfüßer)

¹**Qua|d|ru|pel**, das; -s, - ⟨franz.⟩ (vier zusammengehörende mathematische Größen)

²**Qua|d|ru|pel**, der; -s, - (frühere span. Goldmünze)

Qua|d|ru|pel|al|li|anz (Allianz zwischen vier Staaten)

Quag|ga, das; -s, -s ⟨hottentott.⟩ (ein ausgerottetes Zebra)

Quai [ke:, kε:], der *od.* das; -s, -s ⟨franz.⟩ (*schweiz. für* Uferstraße); *vgl.* Kai; **Quai d'Or|say** [`ke dɔr'sε:] ⟨franz.⟩ (Straße in Paris; *übertr. für* das franz. Außenministerium)

quak!

Quä|ke, die; -, -n (Instrument zum Nachahmen des Angstschreis der Hasen)

Quä|kel|chen (*fam. für* kleines Kind)

qua|keln (*landsch. für* undeutlich reden); ich quak[e]le

qua|ken; der Frosch quakt; **quä|ken**; eine quäkende Stimme

Quä|ker, der; -s, - ⟨engl.⟩ (Angehöriger einer christl. Glaubensgemeinschaft); **Quä|ke|rin**; **quä|ke|risch**

Quak|frosch (*Kinderspr. für* Frosch)

Qual, die; -, -en; **quä|len**; sich quälen

Quä|ler; **Quä|le|rei**; **Quä|le|rin**; **quä|le|risch**; **Quäl|geist** *Plur.* ...geister (*ugs.*)

Qua|li|fi|ka|ti|on, die; -, -en ⟨lat.⟩ (Befähigung[snachweis]; Teilnahmeberechtigung für sportliche Wettbewerbe)

Qua|li|fi|ka|ti|ons|ren|nen; **Qua|li|fi|ka|ti|ons|run|de**; **Qua|li|fi|ka|ti|ons|spiel**

qua|li|fi|zie|ren (als etw. bezeichnen, klassifizieren; befähigen); sich qualifizieren (sich eignen; sich als geeignet erweisen; eine Qualifikation erwerben)

qua|li|fi|ziert; qualifizierte Mehrheit; qualifiziertes Vergehen (*Rechtsspr.* Vergehen unter erschwerenden Umständen)

Qua|li|fi|zie|rung (*auch für* fachl. Aus- u. Weiterbildung)

Qua|li|fy|ing [`kvɔlıfaıɪŋ], das; -s, -s ⟨engl.⟩ (*Rennsport* Qualifikation u. Festlegung der Startreihenfolge für ein [Auto]rennen)

Qua|li|tät, die; -, -en (Beschaffenheit, Güte, Wert); erste, zweite, mittlere Qualität; **qua|li|ta|tiv** [*auch* 'kva...] (dem Wert, der Beschaffenheit nach); **Qua|li|täts|ar|beit** (Wertarbeit)

qua|li|täts|be|wusst; Qua|li|täts|be|wusst|sein

Qua|li|täts|be|zeich|nung; **Qua|li|täts|er|zeug|nis**; **Qua|li|täts|kon|t|rol|le**; **Qua|li|täts|min|de|rung**; **Qua|li|täts|norm**

qua|li|täts|ori|en|tiert

Qua|li|täts|si|che|rung; **Qua|li|täts|stan|dard**; **Qua|li|täts|stei|ge|rung**; **Qua|li|täts|stu|fe**

qua|li|tät[s]|voll

Qua|li|täts|wa|re

Qua|li|täts|wein; Qualitätswein mit Prädikat

Quall, der; -[e]s, -e (*landsch. für* emporquellendes Wasser)

Q

Qual

Qual|le, die; -, -n (ein Nesseltier); **qual|lig**

Qualm, der; -[e]s; **qual|men; qual|mig**

Quals|ter, der; -s, - (*nordd. für* Schleim, Auswurf); **quals|te|rig, quals|trig; quals|tern;** ich qualstere

Qual|tin|ger (österr. Schriftsteller u. Schauspieler)

qual|voll

Quant, das; -s, -en ⟨lat.⟩ (*Physik* kleinste Energiemenge) **Quänt|chen** (eine kleine Menge); ein Quäntchen Glück ↑K133

quan|teln (eine Energiemenge in Quanten aufteilen); ich quant[e]le

Quan|ten (*Plur. von* Quant *u.* Quantum)

Quan|ten|bio|lo|gie; Quan|ten|me|cha|nik, die; -

Quan|ten|sprung (*übertr. auch für* [durch eine Entdeckung, Erfindung o. Ä. ermöglichter] entscheidender Fortschritt); **Quan|ten|the|o|rie,** die; - (Theorie der mikrophysikalischen Erscheinungen u. Objekte)

quan|ti|fi|zier|bar; quan|ti|fi|zie|ren ([Eigenschaften] in Zahlen u. messbare Größen umsetzen); **Quan|ti|fi|zie|rung**

Quan|ti|tät, die; -, -en (Menge, Größe; *Sprachw.* Dauer, Länge eines Lautes od. einer Silbe); **quan|ti|ta|tiv** [*auch* 'kvan...] (der Quantität nach, mengenmäßig)

Quan|ti|täts|glei|chung (*Wirtsch.*)

Quan|ti|täts|the|o|rie, die; - (*Wirtsch.* Theorie, nach der ein Kausalzusammenhang zwischen Geldmenge u. Preisniveau besteht)

Quan|ti|té né|g|li|gea|b|le [kã... ...'ʒa:bl], die; - - ⟨franz.⟩ (wegen ihrer Kleinheit außer Acht zu lassende Größe; Belanglosigkeit)

quan|ti|tie|ren ⟨lat.⟩ (*Sprachw.* die Silben [nach der Länge od. Kürze] messen)

Quan|tum, das; -s, ...ten (Menge, Anzahl, Maß, Summe, Betrag)

Quap|pe, die; -, -n (ein Fisch; eine Lurchlarve, Kaulquappe)

Qua|ran|tä|ne [ka...], die; -, -n ⟨franz.⟩ (vorübergehende Isolierung von Personen od. Tieren, die eine ansteckende Krankheit haben [könnten]); **Qua|ran|tä|ne|sta|ti|on**

Quar|gel, der; -s, - (*österr. für* kleiner, runder Käse)

---

¹Quark, der; -s (aus saurer Milch hergestelltes Nahrungsmittel; *ugs. auch für* Wertloses); red nicht solchen Quark (Unsinn)

²Quark [kvo:ɐ̯k], das; -s, -s ⟨engl.⟩ (*Physik* Elementarteilchen)

Quark|brot; quar|kig

Quark|kä|se; Quark|käul|chen (gebackenes ³Küchlein aus Kartoffeln u. Quark); **Quark|ku|chen** (*landsch.*); **Quark|schnit|te; Quark|spei|se**

Quar|re, die; -, -n (*nordd. für* weinerliches Kind; zänkische Frau); **quar|ren; quar|rig;** das Kind ist quarrig

¹Quart, die; -, -en ⟨lat.⟩ (Fechthieb)

²Quart, das; -s, -e ⟨lat.⟩ (altes Flüssigkeitsmaß; *nur Sing.:* Viertelbogengröße [Buchformat]; *Abk.* 4°); 3 Quart; in Quart; Großquart (*Abk.* Gr.-4°)

³Quart, die; -, -en, **Quar|te,** die; -, -n ⟨lat.⟩ (*Musik* vierter Ton der diatonischen Tonleiter; Intervall im Abstand von 4 Stufen)

Quar|ta, die; -, ...ten ⟨lat.⟩ (veraltende Bez. für die dritte Klasse eines Gymnasiums)

Quar|tal, das; -s, -e ⟨lat.⟩ (Vierteljahr)

Quar|tal[s]|ab|schluss; Quar|tal[s]|säu|fer (*ugs.*); **Quar|tal[s]|säu|fe|rin; quar|tal[s]|wei|se** (vierteljahrsweise)

Quar|ta|na, die; - ⟨lat.⟩ (*Med.* Viertagefieber, Art der Malaria) **Quar|ta|ner** ⟨lat.⟩ (Schüler der Quarta); **Quar|ta|ne|rin**

Quar|tan|fie|ber, das; -s (*svw.* Quartana)

quar|tär ⟨lat.⟩ (zum Quartär gehörend); **Quar|tär,** das; -s (*Geol.* obere Formation des Neozoikums); **Quar|tär|for|ma|ti|on,** die; -

Quart|band, der (*Buchw.*); **Quart|blatt**

Quar|te vgl. ³Quart

Quar|tel, das; -s, - (*bayr. für* kleines Biermaß)

Quar|ten (*Plur. von* Quart, Quarte *u.* Quarta)

Quar|ter ['kvo:ɐ̯...], der; -s, - ⟨engl.⟩ (altes engl. u. amerik. Hohlmaß u. Gewicht)

Quar|ter|back ['kvo:ɐ̯tɐbɛk], der; -[s], -s ⟨engl.-amerik.⟩ (Spielmacher im amerik. Football)

Quar|ter|deck ['kvar...] (Hinterdeck)

Quar|ter|pipe ['kvo:ɐ̯tɐpaip], die; -,

-s ⟨engl.; »Viertelröhre«⟩ (halbe Halfpipe); *vgl. d.*

Quar|tett, das; -[e]s, -e ⟨ital.⟩ (Musikstück für vier Stimmen od. vier Instrumente; *auch für* die vier Ausführenden; ein Kartenspiel)

Quart|for|mat (*Buchw.*)

Quar|tier, das; -s, -e ⟨franz.⟩ (Unterkunft, bes. von Truppen; *schweiz. auch für* Stadtviertel); **quar|tie|ren** (*selten für* einquartieren); **Quar|tier|ma|cher; Quar|tiers|frau; Quar|tiers|wirt; Quar|tiers|wir|tin**

Quar|til, das; -s, -e ⟨lat.⟩ (*bes. Statistik* Viertel [in einer bestimmten Rangliste])

Quart|sext|ak|kord (*Musik*)

Quarz, der; -es, -e (ein Mineral) **quar|zen** (*ugs. für* rauchen) **Quarz|fels,** der; -; **Quarz|fil|ter; Quarz|ge|steu|ert** **Quarz|glas** Plur. ...gläser **quarz|hal|tig; quarz|häl|tig** (*österr.*); **quar|zig**

Quar|zit, der; -s, -e (ein Gestein) **Quarz|kris|tall; Quarz|lam|pe; Quarz|steu|e|rung** (*Elektrot.*); **Quarz|uhr** (in Werbetexten oft mit der englischen tz-Schreibung)

Quas, der; -es, -e ⟨slaw.⟩ (*landsch. für* Gelage, Schmaus; bes. Pfingstbier mit festlichem Tanz; *vgl. aber* Kwass)

Qua|sar, der; -s, -e ⟨lat.⟩ (sternenähnliches Objekt im Kosmos mit extrem starker Radiofrequenzstrahlung)

qua|sen (*landsch. für* prassen; vergeuden); du quast

qua|si ⟨lat.⟩ (gewissermaßen, gleichsam, sozusagen)

Qua|si|mo|do|ge|ni|ti ⟨lat.; »wie die neugeborenen [Kinder]«⟩ (erster Sonntag nach Ostern)

qua|si|of|fi|zi|ell (gewissermaßen offiziell); **qua|si|op|tisch** (*Physik* ähnlich den Lichtwellen sich ausbreitend)

Qua|si|sou|ve|rä|ni|tät, die; -, -en (scheinbare Souveränität)

Quas|se|lei (*ugs. für* [dauerndes] Quasseln)

quas|seln (*ugs. für* unaufhörlich u. schnell reden, schwatzen); ich quassele *u.* quassle

Quas|sel|strip|pe, die; -, -n (*ugs. für* Telefon; *auch für* jmd., der viel redet)

Quas|sie, die; -, -n ⟨nach dem angebl. Entdecker⟩ (südamerik.

---

quer

– kreuz und quer; quer [über die Straße] gehen

Getrenntschreibung vom folgenden Verb, wenn »quer« konkret die Lage angibt:

– sich quer [ins Bett] legen
– das Fahrrad quer [vor die Einfahrt] stellen

Zusammenschreibung mit dem folgenden Verb bei übertragener Gesamtbedeutung ↑K56:

– sich nicht länger querlegen, querstellen (*ugs. für* sich widersetzen)

– einer muss doch immer querschießen! (*ugs. für* Schwierigkeiten machen)
– einen Wechsel querschreiben (*bes. Bankw.* akzeptieren)

Getrennt- oder Zusammenschreibung bei nicht übertragener Bedeutung in Verbindung mit einem adjektivisch gebrauchten Partizip ↑K58:

– ein quer gestreifter *od.* quergestreifter Pullover

Baum, dessen Holz Bitterstoff enthält)

Quast, der; -[e]s, -e (*nordd. für* [Borsten]büschel, breiter Pinsel); **Quäst|chen**

Quas|te, die; -, -n (Troddel, Schleife); **Quas|ten|be|hang**; **Quas|ten|flos|ser** (*Zool.*); **quas|ten|för|mig**

Quäs|ti|on, die; -, -en (*lat.*) (wissenschaftliche Streitfrage)

Quäs|tor, der; -s, ...oren (*lat.*) (altröm. Beamter; Schatzmeister an Hochschulen; *schweiz. geh. für* Kassenwart eines Vereins); **Quäs|to|rin**; **Quäs|tur**, die; -, -en (Amt eines Quästors; Kasse an einer Hochschule)

Qua|tem|ber, der; -s, - (*lat.*) (vierteljährlicher kath. Fasttag); **Qua|tem|ber|fas|ten**, das; -s

qua|ter|när (*lat.*) (*Chemie* aus vier Teilen bestehend)

Qua|ter|ne, die; -, -n (Reihe von vier gesetzten *od.* gewonnenen Nummern in der alten Zahlenlotterie)

quatsch! (Schallwort)

¹**Quatsch**, der; -[e]s (*landsch. für* Matsch)

²**Quatsch**, der; -[e]s (*ugs. für* dummes Gerede, Unsinn; *auch für* Alberei); Quatsch reden; das ist ja Quatsch!; ach Quatsch!

¹**quat|schen** [*auch* kva:...] (*landsch.*); der Boden quatscht unter den Füßen

²**quat|schen** (*ugs.*); du quatschst

Quat|sche|rei (*ugs.*); **Quatsch|kopf** (*ugs.*)

quatsch|nass (*ugs. für* sehr nass)

Quat|t|ro|cen|tist [...tʃen...], der; -en, -en (Dichter, Künstler des Quattrocentos); **Quat|t|ro|cen|to** [...tʃento], das; -[s] (*Kunstwiss.* das 15. Jh. in Italien [als Stilbegriff], Frührenaissance)

Qué|bec [ke'bɛk], **Que|bec** [kvi-'bɛk] (Provinz u. Stadt in Kanada); **Qué|be|cer**, **Que|be|cer** [...'bɛkɐ]; **Qué|be|ce|rin**, **Que|be|ce|rin**

Que|b|ra|cho [kɛ'bratʃo], das; -s ⟨span.⟩ (gerbstoffreiches Holz eines südamerikanischen Baumes); **Que|b|ra|cho|rin|de** (ein Arzneimittel)

¹**Que|chua** ['kɛtʃua], der; -[s], -[s] (Angehöriger eines indianischen Volkes in Peru)

²**Que|chua**, das; -[s] (eine indianische Sprache)

queck (*für* quick)

Que|cke, die; -, -n (eine Graspflanze); **que|ckig** (voller Quecken)

Queck|sil|ber (chemisches Element, Metall; *Zeichen* Hg)

Queck|sil|ber|dampf; **Queck|sil|ber|dampf|lam|pe**

queck|sil|ber|hal|tig; **queck|sil|be|rig** *vgl.* quecksilbrig; **queck|sil|bern** (aus Quecksilber)

Queck|sil|ber|prä|pa|rat; **Queck|sil|ber|sal|be**; **Queck|sil|ber|säu|le**; **Queck|sil|ber|ver|gif|tung**

queck|silb|rig ([unruhig] wie Quecksilber)

Qued|lin|burg (Stadt im nördlichen Harzvorland)

Queen [kvi:n], die; -, -s (*nur Sing.*: jeweils regierende englische Königin)

Quee|ne, die; -, -n (*nordd. für* Färse)

Queens|land ['kvi:nslɛnt] (Staat des Australischen Bundes)

Queich, die; - (linker Nebenfluss des Oberrheins)

Queis, die; - (linker Nebenfluss des ²Bobers)

Quell, der; -[e]s, -e *Plur. selten* (*geh. für* Quelle)

Quell|be|wöl|kung

Quell|chen

Quell|code (*EDV* ursprünglicher Programmcode eines Computerprogramms)

Quel|le, die; -, -n; Nachrichten aus amtlicher, erster Quelle

¹**quel|len** (schwellen, größer werden; hervordringen, sprudeln); du quillst, du quollst; du quöllest; gequollen; quill!; Wasser quillt

²**quel|len** (im Wasser weichen lassen); du quellst; du quelltest; gequellt; quell[e]!; ich quelle Bohnen

Quel|len|an|ga|be; **Quel|len|for|schung**; **Quel|len|kri|tik**, die; -; **Quel|len|kun|de**, die; -

quel|len|mä|ßig

Quel|len|ma|te|ri|al

quel|len|reich

Quel|len|samm|lung

Quel|len|steu|er, die (Steuer, die in dem Staat erhoben wird, wo der Gewinn, die Einnahme erwirtschaftet wurde)

Quel|len|stu|di|um

Quel|ler (eine Strandpflanze)

Quell|fas|sung; **Quell|fluss**

quell|frisch

Quell|ge|biet; **Quell|nym|phe**

Quell|text (*svw.* Quellcode)

Quel|lung

Quell|was|ser *Plur.* ...wasser; **Quell|wol|ke**

Quem|pas, der; - ⟨lat.⟩ (ein weihnachtlicher Wechselgesang); **Quem|pas|lied**

Quen|del, der; -s, - (Name verschiedener Pflanzen)

Quen|ge|lei; **quen|ge|lig, queng|lig**

quen|geln (*ugs. für* weinerlich nörgelnd immer wieder um etwas bitten, keine Ruhe geben [meist von Kindern]); ich queng[e]le

Queng|ler; **queng|lig** *vgl.* quengelig

Quent, das; -[e]s, -e ⟨lat.⟩ (altes dt. Gewicht); 5 Quent; **Quent|chen** *alte Schreibung für* Quäntchen

quer *s.* Kasten

quer|ab (*Seemannsspr.* rechtwinklig zur Längsrichtung [des Schiffs])

Q

quer

Quer|bahn|steig; Quer|bal|ken; Quer|bau *Plur.* ...bauten; **Querbaum** (älteres Turngerät)
quer|beet (*ugs. für* ohne festgelegte Richtung; nicht vorgegeben)
Quer|den|ker (jmd., der unkonventionell denkt); **Quer|den|ke|rin**
quer|durch; er ist einfach querdurch gelaufen, *aber* sie läuft quer durch die Felder
Que|re, die; - (*ugs.*); *meist in* in die Quere kommen; in die Kreuz und [in die] Quer[e]
Quer|ein|stei|ger; Quer|ein|stei|gerin; Quer|ein|stieg
Que|re|le, die; -, - *meist Plur.* ⟨lat.⟩ (Streiterei)
que|ren (überschreiten, überschneiden); **quer|feld|ein**
Quer|feld|ein|lauf; Quer|feld|einren|nen; Quer|feld|ein|ritt
Quer|flö|te; Quer|for|mat; **Quergang**, der (*auch für* Klettertour auf einer waagerecht verlaufenden Route)
quer|ge|hen (*ugs. für* nicht recht sein); *vgl.* quer; **quer|ge|streift**, **quer|ge|streift** *vgl.* quer
Quer|haus; Quer|holz
Quer|kopf (*ugs. für* jmd., der sich immer widersetzt); **quer|köp|fig**; **Quer|köp|fig|keit**, die; - (*ugs.*)
Quer|la|ge (*Med.*); Quer|lat|te
quer|le|gen, sich *vgl.* quer
quer|le|sen (*ugs. swv.* durchblättern); *vgl.* quer
Quer|li|nie; Quer|pass (*Sportspr.*); **Quer|pfei|fe; Quer|rin|ne**
quer|schie|ßen *vgl.* quer
Quer|schiff (Teil einer Kirche); **quer|schiffs** (*Seemannsspr.*)
Quer|schlag (*Bergmannsspr.* Gesteinsstrecke, die [annähernd] senkrecht zu den Schichten verläuft)
Quer|schlä|ger (abprallendes od. quer aufschlagendes Geschoss)
Quer|schnitt
quer|schnitt[s]|ge|lähmt; Querschnitt[s]|ge|lähm|te; Querschnitt[s]|läh|mung
quer|schrei|ben *vgl.* quer
Quer|schuss
quer|stel|len, sich (*ugs. für* sich widersetzen)
Quer|stra|ße; Quer|strich; Quer|summe; Quer|trei|ber (jmd., der etwas zu durchkreuzen trachtet); **Quertrei|be|rei**
quer|über (*veraltend*); querüber liegt ein Haus, *aber* sie geht quer über den Hof
Que|ru|lant, der; -en, -en ⟨lat.⟩

(Nörgler, Quengler); **Que|ru|lantin; que|ru|lie|ren**
Quer|ver|bin|dung; Quer|ver|weis; **Quer|wand**
Que|se, die; -, -n (*nordd. für* durch Quetschung entstandene Blase; Schwiele; Finne des Quesenbandwurms); **que|sen** (*nordd. für* quengeln); du quest
Que|sen|band|wurm
que|sig (*nordd. auch für* quengelig)
Quetsch, der; -[e]s, -e (*westmitteld., südd. für* Zwetschenschnaps)
[1]Quet|sche, die; -, -n (*landsch. für* Zwetsche)
[2]Quet|sche, die; -, -n (*landsch. für* Presse; *ugs. für* kleines Geschäft, kleiner Betrieb)
quet|schen; du quetschst
Quetsch|fal|te; Quetsch|kar|tof|feln *Plur.* (*landsch. für* Kartoffelpüree); **Quetsch|kom|mo|de** (*scherzh. für* Ziehharmonika)
Quet|schung; Quetsch|wun|de
[1]Quet|zal [keˈ...], der; -s, -e ⟨indian.span.⟩ (bunter Urwaldvogel; Wappenvogel von Guatemala)
[2]Quet|zal [ke...], der; -[s], -[s] (Währungseinheit in Guatemala); 5 Quetzal
[1]Queue [køː], das, *auch* der; -s, -s ⟨franz.⟩ (Billardstock)
[2]Queue, die; -, -s (*veraltend für* Menschenschlange, Ende einer [Marsch]kolonne)
Quiche [kiʃ], die; -, -s ⟨franz.⟩ (Speckkuchen aus Mürbe- od. Blätterteig)
Qui|chotte *vgl.* Don Quichotte
quick (*landsch. für* rege, schnell)
Quick|born, der; -[e]s, -e (*veraltet für* Jungbrunnen)
Qui|ckie, der; -s, -s ⟨engl.⟩ (*ugs. für* etwas sehr schnell Abgehandeltes, Erledigtes)
quick|le|ben|dig
Quick|stepp [...step], der; -s, -s ⟨engl.⟩ (ein Tanz)
Quick|test ⟨nach dem amerik. Arzt A. J. Quick⟩ ↑K136 (*Med.* Verfahren zur Bestimmung der Gerinnungszeit des Blutes); **Quick|wert**
Qui|dam, der; - ⟨lat.⟩; in gewisser Quidam (*veraltet für* ein gewisser Jemand)
Quid|pro|quo, das; -s, -s ⟨lat.⟩ (Austausch, Ersatz)
Quie, die; -, Quien (*svw.* Queene)
quiek!; quiek, quiek!; **quie|ken**, **quiek|sen**; du quiekst; **Quiek|ser** (*ugs.*)

Qui|e|tis|mus, der; - ⟨lat.⟩ (inaktive Haltung; religiöse Bewegung); **Qui|e|tist**, der; -en, -en (Anhänger des Quietismus); **Qui|e|tistin; qui|e|tis|tisch**
Qui|e|tiv, das; -s, -e (*Med.* Beruhigungsmittel)
quietsch|bunt (*ugs. für* sehr bunt)
Quiet|sche|ent|chen, Quiet|sche|ente (ein Kinderspielzeug)
quiet|schen; du quietschst; **Quietscher** (*ugs.*)
quietsch|fi|del (*ugs.*)
quietsch|gelb, quietsch|ro|sa, quietsch|grün *vgl.* quietschbunt
quietsch|ver|gnügt (*ugs. für* sehr vergnügt)
Qui|jo|te *vgl.* Don Quijote
Quil|la|ja, die; -, -s ⟨indian.⟩ (ein chilenischer Seifenbaum); **Quilla|ja|rin|de**
quil|len (*veraltet, noch landsch. für* [1]quellen)
quillt *vgl.* quellen
Quilt, der; -s, -s ⟨engl.⟩ (eine Art Steppdecke); **Quilt|de|cke; quilten** (Quilts herstellen)
Qui|nar, der; -s, -e ⟨lat.⟩ (eine altrömische Münze)
quin|ke|lie|ren, quin|qui|lie|ren ⟨lat.⟩ (*bes. nordd. für* hell u. leise singen)
Quin|qua|ge|si|ma, die; *Gen.* -, *bei Gebrauch ohne Artikel auch* ...mä ⟨lat., »fünfzigster« [Tag]⟩ (siebter Sonntag vor Ostern); **Quin|quen|ni|um**, das; -s, ...ien (*veraltet für* Jahrfünft)
quin|qui|lie|ren *vgl.* quinkelieren
Quin|quil|li|on, die; -, -en ⟨lat.⟩ (5. Potenz der Million)
[1]Quint, die; -, -en ⟨lat.⟩ (Fechtbegriff)
[2]Quint, die; -, -en, Quin|te, die; -, -n ⟨lat.⟩ (*Musik* fünfter Ton der diaton. Tonleiter; Intervall im Abstand von 5 Stufen)
Quin|ta, die; -, ...ten ⟨lat.⟩ (*veraltend für* zweite Klasse eines Gymnasiums)
Quin|tal [*auch* keˈ..., kɪn...], der; -s, -[e] ⟨roman.⟩ (Gewichtsmaß [Zentner] in Frankreich, Spanien u. in mittel- u. südamerik. Staaten; *Zeichen* q; 2 Quintal
Quin|ta|na, die; - ⟨lat.⟩ (*Med.* Fünftage[wechsel]fieber)
Quin|ta|ner (Schüler der Quinta); **Quin|ta|ne|rin**
Quin|tan|fie|ber, das; -s (*svw.* Quintana)
Quin|te *vgl.* [2]Quint; **Quin|ten** (*Plur. von* Quinta *u.* Quint)
Quin|ten|zir|kel, der; -s (*Musik*)

Q

Quer

Quin|ter|ne, die; -, -n ⟨lat.⟩ (Reihe von fünf gesetzten od. gewonnenen Nummern in der alten Zahlenlotterie)

Quint|es|senz, die; -, -en ⟨lat.⟩ ([als Ergebnis] das Wesentliche einer Sache)

Quin|tett, das; -[e]s, -e ⟨ital.⟩ (Musikstück für fünf Stimmen od. fünf Instrumente; *auch für* die fünf Ausführenden)

Quin|ti|li|an, Quin|ti|li|a|nus (röm. Redner, Verfasser eines lat. Lehrbuches der Rhetorik); **Quin|ti|li|us** (altröm. m. Eigenn.)

Quin|til|li|on, die; -, -en (*svw.* Quinquillion)

Quin|to|le, die; -, -n ⟨lat.⟩ (Gruppe von fünf Tönen, die einen Zeitraum von drei, vier od. sechs Tönen gleichen Taktwertes in Anspruch nehmen); **Quint|sext|ak|kord** (*Musik*)

Quin|tus (altröm. m. Vorn.; *Abk.* Q.)

Qui|pro|quo, das; -s, -s ⟨lat.⟩ (Verwechslung einer Person mit einer anderen)

Qui|pu [ˈkɪ...], das; -[s], -[s] ⟨indian.⟩ (Knotenschrift der Inkas)

Qui|rin, Qui|ri|nus (römischer Gott; römischer Tribun; ein Heiliger)

Qui|ri|nal, der; -s (Hügel in Rom; Sitz der italienischen Staatspräsidenten)

Qui|ri|te, der; -n, -n (altrömischer Vollbürger)

Quirl, der; -[e]s, -e; **quir|len; quir|lig** (*ugs. für* lebhaft, unruhig)

Qui|si|sa|na, das; - ⟨ital.⟩ (Name von Kur- und Gasthäusern)

Quis|ling, der; -s, -e ⟨nach dem norw. Faschistenführer⟩ (*abwertend für* Kollaborateur)

Quis|qui|li|en *Plur.* ⟨lat.⟩ (Kleinigkeiten)

Qui|to [ˈkiː...] (Hauptstadt Ecuadors)

quitt ⟨franz.⟩ (ausgeglichen, fertig, befreit); wir sind quitt (*ugs.*); mit jmdm. quitt sein

Quit|te, die; -, -n (ein Obstbaum; dessen Frucht); **quit|te|gelb, quit|ten|gelb**

Quit|ten|brot, das; -[e]s (in Stücke geschnittene, feste Quittenmarmelade); **Quit|ten|ge|lee; Quit|ten|kä|se,** der; -es ⟨*österr. für* Quittenbrot⟩; **Quit|ten|mar|me|la|de; Quit|ten|mus**

quit|tie|ren ⟨franz.⟩ ([den Empfang] bescheinigen; *veraltend für* [ein Amt] niederlegen);

etwas mit einem Achselzucken quittieren (hinnehmen)

Quit|tung (Empfangsbescheinigung); **Quit|tungs|block** (*vgl.* Block); **Quit|tungs|for|mu|lar**

Qui|vive [kiˈviːf] ⟨franz.⟩ (Werdaruf); *nur in* auf dem Quivive sein (*ugs. für* auf der Hut sein)

Quiz [kvɪs], das; -, - ⟨engl.⟩ (Frage-und-Antwort-Spiel)

Quiz|fra|ge; Quiz|mas|ter (Fragesteller u. Moderator bei einer Quizveranstaltung); **Quiz|mas|te|rin; Quiz|sen|dung; Quiz|show; quiz|zen** (*ugs.*); du quizzt

Qum|ran *vgl.* Kumran

quod erat de|mons|t|ran|dum ⟨lat., »was zu beweisen war«⟩ (*Abk.* q. e. d.)

Quod|li|bet, das; -s, -s ⟨lat.⟩ (Durcheinander, Mischmasch; ein Kartenspiel; *Musik* scherzhafte Zusammenstellung verschiedener Melodien u. Texte)

quoll *vgl.* quellen

quor|ren (*Jägerspr.* balzen [von der Schnepfe])

Quo|rum, das; -s, ...ren ⟨lat.⟩ (*bes. südd., schweiz. für* die zur Beschlussfassung in einer Körperschaft erforderliche Zahl anwesender Mitglieder)

Quo|ta|ti|on, die; -, -en ⟨lat.⟩ (Kursnotierung an der Börse)

Quo|te, die; -, -n ⟨lat.⟩ (Anteil [von Personen], der bei Aufteilung eines Ganzen auf den Einzelnen od. eine Einheit entfällt; *auch kurz für* Einschaltquote)

quo|teln (nach Quoten aufteilen); ich quot[e]le; **Quo|teln**

Quo|ten|brin|ger (*Ferns.* Schauspieler o. Ä. od. Sendung mit einer hohen Einschaltquote); **Quo|ten|brin|ge|rin**

Quo|ten|frau (*ugs. für* Frau, die aufgrund einer Quotenregelung in eine bestimmte Position berufen wurde); **Quo|ten|kar|tell** (*Wirtsch.*); **Quo|ten|re|ge|lung** (Festlegung eines angemessenen Anteils von Frauen in [politischen] Gremien)

Quo|ti|ent, der; -en, -en ⟨lat.⟩ (*Math.* Ergebnis einer Division)

quo|tie|ren (den Preis angeben od. mitteilen); **Quo|tie|rung** (*svw.* Quotation); **quo|ti|sie|ren** (in Quoten aufteilen); **Quo|ti|sie|rung**

quo va|dis? ⟨lat., »wohin gehst du?«⟩ (wohin wird das führen, was wird daraus?)

r

r, R = Radius

R (Buchstabe); das R; des R, die R, *aber* das r in fahren; der Buchstabe R, r

R = ²Rand; Reaumur

P, ρ = Rho

® ⟨engl., »eingetragenes Warenzeichen«⟩ = registered [trademark]

r. = rechts

R., Reg[t]., Rgt. = Regiment

Ra *vgl.* ¹Re

Ra = *chem. Zeichen für* Radium

¹Raab (Stadt in Ungarn)

²Raab, die; - (rechter Nebenfluss der Donau)

Raa|be (dt. Schriftsteller)

Rab (eine dalmatische Insel)

Ra|ba|nus Mau|rus *vgl.* Hrabanus Maurus

Ra|bat [raˈba(ː)t] (Hauptstadt von Marokko)

Ra|batt, der; -[e]s, -e ⟨ital.⟩ (Preisnachlass)

Ra|bat|te, die; -, -n ⟨niederl.⟩ ([Rand]beet)

Ra|batt|ge|setz

ra|bat|tie|ren ⟨ital.⟩ (Rabatt gewähren); **Ra|bat|tie|rung; Ra|batt|mar|ke**

Ra|batz, der; -es (*ugs. für* Krawall, Unruhe); Rabatz machen; **Ra|bau,** der; *Gen.* -s *u.* -en, *Plur.* -e[n] (*niederrhein. für* eine graue Renette; Rabauke); **Ra|bau|ke,** der; -n, -n (*ugs. für* Rüpel, gewalttätiger Mensch)

Rab|bi, der; -[s], *Plur.* -s *u.* ...inen ⟨hebr.⟩ (*nur Sing.:* Ehrentitel jüdischer Gesetzeslehrer u. a.; Träger dieses Titels); **Rab|bi|nat,** das; -[e]s, -e (Amt, Würde eines Rabbi[ners]); **Rab|bi|ner,** der; -s, - (jüdischer Gesetzes-, Religionslehrer, Geistlicher, Prediger); **Rab|bi|ne|rin; rab|bi|nisch**

Räb|chen (*landsch. auch für* frecher Bengel)

Ra|be, der; -n, -n

Rä|be, die; -, -n (*schweiz. für* Weiße Rübe)

Ra|bea (w. Vorn.)

R

Rabe

Ra|be|lais [...bə'lɛː] (französischer Satiriker)

Ra|ben|aas (Schimpfwort); Ra|ben-el|tern Plur. (lieblose Eltern)

Ra|ben|krä|he

Ra|ben|mut|ter Plur. ...mütter (lieblose Mutter)

Ra|ben|schlacht, die; - (Schlacht bei Raben [Ravenna])

ra|ben|schwarz (ugs.)

Ra|ben|stein ([Richtstätte unter dem] Galgen)

Ra|ben|va|ter (liebloser Vater)

Ra|ben|vo|gel

ra|bi|at ⟨lat.⟩ (wütend; grob, gewalttätig)

Ra|bitz|wand ↑K136 ⟨nach dem Erfinder⟩ (Gipswand mit Drahtnetzeinlage)

Ra|bu|list, der; -en, -en ⟨lat.⟩ (Wortverdreher, Haarspalter); Ra|bu|lis|te|rei; Ra|bu|lis|tik, die; -; Ra|bu|lis|tin; ra|bu|lis|tisch (spitzfindig, wortklauberisch)

Ra|che, die; -; [an jmdm.] Rache nehmen; Ra|che|akt

Ra|che|durst; ra|che|dürs|tend ↑K59; ra|che|durs|tig

Ra|che|en|gel; Ra|che|feld|zug; Ra|che|ge|dan|ke; Ra|che|ge|lüs|te Plur.; Ra|che|göt|tin

Ra|chel (w. Vorn.)

Ra|chen, der; -s, -

rä|chen; gerächt; sich rächen

Ra|chen|blüt|ler (Bot.)

Ra|chen|ka|tarr, Ra|chen|ka|tarrh

Ra|chen|krebs

Ra|chen|man|del (vgl. ¹Mandel); Ra|chen|put|zer (ugs. scherzh. für scharfes alkohol. Getränk)

Ra|che|plan vgl. ²Plan; Rä|cher; Rä|che|rin; Ra|che|schwur

Rach|gier; rach|gie|rig

Ra|chi|tis, die; -, ...itiden ⟨griech.⟩ (Med. durch Mangel an Vitamin D hervorgerufene Krankheit); ra|chi|tisch

Rach|ma|ni|now (russ.-amerik. Komponist)

Rach|sucht, die; -; rach|süch|tig

Ra|cine [...'siːn] (franz. Dramendichter)

Rack [rɛk], das; -s, -s ⟨engl.⟩ (Regal für eine Stereoanlage)

Ra|cke, Ra|ke, die; -, -n (ein Vogel)

Ra|ckel|huhn; Ra|ckel|wild

Ra|cker, der; -s, - (fam. für Schlingel)

Ra|cke|rei, die; -; ra|ckern (ugs. für sich abarbeiten); ich rackere

Ra|cket ['rɛ...], Ra|kett, das; -s, -s ⟨engl.⟩ ([Tennis]schläger)

Ra|c|lette [...klɛt, auch ...'klɛt], die; -, -s, auch das; -s, -s ⟨franz.⟩ (ein Walliser Käsegericht); Ra|c|lette-kä|se

rad = Radiant

Rad

das; -[e]s, Räder

– Rad fahren; ich fahre Rad; weil ich gern Rad fahre; sie ist Rad gefahren; um Rad zu fahren, aber sie ist beim Radfahren verunglückt

– die Rad fahrenden od. radfahrenden Kinder

– er kann Rad schlagen; ich schlage [ein] Rad; er hat [ein] Rad geschlagen, kann ein Rad schlagen; um Rad zu schlagen, aber er hat sich beim Radschlagen verletzt

– wir kamen zu Rad [und nicht zu Fuß]; unter die Räder kommen (ugs. für völlig heruntergekommen; eine schwere Niederlage hinnehmen müssen)

Ra|dar [auch, österr. nur, 'raː...], das, nicht fachspr. auch der; -s, -e = radio detection and ranging ⟨engl.⟩ (Verfahren zur Ortung von Gegenständen mithilfe gebündelter elektromagnetischer Wellen; Radargerät)

Ra|dar|as|t|ro|no|mie

Ra|dar|fal|le (ugs.); Ra|dar|ge|rät; Ra|dar|kon|t|rol|le

Ra|dar|me|te|o|ro|lo|gie

Ra|dar|pei|lung; Ra|dar|schirm; Ra-dar|sen|sor; Ra|dar|sta|ti|on; Ra-dar|tech|ni|ker; Ra|dar|tech|ni|ke-rin; Ra|dar|wa|gen

Ra|dau, der; -s (ugs. für Lärm, Krach); Radau machen; Ra|dau-bru|der (jmd., der Krach macht, randaliert); Ra|dau|ma|cher; Ra-dau|ma|che|rin

Rad|ball; Rad|bal|ler; Rad|bal|le|rin; Rad|ball|spiel

Rad|brem|se; Rad|bruch, der

Räd|chen

Rad|damp|fer; Rad|durch|mes|ser

Ra|de, die; -, -n (kurz für Kornrade)

ra|de|bre|chen; du radebrechst; du radebrechtest; geradebrecht; zu radebrechen

Ra|de|gund, Ra|de|gun|de (w. Vorn.)

Ra|de|ha|cke (ostmitteld. für Rodehacke)

ra|deln (Rad fahren); ich rad[e]le

rä|deln (ausradeln); ich räd[e]le

Rä|dels|füh|rer; Rä|dels|füh|re|rin

Ra|den|thein (österr. Ort)

Rä|der|chen Plur.

Rä|der|ge|trie|be

...rä|de|rig, ...räd|rig (z. B. dreiräderig)

rä|dern (früher durch das Rad hinrichten); ich rädere

Rä|der|tier meist Plur. (Schlauchwurm)

Rä|der|werk

Ra|detz|ky [...ki] (österr. Feldherr); Ra|detz|ky|marsch, Ra|detz-ky-Marsch, der; -es

Rad|fah|ren, das; -s

Rad fah|ren vgl. Rad; Rad fah-rend, rad|fah|rend vgl. Rad

Rad|fah|rer; Rad|fah|rer|ho|se; Rad-fah|re|rin; Rad|fahr|weg

Rad|fel|ge; Rad|fern|weg

Rad|ga|bel

Ra|di, der; -s, - (bayr. u. österr. für Rettich); einen Radi kriegen (bayr. u. österr. ugs. für gerügt werden)

ra|di|al ⟨lat.⟩ (auf den Radius bezogen, strahlenförmig; von einem Mittelpunkt ausgehend)

Ra|di|al|ge|schwin|dig|keit (Physik)

Ra|di|al|li|nie (österr. für Straße, Straßenbahnlinie u. dgl., die von der Stadtmitte zum Stadtrand führt)

Ra|di|al|rei|fen

Ra|di|al|sym|me|t|rie, die; - (Zool.); ra|di|al|sym|me|t|risch

Ra|di|ant, der; -en, -en (Astron. scheinbarer Ausgangspunkt der Sternschnuppen; Math. Einheit des ebenen Winkels; Zeichen rad)

ra|di|är ⟨franz.⟩ (strahlig); Ra|di|a-ti|on, die; -, -en (Strahlung); Ra-di|a|tor, der; -s, ...oren (ein Heizkörper)

Ra|dic|chio [...kio], der; -s ⟨ital.⟩ (eine ital. Zichorienart)

Ra|di|en (Plur. von Radius)

ra|die|ren ⟨lat.⟩; Ra|die|rer (Künstler, der Radierungen anfertigt); Ra|die|re|rin

Ra|dier|gum|mi, der

Ra|dier|kunst, die; - (Ätzkunst)

Ra|dier|mes|ser, das

Ra|dier|na|del

Ra|die|rung (mit einer geätzten Platte gedruckte Grafik)

Ra|dies|chen ⟨lat.⟩ (eine Pflanze)

ra|di|kal (politisch, ideologisch extrem; gründlich; rücksichtslos)

Ra|di|kal, das; -s, -e (Chemie

Atom, Molekül od. Ion mit
einem ungepaarten Elektron);
freie Radikale
Ra|di|kal|di|ät
Ra|di|ka|le, der u. die; -n, -n
Ra|di|ka|len|er|lass, der; -es (Ver-
bot, Mitglieder extremistischer
Organisationen im öffentlichen
Dienst zu beschäftigen)
Ra|di|ka|lins|ki, der; -s, -s (ugs. für
Radikaler)
ra|di|ka|li|sie|ren (radikal machen);
Ra|di|ka|li|sie|rung (Entwicklung
zum Radikalen)
Ra|di|ka|lis|mus, der; -, ...men
(rücksichtslos bis zum Äußersten gehende [politische, reli-
giöse usw.] Richtung); **Ra|di|ka-
list**, der; -en, -en; **Ra|di|ka|lis|tin**
Ra|di|ka|li|tät, die; -
Ra|di|kal|kur; Ra|di|kal|ope|ra|ti|on
Ra|di|kand, der; -en, -en (Math.
Zahl, deren Wurzel gezogen
werden soll)
Ra|dio, das (südd., österr. ugs.,
schweiz. für das Gerät auch
der); -s, -s (Rundfunk[gerät])
ra|dio..., ⟨lat.⟩, **Ra|dio...** (Strah-
len..., [Rund]funk...)
ra|dio|ak|tiv; radioaktiver Nieder-
schlag; radioaktive Stoffe; **Ra-
dio|ak|ti|vi|tät**, die; -
Ra|dio|ama|teur; Ra|dio|ama|teu-
rin; **Ra|dio|ap|pa|rat**
Ra|dio|as|t|ro|no|mie
Ra|dio|bio|lo|gie; Ra|dio|che|mie
Ra|dio|ele|ment (radioaktives che-
misches Element)
Ra|dio|ge|rät
Ra|dio|gra|fie, Ra|dio|gra|phie,
die; - (Untersuchung mit Rönt-
genstrahlen); ra|dio|gra|fisch,
ra|dio|gra|phisch
Ra|dio|gramm, das; -s, -e ⟨lat.;
griech.⟩ (Röntgenbild)
Ra|dio|kar|bon|me|tho|de, fachspr.
Ra|dio|car|bon|me|tho|de, die; -
(Chemie, Geol. Verfahren zur
Altersbestimmung ehemals
organischer Stoffe)
Ra|dio|la|rie, die; -, -n meist Plur.
⟨lat.⟩ (Zool. Strahlentierchen)
Ra|dio|lo|ge, der; -n, -n ⟨lat.;
griech.⟩ (Med. Facharzt für
Röntgenologie u. Strahlenheil-
kunde); **Ra|dio|lo|gie**, die; -
(Strahlenkunde); **Ra|dio|lo|gin**;
ra|dio|lo|gisch
Ra|dio|me|te|o|ro|lo|gie; Ra|dio|me-
ter, das; -s, - (Physik Strahlungs-
messgerät); **Ra|dio|me|t|rie**, die; -
Ra|dio|mo|de|ra|tor; Ra|dio|mo|de-
ra|to|rin; Ra|dio|pro|gramm

Ra|dio|quel|le (Astron., Physik)
Ra|dio|re|kor|der, Ra|dio|re|cor|der
Ra|dio|röh|re; Ra|dio|sen|der
Ra|dio-Sin|fo|nie|or|ches|ter,
Ra|dio-Sym|pho|nie|or|ches|ter
↑K 22
Ra|dio|son|de (Meteor., Physik)
Ra|dio|spot; Ra|dio|sta|ti|on
Ra|dio|stern (Astron.)
Ra|dio|strah|lung (Astron., Physik)
**Ra|dio|te|le|gra|fie, Ra|dio|te|le-
gra|phie**
Ra|dio|te|le|s|kop (Astron.)
Ra|dio|text (im Display eines ent-
sprechend ausgerüsteten
Radios)
Ra|dio|the|ra|pie (Heilbehandlung
durch Bestrahlung)
Ra|dio|we|cker
Ra|di|um, das; -s ⟨lat.⟩ (radioakti-
ves chemisches Element, Metall;
Zeichen Ra)
Ra|di|um|be|strah|lung; Ra|di|um-
ema|na|ti|on, die; - (ältere Bez.
für Radon); ra|di|um|hal|tig
Ra|di|us, der; -, ...ien (Halbmesser
des Kreises; Abk. r, R); die)
Berechnung des Radius
Ra|dix, die; -, ...izes ⟨lat.⟩ (fachspr.
für Wurzel); ra|di|zie|ren (Math.
die Wurzel aus einer Zahl ziehen)
Rad|kap|pe; Rad|kas|ten; Rad|kranz
Radl, das; -s, -n (bayr., österr. ugs.
für Fahrrad)
¹**Rad|ler** (Radfahrer)
²**Rad|ler** (landsch., bes. südd. für
Getränk aus Bier u. Limonade)
Rad|ler|ho|se; Rad|le|rin; Rad|ler-
maß, die (svw. ²Radler)
Rad|ma|cher (landsch. für Stellma-
cher); **Rad|man|tel**
Ra|dolf, Ra|dulf (m. Vorn.)
Ra|dom, das; -s, -s ⟨engl.⟩ (Radar-
schutzkuppel, Traglufthalle)
Ra|don [auch ...'do:n], das; -s ⟨lat.⟩
(radioaktives chemisches Ele-
ment, Edelgas; Zeichen Rn)
Rad|pro|fi (Profi im Radsport);
Rad|rei|fen; Rad|renn|bahn; Rad-
ren|nen
...räd|rig vgl. ...räderig
Rad|satz
Rad|scha [auch 'ra:...], der; -s, -s
⟨sanskr.⟩ (ind. Fürstentitel)
Rad|schla|gen, das; -s
Rad schla|gen vgl. Rad
Rad|schuh (Bremsklotz aus Holz
od. Eisen)
Rad|sport, der; -[e]s; **Rad|sport|ler;
Rad|sport|le|rin**
Rad|stadt (Stadt im österr. Bun-
desland Salzburg); **Rad|städ|ter
Tau|ern** Plur.

Rad|stand; Rad|sturz; Rad|tour
Ra|dulf, Ra|dolf (m. Vorn.)
Rad|wan|de|rung; Rad|wan|der-
weg; Rad|wech|sel; Rad|weg
Raes|feld ['ra:s...] (Ort in Nord-
rhein-Westfalen)
RAF, die; - = Rote-Armee-Fraktion
R. A. F. = Royal Air Force
Räf, das; -s, -e (schweiz. für ¹Reff
u. ²Reff)
Ra|fa|el [...e:l, auch ...el] (ökumen.
u. österr. für Raphael); vgl. aber
Raffael
Raf|fa|el [...e:l, auch ...el] (italieni-
scher Maler); vgl. aber Raphael;
raf|fa|e|lisch; raffaelische Farb-
gebung; die raffaelische
Madonna ↑K 89 u. 135
Raf|fel, die; -, -n (landsch. für gro-
ßer, hässlicher Mund; loses
Mundwerk; geschwätzige [alte]
Frau; Gerät zum Abstreifen von
Beeren; Reibeisen; Klapper); **raf-
feln** (landsch. für raspeln; ras-
seln; schwatzen); ich raff[e]le
raf|fen; Raff|gier; raff|gie|rig; raf-
fig (landsch. für raffgierig)
Raf|fi|na|de, die; -, -n ⟨franz.⟩
(gereinigter Zucker); **Raf|fi|nat**,
das; -[e]s, -e (Produkt der Raffi-
nation); **Raf|fi|na|ti|on**, die; -, -en
(Verfeinerung, Veredelung)
Raf|fi|ne|ment [...'mã:], das; -s, -s
(Überfeinerung; Raffinesse)
Raf|fi|ne|rie, die; -, ...ien (Anlage
zum Reinigen von Zucker od.
zur Verarbeitung von Rohöl)
Raf|fi|nes|se, die; -, -n (Durchtrie-
benheit, Schlauheit)
Raf|fi|neur [...'nø:ɐ̯], der; -s, -e
(Maschine zum Feinmahlen von
Holzsplittern)
raf|fi|nie|ren (Zucker reinigen;
Rohöl zu Brenn- od. Treibstoff
verarbeiten)
Raf|fi|nier|ofen; Raf|fi|nier|stahl
raf|fi|niert (gereinigt; durchtrie-
ben, schlau); raffinierter Zucker;
ein raffinierter Betrüger; **Raf|fi-
niert|heit**
Raf|fi|no|se, die; - (zuckerartige
chem. Verbindung)
Raff|ke, der; -s, -s (ugs. für raffgie-
riger Mensch)
Raff|sucht, die; -
Raf|fung
Raff|zahn (landsch. für stark über-
stehender Zahn; ugs. für raffgie-
riger Mensch)
Raft, das; -s, -s ⟨engl.⟩ (schwim-
mende Insel aus Treibholz); **raf-
ten** (Rafting betreiben); **Raf|ter;
Raf|te|rin; Raf|ting**, das; -s (das

R
Raft

Wildwasserfahren einer Gruppe im Schlauchboot); **Raf|ting|tour**

Rag [rɛk], der; -s ⟨*Kurzform von* Ragtime⟩

Ra|gaz, Bad (schweiz. Badeort)

Ra|ge [...ʒə], die; - ⟨franz.⟩ (*ugs. für* Wut, Raserei); in der Rage; in Rage bringen

ra|gen

Ra|gio|nen|buch [ra'dʒo:...] ⟨*ital.; dt.*⟩ ⟨*schweiz. für* Verzeichnis der ins Handelsregister eingetragenen Firmen⟩

Ra|g|lan [*auch* 'rɛglən], der; -s, -s ⟨engl.⟩ ([Sport]mantel mit angeschnittenem Ärmel); **Ra|g|lan|är-mel; Ra|g|lan|schnitt**

Rag|na|rök, die; - ⟨altnord.⟩ ⟨*nord. Mythol.* Weltuntergang⟩

Ra|gout [...'gu:], das; -s, -s ⟨franz.⟩ (Gericht aus Fleisch-, Geflügel-od. Fischstückchen in pikanter Soße); **Ra|gout fin**, *fachspr.* **Ra-goût fin** [...gu'fɛ̃], das; - -, -s -s [- -] (feines Ragout)

Rag|time ['rɛktaim], der; - ⟨amerik.⟩ (afroamerikanischer Stil populärer Klaviermusik)

Rag|wurz (eine Orchideengattung)

Rah, Ra|he, die; -, Rahen ⟨*See-mannsspr.* Querstange am Mast für das Rahsegel⟩

Ra|hel (w. Vorn.)

Rahm, der; -[e]s ⟨*landsch. für* Sahne⟩

Rähm, der; -[e]s, -e ⟨*Bauw.* waage-rechter Teil des Dachstuhls⟩

Rähm|chen

rah|men; Rah|men, der; -s, -

Rah|men|ab|kom|men

Rah|men|an|te|ne

Rah|men|be|din|gung *meist Plur.*

Rah|men|bruch, der; -[e]s, ...brüche

Rah|men|er|zäh|lung

rah|men|ge|näht; rahmengenähte Schuhe

Rah|men|ge|setz

Rah|men|naht

Rah|men|plan (*vgl.* ²Plan); **Rah|men-pro|gramm; Rah|men|richt|li|nie** *meist Plur.;* **Rah|men|ta|rif; Rah-men|ver|ein|ba|rung; Rah|men-ver|trag**

rah|mig (*landsch. für* sahnig)

Rahm|kä|se; Rahm|so|ße, Rahm-sau|ce

Rah|mung

Rah|ne, die; -, -n ⟨*bayr., österr. für* Rote Rübe⟩; *vgl.* Rande

Rah|se|gel ⟨*Seemannsspr.*⟩

Raid [re:t], der; -s, -s ⟨engl.⟩ (*Milit.* Überraschungsangriff)

Raiff|ei|sen (Familienname); **Raiff-ei|sen|bank** *Plur.* ...banken

Rai|gras, Ray|gras, das; -es ⟨engl.; dt.⟩ (hochwachsendes [Futter]gras)

¹**Rai|mund, Rei|mund** (m. Vorn.)

²**Rai|mund** (österr. Dramatiker)

Rain, der; -[e]s, -e (Ackergrenze; *schweiz. u. südd. für* Abhang)

Rai|nald, Rei|nald (m. Vorn.); Rainald von Dassel (Kanzler Friedrichs I. Barbarossa)

rai|nen (*veraltet für* abgrenzen)

Rai|ner, Rei|ner (m. Vorn.)

Rain|farn (eine Pflanze); **Rai|nung** (*veraltet für* Festsetzung der Ackergrenze); **Rain|wei|de** (Liguster)

ra|jo|len (*svw.* rigolen)

Ra|ke *vgl.* Racke

Ra|kel, die; -, -n (*Druckw.* Vorrichtung zum Abstreichen überschüssiger Farbe von der eingefärbten Druckform)

rä|keln, re|keln, sich (sich behaglich recken und dehnen); ich räk[e]le *od.* rek[e]le mich

Ra|ke|te, die; -, -n ⟨ital.⟩ (ein Feuerwerkskörper; ein Flugkörper)

Ra|ke|ten|ab|schuss|ram|pe

Ra|ke|ten|ab|wehr; Ra|ke|ten|ab-wehr|sys|tem; Ra|ke|ten|an|griff; Ra|ke|ten|an|trieb; Ra|ke|ten|ap-pa|rat *(Seew.);* **ra|ke|ten|ar|tig** (*übertr. auch für* sehr schnell); **Ra|ke|ten|au|to; Ra|ke|ten|ba|sis**

ra|ke|ten|be|stückt

Ra|ke|ten|flug|zeug; Ra|ke|ten-schlit|ten; Ra|ke|ten|spreng|kopf; Ra|ke|ten|start; Ra|ke|ten|stu|fe; Ra|ke|ten|stütz|punkt; Ra|ke|ten-treib|stoff

Ra|ke|ten|trieb|werk; Ra|ke|ten-waf|fe; Ra|ke|ten|wer|fer

Ra|ke|ten|zeit|al|ter, das; -s

Ra|kett *vgl.* Racket

Ra|ki, der; -[s], -s ⟨türk.⟩ (ein Branntwein aus Rosinen u. Anis)

Ralf (m. Vorn.)

Ral|le, die; -, -n (ein Vogel)

Ral|ly, Ral|lye ['rɛli], die; -, -s, *schweiz. auch* das; -s, -s ⟨engl.⟩ (*Börsenw.* kurzer, starker Anstieg der Börsenkurse)

Ral|lye [...li, *auch* 'rɛli], die; -, -s, *schweiz. auch* das; -s, -s ⟨engl.-franz.⟩ (Autorennen [in einer od. mehreren Etappen] mit Sonderprüfungen)

Ral|lye|cross, Ral|lye-Cross, das; -,

-e (Autorennen auf Rennstrecken mit wechselndem Streckenbelag)

Ral|lye|fah|rer; Ral|lye|fah|re|rin

Ralph (m. Vorn.)

RAM, das; -[s], -[s] ⟨aus engl. random access memory⟩ (*EDV* Informationsspeicher mit wahlfreiem Zugriff)

Ra|ma|dan, der; -[s], -e ⟨arab.⟩ (Fastenmonat der Moslems)

Ra|ma|ja|na, das; - ⟨sanskr.⟩ (indisches religiöses Nationalepos)

Ra|ma|su|ri, die; - ⟨ital.⟩ ⟨*bayr. u. österr. ugs. für* großes Durcheinander; Trubel⟩

Ram|ba|zam|ba, der *oder* das; -s, -s (*ugs. für* Aufruhr, Aufregung)

Ram|bo, der; -s, -s ⟨nach dem amerik. Filmhelden⟩ (*ugs. für* brutaler Kraftprotz)

Ram|bouil|let [rãbu'je:] (franz. Stadt); **Ram|bouil|let|schaf, Ram-bouil|let-Schaf** (ein feinwolliges Schaf)

Ram|bur, der; -s, -e ⟨franz.⟩ (Apfel einer späteren Sorte)

Ra|mes|si|de, der; -n, -n (Herrscher aus dem Geschlecht des Ramses)

Ra|mie, die; -, ...ien ⟨malai.-engl.⟩ (Bastfaser, Chinagras)

Ramm, der; -[e]s, -e (Rammsporn [früher am Kriegsschiffen])

Ramm|bär, der; -s, *Plur.* -en, *fachspr. auch* -e; **Ramm|bock; Ramm|bug**

ramm|dö|sig (*ugs. für* benommen)

Ram|me, die; -, -n (Fallklotz)

Ram|mel, der; -s, - (*landsch. für* ungehobelter Kerl, Tölpel)

Ram|me|lei (*ugs. für* Balgerei; *derb für* häufiges Koitieren)

ram|meln (*ugs. für* sich balgen, sich zusammenstoßen; *Jägerspr.* belegen, decken [bes. von Hasen und Kaninchen]; *derb für* koitieren); ich ramm[e]le

ram|mel|voll (*ugs. für* sehr voll)

ram|men

Ramm|ham|mer; Ramm|klotz

Ramm|ler (Männchen von Hasen u. Kaninchen)

Ramm|ma|schi|ne, Ramm-Ma|schi-ne

Ramms|kopf, Rams|kopf (Pferdekopf mit stark gekrümmtem Nasenrücken)

Ramm|sporn, der; -[e]s, -e

Ram|pe, die; -, -n ⟨franz.⟩ (schiefe Ebene zur Überwindung von Höhenunterschieden; Auffahrt;

R
Raft

Verladebühne; *Theater* Vorbühne); **Ram|pen|licht**, das; -[e]s

Ram|pen|sau *Plur.* ...säue (*derb für* leidenschaftlicher Bühnenkünstler)

ram|po|nie|ren ⟨ital.⟩ (*ugs. für* stark beschädigen)

Rams|au [*auch* ˈram...] (Name verschiedener Orte in Südbayern u. Österreich)

¹**Ramsch**, der; -[e]s, -e *Plur. selten* (*ugs. für* wertloses Zeug; minderwertige Ware)

²**Ramsch**, der; -[e]s, -e ⟨franz.⟩ (Spielart beim Skat, mit dem Ziel, möglichst wenig Punkte zu bekommen)

¹**ram|schen** ⟨*zu* ¹Ramsch⟩ (*ugs. für* Ramschware billig aufkaufen); du ramschst

²**ram|schen** (einen ²Ramsch spielen); du ramschst

Ram|scher ⟨*zu* ¹Ramsch⟩ (*ugs. für* Aufkäufer zu Schleuderpreisen); **Ramsch|la|den; Ramsch|wa|re; ramsch|wei|se**

Ram|ses (Name ägypt. Könige)

Rams|kopf *vgl.* Rammskopf

ran (*ugs. für* heran); ↑K13

Ran (*nord. Mythol.* Gattin des Meerriesen Ägir)

Ranch [rɛntʃ], die; -, -[e]s ⟨amerik.⟩ (größerer landwirtschaftlicher Betrieb mit Viehzucht in Nordamerika); **Ran|cher**, der; -s, -[s]; **Ran|che|rin**

¹**Rand**, der; -[e]s, Ränder; außer Rand und Band sein (*ugs.*); zurande *od.* zu Rande kommen

²**Rand** [rɛnt], der; -s, -[s] ⟨engl.⟩ (Währungseinheit der Republik Südafrika; *Abk.* R; *Währungscode* ZAR); 5 Rand

Ran|da|le, die; -, (*meist in der Wendung* Randale machen (*ugs. für* randalieren); **ran|da|lie|ren; Ran|da|lie|rer; Ran|da|lie|re|rin**

Rand|aus|gleich

Rand|be|din|gung *meist Plur.*

Rand|beet (Rabatte)

Rand|be|mer|kung; Rand|be|reich

Rand|be|zirk

Ränd|chen

Ran|de, die; -, -n (*schweiz. für* Rote Rübe); *vgl.* Rahne

Rän|del|mut|ter *Plur.* ...muttern

rän|deln (mit einer Randverzierung versehen; riffeln); ich ränd[e]le

Rän|del|rad; Rän|del|schrau|be; Rän|de|lung

Rän|der (*Plur. von* ¹Rand)

...**rän|de|rig** *vgl.* ...randig;

rän|dern; ich rändere

Rand|er|schei|nung; Rand|fi|gur; Rand|ge|biet; Rand|ge|bir|ge

Rand|glos|se

Rand|grup|pe (*bes. Soziol.*)

...**ran|dig**, ...rän|de|rig, ...ränd|rig (z. B. breitrandig *od.* breitränd[e]rig)

Rand|la|ge; Rand|leis|te

rand|los; randlose Brille

Rand|no|tiz

Ran|dolf, Ran|dulf (m. Vorn.)

...**ränd|rig** *vgl.* ...randig

Rand|sied|lung

Rand|sport|art

Rand|staat *Plur.* ...staaten

rand|stän|dig (*bes. Soziol.*)

Rand|stein; Rand|strei|fen

Ran|dulf, Ran|dolf (m. Vorn.)

Rand|ver|zie|rung

rand|voll; ein randvolles Glas

Rand|zeich|nung

Rand|zo|ne

Ranft, der; -[e]s, Ränfte (*landsch. für* Brotkanten, -kruste); **Ränft|chen, Ränft|lein**

rang *vgl.* ringen

Rang, der; -[e]s, Ränge ⟨franz.⟩; jmdm. den Rang ablaufen (jmdn. überflügeln, übertreffen); der erste, zweite Rang; eine Schauspielerin ersten Ranges; ein Sänger von Rang

Rang|ab|zei|chen; Rang|äl|tes|te

Ran|ge, die; -, -n, *selten* der; -n, -n (*landsch. für* unartiges Kind)

ran|ge|hen (*ugs. für* herangehen; etwas energisch anpacken) ↑K13

Ran|ge|lei; ran|geln (*für* sich balgen, raufen); ich rang[e]le

Ran|ger [ˈre:ndʒɐ], der; -s, -[s] ⟨amerik.⟩ (Soldat mit Spezialausbildung; Aufseher in Nationalparks; *früher* Angehöriger einer Polizeitruppe in Nordamerika [z. B. Texas Ranger])

Ran|ger|hö|hung

Ran|ge|rin [ˈre:ndʒ...]

Rang|fol|ge

rang|geln (*bayr., österr. Sport* eine Form des Ringens)

rang|gleich

rang|höch; Rang|höchs|te, der u. die; -n, -n; **rang|hö|her**

Ran|gier|bahn|hof [rãˈʒiːɐ̯..., *österr.* ranˈʒiːɐ̯...]

ran|gie|ren ⟨franz.⟩ (einen Rang innehaben [vor, hinter jmdm.]; *Eisenb.* verschieben)

Ran|gie|rer; Ran|gie|re|rin

Ran|gier|gleis; Ran|gier|lok; Ran-

gier|lo|ko|mo|ti|ve; Ran|gier|meis|ter; Ran|gier|meis|te|rin

Ran|gie|rung

...**ran|gig** (z. B. zweitrangig)

Rang|lis|te

Rang|lo|ge (im Theater)

rang|mä|ßig

rang|nie|der

Rang|ord|nung; Rang|rei|he (*bes. Statistik, Wirtsch.* Rangliste); **Rang|stu|fe**

Ran|gun (Hauptstadt von Myanmar [Birma]); **Ran|gun|reis, Rangun-Reis**, der

Rang|un|ter|schied

Rang|zei|chen (Rangabzeichen)

ran|hal|ten, sich (*ugs. für* sich beeilen) ↑K13

rank (*geh. für* schlank; geschmeidig); rank und schlank

Rank, der; -[e]s, Ränke (*schweiz. für* Wegbiegung; Kniff, Trick); *vgl.* Ränke

Ran|ke, die; -, -n (Pflanzenteil)

Rän|ke *Plur.* (*veraltend für* Intrigen, Machenschaften); Ränke schmieden; *vgl.* Rank

ran|ken, sich ranken

Ran|ken, der; -s, - (*landsch. für* dickes Stück Brot)

ran|ken|ar|tig

Ran|ken|ge|wächs; Ran|ken|werk, das; -[e]s (ein Ornament)

Rän|ke|schmied (*veraltend):* **Rän|ke|schmie|din; Rän|ke|spiel; Rän|ke|sucht**, die; -

rän|ke|süch|tig; rän|ke|voll

ran|kig

Ran|king [ˈræŋkɪŋ], das; -s, -s ⟨engl.⟩ (*bes. Wirtsch.* Rangliste, Bewertung)

ran|klot|zen (*ugs. für* viel arbeiten) ↑K13

ran|kom|men (*ugs. für* herankommen, drankommen) ↑K13

ran|krie|gen (*ugs. für* zur Verantwortung ziehen; hart arbeiten lassen) ↑K13

Ran|kü|ne, die; -, -n ⟨franz.⟩ (*veraltend für* Groll, heimliche Feindschaft; Rachsucht)

ran|las|sen (*ugs. für* jmdm. die Gelegenheit geben, seine Fähigkeiten zu beweisen; sich zum Geschlechtsverkehr bereit finden) ↑K13

ran|ma|chen, sich (*ugs. für* sich heranmachen) ↑K13

ran|müs|sen (*ugs. für* [mit]arbeiten müssen) ↑K13

rann|te *vgl.* rennen

ran|schaf|fen (*ugs. für* heranschaffen) ↑K13

ran|schmei|ßen, sich ⟨ugs. für sich anbiedern⟩ ↑K13

Rans|mayr (österr. Schriftsteller)

Ra|nun|kel, die; -, -n ⟨lat.⟩ (ein Hahnenfußgewächs)

ran|wan|zen, sich ⟨ugs. für sich anbiedern⟩ ↑K13

Ränz|chen; Rän|zel, das, nordd. auch der; -s, - (kleiner Ranzen)

ran|zen ⟨Jägerspr. begatten [von Füchsen u. anderen Raubtieren]⟩

Ran|zen, der; -s, - (Schultasche; ugs. für dicker Bauch)

Ran|zer ⟨landsch. für grober Tadel⟩

ran|zig ⟨niederl.⟩; ranziges Öl

Ränz|lein

Ranz|zeit ⟨zu ranzen⟩

Ra|oul [...'u:l] (m. Vorn.)

Rap [rɛp], der; -[s], -s ⟨engl.-amerik.⟩ (rhythmischer Sprechgesang in der Popmusik)

Ra|pal|lo (Seebad bei Genua); Ra|pal|lo|ver|trag, der; -[e]s

Rap|fen, der; -s, - (ein Karpfenfisch)

Ra|pha|el, ökum. Ra|fa|el [beide ...e:l, auch ...el] (einer der Erzengel); vgl. aber Raffael

Ra|phia, die; -, ...ien ⟨madagass.⟩ (afrikanische Bastpalme, Nadelpalme); Ra|phia|bast

Ra|phi|den Plur. ⟨griech.⟩ (Bot. nadelförmige Kristalle in Pflanzenzellen)

ra|pid, österr. nur so, od. ra|pi|de ⟨lat.⟩ (überaus schnell); Ra|pi|di|tät, die; -

Ra|pier, das; -s, -e ⟨franz.⟩ (Fechtwaffe, Degen)

Rap|mu|sik ['rɛp...], die; - ⟨zu Rap⟩ (Popmusik in der Form des Raps)

Rapp, der; -s, -e ⟨landsch. für Traubenkamm, entbeerte Traube⟩

Rap|pe, der; -n, -n (schwarzes Pferd)

Rap|pel, der; -s, - ⟨ugs. für plötzlicher Zorn; Verrücktheit⟩; rap|pe|lig, rapp|lig ⟨ugs.⟩

Rap|pel|kopf ⟨ugs. für aufbrausender Mensch⟩; rap|pel|köp|fisch

rap|peln ⟨ugs. für klappern; österr. für verrückt sein⟩; ich rapp[e]le

rap|pel|tro|cken ⟨landsch. für völlig trocken⟩; rap|pel|voll ⟨ugs. für sehr voll⟩

rap|pen ['rɛp...] ⟨zu Rap⟩ (einen Rap singen); ich rappe; gerappt

Rap|pen, der; -s, - (schweiz. Münze, Untereinheit des

Schweizer Franken; Abk. Rp.; 100 Rappen = 1 Schweizer Franken); Rap|pen|spal|ter ⟨schweiz. für Pfennigfuchser⟩

Rap|per ['rɛp...], der; -s, - ⟨zu Rap⟩ (Rapsänger); Rap|pe|rin; Rap|ping, das; -s ⟨svw. Rap⟩

rapp|lig vgl. rappelig

Rap|port, der; -[e]s, -e ⟨franz.⟩ (Bericht, dienstl. Meldung; Textiltechnik Musterwiederholung bei Geweben); rap|por|tie|ren

Rapp|schim|mel (Pferd)

raps!; rips, raps!

Raps, der; -es, Plur. (Sorten:) -e (eine Ölpflanze)

Raps|acker; Raps|blü|te

rap|schen, rap|sen ⟨landsch. für hastig wegnehmen⟩; du rapschst/rapst

Raps|erd|floh; Raps|feld; Raps|glanz|kä|fer; Raps|ku|chen (Landw.); Raps|öl, das; -[e]s

Rap|tus, der; -, Plur. - u. ⟨für Rappel:⟩ -se ⟨lat.⟩ (Med. Anfall von Raserei; scherzh. für Rappel)

Ra|pun|zel|chen (Feldsalat); Ra|pünz|chen|sa|lat

Ra|pun|ze, die; -, -n; vgl. Rapunzel; Ra|pun|zel, die; -, -n ⟨landsch. für Rapünzchen⟩

Ra|pu|se, die; -, ⟨tschech.⟩; in den Wendungen in die Rapuse kommen od. gehen ⟨landsch. für verloren gehen⟩; in die Rapuse geben ⟨landsch. für preisgeben⟩

rar ⟨lat.⟩ (selten)

Ra|ri|tät, die; -, -en (seltenes Stück, seltene Erscheinung)

Ra|ri|tä|ten|ka|bi|nett; Ra|ri|tä|ten|samm|lung

rar|ma|chen, sich ⟨ugs. für sich selten sehen lassen⟩

Ras, der; -, - ⟨arab.⟩ (Vorgebirge; Berggipfel; früher äthiopischer Fürstentitel)

ra|sant ⟨lat.⟩ ⟨ugs. für sehr schnell; schnittig; schwungvoll⟩; Ra|sanz, die; -

ra|sau|nen ⟨landsch. für lärmen, poltern⟩; er hat rasaunt

rasch

ra|scheln; ich rasch[e]le

ra|sches|tens; ra|schest|mög|lich ⟨österr., schweiz.⟩

Rasch|heit, die; -

rasch|le|big; rasch|wüch|sig

ra|sen (wüten; sehr schnell fahren, rennen); du rast; er ras|te

Ra|sen, der; -s, -; ich muss noch Rasen mähen; Ra|sen|bank Plur. ...bänke; ra|sen|be|deckt; ra|sen|be|wach|sen; Ra|sen|blei|che

ra|send (wütend; schnell); sie hat mich rasend gemacht; rasend werden, aber ↑K82: es ist zum Rasendwerden

Ra|sen|de|cke; Ra|sen|flä|che

Ra|sen|hei|zung (in Sportstadien)

Ra|sen|mä|her; Ra|sen|mä|her|prin|zip, das; -s ⟨ugs. für Grundsatz, allen gleich viel wegzunehmen⟩; Ra|sen|spiel; Ra|sen|sport

Ra|sen|spren|ger; Ra|sen|strei|fen

Ra|sen|ten|nis; Ra|sen|tep|pich

Ra|ser ⟨ugs. für unverantwortlich schnell Fahrender⟩; Ra|se|rei; Ra|se|rin

Ra|sier|ap|pa|rat

Ra|sier|creme, Ra|sier|krem, Ra|sier|kre|me

ra|sie|ren ⟨franz.⟩; sich rasieren

Ra|sie|rer ⟨ugs. kurz für Rasierapparat⟩

Ra|sier|klin|ge; Ra|sier|krem, Ra|sier|kre|me vgl. Rasiercreme

Ra|sier|mes|ser, das; Ra|sier|pin|sel; Ra|sier|schaum, der; -[e]s; Ra|sier|sei|fe

Ra|sier|sitz ⟨ugs. scherzh. für Sitz in der ersten Reihe im Kino⟩; Ra|sier|spie|gel; Ra|sier|was|ser Plur. ...wasser u. ...wässer; Ra|sier|zeug

ra|sig (mit Rasen bewachsen)

Rä|son [re'zõː], die; - ⟨franz.⟩ (veraltend für Vernunft, Einsicht); jmdn. zur Räson bringen; Rä|so|neur [...'nøːɐ̯], der; -s, -e (veraltet für jmd., der ständig räsoniert); Rä|so|neu|rin; rä|so|nie|ren (sich wortreich äußern; ugs. für ständig schimpfen); Rä|son|ne|ment [...'mãː], das; -s, -s (veraltend für vernünftige Überlegung)

Ras|pa, die; -, -s, ugs. auch der; -s, -s ⟨span.⟩ (ein lateinamerikanischer Gesellschaftstanz)

¹Ras|pel, die; -, -n (ein Werkzeug)

²Ras|pel, der; -s, - meist Plur. (geraspelte Stückchen [von Schokolade, Kokosnuss u. a.])

ras|peln; ich rasp[e]le

Ras|pu|tin [auch ...'pu:...] (russ. Eigenn.)

raß (südd.), räß (südd., schweiz. mdal. für scharf gewürzt, beißend [von Speisen]; resolut, streng, unfreundlich [von Personen])

Ras|se, die; -, -n ⟨franz.⟩; Ras|se|hund

Ras|sel, die; -, -n (Knarre, Klapper)

Ras|sel|ban|de, die; -, -n ⟨scherzh.

R
rans

für übermütige, zu Streichen aufgelegte Kinderschar)

Ras|se|lei; Ras|se|ler, Rass|ler; Ras|se|le|rin; ras|seln; ich rass[e]le

Ras|sen|dis|kri|mi|nie|rung, die; -; Ras|sen|ge|setz; Ras|sen|hass; Ras|sen|het|ze; Ras|sen|ideo|lo|gie

Ras|sen|merk|mal *(Biol.)*

Ras|sen|pro|b|lem; Ras|sen|tren|nung; Ras|sen|un|ru|hen *Plur.*; Ras|sen|wahn *(abwertend)*

Ras|se|pferd

ras|se|rein (reinrassig); Ras|se|rein|heit, die; - *(Biol.)*

ras|se|ver|edelnd *(Biol.)*

ras|sig (von ausgeprägter Art)

ras|sisch (der Rasse entsprechend, auf die Rasse bezogen)

Ras|sis|mus, der; - (Rassendenken u. die daraus folgende Diskriminierung von Personen aufgrund bestimmter biologischer Merkmale)

Ras|sist, der; -en, -en (Vertreter des Rassismus); Ras|sis|tin; ras|sis|tisch

Räß|kä|se (*westösterr. für* einen würzigen Käse)

Rass|ler *vgl.* Rasseler; Rass|le|rin

Rast, die; -, -en; ohne Rast und Ruh

Ras|ta, der; -s, -s (*Kurzform von* Rastafari); Ras|ta|fa|ri, der; -s, -s ⟨engl.⟩ (Anhänger einer religiösen Bewegung in Jamaika); Ras|ta|lo|cke *meist Plur.* (aus Haarsträhnen gezwirbeltes od. geflochtenes Zöpfchen)

Ra|statt (Stadt im Oberrhein. Tiefland); Ra|stat|ter

Ras|te, die; -, -n (Stützkerbe)

Ras|tel, das; -s, - ⟨ital.⟩ (*österr. für* Schutzgitter, Drahtgeflecht)

ras|ten

¹Ras|ter, der; -s, - ⟨lat.⟩ (Glasplatte od. Folie mit engem Liniennetz zur Zerlegung eines Bildes in Rasterpunkte)

²Ras|ter, das; -s, - (Fläche des Fernsehbildschirmes, die sich aus Lichtpunkten zusammensetzt)

ras|ter|ar|tig

Ras|ter|ät|zung (*für* Autotypie)

Ras|ter|fahn|dung (Überprüfung eines großen Personenkreises mithilfe von Computern)

Ras|ter|mi|k|ro|s|kop

ras|tern (ein Bild durch Rasterpunkte zerlegen); ich rastere

Ras|ter|plat|te; Ras|ter|punkt; Ras|te|rung

Rast|haus; Rast|hof

rast|los; Rast|lo|sig|keit, die; -

Rast|platz

Rast|ral, das; -s, -e ⟨lat.⟩ (Gerät zum Ziehen von Notenlinien); ras|t|rie|ren

Rast|sta|ti|on *(bes. österr.)*; Rast|stät|te; Rast|tag

Ra|sul|bad ⟨arab.⟩ dt.) (ein Dampfbad, bei dem Kräuter u. Schlämme eingesetzt werden)

Ra|sur, die; -, -en ⟨lat.⟩ (das Rasieren; Schrifttilgung)

Rat

der; -[e]s, *Plur.* (*für* Personen u. Institutionen:) Räte

– ↑K150 : der Große Rat (*schweiz. Bez. für* Kantonsparlament); der Hohe Rat (in Jerusalem zur Zeit Jesu)

– sich Rat holen ↑K54 ; jmdn. um Rat fragen

– bei jmdm. Rat suchen; sich Rat suchend *od.* ratsuchend an jmd. wenden; *aber nur* zuverlässigen Rat suchend; einen Rat Suchenden *od.* Ratsuchenden nicht abweisen

– zurate *od.* zu Rate gehen, ziehen

Rät , Rhät, das; -s ⟨nach den Rätischen Alpen⟩ *(Geol.* jüngste Stufe des Keupers)

Ra|tan|hia|wur|zel [...ˈtanja...] ⟨indian.; dt.⟩ (Wurzel einer südamerikanischen Pflanze)

Ra|ta|touille [...ˈtuj], die; -, -s *u.* das; -s, -s ⟨franz.⟩ *(Gastron.* Gemüse aus Tomaten, Auberginen, Paprika usw.)

Ra|te, die; -, -n ⟨ital.⟩ (Teilzahlung; Teilbetrag)

Rä|te|de|mo|kra|tie

ra|ten; du rätst, er rät; du rietst; du rietest, er riet; geraten; rat[e]!

Ra|ten|be|trag; Ra|ten|ge|schäft; Ra|ten|kauf; Ra|ten|wech|sel

ra|ten|wei|se

Ra|ten|zah|lung; Ra|ten|zah|lungs|kre|dit

Ra|ter

Rä|ter (Bewohner des alten Rätiens)

Rä|te|re|gie|rung; Rä|te|re|pu|b|lik

Rä|te|rin; Rä|te|rin

Rä|te|russ|land *(hist.)*

Rä|te|show; Rä|te|spiel

Rä|te|staat; Rä|te|sys|tem

Rä|te|team

Rat|ge|ber; Rat|ge|be|rin

Rat|haus; Rat|haus|saal

Ra|the|nau (dt. Staatsmann)

Ra|the|now [...no] (Stadt an der Havel)

Rä|ti|en (altröm. Prov., *auch für* Graubünden); *vgl.* Räter *u.* rätisch

Ra|ti|fi|ka|ti|on, die; -, -en ⟨lat.⟩ (Anerkennung eines völkerrechtlichen Vertrages); Ra|ti|fi|ka|ti|ons|ur|kun|de

ra|ti|fi|zie|ren; Ra|ti|fi|zie|rung

Rä|ti|kon, das; -s, *auch* der; -[s] (Teil der Ostalpen an der österreichisch-schweizerischen Grenze)

Rä|tin (Titel)

Ra|ti|né, der; -s, -s ⟨franz.⟩ (ratiniertes Gewebe)

Ra|ting [ˈreɪtɪŋ], das; -s, -s ⟨engl.⟩ *(Psychol., Soziol.* Verfahren zur Einschätzung der Zahlungsfähigkeit eines internationalen Schuldners); Ra|ting|agen|tur (Agentur, die die Bonität von Wertpapieren, Unternehmen u. Ä. einschätzt)

ra|ti|nie|ren *(Textiltechnik* Knötchen od. Wellen [auf Gewebe] erzeugen)

Ra|tio, die; - ⟨lat.⟩ (Vernunft; logischer Verstand); *vgl.* Ultima Ratio

Ra|ti|on, die; -, -en ⟨franz.⟩ (zugeteiltes Maß, [An]teil; täglicher Verpflegungssatz); die eiserne Ration

ra|ti|o|nal ⟨lat.⟩ (vernünftig; begrifflich fassbar); rationale Zahlen *(Math.)*

Ra|ti|o|na|li|sa|tor, der; -s, ...oren (jmd., der rationalisiert)

ra|ti|o|na|li|sie|ren ⟨franz.⟩ (zweckmäßiger u. wirtschaftlicher gestalten); Ra|ti|o|na|li|sie|rung; Ra|ti|o|na|li|sie|rungs|maß|nah|me

Ra|ti|o|na|lis|mus, der; - ⟨lat.⟩ (Geisteshaltung, die das rationale Denken als einzige Erkenntnisquelle ansieht); Ra|ti|o|na|list, der; -en, -en; Ra|ti|o|na|lis|tin; ra|ti|o|na|lis|tisch

Ra|ti|o|na|li|tät, die; - (rationales Wesen; Vernünftigkeit)

ra|ti|o|nell ⟨franz.⟩ (zweckmäßig, wirtschaftlich)

ra|ti|o|nen|wei|se, ra|ti|ons|wei|se

ra|ti|o|nie|ren (einteilen; in relativ kleinen Mengen zuteilen); Ra|ti|o|nie|rung

rä|tisch ⟨*zu* Räter, Rätien⟩; *aber* ↑K140 : die Rätischen Alpen

R
räti

rät|lich (*veraltend für* ratsam)

rat|los; Rat|lo|sig|keit, die; -

Rä|to|ro|ma|ne [*auch* 'rɛː...], der; -n, -n (Angehöriger eines Alpenvolkes mit eigener romanischer Sprache); Rä|to|ro|ma|nin; rä|to|ro|ma|nisch ↑K 149; Rä|to|ro|ma|nisch, das; -[s] (Sprache); *vgl.* Deutsch; Rä|to|ro|ma|ni|sche, das; -n; *vgl.* ²Deutsche, das

rat|sam

Rats|be|schluss

ratsch!; ritsch, ratsch!

Rat|sche (*bayr., österr.*), Rät|sche, die; -, -n [*schweiz.* 'rɛt...] (*südd., schweiz.* für Rassel, Klapper; *schweiz. ugs. auch für* schwatzhafte Person)

rat|schen (*österr.*), rät|schen [*schweiz.* 'rɛ...] (*südd., österr., schweiz. ugs. auch für* schwatzen, etwas ausplaudern); du ratschst

Rat|schlag, der; -[e]s, ...schläge; rat|schla|gen (*veraltend*); du ratschlagst; du ratschlagtest; geratschlagt; zu ratschlagen

Rat|schluss

Rats|die|ner

Rät|sel, das; -s, -; Rätsel raten, *aber* ↑K 82 : das Rätselraten

Rät|sel|ecke; Rät|sel|fra|ge; Rät|sel|freund; Rät|sel|freun|din

rät|sel|haft; Rät|sel|haf|tig|keit

Rät|sel|lö|ser; Rät|sel|lö|se|rin; Rät|sel|lö|sung

rät|seln; ich räts[e]lle

Rät|sel|ra|ten, das; -s

rät|sel|voll

Rät|sel|zeit|schrift; Rät|sel|zei|tung

Rats|frau; Rats|herr; Rats|her|rin; Rats|kel|ler

Rats|prä|si|dent; Rats|prä|si|den|tin; Rats|sit|zung

Rat su|chend, rat|su|chend ↑K 58 *vgl.* Rat; Rat Su|chen|de, der *u.* die; - -n, - -n, Rat|su|chen|de, der *u.* die; -n, -n *vgl.* Rat

Rats|ver|samm|lung

Rat|tan, das; -s, -e ⟨malai.⟩ (*svw.* Peddigrohr)

Rat|te, die; -, -n; Rat|ten|be|kämp|fung; Rat|ten|fal|le; Rat|ten|fän|ger; Rat|ten|fän|ge|rin; Rat|ten|gift, das

Rat|ten|kö|nig (mit den Schwänzen ineinander verschlungene Ratten; *ugs. übertr. für* unlösbare Schwierigkeiten)

rat|ten|scharf (*ugs. für* großartig; erotisch-attraktiv)

Rat|ten|schwanz (*ugs. übertr. für* endlose Folge)

Rat|ten|schwänz|chen (*scherzh. für* kurzer, dünner Haarzopf)

Rät|ter, der; -s, -, *auch* die; -, -n (*Technik* Sieb)

rat|tern; ich rattere

rät|tern (mit dem Rätter sieben); ich rättere; Rät|ter|wä|sche (ein Siebverfahren)

Ratt|ler, der; -s, - (*veraltet für* für den Rattenfang geeigneter Hund)

Ratz, der; -es, -e (*landsch. für* Ratte, Hamster; *Jägerspr.* Iltis)

Rat|ze, die; -, -n (*ugs. für* Ratte)

Rat|ze|fum|mel, der; -s, - (*Schülerspr.* Radiergummi)

rat|ze|kahl ⟨umgebildet aus radikal⟩ (*ugs. für* völlig leer, kahl)

Rät|zel, das; -s, - (*landsch. für* zusammengewachsene Augenbrauen; Mensch mit solchen Brauen)

¹rat|zen (*ugs. für* schlafen); du ratzt

²rat|zen (*landsch. für* ritzen); du ratzt

rat|ze|putz (*ugs. für* restlos)

ratz|fatz (*ugs. für* schnell, im Nu)

rau; ein raues Wesen; ein rauer Ton; eine raue Luft; ein noch raueres Klima; die rau[e]sten Sitten

Rau, Johannes (achter dt. Bundespräsident)

Raub, der; -[e]s, -e

Rau|bank *Plur.* ...bänke (langer Hobel)

Rau|bauz, der; -es, -e (*ugs. für* grober Mensch); rau|bau|zig (*ugs.*)

Raub|bau, der; -[e]s; Raubbau treiben

Raub|druck, der; -[e]s, -e

Rau|bein, das; -[e]s, -e (äußerlich grober, aber im Grunde gutmütiger Mensch); rau|bei|nig

rau|ben

Räu|ber; Räu|ber|ban|de; Räu|be|rei

Räu|ber|ge|schich|te; Räu|berhaupt|mann; Räu|ber|höh|le

Räu|be|rin

räu|be|risch; räu|bern; ich räubere

Räu|ber|pis|to|le (Räubergeschichte); Räu|ber|zi|vil (*ugs. für* sehr legere Kleidung)

Raub|fisch

Raub|gier; raub|gie|rig

Raub|gold, das; -[e]s (Nazigold)

Raub|gut

Raub|kat|ze

Raub|ko|pie

Raub|mord; Raub|mör|der; Raub|mör|de|rin

raub|bors|tig

Raub|pres|sung (von Schallplatten)

Raub|rit|ter; Raub|rit|ter|tum, das; -s

raub|süch|tig

Raub|tier; Raub|tier|ka|pi|ta|lis|mus

Raub|über|fall

Raub|vo|gel (*ältere Bez. für* Greifvogel); Raub|wild (*Jägerspr.* alle jagdbaren Raubtiere); Raub|zeug, das; -[e]s (*Jägerspr.* alle nicht jagdbaren Raubtiere)

Raub|zug

Rauch, der; -[e]s

Rauch|ab|zug; Rauch|bier; Rauch|bom|be

rau|chen; rauchende Schwefelsäure; Rau|cher

Räu|cher|aal

Rau|cher|ab|teil; Rau|cher|bein

Räu|che|rei

Räu|che|rei

Rau|cher|ent|wöh|nung

Räu|cher|fisch

Rau|cher|hus|ten, der; -s

räu|che|rig

Rau|che|rin

Räu|cher|kam|mer; Räu|cher|ker|ze; Räu|cher|lachs; Räu|cher|männ|chen (Holzfigur, die eine Räucherkerze enthält)

räu|chern; ich räuchere

Räu|cher|pfan|ne; Räu|cher|scha|le; Räu|cher|schin|ken; Räu|cher|speck, der; -[e]s; Räu|cher|stäb|chen

Räu|che|rung; Räu|cher|wa|re

Rau|cher|wa|ren *Plur.* (*schweiz.* neben Rauchwaren [Tabakwaren])

Räu|cher|zim|mer; Räu|cher|zo|ne

Rauch|fah|ne

Rauch|fang (*österr. für* Schornstein); Rauch|fang|keh|rer (*österr. für* Schornsteinfeger)

rauch|far|ben, *selten* rauch|far|big

Rauch|fass (ein kultisches Gerät); Rauch|fleisch

rauch|frei

Rauch|gas *meist Plur.*

rauch|ge|schwän|gert; rauch|ge|schwärzt

Rauch|glas

rauch|grau; rau|chig

Rauch|lachs (*schweiz. für* Räucherlachs)

rauch|los

Rauch|mas|ke; Rauch|mel|der

Rauch|näch|te *Plur.*; *vgl.* Rau|nächte

Rauch|op|fer

Rauch|quarz (dunkler Bergkristall)

Rauch|sa|lon

Rauch|säu|le; Rauch|schwa|den

Rauch|schwal|be

R
rätl

Rauch|si|g|nal
Rauch|ta|bak; Rauch|tisch
Rauch|to|pas *vgl.* Rauchquarz
Rauch|ver|bot; Rauch|ver|gif|tung;
  Rauch|ver|zeh|rer
Rauch|wa|re *meist Plur.* (Pelzware)
Rauch|wa|ren *Plur.* (*ugs. für* Tabak-
  waren)
Rauch|wa|ren|han|del (*vgl.* ¹Han-
  del); Rauch|wa|ren|mes|se
Rauch|werk, das; -[e]s (Pelzwerk)
Rauch|wol|ke; Rauch|zei|chen
Räu|de, die; -, -n (Krätze, Grind);
  räu|dig; Räu|dig|keit, die; -
Raue, die; -, -n (*landsch. für* Lei-
  chenschmaus)
rau|en (rau machen); Rau|e|rei
rauf (*ugs. für* herauf) ↑K13
Rau|fa|ser; Rau|fa|ser|ta|pe|te
Rauf|bold, der; -[e]s, -e (jmd., der
  gern mit anderen rauft); Rauf-
  bol|din
Rau|fe, die; -, -n (Futterkrippe)
räu|feln *vgl.* aufräufeln
rau|fen (*auch für* mit jmdm. [prü-
  gelnd u. ringend] kämpfen);
  Rau|fer; Rau|fe|rei; Rau|fe|rin
rauf|fahren (*ugs. für* herauffahren)
  ↑K13
Rauf|lust, die; -; rauf|lus|tig
Rau|frost; Rau|fut|ter, das; -s
Rau|graf (früherer oberrheinischer
  Grafentitel)
rauh usw. *alte Schreibung für* rau
  usw.
Rau|haar|da|ckel
rau|haa|rig
Rau|heit
Rau|ig|keit
Rau|ke, die; -, -n (eine Pflanze)
raum; raumer Wind (*See-
  mannsspr.* Wind, der schräg von
  hinten weht); raumer Wald
  (*Forstw.* offener, lichter Wald)
Raum, der; -[e]s, Räume; *vgl.*
  Raum sparend u. raumgreifend
Raum|akus|tik; Raum|an|ga|be
  (adverbiale Bestimmung des
  Raumes, des Ortes)
Raum|an|zug
Raum|auf|tei|lung
Raum|aus|stat|ter (Berufsbez.);
  Raum|aus|stat|te|rin
Raum|bild; Raum|bild|ver|fah|ren
  (Herstellung von Bildern, die
  einen räumlichen Eindruck hervorrufen)
Räum|boot (zum Beseitigen von
  Minen)
Räum|chen
Raum|de|ckung (*Sport*)
Raum|emp|fin|den, das; -s
räu|men; Räu|mer; Räu|me|rin

Raum|er|spar|nis
Raum|fäh|re; Raum|fah|rer; Raum-
  fah|re|rin; Raum|fahrt
Raum|fahrt|be|hör|de; Raum|fahrt-
  me|di|zin, die; -; Raum|fahrt|pro-
  gramm; Raum|fahrt|tech|ni|ker;
  Raum|fahrt|tech|ni|ke|rin
Raum|fahr|zeug
Räum|fahr|zeug (zum Schneeräu-
  men u. a.)
Raum|flug; Raum|for|schung, die; -
Raum|ge|fühl, das; -[e]s; Raum|ge-
  stal|tung
Raum|glei|ter
raum|grei|fend; raumgreifende
  Schritte
Raum|in|halt
Raum|kap|sel
Raum|kli|ma
Räum|kom|man|do
Raum|kunst, die; -; Raum|leh|re,
  die; - (*für* Geometrie)
räum|lich; Räum|lich|keit
Raum|man|gel *vgl.* ²Mangel
Räum|ma|schi|ne
Raum|maß, das; Raum|me|ter (*alte
  Maßeinheit für* 1 m³ geschichte-
  tes Holz mit Zwischenräumen;
  vgl. Festmeter; *Abk.* Rm, rm)
Raum|ord|nung; Raum|ord|nungs-
  plan
Raum|pend|ler
Raum|pfle|ger; Raum|pfle|ge|rin
Raum|pla|nung; Raum|pro|gramm
Raum|schiff; Raum|schiff|fahrt,
  Raum|schiff-Fahrt, die; -
Raum|sinn, der; -[e]s
Raum|son|de (unbemanntes
  Raumfahrzeug)
Raum spa|rend , Raum|spa|rend;
  ↑K58 : eine Raum sparende *od.*
  raumsparende Lösung, *aber nur*
  eine noch raumsparendere
  Lösung
Raum|sta|ti|on
Räum|te, die; -, -n (*Seemannsspr.*
  verfügbarer [Schiffs]laderaum)
Raum|tei|ler (frei stehendes Regal);
  Raum|tem|pe|ra|tur
Raum|trans|por|ter
Räu|mung; Räu|mungs|ar|bei|ten
  Plur.; Räu|mungs|frist; Räu-
  mungs|kla|ge; Räu|mungs|ver-
  kauf
Raum|wahr|neh|mung
Raum|wirt|schafts|the|o|rie, die; -
Raum|zahl (Maßzahl für den
  Rauminhalt von Schiffen)
Raum-Zeit-Kon|ti|nu|um (*Physik*)
Rau|näch|te, Rauch|näch|te *Plur.*
  (im Volksglauben die »Zwölf
  Nächte« zwischen dem 25. Dez.
  und dem 6. Jan.)

rau|nen (dumpf, leise sprechen;
  flüstern); Rau|nen, das; -s
raun|zen (*landsch. für* widerspre-
  chen, nörgeln; *ugs. für* sich grob
  u. laut äußern); du raunzt
Raun|zer; Raun|ze|rei; Raun|ze|rin;
  raun|zig
Räup|chen
Rau|pe, die; -, -n; rau|pen
  (*landsch. für* von Raupen
  befreien); rau|pen|ar|tig
Rau|pen|bag|ger; Rau|pen|fahr|zeug
Rau|pen|fraß, der; -es
Rau|pen|ket|te; Rau|pen|schlep|per
Rau|putz
Rau|ra|ker, Rau|ri|ker, der; -s, -
  (Angehöriger eines keltischen
  Volksstammes)
Rau|reif, der; -[e]s
raus (*ugs. für* heraus) ↑K13
Rausch, der; -[e]s, Räusche
rausch|arm (*Technik*)
Rausch|bee|re (Moorbeere)
Rausch|brand, der; -[e]s (eine Tier-
  krankheit)
Rau|sche|bart (*veraltend scherzh.
  für* [Mann mit] Vollbart)
rau|schen (*auch Jägerspr.* brünstig
  sein [vom Schwarzwild]); du
  rauschst; rau|schend; ein rau-
  schendes Fest
Rau|scher, der; -s (*rhein. für*
  schäumender Most)
Rausch|gelb, das; -s (ein Mineral
  [Auripigment])
Rausch|gift, das
Rausch|gift|be|kämp|fung, die; -;
  Rausch|gift|han|del; Rausch|gift-
  händ|ler; Rausch|gift|händ|le|rin
rausch|gift|süch|tig; Rausch|gift-
  süch|ti|ge, der u. die; -n, -n
Rausch|gold (dünnes Messing-
  blech); Rausch|gold|en|gel
rausch|haft
Rausch|mit|tel, das
Rausch|nar|ko|se (*Med.* kurze,
  leichte Narkose)
Rausch|sil|ber (dünnes Neusilber-
  blech)
Rausch|tat (*Rechtsspr.*)
Rausch|zeit (Brunstzeit des
  Schwarzwildes)
Rausch|zu|stand
raus|ekeln (*ugs.*) ↑K13 ; raus|feu-
  ern; raus|flie|gen; raus|hal|ten;
  raus|ho|len; raus|kom|men
raus|krie|gen (*ugs.*) ↑K13 ; raus|las-
  sen; raus|lau|fen; raus|müs|sen;
  raus|neh|men
Räus|pe|rer; räus|pern, sich; ich
  räuspere mich
raus|rü|cken (*ugs.*) ↑K13
raus|schmei|ßen (*ugs.*) ↑K13 ;

R

raus

833

Raus|schmei|ßer (*ugs. für* jmd., der randalierende Gäste aus dem Lokal entfernt; letzter Tanz); **Raus|schmei|ße|rin**; **Rausschmiss** (*ugs.*)

raus|wer|fen (*ugs. für* heraus-, hinauswerfen) ↑K13; **Raus|wurf**

¹**Rau|te**, die; -, -n ⟨lat.⟩ (eine Pflanze)

²**Rau|te**, die; -, -n (schiefwinkliges gleichseitiges Viereck, Rhombus)

Rau|ten|de|lein (elfisches Wesen; Figur bei Gerhart Hauptmann)

rau|ten|för|mig

Rau|ten|kranz; Rau|ten|kro|ne

Rau|wa|cke (eine Kalksteinart)

Rau|wa|re (aufgerautes Gewebe; *landsch. für* Rauchware)

Rave [re:f], der *od.* das; -[s], -s ⟨engl.⟩ (größere Tanzveranstaltung zu Technomusik)

Ra|vel (französischer Komponist)

ra|ven ⟨*zu* Rave⟩; in der Disco wurde geravt

Ra|ven|na (italienische Stadt)

Ra|vens|berg [...v...] (ehemalige westfälische Grafschaft); **Ra|vens|ber|ger**; Ravensberger Land; **ra|vens|ber|gisch**

Ra|vens|brück (Frauenkonzentrationslager der Nationalsozialisten)

Ra|vens|burg (oberschwäb. Stadt)

Ra|ver ⟨*zu* Rave⟩; **Ra|ve|rin**

Ra|vi|o|li Plur. ⟨ital.⟩ (gefüllte kleine Nudelteigtaschen)

rav|vi|van|do ⟨ital.⟩ (*Musik* wieder belebend, schneller werdend)

Ra|wal|pin|di (Stadt in Pakistan)

Rax, die; - (österr. Gebirge)

Ra|yé [rɛ'je:], der; -[s], -s ⟨franz.⟩ (ein gestreiftes Gewebe)

Ray|gras *vgl.* Raigras

Ra|y|on [rɛ'jõ:, *österr. meist* ra'jo:n], der; -s, -s ⟨franz.⟩ (*österr. u. schweiz. für* Bezirk, [Dienst]bereich; *auch für* [Warenhaus]abteilung); **Ra|y|on|chef** (*österr. u. schweiz. für* Abteilungsleiter [im Warenhaus]); **Ra|y|on|che|fin; ra|y|o|nie|ren** [rɛjo...] (*österr., sonst veraltet für* einteilen; zuweisen)

Ra|y|onne [rɛjɔn], die; - ⟨franz.⟩ (*schweiz. für* Reyon)

Ra|y|ons|in|spek|tor [...'jo:ns..., *auch* ra'jo:...] (*österr.);* **Ra|y|ons|in|spek|to|rin**

ra|ze|mös ⟨lat.⟩ (*Bot.* traubenförmig); razemöse Blüte

Raž|nji|či [ˈraʒnitʃi], das; -[s], -[s]

⟨serbokroat.⟩ (ein Fleischgericht)

Raz|zia, die; -, *Plur.* ...ien, *seltener* -s ⟨arab.-franz.⟩ (überraschende Fahndung der Polizei in einem Gebäude od. Gebiet)

Rb = *chem. Zeichen für* Rubidium

RB, das; - = Radio Bremen

RB = Regionalbahn

RBB, der; - = Rundfunk Berlin-Brandenburg

Rbl = Rubel

rd. = rund

re ⟨ital.⟩ (Solmisationssilbe)

¹**Re** (ägyptischer Sonnengott)

²**Re**, das; -s, -s ⟨lat.⟩ (*Kartenspiel* Erwiderung auf ein Kontra)

Re = *chem. Zeichen für* Rhenium

RE® = Regionalexpress

Rea|der [ˈriː...], der; -s, - ⟨engl.⟩ (Buch mit Auszügen aus der [wissenschaftlichen] Literatur u. verbindendem Text); **Reader's Di|gest®** [ˈriːdəz ˈdaidʒest], der *od.* das; - - (Monatsschrift mit Aufsätzen u. Auszügen aus neu erschienenen Büchern)

Rea|dy|made, Rea|dy-made [ˈrɛdɪmeːt], das; -, -s ⟨engl.⟩ (*Kunstwiss.* beliebiger, serienmäßig hergestellter Gegenstand, der vom Künstler zum Kunstwerk erhoben wird)

Re|a|gens, das; -, ...genzien, **Re|a|genz**, das; -es, -ien ⟨lat.⟩ (*Chemie* Stoff, der mit einem anderen eine bestimmte chemische Reaktion herbeiführt u. diesen so identifiziert)

Re|a|genz|glas Plur. ...gläser (Prüfglas für [chemische] Versuche); **Re|a|genz|pa|pier**

re|a|gie|ren (eine Wirkung zeigen; *Chemie* eine chem. Reaktion eingehen); auf etwas reagieren

Re|ak|tanz, die; -, -en (*Elektrot.* Blindwiderstand)

Re|ak|ti|on, die; -, -en (Rück-, Gegenwirkung; chemische Umwandlung; *nur Sing.:* Gesamtheit aller fortschrittsfeindlichen politischen Kräfte)

re|ak|ti|o|när ⟨franz.⟩ (Gegenwirkung erstrebend od. ausführend; *abwertend für* nicht fortschrittlich); **Re|ak|ti|o|när**, der; -s, -e (*abwertend für* jmd., der sich jeder fortschrittlichen Entwicklung entgegenstellt); **Re|ak|ti|o|nä|rin**

re|ak|ti|ons|fä|hig; Re|ak|ti|ons|fä|hig|keit

Re|ak|ti|ons|ge|schwin|dig|keit; Re|ak|ti|ons|psy|cho|se

re|ak|ti|ons|schnell; re|ak|ti|ons|trä|ge

Re|ak|ti|ons|ver|mö|gen, das; -; **Re|ak|ti|ons|zeit**

re|ak|tiv ⟨lat.⟩ (rückwirkend; auf Reize reagierend)

re|ak|ti|vie|ren (wieder in Tätigkeit setzen; wieder anstellen; *chem.* wieder umsetzungsfähig machen); **Re|ak|ti|vie|rung**

Re|ak|ti|vi|tät, die; -, -en ⟨*zu* reaktiv⟩

Re|ak|tor, der; -s, ...oren (Vorrichtung, in der eine chemische od. eine Kernreaktion abläuft)

Re|ak|tor|block Plur. ...blöcke; **Re|ak|tor|geg|ner; Re|ak|tor|geg|ne|rin; Re|ak|tor|phy|sik; Re|ak|tor|si|cher|heit; Re|ak|tor|tech|nik**, die; -; **Re|ak|tor|un|fall**

re|al ⟨lat.⟩ (wirklich, tatsächlich; dinglich, sachlich)

¹**Re|al**, der; -[s], Reais [reaiʃ] ⟨port.⟩ (Währungseinheit in Brasilien); 50 Reais *od.* Real

²**Re|al**, der; -s, -es ⟨span.⟩ (alte spanische Münze)

³**Re|al**, der; -s, Reis ⟨port.⟩ (alte portugiesische Münze)

Re|a|la, die; -, -s ⟨*weibliche Form zu* Realo⟩

Re|al|akt (*Rechtsspr.*); **Re|al|bü|ro** (*österr. kurz für* Realitätenbüro); **Re|al|ein|kom|men; Re|al|en|zy|klo|pä|die** (Sachwörterbuch)

Re|al|er|satz (*schweiz. für* Entschädigung durch etwas Gleichwertiges)

Re|al|gar, der; -s, -e ⟨arab.⟩ (ein Mineral)

Re|al|ge|mein|de (land- od. forstwirtschaftl. Genossenschaft)

Re|al|gym|na|si|um (*früher, noch österr., schweiz.*)

Re|a|li|en Plur. ⟨lat.⟩ (wirkliche Dinge, Tatsachen; Sachkenntnisse); **Re|a|li|en|buch**

Re|al|in|ju|rie (*Rechtsspr.* tätliche Beleidigung)

Re|a|li|sa|ti|on, die; -, -en (Verwirklichung; *Wirtsch.* Umwandlung in Geld)

Re|a|li|sa|tor, der; -s, ...oren (jmd., der einen Film, eine Fernsehsendung verwirklicht)

re|a|li|sier|bar; Re|a|li|sier|bar|keit, die; -

re|a|li|sie|ren (verwirklichen; erkennen, begreifen; *Wirtsch.* in Geld umwandeln); **Re|a|li|sie|rung**

Re|a|lis|mus, der; - ([nackte] Wirklichkeit; Kunstdarstellung des Wirklichen; Wirklichkeitssinn; Bedachtsein auf die Wirklichkeit, den Nutzen)

Re|a|list, der; -en, -en; Re|a|lis|tik, die; - ([ungeschminkte] Wirklichkeitsdarstellung); Re|a|lis|tin; re|a|lis|tisch

Re|a|li|tät, die; -, -en (Wirklichkeit, Gegebenheit)

Re|a|li|tä|ten Plur. (Gegebenheiten; bes. österr. auch für Immobilien); Re|a|li|tä|ten|bü|ro (österr. für Immobilienbüro); Re|a|li|tä|ten|händ|ler (österr. für Immobilienmakler); Re|a|li|tä|ten|händ|le|rin

re|a|li|täts|be|zo|gen; re|a|li|täts|fern; re|a|li|täts|fremd

re|a|li|täts|nah; Re|a|li|täts|nä|he

Re|a|li|täts|sinn, der; -[e]s; Re|a|li|täts|ver|lust

re|a|li|ter (in Wirklichkeit)

Re|a|li|ty|show, Re|a|li|ty-Show [ri'ɛlɪtɪʃoː], die; -, -s ⟨engl.⟩ (Fernsehsendung, in der tatsächlich Geschehendes [bes. Unglücksfälle] live gezeigt oder später nachgestellt wird)

Re|a|li|ty-TV [ri'ɛlɪtɪ...], das; -[s] ⟨engl.⟩ (Sparte des Fernsehens, in der Realityshows o. Ä. produziert werden)

Re|al|kanz|lei (österr. für Immobilienbüro)

Re|al|ka|pi|tal (Wirtsch.)

Re|al|ka|ta|log (Bibliothekswesen)

Re|al|kon|kor|danz (Theol.)

Re|al|kon|kur|renz, die; - (Rechtsspr.); Re|al|kon|t|rakt (Rechtsspr.)

Re|al|kre|dit (Bankw.); Re|al|last meist Plur. (Bankw.)

Re|al|le|xi|kon (Sachwörterbuch)

Re|al|lohn

Re|a|lo, der; -s, -s (ugs. für Realpolitiker [bes. bei den Grünen])

Re|al|po|li|tik, die; - (Politik auf realen Grundlagen)

Re|al|pro|dukt (Wirtsch.)

Re|al|schu|le (Schule, die mit der mittleren Reife abschließt); Re|al|schü|ler; Re|al|schü|le|rin

Re|al|schul|leh|rer; Re|al|schul|leh|re|rin

Re|al|steu|er, die; meist Plur.

Real|time ['rɪəltaɪm], die; - -, **Real Time**, die; - - ⟨engl.⟩ (EDV Echtzeit)

Re|al|wert; Re|al|wör|ter|buch (Sachwörterbuch)

re|ama|teu|ri|sie|ren [...tø...] (Sport)

Re|ani|ma|ti|on, die; -, -en ⟨lat.⟩ (Med. Wiederbelebung); Re|ani|ma|ti|ons|zen|t|rum

re|ani|mie|ren (wiederbeleben); Re|ani|mie|rung

Re|au|mur [...omy:ɐ̯] ⟨nach dem franz. Physiker⟩ (Gradeinheit beim 80-teiligen Thermometer; Zeichen R; fachspr. °R); 3° R, fachspr. 3 °R

Reb|bach vgl. Reibach

Reb|bau, der; -[e]s

Reb|berg; Re|be, die; -, -n

Re|bec|ca (w. Vorn.)

Re|bek|ka (w. Vorn.)

Re|bell, der; -en, -en ⟨franz.⟩ (Aufrührer, Aufständischer); re|bel|lie|ren; Re|bel|lin; Re|bel|li|on, die; -, -en; re|bel|lisch

re|beln ([Trauben u. a.] abbeeren); ich reb[e]le; vgl. Gerebelte

Re|ben|blü|te; Re|ben|hü|gel; Re|ben|saft, der; -[e]s

Reb|gut, das (schweiz. für Weingut)

Reb|hendl, das; -s, -n (österr. neben Rebhuhn); Reb|huhn [österr. nur so, sonst auch 'rep...]

Reb|laus (ein Insekt)

Reb|ling (Rebenschössling)

Re|bound [ri'baʊnt, auch 'ri:baʊnt], der; -s, -s ⟨engl.⟩ (Basketball vom Brett od. Korbring abprallender Ball)

Re|boun|der [ri'baʊndɐ], der; -s, - (Basketball Spieler, der um den Rebound kämpft; Trampolin); Re|boun|de|rin

Reb|pfahl

Re|break ['ri:bre:k], der od. das; -s, -s ⟨engl.⟩ (Sport Break, das man nach einem gegnerischen Break erzielt)

Reb|schnitt

Reb|schnur, die; -, ...schnüre (österr. für Reepschnur)

Reb|schu|le; Reb|sor|te; Reb|stock Plur. ...stöcke

Re|bus, der od. das; -, -se ⟨lat.⟩ (Bilderrätsel)

Rec., Rp. = recipe

Re|cei|ver [rɪ'si:vɐ], der; -s, - ⟨engl.⟩ (Hochfrequenzteil für Satellitenempfang; Empfänger u. Verstärker für Hi-Fi-Wiedergabe)

Re|chaud [...'ʃo:], der od. das; -s, -s ⟨franz.⟩ (Wärmeplatte; südd., österr. u. schweiz. für [Gas]kocher)

re|chen (südd., österr., schweiz. für harken); gerecht; Re|chen,

der; -s, - (südd., österr., schweiz. für Harke)

Re|chen|an|la|ge; Re|chen|auf|ga|be; Re|chen|au|to|mat; Re|chen|brett; Re|chen|buch

Re|chen|exem|pel; Re|chen|feh|ler; Re|chen|heft; Re|chen|künst|ler; Re|chen|künst|le|rin; Re|chen|leis|tung (bes. EDV); Re|chen|ma|schi|ne; Re|chen|ope|ra|ti|on

Re|chen|schaft, die; -; Re|chen|schafts|be|richt; Re|chen|schafts|le|gung

Re|chen|schafts|pflicht; re|chen|schafts|pflich|tig

Re|chen|schie|be; Re|chen|schie|ber; Re|chen|schwä|che (Lernstörung beim Rechnen); Re|chen|stab

Re|chen|stiel (Stiel des Rechens)

Re|chen|stun|de; Re|chen|ta|fel; Re|chen|un|ter|richt; Re|chen|zei|chen; Re|chen|zen|t|rum

Re|cher|che [...'ʃɛrʃə], die; -, -n meist Plur. ⟨franz.⟩ (Nachforschung); Re|cher|che|auf|trag; Re|cher|cheur [...'ʃø:ɐ̯], der; -s, -e; Re|cher|cheu|rin; re|cher|chie|ren

rech|nen; gerechnet

Rech|nen, das; -s; Rech|ner; Rech|ne|rei

rech|ner|ge|steu|ert; rech|ner|ge|stützt

rech|ne|risch

Rech|nung; einer Sache Rechnung tragen

Rech|nungs|ab|gren|zung (in der Buchführung); Rech|nungs|ab|gren|zungs|pos|ten

Rech|nungs|ab|la|ge; Rech|nungs|amt; Rech|nungs|art; Rech|nungs|be|trag; Rech|nungs|block vgl. Block; Rech|nungs|buch; Rech|nungs|ein|heit (Finanzw.)

Rech|nungs|füh|rer (Buchhalter); Rech|nungs|füh|re|rin; Rech|nungs|füh|rung

Rech|nungs|hof; Rech|nungs|jahr; Rech|nungs|le|gung; Rech|nungs|num|mer; Rech|nungs|pos|ten

Rech|nungs|prü|fer; Rech|nungs|prü|fe|rin; Rech|nungs|prü|fung

Rech|nung[s]|stel|lung

Rech|nungs|we|sen, das; -s

recht / Recht s. Kasten Seite 836

recht|dre|hend; rechtdrehender (sich im Uhrzeigerrichtung drehender) Wind

¹Rech|te, der, die, das; -n; du bist mir der/die Rechte; an den/die

R

Rech

recht / Recht

Kleinschreibung:

– ein rechter Winkel
– der rechte Ort; der rechte Zeitpunkt
– zur rechten Hand, rechter Hand (rechts); jmds. rechte Hand sein *(übertr.)*
– jetzt erst recht
– so ist es recht; das ist [mir] durchaus, ganz, völlig recht; es soll mir recht sein
– das geschieht ihm recht
– das ist nicht recht von dir; es ist [nur] recht und billig; alles, was recht ist
– man kann ihm nichts recht machen
– gehe ich recht in der Annahme, dass...

Großschreibung:

– das Recht, des Recht[e]s, die Rechte
– bürgerliches Recht, öffentliches Recht
– im Recht sein
– von Rechts wegen
– mit Recht, ohne Recht

– etwas für Recht erkennen
– nach Recht und Gewissen
– Recht finden, Recht sprechen; sein Recht suchen, bekommen; das Recht anwenden, vertreten, verletzen, beugen
– sein Recht fordern; auf sein Recht pochen; zu seinem Recht kommen
– zu Recht; zu Recht bestehen, erkennen; sie ist zu Recht auf den zweiten Platz gekommen, *aber* sie ist allein gut zurechtgekommen, kommt allein gut zurecht

Vgl. auch rechtens u. zurechtbiegen, zurechtfinden usw.

Groß- oder Kleinschreibung:

– du hast recht *od.* Recht daran getan
– recht *od.* Recht haben; wie recht sie hat!; du hast ja so recht!
– recht *od.* Recht behalten; recht *od.* Recht bekommen
– jmdm. recht *od.* Recht geben

Rechten kommen; das Rechte treffen, tun; etwas, nichts Rechtes können, wissen; nach dem Rechten sehen

²**Rech|te**, die; -n, -n (rechte Hand; rechte Seite; *Politik* die rechts stehenden Parteien, eine rechts stehende Gruppe); zur Rechten; in meiner Rechten; er traf ihn mit einer blitzschnellen Rechten *(Boxen)*; die gemäßigte, äußerste Rechte; er gehört der Rechten an *(Politik)*

Recht|eck; recht|eckig

Rech|te|hand|re|gel, die; - *(Physik)*

rech|ten

rech|tens (rechtmäßig, zu Recht); er wurde rechtens verurteilt; die Kündigung war rechtens, wurde für nicht rechtens gehalten

rech|ter Hand (rechts); **rech|ter|seits**

recht|fer|ti|gen; gerechtfertigt; **Recht|fer|ti|gung**

Recht|fer|ti|gungs|schrift; Recht|fer|ti|gungs|ver|such

recht|gläu|big; Recht|gläu|big|keit, die; -

Recht|ha|ber; Recht|ha|be|rei, die; -; **Recht|ha|be|rin; recht|ha|be|risch**

Recht|kant, das *od.* der; -[e]s, -e *(veraltet für* Quader)

recht|läu|fig *(Astron.* entgegen dem Uhrzeigersinn laufend)

recht|lich; rechtliches Gehör *(Rechtsspr.* verfassungsrechtlich garantierter Anspruch des Staatsbürgers, seinen Stand-

punkt vor Gericht vorzubringen); **Recht|lich|keit**, die; -

recht|los; Recht|lo|sig|keit, die; -

recht|mä|ßig; Recht|mä|ßig|keit, die; -

---

rechts

(Abk. r.)

– rechts von mir, rechts vom Eingang
– *Auch mit Genitiv:* rechts des Waldes, rechts der Isar

Nur Kleinschreibung:

– von, gegen, nach rechts
– von rechts nach links
– mit rechts (mit der rechten Hand) schreiben
– Terror von rechts
– an der Kreuzung gilt rechts vor links
– er weiß nicht, was rechts und was links ist

Getrenntschreibung:

– rechts außen spielen; *aber* der Rechtsaußen
– rechts um! (milit. Kommando; *aber* rechtsum)
– rechts sein *(ugs. für* Rechtshänder sein)

Getrennt- oder Zusammenschreibung ↑K 58:

– politisch rechts stehende *od.* rechtsstehende Parteien
– ein rechts abbiegendes *od.* rechtsabbiegendes Fahrzeug

Rechts|ab|bie|ger *(Verkehrsw.)*; **Rechts|ab|bie|ge|rin**

Rechts|ab|tei|lung; Rechts|akt; Rechts|an|ge|le|gen|heit; Rechts|an|schau|ung; Rechts|an|spruch

Rechts|an|walt; Rechts|an|wäl|tin

Rechts|an|walt[s]|bü|ro; Rechts|an|walt[s]|kam|mer; Rechts|an|walt[s]|kanz|lei; Rechts|an|walt[s]|pra|xis

Rechts|an|wen|dung; Rechts|auf|fas|sung; Rechts|aus|kunft

Rechts|aus|la|ge *(Boxen)*; **Rechts|aus|le|ger** *(Boxen)*; **Rechts|aus|le|ge|rin**

Rechts|aus|schuss

rechts au|ßen *vgl.* rechts; **Rechts|au|ßen**, der; -, -; er spielt den klassischen Rechtsaußen

Rechts|bei|stand; Rechts|be|leh|rung

Rechts|be|ra|ter; Rechts|be|ra|te|rin; Rechts|be|ra|tung; Rechts|be|schwer|de; Rechts|beu|gung; Rechts|be|wusst|sein

Rechts|bre|cher; Rechts|bre|che|rin; Rechts|bruch, der

rechts|bün|dig

recht|schaf|fen *(veraltend)*; **Recht|schaf|fen|heit**, die; -

Recht|schreib|buch, Recht|schrei|be|buch

recht|schrei|ben *nur im Inf. gebräuchlich;* er kann nicht rechtschreiben, *aber* er kann nicht recht schreiben (er schreibt unbeholfen); **Recht|schrei|ben**, das; -s; **Recht|schreib|feh|ler; Recht|schreib|fra|ge**

recht|schreib|lich
Recht|schreib|re|form
Recht|schrei|bung
Rechts|drall, der; -[e]s, -e
rechts|dre|hend; ein rechtsdrehen-
des Gewinde; *aber* nach rechts
drehend; *vgl.* rechtdrehend;
Rechts|dre|hung
rechts|el|bisch
Rechts|emp|fin|den
Recht|ser (*ugs. für* Rechtshänder)
rechts|er|fah|ren
Recht|set|zung, Rechts|set|zung
Rechts|ex|per|te; Rechts|ex|per|tin
rechts|ex|t|rem; Rechts|ex|t|re|mis-
mus, der; -; Rechts|ex|t|re|mist;
Rechts|ex|t|re|mis|tin; rechts|ex|t-
re|mis|tisch
rechts|fä|hig; Rechts|fä|hig|keit,
die; -; Rechts|fall, der; Rechts-
form
Rechts|ga|lopp
Rechts|gang, der (*für* gerichtliches
Verfahren)
Rechts|ge|lehr|sam|keit (*veraltet*)
rechts|ge|lehrt; Rechts|ge|lehr|te
rechts|ge|rich|tet
Rechts|ge|schäft; rechts|ge|schäft-
lich; Rechts|ge|schich|te, die; -
Rechts|ge|win|de
Rechts|grund; Rechts|grund|la|ge;
Rechts|grund|satz
rechts|gül|tig; Rechts|gül|tig|keit,
die; -
Rechts|gut; Rechts|han|del
Rechts|hän|der; Rechts|hän|de|rin
rechts|hän|dig; Rechts|hän|dig|keit,
die; -
rechts|hän|gig (gerichtlich noch
nicht abgeschlossen)
rechts|her (*veraltet für* von rechts
her); rechts|he|rum; rechtsherum
drehen, *aber* nach rechts
herumdrehen
Rechts|hil|fe; Rechts|hil|fe|ab|kom-
men; Rechts|hil|fe|ord|nung
rechts|hin (*veraltet für* nach rechts
hin)
Rechts|his|to|ri|ker; Rechts|his|to|ri-
ke|rin; Rechts|kon|su|lent, der;
-en, -en (*svw.* Rechtsbeistand);
Rechts|kon|su|len|tin; Rechts-
kraft, die; -; formelle (äußere)
Rechtskraft; materielle (sachli-
che) Rechtskraft; rechts|kräf|tig
rechts|kun|dig
Rechts|kurs; Rechts|kur|ve
Rechts|la|ge (*Rechtsw.*)
rechts|las|tig; rechts|läu|fig
Rechts|leh|re, die; -; Rechts|me|di-
zin, die; -; Rechts|mit|tel, das;
Rechts|mit|tel|be|leh|rung

Rechts|nach|fol|ge; Rechts|nach|fol-
ger; Rechts|nach|fol|ge|rin
Rechts|norm; Rechts|ord|nung
Rechts|par|tei
Rechts|pfle|ge, die; -; Rechts|pfle-
ger; Rechts|pfle|ge|rin
Rechts|phi|lo|so|phie, die; -
Rechts|po|pu|lis|mus (zur extremen
politischen Rechten neigender
Populismus); Rechts|po|pu|list;
Rechts|po|pu|lis|tin; rechts|po|pu-
lis|tisch
rechts|spre|chung
rechts|ra|di|kal; Rechts|ra|di|ka|le;
Rechts|ra|di|ka|lis|mus
rechts|rhei|nisch
Rechts|ruck (*Politik*)
rechts|rum (*ugs.*)
Rechts|sa|che; Rechts|satz; Rechts-
schrift
Rechts|schutz, der; -es; rechts-
schutz|ver|si|chert; Rechts|schutz-
ver|si|che|rung
rechts|sei|tig; rechtsseitig gelähmt
Rechts|set|zung *vgl.* Rechtsetzung
Rechts|si|cher|heit, die; -; Rechts-
spra|che, die; -; Rechts|spruch
Rechts|staat *Plur.* ...staaten; rechts-
staat|lich; Rechts|staat|lich|keit,
die; -
Rechts|stand|punkt
rechts ste|hend, rechts|ste|hend
vgl. rechts
Rechts|stel|lung; Rechts|streit;
Rechts|sys|tem; Rechts|ti|tel;
Rechts|trä|ger (*Rechtsw.*);
Rechts|trä|ge|rin
recht|su|chend; der rechtsuchende
Bürger, *aber* der sein Recht
suchende Bürger
rechts|uf|rig
rechts|um [*auch* 're...]; rechtsum
machen; *vgl.* rechts
rechts|um|kehrt (*schweiz.*); rechts-
umkehrt machen (*auch übertr.*
für den entgegengesetzten Weg
einschlagen)
Rechts|un|si|cher|heit, die; -
Rechts|un|ter|zeich|ne|te *vgl.*
Unterzeichnete
rechts|ver|bind|lich; Rechts|ver-
bind|lich|keit, die; -
Rechts|ver|dre|her (*abwertend*);
Rechts|ver|dre|he|rin; Rechts|ver-
fah|ren
Rechts|ver|kehr
Rechts|ver|let|zung; Rechts|ver|ord-
nung; Rechts|ver|wei|ge|rung;
Rechts|vor|schlag (*schweiz. für*
Einspruch gegen Zwangsvoll-
streckung)
Rechts|vor|schrift; Rechts|vor|stel-
lung; Rechts|weg

Rechts|wen|dung
Rechts|we|sen, das; -s
rechts|wid|rig; rechts|wirk|sam
Rechts|wis|sen|schaft, die; -
recht|wink|lig
recht|zei|tig
Re|ci|fe [re'si:fi] (bras. Stadt)
re|ci|pe! [...pe] ⟨lat., »nimm!«⟩
(auf ärztl. Rezepten; *Abk.* Rec. *u.*
Rp.)
Re|ci|tal [ri'saɪtl], das; -s, -s, Re|zi-
tal, das; -s, *Plur.* -e *od.* -s ⟨engl.⟩
(Solistenkonzert)
re|ci|tan|do [...tʃ...] ⟨ital.⟩ (*Musik*
rezitierend)
Reck, das; -[e]s, *Plur.* -e, *auch* -s
(ein Turngerät)
Re|cke, der; -n, -n ([Sagen]held)
re|cken; sich recken und strecken
re|cken|haft ⟨*zu* Recke⟩
Reck|ling|hau|sen (Stadt im Ruhr-
gebiet); Reck|ling|häu|ser
Reck|stan|ge; Reck|tur|nen; Reck-
tur|ner; Reck|tur|ne|rin; Reck-
übung
Re|cor|der *vgl.* Rekorder
rec|te ⟨lat.⟩ (*veraltet für* richtig)
Rec|to *vgl.* Rekto
Rec|tor ma|g|ni|fi|cus, der; - -,
...ores ...fici ⟨lat.⟩ (Titel des
Hochschulrektors)
re|cy|cel|bar, re|cy|c|le|bar
[ri'saɪkl...] ⟨engl.⟩; re|cy|celn, re-
cy|c|len (einem Recycling zufüh-
ren); das Altglas wird recycelt
od. recyclet; ich recyc[e]le
Re|cy|c|ling, das; -s (Wiederver-
wendung bereits benutzter Roh-
stoffe)
Re|cy|c|ling|an|la|ge
re|cy|c|ling|fä|hig
Re|cy|c|ling|hof; Re|cy|c|ling|pa-
pier; Re|cy|c|ling|ver|fah|ren
Re|dak|teur [...'tø:ɐ̯], der; -s, -e
⟨franz.⟩ (jmd., der im Verlags-
wesen, Rundfunk *od.* Fernsehen
Manuskripte be- u. ausarbeitet);
Re|dak|teu|rin [...'tø:...]
Re|dak|ti|on, die; -, -en (Tätigkeit
des Redakteurs; Gesamtheit der
Redakteure u. deren Arbeits-
raum); re|dak|ti|o|nell
Re|dak|ti|ons|as|sis|tent; Re|dak|ti-
ons|as|sis|ten|tin; Re|dak|ti|ons-
ge|heim|nis; Re|dak|ti|ons-
schluss, der; -es; Re|dak|ti|ons-
sta|tut
Re|dak|tor, der; -s, ...oren ⟨lat.⟩
(Herausgeber; *schweiz. auch*
svw. Redakteur); Re|dak|to|rin
Red|der, der; -s, - (*nordd., nur*
noch in Straßennamen enger
Weg [zwischen Hecken])

Re|de, die; -, -n; Rede und Antwort stehen; zur Rede stellen
Re|de|blü|te; Re|de|du|ell; Re|de|fi|gur; Re|de|fluss Plur. selten; Re|de|frei|heit, die; -; Re|de|ga|be, die; -
re|de|ge|wal|tig; re|de|ge|wandt; Re|de|ge|wandt|heit
Re|de|kunst
Re|d|emp|to|rist, der; -en, -en ⟨lat.⟩ (Angehöriger einer kath. Kongregation)
re|den; gut reden haben; von sich reden machen; ↑K 82 : jmdn. zum Reden bringen; nicht viel Redens von einer Sache machen; Reden ist Silber, Schweigen ist Gold
Re|dens|art; re|dens|art|lich
Re|de|rei
Re|de|schwall; Re|de|strom; Re|de|ver|bot; Re|de|wei|se, die; Re|de|wen|dung; Re|de|zeit
re|di|gie|ren ⟨franz.⟩ (druckfertig machen; abfassen; bearbeiten)
Re|din|gote [redɛˈɡot, auch rə...], die; -, -n, auch der; -[s], -s ⟨franz.⟩ (taillierter Damenmantel mit Reverskragen)
Re|dis|fe|der (österr. eine Schreibfeder für Tusche u. Ä.)
re|dis|kon|tie|ren ⟨ital.⟩ ([einen diskontierten Wechsel] an- od. weiterverkaufen); Re|dis|kon|tie|rung
re|di|vi|vus ⟨lat.⟩ (wiedererstanden)
red|lich; Red|lich|keit, die; -
Red|neck, der; -s, -s ⟨engl.⟩ (der Arbeiterklasse angehörender weißer Landbewohner aus den Südstaaten)
Red|ner
Red|ner|büh|ne; Red|ner|ga|be
Red|ne|rin; red|ne|risch
Red|ner|lis|te; Red|ner|pult; Red|ner|tri|bü|ne
Re|dou|te [...ˈduː..., österr. ...dut], die; -, -n ⟨franz.⟩ (österr. für Maskenball)
re|dres|sie|ren ⟨franz.⟩ (Med. wieder einrenken)
red|se|lig; Red|se|lig|keit, die; -
Re|du|it [reˈdyːi], das; -s, -s ⟨franz.⟩ (früher Verteidigungsanlage im Kern einer Festung)
Re|duk|ti|on, die; -, -en ⟨lat.⟩ (zu reduzieren); Re|duk|ti|o|nis|mus; re|duk|ti|o|nis|tisch
Re|duk|ti|ons|di|ät; Re|duk|ti|ons|mit|tel (Chemie); Re|duk|ti|ons|ofen (Technik); Re|duk|ti|ons|tei|lung (Biol.)

re|d|un|dant ⟨lat.⟩ (überreichlich, üppig; weitschweifig); Re|d|un|danz, die; -, -en (Überladung, Überfluss; EDV nicht notwendiger Teil einer Information); re|d|un|danz|frei
Re|du|p|li|ka|ti|on, die; -, -en ⟨lat.⟩ (Sprachw. Verdoppelung eines Wortes od. Wortteils, z. B. »Bonbon«); re|du|p|li|zie|ren
re|du|zi|bel ⟨lat.⟩ (Math.); re|du|zie|ren (zurückführen; herabsetzen, einschränken; vermindern; Chemie Sauerstoff entziehen); Re|du|zie|rung
Re|du|zier|ven|til (Technik)
ree!, seltener rhe! (Segelkommando)
Ree|de, die; -. -n (Ankerplatz vor dem Hafen); Ree|der (Schiffseigner); Ree|de|rei (Schifffahrtsunternehmen); Ree|de|rei|flag|ge; Ree|de|rin
re|ell ⟨franz.⟩ (anständig, ehrlich; ordentlich; wirklich [vorhanden], echt); reelle Zahlen (Math.); Re|el|li|tät, die; -
Re|en|gi|nee|ring [riːˈɛndʒɪˈnɪərɪŋ], das; -s, -s ⟨engl.⟩ (grundlegende Umgestaltung eines Unternehmens zur Kostenreduzierung u. Flexibilisierung)
Reep, das; -[e]s, -e (nordd. für Seil, Tau)
Ree|per|bahn (nordd. für Seilerbahn; Straße in Hamburg)
Reep|schlä|ger (nordd. für Seiler); Reep|schnur (fachspr. für starke Schnur od. dünneres, sehr festes Seil)
Reet, das; -s (nordd. für Ried); Reet|dach (nordd.); reet|ge|deckt
ref., reform. = reformiert
REFA, die = Reichsausschuss für Arbeitszeitermittlung (seit 1995 REFA-Verband für Arbeitsgestaltung, Betriebsorganisation u. Unternehmensentwicklung e. V.); REFA-Fach|frau ↑K 28 ; REFA-Fach|mann ↑K 28
Re|fak|tie, die; -, -n ⟨niederl.⟩ (Kaufmannsspr. Gewichts- od. Preisabzug wegen beschädigter od. fehlerhafter Ware); re|fak|tie|ren (einen Nachlass gewähren)
Re|fek|to|ri|um, das; -s, ...ien ⟨lat.⟩ (Speisesaal [in Klöstern])
Re|fe|rat, das; -[e]s, -e ⟨lat.⟩ (Abhandlung, Bericht, Vortrag; Sachgebiet eines Referenten)
Re|fe|rats|lei|ter, der; Re|fe|rats|lei|te|rin

Re|fe|ree [refəˈriː, auch ˈrɛfəri], der; -s, -s ⟨engl.⟩ (Sport Schieds-, Ringrichter)
Re|fe|ren|dar, der; -s, -e ⟨lat.⟩ (Anwärter auf die höhere Beamtenlaufbahn nach der ersten Staatsprüfung); Re|fe|ren|da|ri|at, das; -[e]s, -e (Vorbereitungsdienst für Referendare); Re|fe|ren|da|rin
Re|fe|ren|dum, das; -s, Plur. ...den u. ...da (Volksabstimmung, -entscheid [bes. in der Schweiz])
Re|fe|rent, der; -en, -en (Berichterstatter; Sachbearbeiter); vgl. aber Reverend; Re|fe|ren|tin
Re|fe|renz, die; -, -en (Beziehung, Empfehlung; auch für jmd., der eine Referenz erteilt); vgl. aber Reverenz; Re|fe|ren|zen|lis|te
re|fe|rie|ren ⟨franz.⟩ (berichten, vortragen)
¹Reff, das; -[e]s, -e (ugs. abwertend für hagere [alte] Frau)
²Reff, das; -[e]s, -e (landsch. für Rückentrage)
³Reff, das; -[e]s, -e (Seemannsspr. Vorrichtung zum Verkürzen eines Segels); ref|fen
re|fi|nan|zie|ren (Finanzw. fremde Mittel aufnehmen, um damit selbst Kredit zu geben); Re|fi|nan|zie|rung
Re|fla|ti|on, die; -, -en ⟨lat.⟩ (Finanzw. Erhöhung der im Umlauf befindlichen Geldmenge); re|fla|ti|o|när
Re|flek|tant, der; -en, -en ⟨lat.⟩ (veraltend für Bewerber, Interessent)
re|flek|tie|ren ⟨lat.⟩ ([zu]rückstrahlen, spiegeln; nachdenken, erwägen; ugs. für Absichten haben auf etwas)
Re|flek|tor, der; -s, ...oren ([Hohl]spiegel; Teil einer Richtantenne; Fernrohr mit Parabolspiegel); re|flek|to|risch (durch einen Reflex bedingt, Reflex...)
Re|flex, der; -es, -e ⟨franz.⟩ (Widerschein, Rückstrahlung zerstreuten Lichts; unwillkürliches Ansprechen auf einen Reiz); re|flex|ar|tig
Re|flex|be|we|gung
re|flex|haft; Re|flex|hand|lung
Re|fle|xi|on, die; -, -en ⟨lat.⟩ (Rückstrahlung von Licht, Schall, Wärme u. a.; Vertiefung in einen Gedankengang, Betrachtung); Re|fle|xi|ons|win|kel (Physik)
re|fle|xiv ⟨lat.⟩ (durch [Nach]denken u. Erwägen; Sprachw. rückbezüglich); reflexives Verb (rückbezüg-

R
Rede

liches Verb, z. B. »sich schämen«); **Re|fle|xiv**, das; -s, -e (*svw.* Reflexivpronomen); **Re|fle|xiv|pro|no|men** (*Sprachw.* rückbezügliches Fürwort, z. B. »sich« *in* »er wäscht sich«); **Re|fle|xi|vum**, das; -s, ...va (*älter für* Reflexivpronomen)

Re|flex|schal|tung (*Elektrot.* Wendeschaltung)

Re|flex|zo|nen|mas|sa|ge (*Med.* Massage bestimmter Zonen der Körperoberfläche zur Beeinflussung innerer Organe)

Re|form, die; -, -en ⟨lat.⟩ (Umgestaltung; Verbesserung des Bestehenden; Neuordnung)

re|form., **ref.** = reformiert

Re|for|ma|ti|on, die; -, -en (Umgestaltung; *nur Sing.:* Glaubensbewegung des 16. Jhs, die zur Bildung der ev. Kirchen führte)

Re|for|ma|ti|ons|fest; **Re|for|ma|ti|ons|tag** (31. Okt.); **Re|for|ma|ti|ons|zeit**, die; -; **Re|for|ma|ti|ons|zeit|al|ter**, das; -s

Re|for|ma|tor, der; -s, ...o̱ren; **Re|for|ma|to|rin**; **re|for|ma|to|risch**

re|form|be|dürf|tig; **Re|form|be|dürf|tig|keit**

Re|form|be|stre|bung *meist Plur.*; **Re|form|be|we|gung**

Re|for|mer ⟨engl.⟩ (Verbesserer, Erneuerer); **Re|for|me|rin**; **re|for|me|risch**

re|form|fä|hig; **re|form|freu|dig**

Re|form|haus

re|for|mie|ren ⟨lat.⟩; **re|for|miert** (*Abk.* ref., reform.); reformierte Kirche ↑K 151 ; **Re|for|mier|te**, der *u.* die; -n, -n (Anhänger[in] der reformierten Kirche); **Re|for|mie|rung**

Re|for|mis|mus, der; - (Bewegung zur Verbesserung eines [sozialen] Zustandes od. [politischen] Programms)

Re|for|mist, der; -en, -en; **Re|for|mis|tin**; **re|for|mis|tisch**

Re|form|klei|dung; **Re|form|kom|mu|nis|mus**; **Re|form|kon|zil**; **Re|form|kost**

Re|form|kurs; **Re|form|pä|d|a|go|gik**; **Re|form|po|li|tik**, die; -; **Re|form|stau**; **Re|form|vor|schlag**; **Re|form|wa|re** *meist Plur.*

Re|frain [...'frɛː], der; -s, -s ⟨franz.⟩ (Kehrreim)

re|frak|tär ⟨lat.⟩ (*Med.* unempfindlich; unempfänglich für neue Reize)

Re|frak|ti|on, die; -, -en ⟨*Physik* [Strahlen]brechung an

Grenzflächen zweier Medien); **Re|frak|to|me|ter**, das; -s, - (*Optik* Gerät zur Messung des Brechungsvermögens)

Re|frak|tor, der; -s, ...o̱ren (aus Linsen bestehendes Fernrohr)

Re|frak|tu|rie|rung (*Med.* erneutes Brechen eines schlecht geheilten Knochens)

Re|f|ri|ge|ra|tor, der; -s, ...o̱ren ⟨lat.⟩ (Kühler; Gefrieranlage)

Re|fu|gié [...fyˈʒi̯eː], der; -s, -s ⟨franz.⟩ (Flüchtling, bes. aus Frankreich geflüchteter Protestant [17. Jh.])

Re|fu|gi|um [...gium], das; -s, ...ien ⟨lat.⟩ (Zufluchtsort)

re|fun|die|ren ⟨lat.⟩ (*österr. für* ersetzen, zurückerstatten)

Re|fus, **Re|füs** [*beide* rəˈfyː, re...], der; -, - ⟨franz.⟩ (*veraltet für* Ablehnung; Weigerung); **re|fü|sie|ren** (*veraltet*)

Reg, die; -, - ⟨hamit.⟩ (Geröllwüste [in der algerischen Sahara])

reg. = registered

Reg., Regt., Rgt. = Regiment

¹**Re|gal**, das; -s, -e ([Bücher-, Waren]gestell mit Fächern)

²**Re|gal**, das; -s, -e ⟨franz.⟩ (kleine, nur aus Zungenstimmen bestehende Orgel; Zungenregister der Orgel)

³**Re|gal**, das; -s, ...lien *meist Plur.* ⟨lat.⟩ (*früher* [wirtschaftlich nutzbares] Hoheitsrecht, z. B. Zoll-, Münz-, Postrecht)

Re|gal|brett

re|ga|lie|ren ⟨franz.⟩ (*landsch. für* reichlich bewirten); sich regalieren (sich an etwas satt essen)

Re|ga|li|tät, die; -, -en ⟨lat.⟩ (*veraltet für* Anspruch auf Hoheitsrechte)

Re|gal|wand

Re|gat|ta, die; -, ...tten ⟨ital.⟩ (Bootswettfahrt); **Re|gat|ta|stre|cke**

Reg.-Bez. = Regierungsbezirk ↑K 28

re|ge, reger, regste; rege sein, werden; er ist körperlich und geistig rege

Re|gel, die; -, -n ⟨lat.⟩; **Re|gel|an|fra|ge** (*Amtsspr.*)

re|gel|bar; **Re|gel|bar|keit**, die; -

Re|gel|blu|tung

Re|gel|fall, der; -[e]s; **re|gel|haft**

re|gel|los; **Re|gel|lo|sig|keit**

re|gel|mä|ßig; regelmäßige Verben (*Sprachw.);* **Re|gel|mä|ßig|keit**

re|geln; ich reg[e]le; sich regeln; **re|gel|recht**

Re|gel|satz (Richtsatz für die Bemessung von Sozialhilfeleistungen)

Re|gel|schu|le; **Re|gel|stu|di|en|zeit**

Re|gel|tech|nik; **Re|gel|tech|ni|ker**; **Re|gel|tech|ni|ke|rin**

Re|gel|über|wa|chung (regelmäßige Überwachung)

Re|ge|lung, **Reg̱|lung**

Re|ge|lungs|tech|nik, die; -; **Re|gel|werk**

re|gel|wid|rig; **Re|gel|wid|rig|keit**

re|gen; sich regen bringt Segen

¹**Re|gen**, der; -s, -; ↑K 89 : saurer Regen (Niederschlag, der schweflige Säure enthält)

²**Re|gen** (linker Nebenfluss der Donau)

re|gen|arm; ...ärmer, ...ärmste

Re|gen|bo|gen

re|gen|bo|gen|far|ben, **re|gen|bo|gen|far|big**; **Re|gen|bo|gen|far|ben** *Plur.*

Re|gen|bo|gen|haut (*für* ²Iris); **Re|gen|bo|gen|haut|ent|zün|dung**

Re|gen|bo|gen|pres|se, die; - (vorwiegend triviale Unterhaltung, Gesellschaftsklatsch u. a. druckende Wochenzeitschriften)

Re|gen|bo|gen|tri|kot, das (Trikot des Radweltmeisters)

Re|gen|cape; **Re|gen|dach**

re|gen|dicht

Re|ge|ne|rat, das; -[e]s, -e ⟨lat.⟩ (durch chemische Aufbereitung gewonnenes Material)

Re|ge|ne|ra|ti|on, die; -, -en (Neubildung [von zerstörtem od. verletztem Gewebe]; Neubelebung; Wiederherstellung)

re|ge|ne|ra|ti|ons|fä|hig; **Re|ge|ne|ra|ti|ons|fä|hig|keit**, die; -

Re|ge|ne|ra|ti|ons|zeit

re|ge|ne|ra|tiv; **Re|ge|ne|ra|tiv|ver|fah|ren** (*Technik* Verfahren zur Rückgewinnung von Wärme)

Re|ge|ne|ra|tor, der; -s, ...o̱ren (Wärmespeicher)

re|ge|ne|rie|ren (erneuern, neu beleben); sich regenerieren

Re|gen|fall, der (*meist Plur.);* **Re|gen|fass**; **Re|gen|front**; **Re|gen|guss**; **Re|gen|haut** ® (wasserdichter Regenmantel); **Re|gen|kar|te**; **Re|gen|man|tel**; **Re|gen|men|ge**

re|gen|nass

Re|gen|pfei|fer (ein Vogel)

re|gen|reich; **Re|gen|rin|ne**

Re|gens, der; -, *Plur.* Regéntes *u.* ...e̱nten ⟨lat.⟩ (Vorsteher, Leiter [bes. kath. Priesterseminare])

Re|gens|burg (Stadt an der Donau)

R
Rege

¹Re|gens|bur|ger; Regensburger Domspatzen

²Re|gens|bur|ger, die; -, - (eine Wurstsorte)

Re|gen|schat|ten (die regenarme Seite eines Gebirges)

Re|gen|schau|er

Re|gen|schirm

Re|gens Cho|ri, der; - -, Regentes - ⟨lat.⟩ (Chorleiter in der katholischen Kirche)

Re|gen|schutz, der; -es

re|gen|schwer; regenschwere Wolken

Re|gent, der; -en, -en ⟨lat.⟩ (Staatsoberhaupt; Herrscher)

Re|gen|tag

Re|gen|tes (Plur. von Regens)

Re|gen|tin

Re|gen|ton|ne; Re|gen|trop|fen

Re|gent|schaft, die; -, -en; Re|gent-schafts|rat Plur. ...räte

Re|gen|wald; der tropische Regenwald

Re|gen|was|ser, das; -s; Re|gen-wet|ter, das; -s; Re|gen|wol|ke

Re|gen|wurm; Re|gen|zeit

Re|ger (dt. Komponist)

Re|gest, das; -[e]s, -en meist Plur. ⟨lat.⟩ (zusammenfassende Inhaltsangabe einer Urkunde)

Reg|gae [...ge], der; -[s] ⟨engl.⟩ (Stilrichtung der Popmusik)

Re|gie [...'ʒi:], die; - ⟨franz.⟩ (Spielleitung [bei Theater, Film, Fernsehen usw.]; verantwortliche Führung, Verwaltung)

Re|gie|an|wei|sung; Re|gie|as|sis-tent; Re|gie|as|sis|ten|tin

Re|gie|be|trieb (Betrieb der öffentlichen Hand); Re|gie|ein|fall; Re|gie|feh|ler

Re|gie|kos|ten Plur.

re|gie|lich (selten)

Re|gi|en [...'ʒi:...] Plur. (österr. für Regie-, Verwaltungskosten)

re|gier|bar

re|gie|ren ⟨lat.⟩ (lenken; [be]herrschen; Sprachw. einen bestimmten Fall fordern); ↑K 89 : Regierender Bürgermeister (im Titel, sonst: regierender Bürgermeister)

Re|gie|rung; re|gie|rungs|amt|lich

Re|gie|rungs|an|tritt; Re|gie|rungs-auf|trag; Re|gie|rungs|bank Plur. ...bänke; Re|gie|rungs|be|am|te; Re|gie|rungs|be|am|tin; Re|gie-rungs|be|zirk (Abk. Reg.-Bez.); Re|gie|rungs|bil|dung; Re|gie-rungs|bünd|nis

Re|gie|rungs|chef; Re|gie|rungs|che-fin; Re|gie|rungs|de|le|ga|ti|on;

Re|gie|rungs|di|rek|tor; Re|gie-rungs|di|rek|to|rin; Re|gie|rungs-er|klä|rung

re|gie|rungs|fä|hig

Re|gie|rungs|form

re|gie|rungs|freund|lich

Re|gie|rungs|ge|bäu|de; Re|gie-rungs|ge|walt; Re|gie|rungs|ko|a-li|ti|on; Re|gie|rungs|kom|mis|sär (österr. für Regierungsbeauftragter); Re|gie|rungs|kom|mis-sä|rin; Re|gie|rungs|kreis meist Plur.; wie aus Regierungskreisen verlautet ...

Re|gie|rungs|kri|se; Re|gie|rungs|la-ger Plur. ...lager; Re|gie|rungs-mann|schaft (ugs.); Re|gie|rungs-par|tei; Re|gie|rungs|po|li|tik

Re|gie|rungs|prä|si|dent; Re|gie-rungs|prä|si|den|tin; Re|gie-rungs|prä|si|di|um

Re|gie|rungs|pro|gramm

Re|gie|rungs|rat Plur. ...räte ([höherer] Verwaltungsbeamter [Abk. Reg.-Rat]; schweiz. für Kantonsregierung und deren Mitglieder); Re|gie|rungs|rä|tin

re|gie|rungs|sei|tig (Amtsspr. von [vonseiten] der Regierung)

Re|gie|rungs|sitz; Re|gie|rungs-spit|ze

Re|gie|rungs|spre|cher; Re|gie-rungs|spre|che|rin

Re|gie|rungs|sys|tem

re|gie|rungs|treu

Re|gie|rungs|um|bil|dung; Re|gie-rungs|vier|tel; Re|gie|rungs|vor-la|ge; Re|gie|rungs|wech|sel; Re|gie|rungs|zeit

Re|gier|werk (Gesamtheit von Pfeifen, Manualen, Pedalen, Traktur u. Registratur einer Orgel)

Re|gime [...'ʒi:m], das; -s, Plur. - [...'ʒi:mə], selten noch -s ⟨franz.⟩ (abwertend für [diktatorische] Regierungsform; Herrschaft)

Re|gime|kri|ti|ker; Re|gime|kri|ti|ke-rin; re|gime|kri|tisch

Re|gi|ment, das; -[e]s, Plur. -e u. (für Truppeneinheiten:) -er ⟨lat.⟩ (Regierung; Herrschaft; größere Truppeneinheit; Abk. R., Reg[t]., Rgt.)

re|gi|men|ter|wei|se

Re|gi|ments|arzt (Milit.); Re|gi-ments|ärz|tin; Re|gi|ments|kom-man|deur; Re|gi|ments|kom|man-deu|rin; Re|gi|ments|stab

Re|gime|wech|sel

Re|gi|na (w. Vorn.); Re|gi|nald (m. Vorn.); Re|gi|ne (w. Vorn.)

Re|gi|o|lekt, der; -[e]s, -e ⟨lat.; griech.⟩ (Dialekt in rein geografischer Hinsicht)

Re|gi|on, die; -, -en ⟨lat.⟩ (Gegend; Bereich); re|gi|o|nal (gebietsweise; eine Region betreffend)

Re|gi|o|nal|bahn (Zug des Personennahverkehrs; Abk. RB)

Re|gi|o|nal|bi|schof (ev. Kirche); Re|gi|o|nal|code (bei DVD-Filmen)

Re|gi|o|nal|ex|press ® (schneller Zug des Personennahverkehrs; Abk. RE)

Re|gi|o|nal|geld (nur in einer bestimmten Region verwendetes Tauschmittel)

Re|gi|o|na|lis|mus, der; - (Ausprägung landschaftlicher Sonderbestrebungen; Sprachw. regionale Spracheigentümlichkeit); Re|gi|o|na|list, der; -en, -en; Re|gi|o|na|lis|tin

Re|gi|o|nal|li|ga (Sport); Re|gi|o|nal-li|gist; Re|gi|o|nal|pla|nung (Planung der räumlichen Ordnung u. Entwicklung einer Region); Re|gi|o|nal|pro|gramm (Rundf., Fernsehen)

Re|gi|o|nal|wäh|rung (svw. Regionalgeld); Re|gi|o|nal|zug

Re|gis|seur [...ʒɪˈsøːɐ̯], der; -s, -e ⟨franz.⟩; Re|gis|seu|rin

Re|gis|ter, das; -s, - ⟨lat.⟩ ([alphabetisches] Verzeichnis von Namen, Begriffen o. Ä.; Stimmenzug bei Orgel und Harmonium)

re|gis|tered [...dʒɪstət] ⟨engl.⟩ (in ein Register eingetragen; patentiert; gesetzlich geschützt; Abk. reg.)

Re|gis|ter|hal|ten, das; -s (Druckw. genaues Aufeinanderpassen von Farben beim Mehrfarbendruck od. von Vorder- u. Rückseite)

Re|gis|ter|ton|ne (Seew. früher Einheit des Volumens für die Schiffsvermessung)

Re|gis|t|ra|tor, der; -s, ...oren (jmd., der ein Register führt, etwas registriert); Re|gis|t|ra|to-rin

Re|gis|t|ra|tur, die; -, -en (Aufbewahrungsort für Akten; Aktengestell, -schrank; die die Register auslösende Schaltvorrichtung bei Orgel u. Harmonium)

Re|gis|t|rier|bal|lon (Meteor. mit Messinstrumenten bestückter Treibballon zur Erforschung der höheren Luftschichten)

re|gis|t|rie|ren ⟨lat.⟩ ([in ein Register] eintragen; selbsttätig aufzeichnen; einordnen; bewusst wahrnehmen; *bei Orgel u. Harmonium* Register ziehen); **Re|gis|t|rier|kas|se**

Re|gis|t|rie|rung

Re|g|le|ment [...ˈmãː, *schweiz. auch* ...ˈmɛnt], das; -s, *Plur.* -s *u.* (bei deutscher Aussprache) -e ⟨franz.⟩ ([Dienst]vorschrift); **re|g|le|men|ta|risch** (den Bestimmungen genau entsprechend) **re|g|le|men|tie|ren** (durch Vorschriften regeln); **Re|g|le|men|tie|rung**; **re|g|le|men|tie|rung**; **re|g|le|men|t|mä|ßig**; **reg|le|ment|wid|rig**

Reg|ler

Re|g|let|te, die; -, -n ⟨franz.⟩ (*Druckw.* Bleistreifen für den Zeilendurchschuss)

reg|los

Reg|lung *vgl.* Regelung

reg|nen; **Reg|ner** (ein Bewässerungsgerät); **reg|ne|risch**

Reg.-Rat = Regierungsrat ↑K 28

re|g|re|die|ren (*Rechtsspr.* Regress nehmen); **Re|gress**, der; -es, -e ⟨lat.⟩ (Ersatzanspruch, Rückgriff); **Re|gress|an|spruch** (Ersatzanspruch)

Re|gres|si|on, die; -, -en ⟨lat.⟩ (Rückgang); **re|gres|siv** (rückläufig; rückschrittlich)

Re|gress|pflicht; re|gress|pflich|tig

reg|sam; **Reg|sam|keit**, die; -

Regt., **R.**, **Rgt.** = Regiment

Re|gu|la (w. Vorn.)

Re|gu|lar, der; -s, -e ⟨lat.⟩ (Mitglied eines katholischen Ordens)

re|gu|lär ⟨lat.⟩ (der Regel gemäß, vorschriftsmäßig, üblich); reguläre Truppen (gemäß dem Wehrgesetz eines Staates aufgestellte Truppen)

Re|gu|lar|geist|li|che

Re|gu|la|ri|en *Plur.* (auf der Tagesordnung stehende, regelmäßig abzuwickelnde [Vereins]angelegenheiten)

Re|gu|la|ri|tät, die; -, -en (Regelmäßigkeit; Richtigkeit)

Re|gu|la|ti|on, die; -, -en (*Biol.*, *Med.* die Regelung der Organsysteme eines lebendigen Körpers; Anpassung eines Lebewesens an Störungen)

Re|gu|la|ti|ons|stö|rung; **Re|gu|la|ti|ons|sys|tem**

re|gu|la|tiv (ein Regulativ darstellend, regulierend); **Re|gu|la|tiv**, das; -s, -e (regelnde Vorschrift; steuerndes Element)

Re|gu|la|tor, der; -s, ...oren (regu-

---

lierende Kraft, Vorrichtung); **re|gu|la|to|risch**

re|gu|lier|bar

re|gu|lie|ren ⟨lat.⟩ (regeln, ordnen; [ein]stellen); **Re|gu|lie|rung**; **Re|gu|lie|rungs|be|hör|de**; **Re|gu|lie|rungs|wut** (*ugs.*)

¹**Re|gu|lus** (altrömischer Feldherr)

²**Re|gu|lus**, der; -, -se (*nur Sing.*: ein Stern; *veraltet für* gediegenes Metall)

Re|gung; **re|gungs|los**; **Re|gungs|lo|sig|keit**, die; -

Reh, das; -[e]s, -e

Re|ha, die; -, -s (*kurz für* Rehabilitation, Rehabilitationsklinik)

Re|ha|bi|li|tand, der; -en, -en ⟨lat.⟩ (behinderte Person, der die Wiedereingliederung in das berufliche u. gesellschaftliche Leben ermöglicht werden soll); **Re|ha|bi|li|tan|din**

Re|ha|bi|li|ta|ti|on, die; -, -en (Wiedereingliederung einer behinderten Person in das berufliche u. gesellschaftliche Leben; *auch für* Rehabilitierung)

Re|ha|bi|li|ta|ti|ons|kli|nik

Re|ha|bi|li|ta|ti|ons|zen|t|rum

re|ha|bi|li|tie|ren ⟨lat.⟩; sich rehabilitieren (sein Ansehen wieder herstellen); **Re|ha|bi|li|tie|rung** (Wiedereinsetzung [in die ehemaligen Rechte]; Ehrenrettung)

Re|ha|kli|nik (*kurz für* Rehabilitationsklinik); **Re|ha|zen|t|rum** (*kurz für* Rehabilitationszentrum)

Reh|bein (*Tiermed.* Überbein beim Pferd)

Reh|bock; **Reh|bra|ten**

reh|braun; **Reh|brunft**

Re|he, die; - (*Tiermed.* eine Hufkrankheit)

reh|far|ben, **reh|far|big**

Reh|geiß; **Reh|jun|ge**, das; -n (*österr. für* Rehklein)

Reh|kalb; **Reh|keu|le**; **Reh|kitz**

Reh|klein (ein Gericht)

reh|le|dern

Reh|ling (*landsch. für* Pfifferling)

Reh|pos|ten (grober Schrot); **Reh|rü|cken**

Reh|zie|mer (Rehrücken)

Rei|bach, der; -s ⟨hebr.-jidd.⟩ (*ugs. für* Verdienst, Gewinn)

Reib|ah|le; **Rei|be**, die; -, -n

Rei|be|brett (zum Glätten des Putzes); **Rei|be|ei|sen**

Rei|be|ku|chen (*landsch., bes. rhein. für* Kartoffelpuffer)

Rei|be|laut (Frikativ)

rei|ben; du riebst; du riebest;

---

gerieben; reib[e]!; ↑K 82 : durch kräftiges Reiben säubern

Rei|ber (*auch landsch. für* Reibe)

Rei|be|rei *meist Plur.* (kleine Streitigkeit)

Reib|flä|che; **Reib|gers|tel**, das; -s (*österr.* eine Suppeneinlage)

Reib|kä|se; **Reib|tuch** (*österr. für* Scheuertuch)

Rei|bung; **Rei|bungs|elek|t|ri|zi|tät**; **Rei|bungs|flä|che**

rei|bungs|frei; **rei|bungs|los**; **Rei|bungs|lo|sig|keit**, die; -

Rei|bungs|ver|lust; **Rei|bungs|wär|me**; **Rei|bungs|wi|der|stand**

Reib|zun|ge (*Zool.* Zunge von Weichtieren)

---

reich

Großschreibung der Substantivierung ↑K 72:

– Arm und Reich (*veraltet für* jedermann); Arme und Reiche

Schreibung in Verbindung mit Verben und adjektivisch gebrauchten Partizipien:

– jmdn. **reich machen** *od.* reichmachen

– wir haben den Altar reich geschmückt

Aber:

– ein [mit Blumen] reich geschmückter *od.* reichgeschmückter Altar

– die Fassaden wurden reich verziert

Aber:

– reich verzierte *od.* reichverzierte Fassaden

Reich, das; -[e]s, -e; von Reichs wegen; ↑K 151 : das Deutsche Reich; das Römische Reich; das Heilige Römische Reich Deutscher Nation

Rei|che, der *u.* die; -n, -n

rei|chen (geben; sich erstrecken; auskommen; genügen)

Rei|che|n|au, die; - (Insel im Bodensee)

Rei|chen|steu|er (*ugs. für* Vermögenssteuer)

reich ge|schmückt , reich|ge|schmückt; *vgl.* reich

reich|hal|tig; **Reich|hal|tig|keit**

reich|lich

Reichs|abt (*hist.*); **Reichs|äb|tis|sin**

Reichs|acht (*hist.*); *vgl.* ³Acht

Reichs|ad|ler; Reichs|ap|fel, der; -s
(Teil der Reichsinsignien)

Reichs|ar|chiv, das; -[e]s (Sammel-
stelle der Reichsakten [1871 bis
1945]); Reichs|bahn (hist.);
Reichs|bann (hist.); Reichs|frei-
herr (hist.)

Reichs|ge|richt, das; -[e]s (höchs-
tes dt. Gericht [1879 bis 1945])

Reichs|gren|ze; Reichs|grün|dung;
Reichs|in|si|g|ni|en Plur. (hist.)

Reichs|kam|mer|ge|richt, das; -[e]s
(höchstes dt. Gericht [1495 bis
1806])

Reichs|kanz|ler (leitender dt.
Reichsminister [1871 bis 1945]);
Reichs|kanz|le|rin; Reichs|klein-
odi|en Plur.

Reichs|kris|tall|nacht, die; - (natio-
nalsoz. Pogromnacht)

Reichs|mark (dt. Währungseinheit
[1924 bis 1948]; Abk. RM)

reichs|mit|tel|bar (hist.)

Reichs|pfen|nig (dt. Münzeinheit
[1924 bis 1948])

Reichs|po|g|rom|nacht, die; -
(Pogromnacht)

Reichs|prä|si|dent (dt. Staatsober-
haupt [1919 bis 1934])

Reichs|rat, der; -[e]s (Vertretung
der dt. Länder beim Reich [1919
bis 1934])

Reichs|stadt (Bez. für die früheren
reichsunmittelbaren Städte)

Reichs|stän|de Plur. (hist. die
reichsunmittelbaren Fürsten,
Städte u. a. des Dt. Reiches)

Reichs|tag (hist. Versammlung der
Reichsstände [bis 1806]; nur
Sing.; dt. Volksvertretung [1871
bis 1945]; Parlament bestimmter Staaten)

Reichs|tags|brand, der; -[e]s
(Brand des Berliner Reichstags-
gebäudes am 27. 2. 1933)

Reichs|tags|ge|bäu|de

reichs|un|mit|tel|bar (hist. Kaiser
und Reich unmittelbar unter-
stehend)

Reichs|ver|si|che|rungs|ord|nung,
die; - (Gesetz zur Regelung der
öffentl.-rechtl. Invaliden-, Kran-
ken- und Unfallversicherung;
Abk. RVO)

Reichs|wehr, die; - (Bez. für das dt.
100 000-Mann-Heer [1921 bis
1935])

Reich|tum, der; -s, ...tümer

reich ver|ziert, reich|ver|ziert; vgl.
reich

Reich|wei|te

Rei|der|land, das; -[e]s (Teil Nord-
hollands; vgl. Rheiderland)

reif (voll entwickelt; geeignet)

¹Reif, der; -[e]s (gefrorener Tau)

²Reif, der; -[e]s, -e (geh. für Reifen,
Diadem, Fingerring)

Rei|fe, die; - (z. B. von Früchten;
mittlere Reife (Abschluss der
Realschule od. der 10. Klasse der
höheren Schule); Rei|fe|grad

¹rei|fen (reif werden); gereift sein;
eine gereifte Persönlichkeit

²rei|fen (¹Reif ansetzen); es hat
gereift

Rei|fen, der; -s, -; Rei|fen|druck;
Rei|fen|pan|ne; Rei|fen|pro|fil;
Rei|fen|scha|den; Rei|fen|wech-
sel

Rei|fe|prü|fung

Rei|fe|rei (fachspr. Raum, in dem
geerntete Früchte nachreifen)

Rei|fe|zeit; Rei|fe|zeug|nis

Reif|glät|te

reif|lich

Reif|rock (veraltet)

Rei|fung, die; - (das Reifwerden)

Rei|fungs|pro|zess

Rei|gen, veraltet Rei|hen, der; -s, -
(ein Tanz); Rei|gen|füh|rer; Rei-
gen|füh|re|rin; Rei|gen|tanz

Rei|he, die; -, -n; in, außer der
Reihe; der Reihe nach; an der
Reihe sein; an die Reihe kommen; in Reih und Glied ↑K 13;
arithmetische Reihe, geometrische Reihe (Math.)

¹rei|hen (in Reihen ordnen; lose,
vorläufig nähen); sie reihte, hat
gereiht, landsch. u. fachspr.
auch rieh, hat geriehen

²rei|hen (Jägerspr. während der
Paarungszeit zu mehreren einer
Ente folgen [von Erpeln])

¹Rei|hen, der; -[e]s - (südd. für Fußrü-
cken)

²Rei|hen vgl. Reigen

Rei|hen|bil|dung; Rei|hen|dorf

Rei|hen|fol|ge

Rei|hen|grab; Rei|hen|haus; Rei-
hen|schal|tung (für Serienschal-
tung); Rei|hen|sied|lung; Rei|hen-
un|ter|su|chung

rei|hen|wei|se

Rei|her, der; -s, - (ein Vogel)

Rei|her|bei|ze (Jägerspr. Reiher-
jagd); Rei|her|fe|der; Rei|her-
horst

rei|hern (ugs. für erbrechen); ich
reihere

Rei|her|schna|bel (eine Pflanze)

Reih|fa|den; Reih|garn

...rei|hig (z. B. einreihig)

reih|um; es geht reihum

Rei|hung

Reih|zeit (Jägerspr. Paarungszeit
der Enten)

Rei|ki ['re:ki], das; -s (jap.) (Hän-
deauflegen als Heilkunst)

Reim, der; -[e]s, -e; ein stumpfer
(männlicher) Reim, ein klingen-
der (weiblicher) Reim

Reim|art; Reim|chro|nik (im MA.)

rei|men; sich reimen; Rei|me|rei

Reim|le|xi|kon; reim|los

Re|im|plan|ta|ti|on, die; -, -en (lat.)
(Med. Wiedereinpflanzung); re-
im|plan|tie|ren

Re|im|port, der; -[e]s, -e (lat.)
(Wiedereinfuhr bereits ausge-
führter Güter); re|im|por|tie|ren

Reims [rɛ̃:s] (franz. Stadt)

Reim|schmied (scherzh. für Verse-
macher); Reim|schmie|din

Reim|ser (zu Reims)

Rei|mund vgl. ¹Raimund

Reim|wort Plur. ...wörter

¹rein s. Kasten Seite 843

²rein (ugs. für herein, hinein); vgl.
reinbringen, reinfeiern, reinmachen etc. ↑K 14

³rein (ugs. für durchaus, ganz,
gänzlich); er ist rein toll; sie war
rein weg (ganz hingerissen); vgl.
rein[e]weg

Rein, die; -, -en (bayr. u. österr.
ugs. für flacher Kochtopf,
Kuchenform)

Rei|nald, Rai|nald (m. Vorn.)

Rein|an|ke, die; -, -n (österr. für
Rheinanke)

rein|brin|gen (ugs.)

rein|but|tern (ugs. für [Geld]
hineinstecken); ↑K 14

Reindl, das; -s, -n (südd. u. österr.
Verkleinerungsform von Rein)

Reind|ling (südostösterr. ein Hefe-
kuchen)

Rei|ne, die; - (geh. für Reinheit)

Rei|ne|clau|de [rɛnə'klo:...] vgl.
Reneklode

Rein|ein|nah|me (Wirtsch.)

Rei|ne|ke Fuchs (Name des Fuchses
in der Tierfabel)

Rei|ne|ma|che|frau, Rein|ma|che-
frau; rei|ne|ma|chen (land-
schaftl. für putzen); hast du
schon reinegemacht? vgl. ¹rein;
Rei|ne|ma|chen, Rein|ma|chen,
das; -s (landsch.)

Rei|ner, Rai|ner (m. Vorn.)

rein|er|big (für homozygot)

Rein|er|hal|tung, die; -

Rein|er|lös; Rein|er|trag

Rei|net|te [rɛ...] vgl. Renette

rei|ne|weg, rein|weg (ugs. für ganz
und gar); das ist rein[e]weg zum
Lachen

¹rein

Kleinschreibung:

- reine Luft
- die reine Wahrheit
- reinen Sinnes
- rein Schiff! (seemänn. Kommando)
- jmdm. reinen Wein einschenken (jmdm. die volle Wahrheit sagen)

Großschreibung der Substantivierung ↑K 72:

- etwas Reines anziehen
- ins Reine bringen, kommen, schreiben
- mit etwas, mit jmdm. im Reinen sein

Schreibung in Verbindung mit Verben:

- das Zimmer rein halten
- die Gewässer rein erhalten

- das Zimmer rein machen *od.* reinmachen (*vgl. aber* reinemachen)
- die Wäsche rein waschen *od.* reinwaschen

Aber:

- sich reinwaschen (seine Unschuld beweisen)
- den Text noch einmal reinschreiben (ins Reine schreiben)

Schreibung in Verbindung mit Farb- und Stoffadjektiven:

- ein reingoldener Ring
- eine reinsilberne Kette
- das Material ist reinleinen
- ein reinseidener Schal
- ein reinwollener Stoff

Vgl. auch ²rein *u.* ³rein

Rein|fall, der; ↑K 14 (*ugs.*); **rein|fallen** (*ugs.*)

Re|in|farkt, der; -[e]s, -e ⟨lat.⟩ (*Med.* wiederholter Infarkt)

rein|fei|ern (*ugs. für* bis in den kommenden Tag feiern)

Re|in|fek|ti|on, die; -, -en ⟨lat.⟩ (*Med.* erneute Infektion); **re|in|fi|zie|ren**, sich reinfizieren

rein|ge|hen (*ugs.*)

Rein|ge|schmeck|te *vgl.* Hereingeschmeckte

Rein|ge|wicht; **Rein|ge|winn**

rein|gol|den

Rein|hal|tung, die; -

rein|hän|gen, sich; ↑K 14 (*ugs. für* sich bei etw. engagieren)

Rein|hard (m. Vorn.)

Rein|hardt (österr. Schauspieler u. Theaterleiter)

rein|hau|en (*ugs. für* viel essen); jmdm. eine reinhauen (*ugs. für* jmdn. verprügeln)

Rein|heit, die; -

Rein|heits|ge|bot, das; -[e]s (Rechtsvorschrift für das Brauen von Bier in Deutschland)

Rein|hild, Rein|hil|de (w. Vorn.)

Rein|hold (m. Vorn.)

rei|ni|gen; Rei|ni|ger

Rei|ni|gung

Rei|ni|gungs|creme, **Rei|ni|gungs|krem, Rei|ni|gungs|kre|me**

Rei|ni|gungs|in|s|ti|tut

Rei|ni|gungs|milch; Rei|ni|gungs|mit|tel, das; **Rei|ni|gungs|tuch** *Plur.* ...tücher

Re|in|kar|na|ti|on, die; -, -en ⟨lat.⟩ (Wiederverkörperung von Gestorbenen)

rein|kli|cken (*EDV ugs.*)

rein|knien, sich (*ugs.*); ↑K 14

rein|kom|men (*ugs.*); **rein|kön|nen; rein|krie|gen**

Rein|kul|tur

rein|las|sen (*ugs.*); ↑K 14

rein|le|gen (*ugs.*)

rein|lei|nen

rein|lich; Rein|lich|keit, die; -; **rein|lich|keits|lie|bend**

Rein|ma|che|frau *vgl.* Reinemachefrau; **rein ma|chen**, ¹rein|machen; *vgl.* ¹rein

²rein|machen (*zu* ²rein); den Ball reinmachen (*ugs. für* ins Tor schießen)

Rein|ma|chen *vgl.* Reinemachen

Rein|mar (m. Eigenn.)

Rein|ni|ckel, das

Rei|nold (m. Vorn.)

rein|pas|sen (*ugs.*)

rein|ras|sig; Rein|ras|sig|keit, die; - (*Biol.*)

Rein|raum (*Technik*)

rein|re|den (*ugs.*)

rein|rei|ßen (*ugs.*); ↑K 14

rein|rei|ten (*ugs. für* in eine unangenehme Lage bringen)

rein|schau|en (*ugs.*)

Rein|schiff, das (gründliche Schiffsreinigung)

rein|schrei|ben *vgl.* ¹rein

Rein|schrift; rein|schrift|lich

rein|sei|den

rein|sil|bern

rein|ste|cken (*ugs.*)

re|in|sze|nie|ren (*vgl.* inszenieren); **Re|in|sze|nie|rung**

Re|in|te|g|ra|ti|on

Rein|ver|mö|gen (*Wirtsch.*)

rein|wa|schen; sich von jeder Schuld reinwaschen wollen; *vgl.* ¹rein

rein|weg *vgl.* reineweg

rein|weiß

rein|wol|len; eine reinwollene Decke

rein|zie|hen (*ugs.*); sich eine Flasche Bier reinziehen (*ugs. für* konsumieren)

Rein|zucht

¹Reis, der; -es, *Plur.* (*für* Reisarten:) -e ⟨griech.⟩ (ein Getreide)

²Reis, das; -es, -er (kleiner, dünner Zweig; Pfropfreis)

³Reis, Johann Philipp (Erfinder des Telefons)

⁴Reis (*Plur. von* ³Real)

Reis|an|bau, Reis|bau, der; -[e]s; **Reis|bau|er** (*vgl.* ²Bauer); **Reis|bäu|e|rin**

Reis|be|sen (*svw.* Reisigbesen)

Reis|brannt|wein; Reis|brei

Rei|se, die; -, -n

Rei|se|an|den|ken

Rei|se|apo|the|ke

Rei|se|be|glei|ter; Rei|se|be|glei|te|rin; Rei|se|be|kannt|schaft

Rei|se|be|richt; Rei|se|be|schrei|bung; Rei|se|be|steck

Rei|se|buch; Rei|se|buch|han|del

Rei|se|bü|ro; Rei|se|bus; Rei|se|de|cke; Rei|se|di|p|lo|ma|tie; Rei|se|er|leb|nis

rei|se|fer|tig; Rei|se|fie|ber

Rei|se|füh|rer; Rei|se|füh|re|rin

Rei|se|geld; Rei|se|ge|päck; Rei|se|ge|päck|ver|si|che|rung

Rei|se|ge|schwin|dig|keit; Rei|se|ge|sell|schaft

Rei|se|ka|der (*in der DDR* jmd., der zu Reisen ins [westl.] Ausland zugelassen war); **Rei|se|kas|se**

Rei|se|kos|ten *Plur.*; **Rei|se|krank|heit**, die; -; **Rei|se|kre|dit|brief**

Rei|se|land *Plur.* ...länder

Rei|se|lei|ter, der; **Rei|se|lei|te|rin**

Rei|se|lei|tung; Rei|se|lek|tü|re

R
Reis

Rei|se|lust, die; -; **rei|se|lus|tig**
rei|sen; du reist; du reis|test;
gereist; reis[e]!; **Rei|sen|de,** der
u. die; -n, -n; **Rei|se|ne|ces|saire,**
Rei|se|nes|ses|sär
Rei|se|pass; **Rei|se|plan; Rei|se|pro-**
s|pekt; **Rei|se|pro|vi|ant**
Rei|ser|be|sen (svw. Reisigbesen)
Rei|se|rei (dauerndes Reisen)
rei|sern (Jägerspr. Witterung [von
Zweigen u. Ästen] nehmen)
Rei|se|rou|te; Rei|se|ruf; Rei|se|sai-
son; **Rei|se|scheck; Rei|se|spe|sen**
Plur.; **Rei|se|ta|sche**
Rei|se|ver|an|stal|ter
Rei|se|ver|kehr, der; -s; **Rei|se|ver-**
kehrs|kauf|frau; **Rei|se|ver|kehrs-**
kauf|mann
Rei|se|vor|be|rei|tung meist Plur.
Rei|se|we|cker
Rei|se|wet|ter, das; -s; **Rei|se|wet-**
ter|be|richt; **Rei|se|zeit**
Rei|se|ziel; Rei|se|zug (Eisenb.)
Reis|feld
Reis|holz, das; -es (veraltet für Rei-
sig)
rei|sig (veraltet für beritten)
Rei|sig, das; -s
Rei|sig|be|sen; Rei|sig|bün|del
Rei|si|ge, der; -n, -n (im Mittelal-
ter berittener Söldner)
Rei|sig|holz, das; -es
Reis|korn Plur. ...körner
Reis|lauf, der; -[e]s (früher bes. in
der Schweiz Eintritt in fremden
Dienst als Söldner); **Reis|läu|fer**
Reis|lein ⟨zu ²Reis⟩
Reis|mehl; Reis|pa|pier
Reis|pud|ding; Reis|rand (Gastr.)
Reiß|ah|le
Reiß|aus; nur in Reißaus nehmen
(ugs. für davonlaufen)
Reiß|bahn (abreißbarer Teil der
Ballonhülle)
Reiß|blei, das (Grafit)
Reiß|brett (Zeichenbrett)
Reis|schleim; Reis|schnaps
rei|ßen; du reißt; er/sie reißt; du
rissest, er/sie riss; gerissen; du
reiß[e]!; reißende (wilde) Tiere
Rei|ßen, das; -s (ugs. auch für
Rheumatismus)
rei|ßend; reißender Strom; rei-
ßende Schmerzen; reißender
Absatz
Rei|ßer (ugs. für besonders span-
nender, effektvoller Film,
Roman u. a.); **rei|ße|risch;** reiße-
rische Schlagzeilen
Reiß|fe|der
reiß|fest; Reiß|fes|tig|keit, die; -
Reiß|lei|ne (am Fallschirm u. an
der Reißbahn); **Reiß|li|nie** (Perfo-

ration); **Reiß|na|gel** (svw. Reiß-
zwecke); **Reiß|schie|ne**
Reis|stroh|tep|pich; Reis|sup|pe
Reiß|ver|schluss
Reiß|ver|schluss|sys|tem, Reiß|ver-
schluss-Sys|tem, das; -s (Stra-
ßenverkehr); sich nach dem
Reißverschlusssystem od.
Reißverschluss-System einfä-
deln
Reiß|wolf, der; **Reiß|wol|le; Reiß-**
zahn; **Reiß|zeug; Reiß|zir|kel**
Reiß|zwe|cke
Reis|te, die; -, -n (schweiz. für
Holzrutsche, ³Riese); **reis|ten**
(schweiz. für gefälltes Holz [in
einer Rinne] zu Tal gleiten lassen)
Reis|wein (Sake)
Reit|bahn
Rei|tel, der; -s, - (mitteld. für
Drehstange, Knebel); **Rei|tel|holz**
(mitteld.)
rei|ten; du reitest; du rittst (rit-
test), er/sie ritt; du rittest; gerit-
ten; reit[e]!; **rei|tend;** reitende
Artillerie; reitende Post
¹**Rei|ter,** der; -s, -
²**Rei|ter,** die; -, -n (landsch., bes.
österr. für [Getreide]sieb)
Rei|ter|an|griff
Rei|te|rei
Rei|te|rin; rei|ter|lich; rei|ter|los
Rei|ter|re|gi|ment
Rei|ters|frau; Rei|ters|mann Plur.
...männer u. ...leute; **Rei|ter-**
stand|bild
Reit|ger|te; Reit|ho|se
Reit im Winkl (Ort in Bayern)
Reit|leh|rer; Reit|leh|re|rin
Reit|peit|sche; Reit|pferd
Reit|schu|le (südwestd. u. schweiz.
regional auch für Karussell)
Reit|sport, der; -[e]s; **Reit|stall;**
Reit|stie|fel; **Reit|stun|de; Reit-**
tier
Reit|tur|nier; Reit- und Fahr|tur|nier
↑ K 31; **Reit- und Spring|tur|nier**
↑ K 31
Reit|un|ter|richt; Reit|weg
Reiz, der; -es, -e; ↑ K 72: der Reiz
des Neuen
reiz|bar; Reiz|bar|keit, die; -
Reiz|bla|se (Med.)
rei|zen; du reizt
rei|zend; am reizends|ten
Reiz|gas; Reiz|hus|ten
Reiz|ker, der; -s, - ⟨slaw.⟩ (ein Pilz)
Reiz|kli|ma
reiz|los; Reiz|lo|sig|keit, die; -
Reiz|ma|gen (Med.); **Reiz|mit|tel,**
das
Reiz|schwel|le (Psych., Physiol.)

Reiz|stoff; Reiz|the|ma vgl. Reiz-
wort; **Reiz|über|flu|tung**
Rei|zung
reiz|voll; Reiz|wäsche (ugs.)
Reiz|wort (Emotionen auslösendes
Wort)
Re|ka|pi|tu|la|ti|on, die; -, -en ⟨lat.⟩
(Wiederholung, Zusammenfas-
sung); **re|ka|pi|tu|lie|ren**
Re|kel, der; -s, - (nordd. für grober,
ungeschliffener Mensch)
Re|ke|lei; re|keln, rä|keln, sich
(sich behaglich recken und dehnen); ich rek[e]le mich
Re|kla|mant, der; -en, -en ⟨lat.⟩
(Rechtsw. Beschwerdeführer);
Re|kla|man|tin; Re|kla|ma|ti|on,
die; -, -en (Beanstandung); **Re-**
kla|ma|ti|ons|recht
Re|kla|me, die; -, -n (Werbung;
Anpreisung von Waren)
Re|kla|me|feld|zug; Re|kla|me|flä-
che; **re|kla|me|haft**
Re|kla|me|pla|kat; Re|kla|me|rum-
mel (ugs.); **Re|kla|me|trick**
re|kla|mie|ren ([zurück]fordern;
beanstanden)
re|kog|nos|zie|ren ⟨lat.⟩ (veraltet
für [die Echtheit] anerkennen;
auskundschaften; früher, heute
noch schweiz. für erkunden,
aufklären [beim Militär]); **Re|ko-**
g|nos|zie|rung
Re|kom|man|da|ti|on, die; -, -en
⟨franz.⟩ (veraltet für Empfeh-
lung); **Re|kom|man|da|ti|ons-**
schrei|ben (veraltet)
re|kom|man|die|ren (veraltet, aber
noch landsch. für empfehlen;
österr. veraltet für [einen Brief]
einschreiben lassen)
Re|kom|pens, die; -, -en ⟨lat.⟩
(Wirtsch. Entschädigung)
Re|kom|pen|sa|ti|on; re|kom|pen-
sie|ren
re|kon|s|t|ru|ier|bar
re|kon|s|t|ru|ie|ren ⟨lat.⟩ ([den
ursprünglichen Zustand] wie-
derherstellen od. nachbilden;
den Ablauf eines früheren Ereignisses wiedergeben; regional
auch für renovieren, sanieren)
Re|kon|s|t|ru|ie|rung; Re|kon|s|t|ruk-
ti|on, die; -, -en; **re|kon|s|t|ruk|tiv**
(Med. wiederherstellend)
re|kon|va|les|zent ⟨lat.⟩ (Med. gene-
send); **Re|kon|va|les|zent,** der;
-en, -en; **Re|kon|va|les|zen|tin;**
Re|kon|va|les|zenz, die; -; **re|kon-**
va|les|zie|ren
Re|kord, der; -[e]s, -e ⟨engl.⟩; **Re-**
kord|be|such
Re|kor|der, Re|cor|der (Gerät zur

elektromagnetischen Speicherung u. Wiedergabe von Bild- u. Tonsignalen)

Re|kord|er|geb|nis; Re|kord|ern|te; Re|kord|flug; Re|kord|hal|ter; Re|kord|hal|te|rin

Re|kord|hö|he

Re|kord|in|ter|na|ti|o|na|le, der u. die; -n, -n *(Sport)*

Re|kord|leis|tung; Re|kord|mar|ke; Re|kord|meis|ter; Re|kord|meis|te|rin

Re|kord|tief; Re|kord|um|satz; re|kord|ver|däch|tig; Re|kord|ver|such; Re|kord|wei|te

Re|kord|zahl; Re|kord|zeit

Re|kre|a|ti|on, die; -, -en ⟨lat.⟩ *(veraltet für* Erholung; Erfrischung); re|kre|ie|ren *(veraltet)*

Re|k|rut, der; -en, -en ⟨franz.⟩ (Soldat in der ersten Zeit der Ausbildung)

Re|k|ru|ten|aus|bil|der; Re|k|ru|ten|aus|bil|de|rin; Re|k|ru|ten|aus|bil|dung

Re|k|ru|ten|schu|le *(schweiz. milit.* Grundausbildung); Re|k|ru|ten|zeit

re|k|ru|tie|ren *(Milit. veraltet für* Rekruten mustern); sich rekrutieren (sich zusammensetzen, sich bilden); Re|k|ru|tie|rung; Re|k|ru|tin

Rek|ta *(Plur. von* Rektum)

rek|tal ⟨lat.⟩ *(Med.* auf den Mastdarm bezüglich)

Rek|tal|er|näh|rung; Rek|tal|nar|ko|se; Rek|tal|tem|pe|ra|tur

rek|t|an|gu|lär ⟨lat.⟩ *(veraltet für* rechtwinklig)

Rek|ta|pa|pier *(Bankw.* Wertpapier, auf dem der Besitzer namentlich genannt ist)

Rek|t|a|s|zen|si|on, die; -, -en ⟨lat.⟩ *(Astron.* gerades Aufsteigen eines Sternes)

Rek|ta|wech|sel *(Bankw.* auf den Namen des Inhabers ausgestellter Wechsel)

Rek|ti|fi|ka|ti|on, die; -, -en ⟨lat.⟩ *(veraltet für* Berichtigung; *Chemie* Reinigung durch wiederholte Destillation; *Math.* Bestimmung einer Kurvenlänge)

Rek|ti|fi|zier|an|la|ge (Reinigungsanlage)

rek|ti|fi|zie|ren ⟨zu Rektifikation⟩

Rek|ti|on, die; -, -en ⟨lat.⟩ *(Sprachw.* Fähigkeit eines Wortes [z. B. einer Präposition], den Kasus des von ihm abhängenden Wortes zu bestimmen)

Rek|to, Rec|to, das; -s, -s *(fachspr. für* [Blatt]vorderseite)

Rek|tor, der; -s, ...oren ⟨lat.⟩ (Leiter einer [Hoch]schule)

Rek|to|rat, das; -[e]s, -e (Amt[szimmer], Amtszeit eines Rektors); Rek|to|rats|re|de (Rede eines Hochschulrektors bei der Amtsübernahme)

Rek|to|ren|kon|fe|renz

Rek|to|rin; Rek|tor|re|de

Rek|to|s|kop, das; -s, -e ⟨lat.; griech.⟩ *(Med.* Spiegel zur Mastdarmuntersuchung); Rek|to|s|ko|pie, die; -, ...ien

Rek|tum, das; -s, ...ta ⟨lat.⟩ (Mastdarm)

re|kul|ti|vie|ren ⟨franz.⟩ (unfruchtbar gewordenen Boden wieder nutzbar machen); Re|kul|ti|vie|rung

Re|ku|pe|ra|tor, der; -s, ...oren ⟨lat.⟩ (Wärmeaustauscher zur Rückgewinnung der Wärme heißer Abgase)

Re|kur|rent, der; -en, -en *(schweiz. für* Beschwerdeführer); Re|kur|ren|tin

re|kur|rie|ren ⟨lat.⟩ (auf etwas zurückkommen; *schweiz. für* Beschwerde einlegen, führen)

Re|kurs, der; -es, -e ⟨lat.⟩ (das Zurückgehen, Zuflucht; *Rechtsw.* Beschwerde, Einspruch); Re|kurs|an|trag

re|kur|siv *(Math.* zurückgehend bis zu bekannten Werten)

Re|lais [rə'lε:], das; -, - ⟨franz.⟩ *(Elektrot.* Schalteinrichtung; *Postw. früher* Auswechslung[sstelle] der Pferde)

Re|la|ti|on, die; -, -en ⟨lat.⟩ (Beziehung, Verhältnis)

re|la|tiv ⟨lat.⟩ (verhältnismäßig; vergleichsweise; bedingt); relative (einfache) Mehrheit

Re|la|tiv, das; -s, -e *(Sprachw.* Relativpronomen; Relativadverb)

Re|la|tiv|ad|verb *(Sprachw.* bezügliches Umstandswort, z. B. »wo« in »dort, wo der Fluss tief ist«)

re|la|ti|vie|ren (zu etw. anderem in Beziehung setzen; einschränken)

Re|la|ti|vis|mus, der; - (philosophische Lehre, für die alle Erkenntnis nur relativ, nicht allgemein gültig ist); re|la|ti|vis|tisch

Re|la|ti|vi|tät, die; -, -en (Bezüglichkeit, Bedingtheit; *nur Sing.:* das Relativsein)

Re|la|ti|vi|täts|the|o|rie, die; - (von

Einstein begründete physikalische Theorie)

Re|la|tiv|pro|no|men *(Sprachw.* bezügliches Fürwort, z. B. »das« in: »ein Buch, das ich kenne«); Re|la|tiv|satz

Re|launch [ri'lɔ:ntʃ, 'ri:...], der u. das; -[e]s, -[e]s ⟨engl.⟩ (Neugestaltung eines alten Produkts od. der Werbung dafür); re|laun|chen; relaunched

re|laxed [ri'lεkst] ⟨engl.⟩ *(ugs. für* entspannt); re|la|xen *(ugs. für* sich entspannen); wir haben relaxt, waren ganz relaxt; Re|la|xing, das; -s (das Relaxen)

Re|lease [ri'li:s], das; -, -s ⟨engl.⟩ *(bes. EDV* [Neu]veröffentlichung; *veraltend* Einrichtung zur Heilung Drogenabhängiger); Re|lease|cen|ter, Re|lease-Cen|ter *(veraltend)*

Re|lea|ser (Psychotherapeut od. Sozialarbeiter, der bei der Behandlung Drogenabhängiger mitwirkt); Re|lea|se|rin

Re|lease|zen|t|rum, Re|lease-Zen|t|rum *(veraltend; vgl.* Release)

Re|le|ga|ti|on, die; -, -en ⟨lat.⟩ (Verweisung von der [Hoch]schule; *Sport* Relegationsspiele); Re|le|ga|ti|ons|spiel *(Sport* über Abod. Aufstieg entscheidendes Spiel; Qualifikationsspiel)

re|le|gie|ren (von der [Hoch]schule verweisen)

re|le|vant ⟨lat.⟩ (erheblich, wichtig); Re|le|vanz, die; -

Re|li, die; - *(Schülerspr. kurz für* Religionsunterricht)

Re|li|ef, das; -s, Plur. -s u. -e ⟨franz.⟩ (über eine Fläche erhaben hervortretendes Bildwerk; *Geogr.* Form der Erdoberfläche, plastische Nachbildung der Oberfläche eines Geländes)

re|li|ef|ar|tig; Re|li|ef|bild

Re|li|ef|druck Plur. ...drucke (Hoch-, Prägedruck); Re|li|ef|kar|te *(Kartografie)*

Re|li|ef|pfei|ler; Re|li|ef|sti|cke|rei

Re|li|gi|on, die; -, -en ⟨lat.⟩

Re|li|gi|ons|aus|übung, die; -; Re|li|gi|ons|be|kennt|nis; Re|li|gi|ons|buch; Re|li|gi|ons|frei|heit, die; -; Re|li|gi|ons|frie|de; Re|li|gi|ons|ge|mein|schaft

Re|li|gi|ons|ge|schich|te, die; -

Re|li|gi|ons|krieg

Re|li|gi|ons|leh|re; Re|li|gi|ons|leh|rer; Re|li|gi|ons|leh|re|rin

re|li|gi|ons|los; Re|li|gi|ons|lo|sig|keit, die; -

R
Reli

Re|li|gi|ons|phi|lo|so|phie; Re|li|gi|ons|po|li|zei (Polizei in islamischen Ländern, die die Einhaltung islamischer Vorschriften überwacht); Re|li|gi|ons|stif|ter; Re|li|gi|ons|stif|te|rin; Re|li|gi|ons|strei|tig|kei|ten *Plur.*; Re|li|gi|ons|stun|de; Re|li|gi|ons|un|ter|richt

Re|li|gi|ons|wis|sen|schaft; Re|li|gi|ons|wis|sen|schaft|ler; Re|li|gi|ons|wis|sen|schaft|le|rin; re|li|gi|ons|wis|sen|schaft|lich

Re|li|gi|ons|zu|ge|hö|rig|keit

re|li|gi|ös ⟨franz.⟩

Re|li|gi|o|se, der *u.* die; -n, -n *meist Plur.* ⟨lat.⟩ (Mitglied einer Ordensgemeinschaft)

Re|li|gi|o|si|tät, die; -

re|likt ⟨lat.⟩ (*Biol.* in Resten vorkommend)

Re|likt, das; -[e]s, -e (Rest; Überbleibsel)

Re|lik|ten *Plur.* (veraltet für Hinterbliebene; Hinterlassenschaft); Re|lik|ten|fau|na, die; - (*Zool.* Überbleibsel einer früheren Tierwelt); Re|lik|ten|flo|ra, die; - (*Bot.*)

Re|ling, die; -, *Plur.* -s, seltener -e ([Schiffs]geländer, Brüstung)

Re|li|qui|ar, das; -s, -e ⟨lat.⟩ (Reliquienbehälter)

Re|li|quie, die; -, -n (Überrest der Gebeine, Kleider o. Ä. eines Heiligen als Gegenstand religiöser Verehrung)

Re|li|qui|en|schrein

Re|lish [...lɪʃ], das; -s, -es [...ʃɪs] ⟨engl.⟩ (würzige Soße aus Gemüsestückchen)

Re|ma|gen (Stadt am Mittelrhein)

Re|make [ri'me:k], das; -s, -s ⟨engl.⟩ (Neuverfilmung; Neufassung einer künstlerischen Produktion)

Re|ma|nenz, die; - ⟨lat.⟩ (*Physik* Restmagnetismus)

Re|marque [rə'mark] (dt. Schriftsteller)

Re|ma|su|ri *vgl.* Ramasuri

Rem|bours [rã'bu:ɐ̯], der; -, - (*Überseehandel* Finanzierung u. Geschäftsabwicklung über eine Bank); Rem|bours|ge|schäft; Rem|bours|kre|dit

Rem|brandt (niederl. Maler); Rembrandt van Rijn [fan *od.* van 'rein]

Re|me|di|um, das; -s, *Plur.* ...ien u. ...ia ⟨lat.⟩ (*Med.* Arzneimittel; *Münzw.* zulässiger Mindergehalt [der Münzen an edlem Metall])

Re|me|dur, die; -, -en (veraltend für Abhilfe); Remedur schaffen

Re|mi|gi|us (ein Heiliger)

Re|mi|grant, der; -en, -en ⟨lat.⟩ (Rückwanderer, zurückgekehrter Emigrant); Re|mi|gran|tin

re|mi|li|ta|ri|sie|ren ⟨franz.⟩ (das aufgelöste Heerwesen eines Landes von Neuem organisieren); Re|mi|li|ta|ri|sie|rung, die; -

Re|mi|nis|zenz, die; -, -en ⟨lat.⟩ (Erinnerung; Anklang)

Re|mi|nis|ze|re (»gedenke!«) (fünfter Sonntag vor Ostern)

re|mis [rə'mi:] ⟨franz.⟩ (unentschieden); Re|mis, das; -, *Plur.* - u. -en (unentschiedenes Spiel)

Re|mi|se, die; -, -n (veraltend für Geräte-, Wagenschuppen; *Jägerspr.* Schutzgehölz für Wild)

re|mi|sie|ren (bes. *Schach* ein Remis erzielen)

Re|mis|si|on, die; -, -en ⟨lat.⟩ (*Buchw.* Rücksendung von Remittenden; *Med.* vorübergehendes Nachlassen von Krankheitserscheinungen; *Physik* das Zurückwerfen von Licht an undurchsichtigen Flächen)

Re|mit|ten|de, die; -, -n (*Buchw.* beschädigtes od. fehlerhaftes Druckerzeugnis, das an den Verlag zurückgeschickt wird)

Re|mit|tent, der; -en, -en (*Wirtsch.* Wechselnehmer); Re|mit|ten|tin

re|mit|tie|ren (*Buchw.* zurücksenden; *Med.* nachlassen)

Re|mix ['ri:...], der; -[es], -e ⟨engl.⟩ (neu gestaltete Tonaufnahme)

Rem|mi|dem|mi, das; -s (ugs. für lärmendes Treiben, Trubel)

re|mons|t|rie|ren ⟨mlat.⟩ (*Rechtsspr.* Einwände erheben)

re|mon|tant [auch ...mõ...] ⟨franz.⟩ (*Bot.* zum zweiten Mal blühend); Re|mon|tant|ro|se

Re|mon|te [auch ...'mõ:...], die; -, -n (junges Pferd)

re|mon|tie|ren [auch ...mõ...] (*Bot.* zum zweiten Mal blühen od. fruchten; früher den militär. Bestand durch Jungpferde ergänzen); Re|mon|tie|rung

Re|mon|toir|uhr [...mõ'tǫa:ɐ̯...] (veraltet für ohne Schlüssel aufzieh- und stellbare Taschenuhr)

Re|mou|la|de [...mu...], die; -, -n ⟨franz.⟩ (eine Kräutermayonnaise); Re|mou|la|den|so|ße, Re|mou|la|den|sau|ce

Rem|pe|lei (ugs.)

rem|peln (ugs. für absichtlich stoßen); ich remp[e]le

REM-Pha|se ⟨engl.; rapid eye movements⟩ (*Med., Psych.* während des Schlafs auftretende Traumphase, die an den schnellen Augenbewegungen des Schläfers zu erkennen ist)

Remp|ler (ugs. für Stoß)

Remp|ter *vgl.* Remter

Rems, die; - (rechter Nebenfluss des Neckars)

Rem|scheid (Stadt in Nordrhein-Westfalen)

Rem|ter, der; -s, - ⟨lat.⟩ (Speise-, Versammlungssaal [in Burgen und Klöstern])

Re|mu|ne|ra|ti|on, die; -, -en ⟨lat.⟩ (veraltet, noch österr. für Entschädigung, Vergütung); *vgl. aber* Renumeration; re|mu|ne|rie|ren (veraltet, noch österr.)

Re|mus (Zwillingsbruder des Romulus)

¹Ren [re:n, rɛn], das; -s, *Plur.* Re̱ne *u.* -s [rɛns] ⟨nord.⟩ (ein nordländ. Hirsch)

²Ren, der; -s, -es ⟨lat.⟩ (*Med.* Niere)

Re|nais|sance [rənɛ'sã:s], die; -, -n ⟨franz.⟩ (nur *Sing.*: auf der Antike aufbauende kulturelle Bewegung vom 14. bis 16. Jh.; erneutes Aufleben)

Re|nais|sance|dich|ter; Re|nais|sance|dich|te|rin

Re|nais|sance|ma|ler; Re|nais|sance|ma|le|rin

Re|nais|sance|stil, der; -[e]s

Re|nais|sance|zeit, die; -

Re|na|ta, Re|na|te (w. Vorn.)

re|na|tu|rie|ren ⟨lat.⟩ (in einen naturnahen Zustand zurückführen)

Re|na|tu|rie|rung

Re|na|tus (m. Vorn.)

Re|nault ® [rə'no:], der; -[s], -s (nach dem Ingenieur u. Unternehmer Louis Renault) (franz. Kraftfahrzeug)

Ren|con|t|re [rã'kõ:trə] *vgl.* Renkontre

Ren|dant, der; -en, -en ⟨franz.⟩ (Rechnungsführer); Ren|dan|tin

Ren|dan|tur, die; -, -en ⟨lat.⟩ (veraltet für Einnehmende u. auszahlende Behörde)

Ren|de|ment [rãdə'mã:], das; -s, -s ⟨franz.⟩ (Gehalt an reinen Bestandteilen, bes. Gehalt an reiner Wolle; schweiz. für Leistung [eines Sportlers])

Ren|dez|vous, schweiz. auch Rendez-vous [rãde'vu:], das; -, -

(Verabredung [von Verliebten]; Begegnung von Raumfahrzeugen im Weltall); **Ren|dez|vous|ma|nö|ver; Ren|dez|vous|tech|nik**
Ren|di|te, die; -, -n ⟨ital.⟩ (*Wirtsch.* Verzinsung, Ertrag)
Ren|di|te|ob|jekt; ren|di|te|schwach; ren|di|te|träch|tig
Re|né [rəˈneː] (m. Vorn.)
Re|née [rəˈneː] (w. Vorn.)
Re|ne|gat, der; -en, -en ⟨lat.⟩ (Abweichler, Abtrünniger); **Re|ne|ga|ten|tum,** das; -s; **Re|ne|ga|tin**
Re|ne|k|lo|de, Rei|ne|clau|de [rɛnəˈkloː...], die; -, -n ⟨franz.⟩ (eine Edelpflaume); *vgl.* Ringlotte
Re|net|te, Rei|net|te [rɛ...], die; -, -n ⟨franz.⟩ (ein Apfel)
Ren|for|cé [rɑ̃fɔrˈseː], der *od.* das; -s, -s ⟨franz.⟩ (ein Baumwollgewebe)
re|ni|tent ⟨lat.⟩ (widerspenstig, widersetzlich); **Re|ni|ten|te,** der *u.* die; -n, -n; **Re|ni|tenz,** die; -
Ren|ke, die; -, -n, Ren|ken, der; -s, - (ein Fisch in den Voralpenseen)
ren|ken (*veraltet für* drehend hin und her bewegen)
Ren|kon|t|re [rɑ̃ˈkõːtrə], das; -s, -s ⟨franz.⟩ (*veraltend für* feindl. Begegnung; Zusammenstoß)
Renk|ver|schluss (*für* Bajonettverschluss)
Ren|min|bi [rɛn...], der; -s, -s ⟨chin.⟩ (Währung der Volksrepublik China); *vgl.* Yuan
Renn|au|to; Renn|bahn; Renn|boot
ren|nen; du ranntest, *selten:* du renntest; gerannt; renn[e]!
Ren|nen, das; -s, -
Ren|ner (*ugs. auch für* etwas, was erfolgreich, beliebt ist)
Ren|ne|rei
Renn|fah|rer; Renn|fah|re|rin
Renn|fie|ber, das; -s; **Renn|lei|ter,** der; **Renn|lei|te|rin; Renn|ma|schi|ne** (Motorrad für Rennen); **Renn|pferd; Renn|pis|te**
Renn|platz; Renn|rad; Renn|rei|ter; Renn|rei|te|rin; Renn|ro|del; Renn|ro|deln, das; -s
Renn|sport, der; -[e]s; **Renn|stall**
Renn|steig, Renn|stieg, Renn|weg, der; -[e]s (Kammweg auf der Höhe des Thüringer Waldes u. Frankenwaldes)
Renn|stre|cke; Renn|wa|gen
Renn|weg *vgl.* Rennsteig
Re|noir [rəˈnŏaːɐ] (französischer Maler u. Grafiker)
Re|nom|ma|ge [...ʒə], die; -, -n ⟨franz.⟩ (*veraltet für* Prahlerei)

Re|nom|mee, das; -s, -s ⟨franz.⟩ ([guter] Ruf, Leumund)
re|nom|mie|ren (prahlen); **Re|nom|mier|stück; re|nom|miert** (berühmt, angesehen, namhaft)
Re|nom|mist, der; -en, -en (Prahlhans); **Re|nom|mis|te|rei; Re|nom|mis|tin**
Re|non|ce [...ˈnõːs(ə)], die; -, -n ⟨franz.⟩ (*Kartenspiel* Fehlfarbe)
Re|no|va|ti|on, die; -, -en ⟨lat.⟩ (*schweiz., sonst veraltet für* Renovierung)
re|no|vie|ren (erneuern, instand setzen); **Re|no|vie|rung**
Ren|sei|g|ne|ment [rãsɛnjəˈmãː], das; -s, -s ⟨franz.⟩ (*veraltet für* Auskunft, Nachweis)
ren|ta|bel (zinstragend; einträglich); ein ...a|b|les Geschäft
Ren|ta|bi|li|tät, die; - (*Wirtsch.* Einträglichkeit)
Ren|ta|bi|li|täts|ge|sichts|punkt
Ren|ta|bi|li|täts|prü|fung
Ren|ta|bi|li|täts|rech|nung
Rent|amt (*früher* Rechnungsamt)
Ren|te, die; -, -n ⟨franz.⟩ (regelmäßiges Einkommen [aus Vermögen od. rechtl. Ansprüchen])
Ren|tei (*ugs.* Rentamt)
Ren|ten|al|ter
Ren|ten|an|lei|he (Anleihe des Staates, für die kein Tilgungszwang besteht)
Ren|ten|an|pas|sung; Ren|ten|an|spruch; Ren|ten|bank *Plur.* ...banken; **Ren|ten|ba|sis; Ren|ten|bei|trag; Ren|ten|be|mes|sungs|grund|la|ge**
Ren|ten|be|ra|ter; Ren|ten|be|ra|te|rin; Ren|ten|be|ra|tung
Ren|ten|emp|fän|ger; Ren|ten|emp|fän|ge|rin
Ren|ten|fonds; Ren|ten|kas|se; Ren|ten|lü|cke
Ren|ten|mark (dt. Währungseinheit [1923])
Ren|ten|markt (Handel mit festverzinslichen Wertpapieren)
Ren|ten|pa|pier (Rentenwert)
ren|ten|pflich|tig
Ren|ten|rech|nung (*Math.*); **Ren|ten|re|form; Ren|ten|schein; Ren|ten|sys|tem**
Ren|ten|ver|schrei|bung (ein Wertpapier, das die Zahlung einer Rente verbrieft)
Ren|ten|ver|si|che|rung
Ren|ten|wert (ein Wertpapier mit fester Verzinsung)
Ren|ten|zah|lung
¹**Ren|tier** [*auch* ˈrɛn...] (*svw.* ¹Ren)
²**Ren|ti|er** [...ˈtie:], der; -s, -s ⟨franz.⟩

(*veraltend für* Rentner; jmd., der von den Erträgen seines Vermögens lebt)
ren|tie|ren (Gewinn bringen); sich rentieren (sich lohnen)
Ren|tier|flech|te [*auch* ˈrɛn...] ([Futter für das ¹Ren liefernde] Flechte nördlicher Länder)
ren|tier|lich (*svw.* rentabel)
Rent|ner; Rent|ne|rin; Rent|ner|pa|ra|dies (*ugs.*)
Re|nu|me|ra|ti|on, die; -, -en ⟨lat.⟩ (*Wirtsch.* Rückzahlung); *vgl. aber* Remuneration; **re|nu|me|rie|ren** (zurückzahlen)
Re|nun|ti|a|ti|on, Re|nun|zi|a|ti|on, die; -, -en ⟨lat.⟩ (Abdankung [eines Monarchen]); **re|nun|zie|ren**
Re|ok|ku|pa|ti|on, die; -, -en ⟨lat.⟩ (Wiederbesetzung); **re|ok|ku|pie|ren**
Re|or|ga|ni|sa|ti|on, die; -, -en *Plur.* selten ⟨lat.; franz.⟩ (Neugestaltung); **Re|or|ga|ni|sa|tor,** der; -s, ...oren; **Re|or|ga|ni|sa|to|rin; re|or|ga|ni|sie|ren**
Rep, der; -s, *Plur.* -s *u.* (*ugs.*) Repse (*kurz für* Republikaner [Mitglied einer rechtsgerichteten Partei])
re|pa|ra|bel ⟨lat.⟩ (sich reparieren lassend); ...a|b|le Schäden
Re|pa|ra|teur [...ˈtøːɐ], der; -s, -e (jmd., der etwas berufsmäßig repariert); **Re|pa|ra|teu|rin**
Re|pa|ra|ti|on, die; -, -en (Wiederherstellung; *nur Plur.:* Kriegsentschädigung); **Re|pa|ra|ti|ons|leis|tung**
Re|pa|ra|tur, die; -, -en ⟨lat.⟩
re|pa|ra|tur|an|fäl|lig
re|pa|ra|tur|an|nah|me
re|pa|ra|tur|be|dürf|tig
Re|pa|ra|tur|kos|ten *Plur.*
Re|pa|ra|tur|werk|statt
re|pa|rie|ren ⟨lat.⟩
re|par|tie|ren ⟨franz.⟩ (*Börse* Wertpapiere aufteilen, zuteilen); **Re|par|ti|ti|on,** die; -, -en
re|pa|t|ri|ie|ren ⟨lat.⟩ (die frühere Staatsangehörigkeit wieder verleihen; Kriegs-, Zivilgefangene in die Heimat entlassen); **Re|pa|t|ri|ie|rung**
Re|per|kus|si|on, die; -, -en ⟨lat.⟩ (*Musik* Sprechton beim Psalmenvortrag; Durchführung des Themas durch alle Stimmen der Fuge)
Re|per|toire [...ˈtŏaːɐ], das; -s, -s ⟨franz.⟩ (Vorrat einstudierter

Stücke usw., Spielplan); Re|per|toire|stück (populäres, immer wieder gespieltes Stück)

Re|pe|tent, der; -en, -en ⟨lat.⟩ (*bes. österr. u. schweiz.* für Schüler, der eine Klasse wiederholt; *veraltet für* Hilfslehrer); Re|pe|ten|tin

re|pe|tie|ren (wiederholen)

Re|pe|tier|ge|wehr; Re|pe|tier|uhr (Taschenuhr mit Schlagwerk)

Re|pe|ti|ti|on, die; -, -en (Wiederholung)

Re|pe|ti|tor, der; -s, ...oren (jmd., der mit Studierenden den Lehrstoff wiederholt; *auch für* Korrepetitor); Re|pe|ti|to|rin

Re|pe|ti|to|ri|um, das; -s, ...ien (Wiederholungsunterricht, -buch)

Re|p|lik, die; -, -en ⟨franz.⟩ (Gegenrede, Erwiderung; vom Künstler selbst angefertigte Nachbildung eines Originals); Re|p|li|kat, das; -[e]s, -e (*Kunstwiss.* Nachbildung eines Originals); re|p|li|zie|ren ⟨lat.⟩

re|po|ni|bel ⟨lat.⟩ (*Med.* sich reponieren lassend); ...i|b|ler Bruch; re|po|nie|ren ([Knochen, Organe] wieder in die normale Lage zurückbringen)

Re|port, der; -[e]s, -e ⟨franz.⟩ (Bericht, Mitteilung; *Börse* Kursaufschlag bei der Verlängerung von Termingeschäften)

Re|por|ta|ge [...ʒə], die; -, -n ⟨franz.⟩ (Bericht[erstattung] über ein aktuelles Ereignis)

Re|por|ter, der; -s, - ⟨engl.⟩ (Zeitungs-, Fernseh-, Rundfunkberichterstatter); Re|por|te|rin

Re|po|si|ti|on, die; -, -en ⟨lat.⟩ (*Med.* das Reponieren)

re|prä|sen|ta|bel ⟨franz.⟩ (würdig; stattlich; wirkungsvoll); ...a|b|le Erscheinung

Re|prä|sen|tant, der; -en, -en ⟨franz.⟩ (Vertreter, Abgeordneter); Re|prä|sen|tan|ten|haus

Re|prä|sen|tan|tin

Re|prä|sen|tanz, die; -, -en ([geschäftl.] Vertretung)

Re|prä|sen|ta|ti|on, die; -, -en ([Stell]vertretung; *nur Sing.:* standesgemäßes Auftreten, gesellschaftlicher Aufwand)

Re|prä|sen|ta|ti|ons|auf|wen|dung

Re|prä|sen|ta|ti|ons|gel|der *Plur.*

Re|prä|sen|ta|ti|ons|schluss (*Statistik* bei Stichproben u. Schätzungen angewandtes Schlussverfahren)

re|prä|sen|ta|tiv ⟨franz.⟩ (vertretend; typisch; wirkungsvoll); repräsentative Demokratie

Re|prä|sen|ta|tiv|bau *Plur.* ...bauten; Re|prä|sen|ta|tiv|be|fra|gung (*Statistik;*) Re|prä|sen|ta|tiv|er|he|bung; Re|prä|sen|ta|tiv|ge|walt, die; - (*Politik*)

Re|prä|sen|ta|ti|vi|tät, die; -

Re|prä|sen|ta|tiv|sys|tem (*Politik*); Re|prä|sen|ta|tiv|um|fra|ge

re|prä|sen|tie|ren ⟨franz.⟩ (vertreten; etwas darstellen; standesgemäß auftreten)

Re|pres|sa|lie, die; -, -n *meist Plur.* ⟨lat.⟩ (Vergeltungsmaßnahme, Druckmittel)

Re|pres|si|on, die; -, -en ⟨franz.⟩ (Unterdrückung [von Kritik, polit. Bewegungen u. Ä.]); re|pres|si|ons|frei; Re|pres|si|ons|in|s|t|ru|ment

re|pres|siv (unterdrückend); repressive Maßnahmen

Re|pres|siv|zoll (Schutzzoll)

Re|print, der; -s, -s ⟨engl.⟩ (*Buchw.* unveränderter Nachdruck, Neudruck)

Re|pri|se, die; -, -n ⟨franz.⟩ (*Börse* Kurserholung; *Musik* Wiederholung; *Theater, Film* Wiederaufnahme [eines Stückes] in den Spielplan; Neuauflage einer Schallplatte)

re|pri|va|ti|sie|ren ⟨franz.⟩ (staatliches od. gesellschaftliches Eigentum in Privatbesitz zurückführen); Re|pri|va|ti|sie|rung

Re|pro, die; -, -s u. das; -s, -s ⟨Kurzform von Reproduktion⟩ (*Druckw.* fotografische Reproduktion einer Bildvorlage)

Re|pro|ba|ti|on, die; -, -en ⟨lat.⟩ (*Rechtsspr. veraltet für* Missbilligung); re|pro|bie|ren

Re|pro|duk|ti|on, die; -, -en ⟨lat.⟩ (Nachbildung; Wiedergabe eines Originals [bes. durch Druck]; Vervielfältigung)

Re|pro|duk|ti|ons|fak|tor (*Kernphysik);* Re|pro|duk|ti|ons|for|schung; Re|pro|duk|ti|ons|me|di|zin; Re|pro|duk|ti|ons|me|di|zi|ner; Re|pro|duk|ti|ons|me|di|zi|ne|rin; Re|pro|duk|ti|ons|tech|nik

Re|pro|duk|ti|ons|ver|fah|ren

re|pro|duk|tiv

re|pro|du|zier|bar; re|pro|du|zie|ren (*zu* Reproduktion)

Re|pro|gra|fie, Re|pro|gra|phie, die; -, ...ien (Sammelbezeich-

nung für verschiedene Kopierverfahren)

Reps, der; -es, *Plur. (Sorten:)* -e (*südd. für* Raps)

Rep|til, das; -s, *Plur.* -ien, *selten* -e ⟨franz.⟩ (Kriechtier); Rep|ti|li|en|fonds (*iron.* Geldfonds, über dessen Verwendung Regierungsstellen keine Rechenschaft abzulegen brauchen)

Re|pu|b|lik, die; -, -en ⟨franz.⟩; die Berliner Republik; die Erste Republik (in Österreich)

Re|pu|b|li|ka|ner; Re|pu|b|li|ka|ne|rin; re|pu|b|li|ka|nisch

Re|pu|b|li|ka|nis|mus, der; - (*veraltend für* Streben nach einer republikanischen Verfassung)

Re|pu|b|lik|flucht (*DDR* Flucht aus der DDR); re|pu|b|lik|flüch|tig

re|pu|b|lik|weit

Re|pu|di|a|ti|on, die; -, -en ⟨lat.⟩ (*Wirtsch.* Verweigerung eines gesetzl. Zahlungsmittels [durch die Bevölkerung]; Zahlungsverweigerung eines Staates)

Re|pul|si|on, die; -, -en ⟨franz.⟩ (*Technik* Ab-, Zurückstoßung); Re|pul|si|ons|mo|tor

re|pul|siv (zurück-, abstoßend)

Re|pun|ze, die; -, -n ⟨lat.; ital.⟩ (Stempel [für Feingehalt bei Waren aus Edelmetall]); re|pun|zie|ren (mit einem Feingehaltsstempel versehen)

Re|pu|ta|ti|on, die; - ⟨lat.-franz.⟩ ([guter] Ruf, Ansehen)

re|pu|tier|lich (*veraltet für* ansehnlich; achtbar; ordentlich)

Re|qui|em, das; -s, *Plur.* -s, österr. ...quien ⟨lat.⟩ (*kath. Kirche* Totenmesse; *Musik* [1]Messe)

re|qui|es|cat in pa|ce (»er/sie ruhe in Frieden!«) (*Abk.* R. I. P.)

re|qui|rie|ren ⟨lat.⟩ (beschlagnahmen [für milit. Zwecke])

Re|qui|sit, das; -s, -[e]s, -en (Zubehör; Gegenstand, der für eine Theateraufführung od. eine Filmszene verwendet wird)

Re|qui|si|te, die; -, -n (Requisitenkammer; für die Requisiten zuständige Stelle beim Theater); Re|qui|si|ten|kam|mer

Re|qui|si|teur [...'tø:ɐ̯], der; -s, -e ⟨franz.⟩ (*Theater, Film* Verwalter der Requisiten); Re|qui|si|teu|rin

Re|qui|si|ti|on, die; -, -en (*zu* requirieren)

resch (*bayr. u. österr. für* knusprig; barsch; spritzig, säuerlich [vom Wein])

Re|schen|pass, der; -es, Re|schen|schei|deck, das; -s (österreichisch-italienischer Alpenpass)

Re|search [ri'zəːɐ̯tʃ], das; -[s], -s ⟨engl.⟩ (Markt-, Meinungsforschung)

Re|se|da, die; -, Plur. ...den, selten -s ⟨lat.⟩ (eine Pflanze)

re|se|da|far|ben

Re|se|de, die; -, -n (Reseda)

Re|sek|ti|on, die; -, -en ⟨lat.⟩ (Med. operative Entfernung kranker Organteile)

Re|ser|va|ge [...ʒə], die; - ⟨franz.⟩ (Textilw. Schutzbeize, die das Aufnehmen von Farbe verhindert)

Re|ser|vat, das; -[e]s, -e ⟨lat.⟩ (Vorbehalt; Sonderrecht; Freigehege für gefährdete Tierarten; auch für Reservation)

Re|ser|va|ti|on, die; -, -en (Vorbehalt; den Indianern vorbehaltenes Gebiet in Nordamerika; schweiz. für Reservierung)

Re|ser|vat|recht (Sonderrecht)

Re|ser|ve, die; -, -n ⟨franz.⟩ (Ersatz; Vorrat; Milit. nicht aktive Wehrpflichtige; Wirtsch. Rücklage; nur Sing.: Zurückhaltung, Verschlossenheit); in Reserve (vorrätig); [Leutnant usw.] der Reserve (Abk. d. R.)

Re|ser|ve|ar|mee

Re|ser|ve|bank Plur. ...bänke (Sport)

Re|ser|ve|fonds (Wirtsch. Rücklage)

Re|ser|ve|ka|nis|ter

Re|ser|ve|of|fi|zier; Re|ser|ve|of|fi|zie|rin

Re|ser|ve|rad; Re|ser|ve|rei|fen

Re|ser|ve|spie|ler; Re|ser|ve|spie|le|rin

Re|ser|ve|tank

Re|ser|ve|übung

re|ser|vie|ren ⟨lat.⟩ (vormerken, vorbestellen, freihalten)

re|ser|viert (auch für zurückhaltend, kühl); Re|ser|viert|heit

Re|ser|vie|rung

Re|ser|vist, der; -en, -en (Soldat der Reserve); Re|ser|vis|tin

Re|ser|voir [...'voa:ɐ̯], das; -s, -e ⟨franz.⟩ (Sammelbecken, Behälter)

re|se|zie|ren ⟨lat., zu Resektion⟩

Re|si|dent, der; -en, -en ⟨franz.⟩ (jmd., der seinen [zweiten] Wohnsitz im [südlichen] Ausland hat; veraltend für Regie-

rungsvertreter, Statthalter); Re|si|den|tin

Re|si|denz, die; -, -en ⟨lat.⟩ (Wohnsitz des Staatsoberhauptes, eines Fürsten, eines hohen Geistlichen; Hauptstadt)

Re|si|denz|pflicht, die; -; Re|si|denz|stadt; Re|si|denz|the|a|ter

re|si|die|ren ⟨lat.⟩ (seinen Wohnsitz haben [bes. von regierenden Fürsten])

re|si|du|al ⟨lat.⟩ (Med. zurückbleibend, restlich); Re|si|du|um, das; -s, ...duen (Rest [als Folge einer Krankheit])

Re|si|g|na|ti|on, die; -, -en Plur. selten ⟨lat.⟩ (Ergebung in das Schicksal); re|si|g|na|tiv (durch Resignation gekennzeichnet)

re|si|g|nie|ren; re|si|g|niert (mutlos, niedergeschlagen)

Re|si|li|enz, die; -, -en ⟨lat.⟩ (bes. Med., Päd., Psych. Widerstandsfähigkeit, -kraft)

Re|si|nat, das; -[e]s, -e ⟨Chemie Salz der Harzsäure)

Ré|sis|tance [rezis'tãːs], die; - ⟨franz.⟩ (franz. Widerstandsbewegung gegen die deutsche Besatzung im 2. Weltkrieg)

re|sis|tent ⟨lat.⟩ (widerstandsfähig); Re|sis|tenz, die; -, -en (Widerstand[sfähigkeit]); re|sis|tie|ren (widerstehen; ausdauern); re|sis|tiv (widerstehend)

Re|skript, das; -[e]s, -e ⟨lat.⟩ (feierliche Rechtsentscheidung des Papstes od. eines Bischofs)

re|so|lut ⟨lat.⟩ (entschlossen, beherzt, tatkräftig); Re|so|lut|heit

Re|so|lu|ti|on, die; -, -en ⟨lat.⟩ (Beschluss, Entschließung); Re|so|lu|ti|ons|ent|wurf

re|sol|vie|ren (veraltend für beschließen)

Re|so|nanz, die; -, -en ⟨lat.⟩ (Musik, Physik Mittönen, -schwingen; Widerhall, Zustimmung)

Re|so|nanz|bo|den (Musik); Re|so|nanz|fre|quenz (Physik); Re|so|nanz|kas|ten (Musik); Re|so|nanz|kör|per; Re|so|nanz|raum

Re|so|na|tor, der; -s, ...oren (mitschwingender Körper)

Re|so|pal ®, das; -s (ein Kunststoff)

re|sor|bie|ren ⟨lat.⟩ (ein-, aufsaugen); Re|sorp|ti|on, die; -, -en (Aufnahme [gelöster Stoffe in

die Blut- bzw. Lymphbahn]); Re|sorp|ti|ons|fä|hig|keit

Re|sort [auch rɪ'zoːɐ̯t], das; -s, -s ⟨engl.⟩ (kurz für Urlaubsresort)

Ressource

Wie im Französischen, aus dem das Wort entlehnt ist, schreibt man Ressource mit zwei s.

Re|so|zi|a|li|sa|ti|on, die; -, -en ⟨lat.⟩ (svw. Resozialisierung)

re|so|zi|a|li|sier|bar; re|so|zi|a|li|sie|ren; Re|so|zi|a|li|sie|rung (schrittweise Wiedereingliederung von Straffälligen in die Gesellschaft)

resp. = respektive

Re|s|pekt, der; -[e]s ⟨franz.⟩ (Achtung; Ehrerbietung; Buchw., Kunstwiss. leerer Rand [bei Drucksachen, Kupferstichen]); vgl. Respekt einflößend

re|s|pek|ta|bel (ansehnlich; angesehen); ...a|b|le Größe; Re|s|pek|ta|bi|li|tät, die; - (Ansehen)

Re|s|pekt|blatt (Buchw. leeres Blatt am Anfang eines Buches)

Re|s|pekt ein|flö|ßend, re|s|pekt|ein|flö|ßend; ↑K 58 : eine Respekt einflößende od. respekteinflößende Persönlichkeit, aber nur eine großen Respekt einflößende Persönlichkeit, eine äußerst respekteinflößende Persönlichkeit

re|s|pek|tie|ren ⟨franz.⟩ (achten, in Ehren halten; Wirtsch. einen Wechsel bezahlen)

re|s|pek|tier|lich (veraltend für ansehnlich, achtbar)

Re|s|pek|tie|rung, die; -

re|s|pek|tiv ⟨lat.⟩ (veraltet für jeweilig)

re|s|pek|ti|ve (beziehungsweise; oder; und; Abk. resp.)

re|s|pekt|los; Re|s|pekt|lo|sig|keit

Re|s|pekts|per|son

re|s|pekt|voll

Res|pi|ghi [...gi] (italienischer Komponist)

Re|s|pi|ra|ti|on, die; -, -en ⟨lat.⟩ (Med. Atmung); Re|s|pi|ra|ti|ons|ap|pa|rat; Re|s|pi|ra|tor, der; -s, ...oren (Beatmungsgerät); re|s|pi|ra|to|risch (die Atmung betreffend, auf ihr beruhend)

re|s|pi|rie|ren (atmen)

re|s|pon|die|ren ⟨lat.⟩ (veraltet für antworten)

Re|s|pons, der; -es, -e (auf eine Initiative o. Ä. hin erfolgende Reaktion)

re|s|pon|sa|bel (*veraltet für* verant-
wortlich); ...a|b|le Stellung
Re|s|pon|so|ri|um, das; -s, ...ien
(liturgischer Wechselgesang)
Res|sen|ti|ment [...sãti'mã:], das;
-s, -s ⟨franz.⟩ (gefühlsmäßige
Abneigung); res|sen|ti|ment|ge-
la|den
Res|sort [...'so:ɐ̯], das; -s, -s
⟨franz.⟩ (Geschäfts-, Amtsbe-
reich)
res|sor|tie|ren (*veraltend für* zuge-
hören, unterstehen)
Res|sort|lei|ter, der; Res|sort|lei|te-
rin
Res|sort|mi|nis|ter; Res|sort|mi|nis-
te|rin
Res|sour|ce [...'sʊrsə], die; -, -n
meist Plur. ⟨franz.⟩ (Rohstoff-,
Erwerbsquelle; Geldmittel); res-
sour|cen|scho|nend
Rest, der; -[e]s, Plur. -e u. (*Kaufmannsspr., bes. von Schnittwa-
ren:*) -er, *schweiz.* -en ⟨lat.⟩
Rest|ab|schnitt; Rest|al|ko|hol
Re|s|tant, der; -en, -en (*Bankw.*
rückständiger Schuldner; nicht
abgeholtes Wertpapier; *Wirtsch.*
Ladenhüter); Re|s|tan|ten|lis|te;
Re|s|tan|tin
Re|s|tau|rant [...to'rã:], das; -s, -s
⟨franz.⟩ (Gaststätte); Re|s|tau-
rant|be|sit|zer; Re|s|tau|rant|be-
sit|ze|rin; Re|s|tau|rant|be|such;
Re|s|tau|rant|füh|rer
Re|s|tau|ra|teur [...tora'tø:ɐ̯], der;
-s, -e (*schweiz., sonst veraltet
für* Gastwirt); Re|s|tau|ra|teu|rin
Re|s|tau|ra|ti|on, die; -, -en ⟨lat.⟩
(*seltener für* Restaurierung;
Wiederherstellung der alten
Ordnung nach einem Umsturz;
geh. für Gastwirtschaft)
Re|s|tau|ra|ti|ons|ar|beit *meist
Plur.;* Re|s|tau|ra|ti|ons|be|trieb
Re|s|tau|ra|ti|ons|po|li|tik, die; -
Re|s|tau|ra|ti|ons|zeit; re|s|tau|ra|tiv
(*geh. für* auf die Wiederherstellung der alten Ordnung, früherer Verhältnisse abzielend, gerichtet)
Re|s|tau|ra|tor, der; -s, ...oren
(Wiederhersteller [von Kunst-
werken]); Re|s|tau|ra|to|rin
re|s|tau|rie|ren ⟨franz.⟩ (wieder in
den ursprünglichen Zustand
bringen, ausbessern [bes. von
Kunstwerken]); Re|s|tau|rie|rung
Rest|be|stand; Rest|be|trag
Res|te|ver|kauf; Res|te|ver|wer-
tung
Rest|for|de|rung; Rest|grup|pe
Rest|harn

re|s|ti|tu|ie|ren ⟨lat.⟩ (wieder ein-
setzen; zurückerstatten, erset-
zen); Re|s|ti|tu|ti|on, die; -, -en
Re|s|ti|tu|ti|ons|edikt, das; -[e]s
(von 1629); Re|s|ti|tu|ti|ons|kla|ge
(Klage auf Wiederaufnahme
eines Verfahrens)
Rest|kos|ten|rech|nung (betriebs-
wirtschaftl. Kalkulationsverfah-
ren)
Rest|lauf|zeit
rest|lich; das restliche Geld, *aber*
alles Restliche regeln wir morgen ↑K72
Rest|loch (*Bergbau*)
rest|los
Rest|müll
Rest|nut|zungs|dau|er (*Wirtsch.*)
Rest|pos|ten
Re|s|t|rik|ti|on, die; -, -en ⟨lat.⟩
(Einschränkung, Vorbehalt)
Re|s|t|rik|ti|ons|maß|nah|me (*Poli-
tik*); re|s|t|rik|tiv (ein-, beschrän-
kend, einengend); restriktive
Konjunktion (*Sprachw.*, z.B.
»insofern«)
Rest|rin|gie|ren (*selten für* ein-
schränken)
Rest|ri|si|ko
re|struk|tu|rie|ren ⟨lat.⟩ (neu struk-
turieren); Re|struk|tu|rie|rung
(Neuordnung)
Rest|stim|men|man|dat (*österr. für*
Überhangmandat)
Rest|stra|fe; Rest|sum|me
Rest|sü|ße, die; - (*Weinbau*)
Rest|ur|laub; Rest|wär|me
Re|sul|tan|te, die; -, -n ⟨franz.⟩
(*Physik* Ergebnisvektor von verschieden gerichteten Bewe-
gungs- od. Kraftvektoren)
Re|sul|tat, das; -[e]s, -e ⟨franz.⟩
(Ergebnis)
re|sul|ta|tiv (ein Resultat bewir-
kend); resultative Verben
(*Sprachw.* Verben, die das
Ergebnis eines Vorgangs mit
einschließen, z.B. »aufessen«)
re|sul|tat|los; re|sul|tie|ren (sich
[als Schlussfolgerung] ergeben;
folgen); Re|sul|tie|ren|de, die; -n,
-n (*svw.* Resultante)
Re|sü|mee, das; -s, -s ⟨franz.⟩
(Zusammenfassung); re|sü|mie-
ren
Re|ta|bel, das; -s, - ⟨franz.⟩ (*Kunst-
wiss.* Altaraufsatz)
Re|tard [rə'ta:ɐ̯], der; -s ⟨franz.⟩
(Verzögerung [bei Uhren])
Re|tar|da|ti|on, die; -, -en ([Ent-
wicklungs]verzögerung, Verlangsamung)
re|tar|die|ren (verzögern, zurück-

bleiben); retardierendes
Moment (bes. im Drama)
Re|ten|ti|on, die; -, -en ⟨lat.⟩ (*Med.*
Zurückhaltung von auszuschei-
denden Stoffen im Körper)
Re|ti|kül, der od. das; -s, *Plur.* -e u.
-s ⟨franz.⟩ (*svw.* Ridikül)
re|ti|ku|lar, re|ti|ku|lär ⟨lat.⟩ (*Med.*
netzartig, netzförmig); re|ti|ku-
liert (mit netzartigem Muster);
retikulierte Gläser
Re|ti|na, die; -, ...nae (*Med.* Netz-
haut des Auges); Re|ti|ni|tis, die;
-, ...iti|den (Netzhautentzün-
dung)
Re|ti|nol, das; -s (Vitamin A_1)
Re|ti|ra|de, die; -, -n ⟨franz.⟩ (*veral-
tet für* Ankleidezimmer)
re|ti|rie|ren (*veraltet, noch
scherzh. für* sich zurückziehen)
Re|tor|si|on, die; -, -en ⟨lat.⟩
(*Rechtsspr.* Vergeltung)
Re|tor|te, die; -, -n ⟨franz.⟩ (Destil-
lationsgefäß)
Re|tor|ten|ba|by (durch künstliche
Befruchtung außerhalb des
Mutterleibes entstandenes
Kind)
Re|tor|ten|gra|fit, Re|tor|ten|gra-
phit, der; -s ⟨*Chemie* grafitähn-
lich aussehender Stoff aus fast
reinem Kohlenstoff)
Re|tor|ten|kind
Re|tor|ten|koh|le, die; - (*svw.*
Retortengrafit)
re|tour [re'tu:ɐ̯] ⟨franz.⟩ (*landsch.,
österr., schweiz., sonst veraltet
für* zurück)
Re|tour|bil|lett (*schweiz., sonst
veraltet für* Rückfahrkarte)
Re|tou|re, die; -, -n *meist Plur.*
(*Wirtsch.* Rücksendung an den
Verkäufer)
Re|tour|[fahr]|kar|te (*österr. für*
Rückfahrkarte); Re|tour|gang
(*österr. für* Rückwärtsgang)
Re|tour|kut|sche (*ugs. für* Zurück-
geben eines Vorwurfs, einer
Beleidigung)
Re|tour|nie|ren [...tʊ...] (*Wirtsch.*
zurücksenden [an den Verkäu-
fer]; *Tennis* den gegnerischen
Ball zurückschlagen)
Re|tour|sen|dung; Re|tour|spiel
(*österr. für* Rückspiel)
Re|trai|te [rə'trɛ:tə], die; -, -n
⟨franz.⟩ (*Milit. veraltet für* Rück-
zug; Zapfenstreich der Kavalle-
rie)
Re|trak|ti|on, die; -, -en ⟨lat.⟩ (*Med.*
Schrumpfung)
Re|tri|bu|ti|on, die; -, -en ⟨lat.⟩ (*ver-
altet für* Wiedererstattung)

Re|t|rie|val [ri'tri:vl], das; -s ⟨engl.⟩ (*EDV* das Suchen u. Auffinden gespeicherter Daten)

Re|t|rie|ver (britischer Jagdhund)

re|t|ro (*ugs. für* altmodisch)

re|t|ro|da|tie|ren ⟨lat.⟩ (*veraltet für* zurückdatieren)

Re|t|ro|fle|xi|on, die; -, -en (*Med.* Rückwärtsknickung von Organen)

re|t|ro|grad ⟨lat.⟩ (rückläufig; rückgebildet)

Re|t|ro|look, der; -s, -s ⟨engl.⟩ (Moderichtung, die an einen Modestil vergangener Epochen anknüpft)

Re|t|ro|s|pek|ti|on, die; -, -en ⟨lat.⟩ (Rückschau, Rückblick); **re|t|ro|s|pek|tiv** (rückschauend); **Re|t|ro|s|pek|ti|ve,** die; -, -n (*svw.* Retrospektion; *auch für* Präsentation des [Früh]werks eines Künstlers o. Ä.)

Re|t|ro|ver|si|on, die; -, -en ⟨lat.⟩ (*Med.* Rückwärtsneigung, bes. der Gebärmutter); **re|t|ro|ver|tie|ren** (zurückwenden, zurückneigen)

Re|t|ro|vi|rus, das; -, ...ren (*Med.* tumorerzeugendes Virus)

re|t|ro|ze|die|ren ⟨lat.⟩ (*veraltet für* zurückweichen; [etwas] wieder abtreten; *Wirtsch.* rückversichern); **Re|t|ro|zes|si|on,** die; -, -en (*veraltet für* Wiederabtretung; *Wirtsch.* bes. Form der Rückversicherung)

Ret|si|na, der; -[s], *Plur. (Sorten:)* -s ⟨neugriech.⟩ (geharzter griech. Weißwein)

ret|ten; Ret|ter; Ret|te|rin

Ret|tich, der; -s, -e ⟨lat.⟩

rett|los (*Seemannsspr.* unrettbar); rettloses Schiff

Ret|tung (*nur Sing.: österr. auch kurz für* Rettungsdienst)

Ret|tungs|ak|ti|on; Ret|tungs|an|ker; Ret|tungs|arzt; Ret|tungs|ärz|tin

Ret|tungs|as|sis|tent

Ret|tungs|as|sis|ten|tin

Ret|tungs|bal|ke

Ret|tungs|bom|be (*Bergbau*)

Ret|tungs|boot; Ret|tungs|dienst; Ret|tungs|flug|zeug; Ret|tungs|gür|tel; Ret|tungs|hub|schrau|ber; Ret|tungs|in|sel; Ret|tungs|leit|stel|le

ret|tungs|los

Ret|tungs|mann|schaft; Ret|tungs|ring; Ret|tungs|sa|ni|tä|ter

Ret|tungs|sa|ni|tä|te|rin

Ret|tungs|schlauch (der Feuerwehr); **Ret|tungs|schlit|ten** (der Bergwacht)

Ret|tungs|schuss; *in der Fügung* finaler Rettungsschuss (*Amtsspr.* Todesschuss, der in einer Notsituation zur Rettung einer Person auf den Täter abgegeben werden kann)

Ret|tungs|schwim|men, das; -s; **Ret|tungs|schwim|mer; Ret|tungs|schwim|me|rin**

Ret|tungs|sta|ti|on

Ret|tungs|wa|che; Ret|tungs|wa|gen

Re|turn [ri'tø:ɐn], der; -s, -s ⟨engl.⟩ (*[Tisch]tennis* nach dem Aufschlag des Gegners zurückgeschlagener Ball); **Re|turn|tas|te** (Taste auf der Computertastatur zum Bestätigen od. Beenden eines Vorgangs)

Re|tu|sche, die; -, -n ⟨franz.⟩ (Nachbesserung [bes. von Fotografien]); **Re|tu|scheur** [...'ʃøːɐ], der; -s, -e; **Re|tu|scheu|rin; re|tu|schie|ren** (nachbessern [bes. Fotografien])

Reuch|lin (dt. Humanist)

Reue, die; -; **reu|en;** es reut mich

reue|voll; Reu|geld (*Rechtsw.* Abstandssumme); **reu|ig**

Reu|kauf (*Wirtsch.* Kauf mit Rücktrittsrecht gegen Zahlung eines Reugeldes)

reu|mü|tig

re|uni|e|ren [rely...] ⟨franz.⟩ (*veraltet für* [wieder] vereinigen, versöhnen; sich versammeln)

¹Re|uni|on, die; -, -en (*veraltet für* [Wieder]vereinigung)

²Re|uni|on [rely'njõː], die; -, -s (*veraltet* gesellige Veranstaltung)

Ré|uni|on [rey'njõː] (Insel im Indischen Ozean; französisches Überseedepartement)

Re|uni|ons|kam|mern *Plur.* (durch Ludwig XIV. eingesetzte französische Gerichte zur Durchsetzung von Annexionen)

Reu|se, die; -, -n (Korb zum Fischfang)

¹Reuß, die; - (rechter Nebenfluss der Aare)

²Reuß (Name zweier früherer Thüringer Fürstentümer)

Reu|ße, der; -n, -n (*früher für* Russe)

re|üs|sie|ren ⟨franz.⟩ (gelingen; Erfolg, Glück haben)

reu|Bisch (*zu* ²Reuß)

reu|ten (*südd., österr., schweiz. veraltet für* roden)

Reu|ter (niederd. Mundartdichter)

Reut|lin|gen (Stadt in Baden-Württemberg)

Reut|te (Ort in Tirol)

Reut|ter (dt. Komponist)

Rev. = Reverend

Re|vak|zi|na|ti|on, die; -, -en ⟨lat.⟩ (*Med.* Wiederimpfung); **re|vak|zi|nie|ren**

Re|val (dt. *Name von* Tallinn)

re|va|lie|ren ⟨lat.⟩ (*veraltend für* sich für eine Auslage schadlos halten; *Kaufmannsspr.* [eine Schuld] decken); **Re|va|lie|rung** (*Kaufmannsspr.* Deckung)

Re|val|va|ti|on, die; -, -en (*Wirtsch.* Aufwertung einer Währung); **re|val|vie|ren**

Re|van|che [...'vãː∫(ə)], die; -, -n ⟨franz.⟩ (Vergeltung; Rache)

Re|van|che|foul (*Sport*)

Re|van|che|krieg

re|van|che|lus|tig

Re|van|che|po|li|tik, die; -

Re|van|che|spiel

re|van|chie|ren, sich (sich rächen; einen Gegendienst erweisen)

Re|van|chis|mus, der; - (nationalist. Vergeltungspolitik); **Re|van|chist,** der; -en, -en; **Re|van|chis|tin; re|van|chis|tisch**

Re|ve|nue [rəvə'nyː], die; -, -n [...'nyːən] *meist Plur.* ⟨franz.⟩ (*veraltend für* Einkommen)

Re|ve|rend, der; -s, -s ⟨lat.⟩ (*nur Sing.:* Titel der Geistlichen in England und Amerika; *Abk.* Rev.; Träger dieses Titels)

Re|ve|renz, die; -, -en (Ehrerbietung; Verbeugung); *vgl. aber* Referenz

Re|ve|rie, die; -, ...ien ⟨franz., »Träumerei«⟩ (*Musik* Fantasiestück)

¹Re|vers [rə've:ɐ], das, *österr.* der; -, - ⟨franz.⟩ (Umschlag od. Aufschlag an Kleidungsstücken)

²Re|vers [re've:rs, *auch* rə've:ɐ], der; *Gen.* -es [re've:rzəs], *auch* - [rə've:ɐ̯(s)], *Plur.* -e [re've:rzə], *auch* - [rə've:ɐ̯əs] (Rückseite [einer Münze])

³Re|vers [re've:rs], der; -es, -e (schriftliche Erklärung rechtlichen Inhalts)

re|ver|si|bel ⟨lat.⟩ (umkehrbar; *Med.* heilbar); ...i|b|le Prozesse; **Re|ver|si|bi|li|tät,** die; -

¹Re|ver|si|b|le [...b|], der; -s, -s (beidseitig verwendbares Gewebe mit einer glänzenden u. einer matten Seite)

²Re|ver|si|b|le, das; -s, -s (Kleidungsstück, das beidseitig getragen werden kann)

re|ver|sie|ren (*österr.* für ein Fahrzeug wenden)

Re|ver|si|on, die; -, -en (*fachspr.* für Umkehrung)

Re|vers|sys|tem (*Wirtsch.*)

Re|vi|dent, der; -en, -en ⟨lat.⟩ (*Rechtsw.* jmd., der Revision beantragt; *österr.* Beamtentitel)

re|vi|die|ren (durchsehen, überprüfen); sein Urteil revidieren

Re|vier [re'vi:ɐ], das; -s, -e ⟨niederl.⟩ (Bezirk, Gebiet, Bereich; *kurz für* Forst-, Jagd-, Polizeirevier; *Bergbau* großes Gebiet, in dem Bergbau betrieben wird; *Milit.* Krankenstube)

re|vie|ren (*Jägerspr.* in einem Revier nach Beute suchen)

Re|vier|förs|ter; Re|vier|förs|te|rin

re|vier|krank (*Soldatenspr.*); **Re|vier|kran|ke,** der

Re|vier|wa|che

Re|view [ri'vju:], die; -, -s ⟨engl.⟩ (Titel[bestandteil] englischer u. amerikanischer Zeitschriften)

Re|vi|re|ment [revirə'mã:, *österr.* revir'mã:], das; -s, -s ⟨franz.⟩ (Umbesetzung von [staatlichen] Ämtern)

Re|vi|si|on, die; -, -en ⟨lat.⟩ ([nochmalige] Durchsicht; Prüfung; Änderung [einer Ansicht]; *Rechtsw.* Überprüfung eines Urteils)

Re|vi|si|o|nis|mus, der; - (Streben nach Änderung eines bestehenden Zustandes oder eines Programms; eine Strömung in der Arbeiterbewegung); **Re|vi|si|o|nist,** der; -en, -en (Verfechter des Revisionismus); **Re|vi|si|o|nis|tin; re|vi|si|o|nis|tisch**

Re|vi|si|ons|frist (*Rechtsw.*)

Re|vi|si|ons|ge|richt

Re|vi|si|ons|ver|fah|ren

Re|vi|si|ons|ver|hand|lung

Re|vi|sor, der; -s, ...oren (Wirtschaftsprüfer; *Druckw.* Korrektor der Umbruchfahnen); **Re|vi|so|rin**

re|vi|ta|li|sie|ren ⟨lat.⟩ (*Med.* wieder kräftigen, funktionsfähig machen; *österr. auch für* generalsanieren); **Re|vi|ta|li|sie|rung**

Re|vi|val [ri'vaivl], das; -s, -s ⟨engl.⟩ (Wiederbelebung)

Re|vo|ka|ti|on, die; -, -en ⟨lat.⟩ (Widerruf)

Re|vol|te, die; -, -n ⟨franz.⟩ (Empörung, Auflehnung, Aufruhr); **re|vol|tie|ren**

Re|vo|lu|ti|on, die; -, -en ⟨lat.⟩; **re|vo|lu|ti|o|när** ⟨franz.⟩ ([staats]umwälzend)

Re|vo|lu|ti|o|när, der; -s, -e; **Re|vo|lu|ti|o|nä|rin**

re|vo|lu|ti|o|nie|ren; Re|vo|lu|ti|o|nie|rung

Re|vo|lu|ti|ons|füh|rer; Re|vo|lu|ti|ons|füh|re|rin; Re|vo|lu|ti|ons|ge|richt; Re|vo|lu|ti|ons|held; Re|vo|lu|ti|ons|hel|din; Re|vo|lu|ti|ons|rat

Re|vo|lu|ti|ons|re|gie|rung; Re|vo|lu|ti|ons|tri|bu|nal; Re|vo|lu|ti|ons|wir|ren *Plur.*

Re|vo|luz|zer, der; -s, - ⟨ital.⟩ (*abwertend für* Revolutionär); **Re|vo|luz|ze|rin**

Re|vol|ver, der; -s, - ⟨engl.⟩ (kurze Handfeuerwaffe; drehbarer Ansatz an Werkzeugmaschinen)

Re|vol|ver|blatt (*abwertend für* reißerisch aufgemachte Zeitung)

Re|vol|ver|held; Re|vol|ver|hel|din; Re|vol|ver|knauf; Re|vol|ver|lauf

Re|vol|ver|pres|se, die; - (*abwertend; vgl.* Revolverblatt)

Re|vol|ver|schnau|ze (*ugs. für* schnelles, vorlautes Sprechen; schnell u. vorlaut sprechender Mensch)

re|vol|vie|ren ⟨lat.⟩ (*Technik* zurückdrehen)

Re|vol|ving|ge|schäft (*Wirtsch.* mithilfe von Revolvingkrediten finanziertes Geschäft); **Re|vol|ving|kre|dit** (Kredit in Form von immer wieder prolongierten kurzfristigen Krediten)

re|vo|zie|ren ⟨lat.⟩ (zurücknehmen, widerrufen)

Re|vue [rə'vy:], die; -, -n [...'vy:ən] ⟨franz.⟩ (Zeitschrift mit allgemeinen Überblicken; musikalisches Ausstattungsstück); Revue passieren lassen (sich intensiv erinnern)

Re|vue|büh|ne; Re|vue|film; Re|vue|girl; Re|vue|star (*vgl.* ²Star); **Re|vue|the|a|ter**

Rex|ap|pa|rat ® (*österr.* für Einkochapparat); **Rex|glas ®** (*österr.* für Einkochglas)

Reyk|ja|vik ['reikjavi:k, *auch* 'raikjavi:k, ...vɪk] (Hauptstadt Islands)

Re|y|on [re'jõ:], der *od.* das; - ⟨franz.⟩ (Kunstseide aus Viskose)

Re|zen|sent, der; -en, -en ⟨lat.⟩ (Verfasser einer Rezension); **Re|zen|sen|tin; re|zen|sie|ren**

Re|zen|si|on, die; -, -en ⟨lat.⟩ (kritische Besprechung von Büchern, Theateraufführungen u. a.); **Re|zen|si|ons|ex|em|p|lar; Re|zen|si|ons|stück** (Besprechungsstück)

re|zent ⟨lat.⟩ (*Biol.* gegenwärtig lebend, auftretend; *landsch.* für säuerlich, pikant); rezente Kulturen (*Völkerk.* noch bestehende altertümliche Kulturen)

Re|zept, das; -[e]s, -e ⟨lat.⟩ ([Arznei-, Koch]vorschrift, Verordnung; **Re|zept|block** (*vgl.* Block); **Re|zept|buch; re|zept|frei; re|zep|tie|ren** (Rezepte ausschreiben)

Re|zep|ti|on, die; -, -en ⟨lat.⟩ (Auf-, An-, Übernahme; verstehende Aufnahme eines Textes, eines Kunstwerks; Empfangsbüro im Hotel)

re|zep|tiv (aufnehmend, empfangend; empfänglich); **Re|zep|ti|vi|tät,** die; - (Aufnahmefähigkeit, Empfänglichkeit)

Re|zep|tor, der; -s, ...oren (*Biol., Physiol.* reizaufnehmende Zelle als Bestandteil z. B. der Haut od. eines Sinnesorgans)

Re|zept|pflicht, die; -; **re|zept|pflich|tig**

Re|zep|tur, die; -, -en (Anfertigung von Rezepten; Arbeitsraum in der Apotheke)

Re|zess, der; -es, -e ⟨lat.⟩ (*Rechtsw.* Auseinandersetzung, Vergleich, Vertrag)

Re|zes|si|on, die; -, -en ⟨lat.-engl.⟩ (*Wirtsch.* Rückgang der Konjunktur); **Re|zes|si|ons|pha|se**

re|zes|siv (*Biol.* zurücktretend; nicht in Erscheinung tretend [von Erbfaktoren])

re|zi|div ⟨lat.⟩ (*Med.* wiederkehrend [von Krankheiten]); **Re|zi|div,** das; -s, -e (Rückfall); **re|zi|di|vie|ren** (in Abständen wiederkehren)

Re|zi|pi|ent, der; -en, -en ⟨lat.⟩ (jmd., der einen Text, ein Musikstück o. Ä. rezipiert; *Physik* Glasglocke, die zu Versuchszwecken luftleer gepumpt werden kann); **Re|zi|pi|en|tin**

re|zi|pie|ren (etwas als Hörer[in], Leser[in], Betrachter[in] aufnehmen, übernehmen)

re|zi|p|rok ⟨lat.⟩ (wechselseitig, gegenseitig, aufeinander bezüglich); reziproker Wert (*Math.* Kehrwert [durch Vertauschung von Zähler u. Nenner]); reziprokes Pronomen (*Sprachw.* wechselbezügliches Fürwort, z. B.

»einander«); Re|zi|p|ro|zi|tät, die; - (Wechselseitigkeit)

Re|zi|tal *vgl.* Recital

re|zi|tan|do *vgl.* recitando

Re|zi|ta|ti|on, die; -, -en ⟨lat.⟩ (künstlerischer Vortrag einer Dichtung); Re|zi|ta|ti|ons|abend

Re|zi|ta|tiv, das; -s, -e ⟨ital.⟩ ([dramatischer] Sprechgesang); re|zi|ta|ti|visch (in der Art des Rezitativs)

Re|zi|ta|tor, der; -s, ...oren ⟨lat.⟩ (jmd., der rezitiert); Re|zi|ta|to|rin; re|zi|tie|ren

Re|zy|k|lat, das; -[e]s, -e ⟨lat.; griech.⟩ (Produkt eines Recyclingverfahrens)

re|zy|k|lie|ren *vgl.* recyceln

rf., rfz. = rinforzando

R-Ge|spräch [ˈɛr...] ↑K 29 (Ferngespräch, das der Angerufene bezahlt)

Rgt., R., Reg[t]. = Regiment

RGW, der; - = Rat für gegenseitige Wirtschaftshilfe (1949–1991)

rh, Rh *vgl.* Rhesusfaktor

Rh = *chem. Zeichen für* Rhodium

Rha|ba|nus Mau|rus *vgl.* Hrabanus Maurus

Rha|bar|ber, der; -s ⟨griech.⟩

Rha|bar|ber|kom|pott

Rha|bar|ber|ku|chen

Rhab|dom, das; -s, -e ⟨griech.⟩ (*Med.* Sehstäbchen in der Netzhaut des Auges)

Rha|da|man|thys (Totenrichter in der griech. Sage)

Rha|ga|de, die; -, -n ⟨griech.⟩ (*Med.* Einriss in der Haut)

Rhap|so|de, der; -n, -n ⟨griech.⟩ (fahrender Sänger im alten Griechenland)

Rhap|so|die, die; -, ...ien (erzählendes Gedicht, Heldenlied; [aus Volksweisen zusammengesetztes] Musikstück); ↑K 150: die Ungarische Rhapsodie (Musikstück von Liszt)

rhap|so|disch (zur Rhapsodie gehörend; unzusammenhängend, bruchstückartig)

Rhät usw. *vgl.* Rät, Räter, Rätien, Rätikon *u.* rätisch

rhe! *vgl.* ree!

Rhe|da-Wie|den|brück (Stadt im Münsterland)

Rhe|de (Ort östl. von Bocholt)

Rhei|der|land, das; -[e]s (Teil Ostfrieslands; *vgl.* Reiderland)

Rheidt (Ort nördl. von Bonn)

Rhein, der; -[e]s (ein Strom)

rhein|ab, rhein|ab|wärts

Rhein|an|ke, die; -, -n (ein Fisch)

rhein|auf, rhein|auf|wärts

Rhein|bund, der; -[e]s ↑K 143 (deutscher Fürstenbund unter französischer Führung)

Rhein|fall, der

Rhein|gau, der, *landsch.* das; -[e]s (Landschaft in Hessen)

Rhein-Her|ne-Ka|nal, der; -s ↑K 144

Rhein|hes|sen

rhei|nisch; rheinische Fröhlichkeit, *aber* ↑K 140: das Rheinische Schiefergebirge; ↑K 150: Rheinischer Merkur (Zeitung)

Rhei|nisch-Ber|gi|sche Kreis, der; -n -es (Landkreis im Reg.-Bez. Köln)

rhei|nisch-west|fä|lisch; *aber* ↑K 150: Rheinisch-Westfälisches Industriegebiet

Rhein|land, das; -[e]s (*Abk.* Rhld.)

Rhein|lan|de Plur. (Siedlungsgebiete der Franken beiderseits des Rheins)

Rhein|län|der (*auch* ein Tanz); Rhein|län|de|rin; rhein|län|disch

Rhein|land-Pfalz; rhein|land-pfäl|zisch ↑K 145

Rhein-Main-Do|nau-Groß|schiff|fahrts|weg, der; -[e]s ↑K 146

Rhein-Main-Flug|ha|fen, der; -s ↑K 146

Rhein-Mar|ne-Ka|nal, der; -s ↑K 146

Rhein|pfalz

Rhein|pro|vinz, die; - (ehemalige preußische Provinz beiderseits des Mittel- und Niederrheins)

Rhein-Rho|ne-Ka|nal, der; -s ↑K 146

Rhein-Schie-Ka|nal [...ˈsxi:...], der; -s ↑K 146

Rhein|schiff|fahrt

Rhein|sei|ten|ka|nal, der; -s ↑K 143

Rhein|tal; Rhein|ufer

Rhein|wald, das; -[e]s (oberste Talstufe des Hinterrheins)

Rhein|wein

rhe|na|nisch ⟨lat.⟩ (*veraltet für* rheinisch)

Rhe|ni|um, das; -s (chemisches Element, Metall; *Zeichen* Re)

Rheo|lo|gie, die; - ⟨griech.⟩ (Teilgebiet der Physik, das Fließerscheinungen von Stoffen unter Einwirkung äußerer Kräfte untersucht)

Rhe|o|s|tat, der; *Gen.* -[e]s *u.* -en, *Plur.* -e[n] (stufenweise veränderlicher elektr. Widerstand)

Rhe|sus, der; -, - ⟨nlat.⟩ (*svw.* Rhesusaffe); Rhe|sus|af|fe (in Süd- u.

Ostasien vorkommender, meerkatzenartiger Affe)

Rhe|sus|fak|tor, der; -s (*Med.* erbl. Merkmal der roten Blutkörperchen; *kurz* Rh-Faktor; *Zeichen* Rh = Rhesusfaktor positiv, rh = Rhesusfaktor negativ)

Rhe|tor, der; -s, ...oren ⟨griech.⟩ (Redner der Antike)

Rhe|to|rik, die; - (Redekunst; Lehre von der wirkungsvollen Gestaltung der Rede); Rhe|to|ri|ker; Rhe|to|ri|ke|rin

rhe|to|risch; rhetorische Frage (Frage, auf die keine Antwort erwartet wird)

Rheu|ma, das; -s ⟨griech.⟩ (*Kurzw. für* Rheumatismus); Rheu|ma|de|cke

Rheu|ma|ti|ker (an Rheumatismus Leidender); Rheu|ma|ti|ke|rin

rheu|ma|tisch; Rheu|ma|tis|mus, der; -, ...men (schmerzhafte Erkrankung der Gelenke, Muskeln, Nerven, Sehnen)

Rheu|ma|to|lo|ge, der; -n, -n; Rheu|ma|to|lo|gie, die; - (Lehre von den Rheumatismen); Rheu|ma|to|lo|gin; rheu|ma|to|lo|gisch

Rheu|ma|wä|sche, die; -

Rheydt (Stadtteil von Mönchengladbach)

Rh-Fak|tor [ɛrˈha:...] (*Med. svw.* Rhesusfaktor)

Rhi|ni|tis, die; -, ...iti|den ⟨griech.⟩ (*Med.* Nasenschleimhautentzündung, Schnupfen)

Rhi|no|lo|gie, die; - (Nasenheilkunde)

Rhi|no|plas|tik, die; -, -en (chirurgische Korrektur der Nase)

Rhi|no|s|kop, das; -s, -e (Nasenspiegel); Rhi|no|s|ko|pie, die; -, ...ien (Untersuchung mit dem Rhinoskop)

Rhi|no|ze|ros, das; *Gen.* - *u.* -ses, *Plur.* -se ⟨griech.⟩ (Nashorn)

Rhi|zom, das; -s, -e ⟨griech.⟩ (*Bot.* bewurzelter unterirdischer Spross)

Rhi|zo|po|de, der; -n, -n *meist Plur.* (*Zool.* Wurzelfüßer)

Rhld. = Rheinland

Rh-ne|ga|tiv [ɛrˈha:...] (den Rhesusfaktor nicht aufweisend)

Rho, das; -[s], -s (griechischer Buchstabe: P, ρ)

Rho|d|a|mi|ne *Plur.* ⟨griech.; lat.⟩ (*Chemie* Gruppe lichtechter Farbstoffe)

Rho|dan, das; -s ⟨griech.⟩ (eine einwertige Gruppe in chemischen Verbindungen)

R

Rhod

Rhode Is|land ['ro:t 'ailənt] (Staat in den USA; *Abk.* RI)

Rho|de|län|der ['ro:də...], das; -s, - (ein Haushuhn)

Rho|de|si|en (nach Cecil Rhodes) (früherer Name von Simbabwe); **Rho|de|si|er; Rho|de|si|e|rin; rho|de|sisch**

rho|di|nie|ren (griech.) (mit Rhodium überziehen)

rho|disch (zu Rhodos)

Rho|di|um, das; -s (griech.) (chemisches Element, Metall; *Zeichen* Rh)

Rho|do|den|d|ron, der, *auch* das; -s, ...ren (griech.) (eine Zierpflanze); **Rho|do|den|d|ronstrauch**

Rho|do|pen *Plur.* (Gebirge in Bulgarien u. Griechenland)

Rho|dos (griechische Mittelmeerinsel)

rhom|bisch (griech.) (rautenförmig)

Rhom|bo|eder, das; -s, - (von sechs Rhomben begrenzte Kristallform)

Rhom|bo|id, das; -[e]s, -e (*Math.* schiefwinkliges Parallelogramm mit paarweise ungleichen Seiten)

Rhom|bus, der; -, ...ben (²Raute; *Math.* gleichseitiges Parallelogramm)

Rhön, die; - (Teil des Hessischen Berglandes)

Rho|ne, *franz.* **Rhône** [ro:n], die; - (schweizerisch-französischer Fluss)

Rhön|rad (ein Turngerät)

Rho|ta|zis|mus, der; -, ...men (griech.) (*Sprachw.* Übergang eines zwischen Vokalen stehenden stimmhaften s zu r, z. B. griech. »genēseos« gegenüber lat. »generis«)

Rh-po|si|tiv ([εrha:...]) (den Rhesusfaktor aufweisend)

Rhus, der; - (griech.) (Essigbaum; ein immergrüner [Zier]strauch)

Rhyth|men (*Plur. von* Rhythmus)

Rhyth|mik, die; - (griech.) (Art des Rhythmus; *auch* Lehre vom Rhythmus)

Rhyth|mi|ker; Rhyth|mi|ke|rin

rhyth|misch (den Rhythmus betreffend, taktmäßig); rhythmische Sportgymnastik

rhyth|mi|sie|ren (in einen bestimmten Rhythmus bringen)

Rhyth|mus, der; -, ...men (griech.) (regelmäßige Wiederkehr; gere-

gelter Wechsel; Zeit-, Gleichmaß; taktmäßige Gliederung)

Rhyth|mus|ge|fühl; Rhyth|mus|gitar|re; Rhyth|mus|grup|pe; Rhythmus|in|s|t|ru|ment

RI = Rhode Island

Ria (w. Vorn.)

Ri|ad (Hauptstadt von Saudi-Arabien)

Ri|al, der; -[s], -s (pers. *u.* arab.) (Währungseinheit in Iran, Jemen und Oman); 100 Rial; *vgl.* Riyal

RIAS, der; - (Rundfunksender im amerik. Sektor) (Rundfunkanstalt in Berlin [bis 1992])

Ri|bat|tu|ta, die; -, ...ten (ital.) (*Musik* langsam beginnender, allmählich schneller werdender Triller)

rib|bel|fest

rib|beln (*landsch. für* zwischen Daumen und Zeigefinger rasch [zer]reiben); ich ribb[e]le

Ri|bi|sel, die; -, -n (arab.-ital.) (*österr. für* Johannisbeere); **Ri|bisel|saft** (österr.)

Ri|bo|fla|vin, das; -s (Kunstwort) (Vitamin B₂)

Ri|bo|nu|k|le|in|säu|re (wichtiger Bestandteil des Kerneiweißes der Zelle; *Abk.* RNS)

Ri|bo|som, das; -s, -en *meist Plur.* (Kunstwort) (*Biol.* vor allem aus Ribonukleinsäure u. Protein bestehendes, für den Eiweißaufbau wichtiges submikroskopisch kleines Körnchen)

Ri|car|da (w. Vorn.)

Ri|chard (m. Vorn.)

Ri|chard-Wag|ner-Fest|spie|le *Plur.* ↑K137

Ri|che|li|eu [riʃə'ljø:] (französischer Staatsmann)

Ri|che|li|eu|sti|cke|rei ↑K 136 (Weißstickerei mit ausgeschnittenen Mustern)

Richt|an|ten|ne; Richt|ba|ke; Richtbaum

Richt|beil (ein Stellmacherwerkzeug; Henkerbeil)

Richt|blei, das (*Bauw.*)

Richt|block *Plur.* ...blöcke

Rich|te, die; - (*landsch. für* gerade Richtung); in die Richte bringen usw.

rich|ten; sich richten; richt euch! (militärisches Kommando)

Rich|ter; Rich|ter|amt, das; -[e]s

Rich|te|rin; rich|ter|lich

Rich|ter|schaft, die; -

Rich|ter|ska|la, Rich|ter-Ska|la (nach dem amerikanischen

Seismologen) (Skala zur Messung der Erdbebenstärke)

Rich|ter|spruch; Rich|ter|stuhl, der; -[e]s

Richt|fest; Richt|feu|er; Richt|funk; Richt|ge|schwin|dig|keit

rich|tig s. *Kasten Seite 855*

rich|tig|ge|hend; das war eine richtiggehende (durchaus so zu nennende) Blamage; *vgl.* richtig

Rich|tig|keit, die; -

rich|tig|lie|gen (*ugs. für* sich nicht irren); *vgl.* richtig

rich|tig|ma|chen (*ugs. für* begleichen); *vgl.* richtig

rich|tig|stel|len (berichtigen); *vgl.* richtig

Rich|tig|stel|lung (Berichtigung)

Richt|ka|no|nier

Richt|kranz

Richt|li|nie *meist Plur.;* **Richt|li|nien|kom|pe|tenz**

Richt|mi|k|ro|fon, Richt|mi|k|rophon

Richt|platz

Richt|preis; Richt|satz

Richt|schnur *Plur.* ...schnuren

Richt|schüt|ze (*svw.* Richtkanonier)

Richt|schwert; Richt|stät|te

Richt|strah|ler (eine Antenne für Kurzwellensender)

Richt|stre|cke (*Bergmannsspr.* waagerechte Strecke, die möglichst geradlinig angelegt wird)

Rich|tung; sie flohen [in] Richtung Heimat

rich|tung|ge|bend ↑K59

Rich|tungs|än|de|rung; Rich|tungsan|zei|ger (Blinkleuchte); **Richtungs|fahr|bahn** (*Verkehrsw.*)

rich|tungs|los; Rich|tungs|lo|sigkeit, die; -

Rich|tungs|pfeil

rich|tungs|sta|bil (*Kfz-Technik*); **Rich|tungs|sta|bi|li|tät**

Rich|tungs|ver|kehr, der; -s

Rich|tungs|wahl (Wahl, von der eine Wende in der politischen Richtung erwartet wird)

Rich|tungs|wech|sel; rich|tungs|weisend, rich|tung|wei|send

Richt|waa|ge

Richt|wert; Richt|zahl

Rick, das; -[e]s, *Plur.* -e, *auch* -s (*landsch. für* Stange; Gestell)

Ri|cke, die; -, -n (weibliches Reh)

Ri|cot|ta, der; -s (ital.) (ital. Frischkäse)

ri|di|kül (franz.) (*veraltet für* lächerlich)

Ri|di|kül, der *od.* das; -s, *Plur.* -e u. -s (*früher für* Arbeitsbeutel; Strickbeutel)

R

Rhod

rich|tig

Großschreibung der Substantivierung ↑K 72:

– das Richtige tun
– das Richtige sein; er wartet noch auf die Richtige
– es wäre das Richtigste, wenn ...; *aber* es wäre am richtigsten, wenn ...

Schreibung in Verbindung mit Verben und Partizipien:

– eine Uhr, die richtig geht
– das Besteck hat richtig gelegen
– wenn ich das richtig sehe, gibt es keine größeren Probleme

– die Uhrzeiger richtig stellen *od.* richtigstellen
– *Aber:* eine Behauptung richtigstellen
– mit einer Annahme richtigliegen *(ugs.)*
– wenn er doch einmal etwas richtig machen würde!
– *Aber:* die Rechnung endlich richtigmachen *(ugs. für begleichen)*
– eine richtig gehende *od.* richtiggehende Uhr
– *Aber nur:* es war eine richtiggehende Verschwörung

---

rieb *vgl.* reiben

Rie|bel, der; -s, - *(westösterr. ein Gericht aus Weizen od. Maisgrieß)*

riech|bar; rie|chen; du rochst; du röchest; gerochen; riech[e]!

Rie|cher *(ugs. für Nase [bes. im übertr. Sinne])*; einen guten Riecher für etwas haben (etwas gleich merken)

Riech|fläsch|chen

Riech|kol|ben *(ugs. scherzh. für Nase)*; **Riech|or|gan**

Riech|salz; Riech|stoff; Riech|was|ser *Plur.* ...wässer

¹**Ried,** das; -[e]s, -e (Schilf, Röhricht)

²**Ried,** das; -, -en, *u.* **Rie|de,** die; -, -n *(österr. für Nutzfläche in den Weinbergen)*

Ried|gras

Ried|hü|fel, das; -s, -n *(österr. für eine Rindfleischsorte)*

rief *vgl.* rufen

Rie|fe, die; -, -n (Längsrinne; Streifen, Rippe)

rie|feln (mit Rillen versehen); ich rief[e]le; **Rie|fe|lung**

rie|fen *(svw.* riefeln); **Rie|fen|samt** *(landsch. für Cordsamt)*

rie|fig

Rie|ge, die; -, -n (Turnerabteilung)

Rie|gel, der; -s, -; **Rie|gel|chen**

Rie|gel|hau|be *(früher bayrische Frauenhaube)*

Rie|gel|haus *(schweiz. für Fachwerkhaus)*

rie|geln *(veraltet, noch landsch. für* verriegeln); ich rieg[e]le

Rie|gel|stel|lung *(Milit.);* **Rie|gel|werk** *(landsch. für Fachwerk)*

Rie|gen|füh|rer; Rie|gen|füh|re|rin; rie|gen|wei|se

Riem|chen *(Bauw. auch schmales Bauelement, z. B. Fliese);* **Riem|chen|san|da|le**

¹**Rie|men,** der; -s, - (Lederstreifen)

²**Rie|men,** der; -s, - ⟨lat.⟩ (längeres, mit beiden Händen bewegtes Ruder); sich in die Riemen legen

Rie|men|an|trieb; Rie|men|schei|be (Radscheibe am Riemenwerk)

Rie|men|schnei|der, Tilman (dt. Bildhauer u. Holzschnitzer)

Rie|mer *(landsch. für* Riemenmacher); **Rie|me|rin**

ri|en ne va plus [ˈrjɛ̃ nə va ˈply] ⟨franz., »nichts geht mehr«⟩ (beim Roulettspiel die Ansage des Croupiers, dass nicht mehr gesetzt werden kann)

Ri|en|zi (römischer Volkstribun)

¹**Ries,** das; -es (Becken zwischen Schwäbischer u. Fränkischer Alb); Nördlinger Ries

²**Ries,** das; -es, -e ⟨arab.⟩ (Papiermaß); 4 Ries Papier

¹**Rie|se,** der; -n, -n (außergewöhnlich großer Mensch; *auch für* sagenhaftes, mythisches Wesen, Märchengestalt)

²**Rie|se,** die; -, -n *(südd., österr. für* [Holz]rutsche im Gebirge)

³**Rie|se** ⟨eigtl. Ries⟩, Adam (dt. Rechenmeister); 12 mal 12 ist nach Adam Riese (richtig gerechnet) 144

Rie|sel|feld; rie|seln; ich ries[e]le

rie|sen *(südd. für* mit Holzrutschen herablassen)

Rie|sen|an|stren|gung *(ugs.)*

Rie|sen|ar|beit, die; - *(ugs.)*

Rie|sen|aus|wahl *(ugs.)*

Rie|sen|dumm|heit *(ugs.)*

Rie|sen|fel|ge *(Turnen)*

Rie|sen|ge|bir|ge, das; -s

rie|sen|groß; rie|sen|haft

Rie|sen|hun|ger *(ugs.)*

Rie|sen|rad

Rie|sen|ross *(Schimpfwort)*

Rie|sen|schild|krö|te

Rie|sen|schlan|ge

Rie|sen|schritt

Rie|sen|sla|lom *(Skisport)*

Rie|sen|spaß *(ugs.);* **rie|sen|stark**

Rie|sen|stück *(ugs.)*

rie|sig (gewaltig groß; hervorragend, toll)

Rie|sin; rie|sisch *(selten für* zu den Riesen gehörend)

Ries|ling; Ries|lin|ge (eine Reb- u. Weinsorte); **Ries|ling|sekt**

Ries|ter, der; -s, - *(veraltend für* Lederflicken auf dem Schuh)

Ries|ter|ren|te, Ries|ter-Ren|te ⟨nach dem ehem. Bundesarbeitsminister W. Riester⟩ (staatl. geförderte private Zusatzrente)

ries|wei|se *(zu* ²Ries)

riet *vgl.* raten

Riet, das; -[e]s, -e (Weberkamm); **Riet|blatt**

Rif, das; -s ⟨arab.⟩, **Rif|at|las,** der; - (Gebirge in Marokko)

¹**Riff,** das; -[e]s, -e (Felsenklippe; Sandbank)

²**Riff,** der; -[e]s, -s ⟨engl.⟩ *(bes. Jazz, Popmusik* ständig wiederholte, rhythmische Tonfolge)

Rif|fel, die; -, -n (Flachs-, Reffkamm; rippenähnlicher Streifen; *bayr. u. österr. für* gezackter Berggrat [bes. in Bergnamen, z. B. die Hohe Riffel])

Rif|fel|glas *Plur.* ...gläser; **Rif|fel|kamm; Rif|fel|ma|schi|ne**

rif|feln ([Flachs] kämmen; aufrauen; mit Riefen versehen); ich riff[e]le; **Rif|fe|lung**

Ri|fi|fi, das; -s ⟨franz.⟩ (raffiniertes Verbrechen)

Rif|ka|by|le (Bewohner des Rifatlas)

Ri|ga (Hauptstadt Lettlands)

Ri|ga|er (Rigaer Bucht; **ri|ga|isch;** *aber* ↑K 140 *u.* der Rigaische Meerbusen *(svw.* Rigaer Bucht)

Ri|gel, der; - ⟨arab.⟩ (ein Stern)

Rigg, das; -s, -s, Rig|gung, die; -, -en ⟨engl.⟩ *(Seemannsspr.* Takelung; Segel[werk])

rig|gen ([auf]takeln)
Ri|gi, der; -[s], *auch* die; - (Gebirgsmassiv in der Schweiz)
ri|gid, ri|gi|de ⟨lat.⟩ (streng; steif, starr); Ri|gi|di|tät, die; - (starres Festhalten, Strenge; *Med.* Versteifung, [Muskel]starre)
Ri|gips|plat|te® (Gipskartonplatte zur Verkleidung von Innenwänden)
Ri|go|le, die; -, -n ⟨franz.⟩ (*Landw.* tiefe Rinne, Abzugsgraben)
ri|go|len (tief pflügen oder umgraben); ich habe rigolt
Ri|go|let|to (Titelheld in der gleichnamigen Oper von Verdi)
Ri|gol|pflug
Ri|go|ris|mus, der; - ⟨lat.⟩ (übertriebene Strenge; strenges Festhalten an Grundsätzen); Ri|go|rist, der; -en, -en; Ri|go|ris|tin; ri|go|ris|tisch (überaus streng)
ri|go|ros ⟨lat.⟩ ([sehr] streng); Ri|go|ro|si|tät, die; -
Ri|go|ro|sum, das; -s, Plur. ...sa, *österr.* ...sen (mündl. Examen)
Rig|ve|da, Rig|we|da, der; -[s] ⟨sanskr.⟩ (Sammlung der ältesten indischen Opferhymnen)
Ri|je|ka (Hafenstadt in Kroatien); *vgl.* Fiume
Rijs|wijk [ˈraɪsvaɪk] (niederländische Stadt)
Ri|kam|bio, der; -s, ...ien ⟨ital.⟩ (*Bankw.* Rückwechsel)
Rik|scha, die; -, -s ⟨jap.⟩ (zweirädriger Wagen, der von einem Menschen gezogen wird u. zur Beförderung von Personen dient)
Riks|mål [...moːl], das; -[s] ⟨norw.⟩ (*ältere Bez. für* Bokmål)
Ril|ke, Rainer Maria (österr. Dichter)
Ril|le, die; -, -n; ril|len
ril|len|för|mig; Ril|len|pro|fil
ril|lig (*selten für* gerillt)
Rim|baud [rɛ̃ˈbo:] (franz. Dichter)
Ri|mes|se, die; -, -n ⟨ital.⟩ (*Wirtsch.* in Zahlung gegebener Wechsel); Ri|mes|sen|wech|sel
Ri|mi|ni (italienische Hafenstadt)
Rims|ki-Kor|sa|kow (russischer Komponist)
Rind, das; -[e]s, -er
Rin|de, die; -, -n
Rin|den|boot; Rin|den|hüt|te
rin|den|los; Rin|den|tee
Rin|der|bra|ten, *südd., österr. u. schweiz.* Rinds|bra|ten
Rin|der|brust; Rin|der|fi|let; Rin|der|gu|lasch; Rin|der|hack|fleisch

Rin|der|her|de; rin|de|rig (brünstig [von der Kuh])
Rin|der|le|ber
rin|dern (brünstig sein [von der Kuh])
Rin|der|pest, die; Rin|der|ras|se; Rin|der|seu|che; Rin|der|talg
Rin|der|wahn, Rin|der|wahn|sinn (eine Rinderkrankheit)
Rin|der|zun|ge; Rind|fleisch
rin|dig (mit Rinde versehen)
Rind|le|der *vgl.* Rindsleder; rind|le|dern *vgl.* rindsledern
Rinds|bra|ten usw. (*südd., österr. u. schweiz. für* Rinderbraten usw.)
Rinds|le|der; rinds|le|dern (aus Rindsleder); Rinds|sup|pe (*bayr., österr. selten für* Fleischbrühe)
Rind|stück (Beefsteak); Rind|sup|pe (*österr.); Rinds|vö|gerl, das; -s, -n (*österr. für* Rinderroulade)
Rind|viech (Schimpfwort)
Rind|vieh (*auch* Schimpfwort)
rin|for|zan|do ⟨ital.⟩ (*Musik* stärker werdend; *Abk.* rf., rfz.)
Rin|for|zan|do, das; -s, Plur. -s u. ...di (*Musik*)
ring (*südd., schweiz. mdal. für* leicht, mühelos)
Ring, der; -[e]s, -e; ring|ar|tig
Ring|arzt (*Boxen*)
Ring|bahn; Ring|buch
Rin|gel, der; -s, - (kleineres ringförmiges od. spiraliges Gebilde); Rin|gel|blu|me
Rin|gel|chen *vgl.* Ringlein
rin|ge|lig, rin|glig
Rin|gel|lo|cke
rin|geln; ich ring[e]le [mich]
Rin|gel|nat|ter
Rin|gel|natz (dt. Dichter); Ringelnatz' Gedichte ↑ K 16
Rin|gel|piez, der; -[es], -e (*ugs. scherzh. für* anspruchsloses Tanzvergnügen); Ringelpiez mit Anfassen
Rin|gel|pull|li; Rin|gel|rei|gen, Rin|gel|rei|hen (*österr. nur so*); Rin|gel|schwanz; Rin|gel|söck|chen
Rin|gel|spiel (*österr. für* Karussell); Rin|gel|ste|chen, das; -s, - (früheres ritterliches Spiel)
Rin|gel|tau|be; Rin|gel|wurm
rin|gen; du rangst; du rängest; gerungen; ring[e]!
Rin|gen, das; -s
Rin|ger; Rin|ger|griff; Rin|ge|rin
rin|ge|risch; seine ringerischen Qualitäten
Ring|fahn|dung (Großfahndung der Polizei in einem größeren Gebiet)
Ring|fin|ger

ring|för|mig
Ring|ge|schäft; Ring|gra|ben
ring|hö|rig (*schweiz. neben* schalldurchlässig, hellhörig)
Ring|kampf; Ring|kämp|fer; Ring|kämp|fe|rin
Ring|knor|pel (Kehlkopfknorpel)
Ring|lein (kleiner Ring)
ring|lig *vgl.* ringelig
Rin|g|lot|te, die; -, -n (*landsch. u. österr. für* Reneklode)
Ring|mau|er
Ring|rich|ter (*Boxen*); Ring|rich|te|rin
rings *vgl.* ringsum; rings|her|um
Ring|stra|ße
rings|um; ringsum (rundherum) läuft ein Geländer; ringsum (überall) stehen blühende Sträucher, *aber* die Kinder standen rings um ihren Lehrer; rings um den See standen Bäume; rings|um|her
Ring|tausch; Ring|ten|nis; Ring|vor|le|sung; Ring|wall
Rink, der; -en, -en u. Rin|ke, die; -, -n (*landsch. für* Schnalle)
rin|keln (*veraltet für* schnallen); ich rink[e]le
Rin|ken, der; -s, - (*svw.* Rink)
Rin|ne, die; -, -n
rin|nen; es rann; es ränne, *selten* rönne; geronnen; rinn[e]!
Rinn|sal, das; -[e]s, -e (*geh. für* kleines fließendes Gewässer)
Rinn|stein
Rio de Ja|nei|ro [- - ʒaˈne:...] (Stadt in Brasilien)
Rio de la Pla|ta, der; - - - - (gemeinsame Mündung der Flüsse Paraná u. Uruguay)
Rio-de-la-Pla|ta-Bucht, die; - ↑ K 146
Rio Gran|de do Sul (Bundesstaat in Brasilien)
R. I. P. = requiescat in pace
Ri|pos|te, die; -, -n ⟨ital.⟩ (*Fechten* unmittelbarer Gegenangriff); ri|pos|tie|ren
Ripp|chen; Rip|pe, die; -, -n
rip|peln, sich (*landsch. für* sich regen); ich rippe[le] mich
rip|pen (mit Rippen versehen; *ugs. für* stehlen); gerippt
Rip|pen|bo|gen; Rip|pen|bruch, der
Rip|pen|fell; Rip|pen|fell|ent|zün|dung
Rip|pen|heiz|kör|per
Rip|pen|speer, der od. das; -[e]s (gepökeltes Schweinebruststück mit Rippen); Kasseler Rippe[n]speer
Rip|pen|stoß; Rip|pen|stück

Rip|perl, das; -s, -n (*österr. für* Schweinerippchen)

Ripp|li, das; -s, - (*schweiz. für* Schweinerippchen)

rips!; rips, raps!

Rips, der; -es, -e ⟨engl.⟩ (geripptes Gewebe); Rips|band, das

ri|pu|a|risch ⟨lat.⟩ (am [Rhein]ufer wohnend); ripuarische Franken (um Köln)

ri|ra|rutsch!

Ri|sa|lit, der; -s, -e ⟨ital.⟩ (*Bauw.* Vorbau, Vorsprung)

ri|scheln (*landsch. für* rascheln, knistern); sie sagt, es risch[e]le

Ri|si|ko, das; -s, ...ken, *selten* -s ⟨ital.⟩

Ri|si|ko|ana|ly|se

ri|si|ko|be|haf|tet

ri|si|ko|be|reit; Ri|si|ko|be|reit|schaft, die; -; Ri|si|ko|fak|tor

ri|si|ko|frei; ri|si|ko|freu|dig

Ri|si|ko|ge|burt; Ri|si|ko|grup|pe (*Med., Soziol.*); Ri|si|ko|ka|pi|tal (*Wirtsch.*); Ri|si|ko|le|bens|ver|si|che|rung ↑K 22 ; Ri|si|ko|leh|re (Lehre von den Ursachen u. der Eindämmung der möglichen Folgen eines Risikos)

ri|si|ko|los

Ri|si|ko|pa|pier (*Börsenw.*)

Ri|si|ko|pa|ti|ent (besonders gefährdeter Patient); Ri|si|ko|pa|ti|en|tin

Ri|si|ko|prä|mie (*Wirtsch.*)

ri|si|ko|reich; ri|si|ko|scheu

Ri|si|ko|schwan|ger|schaft

Ri|si|ko|sport

Ri|si-Pi|si od., *bes. österr.*, Ri|si|pi|si, das; -[s], - ⟨ital.⟩ (ein Gericht aus Reis u. Erbsen)

ris|kant ⟨franz.⟩ (gewagt); ris|kie|ren (wagen, aufs Spiel setzen)

Risk|ma|nage|ment ⟨engl.⟩ (Fehlern od. Unfällen vorbeugende, sie mit einplanende Unternehmensstrategie)

Ri|skon|t|ro ⟨ital.⟩ Skontro

Ri|sor|gi|men|to [...dʒi...], das; -[s] ⟨ital.⟩ (italienische Einigungsbewegung im 19. Jh.)

Ri|sot|to, der; -[s], -s, *österr. auch* das; -s, -[s] ⟨ital.⟩ (Reissspeise)

Ris|pe, die; -, -n (Blütenstand); ris|pen|för|mig

Ris|pen|gras; ris|pig

riss *vgl.* reißen

Riss, der; -es, -e; riss|fest

ris|sig

Ris|so|le, die; -, -n (*Gastron.* halbmondförmiges Pastetchen)

Rist, der; -es, -e (Fuß-, Handrücken; *kurz für* Widerrist)

Ris|te, die; -, -n (*landsch. für* Flachsbündel)

Rist|griff (*Turnen*)

ri|stor|nie|ren ⟨ital.⟩ (*Wirtsch.* rückbuchen); Ri|stor|no, der *od.* das; -s, -s (*Wirtsch.* Rückbuchung, Rücknahme)

ri|s|ve|g|li|an|do [...veˈʎja...] ⟨ital.⟩ (*Musik* munter, lebhaft werdend); ri|s|ve|g|li|a|to (*Musik* [wieder] munter, lebhaft)

rit. = ritardando, ritenuto

Ri|ta (w. Vorn.)

ri|tar|dan|do ⟨ital.⟩ (*Musik* langsamer werdend; *Abk.* rit.); Ri|tar|dan|do, das; -s, -s *u.* ...di

ri|te ⟨lat.⟩ (genügend [geringstes Prädikat beim Rigorosum])

Ri|ten (*Plur. von* Ritus)

ri|ten., rit. = ritenuto

Ri|ten|kon|gre|ga|ti|on, die; - (eine päpstliche Behörde)

ri|te|nu|to ⟨ital.⟩ (*Musik* zurückgehalten, plötzlich langsamer; *Abk.* rit., riten.); Ri|te|nu|to, das; -s, *Plur.* -s *u.* ...ti

Ri|tor|nell, das; -s, -e ⟨ital.⟩ (*Verslehre* dreizeilige Strophe; *Musik* sich [mehrfach] wiederholender Teil eines Musikstücks)

Ri|trat|te, die; -, -n ⟨ital.⟩ (*svw.* Rikambio)

ritsch!; ritsch, ratsch!

Rit|scher, der; -s *u.* Rit|schert, das; -s (*österr. für* Speise aus Graupen und Hülsenfrüchten)

ritt *vgl.* reiten

Ritt, der; -[e]s, -e

Ritt|ber|ger, der; -s, - ⟨nach dem dt. Eiskunstläufer⟩ (Drehsprung im Eiskunstlauf)

Rit|ter; die Ritter des Pour le Mérite; der Ritter von der traurigen Gestalt (Don Quichotte); arme Ritter (eine Süßspeise)

Rit|ter|burg; Rit|ter|dich|tung

Rit|ter|gut; Rit|ter|guts|be|sit|zer

rit|ter|lich; Rit|ter|lich|keit

Rit|ter|ling (ein Pilz)

rit|tern (*österr. ugs. für* in einer letzten Entscheidung um etwas kämpfen); ich rittere

Rit|ter|or|den; Rit|ter|ro|man; Rit|ter|rüs|tung

Rit|ter|schaft, die; -; rit|ter|schaft|lich

Rit|ter|schlag

Rit|ters|mann *Plur.* ...leute

Rit|ter|sporn *Plur.* ...sporne (eine Gartenstaude)

Rit|ter|tum, das; -s

Rit|ter-und-Räu|ber-Ro|man ↑K26

Rit|ter|we|sen, das; -s

Rit|ter|zeit, die; -

rit|tig (zum Reiten geschult, reitgerecht [von Pferden]); Rit|tig|keit, die; -; Rit|tig|keits|ar|beit, die; - (*Pferdesport*)

ritt|lings

Ritt|meis|ter (*Milit. früher*)

Ri|tu|al, das; -s, *Plur.* -e *u.* -ien ⟨lat.⟩ (religiöser Brauch; Zeremoniell)

Ri|tu|al|buch; Ri|tu|al|hand|lung

ri|tu|a|li|sie|ren (zum Ritual werden lassen)

Ri|tu|a|lis|mus, der; - (Richtung der anglikanischen Kirche); Ri|tu|a|list, der; -en, -en

Ri|tu|al|mord

ri|tu|ell ⟨franz.⟩ (zum Ritus gehörend; durch den Ritus geboten)

Ri|tus, der; -, ...ten ⟨lat.⟩ (gottesdienstlicher [Fest]brauch; Zeremoniell)

Ritz, der; -es, -e (Kerbe, Schramme; *auch für* Ritze)

Rit|ze, die; -, -n (sehr schmale Spalte od. Vertiefung)

Rit|zel, das; -s, - (*Technik* kleines Zahnrad)

rit|zen; du ritzt; Rit|zer (*ugs. für* kleine Schramme; jmd., der sich absichtlich ritzt); Rit|ze|rin; Rit|zung

Ri|u|kiu|in|seln *Plur.* (Inselkette im Pazifik)

Ri|va|le, der; -n, -n ⟨franz.⟩ (Mitbewerber); Ri|va|lin

ri|va|li|sie|ren (um den Vorrang kämpfen); Ri|va|li|tät, die; -, -en

Ri|ver|boat|shuf|fle, Ri|ver-boat-Shuf|fle [...boːtʃafl], die; -, -s ⟨amerik.⟩ (Vergnügungsfahrt auf einem [Fluss]schiff, bei der eine [Jazz]band spielt)

ri|ver|so ⟨ital.⟩ (*Musik* umgekehrt, vor- und rückwärts zu spielen)

Ri|vi|e|ra, die; -, ...ren *Plur. selten* (Küstengebiet am Mittelmeer)

Ri|y|al, der; -[s], -s ⟨arab.⟩ (Währungseinheit in Saudi-Arabien); 100 Riyal; *vgl.* Rial

Ri|zi|nus [*österr.* ...'tsiː...], der; -, *Plur.* - *u.* -se ⟨lat.⟩ (ein Wolfsmilchgewächs, Heilpflanze); Ri|zi|nus|öl, das; -[e]s

r.-k., röm.-kath. = römisch-katholisch

RKW, das; -[s], -s = Rationalisierungs- und Innovationszentrum der Deutschen Wirtschaft, *früher Name* Rationalisierungskuratorium der Deutschen Wirtschaft

Rm, *früher* rm = Raummeter

RM = Reichsmark

Rn = *chem.* Zeichen *für* Radon

RNA, die; - ⟨aus engl. ribonucleic acid⟩ (Ribonukleinsäure)

RNS, die; - = Ribonukleinsäure

Roa|die [ˈroːdi], der; -s, -s ⟨amerik.⟩ (jmd., der gegen Bezahlung beim Transport, Auf- u. Abbau der Ausrüstung einer Rockgruppe o. Ä. hilft)

Road|ma|na|ger [ˈroːt...] (für die Bühnentechnik verantwortlicher Begleiter einer Rockgruppe)

Road|map [ˈroːtmɛp], die; -, -s ⟨engl.⟩ (*EDV* Plan für die zukünftige Entwicklung von Technologien u. Produkten; *nur Sing. auch für* amerik. Friedensplan für den Nahen Osten)

Road|mo|vie [ˈroːtmuːvi], das (Spielfilm, dessen Handlung sich unterwegs, bei einer Autofahrt abspielt)

Road|show [ˈroːt...] ⟨engl.⟩ (Werbeveranstaltung, die mobil an verschiedenen Orten erfolgt)

Roads|ter [ˈroːtstɐ], der; -s, - ⟨engl.⟩ (offener, zweisitziger Sportwagen)

Roa|ring Twen|ties [ˈroː... ...tiːs] *Plur.* ⟨engl., »die stürmischen Zwanziger(jahre)«⟩ (die 20er-Jahre des 20. Jh.s in den USA u. in Westeuropa)

Roast|beef [ˈroːstbiːf, ˈrɔ...], das; -s, -s ⟨engl.⟩ (Rostbraten)

Rob|be, die; -, -n (Seesäugetier)

Robbe-Gril|let [ˈrɔpgriˈjeː] (französischer Schriftsteller)

rob|ben (robbenartig kriechen); sie robbt

Rob|ben|fang; Rob|ben|fän|ger; Rob|ben|fän|ge|rin; Rob|ben|fell

Rob|ben|jagd; Rob|ben|jä|ger; Rob|ben|jä|ge|rin

Rob|ben|schlag (Erlegung der Robbe mit einem Knüppel); **Rob|ben|ster|ben**

Rob|ber, der; -s, - ⟨engl.⟩ (*svw.* ¹Rubber)

Ro|be, die; -, -n ⟨franz.⟩ (kostbares, langes [Abend]kleid; Amtstracht, bes. für Richter, Anwälte, Geistliche)

Ro|bert (m. Vorn.)

Ro|ber|ta, Ro|ber|ti|ne (w. Vorn.)

Ro|bes|pi|erre [...bɛsˈpjɛːɐ̯] (Führer in der Franz. Revolution)

Ro|bi|nie, die; -, -n ⟨nach dem franz. Botaniker Robin⟩ (ein Zierbaum od. -strauch)

Ro|bin|so|na|de, die; -, -n (Robinsongeschichte)

Ro|bin|son Cru|soe [- ...zoː] (Held in einem Roman von Daniel Defoe)

Ro|bin|son|lis|te (Liste von Personen, die keine Werbesendungen erhalten möchten)

Ro|bot, die; -, -en ⟨tschech.⟩ (*veraltet für* Frondienst); **ro|bo|ten** (*ugs. für* schwer arbeiten); er hat gerobotet

Ro|bo|ter (elektronisch gesteuerter Automat); **ro|bo|ter|haft**

Ro|bu|rit, der; -s ⟨lat.⟩ (ein Sprengstoff)

ro|bust ⟨lat.⟩ (stark, widerstandsfähig); **Ro|bust|heit**

Ro|caille [...ˈkaj], das *od.* die; -, -s ⟨franz.⟩ (*Kunst* Muschelwerk)

roch *vgl.* riechen

Ro|cha|de [...x..., *auch* ...ʃ...], die; -, -n ⟨arab.-span.-franz.⟩ (*Schach* Doppelzug von König und Turm; *schweiz. auch für* [Ämter]tausch)

Roche|fort [rɔʃˈfoːɐ̯] (französische Stadt)

rö|cheln; ich röch[e]le

Ro|chen, der; -s, - (ein Seefisch)

Ro|chett [...ʃ...], das; -s, -s ⟨franz.⟩ (Chorhemd kath. Geistlicher)

ro|chie|ren [...x..., *auch* ...ʃ...] ⟨arab.-span.-franz.⟩ (die Rochade ausführen; die Positionen wechseln)

¹Ro|chus (Heiliger)

²Ro|chus; einen Rochus auf jmdn. haben (*ugs. für* zornig auf jmdn. sein)

¹Rock, der; -[e]s, Röcke

²Rock, der; -[s] ⟨amerik.⟩ (Stilrichtung der Popmusik)

Rock and Roll [- ɛnt -], **Rock 'n' Roll** [- ...kn̩...], der; - - - [-s], - - - [-s] (stark synkopierter amerikanischer Musikstil u. Tanz)

Rock-and-Roll-Mas|ter|schaft, Rock-'n'-Roll-Meis|ter|schaft

Rock|band [...bɛnt], die (*svw.* Rockgruppe)

Röck|chen

ro|cken (²Rock spielen)

Ro|cken, der; -s, - (Spinngerät)

Ro|cken|bol|le, die; -, -n (*nordd. für* Perlzwiebel)

Ro|cken|stu|be (Spinnstube)

Ro|cker, der; -s, - ⟨engl.⟩ (Angehöriger einer Gruppe von Jugendlichen [mit Lederkleidung u. Motorrad als Statussymbol]; Rockmusiker); **Ro|cker|ban|de; Ro|cker|braut** (*ugs. für* Freundin eines Rockers); **Ro|cke|rin**

Rock|grup|pe; ro|ckig; Rock|konzert

Rock|mu|sik; Rock|mu|si|ker; Rock|mu|si|ke|rin

Rock 'n' Roll usw. *vgl.* Rock and Roll

Rock|oper

Rock|sän|ger; Rock|sän|ge|rin

Rock|saum; Rock|schoß; Rock|ta|sche

Ro|cky Moun|tains [...ki ˈmaʊntɪns] *Plur.* (nordamerikanisches Gebirge)

Rock|zip|fel

Ro|de|ha|cke

¹Ro|del, der; -s, Rödel (*südwestd. u. schweiz. für* Liste, Verzeichnis)

²Ro|del, der; -s, - (*bayr. für* Schlitten)

³Ro|del, die; -, -n (*österr. für* kleiner Schlitten; *landsch. für* Kinderrassel)

Ro|del|bahn; ro|deln; ich rod[e]le

rö|deln (*Soldatenspr.* sich mit Sturmgepäck durch das Gelände bewegen; *ugs. auch* angestrengt arbeiten); ich röd[e]le

Ro|del|schlit|ten

ro|den

Ro|deo, der *od.* das; -s, -s ⟨engl.⟩ (Reiterschau der Cowboys in den USA)

Ro|der (Gerät zum Roden [von Kartoffeln, Rüben])

Ro|de|rich (m. Vorn.)

Ro|din [roˈdɛ̃ː] (franz. Bildhauer)

Rod|ler; Rod|le|rin

ro|do|mon|tie|ren (*veraltet für* aufschneiden)

Ro|don|ku|chen [...ˈdõː...], der; -s, - ⟨franz.; dt.⟩ (*landsch.* ein Napfkuchen)

Ro|d|ri|go (m. Vorn.)

Ro|dung

Ro|ga|te ⟨lat., »bittet!«⟩ (fünfter Sonntag nach Ostern)

Ro|ga|ti|on, die; -, -en (*veraltet für* Fürbitte; kath. Bittumgang)

Ro|gen, der; -s, - (Fischeier)

**Ro|ge|ner, Rog
|ner** (weibl. Fisch)

Ro|gen|stein (rogenartige Versteinerung)

Ro|ger [*auch* rɔˈʒeː, ˈrɔdʒɐ] (dt., franz., engl. m. Vorn.)

ro|ger! [ˈrɔdʒɐ] ⟨engl.⟩ (*Funkw.* [Nachricht] verstanden!; *ugs. auch für* in Ordnung!, einverstanden!)

Rög|gel|chen (*rhein. für* Roggenbrötchen)

Rog|gen, der; -s, *Plur. (Sorten:)* - (ein Getreide)

Rog|gen|brot; Rog|gen|bröt|chen

Rog|gen|ern|te; Rog|gen|feld
Rog|gen|mehl
Rog|ner *vgl.* Rogener
roh; roh behauener, bearbeiteter Stein; aus dem Rohen arbeiten; im Rohen fertig
Roh|ar|beit; Roh|bau *Plur.* ...bauten; Roh|bi|lanz *(Wirtsch.)*
Roh|di|a|mant; Roh|ei|sen, das; -s; Roh|ei|sen|ge|win|nung
Ro|heit *alte Schreibung für* Roh--heit
Roh|ent|wurf; Roh|er|trag
ro|her|wei|se; Roh|ge|wicht
Roh|heit
Roh|kost; Roh|köst|ler; Roh|köst|le|rin
Roh|ling
Roh|ma|te|ri|al; Roh|öl
Roh|pro|dukt; Roh|pro|duk|ten|händ|ler; Roh|pro|duk|ten|händ|le|rin
Rohr, das; -[e]s, -e *(österr. auch für* Backofen)
Rohr|am|mer (ein Vogel)
Rohr|bruch, der; Röhr|chen (kleines Rohr; kleine Röhre)
Rohr|dom|mel, die; -, -n (ein Vogel)
Röh|re, die; -, -n
¹röh|ren *(veraltet für* mit Röhren versehen)
²röh|ren (brüllen [vom Hirsch zur Brunftzeit])
Röh|ren|be|wäs|se|rung
Röh|ren|blüt|ler, der; -s, - *(Bot.)*
Röh|ren|brun|nen (Brunnen, aus dem das Wasser ständig rinnt)
Röh|ren|ho|se; Röh|ren|kno|chen; Röh|ren|pilz
rohr|far|ben *(für* beige)
Rohr|flech|ter; Rohr|flech|te|rin; Rohr|flö|te; Rohr|ge|flecht
Röh|richt, das; -s, -e (Rohrdickicht)
Rohr|kol|ben
Rohr|kre|pie|rer *(Soldatenspr.* Geschoss, das im Geschützrohr u. Ä. explodiert)
Rohr|le|ger; Rohr|le|ge|rin; Rohr|lei|tung
Röhr|ling (ein Pilz)
Rohr|post, die; -
Rohr|rück|lauf, der; -[e]s (beim Geschütz)
Rohr|sän|ger (ein Singvogel)
Rohr|spatz; *in* schimpfen wie ein Rohrspatz *(ugs. für* aufgebracht, laut schimpfen)
Rohr|stock *Plur.* ...stöcke; Rohr|stuhl
Rohr|wei|he (ein Greifvogel)
Rohr|zan|ge
Rohr|zu|cker

Roh|schrift (*für* Konzept)
Roh|sei|de; roh|sei|den; ein rohseidenes Kleid
Roh|stahl *vgl.* ¹Stahl
Roh|stoff; roh|stoff|arm
Roh|stoff|fra|ge, Roh|stoff-Fra|ge
Roh|stoff|man|gel, der; -s; Roh|stoff|markt
roh|stoff|reich
Roh|stoff|ver|ar|bei|tung; Roh|stoff|ver|brauch
Roh|ta|bak; Roh|zu|cker; Roh|zu|stand
Roi|busch|tee, Rooi|bos|tee ['rɔy...] ⟨afrikaans⟩ *vgl.* Rotbuschtee
ro|ien, ro|jen *(Seemannsspr.* rudern)
Ro|ko|ko *[auch ...'ko..., österr.* ...'ko:], das; *Gen.* -s, *fachspr. auch* - ⟨franz.⟩ ([Kunst]stil des 18. Jh.s)
Ro|ko|ko|kom|mo|de; Ro|ko|ko|stil
Ro|ko|ko|zeit, die; -
ROL (Währungscode für Leu)
Ro|land (m. Vorn.)
Ro|lands|lied, das; -[e]s; Ro|land[s]-säu|le
Rolf (m. Vorn.)
Rolla|den *alte Schreibung für* Rollladen
Roll|la|tor, der; -s, -en
Roll-back, **Roll|back** [...bɛk], das; -[s], -s ⟨engl.⟩ (Rückzug, erzwungenes Zurückweichen; Rückgang)
Roll|bahn; Roll|bal|ken *(österr. für* Rollladen); Roll|ball, der; -s (Mannschaftsballspiel)
Roll|bra|ten
Roll|brett (*svw.* Rollerbrett)
Röll|chen; Roll|le, die; -, -n
rol|len; ↑K 82 : der Wagen kommt ins Rollen
Rol|len|be|set|zung *(Theater);* Rol|len|fach *(Theater)*
rol|len|för|mig; rol|len|spe|zi|fisch
Rol|len|spiel *(Soziol.);* Rol|len|tausch; Rol|len|ver|tei|lung
Rol|ler (Motorroller; Kinderfahrzeug; männl. [Kanarien]vogel mit rollendem Schlag; *österr. auch svw.* Rollfähre); [mit dem] Roller fahren, *aber* ↑K 82 : das Rollerfahren
Rol|ler|blade® [...ble:d], der; -s, -s *meist Plur.* ⟨engl.⟩ (ein Inlineskate)
Rol|ler|brett (*für* Skateboard)
rol|lern; ich rollere
Rol|ler|skate [...ske:t], der; -s, -s ⟨engl.⟩ (*svw.* Diskoroller)
Roll|fäh|re (*österr. für* Seilfähre)

Roll|feld; Roll|film
Roll|geld; Roll|gut
Roll|ho|ckey
Roll|li, der; -s, -s *(ugs. für* leichter Rollkragenpullover)
rol|lie|ren ⟨lat.⟩ (umlaufen; *Schneiderei* den Rand einrollen)
rol|lig ([von Katzen] brünstig)
Roll|kom|man|do
Roll|kra|gen; Roll|kra|gen|pul|lo|ver
Roll|kunst|lauf, der; -[e]s
Roll|kur *(Med.)*
Roll|la|den, Roll-La|den, der; -s, *Plur.* ...läden, *seltener* ...laden
Roll|la|den|kas|ten
Roll|la|den|schrank
Roll|lei|ne, Roll-Lei|ne
Roll|loch, Roll-Loch *(Bergmannsspr.* steil abfallender Grubenbau)
Roll|mops (gerollter eingelegter Hering)
Roll|lo *[auch, österr. nur,* ...'lo:], das; -s, -s (aufrollbarer Vorhang)
Roll-out, **Roll|out** [ro:l'laut], der, *auch* das; -s, -s ⟨engl.⟩ (öffentliche Vorstellung eines neuen Fahrzeugtyps; *EDV* Einführung neuer Programme u. ihre Integration in ein bestehendes System)
Roll|schie|ne; Roll|schin|ken
Roll|schnell|lauf, Roll|schnell-Lauf
Roll|schrank
Roll|schuh; Rollschuh laufen, *aber* ↑K 82 : das Rollschuhlaufen
Roll|schuh|bahn; Roll|schuh|sport, der; -[e]s
Roll|sitz; Roll|ski; Roll|splitt; Roll|sport, der; -[e]s (*svw.* Rollschuhsport)
Rolls-Royce® [rɔls'rɔys, 'ro:ls'rɔys], der; -, - ⟨nach den Firmengründern Charles Stewart Rolls u. Henry Royce⟩ (britische Kraftfahrzeugmarke)
Roll|stuhl
Roll|stuhl|fah|rer; Roll|stuhl|fah|re|rin; roll|stuhl|gän|gig *(bes. schweiz. für* rollstuhlgerecht); roll|stuhl|ge|recht; rollstuhlgerechte Wohnungen
Roll|trep|pe
¹Rom (Hauptstadt Italiens)
²Rom, der; -, -a ⟨Zigeunerspr.⟩ (das als diskriminierend empfundene Wort »Zigeuner« ersetzende Bezeichnung [bes. für einen aus Südosteuropa stammenden Angehörigen der Gruppe]; *vgl.* Sinto)
ROM, das; -[s], -[s] ⟨aus engl. read-

only memory⟩ (*EDV* Informationsspeicher, dessen Inhalt nur gelesen, aber nicht verändert werden kann)

Ro|ma (*Plur. von* ²Rom)

Ro|ma|dur [*österr.* ...'du:ɐ̯], der; -[s], -s ⟨franz.⟩ (ein Weichkäse)

Ro|ma|g|na [...'manja], die; - (eine italienische Landschaft)

Ro|man, der; -s, -e ⟨franz.⟩; historische Romane; **ro|man|ar|tig**

Ro|man|au|tor; Ro|man|au|to|rin

Ro|män|chen

Ro|man|ci|er [...mã'sje:], der; -s, -s (Romanschriftsteller)

Ro|mand [ro'mã:], der; -, -s ⟨franz.⟩ (Schweizer mit französischer Muttersprache); **Ro|man|de** [...'mã:d], die; -, -n ⟨zu Romand⟩

Ro|man|die [romã'di:], die; - (die französischsprachige Schweiz)

Ro|ma|ne, der; -n, -n ⟨lat.⟩ (Angehöriger eines Volkes mit romanischer Sprache); **Ro|ma|nen|tum,** das; -s

Ro|ma|nes|co, der; -s ⟨ital.⟩ (grüner Blumenkohl)

Ro|man|fi|gur; Ro|man|ge|stalt

ro|man|haft

Ro|man|held; Ro|man|hel|din

Ro|ma|ni [*auch* 'rɔ...], das; -[s] ⟨Zigeunerspr.⟩ (Sprache der Sinti u. Roma)

Ro|ma|nik, die; - ⟨lat.⟩ (Kunststil vom 11. bis 13. Jh.; Zeit des romanischen Stils)

Ro|ma|nin ⟨zu Romane⟩

ro|ma|nisch (zu den Romanen gehörend; im Stil der Romanik, die Romanik betreffend; *schweiz. auch für* rätoromanisch [*vgl.* romantsch]); romanische Sprachen; **ro|ma|ni|sie|ren** (römisch, romanisch machen); **Ro|ma|nist,** der; -en, -en; **Ro|ma|nis|tik,** die; - (Wissenschaft von den romanischen Sprachen u. Literaturen; Wissenschaft vom römischen Recht); **Ro|ma|nis|tin; ro|ma|nis|tisch**

Ro|ma|li|te|ra|tur

Ro|ma|now [*auch, österr. nur,* 'rɔ...] (ehemaliges russisches Herrschergeschlecht)

Ro|man|schrei|ber; Ro|man|schrei|be|rin; Ro|man|schrift|stel|ler; Ro|man|schrift|stel|le|rin

Ro|man|tik, die; - ⟨lat.⟩ (Kunst- und Literaturrichtung von etwa 1800 bis 1830; gefühlsbetonte Stimmung; **Ro|man|ti|ker** (Anhänger, Dichter usw. der Romantik; *abwertend für* Fan-

tast, Schwärmer); **Ro|man|ti|ke|rin**

ro|man|tisch (zur Romantik gehörend; gefühlsbetont, schwärmerisch); **ro|man|ti|sie|ren** (romantisch darstellen, gestalten)

ro|mantsch (rätoromanisch); **Ro|mantsch,** das; -[s] (rätoromanische Sprache [in Graubünden])

Ro|ma|nus (m. Vorn.)

Ro|man|ze, die; -, -n ⟨franz.⟩ (romantisches Liebeserlebnis; erzählendes volkstüml. Gedicht; liedartiges Musikstück mit besonderem Stimmungsgehalt)

Ro|man|zen|dich|ter; Ro|man|zen|dich|te|rin; Ro|man|zen|samm|lung

Ro|man|ze|ro, der; -s, -s ⟨span.⟩ (span. Romanzensammlung)

Ro|meo (Gestalt bei Shakespeare)

¹Rö|mer (Einwohner Roms; Angehöriger des Römischen Reiches; *auch für* eine Dachziegelart)

²Rö|mer, der; -s (das alte Rathaus in Frankfurt am Main)

³Rö|mer (bauchiges Kelchglas für Wein)

Rö|mer|brief, der; -[e]s (*N. T.*)

Rö|me|rin

Rö|mer|stra|ße ↑K 162

Rö|mer|topf ®

Rö|mer|tum, das; -s

Rom|fah|rer; Rom|fahrt

rö|misch (auf Rom, auf die alten Römer bezogen); römische Zeitrechnung, römische Zahlen, römisches Bad, römisches Recht, die römischen Kaiser, *aber* ↑K 150 : das Römische Reich, das Heilige Römische Reich Deutscher Nation

rö|misch-irisch ↑K 23 ; römisch-irisches Bad (ein Heißluftbad)

rö|misch-ka|tho|lisch (↑K 23 ; *Abk.* r.-k., röm.-kath.); die römisch-katholische Kirche

röm.-kath. = römisch-katholisch

Rom|mee, Rommé ['rɔme:, *auch* ...'me:], das; -s, -s ⟨franz.⟩ (ein Kartenspiel; *vgl.* Rummy)

Rom|ni, die; -, - (w. Form zu ²Rom)

Ro|mu|ald (m. Vorn.)

Ro|mu|lus (in der römischen Sage Gründer Roms; Romulus und Remus; ↑K 16 : Romulus' Bruder Remus; Romulus Augustulus (letzter weström. Kaiser)

Ro|nald (m. Vorn.)

Ron|ces|val|les ['rɔ̃:səval, *auch* rɔnses'valjes] (span. Ort)

Ron|de [*auch* 'rõ:...], die; -, -n ⟨franz.⟩ (*früher für* Runde,

Rundgang; Wachen u. Posten kontrollierender Offizier)

Ron|deau [rɔn'do:], das; -s, -s (Gedichtform; *österr. für* rundes Beet, runder Platz)

Ron|dell, Run|dell, das; -s, -e (Rundteil [an der Bastei]; Rundbeet)

Ron|do, das; -s, -s ⟨ital.⟩ (mittelalterliches Tanzlied; Instrumentalsatz mit mehrfach wiederkehrendem Thema)

Ron|ka|li|sche Fel|der *Plur.* (Ebene in Oberitalien)

rönt|gen (mit Röntgenstrahlen durchleuchten); du röntgst; sie wurde geröntgt

Rönt|gen (dt. Physiker)

Rönt|gen|ap|pa|rat ↑K 136

Rönt|gen|arzt; Rönt|gen|ärz|tin

Rönt|gen|auf|nah|me; Rönt|gen|be|hand|lung; Rönt|gen|be|strah|lung; Rönt|gen|bild

Rönt|gen|blick, der; -[e]s (*scherzh. für* alles durchdringender Blick)

Rönt|gen|di|a|g|nos|tik; Rönt|gen|ge|rät

rönt|ge|ni|sie|ren (*österr. für* röntgen)

Rönt|gen|ki|ne|ma|to|gra|fie, Rönt|gen|ki|ne|ma|to|gra|phie, die; - (Filmen des durch Röntgenstrahlen entstehenden Bildes)

Rönt|ge|no|gra|fie, Rönt|ge|no|gra|phie, die; - (fotografische Aufnahme mit Röntgenstrahlen); **rönt|ge|no|gra|fisch, rönt|ge|no|gra|phisch; Rönt|ge|no|gramm,** das; -s, -e (Röntgenbild)

Rönt|ge|no|lo|ge, der; -n, -n; **Rönt|ge|no|lo|gie,** die; - (Lehre von den Röntgenstrahlen); **Rönt|ge|no|lo|gin; rönt|ge|no|lo|gisch**

Rönt|ge|no|s|ko|pie, die; -, ...ien (Durchleuchtung mit Röntgenstrahlen)

Rönt|gen|pass

Rönt|gen|rei|hen|un|ter|su|chung

Rönt|gen|schirm; Rönt|gen|schwes|ter

Rönt|gen|spek|t|rum

Rönt|gen|strah|len *Plur.*

Rönt|gen|struk|tur|ana|ly|se (röntgenologische Untersuchung der Struktur von Kristallen)

Rönt|gen|tie|fen|the|ra|pie, die; -

Rönt|gen|un|ter|su|chung

Rooi|bos|tee ['rɔy...] (afrikaans); *vgl.* Rotbuschtee

Roo|ming-in, Roo|ming|in [ru:-mɪŋ'ɪ...], das; -[s], -s ⟨engl.⟩ (gemeinsame Unterbringung von Mutter und Kind in einem Krankenhauszimmer)

Roo|se|velt [ˈroːzəvɛlt] (Name zweier Präsidenten der USA)

Rope|skip|ping, Rope-Skip|ping [ˈroːp...], das; -s ⟨engl.⟩ (als Sport betriebenes Seilspringen)

Roque|fort [ˈrɔkfoːɐ̯], der; -s, -s ⟨nach dem franz. Ort⟩ (ein Käse); **Roque|fort|kä|se** ↑K 143

Ror|schach (schweiz. Stadt)

Ror|schach|test, Ror|schach-Test ⟨nach dem Schweizer Psychiater⟩ (ein psychologisches Testverfahren)

ro|sa ⟨lat.⟩ (rosenfarbig, blassrot); ein rosa ⟨ugs. auch rosa[n]es⟩ Kleid; vgl. blau

¹**Ro|sa,** das; -s, Plur. -, ugs. -s (rosa Farbe); vgl. Blau

²**Ro|sa** (w. Vorn.)

ro|sa|far|ben, ro|sa|far|big

Ro|sa|lia, Ro|sa|lie (w. Vorn.)

Ro|sa|li|en|ge|bir|ge, das; -s (nördl. Ausläufer der Zentralalpen)

Ro|sa|lin|de (w. Vorn.)

Ro|sa|mund, Ro|sa|mun|de (w. Vorn.)

Ros|ani|lin, das; -s (ein Farbstoff)

Ro|sa|ri|um, das; -s, ...ien (Rosenpflanzung; kath. Rosenkranzgebet)

ro|sa|rot ↑K 23

Ro|sa|zee, die; -, -n (Bot. Rosengewächs)

rösch [auch røːʃ] (Bergmannsspr. grob; bes. südd., auch schweiz. mdal. für knusprig)

Rö|sche, die; -, -n (Bergmannsspr. Graben od. stollenartiger Gang, der Wasser zu- od. abführt)

Rös|chen (kleine Rose; kurz für Blumenkohlröschen)

¹**Ro|se,** die; -, -n

²**Ro|se** (w. Vorn.)

ro|sé ⟨franz.⟩ (rosig, zartrosa); rosé Spitze; vgl. beige; in Rosé ↑K 72

¹**Ro|sé,** das; -[s], -[s] (rosé Farbe)

²**Ro|sé,** der; -s, -s (Roséwein)

Ro|seau [...ˈzoː] (Hauptstadt von Dominica)

Ro|see|wein vgl. Roséwein

Ro|seg|ger [auch roˈzɛ..., ˈrɔ...] (österr. Schriftsteller)

Ro|se|ma|rie (w. Vorn.)

Ro|sen|blatt; Ro|sen|busch; Ro|sen|duft

ro|sen|far|ben, ro|sen|far|big

Ro|sen|gar|ten

Ro|sen|hoch|zeit (ugs. für 10. Jahrestag der Eheschließung)

Ro|sen|holz

Ro|sen|kohl, der; -[e]s

Ro|sen|kranz

Ro|sen|krieg (übertr. für Ehekrieg)

Ro|sen|mon|tag ⟨zu rasen = tollen⟩ (Fastnachtsmontag); **Ro|sen|mon|tags|zug**

Ro|se|no|bel [auch ...ˈnoː...], der; -s, - ⟨engl.⟩ (alte Goldmünze)

Ro|sen|öl

Ro|sen|pa|pri|ka, der; -s

Ro|sen|quarz (ein Schmuckstein)

ro|sen|rot

Ro|sen|schau; Ro|sen|stock Plur. ...stöcke; Ro|sen|strauch; Ro|sen|strauß Plur. ...sträuße

Ro|sen|was|ser Plur. ...wässer

Ro|sen|züch|ter; Ro|sen|züch|te|rin

Ro|se|o|le, die; -, -n ⟨lat.⟩ (Med. ein Hautausschlag)

¹**Ro|set|te** [...ˈzɛt] (Stadt in Unterägypten)

²**Ro|set|te,** die; -, -n ⟨franz.⟩ (Verzierung in Rosenform; Bandschleife; Edelsteinschliff)

Ro|sé|wein, fachspr. auch Ro|see|wein (blassroter Wein)

Ro|si (w. Vorn.)

ro|sig; eine rosig weiße Blüte

Ro|si|nan|te, die; -, -n ⟨span.⟩ (Don Quichottes Pferd; selten für Klepper)

Ro|si|ne, die; -, -n ⟨franz.⟩

Ro|si|nen|brot; Ro|si|nen|bröt|chen; Ro|si|nen|ku|chen

ro|sin|far|ben

Rös|lein vgl. Röschen

Ros|ma|rin [auch ...ˈriːn], der; -s ⟨lat.⟩ (eine Gewürzpflanze); **Ros|ma|rin|öl**

Ro|so|lio, der; -s, -s ⟨ital.⟩ (ein Likör)

Roß, das; -es, -e, Ro|ße, die; -, -n (mitteld. für Wabe)

Ross, das; -es, Plur. Rosse, landsch. Rösser ⟨südd., österr. u. schweiz., sonst geh. für Pferd)

Ross|ap|fel (landsch. scherzh. für Pferdekot)

Ross|arzt (veraltet für Tierarzt im Heer)

Ross|brei|ten Plur. (windschwache Zone im subtropischen Hochdruckgürtel)

Röss|chen, Rös|sel, Rössl, Rösslein (kleines Ross)

Roß|ße vgl. Roß

Rös|sel, das; -s, -; vgl. Rösschen

Ros|se|len|ker (geh.)

Rös|sel|sprung (Rätselart)

ros|sen (brünstig sein [von der Stute]); die Stute rosst

Ross|haar; Ross|haar|ma|t|rat|ze

ros|sig ⟨zu rossen⟩

Ros|si|ni (ital. Komponist)

Ross|kamm (Pferdestriegel; spött. für Pferdehändler)

Ross|kas|ta|nie

Ross|kur (ugs. für mit drastischen Mitteln durchgeführte Kur)

Rössl, das; -s, -, Röss|lein vgl. Rösschen

Ross|schlach|ter, Ross-Schlach|ter, Ross|schläch|ter, Ross-Schläch|ter (landsch. für Pferdeschlächter)

Ross|täu|scher (veraltet für Pferdehändler); Ross|täu|sche|rei; Ross|täu|sche|rin; Ross|täu|scher|trick

Ross|trap|pe, die; - (ein Felsen im Harz)

¹**Rost** [schweiz. roːst], der; -[e]s, -e ([Heiz]gitter; landsch. für Stahlmatratze)

²**Rost,** der; -[e]s (Zersetzungsschicht auf Eisen; Pflanzenkrankheit)

Rost|an|satz; rost|be|stän|dig; **Rost|bil|dung**

Rost|bra|ten; Rost|brat|wurst

rost|braun

Röst|brot [auch ˈrœ...]

Rös|te, die; -, -n (Röstvorrichtung; Erhitzung von Erzen; Rotten [von Flachs])

ros|ten (Rost ansetzen)

rös|ten (braten; bräunen [Kaffee, Brot u. a.]; [Erze u. Hüttenprodukte] erhitzen; [Flachs] rotten)

Rös|ter, der; -s, - ⟨österr. für Kompott od. Mus aus Holunderbeeren od. Zwetschen)

Röst|erd|äp|fel Plur. (österr. für Bratkartoffeln)

Ros|te|rei

rost|far|ben, rost|far|big

Rost|fleck; Rost|fraß

rost|frei; rostfreier Stahl

röst|frisch; röstfrischer Kaffee

Rost|ge|fahr, die; -

Rös|ti, die; - (schweiz. für [grob geraspelte] Bratkartoffeln)

ros|tig

rös|tig (den Geschmack von etw. Geröstetem aufweisend, z. B. bei Wein od. Bier)

Röst|kar|tof|fel meist Plur. (landsch. für Bratkartoffel)

Rost|lau|be (ugs. für Auto mit vielen Roststellen)

Ros|tock (Hafenstadt an der Ostsee)

Ros|tow [...ˈtɔf] (Name zweier Städte in Russland); Rostow am Don

Rost|pilz (Erreger von Pflanzenkrankheiten)

R

Rost

Ros|t|ra, die; -, ...ren ⟨lat.⟩ (Rednerbühne im alten Rom)

Ros|t|ro|po|witsch, Mstislaw (russ. Cellist u. Dirigent)

rost|rot; rostrot färben

Röst|schnit|te

Rost|schutz, der; -es; Rost|schutzmit|tel; Rost|stel|le

Rös|tung

Ro|s|with, Ro|s|wi|tha (w. Vorn.)

rot s. *Kasten Seite 863*

Rot, das; -s, *Plur.* -, *ugs.* -s (rote Farbe); bei Rot ist das Überqueren der Straße verboten; die Ampel steht auf, zeigt Rot; er spielte Rot aus *(Kartenspiel)*

Röt, das; -[e]s *(Geol.* Stufe der unteren Triasformation)

Ro|ta, die; - ⟨ital.⟩, Ro|ta Ro|ma|na, die; - - ⟨lat.⟩ (höchster Gerichtshof der kath. Kirche)

Rot|al|ge (rötlich gefärbte Alge)

Ro|tang, der; -s, -e ⟨malai.⟩ (eine Palmenart); Ro|tang|pal|me

Ro|ta|print® ⟨lat.; engl.⟩ (Offsetdruck- und Vervielfältigungsmaschinen)

Ro|ta|ri|er (Mitglied des Rotary Clubs); Ro|ta|ri|e|rin; ro|ta|risch

Rot|ar|mist, der; -en, -en *(früher)*; Rot|ar|mis|tin

Ro|ta Ro|ma|na *vgl.* Rota

Ro|ta|ry Club [...ri -, *auch* ...təri 'klap], der; - -s, - -s ⟨engl.⟩ (Vereinigung führender Persönlichkeiten unter dem Gedanken des Dienstes am Nächsten)

Ro|ta|ry In|ter|na|tio|nal [-...'nɛʃənl] (internationale Dachorganisation der Rotary Clubs)

Ro|ta|ti|on, die; -, -en ⟨lat.⟩ (Drehung, Umlauf); Ro|ta|ti|onsachse; Ro|ta|ti|ons|be|we|gung; Rota|ti|ons|druck *Plur.* ...drucke

Ro|ta|ti|ons|el|lip|so|id *(Math.)*

Ro|ta|ti|ons|kol|ben|mo|tor *(Technik)*

Ro|ta|ti|ons|kör|per; Ro|ta|ti|onsma|schi|ne; Ro|ta|ti|ons|pa|ra|bolo|id *(Math.);* Ro|ta|ti|ons|presse; Ro|ta|ti|ons|prin|zip *(Politik)*

Ro|ta|to|ri|en *Plur. (Zool.* Rädertierchen)

Rot|au|ge (ein Fisch)

rot|ba|ckig, rot|bä|ckig

Rot|barsch

Rot|bart; rot|bär|tig

rot|blau; rot|blond; rot|braun ↑K 23

Rot|bu|che

Rot|busch (ein südafrikan. Strauch)

Rot|busch|tee (südafrikanische Teesorte)

Rot|chi|na, das; -s *(für* Volksrepublik China)

Rot|dorn *Plur.* ...dorne

Rö|te, die; -

Ro|te-Ar|mee-Frak|ti|on, die; Rote[n]-Armee-Fraktion ↑K 26 (eine terroristische Vereinigung; *Abk.* RAF); sie gehörte zur Rote[n]-Armee-Fraktion

Ro|te-Au|gen-Ef|fekt, der; Rote[n]-Augen-Effekt[e]s, Rote[n]-Augen-Effekte *(Fotogr.* ↑K 26)

Ro|te-Be|te-Sa|lat [...'be:...], der; Rote[n]-Bete-Salat[e]s, Rote[n]-Bete-Salate ↑K 26 ; *vgl.* Bete

Ro|te-Kreuz-Los, das; Rote[n]-Kreuz-Loses, Rote[n]-Kreuz-Lose ↑K 26

Ro|te-Kreuz-Lot|te|rie, die; Rote[n]-Kreuz-Lotterie, Rote[n]-Kreuz-Lotterien ↑K 26

Ro|te-Kreuz-Schwes|ter, die; Rote[n]-Kreuz-Schwester, Rote[n]-Kreuz-Schwestern ↑K 26 ; *vgl.* Rotkreuzschwester

Rö|tel, der; -s, - (roter Mineralfarbstoff; Zeichenstift)

Rö|teln *Plur.* (eine Infektionskrankheit)

Rö|tel|stift *(vgl.* ¹Stift); Rö|tel|zeichnung

rö|ten; sich röten

Ro|ten|burg a. d. Ful|da (Stadt in Hessen)

Ro|ten|burg (Wüm|me) (Stadt in Niedersachsen); *vgl. aber* Rothenburg

Ro|te|turm|pass, der; -es (in den Karpaten)

Rot|fe|der (ein Fisch)

Rot|fil|ter *(Fotogr.)*

Rot|fo|rel|le

Rot|fuchs (rothaariger Mensch)

Rot|gar|dist *(früher)*

rot|ge|sich|tig

rot ge|weint, rot|ge|weint *vgl.* rot

rot glü|hend, rot|glü|hend; *vgl.* rot

Rot|glut, die; -

rot|grün, rot-grün ↑K 23 ; rotgrünes *od.* rot-grünes Bündnis (zwischen Sozialdemokraten u. Grünen); die Forderungen von Rotgrün *od.* Rot-Grün

Rot|grün|blind|heit, die; - (Farbenfehlsichtigkeit, bei der Rot u. Grün verwechselt werden)

Rot|gül|dig|erz, *fachspr. auch* Rotgül|tig|erz (ein Silbererz)

Rot|guss (Gussbronze)

¹Roth, Eugen (dt. Schriftsteller)

²Roth, Gerhard (österr. Schriftsteller)

³Roth, Joseph (österr. Schriftsteller)

Rot|haar|ge|bir|ge, das; -s (Teil des Rhein. Schiefergebirges)

rot|haa|rig

Rot|haut *(scherzh. für* Indianer)

Ro|then|burg ob der Tau|ber (Stadt in Bayern)

Ro|then|burg (Ober|lau|sitz) [*auch* ...'lau...] (Stadt an der Lausitzer Neiße); *vgl. aber* Rotenburg

Rot|hirsch

Roth|schild (Name einer Bankiersfamilie)

ro|tie|ren ⟨lat.⟩ (umlaufen, sich um die eigene Achse drehen; die Position wechseln; *ugs. für* sich erregen und in hektische Aktivität verfallen)

Ro|tis|se|rie, die; -, ...ien ⟨franz.⟩ (Grillrestaurant)

Rot|ka|bis *(schweiz. für* Rotkohl)

Rot|käpp|chen (eine Märchengestalt)

Rot|kehl|chen (ein Singvogel)

Rot|kohl

Rot|kraut

Rot|kreuz|schwes|ter, Rote-Kreuz-Schwes|ter *(vgl. d.)*

Rot|lauf, der; -[e]s ([Tier]krankheit)

röt|lich; rötlich braun usw.

Rot|licht, das; -[e]s; Rot|licht|mi|lieu (Dirnenmilieu); Rot|licht|viertel (Amüsierviertel)

Rot|lie|gen|de, das; -n *(Geol.* untere Abteilung der Permformation)

Röt|ling (ein Pilz)

rot|na|sig

Ro|tor, der; -s, ...oren ⟨lat.⟩ (sich drehender Teil von [elektrischen] Maschinen)

Ro|tor|an|ten|ne; Ro|tor|blatt; Rotor|schiff

Ro|traud (w. Vorn.)

rot|rot, rot-rot ↑K 23 ; die rotrote *od.* rot-rote Koalition (zwischen SPD u. PDS); die Stimmen von Rotrot *od.* Rot-Rot

Rot|rü|be *(landsch. für* Rote Rübe)

Rot|schopf *(ugs.)*

Rot|schwanz, Rot|schwänz|chen (ein Singvogel)

rot|se|hen ↑K 47 *(ugs. für* vor Wut die Beherrschung verlieren); sie sieht rot; rotgesehen; rotzusehen

Rot|spon, der; -[e]s, -e *(ugs. für* Rotwein)

Rot|stift *(vgl.* ¹Stift)

rot

röter, rötes|te, *seltener* roter, rotes|te
Kleinschreibung ↑K89:

– rote Farbe; rote Grütze
– die roten Blutkörperchen
– der rote Faden
– der rote Teppich
– der rote Hahn (Feuer)
– das rote Ass *(Kartenspiel)*
– er wirkt auf sie wie ein rotes Tuch
– sie hat keinen roten Heller (Pfennig, Cent) mehr

Großschreibung
a) der Substantivierung ↑K72:

– die Roten *(ugs. für* die Sozialisten, Kommunisten u. a.)
– Alarmstufe Rot

b) in Namen und bestimmten namenähnlichen Fügungen ↑K88 *u.* 89:

– das Rote Meer
– die Rote Erde (Bezeichnung für Westfalen)
– der Rote Fluss (in Vietnam)
– der Rote Main (ein Quellfluss des Mains)
– die Rote Wand (Berg in Österreich)

– der Rote Planet (Mars)
– die Rote Liste (der vom Aussterben bedrohten Tier- und Pflanzenarten)
– die Rote Liste® (Arzneimittelverzeichnis)
– das Rote Kreuz
– der Rote Halbmond
– die Rote Armee (Sowjetarmee)
– Rote Be[e]te
– Rote Johannisbeeren
– die Rote *od.* rote Karte *(bes. Fußball)*

Schreibung in Verbindung mit Verben und adjektivisch gebrauchten Partizipien:

– vor Verlegenheit rot werden
– sich die Augen rot weinen *od.* rotweinen
– sich die Haut rot scheuern *od.* rotscheuern
– *aber:* rotsehen *(ugs. für* vor Wut die Kontrolle verlieren; als der Junge frech wurde, hat sie plötzlich rotgesehen
– die rot glühende *od.* rotglühende Sonne
– rot glühendes *od.* rotglühendes Eisen
– ein rot gestreifter *od.* rotgestreifter Pullover
– rot geweinte *od.* rotgeweinte Augen
Vgl. aber rotbraun, rotgrün *u.* rotsehen

Rot|sün|der (Fußballspieler, der die Rote Karte bekommen hat)
Rot|tan|ne
Rot|te, die; -, -n (ungeordnete Schar, Gruppe von Menschen)
¹**rot|ten** *(veraltet für* eine Rotte bilden)
²**rot|ten** *(Landw.* [Flachs] der Zersetzung aussetzen, um die Fasern herauszulösen)
Rot|ten, der; -s (dt. Name des Oberlaufes der Rhone)
Rot|ten|burg a. d. Laa|ber (Ort in Niederbayern)
Rot|ten|burg am Ne|ckar (Stadt in Baden-Württemberg)
rot|ten|wei|se
Rot|ter|dam *[auch* 'rɔ...] (niederländische Stadt); **Rot|ter|da|mer;** der Rotterdamer Hafen
Rot|tier *(Jägerspr.* Hirschkuh)
Rott|wei|ler, der; -s, - (eine Hunderasse)
Ro|tun|de, die; -, -n ⟨lat.⟩ *(Archit.* Rundbau; runder Saal)
Rö|tung
rot|wan|gig
Rot|wein; Rot|wein|glas *Plur.* ...gläser
rot|weiß, rot-weiß ↑K23 ; ein rotweißes *od.* rot-weißes Band; eine rotweiß *od.* rot-weiß karierte Bluse; sie spielen in Rotweiß *od.* Rot-Weiß

Rot|welsch; Rot|welsch, das; -[es] (Gaunersprache); *vgl.* Deutsch; **Rot|wel|sche,** das; -n; *vgl.* Deutsche, das
Rot|wild; Rot|wurst (Blutwurst)
Rotz, der; -es ([Tier]krankheit; *derb für* Nasenschleim)
Rotz|ben|gel *(derb für* ungepflegter, unerzogener Junge)
Rot|ze, die; - *(landsch. derb für* Nasenschleim; Schnupfen)
rot|zen *(derb für* sich die Nase putzen; ausspucken); du rotzt
Rotz|fah|ne *(derb für* Taschentuch)
rotz|frech *(ugs. für* sehr frech); **rot|zig** *(derb)*
Rotz|jun|ge, der (svw. Rotzbengel)
Rotz|krank|heit *(Tiermed.)*
Rotz|löf|fel (svw. Rotzbengel)
Rotz|na|se *(derb; auch übertr. für* naseweises, freches Kind); **rotz|nä|sig** *(derb)*
Rotz|pip|pen, die; -, - *(österr. ugs. für* Rotzbengel)
Rotz|zun|ge (ein Fisch)
Roué [rue:], der; -s, -s ⟨franz.⟩ *(veraltet für* Lebemann)
Rou|en [ru̯ãː] (französische Stadt an der unteren Seine)
Rouge [ru:ʃ], das; -s, -s ⟨franz.⟩ (rote Schminke)
Rouge et noir [ˈru:ʃ e ˈnɔ̯aːʀ], das; - - - ⟨franz., »rot und schwarz«⟩ (ein Glücksspiel)

Rou|la|de [ru...], die; -, -n ⟨franz.⟩ (gerollte u. gebratene Fleischscheibe; *Musik* virtuose Gesangspassage)
Rou|leau [ru'lo:], das; -s, -s *(älter für* Rollo)
Rou|lett, das; -[e]s, *Plur.* -e u. -s, **Rou|lette** [ru'lɛt], das; -s, -s (ein Glücksspiel); **Rou|lette|tisch,** Rou|lett|tisch, Rou|lett-Tisch
rou|lie|ren (svw. rollieren)
Round Ta|ble [ʀaʊnt ˈte:bl̩], der; - - ⟨engl.⟩ *(kurz für* Round-Table-Gespräch); **Round-Ta|ble-Gespräch** ↑K26 ⟨engl.⟩ (Gespräch am runden Tisch zwischen Gleichberechtigten)
Round-Ta|ble-Kon|fe|renz
¹**Rous|seau** [ru'so:], Jean-Jacques (schweizerisch-französischer Schriftsteller)
²**Rous|seau** [ru'so:], Henri (französischer Maler)
Rou|te [ˈru:tə], die; -, -n ⟨franz.⟩ (festgelegte Wegstrecke); **Rou|ten|pla|ner; Rou|ten|ver|zeich|nis**
Rou|ti|ne [ru...], die; - (durch längere Erfahrung erworbene Gewandtheit; gewohnheitsmäßige Ausführung einer Tätigkeit)
Rou|ti|ne|ak|ti|on; Rou|ti|ne|an|ge|le|gen|heit; Rou|ti|ne|kon|t|rol|le
rou|ti|ne|mä|ßig

Rou|ti|ne|sa|che; Rou|ti|ne|überprü|fung; Rou|ti|ne|un|ter|suchung

Rou|ting [ˈruːtɪŋ], das; -s, -s ⟨engl.⟩ (*EDV* das Ermitteln eines geeigneten [besonders günstigen] Wegs für die Übertragung von Daten in einem Netzwerk)

Rou|ting|soft|ware

Rou|ti|ni|er [...ˈni̯e:], der; -s, -s (jmd., der Routine hat); Rou|tini|e|rin

rou|ti|niert (gerissen, gewandt)

Row|dy [ˈraudi], der; -s, -s ⟨engl.⟩ ([jüngerer] gewalttätiger Mensch); row|dy|haft; Row|dytum, das; -s

ro|y|al [rɔaˈjaːl] ⟨franz.⟩ (königlich; königstreu)

Ro|yal [ˈrɔyal], der; -s, -s *meist Plur.* ⟨engl.⟩ (*Jargon* Mitglied der [engl.] Königsfamilie)

Ro|yal Air Force [ˈrɔyal ˈɛːɐ̯ ˈfoːɐ̯s], die; - - - ⟨engl., »Königliche Luftwaffe«⟩ (Bez. der britischen Luftwaffe; *Abk.* R. A. F.)

Ro|y|a|lis|mus [rɔaja...], der; - ⟨franz.⟩ (Königstreue)

Ro|y|a|list, der; -en, -en; Ro|y|a|listin; ro|y|a|lis|tisch (königstreu)

RP (*bei Telegrammen*) = Réponse payée ⟨franz., »Antwort bezahlt«⟩

Rp. = Rappen

Rp., Rec. = recipe

RSFSR = Russische Sozialistische Föderative Sowjetrepublik (1918 bis 1991)

RT = Registertonne

RTA = radiologisch-technische Assistentin, radiologisch-technischer Assitstent

Ru = *chem. Zeichen für* Ruthenium

Ru|an|da (Staat in Zentralafrika)

Ru|an|der; Ru|an|de|rin

ru|an|disch

RUB (Währungscode für russ. Rubel)

ru|ba|to ⟨ital.⟩ (*Musik* nicht im strengen Zeitmaß); Ru|ba|to, das; -s, *Plur.* -s *u.* ...ti

rub|be|lig (*landsch. für* rau; uneben)

Rub|bel|los (Lotterielos, bei dem die Gewinnzahl o. Ä. von einer abreibbaren Schutzschicht verdeckt ist)

rub|beln (*landsch. für* kräftig reiben); ich rubb[e]le

¹Rub|ber [ˈra...], der; -s, -s ⟨engl.⟩ (Doppelpartie im Whist od. Bridge)

²Rub|ber [ˈra...], der; -s ⟨*engl. Bez. für* Gummi⟩

Rüb|chen; Rü|be, die; -, -n

Ru|bel, der; -s, -s ⟨russ.⟩ (Währungseinheit in Belarus [*Währungscode* BYR] u. in der Russischen Föderation [RUB]; *Abk.* Rbl)

Ru|ben (bibl. m. Eigenn.)

Rü|ben|acker

rü|ben|ar|tig

Rü|ben|feld; Rü|ben|kraut, das; -[e]s (*landsch. für* Sirup)

Ru|bens (flämischer Maler)

Rü|ben|si|rup

ru|benssch; rubenssche *od.* Rubens'sche Farbgebung; rubenssche *od.* Rubens'sche Gemälde ↑K 89 *u.* 135

Rü|ben|zu|cker, der; -s

rü|ber (*ugs. für* herüber, hinüber); rü|ber|brin|gen

rü|ber|kom|men (*ugs.*)

rü|ber|ma|chen (*ugs.; früher auch für* aus der DDR in die Bundesrepublik überwechseln)

rü|ber|wach|sen; etw. rüberwachsen lassen (*ugs. für* etw. herüberreichen)

Rü|be|zahl (Berggeist des Riesengebirges)

Ru|bi|di|um, das; -s ⟨lat.⟩ (chem. Element, Metall; *Zeichen* Rb)

Ru|bi|kon, der; -[s] (italienischer Fluss); den Rubikon überschreiten (*übertr. für* eine wichtige Entscheidung treffen)

Ru|bin, der; -s, -e ⟨lat.⟩ (ein Edelstein)

Ru|bi|net|te®, die; -, -n (eine Apfelsorte)

Ru|bin|glas *Plur.* ...gläser

ru|bin|rot

Rüb|kohl, der; -[e]s (*schweiz. neben* Kohlrabi); Rüb|öl

Ru|b|ra, Ru|b|ren (*Plur. von* Rubrum)

Ru|b|rik, die; -, -en ⟨lat.⟩ (Spalte, Kategorie)

ru|b|ri|zie|ren (einordnen, einstufen; *früher für* Überschriften u. Initialen malen); Ru|b|ri|zie|rung

Ru|b|rum, das; -s, *Plur.* ...ra *u.* ...ren (veraltet für [Akten]aufschrift; kurze Inhaltsangabe)

Rüb|sa|me[n], der; ...mens, Rübsen, der; -s (eine Ölpflanze)

Ruch [*auch* rʊx], der; -[e]s, Rüche (*selten für* Geruch; zweifelhafter Ruf)

ruch|bar [*auch* ˈrʊx...] (bekannt, offenkundig); ruchbar werden

Ruch|brot (*schweiz. für* aus dunklem Mehl gebackenes Brot)

Ruch|gras (eine Grasgattung)

ruch|los [*auch* ˈrʊx...] (*geh. für* niedrig, gemein, böse, verrucht); Ruch|lo|sig|keit

ruck!; hau ruck!, ho ruck!

Ruck, der; -[e]s, -e; mit einem Ruck

Rück (*svw.* Rick)

Rück|an|sicht; Rück|ant|wort

ruck|ar|tig; Ruck|ar|tig|keit

Rück|äu|ße|rung

Rück|bau, der; -[e]s; rück|bau|en (durch Baumaßnahmen in einen früheren [naturnäheren] Zustand bringen); die Straße wurde rückgebaut; um die Straße rückzubauen

Rück|be|för|de|rung; Rück|be|sinnung

rück|be|stä|ti|gen; ich rückbestätige die Buchung, habe die Buchung rückbestätigt; Rück|bestä|ti|gung

rück|be|züg|lich; rückbezügliches Fürwort (Reflexivpronomen)

Rück|bil|dung; Rück|bil|dungs|gymnas|tik

Rück|blen|de (*Film*); rück|blen|den

Rück|blick; rück|bli|ckend

rück|bu|chen; der Betrag wurde rückgebucht; Rück|bu|chung

rück|da|tie|ren; sie hat den Brief rückdatiert; um den Brief rückzudatieren

Rück|de|ckungs|ver|si|che|rung (*Wirtsch.* eine Risikoversicherung)

rück|dre|hend (*Meteor.*); rückdrehender Wind (sich gegen den Uhrzeigersinn drehender Wind, z. B. von Nord auf Nordwest; *Ggs.* rechtdrehend)

ru|ckel|frei ([bei der Filmwiedergabe] ohne Wackeln des Bildes)

ru|cke|lig (ruckelnd)

ru|ckeln (*landsch. für* leicht, ein wenig ²rucken); sie sagt, der Wagen ruck[e]le

¹ru|cken, ruck|sen (gurren [von Tauben])

²ru|cken ([sich] ruckartig bewegen)

rü|cken; jmdm. zu Leibe rücken

Rü|cken, der; -s, -

Rü|cken|aus|schnitt; Rü|cken|deckung; Rü|cken|flos|se

rü|cken|frei; ein rückenfreies Kleid

Rü|cken|la|ge; Rü|cken|leh|ne

Rü|cken|mark, das

Rü|cken|mark|ent|zün|dung, Rücken|marks|ent|zün|dung; Rücken|mark|sub|s|tanz

Rü|cken|mus|kel; Rü|cken|mus|ku|la|tur
Rü|cken|num|mer *(Sport)*
Rü|cken|schmerz *meist Plur.*
Rü|cken|schu|le
rü|cken|schwim|men, Rü|cken schwim|men; *aber nur:* sie schwimmt Rücken; **Rü|ckenschwim|men**, das; -s
Rü|cken|stär|kung
Rü|cken|tra|ge
Rück|ent|wick|lung
Rü|cken|wind; Rü|cken|wir|bel
Rück|er|bit|tung *(Amtsspr.);* unter Rückerbittung *(Abk. u. R.)*
Rück|er|in|ne|rung; Rück|er|oberung; Rück|er|stat|tung
Rück|fahr|kar|te
Rück|fahr|schein|wer|fer
Rück|fahrt
Rück|fall, der; rück|fäl|lig; Rück|fällig|keit
Rück|fall|kri|mi|na|li|tät; Rück|fallri|si|ko; Rück|fall|tä|ter; Rück|falltä|te|rin
Rück|flug; Rück|fluss
Rück|fra|ge; rück|fra|gen; sie hat noch einmal rückgefragt; ohne rückzufragen
Rück|front
rück|füh|ren; die Gewinne wurden rückgeführt; **Rück|füh|rung**
Rück|ga|be; Rück|ga|be|recht, das; -[e]s; **Rück|ga|be|ter|min**
Rück|gang, der; rück|gän|gig; rückgängige Geschäfte; etw. rückgängig machen; **Rück|gän|gigma|chung**
rück|ge|bil|det
Rück|ge|win|nung
Rück|grat, das; -[e]s, -e; rück|gratlos; Rück|grat|ver|krüm|mung
Rück|griff *(auch für* Regress*)*
Rück|halt; Rück|hal|te|be|cken *(Wasserwirtsch.);* rück|halt|los
Rück|hand, die; - *(bes. [Tisch]tennis);* Rück|kampf
Rück|kauf; Rück|kaufs|recht; Rückkaufs|wert
Rück|kehr, die; -; rück|keh|ren *(seltener für* zurückkehren)
Rück|keh|rer; Rück|keh|re|rin
Rück|kehr|hil|fe *(finanzielle Zuwendung für ausländische Arbeitnehmer, die freiwillig in ihre Heimat zurückkehren)*
Rück|kehr|prä|mie *(svw. Rückkehrhilfe)*
rück|kehr|wil|lig; Rück|kehr|wil|lige, der u. die; -n, -n
rück|kop|peln; ich rückkopp[e]le; Rück|kop|pe|lung, Rück|kopp|lung *(Fachspr.)*

rück|kreu|zen; Rück|kreu|zung
Rück|kunft, die; - *(geh. für* Rückkehr*)*
Rück|la|ge *(zurückgelegter Betrag);* Rück|lauf
rück|läu|fig; rückläufige Bewegung; rückläufige Entwicklung; **Rück|läu|fig|keit**
Rück|lauf|quo|te
Rück|leuch|te; Rück|licht *Plur.* ...lichter
rück|lings
Rück|marsch, der
Rück|mel|dung
Rück|nah|me, die; -, -n
Rück|pass *(Sport);* Rück|por|to; Rück|rei|se; Rück|ruf; Rück|run|de *(Sport; Ggs.* Hinrunde*)*
Ruck|sack
Ruck|sack|bom|ber *(jmd., der einen Terroranschlag mit im Rucksack verborgenem Sprengstoff verübt);* Ruck|sack|bom|be|rin
Ruck|sack|tou|rist; Ruck|sack|touris|tin; Ruck|sack|ur|lau|ber; Ruck|sack|ur|lau|be|rin
Rück|schau
Rück|schein *(Postw.* Empfangsbestätigung für den Absender*)*
Rück|schlag; Rück|schlag|ven|til *(Ventil, das ein Gas od. eine Flüssigkeit nur in einer Richtung durchströmen lässt)*
rück|schlie|ßen; Rück|schluss
Rück|schritt; rück|schritt|lich; Rückschritt|lich|keit, die; -
Rück|sei|te; rück|sei|tig
ruck|sen *vgl.* ¹rucken
Rück|sen|dung
Rück|sicht, die; -, -en; ohne, in, mit Rücksicht auf; Rücksicht nehmen
rück|sicht|lich *(Amtsspr.* mit Rücksicht auf*); mit Gen.:* rücksichtlich seiner Fähigkeiten
Rück|sicht|nah|me, die; -
rück|sichts|los; Rück|sichts|lo|sigkeit
rück|sichts|voll; sie ist ihm gegenüber *od.* gegen ihn immer sehr rücksichtsvoll
Rück|sied|lung
Rück|sitz; Rück|spie|gel
Rück|spiel *(Sport; Ggs.* Hinspiel*)*
Rück|spra|che; mit jmdm. Rücksprache nehmen
Rück|stand; im Rückstand bleiben, in Rückstand kommen; die Rückstände aufarbeiten
rück|stand|frei *vgl.* rückstandsfrei
rück|stän|dig; Rück|stän|dig|keit
rück|stands|frei, *seltener* rückstand|frei

Rück|stau
Rück|stel|lung *(Wirtsch.* Passivposten in der Bilanz zur Berücksichtigung ungewisser Verbindlichkeiten*)*
Rück|stoß; Rück|stoß|an|trieb *(für* Raketenantrieb*)*
Rück|strah|ler *(Schlusslicht)*
Rück|tas|te
Rück|trans|port
Rück|tritt; Rück|tritt|brem|se
Rück|tritts|dro|hung; Rück|trittsfor|de|rung; Rück|tritts|ge|such; Rück|tritts|recht
rück|über|set|zen; der Text ist rückübersetzt; **Rück|über|setzung; Rück|um|schlag**
rück|ver|gü|ten *(Wirtsch.);* ich werde ihm den Betrag rückvergüten; der Betrag wurde ihr rückvergütet; um Beträge rückzuvergüten; **Rück|ver|gü|tung**
rück|ver|si|chern, sich; ich rückversichere mich; rückversichert; rückzuversichern; **Rück|ver|siche|rung**
Rück|wand
Rück|wan|de|rung
Rück|wa|re *(Wirtsch.* in das Zollgebiet zurückkehrende Ware*)*
rück|wär|tig; rückwärtige Verbindungen
rück|wärts; rückwärts einparken; *vgl.* abwärts
rück|wärts|fah|ren
Rück|wärts|gang, der
rück|wärts|ge|hen; manche Kinder können heute nicht einmal mehr rückwärtsgehen; mit dem Umsatz ist es immer mehr rückwärtsgegangen (er hat sich verschlechtert)
rück|wärts|ge|wandt; eine rückwärtsgewandte Politik
Rück|wech|sel *(für* Rikambio*)*
Rück|weg
ruck|wei|se
Rück|wen|dung
rück|wir|kend; Rück|wir|kung
rück|zahl|bar; Rück|zah|lung
Rück|zie|her; einen Rückzieher machen *(ugs. für* zurückweichen; *Fußball* den Ball über den Kopf nach hinten spielen*)*
ruck, zuck!
Rück|zug; Rück|zugs|ge|biet *(Völkerk., Biol.);* Rück|zugs|ge|fecht
Ru|col|la, Ru|kol|la, der; - *(ital.)* (Raukensalat)
rü|de, *österr. auch* rüd ⟨franz.⟩ (roh, grob, ungesittet)
Rü|de, der; -n, -n *(männl.* Hund*)*
Ru|del, das; -s, -; ru|del|wei|se

Ru|der, das; -s, -; ans Ruder (*ugs. für* in eine leitende Stellung) kommen

Ru|de|ral|pflan|ze ⟨lat.; dt.⟩ (Pflanze, die auf stickstoffreichen Schuttplätzen gedeiht)

Ru|der|bank *Plur.* ...bänke; **Ru|der|blatt; Ru|der|boot**

Ru|der|club *vgl.* Ruderklub

Ru|de|rer, Rud|rer

Ru|der|fü|ßer (Zool.)

Ru|der|gän|ger (*Segeln* jmd., der das Ruder bedient); **Ru|der|gän|ge|rin; Ru|der|haus**

...ru|de|rig, ...rud|rig (z. B. achtrud[e]rig)

Ru|de|rin, Rud|re|rin

Ru|der|klub, Ru|der|club; **Ru|derma|schi|ne**

ru|dern; ich rudere

Ru|der|re|gat|ta; Ru|der|sport, der; -[e]s; **Ru|der|ver|band;** Deutscher Ruderverband; **Ru|der|verein**

Rü|des|heim am Rhein (Stadt in Hessen); **Rü|des|hei|mer**

Rüd|heit

Ru|di (m. Vorn.)

Rü|di|ger (m. Vorn.)

Ru|di|ment, das; -[e]s, -e ⟨lat.⟩ (Überbleibsel; verkümmertes Organ); **ru|di|men|tär** (nicht ausgebildet; verkümmert)

Ru|dolf (m. Vorn.)

Ru|dol|fi|ni|sche Ta|feln *Plur.* (von Kepler für Kaiser Rudolf II. zusammengestellte Tafeln über Sternenbahnen)

Ru|dol|stadt (Stadt a. d. Saale); **Rudol|städ|ter**

Rud|rer *vgl.* Ruderer

Rud|re|rin *vgl.* Ruderin

...rud|rig *vgl.* ...ruderig

Rüeb|li, das; -s, - (*schweiz. für* Karotte)

Ruf, der; -[e]s, -e; **Ruf|be|reit|schaft** (Bereitschaftsdienst)

Rü|fe, die; -, -n (*schweiz., westösterr. für* Mure)

ru|fen; du rufst; du riefst; du riefest; gerufen; ruf[e]!; er ruft mich, den Arzt rufen

Ru|fer; Ru|fe|rin

Rüf|fel, der; -s, - (*ugs. für* Verweis, Tadel); **rüf|feln;** ich rüff[e]le; **Rüff|ler; Rüff|le|rin**

Ruf|mord (schwere Verleumdung)

Ruf|nä|he; Ruf|na|me

Ruf|num|mer

Ruf|preis (*österr. für* bei einer Auktion ausgerufener Preis)

Ruf|säu|le

ruf|schä|di|gend; Ruf|schä|di|gung

Ruf|wei|te, die; -; **Ruf|zei|chen**

Rug|by ['rakbi], das; -[s] ⟨engl.⟩ (ein Ballspiel)

Rü|ge, die; -, -n

Ru|gel, der; -s, - (*schweiz. für* Rundholz)

rü|gen

Rü|gen (Insel vor der vorpommerschen Ostseeküste); **Rü|ge|ner; rü|gensch,** rü|gisch

rü|gens|wert

Rü|ger; Rü|ge|rin

Ru|gi|er (Angehöriger eines ostgermanischen Volksstammes)

rü|gisch *vgl.* rügensch

Ru|he, die; -; jmdn. zur [letzten] Ruhe betten (*geh. für* beerdigen); sich zur Ruhe setzen

Ru|he|bank *Plur.* ...bänke

Ru|he|be|dürf|nis, das; -ses; **ru|hebe|dürf|tig; Ru|he|bett** (*veraltet für* Liegesofa)

Ru|he|ge|halt, das (*svw.* Pension); **ru|he|ge|halt[s]|fä|hig** (*Amtsspr.*)

Ru|he|geld (Altersrente); **Ru|he|genuss** (*österr. Amtsspr.* Pension)

Ru|he|kis|sen; Ru|he|la|ge

ru|he|los; Ru|he|lo|sig|keit, die; -

Ru|he|mas|se (*Physik*)

ru|hen

– ruht! (*österr. für* rührt euch!)

Schreibung in Verbindung mit Verben:

– man soll die Toten ruhen lassen
– ein Verfahren ruhen lassen *od.* ruhenlassen
– die Angelegenheit wird ihn nicht ruhen lassen *od.* ruhenlassen
– wir wollen sie ein wenig ruhen lassen
– sie hat dort nicht ruhen können, nicht ruhen wollen

ru|hend; er ist der ruhende Pol; der ruhende Verkehr

ru|hen las|sen, ru|hen|las|sen *vgl.* ruhen

Ru|hens|be|stim|mun|gen *Plur.* (*österr. für* Bestimmungen über Zuverdienstgrenzen für Pensionisten)

Ru|hens|be|trag (Berechnungsgröße bei vorgezogener Pensionierung)

Ru|he|pau|se; Ru|he|platz; Ru|hepol; Ru|he|po|si|ti|on

Ru|he|raum; Ru|he|sitz

Ru|he|stand, der; -[e]s; des -[e]s (*Abk.* d. R.); im Ruhestand (*Abk.*

i. R.); **Ru|he|ständ|ler; Ru|heständ|le|rin**

Ru|he|statt, Ru|he|stät|te (*geh.*)

Ru|he|stel|lung (*bes. Milit.*)

ru|he|stö|rend; ruhestörender Lärm ↑K 59; **Ru|he|stö|rer; Ru|hestö|re|rin; Ru|he|stö|rung**

Ru|he|tag; Ru|he|zeit; Ru|he|zustand

ru|hig; ruhig Blut bewahren; ruhig sein, werden, bleiben; ein Gelenk ruhig stellen *od.* ruhigstellen

ru|hig|stel|len (durch Medikamente beruhigen); einen Patienten ruhigstellen; *vgl.* ruhig; **Ruhig|stel|lung** (*Med.*)

Ruh|la (Stadt in Thüringen)

Ruhm, der; -[e]s

Ruh|mas|se (*svw.* Ruhemasse)

ruhm|be|deckt ↑K 59

Ruhm|be|gier[|de], die; -; **ruhm|begie|rig** ↑K 59

rüh|men; sich seines Wissens rühmen; ↑K 82 : nicht viel Rühmens machen; **rüh|mens|wert**

Ruh|mes|blatt; *meist in* kein Ruhmesblatt sein

Ruh|mes|hal|le; Ruh|mes|tat

rühm|lich; ruhm|los; ruhm|re|dig (*geh. für* prahlerisch); **ruhm|reich**

Ruhm|sucht, die; -; **ruhm|süch|tig**

ruhm|voll

¹Ruhr, die; -, -en *Plur. selten* (Infektionskrankheit des Darmes)

²Ruhr, die; - (rechter Nebenfluss des Rheins); *vgl. aber* Rur

Rühr|ei

rüh|ren; sich rühren; etwas schaumig rühren; den Teig glatt rühren *od.* glattrühren

rüh|rend; am rührends|ten

Ruhr|ge|biet, das; -[e]s

rüh|rig; Rüh|rig|keit, die; -

Ruhr|koh|le

ruhr|krank

Rühr|ku|chen

Rühr|löf|fel; Rühr|ma|schi|ne

Rühr|mich|nicht|an, das; -, - (Springkraut); das Kräutlein Rührmichnichtan

Ruhr|ort (Stadtteil von Duisburg)

Ruhr|pott, der; -[e]s (*ugs. für* Ruhrgebiet)

rühr|sam (*veraltet für* rührselig; rührig)

Rühr|schüs|sel

rühr|se|lig; Rühr|se|lig|keit, die; -

Rühr|stück

Rühr|teig

Rüh|rung, die; -

Rühr|werk

Ru|in, der; -s ⟨lat.-franz.⟩ ([finanzieller] Zusammenbruch)

Ru|i|ne, die; -, -n ⟨lat.-franz.⟩ (zerfallen[d]es Bauwerk); ru|i|nen|artig; Ru|i|nen|grund|stück; ru|inen|haft; Ru|i|nen|stadt

ru|i|nie|ren ⟨lat.⟩ (zerstören, verwüsten); sich ruinieren

ru|i|nös (zum Ruin führend)

Ruis|dael [ˈrɔysdaːl] (niederländischer Maler)

Ru|ko|la vgl. Rucola

Ru|län|der, der; -s (eine Reb- u. Weinsorte)

Rülps, der; -es, -e (ugs. für hörbares Aufstoßen); rülp|sen (ugs.); du rülpst; Rülp|ser (ugs.); Rülpse|rin (ugs.)

rum (ugs. für herum); ↑K 13

Rum [südd. u. österr. auch, schweiz. meist ruːm], der; -s, Plur. -s, österr. -e ⟨engl.⟩ (Branntwein [aus Zuckerrohr])

rum|al|bern (ugs.)

Ru|mä|ne, der; -n, -n; Ru|mä|ni|en; Ru|mä|nin; ru|mä|nisch

Ru|mä|nisch, das; -[s] (Sprache); vgl. Deutsch; Ru|mä|ni|sche, das; -n; vgl. Deutsche, das

Rum|ba, die; -, -s, ugs. auch, österr. u. schweiz. nur, der; -s, -s ⟨kuban.⟩ (ein Tanz)

Rum|fla|sche

rum|fum|meln (ugs.); rum|ge|hen (ugs.)

rum|ham|peln (ugs.)

rum|hän|gen (ugs. für sich irgendwo zum Zeitvertreib aufhalten)

rum|ho|cken (ugs.)

rum|kom|man|die|ren (ugs.)

rum|krie|gen (ugs. für zu etwas bewegen; hinter sich bringen)

Rum|ku|gel (eine Süßigkeit)

rum|lie|gen (ugs.)

rum|ma|chen (ugs.)

Rum|mel, der; -s (ugs.)

rum|meln (landsch. für lärmen); ich rumm[e]le; Rum|mel|platz (ugs.)

Rum|my [ˈrœmi, auch ˈrami], das; -s, -s ⟨engl.⟩ (österr. für Rommee)

Ru|mor, der; -s ⟨lat.⟩ (veraltet für Lärm, Unruhe); ru|mo|ren; er hat rumort

¹Rum|pel, der; -s (südd. u. mitteld. für Gerumpel; Gerümpel)

²Rum|pel, die; -, -n (mitteld. für Waschbrett)

Rum|pel|füß|ler (ugs. abwertend für schlechter Fußballspieler)

rum|pe|lig, rump|lig (landsch. für holprig)

Rum|pel|kam|mer (ugs.)

rum|peln (ugs.); ich rump[e]le

Rum|pel|stilz|chen, das; -s (eine Märchengestalt)

Rumpf, der; -[e]s, Rümpfe

rümp|fen; die Nase rümpfen

Rumpf|krei|sen, das; -s (eine gymnastische Übung)

rump|lig vgl. rumpelig

Rump|steak, das; -s, -s ⟨engl.⟩ ([gebratene] Rindfleischscheibe)

rums!; rum|sen (landsch. für krachen); es rumst

rum|sit|zen (ugs.)

rum|ste|hen (ugs.)

Rum|topf; Rum|ver|schnitt

Run [ran], der; -s, -s ⟨engl.⟩ (Anstrum [auf etwas Begehrtes])

rund ([im Sinne von etwa] Abk. rd.); Gespräch am runden Tisch; rund um die Uhr (ugs. für im 24-Stunden-Betrieb); rund um die Welt, aber rundum; einen Stein rund machen od. rundmachen; vgl. rundmachen; Rund, das; -[e]s, -e

Run|da, das; -s, -s (Rundgesang); Volkslied im Vogtland)

Rund|bank Plur. ...bänke

Rund|bau Plur. ...bauten

rund|bäu|chig

Rund|beet (für Rondell)

Rund|blick

Rund|bo|gen; Rund|bo|gen|fens|ter

Rund|bürs|te

Run|de, die; -, -n; die Runde machen; die erste Runde

Rün|de, die; - (veraltet für Rundsein)

Run|dell, das; -s, -e (veraltet für Rondell)

run|den; sich runden

Run|den|re|kord (Motorsport)

Run|den|zeit (Sport)

Rund|er|lass

rund|er|neu|ern; runderneuerte Reifen; Rund|er|neu|e|rung

Rund|fahrt; Rund|flug

Rund|fra|ge; rund|fra|gen; rundgefragt

Rund|funk, der; -s

Rund|funk|an|stalt; Rund|funk|empfän|ger; Rund|funk|ge|bühr; Rund|funk|ge|rät

Rund|funk|hö|rer; Rund|funk|hö|rerin; Rund|funk|kom|men|ta|tor; Rund|funk|kom|men|ta|to|rin

Rund|funk|or|ches|ter; Rund|funkpro|gramm

Rund|funk|rat (Kontrollorgan des öffentlich-rechtlichen Rundfunks); Rund|funk|sen|der

Rund|funk|spre|cher; Rund|funkspre|che|rin

Rund|funk|sta|ti|on; Rund|funktech|nik, die; -

Rund|funk|teil|neh|mer; Rund|funkteil|neh|me|rin

Rund|funk|über|tra|gung; Rundfunk|wer|bung

Rund|gang, der

rund|ge|hen ↑K 47 ; es geht rund (ugs. für es ist viel Betrieb); es ist rundgegangen

Rund|ge|sang

Rund|heit, die; -

rund|he|r|aus; etwas rundheraus sagen; rund|he|r|um

Rund|holz; Rund|ho|ri|zont (Theater); Rund|kurs; Rund|lauf

rund|lich; Rund|lich|keit, die; -

Rund|ling (Dorfanlage)

rund|ma|chen (ugs. für tadeln, maßregeln; seltener für abschließend überarbeiten); vgl. rund

Rund|mail (E-Mail in der Art eines Rundschreibens)

Rund|rei|se

Rund|rü|cken (Med.)

Rund|ruf; Rund|schau; Rund|schild; Rund|schlag

Rund|schrei|ben; Rund|schrift; Rund|sicht; Rund|stre|cke

rund|stri|cken; Rund|strick|na|del

Rund|stück (nordd. für Brötchen)

Rund|tanz

rund|um

Rund|um|be|treu|ung

Rund-um-die-Uhr-Be|wa|chung

rund|um|her

Rund|um|schlag

Run|dung

Rund|wan|der|weg

rund|weg; etwas rundweg ablehnen

Rund|weg

Ru|ne, die; -, -n ⟨altnord.⟩ (germanisches Schriftzeichen); Ru|nenal|pha|bet; Ru|nen|for|schung; Ru|nen|schrift; Ru|nen|stein

Run|ge, die; -, -n ([senkrechte] Stütze an der Wagenseite); Rungen|wa|gen

ru|nisch ⟨zu Rune⟩

Run|kel, der; -s, -n (österr. u. schweiz. für Runkelrübe); Runkel|rü|be

Run|ken, der; -s, - (mitteld. für unförmiges Stück Brot)

Runks, der; -es, -e (ugs. für ungeschliffener Mensch)

Run|ning Gag [ˈraː...' -], der; - -s, - -s ⟨engl.⟩ (Gag, der sich immer wiederholt)

Ru|no|lo|ge, der; -n, -n ⟨altnord.; griech.⟩; Ru|no|lo|gie, die; - (Runenkunde); Ru|no|lo|gin

Runs, der; -es, -e, *häufiger* Run|se, die; -, -n (*südd., österr., schweiz. für* Rinne an Berghängen mit Wildbach)

run|ter (↑K13 *ugs. für* herunter, hinunter)

run|ter|fah|ren (*ugs.*)

run|ter|fal|len (*ugs.*); run|ter|flie|gen (*ugs.*); run|ter|hau|en (*ugs.*); jmdm. eine runterhauen; run|ter|ho|len (*ugs.*); run|ter|kom|men (*ugs.*); run|ter|las|sen (*ugs.*); run|ter|ma|chen (*ugs.*); run|ter|put|zen (*ugs.*); run|ter|rut|schen (*ugs.*); run|ter|schlu|cken (*ugs.*); run|ter|wer|fen (*ugs.*); run|ter|zie|hen (*ugs.*)

Run|zel, die; -, -n; run|ze|lig; run|zeln; ich runz[e]le; runz|lig (*svw.* runzelig)

Ru|od|lieb (Gestalt des ältesten [lateinisch geschriebenen] Romans der dt. Literatur)

Rü|pel, der; -s, -; Rü|pe|lei

rü|pel|haft; Rü|pel|haf|tig|keit

rü|pe|lig

Ru|pert, Ru|p|recht (m. Vorn.); Knecht Ruprecht

¹rup|fen; Gras, Geflügel rupfen

²rup|fen (aus Rupfen); Rup|fen, der; -s, - (Jutegewebe); Rup|fen|lein|wand

Ru|pi|ah, die; -, - ⟨Hindi⟩ (indones. Währungseinheit)

Ru|pie, die; -, -n (Währungseinheit in Indien [*Währungscode* INR], Pakistan [PKR], Sri Lanka [LKR] u. anderen Staaten)

rup|pig; Rup|pig|keit; Rupp|sack (*ugs. für* ruppiger Mensch)

Ru|p|recht *vgl.* Rupert u. Knecht Ruprecht

Rup|tur, die; -, -en ⟨lat.⟩ (*Med.* Zerreißung)

Rur, die; - (rechter Nebenfluss der Maas); *vgl. aber* ²Ruhr

ru|ral ⟨lat.⟩ (*veraltet für* ländlich)

Rus, die; - ⟨russ.⟩ (alte Bez. der ostslawischen Stämme im 9./10. Jh.); Kiewer Rus

Rusch, der; -[e]s, -e ⟨lat.⟩ (*nordd. für* Binse); in Rusch und Busch

Rü|sche, die; -, -n (gefältelter [Stoff]besatz)

Ru|schel, die; -, -n, *auch* der; -s, - (*landsch. für* ruschelige Person); ru|sche|lig, rusch|lig (*landsch. für* unordentlich, schlampig); ru|scheln (*landsch.*); ich rusch[e]le

Rü|schen|blu|se; Rü|schen|hemd

rusch|lig *vgl.* ruschelig

Rush|hour [ˈraʃlaʊɐ], die; -, -s ⟨engl.⟩ (Hauptverkehrszeit)

Ruß, der; -es, *Plur. (fachspr.)* -e; ruß|be|schmutzt ↑K59

Rus|se, der; -n, -n (Einwohner Russlands; Angehöriger eines ostslawischen Volkes)

Rüs|sel, der; -s, -; rüs|sel|för|mig; Rüs|sel|kä|fer; Rüs|sel|tier

ru|ßen (*schweiz. auch für* entrußen); du rußt; es rußt

Rus|sen|blu|se; Rus|sen|kit|tel

Rus|sen|ma|fia, Rus|sen|maf|fia

ruß|far|ben, ruß|far|big; Ruß|fil|ter; ruß|ge|schwärzt; ruß|ge|sich|tig; ru|ßig; Ru|ßig|keit, die; -

Rus|sin

rus|sisch; ↑K89 : russische Eier; russischer Salat; russisches Roulette, *aber* ↑K150 : die Russische Föderation, der Russisch-Türkische Krieg (1877/78); *vgl.* deutsch/Deutsch; Rus|sisch, das; -[s] (Sprache)

Rus|sisch|brot, das; -[e]s (ein Gebäck)

Rus|si|sche, das; -n; *vgl.* Deutsche, das

rus|sisch|grün; ein russischgrüner Stoff, der Stoff ist russischgrün; *aber* ein Stoff in Russischgrün; ein dunkles Russischgrün

rus|sisch-or|tho|dox; russisch-orthodoxe Kirche

rus|sisch-rö|misch; russisch-römisches Bad ↑K23

rus|sisch|spra|chig

Russ|ki (*ugs., auch diskriminierend für* Russe, russischer Soldat)

Russ|land

russ|land|deutsch; Russ|land|deutsche, der u. die; -n, -n

Ruß|par|ti|kel; Ruß|par|ti|kel|fil|ter

ruß|schwarz; ruß|ver|schmiert

Rüst|an|ker (*Seemannsspr.* Ersatzanker)

¹Rüs|te, die; - (*landsch. für* Rast, Ruhe)

²Rüs|te, die; -, -n (*Seemannsspr.* starke Planke an der Schiffsaußenseite zum Befestigen von Ketten od. Stangen)

rüs|ten; sich rüsten (*geh.*); Gemüse rüsten (*schweiz. für* putzen, vorbereiten)

Rüs|ter [*auch* ˈry:...], die; -, -n (Ulme); rüs|tern (aus Rüsterholz); Rüs|ter[n]|holz

Rus|ti|co, der u. das; -s, Rustici [...tʃi] ⟨ital.⟩ (*schweiz.* tessinisches Bauernhaus; Ferienhaus in diesem Stil)

rüs|tig; Rüs|tig|keit, die; -

Rus|ti|ka, die; - ⟨lat.⟩ (*Archit.* Mauerwerk aus Quadern mit roh bearbeiteten Außenflächen)

rus|ti|kal ⟨lat.⟩ (ländlich, bäuerlich); Rus|ti|ka|li|tät, die; -

Rüst|kam|mer

Rüst|mes|ser, das (*schweiz. für* Küchenmesser)

Rüst|tag (*jüd. Rel.*)

Rüs|tung

Rüs|tungs|ab|bau; Rüs|tungs|auf|trag; Rüs|tungs|aus|ga|be *meist Plur.*; Rüs|tungs|be|gren|zung; Rüs|tungs|fa|b|rik; Rüs|tungs|geg|ner; Rüs|tungs|geg|ne|rin; Rüs|tungs|in|dus|t|rie; Rüs|tungs|kon|t|rol|le; Rüs|tungs|kon|zern; Rüs|tungs|spi|ra|le; Rüs|tungs|wett|lauf

Rüst|zeit; Rüst|zeug

Rut *vgl.* ²Ruth

Ru|te, die; -, -n (Gerte; altes Längenmaß; männliches Glied bei Tieren; *Jägerspr.* Schwanz)

Ru|ten|bün|del; Ru|ten|gän|ger (Wünschelrutengänger); Ru|ten|gän|ge|rin

¹Ruth (w. Vorn.)

²Ruth, ökum. Rut (biblischer w. Eigenn.); das Buch Ruth

Rut|hard (m. Vorn.)

Ru|the|ne, der; -n, -n (*früher Bez. für* im ehemaligen Österreich-Ungarn lebender Ukrainer); ru|the|nisch

Ru|the|ni|um, das; -s (chemisches Element, Metall; *Zeichen* Ru)

Ru|ther|ford [ˈraðəfat] (engl. Physiker); Ru|ther|for|di|um, das; - ⟨nach dem engl. Physiker⟩ (*svw.* Kurtschatovium)

Ru|til, der; -s, -e ⟨lat.⟩ (ein Mineral)

Ru|ti|lis|mus, der; - (*Med.* Rothaarigkeit)

Ru|tin, das; -s ⟨lat.⟩ (*Pharmazie* ein pflanzlicher Wirkstoff)

Rüt|li, das; -s (Bergmatte am Vierwaldstätter See); Rüt|li|schwur, der; -[e]s ↑K143 (sagenumwobener Treueschwur bei der Gründung der Schweizerischen Eidgenossenschaft)

rutsch!

Rutsch, der; -[e]s, -e; guten Rutsch [ins neue Jahr]!

Rutsch|bahn; Rutsch|sche, die; -, -n

rut|schen; du rutschst

Rut|sche|rei; rutsch|fest; Rutsch|ge|fahr, die; -; rut|schig; Rutsch|par|tie (*ugs.*); rutsch|si|cher

Rut|te, die; -, -n (ein Fisch)
Rüt|tel|be|ton
Rüt|te|lei
Rüt|tel|fal|ke
rüt|teln; ich rütt[e]le; **Rüt|tel|sieb**
Rütt|ler (ein Baugerät)
¹Ru|wer, die; - (rechter Nebenfluss der Mosel)
²Ru|wer, der; -s, - (eine Weinsorte)
Ruys|dael [ˈrɔysdaːl] vgl. Ruisdael
RVO = Reichsversicherungsord-nung
Rwan|da (engl. Schreibung für Ruanda); **rwan|disch**
Rye [raɪ], der; -, **Rye|whis|key** ⟨amerik.⟩ (Roggenwhiskey)

Rhythmus

Das Substantiv ist über das Lateinische aus dem Grie-chischen ins Deutsche entlehnt worden. Wie das Herkunftswort wird es am Wortanfang mit *Rhy-* geschrieben.

S

s = Sekunde
s, sh = Shilling
S (Buchstabe); das S; des S, die S, *aber* das s in Hase; der Buch-stabe S, s
S = Schilling; Sen; ²Siemens; Süd[en]; Sulfur (chem. Zeichen für Schwefel); small (Kleider-größe: klein)
$ = Dollar
Σ, ς, σ = Sigma
s. = sieh[e]!
S. = San, Sant', Santa, Santo, São; Seite
S., Se. = Seine [Exzellenz usw.]
Sa. = Summa; Sachsen; Samstag, Sonnabend
s. a. = sine anno
's = es; vgl. d.
Saal, der; -[e]s, Säle; *aber* Sälchen (vgl. d.); **Saal|bau** Plur. ...bauten
Saal|burg, die; - (römische Grenz-befestigung im Taunus)
Saa|le, die; - (linker Nebenfluss der Elbe)

Saal|feld (Saa|le) (Stadt in Thürin-gen)
Saal|ord|ner; Saal|ord|ne|rin; Saal-schlacht; Saal|toch|ter (schweiz. für Kellnerin im Speisesaal); **Saal|tür**
Saal|wet|te (bei der Fernsehshow »Wetten, dass ...?« die Wette des Moderators gegen das Publikum)
Saa|ne, die; - (linker Nebenfluss der Aare)
Saa|nen (schweizerischer Ort); **Saa|nen|kä|se**
Saar, die; - (rechter Nebenfluss der Mosel)
Saar|brü|cken (Hauptstadt des Bundeslandes Saarland); **Saar-brü|cker**
Saar|ge|biet, das; -[e]s
Saar|land, das; -[e]s; **Saar|län|der; Saar|län|de|rin; saar|län|disch;** *aber* ↑K150 : Saarländischer Rundfunk
Saar|louis [...ˈlui] (Stadt im Saar-land); **Saar|louis|er** [...ˈluiɐ]
Saar-Na|he-Berg|land; ↑K146
Saat, die; -, -en; **Saa|ten|pfle|ge,** die; -; **Saa|ten|stand,** der; -[e]s
Saat|ge|trei|de; Saat|gut, das; -[e]s; **Saat|kar|tof|fel; Saat|korn** Plur. ...körner; **Saat|krä|he**
Sa|ba (historisches Land in Süd-arabien); **Sa|bä|er,** der; -s, - (Angehöriger eines alten Volkes in Südarabien); **Sa|bä|e|rin**
Sab|bat, der; -s, -e ⟨hebr., »Ruhe-tag«⟩ (Samstag, jüdischer Feier-tag)
Sab|ba|ta|ri|er (svw. Sabbatist); **Sab|ba|ta|ri|e|rin**
Sab|ba|ti|cal [saˈbɛtɪkl], das; -s, -s ⟨engl.⟩ (längere berufl. Freistel-lung)
Sab|ba|tist, der; -en, -en (Angehö-riger einer christlichen Gemein-schaft, die den Sabbat einhält); **Sab|ba|tis|tin**
Sab|bat|jahr (jüd. Rel.; *auch für* einjährige Freistellung); **Sab|bat-stil|le**
Sab|bel, der; -s, - (nordd. für Mund; *nur Sing.:* svw. Sabber); **Sab|bel|lätz|chen** (nordd. für Sabberlätzchen); **sab|beln** (nordd. für sabbern); ich sabb[e]le
Sab|ber, der; -s (ugs. für ausflie-ßender Speichel); **Sab|ber|lätz-chen** (fam.); **sab|bern** (ugs. für Speichel ausfließen lassen; schwatzen); ich sabbere
Sä|bel, der; -s, - ⟨ung.-poln.⟩

Sä|bel|bei|ne Plur. (ugs. für O-Beine); **sä|bel|bei|nig**
Sä|bel|fech|ten, das; -s
sä|bel|för|mig
Sä|bel|ge|ras|sel (abwertend)
Sä|bel|hieb
sä|beln (ugs. für ungeschickt schneiden); ich säb[e]le
Sä|bel|ras|seln, das; -s (abwer-tend); **sä|bel|ras|selnd;** Sä|bel-rass|ler; Sä|bel|rass|le|rin
Sa|bi|na, Sa|bi|ne (w. Vorn.)
Sa|bi|ner (Angehöriger eines histo-rischen Volksstammes in Mit-telitalien); **Sa|bi|ner Ber|ge** Plur.; **Sa|bi|ne|rin; sa|bi|nisch**
Sa|bot [...ˈboː], der; -[s], -s ⟨franz.⟩ (Holzschuh; hinten offener Damenschuh)
Sa|bo|ta|ge [...ʒə], die; -, -n ⟨franz.⟩ (vorsätzliche Schädigung od. Zerstörung von wirtschaftl. u. militär. Einrichtungen); **Sa|bo-ta|ge|akt**
Sa|bo|teur [...ˈtøːɐ̯], der; -s, -e; **Sa-bo|teu|rin**
sa|bo|tie|ren
Sa|b|ra, der; -, -s (w. Form zu Sabre); **Sa|b|re,** der; -s, -s ⟨hebr.⟩ (in Israel geborener Nach-komme jüdischer Einwanderer)
Sa|b|ri|na (w. Vorn.)
SAC = Schweizer Alpen-Club
Sac|cha|ra|se, Sa|cha|ra|se [beide ...xa...], die; - ⟨sanskr.⟩ (ein Enzym)
Sac|cha|ri|me|t|rie, Sa|cha|ri|me|t|rie, die; - ⟨sanskr.; griech.⟩ (Bestim-mung des Zuckergehaltes)
Sac|cha|rin vgl. Sacharin
Sac|cha|ro|se, Sa|cha|ro|se [beide ...xa...], die; - (Chemie Zucker)
Sa|cha|lin (ostasiatische Insel)
Sach|an|la|ge meist. Plur.; **Sach|an-la|ge|ver|mö|gen** (Wirtsch.)
Sa|cha|ra|se vgl. Saccharase
Sa|cha|rin, fachspr. Sac|cha|rin, das; -s (ein Süßstoff)
Sa|char|ja (jüdischer Prophet)
Sa|cha|ro|se vgl. Saccharose
Sach|be|ar|bei|ter; Sach|be|ar|bei|te|rin
Sach|be|reich, der; **Sach|be|schä|di-gung; sach|be|zo|gen; Sach|be|zü-ge** Plur.; **Sach|buch; sach|dien-lich; Sach|dis|kus|si|on**
Sa|che, die; -, -n; in Sachen Meyer [gegen Müller]; in Sachen (zum Thema) neuer Trainer; zur Sache kommen
Sach|ein|la|ge (Wirtsch. Sach-werte, die bei der Gründung einer AG eingebracht werden)

Sä|chel|chen

Sa|chen|recht, das; -[e]s *(Rechtsspr.);* Sach|er|klä|rung

Sa|cher|tor|te ⟨nach dem Wiener Hotelier Sacher⟩ (eine Schokoladentorte) ↑K136

Sach|fir|ma (Firma, deren Name den Gegenstand des Unternehmens angibt; *Ggs.* Personenfirma)

Sach|fra|ge; sach|fremd; Sach|ge|biet; sach|ge|mäß; Sach|ge|recht

Sach|grün|dung (*Wirtsch.* Gründungsform einer AG)

Sach|kar|ta|log

Sach|kennt|nis; Sach|kom|pe|tenz

Sach|kun|de, die; -; Sach|kun|de|un|ter|richt; sach|kun|dig

Sach|la|ge, die; -

Sach|le|gi|ti|ma|ti|on *(Rechtsspr.)*

Sach|leis|tung

sach|lich (zur Sache gehörend; *auch für* objektiv); sachliche Kritik; sachliche Angaben

säch|lich; sächliches Geschlecht *(Sprachw.)*

Sach|lich|keit, die; -; die Neue Sachlichkeit *(Kunstwiss.)*

Sach|män|gel|haf|tung, die; -

Sach|mit|tel *Plur.;* Sach|prä|mie; Sach|preis; Sach|re|gis|ter

¹Sachs (dt. Meistersinger); Hans Sachs' Gedichte ↑K16

²**Sachs**, Sax, der; -es, -e (germanisches Eisenmesser, kurzes Schwert)

Sach|scha|den

Sach|se, der; -n, -n; säch|seln (sächsisch sprechen); ich sächs[e]le; Sach|sen (*Abk.* Sa.)

Sach|sen-An|halt ↑K144; Sach|sen-An|hal|ter, Sach|sen-An|hal|ti|ner; Sach|sen-An|hal|te|rin, Sach|sen-An|hal|ti|ne|rin; sach|sen-an|hal|tisch, sach|sen-an|hal|ti|nisch

Sach|sen|hau|sen (Konzentrationslager der Nationalsozialisten)

Sach|sen|spie|gel, der; -s (eine Rechtssammlung des dt. MA.)

Sach|sen|wald, der; -[e]s (Waldgebiet südöstlich von Hamburg)

Sach|sin; säch|sisch; *aber* ↑K140: die Sächsische Schweiz (Teil des Elbsandsteingebirges)

Sach|spen|de

sacht; sacht|chen *(obersächs. für* ganz sacht)*; sach|te *(ugs.)*

Sach|ver|halt; Sach|ver|si|che|rung

Sach|ver|stand

sach|ver|stän|dig; Sach|ver|stän|di|ge, der u. die; -n, -n

Sach|ver|stän|di|gen|gut|ach|ten; Sach|ver|stän|di|gen|rat

Sach|ver|zeich|nis

Sach|wal|ter; Sach|wal|te|rin; sach|wal|te|risch

Sach|wei|ser (*selten für* Sachregister); Sach|wert; Sach|wör|ter|buch; Sach|zu|sam|men|hang; Sach|zwang *meist Plur.*

Sack, der; -[e]s, Säcke; 5 Sack Mehl; mit Sack und Pack

Sack|bahn|hof

Säck|chen

Sä|ckel, der; -s, - (*landsch. für* Hosentasche; Geldbeutel); Sä|ckel|meis|ter (*bes. schweiz. für* Kassenwart, Schatzmeister); Sä|ckel|meis|te|rin

sä|ckeln (*landsch. für* in Säcke füllen); ich säck[e]le

Sä|ckel|wart (*landsch. für* Kassenwart); Sä|ckel|war|tin

¹sa|cken (*landsch. für* in Säcke füllen)

²sa|cken (sich senken; sinken)

sä|cken (*veraltet für* in einem Sack ertränken)

Sa|ckerl, das; -s, -n (*österr. für* Tüte, Beutel, Tragetasche)

sa|cker|lot! *vgl.* sapperlot!

sa|cker|ment! *vgl.* sapperment!

sä|cke|wei|se (in Säcken)

sack|för|mig

Sack|gas|se

Sack|geld (*schweiz. für* Taschengeld)

sack|grob *(ugs. für* sehr grob)*

sack|hüp|fen *nur im Infinitiv u. Part. I gebr.;* Sack|hüp|fen, das; -s

Sä|ckin|gen (badische Stadt am Hochrhein); Sä|ckin|ger

Sack|kar|re; Sack|kar|ren; Sack|kleid; Sack|lau|fen, das; -s

sack|lei|nen; Sack|lei|nen; Sack|lein|wand

Säck|ler (*landsch. für* Lederarbeiter); Säck|le|rin

Sack|pfei|fe (Dudelsack)

Sack|ro|del, die (*österr. für* Sackkarre)

Sack|tuch *Plur.* ...tücher (grobes Tuch; *südd., österr. ugs. neben* Taschentuch)

sack|wei|se

Sad|du|zä|er, der; -s, - ⟨hebr.⟩ (Angehöriger einer altjüd. Partei)

Sa|de|baum ⟨lat.; dt.⟩ (ein wacholderartiger Nadelbaum)

Sa|dhu [...du], der; -[s], -s ⟨sanskr.⟩ (als Eremit u. bettelnder Asket lebender Hindu)

Sa|dis|mus, der; -, *Plur.* (*für* Handlungen:) ...men ⟨nach dem franz. Schriftsteller de Sade⟩ (Lust am Quälen, an Grausamkeiten)

Sa|dist, der; -en, -en; Sa|dis|tin; sa|dis|tisch

Sa|do|ma|so, der; - *(ugs.);* Sa|do|ma|so|chis|mus, der; -, ...men (Verbindung von Sadismus u. Masochismus); sa|do|ma|so|chis|tisch

Sa|do|wa (Dorf bei Königgrätz)

sä|en; du säst, er/sie sät; du sätest; gesät; säe!; Sä|er; Sä|e|rin

Sa|fa|ri, die; -, -s ⟨arab.⟩ (Gesellschaftsreise zum Jagen, Fotografieren [in Afrika]); Sa|fa|ri|jeep; Sa|fa|ri|park (Tierpark, den der Besucher mit dem Auto durchquert)

Safe [ze:f], der, *auch* das; -s, -s ⟨engl.⟩ (Geldschrank, Stahlkammer, Sicherheitsfach)

Sa|fer Sex ['ze:... '-], der; - -es (die Gefahr einer Aidsinfektion minderndes Sexualverhalten)

Saf|fi|an, der; -s ⟨pers.⟩ (feines Ziegenleder); Saf|fi|an|le|der

Saf|lor, der; -s, -e ⟨arab.-ital.⟩ (Färberdistel); saf|lor|gelb

Saf|ran, der; -s, -e ⟨pers.⟩ (Krokus; Farbstoff; *nur Sing.:* ein Gewürz); saf|ran|gelb

Saft, der; -[e]s, Säfte (*österr. auch für* Bratensoße); Saft|bra|ten

saf|ten

Saft|fut|ter *vgl.* ¹Futter

saft|grün

saf|tig *(ugs. auch für* derb); Saf|tig|keit

Saft|kur (mit Obst- oder Gemüsesäften durchgeführte ²Kur)

Saft|la|den *(ugs. abwertend für* schlecht funktionierender Betrieb)

saft|los; saft- u. kraftlos ↑K31

Saft|pres|se; Saft|sack (Schimpfwort); Saft|schub|se, die; -, -n *(ugs. abwertend für* Flugbegleiterin); Saft|tag

Sa|ga ['za:(:)ga], die; -, -s ⟨altnord.⟩ (altisländische Prosaerzählung)

sag|bar

Sa|ge, die; -, -n

Sä|ge, die; -, -n; Sä|ge|blatt; Sä|ge|bock; Sä|ge|fisch; Sä|ge|mehl, das; -[e]s; Sä|ge|müh|le

sa|gen; es kostet sage und schreibe (tatsächlich) zwanzig Euro; ich habe mir sagen lassen, dass ...; von ihm wollen wir uns nichts sagen (befehlen) lassen; sie hat hier das Sagen ↑K82

sä|gen

Sa|gen|buch; Sa|gen|dich|tung, die; -; Sa|gen|for|scher; Sa|gen|for|sche|rin; Sa|gen|ge|stalt

sa|gen|haft (ugs. auch für unvorstellbar)

Sa|gen|kreis

sa|gen|um|wo|ben ↑K59

Sa|ger (österr. ugs. für Ausspruch)

Sä|ger; Sä|ge|rei; Sä|ge|rin

Sä|ge|spä|ne Plur.

Sä|ge|werk; Sä|ge|wer|ker; Sä|ge|wer|ke|rin; Sä|ge|zahn

sa|git|tal ⟨lat.⟩ (Biol., Med. parallel zur Mittelachse liegend); Sa|git|tal|ebe|ne (der Mittelebene des Körpers parallele Ebene)

Sa|go, der, österr. meist das; -s ⟨indones.⟩ (gekörntes Stärkemehl); Sa|go|pal|me; Sa|go|sup|pe

sah vgl. sehen

Sa|ha|ra [auch ˈzaː...], die; - ⟨arab.⟩ (Wüste in Nordafrika)

Sa|hel [auch ˈzaːhɛl], der; -[s] ⟨arab.⟩ (Gebiet südlich der Sahara); Sa|hel|zo|ne, die; -

Sa|hib, der; -[s], -s ⟨arab.-Hindi⟩ (in Indien u. Pakistan titelähnliche Bez. od. höfliche Anrede)

Sah|ne, die; -; Sah|ne|bon|bon; Sah|ne|eis; Sah|ne|häub|chen; Sah|ne|känn|chen; Sah|ne|kä|se; Sah|ne|meer|ret|tich, der; -s

sah|nen; Sah|ne|schnit|te

Sah|ne|so|ße, Sah|ne|sau|ce; Sah|ne|stück; Sah|ne|tor|te

sah|nig

Saib|ling (ein Fisch); vgl. Salbling

Sai|gon [auch ...ˈgɔn] (früherer Name von Ho-Chi-Minh-Stadt)

¹Saint [sɛnt] ⟨engl., »heilig«⟩; (Abk. St od. St.; »Saint« erscheint als Bestandteil von engl. u. amerik. Heiligennamen u. darauf zurückgehenden Ortsnamen. Es steht sowohl in männl. als auch in weibl. Namen und wird ohne Bindestrich verwendet: Saint Louis [sɛnt ˈluːɪs]; Saint Anne [sɛnt ˈɛn]; vgl. San, Sankt, São)

²Saint [sɛ̃] ⟨franz., »heilig«⟩; (Abk. St; »Saint« erscheint als Bestandteil von männl. franz. Heiligennamen u. darauf zurückgehenden Ortsnamen. Es steht mit einem Bindestrich: Saint-Cyr [sɛ̃ˈsiːʀ]; vgl. San, Sankt, São)

Sainte [sɛ̃t]; (Abk. Ste.; »Sainte« erscheint als Bestandteil von weibl. franz. Heiligennamen u. darauf zurückgehenden Ortsnamen. Es steht mit einem Binde-

strich: Sainte-Marie [sɛ̃tmaˈriː]; vgl. San, Sankt, São)

Saint-Exu|pé|ry [sɛ̃teksypeˈriː] (französischer Schriftsteller)

Saint Geor|ge's [snt ˈdʒɔːdʒɪs] (Hauptstadt Grenadas)

Saint John's [snt ˈdʒɒns] (Hauptstadt von Antigua und Barbuda)

Saint Lou|is [snt ˈluːɪs] (Stadt in Missouri)

Saint-Saëns [sɛ̃ˈsãːs] (französischer Komponist)

Saint-Si|mo|nis|mus [sɛ̃si...], der; - ⟨nach dem franz. Sozialreformer Saint-Simon⟩ (sozialistische Lehre); Saint-Si|mo|nist, der; -en, -en; Saint-Si|mo|nis|tin

Sa|is (altägyptische Stadt)

Sai|son [zɛˈzõː, österr. auch zɛˈzoːn], die; -, Plur. -s, österr. auch ...onen ⟨franz.⟩ (Hauptbetriebs-, Hauptreise-, Hauptgeschäftszeit, Theaterspielzeit)

sai|son|ab|hän|gig; sai|so|nal

Sai|son|ar|beit; Sai|son|ar|bei|ter; Sai|son|ar|bei|te|rin

Sai|son|auf|takt

Sai|son|aus|ver|kauf

Sai|son|be|dingt

Sai|son|be|ginn, der; -s

sai|son|be|rei|nigt (Amtsspr.)

Sai|son|be|trieb; Sai|son|en|de, das; -s; Sai|son|er|öff|nung

Sai|so|ni|er vgl. Saisonnier

Sai|son|in|dex (Wirtsch.); Sai|son|kenn|zei|chen; Sai|son|kre|dit (Bankw.)

Sai|son|ni|er, Sai|so|ni|er [zɛzɔˈnjeː] (österr., schweiz. für Saisonarbeiter)

Sai|son|schluss; Sai|son|start

sai|son|un|ab|hän|gig

Sai|son|wan|de|rung (saisonbedingte Wanderung von Arbeitskräften)

sai|son|wei|se

Sai|te, die; -, -n (gedrehter Tierdarm, Metall od. Kunststoff [zur Bespannung von Musikinstrumenten]); vgl. aber Seite

Sai|ten|hal|ter (Teil eines Saiteninstrumentes); Sai|ten|in|s|tru|ment; Sai|ten|spiel, das; -[e]s

...sai|tig (z. B. fünfsaitig)

Sait|ling (Schafdarm)

Sa|ke, der; - ⟨jap.⟩ (aus Reis hergestellter japanischer Wein)

Sak|ko [österr. ...ˈkoː], der, auch, österr. nur, das; -s, -s (Herrenjackett); Sak|ko|an|zug

sa|k|ra! ⟨lat.⟩ (südd. ugs. für verdammt!)

sa|k|ral ⟨lat.⟩ (den Gottesdienst

betreffend; Med. zum Kreuzbein gehörend); Sa|k|ral|bau Plur. ...bauten (Kunstwiss. kirchl. Bauwerk; Ggs. Profanbau)

Sa|k|ra|ment, das; -[e]s, -e ⟨lat.⟩ (eine gottesdienstliche Handlung); sa|k|ra|men|tal; Sa|k|ra|men|ta|li|en Plur. (kath. Kirche sakramentähnliche Zeichen u. Handlungen, z. B. Wasserweihe; auch Bez. für geweihte Dinge, z. B. Weihwasser)

Sa|k|ra|men|ter, der; -s, - (landsch. für jmd., über den man sich ärgert; Schimpfwort)

sa|k|ra|ment|lich; Sa|k|ra|ments|häus|chen

sa|k|rie|ren (veraltet für weihen, heiligen); Sa|k|ri|fi|zi|um, das; -s, ...ien (svw. [Mess]opfer)

Sa|k|ri|leg, das; -s, -e, Sa|k|ri|le|gi|um, das; -s, ...ien ⟨lat.⟩ (Vergehen gegen Heiliges); sa|k|ri|le|gisch; Sa|k|ri|le|gi|um vgl. Sakrileg

sa|k|risch (südd. für verdammt)

Sa|k|ris|tan, der; -s, -e ⟨lat.⟩ (kath. Küster, Mesner); Sa|k|ris|ta|nin

Sa|k|ris|tei ⟨lat.⟩ (Kirchenraum für den Geistlichen u. die gottesdienstlichen Geräte)

sa|k|ro|sankt (unverletzlich)

sä|ku|lar ⟨lat.⟩ (alle hundert Jahre wiederkehrend; weltlich); Sä|ku|lar|fei|er (Hundertjahrfeier)

Sä|ku|la|ri|sa|ti|on, die; -, -en ⟨lat.⟩ (Einziehung geistlicher Besitzungen; Verweltlichung); sä|ku|la|ri|sie|ren (kirchl. Besitz in weltl. umwandeln); Sä|ku|la|ri|sie|rung (Verweltlichung; Loslösung aus den Bindungen an die Kirche)

Sä|ku|lum, das; -s, ...la ⟨lat.⟩ (Jahrhundert)

Sa|la|din ⟨arab.⟩ (ein Sultan)

Sa|lam ⟨arab.⟩ (arabisches Grußwort); Salam alaikum! (Heil, Friede mit euch!)

Sa|la|man|ca (spanische Stadt u. Provinz)

Sa|la|man|der, der; -s, - ⟨griech.⟩ (ein Schwanzlurch)

Sa|la|mi, die; -, -[s], schweiz. auch der; -s, - ⟨ital.⟩ (eine Dauerwurst)

Sa|la|mi|ni|er; Sa|la|mi|ni|e|rin; Sa|la|mis (griechische Insel; Stadt auf der Insel Salamis)

Sa|la|mi|tak|tik, die; - (ugs. für Taktik, bei der man durch mehrere kleinere Übergriffe od. Forderungen ein größeres Ziel zu verwirklichen sucht)

Sa|la|mi|wurst

Sa|lär, das; -s, -e ⟨franz.⟩ *(schweiz. für* Gehalt, Lohn); **sa|la|rie|ren** *(schweiz. für* besolden)

Sa|lat, der; -[e]s, -e; gemischter Salat; **Sa|lat|bar,** die; **Sa|lat|be|steck; Sa|lat|blatt; Sa|lat|bü|fett; Sa|lat|gur|ke**

Sa|la|ti|e|re, die; -, -n *(veraltet für* Salatschüssel)

Sa|lat|kar|tof|fel *meist Plur.;* **Sa|lat|kopf; Sa|lat|öl; Sa|lat|pflan|ze; Sa|lat|plat|te; Sa|lat|schüs|sel; Sa|lat|so|ße, Sa|lat|sau|ce; Sa|lat|tel|ler**

Sal|ba|der *(abwertend für* langweiliger [frömmelnder] Schwätzer); **Sal|ba|de|rei; Sal|ba|de|rin; sal|ba|dern;** ich salbadere; er/sie hat salbadert

Sal|band, das; *Plur.* ...bänder (Gewebekante, -leiste; *Geol.* Berührungsfläche eines Ganges mit dem Nebengestein)

Sal|be, die; -, -n

Sal|bei [*österr. nur so, sonst auch* ...'baj], der; -s, *österr. nur so, sonst auch* die; - ⟨lat.⟩ (eine Heil- u. Gewürzpflanze); **Sal|bei|tee**

sal|ben; Sal|ben|do|se

Salb|ling *(svw. Saibling)*

Salb|öl *(kath. Kirche)*

Sal|bung; sal|bungs|voll (übertrieben würdevoll)

Säl|chen (kleiner Saal)

Sal|chow [...ço], der; -[s], -s ⟨nach dem schwed. Eiskunstläufer U. Salchow⟩ (ein Drehsprung beim Eiskunstlauf); einfacher, doppelter, dreifacher Salchow

Sal|den|bi|lanz *(Wirtsch.);* **Sal|den|lis|te** *(Wirtsch.)*

sal|die|ren ⟨ital.⟩ ([eine Rechnung] ausgleichen, abschließen; *österr. für* die Bezahlung einer Rechnung bestätigen); **Sal|die|rung**

Sal|do, der; -s, *Plur.* ...den, -s *u.* ...di ⟨ital.⟩ (Unterschied der beiden Seiten eines Kontos)

Sal|do|an|er|kennt|nis, das (*Wirtsch.* Schuldanerkenntnis dem Gläubiger gegenüber); **Sal|do|kon|to** (Kontokorrentbuch); **Sal|do|über|trag; Sal|do|vor|trag**

Sä|le *(Plur. von* Saal)

Sa|lem *vgl.* Salam

Sa|lep, der; -s, -s ⟨arab.⟩ (getrocknete Orchideenknolle, die für Heilzwecke verwendet wird)

Sa|le|si|a|ner (Mitglied der Gesellschaft des hl. Franz von Sales;

Angehöriger einer kath. Priestergenossenschaft)

Sales|ma|na|ger ['se:ls...] ⟨engl.⟩ (*Wirtsch.* Verkaufsleiter, [Groß]verkäufer); **Sales|ma|na|ge|rin**

Sales|pro|mo|ter (Vertriebskaufmann mit besonderen Kenntnissen auf dem Gebiet der Marktbeeinflussung); **Sales|pro|mo|te|rin; Sales|pro|mo|tion** [...ʃn] (Verkaufsförderung)

Sa|lettl, das; -s, -n ⟨ital.⟩ (*bayr. u. österr. für* Pavillon, Laube, Gartenhäuschen)

Sä|li, das; -s, - *(schweiz. für* besonderer Raum in Gastwirtschaften)

Sa|li|cyl|säu|re *vgl.* Salizylsäure

¹Sa|li|er *Plur.* ⟨lat.⟩ (Vereinigung altrömischer Priester)

²Sa|li|er, der; -s, - (Angehöriger der salischen Franken; Angehöriger eines dt. Kaisergeschlechtes)

Sa|li|ne, die; -, -n ⟨lat.⟩ (Anlage zur Salzgewinnung); **Sa|li|nen|salz**

Sa|ling, die; -, -s *(Seemannsspr.* Stange am Mast zur Abstützung der Wanten)

sa|li|nisch *(selten für* salzartig, -haltig)

sa|lisch; salische Franken; salische Gesetze, *aber* ↑K 150 : das Salische Gesetz (über die Thronfolge)

Sa|li|zyl|säu|re, *fachspr.* Sa|li|cyl|säu|re, die; - ⟨lat.; griech.; dt.⟩ (eine organische Säure)

Sal|kan|te (Gewebeleiste)

Salk|vak|zi|ne, Salk-Vak|zi|ne [*auch* 'so:(l)k...] (Impfstoff des amerik. Bakteriologen J. Salk gegen Kinderlähmung)

Sal|leis|te (Gewebeleiste)

Sal|lust, Sal|lus|ti|us (röm. Geschichtsschreiber)

Sal|ly [...li] (m. *od.* w. Vorn.)

¹Salm, der; -[e]s, -e ⟨lat.⟩ (ein Fisch)

²Salm, der; -s, -e *Plur. selten* ⟨zu Psalm⟩ *(ugs. für* umständliches Gerede)

Sal|ma|nas|sar (Name assyrischer Könige)

Sal|mi|ak [*auch, österr. nur,* 'za...], der, *auch* das; -s ⟨lat.⟩ (eine Ammoniakverbindung); **Sal|mi|ak|geist,** der; -[e]s (Ammoniaklösung); **Sal|mi|ak|lö|sung; Sal|mi|ak|pas|til|le**

Salm|ler (ein Fisch)

Sal|mo|nel|len *Plur.* ⟨nach dem amerik. Pathologen u. Bakteriologen Salmon⟩ (Darmkrankheiten hervorrufende Bakterien); **Sal|mo|nel|lo|se,** die; -, -n (*Med.* durch Salmonellen verursachte Erkrankung)

Sal|mo|ni|den *Plur.* ⟨lat.; griech.⟩ (*Zool.* Familie der Lachsfische)

Sa|lo|me [...me] (Stieftochter des Herodes)

Sa|lo|mon, ökum. **Sa|lo|mo** (bibl. König, Sohn Davids); *Gen.* Salomo[n]s *u.* Salomonis

Sa|lo|mo|nen *Plur.* (Inselstaat östlich von Neuguinea); **Sa|lo|mo|ner; Sa|lo|mo|ne|rin; Sa|lo|mon-In|seln** *(schweiz. neben* Salomonen); **¹sa|lo|mo|nisch**

²sa|lo|mo|nisch ⟨zu Salomon⟩; salomonische Schriften; salomonisches (weises) Urteil; salomonische Weisheit

Sa|lon [za'lõ:, *südd., österr.* za'lo:n], der; -s, -s ⟨franz.⟩ (Gesellschafts-, Empfangszimmer; Friseur-, Mode-, Kosmetikgeschäft; [Kunst]ausstellung)

Sa|lon|da|me *(Theater)*

sa|lon|fä|hig

Sa|lon|ni|ker, Sa|lo|ni|ki|er

Sa|lo|ni|ki (nordgriechische Stadt); *vgl.* Thessaloniki

Sa|lon|kom|mu|nist *(iron.);* **Sa|lon|kom|mu|nis|tin** *(iron.)*

Sa|lon|lö|we *(abwertend)*

Sa|lon|mu|sik, die; -; **Sa|lon|or|ches|ter**

Sa|lon|wa|gen *(Eisenb.)*

Sa|loon [sə'lu:n], der; -s, -s ⟨amerik.⟩ (Lokal, dessen Einrichtung dem Stil der Westernfilme nachempfunden ist)

sa|lopp ⟨franz.⟩ (ungezwungen; nachlässig); **Sa|lopp|heit**

Sal|pe, die; -, -n ⟨griech.⟩ (ein walzenförmiges Meerestier)

Sal|pe|ter, der; -s ⟨lat.⟩ (*Bez. für* einige Salze der Salpetersäure); **Sal|pe|ter|dün|ger; Sal|pe|ter|er|de**

sal|pe|ter|hal|tig; sal|pe|te|rig *vgl.* salpetrig

Sal|pe|ter|säu|re, die; -; **sal|pet|rig;** salpetrige Säure ↑K 89

Sal|pinx, die; -, ...ingen ⟨griech.⟩ (*Med.* [Ohr]trompete; Eileiter)

Sal|sa, die; -, -s, *ugs. auch* der; -[s], -s ⟨span.⟩ (Art der lateinamerikanischen Popmusik; ein Tanz)

Sal|se, die; -, -n ⟨ital.⟩ (*Geol.* Schlammsprudel, -vulkan; *österr. auch für* Fruchtgelee)

Sal|siz, das; -es, -e (Graubündener Wurstsorte)

Salt, SALT [auch so:lt] = Strategic Arms Limitation Talks (Gespräche über die Begrenzung der strategischen Rüstung)

Sal|ta, das; -s ⟨lat., »spring!«⟩ (ein Brettspiel)

Sal|ta|rel|lo, der; -s, ...lli ⟨ital.⟩ (ital. u. span. Springtanz)

Sal|ta|to, das; -s, Plur. -s u. ...ti (Musik Spiel mit hüpfendem Bogen)

Sal|tim|boc|ca, die; -, -s ⟨ital.⟩ (mit Schinken u. Salbei gefülltes [Kalbs]schnitzel)

Salt-Kon|fe|renz, SALT-Kon|fe|renz

Sal|to, der; -s, Plur. -s u. ...ti ⟨ital.⟩ (freier Überschlag; Luftrolle); Sal|to mor|ta|le, der; - -, Plur. - - u. ...ti ...li (meist dreifacher Salto in großer Höhe)

sa|lü! [auch ...'ly:] (bes. schweiz. Grußformel)

Sal|lut, der; -[e]s, -e ⟨franz.⟩ ([milit.] Ehrengruß)

Sa|lu|ta|ti|on, die; -, -en ⟨lat.⟩ (veraltet für feierliche Begrüßung)

sa|lu|tie|ren ⟨lat.⟩ (militärisch grüßen); Sa|lut|schuss

Sal|va|dor, El usw. vgl. El Salvador usw.; Sal|va|do|ri|a|ner; Sal|va|do|ri|a|ne|rin; sal|va|do|ri|a|nisch

Sal|va|ti|on, die; -, -en ⟨lat.⟩ (veraltet für Rettung; Verteidigung)

¹Sal|va|tor, der; -s (Jesus als Retter, Erlöser)

²Sal|va|tor ®, das od. der; -s (ein bayrisches Starkbier); Sal|va|tor|bier (als ® : Salvator-Bier); Sal|va|tor|bräu (als ® : Salvator-Bräu)

Sal|va|to|ri|a|ner (Angehöriger einer kath. Priesterkongregation; Abk. SDS [vgl. d.])

sal|va|to|risch (Rechtsspr. nur ergänzend geltend); salvatorische Klausel ↑K 89

sal|va ve|nia ⟨lat.⟩ (veraltet für mit Erlaubnis, mit Verlaub [zu sagen]; Abk. s. v.)

sal|ve! [...ve] ⟨lat., »sei gegrüßt!«⟩ (lateinischer Gruß)

Sal|ve [...və], die; -, -n ⟨franz.⟩ (gleichzeitiges Schießen von mehreren Feuerwaffen)

sal|vie|ren ⟨lat.⟩ (veraltet für retten); noch in sich von einem Verdacht reinigen (sich von einem Verdacht reinigen, salviert sein)

sal|vo ti|tu|lo (veraltet für mit Vorbehalt des richtigen Titels; Abk. S. T.)

Sal|wei|de (eine Weidenart)

Salz, das; -es, -e

Sal|z|ach, die; - (rechter Nebenfluss des Inns)

Salz|ader

Salz|amt (österr. scherzh. für vergeblich angerufene Behörde)

salz|arm; salz|ar|tig

Salz|bad; Salz|berg|bau; Salz|berg|werk; Salz|bo|den; Salz|bre|zel; Salz|bröt|chen

Salz|burg (österr. Bundesland u. dessen Hauptstadt); Salz|bur|ger; Salzburger Festspiele

Salz|det|furth, Bad (Stadt südlich von Hildesheim)

sal|zen; du salzt; gesalzen (in übertr. Bedeutung nur so, z. B. die Preise sind gesalzen, ein gesalzener Witz), auch gesalzt

Säl|zer (veraltet für Salzsieder, -händler; jmd., der [Fleisch, Fische] einsalzt)

Salz|fass; Salz|fleisch; Salz|gar|ten (Anlage zur Salzgewinnung); Salz|ge|halt, der; Salz|ge|win|nung; Salz|gru|be (Salzbergwerk); Salz|gur|ke

salz|hal|tig; Salz|he|ring; sal|zig

Salz|kam|mer|gut, das; -[e]s (österreichische Alpenlandschaft)

Salz|kar|tof|fel meist Plur.; Salz|korn Plur. ...körner; Salz|ko|te (früher Salzsiedehaus); vgl. ²Kote; Salz|krus|te; Salz|la|ke; Salz|lam|pe; Salz|le|cke (vgl. Lecke)

salz|los; Salz|lö|sung; Salz|man|del; Salz|pfan|ne; Salz|pflan|ze

salz|sau|er (Salzsäure enthaltend)

Salz|säu|le; Salz|säu|re, die; -; Salz|see; Salz|sie|der; Salz|sie|de|rin; Salz|so|le; Salz|stan|ge; Salz|stan|gerl, das; -s, -n (bayr., österr.); Salz|steu|er, die

Salz|stra|ße (antiker Verkehrsweg für den Transport von Salz)

Salz|streu|er; Salz|teig

Salz|uf|len, Bad (Stadt am Teutoburger Wald)

Salz|was|ser Plur. ...wässer

Salz|wüs|te; Salz|zoll

Sam [sem] (m. Vorn.); Onkel Sam (scherzh. Bez. für USA; vgl. Uncle Sam)

Sa|ma|el vgl. Samiel

Sä|mann Plur. ...männer

Sa|ma|ria [auch ...'ri:a] (antike Stadt u. historische Landschaft in Palästina); Sa|ma|ri|ta|ner (Angehöriger eines Volkes in Palästina); Sa|ma|ri|ta|ne|rin; sa|ma|ri|ta|nisch;

der samaritanische Pentateuch (Rel.) ↑K 89

Sa|ma|ri|ter (Bewohner von Samaria; Krankenpfleger); barmherziger Samariter; Sa|ma|ri|ter|dienst; Sa|ma|ri|te|rin; Sa|ma|ri|ter|tum, das; -s

Sa|ma|ri|um, das; -s (chemisches Element, Metall; Zeichen Sm)

¹Sa|mar|kand (Stadt in Usbekistan)

²Sa|mar|kand, der; -[s], -s (ein Teppich)

Sä|ma|schi|ne

Sam|ba, die; -, -s, auch u. österr. nur der; -s, -s ⟨afrik.-port.⟩ (ein Tanz)

Sam|be|si, der; -[s] (Strom in Afrika)

Sam|bia (Staat in Afrika); Sam|bi|er; Sam|bi|e|rin; sam|bisch

Sam|bu|ca, der; -s, -s ⟨ital.⟩ (italienischer Anislikör)

¹Sa|me, der; -n, -n (Lappe)

²Sa|me, der; -ns, -n (seltener für Samen); Sa|men, der; -s, -

Sa|men|bank Plur. ...banken (Med.); Sa|men|er|guss

Sa|men|fa|den

Sa|men|flüs|sig|keit

Sa|men|hand|lung; Sa|men|kap|sel (Bot.); Sa|men|kern; Sa|men|korn Plur. ...körner

Sa|men|lei|ter, der (Med.)

Sa|men|pflan|ze

Sa|men|spen|der (bei künstl. Befruchtung); Sa|men|strang (Med.); Sa|men|zel|le

Sa|men|zucht, die; -

Sä|me|rei, die; -, -en

Sa|mi|chlaus [...xlaus], der; -[es], ...chläuse (schweiz. für St. Nikolaus)

Sa|mi|el, Sa|ma|el [beide ...e:l, auch ...el], der; -s ⟨hebr.⟩ (böser Geist, Teufel)

sä|mig (seimig; dickflüssig); Sä|mig|keit, die; -

sa|misch (von Samos)

sä|misch ⟨slaw.⟩ (fettgegerbt); Sä|misch|ger|ber; Sä|misch|le|der

Sa|mis|dat, der; -s ⟨russ.⟩ (im Selbstverlag erschienene [verbotene] Literatur in der Sowjetunion)

Sam|land, das; -[e]s (Halbinsel zwischen dem Frischen u. dem Kurischen Haff); Sam|län|der, der; Sam|län|de|rin; sam|län|disch

Säm|ling (aus Samen gezogene Pflanze)

Sam|mel|al|bum; Sam|mel|an|schluss; Sam|mel|auf|trag (Postw.); Sam|mel|band, der;

Sam|mel|be|cken; Sam|mel|be|griff; Sam|mel|be|stel|lung; Sam|mel|be|zeich|nung; Sam|mel|büch|se

Sam|mel|de|pot (*Bankw.* eine Form der Wertpapierverwahrung)

Sam|me|lei

Sam|mel|ei|fer; Sam|mel|frucht (*Bot.*); Sam|mel|grab

Sam|mel|gut; Sam|mel|gut|ver|kehr, der; -s

Sam|mel|kla|ge

Sam|mel|kon|to; Sam|mel|la|ger

Sam|mel|lei|den|schaft; Sam|mel|lin|se (*Optik*); Sam|mel|map|pe

sam|meln; ich samm[e]le

Sam|mel|na|me (*Sprachw.*); Sam|mel|platz; Sam|mel|schie|ne (*Elektrot.*); Sam|mel|stel|le

Sam|mel|su|ri|um, das; -s, ...ien (*ugs.* für angesammelte Menge verschiedenartigster Dinge)

Sam|mel|tas|se; Sam|mel|ta|xi; Sam|mel|trans|port; Sam|mel|trieb, der; -[e]s; Sam|mel|werk; Sam|mel|wert|be|rich|ti|gung (*Bankw.*); Sam|mel|wut

Sam|met, der; -s, -e (*veraltet für* Samt)

Samm|ler; Samm|ler|fleiß; Samm|ler|freu|de; Samm|le|rin

Samm|lung

Sam|my ['zemi] (m. Vorn.)

Sam|ni|te, der; -n, -n, Sam|ni|ter, der; -s, - (Angehöriger eines italischen Volkes)

Sa|moa (Inselgruppe im Pazifischen Ozean); *vgl.* Westsamoa

Sa|moa|in|seln *Plur.* ↑ K 143 ; Sa|mo|a|ner; Sa|mo|a|ne|rin; sa|mo|a|nisch

Sa|mo|je|de, der; -n, -n (*früher für* Nenze)

¹Sa|mos (griechische Insel)

²Sa|mos, der; -, - (Wein von ¹Samos)

Sa|mo|thra|ke (griechische Insel)

Sa|mo|war [*auch* 'za...], der; -s, -e ⟨russ.⟩ (russ. Teemaschine)

Sam|pan, der; -s, -s ⟨chin.⟩ (chinesisches Wohnboot)

sam|peln, sam|plen [...p]n, *auch* 'sa:...] ⟨engl.⟩ (einen Sampler zusammenstellen; ein Sampling durchführen); ich samp[e]le; gesampelt *od.* gesamplet; Sam|ple [...p]l], das; -[s], -s (Stichprobe; Muster; Ergebnis von Samplings); Sam|p|ler (CD o. Ä. mit einer Auswahl von [bereits früher veröffentlichten] Titeln; Gerät zum Durchführen von Samplings); Sam|p|ling, das; -s,

-s (Bearbeitung von Tönen, Klängen u. Neuzusammenstellung am Computer)

Sam|son *vgl.* Simson

Sams|tag, der; -[e]s, -e ⟨hebr., »Sabbattag«⟩ (*Abk.* Sa.); langer, kurzer Samstag; *vgl.* Dienstag; sams|tags ↑K70 ; *vgl.* Dienstag

samt; samt und sonders; *Präp. mit Dat.:* samt dem Geld

Samt, der; -[e]s, -e (ein Gewebe); samt|ar|tig; Samt|band; sam|ten (aus Samt)

Samt|ge|mein|de (Gemeindeverband [in Niedersachsen])

Samt|hand|schuh; jmdn. mit Samthandschuhen anfassen (jmdn. vorsichtig behandeln)

Samt|ho|se

sam|tig (samtartig); eine samtige Haut

Samt|ja|cke; Samt|kleid

– sie waren sämtlich (= allesamt, vollzählig) erschienen

Das auf »sämtlich« folgende Adjektiv wird schwach gebeugt:

– sämtlicher aufgehäufte Sand, mit sämtlichem gesammelten Material, sämtliches vorhandene Eigentum

Im Plural wird es selten auch stark gebeugt:

– sämtliche vortrefflichen, *seltener* vortreffliche Einrichtungen
– sämtliche vortrefflicher, *auch* vortrefflichen Einrichtungen; sämtliche Stimmberechtigten, *auch* Stimmberechtigte

Samt|pföt|chen; Samt|pfo|te; Samt|tep|pich

samt|weich

Sa|mu|el [...e:l, *auch* ...el] (bibl. Eigenn.)

Sa|mum [*auch* ...'mu:m], der; -s, *Plur.* -s u. -e ⟨arab.⟩ (*Geogr.* ein heißer Wüstenwind)

Sa|mu|rai, der; -[s], -[s] ⟨jap.⟩ (Angehöriger des japan. Adels)

San *s. Kasten Seite 875*

Sa|naa (Hauptstadt Jemens)

Sa|na|to|ri|um, das; -s, ...ien ⟨lat.⟩ (Heilanstalt; Genesungsheim)

San Ber|nar|di|no, der; - - (italienischer Name des Sankt-Bernhardin-Passes)

San|cho Pan|sa [...t∫o -] (Knappe Don Quichottes)

Sanc|ta Se|des, die; - - ⟨lat.⟩ (*lat. Bez. für* Heiliger [Apostolischer] Stuhl)

sanc|ta sim|p|li|ci|tas! ⟨»heilige Einfalt!«⟩

Sanc|ti|tas, die; - ⟨»Heiligkeit«⟩ (Titel des Papstes)

Sanc|tus, das; -, - (Lobgesang der kath. Messe)

Sand, der; -[e]s, -e; Sand|aal (ein Fisch)

San|da|le, die; -, -n ⟨griech.⟩ (leichte Fußbekleidung); San|da|len|film (*scherzh. für* in der Antike spielender Film); San|da|let|te, die; -, -n (sandalenartiger Sommerschuh)

San|da|rak, der; -s ⟨griech.⟩ (ein tropisches Harz)

Sand|bad

Sand|bahn; Sand|bahn|ren|nen (*Sport*)

Sand|bank *Plur.* ...bänke; Sand|blatt (beim Tabak); Sand|bo|den; Sand|burg; Sand|dorn *Plur.* ...dorne (eine Pflanzengattung)

San|del|holz, das; -es ⟨sanskr.; dt.⟩ (duftendes Holz verschiedener Sandelbaumgewächse); San|del|holz|öl, das; -[e]s

¹san|deln (*österr. ugs. für* langsam arbeiten, faulenzen); ich sand[e]le

²san|deln (*südd.*), sän|deln (*schweiz. für* im Sand spielen); ich sand[e]le, *auch* sänd[e]le

San|del|öl (*svw.* Sandelholzöl)

san|den (*mdal. u. schweiz. für* mit Sand bestreuen; *auch für* Sand streuen)

sand|far|ben, sand|far|big (*für* beige)

Sand|förm|chen (ein Kinderspielzeug); Sand|gru|be; Sand|ha|se (Fehlwurf beim Kegeln; *Soldatenspr. veraltend für* Infanterist); Sand|hau|fen; Sand|ho|se (Sand führender Wirbelsturm)

san|dig

San|di|nis|mus, der; - ⟨nach C. A. Sandino, der 1927 einen Kleinkrieg gegen die amerik. Truppen in Nicaragua führte⟩ (am Marxismus-Leninismus orientierte Bewegung in Nicaragua); San|di|nist, der; -en, -en; San|di|nis|tin

Sand|kas|ten; Sand|kas|ten|lie|be (Liebe aus der Kinderzeit); Sand|kas|ten|spiel

Sand|korn *Plur.* ...körner

Sand|ku|chen

Sand|ler (*österr. für* Obdachloser)

San

⟨lat., »heilig«⟩

»San« erscheint als Bestandteil von Heiligennamen u. von darauf zurückgehenden Ortsnamen.

I. *Im Italienischen:*
a) *»San« steht vor Konsonanten, außer vor Sp... u. St..., in männlichen Namen* (*Abk.* S.):
– San Giusẹppe [- dʒu...], S. Giusẹppe
– San Jacọpo, S. Jacọpo
b) *»Sant'« steht vor Vokalen in männlichen u. weiblichen Namen* (*Abk.* S.):
– Sant'Ạngelo [- ...dʒe...], S. Ạngelo
– Sant'Ạgata, S. Ạgata
c) *»Santa« steht vor Konsonanten in weiblichen Namen* (*Abk.* S.):
– Sạnta Lucia [- ...'tʃiːa], S. Lucia
d) *Der Plural »Sante« steht in weiblichen Namen* (*Abk.* SS.):
– Sạnte Marịa e Maddalẹna, SS. Marịa e Maddalẹna
e) *Der Plural »Santi« steht in männl. Namen* (*Abk.* SS.):
– Sạnti Pietro e Paolo, SS. Pietro e Paolo

f) *»Santo« steht vor Sp... und St... in männlichen Namen* (S.):
– Sạnto Spịrito, S. Spịrito; Sạnto Stẹfano, S. Stẹfano
II. *Im Spanischen:*
a) *»San« steht in männlichen Namen, außer vor Do... u. To...* (*Abk.* S.):
– San Bernạrdo, S. Bernạrdo
b) *»Santa« steht in weiblichen Namen* (*Abk.* Sta.):
– Sạnta Marịa, Sta. Marịa
c) *»Santo« steht vor Do... und To... in männlichen Namen* (*Abk.* Sto.):
– Sạnto Domịngo, Sto. Domịngo
– Sạnto Tomạs, Sto. Tomạs
III. *Im Portugiesischen:*
a) *»Santa« steht in weiblichen Namen* (*Abk.* Sta.):
– Sạnta Clạra, Sta. Clạra
b) *»Santo« steht in männlichen Namen* (*Abk.* Sto.):
– Sạnto André, S. André
Vgl. Saint, Sankt *u.* São

Sạnd|mann, der; -[e]s, *häufiger* **Sạnd|männ|chen,** das; -s (eine Märchengestalt)
Sạnd|pa|pier; Sạnd|platz
Sạnd|ra (w. Vorn.)
sạnd|reich
Sạnd|sack; Sạnd|schie|fer
Sạnd|stein; Sạnd|stein|fels, Sandstein|fel|sen; Sạnd|stein|ge|bir|ge
sạnd|strah|len *nur im Infinitiv u. im Partizip II gebr.;* gesandstrahlt, *fachspr. auch* sandgestrahlt; **Sạnd|strahl|ge|blä|se**
Sạnd|strand
sạnd|te *vgl.* senden
Sạnd|tor|te; Sạnd|uhr
Sạnd|wich ['zɛntvɪtʃ], das *od.* der; *Gen.* -[e]s *od.* -, *Plur.* -[e]s, *auch* -e ⟨engl.⟩ (belegte Weißbrotschnitte); **Sạnd|wich|bau|wei|se,** die; - *(Technik);* **Sạnd|wich|kind** (mittleres Kind zw. zwei Geschwistern); **Sạnd|wich|we|cken** (österr. für langes Weißbrot)
Sạnd|wüs|te
san|fo|ri|sie|ren ⟨nach dem amerik. Erfinder Sanford Cluett⟩ ([Gewebe] krumpfecht machen)
San Fran|cis|co (Stadt in den USA)
sạnft; sanfter Tourismus
Sänf|te, die; -, -n (Tragstuhl); **Sänften|trä|ger; Sänf|ten|trä|ge|rin**
Sạnft|heit, die; -; sänf|tigen *(veraltet);* **Sạnft|mut,** die; -; **sạnft|mü|tig; Sạnft|mü|tig|keit,** die; -
sạng *vgl.* singen

Sạng, der; -[e]s, Sänge *(veraltet);* mit Sang und Klang; **sạng|bar**
Sän|ger; fahrender Sänger; **Sänger|bund,** der; **Sän|ger|chor; Sänger|fest; Sän|ge|rin; Sän|gerschaft**
Sạn|ges|bru|der; sạn|ges|freu|dig; Sạn|ges|freund
sạn|ges|froh; sạn|ges|kun|dig
Sạn|ges|lust, die; -; **sạn|ges|lus|tig**
sạng|los; *nur in* sang- u. klanglos (*ugs. für* ohne viel Aufhebens, unbemerkt); ↑K31
Sạn|g|ria, die; -, -s ⟨span.⟩ (Rotweinbowle)
Sạn|g|ri|ta®, die; -, -s (gewürzter Saft mit Fruchtfleisch)
San|gu|i|ni|ker ⟨lat.⟩ (heiterer, lebhafter Mensch); **San|gu|i|ni|ke|rin; san|gu|i|nisch**
San|he|d|rin, der; -s (*hebr. Form von* Synedrion)
Sạn|he|rib (ein assyrischer König)
Sạni, der; -s, -s (*bes. Soldatenspr. kurz für* Sanitäter)
sa|nie|ren ⟨lat.⟩ (gesund machen; gesunde Lebensverhältnisse schaffen; durch Renovierung u. Modernisierung den neuen Lebensverhältnissen anpassen; wieder rentabel machen); sich sanieren (*ugs. für* wirtschaftlich gesunden)
Sa|nie|rung; Sa|nie|rungs|ar|bei|ten *Plur.*
sa|nie|rungs|be|dürf|tig
Sa|nie|rungs|bi|lanz; Sa|nie|rungs|fall, der; **Sa|nie|rungs|ge|biet; Sa-**
nie|rungs|kon|zept; Sa|nie|rungs-maß|nah|me; Sa|nie|rungs|ob|jekt; Sa|nie|rungs|plan
sa|nie|rungs|reif
sa|ni|tär ⟨franz.⟩ (gesundheitlich); sanitäre Anlagen; **Sa|ni|tär|an|la-gen** *Plur.;* **Sa|ni|tär|be|darf; Sa|ni-tär|ein|rich|tun|gen** *Plur.*
sa|ni|ta|risch ⟨lat.⟩ (*schweiz. für* gesundheitlich, gesundheitspolizeilich)
Sa|ni|tär|tech|nik, die; -
Sa|ni|tät, die; - ⟨lat.⟩ (*schweiz. u. österr. für* [militärisches] Sanitätswesen)
Sa|ni|tä|ter (in erster Hilfe, Krankenpflege Ausgebildeter); **Sa|ni-tä|te|rin**
Sa|ni|täts|au|to; Sa|ni|täts|be|hör-de (Gesundheitsbehörde); **Sa|ni-täts|dienst; Sa|ni|täts|ein|heit**
Sa|ni|täts|ge|frei|te
Sa|ni|täts|ge|schäft; Sa|ni|täts|haus
Sa|ni|täts|ko|lon|ne; Sa|ni|täts|kom-pa|nie
Sa|ni|täts|korps; Sa|ni|täts|kraft|wa-gen (*Kurzw.* Sank[r]a); **Sa|ni-täts|of|fi|zier; Sa|ni|täts|of|fi|zie-rin; Sa|ni|täts|rat** *Plur.* ...räte (*Abk.* San.-Rat); **Sa|ni|täts|rä|tin; Sa|ni|täts|sol|dat; Sa|ni|täts|sol-da|tin; Sa|ni|täts|trup|pe**
Sa|ni|täts|wa|che; Sa|ni|täts|wa-gen; Sa|ni|täts|zelt
San Jo|sé [- xo...] (Hauptstadt von Costa Rica)
San-Jo|sé-Schild|laus ↑K146
sạnk *vgl.* sinken

Sankt

⟨lat., »heilig«⟩
– (Abk. St.)

In Heiligennamen u. in auf solche zurückgehenden Ortsnamen steht kein Bindestrich:

– Sankt Peter, Sankt Elisabeth, Sankt Gallen
– St. Paulus, St. Elisabeth, St. Pölten

In Ableitungen wird ein Bindestrich gesetzt; bei Formen auf -er kann man ihn auch weglassen
↑ K 147:

– die sankt-gallischen Klosterschätze
– die Sankt-Gallener *od.* Sankt Gallener Handschrift

– die Sankt-Galler *od.* Sankt Galler Einwohner
– die St.-Andreasberger *od.* St. Andreasberger Bergwerke

Wird »Sankt« *od.* »St.« *Teil einer Aneinanderreihung, müssen Bindestriche stehen* ↑ K 146:

– die Sankt-Gotthard-Gruppe
– das St.-Elms-Feuer
– die St.-Marien-Kirche
– der Sankt-Lorenz-Strom
– der Sankt-Wolfgang-See
Vgl. Saint, San *u.* São

San|ka, San|kra, der; -s, -s (*Soldatenspr.* Sanitätskraftwagen)
Sankt *s. Kasten*
Sankt An|d|re|as|berg (Stadt im Harz)
Sankt Bern|hard, der; - -[s] (Name zweier Pässe in der Schweiz); der Große, der Kleine Sankt Bernhard; Sankt-Bern|har|din-Pass, der; -es
Sankt Bla|si|en (Stadt im südlichen Schwarzwald); **Sankt-Bla|si-en-Stra|ße** ↑ K 162
Sankt Flo|ri|an (österr. Stift)
Sankt-Flo|ri|ans-Prin|zip, das; -s ↑ K 146 (Grundsatz, Unangenehmes von sich wegzuschieben, auch wenn andere dadurch geschädigt werden)
Sankt Gal|len (Kanton u. Stadt in der Schweiz); Sankt-Gal|le|ner, **Sankt Gal|le|ner,** *in der Schweiz nur* Sankt-Gal|ler, **Sankt Gal|ler** *vgl.* Sankt; sankt-gal|lisch; ↑ K 147
Sankt Gott|hard, der; - -[s] (schweizerischer Alpenpass)
Sankt He|le|na (Insel im südlichen Atlantischen Ozean)
Sank|ti|on, die; -, -en ⟨lat.-franz.⟩ (*geh. für* Billigung; *Rechtsspr.* Erteilung der Gesetzeskraft; *meist Plur.:* Zwangsmaßnahme)
sank|ti|o|nie|ren (bestätigen; Sanktionen verhängen); **Sank|ti|o|nie|rung**
Sank|tis|si|mum, das; -s ⟨*kath. Rel.* Allerheiligstes, geweihte Hostie⟩
Sankt-Lo|renz-Strom, der; -[e]s ↑ K 146 (in Nordamerika)
Sankt Mär|gen (Ort im südlichen Schwarzwald)
Sankt-Mi|cha|e|lis-Tag, der; -[e]s, -e ↑ K 137 (29. Sept.)
Sankt Mo|ritz [*schweiz.* - mo'rɪts] (Ort im Oberengadin)

Sankt-Nim|mer|leins-Tag, der; -[e]s ↑ K 137 (*ugs. scherzh.*); bis zum Sankt-Nimmerleins-Tag
Sankt Pau|li (Stadtteil von Hamburg)
Sankt Pe|ters|burg (russische Stadt an der Newa)
Sankt Pöl|ten (Hauptstadt von Niederösterreich)
Sank|tu|a|ri|um, das; -s, ...ien ⟨lat.⟩ (Altarraum in der kath. Kirche; [Aufbewahrungsort eines] Reliquienschrein[s])
Sankt-Wolf|gang-See, Wolfgangsee, Aber|see, der; -s ↑ K 146 (im Salzkammergut)
San-Ma|ri|ne|se, der; -n, -n (Einwohner von San Marino); San-Ma|ri|ne|sin; san-ma|ri|ne-sisch; **San Ma|ri|no** (Staat u. seine Hauptstadt auf der Apenninenhalbinsel)
San.-Rat = Sanitätsrat
San Sal|va|dor (Hauptstadt von El Salvador)
Sans|cu|lot|te [sãsky...], der; -n, -n ⟨franz., »Ohne[knie]hose«⟩ (*Bez. für* einen Revolutionär der Französischen Revolution)
San|se|vi|e|ria, San|se|vi|e|rie, die; -, ...ien (nach dem ital. Gelehrten Raimondo di Sangro, Fürst von San Severo) (ein trop. Liliengewächs, Zimmerpflanze)
sans gêne [sã 'ʒɛn] ⟨franz.⟩ (*veraltet für* zwanglos; nach Belieben)
San|si|bar (Insel an der Ostküste Afrikas); **San|si|ba|rer; San|si|ba-re|rin; san|si|ba|risch**
Sans|k|rit [*auch* ...'krɪt], das; -s (Literatur- u. Gelehrtensprache des Altindischen)
Sans|k|rit|for|scher; Sans|k|rit|for-sche|rin; sans|k|ri|tisch
Sans|k|ri|tist, der; -en, -en; **Sans|k|-**

ri|tis|tik, die; - (Wissenschaft vom Sanskrit); **Sans|k|ri|tis|tin**
Sans|sou|ci ['sã:susi] ⟨franz., »sorgenfrei«⟩ (Schloss in Potsdam)
Sant' *vgl.* San, I, b; **San|ta** *vgl.* San, I, c; II, b; III, a
San|ta Claus ['sɛntə 'klo:s], der; - -, - - ⟨amerik.⟩ (*amerik. Bez. für* Weihnachtsmann)
San|ta Lu|cia [- ...'tʃi:a], die; - - (neapolitanisches Schifferlied)
San|t|an|der (spanische Stadt u. Provinz)
San|te *vgl.* San, I, d; **San|ti** *vgl.* San, I, e
San|ti|a|go, San|ti|a|go de Chi|le [- - 'tʃi:le] (Hauptstadt Chiles)
San|ti|a|go de Com|pos|te|la (span. Stadt)
Sän|tis, der; - (schweiz. Alpengipfel)
San|to *vgl.* San, I, f; II, c; III, b
San|to Do|min|go (Hauptstadt der Dominikanischen Republik)
San|to|me|er (Staatsbürger von São Tomé und Príncipe); **San|to-me|e|rin; san|to|me|isch**
San|to|rin (griechische Insel)
San|tos (brasilianische Stadt)
São ['za:o] ⟨port., »heilig«⟩ (*vor Konsonanten in port. männl. Heiligennamen u. auf solche zurückgehenden Ortsnamen; Abk.* S.); São Paulo, S. Paulo
Saône [so:n], die; - (franz. Fluss)
São To|mé [- ...'me:] (Hauptstadt von São Tomé und Príncipe); **São-To|mé|er, São To|mé|e|rin;** São To|mé|e|rin, **São To|mé|e|rin; são-to|mé|isch;** São To|mé und Prin|ci|pe [- - - 'prɪnsipə] (westafrikanischer Inselstaat)
Sa|phir [*auch, österr. nur,* ...'fi:r], der; -s, -e ⟨semit.-griech.⟩ (ein Edelstein); **Sa|phir|na|del**
sa|pi|en|ti sat! ⟨lat., »genug für

---

den Verständigen!«) (es bedarf keiner weiteren Erklärung für die Eingeweihten)

Sa|pin, der; -s, -e, **Sa|pi|ne**, die; -, -n, Sap|pel, der; -s, - ⟨ital.⟩ (Forstw. Werkzeug zum Wegziehen gefällter Bäume)

Sa|po|nin, das; -s, -e ⟨lat.⟩ (ein pflanzlicher Wirkstoff)

Sap|pe, die; -, -n ⟨franz.⟩ (Milit. früher Lauf-, Annäherungsgraben)

Sap|pel vgl. Sapin

sap|per|lot!, sa|cker|lot! ⟨franz.⟩ (veraltet, aber noch landsch. ein Ausruf des Unwillens od. des Erstaunens; **sap|per|ment!**, sa-cker|ment! (svw. sapperlot)

Sap|peur [...'pø:ɐ̯], der; -s, -e ⟨franz.⟩ (früher Soldat für den Sappenbau; schweiz. Soldat der techn. Truppe, Pionier)

sap|phisch [...fiʃ, auch ...pfiʃ]; ↑K135 u. 89 : sapphische Strophe, sapphisches Versmaß; **Sappho** (griechische Dichterin)

Sap|po|ro [auch 'sa...] (japanische Stadt)

sa|p|ris|ti! ⟨franz.⟩ (veraltet Ausruf des Erstaunens, Unwillens)

Sa|p|ro|bie, die; -, -n meist Plur. ⟨griech.⟩ (Biol. von faulenden Stoffen lebender Organismus); **Sa|p|ro|bi|ont**, der; -en, -en (svw. Saprobie)

sa|p|ro|gen (Fäulnis erregend)

Sa|p|ro|pel, das; -s, -e (Faulschlamm, der unter Sauerstoffabschluss in Seen u. Meeren entsteht)

Sa|p|ro|pha|gen Plur. (Pflanzen od. Tiere, die sich von faulenden Stoffen ernähren); **sa|p|ro|phil** (auf, in od. von faulenden Stoffen lebend); **Sa|p|ro|phyt**, der; -en, -en (pflanzlicher Organismus, der von faulenden Stoffen lebt)

Sa|ra (w. Vorn.)

Sa|ra|ban|de, die; -, -n ⟨pers.-arab.-span.-franz.⟩ (ein alter Tanz)

Sa|ra|gos|sa (Stadt u. Provinz in Spanien)

Sa|ra|je|vo (Hauptstadt von Bosnien-Herzegowina)

Sa|ra|sa|te (spanischer Geiger u. Komponist)

Sa|ra|ze|ne, der; -n, -n ⟨arab.⟩ (veraltet für Araber, Muslim); **Sa|ra|ze|nin**; **sa|ra|ze|nisch**

Sar|da|na|pal (assyrischer König)

Sar|de, der; -n, -n, Sar|di|ni|er (Bewohner Sardiniens)

Sar|del|le, die; -, -n ⟨ital.⟩ (ein Fisch); **Sar|del|len|but|ter**; **Sar|del|len|fi|let**; **Sar|del|len|pas|te**

Sar|des (Hauptstadt des alten Lydiens)

Sar|din, Sar|di|ni|e|rin

Sar|di|ne, die; -, -n ⟨ital.⟩ (ein Fisch); **Sar|di|nen|büch|se**

Sar|di|ni|en (italienische Insel im Mittelmeer); **Sar|di|ni|er** vgl. Sarde; **Sar|di|ni|e|rin** vgl. Sardin; **sar|di|nisch**, **sar|disch**

sar|do|nisch ⟨lat.⟩ (boshaft, hämisch); sardonisches (Med. krampfhaftes) Lachen

Sar|do|nyx, der; -[es], -e ⟨griech.⟩ (ein Schmuckstein)

Sarg, der; -[e]s, Särge

Sarg|as|so|see, die; - ⟨port.; dt.⟩ (Teil des Nordatlantiks)

Sarg|de|ckel; **Sarg|na|gel**; **Sarg|trä|ger**; **Sarg|trä|ge|rin**; **Sarg|tuch**

Sa|ri, der; -[s], -s ⟨sanskr.-Hindi⟩ (gewickeltes Gewand indischer Frauen)

Sar|kas|mus, der; -, ...men ⟨griech.⟩ (nur Sing.: [beißender] Spott; sarkastische Äußerung); **sar|kas|tisch** (spöttisch)

Sar|kom, das; -s, -e, **Sar|ko|ma**, das; -s, -ta ⟨griech.⟩ (Med. bösartige Geschwulst); **sar|ko|ma|tös**; **Sar|ko|ma|to|se**, die; - (Med. ausgebreitete Sarkombildung)

Sar|ko|phag, der; -s, -e (Steinsarg, [Prunk]sarg)

Sar|ma|te, der; -n, -n (Angehöriger eines historischen asiatischen Nomadenvolkes); **Sar|ma|ti|en** (alter Name des Landes zwischen Weichsel u. Wolga); **Sar|ma|tin**; **sar|ma|tisch**

Sar|nen (Hauptort des Halbkantons Obwalden)

Sa|rong, der; -[s], -s ⟨malai.⟩ (um die Hüfte geschlungenes, buntes Tuch der Malaien)

Sar|rass, der; -es, -e ⟨poln.⟩ (Säbel mit schwerer Klinge)

Sar|raute [...'ro:t], Nathalie (französische Schriftstellerin)

SARS, **Sars** = severe acute respiratory syndrome; schweres akutes respiratorisches Syndrom (eine Infektionskrankheit)

Sar|t|re [...rə], Jean-Paul [ʒɑ̃'pɔl] (französischer Philosoph u. Schriftsteller)

SAS, die; - = Scandinavian Airlines System (Skandinavische Luftlinien)

Sa|scha (m. Vorn.)

Sas|kat|che|wan [səs'ketʃivn] ⟨engl.⟩ (kanadische Provinz)

Sa-Sprin|gen [ɛs'a:...] ⟨Kurzw. für schweres Springen der Kategorie a⟩ (Reiten schwere Springprüfung)

saß vgl. sitzen

Sass, **Sas|se**, der; -n, Sassen, Sassen (früher Besitzer von Grund und Boden, Grundbesitzer; Ansässiger)

Sas|sa|f|ras, der; -, - ⟨franz.⟩ (nordamerik. Laubbaum); **Sas|sa|f|ras-öl**, das; -[e]s (ätherisches Öl aus dem Holz des Sassafras)

Sas|sa|ni|de, der; -n, -n (Angehöriger eines alten pers. Herrschergeschlechtes); **sas|sa|ni|disch**

¹**Sas|se** vgl. Sass

²**Sas|se**, die; -, -n ⟨Jägerspr. Hasenlager⟩

Sass|nitz (Hafenstadt a. d. Ostküste von Rügen; Schreibung bis 1991: Saßnitz)

Sa|tan, der; -s, -e ⟨hebr.⟩, **Sa|ta|nas**, der; -, -se (nur Sing.: Teufel; boshafter Mensch)

sa|ta|nisch (teuflisch)

Sa|ta|nis|mus, der; - (Teufelsverehrung); **Sa|ta|nist**, der; -en, -en; **Sa|ta|nis|tin**

Sa|tans|bra|ten (ugs. scherzh. für pfiffiger, durchtriebener Kerl; Schlingel); **Sa|tans|kerl**

Sa|tans|pilz

Sa|tans|weib

Sa|tel|lit, der; -en, -en ⟨lat.⟩ (Astron. Mond der Planeten; Raumfahrt künstlicher Mond, Raumsonde; kurz für Satellitenstaat)

Sa|tel|li|ten|bahn; **Sa|tel|li|ten|bild**; **Sa|tel|li|ten|fern|se|hen**; **Sa|tel|li|ten|flug**; **Sa|tel|li|ten|fo|to**

Sa|tel|li|ten|funk; **sa|tel|li|ten|ge|steu|ert**; **Sa|tel|li|ten|na|vi|ga|ti|on**; **Sa|tel|li|ten|pro|gramm**; **Sa|tel|li|ten|schüs|sel** (ugs.)

Sa|tel|li|ten|staat Plur. ...staaten (von einer Großmacht abhängiger, formal selbstständiger Staat); **Sa|tel|li|ten|stadt** (Trabantenstadt)

Sa|tel|li|ten|te|le|fon; **Sa|tel|li|ten|über|tra|gung** (Übertragung über einen Fernsehsatelliten)

Sa|tem|spra|che (Sprache aus einer bestimmten Gruppe der indogermanischen Sprachen)

Sa|ter|land, das; -[e]s (oldenburgische Landschaft)

Sa|ter|tag, der; -[e]s, -e ⟨lat.⟩ (westf., ostfries. für Sonnabend)

Sa|tin [...'tẽ], der; -s, -s ⟨arab.-franz.⟩ (*Sammelbez. für Gewebe in Atlasbindung mit glänzender Oberfläche*)

Sa|ti|na|ge [...ʒə], die; -, -n (Glättung [von Papier u. a.])

Sa|tin|blu|se; Sa|tin|holz (eine glänzende Holzart)

sa|ti|nie|ren ([Papier] glätten)

Sa|ti|nier|ma|schi|ne

Sa|ti|re, die; -, -n ⟨lat.⟩ (ironisch-witzige literarische od. künstlerische Darstellung u. Kritik menschlicher Schwächen u. Laster); Sa|ti|ri|ker (Verfasser von Satiren); Sa|ti|ri|ke|rin; sa|ti|risch

Sa|tis|fak|ti|on, die; -, -en ⟨lat.⟩ (Genugtuung); sa|tis|fak|ti|ons|fä|hig

Sa|t|rap, der; -en, -en ⟨pers.⟩ (altpersischer Statthalter); Sa|t|ra|pen|wirt|schaft, die; - (*abwertend für* Behördenwillkür); Sa|t|ra|pie, die; -, ...ien (altpersische Statthalterschaft); Sa|t|ra|pin

Sa|t|su|ma, die; -, -s ⟨nach der früheren japanischen Provinz Satsuma⟩ (Mandarinenart)

satt; ein sattes Blau; sich satt essen, trinken; satt sein (*ugs. auch für* völlig betrunken sein); ich bin es satt (*ugs. für* habe keine Lust mehr); die hungrigen Kinder satt bekommen; *vgl. aber* sattbekommen; Bier kann richtig satt machen *od.* sattmachen usw.

satt|be|kom|men (*ugs. für* nicht mehr mögen); *vgl.* satt

satt|blau

Sat|te, die; -, -n (*nordd. für* größere, flache Schüssel)

Sat|tel, der; -s, Sättel; Sät|tel|chen

Sat|tel|dach

Sat|tel|de|cke

sat|tel|fest (*auch für* kenntnisreicher, -reich)

Sat|tel|gurt; Sat|tel|kis|sen; Sat|tel|knopf

sat|teln; ich satt|e|le

Sat|tel|pferd (das im Gespann links gehende Pferd)

Sat|tel|schlep|per

Sat|tel|ta|sche

Sat|te|lung, Satt|lung

Sat|tel|zeug

satt es|sen, sich; *vgl.* satt

satt|gelb; satt|grün

satt|ha|ben (*ugs. für* nicht mehr mögen)

Satt|heit, die; -

satt|hö|ren, sich

sät|ti|gen; eine gesättigte Lösung (*Chemie*)

Sät|ti|gung; Sät|ti|gungs|bei|la|ge (*meist scherzh. für* sättigende Beilage); Sät|ti|gungs|ge|fühl, das; -[e]s; Sät|ti|gungs|grad

Satt|ler; Satt|ler|ar|beit; Satt|le|rei; Satt|ler|hand|werk, das; -[e]s; Satt|le|rin; Satt|lung *vgl.* Sattelung

satt ma|chen, satt|ma|chen *vgl.* satt

satt|rot

satt|sam (hinlänglich)

satt|se|hen, sich

Sa|tu|ra|ti|on, die; -, -en ⟨lat., »Sättigung«⟩ (ein besonderes Verfahren bei der Zuckergewinnung); sa|tu|rie|ren (sättigen; [Ansprüche] befriedigen); sa|tu|riert (zufriedengestellt)

¹Sa|turn, der; -s ⟨lat.⟩ (ein Planet)

²Sa|turn *vgl.* Saturnus

³Sa|turn, die; -, -s (*kurz für* Saturnrakete)

Sa|tur|na|li|en *Plur.* (altröm. Fest zu Ehren des Gottes Saturn)

sa|tur|nisch; saturnischer Vers ↑K89 ; Saturnisches Zeitalter (das Goldene Zeitalter in der antiken Sage)

Sa|turn|ra|ke|te, Sa|turn-Ra|ke|te (amerik. Trägerrakete)

Sa|tur|nus (röm. Gott der Aussaat)

Sa|tyr, der; *Gen. -s u. -n, Plur. -n* ⟨griech.⟩ (Waldgeist u. Begleiter des Dionysos in der griech. Sage mit menschl. Körper, tierischen Ohren, Schwanz, Hörnern u. Hufen); sa|tyr|ar|tig

Sa|ty|ri|a|sis, die; - (*Med.* krankhafte Steigerung des männlichen Geschlechtstriebes)

Sa|tyr|spiel

Satz, der; -es, Sätze; ein verkürzter, elliptischer Satz

Satz|aus|sa|ge (*svw.* Prädikat)

Satz|ball (*Sport; vgl.* ¹Ball)

Satz|band, das; *Plur.* ...bänder

Satz|bau, der; -[e]s; Satz|bau|plan; Satz|bruch, der (*für* Anakoluth)

Sätz|chen; Satz|er|gän|zung

satz|fer|tig; ein Manuskript satzfertig machen, *aber* das Satzfertigmachen ↑K82

Satz|ge|fü|ge; Satz|ge|gen|stand; Satz|glied

...sät|zig (*Musik* z. B. viersätzig)

Satz|kon|s|t|ruk|ti|on; Satz|leh|re, die; - (*für* Syntax)

Satz|rei|he

Satz|spie|gel (*Druckw.*); Satz|tech|nik

Satz|teil, der

Sat|zung; Sat|zungs|än|de|rung; sat|zungs|ge|mäß

Satz|ver|bin|dung

satz|wei|se

satz|wer|tig; satzwertiger Infinitiv; satzwertiges Partizip

Satz|zei|chen; Satz|zu|sam|men|hang

¹Sau, die; -, *Plur.* Säue u. (*bes. von Wildschweinen:*) -en

²Sau (*frühere dt. Bez. für* ²Save)

saub[e]rer, saubers|te

Schreibung in Verbindung mit Verben:

– sauber halten; ich halte sauber; sauber gehalten; sauber zu halten

– sauber machen *od.* saubermachen; wir haben das Zimmer sauber gemacht *od.* saubergemacht; beim Saubermachen sein ↑K82

Aber:

– das hast du sauber (*ugs., oft ironisch für* sehr gut) gemacht!

Sau|ber|frau *vgl.* Saubermann

Sau|ber|keit, die; -; säu|ber|lich

sau|ber ma|chen, sau|ber|ma|chen *vgl.* sauber

Sau|ber|mann *Plur.* ...männer (*scherzh.; auch für* jmd., der auf die Wahrung der Moral achtet)

säu|bern; ich säubere; Säu|be|rung; Säu|be|rungs|ak|ti|on; Säu|be|rungs|wel|le

sau|blöd, sau|blö|de (*derb für* sehr blöd[e])

Sau|boh|ne

Sau|ce ['zo:sə, *österr.* zo:s], die; -, -n ⟨franz.⟩; *vgl.* Soße; Sauce bé|ar|naise [- bear'nɛːs], die; - - ⟨franz.⟩ (eine weiße Kräutersoße); Sauce hol|lan|daise [- ɔlã-'dɛːs], die; - - (eine weiße Soße)

Sau|ci|e|re [zo'sjeːrə, *österr.* zo'sjeːr], die; -, -n ⟨franz.⟩ (Soßenschüssel)

sau|cie|ren ([Tabak] mit einer Soße behandeln)

Sau|cis|chen [zos..., *auch* sos...] (kleine [Brat]wurst)

Sau|di, der; -s, -s, Sau|di-Ara|ber (Bewohner von Saudi-Arabien); Sau|di-Ara|be|rin; Sau|di-Ara|bi|en (arabischer Staat); sau|di-ara|bisch, sau|disch

sau|dumm (*derb für* sehr dumm)

sau|en (*vom Schwein* Junge
bekommen)
sau|er; saure Gurken, Heringe;
saurer Regen ↑K 89 ; er ist gleich
sauer (*ugs.* für verärgert) geworden; ↑K 72 : gib ihm Saures! (*ugs.*
für prügle ihn!)
Sau|er, das; -s (*Druckerspr.*
bezahlte, aber noch nicht geleistete Arbeit; *fachspr.* kurz für
Sauerteig)
Sau|er|amp|fer; Sau|er|bra|ten; Sau-
er|brun|nen; Sau|er|dorn *Plur.*
...dorne
Sau|e|rei (*derb*)
Sau|er|kir|sche; Sau|er|klee, der; -s;
Sau|er|kohl, der; -[e]s (*landsch.*);
Sau|er|kraut, das; -[e]s
Sau|er|land, das; -[e]s (westfäl.
Landschaft); **Sau|er|län|der; Sau-**
er|län|de|rin; sau|er|län|disch
säu|er|lich; Säu|er|lich|keit, die; -
Säu|er|ling (kohlensaures Mineral-
wasser; Sauerampfer)
Sau|er|milch, die; -
säu|ern (sauer machen; *auch für*
sauer werden); ich säu[e]re; das
Brot wird gesäuert
Säu|er|nis, die; -
Sau|er|rahm
Sau|er|stoff, der; -[e]s (chemisches
Element, Gas; *Zeichen* O)
Sau|er|stoff|ap|pa|rat; Sau|er|stoff-
bad; Sau|er|stoff|du|sche
Sau|er|stoff|fla|sche, Sau|er-
stoff-Fla|sche
Sau|er|stoff|ge|halt, der; **Sau|er-**
stoff|ge|rät
sau|er|stoff|hal|tig
Sau|er|stoff|man|gel, der; -s; **Sau-**
er|stoff|mas|ke
sau|er|stoff|reich
Sau|er|stoff|tank; Sau|er|stoff|ver-
sor|gung; Sau|er|stoff|zelt; Sau-
er|stoff|zu|fuhr
sau|er|süß ↑K 23
Sau|er|teig
sau|er|töp|fisch (griesgrämig)
Säu|e|rung
Sau|er|was|ser *Plur.* ...wässer
Sauf|aus, der; -, - (*veraltend für*
Trinker); **Sauf|bold,** der; -[e]s, -e
(*svw.* Saufaus)
Sau|fe|der (*Jägerspr.* Spieß zum
Abfangen des Wildschweines)
sau|fen (*derb in Bezug auf Men-*
schen, bes. für Alkohol trinken);
du säufst; du soffst; du söffest;
gesoffen; sauf[e]!; **Säu|fer** (*derb*);
Sau|fe|rei (*derb*); **Säu|fe|rin**
(*derb*)
Säu|fer|le|ber (*ugs.*); **Säu|fer|wahn;**
Säu|fer|wahn|sinn

Sauf|ge|la|ge (*derb*); **Sauf|kum|pan**
(*derb*); **Sauf|kum|pa|nin**
Sau|fraß (*derb für* schlechtes
Essen)
Sauf|tour (*derb*)
Säug|am|me; Saug|bag|ger
sau|gen; du saugst; du sogst, *auch*
saugtest; du sögest; gesogen,
auch gesaugt (*Technik nur*
saugte, gesaugt); saug[e]!
säu|gen
Sau|ger (saugendes Junges;
Schnuller)
Säu|ger (Säugetier); **Säu|ge|tier**
saug|fä|hig; Saug|fä|hig|keit, die; -
Saug|fla|sche; Saug|glo|cke (*Med.*);
Saug|he|ber (*Chemie*); **Saug|kap-**
pe; Saug|kraft; Saug|lei|tung
Säug|ling (Kind im 1.Lebensjahr)
Säug|lings|gym|nas|tik; Säug|lings-
heim; Säug|lings|pfle|ge; Säug-
lings|schwes|ter; Säug|lings-
sterb|lich|keit; Säug|lings|waa|ge
Saug|mas|sa|ge; Saug|napf (Haft-
organ bei bestimmten Tieren);
Saug|pum|pe
sau|grob (*derb für* sehr grob)
Saug|rohr; Saug|wir|kung
Sau|hatz (*Jägerspr.*)
Sau|hau|fen (*derb*); **Sau|hund** (*derb*)
säu|isch (*derb für* sehr unanstän-
dig)
Sau|jagd (*Jägerspr.*)
sau|kalt (*ugs.* für sehr kalt)
Sau|kerl (*derb*)
sau|ko|misch (*ugs.* für sehr
komisch)
Saul (biblischer König)
Säul|chen
Säu|le, die; -, -n
Säu|len|ab|schluss (*für* Kapitell)
säu|len|ar|tig; säu|len|för|mig
Säu|len|fuß; Säu|len|gang; Säu|len-
hal|le
Säu|len|hei|li|ge (*svw.* Stylit)
Säu|len|kak|tus
Säu|len|schaft *vgl.* ¹Schaft; **Säu|len-**
tem|pel
...säu|lig (z. B. mehrsäulig)
Sau|lus (bibl. m. Eigenn.)
¹Saum, der; -[e]s, Säume (*veraltet*
für Last)
²Saum, der; -[e]s, Säume (Rand;
Besatz)
Sau|ma|gen (*Gastron.* gefüllter
Schweinemagen)
sau|mä|ßig (*derb*)
Säum|chen (kleiner Saum)
¹säu|men (mit einem Rand, Besatz
versehen)
²säu|men (*veraltet für* mit Saumtie-
ren Lasten befördern)
³säu|men (*geh.* für zögern)

¹Säu|mer (Zusatzteil der Nähma-
schine)
²Säu|mer (*veraltet für* Saumtier,
Lasttier; Saumtiertreiber)
³Säu|mer (*geh. für* Säumender,
Zögernder); **Säu|me|rin**
säu|mig; Säu|mig|keit, die; -
Saum|naht
Säum|nis, die; -, -se *od.* das; -ses,
-se (*Rechtsw.*, sonst veraltend);
Säum|nis|zu|schlag
Saum|pfad ⟨zu ¹Saum⟩ (Gebirgs-
weg für Saumtiere)
Saum|sal, die; -, -e *od.* das; -[e]s, -e
(*veraltet für* Säumigkeit, Nachlässigkeit)
saum|se|lig; Saum|se|lig|keit
Saum|tier ⟨zu ¹Saum⟩ (Tragtier)
Sau|na, die; -, -s *od.* ...nen
⟨finn.⟩ (Heißluftbad); **Sau|na-**
bad; Sau|na|gang, der
sau|nen, sau|nie|ren (ein Saunabad
nehmen); **Sau|nist; Sau|nis|tin**
Sau|rach, der; -[e]s, -e (ein
Strauch)
Säu|re, die; -, -n
säu|re|arm; säu|re|be|stän|dig; säu-
re|fest; säu|re|frei
Säu|re|ge|halt, der
Sau|re|gur|ken|zeit, Sau|re-Gur-
ken-Zeit (*scherzh.* für politisch
od. geschäftlich ruhige Zeit); in
der Saure[n]-Gurken-Zeit, *aber*
in der Sauregurkenzeit
säu|re|hal|tig
Säu|re|man|gel, der; **Säu|re|man|tel**
(*Med.*); **Säu|re|mes|ser,** der; **Säu-**
re|schutz|an|zug; Säu|re|über-
schuss; Säu|re|ver|gif|tung
Sau|ri|er, der; -s, - (urweltliche
[Riesen]echse)
Saus; *nur in* in Saus und Braus
(sorglos prassend) ; in Saus und
Braus leben
sau|schwer (*derb für* sehr schwer)
Sau|se, die; -, -n (*ugs. für* ausgelas-
sene Feier); eine Sause machen
säu|seln; ich säus[e]le
sau|sen; du saust; er/sie saus|te;
sausen lassen *od.* sausenlassen
(*ugs. für* aufgeben)
Sau|ser (*landsch. für* neuer Wein
u. dadurch hervorgerufener
Rausch)
Sau|se|schritt; *nur in* im Sause-
schritt (sehr schnell); **Sau|se-**
wind (*auch für* unsteter, lebhaf-
ter junger Mensch)
Saus|su|re [soˈsyːɐ̯], Ferdinand de
(schweiz. Sprachwissenschaft-
ler)
Sau|stall (*meist derb für* schmut-
zige Verhältnisse, Unordnung)

S

Saus

Sau|ter|nes [soˈtɛrn], der; -, - ⟨nach der gleichnamigen Ortschaft⟩ (ein franz. Wein)

sau|teu|er (*derb für* sehr teuer)

sau|tie|ren [so...] ⟨lat.-franz.⟩ (kurz in der Pfanne braten; in heißem Fett schwenken)

Sau|wet|ter, das; -s (*derb für* sehr schlechtes Wetter); **Sau|wohl** (*ugs. für* sehr wohl); **Sau|wut** (*derb für* heftige Wut)

Sa|van|ne, die; -, -n ⟨indian.⟩ (Steppe mit einzeln od. gruppenweise stehenden Bäumen)

¹**Save** [saːf] (linker Nebenfluss der Garonne)

²**Sa|ve** [...və] (rechter Nebenfluss der Donau)

Sa|vig|ny [...vɪnji], Friedrich Carl von (dt. Jurist)

Sa|voir-vi|v|re [...voarˈviːvrə], das; - ⟨franz.⟩ (feine Lebensart, Lebensklugheit)

Sa|vo|na|ro|la (italienischer Bußprediger u. Reformator)

Sa|vo|y|ar|de [...ˈjar...], der; -n, -n ⟨franz.⟩ (Savoyer); **Sa|vo|y|ar|din**

Sa|vo|y|en [zaˈvɔyən] (historische Provinz in Ostfrankreich); **Sa|vo|y|er; Sa|vo|y|e|rin; sa|voy|isch**

¹**Sax** *vgl.* ²Sachs

²**Sax**, das; -, -e (*Kurzw. für* Saxofon)

Sa|xi|f|ra|ga, die; -, ...fragen ⟨lat.⟩ (*Bot.* Steinbrech)

Sa|xo|fon, Sa|xo|phon, das; -s, -e (nach dem belg. Erfinder A. Sax) (ein Blasinstrument); **Sa|xo|fo|nist**, Sa|xo|pho|nist, der; -en, -en (Saxofonbläser); **Sa|xo|fo|nis|tin**, Sa|xo|pho|nis|tin

Sa|xo|ne, der; -n, -n (Angehöriger einer altgerm. Stammesgruppe; [Alt]sachse)

Sa|xo|phon usw. *vgl.* Saxofon usw.

Sa|zer|do|ti|um, das; -s ⟨lat.⟩ (Priestertum, -amt; im MA. die geistliche Gewalt des Papstes)

sb = Stilb

Sb = Stibium (*chem. Zeichen für* Antimon)

SB = Selbstbedienung (z. B. SB-Markt, SB-Tankstelle)

S-Bahn [ˈɛs...], die; -, -en (Schnellbahn); **S-Bahn|hof; S-Bahn-Sur|fen**, das; -s (*ugs. für* waghalsiges Mitfahren an der Außenseite eines S-Bahn-Wagens); **S-Bahn-Wa|gen**, der; -s, - ↑K26

SBB *Plur.* = Schweizerische Bundesbahnen

Sbir|re, der; -n, -n ⟨ital.⟩ (*früher für* italienischer Polizeidiener)

s. Br., südl. Br. = südlicher Breite; 50° s. Br.

Sbrinz, der; -[es] (ein [Schweizer] Hartkäse)

Sc = *chem. Zeichen für* Scandium

SC = South Carolina

sc., scil. = scilicet

sc., sculps. = sculpsit

Scal|la, die; - ⟨ital., »Treppe«⟩; Mailänder Scala (Mailänder Opernhaus); *vgl.* Skala

Scam|pi *Plur.* ⟨ital.⟩ (eine Art kleiner Krebse)

Scan [skɛn], der *od.* das; -s, -s ⟨engl.⟩ (das Scannen)

Scan|di|um, das; -s (chemisches Element, Metall; *Zeichen* Sc)

scan|nen [ˈskɛn...] ⟨engl.⟩ (mit einem Scanner abtasten)

Scan|ner, der; -s, - (ein elektronisches Eingabegerät); **Scan|ner|kas|se; Scan|ning**, das; -[s], -s (das Scannen)

Scap|pa Flow [-ˈfloː] (Bucht zwischen den Orkneyinseln)

Scar|lat|ti (Name verschiedener italienischer Komponisten)

Scart, der; -s, -s ⟨franz.⟩ (Steckverbindung zum Anschluss von Videogeräten); **Scart|buch|se; Scart|ka|bel**

Scat [skɛt], der; -, -s ⟨engl.⟩ (Gesangsstil, bei dem zusammenhanglose Silben gesungen werden); **scat|ten** [ˈskɛtn̩]; er hat gescattet

Scene [siːn], die; -, -s *Plur. selten* ⟨engl.⟩ (*ugs. für* durch bestimmte Moden, Lebensformen u. a. geprägtes Milieu)

¹**Scha|be**, Schwa|be, die; -, -n (ein Insekt)

²**Scha|be**, die; -, -n (ein Werkzeug)

Schä|be, die; -, -n (Holzteilchen vom Flachs)

Scha|be|fleisch; Schab|ei|sen; Scha|be|mes|ser (*svw.* Schabmesser)

scha|ben; Scha|ber; Scha|be|rei

Scha|ber|nack, der; -[e]s, -e (übermütiger Streich, Possen)

schä|big (*abwertend*); **Schä|big|keit**

Schab|kunst, die; - (eine grafische Technik); **Schab|kunst|blatt**

Scha|b|lo|ne, die; -, -n (ausgeschnittene Vorlage; Muster; Schema, Klischee)

scha|b|lo|nen|ar|beit; Scha|b|lo|nen|druck *Plur.* ...drucke

scha|b|lo|nen|haft; scha|b|lo|nen|mä|ßig

scha|b|lo|nie|ren, scha|b|lo|ni|sie|ren (nach der Schablone [bei]arbeiten, behandeln)

Schab|mes|ser, das

Scha|bot|te, die; -, -n ⟨franz.⟩ (schweres Fundament für Maschinenhämmer)

Scha|b|ra|cke, die; -, -n ⟨türk.⟩ (verzierte Satteldecke; *ugs. für* abgenutzte, alte Sache; *abwertend für* alte Frau); **Scha|b|ra|cken|ta|pir**

Schab|sel, das; -s, -

Schab|zie|ger, *schweiz.* **Schab|zi|ger** (harter [Schweizer] Kräuterkäse)

Schach, das; -s, -s ⟨pers.⟩; Schach spielen, bieten; in Schach halten (nicht gefährlich werden lassen); Schach und matt!; **Schach|auf|ga|be**

Schach|brett; schach|brett|ar|tig; Schach|brett|mus|ter

Schach|com|pu|ter

Scha|chen, der; -s, - (*südd., österr. u. schweiz. für* Waldstück, -rest; *schweiz. auch für* Niederung, Uferland)

Scha|cher, der; -s ⟨hebr.⟩ (übles, feilschendes Geschäftemachen)

Schä|cher (*bibl. für* Räuber, Mörder)

Scha|che|rei ⟨hebr.⟩; **Scha|che|rer; Scha|che|rin; scha|chern** (*abwertend für* feilschend handeln); ich schachere

Schach|fi|gur

schach|matt (*ugs. auch für* sehr matt); jmdn. schachmatt setzen

Schach|meis|ter; Schach|meis|te|rin; Schach|meis|ter|schaft

Schach|par|tie; Schach|pro|b|lem; Schach|spiel; Schach|spie|ler; Schach|spie|le|rin

Schacht, der; -[e]s, Schächte; Schacht kriegen (*nordd. für* Prügel bekommen)

Schach|tel, die; -, -n; **Schäch|tel|chen**

Schach|tel|di|vi|den|de (*Wirtsch.*)

Schäch|te|lein

Schach|tel|ge|sell|schaft (*Wirtsch.*)

Schach|tel|halm

schach|teln; ich schacht[e]le

Schach|tel|satz (*Sprachw.*)

schach|ten (eine Grube, einen Schacht graben)

schäch|ten ⟨hebr.⟩ (nach rel. Vorschrift schlachten); **Schäch|ter**

Schach|tisch

Schacht|meis|ter (Vorarbeiter im Tiefbau); **Schacht|meis|te|rin; Schacht|ofen**

Schäch|tung ⟨*zu* schächten⟩

Schach|tur|nier; Schach|uhr

Schach|welt|meis|ter; Schach|welt-

schaf|fen

(vollbringen; *landsch. für* arbeiten; in [reger] Tätigkeit sein; *Seemannsspr.* essen)

Formen: du schafftest; geschafft; schaff[e]!

(schöpferisch, gestaltend hervorbringen)

Formen: du schufst; du schüfest; geschaffen; schaff[e]!

– sie hat den ganzen Tag geschafft *(landsch.)*
– sie haben es geschafft; er hat die Kiste ins Haus geschafft; diese Sorgen sind aus der Welt geschafft (sind beseitigt)
– ich möchte mit dieser Sache nichts mehr zu schaffen haben; ich habe mir daran zu schaffen gemacht

– Schiller hat »Wilhelm Tell« geschaffen; er ist zum Lehrer wie geschaffen; er stand da, wie ihn Gott geschaffen hat
– sie schuf, *auch* schaffte [endlich] Abhilfe, Ordnung, Platz, Raum; es muss [endlich] Abhilfe, Ordnung, Platz, Raum geschaffen, *selten* geschafft werden

---

meis|te|rin; Schach|welt|meis|ter-schaft

Schach|zug

Schad|bild; Schadbilder an Nadelbäumen

scha|de ↑K70 ; es ist schade um jmdn. *od.* um etwas; schade, dass …; ich bin mir dafür zu schade; o wie schade!; es ist jammerschade!

Scha|de, der *(veraltet für* Schaden); *nur noch in* es soll, wird dein Schade nicht sein

Schä|del, der; -s, -

Schä|del|ba|sis *(Med.);* **Schä|del|basis|bruch,** der; *vgl.* ¹Bruch

Schä|del|bruch; *vgl.* ¹Bruch; **Schä|del|dach; Schä|del|de|cke; Schä|del|form**

…schä|de|lig, …schäd|lig (z. B. langschäd[e]lig)

Schä|del|stät|te *(auch* Golgatha)

scha|den; jmdm. schaden

Scha|den, der; -s, Schäden; zu Schaden kommen *(Amtsspr.)*

Scha|den|be|gren|zung, Scha|dens-be|gren|zung; **Scha|den|be|rech-nung,** Scha|dens|be|rech|nung

Scha|den|be|richt, Scha|dens|be-richt

Scha|den|er|satz *(BGB* Schadenersatz); **Scha|den|er|satz|an|spruch;** Scha|den|er|satz|leis|tung

Scha|den|er|satz|pflicht, die; -; **scha|den|er|satz|pflich|tig**

Scha|den|fest|stel|lung, Scha|dens-fest|stel|lung

Scha|den|feu|er

Scha|den|frei|heits|ra|batt

Scha|den|freu|de, die; -; **scha|den-froh**

Scha|den|nach|weis, Scha|dens-nach|weis; **Scha|dens|be|gren-zung,** Scha|den|be|gren|zung

Scha|dens|be|rech|nung, Scha|den-be|rech|nung; **Scha|dens|be|richt,** Scha|den|be|richt

Scha|dens|er|satz *(BGB für* Schadenersatz)

Scha|dens|fall

Scha|dens|fest|stel|lung, Scha|den-fest|stel|lung; **Scha|dens|nach-weis,** Scha|den|nach|weis

Scha|den|ver|hü|tung; Scha|den-ver|si|che|rung

Schad|fraß, der; -es

schad|haft; Schad|haf|tig|keit

schä|di|gen; Schä|di|ger; Schä|di-ge|rin; Schä|di|gung

Schad|in|sekt

schäd|lich; Schäd|lich|keit, die; -

…schäd|lig *vgl.* …schädelig

Schäd|ling; Schäd|lings|be|fall

Schäd|lings|be|kämp|fung, die; -; **Schäd|lings|be|kämp|fungs|mit-tel,** das

schad|los; sich schadlos halten

Schad|los|bür|ge *(Wirtsch.* Bürge bei der Ausfallbürgschaft); **Schad|los|bür|gin**

Schad|los|hal|tung, die; -

Scha|dor *vgl.* Tschador

Scha|dow […do] (dt. Bildhauer)

Schad|stoff; schad|stoff|arm

Schad|stoff|aus|stoß, der; -es; **Schad|stoff|be|las|tung; Schad-stoff|cock|tail; Schad|stoff|emis-si|on**

schad|stoff|frei ↑K25

Schad|stoff|ge|halt, der; -[e]s; **schad|stoff|hal|tig**

schad|stoff|re|du|ziert; Schad|stoff-re|du|zie|rung; schad|stoff|reich

Schaf, das; -[e]s, -e; **Schaf|bock**

Schäf|chen; seine Schäfchen ins Trockene bringen *(ugs. auch für* sich großen Gewinn verschaffen), im Trockenen haben *(ugs. auch für* sich seinen Vorteil gesichert haben)

Schäf|chen|wol|ke *meist Plur.*

Schä|fer

Schä|fer|dich|tung

Schä|fe|rei

Schä|fer|hund

Schä|fe|rin

Schä|fer|kar|ren; Schä|fer|ro|man; Schä|fer|spiel; Schä|fer|stünd-chen (heimliches Beisammensein von Verliebten)

Schaff, das; -[e]s, -e *(südd., österr. für* [offenes] Gefäß; *landsch. für* Schrank); *vgl.* ²Schaft *u.* Schapp; **Schäff|chen** *(zu* Schaff)

Schaf|fel, das; -s, -n *(bayr., österr. ugs. für* [kleines] Schaff)

Schaf|fell

schaf|fen *s. Kasten*

Schaf|fen, das; -s; **Schaf|fens|drang,** der; -[e]s

Schaf|fens|freu|de, die; -; **schaf-fens|freu|dig**

Schaf|fens|kraft, die; -; **schaf|fens-kräf|tig**

Schaf|fens|lust, die; -; **schaf|fens-lus|tig**

Schaf|fens|pro|zess

Schaf|fer *(landsch. für* tüchtiger Arbeiter; *Seemannsspr.* Mann, der die Schiffsmahlzeit besorgt und anrichtet; *österr. veraltet für* Aufseher auf einem Gutshof)

Schaf|fe|rei *(Seemannsspr.* Schiffsvorratskammer; *landsch. für* [mühseliges] Arbeiten); **Schaf-fe|rin** *(landsch.)*

Schaff|hau|sen (Kanton u. Stadt in der Schweiz); **Schaff|hau|ser; schaff|hau|se|risch**

schaf|fig *(landsch. u. schweiz. mdal. für* fleißig, eifrig)

Schäff|ler *(bayr. für* Böttcher); **Schäff|le|rin; Schäff|ler|tanz** (Zunfttanz der Schäffler)

Schaff|ner (Kassier- u. Kontrollbeamter bei öffentlichen Verkehrsbetrieben; *veraltet für* Verwalter; Aufseher); **Schaff|ne|rei** *(veraltet für* Schaffneramt, -wohnung); **Schaff|ne|rin**

schaff|ner|los; ein schaffnerloser Zug

Schaf|fung, die; -

Schaf|gar|be (eine Heilpflanze)

Schaf|her|de; Schaf|hirt; Schaf|hir-tin

Scha|fi|it, der; -en, -en (Angehöriger einer islam. Rechtsschule)

Schaf|käl|te, Schafs|käl|te (Mitte Juni auftretender Kaltlufteinbruch)

Schaf|kä|se *vgl.* Schafskäse

Schaf|kopf, Schafs|kopf, der; -[e]s (ein Kartenspiel)

Schaf|le|der; Schäf|lein; Schaf|milch, Schafs|milch, die; -

Scha|fott, das; -[e]s, -e ‹niederl.› (Gerüst für Hinrichtungen)

Schaf|pelz *vgl.* Schafspelz; **Schaf|que|se** (Drehwurm); **Schaf|schur**

Schafs|käl|te *vgl.* Schafkälte

Schafs|kä|se *u., österr. nur,* Schafkäse

Schafs|kleid; *nur in* der Wolf im Schafskleid

Schafs|kopf (Schimpfwort; *vgl.* Schafkopf)

Schafs|milch *vgl.* Schafmilch

Schafs|na|se (*auch* eine Apfel-, Birnensorte; *auch für* dummer Mensch)

Schafs|pelz, Schafpelz

Schaf|stall

¹**Schaft,** der; -[e]s, Schäfte (z. B. Lanzenschaft)

²**Schaft,** der; -[e]s, Schäfte (*südd. u. schweiz. für* Gestell[brett], Schrank); *vgl.* Schaff *u.* Schapp

...schaft (z. B. Landschaft)

Schäft|chen; schäf|ten (mit einem Schaft versehen; [Pflanzen] veredeln; *landsch. für* prügeln)

Schaft|le|der; Schaft|stie|fel

Schaf|wei|de; Schaf|wol|le; Schaf|zucht

Schah, der; -s, -s ‹pers., »König«› (persischer Herrschertitel; *meist kurz für* Schah-in-Schah)

Schah-in-Schah, der; -s, -s ‹»König der Könige«› (*früher* Titel des Herrschers des Iran)

Scha|kal, der; -s, -e ‹sanskr.› (ein hundeartiges Raubtier)

Scha|ke, die; -, -n (*Technik* Ring, Kettenglied)

Schä|kel, der; -s, - (*Technik* U-förmiges Verbindungsglied aus Metall); **schä|keln** (mit einem Schäkel verbinden); ich schäk[e]le

Schä|ker ‹hebr.-jidd.›; **Schä|ke|rei; Schä|ke|rin; schä|kern** (scherzen); ich schäkere

schal; schales (abgestandenes) Bier; schale (fade) Witze

Schal, der; -s, *Plur.* -s, *auch* -e ‹pers.-engl.›

Scha|lan|der, der; -s, - (*landsch. für* Pausenraum in Brauereien)

Schal|brett (für Verschalungen verwendetes rohes Brett)

¹**Schäl|chen** (kleiner Schal)

²**Schäl|chen** (kleine Schale)

¹**Scha|le,** die; -, -n (flaches Gefäß; *österr. auch für* Tasse)

²**Scha|le,** die; -, -n (Hülle; *Jägerspr.* Huf beim Schalenwild)

Schäl|ei|sen (ein Werkzeug)

schä|len

Scha|len|bau|wei|se; scha|len|för|mig

Scha|len|guss (ein Hartguss)

Scha|len|kreuz (Teil des Windgeschwindigkeitsmessers)

scha|len|los (ohne ²Schale)

Scha|len|obst (Obst mit harter, holziger ²Schale, z. B. Nüsse)

Scha|len|ses|sel ‹zu ¹Schale›; **Scha|len|sitz**

Scha|len|tier *meist Plur.* (svw. Schaltier)

Scha|len|wild (*Jägerspr.* Rot-, Schwarz-, Steinwild)

Schal|heit, die; - ‹zu schal›

Schäl|hengst (Zuchthengst)

Schäl|holz

...scha|lig (z. B. dünnschalig)

Schalk, der; -[e]s, *Plur.* -e *u.* Schälke (Spaßvogel, Schelm)

Schäl|ke, die; -, -n (*Seemannsspr.* wasserdichter Abschluss einer Luke); **schäl|ken** (wasserdicht schließen)

schalk|haft; Schalk|haf|tig|keit, die; -; **Schalk|heit,** die; -

Schäl|kra|gen; Schäl|kra|wat|te

Schäl|kur (*Kosmetik*)

Schall, der; -[e]s, *Plur.* -e *od.* Schälle

Schall|be|cher (bei Blasinstrumenten); **Schall|bo|den**

schall|däm|mend ↑K 59; **Schall|däm|mung**

Schall|dämp|fer; Schall|de|ckel

schall|dicht

Schall|do|se

schal|len; es schallt; es schallte, *seltener* scholl; es schallte, *seltener* schölle; geschallt; schall[e]!; schallendes Gelächter

schal|lern (*ugs. für* laut knallen); jmdm. eine schallern (jmdm. eine Ohrfeige geben); ich schallere

schall|ge|dämpft

Schall|ge|schwin|dig|keit

Schall|iso|la|ti|on

Schall|leh|re, Schall-Leh|re, die; -

Schall|lei|ter, Schall-Lei|ter, der

Schall|loch, das; -[e]s, Schalllöcher, Schall-Loch, das; -[e]s, Schall-Löcher

Schall|mau|er, die; - (extrem hoher Luftwiderstand bei einem die Schallgeschwindigkeit erreichenden Flugobjekt); die Schallmauer durchbrechen

schall|los *vgl.* schalenlos

Schall|plat|te

Schall|plat|ten|al|bum; Schall|plat|ten|ar|chiv; Schall|plat|ten|aufnah|me; Schall|plat|ten|in|dus|t|rie; Schall|plat|ten|mu|sik

schall|schlu|ckend ↑K 59; **schall|si|cher**

schall|tot; schalltoter Raum

Schall|trich|ter (trichterförmiges Gerät zur Schallverstärkung); **Schall|wel|le** *meist Plur.*

Schall|wort *Plur.* ...wörter (durch Lautnachahmung entstandenes Wort)

Schall|zei|chen (*Amtsspr.* svw. Hupzeichen)

Schalm, der; -[e]s, -e (*Forstw.* in die Rinde eines Baumes geschlagenes Zeichen)

Schal|mei, die; -, -en (ein Holzblasinstrument; *auch für* Register der Klarinette u. der Orgel); **Schal|mei|blä|ser; Schal|mei|blä|se|rin; Schal|mei|en|klang**

schal|men (*Forstw.* einen Baum mit einem Schalm versehen)

Schal|obst *vgl.* Schalenobst

Scha|lom! ‹hebr., »Friede«› (hebräische Begrüßungsformel)

Scha|lot|te, die; -, -n ‹franz.› (eine kleine Zwiebel)

schalt *vgl.* schelten

Schalt|an|la|ge; Schalt|bild; Schalt|brett

Schal|te, die; -, -n (*Funk- u. Fernsehjargon* Schaltung)

Schalt|ele|ment

schal|ten; er hat geschaltet (beim Autofahren den Gang gewechselt; *ugs. für* begriffen, verstanden, reagiert); sie hat damit nach Belieben geschaltet

Schal|ter

Schal|ter|be|am|te; Schal|ter|be|am|tin; Schal|ter|dienst; Schal|ter|hal|le; Schal|ter|raum; Schal|ter|schluss, der; -es; **Schal|ter|stun|den** *Plur.*

Schalt|flä|che (*EDV*)

Schalt|ge|trie|be; Schalt|he|bel

Schalt|tier *meist Plur.* (z. B. Muschel, Schnecke)

Schalt|jahr

Schalt|knüp|pel; Schalt|kreis; Schalt|plan (*vgl.* ²Plan); **Schalt|pult**

Schalt|satz (*Sprachw.*)

Schalt|sche|ma (Schaltplan);
Schalt|skiz|ze; Schalt|stel|le;
Schalt|ta|fel
Schalt|tag
Schalt|tisch; Schalt|uhr
Schal|tung; Schal|tungs|über|sicht
Schalt|werk; Schalt|zei|chen (Elek-
trot.); Schalt|zen|t|ra|le
Scha|lung (Bretterverkleidung)
Schä|lung (Entfernung der Schale,
der Haut u. a.)
Scha|lup|pe, die; -, -n ⟨franz.⟩ (Küs-
tenfahrzeug; auch für größeres
[Bei]boot)
Schal|wild vgl. Schalenwild
Scham, die; -
Scha|ma|de, die; -, -n ⟨franz.⟩ (frü-
her für [mit der Trommel oder
Trompete gegebenes] Zeichen
der Kapitulation); Schamade
schlagen, blasen (übertr. für
klein beigeben, aufgeben)
Scha|ma|ne, der; -n, -n ⟨sanskr.-
tungus.⟩ (Zauberpriester bei
[asiat.] Naturvölkern); Scha|ma-
nin; Scha|ma|nis|mus, der; - (eine
Religionsform)
Scham|bein (Med.); Scham|berg;
Scham|drei|eck
schä|men, sich; sie schämte sich
ihres Verhaltens, heute meist
wegen ihres Verhaltens
scham|fi|len (Seemannsspr. scheu-
ern); er hat schamfilt
Scham|ge|fühl, das; -s
Scham|ge|gend, die; -; Scham|gren-
ze; Scham|haar meist Plur.
scham|haft; Scham|haf|tig|keit
schä|mig (landsch. für verschämt);
Schä|mig|keit, die; -
Scham|lip|pe meist Plur. (äußeres
weibliches Geschlechtsorgan)
scham|los; Scham|lo|sig|keit
Scham|mes, der; -, - ⟨hebr.-jidd.⟩
(Diener in einer Synagoge u.
Assistent des jüdischen
Gemeindevorstehers)
Scha|mott, der; -s ⟨jidd.⟩ (ugs. für
Kram, Zeug, wertlose Sachen)
Scha|mot|te, die; - ⟨ital.⟩ (feuerfes-
ter Ton); Scha|mot|te|stein; Scha-
mot|te|zie|gel
scha|mot|tie|ren (österr. für mit
Schamottesteinen auskleiden)
scham|po|nie|ren, scham|pu|nie|ren
⟨Hindi-engl.⟩ (mit Shampoo ein-
schäumen, waschen)
Scham|pus, der; - (ugs. für Cham-
pagner, Sekt)
scham|rot; Scham|rö|te
Scham|schwel|le
Scham|tei|le Plur. (selten)
scham|ver|let|zend; scham|voll

schand|bar; Schand|bar|keit
Schan|de, die; -; zu Schanden od.
zuschanden gehen, machen,
werden
Schan|deck, Schan|de|ckel (See-
mannsspr. oberste Schiffs-
planke)
schän|den; Schän|der; Schän|de|rin
Schand|fleck
schänd|lich; Schänd|lich|keit
Schand|mal Plur. ...male u.
...mäler; Schand|maul (ugs.
abwertend); Schand|pfahl (frü-
her); Schand|tat
Schän|dung
Schand|ur|teil
Schan|figg, das; -s (Tal zwischen
Arosa und Chur)
Schang|hai, engl. Shang|hai [ʃ...]
(Stadt in China); schang|hai|en
(Seemannsspr. Matrosen
gewaltsam heuern); sie wurden
schanghait
Scha|ni, der; -s, - (ostösterr. ugs.
für Diener; Kellner); Scha|ni|gar-
ten (ostösterr. für kleiner Garten
vor dem Lokal für die Bewir-
tung im Freien)
¹Schank, der; -[e]s, Schänke (veraltet für Ausschank)
²Schank, die; -, -en (österr. für
Raum für den Ausschank,
Theke)
Schank|be|trieb
Schän|ke, Schen|ke, die; -, -n
Schan|ker, der; -s, - ⟨lat.-franz.⟩
(Med. Geschwür bei
Geschlechtskrankheiten); harter, weicher Schanker
Schank|er|laub|nis; Schank|er|laub-
nis|schein, die; Schank|ge|rech-
tig|keit (veraltet für Schankkon-
zession); Schank|kell|ner;
Schank|kell|ne|rin; Schank|kon-
zes|si|on (behördliche Genehmi-
gung, alkoholische Getränke
auszuschenken)
Schank|stu|be, Schänk|stu|be,
Schenk|stu|be; Schank|tisch,
Schänk|tisch, Schenk|tisch
Schank|wirt, Schänk|wirt, Schenk-
wirt; Schank|wir|tin, Schänk|wir-
tin, Schenk|wir|tin; Schank|wirt-
schaft, Schänk|wirt|schaft,
Schenk|wirt|schaft
Schan|tung [ʃ...], der; -s, -s ⟨nach
der chin. Provinz⟩ (ein Seidenge-
webe); Schan|tung|sei|de
Schanz|ar|beit meist Plur. (Milit.);
Schanz|bau Plur. ...bauten
¹Schan|ze, die ⟨altfranz.⟩ (veraltet
für Glückswurf, -umstand); nur

noch in in die Schanze schlagen
(aufs Spiel setzen)
²Schan|ze, die; -, -n (Milit. früher
geschlossene Verteidigungsan-
lage; Seemannsspr. Oberdeck
des Achterschiffes; kurz für
Sprungschanze)
schan|zen (früher an einer
²Schanze arbeiten); du schanzt
Schan|zen|bau (svw. Schanzbau)
Schan|zen|re|kord (Sport); Schan-
zen|tisch (Absprungfläche einer
Sprungschanze)
Schan|zer (Milit. früher)
Schanz|kleid (Seemannsspr.
Schiffsschutzwand)
Schanz|werk (früher Festungsan-
lage); Schanz|zeug (Milit. früher)
Schapf, der; -[e]s, -e, Schap|fe, die;
-, -n (landsch. für Schöpfgefäß
mit langem Stiel)
Schap|ka, die; -, -s ⟨slaw.⟩ (Kappe,
Mütze [aus Pelz]); vgl. aber
Tschapka
Schapp, der od. das; -s, -s (Seemannsspr. Schrank, Fach)
¹Schap|pe, die; -, -n ⟨franz.⟩ (ein
Gewebe aus Seidenabfall)
²Schap|pe, die; -, -n (Bergmannsspr.
Tiefenbohrer)
Schap|pel, das; -s, - ⟨franz.⟩
(landsch. für Kopfschmuck)
Schap|pe|sei|de (svw. ¹Schappe)
¹Schar, die; -, -en (größere Anzahl,
Menge, Gruppe)
²Schar, die; -, -en, fachspr. das;
-[e]s, -e (Pflugschar)
Scha|ra|de, die; -, -n ⟨franz.⟩
(Worträtsel, bei dem das zu
erratende Wort pantomimisch
dargestellt wird)
Schär|baum (Weberei Garn- od.
Kettbaum)
Schar|be, die; -, -n (Kormoran)
Schar|bock, der; -[e]s ⟨niederl.⟩
(veraltet für Skorbut); Schar-
bocks|kraut, das; -[e]s
Schä|re, die; -, -n meist Plur.
⟨schwed.⟩ (kleine, der Küste vor-
gelagerte Felsinsel)
scha|ren; sich scharen
schä|ren (Weberei Kettfäden auf-
ziehen)
Schä|ren|kreu|zer (ein Segelboot);
Schä|ren|küs|te
scha|ren|wei|se
scharf, schärfer, am schärfs|ten;
ein scharfes Getränk; scharfes S
(für Eszett); ↑K 72 : er ist ein
Scharfer (ugs. für ein strenger
Polizist, Beamter u. Ä.); ↑K 75 :
etwas aufs, auf das Schärfs|te
od. schärfs|te verurteilen; scharf

S

scha

durchgreifen, sehen, schießen usw.; ↑K56 : das Objektiv scharf stellen *od.* scharfstellen, *aber nur* das Objektiv scharf einstellen; das Messer, eine Bombe scharf machen *od.* scharfmachen; *vgl. aber* scharfmachen

scharf|äu|gig

Scharf|blick, der; -[e]s

Schär|fe, die; -, -n

Scharf|ein|stel|lung, die; -

schär|fen

Schär|fen|tie|fe, die; - *(Fotogr.)*

scharf|kan|tig

scharf|ma|chen *(ugs. für* aufhetzen); um den Hund scharfzumachen; ein scharfgemachter Hund; *vgl.* scharf; **Scharf|macher; Scharf|ma|che|rei; Scharf|ma|che|rin**

Scharf|rich|ter *(für* Henker); **Scharf|rich|te|rin**

Scharf|schie|ßen, das; -s; **Scharf|schüt|ze; Scharf|schüt|zin**

scharf|sich|tig; **Scharf|sich|tig|keit**

Scharf|sinn, der; -[e]s; **scharf|sin|nig**

Schär|fung

scharf|za|ckig; **scharf|zah|nig**

scharf|zün|gig; **Scharf|zün|gig|keit**

Schär|has|pel *(zu* schären)

Scha|ria, Sche|ria, die; - ⟨arab.⟩ (religiöses Gesetz des Islams)

¹Schar|lach, der, *österr.* das; -s ⟨mlat.⟩ (lebhaftes Rot)

²Schar|lach, der; -s (eine Infektionskrankheit); **Schar|lach|aus|schlag**

schar|la|chen (hochrot)

Schar|lach|far|be, die; -; **schar|lach|far|ben, schar|lach|far|big**

Schar|lach|fie|ber, das; -s

schar|lach|rot

Schar|la|tan, der; -s, -e ⟨franz.⟩ (Schwindler, der bestimmte Fähigkeiten vortäuscht); **Schar|la|ta|ne|rie, die; -, ...ien; Schar|la|ta|nin**

Scharm *vgl.* Charme

schar|mant *vgl.* charmant

Schär|ma|schi|ne *(Weberei); vgl.* schären

schar|mie|ren *(veraltet für* bezaubern; entzücken)

Schar|müt|zel, das; -s, - (kurzes, kleines Gefecht, Plänkelei)

Scharn, der; -[e]s, -e, **Schar|ren**, der; -s, - *(landsch. für* Verkaufsstand für Fleisch od. Brot)

Scharn|horst (preuß. General)

Schar|nier, das; -s, -e ⟨franz.⟩ (Drehgelenk [für Türen])

Schar|nier|band, das; *Plur.* ...bänder; **Schar|nier|ge|lenk**

Schär|pe, die; -, -n (um Schulter od. Hüften getragenes breites Band)

Schar|pie, die; - ⟨franz.⟩ *(früher für* zerzupfte Leinwand als Verbandmaterial)

Schär|rah|men ⟨zu* schären⟩

Schar|re, die; -, -n (ein Werkzeug zum Scharren); **Scharr|ei|sen; schar|ren**

Schar|ren *vgl.* Scharn

Schar|rier|ei|sen (ein Steinmetzwerkzeug); **schar|rie|ren** ⟨franz.⟩ (mit dem Scharriereisen bearbeiten)

Schar|schmied (Schmied, der Pflugscharen herstellt)

Schar|te, die; -, -n (Einschnitt; [Mauer]lücke; schadhafte Stelle); eine Scharte auswetzen *(ugs. für* einen Fehler wieder gutmachen; eine Niederlage o. Ä. wettmachen)

Schar|te|ke, die; -, -n *(veraltend für* wertloses Buch, Schmöker; *ugs. abwertend für* alte Frau)

schar|tig

Schär|trom|mel ⟨zu* schären⟩

Scha|rung *(Geogr.* spitzwinkliges Zusammenlaufen zweier Gebirgszüge)

Schar|wen|zel, Scher|wen|zel, der; -s, - ⟨tschech.⟩ *(landsch. für* Unter, Bube [in Kartenspielen]; *veraltend für* übertrieben dienstbeflissener Mensch); **schar|wen|zeln** *(ugs. für* sich dienernd hin u. her bewegen; herumscharwenzeln); ich scharwenz[e]le, er hat scharwenzelt

Schar|werk *(veraltet für* harte Arbeit); **schar|wer|ken** *(landsch. für* Gelegenheitsarbeiten ausführen); gescharwerkt; **Schar|wer|ker** *(landsch.); **Schar|wer|ke|rin**

Schasch|lik, der *od.* das; -s, -s ⟨russ.⟩ (am Spieß gebratene oder gegrillte Fleischstückchen mit Zwiebelringen, Paprika u. Speckscheiben)

schas|sen ⟨franz.⟩ *(ugs. für* [von der Schule, der Lehrstätte, aus dem Amt] jagen); du schasst, er/sie schasst; du schasstest; geschasst; schasse! *u.* schass!

schas|sie|ren (mit kurzen, gleitenden Schritten geradlinig tanzen)

schat|ten *(geh. für* Schatten geben); geschattet

Schat|ten, der; -s, -; Schatten spenden; ein Schatten spendender *od.* schattenspendender Baum

Schat|ten|bild; **Schat|ten|bo|xen**, das; -s; **Schat|ten|da|sein**

schat|ten|haft

schat|ten|halb *(schweiz. für* auf der Schattenseite eines Bergtals)

Schat|ten|ka|bi|nett; **Schat|ten|kö|nig; Schat|ten|kö|ni|gin**

schat|ten|los

Schat|ten|mann *Plur.* ...männer

Schat|ten|mo|rel|le (eine Sauerkirschsorte); **Schat|ten|pflan|ze** *(Bot.);* **Schat|ten|platz**

Schat|ten|re|gie|rung

schat|ten|reich

Schat|ten|reich *(Mythol.);* Schatten|riss

Schat|ten|sei|te; **schat|ten|sei|tig**

Schat|ten spen|dend, **schat|ten|spen|dend** ↑K58

Schat|ten|spiel; **Schat|ten|the|a|ter**

Schat|ten|wirt|schaft, die; - (Gesamtheit der wirtschaftlichen Betätigungen, die nicht amtlich erfasst werden können [z. B. Schwarzarbeit])

schat|tie|ren ([ab]schatten); **Schat|tie|rung**

schat|tig

Schatt|sei|te *(österr. u. schweiz. neben* Schattenseite); **schatt|sei|tig** *(österr. u. schweiz. neben* schattenseitig)

Scha|tul|le, die; -, -n ⟨mlat.⟩ (Geld-, Schmuckkästchen; *früher für* Privatkasse eines Fürsten)

Schatz, der; -es, Schätze

Schatz|amt; **Schatz|an|wei|sung**

schätz|bar; **Schätz|bar|keit, die; -**

Schatz|brief *meist Plur.*

Schätz|chen

schät|zen; du schätzt; schätzen lernen; sie haben sich schätzen gelernt; **schätz|zens|wert; Schätzer; Schätze|rin**

Schatz|grä|ber; **Schatz|grä|be|rin; Schatz|in|sel; Schatz|kam|mer; Schatz|kanz|ler** (in Großbritannien); **Schatz|kanz|le|rin**

Schatz|käst|chen, **Schatz|käst|lein**

Schatz|meis|ter; **Schatz|meis|te|rin**

Schätz|preis

Schatz|su|che; **Schatz|su|cher; Schatz|su|che|rin**

Schät|zung *(veraltend für* Belegung mit Abgaben; *schweiz. für* [amtliche] Schätzung des [Gebäude]werts)

Schät|zungs|wei|se; **schät|zungs|wei|se**

Schatz|wech|sel *(Bankw.* Wechsel mit kurzer Laufzeit)

Schätz|wert

schau *(ugs. veraltend für* ausgezeichnet, wunderbar)

S
scha

Schau, die; -, -en (Ausstellung, Überblick; Vorführung); zur Schau stehen, stellen, tragen; jmdm. die Schau stehlen (*ugs. für* ihn um die Beachtung u. Anerkennung der anderen bringen)

Schaub, der; -[e]s, Schäube (*südd., österr. für* Garbe, Strohbund); 3 Schaub

Schau|be, die; -, -n ⟨arab.⟩ (weiter, vorn offener Mantelrock des MA.)

Schau|be|gier; schau|be|gie|rig (*geh. für* schaulustig)

Schau|ben|dach (*veraltet für* Strohdach)

Schau|bild

Schau|brot meist Plur. (*jüd. Rel.*)

Schau|bu|de; Schau|büh|ne

Schau|der, der; -s, -; Schauder erregen; **schau|der|bar** (*ugs. scherzh. für* schauderhaft)

Schau|der er|re|gend, **schau|der-er|re|gend** ↑K 58 : ein Schauder erregender *od.* schaudererregender Vorfall, *aber nur ein* heftigen Schauder erregender Vorfall, ein äußerst schaudererregender Vorfall, ein noch schaudererregenderer Vorfall

Schau|der|ge|schich|te; schau|der-haft

schau|dern; ich schaudere; mir *od.* mich schaudert; **schau|der|voll** (*geh.*)

schau|en

¹**Schau|er,** der; -s, - (Schreck; Regenschauer)

²**Schau|er** (*selten für* Schauender)

³**Schau|er,** der; -s, - (*Seemannsspr.* Hafen-, Schiffsarbeiter)

⁴**Schau|er,** der *od.* das; -s, - (*landsch. für* Schutzdach; *auch für* offener Schuppen)

schau|er|ar|tig; schauerartige Regenfälle

Schau|er|bild

Schau|er|frau vgl. Schauermann

Schau|er|ge|schich|te

Schau|e|rin vgl. ²,³Schauer

schau|er|lich; Schau|er|lich|keit

Schau|er|mann, der; -[e]s, ...leute (*Seemannsspr.* Hafen-, Schiffsarbeiter)

Schau|er|mär|chen

schau|ern; ich schau[e]re; mir *od.* mich schauert

Schau|er|ro|man

schau|er|voll

Schau|fel, die; -, -n; **Schau|fel|bag-ger; Schau|fel|blatt**

Schäu|fel|chen

Schäu|fe|le, das; -s, - (*Gastron.* geräuchertes od. gepökeltes Schulterstück vom Schwein)

schau|fel|för|mig; schau|fe|lig, schauf|lig

Schau|fel|la|der

schau|feln; ich schauf[e]le

Schau|fel|rad; Schau|fel|rad|dampfer

Schau|fens|ter; Schau|fens|ter|ausla|ge; Schau|fens|ter|bum|mel; Schau|fens|ter|de|ko|ra|ti|on; Schau|fens|ter|pup|pe; Schaufens|ter|wett|be|werb

Schäu|ferl, das; -s, -[n]; ein Schäuferl nachlegen (*österr. für* etw. eskalieren lassen; seine Anstrengungen verstärken)

Schauf|ler (Damhirsch)

schauf|lig vgl. schaufelig

Schau|ge|schäft, das; -[e]s

Schau|ins|land (Berg im südlichen Schwarzwald)

Schau|kampf

Schau|kas|ten

Schau|kel, die; -, -n; **Schau|kel|be-we|gung; Schau|kel|lei; schau|ke-lig, schauk|lig**

schau|keln; ich schauk[e]le

Schau|kel|pferd; Schau|kel|po|li|tik, die; -; **Schau|kel|reck; Schau|kel-stuhl**

Schauk|ler; Schauk|le|rin; schauk-lig vgl. schaukelig

schau|lau|fen nur im Infinitiv u. Partizip gebr.; **Schau|lau|fen,** das; -s (*Eiskunstlauf*)

Schau|lust, die; -; **schau|lus|tig;** eine schaulustige Menge; **Schau|lus-ti|ge,** der u. die; -n, -n

Schaum, der; -[e]s, Schäume; **Schaum|bad**

schäum|bar; schäumbare Stoffe

schaum|be|deckt ↑K 59

Schaum|bla|se; Schaum|blu|me (beim Bier)

Schaum|burg-Lip|pe (Landkreis in Niedersachsen); **schaum-burg-lip|pisch**

schäu|men

Schaum|fes|ti|ger

Schaum|ge|bäck

Schaum|ge|bo|re|ne, die; -n (Beiname der aus dem Meer aufgetauchten Aphrodite [*vgl.* Anadyomene])

schaum|ge|bremst; schaumgebremste Waschmittel

Schaum|gold

Schaum|gum|mi, der; -s, -[s]

schau|mig

Schaum|kel|le; Schaum|kraut; Schaum|kro|ne; Schaum|löf|fel

Schaum|lösch|ge|rät; Schaum|par|ty

Schaum|rol|le (*österr. für* mit Schlagsahne gefülltes Gebäck)

Schaum|schlä|ger (ein Küchengerät; *auch für* Angeber, Blender); **Schaum|schlä|ge|rei** (*abwertend*); **Schaum|schlä|ge|rin** (*abwertend*)

Schaum|spei|se

Schaum|stoff; Schaum|stoff|kis|sen

Schaum|tep|pich (*Flugw.*)

Schaum|mün|ze

Schaum|wein; Schaum|wein|steu|er, die

Schau|ob|jekt; Schau|or|ches|ter; Schau|pa|ckung; Schau|platz; Schau|pro|gramm

Schau|pro|zess

schau|rig; schaurig-schön; **Schau-rig|keit,** die; -

Schau|sei|te

Schau|spiel; Schau|spie|ler; Schau-spie|ler|be|ruf; Schau|spie|le|rei, die; -; **Schau|spie|le|rin; schau-spie|le|risch; schau|spie|lern;** ich schauspielere; geschauspielert; zu schauspielern

Schau|spiel|haus; Schau|spiel|kunst; Schau|spiel|schu|le; Schau|spiel-schü|ler; Schau|spiel|schü|le|rin; Schau|spiel|un|ter|richt

Schau|stel|ler; Schau|stel|le|rin; Schau|stel|lung

Schau|ta|fel; Schau|tanz

Schau|te vgl. ¹Schote

Schau|tur|nen, das; -s; **Schau|tur-nier**

¹**Scheck,** *schweiz. auch* Check, Cheque [ʃɛk], der; -s, -s ⟨engl.⟩ (Zahlungsanweisung [an eine Bank]); ein ungedeckter Scheck

²**Scheck,** der; -en, -en; *vgl.* ¹Schecke

Scheck|ab|tei|lung; Scheck|be|trug; Scheck|be|trü|ger; Scheck|be|trü-ge|rin

Scheck|buch; Scheck|buch|jour|na-lis|mus

Scheck|dis|kon|tie|rung

¹**Sche|cke,** der; -n, -n ⟨franz.⟩ (scheckiges Pferd od. Rind)

²**Sche|cke,** die; -, -n (scheckige Stute od. Kuh)

Scheck|fä|hig|keit, die; -; **Scheck-fäl|schung**

Scheck|heft; scheck|heft|ge|pflegt; ein scheckheftgepflegtes Auto

sche|ckig; das Pferd ist scheckig braun

sche|ckig|la|chen, sich (*ugs.*)

Scheck|in|kas|so; Scheck|kar|te; Scheck|recht, das; -[e]s; **Scheck-ver|kehr**

Scheck|vieh (scheckiges Vieh)

Sched|bau, Shed|bau [ʃ...] ⟨engl.;

---

dt.) (eingeschossiger Bau mit
Scheddach); **Sched|dach**, Shed‐
dach (sägezahnförmiges Dach)

scheel (ugs. für missgünstig,
geringschätzig); scheel blicken;
ich blicke scheel; scheel
geblickt; scheel zu blicken; ein
scheel blickender od. scheelblik‐
kender Mensch

Scheel (vierter dt. Bundespräsi‐
dent)

scheel|äu|gig (svw. scheel bli‐
ckend); scheel bli|ckend, **scheel‐
bli|ckend** ↑K 58

Scheel|sucht, die; - (veraltend für
Neid, Missgunst); **scheel|süch|tig**
(veraltend)

Sche|fe, die; -, -n (südd. für
³Schote)

Schef|fel, der; -s, - (ein altes Hohl‐
maß); **schef|feln** (ugs. für [gei‐
zig] zusammenraffen); ich
scheff[e]le; es scheffelt (es
kommt viel ein); **schef|fel|wei|se**

Sche|he|ra|za|de, **Sche|he|re|za|de**
[...'za:...] ⟨pers.⟩ (Märchener‐
zählerin aus Tausendundeiner
Nacht)

Scheib|chen; **scheib|chen|wei|se**

Schei|be, die; -, -n; **schei|ben**
(bayr., österr. für rollen, [Kegel]
schieben)

Schei|ben|brem|se

schei|ben|för|mig

Schei|ben|gar|di|ne; **Schei|ben|han‐
tel**; **Schei|ben|ho|nig**; **Schei|ben‐
kleis|ter**, der; -s (verhüllend für
Scheiße); **Schei|ben|kupp|lung**;
Schei|ben|schie|ßen, das; -s

Schei|ben|wasch|an|la|ge

Schei|ben|wa|scher; **Schei|ben|wi‐
scher**

schei|big

Scheib|tru|he (österr. für Schub‐
karren)

Scheich, der; -s, Plur. -e u. -s
⟨arab.⟩ ([Stammes]oberhaupt in
arabischen Ländern; ugs.
abwertend für Freund, Liebha‐
ber); **Scheich|tum**

Schei|de, die; -, -n

Schei|d|egg, die; - (Name zweier
Pässe in der Schweiz); die Große
Scheidegg, die Kleine Scheidegg

Schei|de|kunst; die; - (alte Bez. für
Chemie)

schei|den; du schiedst; du schie‐
dest; geschieden (vgl. d.);
scheid[e]!

Schei|den|ent|zün|dung (Med.)

Schei|de|wand; **Schei|de|was|ser**
Plur. ...wässer (Chemie); **Schei‐
de|weg**

Schei|ding, der; -s, -e (alte Bez. für
September)

Schei|dung

Schei|dungs|an|walt; **Schei|dungs‐
an|wäl|tin**; **Schei|dungs|grund**;
Schei|dungs|kind; **Schei|dungs‐
kla|ge**; **Schei|dungs|pro|zess**;
Schei|dungs|ra|te; **Schei|dungs‐
rich|ter**; **Schei|dungs|rich|te|rin**;
Schei|dungs|ur|teil

Scheik vgl. Scheich

Schein, der; -[e]s, -e

Schein|an|griff; **Schein|ar|chi|tek|tur**
(die nur gemalten Architektur‐
teile auf Wand od. Decke);
Schein|ar|gu|ment

Schein|asy|lant (häufig diskrimi‐
nierend)

schein|bar (nur dem Scheine
nach); er hörte scheinbar auf‐
merksam zu (in Wirklichkeit
gar nicht), aber er hörte
anscheinend (= augenschein‐
lich, offenbar) aufmerksam zu

Schein|be|schäf|ti|gung; **Schein|blü‐
te**; **Schein|da|sein**; **Schein|ehe**

schei|nen; du schienst; du schie‐
nest; geschienen; schein[e]!; die
Sonne schien, hat geschienen;
sie kommt scheints (ugs. für
anscheinend) erst morgen

Schein|fir|ma; **Schein|frucht** (Biol.);
Schein|füß|chen (bei Amöben);
Schein|ge|fecht; **Schein|ge|schäft**;
Schein|ge|sell|schaft; **Schein|ge‐
winn**; **Schein|grund**

schein|hei|lig; **Schein|hei|li|ge**, der
u. die; -n, -n; **Schein|hei|lig|keit**,
die; -; **Schein|hei|rat**

Schein|in|va|li|de, der u. die; -n, -n
(schweiz. jmd., der die Invalidität
vortäuscht, um Versicherungs‐
leistungen zu erschleichen)

Schein|kauf; **Schein|kauf|mann**
(Rechtsspr.); **Schein|pro|b|lem**
schein|selbst|stän|dig, **schein|selb‐
stän|dig**; **Schein|selbst|stän|dig‐
keit**, **Schein|selb|stän|dig|keit**

Schein|tod, der; -[e]s; **schein|tot**;
Schein|to|te, der u. die; -n, -en

Schein|ver|trag; **Schein|welt**

Schein|wer|fer; **Schein|wer|fer|ke‐
gel**; **Schein|wer|fer|licht**, das;
-[e]s

Schein|wi|der|stand (Elektrot.)

Scheiß, der; - (derb für unange‐
nehme Sache; Unsinn); **Scheiß‐
angst** (derb); **Scheiß|dreck** (derb);
schei|ße (derb); das sieht scheiße
aus; **Schei|ße**, die; - (derb);
scheiß|egal (derb)

schei|ßen (derb); ich schiss; du
schissest; geschissen; scheiß[e]!;

Schei|ßer (derb); **Schei|ße|rei**,
die; - (derb); **scheiß|freund|lich**
(derb für übertrieben freund‐
lich)

Scheiß|haus (derb); **Scheiß|kerl**
(derb); **Scheiß|la|den** (derb)

scheiß|vor|nehm (derb)

Scheiß|wet|ter (derb)

Scheit, das; -[e]s, Plur. -e, bes.
österr. u. schweiz. -er (Holz‐
scheit; landsch. für Spaten)

Schei|tel, der; -s, -; **Schei|tel|bein**
(ein Schädelknochen); **Schei|tel‐
li|nie**

schei|teln; ich scheit[e]le

Schei|tel|punkt; **schei|tel|recht** (ver‐
altet für senkrecht)

Schei|tel|wert; **Schei|tel|win|kel**

schei|ten (schweiz. für Holz spal‐
ten)

Schei|ter|hau|fen

schei|tern; ich scheitere

Scheit|holz

scheit|recht (veraltet für waage‐
recht u. geradlinig)

Scheit|stock, der; -[e]s, ...stöcke
(schweiz. für Holzklotz zum
Holzspalten)

Sche|kel, der; -s, - ⟨hebr.⟩ (israel.
Währungseinheit; Währungs‐
code ILS); vgl. Sekel

Schelch, der od. das; -[e]s, -e
(rhein., ostfränk. für größeren
Kahn)

Schel|de, die; - (Zufluss der Nord‐
see)

Schelf, der od. das; -s, -e ⟨engl.⟩
(Geogr. Festlandsockel; Flach‐
meer entlang der Küste)

Schel|fe, Schil|fe, die; -, -n
(landsch. für [Frucht]hülse,
²Schale); **schel|fen**, schil|fen (sel‐
tener für schelfern, schilfern);
schel|fe|rig, schelf|rig, schil|fe‐
rig, schilf|rig (landsch.); **schel‐
fern**, schil|fern (landsch. für in
kleinen Teilen od. Schuppen
abschälen); ich schelfere

Schelf|meer

schelf|rig vgl. schelferig

Schel|lack, der; -[e]s, -e ⟨niederl.⟩
(ein Harz); **Schel|lack|plat|te**

¹**Schel|le**, die; -, -n (ringförmige
Klammer [an Rohren u. a.])

²**Schel|le**, die; -, -n (Glöckchen;
landsch. für Ohrfeige); **schel|len**

Schel|len Plur., als Sing. gebraucht
(eine Spielkartenfarbe); Schellen
sticht

Schel|len|ass, Schel|len-Ass

Schel|len|baum (Instrument der
Militärkapelle)

Schel|len|ge|läut, Schel|len|ge-
läu|te
Schel|len|kap|pe; Schel|len|kö|nig
Schell|fisch
Schell|ham|mer (ein Werkzeug)
Schell|hengst vgl. Schälhengst
Schell|ling (dt. Philosoph)
Schell|kraut, das; -[e]s (älter für
Schöllkraut); Schell|wurz
Schelm, der; -[e]s, -e (Spaßvogel)
Schel|men|ro|man; Schel|men-
streich; Schel|men|stück
Schel|me|rei; Schel|min; schel|misch
Schels|ky [...ki] (dt. Soziologe)
Schel|te, die; -, -n (scharfer Tadel;
ernster Vorwurf); schel|ten
(schimpfen, tadeln); du schiltst,
er schilt; du schaltst, er schalt;
du schöltest; gescholten; schilt!
Schel|to|pu|sik, der; -s, -e ⟨russ.⟩
(eine Schleiche)
Sche|ma, das; -s, Plur. -s u. -ta,
auch Schemen ⟨griech.⟩ (Muster, Aufriss; Konzept); nach
Schema F (gedankenlos u. routi-
nemäßig); Sche|ma|brief
sche|ma|tisch; eine schematische
Zeichnung
sche|ma|ti|sie|ren (nach einem
Schema behandeln; vereinfa-
chen); Sche|ma|ti|sie|rung
Sche|ma|tis|mus, der; -, ...men
(gedankenlose Nachahmung
eines Schemas; statistisches
Handbuch einer kath. Diözese
od. eines geistl. Ordens, österr.
früher auch der öffentlichen
Bediensteten)
Schem|bart (Maske mit Bart)
Schem|bart|lau|fen, das; -s; Schem-
bart|spiel
Sche|mel, der; -s, -
¹Sche|men, der; -s, - (Schat-
ten[bild]; landsch. für Maske)
²Sche|men (Plur. von Schema)
sche|men|haft ⟨zu ¹Schemen⟩
Schenk, der; -en, -en (veraltet für
Diener [zum Einschenken];
Wirt)
Schen|ke, Schän|ke, die; -, -n
Schen|kel, der; -s, -
Schen|kel|bruch; Schen|kel|druck,
der; -[e]s (beim Reiten)
Schen|kel|hals; Schen|kel|hals|bruch
schen|kel|klop|fend
Schen|kel|kno|chen; Schen|kel|stück
schen|ken (als Geschenk geben;
älter für einschenken)
Schen|ken|dorf (dt. Dichter)
Schen|ker (veraltet für Bierwirt,
Biereinschenker; Rechtsspr.)

jmd., der eine Schenkung
macht); Schen|ke|rin; Schen|kin
(veraltet)
Schenk|stu|be, Schank|stu|be,
Schänk|stu|be; Schenk|tisch,
Schank|tisch, Schänk|tisch
Schen|kung; Schen|kungs|brief;
Schen|kungs|steu|er, Schen|kung-
steu|er, die; Schen|kungs|ur-
kun|de
Schenk|wirt, Schank|wirt, Schänk-
wirt
Schenk|wir|tin, Schank|wir|tin,
Schänk|wir|tin; Schenk|wirt-
schaft, Schank|wirt|schaft,
Schänk|wirt|schaft
schepp (landsch. für schief)
schep|pern (ugs. für klappern, klir-
ren); ich scheppere
Scher|baum (Stange der Gabel-
deichsel)
Scher|be, die; -, -n (Bruchstück
aus Glas, Ton o. Ä.)
Scher|bel,
der; -s, - (landsch. für Scherbe);
scher|beln (landsch. für tanzen;
schweiz. für spröde klingen;
klirren, rascheln); ich
scherb[e]le
Scher|ben, der; -s, - (südd., österr.
für Scherbe; Keramik gebrannter, noch nicht glasierter Ton)
Scher|ben|ge|richt, das; -[e]s (für
Ostrazismus); ein Scherbenge-
richt veranstalten (streng mit
jmdm. ins Gericht gehen); Scher-
ben|hau|fen
Sche|re, die; -, -n
¹sche|ren (abschneiden); du
scherst, er schert die Schafe; du
schorst, selten schertest; du
schörest, selten schertest;
geschoren, selten geschert;
scher[e]!; vgl. scherren
²sche|ren, sich (ugs. für sich fort-
machen; sich um etwas kümmern); scher dich zum Teufel!;
er hat sich nicht im Geringsten
darum geschert
Sche|ren|arm (Technik); sche|ren-
ar|tig; Sche|ren|fern|rohr; Sche-
ren|git|ter; Sche|ren|schlag (Fuß-
ball)
Sche|ren|schlei|fer; Sche|ren|schnitt
Sche|ren|sprung (Turnen)
Sche|ren|zaun
Sche|rer
Sche|re|rei meist Plur. (ugs. für
Unannehmlichkeit); Sche|re|rin
Scher|fes|tig|keit (Technik)
Scherf|lein (veraltend für kleiner
Geldbetrag, Spende); sein
Scherflein beitragen
Scher|ge, der; -n, -n (Handlanger,

Vollstrecker der Befehle eines
Machthabers); Scher|gen|dienst
(abwertend); Scher|gin
Sche|ria vgl. Scharia
Sche|rif, der; Gen. -s u. -en, Plur. -s
u. -e[n] ⟨arab.⟩ (ein arab. Titel)
Scher|kopf (am elektrischen
Rasierapparat); Scher|kraft;
Scher|ma|schi|ne; Scher|maus
(Wühlmaus, Wasserratte);
Scher|mes|ser, das
scher|ren (österr. ugs. für schaben,
kratzen)
Scher|sprung (Turnen)
Sche|rung (Math., Physik)
Scher|wen|zel vgl. Scharwenzel
Scher|wind (Flugw.)
Scher|wol|le
¹Scherz, der; -es, -e (bayr., österr.
ugs. für Brotanschnitt, Kanten)
²Scherz, der; -es, -e; aus, im Scherz
scher|zan|do [sk...] ⟨ital.⟩ (Musik
heiter [vorzutragen])
Scherz|ar|ti|kel; Scherz|bold, der;
-[e]s, -e (ugs.)
scher|zen; du scherzt, du scherz-
test
Scherz|fra|ge; Scherz|ge|dicht
scherz|haft; scherz|haf|ter|wei|se;
Scherz|haf|tig|keit, die; -
Scherz|keks (ugs.)
Scherzl, das; -s, -n (bayr., österr.
für Brotanschnitt, Kanten;
österr. auch für Schwanzstück
vom Rind)
Scher|zo [sk...], das; -s, Plur. -s u.
...zi ⟨ital.⟩ (heiteres Tonstück)
Scherz|rät|sel; Scherz|re|de
scherz|wei|se
Scherz|wort Plur. ...worte
sche|sen (landsch. für eilen); du
schest
scheu; scheu sein, werden; [die
Pferde] scheu machen od.
scheumachen; Scheu, die; -
(Angst, banges Gefühl); ohne
Scheu
Scheu|che, die; -, -n (Schreckge-
stalt); scheu|chen
scheu|en; sich scheuen; das Pferd
hat gescheut; ich habe mich vor
dieser Arbeit gescheut
Scheu|er, die; -, -n (landsch. für
Scheune)
Scheu|er|be|sen; Scheu|er|lap|pen;
Scheu|er|leis|te
Scheu|er|mann|krank|heit, Scheu|er-
mann-Krank|heit ↑ K 136 , die; -
⟨nach dem dän. Orthopäden
Scheuermann⟩ (die Wirbelsäule
betreffende Entwicklungsstö-
rung bei Jugendlichen)
scheu|ern; ich scheu[e]re

S

sche

Scheu|er|sand; Scheu|er|tuch *Plur.*
...tücher

Scheu|klap|pe *meist Plur.; *Scheu|le-
der (*svw.* Scheuklappe)

scheu ma|chen, scheu|ma|chen *vgl.*
scheu

Scheu|ne, die; -, -n

Scheu|nen|dre|scher; *nur in* [fr]es-
sen wie ein Scheunendrescher
(*ugs. für* sehr viel essen)

Scheu|nen|tor, das

Scheu|re|be (eine Reb- u. Wein-
sorte)

Scheu|sal, das; -s, *Plur.* -e, *ugs.*
...säler

scheuß|lich; Scheuß|lich|keit

Schi *usw. vgl.* Ski *usw.*

Schib|bo|leth, das; -s, *Plur.* -e u. -s
⟨hebr.⟩ (*selten für* Erkennungs-
zeichen, Losungswort)

Schicht, die; -, -en (Gesteins-
schicht; Überzug; Arbeitszeit,
bes. des Bergmanns; Beleg-
schaft); die führende Schicht;
Schicht arbeiten; zur Schicht
gehen

Schicht|ar|beit, die; -; Schicht|ar-
bei|ter; Schicht|ar|bei|te|rin;
Schicht|be|trieb; Schicht|dienst

Schich|te, die; -en (*österr. für*
[Gesteins]schicht)

schich|ten

Schich|ten|fol|ge (*Geol.*); Schich-
ten|kopf (*Bergmannsspr.*)

schich|ten|spe|zi|fisch (*Soziol.,*
Sprachw.); schich|ten|wei|se *vgl.*
schichtweise

Schicht|ge|stein (*Geol.*); Schicht-
holz (*Forstw.*)

schich|tig (*für* lamellar)

...schich|tig (z. B. zweischichtig)

Schicht|kä|se; Schicht|lohn

Schich|tung

Schicht|un|ter|richt; Schicht|wech-
sel

schicht|wei|se, schich|ten|wei|se

Schicht|wol|ke (*für* Stratuswolke);
Schicht|zeit

schick (fein; modisch, elegant); ein
schicker Mantel; *vgl.* chic

Schick, der; -[e]s (*[modische]
Feinheit); diese Dame hat
Schick

schi|cken; Grüße schicken; es
schickt sich nicht; er hat sich
schnell in diese Verhältnisse
geschickt

schi|cker (*ugs. für* leicht betrun-
ken)

Schi|cke|ria, die; - ⟨ital.⟩ (*beson-
ders modebewusste obere
Gesellschaftsschicht)

Schi|cki|mi|cki, der; -s, -s (*ugs. für*

jmd., der viel Wert auf modi-
sche, schicke Dinge legt; modi-
scher Kleinkram)

schick|lich (*geh.*); ein schickliches
Betragen; Schick|lich|keit, die; -

Schick|sal, das; -s, -e; schick|sal-
haft; schick|sal[s]|er|ge|ben

Schick|sals|fra|ge

Schick|sals|fü|gung

Schick|sals|ge|fähr|te; Schick|sals-
ge|fähr|tin

Schick|sals|ge|mein|schaft

Schick|sals|glau|be

Schick|sals|göt|tin

Schick|sals|schlag

schick|sals|schwan|ger (*geh.*)

Schick|sals|tag

schick|sals|träch|tig (*geh.*)

Schick|sals|tra|gö|die

schick|sals|ver|bun|den; Schick|sals-
ver|bun|den|heit, die; -

schick|sals|voll

Schick|sals|wahl (*Politik* Wahl, von
der man eine Entscheidung
über das politische Schicksal
einer Regierung o. Ä. erwartet);
Schick|sals|wen|de

Schick|schuld, die; - (*Rechtsspr.*
Bringschuld, bei der das Geld an
den Gläubiger zu senden ist)

Schick|se, die; -, -n ⟨jidd.⟩ (*ugs.*
abwertend für leichtlebige Frau)

Schi|ckung (*geh. für* Fügung,
Schicksal)

Schie|be|bock (*landsch. für* Schub-
karre); Schie|be|büh|ne; Schie|be-
dach; Schie|be|fens|ter

schie|ben; du schobst; du schö-
best; geschoben; schieb[e]!

Schie|ber (Riegel, Maschinenteil;
ein Tanz; *ugs. auch für* gewinn-
süchtiger Geschäftemacher,
Betrüger); Schie|be|reg|ler (Reg-
ler, der geschoben, nicht gedreht
wird); Schie|be|rei; Schie|be|rin;
Schie|ber|müt|ze (*ugs.*)

Schie|be|tür; Schie|be|wi|der|stand
(*Physik*)

Schieb|leh|re (*ältere Bez. für* Mess-
schieber)

Schie|bung (*ugs. für* betrügerischer
Handel, Betrug)

schiech (*bayr. u. österr. für* hässlich, zornig, furchterregend)

Schie|dam [sxi...] (niederländische
Stadt); Schie|da|mer

schied|lich (*veraltet für* friedfer-
tig); schiedlich und friedlich;
schied|lich-fried|lich ↑K 23

Schieds|rich|ter; Schieds|rich|ter-
Plur. ...leute u. ...männer

Schieds|rich|ter; Schieds|rich|ter|as-
sis|tent; Schieds|rich|ter|as|sis-
ten|tin; Schieds|rich|ter|ball;
Schieds|rich|ter|be|lei|di|gung;
Schieds|rich|ter|ent|schei|dung;
Schieds|rich|te|rin

schieds|rich|ter|lich; schieds|rich-
tern; ich schiedsrichtere; er hat
gestern das Spiel geschiedsrich-
tert

Schieds|rich|ter|ur|teil

Schieds|spruch; Schieds|stel|le

Schieds|ur|teil; Schieds|ver|fah|ren

schief *s. Kasten Seite* 889

Schie|fe, die; -

Schie|fer, der; -s, - (ein Gestein;
landsch. auch für Holzsplitter)

Schie|fer|bruch, der; Schie|fer|dach;
Schie|fer|ge|bir|ge

schie|fer|grau; schie|fe|rig, schie-
rig; schie|fern (schieferig sein;
Weinbau Erde mit [zerkleiner-
tem] Schiefer bestreuen); ich
schiefere

Schie|fer|öl; Schie|fer|plat|te; Schie-
fer|ta|fel

Schie|fe|rung

schief|ge|hen (*ugs. für* misslingen);
vgl. schief

schief|ge|wi|ckelt *vgl.* schief

Schief|hals (*Med.*); Schief|heit

schief|la|chen, sich (*ugs. für* heftig
lachen); *vgl.* schief

Schief|la|ge

schief|lau|fen (*ugs. für* misslingen);
vgl. schief

schief|lie|gen (*ugs. für* einen fal-
schen Standpunkt vertreten,
sich irren); *vgl.* schief

schief|mäu|lig (*veraltend für* miss-
günstig)

schief|rig *vgl.* schieferig

schief tre|ten, schief|tre|ten *vgl.*
schief

schief|wink|lig

schief zie|hen, schief|zie|hen *vgl.*
schief

schie|gen (*landsch. für* mit ein-
wärtsgekehrten Beinen gehen,
[Schuhe] schief treten)

schie|läu|gig

Schie|le (österreichischer Maler)

schie|len; sie schielt

schien *vgl.* scheinen

Schien|bein; Schien|bein|bruch;
Schien|bein|scho|ner; Schien-
bein|schüt|zer

Schie|ne, die; -, -n

schie|nen

Schie|nen|bahn; Schie|nen|brem|se;
Schie|nen|bus

Schie|nen|er|satz|ver|kehr

Schie|nen|fahr|zeug

schief

– sie macht ein schiefes (missvergnügtes) Gesicht; ein schiefer (scheeler) Blick
– schiefe (nicht zutreffende) Vergleiche
– in ein schiefes Licht geraten (falsch beurteilt werden)
– ↑K89 : die schiefe Ebene; ein schiefer Winkel
– *aber* der Schiefe Turm von Pisa ↑K88

Schreibung in Verbindung mit Verben ↑K56:

– schief sein; schief werden; schief sitzen, liegen, stehen, gehen, laufen; schief halten; jmdn. schief ansehen; schief urteilen; schief denken
– die Decke hat schief gelegen
– den Mund schief ziehen *od.* schiefziehen
– sie hat die Absätze schief getreten *od.* schiefgetreten

– er hat den Verband schief gewickelt; ein schief gewickelter *od.* schiefgewickelter Verband

Aber:

– da bist du aber schiefgewickelt (*ugs. für* sehr im Irrtum)
– die Sache ist [total] schiefgegangen (*ugs. für* misslungen)
– das Unternehmen ist [ziemlich] schiefgelaufen (*ugs. für* missglückt)
– da hast du wohl [ganz] schiefgelegen (*ugs. für* einen falschen Standpunkt vertreten)
– wir haben uns schiefgelacht (*ugs. für* heftig gelacht)

---

schie|nen|ge|bun|den; schienengebundene Fahrzeuge
schie|nen|gleich (*Verkehrsw.*)
Schie|nen|netz; Schie|nen|räu|mer
Schie|nen|stoß (Stelle, an der zwei Schienen aneinandergefügt sind); **Schie|nen|strang; Schie|nen|ver|kehr; Schie|nen|weg**
¹schier (bald, beinahe, gar); das ist schier unmöglich
²schier (*landsch. für* unvermischt, rein); schieres Fleisch
Schi|er (*Plur. von* Schi)
Schier|ling (eine Giftpflanze); **Schier|lings|be|cher; Schier|lings|tan|ne** (Tsuga)
Schier|mon|ni|k|oog [sxi:...] (eine der Westfriesischen Inseln)
Schieß|aus|bil|dung
Schieß|baum|wol|le
Schieß|be|fehl
Schieß|bu|de; Schieß|bu|den|be|sit|zer; Schieß|bu|den|be|sit|ze|rin; Schieß|bu|den|fi|gur (*ugs. für* komischer Mensch)
Schieß|ei|sen (*ugs. für* Schusswaffe)
schie|ßen (*auch Bergmannsspr. für* sprengen; *südd., österr. auch für* verbleichen); du schießt, er schießt; du schossest, er schoss; du schössest; geschossen; schieß[e]!; die Zügel schießen lassen *od.* schießenlassen; ein Projekt schießen lassen *od.* schießenlassen (*ugs. für* aufgeben)
Schie|ßen, das; -s, -; ↑K82 : es ist zum Schießen (*ugs. für* es ist zum Lachen)
schie|ßen las|sen, schie|ßen|las|sen *vgl.* schießen
Schie|ßer (*ugs.; svw.* Fixer)
Schie|ße|rei; Schie|ße|rin; Schieß|ge|wehr

Schieß|hund (*veraltet für* Hund, der angeschossenes Wild aufspürt); *noch in* aufpassen wie ein Schießhund (*ugs.*)
Schieß|meis|ter (*Bergmannsspr.* Sprengmeister); **Schieß|meis|te|rin**
Schieß|platz; Schieß|prü|gel, der (*ugs. für* Gewehr)
Schieß|pul|ver; Schieß|schar|te; Schieß|schei|be; Schieß|sport; Schieß|stand; Schieß|übung
schieß|wü|tig
Schiet, der; -s ‹›Scheiße‹› (*nordd. für* Kot, Dreck; Unangenehmes); **schie|tig; Schiet|kram**
Schi|fah|rer usw. *vgl.* Skifahrer usw.
Schiff, das; -[e]s, -e
schiff|bar; schiffbar machen; **Schiff|bar|keit**, die; -; **Schiff|bar|ma|chung**, die; -
Schiff|bau, Schiffs|bau, der; -[e]s (*bes. Fachspr.*); **Schiff|bau|er** (*vgl.* ¹Bauer); **Schiff|bau|e|rin; Schiff|bau|in|ge|ni|eur; Schiff|bau|in|ge|ni|eu|rin**
Schiff|bruch, der; **schiff|brü|chig**
Schiff|brü|chi|ge, der u. die; -n, -n
Schiff|brü|cke
Schiff|chen (*auch für* eine militärische Kopfbedeckung)
Schiff|chen|ar|beit (*svw.* Okkiarbeit)
schif|feln (*landsch. für* Kahn fahren); ich schiff[e]le
schif|fen (*veraltet für* zu Wasser fahren; *derb für* urinieren)
Schif|fer; Schif|fe|rin
Schif|fer|kla|vier (*ugs. für* Ziehharmonika); **Schif|fer|kno|ten; Schif|fer|müt|ze; Schif|fer|pa|tent**
Schif|fer|schei|ße (*derb*); nur in der Wendung dumm wie Schifferscheiße (sehr dumm) sein

Schiff|fahrt, Schiff-Fahrt
Schiff|fahrts|ge|richt; Schiff|fahrts|ge|sell|schaft; Schiff|fahrts|kun|de, die; - (*für* Navigation); Schiff|fahrts|li|nie; Schiff|fahrts|po|li|zei; Schiff|fahrts|recht, das; -[e]s; Schiff|fahrts|stra|ße; Schiff|fahrts|weg; Schiff|fahrts|zei|chen
Schiffs|agent (Vertreter einer Reederei); **Schiffs|agen|tin; Schiffs|arzt; Schiffs|ärz|tin; Schiffs|bau** *Plur.* ...bauten; *vgl.* Schiffbau; **Schiffs|be|sat|zung; Schiffs|brief**
Schiff|schau|kel, Schiffs|schau|kel (große Jahrmarktsschaukel)
Schiffs|eig|ner; Schiffs|eig|ne|rin; Schiffs|fahrt (Fahrt mit einem Schiff); **Schiffs|fracht; Schiffs|glo|cke; Schiffs|hal|ter; Schiffs|he|be|werk; Schiffs|jour|nal** (Logbuch); **Schiffs|jun|ge; Schiffs|ka|pi|tän; Schiffs|ka|pi|tä|nin; Schiffs|ka|tas|t|ro|phe; Schiffs|koch; Schiffs|kö|chin; Schiffs|la|dung; Schiffs|last**
Schiffs|ma|ni|fest (für die Verzollung im Seeverkehr benötigte Aufstellung der geladenen Waren)
Schiffs|mann|schaft; Schiffs|mo|dell; Schiffs|na|me; Schiffs|of|fi|zier; Schiffs|of|fi|zie|rin; Schiffs|pa|pie|re *Plur.*; **Schiffs|pas|sa|ge; Schiffs|plan|ke; Schiffs|rei|se; Schiffs|rumpf**
Schiffs|schau|kel *vgl.* Schiffschaukel
Schiffs|schrau|be; Schiffs|si|re|ne; Schiffs|ta|ge|buch; Schiffs|tau, das; **Schiffs|tau|fe; Schiffs|ver|kehr; Schiffs|werft; Schiffs|zoll; Schiffs|zwie|back**
Schi|flie|gen *vgl.* Skifliegen
schif|ten (*Bauw.* [Balken] nur

durch Nägel verbinden; [zu]spit-
zen, dünner machen; See-
mannsspr. die Stellung des
Segels verändern; verrutschen
[von der Ladung]); **Schif|ter**
(Bauw. Dachsparren); **Schif|tung**
Schi|ha|serl vgl. Skihaserl
Schi|is|mus, der; - ⟨arab.⟩ (eine
Glaubensrichtung des Islam);
Schi|it, der; -en, -en (Anhänger
des Schiismus); **Schi|i|ten|füh-
rer**; **Schi|i|tin**; **schi|i|tisch**
Schi|jö|ring vgl. Skijöring
Schi|ka|ne, die; -, -n ⟨franz.⟩ (bös-
willig bereitete Schwierigkeit;
Sport [eingebaute] Schwierigkeit in einer Autorennstrecke);
Schi|ka|neur [...'nø:ɐ̯], der; -s, -e
(jmd., der andere schikaniert)
schi|ka|nie|ren; **schi|ka|nös**
schi|kjö|ring vgl. Skijöring
Schi|ko|ree vgl. Chicorée
Schi|kurs vgl. Skikurs; **Schi|lauf**
usw. vgl. Skilauf usw.
Schil|cher (österr. für ²Schiller
[hellroter Wein])
¹**Schild**, das; -[e]s, -er (Erkennungs-
zeichen, Aushängeschild)
²**Schild**, der; -[e]s, -e (Schutzwaffe)
Schild|bür|ger ⟨»mit Schild bewaff-
neter Städter«; später auf die
Stadt Schilda[u] bezogen⟩ (engstirniger Mensch, Spießer);
Schild|bür|ge|rin; **Schild|bür|ger-
streich**
Schild|drü|se; **Schild|drü|sen|hor-
mon**; **Schild|drü|sen|über|funk|ti-
on**; **Schild|drü|sen|un|ter|funk-
ti|on**
Schil|der|brü|cke (die Fahrbahn
überspannende Beschilderung)
Schil|de|rer (jmd., der etw. schil-
dert)
Schil|der|haus, **Schil|der|häus|chen**
(Holzhäuschen für die Schild-
wache)
Schil|de|rin ⟨zu Schilderer⟩
Schil|der|ma|ler; **Schil|der|ma|le|rin**
schil|dern; ich schildere; **Schil|de-
rung**
Schil|der|wald (ugs. für Häufung
von Verkehrszeichen)
Schild|farn; **Schild|knap|pe**
Schild|krot, das; -[e]s (landsch. für
Schildpatt)
Schild|krö|te; **Schild|krö|ten|sup|pe**
Schild|laus; **Schild|patt**, das; -[e]s
(Hornplatte einer Seeschild-
kröte); **Schild|patt|kamm**
Schild|wa|che, **Schild|wacht** (veral-
tet für militärischen Wachpos-
ten [vor einem Eingang])
Schi|leh|rer usw. vgl. Skilehrer usw.

Schilf, das; -[e]s, -e ⟨lat.⟩; **schilf|be-
deckt** ↑K 59; **Schilf|dach**
Schil|fe, die; -, -n; vgl. Schelfe
¹**schil|fen** vgl. schelfen
²**schil|fen** (aus Schilf)
schil|fe|rig, **schilf|rig** vgl. schelferig
schil|fern, **schel|fern** (landsch. für
in kleinen Teilen od. Schuppen
abschälen; abschilfern); ich
schilfere
Schilf|gras; **Schilf|halm**
schil|fig
Schilf|mat|te
schilf|rig vgl. schelferig
Schilf|rohr; **Schilf|rohr|sän|ger** (ein
Vogel)
Schi|lift vgl. Skilift
Schill, der; -[e]s, -e (ein Flussfisch,
Zander)
Schil|le|bold, der; -[e]s, -e (nordd.
für Libelle)
¹**Schil|ler** (dt. Dichter)
²**Schil|ler**, der; -s, - (Farbenglanz;
landsch. für zwischen Rot u.
Weiß spielender Wein)
schil|le|rig, **schill|rig** (selten für
schillernd)
schil|le|risch; die schillerischen
Balladen; Balladen von schilleri-
schem Pathos; vgl. schillersch
Schil|ler|kra|gen
Schil|ler|lo|cke (Gebäck; geräu-
chertes Fischstück)
Schil|ler|mu|se|um, **Schil|ler-Mu-
se|um**
schil|lern; das Kleid schillert in
vielen Farben; **schil|lernd**
schil|lersch; die schillerschen od.
Schiller'schen Balladen; ihr
gelangen Balladen von schiller-
schem od. Schiller'schem
Pathos
Schil|ler|wein
Schil|ling, der; -s, -e (frühere
österr. Währungseinheit); 6
Schilling; vgl. aber Shilling
schill|rig vgl. schillerig
Schil|lum, das; -s, -s ⟨pers.⟩ (Rohr
zum Rauchen von Haschisch)
schil|pen, tschil|pen (zwitschern)
schilt vgl. schelten
Schil|ten Plur., auch als Sing. gebr.
(schweiz. für eine Farbe der dt.
Spielkarten)
Schi|mä|re, Chi|mä|re, die; -, -n
⟨griech.⟩ (Trugbild, Hirnge-
spinst); **schi|mä|risch**
¹**Schim|mel**, der; -s ⟨weißlicher Pilz-
überzug auf organischen Stof-
fen⟩
²**Schim|mel**, der; -s, - (weißes Pferd)
Schim|mel|be|lag; **Schim|mel|bo-
gen** (nicht od. nur einseitig

bedruckter Bogen); **Schim|mel-
ge|spann**
schim|me|lig, schim|mlig
Schim|mel|kä|se
schim|meln; er sagt, das Brot
schimm[e]le
Schim|mel|pilz; **Schim|mel|rei|ter**,
der; -s (geisterhaftes Wesen der
dt. Sage; Beiname Wodans);
Schim|mel|rei|te|rin
Schim|mer; **schim|mern**; er sagt, er
Licht schimmere
schim|mlig, schim|me|lig
Schim|pan|se, der; -n, -n ⟨afrik.⟩
(ein Menschenaffe)
Schimpf, der; -[e]s; meist in mit
Schimpf und Schande
schimp|fen
Schimp|fer; **Schimp|fe|rei**; **Schimp-
fe|rin**; **Schimpf|ka|no|na|de**;
schimpf|lich (schändlich, enteh-
rend)
Schimpf|na|me; **Schimpf|wort** Plur.
...worte u. ...wörter
Schi|na|kel, das; -s, -[n] ⟨ung.⟩
(österr. ugs. für kleines Boot)
Schind|an|ger (veraltet für Platz,
wo Tiere abgehäutet werden)
Schin|del, die; -, -n; **Schin|del|dach**;
schin|deln; ich schind[e]le
schin|den; du schindetest, seltener
schund[e]st; geschunden;
schind[e]!; **Schin|der** (jmd., der
andere quält; veraltet für Abde-
cker); **Schin|de|rei**
Schin|der|han|nes ↑K 138 (Führer
einer Räuberbande am Rhein
um 1800)
Schin|de|rin
Schin|der|kar|re[n] (früher)
schin|dern (obersächs. für auf dem
Eise gleiten); ich schindere
Schind|lu|der; nur in mit jmdm.
Schindluder treiben (ugs. für
jmdn. schmählich behandeln);
Schind|mäh|re (altes, verbrauch-
tes Pferd)
Schin|kel (dt. Baumeister, Maler)
Schin|ken, der; -s, -
Schin|ken|brot; **Schin|ken|bröt-
chen**; **Schin|ken|klop|fen**, das; -s
(ein Spiel); **Schin|ken|kno|chen**;
Schin|ken|röll|chen; **Schin|ken-
speck**; **Schin|ken|wurst**
Schinn, der; -s (bes. nordd. für
Kopfschuppen); **Schin|ne**, die; -,
-n meist Plur. (bes. nordd. für
Kopfschuppe)
Schin|to|is|mus, der; - ⟨jap.⟩ (jap.
Religion); **Schin|to|ist**, der; -en,
-en; **Schin|to|is|tin**; **schin|to|is-
tisch**
Schi|pis|te vgl. Skipiste

Schipp|chen; ein Schippchen machen od. ziehen (das Gesicht mit aufgeworfener Unterlippe zum Weinen verziehen)

Schip|pe, die; -, -n (Schaufel; *ugs. scherzh. für* unmutig aufgeworfene Unterlippe); **schip|pen**

Schip|pen *Plur., als Sing. gebr.* (eine Spielkartenfarbe; [3]Pik); Schippen sticht

Schip|pen|ass , Schip|pen-Ass [*auch* 'ʃɪpn̩'las]

schip|pern (*ugs. für* mit dem Schiff fahren); ich schippere

Schi|ras, der; -, - ⟨nach der Stadt in Iran⟩ (ein Teppich; Fettschwanzschaf, dessen Fell als Halbpersianer gehandelt wird)

Schi|ri, der; -s, -s (*ugs. Kurzw. für* Schiedsrichter)

schir|ken (*landsch. für* einen flachen Stein über das Wasser hüpfen lassen)

Schirm, der; -[e]s, -e

Schirm|bild; Schirm|bild|fo|to|gra|fie, Schirm|bild|pho|to|gra|phie; **Schirm|bild|ge|rät** (Röntgengerät); **Schirm|bild|rei|hen|un|ter|su|chung; Schirm|dach**

schir|men (*veraltend für* schützen); **Schirm|er; Schirm|me|rin**

Schirm|fa|b|rik; Schirm|frau

Schirm|fut|te|ral

Schirm|git|ter|röh|re *(Elektrot.)*

Schirm|herr; Schirm|her|rin; Schirm|herr|schaft; Schirm|hül|le

Schirm|ling (Schirmpilz)

Schirm|ma|cher; Schirm|ma|che|rin; Schirm|müt|ze; Schirm|pilz; Schirm|stän|der

Schirm|ung

Schi|rok|ko, der; -s, -s ⟨arab.-ital.⟩ (ein warmer Mittelmeerwind)

schir|ren (*selten für* anschirren, [an]spannen)

Schirr|meis|ter (*früher für* Fahrzeuge u. Geräte verantwortlicher Unteroffizier); **Schirr|meis|te|rin; Schir|rung**

Schir|ting, der; -s, *Plur.* -e u. -s ⟨engl.⟩ (ein Baumwollgewebe)

Schir|wan, der; -[s], -s ⟨nach der aserbaidschanischen Steppe⟩ (ein Teppich)

Schi|scha *vgl.* Shisha

Schis|ma[1], das; -s, *Plur.* ...men u. -ta ⟨griech.⟩ ([Kirchen]spaltung); **Schis|ma|ti|ker[1]** (Abtrünniger); **Schis|ma|ti|ke|rin[1]; schis|ma|tisch[1]**

Schi|sport usw. *vgl.* Skisport usw.

schiss *vgl.* scheißen

Schiss, der; Schisses, Schisse *Plur.*

selten (*derb für* Kot; *nur Sing.: ugs. für* Angst); **Schis|ser,** der; -s, - (*derb für* Angsthase); **Schis|se|rin** *(derb)*

Schiss|la|weng *vgl.* Zislaweng

Schi|wa ⟨sanskr.⟩ (eine der Hauptgottheiten des Hinduismus)

schi|zo|gen[1] ⟨griech.⟩ (*Biol.* durch Spaltung entstanden); **Schi|zo|go|nie[1],** die; - (Form der ungeschlechtlichen Fortpflanzung)

schi|zo|id[1] (schizophrenieähnlich)

Schi|zo|pha|sie[1], die; - (*Med.* Sprachverwirrtheit)

schi|zo|phren[1] ⟨griech.⟩ (an Schizophrenie erkrankt); **Schi|zo|phre|nie[1],** die; -, ...ien (*Med.* eine schwere Psychose)

schi|zo|typ[1] ⟨griech.⟩ (an Schizotypie erkrankt); **Schi|zo|ty|pie[1],** die; -, -n (*Med.* eine Psychose)

Schlab|ber, die; -, -n (*landsch. für* Mundwerk); **Schlab|be|rei[1]; schlab|be|rig, schlabb|rig; Schlab|ber|look** [...luk], der; -s, -s ⟨dt., engl.⟩ (Mode, bei der die Kleidungsstücke sehr weit geschnitten sind)

schlab|bern (*ugs. für* schlürfend trinken u. essen; *landsch. für* reden, schwatzen); ich schlabbere

schlabb|rig *vgl.* schlabberig

Schlacht, die; -, -en

Schlach|ta, die; - ⟨poln.⟩ (der ehemalige niedere Adel in Polen)

Schlacht|bank *Plur.* ...bänke; **schlacht|bar**

schlach|ten

Schlach|ten|bumm|ler (*ugs.*); **Schlach|ten|bumm|le|rin**

Schlach|ter, Schläch|ter (*nordd. für* Fleischer)

Schlach|te|rei, Schläch|te|rei (*nordd. für* Fleischerei; Gemetzel, Metzelei)

Schlach|te|rin, Schläch|te|rin

Schlacht|feld

Schlacht|fest

Schlacht|ge|schrei

Schlacht|ge|wicht; Schlacht|haus; Schlacht|hof; Schlacht|mes|ser, das; **Schlacht|op|fer**

Schlacht|plan

Schlacht|plat|te

schlacht|reif

Schlacht|ross, das; -es, -e; **Schlacht|ruf; Schlacht|schiff**

Schlacht|schitz, der; -en, -en ⟨poln.⟩ (Angehöriger der Schlachta)

Schlacht|tag; Schlacht|tier

Schlach|tung

Schlacht|vieh; Schlacht|vieh|be|schau

schlacht|warm

schlack (*bayr. u. schwäb. für* träge; schlaff); **Schlack,** der; -[e]s (*nordd. für* breiige Masse; Schneeregen); **Schlack|darm** (*nordd. für* Mastdarm)

Schla|cke, die; -, -n (Rückstand beim Verbrennen, besonders von Koks); **schla|cken** (Schlacke bilden); geschlackt

Schla|cken|bahn

Schla|cken|erz

schla|cken|frei

Schla|cken|gru|be

Schla|cken|hal|de

Schla|cken|reich

Schla|cken|rost

[1]schla|ckern (*landsch. für* schlenkern); ich schlackere; mit den Ohren schlackern

[2]schla|ckern (*nordd. für* nass schneien); es schlackert; **Schla|cker|schnee; Schla|cker|wet|ter**

schla|ckig

Schlack|wurst

Schlad|ming (Stadt im Ennstal); **Schlad|min|ger**

Schlaf, der; -[e]s

Schlaf|an|zug; Schlaf|an|zug|ho|se; Schlaf|an|zug|ja|cke

Schlaf|at|ta|cke *(Med.)*

Schlaf|au|ge *meist Plur.* (bei Puppen; *ugs. auch für* versenkbarer Autoscheinwerfer)

Schlaf|baum (Baum, auf dem bestimmte Vögel regelmäßig schlafen)

Schläf|chen; Schlaf|couch

Schlä|fe, die; -, -n (Schädelteil)

schla|fen; du schläfst; du schliefst; du schliefest; geschlafen; schlaf[e]!; schlafen gehen; [sich] schlafen legen

Schlä|fen|ader; Schlä|fen|bein; Schlä|fen|ge|gend

Schla|fen|ge|hen, das; -s; vor dem Schlafengehen; **Schla|fens|zeit**

Schlä|fer (*auch für* noch nicht aktiver Agent od. Terrorist); **Schlä|fe|rin**

schlä|fern; mich schläfert

schlaff; Schlaff|heit, die; -

Schlaf|fi, der; -s, -s (*ugs. abwertend für* energieloser Mensch)

Schlaf|for|scher; Schlaf|for|sche|rin

Schlaf|gän|ger (*früher* Mieter einer Schlafstelle); **Schlaf|gast; Schlaf|ge|le|gen|heit; Schlaf|ge|mach** *meist Plur.*

---

[1] [*auch* sçi...]

Schla|fitt|chen ⟨aus »Schlagfittich« = Schwungfedern⟩; jmdn. am od. beim Schlafittchen nehmen, kriegen, packen (ugs. für jmdn. packen)

Schlaf|krank|heit; Schlaf|la|bor

Schlaf|lied

schlaf|los; Schlaf|lo|sig|keit, die; -

Schlaf|mit|tel

Schlaf|müt|ze (auch scherzh. für Viel-, Langschläfer; träger, schwerfälliger Mensch); schlafmüt|zig; Schlaf|müt|zig|keit

Schlaf|pup|pe; Schlaf|rat|te (ugs. für Langschläfer); Schlaf|ratz (svw. Schlafratte)

schläf|rig; Schläf|rig|keit, die; -

Schlaf|rock vgl. ¹Rock; Schlaf|saal; Schlaf|sack

Schlaf|stadt (Trabantenstadt mit geringen Möglichkeiten zur Freizeitgestaltung)

Schlaf|stel|le; Schlaf|stel|lung; Schlaf|stö|rung meist Plur.

Schlaf|sucht, die; -; schlaf|süch|tig

Schlaf|ta|b|let|te; Schlaf|trunk

schlaf|trun|ken; Schlaf|trun|kenheit, die; -

Schlaf-wach-Rhyth|mus ↑K 26 (Physiol.)

Schlaf|wa|gen

schlaf|wan|deln; ich schlafwand[e]le; sie schlafwandelte; er hat (auch ist) geschlafwandelt; zu schlafwandeln; Schlaf|wandler; Schlaf|wand|le|rin; schlafwand|le|risch

Schlaf|zen|t|rum

Schlaf|zim|mer

Schlaf|zim|mer|blick, der; -[e]s (ugs. für betont sinnlicher Blick mit nicht ganz geöffneten Lidern)

Schlaf|zim|mer|ein|rich|tung

¹Schlag, der; -[e]s, Schläge; Schlag 2 Uhr; Schlag auf Schlag

²Schlag, der; -[e]s (österr. kurz für Schlagobers); Kaffee mit Schlag

Schlag|ab|tausch (Sport, auch übertr.); Schlag|ader; Schlag|anfall; Schlag|an|fall|pa|ti|ent; Schlag|an|fall|pa|ti|en|tin

schlag|ar|tig

Schlag|ball

schlag|bar

Schlag|baum; Schlag|be|sen (Musik); Schlag|boh|rer; Schlagbohr|ma|schi|ne; Schlag|bol|zen

Schlä|ge, die; -, -n (landsch. für Hammer)

Schlag|ei|sen (Jägerspr.)

Schlä|gel, der; -s, - ([Bergmanns]hammer; auch für Trommelschlägel); vgl. Schlegel

Schlä|gel|chen (kleiner Schlag; landsch. leichter Schlaganfall)

schla|gen; du schlägst; du schlugst; du schlügest; er hat geschlagen; schlag[e]!; er schlägt ihn (auch ihm) ins Gesicht; Alarm schlagen; Rad schlagen; schlagende Wetter (Bergmannsspr. explosives Gemisch aus Grubengas und Luft)

Schla|ger ([Tanz]lied, das in Mode ist; etwas, das sich gut verkauft, großen Erfolg hat)

Schlä|ger (Raufbold; Fechtwaffe; Sportgerät); Schlä|ge|rei

Schla|ger|fes|ti|val

Schla|ge|rin

Schla|ger|mu|sik

schlä|gern (österr. für Bäume fällen, schlagen); ich schlägere

Schla|ger|sän|ger; Schla|ger|sän|gerin

Schla|ger|spiel (Sport)

Schla|ger|star vgl. ²Star; Schla|gertext; Schla|ger|tex|ter (Verfasser von Schlagertexten); Schla|gertex|te|rin

Schlä|ger|trupp; Schlä|ger|trup|pe; Schlä|ger|typ

Schlä|ge|rung (österr.)

schlag|fer|tig; Schlag|fer|tig|keit

schlag|fest

Schlag|fluss (veraltet für Schlaganfall)

Schlag|hand (Boxen)

Schlag|holz

Schlag|ho|se (Schneiderei, Mode)

Schlag|in|s|t|ru|ment

schlag|ka|putt (ugs. für völlig erschöpft)

Schlagkraft, die; -; schlag|kräf|tig

Schlag|licht Plur. ...lichter; schlaglicht|ar|tig

Schlag|loch

Schlag|mann Plur. ...männer (Rudersport)

Schlag|obers (österr. für Schlagsahne); Schlag|obers|hau|be; Schlag|rahm

Schlag|ring

Schlag|sah|ne

Schlag|schat|ten; Schlag|sei|te

Schlag|stock

Schlag|werk (der Uhr)

Schlag|wet|ter Plur. (schlagende Wetter)

Schlag|wort Plur. ...worte u. (bes. für Stichwörter eines Schlagwortkatalogs:) ...wörter; Schlagwort|ka|ta|log

Schlag|zahl (Rudern)

Schlag|zei|le

Schlag|zeug (Gruppe von Schlaginstrumenten); Schlag|zeu|ger; Schlag|zeu|ge|rin

Schlaks, der; -es, -e (ugs. für lang aufgeschossener, ungeschickter Mensch); schlak|sig

Schla|mas|sel, der, auch, österr. nur das; -s (jidd.) (ugs. für Unglück, verfahrene Situation); Schla|mas|tik, die; -, -en (landsch. für Schlamassel)

Schlamm, der; -[e]s, Plur. -e u. Schlämme; Schlamm|bad

Schlamm|bei|ßer (ein Fisch)

schläm|men (mit Wasser aufbereiten; Schlamm absetzen); schläm|men (von Schlamm reinigen); schlam|mig

Schlämm|krei|de, die; -

Schlamm|mas|se, Schlamm-Mas|se

Schlämm|pa|ckung

Schlämm|putz (dünner, aufgestrichener Putzüberzug)

Schlamm|schlacht ([Fußball]spiel auf aufgeweichtem Spielfeld; mit herabsetzenden und unsachlichen Äußerungen geführter Streit)

Schlämm|ver|fu|gung (Bauw.)

Schlamp, der; -[e]s, -e (landsch. für unordentlicher Mensch)

schlam|pam|pen (landsch. für schlemmen); er hat schlampampt

Schlam|pe, die; -, -n, österr. Schlam|pen (ugs. abwertend für unordentliche Frau); schlam|pen (ugs. für unordentlich sein); Schlam|per (landsch. abwertend für unordentlicher Arbeitender; Mensch mit unordentlicher Kleidung); Schlam|pe|rei (ugs. für Nachlässigkeit; Unordentlichkeit); Schlam|pe|rin

schlam|pert (bayr., österr. ugs. für schlampig)

schlam|pig (ugs. für unordentlich; schluderig); Schlam|pig|keit (ugs.)

schlang vgl. schlingen

Schlan|ge, die; -, -n; Schlange stehen ↑K 54

Schlän|gel|chen; schlän|ge|lig, schläng|lig

schlän|geln, sich; ich schläng[e]le mich durch die Menge

schlan|gen|ar|tig

Schlan|gen|be|schwö|rer; Schlangen|be|schwö|re|rin; Schlan|genbiss; Schlan|gen|brut; Schlangen|farm

schlecht

I. *Kleinschreibung:*
– schlechtes Wetter
– der schlechte Ruf
– schlecht (schlicht) und recht

II. *Großschreibung* ↑K72 :
– im Guten und im Schlechten
– etwas, nichts, viel, wenig Schlechtes

III. *Schreibung in Verbindung mit Verben und Partizipien* ↑K56 u. 58 :
– schlecht sein, schlecht werden, schlecht singen, schlecht spielen usw.
– ich kann in diesen Schuhen schlecht gehen; *aber:* es wird ihr sicher [sehr] schlecht gehen *od.* schlechtgehen (sie befindet sich in einer üblen Lage)
– auf einem Bein kann man schlecht stehen

– du hast die Aufgabe schlecht gemacht (schlecht ausgeführt); *aber:* sie hat ihn überall ziemlich schlechtgemacht (herabgesetzt)
– der Redner hat schlecht geredet; *aber:* wir wollen die Erfolge des Projekts nicht schlechtreden (durch überzogene Kritik abwerten)

Aber:

– als es um die Firma schlecht stand *od.* schlechtstand
– weil die Chancen schlecht stehen *od.* schlechtstehen
– der schlecht gelaunte *od.* schlechtgelaunte Besucher
– ein schlecht sitzender *od.* schlechtsitzender Anzug

Schlan|gen|fraß, der; -es (*ugs. für* schlechtes Essen)
Schlan|gen|gift
Schlan|gen|gru|be (Ort, wo Gefahren drohen; gefährliche Situation)
Schlan|gen|gur|ke (Salatgurke)
schlan|gen|haft
Schlan|gen|le|der
Schlan|gen|li|nie
Schlan|gen|mensch; Schlan|gen|tanz
schläng|lig *vgl.* schlängelig
schlank; auf die schlanke Linie achten; Kleider, Fitnessprogramme, die schlank machen *od.* schlankmachen
Schlan|kel, der; -s, -[n] (*österr. ugs. für* Schelm, Schlingel)
schlan|ker|hand (*veraltend für* ohne weiteres)
Schlank|heit, die; -; **Schlank|heits|kur; Schlank|heits|pil|le** (*ugs.*); **Schlank|heits|wahn**
schlank ma|chen, schlank|ma|chen *vgl.* schlank; **Schlank|ma|cher** (*ugs. für* Mittel, das das Abnehmen erleichtern soll)
schlank|weg (*ugs. für* ohne Weiteres)
Schlap|fen, der; -s, - (*bayr., österr. ugs. für* Schlappen)
schlapp (*ugs. für* schlaff, müde, abgespannt); die Hitze hat uns schlapp gemacht *od.* schlappgemacht; *vgl. aber* schlappmachen
Schläpp|chen (*landsch. für* kleiner Schlappen)
Schlap|pe, die; -, -n (Niederlage)
schlap|pen (*ugs. für* lose sitzen [vom Schuh]; *landsch. für* schlurfend gehen)

Schlap|pen, der; -s, - (*ugs. für* bequemer Hausschuh)
Schlap|per|milch, die; - (*landsch. für* saure Milch)
schlap|pern (*landsch. für* schlürfend trinken u. essen; lecken; *ugs. für* schwätzen); ich schlappere
Schlapp|heit
Schlapp|hut, der
schlap|pig (*landsch. für* nachlässig)
schlapp|ma|chen ↑K47 (*ugs. für* nicht durchhalten, am Ende seiner Kräfte sein); sie haben schlappgemacht; *vgl.* schlapp
Schlapp|ohr (*scherzh. für* Hase)
Schlapp|schwanz (*ugs. abwertend für* willensschwacher, energieloser Mensch)
Schla|raf|fe, der; -n, -n (*veraltet für* [auf Genuss bedachter] Müßiggänger; Mitglied der Schlaraffia)
Schla|raf|fen|land, das; -[e]s; **Schla|raf|fen|le|ben,** das; -s
Schla|raf|fia, die; - (Schlaraffenland; Vereinigung zur Pflege der Geselligkeit unter Künstlern u. Kunstfreunden)
Schlar|pe, die; -, -n (*landsch. u. schweiz. für* bequemer [ausgetretener] [Haus]schuh)
schlau; ein schlaues Kerlchen; *vgl.* schlaumachen
Schlau|be, die; -, -n (*landsch. für* Fruchthülle, ²Schale); **schlau|ben** (*landsch. für* enthülsen)
Schlau|ber|ger (*ugs. für* schlauer, pfiffiger Mensch); **Schlau|ber|ge|rei,** die; - (*ugs.*); **Schlau|ber|ge|rin**
Schlauch, der; -[e]s, Schläuche; ein Schlauch sein (*ugs. für* sehr anstrengend sein); **schlauch|ar|tig**

Schlauch|boot
schlau|chen (*ugs. für* sehr anstrengend sein; *landsch. für* auf jmds. Kosten leben)
schlauch|för|mig
Schlauch|lei|tung
schlauch|los; schlauchlose Reifen
Schlauch|pilz; Schlauch|rol|le (zum Aufrollen des Wasserschlauchs); **Schlauch|wa|gen**
Schlauch|wurm (*Zool.*)
Schlau|der, die; -, -n (*Bauw.* eiserne Verbindung an Bauwerken); **schlau|dern** (durch Schlaudern befestigen); ich schlaudere
Schläue, die; - (Schlauheit)
schlau|er|wei|se
Schlau|fe, die; -, -n (Schleife)
Schlau|fuchs (*svw.* Schlauberger)
Schlau|heit; Schlau|ig|keit (*veraltet*)
Schlau|kopf (*svw.* Schlauberger)
schlau|ma|chen, sich (*ugs. für* sich informieren)
Schlau|mei|er (*svw.* Schlauberger); **Schlau|mei|e|rin**
Schla|wi|ner (*ugs. für* Nichtsnutz, pfiffiger, durchtriebener Mensch); **Schla|wi|ne|rin**
schlecht *s.* Kasten
schlech|ter|dings (geradezu); das ist schlechterdings unmöglich
schlecht ge|hen, schlecht|ge|hen *vgl.* schlecht
schlecht ge|launt, schlecht|ge|launt *vgl.* schlecht
Schlecht|heit, die; -
schlecht|hin (in typischer Ausprägung; an sich; geradezu)
schlecht|hin|nig (*veraltet für* absolut, völlig)
Schlech|tig|keit

S

Schl

schlei|fen

Unregelmäßige Beugung in den Bedeutungen »schärfen«, »die Oberfläche von etw. bearbeiten«, »hart drillen« und »schlittern« (landschaftlich):

– ich schliff mein Messer, habe es geschliffen
– du schliffst das Parkett
– geschliffene Diamanten; geschliffene Dialoge
– sie sagt, du schliffest die Rekruten; schleif[e] sie nicht so!
– im Winter sind wir immer geschliffen *(landsch.)*

Regelmäßige Beugung in den Bedeutungen »über den Boden od. eine Fläche ziehen; sich am Boden od. an eine Fläche [hin] bewegen« und »niederreißen«:

– sie schleifte die Kiste, hat sie geschleift
– der Vorhang schleifte über den Boden; er hat, *seltener* ist über den Boden geschleift

– die Fahrradkette schleifte am Schutzblech
– schleif[e] die Festung!

In Verbindung mit »lassen« kann bei übertragener Bedeutung getrennt oder zusammengeschrieben werden:

– alles **schleifen lassen** od. schleifenlassen (ugs. *für* sich um nichts mehr kümmern)

Aber nur:

– die Messer schleifen lassen
– die Schleppe des Kleides auf dem Boden schleifen lassen

---

schlecht|ma|chen (herabsetzen); *vgl.* schlecht

schlecht|re|den (durch überzogene Kritik abwerten); *vgl.* schlecht

schlecht sit|zend, schlecht|sit|zend *vgl.* schlecht

schlecht ste|hen, schlecht|ste|hen *vgl.* schlecht

schlecht|weg (geradezu, einfach)

Schlecht|wet|ter, das; -s; bei Schlechtwetter; Schlecht|wet|ter|front; Schlecht|wet|ter|geld *(Bauw.);* Schlecht|wet|ter|pe|ri|o|de

Schleck, der; -s, -e *(südd. u. schweiz. für* Leckerbissen); das ist kein Schleck *(schweiz. für* das ist mühsam, schwierig)

schle|cken

Schle|cker *(ugs. für* Schleckermaul; *österr. landsch. für* Lutscher); Schle|cke|rei; schle|cker|haft *(landsch. für* naschhaft); Schle|cke|rin; Schle|cker|maul *(ugs. für* jmd., der gern nascht); schle|ckern; ich schleckere; schle|ckig *(landsch. für* naschhaft); Schleck|werk, das; -[e]s *(landsch.)*

Schle|gel, der; -s, -, *österr. auch* Schlö|gel *(landsch. u. österr., schweiz. für* [Kalbs-, Reh]keule); *vgl.* Schlägel

Schleh|dorn *Plur.* ...dorne (ein Strauch)

Schle|he, die; -, -n (Schlehdorn); dessen Frucht); Schle|hen|blü|te; Schle|hen|li|kör

¹Schlei, die; - (Förde an der Ostküste Schleswigs)

²Schlei *vgl.* Schleie

Schlei|che, die; -, -n (schlangenähnliche Echse)

schlei|chen; du schlichst; du schlichest; geschlichen; schleich[e]!

Schlei|cher *(svw.* Leisetreter); Schlei|che|rei *(ugs.);* Schlei|che|rin

Schleich|han|del, der; -s

Schleich|kat|ze; Schleich|pfad; Schleich|tem|po

Schleich|weg; auf Schleichwegen

Schleich|wer|bung, die; -

Schleie, die; -, -n, ²Schlei, der; -[e]s, -e (ein Fisch)

Schlei|er, der; -s, -

Schlei|er|eu|le

Schlei|er|fahn|dung (polizeiliche Kontrollen ohne konkreten Anlass od. Verdacht)

schlei|er|haft *(ugs. für* rätselhaft, unbegreiflich)

Schlei|er|kraut (eine Pflanze)

Schlei|er|ma|cher (dt. Theologe, Philosoph u. Pädagoge)

Schlei|er|schwanz (ein Fisch)

Schlei|er|tanz

Schleif|ap|pa|rat; Schleif|au|to|mat; Schleif|band, das; *Plur.* ...bänder; Schleif|bank *Plur.* ...bänke

¹Schlei|fe, die; -, -n (Schlinge)

²Schlei|fe, die; -, -n *(landsch. für* Schlitterbahn)

schlei|fen *s.* Kasten

Schlei|fen|blu|me

Schlei|fen|fahrt; Schlei|fen|flug

schleifen las|sen, schlei|fen|las|sen *vgl.* schleifen

Schlei|fer (jmd., der etw. schleift; alter Bauerntanz; *Musik* kleine Verzierung; *Soldatenspr.* rücksichtsloser Ausbilder; Schlei|fe|rei; Schlei|fe|rin

Schleif|fun|ken|pro|be *(Technik)*

Schleif|kon|takt *(Elektrot.)*

Schleif|lack; Schleif|lack|mö|bel

Schleif|ma|schi|ne; Schleif|mit|tel; Schleif|pa|pier

Schleif|ring

Schleif|spur

Schleif|stein

Schleif|fung

Schleim, der; -[e]s, -e; Schleim absondernde od. schleimabsondernde Zellen ↑K 58

Schleim|ab|son|de|rung

Schleim|beu|tel; Schleim|beu|tel|ent|zün|dung

Schleim|drü|se

schlei|men; Schlei|mer *(ugs. für* Schmeichler); Schlei|me|rin

Schleim|fisch

Schleim|haut

schlei|mig; schleim|lö|send ↑K 59; schleimlösende Mittel; das Mittel wirkt stark schleimlösend

Schleim|pilz

Schleim|schei|ßer *(derb abwertend für* Schmeichler); Schleim|schei|ße|rin

Schleim|sup|pe

Schlei|ße, die; -, -n (dünner Span; *früher* Schaft der Feder nach Abziehen der Fahne)

schlei|ßen *(veraltet für* abnutzen, zerreißen; *landsch. für* auseinanderreißen; spalten); du schleißt; sie schleißt; du schlissest *u.* schleißtest, er schliss *u.* schleißte; geschlissen *u.* geschleißt; schleiß[e]!; Federn schleißen; Schleiß|fe|der; schlei|ßig *(landsch. für* verschlissen, abgenutzt)

Schleiz (Stadt im Vogtland); Schleizer

Schle|mihl *[auch* ˈʃleː...], der; -s, -e ⟨hebr.-jidd.⟩ (Pechvogel; *landsch. für* gerissener Kerl)

S
schl

schlemm ⟨engl.⟩; *nur in* schlemm machen, werden

Schlemm, der; -s, -e *(Bridge, Whist)*; großer Schlemm (alle Stiche); kleiner Schlemm (alle Stiche bis auf einen)

schlem|men (gut u. reichlich essen); **Schlem|mer; Schlem|me|rei; schlem|mer|haft; Schlem|me|rin; schlem|me|risch**

Schlem|mer|lo|kal; Schlem|mer|mahl[|zeit]

Schlem|pe, die; -, -n (Rückstand bei der Spirituserzeugung; Viehfutter)

schlen|dern; ich schlendere; **Schlen|der|schritt**

Schlen|d|ri|an, der; -[e]s *(ugs. für* Schlamperei)

Schlen|ge, die; -, -n *(nordd. für* Reisigbündel; Buhne)

Schlen|ke, die; -, -n *(Geol.* Wasserrinne im Moor)

Schlen|ker (schlenkernde Bewegung; kurzer Umweg); **Schlen|ke|rich,** Schlenk|rich, der; -s, -e *(obersächs. für* Stoß, Schwung)

schlen|kern; ich schlenkere die Arme, mit den Armen schlenkern

Schlenk|rich, der; -s, -e; *vgl.* Schlenkerich

schlen|zen *([Eis]hockey u. Fußball* den Ball od. Puck mit einer schiebenden od. schlenkernden Bewegung spielen); du schlenzt; **Schlen|zer,** der; -s, -

Schlepp, der; *nur in Wendungen wie* in Schlepp nehmen, im Schlepp haben

Schlepp|an|ten|ne

Schlepp|bü|gel *(Skisport)*

Schlepp|dach *(Bauw.)*

Schlepp|damp|fer

Schlep|pe, die; -, -n

schlep|pen

Schlep|pen|kleid

Schlep|per *(auch für* jmd., der Illegale über die Grenze bringt)

Schlep|pe|rei *(ugs.)*

Schlep|pe|rin

Schlepp|kahn

Schlepp|kleid (Schleppenkleid)

Schlepp|lift *(Skisport)*

Schlepp|netz; Schlepp|netz|fahn|dung

Schlepp|pin|sel, **Schlepp-Pin|sel,** der; -s, - (Pinsel für den Steindruck)

Schlepp|schiff

Schlepp|schiff|fahrt, die; -

Schlepp|seil; Schlepp|start (Segelflugstart durch Hochschleppen mit einem Motorflugzeug)

Schlepp|tau, das; -[e]s, -e

Schlepp|zug

Schle|si|en; Schle|si|er; Schle|si|e|rin; schle|sisch ↑K89 *u.* 142 : schlesisches Himmelreich (ein Gericht), *aber* ↑K150 : der Erste Schlesische Krieg

Schles|wig; Schles|wi|ger; Schles|wi|ge|rin

Schles|wig-Hol|stein; Schles|wig-Hol|stei|ner; Schles|wig-Hol|stei|ne|rin; schles|wig-hol|stei|nisch ↑K145 ; *aber* ↑K150 : der Schleswig-Holsteinische Landtag

schles|wi|gisch, schles|wigsch

schlet|zen *(schweiz. mdal. für* [die Tür] zuschlagen); du schletzt

Schleu|der, die; -, -n

Schleu|der|ball

Schleu|der|be|ton

Schleu|der|brett *(Sport)*

Schleu|de|rei; Schleu|de|rer, Schleud|rer

Schleu|der|gang, der (bei der Waschmaschine)

Schleu|der|ge|fahr

Schleu|der|ho|nig

Schleu|de|rin, Schleud|re|rin

Schleu|der|kurs (für Autofahrer)

Schleu|der|ma|schi|ne (Zentrifuge)

schleu|dern; ich schleudere

Schleu|der|preis

Schleu|der|pum|pe (Zentrifugalpumpe)

Schleu|der|sitz; Schleu|der|stan|ge (Gardinenstange); **Schleu|der|start** *(Flugw.)*

Schleu|der|trau|ma *(Med.)*

Schleu|der|wa|re *(ugs.)*

Schleud|rer, Schleud|re|rin *vgl.* Schleuderer, Schleudrerin

schleu|nig (schnell); **schleu|nigst** (auf dem schnellsten Wege)

Schleu|se, die; -, -n; **schleu|sen;** du schleust

Schleu|sen|kam|mer; Schleu|sen|tor, das; **Schleu|sen|tür**

Schleu|sen|wär|ter; Schleu|sen|wär|te|rin

Schleu|ser *(svw.* Schlepper); **Schleu|ser|ban|de; Schleu|se|rin**

schleuß! *(veraltet für* schließ[e]!); **schleußt** *(veraltet für* schließt)

schlich *vgl.* schleichen

Schlich, der; -[e]s, -e (feinkörniges Erz; *nur Plur.: ugs. für* List, Trick); **Schli|che** *vgl.* Schlich

schlicht; schlichte Eleganz

Schlich|te, die; -, -n (Klebflüssigkeit zum Glätten u. Verfestigen der Gewebe)

schlich|ten (vermittelnd beilegen; *auch für* mit Schlichte behandeln; *österr., bayr. auch für* stapeln); einen Streit schlichten

Schlich|ter; Schlich|te|rin

Schlich|ter|spruch

Schlicht|heit, die; -

Schlicht|ho|bel

Schlich|tung; Schlich|tungs|aus|schuss; Schlich|tungs|stel|le

Schlich|tungs|ver|fah|ren; Schlich|tungs|ver|such

schlicht|weg

Schlick, der; -[e]s, -e (an organischen Stoffen reicher Schlamm am Boden von Gewässern; Schwemmland); **Schlick|ab|la|ge|rung**

schli|cken ([sich] mit Schlick füllen); **schli|cke|rig,** schlick|rig *(nordd.)*

Schli|cker|milch, die; - *(landsch. für* Sauermilch)

schli|ckern *(landsch. für* schwanken; schlittern); ich schlickere

schli|ckig *(nordd. für* voller Schlick)

Schlick|krap|ferln *Plur. (west-, südösterr.* ravioliähnliche Teigtaschen)

schlick|rig *vgl.* schlickerig

Schlick|watt

schlief *vgl.* schlafen

Schlief, der; -[e]s, -e *(landsch. für* klitschige Stelle [im Brot]); *vgl.* Schliff

schlie|fen *(Jägerspr. u. bayr., österr. ugs. für* in den Bau schlüpfen, kriechen); du schloffst; du schlöffest; geschloffen; schlief[e]!; **Schlie|fen,** das; -s *(Jägerspr.* Einfahren des Hundes in den [Dachs]bau); **Schlie|fer** *(Jägerspr.* Hund, der in den [Dachs]bau schlieft)

Schlief|fen (ehemaliger Chef des dt. Generalstabes)

schlie|fig *(landsch. für* klitschig [vom Brot])

Schlie|mann (dt. Altertumsforscher)

Schlier, der; -s *(bayr. u. österr. für* Mergel)

Schlie|re, die; -, -n *(nur Sing.: landsch. für* schleimige Masse; streifige Stelle [im Glas])

schlie|ren *(Seemannsspr.* gleiten, rutschen); **schlie|rig** *(landsch. für* schleimig, schlüpfrig)

Schlier|sand, der; -[e]s *(österr. für* feiner [Schwemm]sand)

---

schlimm

Kleinschreibung:

- schlimm sein; schlimm stehen
- im schlimms|ten Fall[e]
- schlimme Zeiten; eine schlimme Lage
- sie ist am schlimms|ten d[a]ran

Großschreibung der Substantivierung ↑K72:

- das Schlimms|te fürchten; zum Schlimms|ten kommen; sich zum Schlimmen wenden

- etwas, wenig, nichts Schlimmes
- das ist noch lange nicht das Schlimms|te; das Schlimms|te ist, dass man sich nicht wehren kann
- ich bin auf das, aufs Schlimms|te gefasst
- *aber* sie wurde auf das, aufs Schlimms|te *od.* auf das, aufs schlimms|te (in sehr schlimmer Weise) getäuscht ↑K75

---

¹Schlier|see (Ort am ²Schliersee)
²Schlier|see, der; -s
Schlier|se|er
Schließ|an|la|ge; schließ|bar; Schlie|ße, die; -, -n
schlie|ßen; du schließt, sie schließt (*veraltet* sie schleußt); du schlossest, er schloss; du schlössest; geschlossen; schließ[e]! (*veraltet* schleuß!); Schlie|ßer; Schlie|ße|rin
Schließ|fach; Schließ|frucht (Frucht, die sich bei der Reife nicht öffnet); Schließ|ket|te; Schließ|korb
schließ|lich
Schließ|mus|kel; Schließ|rah|men (*Druckw.*)
Schlie|ßung
Schließ|zeit; Schließ|zy|lin|der (im Sicherheitsschloss)
schliff *vgl.* schleifen
Schliff, der; -[e]s, -e (geschliffene Fläche [im Glas]; das Schleifen; *nur Sing.:* das Geschliffensein; *landsch. für* klitschige Stelle [im Brot], Schlief; *nur Sing.:* ugs. für gute Umgangsformen)
Schliff|flä|che, Schliff-Flä|che
schlif|fig (*svw.* schliefig)
schlimm *s. Kasten*
schlimms|ten|falls
Schling|be|schwer|den *Plur.*
Schlin|ge, die; -, -n
¹Schlin|gel, das; -s, - (*landsch. für* Öse)
²Schlin|gel, der; -s, - (*scherzh. für* übermütiger Junge; freches Kerlchen); Schlin|gel|chen, Schlin|gel|lein
schlin|gen; du schlangst; du schlängest; sie hat geschlungen; schling[e]!
Schlin|gen|stel|ler; Schlin|gen|stel|le|rin
Schlin|gen|tisch (*Med.*)
Schlin|ger|be|we|gung; Schlin|ger|kiel (Seitenkiel zur Verminderung des Schlingerns)

Schlin|ger|kurs (*bes. Politik* Kurs, dem es an Geradlinigkeit fehlt)
schlin|gern (um die Längsachse schwanken [von Schiffen]); das Schiff schlingert; ich schlingere; ↑K82 : ins Schlingern kommen; Schlin|ger|tank (Tank zur Verminderung des Schlingerns)
Schling|pflan|ze
Schling|stich (*Handarbeiten*)
Schling|strauch
Schlipf, der; -[e]s, -e (*schweiz. für* [Berg-, Fels-, Erd]rutsch)
Schlipf|krap|fen *Plur.* (*westösterr.* Teigtaschen)
Schlipp, der; -[e]s, -e ⟨engl.⟩ (*Seemannsspr.* schiefe Ebene für den Stapellauf eines Schiffes)
Schlip|pe, die; -, -n (*nordd. für* Rockzipfel; *landsch. für* enger Durchgang)
schlip|pen (*Seemannsspr.* lösen, loslassen)
Schlip|per, der; -s (*landsch. für* abgerahmte, dicke Milch); schlip|pe|rig, schlipp|rig (*landsch. für* gerinnend); Schlip|per|milch, die; - (*landsch.*)
Schlips, der; -es, -e (Krawatte); Schlips|hal|ter; Schlips|na|del
Schlit|tel, das; -s, - (*landsch. für* kleiner Schlitten); schlit|teln (*schweiz. für* rodeln); ich schlitt[e]le; schlitteln lassen (laufen lassen, sich um etwas nicht kümmern); Schlit|ten (*landsch.*)
Schlit|ten, der; -s, -; ↑K54 : Schlitten fahren; ich bin Schlitten gefahren
Schlit|ten|bahn; Schlit|ten|fah|ren, das; -s; Schlit|ten|fahrt; Schlit|ten|hund; Schlit|ten|ku|fe
Schlit|ter|bahn
schlit|tern ([auf dem Eis] gleiten); ich schlittere
Schlitt|schuh; Schlittschuh laufen ↑K54 ; ich bin Schlittschuh gelaufen; Schlitt|schuh|lau|fen,

das; -s; Schlitt|schuh|läu|fer; Schlitt|schuh|läu|fe|rin
Schlitz, der; -es, -e
Schlitz|au|ge; schlitz|äu|gig
schlit|zen; du schlitzt
schlitz|för|mig
Schlitz|mes|ser, das
Schlitz|ohr (*ugs. für* gerissene Person); schlitz|oh|rig; ein schlitzohriger Geschäftsmann; Schlitz|oh|rig|keit, die; - (*ugs.*)
Schlitz|ver|schluss (*Fotogr.*)
Schlö|gel *vgl.* Schlegel
schloh|weiß (ganz weiß)
Schlor|re, die; -, -n (*landsch. für* Hausschuh); schlor|ren (*landsch. für* schlurfen)
schloss *vgl.* schließen
Schloss, das; Schlosses, Schlösser; schloss|ar|tig; Schlöss|chen
Schlo|ße, die; -, -n *meist Plur.* (*landsch. für* Hagelkorn); schlo|ßen (*landsch.*); es schloßt; es hat geschloßt
Schlos|ser; Schlos|ser|ar|beit; Schlos|se|rei; Schlos|ser|handwerk, das; -[e]s; Schlos|se|rin
schlos|sern; ich schlossere
Schlos|ser|werk|statt
Schloss|gar|ten; Schloss|herr; Schloss|her|rin; Schloss|hof
Schloss|hund *nur in* heulen wie ein Schlosshund
Schloss|ka|pel|le; Schloss|kir|che; Schloss|park; Schloss|ru|i|ne
Schlot, der; -[e]s, *Plur.* -e, *seltener* Schlöte (*ugs. auch für* Nichtsnutz; unangenehmer Mensch); Schlot|ba|ron (*abwertend veraltend für* Großindustrieller [im Ruhrgebiet]); Schlot|fe|ger (*landsch. für* Schornsteinfeger); Schlot|fe|ge|rin
Schlot|te, die; -, -n (Zwiebelblatt; *Bergmannsspr.* Hohlraum im Gestein); Schlot|ten|zwie|bel
schlot|te|rig, schlott|rig
Schlöt|ter|ling (*schweiz. für* Spottwort, Anzüglichkeit)

S
Schl

schlot|tern; ich schlottere
schlott|rig vgl. schlotterig
schlot|zen (bes. schwäb. für
genüsslich trinken); du schlotzt
Schlucht, die; -, -en
schluch|zen; du schluchzt; Schluch|zer
Schluck, der; -[e]s, Plur. -e, selten
Schlücke
Schluck|auf, der; -s; Schluck|beschwer|den Plur.
Schlück|chen; schlück|chen|wei|se
schlu|cken; Schlu|cken, der; -s
(Schluckauf); Schlu|cker (ugs.);
meist in armer Schlucker (mittelloser, bedauernswerter
Mensch)
Schluck|imp|fung
schluck|sen (ugs. für Schluckauf
haben); du schluckst; Schluckser, der; -s (ugs. für Schluckauf)
Schluck|specht (ugs. scherzh. für
Trinker)
schluck|wei|se
Schlu|der|ar|beit; Schlu|de|rei
schlu|de|rig, schlud|rig (ugs. für
nachlässig)
schlu|dern (ugs. für nachlässig
arbeiten); ich schludere
Schluff, der; -[e]s, Plur. -e u.
Schlüffe (Ton; [Schwimm]sand;
landsch. für enger Durchlass;
südd. veraltend für Muff)
Schluft, die; -, Schlüfte (veraltet
für Schlucht, Höhle)
schlug vgl. schlagen
Schlum|mer, der; -s
Schlum|mer|kis|sen; Schlum|mer|lied
schlum|mern; ich schlummere
Schlum|mer|rol|le; Schlum|merstünd|chen; Schlum|mer|trunk
Schlumpf, der; -[e]s, Schlümpfe
(zwergenhafte Comicfigur)
Schlumps, der, -es, -e (landsch. für
unordentlicher Mensch)
Schlund, der; -[e]s, Schlünde
Schlun|ze, die; -, -n (landsch.
abwertend für unordentliche
Frau); schlun|zig (landsch.)
Schlup vgl. Slup
Schlupf, der; -[e]s, Plur. Schlüpfe u.
-e (Technik; auch veraltend für
Unterschlupf)
schlup|fen (südd., österr.), häufiger schlüp|fen
Schlüp|fer ([Damen]unterhose)
Schlupf|ja|cke
Schlupf|lid; Schlupf|loch
schlüpf|rig (auch für zweideutig,
anstößig); Schlüpf|rig|keit
Schlupf|stie|fel; Schlupf|wes|pe;
Schlupf|win|kel

Schlupf|zeit
Schlup|pe, die; -, -n (landsch. für
[Band]schleife)
schlur|fen (schleppend gehen); er
hat geschlurft; er ist dorthin
geschlurft
schlür|fen ([Flüssigkeit] geräuschvoll in den Mund einsaugen;
landsch. für schlurfen)
Schlur|fer (Schlurfender)
Schlür|fer (Schlürfender)
Schlur|fe|rin
Schlür|fe|rin
Schlu|ri, der; -s, -s (ugs. für leichtfertiger, unzuverlässiger
Mensch)
schlur|ren (landsch., bes. nordd.
für schlurfen); Schlur|ren, der;
-s, - (nordd. für Pantoffel)
Schlu|se, die; -, -n (landsch. für
Schale, Hülle; auch für Falschgeld)
Schluss, der; Schlusses, Schlüsse
Schluss|ab|stim|mung; Schluss|ak|kord; Schluss|akt; Schluss|ball;
Schluss|be|ar|bei|tung; Schlussbe|mer|kung; Schluss|be|sprechung; Schluss|bi|lanz (Kaufmannsspr.); Schluss|bild;
Schluss|brief (Kaufmannsspr.);
Schluss|drit|tel (Eishockey)
Schlüs|sel, der; -s, -
Schlüs|sel|bart
Schlüs|sel|be|griff
Schlüs|sel|bein; Schlüs|sel|beinbruch
Schlüs|sel|blu|me
Schlüs|sel|brett; Schlüs|sel|bund,
der, österr. nur so, od. das;
-[e]s, -e
Schlüs|sel|chen
Schlüs|sel|dienst
Schlüs|sel|er|leb|nis (Psych.)
schlüs|sel|fer|tig (bezugsfertig [von
Neubauten])
Schlüs|sel|fi|gur; Schlüs|sel|fra|ge;
Schlüs|sel|ge|walt; Schlüs|sel|indus|t|rie
Schlüs|sel|kind (Kind mit eigenem
Wohnungsschlüssel, das nach
der Schule unbeaufsichtigt ist)
Schlüs|sel|loch
Schlüs|sel|loch|chi|r|ur|gie (ugs. für
minimalinvasive Chirurgie)
schlüs|seln (fachspr. für nach
einem bestimmten Verhältnis
[Schlüssel] aufteilen); ich
schlüssele u. schlüssle
Schlüs|sel|po|si|ti|on
Schlüs|sel|qua|li|fi|ka|ti|on; Schlüssel|reiz (Psych. Reiz, der eine
bestimmte Reaktion bewirkt)
Schlüs|sel|ring

Schlüs|sel|ro|man; Schlüs|sel|stellung; Schlüs|sel|tech|no|lo|gie
Schlüs|se|lung
Schlüs|sel|wort vgl. Wort
schluss|end|lich (landsch. für
schließlich)
Schluss|fei|er
Schluss|fol|ge (svw. Schlussfolgerung); schluss|fol|gern; ich
schlussfolgere; du schlussfolgerst; geschlussfolgert; um zu
schlussfolgern; Schluss|fol|gerung
Schluss|for|mel
schlüs|sig; schlüssig sein; [sich]
schlüssig werden; ich wurde mir
darüber schlüssig; ein schlüssiger Beweis
Schluss|ka|pi|tel; Schluss|kurs
(Börse)
Schluss|läu|fer (Sport); Schluss|läufe|rin (Sport)
Schluss|leuch|te; Schluss|licht
Schluss|mann Plur. ...männer od.
...leute; Schluss|no|te
(Rechtsspr.); Schluss|no|tie|rung
(Börsenw.); Schluss|pfiff (Sport);
Schluss|pha|se; Schluss|punkt;
Schluss|rang (schweiz. für endgültige Platzierung bei sportlichen Wettkämpfen); Schlussrech|nung
Schluss|re|dak|teur; Schluss|redak|teu|rin; Schluss|re|dak|ti|on
Schluss-s, das; -, - ↑K29
Schluss|satz, Schluss-Satz
Schluss|sig|nal, Schluss-Si|g|nal
(fachspr., bes. Funkw.)
Schluss|si|re|ne, Schluss-Si|re|ne
Schluss|spurt, Schluss-Spurt
(Sport)
Schluss|stein, Schluss-Stein
(Archit.)
Schluss|strich, Schluss-Strich
Schluss|sze|ne, Schluss-Sze|ne
Schluss|ver|kauf; Schluss|ver|teilung (Rechtsspr.); Schluss|wort;
Schluss|zei|chen
Schlütt|li, das; -s, - (schweiz. mdal.
für Säuglingsjäckchen)
Schlutz|krap|fen Plur. (west-, südösterr. Teigtaschen)
Schmach, die; -
schmach|be|deckt (geh.) ↑K59
schmach|be|la|den (geh.) ↑K59
schmach|ten (geh.)
Schmacht|fet|zen (ugs. abwertend
für rührseliges Lied)
schmäch|tig
Schmacht|korn Plur. ...körner
(Landw. verkümmertes Korn)
Schmacht|lap|pen (ugs. abwertend

S

Schm

für Hungerleider; verliebter Jüngling)

Schmacht|lo|cke (*ugs. für* in die Stirn gekämmte Locke)

Schmacht|rie|men (*ugs. für* Gürtel)

schmach|voll (*geh.*)

¹**Schmack,** der; -[e]s, -e (Mittel zum Schwarzfärben)

²**Schmack, Schma|cke,** die; -, -n (*früher* kleines Küstenschiff)

Schmä|cker|chen vgl. Schmeckerchen

Schma|ckes Plur. (*landsch. für* Schwung, Wucht; *auch für* Hiebe, Prügel); mit Schmackes

schmack|haft; Schmack|haf|tig|keit, die; -

Schmad|der, der; -s (*bes. nordd. für* [nasser] Schmutz); **schmad|dern** (*bes. nordd. für* kleckern, sudeln); ich schmaddere

Schmäh, der; -s, -[s] (*österr. ugs. für* Trick); Schmäh führen (Sprüche machen)

schmä|hen

schmäh|lich; Schmäh|lich|keit

Schmäh|re|de; Schmäh|schrift

Schmäh|sucht, die; -; **schmäh|süch|tig; Schmä|hung; Schmäh|wort** Plur. ...worte

schmal; schmaler u. **schmäler,** schmalste, *auch* schmälste

schmal|brüs|tig

schmä|len (*veraltend für* zanken; herabsetzen; *Jägerspr.* schrecken [vom Rehwild])

schmä|lern (verringern, verkleinern); ich schmälere; **Schmä|le|rung**

Schmal|film; Schmal|fil|mer; Schmal|fil|me|rin; Schmal|film|ka|me|ra

Schmal|hans; *nur in* da ist Schmalhans Küchenmeister (*ugs. für* jmd. muss sparsam leben)

Schmal|heit, die; -

Schmal|kal|den (Stadt am Südwestrand des Thüringer Waldes); **Schmal|kal|de|ner,** Schmal|kal|der; **schmal|kal|disch;** *aber* ↑K 150 : die Schmalkaldischen Artikel (von Luther); der Schmalkaldische Bund (1531)

schmal|lip|pig; schmal|ran|dig

Schmal|reh (*Jägerspr.*); vgl. Schmaltier

Schmal|sei|te

Schmal|spur, die; - (*Eisenb.*); **Schmal|spur|aka|de|mi|ker; Schmal|spur|aka|de|mi|ke|rin; Schmal|spur|bahn; schmal|spu|rig**

Schmal|te, die; -, -n (*ital.*) (Kobaltschmelze, ein Blaufärbemittel

[für Porzellan u. Keramik]); **schmal|ten** (*veraltend für* emaillieren)

Schmal|tier (weibliches Rot-, Damod. Elchwild vor dem ersten Setzen); **Schmal|vieh** (*veraltend für* Kleinvieh)

Schmalz, das; -es, -e; **Schmalz|brot**

Schmäl|ze, die; -, -n (zum Schmälzen der Wolle benutzte Flüssigkeit); vgl. *aber* Schmelze

schmal|zen (Speisen mit [heißem] Schmalz zubereiten, übergießen); du schmalzt; geschmalzt u. geschmalzen (*in übertr. Bedeutung nur so, z. B. es ist mir zu geschmalzen* [*ugs. für* zu teuer]); gesalzen und geschmalzen

schmäl|zen (*auch für* Wolle vor dem Spinnen einfetten); du schmälzt; geschmälzt

Schmalz|fleisch

Schmalz|ge|ba|cke|ne, das; -n

schmal|zig (*abwertend für* übertrieben gefühlvoll, sentimental)

Schmalz|ler, der; -s (*bes. bayr. für* fettdurchsetzter Schnupftabak)

Schmalz|tol|le (*ugs. scherzh. für* pomadisierte Haartolle)

Schman|kerl, das; -s, -n (*bayr. u. österr. für* eine süße Mehlspeise; Leckerbissen)

Schmant, der; -[e]s (*landsch. für* Sahne; *ostmitteld. für* Matsch, Schlamm); **Schmant|kar|tof|feln** Plur.

schma|rot|zen (auf Kosten anderer leben); du schmarotzt; du schmarotztest; er hat schmarotzt

Schma|rot|zer; schma|rot|zer|haft; Schma|rot|ze|rin; schma|rot|ze|risch

Schma|rot|zer|pflan|ze; Schma|rot|zer|tier; Schma|rot|zer|tum, das; -s; **Schma|rot|zer|wes|pe**

Schmar|re, die; -, -n (*landsch. für* lange Hiebwunde, Narbe)

Schmar|ren, Schmarrn, der; -s, - (*bayr. u. österr. für* eine Mehlspeise; *ugs. für* wertloses Zeug; Unsinn)

Schma|sche, die; -, -n ⟨poln.⟩ (*fachspr. für* Fell eines tot geborenen Lammes)

Schmatz, der; -es, Plur. -e, *auch* Schmätze (*ugs. für* [lauter] Kuss); **Schmätz|chen**

schmat|zen; du schmatzt

Schmät|zer (ein Vogel)

Schmauch, der; -[e]s (*landsch. für* qualmender Rauch); **schmau-**

chen; **Schmauch|spu|ren** Plur. (*Kriminalistik* Reste unverbrannten Pulvers nach einem Schuss)

Schmaus, der; -es, Schmäuse (*veraltend, noch scherzh. für* reichhaltiges u. gutes Mahl); **schmau|sen** (*veraltend, noch scherzh. für* vergnügt u. mit Genuss essen); du schmaust; **Schmau|se|rei** (*veraltend*)

schme|cken

Schme|cker|chen, Schmä|ckerchen, das; -s, - (*landsch. für* Leckerbissen)

Schmei|che|lei; schmei|chel|haft

Schmei|chel|kätz|chen, Schmei|chel|kat|ze (*fam.*)

schmei|cheln; ich schmeich[e]le

Schmei|chel|wort Plur. ...worte; **Schmeich|ler; Schmeich|le|rin; schmeich|le|risch**

schmei|dig (*veraltet für* geschmeidig); **schmei|di|gen** (*veraltend für* geschmeidig machen)

¹**schmei|ßen** (*ugs. für* werfen; *auch für* aufgeben; misslingen lassen); du schmeißt; du schmissest, er/sie schmiss; geschmissen; schmeiß[e]!

²**schmei|ßen** (*Jägerspr.* Kot auswerfen); der Habicht schmeißt, schmeiße, hat geschmeißt

Schmeiß|flie|ge

Schmelz, der; -es, -e

Schmelz|bad (*Technik*)

schmelz|bar; Schmelz|bar|keit

Schmelz|but|ter

Schmel|ze, die; -, -n; vgl. *aber* Schmälze

¹**schmel|zen** (flüssig werden); du schmilzt, es schmilzt; du schmolzest; du schmölzest; geschmolzen; schmilz!

²**schmel|zen** (flüssig machen); du schmilzt, *veraltend* schmelzt; es schmilzt, *veraltend* schmelzt; du schmolzest, *veraltend* schmelztest; du schmölzest, *veraltend* schmelzest; geschmolzen, *veraltend* geschmelzt; schmilz!, *veraltend* schmelze!

Schmel|zer; Schmel|ze|rei; Schmel|ze|rin

Schmelz|far|be; Schmelz|glas (Email); **Schmelz|hüt|te**

Schmelz|kä|se

Schmelz|ofen; Schmelz|punkt; Schmelz|schwei|ßung; Schmelz|tie|gel

Schmel|zung

Schmelz|wär|me; Schmelz|was|ser
Plur. ...wasser; Schmelz|zo|ne
Schmer, der od. das; -s (landsch.
für Bauchfett des Schweines);
Schmer|bauch (ugs. svw. Fett-
bauch)
Schmer|fluss, der; -es (für Sebor-
rhö)
Schmer|le, die; -, -n (ein Fisch)
Schmer|ling (ein Speisepilz)
Schmerz, der; -es, -en; schmerzlin-
dernd, aber den Schmerz lin-
dernd; schmerzstillend, aber
den Schmerz stillend ↑K 58
Schmerz|am|bu|lanz
schmerz|arm
schmerz|emp|find|lich; Schmerz-
emp|find|lich|keit, die; -;
Schmerz|emp|fin|dung
schmer|zen; du schmerzt; die Füße
schmerzten ihr od. sie; es
schmerzt mich, dass sie nicht
geschrieben hat
schmer|zen|reich vgl. schmerzens-
reich
Schmer|zens|geld, das; -[e]s
Schmer|zens|kind (veraltet);
Schmer|zens|laut; Schmer|zens-
mann, der; -[e]s (Kunst Darstellung des leidenden Christus);
Schmer|zens|mut|ter, die; -
(Kunst Darstellung der trauern-
den Maria)
schmer|zens|reich (geh.)
Schmer|zens|schrei
schmerz|er|füllt; schmerz|frei; der
Patient ist heute schmerzfrei
Schmerz|ge|fühl; Schmerz|gren|ze
schmerz|haft; eine schmerzhafte
Operation; Schmerz|haf|tig|keit
Schmerz|kli|nik (schmerztherapeu-
tische Klinik)
schmerz|lich; ein schmerzlicher
Verlust; Schmerz|lich|keit, die; -
schmerz|lin|dernd vgl. Schmerz
schmerz|los; Schmerz|lo|sig|keit
Schmerz|mit|tel; Schmerz|schwel|le
schmerz|stil|lend; schmerzstil-
lende Tabletten ↑K 59 ; vgl.
Schmerz
Schmerz|ta|b|let|te
Schmerz|the|ra|peut; Schmerz|the-
ra|peu|tin; schmerz|the|ra|peu-
tisch; Schmerz|the|ra|pie
schmerz|un|emp|find|lich; schmerz-
ver|zerrt; schmerz|voll
Schmet|ten, der; -s (tschech.) (ost-
mitteld. für Sahne); Schmet|ten-
kä|se (ostmitteld.)
Schmet|ter|ball (Sport)
Schmet|ter|ling
Schmet|ter|lings|blü|te; Schmet|ter-
lings|blüt|ler (Bot.)

Schmet|ter|lings|kas|ten; Schmet-
ter|lings|netz; Schmet|ter|lings-
samm|lung
Schmet|ter|lings|stil, der; -[e]s
(Schwimmstil)
schmet|tern; ich schmettere
Schmi|cke, die; -, -n (nordd. für
Peitsche; Ende der Peitschen-
schnur)
Schmidt-Rott|luff (dt. Maler u. Gra-
fiker)
Schmied, der; -[e]s, -e
schmied|bar; Schmied|bar|keit
Schmie|de, die; -, -n
Schmie|de|ar|beit
Schmie|de|ei|sen, das; -s; schmie-
de|ei|sern
Schmie|de|feu|er; Schmie|de|ham-
mer; Schmie|de|hand|werk;
Schmie|de|kunst
Schmie|de|meis|ter; Schmie|de-
meis|te|rin
schmie|den
Schmie|de|ofen; Schmie|din
Schmie|ge, die; -, -n (Technik Win-
kelmaß mit beweglichen Schen-
keln; auch landsch. für zusam-
menklappbarer Maßstab)
schmie|gen; sich schmiegen
schmieg|sam; Schmieg|sam|keit
Schmie|le, die; -, -n (Name ver-
schiedener Grasarten); Schmiel-
gras
Schmier|dienst (beim Auto)
¹Schmie|re, die; -, -n (abwertend
auch für schlechtes Theater)
²Schmie|re, die; -, -n (hebr.-jidd.)
(Gau-
nerspr. Wache); Schmiere stehen
schmie|ren (ugs. auch für beste-
chen)
Schmie|ren|ko|mö|di|ant (abwer-
tend); Schmie|ren|ko|mö|di|an-
tin; Schmie|ren|schau|spie|ler
(abwertend); Schmie|ren|schau-
spie|le|rin; Schmie|ren|stück
(abwertend)
Schmie|rer; Schmie|re|rei; Schmie-
re|rin
Schmier|fett; Schmier|film
Schmier|fink, der; Gen. -en, auch
-s, Plur. -en (ugs. abwertend)
Schmier|geld meist Plur. (ugs.)
Schmier|heft
schmie|rig; Schmie|rig|keit, die; -
Schmier|kä|se; Schmier|mit|tel;
Schmier|nip|pel
Schmier|öl; Schmier|pres|se;
Schmier|sei|fe
Schmie|rung; Schmier|zet|tel
schmilzt vgl. schmelzen
Schmin|ke, die; -, -n; schmin|ken;
Schmink|stift; Schmink|tisch

¹Schmir|gel, der; -s, - (ostmitteld.
für Tabakspfeifensaft)
²Schmir|gel, der; -s (ital.) (ein
Schleifmittel); schmir|geln; ich
schmirg[e]le; Schmir|gel|pa|pier
schmiss vgl. schmeißen
Schmiss, der; Schmisses,
Schmisse; schmis|sig; eine
schmissige Musik
¹Schmitz, der; -es, -e (veraltet, noch
landsch. für Fleck, Klecks;
Druckw. verschwommene Wiedergabe)
²Schmitz, der; -es, -e (landsch. für
[leichter] Hieb, Schlag)
Schmit|ze, die; -, -n (landsch. für
Peitsche; Ende der Peitschen-
schnur); schmit|zen (landsch. für
[mit der Peitsche] schlagen)
Schmock, der; -[e]s, Plur. Schmö-
cke, auch -e u. -s (slowen.; nach
Freytags »Journalisten« (gesin-
nungsloser Zeitungsschreiber)
Schmok, der; -s (nordd. für Rauch)
Schmö|ker, der; -s, - (nordd. für
Raucher; ugs. für anspruchslo-
ses, aber fesselndes Buch)
schmö|kern (ugs. für [viel] lesen);
ich schmökere
Schmol|le, die; -, -n (bayr., österr.
für Brotkrume)
Schmoll|ecke (ugs.)
schmol|len
schmol|lis! (Verbindungsw. Zuruf
beim [Brüderschaft]trinken);
Schmol|lis, das; -, -; mit jmdm.
Schmollis trinken
Schmoll|mund
Schmölln (Stadt in Ostthüringen)
Schmoll|win|kel (ugs.)
schmolz vgl. schmelzen
Schmon|zes, der; - (jidd.) (ugs. für
leeres Gerede; überflüssiger
Kram); Schmon|zet|te, die; -, -n
(ugs. für albernes Machwerk)
Schmor|bra|ten; schmo|ren; jmdn.
schmoren lassen od. schmo-
renlassen (ugs. für im Ungewis-
sen lassen); Schmor|fleisch
schmor|gen (westmitteld. für
knausern; geizig sein)
Schmor|obst; Schmor|pfan|ne;
Schmor|topf
Schmu, der; -s (ugs. für leichter
Betrug); Schmu machen
schmuck; eine schmucke Uniform
Schmuck, der; -[e]s, -e Plur. selten
Schmuck|blatt|te|le|gramm,
Schmuck|blatt-Te|le|gramm
schmü|cken
Schmuck|käst|chen; Schmuck|kas-
ten; Schmuck|kof|fer
schmuck|los; Schmuck|lo|sig|keit

S
Schm

Schmuck|na|del; Schmuck|stein; Schmuck|stück; Schmuck|te|le|gramm

Schmü|ckung

schmuck|voll *(veraltet)*

Schmuck|wa|ren *Plur.*; Schmuck|wa|ren|in|dus|t|rie

Schmud|del, der; -s *(ugs. für Unsauberkeit)*; Schmud|del|ecke *(ugs.)*; in die Schmuddelecke drängen; Schmud|de|lei *(ugs. für Sudelei)*

schmud|de|lig, schmudd|lig *(ugs. für unsauber)*

Schmud|del|kind *(ugs. abwertend)*

schmud|deln *(ugs. für sudeln, schmutzen)*; ich schmudd[e]le

Schmud|del|wet|ter *(ugs. für nasskaltes, regnerisches Wetter)*

schmudd|lig *vgl.* schmuddelig

Schmug|gel, der; -s; Schmug|ge|lei

schmug|geln *(ugs. für schmugg[e]le; Schmug|gel|wa|re

Schmugg|ler; Schmugg|ler|ban|de; Schmugg|le|rin; Schmugg|ler|ring; Schmugg|ler|schiff

schmu|len *(landsch. für verstohlen blicken, schielen)*

schmun|zeln *(ugs. für schmunz[e]le

schmur|geln *(landsch. für in Fett braten)*; ich schmurg[e]le

Schmus, der; -es *(hebr.-jidd.)* *(ugs. für leeres Gerede; Schöntun)*

Schmu|se|ka|ter; Schmu|se|kat|ze *(fam.)*

Schmu|se|kurs *(auf Annäherung, Ausgleich abzielender [politischer] Kurs)*

schmu|sen *(ugs.)*; du schmust; er schmuste; Schmu|ser *(ugs.)*; Schmu|se|rei *(ugs.)*; Schmu|se|rin *(ugs.)*

Schmutt, der; -es *(nordd. für feiner Regen)*

Schmutz, der; -es *(südwestd. auch für Fett, Schmalz)*; ein Schmutz abweisendes *od.* schmutzabweisendes Material, *aber nur* jeden Schmutz abweisend, sehr schmutzabweisend ↑K 58

Schmutz|blatt *(Druckw.)*; Schmutz|bürs|te; schmut|zen; du schmutzt

Schmutz|fän|ger; Schmutz|fink, der; *Gen.* -en, auch -s, *Plur.* -en *(ugs. für jmd., der schmutzig ist)*; Schmutz|fleck

Schmut|zi|an, der; -[e]s, -e *(veraltend für Schmutzfink; österr. ugs. für Geizhals)*

schmut|zig; sich schmutzig machen; schmutzig gelb,

schmutzig grau usw. ↑K 60 ; Schmut|zig|keit

Schmutz|schicht; Schmutz|ti|tel; Schmutz|wä|sche; Schmutz|wasser *Plur.* ...wässer; Schmutz|zu|la|ge

Schna|bel, der; -s, Schnäbel; Schnä|bel|chen; Schnä|be|lei *(ugs. auch für das Küssen; Schnäb|lein

Schna|bel|flö|te

schna|bel|för|mig

Schna|bel|hieb

...schnä|be|lig, ...schnäb|lig; z. B. langschnäb[e]lig

Schna|bel|kerf *(Zool.)*; schnä|beln *(ugs. auch für küssen)*; ich schnäb[e]le; sich schnäbeln

Schna|bel|schuh; Schna|bel|tas|se; Schna|bel|tier

Schnäb|lein *vgl.* Schnäbelein

...schnäb|lig *vgl.* ...schnäbelig

schna|bu|lie|ren *(ugs. für mit Behagen essen)*

Schnack, der; -[e]s, *Plur.* -s u. Schnäcke *(nordd. ugs. für Plauderei; Scherzwort; Gerede)*

schna|ckeln *(bayr. für schnalzen)*; ich schnack[e]le

schna|cken *(nordd. für plaudern; Platt schnacken)*

Schna|ckerl, der, auch das; -s *(österr. für Schluckauf)*

schnack|seln *(südd., österr. ugs. für koitieren)*; ich schnacks[e]le

Schna|der|hüp|fe[r]l, das; -s, -[n] *(bayr. u. österr. für volkstüml. satirischer Vierzeiler)*

¹Schna|ke, die; -, -n *(eine langbeinige Mücke; landsch. für Stechmücke)*

²Schna|ke, die; -, -n *(nordd. veraltet für Schnurre; Scherz)*

schnä|ken *(landsch. für naschen)*

Schna|ken|pla|ge; Schna|ken|stich

schna|kig *(nordd. veraltet für schnurrig)*

schnä|kig *(landsch. für wählerisch [im Essen])*

Schnäll|chen; Schnäl|le, die; -, -n *(österr. auch swv. Klinke)*

schnal|len *(südd. auch für schnalzen)*; etwas schnallen *(ugs. für verstehen)*

Schnal|len|schuh

schnal|zen; du schnalzt; Schnäl|zer; Schnalz|laut

schnapp!; schnipp, schnapp!

Schnäpp|chen *(ugs. für vorteilhaf-

ter Kauf)*; Schnäpp|chen|jagd; Schnäpp|chen|jä|ger; Schnäpp|chen|jä|ge|rin

Schnäpp|chen|preis *(ugs. für bes. günstiger Kaufpreis)*

schnap|pen; Schnap|per

Schnäp|per, Schnepp|er (ein Vogel; *Sport* [Sprung]bewegung; Nadel zur Blutentnahme; *früher für* Armbrust; *landsch. früher für* Schnappschloss); schnäp|pern, schnepp|ern *(Sport in Hohlkreuzhaltung springen)*; ich schnäppere, ich schneppere; Schnäp|per|sprung, Schnepp|ersprung *(Sport)*

Schnapp|mes|ser, das

Schnapp|schloss

Schnapp|schuss *(nicht gestellte Momentaufnahme)*

Schnaps, der; -es, Schnäpse

Schnaps|bren|ner; Schnaps|bren|ne|rei; Schnaps|bren|ne|rin

Schnäps|chen

Schnaps|dros|sel *(ugs. abwertend)*

schnäp|seln *(ugs. swv.* ¹schnapsen)*; ich schnäps[e]le

¹schnap|sen *(ugs. für Schnaps trinken)*; du schnapst

²schnap|sen *(bayr., österr. für Schnapsen spielen)*; Schnap|sen, das; -s *(bayr., österr. Kartenspiel)*

Schnaps|fah|ne *(ugs.)*; Schnaps|flasche; Schnaps|glas *Plur.* ...gläser

Schnaps|idee *(ugs. für seltsame, verrückte Idee)*

Schnaps|lei|che *(ugs. scherzh. für Betrunkener)*; Schnaps|na|se *(ugs.)*; Schnaps|stam|perl *(bayr., österr. für Schnapsglas)*

Schnaps|zahl *(ugs. für aus gleichen Ziffern bestehende Zahl)*

schnar|chen; Schnar|cher; Schnar|che|rin

Schnarch|nase *(ugs. scherzh. für jmd., der schnarcht; ugs. abwertend für jmd., der sehr langsam ist)*; schnarch|na|sig

Schnar|re, die; -, -n

schnar|ren; Schnarr|werk (bei der Orgel)

Schnat, Schna|te, die; -, ...ten *(landsch. für junges abgeschnittenes ²Reis; Grenze einer Flur)*; Schnä|tel, das; -s, - *(landsch. für Pfeifchen aus Weidenrinde)*

Schnat|te|rer; schnat|te|rig, schnätt|rig; Schnat|te|rin; Schnat|ter|lie|se *(ugs. für schwatzhaftes Mädchen)*

schnat|tern; ich schnattere

schnätt|rig *vgl.* schnatterig

Schnatz, der; -es, Schnätze *(hess.*

S

Schm

für Kopfputz [der Braut, der Taufpatin] mit Haarkrönchen); **schnät|zeln** (*hess.; svw.* schnatzen); ich schnätz[e]le; sich schnätzeln; **schnat|zen** (*hess. für* sich putzen, das Haar aufstecken); du schnatzt; sich schnatzen

Schnau, die; -, -en (*nordd. für* geschnäbeltes Schiff)

schnau|ben; du schnaubst; du schnaubtest (*veraltend* schnobst); du schnaubtest (*veraltend* schnöbest); geschnaubt (*veraltend* geschnoben); schnaub[e]!

schnäu|big (*hess. für* wählerisch)

Schnauf, der; -[e]s, -e (*landsch. für* [hörbarer] Atemzug)

schnau|fen; Schnau|fer (*ugs.*)

Schnau|ferl, das; -s, -[n] (*ugs. scherzh. für* altes Auto)

Schnau|pe, die; -, -n (*südd. für* Ausguss an Kannen u. a.)

Schnauz, der; -es, Schnäuze (*bes. schweiz. für* Schnurrbart)

Schnauz|bart; schnauz|bär|tig

Schnäuz|chen

Schnau|ze, die; -, -n (*auch derb für* Mund); **schnau|zen;** du schnauzt; sich schnäu|zen; du schnäuzt; sich schnäuzen

Schnau|zer, der; -s, - (Hund einer bestimmten Rasse; *ugs. kurz für* Schnauzbart)

schnau|zig (grob [schimpfend])

...schnau|zig, ...schnäu|zig (*ugs.;* z. B. großschnauzig, großschnäuzig)

Schnäuz|tuch (*bayr., österr. veraltend für* Taschentuch)

Schneck, der; -s, -en (*bes. südd., österr. für* Schnecke)

Schne|cke, die; -, -n

Schne|cken|boh|rer (ein Werkzeug); **schne|cken|för|mig; Schne|cken|fri|sur; Schne|cken|gang,** der; -[e]s

Schne|cken|ge|häu|se; Schne|cken|haus

Schne|cken|li|nie (*selten für* Spirale); **Schne|cken|nu|del** (*landsch. für* ein Hefegebäck)

Schne|cken|post, die; - *(scherzh.);* **Schne|cken|tem|po,** das; -s (*ugs.*)

Schne|ckerl, das; -s, -n (*österr. ugs. für* Locke)

schned|de|reng|teng!, schned|de|reng|teng|teng! (Nachahmung des Trompetenschalles)

Schnee, der; -s; im Jahre, anno Schnee (*österr. für* vor langer Zeit)

Schnee|ball (Kugel aus Schnee; ein Strauch); **schnee|bal|len** *fast nur im Infinitiv u. Partizip II gebr.;* geschneeballt

Schnee|ball|prin|zip (best. Art der Verbreitung einer Nachricht)

Schnee|ball|schlacht

Schnee|ball|sys|tem, das; -s (bestimmte, in Deutschland verbotene Form des Warenabsatzes; Schneeballprinzip)

schnee|be|deckt ↑K59

Schnee|bee|re (ein Strauch)

¹**Schnee|berg** (Stadt im westlichen Erzgebirge)

²**Schnee|berg,** der; -[e]s (höchster Gipfel des Fichtelgebirges)

Schnee|be|sen (ein Küchengerät)

schnee|blind; Schnee|blind|heit

Schnee|brett (flach überhängende Schneemassen); **Schnee|bril|le**

Schnee|bruch (Baumschaden durch zu große Schneelast; *vgl.* ¹Bruch); **Schnee|de|cke**

Schnee|ei|fel, **Schnee-Ei|fel** *vgl.* Schneifel

schnee|er|hellt ↑K169

Schnee|eu|le, **Schnee-Eu|le**

Schnee|fall; Schnee|flo|cke; Schnee|frä|se

schnee|frei

Schnee|gans; Schnee|ge|stö|ber

schnee|glatt; auf schneeglatter Fahrbahn; **Schnee|glät|te,** die; -

Schnee|glöck|chen

Schnee|gren|ze

Schnee|grie|sel, der; -s (*Meteor.* Griesel)

Schnee|ha|se; Schnee|hemd (*Milit.*); **Schnee|hö|he; Schnee|huhn**

schnee|ig; schneeige Hänge

Schnee|ka|no|ne (Gerät zur Erzeugung von künstlichem Schnee)

Schnee|ket|te *meist Plur.*

Schnee|kö|nig (*ostmitteld. für* Zaunkönig); er freut sich wie ein Schneekönig (*ugs. für* er freut sich sehr)

Schnee|kö|ni|gin (Märchenfigur)

Schnee|kop|pe, die; - (höchster Berg des Riesengebirges)

Schnee|land|schaft; Schnee|le|o|pard; Schnee|le|o|par|din

Schnee|mann *Plur.* ...männer

Schnee|matsch (*vgl.* ²Matsch)

Schnee|mensch (Fabelwesen; *vgl. auch* Yeti)

Schnee|mo|bil (Kettenfahrzeug zur Fortbewegung im Schnee)

Schnee|mo|nat, Schnee|mond (*alte Bez. für* Januar)

Schnee|pflug; Schnee|räu|mer

Schnee|re|gen

Schnee|ru|te (*österr. für* Schneebesen)

Schnee|schleu|der

Schnee|schmel|ze, die; -

Schnee|schuh

schnee|si|cher; ein schneesicheres Skigebiet

Schnee|sturm (*vgl.* ¹Sturm); **Schnee|trei|ben; Schnee|ver|hält|nis|se** *Plur.;* **Schnee|ver|we|hung; Schnee|was|ser,** das; -s; **Schnee|we|be,** die; -, -n (*veraltet für* Schneewehe); **Schnee|wech|te**

Schnee|we|he

schnee|weiß

Schnee|witt|chen, das; -s ‹»Schneeweißchen« (dt. Märchengestalt)

Schnee|zaun

Schne|gel, der; -s, - (*landsch. für* [hauslose] Schnecke)

Schneid, der; -[e]s, *bayr., österr.* die; - (*ugs. für* Mut; Tatkraft)

Schneid|ba|cken *Plur.;* **Schneid|boh|rer; Schneid|bren|ner**

Schnei|de, die; -, -n; **Schneid|ei|sen**

Schnei|del|holz, das; -es (*Forstw.* abgehauene Nadelholzzweige)

Schnei|de|müh|le (*selten für* Sägemühle)

schnei|den; du schnittst; du schnittest; ich habe mir, *auch* mich in den Finger geschnitten; schneid[e]!

Schnei|der

Schnei|de|raum (*Filmtechnik*)

Schnei|de|rei; Schnei|der|ge|sel|le; Schnei|der|ge|sel|lin; Schnei|der|hand|werk, das; -[e]s

Schnei|de|rin; Schnei|der|kos|tüm; Schnei|der|krei|de

Schnei|der|meis|ter; Schnei|der|meis|te|rin

schnei|dern; ich schneidere

Schnei|der|pup|pe; Schnei|der|sitz; Schnei|der|werk|statt

Schnei|de|tech|nik

Schnei|de|tisch (*Filmtechnik*)

Schnei|de|werk|zeug

Schnei|de|zahn

schnei|dig (forsch); **Schnei|dig|keit**

Schneid|klup|pe (Werkzeug zum Gewindeschneiden)

schnei|en

Schnei|fel, Schnee|ei|fel, **Schnee-Ei|fel** (ein Teil der Eifel)

Schnei|se, die; -, -n ([gerader] Durchhieb [Weg] im Wald)

schnei|teln (*Forstw.* von überflüssigen Ästen, Trieben befreien); ich schneit[e]le

schnell; schnells|tens; so schnell

wie (älter als) möglich; ihr müsst jetzt schnell machen (euch beeilen); ↑K56 : ein Rennpferd, ein Fahrzeug schnell machen od. schnellmachen; auf die schnelle Tour (ugs.); auf die Schnelle (ugs. für rasch, schnell)); ↑K89 : schneller od. Schneller Brüter (ein Kernreaktor); ↑K150 : Schnelle Medizinische Hilfe; Abk. SMH (vgl. d.)

Schnell|bahn (Abk. S-Bahn)

Schnell|boot; Schnell|damp|fer

Schnell|den|ker (ugs.); Schnell|den|ke|rin

Schnell|dienst

Schnell|durch|lauf

¹Schnel|le, die; - (Schnelligkeit)

²Schnel|le, die; -, -n (Stromschnelle)

schnel|len

Schnel|ler (landsch. für Geräusch, das durch Schnippen mit zwei Fingern entsteht)

Schnell|feu|er; Schnell|feu|er|gewehr; Schnell|feu|er|pis|to|le (Milit.)

schnell|fü|ßig

Schnell|gang (Kfz-Technik)

Schnell|gast|stät|te; Schnell|ge|richt

Schnell|hef|ter

Schnell|heit, die; - (selten für Schnelligkeit)

Schnel|lig|keit

Schnell|im|biss; Schnell|koch|topf

Schnell|kraft

Schnell|kurs

Schnell|last|wa|gen, Schnell-Lastwa|gen (schnell fahrender Lastkraftwagen)

Schnell|läu|fer, Schnell-Läu|fer

Schnell|läu|fe|rin, Schnell-Läu|fe|rin

schnell|le|big; Schnell|le|big|keit

Schnell|le|ser, Schnell-Le|ser

Schnell|le|se|rin, Schnell-Le|se|rin

Schnell|mer|ker (ugs. scherzh., oft iron. für Mensch mit bes. rascher Auffassung); Schnell|mer|ke|rin

Schnell|pa|ket; Schnell|rei|ni|gung; Schnell|res|tau|rant

Schnell|schuss (ugs. für schnelle Maßnahme, Reaktion)

schnells|tens; schnellst|mög|lich

Schnell|stra|ße

Schnell|test

Schnell|ver|fah|ren

Schnell|ver|kehr

Schnell|wä|sche|rei (svw. Schnellreinigung)

Schnell|zug (svw. D-Zug)

Schnep|fe, die; -, -n (ein Vogel)

Schnep|fen|jagd; Schnep|fen|vo|gel; Schnep|fen|zug (Jägerspr.)

Schnep|pe, die; -, -n (mitteld. für Schnabel [einer Kanne]; schnabelförmige Spitze [eines Kleidungsstückes])

Schnep|per, Schnäp|per (ein Vogel; Sport [Sprung]bewegung; Nadel zur Blutentnahme; früher für Armbrust; landsch. für Schnappschloss); schnep|pern, schnäp|pern (Sport in Hohlkreuzhaltung springen); ich schneppere, ich schnäppere; Schnep|per|sprung, Schnäp|per|sprung (Sport)

schnet|zeln (bes. schweiz. für [Fleisch] fein zerschneiden); ich schnetz[e]le; geschnetzeltes Fleisch

Schneuß, der; -es, -e (Archit. Fischblasenornament)

Schneu|ze, die; -, -n (früher für Lichtputzschere)

schneu|zen (alte Schreibung für schnäuzen)

schni|cken (landsch. für schnippen)

Schnick|schnack, der; -[e]s (ugs. für [törichtes] Gerede; nutzloser Kleinkram)

schnie|ben (mitteld. für schnauben); auch mit starker Beugung: du schnobst; du schnöbest; geschnoben

Schnie|del|wutz, der; -es, -e (ugs. scherzh. für Penis)

schnie|fen (bes. mitteld. für hörbar durch die Nase einatmen)

schnie|geln (ugs. für übertrieben herausputzen); sich schniegeln; ich schnieg[e]le [mich]; geschniegelt und gebügelt od. gestriegelt (fein hergerichtet)

schnie|ke (berlin. für fein, schick)

Schnie|pel, der; -s, - (veraltet für Angeber, Geck; ugs. für Penis)

Schnip|fel, der; -s, - (landsch. für Schnipsel); schnip|feln; ich schnipf[e]le

schnipp!; schnipp, schnapp!

Schnipp|chen; nur noch in jmdm. ein Schnippchen schlagen (ugs. für einen Streich spielen)

Schnip|pel, der od. das; -s, - (ugs. für Schnipsel); Schnip|pel|chen; Schnip|pe|lei (ugs. abwertend)

schnip|peln; ich schnipp[e]le

schnip|pen; mit den Fingern schnippen

schnip|pisch

schnipp, schnapp!; Schnipp-

schnapp[|schnurr], das; -[s] (ein [Karten]spiel)

Schnip|sel, der od. das; -s, - (ugs. für kleines [abgeschnittenes] Stück); Schnip|se|lei (ugs.); schnip|seln; ich schnips[e]le

schnip|sen (svw. schnippen); du schnipst

schnitt vgl. schneiden

Schnitt, der; -[e]s, -e

Schnitt|blu|me; Schnitt|boh|ne; Schnitt|brot

Schnit|te, die; -, -n (österr. auch für Waffel)

Schnitt|ent|bin|dung (Med. Entbindung durch Kaiserschnitt)

Schnit|ter (veraltend für Mäher); Schnit|te|rin

schnitt|fest; schnittfeste Wurst

Schnitt|flä|che; Schnitt|holz

schnit|tig (auch für rassig); ein schnittiges Auto

Schnitt|kä|se

Schnitt|kur|ve (Math.)

Schnitt|lauch, der; -[e]s

Schnitt|li|nie

Schnitt|meis|ter (svw. Chefcutter); Schnitt|meis|te|rin

Schnitt|men|ge (Math.)

Schnitt|mus|ter; Schnitt|mus|ter|bo|gen

Schnitt|punkt

Schnitt|stel|le (EDV Verbindungsstelle zweier Geräte- od. Anlagenteile)

Schnitt|wa|re

schnitt|wei|se

Schnitt|wun|de

Schnitz, der; -es, -e (landsch. für kleines [gedörrtes] Obststück)

Schnitz|ar|beit (Schnitzerei); Schnitz|bank Plur. ...bänke; Schnitz|bild

¹Schnit|zel, das; -s, - (dünne Fleischscheibe zum Braten); Wiener Schnitzel

²Schnit|zel, das, österr. nur so, od. der; -s, - (ugs. für abgeschnittenes Stück)

Schnit|zel|bank Plur. ...bänke (veraltet für Bank zum Schnitzen; Bänkelsängerverse mit Bildern)

Schnit|ze|lei (landsch.)

Schnit|zel|jagd

Schnit|zel|klop|fer (österr. für Fleischklopfer)

schnit|zeln (landsch. auch für schnitzen); ich schnitz[e]le

schnit|zen; du schnitzt

Schnit|zer (ugs. auch für Fehler)

Schnit|ze|rei; Schnit|ze|rin

Schnitz|kunst, die; -

Schnitz|ler (*schweiz. für* jmd., der schnitzt); **Schnitz|le|rin**
Schnitz|mes|ser, das; **Schnitz|werk**
schno|bern (*landsch. für* schnuppern); ich schnobere
schnöd (*bes. südd., österr., schweiz. für* schnöde)
Schnod|der, der; -s (*derb für* Nasenschleim); **schnod|de|rig, schnodd|rig** (*ugs. für* provozierend, unverschämt); schnodderige, schnoddrige Bemerkungen; **Schnod|de|rig|keit, Schnodd|rig|keit** (*ugs.*)
schnö|de; schnöder Gewinn, Mammon; **schnö|den** (*schweiz. für* schnöde reden); **Schnöd|heit,** häufiger **Schnö|dig|keit** (*geh. abwertend*)
schno|feln (*österr. ugs. für* schnüffeln); durch die Nase sprechen; ich schnof[e]le
Schnor|chel, der; -s, - (Luftrohr für das U-Boot; Teil eines Sporttauchgerätes); **schnor|cheln** (mit dem Schnorchel tauchen); ich schnorch[e]le
Schnör|kel, der; -s, -; **Schnör|ke|lei; schnör|kel|haft; schnör|ke|lig, schnörk|lig; Schnör|kel|kram** (*ugs.*); **schnör|kel|los** (nüchtern, schlicht); **schnör|keln;** ich schnörk[e]le; **Schnör|kel|schrift**
schnörk|lig vgl. schnörkelig
schnor|ren (*ugs. für* [er]betteln); **Schnor|rer; Schnor|re|rei; Schnor|re|rin**
Schnö|sel, der; -s, - (*ugs. für* dummfrecher junger Mensch); **schnö|se|lig** (*ugs.*); **Schnö|se|lin**
Schnu|cke, die; -, -n (*kurz für* Heidschnucke)
Schnu|ckel|chen (Schäfchen; *auch* Kosewort)
schnu|cke|lig, schnuck|lig (*ugs. für* nett, süß; lecker, appetitlich)
Schnu|cki, das; -s, -s (*ugs.; svw.* Schnuckelchen); **Schnu|cki|putz,** der; -es, -e (*ugs.; svw.* Schnuckelchen)
schnuck|lig vgl. schnuckelig
schnud|de|lig, schnudd|lig (*ugs. für* unsauber; *berlin. für* lecker)
Schnüf|fe|lei
schnüf|feln (*landsch. für* schnüffeln)
schnüf|feln (*auch für* spionieren); ich schnüff[e]le; **Schnüf|fel|stoff** (*ugs. für* Mittel, das berauschende Dämpfe abgibt)
Schnüff|ler; Schnüff|le|rin
schnul|len (*landsch. für* saugen)

Schnul|ler (Gummisauger für Kleinkinder)
Schnul|ze, die; -, -n (*ugs. für* sentimentales Kino-, Theaterstück, Lied); **Schnul|zen|sän|ger; Schnul|zen|sän|ge|rin; schnul|zig** (*ugs.*)
schnup|fen; Tabak schnupfen
Schnup|fen, der; -s, -; **Schnup|fen|mit|tel; Schnup|fen|spray**
Schnup|fer; Schnup|fe|rin
Schnupf|ta|bak; Schnupf|ta|bak[s]|do|se
Schnupf|tuch *Plur.* ...tücher
schnup|pe (*ugs. für* gleichgültig); es ist mir schnuppe
Schnup|pe, die; -, -n (*landsch. für* verkohlter Docht)
Schnup|per|an|ge|bot (*Werbespr.*); **Schnup|per|kurs**
schnup|pern; ich schnuppere
¹**Schnur,** die; -, *Plur.* Schnüre, *seltener* Schnuren (Bindfaden)
²**Schnur,** die; -, -en (*veraltet für* Schwiegertochter)
schnur|ar|tig
Schnür|bo|den (*Theater*)
Schnür|chen; das geht wie am Schnürchen (*ugs. für* das geht reibungslos)
schnü|ren (auch von der Gangart des Fuchses)
schnur|ge|ra|de, *ugs.* schnur|gra|de
Schnür|ke|ra|mik, die; - (Kulturkreis der Jüngeren Steinzeit)
Schnür|leib, Schnür|leib|chen (*veraltet*)
schnur|los; schnurloses Telefon
Schnürl|re|gen (*österr.*); **Schnürl|samt** (*österr. für* Cord)
Schnür|mie|der
Schnur|rant, der; -en, -en (*veraltet für* [Bettel]musikant)
Schnur|re, die; -, -n (scherzhafte Erzählung)
¹**schnur|ren** (ein brummendes Geräusch von sich geben)
²**schnur|ren** usw. (*landsch. für* schnorren usw.)
Schnurr|haar (bei Raubtieren, besonders bei Katzen)
Schnür|rie|men (Schnürsenkel)
schnur|rig (*veraltend für* komisch); ein schnurriger Kauz; **Schnur|rig|keit**
Schnür|rock, Schnür|rock (*früher* Männerrock mit Schnüren)
Schnür|schuh; Schnür|sen|kel
schnur|sprin|gen *vorwiegend im Infinitiv u. im Partizip II gebr.*); schnurgesprungen
Schnür|stie|fel

schnur|stracks (*ugs.*)
Schnur|rung (*selten*)
schnurz (*ugs. für* gleich[gültig], egal); das ist mir schnurz; **schnurz|pie|pe, schnurz|piep|egal** (*ugs.*)
Schnüt|chen; Schnu|te, die; -, -n (*bes. nordd. für* Mund; *ugs. für* [Schmoll]mund, unwilliger Gesichtsausdruck)
Scho|ah, Sho|ah [*auch* ˈʃo:...], die; - ⟨hebr.⟩ (Verfolgung u. Ermordung der Juden zur Zeit des Nationalsozialismus)
schob vgl. schieben
Scho|ber, der; -s, - (Scheune; *südd., österr. für* geschichteter Heu-, Getreidehaufen)
Schö|berl, das; -s, -n (*österr. für* eine Suppeneinlage)
scho|bern, schö|bern (*bes. österr. für* in Schober setzen); ich schobere
Scho|chen, der; -s, Schöchen (*südd., schweiz. für* kleinerer Heuhaufen)
¹**Schock,** das; -[e]s, -e (ein altes Zählmaß = 60 Stück); 3 Schock Eier
²**Schock,** der; -[e]s, *Plur.* -s, *selten* -e ⟨engl.⟩ (plötzliche nervliche od. seelische Erschütterung; akutes Kreislaufversagen)
Schock|ab|sor|ber, der; -s, - (*Technik* ein Dämpfungssystem)
scho|ckant ⟨franz.⟩ (*veraltend für* anstößig)
Schock|be|hand|lung
scho|cken ⟨engl.⟩ (*ugs. für* schockieren); **Scho|cker,** der; -s, - (*ugs. für* schockierender Roman, Film)
Schock|far|be (besonders grelle Farbe); **schock|far|ben**
schock|ge|fro|ren; schock|ge|frostet
scho|ckie|ren ⟨franz.⟩ (einen Schock verursachen, in große Entrüstung versetzen)
scho|cking vgl. shocking
Schock|schwe|re|not! (*veraltet*)
Schock|the|ra|pie, die; -
schock|wei|se; dreischockweise
Schock|wir|kung; Schock|zu|stand
Schof, der; -[e]s, -e (*nordd. für* Strohbündel [zum Dachdecken]; *Jägerspr.* Kette [von Gänsen od. Enten])
scho|fel, scho|fe|lig, schof|lig ⟨hebr.-jidd.⟩ (*ugs. für* gemein; geizig); eine schof[e]le od. schof[e]lige Person; er hat ihn schofel behandelt

Scho|fel, der; -s, - ⟨ugs. für schlechte Ware⟩

scho|fe|lig vgl. schofel

Schöf|fe, der; -n, -n

Schöf|fen|bank Plur. ...bänke

Schöf|fen|ge|richt; Schöf|fen|se|nat (österr. für ein Schöffengericht für bestimmte Delikte); **Schöf|fen|stuhl; Schöf|fin**

schof|lig vgl. schofel

Scho|gun, Sho|gun [ʃ...], der; -s, -e ⟨jap.⟩ (früher Titel japanischer Feldherren)

Scho|ko, die; -, -s ⟨ugs. kurz für Schokolade⟩

Scho|ko|drops; Scho|ko|kuss (schokoladeüberzogenes Schaumgebäck)

Scho|ko|la|de, die; -, -n ⟨mexik.⟩; **scho|ko|la|den** (aus Schokolade)

scho|ko|la|de[n]|braun

Scho|ko|la|de[n]|eis; Scho|ko|la|de[n]|fa|b|rik

scho|ko|la|de[n]|far|ben, scho|ko|la|de[n]|far|big

Scho|ko|la|de[n]|guss

Scho|ko|la|de[n]|os|ter|ha|se

Scho|ko|la|de[n]|pud|ding

Scho|ko|la|de[n]|sei|te (ugs. für die Seite, die am vorteilhaftesten aussieht; jmds. angenehme Wesenszüge)

Scho|ko|la|de[n]|streu|sel

Scho|ko|la|de[n]|ta|fel

Scho|ko|la|de[n]|tor|te

scho|ko|la|dig

Scho|ko|rie|gel

Scho|lar, der; -en, -en ⟨griech.⟩ ([fahrender] Schüler, Student [im MA.])

Schol|l|arch, der; -en, -en (Schulvorsteher im MA.)

Scho|las|tik, die; - (mittelalterliche Philosophie; engstirnige Schulweisheit); **Scho|las|ti|ker** (Anhänger, Lehrer der Scholastik; auch für spitzfindiger Mensch); **Scho|las|ti|ke|rin; scho|las|tisch; Scho|las|ti|zis|mus**, der; - (Überbewertung der Scholastik; auch für Spitzfindigkeit)

Scho|li|ast, der; -en, -en ⟨griech.⟩ (Verfasser von Scholien; **Scho|lie**, die; -, -n, **Scho|li|on**, das; -s, ...lien (Anmerkung [zu griechischen u. römischen Schriftstellern], Erklärung)

Schol|le, die; -, -n (flacher [Erd-, Eis]klumpen; [Heimat]boden; ein Fisch); **Schol|len|bre|cher**

Schol|len|ge|bir|ge (Geol.)

schol|lern (dumpf rollen, tönen)

Schol|li; nur in mein lieber Scholli!

(ugs. Ausruf des Erstaunens od. der Ermahnung)

schol|lig ⟨zu Scholle⟩

Schöll|kraut

Scho|lo|chow (russischer Schriftsteller)

Schol|ti|sei, die; -, -en ⟨nordd. veraltet für Amt des Gemeindevorstehers⟩

schon; obschon, wennschon; wennschon – dennschon; schon mal (ugs.)

schön s. Kasten Seite 905

Schön|berg (österr. Komponist)

Schön|druck Plur. ...drucke (Bedrucken der Vorderseite des Druckbogens)

¹**Schö|ne**, die; -n, -n (schöne Frau)

²**Schö|ne**, die; - ⟨veraltend Schönheit⟩

scho|nen; sich schonen

schö|nen (schöner erscheinen lassen; fachspr. für [Färbungen] verschönern, [Flüssigkeiten] künstlich klar machen)

Scho|nen (Landsch. im Süden Schwedens)

¹**Scho|ner** (Schutzdeckchen)

²**Scho|ner**, der; -s, - ⟨engl.⟩ (ein zweimastiges Segelschiff)

schön|fär|ben ([zu] günstig darstellen); ich färbe schön; schöngefärbt; schönzufärben; aber das Kleid wurde [besonders] schön gefärbt; **Schön|fär|ber; Schön|fär|be|rei** ([zu] günstige Darstellung); **Schön|fär|be|rin**

Schon|frist; Schon|gang (Technik)

Schon|gau|er (dt. Maler u. Kupferstecher)

Schon|ge|biet; Schon|ge|he|ge

Schön|geist Plur. ...geister; **Schön|geis|te|rei**, die; - (einseitige Betonung schöngeistiger Interessen); **schön|geis|tig;** schöngeistige Literatur

Schön|heit

Schön|heits|chi|r|urg; Schön|heits|chi|r|ur|gin; Schön|heits|farm

Schön|heits|feh|ler

Schön|heits|fleck; Schön|heits|ide|al; Schön|heits|kö|ni|gin

Schön|heits|kur; Schön|heits|mit|tel; Schön|heits|o|pe|ra|ti|on

Schön|heits|pfläs|ter|chen; Schön|heits|pfle|ge, die; -

Schön|heits|salon

Schön|heits|sinn, der; -[e]s

schön|heits|trun|ken (geh.)

Schön|heits|wett|be|werb

Schön|kli|ma (den Organismus nicht belastendes Klima)

Schon|kost (für Diät)

Schön|ling (abwertend für [übertrieben gepflegter] gut aussehender Mann)

schön|ma|chen; der Hund hat schöngemacht (hat Männchen gemacht); aber das hat er [besonders] schön gemacht; sie haben sich für das Fest schön gemacht od. schöngemacht

Schon|platz (regional für Arbeitsplatz für Genesende, Schwangere)

schön|rech|nen; er hat die Bilanz schöngerechnet

schön|re|den (beschönigen); er hat das Ergebnis schöngeredet; aber die Vortragende hat schön geredet; **Schön|re|de|rei**, die; - (schmeichelnde Darstellung); **Schön|red|ner** (Schmeichler); **Schön|red|ne|rei**, die; - (Schönrederei); **Schön|red|ne|rin; schön|red|ne|risch**

schön|schrei|ben (Schönschrift schreiben); sie haben in der Schule schöngeschrieben; aber er hat diesen Aufsatz [besonders] schön geschrieben

Schön|schreib|heft

Schön|schreib|übung

Schön|schrift, die; -

schöns|tens

Schön|tu|er; Schön|tu|e|rei; Schön|tu|e|rin; schön|tu|e|risch

schön|tun (ugs. für schmeicheln); er hat ihr immer schöngetan

Scho|nung (Nachsicht, das Schonen; junger geschützter Baumbestand)

Schö|nung ⟨zu schönen⟩

scho|nungs|be|dürf|tig

scho|nungs|los; Scho|nungs|lo|sig|keit, die; -

scho|nungs|voll

Schon|wasch|gang

Schön|wet|ter|la|ge

Schön|wet|ter|wol|ke

Schon|zeit (Jägerspr.)

Scho|pen|hau|er (dt. Philosoph)

Scho|pen|hau|e|ri|a|ner (Anhänger Schopenhauers); **Scho|pen|hau|e|ri|a|ne|rin**

scho|pen|hau|e|risch; ein schopenhauerisches Werk ↑K135 u. 89; schopenhauerisches Denken (nach Art von Schopenhauer); **scho|pen|hau|ersch;** ein schopenhauersches od. Schopenhauer'sches Werk; schopenhauersches od. Schopenhauer'sches Denken

Schopf, der; -[e]s, Schöpfe (Haarbüschel; kurz für Haarschopf;

schön

I. *Kleinschreibung:*
– die schöne Literatur; die schönen Künste; das schöne (weibliche) Geschlecht
– eine schöne Bescherung *(ugs. iron.)*
– gib die schöne *(Kinderspr. für* rechte) Hand!
– am schönsten ↑K 74
II. *Großschreibung*
a) *der Substantivierung* ↑K 72 :
– etwas Schönes; nichts Schöneres
– die Schönste unter ihnen; der Schönste der Schönen; die Welt des Schönen; das Gefühl für das Schöne und Gute
– auf das, aufs Schönste *od.* auf das, aufs schönste übereinstimmen ↑K 75
b) *in Namen* ↑K 134 :
– Philipp der Schöne

III. *Schreibung in Verbindung mit Verben:*
a) *Getrenntschreibung:*
– schön sein, schöner sein
– es kann noch schöner werden
– das Bild ist schön geworden
– sich schön anziehen
– die Eier schön, schöner färben *(vgl. aber* b)
– den Brief [besonders] schön schreiben *(vgl. aber* b)
– *Aber:* sich für das Fest schön machen *od.* schönmachen *(vgl. aber* b)
b) *Nur in Zusammenschreibung:*
– schönfärben (günstig darstellen)
– schönmachen (Männchen machen)
– schönreden (beschönigen)
– schönschreiben (Schönschrift schreiben)
– schöntun (schmeicheln)

---

landsch. u. schweiz. auch für Wetterdach; Nebengebäude, [Wagen]schuppen)
Schopf|bra|ten *(österr. für* gebratener Schweinekamm)
Schopf|brun|nen
Schöpf|chen (kleiner Schopf)
Schöp|fe, die; -, -n *(veraltend für* Gefäß, Platz zum Schöpfen); **Schöpf|ei|mer**
¹**schöp|fen** (Flüssigkeit entnehmen)
²**schöp|fen** *(veraltet für* erschaffen)
¹**Schöp|fer** (Schöpfgefäß)
²**Schöp|fer** (Erschaffer, Urheber; *nur Sing.:* Gott)
Schöp|fer|geist, der; -[e]s *(geh.)*
Schöp|fer|hand, die; - *(geh.)*
Schöp|fe|rin
schöp|fe|risch
Schöp|fer|kraft *(geh.);* **Schöp|fer|tum,** das; -s
Schöpf|ge|fäß; Schöpf|kel|le; Schöpf|löf|fel; Schöpf|rad
Schöp|fung; Schöp|fungs|akt
Schöp|fungs|be|richt; Schöp|fungs|ge|schich|te
Schöp|fungs|tag
Schöpp|chen (kleiner Schoppen)
Schöp|pe, der; -n, -n *(nordd. für* Schöffe)
schöp|peln *(landsch. für* gern od. gewohnheitsmäßig [einen Schoppen] trinken); ich schöpp[e]le
schop|pen *(bayr., österr. u. schweiz. mdal. für* hineinstopfen, nudeln, zustecken)
Schop|pen, der; -s, - (altes Flüssigkeitsmaß; Glas mit einem viertel [auch halben] Liter Wein [auch Bier]; *südwestd. u. schweiz. auch für* Babyflasche; *landsch. für* Schuppen)

Schöp|pen|stedt (Stadt in Niedersachsen); **Schöp|pen|sted|ter; schöp|pen|sted|tisch**
Schop|pen|wein; schop|pen|wei|se
Schöps, der; -es, -e *(österr. für* Hammel); **Schöps|chen; Schöp|sen|bra|ten; Schöp|sen|fleisch; Schöp|ser|ne,** das; -n *(österr. für* Hammelfleisch)
schor *vgl.* ¹scheren
scho|ren *(landsch. für* umgraben)
Schorf, der; -[e]s, -e; **schorf|ar|tig; schorf|be|deckt; schor|fig**
Schörl, der; -[e]s, -e (schwarzer Turmalin)
Schor|le, Schor|le|mor|le, die; -, -n, *selten das;* -s, -s (Getränk aus Wein od. Saft u. Mineralwasser)
Schorn|stein
Schorn|stein|fe|ger; Schorn|stein|fe|ge|rin
Scho|se *vgl.* Chose
schoss *vgl.* schießen
¹**Schoß,** der; -es, Schöße (beim Sitzen durch Oberschenkel u. Unterleib gebildeter Winkel; *geh. für* Mutterleib; Teil der Kleidung)
²**Schoß,** die; -, *Plur.* Schoßen u. Schöße *(österr. für* Frauenrock)
¹**Schoss,** der; Schosses, *Plur.* Schosse[n] u. Schösse[r] *(veraltet für* Zoll, Steuer, Abgabe)
²**Schoss,** der; Schosses, Schosse (junger Trieb)
Schoss|brett *(bayr. veraltet für* ³Schütz)
Schöß|chen (an der Taille eines Frauenkleides angesetzter [gekräuselter] Stoffstreifen); **Schöß|chen|ja|cke; Schö|ßel,** der, *auch* das; -s, - *(österr. für* Schößchen; Frackschoß)

schos|sen (austreiben); die Pflanze schosst. schosste, hat geschosst; **Schos|ser,** der; -s, - (verfrüht blühende Pflanze)
Schoß|hund; Schoß|hünd|chen
Schoß|kind
Schöss|ling (Ausläufer, Trieb einer Pflanze)
Schos|ta|ko|witsch (russischer Komponist)
Schot, die; -, -e[n] *(Seemannsspr.* Segelleine)
Schöt|chen (kleine ³Schote)
¹**Scho|te,** der; -n, -n ⟨hebr.-jidd.⟩ *(ugs. für* Narr, Einfaltspinsel)
²**Scho|te,** die; -, -n (Schot)
³**Scho|te,** die; -, -n *(ugs. für* [zum Spaß] erfundene Geschichte)
⁴**Scho|te,** die; -, -n (Fruchtform); **scho|ten|för|mig; Scho|ten|frucht**
¹**Schott,** der; -[e]s, -e *(mit Salzschlamm gefülltes Becken [im Atlasgebirge])*
²**Schott,** das; -[e]s, *Plur.* -en, *auch* -e *(Seemannsspr.* wasserdichte [Quer]wand im Schiff)
¹**Schot|te,** der; -n, -n (Bewohner von Schottland)
²**Schot|te,** der; -n, -n *(nordd. für* junger Hering)
³**Schot|te,** die; - *(südd., schweiz. für* Molke)
¹**Schot|ten,** der; -s *(südd., westösterr. für* Quark)
²**Schot|ten,** der; -s, - (ein Gewebe)
Schot|ten|ka|ro; Schot|ten|mus|ter
Schot|ten|rock; Schot|ten|witz
Schot|ter, der; -s, - (zerkleinerte Steine; *auch für* von Flüssen abgelagerte kleine Steine); **Schot|ter|de|cke**
schot|tern (mit Schotter belegen); ich schottere; **Schot|ter|pis|te; Schot|ter|stra|ße; Schot|te|rung**

S
Scho

S
Scho

Schot|tin; schot|tisch

Schot|tisch, der; -, -, Schot|ti|sche, der; -n, -n (ein Tanz); einen Schottischen tanzen

Schott|land; Schott|län|der *(selten);* Schott|län|de|rin *(selten);* schott|län|disch *(selten)*

Schraf|fe, die; -, -n *meist Plur.* (Strich einer Schraffur); **schraf**fen (schraffieren)

schraf|fie|ren (mit Schraffen versehen; stricheln)

Schraf|fie|rung, Schraf|fur, Schraf**fung,** die; -, -en (feine parallele Striche, die eine Fläche hervorheben)

schräg; schräg halten, laufen, liegen, stehen; den Schrank schräg stellen *od.* schrägstellen; ↑K58: schräg laufende *od.* schräglaufende Linien; schräg gegenüber; schräge Musik *(ugs. bes. für* Jazzmusik)

Schräg|bau, der; -[e]s *(Bergmannsspr.* ein Abbauverfahren in steil gelagerten Flözen)

Schrä|ge, die; -, -n

schra|gen *(veraltet für* zu Schragen verbinden)

schrä|gen (schräg abkanten)

Schra|gen, der; -s, - *(veraltet für* schräg *od.* kreuzweise zueinander stehende Holzfüße *od.* Pfähle; *auch für* Sägebock; Totenbahre)

Schräg|heit, die; -; schräg|hin; Schräg|la|ge

schräg lau|fend, schräg|lau|fend *vgl.* schräg

Schräg|schnitt; Schräg|schnitt**passe|par|tout** [...paspar'tu:]

Schräg|schrift

schräg stel|len, schräg|stel|len *vgl.* schräg

Schräg|strei|fen; Schräg|strich

schräg|über *(selten für* schräg gegenüber)

Schrä|gung *(selten für* Schräge)

schral *(Seemannsspr.* ungünstig); schraler Wind; schra|len; der Wind schralt

Schram, der; -[e]s, Schräme *(Bergmannsspr.* horizontaler *od.* geneigter Einschnitt im Flöz); Schräm|boh|rer, Schräm|boh|rer; schrä|men (Schräme machen); Schräm|ma|schi|ne (Maschine zur Herstellung eines Schrams)

Schram|me, die; -, -n

Schram|mel|mu|sik ↑K136 , die; - (nach den österr. Musikern Johann u. Josef Schrammel)

schram|men; schram|mig

Schrank, der; -[e]s, Schränke

Schrank|bett

Schränk|chen

Schran|ke, die; -, -n

Schrän|kei|sen (Gerät zum Schränken der Säge)

Schrank|ele|ment

schrän|ken (die Zähne eines Sägeblattes wechselweise abbiegen; *Jägerspr.* die Tritte etwas versetzt hintereinandersetzen [vom Rothirsch])

Schran|ken, der; -s, - *(österr. für* Bahnschranke)

schran|ken|los; Schran|ken|lo|sigkeit, die; -

Schran|ken|wär|ter; Schran|kenwär|te|rin

Schrank|fach

schrank|fer|tig; schrankfertige Wäsche

Schrank|kof|fer; Schrank|spie|gel

Schrank|tür; Schrank|wand

Schran|ne, die; -, -n *(südd. veraltend für* Fleischer-, Bäckerladen; Getreidemarkt[halle]; *bayr., österr. landsch. für* Markt[halle])

Schranz, der; -es, Schränze *(südd., schweiz. mdal. für* Riss)

Schran|ze, die; -, -n, *seltener* der; -n, -n *(abwertend für* Höfling)

Schra|pe, die; -, -n *(nordd. für* Gerät zum Schaben); **schra|pen** *(nordd. für* schrappen)

Schrap|nell, das; -s, *Plur.* -e *u.* -s ⟨nach dem engl. Artillerieoffizier H. Shrapnel⟩ *(früher* Sprenggeschoss mit Kugelfüllung; *ugs. abwertend für* ältere, hässliche Frau)

Schrap|pei|sen; schrap|pen *(landsch. für* [ab]kratzen); Schrap|per (ein Fördergefäß)

Schrap|sel, das; -s, - *(nordd. für* das Abgekratzte)

Schrat, Schratt, der; -[e]s, -e, *landsch.* Schrä|tel, der; -s, - (zottiger Waldgeist)

Schrat|te, die; -, -n *(Geol.* Rinne, Schlucht in Kalkgestein); *vgl.* ²Karre; Schrat|ten|kalk, der; -[e]s (zerklüftetes Kalkgestein)

Schräub|chen; Schraub|de|ckel

Schrau|be, die; -, -n

Schrau|bel, die; -, -n *(Bot.* schraubenförmiger Blütenstand)

schrau|ben

Schrau|ben|damp|fer; Schrau|bendre|her *(fachspr. für* Schraubenzieher); Schrau|ben|fe|der; Schrau|ben|flü|gel

schrau|ben|för|mig

Schrau|ben|ge|win|de; Schrau|benkopf; Schrau|ben|li|nie; Schrauben|mut|ter *Plur.* ...muttern; Schrau|ben|pres|se; Schrau|benrad; Schrau|ben|sal|to

Schrau|ben|schlüs|sel

Schrau|ben|win|de *(Technik)*

Schrau|ben|zie|her

Schrau|ber *(ugs. für* Mechaniker, Bastler); Schrau|be|rin

Schraub|stock *Plur.* ...stöcke

Schrau|bung

Schraub|ver|schluss

Schraub|zwin|ge

Schre|ber|gar|ten ↑K136 ⟨nach dem Leipziger Arzt Schreber⟩ (Kleingarten in Gartenkolonien); Schre|ber|gärt|ner; Schreber|gärt|ne|rin

Schreck, der; -[e]s, -e, Schre|cken; Schrecken erregen; ↑K58 : eine Schrecken erregende *od.* schreckenerregende Verlautbarung; *aber nur* eine höchst schreckenerregende Verlautbarung

Schreck|bild

Schre|cke, die; -, -n *(kurz für* Heuschrecke)

schre|cken *s. Kasten Seite 907*

Schre|cken *vgl.* Schreck

Schre|cken er|re|gend, schre|cken**er|re|gend;** eine Schrecken erregende *od.* schreckenerregende Nachricht; *aber nur* noch schreckenerregender, besonders schreckenerregend, großen Schrecken erregend ↑K58

Schre|ckens|bi|lanz

schre|ckens|blass; schre|ckensbleich

Schre|ckens|bot|schaft; Schreckens|herr|schaft; Schre|ckensnach|richt; Schre|ckens|vi|si|on

schreck|er|füllt

Schreck|ge|spenst

schreck|haft; Schreck|haf|tig|keit

schreck|lich *vgl.* schlimm; Schrecklich|keit

Schreck|nis, das; -ses, -se *(geh.)*

Schreck|schrau|be *(ugs. abwertend für* unangenehme Frau)

Schreck|schuss; Schreck|schusspis|to|le

Schreck|se|kun|de

Schred|der, der; -s, - ⟨engl.⟩ (Anlage zum Verschrotten von Autowracks; Zerkleinerungsmaschine für Gartenabfälle)

Schred|der|ma|te|ri|al

schred|dern

Schrei, der; -[e]s, -e; Schrei|ad|ler

schre|cken

In der Bedeutung »in Schrecken geraten« wird
a) *in Zusammensetzungen wie »auf-, hoch-, zurück-, zusammenschrecken« sowohl unregelmäßig als auch regelmäßig gebeugt:*

– du schrickst, *auch* schreckst zurück
– du schrakst, *auch* schrecktest zurück
– sie meinte, du schräkest, *auch* schrecktest zurück
– du bist zurückgeschreckt
– schrick, *auch* schreck[e] nicht zurück!

b) *»erschrecken« stets unregelmäßig gebeugt:*

– du erschrickst
– du erschrakst
– du bist erschrocken

In den Bedeutungen »in Schrecken [ver]setzen; abschrecken« und (jägersprachlich) »schreien« wird regelmäßig gebeugt:

– du schreckst sie mit Drohungen; dieser Traum schreckt mich
– du schrecktest mich mit deiner Ankündigung; sie schreckte gerade die Eier [ab]
– das Telefon hat mich [aus meinen Gedanken] geschreckt
– schreck[e] mich nicht so!
– du [er]schrecktest sie; du hast sie geschreckt, erschreckt
– der Rehbock schreckte, hat geschreckt *(Jägerspr.)*

Schreib|ar|beit *meist Plur.;* **Schreib-au|to|mat; Schreib|be|darf; Schreib|block** *vgl.* Block; **Schreib-bü|ro**
Schrei|be, die; - (*ugs. für* Geschriebenes; Schreibgerät; Schreibstil)
schrei|ben; du schriebst; du schriebest; geschrieben; schreib[e]!; er hat mir sage und schreibe (tatsächlich) zwanzig Euro abgenommen; **Schrei|ben,** das; -s, - (Schriftstück)
Schrei|ber; Schrei|be|rei; Schrei|be-rin
Schrei|ber|ling *(abwertend für* [viel u.] schlecht schreibender Autor)
Schrei|ber|see|le (bürokratischer, kleinlicher Mensch)
schreib|faul; Schreib|faul|heit
Schreib|fe|der; Schreib|feh|ler
Schreib|ge|bühr *meist Plur.* (*schweiz.*)
schreib|ge|wandt
Schreib|heft; Schreib|kraft; Schreib-krampf; Schreib|map|pe
Schreib|ma|schi|ne; Schreib|ma-schi|nen|pa|pier; Schreib|ma|schi-nen|schrift
Schreib|pa|pier; Schreib|pro|gramm *(EDV);* **Schreib|pult; Schreib-schrank; Schreib|schrift; Schreib-stu|be**
Schreib|tisch; Schreib|tisch|gar|ni-tur; Schreib|tisch|hengst *(ugs. abwertend);* **Schreib|tisch|lam-pe; Schreib|tisch|tä|ter** (jmd., der ein Verbrechen von anderen ausführen lässt, in führender Position dafür verantwortlich ist); **Schreib|tisch|tä|te|rin**
Schreib|übung
Schrei|bung
Schreib|un|ter|la|ge; Schreib|un|ter-richt

Schreib|wa|ren *Plur.;* **Schreib|wa-ren|ge|schäft**
Schreib|wei|se, die; **Schreib|zeug,** das; -[e]s
schrei|en; du schriest; geschrien; schrei[e]!; die schreiends|ten Farben
Schrei|er; Schrei|e|rei *(ugs.);* **Schrei-e|rin; Schrei|hals** *(abwertend);* **Schrei|krampf**
Schrein, der; -[e]s, -e ⟨lat.⟩ (schintoistischer Tempel; *veraltend für* Schrank; [Reliquien]behält-nis)
Schrei|ner *(bes. südd., westd., schweiz. für* Tischler); **Schrei|ne-rei; Schrei|ne|rin; schrei|nern;** ich schreinere
Schreit|bag|ger
schrei|ten; du schrittst; du schrit-test; geschritten; schreit[e]!
Schreit|tanz; Schreit|vo|gel
Schrenz, der; -es, -e *(veraltend für* minderwertiges Papier, Lösch-papier)
schrie *vgl.* schreien
schrieb *vgl.* schreiben
Schrieb, der; -s, -e, **Schriebs,** der; -es, -e (*ugs., oft abwertend für* Schreiben, Brief)
Schrift, die; -, -en; die deutsche, gotische, lateinische, grie-chische, kyrillische Schrift
Schrift|art; Schrift|bild
schrift|deutsch; Schrift|deutsch, das; -[s]; **Schrift|deut|sche,** das; -n
Schrif|ten *Plur.* (*schweiz. für* Aus-weispapiere)
Schrif|ten|rei|he; Schrif|ten|ver-zeich|nis
Schrift|er|ken|nung *(EDV)*
Schrift|form
Schrift|füh|rer; Schrift|füh|re|rin
Schrift|ge|lehr|te (im N. T.)

schrift|ge|mäß
Schrift|gie|ßer; Schrift|gie|ße|rei; Schrift|gie|ße|rin
Schrift|grad; Schrift|gut; Schrift|hö-he; Schrift|lei|ter, der; **Schrift|lei-te|rin; Schrift|lei|tung**
schrift|lich; schriftliche Arbeit; schriftliche Prüfung; jmdm. etwas schriftlich geben; ↑K72: jmdm. etwas Schriftliches geben; **Schrift|lich|keit,** die; - (schriftliche Niederlegung)
Schrift|pro|be; Schrift|rol|le; Schrift|sach|ver|stän|di|ge
Schrift|satz; Schrift|set|zer; Schrift-set|ze|rin
Schrift|spra|che; schrift|sprach|lich
Schrift|stel|ler; Schrift|stel|le|rei, die; -; **Schrift|stel|le|rin; schrift-stel|le|risch; schrift|stel|lern;** ich schriftstellere; geschriftstellert
Schrift|stück; Schrift|tum, das; -s; **Schrift|typ**
Schrift|ver|kehr, der; -s
schrift|ver|stän|dig
Schrift|wech|sel; Schrift|zei|chen; Schrift|zug
schrill; schril|len; Schrill|heit, die; -
Schrimp [ʃr...], **Shrimp** [ʃr...], der; -s, -s *meist Plur.* ⟨engl.⟩ (kleine Krabbe)
schrin|nen *(nordd. für* schmerzen); die Wunde schrinnt
Schrip|pe, die; -, -n *(bes. berlin. für* Brötchen)
Schritt, der; -[e]s, -e; 5 Schritt weit; Schritt für Schritt; auf Schritt und Tritt; Schritt fahren, Schritt halten
Schritt|feh|ler *(Sport)*
Schritt|fol|ge (beim Tanzen)
Schritt|ge|schwin|dig|keit, die; -
Schritt|kom|bi|na|ti|on *(Sport)*
Schritt|län|ge
Schritt|ma|cher; Schritt|ma|che|rin;

Schritt|ma|cher|ma|schi|ne *(Radrennen)*

Schritt|mes|ser, der

Schritt|tanz, Schritt-Tanz

Schritt|tem|po, Schritt-Tem|po, das; -s

schritt|wei|se

Schritt|wei|te (bei der Hose); **Schritt|zäh|ler**

Schro|fen, der; -s, - *(landsch., bes. österr. für Felsklippe)*

schroff

Schroff, der; *Gen.* -[e]s u. -en, *Plur.* -en, **Schrof|fen**, der; -s, -; *vgl.* Schrofen

Schroff|heit

schroh *(fränk. u. hess. für hässlich; landsch. für sehr dünn)*

schröp|fen; Schröp|fer *(selten für* Schröpfkopf); **Schröpf|kopf** *(Med.)*

Schropp|ho|bel *vgl.* Schrupp|ho|bel

Schrot, der *od.* das; -[e]s, -e (grob gemahlene Getreidekörner; kleine Bleikügelchen); mit Schrot schießen

Schrot|blatt (mittelalterliches Kunstblatt in Metallschnitt)

Schrot|brot

schro|ten (grob zerkleinern); geschrotet, *älter* geschroten

Schrö|ter *(selten für* Hirschkäfer)

Schrot|flin|te

Schroth|kur ↑K136 〈nach dem österr. Naturheilkundler J. Schroth〉 ([Abmagerungs]kur mit wasserarmer Diät und Schwitzpackungen)

Schrot|korn

Schrot|ku|gel; Schrot|la|dung

Schröt|ling (Metallstück zum Prägen von Münzen)

Schrot|mehl; Schrot|müh|le; Schrotsä|ge; Schrot|schuss

Schrot|schuss|krank|heit, die; - (eine Pflanzenkrankheit)

Schrott, der; -[e]s, -e *Plur. selten* (Altmetall); **schrot|ten** (zu Schrott machen)

Schrott|han|del; Schrott|händ|ler; Schrott|händ|le|rin

Schrott|hau|fen; Schrott|kis|te *(ugs. abwertend für* altes, schrottreifes Auto); **schrott|platz; Schrott|pres|se, schrott|reif**

Schrott|trans|port, Schrott-Transport; **Schrott|wert**, der; -[e]s

Schrot|waa|ge (Vorrichtung zur Prüfung waagerechter Flächen)

Schrubb|be|sen, Schrubb-Be|sen *(landsch.)*

schrub|ben (mit einer Bürste o. Ä. reinigen); *vgl.* schruppen

Schrub|ber ([Stiel]scheuerbürste)

Schrul|le, die; -, -n (seltsame Laune; *ugs. auch für* eigensinnige alte Frau); **schrul|len|haft**

schrul|lig; Schrul|lig|keit, die; - **schrumm!; schrumm|fi|de|bumm!**

Schrum|pel, die; -, -n *(landsch. für* Falte, Runzel; alte Frau); **schrumpe|lig** *vgl.* schrumplig

schrum|peln *(landsch. für* schrumpfen); ich schrump[e]lle

schrumpf|be|stän|dig; schrumpfbeständige Stoffe

schrumpf|fen

Schrumpf|ger|ma|ne *(ugs. abwertend für* kleinwüchsiger Mensch); **schrump|fig**

Schrumpf|kopf (eingeschrumpfter Kopf eines getöteten Feindes [als Trophäe])

Schrumpf|le|ber; Schrumpf|nie|re

Schrumpf|fung

schrump|lig, schrum|pe|lig *(landsch. für* faltig u. eingetrocknet)

Schrund, der; -[e]s, Schründe *(südd., österr., schweiz. für* Randspalte eines Gletschers; Felsspalte, Kluft); **Schrun|de**, die; -, -n ([Haut]riss, Spalte); **schrundig** *(landsch. für* rissig)

schrup|pen (grob hobeln); *vgl.* schrubben; **Schrupp|fei|le; Schrupp|ho|bel**

Schruz, der; -es *(obersächs. für* Minderwertiges, Wertloses)

Schtetl *vgl.* Stetl

Schub, der; -[e]s, Schübe

Schub|ab|schal|tung *(Kfz-Technik)*

Schub|be|jack, der; -s, -s *(nordd. für* Schubiack); **schub|ben** *(nordd. für* kratzen)

Schu|ber, der; -s, - (Schutzkarton für Bücher; *österr. auch für* Absperrvorrichtung, Schieber)

Schu|bert (österr. Komponist)

Schub|fach

Schub|haft *(österr. für* Abschiebehaft); **Schub|häft|ling**

Schu|bi|ack, der; -s, *Plur.* -s u. -e 〈niederl.〉 *(ugs. für* Lump, niederträchtiger Mensch)

schu|bi|du (gesungene Silbenfolge ohne Bedeutung aus der Jazz- od. Popmusik)

Schub|kar|re[n]; Schub|kas|ten; Schub|kraft

Schub|la|de; schub|la|di|sie|ren *(schweiz. für* unbearbeitet weglegen)

Schub|leh|re (svw. Schieblehre)

Schub|leich|ter (Schiff)

Schub|leis|tung

Schüb|lig *(schweiz. mdal.),* **Schübling** *(südd., schweiz. für* [leicht geräucherte] Wurst)

Schub|mo|dul, der; -s, -n *(Physik)*

Schubs, der; -es, -e *(ugs. für* Stoß)

Schub|schiff

schub|sen *(ugs. für* [an]stoßen); du schubst; **Schub|se|rei** *(ugs.)*

Schub|stan|ge; Schub|um|kehr (Verfahren zur Abbremsung eines Flugzeuges nach der Landung)

schub|wei|se; Schub|wir|kung

schüch|tern; Schüch|tern|heit

schu|ckeln *(landsch. für* schaukeln); ich schuck[e]lle

schud|dern *(landsch. für* schauern, frösteln); es schuddert mich

schuf *vgl.* schaffen

SCHU|FA®, Schu|fa ®, die; - 〈Kurzw. aus* Schutzorganisation für all­gemeine Kreditsicherung〉 (eine Auskunftei der Kreditwirtschaft); **SCHU|FA-Aus|kunft, Schu|fa-Aus|kunft**

Schuf|fel, die; -, -n (ein Gartengerät)

Schuft, der; -[e]s, -e *(abwertend)*

schuf|ten *(ugs. für* hart arbeiten); **Schuf|te|rei** *(ugs.)*

schuf|tig; Schuf|tig|keit

Schuf|tin

Schuh, der; -[e]s, -e; 3 Schuh lang

Schuh|an|zie|her; Schuh|band, das; *Plur.* ...bänder *(landsch. für* Schnürsenkel); **Schuh|bürs|te**

Schuh|chen, Schüh|chen

Schuh|creme, Schuh|krem, Schuhkre|me

Schuh|fa|b|rik; Schuh|ge|schäft; Schuh|grö|ße; Schuh|kar|ton

Schuh|krem, Schuh|kre|me *vgl.* Schuhcreme; **Schuh|la|den** *Plur.* ...läden

Schüh|lein

Schuh|leis|ten; Schuh|löf|fel

Schuh|ma|cher; Schuh|ma|che|rei; Schuh|ma|che|rin

Schuh|num|mer

Schuh|platt|ler (ein Volkstanz)

Schuh|put|zer; Schuh|put|ze|rin; Schuh|rie|men; Schuh|soh|le; Schuh|span|ner

Schuh|werk; Schuh|wich|se *(ugs.)*

Schu|ko® *(Kurzw. für* Schutzkontakt); *in Verbindungen wie:* **Schu|ko|ste|cker** *(Kurzw. für* Stecker mit besonderem Schutzkontakt)

Schul|ab|gän|ger; Schul|ab|gän|gerin; Schul|ab|schluss

Schu|lam|mit *vgl.* [2]Sulamith

Schul|amt

Schul|an|fang; Schul|an|fän|ger; Schul|an|fän|ge|rin

Schul|ar|beit (Hausaufgabe; *österr. auch svw.* Klassenarbeit)

Schul|arzt; Schul|ärz|tin; schul|ärzt|lich

Schul|at|las; Schul|auf|ga|be; Schul|auf|satz

Schul|auf|sicht; Schul|auf|sichts|be|hör|de

Schul|bahn (*österr. Amtsspr. für* Schullaufbahn)

Schul|bank *Plur.* ...bänke; Schul|be|ginn; Schul|be|hör|de

Schul|bei|spiel

Schul|be|such; schul|bil|dend

Schul|bil|dung; Schul|bub (*südd., österr., schweiz. für* Schuljunge)

Schul|buch; Schul|buch|ak|ti|on (*österr. für* kostenlose Ausstattung mit Schulbüchern)

Schul|bus; Schul|chor

Schuld, die; -, -en; es ist meine Schuld; [bei jmdm.] Schulden haben, machen; [an etwas] Schuld *od.* die Schuld haben; jmdm. Schuld *od.* die Schuld geben; an etwas Schuld tragen; *aber* ↑K 70 : schuld sein; du hast dir etwas zuschulden *od.* zu Schulden kommen lassen

Schuld|ab|län|de|rung (*Rechtsw.*); Schuld|an|er|kennt|nis, das (*Rechtsw.*); Schuld|bei|tritt; Schuld|be|kennt|nis

schuld|be|la|den (*geh.*)

Schuld|be|weis

schuld|be|wusst; Schuld|be|wusst|sein

Schuld|buch|for|de|rung (*Wirtsch.*)

schuld|den; er schuldet ihr Geld

Schul|den|berg (*ugs.*); Schul|den|er|lass; Schul|den|fal|le (*ugs.*)

schul|den|fi|nan|ziert

schul|den|frei (ohne Schulden)

Schul|den|haf|tung (*Rechtsspr.*); schul|den|hal|ber; Schul|den|last

schuld|fä|hig (*Rechtsspr.*)

Schuld|fra|ge, die; -

schuld|frei (ohne Schuld)

Schuld|ge|fühl; schuld|haft

Schuld|haft, die; - (*früher*)

Schul|dienst, der; -[e]s

schul|dig; auf schuldig plädieren (Schuldigsprechung beantragen); eines Verbrechens schuldig sein; jmdn. für schuldig erklären; jmdn. schuldig sprechen od. schuldigsprechen (verurteilen); Schul|di|ge, der u. die; -n, -n

Schul|di|ger (*bibl. für* jmd., der sich schuldig gemacht hat)

schul|di|ger|ma|ßen

Schul|dig|keit; seine [Pflicht u.] Schuldigkeit tun

schul|dig spre|chen, schul|dig|sprechen *vgl.* schuldig

Schul|dig|spre|chung

Schul|di|rek|tor; Schul|di|rek|to|rin

Schuld|kom|plex (*Psych.*)

schuld|los; Schuld|lo|sig|keit, die; -

Schuld|ner; Schuld|ner|be|ra|tung; Schuld|ne|rin

Schuld|ner|mehr|heit (*Rechtsspr.*); Schuld|ner|ver|zug (*Rechtsspr.*)

Schuld|recht, das; -[e]s (*Rechtsspr.*); Schuld|schein

Schuld|spruch

Schuld|über|nah|me

Schuld|um|wand|lung; Schuld|ver|hält|nis; Schuld|ver|schrei|bung

schuld|voll

Schuld|zins *Plur.* ...zinsen

Schul|di|zu|wei|sung

Schu|le, die; -, -n; ↑K 89 u. 151 : die hohe od. Hohe Schule (*Reitsport*); die höhere Schule (*vgl.* höher); Schule machen (Nachahmer finden)

schul|ei|gen ↑K 151

schu|len

Schul|eng|lisch (Englischkenntnisse, die jmd. auf der Schule erworben hat)

schul|ent|las|sen ↑K 59 ; Schul|ent|las|sung

Schü|ler; Schü|ler|aus|tausch; Schü|ler|aus|weis

schü|ler|haft

Schul|er|hal|ter (*österr. für* Schulträger)

Schü|le|rin

Schüler/-innen, Schü|ler(innen) (*Kurzformen für* Schülerinnen u. Schüler)

Schü|ler|lot|se (Schüler, der als Verkehrshelfer eingesetzt ist); Schü|ler|lot|sin

Schü|ler|mit|ver|ant|wor|tung; Schü|ler|mit|ver|wal|tung (*Abk.* SMV); Schü|ler|par|la|ment

Schü|ler|schaft

Schü|ler|spra|che, die; -; Schü|ler|wett|be|werb; Schü|ler|zei|tung

Schul|fach; Schul|fe|ri|en *Plur.*

schul|frei *vgl.* hitzefrei

Schul|freund; Schul|freun|din; Schul|funk; Schul|gang, der; Schul|gar|ten; Schul|ge|bäu|de; Schul|ge|bühr; Schul|geld

Schul|ge|lehr|sam|keit

Schul|ge|mein|schafts|aus|schuss (*österr. für* Gremium aus Lehrern, Eltern u. Schülern)

Schul|ge|setz; Schul|haus; Schul|heft; Schul|hof; Schul|hort

schu|lisch

Schul|jahr; Schul|jah|res|be|ginn; Schul|ju|gend; Schul|jun|ge, der; Schul|ka|me|rad; Schul|ka|me|ra|din; Schul|kennt|nis|se *Plur.*; Schul|kind; Schul|klas|se; Schul|land|heim

Schul|lei|ter, der; Schul|lei|te|rin; Schul|lei|tung

Schul|mäd|chen; Schul|mann *Plur.* ...männer (Lehrer)

schul|mä|ßig

Schul|me|di|zin, die; -

Schul|meis|ter; Schul|meis|te|rin; schul|meis|ter|lich; schul|meis|tern; ich schulmeistere; geschulmeistert; zu schulmeistern

schul|mü|de

Schul|mu|sik, die; -; Schul|or|ches|ter; Schul|ord|nung

Schulp, der; -[e]s, -e (Schale der Tintenfische)

Schul|part|ner|schaft

Schul|pflicht, die; -; schul|pflich|tig; schulpflichtiges Alter; schulpflichtiges Kind

Schul|pfor|ta ([*früher* Fürstenschule] bei Naumburg)

Schul|po|li|tik

Schul|psy|cho|lo|ge; Schul|psy|cho|lo|gin

Schul|ran|zen

Schul|rat *Plur.* ...räte; Schul|rä|tin

Schul|recht, das; -[e]s; Schul|re|form; Schul|rei|fe; Schul|rei|se (*schweiz. für* Klassenfahrt); Schul|sack (*schweiz. für* Schulranzen; Schulbildung)

Schul|schiff

Schul|schluss, der; ...schlusses; Schul|sport

Schul|spre|cher; Schul|spre|che|rin

Schul|stress

Schul|stun|de; Schul|sys|tem; Schul|tag; Schul|ta|sche

Schul|ter, die; -, -n

Schul|ter|blatt

schul|ter|frei

Schul|ter|ge|lenk

Schul|ter|klap|pe

schul|ter|lang; schulterlanges Haar

schul|tern; ich schultere

Schul|ter|pols|ter; Schul|ter|rie|men

Schul|ter|schluss, der; -es (das Zusammenhalten [von Interessengruppen u. a.])

Schul|ter|sieg (beim Ringen); Schul|ter|zu|cken

Schult|heiß, der; -en, -en (*früher für* Gemeindevorsteher; *im Kanton Luzern* Präsident des

S
Schu

Regierungsrates); **Schult|hei|ßen|amt; Schult|hei|ßin**
Schul|tü|te (am ersten Schultag)
Schu|lung; Schu|lungs|kurs
Schul|uni|form; Schul|un|ter|richt; Schul|ver|sa|gen; Schul|ver|wal|tung; Schul|ver|wei|ge|rer; Schul|ver|wei|ge|rin
Schul|wart (österr. für Hausmeister einer Schule); **Schul|war|tin**
Schul|weg; Schul|weis|heit (veraltet für angelerntes Wissen); **Schul|we|sen; Schul|wis|sen**
Schul|ze, der; -n, -n (veraltet für Gemeindevorsteher)
Schul|zeit
Schul|zen|amt (veraltet)
Schul|zen|t|rum; Schul|zeug|nis; Schul|zim|mer (schweiz. für Klassenzimmer)
Schu|man (franz. Politiker)
Schu|mann (dt. Komponist)
Schum|mel, der; -s (ugs. für Schummelei, Betrug); **Schumme|lei** (ugs.)
schum|meln (ugs. für [leicht] betrügen); ich schumm[e]le
Schum|mer, der; -s, - (landsch. für Dämmerung)
schum|me|rig, schumm|rig (ugs. für dämmerig, halbdunkel)
schum|mern (landsch. für dämmern; fachspr. für [Landkarte] schattieren); ich schummere
↑K82 : im Schummern (landsch. für in der Dämmerung)
Schum|me|rung, die; - (fachspr. für Schattierung)
Schumm|ler, der; -s, - (ugs. für jmd., der schummelt); **Schumm|le|rin**
schumm|rig vgl. schummerig
Schum|per|lied (obersächs. für Liebeslied, derbes Volkslied)
schum|pern (ostmitteld. für auf dem Schoße schaukeln); ich schumpere
Schund, der; -[e]s (Wertloses, Minderwertiges)

Schund|blatt (abwertend für Zeitschrift, die nur Schund enthält); **Schund|heft** (svw. Schundblatt); **Schund|li|te|ra|tur,** die; -; **Schund|ro|man**
schun|keln ([sich] hin u. her wiegen; landsch. für schaukeln); ich schunk[e]le; **Schun|kel|wal|zer**
Schupf, der; -[e]s, -e (südd., schweiz. mdal. für Schubs, Stoß, Schwung); **schup|fen**
Schup|fen, der; -s, - (bayr., österr. für Schuppen, Wetterdach)

Schup|fer (österr. ugs. für Stoß, Schubs)
Schupf|nu|del meist Plur. (südd. aus Kartoffelpüree, Mehl u. Ei)
¹**Schu|po,** die; - (Kurzw. für Schutzpolizei)
²**Schu|po,** der; -s, -s (veraltet; Kurzw. für Schutzpolizist)
Schupp, der; -[e]s, -e (nordd. für Schubs, Stoß, Schwung)
Schüpp|chen (kleine Schuppe)
Schup|pe, die; -, -n (Haut-, Hornplättchen)
Schüp|pe, die; -, -n (landsch. für Schippe)
Schüp|pel, der; -s, - (bayr. u. österr. mdal. für Büschel)
schüp|peln (veraltet für schiebend bewegen); ich schüpp[e]le
¹**schup|pen** (landsch. für stoßen, stoßend schieben)
²**schup|pen** ([Fisch]schuppen entfernen; Schuppen bilden)
schüp|pen (landsch. für schippen)
Schup|pen, der; -s, - (Raum für Holz u. a.); vgl. Schupfen
Schüp|pen Plur. (landsch. für Schippen)
schup|pen|ar|tig
Schup|pen|bil|dung; Schup|pen|flech|te (Med.)
Schup|pen|pan|zer; Schup|pen|tier
schup|pig
Schups, der; -es, -e (südd. für Schubs); **schup|sen** (südd. für schubsen); du schupst
Schur, die; -, -en (Scheren [der Schafe])
Schür|ei|sen; schü|ren; Schü|rer (landsch. für Schürhaken)
Schurf, der; -[e]s, Schürfe (Bergmannsspr. Suche nach nutzbaren Lagerstätten)
schür|fen
Schür|fer (Bergmannspr.); **Schür|fe|rin; Schürf|kü|bel** (ein Fördergerät); **Schürf|loch; Schürf|recht**
Schür|fung
Schürf|wun|de
schür|gen (landsch. für schieben, stoßen, treiben)
Schür|ha|ken
Schu|ri|ge|lei (ugs.); **schu|ri|geln** (ugs. für schikanieren, quälen); ich schurig[e]le
Schur|ke, der; -n, -n (abwertend); **Schur|ken|staat** (abwertend); **Schur|ken|streich** (veraltend); **Schur|kin; schur|kisch**
Schur|re, die; -, -n (landsch. für Rutsche); **schur|ren** (landsch. für mit knirschendem Geräusch

über den Boden gleiten, scharren)
Schur|wol|le; schur|wol|len (aus Schurwolle)
Schurz, der; -es, -e
Schür|ze, die; -, -n
schür|zen; du schürzt
Schür|zen|band, das; Plur. ...bänder
Schür|zen|jä|ger (ugs. für Mann, der ständig Frauen umwirbt)
Schür|zen|kleid; Schür|zen|zip|fel
Schusch|nigg (österr. Politiker)
Schuss, der; Schusses, Schüsse; 2 Schuss Rum; 2 Schuss (auch Schüsse) abgeben; in Schuss (ugs. für in Ordnung) halten, haben
Schuss|ab|ga|be, die; - (Amtsspr.); **Schuss|bein** (Fußball)
schuss|be|reit
¹**Schus|sel,** der; -s, - od. die; -, -n (ugs. für unkonzentrierter, vergesslicher Mensch)
²**Schus|sel,** die; -, -n (landsch. für Schlitterbahn)
Schüs|sel, die; -, -n; **schüs|sel|för|mig**
schus|se|lig, schuss|lig (ugs. für unkonzentriert, vergesslich)
schus|seln (ugs. für fahrig, unruhig sein; landsch. für schlittern); ich schussele u. schussle
Schus|ser (landsch. für Spielkügelchen); **schus|sern** (landsch.); ich schussere
Schuss|fa|den (Weberei); **Schussfahrt** (Skisport); **Schuss|feld**
schuss|fer|tig; schuss|fest (kugelsicher; Jägerspr. an Schüsse gewöhnt)
Schuss|garn (Weberei); **Schuss|ge|le|gen|heit** (Sport)
schuss|ge|recht (Jägerspr.)
Schuss|ge|rin|ne (Wasserbau)
schuss|sig (landsch. für [über]eilig, hastig)
Schus|ser (landsch. für mit Schussern Spielender; ugs. svw. ¹Schussel); **Schuss|le|rin**
schuss|lig vgl. schusselig
Schuss|li|nie; Schuss|rich|tung
schuss|schwach (Sport); Schussschwä|che, Schuss-Schwä|che (bes. Fuß-, Handball)
schuss|si|cher; schuss|stark (Sport); Schuss|stär|ke, Schuss-Stär|ke
Schuss|ver|let|zung; Schuss|waf|fe; Schuss|wech|sel; Schuss|wei|te; Schuss|wun|de; Schuss|zahl
Schus|ter; Schus|ter|ah|le; Schus|te|rei (veraltet); **Schus|te|rin; Schus|ter|jun|ge,** der (veraltet für

Schusterlehrling; *berlin. für* Roggenbrötchen)

schus|tern (*landsch., sonst veraltet für* das Schuhmacherhandwerk ausüben; *abwertend für* Pfuscharbeit machen); ich schustere

Schus|ter|pal|me (eine Pflanze)

Schus|ter|pech; Schus|ter|pfriem; Schus|ter|werk|statt

Schu|te, die; -, -n (flaches, offenes Wasserfahrzeug; haubenartiger Frauenhut); **Schu|ten|hut**

Schutt, der; -[e]s; **Schutt|ab|la|de|platz**

Schüt|tel|be|ton; Schütt|bo|den (*landsch.*)

Schüt|te, die; -, -n (kleiner Behälter [z. B. für Mehl]; *landsch. für* Bund); eine Schütte Stroh

Schüt|tel|frost; Schüt|tel|läh|mung (*Med.*)

schüt|teln; ich schütt[e]le

Schüt|tel|reim; Schüt|tel|rut|sche (*Bergbau*)

schüt|ten

schüt|ter (spärlich; schwach)

schüt|tern (schütteln); der Wagen schüttert

Schütt|gut (*Wirtsch.;* z. B. Kohle, Sand)

Schutt|hal|de; Schutt|hau|fen; Schutt|ke|gel (*Geol.*)

Schütt|ofen (*Hüttenw.*)

Schutt|platz

Schütt|stein (*schweiz. für* Ausguss, Spülbecken); **Schütt|stroh**

Schüt|tung

Schutz, der; -es, *Plur.* (*Technik:*) -e; zu Schutz und Trutz

¹Schütz, der; -en, -en (*veraltet für* ¹Schütze)

²Schütz, das; -es, -e (*Elektrot.* ferngesteuerter Schalter)

³Schütz, das; -es, -e u. Schüt|ze, die; -, -n (bewegliches Wehr)

Schutz|an|strich; Schutz|an|zug

Schutz|be|dürf|nis; schutz|be|dürf|tig; Schutz|be|foh|le|ne, der u. die; -n, -n

Schutz|be|haup|tung; Schutz|blech; Schutz|brett; Schutz|brief; Schutz|bril|le; Schutz|bünd|nis; Schutz|dach

¹Schüt|ze, der; -n, -n (Schießender)

²Schüt|ze, die; -, -n (*svw.* ³Schütz)

schüt|zen; du schützt

Schüt|zen, der; -s, - (*Weberei* Gerät zur Aufnahme der Schussspulen, Schiffchen)

Schüt|zen|bru|der; Schüt|zen|fest Schüt|zen|gel

Schüt|zen|ge|sell|schaft; Schüt|zen|gil|de

Schüt|zen|gra|ben

Schüt|zen|haus

Schüt|zen|hil|fe (*ugs.*)

Schüt|zen|kö|nig; Schüt|zen|kö|ni|gin; Schüt|zen|lie|sel, die; -, -
↑K 138

Schüt|zen|li|nie; Schüt|zen|pan|zer

Schüt|zen|platz

Schüt|zen|schwes|ter

Schüt|zen|steu|e|rung, Schütz|steu|e|rung ⟨*zu* ²Schütz⟩ (*Elektrot.*)

schüt|zens|wert

Schüt|zen|ver|ein; Schüt|zen|wie|se

Schüt|zer (*kurz für* Knie-, Ohrenschützer)

Schutz|far|be; Schutz|fär|bung (*Zool.*)

Schutz|frist; Schutz|ge|biet; Schutz|ge|bühr

Schutz|geist *Plur.* ...geister

Schutz|geld; Schutz|geld|er|pres|sung; Schutz|geld|zah|lung

Schutz|ge|mein|schaft

Schutz|git|ter; Schutz|glas *Plur.* ...gläser; **Schutz|ha|fen** (*vgl.* ²Hafen)

Schutz|haft; Schutz|hau|be

Schutz|hei|li|ge (*kath. Rel.*)

Schutz|helm

Schutz|herr; Schutz|her|rin; Schutz|herr|schaft

Schutz|hül|le; Schutz|hüt|te

schutz|imp|fen; ich schutzimpfe; schutzgeimpft; schutzzuimpfen; **Schutz|imp|fung**

Schutz|klei|dung

Schütz|ling

schutz|los; Schutz|lo|sig|keit, die; -

Schutz|macht

Schutz|mann *Plur.* ...männer u. ...leute (*ugs. für* [Schutz]polizist)

Schutz|mar|ke

Schutz|mas|ke; Schutz|maß|nah|me; Schutz|mit|tel

Schutz|pa|t|ron (*svw.* Schutzheilige); **Schutz|pa|t|ro|nin**

Schutz|plan|ke (*Verkehrsw.*)

Schutz|po|li|zei, die; - (*Kurzw.* ¹Schupo); **Schutz|po|li|zist** (*Kurzw.* ²Schupo); **Schutz|po|li|zis|tin**

Schutz|raum; Schutz|schicht; Schutz|schild, der; **Schütz|steu|e|rung** ⟨*zu* ²Schütz⟩; *vgl.* Schützensteuerung

Schutz|trup|pe

Schutz|um|schlag

Schutz-und-Trutz-Bünd|nis (*veraltend* ↑K 26)

Schutz|ver|band; Schutz|ver|trag;

Schutz|vor|keh|rung; Schutz|vor|rich|tung; Schutz|wall

Schutz|weg (*österr. für* Fußgängerüberweg); **Schutz|wehr,** die (*veraltet; noch Fachspr.*)

schutz|wür|dig

Schutz|zoll; Schutz|zoll|po|li|tik

Schutz|zo|ne

Schw. = Schwester

Schwa|bach (Stadt in Mittelfranken); **¹Schwa|ba|cher**

²Schwa|ba|cher, die; - (*Druckw.* eine Schriftgattung); **Schwa|ba|cher Schrift,** die; - -

Schwa|be|lei (*ugs. für* Wackelei; *landsch. für* Geschwätz)

schwa|be|lig, schwabb|lig (*ugs. für* schwammig, fett; wackelnd)

schwa|beln (*ugs. für* wackeln; *landsch. für* schwätzen); ich schwabe[e]le

Schwab|ber, der; -s, - (moppähnlicher Besen auf Schiffen)

schwab|bern; ich schwabbere (*svw.* schwabbeln)

schwabb|lig *vgl.* schwabbelig

¹Schwa|be, der; -n, -n (Bewohner von Schwaben)

²Schwa|be *vgl.* ¹Schabe

schwä|beln (schwäbisch sprechen); ich schwäb[e]le

Schwa|ben

Schwa|ben|al|ter, das; -s (*scherzh. für* 40. Lebensjahr)

Schwa|ben|spie|gel, der; -s (Rechtssammlung des dt. MA.)

Schwa|ben|streich (*scherzh.*)

Schwä|bin; schwä|bisch; die schwäbische Mundart, *aber* ↑K 140 : die Schwäbische Alb

Schwä|bisch Gmünd (Stadt in Baden-Württemberg)

Schwä|bisch Hall (Stadt in Baden-Württemberg); **schwä|bisch-häl|lisch**

schwach *s. Kasten Seite 912*

schwach|at|mig

schwach be|gabt, schwach|be|gabt *vgl.* schwach; **Schwach|be|gab|ten|för|de|rung**

schwach be|tont, schwach|be|tont *vgl.* schwach

schwach be|völ|kert, schwach|be|völ|kert *vgl.* schwach

schwach be|wegt, schwach|be|wegt *vgl.* schwach

schwach|brüs|tig

Schwä|che, die; -, -n; **Schwä|che|an|fall; Schwä|che|ge|fühl**

schwä|cheln; ich schwäch[e]le

schwä|chen

Schwä|che|zu|stand

Schwach|heit

S

Schw

schwach

schwächer, schwächste

I. *Kleinschreibung:*

– das schwache (*veraltend für* das weibliche) Geschlecht
– eine schwache Stunde
– *Sprachw.:* schwache Deklination; ein schwaches Verb

II. *Großschreibung bei der Substantivierung* ↑K72:

– alles Schwache
– das Recht des Schwachen

III. *In Verbindung mit adjektivisch gebrauchten Partizipien kann getrennt od. zusammengeschrieben werden* ↑K58:

– ein schwach begabter *od.* schwachbegabter Schüler
– eine schwach betonte *od.* schwachbetonte, schwächer betonte Silbe
– die schwach bevölkerte *od.* schwachbevölkerte Gegend; die am schwächsten bevölkerten Gegenden
– die schwach bewegte *od.* schwachbewegte See
Vgl. schwachmachen, schwachwerden

---

schwach|her|zig
Schwach|kopf (*abwertend*); schwach|köp|fig
schwäch|lich; Schwäch|lich|keit
Schwäch|ling
schwach|ma|chen (*ugs. für* aufregen, nervös machen); wie der mich schwachmacht!; *aber* was den Körper schwach macht *od.* schwachmacht ⟨schwächen⟩
Schwach|mat, der; -en, -en, Schwach|ma|ti|kus, der; -, -se (*scherzh. für* Schwächling)
Schwach|punkt
schwach|sich|tig; Schwach|sich|tig|keit, die; -
Schwach|sinn, der; -[e]s (*Med. veraltend; ugs. abwertend*); schwach|sin|nig (*Med. veraltet; ugs. abwertend*)
Schwach|stel|le
Schwach|strom, der; -[e]s; Schwach|strom|lei|tung; Schwach|strom|tech|nik, die; -
Schwä|chung
schwach wer|den, schwach|wer|den (nachgeben); die Gefahr besteht, dass ich schwach werde *od.* schwachwerde; *aber* der Kranke ist schon zu schwach geworden; mir ist ganz schwach geworden
Schwa|de, die; -, -n, *u.* ¹Schwa|den, der; -s, - (Reihe abgemähten Grases od. Getreides)
²Schwa|den, der; -s, - (Dampf, Dunst; *Bergmannsspr.* schlechte [gefährl.] Grubenluft)
schwa|den|wei|se ⟨*zu* Schwade⟩
schwa|dern (*südd. für* plätschern; schwatzen); ich schwadere
Schwa|d|ron, die; -, -en ⟨ital.⟩ (*früher* kleinste Einheit der Kavallerie); schwa|d|ro|nen|wei|se, schwa|d|rons|wei|se
Schwa|d|ro|neur [...ˈnøːɐ̯], der; -s, -e ⟨franz.⟩ (*veraltend für* jmd., der schwadroniert); Schwa|d|ro-

neu|rin; schwa|d|ro|nie|ren (wortreich u. prahlerisch schwatzen)
Schwa|d|rons|chef (*Milit. früher*); schwa|d|rons|wei|se *vgl.* schwadronenweise
Schwa|fe|lei (*ugs. für* törichtes Gerede); schwa|feln; ich schwaf[e]le (*ugs.*)
Schwa|ger, der; -s, Schwäger (*veraltet auch für* Postkutscher); Schwä|ge|rin; schwä|ger|lich; Schwä|ger|schaft
Schwä|her, der; -s, - (*veraltet für* Schwiegervater od. Schwager)
Schwai|ge, die; -, -n (*bayr. u. österr. landsch. für* Alm); schwai|gen (*bayr. u. österr. für* eine Schwaige betreiben, Käse bereiten); Schwai|ger (*bayr. u. österr. landsch. für* Senner); Schwai|ge|rin; Schwaig|hof
Schwälb|chen
Schwal|be, die; -, -n (*ugs. auch für* absichtliches Hinfallen im Fußballspiel, um ein gegnerisches Foul vorzutäuschen)
Schwal|ben|nest; Schwal|ben|schwanz
schwal|chen (*veraltet für* qualmen)
Schwalk, der; -[e]s, -e (*nordd. für* Dampf, Qualm; Bö); schwal|ken (*nordd. für* herumbummeln)
Schwall, der; -[e]s, -e (Gewoge, Welle, Guss [Wasser]); Schwall|brau|se (Ducharmatur mit breitem, weichem Strahl)
Schwalm, die; - (Fluss u. Landschaft in Hessen); Schwäl|mer; Schwäl|me|rin
schwamm *vgl.* schwimmen
Schwamm, der; -[e]s, Schwämme (*bayr., österr., schweiz. auch für* Pilz); Schwamm drüber! (*ugs. für* vergessen wir das!); schwamm|ar|tig; Schwämm|chen
Schwam|merl, das, *bayr. auch der*; -s, -[n] (*bayr. u. österr. für* Pilz)

schwam|mig; Schwam|mig|keit
Schwamm|spin|ner (ein Schmetterling)
Schwamm|tuch *Plur.* ...tücher
Schwam|pel, die; -, -n, Schwam|pel|ko|a|li|ti|on (*aus* »Schwarz« *und* »Ampelkoalition«) (*ugs. svw.* Jamaikakoalition)
Schwan, der; -[e]s, Schwäne; Schwän|chen
schwand *vgl.* schwinden
schwa|nen (*ugs.*); mir schwant (ich ahne) etwas
Schwa|nen|ge|sang (*geh. für* letztes Werk eines Künstlers; letztes Aufleben einer zu Ende gehenden Epoche o. Ä.)
Schwa|nen|hals
Schwa|nen|jung|frau, Schwan|jungfrau (*Mythol.*)
Schwa|nen|teich
schwa|nen|weiß
schwang *vgl.* schwingen
Schwang, der; *nur noch in* im Schwang[e] (gebräuchlich) sein
schwan|ger; Schwan|ge|re, die; -n, -n; Schwan|ge|ren|be|ra|tung; Schwan|ge|ren|geld; Schwan|ge|ren|gym|nas|tik
Schwan|ge|ren|kon|flikt|be|ra|tung
schwän|gern; ich schwängere
Schwan|ger|schaft; Schwan|ger|schafts|ab|bruch; Schwan|ger|schafts|gym|nas|tik
Schwan|ger|schafts|kon|flikt
Schwan|ger|schafts|mo|nat; Schwan|ger|schafts|strei|fen; Schwan|ger|schafts|test (Test zum Nachweis einer bestehenden Schwangerschaft); Schwan|ger|schafts|ur|laub
Schwän|ge|rung
Schwan|jung|frau *vgl.* Schwanenjungfrau
schwank (*geh. für* biegsam); schwanke Gestalten

schwarz

schwärzer, schwärzes|te

I. *Kleinschreibung:*

a) schwarz in schwarz
– schwarz auf weiß
– schwarzer Tee; schwarzer Humor; schwarze Magie (böse Zauberei); das schwarze Schaf; eine schwarze Messe
– ein schwarzes (verbotenes) Geschäft; ein schwarzes (illegales) Konto; die schwarze Liste; der schwarze Markt
– ein schwarzer Tag
– ein schwarzer Freitag (*vgl. aber* der Schwarze Freitag) ↑K151

b) *Bei bestimmten festen Verbindungen mit neuer Gesamtbedeutung ist auch Großschreibung des Adjektivs üblich* ↑K89:
– das schwarze *od.* Schwarze Brett (Anschlagbrett); schwarzer *od.* Schwarzer Peter (ein Kartenspiel); der schwarze *od.* Schwarze Tod (Beulenpest im MA.); die schwarze *od.* Schwarze Kunst (Zauberei; *veraltet für* Buchdruck)
– das schwarze *od.* Schwarze Gold (Kohle, Erdöl); der schwarze *od.* Schwarze Mann (Schornsteinfeger, Schreckgestalt)

c) *Das gilt auch für einige fachsprachliche Verbindungen:*
– schwarzes *od.* Schwarzes Loch *(Astron.)*

II. *Großschreibung:*

a) ein Schwarzer (dunkelhäutiger, -haariger Mensch)
– das Schwarze; die Farbe Schwarz
– ein Kleid in Schwarz; das kleine Schwarze anziehen

– aus Schwarz Weiß machen wollen
– ins Schwarze treffen ↑K72
b) das Schwarze Meer
– der Schwarze Erdteil (Afrika) ↑K140
c) die Schwarze Hand (ehemaliger serbischer Geheimbund)
– Schwarzer Holunder (Sambucus nigra); Schwarze Johannisbeere; Schwarze Witwe (eine Spinne)
– der Schwarze Freitag (Name eines Freitags mit großen Börsenstürzen in den USA) ↑K150

III. *Schreibung in Verbindung mit Verben:*

a) sich die Haare schwarz färben *od.* schwarzfärben
– sich schwarz kleiden
– ihre Hände waren schwarz geworden
– sich mit Ruß das Gesicht schwarz malen *od.* schwarzmalen
– sie können warten, bis sie schwarz werden *od.* schwarzwerden *(ugs; vgl. d.)*
b) *Zusammenschreibung, wenn eine idiomatische Verbindung mit einem einfachen Verb vorliegt:* *vgl.* schwarzarbeiten, schwarzärgern, schwarzbrennen, schwarzfahren, schwarzgehen, schwarzhören, schwarzkopieren, schwarzmalen, schwarzschlachten, schwarzsehen
Aber: Waren schwarz exportieren, schwarz verkaufen

IV. *In Verbindung mit adjektivisch gebrauchten Partizipien* ↑K58:

– ein schwarz gestreifter *od.* schwarzgestreifter Stoff
– schwarz gerändertes *od.* schwarzgerändertes Papier

Schwank, der; -[e]s, Schwänke
schwan|ken
Schwank|fi|gur
Schwank|schwin|del *(Med.)*
Schwan|kung; Schwan|kungs|brei-te; Schwan|kungs|ra|te
Schwanz, der; -es, Schwänze; **Schwänz|chen**
Schwän|ze|lei *(ugs.);* **schwän|zeln** *(ugs. iron. für* geziert gehen); ich schwänz[e]l[e]; **Schwän|zel|tanz** *(Zool.)*
schwän|zen *(ugs. für* [am Schulunterricht o. Ä.] nicht teilnehmen); du schwänzt
Schwanz|en|de
Schwän|zer *(ugs.);* **Schwän|ze|rin**
Schwanz|fe|der; Schwanz|flos|se
schwanz|ge|steu|ert *(ugs. für* von seinem Sexualtrieb beherrscht)
...schwän|zig (z. B. langschwänzig)
schwanz|las|tig (vom Flugzeug)
Schwanz|lurch; Schwanz|spit|ze; Schwanz|stück; Schwanz|wir|bel
Schwapp, der; -[e]s, -e, *u.* Schwaps, der; -es, -e *(ugs. für* klatschendes Geräusch; Wasserguss)

schwapp!, schwaps!
schwap|pen, schwap|sen *(ugs. für* in schwankender Bewegung sein, klatschend überfließen)
schwaps!, schwapp!; **Schwaps** *vgl.* Schwapp; **schwap|sen;** du schwapst; *vgl.* schwappen
Schwä|re, die; -, -n *(geh. für* Geschwür); **schwä|ren** *(geh. für* eitern); **schwä|rig** *(geh.)*
Schwarm, der; -[e]s, Schwärme
schwär|men; Schwär|mer *(auch ein* Feuerwerkskörper; ein Schmetterling); **Schwär|me|rei; Schwär-me|rin; schwär|me|risch**
Schwarm|geist *Plur.* ...geister
Schwärm|zeit (bei Bienen)
Schwar|te, die; -, -n (dicke Haut [z. B. des Schweins]; *ugs. für* dickes [altes] Buch; zur Verschalung dienendes rohes Brett)
schwar|ten *(ugs. für* verprügeln; *selten für* viel lesen)
Schwar|ten|ma|gen (eine Wurstart); **schwar|tig**
schwarz *s. Kasten*
Schwarz, das; -[es], - (Farbe); ein

Abendkleid in Schwarz; er spielte Schwarz aus *(Kartenspiel);* in Schwarz (Trauerkleidung) gehen; Frankfurter Schwarz; *vgl.* Blau
Schwarz|ach
Schwarz|af|ri|ka (die Staaten Afrikas, die zumeist von Schwarzen bewohnt und regiert werden); **Schwarz|af|ri|ka|ner; Schwarz|af-ri|ka|ne|rin; schwarz|af|ri|ka|nisch**
Schwarz|ar|beit, die; -; **schwarz|ar-bei|ten** ↑K47; ich arbeite schwarz; schwarzgearbeitet; schwarzzuarbeiten
Schwarz|ar|bei|ter; Schwarz|ar|bei-te|rin
schwarz|är|gern, sich *(ugs. für* sich sehr ärgern)
schwarz|äu|gig; schwarz|bär|tig
Schwarz|bee|re *(südd. und österr. neben* Heidelbeere)
schwarz|braun ↑K23
schwarz|bren|nen (ohne Lizenz); sie haben Schnaps, CDs schwarzgebrannt
Schwarz|bren|ne|rei

Schwarz|brot;
Schwarz|buch (Zusammenstellung
von Dokumenten über Gräuel-
taten)
Schwarz|bu|che
schwarz|bunt; schwarzbunte Kühe
Schwarz|dorn Plur. ...dorne
Schwarz|dros|sel (Amsel)
¹**Schwar|ze,** der u. die; -n, -n (dun-
kelhäutiger, -haariger Mensch)
²**Schwar|ze,** der; -n (veraltet für
Teufel)
³**Schwar|ze,** das; -n; ins Schwarze
treffen ↑K 72
⁴**Schwar|ze,** der; -n, -n (österr. für
Mokka ohne Milch)
Schwär|ze, die; -, -n (nur Sing.: das
Schwarzsein; Farbe zum
Schwarzmachen); **schwär|zen**
(schwarz färben; südd., österr.
veraltend für schmuggeln); du
schwärzt; **Schwär|zer** (südd.,
österr. veraltend für Schmugg-
ler)
Schwarz|er|de (dunkler Humusbo-
den); **Schwär|ze|rin**
schwarz|fah|ren ↑K 47 (ohne
Berechtigung ein [öffentl.] Verkehrsmittel benutzen); sie ist
schwarzgefahren; **Schwarz|fah-**
rer; Schwarz|fah|re|rin; Schwarz-
fahrt
schwarz fär|ben, schwarz|fär|ben
vgl. schwarz, III
Schwarz|fäu|le (eine Pflanzen-
krankheit); **Schwarz|fil|ter**
(Fotogr.); **Schwarz|fleisch**
(landsch. für durchwachsener
geräucherter Speck)
schwarz|ge|hen ↑K 47 (ugs. für wil-
dern; unerlaubt über die Grenze
gehen); er ist schwarzgegangen
Schwarz|geld (illegale Einnahme)
schwarz ge|rän|dert, schwarz|ge-
rän|dert vgl. schwarz, III;
schwarz ge|streift, schwarz|ge-
streift vgl. schwarz, III
schwarz|haa|rig
Schwarz|han|del (vgl. ¹Handel);
Schwarz|han|dels|ge|schäft
Schwarz|händ|ler; Schwarz|händ|le-
rin
schwarz|hö|ren ↑K 47 (Rundfunk
ohne Genehmigung mithören);
sie hat schwarzgehört; **Schwarz-**
hö|rer; Schwarz|hö|re|rin
Schwarz|kit|tel (Wildschwein;
abwertend für kath. Geistlicher)
Schwarz|kon|to (illegales Konto)
schwarz|ko|pie|ren (ohne Lizenz)
Schwarz|kunst, die; - (svw. Schab-
kunst); **Schwarz|künst|ler;**
Schwarz|künst|le|rin

schwärz|lich; schwärzlich braun
schwarz|ma|len (pessimistisch dar-
stellen); **Schwarz|ma|ler** (ugs. für
Pessimist); **Schwarz|ma|le|rei**
(ugs. für Pessimismus); **Schwarz-**
ma|le|rin
Schwarz|markt; Schwarz|markt-
preis
Schwarz|meer|flot|te, die; -;
Schwarz|meer|ge|biet, das; -[e]s
Schwarz|plätt|chen (Mönchsgras-
mücke)
Schwarz|pul|ver, das; -s
Schwarz|rock Plur. ...röcke (abwer-
tend für kath. Geistlicher)
schwarz|rot|gol|den,
schwarz-rot-gol|den; eine
schwarzrotgold[e]ne od.
schwarz-rot-gold[e]ne Fahne;
die Fahne Schwarzrotgold od.
Schwarz-Rot-Gold
Schwarz|sau|er, das; -s (ein nord-
deutsches Gericht aus Fleisch-
ragout od. Gänseklein)
schwarz|schlach|ten ↑K 47 ([in
Not-, Kriegszeiten] ohne amtl.
Genehmigung heimlich schlach-
ten); er hat oft schwarz-
schlachtet; **Schwarz|schlach|tung**
schwarz|se|hen ↑K 47 (ugs. für
ohne Anmeldung fernsehen;
pessimistisch sein); sie hat
schwarzgesehen; für deine
Zukunft sehe ich schwarz;
Schwarz|se|her (ugs. für Pessi-
mist; jmd., der ohne Anmel-
dung fernsieht); **Schwarz|se|he-**
rei; Schwarz|se|he|rin; schwarz-
se|he|risch
Schwarz|sen|der
Schwarz|specht; Schwarz|storch
Schwär|zung
Schwarz|wald, der; -[e]s (dt.
Gebirge); **Schwarz|wald|bahn,**
die; -; **Schwarz|wäl|der;** Schwarz-
wälder Kirschtorte; **Schwarz-**
wäl|de|rin; schwarz|wäl|de|risch
Schwarz|wald|haus; Schwarz|wald-
hoch|stra|ße, die; - ↑K143
Schwarz|was|ser|fie|ber, das; -s
(Malaria)
schwarz-weiß, schwarz|weiß
↑K 23 ; schwarz-weiß malen od.
schwarzweiß malen (undiffe-
renziert, einseitig positiv od.
negativ darstellen); eine Fotografie in Schwarz-Weiß od.
Schwarzweiß
Schwarz-Weiß-Auf|nah|me,
Schwarz|weiß|auf|nah|me;
Schwarz-Weiß-Fern|se|her,
Schwarz|weiß|fern|se|her;
Schwarz-Weiß-Film, Schwarz-

weiß|film; Schwarz-Weiß-Fo|to-
gra|fie, Schwarz|weiß|fo|to|gra-
fie; Schwarz-Weiß-Ma|le|rei,
Schwarz|weiß|ma|le|rei
schwarz wer|den, schwarz|wer|den
(ugs.); sie können warten, bis sie
schwarz werden od. schwarzwerden (bis in alle Ewigkeit)
Schwarz|wild (Jägerspr. Wild-
schweine)
Schwarz|wurz (eine Heilpflanze)
Schwarz|wur|zel (eine Gemüse-
pflanze)
Schwatz, der; -es, -e (ugs. für
Geplauder, Geschwätz);
Schwatz|ba|se (ugs. für
geschwätzige Person)
Schwätz|chen; schwat|zen, bes.
südd. **schwät|zen;** du schwatzt,
bes. südd. du schwätzt
Schwät|zer; Schwät|ze|rei; Schwät-
ze|rin; schwät|ze|risch
schwatz|haft; Schwatz|haf|tig|keit
Schwatz|maul (derb abwertend)
Schwaz (österreichische Stadt im
Inntal)
Schwe|be, die; -; nur in in der
Schwebe (auch für unentschie-
den, noch offen)
Schwe|be|bahn; Schwe|be|bal|ken
(ein Turngerät); **Schwe|be|baum**
(im Pferdestall)
schwe|ben
Schwe|be|stoff (svw. Schwebstoff);
Schwe|be|stütz (Turnen); **Schwe-**
be|teil|chen; Schwe|be|zu|stand
Schwebe|flie|ge; Schweb|stoff (Che-
mie)
Schwe|bung (Physik)
Schwe|de, der; -n, -n
Schwe|den
Schwe|den|bom|be ® (österr. für
Mohrenkopf); **Schwe|den|kü|che;**
Schwe|den|plat|te; Schwe|den-
punsch; Schwe|den|schan|ze
(Befestigungsanlage)
Schwe|din
schwe|disch; ↑K 142 : hinter schwe-
dischen Gardinen (ugs. für im
Gefängnis); vgl. deutsch; **Schwe-**
disch, das; -[s] (Sprache); vgl.
Deutsch; **Schwe|di|sche,** das; -n;
vgl. Deutsche, das
Schwe|fel, der; -s (chemisches Ele-
ment, Nichtmetall; Zeichen S);
schwe|fel|ar|tig
Schwe|fel|ban|de (ugs. für ²Bande);
Schwe|fel|blu|me, Schwe|fel|blü-
te, die; - (Chemie); **Schwe|fel|di-**
oxid, Schwe|fel|di|oxyd (vgl.
Oxid)
Schwe|fel|far|be; schwe|fel|far|ben,

schwe|fel|far|big; schwe|fel|gelb; schwe|fel|hal|tig
Schwe|fel|holz, Schwe|fel|hölz|chen (*veraltet für* Streichholz)
schwe|fe|lig *vgl.* schweflig
Schwe|fel|kies (ein Mineral)
Schwe|fel|koh|len|stoff
Schwe|fel|kopf (ein Pilz); Schwe|fel|kur; Schwe|fel|le|ber; - (für medizinische Bäder verwendete Schwefelverbindung)
schwe|feln; ich schwef[e]le
Schwe|fel|pu|der; Schwe|fel|quel|le; Schwe|fel|sal|be
schwe|fel|sau|er (*Chemie*); Schwe|fel|säu|re, die; -; Schwe|fe|lung
Schwe|fel|was|ser|stoff (ein giftiges Gas); schwef|lig, schwe|fe|lig
Schwe|gel, Schwie|gel, die; -, -n (mittelalterliche Querpfeife; Flötenwerk an älteren Orgeln); Schweg|ler (Schwegelbläser); Schweg|le|rin
Schweif, der; -[e]s, -e
schwei|fen (*geh. für* ziellos [durch die Gegend] ziehen); ein Brett schweifen (ihm eine gebogene Gestalt geben)
Schweif|sä|ge; Schweif|stern (*veraltet für* Komet); Schweif|fung
schweif|we|deln (*veraltet auch für* kriecherisch schmeicheln); ich schweifwed[e]le; geschweifwedelt; zu schweifwedeln
Schwei|ge|ge|bot; Schwei|ge|geld; Schwei|ge|ge|lüb|de; Schwei|ge|marsch; Schwei|ge|mi|nu|te
schwei|gen (still sein); du schwiegst; du schwiegest; geschwiegen; schweig[e]!; die schweigende Mehrheit; Schwei|gen, das; -s
Schwei|ge|pflicht, die; -
Schwei|ger; ↑K88 : der Große Schweiger (*Bez. für* Moltke)
schweig|sam; Schweig|sam|keit
Schwein, das; -[e]s, -e (*nur Sing.:* *ugs. auch für* Glück); kein Schwein (*ugs. für* niemand)
Schwei|ne|ba|cke; Schwei|ne|bauch; Schwei|ne|bra|ten
Schwei|ne|do|ping (*ugs. abwertend für* Verwendung von Antibiotika in der Schweinezucht)
Schwei|ne|fett; Schwei|ne|fi|let; Schwei|ne|fleisch
Schwei|ne|fraß (*derb für* minderwertiges Essen)
Schwei|ne|hund (*ugs. abwertend*); der innere Schweinehund (*ugs. für* Feigheit, Bequemlichkeit)
Schwei|ne|igel usw. *vgl.* Schweinigel usw.

Schwei|ne|ko|ben, *nordd.* Schwei|ne|ko|fen
Schwei|ne|ko|te|lett; Schwei|ne|le|ber; Schwei|ne|len|de
Schwei|ne|mast, die; Schwei|ne|mäs|te|rei; Schwei|ne|pest
Schwei|ne|rei (*derb für* Unordnung, Schmutz; ärgerliche Sache, Anstößiges)
Schwei|ne|ripp|chen
schwei|nern (vom Schwein stammend); Schwei|ner|ne, das; -n (*bayr., österr. für* Schweinefleisch)
Schwei|ne|schmalz; Schwei|ne|schnit|zel (*vgl.* [1]Schnitzel); Schwei|ne|stall; Schwei|ne|zucht
Schwei|ne|zy|k|lus (*Wirtsch.* regelmäßig wiederkehrende starke [Preis]schwankungen)
Schwein|furt (Stadt am Main)
Schwein|fur|ter; Schweinfurter Grün (ein Farbstoff)
Schwein|hund (*selten für* Schweinehund)
Schwein|igel (*ugs. für* schmutziger od. unflätiger Mensch); Schwein|ige|lei (*ugs.*); schwein|igeln (*ugs. für* unanständige Witze erzählen); ich schweinig[e]le; geschweinigelt; zu schweinigeln
schwei|nisch
Schwein|kram (*bes. nordd. ugs. abwertend für* Unanständiges)
Schweins|bors|te; Schweins|bra|ten (*südd., österr., schweiz. für* Schweinebraten)
Schweins|ga|lopp; im Schweinsgalopp (*ugs. scherzh. für* [aus Zeitmangel] schnell u. nicht besonders sorgfältig)
Schweins|keu|le; Schweins|kopf
Schweins|le|der; Schweins|le|dern
Schweins|ohr (*auch* ein Gebäck); Schweins|rü|cken; Schweins|schnit|zel (*österr. für* Schweineschnitzel); Schweins|stel|ze (*österr. für* Eisbein)
Schweiß, der; -es, -e (*Jägerspr. auch für* Blut des Wildes)
Schweiß|ab|son|de|rung
Schweiß|ap|pa|rat
Schweiß|aus|bruch; Schweiß|band
schweiß|be|deckt ↑K59
Schweiß|bil|dung, die; -; Schweiß|blatt *meist Plur.* (*svw.* Armblatt)
Schweiß|bren|ner; Schweiß|draht
Schweiß|drü|se
schwei|ßen (Werkstoffe durch Wärme, Druck fest miteinander verbinden; *Jägerspr.* bluten

[vom Wild]); du schweißt; du schweißtest; geschweißt
Schwei|ßer (Facharbeiter für Schweißarbeiten); Schwei|ße|rin
Schweiß|fähr|te (*Jägerspr.*)
schweiß|feucht; Schweiß|fleck; Schweiß|fuß *meist Plur.*; schweiß|ge|ba|det
Schweiß|hund (*Jägerspr.*)
schwei|ßig
Schweiß|le|der (ein ledernes Schweißband)
Schweiß|naht
schweiß|nass; Schweiß|per|le; Schweiß|po|re
Schweiß|stahl; Schweiß|tech|nik
schweiß|trei|bend; schweiß|trie|fend ↑K59 ; Schweiß|trop|fen; Schweiß|tuch *Plur.* ...tücher; schweiß|über|strömt
Schwei|ßung
schweiß|ver|klebt
Schweit|zer (elsässischer Missionsarzt)
Schweiz, die; -; die französische, welsche Schweiz (französischsprachiger Teil der Schweiz); *aber* ↑K140 : die Holsteinische, die Sächsische Schweiz
[1]Schwei|zer (Bewohner der Schweiz; *auch für* Melker; *landsch. für* Küster in kath. Kirchen)
[2]Schwei|zer; Schweizer Bürger; Schweizer Jura (Gebirge), Schweizer Käse, Schweizer Land (schweizerisches Gebiet; *vgl. aber* Schweizerland)
Schwei|zer|de|gen (jmd., der sowohl als Schriftsetzer wie auch als Drucker ausgebildet ist)
schwei|zer|deutsch ↑K149 (schweizerisch mundartlich); *vgl.* deutschschweizerisch; Schwei|zer|deutsch, das; -[s] (deutsche Mundart[en] der Schweiz)
Schwei|zer|gar|de ↑K64 (päpstliche Garde); Schwei|zer|häus|chen (Sennhütte)
Schwei|ze|rin
schwei|ze|risch; die schweizerischen Eisenbahnen; schweizerische Post; *aber* ↑K150 : die Schweizerische Eidgenossenschaft; Schweizerische Bundesbahnen (*Abk.* SBB); Schweizerische Depeschenagentur (*Abk.* SDA)
Schwei|zer|land, das; -[e]s (Land der Schweizer); *vgl. aber* Schweizer Land

S
Schw

Schwei|zer|volk, das; -[e]s (Volk der Schweizer); *aber* Schweizer Volk (Volk der Schweiz) ↑K 64
Schweiz|rei|se
Schwejk [ʃvaik, *auch* ʃvɛik] (Held eines Romans des tschech. Schriftstellers J. Hašek)
Schwel|brand
Schwelch|malz (an der Luft getrocknetes Malz)
schwe|len (langsam flammenlos [ver]brennen; glimmen); Schwe|le|rei *(Technik)*
schwel|gen; in Erinnerungen schwelgen; Schwel|ger; Schwel|ge|rei; Schwel|ge|rin; schwel|ge|risch
Schwel|koh|le; Schwel|koks
Schwel|le, die; -, -n
¹schwel|len (größer, stärker werden; sich ausdehnen); du schwillst; er/sie schwillt; du schwollst; du schwöllest; geschwollen; schwill!; ihr Hals ist geschwollen; die Brust schwoll ihm vor Freude
²schwel|len (größer, stärker machen; ausdehnen); du schwellst; du schwelltest; geschwellt; schwell[e]!; der Wind schwellte die Segel; der Stolz hat seine Brust geschwellt; mit geschwellter Brust
Schwel|len|angst, die; - *(Psych.* Angst vor dem Betreten fremder Räume, vor ungewohnter Umgebung)
Schwel|len|land *Plur.* ...länder (relativ weit industrialisiertes Entwicklungsland)
Schwel|len|wert *(Psych.)*
Schwel|ler (Teil der Orgel u. des Harmoniums)
Schwell|kopf, der; -s, ...köpfe *(landsch. für* überlebensgroßer Maskenkopf)
Schwell|kör|per *(Med.)*
Schwel|lung
Schwell|werk (Schweller)
Schwe|lung
Schwemm|bo|den
Schwem|me, die; -, -n (flache Stelle eines Gewässers als Badeplatz für das Vieh; zeitlich begrenztes überreichl. Warenangebot; *landsch. für* einfaches Lokal; *österr. veraltet für* Warenhausabteilung mit niedrigen Preisen)
schwem|men *(österr. auch für* Wäsche spülen)
Schwemm|gut; Schwemm|land, das; -[e]s; Schwemm|sand

Schwemm|sel, das; -s *(fachspr. für* Angeschwemmtes)
Schwemm|stein *(Bauw.)*
Schwen|de, die; -, -n (durch Abbrennen urbar gemachter Wald; Rodung); schwen|den
Schwen|gel, der; -s, -
Schwenk, der; -[e]s, *Plur.* -s, *selten* -e *(Filmw.* durch Schwenken der Kamera erzielte Einstellung); schwenk|bar
Schwenk|be|reich, der; Schwenk|büh|ne *(Bergmannsspr.)*
schwen|ken; Fahnen schwenken; Schwen|ker (Kognakglas)
Schwenk|glas; Schwenk|kran; Schwenk|seil; Schwen|kung
schwer s. *Kasten Seite 917*
schwer|ab|hän|gig *(Med.)*
Schwer|ab|hän|gi|ge, der u. die; -n, -n *(Med.)*
Schwer|ar|bei|ter; Schwer|ar|bei|te|rin
Schwer|ath|let; Schwer|ath|le|tik; Schwer|ath|le|tin
schwer be|hin|dert, *bes. Amtsspr.* schwer|be|hin|dert (durch gesundheitliche Schädigung nur beschränkt erwerbsfähig); *aber nur* schwerer, am schwers|ten behindert ↑K 62
Schwer|be|hin|der|te, der u. die; -n, -n
Schwer|be|hin|der|ten|aus|weis; Schwer|be|hin|der|ten|ge|setz
schwer be|la|den, schwer|be|la|den *vgl.* schwer
schwer be|schä|digt, *bes. Amtsspr.* schwer|be|schä|digt *(svw.* schwerbehindert); *aber nur* schwer, schwerer, am schwersten beschädigt; das Fahrzeug wurde schwer beschädigt
Schwer|be|schä|dig|te, der u. die; -n, -n
schwer be|waff|net, schwer|be|waff|net *vgl.* schwer
schwer Be|waff|ne|te, der u. die; - -n, - -n, Schwer|be|waff|ne|te, der u. die; -n, -n
schwer|blü|tig; Schwer|blü|tig|keit
Schwe|re, die; - (Gewicht); die Schwere der Schuld; Schwe|re|feld *(Physik, Astron.)*
schwe|re|los; Schwe|re|lo|sig|keit
Schwe|re|not, die; *nur in veralteten Fügungen wie* Schwerenot [noch einmal]!; dass dich die Schwerenot!
Schwe|re|nö|ter (charmanter, durchtriebener Mann)
schwer er|zieh|bar, schwer|er|zieh|bar *vgl.* schwer

schwer Er|zieh|ba|re, der u. die; -n, - -n, Schwer|er|zieh|ba|re, der u. die; -n, -n ↑K 72
schwer|fal|len (Schwierigkeiten bereiten, nicht leicht sein); *vgl.* schwer
schwer|fäl|lig; Schwer|fäl|lig|keit
Schwer|ge|wicht *(bes. Sport* eine Körpergewichtsklasse); schwer|ge|wich|tig; Schwer|ge|wicht|ler; Schwer|ge|wicht|le|rin
Schwer|ge|wichts|meis|ter; Schwer|ge|wichts|meis|te|rin; Schwer|ge|wichts|meis|ter|schaft
schwer|hal|ten (schwierig sein); *vgl.* schwer
schwer|hö|rig; Schwer|hö|rig|keit
Schwe|rin (Hauptstadt von Mecklenburg-Vorpommern)
Schwer|in|dus|t|rie
Schwer|kraft, die; -
schwer krank, schwer|krank *vgl.* schwer
schwer Kran|ke, der u. die; - -n, - -n, Schwer|kran|ke, der u. die; -n, -n ↑K 72
Schwer|kriegs|be|schä|digt *(Amtsspr.)*; Schwer|kriegs|be|schä|dig|te
Schwer|las|ter; Schwer|last|ver|kehr
schwer|lich (kaum)
schwer lös|lich, schwer|lös|lich *vgl.* schwer
schwer ma|chen, schwer|ma|chen *vgl.* schwer
Schwer|me|tall; Schwer|me|tall|emis|si|on
Schwer|mut, die; -; schwer|mü|tig; Schwer|mü|tig|keit, die; -
schwer|neh|men (als bedrückend empfinden); *vgl.* schwer
Schwer|öl
Schwer|punkt; schwer|punkt|mä|ßig; Schwer|punkt|streik; Schwer|punkt|the|ma
schwer|reich *(ugs. für* sehr reich); eine schwerreiche Frau; er ist schwerreich
Schwer|spat (ein Mineral)
Schwerst|ar|bei|ter; Schwerst|ar|bei|te|rin
schwerst|be|hin|dert
Schwerst|be|hin|der|te, der u. die; -n, -n
schwerst|be|schä|digt
Schwerst|be|schä|dig|te, der u. die; -n, -n
schwerst|pfle|ge|be|dürf|tig; Schwerst|pfle|ge|be|dürf|ti|ge, der u. die; -n, -n
Schwert, das; -[e]s, -er
Schwer|ter|ge|klirr, Schwert|ge|klirr
Schwert|fisch; schwert|för|mig;

schwer

schwerer, am schwers|ten

Kleinschreibung ↑K 89:

- schwere (ernste, getragene) Musik
- schweres (großkalibriges) Geschütz
- schweres Wasser (Sauerstoff-Deuterium-Verbindung)
- ein schwerer Junge (*ugs. für* Gewaltverbrecher)
- ihr Tod war ein schwerer Schlag (großer Verlust) für die Familie

Getrennt- und Zusammenschreibung in Verbindung mit Verben, Adjektiven und Partizipien ↑K 56 *u.* 59:

- das lässt sich nur schwer machen
- dabei kann man sich schwer verletzen
- er ist auf der Treppe sehr schwer gefallen
- diese Aufgabe ist ihr [nicht so] schwergefallen
- es hat schwergehalten (es war schwierig), ihn davon zu überzeugen
- er hat ihr das Leben schwer gemacht *od.* schwergemacht
- du darfst den Vorwurf nicht so schwernehmen (ernst nehmen)

- ich habe mich, *selten* mir damit schwergetan *(ugs.)*
- ein schwer erziehbares *od.* schwererziehbares Kind
- die schwer kranken *od.* schwerkranken Patienten
- schwer lösliche *od.* schwerlösliche Substanzen
- schwer verdauliche *od.* schwerverdauliche Speisen
- eine schwer verständliche *od.* schwerverständliche Sprache
- ein schwer verträglicher *od.* schwerverträglicher Wein
- ein schwer beladener *od.* schwerbeladener Wagen
- ein schwer bewaffneter *od.* schwerbewaffneter Polizist
- schwer verwundet *od.* schwerverwundet
- schwer wiegend *od.* schwerwiegend (vgl. d.)
- schwer verletzte *od.* schwerverletzte Opfer; die schwer Verletzten *od.* Schwerverletzten ↑K 72

Aber nur:
- sehr schwer verdauliche Speisen
- die äußerst schwer verwundeten Soldaten
Vgl. auch schwer behindert, schwerbehindert; schwer beschädigt, schwerbeschädigt

---

Schwert|fort|satz (Teil des Brustbeins)
Schwert|ge|klirr *vgl.* Schwertergeklirr; Schwert|knauf; Schwert|lei|te (*früher* Ritterschlag)
Schwert|li|lie (*vgl.* ³Iris)
Schwert|trans|por|ter
Schwert|schlu|cker; Schwert|schlu|cke|rin; Schwert|tanz
Schwert|trä|ger (ein Fisch)
schwer|tun, sich; *vgl.* schwer
Schwer|ver|bre|cher; Schwer|ver|bre|che|rin
schwer ver|dau|lich, schwer|ver|dau|lich *vgl.* schwer
schwer ver|letzt, schwer|ver|letzt *vgl.* schwer; schwer Ver|letz|te, der *u.* die; - -n, - -n, Schwer|ver|letz|te, der *u.* die; -n, -n
schwer ver|ständ|lich, schwer|ver|ständ|lich *vgl.* schwer
schwer ver|träg|lich, schwer|ver|träg|lich *vgl.* schwer
schwer ver|wun|det, schwer|ver|wun|det *vgl.* schwer
schwer wie|gend, schwer|wie|gend; schwerer wiegende/ schwerwiegendere Bedenken, am schwers|ten wiegende/ schwerwiegends|te Bedenken
Schwes|ter, die; -, -n (*Abk.* Schw.)
Schwes|ter|fir|ma; Schwes|ter|herz (*veraltet, noch scherzh.*); Schwes|ter|kind (*veraltet*)
schwes|ter|lich; Schwes|ter|lie|be

(Liebe der Schwester [zum Bruder, zur Schwester])
Schwes|tern|hau|be; Schwes|tern|haus; Schwes|tern|hel|fe|rin; Schwes|tern|lie|be (Liebe zwischen Schwestern); Schwes|tern|or|den; Schwes|tern|paar
Schwes|tern|schaft (Gesamtheit von Schwestern)
Schwes|tern|schu|le; Schwes|tern|schü|le|rin; Schwes|tern|tracht; Schwes|tern|wohn|heim
Schwes|ter|par|tei; Schwes|ter|schiff
Schwet|zin|gen (Stadt südlich von Mannheim); Schwet|zin|ger; Schwetzinger Spargel
Schwib|bo|gen (Kerzenhalter in Form eines Schwebebogens; *Archit.* zwischen zwei Mauerteilen frei stehender Bogen)
schwieg *vgl.* schweigen
Schwie|gel *vgl.* Schwegel
Schwie|ger, die; -, -n (*veraltet für* Schwiegermutter)
Schwie|ger|el|tern *Plur.*; Schwie|ger|mut|ter *Plur.* ...mütter; Schwie|ger|sohn; Schwie|ger|toch|ter; Schwie|ger|va|ter
Schwie|le, die; -, -n; schwie|lig
Schwie|mel, der; -s, - (*landsch. für* Rausch; leichtsinniger Mensch, Zechbruder); schwie|me|lig, schwiem|lig (*landsch. für* schwindlig, taumelig)
schwie|meln (*landsch. für* tau-

meln; bummeln, leichtsinnig leben); ich schwiem[e]le
schwiem|lig *vgl.* schwiemelig
schwie|rig; Schwie|rig|keit; Schwie|rig|keits|grad
Schwimm|an|zug; Schwimm|bad; Schwimm|bag|ger; Schwimm|bas|sin; Schwimm|be|cken; Schwimm|be|we|gung *meist Plur.*; Schwimm|bla|se; Schwimm|blatt (*Bot.*); Schwimm|dock
schwim|men; du schwammst; du schwömmest, *auch* schwämmest; geschwommen; schwimm[e]!
Schwimm|me|rin
Schwimm|flos|se; Schwimm|flü|gel; Schwimm|fuß; Schwimm|gür|tel; Schwimm|hal|le; Schwimm|haut; Schwimm|kä|fer; Schwimm|ker|ze; Schwimm|kom|pass; Schwimm|kran
Schwimm|leh|rer; Schwimm|leh|re|rin
Schwimm|meis|ter, Schwimm-Meis|ter; Schwimm|meis|te|rin, Schwimm-Meis|te|rin
Schwimm|nu|del (eine Schwimmhilfe); Schwimm|sand; Schwimm|sport; Schwimm|sta|di|on; Schwimm|stil; Schwimm|vo|gel; Schwimm|wes|te
Schwin|del, der; -s (*ugs. auch für* Lüge; Täuschung)
Schwin|del|an|fall; Schwin|de|lei
Schwin|del er|re|gend, schwin|del-

S
Schw

er|re|gend; in Schwindel erregender *od.* schwindelerregender Höhe; *aber nur* in äußerst schwindelerregender Höhe, in noch schwindelerregenderer Höhe ↑K 58
schwin|del|frei
Schwin|del|ge|fühl
schwin|del|haft
schwin|de|lig *vgl.* schwindlig
schwin|deln; ich schwind[e]le; es schwindelt mir, *seltener* mich
Schwin|del|zet|tel (*österr. ugs. für* Spickzettel)
schwin|den; du schwandst; du schwändest; geschwunden; schwind[e]!
Schwin|dler; Schwind|le|rin; **schwind|le|risch**
schwind|lig, schwin|de|lig
Schwind|maß, das (*Technik*)
Schwind|span|nung (*Bauw.*)
Schwind|sucht, die; - (*veraltet*); **schwind|süch|tig** (*veraltet*)
Schwin|dung, die; - (*Fachspr.*)
Schwing|ach|se (*[Kfz-]Technik*)
Schwing|büh|ne (*Technik*)
Schwin|ge, die; -, -n
Schwin|gel, der; -s, - (ein Rispengras)
schwin|gen (*schweiz. auch für* in besonderer Weise ringen); hin und her schwingen; du schwangst; du schwängest; geschwungen; schwing[e]!
Schwin|gen, das; -s (*schweiz. für* eine Art des Ringens)
Schwin|ger (Boxschlag mit gestrecktem Arm; *schweiz. für* jmd., der das Schwingen betreibt); **Schwin|ge|rin**
Schwin|get, der; -s (*schweiz. für* Schwingveranstaltung, -wettkampf); **Schwing|fest**
Schwing|kreis (*Elektrot.*)
Schwing|quarz (*Technik*)
Schwing|tür
Schwin|gung; Schwin|gungs|dämp|fer; Schwin|gungs|dau|er; Schwin|gungs|kreis (Schwingkreis); **Schwin|gungs|zahl**
schwipp!; schwipp, schwapp!
Schwip|pe, die; -, -n (*landsch. für* biegsames Ende; Peitsche); **schwip|pen** (*landsch.*)
Schwipp|schwa|ger (Schwager des Ehepartners *od.* des Bruders bzw. der Schwester); **Schwipp|schwä|ge|rin**
schwipp, schwapp!
Schwips, der; -es, -e (*ugs.*)
schwir|be|lig, schwirb|lig (*landsch. für* schwindlig)

schwir|beln (*landsch. für* schwindeln; sich im Kreise drehen); ich schwirb[e]le
schwirb|lig *vgl.* schwirbelig
Schwirl, der; -[e]s, -e (ein Singvogel)
schwir|ren; Schwirr|vo|gel (*veraltet für* Kolibri)
Schwit|ze, die; -, -n (*kurz für* Mehlschwitze)
schwit|zen; du schwitzt; du schwitztest; geschwitzt
schwit|zig
Schwitz|kas|ten; Schwitz|kur
Schwof, der; -[e]s, -e (*ugs. für* öffentliches Tanzvergnügen); **schwo|fen** (*ugs. für* tanzen)
schwoi|en, schwo|jen (*niederl.*) (*Seemannsspr.* sich [vor Anker] drehen [von Schiffen]); das Schiff schwoit, schwojet, hat geschwoit, geschwojet
schwor *vgl.* schwören
schwö|ren; du schworst, *veraltet* schwurst; du schwürest; geschworen; schwör[e]!; auf jmdn., auf eine Sache schwören
Schwuch|tel, die; -, -n (*ugs. abwertend od. diskriminierend für* [femininer] Homosexueller)
schwul (*ugs. u. Selbstbez. für* homosexuell)
schwül
Schwu|le, der; -n, -n (*ugs. u. Selbstbez. für* Homosexueller)
Schwü|le, die; -
Schwu|len|bar *vgl.* schwul; **Schwu|len|sze|ne** *vgl.* schwul
schwül|heiß ↑K 23
Schwu|li|bus; *nur in* in Schwulibus sein (*ugs. scherzh. für* bedrängt sein)
Schwu|li|tät, die; -, -en (*ugs. für* Verlegenheit, Klemme)
Schwulst, der; -[e]s, Schwülste; **schwuls|tig** (aufgeschwollen, aufgeworfen; *österr. für* schwülstig)
schwüls|tig (überladen); **Schwüls|tig|keit**
schwül|warm ↑K 23
schwum|me|rig, schwumm|rig (*ugs. für* schwindelig; bange)
Schwund, der; -[e]s
Schwund|aus|gleich (*Technik*)
Schwund|stu|fe (*Sprachw.*)
Schwung, der; -[e]s, Schwünge; in Schwung kommen
Schwung|brett; Schwung|fe|der
schwung|haft
Schwung|kraft
schwung|los
Schwung|rad; Schwung|rie|men

Schwung|stem|me (*Turnen*)
schwung|voll
schwupp!; Schwupp, der; -[e]s, -e, Schwups (*ugs. für* Stoß); **schwupp|di|wupp!; schwups!; Schwups** *vgl.* Schwupp
Schwur, der; -[e]s, Schwüre
schwur|be|lig (*ugs. für* schwindelig, verwirrt)
Schwur|ge|richt; Schwur|ge|richts|ver|hand|lung
Schwur|hand
Schwyz [ʃviːts] (Kanton der Schweiz u. dessen Hauptort); **Schwy|zer**
Schwy|zer|dütsch, Schwy|zer|tütsch, das; -[s] (*schweiz. mdal. für* Schweizerdeutsch)
schwy|ze|risch
Sci|ence-Fic|tion, Sci|ence|fic|tion [ˈsaiəns.fikʃn̩], die; - ⟨amerik.⟩ (fantastische Literatur utopischen Inhalts auf naturwissenschaftlich-technischer Grundlage); **Sci|ence-Fic|tion-Ro|man, Sci|ence|fic|tion-Ro|man, Sci|ence|fic|tion|ro|man**
Sci|en|to|lo|ge [saiˈanto...], der; -n, -n ⟨amerik.⟩ (Angehöriger der Scientology); **Sci|en|to|lo|gin**
Sci|en|to|lo|gy® [saiənˈtolodʒi] ⟨amerik.⟩ (eine Religionsgemeinschaft)
scil., sc. = scilicet
sci|li|cet ⟨lat.⟩ (nämlich; *Abk.* sc., scil.)
Scil|la *vgl.* Szilla
Sci|pio (Name berühmter Römer)
Scoop [skuːp], der; -s, -s ⟨engl.⟩ (sensationeller [Presse]bericht)
Scoo|ter [ˈskuːtɐ], der; -s, - (Motorroller)
Scor|da|tu|ra, die; -, Skor|da|tu|ren; die; - ⟨ital.⟩ (*Musik* Umstimmen von Saiten der Streich- u. Zupfinstrumente)
Score [skɔːɐ̯], der; -s, -s ⟨engl.⟩ (*Sport* Spielstand, Spielergebnis); **sco|ren** (*Sport* einen Punkt, ein Tor o. Ä. erzielen)
Scotch [skɔtʃ], der; -s, -s ⟨engl.⟩ (schottischer Whisky)
Scotch|ter|ri|er (Hunderasse)
Sco|tis|mus, der; - (*philos.* Lehre nach dem Scholastiker Duns Scotus); **Sco|tist**, der; -en, -en; **Sco|tis|tin**
Scot|land Yard [...lənt ˈjaːɐ̯t], der; - - ⟨engl.⟩ (Londoner Polizei[gebäude])
Scott (schottischer Dichter)
Scou|bi|dou [skubiˈduː], das; -s, -s

⟨franz.⟩ (Bastelspiel aus bunten Plastikbändern)

Scout [skaʊt], der; -[s], -s ⟨engl.⟩ (Pfadfinder; jmd., der etwas aufspüren soll)

Scrab|b|le ® [ˈskrɛbl], das; -s, -s ⟨engl.⟩ (ein Gesellschaftsspiel)

Scra|pie [ˈskre:pi], die; - ⟨engl.⟩ (*Tiermed.* vor allem bei Schafen auftretende Tierseuche); **Scra-pie|test**

scrat|chen [ˈskrɛtʃn̩] ⟨engl.⟩; sie scratcht, hat gescratcht; **Scratching** [ˈskrɛtʃ...], das; -s ⟨engl.⟩ (das Hervorbringen akustischer Effekte durch Manipulation der laufenden Schallplatte)

Scree|ning [ˈskri:nɪŋ], das; -s, -s ⟨engl.⟩ (*Med.* Verfahren zur Reihenuntersuchung)

Screen|shot [ˈskri:nʃɔt], der; -s, -s (*EDV* Abbildung einer Bildschirmanzeige)

Scrip, der; -s, -s ⟨engl.⟩ (*Wirtsch.* Gutschein über nicht gezahlte Zinsen)

scrol|len [ˈskro:lən] ⟨engl.⟩ (*EDV* die Bildschirmdarstellung gleitend verschieben)

Scu|do, der; -, ...di ⟨ital.⟩ (alte italienische Münze)

Scud|ra|ke|te [*auch* ˈskat...] (eine militärische Kurz- u. Mittelstreckenrakete)

sculps., **sc.** = sculpsit

sculp|sit ⟨lat., »hat [es] gestochen«⟩ (Zusatz zum Namen des Stechers auf Kupfer- u. Stahlstichen; *Abk.* sc., sculps.)

Scyl|la (*lat. Form von* Szylla, *griech.* Skylla)

SD = South Dakota

s. d. = sieh[e] dort

SDA, die; - = Schweizerische Depeschenagentur

SDI [ɛsdi:ˈai] = strategic defense initiative (US-amerikanisches Projekt zur Stationierung von [Laser]waffen im Weltraum)

SDS = Societatis Divini Salvatoris (»von der Gesellschaft der Göttlichen Heiland«; Salvatorianer)

Se = *chem. Zeichen für* Selen

SE = Stadtexpress

Se., S. = Seine [Exzellenz usw.]

Seal [zi:l], der *od.* das; -s, -s ⟨engl.⟩ (Fell der Pelzrobbe; ein Pelz); **Seal|man|tel**

Seals|field [ˈzi:...] (österr. Schriftsteller)

Seal|skin [ˈzi:...], der *od.* das; -s, -s ⟨engl.⟩ (*svw.* Seal; Plüschgewebe als Nachahmung des Seals)

Sean [ʃo:n] (m. Vorn.)

Sé|an|ce [seˈã:s(ə)], die; -, -n ⟨franz.⟩ ([spiritistische] Sitzung)

Se|at|tle [siˈɛtl] (Stadt in den USA)

Se|bas|ti|an (m. Vorn.)

Se|bor|rhö, die; -, -en ⟨lat.; griech.⟩ (*Med.* krankhaft gesteigerte Talgabsonderung)

¹**sec** = Sekans; Sekunde *(vgl. d.)*

²**sec** [sek] ⟨franz.⟩ (trocken [von franz. Schaumweinen])

Sec|co|re|zi|ta|tiv ⟨ital.⟩ (*Musik* nur von einem Tasteninstrument begleitetes Rezitativ)

Se|cen|tis|mus [...tʃe...], der; - ⟨ital.⟩ (Stilrichtung der Barockpoesie im Italien des 17. Jh.s); **Se|cen|tist**, der; -en, -en; **Se|cen|tis|tin**

Se|cen|to, das; -[s] (toskan. Form von Seicento)

Se|ces|si|on, die; - ⟨lat.⟩ (österr. Form des Jugendstils; Ausstellungsgebäude in Wien); *vgl.* Sezession

Sech, das; -[e]s, -e (messerartiges Teil am Pflug)

sechs; wir sind zu sechsen *od.* zu sechst, wir sind sechs; *vgl.* acht

Sechs, die; -, -en (Zahl); er hat eine Sechs gewürfelt; sie hat in Latein eine Sechs geschrieben; *vgl.* Eins *u.* ¹Acht

Sechs|ach|ser (Wagen mit sechs Achsen; *mit Ziffer* 6-Achser ↑K 29); **sechs|ach|sig**

Sechs|ach|tel|takt, der; -[e]s (↑K 26 *mit Ziffern* ⁶/₈-Takt); im Sechsachteltakt

Sechs|eck; **sechs|eckig**

Sechs|ein|halb, **sechs|und|ein|halb**

Sechs|en|der *(Jägerspr.)*

Sech|ser (landsch. früher auch für Fünfpfennigstück); *vgl.* Achter

sechs|ser|lei; auf sechserlei Art

Sechs|ser|pack *Plur.* -s *u.* -e; **Sechs|ser|pa|ckung**; **Sechs|ser|rei|he** (in Sechserreihen)

sechs|fach; **Sechs|fa|che**, das; -n; *vgl.* Achtfache

Sechs|flach, das; -[e]s, -e, **Sechs-fläch|ner** *(für Hexaeder)*

sechs|hun|dert

Sechs|kant, das *od.* der; -[e]s, -e ↑K 66; **Sechs|kant|ei|sen** ↑K 66; **sechs|kan|tig**

Sechs|ling

sechs|mal *vgl.* achtmal; **sechs|ma-lig**

Sechs|pass, der; -es, -e (*Archit.* Verzierungsform mit sechs Bogen)

Sechs|spän|ner; **sechs|spän|nig**

---

sechs|stel|lig

Sechs|stern (sechsstrahliger Stern der Volkskunst)

sechst *vgl.* sechs

Sechs|ta|ge|ren|nen (*mit Ziffer* 6-Tage-Rennen)

sechs|tau|send

sechs|te; sie hat den sechsten Sinn (ein Gespür) dafür; *vgl.* achte

sechs|tel *vgl.* achtel; **Sechs|tel**, das, *schweiz. meist* der; -s, -; *vgl.* Achtel

sechs|tens

Sechs|und|drei|ßig|flach, das; -[e]s, -e, **Sechs|und|drei|ßig|fläch|ner** *(für Triakisdodekaeder)*

sechs|und|ein|halb, **sechs|ein|halb**

Sechs|und|sech|zig, das; - (ein Kartenspiel)

sechs|und|zwan|zig *vgl.* acht

Sechs|zy|lin|der (*ugs. für* Sechszylindermotor *od.* damit ausgerüsteter Kraftwagen); **Sechs|zy|lin|der|mo|tor** (*mit Ziffer* 6-Zylinder-Motor); **sechs|zy|lin-d|rig** (*mit Ziffer* 6-zylindrig ↑K 29)

Sech|ter, der; -s, - ⟨lat.⟩ (ein altes [Getreide]maß; *bayr., österr. für* Eimer, Milchgefäß)

sech|zehn *vgl.* acht

sech|zehn|hun|dert

Sech|zehn|me|ter|raum *(Fußball)*

sech|zig usw. *vgl.* achtzig usw.

sech|zig|jäh|rig *vgl.* achtjährig

Se|con|da, die; -, -s; *vgl.* Secondo

se|cond|hand [ˈsɛkəntˈhɛnt] ⟨engl.⟩ (aus zweiter Hand); **Se|cond-hand|shop** [ˈsɛkəntˈhɛntʃɔp], der; -s, -s (Laden, in dem gebrauchte Kleidung u. a. verkauft wird)

Se|con|do, der; -s, -s ⟨ital.⟩ (*schweiz. für* Zuwanderer der zweiten Generation)

Se|c|ret Ser|vice [ˈsi:krɪt ˈsəːɐ̯vɪs], der; - - ⟨engl.⟩ (britischer [politischer] Geheimdienst)

Se|cu|ri|ty [sɪˈkju:rɪti], die; -, -s ⟨engl. Bez. für Sicherheit, Sicherheitsdienst⟩

SED, die; - = Sozialistische Einheitspartei Deutschlands (Staatspartei der DDR [1946-1989])

Se|da (*Plur. von* Sedum)

se|da|tiv (*Med.* beruhigend, schmerzstillend); **Se|da|tiv**, das; -s, -e, **Se|da|ti|vum**, das; -s, ...va (*Med.* Beruhigungsmittel)

SED-Dik|ta|tur

Se|dez, das; -es ⟨lat.⟩ (Sechzehn-

telbogengröße [Buchformat]; *Abk.* 16°); Se|dez|for|mat
Se|dia ges|ta|to|ria [- dʒ...], die; - - ⟨ital.⟩ (Tragsessel des Papstes bei feierlichen Aufzügen)
Se|di|ment, das; -[e]s, -e ⟨lat.⟩ (Ablagerung, Schicht)
se|di|men|tär (durch Ablagerung entstanden); Se|di|men|tär|ge|stein
Se|di|men|ta|ti|on, die; -, -en (Ablagerung); Se|di|ment|ge|stein; se|di|men|tie|ren
Se|dis|va|kanz, die; -, -en ⟨lat.⟩ (Zeitraum, während dessen das Amt des Papstes od. eines Bischofs unbesetzt ist)
Sed|na, die; - od. der; -[s] *meist ohne Artikel* ⟨nach einer Göttin der Inuit⟩ (ein Planetoid des Sonnensystems)
Se|dum, das; -s, Seda ⟨lat.⟩ (*Bot.* Fetthenne)
¹See, der; -s, Se|en (stehendes Binnengewässer)
²See, die; -, Se|en (*nur Sing.:* Meer; Seegang; *Seemannsspr.* [Sturz]welle)
See|aal; See|ad|ler; See|amt
see|ar|tig, se|en|ar|tig
See|bad; See|bär; See|be|ben
see|be|schä|digt (*für* havariert)
See|be|stat|tung; See|blick (ein Zimmer mit Seeblick); See|blo|cka|de; See|büh|ne
See|ele|fant, **See-Ele|fant**, der; -en, -en (große Robbe)
see|er|fah|ren ↑K 25; See|er|fah|rung, **See-Er|fah|rung**
see|fah|rend; See|fah|rer; See|fah|re|rin; See|fahrt
See|fahrt|buch; See|fahrt|schu|le
see|fest
See|fisch; See|fracht; See|fracht|ge|schäft
See|frau *vgl.* Seemann
See|funk
See|gang, der; -[e]s
See Ge|ne|za|reth, *ökum.* Gen|ne|sa|ret, der; -s - (bibl. Name für den See von Tiberias)
See|gfrör|ni, die; -, ...nen (*schweiz. für* das Zufrieren, Zugefrorensein eines Sees)
See|gras; See|gras|ma|t|rat|ze
See|gur|ke (ein [meerbewohnender] Stachelhäuter); See|ha|fen; See|han|del; See|heil|bad
See|herr|schaft, die; -
See|hö|he (*bes. österr. für* Meter über dem Meeresspiegel)
See|hund; See|hunds|fän|ger
See|hunds|fell

See|igel; See|igel|kak|tus
See|jung|fer (eine Libelle); See|jung|frau (eine Märchengestalt)
See|ka|dett; See|kar|te; See|kas|se (Versicherung für in der Seefahrt beschäftigte Personen)
see|klar; Schiffe seeklar machen
See|kli|ma, das; -s
see|krank; See|krank|heit, die; - See|krieg; See|kuh; See|lachs
See|land (dänische Insel; niederländische Provinz)
Seel|chen
See|le, die; -, -n; meiner Seel! ↑K 13 ; die unsterbliche Seele
See|len|ach|se (in Feuerwaffen)
See|len|adel (geh.)
See|len|amt (*kath. Kirche* Totenmesse)
See|len|blind|heit (*für* Agnosie)
See|len|bräu|ti|gam (*bes. Mystik* Christus)
See|len|frie|de[n]; See|len|grö|ße, die; -; See|len|gü|te (geh.); See|len|heil; See|len|hirt (veraltend für Geistlicher)
See|len|klemp|ner (scherzh. für Psychologe); See|len|klemp|ne|rin
See|len|kun|de, die; - (veraltend für Psychologie); see|len|kun|dig
See|len|le|ben, das; - (geh.)
see|len|los (geh.)
See|len|mas|sa|ge (ugs.)
See|len|mes|se
See|len|qual (geh.)
See|len|ru|he; see|len|ru|hig
see|len[s]|gut; see|len|stark; see|len|ver|gnügt (ugs. für heiter)
See|len|ver|käu|fer (ugs. für skrupelloser Mensch; Seemannsspr. zum Abwracken reifes Schiff); See|len|ver|käu|fe|rin
see|len|ver|wandt; See|len|ver|wandt|schaft
see|len|voll (geh.)
See|len|wan|de|rung; See|len|zu|stand
See|leu|te (Plur. von Seemann)
see|lisch; das seelische Gleichgewicht; die seelischen Kräfte
Seel|sor|ge, die; -; See|l|sor|ger; Seel|sor|ge|rin; seel|sor|ge|risch; seel|sor|ger|lich, seel|sorg|lich
Seel|luft, die; -; See|l|macht
See|mann Plur. ...leute; See|män|nin; see|män|nisch
See|manns|amt; See|manns|brauch
See|mann|schaft, die; - (seemännische Kenntnisse)
See|manns|garn, das; -[e]s (erfundene Geschichte); See|manns|heim; See|manns|kno|ten; See-manns|le|ben, das; -s; See-

manns|lied; See|manns|los, das; -es; See|manns|spra|che; See-manns|tod
See|mei|le (*Zeichen* sm)
See|mi|ne
se|en|ar|tig (vgl. seeartig); Se|en|kun|de, die; - (für Limnologie)
See|not, die; -; See|not|ret|tungs-dienst; See|not|ret|tungs|kreu|zer; See|not|zei|chen
Se|en|plat|te
s. e. e. o., s.e. et o. = salvo errore et omissione ⟨lat.⟩ (Irrtum und Auslassung vorbehalten)
See|pferd|chen; See|po|cke (Krebstier)
See|räu|ber; See|räu|be|rei, die; -; See|räu|be|rin; see|räu|be|risch
See|recht, das; -[e]s; See|rei|se
See|ro|se
Seer|su|cker ['siːɐ̯sakɐ], der; -s ⟨Hindi-engl.⟩ (kreppähnliches Baumwollgewebe)
See|sack; See|sand; See|schlacht; See|schlan|ge; See|sper|re; See-stern
Seestra|ße; See|stra|ßen|ord|nung
See|streit|kräf|te Plur.; See|stück (Gemälde mit Seemotiv)
See|tang
s. e. et o. vgl. s. e. e. o.
see|tüch|tig
See|ufer
See|ver|bren|nung ([Müll]verbrennung auf ²See); See|ver|si|che-rung; See|wal|ze (vgl. Seegurke); See|war|te (die Deutsche Seewarte in Hamburg)
see|wärts
See|was|ser|aqua|ri|um
See|weg; See|we|sen, das; -s; See-wet|ter|dienst; See|wind; See|zei-chen; See|zoll|ha|fen
See|zun|ge (ein Fisch)
Se|gel, das; -s, -; Se|gel|boot
se|gel|fer|tig
se|gel|flie|gen nur im Infinitiv gebräuchlich; Se|gel|flie|ger; Se-gel|flie|ge|rin
Se|gel|flug; Se|gel|flug|zeug
Se|gel|jacht, Se|gel|yacht
Se|gel|kurs; se|gel|los; Se|gel|ma|cher; Se|gel|ma|che|rin
se|geln; ich seg[e]le
Se|gel|oh|ren Plur. (ugs.)
Se|gel|re|gat|ta; Se|gel|schiff; Se-gel|sport; Se|gel|sur|fen, das; -s; Se|gel|törn (Fahrt mit einem Segelboot); Se|gel|tuch Plur. ...tuche
Se|gel|yacht, Se|gel|jacht
Se|gen, der; -s, -; Segen bringen; die Segen bringende od. segen-

bringende Weihnachtszeit; Segen spendend *od.* segenspendend

se|gens|reich; Se|gens|spruch; se|gens|voll; Se|gens|wunsch

Se|ger (dt. Technologe)

Se|ger|ke|gel ® ↑K136 (*Zeichen* SK); Se|ger|por|zel|lan, das; -s

Se|ges|tes (Cheruskerfürst; Vater der Thusnelda)

Seg|ge, die; -, -n (*nordd. für* Riedgras, Sauergras)

Se|ghers (dt. Schriftstellerin)

Seg|ler; Seg|le|rin

Seg|ment, das; -[e]s, -e ⟨lat.⟩ (Abschnitt, Teilstück)

seg|men|tal (in Form eines Segmentes); seg|men|tär (aus Abschnitten gebildet)

seg|men|tie|ren; Seg|men|tie|rung (Gliederung in Abschnitte)

seg|nen; gesegnete Mahlzeit!; Seg|nung

¹Se|gre|ga|ti|on, die; -, -en ⟨lat.⟩ (*Biol.* Aufspaltung der Erbfaktoren während der Reifeteilung der Geschlechtszellen; *veraltet für* Ausscheidung, Trennung)

²Se|gre|ga|tion [sɛgriˈgeːʃn], die; -, -s ⟨engl.⟩ (*Soziol.* Absonderung einer Bevölkerungsgruppe [nach Hautfarbe, Religion])

se|gre|gie|ren

Seh|ach|se

seh|be|hin|dert; Seh|be|hin|der|te, der *u.* die; -n, -n; Seh|be|hin|de|rung

se|hen; du siehst, er/sie sieht; ich sah, du sahst; du sähest; gesehen; sieh[e]!; sieh[e] da!; ich habe es gesehen, *aber* ich habe es kommen sehen, *selten* gesehen; ↑K82 : ich kenne ihn nur vom Sehen; ihm wird Hören u. Sehen *od.* hören u. sehen vergehen (*ugs.*); ihr solltet euch mal wieder zu Hause sehen lassen; ihre Leistungen können sich sehen lassen *od.* sehenlassen (sind beachtlich) ↑K55

se|hens|wert; se|hens|wür|dig

Se|hens|wür|dig|keit, die; -, -en

Se|her (*Jägerspr. auch* Auge des Raubwildes; *österr. auch für* Fernsehzuschauer)

Se|her|blick; Se|her|ga|be, die; -

Se|he|rin; se|he|risch

Seh|feh|ler; seh|ge|schä|digt; Seh|ge|schä|dig|te, der *u.* die; -n, -n

Seh|ge|wohn|heit *meist Plur.;* Seh|hil|fe; Seh|kraft, die; -; Seh|kreis; Seh|loch (*für* Pupille)

Seh|ne, die; -, -n

se|hnen, sich; ↑K82 : stilles Sehnen

Seh|nen|ent|zün|dung; Seh|nen|re|flex (*Med.*); Seh|nen|riss

Seh|nen|satz (*Math.*)

Seh|nen|schei|de; Seh|nen|schei|den|ent|zün|dung

Seh|nen|zer|rung

Seh|nerv

seh|nig

seh|nlich

Seh|nsucht, die; -, ...süchte

seh|nsüch|tig; seh|nsuchts|voll

Seh|öff|nung; Seh|or|gan (Auge)

Seh|pro|be; Seh|prü|fung

sehr; so sehr; zu sehr; gar sehr; sehr fein (*Abk.* ff); sehr viel, vieles; sehr bedauerlich; er hat die Note »sehr gut« erhalten; *vgl.* ausreichend

seh|ren (*mdal. für* verletzen)

Seh|rohr (*für* Periskop)

Seh|schär|fe; Seh|schlitz

Seh|schwach; Seh|schwä|che; Seh|schwa|chen|schu|le

Seh|stäb|chen (*Med.*); Seh|stö|rung; Seh|test; Seh|ver|mö|gen, das; -s; Seh|zen|t|rum (*Med.*)

Sei|ber, Sei|fer, der; -s (*landsch. für* ausfließender Speichel [bes. bei kleinen Kindern]); sei|bern, sei|fern; ich seibere, seifere

Sei|cen|to [zeiˈtʃɛ...], das; -[s] ⟨ital.⟩ (*Kunst* das 17. Jh. in Italien); *vgl.* Secento

Seich, der; -[e]s *u.* Sei|che, die; - (*landsch. derb für* Urin; seichtes Gerede; schales Getränk); sei|chen (*derb für* urinieren)

Sei|cherl, das; -s, -n (*österr. ugs. für* Feigling)

Seiches [sɛʃ] *Plur.* ⟨franz.⟩ (periodische Niveauschwankungen von Seen usw.)

seicht; Seicht|heit, Seich|tig|keit

seid (2. Pers. Plur. Indikativ Präs. *von* ²sein); ihr seid; seid vorsichtig!; *vgl. aber* seit

Sei|de, die; -, -n

Sei|del, das; -s, - ⟨lat.⟩ (Gefäß; Flüssigkeitsmaß); 3 Seidel Bier

Sei|del|bast, der; -[e]s, -e (ein Strauch)

sei|den (aus Seide); sei|den|ar|tig

Sei|den|at|las *Plur.* -se; Sei|den|blu|se; Sei|den|fa|den; Sei|den|glanz; Sei|den|ma|le|rei

sei|den|matt; Sei|den|pa|pier

Sei|den|rau|pe; Sei|den|rau|pen|zucht

Sei|den|schal; Sei|den|spin|ner (ein Schmetterling)

sei|den|weich; sei|dig

Sei|en|de, das; -n (*Philos.*)

Sei|fe, die; -, -n (Waschmittel; *Geol.* Ablagerung); grüne Seife

sei|fen (abseifen; *Geol.* Minerale auswaschen); sei|fen|ar|tig

Sei|fen|bla|se; Sei|fen|flo|cke

Sei|fen|ge|bir|ge (erz- od. edelsteinhaltiges Gebirge)

Sei|fen|kis|te|ren|nen

Sei|fen|lap|pen; Sei|fen|lau|ge

Sei|fen|oper (*ugs. für* triviale Rundfunk- od. Fernsehserie)

Sei|fen|pul|ver; Sei|fen|scha|le; Sei|fen|schaum

Sei|fen|sie|der; jmdm. geht ein Seifensieder auf (*ugs. für* jmd. begreift etwas); Sei|fen|sie|de|rin

Sei|fen|spen|der

Sei|fer usw. *vgl.* Seiber usw.

Seif|fen (Kurort im Erzgebirge)

sei|fig

Seif|ner (*veraltet für* Erzwäscher)

Sei|ge, die; -, -n (*Bergmannsspr.* vertiefte Rinne, in der das Grubenwasser abläuft); sei|ger (*Bergmannsspr.* senkrecht)

sei|gern (*veraltet für* seihen, sickern; *Hüttenw.* [sich] ausscheiden; ausschmelzen); ich seigere

Sei|ger|riss (bildlicher Durchschnitt eines Bergwerks); Sei|ger|schacht (*Bergbau* senkrechter Schacht)

Sei|ge|rung (*Hüttenw.*)

Sei|g|neur [zɛnˈjøːɐ̯], der; -s, -s ⟨franz.⟩ (*veraltet für* vornehmer Weltmann)

Sei|he, die; -, -n (*landsch.*)

Sei|hen (*landsch. für* durch ein Sieb gießen, filtern)

Sei|her (*landsch. für* Sieb für Flüssigkeiten); Sei|herl, das; -s, -n (*österr. für* [Tee]sieb)

Seih|tuch *Plur.* ...tücher (*landsch.*)

Seil, das; -[e]s, -e; auf dem Seil laufen, tanzen (*vgl. aber* seiltanzen); über das Seil hüpfen, springen (*vgl. aber* seilhüpfen, seilspringen); [am] Seil ziehen

Seil|bahn

¹sei|len (Seile herstellen)

²sei|len (*nordd. für* segeln)

Sei|ler; Sei|le|rei; Sei|ler|win|dig

Sei|ler|meis|ter; Sei|ler|meis|te|rin

seil|hüp|fen; *vorwiegend im Infinitiv u. im Partizip II gebräuchlich;* seilgehüpft; *vgl.* Seil; Seil|hüp|fen, das; -s

Seil|schaft (die durch ein Seil verbundenen Bergsteiger; *übertr. für* Gruppe von Personen, die eng zusammenarbeiten)

²sein

- ich bin, du bist, er/sie/es ist, wir sind, ihr seid, sie sind
- ich sei, du seist, er/sie/es sei, wir seien, ihr seiet, sie seien
- ich war, du warst, er/sie/es war, wir waren, ihr wart, sie waren
- ich wäre, du wärst, er/sie/es wäre, wir wären, ihr wärt, sie wären
- seiend; gewesen
- sei!; seid!
- Seien Sie bitte so freundlich ...

Verbindungen mit dem Verb »sein« werden getrennt geschrieben:

- da sein; heraus sein; hier sein; zusammen sein; sie wollte ihn Sieger sein lassen

Aber:

- ich möchte das lieber sein lassen *od.* seinlassen (*ugs. für* nicht tun)
- das Dasein, das Sosein, das Zusammensein; das So-oder-anders-Sein ↑K27

Seil|schwe|be|bahn

seil|sprin|gen; *vorwiegend im Infinitiv u. im Partizip II gebräuchlich;* seilgesprungen; *vgl.* Seil;

Seil|sprin|gen, das; -s

Seil|steu|e|rung (*Bobsport*)

seil|tan|zen; *vorwiegend im Infinitiv u. im Partizip II gebräuchlich;* seilgetanzt; *vgl.* Seil; **Seil|tän|zer; Seil|tän|ze|rin**

Seil|trom|mel; Seil|win|de; Seil|zie|hen, das; -s; **Seil|zug**

Seim, der; -[e]s, -e (*veraltend für* dicker [Honig]saft)

sei|mig (*veraltend für* dickflüssig)

¹sein, seine, sein; *aber* ↑K85 : Seine (*Abk.* S[e].), Seiner (*Abk.* Sr.) Exzellenz; *vgl.* dein *u.* seine

²sein *s. Kasten*

Sein, das; -s; das Sein und das Nichtsein; das wahre Sein

sei|ne, sei|ni|ge; ↑K76 : jedem das Seine *od.* das seine; er muss das Seine *od.* das seine dazu beitragen, tun; sie ist die Seine *od.* die seine; er sorgte für die Seinen *od.* die seinen

Sei|ne [ˈzɛːn(ə)], die; - (französischer Fluss)

sei|ner|seits

sei|ner|zeit (damals, dann; *Abk.* s. Z.); **sei|ner|zei|tig**

sei|nes|glei|chen; Leute seinesgleichen; er hat nicht seinesgleichen; **sei|net|hal|ben** (*veraltend*)

sei|net|we|gen; sei|net|wil|len; *nur in* um seinetwillen

sei|ni|ge *vgl.* seine

sein las|sen, **sein|las|sen** *vgl.* ²sein

Sei|sing *vgl.* Zeising

Seis|mik, die; - ⟨griech.⟩ (Erdbebenkunde); **seis|misch** (die Seismik bzw. Erdbeben betreffend)

Seis|mo|graf, Seis|mo|graph, der; -en, -en (Gerät zur Aufzeichnung von Erdbeben); seis|mo|gra|fisch, seis|mo|gra|phisch

Seis|mo|gramm, das; -s, -e (Aufzeichnung der Erdbebenwellen)

Seis|mo|graph usw. *vgl.* Seismograf usw.

Seis|mo|lo|ge, der; -n, -n; **Seis|mo|lo|gie,** die; - (*svw.* Seismik); **Seis|mo|lo|gin; seis|mo|lo|gisch**

Seis|mo|me|ter, das; -s, - (Gerät zur Messung der Erdbebenstärke); **seis|mo|me|t|risch**

seit; *Präposition mit Dativ:* seit dem Zusammenbruch; seit alters ↑K70 ; seit damals, gestern, heute; seit kurzem *od.* Kurzem; seit langem *od.* Langem; *Konjunktion:* seit ich hier bin; *vgl. aber* seid

---

seit

Im Gegensatz zur mit *d* geschriebenen Verbform *seid* (*ihr seid*) enden die Präposition und die Konjunktion *seit* (seit drei Jahren; ihr geht es besser, seit sie Sport treibt) mit *t*.

---

seit|ab (abseits)

seit|dem; seitdem ist sie gesund; seitdem ich hier bin; *aber* seit dem Tag, an dem ...

Sei|te *s. Kasten Seite 923*

Sei|ten|air|bag (*Kfz-Technik*)

Sei|ten|al|tar

Sei|ten|an|sicht; Sei|ten|arm

Sei|ten|auf|prall|schutz

Sei|ten|aus (*Sport*)

Sei|ten|aus|gang

Sei|ten|aus|li|nie (*Sport*)

Sei|ten|bau *Plur.* ...bauten

Sei|ten|blick

Sei|ten|ein|gang; Sei|ten|ein|stei|ger; Sei|ten|ein|stei|ge|rin

Sei|ten|flü|gel

Sei|ten|front

Sei|ten|füh|rung (der Reifen)

Sei|ten|gang, der; **Sei|ten|ge|wehr**

Sei|ten|hal|bie|ren|de, die; -n, -n (*Math.*); zwei Seitenhalbierende

Sei|ten|hieb

sei|ten|lang; seitenlange Briefe *aber* ein vier Seiten langer Brief

Sei|ten|leit|werk (*Flugw.*)

Sei|ten|li|nie

Sei|ten|por|tal; Sei|ten|ram|pe

Sei|ten|ru|der (*Flugw.*)

sei|tens; ↑K70 *Präposition mit Genitiv (Amtsspr.):* seitens des Angeklagten wurde Folgendes eingewendet

Sei|ten|schiff (*Archit.*)

Sei|ten|schnei|der (ein Werkzeug)

Sei|ten|schritt

sei|ten|schwim|men; *im Allgemeinen nur im Infinitiv gebräuchlich;* **Sei|ten|schwim|men,** das; -s

Sei|ten|sprung

sei|ten|stän|dig (*Bot.* von Blättern)

Sei|ten|ste|chen, das; -s

Sei|ten|stra|ße; Sei|ten|strei|fen; Sei|ten|stück; Sei|ten|ta|sche; Sei|ten|teil, das, *auch* der; **Sei|ten|trakt; Sei|ten|trieb** (*Bot.*); **Sei|ten|tür**

sei|ten|ver|kehrt

Sei|ten|wa|gen

Sei|ten|wahl (*Sport*)

Sei|ten|wech|sel

Sei|ten|wind

Sei|ten|zahl

Sei|ten|zu|griff (*EDV* Aufruf einer Webseite)

seit|her; seit|he|rig

...sei|tig (z. B. allseitig)

seit|lich

Seit|ling, der; -s, -e (ein Pilz)

seit|lings (*veraltet*)

Seit|pferd (*Turnen*)

seit|wärts; *vgl.* abwärts; **Seit|wärts|be|we|gung; seit|wärts|tre|ten**

Sei|wal (norw.) (eine Walart)

Sejm [sɛɪm], der; -s ⟨poln.⟩ (oberste polnische Volksvertretung)

sek, Sek. = Sekunde (*vgl. d.*)

SEK (Währungscode für schwed. Krone)

Se|kans, der; -, *Plur.* -, *auch* Sekanten (lat.) (*Math.* Verhältnis der Hypotenuse zur Ankathete im

---

S

Seil

Sei|te

die; -, -n

– siehe Seite 20 (*Abk.* s. S. 20)
– der Text folgt auf Seite 3–7; *oder:* der Text folgt auf den Seiten 3–7
Vgl. auch Saite

Groß- und Getrenntschreibung:

– die linke, rechte Seite
– auf der Seite der Schwächeren sein
– von allen Seiten
– von zuständiger Seite
– etwas zur Seite legen
– jmdm. zur Seite treten, stehen

Klein- und Zusammenschreibung:

– beiseite
– seitens *(vgl. d.)*

– meinerseits, ihrerseits; beiderseits, all[er]seits
– väterlicherseits, mütterlicherseits; deutscherseits
– einerseits, ander[er]seits
– abseits
– diesseits; beidseits
– bergseits

Klein- und Zusammenschreibung oder Groß- und Getrenntschreibung ↑K 63:

– aufseiten , auf Seiten
– vonseiten , von Seiten
– zuseiten , zu Seiten

rechtwinkligen Dreieck; *Zeichen* sec)

Se|kan|te, die; -, -n (Gerade, die eine Kurve schneidet)

Se|kel, Sche|kel, der; -s, - ⟨hebr.⟩ (altbabylon. u. hebr. Gewichts- u. Münzeinheit)

sek|kant ⟨ital.⟩ (*österr. für* lästig, zudringlich)

Sek|ka|tur, die; -, -en (*österr. für* Quälerei, Belästigung); **sek|kie|ren** (*österr. für* quälen, belästigen)

Se|kond|hieb ⟨ital.; dt.⟩ (ein Fechthieb)

¹**Se|kret**, das; -[e]s, -e ⟨lat.⟩ (*Med.* Absonderung; *veraltet für* vertrauliche Mitteilung)

²**Se|kret**, die; - (stilles Gebet des Priesters während der Messe)

Se|kre|ta|ri|at, das; -[e]s, -e (Kanzlei, Geschäftsstelle)

Se|kre|tä|rin

se|kre|tie|ren ⟨lat.⟩ (*Med.* absondern); **Se|kre|ti|on**, die; -, -en (*Med.* Absonderung); **se|kre|to|risch**

Sekt, der; -[e]s, -e ⟨ital.⟩; **Sekt|du|sche** (das Übergießen od. Nassspritzen mit Sekt [zur Feier eines sportlichen Erfolges])

Sek|te, die; -, -n ⟨lat.⟩ ([kleinere] Glaubensgemeinschaft); **Sek-**

ten|an|hän|ger; **Sek|ten|an|hän|ge|rin**; **Sek|ten|we|sen**, das; -s

Sekt|fla|sche; **Sekt|flö|te**; **Sekt|früh|stück**; **Sekt|glas** *Plur.* ...gläser

Sek|tie|rer ⟨lat.⟩ (jmd., der von einer politischen, religiösen o. ä. Richtung abweicht); **Sek|tie|re|rin**; **sek|tie|re|risch**; **Sek|tie|rer|tum**, das; -s

Sek|ti|on, die; -, -en ⟨lat.⟩ (Abteilung, Gruppe, Fachbereich; *Med.* Leichenöffnung)

Sek|ti|ons|be|fund (*Med.*)

Sek|ti|ons|chef (Abteilungsvorstand; *in* Österr. höchster Beamtenrang); **Sek|ti|ons|che|fin**

sek|ti|ons|wei|se

Sekt|kelch; **Sekt|kel|le|rei**; **Sekt|kor|ken**; **Sekt|kü|bel**; **Sekt|lau|ne**

Sek|tor, der; -s, ...oren ⟨lat.⟩ ([Sach]gebiet, Bezirk; *Math.* Ausschnitt)

Sek|to|ren|gren|ze

Sekt|scha|le; **Sekt|steu|er**, die

Se|kund, die; -, -en ⟨lat.⟩ (*österr. svw.* Sekunde [in der Musik])

se|kun|da (*Kaufmannsspr. veraltet für* zweiter Güte)

Se|kun|da, die; -, ...den (*veraltend für* die 6. u. 7. Klasse eines Gymnasiums)

Se|kund|ak|kord (*Musik*)

Se|kun|da|ner (Schüler einer Sekunda); **Se|kun|da|ne|rin**

Se|kun|dant, der; -en, -en ⟨lat.⟩ (Beistand, Zeuge [im Zweikampf]; Berater eines Sportlers); **Se|kun|dan|tin**

se|kun|där ⟨franz.⟩ (zweitrangig; untergeordnet; nachträglich hinzukommend; Neben...)

Se|kun|dar|arzt (*österr. für* Assistenzarzt); **Se|kun|dar|ärz|tin**

Se|kun|där|elek|t|ron (*Physik* durch Beschuss mit einer primären Strahlung aus einem festen Stoff ausgelöstes Elektron); **Se|kun|där|emis|si|on** (*Physik* Emission von Sekundärelektronen); **Se|kun|där|ener|gie** (*Technik* aus einer Primärenergie gewonnene Energie)

Se|kun|där|leh|rer (*schweiz.*); **Se|kun|där|leh|re|rin**

Se|kun|där|li|te|ra|tur (wissenschaftliche u. kritische Literatur über Dichter, Dichtungen, Dichtungsepochen)

Se|kun|där|roh|stoff *meist Plur.* (*regional für* Altmaterial)

Se|kun|där|schu|le (*schweiz. für* Realschule)

Se|kun|där|sta|tis|tik (Auswertung von nicht primär für statistische Zwecke gesammelten Daten)

Se|kun|där|strom (*Elektrot.*)

Se|kun|där|stu|fe (ab dem 5. Schuljahr)

Se|kun|där|tu|gend (Tugend von minderem Rang)

Se|kun|där|wick|lung (*Elektrot.*)

Se|kun|da|wech|sel (*Bankw.*)

Se|künd|chen

Se|kun|de, die; -, -n ⟨lat.⟩ ($^{1}/_{60}$ Minute, *Abk.* Sek. [*Zeichen* s; *veraltet* sec, sek]; *Geom.* $^{1}/_{60}$ Minute [*Zeichen* ˝]; *Musik* zweiter Ton der diaton. Tonleiter; Intervall im Abstand von 2 Stufen; *Druckerspr.* am Fuß der dritten Seite eines Bogens stehende Zahl mit Sternchen)

se|kun|den|lang; sekundenlanges

S
seku

Zögern, *aber* ein vierzig Sekunden langer Herzstillstand

Se|kun|den|schlaf; Se|kun|den|schnel|le, die; -; in Sekundenschnelle; **Se|kun|den|zei|ger**

se|kun|die|ren ⟨lat.-franz.⟩ (beistehen [im Zweikampf]; helfen, schützen); jmdm. sekundieren

se|künd|lich, se|kund|lich (in jeder Sekunde)

Se|kun|do|ge|ni|tur, die; -, -en (*früher* Besitz[recht] des zweitgeborenen Sohnes)

Se|ku|rit ®, das; -s ⟨nlat.⟩ (nicht splitterndes Glas)

sel. = selig

se|la! ⟨hebr.⟩ (*ugs. für* abgemacht!, Schluss!)

Se|la, das; -s, -s (Musikzeichen in den Psalmen)

Se|la|don [*auch* ...'dõ:], das; -s, -s ⟨wohl nach dem graugrünen Gewand des franz. Romanhelden Céladon⟩ (chinesisches Porzellan mit grüner Glasur); **Se|la|don|por|zel|lan**

Se|lam vgl. Salam

Se|lam|lik, der; -s, -s ⟨arab.-türk.⟩ (Empfangsraum im orientalischen Haus)

selb|an|der (*veraltet für* zu zweit)

selb|dritt (*veraltet für* zu dritt)

sel|be; zur selben (zu derselben) Zeit

sel|ber (*meist ugs. für* selbst)

Sel|ber|ma|chen, das; -s ↑K 82 (*ugs.*)

sel|big (*veraltet);* zu selbiger Stunde, zur selbigen Stunde

selbst *s.* Kasten Seite 925

Selbst, das; -; ein Stück meines Selbst

Selbst|ab|ho|ler; Selbst|ab|ho|le|rin

Selbst|ach|tung, die; -; **Selbst|akzep|tanz** (*Psych.*); **Selbst|ana|ly|se**

selb|stän|dig, selbst|stän|dig; sich selbstständig, selbstständig machen; **Selb|stän|di|ge, Selbst|stän|di|ge,** der *u.* die; -n, -n; **Selb|stän|dig|keit, Selbst|stän|dig|keit,** die; -

Selbst|an|kla|ge; Selbst|an|steckung; Selbst|an|zei|ge

Selbst|auf|ga|be; Selbst|auf|merk|sam|keit (*Psych.*)

Selbst|auf|op|fe|rung

Selbst|aus|kunft (Angaben zur eigenen Person)

Selbst|aus|lö|ser (*Fotogr.*)

Selbst|be|die|nung *Plur.* selten (*Abk.* SB); **Selbst|be|die|nungs|la|den; Selbst|be|die|nungs|res|tau|rant**

Selbst|be|frie|di|gung (Masturbation); **Selbst|be|fruch|tung** (*Bot.*)

Selbst|be|halt, der; -[e]s, -e (*Versicherungsw.* Selbstbeteiligung)

Selbst|be|haup|tung, die; -

Selbst|be|herr|schung, die; -

Selbst|be|kös|ti|gung

Selbst|be|schei|dung (*geh.*)

Selbst|be|schrän|kung

Selbst|be|schul|di|gung

Selbst|be|stä|ti|gung

Selbst|be|stäu|bung (*Bot.*)

Selbst|be|stimmt (eigenverantwortlich); **Selbst|be|stim|mung,** die; -; **Selbst|be|stim|mungs|recht,** das; -[e]s

Selbst|be|tei|li|gung (*Versicherungsw.*); **Selbst|be|trug**

Selbst|be|weih|räu|che|rung (*ugs. abwertend*)

selbst|be|wusst; Selbst|be|wusst|sein

Selbst|be|zeich|nung

Selbst|be|zich|ti|gung; Selbst|be|zich|ti|gungs|schrei|ben

Selbst|bild (*Psych.*); **Selbst|bild|nis**

Selbst|bin|der

Selbst|bio|gra|fie, Selbst|bio|gra|phie

Selbst|dar|stel|ler; Selbst|dar|stel|le|rin; Selbst|dar|stel|lung

Selbst|dis|zi|p|lin, die; -

selbst|durch|schrei|bend; selbstdurchschreibendes Papier

selbst|ei|gen (*veraltet*)

Selbst|ein|schät|zung

Selbst|ein|tritt (*Wirtsch.*)

Selbst|ent|fal|tung

selbst|ent|zünd|lich vgl. selbst; **Selbst|ent|zün|dung**

Selbst|er|fah|rung, die; -; **Selbst|er|fah|rungs|grup|pe**

Selbst|er|hal|tung, die; -; **Selbst|er|hal|tungs|trieb**

Selbst|er|kennt|nis

selbst er|nannt, selbst|er|nannt vgl. selbst

Selbst|er|nied|ri|gung

Selbst|er|zeu|ger; Selbst|er|zeu|ge|rin

Selbst|fah|rer; Selbst|fah|re|rin

Selbst|fi|nan|zie|rung

Selbst|fin|dung (*geh.*)

selbst ge|ba|cken, selbst|ge|ba|cken vgl. selbst; **selbst ge|braut, selbst|ge|braut** vgl. selbst

selbst ge|dreht, selbst|ge|dreht vgl. selbst

selbst|ge|fäl|lig; Selbst|ge|fäl|lig|keit, die; -

Selbst|ge|fühl, das; -[e]s

selbst ge|macht, selbst|ge|macht vgl. selbst

selbst|ge|nüg|sam

selbst ge|nutzt, selbst|ge|nutzt vgl. selbst

selbst|ge|recht; Selbst|ge|rech|tig|keit

selbst ge|schnei|dert, selbst|ge|schnei|dert vgl. selbst; **selbst ge|schrie|ben, selbst|ge|schrie|ben** vgl. selbst

Selbst|ge|spräch

selbst ge|strickt, selbst|ge|strickt vgl. selbst

selbst|haf|tend; selbsthaftende Etiketten

Selbst|hei|lung (*Med.*); **Selbst|hei|lungs|kraft** *meist Plur.*

Selbst|herr|lich; Selbst|herr|lich|keit, die; -

Selbst|hil|fe, die; -; **Selbst|hil|fe|grup|pe**

Selbst|in|duk|ti|on (*Elektrot.*)

Selbst|iro|nie, die; -

selbs|tisch (*geh. für* egoistisch)

Selbst|jus|tiz; Selbst|kas|tei|ung; selbst|kle|bend

Selbst|kon|t|rol|le

Selbst|kos|ten *Plur.;* **Selbst|kos|ten|preis; Selbst|kos|ten|rech|nung**

Selbst|kri|tik; selbst|kri|tisch

Selbst|la|der; Selbst|la|de|waf|fe

Selbst|läu|fer (etw., was wie von selbst Erfolg hat)

Selbst|laut (Vokal); **Selbst|lob**

selbst|los; Selbst|lo|sig|keit, die; -

Selbst|me|di|ka|ti|on (*Med.*)

Selbst|mit|leid

Selbst|mord

Selbst|mord|an|schlag; Selbst|mord|at|ten|tat

Selbst|mord|at|ten|tä|ter; Selbst|mord|at|ten|tä|te|rin

selbst|mör|de|risch; Selbst|mord|ge|fähr|det

Selbst|mord|kom|man|do

Selbst|mord|ra|te; Selbst|mord|ver|such

Selbst|por|t|rät

selbst|quä|le|risch; selbst|re|dend

selbst|rei|ni|gend; Selbst|rei|ni|gung; selbst|schä|di|gend

Selbst|schuss; Selbst|schuss|an|la|ge

Selbst|schutz, der; -es

selbst|si|cher; Selbst|si|cher|heit

selbst|stän|dig, selb|stän|dig; sich selbstständig, selbständig machen; **Selbst|stän|di|ge, Selb|stän|di|ge,** der *u.* die; -n, -n; **Selbst|stän|dig|keit, Selb|stän|dig|keit,** die; -

Selbst|stel|ler (*Rechtsspr.*); **Selbst|stel|le|rin**

selbst

– von selbst; selbst wenn ↑K 126 ; selbst (sogar) bei Glatteis fährt er schnell

Getrenntschreibung:

– selbst backen; selbst brauen; selbst machen; selbst nutzen; selbst verdienen usw.

In Verbindung mit einem adjektivisch gebrauchten Partizip kann getrennt oder zusammengeschrieben werden ↑K 58:

– ein selbst gebackener *od.* selbstgebackener Kuchen
– selbst gebrautes *od.* selbstgebrautes Bier
– selbst gedrehte *od.* selbstgedrehte Zigaretten

– ein selbst ernannter *od.* selbsternannter Experte
– selbst gemachte *od.* selbstgemachte Marmelade
– eine selbst genutzte *od.* selbstgenutzte Eigentumswohnung
– ein selbst geschneiderter *od.* selbstgeschneiderter Anzug
– selbst verdientes *od.* selbstverdientes Geld

Zusammenschreibung:

– selbstentzündlich (von selbst entzündlich)
– selbstklebend (von selbst klebend)
– *Ebenso:* selbstredend, selbstvergessen, selbstverständlich usw.

Vgl. auch selber

Selbst|stu|di|um, das; -s
Selbst|sucht, die; -; **selbst|süch|tig**
selbst|tä|tig; Selbst|täu|schung
Selbst|tö|tung (Selbstmord)
selbst|tra|gend (aus sich heraus statisch stabil; *österr., schweiz. auch für* sich selbst finanzierend)
Selbst|über|he|bung; Selbst|über|schät|zung
Selbst|über|win|dung
Selbst|un|ter|richt
Selbst|ver|ach|tung, die; -
Selbst|ver|brau|cher; Selbst|ver|brau|che|rin
Selbst|ver|bren|nung
selbst ver|dient, selbst|ver|dient *vgl.* selbst
selbst|ver|ges|sen
Selbst|ver|lag, der; -[e]s
selbst|ver|let|zend; selbstverletzendes Verhalten
Selbst|ver|let|zung
selbst|ver|liebt; Selbst|ver|liebt|heit; Selbst|ver|mark|tung
Selbst|ver|pfle|gung, die; -
Selbst|ver|pflich|tung
Selbst|ver|schul|den *(Amtsspr.)*
Selbst|ver|sor|ger; Selbst|ver|sor|ge|rin
selbst|ver|ständ|lich; Selbst|ver|ständ|lich|keit
Selbst|ver|ständ|nis, das; -ses
Selbst|ver|stüm|me|lung
Selbst|ver|such *(Med.)*
Selbst|ver|tei|di|gung
Selbst|ver|trau|en
Selbst|ver|wal|tung
Selbst|ver|wirk|li|chung
Selbst|vor|wurf
Selbst|wahr|neh|mung
Selbst|wert|ge|fühl *(Psych.)*
Selbst|zer|flei|schung
selbst|zer|stö|re|risch
Selbst|zer|stö|rung

Selbst|zucht, die; - *(geh.)*
selbst|zu|frie|den; Selbst|zu|frie|den|heit
Selbst|zweck, der; -[e]s
Selbst|zün|der
Selbst|zwei|fel
sel|chen (*bayr. u. österr. für* räuchern); **Sel|cher** (*bayr. u. österr. für* jmd., der mit Geselchtem handelt); **Sel|che|rei** (*bayr. u. österr. für* Fleisch- u. Wursträucherei); **Sel|che|rin; Selch|fleisch; Selch|kam|mer; Selch|kar|ree** (*österr. für* Kasseler Rippenspeer); **Selch|rol|ler** (*österr. für* geräucherter Rollbraten)
Sel|d|schu|ke, der; -n, -n (Angehöriger eines türk. Volksstammes); **Sel|d|schu|kin**
se|le|gie|ren ⟨lat.⟩ (*fachspr.* auswählen)
Se|lek|ta, die; -, ...ten (*früher* Oberklasse, Begabtenklasse)
se|lek|tie|ren (auswählen)
Se|lek|ti|on, die; -, -en ⟨lat.-engl.⟩ (Auswahl; *Biol.* Auslese); **se|lek|ti|o|nie|ren** (*svw.* selektieren)
Se|lek|ti|ons|druck; Se|lek|ti|ons|leh|re; Se|lek|ti|ons|the|o|rie
se|lek|tiv (auswählend; mit Auswahl; *Funkw.* trennscharf); **Se|lek|ti|vi|tät,** die; - (*Funkw.* Trennschärfe)
Se|len, das; -s ⟨griech.⟩ (chemisches Element, Halbmetall; *Zeichen* Se); **Se|le|nat,** das; -[e]s, -e (Salz der Selensäure)
Se|le|ne (griechische Mondgöttin)
se|le|nig (*Chemie* Selen enthaltend); selenige Säure
Se|le|nit, das; -s, -e (Salz der selenigen Säure)
Se|le|no|gra|fie, Se|le|no|gra|phie, die; - (Beschreibung u. kartografische Darstellung der Mondoberfläche)

Se|le|no|lo|gie, die; - (Mondkunde, besonders Mondgeologie); **se|le|no|lo|gisch**
Se|len|säu|re *(Chemie);* **Se|len|zel|le** (ein elektrotechnisches Bauelement)
Se|leu|ki|de, Se|leu|zi|de, der; -n, -n (Angehöriger einer makedonischen Dynastie in Syrien)
Self... (Selbst...)
Self|ak|tor, der; -s, -s (Spinnmaschine)
Self|ful|fil|ling Pro|phe|cy [ˈzɛlffʊlfɪlɪŋ ˈprɔfəsaɪ], die; - -, - -s (sich selbst erfüllende Voraussage)
Self|made|man [...me:tmɛn], der; -s, ...men [...mən] (jmd., der sich aus eigener Kraft hochgearbeitet hat)
se|lig (*Abk.* sel.); selige Weihnachtszeit; selig sein; selig werden; jmdn. selig machen *od.* seligmachen (beglücken); *vgl.* seligpreisen, seligsprechen
Se|li|ge, der *u.* die; -n, -n
Se|lig|keit
se|lig ma|chen, se|lig|ma|chen *vgl.* selig
se|lig|prei|sen; wir können uns seligpreisen, noch immer so erfolgreich zu sein; **Se|lig|prei|sung**
se|lig|spre|chen (*kath. Kirche*); der Mönch wurde vom Papst seliggesprochen; **Se|lig|spre|chung**
Sel|le|rie [...ri, *österr.* ...ˈriː], der; -s, -[s] *od., österr. auch,* die; -, *Plur.* -, *österr.* ...jen ⟨griech.⟩ (eine Gemüsepflanze); **Sel|le|rie|sa|lat; Sel|le|rie|salz**
Sel|ma (w. Vorn.)
sel|ten, seltener, seltens|te; ↑K 89 : seltene Erden (*Chemie* Oxide der Seltenerdmetalle; *unrichtige Bez. für* die Seltenerdme-

S
selt

talle selbst); selten gut (*ugs. für* besonders gut); ein seltener Vogel (*ugs. auch für* sonderbarer Mensch)

Sel|ten|erd|me|tall *(Chemie)*

Sel|ten|heit; Sel|ten|heits|wert, der; -[e]s

Sel|ters (Name verschiedener Orte); Selterser Wasser

Sel|ter[s]|was|ser Plur. ...wässer

selt|sam; selt|sa|mer|wei|se; Seltsam|keit

¹**Sem** (bibl. m. Eigenn.)

²**Sem,** das; -s, -e ⟨griech.⟩ (*Sprachw.* kleinster Bestandteil der Wortbedeutung)

Se|man|tik, die; - (Lehre von der Bedeutung sprachlicher Zeichen); **se|man|tisch**

Se|ma|phor, das od., österr. nur, der; -s, -e (Signalmast; optischer Telegraf); **se|ma|pho|risch**

Se|ma|sio|lo|gie, die; - (Wortbedeutungslehre); **se|ma|sio|logisch**

Se|mes|ter, das; -s, - ⟨lat.⟩ ([Studien]halbjahr)

Se|mes|ter|an|fang; Se|mes|ter|beginn; Se|mes|ter|en|de; Se|mester|fe|ri|en Plur.; **Se|mes|terzeug|nis**

se|mes|t|ral (*veraltet für* halbjährrig; halbjährlich)

...**se|mes|t|rig;** z. B. sechssemestrig

se|mi... ⟨lat.⟩ (halb...); **Se|mi...** (Halb...)

Se|mi|fi|na|le *(Sport)*

Se|mi|ko|lon, das; -s, Plur. -s u. ...la ⟨lat.; griech.⟩ (Strichpunkt)

se|mi|lu|nar ⟨lat.⟩ (halbmondförmig); **Se|mi|lu|nar|klap|pe** *(Med.* eine Herzklappe)

Se|mi|nar, das; -s, Plur. -e, österr. u. schweiz. auch -ien ⟨lat.⟩ (Übungskurs an Hochschulen; kirchl. Institut zur Ausbildung von Geistlichen [z. B. Priestern]; *schweiz. für* Lehrerbildungsanstalt); **Se|mi|nar|ar|beit**

Se|mi|na|rist, der; -en, -en (Seminarschüler); **Se|mi|na|ris|tin; semi|na|ris|tisch**

Se|mi|nar|lei|ter; Se|mi|nar|lei|terin

Se|mi|nar|schein; Se|mi|nar|übung

Se|mio|lo|gie, die; - ⟨griech.⟩ (Lehre von den Zeichen, Zeichentheorie; *auch* svw. Symptomatologie)

se|mi|per|me|a|bel ⟨lat.⟩ (*Chemie, Biol.* halbdurchlässig); ...**a|b|le**

Membran; **Se|mi|per|me|a|bi|lität,** die; -

se|mi|pro|fes|si|o|nell; Se|mi|pro|fi

Se|mi|ra|mis (assyrische Königin)

Se|mit, der; -en, -en ⟨zu ¹Sem⟩ (Angehöriger einer eine semitische Sprache sprechenden Völkergruppe); **Se|mi|tin**

se|mi|tisch; Se|mi|tist, der; -en, -en (Erforscher der alt- u. der neusemit. Sprachen u. Literaturen); **Se|mi|tis|tik,** die; -; **Semi|tis|tin; se|mi|tis|tisch**

Se|mi|vo|kal *(Sprachw.* Halbvokal)

Sem|mel, die; -, -n *(bes. österr., bayr.);* **sem|mel|blond**

Sem|mel|brö|sel; Sem|mel|kloß; Sem|mel|knö|del *(bayr., österr.);* **Sem|mel|kren** (*österr. für* Meerrettichsoße); **Sem|mel|mehl**

Sem|mel|weis (ungarischer Arzt)

Sem|me|ring, der; -[s] (Alpenpass)

Sem|pach (schweiz. Ortsn.)

Sem|pa|cher See, der; - -s (See im Schweizer Mittelland)

Sem|per (dt. Baumeister)

Sem|st|wo, das; -s, -s ⟨russ.⟩ (ehemaliges russisches Selbstverwaltungsorgan)

Sen, der; -[s], -[s] (kleinste Währungseinheit in Japan, Kambodscha, Indonesien und Malaysia)

sen. = senior

Se|nat, der; -[e]s, -e ⟨lat.⟩ (Rat [der Alten] im alten Rom; Teil der Volksvertretung, z. B. in den USA; Regierungsbehörde in Hamburg, Bremen u. Berlin; akademische Verwaltungsbehörde; Richterkollegium bei Obergerichten)

Se|na|tor, der; -s, ...oren (Mitglied des Senats; Ratsherr); **Se|na|torin; se|na|to|risch; se|nats|beschluss; Se|nats|prä|si|dent; Senats|prä|si|den|tin; Se|nats|sitzung; Se|nats|spre|cher; Se|natsspre|che|rin; Se|nats|vor|la|ge**

Se|na|tus Po|pu|lus|que Ro|ma|nus (»Senat und Volk von Rom«) *(Abk.* S. P. Q. R.)

Sen|cken|berg (dt. Arzt u. Naturforscher); **sen|cken|ber|gisch;** Senckenbergische Naturforschende Gesellschaft ↑K150

Send, der; -[e]s, -e (*früher für* [Kirchen]versammlung; geistliches Gericht)

Send|bo|te *(veraltend);* **Send|botin**

Sen|de|an|la|ge; Sen|de|be|reich, der; **Sen|de|fol|ge; Sen|de|format; Sen|de|ge|biet; Sen|dehaus; Sen|de|lei|ter,** der; **Sen|delei|te|rin**

sen|den

– ich sandte u. ich sendete
– du sandtest u. sendetest
– *selten* wenn er könnte, sendete (*nicht:* sändte) er ein Fax
– gesandt u. gesendet; send[e]!

In der Bedeutung »schicken« sind die Formen mit »a« häufiger. Im Bereich Technik werden nur die Formen mit »e« verwendet:

– Ich sandte, *auch* sendete ihr einen Brief.
– *Aber nur:* Er sendete einen Funkspruch.

Sen|de|pau|se; Sen|de|plan

Sen|der; ↑K150 : Sender Freies Berlin (*Abk.* SFB)

Sen|der|an|la|ge

Sen|der|raum; Sen|de|rei|he

Sen|der|such|lauf *(Rundf.)*

Sen|de|schluss, der; -es; **Sen|desta|ti|on; Sen|de|ter|min**

Sen|de- und Emp|fangs|ge|rät ↑K31

Sen|de|zei|chen; Sen|de|zeit; Sende|zen|t|ra|le; Sen|de|zen|t|rum

Send|ge|richt ⟨zu Send⟩ *(früher)*

Send|schrei|ben

Sen|dung

Sen|dungs|be|wusst|sein

Se|ne|ca (römischer Dichter und Philosoph)

Se|ne|fel|der (österreichischer Erfinder des Steindruckes)

¹**Se|ne|gal,** der; -[s] (afrikanischer Fluss)

²**Se|ne|gal,** -s, *auch mit Artikel* der; -[s] (Staat in Afrika); **Se|ne|ga|lese,** der; -n, -n; **Se|ne|ga|le|sin; sene|ga|le|sisch**

Se|ne|ga|wur|zel, die; - ⟨indian.; dt.⟩ (ein Arzneimittel)

Se|ne|schall, der; -s, -e ⟨franz.⟩ (Oberhofbeamter im merowingischen Reich)

Se|nes|zenz, die; - ⟨lat.⟩ *(Med.* das Altern; Altersschwäche)

Senf, der; -[e]s, -e ⟨griech.⟩

senf|far|ben, senf|far|big; Senf|gas

Senf|gur|ke; Senf|korn Plur. ...körner; **Senf|pflas|ter**

Senf|so|ße, Senf|sau|ce

Senf|ten|berg (Stadt südwestlich von Cottbus)

Senf|tun|ke

Sen|ge *Plur. (landsch. für* ²Prügel); Senge beziehen

sen|gen; sen|ge|rig, seng|rig (*landsch. für* angebrannt)

Se|n|hor [zɛn'joːɐ], der; -s, -es ⟨port.⟩ (*port. Bez. für* Herr; Besitzer); **Se|n|ho|ra**, die; -, -s (*port. Bez. für* Dame, Frau; Besitzerin); **Se|n|ho|ri|ta**, die; -, -s (*port. Bez. für* unverheiratete Frau)

se|nil ⟨lat.⟩ ([geistig] greisenhaft); **Se|ni|li|tät**, die; -

se|ni|or (»älter« (*hinter Namen der* Ältere; *Abk.* sen.); Karl Meyer senior

Se|ni|or, der; -s, ...oren (Ältester; Vorsitzender; Sportler etwa zwischen 20 u. 30 Jahren; *meist Plur.:* ältere Menschen)

Se|ni|o|rat, das; -[e]s, -e (*veraltet für* Ältestenwürde, Amt des Vorsitzenden; *auch für* Majorat, Ältestenrecht)

Se|ni|or|chef; Se|ni|or|che|fin

Se|ni|o|ren|heim; Se|ni|o|ren|klas|se (*Sport);* **Se|ni|o|ren|kon|vent** (*Verbindungsw.);* **Se|ni|o|ren|sport;** **Se|ni|o|ren|treff**

Se|ni|o|rin

Se|ni|or(inn)en (*Kurzform für* Seniorinnen u. Senioren)

Senk|blei, das (*Bauw.*)

Sen|ke, die; -, -n

Sen|kel, der; -s, - (*kurz für* Schnürsenkel; *schweiz. auch für* Senkblei); etwas, jmdn. in den Senkel stellen (*schweiz. für* etwas zurechtrücken, jmdn. zurechtweisen)

sen|ken; Sen|ker (ein Werkzeug; *auch für* Steckling)

Senk|fuß; Senk|gru|be; Senk|kas|ten; Senk|lot

senk|recht; senkrecht [herunter]fallen, stehen; ↑K 72 : das ist das einzig Senkrechte (*ugs. für* Richtige); **Senk|rech|te**, die; -n, -n; zwei -[n]

Senk|recht|start; Senk|recht|star|ter (ein Flugzeugtyp; *ugs. auch für* jmd., der schnell Karriere macht); **Senk|recht|star|te|rin**

Senk|rü|cken

Sen|kung

Sen|kungs|abs|zess (*Med.*)

Senk|waa|ge (*Physik* Gerät zur Bestimmung der Dichte von Flüssigkeiten)

Senn, der; -[e]s, -e, *schweiz. auch* der; -en, -en, *bayr., österr. auch* **Sen|ne**, der; -n, -n (*bayr., österr.* u. *schweiz. für* Bewirtschafter einer Sennhütte, Almhirt)

Sen|na, die; - ⟨arab.⟩ (Blätter der Sennespflanze)

¹**Sen|ne** *vgl.* Senn

²**Sen|ne**, die; -, -n (*veraltet für* Alm)

³**Sen|ne**, die; - (südwestliches Vorland des Teutoburger Waldes)

¹**Sen|ner** (*bayr., österr. svw.* Senn)

²**Sen|ner** (Pferd aus der ³Senne)

Sen|ne|rei (*bayr., österr. für* Sennhütte, Käserei in den Alpen); **Sen|ne|rin** (Bewirtschafterin einer Almhütte)

Sen|nes|blät|ter *Plur.* ⟨arab.; dt.⟩ (*svw.* Senna); **Sen|nes|blät|ter|tee** (ein Abführmittel)

Sen|nes|pflan|ze (Kassie); **Sen|nes|scho|te**

Senn|hüt|te

Sen|nin (*svw.* Sennerin)

Senn|wirt|schaft

Se|non, das; -s ⟨nach dem kelt. Stamm der Senonen⟩ (*Geol.* zweitjüngste Stufe der oberen Kreideformation)

Se|ñor [zɛn'joːɐ], der; -s, -es ⟨span.⟩ (*span. Bez. für* Herr); **Se|ño|ra**, die; -, -s (*span. Bez. für* Frau); **Se|ño|ri|ta**, die; -, -s (*span. Bez. für* unverheiratete Frau)

Sen|sal, der; -s, -e ⟨ital.⟩ (*österr. für* Kursmakler); **Sen|sa|lie, Sen|sa|rie**, die; -, ...ien (*österr. für* Maklergebühr)

Sen|sa|ti|on, die; -, -en ⟨franz., »Empfindung«⟩ (aufsehenerregendes Ereignis); **sen|sa|ti|o|nell** (aufsehenerregend)

Sen|sa|ti|ons|be|dürf|nis, das; -ses; **Sen|sa|ti|ons|gier; Sen|sa|ti|ons|lüs|tern**

Sen|sa|ti|ons|ma|che (*abwertend);* **Sen|sa|ti|ons|mel|dung; Sen|sa|ti|ons|nach|richt; Sen|sa|ti|ons|pres|se**, die; -; Sen|sa|ti|ons|pro|zess; **Sen|sa|ti|ons|sucht**, die; -

Sen|se, die; -, -n; [jetzt ist aber] Sense! (*ugs. für* Schluss!, jetzt ist es genug!); **sen|sen** (mit der Sense mähen)

Sen|sen|mann (*veraltet für* Schnitter; *verhüllend für* Tod); **Sen|sen|wurf** (Sensenstiel)

sen|si|bel ⟨franz.⟩ (reizempfindlich, empfindsam; feinfühlig); ...i|b|le Nerven; **Sen|si|bel|chen** (*abwertend für* empfindsame Person)

Sen|si|bi|li|sa|tor, der; -s, ...oren ⟨lat.⟩ (die Lichtempfindlichkeit der fotografischen Schicht verstärkender Farbstoff)

sen|si|bi|li|sie|ren (empfindlich machen); **Sen|si|bi|li|sie|rung**

Sen|si|bi|li|tät, die; - ⟨franz.⟩ (Empfindlichkeit, Empfindsamkeit; Feinfühligkeit)

sen|si|tiv ⟨lat.(-franz.)⟩ (sehr empfindlich; leicht reizbar; feinnervig); **Sen|si|ti|vi|tät**, die; - ([Über]empfindlichkeit)

Sen|si|to|me|ter, das; -s, - ⟨lat.; griech.⟩ (*Fotogr.* Lichtempfindlichkeitsmesser); **Sen|si|to|me|t|rie**, die; - (Lichtempfindlichkeitsmessung)

Sen|sor, der; -s, -en, Sensoren ⟨lat.⟩ (*Technik* Messfühler; Berührungsschalter)

Sen|so|ri|en *Plur.* (*Med.* Gebiete der Großhirnrinde, in denen Sinnesreize bewusst werden)

sen|so|risch (die Sinne betreffend)

Sen|so|ri|um, das; -s (Gespür; *vgl.* Sensorien)

Sen|sor|tas|te (*Elektrot.*)

Sen|su|a|lis|mus, der; - (*Philos.* Lehre, nach der alle Erkenntnis allein auf Sinneswahrnehmung zurückführbar ist); **Sen|su|a|list**, der; -en, -en; **sen|su|a|lis|tisch**

Sen|su|a|li|tät, die; - (*Med.* Empfindungsvermögen); **sen|su|ell** ⟨franz.⟩ (die Sinne betreffend)

Sen|ta (w. Vorn.)

Sen|tenz, die; -, -en ⟨lat.⟩ (einprägsamer Ausspruch; Sinnspruch); **sen|tenz|ar|tig** (einprägsam, in der Art einer Sentenz); **sen|tenz|haft** (*svw.* sentenziös); **sen|ten|zi|ös** ⟨franz.⟩ (sentenzartig; sentenzenreich)

Sen|ti|ment [zɑ̃ti'mɑ̃ː], das; -s, -s ⟨franz.⟩ (Empfindung, Gefühl)

sen|ti|men|tal [zentimen...] ⟨engl.⟩ (*oft abwertend für* [übertrieben] empfindsam; rührselig)

sen|ti|men|ta|lisch (*veraltet für* sentimental; *Literaturw.* die verloren gegangene Natürlichkeit durch Reflexion wiederzugewinnen suchend); naive und sentimentalische Dichtung

sen|ti|men|ta|li|sie|ren

Sen|ti|men|ta|li|tät, die; -, -en (*oft abwertend für* Empfindsamkeit, Rührseligkeit)

Se|nus|si, der; -, *Plur.* - u. ...ssen (Anhänger eines islam. Ordens)

Se|oul [soʊl] (Hauptstadt von Südkorea)

se|pa|rat ⟨lat.⟩ (abgesondert; einzeln)

Se|pa|rat|druck *Plur.* ...drucke

(Sonderdruck); Se|pa|rat|ein-
gang; Se|pa|rat|frie|de[n]

Se|pa|ra|ti|on, die; -, -en ⟨lat.⟩ (ver-
altend für Absonderung; Trennung)

Se|pa|ra|tis|mus, der; - (Streben
nach Loslösung eines Gebietes
aus dem Staatsganzen); Se|pa-
ra|tist, der; -en, -en; Se|pa|ra|tis-
tin; se|pa|ra|tis|tisch

Se|pa|ra|tor, der; -s, ...oren
(fachspr. für Zentrifuge)

Se|pa|ree, Sé|pa|rée [beide
zepa´re:], das; -s, -s ⟨franz.⟩
(Sonderraum, Nische in einem
Lokal; Chambre séparée)

se|pa|rie|ren (absondern)

Se|phar|dim [auch ...´di:m] Plur.
(Bez. für die spanisch-portugie-
sischen u. die orientalischen
Juden); se|phar|disch

se|pia ⟨griech.⟩ (graubraun-
schwarz); vgl. beige

Se|pia, die; -, ...ien (Zool. Tinten-
fisch; nur Sing.: ein Farbstoff)

Se|pia|kno|chen; Se|pia|scha|le; Se-
pia|zeich|nung

Se|pie, die; -, -n (Sepia [Tinten-
fisch])

Sepp, Sep|pel (m. Vorn.)

Sep|pel|ho|se (kurze Trachtenle-
derhose); Sep|pel|hut (Trachten-
hut)

Sep|sis, die; -, Sepsen ⟨griech.,
»Fäulnis«⟩ (Med. Blutvergif-
tung)

Sept. = September

Sep|ta (Plur. von Septum)

Sept|ak|kord vgl. Septimenakkord

Sep|ta|rie, die; -, -n ⟨lat.⟩ (Geol.
Knolle mit radialen Rissen in
kalkhaltigen Tonen); Sep|ta|ri-
en|ton, der; -[e]s

Sep|tem|ber, der; -[s], - ⟨lat.⟩ (der
neunte Monat des Jahres,
Herbstmond, Scheiding; Abk.
Sept.)

Sep|tem|ber-Ok|to|ber-Heft, Sep-
tem|ber/Ok|to|ber-Heft
↑K 36 u. 156

Sep|tett, das; -[e]s, -e ⟨ital.⟩
(Musikstück für sieben Stimmen od. Instrumente; auch für
die sieben Ausführenden)

Sep|tim, die; -, -en ⟨lat.⟩ (österr.
svw. Septime)

Sep|ti|me, die; -, -n (Musik sieben-
ter Ton der diatonischen Tonleiter; ein Intervall im Abstand
von sieben Stufen)

Sep|ti|men|ak|kord

sep|tisch ⟨griech.⟩ (die Sepsis

---

betreffend; mit Keimen behaf-
tet)

Sep|tu|a|ge|si|ma, die; Gen. -, bei
Gebrauch ohne Artikel auch
...mä ⟨lat.⟩ (neunter Sonntag vor
Ostern); Sonntag Septuagesima
od. Septuagesimä

Sep|tu|a|gin|ta, die; - ([angeblich]
von siebzig Gelehrten angefer-
tigte Übersetzung des A. T. ins
Griechische)

Sep|tum, das; -s, Plur. ...ta u. ...ten
⟨lat.⟩ (Med. Scheidewand, Zwischenwand in einem Organ)

seq. = sequens

seqq. = sequentes

Se|quel ['si:kwəl], das; -s, -s ⟨engl.⟩
(Fortsetzungsfilm)

se|quens ⟨lat.⟩ (veraltet für fol-
gend; Abk. seq.); se|quen|tes
(veraltet für die Folgenden; Abk.
seqq.)

se|quen|ti|ell vgl. sequenziell

Se|quenz, die; -, -en ([Aufeinan-
der]folge, Reihe; liturg. Gesang;
Wiederholung einer musikal.
Figur auf verschiedenen Tonstu-
fen; kleinere filmische Hand-
lungseinheit; Serie aufeinander-
folgender Spielkarten; EDV
Folge von Befehlen, Daten)

se|quen|zi|ell, se|quen|ti|ell (EDV
fortlaufend, nacheinander zu
verarbeiten)

¹Se|ques|ter, der, auch das; -s, -
⟨lat.⟩ (svw. Sequestration; Med.
abgestorbenes Knochenstück)

²Se|ques|ter, der; -s, - (Rechtsw.
[Zwangs]verwalter)

Se|ques|t|ra|ti|on, die; -, -en
(Rechtsw. Beschlagnahme;
[Zwangs]verwaltung; se|ques|t-
rie|ren

Se|quo|ia, Se|quo|ie, die; -, -n
⟨indian.⟩ (ein Nadelbaum, Mam-
mutbaum)

Se|ra (Plur. von Serum)

Sé|rac [ze´rak], der; -s, -s ⟨franz.⟩
(Geogr. zacken- od. turmartiges
Gebilde an Gletschern)

Se|ra|fim (franz.) (ökum. für Sera-
phim); vgl. Seraph

se|ra|fisch

¹Se|rail [ze´raj(l)], der; -s, -s ⟨pers.⟩
(Wollstuff)

²Se|rail, das; -s, -s (Palast [des Sul-
tans])

Se|ra|pei|on, das; -s, ...eia ⟨ägypt.-
griech.⟩, Se|ra|pe|um, das; -s, -s,
...peen (Serapistempel)

Se|raph, der; -s, Plur. -e u. -im
⟨hebr.⟩ ([Licht]engel des A. T.);
vgl. Serafim; se|ra|phisch (zu den

Engeln gehörend, engelgleich;
verzückt)

Se|ra|pis (altägyptischer Gott)

Ser|be, der; -n, -n (Angehöriger
eines südslawischen Volkes)

ser|beln (schweiz. für kränkeln,
welken); ich serb[e]le

Ser|bi|en (Teilrepublik von Serbien
und Montenegro); Ser|bi|en und
Mon|te|ne|g|ro; Gen. -[s] - -s
(Staat in Südosteuropa); Ser|bin;
ser|bisch; Ser|bisch, das; -[s]; vgl.
Deutsch; Ser|bi|sche, das; -n; vgl.
Deutsche, das; ser|bisch-mon|te-
ne|g|ri|nisch

Ser|bo|kro|a|tisch, das; -[s] (Spra-
che); vgl. Deutsch; Ser|bo|kro|a-
ti|sche, das; -n; vgl. Deutsche,
das

Se|ren (Plur. von Serum)

Se|re|na|de, die; -, -n ⟨franz.⟩
(Abendmusik, -ständchen)

Se|ren|ge|ti-Na|ti|o|nal|park, der; -s
(Wildreservat in Tansania)

Se|re|nis|si|mus, der; -, ...mi ⟨lat.⟩
(veraltet für Durchlaucht; meist
scherzh. für Fürst eines Klein-
staates)

Se|re|ni|tät, die; - ⟨lat.⟩ (veraltet
für Heiterkeit)

Serge [zɛrʃ], die, österr. auch der;
-, -n [...ʒ(ə)n] ⟨franz.⟩ (ein
Gewebe)

Ser|geant [...´ʒant, engl.
´sa:ʁdʒənt], der; -en, -en, bei
engl. Aussspr. der; -s, -s
⟨franz.(-engl.)⟩ (Unteroffizier)

Se|rie, die; -, -n ⟨lat.⟩

se|ri|ell (serienmäßig; in Reihen);
serielle Musik

Se|ri|en|an|fer|ti|gung; Se|ri|en|ein-
bre|cher; Se|ri|en|ein|bre|che|rin;
Se|ri|en|fa|b|ri|ka|ti|on; Se|ri|en-
fer|ti|gung; Se|ri|en|kil|ler; Se|ri-
en|kil|le|rin; se|ri|en|mä|ßig

Se|ri|en|mör|der; Se|ri|en|mör|de-
rin; Se|ri|en|pro|duk|ti|on

se|ri|en|reif; Se|ri|en|rei|fe

Se|ri|en|schal|ter; Se|ri|en|schal-
tung (Elektrot. Reihenschaltung)

Se|ri|en|tä|ter (Kriminalistik); Se-
ri|en|tä|te|rin

se|ri|en|wei|se

Se|ri|fe, die; -, -n meist Plur. ⟨engl.⟩
(kleiner Abschlussstrich bei
Schrifttypen); se|ri|fen|los

Se|ri|gra|fie, Se|ri|gra|phie, die; -
⟨griech.⟩ (Druckw. Siebdruck)

se|ri|ös ⟨franz.⟩ (ernsthaft, [ver-
trauens]würdig); Se|ri|o|si|tät

Ser|mon, der; -s, -e ⟨lat.⟩ (veraltet

928

für Predigt; *ugs. für* langweiliges Geschwätz)

Sernf, die (Fluss im Schweizer Kanton Glarus)

Se|ro (*regional kurz für* Sekundärrohstoff[e])

Se|ro|di|ag|nos|tik, die; -, -en ⟨lat.; griech.⟩ (*Med.* Erkennen einer Krankheit durch Untersuchung des Serums)

Se|ro|lo|gie, die; - (Lehre vom Blutserum); **se|ro|lo|gisch**

se|rös ⟨lat.⟩ (aus Serum bestehend, Serum absondernd)

Se|ro|to|nin, das; -s, -e ⟨lat.⟩ (*Med.* hormonähnlicher Stoff in Darm u. Magen)

Ser|pel, die; -, -n ⟨lat.⟩ (Röhren bewohnender Borstenwurm)

Ser|pen|tin, der; -s, -e (ein Mineral, Schmuckstein)

Ser|pen|ti|ne, die; -, -n (in Schlangenlinie verlaufender Weg an Berghängen; Windung); **Ser|pen|ti|nen|stra|ße**

Ser|pen|tin|ge|stein

Ser|ra|del|la, Ser|ra|del|le, die; -, ...llen ⟨port.⟩ (eine Futterpflanze)

Se|rum, das; -s, *Plur.* ...ren *u.* ...ra ⟨lat.⟩ (*Med.* wässriger Bestandteil des Blutes; Impfstoff); **Se|rum|be|hand|lung; Se|rum|kon|ser|ve; Se|rum|krank|heit**

Ser|val, der; -s, *Plur.* -e *u.* -s ⟨franz.⟩ (ein Raubtier)

Ser|va|ti|us, Ser|vaz (m. Vorn.)

Ser|ve|la, die *od.* der; -, *Plur.* -s, *schweiz.* - ⟨franz.⟩ (*landsch. für* Zervelatwurst; *schweiz. neben* Cervelat); **Ser|ve|lat|wurst** vgl. Zervelatwurst

Ser|ver [ˈsøːɐ̯vɐ], der; -s, - ⟨engl.⟩ (*EDV* Rechner mit bestimmten Aufgaben in einem Netzwerk); **ser|ver|ba|siert** *(EDV)*

¹Ser|vice [...ˈviːs], das; *Gen.* - *u.* -s, *Plur.* - ⟨franz.⟩ ([Tafel]geschirr)

²Ser|vice [ˈsøːɐ̯vɪs], der, *auch* das, -, -s [...vɪs(ɪs)] ⟨engl.⟩ ([Kunden]dienst, Bedienung; *Tennis* Aufschlag[ball])

Ser|vice|leis|tung [ˈzøːvɪs...]; **Ser|vice|netz** (Kundendienstnetz)

Ser|vice|pu|b|lic [zɛrˈviːs pyˈblik], der; - - *(schweiz. für* vom Staat erbrachte u. zu erbringende Dienstleistung)

Ser|vice|un|ter|neh|men [ˈzøːɐ̯vɪs...]; **Ser|vice|wüs|te** (*ugs. für* das völlige Fehlen akzeptabler Dienstleistungen); **Ser|vice|zen|t|rum**

ser|vie|ren [zɛr...] ⟨franz.⟩ (bei Tisch bedienen; auftragen; *Tennis* den Ball aufschlagen)

Ser|vie|rer; Ser|vie|re|rin; Ser|vier|tisch; Ser|vier|toch|ter (*schweiz. für* Serviererin); **Ser|vier|wa|gen**

Ser|vi|et|te, die; -, -n; **Ser|vi|et|ten|kloß** *(Gastron.);* **Ser|vi|et|ten|ring**

ser|vil ⟨lat.⟩ (unterwürfig); **Ser|vi|lis|mus,** der; -, ...men (*selten für* Servilität); **Ser|vi|li|tät,** die; - (Unterwürfigkeit)

Ser|vis, der; - ⟨franz.⟩ (*veraltet für* Quartiergeld; Ortszulage)

Ser|vit, der; -en, -en ⟨lat.⟩ (Angehöriger eines Bettelordens; *Abk.* OSM); **Ser|vi|tin** (Angehörige des weiblichen Zweiges der Serviten)

Ser|vi|tut, das; -[e]s, -e, *schweiz. häufig* die; -, -en *(Rechtsw.* Dienstbarkeit, Grundlast)

Ser|vo|brem|se (Bremse mit einer die Bremswirkung verstärkenden Vorrichtung); **Ser|vo|len|kung; Ser|vo|mo|tor**

ser|vus! ⟨»[Ihr] Diener«⟩ (*bes. bayr. u. österr.* freundschaftl. Gruß)

Se|sam, der; -s, -s ⟨semit.⟩ (eine Pflanze mit ölhaltigem Samen); Sesam, öffne dich! (Zauberformel [im Märchen])

Se|sam|bein (*Med.* ein Knochen)

Se|sam|brot; Se|sam|bröt|chen; Se|sam|öl, das; -[e]s

Se|schel|len vgl. Seychellen

Se|sel, der; -s, - ⟨griech.⟩ (eine Heil- u. Gewürzpflanze)

Ses|sel, der; -s, - ([gepolsterter] Stuhl mit Armlehnen; *österr. für* Stuhl); **Ses|sel|bahn**

Ses|sel|fur|zer (*derb für* Verwaltungs-, Büroangestellter)

Ses|sel|leh|ne; Ses|sel|lift

sess|haft; Sess|haf|tig|keit

Ses|si|on, die; -, -en ⟨lat.⟩ (Sitzung[szeit], Sitzungsperiode)

Ses|ter, der; -s, - ⟨lat.⟩ (altes Hohlmaß)

Ses|terz, der; -es, -e ⟨lat.⟩ (altrömische Münze); **Ses|ter|zi|um,** das; -s, ...ien (1000 Sesterze)

Ses|ti|ne, die; -, -n ⟨ital.⟩ (eine Lied- u. Strophenform)

¹Set vgl. Seth

²Set, das, *auch* der; -[s], -s ⟨engl.⟩ (Satz [= Zusammengehöriges]; Platzdeckchen)

³Set, das; -[s] *(Druckw.* Dickteneinheit bei den Monotypeschriften); 7 Set

Seth, ökum. Set (bibl. m. Eigenn.)

Se|thit, der; -en, -en (Abkömmling von Seth)

Set|te|cen|to [...ˈtʃɛ...], das; -[s] ⟨ital.⟩ (das 18. Jh. in Italien [als Stilbegriff])

Set|ter, der; -s, - ⟨engl.⟩ (Hund einer bestimmten Rasse)

Setz|ar|beit (*Bergmannspr.* nasse Aufbereitung)

Setz|ei

set|zen (*Jägerspr. auch für* gebären); du setzt; sich setzen; sich ein Denkmal setzen lassen; sie sollten die Kinder sich setzen lassen; wir müssen das Gesagte sich erst einmal setzen lassen *od.* setzenlassen (es erst einmal verarbeiten)

Set|zer (Schriftsetzer); **Set|ze|rei; Set|ze|rin**

Setz|feh|ler *(Druckw.)*

Setz|gut, das; -[e]s *(Landw.)*

Setz|ham|mer (ein Schmiedehammer)

Setz|ha|se *(Jägerspr.)*

Setz|holz (ein Gartengerät)

Setz|kas|ten

Setz|kopf (Nietkopf)

Setz|lat|te *(Bauw.* Richtscheit)

Setz|ling (junge Pflanze; Zuchtfisch)

Setz|li|nie *(Druckw.);* **Setz|ma|schi|ne** *(Druckw.)*

Setz|mei|ßel (ein Schmiedewerkzeug); **Setz|zung**

Setz|waa|ge (*svw.* Wasserwaage)

Seu|che, die; -, -n; **Seu|chen|be|kämp|fung; Seu|chen|ge|fahr**

seu|chen|haft; Seu|chen|herd

Seu|chen|wan|ne (*bes. Landw.*)

seuf|zen; du seufzt; Seuf|zer

Seuf|zer|brü|cke, die; - (in Venedig)

Seu|rat [søˈra] (franz. Maler)

Se|ve|rin, Se|ve|ri|nus (m. Vorn.)

Se|ve|rus (römischer Kaiser)

Se|ve|so|gift, Se|ve|so-Gift, das; -[e]s ⟨nach der ital. Stadt⟩ (*emotional für* Dioxin)

Se|vil|la [...ˈvɪlja] (spanische Stadt); **Se|vil|la|ner**

Sè|v|res [ˈsɛːvrə] (Vorort von Paris); **Sè|v|res|por|zel|lan**
↑K143

Se|was|to|pol (Stadt auf der Krim)

Sex, der; -[es] -[es] (*ugs. für* Geschlecht[lichkeit]; Geschlechtsverkehr)

Se|xa|ge|si|ma, die; *Gen.* -, *bei Gebrauch ohne Artikel auch* ...mä (achter Sonntag vor Ostern); Sonntag Sexagesima *od.* Sexagesimä

Se|xa|ge|si|mal|sys|tem, das; -s

(*Math.* Zahlensystem, das auf der Basis 60 aufgebaut ist)

Sex|ap|peal, **Sex-Ap|peal** [...ə'pi:l], der; -s ⟨engl.-amerik.⟩ (sexuelle Anziehungskraft)

Sex|bom|be (*ugs. für* Frau mit starkem sexuellem Reiz); Sex|film; Sex|fo|to; Sex|gier; sex|hung|rig; Sex|idol

Se|xis|mus, der; - ([Diskriminierung aufgrund der] Vorstellung, dass eines der beiden Geschlechter dem anderen von Natur aus überlegen sei); Se|xist, der; -en, -en; Se|xis|tin; se|xistisch

Sex|ma|ga|zin; Sex|muf|fel (*ugs.*)

Se|xo|lo|ge, der; -n, -n (Sexualforscher); Se|xo|lo|gie, die; -; Se|xo|lo|gin; se|xo|lo|gisch

Sex|shop; Sex|sym|bol

Sext, die; -, -en ⟨lat.⟩ (drittes Tagesgebet des Breviers; *österr. svw.* Sexte)

Sex|ta, die; -, ...ten (*veraltende Bez. für* erste Klasse eines Gymnasiums)

Sext|ak|kord (*Musik* erste Umkehrung des Dreiklangs mit der Terz im Bass)

Sex|ta|ner (Schüler der Sexta; Sex|ta|ner|bla|se (*ugs. scherzh.* schwache Blase); Sex|ta|ne|rin

Sex|tant, der; -en, -en (Winkelmessinstrument)

Sex|te, die; -, -n (*Musik* sechster Ton der diaton. Tonleiter; Intervall im Abstand von 6 Stufen)

Sex|tett, das; -[e]s, -e ⟨ital.⟩ (Musikstück für sechs Stimmen od. sechs Instrumente; *auch für* die sechs Ausführenden)

Sex|til|li|on, die; -, -en ⟨lat.⟩ (sechste Potenz einer Million)

Sex|to|le, die; -, -n (*Musik* Figur von 6 Noten gleicher Form mit dem Zeitwert von 4 od. 8 Noten)

Sex|tou|ris|mus

se|xu|al ⟨lat.⟩ (*meist in Zusammensetzungen, sonst seltener für* sexuell)

Se|xu|al|auf|klä|rung; Se|xu|al|delikt; Se|xu|al|er|zie|hung

Se|xu|al|ethik

Se|xu|al|for|scher; Se|xu|al|for|sche|rin; Se|xu|al|for|schung

Se|xu|al|hor|mon

Se|xu|al|hy|gi|e|ne

se|xu|a|li|sie|ren (die Sexualität überbetonen); Se|xu|a|li|sie|rung

Se|xu|a|li|tät, die; - (Geschlechtlichkeit)

Se|xu|al|kun|de, die; -; Se|xu|al|kun|de|un|ter|richt

Se|xu|al|le|ben, das; -s

Se|xu|al|mo|ral

Se|xu|al|pä|d|a|go|gik

Se|xu|al|pa|tho|lo|gie

Se|xu|al|psy|cho|lo|gie

Se|xu|al|tä|ter; Se|xu|al|tä|te|rin

Se|xu|al|trieb

Se|xu|al|ver|bre|chen; Se|xu|al|ver|bre|cher; Se|xu|al|ver|bre|che|rin

Se|xu|al|ver|kehr, der; -s

se|xu|ell ⟨franz.⟩ (die Sexualität betreffend, geschlechtlich); Se|xus, der; -, - ⟨lat.⟩ (Geschlecht)

se|xy [...ksi] ⟨engl.⟩ (*ugs. für* erotisch-attraktiv); sexy Wäsche

Sey|chel|len [ze'ʃɛ...] *Plur.* (Inselgruppe u. Staat im Indischen Ozean); Sey|chel|len|nuss, Sey|chel|len-Nuss (Frucht der Seychellennusspalme); Sey|chel|ler; Sey|chel|le|rin; sey|chel|lisch

Seyd|litz (preuß. Reitergeneral)

se|zer|nie|ren ⟨lat.⟩ (*Med.* [ein Sekret] absondern); Se|zer|nie|rung (*Med.* Absonderung)

Se|zes|si|on, die; -, -en ⟨lat.⟩ (Absonderung, Trennung; Abfall der nordamerikanischen Südstaaten); Se|zes|si|o|nist, der; -en, -en (Angehöriger einer Sezession; *früher für* Anhänger der nordamerikan. Südstaaten im Sezessionskrieg); Se|zes|si|o|nis|tin; se|zes|si|o|nis|tisch

Se|zes|si|ons|krieg (1861–65)

Se|zes|si|ons|stil, der; - [e]s ⟨Kunst⟩

se|zie|ren ⟨lat.⟩ (anatomisch zerlegen); Se|zier|mes|ser, das

sf = sforzando, sforzato

SFB, der; - = Sender Freies Berlin

SFOR, Sfor ['ɛsfɔ:], die; - ⟨engl.; *Kurzwort für* Stabilization Force⟩ (ehem. internationale Truppe unter NATO-Führung in Bosnien und Herzegowina)

s-för|mig, **S-för|mig** ['ɛs...] ↑K29 (in der Form eines S)

SFOR-Trup|pe, Sfor-Trup|pe

sfor|zan|do, sfor|za|to ⟨ital.⟩ (*Musik* verstärkt, stark [hervorgehoben]; *Abk.* sf)

Sfor|zan|do, das; -s, *Plur.* -s u. ...di u. Sfor|za|to, das; -s, *Plur.* -s u. ...ti

sfr, sFr. *vgl.* ²Franken

sfu|ma|to ⟨ital.⟩ (*Kunst* duftig; mit verschwimmenden Umrissen)

SG, die; - = Sportgemeinschaft

s. g. = so genannt

s-Ge|ni|tiv ['ɛs...] (*Sprachw.*)

SGML, das; - *meist ohne Artikel* = standard generalized mark-up language (*EDV* eine normierte Form der Textmarkierung)

Sgraf|fi|to, das; -s, *Plur.* -s u. ...ti ⟨ital.⟩ (*Kunst* Kratzputz [Wandmalerei])

's-Gra|ven|ha|ge [sxra:vən'ha:xə] (*offizielle niederländische Form von* Den Haag)

sh, s = Shilling

Shag [ʃɛk], der; -s, -s ⟨engl.⟩ (fein geschnittener Pfeifentabak); Shag|pfei|fe; Shag|ta|bak

¹Shake [ʃe:k], der; -s, -s ⟨engl.⟩ (ein Mischgetränk; Modetanz der späten 60er-Jahre)

²Shake, das; -s, -s (starkes Vibrato im Jazz)

Shake|hands [...hɛnts], das; -, - (Händeschütteln)

Sha|ker, der; -s, - (Mixbecher)

Shake|s|peare ['ʃe:kspi:ɐ] (engl. Dichter); shake|s|pearesch ['ʃe:kspi:ɐʃ]; shakespearesche od. Shakespeare'sche Dramen, Sonette; shakespearesche od. Shakespeare'sche Lebensnähe; shake|s|pea|risch; shakespearische Dramen, Sonette; shakespearische Lebensnähe

Sham|poo ['ʃampu, österr. ...'po:], Sham|poon [ʃɛm'pu:n, *auch*, österr. nur ʃam'po:n], das; -s, -s ⟨Hindi-engl.⟩ (flüssiges Haarwaschmittel); Sham|poo|nie|ren *vgl.* schamponieren

Shang|hai [ʃ...] *vgl.* Schanghai

Shan|non [ʃɛnən], der; -[s] (irischer Fluss)

Shan|ty ['ʃɛnti, *auch* 'ʃa...], das; -s, *Plur.* -s ⟨engl.⟩ (Seemannslied)

Sha|ping|ma|schi|ne ['ʃe...] ⟨engl.; griech.⟩ (Metallhobelmaschine, Schnellhobler)

Share [ʃe:ɐ], der; -, -s ⟨engl.⟩ (*engl. Bez. für* Aktie)

Share|hol|der|va|lue ['ʃe:ɐhol:dəvelju:], **Share|hol|der-Va|lue**, der; -[s], -s ⟨engl.⟩ (*Wirtsch.* Marktwert des sich auf die Aktionäre aufteilenden Eigenkapitals eines Unternehmens)

Share|ware [...vɛ:ɐ], die; -, -s ⟨EDV zu Testzwecken kostengünstig angebotene Software)

Shaw [ʃo:] (irisch-englischer Dichter)

Shed|bau usw. *vgl.* Schedbau usw.

She-DJ ['ʃi:'di:dʒe:], die; -, -s ⟨engl.⟩ (*schweiz. für* weibl. DJ)

Shef|field [ʃ...] (englische Stadt)

Shel|ley ['ʃeli] (Familienname eines engl. Dichterehepaares)

She|riff [ʃ...], der; -s, -s ⟨engl.⟩ (Verwaltungsbeamter in England; höchster Vollzugsbeamter [einer Stadt] in den USA)

Sher|lock Holmes [ˈʃøːʁ... ˈhoːms, *auch* ˈʃɛr...] (englische Romanfigur [Detektiv])

Sher|pa [ʃ...], der; -s, -s ⟨tibet.-engl.⟩ (Angehöriger eines tibetischen Volksstammes [der als Lastträger u. Bergführer bei Expeditionen im Himalajagebiet arbeitet])

Sher|ry [ˈʃɛri], der; -s, -s ⟨engl.⟩ (spanischer Wein, Jerez)

ˈs-Her|to|gen|bosch [ʃɛrtoːxən-ˈbɔs] (*offizielle niederländische Form von* Herzogenbusch)

Shet|land [ʃ..., *auch* ...lɛnt], der; -[s], -s ⟨nach den schott. Inseln⟩ (ein grau melierter Wollstoff)

Shet|land|in|seln, **Shet|land-In|seln** *Plur.* (Inselgruppe nordöstlich von Schottland)

Shet|land|po|ny

Shet|land|wol|le, die; -

Shi|at|su [ʃ...], das; -[s] ⟨jap.⟩ (Druckmassage)

Shift|tas|te [ʃ...] ⟨engl.; dt.⟩ (Umschalttaste)

Shi|i|ta|ke [ʃi-i...], der; -s, -s ⟨jap.⟩ (asiat. Speisepilz); **Shi|i|ta|ke|pilz**

Shil|ling [ʃ...], der; -s, -s ⟨engl.⟩ (frühere Münzeinheit in Großbritannien; 20 Shilling = 1 Pfund Sterling; *Abk.* s *od.* sh); 10 Shilling; *vgl. aber* Schilling

Shim|my [ˈʃimi], der; -s, -s ⟨amerik.⟩ (Tanz der 20er-Jahre)

Shirt [ʃøːʁt], das; -s, -s ⟨engl.⟩ ([kurzärmeliges] Hemd)

Shi|sha [ˈʃiːʃa], Schi|scha, die; -, -s ⟨türk.-arab.⟩ (Wasserpfeife)

Shit [ʃ...], der *u.* das; - ⟨engl.⟩ (*ugs. für* Haschisch)

Sho|ah *vgl.* Schoah

sho|cking [ʃ...], scho|cking ⟨engl.⟩ (*ugs. für* anstößig)

Sho|gun [ʃ...] *vgl.* Schogun

Shoo|ting|star [ˈʃuː...], der; -s, -s ⟨engl., »Sternschnuppe«⟩ (Person od. Sache, die schnell an die Spitze gelangt [z. B. im Schlagergeschäft]; Senkrechtstarter)

Shop [ʃ...], der; -s, -s ⟨engl.⟩ (Laden, Geschäft); **shop|pen** (einen Einkaufsbummel machen); **Shop|ping**, das; -s, -s (Einkaufsbummel)

Shop|ping|cen|ter, **Shop|ping-Cen|ter**, das; -s, - (Einkaufszentrum)

Short|list [ʃ...], die; -, -s ⟨engl.⟩ (engere Auswahlliste)

Shorts [ʃ...] *Plur.* ⟨engl.⟩ (kurze sportl. Hose)

Short|sto|ry, die; -, -s, **Short Sto|ry**, die; - -, - -s ⟨angelsächs. Bez. für Kurzgeschichte⟩

Short|track [...trɛk], der; -s ⟨engl.⟩ (Eisschnelllauf auf einer kurzen Bahn)

Shor|ty, das, *auch* der; -s, -s (Damenpyjama mit kurzer Hose)

Show [ʃoː], die; -, -s ⟨engl.⟩ (Schau, Vorführung; buntes, aufwendiges Unterhaltungsprogramm); **Show|block** *Plur.* ...blöcke (Show als Einlage in einer Fernsehsendung)

Show|busi|ness [ˈʃoːbɪznɪs], das; - ⟨engl., »Schaugeschäft«⟩ (Unterhaltungsindustrie)

Show-down, **Show|down** [*beide* ʃoːˈdaʊn], der; -s, -s (Entscheidungskampf)

Show|ge|schäft, das; -[e]s

Show|man [ˈʃoːmən], der; -s, ...men [...mən] (im Showgeschäft Tätiger)

Show|mas|ter, der; -s, - ⟨anglisierend⟩ (Unterhaltungskünstler, der eine Show präsentiert); **Show|mas|te|rin**

Show|view® [ˈʃoːvjuː], das; -s (Videoprogrammierung über Ziffernreihen)

Shred|der [ʃ...] ⟨englische Schreibung von⟩ Schredder

Shrimp [ʃ...], Schrimp, der; -s, -s *meist Plur.* ⟨engl.⟩ (kleine Krabbe)

Shuf|f|le|board [ˈʃaflbɔːʁt], das; -s ⟨engl.⟩ (ein Spiel)

Shunt [ʃant], der; -s, -s ⟨engl.⟩ (*Elektrot.* parallel geschalteter Widerstand)

Shut|tle [ˈʃatl], der *od.* das; -s, -s ⟨engl.⟩ ([Fahrzeug im] Pendelverkehr; *kurz für* Spaceshuttle)

Shy|lock [ˈʃai...], der; -[s], -s ⟨nach Shakespeares »Kaufmann von Venedig«⟩ (*geh. für* hartherziger Geldverleiher)

si ⟨ital.⟩ (Solmisationssilbe)

Si = *chem. Zeichen für* Silicium

SI, das; - = Système International d'Unités (internationales Einheitensystem)

SIA, der; - = Schweizerischer Ingenieur- und Architektenverein

Si|al, das; -[s] (*Geol.* oberer Teil der Erdkruste)

Si|am (alter Name von Thailand); **Si|a|me|se**, der; -n, -n; **Si|a|me-**

sin; **si|a|me|sisch**; siamesische Zwillinge

Si|am|kat|ze

Si|be|li|us (finnischer Komponist)

Si|bi|lant, der; -en, -en ⟨lat.⟩ (*Sprachw.* Zischlaut, z. B. s)

Si|bi|rer (*svw.* Sibirier); **Si|bi|re|rin**; **Si|bi|ri|en**; **Si|bi|ri|er**; **Si|bi|ri|e|rin**; **si|bi|risch**

Si|biu (rumänische Stadt; *vgl.* Hermannstadt)

Si|byl|la, **¹Si|byl|le** [*beide* ...bɪ...] (w. Vorn.)

²Si|byl|le, die; -, -n ⟨griech.⟩ (weissagende Frau, Wahrsagerin)

si|byl|li|nisch (wahrsagerisch; geheimnisvoll)

sic! [ziːk, zɪk] ⟨lat.⟩ (so!, wirklich so!)

sich

Sich|aus|wei|nen, das; -s ↑K 82

Si|chel, die; -, -n; **si|chel|för|mig**; **si|cheln** (mit der Sichel abschneiden); ich sich[e]le

Si|chel|wa|gen (Streitwagen im Altertum)

si|cher *s.* Kasten Seite 932

si|cher|ge|hen (Gewissheit haben)

Si|cher|heit

Si|cher|heits|ab|stand; **Si|cher|heits|au|to**; **Si|cher|heits|be|auf|trag|te**; **Si|cher|heits|be|hör|de**

Si|cher|heits|bin|dung (*Sport*)

Si|cher|heits|dienst

Si|cher|heits|di|rek|ti|on (*österr. für* Sicherheitsbehörde eines Bundeslandes)

Si|cher|heits|fach; **Si|cher|heits|glas** *Plur.* ...gläser; **Si|cher|heits|grün|de** *Plur.*; aus Sicherheitsgründen; **Si|cher|heits|gurt**

si|cher|heits|hal|ber

Si|cher|heits|ket|te; **Si|cher|heits|ko|pie**; **Si|cher|heits|leis|tung** (*Wirtsch.*); **Si|cher|heits|li|nie** (*schweiz. auch für* Fahrstreifenbegrenzung); **Si|cher|heits|lü|cke**; **Si|cher|heits|maß|nah|me**

Si|cher|heits|na|del

Si|cher|heits|or|ga|ne *Plur.* (mit Staatsschutz u. Ä. befasste Dienststellen)

Si|cher|heits|po|li|tik; **si|cher|heits|po|li|tisch**; **Si|cher|heits|rat**, der; -[e]s (UN-Behörde)

Si|cher|heits|ri|si|ko (jmd. od. etwas die Sicherheit Gefährdendes)

Si|cher|heits|schloss

Si|cher|heits|stan|dard

Si|cher|heits|ven|til (*Technik*)

Si|cher|heits|ver|schluss

si|cher

sicherer, sichers|te

I. Groß- oder Kleinschreibung

a) *Kleinschreibung:*
- es ist am sichersten, wenn wir hier verschwinden
- auf Nummer sicher sein; auf Nummer sicher gehen

b) *Großschreibung* ↑K72 :
- wir suchen etwas Sicheres; das Sicherste sind Gürtelreifen
- es ist das Sicherste, was du tun kannst; es ist das Sicherste, sofort zu verschwinden
- ich fühle mich im Sichern (geborgen)

II. *Schreibung in Verbindung mit Verben:*

- du kannst sicher sein, dass sie dir helfen wird
- in diesen Schuhen kann man sicher gehen; er ist in diesen Schuhen sicher gegangen
- ein Arzneimittel, das sicher wirkt
- die Polizei will die Straßen auch nachts wieder sicher machen *od.* sichermachen

Aber:
- sie will in dieser Sache sichergehen (Gewissheit haben)
- ein Beweisstück sicherstellen *(vgl. d.)*

III. *In Verbindung mit adjektivisch gebrauchten Partizipien:*

- ein sicher wirkendes *od.* sicherwirkendes Arzneimittel

Aber nur:
- die sichergestellten Beweismittel

S
Sich

Si|cher|heits|vor|keh|rung; Si|cher|heits|vor|schrift
si|cher|lich
si|chern; ich sichere
si|cher|stel|len; (sichern; in [polizeilichen] Gewahrsam geben od. nehmen); ein Beweisstück sicherzustellen; um sicherzustellen, dass nichts passiert; Si|cher|stel|lung
Si|che|rung; Si|che|rungs|ab|tre|tung *(Wirtsch.);* Si|che|rungs|ge|ber *(Wirtsch.);* Si|che|rungs|ge|be|rin; Si|che|rungs|hy|po|thek *(Wirtsch.)*
Si|che|rungs|kas|ten
Si|che|rungs|ko|pie *(EDV)*
Si|che|rungs|neh|mer *(Wirtsch.);* Si|che|rungs|neh|me|rin; Si|che|rungs|über|eig|nung *(Wirtsch.);* Si|che|rungs|ver|wah|rung *(Rechtsspr.)*
si|cher wir|kend, si|cher|wir|kend *vgl.* sicher
Sich-ge|hen-Las|sen, das; -s ↑K27
Sich|ler (ein Schreitvogel)
Sicht, die; -; auf, bei, nach Sicht *(Kaufmannsspr.);* auf lange Sicht; außer Sicht, in Sicht kommen, sein
sicht|bar; etwas sichtbar machen; Sicht|bar|keit, die; -; sicht|bar|lich *(veraltet)*
Sicht|be|reich
Sicht|be|ton; Sicht|blen|de; Sicht-ein|la|ge *(Bankw.)*
¹sich|ten (auswählen, durchsehen)
²sich|ten (erblicken)
Sicht|flug; Sicht|gren|ze
sich|tig *(Seemannsspr.)* klar); sichtiges Wetter

Sicht|kar|te (Zeitkarte im Personenverkehr); Sicht|kar|ten|in|ha|ber *(Amtsspr.);* Sicht|kar|ten|in|ha|be|rin
sicht|lich (offenkundig)
Sicht|li|nie; Sicht|schutz
¹Sich|tung (das Auswählen)
²Sich|tung, die; - (das Erblicken)
Sicht|ver|hält|nis|se *Plur.*
Sicht|ver|merk; sicht|ver|merk|frei *(Amtsspr.)*
Sicht|wech|sel *(Bankw.)*
Sicht|wei|se; Sicht|wei|te
Sicht|wer|bung
¹Si|cke, die; -, -n *(Technik* rinnenförmige Biegung, Kehlung)
²Si|cke, Sie|ke, die; -, -n *(Jägerspr.* Vogelweibchen)
si|cken (mit ¹Sicken versehen); gesickt; Si|cken|ma|schi|ne
Si|cker|gru|be
si|ckern; er sagt, das Wasser sickere; Si|cker|was|ser *Plur.* ...wässer
sic tran|sit glo|ria mun|di *(lat.)* (so vergeht die Herrlichkeit der Welt)
Sid|dhar|tha [...ˈdar...] ⟨sanskr.⟩ (weltlicher Name Buddhas)
Side|board [ˈsaitbo:ɐ̯t], das; -s, -s ⟨engl.⟩ (Anrichte, Büfett)
¹si|de|risch ⟨lat.⟩ (auf die Sterne bezüglich; Stern...); siderisches Jahr (Sternjahr)
²si|de|risch ⟨griech.⟩ (aus Eisen; auf Eisen reagierend); siderisches Pendel *(Parapsychologie)*
Si|de|rit, der; -s, -e (gelbbraunes Eisenerz); Si|de|ro|lith, der; *Gen.* -s u. -en, *Plur.* -e[n] (Eisensteinmeteorit)

Si|don (phönizische Stadt)
Si|do|nia, Si|do|nie (w. Vorn.)
Si|do|ni|er (Bewohner von Sidon); Si|do|ni|e|rin; si|do|nisch
sie; sie kommt, sie kommen; Mode für sie und ihn
¹Sie ↑K84 *(Höflichkeitsanrede an eine Person od. mehrere Personen gleich welchen Geschlechts:)* kommen Sie bitte!; jmdn. mit Sie anreden; ↑K76 : das steife Sie; *(veraltete Anrede an eine Person weiblichen Geschlechts:)* höre Sie! ↑K85
²Sie, die; -, -s *(ugs. für* Mensch od. Tier weiblichen Geschlechts); es ist eine Sie; ein Er u. eine Sie
Sieb, das; -[e]s, -e; sieb|ar|tig
Sieb|bein (ein Knochen)
Sieb|druck, der; -[e]s *(Druckw.)*
¹sie|ben (durchsieben)
²sie|ben s. Kasten Seite 933
Sie|ben, die; -, *Plur.* -, *auch* -en (Zahl); eine böse Sieben; *vgl.* ¹Acht
sie|ben|ar|mig; siebenarmiger Leuchter
Sie|ben|bür|gen *(dt. Name von Transsilvanien);* Sie|ben|bür|ger; Sie|ben|bür|ge|rin; sie|ben|bür|gisch
Sie|ben|eck; sie|ben|eckig
sie|ben|ein|halb, sie|ben|und|ein|halb
Sie|be|ner *vgl.* Achter; sie|be|ner|lei; auf siebenerlei Art
sie|ben|fach; Sie|ben|fa|che, das; -n; *vgl.* Achtfache
Sie|ben|ge|bir|ge, das; -s

²sie|ben

(Zahlwort)

Kleinschreibung ↑K 78 u. 89:

– sieben auf einen Streich
– wir sind zu sieben *od.* zu siebt (*älter* siebent)
– wir sind sieben; sie kommt mit sieben[en]
– die sieben Sakramente; die sieben Todsünden; die sieben fetten u. die sieben mageren Jahre
– die sieben freien Künste (im MA.)
– Schneewittchen und die sieben Zwerge

– für jmdn. ein Buch mit sieben Siegeln sein (jmdm. völlig unverständlich sein); um sieben Ecken (*ugs. für* weitläufig) mit jmdm. verwandt sein
– die sieben Weltwunder

Großschreibung in Namen ↑K 88:

– Sieben Berge (Landschaft in Niedersachsen)
– die Sieben Schwaben

Vgl. acht; Sieben

Sie|ben|ge|stirn, das; -[e]s (Sterngruppe)

sie|ben|hun|dert; sie|ben|jäh|rig; *aber* ↑K 151 : der Siebenjährige Krieg

Sie|ben|kampf (Mehrkampf der Frauen in der Leichtathletik)

sie|ben|köp|fig

sie|ben|mal *vgl.* achtmal; **sie|ben|ma|lig**

Sie|ben|mei|len|schritt *meist Plur.* (*ugs. scherzh.* riesiger Schritt); **Sie|ben|mei|len|stie|fel** *Plur.*

Sie|ben|me|ter, der; -s, - *(Hallenhandball)*

Sie|ben|mo|nats|kind

Sie|ben|punkt (ein Marienkäfer)

Sie|ben|sa|chen *Plur.* (*ugs. für* Habseligkeiten); seine Siebensachen packen

Sie|ben|schlä|fer (Nagetier; *volkstüml. für* 27. Juni als Lostag für eine Wetterregel)

Sie|ben|schritt, der; -[e]s (ein Volkstanz)

sie|ben|stel|lig

Sie|ben|stern (Primelgewächs)

sie|bent (*älter für* siebt)

sie|ben|tau|send

sie|ben|te, sieb|te *vgl.* achte

sie|ben|tel *vgl.* siebtel; **Sie|ben|tel** *vgl.* Siebtel

sie|ben|tens, sieb|tens

sie|ben|und|ein|halb, sieb|ben|ein|halb

sie|ben|und|sieb|zig *vgl.* acht; **sie|ben|und|sieb|zig|mal** *vgl.* achtmal

sieb|för|mig

Sieb|kreis *(Elektrot.)*

Sieb|ma|cher; Sieb|ma|che|rin

Sieb|ma|schi|ne

Sieb|röh|re *(Bot.)*

Sieb|schal|tung *(Elektrot.)*

Sieb|schöp|fer (*österr. für* Schaumlöffel)

siebt *vgl.* ²sieben

sieb|te, sie|ben|te *vgl.* achte

sieb|tel *vgl.* achtel; **Sieb|tel**, das; *schweiz. meist* der; -s, -

sieb|tens, sie|ben|tens

---

sieb|zehn *vgl.* acht; **sieb|zehn|hundert**

sieb|zehn|te; ↑K 151 : Siebzehnter (17.) Juni (Tag des Gedenkens an den 17. Juni 1953, den Tag des Aufstandes in der DDR); *vgl.* achte

Sieb|zehn|und|vier, das; - (ein Kartenglücksspiel)

sieb|zig *vgl.* achtzig; **sieb|zig|jäh|rig** *vgl.* achtjährig

siech (*veraltend für* krank, hinfällig); **sie|chen; Sie|chen|haus** (*veraltet*); **Siech|tum**, das; -s

Sie|de, die; - (*landsch. für* gesottenes Viehfutter); **sie|de|heiß** (*selten für* siedend heiß; *vgl.* sieden); **Sie|de|hit|ze**

sie|deln; ich sied[e]le

sie|den; du sottest *u.* siedetest; du söttest *u.* siedetest; gesotten *u.* gesiedet; sied[e]!; *siedend heiß*

Sie|de|punkt; Sie|der; Sie|de|rei

Sied|fleisch; [südd., schweiz. *für* Suppenfleisch]

Sied|ler; Sied|le|rin; Sied|lung

Sied|lungs|dich|te; Sied|lungs|form; Sied|lungs|ge|biet; Sied|lungs|geo|gra|fie, **Sied|lungs|geo|gra|phie; Sied|lungs|haus; Sied|lungs|kun|de**, die; -; **Sied|lungs|land**, das; -[e]s; **Sied|lungs|po|li|tik; Sied|lungs|pro|gramm**

¹Sieg, der; -[e]s, -e

²Sieg, die; - (rechter Nebenfluss des Rheins)

Sie|gel, das; -s, - ⟨lat.⟩ (Stempelabdruck; [Brief]verschluss)

Sie|gel|be|wah|rer (*früher*)

Sie|gel|lack

sie|geln; ich sieg[e]le

Sie|gel|ring

Sie|ge|lung, Sieg|lung

sie|gen

Sie|ger; Sie|ger|eh|rung; Sie|ge|rin

Sie|ger|kranz, Sie|ges|kranz

Sie|ger|land, das; -[e]s (Landschaft); **Sie|ger|län|der; Sie|ger|län|de|rin; sie|ger|län|disch**

Sie|ger|macht; Sie|ger|mann|schaft;

Sie|ger|mie|ne; Sie|ger|po|dest; Sie|ger|po|kal

Sie|ger|stra|ße, die; - ; *nur in Wendungen wie* auf der Siegerstraße sein (im Begriff sein zu siegen)

sie|ges|be|wusst

Sie|ges|bot|schaft; Sie|ges|fei|er

Sie|ges|freu|de; sie|ges|froh

Sie|ges|ge|schrei

sie|ges|ge|wiss; Sie|ges|ge|wiss|heit

Sie|ges|göt|tin; Sie|ges|kranz *vgl.* Siegerkranz; **Sie|ges|preis; Sie|ges|säu|le; Sie|ges|se|rie** *(Sport)*

sie|ges|si|cher

Sie|ges|sträh|ne *(Sport);* **Sie|ges|tor** *(Sport);* **Sie|ges|tref|fer** *(Sport)*

sie|ges|trun|ken *(geh.)*

Sie|ges|wil|le; Sie|ges|zug

Sieg|fried (germanische Sagengestalt; m. Vorn.); ↑K 134 : Jung Siegfried

sieg|ge|wohnt

sieg|haft (*geh. für* siegessicher; *veraltet für* siegreich)

Sieg|hard (m. Vorn.)

Sieg|lind, Sieg|lin|de (w. Vorn.)

sieg|los

Sieg|lung *vgl.* Siegelung

Sieg|mar, Sig|mar

Sieg|mund, Si|gis|mund (m. Vorn.)

Sieg|prä|mie

sieg|reich

Sieg|tref|fer (*svw.* Siegestreffer)

Sieg|wurz (Gladiole)

sie|he! (*Abk.* s.); siehe da!; **sie|he dort!** (*Abk.* s. d.); **sie|he oben!** (*Abk.* s. o.); **sie|he un|ten!** (*Abk.* s. u.)

sieht *vgl.* sehen

SI-Ein|heit [ɛsˈiː...] (internationale Basiseinheit; *vgl.* SI)

Sie|ke *vgl.* ²Sicke

Siel, der *od.* das; -[e]s, -e (*nordd. u. fachspr. für* Abwasserleitung; kleine Deichschleuse); **Siel|bau** *Plur.* ...bauten

Sie|le, die; -, -n (Riemen[werk der Zugtiere]); in den Sielen (mitten in der Arbeit) sterben

sie|len, sich (*landsch. für* sich mit Behagen hin und her wälzen)

Sie|len|ge|schirr

Sie|len|zeug, Siel|zeug

¹Sie|mens (Familienn.; ®)

²Sie|mens, das; -, - (elektrischer Leitwert; *Zeichen* S)

Sie|mens-Mar|tin-Ofen ↑K137 (zur Stahlerzeugung; *Abk.* SM-Ofen)

si|e|na (*ital.*) (rotbraun); ein siena Muster; *vgl.* blau *u.* beige

Si|e|na (italienische Stadt); **Si|e|na|er|de**, die; - ↑K143 (eine Malerfarbe); **Si|e|ne|se**, der; -n, -n; **Si|e|ne|ser; Si|e|ne|sin**

Si|en|ki|e|wicz [ʃɛŋ'kjɛvɪtʃ] (polnischer Schriftsteller)

Si|er|ra, die; -, *Plur.* ...rren *u.* -s ⟨*span.*⟩ (Gebirgskette)

Si|er|ra Le|o|ne (Staat in Afrika); **Si|er|ra-Le|o|ner**, Si|er|ra Le|o|ner; Si|er|ra-Le|o|ne|rin, Si|er|ra Le|o|ne|rin; si|er|ra-le|o|nisch

Si|er|ra Ne|va|da, die; - - (»Schneegebirge«) (spanisches u. amerikanisches Gebirge)

Si|es|ta, die; -, *Plur.* ...sten *u.* -s ⟨*ital.*⟩ ([Mittags]ruhe)

Siet|land *Plur.* ...länder (*nordd. für* tief liegendes Marschland); **Siet|wen|dung** (*nordd. für* Binnendeich)

sie|zen (mit »Sie« anreden); du siezt

Sif (*nord. Mythol.* Gemahlin Thors)

Siff, der; -s (*ugs. für* Schmutz)

Sif|flö|te (*franz.*) (eine hohe Orgelstimme)

Si|gel, das; -s, - ⟨*lat.*⟩, **Si|g|le**, die; -, -n ⟨*franz.*⟩ [...g|l] (festgelegtes Abkürzungszeichen)

Sight|see|ing ['saɪtsiːɪŋ], das; -[s], -s ⟨*engl.*⟩ (Besichtigung von Sehenswürdigkeiten); Sight|see|ing|tour, **Sight|see|ing-Tour** (Besichtigungsfahrt)

Si|gil|la|rie, die; -, -n (fossile Pflanzengattung)

Si|gis|mund *vgl.* Siegmund

Si|g|le *vgl.* Sigel

Sig|ma, das; -[s], -s (griechischer Buchstabe: Σ, σ, ς)

Sig|mar *vgl.* Siegmar

Sig|ma|rin|gen (Stadt a. d. Donau); **Sig|ma|rin|ger**; sig|ma|rin|ge|risch

sign. = signatum

Si|g|na (*Plur. von* Signum)

Si|g|nal, das; -s, -e ⟨*lat.*⟩

Si|g|nal|an|la|ge; Si|g|nal|buch

Si|g|na|le|ment [...'mãː, *schweiz.* ...'mɛnt], das; -s, -s, *schweiz.* das; -[e]s, -e ⟨*franz.*⟩ ([Personen]beschreibung; *Landw.* Zusammenstellung der ein bestimmtes Tier kennzeichnenden Angaben)

Si|g|nal|far|be; Si|g|nal|feu|er; Si|g|nal|flag|ge

Si|g|nal|gast *Plur.* ...gasten (Matrose)

Si|g|nal|glo|cke; Si|g|nal|horn

si|g|na|li|sie|ren (Signal[e] übermitteln)

Si|g|nal|lam|pe; Si|g|nal|licht *Plur.* ...lichter; **Si|g|nal|mast**, der; **Si|g|nal|reiz** (*svw.* Schlüsselreiz)

Si|g|nal|sys|tem; Si|g|nal|über|tra|gung; Si|g|nal|wir|kung

Si|g|na|tar, der; -s, -e ⟨*lat.*⟩ (veraltet für Unterzeichner); **Si|g|na|tar|macht** ([einen Vertrag] unterzeichnende Macht); **Si|g|na|tar|staat**

Si|g|na|tion [sɪgˈnaːʦ̣iˌoːn], die; -, -s ⟨*engl.*⟩ (*österr. für* Erkennungsmelodie)

si|g|na|tum (unterzeichnet; *Abk.* sign.)

Si|g|na|tur, die; -, -en (Namenszeichen, Unterschrift; symbol. Landkartenzeichen; Buchnummer in einer Bibliothek)

Si|g|net [*auch* zɪnˈjeː], das; -s, *Plur.* -s, *bei dt. Aussspr.* -e ⟨*franz.*⟩ (Buchdrucker-, Verleger-, Firmenzeichen)

si|g|nie|ren [...'gniː...] ⟨*lat.*⟩ (mit einer Signatur versehen)

Si|g|ni|fi|kant ⟨*lat.*⟩ (bedeutsam, kennzeichnend); **Si|g|ni|fi|kanz**, die; - (Bedeutsamkeit)

Si|g|nor [zɪnˈjoːɐ̯], der; -, -i ⟨*ital.*⟩ (*ital. Bez. für* Herr [*mit folgendem Namen*]); **Si|g|no|ra**, die; -, *Plur.* -s *u.* ...re (*ital. Bez. für* Frau); **Si|g|no|re**, der; -, ...ri (*ital. Bez. für* Herr [*ohne folgenden Namen*])

Si|g|no|ria, Si|g|no|rie, die; -, ...ien (*früher für* die höchste Behörde der italienischen Staaten)

Si|g|no|ri|na, die; -, *Plur.* -s, *auch* ...ne (*ital. Bez. für* unverheiratete Frau); **Si|g|no|ri|no**, der; -, *Plur.* -s, *auch* ...ni (*frühere ital. Bez. für* junger Herr)

Si|g|num, das; -s, ...na ⟨*lat.*⟩ (Zeichen; verkürzte Unterschrift)

Sig|rid (w. Vorn.)

Si|g|rist, der; -en, -en ⟨*lat.*⟩ (*schweiz. für* Küster, Mesner)

Sig|run (w. Vorn.)

Si|ka|hirsch ⟨jap.; dt.⟩ (ein ostasiatischer Hirsch)

Sikh [...k], der; -[s], -s *u.* die; -, -s (Anhänger[in] einer ind. Religionsrichtung)

Sik|ka|tiv, das; -s, -e ⟨*lat.*⟩ (Trockenmittel für Ölfarben)

Sik|kim (ind. Bundesstaat im Himalaja); **Sik|ki|mer; Sik|ki|me|rin; sik|ki|misch**

Si|la|ge [...ʒə] *vgl.* Ensilage

Si|lan, das; -s, -e (*Chemie* Siliciumwasserstoff)

Sil|be, die; -, -n

Sil|ben|maß; Sil|ben|rät|sel; Sil|ben|tren|nung

Sil|ber, das; -s (chemisches Element, Edelmetall; *Zeichen* Ag); *vgl.* Argentum

...sil|ber *vgl.* ...silber

Sil|ber|ar|beit; Sil|ber|bar|ren; Sil|ber|berg|werk; Sil|ber|be|steck

Sil|ber|blick (*ugs. scherzh. für* leicht schielender Blick)

Sil|ber|bro|kat; Sil|ber|dis|tel; Sil|ber|draht; Sil|ber|fa|den

Sil|ber|far|ben, sil|ber|far|big

Sil|ber|fisch|chen (ein Insekt); **Sil|ber|fuchs**

Sil|ber|geld, das; -[e]s

Sil|ber|glanz; sil|ber|glän|zend

sil|ber|grau; sil|ber|haa|rig; sil|ber|hal|tig; sil|ber|hell

Sil|ber|hoch|zeit

sil|be|rig, silb|rig

Sil|ber|ling (eine alte Silbermünze)

Sil|ber|lö|we (Puma); **Sil|ber|me|dail|le; Sil|ber|mö|we; Sil|ber|mün|ze**

sil|bern; silbern färben; ↑K89 : silberne Hochzeit, *aber* ↑K151 : Silberner Sonntag (*früher* vorletzter Sonntag vor Weihnachten); Silbernes Lorbeerblatt (eine Auszeichnung für besondere Sportleistungen)

Sil|ber|pa|pier; Sil|ber|pap|pel; Sil|ber|schei|be (*ugs. für* Compact Disc)

Sil|ber|schmied; Sil|ber|schmie|din; Sil|ber|stift (ein Zeichenstift)

Sil|ber|strei|fen; *meist in* Silberstreifen am Horizont (Zeichen beginnender Besserung)

Sil|ber|ta|b|lett; Sil|ber|tan|ne

sil|ber|ver|gol|det; ein silbervergoldeter Pokal (ein vergoldeter silberner Pokal); **sil|ber|weiß**

Sil|ber|zeug (*ugs. für* Silbergerät)

Sil|ber|zwie|bel (Perlzwiebel)

...sil|big (z. B. dreisilbig)

sil|bisch (eine Silbe bildend)

...**silb**|**ler;** ...**sil**|**ber** (z. B. Zweisilb-
ler, Zweisilber)
silb|**rig** vgl. silberig
Sild, der; -[e]s, -[e] ⟨skand.⟩
(pikant eingelegter junger
Hering)
Si|**len,** der; -s, -e ⟨griech.⟩ (Fabel-
wesen der griechischen Sage)
Si|**len**|**ti**|**um!** ⟨lat.⟩ (Ruhe!)
Sil|**ge,** die; -, -n ⟨griech.⟩ (ein Dol-
dengewächs)
Sil|**hou**|**et**|**te** [ziˈlu̯ɛ...], die; -, -n
⟨franz.⟩ (Umriss; Schattenriss,
Scherenschnitt); **sil**|**hou**|**et**|**tie-**
ren (veraltend)
Si|**li**|**cat** vgl. Silikat
Si|**li**|**ci**|**um** vgl. Silizium
Si|**li**|**con** vgl. Silikon
Si|**li**|**con Val**|**ley** [ˈsɪlɪkn̩ ˈvɛli], das;
- -[s] (Zentrum der amerikan.
Elektronik- u. Computerbran-
che bei San Francisco)
si|**lie**|**ren** ⟨span.⟩ (im Silo einla-
gern)
Si|**li**|**fi**|**ka**|**ti**|**on,** die; -, -en ⟨lat.⟩
(Geol. Verkieselung); **si**|**li**|**fi**|**zie-**
ren
Si|**li**|**kat,** fachspr. Si|li|cat, das;
-[e]s, -e (Chemie Salz der Kiesel-
säure)
Si|**li**|**kon,** fachspr. Si|li|con, das; -s,
-e (sehr wärme- u. wasserbe-
ständiger Kunststoff)
Si|**li**|**kon**|**bu**|**sen; Si**|**li**|**kon**|**im**|**plan-**
tat
Si|**li**|**ko**|**se,** die; -, -n ⟨Med. Stein-
staublunge)
Si|**li**|**zi**|**um,** fachspr. Si|li|ci|um, das;
-s ⟨lat.⟩ (chemisches Element,
Nichtmetall; Zeichen Si)
Sil|**ke** (w. Vorn.)
Sil|**len** Plur. ⟨griech.⟩ (altgrie-
chische parodistische Spottge-
dichte auf Dichter u. a.)
Si|**lo,** der od. das; -s, -s ⟨span.⟩
(Großspeicher [für Getreide, Erz
u. a.]; Gärfutterbehälter)
Si|**lo**|**fut**|**ter; Si**|**lo**|**turm**

Silhouette
Das Wort geht auf den Namen
eines französischen Politikers
zurück. Es hat seine französische Schreibweise im Deutschen behalten.

Si|**lur,** das; -s (Geol. eine Forma-
tion des Paläozoikums)
Si|**lu**|**rer** (Angehöriger eines
vorkelt. Volksstammes in
Wales)
si|**lu**|**risch** (die Silurer betreffend;

Geol. das Silur betreffend; im
Silur entstanden)
Sil|**van,** Sil|va|nus (m. Vorn.)
Sil|**va**|**ner** (eine Reb- u. Weinsorte)
¹**Sil**|**ves**|**ter** (m. Vorn.)
²**Sil**|**ves**|**ter,** der, auch das; -s, -
meist ohne Artikel ⟨nach Papst
Silvester I.⟩ (letzter Tag im Jahr);
Sil|**ves**|**ter**|**abend; Sil**|**ves**|**ter**|**ball**
(vgl. ²Ball); **Sil**|**ves**|**ter**|**fei**|**er; Sil-**
ves|**ter**|**nacht**
Sil|**via** (w. Vorn.)
Sil|**v**|**ret**|**ta,** Sil|v|ret|ta-Grup|pe, **Sil-**
v|**ret**|**ta**|**grup**|**pe,** die; - (Gebirgs-
gruppe der Zentralalpen); **Sil**|**v-**
ret|**ta-Hoch**|**al**|**pen**|**stra**|**ße,** die; -
¹**Si**|**ma,** die; -, ...men
⟨griech.⟩ (Archit. Traufrinne
antiker Tempel)
²**Si**|**ma,** das; -, -[s] ⟨nlat.⟩ (Geol. unte-
rer Teil der Erdkruste)
Si|**mandl,** das; -s, -[n] ⟨eigtl. Mann,
der durch eine »Sie« beherrscht
wird⟩ (bayr. und österr. ugs. für
Pantoffelheld)
Sim|**bab**|**we** (Staat in Afrika); **Sim-**
bab|**wer; Sim**|**bab**|**we**|**rin; sim-**
bab|**wisch**
Si|**me**|**on** (bibl. m. Eigenn. u.
Vorn.)
Si|**mi**|**li**|**stein** ⟨lat.; dt.⟩ (unechter
Schmuckstein)
SIM-Kar|**te** ⟨zu engl. Subscriber
Identification Module⟩ (Spei-
cherchip von Mobiltelefonen)
Sim|**men**|**tal** (schweizerische Land-
schaft); **Sim**|**men**|**ta**|**ler; Sim**|**men-**
ta|**le**|**rin**
Sim|**mer,** das; -s, - (ein altes Getrei-
demaß)
Sim|**mer**|**ring**® (eine Antriebswel-
lendichtung)
Si|**mon** (Apostel; m. Vorn.)
Si|**mo**|**ne** (w. Vorn.)
Si|**mo**|**ni**|**des** (griech. Lyriker)
Si|**mo**|**nie,** die; -, ...ien ⟨nach dem
Zauberer Simon⟩ (Kauf od. Ver-
kauf von geistlichen Ämtern)
si|**mo**|**nisch** (nach Art Simons)
sim|**pel** ⟨franz.⟩ (einfach, einfältig);
sim|p|le Frage; **Sim**|**pel,** der; -s, -
(landsch. für Dummkopf, Ein-
faltspinsel)
Sim|**plex,** das; -, Plur. -e u. ...pli|zia
⟨lat.⟩ (Sprachw. einfaches, nicht
zusammengesetztes Wort)
Sim|**p**|**li**|**cis**|**si**|**mus,** Sim|p|li|zis|si-
mus, der; - ⟨nlat.⟩ (Titel[held]
eines Romans von Grimmels-
hausen; frühere polit.-satir.
deutsche Wochenschrift)
Sim|**p**|**li**|**fi**|**ka**|**ti**|**on,** die; -, -en (selte-
ner für Simplifizierung)

sim|**p**|**li**|**fi**|**zie**|**ren** ⟨lat.⟩ (in einfacher
Weise darstellen; vereinfachen);
Sim|**p**|**li**|**fi**|**zie**|**rung**
Sim|**p**|**li**|**zia** (Plur. von Simplex)
Sim|**p**|**li**|**zis**|**si**|**mus** vgl. Simplicissi-
mus
Sim|**p**|**li**|**zi**|**tät,** die; - (Einfachheit,
Schlichtheit)
Sim|**p**|**lon,** der; -[s], Sim|p|lon|pass,
Sim|p|lon-Pass, der; -es; **Sim**|**p-**
lon|**stra**|**ße,** Sim|p|lon-Stra|ße,
die; -; **Sim**|**p**|**lon**|**tun**|**nel,** Sim|p-
lon-Tun|nel, der; -s
Sims, der od. das; -es, -e ⟨lat.⟩
(waagerechter [Wand]vor-
sprung; Leiste)
Sim|**sa**|**la**|**bim,** der; -s (Zauberwort)
Sim|**se,** die; -, -n (ein Riedgras;
landsch. für Binse)
sim|**sen** (ugs. für eine SMS versen-
den)
Sims|**ho**|**bel**
Sim|**son,** seltener Sam|son (bibl.
m. Eigenn.)
Si|**mu**|**lant,** der; -en, -en ⟨lat.⟩
(jmd., der eine Krankheit vor-
täuscht); **Si**|**mu**|**lan**|**tin**
Si|**mu**|**la**|**ti**|**on,** die; -, -en ⟨lat.⟩ (Vor-
täuschung; Nachahmung im
Simulator o. Ä.)
Si|**mu**|**la**|**tor,** der; -s, ...oren (Gerät,
in dem bestimmte Bedingungen
u. [Lebens]verhältnisse realis-
tisch herstellbar sind)
si|**mu**|**lie**|**ren** ⟨lat.⟩ (vorgeben; sich
verstellen; übungshalber im
Simulator o. Ä. nachahmen)
si|**mul**|**tan** ⟨lat.⟩ (gleichzeitig)
Si|**mul**|**tan**|**büh**|**ne** (Theater)
Si|**mul**|**tan**|**dol**|**met**|**schen,** das; -s;
Si|**mul**|**tan**|**dol**|**met**|**scher; Si**|**mul-**
tan|**dol**|**met**|**sche**|**rin**
Si|**mul**|**ta**|**ne**|**i**|**tät, Si**|**mul**|**ta**|**ni**|**tät,**
die; -, -en (fachspr. für Gemein-
samkeit, Gleichzeitigkeit)
Si|**mul**|**tan**|**kir**|**che** (Kirchengebäude
für mehrere Bekenntnisse); **Si-**
mul|**tan**|**schu**|**le** (Gemeinschafts-
schule); **Si**|**mul**|**tan**|**spiel** (Schach-
spiel gegen mehrere Gegner
gleichzeitig)
sin = Sinus
Si|**nai** [...nai], der; -[s] (Gebirgs-
massiv auf der gleichnamigen
ägyptischen Halbinsel); **Si**|**nai-**
ge|**bir**|**ge,** Si|nai-Ge|bir|ge, das;
-s; **Si**|**nai**|**halb**|**in**|**sel,** Si|nai-Halb-
in|sel, die; -
Si|**n**|**an**|**th**|**ro**|**pus,** der; -, ...pi
⟨griech.⟩ (Anthropol. Peking-
mensch)
Si|**nau,** der; -s, -e (Frauenmantel,
eine Pflanze)

si|ne an|no ⟨lat., »ohne [Angabe des] Jahr[es]«⟩ (veralteter Hinweis bei Buchtitelangaben; *Abk.* s.a.)

si|ne i̱ra et stu̱|dio [- - - st...] ⟨»ohne Zorn u. Eifer«⟩ (sachlich)

Si|ne|ku̱|re, die; -, -n ⟨lat.⟩ (müheloses Amt; Pfründe)

si|ne lo̱|co ⟨lat., »ohne [Angabe des] Ort[es]«⟩ (veralteter Hinweis bei Angaben von Buchtiteln; *Abk.* s.l.); si|ne lo̱|co et an|no ⟨»ohne [Angabe des] Ort[es] u. [des] Jahr[es]«⟩ (veralteter Hinweis bei Angaben von Buchtiteln; *Abk.* s.l.e.a.)

si|ne tem|po|re [- ...re] (ohne akademisches Viertel, pünktlich; *Abk.* s.t.); *vgl.* cum tempore

Sin|fo|ni̱e, Sym|pho|ni̱e, die; -, ...i̱en ⟨griech.⟩ (groß angelegtes Orchesterwerk in meist vier Sätzen)

Sin|fo|ni̱e|kon|zert, Sym|pho|ni̱e|kon|zert; Sin|fo|ni̱e|or|ches|ter, Sym|pho|ni̱e|or|ches|ter

Sin|fo|ni̱|eṯ|ta, die; -, ...tten ⟨ital.⟩ (kleine Sinfonie)

Sin|fo̱|ni|ker, Sym|pho̱|ni|ker (Verfasser von Sinfonien; *nur Plur.:* Mitglieder eines Sinfonieorchesters); Sin|fo̱|ni|ke|rin, Sym|pho̱|ni|ke|rin

sin|fo̱|nisch, sym|pho̱|nisch (sinfonieartig); sinfonische, symphonische Dichtung

Sing. = Singular

Sing|aka|de|mie

Sin|ga|pur [*auch* ...'pu:ɐ̯] (Staat u. Stadt an der Südspitze der Halbinsel Malakka); Sin|ga|pu|rer; Sin|ga|pu|re|rin; sin|ga|pu|risch

sing|bar; Sing|dros|sel

Sin|ge|grup|pe *(DDR)*

sin|gen; du sangst; du sängest; gesungen; sing[e]!; die singende *od.* Singende Säge ↑K 89 (ein Musikinstrument)

Sin|ge|ner; Sin|gen (Ho|hen|twi̱el) (Stadt im Hegau)

Sin|ge|rei̱, die; - *(ugs.)*

Sin|gha|le̱|se [zɪŋga...], der; -n, -n (Angehöriger eines indischen Volkes auf Sri Lanka); Sin|gha|le̱|sin; sin|gha|le̱|sisch

¹Sin|g|le [...ŋḷ], das; -[s], -[s] ⟨engl.⟩ (Einzelspiel [im Tennis o. Ä.])

²Sin|g|le, die; -, -s (kleine Schallplatte)

³Sin|g|le, der; -[s], -s (alleinstehender Mensch); Sin|g|le|treff, der *(ugs.)*

Sin|grün, das; -s (Immergrün)

Sing|sang, der; -[e]s *(ugs.)*

Sing|schwan

Sing-Sing, das; -[s], -s ⟨Staatsgefängnis von New York bei der Industriestadt Ossining (*früher* Sing Sing)⟩ *(ugs. für* Gefängnis)

Sing|spiel; Sing|stim|me; Sing|stun|de

sin|gu|lär (vereinzelt; selten)

Sin|gu|lar, der; -s, -e ⟨lat.⟩ (*Sprachw.* Einzahl; *Abk.* Sing.)

Sin|gu|la|re|tan|tum, das; -s, *Plur.* - *u.* Singulariatantum (*Sprachw.* nur im Singular vorkommendes Wort, z. B. »das All«)

Sin|gu|lar|form; sin|gu|la̱|risch (im Singular [gebraucht])

Sin|gu|la|ris|mus, der; - *(Philos.)*

Sin|gu|la|ri|tät, die; -, -en *meist Plur.* (vereinzelte Erscheinung; Besonderheit)

Sing|vo|gel; Sing|wei̱|se, die

si|nis|ter ⟨lat.⟩ (*selten für* unheilvoll)

sin|ken; er/sie/es sinkt; ich sank, du sankst; du sänkest; gesunken; sink[e]!

Sink|flug; Sink|kas|ten (bei Abwasseranlagen); Sink|stoff (Substanz, die sich im Wasser absetzt)

Sinn, der; -[e]s, -e; bei, von Sinnen sein; sinn|be|tö̱|rend *(geh.)*

Sinn|bild; sinn|bild|lich

sin|nen; du sannst; du sännest, *veraltet* sönnest; gesonnen; sinn[e]!; *vgl.* gesinnt *u.* gesonnen; sinn|nen|froh

Sin|nen|lust, die; -; Si̱n|nen|mensch; Sin|nen|rausch, der; -[e]s; Sin|nen|reiz

sinn|ent|leert; sinn|ent|stel|lend

Sin|nen|welt, die; -

sinn|er|füllt; ein sinnerfülltes Leben

Sinn|er|gän|zung (*Sprachw.*)

Sin|nes|än|de|rung; Sin|nes|art; Sin|nes|ein|druck; Sin|nes|or|gan

Sin|nes|reiz (*Biol.* Reiz, der auf ein Sinnesorgan einwirkt)

Sin|nes|stö̱|rung; Sin|nes|täu|schung; Sin|nes|wahr|neh|mung; Sin|nes|wan|del; Sin|nes|zel|le *meist Plur.* (*Anat., Zool.*)

sinn|fäl|lig; Sinn|fäl|lig|keit, die; -

Sinn|ge|bung; Sinn|ge|dicht; Sinn|ge|halt, der

sinn|ge|mäß

sin|nie̱|ren *(ugs. für* in Nachdenken versunken sein); Sin|nie̱|rer; Sin|nie̱|re|rin

sin|nig (*meist iron. für* sinnvoll; *veraltet für* nachdenklich); sin|ni|ger|wei̱|se; Sin|nig|keit

Sinn|kri̱|se

sinn|lich; Sinn|lich|keit, die; -

sinn|los; Sinn|lo|sig|keit

sinn|reich

Sinn|spruch

Sinn stif|tend, **sinn|stif|tend** ↑K 58

Sinn|su|che

sinn|ver|wandt; sinn|ver|wir|rend; sinn|voll

sinn|wid|rig; Sinn|wid|rig|keit

Sinn|zu|sam|men|hang

Si|no|lo̱|ge, der; -n, -n; Si|no|lo̱|gie, die; - ⟨griech.⟩ (Chinakunde); Si|no|lo̱|gin; si|no|lo̱|gisch

sin|te|mal (*veraltet für* da, weil)

Sin|ter, der; -s, - (mineral. Ablagerung aus Quellen); Sin|ter|glas, das; -es; sin|tern ([durch]sickern; Sinter bilden; *Technik* durch Erhitzen zusammenbacken lassen); Sin|ter|ter|ras|se

Sint|flut, die; - ⟨»umfassende Flut«⟩ *(A. T.); vgl.* Sündflut; sint|flut|ar|tig

Sin|ti|za, die; -, -s ⟨Zigeunersprache⟩ (weiblicher Sinto); Sin|to, der; -, ...ti *meist Plur.* (das als diskriminierend empfundene Wort »Zigeuner« ersetzende Selbstbezeichnung der in Deutschland lebenden Zigeuner mit deutscher Staatsbürgerschaft; *vgl.* ²Rom)

Si̱|nus, der; -, *Plur.* - *u.* -se ⟨lat.⟩ (*Med.* Ausbuchtung, Hohlraum; *Math.* eine Winkelfunktion im rechtwinkligen Dreieck, *Zeichen* sin)

Si|nu|si̱|tis, die; -, ...i̱ti̱den (*Med.* Entzündung der Nasennebenhöhlen)

Si̱|nus|kur|ve (*Math.*); Si̱|nus|schwin|gung (*Physik*)

Si̱|on *vgl.* Zion

Si|oux ['zi:ʊks; *engl.* su:], der *u.* die; -, - (Angehörige[r] einer Sprachfamilie der nordamerik. Indianer)

Si̱|pho, der; -s, ...o̱nen ⟨griech.⟩ (*Zool.* Atemröhre von Schnecken, Muscheln u. a.)

Si̱|phon [...fõ, *österr.* ziˈfoːn], der; -s, -s (Geruchsverschluss bei Wasserausgüssen; Getränkegefäß, bei dem die Flüssigkeit

sit|zen

– du sitzt (*bes. schweiz. auch* sitzest)
– er, sie, es sitzt
– du saßest; er, sie, es saß
– ich meinte, du säßest bereits
– gesessen; sitz[e]!
– ich habe (*südd., österr., schweiz.:* bin) gesessen
– einen sitzen haben (*ugs. für* betrunken sein)
– ich bin noch nicht zum Sitzen gekommen ↑K82

Man schreibt »sitzen« in wörtlicher Bedeutung getrennt vom folgenden »bleiben« oder »lassen«:

– ich will jetzt hier sitzen bleiben
– wir sind auf der Bank sitzen geblieben
– er hätte das Kind ruhig sitzen lassen können

Bei übertragener Bedeutung kann getrennt oder zusammengeschrieben werden:

– sie ist sitzen geblieben *od.* sitzengeblieben (*ugs. für* ist in der Schule nicht versetzt worden)
– wir sind auf den Blumen sitzen geblieben *od.* sitzengeblieben (*ugs. für* haben sie nicht verkaufen können)
– ich habe den Vorwurf nicht auf mir sitzen lassen *od.* sitzenlassen (nicht unwidersprochen gelassen)
– die Lehrer haben ihn sitzen lassen *od.* sitzenlassen (*ugs. für* in der Schule nicht versetzt)
– ich habe ihn sitzen lassen, *seltener* sitzen gelassen *od.* sitzenlassen, *seltener* sitzengelassen (*ugs. für* im Stich gelassen), als er meine Hilfe brauchte

durch Kohlensäure herausgedrückt wird)

Si|pho|no|pho|re, die; -, -n *meist Plur.* ⟨griech.⟩ (*Zool.* Staatsod. Röhrenqualle)

Si|phon|ver|schluss (Geruchsverschluss)

Sip|pe, die; -, -n; **Sip|pen|haft** (*früher*)

Sip|pen|ver|band (*Völkerk.*)

Sipp|schaft (*abwertend für* Verwandtschaft; Gesindel)

Sir [zø:ɐ̯], der; -s, -s ⟨engl.⟩ (*engl. Anrede [ohne Namen]* »Herr«; *vor Vorn.* engl. Adelstitel)

Si|rach (bibl. m. Eigenn.); *vgl.* Jesus Sirach

Sire [zi:ɐ̯] ⟨franz.⟩ (franz. Anrede an einen Monarchen)

Si|re|ne, die; -, -n ⟨griech., nach den Fabelwesen der griech. Sage⟩ (Nebelhorn, Warngerät; verführerische Frau; *Zool.* Seekuh)

Si|re|nen|alarm; Si|re|nen|ge|heul; Si|re|nen|ge|sang

si|re|nen|haft (verführerisch)

Si|re|nen|pro|be

Si|ri|us, der; - ⟨griech.⟩ (ein Stern); si|ri|us|fern

Sir|rah, die; - ⟨arab.⟩ (ein Stern)

sir|ren (hell klingen, surren)

Sir|ta|ki, der; -, -s ⟨griech.⟩ (ein griechischer Volkstanz)

Si|rup, der; -s, -e ⟨arab.⟩ (dickflüssiger Rüben- od. Obstsaft)

si|rup|ähn|lich

Si|sal, der; -s ⟨nach der mexik. Stadt⟩; **Si|sal|aga|ve; Si|sal|hanf** (Faser aus Agavenblättern); **Si|sal|läu|fer**

sis|tie|ren ⟨lat.⟩ ([Verfahren] einstellen; *bes. Rechtsspr.* jmdn. zur Feststellung seiner Personalien auf die Polizeiwache bringen); **Sis|tie|rung**

Sis|t|rum, das; -s, Sistren ⟨griech.⟩ (altägyptische Rassel)

Si|sy|phos ⟨griech.⟩, **Si|sy|phus** (Gestalt der griechischen Sage)

Si|sy|phus|ar|beit ↑K136 (vergebliche Arbeit)

SIT (Währungscode für Tolar)

Si|tar, der; -[s], -[s] ⟨iran.⟩ (indische Laute)

Sit|com, der; -s, -s ⟨engl.⟩ (Situationskomödie)

Site [saɪt], die; -, -s ⟨engl.⟩ (*EDV* Website)

Sit-in, Sit|in [sɪtˈlɪn], das; -[s], -s ⟨amerik.⟩ (Sitzstreik)

Sit|te, die; -, -n

Sit|ten (Hauptstadt des Kantons Wallis)

Sit|ten|bild

Sit|ten|de|zer|nat

Sit|ten|ge|mäl|de

Sit|ten|ge|schich|te, die; -

Sit|ten|ko|dex; Sit|ten|ko|mö|die; Sit|ten|leh|re

sit|ten|los; Sit|ten|lo|sig|keit, die; -

Sit|ten|po|li|zei

Sit|ten|rich|ter; Sit|ten|rich|te|rin

Sit|ten|schil|de|rung

sit|ten|streng; Sit|ten|stren|ge

Sit|ten|strolch

Sit|ten|ver|derb|nis (*geh.*)

Sit|ten|ver|fall

sit|ten|wid|rig; Sit|ten|wid|rig|keit

Sit|tich, der; -s, -e (ein Papagei)

sitt|lich; Sitt|lich|keit, die; -

Sitt|lich|keits|de|likt

Sitt|lich|keits|ver|bre|chen; Sitt|lich|keits|ver|bre|cher; Sitt|lich|keits|ver|bre|che|rin

sitt|sam (veraltend); Sitt|sam|keit

Si|tu|a|ti|on, die; -, -en ⟨lat.⟩; **si|tu|a|ti|ons|be|dingt**

Si|tu|a|ti|ons|ko|mik

Si|tu|a|ti|ons|ko|mö|die

si|tu|a|ti|ons|spe|zi|fisch

si|tu|a|tiv (durch die Situation bedingt)

si|tu|ie|ren ⟨franz.⟩ (in einen Zusammenhang stellen; einbetten); si|tu|iert (in bestimmten [wirtschaftlichen] Verhältnissen lebend); sie ist besser situiert als er

Si|tu|la, die; -, ...ulen ⟨lat.⟩ (bronzezeitlicher Eimer)

Si|tus, der; -, - ⟨lat.⟩ (*Med.* Lage [von Organen]); *vgl.* in situ

sit ve|nia ver|bo ⟨lat.⟩ (man verzeihe das Wort!; *Abk.* s. v. v.)

Sitz, der; -es, -e

Sitz|bad; Sitz|ba|de|wan|ne

Sitz|blo|cka|de

Sitz|ecke

sit|zen s. *Kasten*

sitzen blei|ben, sit|zen|blei|ben *vgl.* sitzen; **Sit|zen|blei|ber; Sit|zen|blei|be|rin**

sit|zend; sitzende Tätigkeit

sitzen las|sen, sit|zen|las|sen *vgl.* sitzen

...**sit|zer** (z. B. Zweisitzer)

Sitz|fal|te; Sitz|flä|che

Sitz|fleisch, das; -[e]s (*ugs. scherzh. für* Ausdauer)

Sitz|ge|le|gen|heit

Sitz|grup|pe

...**sit|zig** (z. B. viersitzig)

Sitz|kis|sen

Sitz|mö|bel

Sitz|ord|nung

Sitz|pink|ler (*ugs.*); **Sitz|pink|le|rin** (*ugs. scherzh.*)

Sitz|platz

Sitz|rie|se (*ugs. scherzh. für* jmd.

mit kurzen Beinen u. langem Oberkörper); **Sitz|rie|sin**
Sitz|stan|ge; **Sitz|streik**
Sit|zung
Sit|zungs|be|richt; **Sit|zungs|geld** *(Politik)*; **Sit|zungs|saal**; **Sit|zungs|zim|mer**
Six|pack [...pek], das; -s, -s ⟨*engl. Bez. für* Sechserpackung⟩
Six|ti|na, die; - ⟨nach Papst Sixtus IV.⟩ (Kapelle im Vatikan); **six|ti|nisch**; *aber* ↑K150 : Sixtinische Kapelle, Sixtinische Madonna
Si|zi|li|a|ne, die; -, -n ⟨ital.⟩ (eine Versform)
Si|zi|li|a|ner, Si|zi|li|a|ner (Bewohner von Sizilien); **Si|zi|li|a|ne|rin**, Si|zi|li|a|ne|rin; **si|zi|li|a|nisch**, si|zi|lisch; *aber* ↑K151 : Sizilianische Vesper (Volksaufstand in Palermo während der Ostermontagsvesper 1282)
Si|zi|li|en (süditalienische Insel)
Si|zi|li|er usw. *vgl.* Sizilianer usw.
SJ = Societatis Jesu ⟨lat., »von der Gesellschaft Jesu«⟩ (Jesuit)
SK = Segerkegel
Ska|bi|es, die; - ⟨lat.⟩ (*Med.* Krätze); **ska|bi|ös**
Ska|bi|o|se, die; -, -n (eine Wiesenblume)
Ska|ger|rak, das *od.* der; -s (Meeresteil zwischen Norwegen u. Jütland)
skål! [sko:l] ⟨skand.⟩ (*skand. für* prost!, zum Wohl!)
Ska|la, die; -, *Plur.* ...len u. -s ⟨ital., »Treppe«⟩ (Maßeinteilung [an Messgeräten]; Stufenfolge); *vgl.* Skale u. Scala; **Ska|la|hö|he**
ska|lar (*Math.* durch reelle Zahlen bestimmt); **Ska|lar**, der; -s, -e (*Math.* durch einen reellen Zahlenwert bestimmte Größe; *Zool.* ein Buntbarsch)
Skal|de, der; -n, -n ⟨altnord.⟩ (altnordischer Dichter u. Sänger); **Skal|den|dich|tung**; **skal|disch**
Ska|le, die; -, -n (*in der Bedeutung* »Maßeinteilung« *bes. fachspr. für* Skala); **Ska|len|zei|ger**
ska|lie|ren (in eine Skala einstufen)
Skalp, der; -s, -e ⟨engl.⟩ (*früher* abgezogene behaarte Kopfhaut des Gegners als Siegeszeichen)
Skal|pell, das; -s, -e ⟨lat.⟩ (kleines chirurgisches Messer)
skal|pie|ren (den Skalp nehmen)
Skan|dal, der; -s, -e ⟨griech.⟩; **Skandal|autor**; **Skan|dal|auto|rin**; **Skan|dal|ge|schich|te**
skan|da|li|sie|ren (*veraltend für*

Anstoß nehmen); sich über etw. skandalisieren
Skan|dal|nu|del *(ugs.)*
skan|da|lös (anstößig; unerhört)
Skan|dal|pres|se
skan|dal|süch|tig; **skan|dal|um|wittert**
skan|die|ren ⟨lat.⟩ (taktmäßig nach Versfüßen lesen; rhythmisch sprechen, rufen)
Skan|di|na|vi|en
Skan|di|na|vi|er; **Skan|di|na|vi|e|rin**
skan|di|na|visch; *aber* ↑K140 : die Skandinavische Halbinsel
Ska|po|lith, der; *Gen.* -s *od.* -en, *Plur.* -e[n] ⟨lat.; griech.⟩ (ein Mineral)
Ska|pu|lier, das; -s, -e ⟨lat.⟩ (bei der Mönchstracht Überwurf über Brust u. Rücken)
Ska|ra|bä|en|gem|me
Ska|ra|bä|us, der; -, ...äen ⟨griech.⟩ (Pillendreher, Mistkäfer des Mittelmeergebietes; dessen Nachbildung als Siegel, als Amulett [im alten Ägypten])
Ska|ra|muz, der; -es, -e ⟨ital.⟩ (Figur des prahlerischen Soldaten im franz. u. ital. Lustspiel)
Skarn, der; -s, -e ⟨schwed.⟩ (*Geol.* vorwiegend aus Kalk-Eisen-Silikaten bestehendes Gestein)
skar|tie|ren ⟨ital.⟩ (*österr. Amtsspr. für* alte Akten aussortieren)
Skat, der; -[e]s, *Plur.* -e *u.* -s ⟨*nur Sing.:* ein Kartenspiel; zwei verdeckt liegende Karten beim Skatspiel)
Skat|abend; **Skat|bru|der** *(ugs.)*
Skate|board ['ske:tbo:ɐt], das; -s, -s ⟨engl.⟩ (Rollerbrett); **Skateboar|der** (Skateboardfahrer); **Skate|boar|de|rin**
¹**ska|ten** (*ugs. für* Skat spielen)
²**ska|ten** ['ske:tn̩] ⟨engl.⟩ (Rollschuh laufen); **Skate|night** ['ske:tnaɪt], die; -, -s ⟨engl.⟩ (nächtliche Veranstaltung für Inlineskater in [größeren] Städten)
¹**Ska|ter** (*ugs. für* Skatspieler)
²**Ska|ter** ['ske:tɐ] ⟨engl.⟩ (Rollschuhläufer); **Ska|ter|an|la|ge**
¹**Ska|te|rin**
²**Ska|te|rin** ['ske:tə...]
Skat|ge|richt, das; -[e]s (in Altenburg)
Ska|ting ['ske:...], das; -s (das Rollschuhlaufen mit Inlineskates)
Skat|kar|te
Ska|tol, das; -s ⟨griech.; lat.⟩ (eine chemische Verbindung)
Ska|to|pha|ge usw. *vgl.* Koprophage usw.; **Ska|to|pha|gin**

Skat|par|tie; **Skat|run|de**; **Skat|spiel**; **Skat|spie|ler**; **Skat|spie|le|rin**; **Skat|tur|nier**
Skeet|schie|ßen ['ski:t...], das; -s ⟨engl.; dt.⟩ (Wurftaubenschießen mit Schrotgewehren)
Ske|let ⟨griech.⟩ (*teilweise noch in der Med. gebrauchte Nebenform von* Skelett)
Ske|le|ton [...tn̩], der; -s, -s ⟨engl.⟩ (niedriger Sportrennschlitten)
Ske|lett, das; -[e]s, -e ⟨griech.⟩ (Knochengerüst, Gerippe; tragendes Grundgerüst)
Ske|lett|bau *Plur.* ...bauten (Gerüst-, Gerippebau); **Ske|lett|bau|wei|se**, die; -; **Ske|lett|bo|den** (*Geol.*); **Ske|lett|form**
ske|let|tie|ren (das Skelett bloßlegen)
Skep|sis, die; - ⟨griech.⟩ (Zweifel, kritisch prüfende Haltung)
Skep|ti|ker (Zweifler; Vertreter des Skeptizismus); **Skep|ti|ke|rin**
skep|tisch (zweifelnd; misstrauisch; kühl u. streng prüfend)
Skep|ti|zis|mus, der; - (Zweifel [an der Möglichkeit sicheren Wissens]; skeptische Haltung)
Sketsch, **Sketch** [skɛtʃ], der; -[e]s, -e ⟨engl., »Skizze«⟩ (kurze, effektvolle Bühnenszene im Kabarett *od.* Varietee)
Ski [ʃi:], Schi, der; -s, *Plur.* -er, *auch* -s ⟨norw.⟩; ↑K54 : Ski fahren, Ski laufen; Ski und eislaufen, eis- und Ski laufen; *aber* das Ski- und Eislaufen, das Eis- und Skilaufen; Ski alpin, Ski nordisch; Ski Heil! (Skiläufergruß)
Skia|gra|fie, **Skia|gra|phie**, die; -, ...ien ⟨griech.⟩ (antike Schattenmalerei)
Ski|ak|ro|ba|tik, Schi|ak|ro|ba|tik
Ski|as|ko|pie, die; -, ...ien ⟨griech.⟩ (*Med.* Verfahren zur Feststellung von Brechungsfehlern des Auges)
Ski|bob, Schi|bob (lenkbarer, einkufiger Schlitten)
Ski|fah|rer, Schi|fah|rer; **Ski|fah|re|rin**, Schi|fah|re|rin
Skiff, das; -[e]s, -e ⟨engl.⟩ (*Sport* nord. Einmannruderboot)
Ski|flie|gen, Schi|flie|gen, das; -s; **Ski|flug**, Schi|flug
Ski|ge|biet, Schi|ge|biet
Ski|gym|nas|tik, Schi|gym|nas|tik
Ski|ha|serl, Schi|ha|serl, das; -s, -[n] (*ugs. für* junge Anfängerin im Skilaufen)
Ski|kjö|ring [...jø:...], *häufiger* **Ski|jö|ring**, Schi|kjö|ring, Schi|jö|ring, das; -s, -s ⟨norw.⟩ (Skilauf

mit Pferde- od. Motorradvorspann)

Ski|kurs, Schi|kurs

Ski|lauf, Schi|lauf; **Ski|lau|fen**, Schi|lau|fen, das; -s

Ski|läu|fer, Schi|läu|fer; **Ski|läu|ferin**, Schi|läu|fe|rin

Ski|leh|rer, Schi|leh|rer; **Ski|leh|rerin**, Schi|leh|re|rin

Ski|lift, Schi|lift

Skin, der; -s, -s (*kurz für* Skinhead); **Skin|head** [...hɛt], der; -s, -s ⟨engl.⟩ ([zu Gewalttätigkeit neigender] Jugendlicher mit kahl geschorenem Kopf)

Skink, der; -[e]s, -e ⟨griech.⟩ (Glattod. Wühlechse)

Ski|pass, Schi|pass

Ski|pis|te, Schi|pis|te

Skip|per ⟨engl.⟩ (Kapitän einer [Segel]jacht)

Ski|sport, Schi|sport

Ski|sprin|ger, Schi|sprin|ger; **Skisprin|ge|rin**, Schi|sprin|ge|rin; **Ski|sprung**, Schi|sprung

Ski|spur, Schi|spur

Ski|stie|fel, Schi|stie|fel; **Ski|stock**, Schi|stock Plur. ...stöcke

Ski|wachs, Schi|wachs

Ski|wan|dern, Schi|wan|dern, das; -s

Ski|was|ser, Schi|was|ser, das; -s (ein Getränk)

Ski|zir|kus, Schi|zir|kus (System von Skiliften; alpine Skirennen mit den dazugehörenden Veranstaltungen)

Skiz|ze, die; -, -n ⟨ital.⟩; **Skiz|zenblock** (vgl. Block); **Skiz|zen|buch**

skiz|zen|haft

skiz|zie|ren (entwerfen; andeuten)

Skiz|zier|pa|pier; Skiz|zie|rung

SKK (Währungscode für slowak. Krone)

Skla|ve, der; -n, -n ⟨slaw.⟩ (unfreier, rechtloser Mensch)

Skla|ven|ar|beit; Skla|ven|han|del

Skla|ven|tum, das; -s; Skla|ve|rei

Skla|vin; skla|visch

Skle|ra, die; -, ...ren ⟨griech.⟩ (Med. Lederhaut des Auges)

Skle|ri|tis, die; -, ...iti|den (Entzündung der Lederhaut des Auges)

Skle|ro|der|mie, die; -, ...ien (krankhafte Hautverhärtung)

Skle|ro|me|ter, das; -s, - (Härtemesser [bei Kristallen])

Skle|ro|se, die; -, -n (Med. krankhafte Verhärtung von Geweben u. Organen); **skle|ro|tisch**

Sko|li|on, das; -s, ...ien ⟨griech.⟩ (altgriechisches Tischlied, Einzelgesang beim Gelage)

Sko|li|o|se, die; -, -n ⟨griech.⟩ (Med. seitliche Verkrümmung der Wirbelsäule)

Sko|lo|pen|der, der; -s, - ⟨griech.⟩ (tropischer Tausendfüßler)

skon|tie|ren ⟨ital.⟩ (Wirtsch. Skonto gewähren); **Skon|to**, der od. das; -s, Plur. -s, selten ...ti ([Zahlungs]abzug, Nachlass [bei Barzahlung])

Skon|t|ra|ti|on, die; -, -en ⟨ital.⟩ (Wirtsch. Fortschreibung, Bestandsermittlung von Waren durch Eintragung der Zu- und Abgänge); **skon|t|rie|ren**

Skon|t|ro, das; -s, -s (Nebenbuch der Buchhaltung zur täglichen Ermittlung von Bestandsmengen); **Skon|t|ro|buch**

Skoo|ter ['sku:...], der; -s, - ⟨engl.⟩ ([elektrisches] Kleinauto auf Jahrmärkten)

Skop, der; -s, -s ⟨angelsächs.⟩ (früher Dichter u. Sänger in der Gefolgschaft angelsächs. Fürsten)

Skop|je (Hauptstadt von ²Mazedonien)

Skop|ze, der; -n, -n ⟨russ.⟩ (Angehöriger einer russischen Sekte des 19. Jh.s)

Skor|but, der; -[e]s ⟨mlat.⟩ (Med. Krankheit durch Mangel an Vitamin C); **skor|bu|tisch**

Skor|da|tur vgl. Scordatura

Skore [sko:ɐ̯], das; -s, -s ⟨engl.⟩ (schweiz. Sportspr. svw. Score); **sko|ren** (österr. u. schweiz. Sportspr. neben scoren)

Skor|pi|on, der; -s, -e ⟨griech.⟩ (ein Spinnentier; nur Sing.: ein Sternbild)

Sko|te, der; -n, -n (Angehöriger eines alten irischen Volksstammes in Schottland); **Sko|tin**

Sko|tom, das; -s, -e ⟨griech.⟩ (Med. Gesichtsfelddefekt)

skr = schwedische Krone

Skri|bent, der; -en, -en ⟨lat.⟩ (veraltend für Schreiberling); **Skri|bentin**

Skript, das; -[e]s, Plur. -e[n] u. (bes. für Drehbücher) -s ⟨engl.⟩ (schriftliche Ausarbeitung; Nachschrift einer Hochschulvorlesung; Drehbuch)

Skript|girl, das; -s, -s (Mitarbeiterin eines Filmregisseurs, die die Einstellung für jede Aufnahme einträgt)

Skrip|tum, das; -s, Plur. ...ten u. ...ta ⟨lat.⟩ (älter für Skript)

skrip|tu|ral (die Schrift betreffend)

skro|fu|lös ⟨lat.⟩ (Med. an Skrofulose leidend); **Skro|fu|lo|se**, die; -, -n (Haut- u. Lymphknotenerkrankung bei Kindern)

skro|tal ⟨lat.⟩ (Med. zum Skrotum gehörend); **Skro|tal|bruch**, der; **Skro|tum**, das; -s, ...ta (Hodensack)

¹**Skru|pel**, das; -s, - ⟨lat.⟩ (altes Apothekergewicht)

²**Skru|pel**, der; -s, - meist Plur. (Bedenken; Gewissensbiss); **skru|pel|los**; **Skru|pel|lo|sig|keit**

skru|pu|lös (veraltend für ängstlich; peinlich genau)

Skud|de, die; -, -n (kleinste Hausschafrasse)

Skuld (nord. Mythol. Norne der Zukunft)

Skull, das; -s, -s ⟨engl.⟩ (Ruder); **Skull|boot**; **skul|len** (rudern); **Skul|ler** (Sportruderer); **Skul|lerin**

Skulp|teur [...'tø:ɐ̯], der; -s, -e ⟨franz.⟩ (Künstler, der Skulpturen herstellt); **Skulp|teu|rin**

skulp|tie|ren ⟨lat.⟩ (ausmeißeln)

Skulp|tur, die; -, -en (plastisches Bildwerk; nur Sing.: Bildhauerkunst); **skulp|tu|ral** (in der Art, der Form einer Skulptur)

Skulp|tu|ren|samm|lung

¹**Skunk**, der; -s, Plur. -e od. -s ⟨indian.-engl.⟩ (Stinktier)

²**Skunk**, der; -s, -s meist Plur. (Pelz des Stinktiers)

skur|ril ⟨etrusk.-lat.⟩ (verschroben, eigenwillig; drollig); **Skur|ri|li|tät**, die; -, -en

S-Kur|ve ['ɛs...] ↑K29

Küs, der; -, - ⟨franz.⟩ (Trumpfkarte im Tarockspiel)

Sky|ta|ri (albanische Stadt); **Skuta|ri|see**, Sku|ta|ri-See, der; -s

Sky|bea|mer ['skaɪbi:mɐ], der; -s, - ⟨engl.⟩ (starker Scheinwerfer, der Lichtstrahlen am Nachthimmel aussendet)

Skye|ter|ri|er ['skaɪ...] ⟨engl.⟩ (Hunderasse)

Sky|lab ['skaɪlɛp] ⟨engl.⟩ (Name einer amerik. Raumstation)

Sky|light ['skaɪlaɪt], das; -s, -s ⟨engl.⟩ (Seemannsspr. Oberlicht)

Sky|line ['skaɪlaɪn], die; -, -s (Silhouette einer Stadt)

Skyl|la (griech. Form von Szylla)

Sky|the, der; -n, -n (Angehöriger eines alten nordiranischen Reitervolkes); **Sky|thi|en** (Land); **Sky|thin**; **sky|thisch**

s. l. = sine loco

Sla|lom, der; -s, -s ⟨norw.⟩ (*Ski- u. Kanusport* Torlauf; *auch übertr. für* Zickzacklauf, -fahrt); Slalom fahren, Slalom laufen

Sla|lom|kurs; Sla|lom|lauf; Sla|lom-läu|fer; Sla|lom|läu|fe|rin

Slang [slɛŋ], der; -s, -s ⟨engl.⟩ (saloppe Umgangssprache; Jargon)

Slap|stick ['slɛpstɪk], der; -s, -s ⟨engl.⟩ (grotesk-komischer Gag, vor allem im [Stumm]film)

Slash ['slɛʃ], der; -s, -es ⟨engl.⟩ (Schrägstrich, z. B. in Internetadressen)

s-Laut ['ɛs...] ↑K29

Sla|we, der; -n, -n ⟨slaw.⟩; **Sla|wentum**, das; -s; **Sla|win**

sla|wisch; sla|wi|sie|ren (slawisch machen)

Sla|wis|mus, der; -, ...men (slawische Spracheigentümlichkeit in einer nichtslawischen Sprache)

Sla|wist, der; -en, -en; **Sla|wis|tik**, die; - (Wissenschaft von den slaw. Sprachen u. Literaturen); **Sla|wis|tin; sla|wis|tisch**

Sla|wo|ni|en (Gebiet in Kroatien); **Sla|wo|ni|er; Sla|wo|ni|e|rin; sla-wo|nisch**

Sla|wo|phi|lie, die; - ⟨slaw.; griech.⟩ (Slawenliebe)

s. l. e. a. = sine loco et anno

Sleip|nir ⟨altnord.⟩ (*nord. Mythol.* das achtbeinige Pferd Odins)

Sle|vogt (dt. Maler u. Grafiker)

Sli|bo|witz, Sli|wo|witz, der; -[es], -e ⟨serbokroat.⟩ (ein Pflaumenbranntwein)

Slice [slais], der; -, -s [...siz] ⟨engl.⟩ (bestimmter Schlag beim Golf u. beim Tennis)

Slick, der; -s, -s ⟨engl.⟩ (breiter Rennreifen ohne Profil)

Sli|ding Tack|ling ['slaidɪŋ 'tɛk...] *vgl.* Tackling

Sling|pumps, der; -, - ⟨engl.⟩ (über der Ferse mit einem Riemchen gehaltener Pumps)

Slip, der; -s, -s ⟨engl.⟩ (Unterhose; schiefe Ebene in einer Werft für den Stapellauf; *Technik* Vortriebsverlust); **Slip|ein|la|ge**

Sli|pon, der; -s, -s (Herrensportmantel mit Raglanärmeln)

Slip|per, der; -s, -[s] (Schlupfschuh mit niedrigem Absatz)

Sli|wo|witz *vgl.* Slibowitz

Slo|gan ['slo:gn̩], der; -s, -s ⟨gälisch-engl.⟩ (Schlagwort)

Sloop [slu:p] *vgl.* Slup

Slot, der; -s, -s ⟨engl.⟩ (*EDV* Steckplatz)

Slot|ma|schi|ne (ein Spielautomat)

Slo|wa|ke, der; -n, -n (Angehöriger eines westslawischen Volkes); **Slo|wa|kei**, die; - (Staat in Mitteleuropa); **Slo|wa|kin**

slo|wa|kisch; Slo|wa|kisch, das; -[s] (Sprache); *vgl.* Deutsch; **Slo|wa-ki|sche**, das; -n; *vgl.* Deutsche, das

Slo|we|ne, der; -n, -n (Einwohner von Slowenien); **Slo|we|ni|en** (Staat im Süden Mitteleuropas); **Slo|we|ni|er** (Slowene); **Slo|we|ni-e|rin, Slo|we|nin**

slo|we|nisch; Slo|we|nisch, das; -[s] (Sprache); *vgl.* Deutsch; **Slo|we-ni|sche**, das; -n; *vgl.* Deutsche, das

Slow|food ['slo:fu:d], das; -[s], **Slow Food**, das; - -[s] ⟨engl.⟩ (naturbelassenes Essen, das in Ruhe verzehrt wird)

Slow|fox ['slo:...], der; -[es], -e ⟨engl.⟩ (ein Tanz)

Slow Mo|tion [...ʃn̩], die; - - ⟨engl.⟩ (Zeitlupe; in Zeitlupe abgespielter Film[ausschnitt])

Slum [slam], der; -s, -s *meist Plur.* ⟨engl.⟩ (Elendsviertel); **Slum|be-woh|ner; Slum|be|woh|ne|rin**

Slup, die; -, -s ⟨engl.⟩ (Küstenschiff, Segeljacht)

sm = Seemeile

Sm = *chem. Zeichen für* Samarium

S. M. = Seine Majestät

Small|cap ['smo:lkɛp], der; -s, -s, **Small Cap**, der; - -s, - -s ⟨engl.⟩ (Wertpapier eines kleinen Unternehmens)

Small|talk ['smo:lto:k], der, *auch* das; -s, -s, **Small Talk**, der, *auch* das; - -s, - -s ⟨engl.⟩ (beiläufige Konversation)

Smal|te *vgl.* Schmalte

Sma|ragd, der; -[e]s, -e ⟨griech.⟩ (ein Edelstein)

Sma|ragd|ei|dech|se

sma|rag|den (aus Smaragd; smaragdgrün); **sma|ragd|grün**

smart ⟨engl.⟩ (modisch elegant, schneidig; clever)

Smart|card, die; -, -s, **Smart Card**, die; - -, - -s ⟨engl.⟩ (Plastikkarte als Zahlungsmittel, Datenträger od. Ausweis)

Smar|tie, der; -s, -s ⟨ugs. für jmd., der smart ist⟩

Smart|phone [...fo:n], das; -s, -s, **Smart Phone**, das; - -s, - -s ⟨engl.⟩ (Handy, das auch Adressen u.

Termine verwalten, Fotos aufnehmen kann)

Smash [smɛʃ], der; -[s], -s ⟨engl.⟩ (*Tennis, Badminton* Schmetterschlag)

Smeg|ma, das; -[s] ⟨griech.⟩ (*Med.* Absonderung der Vorhauttalgdrüsen)

Sme|ta|na (tschech. Komponist)

SMH = Schnelle Medizinische Hilfe (*DDR* ärztl. Notdienst)

Smi|ley ['smaili], das; -s, -s ⟨*EDV* Emoticon in Form eines lächelnden Gesichts⟩

SM-Ofen [ɛs'ɛm...] = Siemens-Martin-Ofen

Smog, der; -[s], -s ⟨engl.⟩ (mit Abgasen, Rauch u. a. gemischter Dunst od. Nebel über Industriestädten); **Smog|alarm**

Smok|ar|beit; smo|ken ⟨engl.⟩ (Stoff fälteln); eine gesmokte Bluse

Smo|king, der; -s, -s ⟨engl.⟩ (Gesellschaftsanzug mit seidenem Revers für Herren); **Smo|king-schlei|fe**

Smo|lensk (russische Stadt)

Smoo|thie ['smu:ði:], der; -s, -s ⟨engl.⟩ (Mixgetränk aus Obst u. Milchprodukten)

Smør|re|bröd, das; -s, -s ⟨dän.⟩ (reich belegtes Brot)

smor|zan|do ⟨ital.⟩ (*Musik* verlöschend); **Smor|zan|do**, das; -s, *Plur.* -s u. ...di

¹SMS, die; -, - (über den Mobilfunkdienst versendete Nachricht; Textnachricht); eine SMS erhalten

²SMS, der; - *meist ohne Artikel* ⟨aus engl.⟩ Short Message Service) (ein Mobilfunkdienst, mit dem kurze Nachrichten an Mobilfunkteilnehmer gesendet werden); eine Nachricht per SMS versenden; **SMS-Nach|richt**

Smut|je, der; -s, -s ⟨Seemannsspr. Schiffskoch⟩

SMV, die; -, -[s] = Schülermitverantwortung, Schülermitverwaltung

Smyr|na (türkische Stadt; *heutiger Name* Izmir); **Smyr|na|er** (*auch* ein Teppich); **smyr|na|isch; Smyr-na|tep|pich, Smyr|na-Tep|pich**

Sn = Stannum (*chem. Zeichen für* Zinn)

Snack [snɛk], der; -s, -s ⟨engl.⟩ (Imbiss); **Snack|bar, die**

Snail|mail ['sneilmeil], Snail-Mail ⟨engl., »Schneckenpost«⟩ (*EDV* Briefpost im Gegensatz zur elektronischen Post)

¹so

– so einer, so eine, so ein[e]s
– so etwas, *ugs.* so was
– so dass (*vgl. auch* sodass)
– so an die 100 Leute, so gegen acht Uhr
– so ein Mann, so eine Person
– so wahr mir Gott helfe
– so schnell, so lang[e] wie *od.* als möglich; die Meisterschaft war so gut wie gewonnen

– ich will so sein, so werden, so bleiben
– etwas zu betrachten, so sehen, so nennen
– so betrachtet, so gesehen; die so genannten *od.* sogenannten schnellen Brüter
Zur Getrennt- od. Zusammenschreibung von »sobald, sofern, sogleich, solang« usw. vgl. *die einzelnen Stichwörter*

Snea|ker [sniː...], der; -s, -s ⟨amerik.⟩ (Sportschuh)
Sneak|pre|view, Sneak-Pre|view [ˈsniːkˈpriːvjuː], die; -, -s ⟨engl.⟩ (Überraschungsvoraufführung eines Films)
snif|fen ⟨engl.⟩ (*ugs. für* sich durch das Einatmen von Dämpfen berauschen)
Snob, der; -s, -s ⟨engl.⟩ (vornehm tuender, eingebildeter Mensch); **Sno|bi|e|ty** [...ˈbaɪəti], die; - (vornehm tuende Gesellschaft)
Sno|bis|mus, der; -, ...men; **sno|bis|tisch**
Snow|board [ˈsnoːboːɐ̯t], das; -s, -s ⟨engl.⟩ (als Sportgerät dienendes Brett zum Gleiten auf Schnee); **snow|boar|den** (mit dem Snowboard gleiten); **Snow|boar|der,** der; -s, -; **Snow|boar|de|rin; Snow|boar|ding,** das; -s (das Snowboarden)
¹so s. Kasten
²so (Solmisationssilbe)
SO = Südost[en]
So. = Sonntag
s. o. = sieh[e] oben!
Soap [soʊp], die; -, -s ⟨engl.⟩ (Seifenoper)
so|a|ve ⟨ital.⟩ (*Musik* lieblich, sanft, angenehm, süß)
so|bald; *Konjunktion:* sobald ich komme, *aber (Adverb):* ich komme so bald nicht; komme so bald wie *od.* als möglich
So|ci|e|tas Je|su, die; - - (*lat. Gen.* Societatis Jesu) ⟨lat., »Gesellschaft Jesu«⟩ (der Orden der Jesuiten; *Abk.* SJ)
So|ci|e|tas Ver|bi Di|vi|ni, die; - - - ⟨»Gesellschaft des Göttlichen Wortes«⟩ (kath. Missionsgesellschaft von Steyl in der niederländ. Provinz Limburg; *Abk.* SVD)
Söck|chen
So|cke, die; -, -n
So|ckel, der; -s, -; **So|ckel|be|trag** (bei Lohnerhöhungen)
So|cken, der; -s, - (*landsch. für* Socke)

Sod, der; -[e]s, -e (*veraltet für das* Sieden; *nur Sing.:* Sodbrennen)
¹So|da, die; - *u.* das; -s ⟨span.⟩ (Natriumkarbonat)
²So|da, das; -s (Sodawasser)
So|da|le, der; -n, -n ⟨lat.⟩ (Mitglied einer Sodalität); **So|da|li|tät,** die; -, -en (katholische Genossenschaft, Bruderschaft)
So|da|lith, der; *Gen.* -s *od.* -en, *Plur.* -e[n] ⟨span.; griech.⟩ (ein Mineral)
so|dass, so dass; er arbeitete Tag und Nacht, sodass *od.* so dass er krank wurde; *aber* er arbeitete so, dass er krank wurde
So|da|was|ser *Plur.* ...wässer (kohlensäurehaltiges Mineralwasser)
Sod|bren|nen, das; -s (brennendes Gefühl im Magen u. in der Speiseröhre)
Sod|brun|nen (*schweiz. für* Ziehbrunnen)
So|de, die; -, -n (*landsch., bes. nordd. für* Rasenstück; ziegelsteingroßes Stechtorfstück; *veraltet für* Salzsiederei)
So|dom (biblische Stadt); Sodom u. Gomorrha (Zustand der Lasterhaftigkeit; großes Durcheinander); *vgl.* Gomorrha
So|do|mie, die; -, ...ien ⟨nlat.⟩ (Geschlechtsverkehr mit Tieren); **So|do|mit,** der; -en, -en (Einwohner von Sodom; Sodomie Treibender); **So|do|mi|tin;** so|do|mi|tisch
So|doms|ap|fel (Gallapfel)
so|eben; sie kam soeben herein; *aber* sie hat es so eben (gerade) noch geschafft
Soest [zoːst] (Stadt in Nordrhein-Westfalen); **Soes|ter;** Soester Börde (Landstrich)
So|fa, das; -s, -s ⟨arab.⟩; **So|fa|ecke; So|fa|kis|sen; So|fa|mel|ker** (*ugs. für* Landwirt, der seine Milchquote verpachtet)
so|fern (falls); sofern er seine Pflicht getan hat, ...; *aber* die Sache liegt mir so fern, dass ...

soff *vgl.* saufen
Sof|fit|te, die; -, -n *meist Plur.* ⟨ital.⟩ (Deckendekoration einer Bühne); **Sof|fit|ten|lam|pe**
So|fia (Hauptstadt Bulgariens); **So|fi|a|er** *vgl.* Sofioter
So|fie [*auch* ˈzɔfi] *vgl.* Sophia
So|fi|o|ter (*zu* Sofia)
so|fort; er soll sofort kommen; *aber* immer so fort (immer so weiter)
So|fort|bild|ka|me|ra
So|fort|hil|fe
so|for|tig; sofortige Hilfe
So|fort|maß|nah|me; So|fort|wir|kung
soft ⟨engl.⟩ (*ugs. für* sanft, zärtlich); ein softer Typ
Soft|co|py [...kɔpi], die; -, -s, **Soft Co|py,** die; - -, - -s ⟨engl.⟩ (*EDV* Darstellung von Daten *od.* Texten auf dem Monitor)
Soft|drink, der; -s, -s, **Soft Drink,** der; - -s, - -s ⟨engl.⟩ (alkoholfreies Getränk)
Soft Drug [- ˈdrag], die; - -, - -s ⟨engl.⟩ (Rauschgift mit geringerem Suchtpotenzial)
Soft|eis, das; -es (sahniges, weiches Speiseeis); drei Softeis
Soft|tie, der; -s, -s (*ugs. für* Mann von sanftem Wesen)
Soft|por|no, der; -s, -s
Soft|rock, der; -[s], **Soft Rock,** der; - -[s] (leisere, melodischere Form der Rockmusik)
Soft|shell [...ʃ...], die; -, *u.* der, - ⟨engl.⟩ (ein atmungsaktives u. wasserabstoßendes Gewebe für Jacken, Schuhe u. Ä.)
Soft Skill, der *od.* das; - -s, - -s *meist Plur.* ⟨engl.⟩ (Fähigkeit im Umgang mit anderen Menschen)
Soft|ware [...vɛːɐ̯], die; -, -s ⟨engl.⟩ (*EDV* die zum Betrieb einer Datenverarbeitungsanlage benötigten Programme)
Soft|ware|ent|wick|ler; Soft|ware|ent|wick|le|rin; Soft|ware|fir|ma
Soft|ware|her|stel|ler; Soft|ware|her|stel|le|rin

Sog, der; -[e]s, -e (unter landwärts gerichteten Wellen seewärts ziehender Meeresstrom; saugende Luftströmung)

sog. = so genannt

so|gar; er kam sogar zu mir nach Hause; *aber* sie hat so gar kein Vertrauen zu mir

so ge|nannt, **so|ge|nannt** (*Abk.* sog.); *vgl.* so

so|gen (sich in Kristallform niederschlagen)

so|gleich (sofort); er soll sogleich kommen; *aber* sie sind sich alle so gleich, dass ...

Sohl|bank *Plur.* ...bänke (*Bauw.* Fensterbank)

Soh|le, die; -, -n ⟨lat.⟩ (Fuß-, Talsohle; *Bergmannsspr.* untere Begrenzungsfläche einer Strecke; *landsch. auch für* Lüge)

soh|len (*landsch. auch für* lügen)

Soh|len|gän|ger (*Zool.* eine Gruppe von Säugetieren)

Soh|len|le|der, Sohl|le|der

söh|lig (*Bergmannsspr.* waagerecht)

Sohl|le|der *vgl.* Sohlenleder

Sohn, der; -[e]s, Söhne; **Söhn|chen; Sohn|ne|mann** (*fam.*)

Soh|nes|lie|be; Soh|nes|pflicht

sohr (*nordd. für* dürr, welk)

Sohr, der; -s (*nordd. für* Sodbrennen)

¹**Söh|re,** die; - (Teil des Hessischen Berglandes)

²**Söh|re,** die; - (*nordd. für* Dürre); **söh|ren** (*nordd. für* verdorren)

soi|g|niert [zŏa̯ˈnjiːɐt] ⟨franz.⟩ (*veraltend für* gepflegt)

Soi|ree [zŏaˈreː], die; -, ...reen ⟨franz.⟩ (Abendgesellschaft)

So|ja, die; -, ...jen *od.* das; -s, ...jen (jap.-niederl.) (eiweißhaltige Nutzpflanze)

So|ja|boh|ne; So|ja|mehl; So|ja|öl; So|ja|so|ße, So|ja|sau|ce

So|jus ⟨russ., »Bund, Bündnis«⟩ (Raumschiffserie der UdSSR)

So|k|ra|tes (griech. Philosoph); **So|k|ra|tik,** die; - ⟨griech.⟩ (Lehrart des Sokrates); **So|k|ra|ti|ker** (Schüler des Sokrates; Verfechter der Lehre des Sokrates); **So|k|ra|ti|ke|rin; so|k|ra|tisch;** sokratische Lehrart; die sokratische Lehre

sol ⟨ital.⟩ (Solmisationssilbe)

¹**Sol** (römischer Sonnengott)

²**Sol,** der; -[s], -[s] ⟨span.⟩ (peruanische Währungseinheit)

³**Sol,** das; -s, -e (*Chemie* kolloide Lösung)

---

so|lang, solan|ge

(während, währenddessen)

Zusammenschreibung nur bei der Konjunktion:

– solang[e] ich krank war, bist du bei mir geblieben; du musst das erledigen, solang[e] du Urlaub hast; ich werde das, solang[e] ich kann, verhindern

Getrenntschreibung bei allen anderen Verbindungen:

– ich warte so lang[e] wie *od.* als möglich; dreimal so lang[e] wie nötig; du hast mich so lange warten lassen, dass ich eingeschlafen bin; du musst so lange warten, bis alle da sind

---

So|la|nin, das; -s ⟨lat.⟩ (giftiges Alkaloid verschiedener Nachtschattengewächse)

So|la|num, das; -s, ...nen (*Bot.* Nachtschattengewächs)

so|lar ⟨lat.⟩ (die Sonne betreffend)

So|lar|an|la|ge; So|lar|au|to; So|lar|bat|te|rie (Sonnenbatterie)

so|lar|be|trie|ben; So|lar|ener|gie

So|la|ri|sa|ti|on, die; -, -en (*Fotogr.* Umkehrung der Lichteinwirkung bei starker Überbelichtung des Films)

so|la|risch *vgl.* solar

So|la|ri|um, das; -s, ...ien (Anlage für künstliche Sonnenbäder unter UV-Bestrahlung)

So|lar|jahr (*Astron.*); **So|lar|kol|lek|tor** (*Energietechnik*); **So|lar|kon|s|tan|te** (*Meteor.*); **So|lar|kraft|werk; So|lar|mo|bil**

So|lar|ple|xus, der; - (*Med.* Nervengeflecht im Oberbauch; Sonnengeflecht)

So|lar|tech|nik, die; -; **So|lar|zel|le**

So|la|wech|sel ⟨ital.; dt.⟩ (*Finanzw.* Wechsel, bei dem sich der Aussteller selbst zur Zahlung verpflichtet)

Sol|bad

solch *s. Kasten Seite 943*

sol|cher|art; solcherart Dinge; *aber* Dinge solcher Art

sol|cher|lei; sol|cher|ma|ßen

Sold, der; -[e]s, -e ⟨lat.⟩ (*Milit.*)

Sol|da|nel|le, die; -, -n ⟨ital.⟩ (Trodelblume)

Sol|dat, der; -en, -en ⟨lat.⟩; **Sol|da|ten|fried|hof; Sol|da|ten|le|ben,**

---

das; -s; **Sol|da|ten|spra|che,** die; -; **Sol|da|ten|tum,** das; -s

Sol|da|tes|ka, die; -, ...ken (rücksichtslos u. gewalttätig vorgehendes Militär)

Sol|da|tin; sol|da|tisch

Söld|buch

Söld|ner; Söld|ner|füh|rer; Söld|ner|heer; Söld|ne|rin

Sol|do, der; -s, *Plur.* -s *u.* ...di (frühere italienische Münze)

So|le, die; -, -n (kochsalzhaltiges Wasser)

Sol|ei (in Salzlake eingelegtes hart gekochtes Ei)

So|len|lei|tung

so|lenn ⟨lat.⟩ (*veraltend für* feierlich); **So|len|ni|tät,** die; -, -en (*veraltend für* Feierlichkeit)

So|le|no|id, das; -[e]s, -e ⟨griech.⟩ (*Physik* zylindrische Metallspule, die bei Stromdurchfluss wie ein Stabmagnet wirkt)

Sol|let|ti ®, das; -s, - (*österr. für* kleine dünne Salzstange)

Sol|fa|ta|ra, Sol|fa|ta|re, die; -, ...ren ⟨ital.⟩ (Ausdünstung schwefelhaltiger heißer Dämpfe in ehem. Vulkangebieten)

sol|feg|gie|ren [...feˈdʒi:...] ⟨ital.⟩ (*Musik* Solfeggien singen); **Sol|feg|gio** [...ˈfɛdʒo], das; -s, ...ggien [...ˈfɛdʒən] (auf die Solmisationssilben gesungene Übung)

Sol|fe|ri|no (italienisches Dorf)

¹**So|li** (*Plur. von* Solo)

²**So|li,** der; -s (*kurz für* Solidaritätszuschlag)

so|lid *österr. nur so,* **so|li|de** ⟨lat.⟩ (fest; haltbar, zuverlässig; gediegen)

So|li|dar|bei|trag; So|li|dar|ge|mein|schaft; So|li|dar|haf|tung (*Rechtsw., Wirtsch.* Haftung von Gesamtschuldnern)

so|li|da|risch (gemeinsam, übereinstimmend, eng verbunden)

so|li|da|ri|sie|ren, sich (sich solidarisch erklären); **So|li|da|ri|sie|rung**

So|li|da|ris|mus, der; - (Richtung der [kath.] Sozialphilosophie)

So|li|da|ri|tät, die; - (Zusammengehörigkeitsgefühl, Gemeinsinn); **So|li|da|ri|täts|ad|res|se; So|li|da|ri|täts|bei|trag; So|li|da|ri|täts|er|klä|rung; So|li|da|ri|täts|ge|fühl; So|li|da|ri|täts|spen|de; So|li|da|ri|täts|streik; So|li|da|ri|täts|zu|schlag**

So|li|dar|pakt (*Politik*); **So|li|dar|prin|zip; So|li|dar|schuld|ner**

solch

Man schreibt »solch« immer klein:

– solches sollte nicht möglich sein; es gibt immer solche und solche; ein solcher ist mir unbekannt
– das Leben als solches, der Mensch als solcher

Beugung:

– solcher, solche, solches; solch einer, solch eine, solch ein[e]s
– solch ein Widersinn; ein solcher Widersinn; solch feiner Stoff *od.* solcher feine Stoff

– solch gute *od.* solche guten, *auch* gute Menschen; solche Gefangenen, *auch* Gefangene
– das Leben solch frommer Leute *od.* solcher frommen, *auch* frommer Leute
– mit solch schönem Schirm, mit solch einem schönen Schirm, mit einem solch[en] schönen Schirm; in solcher erzieherischen, *seltener* erzieherischer Absicht

---

(*Rechtsw.* Gesamtschuldner); **So|li|dar|schuld|ne|rin**

so|li|de *vgl.* solid

so|li|die|ren (*veraltet für* befestigen, versichern)

So|li|di|tät, die; - (Festigkeit, Haltbarkeit; Zuverlässigkeit)

So|li|lo|qui|um, das; -s, ...ien ⟨lat.⟩ (Selbstgespräch in der antiken Bekenntnisliteratur)

So|ling, die; -, *Plur.* -s, *auch* -e; *auch* das *od.* der; -s, -s (ein Rennsegelboot)

So|lin|gen (Stadt in Nordrhein-Westfalen); **So|lin|ger** Solinger Stahlwaren

So|lip|sis|mus, der; - ⟨lat.⟩ (philos. Lehre, nach der die Welt für den Menschen nur in seinen Vorstellungen besteht); **So|lip|sist,** der; -en, -en; **So|lip|sis|tin; so|lip|sis|tisch**

So|list, der; -en, -en (Einzelsänger, -spieler); **So|lis|ten|kon|zert; So|lis|tin; so|lis|tisch**

So|li|tär, der; -s, -e ⟨franz.⟩ (einzeln gefasster Edelstein; Brettspiel für eine Person)

So|li|tude [...'ty:t], **So|li|tü|de,** die; -, -n (»Einsamkeit«) (Name von Schlössern u. a.)

Sol|jan|ka, die; -, -s ⟨russ.⟩ (eine Fleischsuppe)

¹**Soll,** das; -s, Sölle ⟨*zu* Suhle⟩ (*Geol.* runder See eiszeitlicher Herkunft)

²**Soll,** das; -[s], -[s]; das Soll und [das] Haben; das Soll und das Muss

Soll|ar|beits|zeit, **Soll-Ar|beits|zeit**

Soll|be|stand, **Soll-Be|stand**

Soll|be|trag, **Soll-Be|trag**

Soll|bruch|stel|le, **Soll-Bruch|stel|le** (*Technik*)

Soll|ein|nah|me, **Soll-Ein|nah|me**

sol|len; ich habe gesollt, *aber* ich hätte das nicht tun sollen

Söl|ler, der; -s, - ⟨lat.⟩ (*Archit.*

offene Plattform oberer Stockwerke; *landsch. für* Dachboden)

Soll|ling, der; -s (Teil des Weserberglandes)

Soll-Ist-Ver|gleich (*Wirtsch.* Gegenüberstellung von Soll- und Istzahlen)

Soll|kauf|mann, Soll-Kauf|mann;

Soll|sei|te, **Soll-Sei|te**

Soll|stär|ke, **Soll-Stär|ke**

Soll|zahl, **Soll-Zahl** (*Wirtsch.*);

Soll|zeit, **Soll-Zeit** (*Wirtsch.*)

Soll|zin|sen, Soll-Zin|sen *Plur.*

Soll|zu|stand, **Soll-Zu|stand**

Sol|mi|sa|ti|on, die; - ⟨ital.⟩ (*Musik* Tonleitersystem mit den Silben do, re, mi, fa, sol, la, si); **Sol|mi|sa|ti|ons|sil|be; sol|mi|sie|ren**

Soln|ho|fen (Ort in Mittelfranken); **Soln|ho|fe|ner, Soln|ho|fer;** Solnhof[en]er Schiefer, Platten

so|lo ⟨ital.⟩ (*bes. Musik* als Solist; *ugs. für* allein); ganz solo; solo tanzen; **So|lo,** das; -s, *Plur.* -s *u.* ...li (Einzelvortrag, -spiel, -tanz); ein Solo singen, spielen, tanzen

So|lo|al|bum; So|lo|ge|sang; So|lo|in|s|t|ru|ment; So|lo|ma|schi|ne (*Motorsport*)

So|lon (griech. Gesetzgeber); **so|lo|nisch** (weise wie Solon); solonische Weisheit; die solonische Gesetzgebung

So|lo|part; So|lo|sän|ger; So|lo|sän|ge|rin; So|lo|stim|me; So|lo|sze|ne (Einzelauftritt, -spiel)

So|lo|tanz; So|lo|tän|zer; So|lo|tän|ze|rin

So|lo|thurn (Kanton u. Stadt in der Schweiz); **So|lo|thur|ner; so|lo|thur|nisch**

So|lö|zis|mus, der; -, ...men ⟨griech.⟩ (*Rhet.* grober Sprachfehler)

Sol|per, der; -s (»Salpeter«) (*westmitteld. für* Salzbrühe); **Sol|per|fleisch** (*westmitteld. für* Pökelfleisch)

Sol|quel|le; Sol|salz

Sol|sche|ni|zyn (russ. Schriftsteller)

Sol|sti|ti|um, das; -s, ...ien ⟨lat.⟩ (*Astron.* Sonnenwende)

Sol|ti [ʃ...], György [dʒœrtʃ] (ungarischer Dirigent)

so|lu|bel ⟨lat.⟩ (*Chemie* löslich, auflösbar); ...u|b|le Mittel

So|lu|ti|on, die; -, -en (Arzneimittellösung)

Sol|veig ⟨skand.⟩ (w. Vorn.)

Sol|vens, das; -, *Plur.* ...venzien *u.* ...ventia ⟨lat.⟩ (*Med.* [Schleim] lösendes Mittel)

sol|vent (*bes. Wirtsch.* zahlungsfähig); **Sol|venz,** die; -, -en (Zahlungsfähigkeit)

sol|vie|ren (eine Schuld abzahlen; *Chemie* auflösen)

Sol|was|ser *Plur.* ...wässer

So|ma, das; -s, -ta ⟨griech.⟩ (*Med.* Körper [im Gegensatz zu Geist, Seele, Gemüt])

So|ma|li, der; -[s], -s (Angehöriger eines ostafrikanischen Volkes)

So|ma|lia (Staat in Afrika); **So|ma|li|er; So|ma|li|e|rin**

So|ma|li|land, das; -[e]s (nordostafrik. Landschaft); **so|ma|lisch**

so|ma|tisch ⟨griech.⟩ (*Med.* das Soma betreffend, körperlich); **so|ma|to|gen** (körperlich bedingt); **So|ma|to|lo|gie,** die; - (Lehre vom menschlichen Körper)

Som|b|re|ro, der; -s, -s ⟨span.⟩ (breitrandiger Strohhut)

so|mit [*auch* 'zo:...] (also); somit bist du der Aufgabe enthoben; *aber* ich nehme es so (in dieser Form, auf diese Weise) mit

Som|me|li|er [...'lje:], der; -s, -s ⟨franz.⟩ (Weinkellner); **Som|me|li|è|re** [...'ljɛ:rə], die; -, -n

Som|mer, der; -s, -; Sommer wie Winter; sommers (*vgl. d.*); sommersüber (*vgl. d.*); **Som|mer|abend; Som|mer|an|fang; Som|mer|auf|ent|halt; Som|mer|fahr|plan; Som|mer|fe|ri|en** *Plur.;* **Som|mer|fest**

S

Somm

Som|mer|fri|sche, die; -, -n *(veraltend)*

Som|mer|gers|te; Som|mer|ge|trei|de; Som|mer|halb|jahr; Som|mer|hit; Som|mer|hit|ze

söm|me|rig *(landsch. für* einen Sommer alt); sömmerige Karpfen

Som|mer|kleid; Som|mer|klei|dung; Som|mer|kol|lek|ti|on; Som|mer|kurs

som|mer|lich

Som|mer|loch *(ugs. für* Saure-Gurken-Zeit); Som|mer|mo|nat

söm|mern *(landsch. für* sonnen; [Vieh] im Sommer auf der Weide halten); ich sömmere

Som|mer|nacht; Som|mer|nachts|traum (Komödie von Shakespeare)

Som|mer|olym|pi|a|de; Som|mer|pau|se; Som|mer|preis; Som|mer|re|gen; Som|mer|re|si|denz; Som|mer|ro|del|bahn

som|mers ↑K 70 ; *aber* des Sommers

Som|mer|saat

Som|mers|an|fang *(svw.* Sommeranfang)

Som|mer|schluss|ver|kauf; Som|mer|schuh; Som|mer|se|mes|ter

Som|mer|sitz

Som|mer|ski|ge|biet, Som|mer|schi|ge|biet

Som|mer|smog; Som|mer|son|nen|wen|de; Som|mer|spie|le *Plur.*

Som|mer|spros|se *meist Plur.;* som|mer|spros|sig

som|mers|über; *aber* den Sommer über

Som|mers|zeit, die; - (Jahreszeit; *vgl.* Sommerzeit)

Som|mer|tag; som|mer|tags ↑K 70

Som|mer|the|a|ter, das; -s *(ugs. auch für* Aktivitäten von Politikern während der Parlamentsferien)

Som|me|rung, die; -, -en *(Landw.* Sommergetreide)

Söm|me|rung *(landsch. für* das Sömmern)

Som|mer|vo|gel *(landsch., bes. schweiz. mdal. für* Schmetterling); Som|mer|weg; Som|mer|wet|ter, das; -s; Som|mer|zeit, die; - (Jahreszeit; um meist eine Stunde vorverlegte Zeit während des Sommers; *vgl.* Sommerszeit)

som|nam|bul *(lat.)* (schlafwandelnd, mondsüchtig); Som|nam|bu|le, der *u.* die; -n, -n (Schlaf-

wandler[in]); Som|nam|bu|lis|mus, der; -

so|nach *[auch* 'zo:...] (folglich, also); *aber* sprich es so nach, wie ich es dir vorspreche

So|na|gramm, das; -s, -e ⟨lat.; griech.⟩ *(Sprachw.)*

So|nant, der; -en, -en ⟨lat.⟩ *(Sprachw.* Silben bildender Laut); so|nan|tisch *(Sprachw.)*

So|nar, das; -s, -e ⟨engl., Kurzw.⟩ *(Technik* Verfahren zur Ortung von Gegenständen mithilfe ausgesandter Schallimpulse); So|nar|ge|rät

So|na|te, die; -, -n ⟨ital.⟩ (aus drei od. vier Sätzen bestehendes Musikstück für ein od. mehrere Instrumente); So|na|ti|ne, die; -, -n (kleinere, leichtere Sonate)

Son|de, die; -, -n ⟨franz.⟩ *(Med.* Instrument zum Einführen in Körper- od. Wundkanäle; *Technik* Vorrichtung zur Förderung von Erdöl u. Erdgas; *auch kurz für* Raumsonde)

son|der *(veraltet für* ohne); *Präposition mit Akkusativ:* sonder allen Zweifel, sonder Furcht

Son|der|ab|schrei|bung *(Wirtsch.);* Son|der|ab|zug; Son|der|an|fer|ti|gung

Son|der|an|ge|bot; Son|der|aus|füh|rung; Son|der|aus|ga|be

son|der|bar; etwas Sonderbares; son|der|ba|rer|wei|se; Son|der|bar|keit

Son|der|be|auf|trag|te; Son|der|be|hand|lung *(auch nationalsoz. verhüllend für* Liquidierung); Son|der|bei|trag; Son|der|be|wa|cher *(Sportspr.);* Son|der|be|wa|che|rin; Son|der|bot|schaf|ter; Son|der|bot|schaf|te|rin; Son|der|brief|mar|ke; Son|der|bund, der (z. B. in der Schweiz 1845-47)

Son|der|burg (dänische Stadt)

Son|der|bus; Son|der|de|po|nie; Son|der|de|zer|nat; Son|der|druck, *Plur.* ...drucke; Son|der|ein|satz; Son|der|fahrt; Son|der|fall, der; Son|der|form; Son|der|ge|neh|mi|gung

son|der|glei|chen

Son|der|heft

Son|der|heit *(selten);* in Sonderheit *(geh. für* besonders, im Besonderen); in Sonderheit[,] wenn ↑K 127

Son|der|in|te|r|es|sen *Plur.;* Son|der|klas|se; Son|der|kom|man|do; Son|der|kom|mis|si|on; Son|der|kon|to; Son|der|kos|ten *Plur.*

son|der|lich; ↑K 72 : nichts Sonderliches (Ungewöhnliches)

Son|der|ling

Son|der|mel|dung; Son|der|müll (gefährliche Stoffe enthaltender Müll)

¹son|dern; *Konjunktion:* nicht nur der Bruder, sondern auch die Schwester

²son|dern; ich sondere

Son|der|num|mer; Son|der|par|tei|tag; Son|der|pos|ten; Son|der|preis; Son|der|ra|batt; Son|der|ra|ti|on; Son|der|recht; Son|der|re|ge|lung, Son|der|reg|lung; Son|der|rol|le

son|ders; samt und sonders

Son|der|sen|dung

Son|ders|hau|sen (Stadt südl. von Nordhausen); Son|ders|häu|ser

Son|der|sit|zung

Son|der|spra|che *(Sprachw.);* Son|der|stel|lung; Son|der|stem|pel; Son|der|steu|er, die

Son|de|rung

Son|der|ur|laub; Son|der|ver|kauf

Son|der|wunsch; Son|der|zie|hungs|recht *meist Plur. (Wirtsch.; Abk.* SZR); Son|der|zug

son|die|ren ⟨franz.⟩ ([mit der Sonde] untersuchen; ausforschen, vorfühlen); Son|die|rung; Son|die|rungs|ge|spräch

So|nett, das; -[e]s, -e ⟨ital.⟩ (eine Gedichtform)

Song, der; -s, -s ⟨engl.⟩ (Lied [oft mit sozialkritischem Inhalt]); Song|wri|ter, der; -s, - ⟨engl.⟩ (jmd., der Songs schreibt); Song|wri|te|rin, die; -, -nen

Son|ja (w. Vorn.)

Sonn|abend, der; -s, -e; *Abk.* Sa.; *vgl.* Dienstag; sonn|abend|lich; sonn|abends ↑K 70 ; *vgl.* Dienstag

Son|ne, die; -, -n

Son|ne|berg (Stadt am Südrand des Thüringer Waldes)

son|nen; sich sonnen

Son|nen|an|be|ter (jmd., der sich gerne sonnt u. bräunt); Son|nen|an|be|te|rin

son|nen|arm; sonnenarme Jahre

Son|nen|auf|gang

Son|nen|bad; son|nen|ba|den *meist nur im Infinitiv u. Part. II gebr.;* sonnengebadet

Son|nen|bahn; Son|nen|ball, der; -[e]s; Son|nen|bank *Plur.* ...bänke (Gerät zum Bräunen)

Son|nen|bat|te|rie (Vorrichtung, mit der Sonnenenergie in elektrische Energie umgewandelt wird); Son|nen|blen|de

Son|nen|blu|me; Son|nen|blu|men|kern

Son|nen|brand; Son|nen|bräu|ne, die; -; Son|nen|bril|le

Son|nen|creme, Son|nen|kre|me, Son|nen|krem

Son|nen|dach; Son|nen|deck

son|nen|durch|flu|tet (geh.)

Son|nen|ein|strah|lung

Son|nen|ener|gie; Son|nen|fins|ter|nis

Son|nen|fleck, der; -[e]s, -e[n]

son|nen|ge|bräunt

Son|nen|ge|flecht (für Solarplexus); Son|nen|glast (geh.); Son|nen|glut, die; -; Son|nen|gott

son|nen|hell; Son|nen|hung|rig

Son|nen|hut, der; Son|nen|jahr

son|nen|klar (ugs.)

Son|nen|kol|lek|tor (zur Wärmegewinnung aus Sonnenenergie)

Son|nen|kö|nig, der; -s (Beiname Ludwigs XIV. von Frankreich)

Son|nen|krem, Son|nen|kre|me vgl. Sonnencreme

Son|nen|krin|gel; Son|nen|kult

Son|nen|licht, das; -[e]s; Son|nen|nä|he

Son|nen|pro|tu|be|ran|zen Plur.

Son|nen|rad; Son|nen|schei|be; Son|nen|schein, der; -[e]s; Son|nen|schirm

Son|nen|schutz; Son|nen|schutz|creme, Son|nen|schutz|krem, Son|nen|schutz|kre|me

Son|nen|schutz|mit|tel, das; Son|nen|se|gel

Son|nen|sei|te; son|nen|se|lig

Son|nen|stäub|chen; Son|nen|stich; Son|nen|strahl; Son|nen|sturm (Astron.); Son|nen|sys|tem; Son|nen|tag

Son|nen|tau (eine Pflanze); Son|nen|tier|chen (ein Einzeller); Son|nen|uhr; Son|nen|un|ter|gang

son|nen|ver|brannt

Son|nen|wa|gen (Mythol.)

Son|nen|wär|me; Son|nen|wär|me|kraft|werk

Son|nen|war|te (Observatorium zur Sonnenbeobachtung)

Son|nen|wen|de, die; Son|nen|wend|fei|er, Sonn|wend|fei|er

Son|nen|zel|le (zur Erzeugung von elektrischer Energie aus Sonnenenergie)

son|nig

Sonn|sei|te (österr. u. schweiz. neben Sonnenseite); sonn|sei|tig (österr., schweiz.)

Sonn|tag (Abk. So.); des Sonntags, aber ↑K70 : sonntags; ↑K31 : sonn- und alltags, sonn- und fei-

ertags, sonn- und festtags, sonn- und werktags; vgl. Dienstag

Sonn|tag|abend vgl. Dienstagabend; am Sonntagabend

sonn|tä|gig vgl. ...tägig

sonn|täg|lich vgl. ...täglich

sonn|tags ↑K70 ; vgl. Dienstag u. Sonntag

Sonn|tags|ar|beit; Sonn|tags|aus|ga|be; Sonn|tags|bei|la|ge; Sonn|tags|bra|ten; Sonn|tags|dienst

Sonn|tags|fah|rer (iron.); Sonn|tags|fah|re|rin

Sonn|tags|fra|ge (Meinungsumfrage nach der bei gedachten Wahlen am nächsten Sonntag zu wählenden Partei)

Sonn|tags|jä|ger (iron.); Sonn|tags|jä|ge|rin; Sonn|tags|kind; Sonn|tags|re|de

Sonn|tags|ru|he; Sonn|tags|schu|le (früher für Kindergottesdienst)

Sonn|tags|zei|tung

sonn|ver|brannt (neben sonnenverbrannt); Sonn|wend|fei|er vgl. Sonnenwendfeier

Son|ny|boy ['zan..., auch 'zɔn...], der; -s, -s (engl.) (sympathischer [junger] Mann mit unbeschwert-fröhlichem Charme)

So|no|graf, So|no|graph, der; -en, -en (lat.; griech.)

So|no|gra|fie, So|no|gra|phie, die; -, ...ien (lat.; griech.) (Med. Untersuchung mit Ultraschall)

so|nor (lat.) (klangvoll, volltönend); So|no|ri|tät, die; -

sonst

Man schreibt »sonst« immer getrennt vom folgenden Wort:

– hast du sonst noch eine Frage, sonst noch [et]was auf dem Herzen?; ist sonst jemand, sonst wer bereit[,] mitzuhelfen?

– ich hätte fast sonst was (ugs. für wer weiß was) gesagt

– kann ich Ihnen sonst wie helfen?; sie könnte ja sonst wo sein

– da könnte ja sonst jemand, sonst wer (ugs. für irgendjemand) kommen

sons|tig; die sonstigen Möglichkeiten; ↑K72 : alles Sonstige besprechen wir morgen (vgl. übrig)

sonst je|mand, sonst was usw. vgl. sonst

Sont|ho|fen (Ort im Allgäu)

so|oft (ugs.) sooft du zu mir kommst,

immer ...; aber ich habe es dir so oft gesagt, dass ...

Soon|wald, der; -[e]s (Gebirgszug im südöstlichen Hunsrück)

Soor, der; -[e]s, -e (Med. Pilzbelag in der Mundhöhle); Soor|pilz

So|phia, So|phie, Sol|fie [auch 'zɔfi] (w. Vorn.); die Kalte Sophie (landsch. für 15. Mai); So|phi|en|kir|che ↑K136

So|phis|ma, das; -s, ...men ⟨griech.⟩, So|phis|mus, der; -, ...men (Trugschluss; Spitzfindigkeit)

So|phist, der; -en, -en (jmd., der spitzfindig, haarspalterisch argumentiert; urspr. griech. Wanderlehrer); So|phis|te|rei

So|phis|tik, die; - (philosophische Lehre; sophistische Denkart, Argumentationsweise); So|phis|tin; so|phis|tisch (spitzfindig, haarspalterisch)

so|pho|k|le|isch; sophokleisches Denken; sophokleische Tragödien; So|pho|k|les (griechischer Tragiker)

So|phro|sy|ne, die; - ⟨griech.⟩ (antike Tugend der Besonnenheit)

So|por, der; -s ⟨lat.⟩ (Med. starke Benommenheit); so|po|rös

So|pot (polnische Stadt an der Ostsee; vgl. Zoppot)

So|p|ran, der; -s, -e ⟨ital.⟩ (höchste Frauen- od. Knabenstimme; Sopransänger[in]); So|p|ra|nist, der; -en, -en (Knabe mit Sopranstimme); So|p|ra|nis|tin

So|p|ra|por|te, Sup|ra|por|te, die; -, -n ⟨ital.⟩ ([reliefartiges] Wandfeld über einer Tür)

So|p|ron [ʃ...] (ungarische Stadt); vgl. Ödenburg

So|ra|bist, der; -en, -en; So|ra|bis|tik, die; - (Wissenschaft von der sorbischen Sprache u. Kultur); so|ra|bis|tisch

So|ra|ya (w. Vorn.)

Sor|be, der; -n, -n (Angehöriger einer westslaw. Volksgruppe); Sor|ben|sied|lung

Sor|bet [auch ...'be:], der od. das; -s, -s, Sor|bett, der od. das; -[e]s, -e ⟨arab.⟩ (eisgekühltes Getränk; Halbgefrorenes)

Sor|bin

Sor|bin|säu|re (Chemie ein Konservierungsstoff)

sor|bisch; Sor|bisch, das; -[s] (Sprache); vgl. Deutsch; Sor|bi|sche, das; -n; vgl. Deutsche, das

¹Sor|bit, der; -s ⟨lat.⟩ (Chemie

so|viel, so viel

Zusammenschreibung bei der Konjunktion:

– soviel ich weiß, ist es umgekehrt
– sie ist gekommen, soviel ich weiß

Getrenntschreibung bei allen anderen Verbindungen:

– so viel für heute
– sein Wort bedeutet so viel wie ein Eid
– rede nicht so viel!
– du kannst haben, so viel wie du willst; du kannst so viel haben, wie du willst
– so viel als
– so viel wie (*Abk.* svw.)
– so viel wie (*älter:* als) möglich

– noch einmal so viel
– er hat halb, doppelt so viel Geld wie (*seltener:* als) du
– so viel [Geld] wie du hat er auch
– du weißt so viel, dass …
– ich habe so viel Zeit, dass …
– er musste so viel leiden
– so viele Gelegenheiten
– so vieles Schöne

Ableitungen:

– zum sovielten Mal; das sovielte Mal

---

ein sechswertiger Alkohol; ein pflanzlicher Wirkstoff)

²**Sor|bit**, der; -s ⟨nach dem britischen Forscher Sorby⟩ (Bestandteil der Stähle)

Sor|bonne [...'bɔn], die; - (die älteste Pariser Universität)

Sor|di|ne, die; -, -n, **Sor|di|no**, der; -s, *Plur.* -s *u.* ...ni ⟨ital.⟩ (*Musik* Dämpfer); *vgl.* con sordino

Sor|dun, der *od.* das; -s, -e (Schalmei des 16. u. 17. Jh.s; früheres dunkel klingendes Orgelregister)

So|re, die; -, -n ⟨Gaunerspr.⟩ (Diebesgut, Hehlerware)

Sor|ge, die; -, -n; Sorge tragen ↑K 54 ; **sor|gen**; sich sorgen

Sor|gen|fal|te

sor|gen|frei

Sor|gen|kind; Sor|gen|last

Sor|gen|los (ohne Sorgen); **sor|gen|schwer; sor|gen|voll**

Sor|ge|pflicht, die; -; **Sor|ge|recht**, das; -[e]s (*Rechtsspr.*); gemeinsames Sorgerecht

Sorg|falt, die; -; **sorg|fäl|tig; Sorg|fäl|tig|keit**, die; -

Sorg|falts|pflicht

Sorg|gho [...go], der; -s, -s ⟨ital.⟩, **Sorg|hum** [...gʊm], das; -s, -s (eine Getreidepflanze)

sorg|lich (*veraltend*)

sorg|los; Sorg|lo|sig|keit, die; -

sorg|sam; Sorg|sam|keit, die; -

Sorp|ti|on, die; -, -en ⟨lat.⟩ (*Chemie* Aufnahme eines Gases od. gelösten Stoffes durch einen anderen festen od. flüssigen Stoff)

Sor|rent (italienische Stadt)

sor|ry! ⟨engl.⟩ (*ugs. für* Entschuldigung!)

Sor|te, die; -, -n ⟨lat.⟩ (Art, Gattung; Wert, Güte)

Sor|ten *Plur.* (*Bankw.* ausländische Geldsorten, Devisen)

Sor|ten|fer|ti|gung (*Wirtsch.*); **Sor|ten|ge|schäft; Sor|ten|han|del** *(Wirtsch.);* **Sor|ten|kal|ku|la|ti|on; Sor|ten|kurs** *(Bankw.);* **Sor|ten|markt** *(Bankw.);* **Sor|ten|pro|duk|ti|on** *(Wirtsch.)*

sor|ten|rein

Sor|ten|ver|zeich|nis; Sor|ten|zet|tel *(Kaufmannsspr.)*

sor|tie|ren (sondern, auslesen, sichten); **Sor|tie|rer; Sor|tie|re|rin; Sor|tier|ma|schi|ne**

sor|tiert (*auch für* hochwertig); **Sor|tie|rung**

Sor|ti|le|gi|um, das; -s, ...ien (Weissagung durch Lose)

Sor|ti|ment, das; -[e]s, -e ⟨ital.⟩ (Warenangebot, -auswahl eines Kaufmanns; *auch für* Sortimentsbuchhandel); **Sor|ti|men|ter** (Angehöriger des Sortimentsbuchhandels, Ladenbuchhändler); **Sor|ti|men|te|rin; Sor|ti|ments|buch|han|del; Sor|ti|ments|buch|händ|ler; Sor|ti|ments|buch|händ|le|rin**

SOS [ɛslo:'ɛs] (internationales Seenotzeichen, *gedeutet als* save our ship = rette[t] unser Schiff! *od.* save our souls = rette[t] unsere Seelen!)

so|sehr; sosehr ich diesen Plan auch billige, ...; *aber* er lief so sehr, dass …

SOS-Kin|der|dorf ↑K 28 (Einrichtung zur Betreuung u. Erziehung elternloser od. verlassener Kinder in familienähnlichen Gruppen)

so|so (*ugs. für* nicht [gerade] gut; ungünstig); es steht damit soso

SOS-Ruf ↑K 28

So|ße [*österr.* zo:s], *bes. fachspr.* Sau|ce [ˈzo:sə, *österr.* zo:s], die; -, -n ⟨franz.⟩ (Brühe, Tunke; *in der Tabakbereitung* Beize)

so|ßen *vgl.* saucieren

So|ßen|löf|fel, Sau|cen|löf|fel; **So|ßen|schüs|sel**, Sau|cen|schüs|sel

sost. = sostenuto

sos|te|nu|to ⟨ital.⟩ (*Musik* gehalten, getragen; *Abk.* sost.)

So|ter, der; -, -e ⟨griech.⟩ (Retter, Heiland; Ehrentitel Jesu Christi); **So|te|rio|lo|gie**, die; - (*Theol.* Lehre vom Erlösungswerk Jesu Christi, Heilslehre)

Sott, der *od.* das; -[e]s (*nordd. für* Ruß)

Sot|ti|se, die; -, -n ⟨franz.⟩ (*veraltet, aber noch landsch. für* Dummheit; Grobheit)

sot|to vo|ce [- ...tʃə] ⟨ital.⟩ (*Musik* halblaut, gedämpft)

Sou [zu:], der; -, -s ⟨franz.⟩ (*früher* französische Münze im Wert von 5 Centimes)

Sou|b|ret|te [zu...], die; -, -n ⟨franz.⟩ (Sängerin heiterer Sopranpartien in Oper u. Operette)

Sou|chong [ˈzu:ʃɔŋ], der; -[s], -e ⟨chin.-franz.⟩ (chinesischer Tee); **Sou|chong|tee**

Souf|f|lee, **Souf|f|lé** [zu...], das; -s, -s ⟨franz.⟩ (*Gastron.* Eierauflauf)

Souf|f|leur [zuˈfløː̯ɐ], der; -s, -e (*Theater* jmd., der souffliert); **Souf|f|leur|kas|ten**

Souf|f|leu|se, die; -, -n

souf|f|lie|ren

Soul [soʊl], der; -s ⟨amerik.⟩ (Jazz od. Popmusik mit starker Betonung des Expressiven)

Sound [saʊnt], der; -s, -s ⟨amerik.⟩ (*Musik* Klang[wirkung]; musikalische Stilrichtung)

so|weit, so weit

Zusammenschreibung nur bei der Konjunktion:

– soweit ich es beurteilen kann, wird ...
– sie ist gesund, soweit mir bekannt ist

Getrenntschreibung bei allen anderen Verbindungen:

– ich bin [noch nicht] so weit
– es, die Sache ist so weit
– es geht ihm so weit gut, nur ...

– so weit wie *od.* als möglich will ich nachgeben
– wirf den Ball so weit wie möglich
– es kommt noch so weit, dass ...
– so weit, so gut
– ich kann den Weg so weit übersehen, dass ...
– eine Sache so weit fördern, dass ...

Sound|check [ˈsaᵾnt...]; **Sound-chip; Sound|kar|te** *(EDV)*

so|und|so *(ugs. für* unbestimmt wie ...); soundso breit, groß, viel usw.; *Seite* soundso; *aber* etwas so und so (so und wieder anders) erzählen; ↑K 81 : [der] Herr Soundso

so|und|so|viel|mal, *bei besonderer Betonung* soundso viel Mal

so|und|so|viel|te; der soundsovielte Mai, Abschnitt usw.; *aber* ↑K 82 : am Soundsovielten des Monats

Sound|track [ˈsaᵾntrɛk], der; -s, -s ⟨engl.⟩ (Tonspur eines Films; Filmmusik)

Sou|per [zuˈpe:], das; -s, -s ⟨franz.⟩ (festliches Abendessen); **sou|pie|ren**

Sou|sa|fon, **Sou|sa|phon** [zu...], das; -s, -e ⟨nach dem amerikanischen Komponisten J. Ph. Sousa⟩ (eine Basstuba)

Sous|chef [ˈsu:ʃɛf], der; -s, -s ⟨franz.⟩ *(schweiz. für* Stellvertreter des [Bahnhofs]vorstandes; *Gastron.* Stellvertreter des Küchenchefs); **Sous|che|fin**

Sous|sol [suˈsɔl], das *u.* der; -s, -s *(schweiz. für* Untergeschoss)

Sou|ta|che [zuˈtaʃ(ə)], die; -, -n (schmale, geflochtene Litze); **sou|ta|chie|ren**

Sou|ta|ne, Su|ta|ne [zu..., *auch* su...], die; -, -n ⟨franz.⟩ (Gewand der katholischen Geistlichen); **Sou|ta|nel|le**, die; -, -n (bis ans Knie reichender Gehrock der katholischen Geistlichen)

Sou|ter|rain [zuteˈrɛ̃:, *auch* ˈzu:...], das; -s, -s ⟨franz.⟩ (Kellergeschoss); **Sou|ter|rain-woh|nung**

Sou|th|amp|ton [saᵾˈθɛmptn̩] (britische Stadt)

South Ca|ro|li|na [ˈsaᵾθ kɛrəˈlaɪnə] (Südkarolina; *Abk.* SC)

South Da|ko|ta [ˈsaᵾθ dəˈko:tə] (Süddakota; *Abk.* SD)

Sou|ve|nir [zuvə...], das; -s, -s ⟨franz.⟩ (Andenken, Erinnerungsstück); **Sou|ve|nir|la|den**

sou|ve|rän [zuvə...] ⟨franz.⟩ (unumschränkt; selbstständig; überlegen)

Sou|ve|rän, der; -s, -e (Herrscher; Landes-, Oberherr; *bes. schweiz. für* Gesamtheit der Wähler); **Sou|ve|rä|nin**

Sou|ve|rä|ni|tät, die; - (Unabhängigkeit; Landes-, Oberhoheit); **Sou|ve|rä|ni|täts|an-spruch**

Sove|reign [ˈzɔvrɪn], der; -s, -s ⟨engl.⟩ (frühere engl. Goldmünze)

so|viel, so viel s. Kasten Seite 946

so|viel|mal, *bei besonderer Betonung* so viel Mal; *aber nur* so viele Male

so wahr; so wahr mir Gott helfe

so was *(ugs. für* so etwas)

Sow|chos [...ˈx..., *auch* ...ˈç...], der; -, ...chose, **Sow|cho|se**, die; -, -n, *österr. nur so* ⟨russ.⟩ (Staatsgut in der Sowjetunion)

so|weit, so weit s. Kasten

---

so|we|nig, so we|nig

Zusammenschreibung nur bei der Konjunktion:

– sowenig ich einsehen kann, dass ...

Getrenntschreibung bei allen anderen Verbindungen:

– ich bin so wenig (ebenso wenig) dazu bereit wie du
– tu das so wenig wie *od.* als möglich
– ich habe so wenig Geld wie du
– du hast so wenig gelernt, dass du durchfallen wirst

---

so|wie, so wie

Zusammenschreibung bei der Konjunktion:

– sowie (sobald) er kommt, soll er nachsehen
– sie wird es dir geben, sowie sie damit fertig ist
– wissenschaftliche und technische sowie (und, und auch) schöne Literatur
– er sowie seine Frau war *od.* waren da

Getrenntschreibung beim Vergleich »so ... wie«:

– es kam so, wie ich es erwartet hatte
– so, wie ich ihn kenne, kommt er nicht

---

so|wie|so

So|w|jet [*auch* ˈzɔ...], der; -s, -s ⟨russ., »Rat«⟩ (Form der Volksvertretung [*in der Sowjetunion*]; *nur Plur.:* Sowjetbürger)

so|w|je|tisch

So|w|jet|re|pu|b|lik

So|w|jet|russ|land

So|w|jet|stern; So|w|jet|uni|on, der; -; *Abk.* SU (bis 1991)

so|wohl; sowohl die Eltern als [auch] *od.* wie [auch] die Kinder

So|wohl-als-auch, das; -

So|zi, der; -s, -s *(abwertende Kurzform von* Sozialdemokrat)

So|zia, die; -, -s ⟨lat.⟩ *(meist scherzh. für* Beifahrerin auf einem Motorrad od. -roller)

so|zi|a|bel *(Soziol.* umgänglich, gesellig); ...a|b|le Menschen; **So-zi|a|bi|li|tät**, die; -

so|zi|al (die Gesellschaft, die Gemeinschaft betreffend; gesellschaftlich; gemeinnützig, wohltätig); sozial schwach; der *od.* die sozial Schwache; die soziale Frage; soziale Sicherheit; sozia-

S

sozi

ler Wohnungsbau; soziale
Marktwirtschaft

So|zi|al|ab|bau, der; -s

So|zi|al|ab|ga|ben Plur.

So|zi|al|amt; So|zi|al|ar|beit; So|zi|al|ar|bei|ter; So|zi|al|ar|bei|te|rin

So|zi|al|bei|trä|ge Plur.; So|zi|al|be|richt; So|zi|al|be|ruf

so|zi|al|dar|wi|nis|tisch

So|zi|al|de|mo|krat; So|zi|al|de|mo|kra|tie, die; - (Sozialdemokratische Partei; Gesamtheit der sozialdemokratischen Parteien); So|zi|al|de|mo|kra|tin; so|zi|al|de|mo|kra|tisch; *aber* ↑K150 : die Sozialdemokratische Partei Deutschlands (*Abk.* SPD)

So|zi|al|ein|kom|men; So|zi|al|ethik; So|zi|al|fall, der; So|zi|al|für|sor|ge (Sozialhilfe der DDR)

So|zi|al|ge|richt; So|zi|al|ge|richts|bar|keit, die; -; So|zi|al|ge|richts|ge|setz; So|zi|al|ge|setz|ge|bung

So|zi|al|hil|fe; So|zi|al|hil|fe|emp|fän|ger; So|zi|al|hil|fe|emp|fän|ge|rin

So|zi|a|li|sa|ti|on, die; - (Prozess der Einordnung des Individuums in die Gesellschaft)

so|zi|a|li|sie|ren (verstaatlichen; in die Gesellschaft einordnen); So|zi|a|li|sie|rung

So|zi|a|lis|mus, der; - (Gesamtheit der Theorien, politischen Bewegungen u. Staatsformen, die auf gemeinschaftlichen od. staatlichen Besitz der Produktionsmittel u. eine gerechte Verteilung der Güter hinzielen)

So|zi|a|list, der; -en, -en; So|zi|a|lis|tin

so|zi|a|lis|tisch; sozialistischer Realismus (eine auf dem Marxismus gründende künstler. Richtung in kommunist. Ländern); *aber* ↑K150 : die Sozialistische Internationale; Sozialistische Einheitspartei Deutschlands (Staatspartei der DDR; *Abk.* SED)

So|zi|al|kom|pe|tenz (Fähigkeit einer Person, in ihrer sozialen Umwelt selbstständig zu handeln)

So|zi|al|kon|takt

So|zi|al|kri|tik, die; -; so|zi|al|kri|tisch

So|zi|al|kun|de, die; -

So|zi|al|kür|zung; So|zi|al|las|ten Plur.; So|zi|al|leis|tun|gen Plur.

so|zi|al-li|be|ral, so|zi|al|li|be|ral

So|zi|al|lohn; So|zi|al|neid; So|zi|al|öko|no|mie

So|zi|al|pä|da|go|ge; So|zi|al|pä|da|go|gik; So|zi|al|pä|da|go|gin; so|zi|al|pä|da|go|gisch

So|zi|al|part|ner (*Politik*); So|zi|al|plan

So|zi|al|po|li|tik, die; -; So|zi|al|po|li|ti|ker; So|zi|al|po|li|ti|ke|rin; so|zi|al|po|li|tisch

So|zi|al|pres|ti|ge; So|zi|al|pro|dukt (*Wirtsch.*); So|zi|al|psy|cho|lo|gie; So|zi|al|raum; So|zi|al|recht, das; -[e]s; So|zi|al|re|form

So|zi|al|ren|te; So|zi|al|rent|ner; So|zi|al|rent|ne|rin

So|zi|al|staat Plur. ...staaten; So|zi|al|sta|ti|on; So|zi|al|sta|tis|tik; So|zi|al|struk|tur; So|zi|al|sys|tem; So|zi|al|ta|rif

So|zi|al|ver|mö|gen (*Wirtsch.*)

so|zi|al|ver|si|chert; So|zi|al|ver|si|che|rung (*Abk.* SV); So|zi|al|ver|si|che|rungs|bei|trag

so|zi|al|ver|träg|lich, so|zi|al ver|träg|lich

So|zi|al|wis|sen|schaf|ten Plur.; So|zi|al|woh|nung; So|zi|al|zu|la|ge

So|zi|e|tät, die; -, -en (Gesellschaft; Genossenschaft)

So|zio|gra|fie, So|zio|gra|phie, die; - (*Soziol.* Darstellung der Formen menschlichen Zusammenlebens innerhalb bestimmter Räume u. Zeiten)

So|zio|gramm, das; -s, -e (*Soziol.* grafische Darstellung sozialer Beziehungen innerhalb einer Gruppe)

so|zio|kul|tu|rell (die soziale Gruppe u. ihr Wertesystem betreffend)

So|zio|lekt, der; -[e]s, -e (*Sprachw.* Sprachgebrauch von Gruppen, Institutionen o. Ä.)

So|zio|lin|gu|is|tik (*Sprachw.* wissenschaftliche Betrachtungsweise des Sprechverhaltens verschiedener Gruppen, Schichten o. Ä.); so|zio|lin|gu|is|tisch

So|zio|lo|ge, der; -n, -n; So|zio|lo|gie, die; - ⟨lat.; griech.⟩ (Wissenschaft zur Erforschung komplexer Erscheinungen und Zusammenhänge in der menschlichen Gesellschaft)

So|zio|lo|gin; so|zio|lo|gisch

so|zio|öko|no|misch

So|zi|us, der; -, Plur. ...zien, ...zii, auch -se ⟨lat.⟩ (*Wirtsch.* Teilhaber; Beifahrer[sitz]); So|zi|us|sitz (Rücksitz auf dem Motorrad)

so|zu|sa|gen (gewissermaßen); *aber* er versucht, es so zu sagen, dass es verständlich ist

SP, SP Schweiz (Sozialdemokratische Partei der Schweiz)

Sp. = Spalte (*Buchw.*)

¹Spa [spa:] (belgische Stadt)

²Spa, das, *auch* der; -[s], -s ⟨*nach* ¹Spa⟩ (Wellnessbad)

Space|lab [ˈspeːslɛp], das; -s, -s ⟨engl.⟩ (von ESA und NASA entwickeltes Raumlabor)

Space|shut|tle [...ˈʃat|], der; -s, -s (Raumfähre)

Spach|tel, der; -s, - *od.*, österr. nur, die; -, -n; Spach|tel|ma|le|rei; Spach|tel|mas|se

spach|teln (ugs. auch für [tüchtig] essen); ich spacht[e]le

spack (landsch. für dürr; eng)

Spa|dil|le [...ˈdɪljə], die; -, -n (höchste Trumpfkarte im Lomber)

Spa|er [spa...] ⟨zu ¹Spa⟩

¹Spa|gat, der, österr. nur so, od. das; -[e]s, -e ⟨ital.⟩ (Gymnastik Körperhaltung, bei der die Beine so weit gespreizt sind, dass sie eine Gerade bilden)

²Spa|gat, der; -[e]s, -e ⟨ital.⟩ (bayr., österr. für Bindfaden)

Spa|gat|pro|fes|sor (ugs. scherzh. für Professor, dessen Universitäts- u. Wohnort weit auseinanderliegen); Spa|gat|pro|fes|so|rin

Spa|ghet|ti [...ˈge...], Spa|get|ti Plur. ⟨ital.⟩ (lange, dünne, schnurartige Nudeln); Spaghetti bolognese

spä|hen; Spä|her; Spä|he|rei; Spä|he|rin

Spä|hi [spa..., *auch* ʃp...], der; -s, -s ⟨pers., »Krieger«⟩ (früher [adliger] Reiter im türkischen Heer; Angehöriger einer aus Nordafrikanern gebildeten französischen Reitertruppe)

Späh|trupp (für Patrouille)

Spa|ke, die; -, -n (nordd. für Hebel, Hebebaum)

spa|kig (nordd. für schimmelig)

Spa|la|to (ital. Form von Split)

Spa|lett, das; -[e]s, -e ⟨ital.⟩ (österr. für hölzerner Fensterladen)

Spa|lier, das; -s, -e (Gitterwand; Doppelreihe von Personen als Ehrengasse); Spalier stehen

Spa|lier|baum; Spa|lier|obst

Spalt, der; -[e]s, -e

spalt|bar; Spalt|bar|keit, die; -

spalt|breit; eine spaltbreite Öffnung; Spalt|breit, der; -, Spalt breit, der; - -; die Tür einen Spaltbreit od. Spalt breit öffnen

Spält|chen

Spal|te, die; -, -n (österr. u.

S
Sozi

landsch. auch für Schnitz,
Scheibe; *Abk. [Buchw.]* Sp.)
spal|ten; gespalten u. gespaltet; *in
adjektivischem Gebrauch fast
nur* gespalten; gespaltenes Holz,
eine gespaltene Zunge
Spal|ten|brei|te
spal|ten|lang; ein spaltenlanger
Artikel, *aber* drei Spalten lang;
spal|ten|wei|se
spalt|er|big *(Biol.)*
Spalt|fuß
...spal|tig (z. B. zweispaltig)
**Spalt|le|der; Spalt|pilz; Spalt|pro-
dukt** *(Physik, Chemie)*
Spal|tung
Spam [spɛm], das; -s, -s ⟨engl.⟩
(unerwünscht zugesandte
E-Mail zu Werbezwecken);
Spam|fil|ter *(EDV);* **Spam|mail,
Spam-Mail** *(EDV)*
spam|men [ˈspɛm...] ⟨engl.⟩
(Spams verschicken); **Spam|mer,**
der; -s, - ⟨engl.⟩ (jmd., der
Spams verschickt)
Span, der; -[e]s, Späne; **span|ab|he-
bend** ↑K59 *(Technik);* **Spän|chen**
Span|d|ril|le, die; -, -n ⟨ital.⟩
(Archit. Bogenzwickel)
spa|nen (Späne abheben); spa-
nende Werkzeuge; **¹spä|nen** (mit
Metallspänen abreiben)
²spä|nen *(landsch. für* entwöhnen);
Span|fer|kel (noch nicht ent-
wöhntes Ferkel)
Späng|chen
Span|ge, die; -, -n; **Span|gen|schuh**
Spa|ni|el *[auch* ˈspɛ...], der; -s, -s
⟨engl.⟩ (ein Jagd- u. Haushund)
Spa|ni|en; Spa|ni|er; Spa|ni|e|rin
Spa|ni|o|le, der; -n, -n (Nach-
komme von einst aus Spanien
vertriebenen Juden)
spa|nisch; das kommt mir spa-
nisch *(ugs. für* seltsam) vor;
↑K89 u. 142 : spanischer Reiter
(Milit. ein bestimmtes Hindernis); spanischer Stiefel (ein Fol-
terwerkzeug); spanische Wand
(svw. Paravent), *aber* ↑K151 : der
Spanische Erbfolgekrieg; Spanische Fliege (ein Insekt); ↑K150 :
die Spanische Reitschule (in
Wien)
Spa|nisch, das; -[s] (Sprache); *vgl.*
Deutsch; **Spa|ni|sche,** das; -n;
vgl. Deutsche, das
Spa|nisch-Gui|nea *(früher für*
Äquatorialguinea)
Span|korb
spann *vgl.* spinnen
Spann, der; -[e]s, -e (oberer Teil,
Rist des menschlichen Fußes)

**Spann|be|ton; Spann|be|ton|brü-
cke; Spann|be|ton|kon|s|t|ruk-
ti|on**
Spann|bett|tuch
Spann|dienst *(früher für* Fron-
dienst); Hand- und Spanndienst
leisten
Span|ne, die; -, -n (ein altes Län-
genmaß)
span|nen
span|nend; das span|nends|te
Buch
span|nen|lang *(veraltet)*
Span|ner *(ugs. auch für* Voyeur);
Span|ne|rin
spann|fä|hig
Spann|gar|di|ne
Spann|kraft, die; -; **Spann|la|ken;
Spann|rah|men** *(Buchbinderei)*
Span|nung; Span|nungs|ab|fall
(Elektrot.); **Span|nungs|feld**
span|nungs|füh|rend *(Elektrot.)*
Span|nungs|ge|biet
Span|nungs|ko|ef|fi|zi|ent *(Physik)*
span|nungs|los
Span|nungs|mes|ser, der; **Span-
nungs|mo|ment,** das; -s; **Span-
nungs|prü|fer; Span|nungs|reg-
ler; Span|nungs|ver|hält|nis;
Span|nungs|zu|stand**
Spann|vor|rich|tung; Spann|wei|te
Spann|plat|te; Span|schach|tel
Spant, das, *in der Luftfahrt auch*
der; -[e]s, -en *meist Plur.* (rip-
penähnl. Bauteil zum Verstär-
ken der Außenwand von Schiffs-
u. Flugzeugrümpfen)
Span|ten|riss (eine Schiffskon-
struktionszeichnung)
**Spar|be|trag; Spar|bren|ner; Spar-
brief; Spar|buch; Spar|büch|se;
Spar|ein|la|ge**
spa|ren
Spa|rer
Spare|ribs [ˈspɛərɪbz] *Plur.* ⟨engl.⟩
(Schälrippchen)
Spa|re|rin
Spar|flam|me; Spar|för|de|rung
Spar|gel, der; -s, -, *schweiz. auch*
die; -, -n; **Spar|gel|beet; Spar|gel-
ge|mü|se; Spar|gel|grün; Spar-
gel|kraut,** das; -s; **Spar|gel|spit-
ze; Spar|gel|sup|pe**
**Spar|gi|ro|ver|kehr; Spar|gro|schen;
Spar|gut|ha|ben**
Spark, der; -[e]s (eine Pflanze)
**Spar|kas|se; Spar|kas|sen|buch;
Spar|kon|to**
Spar|kurs
spär|lich; Spär|lich|keit, die; -
Spar|maß|nah|me *meist Plur.;* **Spar-
pa|ket; Spar|pfen|nig; Spar|po|li-**

tik; **Spar|prä|mie; Spar|pro-
gramm; Spar|quo|te**
Spar|re, die; -, -n (svw. Sparren)
spar|ren ⟨engl.⟩ *(Boxen* mit jmdm.
im Training boxen); er hat zwei
Stunden gesparrt
Spar|ren, der; -s, -; **Spar|ren|dach;
spar|rig** *(Bot.* seitwärts abste-
hend); sparrige Äste
Spar|ring, das; -s (Boxtraining);
**Spar|rings|kampf; Spar|rings-
part|ner; Spar|rings|part|ne|rin**
spar|sam; Spar|sam|keit, die; -
Spar|schwein; Spar|strumpf
Spart, der *od.* das; -[e]s, -e *(svw.*
Esparto)
Spar|ta [ʃp..., *auch* sp...] (altgrie-
chische Stadt)
Spar|ta|ki|a|de [ʃp..., *auch* sp...],
die; -, -n (Sportveranstaltung in
osteuropäischen Ländern [bis
1990])
Spar|ta|kist, der; -en, -en (Angehö-
riger des Spartakusbundes);
Spar|ta|kis|tin; Spar|ta|kus (Füh-
rer eines röm. Sklavenaufstan-
des); **Spar|ta|kus|bund,** der; -[e]s
(kommunist. Kampfbund
1917/18)
Spar|ta|ner [ʃp..., *auch* sp...]
(Bewohner von Sparta); **spar|ta-
nisch;** spartanische (strenge,
harte) Zucht
Spar|te, die; -, -n (Abteilung, Fach,
Gebiet; Geschäfts-, Wissens-
zweig; Zeitungsspalte)
Spar|ten|sen|der (auf eine spezielle
Programmkategorie beschränk-
ter Fernsehsender)
spar|ten|über|grei|fend
Spar|te|rie, die; - ⟨franz.⟩ (Flecht-
werk aus Spänen od. Bast)
Spart|gras *(svw.* Espartogras)
Spar|ti|at [ʃp..., *auch* sp...], der;
-en, -en (dorischer Vollbürger
im alten Sparta)
spar|tie|ren [ʃp..., *auch* sp...] ⟨ital.⟩
(Musik in Partitur setzen)
Spar- und Dar|le|hens|kas|se ↑K31
**Spar|ver|si|on; Spar|ver|trag; Spar-
ziel; Spar|zins**
spas|misch, spas|mo|disch [ʃp...,
auch sp...] ⟨griech.⟩ *(Med.*
krampfhaft, krampfartig)
spas|mo|gen (krampferzeugend)
Spas|mo|ly|ti|kum, das; -s, ...ka
(krampflösendes Mittel); **spas-
mo|ly|tisch**
Spas|mus, der; -, ...men (Krampf)
Spaß, *österr. auch* Spass, der; -es,
Späße *(österr. auch* Spässe);
Spaß *(österr. auch* Spass)
machen; **Späß|chen**

S

Späß

spät

später, spätes|te

– spätestens; am spätesten
– von [morgens] früh bis [abends] spät

In Verbindung mit Verben wird »spät« getrennt geschrieben ↑K56:

– spät sein, werden
– zu spät kommen
– der Komponist hat die Oper spät vollendet

Bei Substantivierungen:

– die zu spät Kommenden, die zu spät Gekommenen
– das Zu-spät-Kommen *od.* Zuspätkommen

Bei adjektivisch gebrauchten Partizipien kann getrennt oder zusammengeschrieben werden ↑K58:

– eine spät vollendete *od.* spätvollendete Oper

---

spa|ßen; du spaßt; Spa|ße|rei
spa|ßes|hal|ber
Spa|ßet|teln *Plur. (österr. ugs. für* Scherz); Spaßetteln machen
Spaß|ge|sell|schaft
spaß|haft
spa|ßig; Spa|ßig|keit, die; -
Spaß|ma|cher; Spaß|ma|che|rin; Spaß|ver|der|ber; Spaß|ver|der|be|rin; Spaß|vo|gel *(scherzh.)*
Spas|ti|ker [ʃp..., *auch* sp...] ⟨griech.⟩ (an einer spasmischen Krankheit Leidender); Spas|ti|ke|rin
spas|tisch (mit Erhöhung des Muskeltonus einhergehend)
spat *(veraltet für* spät)
¹Spat, der; -[e]s, *Plur.* -e u. Späte (ein Mineral)
²Spat, der; -[e]s (eine Pferdekrankheit)
spät *s.* Kasten
spät|abends; *aber* eines Spätabends
Spät|aus|sied|ler; Spät|aus|sied|le|rin; Spät|ba|rock; Spät|dienst
Spä|te, die; - *(veraltet); noch in* in der Späte
Spa|tel, der, *österr. nur so, od.* die *(svw.* Spachtel)
Spal|ten, der; -s, -; Spal|ten|for|schung, die; - (archäologische Forschung durch Ausgrabungen); Spa|ten|stich
Spät|ent|wick|ler; Spät|ent|wick|le|rin
spä|ter; bis später; spä|ter|hin
spä|tes|tens
Spät|fol|ge
spät Ge|bä|ren|de, die; - -n, - -n, Spät|ge|bä|ren|de, die; -n, -n; Spät|ge|burt
Spät|go|tik
Spa|tha [sp..., *auch* ʃp...], die; -, ...then ⟨griech.⟩ *(Bot.* Blütenscheide kolbiger Blütenstände)
spat|hal|tig *(zu* ¹Spat)
Spät|heim|keh|rer
Spät|herbst; spät|herbst|lich
Spal|ti|en [ʃp..., *auch* sp...] *(Plur.*

von Spatium); Spa|ti|en|brei|te *(Druckw.);* Spal|ti|en|keil
spa|tig (spatkrank; *vgl.* ²Spat)
spa|ti|ie|ren, spa|ti|o|nie|ren [ʃp..., *auch* sp...] ⟨lat.⟩ *(Druckw.* [mit Zwischenräumen] durchschießen, sperren)
spa|ti|ös (weit, geräumig)
Spa|ti|um, das; -s, ...ien *(Druckw.* Zwischenraum; schmales Ausschlussstück)
Spät|jahr *(für* Herbst)
Spät|la|tein; spät|la|tei|nisch
Spät|le|se
Spät|ling
Spät|mit|tel|al|ter
Spät|nach|mit|tag; eines Spätnachmittags; spät|nach|mit|tags
Spät|nach|rich|ten *Plur.;* Spät|pha|se; Spät|pro|gramm; Spät|ro|man|tik; Spät|scha|den; Spät|schicht; Spät|som|mer
spät vol||en|det, spät|vol|l|en|det *vgl.* spät
Spät|vor|stel|lung; Spät|werk
Spatz, der; *Gen.* -en, *auch* -es, *Plur.* -en; Spätz|chen
Spat|zen|hirn *(ugs. abwertend)*
Spat|zen|nest; Spät|zin
Spätz|le *Plur.* (schwäbische Mehlspeise); mit Spätzle
Spätz|li *(schweiz. für* Spätzle)
Spät|zün|der *(ugs.);* Spät|zün|de|rin
Spät|zün|dung
spa|zie|ren ⟨lat.⟩; spazieren fahren, führen, gehen usw.; spazieren gegangen; spazieren zu fahren; spazieren gehende *od.* spazierengehende Menschen
Spa|zie|ren|ge|hen, das; -s ↑K82
spa|zie|ren rei|ten
Spa|zier|fahrt
Spa|zier|gang, der; Spa|zier|gän|ger; Spa|zier|gän|ge|rin
Spa|zier|ritt; Spa|zier|stock *Plur.* ...stöcke; Spa|zier|weg
SPD, die; - = Sozialdemokratische Partei Deutschlands; SPD-Frak|ti|on; SPD-ge|führt; die SPD-geführten Länder

Specht, der; -[e]s, -e (ein Vogel)
spech|teln *(österr. ugs. für* spähen, spionieren); ich specht[e]le; spech|ten *(bayr.)*
Specht|mei|se *(svw.* Kleiber)
Spe|cial [ˈspɛʃl], das; -s, -s ⟨engl.⟩ (Sondersendung, Sonderbericht zu einem Thema)
Spe|cial Ef|fect [- ɪˈfekt], der; - -s, - -s ⟨engl.⟩ *(Film, Ferns.* [von Computern erzeugter] Bild- od. Toneffekt)
Speck, der; -[e]s, *Plur. (Sorten:)* -e
speck|bäu|chig; Speck|hals
spe|ckig
Speck|ku|chen; Speck|na|cken; Speck|schwar|te; Speck|sei|te
Speck|so|ße, Speck|sau|ce
Speck|stein *(für* Steatit)
spe|die|ren ⟨ital.⟩ ([Güter] versenden, befördern, verfrachten)
Spe|di|teur [...ˈtøːɐ̯], der; -s, -e (Transportunternehmer); Spe|di|teu|rin
Spe|di|ti|on, die; -, -en (Transportunternehmen; Versand[abteilung])
Spe|di|ti|ons|fir|ma; Spe|di|ti|ons|ge|schäft; Spe|di|ti|ons|kauf|frau; Spe|di|ti|ons|kauf|mann
spe|di|tiv *(schweiz. für* rasch)
Speech [spiːtʃ], der; -es, *Plur.* -e u. -es [...is] ⟨engl.⟩ (Rede)
¹Speed [spiːt], der; -s, -s ⟨engl.⟩ *(Sportspr.* [Steigerung der] Geschwindigkeit, Spurt)
²Speed, das; -s, -s *(Jargon* Aufputsch-, Rauschmittel)
Speed|ska|ting (Schnelligkeits- u. Ausdauerwettbewerb auf Inlineskates)
Speed|way [...veː], der; -s, -s *(Motorsport* Rennstrecke)
Speed|way|ren|nen, Speedway-Ren|nen
Speer, der; -[e]s, -e; den Speer werfen; Speer|län|ge
Speer|wer|fen, das; -s ↑K82 ; Speer|wer|fer; Speer|wer|fe|rin; Speer|wurf

spei|ben (*bayr. u. österr. mdal. für* erbrechen); er hat gespieben
Spei|che, die; -, -n
Spei|chel, der; -s; **Spei|chel|drü|se;** Spei|chel|fluss, der; -es
Spei|chel|le|cker *(abwertend);* **Speichel|le|cke|rei; Spei|chel|le|ckerin; spei|chel|le|cke|risch**
spei|cheln; ich speich[e]le
Spei|chen|kranz
Spei|cher, der; -s, -
spei|cher|bar
Spei|cher|bild *(svw.* Hologramm)
Spei|cher|ka|pa|zi|tät
Spei|cher|kar|te *(EDV)*
spei|chern; ich speichere
Spei|cher|ofen (*für* Regenerativofen)
Spei|cher|platz *(bes. EDV)*
Spei|che|rung
spei|en; du spiest; gespien
Spei|er|ling (ein Obstbaum mit gerbstoffhaltigen Früchten)
Spei|gat[t] *(Seemannsspr.* rundes Loch in der Schiffswand zum Wasserablauf)
Speik, der; -[e]s, -e ⟨lat.⟩ (Name mehrerer Pflanzen)
Speil, der; -s, -e (Holzstäbchen [zum Verschließen des Wurstdarmes]); **spei|len**
¹**Speis,** der; -es ⟨lat.⟩ (*landsch. für* Mörtel)
²**Speis,** die; -, -en (*bayr. u. österr. für* Speisekammer)
Spei|se, die; -, -n (*auch für* Mörtel); [mit] Speis und Trank ↑K13
Spei|se|brei; Spei|se|eis; Spei|sefett; Spei|se|fisch; Spei|se|gaststät|te; Spei|se|kam|mer
Spei|se|kar|te, Spei|sen|kar|te
spei|sen; du speist; er/sie speis|te; gespeist (*schweiz. übertr. od. mdal.* gespiesen)
Spei|sen|auf|zug; Spei|sen|fol|ge
Spei|sen|kar|te *vgl.* Speisekarte
Spei|se|öl; Spei|se|op|fer; Spei|seplan; Spei|se|rest; Spei|se|röh|re; Spei|se|saal; Spei|se|schrank; Spei|se|täub|ling (ein Pilz); **Speise|wa|gen** (bei der Eisenbahn)
Spei|se|was|ser *Plur.* ...wässer (für Dampfkessel)
Spei|se|zet|tel; Spei|se|zim|mer
Speis|ko|balt (ein Mineral)
Spei|sung
Spei|täub|ling, Spei|teu|fel (ein Pilz)
spei|übel
Spek|ta|bi|li|tät [sp..., *auch* ʃp...], die; -, -en ⟨lat.⟩ (an Hochschulen

Anrede an den Dekan); Eure (*Abk.* Ew.) Spektabilität
¹**Spek|ta|kel** [ʃp...], der; -s, - (*ugs. für* Krach, Lärm)
²**Spek|ta|kel,** das; -s, - (*veraltet für* Schauspiel)
spek|ta|keln (*ugs. für* lärmen); ich spektak[e]le
spek|ta|ku|lär (aufsehenerregend)
Spek|ta|ku|lum, das; -s, ...la (*scherzh. für* ²Spektakel)
Spek|t|ra [ʃp..., *auch* sp...] (*Plur. von* Spektrum); **spek|t|ral** ⟨lat.⟩ (das Spektrum betreffend)
Spek|t|ral|ana|ly|se; Spek|t|ral|farbe; Spek|t|ral|klas|se (*Astron.);* **Spek|t|ral|li|nie**
Spek|t|ren (*Plur. von* Spektrum)
Spek|t|ro|s|kop, das; -s, -e (Vorrichtung zum Bestimmen der Wellenlängen von Spektrallinien); **Spek|t|ro|s|ko|pie,** die; -; **spek|t|ro|s|ko|pisch**
Spek|t|rum, das; -s, *Plur.* ...tren *u.* ...tra ⟨lat.⟩ (durch Lichtzerlegung entstehendes farbiges Band; *übertr. für* Vielfalt)
Spe|ku|la ⟨*Plur. von* Spekulum)
Spe|ku|lant, der; -en, -en ⟨lat.⟩ (jmd., der spekuliert)
Spe|ku|la|ti|on, die; -, -en (auf Mutmaßungen beruhende Erwartung; auf Gewinne aus Preisveränderungen abzielende Geschäftstätigkeit; *Philos.* Vernunftstreben nach Erkenntnis jenseits der Sinnenwelt)
Spe|ku|la|ti|ons|ge|schäft; Spe|kula|ti|ons|ge|winn; Spe|ku|la|tions|kauf; Spe|ku|la|ti|ons|pa|pier; Spe|ku|la|ti|ons|steu|er, die
Spe|ku|la|ti|us, der; -, - ⟨niederl.⟩ (ein Gebäck)
spe|ku|la|tiv ⟨lat.⟩ (auf Mutmaßungen beruhend; auf Gewinne aus Preisveränderungen abzielend; *Philos.* in reinen Begriffen denkend)
spe|ku|lie|ren (Spekulationsgeschäfte machen; mit etwas rechnen)
Spe|ku|lum [sp..., *auch* ʃp...], das; -s, ...la (*Med.* Spiegel)
Spe|läo|lo|ge [ʃp..., *auch* sp...], der; -n, -n ⟨griech.⟩; **Spe|läo|logie,** die; - (Höhlenkunde); **Speläo|lo|gin; spe|läo|lo|gisch**
Spelt, der; -[e]s, -e, *u.* Spelz, der; -es, -e (eine Getreideart)
Spe|lun|ke, die; -, -n ⟨griech.⟩ (verrufene Kneipe)
Spelz *vgl.* Spelt
Spel|ze, die; -, -n (Getreidekorn

hülse; Teil des Gräserblütenstandes); **spel|zig**
Spen|cer [ˈspɛnsɐ] (engl. Philosoph); *vgl. aber* Spenser
spen|da|bel ⟨lat.⟩ (*ugs. für* freigebig); ...a|b|le Laune
Spen|de, die; -, -n
spen|den; Spen|den|af|fä|re
Spen|den|ak|ti|on; Spen|den|aufruf; Spen|den|be|schei|ni|gung; Spen|den|gel|der *Plur.;* **Spen|denkon|to**
Spen|der; Spen|de|rin
Spen|der|or|gan (*Med.)*
spen|die|ren (freigebig für jmdn. bezahlen)
Spen|dier|ho|sen; *nur in* die Spendierhosen anhaben (*ugs.)*
Spen|dung
spen|geln (österr. für Blech bearbeiten); ich speng[e]le; **Speng|ler** (*bes. südd., österr., schweiz. für* Klempner); **Speng|le|rei; Spengle|rin**
Spen|ser [ˈspɛnsɐ] (engl. Dichter); *vgl. aber* Spencer
Spen|zer, der; -s, - ⟨engl.⟩ (kurzes, eng anliegendes Jäckchen)
Sper|ber, der; -s, - (ein Greifvogel)
sper|bern (*schweiz. für* scharf blicken); ich sperbere
Spe|renz|chen, Spe|ren|zi|en *Plur.* ⟨lat.⟩ (*ugs. für* Umschweife, Schwierigkeiten); [keine] Sperenzchen, Sperenzien machen
Sper|ling, der; -s, -e; *vgl. aber* Sperrling; **Sper|lings|vo|gel**
Sper|ma [ʃp..., *auch* sp...], das; -s, *Plur.* ...men *u.* -ta ⟨griech.⟩ (*Biol.* männliche Samenzellen enthaltende Flüssigkeit)
Sper|ma|to|ge|ne|se, die; - (Samenbildung im Hoden)
Sper|ma|tor|rhö, die; -, -en (*Med.* Samenfluss ohne geschlechtliche Erregung)
Sper|ma|to|zo|on, das; -s, ...oen (*svw.* Spermium)
Sper|men (*Plur. von* Sperma)
Sper|mi|en (*Plur. von* Spermium)
Sper|mio|ge|ne|se, die; - (*svw.* Spermatogenese)
Sper|mi|um, das; -s, ...ien (reife männliche Keimzelle)
sperr|an|gel|weit (*ugs.)*
Sperr|bal|lon; Sperr|bat|te|rie (*Milit.);* **Sperr|baum; Sperr|be|trag**
Sper|re, die; -, -n
sper|ren (*südd., österr. auch für* schließen); sich sperren
Sperr|feu|er (*Milit.);* **Sperr|frist** (*Rechtsspr.);* **Sperr|ge|biet; Sperr|gut; Sperr|gut|ha|ben**

S

Sper

Sperr|holz, das; -es; **Sperr|holz|plat|te**

sperr|rig

Sperr|ket|te; **Sperr|klau|sel**; **Sperr|klin|ke** *(Technik)*; **Sperr|kon|to**; **Sperr|kreis** *(Elektrot.)*

Sperr|ling *(veraltet für* Knebel)

Sperr|li|nie *(österr. für* Linie auf der Straße, die nicht überfahren werden darf)

Sperr|mau|er; **Sperr|mi|no|ri|tät** *(Wirtsch.)*

Sperr|müll

Sperr|rad, Sperr-Rad, das; -[e]s, ...räder

Sperr|rie|gel, Sperr-Rie|gel, der; -s, -

Sperr|sitz; **Sperr|stun|de**

Sperr|rung

Sperr|ver|merk; **Sperr|zeit** (Polizeistunde); **Sperr|zoll** *Plur.* ...zölle; **Sperr|zo|ne**

Spe|sen *Plur.* ⟨ital.⟩ ([Un]kosten; Auslagen); **spe|sen|frei**

Spe|sen|platz *(Bankw.)*; **Spe|sen|rech|nung**; **Spe|sen|rit|ter** (jmd., der hohe Spesen macht u. sich daran bereichert); **Spe|sen|rit|te|rin**

Spes|sart, der; -s (Bergland im Mainviereck)

spet|ten ⟨ital.⟩ *(schweiz. regional für* [im Haushalt, in einem Geschäft] aushelfen); **Spet|te|rin** *(schweiz. regional für* Stundenhilfe)

Spey|er (Stadt am Rhein); **Spey|e|rer**, **Spey|rer**; **spey|e|risch**, **spey|risch**

Spe|ze|rei *meist Plur.* ⟨ital.⟩ *(veraltend für* Gewürze)

¹**Spe|zi**, der; -s, -[s] ⟨lat.⟩ *(südd., österr. kurz für* [Busen]freund)

²**Spe|zi** ®, das; -s, -[s] *(ugs. für* Getränk aus Limonade u. Cola)

spe|zi|al *(Werbespr., sonst veraltet für* speziell)

Spe|zi|al, der; -s, -e; *vgl.* Special

Spe|zi|al... (Sonder..., Einzel..., Fach...); **Spe|zi|al|aus|bil|dung**; **Spe|zi|al|dis|zi|p|lin**; **Spe|zi|al|ein|heit**; **Spe|zi|al|fahr|zeug**; **Spe|zi|al|ge|biet**; **Spe|zi|al|ge|schäft**

Spe|zi|a|li|sa|ti|on, die; -, -en *(seltener für* Spezialisierung)

spe|zi|a|li|sie|ren; sich spezialisieren; **Spe|zi|a|li|sie|rung**

Spe|zi|a|list, der; -en, -en (Fachmann); **Spe|zi|a|lis|ten|tum**, das; -s; **Spe|zi|a|lis|tin**

Spe|zi|a|li|tät, die; -, -en (Besonderheit; Fachgebiet)

Spe|zi|a|li|tä|ten|re|s|tau|rant

Spe|zi|al|sla|lom (Wettbewerbsart im alpinen Skisport); **Spe|zi|al|sprung|lauf**; **Spe|zi|al|trai|ning**

spe|zi|ell (besonders; eigens; hauptsächlich); ↑K 72 : im Speziellen (im Einzelnen)

Spe|zi|es [ʃp..., *auch* sp...], die; -, - (besondere Art einer Gattung, Tier- od. Pflanzenart)

Spe|zi|e|sis|mus, der; - ⟨engl.⟩ (Anschauung, nach der dem Menschen allen anderen Arten überlegen u. daher berechtigt sei, deren Vertreter nach seinem Gutdünken zu behandeln)

Spe|zi|es|ta|ler (*früher* ein harter Taler im Gegensatz zu Papiergeld)

Spe|zi|fi|ka|ti|on, die; -, -en (Einzelaufstellung, -aufzählung)

Spe|zi|fi|ka|ti|ons|kauf *(Wirtsch.)*

Spe|zi|fi|kum, das; -s, ...ka (Besonderes, Entscheidendes; *Med.* gegen eine bestimmte Krankheit wirksames Mittel)

spe|zi|fisch ([art]eigen; kennzeichnend, eigentümlich); spezifisches Gewicht *(Physik)*; spezifischer Widerstand *(Physik)*

Spe|zi|fi|tät, die; -, -en (Eigentümlichkeit, Besonderheit)

spe|zi|fi|zie|ren (einzeln aufführen; zergliedern); **Spe|zi|fi|zie|rung**

Sphä|re, die; -, -n ⟨griech., »Himmel[skugel]«⟩ ([Gesichts-, Wirkungs]kreis; [Macht]bereich)

Sphä|ren|har|mo|nie, die; -; **Sphä|ren|mu|sik**, die; -

sphä|risch (die [Himmels]kugel betreffend); sphärische Trigonometrie *(Math.* Berechnung von Dreiecken auf der Kugeloberfläche)

Sphä|ro|id, das; -[e]s, -e (kugelähnl. Figur, Rotationsellipsoid); **sphä|ro|i|disch** (kugelähnlich)

Sphä|ro|lith, der; *Gen.* -s u. -en, *Plur.* -e[n] (kugeliges Mineralgebilde); **sphä|ro|li|thisch** [*auch* ...'lit...]

Sphä|ro|lo|gie, die; - (Lehre von der Kugel); **Sphä|ro|me|ter**, das; -s, - (Kugel-, Dickenmesser)

Sphä|ro|si|de|rit, der; -s, -e (ein Mineral)

Sphen, der; -s, -e ⟨griech.⟩ (ein Mineral)

Sphe|no|id, das; -[e]s, -e (eine Kristallform); **sphe|no|i|dal** (keilförmig)

Sphink|ter, der; -s, ...ere ⟨griech.⟩ *(Med.* Schließmuskel)

¹**Sphinx**, die; - (geflügelter Löwe mit Frauenkopf in der griechischen Sage; Sinnbild des Rätselhaften)

²**Sphinx**, die; -, -e, *in der archäolog. Fachspr. meist* der; -, Plur. -e u. Sphingen (ägyptisches Steinbild in Löwengestalt, meist mit Männerkopf; Symbol des Sonnengottes od. des Königs)

Sphra|gis|tik, die; - ⟨griech.⟩ (Siegelkunde)

Sphyg|mo|graf, **Sphyg|mo|graph**, der; -en, -en ⟨griech.⟩ *(Med.* Pulsschreiber)

Spick, der; -[e]s, -e *(Schülerspr. landsch. svw.* Spickzettel)

Spick|aal *(nordd. für* Räucheraal)

Spi|ckel, der; -s, - *(schweiz. für* Zwickel an Kleidungsstücken)

¹**spi|cken** (Fleisch zum Braten mit Speckstreifen durchziehen)

²**spi|cken** *(Schülerspr.* in der Schule abschreiben); **Spi|cker** *(auch svw.* Spickzettel); **Spi|cke|rin**

Spick|gans *(nordd. für* geräucherte Gänsebrust)

Spick|na|del

Spick|zet|tel *(Schülerspr.* zum Spicken vorbereiteter Zettel)

Spi|der ['spai...], der; -s, - ⟨engl.⟩ (offener Sportwagen; *EDV* Suchmaschine, die selbstständig Websites durchsucht und diese indiziert)

Spie|gel, der; -s, - ⟨lat.⟩

Spie|gel|bild; **spie|gel|bild|lich**

spie|gel|blank

Spie|gel|ei

Spie|gel|fech|ter *(abwertend)*; **Spie|gel|fech|te|rei**; **Spie|gel|fech|te|rin**

Spie|gel|flä|che; **Spie|gel|ge|wöl|be** *(Archit.)*; **Spie|gel|glas** *Plur.* ...gläser

spie|gel|glatt

spie|gel|lig *(veraltet)*

Spie|gel|karp|fen

spie|geln; ich spieg[e]le; sich spiegeln

Spie|gel|re|flex|ka|me|ra

Spie|gel|saal; **Spie|gel|schrank**; **Spie|gel|schrift**; **Spie|gel|strich** (waagerechter Strich vor Unterabsätzen); **Spie|gel|te|le|s|kop**

Spie|ge|lung, Spieg|lung

spie|gel|ver|kehrt

Spieg|lung *vgl.* Spiegelung

Spie|ker, der; -s, - *(nordd. für* großer [Schiffs]nagel); **spie|kern** *(nordd.)*; ich spiekere

Spie|ker|oog (eine der Ostfriesischen Inseln)

Spiel, das; -[e]s, -e

S

Spiel|ab|bruch; Spiel|abend, Spie-
le|abend; Spiel|al|ter, das; -s;
Spiel|an|lei|tung; Spiel|an|zug;
Spiel|art; Spiel|aus|gang

Spiel|au|to|mat; Spiel|ball (vgl.
¹Ball); Spiel|bank Plur. ...banken;
Spiel|be|ginn; Spiel|bein (Sport,
bild. Kunst; Ggs. Standbein);
Spiel|be|trieb; Spiel|do|se

Spie|le|abend vgl. Spielabend

spie|len; spielen gehen; Schach
spielen; die Kinder spielen Fangen; sich mit etwas spielen
(südd., österr. für etwas nicht
ernsthaft betreiben; etwas spie-
lend leicht bewältigen); die
Muskeln spielen lassen od.
spielenlassen

Spie|len|de
spiel|ent|schei|dend
Spie|ler; Spie|le|rei; Spie|le|rin
spie|le|risch
Spie|ler|na|tur
Spie|ler|trans|fer
Spiel|feld; Spiel|feld|hälf|te
Spiel|fi|gur; Spiel|film; Spiel|flä-
che; Spiel|fol|ge
spiel|frei
Spiel|freu|de; spiel|freu|dig
Spiel|füh|rer (Sport); Spiel|füh|re-
rin (Sport)
Spiel|ge|fähr|te; Spiel|ge|fähr|tin
Spiel|geld
Spiel|hahn (Jägerspr. Birkhahn)
Spiel|hälf|te; Spiel|hal|le; Spiel|höl-
le (abwertend)
Spiel|ka|me|rad; Spiel|ka|me|ra|din
Spiel|kar|te; Spiel|ka|si|no; Spiel-
klas|se (Sport); Spiel|kon|so|le
(Gerät für elektronische Spiele);
Spiel|lei|den|schaft
Spiel|lei|ter, der; Spiel|lei|te|rin;
Spiel|lei|tung
Spiel|ma|cher (Sport); Spiel|ma|che-
rin (Sport)
Spiel|mann Plur. ...leute; Spiel-
manns|dich|tung, die; -; Spiel-
manns|zug
Spiel|mar|ke; Spiel|mi|nu|te (Sport);
Spiel|oper
Spiel|ort (bes. Theater, Sport)
Spie|lo|thek, die; -, -en (Einrich-
tung zum Verleih von Spielen;
auch für Spielhalle)
Spiel|pha|se; Spiel|plan; Spiel|platz;
Spiel|rat|te (ugs. für leiden-
schaftlich spielendes Kind);
Spiel|raum; Spiel|re|gel; Spiel-
run|de; Spiel|saal
Spiel|sa|chen Plur.
Spiel|schuld
Spiel|schu|le; Spiel|stand

spiel|stark (Sport); Spiel|stär|ke
(Sport)
Spiel|stät|te (svw. Spielort)
Spiel|stra|ße; Spiel|sucht; spiel-
süch|tig; Spiel|tag; Spiel|teu|fel;
Spiel|tisch (auch Teil der Orgel);
Spiel|trieb; Spiel|uhr; Spiel|ver-
bot (Sport)
Spiel|ver|der|ber; Spiel|ver|der|be-
rin
Spiel|ver|ei|ni|gung (Abk. Spvg.,
Spvgg.); Spiel|ver|lauf
Spiel|wa|ren Plur.; Spiel|wa|ren|ge-
schäft; Spiel|wa|ren|händ|ler;
Spiel|wa|ren|händ|le|rin; Spiel-
wa|ren|in|dus|t|rie
Spiel|wei|se; Spiel|werk; Spiel|wie-
se; Spiel|witz, der; -; Spiel|zeit
Spiel|zeug; Spiel|zeug|ei|sen|bahn;
Spiel|zeug|in|dus|t|rie; Spiel-
zeug|pis|to|le
Spiel|zim|mer; Spiel|zug

Spier, der od. das; -[e]s, -e (nordd.
für Spitze; Grasspitze); Spierchen (nordd. für Grasspitzchen);
ein Spierchen (nordd. für ein
wenig)
Spie|re, die; -, -n (Seemannsspr.
Rundholz, Segelstange)
Spier|ling (ein Fisch)
Spier|strauch

Spieß, der; -es, -e (Kampf-, Jagd-
spieß; Bratspieß; Erstlingsform
des Geweihs der Hirscharten;
Soldatenspr. Kompaniefeldwe-
bel; Druckw. im Satz zu hoch
stehendes, deshalb mitdrucken-
des Ausschlussstück)
Spieß|bock (einjähriger Rehbock)
Spieß|bür|ger, Spie|ßer (abwertend
für engstirniger Mensch)
Spieß|bür|ge|rin, Spie|ße|rin; spieß-
bür|ger|lich; Spieß|bür|ger|lich-
keit; Spieß|bür|ger|tum
spie|ßen; du spießt; sich spießen
(österr. für klemmen, nicht
vorangehen); die Sache spießt
sich
Spie|ßer vgl. Spießbürger; spie|ßer-
haft
Spie|ße|rin vgl. Spießbürgerin;
spie|ße|risch; Spie|ßer|tum, das;
-s
spieß|för|mig
Spieß|ge|sel|le (abwertend); Spieß-
ge|sel|lin
Spieß|glanz, der; -es, -e meist Plur.
(Sammelbez. für verschiedene
Minerale)
spie|ßig; Spie|ßig|keit
Spieß|ru|te; Spießruten laufen
↑K 54; Spieß|ru|ten|lau|fen, das;
-s ↑K 82

Spi|ka [ʃp..., auch sp...], die; - ⟨lat.,
»Ähre«⟩ (ein Stern)
Spike [spaik], der; -s, -s ⟨engl.⟩
(Dorn für Laufschuhe od. Auto-
reifen; nur Plur.: rutschfester
Laufschuh, Spike[s]reifen);
Spike[s]|rei|fen
Spill, das; -[e]s, Plur. -e od. -s
([Anker]winde)
Spill|la|ge [...ʒə], die; -, -n (Wirtsch.
Wertverlust durch Eindringen
von Feuchtigkeit)
Spil|le, die; -, -n (landsch. für
Spindel)
spil|le|rig vgl. spillrig
Spill|ling, der; -s, -e (gelbe
Pflaume)
spill|rig, spil|le|rig (landsch. für
dürr)
Spin [spɪn], der; -s, -s ⟨engl.⟩ (Phy-
sik Drehimpuls der Elementar-
teilchen im Atom; Sport Effet)
Spi|na bi|fi|da, die; - - ⟨lat.⟩ (Med.
Spaltbildung der Wirbelsäule)
spi|nal [ʃp..., auch sp...] ⟨lat.⟩
(Med. die Wirbelsäule, das
Rückenmark betreffend); spi-
nale Kinderlähmung
Spi|nat, der; -[e]s, Plur. (Sorten:) -e
⟨pers.-arab.⟩ (ein Gemüse); Spi-
nat|wach|tel (ugs. abwertend für
schrullige [alte] Frau)
Spind, der u. das; -[e]s, -e (einfacher, schmaler Schrank)
Spin|del, die; -, -n
Spin|del|baum (ein Zierstrauch)
spin|del|dürr
Spin|del|la|ger Plur. ...lager; Spin-
del|schne|cke
Spin|dok|tor [sp...] ⟨engl.⟩ (für
Öffentlichkeitsarbeit Verant-
wortlicher); Spin|dok|to|rin
Spi|nell, der; -s, -e ⟨ital.⟩ (ein
Mineral)
Spi|nett, das; -[e]s, -e ⟨ital.⟩ (klei-
nes Cembalo)
Spin|na|ker, der; -s, - ⟨engl.⟩ (See-
mannsspr. großes Beisegel)
Spinn|dü|se (bei Textilmaschi-
nen)
Spin|ne, die; -, -n
spin|ne|feind (ugs.); nur in jmdm.
spinnefeind sein
spin|nen; du spinnst; du spannst;
du spönnest, auch spännest;
gesponnen; spinn[e]!
Spin|nen|ar|me Plur. (lange, dürre
Arme); Spin|nen|bei|ne Plur.
Spin|nen|netz
Spin|ner; Spin|ne|rei; Spin|ne|rin;
Spin|ner|lied
spin|nert (bes. südd. für leicht ver-
rückt)

Spinn|**fa**|**den**; **Spinn**|**fa**|**ser**; **Spinn-ge**|**we**|**be**, Spin|nen|ge|we|be

Spin|**ning**® [sp...], das; -s ⟨engl.⟩ (ein Fitnesstraining auf speziellen stationären Fahrrädern)

Spinn|**ma**|**schi**|**ne**; **Spinn**|**rad**; **Spinn-ro**|**cken**; **Spinn**|**stoff**; **Spinn**|**stu**|**be**

Spinn|**we**|**be** (*svw.* Spinngewebe); **Spinn**|**wir**|**tel**

Spin-off [sp...], das *od.* der; -[s], -s ⟨engl.⟩ (*Wirtsch.* Ausgliederung einzelner Geschäftsbereiche aus dem Mutterunternehmen; von Universitätsangehörigen gegründete Firma, die auf den an der Universität geleisteten Forschungen aufbaut)

spi|**nös** [ʃp..., *auch* sp...] ⟨lat.⟩ (*veraltend für* schwierig; heikel)

Spi|**no**|**za** (niederl. Philosoph); **spi-no**|**za**|**isch** ↑K 89 *u.* 135 ; spinozaische Lehre, spinozaische Schriften; **Spi**|**no**|**zis**|**mus**, der; - (Lehre des Spinoza); **spi**|**no**|**zis**|**tisch**

Spint, der *od.* das; -[e]s, -e (*landsch. für* Fett; weiches Holz); **spin**|**tig** (*landsch.*)

spin|**ti**|**sie**|**ren** (*ugs. für* grübeln); **Spin**|**ti**|**sie**|**rer**; **Spin**|**ti**|**sie**|**re**|**rei**; **Spin**|**ti**|**sie**|**re**|**rin**

Spi|**on**, der; -s, -e ⟨ital., »Späher«⟩

Spi|**o**|**na**|**ge** [...ʒə], die; - ⟨franz.⟩ (Auskundschaftung von wirtschaftlichen, politischen u. militärischen Geheimnissen)

Spi|**o**|**na**|**ge**|**ab**|**wehr**; **Spi**|**o**|**na**|**ge**|**af-fä**|**re**; **Spi**|**o**|**na**|**ge**|**ap**|**pa**|**rat**; **Spi**|**o-na**|**ge**|**dienst**; **Spi**|**o**|**na**|**ge**|**fall**, der; **Spi**|**o**|**na**|**ge**|**film**; **Spi**|**o**|**na**|**ge-netz**; **Spi**|**o**|**na**|**ge**|**ring**

spi|**o**|**nie**|**ren**; **Spi**|**o**|**nie**|**re**|**rei** (*ugs.*)

Spi|**o**|**nin**

Spi|**rä**|**e** [ʃp..., *auch* sp...], die; -, -n ⟨griech.⟩ (Spierstrauch)

spi|**ral** ⟨griech.⟩ (*fachspr. für* spiralig); **Spi**|**ral**|**boh**|**rer** (schraubenförmiger Bohrer)

Spi|**ra**|**le**, die; -, -n (Schnecken-, Schraubenlinie; *ugs. für* spiralförmiges Pessar)

Spi|**ral**|**fe**|**der**

spi|**ral**|**för**|**mig**

spi|**ra**|**lig** (spiralförmig)

Spi|**ral**|**li**|**nie**; **Spi**|**ral**|**ne**|**bel**; **Spi**|**ral-win**|**dung**

Spi|**rans**, die; -, ...ranten, **Spi**|**rant** [*beide* ʃp..., *auch* sp...], der; -en, -en ⟨lat.⟩ (*Sprachw.* Reibelaut, Frikativlaut, z. B. f); **spi**|**ran**|**tisch**

Spi|**ril**|**le**, die; -, -n *meist Plur.* ⟨griech.⟩ (Bakterie von gedrehter Form, Schraubenbakterie)

Spi|**rit** [sp...], der; -s, -s ⟨lat.-engl.⟩ (Geist [eines Verstorbenen])

Spi|**ri**|**tis**|**mus** [ʃp..., *auch* sp...], der; - ⟨lat.⟩ (Glaube an Erscheinungen von Seelen Verstorbener; Geisterlehre)

Spi|**ri**|**tist**, der; -en, -en; **Spi**|**ri**|**tis-tin**; **spi**|**ri**|**tis**|**tisch**

spi|**ri**|**tu**|**al** (geistig; übersinnlich)

¹**Spi**|**ri**|**tu**|**al** [ʃp..., *auch* sp...], der; Gen. -s *u.* -en, Plur. -en (Seelsorger, Beichtvater in kath. theol. Anstalten u. Klöstern)

²**Spi**|**ri**|**tu**|**al** [sp...tjual], das, *auch* der; -s, -s ⟨amerik.⟩ (*kurz für* Negrospiritual)

Spi|**ri**|**tu**|**a**|**li**|**en** [ʃpiri..., *auch* sp...] Plur. ⟨lat.⟩ (*MA.* geistliche Dinge)

spi|**ri**|**tu**|**a**|**li**|**sie**|**ren** [ʃp..., *auch* sp...] (vergeistigen); **Spi**|**ri**|**tu**|**a**|**li-sie**|**rung**

Spi|**ri**|**tu**|**a**|**lis**|**mus**, der; - (Lehre von der Wirklichkeit u. Wirksamkeit des Geistes); **Spi**|**ri**|**tu**|**a**|**list**, der; -en, -en; **Spi**|**ri**|**tu**|**a**|**lis**|**tin**; **spi**|**ri-tu**|**a**|**lis**|**tisch**

Spi|**ri**|**tu**|**a**|**li**|**tät**, die; - (Geistigkeit, geistiges Wesen)

spi|**ri**|**tu**|**ell** ⟨franz.⟩ (geistig; geistlich)

Spi|**ri**|**tu**|**o**|**sen** Plur. (geistige, d. h. alkoholische Getränke); **Spi**|**ri-tu**|**o**|**sen**|**ge**|**schäft**

¹**Spi**|**ri**|**tus** [sp...], der; -, - ⟨lat.⟩ (Hauch, Atem, [Lebens]geist)

²**Spi**|**ri**|**tus** [ʃp...], der; -, Plur. (Sorten:) -se (Weingeist, Alkohol)

Spi|**ri**|**tus as**|**per**, [sp... -], der; - -, - -i (*Sprachw.* für den h-Anlaut im Altgriechischen; Zeichen ')

Spi|**ri**|**tus**|**bren**|**ner**

Spi|**ri**|**tus fa**|**mi**|**li**|**a**|**ris**, der; - - (*geh. für* guter Geist des Hauses; Vertraute[r] der Familie)

Spi|**ri**|**tus**|**ko**|**cher**; **Spi**|**ri**|**tus**|**lack**; **Spi**|**ri**|**tus**|**lam**|**pe**

Spi|**ri**|**tus** Rec|tor [sp... -], der; - - (*geh. für* leitende, treibende Kraft)

Spir|**kel**, der; -s, - (*nordostd. für* Griebe; schmächtiger Mensch)

Spi|**ro**|**chä**|**te** [ʃp..., *auch* sp...], die; -, -n ⟨griech.⟩ (*Med.* ein Krankheitserreger)

Spi|**ro**|**er**|**go**|**me**|**ter** [ʃp..., *auch* sp...], das; -s, - ⟨lat.; griech.⟩ (*Med.* Gerät zur Messung der körperlichen Leistungsfähigkeit anhand des Sauerstoffverbrauchs)

Spi|**ro**|**me**|**ter**, das; -s, - (*Med.* Atemmesser; **Spi**|**ro**|**me**|**t**|**rie**,

die; - (Messung [u. Aufzeichnung] der Atmung)

Spir|**re**, die; -, -n (*Bot.* ein Blütenstand)

Spis|**sen**, das; -s ⟨Jägerspr.⟩ Balz-, Lockruf des Haselhahns)

Spi|**tal**, das, *auch* der; -s, ...täler ⟨lat.⟩ (*landsch., bes. schweiz. für* Krankenhaus; *veraltet für* Altenheim, Armenhaus); **Spi**|**ta-ler**, **Spi**|**tä**|**ler**, Spittller (*veraltet, noch landsch. für* Insasse eines Spitals); **Spi**|**tals**|**arzt** (*österr.*); **Spi**|**tals**|**ärz**|**tin**

Spi|**t**|**ex**, die; - (*schweiz. für* spitalexterne Pflege)

Spi|**tal an der Drau** (Stadt in Kärnten)

Spit|**tel**, das, *auch* der; -s, - (*landsch. für* Spital)

Spit|**te**|**ler**, Carl (schweiz. Dichter)

Spitt|**ler** *vgl.* Spitaler

spitz; eine spitze Zunge haben (gehässig reden); ein spitzer Winkel (*Geom.*); spitz zulaufen; ein Werkzeug spitz schleifen *od.* spitzschleifen

Spitz, der; -es, -e (eine Hunderasse; *landsch. für* leichter Rausch; *bayr., österr., schweiz. für* Spitze)

Spitz|**ahorn**

Spitz|**bart**; **spitz**|**bär**|**tig**

Spitz|**bauch**; **Spitz**|**bein** (unterstes Teil des Fußes des geschlachteten Schweins)

spitz|**be**|**kom**|**men** (*svw.* spitzkriegen; *vgl. d.*)

Spitz|**ber**|**gen** (Insel in der Inselgruppe Svalbard)

Spitz|**bo**|**gen**; **Spitz**|**bo**|**gen**|**fens**|**ter**; **spitz**|**bo**|**gig**

Spitz|**boh**|**rer**

Spitz|**bu**|**be**, *südd., österr. u. schweiz.* **Spitz**|**bub**; **Spitz**|**bü**|**be-rei**; **Spitz**|**bü**|**bin**; **spitz**|**bü**|**bisch**

Spitz|**dach**

spit|**ze** (*ugs. für* hervorragend); ein spitze Auto; er hat spitze gespielt; die neue CD ist spitze

Spit|**ze**, die; -, -n; an der Spitze stehen; auf Spitz und Knopf stehen (*bes. südd. für* vor einer knappen Entscheidung stehen)

Spit|**zel**, der; -s, -; **spit**|**zeln**; ich spitz[e]le

spit|**zen**; du spitzt

Spit|**zen**|**blu**|**se**; **Spit**|**zen**|**deck**|**chen**

Spit|**zen**|**er**|**zeug**|**nis**

Spit|**zen**|**funk**|**ti**|**o**|**när**; **Spit**|**zen-funk**|**ti**|**o**|**nä**|**rin**

Spit|**zen**|**ge**|**schwin**|**dig**|**keit**

Spit|**zen**|**ge**|**spräch**

Spit|zen|grup|pe

Spit|zen|hau|be

Spit|zen|kan|di|dat; Spit|zen|kan|di|da|tin

Spit|zen|klas|se

Spit|zen|klöp|pe|lei; Spit|zen|klöpp|le|rin

Spit|zen|kön|ner; Spit|zen|kön|ne|rin; Spit|zen|kraft

Spit|zen|kra|gen

Spit|zen|leis|tung; Spit|zen|lohn; Spit|zen|mann|schaft; Spit|zen|or|ga|ni|sa|ti|on

Spit|zen|platz

Spit|zen|po|li|ti|ker; Spit|zen|po|li|ti|ke|rin

Spit|zen|po|si|ti|on; Spit|zen|qua|li|tät; Spit|zen|rei|ter; Spit|zen|rei|te|rin

Spit|zen|spiel *(Sport);* Spit|zen|spie|ler; Spit|zen|spie|le|rin

Spit|zen|sport; Spit|zen|sport|ler; Spit|zen|sport|le|rin

Spit|zen|steu|er|satz

Spit|zen|tanz

Spit|zen|tech|no|lo|gie

Spit|zen|tuch *Plur.* ...tücher

Spit|zen|ver|band; Spit|zen|ver|die|ner; Spit|zen|ver|die|ne|rin; Spit|zen|ver|kehr; Spit|zen|wein; Spit|zen|wert; Spit|zen|zeit

Spit|zer *(kurz für* Bleistiftspitzer)

spitz|fin|dig; Spitz|fin|dig|keit

Spitz|fuß *(Med.);* Spitz|gie|bel; Spitz|ha|cke

spit|zig *(veraltend)*

Spitz|keh|re

spitz|krie|gen *(ugs. für* merken, durchschauen); ich kriege etwas spitz; ich habe etwas spitzgekriegt; spitzzukriegen

Spitz|küh|ler *(ugs. svw.* Spitzbauch); Spitz|mar|ke *(Druckw.);* Spitz|maus; Spitz|na|me

spitz|na|sig; spitz|oh|rig

Spitz|pfei|ler (*für* Obelisk)

spitz schlei|fen, spitz|schlei|fen *vgl.* spitz

Spitz|weg (dt. Maler)

Spitz|we|ge|rich (eine Heilpflanze)

spitz|wink|lig

spitz|zün|gig; Spitz|zün|gig|keit

Splanch|no|lo|gie [sp...], die; - ⟨griech.⟩ *(Med.* Lehre von den Eingeweiden)

Splat|ter|mo|vie [ˈsplɛtəmuːvi] ⟨engl.⟩ (blutrünstiger Horrorfilm)

Spleen [ˈʃpliːn, spliːn], der; -s, *Plur.* -e u. -s ⟨engl.⟩ (seltsamer Einfall; Schrulle, Marotte); splee|nig; Splee|nig|keit

Spleiß, der; -es, -e *(Seemannsspr.*

Verbindung von zwei Seil- od. Tauenden)

Splei|ße, die; -, -n (*landsch. für* Span, Splitter)

splei|ßen (*landsch. für* fein spalten; *Seemannsspr.* Tauenden miteinander verflechten); du spleißt; du splissest *od.* spleißtest; er/sie spliss *od.* spleißte; gesplissen *od.* gespleißt; spleiß[e]!

Splen [spleːn, *auch* ʃp...], der; - ⟨griech.⟩ *(Med.* Milz)

splen|did [ʃp..., *auch* sp...] ⟨lat.⟩ (*veraltend für* freigebig; glanzvoll; *Druckw.* aufgelockert)

Splen|did Iso|la|tion [ˈsplendɪt aisəˈleːʃn], die; - - ⟨engl.⟩ (Bündnislosigkeit)

Spließ, der; -es, -e (Holzspan unter den Dachziegelfugen; Schindel); Spließ|dach

Splint, der; -[e]s, -e (Vorsteckstift als Sicherung)

Splint|holz (weiche Holzschicht unter der Rinde)

Spliss, der; Splisses, Splisse (*landsch. für* Splitter; kleiner Abschnitt; *nur Sing.:* gespaltene Haarspitzen)

splis|sen (*landsch. für* spleißen); du splisst; du splisstest; gesplisst; splisse! *u.* spliss!

¹Split [sp...] (Stadt in Kroatien); *vgl.* Spalato

²Split, der; -s, -s ⟨engl.⟩ *(Wirtsch.* Aufteilung von Aktien in neue Aktien mit kleinerem Nennwert)

Splitt, der; -[e]s, -e (zerkleinertes Gestein für den Straßenbau; *nordd. für* Span, Schindel)

split|ten ⟨engl.⟩ (das Splitting anwenden; teilen, aufteilen); gesplittet

Split|ter, der; -s, -

Split|ter|bom|be; Split|ter|bruch

split|ter|fa|ser|nackt *(ugs.)*

split|ter|frei; splitterfreies Glas

Split|ter|gra|ben *(Milit.)*

Split|ter|grup|pe

split|te|rig, splitt|rig

Split|ter|mi|ne

split|tern; ich splittere

split|ter|nackt *(ugs.)*

Split|ter|par|tei

split|ter|si|cher

Split|ter|wir|kung

Split|ting [ʃp..., *auch* sp...], das; -s ⟨engl.⟩ (Form der Haushaltsbesteuerung, bei der das Einkommen der Ehegatten zusammengezählt u. beiden zu gleichen

---

Teilen angerechnet wird; Verteilung der Erst- u. Zweitstimmen auf verschiedene Parteien [bei Wahlen]); Split|ting|vor|teil

splitt|rig *vgl.* splitterig

Splü|gen, der; -s, Splü|gen|pass, der; -es (Alpenpass an der schweizerisch-italienischen Grenze)

SPÖ, die; - = Sozialdemokratische Partei Österreichs

Spo|di|um [ʃp..., *auch* sp...], das; -s ⟨griech.⟩ *(Chemie* Knochenkohle)

Spo|du|men, der; -s, -e (ein Mineral)

Spoerl [ʃpœ...] (dt. Schriftsteller)

Spoi|ler [ʃp..., *auch* sp...], der; -s, - ⟨amerik.⟩ (Luftleitblech)

Spö|ken|kie|ker [sp...] (*nordd. für* Geisterseher, Hellseher); Spö|ken|kie|ke|rei (*nordd. svw.* Spintisiererei); Spö|ken|kie|ke|rin

Spo|li|en [ʃp..., *auch* sp...] *Plur.* ⟨lat.⟩ (Nachlass katholischer Geistlicher; *Archit.* aus anderen Bauten wiederverwendete Bauteile, z. B. Säulen); Spo|li|en|recht (im MA. das Recht, den Nachlass katholischer Geistlicher einzuziehen)

Spo|li|um, das; -s, ...ien (Beutestück [im alten Rom])

Spom|pa|na|de[l]n *Plur.* (*österr. ugs. für* Dummheiten, Extravaganzen)

spon|de|isch [ʃp..., *auch* sp...] ⟨griech.⟩ (in, mit Spondeen); Spon|de|us, der; -, ...deen (ein Versfuß)

spon|die|ren ⟨lat.⟩ (*österr. für* den Magistertitel erwerben, verliehen bekommen; *vgl.* Sponsion)

Spon|dyl|ar|th|ri|tis [ʃp..., *auch* sp...] ⟨griech.⟩ *(Med.* Entzündung der Wirbelgelenke); Spon|dy|li|tis, die; -, ...iti|den (Wirbelentzündung); Spon|dy|lo|se, die; -, -n (krankhafte Veränderung an den Wirbelkörpern u. Bandscheiben)

Spon|gia [sp..., *auch* ʃp...], die; -, ...ien ⟨griech.⟩ *(Biol.* Schwamm); spon|gi|form (schwammförmig)

Spon|gin, das; -s (Stoff, aus dem das Skelett der Hornschwämme besteht); spon|gi|ös (schwammig; locker)

spon|sern [ʃp...] ⟨engl.⟩ (als Sponsor fördern); ich sponsere, habe gesponsert

Spon|si|on, die; -, -en ⟨lat.⟩ *(österr.*

für [akademische Feier zur] Verleihung des Magistertitels)

Spon|sor [ʃp..., *auch* ˈspɔnsɐ], der; -s, Plur. ...oren [...ˈzoː...] *u.* -s [ˈspɔnsɐs] ⟨engl.⟩ (Förderer; Geldgeber [im Sport]; Person, Gruppe, die Rundfunk- od. Fernsehsendungen [zu Reklamezwecken] finanziert); Spon|so|rin; Spon|so|ring [*auch* ˈspɔnsɐ...], das; -s (das Sponsern); Spon|sor|schaft

spon|tan [ʃp..., *auch* sp...] ⟨lat.⟩; Spon|ta|ne|i|tät, Spon|ta|ni|tät, die; -, -en

Spon|ti, der; -s, -s (ugs. für Angehöriger einer undogmatischen linksgerichteten Gruppe); Sponti|grup|pe

Spor, der; -[e]s, -e (landsch. für Schimmel[pilz])

Spo|ra|den [ʃp..., *auch* sp...] Plur. ⟨griech.⟩ (Inseln im Ägäischen Meer)

spo|ra|disch (vereinzelt, zerstreut, [nur] gelegentlich)

Spo|ran|gi|um, das; -s, ...ien (Bot. Sporenbildner u. -behälter)

spor|co [ʃp..., *auch* sp...] ⟨ital.⟩ (mit Verpackung); vgl. Sporko

Spo|re, die; -, -n ⟨griech.⟩ (ungeschlechtliche Fortpflanzungszelle bestimmter Pflanzen; Dauerform von Bakterien); eine Sporen bildende *od.* sporenbildende, Sporen tragende *od.* sporentragende Pflanze

Spo|ren (Plur. von Sporn u. Spore)
Spo|ren bil|dend, spo|ren|bil|dend ↑K58

Spo|ren|blatt; Spo|ren|kap|sel
spo|ren|klir|rend
Spo|ren|pflan|ze; Spo|ren|schlauch; Spo|ren|tier|chen
Spo|ren tra|gend, spo|ren|tra|gend ↑K58

Spör|gel, der; -s, - (eine Futterpflanze)
spo|rig (landsch. für schimmelig)
Spor|ko [ʃp..., *auch* sp...], das; -s ⟨ital.⟩ (Bruttogewicht); vgl. sporco

Sporn, der; -[e]s, Plur. Sporen u., bes. fachspr., -e; einem Pferd die Sporen geben
spor|nen (veraltend)
Sporn|räd|chen
sporn|streichs (unverzüglich)
Spo|ro|phyt [ʃp..., *auch* sp...], der; -en, -en ⟨griech.⟩ (Bot. Sporenpflanze)
Spo|ro|zo|on, das; -s, ...zoen meist Plur. (Zool. Sporentierchen)

Sport, der; -[e]s, Plur. (Arten:) -e ⟨engl.⟩ (Körperübung [im Wettkampf]; Liebhaberei); Sport treibend *od.* sporttreibend
Sport|ab|zei|chen
Sport|an|geln, das; -s
Sport|ang|ler; Sport|ang|le|rin
Sport|an|la|ge; Sport|art; Sport|arti|kel; Sport|arzt; Sport|ärz|tin
Sport|bei|geis|tert
Sport|bei|la|ge (einer Zeitung); Sport|be|richt; Sport|be|richt|er|stat|tung; Sport|boot; Sport|coupé, Sport|ku|pee
Sport|di|rek|tor; Sport|di|rek|to|rin
Sport|dress
Spor|tel, die; -, -n meist Plur. ⟨griech.⟩ (früher Gebühr, die direkt dem Gerichtsherrn zufloss); Spor|tel|frei|heit, die; - (Kostenfreiheit)
spor|teln (nebenbei Sport treiben); ich sport[e]le
Sport|er|eig|nis; Sport|feld; Sportfest
Sport|fi|schen, das; -s
Sport|flie|ger; Sport|flie|ge|rei; Sport|flie|ge|rin; Sport|flug|zeug
Sport|freund; Sport|freun|din; Sport|funk|ti|o|när; Sport|funk|ti|o|nä|rin; Sport|geist, der; -[e]s; Sport|ge|mein|schaft (Abk. SG); Sport|ge|rät
sport|ge|recht
Sport|ge|schäft; Sport|ge|wehr; Sport|hal|le; Sport|hemd; Sportherz; Sport|hoch|schu|le; Sport|ho|se; Sport|ho|tel
spor|tiv ⟨engl.⟩ (sportlich)
Sport|jour|na|list; Sport|jour|na|lis|tin
Sport|ka|me|rad; Sport|ka|me|ra|din; Sport|ka|me|rad|schaft
Sport|ka|no|ne (ugs.); Sport|kleidung; Sport|klub, Sport|club
Sport|leh|rer; Sport|leh|re|rin
Sport|ler; Sport|ler|herz; Sport|le|rin
sport|lich; sport|lich-ele|gant ↑K23; Sport|lich|keit, die; -
sport|mä|ßig vgl. sportsmäßig
Sport|me|di|zin, die; -
Sport|me|di|zi|ner; Sport|me|di|zi|ne|rin
sport|me|di|zi|nisch
Sport|mel|dung; Sport|müt|ze; Sport|nach|rich|ten Plur.
Sport|platz
Sport|pres|se
Sport|re|por|ter; Sport|re|por|te|rin
Sport|scha|den; Sport|schuh; Sport|sen|dung

Sports|freund (ugs. Anrede); Sports|freun|din
Sports|geist (svw. Sportgeist); Sports|ka|no|ne (svw. Sportkanone); Sports|mann Plur. ...leute, *auch* ...männer
sports|mä|ßig, sport|mä|ßig
Sport|spra|che; Sport|stät|te; Sport|strumpf
Sport|stu|dent; Sport|stu|den|tin
Sports|wear [ʃp...vɛːɐ̯, *auch* sp...], die; - ⟨engl.⟩ (sportliche [Freizeit]kleidung)
Sport|tau|chen, das; -s
Sport|tau|cher; Sport|tau|che|rin
Sport trei|bend, sport|trei|bend ↑K58
Sport|un|fall; Sport|un|ter|richt; Sport|ver|band; Sport|ver|ein (Abk. SV; ↑K31 : Turn- und Sportverein; Abk. TuS); Sportver|let|zung; Sport|waf|fe; Sportwa|gen; Sport|wart; Sport|wis|sen|schaft; Sport|wis|sen|schaft|ler; Sport|wis|sen|schaft|le|rin
Sport|zei|tung
Spot [sp...], der; -s, -s ⟨engl.⟩ (kurzer Werbetext, -film; kurz für Spotlight)
Spot|ge|schäft (Geschäft gegen sofortige Lieferung u. Kasse [im internationalen Verkehr])
Spot|light [...laɪt], das; -s, -s (auf einen Punkt gerichtetes Licht)
Spot|markt (Markt, auf dem Rohöl frei verkauft wird)
Spott, der; -[e]s; Spott|bild
spott|bil|lig (ugs.)
Spott|dros|sel
Spöt|te|lei; spöt|teln; ich spött[e]le
spot|ten; Spöt|ter; Spöt|te|rei; Spöt|te|rin
Spott|fi|gur; Spott|ge|burt (geh. abwertend); Spott|ge|dicht; Spott|geld, das; -[e]s (ugs.)
spöt|tisch
Spott|lied; Spott|lust, die; -; Spott|na|me; Spott|preis (ugs.); Spott|sucht, die; -; Spott|vers; Spott|vo|gel
S. P. Q. R. = Senatus Populusque Romanus (Senat und Volk von Rom)
sprach vgl. sprechen
Sprach|at|las (Kartenwerk zur Sprachgeografie; vgl. ⁴Atlas); Sprach|bar|ri|e|re (Sprachw.); Sprach|bau, der; -[e]s
sprach|be|gabt
Sprach|be|herr|schung; Sprach|be|ra|tung; Sprach|com|pu|ter; Sprach|denk|mal Plur. ...mäler; geh. ...male

Spra|che, die; -, -n
Sprach|emp|fin|den
Spra|chen|fra|ge, die; -; Spra|chen-
kampf; Spra|chen|recht, das;
-[e]s; Spra|chen|schu|le; Spra-
chen|stu|di|um
Sprach|ent|wick|lung; Sprach|er-
ken|nung (EDV); Sprach|er|werb;
Sprach|fä|hig|keit; Sprach|fa|mi-
lie; Sprach|feh|ler
sprach|fer|tig; Sprach|fer|tig|keit
Sprach|for|scher; Sprach|for|sche-
rin; Sprach|for|schung
Sprach|füh|rer; Sprach|ge|biet;
Sprach|ge|brauch, der; -[e]s;
Sprach|ge|fühl, das; -[e]s;
Sprach|ge|mein|schaft; Sprach-
ge|nie
Sprach|geo|gra|fie, Sprach|geo-
gra|phie
Sprach|ge|schich|te; sprach|ge-
schicht|lich
Sprach|ge|sell|schaft; Sprach|ge-
setz
Sprach|ge|walt, die; -; sprach|ge-
wal|tig
sprach|ge|wandt; Sprach|ge|wandt-
heit, die; -
Sprach|gren|ze; Sprach|gut, das;
-[e]s
...spra|chig (z. B. fremdsprachig;
vgl. d.)
Sprach|in|sel; Sprach|kar|te;
Sprach|ken|ner; Sprach|ken|ne-
rin; Sprach|kennt|nis|se Plur.;
Sprach|kom|pe|tenz; Sprach|kri-
tik; Sprach|kul|tur
Sprach|kun|de (veraltend)
sprach|kun|dig
sprach|kund|lich (veraltet)
Sprach|kunst, die; -; Sprach|kurs;
Sprach|la|bor; Sprach|laut
Sprach|leh|re; Sprach|leh|rer;
Sprach|leh|re|rin
Sprach|len|kung
sprach|lich
...sprach|lich (z. B. fremdsprach-
lich; vgl. d.)
sprach|los; Sprach|lo|sig|keit, die; -
Sprach|ma|ni|pu|la|ti|on; Sprach-
mitt|ler; Sprach|mitt|le|rin
Sprach|norm; Sprach|nor|mung
Sprach|pfle|ge; Sprach|phi|lo|so-
phie; Sprach|psy|cho|lo|gie;
Sprach|raum; Sprach|re|ge|lung;
Sprach|rein|heit; Sprach|rei|se
sprach|rich|tig; Sprach|rich|tig-
keit
Sprach|rohr; Sprach|schatz, der;
-es; Sprach|schicht; Sprach-
schnit|zer
Sprach|schöp|fer; Sprach|schöp|fe-
rin; sprach|schöp|fe|risch

Sprach|schwie|rig|keit; Sprach|sil-
be; Sprach|stamm; Sprach|sta|tis-
tik; Sprach|stil; Sprach|stö|rung
Sprach|stu|di|um; Sprach|sys|tem
Sprach|ta|lent
Sprach|tech|no|lo|gie (fachspr.);
Sprach|teil|ha|ber; Sprach|teil|ha-
be|rin
sprach|üb|lich
Sprach|übung; Sprach|un|ter|richt;
Sprach|ver|ar|bei|tung; Sprach-
ver|ein; Sprach|ver|wir|rung;
Sprach|wan|del
sprach|wid|rig
Sprach|wis|sen|schaft; Sprach|wis-
sen|schaft|ler; Sprach|wis|sen-
schaft|le|rin; sprach|wis|sen-
schaft|lich
Sprach|witz
Sprach|zen|t|rum (Teil des
Gehirns); Sprach|zeug|nis
sprang vgl. springen
sprat|zen (Hüttenw. Gasblasen
auswerfen)
Spray [ʃpreː, auch spreː], der od.
das; -s, -s (engl.) (Flüssigkeits-
zerstäuber; in feinsten Tröpf-
chen versprühte Flüssigkeit);
Spray|do|se
spray|en; gesprayt
Spray|er, der; -s, - (jmd., der [Graf-
fiti an Wände o. Ä.] sprayt);
Spray|e|rin
Sprech|akt (Sprachw.); Sprech|an-
la|ge; Sprech|bla|se (in Comics);
Sprech|büh|ne; Sprech|chor
spre|chen; du sprichst; du
sprachst; du sprächest; gesprochen; sprich!; vor sich hin sprechen; das Kind lernt sprechen;
↑K 82 : das lange Sprechen
strengt mich an; sie wollten die
Gefangenen nicht miteinander
sprechen lassen; aber die Fakten für sich sprechen lassen od.
sprechenlassen; Blumen, die
Waffen sprechen lassen od.
sprechenlassen
Spre|cher; Spre|che|rin
Spre|cher/-innen, Spre|cher(innen)
(Kurzformen für Sprecherinnen
u. Sprecher)
spre|che|risch
Sprech|er|laub|nis; Sprech|er|zie-
hung[1]
Sprech|funk; Sprech|funk|ge|rät
Sprech|ge|sang
Sprech|kun|de, die; -; sprech|kund-
lich
Sprech|kunst; Sprech|leh|rer;
Sprech|leh|re|rin; Sprech|pau|se;
Sprech|rol|le; Sprech|sil|be;
Sprech|stö|rung

Sprech|stun|de; Sprech|stun|den-
hil|fe
Sprech|tag; Sprech|übung; Sprech-
un|ter|richt; Sprech|ver|bot;
Sprech|wei|se, die; -, -n; Sprech-
werk|zeu|ge Plur.; Sprech|zeit;
Sprech|zim|mer
Spree, die; - (linker Nebenfluss
der Havel); Spree-Athen
(scherzh. für Berlin)
Spree|wald, der; -[e]s ↑K143 ;
[1]Spree|wäl|der; Spreewälder
Tracht
[2]Spree|wäl|der (Bewohner des
Spreewaldes); Spree|wäl|de|rin
Spre|he, die; -, -n (westmitteld. u.
nordwestd. für [3]Star)
Sprei|ßel, der, österr. das; -s, -
(landsch., bes. bayr., österr. für
Splitter, Span); Sprei|ßel|holz,
das; -es (österr. für Kleinholz)
Spreit|de|cke, Sprei|te, die; -, -n
(landsch. für Lage [Getreide
zum Dreschen]; [Bett]decke);
sprei|ten (veraltend für ausbrei-
ten); Spreit|la|ge (landsch. für
Getreidelage)
spreiz|bei|nig
Spreiz|dü|bel
Sprei|ze, die; -, -n (Turnübung)
sprei|zen; du spreizt; gespreizt
Spreiz|fuß; Spreiz|sprung (Turnen)
Sprei|zung
Spreiz|win|del
Spreng|bom|be
Spren|gel, der; -s, - (Amtsgebiet
eines Bischofs, Pfarrers; österr.
für Amtsbezirk)
spren|gen
Spreng|ge|schoss vgl. Geschoss;
Spreng|gra|na|te; Spreng|kam-
mer; Spreng|kap|sel; Spreng-
kom|man|do; Spreng|kopf;
Spreng|kör|per; Spreng|kraft;
Spreng|la|dung
Spreng|laut (für Explosiv)
Spreng|meis|ter; Spreng|meis|te|rin
Spreng|mit|tel, das; Spreng|pa|t|ro-
ne; Spreng|pul|ver; Spreng-
punkt; Spreng|satz
Spreng|sel, der od. das; -s, - (ugs.
für Sprenkel)
Spreng|stoff; Spreng|stoff|an-
schlag; spreng|stoff|hal|tig
Spreng|trupp; Spren|gung
Spreng|wa|gen
Spreng|werk (Bauw. Träger mit
Streben)
Spreng|wir|kung

S

Spre

---

[1] Die Trennung zwischen r und z
sollte vermieden werden ↑K168 .

Spren|kel, der; -s, - (Fleck, Punkt, Tupfen)

spren|ke|lig, spren̨k|lig; **spren|keln**; ich sprenk[e]le; ein gesprenkeltes (getupftes) Fell

sprenk|lig vgl. sprenkelig

spren|zen (südwestd. für stark sprengen; regnen); du sprenzt

Spreu, die; -; **spreu|ig**

spricht vgl. sprechen

Sprich|wort Plur. ...wörter; **Sprich-wör|ter|samm|lung; sprich|wört-lich**; sprichwörtliche Redensart

Sprie|gel, der; -s, - (Bügel für das Wagenverdeck; landsch. für Aufhängeholz der Fleischer)

Sprie|ße, die; -, -n (Bauw. Stütze, Quer-, Stützbalken; landsch. für Sprosse)

Sprie|ßel, das; -s, -[n] (österr. ugs. für Sprosse)

¹sprie|ßen (Bauw. stützen); du sprießt; du sprießtest; gesprießt; sprieß[e]!

²sprie|ßen (hervorwachsen); es sprießt; es spross; es sprösse; gesprossen; sprieß[e]!

Sprieß|holz Plur. ...hölzer (Bauw.)

Spriet, das; -[e]s, -e (Seemannsspr. dünne Spiere)

¹Spring, der; -[e]s, -e (landsch. für das Sprudeln; Quelle)

²Spring, die; -, -e (Seemannsspr. zum ausgeworfenen Anker führende Trosse)

Spring|blen|de (Fotogr.)

Spring|brun|nen

sprin|gen; du springst; du sprangst; du sprängest; gesprungen; spring[e]!; ein paar Euro springen lassen od. springenlassen (ugs.)

Sprin|ger; Sprin|ge|rin

Sprin|ger|le, das; -s, - (südd. ein Gebäck)

Sprin|ger|li, das; -s, - (schweiz. svw. Springerle)

Spring|flut

Spring|form (eine Kuchenform)

Spring|ins|feld, der; -[e]s, -e (scherzh.)

Spring|kä|fer; Spring|kraut, das; -[e]s (eine Pflanzengattung)

spring|le|ben|dig

Spring|maus; Spring|mes|ser, das

Spring|pferd; Spring|prü|fung

Spring|rei|ten, das; -s; **Spring|rei-ter; Spring|rei|te|rin**

Spring|schnur (österr.); **Spring|seil**, Sprungseil

Spring|ti|de (svw. Springflut)

Spring|wurz, Spring|wur|zel

Sprink|ler, der; -s, - ⟨engl.⟩ (Berie-selungsgerät); **Sprink|ler|an|la|ge** (Feuerlöschanlage)

Sprint, der; -s, -s ⟨engl.⟩ (Sport Kurzstreckenlauf); **sprin|ten**

Sprin|ter, der; -s, -; **Sprin|te|rin**

Sprin|ter|ren|nen (Radsport)

Sprint|stre|cke; Sprint|ver|mö|gen, das; -s

Sprit, der; -[e]s, -e Plur. selten (kurz für Spiritus; ugs. für Treibstoff); **sprig|tig** (wie Sprit riechend, schmeckend); **Sprit-preis; Sprit|ver|brauch**

Spritz|ap|pa|rat; Spritz|ar|beit; Spritz|be|ton; Spritz|beu|tel (Gastron.); **Spritz|dü|se**

Sprit|ze, die; -, -n

sprit|zen; du spritzt

Sprit|zen|haus (veraltend); **Sprit-zen|meis|ter** (früher)

Sprit|zer; Sprit|ze|rei

Spritz|fahrt (ugs.)

Spritz|ge|ba|cke|ne, das; -n

Spritz|gie|ßen, das; -s (Technik); Spritz|guss, der; -es (Technik)

sprit|zig; Sprit|zig|keit, die; -

Spritz|ku|chen

Spritz|lack; Spritz|la|ckie|rung

Spritz|ma|le|rei; Spritz|pis|to|le; Spritz|tour (ugs.)

spröd, sprö|de

Sprö|de, die; - (älter für Sprödig-keit); **Spröd|heit**, die; -; **Srö|dig-keit**, die; -

Spross, der; -es, -e[n] (Nach-komme; Pflanzentrieb; Jägerspr. Teil des Geweihs); **Spross|ach|se** (Bot.); Spröss|chen

Spros|se, die; -, -n (Querholz der Leiter; Hautfleck; auch für Sproß [Geweihteil])

spros|sen; du sprosst, er/sie/es sprosst; du sprosstest; gesprosst; sprosse! u. spross!

Spros|sen|kohl, der; -[e]s (österr. für Rosenkohl)

Spros|sen|lei|ter, die; **Spros|sen-wand** (ein Turngerät)

Spros|ser, der; -s, - (ein Vogel)

Spröss|ling (scherzh.)

Spros|sung (veraltend)

Sprot|te, die; -, -n (ein Fisch)

Spruch, der; -[e]s, Sprüche

Spruch|band, das; Plur. ...bänder

Spruch|buch; Spruch|dich|tung

Sprü|che|klop|fer (ugs. abwertend); **Sprü|che|klop|fe|rei; Sprü|che-klop|fe|rin**

Spruch|kam|mer (frühere Entnazi-fizierungsbehörde)

Sprüch|lein

spruch|reif

Spruch|weis|heit

Spru|del, der; -s, -

Spru|del|kopf (veraltet für auf-brausender Mensch)

spru|deln (österr. auch für quir-len); ich sprud[e]le

Spru|del|stein (für Aragonit)

Spru|del|was|ser Plur. ...wässer

Sprud|ler (österr. für Quirl)

Sprue [spru:], die; - ⟨engl.⟩ (Med. fiebrige Erkrankung)

Sprüh|do|se

sprü|hen

Sprüh|fla|sche; Sprüh|pflas|ter; Sprüh|re|gen

Sprung, der; -[e]s, Sprünge; auf dem Sprung sein

Sprung|an|la|ge; Sprung|bal|ken (beim Weitsprung); **Sprung|be-cken; Sprung|bein**

sprung|be|reit

Sprung|brett; Sprung|de|ckel

Sprung|fe|der; Sprung|fe|der|mat-ra|t|ze

sprung|fer|tig

Sprung|ge|lenk; Sprung|gru|be

sprung|haft; Sprung|haf|tig|keit, die; -

Sprung|hö|he; Sprung|hü|gel; Sprung|kraft; Sprung|lauf (Ski-sport); **Sprung|pferd** (Turnen); **Sprung|schan|ze** (Skisport); **Sprung|seil; Sprung|stab** (Leicht-athletik); **Sprung|tuch; Sprung-turm** (Basketball, Handball)

SP Schweiz vgl. SP

Spu|cke, die; - (ugs. für Speichel)

spu|cken (speien); **Spuck|napf**

Spuk, der; -[e]s, -e (Gespenst[erer-scheinung])

spu|ken (gespensterhaftes Unwe-sen treiben); **Spu|ke|rei** (ugs.); **Spuk|ge|schich|te; Spuk|ge|stalt; spuk|haft**

Spül|au|to|mat

Spül|be|cken

Spu|le, die; -, -n

Spü|le, die; -, -n

spu|len

spü|len

Spu|ler (an der Nähmaschine)

Spü|ler; Spü|le|rin

Spül|gang

Spül|licht, das; -s, -e (veraltend für Spülwasser)

Spül|kas|ten

Spul|ma|schi|ne

Spül|ma|schi|ne; Spül|mit|tel, das; **Spül|stein** (landsch.); **Spül|tisch**

Spü|lung

Spül|wasch|gang

Spül|was|ser Plur. ...wässer

Spul|wurm

Spu|man|te [sp...], der; -s, -s ⟨ital.⟩ (*ital. Bez. für* Schaumwein)

¹Spund, der; -[e]s, *Plur.* Spünde u. -e ⟨ital.⟩ (Fassverschluss; *Tischlerei* Feder)

²Spund, der; -[e]s, -e (*ugs. für* junger Mann)

Spund|boh|le (*Bauw.*); Spund|boh|rer

spun|den (*Tischlerei* mit Spund versehen; [Bretter] durch Feder und Nut verbinden)

spun|dig (*landsch. für* nicht richtig durchgebacken)

Spund|loch; Spun|dung; Spund|wand (wasserdichte Bohlen- od. Eisenwand); Spund|zap|fen

Spun|ten, der; -s, - (*schweiz. für* ¹Spund; *schweiz. mdal. für* einfache Gaststätte)

Spur, die; -, -en

spür|bar

Spür|brei|te

spu|ren (*Skisport* die erste Spur legen; *ugs. für* gefügig sein)

spü|ren

Spu|ren|ele|ment *meist Plur.* (für den Organismus unentbehrliches, aber nur in sehr geringen Mengen benötigtes Element)

Spu|ren|le|ger (*Skisport*); Spu|ren|nach|weis; Spu|ren|si|che|rung

Spü|rer; Spür|hund

...spu|rig (z. B. schmalspurig)

Spur|kranz (bei Schienenfahrzeugen)

spur|los

Spür|na|se (*übertr. ugs.*)

Spür|pan|zer

Spur|ril|le (*Verkehrsw.*)

spur|si|cher

Spür|sinn, der; -[e]s

Spurt, der; -[e]s, *Plur.* -s, *selten* -e ⟨engl.⟩ (schneller Lauf); spur|ten; spurt|schnell; spurt|stark; Spurt|ver|mö|gen

Spur|wech|sel; Spur|wei|te

Spu|ta (*Plur. von* Sputum)

spu|ten, sich (sich beeilen)

Sput|nik [ʃp..., *auch* sp...], der; -s, -s ⟨russ., »Gefährte«⟩ (Bez. für die ersten sowjetischen Erdsatelliten)

Spu|tum [ʃp..., *auch* sp...], das; -s, ...ta ⟨lat.⟩ (*Med.* Auswurf)

Spvg., Spvgg. = Spielvereinigung

Square [skvɛːɐ̯], der *od.* das; -[s], -s ⟨engl.⟩ (*engl. Bez. für* Quadrat; Platz)

Square|dance [...daːns], der; -, -s (amerikan. Volkstanz)

Squash [skvɔʃ], das; - ⟨engl.⟩ (Fruchtsaft mit Fruchtfleisch; dem Tennis ähnliches Ballspiel)

Squat|ter [ˈskvɔtɐ], der; -s, - ⟨engl.⟩ (jmd., der illegal auf unbebautem Land siedelt; *auch für* Hausbesetzer); Squat|te|rin

Squaw [skvo:], die; -, -s ⟨indian.-engl.⟩ (nordamerikanische Indianerfrau)

Squi|re [ˈskvaɪɐ], der; -[s], -s ⟨engl.⟩ (engl. Gutsherr)

sr = Steradiant

Sr = *chemisches Zeichen für* Strontium

SR, der; - = Saarländischer Rundfunk

Sr. = Seiner (Durchlaucht usw.)

SRG, die; - = Schweizerische Radio- und Fernsehgesellschaft

SRI = socially responsible investing (das Einbeziehen sozialer u. ökologischer Kriterien in Investitionsentscheidungen)

SRI-Fonds

Sri Lan|ka ⟨singhales.⟩ (Inselstaat im Indischen Ozean); Sri-Lan-ker, Sri Lan|ker ; Sri-Lan|ke|rin, Sri Lan|ke|rin

sri-lan|kisch

SS. = Sante, Santi

SSD, der; - = Staatssicherheitsdienst (der DDR)

SSO = Südsüdost[en]

SSR, die; - = Sozialistische Sowjetrepublik (bis 1991); *vgl.* SSSR

SSSR, die; - ⟨für russ. CCCP = Union der Sozialistischen Sowjetrepubliken (bis 1991)⟩ (Sowjetunion)

SSW = Südsüdwest[en]

st! (Ruf, mit dem man [leise] auf sich aufmerksam machen will; Aufforderung, leise zu sein)

St = ¹·²Saint; Stratus

St. = Sankt; ¹Saint; Stück; Stunde

s. t. = sine tempore

S. T. = salvo titulo

Sta. = Santa

¹Staat, der; -[e]s, -en ⟨lat.⟩; von Staats wegen; Staaten bildende od. staatenbildende Insekten

²Staat, der; -[e]s (*ugs. für* Prunk); Staat machen (prunken)

Staa|ten bil|dend , staa|ten|bil|dend ↑ K 58

Staa|ten|bund ⟨zu ¹Bund⟩

Staa|ten|ge|mein|schaft

staa|ten|los; Staa|ten|lo|se, der u. die; -n, -n; Staa|ten|lo|sig|keit, die; -; Staa|ten|sys|tem

staat|lich; staat|li|cher|seits; Staat|lich|keit, die; - (Status eines Staates)

Staats|af|fä|re; Staats|akt; Staats-ak|ti|on

Staats|ama|teur (Amateursportler, der vom Staat so sehr gefördert wird, dass er den Sport wie ein Profi betreiben kann); Staats-ama|teu|rin

Staats|amt

Staats|an|ge|hö|ri|ge, der u. die

Staats|an|ge|hö|rig|keit, die; -, -en

Staats|an|lei|he

Staats|an|walt; Staats|an|wäl|tin; Staats|an|walt|schaft

Staats|ap|pa|rat; Staats|ar|chiv; Staats|bank *Plur.* ...banken; Staats|ban|kett; Staats|bank|rott; Staats|be|am|te; Staats|be|am-tin; Staats|be|gräb|nis; Staats|be-such; Staats|be|trieb; Staats|bib-lio|thek

Staats|bür|ger; Staats|bür|ge|rin; Staats|bür|ger|kun|de, die; - (Unterrichtsfach, bes. in der DDR); staats|bür|ger|lich; Staats-bür|ger|schaft; Staats|bür|ger-schafts|nach|weis (*österr.*)

Staats|bür|g|schaft

Staats|chef; Staats|che|fin

Staats|die|ner; Staats|die|ne|rin; Staats|dienst

staats|ei|gen; Staats|ei|gen|tum

staats|er|hal|tend

Staats|ex|a|men; Staats|fei|er|tag

Staats|feind; Staats|fein|din

staats|feind|lich; Staats|feind|lich-keit, die; -

Staats|fi|nan|zen *Plur.*; Staats|flag-ge; Staats|form; Staats|frau; Staats|füh|rung; Staats|ge|biet

staats|ge|fähr|dend; Staats|ge|fähr-dung

Staats|ge|fäng|nis; Staats|ge|heim-nis; Staats|gel|der *Plur.*; Staats-ge|richts|hof, der; -[e]s; Staats-ge|walt, die; -; Staats|gren|ze

Staats|grund|ge|setz (*österr. für* Gesetzeswerk mit Grundrechten [als Teil der Verfassung])

Staats|grün|dung; Staats|haus|halt; Staats|ho|heit, die; -; Staats|kanz-lei; Staats|ka|pi|ta|lis|mus; Staats|ka|ros|se; Staats|kas|se; Staats|kir|che; Staats|kos|ten *Plur.*; auf Staatskosten

Staats|kunst, die; -; Staats|leh|re

Staats|li|ga (*österr. für* oberste Liga mancher Sportarten)

Staats|macht

Staats|mann *Plur.* ...männer; staats|män|nisch

Staats|meis|ter (*österr. Sport* Landesmeister); Staats|meis|te|rin; Staats|meis|ter|schaft

S

Staa

Staats|mi|nis|ter; Staats|mi|nis|te|rin

Staats|mo|no|pol; staats|mo|no|po|lis|tisch

Staats|not|stand

Staats|ober|haupt; Staats|oper

Staats|or|gan

Staats|po|li|tik, die; -; staats|po|li|tisch

Staats|prä|si|dent; Staats|prä|si|den|tin

Staats|prü|fung; die erste, die zweite Staatsprüfung

Staats|qual|le (ein Nesseltier)

Staats|quo|te (Verhältnis der Staatsausgaben zum Sozialprodukt)

Staats|rä|son

Staats|rat Plur. ...räte; Staats|rä|tin; Staats|rats|vor|sit|zen|de

Staats|recht, das; -[e]s

Staats|recht|ler; Staats|recht|le|rin

staats|recht|lich

Staats|re|gie|rung

Staats|re|li|gi|on

Staats|sä|ckel

Staats|schau|spie|ler; Staats|schau|spie|le|rin

Staats|schrei|ber (schweiz. für Vorsteher einer Staatskanzlei); Staats|schrei|be|rin; Staats|schulden Plur.; Staats|schutz

Staats|se|kre|tär; Staats|se|kre|tä|rin

Staats|si|cher|heit, die; -; Staats|sicher|heits|dienst, der; -[e]s (früher politische Geheimpolizei der DDR; Abk. SSD)

Staats|streich; Staats|the|a|ter

staats|tra|gend

Staats|trau|er; Staats|ver|bre|chen; Staats|ver|dros|sen|heit; Staatsver|schul|dung; Staats|ver|trag; Staats|volk; Staats|we|sen; Staats|wirt|schaft; Staats|wissen|schaft

Stab, der; -[e]s, Stäbe; 25 Stab Roheisen; Stab|an|ten|ne

Sta|bat Ma|ter [st... -], das; - -, - - ⟨lat., »die Mutter [Jesu] stand [am Kreuze]«⟩ ([vertonte] mittelalterliche Sequenz)

Stäb|chen; Stab|ei|sen

Sta|bel|le, die; -, -n ⟨roman.⟩ (schweiz. für Stuhl, dessen Beine [u. Lehne] einzeln in die Sitzfläche eingelassen sind)

stä|beln (landsch. für [Pflanzen] anbinden); ich stäb[e]le

sta|bend (für alliterierend)

Sta|berl, der; -s (eine Gestalt der Wiener Posse)

stab|för|mig

Stab|füh|rung (musikalische Leitung)

Stab|hoch|sprin|ger; Stab|hochsprin|ge|rin; Stab|hoch|sprung

sta|bil ⟨lat.⟩ (beständig, fest; kräftig, widerstandsfähig); stabil machen (stabilisieren)

Sta|bi|li|sa|ti|on, die; -, -en ⟨lat.⟩

Sta|bi|li|sa|tor, der; -s, ...oren (Vorrichtung zur Verringerung der Kurvenneigung bei Kraftwagen; Zusatz, der die Zersetzung chemischer Verbindungen verhindern soll; elektrischer Spannungsregler)

sta|bi|li|sie|ren (stabil machen); Sta|bi|li|sie|rungs|flä|che (Flugw.); Sta|bi|li|sie|rungs|flos|se (bei Autos, Schiffen u. a.)

Sta|bi|li|tät, die; -; Sta|bi|li|täts|pakt; Sta|bi|li|täts|po|li|tik, die; -

Stab|lam|pe; Stab|mi|xer (elektrisches Gerät zum Mixen)

Stab|reim (Anlautreim, Alliteration); stab|rei|mend

Stabs|arzt; Stabs|ärz|tin; Stabschef; Stabs|che|fin; Stabs|feldwe|bel

stab|sich|tig (für astigmatisch); Stab|sich|tig|keit, die; -

Stabs|of|fi|zier; Stabs|of|fi|zie|rin; Stabs|stel|le; Stabs|ve|te|ri|när; Stabs|ve|te|ri|nä|rin

Stab|ta|schen|lam|pe

Stab|wech|sel (beim Staffellauf)

Stab|werk (got. Archit.)

stacc. = staccato

stac|ca|to [st..., auch st...] ⟨ital.⟩ (Musik deutlich abgesetzt; Abk. stacc.)

Stac|ca|to vgl. Stakkato

stach vgl. stechen

Sta|chel, der; -s, -n

Sta|chel|bee|re

Sta|chel|draht; Sta|chel|draht|verhau; Sta|chel|draht|zaun

Sta|chel|hals|band

Sta|chel|häu|ter (Zool.)

sta|che|lig, stach|lig; Sta|che|lig|keit, Stach|lig|keit, die; -

sta|cheln; ich stach[e]le

Sta|chel|schwein

stach|lig usw. vgl. stachelig usw.

Stack, das; -[e]s, -e (Seew. Buhne); Stack|deich

stad (österr. u. bayr. ugs. für still)

Sta|del, der; -s, Plur. -, schweiz. auch Städel (bayr., österr., schweiz. für Scheune, kleines [offenes] Gebäude)

Sta|den, der; -s, - (südd. für Ufer[straße])

sta|di|al ⟨griech.-lat.⟩ (stufenweise, abschnittsweise)

Sta|di|on, das; -s, ...ien ⟨griech.⟩ (auch altgriechisches Wegmaß); Sta|di|on|an|sa|ge; Sta|di|on|sprecher; Sta|di|on|spre|che|rin

Sta|di|um, das; -s, ...ien ([Zu]stand, Entwicklungsstufe, Abschnitt)

Stadt, die; -, Städte [auch 'ʃtɛ...]

Stadt|amt (bes. österr. für Verwaltungsbehörde einer Stadt)

Stadt|ar|chiv

stadt|aus|wärts

Stadt|au|to|bahn; Stadt|bahn

Stadt|bau Plur. ...bauten (städtischer Bau); Stadt|bau|amt; Stadtbau|rat; Stadt|bau|rä|tin

stadt|be|kannt

Stadt|be|völ|ke|rung; Stadt|be|wohner; Stadt|be|woh|ne|rin; Stadtbe|zirk; Stadt|bi|b|lio|thek; Stadtbild; Stadt|bü|che|rei; Stadt|bummel (ugs.)

Städt|chen [auch 'ʃtɛ...]

Stadt|chro|nik

Stadt|di|rek|tor; Stadt|di|rek|to|rin

Städ|te|bau [auch 'ʃtɛ...], der; -[e]s; städ|te|bau|lich [auch 'ʃtɛ...]

Städ|te|bil|der [auch 'ʃtɛ...] Plur. (Kunstwiss.)

Städ|te|bund [auch 'ʃtɛ...], der (im MA.)

stadt|ein|wärts

Städ|te|kampf [auch 'ʃtɛ...]

Städ|te|part|ner|schaft [auch 'ʃtɛ...]

Städ|ter [auch 'ʃtɛ...]; Städ|te|rin [auch 'ʃtɛ...]

Städ|te|tag [auch 'ʃtɛ...]

Stadt|ex|press (Zug des Personennahverkehrs; Abk. SE)

Stadt|fahrt

stadtfein; sich stadtfein machen

Stadt|flucht; Stadt|füh|rer; Stadtfüh|rung; Stadt|gar|ten; Stadtgas, das; -es; Stadt|ge|biet; Stadt|ge|mein|de; Stadt|gespräch; Stadt|gra|ben; Stadtgren|ze; Stadt|gue|ril|la; Stadthal|le; Stadt|haus

Stadt|in|di|a|ner (ugs. für jmd., der seine Ablehnung der bestehenden Gesellschaft durch auffällige Kleidung [u. Gesichtsbemalung] zum Ausdruck bringt); Stadt|in|di|a|ne|rin

Stadt|in|ne|re

städ|tisch [auch 'ʃtɛ...]

Stadt|käm|me|rer; Stadt|käm|me|rin

Stadt|kas|se; Stadt|kern; Stadtkreis; stadt|kun|dig

Städt|lein [*auch* ˈʃtɛ...]

Stadt|mar|ke|ting; Stadt|mau|er; Stadt|mensch; Stadt|mis|si|on; Stadt|mit|te; Stadt|mu|si|kant (*früher*); Stadt|park; Stadt|pfei|fer (*früher*)

Stadt|phy|si|ka, die; -, -[s]; Stadt|phy|si|kus, der; -, -se ⟨lat.⟩ (*österr. amtl. für* Amtsärztin *bzw.* Amtsarzt)

Stadt|plan

Stadt|pla|ner; Stadt|pla|ne|rin; Stadt|pla|nung

Stadt|prä|si|dent (*schweiz. für* Oberbürgermeister); Stadt|prä|si|den|tin

Stadt|rand; Stadt|rand|sied|lung

Stadt|rat *Plur.* ...räte; Stadt|rä|tin

Stadt|recht, das; -[e]s; Stadt|rei|ni|gung; Stadt|rund|fahrt; Stadt|sa|nie|rung; Stadt|schloss

Stadt|schrei|ber; Stadt|schrei|be|rin

Stadt|staat

Stadt|strei|cher; Stadt|strei|che|rin

Stadt|teil; Stadt|teil|ar|beit

Stadt|the|a|ter; Stadt|tor; Stadt|vä|ter *Plur.*; Stadt|ver|kehr

Stadt|ver|ord|ne|te, der *u.* die; -n, -n; Stadt|ver|ord|ne|ten|ver|samm|lung

Stadt|ver|wal|tung; Stadt|vier|tel; Stadt|wald; Stadt|wap|pen; Stadt|wer|ke *Plur.*; Stadt|woh|nung; Stadt|zen|t|rum

Staël [staˈɛl], Madame de (franz. Schriftstellerin)

Sta|fel, der; -s, Stäfel ⟨roman.⟩ (*schweiz. für* Alpweide mit Hütte[n])

Sta|fet|te, die; -, -n ⟨ital.⟩ (*früher für* Meldereiter; Gruppe von Personen, die, etappenweise wechselnd, etwas [schnell] übermitteln); Sta|fet|ten|lauf

Staf|fa|ge [...ˈʒə], die; -, -n ⟨französierende Bildung⟩ (Beiwerk, Belebung [eines Bildes] durch Figuren; Nebensächliches, Ausstattung)

Staf|fel, die; -, -n; ↑K 26 : 4 × 100-m-Staffel *od.* 4-mal-100-Meter-Staffel

Staf|fel|an|lei|he (*Wirtsch.*); Staf|fel|bei|tei|li|gung (*Wirtsch.*)

Staf|fe|lei

staf|fel|för|mig

Staf|fel|lauf (*Sport*); Staf|fel|mie|te

staf|feln; ich staff[e]le

Staf|fel|preis; Staf|fel|rech|nung; Staf|fel|span|ne (*Wirtsch.*)

Staf|fe|lung, Staff|lung

staf|fel|wei|se

Staf|fel|wett|be|werb (*Sport*)

---

staf|fie|ren ⟨franz.⟩ (*österr. für* schmücken, putzen; einen Stoff auf einen anderen aufnähen)

Staf|fie|rer; Staf|fie|re|rin; Staf|fie|rung

Staff|lung *vgl.* Staffelung

Stag, das; -[e]s, -e[n] (*Seemannsspr.* [Stahl]tau zum Verspannen eines Mastes)

Stage [staːʒ], der; -s, -s *u.* die; -, -s ⟨franz.⟩ (*schweiz. für* Aufenthalt bei einer Firma o. Ä. zur weiterführenden Ausbildung od. als Praktikum)

Stage|di|ving [ˈsteːdʒdaivɪŋ], das; -s, -s ⟨engl.⟩ (Sprung von der Bühne ins Publikum)

Stag|fla|ti|on [ʃt..., *auch* st...], die; -, -en ⟨aus Stagnation *u.* Inflation⟩ (von wirtschaftlichem Stillstand begleitete Inflation)

Sta|gi|aire [staˈʒjɛːr], der; -s, -s ⟨franz.⟩ (*schweiz. für* jmd., der einen Stage absolviert)

Sta|g|na|ti|on [ʃt..., *auch* st...], die; -, -en ⟨lat.⟩ (Stockung, Stillstand); sta|g|nie|ren; Sta|g|nie|rung

Stag|se|gel (*Seemannsspr.* an einem Stag gefahrenes Segel)

stahl *vgl.* stehlen

Stahl, der; -[e]s, *Plur.* Stähle, *selten* Stahle

Stahl|ar|bei|ter; Stahl|ar|bei|te|rin; Stahl|bad; Stahl|band, das; *Plur.* ...bänder; Stahl|bau *Plur.* ...bauten; Stahl|be|ton

stahl|blau

Stahl|blech; Stahl|bürs|te; Stahl|draht

stäh|len

stäh|lern (aus Stahl)

Stahl|er|zeu|gung; Stahl|fe|der; Stahl|flach|stra|ße (*Straßenbau*); Stahl|fla|sche

stahl|grau; stahl|hart

Stahl|helm; Stahl|in|dus|t|rie; Stahl|kam|mer; Stahl|ko|cher (*ugs. für* Stahlarbeiter); Stahl|ko|che|rin; Stahl|plat|te

Stahl|rohr; Stahl|rohr|mö|bel

Stahl|ross (*scherzh. für* Fahrrad)

Stahl|ske|lett|bau|wei|se, die; -

Stahl|ste|cher; Stahl|ste|che|rin; Stahl|stich

Stahl|trä|ger; Stahl|tros|se; Stahl|werk; Stahl|wol|le, die; -

stak *vgl.* stecken

Sta|ke, die; -, -n, Sta|ken, der; -s, - (*landsch. für* Stange zum Schieben von Flößen, Kähnen); sta|ken (*landsch. für* mit Staken fortbewegen)

Sta|ket [ʃta...], das; -[e]s, -e ⟨niederl.⟩ (Lattenzaun); Sta|ke|te, die; -, -n (*bes. österr. für* Zaunlatte); Sta|ke|ten|zaun

Stak|ka|to [ʃt..., *auch* st...], das; -s, *Plur.* -s *u.* ...ti ⟨ital.⟩ (*Musik* kurz abgestoßener Vortrag); *vgl.* staccato

stak|sen (*ugs. für* mit steifen Schritten gehen); du stakst; stak|sig

Sta|lag|mit [ʃt..., *auch* st...], der; *Gen.* -s *u.* -en, *Plur.* -e[n] ⟨griech.⟩ (Tropfstein vom Boden her, Auftropfstein); sta|lag|mi|tisch

Sta|lak|tit, der; *Gen.* -s *u.* -en, *Plur.* -e[n] (Tropfstein an Decken, Abtropfstein); Sta|lak|ti|ten|ge|wöl|be (islamische Baukunst); sta|lak|ti|tisch

Sta|lin [ʃt..., *auch* st...] (sowjetischer Politiker)

Sta|lin|grad *vgl.* Wolgograd

Sta|li|nis|mus, der; - (von Stalin geprägte Interpretation des Marxismus u. die von ihm danach geprägte Herrschaftsform); Sta|li|nist, der; -en, -en; Sta|li|nis|tin; sta|li|nis|tisch

Sta|lin|or|gel (*früher* sowjetischer Raketenwerfer)

Stal|ker [ˈstɔːkɐ], der; -s, - ⟨engl.⟩ (jmd., eine andere Person fortgesetzt beleidigt, verfolgt oder ihr auflauert); Stal|ke|rin; Stal|king, das; -s

Stall, der; -[e]s, Ställe; Stall|bur|sche; Ställ|chen; Stall|dün|ger (natürl. Dünger); stal|len

Stall|füt|te|rung; Stall|ge|fähr|te (*Rennsport*); Stall|ge|fähr|tin; Stall|ge|ruch (*auch für* Zugehörigkeit zu einem bestimmten Verein); Stall|ha|se (Hauskaninchen); Stall|knecht (*veraltend*)

Stall|la|ter|ne, Stall-La|ter|ne

Stall|magd (*veraltend*); Stall|meis|ter; Stall|meis|te|rin

Stall|or|der (*bes. Rennsport* Anweisung an einen Fahrer od. Jockey, einen Konkurrenten aus dem eigenen Team oder Rennstall taktisch zu begünstigen)

Stall|pflicht (*Landw.*)

Stal|lung

Stall|wa|che (*auch für* Präsenz am Regierungssitz während der Parlamentsferien)

Stam|bul [ʃt..., *auch* st...] (Stadtteil von Istanbul)

Sta|mi|no|di|um [ʃt..., *auch* st...], das; -s, ...ien ⟨lat.⟩ (*Bot.* unfruchtbares Staubblatt)

Stạmm, der; -[e]s, Stämme
Stạmm|ak|tie
Stạmm|baum; Stạmm|be|leg|schaft;
Stạmm|be|set|zung; Stạmm|buch;
Stạmm|burg
stạmm|bür|tig (*Bot.* am Stamm
ansetzend [von Blüten])
Stämm|chen
Stạmm|da|ten *Plur. (EDV)*
Stạmm|ein|la|ge (*Wirtsch.*)
stạm|meln; ich stamm[e]le
stạm|men
stạm|mern (*nordd. für* stammeln);
ich stammere
Stạm|mes|be|wusst|sein
Stạm|mes|füh|rer; Stạm|mes|füh|re-
rin; Stạm|mes|fürst; Stạm|mes-
fürs|tin
Stạm|mes|ge|schich|te, die; -; **stạm-**
mes|ge|schicht|lich
Stạm|mes|häupt|ling; Stạm|mes-
kun|de, die; -; **Stạm|mes|na|me**
Stạm|mes|sen
Stạm|mes|spra|che; Stạm|mes|ver-
band; Stạm|mes|zu|ge|hö|rig|keit
Stạmm|form; Stạmm|gast *Plur.*
...gäste; **Stạmm|ge|richt**
stạmm|haft
Stạmm|hal|ter (*scherzh. für* erster
männlicher Nachkomme)
Stạmm|haus
stäm|mig; Stäm|mig|keit, die; -
Stạmm|ka|pi|tal; Stạmm|knei|pe
(*ugs.*)
Stạmm|kun|de, der; **Stạmm|kun-**
din; Stạmm|kund|schaft
Stạmm|land *Plur.* ...länder
Stạmm|ler; Stạmm|le|rin
Stạmm|lo|kal
Stạmm|mann|schaft,
Stamm-Mann|schaft
Stạmm|mie|te, Stamm-Mie|te
Stạmm|mie|ter, Stamm-Mie|ter
Stạmm|mut|ter, Stamm-Mut|ter
Plur. ...mütter
Stạmm|per|so|nal; Stạmm|platz;
Stạmm|re|gis|ter (*Bankw.*);
Stạmm|rol|le (*Milit. früher*);
Stạmm|sil|be; Stạmm|sitz;
Stạmm|spie|ler (*Sport*); **Stạmm-**
spie|le|rin; Stạmm|ta|fel
Stạmm|tisch; Stạmm|tisch|po|li|ti-
ker; Stạmm|tisch|po|li|ti|ke|rin
Stạmm|ton *Plur.* ...töne (*Musik*)
Stạmm|va|ter
stạmm|ver|wandt; Stạmm|ver-
wandt|schaft
Stạmm|vo|kal; Stạmm|wäh|ler
meist Plur.; **Stạmm|wäh|le|rin;**
Stạmm|wort; Stạmm|wür|ze
Stạmm|zel|le (*Med.* undifferen-
zierte, d. h. keinem endgültigen
Zelltyp angehörende, Zelle)

Stạmm|zel|len|for|schung, Stạmm-
zell|for|schung
Stạ|mo|kap, der; -[s] (*Kurzw. für*
staatsmonopolistischer Kapitalismus)
Stạm|pe, die; -, -n (*bes. berlin. für*
Gaststätte, Kneipe)
Stạm|pe|de [ʃt..., *auch* st..., *auch*
stem'piːt], die; -, *Plur.* -n, *bei*
engl. *Aussprache* -s ⟨engl.⟩
(wilde Flucht einer in Panik
geratenen [Rinder]herde)
Stạm|per, der; -s, - (Schnapsglas
ohne Fuß); **Stạm|perl,** das; -s, -n
(*bayr. u. österr. für* Stamper)
Stạmpf|be|ton; Stạmp|fe, die; -, -n
stạmp|fen; Stạmp|fer; Stạmpf|kar-
tof|feln *Plur.* (*landsch. für* Kar-
toffelbrei)
Stạm|pịg|lie [...'pɪljə], die; -, -n
⟨ital.⟩ (*österr. für* Stempel)
Stạn [stɛn] (m. Vorn.)
stạnd *vgl.* stehen

Stand

der; -[e]s, Stände

– einen schweren Stand haben
– er ist gut im Stande (bei guter
Gesundheit)
– jmdn. in den Stand setzen[,]
etwas zu tun
– standhalten (*vgl. d.*)

*In folgenden Fällen kann zusam-
men- oder auch* getrennt *geschrieben werden:*

– außerstande *od.* außer
Stande
– imstande *od.* im Stande sein
– instand *od.* in Stand halten
– instand *od.* in Stand setzen
– zustande *od.* zu Stande bringen, kommen

Stạn|dard [ʃt..., *auch* st...], der; -s,
-s ⟨engl.⟩ (Maßstab, Richt-
schnur, Norm; Qualitäts- *od.*
Leistungsniveau)
Stạn|dard|aus|rüs|tung; Stạn|dard-
brief; Stạn|dard|far|be; Stạn-
dard|form
stạn|dar|di|sie|ren (normen); **Stạn-**
dar|di|sie|rung
Stạn|dard|kal|ku|la|ti|on (*Wirtsch.*)
Stạn|dard|klas|se (*Sport*)
Stạn|dard|kos|ten *Plur.* (*Wirtsch.*);
Stạn|dard|kos|ten|rech|nung
Stạn|dard|lö|sung; Stạn|dard|mo-
dell; Stạn|dard|preis; Stạn|dard-
si|tu|a|ti|on (z. B. Freistoß, Eck-

stoß im Fußball); **Stạn|dard|soft-**
ware
Stạn|dard|spra|che (*Sprachw.*
gesprochene u. geschriebene
Form der Hochsprache)
Stạn|dard|tanz
Stạn|dard|werk (mustergültiges
Sach- od. Fachbuch)
Stạn|dard|wert (Festwert)
Stạn|dar|te, die; -, -n (franz.)
(kleine [quadratische] Fahne
[als Hoheitszeichen]; *Jägerspr.*
Schwanz des Fuchses u. des
Wolfes); **Stạn|dar|ten|trä|ger**
Stạnd|bein (*Sport, bild. Kunst;*
Ggs. Spielbein); **Stạnd|bild**
Stạnd|box (Standlautsprecher)
Stand-by, Stạnd|by ['stɛntbaɪ],
das; -[s], -s ⟨engl.⟩ (Form der
Flugreise ohne feste Platzbu-
chung; *Elektronik* Bereitschafts-
schaltung); **Stand-by-Be|trieb,**
Stạnd|by|be|trieb
Ständ|chen
Stạn|de, die; -, -n, Stạn|den, der; -,
- (*landsch. für* ²Kufe, Bottich)
Stän|de *Plur.* (ständische Volksver-
tretung); **Stän|de|kam|mer**
Stän|del, Stän|del|wurz *vgl.* Sten-
del, Stendelwurz
Stạn|den *vgl.* Stande
Stän|de|ord|nung; Stän|de|or|ga|ni-
sa|ti|on
Stạn|der, der; -s, - (Dienstflagge
am Auto z. B. von hohen Regie-
rungsbeamten; *Seemannsspr.*
kurze, dreieckige Flagge)
Stän|der, der; -s, - (*Jägerspr. auch*
Fuß des Federwildes)
Stän|de|rat, der; -[e]s, ...räte (*in
der Schweiz* Vertretung der
Kantone in der Bundesver-
sammlung u. deren Mitglied);
Stän|de|recht
Stän|der|lam|pe (Stehlampe); **Stän-**
der|pilz
Stạn|des|amt; stạn|des|amt|lich;
standesamtliche Trauung; **Stạn-**
des|be|am|te; Stạn|des|be|am|tin
stạn|des|be|wusst; Stạn|des|be-
wusst|sein
Stạn|des|dün|kel; Stạn|des|eh|re
(*veraltet*)
stạn|des|ge|mäß
Stạn|des|herr (*früher*)
Stạn|des|or|ga|ni|sa|ti|on; Stạn|des-
per|son; Stạn|des|pflicht; Stạn-
des|recht; Stạn|des|re|gis|ter
Stän|de|staat *Plur.* ...staaten (*frü-
her*)
Stạn|des|un|ter|schied
Stän|de|tag (*früher*)
stạnd|fest; Stạnd|fes|tig|keit, die; -

Stand|fo|to *(Filmw.);* Stand|fuß-
ball, der; -[e]s *(ugs.)*
Stand|gas, das; -es *(Kfz-Technik)*
Stand|geld (Marktgeld)
Stand|ge|richt *(Milit.)*
Stand|glas *Plur.* ...gläser (Messzy-
linder)
stand|haft; Stand|haf|tig|keit, die; -
stand|hal|ten ↑K47; er hält stand;
sie hat standgehalten; standzu-
halten
Stand|hei|zung *(Kfz-Technik)*
stän|dig (dauernd); ständiges Mit-
glied, ständige Vertretung, *aber*
↑K150 : Ständiger Internationaler Gerichtshof; Ständige Konferenz der Kultusminister der
Länder
Stan|ding ['stændɪŋ], das; -s
⟨engl.⟩ (Rang, Ansehen)
Stan|ding Ova|tions ['stendɪŋ
o've:ʃns] *Plur.* ⟨engl.⟩ (Ovatio-
nen im Stehen)
stän|disch (die Stände betreffend;
nach Ständen gegliedert)
Standl, das; -s, -n *(bayr., österr.
ugs. für* Verkaufsstand); Stand-
ler; Stand|le|rin
Stand|licht, das; -[e]s (bei Kraft-
fahrzeugen)
Stand|mie|te
Stand|ort, der; -[e]s, -e *(Milit. auch
svw.* Garnison)
Stand|ort|be|stim|mung; Stand|ort-
fak|tor *(Wirtsch.);* Stand|ort|vor-
teil; Stand|ort|wech|sel
Stand|pau|ke *(ugs. für* Strafrede);
Stand|punkt; Stand|quar|tier
Stand|recht, das; -[e]s (Kriegsstraf-
recht); stand|recht|lich; stand-
rechtliche Erschießung
stand|si|cher; Stand|si|cher|heit,
die; -
Stand|spur; Stand|strei|fen; Stand-
uhr; Stand|vo|gel; Stand|waa|ge
(Sport)
Stan|ge, die; -, -n *(Jägerspr. auch*
Stamm des Hirschgeweihes,
Schwanz des Fuchses); von der
Stange kaufen (Konfektions-
ware kaufen)
Stän|gel, der; -s, - (Teil der
Pflanze)
Stän|gel|blatt
Stän|gel|chen, Stän|ge|lein, Stäng-
lein (kleine Stange; kleiner
Stängel)
...stän|ge|lig, ...stäng|lig (z. B.
kurzstäng[e]lig)
stän|gel|los
stän|geln (an Stangen anbinden);
ich stäng[e]le
Stan|gen|boh|ne; Stan|gen|holz

Stan|gen|pferd (an der Deichsel
gehendes Pferd eines
Gespanns); Stan|gen|rei|ter (*frü-
her für* Reiter auf dem Stangen-
pferd); Stan|gen|rei|te|rin
Stan|gen|sel|le|rie; Stan|gen|spar-
gel
Stan|gen|weiß|brot
Stängelchen
...stäng|lig *vgl.* ...stängelig
Sta|nis|laus, Sta|nis|law [...laf] (m.
Vorn.)
Sta|nit|zel, Sta|nitzl, das; -s, - ⟨ital.⟩
(*bayr. u. österr. für* spitze Tüte)
stank *vgl.* stinken
Stank, der; -[e]s *(ugs. für* Zank,
Ärger); Stän|ker *(ugs. abwer-
tend);* Stän|ke|rei; Stän|ke|rer
(svw. Stänker); Stän|ke|rin
stän|kern *(ugs. für* Gestank ver-
breiten; für Ärger, Unruhe sorgen); ich stänkere
Stan|ley ['stenli] (m. Vorn.)
Stan|ni|ol, das; -s, -e ⟨nlat.⟩ (eine
silberglänzende Zinnfolie, *ugs.
auch für* Aluminiumfolie)
Stan|ni|ol|blätt|chen; Stan|ni|ol|fo-
lie; Stan|ni|ol|pa|pier
Stan|num [st..., *auch* ʃt...], das; -s
(*lat. Bez. für* Zinn; *chem. Zeichen* Sn)
Stans (Hauptort des Halbkantons
Nidwalden)
stan|te pe|de [st... -] ⟨lat., »stehen-
den Fußes«⟩ *(ugs. scherzh. für*
sofort)
¹Stan|ze, die; -, -n ⟨ital.⟩ (*Verslehre*
achtzeilige Strophenform)
²Stan|ze, die; -, -n (Ausschneide-
werkzeug, -maschine für Bleche
u. a.; Prägestempel); stan|zen; du
stanzt
Stanz|form; Stanz|ma|schi|ne
Sta|pel, der; -, -; vom Stapel
gehen, lassen, laufen
Sta|pel|be|trieb *(EDV)*
Sta|pel|holz
Sta|pe|lie, die; -, -n ⟨nach dem nie-
derl. Arzt J. B. van Stapel⟩ (Aas-
blume od. Ordensstern)
Sta|pel|lauf
sta|peln; ich stap[e]le
Sta|pel|platz; Sta|pe|lung; Sta|pel-
wa|re; Sta|pel|wei|se
Stap|fe, die; -, -n, Stap|fen, der; -s,
- (Fußspur); stap|fen
Stap|fen *vgl.* Stapfe
Sta|phy|lo|kok|kus [ʃt..., *auch* st...],
der; -, ...kken *meist Plur.*
⟨griech.⟩ (*Med.* traubenförmige
Bakterie)
Stap|ler (*kurz für* Gabelstapler);

Stap|ler|fah|rer; Stap|ler|fah|re-
rin
Staps, der; -es, -e *(obersächs. für*
ungelenker Bursche)
¹Star, der; -[e]s, -e *(zu starr)*
(Augenkrankheit); ↑K151 : der
graue, grüne, schwarze Star
²Star [ʃt..., *auch* st...], der; -s, -s
⟨engl., »Stern«⟩ (berühmte Persönlichkeit [beim Theater,
Film]; *kurz für* Starboot)
³Star, der; -[e]s, -e (ein Vogel)
Stär, der; -[e]s, -e (*landsch. für*
Widder)
Star|al|lü|ren *Plur.* (launenhafte
Eigenheiten eines ²Stars)
Star|an|walt (berühmter Anwalt);
Star|an|wäl|tin
Star|auf|ge|bot
starb *vgl.* sterben
Star|be|set|zung
star|blind
Star|boot [ʃt..., *auch* st...] ⟨engl.;
dt.⟩ (ein Sportsegelboot)
stä|ren (*landsch. für* brünstig sein
von Schweinen)
Sta|ren|kas|ten, Star|kas|ten
Star|gast ⟨*zu* ²Star⟩

stark

stärker, stärks|te

– eine starke Natur; sie hat starke
  Nerven
– *(Sprachw.:)* starke Deklination;
  ein starkes Verb

Großschreibung:

– das Recht des Starken
– August II., der Starke

*Schreibung in Verbindung mit
Verben und Partizipien:*

– stark sein, stark werden
– taktische Fehler hatten den
  Gegner stark gemacht *od.*
  starkgemacht
– sie hat sich für den Plan starkgemacht (*ugs. für* sehr einge-
  setzt)
– der Trainer hat seine Mannschaft starkgeredet (ihren
  Erfolg herbeigeredet)
– eine stark behaarte *od.* stark-
  behaarte Brust
– stark bewachte *od.* starkbe-
  wachte Gefangene

Stark|bier; Stark|bier|fest
Stär|ke, die; -, -n; Stär|ke|ge|halt
stär|ke|hal|tig
Stär|ke|mehl

S
Stär

stär|ken

Star|ken|burg (Südteil des Regierungsbezirks Darmstadt); **star-ken|bur|gisch**

Stär|ke|zu|cker

Star|king, der; -s, -s (Apfelsorte)

stark|kno|chig; stark|lei|big

stark|ma|chen, sich; *vgl.* stark

stark|re|den *vgl.* stark

Stark|re|gen *(Meteor.)*

Stark|strom, der; -[e]s; **Stark-strom|tech|nik**, die; -; **Stark-strom|tech|ni|ker**

Stär|kult *(zu ²Star)*

Stär|kung; Stär|kungs|mit|tel, das

Star|let[t] [ʃt..., *auch* 'st...], das; -s, -s (engl., »Sternchen«) (Nachwuchsfilmschauspielerin)

Starn|man|ne|quin

Starn|ber|ger See, der; - -s

Sta|rost [st..., *auch* ʃt...], der; -en, -en ⟨poln.⟩ (*früher* polnischer Kreishauptmann, Landrat); **Sta-ros|tei** (Amt[sbezirk] eines Starosten)

starr; ein starres Prinzip

Starr|ach|se *(Kfz-Technik)*

Star|re, die; -

star|ren; von *od.* vor Schmutz starren

Star|re|por|ter; Star|re|por|te|rin

Starr|heit, die; -

Starr|kopf *(abwertend für* eigensinniger Mensch); **starr|köp|fig**

Starr|krampf, der; -[e]s *(kurz für* Wundstarrkrampf)

Starr|sinn, der; -[e]s; **starr|sin|nig**

Starr|sucht, die; - *(für* Katalepsie)

Stars and Stripes [- ɛnt 'straɪps] *Plur.* (Nationalflagge der USA, Sternenbanner)

Start, der; -[e]s, *Plur.* -s, *selten* -e ⟨engl.⟩; fliegender Start; stehender Start

Start|au|to|ma|tik; Start|bahn; Start|be|rech|ti|gung

start|be|reit

Start|block *Plur.* ...blöcke *(Sport)*

star|ten

Star|ter *(Sport* Person, die das Zeichen zum Start gibt; jmd., der startet; Anlasser eines Motors); **Star|te|rin**

Star|te|kit ['staːtɐ...], das *od.* der; -[s], -s ⟨engl.⟩ (Startausstattung, Startset)

Start|er|laub|nis; Start|flag|ge; Start|geld; Start|gut|ha|ben

Start|hil|fe; Start|hil|fe|ka|bel

Start|ka|pi|tal

start|klar

Start|kom|man|do; Start|läu|fer *(Sport);* Start|läu|fe|rin; Start|li-

nie; Start|loch; Start|ma|schi|ne *(Rennsport);* Start|num|mer; Start|pass; Start|pis|to|le; Start-platz; Start|ram|pe; Start|schuss

Start|sei|te *(EDV* Homepage)

Start|si|g|nal; Start|sprung

Start-und-Lan|de-Bahn

Start-up ['staːɐ̯tlap], das; -s, -s ⟨engl.⟩, **Start-up-Un|ter|neh|men** (neu gegründetes Wirtschaftsunternehmen)

Start|ver|bot; Start|zei|chen

Start-Ziel-Sieg ↑K26

Sta|se, Sta|sis [*beide* st..., *auch* ʃt...], die; -, Sta|sen ⟨griech.⟩ *(Med.* Stauung)

Sta|si, die, *selten* der; - *(ugs. kurz für* Staatssicherheitsdienst der DDR); **Sta|si|ak|te; Sta|si|mit|ar-bei|ter; Sta|si|mit|ar|bei|te|rin**

Sta|sis *vgl.* Stase

Staß|furt (Stadt südl. von Magdeburg); Staß|fur|ter

State De|part|ment ['steːt di'paːtmɛnt], das; - - ⟨engl.⟩ (das Außenministerium der USA)

State|ment ['steːtmɛnt], das; -s, -s ⟨engl.⟩ (Verlautbarung)

sta|tie|ren ⟨lat.⟩ (als Statist *od.* Statistin tätig sein)

Stä|tig|keit, die; - (Störrigkeit [von Pferden]); *vgl. aber* Stetigkeit

Sta|tik [ʃt..., *auch* st...], die; - ⟨griech.⟩ (Lehre von den Kräften im Gleichgewicht); **Sta|ti|ker** (Bauingenieur mit speziellen Kenntnissen in der Statik); **Sta-ti|ke|rin**

Sta|ti|on, die; -, -en ⟨lat.⟩

sta|ti|o|när (an einen festen Standort gebunden; die Behandlung, den Aufenthalt in einem Krankenhaus betreffend); stationäre Behandlung

sta|ti|o|nie|ren (an bestimmte Plätze stellen; aufstellen); **Sta|ti-o|nie|rung; Sta|ti|o|nie|rungs|kos-ten** *Plur.*

Sta|ti|ons|arzt; Sta|ti|ons|ärz|tin; Sta|ti|ons|pfle|ger; Sta|ti|ons-pfle|ge|rin; Sta|ti|ons|schwes|ter

Sta|ti|ons|tas|te (zur automatischen Einstellung eines Radiosenders)

Sta|ti|ons|vor|stand *(österr. u. schweiz. für* Stationsvorsteher); **Sta|ti|ons|vor|ste|her** (Bahnhofsvorsteher); **Sta|ti|ons|vor|ste|he-rin**

sta|tisch [ʃt..., *auch* st...] ⟨griech.⟩ (die Statik betreffend; stillstehend, ruhend)

stä|tisch (störrisch, widerspenstig [von Pferden])

Sta|tist, der; -en, -en ⟨lat.⟩ *(Theater u. übertr.* stumme Person; Nebenfigur); **Sta|tis|te|rie**, die; -, ...ien (Gesamtheit der Statisten u. Statistinnen); *vgl.* statieren

Sta|tis|tik, die; -, -en ([vergleichende] zahlenmäßige Erfassung, Untersuchung u. Darstellung von Massenerscheinungen)

Sta|tis|ti|ker; Sta|tis|ti|ke|rin

Sta|tis|tin *vgl.* Statist

sta|tis|tisch (zahlenmäßig); *aber* ↑K150 : das Statistische Bundesamt (in Wiesbaden)

Sta|tiv, das; -s, -e ([dreibeiniges] Gestell für Apparate)

Sta|to|blast [ʃt..., *auch* st...], der; -en, -en ⟨griech.⟩ *(Biol.* ungeschlechtlicher Fortpflanzungskörper der Moostierchen)

Sta|to|lith, der; *Gen.* -s *u.* -en, *Plur.* -e[n] *(Med.* Steinchen im Gleichgewichtsorgan; *Bot.* Stärkekorn in Pflanzenwurzeln)

Sta|tor [ʃt..., *auch* st...], der; -s, ...oren ⟨lat.⟩ (nicht rotierender Teil einer elektrischen Maschine)

¹statt *s. Kasten Seite 965*

²statt; an meiner statt; an Eides, an Kindes, an Zahlungs statt

statt|des|sen; die Kanzlerin konnte nicht kommen, statt-dessen (dafür) schickte sie einen Minister; *vgl.* ¹statt

Stät|te, die; -, -n

statt|fin|den ↑K47 ; es findet statt ↑K71 ; es hat stattgefunden; stattzufinden

statt|ge|ben ↑K47 ; *zur Beugung vgl.* stattfinden

statt|ha|ben ↑K47 *(veraltet);* es hat statt ↑K71 ; es hat stattgehabt; stattzuhaben

statt|haft; Statt|haf|tig|keit, die; -

Statt|hal|ter *(früher für* Stellvertreter); Statt|hal|te|rin; Statt|hal-ter|schaft, die; -

statt|lich *(zu ²Staat* (Prunk)) (ansehnlich); **Statt|lich|keit**, die; -

sta|tu|a|risch [ʃt..., *auch* st...] ⟨lat.⟩ (statuenhaft)

Sta|tue [...tuə], die; -, -n (Standbild, Bildsäule); **sta|tu|en|haft**

Sta|tu|et|te, die; -, -n ⟨franz.⟩ (kleine Statue)

sta|tu|ie|ren ⟨lat.⟩ (aufstellen; festsetzen; bestimmen); ein Exempel statuieren (ein warnendes Beispiel geben)

¹statt,

an|statt

– statt meiner
– statt deren (*vgl. deren*); die Ärztin, statt deren der Assistent operiert hatte, war selbst krank geworden
– statt derer (*vgl. derer*); ich möchte diese Blume statt derer, die Sie mir gegeben haben
– statt eines Rates
– der Kanzler, statt dessen (für den) eine Ministerin erschienen war, ließ grüßen; *aber* der Kanzler konnte nicht kommen, stattdessen (dafür) schickte er seine Ministerin

Veraltet od. ugs. mit Dativ:

– statt einem Stein; statt dem Vater

Standardsprachlich mit Dativ, wenn der Genitiv nicht erkennbar wird:

– statt Worten will ich Taten sehen

Konjunktion:

– statt mit Drohungen versucht er es mit Ermahnungen
– statt dass ... ↑K 126
– statt zu ... ↑K 116
– die Nachricht kam an mich statt an dich
– sie gab das Geld ihm statt mir

Sta|tur [ʃt...], die; -, -en (Gestalt; Wuchs)
Sta|tus [ʃt..., *auch* st...], der; -, - (Zustand, Stand; Lage, Stellung); die Beschreibung des Status; die wirtschaftlichen Status verschiedener Länder

Status

Das aus dem Lateinischen stammende Substantiv lautet im Genitiv und im Plural gleich wie im Nominativ Singular, also *des Status* und *die Status*. Ein Unterschied besteht lediglich in der Aussprache. Im Plural wird das *u* lang gesprochen.

Sta|tus|den|ken
Sta|tus Nas|cen|di, der; - - (Zustand chemischer Stoffe im Augenblick ihres Entstehens)
Sta|tus quo, der; - - (gegenwärtiger Zustand)
Sta|tus quo an|te, der; - - - (Zustand vor dem bezeichneten Tatbestand, Ereignis)
Sta|tus|sym|bol [ʃt..., *auch* st...]
Sta|tut [ʃt...], das; -[e]s, -en ([Grund]gesetz; Satzung); **sta|tu|ta|risch** (auf Statut beruhend, satzungs-, ordnungsgemäß)
Sta|tu|tar|stadt (*österr. für* Stadt mit eigenem Stadtrecht)
Sta|tu|ten|än|de|rung; sta|tu|ten|ge|mäß; sta|tu|ten|wid|rig
Stau, der; -[e]s, *Plur.* -s *od.* -e; **Stau|an|la|ge**
Staub, der; -[e]s, *Plur. (Technik:)* -e *u.* Stäube; Staub saugen *od.* staubsaugen (*vgl. d.*); ein Staub abweisendes *od.* staubabweisendes Gewebe; *aber nur* ein noch staubabweisenderes Gewebe ↑K 58

Staub|al|l|er|gie
staub|be|deckt; ein staubbedecktes Regal
Staub|be|sen; Staub|beu|tel; Staub|blatt (*Bot.*)
Stäub|chen; staub|dicht
Stau|be|cken
stau|ben; es staubt
stäu|ben (zerstieben)
Stau|be|ra|tung (eines Automobilklubs)
stäu|bern (*landsch. für* Staub entfernen); ich stäubere
Staub|ex|plo|si|on; Staub|fa|den (*Bot.*); **Staub|fän|ger** (*ugs.*)
staub|frei
staub|ge|bo|ren; Staub|ge|bo|re|ne, der *u.* die; -n, -n (*bibl.*)
Staub|ge|fäß (*Bot.*)
stau|big
Staub|korn *Plur.* ...körner; **Staub|lap|pen; Staub|la|wi|ne**
Stäub|ling (ein Pilz)
Staub|lun|ge; Staub|man|tel; Staub|pin|sel
staub|sau|gen, Staub sau|gen; er staubsaugte *od.* saugte Staub; er hat [den Teppich] gestaubsaugt; er hat Staub gesaugt; um zu staubsaugen *od.* Staub zu saugen
Staub|sau|ger; Staub|schicht
staub|tro|cken (vom Lack)
Staub|tuch; Staub|we|del; Staub|wol|ke; Staub|zu|cker, der; -s
Stau|che, die; -, -n *meist Plur.* (*landsch. für* Pulswärmer)
stau|chen; Stau|cher (*ugs. für* Zurechtweisung); **Stau|chung**
Stau|damm
Stau|de, die; -, -n
stau|den|ar|tig; Stau|den|ge|wächs; Stau|den|sa|lat (*landsch. für* Kopfsalat); **stau|dig**
stau|en (hemmen); *Seemannsspr.*

[Ladung auf Schiffen] unterbringen); sich stauen
Stau|er (jmd., der Schiffe be- u. entlädt)
Stauf, der; -[e]s, -e (*veraltet für* Humpen; Hohlmaß); 5 Stauf
Stau|fe, der; -n, -n, **Stau|fer,** der; -s, - (Angehöriger eines schwäbischen Fürstengeschlechtes); **Stau|fe|rin; Stau|fer|zeit,** die; -
Stauf|fer|büch|se, Stauf|fer-Büch|se (nach dem Hersteller) (Schmiervorrichtung); **Stauf|fer|fett, Stauf|fer-Fett,** das; -[e]s
stau|fisch (*zu* Staufe)
Stau|ge|fahr (*bes. Verkehrsw.*); **Stau|mau|er**
stau|nen; Stau|nen, das; -s; Staunen erregen
Stau|nen er|re|gend, stau|nen|er|re|gend; ein Staunen erregender *od.* staunenerregender Vorfall; *aber nur* ein großes Staunen erregender Vorfall, ein äußerst staunenerregender Vorfall ↑K 58
stau|nens|wert
¹Stau|pe, die; -, -n (eine Hundekrankheit)
²Stau|pe, die; -, -n (*früher* öffentliche Züchtigung); **stäu|pen** (*früher* [öffentlich] auspeitschen)
Stau|punkt; Stau|raum; Stau|see
Stau|stu|fe
Stau|ung; Stau|ungs|be|hand|lung
Stau|was|ser *Plur.* ...wasser; **Stau|wehr** (*vgl.* ²Wehr); **Stau|werk**
St. Chris|toph und Ne|vis [sn̩t - - ˈniːvɪs] (*svw.* St. Kitts und Nevis)
Std. = Stunde
Ste = Sainte
Stea|di|cam® [ˈstɛdɪkɛm], die; -, -s ⟨engl.⟩ (*Film* [Handkamera mit] Tragevorrichtung, die das Verwackeln des Bildes verhindert)

S

Stea

¹ste|cken

(sich irgendwo, in etwas befinden, dort festsitzen, befestigt sein)

Beugung (vgl. aber ² stecken):
- du steckst
- du stecktest, *älter u. geh.* stakst
- du stecktest, *älter u. geh.* stäkest
- gesteckt; steck[e]!
- der Schreck steckte, *älter u. geh.* stak ihm noch in den Gliedern
- ihre Füße steckten, *älter u. geh.* staken in hochhackigen Schuhen

Man schreibt »stecken« in wörtlicher Bedeutung getrennt von »bleiben« und »lassen«:
- stecken bleiben; ich bleibe stecken; der Nagel ist stecken geblieben
- er hat den Schlüssel stecken lassen, *seltener* stecken gelassen

Bei übertragener Bedeutung kann getrennt oder zusammengeschrieben werden:
- sie ist während des Vortrags stecken geblieben *od.* steckengeblieben
- du kannst dein Geld stecken lassen *od.* steckenlassen, ich bezahle

---

Steak [ste:k], das; -s, -s ⟨engl.⟩ (kurz gebratene Fleischschnitte); **Steak|haus**
Stea|mer [ˈsti:...], der; -s, - ⟨engl.⟩ (Dampfschiff)
Ste|a|rin [ʃt..., *auch* st...], das; -s, -e ⟨griech.⟩ (Rohstoff für Kerzen); **Ste|a|rin|ker|ze**
Ste|a|tit, der; -s, -e (ein Talk; Speckstein)
Ste|a|to|py|gie, die; - (*Med.* starker Fettansatz am Gesäß)
Ste|a|to|se, die; - (*Med.* Verfettung)
Stech|ap|fel
Stech|bei|tel; Stech|ei|sen
ste|chen; du stichst; du stachst; du stächest; gestochen; stich!; er sticht ihn/sie, *auch* ihm/ihr ins Bein
Ste|chen, das; -s, - (*Sport*)
Ste|cher
Stech|flie|ge; Stech|he|ber; Stech|kar|te (Karte für die Stechuhr); **Stech|mü|cke; Stech|pad|del**
Stech|pal|me; Stech|rüs|sel; Stech|schritt (*Milit.*); **Stech|uhr** (eine Kontrolluhr); **Stech|vieh** (*österr. für* Kälber u. Schweine)
Steck|be|cken (Bettpfanne)
Steck|brief; steck|brief|lich
Steck|do|se
¹ste|cken *s. Kasten*
²ste|cken (etwas in etwas einfügen, hineinbringen, etwas festheften); du stecktest; gesteckt; steck[e]!
Ste|cken, der; -s, - (¹Stock)
Ste|cken|blei|ben, das; -s ↑K82
ste|cken blei|ben, ste|cken|blei|ben *vgl.* ¹stecken
ste|cken las|sen, ste|cken|las|sen *vgl.* ¹stecken
Ste|cken|pferd
Ste|cker
Steck|kis|sen; Steck|kon|takt

Steck|ling (abgeschnittener Pflanzenteil, der neue Wurzeln bildet)
Steck|mo|dul (*EDV*)
Steck|mu|schel
Steck|na|del; Steck|na|del|kopf; steck|na|del|kopf|groß
Steck|reis, das; **Steck|rü|be; Steck|schach; Steck|scha|le** (*Blumenbinderei*)
Steck|schloss (Sicherung gegen Einbruch); **Steck|schlüs|sel**
Steck|schuss
Steck|schwamm (*Blumenbinderei*); **Steck|tuch** (*österr. für* Kavalierstaschentuch); **Steck|va|se; Steck|zwie|bel**
Ste|din|gen, Ste|din|ger Land, das; - -[e]s (Marsch zwischen der Hunte u. der Weser unterhalb von Bremen); **Ste|din|ger** ⟨»Gestadebewohner«⟩; **Ste|din|ge|rin; Ste|din|ger Land** *vgl.* Stedingen
Steel|band [ˈsti:lbɛnt], die; -, -s ⟨engl.⟩ (⁴Band, deren Instrumente aus leeren Ölfässern bestehen)
Stee|p|le|chase [ˈsti:pltʃe:s], die; -, -n ⟨engl.⟩ (Wettrennen mit Hindernissen, Jagdrennen); **Steep|ler**, der; -s, - (Pferd für Hindernisrennen)
Ste|fan *vgl.* Stephan; **Ste|fa|nia, Ste|fa|nie** *vgl.* Stephania; **Stef|fen** *vgl.* Stephan; **Stef|fi** (w. Vorn.)
Steg, der; -[e]s, -e; *Schreibung in Straßennamen* ↑K162 *u.* 163
Ste|g|lo|don [ʃt..., *auch* st...], der; -s, ...donten ⟨griech.⟩ (urweltliches Rüsseltier)
Ste|go|sau|ri|er (urweltliches Kriechtier)
Steg|reif ⟨»Steigbügel«⟩; aus dem Stegreif (unvorbereitet); **Steg-**

reif|dich|ter; Steg|reif|dich|te|rin; Steg|reif|ko|mö|die
Steh|auf, der; -, - (ein altes Trinkgefäß); **Steh|auf|männ|chen**
Steh|bier|hal|le; Steh|bünd|chen (an Blusen od. Kleidern); **Steh|ca|fé; Steh|emp|fang**
ste|hen *s. Kasten Seite 967*
Ste|hen|blei|ben, das; -s ↑K82
ste|hen blei|ben, ste|hen|blei|ben *vgl.* stehen
ste|hend; stehenden Fußes; das stehende Heer (*vgl.* Miliz);
↑K72: alles in ihrer Macht Stehende
ste|hen las|sen, ste|hen|las|sen *vgl.* stehen
Ste|her (Radrennfahrer hinter einem Schrittmacher; Rennpferd für lange Strecken); **Ste|her|ren|nen** (*Rad-, Pferdesport*)
Steh|gei|ger; Steh|gei|ge|rin; Steh|im|biss; Steh|kon|vent (*scherzh. für* Gruppe von Personen, die sich stehend unterhalten); **Steh|kra|gen; Steh|lam|pe; Steh|lei|ter; die**
steh|len; du stiehlst, er stiehlt; du stahlst; du stählest, *selten* stöhlest; gestohlen; stiehl!
Steh|ler; Hehler und Stehler
Steh|platz; Steh|pult; Steh|satz, der; -es (*Druckw.*); **Steh|ver|mö|gen**, das; -s
Stei|er|mark, die; - (österr. Bundesland); **Stei|er|mär|ker** *vgl. auch* Steirer usw.; **Stei|er|mär|ke|rin; stei|er|mär|kisch**
steif; ein steifer Hals; ein steifer Grog; steif sein, werden; du musst das Bein steif halten, *aber* die Ohren steifhalten; Sahne steif schlagen *od.* steifschlagen
steif|bei|nig; Stei|fe, die; -, -n (*nur Sing.:* Steifheit; Stütze); **stei|fen**

ste|hen

– du stehst; du stand[e]st; du stündest od. ständest; gestanden; steh[e]!
– ich habe (*südd., österr., schweiz.* bin) gestanden
– zu Diensten stehen, zu Gebote stehen, zur Verfügung stehen
– das wird dich, *auch* dir teuer zu stehen kommen

Großschreibung der Substantivierung ↑K 72:

– sie schläft im Stehen
– ihr fällt das Stehen schwer
– das Auto zum Stehen bringen

Man schreibt »stehen« in wörtlicher Bedeutung getrennt von »bleiben« und »lassen«:

– stehen bleiben (nicht weitergehen); sie ist einfach dort stehen geblieben

– stehen lassen; man hat die Angeklagten stehen lassen (sie durften sich nicht hinsetzen)

Bei übertragener Bedeutung kann getrennt oder zusammengeschrieben werden:

– man hat ihn einfach am Bahnhof stehen lassen, *seltener* stehen gelassen *od.* stehenlassen, *seltener* stehengelassen
– die Uhr ist stehen geblieben *od.* stehengeblieben
– sie hat die Suppe stehen lassen *od.* stehenlassen
Vgl. auch stehend

Steiff|tier ® ⟨nach der Stofftierherstellerin Margarete Steiff⟩ (ein Stofftier)
steif|hal|ten *vgl.* steif
Steif|heit, die; -; **Steif|fig|keit,** die; -
steif|lei|nen (aus steifem Leinen); **Steif|lei|nen; Steif|lein|wand**
steif schla|gen, *steif|schla|gen vgl.* steif
Steif|fung, die; -
Steig, der; -[e]s, -e (steiler, schmaler Weg)
Steig|bü|gel
Stei|ge, die; -, -n (steile Fahrstraße; Lattenkiste)
Steig|ei|sen
stei|gen; du stiegst; du stiegest; gestiegen; steig[e]!; ↑K 82 : das Steigen der Kurse; einen Drachen steigen lassen; eine Party steigen lassen *od.* steigenlassen (*ugs.*)
Stei|ger (Aufsichtsperson im Bergbau)
Stei|ge|rer (jmd., der bei einer Versteigerung bietet)
Stei|ge|rin (w. Aufsichtsperson im Bergbau; w. Person, die bei einer Versteigerung bietet)
stei|gern; ich steigere; du steigerst dich
Stei|ge|rung (*auch für* Komparation; *schweiz. auch für* Versteigerung); **stei|ge|rungs|fä|hig**
Stei|ge|rungs|ra|te (*Wirtsch.*)
Stei|ge|rungs|stu|fe; erste Steigerungsstufe (*für* Komparativ); zweite Steigerungsstufe (*für* Superlativ)
Steig|fä|hig|keit (bei Kraftfahrzeugen); **Steig|fell** (*Skisport);* **Steig|flug; Steig|hö|he**
Steig|lei|ter, die; **Steig|lei|tung; Steig|rie|men** (am Pferdesattel)

Stei|gung; Stei|gungs|ta|fel (*Eisenb.);* **Stei|gungs|win|kel**
Steig|wachs (*Skisport*)
steil
Steil|ab|fahrt (*Skisport*)
Stei|le, die; -, -n (Steilheit)
Steil|feu|er; Steil|feu|er|ge|schütz
Steil|hang; Steil|heit, die; -
Steil|kur|ve; Steil|küs|te; Steil|pass (*Sport*); **Steil|rand; Steil|schrift; Steil|spiel,** das; -[e]s (*Sport);* **Steil|ufer; Steil|vor|la|ge** (*Sport*)
Steil|wand; Steil|wand|zelt
Stein, der; -[e]s, -e; eine zwei Stein starke Mauer (*Bauw.*)
Stein|ad|ler
stein|alt (sehr alt)
Stein|axt; Stein|bank *Plur.* ...bänke; **Stein|bau** *Plur.* ...bauten
Stein|bei|ßer (ein Fisch)
Stein|block *vgl.* Block; **Stein|bock; Stein|bo|den; Stein|boh|rer**
Stein|brech, der; -[e]s, -e (eine Pflanze)
Stein|bre|cher (Maschine, die Gestein zerkleinert); **Stein|bruch**
Stein|butt (ein Fisch)
Stein|damm; Stein|druck *Plur.* ...drucke; **Stein|ei|che**
stei|nen (*veraltet für* umgrenzen)
stei|nern (aus Stein); ein steinernes Kreuz, *aber* ↑K 140 : das Steinerne Meer
Stein|er|wei|chen, das; *nur in* zum Steinerweichen (*ugs.*)
Stein|flie|se; Stein|frucht; Stein|fuß|bo|den; Stein|gar|ten (Felsengarten); **Stein|grab**
Stein|gut, das; -[e]s, *Plur.* (*Sorten:*) -e
Stein|ha|gel
stein|hart
Stein|hau|er; Stein|hau|e|rin

Stein|hau|fen; Stein|holz, das; -es (ein Fußbodenbelag)
Stein|hu|der Meer, das; - -[e]s (See zwischen Weser u. Leine)
stei|nig
stei|ni|gen; Stei|ni|gung
Stein|kauz; Stein|klee, der; -s
Stein|koh|le; Stein|koh|len|bergwerk; Stein|koh|len|för|de|rung; Stein|koh|len|for|ma|ti|on, die; - (*Geol.* eine Formation des Paläozoikums); **Stein|koh|len|la|ger; Stein|koh|len|teer; Stein|koh|len|ze|che; Stein|koh|len|zeit,** die; - (*für* Karbon)
Stein|la|wi|ne; Stein|lei|den (*Med.*)
Stein|mandl (*bayr. u. österr. für* Wegzeichen aus Stein)
Stein|mar|der
Stein|metz, der; -en, -e[n]; **Stein|met|zin**
Stein|nel|ke; Stein|obst; Stein|öl, das; -[e]s (*veraltet für* Petroleum); **Stein|pilz**
¹**stein|reich;** steinreicher Boden
²**stein|reich;** steinreiche Familien
Stein|salz, das; -es; **Stein|sarg**
Stein|schlag; Stein|schlag|ge|fahr
Stein|schleu|der
Stein|schmät|zer (ein Vogel)
Stein|schnei|de|kunst, die; -; **Stein|schnei|der** (*svw.* Graveur); **Stein|schnei|de|rin; Stein|set|zer** (Pflasterer); **Stein|set|ze|rin;** **Stein|wein** (ein Frankenwein); **Stein|werk** (Steinbruch[groß]betrieb)
Stein|wild; Stein|wurf; Stein|wüs|te; Stein|zeich|nung
Stein|zeit, die; -; **stein|zeit|lich; Stein|zeit|mensch**
Stein|zeug
Stei|per, der; -s, - (*landsch. für* [untergestellte] Stütze)

Stei|rer ⟨zu Steiermark⟩; Stei|rer-an|zug (österr. Trachtenanzug); Stei|re|rin; stei|risch

Steiß, der; -es, -e; Steiß|bein; Steiß-la|ge (Med.)

Stek [st..., auch ʃt...], der; -s, -s (Seemannsspr. Knoten)

Ste|le [st..., auch ʃt...], die; -, -n ⟨griech.⟩ (Grabsäule od. -tafel)

Stel|la (w. Vorn.)

Stel|la|ge [...ʒə], die; -, -n ⟨niederl.⟩ (Gestell, Ständer); Stel|la|ge|ge-schäft (Börsentermingeschäft)

stel|lar [ʃt..., auch st...] ⟨lat.⟩ (die Fixsterne betreffend)

Stel|lar|as|t|ro|nom ⟨lat.; griech.⟩; Stel|lar|as|t|ro|no|mie

Stell|dich|ein, das; -[s], -[s] (veraltend für Verabredung)

Stel|le

die; -, -n

– an erster Stelle, an zweiter Stelle
– zur Stelle sein
– anstelle od. an Stelle von Worten
– anstelle od. an Stelle der Mutter
– aber: an die Stelle der Mutter ist der Vormund getreten

stel|len; Stel|len|ab|bau

Stel|len|an|ge|bot; Stel|len|be|set-zung; Stel|len|bil|dung; Stel|len-bör|se; Stel|len|dienst|al|ter; Stel-len|ge|such

stel|len|los

Stel|len|markt (svw. Arbeitsmarkt); Stel|len|rück|gang

Stel|len|su|che, die; -; stel|len|su-chend; ↑K 72 : ein Stellensuchen-der; Stel|len|ver|mitt|lung; Stel-len|wech|sel

stel|len|wei|se

stel|len|wert

Stel|ler, der; -s, - (Volleyball)

Stell|flä|che; Stell|he|bel

...stel|lig (z. B. vierstellig, mit Zif-fer 4-stellig ↑K 29)

Stel|ling, die; -, Plur. -e, auch -s (Seemannsspr. an Seilen hän-gendes Brettgerüst zum Arbei-ten an der Bordwand eines Schiffes)

Stell|ma|cher (landsch. für Wagen-bauer); Stell|ma|che|rei; Stell|ma-che|rin

Stell|platz; Stell|pro|be (Theater); Stell|rad; Stell|schrau|be

Stel|lung (österr. auch für Muste-rung); Stellung nehmen; Stel-lung|nah|me, die; -, -n

Stel|lungs|be|fehl; Stel|lungs-kampf; Stel|lungs|krieg

stel|lungs|los; Stel|lungs|lo|se, der u. die; -n, -n; Stel|lungs|lo|sig-keit, die; -

Stel|lungs|pflicht (österr., schweiz. für Verpflichtung, sich zur Mus-terung einzufinden); stel|lungs-pflich|tig

Stel|lungs|spiel (Sport)

Stel|lung[s]|su|che; auf Stel-lung[s]suche sein; stel|lung[s]-su|chend; Stel|lung[s]|su|chen|de, der u. die; -n, -n

stell|ver|tre|tend; die stellvertre-tende Vorsitzende; Stell|ver-tre|ter; Stell|ver|tre|te|rin; Stell|ver|tre|ter|krieg; Stell|ver-tre|tung

Stell|wand

Stell|werk (Eisenb.); Stell|werks-meis|ter; Stell|werks|meis|te|rin

St.-Elms-Feu|er vgl. Elmsfeuer

Stelz|bein (ugs.)

Stel|ze, die; -, -n (österr. auch für Eisbein, Hachse); Stelzen laufen ↑K 54

stel|zen (meist iron.); du stelzt

Stel|zen|läu|fer; Stel|zen|läu|fe|rin

Stelz|fuß; Stelz|gang; stel|zig

Stelz|vo|gel; Stelz|wur|zel (Bot.)

Stem|ma [ʃt..., auch st...], das; -s, -ta (Stammbaum, bes. der ver-schiedenen Handschriften eines literarischen Werks)

Stemm|bo|gen (Skisport)

Stem|me, die; -, -n (Turnen)

Stemm|ei|sen

stem|men

Stemm|mei|ßel, Stemm-Mei|ßel, der; -s, -

Stem|pel, der; -s, -; Stem|pel|far|be; Stem|pel|geld (ugs. für Arbeits-losenunterstützung)

Stem|pel|kar|te; Stem|pel|kis|sen; Stem|pel|mar|ke

stem|peln; ich stemp[e]le; stem-peln gehen (ugs. für Arbeitslo-senunterstützung beziehen)

Stem|pel|pflich|tig (österr. für gebührenpflichtig)

Stem|pel|schnei|der (Berufsbez.); Stem|pel|schnei|de|rin; Stem|pel-stän|der; Stem|pel|steu|er, die

Stem|pe|lung, Stemp|lung

Stem|pen, der; -s, - (bayr. für kur-zer Pfahl, Pflock)

Sten|dal (Stadt in der Altmark)

Sten|del, Stän|del, der; -s, -, Sten-del|wurz, Stän|del|wurz (eine Orchideengattung)

Sten|dhal [stɛ̃ˈdal] (französischer Schriftsteller)

Sten|ge, die; -, -n (Seemannsspr. Verlängerung des Mastes)

Sten|gel usw. alte Schreibung für Stängel usw.

¹Ste|no, die; - (ugs. Kurzw. für Ste-nografie); ²Ste|no, das; -s, -s (ugs. Kurzw. für Stenogramm)

ste|no... ⟨griech.⟩ ⟨eng...⟩; Ste|no... (Eng...)

Ste|no|block vgl. Block (ugs. svw. Stenogrammblock)

Ste|no|graf, Ste|no|graph, der; -en, -en; Ste|no|gra|fie, Ste|no|gra-phie, die; -, ...ien (Kurzschrift); ste|no|gra|fie|ren, ste|no|gra-phie|ren; Ste|no|gra|fin, Ste|no-gra|phin; ste|no|gra|fisch, ste-no|gra|phisch

Ste|no|gramm, das; -s, -e (Text in Stenografie); Ste|no|gramm-block (vgl. Block); Ste|no|gramm-hal|ter

Ste|no|graph, Ste|no|gra|phie usw. vgl. Stenograf, Stenografie usw.

Ste|no|kar|die [ʃt..., auch st...], die; -, ...ien (Med. Herzbeklem-mung [bei Angina Pectoris])

Ste|no|kon|to|rist; Ste|no|kon|to|ris-tin

Ste|no|se, Ste|no|sis [ʃt..., auch st...], die; -, ...osen (Med. Veren-gung [der Blutgefäße])

ste|no|therm [ʃt..., auch st...] (Biol. nur geringe Temperaturschwan-kungen ertragend)

ste|no|top [ʃt..., auch st...] (Biol. begrenzt verbreitet)

ste|no|ty|pie|ren [ʃt...] (in Kurz-schrift aufnehmen u. danach in Maschinenschrift übertragen); Ste|no|ty|pist, der; -en, -en; Ste-no|ty|pis|tin

Stent [st...], der; -[s], -s ⟨engl.⟩ (Med. eine Gefäßprothese, die in verengte Gefäße eingebracht wird, um diese zu dehnen)

Sten|tor [ʃt..., auch st...] (stimm-gewaltiger Held der griech. Sage); Sten|tor|stim|me

Stenz, der; -es, -e (ugs. für eitler, selbstgefälliger junger Mann)

Step [ʃt..., auch st...] (alte Schrei-bung für Stepp)

Ste|phan, Ste|fan, Stef|fen (m. Vorn.); Ste|pha|nia, Ste|fa|nia, Ste|pha|nie, Ste|fa|nie [auch ˈʃte-fani, österr. ...ˈniː] (w. Vorn.)

Ste|pha|nit, der; -s, -e (ein Mineral)

Ste|pha|ni|tag

Ste|phans|dom, der; -[e]s (in Wien); Ste|phans|tag

Stepp [ʃt..., auch st...], der; -s, -s

S

Stei

⟨engl.⟩ (eine Tanzart); Stepp
tanzen

Stepp|ae|ro|bic [ʃt..., *auch* st...],
das; -s *od.* die; - ⟨engl.⟩ (Aerobic
an stufenartigen Geräten)

Stepp|de|cke

Step|pe, die; -, -n ⟨russ.⟩ (baum-
lose, wasserarme Ebene)

¹**step|pen** [ʃt..., *auch* st...] ⟨engl.⟩
(Stepp tanzen)

²**step|pen** [ʃt..., *auch* st...] ⟨engl.⟩
(Stepp tanzen)

Step|per [ʃt..., *auch* st...] (Stepp-
tänzer)

Step|pe|rei ⟨*zu* ¹steppen⟩

¹**Step|pe|rin**

²**Step|pe|rin** [ʃt..., *auch* st...]
(Stepptänzerin)

Stepp|fut|ter; Stepp|ja|cke

Stepp|ke, der; -[s], -s (*ugs., bes.
berlin. für* kleiner Kerl)

Stepp|ma|schi|ne; Stepp|naht

Stepp|schritt

Stepp|sei|de; Stepp|stich

Stepp|tanz; Stepp|tän|zer; Stepp-
tän|ze|rin

Ster, der; -s, *Plur.* -e u. -s ⟨griech.⟩
(ein Raummaß für Holz); 3 Ster

Ste|ra|di|ant, der; -en, -en ⟨griech.;
lat.⟩ (*Math.* Einheit des Raum-
winkels; *Zeichen* sr)

Ster|be|ab|lass (*kath. Kirche*);
Ster|be|amt (*kath. Kirche*)

**Ster|be|bett; Ster|be|buch; Ster|be-
da|tum; Ster|be|fall**

**Ster|be|ge|läut; Ster|be|geld; Ster-
be|glo|cke; Ster|be|hil|fe; Ster|be-
kas|se; Ster|be|kreuz**

ster|ben; du stirbst; du starbst, du
stürbest; gestorben (*vgl. d.*);
stirb!; jmdn. in Würde sterben
lassen; ein Projekt sterben lassen *od.* sterbenlassen (*ugs.*)

Ster|ben, das; -s; im Sterben lie-
gen; das große Sterben (die
Pest); es ist zum Sterben langweilig (*ugs. für* sehr langweilig)

**Ster|bens|angst; ster|bens|elend;
ster|bens|krank; ster|bens|lang-
wei|lig; ster|bens|matt**

Ster|bens|see|le; nur in keine,
nicht eine Sterbensseele (nie-
mand); **Ster|bens|wort, Ster-
bens|wört|chen** (*ugs.*); nur in
kein Sterbenswort, kein Ster-
benswörtchen

Ster|be|ort *Plur.* ...orte; **Ster|be|sa-
k|ra|men|te** *Plur.* (*kath. Kirche*);

**Ster|be|stun|de; Ster|be|tag; Ster-
be|ur|kun|de; Ster|be|zim|mer**

sterb|lich; Sterb|li|che, der *u.* die;
-n, -n

Sterb|lich|keit, die; -; **Sterb|lich-
keits|zif|fer**

ste|reo [ʃt..., *auch* st...] ⟨griech.⟩
(*kurz für* stereofon); die Schallplatte wurde stereo aufgenommen

Ste|reo, das; -s, -s (*kurz für* Ste-
reofonie, Stereotypplatte)

ste|reo... (starr, massiv, unbeweg-
lich; räumlich, körperlich)

Ste|reo... (Fest..., Raum..., Kör-
per...)

Ste|reo|an|la|ge; Ste|reo|bild
(Raumbild); **Ste|reo|che|mie**
(Lehre von der räumlichen
Anordnung der Atome im Mole-
kül); **Ste|reo|emp|fang**

ste|reo|fon, ste|reo|phon
⟨griech.⟩; **Ste|reo|fo|nie,** ste|reo|pho|nie,
die; - (Technik der räumlich wir-
kenden Tonübertragung)

ste|reo|fo|nisch, ste|reo|pho|nisch

Ste|reo|fo|to|gra|fie (Herstellung
von Stereoskopbildern)

Ste|reo|laut|spre|cher

Ste|reo|me|ter, das; -s, - (optisches
Gerät zur Messung des Volu-
mens fester Körper)

Ste|reo|me|t|rie, die; - (Geometrie
des Raumes; Raumlehre)

ste|reo|me|t|risch (körperlich, Kör-
per...)

ste|reo|phon, Ste|reo|pho|nie usw.
vgl. stereofon, Stereofonie usw.

Ste|reo|pho|to|gra|phie vgl. Stereo-
fotografie

Ste|reo|plat|te; Ste|reo|sen|dung

Ste|reo|s|kop, das; -s, -e (Vorrich-
tung, durch die man Bilder plas-
tisch sieht); **Ste|reo|s|ko|pie,** die;
- (Raumbildtechnik); **ste|reo|s-
ko|pisch**

Ste|reo|ton *Plur.* ...töne (räumlich
wirkender ²Ton)

ste|reo|typ ([fest]stehend, unver-
änderlich; *übertr. für* ständig
[wiederkehrend], leer, abgedro-
schen; mit feststehender Schrift
gedruckt)

Ste|reo|typ, das; -s, -e (*Psych.* ste-
reotypes Urteil)

Ste|reo|typ|druck *Plur.* ...drucke
(Druck von der Stereotypplatte)

Ste|reo|ty|peur [...ʼpøːɐ], der; -s, -e
⟨franz.⟩ (*Druckw.* jmd., der
Matern herstellt u. ausgießt);
Ste|reo|ty|peu|rin

Ste|reo|ty|pie, die; -, ...ien ⟨griech.⟩
(*Druckw.; nur Sing.:* Herstellung

u. Ausgießen von Matern;
Psych. ständiges Wiederholen
von Äußerungen oder Bewe-
gungsabläufen); **ste|reo|ty|pie-
ren** (*Druckw.*)

**Ste|reo|typ|me|tall; Ste|reo|typ-
plat|te** (feste Druckplatte)

ste|ril [ʃt..., *auch* st...] ⟨lat.⟩
(unfruchtbar; keimfrei); **Ste|ri|li-
sa|ti|on,** die; -, -en (Unfruchtbar-
machung; Entkeimung)

Ste|ri|li|sa|tor, der; -s, ...oren (Ent-
keimungsapparat); **Ste|ri|li|sier-
ap|pa|rat**

ste|ri|li|sie|ren (keimfrei machen;
zeugungsunfähig machen); **Ste-
ri|li|sie|rung**

Ste|ri|li|tät, die; - (Unfruchtbar-
keit; Keimfreiheit)

Ste|rin [ʃt..., *auch* st...], das; -s, -e
⟨griech.⟩ (eine organische che-
mische Verbindung)

Ster|ke, die; -, -n (*nordd. für* Färse)

Ster|let[t], der; -s, -e ⟨russ.⟩ (ein
Fisch)

Ster|ling [ˈʃtɛr..., *auch* ˈstɛr...,
ˈstøːɐ...], der; -s, -e (*vgl.* Pfund
Sterling)

¹**Stern,** der; -s, -e ⟨engl.⟩ (*Seemannsspr.* Heck des Schiffes)

²**Stern,** der; -[e]s, -e (Himmelskör-
per)

Stern|bild; Stern|blu|me

Stern|chen|nu|del *meist Plur.* (eine
Suppeneinlage)

Stern|deu|ter (*für* Astrologe);
**Stern|deu|te|rei; Stern|deu|te|rin;
Stern|deu|tung,** die; -

Ster|nen|ban|ner

ster|nen|hell (*svw.* sternhell)

Ster|nen|him|mel (*svw.* Sternhim-
mel)

ster|nen|klar (*svw.* sternklar)

Ster|nen|licht, das; -[e]s

ster|nen|los; ster|nen|wärts

Ster|nen|zelt, das; -[e]s (*geh.*)

Stern|fahrt (*für* Rallye)

stern|för|mig

**Stern|for|scher; Stern|for|sche-
rin; Stern|frucht** (Karambole);
Stern|ge|wöl|be (*Archit.*);
Stern|gu|cker (*ugs.*); **Stern|gu-
cke|rin**

stern|ha|gel|voll (*ugs. für* sehr
betrunken)

Stern|hau|fen (*Astron.*)

stern|hell

Stern|him|mel, der; -s; **Stern|jahr**
(*svw.* siderisches Jahr); **Stern-
kar|te**

stern|klar

Stern|kun|de, die; -; **stern|kun|dig**

Stern|marsch, der; **Stern|mo|tor;**

Stern|na|me; Stern|ort, der; -[e]s, ...örter; Stern|schnup|pe

Stern|sin|gen, das; -s ⟨Volksbrauch zur Dreikönigszeit⟩; Stern|sin|ger; Stern|sin|ge|rin

Stern|stun|de (glückliche Schicksalsstunde); Stern|sys|tem; Stern|war|te; Stern|wol|ke ⟨Astron.⟩; Stern|zei|chen; Stern|zeit ⟨Astron.⟩

Ste|ro|id, das; -[e]s, -e meist Plur. ⟨Kunstw.⟩ (Biochemie eine organische Verbindung)

Stert, der; -[e]s, -e ⟨nordd. für ²Sterz [Schwanz usw.]⟩

¹Sterz, der; -es, -e ⟨bayr. u. österr. für eine [Mehl]speise⟩

²Sterz, der; -es, -e (Schwanz; Führungsteil am Pflug)

ster|zeln (den Hinterleib aufrichten [von Bienen])

stet (veraltet); stete Vorsicht; Ste|te, Stet|heit, die; - (veraltend für Stetigkeit)

Ste|tho|s|kop [ʃt..., auch st...], das; -s, -e ⟨griech.⟩ (Med. Hörrohr)

ste|tig (fortwährend); Ste|tig|keit, die; -; vgl. aber Stätigkeit

Stetl, Schtetl, das; -s, - ⟨jidd.⟩ (früher kleinere Stadt [in Osteuropa] mit jüdischer, nach eigenen Traditionen lebender Bevölkerung)

stets; stets|fort (schweiz. für fortwährend)

Stet|tin (poln. Szczecin); Stet|ti|ner; Stet|ti|ner Haff, das; - -[e]s, Oder|haff, das; -[e]s

¹Steu|er, das; -s, - (Lenkvorrichtung)

²Steu|er, die; -, -n (Abgabe); direkte, indirekte Steuer

Steu|er|ab|setz|be|trag (österr. für Freibetrag)

Steu|er|ab|zug; Steu|er|am|nes|tie; Steu|er|än|de|rungs|ge|setz; Steu|er|an|ge|le|gen|heit; Steu|er|an|pas|sungs|ge|setz

Steu|er|an|spruch; Steu|er|auf|kom|men; Steu|er|auf|sicht

Steu|er|aus|fall meist Plur.

Steu|er|aus|gleichs|kon|to; Steu|er|aus|schuss

¹steu|er|bar (Amtsspr. steuerpflichtig)

²steu|er|bar (sich steuern lassend); Steu|er|bar|keit

steu|er|be|güns|tigt

Steu|er|be|hör|de; Steu|er|be|messungs|grund|la|ge

Steu|er|be|ra|ter; Steu|er|be|ra|te|rin; Steu|er|be|scheid; Steu|er|be|trag; Steu|er|be|voll|mäch|tig|te, der. u. die; Steu|er|bi|lanz

Steu|er|bord, das; -[e]s, -e (rechte Schiffsseite); steu|er|bord[s]

Steu|er|di|ckicht

Steu|er|ein|nah|me

Steu|e|rer, Steu|rer

Steu|er|er|hö|hung; Steu|er|er|klä|rung; Steu|er|er|lass; Steu|er|er|leich|te|rung; Steu|er|er|mä|ßi|gung; Steu|er|er|mitt|lungs|ver|fah|ren

Steu|er|er|stat|tung; Steu|er|ex|per|te; Steu|er|ex|per|tin

Steu|er|fahn|der; Steu|er|fahn|de|rin; Steu|er|fahn|dung

steu|er|fi|nan|ziert

Steu|er|flucht; Steu|er|for|mu|lar

Steu|er|frau vgl. Steuermann

steu|er|frei; Steu|er|frei|be|trag

Steu|er|fuß (schweiz. für jährlich festgelegter Steuersatz)

Steu|er|geld meist Plur.

Steu|er|ge|rät ⟨Elektrot.⟩

Steu|er|ge|rech|tig|keit; Steu|er|ge|setz; Steu|er|hel|fer; Steu|er|hin|ter|zie|hung

Steu|e|rin (w. Form von Steuerer)

Steu|er|kar|te; Steu|er|klas|se

Steu|er|knüp|pel (im Flugzeug)

Steu|er|last; steu|er|lich

steu|er|los; ein steuerloses Schiff

Steu|er|mann Plur. ...leute, auch ...männer

Steu|er|mar|ke; Steu|er|mess|be|trag; Steu|er|mo|ral

steu|ern; ich steu[e]re; ein Boot steuern; dem Übel steuern (geh. für entgegenwirken)

Steu|er|oa|se (Land mit bes. günstigen steuerlichen Verhältnissen); Steu|er|pa|ra|dies (ugs.)

Steu|er|pflicht; steu|er|pflich|tig

Steu|er|po|li|tik; Steu|er|pro|gres|si|on; Steu|er|prü|fer; Steu|er|prü|fe|rin

Steu|er|pult; Steu|er|rad

Steu|er|recht; steu|er|recht|lich

Steu|er|re|form

Steu|er|ru|der

Steu|er|satz

Steu|er|säu|le (Kfz-Technik)

Steu|er|schät|zung

Steu|er|schrau|be (nur in Wendungen wie die Steuerschraube anziehen, an der Steuerschraube drehen); Steu|er|schuld; Steu|er|sen|kung; Steu|er|straf|recht

Steu|er|sys|tem; Steu|er|ta|bel|le; Steu|er|ta|rif

Steu|e|rung; Steu|er|ven|til

Steu|er|ver|an|la|gung; Steu|er|ver|ge|hen; Steu|er|ver|güns|ti|gung; Steu|er|ver|güns|ti|gungs|ab|bau|ge|setz

Steu|er|ver|gü|tung; Steu|er|vo|r|aus|zah|lung

Steu|er|vor|rich|tung; Steu|er|werk (EDV)

Steu|er|we|sen, das; -s; Steu|er|zah|l|er; Steu|er|zah|l|e|rin; Steu|er|zet|tel; Steu|er|zu|schlag

Steu|rer, Steu|e|rer; Steu|re|rin, Steu|e|rin

Stelven [...v...], der; -s, - (nordd. für das Schiff vorn u. hinten begrenzender Balken)

Ste|ward ['stju:ɐt], der; -s, -s ⟨engl.⟩ (Betreuer an Bord von Flugzeugen, Schiffen u. a.)

Ste|war|dess ['stju:ʀ..., auch ...'dɛs], die; -, -en

Steyr (oberösterr. Stadt)

StGB, das; - = Strafgesetzbuch

St. Geor|ge's vgl. Saint George's

sti|bit|zen (ugs. für sich listig aneignen); du stibitzt

Sti|bi|um [ʃt..., auch st...], das; -s ⟨griech.-lat.⟩ (lat. Bez. für Antimon; Zeichen Sb)

Stich, der; -[e]s, -e; im Stich lassen; etwas hält Stich (erweist sich als einwandfrei)

Stich|bahn (Eisenb.); Stich|blatt (Handschutz bei Fechtwaffen); Stich|bo|gen (flacher Rundbogen)

Sti|chel, der; -s, - (ein Werkzeug); Sti|che|lei (auch für Neckerei; Boshaftigkeiten)

Stich|haar; sti|chel|haa|rig

sti|cheln (auch für boshafte Bemerkungen machen); ich stich[e]le; ↑K82 : er kann das Sticheln nicht lassen

Stich|ent|scheid (schweiz. für Entscheidung durch die Stimme des Präsidenten bei Stimmengleichheit)

stich|fest; hieb- und stichfest ↑K31

Stich|flam|me; Stich|fra|ge; Stich|gra|ben

stich|hal|tig, österr. stich|häl|tig

Stich|hal|tig|keit, österr. Stich|häl|tig|keit, die; -

sti|chig (säuerlich)

Stich|jahr; Stich|kampf (Sport); Stich|ka|nal (Wasserbau); Stich|kap|pe (Bauw.)

Stich|ler ⟨zu sticheln⟩

Stich|ling (ein Fisch)

Sti|cho|my|thie [ʃt..., auch st...], die; -, -n ⟨griech.⟩ (verszeile

S
Ster

stieg vgl. steigen

Stie|ge, die; -, -n (Verschlag, flache [Latten]kiste; Zählmaß [20 Stück]; enge Holztreppe; *bes. südd., österr. für* Treppe[nflur])

Stie|gen|be|leuch|tung; Stie|gen|ge|län|der; Stie|gen|haus (*südd., österr. für* Treppenhaus)

Stieg|litz, der; -es, -e ⟨slaw.⟩ (Distelfink)

stiehlt vgl. stehlen

stie|kum ⟨hebr.-jidd.⟩ (*ugs. für* heimlich, leise)

Stiel, der; -[e]s -e (Griff; Stängel); mit Stumpf und Stiel

Stiel|au|ge (*ugs. scherzh. in* Stielaugen machen)

Stiel|be|sen; Stiel|bürs|te

stie|len (mit Stiel versehen)

Stiel|glas Plur. ...gläser

...stie|lig (z. B. kurzstielig)

Stiel|kamm

stiel|los; ein stielloses Glas; vgl. aber stillos

Stiel|mus, das; -es (*landsch. für* Gemüse aus Rübenstielen u. -blättern)

stie|men (*nordd. für* dicht schneien; qualmen); **Stiem|wet|ter**, das; -s (*nordd. für* Schneesturm)

stier (starr; *österr., schweiz. mdal. auch für* ohne Geld)

Stier, der; -[e]s -e

¹**stie|ren** (starr blicken)

²**stie|ren** (svw. rindern)

³**stie|ren** (*bayr., österr. für* stochern, stöbern)

stie|rig (brünstig [von der Kuh])

Stier|kampf; Stier|kampf|are|na; Stier|kämp|fer; Stier|kämp|fe|rin

Stier|na|cken; stier|na|ckig

Stie|sel, Stie|ßel, der; -s, - (*ugs. für* Flegel); **stie|se|lig, sties|lig, stie|ße|lig, stieß|lig**

stieß vgl. stoßen

¹**Stift**, der; -[e]s -e (Bleistift; Nagel)

²**Stift**, der; -[e]s -e (*ugs. für* halbwüchsiger Junge, Lehrling)

³**Stift**, das; -[e]s -e, *selten* -er (fromme Stiftung; *veraltet für* Altenheim)

¹**stif|ten** (spenden; gründen; bewirken)

²**stif|ten**; *nur in* stiften gehen (*ugs. für* ausreißen, fliehen)

¹**Stif|ter** (österr. Schriftsteller)

²**Stif|ter; Stif|ter|fi|gur** (bild. Kunst); **Stif|te|rin**

Stif|terl, das; -s, -n (*österr. für* kleine Weinflasche)

still – Stinkkäfer

still

Kleinschreibung ↑K89:

– stiller Teilhaber, stille Reserven, stille Rücklagen, stille Beteiligung *(Kaufmannsspr.)*
– das stille Örtchen *(ugs. scherzh. für* Toilette)
– eine stille Messe *(kath. Kirche)*

Großschreibung:

– im Stillen (unbemerkt)
– ↑K140 : der Stille Ozean
– ↑K151 : der Stille Freitag (Karfreitag); die Stille Woche (Karwoche)

Schreibung in Verbindung mit Verben:

– still sein, still werden, still bleiben
– in der Kirche sollen wir ganz still (ruhig) sitzen
– die Kinder sollten lernen, still zu sitzen *od.* stillzusitzen (sich zu konzentrieren)
– du musst die Lampe, den Kopf ganz still (ruhig) halten

Vgl. aber stillhalten, stilllegen, stillliegen, stillschweigen, stillstehen

---

still *s. Kasten*
Still [st...], das; -s, -s ⟨engl.⟩ ([Video]standfoto)
stil|le *(ugs. für* still)
Stil|le, die; -; -; in aller Stille
Stil|le|ben *alte Schreibung für* Stillleben
stille|gen usw. *alte Schreibung für* stilllegen usw.
Stil|leh|re
stil|len
Still|geld *(schweiz.* Unterstützung für stillende Mütter)
still|ge|stan|den! (militärisches Kommando)
Still|hal|te|ab|kom|men
still|hal|ten (alles geduldig ertragen; nichts tun); du musst stillhalten; wir haben lange genug stillgehalten; *vgl. aber* still
Still|le|ben, Still-Le|ben, das; -s, - (*Malerei* bildl. Darstellung von Gegenständen in künstl. Anordnung)
still|le|gen (außer Betrieb setzen); ich lege still; stillgelegt; stillzulegen
Still|le|gung, Still-Le|gung
still|lie|gen (außer Betrieb sein); die Fabrik hat stillgelegen; *aber* das Kind hat ganz still (ruhig) gelegen
stil|los; ein stilloses Verhalten; *vgl. aber* stiellos; Stil|lo|sig|keit
still|schwei|gen (schweigen, nichts verraten); er hat lange stillgeschwiegen; Still|schwei|gen; jmdm. Stillschweigen auferlegen; still|schwei|gend
still sit|zen, still|sit|zen (konzentriert sein; sich nicht beschäftigen); *aber* still (ruhig) sitzen; *vgl.* still
Still|stand, der; -[e]s
still|ste|hen (in der Bewegung aufhören); sein Herz hat stillgestanden; die Zeit schien stillzustehen; stillgestanden! *(Milit.)*;

aber das Kind hat lange ganz still (ruhig) gestanden
Stil|lung, die; -
still|ver|gnügt
Still|zeit
Stil|mit|tel, das; Sti|l|mix; Stil|mö|bel; Stil|no|te *(Sport);* Stil|rich|tung; Stil|schicht *(svw.* Stilebene); Stil|übung; Sti|l|un|ter|su|chung
stil|voll; Stil|wan|del; sti|l|wid|rig
Stil|wör|ter|buch
Stimm|ab|ga|be; Stimm|auf|wand; Stimm|band, das; *Plur.* ...bänder
stimm|be|rech|tigt; Stimm|be|rech|tig|te, der u. die; -n, -n; Stimm|be|rech|ti|gung
Stimm|be|zirk
stimm|bil|dend; Stimm|bil|dung
Stimm|bruch, der; -[e]s
Stimm|bür|ger *(schweiz.);* Stimm|bür|ge|rin
Stimm|chen; Stim|me, die; -, -n
stim|men
Stim|men|an|teil; Stim|men|aus|zäh|lung; Stim|men|fang; Stim|men|ge|winn
Stim|men|ge|wirr
Stim|men|gleich|heit; Stim|men|kauf; Stim|men|mehr|heit
Stimm|ent|hal|tung
Stim|men|ver|hält|nis; Stim|men|ver|lust
Stim|mer (eines Musikinstrumentes); Stim|me|rin
stimm|fä|hig
Stimm|frei|ga|be *(schweiz. für* Verzicht einer Partei auf eine Abstimmungsempfehlung)
Stimm|füh|rung; die *(Musik);* Stimm|ga|bel
stimm|ge|wal|tig
stimm|haft *(Sprachw.* weich auszusprechen); Stimm|haf|tig|keit, die; -
stim|mig ([überein]stimmend)
...stim|mig (z. B. vierstimmig, *mit* Ziffer 4-stimmig)

Stim|mig|keit, die; -
Stimm|la|ge; stimm|lich
stimm|los *(Sprachw.* hart auszusprechen); Stimm|lo|sig|keit, die; -
Stimm|recht
Stimm|rit|ze; Stimm|schlüs|sel (Gerät zum Klavierstimmen); Stimm|stock (in Streichinstrumenten)
Stim|mung
stim|mungs|an|fäl|lig
Stim|mungs|ba|ro|me|ter *(ugs.);* Stim|mungs|bild; Stim|mungs|ka|no|ne *(ugs. für* jmd., der für Stimmung sorgt)
Stim|mungs|ka|pel|le; Stim|mungs|ma|che; Stim|mungs|mu|sik; Stim|mungs|um|schwung
stim|mungs|voll
Stim|mungs|wan|del
Stimm|vieh *(abwertend)*
Stimm|volk *(schweiz. für* Gesamtheit der Stimmberechtigten); Stimm|zet|tel
Sti|mu|lans [ʃt..., *auch* st...], das; -, *Plur.* ...lantia u. ...lanzien ⟨lat.⟩ *(Med.* anregendes Mittel)
Sti|mu|lanz, die; -, -en (Anreiz, Antrieb)
Sti|mu|la|ti|on, die; -, -en (Stimulierung)
sti|mu|lie|ren; Sti|mu|lie|rung (Erregung, Anregung, Reizung)
Sti|mu|lus, der; -, ...li (Reiz, Antrieb)
stink|be|sof|fen *(derb)*
Stink|bom|be
Stin|ke|fin|ger *(ugs.;* obszöne Geste)
stin|ken; du stankst; du stänkest; gestunken; stink[e]!
Stin|ker *(ugs. für* unangenehmer Mensch); Stin|ke|rin
stink|faul *(ugs.);* stink|fein *(ugs.)*
stin|kig
Stink|kä|fer *(landsch. für* Mistkäfer)

972

stink|lang|wei|lig *(ugs.)*
Stink|lau|ne *(ugs. für* sehr schlechte Laune)
stink|mar|der *(Jägerspr.* Iltis); Stink|mor|chel
stink|nor|mal *(ugs.);* stink|sau|er *(ugs. für* sehr verärgert)
Stink|stie|fel *(derb für* unangenehmer Mensch)
Stink|tier
stink|vor|nehm *(ugs.)*
Stink|wan|ze
Stink|wut *(ugs.)*
Stint, der; -[e]s, -e (ein Fisch)
Sti|pen|di|at, der; -en, -en ⟨lat.⟩ (jmd., der ein Stipendium erhält); Sti|pen|di|a|tin
Sti|pen|di|en|ver|ga|be
Sti|pen|di|um, das; -s, ...ien (Geldbeihilfe für Schüler[innen], Studierende, Gelehrte)
Stipp, der; -[e]s, -e, Stip|pe, die; -, -n *(landsch. für* Kleinigkeit; Punkt; Pustel; Tunke); auf den Stipp (sofort)
Stipp|be|such *(norddt.)*
stip|pen *(ugs. für* tupfen, tunken); stip|pig *(landsch. für* gefleckt; mit Pusteln besetzt); Stip|pig|keit, die; - *(landsch.)*
Stipp|vi|si|te *(ugs. für* kurzer Besuch)
Sti|pu|la|ti|on [[t..., *auch* st...], die; -, -en ⟨lat.⟩ (vertragliche Abmachung, Übereinkunft)
sti|pu|lie|ren; Sti|pu|lie|rung
stirbt *vgl.* sterben
Stirn, die; -, -en, *geh.* Stir|ne, die; -, -n
Stirn|band, das; *Plur.* ...bänder; Stirn|bein
Stir|ne *vgl.* Stirn
Stirn|flä|che; Stirn|glat|ze
Stirn|höh|le; Stirn|höh|len|ent|zün|dung; Stirn|höh|len|ver|ei|te|rung
Stirn|lo|cke; Stirn|reif; Stirn|rie|men
Stirn|run|zeln, das; -s; stirn|run|zelnd
Stirn|sei|te; Stirn|wand; Stirn|zie|gel
St. John's *vgl.* Saint John's
St. Kitts und Ne|vis [snt - - 'niːvɪs] (Staat im Bereich der Westindischen Inseln)
St. Lu|cia [snt 'luːʃə] (Staat im Bereich der Westindischen Inseln); *vgl.* Lucianer
Sto. = Santo
Stoa [st...], die; -, Stoen ⟨griech.⟩ *(nur Sing.:* altgriechische Philosophenschule; altgriechische Säulenhalle)
stob *vgl.* stieben

Stö|ber, der; -s, - *(Jägerspr.* Hund, der zum [Auf]stöbern des Wildes gebraucht wird); Stö|ber|rei *(landsch. auch für* Großreinemachen); Stö|ber|hund
stö|bern *(ugs. für* suchen, [wühlend] herumsuchen; *Jägerspr.* aufjagen; flockenartig umherfliegen; *landsch. auch für* sauber machen); ich stöbere; es stöbert *(landsch. für* es schneit)
Sto|chas|tik [st..., *auch* ʃt...], die; - ⟨griech.⟩ (Betrachtungsweise der analytischen Statistik nach der Wahrscheinlichkeitstheorie); sto|chas|tisch
Sto|cher, der; -s, - (Werkzeug zum Stochern); Sto|cher|kahn
sto|chern; ich stochere
¹Stock, der; -[e]s, Stöcke (Stab u. Ä., Baumstumpf); über Stock und Stein; in den Stock (Fußblock) legen
²Stock, der; -[e]s, - (Stockwerk); das Haus hat zwei Stock, ist zwei Stock hoch; ein Haus von drei Stock
³Stock [st...], der; -s, -s ⟨engl.⟩ *(Wirtsch.* Vorrat, Warenlager; Grundkapital)
Stock|aus|schlag *(Forstw.* Bildung von Sprossen an Baumstümpfen)
stock|be|sof|fen, stock|be|trun|ken *(ugs. für* völlig betrunken)
Stock|bett (Etagenbett)
stock|blind *(ugs.)*
Stock|car [st...], der; -s, -s ⟨engl.⟩ *(Motorsport* mit starkem Motor ausgestatteter Serienwagen für Autorennen); Stock|car|ren|nen, Stock|car-Ren|nen
stock|dumm *(ugs. für* sehr dumm); stock|dun|kel *(ugs.)*
Stock|ei|sen
Stö|ckel, der; -s, - *(ugs. für* hoher Absatz)
Stö|ckel|ab|satz
stö|ckeln *(ugs. für* auf Stöckeln laufen); ich stöck[e]le
Stö|ckel|schuh
sto|cken (nicht vorangehen; *bayr. u. österr. auch für* gerinnen); ↑K82 : ins Stocken geraten, kommen; gestockte Milch *(bayr. u. österr. für* Dickmilch)
Stock|en|te
Sto|ckerl, das; -s, -n *(bayr. u. österr. für* Hocker)
Stock|fäu|le *(Forstw.)*
Stock|feh|ler *([Eis]hockey)*

stock|fins|ter *(ugs. für* völlig finster)
Stock|fisch *(ugs. auch für* wenig gesprächiger Mensch)
Stock|fleck, Stock|fle|cken; stock|fle|ckig
stock|hei|ser *(ugs. für* sehr heiser)
Stock|holm [*auch* ...'hɔlm] (Hauptstadt Schwedens); Stock|hol|mer
sto|ckig (muffig; stockfleckig)
...stö|ckig (z. B. vierstöckig, *mit* Ziffer 4-stöckig; ↑K29)
stock|kon|ser|va|tiv *(ugs.)*
Stöckl, das; -s, - *(österr. für* Nebengebäude)
Stöck|li, das; -s, - *(schweiz. für* Nebengebäude eines Bauernhofs; Altenteil; *auch für* Ständerat)
Stock|na|gel
stock|nüch|tern *(ugs.)*
Stock|op|ti|on, Stock-Op|ti|on ['st..., *auch* ...ɔpʃn], die; -, -en, *bei engl. Aussp.* -s *meist Plural* ⟨engl.⟩ *(Wirtsch.* Form der Mitarbeiterbeteiligung, bei der die Mitarbeiter berechtigt werden, Aktien des Unternehmens zu erwerben)
Stock|punkt (Temperatur der Zähigkeitszunahme von Ölen)
Stock|ro|se (Malve)
stock|sau|er *(ugs. für* sehr verärgert, sehr wütend)
Stock|schirm; Stock|schla|gen, das; -s *(Eishockey);* Stock|schnup|fen; Stock|schwämm|chen (ein Pilz)
stock|steif *(ugs. für* völlig steif); stock|taub *(ugs. für* völlig taub)
Stock|uhr *(österr. veraltet für* Standuhr)
Sto|ckung
Stock|werk
Stock|zahn *(bayr., österr., schweiz. für* Backenzahn)
Stoff, der; -[e]s, -e; Stoff|bahn; Stoff|bal|len; Stoff|be|hang
Stof|fel, der; -s, - *(ugs. für* ungeschickter, unhöflicher Mensch; Tölpel); stoff|fe|lig, stoffllig *(ugs. für* tölpisch, unhöflich)
Stoff|far|be, Stoff-Far|be
Stoff|fet|zen, Stoff-Fet|zen
Stoff|fül|le, Stoff-Fül|le
stoff|hal|tig; stoff|lich (materiell); Stoff|lich|keit, die; -
stoff|lig *vgl.* stoffelig
Stoff|rest; Stoff|samm|lung; Stoff|ser|vi|et|te; Stoff|tier
Stoff|wech|sel; Stoff|wech|sel|krank|heit
stöh|nen; ↑K82 : leises Stöhnen
stoi! [st...] ⟨russ.⟩ (halt!)

Sto|i|ker [ʃt..., *auch* st...] ⟨griech.⟩ (Anhänger der Stoa; Vertreter des Stoizismus); Sto|i|ke|rin; sto|isch (zur Stoa gehörend; unerschütterlich, gleichmütig); Sto|i|zis|mus, der; - (Lehre der Stoiker; Unerschütterlichkeit, Gleichmut)

Sto|la [ʃt..., *auch* st...], die; -, ...len ⟨griech.⟩ (Gewand, Umhang)

Stoll|berg (Harz) (Kurort in Sachsen-Anhalt)

Stol|berg (Rhld.) (Stadt bei Aachen)

Stol|ge|büh|ren [ʃt..., *auch* st...] *Plur.* (Pfarramtsnebenbezüge)

Stoll|berg (Erzgeb.) (Stadt in Sachsen)

Stol|le, die; -, -n, ¹Stol|len, der; -s, - (ein Weihnachtsgebäck)

²Stol|len, der; -s, - (Zapfen am Hufeisen, an [Fußball]schuhen; *Bergmannsspr.* waagerechter Grubenbau; *Verslehre* eine Strophe des Aufgesangs im Meistersang)

Stol|len|bau, der; -[e]s; Stol|len|gang, der; Stol|len|mund|loch (*Bergmannsspr.*)

Stol|per|draht

Stol|pe|rer; Stol|pe|rin

stol|pern; ich stolpere

Stol|per|stein (Schwierigkeit, an der etwas, jmd. scheitern kann)

stolz; Stolz, der; -es

Stol|ze (Erfinder eines Kurzschriftsystems)

Stol|ze-Schrey; das Kurzschriftsystem Stolze-Schrey

stolz|ge|schwellt; mit stolzgeschwellter Brust

stol|zie|ren (stolz einherschreiten)

Sto|ma [st..., *auch* ʃt...], das; -s, -ta ⟨griech.⟩ (*Med.* Mund-, Spaltöffnung; künstlicher Darmausgang o. Ä.; *Biol.* Spaltöffnung des Pflanzenblattes); sto|ma|chal (*Med.* den Magen betreffend)

Sto|ma|ti|tis, die; -, ...itiden (Entzündung der Mundschleimhaut); Sto|ma|to|lo|gie, die; - (Lehre von den Erkrankungen der Mundhöhle); sto|ma|to|lo|gisch

Stone|henge [ˈstoːnhɛntʃ] (Kultstätte der Jungsteinzeit u. frühen Bronzezeit in Südengland)

stop! [ʃt..., *auch* st...] ⟨engl.⟩ (*auf Verkehrsschildern* halt!; *im Telegrafenverkehr für* Punkt); *vgl.* stopp!

Stop *alte Schreibung für* Stopp (Tennis)

Stop-and-go-Ver|kehr [st...|ɛnt...] (durch langsames Fahren u. häufiges Anhalten der Fahrzeuge gekennzeichneter Verkehr)

Stopf|buch|se, Stopf|büch|se (Maschinenteil)

Stopf|ei

stop|fen; Stop|fen, der; -s, - (*landsch. für* Stöpsel, Kork); Stop|fer

Stopf|garn; Stopf|na|del; Stopf|pilz

Stop|fung

Stop-over, Stop|over [ˈst...], der; -s, -s ⟨engl.⟩ (Zwischenaufenthalt)

stopp! (halt!); *vgl.* stop!; Stopp, der; -s, -s (Halt, Unterbrechung; *bes. Tennis* Stoppball)

Stopp|ball (*Sport*)

¹Stop|pel, der; -s, - (*österr. für* Stöpsel)

²Stop|pel, die; -, -n; Stop|pel|bart (*ugs.*); stop|pel|bär|tig

Stop|pel|feld

Stop|pel|haar

stop|pe|lig, stopp|lig

stop|peln (Ähren u. Ä. aufsammeln; *österr. auch für* nach Kork riechen [beim Wein]); ich stopp[e]le

Stop|pel|zie|her (*österr. für* Korkenzieher)

stop|pen (anhalten; mit der Stoppuhr messen)

Stop|per (*Fußball* Mittelläufer); Stop|pe|rin

Stopp|licht *Plur.* ...lichter

stopp|lig *vgl.* stoppelig

Stopp|preis, Stopp-Preis (Höchstpreis)

Stopp|schild; Stopp|si|g|nal; Stopp|stra|ße; Stopp|uhr

Stöp|sel, der; -s, -

stöp|seln; ich stöps[e]le

¹Stör, der; -[e]s, -e (ein Fisch)

²Stör, die; -, -en (*südd., österr. u. schweiz. früher für* Arbeit, die ein Gewerbetreibender im Hause des Kunden verrichtet)

³Stör, die; - (Fluss in Schleswig-Holstein)

Stör|ak|ti|on

stör|an|fäl|lig; Stör|an|fäl|lig|keit

Sto|rax *vgl.* Styrax

Storch, der; -[e]s, Störche; Storch|bein; storch|bei|nig

stor|chen (*ugs. für* wie ein Storch einherschreiten)

Stor|chen|nest

Stör|chin; Störch|lein

Storch|nest (*svw.* Storchennest)

Storch|schna|bel (eine Pflanze; Gerät zum mechanischen Ver-

kleinern od. Vergrößern von Zeichnungen)

¹Store [ʃtoːɐ̯, *auch* st..., *schweiz.* ˈʃtoːrə], der; -s, -s, *schweiz. meist* die; -, -n ⟨franz.⟩ (Fenstervorhang; *schweiz. für* Markise; Sonnenvorhang)

²Store [stoːɐ̯], der; -s, -s ⟨*engl. Bez. für* Vorrat, Lager; Laden)

Sto|ren, der; -s, - (*schweiz. neben* ¹Store)

¹stö|ren (*südd. u. österr. für* auf der ²Stör arbeiten)

²stö|ren (hindern, belästigen); sich stören; ich störte mich an seinem Benehmen

Stö|ren|fried, der; -[e]s, -e (*abwertend*)

¹Stö|rer (*südd. u. österr. für* auf der ²Stör Arbeitender; Landfahrer)

²Stö|rer (jmd., der ²stört); Stö|re|rei; Stö|re|rin

Stör|fak|tor; Stör|fall (bes. in einem Kernkraftwerk); Stör|feu|er; stör|frei

stor|gen (*landsch. für* als Landstreicher umherziehen); Stor|ger (*landsch. für* Landstreicher)

Stör|ge|räusch

Storm (dt. Schriftsteller)

Stör|ma|nö|ver

Stor|marn (Gebiet u. Landkreis im südlichen Holstein)

Stor|mar|ner; Stor|mar|ne|rin; stor|marnsch

stor|nie|ren [ʃt..., *auch* st...] ⟨ital.⟩ (*Kaufmannsspr.* rückgängig machen; Buchungsfehler berichtigen); Stor|nie|rung

Stor|no, der *u.* das; -s, -s, ...ni (Berichtigung; Rückbuchung, Löschung); Stor|no|bu|chung

stör|rig (*seltener für* störrisch); Stör|rig|keit, die; - (*selten*)

stör|risch; Stör|risch|keit, die; -

Stör|schnei|de|rin ⟨*zu* ²Stör)

Stör|schutz (gegen Rundfunkstörungen)

Stör|sen|der; Stör|stel|le

Stör|te|be|ker (ein Seeräuber)

Stor|ting [ʃt..., *auch* st...], das; -s (norwegische Volksvertretung)

Stö|rung; Stö|rungs|feu|er (*svw.* Störfeuer)

stö|rungs|frei (*bes.* Technik)

Stö|rungs|front (*Meteor.*)

Stö|rungs|stel|le (für Störungen [im Fernsprechverkehr] zuständige Abteilung); Stö|rungs|su|che

Sto|ry [ˈstoːri], die; -, -s ⟨engl.⟩ (Geschichte, Bericht)

Stoß, der; -es, Stöße (*Berg-

mannsspr. auch für seitliche Begrenzung eines Grubenbaus)
Stoß|band, das; *Plur.* ...bänder; **Stoß|bor|te** (an der Hose)
Stöß|chen
Stoß|dämp|fer; Stoß|de|gen
Stö|ßel, der; -s, - (Stoßgerät)
stoß|emp|find|lich
sto|ßen; du stößt, er/sie/es stößt; du stießest; gestoßen; stoß[e]!; er stößt ihr, *auch* sie in die Seite
Stö|ßer (*auch für* Sperber)
Sto|ße|rei; Stoß|fest
Stoß|ge|bet; Stoß|ge|schäft
stö|ßig; ein stößiger Ziegenbock
Stoß|kraft, die; -; **stoß|kräf|tig**
stoß|lüf|ten; *nur im Infinitiv und Partizip II gebr.:* mehrmals täglich kurz stoßlüften; stoßgelüftet
Stoß|rich|tung; Stoß|seuf|zer
stoß|si|cher
Stoß|stan|ge; Stoß|the|ra|pie (*Med.*)
Stoß|trupp (*Milit.*); **Stoß|trupp|ler**
Stoß|ver|kehr (Verkehr zur Zeit der stärksten Verkehrsdichte); **Stoß|waf|fe**
stoß|wei|se
Stoß|zahn; Stoß|zeit (*Verkehrsw.*)
Sto|tin|ka [st...], die; -, ...ki ⟨bulgar.⟩ (Untereinheit des Lew)
Stot|te|rei (*ugs.*); **Stot|te|rer; stot|te|rig, stott|rig**; **Stot|te|rin, Stott|re|rin**; **stot|tern**; ich stottere; ↑K82 : ins Stottern geraten; etwas auf Stottern (*ugs. für* auf Ratenzahlung) kaufen
Stott|re|rin *vgl.* Stotterin
stott|rig *vgl.* stotterig
Stotz, der; -es, -e u., *schweiz. nur,* **Stöt|zen**, der; -s, - (*landsch. für* Baumstumpf; Bottich; *schweiz. für* Keule eines Schlachttiers)
stot|zig (*südwestd. u. schweiz. mdal. für* steil)
Stout [staut], der; -s, -s ⟨engl.⟩ (dunkles englisches Bier)
Stöv|chen, Stöv|chen (*nordd. für* Kohlenbecken; Wärmevorrichtung für Tee od. Kaffee)
Sto|ve [...və], der; -s, -n (*nordd. für* Trockenraum)
sto|wen (*nordd. für* dämpfen, dünsten); gestowtes Obst
StPO = Strafprozessordnung
Str. = Straße
stra|ban|zen usw. *vgl.* strawanzen usw.
Stra|bo, Stra|bon [st...] (griechischer Geograf u. Geschichtsschreiber)
¹**Strac|cia|tel|la** [stratʃa...], das; -[s] ⟨ital.⟩ (eine Speiseeissorte)

²**Strac|cia|tel|la**, die; -, ...le ⟨ital.⟩ (ital. [Eier]einlaufsuppe)
strack (*landsch. für* gerade, straff, steif; faul, träge; *auch für* völlig betrunken)
stracks (geradeaus; sofort)
Strad|dle [ˈstredl], der; -[s], -s ⟨engl.⟩ (*Leichtathletik* ein Sprungstil im Hochsprung)
¹**Stra|di|va|ri** [st...] (italienischer Meister des Geigenbaus)
²**Stra|di|va|ri**, die; -, -[s] (Stradivarigeige); **Stra|di|va|ri|gei|ge**
Straf|ak|ti|on; Straf|an|dro|hung; Straf|an|stalt; Straf|an|trag; Straf|an|zei|ge; Straf|ar|beit
Straf|auf|he|bung; Straf|auf|he|bungs|grund
Straf|auf|schub; Straf|aus|set|zung
Straf|bank *Plur.* ...bänke (*Sport*)
straf|bar; Straf|bar|keit, die; -
Straf|be|fehl; Straf|be|fug|nis; Straf|be|scheid
straf|be|wehrt (*Rechtsspr.* mit Strafe bedroht)
Stra|fe, die; -, -n; **Straf|ecke** (*Sport*); **stra|fen**
Straf|ent|las|se|ne, der u. die; -n, -n
Straf|er|lass
straf|er|schwe|rend
straf|ex|er|zie|ren (*nur im Infinitiv u. Partizip I u. II gebräuchlich*)
straff
straf|fäl|lig; Straf|fäl|lig|keit, die; -
straf|fen (straff machen); **Straff|heit**, die; -
straf|frei; Straf|frei|heit, die; -
Straf|ge|fan|ge|ne; Straf|ge|richt; Straf|ge|richts|bar|keit
Straf|ge|setz; Straf|ge|setz|buch (*Abk.* StGB); **Straf|ge|setz|ge|bung**
Straf|ge|walt, die; -; **Straf|kam|mer; Straf|ko|lo|nie; Straf|kom|pa|nie** (*Milit.*); **Straf|la|ger** *Plur.* ...lager
sträf|lich; sträflicher Leichtsinn; **Sträf|lich|keit**, die; -
Sträf|ling; Sträf|lings|klei|dung
straf|los; Straf|lo|sig|keit, die; -
Straf|man|dat; Straf|maß, das
straf|mil|dernd; Straf|mil|de|rung
Straf|mi|nu|te (*Sport*)
straf|mün|dig
Straf|nach|lass
Straf|por|to; Straf|pre|digt
Straf|pro|zess; Straf|pro|zess|ord-nung (*Abk.* StPO)
Straf|punkt (*Sport*); **Straf|raum** (*Sport*)
Straf|recht, das; -[e]s; **Straf|recht-ler; Straf|recht|le|rin; straf|recht-lich; Straf|rechts|re|form**

Straf|re|gis|ter; Straf|re|gis|ter|aus-zug (*österr., schweiz.*); **Straf|re-gis|ter|be|schei|ni|gung** (*österr.*); **Straf|sa|che; Straf|se|nat**
Straf|stoß (*Sport*)
Straf|tat; Straf|tä|ter; Straf|tä|te-rin; Straf|til|gung; Straf|til|gungs-grund
Straf|um|wand|lung; Straf|ver|bü-ßung; Straf|ver|fah|ren; Straf|ver-fol|gung; Straf|ver|fü|gung
straf|ver|schär|fend; Straf|ver-schär|fung
straf|ver|set|zen *nur im Infinitiv u. Partizip II gebr.;* strafversetzt; **Straf|ver|set|zung**
Straf|ver|tei|di|ger; Straf|ver|tei|di-ge|rin; Straf|voll|stre|ckung
Straf|voll|zug; Straf|voll|zugs|an-stalt
straf|wei|se; straf|wür|dig
Straf|zeit; Straf|zet|tel; Straf|zu-mes|sung
Strahl, der; -[e]s, -en; **Strahl|an-trieb**
Strah|le|mann *Plur.* ...männer (*ugs. für* jmd., der ein [übertrieben] fröhliches Gesicht macht)
strah|len
sträh|len (*landsch. u. schweiz. mdal. für* kämmen)
Strah|len|be|hand|lung; Strah|len-be|las|tung; Strah|len|bio|lo|gie; Strah|len|bre|chung; Strah|len|bün-del; Strah|len|che|mie
strah|lend; ihr strah|lends|tes Lächeln
Strah|len|do|sis; strah|len|för|mig
Strah|len|krank|heit; Strah|len-kranz; Strah|len|kun|de, die; -
Strah|len|pilz; Strah|len|schä|di-gung; Strah|len|schutz, der; -es
Strah|len|the|ra|pie; Strah|len|tier-chen; Strah|len|tod
Strah|ler (*schweiz. auch für* [Berg]kristallsucher)
Sträh|ler *vgl.* Strehler
Strahl|flug|zeug (Düsenflugzeug)
strah|lig
...strah|lig (z. B. achtstrahlig, *mit Ziffer* 8-strahlig; ↑K29)
Strahl|kraft, die; -; **Strahl|rich|tung; Strahl|rohr; Strahl|stär|ke; Strahl|trieb|werk**
Strah|lung; Strah|lungs|ener|gie; Strah|lungs|gür|tel; Strah|lungs-in|ten|si|tät; Strah|lungs|wär|me
Strähn, der; -[e]s, -e (*österr. für* Büschel von Wolle od. Garn)
Sträh|ne, die; -, -n; **sträh|nig**
Strak, das; -s, -e (*Schiffbau* der Verlauf der Linien eines Bootskörpers); **stra|ken** (*Schiffbau,*

Technik vorschriftsmäßig verlaufen [von einer Kurve]; streichen, strecken)

Stral|sund [*auch* ...'ʒʊ...] (Hafenstadt an der Ostsee); **Stral|sunder; Stral|sun|de|rin**

Stra|min, der; -s, -e ⟨niederl.⟩ (Gittergewebe für Kreuzstickerei); **Stra|min|de|cke**

stramm; ein strammer Junge; strammer Max (Spiegelei u. Schinken auf Brot); *vgl.* strammstehen, strammziehen

stram|men (*landsch. für* straff anziehen)

Stramm|heit, die; -

stramm|ste|hen; ich stehe stramm; strammgestanden; strammzustehen

stramm zie|hen **, strammzie|hen;** jmdm. den Hosenboden stramm ziehen *od.* strammziehen; ein Seil stramm ziehen *od.* strammziehen

Stram|pel|an|zug; Stram|pel|höschen

stram|peln; ich stramp[e]le

Stram|pel|sack

stramp|fen (*südd. u. österr. für* stampfen; strampeln)

Stramp|ler (Strampelanzug)

Strand, der; -[e]s, Strände

Strand|an|zug; Strand|bad; Strandburg; Strand|ca|fé; Strand|dis|tel

stran|den

Strand|gut, das; -[e]s; **Strand|ha|fer**

Strand|hau|bit|ze; *nur in Wendungen wie* voll, betrunken, blau wie eine Strandhaubitze sein (*ugs. für* völlig betrunken sein)

Strand|kleid; Strand|korb; Strandkrab|be; Strand|läu|fer (ein Vogel); **Strand|recht,** das; -[e]s

Stran|dung

Strand|wa|che

Strang, der; -[e]s, Stränge; über die Stränge schlagen (*ugs.*)

Stran|ge, die; -, -n (*schweiz. neben* Strang); eine Strange Garn, Wolle

strän|gen (*veraltend für* [ein Zugtier] anspannen)

Stran|gu|la|ti|on, Stran|gu|lie|rung, die; -, -en ⟨griech.⟩ (Erdrosselung; *Med.* Abklemmung); **strangu|lie|ren**

Stran|gu|rie [st..., *auch* ʃt...], die; -, ...ien (*Med.* Harnzwang)

Stra|pa|ze, die; -, -n ⟨ital.⟩ ([große] Anstrengung)

stra|paz|fä|hig (*österr. für* strapazierfähig); **stra|pa|zier|bar; Strapa|zier|bar|keit,** die; -

stra|pa|zie|ren (übermäßig anstrengen, beanspruchen)

stra|pa|zier|fä|hig; Stra|pa|zier|fähig|keit, die; -

stra|pa|zi|ös (anstrengend)

Straps, der; -es, -e ⟨engl.⟩ (Strumpfhalter)

Stras|bourg [stras'buːʀ] (*franz. Schreibung von* Straßburg)

Stras|burg (Stadt in der nördlichen Uckermark)

Strass, der; *Gen. - u.* -es, *Plur.* -e ⟨nach dem Erfinder Stras⟩ (Edelsteinimitation)

straß|auf, straß|ab (überall in den Straßen)

Straß|burg (Stadt im Elsass); *vgl.* Strasbourg; **Straß|bur|ger;** Straßburger Münster; Straßburger Eide; **straß|bur|gisch**

Strä|ß|chen; Stra|ße, die; -, -n (*Abk.* Str.); *Schreibung in Straßennamen* ↑K 162 *u.* 163

Stra|ßen|an|zug

Stra|ßen|ar|bei|ten; Stra|ßen|ar|beiter; Stra|ßen|ar|bei|te|rin

Stra|ßen|bahn; Stra|ßen|bah|ner (*ugs. für* Angestellter der Straßenbahn); **Stra|ßen|bah|ne|rin; Stra|ßen|bahn|fah|rer; Stra|ßenbahn|fah|re|rin**

Stra|ßen|bahn|gar|ni|tur (*österr.*)

Stra|ßen|bahn|hal|te|stel|le

Stra|ßen|bahn|wa|gen

Stra|ßen|ban|kett *vgl.* ²Bankett

Stra|ßen|bau, der; -[e]s; **Stra|ßenbau|amt**

Stra|ßen|be|gren|zungs|grün

Stra|ßen|be|kannt|schaft; Stra|ßenbe|lag; Stra|ßen|be|leuch|tung; Stra|ßen|bild; Stra|ßen|ca|fé; Stra|ßen|damm; Stra|ßen|de|cke; Stra|ßen|dorf; Stra|ßen|ecke

Stra|ßen|fe|ger (*landsch.; ugs. auch für* attraktive Fernsehsendung); **Stra|ßen|fe|ge|rin**

Stra|ßen|fest; Stra|ßen|füh|rung; Stra|ßen|fuß|ball; Stra|ßen|glätte; Stra|ßen|gra|ben; Stra|ßenhan|del; Stra|ßen|händ|ler; Straßen|händ|le|rin

Stra|ßen|kar|te; Stra|ßen|keh|rer (*landsch.*); **Stra|ßen|keh|re|rin; Stra|ßen|kind; Stra|ßen|kreu|zer** (*ugs.*); **Stra|ßen|kreu|zung**

Stra|ßen|la|ge; Stra|ßen|lärm; Straßen|la|ter|ne; Stra|ßen|mäd|chen (*für* Prostituierten); **Stra|ßenmeis|te|rei; Stra|ßen|mu|si|kant; Stra|ßen|mu|si|kan|tin**

Stra|ßen|na|me; Stra|ßen|netz; Stra|ßen|pflas|ter; Stra|ßen|putzer (*schweiz. regional für* Stra

ßenkehrer); **Stra|ßen|put|ze|rin; Stra|ßen|rand**

Stra|ßen|raub; Stra|ßen|räu|ber; Stra|ßen|räu|be|rin

Stra|ßen|rei|ni|gung; Stra|ßen|rennen (*Radsport*); **Stra|ßen|sänger; Stra|ßen|sän|ge|rin**

Stra|ßen|schild, das; **Stra|ßenschlacht; Stra|ßen|schuh; Straßen|sei|te; Stra|ßen|sper|re; Straßen|sper|rung**

Stra|ßen|the|a|ter; Stra|ßen|tun|nel; Stra|ßen|über|füh|rung; Stra|ßenun|ter|füh|rung

Stra|ßen|ver|kehr, der; -s; **Stra|ßenver|kehrs|ord|nung,** die; - (*Abk.* StVO); **Stra|ßen|ver|kehrs-Zu|lassungs-Ord|nung,** die; - (*Abk.* StVZO)

Stra|ßen|ver|zeich|nis; Stra|ßenwal|ze; Stra|ßen|zei|tung; Straßen|zoll; Stra|ßen|zug

Stra|ßen|zu|stand; Stra|ßen|zustands|be|richt

Stra|ße-Schie|ne-Ver|kehr, der; -[e]s ↑K 26

Stra|te|gie [ʃt..., *auch* st...], der; -n, -n ⟨griech.⟩ (jmd., der strategisch vorgeht)

Stra|te|gie, die; -, ...ien (Kriegskunst; genau geplantes Vorgehen); **Stra|te|gie|pa|pier; Stra|tegin; stra|te|gisch;** strategische Verteidigung

Stra|ti|fi|ka|ti|on [ʃt..., *auch* st...], die; -, -en ⟨lat.⟩ (*Geol.* Schichtung; *Landw.* Schichtung von Saatgut in feuchtem Sand *od.* Wasser)

stra|ti|fi|zie|ren (*Geol.* die Reihenfolge der Schichten feststellen; *Landw.* [Saatgut] schichten)

Stra|ti|gra|fie , Stra|ti|gra|phie, die; - ⟨lat.; griech.⟩ (*Geol.* Schichtenkunde); stra|ti|gra|fisch **, stra|tigra|phisch**

Stra|to|sphä|re, die; - (Schicht der Erdatmosphäre in einer Höhe von etwa 12 bis 80 km); **Stra|tosphä|ren|flug; stra|to|sphä|risch**

Stra|tus, der; -, ...ti ⟨lat.⟩ (tiefer hängende, ungegliederte Schichtwolke; *Abk.* St); **Stra|tuswol|ke**

Strau|be, die; -, -n (*bayr., österr. für* ein Schmalzgebäck)

sträu|ben; sich sträuben; ↑K 82 : da hilft kein Sträuben

strau|big (*landsch. für* struppig)

Strauch, der; -[e]s, Sträucher; **strauch|ar|tig**

Strauch|dieb (*veraltet für* herumstreifender Dieb)

S
Stra

strau|cheln; ich strauch[e]le
strau|chig; Sträuch|lein
Strauch|rit|ter *(veraltet abwertend)*
Strauch|werk, das; -[e]s
Straus, Oscar (österr. Komponist)
Straus|berg (Stadt östlich von Berlin)
¹Strauß (Name mehrerer österreichischer Komponisten)
²Strauß, der; -es, -e (ein Vogel); Vogel Strauß; *vgl.* Vogel-Strauß-Politik
³Strauß, der; -es, Sträuße (Blumenstrauß; *geh. veraltend für* Kampf)
Strauss, Richard (dt. Komponist)
Sträuß|chen
Strau|ßen|ei; Strau|ßen|farm; Strau-
ßen|fe|der
Strauß|wirt|schaft *(landsch. für* durch Zweige [Strauß] kenntlich gemachter Ausschank für eigenen [neuen] Wein)
stra|wan|zen, stra|ban|zen *(bayr. u. österr. für* sich herumtreiben)
Stra|wan|zer, Stra|ban|zer; Stra-
wan|ze|rin, Stra|ban|ze|rin
Stra|wins|ky [...ki] *eigene Schreibung des Komponisten, nach Transkriptionssystem (vgl. S. 114) eigtl.* Strawinski (russ. Komponist)
Straz|za [ʃt..., *auch* st...], die; -,
...zzen ⟨ital.⟩ (Abfall bei der Seidenverarbeitung)
Straz|ze, die; -, -n *(Kaufmannsspr.* Kladde)
Strea|ming [ˈstri:...] ⟨engl.⟩ *(EDV* Verfahren zur Übertragung von Bild und Ton an Endgeräte in Echtzeit)
Streb, der; -[e]s, -e *(Bergmannsspr.* Kohlenabbaufront zwischen zwei Strecken)
Streb|bau, der; -[e]s (bergmänn. Gewinnungsverfahren)
Stre|be, die; -, -n (schräge Stütze)
Stre|be|bal|ken; Stre|be|bo|gen
stre|ben; ↑K 82 : das Streben nach Geld
Stre|be|pfei|ler
Stre|ber; Stre|be|rei, die; -
stre|ber|haft; Stre|be|rin; stre|be-
risch; Stre|ber|tum, das; -s
Stre|be|werk *(Bauw.)*
streb|sam; Streb|sam|keit, die; -
Stre|bung *(geh.)*
streck|bar; Streck|bar|keit, die; -
Streck|bett *(Med.)*
Stre|cke, die; -, -n *(Bergmannsspr.* auch meist waagerecht vorgetriebener Grubenbau; zur

Strecke bringen (*Jägerspr.* erlegen)
stre|cken; jmdn. zu Boden strecken
Stre|cken|ab|schnitt; Stre|cken|ar-
bei|ter; Stre|cken|ar|bei|te|rin;
Stre|cken|flug; Stre|cken|füh-
rung; Stre|cken|netz
Stre|cken|re|kord *(Sport);* Stre-
cken|strich *(Druckw.);* Stre|cken-
tau|chen; Stre|cken|wär|ter; Stre-
cken|wär|te|rin
stre|cken|wei|se
Stre|cker *(svw.* Streckmuskel)
Streck|me|tall
Streck|mus|kel
Stre|ckung
Streck|ver|band; Streck|win|kel
(*für* Supplementwinkel)
Stree|ru|witz (österr. Schriftstellerin)
Street|ball [ˈstri:tbɔːl], der; -s
⟨engl.⟩ (auf Höfen gespielte Variante des Basketballs)
Street|wear [ˈstri:tvɛːɐ̯], die; -
⟨engl.⟩ (Alltagskleidung)
Street|work [ˈstri:tvøːɐ̯k], die; -
⟨engl.⟩ (Hilfe u. Beratung für Drogenabhängige u. a. innerhalb ihres Wohnbereichs); Street-
wor|ker, der; -s, -; Street|wor|ke-
rin
Streh|ler (ein Werkzeug zum Gewindeschneiden)
Streich, der; -[e]s, -e; Streich-
bürs|te
Strei|che, die; -, -n *(früher* Flanke einer Festungsanlage)
Strei|chel|ein|heit *(scherzh. für* freundliche Zuwendung, Lob)
strei|cheln; ich streich[e]le
Strei|chel|zoo
Strei|che|ma|cher; Strei|che|ma|che-
rin
strei|chen; du strichst; du strichest; gestrichen; streich[e]!
Strei|chen, das; -s (ein Gangfehler beim Pferd; *Geol.* Verlauf der Streichlinie)
Strei|cher (Spieler eines Streichinstrumentes)
Strei|che|rei *(ugs.)*
Strei|che|rin
streich|fä|hig; Streich|fä|hig|keit,
die; -; streich|fer|tig; streichfertige Farbe; Streich|flä|che;
Streich|form; Streich|garn
Streich|holz (Zündholz); Streich-
holz|schach|tel; Streich|in|s|tru-
ment; Streich|kä|se; Streich|kon-
zert
Streich|li|nie *(Geol.* waagerechte

Linie auf der Schichtfläche einer Gebirgsschicht)
Streich|mu|sik; Streich|or|ches|ter;
Streich|quar|tett; Streich|quin-
tett; Streich|trio
Strei|chung; Streich|wurst
Streif, der; -[e]s, -e; *vgl.* Streifen
Streif|band, das; *Plur.* ...bänder
(Postw.); Streif|band|zei|tung
Strei|fe, die; -, -n (zur Kontrolle eingesetzte kleine Militär- od. Polizeieinheit, *auch für* Fahrt, Gang einer solchen Einheit)
strei|fen; Strei|fen, der; -s, -, *seltener* Streif, der; -[e]s, -e
Strei|fen|be|am|te; Strei|fen|be|am-
tin; Strei|fen|bil|dung; Strei|fen-
dienst
strei|fen|för|mig
Strei|fen|füh|rer; Strei|fen|füh|re-
rin; Strei|fen|gang, der; Strei|fen-
wa|gen
strei|fen|wei|se
Strei|fe|rei (Streifzug)
strei|fig
Streif|licht *Plur.* ...lichter
Streif|schuss; Streif|zug
Streik, der; -[e]s, -s ⟨engl.⟩ (Arbeitsniederlegung); Streik-
auf|ruf; Streik|bre|cher; Streik-
bre|che|rin; Streik|bruch, der;
streik|brü|chig
strei|ken
Strei|ken|de, der *u.* die; -n, -n
Streik|geld; Streik|kas|se; Streik-
ko|mi|tee; Streik|lei|tung; Streik-
lo|kal; Streik|pos|ten; Streik|recht
Streit, der; -[e]s, -e; Streit|axt
streit|bar; Streit|bar|keit, die; -
strei|ten; du strittst; du strittest; gestritten; streit[e]!
Strei|ter; Strei|te|rei; Strei|te|rin
Streit|fall; Streit|fra|ge; Streit|ge-
gen|stand; Streit|ge|spräch
Streit|hahn, Streit|ham|mel *(ugs. für* streitsüchtiger Mensch)
Streit|hansl, der; -s, -[n] *(österr. ugs. svw.* Streithahn)
strei|tig *(Rechtsw. nur so),* strit-
tig; die Sache ist streitig *od.* strittig; *aber nur* jmdm. etwas streitig machen; Strei|tig|kei|ten
Plur.
Streit|kräf|te *Plur.*
Streit|kul|tur, die; -
Streit|lust, die; -; streit|lus|tig
Streit|macht, die; - *(veraltend)*
Streit|ob|jekt; Streit|punkt
Streit|ross *(veraltet)*
Streit|sa|che; Streit|schrift
Streit|sucht, die; -; streit|süch|tig
Streit|ver|kün|dung *(Rechtsspr.)*
Streit|wa|gen

S

Stre

Streit|wert
Stre|mel, der; -s, - (nordd. für [langer] Streifen); seinen Stremel wegarbeiten (ugs. für zügig arbeiten)
stremmen (landsch. ugs. für zu eng, zu straff sein; beengen); es stremmt; sich stremmen (landsch. für sich anstrengen)

streng

– am strengs|ten; strengs|tens

Groß- und Kleinschreibung ↑K75:

– auf das, aufs Strengste od. auf das, aufs strengste

Schreibung in Verbindung mit Verben ↑K56:

– streng sein; streng riechen; streng urteilen; jmdn. streng bestrafen usw.
– du musst das nicht so streng nehmen (genau nehmen)
– eine streng genommene od. strenggenommene Wertung
– streng genommen[,] ist das nicht ganz zutreffend

Stren|ge, die; -; vgl. aber Strang; stren|gen (veraltet für einengen; straff anziehen)
streng ge|nom|men, streng|ge-
nom|men vgl. streng
streng|gläu|big; Streng|gläu|big-
keit, die; -
streng neh|men vgl. streng
strengs|tens
stren|zen (südd. ugs. für stehlen)
Strep|to|kok|kus [ʃt..., auch st...], der; -, ...kken meist Plur. ⟨griech.⟩ (eine Bakterie)
Strep|to|my|zin, fachspr. meist
Strep|to|my|cin, das; -s (ein Antibiotikum)
¹Stre|se|mann (dt. Staatsmann)
²Stre|se|mann, der; -s (ein Gesellschaftsanzug)
Stress, der; -es, -e ⟨engl.⟩ (Med. starke körperliche u. seelische Belastung; ugs. auch für Ärger); Stress auslösende od. stressauslösende Faktoren; Stress|ab-
bau, der; -[e]s
Stress aus|lö|send, stress|aus|lö-
send ↑K58
stres|sen (ugs. für als Stress wirken; überbeanspruchen); der Lärm stresst; ich bin gestresst
stress|frei; stress|ge|plagt
Stress|hor|mon (z. B. Adrenalin)

stres|sig (ugs. für aufreibend, [sehr] anstrengend)
Stress-Si|tu|a|ti|on, Stress-Si|tu|a-
ti|on
Stretch [stretʃ], der; -[e]s, -es ⟨engl.⟩ (ein elastisches Gewebe)
Stret|ching ['stretʃɪŋ], das; -s (aus Dehnungsübungen bestehende Form der Gymnastik)
Stretch|li|mo ['stretʃ...], die; -, -s (ugs. kurz für Stretchlimousine); Stretch|li|mou|si|ne ⟨engl.; franz.⟩ (bes. lange Limousine)
Streu, die; -, -en Plur. selten
Streu|be|sitz; Streu|bom|be; Streu-
büch|se
Streue, die; -, -n Plur. selten (schweiz. neben Streu)
streu|en; Streu|er (Streubüchse)
Streu|fahr|zeug; Streu|feu|er (Milit.); Streu|gut, das; -[e]s; Streu|ko|lon|ne; Streu|licht, das; -[e]s
streu|nen (sich herumtreiben)
Streu|ner (ugs.); Streu|ne|rin
Streu|obst; Streu|obst|wie|se
Streu|pflicht, die; -; Streu|salz; Streu|sand, der; -[e]s
Streu|sel, der od. das; -s, - meist Plur.; Streu|sel|ku|chen
Streu|sied|lung
Streu|ung; Streu|ungs|ko|ef|fi|zi|ent; Streu|ungs|maß, das (Statistik)
Streu|wa|ren; Streu|zu|cker
strich vgl. streichen
Strich, der; -[e]s, -e (südd. u. schweiz. mdal. auch für Zitze; ugs. auch für Straßenprostitution); Strich|ät|zung (Druckw.)
Strich|code vgl. Strichkode; Strich-
ein|tei|lung
stri|cheln; ich strich[e]le
Stri|cher (ugs. für Strichjunge); Stri-
che|rin
Strich|jun|ge (ugs., oft abwertend)
Strich|kode, Strich|code (Verschlüsselung bestimmter Angaben [auf Waren] in Form paralleler Striche)
strich|lie|ren (österr. für stricheln)
Strich|mäd|chen (ugs., oft abwertend für Prostituierte)
Strich|männ|chen
Strich|punkt (Semikolon)
Strich|re|gen; Strich|vo|gel
strich|wei|se; Strich|zeich|nung
Strick, der; -[e]s, -e (ugs. scherzh. auch für Spitzbube)
Strick|ap|pa|rat; Strick|ar|beit; Strick|beu|tel; Strick|bünd|chen
stri|cken; Stri|cker; Stri|cke|rei; Stri-
cke|rin; Strick|garn; Strick|ja|cke; Strick|kleid

Strick|lei|ter, die; Strick|lei|ter|ner-
ven|sys|tem (Zool.)
Strick|ma|schi|ne; Strick|mo|de; Strick|mus|ter; Strick|na|del; Strick|stoff; Strick|strumpf; Strick|wa|ren Plur.; Strick|wes|te; Strick|zeug
Stri|du|la|ti|ons|or|gan [ʃt..., auch st...] ⟨lat.; griech.⟩ (Zool. Werkzeug mancher Insekten zur Erzeugung zirpender Töne)
Strie|gel, der; -s, - ⟨lat.⟩ (Gerät mit Zacken; harte Bürste [zur Pflege des Pferdefells])
strie|geln; ich strieg[e]le
Strie|me, die; -, -n, Strie|men, der; -s, -; strie|mig
Strie|zel, der; -s, - (landsch. ugs. für Lausbub; landsch. u. österr. für eine Gebäckart)
strie|zen (ugs. für quälen; nordd. ugs. auch für stehlen)
Strike [straik], der; -s, -s ⟨engl.⟩ (das Abräumen mit dem ersten Wurf beim Bowling)
strikt [ʃt..., auch st...] ⟨lat.⟩ (streng; genau); strik|te (seltener für strikt)
Strik|tur, die; -, -en (Med. Verengung von Körperkanälen)
Strind|berg (schwed. Dichter)
String [st...], der; -s, -s ⟨engl.⟩ (EDV Zeichenkette; auch kurz für Stringtanga)
string. = stringendo; strin|gen|do [strin'dʒe...] ⟨ital.⟩ (Musik schneller werdend)
strin|gent [st..., auch ʃt...] ⟨lat.⟩ (bündig, zwingend); Strin|genz, die; -
String|re|gal [ʃt..., auch 'st...], das; -s, -e ⟨engl.; dt.⟩ (Regal, dessen Bretter in ein an der Wand befestigtes Metallgestell eingelegt sind)
String|tan|ga ['st...] ⟨engl.; Tupi⟩ (Tanga[slip], dessen rückwärtiger Teil aus einem schmalen, schnurförmigen Stück Stoff besteht)
Strip [ʃt..., auch st...], der; -s, -s ⟨engl.-amerik.⟩ (kurz für Striptease; [Wundpflaster]streifen)
Strip|pe, die; -, -n (landsch. für Bindfaden; Band; ugs. scherzh. für Fernsprechleitung)
strip|pen [ʃt..., auch st...] ⟨engl.-amerik.⟩ (ugs. für einen Striptease vorführen; Druckw. [Zeilen] im Film montieren); Strip|per; Strip|pe|rin (ugs. für Stripteasetänzerin)
Strip|po|ker, Strip-Po|ker [ʃt...,

S
Stre

auch st...], das; -s ⟨engl.-amerik.⟩ (Kartenglücksspiel, bei dem ein Striptease als Gewinn aussteht)

Strip|tease ['ʃtrɪptiːs, *auch* 'st...], der *od.* das; - (Entkleidungsvorführung [in Nachtlokalen]); **Strip|tease|lo|kal; Strip|tease|tänzer; Strip|tease|tän|ze|rin**

Stritt, der; -[e]s (*bayr. für* Streit)

strit|tig vgl. streitig

Stritt|mat|ter (dt. Schriftsteller)

Striz|zi, der; -s, -s (*bes. bayr., österr. ugs. für* Strolch; Zuhälter)

Stro|bel, der; -s, - (*landsch. für* struppiger Haarschopf); **stro|be|lig** (*landsch. für* strubbelig usw.); **stro|beln** (*landsch. für* struppig machen; struppig sein); ich strob[e]le; **strob|lig** vgl. strobelig

Stro|bo|s|kop [st..., *auch* ʃt...], das; -s, -e ⟨griech.⟩ (ein opt. Gerät zur Messung von Drehzahlen o. Ä.); **stro|bo|s|ko|pisch; Stro|bo|s|kop|licht** (schnell aufblitzendes Licht)

Stroh, das; -[e]s; **Stroh|bal|len**

stroh|blond

Stroh|blu|me; Stroh|bund, das; **Stroh|dach**

stroh|dumm (sehr dumm)

stro|hern (aus Stroh)

stroh|far|ben, stroh|far|big

Stroh|feim, Stroh|fei|me, Stroh|fei|men (vgl. Feim)

Stroh|feu|er; stroh|ge|deckt

Stroh|halm; Stroh|hau|fen; Stroh|hut, der; **Stroh|hüt|te**

stroh|hig (*auch für* wie Stroh; saftlos, trocken)

Stroh|kopf (*ugs. für* Dummkopf); **Stroh|mann** *Plur.* ...männer (vorgeschobene Person)

Stroh|mat|te; Stroh|pres|se; Stroh|pup|pe; Stroh|sack; Stroh|schuh

stroh|tro|cken; Stroh|wisch

Stroh|wit|we (*ugs. für* Ehefrau, die vorübergehend ohne ihren Mann lebt); **Stroh|wit|wer** (*ugs.; vgl.* Strohwitwe)

Stroke-Unit ['stroːkjuːnɪt], die; -, s ⟨engl.⟩ (*Med.* auf die Behandlung von Schlaganfallpatienten spezialisierte Krankenstation)

Strolch, der; -[e]s, -e; **strol|chen; Strol|chen|fahrt** (*schweiz. für* Fahrt mit einem gestohlenen Wagen)

Strom, der; -[e]s, Ströme; es regnet in Strömen; ein Strom führendes *od.* stromführendes Kabel; ein Strom sparendes *od.* stromsparendes Gerät

strom|ab

Strom|ab|nah|me; Strom|ab|neh|mer

strom|ab|wärts; strom|an

strom|auf, strom|auf|wärts

Strom|aus|fall

¹**Strom|bo|li** [st...] (eine der Liparischen Inseln)

²**Strom|bo|li,** der; - (Vulkan auf ¹Stromboli)

strö|men

Stro|mer (*ugs. für* Herumtreiber, Landstreicher, Strolch; *meist Plur.:* Wirtsch. Stromerzeuger); **Stro|me|rin**

stro|mern; ich stromere

Strom|er|zeu|ger; Strom|er|zeu|ge|rin; Strom|er|zeu|gung

Strom füh|rend, strom|füh|rend; vgl. Strom; ↑K 58

Strom|ka|bel; Strom|kreis; Strom|lei|tung

Ström|ling (eine Heringsart)

Strom|li|nie; Strom|li|ni|en|form, die; -; **Strom|li|ni|en|för|mig; Strom|li|ni|en|wa|gen**

Strom|markt; Strom|men|ge; Strom|mes|ser, der; **Strom|netz; Strom|preis; Strom|rech|nung; Strom|schlag; Strom|schnel|le**

Strom spa|rend, strom|spa|rend; vgl. Strom; ↑K 58

Strom|sper|re; Strom|stär|ke; Strom|stoß

Strö|mung; Strö|mungs|ge|schwin|dig|keit; Strö|mungs|leh|re

Strom|un|ter|bre|cher; Strom|ver|brauch; Strom|ver|sor|ger; Strom|ver|sor|gung; Strom|wen|der; Strom|zäh|ler

Stron|ti|um [st..., *auch* ʃt...], das; -s (nach dem schottischen Dorf Strontian) (chemisches Element, Metall; *Zeichen* Sr)

Stro|phan|thin [ʃt..., *auch* st...], das; -s, -e ⟨griech.⟩ (ein Arzneimittel); **Stro|phan|thus,** der; - - (Heilpflanze, die das Strophanthin liefert)

Stro|phe, die; -, -n ⟨griech.⟩

Stro|phen|an|fang; Stro|phen|bau, der; -s; **Stro|phen|en|de; Stro|phen|form; Stro|phen|lied**

...stro|phig (z. B. dreistrophig, *mit Ziffer* 3-strophig; ↑K 29)

stro|phisch (in Strophen geteilt)

Stropp, der; -[e]s, -s (*Seemannsspr.* kurzes Tau mit Ring *od.* Schlinge; *landsch. für* Aufhänger)

Stros|se, die; -, -n (*Bergmannsspr.* Stufe, Absatz)

Strot|ter (*österr. für* jmd., der im Abfall stöbert); **Strot|te|rin**

strot|zen; du strotzt; das Kind strotzt von *od.* vor Energie

strub, strüber, strübste (*schweiz. mdal. für* struppig; schwierig)

strub|be|lig, strub|blig (*ugs.*); **Strub|bel|kopf; strub|blig** vgl. strubbelig

Stru|del, der; -s, - ([Wasser]wirbel; *landsch., bes. südd. u. österr. für* ein Gebäck)

stru|deln; ich strud[e]le

Stru|del|topf (Kolk, Gletschermühle)

Struk|to|gramm, das; -s, -e ⟨lat.; griech.⟩ (*EDV* graf. Darstellung der logischen Struktur eines Programms)

Struk|tur [ʃt..., *auch* st...], die; -, -en ⟨lat.⟩ ([Sinn]gefüge, Bau; Aufbau, innere Gliederung); **struk|tu|ral** (*seltener für* strukturell)

Struk|tu|ra|lis|mus, der; - (*Sprachw.* Richtung, die Sprache als ein geschlossenes Zeichensystem versteht u. die Struktur dieses Systems erfassen will); **Struk|tu|ra|list,** der; -en, -en; **Struk|tu|ra|lis|tin; struk|tu|ra|lis|tisch**

Struk|tur|ana|ly|se; Struk|tur|än|de|rung; struk|tur|be|stim|mend

struk|tu|rell

Struk|tur|fonds (Fonds der EU zur Förderung strukturschwacher Regionen)

Struk|tur|for|mel (*Chemie*); **Struk|tur|ge|we|be; Struk|tur|hil|fe**

struk|tu|rie|ren (mit einer Struktur versehen); **Struk|tu|riert|heit,** die; -; **Struk|tu|rie|rung**

Struk|tur|kri|se; Struk|tur|po|li|tik, die; -; **Struk|tur|re|form**

struk|tur|schwach (industriell nicht entwickelt)

Struk|tur|ta|pe|te; Struk|tur|wan|del

strul|len (*bes. nordd. ugs. für* urinieren)

Stru|ma [ʃt..., *auch* st...], die; -, *Plur.* ...men *u.* ...mae ⟨lat.⟩ (*Med.* Kropf); **stru|mös** (kropfartig)

Strumpf, der; -[e]s, Strümpfe; **Strumpf|band** vgl. ³Band

Strümpf|chen

Strumpf|fa|b|rik; Strumpf|hal|ter; Strumpf|ho|se; Strumpf|mas|ke; strumpf|so|ckig (*landsch. für* auf Strümpfen); **Strumpf|wa|ren** *Plur.*; **Strumpf|wir|ke|rei; Strumpf|wir|ke|rin**

Strunk, der; -[e]s, Strünke; **Strünk|chen**

strunz|dumm (*ugs. für* sehr dumm)

S

stru

strup|fen (südd. u. schweiz. mdal. für [ab]streifen)

strup|pig; Strup|pig|keit, die; -

Struw|wel|kopf (landsch. für Strubbelkopf); **Struw|wel|pe|ter,** der; -s, - (fam. für Kind mit strubbeligem Haar; nur Sing.: Gestalt aus einem Kinderbuch)

Strych|nin [ʃt..., auch st...], das; -s ⟨griech.⟩ (ein giftiges Alkaloid; ein Arzneimittel)

Stu|art [ˈʃtuːart, engl. ˈstjuːət], der; -s, -s u. (Angehörige[r] eines schottischen Geschlechts); **Stu|art|kra|gen**

Stu|bai, das; -s (ein Tiroler Alpental); **Stu|bai|er Al|pen** Plur.; **Stu|bai|tal**

Stub|ben, der; -s, - (nordd. für [Baum]stumpf; auch für grobschlächtiger Mensch, Flegel)

Stub|ben|kam|mer, die; - (Kreidefelsen auf Rügen)

¹Stüb|chen, das; -s, - (ein altes Flüssigkeitsmaß)

²Stüb|chen (kleine Stube)

Stu|be, die; -, -n

Stu|ben|äl|tes|te; Stu|ben|ar|rest; Stu|ben|dienst; Stu|ben|flie|ge; Stu|ben|ge|lehr|te

Stu|ben|ho|cker (ugs.); **Stu|ben|ho|cke|rei** (ugs.); **Stu|ben|ho|cke|rin**

Stu|ben|kü|cken (sechs bis acht Wochen altes Kücken)

Stu|ben|mu|si, die; - (bayr., österr. für Volksmusik[gruppe])

stu|ben|rein

Stu|ben|ti|ger (scherzh. für Katze)

Stu|ben|wa|gen (im Haus verwendeter Korbwagen für Säuglinge)

Stü|ber, der; -s, - (niederl.) (frühere niederrhein. Münze; auch kurz für Nasenstüber)

Stü|berl, das; -s, -n (bayr., österr. für kleine Stube, Gaststube)

Stuck, der; -[e]s ⟨ital.⟩ (aus Gips hergestellte Ornamentik)

Stück, das; -[e]s, -e (Abk. St.); 5 Stück Zucker; Stücker zehn (ugs. für ungefähr zehn); ein Stück weit

Stück|ar|beit

Stück|ar|beit, die; - (Akkordarbeit)

Stu|cka|teur [...ˈtøːɐ̯], der; -s, -e ⟨franz.⟩ (Stuckarbeiter, -künstler); **Stu|cka|teu|rin**

Stu|cka|tor, der; -s, ...oren ⟨ital.⟩ (Stuckkünstler); **Stu|cka|to|rin**

Stu|cka|tur, die; -, -en (Stuckarbeit)

Stück|chen; stück|chen|wei|se

Stuck|de|cke

stü|ckeln; ich stück[e]le; **Stü|cke|lung,** Stück|lung

stu|cken (landsch. ugs. für angestrengt lernen)

stü|cken (selten für zusammen-, aneinanderstücken)

stu|cke|rig (nordd.); **stu|ckern** (nordd. für holpern, rütteln)

Stü|cke|schrei|ber (Schriftsteller, der Theaterstücke, Fernsehspiele o. Ä. verfasst); **Stü|cke|schrei|be|rin**

Stück|fass (ein Weinmaß); **Stück|ge|wicht**

Stück|gut (stückweise verkaufte od. als Frachtgut aufgegebene Ware)

stu|ckie|ren ⟨ital.⟩ (selten für [Wände] mit Stuck versehen)

Stück|kauf; Stück|koh|le; Stück|kos|ten Plur.; **Stück|lis|te; Stück|lohn**

Stück|lung, Stü|cke|lung

Stück|no|tie|rung; Stück|rech|nung

stück|wei|se

Stück|werk; nur in Stückwerk sein, bleiben; **Stück|zahl**

Stück|zin|sen Plur. (Bankw. bis zu einem Zwischentermin aufgelaufene Zinsen)

stud. = studiosus, z. B. stud. medicinae ⟨lat.⟩ (Student der Medizin; Abk. stud. med.)

Stu|dent, der; -en, -en ⟨lat.⟩ (Hochschüler)

Stu|den|ten|aus|weis; Stu|den|ten|be|we|gung

Stu|den|ten|blu|me (Name verschiedener Pflanzen)

Stu|den|ten|bu|de (vgl. ¹Futter); **Stu|den|ten|ge|mein|de; Stu|den|ten|heim; Stu|den|ten|knei|pe; Stu|den|ten|lied; Stu|den|ten|müt|ze; Stu|den|ten|par|la|ment; Stu|den|ten|pfar|rer; Stu|den|ten|pfar|re|rin; Stu|den|ten|re|vol|te** (ugs.); **Stu|den|ten|schaft**

Stu|den|ten|spra|che, die; -; **Stu|den|ten|un|ru|hen** Plur.; **Stu|den|ten|ver|bin|dung; Stu|den|ten|werk; Stu|den|ten|wohn|heim**

Stu|den|tin

Stu|den|t(inn)en (Kurzform für Studentinnen u. Studenten)

stu|den|tisch

¹Stu|di, der; -s, -s (Jargon Student)

²Stu|di, die; -, -s (Jargon Studentin)

Stu|die, die; -, -n (Entwurf, kurze [skizzenhafte] Darstellung; Vorarbeit)

Stu|di|en (Plur. von Studie u. Studium)

Stu|di|en|as|ses|sor; Stu|di|en|as|ses|so|rin

stu|di|en|be|glei|tend

Stu|di|en|bei|trag (österr. für Studiengebühren)

Stu|di|en|be|wer|ber; Stu|di|en|be|wer|be|rin; Stu|di|en|brief; Stu|di|en|buch

Stu|di|en|di|rek|tor; Stu|di|en|di|rek|to|rin

Stu|di|en|ein|gangs|pha|se (bes. österr. für Lehrveranstaltungen zur Orientierung der Studienanfänger); **Stu|di|en|fach; Stu|di|en|freund; Stu|di|en|freun|din**

Stu|di|en|gang, der; **Stu|di|en|ge|bühr; stu|di|en|hal|ber**

Stu|di|en|kol|leg (Vorbereitungskurs an einer Hochschule, bes. für ausländische Studierende)

Stu|di|en|kol|le|ge; Stu|di|en|kol|le|gin

Stu|di|en|kom|mis|sion (österr. Gremium zur Durchführung des Lehr- u. Prüfungsbetriebs)

Stu|di|en|platz

Stu|di|en|rat Plur. ...räte; **Stu|di|en|rä|tin; Stu|di|en|re|fe|ren|dar; Stu|di|en|re|fe|ren|da|rin**

Stu|di|en|rei|se; Stu|di|en|zeit; Stu|di|en|zweck; zu Studienzwecken

stu|die|ren; eine studierte Kollegin; ↑K 82 : Probieren od. probieren geht über Studieren od. studieren

Stu|die|ren|de, der u. die; -n, -n; **Stu|die|ren|den|aus|weis; Stu|die|ren|den|par|la|ment; Stu|die|ren|den|wohn|heim**

Stu|dier|stu|be; Stu|dier|te, der u. die; -n, -n (ugs. für jmd., der studiert hat); **Stu|di|ker** (ugs. scherzh. für Student); **Stu|di|ke|rin**

Stu|dio, das; -s, -s ⟨ital.⟩ (Atelier; Film- u. Rundfunk Aufnahmeraum; Versuchsbühne); **Stu|dio|büh|ne; Stu|dio|film; Stu|dio|mu|si|ker; Stu|dio|mu|si|ke|rin**

Stu|di|o|sa, die; -, ...ae (scherzh. für Studentin); **Stu|di|o|sus,** der; -, ...si (scherzh. für Student)

Stu|di|um, das; -s, ...ien (wissenschaftl. [Er]forschung; Hochschulbesuch, -ausbildung; [kritisches] Durchlesen, -arbeiten); **Stu|di|um ge|ne|ra|le** [ʃt..., auch st...], das; - - (frühe Form der Universität im MA.; Vorlesungen allgemein bildender Art an einer Hochschule)

Stu|fe, die; -, -n; **stu|fen**

S

stru

Stu|fen|bar|ren *(Turnen);* Stu|fen-
dach; Stu|fen|fol|ge
stu|fen|för|mig
Stu|fen|gang, der; Stu|fen|ge|bet
(kath. Kirche früher); Stu|fen-
heck; Stu|fen|lei|ter, die
stu|fen|los
Stu|fen|plan; Stu|fen|py|ra|mi|de;
Stu|fen|ra|ke|te
stu|fen|wei|se
stu|fig (mit Stufen versehen);
...stu|fig (z. B. fünfstufig, *mit Zif-
fer* 5-stufig; ↑K29)
Stu|fung
Stuhl, der; -[e]s, Stühle *(auch kurz
für* Stuhlgang); elektrischer
Stuhl; der Heilige, der Päpstliche
Stuhl ↑K150 ; Stuhl|bein
Stühl|chen
Stuhl|drang, der; -[e]s *(Med.);*
Stuhl|ent|lee|rung; Stuhl|fei|er,
die; -; Petri Stuhlfeier (kath.
Fest)
Stuhl|gang, der; -[e]s
Stuhl|kan|te; Stuhl|kis|sen; Stuhl-
leh|ne
Stuhl|un|ter|su|chung
Stu|ka *[auch* ˈʃtʊ...], der; -s, -s
(kurz für Sturzkampfflugzeug)
Stuk|ka|teur usw. *alte Schreibung
für* Stuckateur usw.
Stul|le, die; -, -n *(nordd., bes. ber-
lin. für* Brotschnitte)
Stulp|är|mel *(svw.* Stulpenärmel)
Stul|pe, die; -, -n (Aufschlag an
Ärmeln u. a.)
stül|pen
Stul|pen|är|mel; Stul|pen|hand-
schuh; Stul|pen|stie|fel
Stülp|na|se
stumm; Stum|me, der *u.* die; -n, -n
Stum|mel, der; -s, -; Stum|mel|af|fe
Stum|mel|chen, Stüm|mel|chen
stüm|meln *(landsch. für* Bäume
stark zurückschneiden); ich
stümm[e]le
Stum|mel|pfei|fe; Stum|mel|schwanz
Stumm|film; Stumm|heit, die; -
Stum|pe, der; -n, -n *u.* ¹Stum|pen,
der; -s, - *(landsch. für*
[Baum]stumpf)
²Stum|pen, der; -s, - (Grundform
des Filzhutes; Zigarre)
Stüm|per *(abwertend für* Nichts-
könner); Stüm|pe|rei
stüm|per|haft; Stüm|pe|rin
stüm|pern (schlecht arbeiten); ich
stümpere
stumpf; Stumpf, der; -[e]s,
Stümpfe; mit Stumpf und Stiel
(restlos); Stümpf|chen; stumpf|en
(stumpf machen); Stumpf|heit

Stumpf|näs|chen, Stumpf|na|se;
stumpf|na|sig
Stumpf|sinn, der; -[e]s; stumpf|sin-
nig; Stumpf|sin|nig|keit
stumpf|wink|lig
Stünd|chen

Stun|de

die; -, -n

(Abk. Std., auch St.; Zeichen h
[*Astron.* ʰ])
– die Stunde null
– von Stund an *(veraltend für* von
diesem Augenblick an)
– ich habe zwei Stunden lang telefoniert, *aber* ich habe stunden-
lang telefoniert
– eine halbe Stunde
– eine viertel Stunde *od.* eine
Viertelstunde; in drei viertel
Stunden *od.* in drei Viertelstunden *(aber* in einer Dreiviertelstunde) *vgl.* Viertel
– in anderthalb Stunden

stun|den (Frist zur Zahlung geben)
Stun|den|buch (Gebetbuch des
MA.); Stun|den|frau *(landsch. für*
Frau, die einige Stunden im
Haushalt hilft); Stun|den|ge|bet;
Stun|den|ge|schwin|dig|keit; Stun-
den|glas *Plur.* ...gläser (Sanduhr);
Stun|den|halt *(schweiz. für*
[stündl.] Marschpause); Stun-
den|ho|tel
Stun|den|ki|lo|me|ter *(ugs. für* Kilo-
meter je Stunde; *vgl.* km/h)
stun|den|lang; ich habe stunden-
lang gewartet; *aber* sie lag eine
Stunde lang, ganze Stunden lang
wach
Stun|den|lohn; Stun|den|plan; Stun-
den|schlag; Stun|den|takt; im
Stundentakt
stun|den|wei|se
stun|den|weit; sie liefen stunden-
weit, *aber* drei Stunden weit
Stun|den|zei|ger (bei der Uhr)
...stün|dig (z. B. zweistündig [zwei
Stunden dauernd], *mit Ziffer*
2-stündig; ↑K29)
Stünd|lein
stünd|lich (jede Stunde)
...stünd|lich (z. B. zweistündlich
[alle zwei Stunden wiederkeh-
rend], *mit Ziffer* 2-stündlich;
↑K29)
Stun|dung ⟨*zu* stunden⟩
Stunk, der; -s *(ugs. für* Zank,
Unfrieden, Nörgelei)
Stunt [stant], der; -s, -s ⟨engl.⟩

(gefährliches, akrobatisches
Kunststück [als Filmszene]);
Stunt|frau; Stunt|girl; Stunt|man
[...mən], der; -s, ...men [...mən]
(Film Double für Stunts); Stunt-
wo|man [...vʊmən], die; -,
...women
stu|pend [st..., *auch* ʃt...] ⟨lat.⟩
(erstaunlich)
Stupf, der; -[e]s, -e *(südd., schweiz.
mdal. für* Stoß); stup|feln *u.,*
schweiz. nur, stup|fen *(südd.,
österr. ugs., schweiz. mdal. für*
stupsen); Stup|fer *(südd., österr.
ugs., schweiz. mdal. für* Stups)
stu|pid [ʃt..., *auch* st...], *österr. nur
so, auch* stu|pi|de ⟨lat.⟩ (dumm,
stumpfsinnig); Stu|pi|di|tät, die;
-, -en
Stu|por, der; -s *(Med.* Starrheit,
Regungslosigkeit)
Stups, der; -es, -e *(ugs. für* Stoß);
stup|sen *(ugs. für* stoßen); du
stupst; Stups|na|se *(ugs.)*
stur *(ugs. für* unbeweglich, hartnäckig); stur Heil *(ugs. für* mit großer Sturheit); auf stur schalten
(ugs. für auf keine Bitte o. Ä. ein-
gehen); Stur|heit, die; - *(ugs.)*
sturm *(südwestd. u. schweiz. mdal.
für* verworren, schwindelig); mir
ist sturm
¹Sturm, der; -[e]s, Stürme; Sturm
laufen; Sturm läuten
²Sturm, der; -[e]s *(österr. für* in
Gärung übergegangener Weinmost, *svw.* Federweißer)
Sturm|an|griff; Sturm|ball *(Seew.;
vgl.* ¹Ball); Sturm|band, das; *Plur.*
...bänder (Kinnriemen)
sturm|be|reit
Sturm|bö; Sturm|bock (ein Belage-
rungsgerät); Sturm|böe; Sturm-
boot; Sturm|deich
stür|men; Stür|mer; Stür|me|rei
(ugs.); Stür|me|rin
sturm|er|probt (kampferprobt)
Stür|mer und Drän|ger, der; -s - -,
- - - *(Literaturw.)*
Stur|mes|brau|sen, das; -s *(geh.)*
Sturm|fah|ne *(früher);* Sturm|feu|er-
zeug; Sturm|flut
sturm|frei *(ugs.);* sturmfreie Bude
Sturm|fri|sur *(scherzh.);* Sturm|ge-
päck *(Milit.)*
sturm|ge|peitscht; die sturmge-
peitschte See
Sturm|glo|cke
Sturm|hau|be; die Große Sturm-
haube, Kleine Sturmhaube (Gipfel im Riesengebirge)
Sturm|hut, der *(svw.* Eisenhut)
stür|misch

Sturm|la|ter|ne; Sturm|lauf; Sturm-
läu|ten, das; -s; Sturm|lei|ter, die;
Sturm|mö|we

sturm|reif *(Milit.)*

Sturm|rei|he *(Sport);* Sturm|rie|men;
Sturm|schritt; *meist in* im Sturm-
schritt

sturm|schwach *(Sport)*

Sturm|si|g|nal; Sturm|spit|ze; Sturm-
tief *(Met.)*

Sturm und Drang, der; *Gen.* - - -[e]s
u. - - - - *(Literaturw.);* Sturm-und-
Drang-Zeit, die; - ↑K 26

Sturm|vo|gel; Sturm|war|nung;
Sturm|wind; Sturm|zei|chen

Sturz, der; -es, *Plur.* Stürze, *auch*
(für Träger:) Sturze (jäher Fall;
Bauw. waagerechter Träger als
oberer Abschluss von Tür- od.
Fensteröffnungen)

Sturz|acker; Sturz|bach

sturz|be|trun|ken *(ugs. für* völlig
betrunken)

Stür|ze, die; -, -n *(landsch. für*
Topfdeckel)

Stur|zel, Stür|zel, der; -s, -
(landsch. für stumpfes Ende,
[Baum]stumpf)

stür|zen; du stürzt

Sturz|flug; Sturz|flut; Sturz|ge|burt
(Med.); Sturz|gut (z. B. Kohle,
Schotter); Sturz|helm

Sturz|kampf|flug|zeug (im 2. Welt-
krieg; *Abk.* Stuka); Sturz|pflug
(Landw. selten); Sturz|re|gen;
Sturz|see, die; -, -n

Stuss, der; -es *(hebr.-jidd.) (ugs. für*
Unsinn, Dummheit); Stuss reden

Stut|buch (Stammtafeln der zur
Zucht verwendeten Pferde)

Stu|te, die; -, -n

Stu|ten, der; -s, - *(landsch. für*
[längliches] Weißbrot)

Stu|ten|zucht

Stu|te|rei *(veraltet für* Gestüt)

Stut|foh|len (weibl. Fohlen)

Stutt|gart (Stadt am Neckar); Stutt-
gart-Bad Cann|statt ↑K 147; Stutt-
gar|ter

¹Stutz, der; -es, *Plur.* -e od. Stütze
(landsch. für Stoß; verkürztes
Ding [Federstutz u. a.]; Wand-
brett; *schweiz. mdal. für* steiler
Hang, bes. steiles Wegstück); auf
den Stutz *(landsch. für* plötzlich; sofort)

²Stutz, der; -es, Stütze *(schweiz.*
ugs. für Franken); hundert Stutz
od. Stütze

Stütz, der; -es, -e *(Turnen);* Stütz-
bal|ken

Stut|ze, die; -, -n

stut|zen; du stutzt

stüt|zen; du stützt

Stut|zen, der; -s, - (kurzes Gewehr;
Wadenstrumpf; Ansatzrohr-
stück; *bayr., österr. auch für*
Kniestrumpf)

Stut|zer *(veraltend für* geckenhaft
wirkender, eitler Mann; *schweiz.*
auch für Stutzen [Gewehr]);
stut|zer|haft; Stut|zer|haf|tig|keit,
die; -; stut|zer|mä|ßig; Stut|zer-
tum, das; -s

Stütz|flü|gel *(Musik* kleiner, kurzer
Flügel)

Stütz|ge|we|be *(Med.)*

stut|zig; stutzig werden; stüt|zig
(südd. für stutzig; widerspens-
tig)

Stütz|keh|re *(Turnen);* Stütz|kor-
sett; Stütz|last; Stütz|mau|er;
Stütz|pfei|ler; Stütz|punkt; Stütz-
rad; Stütz|sprung *(Turnen);* Stütz-
strumpf

Stütz|uhr (kleine Standuhr)

Stüt|zung; Stüt|zungs|kauf
(Finanzw.)

Stütz|ver|band *(Med.)*

St. Vin|cent und die Gre|na|di|nen
[snt ˈvɪnsnt - - -], - - -s und der -
(Inselstaat im Bereich der Westindischen Inseln); *vgl.* Vincenter

StVO = Straßenverkehrsordnung

StVZO = Straßenverkehrs-Zulas-
sungs-Ordnung

sty|gisch [st...] (zum Styx gehö-
rend; schauerlich, unheimlich)

Style [staɪl], der; -s, -s *(engl. Bez.*
für Stil)

sty|len [ˈstaɪ...] *(engl.)* (entwerfen,
gestalten); gestylt; Sty|ling, das;
-s, -s (Formgebung; äußere
Gestaltung); sty|lish, sty|lish
[ˈstaɪlɪʃ] *(engl.)* (stilvoll); Sty|list,
der; -en, -en (Formgestalter;
jmd., der das Styling [bes. von
Autos] entwirft); Sty|lis|tin

Sty|lit [st..., *auch* ʃt...], der; -en,
-en *(griech.)* (auf einer Säule
lebender frühchristl. Eremit)

Stym|pha|li|de [st..., *auch* ʃt...],
der; -n, -n *meist Plur.* *(griech.)*
(Vogelungeheuer in der griech.
Sage)

Sty|rax, Sto|rax [*beide* st..., *auch*
ʃt...], der; -[es], -e *(griech.)* (eine
Heilpflanze; Balsam)

Sty|rol [ʃt..., *auch* st...], das; -s
(griech.; arab.) (eine chem. Verbindung)

Sty|ro|por® [ʃt..., *auch* st...], das;
-s *(griech.; lat.)* (ein Kunststoff)

Styx [st..., *auch* ʃt...], der; - (Fluss
der Unterwelt in der griech.
Sage)

SU, die; - = Sowjetunion

s. u. = sieh[e] unten!

Su|a|da, Su|a|de, die; -, ...den *(lat.)*
(Redeschwall)

¹Su|a|he|li, Swa|hi|li, der; -[s], -[s]
(Afrikaner, dessen Muttersprache ²Suaheli ist)

²Su|a|he|li, Swa|hi|li, das; -[s] (Spra-
che); *vgl.* Kisuaheli

Su|á|rez [...es], Francisco (span.
Theologe, Jesuit)

su|a|so|risch *(lat.)* (überredend)

sub... *(lat.)* (unter...); Sub...
(Unter...)

sub|al|pin, sub|al|pi|nisch *(lat.)*
(Geogr. räumlich an die Alpen
anschließend; bis zur Nadel-
waldgrenze reichend)

sub|al|tern *(lat.)* (untergeordnet;
unselbstständig)

Sub|al|tern|be|am|te; Sub|al|tern|be-
am|tin

Sub|al|ter|ne, der *u.* die; -n, -n

sub|ant|ark|tisch *(lat.; griech.)*
(Geogr. zwischen Antarktis u.
gemäßigter Klimazone gelegen)

sub|ark|tisch *(Geogr.* zwischen Arktis u.
gemäßigter Klimazone gelegen);
subarktische Zone

Sub|bot|nik, der; -s, -s *(russ.) (DDR*
[freiwilliger] unentgeltl. Arbeits-
einsatz)

Sub|di|a|kon *(lat.; griech.) (kath.*
Kirche früher Inhaber der
untersten der höheren Weihen)

Sub|do|mi|nan|te [*od.* ...'na...] *(lat.)*
(Musik die Quarte vom Grund-
ton aus)

sub|fos|sil *(lat.) (Biol.* in geschichtl.
Zeit ausgestorben)

sub|gla|zi|al *(lat.) (Geol.* unter dem
Gletschereis befindlich)

su|bi|to *(ital.) (Musik* schnell,
sofort anschließend)

Sub|jekt, das; -[e]s, -e *(lat.)*
(Sprachw. Satzgegenstand; *Phi-*
los. wahrnehmendes, denkendes
Wesen; *abwertend für* gemeiner
Mensch)

Sub|jek|ti|on, die; -, -en *(Rhet.* Auf-
werfen einer Frage, die man
selbst beantwortet)

sub|jek|tiv [*auch* 'zʊ...] (dem Sub-
jekt angehörend, in ihm begründet; persönlich; einseitig, partei-
isch, unsachlich)

Sub|jek|ti|vis|mus, der; - (philos.
Denkrichtung, nach der das Sub-
jekt für die Geltung der Erkenntnis entscheidend ist; *auch für*
Ichbezogenheit); sub|jek|ti|vis-
tisch

Sub|jek|ti|vi|tät, die; - (persönl.

Auffassung, Eigenart; Einseitigkeit)

Sub|jekt|satz *(Sprachw.)*

Sub|junk|tiv *[auch …'ti:f]*, der; -s, -e ⟨lat.⟩ (*selten für* Konjunktiv)

Sub|ka|te|go|rie ⟨lat.; griech.⟩ (*bes. Sprachw.* Unterordnung, Untergruppe einer Kategorie)

Sub|kon|ti|nent ⟨lat.⟩ (geogr. geschlossener Teil eines Kontinents, der aufgrund seiner Größe u. Gestalt eine gewisse Eigenständigkeit hat); der indische Subkontinent

Sub|kul|tur ⟨lat.⟩ (bes. Kulturgruppierung innerhalb eines übergeordneten Kulturbereichs); **sub|kul|tu|rell**

sub|ku|tan ⟨lat.⟩ (*Med.* unter der Haut, unter die Haut)

su|b|lim ⟨lat.⟩ (erhaben; fein; nur einem feineren Verständnis od. Empfinden zugänglich)

Su|b|li|mat, das; -[e]s, -e (Ergebnis einer Sublimation; eine Quecksilberverbindung); **Su|b|li|ma|ti|on**, die; -, -en (*Chemie* unmittelbarer Übergang eines festen Stoffes in den Gaszustand u. umgekehrt)

su|b|li|mie|ren (erhöhen; läutern; verfeinern; in künstler. Leistung[en] umsetzen; *Chemie* der Sublimation unterwerfen); **Su|b|li|mie|rung**

Su|b|li|mi|tät, die; - (*selten für* Erhabenheit)

sub|ma|rin ⟨lat.⟩ (*Biol.* unterseeisch)

Sub|mer|si|on, die; -, -en ⟨lat.⟩ (*Geol.* Untertauchen des Festlandes unter den Meeresspiegel)

Sub|mis|si|on, die; -, -en ⟨lat.⟩ (*Wirtsch.* öffentl. Ausschreibung; Vergabe an denjenigen, der das günstigste Angebot macht; *veraltet für* Ehrerbietigkeit, Unterwürfigkeit, Unterwerfung); **Sub|mis|si|ons|kar|tell** *(Wirtsch.);* **Sub|mis|si|ons|weg;** im Submissionsweg[e]

Sub|mit|tent, der; -en, -en (Bewerber [um einen Auftrag]; [An]bieter); **Sub|mit|ten|tin**

sub|mit|tie|ren (sich [um einen Auftrag] bewerben)

sub|op|ti|mal ⟨engl.⟩ (weniger gut)

Sub|or|di|na|ti|on, die; -, -en ⟨lat.⟩ (*Sprachw. veraltend für* Unterordnung, Gehorsam); **sub|or|di|nie|ren;** subordinierende (unterordnende) Konjunktion (z. B. »weil«)

sub|po|lar ⟨lat.⟩ (*Geogr.* zwischen Polarzone u. gemäßigter Klimazone gelegen)

sub|se|quent ⟨lat.⟩ (*Geogr.* den weicheren Schichten folgend [von Flüssen])

sub|si|di|är, *älter* **sub|si|di|a|risch** ⟨lat.⟩ (helfend, unterstützend; zur Aushilfe dienend)

Sub|si|di|a|ris|mus, der; - *u.* **Sub|si|di|a|ri|tät**, die; - (Prinzip, das dem Staat nur die helfende Ergänzung der Selbstverantwortung kleiner Gemeinschaften zugesteht); **Sub|si|di|a|ri|täts|prin|zip**, das; -s

Sub|si|di|en *Plur.* (veraltet für Hilfsgelder)

Sub|sis|tenz, die; -, -en ⟨lat.⟩ (*veraltet für* [Lebens]unterhalt); **Sub|sis|tenz|wirt|schaft** (bäuerl. Produktion nur für den eigenen Bedarf)

Sub|skri|bent, der; -en, -en ⟨lat.⟩; **Sub|skri|ben|tin; Sub|skri|bie|ren; Sub|skrip|ti|on**, die; -, -en (Vorausbestellung von später erscheinenden Büchern); **Sub|skrip|ti|ons|preis**

sub spe|cie ae|ter|ni|ta|tis [- sp… -] ⟨lat.⟩ (unter dem Gesichtspunkt der Ewigkeit)

Sub|spe|zi|es, die; -, - ⟨lat.⟩ (*Biol.* Unterart)

Sub|stan|dard, der; -s ⟨engl.⟩ (*Sprachw.* Sprachebene unterhalb der Hochsprache; *bes. österr. für* unterdurchschnittliche [Wohn]qualität); **Sub|stan|dard|woh|nung**

Sub|stan|ti|a|li|tät *vgl.* Substanzialität; **sub|s|tan|ti|ell** *vgl.* substanziell; **sub|s|tan|ti|ie|ren** *vgl.* substanziieren

Sub|s|tan|tiv, das; -s, -e ⟨lat.⟩ (*Sprachw.* Hauptwort, Dingwort, Nomen, z. B. »Haus, Wald, Ehre«); **sub|s|tan|ti|vie|ren** (zum Substantiv machen); **Sub|s|tan|ti|viert; Sub|s|tan|ti|vie|rung** (z. B. »das Schöne, das Laufen«); **sub|s|tan|ti|visch**

Sub|s|tanz, die; -, -en ([körperl.] Masse, Stoff, Bestand[teil]; *nur Sing.: Philos.* das Dauernde, das Wesentliche; *auch für* Materie)

Sub|s|tan|zi|a|li|tät, Sub|s|tan|ti|a|li|tät, die; - (Wesentlichkeit, Substanzsein)

sub|s|tan|zi|ell, sub|s|tan|ti|ell (wesenhaft, wesentlich; stofflich; materiell; nahrhaft)

sub|s|tan|zi|ie|ren, sub|s|tan|ti|ie-

ren (mit Substanz erfüllen, begründen, fundieren)

Sub|s|tanz|ver|lust

sub|s|ti|tu|ier|bar; sub|s|ti|tu|ie|ren ⟨lat.⟩ (*fachspr.* austauschen, ersetzen); **Sub|s|ti|tu|ie|rung**

¹Sub|s|ti|tut, das; -[e]s, -e (*svw.* Surrogat)

²Sub|s|ti|tut, der; -en, -en (Verkaufsleiter); **Sub|s|ti|tu|tin**

Sub|s|ti|tu|ti|on, die; -, -en (*fachspr. für* Stellvertretung, Ersetzung); **Sub|s|ti|tu|ti|ons|pro|be** *(Sprachw.)*

Sub|s|t|rat, das; -[e]s, -e ⟨lat.⟩ (*fachspr. für* [materielle] Grundlage; Substanz; *Sprachw.* überlagerte sprachliche Grundschicht; *Landw.* Nährboden)

sub|su|mie|ren ⟨lat.⟩ (ein-, unterordnen; unter einem Thema zusammenfassen); **Sub|su|mie|rung; Sub|sum|ti|on**, die; -, -en; **sub|sum|tiv** (*Philos.* unterordnend; einbegreifend)

Sub|teen ['zapti:n], der; -s, -s ⟨amerik.⟩ (Mädchen od. Junge im Alter von etwa zehn Jahren)

sub|til ⟨lat.⟩ (zart, fein, sorgsam; spitzfindig, schwierig); **Sub|ti|li|tät**, die; -, -en

Sub|tra|hend, der; -en, -en ⟨lat.⟩ (abzuziehende Zahl)

sub|tra|hie|ren ⟨lat.⟩ (*Math.* abziehen)

Sub|trak|ti|on, die; -, -en (das Abziehen); **Sub|trak|ti|ons|ver|fah|ren; sub|trak|tiv** (auf Subtraktion beruhend)

Sub|tro|pen *Plur.* ⟨lat.; griech.⟩ (*Geogr.* Gebiete des Übergangs von den Tropen zur gemäßigten Klimazone); **sub|tro|pisch**

Su|b|urb ['zabø:ɐp], die; -, -s ⟨engl.⟩ (*engl. Bez. für* Vorstadt)

Su|b|ur|bia [za'bø:ɐbia], die; - ⟨engl.⟩ (Gesamtheit der um die großen Industriestädte wachsenden Trabanten- u. Schlafstädte)

sub|ur|bi|ka|risch [zʊp|ʊ...] ⟨lat.⟩ (*kath.* Kirche vor Rom gelegen); suburbikarisches Bistum

Sub|ven|ti|on, die; -, -en *meist Plur.* ⟨lat.⟩ (*Wirtsch.* zweckgebundene Unterstützung aus öffentl. Mitteln); **sub|ven|ti|o|nie|ren; Sub|ven|ti|ons|ab|bau; Sub|ven|ti|ons|be|geh|ren**

Sub|ver|si|on, die; -, -en ⟨lat.⟩ (Umsturz); **sub|ver|siv** (zerstörend, umstürzlerisch)

sub vo|ce [- …tsə] ⟨lat.⟩ (unter dem [Stich]wort; *Abk.* s. v.)

Sub|woo|fer ['sapvʊːfɐ], der; -s, -s ⟨engl.⟩ (ein Basslautsprecher)

Such|ak|ti|on; Such|an|zei|ge; Such|ar|beit; Such|au|to|ma|tik; Such|bild; Such|dienst

Su|che, die; -, *Plur. (Jägerspr.:)* -n

su|chen; Su|cher; Su|che|rei

Such|flug|zeug; Such|funk|ti|on *(EDV);* Such|hund; Such|lauf; Such|lis|te

Such|ma|schi|ne *(EDV Programmsystem zur Informationsrecherche im Internet)*

Such|mel|dung; Such|schein|wer|fer; Such|schiff

Sucht, die; -, *Plur.* Süchte *od.* Suchten; Sucht|ge|fahr; Sucht|gift, das *(österr. amtl. für* Drogen, Rauschgift)

süch|tig; Süch|ti|ge, der *u.* die; -n, -n; Süch|tig|keit, die; -

sucht|krank; Sucht|kran|ke

Such|trupp

su|ckeln *(landsch. für* nuckeln); ich suck[e]le

¹Su|c|re (Hauptstadt Boliviens)

²Su|c|re, der; -, - ⟨span.⟩ (frühere ecuadorian. Währungseinheit)

Sud, der; -[e]s, -e (Flüssigkeit, in der etwas gekocht wurde; durch Auskochen erhaltene Lösung)

¹Süd (Himmelsrichtung; *Abk.* S); Nord und Süd; *fachspr.* der Wind kommt aus Süd; Autobahnausfahrt Frankfurt Süd *od.* Frankfurt-Süd ↑K148 ; *vgl.* Süden

²Süd, der; -[e]s, -e *Plur. selten (geh. für* Südwind); der warme Süd blies um das Haus

Süd|af|ri|ka; Republik Südafrika; Süd|af|ri|ka|ner; Süd|af|ri|ka|ne|rin; süd|af|ri|ka|nisch; *aber* ↑K140 : die Südafrikanische Union *(ehem. Bez. für* Republik Südafrika)

Süd|ame|ri|ka; Süd|ame|ri|ka|ner; Süd|ame|ri|ka|ne|rin; süd|ame|ri|ka|nisch

Su|dan, -s *auch mit Artikel* der; -[s] ⟨arab.⟩ (Staat in Mittelafrika); Su|da|ner *vgl.* Sudanese; Su|da|ne|rin *vgl.* Sudanesin; Su|da|ne|se, der; -n, -n (Bewohner des Sudans); Su|da|ne|sin; su|da|ne|sisch

süd|a|si|a|tisch; Süd|a|si|en

Su|da|ti|on, die; - ⟨lat.⟩ *(Med.* das Schwitzen)

Süd|aus|t|ra|li|en

Süd|ba|den *vgl.* Baden

Süd|da|ko|ta (Staat in den USA)

Sud|den Death ['sadn 'deθ], der; - -, - - ⟨engl.⟩ *(Sport* Spielentscheidung durch das erste gefallene Tor in einem zusätzlichen Spielabschnitt)

süd|deutsch *vgl.* deutsch; Süd|deut|sche, der *u.* die

Süd|deutsch|land

Su|del, der; -s, - *(schweiz. für* flüchtiger Entwurf, Kladde; *landsch. für* Schmutz; Pfütze)

Su|de|lei *(ugs.);* Su|de|ler, Sud|ler *(ugs.);* Su|de|le|rin, Sud|le|rin; su|de|lig, sud|lig *(ugs.)*

su|deln *(ugs. für* Schmutz verursachen; schmieren; pfuschen); ich sud[e]le; Su|del|wet|ter, das; -s *(landsch.)*

Sü|den, der; -s (Himmelsrichtung; *Abk.* S); der Wind kommt aus Süden; sie zogen gen Süden; *vgl.* Süd

Sü|der|dith|mar|schen (Teil von Dithmarschen)

Sü|der|oog (eine Hallig)

Su|de|ten *Plur.* (Gebirge in Mitteleuropa); su|de|ten|deutsch; Su|de|ten|land, das; -[e]s; su|de|tisch (die Sudeten betreffend)

Süd|eu|ro|pa; süd|eu|ro|pä|isch

Süd|frank|reich

Süd|frucht *meist Plur.;* Süd|hang

Süd|haus (für die Bierherstellung)

Süd|hol|land; Süd|ita|li|en

Süd|ka|ro|li|na (Staat in den USA)

Süd|ko|rea ↑K143 *(nicht amtliche Bez. für* Republik Korea)

Süd|küs|te

Süd|län|der; Süd|län|de|rin; süd|län|disch

s[üdl]. Br. = südlicher Breite

Sud|ler *vgl.* Sudeler

Sud|le|rin *vgl.* Sudelerin

süd|lich

– südlicher Breite *(Abk.* s[üdl]. Br.)
– südlicher Sternhimmel, *aber* ↑K150 : das Südliche Kreuz (ein Sternbild)

An »südlich« kann ein Substantiv im Genitiv oder mit »von« angeschlossen werden. Der Anschluss mit »von« wird bei artikellosen [geografischen] Namen bevorzugt:

– südlich von Berlin, *selten:* südlich Berlins
– südlich von Nigeria, *selten:* südlich Nigerias

süd|lig *vgl.* sudelig

Süd|nord|ka|nal, der; -s (Kanal in Nordwestdeutschland)

Su|do|ku, das; -[s], -[s] ⟨jap.⟩ (ein Rätselspiel mit Zahlenquadraten)

¹Süd|ost (Himmelsrichtung; *Abk.* SO)

²Süd|ost, der; -[e]s, -e *Plur. selten* (Wind)

Süd|ost|asi|en

Süd|os|ten, der; -s *(Abk.* SO); gen Südosten; *vgl.* Südost

süd|öst|lich; Süd|ost|wind

Süd|pfan|ne

Süd|pol, der; -s

Süd|po|lar|ex|pe|di|ti|on; Süd|po|lar|meer, das; -[e]s

Süd|rho|de|si|en *(früherer Name von* Simbabwe)

Süd|see, die; - (Pazifischer Ozean, bes. der südl. Teil); Süd|see|in|su|la|ner; Süd|see|in|su|la|ne|rin

Süd|sei|te; süd|sei|tig

Süd|staa|ten *Plur.* (in den USA)

Süd|süd|ost (Himmelsrichtung; *Abk.* SSO); Süd|süd|os|ten, der; -s *(Abk.* SSO)

Süd|süd|west (Himmelsrichtung; *Abk.* SSW); Süd|süd|wes|ten, der; -s *(Abk.* SSW)

Süd|ti|rol (Gebiet der Provinz Bozen; *früher* der 1919 an Italien gefallene Teil des altösterr. Kronlandes Tirol); Süd|ti|ro|ler; Süd|ti|ro|le|rin; süd|ti|ro|lisch

Süd|vi|et|nam; süd|vi|et|na|me|sisch

süd|wärts

Süd|wein

¹Süd|west (Himmelsrichtung; *Abk.* SW)

²Süd|west, der; -[e]s, -e *Plur. selten* (Wind)

süd|west|deutsch *vgl.* deutsch; Süd|west|deutsch|land

Süd|wes|ten, der; -s *(Abk.* SW); gen Südwesten

Süd|wes|ter, der; -s, - (wasserdichter Seemannshut)

süd|west|lich

Süd|west|staat, der; -[e]s (anfängliche Bez. des Landes Baden-Württemberg)

Süd|west|wind; Süd|wind

Su|es (ägypt. Stadt); *vgl.* Suez; Su|es|ka|nal, der; -s ↑K143 (Kanal zw. Mittelmeer u. Rotem Meer)

Su|e|ve usw. *vgl.* Swebe usw.

Su|ez [...ɛs, *auch* ...ɛts] usw. *(franz. Schreibung von* Sues usw.)

Suff, der; -[e]s *(ugs. für* das Betrunkensein; Trunksucht);

Süf|fel, der; -s, - (landsch. für Säufer); **süf|feln** (ugs. für gern Alkohol trinken); ich süff[e]le

süf|fig (ugs. für gut trinkbar)

Süf|fi|sance [...'zã:s], die; - (franz.) (svw. Süffisanz); **süf|fi|sant; Süf|fi|sanz**, die; - (Selbstgefälligkeit; Spott)

Suf|fix [auch ...'fɪ...], das; -es, -e (lat.) (Sprachw. hinten an den Wortstamm angefügtes Wortbildungselement); **Suf|fi|xo|id**, das; -[e]s, -e (einem Suffix ähnliches Wortbildungselement)

suf|fi|zi|ent (lat.) (bes. Med. genügend, ausreichend); **Suf|fi|zi|enz**, die; - (Hinlänglichkeit; Med. ausreichende Leistungsfähigkeit [eines Organs])

Süff|ler, Süff|ling (landsch. für jmd., der gern u. viel trinkt); **Süff|le|rin**

Suf|f|ra|gan, der; -s, -e (lat.) (einem Erzbischof unterstellter Diözesanbischof)

Suf|f|ra|get|te, die; -, -n (engl.) (engl. Frauenrechtlerin)

Suf|fu|si|on, die; -, -en (lat.) (Med. Blutaustritt unter die Haut)

Su|fi, der; -[s], -s (arab.) (Anhänger des Sufismus); **Su|fis|mus**, der; - (eine asketisch-mystische Richtung im Islam)

Su|gam|b|rer, der; -s, - (Angehöriger eines germ. Volkes)

sug|ge|rie|ren (lat.) (seelisch beeinflussen; einreden)

sug|ges|ti|bel (beeinflussbar); ...i|b|le Menschen; **Sug|ges|ti|bi|li|tät**, die; - (Beeinflussbarkeit)

Sug|ges|ti|on, die; -, -en (seelische Beeinflussung; **Sug|ges|tiv** (seelisch beeinflussend; verfänglich); **Sug|ges|tiv|fra|ge** (Frage, die eine bestimmte Antwort nahelegt)

Sug|ges|to|pä|die, die; - (ganzheitlich orientierte Lernmethode)

Su|go, der; -[s], -s od. die; -, -s (ital. Bez. für [Tomaten]soße)

Suhl (Stadt am SW-Rand des Thüringer Waldes)

Suh|le, die; -, -n (Lache; feuchte Bodenstelle); **suh|len**, sich (Jägerspr. sich in einer Suhle wälzen [vom Rot- u. Schwarzwild])

Süh|ne, die; -, -n; **Süh|ne|al|tar süh|nen; Süh|ne|op|fer; Süh|ne|rich|ter; Sühn|op|fer; Süh|nung**

sui ge|ne|ris (lat.) (nur durch sich selbst eine Klasse bildend, einzig, besonders)

Sui|te ['svi:t(ə)], die; -, -n (franz.) (Gefolge [eines Fürsten]; Musik Folge von [Tanz]sätzen)

Su|i|zid, der, auch das; -[e]s, -e (lat.) (Selbstmord); **su|i|zi|dal** (selbstmörderisch); **Su|i|zi|dent**, der; -en, -en (Selbstmörder); **Su|i|zi|den|tin**

Su|i|zid|ra|te; Su|i|zid|ri|si|ko

Su|jet [zy'ʒe:], das; -s, -s (franz.) (Gegenstand künstlerischer Darstellung; Stoff)

Suk|ka|de, die; -, -n (roman.) (kandierte Fruchtschale)

Suk|ku|bus, der; -, ...kuben (lat.) (weiblicher Buhlteufel des mittelalterlichen Volksglaubens); vgl. Inkubus

suk|ku|lent (lat.) (Bot. saftvoll, fleischig); **Suk|ku|len|te**, die; -, -n (Pflanze trockener Gebiete); **Suk|ku|lenz**, die; - (Bot. Saftfülle)

Suk|kurs, der; -es, -e (lat.) (Hilfe, Unterstützung)

Suk|zes|si|on, die; -, -en (lat.) ([Rechts]nachfolge; Thronfolge; Biol. Entwicklungsreihe); **Suk|zes|si|ons|krieg** (Erbfolgekrieg); **Suk|zes|si|ons|staat** Plur. ...staaten (Nachfolgestaat)

suk|zes|siv (allmählich [eintretend]); ein sukzessiver Abwärtstrend; **suk|zes|si|ve** (allmählich, nach und nach); etwas verändert sich sukzessive

¹Su|la|mith [auch ...'mi:t] (w. Vorn.)

²Su|la|mith, ökum. Schu|lam|mit (bibl. w. Eigenn.)

Su|la|we|si (eine der Großen Sundainseln)

Su|lei|ka (w. Vorn.)

Sul|fat, das; -[e]s, -e (lat.) (Salz der Schwefelsäure)

Sul|fid, das; -[e]s, -e (Salz der Schwefelwasserstoffsäure; **sul|fi|disch** (Schwefel enthaltend)

Sul|fit, das; -s, -e (Salz der schwefligen Säure); **Sul|fit|lau|ge**

Sul|fo|n|a|mid, das; -[e]s, -e meist Plur. (ein chemotherapeutisches Arzneimittel gegen Infektionskrankheiten)

Sul|fur, das; -s (lat.) (lat. Bez. für Schwefel; Zeichen S)

Sul|ky [...ki, auch 'za...], der, auch das; -s, -s (engl.) (zweirädriger Wagen für Trabrennen)

Süll, der od. das; -[e]s, -e (nordd. für [hohe] Türschwelle; Seemannsspr. Lukeneinfassung)

Sul|la (röm. Feldherr u. Staatsmann)

Sul|tan, der; -s, -e (arab., »Herr-

scher« (Titel islamischer Herrscher); **Sul|ta|nat**, das; -[e]s, -e (Sultansherrschaft); **Sul|ta|nin**

Sul|ta|ni|ne, die; -, -n (große kernlose Rosine)

Sulz, die; -, -en u. **Sul|ze**, die; -, -n (südd., österr., schweiz. für Sülze); **Sül|ze**, die; -, -n (Fleisch, Fisch u. a. in Gallert); **sul|zen** (südd., österr. für sülzen); du sulzt; gesulzt; **sül|zen** (zu Sülze verarbeiten; ugs. auch für [dummes Zeug] reden, quatschen); du sülzt; gesülzt; **Sülz|ko|te|lett**

Su|mach, der; -s, -e (arab.) (ein Gerbstoffe lieferndes Holzgewächs); vgl. ¹Schmack

Su|ma|t|ra [auch 'zu:...] (zweitgrößte der Großen Sundainseln)

Su|mer (das alte Südbabylonien); **Su|me|rer**, der; -s, - (Angehöriger des ältesten Volkes in Südbabylonien); **Su|me|re|rin; su|me|risch** vgl. deutsch; **Su|me|risch**, das; -[s] (Sprache); vgl. Deutsch; **Su|me|ri|sche**, das; -n; vgl. Deutsche, das

summ!; summ, summ!

Sum|ma, die; -, Summen (lat.) (in der Scholastik die zusammenfassende Darstellung von Theologie u. Philosophie; veraltet für Summe; Abk. Sa.); vgl. in summa

sum|ma cum lau|de (»mit höchstem Lob«) (höchstes Prädikat bei Doktorprüfungen)

Sum|mand, der; -en, -en (Math. hinzuzuzählende Zahl); **sum|ma|risch** (kurz zusammengefasst); **sum|ma sum|ma|rum** (alles in allem)

Sum|ma|ti|on, die; -, -en (bes. Math. Bildung einer Summe; Aufrechnung); **Sümm|chen**

Sum|me, die; -, -n; in Summe (österr. für insgesamt)

¹sum|men, sich (veraltet für sich summieren)

²sum|men; eine Melodie summen

Sum|men|bi|lanz (Wirtsch.); **Sum|men|ver|si|che|rung**

Sum|mer (Vorrichtung, die Summtöne erzeugt); **Sum|mer|zei|chen**

sum|mie|ren (lat.) (zusammenzählen); sich summieren (anwachsen); **Sum|mie|rung**

Summ|ton Plur. ...töne

Sum|mum Bo|num, das; - - (lat.) (Philos. höchstes Gut; Gott); **Sum|mus Epi|s|co|pus**, der; - - (oberster Bischof, Papst; früher für Landesherr als Oberhaupt

einer ev. Landeskirche in
Deutschland)
Su|mo, das; - ⟨jap.⟩ (eine japani-
sche Form des Ringkampfes)
Sum|per, der; -s, - *(österr. ugs. für*
Spießer, Banause)
Sumpf, der; -[e]s, Sümpfe; **Sumpf-
bi|ber** (Nutria); **Sumpf|blü|te**
(abwertend für moralische Ver-
fallserscheinung; Auswuchs);
Sumpf|bo|den
Sumpf|dot|ter|blu|me
sump|fen *(ugs. für* liederlich leben;
zechen)
sümp|fen *(Bergmannsspr.* entwäs-
sern; *Töpferei* Ton mit Wasser
ansetzen)
Sumpf|fie|ber (Malaria); **Sumpf-
gas; Sumpf|ge|biet; Sumpf|ge-
gend; Sumpf|huhn** *(auch ugs.
scherzh. für* unsolider Mensch)
sump|fig; Sumpf|land, das; -[e]s;
Sumpf|ot|ter, der (der Nerz); **Sumpf-
pflan|ze; Sumpf|zy|p|res|se**
Sums, der; -es *(ugs. svw.* Gesums);
[einen] großen Sums machen
Sun|blo|cker ['san...], der; -s, -
⟨engl.⟩ (Sonnenschutzmittel mit
hohem Lichtschutzfaktor)
Sund, der; -[e]s, -e *(Meerenge*
[zwischen Ostsee u. Kattegat])
Sun|da|in|seln, Sun|da-In|seln *Plur.*
↑K143 (südostasiat. Insel-
gruppe); die Großen, die Kleinen Sundainseln *od.* Sunda-
Inseln
Sün|de, die; -, -n; **Sün|den|ba|bel,**
das; -s *(meist scherzh.);* **Sün|den-
be|kennt|nis; Sün|den|bock** *(ugs.);*
Sün|den|fall, der; **Sün|den|last,**
die; -; **Sün|den|lohn,** der; -[e]s
(geh.)
**sün|den|los, sünd|los; Sün|den|lo-
sig|keit,** Sünd|lo|sig|keit, die; -
Sün|den|pfuhl *(abwertend od.
scherzh.);* **Sün|den|re|gis|ter**
(ugs.); **Sün|den|ver|ge|bung**
Sün|der; Sün|de|rin; Sün|der|mie|ne
(ugs.); **Sünd|flut** *(volkstümliche
Umdeutung von* Sintflut, *vgl. d.)*
sünd|haft; sündhaft teuer *(ugs.);*
Sünd|haf|tig|keit, die; -
sün|dig; sün|di|gen; sünd|lich
(landsch. svw. sündig)
sünd|los usw. *vgl.* sündenlos usw.
Sun|dow|ner ['sandaun...], der; -s, -
⟨engl.⟩ ([alkohol.] Getränk, das
zum Sonnenuntergang eingenommen wird)
sünd|teu|er *(ugs. für* überaus
teuer)
Sun|nis|mus, der; - ⟨arab.⟩ (eine
Hauptrichtung des Islams); **Sun-**

nit, der; -en, -en (Angehöriger
der orthodoxen Hauptrichtung
des Islams); **Sun|ni|tin; sun|ni-
tisch**
Sün|tel, der; -s (Bergzug im Weser-
bergland)
¹Su|o|mi *(finn.* Name für Finnland)
²Su|o|mi, das; - (finn. Sprache)
su|per ⟨lat.⟩ *(ugs. für* hervorra-
gend, großartig); das war super,
eine super Schau; er hat super
gespielt
Su|per, das; -s *meist ohne Artikel
(kurz für* Superbenzin)
su|per... (über...); **Su|per...** (Über...)
su|perb, selten sü|perb ⟨franz.⟩
(vorzüglich; prächtig)
Su|per|ben|zin
Su|per|car|go *vgl.* Superkargo; **Su-
per|cup** *(Fußball früher)*
su|per|fein *(ugs. für* sehr fein)
Su|per|frau
Su|per-G [...dʒiː], der; -[s], -[s]
⟨engl.⟩ (alpiner Skiwettbewerb
zwischen Abfahrtslauf und Rie-
senslalom)
Su|per-GAU (allergrößter GAU;
vgl. d.)
su|per|gut *(ugs. für* sehr gut)
Su|per|held; Su|per|hel|din
Su|per|he|te|ro|dyn|emp|fän|ger
⟨lat.; griech.; dt.⟩ (ein Rund-
funkempfänger)
Su|per|in|ten|dent *[auch* 'zu:...],
der; -en, -en ⟨lat.⟩ (höherer ev.
Geistlicher); **Su|per|in|ten|den-
tin; Su|per|in|ten|dur,** der; -[s],
-en (Superintendent[inn]enamt,
-wohnung)
Su|pe|ri|or, der; -s, ...oren (Oberer,
Vorgesetzter, bes. in Klöstern);
Su|pe|ri|o|rin; Su|pe|ri|o|ri|tät,
die; - (Überlegenheit)
Su|per|kar|go, Su|per|car|go, der;
-s, -s ⟨lat.; span.⟩ *(Seemannsspr.,
Kaufmannsspr.* bevollmächtig-
ter Frachtbegleiter)
su|per|klug *(ugs. für* sehr klug)
Su|per|la|tiv, der; -s, -e ⟨lat.⟩
(Sprachw. 2. Steigerungsstufe,
Höchststufe, Meiststufe, z. B.
»schönste«; *übertr. für* etwas,
was zum Besten gehört); **su|per-
la|ti|visch** *[auch* ...'tiː...]
Su|per|lear|ning ['suːpələ:gnıŋ],
das; -s ⟨engl.⟩ *(svw.* Suggestopä-
die)
su|per|leicht *(ugs. für* sehr leicht)
Su|per|macht
Su|per|mann *Plur.* ...männer
Su|per|markt
Su|per|mo|del, das *(ugs. für* bes.
berühmtes Fotomodell)

su|per|mo|dern *(ugs. für* sehr
modern)
Su|per|na|tu|ra|lis|mus usw. *vgl.*
Supranaturalismus usw.
Su|per|no|va *(Astron.* bes. licht-
starke Nova); *vgl.* ¹Nova
Su|per|phos|phat ⟨lat.; griech.⟩
(phosphorhaltiger Kunstdün-
ger)
Su|per|preis (besonders günstiger
Preis)
su|per|reich *(ugs. für* sehr reich)
Su|per|re|vi|si|on *(Wirtsch.* Nach-,
Überprüfung)
Su|per|rie|sen|sla|lom
su|per|schlau *(ugs. für* sehr schlau);
su|per|schnell *(ugs. für* sehr
schnell)
Su|per|star *(ugs. für* bes. großer,
berühmter Star); *vgl.* ²Star
Su|per|strat, das; -[e]s, -e
(Sprachw. bodenständig gewordene Sprache eines Eroberervol-
kes); *vgl.* Substrat
Su|per|vi|si|on, die; - ⟨lat.⟩ (Bera-
tung eines Arbeitsteams, einer
Organisation zur Erhöhung der
Effektivität; Beratung u. Beauf-
sichtigung von Psychotherapeu-
ten); **Su|per|vi|sor** *[engl.* 'sjuː.pə-
vaızɐ], der; -s, ...oren, *bei engl.
Ausspr.* -s, -s (psychologisch
ausgebildete Person, die Super-
vision betreibt); **Su|per|vi|so|rin**
Su|per|zei|chen *(Kybernetik)*
su|pi *(ugs. emotional für* super);
das ist supi, eine supi Sache; es
hat supi funktioniert
Su|pi|num, das; -s, ...na (lat. Verb-
form)
Süpp|chen; Sup|pe, die; -, -n
Sup|pé (österr. Komponist)
Sup|pen|fleisch; Sup|pen|grün, das;
-s; **Sup|pen|huhn**
Sup|pen|kas|par, der; -s ↑K138
(Gestalt aus dem Struwwelpe-
ter); **Sup|pen|kas|per** *(ugs. für*
Kind, das seine Suppe nicht
essen will)
**Sup|pen|kel|le; Sup|pen|kno|chen;
Sup|pen|kraut; Sup|pen|löf|fel;
Sup|pen|nu|del; Sup|pen|schüs-
sel; Sup|pen|tas|se; Sup|pen|tel-
ler; Sup|pen|ter|ri|ne; Sup|pen-
wür|fel; sup|pig**
Sup|ple|ant, der; -en, -en ⟨franz.⟩
(schweiz. für Ersatzmann [in
einer Behörde]); **Sup|ple|an|tin**
Sup|ple|ment, das; -[e]s, -e ⟨lat.⟩
(Buchw. Ergänzung[sband,
-teil]; *kurz für* Supplementwinkel)
Sup|ple|ment|band, der; **Sup|ple-**

ment|lie|fe|rung; Sup|ple|ment-
win|kel (*Math.* Ergänzungswin-
kel)

sup|ple|to|risch (*veraltet für* ergän-
zend, stellvertretend)

sup|plie|ren (*veraltet, österr. noch
für* Schulstunden vertretungs-
weise halten)

Sup|pli|kant, der; -en, -en ⟨lat.⟩
(*veraltet für* Bittsteller); Sup|pli-
kan|tin; sup|pli|zie|ren (*veraltet
für* ein Bittgesuch einreichen)

sup|po|nie|ren ⟨lat.⟩ (voraussetzen;
unterstellen)

Sup|port, der; -[e]s, -e ⟨lat.⟩ (*Tech-
nik* schlittenförmiger Werk-
zeugträger auf dem Bett einer
Drehbank; *EDV* Unterstützung,
Hilfe); Sup|port|dreh|bank

Sup|po|si|ti|on, die; -, -en ⟨lat.⟩
(Voraussetzung; Unterstellung);
Sup|po|si|to|ri|um, das; -s, ...ien
(*Med.* Arzneizäpfchen); Sup|po-
si|tum, das; -s, ...ta (*veraltet für*
Vorausgesetztes, Annahme)

Sup|pres|si|on, die; -, -en ⟨lat.⟩
(*Med.* Unterdrückung; Zurück-
drängung); sup|pres|siv; sup|pri-
mie|ren

su|p|ra|lei|tend ⟨lat.; dt.⟩); supralei-
tender Draht; Su|p|ra|lei|ter, der
(elektr. Leiter, der bei einer
Temperatur nahe dem absolu-
ten Nullpunkt fast unbegrenzt
leitfähig wird)

su|p|ra|na|ti|o|nal ⟨lat.⟩ (übernatio-
nal [von Kongressen, Gemein-
schaften u. a.])

Su|p|ra|na|tu|ra|lis|mus, Su|per|na-
tu|ra|lis|mus, der; - ⟨lat.⟩
(Glaube an Übernatürliches); su-
p|ra|na|tu|ra|lis|tisch, su|per|na-
tu|ra|lis|tisch

Su|p|ra|por|te vgl. Sopraporte

Su|p|re|mat, der od. das; -[e]s, -e
⟨lat.⟩, Su|p|re|ma|tie, die; -, ...ien
([päpstl.] Obergewalt; Vorrang-
stellung)

Su|p|re|ma|tis|mus, der; - ⟨lat.-
russ.⟩ (eine Art des Konstrukti-
vismus)

Su|p|re|mat[s]|eid (*früher* Eid der
engl. Beamten u. Geistlichen,
mit dem sie den Supremat des
engl. Königs anerkannten)

Su|pre|mum, das; -s, ...ma ⟨lat.⟩
(*Math.* obere Grenze einer
beschränkten Menge)

Sur, die; -, -en (*bayr., österr. für*
Pökel, Salzlake)

Su|re, die; -, -n ⟨arab.⟩ (Kapitel des
Korans)

su|ren (*bayr., österr. für* pökeln)

Surf|brett [ˈsəːf...] ⟨engl.; dt.⟩

sur|fen (auf dem Surfbrett fahren;
im Internet nach Informationen
suchen); Sur|fer; Sur|fe|rin; Sur-
fing, das; -s (Wellenreiten, Bran-
dungsreiten [auf einem Surf-
brett]; Windsurfen)

Sur|fleisch (*österr. für* Pökel-
fleisch)

Su|ri|mi, das; -s ⟨jap.⟩ (Krebs-
fleischimitat)

¹Su|ri|nam *vgl.* ²Suriname; ²Su|ri-
nam, *auch* ¹Su|ri|na|me [zyri...]
der; -[s] (Fluss im nördl. Süd-
amerika); ²Su|ri|na|me [zyri...],
auch ¹Su|ri|nam (Republik im
nördl. Südamerika); Su|ri|na-
mer; Su|ri|na|me|rin; su|ri|na-
misch

Sur|plus [ˈzøːˌplɔs], das; -, - ⟨engl.⟩
(*Wirtsch.* Überschuss, Gewinn)

sur|re|al [*auch* ˈzʏ...] ⟨franz.⟩
(unwirklich)

Sur|re|a|lis|mus [*auch* zʏre...],
der; - ⟨franz.⟩ (Kunst- u. Litera-
turrichtung, die das Traumhaft-
Unbewusste künstlerisch dar-
stellen will); Sur|re|a|list, der;
-en, -en; Sur|re|a|lis|tin; sur|re|a-
lis|tisch

sur|ren

Sur|ro|gat, das; -[e]s, -e ⟨lat.⟩
(Ersatz[mittel, -stoff], Behelf);
Sur|ro|ga|ti|on, die; -, -en
(*Rechtsw.* Austausch eines Ver-
mögensgegenstandes gegen
einen anderen, der den gleichen
Rechtsverhältnissen unterliegt)

Sur|round|sys|tem [saˈraʊnt...],
das; -s, -e ⟨engl.; griech.⟩ (Mehr-
kanaltonsystem, mit dem ein
gleichmäßig verteilter Raum-
klang erzeugt wird)

Sur|sa (altpers. Stadt)

Su|san [ˈsuːzn̩] (w. Vorn.); Su|san-
na, Su|san|ne (w. Vorn.); Su|se (w.
Vorn.)

Su|shi [ˈzuːʃi], das; -s, -s ⟨jap.⟩ (aus
rohem Fisch [Fleisch, Krusten-
tieren, Gemüse, Pilzen u. a.] auf
einer Unterlage aus Reis bestehendes Gericht)

Su|si (w. Vorn.)

Su|si|ne, die; -, -n ⟨ital.⟩ (eine ital.
Pflaume)

su|s|pekt ⟨lat.⟩ (verdächtig)

sus|pen|die|ren ⟨lat.⟩ (zeitweilig
aufheben; [einstweilen] des
Dienstes entheben; *Med.* anhe-
ben, aufhängen; *Chemie* eine
Suspension herbeiführen); Sus-
pen|die|rung

Sus|pen|si|on, die; -, -en ([einstwei-

lige] Dienstenthebung; zeitwei-
lige Aufhebung; *Med.* Anhe-
bung, Aufhängung; *Chemie*
Aufschwemmung feinstverteil-
ter fester Stoffe in einer Flüssig-
keit); sus|pen|siv (aufhebend,
aufschiebend)

Sus|pen|so|ri|um, das; -s, ...ien
(*Med.* Tragverband, z. B. für den
Hodensack; *Sport* Schutz für die
männl. Geschlechtsteile)

süß; am süßesten; Süß, das; -es
(*Druckw.* geleistete, aber noch
nicht bezahlte Arbeit)

Sü|ße, die; -; sü|ßen; du süßt

Süß|holz (eine Pflanzengattung;
Droge)

Süß|holz|rasp|ler (*ugs. für*
Schmeichler)

Sü|ßig|keit

Süß|kar|tof|fel; Süß|kir|sche

süß|lich; Süß|lich|keit, die; -

Süß|most; Süß|mos|ter (jmd., der
Süßmost o. Ä. herstellt); Süß-
mos|te|rei; Süß|mos|te|rin; Süß-
rahm|but|ter

süß|sau|er

Süß|spei|se

Süß|stoff

Süß|wa|ren *Plur.*; Süß|wa|ren|ge-
schäft

Süß|was|ser *Plur.* ...wasser; Süß-
was|ser|fisch; Süß|was|ser|tier

Süß|wein

Sust, die; -, -en (*schweiz. früher
für* öffentl. Rast- u. Lagerhaus)

Sus|ten, der; -s, Sus|ten-Pass, Sus-
ten|pass (schweiz. Alpenpass)

sus|zep|ti|bel ⟨lat.⟩ (*veraltet für*
empfänglich; reizbar); ...i|b|le
Natur

Sus|zep|ti|bi|li|tät, die; -

Sus|zep|ti|on, die; -, -en (*Bot.* Reiz-
aufnahme der Pflanze); sus|zi-
pie|ren (einen Reiz aufnehmen
[von Pflanzen])

Su|ta|ne [zu..., *auch* su...], Sou|ta-
ne, die; -, -n ⟨franz.⟩ (Gewand
der kath. Geistlichen)

Su|tasch *vgl.* Soutache

Süt|ter|lin|schrift, Süt|ter-
lin-Schrift, die; - ↑K136 ⟨nach
dem dt. Pädagogen u. Grafiker
L. Sütterlin⟩ (Grundlage der
von 1915 bis 1940 an den
Schulen verwendeten Schreib-
schrift)

Su|tur, die; -, -en ⟨lat.⟩ (*Med.* [Kno-
chen-, Schädel]naht)

su|um cu|i|que ⟨lat., »jedem das
Seine«⟩ (preuß. Wahlspruch)

SUV [ɛsjuːˈviː, *auch* zʊf], das od.

S

SUV

der; -[s], -[s] = sport utility vehicle ⟨engl.⟩ (Geländewagen)

¹Su|va (Hauptstadt von Fidschi)

SUVA, ²Su|va, die; - = Schweizerische Unfallversicherungsanstalt

¹SV, der; - = Sportverein

²SV, die; - = Sozialversicherung

³SV, die; -, -s = Schülervertretung

s.v. = salva venia; sub voce

sva. = so viel als

Sval|bard ⟨norw.⟩ (norw. Inselgruppe im Nordpolarmeer)

SVD = Societas Verbi Divini

Sven (m. Vorn.); **Sven|ja** (w. Vorn.)

SVP, die; - = Schweizerische Volkspartei

s.v.v. = sit venia verbo

svw. = so viel wie

SW = Südwest[en]

Swa|hi|li vgl. ¹,²Suaheli

Swa|mi, der; -s, -s ⟨Hindi⟩ (hinduistischer Mönch, Lehrer)

Swap [svɔp], der; -s, -s ⟨engl.⟩ (*Bankw., Börse* Austausch bestimmter Rechte, Pflichten o. Ä.; Differenz zwischen Kassakurs u. Terminkurs); **Swap|ge|schäft** (*Börse* Devisenaustauschgeschäft)

SWAPO, die; - = South West African People's Organization (südwestafrikanische Befreiungsbewegung)

Swa|si, der; -s, - (Bewohner von Swasiland); **Swa|si|land** (Staat in Südafrika); **Swa|si|län|der** (*österr. für* Swasi); **Swa|si|län|de|rin; swa|si|län|disch**

Swas|ti|ka, die; -, ...ken, *auch* der; -[s], -s ⟨sanskr.⟩ (altind. Bez. des Hakenkreuzes)

Swea|ter [ˈsveː..., *auch* ˈsvɛ...], der; -s, - ⟨engl.⟩ (*veraltend für* Pullover); **Sweat|shirt** [ˈsvɛ...] (weit geschnittener Pullover)

Swe|be, der; -n, -n (Angehöriger eines Verbandes westgerm. Stämme); **Swe|bin; swe|bisch**

Swe|den|borg (schwed. Naturphilosoph); **Swe|den|bor|gi|a|ner** (Anhänger Swedenborgs); **Swe|den|bor|gi|a|ne|rin**

Swift (engl.-ir. Schriftsteller)

Swim|ming|pool, der; -s, -s ⟨engl.⟩ (Schwimmbecken)

Swi|ne, die; - (Hauptmündungsarm der Oder)

Swin|egel, der; -s, - (*nordd. für* Igel)

Swi|ne|mün|de (*poln.* Świnoujście)

Swing, der; -[s] ⟨engl.⟩ (ein Stil des Jazz; *Wirtsch.* Kreditgrenze bei

bilateralen Handelsverträgen); **swin|gen;** swingte; geswingt

Swin|ger (*ugs. auch für* jmd., der ein promiskuitives Sexualleben hat); **Swin|ge|rin; Swin|ger|klub, Swin|ger|club**

Swing|fox

Świ|nou|jście [ʃfinɔˈujʃtʃɛ] (Hafenstadt u. Seebad auf Usedom, *vgl.* Swinemünde)

Swiss, die; - (schweiz. Luftfahrtgesellschaft); **Swiss|air** [...seː-ɐ̯], die; - ⟨engl.⟩ (ehem. schweiz. Luftfahrtgesellschaft)

swit|chen [ˈsvɪtʃn̩] ⟨engl.⟩ (*Wirtsch.* ein über ein Drittland abgewickeltes Außenhandelsgeschäft tätigen; [hin und her] wechseln; zappen); geswitcht

SWR, der; - = Südwestrundfunk

Sy|ba|ris (antike griech. Stadt in Unteritalien); **Sy|ba|rit,** der; -en, -en (Einwohner von Sybaris; *veraltet für* Schlemmer); **sy|ba|ri|tisch**

Syd|ney [ˈsɪdnɪ] (Hauptstadt von Neusüdwales in Australien)

Sy|e|ne (*alter Name von* Assuan); **Sy|e|nit,** der; -s, -e ⟨griech.⟩ (ein Tiefengestein); **Sy|e|nit|gneis; Sy|e|nit|por|phyr**

Sy|ko|mo|re, die; -, -n ⟨griech.⟩ (ägypt. Maulbeerfeigenbaum); **Sy|ko|mo|ren|holz**

Sy|ko|phant, der; -en, -en (im alten Athen gewerbsmäßiger Ankläger; *veraltet für* Verräter, Verleumder); **Sy|ko|phan|tin; sy|ko|phan|tisch** *(veraltet)*

Sy|ko|se, die; -, -n ⟨griech.⟩ (*Med.* Bartflechte[nbildung])

syll... ⟨griech.⟩ (mit..., zusammen...); **Syll...** (Mit..., Zusammen...)

syl|la|bisch ⟨griech.⟩ (*veraltet für* silbenweise); **Syl|la|bus,** der; -, *Plur.* - u. ...bi (Zusammenfassung; Verzeichnis [der früher durch den Papst verurteilten Lehren])

Syl|lep|se, Syl|lep|sis, die; -, ...epsen (*Rhet.* Zusammenfassung, eine Form der Ellipse); **syl|lep|tisch**

Syl|lo|gis|mus, der; -, ...men ⟨griech.⟩ (*Philos.* logischer Schluss vom Allgemeinen auf das Besondere); **syl|lo|gis|tisch**

¹Syl|phe, der; -n, -n, *auch* die; -, -n ⟨lat.⟩ ([männl.] Luftgeist des mittelalterl. Zauberglaubens)

²Syl|phe, die; -, -n (ätherisch zartes weibliches Wesen)

Syl|phi|de, die; -, -n (weibl. ¹Sylphe; schlankes, anmutiges Mädchen); **syl|phi|den|haft**

Sylt (eine der Nordfriesischen Inseln)

Syl|ves|ter vgl. ¹Silvester

Silvester

Die Bezeichnung für den letzten Tag im Jahr wird, anders als der Vorname *Sylvester/Silvester,* ausschließlich mit *i* geschrieben.

Syl|vin, das, *auch* der; -s, -e ⟨nach dem Arzt Sylvius⟩ (ein Mineral)

sym... ⟨griech.⟩ (mit..., zusammen...); **Sym...** (Mit..., Zusammen...)

Sym|bi|ont, der; -en, -en ⟨griech.⟩ (*Biol.* Partner einer Symbiose); **Sym|bi|o|se,** die; -, -n (»Zusammenleben« ungleicher Lebewesen zu gegenseitigem Nutzen); **sym|bi|o|tisch** (in Symbiose lebend)

Sym|bol, das; -s, -e ⟨griech.⟩ (Wahrzeichen; Sinnbild; Zeichen)

Sym|bol|cha|rak|ter, der; -s; **Sym|bol|fi|gur**

sym|bol|haft; Sym|bol|haf|tig|keit, die; -

Sym|bo|lik, die; - (sinnbildl. Bedeutung od. Darstellung; Bildersprache; Verwendung von Symbolen); **sym|bo|lisch**

sym|bo|li|sie|ren (sinnbildlich darstellen); **Sym|bo|li|sie|rung**

Sym|bo|lis|mus, der; - (Strömung in Literatur und bildender Kunst als Reaktion auf Realismus und Naturalismus); **Sym|bo|list,** der; -en, -en; **Sym|bo|lis|tin; sym|bo|lis|tisch**

Sym|bol|kraft, die; -; **Sym|bol|spra|che** *(EDV)*

sym|bol|träch|tig; Sym|bol|träch|tig|keit, die; -

Sym|ma|chie, die; -, ...ien ⟨griech.⟩ (Bundesgenossenschaft der altgriech. Stadtstaaten)

Sym|me|t|rie, die; -, ...ien ⟨griech.⟩ (spiegelbildliche Übereinstimmung); **Sym|me|t|rie|ach|se** (*Math.* Spiegelachse); **Sym|me|t|rie|ebe|ne**

sym|me|t|risch

sym|pa|the|tisch ⟨griech.⟩ (von geheimnisvoller Wirkung); sympathetische Tinte (unsichtbare Geheimtinte)

Sym|pa|thie, die; -, ...ien ([Zu]neigung; Wohlgefallen)

Sym|pa|thie|be|kun|dung; **Sym|pa|thie|er|klä|rung**; **Sym|pa|thie|kund|ge|bung**; **Sym|pa|thie|streik**; **Sym|pa|thie|trä|ger** (jmd., der die Sympathie anderer auf sich zieht); **Sym|pa|thie|trä|ge|rin**

Sym|pa|thi|kus, der; - (*Med.* Teil des vegetativen Nervensystems)

Sym|pa|thi|sant, der; -en, -en (jmd., der einer Gruppe od. einer Anschauung wohlwollend gegenübersteht); **Sym|pa|thi|san|tin**

sym|pa|thisch (anziehend; ansprechend; zusagend); **sym|pa|thi|sie|ren** (gleiche Anschauungen haben); mit jemandem sympathisieren

Sym|pho|nie usw. *vgl.* Sinfonie usw.

Sym|phy|se, die; -, -n (griech.) (*Med.* Verwachsung; Knochenfuge); **sym|phy|tisch** (zusammengewachsen)

Sym|p|le|ga|den *Plur.* (zwei zusammenschlagende Felsen vor dem Eingang ins Schwarze Meer [in der griech. Sage])

Sym|po|si|on, **Sym|po|si|um**, das; -s, ...ien (griech.) (wissenschaftl. Tagung; Trinkgelage im alten Griechenland)

Sym|p|tom, das; -s, -e (griech.) (Anzeichen; Merkmal; Krankheitszeichen); **Sym|p|to|ma|tik**, die; - (*Med.* Gesamtheit von Symptomen); **sym|p|to|ma|tisch** (anzeigend, warnend; bezeichnend); **Sym|p|to|ma|to|lo|gie**, die; - (*Med.* Lehre von den Krankheitszeichen)

syn... (griech.) (mit..., zusammen...); **Syn...** (Mit..., Zusammen...)

sy|n|a|go|gal (griech.) (den jüd. Gottesdienst od. die Synagoge betreffend)

Sy|n|a|go|ge, die; -, -n (gottesdienstl. Versammlungsort der jüd. Gemeinde)

sy|n|al|lag|ma|tisch (griech.) (*Rechtsw.* gegenseitig)

Sy|n|a|lö|phe, die; -, -n (griech.) (*Verslehre* Verschmelzung zweier Silben)

sy|n|an|d|risch (griech.) (*Bot.* mit verwachsenen Staubblättern); synandrische Blüte

Sy|n|ap|se, die; -, -n (griech.) (*Biol.* Verbindung zwischen Zellen zur Reizübertragung)

Sy|n|ä|re|se, **Sy|n|ä|re|sis**, die; -, ...resen (griech.) (*Sprachw.* Zusammenziehung zweier Vokale zu einer Silbe)

Sy|n|äs|the|sie, die; -, ...ien (griech.) (*Med.* Miterregung eines Sinnesorgans bei Reizung eines andern; *Rhet.* sprachlich ausgedrückte Verschmelzung mehrerer Sinneseindrücke, z. B. »schreiendes Rot«); **sy|n|äs|the|tisch**

syn|chron [...k...] (griech.) (gleichzeitig, zeitgleich, gleichlaufend; *auch für* synchronisch); **Syn|chron|ge|trie|be**; **Syn|chro|nie**, die; - (*Sprachw.* Darstellung des Sprachzustandes eines bestimmten Zeitraums)

Syn|chro|ni|sa|ti|on, die; -, -en u. Syn|chro|ni|sie|rung (Herstellen des Synchronismus; Zusammenstimmung von Bild, Sprechton u. Musik im Film; bild- und bewegungsechte Übertragung fremdsprachiger Partien eines Films)

syn|chro|nisch (die Synchronie betreffend); **syn|chro|ni|sie|ren** (*zu* Synchronisation); **Syn|chro|ni|sie|rung** *vgl.* Synchronisation

Syn|chro|nis|mus, der; -, ...men (Gleichzeitigkeit; Gleichlauf; zeitl. Übereinstimmung); **syn|chro|nis|tisch**; **Syn|chro|ni|zi|tät**, die; -, -en

Syn|chron|ma|schi|ne; **Syn|chron|mo|tor**; **Syn|chron|spre|cher**; **Syn|chron|spre|che|rin**; **Syn|chron|uhr**

Syn|chro|t|ron, das; -s, *Plur.* -e, *auch* -s (*Kernphysik* Beschleuniger für geladene Elementarteilchen)

Syn|dak|ty|lie, die; -, ...ien (griech.) (*Med.* Verwachsung von Fingern od. Zehen)

syn|de|tisch (griech.) (*Sprachw.* durch Bindewort verbunden)

Syn|di|ka, die; -, -s (*zu* Syndikus)

Syn|di|ka|lis|mus, der; - (griech.) (*Bez. für* sozialrevolutionäre Bestrebungen mit dem Ziel der Übernahme der Produktionsmittel durch autonome Gewerkschaften); **Syn|di|ka|list**, der; -en, -en; **Syn|di|ka|lis|tin**; **syn|di|ka|lis|tisch**

Syn|di|kat, das; -[e]s, -e (*Wirtsch.* Verkaufskartell; *Bez. für* geschäftlich getarnte Verbrecherorganisation in den USA); **Syn|di|ka|ti|on**, die; -, -en (engl.)

(*Wirtsch.* Verkauf von [lizenzierten] Inhalten)

Syn|di|kus, der; -, *Plur.* -se u. ...dizi (*Rechtsspr.* Rechtsbeistand einer Körperschaft)

syn|di|zie|ren (*Wirtsch.* in einem Verkaufskartell zusammenfassen; [lizenzierte] Inhalte weiterverkaufen); **Syn|di|zie|rung**

Syn|drom, das; -s, -e (griech.) (*Med.* Krankheitsbild); depressives Syndrom; prämenstruelles Syndrom; psychovegetatives Syndrom

Sy|n|e|chie, die; -, ...ien (griech.) (*Med.* Verwachsung)

Sy|n|e|d|ri|on, das; -s, ...ien (griech.) (altgriech. Ratsbehörde; *svw.* Synedrium); **Sy|n|e|d|ri|um**, das; -s, ...ien (Hoher Rat der Juden in griech. u. röm. Zeit)

Sy|n|ek|do|che [...xe], die; -, -n [...'dɔ...] (griech.) (*Rhet., Stilk.* Setzung des engeren Begriffs für den umfassenderen)

Sy|n|er|ge|tik, die; - (griech.) (die Lehre vom Zusammenwirken; Selbstorganisation); **sy|n|er|ge|tisch** (zusammen-, mitwirkend)

Sy|n|er|gie, die; -, ...ien (Zusammenwirken); **Sy|n|er|gie|ef|fekt** (positive Wirkung, die sich aus dem Zusammenschluss od. der Zusammenarbeit zweier Unternehmen o. Ä. ergibt)

Sy|n|er|gis|mus, der; - (*Theol.* Lehre vom Zusammenwirken des menschl. Willens u. der göttl. Gnade; *Chemie, Med.* Zusammenwirken von Substanzen od. Faktoren); **sy|n|er|gis|tisch**

Sy|n|e|sis, die; -, ...esen (griech.) (*Sprachw.* sinngemäß richtige Wortfügung, die streng genommen nicht den grammatischen Regeln entspricht)

Syn|kar|pie, die; - (griech.) (*Bot.* Zusammenwachsen der Fruchtblätter zu einem einzigen Fruchtknoten)

syn|kli|nal (griech.) (*Geol.* muldenförmig [von Lagerstätten]); **Syn|kli|na|le**, **Syn|kli|ne**, die; -, -n (*Geol.* Mulde)

Syn|ko|pe ['zynkope, *Musik nur* ...'ko:pə], die; -, ...open (griech.) (*Sprachw.* Ausfall eines unbetonten Vokals zwischen zwei Konsonanten im Wortinnern; *Verslehre* Ausfall einer Senkung im Vers; *Med.*

S

Synk

kurze Bewusstlosigkeit; *Musik* Betonung eines unbetonten Taktwertes); **syn|ko|pie|ren; syn|ko|pisch**

Syn|kre|tis|mus, der; - ⟨griech.⟩ (Verschmelzung, Vermischung [von Lehren od. Religionen]); **Syn|kre|tist,** der; -en, -en; **Syn|kre|tis|tin; syn|kre|tis|tisch**

Sy|n|od, der; -[e]s, -e ⟨griech.⟩ (*früher* oberste Behörde der russ. Kirche); Heiliger Synod **sy|n|o|dal** (die Synode betreffend); **Sy|n|o|da|lle,** der *u.* die; -n, -n (Mitglied einer Synode); **Sy|n|o|dal|ver|fas|sung; Sy|n|o|dal|ver|samm|lung**

Sy|n|o|de, die; -, -n (Kirchenversammlung, bes. die evangelische); **sy|n|o|disch** (*seltener für* synodal)

sy|n|o|nym ⟨griech.⟩ (*Sprachw.* sinnverwandt); synonyme Wörter; **Sy|n|o|nym,** das; -s, *Plur.* -e, *auch* Synonyma (*Sprachw.* sinnverwandtes Wort, z. B. »Frühjahr, Lenz, Frühling«)

Sy|n|o|ny|men|wör|ter|buch *vgl.* Synonymwörterbuch

Sy|n|o|ny|mie, die; - (Sinnverwandtschaft [von Wörtern u. Wendungen]); **Sy|n|o|ny|mik,** die; - (Lehre von den sinnverwandten Wörtern); **sy|n|o|ny|misch** (*älter für* synonym)

Sy|n|o|nym|wör|ter|buch (Wörterbuch, in dem Synonyme in Gruppen dargestellt sind)

Sy|n|op|se, Sy|n|op|sis, die; -, ...opsen ⟨griech.⟩ (knappe Zusammenfassung; vergleichende Übersicht; Nebeneinanderstellung von Texten, bes. der Evangelien des Matthäus, Markus u. Lukas)

Sy|n|op|tik, die; - (*Meteor.* für eine Wettervorhersage notwendige großräumige Wetterbeobachtung)

Sy|n|op|ti|ker (einer der drei Evangelisten Matthäus, Markus u. Lukas); **sy|n|op|tisch** ([übersichtlich] zusammengestellt, nebeneinandergereiht); synoptische Evangelien

Sy|n|ö|zie, die; -, ...ien ⟨griech.⟩ (*Zool.* Zusammenleben verschiedener Organismen, das den Wirtstieren weder schadet noch nützt; *Bot. auch für* Monözie); **sy|n|ö|zisch**

Syn|tag|ma, das; -s, *Plur.* ...men

od. ...ta ⟨griech.⟩ (*Sprachw.* Verknüpfung von Wörtern zu Wortgruppen, Wortverbindungen); **syn|tag|ma|tisch** (das Syntagma betreffend)

syn|tak|tisch (die Syntax betreffend); syntaktische Fügung; **Syn|tax,** die; -, -en (*Sprachw.* Lehre vom Satzbau; Satzlehre)

Syn|the|se, die; -, -n ⟨griech.⟩ (Zusammenfügung [einzelner Teile zu einem Ganzen]; *Philos.* Aufhebung des sich in These u. Antithese Widersprechenden in eine höhere Einheit; *Chemie* Aufbau einer Substanz); **Syn|the|se|pro|dukt** (Kunststoff)

Syn|the|si|zer [...tasaɪzɐ, *auch* ˈsɪnθɪsaɪzɐ], der; -s, - ⟨griech.-engl.⟩ (*Musik* Gerät zur elektron. Klangerzeugung)

Syn|the|tics [zynˈteːtɪks] *Plur.* (*Sammelbez. für* synthet. erzeugte Kunstfasern u. Produkte daraus); **Syn|the|tik,** das; -s *meist ohne Artikel* ([Gewebe aus] Kunstfaser)

syn|the|tisch ⟨griech.⟩ (zusammensetzend; *Chemie* künstlich hergestellt); synthetisches Urteil (*Philos.*); synthetische Edelsteine; **syn|the|ti|sie|ren** (*Chemie* aus einfacheren Stoffen herstellen)

Sy|phi|lis, die; - ⟨nach dem Titel eines lat. Lehrgedichts des 16. Jh.s⟩ (*Med.* eine Geschlechtskrankheit); **sy|phi|lis|krank; Sy|phi|li|ti|ker** (an Syphilis Leidender); **Sy|phi|li|ti|ke|rin; sy|phi|li|tisch**

Siphon

Wie im Französischen, aus dem wir das Wort entlehnt haben, wird *Siphon* mit *i* geschrieben.

Sy|ra|kus (Stadt auf Sizilien); **Sy|ra|ku|ser; sy|ra|ku|sisch**

Sy|rer; Sy|re|rin; Sy|ri|en (die Arabische Republik Syrien; Staat im Vorderen Orient); **Sy|ri|er** usw. *vgl.* Syrer usw.

Sy|rin|ge, die; -, -n ⟨griech.⟩ (Flieder)

¹Sy|rinx (griech. Nymphe)

²Sy|rinx, die; -, ...ingen (Hirtenflöte; Stimmorgan der Vögel)

sy|risch (aus Syrien; Syrien betreffend); *aber* ↑K 140 : die Syrische Wüste

Syr|jä|ne, der; -n, -n (Angehöriger

eines finnisch-ugrischen Volkes)

Sy|ro|lo|ge, der; -n, -n ⟨griech.⟩ (Erforscher der Sprachen, der Geschichte u. der Altertümer Syriens); **Sy|ro|lo|gie,** die; -; **Sy|ro|lo|gin**

Syr|te, die; -, -n ⟨griech.⟩ (*veraltet für* Untiefe, Sandbank); die Große Syrte, die Kleine Syrte (zwei Meeresbuchten an der Küste Nordafrikas)

Sys|tem, das; -s, -e ⟨griech.⟩

Sys|tem|ab|sturz (*EDV*)

Sys|tem|ad|mi|nis|t|ra|tor (*EDV* Betreuer einer Datenverarbeitungsanlage); **Sys|tem|ad|mi|nis|t|ra|to|rin**

Sys|tem|ana|ly|se; Sys|tem|ana|ly|ti|ker (Fachmann in der EDV); **Sys|tem|ana|ly|ti|ke|rin**

Sys|te|ma|tik, die; -, -en (planmäßige Darstellung, einheitl. Gestaltung; *nur Sing.: Biol.* Lehre vom System der Lebewesen); **Sys|te|ma|ti|ker** (jmd., der systematisch vorgeht); **Sys|te|ma|ti|ke|rin**

sys|te|ma|tisch (das System betreffend; in ein System gebracht; planmäßig)

sys|te|ma|ti|sie|ren (in ein System bringen; in einem System darstellen); **Sys|te|ma|ti|sie|rung**

Sys|tem|bau|wei|se, die; -; **Sys|tem|cha|rak|ter,** der; -s; **Sys|tem|feh|ler** (*EDV*)

sys|tem|feind|lich; sys|tem|fremd; sys|tem|im|ma|nent; sys|te|misch (*Biol., Med.*); **sys|tem|kon|form Sys|tem|kri|ti|ker; Sys|tem|kri|ti|ke|rin**

sys|tem|los (planlos); **Sys|tem|lo|sig|keit,** die; -

Sys|tem|ma|nage|ment (systematische Unternehmensführung); **Sys|tem|ma|na|ger** (*EDV*); **Sys|tem|ma|na|ge|rin**

sys|te|mo|id (einem System ähnlich)

Sys|tem|pro|gram|mie|rer (*EDV*); **Sys|tem|pro|gram|mie|re|rin**

sys|tem|über|grei|fend Sys|tem|ver|än|de|rer; Sys|tem|ver|än|de|rin; Sys|tem|zwang

Sys|s|to|le [...le, *auch* ...'toːlə], die; -, ...olen (*Med.* Zusammenziehung des Herzmuskels); **sys|s|to|lisch;** systolischer Blutdruck

Sy|zy|gie, die; -, ...ien ⟨griech.⟩ (*Astron.* Konjunktion u. Opposition von Sonne u. Mond)

s. Z. = seinerzeit

S

synk

Szcze|cin [ˈʃtʃɛtʃɪn] (poln. Hafenstadt an der Oder); *vgl.* Stettin

Sze|ged, Sze|ge|din [*beide* ˈsɛ...] (ung. Stadt); **Sze|ge|di|ner;** Szegediner Gulasch

Szek|ler [ˈsɛ...], der; -s, - (Angehöriger eines ung. Volksstammes); **Szek|le|rin**

Sze|nar, das; -s, -e ⟨lat.⟩ (*seltener für* Szenario, Szenarium); **Sze|na|rio,** das; -s, -s, *auch* ...ien ⟨ital.⟩ ([in Szenen gegliederter] Entwurf eines Films; Modell möglicher Ereignisse; *auch für* Szenarium); **Sze|na|ri|um,** das; -s, ...ien ⟨lat.⟩ (Übersicht über Szenenfolge u. a. eines Theaterstücks)

Sze|ne, die; -, -n ⟨franz.⟩ (Schauplatz; Auftritt als Unterabteilung des Aktes; Vorgang, Anblick; Zank, Vorhaltungen; charakteristischer Bereich für bestimmte Aktivitäten)

Sze|ne|blatt; Sze|ne|gän|ger *(ugs.);* **Sze|ne|gän|ge|rin; Sze|ne|jargon; Sze|ne|knei|pe** *(ugs.);* **Sze|ne|ma|ga|zin**

Sze|nen|ap|plaus; Sze|nen|fol|ge; Sze|nen|wech|sel

Sze|ne|rie, die; -, ...ien (Bühnen-, Landschaftsbild)

Sze|ne|treff *(ugs.);* **sze|nig**

sze|nisch (bühnenmäßig)

Szep|ter (*österr. für* Zepter)

szi|en|ti|fisch ⟨lat.⟩ (*fachspr. für* wissenschaftlich); **Szi|en|tismus,** der; - (die auf Wissen u. Wissenschaft gegründete Haltung; Lehre der Szientisten); **Szi|en|tist,** der; -en, -en (Angehöriger einer christl. Sekte); **Szi|en|tis|tin; szi|en|tis|tisch**

Szil|la, *fachspr.* Sci̱|lla, die; -, - ⟨griech.⟩ (eine [Heil]pflanze; Blaustern)

Szin|ti|gramm, das; -s, -e ⟨*Med.* durch die Einwirkung der Strahlung radioaktiver Stoffe auf eine fluoreszierende Schicht erzeugtes Bild)

Szin|til|la|ti|on, die; -, -en ⟨lat.⟩ (*Astron.* Funkeln [von Sternen]; *Physik* Lichtblitze beim Auftreffen radioaktiver Strahlung auf fluoreszierende Stoffe); **szin|til|lie|ren** (funkeln)

SZR, das; - = Sonderziehungsrecht

Szyl|la, die; - ⟨griech.⟩ (*eindeutschend für lat.* Scylla, *griech.* Skylla; bei Homer Seeungeheuer in einem Felsenriff in der

Straße von Messina); zwischen Szylla und Charybdis (in einer ausweglosen Lage)

Szy|ma|now̱|ski [ʃ...], Karol (poln. Komponist)

Szy|the usw. *vgl.* Skythe usw.

t = Tonne

T (Buchstabe); das T; des T, die T, *aber* das t in Rate; der Buchstabe T, t

T = Tera...; Tesla; *chem. Zeichen für* Tritium

Θ, ϑ = Theta

T, τ = ³Tau

T. = Titus

Ta = *chem. Zeichen für* Tantal

Tab [*auch* tɛp], der; -[e]s, -e, *bei engl. Ausspr.* der; -s, -s (vorspringender Teil einer Karteikarte zur Kenntlichmachung bestimmter Merkmale)

Ta|bak [*auch* ˈtaː... u., *bes. österr.* ...ˈbak], der; -s, (*Plur. (Sorten:)* -e ⟨span.⟩

Ta|bak|bau, der; -[e]s; **Ta|bak|blatt; Ta|bak|brü|he; Ta|bak|händ|ler; Ta|bak|händ|le|rin; Ta|bak|in|dus|t|rie; Ta|bak|kon|sum,** der; -s; **Ta|bak|mo|no|pol**

Ta|bak|pflan|ze; Ta|bak|pflan|zer; Ta|bak|pflan|ze|rin; Ta|bak|pflan|zung; Ta|bak|plan|ta|ge; Ta|bak|rau|cher

Ta|baks|beu|tel; Ta|baks|do|se; Ta|baks|pfei|fe

Ta|bak|steu|er, die; **Ta|bak|steu|er|er|hö|hung; Ta|bak|strauch**

Ta|bak|tra|fik (*österr. für* Laden für Tabakwaren, Briefmarken, Zeitungen u. Ä.); **Ta|bak|tra|fi|kant** (*österr. für* Besitzer einer Tabaktrafik); **Ta|bak|tra|fi|kan|tin**

Ta|bak|wa|ren *Plur.;* **Ta|bak|werbung**

Ta|bas̱|co ®, der; -s ⟨span.⟩ (eine scharfe Würzsoße); **Ta|bas̱|co|so|ße, Ta|bas̱|co|sau|ce**

Ta|ba|ti̱e|re, die; -, -n ⟨franz.⟩ (*früher für* Schnupftabaksdose; *österr. auch noch für* Zigaretten-, Tabaksdose)

Tab|bou|leh *vgl.* Taboulé

ta|bel|la̱|risch ⟨lat.⟩ (in der Anordnung einer Tabelle); **ta|bel|la|ri|sie|ren** (in Tabellen [an]ordnen); **Ta|bel|la|ri|sie|rung**

Ta|beḻ|le, die; -, -n ⟨lat.⟩

Ta|beḻ|len|en|de; Ta|beḻ|len|ers̱|te

Ta|beḻ|len|form; ta|beḻ|len|för|mig

Ta|beḻ|len|füh|rer; Ta|beḻ|len|füh|re|rin; Ta|beḻ|len|füh|rung; Ta|beḻ|len|kal|ku|la|ti|on *(EDV);* **Ta|beḻ|len|letz|te; Ta|beḻ|len|platz; Ta|beḻ|len|spit|ze; Ta|beḻ|len|stand,** der; -[e]s

ta|beḻ|lie|ren (auf maschinellem Wege in Tabellenform darstellen); **Ta|beḻ|lie|rer; Ta|beḻ|lier|ma|schi|ne** (*EDV* Lochkartenmaschine, die Tabellen ausdruckt)

Ta|ber|na̱|kel, das, *auch*, *bes. in der kath. Kirche,* der; -s, - ⟨lat.⟩ (*kath. Kirche* Aufbewahrungsort der Eucharistie [auf dem Altar]; Ziergehäuse in der gotischen Baukunst)

Ta|bes, die; - ⟨lat.⟩ (*Med.* Rückenmarksschwindsucht); **Ta̱|bi|ker** (Tabeskranker); **Ta̱|bi|ke|rin; ta|bisch**

Ta|b|lar, das; -s, -e ⟨franz.⟩ (*schweiz. für* Gestellbrett)

Ta|b|leau [...ˈbloː], das; -s, -s ⟨franz.⟩ (wirkungsvoll gruppiertes Bild, bes. im Schauspiel; *veraltet für* Gemälde)

Ta|b|le|dance, Ta|b|le-Dance [ˈteːbl̩dɛːns], der; - ⟨engl.⟩ (erotische Show [in Stehlokalen])

Ta|b|le d'Hôte [- ˈdoːt], die; - - ⟨franz.⟩ (*veraltet für* [gemeinschaftliche] Gasthaustafel)

Ta|b|let-PC [ˈtɛblɛt...], der; -[s], -[s] ⟨engl.⟩ (per Stift bedienbarer tragbarer Computer)

Ta|b|lett, das; -[e]s, *Plur.* -s, *auch* -e ⟨franz.⟩ (Serviertablett)

Ta|b|let|te, die; -, -n ⟨franz.⟩

ta|b|let|ten|ab|hän|gig; Ta|b|let|ten|ab|hän|gi|ge, der u. die; -n, -n; **Ta|b|let|ten|ab|hän|gig|keit,** die; -; **Ta|b|let|ten|form,** die; -; in Tablettenform; **Ta|b|let|ten|missbrauch,** der; -[e]s; **Ta|b|let|ten|röh|r|chen**

Ta|b|let|ten|sucht, die; -; **ta|b|let|ten|süch|tig; Ta|b|let|ten|süch|ti|ge,** der u. die

ta|b|let|tie|ren (in Tablettenform bringen)

Ta|b|li̱|num, das; -s, ...na ⟨lat.⟩ (getäfelter Hauptraum des altröm. Hauses)

¹**Ta|bor**, der; -[s] (Berg in Israel)

²**Ta|bor** (tschech. Stadt)

Ta|bo|rit, der; -en, -en ⟨nach der Stadt Tabor⟩ ⟨hist. Angehöriger einer radikalen Gruppe der Hussiten; vgl. Hussit⟩

Ta|bou|lé, Tab|bou|leh [...bu'le:], das; -[s], -[s], auch die; -, -[s] ⟨arab.-franz.⟩ (libanesischer Salat)

Tä|b|ris, der; -, - ⟨nach der iran. Stadt⟩ (ein Perserteppich)

ta|bu ⟨polynes., »verboten«⟩ (unverletzlich, unantastbar); nur prädikativ: das ist tabu

Ta|bu, das; -s, -s ⟨Völkerk. Gebot bei [Natur]völkern, bes. geheiligte Personen, Tiere, Pflanzen, Gegenstände zu meiden; allgem. für etwas, das man nicht tun darf⟩; es ist ein Tabu

Ta|bu|bruch; **Ta|bu|gren|ze**

ta|bu|ie|ren, ta|bu|i|sie|ren (für tabu erklären, als ein Tabu behandeln); **Ta|bu|ie|rung**, Ta|bu|i|sie|rung; **ta|bu|i|sie|ren** usw. vgl. tabuieren usw.

Ta|bu|la ra|sa, die; - - ⟨lat., »abgeschabte Tafel«⟩ (meist übertr. für unbeschriebenes Blatt); Tabula rasa machen (reinen Tisch machen)

Ta|bu|la|tor, der; -s, ...oren (Taste auf der Computertastatur zum Tabellieren); **Ta|bu|la|tor|tas|te** (EDV)

Ta|bu|rett, das; -[e]s, -e ⟨arab.-franz.⟩ (schweiz., sonst veraltet für Hocker, Stuhl ohne Lehne)

Ta|bu|schran|ke; **Ta|bu|schwel|le**; **Ta|bu|the|ma**; **Ta|bu|vor|schrift**; **Ta|bu|wort** Plur. ...wörter; **Ta|bu|zo|ne**

Ta|che|les ⟨hebr.-jidd.⟩; nur in Tacheles reden (ugs. für offen miteinander reden, jmdm. seine Meinung sagen)

ta|chi|nie|ren (österr. ugs. für faulenzen); **Ta|chi|nie|rer** (österr. ugs. für Faulenzer); **Ta|chi|nie|re|rin**

Ta|chis|mus [...'ʃɪs...], der; - ⟨nlat.⟩ (Richtung der abstrakten Malerei, die Empfindungen durch spontanes Auftragen von Farbflecken auszudrücken sucht)

Ta|cho, der; -s, -s (ugs. kurz für Tachometer)

Ta|cho|graf, Ta|cho|graph, der; -en, -en ⟨griech.⟩ (Fahrtenschreiber)

Ta|cho|me|ter, der, auch das; -s, - ([Fahr]geschwindigkeitsmesser)

Ta|chy|gra|fie, Ta|chy|gra|phie, die;

-, ...ien (aus Zeichen für Silben bestehendes Kurzschriftsystem des Altertums); **ta|chy|gra|fisch**, **ta|chy|gra|phisch**

Ta|chy|kar|die, die; -, ...ien (Med. beschleunigter Herzschlag)

Ta|chy|me|ter, das; -s, - (Geodäsie Messgerät für Geländeaufnahmen)

Ta|chy|on, das; -s, ...onen meist Plur. (Kernphysik hypothet. Elementarteilchen, das Überlichtgeschwindigkeit besitzen soll)

ta|ci|te|isch; die taciteischen Schriften ↑K 89 u. 135; **Ta|ci|tus** (altröm. Geschichtsschreiber)

Ta|cker, der; -s, - ⟨engl.⟩ (Gerät, mit dem etw. geheftet werden kann); **ta|ckern** (ich tackere

Tack|ling ['tɛk...], das; -s, -s ⟨engl., eigtl. »sliding tackling«⟩ (Fußball Verteidigungstechnik, bei der der Verteidigende in die Füße des Gegners hineinrutscht)

Täcks, Täks, der; -es, -e ⟨engl.⟩ (kleiner keilförmiger Stahlnagel)

Tad|dä|us vgl. Thaddäus

Ta|del, der; -s, -; **Ta|de|lei**

ta|del|frei; **ta|del|haft**; **ta|del|los**

ta|deln; ich tad[e]le

ta|dels|wert; **ta|delns|wür|dig**

Ta|del|sucht, die; -; **ta|del|süch|tig**

Tad|ler; **Tad|le|rin**

Ta|d|schi|ke [...'dʒi:...], der; -n, -n (Angehöriger eines iran. Volkes in Mittelasien); **Ta|d|schi|kin**; **ta|d|schi|kisch**; **Ta|d|schi|ki|s|tan** (Staat im Südosten Mittelasiens)

Tadsch Ma|hal, der; - -[s] (Mausoleum in Agra in Indien)

Tae|k|won|do [tɛ...], das; - ⟨korean.⟩ (aus Korea stammendes System der Selbstverteidigung)

Tael [tɛ:l, auch te:l], das; -s, -s (früheres chin. Gewicht); 5 Tael

Taf. = Tafel

Ta|fel, die; -, -n; Abk. Taf.

Ta|fel|an|schrieb, der; -s, -e

ta|fel|ar|tig

Ta|fel|auf|satz; **Ta|fel|berg**; **Ta|fel|be|steck**; **Ta|fel|bild**

Tä|fel|chen

Ta|fel|en|te

ta|fel|fer|tig; **ta|fel|för|mig**

Ta|fel|freu|den Plur.; **Ta|fel|ge|bir|ge**; **Ta|fel|ge|schirr**; **Ta|fel|glas** Plur. ...gläser; **Ta|fel|leuch|ter**; **Ta|fel|ma|le|rei**; **Ta|fel|mu|sik**

ta|feln (geh. für speisen); ich taf[e]le

tä|feln (mit Steinplatten, Holztafeln verkleiden); ich täf[e]le

Ta|fel|obst; **Ta|fel|öl**; **Ta|fel|run|de**; **Ta|fel|sche|re** (Technik); **Ta|fel|sil|ber**, das; -s (Tafelbesteck aus Silber)

Ta|fel|spitz, der; -es, -e (österr. für äußerstes Ende vom Rinderschwanzstück; eine Rindfleischspeise)

Ta|fel|tuch Plur. ...tücher

Tä|fe|lung

Ta|fel|waa|ge; **Ta|fel|was|ser** Plur. ...wässer; **Ta|fel|wein**; **Ta|fel|werk**

Tä|fer, das; -s, - (schweiz., westösterr. für Täfelung); **tä|fern** (schweiz., westösterr. für täfeln); ich täfere; **Tä|fe|rung** (schweiz., westösterr. für Täfelung)

taff vgl. tough

Taft, der; -[e]s, -e ⟨pers.⟩ (Stoff aus [Kunst]seide); **taf|ten** (aus Taft); **Taft|kleid**

Tag

der; -[e]s, -e

Großschreibung:

– Tag und Nacht; Tag für Tag; den ganzen Tag
– am, bei Tage; in acht Tagen; vor vierzehn Tagen
– von Tag zu Tag
– des Tags; eines [schönen] Tag[e]s; im Laufe des heutigen Tag[e]s
– über Tag, unter Tage (Bergmannsspr.)

Kleinschreibung ↑K 70:

– tags; tags darauf, tags zuvor
– tagsüber; tagaus, tagein; tagtäglich; heutigentags (vgl. d.); heutzutage; tagelang (vgl. d.)

Groß- oder Kleinschreibung:

– unter Tags, österr. untertags (den Tag über)
– wir wollen nur Guten od. guten Tag sagen
– zutage od. zu Tage bringen, fördern, kommen, treten

Tag... (südd., österr. u. schweiz. in Zusammensetzungen für Tage..., z. B. Tagbau, Tagblatt, Taggeld, Taglohn u. a.)

tag|aus; nur in tagaus, tagein

Tag|dienst (Ggs. Nachtdienst)

Ta|ge|ar|beit (früher für Arbeit

des Tagelöhners); **Ta̱|ge|bau** *Plur.* ...baue (*vgl.* Tag...); **Ta̱|ge|blatt** (*vgl.* Tag...)

Ta̱|ge|buch; ta̱|ge|buch|ar|tig; Ta̱|ge|buch|auf|zeich|nung; Ta̱|ge|buch|no|tiz; Ta̱|ge|buch|num|mer (*Abk.* Tgb.-Nr.)

Ta̱|ge|dieb (Nichtstuer, Müßiggänger; *vgl.* Tag...); **Ta̱|ge|geld** (*vgl.* Tag...)

tag|ein *vgl.* tagaus

ta̱|ge|lang; *aber* ganze, mehrere, zwei Tage lang

Ta̱|ge|lied (*Literaturw.*)

Ta̱|ge|lohn (*vgl.* Tag...); **Ta̱|ge|löhner** (*vgl.* Tag...); **Ta̱|ge|löh|ne|rin** (*vgl.* Tag...); **ta̱|ge|löh|nern** (*vgl.* Tag...); ich tagelöhnere

Ta̱|ge|marsch *vgl.* Tagesmarsch

ta̱|gen; Ta̱|ge|rei|se

Ta̱|ges|ab|lauf

Ta̱|ges|ak|tu|ell

Ta̱|ges|an|bruch; Ta̱|ges|ar|beit (Arbeit eines Tages); **Ta̱|ges|ausflug**

Ta̱|ges|be|darf; Ta̱|ges|be|fehl

Ta̱|ges|bruch (durch einstürzende Bergwerksstollen verursachter Einbruch der Erdoberfläche)

Ta̱|ges|creme , Ta̱|ges|krem, Ta̱ges|kre|me

Ta̱|ges|de|cke; Ta̱|ges|ein|nah|me; Ta̱|ges|er|eig|nis; Ta̱|ges|form; Ta̱|ges|gast; Ta̱|ges|ge|schäft; Ta̱ges|ge|sche|hen; Ta̱|ges|ge|spräch

ta̱|ges|hell (*seltener für* taghell)

Ta̱|ges|kar|te; Ta̱|ges|kas|se

Ta̱|ges|krem, Ta̱|ges|kre|me *vgl.* Tagescreme

Ta̱|ges|kurs; Ta̱|ges|lauf; Ta̱|ges|leis|tung

Ta̱|ges|licht, das; -[e]s; Ta̱|ges|lichtpro|jek|tor (*für* Overheadprojektor)

Ta̱|ges|lo|sung; Ta̱|ges|marsch

Ta̱|ges|me|nü (preiswerteres, jeweils nur an einem Tag angebotenes Menü im Restaurant)

Ta̱|ges|mut|ter *Plur.* ...mütter

Ta̱|ges|ord|nung; Ta̱|ges|po|li|tik, die; -; **Ta̱|ges|pres|se,** die; -; **Ta̱|ges|ra|ti|on; Ta̱|ges|raum; Ta̱|ges|satz**

Ta̱|ges|sieg; Ta̱|ges|sie|ger; Ta̱|ges|sie|ge|rin

Ta̱|ges|stät|te; Ta̱|ges|sup|pe; Ta̱|ges|tel|ler (*bes schweiz. für* nur aus einem Hauptgang bestehendes Tagesmenü); **Ta̱|ges|wande|rung; Ta̱|ges|zeit; Ta̱|ges|zeitung; Ta̱|ges|ziel**

Ta̱|ge|tes, die; -, - ⟨lat.⟩ (Studenten- od. Samtblume)

ta̱|ge|wei|se

Ta̱|ge|werk (altes Feldmaß; *nur Sing.: geh. für* tägliche Arbeit, Aufgabe; Arbeit eines Tages)

Tag|fahr|licht (*Kfz-T.*)

Tag|fahrt (*Bergmannsspr.* Ausfahrt aus dem Schacht)

Tag|fal|ter

Tag|ge|bäu|de (*Bergmannsspr.* Schachtgebäude)

Tag|geld *vgl.* Tag...

tag|hell

...tä|gig (z. B. sechstägig [sechs Tage dauernd], *mit Ziffer* 6-tägig; ↑K29)

Ta̱g|li|a|tel|le [talja...] *Plur.* ⟨ital.⟩ (schmale ital. Bandnudeln)

täg|lich (alle Tage); tägliches Brot; täglicher Bedarf

...täg|lich (z. B. sechstäglich [alle sechs Tage wiederkehrend], *mit Ziffer* 6-täglich; ↑K29)

Tag|lohn *vgl.* Tag...

Ta̱|go|re [... go:ɐ̯, ... go:rə], Ra|bind|ra|nath (ind. Dichter u. Philosoph)

Tag|por|ti|er (*Ggs.* Nachtportier); **Tag|por|ti|e|rin; Ta̱g|raum** (*österr. für* Tagesraum)

tags; tags darauf, tags zuvor; *vgl.* Tag

Tag|sat|zung (*österr. für* behördlich bestimmter Termin; *schweiz. [früher] für* Tagung der Ständevertreter)

Tag|schicht (*Ggs.* Nachtschicht)

Tag|sei|te

tags|über; tag|täg|lich

Tag|traum; tag|träu|men; taggeträumt; **Tag|träu|mer; Tag|träume|rin**

Tag|und|nacht|glei|che, Tag-und-Nacht-Glei|che, die; -, -n; Frühjahrs-Tagundnachtgleiche

Ta̱|gung; Ta̱|gungs|bü|ro; Ta̱|gungsge|bäu|de; Ta̱|gungs|map|pe; Ta̱gungs|ort *Plur.* ...orte; **Ta̱|gungsteil|neh|mer; Ta̱|gungs|teil|neh|me|rin**

Tag|wa|che, *schweiz. auch* Ta̱gwacht (*österr., schweiz. für* Weckzeit u. Weckruf der Soldaten)

Tag|werk (*bes. südd., österr. für* Tagewerk)

Ta̱|hi̱|ti (die größte der Gesellschaftsinseln); **Ta|hi̱|ti|a|ner; Ta|hi̱|ti|a|ne|rin; ta|hi̱|ti|a|nisch; ta|hi̱|tisch**

Tai *vgl.* Thai

Tai-Chi [... ˈtʃiː], das; -[s] ⟨chin.⟩

([in der chinesischen Philosophie] Urgrund des Seins, aus dem alles entsteht; *auch* Abfolge von Übungen mit langsamen, fließenden Bewegungen; Schattenboxen)

Tai|fun, der; -s, -e ⟨chin.⟩ (trop. Wirbelsturm in Südostasien)

Tai|ga, die; - ⟨russ.⟩ (sibirischer Waldgürtel)

Tai|ko|naut, der; -en, -en ⟨chin.⟩ (chinesischer Weltraumfahrer); **Tai|ko|nau|tin**

Tail|le [ˈtaljə, *österr.* ˈtajljə], die; -, -n ⟨franz.⟩ (schmalste Stelle des Rumpfes; Gürtelweite); **tail|len|be|tont;** ein taillenbetontes Kleid

Tail|len|wei|te

¹**Tail|leur** [taˈjøːɐ̯], der; -s, -s (*veraltet für* Schneider)

²**Tail|leur,** das; -s, -s (*bes. schweiz. für* Schneiderkostüm)

tail|lie|ren [ta(l)ˈjiː...]; **tail|liert**

Tai|lor|made [ˈteːlɛmeːt], das; -, -s ⟨engl.⟩ (im konventionellen Stil geschneidertes Kostüm)

Taine [tɛːn] (franz. Geschichtsschreiber)

Tai|peh [*auch* ...ˈpeː] (Hauptstadt Taiwans)

Tai|wan [*auch* ...ˈva(ː)n] (Inselstaat in Ostasien); **Tai|wa|ner; Tai|wa|ne|rin; tai|wa|nisch, tai|wa|ne̱sisch**

Ta̱|jo [...xo], der; -[s] (span.-port. Fluss); *vgl.* Tejo

Take [teːk], der *od.* das; -s, -s ⟨engl.⟩ (*Film, Fernsehen* einzelne Szenenaufnahme)

Take-away, Take|away [ˈteːkəveː], der *u.* das; -s, -s ⟨engl.⟩ (Imbisslokal, in dem Speisen u. Getränke vor allem zum Mitnehmen verkauft werden)

Ta̱|kel, das; -s, - (*Seemannsspr.* schwere Talje; Takelage); **Take|la̱|ge** [...ʒə], die; -, -n (Segelausrüstung eines Schiffes)

Ta̱|ke|ler, Tak|ler (im Takelwerk Arbeitender); **Ta̱|ke|le|rin, Tak|le|rin; ta̱|keln;** ich tak[e]le; **Ta̱|ke|lung, Tak|lung; Ta̱|kel|werk,** das; -[e]s

Take-off, Take|off [ˈteːk...], das *od.* der; -s, -s ⟨engl.⟩ (Start eines Flugzeugs o. Ä.; Beginn)

Take-out, Take|out [ˈteːkaʊt], der *od.* das; -s, -s ⟨engl.⟩ (herausgeschnittene Filmszene)

Take-over, Take|over [ˈteːkoːvɐ], das *od.* der; -s, -s ⟨engl.⟩

T

Take

(*Wirtsch.* Kauf, Übernahme eines Unternehmens)

Tak|ler *vgl.* Takeler; **Tak|le|rin** *vgl.* Takelerin; **Tak|lung** *vgl.* Takelung

Täks *vgl.* Täcks

¹Takt, der; -[e]s, -e ⟨lat.⟩ *(nur Sing.:* Zeit-, Tonmaß; Zeiteinheit in einem Musikstück; *Technik* einer von mehreren Arbeitsgängen im Motor, Hub; Arbeitsabschnitt in der Fließbandfertigung oder in der Automation); Takt halten

²Takt, der; -[e]s ⟨franz.⟩ (Feingefühl; Zurückhaltung)

tak|ten (*Technik* in Arbeitstakten bearbeiten)

Takt|feh|ler

takt|fest

Takt|ge|fühl, das; -[e]s

T-Ak|tie (Aktie der Deutschen Telekom AG)

¹tak|tie|ren (den ¹Takt angeben)

²tak|tie|ren ⟨*zu* Taktik⟩ (taktisch vorgehen); **Tak|tie|rer** (jmd., der ²taktiert); **Tak|tie|re|rin**

Tak|tik, die; -, -en ⟨griech.⟩ (geschicktes Vorgehen, planmäßige Ausnutzung einer Lage; *Milit.* Truppenführung)

Tak|ti|ker; Tak|ti|ke|rin

tak|til (*Biol.* das Tasten, den Tastsinn betreffend)

tak|tisch

takt|los; Takt|lo|sig|keit

Takt|maß, das; **takt|mä|ßig**

Takt|mes|ser, der; **Takt|stock** *Plur.* ...stöcke; **Takt|stra|ße** *(Technik)*

Takt|strich *(Musik)*

takt|voll

Tal, das; -[e]s, Täler; zu Tal[e] fahren; **tal|ab; tal|ab|wärts**

Ta|lar, der; -s, -e ⟨ital.⟩ (langes Amtskleid); **ta|lar|ar|tig**

tal|auf|wärts; tal|aus

Tal|bo|den; Tal|brü|cke

Täl|chen; tal|ein; tal|ein|wärts; Tal|en|ge

Ta|lent, das; -[e]s, -e ⟨griech.⟩ (Begabung, Fähigkeit; jmd., der [auf einem bestimmten Gebiet] besonders begabt ist; altgriech. Gewichts- und Geldeinheit)

ta|len|t|frei; Ta|len|t|frei|heit, die; -

ta|len|tiert (begabt); **Ta|len|tiert|heit,** die; -

ta|len|t|los; Ta|len|t|lo|sig|keit, die; -

Ta|len|t|pro|be; Ta|len|t|schmie|de *(ugs.);* **Ta|len|t|scout** (Talentsucher[in])

Ta|len|t|su|che; ta|len|t|voll

Ta|ler, der; -s, - (frühere Münze); **ta|ler|groß; Ta|ler|stück**

Tal|fahrt

Talg, der; -[e]s, -e ([Rinder-, Hammel]fett); **talg|ar|tig; Talg|drü|se; tal|gen; tal|gig**

Talg|licht *Plur.* ...lichter

Ta|li|ban *Plur.* ⟨Paschtu⟩ (radikale islamische Miliz in Afghanistan); **Ta|li|ban|kämp|fer; Ta|li|ban|kämp|fe|rin**

Ta|li|on, die; -, -en ⟨lat.⟩ (Vergeltung [durch das gleiche Übel]); **Ta|li|ons|leh|re,** die; - (Rechtslehre von der Wiedervergeltung)

Ta|lis|man, der; -s, -e ⟨griech.⟩ (Glücksbringer)

Tal|je, die; -, -n ⟨niederl.⟩ (*Seemannsspr.* Flaschenzug); **tal|jen** (aufwinden); er taljet, hat getaljet; **Tal|je|reep** (über die Talje laufendes starkes Tau)

¹Talk, der; -[e]s ⟨arab.⟩ (ein Mineral)

²Talk [tɔːk], der; -s, -s ⟨engl.⟩ (*ugs. für* Unterhaltung, Plauderei, [öffentliches] Gespräch)

tal|ken (*ugs. für* sich in einer Talkshow unterhalten); **Tal|ker** (*Jargon* Talkmaster)

Talk|er|de, die; -

Talk|e|rin *vgl.* Talker

Talk|mas|ter ⟨*zu* ²Talk⟩ (Moderator einer Talkshow); **Talk|mas|te|rin**

Talk|pu|der

Talk|run|de; Talk|show [ˈtɔːkʃoː], die; -, -s ⟨engl.⟩ (Fernsehsendung, in der ein Moderator od. eine Moderatorin u. geladene Gäste miteinander [über ein Thema] sprechen)

Tal|kum, das; -s ⟨arab.⟩ (feiner weißer ¹Talk als Streupulver); **tal|ku|mie|ren** (Talkum einstreuen)

Tal|ley|rand [...lɛˈrãː] (franz. Staatsmann)

Tal|linn (Hauptstadt Estlands); *vgl.* Reval

Tal|mi, das; -s (vergoldete [Kupfer-Zink-]Legierung; *übertr. für* Unechtes); **Tal|mi|glanz; Tal|mi|gold; tal|min** (*selten für* aus Talmi; unecht); **Tal|mi|wa|re**

Tal|mud, der; -[e]s, -e ⟨hebr., »Lehre«⟩ (Sammlung der Gesetze und religiösen Überlieferungen des nachbibl. Judentums); **tal|mu|disch; Tal|mu|dis|mus,** der; -; **Tal|mu|dist,** der; -en, -en (Talmudkenner); **Tal|mu|dis|tin**

Tal|mul|de

Tal|lon [...ˈlõː, *österr.* ...ˈloːn], der; -s, -s ⟨franz.⟩ (Kontrollabschnitt

einer Eintrittskarte o. Ä.; Spielkartenrest [beim Geben], Kartenstamm [bei Glücksspielen]; Kaufsteine [beim Dominospiel]; *Börse* Erneuerungsschein bei Wertpapieren; *Musik* Griffende [»Frosch«] des Bogens)

Tal|schaft (*schweiz. u. westösterr. für* Land und Leute eines Tales; *Geogr.* Gesamtheit eines Tales und seiner Nebentäler)

Tal|schi *vgl.* Talski; **Tal|sen|ke**

Tal|ski, Tal|schi (bei der Fahrt am Hang der untere Ski)

Tal|soh|le; Tal|sper|re

Ta|lung (*Geogr.);* **tal|wärts**

Ta|ma|got|chi [...ˈgɔtʃi], das *od.* der; -, -s ⟨jap.-engl.⟩ (kleines, eiförmiges Computerspiel, bei dem die Betreuung eines Haustieres simuliert wird)

Ta|ma|ra (w. Vorn.)

Ta|ma|rin|de, die; -, -n ⟨arab.⟩ (eine trop. Pflanzengattung)

Ta|ma|ris|ke, die; -, -n ⟨vulgärlat.⟩ (ein Strauch mit kleinen Blättern u. rosafarbenen Blüten)

Tam|bour [...buːɐ̯, *auch* ...ˈbuːɐ̯], der; -s, *Plur.* -e, *schweiz.* -en [ˈtamburən] ⟨pers.⟩ (*veraltend für* Trommler; *Archit.* Zwischenstück bei Kuppelgewölben; *Technik* Trommel, zylindrischer Behälter [an Maschinen]); **Tam|bour|ma|jor** (Leiter eines Spielmannszuges)

Tam|bur, der; -s, -e (Stickrahmen)

tam|bu|rie|ren (mit Tamburierstichen sticken; Haare zwischen Tüll und Gaze einknüpfen [bei der Perückenherstellung])

Tam|bu|rier|stich (flächendeckender Zierstich)

Tam|bu|rin [*auch* ...ˈriːn], das; -s, -e (kleine Hand-, Schellentrommel; Stickrahmen)

Ta|mil, das; -[s] (Sprache der Tamilen); **Ta|mi|le,** der; -n, -n (Angehöriger eines vorderind. Volkes); **Ta|mi|lin; ta|mi|lisch**

Tamp, der; -s, -e u. **Tam|pen,** der; -s, - (*Seemannsspr.* Tau-, Kettenende)

Tam|pon [*auch* ...ˈpõː, *österr.* ...ˈpoːn], der; -s, -s ⟨*Med.* [Watte-, Mull]bausch; *Druckw.* Ballen, mit denen gestochene Platten für den Druck eingeschwärzt werden); **Tam|po|na|de,** die; -, -n (*Med.* Aus-, Zustopfung); **Tam|po|na|ge** [...ʒə], die; -, -n (*Technik* Abdichtung eines Bohrlochs) tam|po|nie|ren (*Med.* [mit Tampons] ausstopfen)

Tam|tam [*auch* 'tam...], das; -s, -s (chinesisches, mit einem Klöppel geschlagenes Becken; Gong; afrikan. Holztrommel; *nur Sing.: ugs. für* laute, Aufmerksamkeit erregende Betriebsamkeit)

Ta|mu|le usw. *vgl.* Tamile usw.

tan = Tangens

TAN die; -, -s ⟨*Abk. für* Transaktionsnummer⟩ (eine beim Onlinebanking zusätzlich zur PIN anzugebende Kodenummer)

Ta|na|gra (altgriech. Stadt); Ta|na-g|ra|fi|gur, Ta|na|g|ra-Figur (Tonfigur aus Tanagra)

Ta|na|na|ri|ve (früherer Name von Antananarivo)

Tand, der; -[e]s ⟨lat.⟩ (wertloses Zeug)

Tän|de|lei; Tän|de|ler *vgl.* Tändler; Tän|de|le|rin *vgl.* Tändlerin

Tän|del|markt (*österr. für* Trödel-, Flohmarkt); Tän|del|markt (*landsch. für* Trödelmarkt)

tän|deln; ich tänd[e]le

Tan|dem, das; -s, -s ⟨lat.-engl.⟩ (zweisitziges Fahrrad; Wagen mit zwei hintereinandergespannten Pferden; *Technik* zwei hintereinandergeschaltete Antriebe); Tan|dem|ach|se (*Kfz-Technik*)

Tänd|ler (*bayr. u. österr. ugs. für* Tänd[e]ler); Tänd|ler (Schäker; *landsch. für* Trödler); Tänd|le-rin; Tänd|le|rin

Tang, der; -[e]s, -e ⟨nord.⟩ (Bezeichnung mehrerer größerer Arten der Braunalgen)

¹Tan|ga, der; -s, -s ⟨Tupi⟩ (sehr knapper Bikini od. Slip)

²Tan|ga (Stadt in Tanganjika)

Tan|ga|n|ji|ka (Teilstaat von Tansania); Tan|ga|n|ji|ka|see, Tan-ga|n|ji|ka-See, der; -s; Tan|ga|n-ji|ker; Tan|ga|n|ji|ke|rin; tan|ga-n|ji|kisch

Tan|ga|slip

Tan|gens ['taŋgɛns], der; -, - ⟨lat.⟩ (*Math.* eine Winkelfunktion im Dreieck; *Zeichen* tan)

Tan|gens|satz, der; -es

Tan|gen|te, die; -, -n (Gerade, die eine gekrümmte Linie in einem Punkt berührt); Tan|gen|ten|vier-eck; tan|gen|ti|al (eine gekrümmte Linie od. Fläche berührend)

Tan|ger (marokkan. Hafenstadt)

tan|gie|ren (berühren)

Tan|go, der; -s, -s ⟨span.⟩ (ein Tanz)

Tan|g|ram, das; -s ⟨chin.⟩ (ein Spiel)

Tan|ja (w. Vorn.)

Tank, der; -s, *Plur.* -s, *seltener* -e ⟨engl.⟩

Tan|ke, der; -, -n (*ugs. für* Tankstelle); tan|ken

Tan|ker; Tan|ker|flot|te

Tank|fahr|zeug; Tank|fül|lung; Tank|in|halt; Tank|la|ger

Tank|las|ter, der (*ugs.*); Tank|last-wa|gen

Tank|red (m. Vorn.)

Tank|säu|le; Tank|schiff; Tank-schloss; Tank|stel|le; Tank|stopp (*ugs.*); Tank|uhr; Tank|ver-schluss; Tank|wa|gen; Tank|wart; Tank|war|tin

Tann, der; -[e]s, -e (*geh. für* [Tannen]wald); im dunklen Tann; Tann|ast (*schweiz. neben* Tannenast)

Tan|nat, das; -[e]s, -e ⟨franz.⟩ (Gerbsäuresalz)

Tän|ni|chen; Tän|ne, die; -, -n

tan|nen (aus Tannenholz)

Tan|nen|ast; Tan|nen|baum; Tan-nen|hä|her; Tan|nen|harz, das; Tan|nen|holz; Tan|nen|ho|nig; Tan|nen|mei|se; Tan|nen|na|del; Tan|nen|reis (*geh.*); Tan|nen|rei-sig; Tan|nen|wald; Tan|nen|zap-fen; Tan|nen|zweig

Tann|häu|ser (ein Minnesänger)

Tan|nicht, Tän|nicht, das; -[e]s, -e (*veraltet für* Tannenwäldchen)

tan|nie|ren ⟨franz.⟩ (mit Tannin behandeln); Tan|nin, das; -s, -e ⟨Gerbsäure⟩; Tan|nin|bei|ze

Tänn|ling (junge Tanne)

Tann|zap|fen (*landsch., bes. schweiz., neben* Tannenzapfen)

Tan|sa|nia [*auch* ...'za:nja] (die Vereinigte Republik Tansania; Staat in Afrika); Tan|sa|ni|er; tan|sa|ni|e|rin; tan|sa|nisch

Tan|sa|nit, der; -s, -e (ein Edelstein)

Tan|se, die; -, -n (*schweiz. für* [auf dem Rücken zu tragendes] Gefäß für Milch, Trauben u. Ä.)

Tan|tal, das; -s ⟨griech.⟩ (chemisches Element, Metall; *Zeichen* Ta)

Tan|ta|li|de, der; -n, -n *meist Plur.* (Nachkomme des Tantalus); Tan|ta|lus (in der griech. Sage König in Phrygien); Tan|ta|lus-qua|len *Plur.* ↑K 136

Tant|chen

Tan|te, die; -, -n

Tan|te-Em|ma-La|den

tan|ten|haft (betulich)

Tan|tes *vgl.* Dantes

Tan|ti|e|me [tã...], die; -, -n (*Kaufmannsspr.* Gewinnbeteiligung an einem Unternehmen)

tan|tig (*ugs. für* betulich)

Tan|t|ra, das; -[s] (Lehre einer religiösen Strömung in Indien)

Tanz, der; -es, Tänze

Tanz|abend; Tanz|bar, die; Tanz|bär

Tanz|bein; *in der Wendung* das Tanzbein schwingen (*ugs.*)

Tanz|bo|den *Plur.* ...böden; Tanz|ca-fé; Tänz|chen; Tanz|die|le

tän|zeln; ich tänz[e]le

tan|zen; du tanzt; die Puppen tanzen lassen

Tän|zer; Tan|ze|rei; Tän|ze|rin; tän-ze|risch

Tanz|flä|che; tanz|freu|dig; Tanz-grup|pe; Tanz|ka|pel|le; Tanz|kar-te (*früher*)

Tanz|kurs, Tanz|kur|sus

Tanz|leh|rer; Tanz|leh|re|rin

Tanz|lied; Tanz|lo|kal

tanz|lus|tig

Tanz|muf|fel (*ugs.*); Tanz|mu|sik; Tanz|or|ches|ter

Tanz|part|ner; Tanz|part|ne|rin

Tanz|platz (*veraltend*); Tanz|saal; Tanz|schritt; Tanz|schu|le; Tanz-schü|ler; Tanz|schü|le|rin

Tanz|sport; Tanz|stun|de; Tanz|tee; Tanz|tur|nier; Tanz|un|ter|richt; Tanz|ver|an|stal|tung

Tao [*auch* tau], das; - ⟨chin., »der Weg«⟩ (das All-Eine, das absolute, vollkommene Sein in der chin. Philosophie); Tao|is|mus, der; - (chin. Volksreligion)

Ta|pa, die; -, -s *od.* der; -s, -s *meist Plur.* ⟨span.⟩ (in Bars o. Ä. angebotener Appetithappen)

Tape [te:p], das, *auch* der; -, -s ⟨engl.⟩ (Band, Tonband); Tape-deck, das; -s, -s (Tonbandgerät ohne Verstärker u. Lautsprecher); ta|pen (*ugs. für* einen Tapeverband anlegen)

Ta|per|greis (*ugs.*); ta|pe|rig, tap|rig (*nordd. für* unbeholfen, gebrechlich); ta|pern (*nordd. für* sich unbeholfen bewegen); ich tapere

Ta|pet, das ⟨griech.⟩; *nur noch in* etwas aufs Tapet (*ugs. für* zur Sprache) bringen

Ta|pe|te, die; -, -n

Ta|pe|ten|bahn

Ta|pe|ten|kleis|ter; Ta|pe|ten|leim

Ta|pe|ten|mus|ter; Ta|pe|ten|rol|le;

T

Tape

Ta|pe|ten|tür; Ta|pe|ten|wech|sel *(ugs.)*

Tape|ver|band [ˈteːp...] (Verband aus klebenden Binden od. Pflastern)

Ta|pe|zier, der; -s, -e ⟨ital.⟩ *(südd. für* Tapezierer*)*; Ta|pe|zier|ar|beit, Ta|pe|zie|rer|ar|beit; ta|pe|zie|ren; Ta|pe|zie|rer *(österr. auch für* Polsterer*)*; Ta|pe|zie|re|rin

Ta|pe|zier|tisch; Ta|pe|zier|werk|statt, Ta|pe|zie|rer|werk|statt

Tap|fe, die; -, -n *u.* Tap|fen, der; -s, - *meist Plur.* (Fußspur)

tap|fer; Tap|fer|keit, die; -; Tap|fer|keits|me|dail|le

Ta|pi|o|ka, die; - ⟨indian.⟩ (gereinigte Stärke aus Maniokwurzeln); Ta|pi|o|ka|stär|ke, die; -

Ta|pir *[österr. ...ˈpiːr]*, der; -s, -e ⟨indian.⟩ (südamerik. u. asiat. Tier mit dichtem Fell u. kurzem Rüssel)

Ta|pis|se|rie, die; -, ...ien ⟨franz.⟩ (teppichartige Stickerei)

Tapp, das; -s (ein Kartenspiel)

tapp!; tapp, tapp!

tap|pen; tap|pig *(landsch.);* täp|pisch; tapp|rig *(Nebenform von* taperig*);* tapp|rig *vgl.* taperig

Taps, der; -es, -e *(landsch. für* Schlag; *ugs. für* täppischer Bursche)

tap|sen *(ugs. für* plump auftreten); du tapst; tap|sig *(ugs.)*

Ta|ra, die; -, ...ren ⟨arab.⟩ *(Kaufmannsspr.* die Verpackung; deren Gewicht)

Ta|ran|tel, die; -, -n ⟨ital.⟩ (südeurop. Wolfsspinne)

Ta|ran|tel|la, die; -, *Plur.* -s *u.* ...llen (südital. Volkstanz)

Tar|busch, der; -[e]s, -e ⟨pers.⟩ *(arab. Bez. für* Fes)

tar|dan|do ⟨ital.⟩ *(Musik* zögernd, langsam); Tar|dan|do, das; -s, *Plur.* -s *u.* ...di

Ta|ren *(Plur. von* Tara)

Ta|rent (ital. Stadt); Ta|ren|ter, Ta|ren|ti|ner; ta|ren|ti|nisch

Tar|gi, der; -[s], Tuareg (Angehöriger berberischer Volksstämme in der Sahara)

Tar|hon|ya [...ja], die; - ⟨ung.⟩ (eine ung. Mehlspeise)

ta|rie|ren ⟨arab.⟩ (Gewicht eines Gefäßes od. einer Verpackung bestimmen od. ausgleichen); Ta|rier|waa|ge

Ta|rif, der; -s, -e ⟨arab.-franz.⟩ (planvoll geordnete Zusammenstellung von Güter- od. Leistungspreisen, auch von Steuern u. Gebühren; Preis-, Lohnstaffel; Gebührenordnung); Ta|rif|ab|schluss; ta|ri|fa|risch *(seltener für* tariflich)

Ta|rif|au|to|no|mie; Ta|rif|be|reich; Ta|rif|be|zirk; Ta|rif|dschun|gel; Ta|rif|er|hö|hung; ta|rif|ge|bun|den; Ta|rif|grup|pe; Ta|rif|ho|heit

ta|ri|fie|ren (tariflich festlegen); Ta|ri|fie|rung

Ta|rif|kom|mis|si|on; Ta|rif|kon|flikt

ta|rif|lich; Ta|rif|lohn

ta|rif|los; ta|rif|mä|ßig

Ta|rif|ord|nung; Ta|rif|par|tei *meist Plur.;* Ta|rif|part|ner; Ta|rif|part|ne|rin

Ta|rif|po|li|tik; ta|rif|po|li|tisch

Ta|rif|recht, das; -[e]s; ta|rif|recht|lich; Ta|rif|ren|te; Ta|rif|run|de; Ta|rif|satz; Ta|rif|streit; Ta|rif|ver|bund; Ta|rif|ver|hand|lung

Ta|rif|ver|trag; ta|rif|ver|trag|lich

Tar|la|tan, der; -s, -e ⟨franz.⟩ (feines Baumwoll- od. Zellwollgewebe)

Tarn|an|strich; Tarn|an|zug

tar|nen; sich tarnen; Tarn|far|be; Tarn|fir|ma; Tarn|kap|pe

Tarn|kap|pen|bom|ber (ein [mit Radar nicht erkennbares] amerik. Kampfflugzeug)

Tarn|man|tel; Tarn|na|me; Tarn|netz; Tar|nung

Ta|ro, der; -s, -s ⟨polynes.⟩ (eine trop. Knollenfrucht)

Ta|rock, das, *österr. nur so,* od. der; -s, -s ⟨ital.⟩ (ein Kartenspiel); ta|ro|cken, ta|ro|ckie|ren (Tarock spielen); Ta|rock|spiel

Ta|rot [...ˈroː], das *od.* der; -s, -s ⟨franz.-engl.⟩ (dem Tarock ähnliches Kartenspiel, das zu spekulativen Deutungen verwendet wird); Ta|rot|kar|te

Tar|pan, der; -s, -e ⟨russ.⟩ (ein ausgestorbenes Wildpferd)

Tar|pe|ji|sche Fels, der; -n -en *od.* Tar|pe|ji|sche Fel|sen, der; -n -s (Richtstätte im alten Rom)

Tar|quin, Tar|qui|ni|us (in der röm. Sage Name zweier Könige)

Tar|qui|ni|er, der; -s, - (Angehöriger eines etrusk.-röm. Geschlechtes)

Tar|qui|ni|us *vgl.* Tarquin

¹Tar|ra|go|na (span. Stadt)

²Tar|ra|go|na, der; -s, -s (ein span. Wein)

Tar|ra|go|ne|se, der; -n, -n

Tar|ser ⟨*zu* ¹Tarsus⟩; tar|sisch

¹Tar|sus ⟨griech.⟩ (Stadt in Kleinasien)

²Tar|sus, der; -, ...sen ⟨griech.⟩ *(Med.* Fußwurzel; Lidknorpel; *Zool.* »Fuß« des Insektenbeines)

¹Tar|tan, der; -[s] -s ⟨engl.⟩ (Plaid in buntem Karomuster; karierter Umhang der Schotten)

²Tar|tan ®, der; -s ⟨Kunstwort⟩ (ein wetterfester Kunststoffbelag für Laufbahnen)

Tar|tan|bahn; Tar|tan|be|lag

Tar|ta|ne, die; -, -n ⟨ital.⟩ (Fischerfahrzeug im Mittelmeer)

tar|ta|re|isch ⟨griech.⟩ (zur Unterwelt gehörend, unterweltlich)

Tar|ta|ros, ¹Tar|ta|rus, der; - (Unterwelt in der griechischen Mythologie)

²Tar|ta|rus, der; - ⟨mlat.⟩ (Weinstein)

Tar|t|rat, das; -[e]s, -e (Salz der Weinsäure)

Tart|sche, die; -, -n ⟨franz.⟩ (ein mittelalterlicher Schild)

Tar|tu *(estn. u. russ. Form von* Dorpat)

Tar|tüff, der; -s, -e (nach einer Gestalt bei Molière) (Heuchler)

Tar|tu|fo, das; -s, -s ⟨ital.⟩ (mit Schokolade überzogene Halbkugel aus Speiseeis)

Tar|zan (Dschungelheld in Büchern von E. R. Burroughs)

Täsch|chen; Ta|sche, die; -, -n

Tä|schel|kraut, das; -[e]s

Ta|schen|aus|ga|be; Ta|schen|buch; Ta|schen|com|pu|ter; Ta|schen|dieb; Ta|schen|die|bin; Ta|schen|dieb|stahl; Ta|schen|fahr|plan; Ta|schen|fei|tel *(vgl.* Feitel*)*; Ta|schen|for|mat

Ta|schen|geld; Ta|schen|ka|len|der; Ta|schen|kamm; Ta|schen|krebs; Ta|schen|lam|pe; Ta|schen|mes|ser, das; Ta|schen|rech|ner; Ta|schen|schirm; Ta|schen|spie|gel

Ta|schen|spie|ler; Ta|schen|spie|le|rei; ta|schen|spie|lern; ich taschenspielere, getaschenspielert; zu taschenspielern

Ta|schen|spie|ler|trick

Ta|schen|trä|ger *(ugs., oft abwertend);* Ta|schen|trä|ge|rin

Ta|schen|tuch *Plur.* ...tücher; Ta|schen|uhr; Ta|schen|wör|ter|buch

Ta|scherl, das; -s, -n *(bayr. u.*

T
Tape

österr. ugs. für kleine Tasche, *auch* eine Süßspeise)

Tasch|kent (Hauptst. von Usbekistan)

Tasch|ner (*österr. u. südd. für* Täschner); **Täsch|ner** (Taschenmacher); **Tasch|ne|rin; Täsch|ne|rin**

Ta|ser [ˈteːzɐ], der; -s, - ⟨engl.⟩ (eine Elektroschockpistole)

Tas|ma|ni|en (austral. Insel); **Tas|ma|ni|er; Tas|ma|ni|e|rin; tas|ma|nisch**

TASS, die; - = Telegrafnoe Agenstvo Sovetskogo Sojuza (Nachrichtenagentur der Sowjetunion, 1925–1991)

Täss|chen

Tas|se, die; -, -n; **Tas|sen|rand**

Tas|so (ital. Dichter)

Tas|ta|tur, die; -, -en ⟨ital.⟩

tast|bar

Tas|te, die; -, -n

Tast|emp|fin|dung

tas|ten (*Druckw. auch für* den Taster bedienen)

Tas|ten|druck, der; -[e]s; **Tas|ten|in|s|t|ru|ment; Tas|ten|scho|ner; Tas|ten|te|le|fon; Tas|ter** (ein Abtastgerät; *Zool. svw.* Palpe; *Druckw.* schreibmaschinenähnl. Teil der Setzmaschine; Setzer, der den Taster bedient)

Tast|or|gan; Tast|sinn, der; -[e]s

tat *vgl.* tun

Tat, die; -, -en; in der Tat

Ta|ta|mi, die; -, -s ⟨jap.⟩ (Unterlage für Futons o. Ä.)

¹Ta|tar, der; -en, -en (Angehöriger einer Bevölkerungsgruppe im Wolgagebiet in Südrussland, in der Ukraine u. in Westsibirien)

²Ta|tar, das; -s, -[s] ⟨nach den Tataren⟩ (rohes, geschabtes Rindfleisch [mit Ei u. Gewürzen]); **Ta|tar|beef|steak**

Ta|ta|rei, die; - (die innerasiatische Heimat der Tataren); ↑K 140 : die Große, die Kleine Tatarei

Ta|ta|ren|mel|dung, Ta|ta|ren|nach|richt (*veraltend für* unwahrscheinliche Schreckensnachricht)

Ta|ta|rin *vgl.* ¹Tatar; **ta|ta|risch**

ta|tau|ie|ren ⟨tahit.⟩ (*Völkerk.* tätowieren)

Tat|aus|gleich (*österr. Rechtsw. für* Wiedergutmachung ohne gerichtliches Urteil); außergerichtlicher Tatausgleich

Tat|be|richt; Tat|be|stand

Tat|ein|heit, die; -; in Tateinheit mit … (*Rechtsspr.*)

Ta|ten|drang, der; -[e]s

Ta|ten|durst (*geh.*); **ta|ten|durs|tig** (*geh.*)

ta|ten|froh

ta|ten|los; Ta|ten|lo|sig|keit, die; -

Tä|ter; Tä|ter|be|schrei|bung; Tä|ter|grup|pe

Tä|te|rin; Tä|ter|schaft, die; -

Tat|form, Tä|tig|keits|form (*für* Aktiv)

Tat|ge|sche|hen; Tat|her|gang

Ta|ti|an (frühchristl. Schriftsteller)

tä|tig; tä|ti|gen (*Kaufmannsspr.*); ein Geschäft, einen Kauf tätigen (*dafür besser:* abschließen)

Tä|tig|keit

Tä|tig|keits|be|reich; Tä|tig|keits|be|richt; Tä|tig|keits|drang, der; -[e]s; **Tä|tig|keits|feld**

Tä|tig|keits|form *vgl.* Tatform; **Tä|tig|keits|wort** *Plur.* …wörter (*für* Verb)

Tä|ti|gung (*Kaufmannsspr.*)

Tat|ja|na (w. Vorn.)

Tat|kraft, die; -; **tat|kräf|tig**

tät|lich; tätlich werden; tätlicher Angriff; **Tät|lich|keit** *meist Plur.*

Tat|mensch; Tat|mo|tiv

Tat|ort, der; -[e]s, …orte

Tat|ort|ana|ly|ti|ker (*Kriminalistik);* **Tat|ort|ana|ly|ti|ke|rin**

tä|to|wie|ren ⟨tahit.⟩ (Zeichnungen mit Farbstoffen in die Haut einritzen); **Tä|to|wie|rer; Tä|to|wie|re|rin; Tä|to|wie|rung** (Hautzeichnung)

Ta|t|ra, die; - (Gebirgskette der Karpaten); ↑K 140 : die Hohe, die Niedere Tatra

Tat|sa|che

Tat|sa|chen|be|richt; Tat|sa|chen|ent|schei|dung (vom Schiedsrichter während des Spiels gefällte Entscheidung); **Tat|sa|chen|ma|te|ri|al**

tat|säch|lich [*auch* …ˈzɛ…]; **Tat|säch|lich|keit,** die; -

Tätsch, der; -[e]s, -e (*südd. für* Brei; ein Backwerk)

Tat|sche, die; -, -n (*landsch. für* Hand; leichter Schlag)

tät|scheln; ich tätsch|e[le]

tat|schen (*ugs. für* plump anfassen); du tatschst

Tatsch|kerl (*ostösterr. ugs. svw.* Tascherl [Süßspeise])

Tat|tedl *vgl.* Thaddädl

Tat|ter|greis (*ugs.*); **Tat|te|rich,** der; -[e]s (*ugs. für* [krankhaf-tes] Zittern); **tat|te|rig, tatt|rig** (*ugs.*); **tat|tern** (*ugs. für* zittern); ich tattere

Tat|ter|sall, der; -s, -s ⟨nach dem engl. Stallmeister⟩ (geschäftl. Unternehmen für Reitsport; Reitbahn, -halle)

¹Tat|too [tɛˈtuː], das; -[s], -s (*engl. Bez. für* Zapfenstreich)

²Tat|too, der *od.* das; -s, -s (*engl. Bez. für* Tätowierung)

tatt|rig *vgl.* tatterig

ta|tü|ta|ta!; Ta|tü|ta|ta, das; -s, -s (*ugs.*)

Tat|ver|dacht; tat|ver|däch|tig; Tat|ver|däch|ti|ge; Tat|waf|fe

Tätz|chen; Tat|ze, die; -, -n (Pfote, Fuß der Raubtiere; *ugs. für* plumpe Hand)

Tat|zeit

Tat|zel|wurm, der; -[e]s (sagenhaftes Kriechtier im Volksglauben einiger Alpengebiete)

Tat|zeu|ge; Tat|zeu|gin

¹Tau, der; -[e]s (Niederschlag)

²Tau, das; -[e]s, -e (starkes [Schiffs]seil)

³Tau, das; -[s], -s (griech. Buchstabe: T, τ)

taub; sich taub stellen; taube (leere) Nuss; taubes Gestein (*Bergmannsspr.* Gestein ohne Erzgehalt)

taub|blind; Taub|blin|de

Täub|chen

¹Tau|be, die; -, -n

²Tau|be, der *u.* die; -n, -n

tau|ben|blau (blaugrau)

Tau|ben|ei

tau|be|netzt (*zu* ¹Tau)

tau|ben|grau (blaugrau)

Tau|ben|haus; Tau|ben|ko|bel (*südd., österr. für* Taubenschlag); **Tau|ben|nest; Tau|ben|pla|ge; Tau|ben|post; Tau|ben|schlag**

Tau|ben|zucht; Tau|ben|züch|ter; Tau|ben|züch|te|rin

¹Tau|ber, Täu|ber, der; -s, - *u.* Tau|be|rich, Täu|be|rich, der; -s, -e

²Tau|ber, die; - (linker Nebenfluss des Mains)

Tau|ber|bi|schofs|heim (Stadt an der ²Tauber)

Tau|be|rich, Täu|be|rich *vgl.* ¹Tauber

Taub|heit, die; -

Täu|bin

Täub|ling (ein Pilz)

Taub|nes|sel (eine Pflanze)

taub|stumm (veraltend; bes. von Gehörlosen oft als diskriminierend empfunden); **Taub|stum-**

T

taub

tau|send

(als röm. Zahlzeichen M)

I. *Kleinschreibung:*
– [acht] von tausend
– bis tausend zählen
– tausend Dank, tausend Grüße
– Land der tausend Seen (Finnland)

II. *Klein- oder Großschreibung bei unbestimmten (d. h. nicht in Ziffern schreibbaren) Mengenangaben:*
– ein paar tausend *od.* Tausend; ein paar tausend *od.* Tausend Bäume, Menschen
– einige, mehrere, viele tausend *od.* Tausend Büroklammern
– einige, mehrere, viele tausende *od.* Tausende
– tausende *od.* Tausende von Menschen

– die Summe geht in die tausende *od.* Tausende
– sie strömten zu tausenden *od.* Tausenden herein
– tausend und abertausend *od.* Tausend und Abertausend Sterne
– tausende und abertausende *od.* Tausende und Abertausende bunter Laternen *(vgl. aber)*

III. *Zusammenschreibung in Verbindung mit bestimmten Zahlwörtern:*
– eintausend, zweitausend, zweieinhalbtausend [Personen]
– [ein]tausend[und]eins
– [ein]tausend[und]achtzig
– [ein]tausend[und]ein in Liter, bei [ein]tausend[und]einem Liter
– [ein]tausend[und]ein Euro

---

me *(veraltend für* Gehörlose[r])

Tauch|aus|rüs|tung *(svw.* Taucherausrüstung)

Tauch|boot (Unterseeboot)

tau|chen; Tau|chen, das; -s

Tauch|en|te

Tau|cher

Tau|cher|an|zug; Tau|cher|aus|rüs|tung; Tau|cher|bril|le; Tau|cher|glo|cke; Tau|cher|helm *(vgl.* [1]Helm)

Tau|che|rin

Tau|cher|krank|heit *(svw.* Caissonkrankheit); **Tau|cher|ku|gel**

Tauch|fahrt; Tauch|gang, der

tauch|klar (von U-Booten)

Tauch|kurs; Tauch|ma|nö|ver; Tauch|sie|der; Tauch|sport; Tauch|sta|ti|on; Tauch|tie|fe; Tauch|tou|ris|mus

[1]**tau|en;** es taut

[2]**tau|en** *(nordd. für* mit einem Tau vorwärtsziehen; schleppen)

Tau|en|de

[1]**Tau|ern,** der; -s, - *(Bez. für* Übergänge in den [2]Tauern)

[2]**Tau|ern** *Plur.* (Gruppe der Ostalpen); ↑K140 : die Hohen, die Niederen Tauern

Tau|ern|bahn ↑K143 ; **Tau|ern|express; Tau|ern|tun|nel**

Tauf|be|cken; Tauf|be|kennt|nis; Tauf|brun|nen; Tauf|buch *(svw.* Taufregister)

Tau|fe, die; -, -n

tau|fen; getauft *(vgl. d.)*

Täu|fer; Täu|fe|rin

Tauf|for|mel; Tauf|ge|lüb|de

Tauf|ge|sinn|te, der *u.* die; -n, -n *(Bez. für* Mennonit[in], Baptist[in] und Anhänger[in] bestimmter Freikirchen)

Tauf|ka|pel|le; Tauf|ker|ze; Tauf|kleid

Täuf|ling; Tauf|na|me; Tauf|pa|te; Tauf|pa|tin; Tauf|re|gis|ter

tau|frisch ⟨zu [1]Tau⟩

Tauf|scha|le; Tauf|schein; Tauf|spruch; Tauf|stein

tau|gen; das taugt nichts; das taugt mir *(österr. für* gefällt mir)

Tau|ge|nichts, der; *Gen.* - *u.* -es, *Plur.* -e

taug|lich; Taug|lich|keit, die; -

tau|lig *(geh. für* feucht von [1]Tau)

Tau|mel, der; -s; **tau|me|lig, taum|lig**

Tau|mel|lolch (eine Grasart)

tau|meln; ich taum[e]le; **taum|lig** *vgl.* taumelig

tau|nass ⟨zu [1]Tau⟩

Tau|nus, der; - (Teil des Rheinischen Schiefergebirges)

Tau|punkt, der; -[e]s

Tau|ri|en, der; - (früheres russ. Gouvernement); **Tau|ri|er; Tau|ris** (alter Name für die Krim)

Tau|rus, der; - (Gebirge in Kleinasien)

Tau|salz *(svw.* Streusalz)

Tausch, der; -[e]s, -e; **Tausch|bör|se; tau|schen;** du tauschst

täu|schen; du täuschst; täuschend ähnlich; **Täu|scher**

Tau|sche|rei *(ugs.)*

Täu|sche|rin

Tausch|ge|schäft; Tausch|han|del *(vgl.* [1]Handel)

tau|schie|ren *(arab.-franz.)* (Edelmetalle in unedle Metalle einhämmern); **Tau|schie|rung**

Tausch|ob|jekt

Täu|schung; Täu|schungs|ma|nö|ver; Täu|schungs|ver|such

Tausch|ver|fah|ren; Tausch|ver|kehr; Tausch|ver|trag; tausch|wei|se

Tausch|wert; Tausch|wirt|schaft, die; -

tau|send *s. Kasten*

[1]**Tau|send,** der *(veraltet für* Teufel); *nur noch in* ei der Tausend!, potztausend!

[2]**Tau|send,** die; -, -en (Zahl); *vgl.* [1]Acht

[3]**Tau|send,** das; -s, -e (Maßeinheit; *Abk.* Tsd.); das ist ein Tausend Zigarren (eine Kiste mit einem Tausend Zigarren); [fünf] von Tausend *(Abk.* v. T., p. m.; *Zeichen* ‰); *vgl.* tausend

Tau|send|blatt, das; -[e]s (eine Wasserpflanze)

tau|send|ein, tau|send|und|ein; *vgl. d.;* **tau|send|eins, tau|send|und|eins**

Tau|sen|der *vgl.* Achter; **tau|sen|der|lei**

tau|send|fach; Tau|send|fa|che, das; -n; *vgl.* Achtfache

tau|send|fäl|tig

Tau|send|fü|ßer; Tau|send|füß|ler

Tau|send|gul|den|kraut, Tau|send|gül|den|kraut, das; -[e]s (eine Heilpflanze)

Tau|send|jahr|fei|er *(mit Ziffern* 1 000-Jahr-Feier; ↑K26)

tau|send|jäh|rig; *aber* ↑K151 : das Tausendjährige Reich *(bibl.; auch iron. Bez. für* die Zeit der nationalsoz. Herrschaft); *vgl.* achtjährig

Tau|send|künst|ler; Tau|send|künst|le|rin

tau|send|mal *vgl.* achtmal *u.* hundertmal; **tau|send|ma|lig**

Tau|send|mark|schein *(mit Ziffern* 1 000-Mark-Schein; ↑K26)

tau|send|sa|cker|ment! *(veraltet)*
Tau|send|sa|sa, Tau|send|sas|sa, der; -s, -[s] (vielseitig begabter Mensch)
Tau|send|schön, das; -s, -e u. Tau|send|schön|chen (eine Pflanze)
tau|send|sei|tig
tau|sends|te *vgl.* achte u. hundertste; tau|sends|tel *vgl.* achtel; Tau|sends|tel, das; -s; *schweiz. meist* der; -s, -; *vgl.* Achtel; Tau|sends|tel|se|kun|de; tau|sendstens
tau|send|und|ein, tau|send|ein *vgl.* hundert[und]ein; ein Märchen aus Tausendundeiner Nacht; tau|send|und|eins *vgl.* tausendeins
Tau|to|lo|gie, die; -, ...ien (Fügung, die einen Sachverhalt doppelt wiedergibt, z. B. »immer und ewig«, »voll und ganz«; *auch svw.* Pleonasmus); tau|to|lo|gisch
tau|to|mer (der Tautomerie unterliegend); Tau|to|me|rie, die; -, ...ien (*Chemie* eine Art der chem. Isomerie)
Tau|trop|fen; Tau|was|ser *Plur.* ...wasser (*svw.* Schmelzwasser)
Tau|werk, das; -[e]s
Tau|wet|ter, das; -s; Tau|wind
Tau|zie|hen, das; -s (*übertr. auch für* Hin und Her)
Ta|ver|ne, die; -, -n (ital.) (italienisches Wirtshaus)
Ta|xa|me|ter, das *od. der* (lat.; griech.) (Fahrpreisanzeiger in Taxis; *veraltet für* Taxi)
Tax|amt
Ta|xa|ti|on, die; -, -en (lat.) (Schätzung, Wertermittlung)
ta|xa|tiv (*österr. für* vollständig); taxativ aufzählen
Ta|xa|tor, der; -s, ...oren (Schätzer, Wertermittler)
¹Ta|xe, die; -, -n ([Wert]schätzung; [amtlich] festgesetzter Preis; Gebühr)
²Ta|xe, die; -, -n (*svw.* Taxi)
tax|frei (gebührenfrei)
Ta|xi, das, *schweiz. auch* der; -s, -s (Auto zur Personenbeförderung gegen Bezahlung); Ta|xi|chauf|feur; Ta|xi|chauf|feu|rin
ta|xie|ren (schätzen, den Wert ermitteln); Ta|xie|rung *vgl.* Taxation
Ta|xi|fah|rer; Ta|xi|fah|re|rin; Ta|xi|fahrt; Ta|xi|len|ker (*österr. für* Taxifahrer); Ta|xi|len|ke|rin;

Ta|xi|stand; Tax|ler (*bes. österr. ugs. für* Taxifahrer); Tax|le|rin
Ta|xo|no|mie, die; - (griech.) (Einordnung in ein bestimmtes System); ta|xo|no|misch
Tax|preis (geschätzter Preis)
Ta|xus, der; -, - (lat.) (*Bot.* Eibe); Ta|xus|he|cke
Tax|wert (Schätzwert)
Tay|lor|sys|tem, Tay|lor-Sys|tem ['te:lɐ...], das; -s (nach dem Amerikaner F. W. Taylor) (System der wissenschaftlichen Betriebsführung mit dem Ziel, einen möglichst wirtschaftlichen Betriebsablauf zu erzielen)
Ta|zet|te, die; -, -n (ital.) (eine Narzissenart)
Taz|zerl, das; -s, -n (ital.) (*österr. ugs. für* Untertasse, Verpackungsteller)
Tb = *chem. Zeichen für* Terbium
Tb, Tbc = Tuberkulose
Tbc-krank [te:be:'tse:...], Tbk-krank [te:be:'ka:...], Tb-krank [te:be:...] ↑K 28 u. 97 (tuberkulosekrank); Tbc-Kran|ke, Tbk-Kran|ke, Tb-Kran|ke, der u. die; -n, -n ↑K 28
Tbi|li|si (georg. *Form von* Tiflis)
Tbk = Tuberkulose
Tbk-krank, Tb-krank usw. *vgl.* Tbc-krank usw.
T-Bone-Steak ['ti:bo:n...] (engl.) (Steak aus dem Rippenstück des Rinds)
Tc = *chem. Zeichen für* Technetium
T-Car ['ti:ka:ɐ], das; -s, -s (engl.) (Trainings- oder Ersatzrennwagen)
TCS, der; - = Touring-Club der Schweiz
Te = *chem. Zeichen für* Tellur
Teach-in, Teach|in [ti:tʃ...], das; -s, -s (amerik.) (Protestdiskussion)
Teak [ti:k], das; -s (engl.) (*kurz für* Teakholz); Teak|baum (ein südostasiat. Baum mit wertvollem Holz); tea|ken (aus Teakholz); Teak|holz; Teak|holz|mö|bel
Team [ti:m], das; -s, -s (engl.) (Arbeitsgruppe; *Sport* Mannschaft, *österr. auch für* Nationalmannschaft)
Team|ar|beit, die; -; Team|chef; Team|che|fin; team|fä|hig; Team|fä|hig|keit, die; -; Teamgeist, der; -[e]s; Team|kol|le|ge; Team|kol|le|gin

Team|lei|berl (*österr. für* Nationaltrikot)
Team|lei|ter, der; Team|lei|te|rin; Team|ma|na|ger; Team|ma|na|ge|rin; team|ori|en|tiert
Team|work [...vø:ɐk], das; -s (Gemeinschaftsarbeit)
Tea|room ['ti:ru:m], der, *schweiz. auch* das; -s, -s (engl.) (Teestube; *schweiz. für* Café, in dem kein Alkohol ausgeschenkt wird)
Tea|ser ['ti:zɐ], der; -s, - (engl.) (Neugier erweckendes Werbemittel)
TecDAX® (Aktienindex, der die 30 größten an der Frankfurter Wertpapierbörse notierten Technologieunternehmen umfasst)
Tech|ne|ti|um, das; -s (griech.) (chem. Element; *Zeichen* Tc)
tech|ni|fi|zie|ren (griech.; lat.); Tech|ni|fi|zie|rung
Tech|nik, die; -, -en (griech.)
Tech|ni|ker; Tech|ni|ke|rin
tech|nik|feind|lich; Tech|nik|freak; tech|nik|gläu|big
Tech|ni|kum, das; -s, *Plur.* ...ka, *auch* ...ken (technische Fachschule)

(griech.-franz.)

Kleinschreibung:

– technischer Ausdruck (Fachwort); technische Berufe
– er ist technischer Zeichner
– [eine] technische Hochschule, [eine] technische Universität
– ↑K 89 : technische Atmosphäre (*vgl.* Atmosphäre)

Großschreibung in Namen ↑K 150:

– die Technische Universität (*Abk.* TU) Berlin
– Technisches Hilfswerk (Name einer Hilfsorganisation; *Abk.* THW)
– Technischer Überwachungs-Verein (*Abk.* TÜV)

Als Funktionsbezeichnung ↑K 89:

– der Technische Direktor, *sonst* der technische Direktor

tech|ni|sie|ren; Tech|ni|sie|rung
Tech|ni|zis|mus, der; -, ...men (techn. Ausdrucksweise)
Tech|no ['tɛk...], das *od.* der; -[s]

⟨engl.⟩ (elektronische, von bes. schnellem Rhythmus bestimmte Tanzmusik)

Tech|no|krat, der; -en, -en ⟨griech.⟩; **Tech|no|kra|tie**, die; - (vorherrschende Stellung der Technik in Wirtschaft u. Politik); **Tech|no|kra|tin**; **tech|no-kra|tisch**

Tech|no|lo|ge, der; -n, -n; **Tech|no-lo|gie**, die; -, ...ien (Gesamtheit der techn. Prozesse in einem Fertigungsbereich; techn. Verfahren; *nur Sing.*: Lehre von der Umwandlung von Rohstoffen in Fertigprodukte)

Tech|no|lo|gie|park (Gelände, auf dem Firmen moderne Technologien entwickeln)

Tech|no|lo|gie|trans|fer (Weitergabe technologischer Forschungsergebnisse)

Tech|no|lo|gie|un|ter|neh|men; **Tech|no|lo|gie|zen|t|rum**

Tech|no|lo|gin; **tech|no|lo|gisch**

Tech|no|mu|sik; **Tech|no|par|ty**

Tech|tel|mech|tel [*auch* 'tɛ...], das; -s, - (*ugs. für* Liebelei, Flirt)

Te|ckel, der; -s, - (*fachspr. für* Dackel)

TED [tɛt], der; -s ⟨Kurzwort aus Teledialog⟩ (Computer, der telefonische Stimmabgaben annimmt u. hochrechnet)

Ted|dy [...di], der; -s, -s ⟨engl.⟩ (Stoffbär als Kinderspielzeug); **Ted|dy|bär**, der; -en, -en; **Ted-dy|fut|ter** *vgl.* ²**Futter**; **Ted|dy-man|tel**

Te|de|um, das; -s, -s ⟨lat., *aus* »Te Deum laudamus« = »Dich, Gott, loben wir!«⟩ (*nur Sing.*: kath. Kirche Hymnus der lateinischen Liturgie; musikalisches Werk über diesen Hymnus)

¹**Tee**, der; -s, -s ⟨chin.⟩; schwarzer, grüner russischer Tee

²**Tee** [ti:], das; -s, -s ⟨engl.⟩ (*Golf* kleiner Stift, der in den Boden gedrückt u. auf den der Golfball vor dem Abschlag aufgesetzt wird)

TEE, der; -[s], -[s] = Trans-Europ-Express

Tee|bä|cke|rei (*österr. für* Teegebäck)

Tee|beu|tel; **Tee|blatt** *meist Plur.*; **Tee|brett**; **Tee|but|ter** (*österr. für* Markenbutter)

Tee|ei, **Tee-Ei**

Tee|ern|te, **Tee-Ern|te**

Tee|ge|bäck; **Tee|ge|sell|schaft**; **Tee|glas** *Plur.* ...gläser; **Tee|haus**

Tee|kan|ne; **Tee|kes|sel** (*auch ein* Ratespiel); **Tee|kü|che**; **Tee|licht** *Plur.* ...lichter *u.* ...lichte

Tee|löf|fel; **tee|löf|fel|wei|se**

Teen [ti:n], der; -s, -s *meist Plur.* ⟨amerik.⟩, **Teen|ager** ['ti:neɪdʒɐ], der; -s, - (*ugs. für* Junge od. Mädchen im Alter zwischen 13 und 19 Jahren); **teen|ager|haft**; **Teen|ager|idol**; **Teen|ager|schwan|ger|schaft**

Tee|nie, **Tee|ny** [*beide* 'ti:ni], der; -s, -s ([jüngerer, bes. weibl.] Teen); **Tee|nie|schwarm**, **Tee-ny|schwarm**

Teer, der; -[e]s, -e

Teer|dach|pap|pe; **Teer|de|cke**

tee|ren; teeren und federn (früher als Strafe)

Teer|far|be; **Teer|farb|stoff**; **Teer-fass**

teer|hal|tig; **tee|rig**

Teer|ja|cke (*scherzh. für* Matrose)

Tee|ro|se (eine Rosensorte)

Teer|pap|pe; **Teer|sei|fe**; **Teer|stra-ße**; **Teer|rung**

Tee|ser|vice *vgl.* ¹**Service**; **Tee-sieb**; **Tee|strauch**; **Tee|stu|be**

Tee|tas|se; **Tee|tisch**; **Tee|wa|gen**; **Tee|was|ser**, das; -s; **Tee|wurst**

Te|fil|la, die; - ⟨hebr.⟩ (jüd. Gebet[buch]); **Te|fil|lin** *Plur.* (Gebetsriemen der Juden)

Te|flon ®, das; -s ⟨Kunstwort⟩ (hitzefeste Kunststoffbeschichtung in Pfannen o. Ä.)

¹**Te|gel**, der; -s (kalkreicher Ton)

²**Te|gel** (Stadtteil u. Flughafen von Berlin); Tegeler Schloss

¹**Te|gern|see**, der; -s (See in Oberbayern)

²**Te|gern|see** (Stadt am gleichnamigen See); **Te|gern|se|er**

Te|gu|ci|gal|pa [...s...] (Hauptstadt von Honduras)

Te|he|ran [*auch* ...'ra:n] (Hauptstadt Irans)

Teich, der; -[e]s, -e (Gewässer)

Teich|huhn; **Teich|molch**; **Teich-mu|schel**

Teil|chos|ko|pie, die; - ⟨griech., »Mauerschau«⟩ (Schilderung von Ereignissen durch einen Schauspieler, der diese außerhalb der Bühne zu sehen scheint)

Teich|pflan|ze; **Teich|rohr**; **Teich-rohr|sän|ger** (ein Vogel)

Teich|ro|se; **Teich|schilf**

teig (*landsch. für* überreif, weich)

Teig, der; -[e]s, -e; den Teig gehen lassen; **Teig|far|be**; **tei-gig**

Teig|ling (schon geformtes, backfertiges Teigstück)

Teig|mas|se; **Teig|men|ge**; **Teig-räd|chen**; **Teig|rest**; **Teig|scha-ber**; **Teig|schüs|sel**; **Teig|wa|ren** *Plur.*

Teil

der *od.* das; -[e]s, -e

Großschreibung:

– zum Teil (*Abk.* z. T.)
– ein großer Teil des Tages
– jedes Teil (Stück) prüfen
– er hat sein[en] Teil getan; ein gut Teil
– das (*selten* der) bessere Teil
– sein[en] Teil dazu beitragen
– ich für mein[en] Teil

Kleinschreibung ↑K 70:

– teils (*vgl. d.*)
– einesteils, meinesteils, ander[e]nteils
– großenteils, größtenteils, meistenteils
– *vgl. auch* teilhaben, teilnehmen, zuteilwerden

Teil|ab|schnitt (z. B. einer Autobahn); **Teil|an|sicht**; **Teil|as|pekt**

teil|au|to|ma|ti|siert; **Teil|au|to|ma-ti|sie|rung**

teil|bar; **Teil|bar|keit**, die; -

Teil|be|reich, der; **Teil|be|trag**

Teil|chen; **Teil|chen|be|schleu|ni|ger** (*Kernphysik*); **Teil|chen|strah-lung** (*Physik*)

tei|len; geteilt; zehn geteilt durch fünf ist, macht, gibt (*nicht*: sind, machen, geben) zwei

Tei|ler; größter gemeinsamer Teiler (*Abk.* g. g. T., ggT)

Teil|er|folg

tei|ler|fremd; teilerfremde Zahlen (*Math.*)

Tei|le|zu|rich|ter (Anlernberuf); **Tei-le|zu|rich|te|rin**

Teil|fa|b|ri|kat

Teil|ge|biet

Teil|ha|be, die; -; **teil|ha|ben** ↑K 47; du hast teil ↑K 71, *aber* du hast keinen Teil; teilgehabt; teilzuhaben

Teil|ha|ber; **Teil|ha|be|rin**

Teil|ha|ber|schaft, die; -

Teil|ha|ber|ver|si|che|rung

teil|haf|tig [*auch* ...'ha...]; einer Sache teilhaftig sein, werden

T
Tech

…tei|lig (z. B. zehnteilig, *mit Zif-fern* 10-teilig; ↑K29)

teil|kas|ko|ver|si|chert; **Teil|kas|ko-ver|si|che|rung**

Teil|kos|ten|rech|nung; **Teil|leis-tung**; **Teil|men|ge** *(Math.)*

teil|mö|b|liert; **Teil|mö|b|lie|rung**

Teil|nah|me, die; -; **Teil|nah|me|be-din|gung**

teil|nah|me|be|rech|tigt; **Teil|nah-me|be|rech|tig|te**; **Teil|nah|me|ge-bühr**

teil|nahms|los; **Teil|nahms|lo|sig-keit**, die; -; **teil|nahms|voll**

teil|neh|men ↑K 47 ; du nimmst teil ↑K 71 ; teilgenommen; teilzu-nehmen; **teil|neh|mend**; **Teil|neh-men|de**, der *u.* die

Teil|neh|mer; **Teil|neh|mer|feld**; **Teil|neh|me|rin**; **Teil|neh|mer|lis-te**; **Teil|neh|mer|zahl**

teil|rechts|fä|hig *(österr. für* zum Teil rechtsfähig*)*

Teil|re|pu|b|lik

teils ↑K 70 ; teils gut, teils schlecht

Teil|satz *(Sprachw.* Satz als Teil eines Satzgefüges od. einer Satz-verbindung*)*

Teil|schuld; **Teil|schuld|ver|schrei-bung** *(für* Partialobligation*)*

Teil|sieg; **Teil|stre|cke**; **Teil|strich**; **Teil|stück**

Teil|lung; **Tei|lungs|zei|chen** *(für* Trennungsstrich*)*

Teil|ver|hält|nis *(Math.)*

teil|wei|se

Teil|zah|lung; **Teil|zah|lungs|kre|dit**

Teil|zeit, die; -; Teilzeit arbeiten; ich arbeite Teilzeit; weil sie Teil-zeit arbeitet; du hast Teilzeit gearbeitet; Teilzeit zu arbeiten; Teilzeit arbeitende Frauen; in Teilzeit arbeiten; **Teil|zeit|ar|beit**

teil|zeit|be|schäf|tigt; **Teil|zeit|be-schäf|tig|te**; **Teil|zeit|be|schäf|ti-gung**; **Teil|zeit|job** *(ugs.)*

Te|in, Thejin, das; -s ⟨chin.-nlat.⟩ (Alkaloid in Teeblättern, Kof-fein)

Teint [tɛ̃:], der; -s, -s ⟨franz.⟩ (Gesichtsfarbe; Beschaffenheit der Gesichtshaut)

T-Ei|sen [ˈteː...] ↑K29 (von T-för-migem Querschnitt)

Teis|te, die; -, -n (ein Seevogel)

Te|ja[s] (letzter Ostgotenkönig)

Te|jo [tɛʒu] *(port. Form von* Tajo*)*

Tek|to|nik, die; - ⟨griech.⟩ *(Geol.* Lehre vom Bau der Erdkruste); **tek|to|nisch**

Tek|tur, die; -, -en ⟨lat.⟩ *(Buchw.* Deckblatt, Korrekturstreifen)

Tel. = Telefon

Tel Aviv-Jaf|fa [tɛl aˈviːf...] (Stadt in Israel)

te|le… ⟨griech.⟩ (fern…); **Te|le…** (Fern…)

Te|le|ar|beit, die; - (Form der Heimarbeit, bei der der Arbeit-nehmer über Datenleitungen mit dem Arbeitgeber verbunden ist); **Te|le|ar|bei|ter**; **Te|le|ar|bei-te|rin**; **Te|le|ar|beits|platz**

Te|le|ban|king [...bɛŋkɪŋ], das; -s ⟨engl.⟩ (Abwicklung von Bank-geschäften über Telekommuni-kation)

Te|le|dia|log *vgl.* TED

Te|le|fax, das; -, -e (Kunstwort) (Fernkopie, Fernkopierer; *nur Sing.:* Fernkopiersystem); **te|le-fa|xen** (fernkopieren); du tele-faxt; **Te|le|fax|num|mer**

Te|le|fon [auch: ˈteːləfoːn], das; -s, -e ⟨griech.⟩

Te|le|fon|an|ruf; **Te|le|fon|an-schluss**; **Te|le|fon|ap|pa|rat**

Te|le|fo|nat, das; -[e]s, -e (Fernge-spräch, Anruf); **Te|le|fon|ban-king** [...bɛŋkɪŋ], das; -s (Erledi-gung persönlicher Bankangele-genheiten per Telefon)

Te|le|fon|be|ant|wor|ter *(schweiz. für* Anrufbeantworter*)*

Te|le|fon|buch; **Te|le|fon|dienst**; **Te|le|fon|ge|bühr**; **Te|le|fon|ge|sell-schaft**; **Te|le|fon|ge|spräch**; **Te|le-fon|hö|rer**

Te|le|fo|nie, die; - (Sprechfunk; Fernmeldewesen)

te|le|fo|nie|ren; **te|le|fo|nisch**

Te|le|fo|nist, der; -en, -en (Ange-stellter im Fernsprechverkehr); **Te|le|fo|nis|tin**

Te|le|fo|ni|tis, die; - (ugs. scherzh. für* Neigung, häufig zu telefo-nieren)

Te|le|fon|jo|ker (beim Fernsehquiz)

Te|le|fon|kabel; **Te|le|fon|kar|te**; **Te-le|fon|kon|fe|renz**; **Te|le|fon|lei-tung**; **Te|le|fon|netz**

Te|le|fon|num|mer

Te|le|fon|rech|nung; **Te|le|fon-schnur**; **Te|le|fon|seel|sor|ge**; **Te-le|fon|sex**; **Te|le|fon|ter|ror**; **Te|le-fon|über|wa|chung**; **Te|le|fon|ver-bin|dung**; **Te|le|fon|wert|kar|te** *(österr.);* **Te|le|fon|zel|le**; **Te|le-fon|zen|t|ra|le**

Te|le|fo|to *(kurz für* Telefotogra-fie); **Te|le|fo|to|gra|fie**, **Te|le-pho|to|gra|phie** (fotograf. Fern-aufnahme)

te|le|gen ⟨griech.⟩ (für Fernsehauf-nahmen geeignet)

Te|le|graf, **Te|le|graph**, der; -en, -en ⟨griech., »Fernschreiber«⟩ (Apparat zur Übermittlung von Nachrichten durch vereinbarte Zeichen)

Te|le|gra|fen|mast, **Te|le|gra|phen-mast**

Te|le|gra|fie, **Te|le|gra|phie**, die; - (elektrische Fernübertragung von Nachrichten mit vereinbar-ten Zeichen); **te|le|gra|fie|ren**, **te|le|gra|phie|ren**; **te|le|gra|fisch**, **te|le|gra|phisch**; **Te|le|gra|fist**, **Te|le|gra|phist**, der; -en, -en; **Te-le|gra|fis|tin**, **Te|le|gra|phis|tin**

Te|le|gramm, das; -s, -e ⟨griech.⟩

Te|le|gramm|bo|te; **Te|le|gramm|bo-tin**; **Te|le|gramm|for|mu|lar**; **Te|le-gramm|ge|bühr**; **Te|le|gramm|stil**, der; -[e]s

Te|le|graph usw. *vgl.* Telegraf usw.

Te|le|ka|me|ra

Te|le|ki|ne|se, die; - ⟨griech.⟩ (das Bewegtwerden von Gegenstän-den in der Parapsychologie)

Te|le|kol|leg (unterrichtende Sen-dereihe im Fernsehen)

Te|le|kom *(kurz für* Deutsche Tele-kom AG [Unternehmen auf dem Telekommunikationssektor]); **Te|le|kom|mu|ni|ka|ti|on** (Kom-munikation mithilfe elektroni-scher Medien)

te|le|ko|pie|ren; **Te|le|ko|pie|rer** (Fernkopierer)

Te|le|krat, der; -en, -en ⟨griech.⟩; **Te|le|kra|tie**, die; - (Vorherr-schaft der elektronischen Medien); **te|le|kra|tisch**

Te|le|lear|ning [...ləːnɪŋ], das; -s ⟨engl.⟩ (Unterricht mithilfe der Telekommunikation)

Te|le|mach (Sohn des Odysseus)

Te|le|mann (dt. Komponist)

¹Te|le|mark (norw. Verwaltungsge-biet)

²Te|le|mark, der; -s, -s (früher übli-cher Bremsschwung im Ski-lauf)

Te|le|mark|auf|sprung (beim Ski-springen); **Te|le|mark|schwung**

Te|le|ma|tik, die; - ⟨Kurzw. aus Telekommunikation *u.* Informa-tik⟩ (auf die Verbindung von Datenverarbeitung u. Telekom-munikation gerichteter For-schungsbereich)

Te|le|me|ter, das; -s, - ⟨griech.⟩ (Entfernungsmesser); **Te|le|me|t-rie**, die; -; **te|le|me|t|risch**

Te|le|no|ve|la, die; -, -s (Fernseh-film in vielen, fast täglichen Fortsetzungen)

T
Tele

Te|le|ob|jek|tiv (Linsenkombination für Fernaufnahmen)

Te|leo|lo|gie, die; - ⟨griech.⟩ (Lehre vom Zweck u. von der Zweckmäßigkeit); te|le|o|lo|gisch

Te|le|path, der; -en, -en ⟨griech.⟩ (für Telepathie Empfänglicher);

Te|le|pa|thie, die; - (Fernfühlen ohne körperliche Vermittlung); Te|le|pa|thin; te|le|pa|thisch

Te|le|phon usw. *alte Schreibung für* Telefon usw.

Te|le|pho|to|gra|phie *vgl.* Telefotografie

Te|le|plas|ma (angeblich von Medien abgesonderter Stoff in der Parapsychologie)

Te|le|promp|ter®, der; -s, - ⟨engl.⟩ (Vorrichtung, die es den Moderatoren im Fernsehen ermöglicht, den vorzutragenden Text ohne Blicksenkung vom Monitor abzulesen)

Te|le|shop|ping [...ʃɔpɪŋ], das; -s ⟨griech.-engl.⟩ (Einkaufen per Bestellung von im Fernsehen od. durch andere elektronische Medien angebotenen Waren)

Te|le|s|kop, das; -s, -e ⟨griech.⟩ (Fernrohr)

Te|le|s|kop|an|ten|ne; Te|le|s|kop|au|ge

te|le|s|ko|pisch (das Teleskop betreffend; [nur] durch das Teleskop sichtbar)

Te|le|s|kop|mast, der (ein ausziehbarer Mast)

Te|le|spiel (elektronisches Spiel, das auf dem Fernsehbildschirm abläuft)

Te|le|sta|ti|on (Säule mit einem öffentlichen Fernsprecher)

Te|le|tub|bies® [...tabi:s] *Plur.* ⟨engl.⟩ (Figuren einer Fernsehserie für kleine Kinder)

Te|le|vi|si|on, die; - ⟨engl.⟩ (Fernsehen; *Abk.* TV)

Te|lex, das, *schweiz.* der; -, -e ⟨*Kurzw. aus engl.* teleprinter exchange⟩ (Fernschreiben, Fernschreiber; *nur Sing.:* Fernschreibnetz); te|le|xen; du telext

Tell (Schweizer Volksheld)

Tel|ler, der; -s, -

Tel|ler|ei|sen; Tel|ler|ei|sen (Fanggerät für Raubwild)

tel|ler|fer|tig; Tel|ler|fleisch (eine Speise); tel|ler|för|mig

Tel|ler|ge|richt (ein einfaches Gericht); Tel|ler|mi|ne *(Milit.);* Tel|ler|müt|ze

tel|lern (in Rückenlage mit Handbewegungen schwimmen); ich tellere

Tel|ler|rand; Tel|ler|tuch *Plur.* ...tücher; Tel|ler|wä|scher; Tel|ler|wä|sche|rin

Tells|ka|pel|le, die; -

Tel|lur, das; -s ⟨lat.⟩ (chemisches Element, Halbmetall; *Zeichen* Te); tel|lu|rig *(Chemie);* tellurige Säure

tel|lu|risch *(Geol.* auf die Erde bezüglich, von ihr herrührend)

Tel|lu|rit, das; -s, -e (Salz der tellurigen Säure)

Tel|lu|ri|um, das; -s, ...ien *(Astron.* Gerät zur Veranschaulichung der Bewegung der Erde um die Sonne)

Te|lo|pha|se, die; -, -n ⟨griech.⟩ *(Biol.* Endstadium der Kernteilung)

¹Tel|tow [...to] (Stadt bei Berlin)

²Tel|tow, der; -s (Gebiet südl. von Berlin); Tel|to|wer; Teltower Rübchen; Tel|tow|ka|nal, der; -s ↑K 143

Tem|pel, der; -s, - ⟨lat.⟩; Tem|pel|bau *Plur.* ...bauten; Tem|pel|die|ner; Tem|pel|die|ne|rin

Tem|pel|ge|sell|schaft, die; - (christl. Gemeinschaft, deren Ziel der Aufbau eines eschatologischen Gottesreiches u. die Überwindung des biblischen Babylon ist)

Tem|pel|herr (Templer); Tem|pel|or|den, der; -s (Templerorden)

Tem|pel|pro|s|ti|tu|ti|on

Tem|pel|rit|ter; Tem|pel|schatz

Tem|pe|ra|far|be ⟨ital.⟩ (eine Deckfarbe); Tem|pe|ra|ma|le|rei

Tem|pe|ra|ment, das; -[e]s, -e ⟨lat.⟩ (Wesens-, Gemütsart; *nur Sing.:* lebhafte Wesensart, Feuer)

tem|pe|ra|ment|los; Tem|pe|ra|ment|lo|sig|keit, die; -

Tem|pe|ra|ments|aus|bruch; Tem|pe|ra|ment[s]|bol|zen *(ugs.)*

tem|pe|ra|ment|voll

Tem|pe|ra|tur, die; -, -en ⟨lat.⟩ (Wärme[grad, -zustand]; [leichtes] Fieber); tem|pe|ra|tur|ab|hän|gig; Tem|pe|ra|tur|an|stieg; Tem|pe|ra|tur|aus|gleich; tem|pe|ra|tur|be|stän|dig; Tem|pe|ra|tur|reg|ler; Tem|pe|ra|tur|rück|gang; Tem|pe|ra|tur|schwan|kung; Tem|pe|ra|tur|sturz; Tem|pe|ra|tur|un|ter|schied

Tem|pe|renz, die; - *(selten für* Mäßigkeit, bes. im Alkoholgenuss);* Tem|pe|renz|ler; Tem|pe|renz|le|rin; Tem|pe|renz|ver|ein

(Verein der Gegner des Alkoholmissbrauchs)

Tem|per|guss, der; -es ⟨engl.-dt.⟩ (schmiedbares Gusseisen)

tem|pe|rie|ren; tem|pe|rie|ren ⟨lat.⟩ (die Temperatur regeln); Tem|pe|rie|rung

Tem|per|koh|le, die; - ⟨engl.-dt.⟩

tem|pern ⟨engl.⟩ *(Hüttenw.* Eisenguss durch Glühverfahren schmiedbar machen); ich tempere

Tem|pest|boot ⟨engl.-dt.⟩ (ein Sportsegelboot)

tem|pes|to|so ⟨ital.⟩ *(Musik* heftig, stürmisch)

Tem|pi pas|sa|ti *Plur.* ⟨ital.⟩ (vergangene Zeiten)

Temp|lei|se, der; -n, -n *meist Plur.* ⟨franz.⟩ (Gralsritter)

Temp|ler (Angehöriger des Templerordens; Mitglied des Tempelgesellschaft); Temp|ler|or|den, der; -s (ein geistl. Ritterorden des Mittelalters)

Tem|po, das; -s, *Plur.* -s u. ...pi ⟨ital.⟩; Tem|po|li|mit (allgemeine Geschwindigkeitsbegrenzung)

Tem|po|mat, der; -en, -en (automatische Geschwindigkeitsregelung bei Fahrzeugen)

Tem|po|ra *(Plur. von* Tempus)

tem|po|ral ⟨lat.⟩ *(Sprachw.* zeitlich; *Med.* zu den Schläfen gehörend)

Tem|po|ra|li|en *Plur.* (mit der Verwaltung eines kirchlichen Amtes verbundene weltliche Rechte und Einkünfte der Geistlichen im MA.)

Tem|po|ral|satz *(Sprachw.* Umstandssatz der Zeit)

tem|po|rär ⟨franz.⟩ (zeitweilig, vorübergehend)

Tem|po|sün|der; Tem|po|sün|de|rin; Tem|po|ver|lust

Tem|po-30-Zo|ne

Tem|pus, das; -, ...pora ⟨lat.⟩ *(Sprachw.* Zeitform [des Verbs])

ten. = tenuto

Te|na|kel, das; -s, - ⟨lat.⟩ *(Druckw.* Gerät zum Halten des Manuskriptes beim Setzen, Blatthalter)

Te|na|zi|tät, die; - *(Chemie, Physik* Zähigkeit; Ziehbarkeit)

Ten|denz, die; -, -en ⟨lat.⟩ (Streben nach einem bestimmten Ziel; Neigung, Strömung; Zug, Richtung, Entwicklung[slinie])

Ten|denz|be|trieb; Ten|denz|dich|tung

ten|den|zi|ell (der Tendenz nach, entwicklungsmäßig); ten|den|zi-

ös (etwas bezweckend, beabsichtigend; parteilich gefärbt)
Ten|denz|stück; Ten|denz|wen|de
Ten|der, der; -s, - ⟨engl.⟩ (Vorratswagen der Dampflokomotive [für Kohle u. Wasser]; *Seew.* Begleitschiff, Hilfsfahrzeug)
ten|die|ren ⟨lat.⟩ ([zu etwas] hinneigen); *vgl. aber* tentieren
Te|ne|rif|fa (eine der Kanarischen Inseln)
Te|niers (niederländ. Malergeschlecht)
Tẹnn, das; -s, -e (*schweiz. Nebenform von* Tenne)
Tẹn|ne, die; -, -n; Tẹn|nen|raum
¹Tẹn|nes|see [...ˈsiː, *auch* ˈtɛ...], der; -[s] (linker Nebenfluss des Ohio)
²Tẹn|nes|see (Staat in den USA; *Abk.* TN)
Tẹn|nis, das; - ⟨engl.⟩ (ein Ballspiel); Tennis spielen ↑K 54
Tẹn|nis|arm (Tennisellbogen)
Tẹn|nis|ball *vgl.* ¹Ball; Tẹn|nis|club *vgl.* Tennisklub; Tẹn|nis|court
Tẹn|nis|ell|bo|gen (*Med.* Entzündung am Ellbogengelenk)
Tẹn|nis|klub, Tẹn|nis|club; Tẹn|nis|leh|rer; Tẹn|nis|leh|re|rin; Tẹn|nis|match; Tẹn|nis|part|ner; Tẹn|nis|part|ne|rin; Tẹn|nis|platz; Tẹn|nis|pro|fi; Tẹn|nis|schlä|ger; Tẹn|nis|schuh
Tẹn|nis|spiel; Tẹn|nis|spie|ler; Tẹn|nis|spie|le|rin
Tẹn|nis|star *vgl.* ²Star; Tẹn|nis|tur|nier; Tẹn|nis|wand; Tẹn|nis|zir|kus (*ugs. für* Tenniswettkämpfe mit den dazugehörigen Veranstaltungen)
Tẹn|no, der; -s, -s ⟨jap.⟩ (jap. Kaisertitel); *vgl.* ¹Mikado
Tẹn|ny|son [...nisn̩] (engl. Dichter)
¹Te|nor, der; -s ⟨lat.⟩ (Haltung; Inhalt, Sinn, Wortlaut)
²Te|nor, der; -s, ...nöre ⟨ital.⟩ (hohe Männerstimme; Tenorsänger)
Te|nor|buf|fo; Te|nor|horn *Plur.* ...hörner; Te|no|rist, der; -en, -en (Tenorsänger); Te|nor|schlüs|sel
Ten|sid, das; -[e]s, -e *meist Plur.* ⟨lat.⟩ (aktiver Stoff in Waschmitteln u. Ä.)
Ten|si|on, die; -, -en (*Physik* Spannung der Gase und Dämpfe; Druck)
Ten|ta|kel, der *od.* das; -s, - *meist Plur.* ⟨lat.⟩ (Fanghaar Fleisch fressender Pflanzen; Fangarm)
Ten|ta|ku|lit, der; -en, -en (eine fossile Flügelschnecke)
Ten|ta|men, das; -s, ...mina (Vorprüfung [z. B. beim Medizinstudium]; *Med.* Versuch); ten|tie|ren (*veraltet, aber noch landsch. für* prüfen; versuchen, unternehmen; *österr. ugs. für* beabsichtigen); *vgl. aber* tendieren
Te|nü, Te|nue [ˈtəny:], das; -s, -s ⟨franz.⟩ (*schweiz. für* vorgeschriebene Art, sich zu kleiden; Anzug)
Te|nu|is, die; -, ...ues ⟨lat.⟩ (*Sprachw.* stimmloser Verschlusslaut, z. B. p)
te|nu|to ⟨ital.⟩ (*Musik* ausgehalten; *Abk.* ten.); ben tenuto (gut gehalten)
Teo *vgl.* Theo; Teo|bald *vgl.* Theobald; Teo|de|rich *vgl.* Theoderich
Te|pi|da|ri|um, das; -s, ...ien ⟨lat.⟩ (temperierter Aufenthaltsraum im römischen Bad)
Tep|li|ce (Kurort in Böhmen); Tep|litz (*dt. Form von* Teplice)
Tẹpp *vgl.* Depp; tẹp|pert *vgl.* deppert
Tẹp|pich, der; -s, -e
Tẹp|pich|bo|den; Tẹp|pich|bürs|te; Tẹp|pich|flie|se; Tẹp|pich|ge|schäft; Tẹp|pich|händ|ler; Tẹp|pich|händ|le|rin; Tẹp|pich|kehr|ma|schi|ne
Tẹp|pich|klop|fer; Tẹp|pich|stan|ge; Tẹp|pich|we|ber; Tẹp|pich|we|be|rin
Te|qui|la [...ˈki:...], der; -[s] ⟨span.⟩ (ein mexik. Branntwein)
Tẹr (span. Fluss)
Te|ra... ⟨griech.⟩ (das Billionenfache einer Einheit, z. B. Terameter = 10¹² Meter; *Zeichen* T);
Te|ra|byte (*EDV*)
te|ra|to|gen ⟨griech.⟩ (*Med.* Fehlbildungen bewirkend [bes. von Medikamenten]); Te|ra|to|lo|ge, der; -n, -n; Te|ra|to|lo|gie, die; - ⟨griech.⟩ (Lehre von den Fehlbildungen der Lebewesen); Te|ra|to|lo|gin; te|ra|to|lo|gisch
Ter|bi|um, das; -s ⟨nach dem schwedischen Ort Ytterby⟩ (chemisches Element, Metall; *Zeichen* Tb)
Te|re|bin|the, die; -, -n ⟨griech.⟩ (Terpentinbaum)
Te|renz (altröm. Lustspieldichter)
Tẹrm, der; -s, -e ⟨lat.⟩ (*Math.* Glied einer Formel, bes. einer Summe; *Physik* ein Zahlenwert von Frequenzen od. Wellenzahlen eines Atoms, Ions od. Moleküls; *Sprachw. svw.* Terminus)
Tẹr|me, der; -n, -n (*veraltet für* Grenzstein); *vgl. aber* Therme

Ter|min, der; -s, -e (festgesetzter Tag, Zeitpunkt)
ter|mi|nal (*veraltet für* die Grenze, das Ende betreffend; *Math.* am Ende stehend)
Ter|mi|nal [ˈtœ:ɐ̯mɪnl̩], der, *auch*, *EDV nur*, das; -s, -s ⟨engl.⟩ (Abfertigungshalle für Fluggäste; Zielbahnhof für Containerzüge; *EDV* Datenstation, Abfragestation)
Ter|min|druck, der; -[e]s; Ter|min|ein|la|ge
ter|min|ge|mäß; ter|min|ge|recht
Ter|min|ge|schäft (*Kaufmannspr.* Lieferungsgeschäft)
Ter|mi|ni (*Plur. von* Terminus)
ter|mi|nie|ren ⟨lat.⟩ (befristen; zeitlich festlegen); Ter|mi|nie|rung; Ter|min|ka|len|der; ter|min|lich; Ter|min|not, die; -
Ter|mi|no|lo|ge, der; -n, -n ⟨lat.; griech.⟩; Ter|mi|no|lo|gie, die; -, ...ien (Gesamtheit, Systematik eines Fachwortschatzes); Ter|mi|no|lo|gin; ter|mi|no|lo|gisch
Ter|min|stress; Ter|min|treue
Ter|mi|nus, der; -, ...ni ⟨lat.⟩ (Fachwort, -ausdruck); Ter|mi|nus tech|ni|cus, der; - -, ...ni ...ci (Fachwort, -ausdruck)
Ter|min|ver|ein|ba|rung
Ter|mi|te, die; -, -n ⟨lat.⟩ (ein Insekt); Ter|mi|ten|hü|gel; Ter|mi|ten|staat *Plur.* ...staaten
ter|när ⟨lat.⟩ (*Chemie* dreifach; Dreistoff...)
Ter|ne, die; -, -n ⟨ital.⟩ (Reihe von drei gesetzten od. gewonnenen Nummern in der alten Zahlenlotterie); Ter|no, der; -s, -s (*österr. svw.* Terne)
Ter|pen, das; -s, -e ⟨griech.⟩ (Bestandteil ätherischer Öle); ter|pen|frei
Ter|pen|tin, das, *österr. meist* der; -s, -e (ein Harz); Ter|pen|tin|öl
Terp|si|cho|re [...re] (Muse des Tanzes und der Chorgesänge)
Tẹr|ra di Sie|na, die; - - - ⟨ital.⟩ (Sienaerde, eine braune Farbe)
Ter|rain [...ˈrɛ̃:], das; -s, -s ⟨franz.⟩ (Gebiet; [Bau]gelände, Grundstück); Ter|rain|be|schrei|bung
Ter|ra in|co|gni|ta, die; - - ⟨lat., »unbekanntes Land«⟩ (unerforschtes Gebiet)
Ter|ra|kot|ta, die; -, ...tten ⟨ital.⟩ (*nur Sing.:* gebrannter Ton; Gefäß od. Bildwerk daraus)
Ter|ra|ri|a|ner ⟨lat.⟩ (Terrarienliebhaber); Ter|ra|ri|en|kun|de, die; -; Ter|ra|ris|tik, die; - (Terrarien-

T

Terr

kunde); **Ter|ra|ri|um**, das; -s, ...ien (Behälter für die Haltung kleiner Lurche u. Ä.)

Ter|ras|se, die; -, -n ⟨franz.⟩; **ter|ras|sen|ar|tig**; **Ter|ras|sen|dach**; **ter|ras|sen|för|mig**; **Ter|ras|sen|gar|ten**; **Ter|ras|sen|haus**

ter|ras|sie|ren (terrassenförmig anlegen); **Ter|ras|sie|rung**

Ter|raz|zo, der; -[s], ...zzi ⟨ital.⟩ (mosaikartiger Fußbodenbelag); **Ter|raz|zo|fuß|bo|den**

ter|res|t|risch ⟨lat.⟩ (die Erde betreffend; Erd...; *Ferns.* nicht über Kabel od. Satellit)

ter|ri|bel ⟨lat.⟩ (*veraltet für* schrecklich); ...i|b|le Zustände

Ter|ri|er, der; -s, - ⟨engl.⟩ (kleiner bis mittelgroßer engl. Jagdhund)

ter|ri|gen ⟨lat.; griech.⟩ (*Biol.* vom Festland stammend)

Ter|ri|ne, die; -, -n ⟨franz.⟩ ([Suppen]schüssel)

ter|ri|to|ri|al ⟨lat.⟩ (zu einem Gebiet gehörend, ein Gebiet betreffend); **Ter|ri|to|ri|al|ge|walt**, die; -; **Ter|ri|to|ri|al|ge|wäs|ser**; **Ter|ri|to|ri|al|heer** (*Milit.*); **Ter|ri|to|ri|al|ho|heit**, die; -

Ter|ri|to|ri|a|li|tät, die; - (Zugehörigkeit zu einem Staatsgebiet); **Ter|ri|to|ri|a|li|täts|prin|zip**

Ter|ri|to|ri|al|kom|man|do (*Milit.*); **Ter|ri|to|ri|al|staat** *Plur.* ...staaten; **Ter|ri|to|ri|al|ver|tei|di|gung** (*Milit.*)

Ter|ri|to|ri|um, das; -s, ...ien [...jən] (Grund; Bezirk; [Staats-, Hoheits]gebiet)

Ter|roir [tɛˈroaːɐ], das; -s, -s ⟨franz.⟩ (den Charakter eines Weins bestimmende natürliche Umgebung)

Ter|ror, der; -s ⟨lat.⟩ (Gewaltherrschaft; Gewaltaktionen)

Ter|ror|akt; **Ter|ror|an|griff**; **Ter|ror|an|schlag**; **Ter|ror|at|ta|cke**; **Ter|ror|be|kämp|fung**; **Ter|ror|grup|pe**; **Ter|ror|herr|schaft**

ter|ro|ri|sie|ren ⟨franz.⟩ (Terror ausüben; unter Druck setzen); **Ter|ro|ri|sie|rung**

Ter|ro|ris|mus, der; - (Ausübung von [polit. motivierten] Gewaltakten); **Ter|ro|rist**, der; -en, -en; **Ter|ro|ris|tin**; **ter|ro|ris|tisch**

Ter|ror|jus|tiz; **Ter|ror|kom|man|do**; **Ter|ror|me|tho|de**; **Ter|ror|netz|werk**; **Ter|ror|or|ga|ni|sa|ti|on**; **Ter|ror|trup|pe**

ter|ror|ver|däch|tig

Ter|ror|wel|le; **Ter|ror|zel|le**

¹**Ter|tia**, die; -, ...ien ⟨lat., »dritte«⟩

(*veraltende Bez.* [Unter- u. Obertertia] *für die* 4. u. 5. Klasse eines Gymnasiums)

²**Ter|tia**, die; - (*Druckw.* ein Schriftgrad)

Ter|ti|al, das; -s, -e (*veraltet für* Jahresdrittel)

Ter|ti|a|na|fie|ber (*Med.* Dreitagewechselfieber)

Ter|ti|a|ner (Schüler der ¹Tertia); **Ter|ti|a|ne|rin**

ter|ti|är ⟨franz.⟩ (an dritter Stelle; das Tertiär betreffend)

Ter|ti|är, das; -s (*Geol.* der ältere Teil der Erdneuzeit); **Ter|ti|är|for|ma|ti|on**, die; -

Ter|ti|a|ri|er *vgl.* Terziar

Ter|ti|um Com|pa|ra|ti|o|nis, das; - -, ...ia - ⟨lat.⟩ (Vergleichspunkt)

Ter|tul|li|an (röm. Kirchenschriftsteller)

Terz, die; -, -en ⟨lat.⟩ (ein Fechthieb; *Musik* dritter Ton der diaton. Tonleiter; Intervall im Abstand von 3 Stufen); Terz machen (*ugs. für* sich lautstark beschweren, Krawall machen)

Ter|zel, der; -s, - (*Jägerspr.* männl. Falke)

Ter|ze|rol, das; -s, -e ⟨ital.⟩ (kleine Pistole)

Ter|zett, das; -[e]s, -e (dreistimmiges Gesangstück; *auch für* Gruppe von drei Personen; dreizeilige Strophe des Sonetts)

Ter|zi|ar, der; -s, -en, **Ter|ti|a|ri|er** ⟨lat.⟩ (Angehöriger eines Dritten Ordens)

Ter|zi|ne, die; -, -n ⟨ital.⟩ (Strophe von drei Versen)

Te|sa|film® (ein Klebeband)

Te|sching, das; -s, *Plur.* -e *u.* -s (eine kleine Handfeuerwaffe)

Tes|la, das; -, - ⟨nach dem amerik. Physiker⟩ (Einheit der magnetischen Induktion; *Zeichen* T); **Tes|la|strom**, **Tes|la-Strom**, der; -[e]s (*Elektrot.* Hochfrequenzstrom sehr hoher Spannung)

¹**Tes|sin**, der; -s (schweiz.-ital. Fluss)

²**Tes|sin**, das; -s (schweiz. Kanton); **Tes|si|ner**; **tes|si|nisch**

Test, der; -[e]s, *Plur.* -s, *auch* -e ⟨engl.⟩ (Probe; Prüfung)

Tes|ta|ment, das; -[e]s, -e ⟨lat.⟩ (letztwillige Verfügung; Bund Gottes mit den Menschen); ↑K 150: Altes Testament (*Abk.* A. T.); Neues Testament (*Abk.* N. T.); **tes|ta|men|ta|risch** (durch letztwillige Verfügung)

Tes|ta|ments|er|öff|nung

Tes|ta|ments|voll|stre|cker; **Tes|ta|ments|voll|stre|cke|rin**

Tes|tat, das; -[e]s, -e (Zeugnis, Bescheinigung)

Tes|ta|tor, der; -s, ...oren (Person, die ein Testament errichtet; Erblasser); **Tes|ta|to|rin**

Tes|ta|zee, die; -, -n *meist Plur.* ⟨lat.⟩ (*Biol.* Schalen tragende Amöbe)

Test|bild (*Fernsehen*); **Test|bo|gen**

tes|ten ⟨*zu* Test⟩

Tes|ter (jmd., der testet)

Tes|ter|geb|nis

Tes|te|rin

Test|fah|rer; **Test|fah|re|rin**; **Test|fahrt**

Test|fall, der; **Test|feld**; **Test|flug**; **Test|fra|ge**; **Test|ge|län|de**

tes|tie|ren ⟨lat.⟩ (ein Testat geben, bescheinigen; *Rechtsw.* ein Testament errichten); **Tes|tie|rer** (*svw.* Testator); **Tes|tie|re|rin**; **Tes|tie|rung**

Tes|ti|kel, der; -s, - ⟨lat.⟩ (*Med.* Hoden)

Tes|ti|mo|ni|um, das; -s, *Plur.* ...ien *u.* ...ia ⟨lat.⟩ (*Rechtsw.* Zeugnis); **Tes|ti|mo|ni|um Pau|per|ta|tis**, das; - -, ...ia - ⟨*Rechtsw.* amtliche Bescheinigung der Mittellosigkeit für Prozessführende; *geh. für* Armutszeugnis⟩

Test|kan|di|dat; **Test|kan|di|da|tin**; **Test|lauf**; **Test|me|tho|de**; **Test|ob|jekt**

Tes|to|s|te|ron, das; -s ⟨lat.⟩ (*Med.* männl. Keimdrüsenhormon); **Tes|to|s|te|ron|spie|gel**

Test|per|son; **Test|pha|se**; **Test|pi|lot**; **Test|pi|lo|tin**; **Test|rei|he**; **Test|sa|tel|lit**; **Test|se|rie**; **Test|sie|ger**; **Test|sie|ge|rin**; **Test|spiel**; **Test|stopp** (*kurz für* Atomteststopp); **Test|stre|cke**

Tes|tu|do, die; -, ...dines ⟨lat., »Schildkröte«⟩ (im Altertum Schutzdach [bei Belagerungen]; *Med.* Schildkrötenverband)

Tes|tung; **Test|ver|fah|ren**

Te|ta|nie, die; -, ...ien ⟨griech.⟩ (schmerzhafter Muskelkrampf); **te|ta|nisch**

Te|ta|nus [*auch* ˈteː...], der; - (*Med.* Wundstarrkrampf); **Te|ta|nus|imp|fung**; **Te|ta|nus|se|rum**

Te|te [ˈtɛː...], die; -, -n ⟨franz., »Kopf«⟩ (*veraltet für* Anfang, Spitze [eines Truppenkörpers])

tête-à-tête [tɛtaˈtɛːt] ⟨franz., »Kopf an Kopf«⟩ (*veraltet für* vertraulich, unter vier Augen); Tete-a-Tete, **Tête-à-Tête**, das; -, -s (zärtliches Beisammensein)

¹**Te|thys** (in der altgriech. Mythol.

Gattin des Okeanos u. Mutter der Gewässer); *vgl. aber* Thetis

²Te|thys, die; - (urzeitliches Meer)

Te|t|ra, der; -s *(Kurzw. für* Tetrachlorkohlenstoff); **Te|t|ra|chlor|koh|len|stoff** ⟨griech.; dt.⟩ (ein Lösungsmittel)

Te|t|ra|chord [...k...], der *od.* das; -[e]s, -e (Folge von vier Tönen einer Tonleiter)

Te|t|ra|eder, das; -s, - (Vierflächner, dreiseitige Pyramide)

Te|t|ra|gon, das; -s, -e (Viereck); **te|t|ra|go|nal**

Te|t|ra|lin ®, das; -s (ein Lösungsmittel)

Te|t|ra|lo|gie, die; -, ...ien ⟨griech.⟩ (Folge von vier eine Einheit bildenden Dichtwerken, Kompositionen u. a.)

Te|t|ra|me|ter, der; -s, - (aus vier Einheiten bestehender Vers)

Te|t|ra|pak, der, -s, -s (ein [Getränke]karton [als ®: Tetra Pak])

Te|t|ra|po|die, die; - (Vierfüßigkeit [der Verse])

Te|t|r|arch, der; -en, -en ⟨»Vierfürst«⟩ (im Altertum Herrscher über den vierten Teil eines Landes); **Te|t|rar|chie,** die; -, ...ien (Vierfürstentum)

Te|t|ro|de, die; -, -n (elektron. Bauelement; Vierpolröhre)

Tetz|zel (Ablassprediger zur Zeit Luthers)

Teu|chel, der; -s, - *(südd. u. schweiz. für* hölzerne Wasserleitungsröhre)

teu|er; teu|rer, teu|ers|te; ein teures Kleid; das kommt mir *od.* mich teuer zu stehen

Teu|e|rung; Teu|e|rungs|aus|gleich; Teu|e|rungs|ra|te; Teu|e|rungs|wel|le; Teu|e|rungs|zu|la|ge

Teu|fe, die; -, -n *(Bergmannsspr.* Tiefe)

Teu|fel, der; -s, -; zum Teufel jagen *(ugs.);* zum Teufel! *(ugs.);* auf Teufel komm raus *(ugs.* ohne Vorsicht, bedenkenlos); **Teu|fe|lei; Teu|fe|lin**

Teu|fels|aus|trei|ber *(für* Exorzist); **Teu|fels|aus|trei|bung** *(für* Exorzismus)

Teu|fels|bra|ten *(ugs. für* boshafter Mensch; tollkühner Bursche); **Teu|fels|brut,** die; - *(ugs.)*

Teu|fels|kerl *(ugs.);* **Teu|fels|kreis; Teu|fels|kunst; Teu|fels|weib** *(ugs.);* **Teu|fels|werk; Teu|fels|zeug,** das; -s *(ugs.)*

teu|fen *(Bergmannsspr.* einen Schacht herstellen)

teuf|lisch; ein teuflischer Plan

Teu|fung *(Bergmannsspr.)*

Teu|ro, der; -[s], -s ⟨zusammengezogen aus »teuer« u. »Euro«⟩ *(ugs. für* Euro [im Hinblick auf die mit seiner Einführung verbundene empfundene Preiserhöhung])

Teu|to|bur|ger Wald, der; - -[e]s (Höhenzug des Weserberglandes)

Teu|to|ne, der; -n, -n (Angehöriger eines germ. Volksstammes); **Teu|to|nen|grill** *(ugs. scherzh. für* Strand in einem südlichen Urlaubsland, an dem sich massenhaft deutsche Touristen sonnen); **Teu|to|nia** *(lat. Bezeichnung für* Deutschland); **teu|to|nisch** *(auch abwertend für* deutsch)

tex = Tex; **Tex,** das; -, - ⟨lat.⟩ (internationales Maß für die längenbezogene Masse textiler Fasern u. Garne; *Zeichen* tex)

Te|xa|ner; Te|xa|ne|rin; te|xa|nisch; Te|xas (Staat in den USA; *Abk.* TX)

Te|xas|fie|ber, Te|xas-Fie|ber, das; -s (Rindermalaria)

Te|xas Ran|gers [- 'reːndʒɐs] *vgl.* Ranger

Tex|mex, das; - *meist ohne Artikel* ⟨engl.⟩ (Popmusik mit texanischen u. mexikanischen Stilelementen; für das texanisch-mexikanische Grenzgebiet charakteristisches Essen)

¹Text, der; -[e]s, -e ⟨lat.⟩ (Wortlaut, Beschriftung; [Buch]stelle)

²Text, die; - *(Druckw.* ein Schriftgrad)

Text|ab|druck *Plur.* ...drucke; **Text|au|to|mat; Text|bau|stein; Text|buch**

Text|dich|ter; Text|dich|te|rin

tex|ten (einen [Schlager-, Werbe]text gestalten); **Tex|ter**

Text|er|fas|ser (jmd., der [berufsmäßig] Texte in eine EDV-Anlage eingibt); **Text|er|fas|se|rin; Text|er|fas|sung**

Tex|te|rin; text|ge|mäß

Text|ge|stal|ter; Text|ge|stal|te|rin; Text|ge|stal|tung

tex|til (die Textiltechnik, die Textilindustrie betreffend; Gewebe...); **Tex|til|ar|bei|ter; Tex|til|ar|bei|te|rin; Tex|til|be|trieb**

Tex|til|fa|b|rik; Tex|til|fa|b|ri|kant; Tex|til|fa|b|ri|kan|tin

tex|til|frei *(scherzh. für* nackt); **Tex|til|ge|wer|be; Tex|til|groß|han-**

del ↑K 31 : Textilgroß- u. -einzelhandel

Tex|ti|li|en *Plur.* (Gewebe, Faserstofferzeugnisse [außer Papier]); **Tex|til|in|dus|t|rie; Tex|til|ta|pe|te; Tex|til|tech|ni|ker; Tex|til|tech|ni|ke|rin**

Tex|til|ver|ed|ler; Tex|til|ver|ed|le|rin; Tex|til|wa|ren *Plur.*

Text|kri|tik

text|las|tig

text|lich

Text|lin|gu|is|tik; Text|pas|sa|ge

Text|sor|te *(Sprachw.);* **Text|stel|le**

Tex|tur, die; -, -en *(Chemie, Technik* Gewebe, Verbindung); **tex|tu|rie|ren** *(Textilw.* ein Höchstmaß an textilen Eigenschaften verleihen)

Text|ver|ar|bei|tung *(EDV);* **Text|ver|ar|bei|tungs|ge|rät; Text|ver|ar|bei|tungs|pro|gramm; Text|ver|ar|bei|tungs|sys|tem**

Text|ver|gleich; Text|wort *Plur.* ...worte

Te|zett [*auch* ...'tsɛt], das (Buchstabenverbindung »tz«); bis ins, bis zum Tezett *(ugs. für* vollständig)

T-för|mig ['teː...] (in Form eines lat. T) ↑K 29

TFT, der; -[s], -[s] ⟨engl.⟩ = thin film transistor (Flachbildschirm); **TFT-Mo|ni|tor**

Tgb.-Nr. = Tagebuchnummer

TGL, die; - = Technische Normen, Gütevorschriften und Lieferbedingungen *(DDR* Zeichen für techn. Standards, z. B. TGL 11801)

TGV [teʒeˈveː], der; -, - = train à grande vitesse (franz. Hochgeschwindigkeitszug)

Th = *chem. Zeichen für* Thorium

TH, die; -, -s = technische Hochschule; *vgl.* technisch

Tha|cke|ray [ˈθɛkəri] (engl. Schriftsteller)

Thad|dädl, der; -s, -[n] *(österr. ugs. für* willensschwacher, einfältiger Mensch)

Thad|dä|us, *ökum.* Tad|dä|us (Apostel)

¹Thai, der; -, -[s], -[s] (Bewohner Thailands; Angehöriger einer Völkergruppe in Südostasien)

²Thai, das; - (Sprache der Thai)

Thai|bo|xen, das; -s (asiat. Sportart)

Thai|land (Staat in Hinterindien)

Thai|län|der; Thai|län|de|rin; thai|län|disch

Tha|is (altgriech. Hetäre)

Tha|la|mus, der; -, ...mi ⟨griech.⟩ (Med. Hauptteil des Zwischenhirns)

thal|las|so|gen ⟨griech.⟩ (Geogr. durch das Meer entstanden); Thal|las|so|me|ter, das; -s, - (Meerestiefenmesser; Messgerät für Ebbe und Flut); Thal|las|so|the|ra|pie (Med.)

Tha|llat|ta, Tha|llat|ta! ⟨›»das Meer, das Meer!«⟩ (Freudenruf der Griechen nach der Schlacht von Kunaxa, als sie das Schwarze Meer erblickten)

Tha|lle (Harz) (Stadt an der Bode); Thal|len|ser

Tha|lles (altgriech. Philosoph)

Tha|lia (Muse der heiteren Dichtkunst u. des Lustspieles; eine der drei Chariten)

Thal|li|um, das; -s ⟨griech.⟩ (chemisches Element, Metall; Zeichen Tl)

Thal|lus, der; -, ...lli (Bot. Pflanzenkörper ohne Wurzel, Stängel u. Blätter)

Thäl|mann, Ernst (dt. kommunist. Politiker)

Tha|na|to|lo|gie, die; - ⟨griech.⟩ (Med., Psych. Sterbekunde)

Thanks|gi|ving Day [ˈθɛŋksgɪvɪŋ ˈdeː], der; - -, - -s (Erntedanktag in den USA [4. Donnerstag im November])

Tha|randt (Stadt südwestl. von Dresden); Tha|rand|ter

That|cher [ˈθætʃɐ], Margaret [ˈmaːɡɡərɪt] (engl. Politikerin); That|che|ris|mus, der; - ⟨nach der engl. Politikerin⟩ (von ihr geprägte Form der Sozial-, Finanz- u. Wirtschaftspolitik)

Tha|ya, die; - (niederösterr. Fluss)

Thea (w. Vorn.)

The|a|ter, das; -s, - ⟨griech.⟩ (ugs. auch für Aufregung; Vortäuschung)

The|a|ter|abon|ne|ment

The|a|ter|abon|nent; The|a|ter|abon|nen|tin

The|a|ter|auf|füh|rung; The|a|ter|bau Plur. ...bauten; The|a|ter|be|such; The|a|ter|don|ner (spött.); The|a|ter|ge|schich|te; The|a|ter|grup|pe

The|a|ter|kar|te; The|a|ter|kas|se

The|a|ter|kri|ti|ker; The|a|ter|kri|ti|ke|rin

The|a|ter|pro|be; The|a|ter|pro|gramm; The|a|ter|pu|b|li|kum; The|a|ter|raum

The|a|ter|re|gis|seur; The|a|ter|re|gis|seu|rin

The|a|ter|ring (Besucherorganisation); The|a|ter|saal; The|a|ter|star vgl. [2]Star

The|a|ter|stück; The|a|ter|vor|stel|lung; The|a|ter|wis|sen|schaft

The|a|ti|ner, der; -s, - (Angehöriger eines ital. Ordens)

The|a|t|ra|lik, die; - ⟨griech.⟩ (übertriebenes schauspielerisches Wesen); the|a|t|ra|lisch (bühnenmäßig; gespreizt, pathetisch)

The|ba|is (altgriech. Bez. für das Gebiet um die ägypt. Stadt Theben)

The|ba|ner (Bewohner der griech. Stadt Theben); The|ba|ne|rin; the|ba|nisch; The|ben (Stadt im griech. Böotien; im Altertum auch Stadt in Oberägypten)

Thé dan|sant [- dãˈsãː], der; - -, -s -s [- ...ˈsãː] ⟨franz., »Tanztee«⟩ (kleiner [Haus]ball)

The|in vgl. Tein

The|is|mus, der; - ⟨griech.⟩ (Lehre von einem persönlichen, außerweltlichen Gott)

Theiß, die; - (linker Nebenfluss der Donau)

The|ist, der; -en, -en ⟨griech.⟩ (Anhänger des Theismus); The|is|tin; the|is|tisch

The|ke, die; -, -n ⟨griech.⟩ (Schanktisch; Ladentisch)

The|kla (w. Vorn.)

The|ma, das; -s, Plur. ...men, auch -ta ⟨griech.⟩ (Aufgabe, Gegenstand; Gesprächsstoff; Leitgedanke [bes. in der Musik])

The|ma|tik, die; -, -en (Themenstellung; Ausführung eines Themas); the|ma|tisch

the|ma|ti|sie|ren (zum Thema machen); The|ma|ti|sie|rung

The|men|be|reich, der; The|men|ka|ta|log; The|men|kom|plex; The|men|kreis; The|men|park; The|men|stel|lung; The|men|wahl; The|men|wech|sel

The|mis (griech. Göttin des Rechtes)

The|mis|to|k|les (athenischer Staatsmann)

Them|se, die; - (Fluss in England)

Theo, Teo (m. Vorn.)

Theo|bald (m. Vorn.)

Theo|bro|min, das; -s ⟨griech.⟩ (Alkaloid der Kakaobohnen)

Theo|de|rich (m. Vorn.)

Theo|di|zee, die; -, ...een ⟨griech.⟩ (Rechtfertigung Gottes hinsichtlich des von ihm in der Welt zugelassenen Übels)

Theo|do|lit, der; -[e]s, -e (ein Winkelmessgerät)

Theo|dor (m. Vorn.); Theo|do|ra, Theo|do|re (w. Vorn.)

the|o|do|si|a|nisch ↑K 135 ; aber der Theodosianische Kodex ↑K 88 ; Theo|do|si|us (röm. Kaiser)

Theo|gno|sie, Theo|gno|sis, die; - ⟨griech.⟩ (Gotteserkenntnis); Theo|go|nie, die; -, ...ien (myth. Lehre von Entstehung und Abstammung der Götter)

Theo|krat, der; -en, -en; Theo|kra|tie, die; -, ...ien (»Gottesherrschaft« (Herrschaftsform, bei der die Staatsgewalt allein religiös legitimiert ist); theo|kra|tisch

Theo|krit (altgriech. Idyllendichter)

Theo|lo|ge, der; -n, -n ⟨griech., »Gottesgelehrter«⟩ (jmd., der Theologie studiert hat, auf dem Gebiet der Theologie beruflich tätig ist)

Theo|lo|gie, die; -, ...ien (systematische Auslegung u. Erforschung einer Religion); Theo|lo|gin

theo|lo|gisch; theo|lo|gi|sie|ren (etwas unter theologischem Aspekt erörtern)

Theo|ma|nie, die; -, ...ien (veraltet für religiöser Wahn)

Theo|man|tie, die; -, ...ien (Weissagung durch göttliche Eingebung)

theo|morph, theo|mor|phisch (in göttlicher Gestalt)

Theo|pha|nie, die; -, ...ien (Gotteserscheinung)

Theo|phil, Theo|phi|lus (m. Vorn.)

The|or|be, die; -, -n ⟨ital.⟩ (tief gestimmte Laute des 16. bis 18. Jh.s)

The|o|rem, das; -s, -e ⟨griech.⟩ ([mathemat., philos.] Lehrsatz)

The|o|re|ti|ker (Ggs. Praktiker); The|o|re|ti|ke|rin

the|o|re|tisch; die theoretische Physik; the|o|re|ti|sie|ren (etwas rein theoretisch erwägen)

The|o|rie, die; -, ...ien; the|o|rie|las|tig; The|o|ri|en|streit

Theo|soph, der; -en, -en ⟨griech.⟩; Theo|so|phie, die; -, ...ien (»Gottesweisheit«⟩ (Erlösungslehre, die durch Meditation über Gott den Sinn des Weltgeschehens erkennen will); theo|so|phisch

The|ra|peut, der; -en, -en ⟨griech.⟩ (behandelnder Arzt, Heilkundiger); The|ra|peu|tik, die; - (Lehre von der Behandlung der Krankheiten); The|ra|peu|ti|kum, das; -s, ...ka (Heilmittel); The|ra|peu|tin; the|ra|peu|tisch

The|ra|pie, die; -, ...ien (Heilbehandlung); The|ra|pie|for|schung; The|ra|pie|grup|pe; The|ra|pie|platz

the|ra|pie|ren (einer Therapie unterziehen); the|ra|pie|re|sis|tent

The|re|min, das; -s, -s, *auch* der; -s, -e ⟨nach dem russ. Erfinder⟩ (elektron. Musikinstrument, das ohne Berührung, nur durch Handbewegungen zwischen zwei Antennen gespielt wird)

The|re|se, The|re|sia (w. Vorn.)

the|re|si|a|nisch ↑K89 *u.* 135 ; eine theresianische Skulptur; *aber* die Stiftung Theresianische Akademie (in Wien)

The|re|si|en|stadt (Stadt in der Tschechischen Republik; Konzentrationslager der Nationalsozialisten)

therm... ⟨griech.⟩ (warm...); Therm... (Wärme...)

ther|mal (auf Wärme, auf warme Quellen bezogen)

Ther|mal|bad; Ther|mal|quel|le; Ther|mal|salz; Ther|mal|was|ser *Plur.* ...wässer

Ther|me, die; -, -n (warme Quelle; Thermalbad); Ther|men *Plur.* (warme Bäder im antiken Rom)

Ther|mi|dor, der; -[s], -s ⟨franz., »Hitzemonat«⟩ (11. Monat des Kalenders der Franz. Revolution: 19. Juli bis 17. Aug.)

Ther|mik, die; - ⟨griech.⟩ (*Meteor.* aufwärts gerichtete Warmluftbewegung); Ther|mik|se|gel|flug

ther|misch (die Wärme betreffend, Wärme...)

Ther|mit®, das; -s, -e (große Hitze entwickelndes Gemisch aus pulverisiertem Aluminium u. Metalloxid); Ther|mit|schwei|ßen, das; -s

Ther|mo|che|mie [*auch* ...'mi:] (Untersuchung der Wärmeumsetzung bei chem. Vorgängen); ther|mo|che|misch

Ther|mo|chro|mie [...k...], die; - (*Chemie* Wärmefärbung)

Ther|mo|dy|na|mik [*auch* ...'na:...] (*Physik* Wärmelehre); ther|mo|dy|na|misch [*auch* ...'na:...]

ther|mo|elek|t|risch [*auch* ...'lɛ...]; Ther|mo|elek|t|ri|zi|tät [*auch* ...'tɛ:t] (durch Wärmeunterschied erzeugte Elektrizität)

Ther|mo|ele|ment (ein Temperaturmessgerät)

Ther|mo|graf , Ther|mo|graph, der; -en, -en (Temperaturschreiber); Ther|mo|gra|fie , Ther|mo|gra|phie, die; - (Verfahren zur fotografischen Aufnahme von Objekten mittels ihrer unterschiedlichen Wärmestrahlung); Ther|mo|gramm, das; -s, -e (bei der Thermografie entstehende Aufnahme); Ther|mo|graph usw. *vgl.* Thermograf usw.

Ther|mo|ho|se

Ther|mo|kau|ter, der; -s, - (*Med.* Glühstift für Operationen)

Ther|mo|man|tel

Ther|mo|me|ter, das; -s, - (ein Temperaturmessgerät)

ther|mo|nu|k|le|ar [*auch* 'tɛ...] (*Physik* die bei der Kernreaktion auftretende Wärme betreffend); Ther|mo|nu|k|le|ar|waf|fe

Ther|mo|pane® [...'pe:n], das; - (ein Isolierglas); Ther|mo|pane|fens|ter

Ther|mo|pa|pier (ein Spezialpapier [z. B. für Faxgeräte])

ther|mo|phil (*Biol.* die Wärme liebend)

Ther|mo|plast, der; -[e]s, -e *meist Plur.* (bei höheren Temperaturen formbarer Kunststoff)

Ther|mo|py|len *Plur.* (Engpass im alten Griechenland)

Ther|mos|fla|sche® (Warmhaltegefäß); Ther|mos|kan|ne®; Ther|mos|krug® (*schweiz. für* Thermoskanne)

Ther|mo|sphä|re, die; - (*Meteor.* Schicht der Erdatmosphäre in etwa 80 bis 130 km Höhe)

Ther|mo|s|tat, der; *Gen.* -[e]s *u.* -en, *Plur.* -e[n] *u.* das; *Gen.* -[e]s, *Plur.* -e (automat. Temperaturregler)

The|ro|phyt, der; -en, -en ⟨griech.⟩ (*Bot.* einjährige Pflanze)

Ther|si|tes (schmäh- u. streitsüchtiger Grieche vor Troja)

the|sau|rie|ren ([Geld, Wertsachen, Edelmetalle] horten); The|sau|rie|rung

The|sau|rus, der; -, *Plur.* ...ren *u.* ...ri ⟨»[Wort]schatz«⟩ (Titel wissenschaftlicher Sammelwerke u. umfangreicher Wörterbücher)

The|se, die; -, -n ⟨griech.⟩ (aufgestellter [Leit]satz, Behauptung); *vgl. aber* Thesis

The|sei|on, das; -s (Heiligtum des Theseus in Athen)

the|sen|haft; The|sen|pa|pier

The|seus (griech. Sagenheld)

The|sis, die; -, ...sen ⟨griech.⟩ (*Verslehre* Senkung)

Thes|pis (Begründer der altgriech. Tragödie); Thes|pis|kar|ren ↑K136 (Wanderbühne)

Thes|sa|li|en (Landschaft in Nordgriechenland); Thes|sa|li|er; Thes|sa|li|e|rin; thes|sa|lisch

Thes|sa|lo|ni|cher (Einwohner von Thessaloniki); Thes|sa|lo|ni|che|rin; Thes|sa|lo|ni|ki ⟨*griech. Name für* Saloniki); thes|sa|lo|nisch

The|ta, das; -[s] -s ⟨griech. Buchstabe: Θ, ϑ⟩

The|tis (Meernymphe der griech. Sage, Mutter Achills); *vgl. aber* ¹Tethys

Thi|d|reks|sa|ga, die; - ↑K136 (norw. Sammlung dt. Heldensagen um Dietrich von Bern)

Thig|mo|ta|xis, die; -, ...xen ⟨griech.⟩ (*Biol.* durch Berührungsreiz ausgelöste Orientierungsbewegung)

Thi|lo *vgl.* Tilo

Thim|phu (Hauptstadt Bhutans)

Thing, das; -[e]s, -e ⟨*nord. Form von* Ding⟩ (germ. Volks-, Gerichts- u. Heeresversammlung); *vgl.* ²Ding; Thing|platz; Thing|stät|te

Think|tank , Think-Tank ['θɪŋktɛŋk], der; -s, -s ⟨engl.⟩ (Denkfabrik)

Thi|o|phen, das; -s ⟨griech.⟩ (schwefelhaltige Verbindung)

Thi|xo|tro|pie, die; - ⟨griech.⟩ (*Chemie* Eigenschaft gewisser Gele, sich durch Rühren, Schütteln u. Ä. zu verflüssigen)

Tho|los, die, *auch* der; -, *Plur.* ...loi *u.* ...len ⟨griech.⟩ (altgriech. Rundbau mit Säulenumgang)

¹Tho|ma, Hans (dt. Maler)

²Tho|ma, Ludwig (dt. Schriftsteller)

Tho|ma|ner, der; -s, - (Mitglied des Thomanerchors); Tho|ma|ner|chor, der; -s (an der Thomaskirche in Leipzig)

¹Tho|mas (m. Vorn.)

²Tho|mas, ökum. To|mas (Apostel); ungläubiger Thomas, ungläubige Thomasse

Tho|mas a Kem|pis (mittelalterl. Theologe)

Tho|mas|kan|tor (Leiter des Thomanerchors)

Tho|mas|mehl, das; -[e]s ⟨nach dem brit. Metallurgen S. G. Thomas⟩ (Düngemittel)

Tho|mas von Aquin (mittelalterl. Kirchenlehrer); Tho|mis|mus,

T
Thom

der; - (Lehre des Thomas von Aquin); **Tho|mist**, der; -en, -en; **Tho|mis|tin**; **tho|mis|tisch**

Thon, der; -s, *Plur.* -s *u.* -e ⟨franz.⟩ ⟨*schweiz. für* Thunfisch⟩

Tho|net|stuhl, **Tho|net-Stuhl** ⟨nach dem dt. Industriellen M. Thonet⟩ (aus gebogenem Holz hergestellter Stuhl)

Thor ⟨nord. Mythol. Sohn Odins⟩; *vgl.* Donar

Tho|ra [*auch* ˈtoː...], die; - ⟨hebr., »Lehre«⟩ (die 5 Bücher Mosis, das mosaische Gesetz)

tho|ra|kal ⟨griech.⟩ ⟨*Med.* den Brustkorb betreffend⟩

Tho|ra|rol|le (Rolle mit dem Text der Thora); **Tho|ra|stu|di|um**

Tho|rax, der; -[es], -e ⟨griech.⟩ (Brustkorb; mittleres Segment bei Gliederfüßern)

Tho|ri|um, das; -s ⟨nach dem Gott Thor⟩ (radioaktives chemisches Element, Metall; *Zeichen* Th)

Thorn ⟨poln. Toruń⟩

Thors|ten *vgl.* Torsten

Thor|vald|sen, **Thor|wald|sen** ⟨dän. Bildhauer⟩

Thot[h] ⟨ägypt. Gott⟩

Thra|ker (Bewohner von Thrakien); **Thra|ke|rin**; **Thra|ki|en** (Gebiet auf der Balkanhalbinsel); **thra|kisch**; **Thra|zi|er** usw. *vgl.* Thraker usw.

Thrill [θrɪl], der; -s, -s ⟨engl.⟩ (Nervenkitzel)

Thril|ler, der; -s, - (Film, Roman o. Ä., der Spannung und Nervenkitzel erzeugt)

Thrips, der; -, -e ⟨griech.⟩ ⟨*Zool.* Blasenfüßer⟩

Throm|bo|se, die; -, -n ⟨griech.⟩ ⟨*Med.* Verstopfung von Blutgefäßen durch Blutgerinnsel); **Throm|bo|se|nei|gung**

throm|bo|tisch ⟨*Med.*⟩

Throm|bo|zyt, der; -en, -en ⟨*Med.* Blutplättchen); **Throm|bus**, der; -, ...ben ⟨*Med.* Blutgerinnsel, Blutpfropf⟩

Thron, der; -[es], -e ⟨griech.⟩

Thron|an|wär|ter; **Thron|an|wär|te|rin**; **Thron|be|stei|gung**

thro|nen; **Thron|er|be**, der; **Thron|er|bin**; **Thron|fol|ge**, die; -; **Thron|fol|ger**; **Thron|fol|ge|rin**

Thron|ju|bi|lä|um; **Thron|prä|ten|dent**; **Thron|prä|ten|den|tin**; **Thron|re|de**; **Thron|saal**; **Thron|ses|sel**; **Thron|ver|zicht**

Thu|ja, *österr. auch* **Thu|je**, die; -, ...jen ⟨griech.⟩ (Lebensbaum)

thu|ky|di|de|isch ⟨griech.⟩; die thu-

kydideischen Reden ↑K 89 *u.* 135; **Thu|ky|di|des** (altgriech. Geschichtsschreiber)

Thu|le (in der Antike sagenhafte Insel im hohen Norden)

Thu|li|um, das; -s (chemisches Element, Metall; *Zeichen* Tm)

Thun (schweiz. Stadt); **Thu|ner See**, der; - -s

Thun|fisch, **Tun|fisch** ⟨griech.; dt.⟩

Thur, die; - (linker Nebenfluss des Hochrheins); **Thur|gau**, der; -s (schweiz. Kanton); **Thur|gau|er**; **thur|gau|isch**

Thü|rin|gen; **Thü|rin|ger**; Thüringer Wald; **Thü|rin|ge|rin**; **thü|rin|gisch**

Thurn und Ta|xis (ein Adelsgeschlecht); die thurn-und-taxissche *od.* Thurn-und-Taxis'sche Post ↑K 89, 135 *u.* 139

Thus|nel|da (Gattin des Arminius)

THW, das; -, -s *Plur. selten* = Technisches Hilfswerk

Thy|mi|an, der; -s, -e ⟨griech.⟩ (eine Gewürz- u. Heilpflanze)

Thy|mus, der; -, ...mi ⟨griech.⟩ (hinter dem Brustbein gelegene Drüse, Wachstumsdrüse); **Thy|mus|drü|se** (*svw.* Thymus)

Thy|re|oi|di|tis, die; -, ...iti|den ⟨griech.⟩ ⟨*Med.* Schilddrüsenentzündung⟩

Thy|ris|tor, der; -s, ...oren ⟨griech.-lat.⟩ ⟨*Elektrot.* steuerbares Halbleiterelement⟩

Thyr|sos, der; -, ...soi, **Thyr|sus**, der; -, ...si ⟨griech.⟩ (Bacchantenstab)

ti ⟨ital.⟩ (Solmisationssilbe)

Ti = *chem. Zeichen für* ²Titan

Ti|a|ra, die; -, ...ren ⟨pers.⟩ (Kopfbedeckung der altpers. Könige; dreifache Krone des Papstes)

Ti|ber, der; -[s] (ital. Fluss)

Ti|be|ri|as (Stadt am See Genezareth)

Ti|be|ri|us (röm. Kaiser)

¹**Ti|bet** [*auch* ...ˈbeːt] (Hochland in Zentralasien)

²**Ti|bet**, der; -[e]s, -e (ein Wollgewebe; eine Reißwollart)

Ti|be|ta|ner usw. *vgl.* Tibeter usw.; **Ti|be|ter**; **Ti|be|te|rin**; **ti|be|tisch**

Ti|bor (m. Vorn.)

Tic [tɪk], der; -s, -s ⟨franz.⟩ ⟨*Med.* krampfartiges Zusammenziehen der Muskeln; Zucken⟩

Tick, der; -[e]s, -s (wunderliche Eigenart, Schrulle; *auch für* Tic)

ti|cken; du tickst wohl nicht ganz richtig *(ugs.)*; **Ti|cker** (ugs. *für* Fernschreiber)

Ti|cket, das; -s, -s ⟨engl., »Zettel«⟩ ⟨engl. Bez. *für* Fahrkarte, Ein-

trittskarte); **Ti|cke|ting**, das; -s (Verkauf von Tickets)

tick|tack!; **Tick|tack**, das; -s

Ti|de, die; -, -n ⟨nordd. *für* die regelmäßig wechselnde Bewegung der See; Flut); **Ti|de|hub** *vgl.* Tidenhub; **Ti|den** *Plur.* (Gezeiten); **Ti|den|hub** (Wasserstandsunterschied bei den Gezeiten)

Tie|break, **Tie-Break** [ˈtaɪ...] ↑K 41, der *od.* das; -s, -s ⟨engl.⟩ ⟨*Tennis* Satzverkürzung [beim Stand von 6 : 6]⟩

Tieck (dt. Dichter)

tief *s.* Kasten Seite 1009

Tief, das; -s, -s (Fahrrinne; *Meteor.* Gebiet tiefen Luftdrucks)

Tief|aus|läu|fer ⟨*Meteor.*⟩

Tief|bau, der; -[e]s; **Tief|bau|amt**

tief be|wegt, **tief|be|wegt** *vgl.* tief

tief|blau

tief|boh|ren ⟨*fachspr.* bis in große Tiefe bohren); **Tief|boh|rung**

Tief|de|cker (Flugzeugtyp)

Tief|druck, der; -[e]s, *Plur.* (*Druckw.:*) -e

Tief|druck|ge|biet ⟨*Meteor.*⟩

Tie|fe, die; -, -n; **Tief|ebe|ne**

tief emp|fun|den, **tief|emp|fun|den** *vgl.* tief

Tie|fen|be|strah|lung ⟨*Med.*⟩; **Tie|fen|ge|stein**; **Tie|fen|in|ter|view**; **Tie|fen|li|nie**; **Tie|fen|mes|sung**

Tie|fen|psy|cho|lo|gie; **Tie|fen|rausch** (beim Tieftauchen); **Tie|fen|schär|fe** ⟨*Fotogr.* ugs. *für* Schärfentiefe); **Tie|fen|wir|kung**

tief|er|le|gen ⟨*Kfz-Technik*⟩; ein tiefergelegtes Auto

tief|ernst

tief er|schüt|tert, **tief|er|schüt|tert** *vgl.* tief

tief|flie|gen ⟨*Flugw.* im Tiefflug fliegen); *aber* das Flugzeug ist zu tief geflogen; wenn die Schwalben tief fliegen, gibt es Regen

Tief|flie|ger; **Tief|flug**; **Tief|flug|ver|bot**

Tief|gang, der; -[e]s ⟨*Schiffbau*⟩; **Tief|gang|mes|ser**, der

Tief|ga|ra|ge

tief|ge|frie|ren; ein tiefgefrorener Hase

tief ge|fühlt, **tief|ge|fühlt** *vgl.* tief

tief ge|hend, **tief|ge|hend** *vgl.* tief

tief|ge|kühlt ↑K 57; tiefgekühltes Gemüse *od.* Obst; das Obst ist tiefgekühlt

tief|gläu|big

Tief|grab

tief

– zutiefst; tiefblau usw.

Groß- und Kleinschreibung:

– etw. Tiefes; alles Hohe und Tiefe
– etw. auf das, aufs Tiefste *od.* auf das, aufs tiefste beklagen ↑K 75

Schreibung in Verbindung mit Verben und adjektivisch gebrauchten Partizipien ↑K 56 *u.* 58:

– tief sein, tief werden, tief atmen, tief graben, tief liegen, tief stehen
– tief bohren (= in der Tiefe bohren), *vgl. aber* tiefbohren
– wenn die Schwalben tief fliegen, *vgl. aber* tieffliegen

– mit tief bewegter *od.* tiefbewegter Stimme
– tief empfundenes *od.* tiefempfundenes Mitleid
– die tief erschütterte *od.* tieferschütterte Frau
– tief gehende *od.* tiefgehende Untersuchungen
– tief greifende *od.* tiefgreifende Veränderungen
– tief liegende *od.* tiefliegende Augen
– eine tief verschneite *od.* tiefverschneite Landschaft

Vgl. auch tieferlegen, tiefgefrieren, tiefkühlen, tiefstapeln, tieftauchen; tiefblau, tiefernst, tiefgekühlt, tiefgründig, tiefschürfend, tiefschwarz, tieftraurig; tiefst...

---

tief|grei|fend, tief|grei|fend *vgl.* tief
tief|grün|dig
tief|küh|len (*svw.* tiefgefrieren)
Tief|kühl|fach; Tief|kühl|ket|te; Tief-kühl|kost; Tief|kühl|schrank; Tief-kühl|tru|he
Tief|la|der (Wagen mit tief liegender Ladefläche)
Tief|land *Plur.* ...länder *od.* ...lande; Tief|land|bucht
tief lie|gend, tief|lie|gend *vgl.* tief
Tief|par|ter|re; Tief|punkt
tief|rot
Tief|schlaf; Tief|schlag ([Box]hieb unterhalb der Gürtellinie); Tief-schnee; Tief|schnee|fah|ren, das; -s (*Ski*)
tief|schür|fend (sehr gründlich); eine tiefschürfende Abhandlung
tief|schwarz
Tief|see, die; -; Tief|see|for|schung, die; -; Tief|see|tau|cher; Tief|see-tau|che|rin
Tief|sinn, der; -[e]s; tief|sin|nig; Tief|sin|nig|keit
tiefst... *in Verbindung mit Partizipien, z. B.* tiefstempfunden, tiefstgehend, tiefstschürfend usw.; *vgl. aber* tief
Tief|stand, der; -[e]s
Tief|sta|pe|lei; tief|sta|peln (Ggs. hochstapeln); tiefgestapelt, tief-zustapeln; Tief|stap|ler; Tief-stap|le|rin
Tief|start (*Sport*)
tief ste|hend, tief|ste|hend *vgl.* tief
Tiefst|kurs; Tiefst|preis
Tiefst|strah|ler
Tiefst|stand; Tiefst|tem|pe|ra|tur; Tiefst|wert
tief|tau|chen (*Sport*); nur im Infinitiv und Partizip II gebr.
tief|trau|rig
tief ver|schneit, tief|ver|schneit *vgl.* tief

tief|zie|hen (*Technik* Blech in einen Hohlkörper umformen)
Tie|gel, der; -s, -
Tien|gen/Hoch|rhein ['tiŋ...] (Stadt in Baden-Württemberg)
Ti|en|schan [*auch* 'tie...], der; -[s] (Gebirgssystem Innerasiens)
Ti|en|t|sin (chin. Stadt)
Tier, das; -[e]s, -e; Tier|art
Tier|arzt; Tier|ärz|tin; tier|ärzt|lich; eine tierärztliche Hochschule, *aber* ↑K 150 : die Tierärztliche Hochschule Hannover
Tier|buch; Tier|freund; Tier|freun-din; Tier|fut|ter *vgl.* ¹Futter
Tier|gar|ten; Tier|gärt|ner; Tier-gärt|ne|rin; tier|ge|recht; Tier|ge-schich|te
Tier|ge|stalt; in Tiergestalt; tier|haft
Tier|hal|ter; Tier|hal|te|rin; Tier|hal-tung, die; -
Tier|händ|ler; Tier|händ|le|rin; Tier-hand|lung
Tier|heil|kun|de, die; -; Tier|heim
tie|risch (*ugs. auch für* sehr, äußerst)
Tier|kör|per|be|sei|ti|gungs|an|stalt (*Amtsspr. svw.* Abdeckerei)
Tier|kreis, der; -es (*Astron.*); Tier-kreis|zei|chen
Tier|kun|de, die; - (*für* Zoologie)
tier|lieb; Tier|lie|be; tier|lie|bend
Tier|me|di|zin, die; -; Tier|mehl
Tier|park; Tier|pfle|ger; Tier|pfle|ge-rin; Tier|pro|duk|ti|on, die; - (*regional für* Viehzucht)
Tier|quä|ler; Tier|quä|le|rei; Tier-quä|le|rin
Tier|reich, das; -[e]s; Tier|schau
Tier|schutz; Tier|schüt|zer; Tier-schüt|ze|rin; Tier|schutz|ver|ein
Tier|ver|such; Tier|welt, die; -
Tier|zucht, die; -; Tier|züch|ter; Tier-züch|te|rin
Tif|fa|ny|lam|pe [...fəni...] (*nach*

dem amerik. Kunsthandwerker⟩ (Lampe mit einem aus bunten Glasstücken zusammengesetzten Schirm)
Tif|lis ['ti:..., 'tı...] (Hauptstadt Georgiens); *vgl. auch* Tbilissi
Ti|fo|so, der; -, ...si ⟨ital.⟩ (*italien. Bez. für* [Fußball]fan)
Ti|ger, der; -s, - ⟨griech.-lat.⟩
Ti|ger|au|ge (Edelstein aus der Quarzgruppe); Ti|ger|fell; Ti|ger-hai; Ti|ger|kat|ze; Ti|ger|li|lie
Ti|ger|look
ti|gern (streifig machen; *ugs. für* irgendwohin gehen); ich tigere
Ti|ger|staat (*Wirtsch.* asiatischer Staat mit hohem Wirtschaftswachstum)
Tight [taɪt], der; -, -s ⟨engl.⟩ (eng anliegende Sporthose)
Ti|g|ris, der; - (Strom in Vorderasien)
Til|bu|ry [...bəri], der; -s, -s ⟨engl.⟩ (*früher* leichter zweirädriger Wagen in Nordamerika)
Til|de, die; -, -n ⟨span.⟩ (span. u. portug. Aussprachezeichen; *Druckw.* Wiederholungszeichen: ~)
tilg|bar; til|gen; Til|gung
Til|gungs|an|lei|he (*Wirtsch.*); Til-gungs|ka|pi|tal; Til|gungs|ra|te; Til|gungs|sum|me
Till (m. Vorn.); Til|la (w. Vorn.)
Till Eu|len|spie|gel (niederd. Schelmengestalt)
Till|mann, Til|man, Til|mann (m. Vorn.)
Til|ly [...li] (Feldherr im Dreißigjährigen Krieg)
Til|man, Til|mann *vgl.* Tillmann
Ti|lo, Thi|lo (m. Vorn.)
Til|sit (Stadt an der Memel)
¹Til|si|ter; Tilsiter Friede[n], Tilsiter Käse

T
Tils

²**Til|si|ter,** der; -s, - (ein Käse)

Tim, Țimm (m. Vorn.)

Tim|b|re [ˈtɛ̃ːbrə], das; -s, -s ⟨franz.⟩ (Klangfarbe der Gesangsstimme); **tim|b|rie|ren**

Tim|buk|tu (Stadt in ²Mali)

ti|men [ˈtaɪ...] ⟨engl.⟩ (*Sport* mit der Stoppuhr messen; zeitlich abstimmen); ein gut getimter Ball

Time-out [ˈtaɪmˈaʊt], das; -[s], -s (*Basketball, Volleyball* Auszeit)

Ti|mer [ˈtaɪmɐ], der; -s, - ⟨engl.⟩ (Zeitschaltuhr)

Times [taɪms], die; - (engl. Zeitung)

Time|sha|ring [...ʃɛː...], das; -s, -s ⟨engl.⟩ (*EDV* Zeitzuteilung bei der gleichzeitigen Benutzung eines Großrechners durch viele Benutzer; *auch* gekauftes Wohnrecht an einer Ferienwohnung während einer bestimmten Zeit)

Ti|ming, das; -s, -s (zeitl. Abstimmen von Abläufen)

Timm vgl. Tim

Ti|mo|kra|tie, die; -, ...ien ⟨griech.⟩ (Herrschaft der Besitzenden); **ti|mo|kra|tisch**

Ti|mon; Timon von Athen (athen. Philosoph u. Sonderling; Urbild des Menschenhassers)

Ti|mor (eine Sundainsel); **Ti|mo|rer; Ti|mo|re|rin; ti|mo|re|sisch; Ti|mor-Les|te** (Staat in Südostasien)

Ti|mo|the|us (Gehilfe des Paulus)

Ti|mo|the|us|gras, das; -es (ein Futtergras)

Tim|pa|no, der; -s, ...ni ⟨griech.⟩ (*Musik* Pauke)

Ti|mur, Ți|mur-Leng (mittelasiat. Eroberer)

Ti|na, Ți|ne, Ți|ni (w. Vorn.)

tin|geln (*ugs. für* [mal hier, mal dort] im Tingeltangel auftreten); ich ting[e]le

Tin|gel|tan|gel [*österr.* ...ta...], der u., *österr. nur,* das; -s, - (*ugs. für* Tanzlokal; Varietee)

Ti|ni vgl. Tina

Tink|ti|on, die; -, -en ⟨lat.⟩ (*Chemie* Färbung); **Tink|tur,** die; -, -en ([Arznei]auszug)

Tin|nef, der; -s ⟨hebr.-jidd.⟩ (*ugs. für* Schund; dummes Zeug)

Tin|ni|tus, der; -, - ⟨lat.⟩ (Rauschen, Klingeln od. Pfeifen in den Ohren)

Tin|te, die; -, -n

Tin|ten|fass

Tin|ten|fisch

Tin|ten|fleck, Țin|ten|fle|cken; **Tin|ten|kil|ler; Țin|ten|klecks; Țin|ten|kleck|ser** (*ugs. svw.* Schreiberling); **Țin|ten|kleck|se|rin; Țin|ten|ku|li**

Tin|ten|pilz

tin|ten|schwarz

Tin|ten|stift vgl. ¹Stift

Tin|ten|strahl|dru|cker

tin|tig

Tint|ling (Tintenpilz)

Tin|to|ret|to (ital. Maler)

Tip *alte Schreibung für* Tipp

Ti|pi, das; -s, -s ⟨Indianerspr.⟩ (kegelförmiges Indianerzelt)

Tipp, der; -s, -s ⟨nützlicher Hinweis; Vorhersage bei Lotto u. Toto; *ugs. für* ausgefüllter Wettschein⟩

Tip|pel, der; -s, - (*nordd. für* Punkt; *österr. ugs. für* Beule); vgl. Dippel

Tip|pel|bru|der (*veraltet für* wandernder Handwerksbursche; *ugs. für* Landstreicher)

Tip|pel|chen (*landsch. für* Tüpfelchen); bis aufs Tüppelchen

Tip|pe|lei, die; - (*ugs.*); **tip|pe|lig,** tipplig (*landsch. für* kleinlich)

tip|peln (*ugs. für* zu Fuß gehen, wandern); ich tipp[e]le; **Tip|pel|schwes|ter**

¹**tip|pen** (leicht berühren; *ugs. für* auf einer Tastatur schreiben); er hat ihm, *auch* ihn auf die Schulter getippt

²**tip|pen** (wetten)

Tip|pen, das; -s (ein Kartenspiel)

Tip|per ⟨zu ²tippen⟩

Tipp-Ex®, das; - (Korrekturflüssigkeit od. -streifen)

Tipp|feh|ler (*ugs. für* Fehler beim ¹Tippen)

Tipp|ge|mein|schaft ⟨zu ²tippen⟩

tipp|lig vgl. tippelig

Tipp|se, die; -, -n (*ugs. abwertend für* Sekretärin)

tipp|topp ⟨engl.⟩ (*ugs. für* hochfein; tadellos)

Tipp|zet|tel (Wettzettel)

Ti|ra|de, die; -, -n ⟨franz.⟩ (Wortschwall; *Musik* tonleiterartige Verzierung)

Ti|ra|mi|su, das; -s, -s ⟨ital.⟩ (Süßspeise aus Mascarpone u. in Kaffee getränkten Biskuits)

Ti|ra|na (Hauptstadt Albaniens)

Ti|rass, der; -es, -e ⟨franz.⟩ (*Jägerspr.* Deckgarn, -netz); **ti|ras|sie|ren** ([Vögel] mit dem Tirass fangen)

ti|ri|li!; Ți|ri|li, das; -s; **ti|ri|lie|ren** (pfeifen, singen [von Vögeln])

ti|ro! ⟨franz., »schieße hoch!«⟩ (Zuruf an den Schützen, wenn Federwild vorbeistreicht)

Ti|ro (Freund Ciceros)

Ti|rol (österr. Bundesland); **Ti|ro|ler;** Tiroler Ache; **Ti|ro|le|rin; ti|ro|le|risch** (*österr. nur so*)

Ti|ro|li|enne [...ˈli̯ɛn], die; -, -n ⟨franz.⟩ (ein ländlerartiger Rundtanz)

ti|ro|lisch (tirolerisch)

ti|ro|nisch ⟨zu Tiro⟩; tironische Noten (altröm. Kurzschriftsystem) ↑K 89 u. 135

Tisch, der; -[e]s, -e; bei Tisch (beim Essen) sein; zu Tisch gehen; Gespräch am runden Tisch

Tisch|bein; Țisch|be|sen; Țisch|blatt (*fachspr. u. schweiz.* neben Tischplatte); **Țisch|com|pu|ter; Țisch|da|me; Țisch|de|cke**

ti|schen (*schweiz. für* den Tisch decken); du tischst; **tisch|fer|tig**

Tisch|fuß|ball|spiel; Țisch|ge|bet; Țisch|ge|sell|schaft; Țisch|gespräch; Țisch|grill; Țisch|herr; Țisch|kan|te; Țisch|kar|te; Țisch|lam|pe; Țisch|läu|fer

Tisch|lein|deck|dich, das; -

Tisch|ler; Țisch|ler|ar|beit; Țisch|le|rei; Țisch|ler|in

tisch|lern; ich tischlere; **Țisch|ler|plat|te; Țisch|ler|werk|statt**

Tisch|ma|nie|ren *Plur.*

Tisch|nach|bar; Țisch|nach|ba|rin

Tisch|ord|nung; Țisch|plat|te; Țisch|rand *Plur.* ...ränder; **Țisch|rech|ner; Țisch|re|de; Țisch|re|ser|vie|rung; Țisch|rü|cken,** das; -s; **Țisch|se|gen; Țisch|sit|te**

Tisch|ten|nis

Tisch|ten|nis|ball; Țisch|ten|nis|plat|te; Țisch|ten|nis|schlä|ger; Țisch|ten|nis|spiel; Țisch|ten|nis|spie|ler; Țisch|ten|nis|spie|le|rin

Tisch|tuch *Plur.* ...tücher; **Țisch|tuch|klam|mer; Țisch|vor|la|ge; Țisch|wein; Țisch|zeit**

Ti|si|pho|ne [...ne] (eine der drei Erinnyen)

Tit. = Titel

¹**Ti|tan,** Ți|ta̦|ne, der; ...nen, ...nen (einer der riesenhaften, von Zeus gestürzten Götter der griech. Sage; *übertr. für* jmd., der durch außergewöhnliche Machtfülle o. Ä. beeindruckt)

²**Ti|tan,** das; -s ⟨griech.⟩ (chemisches Element, Metall; *Zeichen* Ti)

Ti|ta̦|ne vgl. ¹Titan

Ti|tan|ei|sen|erz

ti|ta|nen|haft (riesenhaft)

Ti|ta|nia (Feenkönigin, Gemahlin Oberons)

Ti|ta|nic [...ɪk], die; - (engl. Passagierschiff, das 1912 nach Zusammenstoß mit einem Eisberg unterging)

Ti|ta|ni|de, der; -n, -n ⟨griech.⟩ (Nachkomme der Titanen)

ti|ta|nisch (riesenhaft)

Ti|ta|no|ma|chie, die; - (Kampf der Titanen gegen Zeus in der griech. Sage)

Ti|tan|ra|ke|te ⟨zu ¹Titan⟩

Ti|tel [auch 'tɪ...], der; -s, - ⟨lat.⟩ (Abk. Tit.)

Ti|tel|am|bi|ti|on meist Plur.; Ti|tel|an|wär|ter (Sport); Ti|tel|an|wär|te|rin

Ti|tel|auf|la|ge; Ti|tel|bild; Ti|tel|blatt; Ti|tel|bo|gen

Ti|tel|lei (Gesamtheit der dem Textbeginn vorangehenden Seiten mit den Titelangaben eines Druckwerkes)

Ti|tel|ge|schich|te

Ti|tel|held; Ti|tel|hel|din

Ti|tel|kampf (Sport)

Ti|tel|kir|che (Kirche eines Kardinalpriesters in Rom)

ti|tel|los

ti|teln (mit Titel versehen); ich tit[e]le; Ti|tel|rol|le; Ti|tel|schrift; Ti|tel|schutz, der; -es (Rechtsspr.); Ti|tel|sei|te; Ti|tel|song; Ti|tel|sto|ry

Ti|tel|sucht, die; -; ti|tel|süch|tig

Ti|tel|trä|ger; Ti|tel|trä|ge|rin

Ti|tel|ver|tei|di|ger; Ti|tel|ver|tei|di|ge|rin

Ti|tel|zei|le

Ti|ter, der; -s, - ⟨franz.⟩ (Maß für die Feinheit eines Seiden-, Reyonfadens; Chemie Gehalt einer Lösung)

Ti|thon, das; -s ⟨griech.⟩ (Geol. oberste Stufe des Malms)

Ti|ti|ca|ca|see, der; -s (See in Südamerika)

Ti|ti|see, der; -s (See im südlichen Schwarzwald)

Ti|to|is|mus, der; - ⟨nach dem jugoslaw. Staatspräsidenten Josip Broz Tito⟩ (kommunist. Staatsform in ehem. Jugoslawien)

Ti|t|ra|ti|on, die; -, -en ⟨lat.⟩ (Bestimmung des Titers, Ausführung einer chem. Maßanalyse); Ti|t|re ['tiːtrə, ...trə], der; -s, -s (veraltet für Titer; im franz. Münzwesen Bez. für Feingehalt); ti|t|rie|ren (Chemie)

tit|schen (landsch. für eintunken); du titschst

Tit|te, die; -, -n (derb für weibl. Brust)

Ti|tu|lar, der; -s, -e ⟨lat.⟩ (veraltet für Titelträger)

Ti|tu|lar... (nur dem Titel nach, ohne das Amt)

Ti|tu|lar|bi|schof; Ti|tu|lar|pro|fes|sor; Ti|tu|lar|pro|fes|so|rin; Ti|tu|lar|rat Plur. ...räte; Ti|tu|lar|rä|tin

Ti|tu|la|tur, die; -, -en (Betitelung)

ti|tu|lie|ren (Titel geben, benennen); Ti|tu|lie|rung

Ti|tu|lus, der; -, ...li (mittelalterliche Bildunterschrift)

Ti|tus (röm. Kaiser; altröm. m. Vorn.; Abk. T.)

Tiu (altgerm. Gott); vgl. Tyr, Ziu

¹Ti|vo|li (ital. Stadt)

²Ti|vo|li, das; -[s], -s (Vergnügungsort; Gartentheater; italienisches Kugelspiel)

Ti|xo ®, der; -s, -s ⟨österr. für durchsichtiges Klebeband⟩

Ti|zi|an (ital. Maler); ti|zi|a|nisch; tizianische Malweise ↑K 89 u. 135; ti|zi|an|rot

tja! [tja(ː)]

Tjalk, die; -, -en ⟨niederl.⟩ (ein einmastiges Küstenfahrzeug)

Tjost, die; -, -en od. der; -[e]s, -e ⟨franz.⟩ (mittelalterl. Reiterzweikampf mit scharfen Waffen)

tkm = Tonnenkilometer

Tkm = tausend Kilometer

Tl = Zeichen für Thallium

TL = ²Lira; Teelöffel

Tm = Zeichen für Thulium

Tme|sis, die; -, ...sen ⟨griech.⟩ (Sprachw. Trennung eigentlich zusammengehörender Wortteile, z. B. »ich vertraue dir ein Geheimnis an«)

TN = ²Tennessee

TNT, das; -[s] = Trinitrotoluol (ein Sprengstoff)

Tö, die; -, -s (ugs. kurz für Toilette)

Toast [toːst], der; -[e]s, Plur. -e u. -s ⟨engl.⟩ (geröstete Weißbrotschnitte; Trinkspruch); Toast|brot; toas|ten ([Weißbrot] rösten; einen Trinkspruch ausbringen); Toas|ter (elektr. Gerät zum Rösten von [Weiß]brot)

To|ba|go vgl. Trinidad

To|bak, der; -[e]s, -e (veraltet für Tabak); vgl. anno

To|bel, das, österr. der; -s, - ⟨südd., österr., schweiz. für enge [Wald]schlucht⟩

to|ben; To|be|rei

To|bi|as (m. Vorn.)

To|bog|gan, der; -s, -s ⟨indian.⟩ (ein kufenloser Schlitten)

Tob|sucht, die; -; tob|süch|tig; Tob|suchts|an|fall

Toc|ca|ta vgl. Tokkata

Toch|ter, die; -, Töchter; Töch|ter|chen

Toch|ter|fir|ma; Toch|ter|ge|schwulst (für Metastase); Toch|ter|ge|sell|schaft (Wirtsch.); Toch|ter|kir|che

töch|ter|lich

Töch|ter|schu|le (veraltet); höhere Töchterschule

Toch|ter|zel|le (Med.)

Tod, der; -[e]s, -e; zu Tode fallen, hetzen, erschrecken

tod|bang; tod|be|reit

tod|blass vgl. totenblass

tod|bleich vgl. totenbleich

tod|brin|gend ↑K 59

Tod|dy [...di], der; -[s], -s ⟨Hindi-engl.⟩ (Palmwein; grogartiges Getränk)

tod|elend (ugs. für sehr elend)

tod|ernst (ugs. für sehr ernst)

To|des|ah|nung; To|des|angst; To|des|an|zei|ge; To|des|art; To|des|da|tum; To|des|en|gel; To|des|fall, der; To|des|fol|ge, die; - (Rechtsspr.); To|des|furcht; To|des|ge|fahr; To|des|jahr; To|des|kampf; To|des|kan|di|dat; To|des|kan|di|da|tin

To|des|mut; to|des|mu|tig

To|des|nach|richt; To|des|not (geh.); To|des|op|fer; To|des|qual; To|des|ritt

To|des|schein (schweiz. für Totenschein); To|des|schuss; To|des|schüt|ze; To|des|schüt|zin

To|des|schwa|d|ron (faschistische, meist paramilitärisch organisierte Truppe, die mit tödlichen, terroristischen Gewaltaktionen ihr Ziel verfolgt)

To|des|spi|ra|le (Eiskunstlauf)

To|des|stoß; To|des|stra|fe; To|des|strei|fen; To|des|stun|de; To|des|tag; To|des|en|gel; To|des|ur|teil; To|des|ver|ach|tung

to|des|wür|dig; To|des|zeit; To|des|zel|le; To|des|zo|ne

tod|feind; einander todfeind sein, werden

Tod|feind; Tod|fein|din

tod|ge|weiht (geh.); Tod|ge|weih|te, der u. die; -n, -en

tod|krank; Tod|kran|ke

tod|lang|wei|lig (ugs.)

töd|lich

tod|matt (ugs.); tod|mü|de (ugs.)

To-do-Lis|te [tuˈduː…] ⟨engl.; dt.⟩ (Liste zu erledigender Aufgaben)

tod|schick *(ugs.)*; **tod|si|cher** *(ugs.)*; **tod|ster|bens|krank** *(ugs.)*

tod|still *vgl.* totenstill

Tod|sün|de

Todt|moos (Ort im Schwarzwald)

tod-/tot-, Tod-/Tot-

Zusammensetzungen mit »Tod-«:

– Mit *d* schreibt man Zusammensetzungen, die das Substantiv *Tod* als Bestimmungswort haben: *todbereit* (zum Tode bereit), *todgeweiht, Todfeind, Todsünde, Todkranker.* In vielen Fällen dient das Wort nur als Verstärkung des Ausdrucks mit der Bedeutung »sehr, äußerst«: *todblass, todernst, todkrank, todmüde, todunglücklich.*

Zusammensetzungen mit »tot«:

– Mit *t* schreibt man Zusammensetzungen, die das Adjektiv *tot* als Bestimmungswort haben: *sich totarbeiten, totfahren, totsagen, totschießen, tottreten; Totgeburt, Totgeglaubter, Totschlag.*

tod|trau|rig; tod|un|glück|lich; tod|wund *(geh.)*

Toe|loop, Toe-Loop [ˈtuːluːp, *auch* ˈtoː…], der; -[s], -s ⟨engl.⟩ (Sprung beim Eiskunstlauf)

töff; töff, töff!; Töff, der; -s, -[s] *(schweiz. mdal. für* Motorrad)

Tof|fee […fi, …fe], das; -s, -s ⟨engl.⟩ (eine Weichkaramelle)

Tof|fel, Töf|fel, der; -s, - (dummer Mensch)

töff, töff!; Töff|töff, das; -s, -s *(Kinderspr.* Auto)

To|fu, der; -[s] ⟨jap.⟩ (aus Sojabohnenmilch gewonnenes quarkähnliches Produkt)

To|ga, die; -, …gen ⟨lat.⟩ ([altröm.] Obergewand)

Tog|gen|burg, das; -s (schweiz. Tallandschaft)

To|go (Staat in Westafrika); **To|go|er; To|go|e|rin; to|go|isch; To|go|le|se** usw. *vgl.* Togoer usw.

To|hu|wa|bo|hu, das; -[s], -s ⟨hebr., »wüst und leer«⟩ (Wirrwarr, Durcheinander)

Toi|let|te [tɔa…], die; -, -n ⟨franz.⟩ (Frisiertisch; [feine] Kleidung; Klosett); Toilette machen (sich [gut] anziehen)

To|i|let|ten|ar|ti|kel[1]
To|i|let|ten|bürs|te[1]
To|i|let|ten|frau[1]; **To|i|let|ten|mann**[1]
To|i|let|ten|pa|pier[1]
To|i|let|ten|sei|fe[1]; **To|i|let|ten|spie|gel**[1]; **To|i|let|ten|tisch**[1]; **To|i|let|ten|was|ser**[1] *Plur.* …wässer

Toise [tɔaːs], die; -, -n ⟨franz.⟩ (altes franz. Längenmaß)

toi, toi, toi! *(ugs. für* unberufen!)

To|ka|dil|le […ˈdrljə], das; -s ⟨span.⟩ (ein Brettspiel)

To|kai|er, To|ka|jer ⟨nach der ung. Stadt Tokaj⟩ (ung. Natursüßwein); **To|kai|er|wein, To|ka|jer|wein**

To|kaj […kai] (ung. Stadt)

To|ken [ˈtoʊkən], das; -s, -[s] ⟨engl.⟩ *(bes. EDV* Folge zusammenhängender Zeichen od. Folge von Bits)

To|kio (Hauptstadt Japans)

To|kio|er, To|kio|ter

Tok|ka|ta, Toc|ca|ta, die; -, …ten ⟨ital.⟩ (ein Musikstück)

To|kyo usw. *vgl.* Tokio usw.

To|lar, der; -s, -s (slowen. Währungseinheit; Währungscode SIT)

Töl|le, die; -, -n *(ugs. für* Hund, Hündin)

To|le|da|ner; Toledaner Klinge; To|le|do (span. Stadt)

to|le|ra|bel ⟨lat.⟩ (erträglich, zulässig); …a|b|le Werte

to|le|rant (duldsam; nachsichtig; weitherzig)

To|le|ranz, die; -, Plur. (Technik:) -en (Duldsamkeit; *Technik* zulässige Abweichung vom vorgegebenen Maß)

To|le|ranz|be|reich, der *(Technik)*; **To|le|ranz|do|sis** (für den Menschen zulässige Strahlungsbelastung); **To|le|ranz|edikt**, das; -[s]; **To|le|ranz|gren|ze**

to|le|rier|bar; to|le|rie|ren (dulden, gewähren lassen); **To|le|rie|rung**

toll; ein tolles Treiben; die tollen Tage (Fastnacht)

toll|dreist

Tol|le, die; -, -n *(ugs. für* Büschel; Haarschopf)

tol|len; Tol|le|rei

Toll|haus; Toll|heit

Toll|wut; Toll|wü|tig

Toll|patsch, der; -[e]s, -e ⟨ung.⟩ *(ugs. für* ungeschickter Mensch); **Toll|pat|schig** *(ugs.)*; **Toll|pat|schig|keit**, die; -

Töl|pel, der; -s, -; **Töl|pe|lei; töl|pel|haft; töl|pisch**

Tols|toi (russ. Dichter)

Tölt, der; -s ⟨isländ.⟩ (Gangart des Islandponys zwischen Schritt u. Trab)

Tol|te|ke, der; -n, -n (Angehöriger eines altmexikan. Kulturvolkes); **tol|te|kisch**

töl|ten *(zu* Tölt)

To|lu|bal|sam, To|lu-Bal|sam, der; -s ↑K 143 ⟨nach der Hafenstadt Tolú in Kolumbien⟩ (ein Pflanzenbalsam)

To|lu|i|din, das; -s ⟨eine Farbstoffgrundlage⟩

To|lu|ol, das; -s ⟨ein Lösungsmittel⟩

To|ma|hawk […haːk], der; -s, -s ⟨indian.⟩ (Streitaxt der [nordamerik.] Indianer)

To|mas *vgl.* Thomas

To|ma|te, die; -, -n ⟨mex.⟩

To|ma|ten|ket|chup, To|ma|ten|ket|schup

To|ma|ten|mark, das; **To|ma|ten|pü|ree** *(schweiz. für* Tomatenmark); **to|ma|ten|rot; To|ma|ten|saft; To|ma|ten|sa|lat; To|ma|ten|so|ße, To|ma|ten|sau|ce; To|ma|ten|sup|pe**

to|ma|ti|sie|ren *(Gastron.* mit Tomatenmark versehen)

Tom|bak, der; -s ⟨malai.⟩ (eine Legierung, Goldimitation)

Tom|bo|la, die; -, Plur. -s, selten …bolen ⟨ital.⟩ (Verlosung)

Tom|my […mi], der; -s, -s ⟨engl.⟩ (m. Vorn.; Spitzname des engl. Soldaten)

To|mo|gra|fie, To|mo|gra|phie, die; - ⟨griech.⟩ (schichtweises Röntgen)

Tomsk (westsibir. Stadt)

[1]Ton, der; -[e]s, Plur. (Sorten:) -e (Verwitterungsrückstand tonerdehaltiger Silikate)

[2]Ton, der; -[e]s, Töne ⟨griech.⟩ (Laut usw.); Ton in Ton gemustert; **Ton|ab|neh|mer**

to|nal *(Musik* auf einen Grundton bezogen); **To|na|li|tät**, die; - (Bezogenheit aller Töne auf einen Grundton)

---

[1] *Die Form* Toiletteartikel [tɔaˈlet…] usw. *ist österr. u. kommt sonst nur gelegentlich vor.*

T
tod

ton|an|ge|bend ↑K59
Ton|arm
¹Ton|art *(Musik)*
²Ton|art ⟨zu ¹Ton⟩; ton|ar|tig
Ton|auf|nah|me; Ton|auf|zeich-
nung; Ton|aus|fall
Ton|band, das; *Plur.* ...bänder
Ton|band|auf|nah|me; Ton|band|ge-
rät; Ton|band|pro|to|koll
Ton|bank *Plur.* ...bänke ⟨nordd. für
Ladentisch, Schanktisch⟩
Ton|bild; Ton|blen|de
Ton|der ['tœnɐ] ⟨dän. Form
von Tondern⟩; Ton|dern (dän.
Stadt)
Ton|dich|ter; Ton|dich|te|rin; Ton-
dich|tung
Ton|do, das, *fachspr. auch* der; -s,
Plur. -s u. ...di ⟨ital.⟩ ⟨Rundbild,
bes. in der Florentiner Kunst
des 15. u. 16. Jh.s⟩
to|nen *(Fotogr.* den Farbton ver-
bessern)
¹tö|nen (färben)
²tö|nen (klingen)
To|ner, der; -s, - ⟨engl.⟩ ⟨Druck-
farbe für Kopiergeräte o. Ä.⟩
Ton|er|de; essigsaure Tonerde
tö|nern (aus ¹Ton); tönernes
Geschirr
Ton|fall, der; Ton|film; Ton|fol|ge;
Ton|fre|quenz
Ton|ga (Inselstaat im Pazifik); Ton-
ga|er; Ton|ga|e|rin; Ton|ga|in|seln
Plur.; ton|ga|isch; Ton|ga|spra-
che
Ton|ge|bung *(Musik, Sprachw.)*
Ton|ge|fäß; Ton|ge|schirr; Ton|gru-
be
ton|hal|tig; tonhaltige Erde
Ton|hö|he
¹To|ni (m. u. w. Vorn.)
²To|ni, der; -s, -s ⟨DDR ugs. für
Funkstreifenwagen der Volks-
polizei⟩
To|nic [...ɪk], das; -[s], -s ⟨engl.⟩
⟨kurz für: Tonicwater⟩; To|nic-
wa|ter ['tɔnɪkvɔːtɐ], das; -s, -
⟨Limonade mit Chininzusatz⟩
to|nig ⟨zu ¹Ton⟩ (tonartig)
...to|nig (z. B. hochtonig)
...tö|nig (z. B. eintönig)
To|ni|ka, die; -, ...ken ⟨griech.⟩
(Musik Grundton eines Ton-
stücks; der darauf aufgebaute
Dreiklang)
To|ni|kum, das; -s, ...ka ⟨griech.⟩
(Med. stärkendes Mittel)
Ton|in|ge|ni|eur; Ton|in|ge|ni|eu|rin
¹to|nisch *(Musik* die Tonika betref-
fend); tonischer Dreiklang
²to|nisch *(Med.* kräftigend; den
Tonus betreffend)

Ton|ka|bi|ne
Ton|ka|boh|ne ⟨indian.; dt.⟩ (ein
Aromatisierungsmittel)
Ton|ka|me|ra; Ton|kon|ser|ve; Ton-
kopf; Ton|kunst; Ton|künst|ler;
Ton|künst|le|rin; Ton|la|ge; Ton-
lei|ter, die
ton|los; Ton|lo|sig|keit, die; -
Ton|mal|le|rei
Ton|meis|ter *(Film, Rundf.);* Ton-
meis|te|rin
Ton|na|ge [...ʒə, österr. ...ʒ], die; -,
-n (Rauminhalt eines Schiffes)
Tönn|chen
Ton|ne, die; -, -n ⟨mlat.⟩ *(auch*
Maßeinheit für Masse = 1 000
kg; *Abk.* t)
Ton|nen|dach; Ton|nen|ge|halt, der
(Raumgehalt eines Schiffes);
Ton|nen|ge|wöl|be
Ton|nen|ki|lo|me|ter (Maßeinheit
für Frachtsätze; *Zeichen* tkm);
Ton|nen|le|ger (Fahrzeug, das
Seezeichen [Tonnen] auslegt)
ton|nen|schwer (sehr schwer); *aber*
fünf Tonnen schwer
ton|nen|wei|se
...ton|ner (z. B. Dreitonner, *mit
Ziffer* 3-Tonner, Laster mit 3 t
Ladegewicht; ↑K66)
Ton|pfei|le ⟨zu ¹Ton⟩
Ton|qua|li|tät; Ton|schnei|der
(beim Tonfilm); Ton|schnei|de-
rin; Ton|set|zer *(für* Komponist);
Ton|set|ze|rin
Ton|sil|le, die; -, -n *meist Plur.* ⟨lat.⟩
(Med. Gaumen-, Rachenman-
del); Ton|sil|l|ek|to|mie, die; -,
...jen ⟨lat.; griech.⟩ (operative
Entfernung der Gaumenman-
deln); Ton|sil|li|tis, die; -, ...iti|den
(Mandelentzündung)
Ton|spur *(Film);* Ton|stö|rung; Ton-
stück (Musikstück); Ton|stu|dio
Ton|sur, die; -, -en ⟨lat.⟩ *(früher
kahl geschorene Stelle auf dem
Kopf kath. Geistlicher); ton|su-
rie|ren (die Tonsur schneiden)
Ton|ta|fel
Ton|tau|be *(Sport* Wurftaube);
Ton|tau|ben|schie|ßen, das; -s
Ton|tech|ni|ker; Ton|tech|ni|ke|rin
Ton|trä|ger
Tö|nung (Art der Farbgebung)
To|nus, der; -, Toni ⟨lat.⟩ *(Med.*
Spannungszustand der Gewebe,
bes. der Muskeln)
Ton|wa|re
Ton|wert; Ton|zei|chen
Tool [tuːl], das; -s, -s ⟨engl.⟩ *(EDV*
Programm, das zusätzliche Auf-
gaben innerhalb eines anderen
Programms übernimmt)

top ⟨engl.⟩ (von höchster Güte;
hochmodern); er ist immer top
gekleidet
Top, das; -s, -s ⟨engl.⟩ ([ärmello-
ses] Oberteil)
TOP, der; *mit Zahlen o. Artikel
ungebeugt* = Tagesordnungspunkt
top... ⟨engl.⟩ (sehr, in hohem
Maße, z. B. topmodern)
Top... ⟨engl.⟩ (Spitzen..., z. B. Top-
modell, Topstar)
top|ak|tu|ell
To|pas [österr. meist 'to:...], der;
-es, -e ⟨griech.⟩ (ein Schmuck-
stein); to|pas|far|ben, to|pas|far-
big
Topf, der; -[e]s, Töpfe; Töpf|blu-
me; Töpf|chen
topf|eben (ganz eben, flach)
top|fen (in einen Topf pflanzen)
Top|fen, der; -s *(bayr. u. österr. für*
Quark); Top|fen|knö|del *(bayr.,
österr.);* Top|fen|ko|lat|sche
(österr.); Top|fen|pa|lat|schin|ke
(österr.); Top|fen|ta|scherl *(bayr.,
österr.)*
Töp|fer; Töp|fe|rei
Töp|fer|er|de; Töp|fer|hand|werk,
das; -[e]s
Töp|fe|rin
Töp|fer|markt; Töp|fer|meis|ter;
Töp|fer|meis|te|rin
¹töp|fern (irden, tönern)
²töp|fern (Töpferwaren machen);
ich töpfere
Töpf|er|schei|be; Töpf|er|wa|re
Topf|gu|cker *(ugs.);* Topf|gu|cke|rin
top|fit ⟨engl.⟩ (in bester [körperli-
cher] Verfassung)
Topf|ku|chen; Topf|lap|pen; Topf-
markt
Topf|form, die; - *(bes. Sportspr.*
Bestform)
Topf|pflan|ze; Topf|rei|ni|ger; Topf-
schla|gen, das; -s (ein Spiel)
To|pik, die; - ⟨griech.⟩ (Lehre von
den Topos; *vgl.* Topos)
To|pi|nam|bur, der; -s, *Plur.* -s u. -e
od. die; -, -en ⟨brasilian.⟩ (eine
Gemüse- u. Futterpflanze)
to|pisch ⟨griech.⟩ *(Med.* örtlich,
äußerlich wirkend)
top|less ⟨engl.-amerik., »oben
ohne«⟩ (busenfrei)
Top|ma|nage|ment *(Wirtsch.*
Spitze der Unternehmenslei-
tung); Top|ma|na|ger; Top|ma|na-
ge|rin
Top|mann|schaft; Top|mo|del *(vgl.*
²Model)
To|po|graf, To|po|graph, der; -en,
-en ⟨griech.⟩ (Vermessungsinge-

T
Topo

nier); To|po|gra|fie, To|po|gra-
phie, die; -, ...ien (Orts-, Lagebe-
schreibung, -darstellung); to-
po|gra|fisch, to|po|gra|phisch
To|poi (Plur. von Topos)
To|po|lo|gie, die; - (Lehre von der
Lage u. Anordnung geometri-
scher Gebilde im Raum); to|po-
lo|gisch
To|p|o|ny|mie, To|p|o|ny|mik, die; -
(Ortsnamenforschung)
To|pos, der; -, ...poi (Sprachw.
feste Wendung, immer wieder
gebrauchte Formulierung, z. B.
»wenn ich nicht irre«)
topp! (zustimmender Ausruf)
Topp, der; -s, Plur. -e[n] u. -s (Seemannsspr. oberstes Ende eines
Mastes; ugs. scherzh. für oberster Rang im Theater)
¹top|pen (Seemannsspr. [die
Rahen] zur Mastspitze ziehen;
Chemie Benzin durch Destillation vom Rohöl scheiden)
²top|pen (übertreffen); ich toppe,
du toppst, er/sie toppt, getoppt
Topp|flag|ge
topp|las|tig (Seew. zu viel Gewicht
in der Takelage habend)
Topp|la|ter|ne; Topp|se|gel
Topps|gast Plur. ...gasten
(Matrose, der das Toppsegel
bedient)
top|se|c|ret [...'si:krɪt] ⟨engl.⟩
(streng geheim)
Top|spin (bes. Golf, [Tisch]tennis
starker Drall des Balls in Flug-
richtung)
Top|star (Spitzenstar; vgl. ²Star)
Top Ten, die; - -, - -s (Hitparade
[mit zehn Titeln, Werken u. a.])
Toque [tɔk], die; -, -s ⟨span.⟩ (kleiner barettartiger Frauenhut)
¹Tor, das; -[e]s, -e (große Tür; Sport
Angriffsziel); Schreibung in
Straßennamen: ↑K162 u. 163
²Tor, der; -en, -en (törichter
Mensch)
Tor|aus (Sport); Tor|aus|beu|te
(Sport); Tor|bi|lanz (Sport)
Tor|bo|gen
Tor|chan|ce (Sport)
Tord|alk, der; Gen. -[e]s od. -en,
Plur. -e[n] ⟨schwed.⟩ (ein arkt.
Seevogel)
Tor|dif|fe|renz (Sport)
To|re|a|dor, der; Gen. -s u. -en,
Plur. -e[n] ⟨span.⟩ (Stierkämp-
fer)
Tor|ein|fahrt
To|re|ra, die; -, -s ⟨span.⟩ (Stier-
kämpferin)
Tor|er|folg (Sport)

To|re|ro, der; -[s], -s (Stierkämpfer)
To|res|schluss vgl. Torschluss
To|reu|tik, die; - ⟨griech.⟩ (Kunst
der Metallbearbeitung)
Torf, der; -[e]s, Plur. (Arten:) -e;
Torf stechen
Torf|bal|len; Torf|bo|den; Torf|er-
de; Torf|feu|e|rung; Torf|ge|win-
nung
tor|fig
Torf|moor; Torf|moos Plur.
...moose; Torf|mull
Torf|frau (Sport)
Torf|ste|cher; Torf|stich; Torf|streu
Tor|gau (Stadt a. d. Elbe); Tor|gau-
er; tor|gau|isch
tor|ge|fähr|lich (Sport); Tor|ge|fähr-
lich|keit
törg|ge|len ⟨zu ¹Torkel⟩ (südtirol.
für im Spätherbst den neuen
Wein trinken); ich törgg[e]le
Tor|heit
Tor|hö|he; Tor|hü|ter (bes. Sport);
Tor|hü|te|rin
tö|richt; tö|rich|ter|wei|se
To|ries [...i:s] Plur. (früher die
Konservative Partei in England);
vgl. Tory
Tö|rin ⟨zu ²Tor⟩
To|ri|no (ital. Form von Turin)
Tor|in|s|tinkt; Tor|jä|ger (Sport);
Tor|jä|ge|rin
¹Tor|kel, der; -s, - od. die; -, -n
(landsch. für Weinkelter)
²Tor|kel, der; -s, - (landsch. für
ungeschickter Mensch; nur
Sing.: Taumel; unverdientes
Glück)
tor|keln (ugs. für taumeln); ich
tork[e]le
Törl, das; -s, - (österr. für Felsen-
durchgang; Gebirgsübergang)
Tor|lauf (für Slalom); Tor|li|nie
tor|los; torloses Unentschieden
Tor|mann Plur. ...männer, auch
...leute (svw. Torwart, -hüter)
Tor|men|till, der; -s ⟨lat.⟩ (Blut-
wurz; eine Heilpflanze)
Törn, der; -s, -s ⟨engl.⟩ (Seemannsspr. Fahrt mit einem
Segelboot)
Tor|na|do, der; -s, -s ⟨engl.⟩ (Wir-
belsturm in Nordamerika)
Tor|nis|ter, der; -s, - ⟨slaw.⟩ ([Fell-,
Segeltuch]ranzen, bes. des Soldaten)
To|ron|ter; To|ron|to (kanad. Stadt)
To|rout [...laut] (österr. Sport Tor-
aus)
tor|pe|die|ren ⟨lat.⟩ (mit Torpe-
do[s] beschießen, versenken;
übertr. für stören, verhindern);
Tor|pe|die|rung

Tor|pe|do, der; -s, -s (Unterwasser-
geschoss); Tor|pe|do|boot
Tor|pfei|ler; Tor|pfos|ten
Tor|qua|tus (altröm. m. Eigenn.
[Ehrenname])
tor|qui|e|ren ⟨lat.⟩ (Technik krüm-
men, drehen)
Torr, das; -s, - ⟨nach E. Torricelli;
vgl. d.⟩ (alte Maßeinheit des
Luftdrucks)
Tor|raum (Fußball, Handball); Tor-
raum|li|nie
tor|reif (bes. Fußball); eine tor-
reife Situation
Tor|ren|te, der; -, -n ⟨ital.⟩ (Geogr.
Gießbach, Regenbach)
Tor|res|stra|ße, Tor|res-Stra|ße,
die; - ↑K143 ⟨nach dem span.
Entdecker⟩ (Meerenge zwischen
Australien u. Neuguinea)
Tor|ri|cel|li [...'tʃe...] (ital. Physi-
ker); tor|ri|cel|lisch; die torricel-
lische Leere (im Luftdruckmes-
ser; ↑K89 u. 135)
Tor|schluss, der; -es, To|res-
schluss; vor Torschluss, Tores-
schluss; Tor|schluss|pa|nik
Tor|schuss (Sport)
Tor|schüt|ze (Sport); Tor|schüt|zen-
kö|nig; Tor|schüt|zen|kö|ni|gin;
Tor|schüt|zin
Tor|si|on, die; -, -en ⟨lat.⟩ (bes.
Technik Verdrehung, Verdril-
lung, Verwindung)
Tor|si|ons|elas|ti|zi|tät; Tor|si|ons-
fes|tig|keit (Verdrehungsfestig-
keit)
Tor|si|ons|mo|dul (Materialkon-
stante, die bei der Torsion auf-
tritt); Tor|si|ons|waa|ge
Tor|so, der; -s, Plur. -s u. ...si ⟨ital.⟩
(unvollständig erhaltene Statue;
Bruchstück)
Tors|ten, Thors|ten (m. Vorn.)
Tort, der; -[e]s ⟨franz.⟩ (veraltend
für Kränkung, Unbill); jmdm.
einen Tort antun; zum Tort
Tört|chen
Tor|te, die; -, -n ⟨ital.⟩
Tor|te|lett, das; -s, -s, Tor|te|let|te,
die; -, -n (Törtchen aus Mürbe-
teigboden)
Tor|tel|li|ni Plur. ⟨ital.⟩ (gefüllte,
ringförmige Nudeln)
Tor|ten|auf|satz; Tor|ten|bo|den;
Tor|ten|guss; Tor|ten|he|ber; Tor-
ten|schau|fel
Tor|til|la [...'tɪlja], die; -, -s ⟨span.⟩
(Fladenbrot; Omelette)
Tor|tur, die; -, -en ⟨lat.⟩ (Folter,
Qual)
To|ruń ['tɔrun] (poln. Stadt; vgl.
Thorn)

tot

Kleinschreibung ↑K 89:

– der tote Punkt; ein totes Gleis
– toter Mann (*Bergmannsspr.* abgebaute Teile einer Grube)
– toter Briefkasten (Agentenversteck für Mitteilungen u. a.)

Großschreibung:

– ↑K 72: etwas Starres und Totes
– der, die Tote *(vgl. d.)*
– ↑K 140: das Tote Gebirge (in Österr.), das Tote Meer

– ↑K 150: die Tote Hand (öffentlich-rechtliche Körperschaft oder Stiftung, bes. Kirche, Klöster, im Hinblick auf ihr nicht veräußerbares od. vererbbares Vermögen)

Getrenntschreibung:

– tot sein; tot scheinen; sich tot stellen; tot umfallen
Vgl. aber totarbeiten, totfahren usw.

Getrennt- od. Zusammenschreibung ↑K 58:

– ein tot geborenes *od.* totgeborenes Kind
– ein tot geglaubter *od.* totgeglaubter Soldat

Tor|ver|hält|nis *(Sport)*
Tor|wa|che *(früher);* Tor|wäch|ter
Tor|wand *(Sport);* Tor|wart *(Sport);* der Verein hat zwei Torwarte
Tor|wär|ter *(früher);* Tor|war|tin
Tor|weg
To|ry [...ri], der; -s, -s *u.* ...ies (Vertreter der konservativen Politik in Großbritannien); *vgl.* Tories; To|ry|is|mus, To|rys|mus [...'rɪ...], der; - *(früher);* to|ry|lis|tisch, to|rys|tisch
Tos|be|cken *(Wasserbau)*
Tos|ca|na, die; - (ital. Schreibung von Toskana)
Tos|ca|ni|ni (ital. Dirigent)
to|sen; der Bach tos|te
Tos|ka|na, die; - (ital. Landschaft); Tos|ka|ner; tos|ka|nisch
tot *s. Kasten*
to|tal ⟨franz.⟩ (gänzlich, völlig; Gesamt...); To|tal, das; -s, -e *(schweiz. für* Gesamt, Summe)
To|tal|an|sicht
To|tal|aus|ver|kauf
To|tal|le, die; -, -n (*Film* Kameraeinstellung, die das Ganze einer Szene erfasst)
To|ta|li|sa|tor, der; -s, ...oren (staatl. Einrichtung zum Abschluss von Wetten auf Rennpferde; *Kurzw.* Toto)
to|ta|li|tär (diktatorisch, sich alles unterwerfend [vom Staat]; *selten für* ganzheitlich); To|ta|li|ta|ris|mus, der; - ⟨lat.⟩; to|ta|li|ta|ris|tisch
To|ta|li|tät, die; -, -en ⟨franz.⟩ (Gesamtheit, Ganzheit); To|ta|li|täts|an|spruch
To|tal|ope|ra|ti|on *(Med.);* To|tal|re|vi|si|on *(Rechtsspr.);* To|tal|scha|den; To|tal|ver|lust
tot|ar|bei|ten, sich *(ugs.);* ich arbeite mich tot; totgearbeitet; totzuarbeiten ↑K 56
tot|är|gern, sich *(ugs. für* sich sehr

ärgern); ich habe mich totgeärgert ↑K 56
To|te, der *u.* die; -n, -n
To|tem, das; -s, -s ⟨indian.⟩ *(Völkerk.* bei Naturvölkern Ahnentier u. Stammeszeichen der Sippe); To|tem|fi|gur; To|tem|glau|be
To|te|mis|mus, der; - (Glaube an die übernatürliche Kraft des Totems und seine Verehrung); to|te|mis|tisch
To|tem|pfahl; To|tem|tier
tö|ten
To|ten|acker *(veraltet für* Friedhof)
to|ten|ähn|lich
To|ten|amt *(kath. Kirche);* To|ten|bah|re; To|ten|be|schwö|rung; To|ten|bett
to|ten|blass, tod|blass
To|ten|bläs|se
to|ten|bleich, tod|bleich
To|ten|eh|rung; To|ten|fei|er; To|ten|fest; To|ten|frie|den *(schweiz. für* Totenruhe); To|ten|glo|cke; To|ten|gott; To|ten|grä|ber; To|ten|grä|be|rin; To|ten|hemd; To|ten|kla|ge
To|ten|kopf; To|ten|kopf|schwär|mer (ein Schmetterling)
To|ten|kult *(Völkerk.)*
To|ten|mahl *(bes. österr., sonst selten od. geh. für* Leichenschmaus)
To|ten|mas|ke
To|ten|mes|se *(vgl.* ¹Messe)
To|ten|op|fer; To|ten|ru|he; To|ten|schä|del; To|ten|schein; To|ten|sonn|tag; To|ten|stadt *(für* Nekropole); To|ten|star|re
to|ten|still, tod|still; To|ten|stil|le
To|ten|tanz; To|ten|vo|gel; To|ten|wa|che
tot|fah|ren; er hat ihn totgefahren ↑K 56
tot ge|bo|ren, tot|ge|bo|ren *vgl.* tot
Tot|ge|burt

tot ge|glaubt, tot|ge|glaubt *vgl.* tot; Tot Ge|glaub|te, der *u.* die; --n, --n, Tot|ge|glaub|te, der *u.* die; -n, -n
Tot|ge|sag|te, der *u.* die; -n, -n
Tot|holz *(Forstw.)*
To|ti|la (Ostgotenkönig)
tot|krie|gen ↑K 47 *(ugs.);* er ist nicht totzukriegen (er hält viel aus) ↑K 56; tot|la|chen, sich *(ugs. für* heftig lachen); ich habe mich [fast, halb] totgelacht ↑K 56; das ist zum Totlachen ↑K 82; tot|lau|fen, sich *(ugs. für* von selbst zu Ende gehen); es hat sich totgelaufen ↑K 56; tot|ma|chen *(ugs. für* töten); er hat den Käfer totgemacht ↑K 56
Tot|mann|brem|se, Tot|mann|knopf *(Eisenb.* eine Bremsvorrichtung)
To|to, das, *auch* der; -s, -s *(Kurzw. für* Totalisator; Sport-, Fußballtoto)
To|to|er|geb|nis *meist Plur.;* To|to|ge|winn; To|to|schein
Tot|punkt *(Technik)*
Tot|rei|fe *(Landw.)*
tot|sa|gen; sie wurde totgesagt ↑K 56; tot|schie|ßen; der Hund wurde totgeschossen ↑K 56
Tot|schlag, der; -[e]s
Tot|schlag|ar|gu|ment *(ugs.)*
tot|schla|gen; er wurde [halb] totgeschlagen; er hat seine Zeit totgeschlagen *(ugs. für* nutzlos verbracht) ↑K 56; Tot|schlä|ger; Tot|schlä|ge|rin
tot|schwei|gen; sie hat den Vorfall totgeschwiegen ↑K 56
tot stel|len *vgl.* tot
tot|tram|peln; er wurde totgetrampelt ↑K 56; tot|tre|ten; er hat den Käfer totgetreten ↑K 56
Tö|tung; fahrlässige Tötung
Tö|tungs|ab|sicht; Tö|tungs|de|likt; Tö|tungs|ver|such
Tot|zeit *(Technik)*

T

Totz

Touch [tatʃ], der; -s, -s ⟨engl.⟩ (Anstrich; Anflug, Hauch)

tou|chie|ren [tu'ʃiː...] ⟨franz.⟩ (*Sport* [nur leicht] berühren)

Touch|screen ['tatʃskriːn], der; -s, -s ⟨engl.⟩ (Computerbildschirm, der auf Antippen mit dem Finger o. Ä. reagiert)

tough [taf] ⟨engl.⟩, **taff** (*ugs. für* robust, durchsetzungsfähig); eine **toughe** *od.* taffe Frau, ein **tougher** *od.* taffer Typ

Tou|lon [tu'lõ:] (franz. Stadt)

Tou|louse [tu'luːs] (franz. Stadt)

Tou|louse-Lau|t|rec [...'luːsloˈtrɛk] (franz. Maler u. Grafiker)

Tou|pet [tu'pe:], das; -s, -s ⟨franz.⟩ (Halbperücke; Haarersatz; *schweiz. regional auch für* Unverfrorenheit)

tou|pie|ren (dem Haar durch Auflockern ein volleres Aussehen geben); **Tou|pie|rung**

Tour [tuːɐ̯], die; -, -en ⟨franz.⟩; in einer Tour (*ugs. für* ohne Unterbrechung); auf Touren kommen (eine hohe Geschwindigkeit erreichen; *übertr. für* in Schwung kommen)

Tou|raine [tu'rɛːn], die; - (westfranz. Landschaft)

Tour de France ['tuːɐ̯ də 'frãːs], die; - - - ⟨franz.⟩ (in Frankreich alljährlich von Berufsradsportlern in Etappen ausgetragenes Radrennen)

Tour de Suisse [- də 'svis], die; - (schweiz. Radrennen)

Tour d'Ho|ri|zon [- dori'zõ:], die; - -, -s [tur] - (informativer Überblick)

tou|ren ['tuː...]; wir sind durch Asien getourt

Tou|ren|ski, Tou|ren|schi

Tou|ren|wa|gen; **Tou|ren|zahl** (*svw.* Drehzahl); **Tou|ren|zäh|ler** (Drehzahlmesser)

Tou|ri ['tuː...], der; -s, -s (*ugs. Kurzwort für* Tourist)

Tou|ris|mus, der; - ⟨engl.⟩ (Fremdenverkehr); **Tou|ris|mus|bran|che**; **Tou|ris|mus|in|dus|t|rie**; **Tou|ris|mus|wirt|schaft**; **Tou|rist**, der; -en, -en (Urlaubsreisender)

Tou|ris|ten|at|trak|ti|on; **Tou|ris|ten|klas|se**, die; - (preiswerte Reiseklasse im See- u. Luftverkehr); **Tou|ris|ten|strom**

Tou|ris|tik, die; - (Gesamtheit der touristischen Einrichtungen u. Veranstaltungen); **Tou|ris|tin**; **tou|ris|tisch**

Tour|nai [tʊr'nɛ:] (belg. Stadt);

Tour|nai|tep|pich, Tour|nai-Teppich

Tour|né [tʊr...], das; -s, -s ⟨franz.⟩ (*Kartenspiel* aufgedecktes Kartenblatt, dessen Farbe als Trumpffarbe gilt)

Tour|ne|dos [...nə'do:], das; -, - (runde Lendenschnitte)

Tour|nee, die; -, *Plur.* -s u. ...neen (Gastspielreise von Künstlern)

Tour|nee|lei|ter, der; **Tour|nee|lei|te|rin**; **Tour|nee|ver|an|stal|ter**; **Tour|nee|ver|an|stal|te|rin**

tour-re|tour [tuːrreˈtuːr] ⟨franz.⟩ (*österr. für* hin und zurück)

To|wa|rischtsch, der; -[s], *Plur.* -s, *auch* -i ⟨russ.⟩ (*russ. Bez. für* Genosse)

To|wer ['tau...], der; -s, - ⟨engl., »Turm«⟩ (ehemalige Königsburg in London; Flughafenkontrollturm); **To|wer|brü|cke**, die; -

Town|ship ['taun ʃɪp], die; -, -s (von Farbigen bewohnte städtische Siedlung [in Südafrika])

To|x|al|bu|min ⟨griech.; lat.⟩ (eiweißartiger Giftstoff)

to|xi|gen (Giftstoffe erzeugend; durch Vergiftung verursacht)

To|xi|ko|lo|ge, der; -n, -n ⟨griech.⟩; **To|xi|ko|lo|gie**, die; - (Lehre von den Giften u. ihren Wirkungen); **To|xi|ko|lo|gin**; **to|xi|ko|lo|gisch**

To|xi|kum, das; -s, ...ka (*Med.* Gift); **To|xin**, das; -s, -e (*Med.* organischer Giftstoff [von Bakterien])

to|xisch (giftig; durch Gift verursacht); **To|xi|zi|tät**, die; -

Toyn|bee [...bi] (engl. Historiker)

TP = Triangulationspunkt, trigonometrischer Punkt

Trab, der; -[e]s; Trab laufen, rennen, reiten ↑K 54

¹Tra|bant, der; -en, -en (*früher für* Begleiter; Diener; *Astron.* Mond; *Technik* künstl. Erdmond, Satellit)

²Tra|bant®, der; -s, -s (Kraftfahrzeug aus der DDR)

Tra|ban|ten|stadt (selbstständige Randsiedlung einer Großstadt)

Trab|bi, Tra|bi, der; -s, -s (*kurz für* ²Trabant)

tra|ben

Tra|ber (Pferd); **Tra|ber|bahn**

Tra|bi *vgl.* Trabbi

Trab|renn|bahn; **Trab|ren|nen**

Trab|zon [...psɔn, *auch* ...'psɔn] (türk. Hafenstadt)

Tra|chea, die; -, ...een (*Med.* Luftröhre); **Tra|chee**, die; -, ...een (Atmungsorgan niederer Tiere;

Bot. Wasser leitendes pflanzl. Gefäß)

Tracht, die; -, -en; eine Tracht Prügel (*ugs.*)

trach|ten; nach etwas trachten

Trach|ten|an|zug; **Tracht|en|fest**

Trach|ten|grup|pe (*vgl.* ¹Gruppe)

Trach|ten|ja|cke; **Trach|ten|ka|pel|le**; **Trach|ten|kos|tüm**; **Tra|ch|ten|um|zug**

träch|tig; **Träch|tig|keit**, die; -

Tracht|ler (*landsch. für* Teilnehmer an einem Trachtenfest); **Tracht|le|rin**

Tra|chyt, der; -s, -e ⟨griech.⟩ (ein Ergussgestein)

Track [trɛk], der; -s, -s ⟨engl.⟩ (*Schifffahrt* Schiffsroute; *EDV* abgegrenzter Bereich auf einem Datenträger; Musikstück, Nummer [bes. auf einer CD])

Trade|mark ['tre:t...], die; -, -s ⟨engl.⟩ (*engl. Bez. für* Warenzeichen)

tra|den ['tre:...] ⟨engl.⟩ (*Wirtsch., Börsenw.* [mit Aktien] handeln); **Tra|der**, der; -s, - [Trɛ̯der]

Tra|des|kan|tie, die; -, -n ⟨nach dem Engländer Tradescant⟩ (Dreimasterblume, eine Zierpflanze)

Trade|uni|on ['tre:t'ju:njən], Trade-Uni|on, die; -, -s ⟨engl.⟩ (*engl. Bez. für* Gewerkschaft)

tra|die|ren ⟨lat.⟩ (überliefern); **Tra|ding** ['tre:...], das; -s ⟨*Wirtsch., Börsenw.* Handel⟩

Tra|di|ti|on, die; -, -en (Überlieferung; Herkommen; Brauch)

Tra|di|ti|o|na|lis|mus, der; - (bewusstes Festhalten an der Tradition); **Tra|di|ti|o|na|list**, der; -en, -en; **tra|di|ti|o|na|lis|tisch**

tra|di|ti|o|nell ⟨franz.⟩ (überliefert, herkömmlich)

tra|di|ti|ons|be|wusst; Tra|di|ti|ons|be|wusst|sein

tra|di|ti|ons|ge|bun|den; tra|di|ti|ons|ge|mäß

Tra|di|ti|ons|kon|zern; Tra|di|ti|ons|mar|ke

tra|di|ti|ons|reich

Tra|di|ti|ons|ver|ein

traf *vgl.* treffen

träf (*schweiz. für* treffend, schlagend)

Tra|fal|gar (Kap an der span. Atlantikküste südöstl. von Cádiz)

Tra|fik, die; -, -en ⟨franz.⟩ (*bes. österr. für* [Tabak]laden)

Tra|fi|kant, der; -en, -en; **Tra|fi|kan|tin**

T
Touc

Tra|fo, der; -[s], -s (*Kurzw. für* Transformator); Tra|fo|sta|ti|on
Traft, die; -, -en ⟨poln.⟩ ⟨*nordostd. für großes Floß auf der Weichsel*⟩; Traf|ten|füh|rer
träg, trä|ge
Tra|gant, der; -[e]s, -e ⟨griech.⟩ (eine Pflanze; Gummisubstanz als Bindemittel)
Trag|bah|re; Trag|band, das; *Plur.* ...bänder
trag|bar
Trag|büt|te; Trag|de|cke
trä|ge, träg
Tra|ge, die; -, -n
Tra|ge|gurt, *seltener* Trag|gurt; Tra|ge|korb, *seltener* Trag|korb
Tra|ge|laph, der; -en, -en ⟨griech.⟩ (altgriech. Fabeltier)
tra|gen; du trägst, er trägt; du trugst; du trügest; getragen; trag[e]!; ↑K 82 : zum Tragen kommen
Trä|ger; Trä|ge|rin
Trä|ger|kleid; Trä|ger|ko|lon|ne
Tra|gerl, das; -s, -n (*österr. für* Tragegestell)
Trä|ger|lohn
trä|ger|los; ein trägerloses Kleid
Trä|ger|ra|ke|te
Trä|ger|rock
Trä|ger|schaft
Trä|ger|schür|ze
Trä|ger|wel|le (*Funktechnik*)
Tra|ge|ta|sche; Tra|ge|tü|te
Tra|ge|zeit, Trag|zeit (Dauer der Trächtigkeit)
trag|fä|hig; Trag|fä|hig|keit, die; -
Trag|flä|che; Trag|flä|chen|boot
Trag|gurt *vgl.* Tragegurt
Träg|heit, die; -, -en
Träg|heits|ge|setz, das; -es (*Physik*); Träg|heits|mo|ment, das
Trag|him|mel (Baldachin)
Trag|holz (*svw.* Fruchtholz)
tra|gie|ren ⟨griech.⟩ (*veraltend für* eine Rolle [tragisch] spielen)
Tra|gik, die; - (Kunst des Trauerspiels; schweres, schicksalhaftes Leid); Tra|gi|ker (Trauerspieldichter); Tra|gi|ke|rin
tra|gi|ko|mik; tra|gi|ko|misch (halb tragisch, halb komisch); Tra|gi|ko|mö|die (Schauspiel, in dem Tragisches u. Komisches miteinander verbunden sind)
tra|gisch; tra|gi|scher|wei|se
Trag|korb *vgl.* Tragekorb
Trag|kraft, die; -; trag|kräf|tig
Trag|last; Trag|luft|hal|le
Tra|gö|de, der; -n, -n ⟨griech.⟩ (Heldendarsteller)

Tra|gö|die, die; -, -n (Trauerspiel; [großes] Unglück)
Tra|gö|di|en|dar|stel|ler; Tra|gö|di|en|dar|stel|le|rin; Tra|gö|di|en|dich|ter; Tra|gö|di|en|dich|te|rin
Tra|gö|din
Trag|rie|men; Trag|seil; Trag|ses|sel; Trag|tier
Trag|wei|te, die; -
Trag|werk (*Bauw.*, *Flugzeugbau*)
Trag|zeit *vgl.* Tragezeit
Traid|bo|den; Traid|kas|ten (*österr. Völkerk.* Getreidespeicher)
Trail [tre:l], der; -s, -s ⟨engl.⟩ (*engl. Bez. für* Wanderpfad)
Trai|ler ['tre:...], der; -s, -s ⟨engl.⟩ (Anhänger [zum Transport von Booten, Containern u. a.]; als Werbung für einen Film gezeigte Ausschnitte)
Train [trɛ:, *auch, österr. nur,* trɛ:n], der; -s, -s ⟨franz.⟩ (*früher für* Tross, Heeresfuhrwesen)
Trai|nee [trɛ'ni:, tre...], der; -s, -s ⟨engl.⟩ (jmd., der für eine bestimmte Aufgabe vorbereitet wird)
Trai|ner ['trɛ:..., *auch* 'tre:...], der; -s, - (jmd., der Sportler systematisch auf Wettkämpfe vorbereitet; Betreuer von Rennpferden; *schweiz. auch kurz für* Trainingsanzug); Trai|ner|bank *Plur.* ...bänke; Trai|ne|rin
Trai|ner|li|zenz; Trai|ner|schein; Trai|ner|wech|sel
trai|nie|ren
Trai|ning, das; -s, -s
Trai|nings|an|zug; Trai|nings|camp; Trai|nings|ein|heit; trai|nings|frei; Trai|nings|ho|se; Trai|nings|ja|cke; Trai|nings|la|ger *Plur.* ...lager; Trai|nings|me|tho|de; Trai|nings|mög|lich|keit; Trai|nings|pro|gramm; Trai|nings|rück|stand; Trai|nings|zelt
Trai|teur [trɛ'tø:ɐ̯], der; -s, -e ⟨franz.⟩ (Leiter einer Großküche; *schweiz. für* Hersteller u. Lieferant von Fertiggerichten); Trai|teu|rin [...'tø:rɪn]
Tra|jan [*österr.* 'tra:...], Tra|ja|nus (röm. Kaiser); Tra|jans|säu|le, die; - ↑K 136 ; Tra|jans|wall, der; -[e]s ⟨ Tra|ja|nus *vgl.* Trajan
Tra|jekt, der *od.* das; -[e]s, -e ⟨lat.⟩ ([Eisenbahn]fährschiff; *veraltet für* Überfahrt)
Tra|jek|to|ri|en *Plur.* (*Math.* Kurven, die sämtliche Kurven einer ebenen Kurvenschar schneiden)
Tra|keh|nen (Ort in Ostpreußen)

¹Tra|keh|ner; Trakehner Hengst
²Tra|keh|ner (Pferd)
Trakl (österr. Dichter)
Trakt, der; -[e]s, -e ⟨lat.⟩ (Gebäudeteil; *bes. Med.* Längsausdehnung, z. B. Darmtrakt)
trak|ta|bel (*veraltet für* leicht zu behandeln, umgänglich); ...a|b|ler Mensch
Trak|tan|den|lis|te (*schweiz. für* Tagesordnung); trak|tan|die|ren (*schweiz. für* auf die Tagesordnung setzen); Trak|tan|dum, das; -s, ...den (*schweiz. für* Tagesordnungspunkt)
Trak|tat, das *od.* der; -[e]s, -e ([wissenschaftl.] Abhandlung; religiöse Schrift); Trak|tät|chen (*abwertend für* kleine Schrift [mit religiösem Inhalt])
trak|tie|ren (schlecht behandeln, quälen; *veraltet für* großzügig bewirten); Trak|tie|rung
Trak|ti|on, die; -, -en (*bes. Physik, Technik* das Ziehen, Zugkraft)
Trak|tor, der; -s, ...oren (Zugmaschine, Schlepper); Trak|to|rist, der; -en, -en ⟨lat.-russ.⟩ (*regional für* Traktorfahrer); Trak|to|ris|tin
Tral|je, die; -, -n ⟨niederl.⟩ (*nordd. für* Gitter[stab])
tral|la!; tra|l]|la|[la]la! [*auch* 'tra...]
Träl|le|borg (*alte Schreibung für* Trelleborg)
träl|lern; ich trällere
¹Tram, der; -[e]s, *Plur.* -e u. Träme (*österr. svw.* Tramen)
²Tram, die; -, -s, *schweiz.* das; -s, -s ⟨engl.⟩ (*bes. schweiz. für* Straßenbahn); Tram|bahn (*südd. für* Straßenbahn)
Trä|mel, der; -s, - (*landsch. für* Klotz, Baumstumpf); Tra|men, der; -s, - (*südd. für* Balken)
Tra|min (Ort in Südtirol)
¹Tra|mi|ner; Traminer Wein
²Tra|mi|ner (eine Reb- u. Weinsorte)
Tra|mon|ta|na, Tra|mon|ta|ne, die; -, ...nen ⟨ital.⟩, »von jenseits des Gebirges« (ein kalter Nordwind in Italien)
Tramp [trɛ...], der; -s, -s ⟨engl.⟩ (Landstreicher, umherziehender Gelegenheitsarbeiter [bes. in den USA]; Trampschiff)
Tram|pel, der *od.* das; -s, - (*ugs. für* plumper Mensch)
tram|peln; ich tramp[e]le
Tram|pel|pfad; Tram|pel|tier (zweihöckeriges Kamel; *ugs. für* plumper Mensch)
tram|pen ['trɛ...] ⟨engl.⟩ (per

T
tram

Anhalter reisen); Tram|per; Tram|pe|rin

Tramp|fahrt (Fahrt eines Trampschiffes)

Tram|po|lin [*auch* ...'liːn], das; -s, -e ⟨ital.⟩ (ein Sprunggerät); Tram|po|lin|sprung

Tramp|schiff; Tramp|schiff|fahrt (nicht an feste Linien gebundene Frachtschifffahrt)

Tram|way [...vai], die; -, -s ⟨engl.⟩ (*ostösterr. für* Straßenbahn)

Tran, der; -[e]s, *Plur. (Sorten:)* -e (flüssiges Fett von Seesäugetieren, Fischen)

Tran|ce ['trãːs(ə)], die; -, -n ⟨franz.⟩ (schlafähnlicher Zustand [in Hypnose]); Tran|ce|zu|stand

Tranche ['trãːʃ(ə)], die; -, -n ⟨franz.⟩ (fingerdicke Fleisch- od. Fischschnitte; *Wirtsch.* Teilbetrag einer Wertpapieremission)

Trän|chen (kleine Träne)

tran|chie|ren usw. *vgl.* transchieren usw.

Trä|ne, die; -, -n; trä|nen

Trä|nen|bein *(Med.);* Trä|nen|drü|se

trä|nen|er|stickt; trä|nen|feucht

Trä|nen|fluss

Trä|nen|gas, das; -es

Trä|nen|gru|be (beim Hirsch)

trä|nen|nass; trä|nen|reich

Trä|nen|sack; Trä|nen|schlei|er

trä|nen|über|strömt

Tran|fun|zel, *selten* Tran|fun|sel (*ugs. für* schlecht brennende Lampe; [geistig] schwerfälliger Mensch)

tra|nig (voller Tran; wie Tran; *ugs. für* langweilig, langsam)

trank *vgl.* trinken

Trank, der; -[e]s, Tränke; Tränkchen

Trän|ke, die; -, -n (Tränkplatz für Tiere); trän|ken

Trank|op|fer; Trank|sa|me, die; - (*schweiz. für* Getränk)

Tränk|stoff; Trän|kung

Tran|lam|pe

Tran|qui|li|zer ['trɛŋkvilaizɐ], der; -s, - ⟨engl.⟩ (beruhigendes Medikament)

tran|quil|lo [tra...] ⟨ital.⟩ (*Musik* ruhig)

trans..., Trans... ⟨lat.⟩ ([nach] jenseits)

Trans|ak|ti|on, die; -, -en ⟨lat.⟩ (größeres finanzielles Unternehmen)

trans|al|pin; trans|al|pi|nisch ([von Rom aus] jenseits der Alpen liegend)

trans|at|lan|tisch (überseeisch)

Trans|bai|ka|li|en (Landschaft östl. vom Baikalsee)

tran|schie|ren [trãˈʃiː...], tran|chieren [trãʃiː...] ⟨franz.⟩ ([Fleisch, Geflügel, Braten] zerlegen); Tran|schier|mes|ser, Tran|chiermes|ser, das

Tran|se, die; -, -n (*ugs. für* Transvestit)

Tran|sept, der *od.* das; -[e]s, -e ⟨mlat.⟩ (*Archit.* Querhaus)

Trans-Eu|rop-Ex|press (*veraltet;* Zug im europ. Personenverkehr [bis 1987])

Trans|fer, der; -s, -s ⟨engl.⟩ (*Wirtsch.* Zahlung ins Ausland in fremder Währung; *Psychol., Päd.* Übertragung erlernter Vorgänge auf eine andere Aufgabe; *Sport* Wechsel eines Berufsspielers zu einem anderen Verein; Weitertransport im Reiseverkehr)

Trans|fer|ab|kom|men

trans|fe|rie|ren (Geld in eine fremde Währung umwechseln; *österr. Amtsspr.* [dienstlich] versetzen); Trans|fe|rie|rung

Trans|fer|leis|tung (*svw.* Transfer)

Trans|fer|lis|te (*Fußball*)

Trans|fer|stra|ße (*Technik*)

Trans|fi|gu|ra|ti|on, die; -, -en ⟨lat.⟩ ([Darstellung der] Verklärung Christi)

Trans|for|ma|ti|on, die; -, -en ⟨lat.⟩ (Umformung; Umwandlung; Umgestaltung); Trans|for|ma|tions|gram|ma|tik, die; - (*Sprachw.*)

Trans|for|ma|tor, der; -s, ...oren (elektr. Umspanner; *Kurzw.* Trafo); Trans|for|ma|tor|an|la|ge

Trans|for|ma|to|ren|häus|chen, Trans|for|ma|tor|häus|chen

trans|for|mie|ren (umformen; umwandeln; umspannen); Trans|for|mie|rung

trans|fun|die|ren ⟨lat.⟩ (*Med.* [Blut] übertragen); Trans|fu|si|on, die; -, -en

Tran|sis|tor, der; -s, ...oren ⟨engl.⟩ (*Elektronik* ein Halbleiterbauelement); Tran|sis|tor|ge|rät

tran|sis|to|rie|ren, tran|sis|to|ri|sieren

Tran|sis|tor|ra|dio

Tran|sit [*auch* ...'zɪt, 'tra...], der; -s, -e ⟨ital.⟩ (*Wirtsch.* Durchfuhr von Waren; Durchreise von Personen)

Tran|sit|ab|kom|men; Tran|sit|handel (*vgl.* ¹Handel)

tran|si|tie|ren (*Wirtsch.* durchlaufen, passieren)

tran|si|tiv ⟨lat.⟩ (*Sprachw.* ein Akkusativobjekt fordernd; zielend); transitives Verb; Tran|sitiv, das; -s, -e (zielendes Verb, z. B. [den Hund] »schlagen«); Tran|si|ti|vum, das; -s, ...va (*älter für* Transitiv)

tran|si|to|risch (vorübergehend); Tran|si|to|ri|um, das; -s, ...ien (*Wirtsch.* vorübergehender Haushaltsposten [für die Dauer eines Ausnahmezustandes])

Tran|sit|rei|sen|de; Tran|sit|ver|bot (Durchfuhrverbot); Tran|sit|verkehr, der; -[e]s; Tran|sit|vi|sum; Tran|sit|weg; Tran|sit|zoll

Trans|jor|da|ni|en (*früherer Name von* Jordanien)

Trans|kau|ka|si|en (Landschaft zwischen Schwarzem Meer u. Kaspischem Meer); trans|kau|kasisch

Trans|kei, die; - ([formal unabhängige] Republik in Südafrika [jenseits des Flusses Kei])

trans|kon|ti|nen|tal ⟨lat.⟩ (einen Erdteil durchquerend)

trans|kri|bie|ren ⟨lat.⟩ (*Sprachw.* einen Text in eine andere Schrift, z. B. eine phonet. Umschrift, übertragen; Wörter aus Sprachen, die keine Lateinschrift haben, annähernd lautgerecht in Lateinschrift wiedergeben [*vgl.* Transliteration]; *Musik* umsetzen); Tran|skrip|tion, die; -, -en

Trans|li|te|ra|ti|on, die; -, -en ⟨lat.⟩ (*Sprachw.* buchstabengetreue Umsetzung eines Textes in eine andere Schrift [bes. aus nichtlateinischer in lat. Schrift] mit zusätzlichen Zeichen); trans|lite|rie|ren

Trans|lo|ka|ti|on, die; -, -en ⟨lat.⟩ (*Biol.* Verlagerung eines Chromosomenbruchstückes in ein anderes Chromosom); trans|lozie|ren (*Biol.* sich verlagern)

Trans|mis|si|on, die; -, -en ⟨lat.⟩ ([Vorrichtung zur] Kraftübertragung von einem Antriebssystem auf mehrere Maschinen); Trans|mis|si|ons|rie|men

trans|mit|tie|ren (übertragen, übersenden)

trans|na|ti|o|nal (*Wirtsch.* übernational)

trans|oze|a|nisch (jenseits des Ozeans liegend)

trans|pa|rent ⟨lat.-franz.⟩ (durchscheinend; durchsichtig; durchschaubar)

Trans|pa|rent, das; -[e]s, -e (Spruchband; durchscheinendes Bild); **Trans|pa|rent|pa|pier** (Pauspapier)

Trans|pa|renz, die; - (Durchsichtigkeit; Durchschaubarkeit)

Trans|pi|ra|ti|on, die; - ⟨lat.⟩ (Schweißbildung; Hautausdünstung; *Bot.* Abgabe von Wasserdampf, bes. an den Blättern); **trans|s|pi|rie|ren**

Trans|plan|tat, das; -[e]s, -e ⟨lat.⟩ (überpflanztes Gewebestück); **Trans|plan|ta|ti|on,** die; -, -en (*Med.* Überpflanzung von Organen, Gewebeteilen od. lebenden Zellen; *Bot.* Pfropfung); **Trans|plan|ta|ti|ons|me|di|zin,** die; -; **trans|plan|tie|ren** (*Med.*)

Trans|pon|der, der; -s, - ⟨engl.⟩ (*Nachrichtentechnik* Gerät zum Empfangen und Senden von Funksignalen)

trans|po|nie|ren ⟨lat.⟩ (*Musik* in eine andere Tonart übertragen); **Trans|po|nie|rung**

Trans|port, der; -[e]s, -e ⟨lat.⟩ (Beförderung); **trans|por|ta|bel** (beförderbar); ...a|b|ler Ofen

Trans|port|an|la|ge (Förderanlage); **Trans|port|ar|bei|ter; Trans|port|ar|bei|te|rin**

Trans|port|band, das; *Plur.* ...bänder; **Trans|port|be|häl|ter; Trans|port|be|ton**

Trans|por|ter, der; -s, - ⟨engl.⟩ (Transportauto, -flugzeug, -schiff)

Trans|por|teur [...'tø:ɐ̯], der; -s, -e ⟨franz.⟩ (jmd., der etwas transportiert; Zubringer an der Nähmaschine); **Trans|por|teu|rin**

trans|port|fä|hig; Trans|port|fä|hig|keit, die; -

Trans|port|flug|zeug; Trans|port|füh|rer; Trans|port|ge|fähr|dung; Trans|port|ge|wer|be, das; -s; **Trans|port|gut**

trans|por|tie|ren (befördern); **Trans|por|tie|rung**

Trans|port|kas|ten; Trans|port|kis|te; Trans|port|kos|ten *Plur.*

Trans|port|mit|tel, das; **Trans|port|schiff; Trans|port|un|ter|neh|men; Trans|port|we|sen,** das; -s

Trans|po|si|ti|on, die; -, -en ⟨lat.⟩ (Übertragung eines Musikstückes in eine andere Tonart)

Trans|ra|pid ®, der; -[s] (eine Magnetschwebebahn)

Trans|se|xu|a|li|tät, die; - ⟨lat.⟩

(*Med., Psych.* Gefühl der Zugehörigkeit zum anderen Geschlecht, häufig verbunden mit dem Bestreben nach Geschlechtsumwandlung); **trans|se|xu|ell; Trans|se|xu|el|le,** die; der *u.* die; -n, -n

Trans|sib [*auch* 'tra...], die; - (*kurz für* Transsibirische Eisenbahn); **trans|si|bi|risch** (Sibirien durchquerend) *aber* ↑K 150: die Transsibirische Eisenbahn

Trans|sil|va|ni|en (*alter Name von* Siebenbürgen); **trans|sil|va|nisch;** *aber* ↑K 140: die Transsilvanischen Alpen

Trans|sub|s|tan|ti|a|ti|on, die; -, -en ⟨lat.⟩ (*kath. Kirche* Verwandlung von Brot und Wein in Leib und Blut Christi); **Trans|sub|s|tan|ti|a|ti|ons|leh|re,** die; -

Trans|su|dat, das; -[e]s, -e ⟨lat.⟩ (*Med.* abgesonderte Flüssigkeit in Körperhöhlen)

Trans|syl|va|ni|en usw. *vgl.* Transsilvanien usw.

Trans|uran, das; -s, -e *meist Plur.* ⟨lat.-griech.⟩ (künstlich gewonnenes radioaktives Element mit höherem Atomgewicht als Uran)

Tran|su|se, die; -, -n (*ugs. für* langweiliger Mensch)

Trans|vaal (Provinz der Republik Südafrika)

trans|ver|sal ⟨lat.⟩ (quer verlaufend, schräg); **Trans|ver|sa|le,** die; -, -n (Gerade, die eine geometr. Figur durchschneidet); drei -[n]; **Trans|ver|sal|wel|le** (*Physik*)

Trans|ves|tis|mus ⟨lat.⟩ (*Med., Psych.* im sexuellen Verhalten Tendenz zur Bevorzugung von Kleidungsstücken, die für das andere Geschlecht typisch sind)

Trans|ves|tit, der; -en, -en; **Trans|ves|ti|tis|mus** *vgl.* Transvestismus

tran|s|zen|dent ⟨lat.⟩ (übersinnlich, -natürlich); **tran|s|zen|den|tal** (*Philos.* aller Erfahrungserkenntnis zugrunde liegend; *Scholastik svw.* transzendent); **tran|s|zendentale Logik; Tran|s|zen|denz,** die; - (das Überschreiten der Grenzen der Erfahrung, des Bewusstseins); **tran|s|zen|die|ren**

Trap, der; -s, -s ⟨engl.⟩ (Geruchsverschluss)

Tra|pez, das; -es, -e ⟨griech.⟩ (Viereck mit zwei parallelen, aber ungleich langen Seiten; quer an zwei Seilen hängende Stange für akrobatische Übungen); **Tra|pez-**

akt (am Trapez ausgeführte Zirkusnummer)

Tra|pez|form; tra|pez|för|mig

Tra|pez|künst|ler; Tra|pez|künst|le|rin

Tra|pez|li|nie

Tra|pe|zo|e|der, das; -s, - (*Geom.* Körper, der von gleichschenkeligen Trapezen begrenzt wird)

Tra|pe|zo|id, das; -[e]s, -e (Viereck ohne parallele Seiten)

Tra|pe|zunt (*früherer Name von* Trabzon)

trapp!; trapp, trapp!

Trapp, der; -[e]s, -e ⟨schwed.⟩ (*Geol.* großflächiger, in mehreren Lagen treppenartig übereinanderliegender Basalt)

¹**Trap|pe,** die; -, -n, *Jägerspr. auch* der; -n, -n ⟨slaw.⟩ (ein Steppenvogel)

²**Trap|pe,** die; -, -n (*nordd. für* [schmutzige] Fußspur)

trap|peln (mit kleinen Schritten rasch gehen); ich trapp[e]le; **trap|pen** (schwer auftreten)

Trap|per, der; -s, - ⟨engl., »Fallensteller«⟩ (nordamerik. Pelzjäger)

Trap|pist, der; -en, -en ⟨nach der Abtei La Trappe⟩ (Angehöriger des Ordens der reformierten Zisterzienser mit Schweigegelübde)

Trap|pis|ten|kä|se; Trap|pis|ten|klos|ter; Trap|pis|ten|or|den, der; -s

Trap|pis|tin (Angehörige des w. Trappistenordens)

Trap|schie|ßen ⟨engl.; dt.⟩ (Wurftaubenschießen mit Schrotgewehren)

trap|sen (*ugs. für* sehr laut auftreten); du trapst

tra|ra!; Tra|ra, das; -s (*ugs. für* Lärm; großartige Aufmachung, hinter der nichts steckt)

Trash [trɛʃ], der; -s ⟨engl.⟩ (Schund, Ramsch)

Tra|si|me|ni|sche See, der; -n -s; ↑K 140 (in Italien)

Trass, der; -es, -e ⟨niederl.⟩ (vulkanisches Tuffgestein)

Tras|sant, der; -en, -en ⟨ital.⟩ (*Wirtsch.* Aussteller eines gezogenen Wechsels); **Tras|san|tin; Tras|sat,** der; -en, -en (zur Bezahlung eines Wechsels Verpflichteter); **Tras|sa|tin**

Tras|se, die; -, -n ⟨franz.⟩ ([abgesteckter] Verlauf eines Verkehrsweges, einer Versorgungsleitung usw.; Bahnkörper, Bahn-, Straßendamm); **Tras|see,** das; -s, -s (*schweiz. für* Trasse)

tras|sie|ren (eine Trasse abstecken,

vorzeichnen; *Wirtsch.* einen Wechsel auf jmdn. ziehen oder ausstellen); **Tras|sie|rung**

Tras|te|ve|re ⟨ital. »jenseits des Tibers«⟩ ⟨röm. Stadtteil); **Tras-te|ve|ri|ner**

trat *vgl.* treten

Tratsch, der; -[e]s *(ugs. für* Geschwätz, Klatsch); **tratschen;** du tratschst; **Trat|sche|rei**

Trat|te, die; -, -n ⟨ital.⟩ *(Bankw.* gezogener Wechsel)

Trat|to|ria, die; -, ...ien ⟨ital.⟩ *(ital. Bez. für* Wirtshaus)

Trau|al|tar

Träub|chen

Trau|be, die; -, -n; **trau|ben|för|mig**

Trau|ben|ho|lun|der; Trau|ben-kamm (Stiel der Weintraube); **Trau|ben|kern; Trau|ben|kur; Trau|ben|le|se; Trau|ben|most; Trau|ben|saft; Trau|ben|wick|ler** (ein Schmetterling); **Trau|ben-zu|cker,** der; -s

trau|big

Traud|chen, Trau|de[l], Trud|chen, Tru|de (w. Vorn.)

trau|en; der Pfarrer traut das Paar; jmdm. trauen (vertrauen); sich trauen; ich traue mich nicht *(selten* mir nicht), das zu tun

Trau|er, die; -

Trau|er|an|zei|ge; Trau|er|ar|beit, die; - *(Psych.);* **Trau|er|bin|de; Trau|er|bot|schaft; Trau|er|brief; Trau|er|fall,** der; **Trau|er|fa|mi|lie** *(bes. schweiz. für* Hinterbliebene bei einem Todesfall); **Trau-er|fei|er; Trau|er|flor; Trau|er|gast** *Plur.* ...gäste; **Trau|er|ge|fol|ge; Trau|er|ge|leit; Trau|er|ge|mein-de; Trau|er|got|tes|dienst; Trau-er|haus; Trau|er|jahr; Trau|er|kar-te; Trau|er|klei|dung**

Trau|er|kloß *(ugs. scherzh. für* langweiliger, energieloser Mensch); **Trau|er|mahl**

Trau|er|man|tel (ein Schmetterling)

Trau|er|marsch, der; **Trau|er|mie|ne**

trau|ern; ich trau[e]re

Trau|er|nach|richt; Trau|er|rand; Trau|er|schlei|er; Trau|er|spiel; Trau|er|wei|de; Trau|er|zeit; Trau-er|zug

Trau|fe, die; -, -n

träu|feln; ich träuf[e]le; **träu|fen** *(veraltet für* träufeln)

Trau|gott (m. Vorn.)

trau|lich; Trau|lich|keit, die; -

Traum, der; -[e]s, Träume

Trau|ma, das; -s, *Plur.* ...men *u.* -ta ⟨griech.⟩ (starke seelische

Erschütterung; *Med.* Wunde); **trau|ma|tisch; trau|ma|ti|sie|ren** ([seelisch] verletzen)

Traum|au|to; Traum|be|ruf; Traum-bild; Traum|buch; Traum|deu|ter; Traum|deu|te|rin; Traum|deu|tung; Traum|dich|tung

Trau|men *(Plur. von* Trauma)

träu|men; ich träumte von meinem Bruder; mir träumte von ihm; es träumte mir *(geh.);* das hätte ich mir nicht träumen lassen *(ugs. für* hätte ich nie geglaubt)

Träu|mer; Träu|me|rei; Traum|er-geb|nis; Träu|me|rin

träu|me|risch

Traum|fa|b|rik (Welt des Films); **Traum|frau; Traum|ge|bil|de; Traum|ge|sicht** *Plur.* ...gesichte

traum|haft

Traum|mi|net, der; -s, -s *(österr. ugs. scherzh. für* Feigling)

Traum|job; Traum|mann *Plur.* ...männer; **Traum|no|te; Traum-paar; Traum|strand**

Traum|tän|zer *(abwertend);* **Traum-tän|ze|rin**

traum|ver|lo|ren; traum|ver|sun|ken; traum|wan|deln usw. *vgl.* schlaf-wandeln usw.; **traum|wand|le-risch**

traun! *(geh. veraltet für* in der Tat!)

Traun, die; - (rechter Nebenfluss der Donau)

Trau|ner, der; -s, - *(österr. für* ein flaches Lastschiff); **Traun|see,** der; -s (oberösterr. See); **Traun-vier|tel,** das; -s (oberösterr. Landschaft)

trau|rig; Trau|rig|keit

Trau|ring; Trau|schein; Trau|spruch

traut; trautes Heim; trauter Freund

Traut|chen *vgl.* Traudchen

¹**Trau|te** (w. Vorn.); *vgl.* Traude[l]

²**Trau|te,** die; - *(ugs. für* Vertrauen, Mut); keine Traute haben

Trau|ung; Trau|zeu|ge; Trau|zeu|gin

Tra|vel|ler|scheck [ˈtrɛ...] ⟨engl.⟩ (Reisescheck)

tra|vers ⟨franz.⟩ (quer [gestreift]); traverse Stoffe

Tra|vers [...ˈvɛːɐ̯, *auch* ...ˈvɛrs], der; - (Gangart beim Dressurreiten)

Tra|ver|se, die; -, -n *(Archit.* Querbalken, Ausleger; *Technik* Querverbinder zweier fester oder parallel beweglicher Maschinenteile; *Wasserbau* Querbau zur Flussregelung; *Bergsteigen* Quergang)

tra|ver|sie|ren *(Reiten* eine Reit-

bahn in der Diagonale durchreiten; *Fechten* durch Seitwärtstreten dem gegnerischen Angriff ausweichen; *Bergsteigen* eine Wand od. einen Hang horizontal überqueren); **Tra|ver|sie|rung**

Tra|ver|tin, der; -s, -e ⟨ital.⟩ (mineralischer Kalkabsatz bei Quellen u. Bächen)

Tra|ves|tie, die; -, ...ien ⟨lat.⟩ ([scherzhafte] Umgestaltung [eines Gedichtes]); **tra|ves|tie-ren** *(auch für* ins Lächerliche ziehen); **Tra|ves|tie|show** ⟨lat.; engl.⟩ (Darbietung, bei der vorwiegend Männer in Frauenkleidung auftreten)

Trawl [ˈtrɔːl], das; -s, -s ⟨engl.⟩ (Grundschleppnetz); **Trawl|er,** der; -s, - (ein Fischdampfer)

Trax, der; -[es], -e ⟨aus amerik. Traxcavator®⟩ *(schweiz. für* Planierraupe)

Treat|ment [ˈtriːtmənt], das; -s, -s ⟨engl.⟩ *(Film, Ferns.* Vorstufe des Drehbuchs)

Tre|be, die; *nur in* auf [die] Trebe gehen *(ugs. für* sich herumtreiben); **Tre|be|gän|ger** *(ugs. für* jugendlicher Herumtreiber); **Tre-be|gän|ge|rin**

Tre|ber *Plur.* (Rückstände [beim Keltern und Bierbrauen])

Tre|cen|tist [...tʃ...], der; -en, -en ⟨ital.⟩ (Dichter, Künstler des Trecentos); **Tre|cen|tis|tin; Tre-cen|to** [...ˈtʃɛ...], das; -[s] *(Kunstwiss.* das 14. Jh. in Italien)

Treck, der; -s, -s (Zug von Menschen, Flüchtenden [mit Fuhrwerken]); **tre|cken** (ziehen; mit einem Treck wegziehen); *vgl.* trekken

Tre|cker (Traktor)

Tre|cking usw. *vgl.* Trekking usw.

Treck|schu|te *(veraltet für* Zugschiff)

¹**Treff,** das; -s, -s ⟨franz.⟩ (Kreuz, Eichel [im Kartenspiel])

²**Treff,** der; -[e]s, -e *(veraltet für* Schlag, Hieb; Niederlage)

³**Treff,** der; -s, -s *(ugs. für* Treffen, Zusammenkunft)

Treff|ass, Treff-Ass [*auch* ˈtrɛfˈas] ⟨zu ¹Treff⟩

tref|fen; du triffst; du trafst; du träfest; getroffen; triff!; **Tref|fen,** das; -s, -; **tref|fend**

Tref|fer; Tref|fer|an|zei|ge; Tref|fer-quo|te; Tref|fer|zahl

treff|lich; Treff|lich|keit, die; -

Treff|punkt

treff|si|cher; Treff|si|cher|heit, die; -

T
Tras

Treib|an|ker; Treib|ar|beit; Treib-ball, der; -[e]s; **Treib|eis**

trei|ben; du triebst; du triebest; getrieben; treib[e]!; zu Paaren treiben; sich vom Wind treiben lassen; *aber* man darf sich im Leben nicht einfach treiben lassen *od.* treibenlassen; **Trei|ben,** das; -s, *Plur.* (*für* Treibjagden:) - **Trei|ber; Trei|be|rei; Trei|be|rin**

Treib|fäus|tel (*Bergmannsspr.* schwerer Bergmannshammer)

Treib|gas; Treib|gut

Treib|haus; Treib|haus|ef|fekt, der; -[e]s (Einfluss der Erdatmosphäre auf den Wärmehaushalt der Erde); **Treib|haus|gas** (Gas, das zum Treibhauseffekt beiträgt, z. B. Kohlendioxid); **Treib-haus|kul|tur; Treib|haus|luft,** die; -

Treib|holz, das; -es; **Treib|jagd; Treib|la|dung; Treib|mi|ne; Treib-mit|tel; Treib|netz; Treib|öl; Treib-rie|men; Treib|sand**

Treib|satz (*Technik; auch übertr. für* Antrieb, Impuls)

Treib|stoff; Treib|stoff|zoll (*schweiz.*)

Trei|del, der; -s, -n (*früher für* Zugtau zum Treideln); **Trei|de|ler** *vgl.* Treidler

trei|deln (ein Wasserfahrzeug vom Ufer aus stromaufwärts ziehen); ich treid[e]le

Trei|del|pfad; Trei|del|weg (Leinpfad); **Treid|ler** (jmd., der einen Kahn treidelt)

trei|fe ⟨hebr.-jidd.⟩ (nach jüd. Speisegesetzen unrein; *Ggs.* koscher)

trek|ken, tre|cken ⟨engl.⟩ (Trekking betreiben)

Trek|king, Tre|cking, das; -s, -s ⟨engl.⟩ (mehrtägige Wanderung od. Fahrt [durch ein unwegsames Gebiet]); **Trek|king|bike,** Tre|cking|bike [...ba͜ik], das; -s, -s (Fahrrad, das bes. für längere Touren mit Gepäck geeignet ist); **Trek|king|tour,** Tre|cking|tour

Trel|le|borg (schwed. Stadt)

Tre|ma, das; -s, *Plur.* -s u. -ta ⟨griech.⟩ (Trennpunkte, Trennungszeichen [über einem von zwei getrennt auszusprechenden Vokalen, z. B. franz. naïf »naiv«]; *Med.* Lücke zwischen den mittleren Schneidezähnen)

Tre|ma|to|de, die; -, -n *meist Plur.* (*Biol.* Saugwurm)

tre|mo|lan|do ⟨ital.⟩ (*Musik* bebend, zitternd)

tre|mo|lie|ren, tre|mu|lie|ren (beim

Gesang [übersteigert] beben und zittern)

Tre|mo|lo, das; -s, *Plur.* -s u. ...li

Tre|mor, der; -s, ...ores ⟨lat.⟩ (*Med.* das Muskelzittern)

Trem|se, die; -, -n (*nordd. für* Kornblume)

Tre|mu|lant, der; -en, -en ⟨lat.⟩ (Orgelhilfsregister); **tre|mu|lie|ren** *vgl.* tremolieren

Trench|coat ['trɛntʃ...], der; -[s], -s ⟨engl.⟩ (ein Wettermantel)

Trend, der; -s, -s ⟨engl.⟩ (Grundrichtung einer Entwicklung)

trend|be|wusst

tren|deln (*landsch. für* nicht vorankommen); ich trend[e]le

tren|dig (*svw.* trendy)

Trend|mel|dung; Trend|scout [...skaʊt], der; -s, -s ⟨engl.⟩ (jmd., der Trends nachspürt)

Trend|set|ter, der; -s, - ⟨engl.⟩ (jmd., der den Trend bestimmt; etwas, was einen Trend auslöst); **Trend|set|te|rin**

Trend|sport, Trend|sport|art; Trend-um|kehr; Trend|wen|de

tren|dy (*ugs. für* modisch; dem Trend entsprechend)

tren|nbar; Tren|nbar|keit, die; -

tren|nen; sich trennen

Tren|nkost (Trenndiät)

Tren|ndi|ät (eine Schlankheitsdiät)

Tren|nmes|ser; Tren|nmes|ser, das

tren|npunk|te *Plur.* (Trema)

tren|nscharf; Tren|nschär|fe

Tren|nschei|be

Tren|nstab (z. B. zwischen Waren verschiedener Kunden an der Supermarktkasse)

Tren|nung

Tren|nungs|ent|schä|di|gung; Tren-nungs|geld; Tren|nungs|li|nie; Tren|nungs|schmerz, der; -es; **Tren|nungs|strich; Tren|nungs|zei-chen**

Tren|nwand

Tren|se, die; -, -n ⟨niederl.⟩ (leichter Pferdezaum); **Tren|sen|ring**

Trente-et-qua|rante [trãtea'rã:t], das; - ⟨franz., »dreißig und vierzig«⟩ (ein Kartenspiel)

Tren|to (*ital. Form von* Trient)

tren|zen (*Jägerspr.* in besonderer Weise röhren [vom Hirsch]; *bayr., österr. für* sabbern, weinerlich jammern)

Tre|pang, der; -s, *Plur.* -e u. -s ⟨malai.⟩ (getrocknete Seegurke)

tre|ppab; tre|ppauf; treppauf, treppab laufen

Tre|ppchen

Tre|ppe, die; -, -n; Treppen steigen

Tre|ppel|weg (*bayr., österr. für* Treidelweg)

Tre|ppen|ab|satz; Tre|ppen|be|leuch-tung; Tre|ppen|flur, der; **Tre|ppen-ge|län|der; Tre|ppen|gie|bel; Tre-ppen|haus; Tre|ppen|läu|fer; Tre-ppen|lift; Tre|ppen|po|dest; Tre-ppen|rei|ni|gung; Tre|ppen|stei-gen,** das; -s; **Tre|ppen|stu|fe; Tre-ppen|wan|ge** (Seitenverkleidung einer [Holz]treppe); **Tre-ppen|witz**

Tre|sen, der; -s, - (*nordd. u. mitteld. für* Laden-, Schanktisch)

Tre|sor, der; -s, -e ⟨franz.⟩ (Panzerschrank; Stahlkammer); **Tre|sor-raum; Tre|sor|schlüs|sel**

Tres|pe, die; -, -n (ein Gras); **tres-pig** (voller Trespen [vom Korn])

Tres|se, die; -, -n ⟨franz.⟩ (Borte)

Tres|sen|rock; Tres|sen|stern; Tres-sen|win|kel

tres|sie|ren (*Perückenmacherei* kurze Haare mit Fäden aneinanderknüpfen)

Tres|ter, der; -s, - (Tresterbranntwein; *Plur.*: Rückstände beim Keltern); **Tres|ter|brannt|wein; Tres|ter|schnaps**

Tret|au|to; Tret|boot; Tret|ei|mer

tre|ten; du trittst; du tratst; du trätest; getreten; tritt!; er tritt ihn (*auch* ihm) auf den Fuß

Tre|ter (*ugs. für* [sehr bequemer] Schuh); **Tre|te|rei** (*ugs.*)

Tret|mi|ne; Tret|müh|le (*ugs. für* gleichförmiger [Berufs]alltag); **Tret|rad; Tret|rol|ler**

---

treu

treuer, treu[e]ste

– jdm. etw. zu treuen Händen übergeben (anvertrauen)

Getrenntschreibung in Verbindung mit Verben ↑K56:

– treu sein, bleiben

Getrennt- oder Zusammenschreibung in Verbindung mit adjektivisch gebrauchten Partizipien ↑K58:

– ein mir treu ergebener *od.* treu-ergebener Freund
– eine treu gesinnte *od.* treu-gesinnte Freundin
– ein treu sorgender *od.* treusorgender Vater

Treu|bruch, der; **treu|brü|chig**

treu|deutsch (*ugs. für* typisch

T

treu

---

deutsch); treu|doof ↑K23 (ugs. *für* naiv u. dümmlich)

Treue, die; -; in guten Treuen (*schweiz. für* im guten Glauben); auf Treu und Glauben ↑K13; meiner Treu!; Treue|bruch, der; Treue|ge|löb|nis

Treu|eid

Treue|pflicht, die; - (*Rechtsspr.*)

Treue|prä|mie; Treue|ra|batt

treu er|ge|ben, treu|er|ge|ben *vgl.* treu

Treue|schwur

treu ge|sinnt, treu|ge|sinnt *vgl.* treu

Treu|hand, die; - (*Rechtsw.* Treuhandgesellschaft); Treu|hand|an|stalt, die; -

Treu|hän|der (jmd., dem etwas »zu treuen Händen« übertragen wird); Treu|hän|der|de|pot (*Bankw.*); Treu|hän|de|rin; treu|hän|de|risch

Treu|hand|ge|schäft (*Rechtsw.*)

Treu|hand|ge|sell|schaft (Gesellschaft, die fremde Rechte ausübt)

treu|hän|disch (*österr. für* treuhänderisch)

Treu|hand|kon|to; Treu|hand|schaft

treu|her|zig; Treu|her|zig|keit

treu|lich (*veraltend für* getreulich)

treu|los; Treu|lo|sig|keit, die; -

Treu|pflicht *vgl.* Treuepflicht

treu sor|gend, treu|sor|gend *vgl.* treu

Tre|vi|ra ®, das; -[s] (ein Gewebe aus synthetischer Faser)

Tre|vi|sa|ner; Tre|vi|so (ital. Stadt)

Tri|a|de, die; -, -n ⟨griech.⟩ (Dreizahl, Dreiheit; [kriminelle] chin. Geheimorganisation)

Tri|a|ge [...ʒə], die; -, -n (Ausschuss [bei Kaffeebohnen]; Einteilung von Verletzten)

Tri|al [ˈtraɪəl], das; -s, -s ⟨engl.⟩ (Geschicklichkeitsprüfung von Motorradfahrern)

Tri|al-and-Er|ror-Me|tho|de [ˈtraɪəlɛntˈɛrə...], die; - ⟨engl., »Versuch und Irrtum«⟩ (*Psych.* ein Lernverfahren; *Kybernetik* eine Problemlösungsmethode)

Tri|an|gel [*österr.* ...ˈa...], der; -s, - *od.* die; -, -n, *österr.* das; -s, - ⟨lat.⟩ (*Musik* ein Schlaggerät)

tri|an|gu|lär (dreieckig)

Tri|an|gu|la|ti|on, die; -, -en (*Geodäsie* Festlegung eines Netzes von trigonometrischen Punkten); Tri|an|gu|la|ti|ons|punkt (*Zeichen* TP)

tri|an|gu|lie|ren; Tri|an|gu|lie|rung

Tri|a|non [...ˈnõ:], das; -s, -s (Name zweier Versailler Lustschlösser)

Tri|a|ri|er ⟨lat.⟩ (altröm. Legionsveteran in der 3. [letzten] Schlachtreihe)

Tri|as, die; -, - ⟨griech., »Dreiheit«⟩ (Dreizahl, Dreiheit; *nur Sing.: Geol.* unterste Formation des Mesozoikums); Tri|as|for|ma|ti|on, die; -; tri|as|sisch

Tri|ath|let (jmd., der Triathlon betreibt); Tri|ath|le|tin; Tri|ath|lon, das *u.* der; -s, -s ⟨griech.⟩ (Mehrkampf aus Schwimmen, Radfahren u. Laufen an einem Tag; *Skisport* Mehrkampf aus Langlauf, Schießen u. Riesenslalom)

Tri|ba|de, die; -, -n ⟨griech.⟩ (*veraltet für* Lesbierin)

Tri|ba|lis|mus, der; - ⟨lat.-engl.⟩ (Stammesbewusstsein, Stammesegoismus)

Tri|bun, der; *Gen.* -s *u.* -en, *Plur.* -e[n] ⟨lat.⟩ ([altröm.] Volksführer)

Tri|bu|nal, das; -s, -e ([hoher] Gerichtshof)

Tri|bu|nat, das; -[e]s, -e (Amt, Würde eines Tribuns)

Tri|bü|ne, die; -, -n ⟨franz.⟩; Tri|bü|nen|platz

tri|bu|ni|zisch ⟨lat.⟩ (einen Tribunen betreffend)

Tri|bus, der; -, - (Wahlbezirk im alten Rom)

Tri|but, der; -[e]s, -e (Abgabe, Steuer); etwas fordert einen hohen Tribut (hohe Opfer); einer Sache Tribut zollen (sich ihr beugen); tri|bu|tär (*veraltet für* tributpflichtig); Tri|but|last; tri|but|pflich|tig

Tri|chi|ne, die; -, -n ⟨griech.⟩ (schmarotzender Fadenwurm); tri|chi|nen|hal|tig

Tri|chi|nen|schau, die; -; Tri|chi|nen|schau|er

tri|chi|nös (mit Trichinen behaftet); Tri|chi|no|se, die; -, -n (Trichinenkrankheit)

Trich|ter, der; -s, -; trich|ter|för|mig

Trich|ter|ling (ein Pilz)

Trich|ter|mün|dung (*Geogr.* trichterförmige Flussmündung)

trich|tern; ich trichtere

Trick, der; -s, -s ⟨engl.⟩ (Kunstgriff; Kniff; List)

Trick|auf|nah|me; Trick|be|trug; Trick|be|trü|ger; Trick|be|trü|ge|rin

Trick|dieb; Trick|dieb|stahl

Trick|film; Trick|kis|te (ugs.)

trick|reich

Trick|schi|lau|fen *vgl.* Trickskilaufen

trick|sen (ugs. *für* mit Tricks arbeiten, bewerkstelligen); Trick|ser (ugs.); Trick|se|rei (ugs.)

Trick|ski|lau|fen, Trick|schi|lau|fen, das; -s (Sportart, bei der auf besonderen Skiern artistische Sprünge, Drehungen u. Ä. gemacht werden); Trick|tech|nik

Trick|track, das; -s, -s ⟨franz.⟩ (ein Brett- und Würfelspiel)

tri|cky [...ki] ⟨engl.⟩ (ugs. *für* trickreich)

Tri|cot (*in dieser franz. Schreibung schweiz. neben* Trikot)

Tri|dent, der; -[e]s, -e ⟨lat.⟩ (Dreizack)

Tri|den|ti|ner ⟨*zu* Trient⟩; Tridentiner Alpen; tri|den|ti|nisch; *aber* ↑K88: das Tridentinische Konzil; das Tridentinische Glaubensbekenntnis; Tri|den|ti|num, das; -s (das Tridentinische Konzil)

Tri|du|um, das; -s, ...duen ⟨lat.⟩ (Zeitraum von drei Tagen)

trieb *vgl.* treiben

Trieb, der; -[e]s, -e; trieb|ar|tig

Trieb|be|frie|di|gung; Trieb|fe|der

trieb|ge|steu|ert

trieb|haft; Trieb|haf|tig|keit, die; -

Trieb|hand|lung; Trieb|kraft; Trieb|le|ben, das; -s

trieb|mä|ßig; Trieb|mör|der; Trieb|mör|de|rin

Trieb|rad; Trieb|sand

Trieb|tä|ter; Trieb|tä|te|rin

Trieb|ver|bre|chen; Trieb|ver|bre|cher; Trieb|ver|bre|che|rin

Trieb|wa|gen; Trieb|werk

Trief|au|ge; trief|äu|gig

trie|fen; du triefst; du trieftest, *geh.* troffst; du trieftest, *geh.* tröffest; getrieft; getrief, *selten noch* getroffen; trief[e]!; trief|nass

¹Triel, der; -[e]s, -e (ein Vogel)

²Triel, der; -[e]s, -e (*südd. für* Wamme; Maul); trie|len (*südd. für* sabbern); Trie|ler (*südd. für* Sabberlätzchen)

Tri|en|na|le, die; -, -n ⟨lat.⟩ (dreijährige Veranstaltung, bes. in der bildenden Kunst, im Film)

Tri|en|ni|um, das; -s, ...ien ⟨lat.⟩ (Zeitraum von drei Jahren)

Tri|ent (ital. Stadt); *vgl.* Trento *u.* Tridentiner

Trier (Stadt an der Mosel)

Trie|re, die; -, -n ⟨griech.⟩ (ein antikes Kriegsschiff)

Trie|rer ⟨*zu* Trier⟩; trie|risch

T
treu

Tri|est (Stadt an der Adria); Tri|es|ter

trie|zen (ugs. für quälen, plagen); du triezt

trifft vgl. treffen

Tri|fle [ˈtraɪfl], das; -s, -s ⟨engl.⟩ (eine engl. Süßspeise)

Tri|fo|kal|bril|le ⟨lat.; dt.⟩; Tri|fo|kal|glas Plur. ...gläser (Brillenglas mit drei verschieden geschliffenen Teilen für drei Entfernungen)

Tri|fo|li|um, das; -s, ...ien ⟨lat.⟩ (Bot. Dreiblatt, Kleeblatt)

Tri|fo|ri|um, das; -s, ...ien ⟨lat.⟩ (Archit. säulengetragene Galerie in Kirchen)

Trift, die; -, -en (Weide; Holzflößung; auch svw. Drift); trif|ten (loses Holz flößen)

¹trif|tig (svw. driftig)

²trif|tig ([zu]treffend); triftiger Grund; Trif|tig|keit, die; -

Tri|ga, die; -, Plur. -s u. ...gen ⟨lat.⟩ (Dreigespann)

Tri|ge|mi|nus, der; -, ...ni ⟨lat.⟩ (Med. aus drei Ästen bestehender fünfter Hirnnerv); Tri|ge|mi|nus|neu|r|al|gie

trig|gern ⟨engl.⟩ (bes. EDV auslösen, aktivieren); ich triggere

Tri|glyph, der; -s, -e, Tri|gly|phe, die; -, -n ⟨griech.⟩ (Archit. dreiteiliges Feld am Fries des dorischen Tempels)

tri|go|nal ⟨griech.⟩ (Math. dreieckig); Tri|go|nal|zahl (Math.)

Tri|go|no|me|t|rie, die; - (Dreiecksmessung, -berechnung); tri|go|no|me|t|risch; trigonometrischer Punkt (Zeichen TP)

tri|klin ⟨griech.⟩; triklines System (ein Kristallsystem)

Tri|kli|ni|um, das; -s, ...ien ⟨altröm. Esstisch, an drei Seiten von Speisesofas umgeben)

Tri|ko|lo|re, die; -, -n ⟨franz.⟩ (dreifarbige [franz.] Fahne)

¹Tri|kot [...ˈkoː, auch ˈtrɪ...], der, selten das; -s, -s ⟨franz.⟩ (maschinengestrickter od. gewirkter Stoff)

²Tri|kot, das; -s, -s (Kleidungsstück)

Tri|ko|ta|ge [...ʒə, österr. ...ʒ], die; -, -n meist Plur. (Wirkware)

Tri|kot|wer|bung (Werbung auf den Trikots von Sportlern)

tri|la|te|ral ⟨lat.⟩ (dreiseitig)

Tril|ler ⟨ital.⟩; tril|lern; ich trillere; Tril|ler|pfei|fe

Tril|li|ar|de, die; -, -n ⟨lat.⟩ (tausend Trillionen); Tril|li|on, die; -, -en (eine Million Billionen)

Tri|lo|bit, der; -en, -en ⟨griech.⟩ (ein urweltliches Krebstier)

Tri|lo|gie, die; -, ...ien ⟨griech.⟩ (Folge von drei [zusammengehörenden] Dichtwerken, Kompositionen u. a.)

Tri|ma|ran, der; -s, -e ⟨lat.; tamil.-engl.⟩ (Segelboot mit drei Rümpfen)

Tri|mes|ter, das; -s, - ⟨lat.⟩ (Zeitraum von drei Monaten; Dritteljahr eines Unterrichtsjahres)

Tri|me|ter, der; -s, - ⟨griech.⟩ (aus drei Versfüßen bestehender Vers)

Trimm, der; -[e]s ⟨engl.⟩ (Seemannsspr. Lage eines Schiffes bezüglich Tiefgang u. Schwerpunkt; ordentlicher u. gepflegter Zustand eines Schiffes)

Trimm-dich-Pfad

trim|men (bes. Seemannsspr. zweckmäßig verstauen, in die optimale Lage bringen; Funktechnik auf die gewünschte Frequenz einstellen; [Hunden] das Fell scheren; ugs. für in einen gewünschten Zustand bringen); ein auf alt getrimmter Schrank; trimm dich durch Sport!

Trimm|mer (Technik verstellbarer Kleinkondensator); Trim|me|rin

Trim|mung (Längsrichtung eines Schiffes)

Tri|ne, die; -, -n (ugs. Schimpfwort); dumme Trine

Tri|ni|dad (südamerik. Insel)

Tri|ni|dad und To|ba|go (Staat im Karibischen Meer)

Tri|ni|ta|ri|er, der; -s, - ⟨lat.⟩ (Bekenner der Dreieinigkeit; Angehöriger eines kath. Bettelordens); Tri|ni|ta|ri|e|rin

Tri|ni|tät, die; - (christl. Rel. Dreieinigkeit, Dreifaltigkeit); Tri|ni|ta|tis (Sonntag nach Pfingsten); Tri|ni|ta|tis|fest

Tri|ni|t|ro|to|lu|ol, das; -s (stoßunempfindlicher Sprengstoff; Abk.: TNT); vgl. Trotyl

trink|bar; Trink|bar|keit, die; -

Trink|be|cher; Trink|brannt|wein

trin|ken; du trankst; du tränkest; getrunken; trink[e]!

Trin|ker; Trin|ke|rei; Trin|ker|heil|an|stalt; Trin|ke|rin

trink|fest; Trink|fes|tig|keit

Trink|fla|sche

trink|freu|dig; Trink|freu|dig|keit

Trink|ge|fäß; Trink|ge|la|ge; Trink|geld; Trink|glas Plur. ...gläser

Trink|hal|le; Trink|halm; Trink|horn; Trink|kul|tur; Trink|kur (vgl. ¹Kur)

Trink|lied; Trink|milch; Trink|scha|le; Trink|spruch

Trink|was|ser, das; -s

Trink|was|ser|auf|be|rei|tung; Trink|was|ser|auf|be|rei|tungs|an|la|ge ↑K22

Trink|was|ser|qua|li|tät; Trink|was|ser|schutz|ge|biet; Trink|was|ser|ver|ord|nung; Trink|was|ser|ver|sor|gung

Tri|nom, das; -s, -e ⟨griech.⟩ (Math. dreigliedrige Zahlengröße); tri|no|misch

Trio, das; -s, -s ⟨ital.⟩ (Musikstück für drei Instrumente, auch für die drei Ausführenden; Gruppe von drei Personen)

Tri|o|de, die; -, -n ⟨griech.⟩ (Elektrot. Verstärkerröhre mit drei Elektroden)

Tri|o|le, die; -, -n ⟨ital.⟩ (Musik Figur von 3 Tönen im Taktwert von 2 oder 4 Tönen; ugs. auch für Geschlechtsverkehr zu dritt)

Tri|o|lett, das; -[e]s, -e ⟨franz.⟩ (eine Gedichtform)

Trilogie
Die Bezeichnung für eine Folge von drei [zusammengehörenden] Dichtwerken, Kompositionen o. Ä. ist zusammengesetzt aus griechisch tri- (nicht trio!) »drei-« und logos »Wort, Rede«. Das häufig in eine Dreizahl bezeichnenden Wörtern griechischer Herkunft auftretende o (Triode, Triole usw.) gehört dabei stets zum zweiten Wortbestandteil, nicht aber zu tri.

Trip, der; -s, -s ⟨engl.⟩ (Ausflug, Reise; Rauschzustand durch Drogeneinwirkung, auch für die dafür benötigte Dosis)

¹Tri|pel, das; -s, - ⟨franz.⟩ (die Zusammenfassung dreier Dinge, z. B. Dreieckspunkte)

²Tri|pel, der; -s, - (veraltet für dreifacher Gewinn)

³Tri|pel, der; -s, -s ⟨nach Tripolis⟩ (Geol. Kieselerde)

Tri|pel|al|li|anz (Völkerrecht Allianz von drei Staaten)

Tri|ph|thong, der; -s, -e ⟨griech.⟩ (Sprachw. Dreilaut, drei eine Silbe bildende Selbstlaute, z. B. ital. miei »meine«)

Tri|p|lê, das; -s, -s ⟨franz.⟩ (Billard Zweibandenspiel)

Tri|p|lik, die; -, -en ⟨lat.⟩ (veraltend für die Antwort des Klägers auf eine Duplik)

T
Trip

tri|p|lo|id (einen dreifachen Chromosomensatz enthaltend)

Trip|ma|dam, die; -, -en ⟨franz.⟩ (eine Pflanze)

Tri|po|den (Plur. von Tripus)

Tri|po|lis (Hauptstadt Libyens); Tri|po|li|ta|ni|en (Gebiet in Libyen); tri|po|li|ta|nisch

trip|peln; ich tripp[e]le; Trip|pel|schritt

Trip|per, der; -s, - ⟨zu nordd. drippen = tropfen⟩ (eine Geschlechtskrankheit)

Tri|p|tik vgl. Triptyk

Tri|p|ty|chon, das; -s, Plur. ...chen u. ...cha ⟨griech.⟩ (dreiteiliger Altaraufsatz)

Tri|p|tyk, Tri|p|tik, das; -s, -s ⟨engl.⟩ (dreiteiliger Grenzübertrittsschein für Wohnanhänger und Wasserfahrzeuge)

Tri|pus, der; -, ...poden ⟨griech.⟩ (Dreifuß, altgriech. Gestell für Gefäße)

Tri|re|me, die; -, -n ⟨lat.⟩ (svw. Triere)

Tris|me|gis|tos, der; - ⟨griech., »der Dreimalgrößte«⟩ (Beiname des ägypt. Hermes)

Tris|mus, der; -, ...men ⟨griech.⟩ (Med. Kiefersperre)

trist ⟨franz.⟩ (traurig, öde)

Tris|tan (mittelalterliche Sagengestalt)

Tris|te, die; -, -n ⟨bayr., österr. u. schweiz. für um eine Stange aufgehäuftes Heu od. Stroh)

Tris|tesse [...'tɛs], die; -, -n ⟨franz.⟩ (Traurigkeit); Trist|heit, die; -

Tris|ti|en Plur. ⟨lat.⟩ (Trauergedichte)

Tri|t|a|go|nist, der; -en, -en ⟨griech.⟩ (dritter Schauspieler auf der altgriech. Bühne)

Tri|ti|um, das; -s ⟨griech.⟩ (schweres Wasserstoffisotop; Zeichen T)

¹Tri|ton, das; -s, ...onen (schwerer Wasserstoffkern)

²Tri|ton ⟨griech. fischleibiger Meergott, Sohn Poseidons)

³Tri|ton, der; ...onen, ...onen (Meergott im Gefolge Poseidons)

Tri|to|nus, der; - ⟨griech.⟩ (Musik übermäßige Quarte)

tritt vgl. treten

Tritt, der; -[e]s, -e; Tritt halten

Tritt|brett; Tritt|brett|fah|rer ⟨ugs. für jmd., der von einer Sache zu profitieren versucht, ohne selbst etwas dafür zu tun); Tritt|brett|fah|re|rin

tritt|fest; Tritt|lei|ter, die; tritt|si|cher; Tritt|si|cher|heit, die; -

Tri|umph, der; -[e]s, -e ⟨lat.⟩ (großer Sieg, Erfolg; nur Sing.: Siegesfreude, -jubel); tri|um|phal

Tri|um|pha|tor, der; -s, ...oren (feierlich einziehender Sieger)

Tri|umph|bo|gen; tri|umph|ge|krönt; Tri|umph|ge|schrei

tri|um|phie|ren (siegen; jubeln)

Tri|umph|wa|gen; Tri|umph|zug

Tri|um|vir, der; Gen. -s u. -n, Plur. -n ⟨lat.⟩ (Mitglied eines Triumvirats; Tri|um|vi|rat, das; -[e]s -e (Dreimännerherrschaft [im alten Rom])

tri|va|lent ⟨lat.⟩ (fachspr. für dreiwertig)

tri|vi|al ⟨lat.⟩ (platt, abgedroschen); Tri|vi|a|li|tät, die; -, -en

Tri|vi|al|li|te|ra|tur; Tri|vi|al|ro|man; Tri|vi|al|schrift|stel|ler; Tri|vi|al|schrift|stel|le|rin

Tri|vi|um, das; -s ⟨lat.⟩ (im mittelalterl. Universitätsunterricht die Fächer Grammatik, Dialektik u. Rhetorik)

Tri|zeps, der; -[es], -e ⟨lat.⟩ (Med. Oberarmmuskel)

TRL (Währungscode für türk. Pfund.

Tro|as, die; - (im Altertum kleinasiat. Landschaft)

Tro|ca|de|ro, der; -[s] (ein Palast in Paris)

tro|chä|isch ⟨griech.⟩ (aus Trochäen bestehend); Tro|chä|us, der; -, ...äen ([antiker] Versfuß)

Tro|chi|lus, der; -, ...i|en ⟨griech.⟩ (Archit. Hohlkehle in der Basis ionischer Säulen)

Tro|chit, der; Gen. -s u. -en, Plur. -en ⟨griech.⟩ (Stängelglied versteinerter Seelilien); Tro|chi|ten|kalk (Geol. viele Trochiten enthaltender Kalkstein)

Tro|cho|pho|ra, die; -, ...phoren (Biol. Larve der Ringelwürmer)

tro|cken s. Kasten Seite 1025

Tro|cken|an|la|ge; Tro|cken|ap|pa|rat

Tro|cken|bee|ren|aus|le|se

Tro|cken|bio|top; Tro|cken|blu|me; Tro|cken|bo|den

tro|cken bü|geln, tro|cken|bü|geln (durch Bügeln trocknen); vgl. trocknen

Tro|cken|dock; Tro|cken|ei, das; -[e]s (Eipulver); Tro|cken|eis (feste Kohlensäure); Tro|cken|ele|ment; Tro|cken|far|be

tro|cken föh|nen, tro|cken|föh|nen (durch Föhnen trocknen); vgl. trocknen

Tro|cken|fut|ter; Tro|cken|füt|te|rung

Tro|cken|ge|mü|se; Tro|cken|ge|stell; Tro|cken|hau|be; Tro|cken|hel|fe

Tro|cken|heit

tro|cken|le|gen ↑K47 (entwässern; mit frischen Windeln versehen); einen Sumpf trockenlegen; das Kind wird trockengelegt; Tro|cken|le|gung

Tro|cken|mau|er (ohne Mörtel errichtete Mauer)

Tro|cken|milch; Tro|cken|ofen; Tro|cken|pe|ri|o|de; Tro|cken|platz

Tro|cken|ra|sie|rer (ugs.); Tro|cken|ra|sur; Tro|cken|raum

tro|cken rei|ben, tro|cken|rei|ben ↑K47 (durch Reiben trocknen); vgl. trocken

Tro|cken|schi|kurs vgl. Trockenskikurs

Tro|cken|schleu|der

tro|cken schleu|dern, tro|cken|schleu|dern ↑K47 (durch Schleudern trocknen); vgl. trocken

tro|cken sit|zen (ohne Getränke sitzen); vgl. trocken

Tro|cken|ski|kurs, Tro|cken|schi|kurs

Tro|cken|spin|ne; Tro|cken|spi|ri|tus

tro|cken|ste|hen (fachspr.); vgl. trocken

Tro|cken|übung (Sport vorbereitende Übung beim Erlernen einer sportl. Tätigkeit); Tro|cken|wä|sche

tro|cken wi|schen, tro|cken|wi|schen ↑K47 (durch Wischen trocknen); vgl. trocken

Tro|cken|zeit; Tro|cken|zo|ne (Geogr.)

Tröck|ne, die; - (schweiz. für anhaltende Trockenheit)

trock|nen; Trock|ner; Trock|nung

Trock|nungs|raum (schweiz. für Trockenraum)

Trod|del, die; -, -n (kleine Quaste); Trod|del|bu|me

Trod|del|chen, Tröd|del|chen

Trö|del, der; -s ⟨ugs. für alte, wertlose Gegenstände; Kram); Trö|del|bu|de; Trö|de|lei ⟨ugs. abwertend für störendes, lästiges Trödeln)

Trö|del|frit|ze ⟨ugs. für männliche Person, die ständig trödelt)

Trö|del|kram; Trö|del|la|den

Trö|del|lie|se ⟨vgl. Trödelfritze)

Trö|del|markt

tro|cken

1. Groß- oder Kleinschreibung:
a) Kleinschreibung:

– trockene Wäsche
– ein trockener Wein; dieser Wein ist am trockensten

b) Großschreibung:

– auf dem Trockenen (auf trockenem Boden) stehen
– auf dem Trockenen sein/sitzen (*ugs. für* festsitzen, nicht weiterkommen; [aus finanziellen Gründen] in Verlegenheit sein; nichts mehr zu trinken haben)
– nach dem Regen wieder im Trockenen (auf trockenem Boden) sein; dort werden wir endlich im Trockenen (*ugs. für* geborgen) sein
– sein Schäfchen ins Trockene bringen, im Trockenen haben (*ugs. für* sich wirtschaftlich sichern, gesichert haben)

2. Schreibung in Verbindung mit Verben:

– die Haare trocken schneiden
– die Wäsche wird bald ganz trocken sein
– wir wollen trocken (im Trockenen) sitzen; *aber* sie ließen uns bei dieser Einladung trockensitzen (ohne Getränke sitzen)

– die Kartoffeln sollen [ganz] trocken (an einem trockenen Ort) liegen
– der Anzug darf nur trocken (in trockenem Zustand) gereinigt werden
– sich trocken rasieren
– die Wäsche trocken schleudern *od.* trockenschleudern (durch Schleudern trocknen); das Hemd trocken bügeln *od.* trockenbügeln (durch Bügeln trocknen); *aber nur* trocken (in trockenem Zustand) bügeln
– die Fläche soll trocken gerieben *od.* trockengerieben (durch Reiben getrocknet) werden
– der Sumpf wird trockengelegt (ausgetrocknet, entwässert)
– den Fußboden trocken wischen *od.* trockenwischen (durch Wischen trocknen); *aber nur* den Fußboden trocken (mit einem trockenen Tuch) wischen
– die Haare trocken föhnen *od.* trockenföhnen (durch Föhnen trocknen)
– die Kuh hat mehrere Wochen trockengestanden (keine Milch gegeben)

---

trö|deln (*ugs. für* beim Arbeiten u. Ä. langsam sein; schlendern); ich tröd[e]le; **Tröd|ler; Tröd|le|rin; Tröd|ler|la|den**

Tro|er *vgl.* Trojaner

Trog, der; -[e]s, Tröge

Tro|ia usw. *vgl.* **Troja** usw.

Troi|er *vgl.* **Troyer**

Troi|ka, die; -, -s ⟨russ.⟩ (russ. Dreigespann)

tro|isch *vgl.* trojanisch

Trois|dorf [ˈtroː...] (Stadt in Nordrhein-Westfalen)

Tro|ja (antike kleinasiat. Stadt); **Tro|ja|ner** (Bewohner von Troja); **Tro|ja|ne|rin; tro|ja|nisch;** die trojanischen Helden, *aber* ↑K151: der Trojanische Krieg; ↑K88: das Trojanische Pferd (bei Homer); ein trojanisches Pferd (*EDV* ein besonderes Computervirus)

trö|len (*schweiz. für* [den Gerichtsgang] leichtfertig od. mutwillig verzögern); **Trö|le|rei; Trö|le|risch**

Troll, der; -[e]s, -e (Kobold); **Troll|blu|me; trol|len,** sich (*ugs.*)

Troll|ley [...li], der; -s, -s ⟨engl.⟩ (Rollenkoffer)

Troll|ley|bus [...li...] ⟨engl.⟩ (*bes. schweiz. für* Oberleitungsbus)

Troll|lin|ger, der; -s, - (eine Reb- u. Weinsorte)

Trom|be, die; -, -n ⟨ital.(-franz.)⟩ (*Meteor.* Wasser-, Sand-, Windhose)

Trom|mel, die; -, -n; **Trom|mel|brem|se**

Tröm|mel|chen

Trom|me|lei (*ugs.*)

Trom|mel|fell; Trom|mel|feu|er

trom|meln; ich tromm[e]le

Trom|mel|re|vol|ver; Trom|mel|schlag; Trom|mel|schlä|gel; Trom|mel|schlä|ger; Trom|mel|schlä|ge|rin; Trom|mel|stock *Plur.* ...stöcke

Trom|mel|wasch|ma|schi|ne

Trom|mel|wir|bel

Tromm|ler; Tromm|le|rin

Trom|pe|te, die; -, -n ⟨franz.⟩; **trom|pe|ten;** er hat trompetet

Trom|pe|ten|baum; Trom|pe|ten|sig|nal; Trom|pe|ten|so|lo; Trom|pe|ten|stoß

Trom|pe|ten|tier|chen (ein Wimperntierchen)

Trom|pe|ter; Trom|pe|te|rin

Trom|pe|ter|vo|gel

Trom|sø [...zø] (norwegische Stadt)

Trond|heim (*norw. Schreibung von* Drontheim)

Tro|pe, die; -, -n u. **Tro|pus,** der; -, ...pen ⟨griech., »Wendung«⟩ (Vertauschung des eigentlichen Ausdrucks mit einem bildlichen, z. B. »Bacchus« für »Wein«)

Tro|pen *Plur.* (heiße Zone zwischen den Wendekreisen)

Tro|pen|an|zug; Tro|pen|arzt; Tro|pen|ärz|tin; Tro|pen|fie|ber, das; -s; **Tro|pen|helm; Tro|pen|in|s|ti|tut; Tro|pen|kli|ma,** das; -s; **Tro|pen|kol|ler,** der; -s; **Tro|pen|krank|heit; Tro|pen|me|di|zin,** die; -; **Tro|pen|pflan|ze**

tro|pen|taug|lich; Tro|pen|taug|lich|keit

¹Tropf, der; -[e]s, Tröpfe (*ugs. für* einfältiger Mensch)

²Tropf, der; -[e]s, -e (*Med.* Vorrichtung für die Tropfinfusion)

tropf|bar; tropf|bar|flüs|sig

Tröpf|chen; Tröpf|chen|in|fek|ti|on

tröpf|chen|wei|se

tröp|feln; ich tröpf[e]le

trop|fen; Trop|fen, der; -s, -

Trop|fen|fän|ger

Trop|fen|form; trop|fen|för|mig; trop|fen|wei|se

Tropf|fla|sche; Tropf|in|fu|si|on

tropf|nass

Tropf|stein; Tropf|stein|höh|le

Tropf|teig (*österr.* flüssiger Teig für eine Suppeneinlage)

Tro|phäe, die; -, -n ⟨griech.⟩ (Siegeszeichen [erbeutete Fahnen u. Ä.]; Jagdbeute [z. B. Geweih])

T
Trop

trotz

Präposition mit Genitiv:

– trotz des Regens
– trotz vieler Ermahnungen

Bes. südd., schweiz. u. österr. auch mit Dativ:

– trotz dem Regen
– trotz vielen Ermahnungen

Allgemein häufiger mit Dativ, wenn Artikel oder Pronomen fehlen, und immer, wenn der Genitiv im Plural nicht erkennbar ist oder wenn ein Genitivattribut zwischen »trotz« und das davon abhängende Substantiv tritt:

– trotz heftigem Regen
– trotz nassem Asphalt

– trotz Beweisen
– trotz Atomkraftwerken
– trotz des Bootes heftigem Schwanken

Ebenso in:

– trotz all[e]dem
– trotz allem

Ein stark gebeugtes Substantiv im Singular ohne Artikel u. Attribut bleibt oft ungebeugt:

– trotz Regen [und Kälte]
– trotz Umbau

---

tro|phisch ⟨griech.⟩ (*Med.* die Ernährung betreffend)

Tro|pi|ka, die; - ⟨griech.⟩ (schwere Form der Malaria)

tro|pisch (zu den Tropen gehörend; heiß; *Rhet.* bildlich)

Tro|pis|mus, der; -, ...men (*Bot.* Krümmungsbewegung der Pflanze, die durch äußere Reize hervorgerufen wird)

Tro|po|sphä|re, die; - (*Meteor.* unterste Schicht der Erdatmosphäre)

¹Tro|pus vgl. Trope

²Tro|pus, der; -, Tropen (im gregorianischen Gesang der Kirchenton u. die Gesangsformel für das Schluss-Amen; melodische Ausschmückung von Texten im gregorianischen Choral)

Tross, der; -es, -e ⟨franz.⟩ (*Milit.* früher der die Truppe mit Verpflegung u. Munition versorgende Wagenpark; *übertr.* für Gefolge, Haufen)

tross! (*landsch. für* schnell!)

Tros|se, die; -, -n (starkes Tau; Drahtseil)

Tross|schiff, Tross-Schiff

Trost, der; -es; trost|be|dürf|tig

trös|ten; sich trösten; Trös|ter; Trös|te|rin

tröst|lich

trost|los; Trost|lo|sig|keit, die; -

Trost|pflas|ter; Trost|preis

trost|reich

Trös|tung; Trost|wort *Plur.* ...worte

Trö|te, die; -, -n (*landsch. für* [Kinder]trompete); trö|ten (*landsch.*)

Trott, der; -[e]s, -e (lässige Gangart; *ugs. für* langweiliger, routinemäßiger [Geschäfts]gang; eingewurzelte Gewohnheit)

Trott|baum (Teil der [alten] Weinkelter); Trot|te, die; -, -n (*südwestd. u. schweiz. für* [alte] Weinkelter)

Trot|tel, der; -s, - (*ugs. für* einfältiger Mensch, Dummkopf); Trot|te|lei

trot|tel|haft; Trot|tel|haf|tig|keit

trot|te|lig; Trot|te|lig|keit, die; -; Trot|te|lin

trot|teln (*ugs. für* langsam [u. unaufmerksam] gehen); ich trott[e]le; trot|ten (*ugs. für* schwerfällig gehen)

Trot|teur [...'tø:ɐ̯], der; -s, -s ⟨franz.⟩ (Laufschuh mit niedrigem Absatz)

Trot|ti|nett, das; -s, -e ⟨franz.⟩ (*schweiz. für* Kinderroller)

Trot|toir [...'toa:ɐ̯], das; -s, Plur. -e u. -s (*schweiz. für* Bürgersteig)

Tro|tyl, das; -s (svw. Trinitrotoluol)

trotz s. Kasten

Trotz, der; -es; aus Trotz; dir zum Trotz; Trotz bieten

Trotz|al|ter, das; -s

trotz|dem; trotzdem ist es falsch; *auch als Konj.:* trotzdem (*älter* trotzdem dass) du noch nicht rechtzeitig eingegriffen hast

trot|zen; du trotzt

Trotz|er (*auch Bot.* zweijährige Pflanze, die im zweiten Jahr keine Blüten bildet)

trot|zig

Trotz|ki (russ. Revolutionär); Trotz|kis|mus, der; - (von Trotzki begründete u. vertretene revolutionäre Theorie); Trotz|kist, der; -en, -en; Trotz|kis|tin; trotz|kis|tisch

Trotz|kopf; trotz|köp|fig

Trotz|pha|se; Trotz|re|ak|ti|on; Trotz|ver|hal|ten

Trou|ba|dour ['tru:badu:ɐ̯, *auch* ...'du:ɐ̯], der; -s, Plur. -e u. -s ⟨franz.⟩ (provenzal. Minnesänger des 12. u. 13. Jh.s)

Trou|b|le ['trabl], der; -s ⟨engl.⟩ (*ugs. für* Ärger, Unannehmlichkeiten); Trou|b|le|shoo|ter [...ʃu:...], der; -s, - ⟨engl.⟩ (jmd., der sich bemüht, Probleme od. Konflikte zu lösen); Trou|b|le|shoo|te|rin

Trou|vère [tru'vɛ:ɐ̯], der; -s, -s ⟨franz.⟩ ([nord]franz. Minnesänger des 12. u. 13. Jh.s)

Troy|er, Troi|er, der; -s, - (Matrosenunterhemd; grobmaschiger Rollkragenpullover mit Reißverschluss)

Troyes [troa] (franz. Stadt)

Troy|ge|wicht ⟨zu Troyes⟩ (Gewicht für Edelmetalle u. a. in Großbritannien u. in den USA)

Trub, der; -[e]s (*fachspr. für* Bodensatz beim Wein, Bier)

trüb, trü|be; im Trüben fischen (*ugs.* unklare Zustände zum eigenen Vorteil ausnutzen)

Trü|be, die; -

Trü|bel, der; -s

trü|ben; Trüb|heit, die; -

Trüb|nis, die; -, -se (*veraltet*)

Trüb|sal, die; -, -e

trüb|se|lig; Trüb|se|lig|keit, die; -

Trüb|sinn, der; -[e]s; trüb|sin|nig

Trüb|stof|fe *Plur.*; vgl. Trub

Trü|bung

Truch|sess, der; *Gen.* -es, *älter* -en, *Plur.* -e (im MA. für Küche u. Tafel zuständiger Hofbeamter)

Truck [trak], der; -s, -s ⟨engl.⟩ (amerik. u. internat. Bez. für Lastkraftwagen); Tru|cker, der; -s, - ⟨engl.⟩ (Lastwagenfahrer); Tru|cke|rin

Truck|sys|tem, das; -s ⟨engl.⟩ (frühere Form der Lohnzahlung in Waren, Naturalien)

Trud|chen, Tru|de, Tru|di (w. Vorn.)

tru|deln ⟨Fliegerspr. drehend niedergehen od. abstürzen; landsch. für würfeln); ich trud[e]le

Tru|di vgl. Trude

Trüf|fel, die; -, -n, ugs. meist der; -s, - ⟨franz.⟩ (ein Pilz; eine kugelförmige Praline); Trüf|fel|le|ber|pas|te|te

trüf|feln (mit Trüffeln anrichten); ich trüff[e]le

Trüf|fel|schwein; Trüf|fel|wurst

trug vgl. tragen

Trug, der; -[e]s; Lug und Trug

Trug|bild; Trug|dol|de

trü|gen; du trogst; du trögest; getrogen; trüg[e]!; trü|ge|risch

Trug|ge|bil|de; Trug|schluss

Tru|he, die; -, -n; Tru|hen|de|ckel

Trum, der od. das; -[e]s, Plur. -e u. Trümer ⟨Nebenform von ¹Trumm⟩ ⟨Bergmannsspr. Abteilung eines Schachtes; kleiner Gang; Maschinenbau frei laufender Teil des Förderbandes od. des Treibriemens)

Tru|man [...mən] (Präsident der USA)

¹Trumm, der od. das; -[e]s, Plur. -e u. Trümmer ⟨svw. Trum⟩

²Trumm, das; -[e]s, Trümmer (landsch. für großes Stück, Exemplar)

Trüm|mer Plur. ([Bruch]stücke); etwas in Trümmer schlagen

Trüm|mer|feld; Trüm|mer|flo|ra; Trüm|mer|frau; Trüm|mer|gestein; Trüm|mer|grund|stück

trüm|mer|haft

Trüm|mer|hau|fen; Trüm|mer|landschaft; Trüm|mer|schutt

Trumpf, der; -[e]s, Trümpfe ⟨lat.⟩ (eine der [wahlweise] höchsten Karten beim Kartenspielen, mit denen Karten anderer Farben gestochen werden können)

Trumpf|ass, Trumpf-Ass

trumpf|fen

Trumpf|far|be; Trumpf|kar|te; Trumpf|kö|nig

Trunk, der; -[e]s, Trünke Plur. selten (geh.); trun|ken; sie ist trunken vor Freude

Trun|ken|bold, der; -[e]s, -e (abwertend); Trun|ken|bol|din

Trun|ken|heit, die; -

trun|kie|ren ⟨lat.-engl.⟩ (EDV eine Zeichenfolge durch Platzhalter

abkürzen, ersetzen o. Ä.); Trun|kie|rung

Trunk|sucht, die; - (veraltend)

Trupp, der; -s, -s ⟨franz.⟩

Trüpp|chen

Trup|pe, die; -, -n

Trup|pen|ab|bau; Trup|pen|ab|zug; Trup|pen|arzt; Trup|pen|aufmarsch; Trup|pen|be|such

Trup|pen|be|treu|ung; Trup|pen|be|we|gung; Trup|pen|ein|heit; Trup|pen|füh|rer; Trup|pen|füh|re|rin; Trup|pen|gat|tung; Truppen|kon|tin|gent; Trup|pen|kon|zen|t|ra|ti|on; Trup|pen|pa|ra|de; Trup|pen|stär|ke; Trup|pen|teil, der

Trup|pen|trans|port; Trup|pen|trans|por|ter

Trup|pen|übungs|platz; Trup|pen|un|ter|kunft; Trup|pen|ver|pfle|gung

trupp|wei|se

Trü|sche, die; -, -n (ein Fisch)

Trust [trast], der; -[e]s, Plur. -e u. -s ⟨engl.⟩ (Konzern); trust|ar|tig

Trus|tee [...'tiː], der; -s, -s ⟨engl. Bez. für Treuhänder); trust|frei

Tru|te, die; -, -n ⟨schweiz. für Truthenne)

Trut|hahn; Trut|hen|ne; Trut|huhn

Trutz, der; -es (veraltet); zu Schutz und Trutz; Schutz-und-Trutz-Bündnis (vgl. d.); Trutz|burg; trut|zen (veraltet für trotzen); du trutzt; trut|zig (veraltet)

Try|pa|no|so|ma, das; -s, ...men meist Plur. ⟨griech.⟩ (Zool. Geißeltierchen)

Tryp|sin, das; -s ⟨griech.⟩ (Ferment der Bauchspeicheldrüse)

Tsa|t|si|ki vgl. Zaziki

¹Tschad, der; -[s] (kurz für Tschadsee)

²Tschad, -s, auch mit Artikel der; -[s] (Staat in Afrika); Tscha|der; Tscha|de|rin; tscha|disch

Tscha|dor, der; -s, -s ⟨pers.⟩ ([von iranischen Frauen getragener] langer Schleier)

Tschad|see, Tschad-See, der; -s ↑K143 (See in Zentralafrika)

Tschai|kows|ky [...ki] eigene Schreibung des Komponisten, nach Transkriptionssystem (vgl. S. 114) eigtl. Tschaikowski (russ. Komponist)

Tscha|ko, der; -s, -s ⟨ung.⟩ (früher Kopfbedeckung bei Militär u. Polizei)

Tschap|ka, die; -, -s ⟨poln.⟩ (Kopfbedeckung der Ulanen); vgl. aber Schapka

Tschap|perl, das; -s, -n (österr. ugs. für tapsiger Mensch)

Tschar|dasch alte Schreibung für Csárdás

tschau !, ciao! [tʃau] ⟨ital.⟩ (ugs. [Abschieds]gruß)

Tsche|che, der; -n, -n

Tsche|cherl, das; -s, -n (ostösterr. ugs. für kleines, einfaches Gast-, Kaffeehaus)

tsche|chern (österr. ugs. für schwer arbeiten; viel Alkohol trinken)

Tsche|chi|en (kurz für Tschechische Republik); Tsche|chin; tsche|chisch; aber ↑K88 : die Tschechische Republik; Tsche|chisch, das; -[s] (Sprache); vgl. Deutsch; Tsche|chi|sche, das; -n; vgl. Deutsche, das; Tsche|chi|sche Re|pu|b|lik (Staat in Mitteleuropa)

Tsche|cho|slo|wa|ke, der; -n, -n; Tsche|cho|slo|wa|kei, die; - (ehem. Staat in Mitteleuropa; Abk. ČSFR); Tsche|cho|slo|wa|kin; tsche|cho|slo|wa|kisch

Tsche|chow (russ. Schriftsteller)

Tsche|ki|ang (chin. Provinz)

Tsche|kist, der; -en, -en ([in Ländern des ehemaligen Ostblocks] Angehöriger des Staatssicherheitsdienstes); Tsche|kis|tin

tschen|tschen (südösterr. für raunzen, kritisieren); du tschentschst

Tscher|kes|se, der; -n, -n (Angehöriger einer Gruppe kaukas. Volksstämme); Tscher|kes|sin; tscher|kes|sisch

Tscher|no|byl (ukrain. Stadt)

Tscher|no|sem [...'sjɔm], Tscher|no|s|jom, das; -s ⟨russ.⟩ (fachspr. für Schwarzerde)

Tsche|ro|ke|se, der; -n, -n (Angehöriger eines nordamerik. Indianerstammes); Tsche|ro|ke|sin

Tscher|wo|nez, der; -, ...wonzen (ehem. russ. Währungseinheit)

Tsche|t|sche|ne, der; -n, -n (Angehöriger eines kaukas. Volkes)

Tsche|t|sche|ni|en (Republik in der Russischen Föderation)

Tsche|t|sche|nin; tsche|t|sche|nisch

Tschi|buk [österr. 'tʃiː...], der; -s, -s ⟨türk.⟩ (lange türkische Tabakspfeife)

Tschick, der; -s, - ⟨ital.⟩ (österr. ugs. für Zigarette [nstummel]); tschi|cken (österr. ugs. für rauchen)

Tschi|kosch alte Schreibung für Csikós

tschil|pen, schil|pen (zwitschern)

Tschi|nel|len Plur. ⟨ital.⟩ (Becken

T

Tsch

[messingnes Schlaginstrument])

tsching!; tsching|bum!

Tschis|ma, der; -s, ...men ⟨ung.⟩ (niedriger, farbiger ung. Stiefel)

Tschuk|t|sche, die; -, -n, -n (Angehöriger eines altsibir. Volkes)

Tschur|t|schen, die; -, - ⟨österr. landsch. für Kiefernzapfen⟩

tschüs!, tschüss! ⟨ugs. für auf Wiedersehen!⟩; wir wollen dir tschüs od. Tschüs, tschüss od. Tschüss sagen

Tschusch, der; -en, -en ⟨österr. ugs. abwertend für Ausländer, bes. Südslawe, Türke⟩

tschüss vgl. tschüs

Tsd. = ³Tausend

Tse|t|se|flie|ge ⟨Bantu; dt.⟩ (Stechfliege, die bes. die Schlafkrankheit überträgt); **Tse|t|se|pla|ge**

T-Shirt ['ti:ʃøːɐt] ⟨engl.⟩ ([kurzärmliges] Oberteil aus Trikot)

Tshwa|ne ['tsva:nə] (Hauptstadt und Regierungssitz der Republik Südafrika; *früherer Name:* Pretoria)

Tsi|nan (chin. Stadt)

Tsing|tau (chin. Stadt)

Tsu|ga, die; -, *Plur.* -s u. ...gen ⟨jap.⟩ (Schierlings- od. Hemlocktanne)

Tsu|na|mi [*auch* 'tsu:...], der; -s, -[s] od. die; -, -[s] ⟨jap.⟩ ([durch Seebeben ausgelöste] Flutwelle); **Tsu|na|mi|ka|ta|s|t|ro|phe**

TSV = Turn- und Sportverein[igung]

T-Trä|ger ['te:...], der; -s, - ↑K29 (Bauw.)

TU, die; - = technische Universität; vgl. technisch

Tu|a|reg [*auch* ...'rɛk] (Plur. von Targi)

Tu|ba, die; -, ...ben ⟨lat.⟩ (Blechblasinstrument; Med. Eileiter, Ohrtrompete)

Tüb|bing, der; -s, -s ⟨Bergmannsspr. Tunnel-, Schachtringsegment⟩

Tu|be, die; -, -n ⟨lat.⟩ (röhrenförmiger Behälter [für Farben u. a.]; Med. auch für Tuba)

Tu|ben (Plur. von Tuba u. Tubus); **Tu|ben|schwan|ger|schaft**

Tu|ber|kel, der; -s, -, *österr. auch* die; -, -n ⟨lat.⟩ (Med. Knötchen)

Tu|ber|kel|bak|te|rie; Tu|ber|kel|ba|zil|lus

tu|ber|ku|lar (knotig)

Tu|ber|ku|lin, das; -s (Substanz zum Nachweis von Tuberkulose)

tu|ber|ku|lös (mit Tuberkeln durchsetzt)

Tu|ber|ku|lo|se, die; -, -n (eine Infektionskrankheit; *Abk.* Tb, Tbc, Tbk); **Tu|ber|ku|lo|se|für|sor|ge**

tu|ber|ku|lo|se|krank (*Abk.* Tbc-krank, Tb-krank, Tbk-krank); **Tu|ber|ku|lo|se|kran|ke**

Tu|be|ro|se, die; -, -n ⟨lat.⟩ (eine aus Mexiko stammende stark duftende Zierpflanze)

Tü|bin|gen (Stadt am Neckar); **Tü|bin|ger**

Tu|bist, der; -en, -en (Tubaspieler); **Tu|bis|tin**

tu|bu|lär, tu|bu|lös ⟨lat.⟩ (Med. röhrenförmig)

Tu|bus, der; -, *Plur.* ...ben u. -se (bei optischen Geräten das linsenfassende Rohr; bei Glasgeräten der Rohransatz)

Tuch, das; -[e]s, *Plur.* Tücher u. (*Arten:*) -e

tuch|ar|tig; Tuch|bahn

Tü|chel|chen

tu|chen (aus Tuch)

Tu|chent, die; -, -en ⟨österr. für mit Federn gefüllte Bettdecke⟩

Tuch|fa|b|rik; Tuch|fa|b|ri|kant; Tuch|fa|b|ri|kan|tin

Tuch|füh|lung, die; - nur in Wendungen wie [mit jmdm.] Tuchfühlung haben; [mit jmdm.] auf Tuchfühlung sein, sitzen; wir bleiben auf Tuchfühlung (in Verbindung)

Tuch|han|del; Tuch|händ|ler; Tuch|händ|le|rin; Tüch|lein

Tuch|ma|cher; Tuch|ma|che|rin; Tuch|man|tel

Tu|chols|ky [...ki] (dt. Journalist u. Schriftsteller)

tüch|tig; Tüch|tig|keit, die; -

Tü|cke, die; -, -n

tu|ckern (vom Motor); sie sagt, der Motor tuckere

tü|ckisch; eine tückische Krankheit; **tück|schen** ⟨ostmitteld. u. nordd. für heimlich zürnen⟩; du tückschst

tuck|tuck! (Lockruf für Hühner)

tü|de|lig ⟨nordd. für unbeholfen⟩

Tü|der, der; -s, - ⟨nordd. für Seil zum Anbinden von Tieren auf der Weide⟩; **tü|dern** ⟨nordd. für Tiere auf der Weide anbinden; in Unordnung bringen⟩

Tu|dor [*auch* 'tju:dɐ], der; -[s], -s (Angehöriger eines engl. Herrschergeschlechtes); **Tu|dor|bo|gen** (*Archit.*); **Tu|dor|stil,** der; -[e]s

Tu|e|rei ⟨ugs. für Ziererei⟩

¹Tuff, der; -s, -s ⟨landsch. für Strauß, Büschel [von Blumen o. Ä.]⟩

²Tuff, der; -s, -e ⟨ital.⟩ (ein Gestein) **Tuff|fels,** Tuff-Fels, **Tuff|fel|sen,** Tuff-Fel|sen

tuf|fig; Tuff|stein

Tüf|tel|ar|beit ⟨ugs.⟩; **Tüf|te|lei** ⟨ugs.⟩; **Tüf|te|ler** usw. vgl. Tüftler usw.

tüf|teln ⟨ugs. für eine knifflige Aufgabe mit Ausdauer zu lösen suchen⟩; ich tüft[e]le

Tuf|ting... ['taf...] ⟨engl.⟩ (*in Zus.* Spezialfertigungsart für Auslegeware u. Teppiche, bei der Schlingen in das Grundgewebe eingenäht werden); **Tuf|ting|tep|pich; Tuf|ting|ver|fah|ren,** das; -s

Tüft|ler; Tüft|le|rin; tüft|lig

Tu|gend, die; -, -en

Tu|gend|bold, der; -[e]s, -e (*iron. für* tugendhafter Mensch); **Tu|gend|bol|din**

tu|gend|haft; Tu|gend|haf|tig|keit, die; -

Tu|gend|held (auch iron.); **Tu|gend|hel|din**

tu|gend|los; Tu|gend|lo|sig|keit, die; -

tu|gend|sam (veraltend)

Tu|gend|wäch|ter (iron.); **Tu|gend|wäch|te|rin**

Tui|le|ri|en [tyilə...] *Plur.* (»Ziegeleien« (ehem. Residenzschloss der franz. Könige in Paris)

Tu|is|ko, Tu|is|to ⟨germ. Gottheit, Stammvater der Germanen⟩

Tu|kan [*auch* ...'ka:n], der; -s, -e ⟨indian.⟩ (Pfefferfresser [ein mittel- u. südamerik. Vogel]⟩

Tu|la (russ. Stadt); **Tu|la|ar|beit, Tu|la-Ar|beit** (Silberarbeit mit Ornamenten)

Tu|la|r|ä|mie, die; - ⟨indian.; griech.⟩ (Hasenpest, die auf Menschen übertragen werden kann)

Tu|li|pan, der; -[e]s, -e u. **Tu|li|pa|ne,** die; -, -n ⟨pers.⟩ (veraltet für Tulpe)

Tüll, der; -s, *Plur.* (*Arten:*) -e ⟨nach der franz. Stadt Tulle⟩ (netzartiges Gewebe); **Tüll|blu|se**

Tül|le, die; -, -n ⟨landsch. für [Ausguss]röhrchen; kurzes Rohrstück zum Einstecken⟩

Tüll|gar|di|ne

Tul|lia (altröm. w. Eigenn.); **Tul|li|us** (altröm. m. Eigenn.)

Tüll|schlei|er; Tüll|vor|hang

Tul|pe, die; -, -n ⟨pers.⟩

Tul|pen|feld; Tul|pen|zwie|bel

...tum (z. B. Besitztum, das; -s, ...tümer)

tumb (*altertümelnd scherzh. für* einfältig)

¹Tum|ba, die; -, ...ben ⟨griech.⟩ (Scheinbahre beim kath. Totengottesdienst; Überbau eines Grabes mit Grabplatte)

²Tum|ba, die; -, -s ⟨span.⟩ (eine große Trommel)

Tum|b|ler ['tamblɐ] ⟨engl.⟩ (schweiz. für Wäschetrockner)

...tüm|lich (z. B. eigentümlich)

Tum|mel, der; -s, - (*landsch. für* Rausch)

tum|meln (bewegen); sich tummeln ([sich be]eilen; *auch für* herumtollen); ich tumm[e]le [mich]; **Tum|mel|platz**

Tumm|ler ⟨»Taumler«⟩ (*früher* Trinkgefäß mit abgerundetem Boden, Stehauf)

Tümm|ler (Delfin; eine Taube)

Tu|mor [*nichtfachsprachl. auch* ...'moːɐ̯], der; -s, Plur. ...oren, *nichtfachsprachl. auch* ...ore ⟨lat.⟩ (*Med.* Geschwulst)

Tu|mor|bil|dung; Tu|mor|er|kran|kung; Tu|mor|wachs|tum; Tu|mor|zel|le

Tüm|pel, der; -s, -

Tu|mu|li (*Plur. von* Tumulus)

Tu|mult, der; -[e]s, -e ⟨lat.⟩ (Lärm; Unruhe; Auflauf; Aufruhr); **Tu|mul|tu|ant,** der; -en, -en (Unruhestifter; Ruhestörer, Aufrührer); **Tu|mul|tu|an|tin; tu|mul|tu|a|risch, tu|mul|tu|ös** (mit Lärm, Erregung einhergehend)

Tu|mu|lus, der; -, ...li ⟨lat.⟩ (vorgeschichtliches Hügelgrab)

tun; ich tue *od.* tu, du tust, er/sie tut, wir tun, ihr tut, sie tun; du tatst (tatest), er/sie tat; du tätest; tuend; getan; tu[e]!, tut!; *vgl.* dick[e]tun, guttun, schöntun, wohltun

Tun, das; -s; das Tun und Treiben

Tün|che, die; -, -n; **tün|chen; Tün|cher** (*landsch.*); **Tün|che|rin; Tün|cher|meis|ter; Tün|cher|meis|te|rin**

Tun|d|ra, die; -, ...ren ⟨finn.-russ.⟩ (baumlose Kältesteppe jenseits der arktischen Waldgrenze); **Tun|d|ren|step|pe**

Tu|nell, das; -s, -e (*landsch., vor allem südd. u. österr. neben* Tunnel)

tu|nen ['tjuː...] ⟨engl.⟩ (die Leistung [eines Kfz-Motors] nachträglich steigern); ein getunter Motor, Wagen; **Tu|ner,** der; -s, - (*Elektronik* Kanalwähler)

Tu|ne|si|en (Staat in Nordafrika); **Tu|ne|si|er; Tu|ne|si|e|rin; tu|ne|sisch**

Tun|fisch, ~~Thun|fisch~~

Tun|gu|se, der; -n, -n (*svw.* Ewenke); **Tun|gu|sin; tun|gu|sisch**

Tun|icht|gut, der; *Gen.* - u. -[e]s, Plur. -e

Tu|ni|ka, die; -, ...ken ⟨lat.⟩ (altröm. Untergewand)

Tu|ning ['tjuː...], das; -s ⟨engl.⟩ (nachträgliche Erhöhung der Leistung eines Kfz-Motors)

Tu|nis (Hauptstadt Tunesiens); **Tu|ni|ser; tu|ni|sisch**

Tun|ke, die; -, -n; **tun|ken**

tun|lich (veraltend für ratsam, angebracht); **Tun|lich|keit,** die; -; **tun|lichst** (*svw.* möglichst)

Tun|nel, der; -s, Plur. - u. -s ⟨engl.⟩; *vgl.* Tunell

Tun|nel|blick, der; -[e]s (eingeschränkte Sehfähigkeit; starrer Blick; *übertr. auch für* eingeengte Sichtweise)

tun|neln (ugs., bes. Fußball den Ball zwischen den Beinen des Gegners hindurchspielen); ich tunn[e]le

Tun|nel|röh|re

Tun|te, die; -, -n (ugs. für Homosexueller mit femininem Gebaren); **tun|ten|haft; tun|tig**

Tun|wort *vgl.* Tuwort

Tu|pa|ma|ra, Tu|pa|ma|ro, der; -s, -s *meist Plur.* ⟨nach dem Inkakönig Túpac Amaru⟩ (uruguayischer Stadtguerilla)

Tupf, der; -[e]s, -e (südd., österr. u. schweiz. für Tupfen)

Tüp|fel, der *od.* österr. nur, das; -s, - (Pünktchen); **Tüp|fel|chen;** das Tüpfelchen auf dem i; das i-Tüpfelchen ↑K29

Tüp|fel|farn

tüp|fe|lig, tüpf|lig; **tüp|feln;** ich tüpf[e]le

tup|fen

Tup|fen, der; -s, - (Punkt; [kreisrunder] Fleck)

Tup|fer

tüpf|lig *vgl.* tüpfelig

¹Tu|pi, der; -[s], -[s] (Angehöriger einer südamerik. Sprachfamilie)

²Tu|pi, das; - (indian. Verkehrssprache in Südamerika)

Tup|per|par|ty ® [engl. 'ta...] ⟨engl.⟩ (gesellige, private Veranstaltung zum Verkauf von Tupperware®-Artikeln [bes. Aufbewahrungsbehältern aus Plastik])

Tür, die; -, -en; von Tür zu Tür; du kriegst die Tür nicht zu! (*ugs. für* das ist nicht zu fassen!)

Tu|ran (Tiefland in Mittelasien)

Tu|ran|dot (pers. Märchenprinzessin)

Tür|an|gel

Tu|ra|ni|er; Tu|ra|ni|e|rin; tu|ra|nisch (aus Turan)

Tu|ras, der; -, -se (*Technik* Kettenstern [bei Baggern])

Tur|ban, der; -s, -e ⟨pers.⟩ ([moslem.] Kopfbedeckung); **tur|ban|ar|tig**

Tur|bel|la|rie, die; -, -n *meist Plur.* ⟨lat.⟩ (*Zool.* Strudelwurm)

Tur|bi|ne, die; -, -n ⟨franz.⟩ (*Technik* eine Kraftmaschine)

Tur|bi|nen|an|trieb; Tur|bi|nen|flug|zeug; Tur|bi|nen|haus

Tur|bo, der; -s, -s (*Kfz-Technik kurz für* Turbolader)

tur|bo|geil (ugs. für großartig)

Tur|bo|ge|ne|ra|tor

Tur|bo|ka|pi|ta|lis|mus (ugs. für ungebremster Kapitalismus)

Tur|bo|kom|pres|sor (Kreiselverdichter); **Tur|bo|la|der; Tur|bo|mo|tor**

Tur|bo-Prop-Flug|zeug (Turbinen-Propeller-Flugzeug)

Tur|bo|ven|ti|la|tor (Kreisellüfter)

tur|bu|lent (stürmisch, ungestüm); **Tur|bu|lenz,** die; -, -en (turbulentes Geschehen; *Physik* Auftreten von Wirbeln in einem Luft-, Gas- od. Flüssigkeitsstrom)

Tür|chen; Tür|drü|cker; Tü|re, die; -, -n (landsch. neben Tür)

tü|ren|knal|lend (ugs. für die Türen laut zuschlagend)

Turf, der; -s ⟨engl., »Rasen«⟩ (Pferderennbahn)

Tür|fal|le (schweiz. für Türklinke); **Tür|flü|gel; Tür|fül|lung**

Tur|gen|jew (russ. Dichter)

Tur|gor, der; -s ⟨lat.⟩ (*Med.* Spannungszustand des Gewebes; *Bot.* Innendruck der Pflanzenzellen)

Tür|griff; Tür|he|ber; Tür|hü|ter; Tür|hü|te|rin

...tü|rig (z. B. viertürig)

Tu|rin (ital. Stadt); *vgl.* Torino; **Tu|ri|ner; tu|ri|nisch**

Tür|ke, der; -n, -n; einen Türken bauen (ugs., oft als diskriminierend empfunden, für etwas vortäuschen, vorspielen)

Tür|kei, die; -

tür|ken (ugs., oft als diskriminie-

T
türk

rend empfunden, für vortäuschen, fälschen)

Tür|ken, der; -s ⟨*österr. landsch. für* Mais)

Tür|ken|bund, der; -[e]s, ...bünde (eine Lilienart); **Tür|ken|pfei|fe; Tür|ken|sä|bel; Tür|ken|sitz,** der; -es; **Tür|ken|tau|be**

Tur|ke|s|tan (innerasiatisches Gebiet)

Tur|key [ˈtøːɐ̯ki], der; -s, -s ⟨engl.⟩ (unangenehmer Zustand, nachdem die Wirkung eines Rauschgiftes nachgelassen hat)

Tür|kin

tür|kis ⟨franz.⟩ (türkisfarben); ein türkis[farbenes], türkises Kleid

¹**Tür|kis,** der; -es, -e (ein Schmuckstein)

²**Tür|kis,** das; - (türkisfarbener Ton); in Türkis ↑K 72

tür|kis|blau

tür|kisch; Tür|kisch, das; -[s] (Sprache); *vgl.* Deutsch; **Tür|ki-sche,** das; -n; *vgl.* Deutsche, das

Tür|kisch|rot

tür|kis|far|ben, tür|kis|far|big

tür|kis|grün

tur|ki|sie|ren (türkisch machen)

Tür|klin|ke; Tür|klop|fer

Turk|me|ne, der; -n, -n (Angehöriger eines Turkvolkes); **Turk|me-ni|en** *vgl.* Turkmenistan; **Turk-me|nin; turk|me|nisch; Turk|me-ni|s|tan** (Staat in Mittelasien)

Tur|ko|lo|ge, der; -n, -n ⟨türk.; griech.⟩ (Wissenschaftler auf dem Gebiet der Turkologie); **Tur|ko|lo|gie,** die; - (Erforschung der Turksprachen u. -kulturen); **Tur|ko|lo|gin**

Turk|spra|che; Turk|stamm; Turk-ta|ta|ren *Plur.* (Turkvolk der Tataren); **Turk|volk** (Volk mit einer Turksprache)

Turm, der; -[e]s, Türme

Tur|ma|lin, der; -s, -e ⟨singhales.-franz.⟩ (ein Schmuckstein)

Turm|bau *Plur.* ...bauten; **Türm-chen; Turm|dreh|kran**

¹**türm|en** (aufeinanderhäufen)

²**türm|en** ⟨hebr.⟩ (*ugs. für* weglaufen, ausreißen)

Tür|mer; Tür|me|rin; Turm|fal|ke; Turm|hau|be; turm|hoch

...tür|mig (z. B. zweitürmig)

Turm|sprin|gen, das; -s *(Sport);* **Turm|uhr; Turm|wäch|ter**

Turm|zim|mer

Turn [tøːɐ̯n], der; -s, -s ⟨engl.⟩ (Kehre im Kunstfliegen); *vgl. aber* Törn

Turn|an|zug; Turn|beu|tel

tur|nen; Tur|nen, das; -s; **Tur|ner; Tur|ne|rei; Tur|ne|rin; tur|ne-risch; Tur|ner|schaft**

Turn|fest; Turn|ge|rät; Turn|hal|le; Turn|hemd; Turn|ho|se

Tur|nier, das; -s, -e ⟨franz.⟩ (*früher* ritterliches, *jetzt* sportliches Kampfspiel; Wettkampf); **tur|nie|ren** *(veraltet)*

Tur|nier|pferd; Tur|nier|rei|ter; Tur-nier|rei|te|rin

Tur|nier|tanz; Tur|nier|tän|zer; Tur-nier|tän|ze|rin

Turn|klei|dung; Turn|leh|rer; Turn-leh|re|rin

Turn|schuh; fit wie ein Turnschuh (*ugs. für* sehr fit)

Turn|schuh|ge|ne|ra|ti|on, die; - (Generation von Jugendlichen [bes. der 80er-Jahre], die lässige Kleidung bevorzugt)

Turn|stun|de; Turn|übung; Turn-un|ter|richt

Tur|nus, der; - *u.* -ses, - *u.* -se ⟨griech.⟩ (Reihenfolge; Wechsel; Umlauf; *österr. auch für* Arbeitsschicht, praktische Ausbildungszeit des Arztes); im Turnus; **Tur|nus|arzt** *(österr.);* **Tur|nus|ärz|tin**

tur|nus|ge|mäß; tur|nus|mä|ßig

Turn|va|ter, der; -s; Turnvater Jahn

Turn|ver|ein (*Abk.* TV); ↑K 31 : Turn- und Sportverein (*Abk.* TuS)

Turn|wart; Turn|war|tin

Turn|zeug, das; -[e]s

Tur|öff|ner; Tür|öff|nung

Tu|ron, das; -s (*Geol.* zweitälteste Stufe der Oberen Kreide)

Tür|pfos|ten; Tür|rah|men

Tür|rie|gel; Tür|schild, das; **Tür-schlie|ßer**

Tür|schloss; Tür|schnal|le (*österr. für* Türklinke); **Tür|schwel|le; Tür|spalt; Tür|ste|her; Tür|ste-he|rin**

Tür|stock *Plur.* ...stöcke (*Bergmannsspr.* senkrecht aufgestellter Holzpfahl, Streckenausbauteil; *bayr., österr. für* [Holz]einfassung der Türöffnung); **Tür|sturz** *Plur.* -e *u.* ...stürze *(Bauw.)*

tur|teln (girren); ich turt[e]le; **Tur-tel|tau|be**

TuS [tʊs] = Turn- und Sportverein

Tusch, der; -[e]s, -e (Musikbegleitung bei einem Hochruf)

Tu|sche, die; -, -n ⟨franz.⟩

Tu|sche|lei; tu|scheln (heimlich [zu]flüstern); ich tusch[e]le

¹**tu|schen** ⟨franz.⟩ (mit Tusche zeichnen); du tuschst

²**tu|schen** (*landsch. für* zum Schweigen bringen); du tuschst

Tusch|far|be

tu|schie|ren (*fachspr. für* ebene Metalloberflächen [nach Markierung mit Tusche] herstellen)

Tusch|kas|ten; Tusch|ma|le|rei; Tusch|zeich|nung

Tus|ku|lum, das; -s, ...la ⟨lat.; nach dem altröm. Tusculum⟩ (*veraltet für* [ruhiger] Landsitz)

Tus|nel|da *vgl.* Thusnelda

Tus|se, die; -, -n (*svw.* Tussi)

Tus|si, die; -, -s (*ugs. abwertend für* Mädchen, Frau, Freundin)

tut!; tut, tut!

Tu|t|an|ch|a|mun, Tu|t|en|ch|a-mun (ägypt. König)

Tu|tand, der; -en, -en ⟨lat.⟩ (von einem Tutor, einer Tutorin betreute Person); **Tu|tan|din**

Tüt|chen

Tu|te, die; -, -n (*ugs. für* Signalhorn; *landsch. auch für* Tüte)

Tü|te, die; -, -n

Tu|tel, die; -, -en ⟨lat.⟩ (Vormundschaft); **tu|te|la|risch**

tu|ten; ↑K 82 : von Tuten und Blasen keine Ahnung haben (*ugs.*)

Tu|ten|ch|a|mun *vgl.* Tutanchamun

Tü|ten|sup|pe (*ugs. für* Instantsuppe)

Tu|tor, der; -s, ...oren ⟨lat.⟩ (jmd., der Studienanfänger betreut; *im röm. Recht für* Vormund); **Tu|to|rin; Tu|to|ri|um,** das; -s, ...rien ([begleitende] Übung an einer Hochschule)

Tut|ti, der; -[s], -[s] *u.* die; -, -[s] (Angehörige[r] eines afrikan. Volkes)

Tüt|tel, der; -s, - (*landsch. für* Pünktchen); **Tüt|tel|chen** (*ugs. für* ein Geringstes)

tut|ti ⟨ital., »alle«⟩ *(Musik);* **Tut|ti,** das; -[s], -[s] (volles Orchester)

Tut|ti|frut|ti, das; -[s], -[s] ⟨ital.; »alle Früchte«⟩ (eine Süßspeise; *veraltet für* Allerlei)

Tut|ti|spie|ler (Orchestermusiker ohne solistische Aufgaben); **Tut|ti|spie|le|rin**

tut, tut!

Tu|tu [tyˈtyː], das; -[s], -s ⟨franz.⟩ (Balettröckchen)

TÜV ® [tʏf], der; - = Technischer Überwachungs-Verein

Tu|va|lu (Inselstaat im Pazifik);

**Tu|va|lu|er; Tu|va|lu|e|rin; tu|va-
lu|isch**
TÜV-ge|prüft ↑K28
Tu|wort, Tun|wort Plur. ...wörter
(für Verb)
TV, der; - = Turnverein
TV [te:ˈfau, auch ti:ˈvi:], das; -[s]
= Television; **TV-Mo|de|ra|tor;
TV-Mo|de|ra|to|rin; TV-Sen|der;
TV-Se|rie**
Twain [ˈtveːn], Mark (amerik.
Schriftsteller)
Tweed [tviːt], der; -s, Plur. -s u. -e
⟨engl.⟩ (ein Gewebe)
Twen, der; -[s], -s ⟨anglisierend⟩
(junger Mann, junge Frau in
den Zwanzigern)
Twen|ter, das; -s, - (nordd. für
zweijähriges Schaf, Rind od.
Pferd)
Twie|te, die; -, -n (nordd. für Zwi-
schengässchen)
Twill, der; -s, Plur. -s u. -e ⟨engl.⟩
(Baumwollgewebe [Futter-
stoff]; Seidengewebe)
Twin|set, das, auch der; -[s], -s
⟨engl.⟩ (Pullover u. Strickjacke
von gleicher Farbe u. aus gleichem Material)
¹Twist, der; -es, -e ⟨engl.⟩ (mehrfä-
diges Baumwoll[stopf]garn)
²Twist, der; -s, -s ⟨amerik.⟩ (ein
Tanz); **twis|ten** (Twist tanzen)
Two|stepp [ˈtuːstep], der; -s, -s
⟨engl., »Zweischritt«⟩ (ein
Tanz)
TX = Texas
¹Ty|che (griech. Göttin des Glücks
u. des Zufalls)
²Ty|che, die; - (Schicksal, Zufall,
Glück)
Ty|coon [taiˈkuːn], der; -s, -s ⟨jap.-
amerik.⟩ (mächtiger Geschäfts-
mann od. Parteiführer)
Tym|pa|non, ¹Tym|pa|num, das; -s,
...na ⟨griech.⟩ (Archit. Giebel-
feld über Fenstern u. Türen [oft
mit Reliefs geschmückt])
²Tym|pa|num, das; -s, ...na (alt-
griech. Handtrommel; trom-
melartiges Schöpfrad in der
Antike; Med. veraltend Pau-
kenhöhle [im Ohr])
¹Typ, der; -s, -en ⟨griech.⟩ (nur
Sing.: Philos. Urbild, Beispiel;
Psych. bestimmte psych. Aus-
prägung; Technik Gattung,
Bauart, Muster, Modell)
²Typ, der; Gen. -s, auch -en, Plur.
-en (ugs. für Mensch, Person)
Ty|pe, die; -, -n ⟨franz.⟩ (gegosse-
ner Druckbuchstabe, Letter;

ugs. für komische Figur; bes.
österr. svw. Typ [Technik])
ty|pen ([industrielle Artikel] nur
in bestimmten notwendigen
Größen herstellen)
Ty|pen|druck Plur. ...drucke; **Ty-
pen|he|bel; Ty|pen|rad** (für
Schreibmaschinen); **Ty|pen|rei-
ni|ger; Ty|pen|setz|ma|schi|ne**
Ty|ph|li|tis, die; -, ...ti|den
⟨griech.⟩ (Med. Blinddarment-
zündung)
Ty|phon, das; -s, -e ⟨griech.-lat.⟩
(Schiffssirene)
ty|phös ⟨griech.⟩ (typhusartig)
Ty|phus, der; - (eine Infektions-
krankheit); **Ty|phus|epi|de|mie;
Ty|phus|er|kran|kung**
Ty|pik, die; -, -en ⟨griech.⟩ (Psych.
Lehre vom Typ)
ty|pisch; ty|pi|scher|wei|se
ty|pi|sie|ren (typisch darstellen,
gestalten, auffassen; typen;
österr. für die Normensprech-
ung bestätigen); **Ty|pi|sie-
rung**
Ty|po|graf, Ty|po|graph, der; -en,
-en (Schriftsetzer; Zeilensetz-
maschine)
Ty|po|gra|fie, Ty|po|gra|phie, die;
-, ...i|en (Buchdruckerkunst;
typografische Gestaltung)
Ty|po|gra|fin, Ty|po|gra|phin
**ty|po|gra|fisch, ty|po|gra|phisch;
typografischer** od. typographi-
scher Punkt (vgl. Punkt)
Ty|po|lo|gie, die; -, ...i|en (Lehre
von den Typen, Einteilung
nach Typen); **ty|po|lo|gisch**
Ty|po|skript, das; -[e]s, -e
(maschinengeschriebenes
Manuskript)
Ty|pung (zu typen)
Ty|pus, der; -, Typen (svw. ¹Typ
[Philos., Psych.])
Tyr (altgerm. Gott); vgl. Tiu, Ziu
Ty|rann, der; -en, -en ⟨griech.⟩
(Gewaltherrscher; auch
herrschsüchtiger Mensch); **Ty-
ran|nei,** die; -, -en (Gewaltherr-
schaft; Willkür[herrschaft])
**Ty|ran|nen|herr|schaft; Ty|ran|nen-
tum,** das; -s
Ty|ran|nin
Ty|ran|nis, die; - (Gewaltherr-
schaft, bes. im alten Griechenland)
ty|ran|nisch (gewaltsam, willkür-
lich); **ty|ran|ni|sie|ren** (gewalt-
sam, willkürlich behandeln;
unterdrücken); **Ty|ran|ni|sie-
rung**
Ty|ran|no|sau|rus, der; -, ...rier

(riesiger Dinosaurier); **Ty|ran-
no|sau|rus Rex,** der; - -
Ty|ras (ein Hundename); **Ty|ri|er,**
ökum. **Ty|rer** (Bewohner von
Tyros); **Ty|ri|e|rin,** ökum. **Ty|re-
rin; ty|risch; Ty|ros** (phöniz.
Stadt)
Ty|ro|sin, das; -s ⟨griech.⟩ (Bioche-
mie eine Aminosäure)
Tyr|rhe|ner (Bewohner Etruriens)
Tyr|rhe|ne|rin; tyr|rhe|nisch; aber
↑K140 : das Tyrrhenische Meer
(Teil des Mittelmeeres)
Ty|rus (lat. Name von Tyros)
Tz vgl. Tezett

U (Buchstabe); das U; des U, die U,
aber das u in Mut; der Buchstabe U, u
U = Unterseeboot; chem. Zeichen
für Uran
Ü (Buchstabe; Umlaut); das Ü; des
Ü, die Ü, aber das ü in Mütze;
der Buchstabe Ü, ü
u. in Firmennamen auch **&** = und
u. a. = und and[e]re, und
and[e]res, unter ander[e]m,
unter ander[e]n
u. Ä. = und Ähnliche[s] (vgl. ähnlich)
UAH (Währungscode für Griwna)
u. a. m. = und and[e]re mehr, und
and[e]res mehr
u. A. w. g., U. A. w. g. = um [od.
Um] Antwort wird gebeten
U-Bahn ↑K29 (kurz für Unter-
grundbahn); **U-Bahn|hof;
U-Bahn-Netz; U-Bahn-Sta|ti|on;
U-Bahn-Tun|nel** ↑K28
übel s. Kasten Seite 1032
Übel, das; -s, -; das ist von, geh.
vom Übel
übel be|ra|ten, übel|be|ra|ten vgl.
übel
übel ge|launt, übel|ge|launt vgl.
übel
übel ge|sinnt, übel|ge|sinnt vgl.
übel
Übel|keit
übel|lau|nig; Übel|lau|nig|keit
übel neh|men, übel|neh|men; sie
nahm uns das übel

übel

– üble Nachrede; übler Ruf	– jmdm. übel mitspielen
– die Verhältnisse sind hier am übelsten	– sie wäre übel beraten, wenn sie sich darauf einließe
– ich habe nicht übel Lust, das zu tun (ich möchte es tun)	– sie wird es uns nicht übel nehmen od. übelnehmen

Großschreibung ↑K72:

– ein übel gelaunter *od.* übelgelaunter Chef
– übel gesinnte *od.* übelgesinnte Nachbarn
– er hat nichts, etwas Übles getan
– übel riechende *od.* übelriechende Abfälle
– es wäre das Übelste, wenn …
– ein übel beratener *od.* übelberatener Kunde

Schreibung in Verbindung mit Verben und adjektivisch gebrauchten Partizipien:

Aber:

– übel sein; mir ist übel
– übel riechen

– jmdm. übelwollen; übelwollende Menschen

übel|neh|me|risch
übel rie|chend , übel|rie|chend *vgl.* übel
Übel|sein, das; -s; Übel|stand
Übel|tat *(geh.);* Übel|tä|ter; Übel|tä|te|rin
übel|wol|len; Menschen, die uns übelwollen; übelwollende Menschen; Übel|wol|len, das; -s
¹üben; ein Klavierstück üben
²üben *(landsch. für* drüben*)*
über *s. Kasten Seite 1033*
über…; *in Verbindung mit Verben: unfeste Zusammensetzungen* ↑K47, *z. B.* überbauen *(vgl. d.),* er baut über, hat übergebaut; *überzubauen; feste Zusammensetzungen, z. B.* überbauen *(vgl. d.),* er überbaut, hat überbaut; zu überbauen
über|ak|tiv; Über|ak|ti|vi|tät
über|all *[auch* ′y:…*];* über|all|her; *aber* von überall her; über|all|hin
über|al|tert; Über|al|te|rung, die; -
Über|an|ge|bot
über|ängst|lich
über|an|stren|gen; ich habe mich überanstrengt; Über|an|stren|gung
über|ant|wor|ten *(geh. für* übergeben, überlassen*);* die Gelder wurden ihr überantwortet; Über|ant|wor|tung
über|ar|bei|ten *(landsch.);* sie hat einige Stunden übergearbeitet; über|ar|bei|ten; sich überarbeiten; du hast dich völlig überarbeitet; sie hat den Aufsatz überarbeitet; Über|ar|bei|tung
über|aus
über|ba|cken; das Gemüse wird überbacken
¹Über|bau, der; -[e]s, *Plur.* -e u. -ten (vorragender Oberbau, Schutzdach; *Rechtsspr.* Bau über die Grundstücksgrenze hinaus)
²Über|bau, der; -[e]s, -e (nach Marx

die auf den wirtschaftl. u. sozialen Grundlagen basierenden Anschauungen einer Gesellschaft u. die entsprechenden Institutionen)
über|bau|en; er hat übergebaut (über die Baugrenze hinaus)
über|bau|en; er hat die Einfahrt (mit einem Dach) überbaut; Über|bau|ung
über|be|an|spru|chen; du überbeanspruchst den Wagen; sie ist überbeansprucht; überzubeanspruchen; Über|be|an|spru|chung
über|be|hal|ten *(landsch. für* übrig behalten*);* wir behalten nichts über, haben nichts überbehalten; überzubehalten
über|be|hü|ten; *meist im Partizip II;* ein überbehütetes Kind; Über|be|hü|tung
Über|bein (verhärtete Sehnengeschwulst)
über|be|kom|men *(ugs.);* ich bekam das fette Essen bald über, habe es überbekommen; überzubekommen
über|be|las|ten; du überbelastest den Wagen, sie ist überbelastet; überzubelasten; Über|be|las|tung
über|be|le|gen; der Raum war überbelegt; überzubelegen; Über|be|le|gung
über|be|lich|ten *(Fotogr.);* du überbelichtest die Aufnahme, sie ist überbelichtet; überzubelichten; Über|be|lich|tung
Über|be|schäf|ti|gung, die; -
über|be|set|zen; der Zug war überbesetzt; überzubesetzen; Über|be|set|zung
über|be|to|nen; sie überbetont diese Entwicklung, sie hat sie lange Zeit überbetont; überzubetonen; Über|be|to|nung
über|be|trieb|lich; überbetriebliche Mitbestimmung

über|be|völ|kert (übervölkert); Über|be|völ|ke|rung, die; -
über|be|wer|ten; er überbewertet diese Vorgänge; er hat sie überbewertet; überzubewerten; Über|be|wer|tung
über|be|zah|len; er ist überbezahlt; überzubezahlen; Über|be|zah|lung
über|biet|bar; über|bie|ten; sich überbieten; der Rekord wurde überboten; Über|bie|tung
über|bin|den *(Musik);* diese Töne müssen übergebunden werden; über|bin|den *(schweiz. für* [eine Verpflichtung] auferlegen); die Aufgabe wurde ihr überbunden
Über|biss *(ugs. für* das Überstehen der oberen Schneidezähne*)*
über|bla|sen *(Musik* bei Holz- u. Blechblasinstrumenten durch stärkeres Blasen die höheren Töne hervorbringen)
über|blei|ben *(landsch. für* übrig bleiben); es bleibt nicht viel über, es ist nicht viel übergeblieben; überzubleiben; Über|bleib|sel, das; -s, -
über|blen|den; die Bilder werden überblendet; Über|blen|dung *(Film* die Überleitung eines Bildes in ein anderes)
Über|blick; über|bli|cken; sie hat den Vorgang überblickt; über|blicks|wei|se
über|bor|den (über die Ufer treten; über das normale Maß hinausgehen, ausarten); der Betrieb ist, *auch* hat überbordet
über|bra|ten; *nur in* jmdm. eins überbraten *(ugs. für* einen Schlag, Hieb versetzen)
über|breit; Über|brei|te
Über|brettl, das; -s, - ([frühere Berliner] Kleinkunstbühne)
über|brin|gen; er hat die Nachricht

über

Präposition mit Dativ u. Akkusativ:

– das Bild hängt über dem Sofa, *aber* das Bild über das Sofa hängen
– überm, übers *(vgl. d.)*
– über Gebühr; über Land fahren; über die Maßen
– über Nacht; über Tag *(Bergmannsspr.)*
– über Wunsch, Antrag von … *(österr. Amtsspr. für auf Wunsch, Antrag von …)*
– über kurz oder lang ↑K72
– Kinder über acht Jahre; Gemeinden über 10 000 Einwohner
– über dem Lesen ist sie eingeschlafen

Adverb:

– über und über (sehr; völlig)
– die ganze Zeit über
– wir mussten über (= mehr als) zwei Stunden warten
– Gemeinden von über (= mehr als) 10 000 Einwohnern
– die über Siebzigjährigen
– er ist mir über (überlegen)
– das ist mir über (zu viel)

überbracht; **Über|brin|ger; Über|brin|ge|rin; Über|brin|gung**
über|brück|bar; über|brü|cken; sie hat es den Gegensatz klug überbrückt; **Über|brü|ckung**
Über|brü|ckungs|bei|hil|fe; Über|brü|ckungs|hil|fe; Über|brü|ckungs|kre|dit
über|bu|chen; einen Flug überbuchen; überbuchte Hotels; **Über|bu|chung**
über|bür|den *(geh.);* sie ist mit Arbeit überbürdet; **Über|bür|dung**
Über|dach; über|da|chen; der Bahnsteig wurde überdacht; **Über|da|chung**
Über|dampf, der; -[e]s (der nicht für den Gang der Maschine notwendige Dampf)
über|dau|ern; die Altertümer haben Jahrhunderte überdauert
Über|de|cke; über|de|cken *(ugs.);* ich habe das Tischtuch übergedeckt; **über|de|cken;** mit Eis überdeckt; **Über|de|ckung**
über|deh|nen ([bis zum Zerreißen] dehnen, auseinanderziehen); der Muskel ist überdehnt; **Über|deh|nung**
über|den|ken; sie hat es lange überdacht
über|deut|lich
über|dies [*auch* 'y:…]
über|di|men|si|o|nal (übermäßig groß); **über|di|men|si|o|niert; Über|di|men|si|o|nie|rung**
über|do|sie|ren; er überdosiert das Medikament, hat es überdosiert; überzudosieren; **Über|do|sie|rung; Über|do|sis;** eine Überdosis Schlaftabletten
über|dre|hen; die Uhr ist überdreht; die Kinder waren überdreht *(ugs.)*
¹Über|druck, der; -[e]s, …drücke (zu starker Druck)

²Über|druck, der; -[e]s, …drucke (nochmaliger Druck auf Geweben, Papier u. Ä.); **über|dru|cken;** die Briefmarke wurde überdruckt
Über|druck|ka|bi|ne; Über|druck|ven|til
Über|druss, der; Überdrusses; **über|drüs|sig;** *mit Gen.:* des Lebens, des Freundes überdrüssig sein; seiner überdrüssig sein, *selten auch mit Akk.:* ich bin ihn überdrüssig
über|dün|gen; die Felder sind völlig überdüngt; **Über|dün|gung**
über|durch|schnitt|lich
über|eck; übereck stellen
Über|ei|fer; über|eif|rig
über|eig|nen; das Haus wurde ihm übereignet; **Über|eig|nung**
Über|ei|le; über|ei|len; sich übereilen; du hast dich übereilt; **über|eilt** (verfrüht); ein übereilter Schritt; **Über|ei|lung**

über|ei|n|an|der

Man schreibt »übereinander« mit dem folgenden Verb in der Regel zusammen, wenn es den gemeinsamen Hauptakzent trägt ↑K48:

– übereinanderlegen, übereinanderstellen, die Beine übereinanderschlagen, Kisten übereinanderstapeln usw.

Aber: übereinander reden, übereinander herfallen, sich übereinander ärgern usw.

über|ein|kom|men; ich komme überein; übereingekommen; um übereinzukommen; **Über|ein|kom|men** (Abmachung, Einigung); **Über|ein|kunft,** die; -, …künfte (Übereinkommen)
über|ein|stim|men; wir stimmen

überein, haben übereingestimmt; übereinzustimmen; **Über|ein|stim|mung**
über|ein|tref|fen *vgl.* übereinkommen
über|emp|find|lich; Über|emp|find|lich|keit
über|er|fül|len; sie übererfüllt das Soll; sie hat es übererfüllt; überzuerfüllen; **Über|er|fül|lung**
Über|er|näh|rung, die; -
über|er|reg|bar; Über|er|reg|bar|keit, die; -
über|es|sen; ich habe mir die Speise übergegessen; **über|es|sen,** sich; ich habe mich übergegessen (zu viel gegessen)
über|fach|lich
über|fah|ren; ich bin übergefahren (über den Fluss); **über|fah|ren;** das Kind ist überfahren worden; er hätte mich bei den Verhandlungen fast überfahren *(ugs. für* überrumpelt); **Über|fahrt; Über|fahrts|zeit**
Über|fall, der; **über|fall|ar|tig; über|fal|len** *(Jägerspr.* ein Hindernis überspringen [vom Schalenwild]); **über|fal|len;** man hat sie überfallen; **Über|fall|ho|se**
über|fäl|lig (zur erwarteten Zeit noch nicht eingetroffen); ein überfälliger (verfallener) Wechsel; **Über|fall|kom|man|do,** österr. **Über|falls|kom|man|do**
Über|fang (farbige Glasschicht auf Glasgefäßen); **über|fan|gen;** die Vase ist blau überfangen; **Über|fang|glas**
über|fär|ben *(fachspr. für* abfärben); die Druckschrift hat übergefärbt; **über|fär|ben;** der Stoff soll überfärbt werden
über|fein; über|fei|nern; ich überfeinere; überfeinert; **Über|fei|ne|rung**

U
Über

über|fir|nis|sen; die Truhe wurde
überfirnisst

über|fi|schen; überfischte Gewässer; Über|fi|schung

Über|fleiß; über|flei|ßig

über|flie|gen (*ugs. für* nach der anderen Seite fliegen); die Hühner sind übergeflogen; über|flie|gen; er hat die Alpen überflogen; ich habe das Buch überflogen; Über|flie|ger (jmd., der begabter, tüchtiger ist als der Durchschnitt); Über|flie|ge|rin

über|flie|ßen; das Wasser ist übergeflossen; sie floss über vor Dankbarkeit; über|flie|ßen; das Gelände ist von Wasser überflossen

Über|flug (das Überfliegen)

über|flü|geln; er hat alle überflügelt; Über|flü|ge|lung, Über|flüg|lung

Über|fluss, der; -es; Über|fluss|ge|sell|schaft; über|flüs|sig; über|flüs|si|ger|wei|se

über|flu|ten; der Strom hat die Dämme überflutet

Über|flu|tung

über|flu|ten; das Wasser ist übergeflutet

über|for|dern; er hat mich überfordert; Über|for|de|rung

Über|fracht; über|frach|ten (*svw.* überladen); Über|frach|tung

über|fra|gen (Fragen stellen, auf die man nicht antworten kann); über|fragt; ich bin überfragt

über|frem|den; Über|frem|dung

über|fres|sen, sich; du hast dich überfressen (*derb*)

über|freund|lich

über|frie|ren; die Straße ist überfroren; überfrierende Nässe

Über|fuhr, die; -, -en (*österr. für* Fähre)

über|füh|ren, ¹über|füh|ren (an einen anderen Ort bringen); man überführte ihn in eine Spezialklinik *od.* führte ihn in eine Spezialklinik über; die Leiche wurde nach … übergeführt *od.* überführt; ²über|füh|ren (einer Schuld); der Mörder wurde überführt; Über|füh|rung; Überführung der Leiche; Überführung einer Straße; Überführung eines Verbrechers; Über|füh|rungs|kos|ten *Plur.*

Über|fül|le; über|fül|len; der Bus ist überfüllt; Über|fül|lung

Über|funk|ti|on

über|füt|tern; ein überfütterter Hund; Über|füt|te|rung

Über|ga|be; Über|ga|be|ver|hand|lun|gen, *österr. auch* Über|gabs|ver|hand|lun|gen *Plur.*

Über|gang, der; Über|gangs|bahn|hof; Über|gangs|bei|hil|fe; Über|gangs|er|schei|nung

Über|gangs|frist

über|gangs|los

Über|gangs|lö|sung; Über|gangs|man|tel; Über|gangs|pha|se; Über|gangs|re|ge|lung; Über|gangs|re|gie|rung; Über|gangs|sta|di|um; Über|gangs|zeit; Über|gangs|zu|stand

Über|gar|di|ne

über|ge|ben; ich habe ihm eins übergegeben (*ugs. für* einen Schlag, Hieb versetzt); über|ge|ben; er hat die Festung übergeben; ich habe mich übergeben (erbrochen)

Über|ge|bot (höheres Gebot bei einer Versteigerung)

über|ge|hen; wir gingen zum nächsten Thema über; das Grundstück ist in andere Hände übergegangen; die Augen gingen ihr über (sie war überwältigt; *geh. auch für* sie hat geweint); über|ge|hen (unbeachtet lassen); sie überging ihn; sie hat den Einwand übergangen; Über|ge|hung, die; -; mit Übergehung

über|ge|meind|lich

über|ge|nau

über|ge|nug

Über|ge|nuss (*österr. Amtsspr.* Überzahlung)

über|ge|ord|net

Über|ge|päck (*Flugw.*)

Über|ge|wicht, das; -[e]s; über|ge|wich|tig

über|gie|ßen; sie hat die Milch übergegossen; über|gie|ßen (oberflächlich gießen; oben begießen); sie hat die Blumen nur übergossen; mit etw. übergossen sein; Über|gie|ßung

über|gip|sen

über|gla|sen (mit Glas decken); du überglast; er überglaste den Balkon; der Balkon ist überglast; Über|gla|sung

über|glück|lich

über|gol|den; der Ring wurde übergoldet

über|grei|fen; die Seuche hat übergegriffen; über|grei|fend; Über|griff

über|groß; Über|grö|ße

über|grü|nen; das Haus ist [mit Efeu] übergrünt

Über|guss

über|ha|ben (*ugs. für* satthaben; angezogen haben; *landsch. für* übrig haben); sie hat die ständigen Klagen übergehabt

über|hal|ten (*Forstw.* stehen lassen); eine Kiefer überhalten; Über|häl|ter (*Forstw.* Baum, der beim Abholzen stehen gelassen wird); Über|hand|nah|me, die; -

über|hand|neh|men; etwas nimmt überhand; es hat überhandgenommen; überhandzunehmen

Über|hang

¹über|hän|gen; die Felsen hingen über; *vgl.* ¹hängen

²über|hän|gen; sie hat den Mantel übergehängt; *vgl.* ²hängen

über|hän|gen; sie hat den Käfig mit einem Tuch überhängt; *vgl.* ²hängen

Über|hang|man|dat (in Direktwahl gewonnenes Mandat, das über die Zahl der einer Partei nach dem Stimmenverhältnis zustehenden Parlamentssitze hinausgeht)

Über|hangs|recht, das; -[e]s

über|happs (*bayr. u. österr. ugs. für* übereilt; ungefähr)

über|hart; überharter Einsatz

über|has|ten; das Tempo ist überhastet; Über|has|tung

über|häu|fen; sie war mit Arbeit überhäuft; der Tisch ist mit Papieren überhäuft; Über|häu|fung

über|haupt

über|he|ben; ich habe mich überhoben (*landsch. für* verhoben)

über|heb|lich (anmaßend); Über|heb|lich|keit; Über|he|bung (*veraltend*)

Über|he|ge (*Forstw.*)

über|hei|zen (zu stark heizen); das Zimmer ist überheizt

über|hin (*veraltet für* oberflächlich); etwas überhin prüfen

über|hit|zen (zu stark erhitzen); du überhitzt; der Ofen ist überhitzt; Über|hit|zung

über|hö|hen; die Kurve ist überhöht; Über|hö|hung

über|ho|len (*Seemannsspr.*); die Segel wurden übergeholt; das Schiff hat übergeholt (sich auf die Seite gelegt); über|ho|len; er hat ihn überholt; diese Anschauung ist überholt; diese Maschine ist überholt worden

Über|hol|ma|nö|ver; Über|hol|spur

Über|ho|lung; Über|ho|lungs|be|dürf|tig

Über|hol|ver|bot; Über|hol|ver|such; Über|hol|vor|gang

über|hö|ren *(ugs.)*; ich habe mir den Schlager übergehört; über|hö|ren; das möchte ich überhört haben!

Über|ich, **Über-Ich** *(Psychoanalyse)*

über|in|di|vi|du|ell

Über|in|ter|pre|ta|ti|on; über|in|ter|pre|tie|ren

über|ir|disch

über|kan|di|delt *(ugs. für überspannt)*

Über|ka|pa|zi|tät *(Wirtsch.)*

über|kip|pen; er ist nach vorn übergekippt

über|kle|ben; überklebte Plakate

Über|kleid; über|klei|den; der Balken wird mit Spanplatten überkleidet *(veraltend)*; Über|klei|dung (Überkleider); Über|klei|dung *(veraltend für* Verkleidung [eines Wandschadens])

über|klet|tern; er hat den Zaun überklettert

über|klug

über|ko|chen; die Milch ist übergekocht; über|ko|chen *(landsch.)*; die Suppe muss noch einmal überkocht werden

über|kom|men *(Seemannsspr.* über das Deck spülen, spritzen; *landsch. für* etwas endlich fertigbringen od. sagen); die Brecher kommen über; er ist damit übergekommen; über|kom|men; Ekel überkam sie, hat sie überkommen

über|kom|pen|sa|ti|on; über|kom|pen|sie|ren (in übersteigertem Maße ausgleichen)

über|kon|fes|si|o|nell

Über|kopf|ball *(Tennis)*

über Kreuz vgl. Kreuz; über|kreu|zen; sich überkreuzen; mit überkreuzten Beinen dasitzen

über|krie|gen *(ugs.; svw.* überbekommen)

über|kro|nen; der Zahn wurde überkront

über|krus|ten

über|küh|len *(österr. für* [langsam] abkühlen)

¹über|la|den; das Schiff war überladen; *vgl.* ¹laden

²über|la|den; überladener Stil

Über|la|dung

über|la|gern; überlagert; sich überlagern; Über|la|ge|rung

Über|land|bus; Über|land|fahrt; Über|land|lei|tung

Über|lang; Über|län|ge

über|lap|pen; überlappt; Über|lap|pung

über|las|sen *(landsch. für* übrig lassen); sie hat ihm etwas überlassen; über|las|sen (abtreten; anvertrauen); sie hat mir das Haus überlassen; Über|las|sung

über|las|ten; über|las|tet; über|las|tig; Über|las|tung

Über|lauf (Ablauf für überschüssiges Wasser); über|lau|fen; das Wasser läuft über; er ist zum Feind übergelaufen; die Galle ist ihm übergelaufen; über|lau|fen; die Ärztin wird von Kranken überlaufen; es hat mich kalt überlaufen; Über|läu|fer (Soldat, der zum Gegner überläuft; *Jägerspr.* Wildschwein im zweiten Jahr)

über|laut

über|le|ben; diese Vorstellungen sind überlebt; Über|le|ben|de, der u. die; -n, -n; Über|le|bens|chan|ce

über|le|bens|fä|hig; Über|le|bens|fä|hig|keit; Über|le|bens|fra|ge; über|le|bens|groß; eine überlebensgroße Abbildung; Über|le|bens|grö|ße, die; -; Über|le|bens|kampf; Über|le|bens|trai|ning; über|le|bens|wich|tig

über|le|gen *(ugs. für* darüber legen); sie legte eine Decke über

¹über|le|gen (bedenken, nachdenken); er überlegte lange; ich habe mir das überlegt; ↑K82: nach reiflichem Überlegen

²über|le|gen; sie ist mir überlegen; Über|le|gen|heit, die; -

über|legt *(auch für* sorgsam); Über|le|gung; mit Überlegung

über|lei|ten; ein Lied leitete zum zweiten Teil über; Über|lei|tung

über|le|sen ([schnell] durchlesen; [bei oberflächlichem Lesen] nicht bemerken); er hat den Brief nur überlesen; er hat diesen Druckfehler überlesen

Über|licht|ge|schwin|dig|keit

über|lie|fern; überlieferte Bräuche; Über|lie|fe|rung

über|lie|gen (länger als vorgesehen in einem Hafen liegen [von Schiffen]); Über|lie|ge|zeit

Über|lin|gen (Stadt am Bodensee); Über|lin|ger See, der; - -s (Teil des Bodensees)

über|lis|ten; er wurde überlistet; Über|lis|tung

überm ↑K14 *(ugs. für* über dem); überm Haus

über|ma|chen *(veraltend für* vererben, vermachen); sie hat ihm ihr Vermögen übermacht

Über|macht, die; -; über|mäch|tig

über|ma|len *(ugs.)*; sie hat [über den Rand] übergemalt; über|ma|len; das Bild war übermalt; Über|ma|lung

über|man|nen; der Schlaf hat sie übermannt; über|manns|hoch

Über|man|tel

über|mar|chen *(schweiz. für* eine festgesetzte Grenze überschreiten)

Über|maß, das; -es; im Übermaß; über|mä|ßig

über|mäs|ten; übermästete Tiere

Über|mensch, der; über|mensch|lich; Über|mensch|lich|keit

über|mit|teln; ich übermitt[e]le; er hat diese freudige Nachricht übermittelt; Über|mit|te|lung

über|mor|gen; übermorgen Abend ↑K69

über|mü|de; über|mü|den; über|mü|det; Über|mü|dung

Über|mut; über|mü|tig

übern ↑K14 *(ugs. für* über den); übern Graben

über|nächs|te; am übernächsten Tag

über|nach|ten; er hat hier übernachtet; über|näch|tig *österr. nur so, sonst meist* über|näch|tigt (von zu langem Aufbleiben müde); Über|näch|tler *(schweiz. für* in Stall, Schuppen usw. Übernachtender)

Über|nach|tung

Über|nah|me, die; -, -n; feindliche Übernahme *(Wirtsch.)*

Über|nah|me|an|ge|bot; Über|nah|me|kan|di|dat; Über|nah|me|kan|di|da|tin

Über|nah|me|schlacht *(emotional)*; Über|nah|me|stel|le *(österr. für* Annahmestelle)

Über|na|me (Spitzname)

über|na|ti|o|nal

über|na|tür|lich

über|neh|men; sie hat die Tasche übergenommen *(ugs.)*; über|neh|men; sie hat das Geschäft übernommen; ich habe mich übernommen; Über|neh|mer; Über|neh|me|rin

Über|nut|zung

über|ord|nen; er ist ihm übergeordnet; Über|ord|nung

Über|or|ga|ni|sa|ti|on, die; - (Übermaß von Organisation); über|or|ga|ni|siert

über|ört|lich

über|par|tei|lich

U

über

über|pin|seln
Über|preis
über|pri|vi|le|giert
Über|pro|duk|ti|on
über|pro|por|ti|o|nal
über|prüf|bar; über|prü|fen; Überprü|fung; Über|prü|fungs|kommis|si|on
über|pu|dern
über|qua|li|fi|ziert
über|quel|len; der Eimer quoll
über; der Teig ist übergequollen
über|quer (*veraltend für* über
Kreuz)
über|que|ren; Über|que|rung
über|ra|gen (hervorstehen); der
Balken hat übergeragt; über|ragen; sie hat alle überragt; ein
überragender Erfolg
über|ra|schen; du überraschst; er
wurde überrascht; über|raschend; über|ra|schen|der|wei|se;
Über|ra|schung
Über|ra|schungs|ef|fekt
Über|ra|schungs|ei; Über|raschungs|er|folg; Über|ra|schungsgast; Über|ra|schungs|mannschaft *(Sport);* Über|ra|schungsmo|ment, das
über|re|agie|ren; Über|re|ak|ti|on;
Überreaktion der Haut
über|rech|nen (rechnerisch überschlagen)
über|re|den; sie hat mich dazu
überredet; Über|re|dung; Überre|dungs|kunst
über|re|gi|o|nal
Über|re|gu|lie|rung
über|reich
über|rei|chen; überreicht
über|reich|lich
Über|rei|chung
Über|reich|wei|te
über|reif; Über|rei|fe
über|rei|ßen; ein überrissener Ball
(Tennis)
über|rei|zen; seine Augen sind
überreizt; Über|reizt|heit, die; -;
Über|rei|zung
über|ren|nen; sie wurde überrannt
Über|re|prä|sen|ta|ti|on; über|reprä|sen|tiert
Über|rest
über|rie|seln *(geh.);* ein Schauer
überrieselte sie
Über|rock (*veraltet für* Gehrock,
Überzieher)
Über|roll|bü|gel (bes. bei Sport- u.
Rennwagen); über|rol|len; er
wurde überrollt
über|rum|peln; der Feind wurde
überrumpelt; Über|rum|pe|lung,
Über|rum|plung

über|run|den (im Sport); Über|rundung
übers ↑K14 (*ugs. für* über das);
übers Wochenende
über|sä|en (besäen); übersät (dicht
bedeckt); der Himmel ist mit
Sternen übersät
über|satt; über|sät|ti|gen; eine
übersättigte Lösung *(Chemie);*
Über|sät|ti|gung
über|säu|ern; Über|säu|e|rung
Über|schall|flug; Über|schall|flugzeug; Über|schall|ge|schwin|digkeit
über|schat|ten; Über|schat|tung
über|schät|zen; überschätzt; Überschät|zung
über|schau|bar; Über|schau|barkeit, die; -; über|schau|en; überschaut
über|schäu|men; der Sekt schäumt
über
über|schie|ßen (*landsch. für* überfließen; über ein Maß hinausgehen)
über|schläch|tig (*fachspr. für*
durch Wasser von oben angetrieben)
über|schla|fen; das muss ich erst
[noch] überschlafen
Über|schlag, der; -[e]s, ...schläge;
über|schla|gen; die Stimme ist
übergeschlagen
¹über|schla|gen; ich habe die Kosten überschlagen; er hat sich
überschlagen
²über|schla|gen; das Wasser ist
überschlagen (*landsch. für* lauwarm)
über|schlä|gig (ungefähr)
Über|schlag|la|ken (Teil der Bettwäsche)
über|schläg|lich (überschlägig)
Über|schlags|rech|nung
über|schlie|ßen *(Druckw.)*
über|schnap|pen; der Riegel des
Schlosses hat *od.* ist übergeschnappt; die Stimme ist übergeschnappt; du bist wohl übergeschnappt (*ugs. für* du hast
wohl den Verstand verloren)
über|schnei|den, sich; Über|schneidung
über|schnei|en; überschneite
Dächer
über|schnell
über|schrei|ben; das Haus ist auf
ihn überschrieben; Über|schreibung (Übereignung [einer Forderung usw.])
über|schrei|en; er hat ihn überschrien
über|schrei|ten; du hast die Grenze

überschritten; ↑K82 : das Überschreiten der Gleise ist verboten; Über|schrei|tung
Über|schrift
Über|schuh
über|schul|det; Über|schul|dung
Über|schuss; über|schüs|sig; Überschuss|pro|duk|ti|on
über|schüt|ten; sie hat etwas übergeschüttet; über|schüt|ten; sie
hat mich mit Vorwürfen überschüttet; Über|schüt|tung
Über|schwang, der; -[e]s; im Überschwang der Gefühle; überschwäng|lich; Über|schwänglich|keit
über|schwap|pen; die Suppe ist
übergeschwappt
über|schwem|men; Über|schwemmung; Über|schwem|mungs|gebiet; Über|schwem|mungs|ka|tast|ro|phe
über|schweng|lich usw. *alte Schreibung für* überschwänglich usw.
über|schwer; überschwere Last
Über|see *ohne Artikel;* Waren von
Übersee, aus Übersee; Über|seebrü|cke; Über|see|damp|fer;
Über|see|ha|fen; über|see|isch;
überseeischer Handel
über|seh|bar; über|se|hen (*ugs.*); du
hast dir dieses Kleid übergesehen; über|se|hen; ich habe den
Fehler übersehen
über|sen|den; der Brief wurde
ihr übersandt; Über|sen|dung
über|setz|bar; Über|setz|bar|keit,
die; -
über|set|zen (ans andere Ufer bringen od. gelangen); wir setzen
über; er hat den Wanderer übergesetzt; über|set|zen (in eine
andere Sprache übertragen); ich
habe den Satz ins Englische
übersetzt
Über|set|zer; Über|set|ze|rin
über|setzt (*schweiz. für* überhöht);
übersetzte Preise, übersetzte
Geschwindigkeit
Über|set|zung; Über|set|zungs|arbeit; Über|set|zungs|bü|ro; Überset|zungs|feh|ler
Über|set|zungs|pro|gramm
Über|sicht, die; -, -en; über|sich|tig
(*veraltend für* weitsichtig)
über|sicht|lich (leicht zu überschauen); Über|sicht|lich|keit,
die; -; Über|sichts|kar|te; Übersichts|ta|fel
über|sie|deln, über|sie|deln (den
Wohnort wechseln); ich
sied[e]le über *od.* ich übersied[e]le; ich bin damals überge

siedelt *od.* übersiedelt; **Über|sie-de|lung** *vgl.* Übersiedlung; **Über-sied|ler; Über|sied|le|rin; Über-sied|lung,** Über|sie|de|lung
über|sinn|lich; Über|sinn|lich|keit
Über|soll
über|sonnt
über|span|nen; ich habe den Bogen überspannt; **über|spannt** (übertrieben; verschroben); **Über-spannt|heit**
Über|span|nung (zu hohe Spannung in einer elektrischen Anlage); **Über|span|nung; Über-span|nungs|schutz**
über|spie|len; sie überspielte die peinliche Situation; er hatte die Deckung überspielt *(Sport);* er hat die CD auf Kassette überspielt; **über|spielt** *(Sportspr.* durch [zu] häufiges Spielen überanstrengt; *österr. für* häufig gespielt, nicht mehr neu [vom Klavier]); **Über|spie|lung**
über|spit|zen (übertreiben); **über-spitzt** (übermäßig); **Über|spitzt-heit; Über|spit|zung**
über|spre|chen *(Rundfunk, Fernse-hen* in eine aufgenommene [fremdsprachige] Rede einen anderen Text hineinsprechen)
über|sprin|gen; der Funke ist übergesprungen; **über|sprin|gen;** ich habe eine Klasse übersprungen; **Über|sprin|gung**
über|spru|deln; das Wasser ist übergesprudelt
Über|sprung|hand|lung *(Verhal-tensforschung* bestimmte Verhaltensweise in Konfliktsituationen)
über|spü|len; das Ufer ist überspült
über|staat|lich
Über|stän|der *(Forstw.* überalterter, nicht mehr wachsender Baum); **über|stän|dig**
über|stark
über|ste|chen (im Kartenspiel eine höhere Trumpfkarte ausspielen); er hat übergestochen; **über-ste|chen;** er hat ihn überstochen
über|ste|hen; der Balken steht über; **über|ste|hen;** sie überstand die Operation; die Gefahr ist überstanden
über|stei|gen; sie ist übergestiegen; **über|stei|gen;** sie hat den Grat überstiegen; das übersteigt meinen Verstand
über|stei|gern (überhöhen); **Über-stei|ge|rung**
Über|stei|gung

über|stel|len *(Amtsspr.* jmdn. [weisungsgemäß] einer anderen Stelle übergeben); er wurde überstellt; **Über|stel|lung**
über|stem|peln; ich überstemp[e]le
Über|sterb|lich|keit, die; - (höhere Sterblichkeit als erwartet)
über|steu|ern *(Elektrot.* einen Verstärker überlasten, sodass der Ton verzerrt wird; *Kfz-Technik* zu starke Wirkung des Lenkradeinschlags zeigen); **Über|steu|e-rung**
über|stim|men
über|strah|len
über|stra|pa|zie|ren; ein überstrapaziertes Schlagwort
über|strei|chen; die Wand wird nicht tapeziert, sondern nur übergestrichen; **über|strei|chen;** er hat die Täfelung mit Lack überstrichen
über|strei|fen
über|streu|en; mit Zucker überstreut
über|strö|men; überströmende Herzlichkeit; **über|strö|men;** der Fluss hat die Felder weithin überströmt
Über|strumpf *(veraltend)*
über|stül|pen
Über|stun|de, die; Überstunden machen; **Über|stun|den|geld; Über|stun|den|zu|schlag**
über|stür|zen (übereilen); er hat die Angelegenheit überstürzt; die Ereignisse überstürzten sich; **Über|stür|zung**
über|ta|rif|lich; übertarifliche Bezahlung
über|täu|ben; das hat seinen Schmerz übertäubt
über|tau|chen *(österr. ugs. für* [eine Krankheit, Krise] überstehen)
über|teu|ern; überteuerte Ware; **Über|teu|e|rung**
über|ti|teln; Über|ti|te|lung *(Thea-ter* Text auf einer Anzeigetafel oberhalb der Bühne)
über|töl|peln; ich übertölp[e]le; **Über|töl|pe|lung, Über|tölp|lung**
über|tö|nen; Über|tö|nung
Über|topf
Über|trag, der; -[e]s, ...träge
über|trag|bar; Über|trag|bar|keit, die; -
¹über|tra|gen; ich habe ihm das Amt übertragen; die Krankheit hat sich auf mich übertragen
²über|tra|gen; eine übertragene Bedeutung; übertragene (*österr.*

für gebrauchte, abgetragene) Kleidung
Über|trä|ger *(Fernmeldewesen* Transformator); **Über|trä|ger; Über|trä|ge|rin; Über|tra|gen**
Über|tra|gungs|ge|schwin|dig|keit
Über|tra|gungs|sa|tel|lit; Über|tra-gungs|ver|merk; Über|tra|gungs-wa|gen *(Abk.* Ü-Wagen); **Über-tra|gungs|weg**
über|trai|niert
über|tref|fen; ihre Leistungen haben alles übertroffen
über|trei|ben; Über|trei|bung
über|tre|ten; er ist zur evangelischen Kirche übergetreten; sie hat, ist beim Weitsprung übergetreten *(Sport);* **über|tre|ten;** ich habe das Gesetz übertreten; ich habe mir den Fuß übertreten *(landsch. für* vertreten); **Über|tre|tung; Über|tre|tungs-fall,** der; *nur in im* Übertretungsfall[e] *(Amtsspr.)*
über|trie|ben; Über|trie|ben|heit
Über|tritt
über|trump|fen (überbieten, ausstechen); übertrumpft
über|tun *(ugs.);* ich habe mir einen Mantel übergetan; **über|tun,** sich *(landsch. für* sich übernehmen); du hast dich übertan
über|tün|chen
über|über|mor|gen
Über|va|ter (Respekt einflößende, beherrschende Figur)
über|ver|si|chern; die Schiffsladung war überversichert; **Über-ver|si|che|rung**
Über|ver|sor|gung
über|ver|tre|ten *(schweiz. für* überrepräsentiert); **Über|ver|tre|tung**
über|völ|kern; diese Provinz ist übervölkert; **Über|völ|ke|rung,** die; -
über|voll
über|vor|sich|tig
über|vor|tei|len; er wurde übervorteilt; **Über|vor|tei|lung**
über|wach
über|wa|chen (beaufsichtigen); er wurde überwacht
über|wach|sen; mit Moos überwachsen
über|wäch|tet *alte Schreibung für* überwechtet
Über|wa|chung; Über|wa|chungs-dienst; Über|wa|chungs|ka|me|ra; Über|wa|chungs|staat; Über|wa-chungs|stel|le; Über|wa|chungs-sys|tem
über|wal|len (sprudelnd überfließen); das Wasser ist überge-

U
über

üb|rig

– übriges Verlorenes; übrige kostbare Gegenstände

Großschreibung der Substantivierung ↑K72:

– ein Übriges tun (mehr tun, als nötig ist)
– im Übrigen (sonst, ferner)
– das, alles Übrige
– die, alle Übrigen

Schreibung in Verbindung mit Verben und adjektivisch gebrauchten Partizipien:

– er hat von seinem Vermögen nichts übrig behalten
– von dem Kuchen wird nichts übrig bleiben

– ihr wolltet mir doch ein Stück Kuchen übrig lassen!
– solange wir etwas Geld übrig haben ...
– der übrig gebliebene *od.* übriggebliebene Kuchen

Bei übertragener Bedeutung:

– uns wird nichts anderes übrig bleiben *od.* übrigbleiben, als nachzugeben
– sie haben uns nichts anderes übrig gelassen *od.* übriggelassen, als zur Polizei zu gehen
– etwas für jmdn. übrighaben (jmdn. mögen)

---

wallt; **über|wal|len** *(geh.);* von Nebel überwallt

über|wäl|ti|gen; er wurde überwältigt; **über|wäl|ti|gend; Über|wäl|ti|gung**

über|wäl|zen (abwälzen); die Kosten wurden auf die Gemeinden überwälzt

über|wech|seln; sie ist aufs Gymnasium übergewechselt

über|wech|tet (von einem Schneeüberhang bedeckt)

Über|weg

über|wei|sen; sie hat das Geld überwiesen

über|wei|ßen (hell überstreichen); er hat die Wand überweißt

Über|wei|sung; Über|wei|sungs|auftrag; Über|wei|sungs|for|mu|lar; Über|wei|sungs|schein

über|weit; Über|wei|te; Kleider in Überweiten

Über|welt; über|welt|lich (übersinnlich, übernatürlich)

über|wend|lich *(Handarbeit);* überwendlich nähen (so nähen, dass die Fäden über die aneinandergelegten Stoffkanten hinweggehen); überwendliche Naht; **über|wend|lings;** überwendlings nähen

über|wer|fen; sie hat den Mantel übergeworfen; **über|wer|fen, sich;** wir haben uns überworfen (verfeindet); **Über|wer|fung**

über|wer|tig *(Psych.);* **Über|wer|tigkeit,** die; -; **Über|wer|tung**

Über|we|sen

über|wie|gen ([an Zahl od. Einfluss] stärker sein); die Laubbäume überwiegen; die Mittelmäßigen haben überwogen; **über|wie|gend** *[auch* ˈyː...*]*

über|wind|bar; über|win|den; die Schwierigkeiten wurden überwunden; **über|win|der; Über|winde|rin; Über|win|dung,** die; -

über|win|tern; ich überwintere;

das Getreide hat gut überwintert; **Über|win|te|rung**

über|wöl|ben; der Raum wurde überwölbt; **Über|wöl|bung**

über|wu|chern; das Unkraut hat den Weg überwuchert; **Über|wuche|rung**

Über|wurf (Umhang; *Ringen* ein Hebegriff; *österr., schweiz. u. landsch. auch für* Zierdecke, Tagesdecke)

Über|zahl, die; -; in der Überzahl sein; **über|zah|len** (zu hoch bezahlen); **über|zäh|len** (nachzählen); sie hat den Betrag noch einmal überzählt; **über|zäh|lig; Über|zah|lung**

über|zeich|nen *(ugs. für* über den vorgesehenen Rand zeichnen); **über|zeich|nen;** die Anleihe ist überzeichnet; **Über|zeich|nung**

Über|zeit, die; -, -en *(schweiz. für* Überstunden); **Über|zeit|ar|beit,** die; -

über|zeu|gen; sie hat ihn überzeugt; **sich überzeugen;** ein überzeugter (unbedingter) Anhänger; **über|zeu|gend;** das überzeugendste Argument; **Über|zeugt|heit,** die; -; **Über|zeu|gung; Über|zeu|gungs|arbeit,** die; -; **Über|zeu|gungs|kraft,** die; -; **Über|zeu|gungs|tä|ter** *(Rechtsspr.* jmd., der um einer [politischen, religiösen o. ä.] Überzeugung willen straffällig geworden ist); **über|zeu|gungstreu**

über|zie|hen; er zieht eine Jacke über, hat eine Jacke übergezogen; **über|zie|hen;** sie überzieht den Kuchen mit einem Zuckerguss; er hat sein Konto überzogen; das Bett überziehen *(österr. für* beziehen); er hat es endlich überzogen *(österr. für* verstanden); **Über|zie|her; Über|ziehungs|kre|dit**

über|zo|gen (übertrieben)

über|züch|tet; der Hund ist überzüchtet

über|zu|ckern

Über|zug; Über|zugs|pa|pier

über|zwerch *[auch* ...ˈtsvɛ...*]* *(landsch. für* quer, über Kreuz; verschroben; übermütig)

Ubi|er, der; -s, - (Angehöriger eines germ. Volksstammes)

Ubi|quist, der; -en, -en ⟨lat.⟩ (*Biol.* auf der gesamten Erdkugel verbreitete Pflanzenod. Tierart); **ubi|qui|tär** (überall verbreitet)

üb|lich; ↑K72: seine Rede enthielt nur das Übliche; **üb|li|cher|weise; Üb|lich|keit,** die; -

U-Bo|gen ↑K29

U-Boot, *bundeswehramtlich* **Uboot** ↑K28 (Unterseeboot; *Abk.* U); **U-Boot-Krieg** ↑K26

üb|rig *s. Kasten*

üb|rig blei|ben, übrigbleiben *vgl.* übrig

üb|ri|gens

üb|rig|ha|ben *in der Wendung* etwas für jmdn. übrighaben (jmdn. mögen); *vgl.* übrig

üb|rig las|sen, üb|rig|las|sen *vgl.* übrig

Übung; Übungs|ar|beit; Übungsauf|ga|be; Übungs|buch

übungs|hal|ber

Übungs|hang; Übungs|lei|ter, der; **Übungs|lei|te|rin; Übungs|platz; Übungs|pro|gramm; Übungs|sache,** die; -; **Übungs|schie|ßen; Übungs|stück**

Ücht|land *vgl.* Üechtland

Ucker|mark, die; - (nordostdt. Landschaft); **Ucker|mär|ker; ucker|mär|kisch**

Ud, die; -, -s ⟨arab.⟩ (Laute mit 4 bis 7 Saitenpaaren)

u. desgl. [m.] = und desgleichen [mehr]

U über

u. dgl. [m.] = und dergleichen [mehr]

u. d. M. = unter dem Meeresspiegel

ü. d. M. = über dem Meeresspiegel

Udo (m. Vorn.)

UdSSR, die; - = Union der Sozialistischen Sowjetrepubliken (bis 1991)

u. E. = unseres Erachtens

Üecht|land [ˈyːɛxt...], Üchtland, das; -[e]s (in der Schweiz); *vgl.* Freiburg im Üechtland

Ue|cker [ˈʏkər], die; - (nordd. Fluss)

UEFA, die; - = Union of European Football Associations (Europäischer Fußballverband); **UEFA-Pokal** ↑K28

U-Ei|sen ↑K29 (Walzeisen von u-förmigem Querschnitt); **U-Eisen-för|mig** ↑K26

Uel|zen [ˈʏ...] (Stadt in der Lüneburger Heide); **Uel|ze|ner,** Uel|zer

Uer|din|gen [ˈyːɐ̯...] (Stadtteil von Krefeld)

UFA ®, die; - = Universum-Film-AG (deutsche Filmproduktionsgesellschaft); **UFA-Film** ↑K28; **UFA-Film|pro|duk|ti|on** ↑K28

Ufer, das; -s, -; *Schreibung in Straßennamen:* ↑K162 *u.* 163

Ufer|bau *Plur.* ...bauten; **Ufer|befes|ti|gung; Ufer|bö|schung; Ufer|füh|rung; Ufer|geld** (Hafengebühr); **Ufer|land|schaft; Ufer|läufer** (ein Vogel)

ufer|los; seine Pläne gingen ins Uferlose

Ufer|pro|me|na|de; Ufer|schwal|be; Ufer|stra|ße

uff!

u. ff. = und folgende [Seiten]

Uf|fi|zi|en *Plur.* (Palast mit Gemäldesammlung in Florenz)

Uffz. = Unteroffizier

Ufo, UFO, das; -[s], -s = unidentified flying object ⟨engl.⟩ (unbekanntes Flugobjekt); **Ufo|lo|ge; Ufo|lo|gie,** die; - (Beschäftigung mit Ufos); **Ufo|lo|gin**

u-för|mig, **U-för|mig** (in Form eines lat. U) ↑K29

UG = Untergeschoss

Ugan|da (Staat in Afrika); **Ugander; Ugan|de|rin; ugan|disch**

ug|risch *vgl.* finnisch-ugrisch

uh!

U-Haft ↑K28 (*kurz für* Untersuchungshaft)

U-Ha|ken ↑K29

Uh|land (dt. Dichter)

Uhr

die; -, -en

– Punkt, Schlag acht Uhr
– es ist zwei Uhr nachts
– es ist ein Uhr, *aber* es ist eins
– es ist 6.30 [Uhr], 6³⁰ [Uhr], 6:30 [Uhr] (*gesprochen* sechs Uhr dreißig)
– es schlägt 12 [Uhr]
– um fünf [Uhr] aufstehen
– ich komme um 20 Uhr
– der Zug fährt um halb acht [Uhr] abends
– ich wartete bis zwei Uhr nachmittags
– Achtuhrzug (*mit Ziffer* 8-Uhr-Zug; ↑K26)

Uhr|band, das; *Plur.* ...bänder; **Uhr|chen**

Uh|ren|in|dus|t|rie; Uh|ren|kas|ten; Uh|ren|ra|dio

Uhr|ket|te; Uhr|ma|cher; Uhr|ma|che|rei; Uhr|ma|che|rin

Uhr|ta|sche; Uhr|werk; Uhr|zei|ger; Uhr|zei|ger|sinn; *nur in* im u. entgegen dem Uhrzeigersinn; **Uhr|zeit**

UHT-Milch = Ultra-high-Temperature-Milch (*schweiz. für* H-Milch)

Uhu, der; -s, -s (ein Vogel)

ui!

UIC, der; - = UEFA-Intertotocup (ein europ. Fußballwettbewerb)

ui je! (*österr. für* oje!)

UK [juːˈkeɪ], das; - = United Kingdom [of Great Britain and Northern Ireland] ⟨engl.⟩ (Vereintes Königreich [Großbritannien und Nordirland])

Ukas, der; -ses, -se ⟨russ.⟩ (Erlass, Verordnung [des Zaren])

Uke|lei, der; -s, *Plur.* -e *u.* -s ⟨slaw.⟩ (ein Karpfenfisch)

Uk|ra|i|ne[1]**,** die; - (Staat in Osteuropa); **Uk|ra|i|ner**[1]; **Uk|ra|i|ne-rin**[1]; **uk|ra|i|nisch**[1]; **Uk|ra|i|nisch**[1] das; -[s] (Sprache); *vgl.* Deutsch; **Uk|ra|i|ni|sche**[1] das; -n; *vgl.* Deutsche, das

Uku|le|le, die *od.* das; -, -n ⟨hawaiisch⟩ (kleine, viersaitige Gitarre)

UKW [uːkaːˈveː] *ohne Artikel* = Ultrakurzwelle; **UKW-Emp|fänger** ↑K28; **UKW-Sen|der** ↑K28

Ul, die; -, -en (nordd. für Eule; Handbesen)

Ulan, der; -en, -en ⟨türk.-poln.⟩ (*früher* Lanzenreiter)

Ulan-Ba|tor (Hauptstadt der Mongolei)

Ule|ma, der; -s, -s ⟨arab., »Stand der Gelehrten«⟩ (islamischer Rechts- u. Religionsgelehrter)

Ulen|flucht, die; -, -en (»Eulenflug«) (*nordd. für* Dachöffnung des westfäl. Bauernhauses; *nur Sing.: veraltet für* Dämmerung); **Ulen|spie|gel** (*Nebenform von* Eulenspiegel)

Ul|fi|las, Wul|fi|la (Bischof der Westgoten)

Uli [*auch* ˈʊ...] (m. Vorn.)

Uli|xes, Ulys|ses (*lat. Name von* Odysseus)

Ulk, der; *Gen.* -s, *seltener* -es, *Plur.* -e (Spaß; Unfug)

Ülk, der; -[e]s, -e (*nordd. für* Iltis)

ul|ken; Ul|ke|rei; ul|kig (ugs.); **Ulk|nu|del** (*ugs. scherzh.*)

Ul|kus, das; -, Ulzera ⟨lat.⟩ (*Med.* Geschwür)

Ul|la (w. Vorn.)

¹**Ulm** (Stadt an der Donau)

²**Ulm,** ¹**Ul|me,** die; -, ...men (*Bergmannsspr.* seitliche Fläche im Bergwerksgang)

²**Ul|me,** die; -, -n ⟨lat.⟩ (ein Laubbaum); **Ul|men|blatt**

Ul|mer (*zu* ¹Ulm); Ulmer Spatz

Ul|rich (m. Vorn.)

Ul|ri|ke (w. Vorn.)

¹**Uls|ter** [*auch* ˈal...] ⟨engl.⟩ (histor. Provinz im Norden der Insel Irland)

²**Uls|ter** [*auch* ˈal...] der; -s, - (weiter [Herren]mantel; schwerer Mantelstoff)

ult. = ultimo

Ul|ti|ma Ra|tio ↑K40, die; - - ⟨lat.⟩ (letztes Mittel)

ul|ti|ma|tiv (in Form eines Ultimatums; nachdrücklich); **Ul|ti|ma|tum,** das; -s, ...ten (letzte, äußerste Aufforderung)

ul|ti|mo (am Letzten [des Monats]; *Abk.* ult.); **ul|ti|mo,** der; -s, -s (letzter Tag [des Monats]); **Ul|ti|mo|ge|schäft**

Ul|t|ra, der; -s, -s ⟨lat.⟩ (polit. Fanatiker, Rechtsextremist)

ul|t|ra|cool (*Jugendspr.*)

ul|t|ra|flach; ul|t|ra|hart

ul|t|ra|kon|ser|va|tiv

ul|t|ra|kurz; Ul|t|ra|kurz|wel|le (*Physik, Rundf.* elektromagnetische Welle unter 10 m Länge; *Abk.* UKW)

---

¹ [*auch* uˈkraɪ...]

U
Ultr

um

I. *Präposition mit Akkusativ:*
– um vieles, um nichts, um ein Mehrfaches größer
– um alles in der Welt [nicht]
– einen Tag um den anderen
– um Rat fragen
– ich komme um 20 Uhr (*vgl.* Uhr)
– ich gehe um Milch (*österr. für* um Milch zu holen)
– um ein Bedeutendes, um ein Beträchtliches (viel)
II. *Adverb:*
– um sein (*ugs. für* vorüber sein); da die Zeit um ist, um war; die Zeit ist um gewesen
– um und um

– links um! (*vgl.* links)
– es waren um [die] (= etwa) zwanzig Kinder; Gemeinden von um (= etwa) 10 000 Einwohnern
III. *Konjunktion:*
– um zu; er kommt[,] um uns zu helfen ↑K116
– um so zu wirken, setzte er eine traurige Miene auf
IV. *Großschreibung* ↑K81 :
– das Um und Auf (*österr. für* das Ganze, das Wesentliche)
– um … willen *vgl.* willen
Vgl. auch umeinander; umsonst; umso; ums (um das)

Ul|t|ra|kurz|wel|len|emp|fän|ger; Ul|t|ra|kurz|wel|len|sen|der
ul|t|ra|lang
Ul|t|ra|leicht|flug|zeug (besonders leicht u. einfach gebautes [Sport]flugzeug)
ul|t|ra|ma|rin ⟨lat., »übers Meer« [eingeführt]⟩ (kornblumenblau); Ul|t|ra|ma|rin, das; -s
Ul|t|ra|mi|k|ro|s|kop (zur Beobachtung kleinster Teilchen)
ul|t|ra|mon|tan ⟨lat.⟩ (streng päpstlich gesinnt); Ul|t|ra|mon|ta|nis|mus, der; - (streng päpstliche Gesinnung [im ausgehenden 19. Jh.])
ul|t|ra|rot (*svw.* infrarot)
Ul|t|ra|rot
Ul|t|ra|schall, der; -[e]s (mit dem menschlichen Gehör nicht mehr wahrnehmbarer Schall); Ul|t|ra|schall|be|hand|lung; Ul|t|ra|schall|di|a|g|nos|tik; Ul|t|ra|schall|schwei|ßung
Ul|t|ra|schall|un|ter|su|chung (*Med., Technik*); Ul|t|ra|schall|wel|le meist *Plur.*
ul|t|ra|scharf
Ul|t|ra|strah|lung (kosmische Höhenstrahlung)
ul|t|ra|vi|o|lett ([im Sonnenspektrum] über dem violetten Licht; *Abk.* UV); ultraviolette Strahlen (*kurz* UV-Strahlen; ↑K28); Ul|t|ra|vi|o|lett, das; -s (*Abk.* UV)
Ulys|ses *vgl.* Ulixes
Ul|ze|ra (*Plur. von* Ulkus); Ul|ze|ra|ti|on, die; -, -en ⟨lat.⟩ (*Med.* Geschwürbildung); ul|ze|rie|ren (geschwürig werden); ul|ze|rös (geschwürig); ulzeröses Organ
um *s.* Kasten
um… *in Verbindung mit Verben: unfeste Zusammensetzungen* ↑K47 , z. B. umbauen (*vgl. d.*), umgebaut; *feste Zusammensetzungen,* z. B. umbauen (*vgl. d.*), umbaut

um|ackern; umgeackert
um|ad|res|sie|ren; umadressiert
uma|mi ⟨jap.⟩ (eine Geschmacksrichtung)
um|än|dern; Um|än|de|rung
um Ant|wort wird ge|be|ten, Um Ant|wort wird ge|be|ten (*Abk.* u. [*od.* U.] A. w. g.)
um|ar|bei|ten; der Anzug wurde umgearbeitet; Um|ar|bei|tung
um|ar|men; er hat sie umarmt; sie umarmten sich; Um|ar|mung
Um|bau, der; -[e]s, *Plur.* -e u. -ten
um|bau|en (anders bauen); das Theater wurde völlig umgebaut; um|bau|en (mit Bauten umschließen); er hat seinen Hof mit Ställen umbaut; umbauter Raum
um|be|hal|ten; sie hat den Schal umbehalten
um|be|nen|nen; Um|be|nen|nung
¹Um|ber *vgl.* Umbra
²Um|ber, der; -s, -n ⟨lat.⟩ (ein Speisefisch des Mittelmeeres)
Um|ber|to (m. Vorn.)
um|be|schrie|ben; der umbeschriebene Kreis (Umkreis)
um|be|set|zen; die Rolle wurde umbesetzt; Um|be|set|zung
um|be|sin|nen, sich; ich habe mich umbesonnen
um|bet|ten; wir haben den Kranken, die Toten umgebettet; Um|bet|tung
um|bie|gen
um|bil|den; die Regierung wurde umgebildet; Um|bil|dung
um|bin|den; sie hat ein Tuch umgebunden; um|bin|den; er hat den Finger mit Leinwand umbunden
um|bla|sen; der Wind hat sie fast umgeblasen; um|bla|sen; von Winden umblasen
Um|blatt (inneres Hüllblatt der Zigarre)
um|blät|tern; umgeblättert

Um|blick; um|bli|cken, sich
Um|b|ra, die; - *u.* Um|ber, der; -s ⟨lat.⟩ (ein brauner Farbstoff)
um|bran|den; von Wellen umbrandet
um|brau|sen; von Beifall umbraust
um|bre|chen; den Acker umbrechen; der Zaun ist umgebrochen worden; um|bre|chen (*Druckw.* den Drucksatz in Seiten einteilen); er umbricht den Satz; der Satz wird umbrochen, ist noch zu umbrechen; Um|bre|cher (*Druckw. für* Metteur); Um|bre|che|rin
Um|b|rer, der; -s, - (Angehöriger eines italienischen Volksstamms); Um|b|re|rin
Um|b|ri|en (ital. Region)
um|brin|gen; umgebracht
um|b|risch (aus Umbrien)
Um|bruch, der; -[e]s, …brüche (grundlegende [polit.] Änderung, Umwandlung; *Druckw.* das Umbrechen); Um|bruch|kor|rek|tur; Um|bruch|pha|se; Um|bruch|si|tu|a|ti|on
um|bu|chen; einen Betrag umbuchen; sie hat die Reise umgebucht; Um|bu|chung
um|da|tie|ren; er hat den Brief umdatiert
um|den|ken; Um|denk|pro|zess, Um|den|kungs|pro|zess
um|deu|ten; Um|deu|tung
um|di|ri|gie|ren; wir haben den Transport umdirigiert
um|dis|po|nie|ren (seine Pläne ändern); ich habe umdisponiert
um|drän|gen; sie wurde von allen Seiten umdrängt
um|dre|hen; sich umdrehen; er dreht jeden Pfennig, Cent um (ist sehr sparsam); sie hat den Spieß umgedreht (ist ihrerseits [mit demselben Mitteln] zum Angriff übergegangen); du hast dich umgedreht; Um|dre|hung;

U
Ultr

Um|dre|hungs|ge|schwin|dig|keit; Um|dre|hungs|zahl

Ụm|druck Plur. ...drucke (nur Sing.: ein Vervielfältigungsverfahren; Ergebnis dieses Vorgangs); **Ụm|druck|ver|fah|ren**

um|dụs|tern, sich (geh.)

um|ei|n|an|der; sich umeinander kümmern; umeinander herumtanzen

um|ei|n|an|der|lau|fen (bes. südd., österr. für herumlaufen)

ụm|er|zie|hen; sie wurden politisch umerzogen; **Ụm|er|zie|hung; Ụm|er|zie|hungs|la|ger** Plur. ...lager

um|fä|cheln (geh.); der Wind hat mich umfächelt

ụm|fah|ren (fahrend umwerfen; landsch. für fahrend einen Umweg machen); er hat das Verkehrsschild umgefahren; ich bin [beinahe eine Stunde] umgefahren; **um|fah|ren** (um etwas herumfahren); er umfuhr das Hindernis; er hat die Insel umfahren; **Ụm|fahrt; Um|fah|rung** (österr. u. schweiz. auch svw. Umgehungsstraße); **Um|fah|rungs|stra|ße** (österr., schweiz.)

Ụm|fall, der; -[e]s (ugs. für plötzlicher Gesinnungswandel); **ụm|fal|len;** sie ist tot umgefallen; bei der Abstimmung ist er doch noch umgefallen (ugs.); ↑K 82: sie war zum Umfallen müde (ugs.); **Ụm|fal|ler** (auch Fußball); **Ụm|fal|le|rin**

Ụm|fang; um|fạn|gen (geh.); die Nacht umfing uns; sie halte ihn umfangen; **um|fäng|lich**

ụm|fang|mä|ßig vgl. umfangsmäßig; **ụm|fang|reich; Ụm|fangs|be|rech|nung; um|fangs|mä|ßig,** ụm|fang|mäßig

ụm|fär|ben; der Mantel wurde umgefärbt

ụm|fas|sen (anders fassen; landsch. auch für den Arm um jmdn. legen); der Schmuck wird umgefasst; er fasste die Frau um; **um|fas|sen** (umschließen; in sich begreifen); ich habe ihn umfasst; die Sammlung umfasst alles Wesentliche; **um|fas|send; Um|fạs|sung; Um|fạs|sungs|mau|er**

Ụm|feld; das soziale Umfeld

ụm|fir|mie|ren (einen anderen Handelsnamen annehmen); wir haben umfirmiert; **Ụm|fir|mie|rung**

um|flẹch|ten; eine umflochtene Weinflasche

ụm|flie|gen (landsch. für fliegend einen Umweg machen; ugs. für hinfallen); das Flugzeug war eine weite Strecke umgeflogen; das Schild ist umgeflogen; **um|flie|gen;** die Krähen haben den alten Turm umflogen

um|flie|ßen; umflossen von ...

um|flo|ren (geh.); Tränen umflorten seinen Blick

ụm|for|men; er formt den Satz um; **Ụm|for|mer** (Elektrot.)

ụm|for|mu|lie|ren

Ụm|for|mung

Ụm|fra|ge; Umfrage halten; **Ụm|fra|ge|er|geb|nis; ụm|fra|gen;** die Meinungsforscher haben wieder umgefragt

um|frie|den, seltener **um|frie|di|gen** (geh. für mit einem Zaun umgeben); er hat seinen Garten umfriedet, seltener umfriedigt; **Um|frie|di|gung,** häufiger **Um|frie|dung**

ụm|fül|len; Ụm|fül|lung

ụm|funk|ti|o|nie|ren (die Funktion von etwas ändern; zweckfremd einsetzen); die Veranstaltung wurde zu einer Protestversammlung umfunktioniert; **Ụm|funk|ti|o|nie|rung**

Ụm|gang; ụm|gäng|lich (freundlich, erträglich); **Ụm|gäng|lich|keit,** die; -

Ụm|gangs|form meist Plur.

Ụm|gangs|spra|che; ụm|gangs|sprach|lich

Ụm|gangs|ton Plur. ...töne

um|gar|nen; sie hat ihn umgarnt; **Um|gar|nung**

um|gau|keln; der Schmetterling hat die Blüten umgaukelt

ụm|ge|ben (landsch.); er gab mir den Mantel um, hat mir den Mantel umgegeben; **um|ge|ben;** er umgab das Haus mit einer Hecke; sie war von Kindern umgeben; sich umgeben mit ...

Ụm|ge|bin|de|haus (Bauw.)

Um|ge|bung

Ụm|ge|gend (ugs.)

ụm|ge|hen; ein Gespenst geht dort um; er ist umgegangen (landsch. für einen Umweg gemacht); **um|ge|hen;** sie umgeht alle Fragen; er hat das Gesetz umgangen; **ụm|ge|hend;** mit umgehender (nächster) Post; **Um|ge|hung; Um|ge|hungs|stra|ße**

um|ge|kehrt; es verhält sich umgekehrt, als du denkst

ụm|ge|stal|ten; Ụm|ge|stal|tung

ụm|ge|wöh|nen; sich umgewöhnen

ụm|gie|ßen; sie hat den Wein umgegossen

um|git|tern; umgittert; **Um|git|te|rung**

um|glän|zen (geh.); von Licht umglänzt

um|gol|den (geh.); umgoldet

um|gra|ben; Ụm|gra|bung

um|grei|fen (in einen anderen Griff wechseln); er hat bei der Riesenfelge umgegriffen; **um|grei|fen** (umfassen); sie hatte den Stock fest umgriffen

um|gren|zen; sie umgrenzte das Aufgabengebiet; der Garten ist von Steinen umgrenzt; **Um|gren|zung**

ụm|grup|pie|ren; umgruppiert; **Ụm|grup|pie|rung**

um|gụ|cken, um|kụ|cken, sich (ugs. für sich umsehen)

ụm|gür|ten (früher); ich habe mir das Schwert umgegürtet; **um|gür|ten** (früher); sich umgürten; mit dem Schwert umgürtet

um|ha|ben (ugs.); sie hat nicht einmal ein Tuch umgehabt

um|ha|cken

um|hä|keln; ein umhäkeltes Taschentuch

um|hal|sen; sie hat ihn umhalst; **Um|hal|sung**

Ụm|hang; ụm|hän|gen; ich hängte mir den Mantel um; ich habe die Bilder umgehängt (anders gehängt); vgl. ²hängen; **um|hän|gen** (hängend umgeben); das Bild war mit Flor umhängt; vgl. ²hängen

Ụm|hän|ge|ta|sche, Ụm|häng|ta|sche; Ụm|hän|ge|tuch, Ụm|hang|tuch, Ụm|häng|tuch

ụm|hau|en (abschlagen, fällen usw.); er haute, geh. hieb den Baum um; das hat mich umgehauen (ugs. für das hat mich in großes Erstaunen versetzt)

um|hẹ|gen (geh.); **Um|hẹ|gung**

um|hẹr (im Umkreis)

um|hẹr... (bald hierhin, bald dorthin ..., z. B. umherlaufen; er läuft umher, ist umhergelaufen); **um|hẹr|bli|cken; um|hẹr|fah|ren; um|hẹr|ge|hen; um|hẹr|geis|tern; um|hẹr|ir|ren; um|hẹr|lau|fen; um|hẹr|schlei|chen; um|hẹr|schlen|dern; um|hẹr|schwei|fen; um|hẹr|schwir|ren; um|hẹr|strei-**

chen; um|her|strei|fen; um|her-
tra|gen; um|her|zie|hen
um|hin|kom|men (umhinkönnen)
um|hin|kön|nen; *nur verneint:* ich
kann nicht umhin[,] es zu tun;
ich habe nicht umhingekonnt;
nicht umhinzukönnen
um|hö|ren, sich; ich habe mich
danach umgehört
um|hül|len; umhüllt mit …; Um-
hül|lung
Umi|ak, der *od.* das; -s, -s ⟨eskim.⟩
(Boot der Eskimofrauen)
U/min = Umdrehungen pro
Minute
um|in|ter|pre|tie|ren (umdeuten)
um|ju|beln; umjubelt
um|kämp|fen; die Festung war hart
umkämpft
Um|kar|ton *(fachspr.)*
Um|kehr, die; -; um|kehr|bar; Um-
kehr|bar|keit, die; -; um|keh|ren;
sich umkehren; sie ist umgekehrt; sie hat die Tasche umge-
kehrt; Um|kehr|film (Film, der
beim Entwickeln ein Positiv lie-
fert); Um|kehr|schluss; Um|keh-
rung
um|kip|pen; der Stuhl kippte um;
er ist bei den Verhandlungen
umgekippt *(ugs. für* hat seinen
Standpunkt geändert); sie ist
plötzlich umgekippt *(ugs. für*
ohnmächtig geworden); der See
ist umgekippt (biologisch abge-
storben); Um|kip|pen, das; -s
um|klam|mern; Um|klam|me|rung
um|klapp|bar; um|klap|pen
Um|klei|de, die; -, -n *(ugs. für*
Umkleideraum); Um|klei|de|ka-
bi|ne
um|klei|den, sich; ich habe mich
umgekleidet (anders gekleidet)
um|klei|den (umgeben, umhüllen);
umkleidet mit, von …
Um|klei|de|raum; Um|klei|dung,
die; -
Um|klei|dung
um|kni|cken; sie ist [mit dem Fuß]
umgeknickt
um|kom|men; er ist im Krieg
umgekommen; ↑K 82: die
Hitze ist ja zum Umkommen
(ugs.)
um|ko|pie|ren *(Fototechnik)*
um|krän|zen; umkränzt; Um|krän-
zung
Um|kreis, der; -es *Plur. (Geom.:)* -e;
um|krei|sen; der Storch hat das
Nest umkreist; Um|krei|sung
um|krem|peln *(ugs. auch für* völlig
ändern)
um|ku|cken *vgl.* umgucken

um|la|ckie|ren
um|la|den; die Säcke wurden
umgeladen; *vgl.* ¹laden; Um|la-
dung
Um|la|ge (Steuer; Beitrag)
um|la|gern (an einen anderen
Platz bringen [zum Lagern]);
die Waren wurden umgelagert;
um|la|gern (umgeben, eng
umschließen); umlagert von …;
vgl. lagern; Um|la|ge|rung; Um-
la|ge|rung
Um|la|ge|sys|tem
Um|land, das; -[e]s (ländliches
Gebiet um eine [Groß]stadt)
Um|lauf, der *(auch für* Fruchtfolge;
Med. eitrige Entzündung an
Finger oder Hand); in Umlauf
geben, sein (von Zahlungsmit-
teln); Um|lauf|bahn; um|lau|fen;
der Mond umläuft die Erde in
28 Tagen; ich habe den Platz
umlaufen
um|lau|fen (laufend umwerfen;
landsch. für einen Umweg
machen; weitergegeben werden); sie hätte das Kind fast
umgelaufen; wir sind umgelaufen; eine Nachricht ist umgelaufen
Um|lauf[s]|ge|schwin|dig|keit; Um-
lauf[s]|zeit; Um|lauf|ver|mö|gen
(Wirtsch.)
Um|laut (ä, ö, ü); um|lau|ten; ein
umgelautetes U ist ein Ü
Um|le|ge|kal|en|der; Um|le|ge|kra-
gen; um|le|gen; ein Braten,
umlegt mit Gemüse
um|le|gen *(derb auch für* erschie-
ßen); er legte den Mantel um; er
hat die Karten umgelegt
(gewendet *od.* anders gelegt);
Um|le|gung; Um|le|gung *(auch
für* Flurbereinigung)
um|lei|ten (anders leiten); der Ver-
kehr wurde umgeleitet; Um|lei-
tung; Um|lei|tungs|schild, das
um|len|ken; die Fahrzeuge wurden
umgelenkt; Um|len|kung
um|ler|nen; sie hat umgelernt
um|lie|gend; umliegende Ort-
schaften
Um|luft, die; - (*Technik* aufberei-
tete, zurückgeleitete Luft)
um|man|teln; ich ummant[e]le;
ein ummanteltes Kabel; Um-
man|te|lung
um|mau|ern (mit Mauerwerk
umgeben); Um|mau|e|rung
um|me *(ugs.);* für umme
(umsonst)
um|mel|den; ich habe mich umge-
meldet; Um|mel|dung

um|mo|deln (ändern, umgestal-
ten); umgemodelt; Um|mo|de-
lung, Um|mod|lung
um|mün|zen; die Niederlage
wurde in einen Sieg umge-
münzt (umgedeutet)
um|nach|tet *(geh. für* verwirrt);
Um|nach|tung *(geh.)*
um|nä|hen; sie hat den Saum
umgenäht (eingeschlagen u.
festgenäht); um|nä|hen; eine
umnähte (eingefasste) Kante
um|ne|beln; sie war leicht umne-
belt (benommen); Um|ne|be-
lung, Um|neb|lung
um|neh|men *(ugs.);* sie hat eine
Decke umgenommen
um|nie|ten *(derb für* niederschla-
gen, -schießen); sie haben ihn
umgenietet
Um|or|ga|ni|sa|ti|on; um|or|ga|ni-
sie|ren
um|ori|en|tie|ren; Um|ori|en|tie-
rung
um|pa|cken (anders packen); der
Koffer wurde umgepackt
um|pflan|zen (verpflanzen); die
Blumen wurden umgepflanzt;
um|pflan|zen (mit Pflanzen
umgeben); umpflanzt mit …;
Um|pflan|zung; Um|pflan|zung
um|pflü|gen; er hat den Acker
umgepflügt; Um|pflü|gung
um|po|len (*Physik, Elektrot.* Plus-
u. Minuspol vertauschen);
umgepolt; Um|po|lung
um|prä|gen; die Goldstücke wur-
den umgeprägt; Um|prä|gung
um|pro|gram|mie|ren; Um|pro-
gram|mie|rung
um|pum|pen; die Ladung des Tan-
kers wurde umgepumpt
um|quar|tie|ren; er wurde
umquartiert; Um|quar|tie|rung
um|rah|men (mit anderem Rah-
men versehen); das Bild muss
umgerahmt werden; um|rah-
men (mit Rahmen versehen,
einrahmen); die Vorträge wurden von musikalischen Darbie-
tungen umrahmt; Um|rah|mung;
Um|rah|mung
um|ran|den; sie hat den Artikel
mit Rotstift umrandet; um|rän-
dert; seine Augen waren rot
umrändert; Um|ran|dung
um|ran|gie|ren; umrangiert
um|rän|ken; von Rosen umrankt;
Um|ran|kung
Um|raum (umgebender Raum)
um|räu|men; wir haben das
Zimmer umgeräumt; Um|räu-
mung

um|rech|nen; sie hat Euro in Schweizer Franken umgerechnet; **Um|rech|nung; Um|rechnungs|kurs**

um|rei|ßen (einreißen; zerstören); er hat den Zaun umgerissen; **um|rei|ßen** (im Umriss zeichnen; andeuten); sie hat die Situation kurz umrissen

um|rei|ten (reitend umwerfen); er hat den Mann umgeritten; **um|rei|ten;** er hat das Feld umritten

um|ren|nen; sie hat das Kind umgerannt

Um|rich|ter, der; -s, - (*Elektrot.* Stromrichter zum direkten Energieaustausch zwischen zwei verschiedenartigen Wechselstromnetzen)

um|rin|gen; von Kindern umringt

Um|riss; Um|riss|zeich|nung

Um|ritt

um|rüh|ren; umgerührt

um|run|den; Um|run|dung

um|rüst|bar; um|rüs|ten (für bestimmte Aufgaben technisch verändern); die Maschine wurde umgerüstet; **Um|rüs|tung**

ums ↑K14 (um das); es geht ums Ganze; ein Jahr ums *od.* um das andere

um|sä|beln (*ugs. für* zu Fall bringen); er hat den Stürmer umgesäbelt

um|sä|gen

um|sat|teln (*ugs. übertr. auch für* einen anderen Beruf ergreifen); **Um|sat|te|lung, Um|satt|lung**

Um|satz; Um|satz|ana|ly|se (*Wirtsch.*); **Um|satz|be|tei|li|gung; Um|satz|ein|bu|ße; Um|satz|plus; Um|satz|pro|vi|si|on; Um|satz|rück|gang; Um|satz|stei|ge|rung; Um|satz|steu|er,** die; **Um|satz|war|nung; Um|satz|ziel**

um|säu|men; das Kleid muss noch umgesäumt werden (der Saum muss umgelegt u. genäht werden); **um|säu|men;** das Dorf ist von Bergen umsäumt (umgeben)

um|schal|ten; die Ampel schaltet auf Rot um; **Um|schal|ter; Um|schalt|he|bel; Um|schal|tung**

Um|scha|lung (Verschalung)

um|schat|ten (*geh.*); ihre Augen waren umschattet

Um|schau, die; -; Umschau halten; **um|schau|en,** sich (*landsch.*)

Um|schicht (*Bergmannsspr.* Wechsel); **um|schich|ten;** das Heu wurde umgeschichtet; **um|schich|tig** (wechselweise); **Um-**

schich|tung

Um|schich|tungs|pro|zess

um|schif|fen (in ein anderes Schiff bringen); die Waren, die Passagiere wurden umgeschifft; **um|schif|fen;** er hat die Klippe umschifft (die Schwierigkeit umgangen); **Um|schif|fung; Um|schif|fung**

Um|schlag (*auch für* Umladung); **Um|schlag|bahn|hof; um|schlagen** (umsetzen; umladen); die Güter wurden umgeschlagen; das Wetter ist, *auch* hat umgeschlagen; **um|schla|gen** (einpacken); die Druckbogen werden umgeschlagen (*Druckw.* gewendet); **Um|schlag|ent|wurf**

Um|schlag|ha|fen (*vgl.* ²Hafen); **Um|schlag|platz; Um|schlag|tuch; Um|schla|ge|tuch** *Plur.* ...tücher; **Um|schlag|zeich|nung**

um|schlei|chen; die Katze hat das Futter umschlichen

um|schlie|ßen; von einer Mauer umschlossen; **Um|schlie|ßung**

um|schlin|gen; ich habe mir das Tuch umgeschlungen; **um|schlin|gen;** sie hielt ihn fest umschlungen; **Um|schlin|gung; Um|schlin|gung**

Um|schluss (*Amtsspr.* gegenseitiger Besuch *od.* gemeinsamer Aufenthalt von Häftlingen in einer Zelle)

um|schmei|cheln; sie wird von der Katze umschmeichelt

um|schmei|ßen (*ugs.*); er hat den Tisch umgeschmissen

um|schmel|zen; das Altmetall wurde umgeschmolzen; **Um|schmel|zung**

um|schnal|len; umgeschnallt

um|schrei|ben (neu, anders schreiben; übertragen); er hat den Aufsatz umgeschrieben; die Hypothek wurde umgeschrieben; **um|schrei|ben** (mit anderen Worten ausdrücken); sie hat unsere Aufgabe mit wenigen Worten umschrieben; **Um|schrei|bung** (Neuschreibung; andere Buchung); **Um|schrei|bung** (andere Form des Ausdrucks); **um|schrie|ben** (*Med. auch für* deutlich abgegrenzt, bestimmt); eine umschriebene Hautflechte; **Um|schrift**

um|schub|sen (*ugs.*); er hat ihn umgeschubst

um|schul|den (*Wirtsch.* Kredite umwandeln); **Um|schul|dung**

um|schu|len; Um|schü|ler; Um|schü|le|rin; Um|schu|lung

um|schüt|ten; umgeschüttet

um|schwär|men; umschwärmt

um|schwe|ben; umschwebt

Um|schwei|fe *Plur.*; ohne Umschweife (geradeheraus)

um|schwen|ken; er ist plötzlich umgeschwenkt

um|schwir|ren; von Mücken umschwirrt

Um|schwung, der; -s, ...schwünge (*nur Sing.: schweiz. auch für* Umgebung des Hauses)

um|se|geln; sie hat die Insel umsegelt; **Um|se|ge|lung, Um|seg|lung**

um|se|hen, sich

um sein *vgl.* um, II

um|sei|tig; um|seits (*Amtsspr.*)

um|setz|bar; um|set|zen; sie setzte die Pflanzen um; er hat seinen Plan in die Tat umgesetzt; ich habe mich umgesetzt; **Um|set|zung**

Um|sicht, die; -; **um|sich|tig; Um|sich|tig|keit,** die; -

um|sie|deln; ich sied[e]le um; umgesiedelt; **Um|sie|de|lung; Um|sied|ler; Um|sied|le|rin; Um|sied|lung**

um|sin|ken; sie ist vor Müdigkeit umgesunken

um|so; umso besser; umso größer; umso schöner; um|so **mehr[,] als** ↑K127

um|sonst

um|sor|gen; der Kranke wurde umsorgt

um|so we|ni|ger[,] als ↑K127

um|span|nen (neu, anders [be]spannen; *auch für* transformieren); der Strom wurde auf 9 Volt umgespannt; **um|span|nen** (umfassen); seine Arbeit hat viele Wissensgebiete umspannt; **Um|span|ner** (*für* Transformator); **Um|span|nung; Um|span|nung; Um|spann|werk**

um|spie|len; er hat die Abwehr umspielt (*Sport*)

um|spin|nen; umsponnener Draht

um|sprin|gen; der Wind sprang um; er ist übel mit dir umgesprungen; die Hunde umsprangen sie; **Um|sprung**

um|spu|len; das Tonband wird umgespult

um|spü|len; von Wellen umspült

Um|stand; unter Umständen (*Abk.* u. U.); in anderen Umständen (*verhüllend für* schwanger) sein; mildernde

U
Umst

Umstände *(Rechtsspr.);* keine Umstände machen; gewisser Umstände halber, eines gewissen Umstandes halber, *aber* umständehalber, umstandshalber; **um|stän|de|hal|ber** vgl. Umstand

um|ständ|lich; Um|ständ|lich|keit

Um|stands|an|ga|be *(Sprachw.);* **Um|stands|be|stim|mung; Um|stands|er|gän|zung; Um|stands|für|wort**

um|stands|hal|ber vgl. Umstand

Um|stands|kleid; Um|stands|klei|dung

Um|stands|krä|mer *(ugs. für* umständlicher Mensch)

um|stands|los

Um|stands|satz; Um|stands|wort *Plur.* ...wörter (Adverb); **um|stands|wört|lich** (adverbial)

um|ste|chen; wir haben das Beet umgestochen; **um|ste|chen** (mit Stichen befestigen); die Stoffkanten werden umstochen

um|ste|cken (anders stecken); sie hat die Blumen umgesteckt; *vgl.* ²stecken; **um|ste|cken;** umsteckt mit ...; *vgl.* ²stecken

um|ste|hen *(landsch. für* verenden; verderben); umgestanden (verdorben [von Flüssigkeiten]; verendet [von Tieren]); **um|ste|hen;** umstanden von ...; **um|ste|hend;** ↑K72 : im Umstehenden finden sich die näheren Erläuterungen; er soll Umstehendes beachten; das Umstehende (auf der anderen Seite Gesagte), die Umstehenden (die Zuschauer)

Um|stei|ge|bahn|hof; um|stei|gen; sie ist umgestiegen; **Um|stei|ger; Um|stei|ge|rin**

um|stel|len; er stellte die Mannschaft um; der Schrank wurde umgestellt; sich umstellen; **um|stel|len** (umgeben); die Polizei hat das Haus umstellt; **Um|stel|lung; Um|stel|lung; Um|stel|lungs|pro|zess**

um|stem|peln; der Pass wurde umgestempelt

um|steu|ern (anders ausrichten); der Satellit soll umgesteuert werden; **Um|steu|e|rung**

Um|stieg, der; -[e]s, -e

um|stim|men; er hat sie umgestimmt; **Um|stim|mung**

um|sto|ßen

um|strah|len; umstrahlt von ...

um|stri|cken (neu, anders stricken); sie hat den Pullover umgestrickt; **um|stri|cken;**

umstrickt ([unlösbar] umgeben, umgarnt) von Intrigen; **Um|stri|ckung; Um|stri|ckung**

um|strit|ten

um|strö|men; umströmt von ...

um|struk|tu|rie|ren; umstrukturiert; **Um|struk|tu|rie|rung**

um|stül|pen; er hat das Fass umgestülpt; **um|stül|pen** *(Druckw.);* er hat das Papier umstülpt; **Um|stül|pung**

Um|sturz *Plur.* ...stürze; **Um|sturz|be|we|gung; um|stür|zen;** das Gerüst ist umgestürzt; **Um|stürz|ler; Um|stürz|le|rin; um|stürz|le|risch; Um|stür|zung; Um|sturz|ver|such**

um|tan|zen; sie haben das Feuer umtanzt

um|tau|fen; er wurde umgetauft

Um|tausch, der; -[e]s, -e; **um|tau|schen;** sie hat das Kleid umgetauscht; **Um|tausch|recht**

um|tei|len *(schweiz. für* neu zuordnen); jmdn. in den Zivildienst umteilen; umgeteilt werden; **Um|tei|lung**

um|ti|teln; der Film wurde umgetitelt

um|top|fen; der Gärtner hat die Pflanze umgetopft

um|to|sen *(geh.);* umtost von ...

um|trei|ben (planlos herumtreiben); er wurde von Angst umgetrieben; **Um|trieb** *(Landw.* Zeit vom Pflanzen eines Baumbestandes bis zum Fällen; Nutzungszeit bei Reben, Geflügel, Vieh; *Bergmannsspr.* Strecke, die an Schächten vorbei- od. um sie herumführt; *meist Plur.: schweiz. für* Aufwand [z. B. an Zeit, Arbeit, Geld]); **Um|trie|be** *Plur.* (umstürzlerische Aktivitäten; *vgl.* Umtrieb); **um|trie|big** (rege, rührig); **Um|trie|big|keit**

Um|trunk, der; -[e]s, *Plur.* -e u. Umtrünke

UMTS (engl.) = universal mobile telecommunication system (Mobilfunkstandard mit direktem Zugang zum Internet u. vielen multimedialen Funktionen); **UMTS-Han|dy; UMTS-Li|zenz**

um|tun *(ugs.);* sich umtun; ich habe mich danach umgetan

U-Mu|sik, die; ↑K28 *(kurz für* Unterhaltungsmusik); *Ggs.* E-Musik

Um|ver|pa|ckung (für Verkauf od. Transport einer Ware entbehrliche Verpackung)

um|ver|tei|len; Um|ver|tei|lung

um|wach|sen; mit Gebüsch umwachsen

um|wal|len *(geh.);* von Nebel umwallt

Um|wal|lung ⟨*zu* ²Wall⟩

Um|wälz|an|la|ge (Anlage für den Abfluss verbrauchten u. den Zustrom frischen Wassers o. Ä.); **um|wäl|zen; Um|wälz|pum|pe; Um|wäl|zung**

um|wan|deln (ändern); ich wand[e]le um; sie war wie umgewandelt; **um|wan|deln** *(geh. für* um etwas herumwandeln); sie hat den Platz umwandelt; **Um|wan|de|lung** vgl. Umwandlung

um|wan|dern; ich umwandere den See, habe den See umwandert

Um|wand|lung, *seltener* Um|wan|de|lung (Änderung); **Um|wand|lungs|pro|zess**

um|wech|seln; ich wechs[e]le um; er hat das Geld umgewechselt; **Um|wechs|lung,** *seltener* **Um|wech|se|lung**

Um|weg

Um|weg|ren|ta|bi|li|tät (*Wirtsch.* mit einem Projekt verbundene indirekte Einnahmen)

um|we|hen; das Zelt wurde umgeweht ([vom Wind] umgerissen); **um|we|hen;** umweht von ...

Um|welt; Um|welt|au|to *(ugs. für* umweltfreundlicheres Auto)

um|welt|be|dingt

Um|welt|be|din|gun|gen *Plur.;* **Um|welt|be|hör|de; Um|welt|be|las|tung; Um|welt|be|richt**

um|welt|be|wusst; Um|welt|be|wusst|sein

Um|welt|ein|fluss; Um|welt|fak|tor

um|welt|feind|lich

Um|welt|flücht|ling; Um|welt|for|schung, die; -

um|welt|freund|lich; um|welt|ge|recht

Um|welt|kri|mi|na|li|tät; Um|welt|mi|nis|ter; Um|welt|mi|nis|te|rin

um|welt|neu|t|ral

Um|welt|or|ga|ni|sa|ti|on; Um|welt|pa|pier (Recyclingpapier)

Um|welt|po|li|tik, die; -; **um|welt|po|li|tisch**

Um|welt|schä|den *Plur.*

um|welt|schäd|lich; um|welt|scho|nend

Um|welt|schutz, der; -es

Um|welt|schüt|zer; Um|welt|schüt|ze|rin

Um|welt|schutz|or|ga|ni|sa|ti|on

Um|welt|sün|der *(ugs.)*; Um|weltsün|de|rin *(ugs.)*
Um|welt|tech|no|lo|gie; Um|weltver|schmut|zung
um|welt|ver|träg|lich
um|wen|den; er wandte *od.* wendete die Seite um, hat sie umgewandt *od.* umgewendet; sich umwenden; Um|wen|dung
um|wer|ben; eine viel umworbene *od.* vielumworbene Sängerin
um|wer|fen; er warf den Tisch um; diese Nachricht hat ihn umgeworfen *(ugs. für aus der Fassung gebracht)*; um|wer|fend; umwerfende Komik
um|wer|ten; alle Werte wurden umgewertet; Um|wer|tung
um|wi|ckeln (neu, anders wickeln); ich wick[e]le um; er hat die Schnur umgewickelt; um|wickeln; umwickelt mit ...; Um|wicke|lung, Um|wick|lung; Um|wicke|lung, Um|wick|lung
um|wid|men *(Amtsspr.* für einen anderen Zweck bestimmen); in Industriegelände umgewidmetes Agrarland; Um|wid|mung
um|win|den; sie hat das Tuch umgewunden; um|win|den; umwunden mit ...
um|wit|tern *(geh.)*; von Geheimnissen, Gefahren umwittert
um|wo|ben *(geh.)*; von Sagen umwoben
um|wo|gen *(geh.)*; umwogt von ...
um|woh|nend; ↑K 72 : die Umwohnenden
Um|woh|ner; Um|woh|ne|rin
um|wöl|ken; seine Stirn war vor Unmut umwölkt; Um|wöl|kung
um|wüh|len; umgewühlt
um|zäu|nen; Um|zäu|nung
um|zeich|nen (anders zeichnen); sie hat das Bild umgezeichnet
um|zie|hen, sich umziehen; ich habe mich umgezogen; wir sind [nach Frankfurt] umgezogen; um|zie|hen; der Himmel hat sich umzogen; umzogen mit ...
um|zin|geln; ich umzing[e]le; das Lager wurde umzingelt; Um|zinge|lung, Um|zing|lung
um zu *vgl.* um, III
Um|zug; um|zugs|hal|ber; Um|zugskos|ten *Plur.*; Um|zugs|tag
um|zün|geln; ich umzüng[e]le; umzüngelt von Flammen
UN [u:ˈɛn, *engl.* ju:ˈɛn] *Plur.* ⟨*Abk. für engl.* United Nations⟩ (Vereinte Nationen); *vgl. auch* UNO *u.* VN

un|ab|än|der|lich [*auch* ˈʊ...]; Unab|än|der|lich|keit, die; -
un|ab|ding|bar [*auch* ˈʊ...]; Un|abding|bar|keit, die; -; un|ab|dinglich
un|ab|hän|gig; Un|ab|hän|gig|keit, die; -; Un|ab|hän|gig|keits|er|klärung
un|ab|kömm|lich [*auch* ...ˈkœ...]; Un|ab|kömm|lich|keit, die; -
un|ab|läs|sig [*auch* ˈʊ...]
un|ab|seh|bar [*auch* ˈʊ...]; unabsehbare Folgen; die Kosten steigen ins Unabsehbare; Un|abseh|bar|keit, die; -
un|ab|setz|bar [*auch* ...ˈzɛ...]
un|ab|sicht|lich
un|ab|weis|bar [*auch* ˈʊ...]; un|abweis|lich
un|ab|wend|bar [*auch* ˈʊ...]; ein unabwendbares Verhängnis; Un|ab|wend|bar|keit, die; -
un|acht|sam; Un|acht|sam|keit
un|ähn|lich; Un|ähn|lich|keit, die; -
un|an|bring|lich *(Postw.* unzustellbar)
un|an|fecht|bar [*auch* ...ˈfɛ...]; Unan|fecht|bar|keit, die; -
un|an|ge|bracht
un|an|ge|foch|ten
un|an|ge|mel|det
un|an|ge|mes|sen; Un|an|ge|messen|heit, die; -
un|an|ge|nehm
un|an|ge|passt; Un|an|ge|passtheit, die; -
¹un|an|ge|se|hen (nicht angesehen)
²un|an|ge|se|hen *(Amtsspr.* ohne Rücksicht auf); *Präp. mit Gen. od. Akk.:* unangesehen der Umstände *od.* unangesehen die Umstände
un|an|ge|tas|tet; unangetastet bleiben
un|an|greif|bar [*auch* ...ˈgrai...]; Un|an|greif|bar|keit, die; -
un|an|nehm|bar [*auch* ...ˈneː...]; Un|an|nehm|bar|keit, die; -; Unan|nehm|lich|keit *meist Plur.*
un|an|sehn|lich; Un|an|sehn|lichkeit, die; -
un|an|stän|dig; Un|an|stän|dig|keit
un|an|stö|ßig; Un|an|stö|ßig|keit, die; -
un|an|tast|bar [*auch* ˈʊ...]; Un|antast|bar|keit, die; -
un|ap|pe|tit|lich; Un|ap|pe|tit|lichkeit, die; -
¹Un|art (schlechte Angewohnheit; Unartigkeit)
²Un|art, der; -[e]s, -e *(veraltet für* unartiges Kind)

un|ar|tig; Un|ar|tig|keit
un|ar|ti|ku|liert (unverständlich, undeutlich ausgesprochen)
Una Sanc|ta, die; - - ⟨*lat.,* »die eine heilige [Kirche]«⟩ (Selbstbez. der röm.-kath. Kirche)
un|äs|the|tisch (unschön)
un|at|trak|tiv
Unau, das; -s, -s ⟨Tupi⟩ (ein südamerik. Faultier)
un|auf|dring|lich; Un|auf|dring|lichkeit, die; -
un|auf|fäl|lig; Un|auf|fäl|lig|keit, die; -
un|auf|find|bar [*auch* ˈʊ...]
un|auf|ge|for|dert
un|auf|ge|klärt
un|auf|ge|regt
un|auf|halt|bar [*auch* ˈʊ...]; un|aufhalt|sam; Un|auf|halt|sam|keit, die; -
un|auf|hör|lich [*auch* ˈʊ...]
un|auf|lös|bar [*auch* ˈʊ...]; Un|auflös|bar|keit, die; -; un|auf|löslich; Un|auf|lös|lich|keit, die; -
un|auf|merk|sam; Un|auf|merksam|keit
un|auf|rich|tig; Un|auf|rich|tig|keit
un|auf|schieb|bar [*auch* ˈʊ...]; Unauf|schieb|bar|keit, die; -
un|aus|bleib|lich [*auch* ˈʊ...]
un|aus|denk|bar [*auch* ˈʊ...]
un|aus|führ|bar [*auch* ˈʊ...]; Unaus|führ|bar|keit, die; -
un|aus|ge|bil|det
un|aus|ge|füllt; Un|aus|ge|fülltsein, das; -s
un|aus|ge|gli|chen; Un|aus|ge|glichen|heit, die; -
un|aus|ge|go|ren
un|aus|ge|reift
un|aus|ge|schla|fen
un|aus|ge|setzt (unaufhörlich)
un|aus|ge|spro|chen
un|aus|ge|wo|gen
un|aus|lösch|lich [*auch* ˈʊ...]; ein unauslöschlicher Eindruck
un|aus|rott|bar [*auch* ˈʊ...]; ein unausrottbares Vorurteil
un|aus|sprech|bar [*auch* ˈʊ...]; unaus|sprech|lich
un|aus|steh|lich [*auch* ˈʊ...]; Unaus|steh|lich|keit, die; -
un|aus|tilg|bar [*auch* ˈʊ...]
un|aus|weich|lich [*auch* ˈʊ...]
Un|band, der; -[e]s, *Plur.* -e *u.* ...bände *(landsch. für* Wildfang)
un|bän|dig
un|bar (bargeldlos)
un|barm|her|zig; Un|barm|her|zigkeit, die; -
un|be|ab|sich|tigt

U

unbe

un|be|ach|tet; un|be|acht|lich (Rechtsspr.)
un|be|an|stan|det
un|be|ant|wor|tet
un|be|ar|bei|tet
un|be|auf|sich|tigt
un|be|baut
un|be|dacht (unüberlegt, vorschnell); eine unbedachte Äußerung; un|be|dach|ter|wei|se; Un|be|dacht|heit; un|be|dacht|sam; Un|be|dacht|sam|keit
un|be|dankt (österr. für nicht ausreichend gewürdigt)
un|be|darft (unerfahren; naiv); Un|be|darft|heit, die; -
un|be|deckt
un|be|denk|lich; Un|be|denk|lich|keit, die; -; Un|be|denk|lich|keits|be|schei|ni|gung
un|be|deu|tend; Un|be|deu|tend|heit, die; -
un|be|dingt [auch ...'dɪ...]; unbedingte Reflexe; Un|be|dingt|heit, die; -
un|be|ein|druckt
un|be|ein|fluss|bar [auch ...'ai...]; Un|be|ein|fluss|bar|keit, die; -; un|be|ein|flusst
un|be|fahr|bar [auch ...'fa:ɐ̯...]
un|be|fan|gen; Un|be|fan|gen|heit, die; -
un|be|fes|tigt
un|be|fleckt; aber ↑K150: die Unbefleckte Empfängnis [Mariens]
un|be|frie|di|gend; un|be|frie|digt; Un|be|frie|digt|heit, die; -
un|be|fris|tet; unbefristetes Darlehen
un|be|fugt; Un|be|fug|te, der u. die; -n, -n
un|be|gabt; Un|be|gabt|heit, die; -
un|be|greif|lich [auch 'ʊ...]; un|be|greif|li|cher|wei|se; Un|be|greif|lich|keit
un|be|grenzt; Un|be|grenzt|heit, die; -
un|be|grün|det
un|be|haart
Un|be|ha|gen; un|be|hag|lich; Un|be|hag|lich|keit
un|be|han|delt
un|be|hau|en; aus unbehauenen Steinen
un|be|haust (geh. für kein Zuhause habend)
un|be|hel|ligt [auch ...'hɛ...]
un|be|herrscht; Un|be|herrscht|heit
un|be|hin|dert
un|be|hol|fen; Un|be|hol|fen|heit
un|be|irr|bar [auch 'ʊ...]; Un|be|irr-
bar|keit, die; -; un|be|irrt [auch 'ʊ...]; Un|be|irrt|heit, die; -

un|be|kannt

Kleinschreibung:

– eine unbekannte Frau
– [nach] unbekannt verzogen
– Anzeige gegen unbekannt erstatten

Großschreibung:

– ↑K151: das Grab des Unbekannten Soldaten
– ↑K72: der große Unbekannte; eine Gleichung mit mehreren Unbekannten (Math.)

un|be|kann|ter|wei|se; Un|be|kannt|heit, die; -
un|be|klei|det
un|be|küm|mert [auch ...'kʏ...]; Un|be|küm|mert|heit, die; -
un|be|las|tet
un|be|lebt; eine unbelebte Straße
un|be|leckt; von etwas unbeleckt sein (ugs. für von etwas nichts wissen, verstehen)
un|be|lehr|bar [auch ...'le:...]; Un|be|lehr|bar|keit, die; -
un|be|leuch|tet
un|be|lich|tet (Fotogr.)
un|be|liebt; Un|be|liebt|heit, die; -
un|be|mannt
un|be|merkt
un|be|mit|telt
un|be|nom|men [auch 'ʊ...]; es bleibt ihm unbenommen
un|be|nutz|bar [auch ...'nʊ...]; un|be|nutzt
un|be|ob|ach|tet
un|be|quem; Un|be|quem|lich|keit
un|be|re|chen|bar [auch 'ʊ...]; Un|be|re|chen|bar|keit, die; -
un|be|rech|tigt; un|be|rech|tig|ter|wei|se
un|be|rück|sich|tigt [auch ...'rʏ...]
un|be|ru|fen; in unberufene Hände gelangen; un|be|ru|fen!
un|be|rührt; Un|be|rührt|heit
un|be|scha|det; unbeschadet seines Rechtes od. seines Rechtes unbeschadet
un|be|schä|digt
un|be|schäf|tigt
un|be|schei|den; Un|be|schei|den|heit, die; -
un|be|schol|ten (untadelig, integer); Un|be|schol|ten|heit, die; -; Un|be|schol|ten|heits|zeug|nis
un|be|schrankt; unbeschrankter Bahnübergang

un|be|schränkt [auch ...'ʃrɛ...] (nicht eingeschränkt); vgl. eGmuH; Un|be|schränkt|heit
un|be|schreib|lich [auch 'ʊ...]; Un|be|schreib|lich|keit, die; -
un|be|schrie|ben; ein unbeschriebenes Blatt sein (ugs.)
un|be|schützt
un|be|schwert; Un|be|schwert|heit
un|be|seelt
un|be|se|hen [auch 'ʊ...]; das glaubt man unbesehen
un|be|sieg|bar [auch 'ʊ...]; Un|be|sieg|bar|keit, die; -; un|be|sieg|lich; Un|be|sieg|lich|keit, die; -; un|be|siegt
un|be|son|nen; Un|be|son|nen|heit
un|be|sorgt
un|be|spiel|bar [auch 'ʊ...]; der Platz war unbespielbar; un|be|spielt; unbespielte Kassetten
un|be|stän|dig; Un|be|stän|dig|keit, die; -
un|be|stä|tigt [auch ...'ʃtɛ:...]
un|be|stech|lich [auch ...'ʃtɛ...]; Un|be|stech|lich|keit, die; -
un|be|stimm|bar [auch ...'ʃtɪ...]; Un|be|stimm|bar|keit, die; -; un|be|stimmt; unbestimmtes Fürwort (für Indefinitpronomen); Un|be|stimmt|heit, die; -; Un|be|stimmt|heits|re|la|ti|on (Begriff der Quantentheorie)
un|be|streit|bar [auch 'ʊ...]; un|be|strit|ten [auch ...'ʃtrɪ...]
un|be|tei|ligt [auch ...'tai...]
un|be|tont
un|be|trächt|lich [auch ...'trɛ...]; Un|be|trächt|lich|keit
un|be|tre|ten; unbetretenes Gebiet
un|beug|bar [auch ...'bɔy...]; un|beug|sam; unbeugsamer Wille; Un|beug|sam|keit, die; -
un|be|wacht
un|be|waff|net
un|be|wäl|tigt; die unbewältigte Vergangenheit
un|be|weg|lich; Un|be|weg|lich|keit, die; -; un|be|wegt
un|be|weibt (scherzh. für ohne [Ehe]frau)
un|be|wie|sen
un|be|wohn|bar [auch 'ʊ...]; un|be|wohnt
un|be|wusst; Un|be|wuss|te, das; -n; Un|be|wusst|heit, die; -
un|be|zahl|bar [auch 'ʊ...]; Un|be|zahl|bar|keit, die; -; un|be|zahlt
un|be|zähm|bar [auch 'ʊ...]; Un|be|zähm|bar|keit, die; -
un|be|zwei|fel|bar [auch 'ʊ...]
un|be|zwing|bar [auch 'ʊ...]; un|be|zwing|lich [auch 'ʊ...]

U
unbe

Ụn|bil|den *Plur.* (*geh. für* Unannehmlichkeiten); die Unbilden der Witterung

Ụn|bil|dung, die; -

Ụn|bill, die; - (*geh. für* Unrecht); ụn|bil|lig (*geh.*); unbillige (nicht angemessene) Härte; Ụn|bil|lig|keit (*geh.*)

ụn|blu|tig

ụn|bot|mä|ßig; Ụn|bot|mä|ßig|keit

ụn|brauch|bar; Ụn|brauch|bar|keit

ụn|bü|ro|kra|tisch

ụn|buß|fer|tig (*christl. Rel.*); Ụn|buß|fer|tig|keit, die; -

ụn|christ|lich; Ụn|christ|lich|keit

Ụn|cle Sam [ˈaŋkl ˈsɛm] (*scherzh. für* die USA)

ụn|cool (*Jugendspr.*)

ụnd (*Abk. u., bei Firmen auch* &); und and[e]re, and[e]res (*Abk. u. a.*); und and[e]re mehr, und and[e]res mehr (*Abk. u. a. m.*); und Ähnliche[s] (*Abk. u. Ä.*); drei und drei ist, macht, gibt (*nicht* sind, machen, geben) sechs; ... und, und, und (*ugs. für* und dergleichen mehr)

Ụn|dank; ụn|dank|bar; eine undankbare Aufgabe; Ụn|dank|bar|keit, die; -

ụn|da|tiert

und der|glei|chen [mehr] (*Abk. u. dgl.* [m.]); und des|glei|chen [mehr] (*Abk. u. desgl.* [m.])

ụn|de|fi|nier|bar [*auch* ...ˈniːɐ̯...]

ụn|de|kli|nier|bar [*auch* ...ˈniːɐ̯...]

ụn|de|mo|kra|tisch

ụn|denk|bar; ụn|denk|lich

ụn|der|co|ver [ˈandɐkavɐ] ⟨engl.⟩; undercover (verdeckt) ermitteln

Ụn|der|co|ver|agent ⟨engl.; lat.⟩ (Geheimagent, der sich in eine heimlich zu überwachende Gruppe einschleust)

Ụn|der|dog [ˈandɐdɔk], der; -s, -s ⟨engl.⟩ ([sozial] Benachteiligter, Schwächerer)

ụn|der|dressed [ˈandɐdrɛst] ⟨engl.⟩ (zu schlecht angezogen; *Ggs.* overdressed)

Ụn|der|ground [ˈandɐgraʊnt], der; -s ⟨engl., »Untergrund«⟩

Ụn|der|state|ment [andɐˈsteːt-mənt], das; -s, -s ⟨engl.⟩ (Untertreibung)

ụn|deut|lich; Ụn|deut|lich|keit

Ụn|de|zi|me, die; -, -n ⟨lat.⟩ (*Musik* elfter Ton der diaton. Tonleiter; Intervall im Abstand von 11 Stufen)

ụn|dicht; Ụn|dicht|heit, die; -, -en (*Fachspr.*); Ụn|dich|tig|keit, die; -

ụn|dif|fe|ren|ziert

Ụn|di|ne, die; -, -n ⟨lat.⟩ (weibl. Wassergeist)

Ụn|ding, das; -[e]s, -e (Unmögliches; Unsinniges)

ụn|dis|ku|ta|bel [*auch* ...ˈtaː...]

ụn|dis|zi|p|li|niert; Ụn|dis|zi|p|li|niert|heit, die; -

ụn|dog|ma|tisch

ụn|do|ku|men|tiert

ụn|dra|ma|tisch

Ụnd|set, Sigrid (norw. Dichterin)

ụnd so fort (*Abk.* usf.); ụnd so wei|ter (*Abk.* usw.)

Un|du|la|ti|ọn, die; -, -en ⟨lat.⟩ (*Physik* Wellenbewegung; *Geol.* Sattel- u. Muldenbildung durch Gebirgsbildung); Un|du|la|ti|ọns|the|o|rie, die; - (*Physik* Wellentheorie); un|du|la|tọ|risch (*Physik* wellenförmig)

ụn|duld|sam; Ụn|duld|sam|keit

ụn|du|lie|ren ⟨lat.⟩ (*bes. Med., Biol.* wellenförmig verlaufen)

un|durch|dring|bar [*auch* ʊ...]

un|durch|dring|lich [*auch* ʊ...]; Un|durch|dring|lich|keit, die; -

un|durch|führ|bar [*auch* ʊ...]; Un|durch|führ|bar|keit, die; -

ụn|durch|läs|sig; Ụn|durch|läs|sig|keit, die; -

un|durch|schau|bar [*auch* ʊ...]; Un|durch|schau|bar|keit, die; -

ụn|durch|sich|tig; Ụn|durch|sich|tig|keit, die; -

und vie|le[s] an|de|re [mehr] (*Abk. u. v. a.* [m.]); und zwar ↑K105

ụn|eben; Ụn|eben|heit

ụn|echt; unechte Brüche (*Math.*); Ụn|echt|heit, die; -

ụn|edel; uned[l]e Metalle

ụn|egal (*landsch. für* uneben)

ụn|ehe|lich; ein uneheliches Kind; *vgl.* nichtehelich; Ụn|ehe|lich|keit, die; -

Ụn|eh|re, die; - (*geh.*); ụn|eh|ren|haft; Ụn|eh|ren|haf|tig|keit, die; -; ụn|ehr|er|bie|tig; Ụn|ehr|er|bie|tig|keit, die; -

ụn|ehr|lich; Ụn|ehr|lich|keit, die; -

ụn|eid|lich; uneidliche Erklärung

ụn|ei|gen|nüt|zig; Ụn|ei|gen|nüt|zig|keit, die; -

ụn|ei|gent|lich

ụn|ein|ge|schränkt; Ụn|ein|ge|schränkt|heit

ụn|ein|ge|weiht

ụn|ein|heit|lich; Ụn|ein|heit|lich|keit

ụn|ei|nig; Ụn|ei|nig|keit

ụn|ein|nehm|bar [*auch* ʊ...]; Ụn|ein|nehm|bar|keit, die; -

ụn|eins; uneins sein

ụn|emp|fäng|lich; Ụn|emp|fäng|lich|keit, die; -

un|emp|find|lich; Ụn|emp|find|lich|keit, die; -

ụn|end|lich; von eins bis unendlich (*Math.; Zeichen* ∞); bis ins Unendliche (unaufhörlich, immerfort); der Weg scheint bis ins Unendliche zu führen; im, aus dem Unendlichen; unendliche Mal, unendliche Male; *aber* unendlichmal; Ụn|end|lich|keit, die; -; un|ẹnd|lich|mal *vgl.* unendlich

ụn|ent|behr|lich [*auch* ...ˈbeːɐ̯...]; Ụn|ent|behr|lich|keit, die; -

un|ent|deckt [*auch* ...ˈde...]

un|ent|gelt|lich [*auch* ...ˈgɛ...]

un|ent|rinn|bar [*auch* ʊ...]; Un|ent|rinn|bar|keit, die; -

un|ent|schie|den; Ụn|ent|schie|den, das; -s, - (*Sport u. Spiel*); Ụn|ent|schie|den|heit, die; -

un|ent|schlos|sen; Ụn|ent|schlossen|heit, die; -

un|ent|schuld|bar [*auch* ʊ...]; ụn|ent|schul|digt

un|ent|wegt [*auch* ʊ...]

un|ent|wirr|bar [*auch* ʊ...]

un|er|ạch|tet [*auch* ʊ...] (*veraltet für* ungeachtet; *vgl. d.*)

un|er|bitt|lich [*auch* ʊ...]; Ụn|er|bitt|lich|keit, die; -

un|er|fah|ren; Ụn|er|fah|ren|heit, die; -

un|er|find|lich [*auch* ʊ...]

un|er|forsch|lich [*auch* ...ˈfɔ...]

un|er|forscht

un|er|freu|lich

un|er|füll|bar [*auch* ʊ...]; Ụn|er|füll|bar|keit, die; -; ụn|er|füllt; Ụn|er|füllt|heit, die; -

un|er|gie|big; Ụn|er|gie|big|keit, die; -

un|er|gründ|bar [*auch* ʊ...]; Ụn|er|gründ|bar|keit, die; -; un|er|gründ|lich [*auch* ʊ...] (geheimnisvoll, rätselhaft); Ụn|er|gründ|lich|keit, die; -

un|er|heb|lich; Ụn|er|heb|lich|keit

¹un|er|hört (unglaublich); sein Verhalten war unerhört

²ụn|er|hört; ihre Bitte blieb unerhört

un|er|kannt; un|er|kẹnn|bar [*auch* ʊ...]; Ụn|er|kẹnn|bar|keit, die; -

un|er|klär|bar [*auch* ʊ...]; Ụn|er|klär|bar|keit, die; -; un|er|klär|lich [*auch* ʊ...]; Ụn|er|klär|lich|keit, die; -

un|er|läss|lich [*auch* ʊ...]

ụn|er|laubt; unerlaubte Handlung

un|er|le|digt

un|er|mess|lich [auch 'ʊ...]; ↑K 72
ins Unermessliche steigen; Un|er|mess|lich|keit, die; -
un|er|müd|lich [auch 'ʊ...]; Un|er|müd|lich|keit, die; -
un|ernst; Un|ernst
un|er|quick|lich (unerfreulich)
un|er|reich|bar [auch 'ʊ...]; Un|er|reich|bar|keit, die; -; un|er|reicht
un|er|sätt|lich [auch 'ʊ...]; Un|er|sätt|lich|keit, die; -
un|er|schlos|sen
un|er|schöpf|lich [auch 'ʊ...]; Un|er|schöpf|lich|keit, die; -
un|er|schro|cken; Un|er|schro|cken|heit
un|er|schüt|ter|lich [auch 'ʊ...]; Un|er|schüt|ter|lich|keit, die; -
un|er|schwing|lich [auch 'ʊ...]
un|er|setz|bar; un|er|setz|lich; Un|er|setz|lich|keit, die; -
un|er|sprieß|lich [auch 'ʊ...] (nicht förderlich, nicht nützlich)
un|er|träg|lich [auch 'ʊ...]; Un|er|träg|lich|keit, die; -
un|er|wähnt; nicht unerwähnt bleiben
un|er|war|tet [auch ...'va...]
un|er|wi|dert
un|er|wünscht
un|er|zo|gen
UNESCO, die; - = United Nations Educational, Scientific and Cultural Organization ‹engl.› (Organisation der Vereinten Nationen für Erziehung, Wissenschaft und Kultur)
UNESCO-Lis|te (von der UNESCO geführtes Verzeichnis der Natur- und Kulturdenkmäler)
un|fä|hig; Un|fä|hig|keit, die; -
un|fair (regelwidrig, unerlaubt; unfein; ohne sportl. Anstand); Un|fair|ness
Un|fall, der
Un|fall|arzt; Un|fall|ärz|tin; Un|fall|be|tei|lig|te, der u. die; Un|fall|chi|r|ur|gie
Un|fäl|ler, der; -s, - (bes. Psych. jmd., der häufig in Unfälle verwickelt ist)
Un|fall|fah|rer; Un|fall|fah|re|rin
Un|fall|flucht (vgl. ²Flucht); Un|fall|fol|gen Plur.; un|fall|frei; Un|fall|ge|fahr
un|fall|ge|schä|digt; Un|fall|ge|schä|dig|te, der u. die
Un|fall|her|gang; Un|fall|hil|fe, die; -
Un|fall|kli|nik; Un|fall|op|fer; Un|fall|ort; Un|fall|quo|te; Un|fall|ra|te; Un|fall|schutz; Un|fall|sta|ti|on; Un|fall|sta|tis|tik; Un|fall|stel|le

Un|fall|tod, der; -[e]s; Un|fall|to|te, der u. die meist Plur.
un|fall|träch|tig
Un|fall|ur|sa|che; Un|fall|ver|hü|tung, die; -; Un|fall|ver|si|che|rung, der u. die; Un|fall|ver|si|che|rung
Un|fall|zeit
Un|fall|zeu|ge; Un|fall|zeu|gin
un|fass|bar; un|fass|lich
un|fehl|bar [auch 'ʊ...]; Un|fehl|bar|keit, die; -; Un|fehl|bar|keits|glau|be[n] (kath. Kirche)
un|fein; Un|fein|heit, die; -
un|fern; als Präposition mit Gen.: unfern des Hauses
un|fer|tig; Un|fer|tig|keit, die; -
Un|flat, der; -[e]s (geh. für widerlicher Schmutz, Dreck); un|flä|tig; Un|flä|tig|keit
un|flek|tiert (Sprachw. ungebeugt)
un|fle|xi|bel
un|flott (ugs.); nicht unflott aussehen
un|folg|sam; Un|folg|sam|keit
Un|form; un|för|mig (ohne schöne Form; sehr groß); un|förm|lich (nicht förmlich; veraltet für unförmig)
un|fran|kiert
un|frei; Un|frei|heit, die; -
un|frei|wil|lig
un|freund|lich; er war unfreundlich zu ihm, selten gegen ihn; Un|freund|lich|keit
Un|frie|de[n], der; ...dens
un|fri|siert
un|fromm
un|frucht|bar; Un|frucht|bar|keit, die; -; Un|frucht|bar|ma|chung
Un|fug, der; -[e]s
...ung (z. B. Prüfung, die; -, -en)
un|ga|lant
un|gang|bar; ein ungangbarer (nicht begehbarer) Weg
Un|gar, der; -n, -n; Un|ga|rin; un|ga|risch; aber ↑K 150 : die Ungarische Rhapsodie [von Liszt]; Un|ga|risch, das; -[s] (Sprache) vgl. Deutsch; Un|ga|ri|sche, das; -n; vgl. Deutsche, das; un|gar|län|disch (selten); Un|garn
un|gast|lich; Un|gast|lich|keit, die; -
un|ge|ach|tet; Präp. mit Gen.: ungeachtet wiederholter Bitten od. wiederholter Bitten ungeachtet; dessen ungeachtet od. des ungeachtet; ungeachtet [dessen], dass ...
un|ge|ahn|det [auch ...'a:...] (unbestraft)
un|ge|ahnt [auch ...'a:...]

un|ge|bär|dig (geh. für ungezügelt); Un|ge|bär|dig|keit, die; -
un|ge|be|ten; ungebetener Gast
un|ge|beugt
un|ge|bil|det
un|ge|bo|ren; ungeborenes Leben
un|ge|bräuch|lich; Un|ge|bräuch|lich|keit, die; -; un|ge|braucht
un|ge|bro|chen
Un|ge|bühr, die; - (veraltend); un|ge|büh|rend; un|ge|büh|rlich; ungebührliches Verhalten; Un|ge|büh|rlich|keit
un|ge|bun|den; Un|ge|bun|den|heit, die; -
un|ge|deckt; ungedeckter Scheck
un|ge|dient (Milit. ohne Wehrdienst geleistet zu haben); Un|ge|dien|te, der; -n, -n
un|ge|druckt
Un|ge|duld; un|ge|dul|dig
un|ge|eig|net
un|ge|fähr [auch ...'fɛ:ɐ̯]; von ungefähr (zufällig); Un|ge|fähr, das; -s (veraltend für Zufall)
un|ge|fähr|det [auch ...'fɛ:ɐ̯...]
un|ge|fähr|lich; Un|ge|fähr|lich|keit, die; -
un|ge|fäl|lig; Un|ge|fäl|lig|keit
un|ge|färbt
un|ge|fes|tigt; ungefestigter Charakter
un|ge|fil|tert
un|ge|formt
un|ge|fragt
un|ge|früh|stückt (ugs. scherzh. für ohne gefrühstückt zu haben)
un|ge|füge (geh. für unförmig)
un|ge|ges|sen (nicht gegessen; ugs. scherzh. für ohne gegessen zu haben)
un|ge|glie|dert
un|ge|hal|ten (ärgerlich); Un|ge|hal|ten|heit, die; -
un|ge|hei|ßen (geh. für unaufgefordert)
un|ge|heizt
un|ge|hemmt
un|ge|heu|er [auch ...'hɔy...], ungeheurer, ungeheuers|te; ungeheure Verschwendung; ↑K 72 : die Kosten steigen ins Ungeheure; Un|ge|heu|er, das; -s, -; un|ge|heu|er|lich [auch 'ʊ...]; Un|ge|heu|er|lich|keit
un|ge|hin|dert
un|ge|ho|belt [auch ...'ho:...] (auch für ungebildet; grob)
un|ge|hö|rig; Un|ge|hö|rig|keit
un|ge|hor|sam; Un|ge|hor|sam
un|ge|hört
Un|geist, der; -[e]s (geh.); un|geis|tig
un|ge|kämmt
un|ge|klärt

un|ge|kocht
un|ge|krönt; der ungekrönte König (*übertr. für* der beste, erfolgreichste) der Schwimmer
un|ge|kün|digt
un|ge|küns|telt
un|ge|kürzt
Un|geld (mittelalterl. Abgabe)
un|ge|le|gen; ihr Besuch kam mir ungelegen; Un|ge|le|gen|heit
un|ge|leh|rig; un|ge|lehrt
un|ge|lenk, un|ge|len|kig; Un|ge|len|kig|keit, die; -
un|ge|lernt; ein ungelernter Arbeiter; Un|ge|lern|te, der u. die. -n, -
un|ge|le|sen
un|ge|liebt
un|ge|lo|gen
un|ge|löscht; ungelöschter Kalk
un|ge|löst; ungelöste Aufgaben
un|ge|mach, das; -[e]s *(geh.)*
un|ge|mäß; jmdm., einer Sache ungemäß (nicht angemessen) sein
un|ge|mein [*auch* ...'ᴍain]
un|ge|mes|sen [*auch* ...'me...]
un|ge|min|dert; mit ungeminderter Stärke
un|ge|mischt
un|ge|müt|lich; Un|ge|müt|lich|keit, die; -
un|ge|nannt
un|ge|nau; Un|ge|nau|ig|keit
un|ge|niert [...ʒe...] (zwanglos); Un|ge|niert|heit, die; -
un|ge|nieß|bar [*auch* ...'ni:...]; Un|ge|nieß|bar|keit, die; -
Un|ge|nü|gen, das; -s *(geh.);* un|ge|nü|gend *vgl.* ausreichend
un|ge|nutzt, un|ge|nützt
un|ge|ord|net
un|ge|pflegt; Un|ge|pflegt|heit, die; -
un|ge|prüft
un|ge|rächt
un|ge|ra|de, *ugs.* un|gra|de; ungerade Zahl *(Math.)*
un|ge|rahmt
un|ge|ra|ten (unerzogen)
un|ge|rech|net; *Präp. mit Gen.:* ungerechnet des Schadens
un|ge|recht; un|ge|rech|ter|wei|se; un|ge|recht|fer|tigt; un|ge|recht|fer|tig|ter|wei|se; Un|ge|rech|tig|keit
un|ge|re|gelt
un|ge|reimt; Un|ge|reimt|heit
un|gern
un|ge|rührt (unbeteiligt, gleichgültig); Un|ge|rührt|heit, die; -
un|ge|rupft (*ugs. für* ohne Schaden) davon
un|ge|sagt; vieles blieb ungesagt

un|ge|sal|zen
un|ge|sät|tigt; ungesättigte Lösung
un|ge|säu|ert; ungesäuertes Brot
¹un|ge|säumt (ohne Saum)
²un|ge|säumt *(geh. veraltend für* sofort)
un|ge|schält; ungeschälter Reis
un|ge|sche|hen; etwas ungeschehen machen
un|ge|scheut *(geh. für* frei, ohne Scheu)
Un|ge|schick, das; -[e]s; un|ge|schick|lich *(veraltend für* ungeschickt); Un|ge|schick|lich|keit
un|ge|schickt; Un|ge|schickt|heit
un|ge|schlacht (plump, grobschlächtig); ein ungeschlachter Mensch; Un|ge|schlacht|heit
un|ge|schla|gen (unbesiegt)
un|ge|schlecht|lich; ungeschlechtliche Fortpflanzung
un|ge|schlif|fen *(auch für* ohne Manieren); Un|ge|schlif|fen|heit
un|ge|schmä|lert (ohne Einbuße)
un|ge|schmei|dig
un|ge|schminkt
un|ge|schönt
un|ge|scho|ren
un|ge|schrie|ben; ein ungeschriebenes Gesetz
un|ge|schult
un|ge|schützt
un|ge|se|hen
un|ge|sel|lig; Un|ge|sel|lig|keit, die; -
un|ge|setz|lich; Un|ge|setz|lich|keit, die; -
un|ge|sit|tet
un|ge|stalt (*veraltet für* formlos, missgestaltet); un|ge|stal|tet (nicht gestaltet)
un|ge|stem|pelt
un|ge|stillt; ungestillte Sehnsucht
un|ge|stört; Un|ge|stört|heit, die; -
un|ge|straft; ungestraft davonkommen
un|ge|stüm *(geh. für* schnell, heftig); Un|ge|stüm, das; -[e]s
un|ge|sühnt
un|ge|sund
un|ge|süßt; ungesüßter Tee
un|ge|tan; etwas ungetan lassen
un|ge|teilt
un|ge|tes|tet
un|ge|treu *(geh.)*
un|ge|trübt; ungetrübte Freude
Un|ge|tüm, das; -[e]s, -e
un|ge|übt
un|ge|wandt
un|ge|wa|schen
un|ge|wiss; ↑K72 : im Ungewissen bleiben, lassen, sein; eine

Fahrt ins Ungewisse; Un|ge|wiss|heit
Un|ge|wit|ter *(veraltet für* Unwetter)
un|ge|wöhn|lich; Un|ge|wöhn|lich|keit, die; -; un|ge|wohnt
un|ge|wollt; eine ungewollte Schwangerschaft
un|ge|würzt
un|ge|zählt *(auch für* unzählig)
un|ge|zähmt
un|ge|zeich|net; ungezeichnete Flugblätter
Un|ge|zie|fer, das; -s
un|ge|zie|mend *(geh.)*
un|ge|zo|gen; Un|ge|zo|gen|heit
un|ge|zu|ckert
un|ge|zü|gelt; ungezügelter Hass
un|ge|zwun|gen; Un|ge|zwun|gen|heit, die; -
un|gif|tig; dieser Pilz ist ungiftig
Un|glau|be[n]; un|glau|b|haft; un|gläu|big; ein ungläubiger Thomas (*ugs. für* jmd., der an allem zweifelt); Un|gläu|bi|ge, der u. die; -n, -n
un|glaub|lich; es geht ins, grenzt ans Unglaubliche ↑K72
un|glaub|wür|dig; Un|glaub|wür|dig|keit, die; -
un|gleich
un|gleich|ar|tig
Un|gleich|be|hand|lung
un|gleich|er|big *(für* heterozygot); un|gleich|för|mig; un|gleich|ge|schlecht|lich (Biol.)
Un|gleich|ge|wicht; Un|gleich|heit
Un|gleich|mä|ßig; Un|gleich|mä|ßig|keit
Un|glei|chung *(Math.)*
un|gleich|zei|tig; Un|gleich|zei|tig|keit
Un|glück, das; -[e]s, -e
un|glück|lich; Un|glück|li|che, der u. die; -n, -n; un|glück|li|cher|wei|se
Un|glücks|bo|te; Un|glücks|bo|tin; Un|glücks|bot|schaft
un|glück|se|lig; un|glück|se|li|ger|wei|se; Un|glück|se|lig|keit, die; -
Un|glücks|fah|rer; Un|glücks|fah|re|rin
Un|glücks|fall, der; Un|glücks|ma|schi|ne; Un|glücks|mensch
Un|glücks|nach|richt; Un|glücks|ort; Un|glücks|ra|be *(ugs.);* un|glücks|schwan|ger *(geh.):* Un|glücks|stel|le; Un|glücks|tag; Un|glücks|wa|gen; Un|glücks|wurm *(ugs.)*
Un|gna|de, die; -; [bei jmdm.] in Ungnade fallen; un|gnä|dig
un|grad (landsch.), un|gra|de vgl. ungerade
un|gra|zi|ös

U

ungr

un|greif|bar; Un|greif|bar|keit *Plur.* selten

Un|gu|la|ten *Plur.* ⟨lat.⟩ (*Zool.* Huftiere)

un|gül|tig; Un|gül|tig|keit, die; -; Un|gül|tig|keits|er|klä|rung; Un|gül|tig|ma|chung *(Amtsspr.)*

Un|gunst; zu seinen, zu seines Freundes Ungunsten; **zuun·gunsten** *od.* zu Ungunsten der Arbeiterinnen

un|güns|tig; Un|güns|tig|keit, die; -

un|gus|ti|ös *vgl.* gustiös

un|gut; nichts für ungut (es war nicht böse gemeint)

un|halt|bar [*auch* ...'ha...]; unhaltbare Zustände; Un|halt|bar|keit, die; -; un|hal|tig (*Bergmannsspr.* kein Erz usw. enthaltend)

un|hand|lich; Un|hand|lich|keit

un|har|mo|nisch

Un|heil, Unheil bringende *od.* unheilbringende Veränderungen; ein Unheil kündendes *od.* unheilkündendes Zeichen; ein Unheil verkündendes *od.* unheilverkündendes Zeichen; *aber nur:* großes Unheil bringend, kündend, verkündend; äußerst unheilbringend, unheilkündend, unheilverkündend ↑K58

un|heil|bar [*auch* ...'hai...]; Un|heil|bar|keit, die; -

Un|heil brin|gend, un|heil|bringend *vgl.* Unheil

un|heil|dro|hend; un|hei|lig

Un|heil kün|dend, un|heil|kün|dend *vgl.* Unheil

un|heil|schwan|ger *(geh.)*

Un|heil|stif|ter; Un|heil|stif|te|rin

Un|heil ver|kün|dend, un|heil|ver·kün|dend *vgl.* Unheil

un|heil|voll

un|heim|lich [*auch* ...'ʊ...]; (*ugs. auch* für sehr, überaus); Un|heim|lich|keit, die; -

un|his|to|risch

un|höf|lich; Un|höf|lich|keit

Un|hold, der; -[e]s, -e (böser Geist; Wüstling, Sittlichkeitsverbrecher); Un|hol|din

un|hör|bar [*auch* ...'ʊ...]; Un|hör|bar|keit, die; -

un|hy|gi|e|nisch

uni ['ʏni, *auch* y'ni:] ⟨franz.⟩ (einfarbig, nicht gemustert); ein uni Kleid (*vgl.* beige); uni gefärbte *od.* unigefärbte Stoffe ↑K58

¹Uni, das; -s, -s (einheitliche Farbe); in verschiedenen Unis

²Uni, die; -, -s (*kurz für* Universität)

UNICEF ['u:nitsef, 'ʊ...], die; - =

United Nations International Children's Emergency Fund ⟨engl.⟩ (Weltkinderhilfswerk der UNO)

unie|ren ⟨franz.⟩ (vereinigen [bes. von Religionsgemeinschaften]); unierte Kirchen (die mit der röm.-kath. Kirche wiedervereinigten Ostkirchen; die ev. Unionskirchen); Uni|fi|ka|ti|on, die; -, -en; *vgl.* Unifizierung; uni|fi·zie|ren (vereinheitlichen); Uni|fi·zie|rung (Vereinheitlichung, Vereinigung)

uni|form (gleich-, einförmig)

Uni|form [*auch* ...'ʊ..., *südd., österr.* 'u:ni...], die; -, -en ⟨franz.⟩ (einheitl. Dienstkleidung); Uni|form·hemd; uni|form|ho|se

uni|for|mie|ren (einheitlich kleiden; gleichförmig machen); Uni|for|mie|rung; uni|for|mi|tät, die; -, -en (Einförmigkeit); Uni|form|ver|bot

uni ge|färbt, uni|ge|färbt *vgl.* uni

Uni|kat [uni...], das; -[e]s, -e ⟨lat.⟩ (einzige Ausfertigung); Uni|kum, das; -s, *Plur.* (*für* [in seiner Art] Einziges:) ...ka, (*für* Sonderling:) -s, *österr.* ...ka

uni|la|te|ral (einseitig)

un|in|for|miert; Un|in|for|miert|heit, die; -

un|in|s|pi|riert

un|in|te|r|es|sant (langweilig, reizlos); un|in|te|r|es|siert (ohne innere Anteilnahme); Un|in|te|r·es|siert|heit, die; -

Unio mys|ti|ca, die; - - ⟨lat.⟩ (geheimnisvolle Vereinigung der Seele mit Gott in der Mystik)

Uni|on, die; -, -en (Bund, Vereinigung [bes. von Staaten]); Europäische Union (*Abk.* EU); Christlich-Demokratische Union [Deutschlands] (*Abk.* CDU); Christlich-Soziale Union (*Abk.* CSU); Junge Union (*vgl.* jung)

Uni|o|nist, der; -en, -en (Anhänger einer Union, z. B. der amerikanischen im Unabhängigkeitskrieg 1776/83); Uni|o|nis|tin; uni|o|nis·tisch

Union Jack ['ju:njən 'dʒɛk], der; - -s, - -s ⟨engl.⟩ (brit. Nationalflagge)

Uni|ons|kir|che

Uni|ons|par|tei|en *Plur.* (*zusammenfassende Bez. für* CDU u. CSU); Uni|ons|po|li|ti|ker; Uni·ons|po|li|ti|ke|rin

uni|pe|tal ⟨lat.; griech.⟩ (*Bot.* einblättrig)

uni|po|lar (*Elektrot.* einpolig); unipolare Leitfähigkeit; Uni|po|lar·ma|schi|ne

un|ir|disch (nicht irdisch)

Uni|sex, der; -[es] ⟨engl.⟩ (Verwischung der Unterschiede zwischen den Geschlechtern [im Erscheinungsbild])

uni|so|no ⟨ital.⟩ (*Musik* auf demselben Ton od. in der Oktave [zu spielen]); Uni|so|no, das; -s, *Plur.* -s *u.* ...ni *(Musik)*

Uni|ta|ri|er, der; -s, - ⟨lat.⟩ (Anhänger einer protestant. Richtung, die die Einheit Gottes betont u. die Dreifaltigkeit ablehnt); Uni·ta|ri|e|rin

uni|ta|risch (Einigung bezweckend); Uni|ta|ris|mus, der; - (Streben nach Stärkung der Zentralgewalt; Lehre der Unitarier); Uni|tät, die; -, -en (Einheit, Einzig[artig]keit)

United Na|tions [ju'naitit 'ne:ʃns] usw. *vgl.* UN, UNO, UNESCO, VN; Uni|ted Press In|ter|na|tio·nal [- - ɪntə'nɛʃənl], die; - - - ⟨engl.⟩ (eine US-amerik. Nachrichtenagentur; *Abk.* UPI); Uni·ted States [of Ame|ri|ca] [- 'ste:ts (- ə'merikə)] *Plur.* (Vereinigte Staaten [von Amerika]; *Abk.* US[A])

uni|ver|sal, uni|ver|sell ⟨lat.⟩ (allgemein, gesamt; umfassend); Uni·ver|sal|bil|dung

Uni|ver|sal|er|be, der; Uni|ver|sal·er|bin

Uni|ver|sal|ge|nie; Uni|ver|sal|ge·schich|te, die; - (Weltgeschichte)

Uni|ver|sa|li|en *Plur.* (*Philos.* Allgemeinbegriffe, allgemeingültige Aussagen); Uni|ver|sa|lis|mus, der; - (Lehre vom Vorrang des Allgemeinen, Ganzen vor dem Besonderen, Einzelnen; *auch für* Universalität); uni|ver|sa|lis·tisch; Uni|ver|sa|li|tät, die; - (Allgemeinheit; Allseitigkeit; alles umfassende Bildung)

Uni|ver|sal|mit|tel, das (Allerweltsmittel, Allheilmittel)

uni|ver|sell *vgl.* universal

Uni|ver|si|a|de, die; -, -n (Studentenwettkämpfe nach dem Vorbild der Olympischen Spiele)

uni|ver|si|tär (die Universität betreffend)

Uni|ver|si|tät, die; -, -en

Uni|ver|si|täts|aus|bil|dung; Uni·ver·si|täts|bi|b|lio|thek; Uni|ver|si-

täts|buch|hand|lung; Uni|ver|si-
täts|di|rek|tor *(österr.);* Uni|ver|si-
täts|di|rek|to|rin
Uni|ver|si|täts|ins|ti|tut; Uni|ver|si-
täts|kli|nik; Uni|ver|si|täts|lauf-
bahn; Uni|ver|si|täts|lehr|gang
(österr. für weiterführende
Lehrveranstaltung für eine
bestimmte berufliche Qualifika-
tion)
Uni|ver|si|täts|pro|fes|sor; Uni|ver-
si|täts|pro|fes|so|rin
Uni|ver|si|täts|rat (Gremium an
österr. Universitäten, das u. a.
den Rektor wählt)
Uni|ver|si|täts|stadt; Uni|ver|si|täts-
stu|di|um
Uni|ver|sum, das; -s, ...sen
UNIX ® ['ju:nɪks], das; - *(EDV* ein
Betriebssystem für vernetzte
Computer)
un|kal|ku|lier|bar
un|ka|me|rad|schaft|lich; Un|ka|me-
rad|schaft|lich|keit, die; -
Un|ke, die; -, -n (ein Froschlurch);
un|ken *(ugs. für* Unglück pro-
phezeien); Un|ken|art
un|kennt|lich; Un|kennt|lich|keit,
die; -; Un|kennt|nis, die; -
Un|ken|ruf *(auch für* pessimisti-
sche Voraussage)
un|keusch *(veraltend);* Un|keusch-
heit, die; -
un|kind|lich; Un|kind|lich|keit
un|kirch|lich
un|klar; ↑K 72 : im Unklaren blei-
ben, lassen, sein; Un|klar|heit
un|kleid|sam
un|klug; Un|klug|heit
un|kol|le|gi|al
un|kom|men|tiert
un|kom|pli|ziert
un|kon|kret
un|kon|t|rol|lier|bar *[auch* ...'li:ʀ...];
un|kon|t|rol|liert
un|kon|ven|ti|o|nell
un|kon|zen|t|riert
un|ko|or|di|niert
un|kör|per|lich
un|kor|rekt; Un|kor|rekt|heit
Un|kos|ten *Plur.;* sich in Unkosten
stürzen *(ugs.);* Un|kos|ten|bei-
trag
Un|kraut
un|krie|ge|risch
un|kri|tisch
Unk|ti|on, die; -, -en ⟨lat.⟩ *(Med.*
Einreibung, Einsalbung)
un|kul|ti|viert; Un|kul|tur, die; -
(Mangel an Kultur)
un|künd|bar *[auch* ...'kʏ...]; Un-
künd|bar|keit, die; -
un|kun|dig; des Lesens unkundig

un|künst|le|risch
un|la|ckiert
Un|land, das; -[e]s, Unländer
(Landw. für nicht nutzbares
Land)
un|längst (vor kurzem)
un|lau|ter; unlauterer Wettbewerb
↑K 89
un|leid|lich; Un|leid|lich|keit
un|les|bar
un|le|ser|lich *[auch* ...'le:...]; Un|le-
ser|lich|keit, die; -
un|leug|bar *[auch* 'un...]
un|lieb; un|lie|bens|wür|dig; un-
lieb|sam; Un|lieb|sam|keit
un|li|mi|tiert (unbegrenzt)
un|li|niert *(österr. nur so),* un|li|ni-
iert
Un|lo|gik, die; -; un|lo|gisch
un|lös|bar *[auch* ...'lø:...]; Un|lös-
bar|keit, die; -
un|lös|lich *[auch* ...'lø:...]
Un|lust, die; -; un|lust|ge|fühl; un-
lus|tig
un|ma|nier|lich
un|männ|lich
Un|maß, das; -es (Unzahl, über-
große Menge)
Un|mas|se (sehr große Menge)
un|maß|geb|lich *[auch* ...'ge:...]
un|mä|ßig; Un|mä|ßig|keit, die; -
un|me|lo|disch
Un|men|ge
Un|mensch, der; -en, -en (grausa-
mer Mensch); un|mensch|lich
[auch ...'mɛ...]; Un|mensch|lich-
keit
un|merk|lich *[auch* 'ʊ...]
un|me|tho|disch
un|mi|li|tä|risch
un|miss|ver|ständ|lich *[auch*
...'ʃtɛ...]
un|mit|tel|bar; Un|mit|tel|bar|keit,
die; -
un|mö|b|liert
un|mo|dern; un|mo|disch
un|mög|lich *[auch* ...'mø:...]; nichts
Unmögliches ↑K 72 verlangen;
Un|mög|lich|keit
Un|mo|ral; un|mo|ra|lisch
un|mo|ti|viert (unbegründet)
un|mün|dig; Un|mün|dig|keit, die; -
un|mu|si|ka|lisch; un|mu|sisch
Un|muß, der; - ⟨zu Muße⟩ *(mund-
artl. für* Unruhe, Ärger)
Un|mut, der; -[e]s; un|mu|tig; un-
muts|voll
un|nach|ahm|lich *[auch* ...'a:...]
un|nach|gie|big; Un|nach|gie|big-
keit, die; -
un|nach|sich|tig; Un|nach|sich|tig-
keit, die; -; un|nach|sicht|lich
(älter für unnachsichtig)

un|nah|bar *[auch* 'ʊ...]; Un|nah|bar-
keit, die; -
Un|na|tur, die; -; un|na|tür|lich; Un-
na|tür|lich|keit, die; -
un|nenn|bar *[auch* 'ʊ...]
un|nor|mal
un|no|tiert *(Börse)*
un|nö|tig; un|nö|ti|ger|wei|se
un|nütz; un|nüt|zer|wei|se
UNO, Uno, die; - = United Nations
Organization ⟨engl.⟩ (Organisation der Vereinten Nationen);
vgl. UN u. VN
un|öko|no|misch
un|or|dent|lich; Un|or|dent|lich|keit,
die; -; Un|ord|nung, die; -
un|or|ga|nisch
un|or|ga|ni|siert
un|or|tho|dox
un|or|tho|gra|fisch, un|or|tho|gra-
phisch
UNO-Si|cher|heits|rat, Uno-Si|cher-
heits|rat, der; -[e]s ↑K 28 ; *vgl.*
UNO
UNO-Waf|fen|in|s|pek|tor ↑K 28 ;
Uno-Waf|fen|in|s|pek|tor ↑K 28 ;
vgl. UNO; UNO-Waf|fen|in|s|pek-
to|rin, Uno-Waf|fen|in|s|pek|to|rin
un|paar; Un|paar|hu|fer *(Zool.)*
un|paa|rig; Un|paar|ze|her *(Zool.)*
un|pä|d|a|go|gisch
un|par|tei|isch (neutral, nicht par-
teiisch); ein unparteiisches
Urteil; Un|par|tei|i|sche, der u.
die; -n, -n; un|par|tei|lich (keiner
bestimmten Partei angehörend);
Un|par|tei|lich|keit, die; -
un|pass *(veraltend für* unwohl;
landsch. für ungelegen); jmdm.
unpass kommen; un|pas|send
un|pas|sier|bar *[auch* ...'si:ʀ...]
un|pääss|lich ([leicht] krank;
unwohl); Un|päss|lich|keit
un|pa|the|tisch
Un|per|son ([von den Medien]
bewusst ignorierte Person)
un|per|sön|lich; unpersönliches
Fürwort *(für* Indefinitprono-
men); Un|per|sön|lich|keit, die; -
un|pfänd|bar *[auch* ...'pfɛ...]
un|plat|ziert *(Sport);* unplatziert
(ungezielt) schießen
un|plugged ['anplakt] ⟨engl.⟩ *(Pop-
musik* ohne elektronische Verstärkung)
un po|co ⟨ital.⟩ *(Musik* ein wenig)
un|po|e|tisch
un|po|liert; unpoliertes Holz
un|po|li|tisch
un|po|pu|lär
un|prak|tisch
un|prä|ten|ti|ös
un|prä|zis; un|prä|zi|se

U

unpr

---

un|recht / Un|recht

Kleinschreibung:

– in unrechte Hände gelangen
– am unrechten Platz sein
– unrecht sein
– ihr habt unrecht *od.* Unrecht daran getan
– unrecht *od.* Unrecht bekommen, haben, behalten
– jmdm. unrecht *od.* Unrecht geben

Großschreibung:

– das Unrecht; des Unrecht[e]s
– etwas Unrechtes; an den Unrechten kommen

– besser Unrecht leiden als Unrecht tun
– es geschieht ihm [ein] Unrecht
– ein Unrecht begehen
– im Unrecht sein
– jmdn. ins Unrecht setzen
– jmdm. ein Unrecht [an]tun
– zu Unrecht bestehen
Vgl. recht/Recht

---

un|pro|b|le|ma|tisch
un|pro|duk|tiv; unproduktive Arbeit; **Un|pro|duk|ti|vi|tät,** die; -
un|pro|fes|si|o|nell
un|pro|por|ti|o|niert; Un|pro|por|ti|o|niert|heit, die; -
un|pünkt|lich; Un|pünkt|lich|keit, die; -
un|qua|li|fi|ziert (*auch für* unangemessen, ohne Sachkenntnis); unqualifizierte Bemerkungen
un|ra|siert
¹**Un|rast,** der; -[e]s, -e (*veraltet für* ruheloser Mensch, bes. Kind)
²**Un|rast,** die; - (Ruhelosigkeit)
Un|rat, der; -[e]s (*geh. für* Schmutz); Unrat wittern (Schlimmes ahnen)
un|ra|ti|o|nell; ein unrationeller Betrieb
un|rat|sam
un|re|al; un|re|a|lis|tisch; unrealistische Vorstellungen haben
un|recht / Un|recht s. *Kasten*
un|recht|mä|ßig; unrechtmäßiger Besitz; **un|recht|mä|ßi|ger|wei|se; Un|recht|mä|ßig|keit**
Un|rechts|be|wusst|sein
un|re|di|giert (vom Herausgeber nicht überarbeitet)
un|red|lich; Un|red|lich|keit
un|re|ell; ein unreelles Geschäft
un|re|flek|tiert (ohne Nachdenken [entstanden]; spontan)
un|re|gel|mä|ßig; unregelmäßige Verben (*Sprachw.);* **Un|re|gel-mä|ßig|keit**
un|re|gier|bar [*auch ...*ˈgiː-ɐ̯...]
un|reif; Un|rei|fe
un|rein; ins Unreine schreiben ↑K72; **Un|rein|heit; un|rein|lich; Un|rein|lich|keit,** die; -
un|ren|ta|bel; ...a|b|ler Betrieb; **Un|ren|ta|bi|li|tät,** die; -
UN-Re|so|lu|ti|on [uːˈɛn...] ↑K28
un|rett|bar [*auch* ˈʊ...]; sie waren unrettbar verloren

un|rich|tig; un|rich|ti|ger|wei|se; Un|rich|tig|keit
un|rit|ter|lich
un|ro|man|tisch
Un|ruh, die; -, -en (Teil der Uhr, des Barometers usw.); **Un|ru|he** (fehlende Ruhe; *ugs. auch für* Unruh); **Un|ru|he|herd**
Un|ru|he|stif|ter; Un|ru|he|stif|te-rin
un|ru|hig
un|rühm|lich; Un|rühm|lich|keit
un|rund (*Technik*)
uns
un|sach|ge|mäß; un|sach|lich; Un-sach|lich|keit
un|sag|bar [*auch* ˈʊ...]; **un|säg|lich** [*auch* ˈʊ...]
un|sanft; jmdn. unsanft wecken
un|sau|ber; Un|sau|ber|keit
un|schäd|lich; ein unschädliches Mittel; **Un|schäd|lich|keit,** die; -; **Un|schäd|lich|ma|chung,** die; -
un|scharf; unschärfer, unschärfs-te; **Un|schär|fe; Un|schär|fe|be-reich,** der *(Optik);* **Un|schär|fe-re|la|ti|on** *(Physik)*
un|schätz|bar [*auch* ˈʊ...]
un|schein|bar; Un|schein|bar|keit, die; -
un|schick|lich (*geh. für* unanständig); **Un|schick|lich|keit**
un|schlag|bar [*auch* ˈʊ...]
Un|schlitt, das; -[e]s, -e (*veraltend für* Talg); **Un|schlitt|ker|ze**
un|schlüs|sig; Un|schlüs|sig|keit, die; -
un|schmelz|bar [*auch* ˈʊ...]
un|schön
un|schöp|fe|risch
Un|schuld, die; -; **un|schul|dig;** ein unschuldiges Mädchen; *aber*
↑K151 : Unschuldige Kinder (kath. Fest); **Un|schul|di|ge,** der *u.* die; -n, -n; **un|schul|di|ger-wei|se**
Un|schulds|be|teu|e|rung *meist Plur.;* **Un|schulds|en|gel** (*iron.*);

Un|schulds|lamm (*iron.*); **Un-schulds|mie|ne**
Un|schulds|ver|mu|tung (*Rechtsspr.*)
un|schulds|voll
un|schwer (leicht)
Un|se|gen, der; -s (*geh.*)
un|selbst|stän|dig, un|selb|stän-dig; Un|selbst|stän|dig|keit, Un-selb|stän|dig|keit
un|se|lig; unseliges Geschick; **un-se|li|ger|wei|se** (*geh.*)
un|sen|ti|men|tal
¹**un|ser,** uns[e]re, unser; unser Freund, unserm, uns[e]rem Freund; unser von allen unterschriebener Brief; unseres Wissens *(Abk. u. W.);* ↑K88 : Unsere Liebe Frau (Maria, Mutter Jesu); ↑K150 : Uns[e]rer Lieben Frau[en] Kirche; *vgl.* dein
²**un|ser** (*Genitiv von* »wir«); unser (*nicht* unserer) sind drei; gedenke, erbarme dich unser (*nicht* unserer)
un|se|re, un̦s|re, uns|ri|ge; ↑K76 : die Unser[e]n, Unsren, Unsri-gen *od.* unser[e]n, unsren, unsrigen; das Uns[e]re, Uns-rige *od.* uns[e]re, unsrige; *vgl.* deine, deinige
un|se|rei|ner, un|ser|eins
un|se|rer|seits, uns|rer|seits, uns-rer|seits
un|se|res|glei|chen, uns|ers|glei-chen, uns|res|glei|chen
un|se|res|teils, uns|res|teils
un|se|ret|hal|ben usw. *vgl.* unsert-halben usw.
un|se|ri|ös; unseriöses Angebot
un|ser|seits *vgl.* unsererseits
un|sers|glei|chen *vgl.* unseresgleichen
un|sert|hal|ben (*veraltend);* **un-sert|we|gen; un|sert|wil|len;** um unsertwillen
Un|ser|va|ter, das; -s, - (*landsch.,*

un|ten

– nach unten; von unten; bis unten
– weiter unten
– nach unten hin; nach unten zu
– von unten her; von unten hinauf
– man wusste kaum noch, was unten und was oben war

Getrenntschreibung in Verbindung mit Verben:

– unten sein; unten bleiben
– unten liegen; unten stehen
– bei jemandem unten durch sein (*ugs. für* sich jmds. Wohlwollen verscherzt haben)

In Verbindung mit einem adjektivisch gebrauchten Partizip kann getrennt oder zusammengeschrieben werden ↑K 58:

– die unten liegenden *od.* untenliegenden Schichten
– die unten erwähnten *od.* untenerwähnten Fakten
– die unten genannten *od.* untengenannten, die unten stehenden *od.* untenstehenden Bemerkungen
– unten Stehendes *od.* Untenstehendes ist zu beachten

Vgl. oben

---

bes. schweiz. reformiert für Vaterunser)

un|si|cher; im Unsichern (zweifelhaft) sein ↑K 72 ; **Un|si|cher|heit; Un|si|cher|heits|fak|tor**

UN-Si|cher|heits|rat (Sicherheitsrat der Vereinten Nationen)

un|sicht|bar; Un|sicht|bar|keit, die; -; **un|sich|tig** (undurchsichtig)

un|sink|bar [*auch* ...'zı...]

Un|sinn, der; -[e]s; **un|sin|nig; un|sin|ni|ger|wei|se; Un|sin|nig|keit,** die; -

un|sinn|lich

Un|sit|te; un|sitt|lich; unsittlicher Antrag; **Un|sitt|lich|keit**

un|sol|da|tisch

un|so|lid, un|so|li|de; Un|so|li|di|tät, die; -

un|sor|tiert

un|so|zi|al; unsoziales Verhalten

un|spek|ta|ku|lär

un|spe|zi|fisch

un|spiel|bar [*auch* 'ʋ...]

un|sport|lich; Un|sport|lich|keit

uns|re *vgl.* unsere; **uns|rer|seits** *vgl.* unsererseits; **uns|res|glei|chen** *vgl.* unseresgleichen; **uns|res|teils** *vgl.* unseresteils; **uns|ri|ge** *vgl.* unsere

un|sta|bil; Un|sta|bi|li|tät

Un|stä|te, die; - (*veraltet für* Unruhe); *vgl. aber* unstet

un|statt|haft

un|sterb|lich [*auch* ...'tɛ...]; **Un|sterb|lich|keit,** die; -; **Un|sterb|lich|keits|glau|be[n]**

Un|stern, der; -[e]s (*geh. für* Unglück); unter einem Unstern stehen

un|stet; un|ste|tes Leben; *vgl. aber* Unstäte; **Un|stet|heit,** die; - (unstete [Wesens]art); **un|ste|tig** (*veraltend für* unstet); **Un|ste|tig|keit,** die; -

un|still|bar [*auch* 'ʋ...]

un|stim|mig; Un|stim|mig|keit

un|sträf|lich [*auch* ...'ʃtrɛ...] (*veraltend für* untadelig)

un|strei|tig [*auch* ...'ʃtrai...] (sicher, bestimmt); **un|strit|tig** [*auch* ...'ʃtrɪ...]

un|struk|tu|riert

Un|strut, die; - (linker Nebenfluss der Saale)

Un|sum|me (sehr große Summe)

un|sym|me|t|risch

un|sym|pa|thisch

un|sys|te|ma|tisch

un|ta|de|lig, un|tad|lig [*beide auch* ...'ta:...]; ein untadeliges, untadliges Leben

un|ta|len|tiert

Un|tat (Verbrechen); **Un|tät|chen** (*landsch. für* kleiner Makel); *nur in* es ist kein Untätchen an ihr

un|tä|tig; Un|tä|tig|keit, die; -

un|taug|lich; Un|taug|lich|keit, die; -

un|teil|bar [*auch* 'ʋ...]; **Un|teil|bar|keit,** die; -; **un|teil|haf|tig;** einer Sache unteilhaftig sein

un|ten *s. Kasten*

un|ten|an; untenan sitzen, stehen

un|ten|drun|ter (*ugs.*); **un|ten|durch;** untendurch gehen; *vgl. aber* unten

un|ten er|wähnt, un|ten|er|wähnt *vgl.* unten

un|ten ge|nannt, un|ten|ge|nannt *vgl.* unten

un|ten|her; *aber* von unten her; **un|ten|he|r|um** (*ugs. für* im unteren Teil); unten am Körper); **un|ten|hin;** *aber* nach unten hin

un|ten lie|gend, un|ten|lie|gend *vgl.* unten

un|ten|rum (*svw.* untenherum)

un|ten ste|hend, un|ten|ste|hend *vgl.* unten

un|ter *s. Kasten*

Un|ter, der; -s, - (Spielkarte)

un|ter...; *in Verbindung mit Verben: unfeste Zusammensetzungen,* z. B. unterhalten (*vgl. d.*), er hält unter, hat untergehalten; unterzuhalten; *feste Zusammensetzungen,* z. B. unterhalten (*vgl. d.*), er unter-

---

un|ter

1. Präposition mit Dativ u. Akkusativ:

– unter dem Tisch stehen, unter den Tisch stellen
– unter der Bedingung, dass ...
– Kinder unter zwölf Jahren haben keinen Zutritt
– unter ander[e]m, unter ander[e]n (*Abk.* u. a.)
– unter einem (*österr. Amtsspr. für* zugleich)
– unter Tage (*Bergmannsspr.*)
– unter üblichem Vorbehalt (bei Gutschrift von Schecks; *Abk.* u. ü. V.)
– unter Umständen (*Abk.* u. U.)

2. Adverb:

– es waren unter (= weniger als) 100 Gäste
– unter (= noch nicht) zwölf Jahre alte Kinder
– Gemeinden von unter (= weniger als) 10 000 Einwohnern
– die unter Zwölfjährigen

U

unte

hält, hat unterhalten; zu unterhalten

Un|ter|ab|tei|lung

Un|ter|arm

Un|ter|aus|schuss

Un|ter|bau Plur. ...bauten

Un|ter|bauch

un|ter|bau|en; er hat den Sockel unterbaut; Un|ter|bau|ung

Un|ter|be|griff

Un|ter|be|klei|dung

un|ter|be|legt; ein unterbelegtes Hotel; Un|ter|be|le|gung

un|ter|be|lich|ten (Fotogr.); du unterbelichtest; die Aufnahme ist unterbelichtet; unterzubelichten; Un|ter|be|lich|tung

un|ter|be|schäf|tigt; Un|ter|be|schäf|ti|gung

un|ter|be|setzt; die Dienststelle ist unterbesetzt

Un|ter|bett

un|ter|be|wer|ten; er unterbewertet diese Leistung; er hat sie unterbewertet; unterzubewerten; Un|ter|be|wer|tung

un|ter|be|wusst; Un|ter|be|wusst|sein

un|ter|be|zah|len; sie ist unterbezahlt; unterzubezahlen; selten sie unterbezahlt ihre Angestellten; Un|ter|be|zah|lung

un|ter|bie|ten; Un|ter|bie|tung

Un|ter|bi|lanz (Verlustabschluss)

un|ter|bin|den (ugs.); sie hat ein Tuch untergebunden; un|ter|bin|den; der Handelsverkehr ist unterbunden; Un|ter|bin|dung

un|ter|blei|ben

Un|ter|bo|den|schutz, der; -es (Kfz-Technik); Un|ter|bo|den|wä|sche

un|ter|bre|chen; Un|ter|bre|cher (Elektrot.); Un|ter|bre|cher|kon|takt; Un|ter|bre|cher|wer|bung; Un|ter|bre|chung

un|ter|brei|ten (darlegen; vorschlagen); er hat ihm einen Plan unterbreitet; Un|ter|brei|tung

un|ter|brin|gen; Un|ter|brin|gung

Un|ter|bruch, der; -[e]s, ...brüche (schweiz. neben Unterbrechung)

un|ter|bü|geln (ugs. für rücksichtslos unterdrücken)

un|ter|but|tern (ugs. für rücksichtslos unterdrücken; zusätzlich verbrauchen); das Geld wurde noch mit untergebuttert

un|ter|chlo|rig [...k...] (Chemie); unterchlorige Säure

Un|ter|deck (ein Schiffsteil)

Un|ter|de|ckung (Kreditwesen)

un|ter der Hand (im Stillen, heimlich)

un|ter|des|sen, älter un|ter|des

Un|ter|druck, der; -[e]s, ...drücke

un|ter|drü|cken; sie hat ihren Unwillen unterdrückt; Un|ter|drü|cker; Un|ter|drü|cke|rin; un|ter|drü|cke|risch

Un|ter|druck|kam|mer (Technik)

Un|ter|drü|ckung

un|ter|du|cken (landsch.); sie hat ihn im Bad untergeduckt

un|ter|durch|schnitt|lich

un|te|re; die unter[e]n Klassen, aber ↑K 140 : Unterer Neckar (Region in Baden-Württemberg); vgl. unterste

un|ter|ei|n|an|der

Man schreibt »untereinander« mit dem folgenden Verb in der Regel zusammen, wenn es den gemeinsamen Hauptakzent trägt ↑K 48:

– untereinanderlegen, untereinanderliegen, untereinanderschreiben usw.

Aber:

– untereinander austauschen, untereinander hinschreiben, sich untereinander kennen usw.

Un|ter|ein|heit

un|ter|ent|wi|ckelt; unterentwickelte Länder; Un|ter|ent|wick|lung

un|ter|er|nährt; Un|ter|er|näh|rung

un|ter|fah|ren; einen Viadukt unterfahren

Un|ter|fa|mi|lie (Biol.)

un|ter|fan|gen; du hast dich unterfangen[,] einen Roman zu schreiben; die Mauer wird unterfangen (Bauw. abgestützt); Un|ter|fan|gen, das; -s, - (Vorhaben; Wagnis)

un|ter|fas|sen (ugs.); sie gehen untergefasst

un|ter|fer|ti|gen (Amtsspr. unterschreiben); Un|ter|fer|tig|te, der u. die; -n, -n

Un|ter|feu|e|rung (Technik)

un|ter|flie|gen; er hat den Radar unterflogen

Un|ter|flur (Technik); etwas unterflur einbauen; Un|ter|flur|ga|ra|ge; Un|ter|flur|hy|d|rant (unter der Straßendecke liegende Zapfstelle); Un|ter|flur|mo|tor (unter dem Fahrzeugboden eingebauter Motor); Un|ter|flur|stra|ße (unterirdische Straße)

un|ter|for|dern

Un|ter|fran|ken

un|ter|füh|ren

Un|ter|füh|rer (Milit.)

Un|ter|füh|rung; Un|ter|füh|rungs|zei|chen (für gleiche untereinanderstehende Wörter; Zeichen „)

Un|ter|funk|ti|on (Med.)

Un|ter|fut|ter (zu ²Futter); un|ter|füt|tern

Un|ter|gang, der; -[e]s, ...gänge; Un|ter|gangs|stim|mung

un|ter|gä|rig; untergäriges Bier; Un|ter|gä|rung, die; -

un|ter|ge|ben; Un|ter|ge|be|ne, der u. die; -n, -n

un|ter|ge|hen; die Sonne ist untergegangen; ↑K 72 : sein Stern ist im Untergehen [begriffen]

un|ter|ge|ord|net

Un|ter|ge|schoss

Un|ter|ge|stell

Un|ter|ge|wicht, das; -[e]s; un|ter|ge|wich|tig

Un|ter|gla|sur|far|be

un|ter|glie|dern; Un|ter|glie|de|rung (das Untergliedern)

Un|ter|glie|de|rung (Unterabteilung)

un|ter|gra|ben; sie hat den Dünger untergegraben; un|ter|gra|ben; das hat ihre Gesundheit untergraben; Un|ter|gra|bung

Un|ter|gren|ze

Un|ter|griff (Griff beim Ringen u. Turnen; österr. auch für beleidigende Äußerung, versteckter Angriff)

Un|ter|grund; Un|ter|grund|bahn (U-Bahn; ↑K 28); Un|ter|grund|be|we|gung

un|ter|grün|dig

Un|ter|grund|kämp|fer; Un|ter|grund|kämp|fe|rin; Un|ter|grund|li|te|ra|tur; Un|ter|grund|mu|sik; Un|ter|grund|or|ga|ni|sa|ti|on

Un|ter|grup|pe

un|ter|ha|ben (ugs. für etwas unter anderer Kleidung tragen); nichts unterhaben

un|ter|ha|ken (ugs.); sie hatten sich untergehakt

un|ter|halb; als Präposition mit Gen.: der Neckar unterhalb Heidelbergs (von Heidelberg aus flussabwärts)

Un|ter|halt, der; -[e]s; un|ter|hal|ten (ugs.); er hat die Hand untergehalten, z. B. unter den Wasserhahn; un|ter|hal|ten; er hat mich gut unterhalten; er wird vom Staat unterhalten; Un|ter|hal|ter; Un|ter|hal|te|rin

un|ter|halt|sam (fesselnd); Un|ter|halt|sam|keit, die; -

Un|ter|halts|an|spruch; Un|ter|halts-
ar|bei|ten Plur. (schweiz. für
Wartungsarbeiten); Un|ter|halts-
bei|trag; un|ter|halts|be|rech|tigt;
Un|ter|halts|kla|ge; Un|ter|halts-
kos|ten Plur.
Un|ter|halts|pflicht; un|ter|halts-
pflich|tig; un|ter|halts|ver|pflich-
tet; Un|ter|halts|zah|lung
Un|ter|hal|tung; Un|ter|hal|tungs-
bei|la|ge; Un|ter|hal|tungs|elek|t-
ro|nik; Un|ter|hal|tungs|film; Un-
ter|hal|tungs|in|dus|t|rie; Un|ter-
hal|tungs|kos|ten Plur.
Un|ter|hal|tungs|li|te|ra|tur, die; -;
Un|ter|hal|tungs|mu|sik, die; - -
(kurz U-Musik); Un|ter|hal-
tungs|pro|gramm; Un|ter|hal-
tungs|ro|man; Un|ter|hal|tungs-
sen|dung; Un|ter|hal|tungs|teil,
der; Un|ter|hal|tungs|wert
un|ter|han|deln; sie hat über den
Abschluss des Vertrages unter-
handelt; Un|ter|händ|ler; Un|ter-
händ|le|rin; Un|ter|hand|lung
Un|ter|haus (im Zweikammerpar-
lament); das britische Unter-
haus; Un|ter|haus|mit|glied; Un-
ter|haus|sit|zung
un|ter|he|ben; dann wird der
Eischnee untergehoben
Un|ter|hemd
Un|ter|hit|ze, die; -; bei Unterhitze
backen
un|ter|höh|len; unterhöhlt
Un|ter|holz, das; -es (niedriges
Gehölz im Wald)
Un|ter|ho|se
Un|ter|in|s|tanz
un|ter|ir|disch
Un|ter|ita|li|en
Un|ter|ja|cke
un|ter|jo|chen; das Volk wurde
unterjocht; Un|ter|jo|chung
un|ter|ju|beln; das hat er ihm
untergejubelt (ugs. für heimlich
zugeschoben)
un|ter|kant (schweiz.); unterkant
des Fensters, auch unterkant
Fenster
un|ter|kel|lern; ich unterkellere;
das Haus wurde nachträglich
unterkellert; Un|ter|kel|le|rung
Un|ter|kie|fer, der; Un|ter|kie|fer-
drü|se; Un|ter|kie|fer|kno|chen
Un|ter|kleid; Un|ter|klei|dung
un|ter|kom|men; sie ist gut unter-
gekommen; das ist mir noch nie
untergekommen (landsch., bes.
südd., österr. für vorgekom-
men); Un|ter|kom|men, das; -s, -
Un|ter|kör|per

un|ter|kö|tig (landsch. für eitrig
entzündet)
un|ter|krie|chen (ugs.)
un|ter|krie|gen (ugs. für bezwin-
gen; entmutigen); ich lasse mich
nicht unterkriegen
un|ter|küh|len; un|ter|kühlt; Un|ter-
küh|lung
Un|ter|kunft, die; -, ...künfte
Un|ter|la|ge
Un|ter|land, das; -[e]s (tiefer gele-
genes Land; Ebene); Un|ter|län-
der, der; -s, - (Bewohner des
Unterlandes); Un|ter|län|de|rin
Un|ter|län|ge
Un|ter|lass, der; ohne Unterlass ...
un|ter|las|sen; sie hat es unterlas-
sen; Un|ter|las|sung; Un|ter|las-
sungs|de|likt; Un|ter|las|sungs|er-
klä|rung; Un|ter|las|sungs|kla|ge;
Un|ter|las|sungs|sün|de
Un|ter|lauf, der; -[e]s, ...läufe
un|ter|lau|fen; er hat ihn unterlau-
fen (Ringen); es sind einige Fehler unterlaufen, seltener unter-
gelaufen; un|ter|läu|fig (Technik
von unten angetrieben); Un|ter-
lau|fung (auch für Blutunterlau-
fung)
Un|ter|le|der
un|ter|le|gen; untergelegter Stoff;
diese Absicht hat man mir
untergelegt
¹un|ter|le|gen; der Musik wurde ein
anderer Text unterlegt
²un|ter|le|gen (Partizip II zu unter-
liegen; vgl. d.)
Un|ter|le|ge|ne, der u. die; -n, -n
Un|ter|le|gen|heit, die; -; Un|ter|le-
gen|heits|ge|fühl
Un|ter|leg|schei|be (Technik); Un-
ter|le|gung (einer Absicht); Un-
ter|le|gung (Verstärkung usw.)
Un|ter|leib; Un|ter|leib|chen (ein
Kleidungsstück)
Un|ter|leibs|krank|heit; Un|ter-
leibs|lei|den; Un|ter|leibs|ope|ra-
ti|on; Un|ter|leibs|schmerz
Un|ter|lid
un|ter|lie|gen (ugs.); das Badetuch
hat, südd. ist untergelegen; un-
ter|lie|gen; sie ist ihrer Gegnerin
unterlegen
Un|ter|lip|pe
un|term (ugs. für unter dem);
unterm Dach
un|ter|ma|len; die Szene wurde
durch Musik untermalt; Un|ter-
ma|lung, die; -
Un|ter|mann, der; -[e]s, ...männer
(Sport, Artistik unterster Mann
bei einer akrobatischen Übung)
un|ter|mau|ern; Un|ter|mau|e|rung

un|ter|mee|risch (in der Tiefe des
Meeres befindlich)
Un|ter|men|ge (Math. Teilmenge)
un|ter|men|gen; die schlechte
Ware wurde mit untergemengt;
un|ter|men|gen (vermischen);
untermengt mit ...
Un|ter|mensch (bes. nationalsoz.)
Un|ter|mie|te, die; -; zur Unter-
miete wohnen; Un|ter|mie|ter;
Un|ter|mie|te|rin
un|ter|mi|nie|ren; Un|ter|mi|nie-
rung
un|ter|mi|schen; sie hat das Wert-
lose mit untergemischt; un|ter-
mi|schen; untermischt mit ...
un|ter|mo|to|ri|siert (mit zu schwa-
chem Motor ausgestattet)
un|tern ↑K14 (ugs. für unter den);
untern Tisch fallen
Un|ter|näch|te Plur. (landsch. für
die Zwölf Nächte)
un|ter|neh|men (ugs. für unter den
Arm nehmen); er hat den Sack
untergenommen
un|ter|neh|men; sie hat nichts
unternommen; Un|ter|neh|men,
das; -s, -; un|ter|neh|mend (aus,
mit Unternehmungsgeist)
Un|ter|neh|mens|be|ra|ter; Un|ter-
neh|mens|be|ra|te|rin; Un|ter|neh-
mens|be|ra|tung
Un|ter|neh|mens|füh|rung
Un|ter|neh|mens|kul|tur
Un|ter|neh|mens|lei|ter, der; Un|ter-
neh|mens|lei|te|rin; Un|ter|neh-
mens|phi|lo|so|phie
Un|ter|neh|mens|plei|te (ugs.)
Un|ter|neh|mens|po|li|tik, die; -
Un|ter|neh|mens|pro|fil
Un|ter|neh|mer; Un|ter|neh|mer-
frei|heit, die; -; Un|ter|neh|mer-
geist, der; -[e]s; Un|ter|neh|mer-
ge|winn
Un|ter|neh|me|rin
un|ter|neh|me|risch
Un|ter|neh|mer|per|sön|lich|keit
Un|ter|neh|mer|schaft; Un|ter|neh-
mer|tum, das; -s; Un|ter|neh|mer-
ver|band
Un|ter|neh|mung; Un|ter|neh-
mungs|geist, der; -[e]s; Un|ter|ne
h|mungs|lust; un|ter|neh-
mungs|lus|tig
Un|ter|of|fi|zier (Abk. Uffz., in der
Schweiz Uof); Un|ter|of|fi|ziers-
an|wär|ter (beim Militär meist
ohne Fugen-s); Un|ter|of|fi|ziers-
mes|se; Un|ter|of|fi|ziers|schu|le
un|ter|ord|nen; er ist ihr unterge-
ordnet; un|ter|ord|nend; Un|ter-
ord|nung
Un|ter|pfand (veraltet für Pfand;

geh. für Beweis, Zeichen für etwas)

un|ter|pflü|gen; untergepflügt

Un|ter|pri|ma [*auch* ...'pri:...]

un|ter|pri|vi|le|gier|t; Un|ter|pri|vi|le|gier|te, der *u.* die

Un|ter|punkt

un|ter|que|ren; das Atom-U-Boot hat den Nordpol unterquert

un|ter|re|den, sich; du hast dich mit ihm unterredet; Un|ter|re|dung

un|ter|re|prä|sen|tiert; Frauen sind im Parlament unterrepräsentiert

Un|ter|richt, der; -[e]s, -e *Plur. selten;* un|ter|rich|ten; er ist gut unterrichtet; un|ter|richt|lich

Un|ter|richts|be|ginn; Un|ter|richts|brief; Un|ter|richts|ein|heit; Un|ter|richts|fach; Un|ter|richts|film; Un|ter|richts|for|schung

un|ter|richts|frei *vgl.* hitzefrei

Un|ter|richts|ge|gen|stand

Un|ter|richts|kun|de, die; -; un|ter|richts|kund|lich

Un|ter|richts|leh|re; Un|ter|richts|me|tho|de; Un|ter|richts|mit|tel

Un|ter|richts|prak|ti|kant (*österr. für* Junglehrer im Praxisjahr, Referendar); Un|ter|richts|prak|ti|kan|tin; Un|ter|richts|prak|ti|kum (*österr. auch für* Referendariat)

Un|ter|richts|pro|gramm; Un|ter|richts|schritt; Un|ter|richts|stun|de; Un|ter|richts|wei|se; Un|ter|richts|ziel

Un|ter|rich|tung

Un|ter|rock *vgl.* ¹Rock

un|ter|rüh|ren

un|ters (*ugs. für* unter das); unters Bett

Un|ter|saat (*Landw.* eine Art des Zwischenfruchtanbaus)

un|ter|sa|gen; das Rauchen ist untersagt; Un|ter|sa|gung

Un|ter|satz; fahrbarer Untersatz (*ugs. scherzh. für* Auto)

Un|ters|berg, der; -[e]s (Bergstock der Salzburger Kalkalpen); Un|ters|ber|ger Kalk|stein, der; - -[e]s

un|ter|schät|zen; unterschätzt

un|ter|scheid|bar

un|ter|schei|den; die Bedeutungen müssen unterschieden werden; Un|ter|schei|dung; Un|ter|schei|dungs|merk|mal; Un|ter|schei|dungs|ver|mö|gen, das; -s

Un|ter|schen|kel

Un|ter|schicht

¹un|ter|schie|ben (darunter schie-

ben); er hat ihr ein Kissen untergeschoben

²un|ter|schie|ben [*auch* ...'ʃi:...]; er hat ihm eine schlechte Absicht untergeschoben, *auch* unterschoben; ein untergeschobenes Kind

Un|ter|schied, der; -[e]s, -e; zum Unterschied von; im Unterschied zu; un|ter|schie|den (verschieden)

un|ter|schied|lich; Un|ter|schied|lich|keit; un|ter|schieds|los

un|ter|schläch|tig (durch Wasser von unten angetrieben); ein unterschlächtiges Mühlrad

Un|ter|schlag, der; -[e]s, Unterschläge (Schneidersitz; *Druckw.* äußerstes [unteres] Ende der Seite); un|ter|schla|gen; mit untergeschlagenen Beinen; un|ter|schla|gen (veruntreuen); sie hat [die Beitragsgelder] unterschlagen; Un|ter|schla|gung

Un|ter|schleif, der; -[e]s, -e (*veraltet für* Unterschlagung)

un|ter|schlie|ßen (*Druckw.);* der Setzer hat hier und da ein Wort untergeschlossen

Un|ter|schlupf; un|ter|schlüp|fen, *südd.* un|ter|schlup|fen

un|ter|schnei|den

un|ter|schrei|ben

un|ter|schrei|ten; die Einnahmen haben den Voranschlag unterschritten; Un|ter|schrei|tung

Un|ter|schrift; Un|ter|schrif|ten|ak|ti|on; Un|ter|schrif|ten|kam|pa|g|ne; Un|ter|schrif|ten|map|pe; Un|ter|schrif|ten|samm|lung

un|ter|schrift|lich (*Amtsspr.* mit od. durch Unterschrift)

un|ter|schrifts|be|rech|tigt; Un|ter|schrifts|be|rech|ti|gung

Un|ter|schrifts|be|stä|ti|gung; Un|ter|schrifts|pro|be; un|ter|schrifts|reif

Un|ter|schuss (*veraltet für* Defizit)

Un|ter|schutz|stel|lung

un|ter|schwef|lig; unterschweflige Säure

un|ter|schwel|lig (unterhalb der Bewusstseinsschwelle)

Un|ter|see, der; -s (Teil des Bodensees)

Un|ter|see|boot (*Abk.* U-Boot, U)

un|ter|see|isch

Un|ter|sei|te; un|ter|seits (an der Unterseite)

Un|ter|se|kun|da [*auch* ...'kʊ...]

un|ter|set|zen; ich habe den Eimer untergesetzt; un|ter|set|zen; untersetzt (gemischt) mit ...;

ben); er hat ihr ein Kissen unterge-

Un|ter|set|zer (Schale für Blumentöpfe u. a.); un|ter|setzt (von gedrungener Gestalt); Un|ter|setzt|heit, die; -; Un|ter|set|zung (*Kfz-Technik);* Un|ter|set|zungs|ge|trie|be

un|ter|spickt (*österr. für* mit Fett durchzogen)

un|ter|spie|len (als nicht so wichtig hinstellen); die Sache wurde unterspielt

un|ter|spü|len

un|terst *vgl.* unterste

Un|ter|staats|se|kre|tär [*auch* 'ʊ...] (*früher)*

Un|ter|stand (*österr. auch für* Unterkunft); Un|ter|stän|der (Stützbalken; *Heraldik* unterer Teil des Schildes); un|ter|stän|dig (*Bot.);* unterständiger Fruchtknoten; unterständiger Baumwuchs; un|ter|stands|los (*österr. neben* obdachlos)

un|ters|te; der unterste Knopf, *aber* ↑ K 72 : das Unterste zuoberst, das Oberste zuunterst kehren

un|ter|ste|hen (unter einem schützenden Dach stehen); sie hat beim Regen untergestanden; un|ter|ste|hen; er unterstand einem strengen Lehrmeister; es hat keinem Zweifel unterstanden (es gab keinen Zweifel); du hast dich unterstanden (gewagt); untersteh dich [nicht][,] uns zu verraten!

un|ter|stel|len; ich habe den Wagen untergestellt; ich habe mich während des Regens untergestellt; un|ter|stel|len; er ist meinem Befehl unterstellt; man hat ihr etwas unterstellt ([Falsches] über sie behauptet; [Unbewiesenes] als wahr angenommen); Un|ter|stel|lung, die; - (das Unterstellen); Un|ter|stel|lung (befehlsmäßige Unterordnung; [falsche] Behauptung)

un|ter|steu|ern (*Kfz-Technik* zu schwache Wirkung des Lenkradeinschlags zeigen); der Wagen hat untersteuert

Un|ter|stock, der; -[e]s; Un|ter|stock|werk

un|ter|stop|fen

un|ter|strei|chen; ↑ K 82 : etwas durch Unterstreichen hervorheben; Un|ter|strei|chung

Un|ter|strich (*EDV* anstelle eines Leerzeichens gesetzter tiefer waagerechter Strich)

Un|ter|strö|mung

U

unte

Ụn|ter|stu|fe
un|ter|stüt|zen; er hat den Arm
[unter das Kinn] untergestützt;
un|ter|stüt|zen; ich habe ihn mit
Geld unterstützt; die zu Unter-
stützende
Un|ter|stüt|zung; un|ter|stüt|zungs-
be|dürf|tig; Un|ter|stüt|zungs|bei-
hil|fe; Un|ter|stüt|zungs|emp|fän-
ger; Un|ter|stüt|zungs|emp|fän-
ge|rin; Un|ter|stüt|zungs|geld;
Un|ter|stüt|zungs|kas|se; Un|ter-
stüt|zungs|satz
Un|ter|such, der; -s, -e (schweiz.
neben Untersuchung)
un|ter|su|chen; Un|ter|su|chung
Un|ter|su|chungs|aus|schuss; Un-
ter|su|chungs|be|fund
Un|ter|su|chungs|ge|fan|ge|ne; Un-
ter|su|chungs|ge|fäng|nis; Un|ter-
su|chungs|haft, die (kurz
U-Haft); Un|ter|su|chungs|häft-
ling
Un|ter|su|chungs|rich|ter; Un|ter|su-
chungs|rich|te|rin
Un|ter|su|chungs|zim|mer (beim
Arzt)
Un|ter|tag|ar|bei|ter, häufiger Un-
ter|ta|ge|ar|bei|ter (Bergbau);
Un|ter|ta|ge|bau, der; -[e]s
un|ter|tags (österr. u. schweiz.
neben tagsüber)
un|ter|tan (veraltend für unterge-
ben); Un|ter|tan, der; Gen. -s,
älter -en, Plur. -en; Un|ter|ta|nen-
geist, der; -[e]s
un|ter|tä|nig (ergeben); Un|ter|tä-
nig|keit, die; -
Un|ter|ta|nin
un|ter|ta|rif|lich
Un|ter|tas|se; fliegende Untertasse
un|ter|tau|chen; der Schwimmer
ist untergetaucht; der Verbre-
cher war schnell untergetaucht
(verschwunden); un|ter|tau|chen;
die Robbe hat das Schleppnetz
untertaucht
Un|ter|teil, das, auch der
un|ter|tei|len; die Skala ist in 10
Teile unterteilt; Un|ter|tei|lung
Un|ter|tem|pe|ra|tur
Un|ter|ter|tia [auch ...'tɛ...]
Un|ter|ti|tel; un|ter|ti|teln
Un|ter|ton Plur. ...töne
un|ter|tou|rig (Technik mit zu
niedriger Drehzahl)
un|ter|trei|ben; er hat untertrie-
ben; Un|ter|trei|bung
un|ter|tun|neln; der Berg wurde
untertunnelt; Un|ter|tun|ne|lung
un|ter|ver|mie|ten; sie hat ein Zim-
mer untervermietet; Un|ter|ver-
mie|tung

un|ter|ver|si|chern (zu niedrig ver-
sichern); Ụn|ter|ver|si|che|rung
un|ter|ver|sor|gen; unterversorgte
Gebiete; Ụn|ter|ver|sor|gung
un|ter|ver|tre|ten (schweiz. für
unterrepräsentiert); Ụn|ter|ver-
tre|tung
Un|ter|wal|den nịd dem Wald
(schweiz. Halbkanton; Kurz-
form Nidwalden); Ụn|ter|wal|den
ob dem Wald (schweiz. Halbkanton; Kurzform Obwalden); Ụn-
ter|wald|ner; Ụn|ter|wald|ne|rin;
un|ter|wald|ne|risch
un|ter|wan|dern; die Partei wurde
unterwandert; Un|ter|wan|de-
rung
un|ter|wärts (ugs.)
Ụn|ter|wä|sche, die; -
un|ter|wa|schen; das Ufer ist
unterwaschen; Un|ter|wa|schung
Ụn|ter|was|ser, das; -s (Grundwas-
ser)
Un|ter|was|ser|ar|chäo|lo|gie; Un-
ter|was|ser|auf|nah|me; Un|ter-
was|ser|film; Un|ter|was|ser|ka-
me|ra; Un|ter|was|ser|mas|sa|ge;
Un|ter|was|ser|sta|ti|on; Un|ter-
was|ser|streit|kräf|te Plur.
un|ter|wegs (auf dem Wege)
un|ter|wei|sen; er hat sie beide
unterwiesen; Un|ter|wei|sung
Ụn|ter|welt, die; -; un|ter|welt|lich
un|ter|wer|fen; Un|ter|wer|fung;
Un|ter|wer|fungs|ges|te
Un|ter|werks|bau, der; -[e]s (Berg-
mannsspr. Abbau unterhalb der
Fördersohle)
un|ter|wer|tig; Ụn|ter|wer|tig|keit
un|ter|win|den (veraltet); sich einer
Sache unterwinden (sie über-
nehmen); unterwunden
un|ter|wür|fig [auch 'ʊ...]; Un|ter-
wür|fig|keit, die; -
un|ter|zeich|nen; Un|ter|zeich|ner;
Un|ter|zeich|ne|rin; Un|ter|zeich-
ne|te, der u. die; -n, -n
(Amtsspr.); der rechts, links
Unterzeichnete od. der Rechts-,
Linksunterzeichnete (bei Unter-
schriften); Un|ter|zeich|nung
Ụn|ter|zeug, das; -[e]s (ugs.)
un|ter|zie|hen; ich habe eine wol-
lene Jacke untergezogen; un|ter-
zie|hen; du hast dich diesem
Verhör unterzogen
un|tief (seicht); Ụn|tie|fe (große
Tiefe; auch für seichte Stelle)
Ụn|tier (Ungeheuer)
un|tilg|bar [auch 'ʊ...]
Un|to|te (svw. Vampir; Zombie)
un|trag|bar [auch 'ʊ...]; Un|trag-
bar|keit, die; -

un|trai|niert
un|trenn|bar [auch 'ʊ...]
un|treu; Ụn|treue
un|tröst|lich [auch 'ʊ...]
un|trüg|lich [auch 'ʊ...]; ein
untrügliches Zeichen
un|tüch|tig; Ụn|tüch|tig|keit, die; -
Ụn|tu|gend
un|tun|lich (veraltend)
un|ty|pisch
un|über|biet|bar [auch 'ʊ...]
un|über|brück|bar [auch 'ʊ...]
un|über|hör|bar [auch 'ʊ...]
un|über|legt; Ụn|über|legt|heit
un|über|schau|bar [auch 'ʊ...]
un|über|schreit|bar [auch 'ʊ...]
un|über|seh|bar [auch 'ʊ...]
un|über|setz|bar [auch 'ʊ...]
un|über|sicht|lich; Ụn|über|sicht-
lich|keit, die; -
un|über|steig|bar [auch 'ʊ...]
un|über|trag|bar [auch 'ʊ...]
un|über|treff|lich [auch 'ʊ...];
Un|über|treff|lich|keit, die; -;
un|über|trof|fen [auch 'ʊ...]
un|über|wind|bar [auch 'ʊ...];
un|über|wind|lich [auch 'ʊ...]
un|üb|lich
un|um|gäng|lich [auch 'ʊ...];
Un|um|gäng|lich|keit, die; -
un|um|geh|bar
un|um|kehr|bar
un|um|schränkt [auch 'ʊ...]
un|um|stöß|lich [auch 'ʊ...];
Un|um|stöß|lich|keit, die; -
un|um|strit|ten [auch 'ʊ...]
un|um|wun|den [auch ...'vʊ...]
(offen, freiheraus)
un|un|ter|bro|chen [auch ...'brɔ...]
un|un|ter|scheid|bar
un|ver|än|der|lich [auch 'ʊ...];
Un|ver|än|der|lich|keit, die; -;
un|ver|än|dert [auch ...'ɛ...]
un|ver|ant|wort|lich [auch 'ʊ...];
Un|ver|ant|wort|lich|keit, die; -
un|ver|ar|bei|tet [auch ...'a...];
unverarbeitete Eindrücke
un|ver|äu|ßer|lich [auch 'ʊ...]
un|ver|bau|bar [auch 'ʊ...]; unver-
baubarer Fernblick; un|ver|baut
un|ver|bes|ser|lich [auch 'ʊ...];
Un|ver|bes|ser|lich|keit, die; -
un|ver|bil|det (noch natürlich)
un|ver|bind|lich [auch ...'bɪ...];
Un|ver|bind|lich|keit
un|ver|bleit; unverbleites Benzin
un|ver|blümt [auch 'ʊ...]
un|ver|braucht
un|ver|brüch|lich [auch 'ʊ...];
unverbrüchliche Treue
un|ver|bürgt [auch 'ʊ...]
un|ver|däch|tig [auch ...'dɛ...]
un|ver|dau|lich [auch ...'dau...];

Un|ver|dau|lich|keit, die; -; un|ver|daut [*auch* ...'daut]

un|ver|dient [*auch* ...'di:...]; un|ver|dien|ter|ma|ßen; un|ver|dien|ter|wei|se

un|ver|dor|ben; Un|ver|dor|ben|heit, die; -

un|ver|dros|sen [*auch* ...'drɔ...]

un|ver|dünnt

un|ver|ehe|licht

un|ver|ein|bar [*auch* 'ʊ...]; Un|ver|ein|bar|keit

un|ver|fälscht [*auch* ...'fɛ...]; Un|ver|fälscht|heit, die; -

un|ver|fäng|lich [*auch* ...'fɛ...]

un|ver|fro|ren [*auch* ...'fro:...] (keck; frech); Un|ver|fro|ren|heit

un|ver|gäng|lich [*auch* ...'gɛ...]; un|ver|gäng|lich|keit, die; -

un|ver|ges|sen; un|ver|gess|lich [*auch* 'ʊ...]

un|ver|gleich|bar [*auch* 'ʊ...]; un|ver|gleich|lich [*auch* 'ʊ...]

un|ver|go|ren; unvergorener Süßmost

un|ver|hält|nis|mä|ßig [*auch* ...'hɛ...]; Un|ver|hält|nis|mä|ßig|keit

un|ver|hei|ra|tet

un|ver|hofft [*auch* ...'hɔ...]

un|ver|hoh|len [*auch* ...'ho:...]

un|ver|hüllt

un|ver|käuf|lich [*auch* ...'kɔy...]; Un|ver|käuf|lich|keit, die; -

un|ver|kenn|bar [*auch* 'un...]

un|ver|klei|det

un|ver|krampft

un|ver|langt; unverlangt eingesandte Manuskripte

un|ver|läss|lich

un|ver|letz|bar [*auch* 'ʊ...]; un|ver|letz|lich [*auch* 'ʊ...]; Un|ver|letz|lich|keit, die; -; un|ver|letzt

un|ver|lier|bar [*auch* 'ʊ...]

un|ver|lösch|lich [*auch* 'ʊ...] (*geh.*)

un|ver|mählt

un|ver|meid|bar [*auch* 'ʊ...]; un|ver|meid|lich [*auch* 'ʊ...]

un|ver|merkt (*veraltend für* unbemerkt)

un|ver|min|dert

un|ver|mischt

un|ver|mit|telt

Un|ver|mö|gen, das; -s (Mangel an Kraft, Fähigkeit); un|ver|mö|gend; Un|ver|mö|gend|heit, die; - (*selten für* Armut); Un|ver|mö|gen|heit, die; - (*veraltet für* Unvermögen); Un|ver|mö|gens|fall, der; -[e]s (*Amtsspr.*); im Unvermögensfall[e]

un|ver|mu|tet

un|ver|nunft; un|ver|nünf|tig; Un|ver|nünf|tig|keit

un|ver|öf|fent|licht

un|ver|packt

un|ver|putzt

un|ver|rich|tet; unverrichteter Dinge (ohne etwas erreicht zu haben); unverrichteter Sache

un|ver|rück|bar [*auch* 'ʊ...]

un|ver|schämt; Un|ver|schämt|heit

un|ver|schlei|ert

un|ver|schlos|sen [*auch* ...'ʃlɔ...]

un|ver|schul|det [*auch* ...'ʃʊ...]; un|ver|schul|de|ter|ma|ßen; un|ver|schul|de|ter|wei|se

un|ver|se|hens [*auch* ...'ze:...]

un|ver|sehrt; Un|ver|sehrt|heit, die; -

un|ver|sieg|bar [*auch* 'ʊ...]; un|ver|sieg|lich [*auch* 'ʊ...]

un|ver|söhn|bar [*auch* ...'zø:...]; un|ver|söhn|lich [*auch* ...'zø:...]; Un|ver|söhn|lich|keit, die; -

un|ver|sorgt

Un|ver|stand (Mangel an Verstand); un|ver|stan|den; un|ver|stän|dig (ohne den nötigen Verstand); Un|ver|stän|dig|keit, die; -; un|ver|ständ|lich (undeutlich; unbegreiflich); Un|ver|ständ|lich|keit; Un|ver|ständ|nis

un|ver|stellt [*auch* ...'ʃtɛ...]

un|ver|steu|ert [*auch* ...'ʃtɔy...]

un|ver|sucht [*auch* ...'zu:...]; *meist in* nichts unversucht lassen

un|ver|träg|lich [*auch* ...'trɛ:...]; Un|ver|träg|lich|keit, die; -

un|ver|wandt; jmdn. unverwandt ansehen

un|ver|wech|sel|bar [*auch* 'ʊ...]; Un|ver|wech|sel|bar|keit, die; -

un|ver|wehrt [*auch* ...'ve:...]; das bleibt dir unverwehrt (unbenommen)

un|ver|wes|lich [*auch* ...'ve:...]

un|ver|wisch|bar [*auch* 'ʊ...]

un|ver|wund|bar [*auch* 'ʊ...]; Un|ver|wund|bar|keit

un|ver|wüst|lich [*auch* 'ʊ...]; Un|ver|wüst|lich|keit, die; -

un|ver|zagt; Un|ver|zagt|heit, die; -

un|ver|zeih|bar [*auch* 'ʊ...]; un|ver|zeih|lich [*auch* 'ʊ...]

un|ver|zicht|bar [*auch* 'ʊ...]

un|ver|zins|lich [*auch* 'ʊ...]

un|ver|zollt

un|ver|züg|lich [*auch* 'ʊ...]

un|vol||len|det [*auch* ...'lɛ...]

un|voll|kom|men [*auch* ...'kɔ...]; Un|voll|kom|men|heit

un|voll|stän|dig [*auch* ...'ʃtɛ...]; Un|voll|stän|dig|keit, die; -

un|vor|be|rei|tet

un|vor|denk|lich; in unvordenklichen Zeiten (sehr weit zurückliegend)

un|vor|ein|ge|nom|men; Un|vor|ein|ge|nom|men|heit, die; -

un|vor|greif|lich [*auch* 'ʊ...] (*veraltet für* ohne einem anderen vorgreifen zu wollen)

un|vor|her|ge|se|hen; un|vor|her|seh|bar

un|vor|schrifts|mä|ßig

un|vor|sich|tig; un|vor|sich|ti|ger|wei|se; Un|vor|sich|tig|keit

un|vor|stell|bar [*auch* 'ʊ...]

un|vor|teil|haft

un|wäg|bar [*auch* 'ʊ...]; Un|wäg|bar|keit, die; -, -en

un|wahr; un|wahr|haf|tig (*geh.*); Un|wahr|haf|tig|keit; Un|wahr|heit

un|wahr|schein|lich; Un|wahr|schein|lich|keit

un|wan|del|bar [*auch* 'ʊ...]; Un|wan|del|bar|keit, die; -

un|weg|sam; unwegsames Gebiet

un|weib|lich; sie wirkt unweiblich

un|wei|ger|lich [*auch* 'ʊ...]

un|weit; *als Präposition mit Gen.:* unweit des Flusses

un|wert (*geh.*); Un|wert, der; -[e]s

Un|we|sen, das; -s; er trieb sein Unwesen

un|we|sent|lich

Un|wet|ter

un|wich|tig; Un|wich|tig|keit

un|wi|der|leg|bar [*auch* 'ʊ...]; un|wi|der|leg|lich [*auch* 'ʊ...]

un|wi|der|ruf|lich [*auch* 'ʊ...]; zum unwiderruflich letzten Mal

un|wi|der|spro|chen [*auch* 'ʊ...]

un|wi|der|steh|lich [*auch* 'ʊ...]; Un|wi|der|steh|lich|keit, die; -

un|wie|der|bring|lich [*auch* 'ʊ...]; Un|wie|der|bring|lich|keit, die; -

Un|wil|le[n], der; Unwillens; un|wil|lent|lich; un|wil|lig

un|will|kom|men

un|will|kür|lich [*auch* ...'ky:ɐ...]

un|wirk|lich; Un|wirk|lich|keit

un|wirk|sam; ein unwirksames Mittel; Un|wirk|sam|keit, die; -

un|wirsch (unfreundlich)

un|wirt|lich (unbewohnt, einsam; unfruchtbar); eine unwirtliche Gegend; Un|wirt|lich|keit, die; -

un|wirt|schaft|lich; Un|wirt|schaft|lich|keit, die; -

un|wis|send; Un|wis|sen|heit, die; -; un|wis|sen|schaft|lich; un|wis|sent|lich

un|wohl; mir ist unwohl; unwohl

sein; **Un|wohl|sein**, das; -s;
wegen Unwohlseins
Un|wort (unschönes, unerwünsch-
tes Wort)
Un|wucht, die; -, -en (ungleich ver-
teilte Massen [an einem Rad])
un|wür|dig; **Un|wür|dig|keit**, die; -
Un|zahl, die; - (sehr große Zahl)
un|zähl|bar [*auch* 'ʊn...]

un|zäh|lig

[*auch* 'ʊn...]
– unzählige Flüchtlinge; unzählige Kranke; unzählige Angestellte

*Großschreibung der Substantivie-
rung* ↑K72:

– es haben sich Unzählige an der
Aktion beteiligt
– die Hoffnungen Unzähliger
wurden enttäuscht

Getrenntschreibung:

– ich habe es unzählige Mal versucht
– unzählige Male hatte sie ihm
geholfen

un|zähm|bar [*auch* 'ʊn...]
¹**Un|ze**, die; -, -n ⟨lat.⟩ (Gewicht)
²**Un|ze**, die; -, -n ⟨griech.⟩ (*selten für*
Jaguar)
Un|zeit, die; *nur noch in* zur
Unzeit (zu unpassender Zeit);
un|zeit|ge|mäß; **un|zei|tig**
(unreif)
un|zen|siert
un|zen|wei|se
un|zer|brech|lich [*auch* ...'brɛ...];
Un|zer|brech|lich|keit, die; -
un|zer|kaut
un|zer|reiß|bar [*auch* 'ʊn...]
un|zer|stör|bar [*auch* 'ʊn...]; **un|zer-
stört**
un|zer|trenn|bar [*auch* 'ʊn...]; **un-
zer|trenn|lich** [*auch* 'ʊn...]
Un|zi|al|buch|sta|be; **Un|zi|a|le**, die;
-, -n ⟨lat.⟩ (zollgroßer Buch-
stabe); **Un|zi|al|schrift**, die; -
un|zie|mend; **un|ziem|lich** (*veral-
tend für* ungehörig)
un|zi|vi|li|siert
Un|zucht, die; -; **un|züch|tig**; **Un-
züch|tig|keit**
un|zu|frie|den; **Un|zu|frie|den|heit**
un|zu|gäng|lich; **Un|zu|gäng|lich-
keit**, die; -
un|zu|kömm|lich (*österr. für* nicht
ausreichend, unzulänglich); **Un-
zu|kömm|lich|keit**, die; -, -en

(*österr. u. schweiz. für* Miss-
stand; Unzulänglichkeit)
un|zu|läng|lich; **Un|zu|läng|lich|keit**
un|zu|läs|sig; **Un|zu|läs|sig|keit**
un|zu|mut|bar; **Un|zu|mut|bar|keit**
un|zu|rech|nungs|fä|hig; **Un|zu|rech-
nungs|fä|hig|keit**, die; -
un|zu|rei|chend
un|zu|sam|men|hän|gend
un|zu|stän|dig; **Un|zu|stän|dig|keit**,
die; -
un|zu|stell|bar
un|zu|träg|lich; **Un|zu|träg|lich|keit**,
die; -
un|zu|tref|fend; ↑K72 : Unzutref-
fendes bitte streichen!
un|zu|ver|läs|sig; **Un|zu|ver|läs|sig-
keit**, die; -
un|zweck|mä|ßig; **Un|zweck|mä|ßig-
keit**, die; -
un|zwei|deu|tig; **Un|zwei|deu|tig-
keit**, die; -
un|zwei|fel|haft [*auch* ...'tsvai...]
Upa|ni|schad, die; -, ...schaden
meist Plur. ⟨sanskr.⟩ (Gruppe
altindischer philosophisch-
theologischer Schriften)
Up|date ['apdeːt], das; -s, -s ⟨engl.⟩
(*EDV* Aktualisierung; aktualisierte [u. verbesserte] Version
eines Programms o. Ä.); **up|da-
ten** (aktualisieren); er updatet,
sie hat upgedatet
Up|grade ['apgreːt], das; -s, -s
⟨engl.⟩ (*svw.* Update; *Touristik*
verbesserte Leistung); **up|gra-
den**; sie upgradet, hat upgegra-
det
Up|hill ['ap...], das; -s, -s ⟨engl.⟩
(Radrennen den Berg hinauf)
UPI [juːpiːˈai], die; - = United
Press International (US-ameri-
kanische Nachrichtenagentur)
Up|per|class ['apɐkla:s], die; -
⟨engl.⟩ (Oberschicht)
Up|per|cut ['apɐkat], der; -s, -s
⟨engl.⟩ (*Boxen* Aufwärtshaken)
üp|pig; **Üp|pig|keit**, die; -
Upp|sa|la (schwedische Stadt);
Upp|sa|la|er
ups! ⟨engl.⟩ (hoppla!)
up to date [ap tuːˈdeːt] ⟨engl.⟩
(zeitgemäß, auf der Höhe)
Ur, der; -[e]s, -e (Auerochse)
Ur|ab|stim|mung (Abstimmung
aller Mitglieder, bes. einer
Gewerkschaft über die Ausru-
fung eines Streiks)
Ur|adel
Ur|ahn; **Ur|ah|ne**, der (Urgroßvater;
Vorfahr); **Ur|ah|ne**, die (Urgroß-
mutter)
Ural, der; -[s] (Gebirge zwischen

Asien u. Europa; Fluss); **ural|al-
ta|isch**; uralaltaische Sprachen;
Ural|ge|biet; **ura|lisch** (aus der
Gegend des Ural)
ur|alt; **Ur|al|ter**, das; -s; von ur-
alters her ↑K70
ur|ame|ri|ka|nisch (von Grund auf
amerikanisch)
Ur|ä|mie, die; - ⟨griech.⟩ (*Med.*
Harnvergiftung); **ur|ä|misch**
Uran, das; -s ⟨nach dem Planeten
Uranus⟩ (radioaktives chemi-
sches Element, Metall; *Zeichen*
U); **Uran|an|rei|che|rung**; **Uran-
berg|werk**; **Uran|erz**
Ur|an|fang; **ur|an|fäng|lich**
Ur|angst
uran|hal|tig; Uran-238-haltig
Ura|nia (Muse der Sternkunde;
Beiname der Aphrodite); **Ura-
nis|mus**, der; - (*selten für* Homo-
sexualität); **Ura|nist**, der; -en, -en
Uran|mi|ne; **Uran|mu|ni|ti|on**
Ura|nos *vgl.* ¹Uranus
Uran|pech|blen|de (radiumhaltiges
Mineral)
¹**Ura|nus**, Ura|nos (griech. Gott des
Himmels)
²**Ura|nus**, der; - (ein Planet)
uras|sen (*österr. ugs. für* ver-
schwenden); du urasst
Urat, das; -[e]s, -e ⟨griech.⟩ (*Che-
mie* Harnsäuresalz); **ura|tisch**
ur|auf|füh|ren; die Oper wurde
uraufgeführt; **Ur|auf|füh|rung**
Urä|us|schlan|ge ⟨griech.; dt.⟩
(afrik. Hutschlange, als Sonnen-
symbol am Diadem der alt-
ägypt. Könige)
ur|ban (städtisch; gebildet;
weltmännisch)
Ur|ban (m. Vorn.)
Ur|ba|ni|sa|ti|on, die; -, -en; **ur|ba-
ni|sie|ren** (verstädtern); **Ur|ba|ni-
sie|rung**; **Ur|ba|nis|tik**, die; -
(Wissenschaft des Städtebaus);
Ur|ba|ni|tät, die; - (Bildung, welt-
männische Art; städtische
Atmosphäre)
ur|bar; urbar machen; **Ur|bar**
[*auch* 'uːɐ...], das; -s, -e, Ur|ba-
rium, das; -s, ...ien (mittelalter-
liches Güter- u. Abgabenver-
zeichnis großer Grundherr-
schaften; Grundbuch); **ur|ba|ri-
sie|ren** (*schweiz. für* urbar
machen); **Ur|ba|ri|sie|rung**
(*schweiz. für* Urbarmachung)
Ur|ba|ri|um *vgl.* Urbar
Ur|bar|ma|chung
Ur|be|deu|tung
Ur|be|ginn; von Urbeginn der Welt
Ur|be|stand|teil, der

U
Urbe

Ur|be|völ|ke|rung; ; Ur|be|woh|ner; Ur|be|woh|ne|rin

ur|bi et or|bi ⟨lat., »der Stadt [d. i. Rom] und dem Erdkreis«⟩; etwas urbi et orbi (allgemein) verkünden

Ur|bild; ur|bild|lich

ur|chig (*schweiz. für* urwüchsig)

Ur|chris|ten|tum; ur|christ|lich

Urd (*nord. Mythol.* Norne der Vergangenheit)

Ur|darm (*Biol.* einen Hohlraum umschließende Einstülpung mit einer Mündung nach außen); Ur|darm|tier (*für* Gasträa)

ur|deutsch (typisch deutsch)

Ur|druck *Plur.* ...drucke (Erstveröffentlichung eines Schachproblems)

Ur|du, das; - (eine neuind. Sprache, Amtssprache in Pakistan)

ur|ei|gen; ur|ei|gen|tüm|lich

Ur|ein|woh|ner; Ur|ein|woh|ne|rin

Ur|el|tern *Plur.*

Ur|en|kel; Ur|en|ke|lin

Ure|ter, der; -s, *Plur.* ...te|ren, *auch* - ⟨griech.⟩ (*Med.* Harnleiter); Ure|th|ra, die; -, ...thren (Harnröhre); ure|tisch (harntreibend)

Ur|fas|sung

Ur|feh|de (im MA. eidliches Friedensversprechen mit Verzicht auf Rache); Urfehde schwören

Ur|form; ur|for|men *nur im Infinitiv u. Partizip II gebr.* (Technik)

Urft, die; - (r. Nebenfluss der Rur); Urft|tal|sper|re, Urft-Tal|sper|re, die; - ↑K43

Ur|ge|mein|de (urchristliche Gemeinde)

ur|ge|müt|lich

ur|gent ⟨lat.⟩ (*veraltet für* dringend); Ur|genz, die; -, -en (*österr. für* Mahnung zur schnelleren Erledigung)

ur|ger|ma|nisch

Ur|ge|schich|te, die; -; Ur|ge|schicht|ler; Ur|ge|schicht|le|rin; ur|ge|schicht|lich

Ur|ge|sell|schaft, die; -

Ur|ge|stalt

Ur|ge|stein; Ur|ge|walt

ur|gie|ren ⟨lat.⟩ (*österr. für* drängen)

Ur|groß|el|tern *Plur.*; Ur|groß|mut|ter; ur|groß|müt|ter|lich; Ur|groß|va|ter; ur|groß|vä|ter|lich

Ur|grund

Ur|he|ber; Ur|he|be|rin; Ur|he|ber|recht; ur|he|ber|recht|lich; Ur|he|ber|schaft, die; -; Ur|he|ber|schutz

Ur|hei|mat

Uri (schweiz. Kanton)

Uria, Uri|as, *ökum.* Uri|ja (bibl. m. Eigenn.); *vgl.* Uriasbrief

Uri|an, der; -s, -e (unwillkommener Gast; *nur Sing.:* Teufel)

Uri|as *vgl.* Uria; Uri|as|brief (Brief, der dem Überbringer Unheil bringt); Uri|el [...e:l, *auch* ...ɛl] (einer der Erzengel)

urig (urtümlich; originell)

Uri|ja *vgl.* Uria

Urin, der; -s, -e ⟨lat.⟩ (Harn); Uri|nal, das; -s, -e (Harnflasche; Becken zum Urinieren für Männer); Urin|ge|ruch; uri|nie|ren; Urin|pro|be

Ur|in|s|tinkt[1]

Urin|un|ter|su|chung

Ur|kan|ton (Kanton der Urschweiz)

Ur|kir|che

Ur|knall, der; -[e]s (Explodieren der Materie bei der Entstehung des Weltalls)

ur|ko|misch

Ur|kraft, die

Ur|kun|de, die; -, -n; ur|kun|den (*fachspr. für* in Urkunden schreiben, urkundlich erscheinen)

Ur|kun|den|fäl|schung; Ur|kun|den|for|schung; Ur|kun|den|leh|re

ur|kund|lich

Ur|kunds|be|am|te; Ur|kunds|re|gis|ter

URL, die; -, -s, *selten* der; -s, -s = Uniform Resource Locator (Internetadresse)

Ur|land|schaft

Ur|laub, der; -[e]s, -e; in *od.* im Urlaub sein; ur|lau|ben (*ugs.*); Ur|lau|ber; Ur|lau|be|rin

Ur|laubs|be|kannt|schaft; Ur|laubs|bräu|ne; Ur|laubs|fo|to; Ur|laubs|geld; Ur|laubs|kas|se; Ur|laubs|lis|te

ur|laubs|reif

Ur|laubs|rei|se; Ur|laubs|re|sort (Ferienanlage); Ur|laubs|schein; Ur|laubs|sper|re; Ur|laubs|tag; Ur|laubs|ver|tre|tung; Ur|laubs|zeit

Ur|meer

Ur|mensch, der; ur|mensch|lich

Ur|me|ter, das; -s (in Paris aufbewahrtes ursprüngliches Normalmaß des Meters)

Ur|mut|ter *Plur.* ...mütter (Stammmutter)

Ur|ne, die; -, -n ⟨lat.⟩; Ur|nen|fried|hof

Ur|nen|gang, der (*svw.* Wahl)

Ur|nen|grab; Ur|nen|hal|le

Ur|ner (von Uri); Urner See (Teil des Vierwaldstätter Sees); Ur|ne|rin; ur|ne|risch (aus Uri)

Ur|ning, der; -s, -e; *vgl.* Uranist

uro|ge|ni|tal ⟨griech.; lat.⟩ (zu den Harn- und Geschlechtsorganen gehörend); Uro|ge|ni|tal|sys|tem

Uro|lith, der; *Gen.* -s *u.* -en, *Plur.* -e[n] ⟨griech.⟩ (Harnstein)

Uro|lo|ge, der; -n, -n (Arzt für Krankheiten der Harnorgane); Uro|lo|gie, die; -; Uro|lo|gin; uro|lo|gisch

Ur|oma (*Kinderspr.*); Ur|opa (*Kinderspr.*)

Uro|s|ko|pie, die; -, ...ien ⟨griech.⟩ (Harnuntersuchung)

Ur|pflan|ze

ur|plötz|lich

Ur|pro|dukt; Ur|pro|duk|ti|on (Gewinnung von Rohstoffen)

Ur|quell, Ur|quel|le

Urs (m. Vorn.)

Ur|sa|che; Ur|sa|chen|for|schung

ur|säch|lich; Ur|säch|lich|keit

Ur|schel, die; -, -n (*landsch. für* törichte [junge] Frau)

ur|schen (*ostmitteld. für* vergeuden); du urschst

Ur|schlamm, der; -[e]s

Ur|schleim, der; -[e]s

Ur|schrift; ur|schrift|lich

Ur|schweiz (Gebiet der ältesten Eidgenossenschaft [Uri, Schwyz, Unterwalden])

Ur|sel (w. Vorn.)

ur|sen|den *nur im Infinitiv u. Partizip II gebr.*; Ur|sen|dung (erstmalige Sendung im Rundfunk od. Fernsehen)

Ur|se|ren|tal, das; -[e]s (Tal der oberen Reuß im Kanton Uri); Urs|ner; Urs|ne|rin

urspr. = ursprünglich

Ur|spra|che

Ur|sprung *Plur.* ...sprünge

ur|sprüng|lich (*Abk.* urspr.); Ur|sprüng|lich|keit, die; -

Ur|sprungs|ge|biet; Ur|sprungs|land; Ur|sprungs|nach|weis; Ur|sprungs|zeug|nis

urst (*regional ugs. für* großartig, sehr [schön])

Ur|stand, der; -[e]s, Urstände (*veraltet für* Urzustand); Ur|ständ, die; - (*veraltet für* Auferstehung); *nur scherzh. in* fröhliche Urständ feiern

Ur|stoff; ur|stoff|lich

Ur|strom|tal

---

[1] Die Trennung zwischen n und s sollte vermieden werden ↑K168 .

Ur|su|la (w. Vorn.)

Ur|su|li|ne, die; -, -n u. Ur|su|li|nerin, die; -, -nen ⟨nach der Märtyrerin Ursula⟩ (Angehörige eines kath. Ordens); Ur|su|li|nen|schule; Ur|su|li|ne|rin vgl. Ursuline

Ur|teil, das; -s, -e

Ur|teil|chen (Elementarteilchen)

ur|tei|len; Ur|teils|be|grün|dung

ur|teils|fä|hig; Ur|teils|fä|hig|keit, die; -; Ur|teils|fin|dung; Ur|teils|kraft, die; -; ur|teils|los

Ur|teils|schel|te (öffentliche Kritik an einem gerichtlichen Urteil); Ur|teils|spruch; Ur|teils|ver|kündung; Ur|teils|ver|mö|gen; Ur-teils|voll|stre|ckung; Ur|teils|voll-zug

Ur|text

Ur|tier|chen meist Plur. (einzelliges tierisches Lebewesen)

Ur|ti|ka|ria, die; - ⟨lat.⟩ (Med. Nesselsucht)

Ur|trieb

ur|tüm|lich; Ur|tüm|lich|keit, die; -

Ur|typ, Ur|ty|pus

¹Uru|gu|ay [... ˈɡu̯ai̯, auch ˈʊ...], der; -[s] (Fluss in Südamerika)

²Uru|gu|ay (Staat in Südamerika); Uru|gu|a|yer; Uru|gu|a|ye|rin; uru|gu|a|yisch

Ur|ur|ahn; Ur|ur|en|kel; Ur|ur|groß-mut|ter; Ur|ur|groß|va|ter

Ur|va|ter (Stammvater); ur|vä|ter-lich; Ur|vä|ter|zeit; seit Urväterzeiten

Ur|ver|trau|en

ur|ver|wandt; Ur|ver|wandt|schaft

Ur|viech, Ur|vieh (ugs. scherzh. für urwüchsiger Mensch)

Ur|vo|gel; Ur|volk

Ur|wahl (Politik); Ur|wäh|ler; Ur-wäh|le|rin

Ur|wald; Ur|wald|ge|biet

Ur|welt; ur|welt|lich

ur|wüch|sig; Ur|wüch|sig|keit

Ur|zeit; seit Urzeiten; ur|zeit|lich

Ur|zel|le

Ur|zeu|gung, die; - (elternlose Entstehung von Lebewesen)

Ur|zi|dil (österr. Schriftsteller)

Ur|zu|stand; ur|zu|ständ|lich

u. s. = ut supra

US[A] Plur. = United States [of America] (Vereinigte Staaten [von Amerika])

Usam|ba|ra (Gebirgszug in Tanganjika); Usam|ba|ra|veil|chen

US-Ame|ri|ka|ner [uːˈlɛs...] ↑K 28 ; US-Ame|ri|ka|ne|rin; US-ame|ri-ka|nisch ↑K 28 u. 97

Usance [yˈzãːs], die; -, -n ⟨franz.⟩ (Brauch, Gepflogenheit);

usance|mä|ßig; Usan|cen|han|del (Devisenhandel in fremder Währung)

Usanz [u...], die; -, -en (schweiz. für Usance)

USB, der; -s, -s ⟨Abk. für engl. Universal Serial Bus⟩ (universeller Anschluss beim PC)

Us|be|ke, der; -n, -n (Angehöriger eines Turkvolkes); Us|be-kin; us|be|kisch; Us|be|kisch, das; -[s] (Sprache); Us|be|ki-sche, das; -n; vgl. Deutsche, das; Us|be|ki|s|tan (Staat im nördl. Mittelasien)

US-Bot|schaft [uːˈlɛs...] ↑K 28

USB-Stick, der; -s, -s ⟨engl.⟩ (als Datenspeicher dienendes kleines stäbchenförmiges USB-Gerät)

US-Bun|des|staat

Uschi (w. Vorn.)

USD (Währungscode für US-Dollar)

US-Dol|lar [uːˈlɛs...] ↑K 28 ; vgl. Dollar

User [ˈjuː...], der; -s, - ⟨engl.⟩ (jmd., der Drogen nimmt; EDV Benutzer, Anwender); Use|rin

Uso, der; -s ⟨ital.⟩ (Brauch, Gewohnheit); vgl. Usus

US-Prä|si|dent [uːˈlɛs...] ↑K 28 ; US-Prä|si|den|tin

usu|ell ⟨franz.⟩ (gebräuchlich)

Usur|pa|ti|on, die; -, -en ⟨lat.⟩ (widerrechtliche Besitz-, Machtergreifung); Usur|pa|tor, der; -s, ...oren; usur|pa|to|risch; usur|pie-ren; Usur|pie|rung

Usus, der; - ⟨lat.⟩ (Brauch, Gewohnheit, Sitte)

usw. = und so weiter

UT = Utah

Uta, Ute (dt. Sage Mutter der Nibelungenkönige; w. Vorn.)

Utah [ˈjuːta] (Staat in den USA; Abk. UT)

Uten|sil, das; -s, -ien meist Plur. ⟨lat.⟩ ([notwendiges] Gerät, Gebrauchsgegenstand)

ute|rin ⟨lat.⟩ (Med. auf die Gebärmutter bezüglich); Ute|rus, der; -, ...ri (Gebärmutter)

Ut|gard (nord. Mythol. Reich der Dämonen u. Riesen)

uti|li|tär ⟨lat.⟩ (auf den Nutzen bezüglich); Uti|li|ta|ri|er (svw. Utilitarist)

Uti|li|ta|ris|mus, der; - (Nützlichkeitslehre, -standpunkt); Uti|li-ta|rist, der; -en, -en (nur auf den

Nutzen Bedachter; Vertreter des Utilitarismus); Uti|li|ta|ris|tin; uti|li|ta|ris|tisch

Ut|lan|de Plur. (»Außenlande«) (Landschaftsbez. für die Nordfries. Inseln, bes. die Halligen mit Pellworm u. Nordstrand)

Uto|pia, Uto|pi|en, das; -s meist ohne Artikel ⟨griech.⟩ (erdachtes Land)

Uto|pie, die; -, ...ien (als unausführbar geltender Plan; Zukunftstraum); Uto|pi|en vgl. Utopia

uto|pisch (schwärmerisch; unerfüllbar)

Uto|pis|mus, der; -, ...men (Neigung zu Utopien; utopische Vorstellung)

Uto|pist, der; -en, -en; Uto|pis|tin

Ut|ra|quis|mus, der; - ⟨lat.⟩ (Lehre der Utraquisten); Ut|ra|quist, der; -en, -en (Angehöriger einer hussitischen Richtung, die das Abendmahl in beiderlei Gestalt [Brot u. Wein] forderte); ut|ra-quis|tisch

Ut|recht (niederl. Provinz u. Stadt); Ut|rech|ter

Ut|ril|lo [uˈtrijo] (franz. Maler)

ut su|p|ra ⟨lat.⟩ (Musik wie oben; Abk. u. s.)

Utz (m. Vorn.)

u. U. = unter Umständen

UV = ultraviolett (in UV-Strahlen, UV-A-Strahlen usw.)

u. v. a. = und viele[s] andere

u. v. a. m. = und viele[s] andere mehr

UV-be|strahlt [uːˈfau̯...] ↑K 28 u. 97

UV-Fil|ter ↑K 28 (Fotogr. Filter zur Dämpfung der ultravioletten Strahlen)

UV-Lam|pe ↑K 28 (Höhensonne)

UV-Schutz, der; -es ↑K 28

UV-Strah|len Plur. ↑K 28 (Abk. für ultraviolette Strahlen); UV-Strah-lung, die; - (Höhenstrahlung)

Uvu|la, die; -, ...lae ⟨lat.⟩ (Med. Gaumenzäpfchen); uvu|lar (Sprachw. mit dem Zäpfchen gebildet)

u. W. = unseres Wissens

Ü-Wa|gen ↑K 28 (kurz für Übertragungswagen)

Uwe (m. Vorn.)

u. Z. = unsere[r] Zeitrechnung

Uz, der; -es, -e (ugs. für Neckerei); Uz|bru|der (ugs. für jmd., der gern andere neckt); uzen; du uzt; Uze|rei (ugs.); Uz|na|me (ugs.)

u. zw. = und zwar

V

v = velocitas ⟨lat.⟩ (*Zeichen für* Geschwindigkeit)

V (Buchstabe); das V; des V, die V, *aber* das v in Steven; der Buchstabe V, v

V = *chem. Zeichen für* Vanadium

V = Volt; Volumen (Rauminhalt)

V = (röm. Zahlzeichen) = 5

V, vert = vertatur

v. = vom; von; vor *(vgl. d.)*

v. = vide; vidi

V. = Vers

VA = Voltampere; Virginia

v. a. = vor allem

Va|banque, **va banque** [...'bã:k] ⟨franz., »es gilt die Bank«⟩; *nur in* Vabanque *od.* va banque spielen (alles aufs Spiel setzen); **Va|banque|spiel**, das; -[e]s

va|cat ⟨lat., »es fehlt«⟩ (nicht vorhanden, leer); *vgl.* Vakat

Vache|le|der ['vaʃ...], das; -s ⟨franz.; dt.⟩ (glaciertes Sohlenleder)

Va|de|me|kum, *österr.* Va|de|me|cum, das; -s, -s ⟨lat.⟩ (Taschenbuch; Ratgeber)

Va|di|um, das; -s, ...ien ⟨germ.-mlat.⟩ (*im älteren dt. Recht* symbolisches Pfand)

va|dos ⟨lat.⟩ (*Geol. in Bezug auf* Grundwasser von Niederschlägen herrührend)

Va|duz [fa'duts, *auch* va'du:ts] (Hauptstadt des Fürstentums Liechtenstein)

vae vic|tis! ⟨lat., »wehe den Besiegten!«⟩

vag, va|ge (unbestimmt)

Va|ga|bon|da|ge [...ʒə], die; - ⟨franz.⟩ (Landstreicherei)

Va|ga|bund, der; -en, -en (Landstreicher); **Va|ga|bun|den|le|ben**, das; -s; **Va|ga|bun|den|tum**, das; -s; **va|ga|bun|die|ren** ([arbeitslos] umherziehen); vagabundierende Ströme *(Elektrot.)*; **Va|ga|bun|din**

Va|gant, der; -en, -en (fahrender Student od. Kleriker im MA.); **Va|gan|ten|dich|tung**, die; -; **Va|gan|ten|lied**; **Va|gan|tin**

va|ge (unbestimmt); **Vag|heit** (Unbestimmtheit)

va|gie|ren (*geh. für* umherziehen)

Va|gi|na [*auch* 'va:...], die; -, ...nen ⟨lat.⟩ (*Med.* weibl. Scheide); **va|gi|nal** (die Scheide betreffend); **Va|gi|nis|mus**, der; -, ...men (*Med.* Scheidenkrampf)

Va|gus, der; - ⟨lat.⟩ (*Med.* ein Hirnnerv)

va|kant [v...] ⟨lat.⟩ (leer; unbesetzt, frei); **Va|kanz**, die; -, -en (freie Stelle; *landsch. für* Ferien)

Va|kat, das; -[s], -s (*Druckw.* leere Seite); *vgl.* vacat

Va|ku|o|le, die; -, -n (*Biol.* mit Flüssigkeit od. Nahrung gefülltes Bläschen im Zellplasma, insbesondere der Einzeller)

Va|ku|um, das; -s, *Plur.* ...kua *od.* ...kuen (luftleerer Raum)

Va|ku|um|ap|pa|rat; **Va|ku|um|brem|se**

va|ku|u|mie|ren (Luft aus etwas absaugen [u. es luftdicht verpacken])

Va|ku|um|me|ter, das; -s, - (Unterdruckmesser); **Va|ku|um|pum|pe** ([Aus]saugpumpe); **Va|ku|um|röh|re**

va|ku|um|ver|packt; **Va|ku|um|ver|pa|ckung**

Vak|zin, das; -s, -e ⟨lat.⟩ (*svw.* Vakzine); **Vak|zi|na|ti|on**, die; -, -en (*Med.* Schutzimpfung); **Vak|zi|ne**, die; -, -n (Impfstoff aus Krankheitserregern); **vak|zi|nie|ren**; **Vak|zi|nie|rung** *vgl.* Vakzination

va|la|bel ⟨franz.⟩ (*schweiz. für* geeignet); ...a|b|le Alternativen

Val|land [f...] (*ältere Nebenform von* Voland)

va|le! [...le] ⟨lat., »leb wohl!«⟩

Va|len|cia [...tsi̯a, ...si̯a] (span. Stadt); **Va|len|ci|a|ner**

Va|len|ci|ennes|spit|ze [...lã'si̯en...] ⟨nach der franz. Stadt⟩ (sehr feine Klöppelspitze)

Va|lens (röm. Kaiser)

Va|len|tin (m. Vorn.); **Va|len|tins-tag** (14. Febr.)

Va|lenz, die; -, -en ⟨lat.⟩ (*Chemie* Wertigkeit; *Sprachw.* Eigenschaft des Verbs, im Satz Ergänzungen zu fordern)

Va|le|ri|a|na, die; -, ...nen (*Bot.* Baldrian)

Va|le|rie [*auch* ...ri:] (w. Vorn.)

Va|le|ri|us (röm. Kaiser)

Va|lé|ry [...le'ri:] (franz. Dichter)

Va|les|ka (w. Vorn.)

¹Va|let [*auch* ...'le:t], das; -s, -s ⟨lat.⟩ (Lebewohl; veralteter Abschiedsgruß); Valet sagen

²Va|let [...'le:], der; -s, -s ⟨franz.⟩ (Bube im franz. Kartenspiel)

Va|leur [...'løː̯ɐ], der; -s, -s, *auch* die; -, -s ⟨franz.⟩ (*veraltet für* Wert[papier]; *Malerei* Farbwert, Farbtonabstufung)

va|lid ⟨lat.⟩ (zuverlässig, gültig)

Va|li|da|ti|on, die; -, -en (Gültigkeitserklärung; *auch svw.* Validierung)

va|li|de *vgl.* valid

va|li|die|ren ([rechts]gültig machen)

Va|li|die|rung; **Va|li|di|tät**, die; - (Zuverlässigkeit [eines Versuchs])

Va|li|um ®, das; -s ⟨Kunstwort⟩ (ein Beruhigungsmittel)

val|le|ra! [v..., *auch* f...]; **val|le|ri**, **val|le|ra!**

Val|let|ta (Hauptstadt von Malta)

Va|lo|ren *Plur.* ⟨lat.⟩ (*Wirtsch.* Wertsachen, Wertpapiere); **Va|lo|ren|ver|si|che|rung**

Va|lo|ri|sa|ti|on, die; -, -en (staatl. Preisbeeinflussung zugunsten der Produzenten); **va|lo|ri|sie|ren** (Preise durch staatl. Maßnahmen anheben); **Va|lo|ri|sie|rung** (*svw.* Valorisation)

Val|pa|rai|ser; **Val|pa|ra|i|so** [*auch* ...'rai...] (Stadt in Chile)

Va|lu|ta, die; -, ...ten ⟨ital.⟩ (Geld in ausländischer Währung; [Gegen]wert; *nur Plur.:* Zinsscheine ausländ. Wertpapiere)

Va|lu|ta|an|lei|he

Va|lu|ta|mark, die; - (ehem. Rechnungseinheit in der DDR)

va|lu|tie|ren (ein Datum festsetzen, das für den Zeitpunkt der Leistung maßgebend ist; *selten für* bewerten)

Va|lu|a|ti|on, die; -, -en ⟨franz.⟩ (*Wirtsch.* [Ab]schätzung [von Münzen]; Wertbestimmung)

Vamp [ve...], der; -s, -s ⟨engl.⟩ (verführerische, kalt berechnende Frau)

Vam|pir [*auch* ...'piːɐ], der; -s, -e ⟨serbokroat.⟩ (eine Fledermausart; *Volksglauben* Blut saugendes Nachtgespenst); **Vam|pi|rin**

van [van, *auch* fan] ⟨niederl.⟩ (von); z. B. van Dyck

Van [ven], der; -s, -s ⟨engl.⟩ (geräumiges Auto, Transporter)

Va|na|di|um, Va|na|di̯n, das; -s ⟨nlat.⟩ (chemisches Element, Metall; *Zeichen* V)

Van-Al|len-Gür|tel [ven'lɛ...], der; -s ↑K 137 ⟨nach dem amerik. Physiker) (ein Strahlungsgürtel der Erde)

Van|cou|ver [vɛn'kuː...] (Insel u. Stadt in Kanada)

Van|da|le, Wan|da|le, der; -n, -n (Angehöriger eines germ. Volksstammes; *übertr. für* zerstörungswütiger Mensch); **Van|da|lin**, Wan|da|lin

van|da|lisch, wan|da|lisch

Van|da|lis|mus, Wan|da|lis|mus, der; - (Zerstörungswut)

Van-Dyck-Braun [van'dʌɪk..., *auch* f...], das; -s ↑K137 ; *vgl.* Dyck

Va|nes|sa (w. Vorn.)

Va|nil|le [...'nɪl(j)ə, *schweiz.* 'vanil], die; - ⟨franz.⟩ (eine trop. Orchidee; Gewürz)

Va|nil|le|eis; Va|nil|le|kip|ferl, das; -s, -n (*österr. für* Gebäck mit Vanille); **Va|nil|le|pud|ding; Va|nil|le|scho|te** ⟨*zu* ³Schote); **Va|nil|le|so|ße**, **Va|nil|le|sau|ce**; **Va|nil|le|stan|ge; Va|nil|le|zu|cker**

Va|nil|lin, das; -s (Riech- u. Aromastoff; Vanilleersatz)

Va|nu|a|tu [vɛ...] (Inselstaat im Pazifik); **Va|nu|a|tu|er; Va|nu|a|tu|e|rin; va|nu|a|tu|isch**

Va|po|ri|sa|ti|on, die; - ⟨lat.⟩ (*Med.* Anwendung von Wasserdampf zur Blutstillung); **va|po|ri|sie|ren** (*veraltend für* verdampfen)

Va|que|ro [...'keː..., der; -[s], -s ⟨span.⟩ (Cowboy im Südwesten der USA u. in Mexiko)

var. = Varietät

Va|ra|na|si (Stadt in Indien); *vgl.* Benares

Va|r|an|ger|fjord, der; -[e]s (nordöstlichster Fjord in Norwegen)

Va|rel [f...] (Stadt in Niedersachsen)

Va|ria *Plur.* ⟨lat.⟩ (*Buchw.* Vermischtes, Allerlei)

va|ri|a|bel ⟨franz.⟩ (veränderlich, [ab]wandelbar); ...a|b|le Kosten; **Va|ri|a|bi|li|tät**, die; -, -en (Veränderlichkeit); **Va|ri|a|b|le**, die; -n, *Plur.* -n, *ohne Artikel fachspr. auch* -n ⟨*Math.* veränderliche Größe; *Ggs.* Konstante); zwei Variable[n]

Va|ri|an|te, die; -, -n (Abwandlung; verschiedene Lesart; Spielart); **va|ri|an|ten|reich; Va|ri|anz**, die; -

Va|ri|a|ti|on, die; -, -en (Abwechslung; Abänderung; Abwandlung); **Va|ri|a|ti|ons|brei|te; va|ri|a|ti|ons|fä|hig; Va|ri|a|ti|ons|mög|lich|keit; va|ri|a|ti|ons|reich**

Va|ri|e|tät, die; -, -en (geringfügig abweichende Art; *Abk.* var.)

Va|ri|e|tee, Va|ri|e|té, *schweiz. auch* **Va|ri|é|té**, das; -s, -s ⟨franz.⟩ (Theater mit wechselndem, unterhaltsamem Programm); va|ri|e|tee|reif, **va|ri|e|té|reif**; Va|ri|e|tee|the|a|ter, **Va|ri|e|té|the|a|ter**

va|ri|ie|ren (verschieden sein; abweichen; [ab]wandeln)

va|ri|kös ⟨lat.⟩ (*Med.* die Krampfadern betreffend); **Va|ri|ko|se**, die; -, -n (Krampfaderleiden); **Va|ri|ko|si|tät**, die; -, -en (Krampfaderbildung); **Va|ri|ko|ze|le**, die; -, -n ⟨lat.; griech.⟩ (Krampfaderbruch)

Va|ri|nas [*auch* ...'riː...], der; -, *Plur.* (Sorten:) - ⟨nach dem früheren Namen der venezolan. Stadt Barinas⟩ (südamerik. Tabak)

Va|ri|o|la, die; -, *Plur.* ...lä u. ...olen, **Va|ri|o|le**, die; -, -n, *meist Plur.* ⟨lat.⟩ (*Med.* Pocken)

Va|rio|me|ter, das; -s, - ⟨lat.; griech.⟩ (Vorrichtung zur Messung von Luftdruck- od. erd-magnetischen Schwankungen)

Va|ris|ki|sche, Va|ris|zi|sche Ge|bir|ge, das; -n -s (mitteleurop. Gebirge der Steinkohlenzeit)

Va|ris|tor, der; -s, ...oren ⟨engl.⟩ (*Elektrot.* spannungsabhängiger Widerstand)

Va|rix, die; -, Vari|zen ⟨lat.⟩ (*Med.* Krampfader)

Va|ri|ze, die; -, -n ⟨*svw.* Varix⟩

Va|ri|zel|le, die; -, -n *meist Plur.* (Windpocken)

Va|rus (altrömischer Feldherr)

Va|sa, der; -[s], - ⟨franz.⟩ (Angehöriger eines schwedischen Königsgeschlechts)

Va|sall, der; -en, -en ⟨franz.⟩ (Lehnsmann im MA.); **Va|sal|len|staat** *Plur.* ...staaten; **Va|sal|len|treue; Va|sal|len|tum**, das; -s; **Va|sal|lin**

Väs|chen ⟨*zu* Vase⟩

Vas|co da Ga|ma (portugiesischer Seefahrer)

Va|se, die; -, -n ⟨franz.⟩

Va|s|ek|to|mie, die; -, ...ien ⟨lat.; griech.⟩ (*Med.* Sterilisation durch operative Entfernung eines Stückes des Samenleiters)

Va|se|lin, das; -s, **Va|se|li|ne**, die; - ⟨Kunstwort⟩ (Salbengrundlage)

va|sen|för|mig; Va|sen|ma|le|rei

Va|so|mo|to|ren *Plur.* ⟨lat.⟩ (*Med.* Gefäßnerven); **va|so|mo|to|risch**

Va|ter, der; -s, Väter; **Va|ter|bild; Va|ter|bin|dung**

Vä|ter|chen

Va|ter|fi|gur; Va|ter|freu|den *Plur.;* **Va|ter|haus**

Va|ter|land *Plur.* ...länder; **va|ter|län|disch**

Va|ter|lands|lie|be; va|ter|lands|lie|bend; va|ter|lands|los; Va|ter|lands|ver|rä|ter; Va|ter|lands|ver|tei|di|ger

vä|ter|lich; vä|ter|li|cher|seits; Vä|ter|lich|keit, die; -

va|ter|los

Va|ter|mör|der (*ugs. auch für* hoher, steifer Kragen)

Va|ter|na|me, Va|ters|na|me (Familien-, Zuname); **Va|ter|recht**, das; -[e]s *(Völkerk.)*

Va|ter|schaft, die; -, -en; **Va|ter|schafts|be|stim|mung; Va|ter|schafts|kla|ge; Va|ter|schafts|test**

Va|ters|na|me *vgl.* Vatername

Va|ter|stadt; Va|ter|stel|le; *nur in* Vaterstelle vertreten

Va|ter|tag (Himmelfahrtstag)

Va|ter|un|ser, das; -s, -; *aber im Gebet:* Vater unser im Himmel

Va|ti, der; -s, -s (*Koseform von* Vater)

Va|ti|kan [v...], der; -s (Residenz des Papstes in Rom; oberste Behörde der kath. Kirche); **va|ti|ka|nisch**; *aber* ↑K150 : die Vatikanische Bibliothek, das Vatikanische Konzil; **Va|ti|kan|stadt**, die; -

Vaud [vo] (*franz. Form von* Waadt)

Vau|de|ville [vod(ə)'viːl], das; -s, -s ⟨franz.⟩ (franz. volkstüml. Lied; Singspiel)

Vaughan Wil|li|ams [voːn ...li̯əms], Ralph (engl. Komponist)

V-Aus|schnitt ['faṷ...] ↑K29

v. Chr. = vor Christo, vor Christus

v. Chr. G. = vor Christi Geburt

VCS = Verkehrs-Club der Schweiz

v. d. = vor der (*bei Ortsnamen,* z. B. Bad Homburg v. d. H. [vor der Höhe])

VDE, der; - = VDE Verband der Elektrotechnik Elektronik Informationstechnik (*so die von der allgemeinen Rechtschreibung abweichende eigene Schreibung);* **VDE-ge|prüft** [faṷdeː'-|eː...]

VDI, der; - = Verein Deutscher Ingenieure

VdK, der; - = Verband der Kriegs- und Wehrdienstopfer, Behinderten und Sozialrentner

VDM = Verbi Divini Minister *od.* Ministra ⟨lat.⟩ (*schweiz. für* ordinierter reformierter Theologe *od.* ordinierte reformierte Theologin)

VDS = Verband Deutscher Studentenschaften, *jetzt* Vereinigte Deutsche Studentenschaften

vdt. = vidit

VEB, der; - = volkseigener Betrieb *(DDR); vgl.* volkseigen

Vech|ta [f...] (Stadt bei Oldenburg)

Vech|te [f...], die; - (ein Fluss)

Ve|da *vgl.* Weda

Ve|det|te, die; -, -n ⟨franz.⟩ *(svw.* ²Star)

ve|disch *vgl.* wedisch

Ve|du|te, die; -, -n ⟨ital.⟩ *(Malerei* naturgetreue Darstellung einer Landschaft); **Ve|du|ten|ma|ler; Ve|du|ten|ma|le|rei; Ve|du|ten|ma|le|rin**

ve|gan ⟨lat.-engl.⟩; vegan leben; **Ve|ga|ner** (strenger Vegetarier, der auf tier. Produkte in jeder Form verzichtet); **Ve|ga|ne|rin**

ve|ge|ta|bil *vgl.* vegetabilisch; **Ve|ge|ta|bi|li|en** *Plur.* ⟨lat.⟩ (pflanzl. Nahrungsmittel; **ve|ge|ta|bi|lisch** (pflanzlich, Pflanzen...)

Ve|ge|ta|ri|a|ner *(svw.* Vegetarier)

Ve|ge|ta|ri|er (jmd., der sich vorwiegend von pflanzl. Kost ernährt); **Ve|ge|ta|ri|e|rin**

ve|ge|ta|risch (pflanzlich, Pflanzen...); **Ve|ge|ta|ris|mus** (Ernährung durch pflanzl. Kost)

Ve|ge|ta|ti|on, die; -, -en (Pflanzenwelt, -wuchs); **Ve|ge|ta|ti|ons|ge|biet; Ve|ge|ta|ti|ons|kult** *(Rel.);* **ve|ge|ta|ti|ons|los; Ve|ge|ta|ti|ons|or|gan; Ve|ge|ta|ti|ons|pe|ri|o|de; Ve|ge|ta|ti|ons|punkt**

ve|ge|ta|tiv (zur Vegetation gehörend, pflanzlich; *Biol.* ungeschlechtlich; *Med.* unbewusst); vegetatives Nervensystem (dem Einfluss des Bewusstseins entzogenes Nervensystem)

ve|ge|tie|ren (kümmerlich [dahin]leben)

ve|he|ment ⟨lat.⟩ (heftig); **Ve|he|menz,** die; -

Ve|hi|kel, das; -s, - ⟨lat.⟩ (schlechtes, altmodisches Fahrzeug; Hilfsmittel)

Vei|ge|lein *(veraltet für* Veilchen); **Vei|gerl,** das; -s, -n *(bayr., österr. für* Veilchen)

Veil [vɛj] (franz. Politikerin)

Veil|chen; veil|chen|blau

Veil|chen|duft; Veil|chen|strauß; Veil|chen|wur|zel

Veit [fait] (m. Vorn.); *vgl.* Vitus

Veits|boh|ne

Veits|tanz, der; -es (ein Nervenleiden)

Vek|tor, der; -s, ...oren ⟨lat.⟩ (physikal. od. math. Größe, die durch Pfeil dargestellt wird u. durch Angriffspunkt, Richtung und Betrag festgelegt ist)

Vek|tor|glei|chung *(Math.)*

vek|to|ri|ell

Vek|tor|raum *(Math.);* **Vek|tor|rech|nung**

Ve|la *(Plur. von* Velum)

Vel|lar, der; -s, -e ⟨lat.⟩ *(Sprachw.* Gaumensegellaut, Hintergaumenlaut, z. B. k)

Ve|laz|quez [...'laskɛs], span. **Ve|láz|quez** [be'laθkɛθ] (span. Maler)

Vel|lin *[auch* ...'lɛ̃:], das; -s ⟨franz.⟩ (weiches Pergament; ungeripptes Papier)

Ve|lo *[auch* 've...], das; -s, -s ⟨verkürzt aus Veloziped⟩ *(schweiz. für* Fahrrad); **Ve|lo|drom,** das; -s, -e ⟨franz.⟩ ([geschlossene] Radrennbahn); **Ve|lo|fah|ren,** das; -s *(schweiz.);* **Ve|lo|ta|xi**

¹**Vel|lours** [və'luːɐ̯, *auch* ve...], der; -, - (Samt; Gewebe mit grauter, weicher Oberfläche)

²**Vel|lours,** das; -, - (samtartiges Leder); **Vel|lours|le|der**

Ve|lo|zi|ped, das; -[e]s, -e ⟨franz.⟩ *(veraltet für* Fahrrad)

Vel|pel [f...], der; -s, - ⟨ital.⟩ *(Nebenform von* Felbel)

Velt|lin [v..., *auch, schweiz. nur,* f...], das; -s (Talschaft oberhalb des Comer Sees)

¹**Velt|li|ner;** ein Veltliner Ort

²**Velt|li|ner** (eine Weinsorte)

Ve|lum, das; -s, ...la ⟨lat.⟩ (Teil der gottesdienstl. Kleidung kath. Priester; Kelchtuch; *Med.* Gaumensegel); **Ve|lum pa|la|ti|num,** das; - -, ...la ...na *(Med.* Gaumensegel; weicher Gaumen)

Vel|vet, der *od.* das; -s, -s ⟨engl.⟩ (Baumwollsamt)

Ven|dée [vã'...], *franz.* **Ven|dée** [...'de:], die; - (franz. Departement); **Ven|de|er; Ven|de|e|rin**

Ven|de|mi|aire [vãde'mjɛːɐ̯], der; -[s], -s ⟨franz., »Weinmonat«⟩ (1. Monat des Kalenders der Franz. Revolution: 22. Sept. bis 21. Okt.)

Ven|det|ta, die; -, ...tten ⟨ital.⟩ ([Blut]rache)

Ve|ne, die; -, -n ⟨lat.⟩ (Blutgefäß, das zum Herzen führt)

Ve|ne|dig (ital. Stadt); *vgl.* Venezia; **Ve|ne|di|ger|grup|pe,** die; - (Gebirgsgruppe)

Ve|nen|ent|zün|dung

Ve|ne|ra|bi|le [...le], das; -[s] ⟨lat.⟩ (Allerheiligstes in der kath. Kirche)

ve|ne|risch ⟨zu ¹Venus⟩ *(Med.* auf die Geschlechtskrankheiten bezogen); venerische Krankheiten

Ve|ne|ter (Bewohner von Venetien); **Ve|ne|te|rin; Ve|ne|ti|en** (ital. Region)

Ve|ne|zia *(ital. Form von* Venedig); **Ve|ne|zi|a|ner** (Einwohner von Venedig); **Ve|ne|zi|a|ne|rin; ve|ne|zi|a|nisch**

Ve|ne|zo|la|ner; Ve|ne|zo|la|ne|rin; ve|ne|zo|la|nisch; Ve|ne|zu|e|la (Staat in Südamerika)

Ve|nia Le|gen|di, die; - - ⟨lat.⟩ (Erlaubnis, an Hochschulen zu lehren)

ve|ni, vi|di, vi|ci ['ve:ni: 'vi:di: 'vi:tsi:] ⟨lat., »ich kam, ich sah, ich siegte«⟩ (Ausspruch Cäsars)

Venn [f...], das; -s *(svw.* Fenn); ↑ K 140 : Hohes Venn (Teil der Eifel)

Ven|ner [f...], der; -s, - *(schweiz. für* Pfadführer; *früher auch für* Fähnrich); **Ven|ne|rin**

ve|nös ⟨lat.⟩ *(Med.* die Vene[n] betreffend)

Ven|til, das; -s, -e ⟨lat.⟩

Ven|ti|la|ti|on, die; -, -en ([Be]lüftung, Luftwechsel)

Ven|ti|la|tor, der; -s, ...oren

Ven|til|funk|ti|on

Ven|til|gum|mi, der *u.* das

ven|ti|lie|ren (lüften; *übertr.* sorgsam erwägen); **Ven|ti|lie|rung**

Ven|til|spiel; Ven|til|steu|e|rung

Ven|tose [vã'to:s], der; -[s], -s ⟨franz., »Windmonat«⟩ (6. Monat des Kalenders der Franz. Revolution: 19. Febr. bis 20. März)

ven|t|ral ⟨lat.⟩ *(Med.* den Bauch betreffend; bauchwärts)

Ven|t|ri|kel, der; -s, - (Kammer [in Herz, Hirn usw.]); **ven|t|ri|ku|lär** (den Ventrikel betreffend)

Ven|t|ri|lo|quist, der; -en, -en (Bauchredner); **Ven|t|ri|lo|quis|tin**

¹**Ve|nus** [v...] (röm. Liebesgöttin)

²**Ve|nus,** die; - (ein Planet)

Ve|nus|berg (weiblicher Scham-

V
VDS

berg); **Ve|nus|flie|gen|fal|le** (eine fleischfressende Pflanze); **Ve|nus|hü|gel** (svw. Venusberg); **Ve|nus|son|de** (Raumsonde zur Erforschung des Planeten Venus)

ver... (Vorsilbe von Verben, z. B. verankern, du verankerst, verankert, zu verankern)

Ve|ra (w. Vorn.)

ver|ab|fol|gen (Amtsspr. veraltend aus-, abgeben)

ver|ab|re|den; Ver|ab|re|de|ter|ma|ßen; Ver|ab|re|dung

ver|ab|rei|chen; Ver|ab|rei|chung

ver|ab|säu|men (versäumen)

ver|ab|scheu|en; ver|ab|scheu|ens|wert

Ver|ab|scheu|ung, die; -; **ver|ab|scheu|ungs|wür|dig**

ver|ab|schie|den; sich verabschieden; **Ver|ab|schie|dung** (österr. auch für [ev.] Trauerfeier); **ver|ab|schie|dungs|reif**

ver|ab|so|lu|tie|ren; Ver|ab|so|lu|tie|rung

ver|ach|ten; das ist nicht zu verachten (ugs. für das ist gut, schön); **ver|ach|tens|wert**

Ver|äch|ter; Ver|äch|te|rin

ver|acht|fa|chen

ver|ächt|lich; Ver|ächt|lich|ma|chung, die; -

Ver|ach|tung, die; -; **ver|ach|tungs|voll; ver|ach|tungs|wür|dig**

Ve|ra|cruz, eindeutschend auch **Ve|ra|kruz** [beide ...ˈkruːs] (Staat u. Stadt in Mexiko)

ver|al|bern; Ver|al|be|rung

ver|all|ge|mei|ner|bar; ver|all|ge|mei|nern; ich verallgemeinere

Ver|all|ge|mei|ne|rung

ver|al|ten; veraltend; veraltet

Ve|ran|da, die; -, ...den (engl.); **ve|ran|da|ar|tig; Ve|ran|da|auf|gang; Ve|ran|da|tür**

ver|än|der|bar

ver|än|der|lich; das Barometer steht auf »veränderlich«; **Ver|än|der|li|che,** die; -n, -n (eine mathemat. Größe, deren Wert sich ändern kann; Ggs. Konstante); zwei Veränderliche; **Ver|än|der|lich|keit**

ver|än|dern; Ver|än|de|rung

ver|ängs|ti|gen; ver|ängs|tigt; Ver|ängs|ti|gung

ver|an|kern; Ver|an|ke|rung

ver|an|la|gen (die Steuerschuld festsetzen; österr. Wirtsch. [Geld] anlegen)

ver|an|lagt; künstlerisch veran-

lagt sein; **Ver|an|la|gung; Ver|an|la|gungs|steu|er,** die

ver|an|las|sen; du veranlasst, er/sie veranlasst; du veranlasstest; veranlasst; veranlasse!; sich veranlasst sehen

Ver|an|las|ser; Ver|an|las|se|rin

Ver|an|las|sung; zur weiteren Veranlassung (Amtsspr.; Abk. z. w. V.); **Ver|an|las|sungs|wort** Plur. ...wörter (für Kausativ)

ver|an|schau|li|chen; Ver|an|schau|li|chung

ver|an|schla|gen (ansetzen); du veranschlagtest; er hat die Kosten viel zu niedrig veranschlagt; **Ver|an|schla|gung**

ver|an|stal|ten; Ver|an|stal|ter; Ver|an|stal|te|rin

Ver|an|stal|tung; Ver|an|stal|tungs|ka|len|der; Ver|an|stal|tungs|ort; Ver|an|stal|tungs|rei|he

ver|ant|wor|ten

ver|ant|wort|lich; Ver|ant|wort|li|che, der u. die; -n, -n; **Ver|ant|wort|lich|keit**

Ver|ant|wor|tung

ver|ant|wor|tungs|be|wusst; Ver|ant|wor|tungs|be|wusst|sein

ver|ant|wor|tungs|freu|dig

Ver|ant|wor|tungs|ge|fühl, das; -[e]s

ver|ant|wor|tungs|los; Ver|ant|wor|tungs|lo|sig|keit, die; -

Ver|ant|wor|tungs|trä|ger; Ver|ant|wor|tungs|trä|ge|rin

ver|ant|wor|tungs|voll

ver|äp|peln (ugs. für veralbern, anführen); ich veräpp[e]le ihn; **Ver|äp|pe|lung, Ver|äpp|lung**

ver|ar|beit|bar; Ver|ar|beit|bar|keit, die; -

ver|ar|bei|ten; Ver|ar|bei|tung

ver|ar|gen (geh.); jmdm. etwas verargen

ver|är|gern; Kunden verärgern; verärgert sein; **Ver|är|ge|rung**

ver|ar|men; Ver|ar|mung

Ver|ar|sche, die; - (derb); **ver|ar|schen** (derb für zum Narren halten); **Ver|ar|schung** (derb)

ver|arz|ten (ugs. für [ärztl.] behandeln); **Ver|arz|tung** (ugs.)

ver|aschen (Chemie ohne Flamme verbrennen)

ver|äs|teln, sich; sie sagt, die Straße veräst[e]le sich dort; **Ver|äs|te|lung,** seltener **Ver|äst|lung**

ver|ät|zen; Ver|ät|zung

ver|auk|ti|o|nie|ren (versteigern)

ver|aus|ga|ben (ausgeben); sich verausgaben (sich bis zur

Erschöpfung anstrengen); **Ver|aus|ga|bung**

ver|aus|la|gen; Ver|aus|la|gung

ver|äu|ßer|lich (verkäuflich)

ver|äu|ßer|li|chen (äußerlich, oberflächlich machen, werden); **Ver|äu|ßer|li|chung**

ver|äu|ßern (verkaufen); **Ver|äu|ße|rung**

Verb, das; -s, -en (lat.) (Sprachw. Zeitwort, Tätigkeitswort, z. B. »laufen, bauen«)

ver|bal (als Verb gebraucht; wörtlich; mündlich); verbale Klammer; **Ver|ba|le,** das; -s, ...lien meist Plur. (Sprachw. von einem Verb abgeleitetes Wort)

Ver|bal|in|ju|rie, die; -, -n (Beleidigung mit Worten)

ver|ba|li|sie|ren (in Worten ausdrücken; Sprachw. zu einem Verb umbilden)

Ver|ba|lis|mus, der; - (Vorherrschaft des Wortes statt der Sache [im Unterricht]); **ver|ba|lis|tisch**

ver|ba|li|ter (veraltend für wörtlich)

ver|bal|lern (ugs. für verschießen)

ver|bal|hor|nen ⟨nach dem Buchdrucker Bal[l]horn⟩ (verschlimmbessern); **Ver|ball|hor|nung**

Ver|bal|no|te ⟨lat.⟩ (zu mündlicher Mitteilung bestimmte vertrauliche diplomatische Note)

Ver|bal|stil, der; -[e]s (Stil, der das Verb bevorzugt; Ggs. Nominalstil); **Ver|bal|sub|stan|tiv** (Sprachw. zu einem Verb gebildetes Substantiv, das [zum Zeitpunkt der Bildung] eine Geschehensbezeichnung ist, z. B. »Gabe, Zerrüttung«)

Ver|band, der; -[e]s, ...bände

ver|ban|deln (landsch. für verbinden)

Ver|band|kas|ten vgl. Verbandskasten

Ver|bands|kas|se

Ver|bands|kas|ten, Ver|band|kas|ten

Ver|bands|lei|ter, der; **Ver|bands|lei|te|rin**

Ver|band[s]|ma|te|ri|al; Ver|band[s]|päck|chen; Ver|band[s]|platz

Ver|bands|prä|si|dent; Ver|bands|prä|si|den|tin

Ver|band[s]|stoff

Ver|bands|vor|sit|zen|de; Ver|bands|vor|stand

V

Verb

Ver|band[s]|wat|te; Ver|band[s]-
zeug; Ver|band[s]|zim|mer
ver|ban|nen; Ver|ban|nung; Ver-
ban|nungs|ort
ver|bar|ri|ka|die|ren
ver|ba|seln (landsch. für versäu-
men, vergessen, verlieren)
Ver|bas|kum, das; -s, ...ken ⟨lat.⟩
(Bot. Königskerze)
ver|bau|en
ver|bau|ern (abwertend für [geis-
tig] abstumpfen); ich ver-
bau[e]re; Ver|bau|e|rung, die; -
Ver|bau|ung
ver|be|am|ten; Ver|be|am|tung
ver|bei|ßen; die Hunde hatten
sich ineinander verbissen; sich
den Schmerz verbeißen (nicht
anmerken lassen); sich in eine
Sache verbeißen (ugs. für hartnäckig daran festhalten)
ver|bel|len (Jägerspr. durch Bel-
len zum verwundeten od. ver-
endeten Wild führen)
Ver|be|ne, die; -, -n ⟨lat.⟩ (Bot.
Eisenkraut)
ver|ber|gen vgl. auch ²verborgen;
Ver|ber|gung
Ver|bes|se|rer, Ver|beß|rer; Ver-
bes|se|rin, Ver|beß|rin
ver|bes|sern; Ver|bes|se|rung, Ver-
beß|rung
ver|bes|se|rungs|be|dürf|tig; ver-
bes|se|rungs|fä|hig
Ver|bes|se|rungs|vor|schlag
Ver|beß|rer usw. vgl. Verbesserer
usw.
ver|beu|gen, sich; Ver|beu|gung
ver|beu|len
ver|bie|gen; Ver|bie|gung
ver|bies|tern, sich (landsch. für
sich verirren; sich in etwas ver-
rennen); ich verbiestere mich;
ver|bies|tert (landsch. für ver-
stört)
ver|bie|ten; Betreten verboten!
ver|bil|den
ver|bild|li|chen; Ver|bild|li|chung
Ver|bil|dung
ver|bil|li|gen; Ver|bil|li|gung
ver|bim|sen (ugs. für verprügeln)
ver|bin|den; Ver|bin|der (Sport);
Ver|bin|de|rin
ver|bind|lich (höflich, zuvorkom-
mend; bindend, verpflichtend);
eine verbindliche Zusage; Ver-
bind|lich|keit; Ver|bind|lich-
keits|er|klä|rung
Ver|bin|dung; um sich in Verbin-
dung zu setzen
Ver|bin|dungs|frau (Abk. V-Frau)
Ver|bin|dungs|gra|ben; Ver|bin-
dungs|li|nie; Ver|bin|dungs|mann

Plur. ...männer u. ...leute (Abk.
V-Mann)
Ver|bin|dungs|of|fi|zier; Ver|bin-
dungs|of|fi|zie|rin
Ver|bin|dungs|stel|le; Ver|bin-
dungs|stra|ße; Ver|bin|dungs-
stück; Ver|bin|dungs|tür
Ver|biss, der; -es, -e (Jägerspr.
Abbeißen von Knospen, Trie-
ben u. Ä. durch Wild)
ver|bis|sen; ein verbissener Geg-
ner; ein verbissenes Gesicht;
Ver|bis|sen|heit
ver|bit|ten; ich habe mir eine sol-
che Antwort verbeten
ver|bit|tern; ich verbittere; verbit-
tert; Ver|bit|te|rung
¹ver|bla|sen (Jägerspr. erlegtes
Wild mit einem Hornsignal
anzeigen); den Hirsch, die Strecke verblasen
²ver|bla|sen (schwülstig); ein ver-
blasener Stil; Ver|bla|sen|heit
ver|blas|sen; die Farbe verblasst;
verblasste Kindheitserinnerun-
gen
ver|blät|tern; eine Seite verblät-
tern
ver|bläu|en (ugs. für verprügeln)
Ver|bleib, der; -[e]s
ver|blei|ben
Ver|blei|ben, das; -s; dabei muss
es sein Verbleiben haben
(Amtsspr.)
ver|blei|chen (bleich werden); du
verblichst; du verblichest; ver-
blichen; vgl. ²bleichen
ver|blei|en (mit Blei versehen,
auslegen; auch für plombie-
ren); Ver|blei|ung
ver|blen|den (Bauw. auch [Mau-
erwerk o. Ä. mit besserem
Material] verkleiden); Ver|blen-
dung
ver|bleu|en (alte Schreibung für
verbläuen)
ver|bli|chen; verblichenes Bild
Ver|bli|che|ne, der u. die; -n, -n
(geh. für Tote)
ver|blö|den (ugs.); Ver|blö|dung
ver|blüf|fen; verblüfft sein; ver-
blüf|fend; ver|blüfft|heit, die; -;
Ver|blüf|fung
ver|blü|hen
ver|blümt (umschreibend)
ver|blu|ten; Ver|blu|tung
ver|bo|cken (ugs. für fehlerhaft
ausführen; verderben, verpfu-
schen)
Ver|bod|mung (svw. Bodmerei)
ver|bo|gen; verbogenes Blech
ver|boh|ren, sich (ugs. für sich
verrennen); ver|bohrt; er ist

verbohrt (ugs. für uneinsichtig,
starrköpfig); Ver|bohrt|heit
(ugs.)
¹ver|bor|gen (ausleihen)

²ver|bor|gen

– eine verborgene Gefahr
– verborgene Talente
– ein verborgenes Tal

*Großschreibung der Substantivie-
rung* ↑K 72:

– das Verborgene u. das Sichtbare
– Gott, der ins Verborgene sieht
– im Verborgenen (unbemerkt)
bleiben
– im Verborgenen blühen

Ver|bor|gen|heit, die; -
ver|bos ⟨lat.⟩ (geh. für [allzu] wort-
reich, weitschweifig)
ver|bö|sern (scherzh. für schlim-
mer machen); ich verbösere
Ver|bot, das; -[e]s, -e; ver|bo|ten;
ver|bo|te|ner|wei|se
Ver|bots|schild, das; Ver|bots|ta|fel
ver|bots|wid|rig; Ver|bots|zei|chen
ver|brä|men (am Rand verzieren;
[eine Aussage] verschleiern,
ausschmücken); Ver|brä|mung
ver|bra|ten (ugs. für verbrauchen)
Ver|brauch, der; -[e]s, Plur.
(fachspr.) ...bräuche
ver|brau|chen; Ver|brau|cher
Ver|brau|cher|auf|klä|rung; Ver-
brau|cher|be|ra|tung; Ver|brau-
cher|ge|nos|sen|schaft (Konsum-
genossenschaft)
Ver|brau|che|rin
Ver|brau|cher|markt; Ver|brau|cher-
preis
Ver|brau|cher|schutz; Ver|brau|cher-
schüt|zer; Ver|brau|cher|schüt|ze-
rin; Ver|brau|cher|schutz|mi|nis-
ter; Ver|brau|cher|schutz|mi|nis-
te|rin
Ver|brau|cher|ver|band; Ver|brau-
cher|zen|t|ra|le
Ver|brauchs|gut; Ver|brauchs|len-
kung; Ver|brauchs|pla|nung
Ver|brauchs|steu|er; Ver|brauch-
steu|er, die
ver|bre|chen; Ver|bre|chen, das; -s,
-; Ver|bre|chens|be|kämp|fung
Ver|bre|cher; Ver|bre|cher|al|bum
(veraltend); Ver|bre|che|rin; ver-
bre|che|risch; Ver|bre|cher|jagd;
Ver|bre|cher|kar|tei; Ver|bre|cher-
tum, das; -s
ver|brei|ten; er hat diese Nachricht
verbreitet; sich verbreiten
(etwas ausführlich darstellen);

die verbreitets|te Meinung *(ugs.)*

Ver|brei|ter; Ver|brei|te|rin

ver|brei|tern (breiter machen); ich verbreitere; **Ver|brei|te|rung**

Ver|brei|tung, die; -; **Ver|brei|tungs|ge|biet**

ver|brenn|bar; ver|bren|nen; das Holz ist verbrannt; du hast dir den Mund verbrannt *(ugs. für dir durch Reden geschadet)*

Ver|bren|nung; Ver|bren|nungs|ma|schi|ne; Ver|bren|nungs|mo|tor

ver|brie|fen ([urkundlich] sicherstellen); ein verbrieftes Recht

ver|brin|gen *(Amtsspr. auch für* irgendwohin schaffen); jmdn. in Sicherheitsverwahrung verbringen; **Ver|brin|gung**

ver|brü|dern, sich; ich verbrüdere mich; **Ver|brü|de|rung**

ver|brü|hen; Ver|brü|hung

ver|bu|chen; Ver|bu|chung

ver|bud|deln *(ugs. für* vergraben)

Ver|bum, das; -s, *Plur.* ...ba u. ...ben ⟨lat.⟩ *(svw.* Verb); Verbum finitum *(Plur.* Verba finita; Personalform des Verbs)

ver|bum|fie|deln *(ugs. für* verschwinden; verlieren); ich verbumfied[e]le

ver|bum|meln; er hat seine Zeit verbummelt *(ugs. für* nutzlos vertan); **ver|bum|melt** *(ugs. für* heruntergekommen)

Ver|bund, der; -[e]s, *Plur.* -e u. Verbünde (Verbindung); **Ver|bund|bau|wei|se,** die; -

ver|bün|den, sich

Ver|bun|den|heit, die; -

Ver|bün|de|te, der u. die; -n, -n

ver|bund|fah|ren (innerhalb eines Verkehrsverbundes verschiedene öffentliche Verkehrsmittel benutzen)

Ver|bund|fens|ter; Ver|bund|glas

Ver|bund|lam|pe *(Bergmannsspr.* elektr. Lampe in Verbindung mit einer Wetterlampe)

Ver|bund|ma|schi|ne

Ver|bund|netz (zur gemeinsamen Stromversorgung)

Ver|bund|pflas|ter|stein

Ver|bund|ski|pass, Ver|bund|schi|pass

Ver|bund|sys|tem

Ver|bund|wirt|schaft, die; - (Zusammenschluss mehrerer Betriebe zur Steigerung der Wirtschaftlichkeit)

ver|bür|gen; sich verbürgen

ver|bür|ger|li|chen; Ver|bür|ger|li|chung, die; -

Ver|bür|gung

ver|bü|ßen; eine Strafe verbüßen

ver|bü|xen *(nordd. für* verprügeln); du verbüxt

Verb|zu|satz *(Sprachw.* der nicht verbale Bestandteil einer unfesten Zusammensetzung mit einem Verb als Grundwort, z. B. »durch« in »durchführen«)

ver|char|tern (ein Schiff od. Flugzeug vermieten)

ver|chro|men [...k...] (mit Chrom überziehen); **Ver|chro|mung**

Ver|cin|ge|to|rix (ein Gallierfürst)

Ver|dacht, der; -[e]s, *Plur.* -e u. Verdächte; **ver|däch|tig; ver|däch|ti|ge,** der u. die; -n, -n; **ver|däch|ti|gen; Ver|däch|ti|gung**

Ver|dachts|grund; Ver|dachts|mo|ment, das

ver|dad|deln *(bes. nordd. ugs. für* verspielen); ich verdadd[e]le

ver|dam|men; ver|dam|mens|wert

Ver|damm|nis, die; - *(Rel.)*

ver|dammt *(ugs. auch für* sehr); **Ver|dam|mung**

ver|damp|fen; Ver|damp|fer *(Technik)*

Ver|damp|fung; Ver|damp|fungs|an|la|ge

ver|dan|ken *(schweiz. auch für* für etwas Dank abstatten)

ver|darb vgl. verderben

ver|da|ten (in Daten umsetzen)

ver|dat|tert *(ugs. für* verwirrt)

ver|dau|en; ver|dau|lich; leicht verdauliche od. leichtverdauliche Nahrungsmittel; ein schwer verdauliches od. schwerverdauliches Essen; **Ver|dau|lich|keit,** die; -

Ver|dau|ung, die; -; **Ver|dau|ungs|ap|pa|rat; Ver|dau|ungs|be|schwer|den** *Plur.;* **Ver|dau|ungs|ka|nal; Ver|dau|ungs|or|gan; Ver|dau|ungs|stö|rung; Ver|dau|ungs|trakt**

Ver|deck, das; -[e]s, -e

ver|de|cken; verdeckte Ermittler; **ver|deck|ter|wei|se**

Ver|den (Al|ler) [f...] (Stadt an der Aller); **Ver|de|ner**

ver|den|ken; jmdm. etwas verdenken

Ver|derb, der; -[e]s; auf Gedeih und Verderb

ver|der|ben; du verdirbst; du verdarbst; du verdürbest; verdorben; verdirb!; das Fleisch ist verdorben; er hat mir den ganzen Ausflug verdorben

Ver|der|ben, das; -s

Ver|der|ben brin|gend, ver|der-

ben|brin|gend; eine Verderben bringende od. verderbenbringende Politik, *aber nur* eine großes Verderben bringende Politik, eine höchst verderbenbringende Politik ↑K58

Ver|der|ber; Ver|der|be|rin

ver|derb|lich; verderbliche Esswaren; **Ver|derb|lich|keit,** die; -

Ver|derb|nis, die; - *(veraltend)*

ver|derbt (verdorben [von Stellen in alten Handschriften]); **Ver|derbt|heit,** die; -

ver|deut|li|chen; Ver|deut|li|chung

ver|deut|schen; du verdeutschst; **Ver|deut|schung**

¹**Ver|di** (ital. Komponist)

²**Ver|di** = Vereinte Dienstleistungsgewerkschaft *(eigene Schreibung der Organisation:* ver.di)

ver|dicht|bar; ver|dich|ten; Ver|dich|ter *(Technik);* **Ver|dich|tung**

ver|di|cken; du verdickst; **Ver|di|ckung**

ver|die|nen; das Verdienen (der Gelderwerb) wird schwerer; **Ver|die|ner; Ver|die|ne|rin**

¹**Ver|dienst,** der; -[e]s, -e (Lohn, Gewinn)

²**Ver|dienst,** das; -[e]s, -e (Anspruch auf Anerkennung)

Ver|dienst|aus|fall; Ver|dienst|be|schei|ni|gung; Ver|dienst|ent|gang, der; -[e]s *(österr. für* Verdienstausfall); **Ver|dienst|gren|ze**

Ver|dienst|kreuz (ein Orden)

ver|dienst|lich

Ver|dienst|mög|lich|keit

Ver|dienst|or|den

Ver|dienst|span|ne

ver|dienst|voll

ver|dient; ver|dien|ter|ma|ßen; ver|dien|ter|wei|se

Ver|dikt, das; -[e]s, -e ⟨lat.⟩ ([Verdammungs]urteil)

Ver|ding, der; -[e]s, -e *(svw.* Verdingung); **ver|din|gen;** du verdingst; du verdingtest; verdungen, *auch* verdingt; verding[e]!; sich als Gehilfe verdingen

ver|ding|li|chen; Ver|ding|li|chung

Ver|din|gung *(veraltet)*

ver|dirbt vgl. verderben

ver|do|len ⟨zu Dole⟩ (überdecken)

ver|dol|met|schen; Ver|dol|met|schung

ver|don|nern *(ugs. für* verurteilen)

ver|don|nert *(ugs. veraltend für* erschreckt, bestürzt)

ver|dop|peln; Ver|dop|pe|lung, Ver|dopp|lung

ver|dor|ben vgl. verderben; **Ver|dor|ben|heit**

ver|dor|ren; verdorrt

V

verd

ver|dö|sen *(ugs.);* die Zeit verdö-
sen; *vgl.* dösen

ver|drah|ten (mit Draht verschlie-
ßen; *Elektrot.* mit Schaltdrähten
verbinden)

ver|drän|gen; Ver|drän|gung; Ver-
drän|gungs|me|cha|nis|mus; Ver-
drän|gungs|wett|be|werb

ver|dre|cken *(ugs. für* verschmut-
zen)

ver|dre|hen; Ver|dre|her *(ugs.);* Ver-
dre|he|rin; ver|dreht *(ugs. für*
verwirrt; verschroben); Ver-
dreht|heit *(ugs.);* Ver|dre|hung

ver|drei|fa|chen

ver|dre|schen *(ugs. für* verprügeln)

ver|drie|ßen (missmutig machen,
verärgern); du verdrießt, er verdrießt; du verdrossest, er ver-
dross; du verdrössest; verdros-
sen; verdrieß[e]!; es verdrießt
mich; ich lasse es mich nicht
verdrießen

ver|drieß|lich; Ver|drieß|lich|keit

ver|dril|len (miteinander verdre-
hen); Ver|dril|lung *(für* Torsion)

ver|dros|sen; Ver|dros|sen|heit

ver|dru|cken

ver|drü|cken *(ugs. auch für* essen);
sich verdrücken *(ugs. für* sich
heimlich entfernen)

Ver|druss, der; -es, -e

ver|duf|ten; [sich] verduften *(ugs.
für* sich unauffällig entfernen)

ver|dum|men; Ver|dum|mung

ver|dump|fen; Ver|dump|fung

Ver|dun [...'dœ:] (franz. Stadt)

ver|dun|keln; ich verdunk[e]le;
Ver|dun|ke|lung, Ver|dunk|lung;
Ver|dun|ke|lungs|ge|fahr, Ver-
dunk|lungs|ge|fahr, die; -

ver|dün|nen

ver|dün|ni|sie|ren, sich *(ugs. für*
sich entfernen)

Ver|dün|nung

ver|duns|ten (langsam verdamp-
fen); ver|düns|ten *(selten für* zu
Dunst machen); Ver|duns|tung,
die; -; Ver|düns|tung, die; -; Ver-
duns|tungs|käl|te *(Physik);* Ver-
duns|tungs|mes|ser, der

Ver|du|re [...'dy:...], die; -, -n
⟨franz.⟩ (ein in grünen Farben
gehaltener Wandteppich)

ver|durs|ten

ver|düs|tern; ich verdüstere

ver|dut|zen (verwundern); ver-
dutzt (verwirrt); Ver|dutzt|heit

ver|eb|ben

ver|edeln; ich vered[e]le; Ver|ede-
lung, Ver|ed|lung; Ver|ede|lungs-
ver|fah|ren, Ver|ed|lungs|ver|fah-
ren

ver|ehe|li|chen, sich; Ver|ehe|li-
chung

ver|eh|ren; Ver|eh|rer; Ver|eh|re|rin
Ver|eh|rung, die; -; ver|eh|rungs-
voll; ver|eh|rungs|wür|dig

ver|ei|di|gen; vereidigte Sachver-
ständige; Ver|ei|di|gung

Ver|ein, der; -[e]s, -e; im Verein
mit ...; Verein Deutscher Ingenieure *(Abk.* VDI); *vgl.* eingetragen

ver|ein|bar

ver|ein|ba|ren

Ver|ein|bar|keit

ver|ein|bar|ter|ma|ßen; Ver|ein|ba-
rung; ver|ein|ba|rungs|ge|mäß

ver|ei|nen, ver|ei|ni|gen; vereint
(vgl. d.)

ver|ein|fa|chen; Ver|ein|fa|chung

ver|ein|heit|li|chen; Ver|ein|heit|li-
chung

ver|ei|ni|gen

Ver|ei|nig|te Ara|bi|sche Emi|ra|te
(Staat am Pers. Golf)

Ver|ei|nig|tes Kö|nig|reich [Groß-
bri|tan|ni|en und Nord|ir|land]

Ver|ei|nig|te Staa|ten [von Ame|ri-
ka] *vgl.* US[A] *u.* Ver. St. v. A.

Ver|ei|ni|gung; Ver|ei|ni|gungs|frei-
heit (Koalitionsfreiheit)

ver|ein|nah|men (einnehmen); Ver-
ein|nah|mung

ver|ein|sa|men; Ver|ein|sa|mung

ver|ein|sei|ti|gen (in einseitiger
Weise darstellen)

Ver|eins|elf, die *(Fußball);* Ver-
eins|far|be *meist Plur.;* Ver|eins-
haus; Ver|eins|lei|tung; Ver|eins-
lo|kal; Ver|eins|mann|schaft

Ver|eins|mei|er *(ugs. abwertend);*
Ver|eins|mei|e|rei

Ver|eins|re|gis|ter

Ver|eins|sat|zung; Ver|eins|sport;
Ver|eins|wech|sel; Ver|eins|we-
sen, das; -s

ver|eint; mit vereinten Kräften,
aber ↑K150 : die Vereinten
Nationen *(Abk.* UN, VN)

ver|ein|zeln; ich vereinz[e]le; ver-
ein|zelt; vereinzelte Nieder-
schläge; Vereinzelte saßen im
Freien; Ver|ein|ze|lung

ver|ei|sen (von Eis bedeckt wer-
den; *Med.* durch Kälte unempfindlich machen); die Tragflä-
chen ver|eis|ten; ver|eist; Ver|ei-
sung

ver|ei|teln; ich vereit[e]le; Ver|ei-
te|lung, Ver|eit|lung

ver|ei|tern; Ver|ei|te|rung

Ver|eit|lung *vgl.* Vereitelung

ver|ekeln; jmdm. etwas verekeln;
Ver|eke|lung, Ver|ek|lung

ver|elen|den; Ver|elen|dung; Ver-
elen|dungs|the|o|rie, die; -
(Theorie, nach der sich die
Lebensverhältnisse der Arbei-
terklasse im Kapitalismus ständig verschlechtern)

Ve|re|na (w. Vorn.)

ver|en|den

ver|en|gen; ver|en|gern; Ver|en|ge-
rung; Ver|en|gung

ver|erb|bar

ver|er|ben; ver|erb|lich

Ver|er|bung; Ver|er|bungs|leh|re

ver|es|tern *(Chemie* zu Ester
umwandeln); ich verestere; Ver-
es|te|rung

ver|ewi|gen; ver|ewig|te, der *u.*
die; -n, -n; Ver|ewi|gung

Verf. = Verfasser, Verfasserin

¹ver|fah|ren (vorgehen, handeln);
ich bin so verfahren, dass ...; so
darfst du nicht mit ihr verfahren
(umgehen); ich habe mich verfahren (bin einen falschen Weg
gefahren); ↑K82 : ein Verfahren
ist auf dieser Strecke kaum
möglich

²ver|fah|ren (ausweglos scheinend);
verfahrene Situation

Ver|fah|ren, das; -s, -; ein neues
Verfahren; Ver|fah|rens|fra|ge

Ver|fah|rens|recht, das; -[e]s; ver-
fah|rens|recht|lich

Ver|fah|rens|re|gel; Ver|fah|rens-
tech|nik; Ver|fah|rens|wei|se

Ver|fall, der; -[e]s; in Verfall gera-
ten; ver|fal|len; das Haus ist ver-
fallen; er ist dem Alkohol verfal-
len

Ver|fall|er|klä|rung *(Rechtsspr.)*

Ver|fall[s]|da|tum

Ver|falls|er|schei|nung

Ver|fall[s]|tag; Ver|fall[s]|zeit

ver|fäl|schen; Ver|fäl|schung

ver|fan|gen; sich verfangen; du
hast dich in Widersprüchen ver-
fangen

ver|fäng|lich; eine verfängliche
Situation; Ver|fäng|lich|keit

ver|fär|ben; Ver|fär|bung

ver|fas|sen; sie hat den Brief ver-
fasst

Ver|fas|ser; Ver|fas|se|rin; Ver|fas-
ser|schaft, die; -

Ver|fas|sung; ver|fas|sung|ge|bend

Ver|fas|sungs|än|de|rung; Ver|fas-
sungs|be|schwer|de; Ver|fas-
sungs|bruch

Ver|fas|sungs|feind; Ver|fas|sungs-
fein|din; ver|fas|sungs|feind|lich

ver|fas|sungs|ge|mäß

Ver|fas|sungs|ge|richt; Ver|fas-

sungs|ge|richts|hof *(österr.);* Ver|fas|sungs|kla|ge
ver|fas|sungs|kon|form; ver|fas|sungs|mä|ßig
Ver|fas|sungs|ord|nung; Ver|fas|sungs|recht; ver|fas|sungs|recht|lich; Ver|fas|sungs|rich|ter; Ver|fas|sungs|rich|te|rin
Ver|fas|sungs|schutz; Ver|fas|sungs|schüt|zer *(ugs.);* Ver|fas|sungs|schüt|ze|rin
ver|fas|sungs|treu; Ver|fas|sungs|ur|kun|de; ver|fas|sungs|wid|rig
ver|fau|len; Ver|fau|lung
ver|fech|ten (verteidigen); er hat sein Recht tatkräftig verfochten; Ver|fech|ter; Ver|fech|te|rin; Ver|fech|tung, die: -
ver|feh|len (nicht erreichen, nicht treffen); sich verfehlen *(veraltend für* eine Verfehlung begehen); Ver|feh|lung
ver|fein|den, sich; sich mit jmdm. verfeinden; Ver|fein|dung
ver|fei|nern; ich verfeinere; Ver|fei|ne|rung
ver|fe|men (für vogelfrei erklären; ächten); Ver|fem|te, der u. die; -n, -n; Ver|fe|mung
ver|fer|ti|gen; Ver|fer|ti|gung
ver|fes|ti|gen; Ver|fes|ti|gung
ver|fet|ten; Ver|fet|tung
ver|feu|ern; ich verfeuere
ver|fil|men; Ver|fil|mung
ver|fil|zen; du verfilzt; Ver|fil|zung
ver|fins|tern; ich verfinstere; Ver|fins|te|rung
ver|fit|zen *(ugs. für* verwirren); sie hat die Wolle verfitzt
ver|fla|chen; Ver|fla|chung
ver|flech|ten; Ver|flech|tung
ver|flie|gen (verschwinden); der Zorn ist verflogen; sich verfliegen (mit dem Flugzeug vom Kurs abkommen)
ver|flie|ßen *vgl.* verflossen
ver|flixt *(ugs. für* verflucht; *auch für* unangenehm, ärgerlich)
Ver|floch|ten|heit, die: -
ver|flos|sen; verflossene *od.* verflossne Tage; Ver|flos|se|ne, der u. die; -n, -n *(ugs. für* früherer Freund *od.* Ehemann, frühere Freundin *od.* Ehefrau)
ver|flu|chen; ver|flucht (verdammt; sehr); so ein verfluchter Idiot; es ist verflucht heiß; verflucht u. zugenäht!
ver|flüch|ti|gen; sich verflüchtigen *(auch ugs. scherzh. für* sich heimlich entfernen); Ver|flüch|ti|gung
Ver|flu|chung

ver|flüs|si|gen; Ver|flüs|si|gung
Ver|folg, der; -[e]s *(Amtsspr.* Verlauf); *nur in* im *od.* in Verfolg der Sache
ver|fol|gen; Ver|fol|ger; Ver|fol|ge|rin; Ver|folg|te, der u. die; -n, -n
Ver|fol|gung; Ver|fol|gungs|jagd; Ver|fol|gungs|ren|nen *(Radsport);* Ver|fol|gungs|wahn
ver|form|bar; Ver|form|bar|keit
ver|for|men; Ver|for|mung
ver|frach|ten; Ver|frach|ter; Ver|frach|tung
ver|fran|zen, sich *(Fliegerspr.* sich verfliegen; *ugs. auch für* sich verirren); du verfranzt dich
ver|frem|den; Ver|frem|dung; Ver|frem|dungs|ef|fekt
¹ver|fres|sen *(derb für* für Essen ausgeben); sein ganzes Geld verfressen
²ver|fres|sen *(derb für* gefräßig)
Ver|fres|sen|heit, die; - *(derb)*
ver|fro|ren
ver|frü|hen, sich; ver|früht; sein Dank kam verfrüht; Ver|frü|hung, die: -
ver|füg|bar; verfügbares Kapital; Ver|füg|bar|keit, die: -
ver|fu|gen; Kacheln verfugen
ver|fü|gen (bestimmen, anordnen; besitzen)
Ver|fü|gung
Ver|fü|gung ↑ K 31 : zur Verfügung u. bereithalten, *aber* bereit- u. zur Verfügung halten; ver|fü|gungs|be|rech|tigt
Ver|fü|gungs|ge|walt
ver|füh|ren; Ver|füh|rer; Ver|füh|re|rin; ver|füh|re|risch
Ver|füh|rung; Ver|füh|rungs|kunst
ver|fuhr|wer|ken *(schweiz. für* verpfuschen)
ver|füt|tern (als ¹Futter geben)
Ver|ga|be, die; -, -n; Vergabe von Arbeiten; Ver|ga|be|kri|te|ri|um
ver|ga|ben *(schweiz. für* [testamentarisch] schenken, vermachen); Ver|ga|bung *(schweiz. für* Schenkung, Vermächtnis)
ver|gack|ei|ern *(ugs. für* zum Narren halten); ich vergackeiere
ver|gaf|fen, sich *(ugs. für* sich verlieben)
ver|gagt [...'gɛ...] ⟨dt.; engl.-amerik.⟩ *(ugs. für* voller Gags)
ver|gäl|len (verbittern; *Chemie* ungenießbar machen); er hat ihm die Freude vergällt; vergällter Alkohol; Ver|gäl|lung
ver|ga|lop|pie|ren, sich *(ugs. für* irren, einen Missgriff tun)
ver|gam|meln *(ugs. für* verderben;

verwahrlosen); die Zeit vergammeln *(ugs. für* vertrödeln)
ver|gan|den ⟨*zu* Gand⟩ *(schweiz. für* verwildern [von Alpweiden]); Ver|gan|dung
Ver|gan|gen|heit; Ver|gan|gen|heits|be|wäl|ti|gung, die; -; Ver|gan|gen|heits|form *(Sprachw.)*
ver|gäng|lich; Ver|gäng|lich|keit
ver|gan|ten ⟨*zu* Gant⟩ *(südd., österr. mdal. veraltet u. schweiz. für* zwangsversteigern); Ver|gan|tung
ver|ga|sen *(Chemie* in gasförmigen Zustand überführen; mit [Gift]gasen verseuchen, töten); Ver|ga|ser (Vorrichtung zur Erzeugung des Luft-Kraftstoff-Gemisches für Verbrennungskraftmaschinen)
ver|gaß *vgl.* vergessen
Ver|ga|sung
ver|gat|tern (mit einem Gatter versehen; *ugs. für* jmdn. zu etwas verpflichten); ich vergattere; Ver|gat|te|rung
ver|ge|ben; eine Chance vergeben; er hat diesen Auftrag vergeben; seine Sünden sind ihm vergeben worden; ich vergebe mir nichts, wenn ...
ver|ge|bens
Ver|ge|ber; Ver|ge|be|rin
ver|geb|lich; Ver|geb|lich|keit
Ver|ge|bung *(geh.)*
ver|ge|gen|ständ|li|chen; Ver|ge|gen|ständ|li|chung
ver|ge|gen|wär|ti|gen [*auch* ... ve...], sich; Ver|ge|gen|wär|ti|gung
ver|ge|hen; die Jahre sind vergangen; sich vergehen; er hat sich an ihr vergangen; Ver|ge|hen, das; -s, -
ver|gei|gen *(ugs. für* zu einem Misserfolg machen)
ver|gei|len *(Bot.* durch Lichtmangel aufschießen [von Pflanzen]); Ver|gei|lung
ver|geis|ti|gen; Ver|geis|ti|gung
ver|gel|ten; sie hat immer Böses mit Gutem vergolten; vergilt!; jemandem ein »Vergelts Gott!« zurufen ↑ K 14
Ver|gel|tung; Ver|gel|tungs|ak|ti|on; Ver|gel|tungs|maß|nah|me; Ver|gel|tungs|schlag; Ver|gel|tungs|waf|fe
ver|ge|sell|schaf|ten; Ver|ge|sell|schaf|tung
ver|ges|sen; du vergisst, er vergisst; du vergaßest; du vergäßest; vergessen; vergiss!; etwas

vergessen; die Arbeit über dem Vergnügen vergessen; auf etwas vergessen (*landsch., bes. südd. u. österr. für* an etwas nicht rechtzeitig denken)

Ver|ges|sen|heit, die; -

ver|gess|lich; Ver|gess|lich|keit

ver|geu|den; ver|geu|de|risch; Ver|geu|dung

ver|ge|wal|ti|gen; Ver|ge|wal|ti|ger; Ver|ge|wal|ti|ge|rin; Ver|ge|wal|ti|gung; Ver|ge|wal|ti|gungs|op|fer

ver|ge|wis|sern, sich; ich vergewissere mich ihrer Sympathie; Ver|ge|wis|se|rung

ver|gie|ßen

ver|gif|ten

Ver|gif|tung; Ver|gif|tungs|er|scheinung; Ver|gif|tungs|ge|fahr

Ver|gil (altröm. Dichter)

ver|gil|ben; vergilbte Papiere, Gardinen

Ver|gi|li|us *vgl.* Vergil

ver|gip|sen; du vergipst

Ver|giss|mein|nicht, das; -[e]s, -[e] (eine Blume)

ver|gisst *vgl.* vergessen

ver|git|tern; ich vergittere

ver|gla|sen; du verglast; er verglaste; verglaste (glasige, starre) Augen; Ver|gla|sung

Ver|gleich, der; -[e]s, -e; im Vergleich mit, zu ...; ein gütlicher Vergleich

ver|gleich|bar; Ver|gleich|bar|keit

ver|glei|chen; sie hat beide Bilder verglichen; sich vergleichen; die Parteien haben sich verglichen; die vergleichende Anatomie; vergleich[e]! (*Abk.* vgl.)

Ver|gleichs|form (*svw.* Steigerungsform)

Ver|gleichs|gläu|bi|ger (*Rechtsspr.*); Ver|gleichs|gläu|bi|ge|rin

Ver|gleichs|grö|ße; Ver|gleichs-grup|pe; Ver|gleichs|kampf (*Sport*); Ver|gleichs|mög|lich|keit; Ver|gleichs|ob|jekt; Ver|gleichs-par|ti|kel (*Sprachw.*)

Ver|gleichs|schuld|ner (*Rechtsspr.*); Ver|gleichs|schuld|ne|rin

Ver|gleichs|test

Ver|gleichs|ver|fah|ren

ver|gleichs|wei|se

Ver|gleichs|zahl

Ver|glei|chung

ver|glet|schern; Ver|glet|sche|rung

ver|glim|men

ver|glü|hen

ver|gnat|zen (*landsch. für* verärgern); ich bin vergnatzt

ver|gnü|gen; sich vergnügen; Ver-

gnü|gen, das; -s, -; viel Vergnügen!; ver|gnü|gens|hal|ber

ver|gnüg|lich; ver|gnügt

Ver|gnü|gung *meist Plur.*; Ver|gnü-gungs|fahrt

ver|gnü|gungs|hal|ber

ver|gnü|gungs|hung|rig

Ver|gnü|gungs|in|dus|t|rie; Ver|gnü-gungs|park; Ver|gnü|gungs|rei|se; Ver|gnü|gungs|steu|er

Ver|gnü|gungs|sucht, die; -; ver|gnü|gungs|süch|tig

Ver|gnü|gungs|vier|tel

ver|gol|den; Ver|gol|der; Ver|gol-de|rin; Ver|gol|dung

ver|gön|nen ([aus Gunst] gewähren); es ist mir vergönnt

ver|got|ten (*svw.* vergöttlichen)

ver|göt|tern; ich vergöttere; Ver-göt|te|rung

ver|gött|li|chen (zum Gott machen; als Gott verehren); Ver-gött|li|chung

Ver|got|tung

ver|gra|ben

ver|grä|men (verärgern; *Jägerspr.* verscheuchen); ver|grämt

ver|grät|zen (*landsch. für* verärgern); du vergrätzt

ver|grau|en (grau werden); ver-graute Wäsche

ver|grau|len (*ugs. für* verärgern [u. dadurch vertreiben])

ver|grei|fen; sich an jmdm., an einer Sache vergreifen; du hast dich im Ton vergriffen

ver|grei|sen; du vergreist; er vergreis|te; Ver|grei|sung (das Vergreistsein; das Vergreisen)

ver|grel|len (*landsch. für* zornig machen); man hat ihn vergrellt

ver|grif|fen; das Buch ist vergriffen (nicht mehr lieferbar)

ver|grö|bern; Ver|grö|be|rung

Ver|grö|ße|rer (*Optik*)

ver|grö|ßern; ich vergrößere

Ver|grö|ße|rung; Ver|grö|ße|rungs-ap|pa|rat; Ver|grö|ße|rungs|glas; Ver|grö|ße|rungs|spie|gel

ver|gu|cken, sich (*ugs. für* sich verlieben)

ver|gül|den (*geh. für* vergolden)

Ver|gunst; *nur noch in* mit Vergunst (mit Verlaub); ver|güns|ti-gen (*veraltet*)

Ver|güns|ti|gung

ver|gur|ken (*ugs. für* verderben)

ver|gü|ten (*auch für* veredeln); Ver-gü|tung

verh. = verheiratet (*Zeichen* ∞)

ver|ha|bern, sich (*österr. ugs. für* sich verbünden, paktieren); mit

jmdm. verhabert sein; Ver|ha|be-rung

Ver|ha|ckert, das; -s (*österr. für* Brotaufstrich aus Schweinefett u. a.)

ver|hack|stü|cken (*ugs.* bis ins Kleinste besprechen u. kritisieren)

Ver|haft, der; -[e]s (*veraltet für* Verhaftung)

ver|haf|ten; ver|haf|tet (*auch für* eng verbunden); einer Sache verhaftet sein

Ver|haf|te|te, der u. die; -n, -n

Ver|haf|tung; Ver|haf|tungs|wel|le

ver|ha|geln; ich verhag[e]le

ver|ha|ken, sich; die Geweihe verhakten sich ineinander

ver|hal|len; sein Ruf verhallte

Ver|halt, der; -[e]s, -e (*veraltet für* Verhalten; Sachverhalt)

¹ver|hal|ten (stehen bleiben; zurückhalten; *österr. u. schweiz. Amtsspr.* zu etwas verpflichten); sie verhielt auf der Treppe; er verhält den Harn; ich habe mich abwartend verhalten; (*österr., schweiz.:*) die Behörde verhielt ihn zur Zahlung einer Geldbuße

²ver|hal|ten; verhaltener (gedämpfter, unterdrückter) Zorn; verhaltene (verzögerte) Schritte; verhaltener (gezügelter) Trab

Ver|hal|ten, das; -s

Ver|hal|ten|heit, die; -

Ver|hal|tens|auf|fäl|lig (*Psych.*); Ver|hal|tens|auf|fäl|lig|keit (*Psych.*)

Ver|hal|tens|for|scher; Ver|hal|tens-for|sche|rin; Ver|hal|tens|for-schung; Ver|hal|tens|fra|ge

ver|hal|tens|ge|stört (*svw.* verhaltensauffällig)

Ver|hal|tens|maß|re|gel *meist Plur.*; Ver|hal|tens|mus|ter (*Psych.*); Ver|hal|tens|re|gel; Ver|hal|tens-steu|e|rung

Ver|hal|tens|the|ra|peut; Ver|hal-tens|the|ra|peu|tin; Ver|hal|tens-the|ra|pie

Ver|hal|tens|wei|se

Ver|hält|nis, das; -ses, -se; geordnete Verhältnisse; Ver|hält|nis-glei|chung (*Math.*)

ver|hält|nis|mä|ßig; Ver|hält|nis|mä-ßig|keit *Plur. selten*

Ver|hält|nis|wahl; Ver|hält|nis|wahl-recht; Ver|hält|nis|wort *Plur.* ...wörter (*für* Präposition); Ver-hält|nis|zahl

Ver|hal|tung; Ver|hal|tungs|maß|re-gel

ver|han|del|bar; ver|han|deln; über,

selten um etwas verhandeln;
Ver|hand|lung; Ver|hand|lungs|ba|sis

ver|hand|lungs|be|reit; Ver|hand|lungs|be|reit|schaft, die; -

ver|hand|lungs|fä|hig

Ver|hand|lungs|füh|rer; Ver|hand|lungs|füh|re|rin

Ver|hand|lungs|grund|la|ge

Ver|hand|lungs|part|ner; Ver|hand|lungs|part|ne|rin

Ver|hand|lungs|spra|che

Ver|hand|lungs|tisch; sich an den Verhandlungstisch setzen; an den Verhandlungstisch zurückkehren; Ver|hand|lungs|weg; *nur in* auf dem Verhandlungsweg (durch Verhandeln)

ver|han|gen; ein verhangener Himmel

ver|hän|gen *vgl.* ²hängen; mit verhängten (locker gelassenen) Zügeln

Ver|häng|nis, das; -ses, -se; ver|häng|nis|voll

Ver|hän|gung

ver|harm|lo|sen; du verharmlost; er verharmlos|te; Ver|harm|lo|sung

ver|härmt

ver|har|ren (*geh.*); Ver|har|rung

ver|har|schen; Ver|har|schung

ver|här|ten; Ver|här|tung

ver|has|peln (verwirren); ich verhasp[e]le mich (*ugs. für* verwirre mich beim Sprechen); Ver|has|pe|lung, Ver|hasp|lung

ver|hasst

ver|hät|scheln (*ugs. für* verzärteln); Ver|hät|sche|lung, Ver|hätsch|lung

Ver|hau, der *od.* das; -[e]s, -e

¹ver|hau|en (*ugs. für* durchprügeln); er verhaute ihn; sich verhauen (*ugs.* sich schwer irren)

²ver|hau|en (*ugs. für* unmöglich); der sieht ja verhauen aus

ver|he|ben, sich

ver|hed|dern (*ugs. für* verwirren); ich verheddere [mich]

ver|hee|ren (verwüsten, zerstören); ver|hee|rend; das ist verheerend (sehr unangenehm; furchtbar); verheerende Folgen haben; Ver|hee|rung

ver|heh|len (*geh.*); er hat uns die Wahrheit verhehlt

ver|hei|len; Ver|hei|lung

ver|heim|li|chen; Ver|heim|li|chung

ver|hei|ra|ten; sich verheiraten

ver|hei|ra|tet (*Abk.* verh.; *Zeichen* ∞); Ver|hei|ra|te|te, der *u.* die; -n, -n; Ver|hei|ra|tung

ver|hei|ßen; sie hat mir das verheißen; *vgl.* ¹heißen

Ver|hei|ßung; ver|hei|ßungs|voll

ver|hei|zen; du verheizt Kohlen; jmdn. verheizen (*ugs. für* jmdn. rücksichtslos einsetzen)

ver|hel|fen; sie hat mir dazu verholfen

ver|herr|li|chen; Ver|herr|li|chung

ver|het|zen; Ver|het|zung

ver|heu|ern (*Seemannsspr. svw.* heuern); ich verheuere

ver|heult (*ugs. für* verweint)

ver|he|xen; das ist wie verhext!; Ver|he|xung

Ver|hieb (*Bergmannsspr.* Art u. Richtung, in der der Kohlenstoß abgebaut wird)

ver|him|meln (*ugs. für* vergöttern)

ver|hin|dern; Ver|hin|de|rung; Ver|hin|de|rungs|fall, der; *nur in* im Verhinderungsfall[e] (*Amtsspr.*)

ver|hoch|deut|schen

ver|hof|fen (sichern [vom Wild])

ver|hoh|len (verborgen); mit kaum verhohlener Schadenfreude

ver|höh|nen; ver|hoh|ne|pi|peln (*ugs. für* verspotten); ich verhohnepip[e]le; Ver|höh|nung

ver|hö|kern (*ugs. für* [billig] verkaufen)

Ver|hol|bo|je (*Seemannsspr.*); ver|ho|len ([ein Schiff] an eine andere Stelle bringen)

ver|hol|zen; Ver|hol|zung

Ver|hör, das; -[e]s, -e; ver|hö|ren; ver|hor|nen; Ver|hor|nung

ver|hu|deln (*landsch.* durch Hast, Nachlässigkeit verderben)

ver|hül|len; ver|hüllt; eine kaum verhüllte Drohung; Ver|hül|lung

ver|hun|dert|fa|chen

ver|hun|gern ↑K82 : vor dem Verhungern retten

ver|hun|zen (*ugs. für* verderben; verunstalten); du verhunzt; Ver|hun|zung (*ugs.*)

ver|hu|ren (*derb für* [sein Geld] bei Prostituierten ausgeben); ver|hurt (*derb für* sexuell ausschweifend)

ver|huscht (*ugs. für* scheu u. zaghaft)

ver|hü|ten (verhindern)

ver|hüt|ten (Erz auf Hüttenwerken verarbeiten); Ver|hüt|tung

Ver|hü|tung; Ver|hü|tungs|me|tho|de; Ver|hü|tungs|mit|tel

ver|hut|zelt (zusammengeschrumpft)

Ve|ri|fi|ka|ti|on, die; -, -en ⟨lat.⟩ (das Verifizieren; ve|ri|fi|zier|bar

(nachprüfbar); Ve|ri|fi|zier|bar|keit, die; -

ve|ri|fi|zie|ren (durch Überprüfen die Richtigkeit bestätigen)

ver|in|ner|li|chen; Ver|in|ner|li|chung

ver|ir|ren, sich; Ver|ir|rung

Ve|ris|mus, der; - ⟨lat.⟩ (krass wirklichkeitsgetreue künstlerische Darstellung); Ve|rist, der; -en, -en; Ve|ris|tin; ve|ris|tisch

ve|ri|ta|bel ⟨franz.⟩ (wahrhaft; echt); ...a|b|le Größe

ver|ja|gen

ver|jäh|ren; Ver|jäh|rung; Ver|jäh|rungs|frist

ver|jaz|zen; ein verjazztes Lied

ver|ju|beln (*ugs. für* [sein Geld] für Vergnügungen ausgeben)

ver|jün|gen; er hat das Personal verjüngt; sich verjüngen; die Säule verjüngt sich (wird [nach oben] dünner)

Ver|jün|gung; Ver|jün|gungs|kur

ver|ju|xen (*ugs. für* vergeuden, verulken); du verjuxt

ver|ka|beln (mit Kabeln anschließen); Ver|ka|be|lung

ver|kad|men ⟨griech.⟩; *vgl.* kadmieren

ver|kal|ben; die Kuh hat verkalbt

ver|kal|ken (*ugs. auch für* alt werden, die geistige Frische verlieren)

ver|kal|ku|lie|ren, sich (sich verrechnen, falsch veranschlagen)

Ver|kal|kung

ver|ka|mi|so|len (*ugs. veraltend für* verprügeln)

ver|kannt; ein verkanntes Genie

ver|kan|ten

ver|kap|pen (unkenntlich machen); ver|kappt; ein verkappter Spion, Betrüger; Ver|kap|pung

ver|kap|seln; ich verkaps[e]le; Ver|kap|se|lung, Ver|kaps|lung

ver|kars|ten (zu ²Karst werden); Ver|kars|tung

ver|kar|ten (für eine Kartei auf Karten schreiben); Ver|kar|tung

ver|ka|se|ma|tu|ckeln (*ugs. für* verkonsumieren; genau erklären); ich verkasematuck[e]le

ver|kä|sen (zu Käse werden)

ver|käs|teln (einschachteln)

ver|käs|ten (*Bergbau* auszimmern); Ver|kä|s|ung

ver|ka|tert (*ugs. für* an den Folgen übermäßigen Alkoholgenusses leidend)

Ver|kauf, der; -[e]s, ...käufe; der Verkauf von Textilien, *in der*

Kaufmannsspr. gelegentl. auch der Verkauf in Textilien; An- und Verkauf ↑K 31

ver|kau|fen; du verkaufst; er verkauft, verkaufte, hat verkauft (*nicht korrekt:* du verkäufst; er verkäuft)

Ver|käu|fer; Ver|käu|fe|rin

ver|käuf|lich; Ver|käuf|lich|keit

Ver|kaufs|ab|tei|lung; Ver|kaufs|aus|stel|lung; Ver|kaufs|be|din|gung; Ver|kaufs|er|lös; Ver|kaufs|fah|rer; Ver|kaufs|fah|re|rin; Ver|kaufs|flä|che

ver|kaufs|för|dernd; Ver|kaufs|för|de|rung

Ver|kaufs|ge|spräch; Ver|kaufs|hit (*ugs.*); Ver|kaufs|lei|ter, der; Ver|kaufs|lei|te|rin

ver|kaufs|of|fen; verkaufsoffener Sonntag

Ver|kaufs|preis; Ver|kaufs|raum; Ver|kaufs|schla|ger; Ver|kaufs|stand; Ver|kaufs|stel|le; Ver|kaufs|tisch; Ver|kaufs|zahl *meist Plur.*

Ver|kehr, der; *Gen.* -s, *seltener* -es, *Plur. (fachspr.)* -e; ver|keh|ren

ver|kehr|lich; verkehrliche Erschließung

Ver|kehrs|ader; Ver|kehrs|am|pel; Ver|kehrs|amt; Ver|kehrs|auf|kom|men

ver|kehrs|be|ru|higt; Ver|kehrs|be|ru|hi|gung

Ver|kehrs|be|trieb *meist Plur.*; Ver|kehrs|bü|ro; Ver|kehrs|cha|os; Ver|kehrs|de|likt

Ver|kehrs|dich|te, die; -; Ver|kehrs|dis|zi|p|lin, die; -; Ver|kehrs|er|zie|hung; Ver|kehrs|fluss, der; ...flusses; ver|kehrs|frei

Ver|kehrs|funk; Ver|kehrs|ge|fähr|dung; Ver|kehrs|ge|sche|hen

ver|kehrs|güns|tig

Ver|kehrs|hin|der|nis; Ver|kehrs|in|sel; Ver|kehrs|kno|ten|punkt; Ver|kehrs|kon|t|rol|le; Ver|kehrs|la|ge; Ver|kehrs|lärm; Ver|kehrs|leit|sys|tem; Ver|kehrs|mel|dung

Ver|kehrs|mi|nis|ter; Ver|kehrs|mi|nis|te|rin

Ver|kehrs|mit|tel

Ver|kehrs|netz; Ver|kehrs|op|fer; Ver|kehrs|ord|nung

Ver|kehrs|plan; Ver|kehrs|pla|nung

Ver|kehrs|po|li|tik; Ver|kehrs|po|li|tisch

Ver|kehrs|po|li|zei; Ver|kehrs|recht

Ver|kehrs|re|ge|lung, Ver|kehrs|reg|lung

ver|kehrs|reich

Ver|kehrs|row|dy *(abwertend)*

Ver|kehrs|schild, das

Ver|kehrs|schrift, die; - (erster Grad der Kurzschrift)

Ver|kehrs|schutz|mann

ver|kehrs|si|cher; Ver|kehrs|si|cher|heit, die; -

Ver|kehrs|si|g|nal

Ver|kehrs|spra|che

Ver|kehrs|sta|tis|tik

Ver|kehrs|stau; Ver|kehrs|steu|er, die *(Wirtsch.)*; Ver|kehrs|sto|ckung

Ver|kehrs|stö|rung; Ver|kehrs|strei|fe; Ver|kehrs|sün|der *(ugs.)*; Ver|kehrs|sün|de|rin

Ver|kehrs|taug|lich|keit

Ver|kehrs|teil|neh|mer; Ver|kehrs|teil|neh|me|rin

Ver|kehrs|to|te *meist Plur.*; Ver|kehrs|tüch|tig|keit; Ver|kehrs|un|fall

Ver|kehrs|ver|bin|dung; Ver|kehrs|ver|bund

Ver|kehrs|ver|ein; Ver|kehrs|vor|schrift; Ver|kehrs|wacht; Ver|kehrs|weg; Ver|kehrs|wert *(Wirtsch.)*; Ver|kehrs|we|sen

ver|kehrs|wid|rig

Ver|kehrs|zei|chen

ver|kehrt; verkehrt herum; Ver|kehrt|heit; Ver|keh|rung

ver|kei|len; die Autos verkeilten sich [ineinander]; jmdn. verkeilen *(ugs. für* jmdn. verprügeln)

ver|ken|nen; er wurde von allen verkannt; Ver|ken|nung

ver|ket|ten; Ver|ket|tung

ver|ket|zern; ich verketzere; Ver|ket|ze|rung

ver|kie|seln *(fachspr. für* von Kieselsäure durchtränkt werden); Ver|kie|se|lung

ver|kip|pen ([Abfallstoffe] auf Deponien ablagern); Ver|kip|pung

ver|kit|schen (kitschig gestalten; *landsch. für* [billig] verkaufen)

ver|kit|ten (mit Kitt befestigen)

ver|kla|gen

ver|klam|mern; ich verklammere; Ver|klam|me|rung

ver|klap|pen ([Abfallstoffe] ins Meer versenken); Ver|klap|pung

ver|klä|ren (*nordd. für* [mühsam] erklären; *Seemannsspr.* über Schiffsunfälle eidlich aussagen)

ver|klä|ren (ins Überirdische erhöhen)

Ver|klä|rung (gerichtliche Feststellung bei Schiffsunfällen)

Ver|klä|rung

ver|klat|schen *(ugs. für* verraten)

ver|klau|su|lie|ren (schwer verständlich formulieren; mit vielen Vorbehalten versehen); Ver|klau|su|lie|rung

ver|kle|ben; Ver|kle|bung

ver|kle|ckern *(ugs.);* ich verkleckere

ver|klei|den; Ver|klei|dung

ver|klei|nern; ich verkleinere

Ver|klei|ne|rung; Ver|klei|ne|rungs|form

ver|kleis|tern *(ugs. für* verkleben); ich verkleistere; Ver|kleis|te|rung *(ugs.)*

ver|klem|men; ver|klemmt (gehemmt, voller Komplexe); Ver|klemmt|heit

ver|kli|ckern *(ugs. für* erklären)

ver|klin|gen

ver|klop|pen *(ugs. für* verprügeln; [unter Wert] verkaufen)

ver|klüf|ten, sich *(Jägerspr.* sich im Bau vergraben)

ver|klum|pen; Ver|klum|pung

ver|kna|cken ⟨jidd.⟩ *(ugs. für* [gerichtlich] verurteilen)

ver|knack|sen, sich; du hast dir den Fuß verknackst (verstaucht)

ver|knal|len *(ugs. für* [sinnlos] verschießen); sich verknallen *(ugs. für* sich heftig verlieben); du hast dich, bist in sie verknallt

ver|knap|pen; Ver|knap|pung

ver|knas|ten *(ugs. für* zu einer Freiheitsstrafe verurteilen)

ver|knäu|len; sich verknäulen

ver|knaut|schen; du verknautschst

ver|kn|ei|fen; das Lachen verkneifen; sich etwas verkneifen (auf etwas verzichten; etwas unterdrücken)

ver|kne|ten

ver|knif|fen (verbittert); Ver|knif|fen|heit

ver|knit|tern; ich verknittere

ver|knö|chern; ich verknöchere; ver|knö|chert *(ugs. auch für* alt, geistig unbeweglich); Ver|knö|che|rung

ver|knor|peln; sie sagt, das Gewebe verknorp[e]le; Ver|knor|pe|lung, Ver|knorp|lung

ver|kno|ten

ver|knül|len *(landsch.* zerknüllen)

ver|knüp|fen; Ver|knüp|fung; Ver|knüp|fungs|punkt

ver|knu|sen; jmdn. nicht verknusen *(ugs. für* nicht ausstehen) können

ver|ko|chen ([zu] lange kochen)

¹ver|koh|len ⟨jidd.⟩ *(ugs. für* veralbern; scherzhaft belügen)

²ver|koh|len (in Kohle umwandeln); Ver|koh|lung

ver|ko|ken (zu ¹Koks machen, werden); Ver|ko|kung

ver|kom|men; er verkam im Schmutz; ein verkommener Mensch; Ver|kom|men|heit

ver|kom|pli|zie|ren

ver|kon|su|mie|ren (ugs. für aufessen, verbrauchen)

ver|kopft (vom Intellekt beherrscht)

ver|kop|peln; Ver|kop|pe|lung, Ver|kopp|lung

ver|kor|ken (mit einem Korken verschließen); ver|korks|en (ugs. für verderben); du verkorkst

ver|kör|nen (Technik granulieren)

ver|kör|pern; ich verkörpere; Ver|kör|pe|rung

ver|kos|ten (kostend prüfen); Wein verkosten; Ver|kos|ter; Ver|kos|te|rin; ver|kös|ti|gen; Ver|kös|ti|gung; Ver|kos|tung

ver|kra|chen (ugs. für zusammenbrechen); sich verkrachen (ugs. für sich entzweien); ver|kracht (ugs. für gescheitert); eine verkrachte Existenz

ver|kraf|ten (ugs. für ertragen [können])

ver|kral|len; ich verkrallte mich in der Rinde

ver|kra|men (ugs. für verlegen)

ver|kramp|fen, sich; ver|krampft; Ver|kramp|fung

ver|krat|zen

ver|krau|chen, sich (landsch. für sich verkriechen)

ver|krau|ten; der See verkrautet

ver|krie|chen, sich

ver|kröp|fen (Bauw. svw. kröpfen); Ver|kröp|fung

ver|krü|meln, sich (ugs. für sich unauffällig entfernen)

ver|krüm|men; Ver|krüm|mung

ver|krum|peln (landsch. für zerknittern); ich verkrump[e]lle

ver|krüp|peln; ich verkrüppele; verkrüppelte Beine; Ver|krüp|pe|lung, Ver|krüpp|lung

ver|krus|ten; Ver|krus|tung

ver|ku|cken, sich (nordd. für sich vergucken)

ver|küh|len, sich (landsch. für sich erkälten); Ver|küh|lung

ver|küm|mern; ver|küm|mert; Ver|küm|me|rung

ver|kün|den (geh.); Ver|kün|der (geh.); Ver|kün|de|rin (geh.)

ver|kün|di|gen (geh.); Ver|kün|di|ger (geh.); Ver|kün|di|ge|rin (geh.)

Ver|kün|di|gung, Ver|kün|dung; das

kath. Fest Mariä Verkündigung, ugs. Maria Verkündigung

ver|kup|fern; Ver|kup|fe|rung

ver|kup|peln; Ver|kup|pe|lung, Ver|kupp|lung

ver|kür|zen; verkürzte Arbeitszeit; Ver|kür|zung

ver|la|chen (auslachen)

Ver|lad, der; -s (schweiz. für Verladung); Ver|la|de|bahn|hof; Ver|la|de|brü|cke; Ver|la|de|kran

ver|la|den vgl. ¹laden; Ver|la|der; Ver|la|de|ram|pe; Ver|la|de|rin; Ver|la|dung

Ver|lag, der; -[e]s, -e

ver|la|gern; Ver|la|ge|rung

Ver|lags|an|stalt; Ver|lags|buch|händ|ler; Ver|lags|buch|händ|le|rin; Ver|lags|[buch]|hand|lung

Ver|lags|haus; Ver|lags|ka|ta|log

Ver|lags|kauf|frau; Ver|lags|kauf|mann

Ver|lags|post|amt (in Österreich Postamt, das Zeitungen u. Ä. versendet)

Ver|lags|pro|gramm; Ver|lags|pro|s|pekt; Ver|lags|recht; Ver|lags|ver|trag; Ver|lags|we|sen

Ver|laine [...lɛ:n] (franz. Dichter)

ver|lam|men; das Schaf hat verlammt

ver|lan|den (von Seen usw.); Ver|lan|dung

ver|lan|gen; Ver|lan|gen, das; -s, -; auf Verlangen

ver|län|ger|bar

ver|län|gern; ich verlängere; ver|län|gert; verlängerter Rücken (ugs. scherzh. für Gesäß); Ver|län|ger|te, der; -n, -n (österr. für dünner Kaffee [aus der Espressomaschine])

Ver|län|ge|rung; Ver|län|ge|rungs|ka|bel; Ver|län|ge|rungs|schnur

ver|lang|sa|men; Ver|lang|sa|mung

ver|läp|pern (ugs. für [Geld] vergeuden); ich verläppere; Ver|läp|pe|rung

Ver|lass, der; -es; es ist kein Verlass auf ihn

¹ver|las|sen; sich auf eine Sache, einen Menschen verlassen; sie verließ fluchtartig das Lokal

²ver|las|sen (vereinsamt); das Dorf lag verlassen da; Ver|las|sen|heit

Ver|las|sen|schaft (bes. österr. für Hinterlassenschaft); Ver|las|sen|schafts|ab|hand|lung (österr. Amtsspr. gerichtl. Verfahren zur Ermittlung von Erben und Übergabe des Erbes)

ver|läss|lich (zuverlässig); Ver|läss|lich|keit, die; -

ver|läs|tern; Ver|läs|te|rung

Ver|laub, der; nur noch in mit Verlaub

Ver|lauf, der; -[e]s, Verläufe; im Verlauf; ver|lau|fen; die Sache ist gut verlaufen; sich verlaufen; er hat sich verlaufen; Ver|laufs|form (Sprachw. sprachl. Fügung, die angibt, dass ein Geschehen gerade abläuft, z. B. »er ist beim Arbeiten«)

ver|lau|sen; Ver|lau|sung

ver|laut|ba|ren; es verlautbart, dass ...; Ver|laut|ba|rung; ver|lau|ten; wie verlautet

ver|le|ben

ver|le|ben|di|gen (anschaulich, lebendig machen); Ver|le|ben|di|gung

ver|lebt; ein verlebtes Gesicht

¹ver|le|gen ⟨zu legen⟩ (an einen anderen Platz legen; auf einen anderen Zeitpunkt festlegen; im Verlag herausgeben; Technik [Rohre u. a.] legen, zusammenfügen); ↑K 82: [das] Verlegen von Rohren

²ver|le|gen ⟨zu liegen⟩ (befangen, unsicher); sie war verlegen; Ver|le|gen|heit; Ver|le|gen|heits|ge|schenk; Ver|le|gen|heits|lö|sung

Ver|le|ger; Ver|le|ge|rin; ver|le|ge|risch; Ver|le|ger|zei|chen

Ver|le|gung

ver|lei|den; es ist mir alles verleidet; Ver|lei|der, der; -s (schweiz. mdal. für Überdruss); er hat den Verleider bekommen

Ver|leih, der; -[e]s, -e; ver|lei|hen; sie hat das Buch verliehen; ↑K 82: [das] Verleihen von Geld; Ver|lei|her; Ver|lei|he|rin; Ver|lei|hung

ver|lei|men; Ver|lei|mung

ver|lei|ten (verführen)

ver|leit|ge|ben ⟨zu Leitgeb⟩ (landsch. für Bier od. Wein ausschenken)

Ver|lei|tung

ver|ler|nen

ver|le|sen; Ver|le|sung

ver|letz|bar; Ver|letz|bar|keit

ver|let|zen; er ist verletzt; ver|let|zend

ver|letz|lich; Ver|letz|lich|keit

ver|letzt; Ver|letz|te, der u. die; -n, -n

Ver|let|zung; Ver|let|zungs|ge|fahr; Ver|let|zungs|pau|se

ver|leug|nen; Ver|leug|nung

ver|leum|den; Ver|leum|der; Ver|leum|de|rin; ver|leum|de|risch

V
verl

ver|lo|ren

– verlorene Eier (in kochendem Wasser ohne Schale gegarte Eier)
– der verlorene Sohn
– auf verlorenem Posten stehen

Schreibung in Verbindung mit Verben und Partizipien:

– verloren sein; das Spiel ist längst verloren gewesen
– sie hatten das Spiel schon verloren geglaubt

– wir dürfen das Spiel nicht frühzeitig verloren geben *od.* verlorengeben
– das Buch darf nicht verloren gehen *od.* verlorengehen; mein Pass ist verloren gegangen *od.* verlorengegangen; der Krieg, der verloren ging *od.* verlorenging
– das bereits verloren geglaubte *od.* verlorengeglaubte Spiel wurde doch noch gewonnen

---

Ver|leum|dung; Ver|leum|dungs|kam|pa|g|ne
ver|lie|ben, sich; ver|liebt; ein verliebtes Paar; **Ver|lieb|te,** der *u.* die; -n, -n; **Ver|liebt|heit,** die; -
ver|lie|ren; du verlorst; du verlörest; verloren *(vgl. d.);* verlier[e]!; sich verlieren; **Ver|lie|rer; Ver|lie|re|rin; Ver|lie|rer|stra|ße;** auf der Verliererstraße sein
Ver|lies, das; -es, -e ([unterird.] Gefängnis, Kerker)
ver|lin|ken *(EDV* durch Links verbinden); **Ver|lin|kung** *(EDV)*
ver|lo|ben; sich verloben; **Ver|löb|nis,** das; -ses, -se; **Ver|lob|te,** der *u.* die; -n, -n
Ver|lo|bung; Ver|lo|bungs|an|zei|ge; Ver|lo|bungs|ring; Ver|lo|bungs|zeit
ver|lo|cken; ein verlockendes Angebot; **Ver|lo|ckung**
ver|lo|dern *(geh. für* lodernd verlöschen)
ver|lo|gen; Ver|lo|gen|heit
ver|lo|hen *(geh. für* erlöschen)
ver|loh|nen (lohnen)
ver|lor *vgl.* verlieren
ver|lo|ren *s. Kasten*
ver|lo|ren ge|ben, ver|lo|ren|geben *vgl.* verloren
ver|lo|ren ge|hen, ver|lo|ren|ge|hen *vgl.* verloren
Ver|lo|ren|heit, die; -
¹**ver|lö|schen** *(vgl.* ¹löschen)
²**ver|lö|schen;** die Kerze verlischt; *vgl.* ²löschen
ver|lo|sen; Ver|lo|sung
ver|lö|ten; einen verlöten *(ugs. für* Alkohol trinken)
ver|lot|tern *(ugs.);* **Ver|lot|te|rung**
ver|lu|dern *(ugs. für* verkommen)
ver|lum|pen (verkommen)
Ver|lust, der; -[e]s, -e; **ver|lust|angst; ver|lust|arm; Ver|lust|be|trieb; ver|lust|frei; Ver|lust|ge|schäft**
ver|lus|tie|ren, sich *(scherzh. für* sich vergnügen)
ver|lus|tig; einer Sache verlustig gehen (eine Sache verlieren)

Ver|lust|lis|te; ver|lust|reich
verm. = vermählt *(Zeichen ∞)*
ver|ma|chen (vererben); *ugs. für* überlassen)
Ver|mächt|nis, das; -ses, -se; **Ver|mächt|nis|neh|mer** *(Rechtsspr.);* **Ver|mächt|nis|neh|me|rin**
ver|mah|len (zu Mehl machen); *vgl. aber* vermalen
ver|mäh|len; sich vermählen; **vermählt** *(Abk.* verm. [Zeichen ∞]); **Ver|mäh|te,** der *u.* die; -n, -n; **Ver|mäh|lung; Ver|mäh|lungs|an|zei|ge**
ver|mah|nen *(veraltend für* ernst ermahnen); **Ver|mah|nung**
ver|ma|le|dei|en *(veraltend für* verfluchen; verwünschen); **Ver|ma|le|dei|ung**
ver|ma|len ([Farben] malend verbrauchen); *vgl. aber* vermahlen
ver|männ|li|chen
ver|man|schen *(ugs. für* vermischen)
ver|mar|ken *(fachspr. für* vermessen)
ver|mark|ten *(Wirtsch.* [bedarfsgerecht zubereitet] auf den Markt bringen); **Ver|mark|tung**
Ver|mar|kung *(fachspr. für* Vermessung)
ver|mas|seln *(zu* ¹Massel) *(ugs. für* zunichtemachen); ich vermassele *u.* vermassle
ver|ma|ßen (Maße bestimmen)
ver|mas|sen (etwas zur Massenware machen; in der Masse aufgehen); du vermasst
ver|mau|ern
Ver|meer van Delft [vɛ... fan, *auch* van -]; Jan (niederl. Maler)
ver|meh|ren; vermehrte Anstrengungen; **Ver|meh|rung**
ver|meid|bar; ver|mei|den; sie hat diesen Fehler vermieden; **vermeid|lich; Ver|mei|dung**
ver|meil [...'mɛːj] ⟨franz.⟩ (hochrot); **Ver|meil,** das; -s (vergoldetes Silber)
ver|mei|nen ([irrtümlich] glauben); **ver|meint|lich**

ver|mel|den (mitteilen)
ver|men|gen; Ver|men|gung
ver|mensch|li|chen; Ver|mensch|li|chung
Ver|merk, der; -[e]s, -e; **ver|merken;** am Rande vermerken
¹**ver|mes|sen;** Land vermessen; er hat sich vermessen, alles zu verraten *(geh.)*
²**ver|mes|sen;** ein vermessenes (tollkühnes) Unternehmen; **Ver|mes|sen|heit** (Kühnheit)
Ver|mes|sung; Ver|mes|sungs|in|ge|ni|eur *(Abk.* Verm.-Ing.); **Ver|mes|sungs|in|ge|ni|eu|rin** *(Abk.* Verm.-Ing.)
Ver|mes|sungs|schiff; Ver|mes|sungs|ur|kun|de
Ver|mi|celles [vermisɛl] *Plur.* ⟨franz.⟩ *(schweiz.* eine Süßspeise aus Kastanienpüree)
ver|mi|ckert, ver|mie|kert *(ugs. für* klein, schwächlich)
ver|mie|sen *(ugs. für* verleiden); du vermiest; er vermies|te
ver|mie|ten; Ver|mie|ter; Ver|mie|te|rin; Ver|mie|tung
Ver|mil|lon [...mi'jõ:], das; -s ⟨franz.⟩ (feinster Zinnober)
ver|min|dern; Ver|min|de|rung
ver|mi|nen
Verm.-Ing. = Vermessungsingenieur[in]
Ver|mi|nung
ver|mi|schen; Ver|mi|schung
ver|mis|sen; als vermisst gemeldet; jegliches Taktgefühl vermissen lassen *od.* vermissenlassen; Ver|miss|te, der *u.* die; -n, -n; Ver|miss|ten|an|zei|ge
ver|mit|tel|bar; ver|mit|teln; ich vermitt[e]le; **ver|mit|tels[t];** *Präp. mit Gen.:* vermittels[t] des Eimers
Ver|mitt|ler; Ver|mitt|le|rin; Ver|mitt|ler|rol|le
Ver|mitt|lung; Ver|mitt|lungs|aus|schuss; Ver|mitt|lungs|ge|bühr; Ver|mitt|lungs|stel|le; Ver|mitt|lungs|ver|such

ver|mö|beln (*ugs. für* verprügeln); ich vermöb[e]le

ver|mo|dern; Ver|mo|de|rung, Ver|mod|rung

ver|mö|ge (*geh.*); *Präp. mit Gen.:* vermöge seines Geldes

ver|mö|gen; Ver|mö|gen, das; -s, -; ver|mö|gend

Ver|mö|gens|ab|ga|be

Ver|mö|gens|be|ra|ter; Ver|mö|gens|be|ra|te|rin

Ver|mö|gens|be|steu|e|rung; Ver|mö|gens|bil|dung; Ver|mö|gens|er|klä|rung; Ver|mö|gens|la|ge

ver|mö|gens|los

Ver|mö|gens|recht, das; -[e]s; Ver|mö|gens|steu|er, Ver|mö|gen|steu|er, die

Ver|mö|gens|ver|si|che|rung; Ver|mö|gens|ver|tei|lung; Ver|mö|gens|ver|wal|tung

Ver|mö|gens|wert

ver|mö|gens|wirk|sam; vermögenswirksame Leistungen; Ver|mö|gens|zu|wachs

ver|mög|lich (*landsch. u. schweiz. für* wohlhabend)

Ver|mont (Staat in den USA; *Abk.* VT)

ver|moo|ren; vermoorte Wiesen

ver|mor|schen; vermorscht

ver|mot|tet

ver|mü|ckert, ver|mü|kert (*landsch. für* klein, schwächlich)

ver|mül|len; Ver|mül|lung

ver|mum|men (fest einhüllen); sich vermummen (durch Verkleidung u. Ä. unkenntlich machen); Ver|mum|mung; Ver|mum|mungs|ver|bot

[1]ver|mu|ren ⟨zu Mure⟩ (*Geol.* durch Schutt verwüsten)

[2]ver|mu|ren (*engl.*) (*Seew.* vor zwei Anker legen); *vgl.* muren

ver|murk|sen (*ugs. für* verderben)

ver|mu|ten; ver|mut|lich

Ver|mu|tung; ver|mu|tungs|wei|se

ver|nach|läs|sig|bar; ver|nach|läs|si|gen; Ver|nach|läs|si|gung

ver|na|dern (*österr. ugs. für* verraten, verleumden)

ver|na|geln; ver|na|gelt (*ugs. auch für* äußerst begriffsstutzig); Ver|na|ge|lung, Ver|nag|lung

ver|nä|hen

ver|nar|ben; Ver|nar|bung

ver|nar|ren; in jmdn., in etwas vernarrt sein; Ver|narrt|heit

ver|na|schen; ein Mädchen, einen Mann vernaschen (*ugs. für* mit ihm schlafen); ver|nascht (*svw.* naschhaft)

ver|ne|beln; ich verneb[e]le; Ver|ne|be|lung, Ver|neb|lung

ver|nehm|bar; ver|neh|men; er hat das Geräusch vernommen; der Angeklagte wurde vernommen; Ver|neh|men, das; -s; dem Vernehmen nach

Ver|nehm|las|sung (*schweiz. für* [Verfahren der] Stellungnahme zu einer öffentlichen Frage); Ver|nehm|las|sungs|ver|fah|ren (*schweiz. für* Einholung von Stellungnahmen zu einem Gesetzgebungs- od. Verordnungsprojekt)

ver|nehm|lich

Ver|neh|mung ([gerichtl.] Befragung); ver|neh|mungs|fä|hig; ver|neh|mungs|un|fä|hig

ver|nei|gen, sich; Ver|nei|gung

ver|nei|nen; Ver|nei|ner; Ver|nei|ne|rin

Ver|nei|nung; Ver|nei|nungs|fall

Ver|nei|nungs|wort

ver|net|zen; Ver|net|zung

ver|nich|ten; eine vernichtende Kritik; Ver|nich|ter; Ver|nich|te|rin

Ver|nich|tung; Ver|nich|tungs|feld|zug; Ver|nich|tungs|krieg

Ver|nich|tungs|la|ger; Ver|nich|tungs|waf|fe; Ver|nich|tungs|werk; Ver|nich|tungs|wut

ver|ni|ckeln; ich vernick[e]le; Ver|ni|cke|lung, Ver|nick|lung

ver|nied|li|chen; Ver|nied|li|chung

ver|nie|ten (mit Nieten verschließen); Ver|nie|tung

Ver|nis|sa|ge [...ʒə], die; -, -n (*franz.*) (Ausstellungseröffnung [in kleinerem Rahmen])

Ver|nunft, die; -; ver|nunft|be|gabt; Ver|nunft|ehe

Ver|nünf|te|lei (*veraltend*); ver|nünf|teln; ich vernünft[e]le

ver|nunft|ge|mäß

Ver|nunft|glau|be[n]; Ver|nunft|hei|rat

ver|nünf|tig; ver|nünf|ti|ger|wei|se; Ver|nünf|tler (*veraltend*); Ver|nunft|mensch, der; Ver|nunft|we|sen

ver|nunft|wid|rig; Ver|nunft|wid|rig|keit

ver|nu|ten (durch Nut verbinden); Ver|nu|tung

ver|öden; Ver|ödung

ver|öf|fent|li|chen; Ver|öf|fent|li|chung

ver|ölen (ölig werden)

Ve|ro|na (ital. Stadt)

[1]Ve|ro|ne|se, der; -n, -n, Ve|ro|ne|ser (Einwohner von Verona)

[2]Ve|ro|ne|se (ital. Maler)

Ve|ro|ne|ser *vgl.* [1]Veronese; Ve|ro|ne|ser Er|de, die; - - (Farbe); Ve|ro|ne|ser Gelb, das; - -s; ve|ro|ne|sisch

[1]Ve|ro|ni|ka (w. Vorn.)

[2]Ve|ro|ni|ka, die; -, ...ken ⟨nach der hl. Veronika⟩ (Ehrenpreis [eine Pflanze])

ver|ord|nen; Ver|ord|nung; Ver|ord|nungs|blatt

ver|or|ten (einen festen Platz in einem Bezugssystem zuweisen); Ver|or|tung

ver|paa|ren, sich (*Zool.*); ver|paart

ver|pach|ten; Ver|päch|ter; Ver|päch|te|rin; Ver|pach|tung

ver|pa|cken; Ver|pa|ckung; Ver|pa|ckungs|ma|te|ri|al; Ver|pa|ckungs|ord|nung

ver|päp|peln (*ugs. für* verzärteln); du verpäppelst dich

ver|part|nern; sich verpartnern; Ver|part|ne|rung ([von gleichgeschlechtl. Personen] das Eingehen einer eheähnl. Verbindung)

[1]ver|pas|sen (versäumen); sie hat den Zug verpasst

[2]ver|pas|sen (*ugs. für* geben; schlagen); die Uniform wurde ihm verpasst; jmdm. eins verpassen

ver|pat|zen (*ugs. für* verderben)

ver|pen|nen (*ugs. für* verschlafen)

ver|pes|ten; Ver|pes|tung

ver|pet|zen (*ugs. für* verraten)

ver|pfän|den; Ver|pfän|dung

ver|pfei|fen (*ugs. für* verraten); er hat ihn verpfiffen

ver|pflan|zen; Ver|pflan|zung

ver|pfle|gen

Ver|pfle|gung; Ver|pfle|gungs|geld; Ver|pfle|gungs|satz

ver|pflich|ten, sich verpflichten; sie ist mir verpflichtet; Ver|pflich|tung; Ver|pflich|tungs|ge|schäft (*Rechtsw.*)

ver|pfrün|den (*südd. u. schweiz. für* durch lebenslänglichen Unterhalt versorgen); Ver|pfründung (*südd. u. schweiz.*)

ver|pfu|schen (*ugs. für* verderben); ein völlig verpfuschtes Leben

ver|pi|chen (mit Pech ausstreichen)

ver|pi|cken (*österr. für* verkleben)

ver|pie|seln, sich (*landsch. für* sich entfernen, davonlaufen)

ver|pis|sen; sich verpissen (*derb für* sich [heimlich] entfernen); ich habe mich verpisst

ver|pla|nen; Ver|pla|nung

ver|plap|pern, sich (*ugs. für* etwas ausplaudern)

ver|plat|ten (mit Platten versehen)
ver|plät|ten (*ugs. für* verprügeln)
Ver|plat|tung
ver|plau|dern ([Zeit] mit Plaudern verbringen); sich verplaudern
ver|plem|pern (*ugs. für* vergeuden)
ver|plom|ben; Ver|plom|bung
ver|pö|nen ⟨dt.; lat.⟩ (*veraltend für* missbilligen; [bei Strafe] verbieten); ver|pönt (unerwünscht)
ver|pop|pen; ein verpoppter (mit den Mitteln der Popkunst veränderter) Klassiker
ver|pras|sen; er hat das Geld verprasst
ver|prel|len (verwirren, verärgern; *Jägerspr.* [Wild] verscheuchen)
ver|pro|vi|an|tie|ren (mit Proviant versorgen); Ver|pro|vi|an|tie|rung, die; -
ver|prü|geln
ver|puf|fen ([schwach] explodieren; *auch für* ohne Wirkung bleiben); Ver|puf|fung
ver|pul|vern (*ugs. für* unnütz verbrauchen)
ver|pum|pen (*ugs. für* verleihen)
ver|pup|pen, sich; Ver|pup|pung (Umwandlung der Insektenlarve in die Puppe)
ver|pus|ten; sich verpusten (*ugs. für* Luft schöpfen)
Ver|putz (Mauerbewurf)
ver|put|zen (*ugs. auch für* [Geld] durchbringen, vergeuden; [schnell] aufessen); Ver|put|zer (*Bauw.*); Ver|put|ze|rin
ver|qual|men (*ugs. für* mit Rauch, Qualm erfüllen)
ver|quält; verquälte (von Sorgen gezeichnete) Züge
ver|qua|sen (*nordd. für* vergeuden); du verquast; ver|quast (*landsch. für* verworren)
ver|quat|schen; sich verquatschen; die Zeit verquatschen
ver|quel|len; das Fenster verquillt; *vgl.* ¹quellen
ver|quer; eine verquere Welt; ver|quer|ge|hen (*ugs. für* misslingen)
ver|qui|cken (vermischen); Ver|qui|ckung
ver|quir|len (mit einem Quirl o. Ä. verrühren)
ver|quol|len; verquollene Augen
ver|raf|fen (*Jugendspr.* nicht verstehen, merken)
ver|ram|meln, ver|ram|men; Ver|ram|me|lung, Ver|ramm|lung
ver|ram|schen (*ugs. für* zu Schleuderpreisen verkaufen)
ver|rannt *vgl.* verrennen

Ver|rat, der; -[e]s; ver|ra|ten; Ver|rä|ter; Ver|rä|te|rei; Ver|rä|te|rin; ver|rä|te|risch
ver|ratzt; *nur in* verratzt sein (*ugs. für* verloren sein)
ver|rau|chen; ein verrauchter Saal; ver|räu|chern; eine verräucherte Kneipe
ver|rau|schen; der Beifall verrauschte
ver|rech|nen (*österr. auch für* in Rechnung stellen); sich verrechnen (*auch für* sich täuschen); Ver|rech|nung
Ver|rech|nungs|ein|heit (*Wirtsch.*); Ver|rech|nungs|kon|to; Ver|rech|nungs|scheck
ver|re|cken (*derb für* verenden; elend zugrunde gehen)
ver|reg|nen; verregnet
ver|rei|ben; Ver|rei|bung
ver|rei|sen; sie ist verreist
ver|rei|ßen (*landsch. auch für* zerreißen); er hat das Theaterstück verrissen (vernichtend kritisiert)
ver|rei|ten, sich (einen falschen Weg reiten)
ver|ren|ken; sich verrenken; ich habe mir den Fuß verrenkt; Ver|ren|kung
ver|ren|nen; sich in etwas verrennen, verrannt haben (hartnäckig an etwas festhalten)
ver|ren|ten (*Amtsspr.*); Ver|ren|tung (*Amtsspr.*)
ver|rich|ten; Ver|rich|tung
ver|rie|geln; ich verrieg[e]le; Ver|rie|ge|lung, Ver|rieg|lung
ver|rin|gern; ich verringere; Ver|rin|ge|rung
ver|rin|nen
Ver|riss, der; -es, -e (vernichtende Kritik); *vgl.* verreißen
ver|ro|hen
ver|roh|ren (*fachspr. für* Rohre verlegen); Ver|roh|rung
Ver|ro|hung, die; -
ver|rol|len; der Donner verrollt in der Ferne
ver|ros|ten
ver|rot|ten (verfaulen, modern; zerfallen); Ver|rot|tung, die; -
ver|rucht; Ver|rucht|heit, die; -
ver|rü|cken
ver|rückt; verrückt werden; sich verrückt stellen; sich nicht verrückt machen lassen (*ugs.*)
Ver|rück|te, der *u.* die; -n, -n; Ver|rückt|heit
ver|rückt|spie|len (*ugs.*); das Thermometer spielt verrückt (zeigt kaum glaubliche Temperaturen

an); Ver|rückt|wer|den, das; -s; das ist zum Verrücktwerden (*ugs.*)
Ver|ruf, der (schlechter Ruf); in Verruf bringen, geraten, kommen; ver|ru|fen (übel beleumdet); die Gegend ist verrufen
ver|rüh|ren; zwei Eier verrühren
ver|run|zelt (runzelig)
ver|ru|ßen; der Schornstein ist verrußt; Ver|ru|ßung
ver|rut|schen
Vers [*österr. auch* v...], der; -es, -e ⟨lat.⟩ (Zeile, Strophe eines Gedichtes; *Abk.* V.); ich kann mir keinen Vers darauf *od.* daraus machen (*ugs.*)
ver|sach|li|chen; Ver|sach|li|chung, die; -
ver|sa|cken (wegsinken; *ugs. für* liederlich leben)
ver|sa|gen; er hat ihr keinen Wunsch versagt; ich versagte mir diesen Genuss; ↑K 82 : das Unglück ist auf menschliches Versagen zurückzuführen; Ver|sa|gens|angst; Ver|sa|ger; Ver|sa|ge|rin; Ver|sa|gung
Ver|sail|ler [...'zai...] ↑K 141 ; Versailler Vertrag; Ver|sailles [...'zai] (franz. Stadt)
Ver|sal, der; -s, -ien *meist Plur.* ⟨lat.⟩ (großer [Anfangs]buchstabe); Ver|sal|buch|sta|be
ver|sal|zen (*fachspr. für* von Salzen durchsetzt werden, sich mit Salzen bedecken; *ugs. auch für* verderben, die Freude an etwas nehmen); versalzt *u.* (übertr. nur:) versalzen; die Suppe versalzen; der Fluss versalzt immer mehr; wir haben ihm die Freude versalzen
ver|sam|meln; Ver|samm|lung
Ver|samm|lungs|frei|heit, die; -; Ver|samm|lungs|lei|ter; Ver|samm|lungs|lei|te|rin
Ver|samm|lungs|lo|kal; Ver|samm|lungs|ort; Ver|samm|lungs|recht, das; -[e]s
Ver|sand, der; -[e]s (Versendung); Ver|sand|ab|tei|lung
ver|sand|be|reit
Ver|sand|buch|han|del
ver|san|den (sich mit Sand füllen, vom Sand zugedeckt werden; nachlassen, aufhören)
ver|sand|fer|tig
Ver|sand|ge|schäft; Ver|sand|gut; Ver|sand|han|del
Ver|sand|haus; Ver|sand|haus|ka|ta|log
Ver|sand|kos|ten *Plur.*

ver|sandt, ver|sen|det *vgl.* senden
Ver|san|dung, die; -
Vers|an|fang; Vers|art
ver|sa|til ⟨*lat.*⟩ (beweglich, vielseitig)
Ver|satz, der; -es (das Versetzen, Verpfänden; *Bergmannsspr.* Auffüllung von Hohlräumen unter Tage, Gestein zur Auffüllung)
Ver|satz|amt (*bayr. u. österr. für* Leihhaus); Ver|satz|stück (bewegliche Bühnendekoration; *österr. auch für* Pfandstück)
ver|sau|beu|teln (*ugs. für* beschmutzen; verlegen, verlieren); ich versaubeut[e]le
ver|sau|en (*derb*)
ver|sau|ern (sauer werden; *ugs. auch für* geistig verkümmern); ich versau[e]re
ver|sau|fen (*derb*)
ver|säu|men; Ver|säum|nis, das; -ses, -se, *veraltet* die; -, -se; Ver|säum|nis|ur|teil (*Rechtsw.*); Ver|säu|mung
Vers|bau, der; -[e]s
ver|scha|chern (*abwertend für* verkaufen); ich verschachere
ver|schacht|elt
ver|schaf|fen *vgl.* ¹schaffen; du hast dir Genugtuung verschafft
ver|scha|len (mit Brettern verkleiden)
ver|schal|ten; sich verschalten
Ver|scha|lung
ver|schämt; verschämt tun; Ver|schämt|heit, die; -; Ver|schämt|tun, das; -s
ver|schan|deln (*ugs. für* verunzieren); ich verschand[e]le; Ver|schan|de|lung, Ver|schand|lung
ver|schan|zen; das Lager wurde verschanzt; sich hinter Ausreden verschanzen; Ver|schan|zung
ver|schär|fen; Ver|schär|fung
ver|schar|ren
ver|schat|ten
ver|schät|zen, sich
ver|schau|en, sich (*österr. für* sich beim Hinsehen irren; *österr. ugs. für* sich verlieben)
ver|schau|keln (*ugs. für* betrügen); ich verschauk[e]le
ver|schei|den (*geh. für* sterben); er ist verschieden
ver|schei|ßen (*derb für* mit Kot beschmutzen)
ver|schei|ßern (*derb für* zum Narren halten); ich verscheißere
ver|schen|ken
ver|scher|beln (*ugs. für* [billig] verkaufen)

ver|scher|zen; du hast dir ihre Sympathie verscherzt
ver|scheu|chen
ver|scheu|ern (*ugs. für* verkaufen)
ver|schi|cken; Ver|schi|ckung
ver|schieb|bar; Ver|schie|be|bahnhof (Rangierbahnhof); ver|schie|ben; Ver|schie|bung
¹ver|schie|den (*geh. für* gestorben)

²ver|schie|den

– verschieden lang
– verschiedene Mal *od.* verschiedene Male

Großschreibung der Substantivierung ↑K 72:

– Ähnliches und Verschiedenes
– wir kommen zum Tagesordnungspunkt Verschiedenes
– etwas Verschiedenes; Verschiedenes war mir unklar
– wenn Verschiedene behaupten, dass ...; die Bedenken Verschiedener ausräumen

ver|schie|den|ar|tig; Ver|schie|den|ar|tig|keit, die; -
ver|schie|de|ne Mal *vgl.* ²verschieden
ver|schie|de|ner|lei
ver|schie|den|far|big; ver|schie|den|ge|schlecht|lich; ver|schie|den|ge|stal|tig
Ver|schie|den|heit
ver|schie|dent|lich
ver|schie|ßen (*auch für* ausbleichen); *vgl.* verschossen
ver|schif|fen; Ver|schif|fung; Ver|schif|fungs|ha|fen *vgl.* ²Hafen
ver|schil|fen ([mit Schilf] zuwachsen)
ver|schim|meln
ver|schimp|fie|ren (*veraltet für* verunstalten; beschimpfen)
Ver|schiss (*derb für* schlechter Ruf); *nur noch in* in Verschiss geraten, kommen
ver|schis|sen; es bei jmdm. verschissen haben (*derb für* bei jmdm. in Ungnade gefallen sein)
ver|schla|cken; der Ofen ist verschlackt; Ver|schla|ckung
¹ver|schla|fen; ich habe [mich] verschlafen
²ver|schla|fen; er sieht verschlafen aus; Ver|schla|fen|heit, die; -
Ver|schlag, der; -[e]s, Verschläge
¹ver|schla|gen; es verschlägt mir die Sprache; es verschlägt (*landsch. für* nützt) nichts

²ver|schla|gen ([hinter]listig); Ver|schla|gen|heit, die; -
ver|schlam|men; der Fluss ist verschlammt; ver|schläm|men (mit Schlamm füllen); die Abfälle haben das Rohr verschlämmt
Ver|schlam|mung; Ver|schläm|mung
ver|schlam|pen (*ugs.*)
ver|schlan|ken (verkleinern, reduzieren); die Produktion verschlanken; Ver|schlan|kung
ver|schlech|tern; ich verschlechtere; Ver|schlech|te|rung
ver|schlei|ern; ich verschleiere; Ver|schlei|e|rung; Ver|schlei|e|rungs|tak|tik; Ver|schlei|e|rungs|ver|such
ver|schlei|fen; Ver|schlei|fung
ver|schlei|men; Ver|schlei|mung
Ver|schleiß, der; -es, -e (Abnutzung; *österr. Amtsspr. auch für* Kleinverkauf, Vertrieb)
ver|schlei|ßen; etwas verschleißen (etwas [stark] abnutzen); Waren verschleißen (*österr. Amtsspr. für* verkaufen, vertreiben); du verschlisst, *österr. auch* verschleißest; verschlissen, *österr. auch* verschleißt; Ver|schlei|ßer (*österr. veraltend für* Kleinhändler); Ver|schlei|ße|rin
Ver|schleiß|er|schei|nung; Ver|schleiß|fes|tig|keit; Ver|schleiß|prü|fung; Ver|schleiß|teil, das
ver|schlem|men (verprassen)
ver|schlep|pen; einen Prozess verschleppen; eine verschleppte Grippe; Ver|schlep|pung
Ver|schlep|pungs|ma|nö|ver; Ver|schlep|pungs|tak|tik
ver|schleu|dern; Ver|schleu|de|rung
ver|schließ|bar; ver|schlie|ßen *vgl.* verschlossen; Ver|schlie|ßung
ver|schlimm|bes|sern; Ver|schlimm|bes|se|rung
ver|schlim|mern; ich verschlimmere; Ver|schlim|me|rung
ver|schlin|gen; Ver|schlin|gung
ver|schlos|sen; Ver|schlos|sen|heit, die; -
ver|schlu|cken; sich verschlucken
ver|schlu|dern (*ugs. für* verlieren, verlegen; verkommen lassen); ich verschludere
Ver|schluss; Ver|schluss|de|ckel
ver|schlüs|seln; Ver|schlüs|se|lung
Ver|schluss|kap|pe; Ver|schluss|laut (*für* Explosiv)
Ver|schluss|sa|che, Ver|schluss-Sa|che
Ver|schluss|schrau|be, Ver|schluss-Schrau|be

Ver|schluss|strei|fen, Ver-
schluss-Strei|fen
Ver|schluss|zeit (Belichtungszeit)
ver|schmach|ten *(geh.)*
ver|schmä|hen; Ver|schmä|hung
ver|schmä|lern; sich verschmälern;
ich verschmälere
ver|schmau|sen
¹ver|schmel|zen (flüssig werden;
ineinander übergehen); *vgl.*
¹schmelzen
²ver|schmel|zen (zusammenfließen
lassen; ineinander übergehen
lassen); *vgl.* ²schmelzen
Ver|schmel|zung
ver|schmer|zen
ver|schmie|ren; Ver|schmie|rung
ver|schmitzt (schlau, verschlagen);
Ver|schmitzt|heit, die; -
ver|schmockt *(ugs. für* effektvoll,
ohne wirklichen Gehalt); Ver-
schmockt|heit, die; -
ver|schmo|ren; verschmorte Kabel
ver|schmust *(ugs.)*
ver|schmut|zen; ver|schmutzt; Ver-
schmut|zung
ver|schnap|pen, sich *(landsch. für*
sich verplappern)
ver|schnarcht *(ugs. für* langweilig,
verschlafen)
ver|schnau|fen; sich verschnaufen;
Ver|schnauf|pau|se
ver|schnei|den *(auch für* kastrie-
ren); verschnitten; Ver|schnei-
dung
ver|schneit; verschneite Wälder
ver|schnip|peln *(landsch. für* ver-
schneiden)
Ver|schnitt, der; -[e]s, -e *(auch für*
Mischung alkoholischer Flüssigkeiten)
Ver|schnitt|te|ne, der; -n, -n *(für*
Kastrat)
ver|schnör|keln; verschnörkelte
Ornamente; Ver|schnör|ke|lung,
Ver|schnörk|lung
ver|schnup|fen *(ugs. für* verärgern);
mit dieser Bemerkung ver-
schnupfte sie ihn; ver|schnupft
(einen Schnupfen habend; *ugs.*
auch für verärgert, gekränkt);
Ver|schnup|fung
ver|schnü|ren; Ver|schnü|rung
ver|scho|llen
ver|scho|nen; jmdn. verschonen
ver|schö|nen; sie hat [mir] das Fest
verschönt
ver|schö|nern; ich verschönere;
Ver|schö|ne|rung
Ver|scho|nung
Ver|schö|nung
ver|schor|fen; die Wunde ver-
schorft; Ver|schor|fung

ver|schos|sen; ein verschossenes
(ausgebleichtes) Kleid; in jmdn.
verschossen *(ugs. für* heftig verliebt) sein
ver|schram|men; verschrammt
ver|schrän|ken; mit verschränkten
Armen; Ver|schrän|kung
ver|schrau|ben; Ver|schrau|bung
ver|schre|cken (ängstigen, verstört
machen); *vgl.* schrecken
ver|schrei|ben; Ver|schrei|bung;
ver|schrei|bungs|pflich|tig
Ver|schrieb, der; -s, -e *(schweiz. für*
Schreibfehler, falsche Schreibung)
ver|schrien; er ist als Geizhals ver-
schrien
Ver|schrif|tung (das Verschriftli-
chen)
ver|schro|ben (seltsam; wunder-
lich); Ver|schro|ben|heit
ver|schro|ten (zu Schrot machen)
ver|schrot|ten (zu Schrott machen,
als Altmetall verwerten); Ver-
schrot|tung
ver|schrum|peln *(ugs.);* Ver|schrum-
pe|lung, Ver|schrump|lung
Ver|schub *(bes. österr. Eisenbahn*
das Verschieben, Rangieren);
Ver|schub|gleis; Ver|schub|lok
ver|schüch|tern; ich verschüchtere;
das Kind war völlig verschüch-
tert; Ver|schüch|te|rung
ver|schul|den; ver|schul|den, das;
-s; ohne [sein] Verschulden
ver|schul|det; ver|schul|de|ter|ma-
ßen; Ver|schul|dung
ver|schu|len (dem Schulunterricht
annähern; *Landw.* Sämlinge ins
Pflanzbeet umpflanzen); das
Studium verschulen; Ver|schu-
lung
ver|schup|fen *(landsch. für* fort-,
verstoßen, stiefmütterlich
behandeln)
ver|schus|seln *(ugs. für* verlieren,
verlegen, vergessen)
ver|schüt|ten; ver|schüt|te|te, der
u. die; -n, -n
ver|schütt|ge|hen ⟨Gaunerspr.⟩
(ugs. für verloren gehen)
ver|schüt|tung
ver|schwä|gert; ver|schwä|ge|rung
ver|schwei|gen; Ver|schwei|gung
ver|schwei|ßen; Ver|schwei|ßung
ver|schwe|len (schwelend verbren-
nen); Ver|schwe|lung
ver|schwen|den; Ver|schwen|der;
Ver|schwen|de|rin; ver|schwen-
de|risch; Ver|schwen|dung
ver|schwen|dungs|sucht, die; -; ver-
schwen|dungs|süch|tig

ver|schwie|gen; Ver|schwie|gen-
heit, die; -
ver|schwim|men; es verschwimmt
[mir] vor den Augen
ver|schwin|den; Ver|schwin|den,
das; -s; niemand bemerkte sein
Verschwinden
ver|schwis|tert; Ver|schwis|te|rung
ver|schwit|zen *(ugs. auch für* ver-
gessen); verschwitzt
ver|schwol|len; verschwollene
Augen
ver|schwom|men; verschwommene
Vorstellungen; Ver|schwom|men-
heit, die; -
ver|schwö|ren, sich; eine ver-
schworene Gemeinschaft
Ver|schwo|re|ne, Ver|schwor|ne,
der *u.* die
Ver|schwö|rer; Ver|schwö|re|rin;
ver|schwö|re|risch
Ver|schwor|ne *vgl.* Verschworene
Ver|schwo|rung; Ver|schwö|rungs-
the|o|rie
Vers|dra|ma (in Versen abgefasstes
Drama)
ver|se|hen; er hat seinen Posten
treu versehen; ich habe mich
mit Nahrungsmitteln versehen;
ich habe mich versehen (geirrt);
ehe du dichs versiehst *(veraltend)*
Ver|se|hen, das; -s, - (Irrtum); aus
Versehen
ver|se|hent|lich (aus Versehen)
Ver|seh|gang, der; -[e]s, ...gänge
(Gang des kath. Priesters zur
Spendung des Sakramente an
Kranke, bes. an Sterbende)
ver|seh|ren *(veraltet für* verletzen,
beschädigen); versehrt
Ver|sehr|te, der *u.* die; -n, -n; Ver-
sehr|ten|sport, der; -[e]s
Ver|sehrt|heit, die; -
ver|sei|fen; Ver|sei|fung *(fachspr.*
für Spaltung der Fette in Glyzerin u. Seifen durch Kochen in
Alkalien)
ver|selbst|stän|di|gen, ver|selb-
stän|di|gen, sich; Ver|selbst|stän-
di|gung, Ver|selb|stän|di|gung
Ver|se|ma|cher *(abwertend)*
ver|sem|meln *(ugs. für* zu einem
Misserfolg machen); ich ver-
semm[e]le
ver|sen|den; versandt *u.* versendet;
vgl. senden; Ver|sen|der; Ver|sen-
de|rin; Ver|sen|dung
ver|sen|gen; die Hitze hat den
Rasen versengt; Ver|sen|gung
ver|senk|bar; eine versenkbare
Nähmaschine
Ver|senk|büh|ne

ver|sen|ken (zum Sinken bringen); sich in ein Buch versenken (vertiefen); **Ver|sen|kung**

Vers|epos (svw. Versdrama)

Ver|se|schmied (abwertend)

ver|ses|sen (eifrig bedacht, erpicht); auf etwas versessen sein; **Ver|ses|sen|heit,** die; -

ver|set|zen; der Schüler wurde versetzt; sich in jmds. Lage versetzen; sie hat ihn versetzt (ugs. für vergeblich warten lassen); er hat seine Uhr versetzt (verkauft, ins Leihhaus gebracht); **Ver|set|zung**

Ver|set|zungs|zei|chen (Musik Zeichen zur Erhöhung od. Erniedrigung einer Note)

ver|seu|chen; **Ver|seu|chung**

Vers|form; Vers|fuß

Ver|si|che|rer; Ver|si|che|rin

ver|si|chern; die Versicherung versichert dich gegen Unfall; ich versichere dich meines Vertrauens (geh.), auch ich versichere dir mein Vertrauen; ich versichere dir, dass ...

Ver|si|cher|te, der u. die; -n, -n; **Ver|si|cher|ten|kar|te** (von den Krankenkassen)

Ver|si|che|rung

Ver|si|che|rungs|agent; Ver|si|che|rungs|agen|tin; Ver|si|che|rungs|an|spruch; Ver|si|che|rungs|bei|trag; Ver|si|che|rungs|be|trug; Ver|si|che|rungs|fall, der; **Ver|si|che|rungs|ge|ber; Ver|si|che|rungs|ge|be|rin; Ver|si|che|rungs|ge|sell|schaft; Ver|si|che|rungs|kar|te** (von den Kfz-Versicherungen)

Ver|si|che|rungs|kauf|frau; Ver|si|che|rungs|kauf|mann

Ver|si|che|rungs|kon|zern

Ver|si|che|rungs|leis|tung

Ver|si|che|rungs|neh|mer; Ver|si|che|rungs|neh|me|rin

Ver|si|che|rungs|pflicht, die; -; ver|si|che|rungs|pflich|tig

Ver|si|che|rungs|po|li|ce; Ver|si|che|rungs|prä|mie; Ver|si|che|rungs|recht, das; -[e]s; **Ver|si|che|rungs|schein; Ver|si|che|rungs|schutz,** der; -es

Ver|si|che|rungs|steu|er, Ver|si|che|rung|steu|er, die

Ver|si|che|rungs|sum|me

Ver|si|che|rung|steu|er vgl. Versicherungssteuer

Ver|si|che|rungs|trä|ger; Ver|si|che|rungs|trä|ge|rin; Ver|si|che|rungs|ver|tre|ter; Ver|si|che|rungs|ver|tre|te|rin

Ver|si|che|rungs|wert; Ver|si|che|rungs|we|sen, das; -s

ver|si|ckern; **Ver|si|cke|rung**

ver|sie|ben (ugs. für verderben; verlieren; vergessen); er hat [ihm] alles versiebt

ver|sie|geln; ich versieg[e]le; **Ver|sie|ge|lung,** Ver|sieg|lung

ver|sie|gen (austrocknen)

Ver|sieg|lung vgl. Versiegelung

Ver|sie|gung, die; -

ver|siert ⟨lat.⟩; in etwas versiert (erfahren, bewandert) sein; **Ver|siert|heit,** die; -

Ver|si|fex, der; -es, -e ⟨lat.⟩ (Verseschmied)

ver|sifft (ugs. für verschmutzt)

Ver|si|fi|ka|ti|on, die; -, -en ⟨lat.⟩; ver|si|fi|zie|ren (in Verse bringen)

Ver|sil|be|rer; ver|sil|bern (ugs. auch für verkaufen); ich versilbere; **Ver|sil|be|rung**

ver|sim|peln (ugs. für zu sehr vereinfachen; dumm werden); ich versimp[e]le

ver|sin|ken; versunken

ver|sinn|bild|li|chen; **Ver|sinn|bild|li|chung**

ver|sinn|li|chen; **Ver|sinn|li|chung**

Ver|si|on, die; -, -en ⟨franz.⟩ (Fassung; Lesart; Ausführung)

ver|sippt (verwandt); **Ver|sip|pung**

ver|sit|zen (ugs. für [die Zeit] mit Herumsitzen verbringen; beim Sitzen zerknittern [von Kleidern]); vgl. versessen

ver|skla|ven; **Ver|skla|vung**

Vers|kunst, die; -; **Vers|leh|re**

ver|slu|men [...ˈsla...] ⟨dt.; engl.⟩ (zum Slum werden); verslumte Stadtteile; **Ver|slu|mung**

Vers|maß, das

ver|snobt ⟨dt.; engl.⟩ (in der Art eines Snobs, um gesellschaftliche Exklusivität bemüht)

Ver|so, das; -s, -s ⟨lat.⟩ (fachspr. für [Blatt]rückseite)

ver|sof|fen (derb für trunksüchtig)

ver|soh|len (ugs. für verprügeln)

ver|söh|nen; sich versöhnen; **Ver|söh|ner; Ver|söh|ne|rin**

Ver|söhn|ler (veraltend für jmd., der aus opportunist. Gründen Abweichungen von der Parteilinie o. Ä. nicht entschieden genug bekämpft)

Ver|söhn|le|rin

ver|söhn|lich; **Ver|söhn|lich|keit,** die; -

Ver|söh|nung; Ver|söh|nungs|fest (jüd. Rel.); **Ver|söh|nungs|tag**

ver|son|nen (sinnend, träumerisch); **Ver|son|nen|heit,** die; -

ver|sor|gen

Ver|sor|ger; Ver|sor|ge|rin

Ver|sor|gung, die; -

Ver|sor|gungs|amt; Ver|sor|gungs|an|spruch; Ver|sor|gungs|aus|gleich

Ver|sor|gungs|be|rech|tigt; Ver|sor|gungs|be|rech|tig|te, der u. die; -n, -n

Ver|sor|gungs|ein|heit (Milit.); **Ver|sor|gungs|eng|pass**

Ver|sor|gungs|ge|nuss (österr. Amtsspr. für Pension für Hinterbliebene); **Ver|sor|gungs|la|ge**

Ver|sor|gungs|lei|tung; Ver|sor|gungs|lü|cke; Ver|sor|gungs|netz; Ver|sor|gungs|schwie|rig|kei|ten Plur.; **Ver|sor|gungs|un|ter|neh|men**

Ver|sor|gungs|werk

ver|sot|ten (durch sich ablagernde Rauchrückstände verunreinigt werden [von Schornsteinen]); **Ver|sot|tung**

ver|spach|teln (ugs. auch für aufessen)

ver|spakt (nordd. für angefault)

ver|span|nen; **Ver|span|nung**

Ver|spar|ge|lung (abwertend für Veränderung des Landschaftsbildes durch Windkrafträder)

ver|spä|ten, sich; ver|spä|tet; **Ver|spä|tung**

ver|spei|sen (geh.); **Ver|spei|sung,** die; -

ver|spe|ku|lie|ren

ver|sper|ren; **Ver|sper|rung**

ver|spie|geln (mit Spiegeln od. einer spiegelnden Beschichtung versehen); **Ver|spie|ge|lung**

ver|spie|len; ver|spielt; ein verspielter Junge; bei jmdm. verspielt haben; **Ver|spielt|heit,** die; -

ver|spie|ßern (zum Spießer werden); ich verspießere

ver|spil|lern (Bot. vergeilen); die Pflanze verspillert; **Ver|spil|le|rung**

ver|spin|nen; versponnen

ver|splei|ßen (Seemannsspr. spleißend verbinden); zwei Tauenden [miteinander] verspleißen

ver|spot|ten; **Ver|spot|tung**

ver|spre|chen

Ver|spre|chen, das; -s, -; **Ver|spre|cher; Ver|spre|chung**

ver|spren|gen; **Ver|spreng|te,** der; -n, -n (Milit.); **Ver|spren|gung**

ver|sprit|zen

ver|spro|che|ner|ma|ßen

ver|spru|deln (österr. für verquirlen)

ver|sprü|hen (zerstäuben)

V

vers

ver|spun|den, ver|spün|den; ein Fass verspunden *od.* verspünden

ver|spü|ren

ver|staat|li|chen; Ver|staat|li|chung

ver|städ|tern [*auch* ...'ʃtɛ...] (städtisch machen, werden); ich verstädtere; Ver|städ|te|rung, die; -

ver|stäh|len (*fachspr. für* mit einer Stahlschicht überziehen); Ver|stäh|lung

Ver|stand, der; -[e]s; Ver|stan|des|kraft

ver|stan|des|mä|ßig

Ver|stan|des|mensch, der; Ver|stan|des|schär|fe, die; -

ver|stän|dig (besonnen)

ver|stän|di|gen, sich mit jmdm. verständigen

Ver|stän|dig|keit, die; - (Klugheit)

Ver|stän|di|gung

Ver|stän|di|gungs|be|reit|schaft, die; -; Ver|stän|di|gungs|pro|b|lem; Ver|stän|di|gungs|schwie|rig|kei|ten *Plur.*; Ver|stän|di|gungs|ver|such

ver|ständ|lich; ver|ständ|li|cher|wei|se; Ver|ständ|lich|keit, die; -

Ver|ständ|nis, das; -ses, -se *Plur. selten*; ver|ständ|nis|in|nig

ver|ständ|nis|los; Ver|ständ|nis|lo|sig|keit, die; -

ver|ständ|nis|voll

ver|stän|kern (*ugs.*); ich verstänkere

ver|stär|ken; in verstärktem Maße; Ver|stär|ker; Ver|stär|ker|röh|re

Ver|stär|kung; Ver|stär|kungs|pfei|ler

ver|stä|ten (*schweiz. für* festmachen [bes. das Fadenende])

ver|stat|ten (*veraltet für* gestatten); Ver|stat|tung, die; -

ver|stau|ben

ver|stäu|ben; Insektizide verstäuben

ver|staubt (*auch für* altmodisch, überholt)

ver|stau|chen; ich habe mir den Fuß verstaucht; Ver|stau|chung

ver|stau|en ([auf relativ engem Raum] unterbringen)

Ver|steck, das; -[e]s, -e; Versteck spielen

ver|ste|cken *vgl.* ²stecken; sie hatte die Ostereier gut versteckt; sich verstecken; Ver|ste|cken, das; -s; er will Verstecken spielen

Ver|ste|cken|spie|len, das; -s

Ver|ste|ckerl, das; -s, Ver|ste|ckerl|spiel, das; -[e]s (*ostösterr. neben* Versteckspiel)

Ver|steck|spiel, das; -[e]s

Ver|steckt|heit, die; -

ver|ste|hen; verstanden; jmdm. etwas zu verstehen geben; Ver|ste|hen, das; -s

ver|stei|fen (*auch Bauw.* abstützen, unterstützen); sich auf etwas versteifen (auf etwas beharren); Ver|stei|fung

ver|stei|gen, sich; er hatte sich in den Bergen verstiegen; du verstiegst dich zu übertriebenen Forderungen (*geh.*)

Ver|stei|ge|rer; Ver|stei|ge|rin

ver|stei|gern; ich versteigere

Ver|stei|ge|rung

Ver|stei|ge|rungs|edikt (*österr. Amtsspr. für* Bekanntmachung einer Versteigerung)

ver|stei|nen (*veraltet für* mit Grenzsteinen versehen)

ver|stei|nern (zu Stein machen, werden); ich versteinere; wie versteinert; Ver|stei|ne|rung

ver|stell|bar; Ver|stell|bar|keit, die; -

ver|stel|len; Ver|stel|lung; Ver|stel|lungs|kunst

ver|step|pen (zu Steppe werden); das Land ist versteppt; Ver|step|pung

ver|ster|ben; *nur noch im Präteritum u. im Partizip II gebr.*: verstarb, verstorben (*vgl. d.*)

ver|ste|ti|gen (*bes. Wirtsch.* gleichmäßig u. beständig machen); Ver|ste|ti|gung

ver|steu|ern; Ver|steu|e|rung

ver|stie|ben (*veraltet für* in Staub zerfallen; wie Staub verfliegen); der Schnee ist verstoben

ver|stie|gen (überspannt); Ver|stie|gen|heit

ver|stim|men (*auch für* verärgern); verstimmt; Ver|stimmt|heit, die; -; Ver|stim|mung

ver|stockt (uneinsichtig, störrisch); Ver|stockt|heit, die; -

ver|stoh|len (heimlich); ver|stoh|le|ner|wei|se

ver|stol|pern (*Sport*); ich verstolpere den Ball

Ver|stop|fen; Ver|stop|fung

ver|stor|ben (*Zeichen* †); Ver|stor|be|ne, der *u.* die; -n, -n, -n

ver|stö|ren (verwirren); es verstört mich, dass ...; ver|stört; Ver|stört|heit, die; -

Ver|stoß, der; -es, ...stöße; ver|sto|ßen; Ver|sto|ßung

ver|strah|len (ausstrahlen; durch Radioaktivität verseuchen); Ver|strah|lung

ver|stre|ben; Ver|stre|bung

ver|strei|chen (*auch für* vorübergehen; vergehen); verstrichen

ver|streu|en; verstreut

ver|stri|cken; sich [in Widersprüche] verstricken; Ver|stri|ckung

ver|stro|men (zur Stromerzeugung benutzen); Kohle verstromen

ver|strö|men; einen Duft verströmen

Ver|stro|mung

ver|strub|beln (*ugs.*); ich verstrubb[e]le ihr die Haare

ver|stüm|meln; verstümmelt; Ver|stüm|me|lung, *seltener* Verstümm|lung

ver|stum|men

Ver|stümm|lung *vgl.* Verstümmelung

Ver. St. v. A. = Vereinigte Staaten von Amerika

Ver|such, der; -[e]s, -e; ver|su|chen

Ver|su|cher; Ver|su|che|rin

Ver|suchs|ab|tei|lung; Ver|suchs|an|la|ge; Ver|suchs|an|ord|nung

Ver|suchs|an|stalt; Ver|suchs|bal|lon; Ver|suchs|ge|län|de

Ver|suchs|ka|nin|chen (*ugs. für* Versuchstier, Versuchsperson)

Ver|suchs|lei|ter; Ver|suchs|lei|te|rin; Ver|suchs|per|son (Vp., VP); Ver|suchs|pha|se; Ver|suchs|rei|he; Ver|suchs|sta|ti|on; Ver|suchs|tier

ver|suchs|wei|se

Ver|su|chung

ver|süh|nen (*veraltet für* versöhnen)

ver|sump|fen (*ugs. auch für* moralisch verkommen); Ver|sump|fung

ver|sün|di|gen, sich (*geh.*); Ver|sün|di|gung (*geh.*)

ver|sun|ken; in etwas versunken sein; Ver|sun|ken|heit, die; -

ver|sus *Präp. mit Akk.* ⟨lat.⟩ (gegen; *Abk.* vs.)

ver|sü|ßen; Ver|sü|ßung

vert. [*Druckw.* V] = vertatur

ver|tä|feln; ver|täf[e]|le; Ver|tä|fe|lung, Ver|täf|lung

ver|ta|gen; Ver|ta|gung

ver|tän|deln (nutzlos [die Zeit] verbringen); ich vertänd[e]le

ver|ta|tur! ⟨lat.⟩ (man wende!, man drehe um!; *Abk.* vert. [*Druckw.* V])

ver|tau|ben (*Bergmannsspr.* in taubes Gestein übergehen); Ver|tau|bung

ver|täu|en (*Seemannsspr.* durch Taue festmachen); das Schiff ist vertäut

ver|tausch|bar; Ver|tausch|bar|keit, die; -

ver|tau|schen; Ver|tau|schung

ver|tau|send|fa|chen

Ver|täu|ung *(Seemannsspr.)*

ver|te! <lat.> *(Musik* wende um!, wenden!)

ver|te|b|ral *(Med.* die Wirbelsäule betreffend, zu ihr gehörend); Ver|te|b|rat, der; -en, -en *meist Plur. (Zool.* Wirbeltier)

ver|tei|di|gen *(auch Sport);* Ver|tei|di|ger; Ver|tei|di|ge|rin

Ver|tei|di|gung

Ver|tei|di|gungs|aus|ga|ben *Plur.;* Ver|tei|di|gungs|bei|trag; Ver|tei|di|gungs|be|reit|schaft, die; -; Ver|tei|di|gungs|bünd|nis

Ver|tei|di|gungs|drit|tel *(Eishockey)*

Ver|tei|di|gungs|fall; Ver|tei|di|gungs|haus|halt; Ver|tei|di|gungs|krieg

Ver|tei|di|gungs|mi|nis|ter; Ver|tei|di|gungs|mi|nis|te|rin; Ver|tei|di|gungs|mi|nis|te|ri|um

Ver|tei|di|gungs|pakt

Ver|tei|di|gungs|schrift

Ver|tei|di|gungs|stel|lung; Ver|tei|di|gungs|waf|fe; Ver|tei|di|gungs|zu|stand

ver|tei|len; Ver|tei|ler

Ver|tei|ler|do|se

Ver|tei|le|rin

Ver|tei|ler|kas|ten; Ver|tei|ler|netz; Ver|tei|ler|ring; Ver|tei|ler|schlüs|sel; Ver|tei|ler|ta|fel

Ver|tei|lung; Ver|tei|lungs|kampf

Ver|tei|lungs|stel|le; Ver|tei|lungs|zahl|wort *(für* Distributivzahl)

ver|te|le|fo|nie|ren *(ugs.);* sie hat zehn Euro vertelefoniert

ver|te, si pla|cet! <lat.> *(Musik* bitte wenden!; *Abk.* v. s. pl.)

ver|teu|ern, sich verteuern; ich verteu[e]re; Ver|teu|e|rung

ver|teu|feln (als böse, schlecht hinstellen); ich verteuf[e]le; ver|teu|felt *(ugs. für* verzwickt; über die Maßen; verwegen); Ver|teu|fe|lung, Ver|teuf|lung

ver|ti|cken *(ugs. für* verkaufen)

ver|tie|fen; sich in eine Sache vertiefen; Ver|tie|fung

ver|tie|ren (zum Tier werden, machen); ver|tiert (tierisch)

ver|ti|kal <lat.> (senkrecht, lotrecht); Ver|ti|ka|le, die; -, -n; vier -[n]

Ver|ti|kal|ebe|ne; Ver|ti|kal|kreis

Ver|ti|ko, das, *selten* der; -s, -s <angeblich nach dem Tischler Vertikow> (kleiner Zierschrank)

ver|ti|ku|tie|ren <lat.> ([Rasen] lüften, entfilzen); Ver|ti|ku|tie|rer; Ver|ti|ku|tier|ge|rät

ver|til|gen; Ver|til|gung, die; -, -en

Ver|til|gungs|mit|tel, das

ver|tip|pen *(ugs. für* falsch ¹tippen); sich vertippen; vertippt

ver|to|nen; das Gedicht wurde vertont; Ver|to|ner *(selten)* Ver|to|ne|rin

¹Ver|to|nung (das Vertonen)

²Ver|to|nung (Darstellung von Küstenansichten [von See aus])

ver|tor|fen (zu Torf werden); Ver|tor|fung

ver|trackt *(ugs. für* verwickelt; ärgerlich); Ver|trackt|heit *(ugs.)*

Ver|trag, der; -[e]s, ...träge

ver|tra|gen; Zeitungen vertragen *(schweiz. neben* austragen); Ver|trä|ger *(schweiz. auch für* jmd., der Zeitungen u. Ä. austrägt); Ver|trä|ge|rin

ver|trag|lich (dem Vertrag nach; durch Vertrag)

ver|träg|lich; die Speise ist gut verträglich; Ver|träg|lich|keit

ver|trag|los; vertragloser Zustand

Ver|trags|ab|schluss

Ver|trags|be|diens|te|te, der u. die *(österr. für* nicht beamtete[r] öffentlich Bedienstete[r])

Ver|trags|bruch

Ver|trags|brü|chig; Ver|trags|brü|chi|ge, der u. die; -n, -n

ver|trags|schlie|ßend; vertragschließende Parteien; Ver|trag|schlie|ßen|de, der u. die; -n, -n

ver|trags|ge|mäß

Ver|trags|ho|tel

ver|trags|los *vgl.* vertraglos

Ver|trags|par|tei

Ver|trags|part|ner; Ver|trags|part|ne|rin

Ver|trags|punkt; Ver|trags|schluss

Ver|trags|spie|ler *(Sport);* Ver|trags|spie|le|rin

Ver|trags|stra|fe; Ver|trags|text

Ver|trags|ver|hält|nis

Ver|trags|werk|statt

ver|trags|wid|rig; Ver|trags|wid|rig|keit, die; -

ver|trau|en

Ver|trau|en, das; -s; [großes] Vertrauen erwecken

Ver|trau|en er|we|cke|nd, **ver|trau|en|er|we|ckend**; ein Vertrauen erweckende *od.* vertrauenerweckender Verkäufer; *aber nur* ein großes Vertrauen erweckender Verkäufer; ein äußerst vertrauenerweckender, noch vertrauenerweckenderer Verkäufer ↑K58

Ver|trau|ens|an|walt

Ver|trau|ens|arzt; ver|trau|ens|ärzt-lich; eine vertrauensärztliche Untersuchung

Ver|trau|ens|ba|sis; Ver|trau|ens|be|weis

ver|trau|ens|bil|dend; vertrauensbildende Maßnahmen

Ver|trau|ens|bruch, der; Ver|trau|ens|fra|ge

Ver|trau|ens|frau; Ver|trau|ens|grund|la|ge; Ver|trau|ens|kri|se; Ver|trau|ens|leh|rer; Ver|trau|ens|leh|re|rin

Ver|trau|ens|mann *Plur.* ...männer u. ...leute *(Abk.* V-Mann); Ver|trau|ens|per|son

Ver|trau|ens|sa|che

ver|trau|ens|se|lig; Ver|trau|ens|se|lig|keit, die; -

Ver|trau|ens|stel|lung; Ver|trau|ens|ver|hält|nis; Ver|trau|ens|ver|lust

ver|trau|ens|voll

Ver|trau|ens|vo|tum

ver|trau|ens|wür|dig; Ver|trau|ens|wür|dig|keit, die; -

ver|trau|ern

ver|trau|lich; Ver|trau|lich|keit

ver|träu|men; ver|träumt; Ver|träumt|heit, die; -

ver|traut; jmdn., sich mit etwas vertraut machen; Ver|trau|te, der u. die; -n, -n; Ver|traut|heit

ver|trei|ben; Ver|trei|ber; Ver|trei|be|rin; Ver|trei|bung

ver|tret|bar; vertretbare Sache *(BGB);* Ver|tret|bar|keit, die; -

ver|tre|ten

Ver|tre|ter; Ver|tre|ter|be|such; Ver|tre|te|rin

Ver|tre|tung; in Vertretung *(Abk.* i. V., I. V.; *vgl. d.);* Ver|tre|tungs|stun|de; ver|tre|tungs|wei|se

Ver|trieb, der; -[e]s, -e (Verkauf)

Ver|trie|be|ne, der u. die; -n, -n

Ver|triebs|ab|tei|lung; Ver|triebs|ge|sell|schaft; Ver|triebs|ka|nal; Ver|triebs|kos|ten *Plur.*

Ver|triebs|lei|ter, der; Ver|triebs|lei|te|rin; Ver|triebs|recht; Ver|triebs|weg

ver|trim|men *(ugs. für* verprügeln)

ver|trin|ken; sein Geld vertrinken

ver|trock|nen

ver|trö|deln *(ugs. für* [seine Zeit] unnütz hinbringen); Ver|trö|de|lung, Ver|tröd|lung, die; - Ver|trö|de|lung

ver|trös|ten; Ver|trös|tung

ver|trot|teln *(ugs.);* ver|trot|telt

ver|trus|ten [...'tra...] *(Wirtsch.* zu einem Trust vereinigen); Ver|trus|tung

ver|tü|dern *(nordd. für* verwirren); sich vertüdern; ich vertüdere

V

vert

Ver|tum|na|li|en *Plur.* (ein altröm. Fest)

ver|tun (verschwenden); vertan; sich vertun (*ugs. für* sich irren)

ver|tu|schen (*ugs.*); du vertuschst; Ver|tu|schung; Ver|tu|schungs|ver|such

ver|übeln (übelnehmen); ich ver|üb[e]le; jmdm. etwas verübeln

ver|üben; ein Verbrechen verüben

ver|ul|ken; Ver|ul|kung

ver|un|eh|ren (*veraltet für* im Ansehen schädigen)

ver|un|fal|len (*Amtsspr.* verunglücken); Ver|un|fall|te, der *u.* die; -n, -n (*Amtsspr.*)

ver|un|glimp|fen (schmähen, beleidigen); Ver|un|glimp|fung

ver|un|glü|cken; Ver|un|glück|te, der *u.* die; -n, -n

ver|un|krau|ten; der Acker ist verunkrautet

ver|un|mög|li|chen (*bes. schweiz. für* verhindern, vereiteln)

ver|un|rei|ni|gen; Ver|un|rei|ni|gung

ver|un|si|chern; ich verunsichere; Ver|un|si|che|rung

ver|un|stal|ten (entstellen); Ver|un|stal|tung

ver|un|treu|en (unterschlagen); Ver|un|treu|er; Ver|un|treu|e|rin; Ver|un|treu|ung

ver|un|zie|ren (verschandeln); Ver|un|zie|rung

ver|ur|sa|chen; Ver|ur|sa|cher; Ver|ur|sa|che|rin; Ver|ur|sa|cher|prin|zip, das; -s (*Rechtsspr.*); Ver|ur|sa|chung, die; -

ver|ur|tei|len; Ver|ur|tei|lung

Ver|ve, die; - ⟨franz.⟩ (Schwung)

ver|viel|fa|chen; Ver|viel|fa|chung

ver|viel|fäl|ti|gen; Ver|viel|fäl|ti|ger; Ver|viel|fäl|ti|gung

Ver|viel|fäl|ti|gungs|zahl|wort (*z. B.* achtmal, dreifach)

ver|vier|fa|chen

ver|voll|komm|nen; sich vervollkommnen; Ver|voll|komm|nung; ver|voll|komm|nungs|fä|hig

ver|voll|stän|di|gen; Ver|voll|stän|di|gung

verw. = verwitwet

¹ver|wach|sen; die Narbe ist verwachsen; mit etwas verwachsen (innig verbunden) sein; sich verwachsen ([beim Wachsen] verschwinden)

²ver|wach|sen (schief gewachsen, verkrüppelt)

³ver|wach|sen (*Ski* falsch ²wachsen); er hat [sich] verwachst

Ver|wach|sung

ver|wa|ckeln; die Aufnahme ist

---

verwackelt (unscharf); Ver|wa|cke|lung, Ver|wack|lung

ver|wäh|len, sich

Ver|wahr, der; -s (*veraltet*); nur noch in in Verwahr geben, nehmen

ver|wah|ren (*veraltet auch für* in Haft nehmen, unterbringen); es ist alles wohl verwahrt (aufbewahrt); sich gegen etwas verwahren (etwas energisch zurückweisen)

Ver|wah|rer; Ver|wah|re|rin

ver|wahr|lo|sen; du verwahrlost; Ver|wahr|los|te, der *u.* die; -n, -n; Ver|wahr|lo|sung, die; -

Ver|wahr|sam, der; -s; in Verwahrsam geben, nehmen

Ver|wah|rung

ver|wai|sen (elternlos werden; einsam werden); du verwaist; er/sie verwais|te; ver|waist; ein verwais|tes Haus

ver|wal|ken (*ugs. für* verprügeln)

ver|wal|ten; Ver|wal|ter; Ver|wal|te|rin

Ver|wal|tung; Ver|wal|tungs|akt; Ver|wal|tungs|an|ge|stell|te, der *u.* die; Ver|wal|tungs|ap|pa|rat; Ver|wal|tungs|auf|ga|be *meist Plur.*; Ver|wal|tungs|auf|wand

Ver|wal|tungs|be|am|te; Ver|wal|tungs|be|am|tin; Ver|wal|tungs|be|zirk; Ver|wal|tungs|dienst, der; -[e]s

Ver|wal|tungs|di|rek|tor; Ver|wal|tungs|di|rek|to|rin; Ver|wal|tungs|ge|bäu|de; Ver|wal|tungs|ge|bühr

Ver|wal|tungs|ge|richt; Ver|wal|tungs|ge|richts|hof

Ver|wal|tungs|kos|ten *Plur.*

Ver|wal|tungs|rat *Plur.* ...räte; Ver|wal|tungs|rä|tin

Ver|wal|tungs|recht, das; -[e]s; Ver|wal|tungs|re|form

Ver|wal|tungs|rich|ter; Ver|wal|tungs|rich|te|rin

ver|wal|tungs|tech|nisch

Ver|wal|tungs|vor|schrift

ver|wam|sen (*ugs. für* verprügeln); du verwamst

ver|wan|del|bar; ver|wan|deln; ich verwand[e]le; Ver|wand|lung

Ver|wand|lungs|künst|ler; Ver|wand|lungs|künst|le|rin

ver|wand|lungs|reich

ver|wandt (zur gleichen Familie, Art gehörend); Ver|wand|te, der *u.* die; -n, -n

Ver|wandt|schaft; ver|wandt|schaft|lich; Ver|wandt|schafts|grad

---

ver|wanzt (voller Wanzen)

ver|war|nen; Ver|war|nung; Ver|war|nungs|geld (*Amtsspr.*)

ver|wa|schen

ver|wäs|sern; ich verwässere

Ver|wäs|se|rung, Ver|wäss|rung

ver|we|ben; *meist schwach gebeugt, wenn es sich um die handwerkliche Tätigkeit handelt:* bei dieser Matte wurden Garne unterschiedlicher Stärke verwebt; *meist stark gebeugt bei übertragener Bedeutung:* zwei Melodien sind miteinander verwoben

ver|wech|sel|bar

ver|wech|seln ↑K 82; zum Verwechseln ähnlich

Ver|wech|se|lung, Ver|wechs|lung; Ver|wech|se|lungs|ge|fahr, Ver|wechs|lungs|ge|fahr

ver|we|gen; Ver|we|gen|heit

ver|we|hen; vom Winde verweht

ver|weh|ren; jmdm. etwas verwehren; Ver|weh|rung, die; -

Ver|we|hung

ver|weich|li|chen; Ver|weich|li|chung, die; -

Ver|wei|ge|rer, der; -s, - (*auch kurz für* Kriegsdienstverweigerer); Ver|wei|ge|rin

ver|wei|gern; Ver|wei|ge|rung; Ver|wei|ge|rungs|fall, der; im Verweigerungsfall[e] (*Rechtsspr.*); Ver|wei|ge|rungs|hal|tung

Ver|weil|dau|er (*Fachspr.*)

ver|wei|len; sich verweilen

ver|weint; verweinte Augen

Ver|weis, der; -es, -e (ernste Zurechtweisung; Hinweis)

ver|wei|sen (*auch veraltend für* verbieten; tadeln); sie hat dem Jungen seine Frechheit verwiesen; Ver|wei|sung

ver|wel|ken

ver|welt|li|chen (weltlich machen); Ver|welt|li|chung, die; -

ver|wend|bar; Ver|wend|bar|keit, die; -

ver|wen|den; ich verwandte *od.* verwendete, habe verwandt *od.* verwendet

Ver|wen|dung; zur besonderen Verwendung (*Abk. z. b.* V.); ver|wen|dungs|fä|hig

Ver|wen|dungs|mög|lich|keit; Ver|wen|dungs|wei|se; Ver|wen|dungs|zweck

ver|wer|fen; der Plan wurde verworfen; die Arme verwerfen (*schweiz.* heftig gestikulieren)

ver|werf|lich; Ver|werf|lich|keit

Ver|wer|fung (*auch für* geol. Schichtenstörung)

ver|wert|bar; ver|wer|ten

Ver|wer|ter; Ver|wer|te|rin

Ver|wer|tung; Ver|wer|tungs|ge|sell|schaft (zur Wiederverwertung von Müll; zur Wahrnehmung gewisser Schutzrechte)

¹ver|we|sen (sich zersetzen, in Fäulnis übergehen)

²ver|we|sen (*veraltet für* stellvertretend verwalten); du verwest

Ver|we|ser; Ver|we|se|rin

ver|wes|lich; Ver|we|sung, die; -; Ver|we|sungs|ge|ruch

ver|wet|ten

ver|wi|chen (*veraltend für* vergangen); im verwichenen Jahre

ver|wich|sen (*ugs. für* verprügeln; [Geld] vergeuden)

ver|wi|ckeln; ver|wi|ckelt

ver|wi|cke|lung, Ver|wick|lung

ver|wie|gen (*fachspr. für* wiegen)

Ver|wie|ger; Ver|wie|ge|rin

Ver|wie|gung

ver|wil|dern; ver|wil|dert

Ver|wil|de|rung

¹ver|win|den (über etwas hinwegkommen); verwunden; den Schmerz verwinden

²ver|win|den (*Technik* verdrehen)

Ver|win|dung

ver|win|dungs|fest (*Technik*)

ver|win|kelt (winklig)

ver|wir|ken; sein Leben verwirken

ver|wirk|li|chen; sich [selbst] verwirklichen; Ver|wirk|li|chung

Ver|wir|kung, die; - (*Rechtsspr.*)

ver|wir|ren *vgl.* verworren

Ver|wirr|spiel; Ver|wirrt|heit, die; -; Ver|wir|rung

ver|wirt|schaf|ten (mit etwas schlecht wirtschaften)

ver|wi|schen; Ver|wi|schung

ver|wit|tern; das Gestein ist verwittert; ich verwittere

Ver|wit|te|rung; Ver|wit|te|rungs|pro|dukt

ver|wit|wet (Witwe[r] geworden; *Abk.* verw.)

ver|wo|ben (eng verknüpft mit etw.), *vgl.* verweben

ver|woh|nen; verwohnte Räume

ver|wöh|nen; ver|wöhnt

Ver|wöhnt|heit, die; -; Ver|wöh|nung, die; -

ver|wor|fen (lasterhaft, schlecht); Ver|wor|fen|heit, die; -

ver|wor|ren; das hört sich ziemlich verworren an; *vgl.* verwirren; Ver|wor|ren|heit, die; -

ver|wund|bar; Ver|wund|bar|keit, die; -

ver|wun|den (verletzen)

²ver|wun|den *vgl.* verwinden

ver|wun|der|lich

ver|wun|dern; ich verwundere mich; Ver|wun|de|rung, die; -

ver|wun|det; Ver|wun|de|te, der *u.* die; -n, -n; Ver|wun|de|ten|transport; Ver|wun|dung

ver|wun|schen (verzaubert); ein verwunschenes Schloss

ver|wün|schen (verfluchen; verzaubern); sie hat ihr Schicksal oft verwünscht; ver|wünscht (verflucht); verwünscht sei diese Reise!; Ver|wün|schung

Ver|wurf (*svw.* Verwerfung [*Geol.*])

ver|wursch|teln, ver|wurs|teln (*ugs. für* verdrehen, verwirren); ich verwurschtel[e]le *od.* ich verwurst[e]le

ver|wurs|ten; eigene Erlebnisse zu Geschichten verwursten

ver|wur|zeln; Ver|wur|ze|lung, Ver|wurz|lung

ver|wu|scheln (*ugs. für* zerzausen); ich verwusch[e]le

ver|wüs|ten; Ver|wüs|tung

Verz. = Verzeichnis

ver|za|gen (mutlos werden)

ver|zagt; Ver|zagt|heit, die; -

ver|zäh|len, sich

ver|zah|nen (an-, ineinanderfügen); Ver|zah|nung

ver|zan|ken, sich (*ugs. für* in Streit geraten)

ver|zap|fen (durch Zapfen verbinden; *landsch. für* [vom Fass] ausschenken; *ugs. für* etwas [Unsinniges] anstellen, reden); Ver|zap|fung

ver|zär|teln; Ver|zär|te|lung, die; -

ver|zau|bern (Verzaubere; Ver|zau|be|rung

ver|zäu|nen; Ver|zäu|nung

ver|zehn|fa|chen

Ver|zehr, der; -[e]s; Ver|zehr|bon

ver|zeh|ren; Ver|zeh|rer (*selten*); Ver|zeh|re|rin

ver|zehr|zwang

Ver|zeich|nen; Ver|zeich|nis, das; -ses, -se (*Abk.* Verz.)

Ver|zeich|nung; ver|zeich|nungs|frei (*für* orthoskopisch)

ver|zei|gen (*schweiz. für* Anzeige erstatten, anzeigen)

ver|zei|hen; sie hat ihm verziehen

ver|zeih|lich; Ver|zei|hung, die; -

ver|zer|ren; Ver|zer|rung

¹ver|zet|teln (für eine Kartei auf Zettel schreiben); ich verzett[e]le

²ver|zet|teln (vergeuden); sich verzetteln (sich mit zu vielen Dingen beschäftigen)

¹Ver|zet|te|lung, Ver|zett|lung (Aufnahme auf Zettel für eine Kartei)

²Ver|zet|te|lung, Ver|zett|lung (das Sichverzetteln)

Ver|zicht, der; -[e]s, -e; Verzicht leisten; ver|zicht|bar

ver|zich|ten

Ver|zicht[s]|er|klä|rung; Ver|zicht[s]|leis|tung; Ver|zicht[s]|po|li|tik

ver|zieh *vgl.* verzeihen

¹ver|zie|hen; sie verzog das Gesicht; die Eltern verziehen ihr Kind; er ist nach Frankfurt verzogen; sich verziehen (*ugs. für* verschwinden)

²ver|zie|hen *vgl.* verzeihen

ver|zie|ren; Ver|zie|rung

ver|zim|mern (*Bauw.*); ich verzimmere; Ver|zim|me|rung

¹ver|zin|ken (*Gaunerspr.* verraten, anzeigen)

²ver|zin|ken (mit Zink überziehen); Ver|zin|kung

ver|zin|nen; Ver|zin|nung

ver|zins|bar; ver|zin|sen

ver|zins|lich; Ver|zins|lich|keit

Ver|zin|sung

ver|zo|gen; ein verzogener Junge

ver|zö|gern; Ver|zö|ge|rung; Ver|zö|ge|rungs|tak|tik

ver|zol|len; Ver|zol|lung

ver|zopft (rückständig)

ver|zü|cken

ver|zu|ckern; Ver|zu|cke|rung

ver|zückt; Ver|zückt|heit, die; -

Ver|zü|ckung; in Verzückung geraten

Ver|zug, der; -[e]s (*Bergmannsspr. auch* gitterartige Verbindung zwischen zwei Ausbaurahmen); Gefahr ist im Verzug (Gefahr droht); im Verzug sein (im Rückstand sein); in Verzug geraten, kommen; in Verzug setzen; ohne Verzug (sofort)

Ver|zugs|zin|sen *Plur.*

ver|zwa|gel|zeln (*landsch. für* verzweifeln)

ver|zwei|feln; ich verzweif[e]le; ↑K 82 : es ist zum Verzweifeln

ver|zwei|felt

Ver|zweif|lung, die; -; Ver|zweif|lungs|tat; ver|zweif|lungs|voll

ver|zwei|gen, sich; Ver|zwei|gung

ver|zwickt (*ugs. für* verwickelt, schwierig); eine verzwickte Geschichte; Ver|zwickt|heit, die; -

V

Verz

ver|zwir|nen (Garne zusammendrehen)

Ve|si|ka|to|ri|um, das; -s, ...ien ⟨lat.⟩ (*Med.* Blasen ziehendes Mittel, Zugpflaster)

Ves|pa®, die; -, -s ⟨ital.⟩ (ein Motorroller)

Ves|pa|si|an, **Ves|pa|si|a|nus** (röm. Kaiser)

Ves|per [f...], die; -, -n, *südd. für* »Zwischenmahlzeit« *auch* das; -s, - ⟨lat.⟩ (Zeit gegen Abend; Abendandacht; Stundengebet; *bes. südd. für* Zwischenmahlzeit, bes. am Nachmittag)

Ves|per|bild *(Kunstwiss.)*; **Ves|perbrot**; **Ves|per|got|tes|dienst**

ves|pern (*bes. südd. für* einen [Nachmittags]imbiss einnehmen); ich vespere

Ves|puc|ci [...t͜ʃi], Ameri̱go (ital. Seefahrer)

Ves|ta (röm. Göttin des häusl. Herdes)

Ves|ta|lin, die; -, -nen (Priesterin der Vesta)

Ves|te [f...], die; -, -n (*veraltet für* Feste); Veste Coburg

Ves|ti|bül, das; -s, -e ⟨franz.⟩ (Vorhalle)

Ves|ti|bu|lum, das; -s, ...la ⟨lat.⟩ (Vorhalle des altröm. Hauses)

Ves|ti|tur, die; -, -en ⟨lat.⟩ (*svw.* Investitur)

Ves|ton [...'tõː], das, *auch* der; -s, -s ⟨franz.⟩ (*schweiz. für* Herrenjackett)

Ve|suv, der; -[s] (Vulkan bei Neapel); **Ve|su|vi|an**, der; -s, -e (ein Mineral); **ve|su|visch**

Ve|te|ran, der; -en, -en ⟨lat.⟩ (altgedienter Soldat; ehem. langjähriger Mitarbeiter; altes [Auto]modell)

Ve|te|ra|nen|klub, **Ve|te|ra|nen|club** (*regional für* Treffpunkt alter Menschen); **Ve|te|ra|nin**

ve|te|ri|när ⟨franz.⟩ (tierärztlich)

Ve|te|ri|när, der; -s, -e (Tierarzt)

ve|te|ri|när|ärzt|lich

Ve|te|ri|nä|rin

Ve|te|ri|när|me|di|zin, die; - (Tierheilkunde); **ve|te|ri|när|me|di|zinisch**

Ve|to, das; -s, -s ⟨lat.⟩ (Einspruch[srecht]); **Ve|to|recht**

Vet|tel [f...], die; -, -n (*veraltend für* unordentliche, ungepflegte [alte] Frau)

Vet|ter, der; -s, -n; **Vet|te|rin** (*veraltet)*; **vet|ter|lich**

Vet|tern|schaft; **Vet|tern|wirtschaft**, die; - (*abwertend)*

Vet|ter|schaft *vgl.* Vetternschaft

Ve|xier|bild ⟨lat.; dt.⟩

ve|xie|ren ⟨lat.⟩ (*veraltet für* irreführen; quälen; necken)

Ve|xier|rät|sel; **Ve|xier|spie|gel**

v-för|mig, **V-för|mig** [ˈfau...] ↑K29

V-Frau

VGA ⟨engl.; *Kurzw. aus* Video Graphic's Array⟩ (Abkürzung für einen Chip zur Steuerung eines Farbbildschirms mit hoher Bildwiederholungsfolge u. hoher Auflösung)

vgl. = vergleich[e]!

v., g., u. = vorgelesen, genehmigt, unterschrieben

v. H. = vom Hundert

[1]VHS, die; -, - = Volkshochschule

[2]VHS = Video-Home-System

via ⟨lat.⟩; *Präp. mit Akk., gewöhnlich nur in Verbindung mit Namen od. allein stehendem Substantiv im Sing.* ([auf dem Wege] über); via Köln

Via Ap|pia, die; - - (Straße bei Rom)

Via|dukt, der, *auch* das; -[e]s, -e (Talbrücke, Überführung)

Vi|a|g|ra®, das; -s ⟨engl.⟩ (Medikament zur Behandlung von Potenzstörungen)

Via Ma|la, die; - - (Schlucht in Graubünden)

Vi|a|ti|kum, das; -s, Plur. ...ka u. ...ken (*kath. Kirche* dem Sterbenden gereichte letzte Kommunion)

Vi|b|ra|fon, **Vi|b|ra|phon**, das; -s, -e ⟨lat.; griech.⟩ (ein Musikinstrument)

Vi|b|ra|fo|nist, **Vi|b|ra|pho|nist**, der; -en, -en; **Vi|b|ra|fo|nis|tin**, **Vi|bra|pho|nis|tin**

Vi|b|ra|ti|on, die; -, -en ⟨lat.⟩ (Schwingung, Beben, Erschütterung); **Vi|b|ra|ti|ons|mas|sa|ge**

vi|b|ra|to ⟨ital.⟩ (*Musik* bebend); **Vi|b|ra|to**, das; -s, Plur. -s u. ...ti

Vi|b|ra|tor, der; -s, ...o̱ren ⟨lat.⟩ (Gerät, das Schwingungen erzeugt; Gerät zur sexuellen Stimulation)

vi|b|rie|ren (schwingen; beben, zittern)

Vi|b|ro|mas|sa|ge (*kurz für* Vibrationsmassage)

vi|ce ver|sa ⟨lat.⟩ (umgekehrt; *Abk.* v. v.)

Vi|co (m. Vorn.)

Vi|comte [...'kõːt], der; -s, -s ⟨franz. Adelstitel⟩

Vi|com|tesse [...'tɛs], die; -, -n (*weibl. Form von* Vicomte)

---

[1]Vic|to|ria (Gliedstaat des Australischen Bundes)

[2]Vic|to|ria (Hauptstadt der Seychellen)

Vic|to|ria|fäl|le, **Vic|to|ria-Fäl|le**, Plur. (große Wasserfälle des Sambesi)

Vic|to|ria re|gia, die; - -, - -s (eine südamerik. Seerose)

Vic|to|ry|zei|chen ⟨engl.; dt.⟩ (aus Zeige- und Mittelfinger gebildetes V)

vi|de! [v...] ⟨lat.⟩ (*veraltet für* siehe!; *Abk.* v.)

Vi|deo, das; -s, -s ⟨engl.⟩ (*ugs. kurz für* Videoband, -clip, -film; *nur Sing.:* Videotechnik)

Vi|deo|auf|zeich|nung; **Vi|deo|band** (*vgl.* [3]Band)

Vi|deo|clip, der; -s, -s ⟨engl.⟩ (kurzer Videofilm zu einem Popmusikstück)

Vi|deo|film; **Vi|deo|ge|rät**

Vi|deo|jo|ckey, der; -s, -s ⟨engl.⟩ (jmd., der Videoclips präsentiert)

Vi|deo|ka|me|ra; **Vi|deo|kas|set|te**; **Vi|deo|kon|fe|renz**; **Vi|deo|kunst**; **Vi|deo|la|den**

Vi|deo-on-De|mand [...dɪˈmaːnd], das; -[s] ⟨engl.⟩ (Form des Fernsehens, bei der der Zuschauer einen gewünschten Film aus einem Archiv abrufen u. ansehen kann)

Vi|deo|pro|gramm|sys|tem (zur automatischen Videoaufzeichnung von Fernsehsendungen; *Abk.* VPS)

Vi|deo|re|kor|der, **Vi|deo|re|cor|der** (Speichergerät für Fernsehsendungen)

Vi|deo|spiel (*svw.* Telespiel); **Video|tech|nik**, die; -

Vi|deo|text ([geschriebene] Information, die auf Abruf über den Fernsehbildschirm vermittelt wird)

Vi|deo|thek, die; -, -en (Sammlung von Videofilmen od. Fernsehaufzeichnungen); **Vi|deo|the|kar**, der; -s, -e; **Vi|deo|the|ka|rin**

Vi|deo|über|wacht; **Vi|deo|über|wachung**

vi|di (*veraltet für* ich habe gesehen; *Abk.* v.)

vi|die|ren (*österr. für* beglaubigen, unterschreiben); **Vi|di|ma|ti|on**, die; -, -en (Beglaubigung)

vi|dit (*veraltet für* hat [es] gesehen; *Abk.* vdt.)

Viech, das; -[e]s, -er (*ugs. für* Tier; *abwertend für* roher Mensch)

viel

1. Kleinschreibung:

a) Im Allgemeinen wird »viel« kleingeschrieben ↑K77:

– die vielen; viele sagen ...
– in vielem, mit vielem, um vieles
– wer vieles bringt, ...; ich habe viel[es] erlebt
– es gab noch vieles, was (*nicht* das *od.* welches) besprochen werden sollte
– ... und noch viel[es] mehr

b) Bei Betonung des substantivischen Gebrauchs ist auch Großschreibung möglich ↑K77:

– die Vielen; Viele sagen ...
– in Vielem, mit Vielem, um Vieles usw.

2. Beugung:

– viel[e] Menschen; die vielen Menschen
– viele Begabte; die Ausbildung vieler Begabter, *seltener* Begabten
– viel Gutes *od.* vieles Gute; trotz vielen Schlafes; mit viel Gutem *od.* mit vielem Guten
– vieler schöner Schnee; mit vieler natürlicher Anmut; vieles milde Nachsehen; mit vielem kalten Wasser
– viel[e] gute Nachbildungen; die Preise vieler guter, *seltener* guten Nachbildungen

3. Getrennt- oder Zusammenschreibung:

a) Zusammenschreibung bei »viel« als Konjunktion:

– soviel ich weiß, steht noch nichts fest (*vgl. d.*)

b) Getrenntschreibung:

– ich muss so viel arbeiten, dass ich zu nichts komme; iss nicht so viel!
– zu viel, zu viele Menschen; viel zu viel; allzu viel (*vgl.* allzu)
– viel zu wenig; viel zu gering, zu spät, zu teuer usw.
– soundso viel; am soundsovielten Mai
– wir haben gleich viel; *aber* gleichviel[,] ob du kommst oder nicht ↑K127

c) In Verbindung mit einem adjektivisch gebrauchten Partizip kann getrennt oder zusammengeschrieben werden ↑K58:

– eine viel befahrene *od.* vielbefahrene Straße
– der viel beschäftigte *od.* vielbeschäftigte Chef
– ein viel besprochener *od.* vielbesprochener Fall
– ein viel diskutiertes *od.* vieldiskutiertes Buch
– ein viel erörtertes *od.* vielerörtertes Thema
– ein viel gefragtes, viel gekauftes *od.* vielgefragtes, vielgekauftes Produkt
– eine viel gereiste *od.* vielgereiste Frau
– ein viel umworbener, viel gepriesener *od.* vielumworbener, vielgepriesener Star
– eine viel zitierte *od.* vielzitierte Äußerung usw.
– ein vielsagender *od.* viel sagender Blick, *aber nur* ein noch vielsagenderes Beispiel
– ein vielversprechendes *od.* viel versprechendes Projekt, *aber nur* ein noch vielversprechenderes Projekt

Vgl. vielmal[s]; vieltausendmal; vielmehr

Vie|che|rei (*ugs. für* Gemeinheit; große Anstrengung)
Vieh, das; -[e]s
Vieh|be|stand; Vieh|fut|ter
Vieh|hal|ter; Vieh|hal|tung
Vieh|han|del *vgl.* ¹Handel
Vieh|händ|ler; Vieh|händ|le|rin
Vieh|her|de
vieh|isch
Vieh|salz, das; -es; **Vieh|wa|gen;**
Vieh|wei|de; Vieh|wirt|schaft;
Vieh|zeug (*ugs.*)
Vieh|zucht, die; -; **Vieh|züch|ter;**
Vieh|züch|te|rin
viel *s. Kasten*
Viel, das; -s; viele Wenig machen ein Viel
viel|ar|mig; eine vielarmige Abwehr (*Sport*)
viel|bän|dig; ein vielbändiges Werk
viel be|fah|ren, **viel|be|fah|ren** *vgl.* viel; ↑K58
viel be|schäf|tigt, **viel|be|schäf|tigt;** *vgl.* viel; ↑K58
viel be|schwo|ren, **viel|be|schwo|ren;** *vgl.* viel; ↑K58

viel be|spro|chen, **viel|be|spro|chen;** *vgl.* viel; ↑K58
viel|deu|tig; Viel|deu|tig|keit
viel dis|ku|tiert, **viel|dis|ku|tiert** *vgl.* viel; ↑K58
Viel|eck; viel|eckig
Viel|ehe
vie|ler|lei; vie|ler|orts
viel|fach; um ein Vielfaches klüger; **Viel|fa|che,** das; -n; das kleinste gemeinsame Vielfache (*Abk.* k. g. V., kgV)
Viel|falt, die; -; **viel|fäl|tig; Viel|fäl|tig|keit,** die; -
viel|far|big
Viel|flach, das; -[e]s, -e, Viel|flächner (*für* Polyeder); **viel|flä|chig; Viel|fläch|ner** *vgl.* Vielflach
Viel|flie|ger (*ugs. für* jmd., der viel fliegt); **Viel|flie|ge|rin**
Viel|fraß, der; -es, -e (Marderart; *ugs. für* jmd., der unmäßig isst)
viel ge|fragt, **viel|ge|fragt;** *vgl.* viel; ↑K58
viel ge|kauft, **viel|ge|kauft;** *vgl.* viel; ↑K58
viel ge|le|sen, **viel|ge|le|sen;** *vgl.* viel; ↑K58

viel ge|prie|sen, **viel|ge|prie|sen;** *vgl.* viel; ↑K58
Viel|ge|reis|te, der *u.* die; -n, -n
viel ge|schmäht, **viel|ge|schmäht** *vgl.* viel; ↑K58
viel|ge|stal|tig; Viel|ge|stal|tig|keit, die; -
viel|glied|rig; Viel|glied|rig|keit, die; -
Viel|göt|te|rei, die; - (*für* Polytheismus)
Viel|heit, die; -
viel|hun|dert|mal; *aber* viele hundert *od.* Hundert Male; *vgl.* Mal
viel|köp|fig
viel|leicht
Viel|lieb|chen ⟨Umdeutung aus Valentine *bzw.* Philippine⟩ (*veraltet für* doppelter Mandelkern, den zwei Personen gemeinsam essen, wobei sie wetten, wer den andern am nächsten Tag zuerst daran erinnert)
viel|mal (*veraltet für* vielmals); **viel|ma|lig; viel|mals**
Viel|män|ne|rei, die; - (*für* Polyandrie)
viel|mehr [*auch* 'fi:...]; er ist nicht

vier

Nur Kleinschreibung ↑K 78 :

– die vier Elemente
– die vier Evangelisten
– die vier Jahreszeiten
– etwas in alle vier Winde [zer]streuen
– in seinen vier Wänden (*ugs. für* zu Hause) bleiben
– sich auf seine vier Buchstaben setzen (*ugs. scherzh. für* sich hinsetzen)
– unter vier Augen etwas besprechen

– das Mädchen wird bald vier [Jahre]
– die letzten vier
– alle viere von sich strecken (*ugs. für* sich ausstrecken und entspannen, *auch für* sterben)
– auf allen vieren
– wir sind zu vieren *od.* zu viert
– ein Grand mit vier[en]

Vgl. Vier, acht, drei

---

dumm, weiß vielmehr gut Bescheid, *aber* sie weiß viel mehr als du
viel|sa|gend, viel sa|gend *vgl.* viel; ↑K 58
viel|schich|tig; Viel|schich|tig|keit, die; -
Viel|schrei|ber *(abwertend);* **Viel-schrei|be|rin** *(abwertend)*
viel|sei|tig; Viel|sei|tig|keit, die; -; **Viel|sei|tig|keits|prü|fung** *(Reitsport)*
viel|sil|big; viel|spra|chig; viel|stimmig; viel|stro|phig
viel|tau|send|mal; *aber* viele tausend *od.* Tausend Male; *vgl.* Mal
viel um|wor|ben, viel|um|wor|ben *vgl.* viel; ↑K 58
viel|ver|spre|chend, viel ver|sprechend *vgl.* viel; ↑K 58
Viel|völ|ker|staat *Plur.* ...staaten
Viel|wei|be|rei, die; - (*für* Polygamie)
Viel|zahl, die; -; **viel|zäh|lig**
Viel|zel|ler *(Biol.);* **viel|zel|lig**
viel zi|tiert, viel|zi|tiert; *vgl.* viel; ↑K 58
Vi|en|tiane [...'tĭa(:)n] (Hauptstadt von Laos)
vier *s.* Kasten
Vier, die; -, -en (Zahl); eine Vier würfeln; sie hat in Latein eine Vier geschrieben; *vgl.* ¹Acht *u.* Eins
Vier|ach|ser (Wagen mit vier Achsen; *mit Ziffer* 4-Achser ↑K 29)
vier|ar|mig
Vier|au|gen|ge|spräch
Vier|bei|ner; vier|bei|nig
Vier|blät|te|rig, vier|blätt|rig
vier|di|men|si|o|nal
Vier-drei-drei-Sys|tem, das; -s; ↑K 26 (*mit Ziffern* 4-3-3-System; *Fußball*)
Vier|eck; vier|eckig
vier|ein|halb, vier|und|ein|halb
Vie|rer *vgl.* Achter
Vie|rer|bob
Vie|rer|ket|te (*Sport* aus vier Personen bestehende Abwehr)

vie|rer|lei
Vie|rer|rei|he; Vie|rer|zug
vier|fach; Vier|fa|che, das; -n; *vgl.* Achtfache
Vier|far|ben|druck *Plur.* ...drucke; **Vier|far|ben|ku|gel|schrei|ber, Vier|farb|ku|gel|schrei|ber**
Vier|flach, das; -[e]s, -e, **Vier|fläch-ner** (*für* Tetraeder)
Vier|frucht|mar|me|la|de
Vier|fürst (*für* Tetrarch)
Vier|fü|ßer; vier|fü|ßig
Vier|füß|ler
vier|gän|gig
Vier|ge|spann
vier|hän|dig; vierhändig spielen
vier|hun|dert
Vier|jah|res|plan
vier|jäh|rig *vgl.* achtjährig
vier|kant (*Seemannsspr.* waagerecht); **Vier|kant,** das *od.* der; -[e]s, -e; **Vier|kant|ei|sen**
Vier|kan|ter (*kurz für* Vierkanthof); **Vier|kant|hof** (eine Form des Bauernhofs)
vier|kan|tig
Vier|kant|schlüs|sel
vier|köp|fig *vgl.* achtköpfig
Vier|lan|de *Plur.* (hamburgische Landschaft)
Vier|ling
Vier|mäch|te|kon|fe|renz
vier|mal *vgl.* achtmal; **vier|ma|lig**
Vier|mas|ter; Vier|mast|zelt
vier|mo|to|rig
Vier|pass, der; -es, -e (*Archit.* Verzierungsform mit vier Bogen)
Vier|ru|de|rer (*für* Quadrireme)
vier|sai|tig; ein viersaitiges Streichinstrument
Vier|schan|zen|tour|nee (*Skispringen*)
vier|schrö|tig (stämmig)
vier|sei|tig

Vier|sit|zer; vier|sit|zig
Vier|spän|ner; vier|spän|nig
vier|stel|lig
Vier|ster|ne|ho|tel
vier|stim|mig (*Musik*); ein vierstimmiger Satz; **vier|stö|ckig**
viert *vgl.* vier
Vier|tak|ter *vgl.* Zweitakter; **Vier-takt|mo|tor**
vier|tau|send
vier|te; vierte Dimension; der vierte Stand (*früher für* Arbeiterschaft); *vgl.* achte
vier|tei|len; gevierteilt; **vier|tei|lig**
vier|tel ['fɪ...]; eine viertel Million; *vgl.* achtel; um viertel acht (Viertel nach sieben); in drei viertel Stunden (*od.* drei Viertelstunden); *vgl.* Viertel

Vier|tel

das, *für* »vierter Teil« *schweiz. meist* der; -s, -

– ein Viertel des Kuchens, des Grundstücks
– drei Viertel der Bevölkerung; bei drei Vierteln (*auch* Viertel) der Bevölkerung
– in drei viertel Stunden (*od.* drei Viertelstunden)
– es ist ein Viertel vor, nach eins
– es ist Viertel vor, nach eins
– es hat ein Viertel eins geschlagen; *aber* es hat viertel eins geschlagen
– es ist fünf Minuten vor drei Viertel
– wir treffen uns um viertel acht, um drei viertel acht

Vgl. Achtel, drei *u.* viertel

Vier|tel|fi|na|le (Sport)
Vier|tel|ge|viert (*Druckw.*)
Vier|tel|jahr; Vier|tel|jahr|hun|dert
vier|tel|jäh|rig ['fɪ...] (ein Vierteljahr alt, dauernd); vierteljährige Kündigung (mit einer ein Vierteljahr dauernden Frist)

vier|tel|jähr|lich (alle Vierteljahre
wiederkehrend); vierteljährliche
Kündigung (alle Vierteljahre
mögliche Kündigung)
Vier|tel|li|ter vgl. achtel
vier|teln (in vier Teile zerlegen);
ich viert[e]le
Vier|tel|no|te
Vier|tel|pfund vgl. achtel
Vier|tel|stun|de; eine Viertel-
stunde, auch eine viertel
Stunde; vgl. drei u. achtel
vier|tel|stün|dig ['fi...] (eine Vier-
telstunde dauernd); vier|tel-
stünd|lich (alle Viertelstunden
wiederkehrend)
Vier|tel|ton Plur. ...töne
vier|tens
viert|letzt vgl. drittletzt
vier|tü|rig
vier|und|ein|halb vgl. viereinhalb
vier|und|zwan|zig vgl. acht
Vier|und|zwan|zig|flach, das; -[e]s,
-e, Vier|und|zwan|zig|fläch|ner
(für Ikositetraeder)
Vie|rung (Archit. Geviert; Viereck)
Vie|rungs|kup|pel; Vie|rungs|pfei|ler
Vier|vier|tel|takt [...ˈfi...], der; -[e]s;
vgl. Achtel
Vier|wald|stät|ter See, der; - -s (See
bei Luzern)
vier|wer|tig
vier|zehn ['fi...] vgl. acht
Vier|zehn|hei|li|gen (Wallfahrtskir-
che südl. von Lichtenfels)
vier|zehn|hun|dert ['fi...]
vier|zehn|tä|gig vgl. ...tägig; vier-
zehn|täg|lich vgl. ...täglich
Vier|zei|ler; vier|zei|lig
vier|zig ['fi...]; usw.; vgl. achtzig
usw.
vier|zig|jäh|rig vgl. achtjährig
Vier|zig|stun|den|wo|che (mit Zif-
fern 40-Stunden-Woche ↑K26)
Vier|zim|mer|woh|nung [fi:ɐ̯...] (mit
Ziffer 4-Zimmer-Wohnung
↑K26)
Vier-zwei-vier-Sys|tem, das; -s;
↑K26 (mit Ziffern 4-2-4-System;
Fußball)
Vier|zy|lin|der vgl. Achtzylinder;
Vier|zy|lin|der|mo|tor; vier|zy-
lind|rig (mit Ziffer 4-zylindrig
↑K29)
Vi|et|cong, der; -s, -[s] ⟨vietna-
mes.⟩ (nur Sing.: polit. Bewe-
gung im früheren Südvietnam;
Mitglied dieser Bewegung)
Vi|et|nam [...ˈna(:)m] (Staat in
Südostasien)
Vi|et|na|me|se, der; -n, -n; Vi|et|na-
me|sin; vi|et|na|me|sisch
Vi|et|nam|krieg, der; -[e]s

vif ⟨franz.⟩ (schweiz. für lebendig,
lebhaft)
Vif|zack, der; -s, -s (österr. ugs. für
sehr regsamer, flott handelnder
Mensch)
Vi|gil, die; -, -ien ⟨lat.⟩ (Vortag
hoher kath. Feste)
Vi|gi|lie, die; -, -n (bei den Römern
die Nachtwache des Heeres)
Vi|g|net|te [vɪnˈjɛ...], die; -, -n
⟨franz.⟩ (kleine Verzierung [in
Büchern]; Fotogr. Verdeckung
bestimmter Stellen des Negativs
beim Kopieren; Gebührenmarke
für die Autobahnbenutzung)
Vi|go|g|ne [...ˈgɔnjə], die; -, -n
⟨indian.-franz.⟩ (Mischgarn aus
Wolle und Baumwolle)
vi|go|ro|so ⟨ital.⟩ (Musik kräftig,
stark, energisch)
Vi|kar, der; -s, -e ⟨lat.⟩ (kath. Kir-
che Amtsvertreter; ev. Kirche
Theologe nach dem ersten
Examen; schweiz. auch für Stellvertreter eines Lehrers)
Vi|ka|ri|at, das; -[e]s, -e (Amt eines
Vikars); vi|ka|ri|ie|ren (das Amt
eines Vikars versehen)
Vi|ka|rin (ev. weibl. Vikar)
Vik|tor (lat.) (m. Vorn.)
Vik|tor Ema|nu|el (Name mehrerer
ital. Könige)
¹Vik|to|ria (Sieg [als Ausruf]); Vik-
toria rufen
²Vik|to|ria vgl. Victoria
³Vik|to|ria (w. Vorn.)
vik|to|ri|a|nisch; viktorianische Sit-
ten, aber ↑K151 : die Viktoriani-
sche Zeit (der engl. Königin Vik-
toria)
Vik|tu|a|li|en Plur. ⟨lat.⟩ (veraltet
für Lebensmittel [für den tägli-
chen Bedarf]); Vik|tu|a|li|en-
hand|lung; Vik|tu|a|li|en|markt
Vi|kun|ja, das; -s, -s u. die; -, ...jen
⟨indian.⟩ (höckerloses südame-
rik. Kamel); Vi|kun|ja|wol|le
Vi|la (Hauptstadt von Vanuatu)
Vil|la, die; -, ...llen ⟨lat.⟩ (vorneh-
mes Einzelwohnhaus)
Vil|lach [f...] (Stadt in Kärnten)
Vil|la|nell, das; -s, -e, Vil|la|nel|le,
die; -, -n ⟨ital.⟩ (ital. Bauern-,
Hirtenliedchen, bes. des 16. u.
17.Jh.s)
vil|len|ar|tig; ein villenartiges
Haus; Vil|len|vier|tel
Vil|lin|gen-Schwen|nin|gen [f...]
(Stadt in Baden-Württemberg)
Vil|lon [viˈjõ:] (franz. Lyriker)
Vil|ma (w. Vorn.)
Vil|ni|us (litauische Form von
Wilna)

Vils|ho|fen [f...] (Stadt in Bayern)
Vi|mi|nal, der; -s (Hügel in Rom)
Vi|n|ai|g|ret|te [...neˈgrɛt(ə)], die; -,
-n ⟨franz.⟩ (mit Essig bereitete
Soße)
Vin|cen|ter [...sn̩...] (Einwohner
des Staates St. Vincent und die
Grenadinen); Vin|cen|te|rin
vin|cen|tisch
Vin|ci [...tʃi], Leonardo da (ital.
Künstler)
Vin|de|li|ker, Vin|de|li|zi|er, der; -s, -
(Angehöriger einer kelt. Volks-
gruppe); vin|de|li|zisch; aber
↑K140 : die Vindelizische
Schwelle (Geol. Landschwelle
des Erdmittelalters im Alpen-
vorland)
Vin|di|ka|ti|on, die; -, -en ⟨lat.⟩
(Rechtsw. Herausgabeanspruch
des Eigentümers einer Sache
gegenüber deren Besitzer)
vin|di|zie|ren; Vin|di|zie|rung vgl.
Vindikation
Vi|ne|ta ⟨verderbt aus Jumneta⟩
(sagenhafte untergegangene
Stadt an der Ostseeküste)
Vingt-et-un [vɛ̃teˈœ̃:], das; - ⟨franz.,
»einundzwanzig«⟩ (ein Kartenglücksspiel)
Vingt-un [vɛ̃ˈtœ̃:], das; - ⟨franz.,
»einund-
zwanzig«⟩ (ein Kartenglücksspiel)
vi|ni|fi|zie|ren ⟨lat.⟩ (zu Wein verar-
beiten)
Vin|ku|la|ti|on, die; -, -en ⟨lat.⟩
(Bankw. Bindung des Übertra-
gungsrechts eines Wertpapiers
an die Genehmigung des Emit-
tenten); vin|ku|lie|ren; Vin|ku|lie-
rung
Vi|no|thek, die; -, -en ⟨lat.; griech.⟩
(Weinhandlung, -sammlung,
-lokal)
Vinsch|gau, Vintsch|gau [f...], der;
-[e]s (Talschaft bei Meran)
Vinsch|gerl [f...], das; -s, -n (bayr.,
österr. ein Roggengebäck)
Vi|nyl, das; -s (ein Kunststoff); Vi-
nyl|plat|te (Schallplatte aus
Vinyl)
Vin|zen|tia (w. Vorn.)
Vin|zenz (m. Vorn.)
¹Vi|o|la, Vi|o|le, die; -, Violen ⟨lat.⟩
(Bot. Veilchen)
²Vi|o|la (w. Vorn.)
³Vi|o|la, die; -, ...len ⟨ital.⟩ (Brat-
sche)
Vi|o|la da Brac|cio [- - ...tʃo], die; -
- -, ...le - - (Bratsche)
Vi|o|la da Gam|ba, die; - -, ...le - -
(Gambe)
Vi|o|la d'Amo|re, die; - -, ...le - -
(Gambe in Altlage)
Vi|o|le vgl. ¹Viola

V

Viol

Vi|o|len (*Plur. von* [1,3]Viola)

vi|o|lent ⟨lat.⟩ (*veraltet für* heftig, gewaltsam); **Vi|o|lenz**, die; -

vi|o|lett [v..., *schweiz. auch* f...] ⟨franz.⟩ (veilchenfarbig); einen Stoff violett färben; *vgl.* blau; **Vi|o|lett**, das; -s, *Plur.* -, ugs. -s (violette Farbe); *vgl.* Blau

Vi|o|let|ta (w. Vorn.)

Vi|o|lin|bo|gen

Vi|o|li|ne, die; -, -n ⟨ital.⟩ (Geige)

Vi|o|li|nist, der; -en, -en (Geiger); **Vi|o|li|nis|tin**

Vi|o|lin|kon|zert; **Vi|o|lin|schlüs|sel**

Vi|o|lo|fon, Vi|o|lo|phon, das; -s, -e (im Jazz gebräuchliche Violine)

Vi|o|lon|cel|list [...tʃ...], der; -en, -en (Cellist); **Vi|o|lon|cel|lis|tin**

Vi|o|lon|cel|lo, das; -s, *Plur.* -s u. ...celli (Kniegeige)

Vi|o|lo|ne, der; -[s], *Plur.* -s u. ...ni (Vorgänger des Kontrabasses; eine Orgelstimme)

Vi|o|lo|phon *vgl.* Violofon

VIP, V. I. P. [vɪp], der; -[s], -s u. die; -, -s = very important person ⟨engl.⟩ (sehr wichtige Person, Persönlichkeit)

Vi|per [v..., *schweiz. auch* f...], die; -, -n ⟨lat.⟩ (Giftschlange)

VIP-Lounge ⟨*zu* VIP⟩

Vi|ra|gi|ni|tät, die; - ⟨lat.⟩ (*Med.* [krankhaftes] männliches sexuelles Empfinden der Frau)

Vi|ra|go, die; -, *Plur.* -s u. ...gines (*Med.* Frau, die zu Viraginität neigt)

vi|ral ⟨lat.⟩ (*Med.* durch einen Virus verursacht)

Vir|chow ['vɪrço, *auch* 'f...] (dt. Arzt)

Vi|re|ment [...rə'mãː], das; -s, -s ⟨franz.⟩ (im Staatshaushalt die Übertragung von Mitteln von einem Titel auf einen anderen oder auf ein anderes Haushaltsjahr)

Vi|ren (*Plur. von* Virus); **Vi|ren|schutz** (Schutz vor Computerviren); **Vi|ren|war|nung**

Vir|gel, die; -, -n ⟨lat.⟩ (Schrägstrich)

Vir|gil *vgl.* Vergil

[1]**Vir|gi|nia** (w. Vorn.)

[2]**Vir|gi|nia** [*auch*, *österr. nur*, ...dʒ...] (Staat in den USA; *Abk.* VA)

[3]**Vir|gi|nia** [*auch* ...dʒ...], die; -, -s (Zigarrensorte); **Vir|gi|nia|ta|bak**

Vir|gi|ni|er; **Vir|gi|ni|e|rin**

vir|gi|nisch

Vir|gi|ni|tät, die; - (Jungfräulichkeit; Unberührtheit)

vi|ril ⟨lat.⟩ (*Med.* männlich); **Vi|ri-lis|mus**, der; - (Vermännlichung [einer Frau])

Vi|ri|li|tät, die; - (*Med.* männliche Kraft; Mannbarkeit)

Vi|ro|lo|ge, der; -en, -en ⟨lat.; griech.⟩ (Virusforscher); **Vi|ro|lo|gie**, die; -; **Vi|ro|lo|gin**

vi|ro|lo|gisch; **vi|rös**; durch Viren hervorgerufen

Vir|tu|a|li|tät, die; -, -en ⟨franz.⟩ (innewohnende Kraft od. Möglichkeit); **vir|tu|a|li|ter** ⟨lat.⟩ (als Möglichkeit)

Vir|tu|al Re|a|li|ty ['vəːtʃʊəl rɪ'æ-lɪtɪ], die; - ⟨engl.⟩ (virtuelle Realität)

vir|tu|ell ⟨franz.⟩ (der Möglichkeit nach vorhanden, scheinbar); virtuelles Bild *(Optik)*; virtuelle Realität (vom Computer simulierte Wirklichkeit)

vir|tu|os ⟨ital.⟩ (meisterhaft, technisch vollkommen); **Vir|tu|o|se**, der; -n, -n (hervorragender Meister, bes. Musiker); **Vir|tu|o|sen|tum**, das; -s; **Vir|tu|o|sin**

Vir|tu|o|si|tät, die; - (Kunstfertigkeit; Meisterschaft, bes. als Musiker)

Vir|tus, die; - ⟨lat.⟩ (*Ethik* Tüchtigkeit, Tapferkeit; Tugend)

vi|ru|lent ⟨lat.⟩ (ansteckend [von Krankheitserregern]); **Vi|ru|lenz**, die; - (Ansteckungsfähigkeit [von Bakterien])

Vi|rus, das, *außerhalb der Fachspr. auch* der; -, ...ren (kleinster Krankheitserreger; zerstörendes, unbemerkt eingeschleustes Computerprogramm)

Vi|rus|grip|pe; **Vi|rus|in|fek|ti|on**; **Vi|rus|krank|heit**

Vi|sa (*Plur. von* Visum)

Vi|sa|ge [...ʒə, *österr.* ...ʒ], die; -, -n ⟨franz.⟩ (*ugs. abwertend für* Gesicht)

Vi|sa|gist, der; -en, -en (Kosmetiker, Maskenbildner); **Vi|sa|gis-tin**; **Vi|sa|vis**, das; -, - (Gegenüber)

vis-a-vis, vis-à-vis [viza'viː] (gegenüber)

Vis|count ['vaɪkaʊnt], der; -s, -s ⟨engl.⟩ (engl. Adelstitel); **Vis-coun|tess** [...tɪs], die; -, -es (*weibliche Form von* Viscount)

Vi|sen (*Plur. von* Visum)

Vi|sier, das; -s, -e ⟨franz.⟩ (beweglicher, das Gesicht deckender Teil des Helmes; Zielvorrichtung)

vi|sie|ren (auf etwas zielen)

Vi|sier|fern|rohr; **Vi|sier|li|nie**

Vi|si|on, die; -, -en ⟨lat.⟩ (Erscheinung; Traumbild; Zukunftsentwurf)

vi|si|o|när (traumhaft; seherisch); **Vi|si|o|när**, der; -s, -e (visionär begabter Mensch); **Vi|si|o|nä|rin**

vi|si|o|nie|ren (*schweiz.* sich [einen Film o. Ä.] prüfend ansehen)

Vi|si|ons|ra|di|us (*Optik* Sehachse)

Vi|sit, der; -s, -e ⟨engl.⟩ (*EDV* einzelne Nutzung eines Angebots im Internet)

Vi|si|ta|ti|on, die; -, -en ⟨lat.⟩ ([Kontroll]besuch des vorgesetzten Geistlichen in den ihm unterstellten Gemeinden)

Vi|si|te, die; -, -n ⟨franz.⟩ (Krankenbesuch des Arztes im Krankenhaus; *veraltet, noch scherzh. für* Besuch); **Vi|si|ten|kar|te**

vi|si|tie|ren (durch-, untersuchen; besichtigen)

Vi|sit|kar|te (*österr. neben* Visitenkarte)

vis|kos, selten vis|kös ⟨lat.⟩ (zäh[flüssig], leimartig; viskose, *selten* visköse Körper

Vis|ko|se, die; - (*Chemie* Zelluloseverbindung)

Vis|ko|si|me|ter, das; -s, - ⟨lat.; griech.⟩ (Messgerät zur Bestimmung der Viskosität)

Vis|ko|si|tät, die; - ⟨lat.⟩ (Zähflüssigkeit)

Vis ma|jor, die; - - ⟨lat.⟩ (*Rechtsspr.* höhere Gewalt)

Vis|ta, die; - ⟨ital.⟩ (*Bankw.* Sicht, Vorzeigen eines Wechsels); *vgl.* a vista u. a prima vista; **Vis|ta-wech|sel** (Sichtwechsel)

vi|su|a|li|sie|ren ⟨lat.⟩ (optisch darstellen); **Vi|su|a|li|sie|rung**

vi|su|ell ⟨franz.⟩ (das Sehen betreffend); visueller Typ (jmd., der Gesehenes besonders leicht in Erinnerung behält)

Vi|sum, das; -s, *Plur.* ...sa u. ...sen ⟨lat.⟩ (Ein- od. Ausreiseerlaubnis; Sichtvermerk im Pass; *schweiz. auch für* Namenszeichen, Abzeichnung); **Vi|sum|an-trag**

vi|sum|frei

Vi|sum|zwang, der; -[e]s

vis|ze|ral ⟨lat.⟩ (*Med.* Eingeweide...)

Vi|ta, die; -, *Plur.* Viten u. Vitae ⟨lat.⟩ (Leben, Lebensbeschreibung)

vi|tal (lebenskräftig, -wichtig; frisch, munter); **Vi|tal|fär|bung** (*Mikroskopie* Färbung lebender Zellen u. Gewebe)

Vi|ta|li|a|ner *Plur.* ⟨lat.; *zu* Viktua-

V

lien⟩ (*selten für* Vitalienbrüder); **Vi|ta|li|en|brü|der** *Plur.* (Seeräuber in der Nord- u. Ostsee im 14. u. 15. Jh.)

vi|ta|li|sie|ren ⟨lat.⟩ (beleben)

Vi|ta|lis|mus, der; - (philos. Lehre von der »Lebenskraft«)

Vi|ta|list, der; -en, -en (Anhänger des Vitalismus); **Vi|ta|lis|tin; vi|ta|lis|tisch**

Vi|ta|li|tät, die; - (Lebendigkeit, Lebensfülle, -kraft)

Vi|t|a|min, das; -s, -e; Vitamin C; des Vitamin[s] C; **vi|t|a|min|arm**

Vi|t|a|min-B-hal|tig [...ˈbe:...]

Vi|t|a|min-B-Man|gel, der; -s ↑K 26 ; **Vi|t|a|min-B-Man|gel-Krank|heit,** die; -, -en

vi|t|a|mi|nie|ren, vi|t|a|mi|ni|sie|ren (mit Vitaminen anreichern)

Vi|t|a|min|man|gel, der; **Vi|t|a|min|prä|pa|rat**

vi|t|a|min|reich

Vi|t|a|min|stoß

vite [viːt, vɪt] ⟨franz.⟩ (*Musik* schnell, rasch)

Vi|tel|li|us (röm. Kaiser)

vi|te|ment [vitaˈmãː] (*Musik* schnell, rasch)

Vi|ti|um, das; -s, ...tia ⟨lat.⟩ (*Med.* Fehler, Defekt)

Vi|t|ri|ne, die; -, -n ⟨franz.⟩ (gläserner Schaukasten, Schauschrank)

Vi|t|ri|ol, das; -s, -e ⟨lat.⟩ (*veraltet für* kristallisiertes, kristallwasserhaltiges Sulfat von Zink, Eisen od. Kupfer); **vi|t|ri|ol|hal|tig; Vi|t|ri|ol|lö|sung**

Vi|t|ruv, Vi|t|ru|vi|us (altröm. Baumeister)

Vi|tus (m. Vorn.)

Vitz|li|putz|li, der; -[s] ⟨aus »Huitzilopochtli«, einem Stammesgott der Azteken⟩ (Schreckgestalt, Kinderschreck; *volkstümlich auch für* Teufel)

vi|va|ce [...t∫ə] ⟨ital.⟩ (*Musik* munter, lebhaft)

Vi|va|ce, das; -, -

vi|va|cis|si|mo (sehr lebhaft); **Vi|va|cis|si|mo,** das; -s, *Plur.* -s u. ...mi

Vi|val|di (ital. Komponist)

vi|vant! ⟨lat.⟩ (sie sollen leben!)

Vi|va|ris|tik, die; - (das Halten kleiner Tiere im Vivarium)

Vi|va|ri|um, das; -s, ...ien (Aquarium mit Terrarium; *auch für* Gebäude hierfür)

vi|vat! (er, sie, es lebe!); **Vi|vat,** das; -s, -s (Hochruf)

vi|vat, cres|cat, flo|re|at! (er, sie, es lebe, blühe und gedeihe!)

vi|vi|par (*Biol.* lebend gebärend)

Vi|vi|sek|ti|on, die; -, -en (Eingriff am lebenden Tier zu wissenschaftl. Versuchszwecken); **vi|vi|se|zie|ren**

Vi|ze [f..., *seltener* v...], der; -[s], -s ⟨lat.⟩ (*ugs. für* Stellvertreter); **Vi|ze...** (stellvertretend)

Vi|ze|kanz|ler; Vi|ze|kanz|le|rin

Vi|ze|kö|nig; Vi|ze|kö|ni|gin

Vi|ze|kon|sul; Vi|ze|kon|su|lin

Vi|ze|meis|ter (*Sport)*; **Vi|ze|meis|te|rin**

Vi|ze|prä|si|dent; Vi|ze|prä|si|den|tin

Vi|zin (*zu* Vize)

Viz|tum [ˈfɪ..., *auch* ˈviː...], der; -s -e ⟨lat.⟩ (im MA. Verwalter weltl. Güter von Geistlichen und Klöstern)

VJ [ˈviːdʒeː], der; -[s], -s ⟨engl.⟩ = Videojockey

v. J. = vorigen Jahres

Vla|me [f...]; usw. *vgl.* Flame usw.

Vlies [f...], das; -es, -e ⟨niederl.⟩ ([Schaf]fell; Rohwolle; *Spinnerei* breite Faserschicht); ↑K 88 : das Goldene Vlies (griech. *Sage)*

Vlie|se|li|ne ® [f...], die; - (Einlage z. B. zum Verstärken von Kragen und Manschetten)

Vlis|sin|gen [f...] (niederl. Stadt)

vm. *vgl.* ²vorm.

v. M. = vorigen Monats

V-Mann [f...], der; -[e]s, V-Leute u. V-Männer = Vertrauensmann, Verbindungsmann

VN = Vereinte Nationen *Plur.*; *vgl.* UN u. UNO

v. o. = von oben

Vöck|la|bruck [f...] (oberösterr. Stadt)

Vo|gel, der; -s, Vögel

Vo|gel|art; Vo|gel|bad; Vo|gel|bau|er (*vgl.* ³Bauer; Käfig)

Vo|gel|beer|baum; Vo|gel|bee|re

Vö|gel|chen

Vo|gel|dreck; Vo|gel|dunst, der; -es (*Jägerspr.* feinster Schrot)

Vö|ge|lein

Vo|gel|er *vgl.* Vogler

Vo|gel|fän|ger; Vo|gel|fän|ge|rin

Vo|gel|flug

Vo|gel|flug|li|nie, die; - (kürzeste Verkehrsverbindung zwischen Hamburg u. Kopenhagen)

vo|gel|frei (rechtlos)

Vo|gel|fut|ter; Vo|gel|grip|pe, die; - (eine Infektionskrankheit); **Vo|gel|häus|chen; Vo|gel|herd** (Vogelfangplatz); **Vo|gel|kir|sche; Vo|gel|kun|de,** die; - (Ornithologie)

Vo|gel|mie|re (eine Pflanze)

vö|geln (*derb für* Geschlechtsverkehr ausüben); ich vög[e]le

Vo|gel|nest; Vo|gel|per|s|pek|ti|ve, die; - (Vogelschau)

Vo|gels|berg, der; -[e]s (Teil des Hessischen Berglandes)

Vo|gel|schau, die; -

Vo|gel|scheu|che

Vo|gel|schutz, der; -[e]s

Vo|gel|schutz|ge|biet; Vo|gel|schutz|war|te

Vo|gel|schwarm; Vo|gel|spin|ne

Vo|gel|stel|ler (Vogelfänger); **Vo|gel|stel|le|rin; Vo|gel|stim|me**

Vo|gel-Strauß-Po|li|tik, die; - ↑K 26

Vo|gel|war|te; Vo|gel|welt, die; -

Vo|gel|züch|ter; Vo|gel|züch|te|rin

Vo|gel|zug

Vo|gel|sa|lat (*österr. für* Feldsalat)

Vo|ge|sen [v...] *Plur.* (Gebirgszug westl. des Oberrheins)

Vög|lein

Vog|ler (*veraltet für* Vogelfänger)

Vogt, der; -[e]s, Vögte (*früher für* Schirmherr; Richter; Verwalter)

Vog|tei (*früher für* Amtsbezirk, Sitz eines Vogtes); **vog|tei|lich**

Vög|tin, Vog|tin

Vogtl. = Vogtland; **Vogt|land,** das; -[e]s (Bergland zwischen Frankenwald, Fichtelgebirge u. Erzgebirge; *Abk.* Vogtl.)

Vogt|län|der; Vogt|län|de|rin; vogt|län|disch

Vogt|schaft

Voice|mail [ˈvɔysmeːl], die; -, -s ⟨engl.⟩ ([in ein Telefon integriertes] elektron. System zur Speicherung u. Weiterleitung mündl. Nachrichten); **Voice|re|kor|der, Voice|re|cor|der** (Gerät, das Gespräche u. Geräusche im Cockpit aufzeichnet)

voi|là! [vɔaˈla] ⟨franz., »sieh da!«⟩ (da haben wir es!)

Voile [vɔaːl], der; -, -s ⟨franz.⟩ (ein durchsichtiger Stoff); **Voile|kleid**

voi|pen [ˈvɔypən] (*zu* engl. VoIP = Voice over Internet Protocol⟩ (über das Internet telefonieren); ich voipe; gevoipt

Vo|ka|bel, die; -, -n, *österr. auch* das; -s, - ⟨lat.⟩ ([einzelnes] Wort einer Fremdsprache); **Vo|ka|bel|heft; Vo|ka|bu|lar,** das; -s, -e, *älter* **Vo|ka|bu|la|ri|um,** das; -s, ...ien (Wortschatz)

vo|kal ⟨lat.⟩ (*Musik* die Singstimme betreffend)

Vo|kal, der; -s, -e (*Sprachw.* Selbstlaut, z. B. a, e)

Vo|ka|l|en|sem|b|le (kleinerer Chor)

Vo|ka|li|sa|ti|on, die; -, -en (Wandel eines Konsonanten zu einem Vokal; Hilfszeichen in der arab. und hebr. Schrift)

vo|ka|lisch (den Vokal betreffend)

Vo|ka|li|se, die; -, -n ⟨franz.⟩ (*Musik* Gesangsübung, -stück auf einen oder mehrere Vokale)

vo|ka|li|sie|ren (einen Konsonanten wie einen Vokal sprechen; beim Singen die Vokale bilden); Vo|ka|li|sie|rung

Vo|ka|lis|mus, der; - (Vokalbestand einer Sprache)

Vo|ka|list, der; -en, -en (Sänger); Vo|ka|lis|tin

Vo|kal|mu|sik (Gesang); Vo|kal-stück (Vokalmusik)

Vo|ka|ti|on, die; -, -en (Berufung in ein Amt)

Vo|ka|tiv [*auch* ...'ti:f], der; -s, -e (*Sprachw.* Anredefall)

vol. = Volumen (Schriftrolle, ²Band)

Vol.-% = Volumprozent

Vo|land [f...], der; -[e]s (*alte Bez. für* Teufel); Junker Voland

Vo|lant [vo'lã:], der, *schweiz. meist* das; -s, -s ⟨franz.⟩ (Besatz an Kleidungsstücken, Falbel; *veraltend für* Lenkrad, Steuer)

Vo|la|pük, das; -s (eine künstliche Weltsprache)

Vo|li|e|re, die; -, -n ⟨franz.⟩ (Vogelhaus)

Volk, das; -[e]s, Völker

Vol|kard vgl. Volkhard

Völk|chen

Vol|ker (Spielmann im Nibelungenlied; m. Vorn.)

Völ|ker|ball, der; -[e]s (Ballspiel)

Völ|ker|bund, der; -[e]s (*früher*)

Völ|ker|fa|mi|lie, die; -; Völ|ker-freund|schaft; Völ|ker|ge|misch

Völ|ker|kun|de, die; -

Völ|ker|kun|de|mu|se|um

Völ|ker|kund|ler; Völ|ker|kund|le|rin; völ|ker|kund|lich

Völ|ker|mord

Völ|ker|recht, das; -[e]s; Völ|ker-recht|ler; Völ|ker|recht|le|rin; völ|ker|recht|lich; völ|ker|rechts|wid-rig

Völ|ker|schaft

Vol|kert vgl. Volkhard

Völ|ker ver|bin|dend, völ|ker|ver-bin|dend; eine Völker verbindende od. völkerverbindende Idee; *aber nur* viele Völker verbindende; eine sehr völkerverbindende Veranstaltung

Völ|ker|ver|stän|di|gung; Völ|ker-wan|de|rung

Volk|hard, Vol|kard, Vol|kert (m. Vorn.)

völ|kisch

Volk|mar (m. Vorn.)

volk|reich

Volks|ab|stim|mung; Volks|ak|tie

Volks|ak|ti|o|när; Volks|ak|ti|o|nä|rin

Volks|an|walt (*österr. für* Ansprechpartner bei Bürgerbeschwerden); Volks|an|wäl|tin

Volks|ar|mee, die; - (*in der DDR*); Volks|ar|mist, der; -en, -en (*in der DDR*); Volks|ar|mis|tin

Volks|auf|stand; Volks|aus|ga|be; Volks|bank Plur. ...banken

Volks|be|fra|gung; Volks|be|geh-ren; Volks|be|lus|ti|gung; Volks-bi|b|lio|thek; Volks|bil|dend; Volks|bil|dung, die; -; Volks-brauch; Volks|buch; Volks|bü|che-rei

Volks|de|mo|kra|tie (Staatsform kommunist. Länder, bei der die gesamte Staatsmacht in den Händen der Partei liegt)

Volks|deut|sche, der *u.* die; -n, -n

Volks|dich|tung

volks|ei|gen; ein volkseigener Betrieb, *aber* ↑K150 : »Volkseigener Betrieb Buntgarnwerke Leipzig« (*Abk.* VEB ...)

Volks|ei|gen|tum; Volks|ein|kom-men; Volks|ent|scheid

Volks|ety|mo|lo|gie (volkstümliche, aber etymologisch falsche Herleitung eines unbekannten Wortes); volks|ety|mo|lo|gisch

Volks|feind; Volks|fein|din; volks-feind|lich

Volks|fest

Volks|front (Bündnis der linken bürgerlichen Parteien mit den Kommunisten)

Volks|ge|mur|mel; Volks|glau|be[n]; Volks|grup|pe; Volks|held; Volks-hel|din; Volks|herr|schaft, die; -; Volks|hoch|schu|le (*Abk.* VHS)

Volks|kam|mer, die; - (*in der DDR* höchstes staatl. Machtorgan); Volks|kir|che

Volks|kor|re|s|pon|dent (*in der DDR*)

Volks|kor|res|pon|den|tin

Volks|kun|de, die; -; Volks|kund|ler; Volks|kund|le|rin; volks|kund|lich

Volks|kunst, die; -; Volks|lauf

Volks|lied; Volks|mär|chen

Volks|ma|ri|ne (*in der DDR*)

Volks|men|ge; Volks|mund, die; -[e]s; Volks|mu|sik; Volks|nah-rungs|mit|tel; Volks|par|tei

Volks|po|li|zei, die; - (*in der DDR; Abk.* VP)

Volks|po|li|zist (*in der DDR*); Volks-po|li|zis|tin

Volks|red|ner; Volks|red|ne|rin

Volks|re|pu|b|lik (*Abk.* VR)

Volks|schau|spie|ler; Volks|schau-spie|le|rin

Volks|schu|le; Volks|schü|ler; Volks-schü|le|rin; Volks|schul|leh|rer; Volks|schul|leh|re|rin

Volks|see|le, die; -; Volks|seu|che

Volks|so|li|da|ri|tät (Organisation für solidar. Hilfe, bes. in der DDR)

Volks|sport, der; -[e]s

Volks|spra|che; volks|sprach|lich

Volks|stamm; Volks|stück

Volks|tanz; Volks|tracht; Volks-trau|er|tag; Volks|tri|bun; Volks-tri|bu|nin

Volks|tum, das; -s, -s; volks|tüm|lich; Volks|tüm|lich|keit, die; -

volks|ver|bun|den; Volks|ver|bun-den|heit, die; -

Volks|ver|dum|mung (*ugs. abwer-tend*); Volks|ver|het|zung

Volks|ver|mö|gen

Volks|ver|tre|ter; Volks|ver|tre|te-rin; Volks|ver|tre|tung

Volks|wa|gen®, der; -s, - (dt. Kraftfahrzeug; *Abk.* VW); Volks-wa|gen|werk

Volks|wei|se, die; Volks|weis|heit

Volks|wirt; Volks|wir|tin

Volks|wirt|schaft

Volks|wirt|schaf|ter (*schweiz. neben* Volkswirtschaftler); Volks|wirt|schaf|te|rin

Volks|wirt|schaft|ler; Volks|wirt-schaft|le|rin

volks|wirt|schaft|lich; Volks|wirt-schafts|leh|re

Volks|wohl; Volks|zäh|lung

Volks|zorn

voll s. Kasten Seite 1091

Voll|aka|de|mi|ker; Voll|aka|de|mi-ke|rin

voll|auf [*auch* ...'lauf]; vollauf genug

voll|au|to|ma|tisch

voll au|to|ma|ti|siert, voll|au|to-ma|ti|siert vgl. voll; ↑K58

Voll|bad

Voll|bart; voll|bär|tig

voll be|la|den, voll|be|la|den; vgl. voll; ↑K58

voll|be|schäf|tigt; Voll|be|schäf|ti-gung, die; -

voll be|setzt, voll|be|setzt vgl. voll; ↑K58

Voll|be|sitz; im Vollbesitz seiner Kräfte

Voll|blut, das; -[e]s; Voll|blü|ter

voll|blü|tig; Voll|blü|tig|keit, die; -

voll

I. *Beugung:*
– voll Wein[es], voll [des] süßen Weines
– ein Beutel voll Geldscheine, voll neuer Geldscheine
– voll[er] Angst; ein Fass voll[er] Öl
– der Saal war voll[er] Menschen, voll von Menschen
– voll heiligem Ernst

II. *Klein- od. Großschreibung*
1. *Kleinschreibung:*
– voll Salz
– zehn Minuten nach voll (*ugs. für* nach der vollen Stunde)
– voll verantwortlich sein

2. *Großschreibung des Substantivs* ↑K 72 :
– aus dem Vollen schöpfen; im Vollen leben
– ein Wurf in die Vollen (auf 9 Kegel)
– in die Vollen gehen (*ugs. für* etwas mit Nachdruck betreiben)
– ins Volle greifen

III. *Getrennt- od. Zusammenschreibung*
1. *In Verbindung mit Verben* ↑K 56 :
– voll sein, werden
– etwas voll (ganz) begreifen
– voll dahinterstehen (*ugs.*)

– sich voll einbringen (*ugs.*)
– jmdn. nicht für voll nehmen (*ugs.*)
– den Mund recht voll nehmen (*ugs. für* prahlen)
– vollfüllen, vollgießen, vollladen, volllaufen, vollmachen, vollpacken, vollpumpen, vollschmieren, vollspritzen, volltanken usw., *aber* zu voll füllen, gießen usw.
– sich vollessen, vollfressen, vollsaufen; sich den Bauch vollschlagen
– jmdm. die Hucke vollhauen (*ugs. für* jmdn. verprügeln); jmdm. die Hucke volllügen (*ugs. für* jmdn. sehr belügen)
– vollbringen, vollenden, vollführen, vollstrecken, vollziehen; *vgl. d.*

2. *In Verbindung mit Partizipien* ↑K 58 :
– die voll automatisierte od. vollautomatisierte Produktion
– ein voll besetzter od. vollbesetzter Bus
– voll entwickelte od. vollentwickelte Muskulatur
– voll klimatisierte od. vollklimatisierte Räume
– vollgefüllt, vollgeladen, vollgelaufen, vollgetankt usw.

Vgl. auch Arm, Hand, Mund

Voll|blut|mu|si|ker (Musiker, der ganz von seiner Tätigkeit erfüllt ist); **Voll|blut|mu|si|ke|rin**
Voll|blut|pferd
Voll|blut|brem|sung
voll|brin|gen; ich vollbringe; vollbracht; **Voll|brin|gung**
voll|bu|sig
Voll|dampf, der; -[e]s
voll|elas|tisch; voll|elek|t|ro|nisch
vol|l|en|den; ich vollende; vollendet; zu vollenden; **Vol|l|en|der; Vol|l|en|de|rin; voll|l|ends; Vol|l|en|dung**
voll ent|wi|ckelt, voll|ent|wi|ckelt; *vgl.* voll; ↑K 58
voll|ler *vgl.* voll
Völ|le|rei (unmäßiges Essen u. Trinken); **völ|lern;** ich völlere
voll|es|sen, sich ↑K 56 ; *vgl.* voll
vol|ley [...li] (engl.); einen Ball volley (aus der Luft) nehmen
Vol|ley, der; -s, -s (*Tennis* Flugball); **Vol|ley|ball,** der; -[e]s (ein Ballspiel)
voll|fett; vollfetter Käse
voll|fres|sen, sich ↑K 56 ; *vgl.* voll
voll|füh|ren; ich vollführe; vollführt; **Voll|füh|rung**
voll|fül|len ↑K 56 ; *vgl.* voll
Voll|gas, das; -es; Vollgas geben
Voll|gat|ter (*Technik* eine Säge)
voll|ge|fres|sen (*ugs.*)
Voll|ge|fühl, das; -[e]s; im Vollgefühl ihrer Macht
voll|ge|pumpt; *vgl.* voll; ↑K 58

voll|ge|stopft; *vgl.* voll; ↑K 58
voll|gie|ßen ↑K 56 ; *vgl.* voll
voll|gül|tig
Voll|gum|mi|rei|fen
Voll|idi|ot (*ugs.*); **Voll|idi|o|tin** (*ugs.*)
völ|lig
voll|in|halt|lich
voll|jäh|rig; Voll|jäh|rig|keit, die; -; **Voll|jäh|rig|keits|er|klä|rung**
Voll|ju|rist; Voll|ju|ris|tin
voll|kas|ko|ver|si|chert; Voll|kas|ko|ver|si|che|rung
Voll|kauf|frau
Voll|kauf|mann
voll kli|ma|ti|siert, voll|kli|ma|ti|siert ↑K 57
voll|kom|men [*auch* 'fɔ...]; **Voll|kom|men|heit,** die; -
Voll|korn|brot; Voll|korn|keks
voll|kot|zen (*ugs.*) ↑K 56 ; *vgl.* voll
Voll|kraft, die; -
voll|krit|zeln ↑K 56 ; *vgl.* voll
voll|la|den ↑K 56 ; *vgl.* voll *u.* [1]laden
Voll|last, Voll-Last (*Technik*)
voll|lau|fen ↑K 56 ; *vgl.* voll
voll|lei|big ↑K 169
voll|ma|chen ↑K 56 ; *vgl.* voll
Voll|macht, die; -, -en; **Voll|macht|ge|ber; Voll|machts|ur|kun|de**
Voll|mas|sa|ge (Massage des ganzen Körpers)
voll|mast (*Seemannsspr.*); vollmast flaggen; auf vollmast stehen
Voll|ma|t|ro|se; Voll|ma|t|ro|sin
Voll|milch; Voll|milch|scho|ko|la|de
Voll|mit|glied; Voll|mit|glied|schaft

Voll|mond, der; -[e]s; **Voll|mond|ge|sicht** *Plur.* ...gesichter (*ugs.*)
voll|mun|dig (voll im Geschmack; *auch für* großsprecherisch)
Voll|nar|ko|se
Voll|pa|cken ↑K 56 ; *vgl.* voll
Voll|pap|pe (massive Pappe)
Voll|pen|si|on, die; -
voll|pfrop|fen ↑K 56 ; -
voll|pum|pen ↑K 56 ; *vgl.* voll
Voll|rausch
voll|reif; Voll|rei|fe
voll|sau|fen, sich (*derb*) ↑K 56 ; *vgl.* voll
voll|schei|ßen (*derb*) ↑K 56 ; *vgl.* voll
voll|schla|gen (*ugs.*) ↑K 56 ; *vgl.* voll
voll|schlank
voll|schmie|ren ↑K 56 ; *vgl.* voll
voll|schrei|ben ↑K 56 ; *vgl.* voll
Voll|sinn; im Vollsinn des Wortes
voll|sprit|zen ↑K 56 ; *vgl.* voll
Voll|spur, die; - (*Eisenb.*); **voll|spu|rig**
voll|stän|dig; Voll|stän|dig|keit, die; -
Voll|stock (*Seemannsspr.*); vollstock flaggen; auf vollstock stehen
voll|stop|fen (*ugs.*) ↑K 56 ; *vgl.* voll
voll|streck|bar (*Rechtsw.*); **Voll|streck|bar|keit,** die; -
voll|stre|cken; ich vollstrecke; vollstreckt; zu vollstrecken; **Voll|stre|cker; Voll|stre|cke|rin**
Voll|stre|ckung; Voll|stre|ckungs-

V
Voll

be|am|te; Voll|stre|ckungs|be|am-
tin; Voll|stre|ckungs|be|scheid
voll|tan|ken ↑K56 ; vgl. voll
Voll|text (EDV); Voll|text|su|che
voll|tö|nend ↑K57 ; voll|tö|nig
Voll|tref|fer
voll|trun|ken; Voll|trun|ken|heit
voll|um|fäng|lich (bes. schweiz. in
vollem Umfang)
Voll|verb (Sprachw.)
Voll|ver|pfle|gung
Voll|ver|samm|lung
Voll|ver|si|on (EDV Programmver-
sion ohne Funktionsbeschrän-
kungen)
Voll|wai|se
Voll|wasch|mit|tel
Voll|weib (erotische, vitale Frau)
voll|wer|tig; Voll|wer|tig|keit,
die; -; Voll|wert|kost, die; -
voll|wich|tig (Münzkunde)
voll|zäh|lig; Voll|zäh|lig|keit, die; -
Voll|zeit; [in] Vollzeit arbeiten; ich
arbeite Vollzeit; voll|zeit|be-
schäf|tigt; Voll|zeit|schu|le
voll|zieh|bar; Voll|zieh|bar|keit
voll|zie|hen; ich vollziehe; vollzo-
gen; zu vollziehen
Voll|zie|hung; Voll|zie|hungs|be|am-
te; Voll|zie|hungs|be|am|tin
¹Voll|zug, der; -[e]s (Vollziehung)
²Voll|zug (bes. Eisenb.)
Voll|zugs|an|stalt (Gefängnis)
Voll|zugs|be|am|te; Voll|zugs|be-
am|tin
Voll|zugs|ge|walt, die; -; Voll|zugs-
mel|dung; Voll|zugs|we|sen,
das; -s
Vo|lon|tär [auch ...lõ], der; -s, -e
⟨franz.⟩ (ohne od. gegen geringe
Vergütung zur berufl. Ausbildung Arbeitender)
Vo|lon|ta|ri|at, das; -[e]s, -e (Aus-
bildungszeit, Stelle eines Volon-
tärs, einer Volontärin)
Vo|lon|tä|rin
vo|lon|tie|ren (als Volontär[in]
arbeiten)
Vols|ker, der; -s, - (Angehöriger
eines ehem. Volksstammes in
Mittelitalien); Vols|ke|rin; vols|-
kisch
Volt, das; Gen. - u. -[e]s, Plur. -
⟨nach dem ital. Physiker Volta⟩
(Einheit der elektr. Spannung;
Zeichen V); 220 Volt
Volt|a|ele|ment ↑K136
Vol|taire [...'tɛːɐ̯] (franz. Schrift-
steller)
Vol|tai|ri|a|ner (Anhänger Vol-
taires); Vol|tai|ri|a|ne|rin
vol|ta|isch; voltaische Säule
↑K89 u. 135 ; vgl. voltatasch

Volt|am|pere [...pe:ɐ̯] (Einheit der
elektr. Leistung; Zeichen VA)
vol|ta|me|ter, das; -s, - (Stromstär-
kemesser); vgl. aber Voltmeter
vol|tasch (nach Volta benannt;
galvanisch); voltatasche od. Vol-
ta'sche Säule ↑K135 u. 89
Vol|te, die; -, -n ⟨franz.⟩ (Reitfigur;
Kunstgriff beim Kartenmischen;
Kniff); die Volte schlagen
vol|tie|ren (svw. voltigieren)
Vol|ti|ge [...ʒə], die; -, -n (Sprung
eines Kunstreiters auf das
Pferd); Vol|ti|geur [...'ʒøːɐ̯], der;
-s, -e (veraltet für Voltigierer;
früher auch: leichter Reiter in
der Kavallerie); vol|ti|gie|ren
[...'ʒiː...] (eine Volte ausführen;
Kunstsprünge auf dem [galop-
pierenden] Pferd ausführen);
Vol|ti|gie|rer; Vol|ti|gie|re|rin
Volt|me|ter, das; -s, - (Elektrot.
Spannungsmesser); vgl. aber
Voltameter
Volt|se|kun|de (Einheit des magne-
tischen Flusses; Zeichen Vs)
Vo|lu|men, das; -s, - u. ...mina
⟨lat.⟩ (Rauminhalt [Zeichen V];
Band [eines Werkes; nur in der
Abk. vol.]; Umfang, Gesamt-
menge von etwas)
Vo|lu|men|ge|wicht (svw. Volumge-
wicht); Vo|lu|men|pro|zent (svw.
Volumprozent)
Vo|lu|me|t|rie, die; - (Messung von
Rauminhalten)
Vo|lum|ge|wicht (spezifisches
Gewicht, Raumgewicht)
vo|lu|mi|nös ⟨franz.⟩ (umfangreich,
massig)
Vo|lum|pro|zent (Hundertsatz vom
Rauminhalt; Abk. Vol.-%)
Vo|lun|ta|ris|mus, der; - ⟨lat.⟩ (phi-
los. Lehre, die allein den Willen
als maßgebend betrachtet)
Vo|lun|ta|rist, der; -en, -en; Vo|lun-
ta|ris|tin; vo|lun|ta|ris|tisch
Vo|lun|ta|tiv, der; -s (Sprachw.
Form des Verbs, die einen
Wunsch o. Ä. ausdrückt)
Vö|lu|s|pa, die; - ⟨altnord.⟩ (Edda-
lied vom Ursprung u. vom
Untergang der Welt)
Vo|lu|te, die; -, -n ⟨lat.⟩ (Kunstwiss.
spiralförmige Einrollung am
Kapitell ionischer Säulen)
Vol|vu|lus, der; -, ...li ⟨lat.⟩ (Med.
Darmverschlingung)
vom (von dem; Abk. v.)
Vom|hun|dert|satz vgl. Hundert-
satz
vo|mie|ren ⟨lat.⟩ (Med. sich erbre-
chen)

von s. Kasten Seite 1093
von|ei|n|an|der; etwas voneinander
haben, lernen, wissen; aber von-
einandergehen; vgl. aneinander
von|ei|n|an|der|ge|hen
von|nö|ten ([dringend] nötig);
vonnöten sein
von oben (Abk. v. o.)
von Rechts we|gen (Abk. v. R. w.)
von|sei|ten, von Sei|ten; vonsei-
ten od. von Seiten seines Vaters
von|stat|ten|ge|hen; alles ging gut
vonstatten; vonstattengegan-
gen; vonstattenzugehen
von un|ten (Abk. v. u.)
von we|gen! (ugs. für auf keinen
Fall!)
Voo|doo [vuˈduː] vgl. Wodu
¹Vo|po, der; -s, -s (ugs. kurz für
Volkspolizist)
²Vo|po, die; - (ugs. kurz für Volks-
polizei)
vor (Abk. v.); Präp. mit Dat. u. Akk.:
vor dem Zaun stehen, aber sich
vor den Zaun stellen; vor allem
(vgl. d.); vor diesem; vor alters
(vgl. d.); vor kurzem od. Kurzem;
vor der Zeit; vor Ort; Gnade vor
Recht ergehen lassen; vor sich
gehen; vor sich hin brummen
usw.; vor Christi Geburt (Abk.
v. Chr. G.); vor Christo od. Christus (Abk. v. Chr.); vor allem[,]
wenn/weil (vgl. d.)
vor... (in Zus. mit Verben, z. B.
vorsingen, du singst vor, vorge-
sungen, vorzusingen)
vor|ab (zunächst, zuerst)
Vor|ab|druck Plur. ...drucke
Vor|abend; Vor|abend|se|rie
Vor|ab|in|for|ma|ti|on
Vor|ah|nung; Vor|alarm
vor al|lem (Abk. v. a.); vor allem[,]
wenn/weil ... ↑K127
Vor|alp Plur.
vor al|ters ↑K70 (veraltet für
alter Zeit)
vo|r|an; der Sohn voran, der Vater
hinterdrein
vo|r|an... (z. B. vorangehen; ich
gehe voran; vorangegangen;
voranzugehen)
vo|r|an|brin|gen
vo|r|an|ge|hen; vo|r|an|ge|hend; die
vorangehenden Ausführungen;
aber ↑K72 : Vorangehendes; im
Vorangehenden; der, die, das
Vorangehende; vgl. folgend
vo|r|an|kom|men
Vor|an|kün|di|gung
vo|r|an|ma|chen (ugs. für sich beei-
len)

von

(*Abk.* v.)

Präposition mit Dativ:

- von [ganzem] Herzen
- von [großem] Nutzen, Vorteil sein
- von Sinnen sein
- ~~vonseiten~~ od. von Seiten (*vgl. d.*)
- die Hälfte von meinem Vermögen (*für* die Hälfte meines Vermögens)
- ein Mensch von intelligentem Aussehen (*für* ein Mensch intelligenten Aussehens)
- die Zeitung von heute
- von neuem od. ~~Neuem~~; von weitem od. ~~Weitem~~

- von nah u. fern; von links, von rechts
- von oben (*Abk.* v. o.); von unten (*Abk.* v. u.)
- von ungefähr; von vorn[e]; von vornherein
- von jetzt, von da an (*ugs.* von jetzt, von da ab)
- von Jugend an (*ugs.* von Jugend ab); von klein auf
- von Grund auf od. aus; von mir aus; von Haus[e] aus
- von Amts wegen; von Rechts wegen
- von Hand zu Hand; mit Grüßen von Haus zu Haus
- von weit her; von alters her; von dorther; von jeher; von dannen, hinnen gehen
- von wegen! (*ugs. für* auf keinen Fall!)

vor|an|mel|den *nur im Infinitiv u. Partizip II gebr.;* vorangemeldet; Vor|an|mel|dung
Vor|an|schlag (*Wirtsch.*)
vor|an|schrei|ten; vo|r|an|stel|len; vo|r|an|trei|ben
Vor|an|zei|ge
Vor|ar|beit; vor|ar|bei|ten
Vor|ar|bei|ter; Vor|ar|bei|te|rin
Vor|arl|berg[1] (österr. Bundesland); Vor|arl|ber|ger[1]; Vor|arl|ber|ge|rin[1]; vor|arl|ber|gisch[1]
vo|r|auf (*selten für* voran u. voraus)
vo|r|auf|ge|hen (*geh.*); ich gehe vorauf; voraufgegangen; voraufzugehen
vo|r|aus; sie war allen voraus; *aber* im (*landsch.* zum) Voraus [*auch* 'fo:...]
Vo|r|aus, der; - (*Rechtsw.* besonderer Erbanspruch eines überlebenden Ehegatten)
vo|r|aus... (z. B. vorausgehen; ich gehe voraus; vorausgegangen; vorauszugehen)
Vo|r|aus|ab|tei|lung (*Milit.*)
vo|r|aus|ah|nen
vo|r|aus|be|re|chen|bar; vo|r|aus|be|rech|nen
vo|r|aus|be|stim|men
vo|r|aus|be|zah|len; Vo|r|aus|be|zah|lung
vo|r|aus|da|tie|ren (mit einem späteren Datum versehen)
vo|r|aus|den|ken
vo|r|aus|ei|len
Vo|r|aus|ex|em|p|lar
vo|r|aus|fah|ren
vo|r|aus|ge|hen; vo|r|aus|ge|hend; die vorausgehenden Verhandlungen; *aber* ↑K 72 : Vorausgehendes; im Vorausgehenden; der, die, das Vorausgehende; *vgl.* folgend
vo|r|aus|ge|setzt[,] dass ↑K 127

vo|r|aus|ha|ben; jmdm. etwas voraushaben
Vo|r|aus|kas|se
Vo|r|aus|kor|rek|tur
vo|r|aus|lau|fen
vo|r|aus|sag|bar
Vo|r|aus|sa|ge; vo|r|aus|sa|gen
Vo|r|aus|schau; vo|r|aus|schau|en
Vor|aus|schei|dung (*Sport*)
vo|r|aus|schi|cken
vo|r|aus|seh|bar; vo|r|aus|se|hen
vo|r|aus|set|zen; Vo|r|aus|set|zung; vo|r|aus|set|zungs|los
Vo|r|aus|sicht, die; -; aller Voraussicht nach; vo|r|aus|sicht|lich
Vor|aus|wahl (vorläufige Auswahl)
vo|r|aus|wis|sen
vo|r|aus|zah|len; Vo|r|aus|zah|lung
Vor|bau *Plur.* ...bauten
vor|bau|en (*auch für* vorbeugen); der kluge Mann baut vor
vor|be|dacht; Vor|be|dacht, der; *nur in* mit, ohne Vorbedacht
Vor|be|deu|tung
Vor|be|din|gung
Vor|be|halt, der; -[e]s, -e; mit, unter, ohne Vorbehalt
vor|be|hal|ten; ich behalte es mir vor; ich habe es mir vorbehalten; vorzubehalten
vor|be|halt|lich, *schweiz.* vor|be|hält|lich (*Amtsspr.*); *Präp. mit Gen.:* vorbehaltlich, *schweiz.* vorbehältlich unserer Rechte; vor|be|halt|los
Vor|be|halts|gut; Vor|be|halts|klau|sel; Vor|be|halts|ur|teil
vor|be|han|deln; Vor|be|hand|lung
vor|bei; vorbei (vorüber) sein; als sie kam, war bereits alles vorbei
vor|bei... (z. B. vorbeigehen; ich gehe vorbei; vorbeigegangen; vorbeizugehen)
vor|bei|be|neh|men, sich (*ugs. für* sich ungehörig benehmen)
vor|bei|brin|gen

vor|bei|drü|cken, sich (*ugs.*); vor|bei|dür|fen (*ugs.*)
vor|bei|fah|ren; vor|bei|flie|gen; vor|bei|flie|ßen
Vor|bei|flug (*bes. Raumfahrt*)
vor|bei|füh|ren
vor|bei|ge|hen
vor|bei|kom|men; bei jmdm. vorbeikommen (*ugs. für* jmdn. kurz besuchen)
vor|bei|kön|nen (*ugs.*); vor|bei|las|sen (*ugs.*); vor|bei|lau|fen
Vor|bei|marsch, der; vor|bei|mar|schie|ren
vor|bei|müs|sen (*ugs.*)
vor|bei|rau|schen (*ugs.*); vor|bei|re|den; am Thema vorbeireden; vor|bei|rei|ten
vor|bei|schau|en; vor|bei|schie|ßen; vor|bei|schram|men (*ugs.*)
vor|bei|zie|hen; vor|bei|zwän|gen, sich
vor|be|las|tet; erblich vorbelastet sein; Vor|be|las|tung
Vor|be|mer|kung
Vor|be|ra|tung
vor|be|rei|ten; Vor|be|rei|tung; Vor|be|rei|tungs|dienst
Vor|be|rei|tungs|kurs, Vor|be|rei|tungs|kur|sus
Vor|be|richt; Vor|be|scheid
Vor|be|sit|zer; Vor|be|sit|ze|rin
Vor|be|spre|chung
vor|be|stel|len; Vor|be|stel|lung
vor|be|stim|men (*svw.* vorherbestimmen); Vor|be|stim|mung
vor|be|straft; Vor|be|straf|te, der u. die; -n, -n
vor|be|ten; Vor|be|ter; Vor|be|te|rin
Vor|beu|ge|haft, die (*Rechtsw.*)
vor|beu|gen; ↑K 82 : Vorbeugen od. vorbeugen ist besser als Heilen od. heilen

V

vorb

Vor|beu|gung; Vor|beu|gungs|maß-
nah|me
vor|be|zeich|net (veraltend für
eben genannt, eben aufgeführt)
Vor|bild; vor|bil|den
Vor|bild|funk|ti|on
vor|bild|haft; vor|bild|lich; Vor|bild-
lich|keit, die; -
Vor|bil|dung, die; -
vor|bin|den
vor|bla|sen (ugs. für vorsagen)
vor|blät|tern
Vor|blick
vor|boh|ren
Vor|bör|se, die; - (der eigtl. Bör-
senzeit vorausgehender Wertpa-
pierhandel); vor|börs|lich
Vor|bo|te; Vor|bo|tin
vor|brin|gen
Vor|büh|ne
vor Chris|ti Ge|burt (Abk. v. Chr. G.)
vor|christ|lich; vor Chris|to, vor
Chris|tus (Abk. v. Chr.)
Vor|dach
vor|da|tie|ren (vorausdatieren;
auch für zurückdatieren); Vor-
da|tie|rung
Vor|deck (svw. Vorderdeck)
vor|dem [auch ˈfoːɐ̯...] (veraltend
für früher)
Vor|den|ker (bes. Politik); Vor|den-
ke|rin
Vor|der|ach|se; Vor|der|an|sicht
vor|der|asi|a|tisch; Vor|der|asi|en
Vor|der|aus|gang; Vor|der|bank
Plur. ...bänke; Vor|der|bein; Vor-
der|deck
vor|de|re; aber: der Vordere Ori-
ent; vgl. vorderst
Vor|der|ein|gang; Vor|der|frau; Vor-
der|front; Vor|der|fuß
Vor|der|gau|men; Vor|der|gau|men-
laut (für Palatal)
Vor|der|grund; vor|der|grün|dig
vor|der|hand [auch ...ˈha...], ↑K 63
⟨zu vor⟩ (einstweilen)
Vor|der|hand, die; - ⟨zu vordere⟩
Vor|der|haus; Vor|der|hirn
Vor|der|in|di|en; ↑K 143
Vor|der|kip|per (Kfz-Technik); Vor-
der|la|der (eine alte Feuerwaffe)
Vor|der|mann Plur. ...männer, auch
...leute
Vor|der|pfo|te
Vor|der|rad; Vor|der|rad|an|trieb;
Vor|der|rad|brem|se
Vor|der|rei|fen; Vor|der|satz
(Sprachw.); Vor|der|schiff; Vor-
der|schin|ken; Vor|der|sei|te; Vor-
der|sitz
vor|derst; zuvorderst; der vorders-
te Mann, aber ↑K 72 : die
Vorders|ten sollen sich setzen

Vor|der|ste|ven (Seemannsspr.)
Vor|der|teil, das od. der
Vor|der|tür; Vor|der|zahn; Vor|der-
zim|mer
vor|drän|geln, sich; ich dräng[e]le
mich vor; vor|drän|gen; sich vor-
drängen
vor|drin|gen
vor|dring|lich (besonders dring-
lich); Vor|dring|lich|keit, die; -
Vor|druck Plur. ...drucke
vor|ehe|lich
vor|ei|lig; Vor|ei|lig|keit
vor|ei|n|an|der; ↑K 48 : sich vorei-
nander fürchten, sich voreinan-
der hinstellen; vgl. aneinander
vor|ein|ge|nom|men; Vor|ein|ge-
nom|men|heit, die; -
vor|ein|sen|dung; gegen Vorein-
sendung des Betrages
Vor|ein|stel|lung
vor|eis|zeit|lich
Vor|el|tern Plur. (Vorfahren)
vor|ent|hal|ten; ich enthalte vor;
ich habe vorenthalten; vorzu-
enthalten; Vor|ent|hal|tung
Vor|ent|scheid; Vor|ent|schei|dung;
Vor|ent|schei|dungs|kampf
¹Vor|er|be, der
²Vor|er|be, das
Vor|er|bin (zu ¹Vorerbe)
Vor|er|he|bung (bes. bayr. österr.
für Vorermittlung)
Vor|er|mitt|lung (erstes Ermitt-
lungsverfahren)
vor|erst
vor|er|wähnt (Amtsspr.)
vor|er|zäh|len (ugs. für jmdn.
etwas weismachen wollen)
Vor|es|sen (schweiz. für Ragout)
Vor|ex|a|men
vor|ex|er|zie|ren (ugs.)
Vor|fa|b|ri|ka|ti|on; vor|fa|b|ri|zie-
ren
Vor|fahr, der; -en, -en u. Vor|fah|re,
der; -n, -n
vor|fah|ren
Vor|fah|rin
Vor|fahrt, die; -; [die] Vorfahrt
haben, beachten; vor|fahrt[s]|be-
rech|tigt; Vor|fahrt[s]|recht, das;
-[e]s
Vor|fahrt[s]|re|gel; Vor|fahrt[s]-
schild, das; Vor|fahrt[s]|stra|ße;
Vor|fahrt[s]|zei|chen
Vor|fall, der; vor|fal|len
Vor|fei|er
Vor|feld; im Vorfeld der Wahlen
Vor|film
vor|fil|tern
vor|fi|nan|zie|ren; Vor|fi|nan|zie-
rung
vor|fin|den

Vor|flu|ter (Abzugsgraben; Ent-
wässerungsgraben)
Vor|form; vor|for|men
vor|for|mu|lie|ren
Vor|fra|ge
Vor|freu|de
vor|fris|tig; etwas vorfristig liefern
Vor|früh|ling
vor|füh|len
Vor|führ|da|me
Vor|führ|ef|fekt (scherzh. für
Panne bei einer Vorführung)
vor|füh|ren
Vor|füh|rer; Vor|füh|re|rin
Vor|führ|ge|rät; Vor|führ|raum
Vor|füh|rung; Vor|füh|rungs|raum
Vor|führ|wa|gen
Vor|ga|be (Richtlinie; Sport Ver-
günstigung für Schwächere);
Vor|ga|be|zeit (Wirtsch.)
Vor|gang
Vor|gän|ger; Vor|gän|ge|rin; Vor-
gän|ger|mo|dell
vor|gän|gig (schweiz. svw. vorhe-
rig; als Adverb: zuvor; als Präp.
mit Gen. [Amtsspr.]: vor)
Vor|gangs|wei|se, die (österr. für
Vorgehensweise)
Vor|gar|ten
vor|gau|keln; ich gauk[e]le vor
vor|ge|ben
Vor|ge|bir|ge
vor|geb|lich (angeblich)
vor|ge|fasst; vorgefasste Mei-
nung
Vor|ge|fecht
vor|ge|fer|tigt
Vor|ge|fühl; im Vorgefühl ihres
Glücks
Vor|ge|gen|wart (svw. Perfekt)
vor|ge|hen; Vor|ge|hen, das; -s;
Vor|ge|hens|wei|se, die
vor|ge|la|gert; vorgelagerte Inseln
Vor|ge|län|de
Vor|ge|le|ge (Technik eine Über-
tragungsvorrichtung)
vor|ge|le|sen, ge|neh|migt, un|ter-
schrie|ben (gerichtl. Formel;
Abk. v., g., u.)
vor|ge|nannt (Amtsspr.)
vor|ge|ord|net (übergeordnet)
Vor|ge|plän|kel
Vor|ge|richt (Vorspeise)
vor|ger|ma|nisch
Vor|ge|schich|te, die; -; Vor|ge-
schicht|ler; Vor|ge|schicht|le|rin;
vor|ge|schicht|lich; Vor|ge-
schichts|for|schung
Vor|ge|schmack, der; -[e]s
vor|ge|schrit|ten; in vorgeschritte-
nem Alter
Vor|ge|setz|te, der u. die; -n, -n;
Vor|ge|setz|ten|ver|hält|nis

Vor|ge|spräch
vor|ges|tern; vorgestern Abend
↑K69 ; vor|gest|rig
vor|glü|hen (beim Dieselmotor)
vor|grei|fen; vor|greif|lich
Vor|griff
vor|gu|cken (ugs.)
vor|ha|ben; Vor|ha|ben, das; -s, -
Vor|hal|le
Vor|halt (beim Schießen auf
  bewegliche Ziele die Berücksichtigung der Bewegungsge-
  schwindigkeit; Musik ein disso-
  nanter Ton, der anstelle eines
  benachbarten Akkordtones
  steht, in den er sich auflöst;
  schweiz. neben Vorhaltung);
  vor|hal|ten; Vor|hal|tung meist
  Plur. (ernste Ermahnung)
Vor|hand, die; - (bes. [Tisch]tennis
  ein bestimmter Schlag; beim
  Pferd auf den Vorderbeinen
  ruhender Rumpfteil; Position
  des [Skat]spielers, der zuerst
  ausspielt); in [der] Vorhand sein,
  halten
vor|han|den; vorhanden sein; Vor-
  han|den|sein, das; -s ↑K82
Vor|hang, der; -[e]s, ...hänge
¹vor|hän|gen; das Kleid hing unter
  dem Mantel vor; vgl. ¹hängen
²vor|hän|gen; sie hat das Bild vor-
  gehängt; vgl. ²hängen
Vor|hän|ge|schloss
Vor|hang|stan|ge; Vor|hang|stoff
Vor|haus (landsch. für Hausein-
  fahrt, -flur)
Vor|haut (für Präputium); Vor-
  haut|ver|en|gung (für Phimose)
vor|hei|zen

[auch ...'heːɐ̯]
– vorher (früher, vor diesem Zeitpunkt) war es besser; etwas vorher tun; kurz vorher

Schreibung in Verbindung mit
Verben:
a) Getrenntschreibung, wenn
»vorher« im Sinne von »früher, vor
einem bestimmten Zeitpunkt«
gebraucht wird, z. B.

– vorher (früher) gehen; er hätte
  das vorher sagen sollen

b) Zusammenschreibung, wenn
»vorher« im Sinne von »voraus«
verwendet wird ↑K47:

– vorherbestimmen, vorhergehen,
  vorhersagen, vorhersehen

vor|her|be|stim|men ↑K47 (voraus-
  bestimmen); er bestimmt vorher; vorherbestimmt; vorherzu-
  bestimmen; aber sie hat den
  Zeitpunkt vorher (früher, im
  Voraus) bestimmt; Vor|her|be-
  stim|mung, die; -
vor|her|ge|hen ↑K47 (voraus-,
  vorangehen); es geht vorher;
  vorhergegangen; vorherzuge-
  hen; vgl. aber vorher a)
vor|her|ge|hend; die vorhergehen-
  den Ereignisse; vgl. ↑K72 : Vorhergehendes; im Vorhergehenden (weiter oben); der, die, das
  Vorhergehende
vor|he|rig [auch 'foːɐ̯...]
Vor|herr|schaft, die; -; vor|herr-
  schen
vor|her|sag|bar; Vor|her|sa|ge, die;
  -, -n; vor|her|sa|gen ↑K47
  (voraussagen); ich sage vorher;
  vorhergesagt; vorherzusagen;
  ↑K72 : das Vorhergesagte; vgl.
  aber vorher a): das vorher
  Gesagte
vor|her|seh|bar; vor|her|se|hen
  ↑K47 (im Voraus erkennen); ich
  sehe vorher; vorhergesehen; vor-
  herzusehen; vgl. aber vorher a)
vor|heu|len (ugs.)
vor|hin [auch ...'hin]
Vor|hi|n|ein; nur in der Fügung im
  Vorhinein (bes. südd., österr.
  für im Voraus)
Vor|hof; Vor|höl|le
Vor|hut, die; -, -en
vo|rig; vorigen Jahres (Abk. v. J.);
  vorigen Monats (Abk. v. M.);
  ↑K72 : der, die, das Vorige; im
  Vorigen; die Vorigen (Personen
  des Theaterstückes); vgl. folgend
Vor|in|for|ma|ti|on; vor|in|for|mie-
  ren
Vor|jahr; Vor|jah|res|mo|nat; Vor-
  jah|res|ni|veau
Vor|jah|res|sie|ger; Vor|jah|res|sie-
  ge|rin
Vor|jah|res|zeit|raum
vor|jäh|rig
vor|jam|mern (ugs.)
Vor|kal|ku|la|ti|on (Kauf-
  mannsspr.)
Vor|kam|mer
Vor|kämp|fer; Vor|kämp|fe|rin
Vor|kas|se (svw. Vorauskasse)
vor|kau|en (ugs. auch für in allen
  Einzelheiten erklären)
Vor|kauf; Vor|käu|fer; Vor|kaufs-
  recht
Vor|kehr, die; -, -en (schweiz. für
  Vorkehrung); vor|keh|ren

(schweiz. für vorsorglich anord-
  nen); Vor|keh|rung; Vorkehrun-
  gen treffen
Vor|keim (Bot.)
Vor|kennt|nis meist Plur.
vor|kli|nisch; die vorklinischen
  Semester
vor|knöp|fen (ugs.); ich habe ihn
  mir vorgeknöpft
vor|ko|chen
vor|kom|men; Vor|kom|men, das;
  -s, -
Vor|komm|nis, das; -ses, -se
Vor|kost (Vorspeise)
Vor|kos|ter; Vor|kos|te|rin
vor|kra|gen (Bauw. herausragen;
  seltener für herausragen lassen)
Vor|kriegs|ge|ne|ra|ti|on; Vor-
  kriegs|wa|re; Vor|kriegs|zeit
vor|ku|cken (nordd. für vorgucken)
vor|la|den vgl. ²laden; Vor|la|dung
Vor|la|ge
Vor|land, das; -[e]s, -e
vor|las|sen
Vor|lauf (zeitl. Vorsprung; Chemie
  erstes Destillat; Sport Ausschei-
  dungslauf)
Vor|läu|fer; Vor|läu|fe|rin; Vor|läu-
  fer|mo|dell
vor|läu|fig; Vor|läu|fig|keit, die; -
Vor|lauf|zeit, Vor|laufs|zeit
vor|laut
vor|le|ben; der Jugend Toleranz
  vorleben; Vor|le|ben, das; -s (frü-
  heres Leben)
Vor|le|ge|be|steck; vor|le|gen; Vor-
  le|ger (kleiner Teppich)
Vor|le|ge|schloss; Vor|le|gung
vor|leh|nen, sich
Vor|leis|tung
vor|le|sen; Vor|le|se|pult; Vor|le-
  ser; Vor|le|se|rin; Vor|le|se|wett-
  be|werb
Vor|le|sung; vor|le|sungs|frei
Vor|le|sungs|ge|bühr; Vor|le|sungs-
  ver|zeich|nis
vor|letzt; zu vorletzt; der vorletzte
  Mann, aber ↑K80 : er ist der
  Vorletzte [der Klasse]
Vor|lie|be, die; -, -n
vor|lieb|neh|men; ich nehme vor-
  lieb; vorliebgenommen; vorlieb-
  zunehmen; vgl. fürliebnehmen
vor|lie|gen; das Dokument hat
  (südd., österr., schweiz. ist) vor-
  gelegen
vor|lie|gend; vorliegender Fall;
  ↑K72 : Vorliegendes; im Vorliegenden (Amtsspr.); das Vorliegende; vgl. folgend
vor|lings (Sportspr. dem Gerät
  zugewandt)
vor|lü|gen

V
vorl

vorm (*ugs. für* vor dem); vorm Haus[e]

¹vorm. = vormals

²vorm., vm. = vormittags

vor|ma|chen (*ugs.*)*;* jmdm. etwas vormachen (jmdn. täuschen)

Vor|macht, die; -; Vor|macht|stel|lung, die; -

Vor|ma|gen (*svw.* Pansen)

vor|ma|lig; vor|mals (*Abk.* vorm.)

Vor|mann *Plur.* ...männer, *seltener* ...leute

Vor|marsch, der

Vor|märz, der; -[es] (Periode von 1815 bis zur Märzrevolution von 1848); vor|märz|lich

Vor|mast, der (vorderer Schiffsmast)

Vor|mau|er

Vor|mensch, der (Vorläufer des Urmenschen)

Vor|merk|buch; vor|mer|ken

Vor|mer|kung (*auch für* vorläufige Eintragung ins Grundbuch)

Vor|mie|ter; Vor|mie|te|rin

Vor|milch, die; - (*für* Kolostrum)

Vor|mit|tag; ↑K 70 vormittags; *aber* des Vormittags; heute Vormittag ↑K 69 ; *vgl.* ¹Mittag

vor|mit|tä|gig *vgl.* ...tägig; vor|mit|täg|lich *vgl.* ...täglich; vor|mittags *vgl.* Vormittag

Vor|mit|tags|stun|de; Vor|mit|tags-vor|stel|lung

Vor|mo|nat

Vor|mund, der; -[e]s, *Plur.* -e *u.* ...münder; Vor|mund|schaft; Vor|mund|schafts|ge|richt

¹vorn, *ugs.* vor|ne; noch einmal von vorn, *ugs.* vorne beginnen; vorn, *ugs.* vorne sitzen, stehen

²vorn (*ugs. für* vor den)

Vor|nah|me, die; -, -n (Ausführung)

Vor|na|me

vorn|an [*auch* 'f...]; vornan marschieren

vor|ne *vgl.* ¹vorn; vor|ne|an [*auch* 'for...] (*ugs. für* vornan)

vor|ne|he|r|ein [*auch* ...'rain] (*ugs. für* vornherein)

vor|nehm; vornehm tun

vor|neh|men

Vor|nehm|heit, die; -

vor|nehm|lich (*geh. für* vor allem, besonders)

Vor|nehm|tu|e|rei, die; - (*abwertend*)

vor|nei|gen; sich vorneigen

vor|ne|über *usw. ugs.* vgl. vornüber usw.

vor|ne|weg, vorn|weg [*auch* ...'vek]

vorn|he|r|ein [*auch* ...'rain]; von vornherein

vorn|über; vorn|über... (z. B. vorn-überstürzen; sie ist vornübergestürzt)

vorn|über|beu|gen; vorn|über|fallen; vorn|über|kip|pen; vorn|über-stür|zen

vorn|weg *vgl.* vorneweg

Vor|ort, der; -[e]s, ...orte; *vgl. aber* vor Ort sein; Vor-Ort-Begehung usw.

Vor-Ort-Be|ge|hung; Vor-Ort-Service, der

Vor|ort[s]|ver|kehr, der; -s; Vor-ort[s]|zug

Vor-Ort-Ter|min

vor|pla|nen; Vor|pla|nung

Vor|platz

Vor|pom|mern (Teil des Bundeslandes Mecklenburg-Vorpommern)

Vor|pos|ten

vor|prel|len (*landsch. für* vorpreschen)

vor|pre|schen

Vor|pro|gramm

vor|pro|gram|mie|ren; vor|pro|gram-miert

Vor|prü|fung

vor|quel|len

Vor|rang, der; -[e]s (*österr. auch für* Vorfahrt)

vor|ran|gig; Vor|ran|gig|keit, die; -

Vor|rang|stel|lung

Vor|rang|stra|ße (*österr. für* Vorfahrtsstraße); Vor|rang|ta|fel (*österr. für* Vorfahrtsschild)

Vor|rat, der; -[e]s, ...räte; vor|rä|tig; etwas vorrätig haben

Vor|rats|hal|tung; Vor|rats|kam|mer; Vor|rats|kel|ler; Vor|rats|raum; Vor|rats|schrank

Vor|raum

voraus

Voraus ist eine Zusammensetzung aus *vor* und *aus*. Korrekt ist deshalb nur die Schreibung mit einem *r*.

vor|rech|nen

Vor|recht

Vor|re|de; Vor|red|ner; Vor|red|ne-rin

Vor|rei|ter; Vor|rei|te|rin; Vor|rei-ter|rol|le

vor|ren|nen; Vor|ren|nen (*Sport*)

vor|re|vo|lu|ti|o|när

vor|rich|ten (*landsch. für* herrichten); Vor|rich|tung

vor|rü|cken (*österr. Amtsspr. auch für* in die nächste Gehaltsstufe kommen); Vor|rü|ckung (*österr.*)

Vor|ru|he|stand (freiwilliger vorzei-tiger Ruhestand); Vor|ru|he-ständ|ler; Vor|ru|he|ständ|le|rin

Vor|ru|he|stands|geld; Vor|ru|he-stands|re|ge|lung

Vor|run|de (*Sport*); Vor|run|den-spiel

vors ↑K 14 (*ugs. für* vor das); vors Haus

Vors. = Vorsitzende[r], Vorsitzer[in]

Vor|saal (*landsch. für* Diele)

vor|sa|gen

Vor|sa|ger; Vor|sa|ge|rin

Vor|sai|son

Vor|sän|ger; Vor|sän|ge|rin

Vor|satz, der, *Druckw.* das; -es, Vorsätze; Vor|satz|blatt (Vorsatz-papier)

vor|sätz|lich; Vor|sätz|lich|keit, die; -

Vor|satz|pa|pier (*Druckw.*)

Vor|schalt|ge|setz (vorläufige gesetzliche Regelung); Vor|schalt|wi|der|stand (*Elektrot.*)

Vor|schau

Vor|schein; *nur noch in* zum Vorschein kommen, bringen

vor|schi|cken

vor|schie|ben

vor|schie|ßen (*ugs.*)*;* jmdm. hundert Euro vorschießen

Vor|schiff

vor|schla|fen (*ugs.*)

Vor|schlag; auf Vorschlag von ...

vor|schla|gen

Vor|schlag|ham|mer

Vor|schlags|recht, das; -[e]s

Vor|schluss|run|de (*Sport*)

vor|schme|cken

vor|schnell; vorschnell urteilen

Vor|schot|mann *Plur.* ...männer *u.* ...leute (*Segeln*)

vor|schrei|ben

Vor|schrift; Dienst nach Vorschrift

vor|schrifts|ge|mäß; vor|schrifts|mä-ßig; vor|schrifts|wid|rig

¹Vor|schub; *nur noch in* jmdm. *od.* einer Sache Vorschub leisten (begünstigen, fördern)

²Vor|schub (*Technik* Vorwärtsbewe-gung eines Werkzeuges)

Vor|schub|leis|tung

Vor|schul|al|ter; Vor|schu|le; Vor-schul|er|zie|hung

vor|schu|lisch; Vor|schu|lung

Vor|schuss; Vor|schuss|lor|bee|ren *Plur.* (im Vorhinein erteilter Lob); vor|schuss|wei|se; Vor-schuss|zah|lung

vor|schüt|zen; keine Müdigkeit vorschützen

vor|schwär|men

vor|schwe|ben; mir schwebt etwas Bestimmtes vor

V

vorm

vor|se|hen; Vor|se|hung, die; -
vor|set|zen
vor sich ... *vgl.* vor
Vor|sicht, die; -
vor|sich|tig; Vor|sich|tig|keit, die; -
vor|sichts|hal|ber
Vor|sichts|maß|nah|me; Vor|sichts-
maß|re|gel
Vor|si|g|nal *(Eisenb.)*
Vor|sil|be
vor|sin|gen
vor|sint|flut|lich *(ugs. für* längst
veraltet, unmodern)
Vor|sitz, der; -es, -e
vor|sit|zen; Vor|sit|zen|de, der *u.*
die; -n, -n *(Abk.* Vors.)
Vor|sit|zer (Vorsitzender; *Abk.*
Vors.); Vor|sit|ze|rin *(Abk.* Vors.)
Vor|som|mer
Vor|sor|ge, die; -; Vorsorge treffen;
vor|sor|gen
Vor|sor|ge|un|ter|su|chung
vor|sorg|lich
Vor|spann, der; -[e]s -e (zusätzli-
ches Zugtier od. -fahrzeug; Titel,
Darsteller- u. Herstellerverzeich-
nis beim Film, Fernsehen; Einleitung eines Presseartikels o. Ä.);
vgl. Nachspann
vor|span|nen
Vor|spann|mu|sik *(Film, Ferns.)*
Vor|spei|se
vor|spie|geln
Vor|spie|ge|lung, Vor|spieg|lung;
das ist Vorspieg[e]lung falscher
Tatsachen
Vor|spiel; vor|spie|len; Vor|spie|ler
Vor|spra|che; vor|spre|chen
vor|sprin|gen; Vor|sprin|ger (beim
Skispringen); Vor|sprin|ge|rin
Vor|spruch
Vor|sprung
vor|spu|len
vor|spu|ren *(schweiz. für* eine Spur
legen); Aufgaben, eine Entwicklung vorspuren (vorzeichnen)
Vor|sta|di|um
Vor|stadt; Vor|städ|ter; Vor|städ|te-
rin; vor|städ|tisch
Vor|stadt|ki|no; Vor|stadt|the|a|ter
Vor|stand, der; -[e]s, Vorstände
(österr. auch svw. Vorsteher)
Vor|stands|chef; Vor|stands|che|fin;
Vor|stands|mit|glied; Vor|stands-
sit|zung; Vor|stands|spre|cher;
Vor|stands|spre|che|rin
Vor|stands|vor|sit|zen|de
Vor|ste|cker (Splint, Vorsteckkeil)
Vor|steck|keil; Vor|steck|na|del
vor|ste|hen; vor|ste|hend; ↑K72 :
Vorstehendes; im Vorstehenden
(Amtsspr.); das Vorstehende; *vgl.*
folgend

Vor|ste|her; Vor|ste|her|drü|se *(für*
Prostata); Vor|ste|he|rin
Vor|steh|hund
vor|stell|bar
vor|stel|len; sich etwas vorstellen
vor|stel|lig; vorstellig werden
Vor|stel|lung; Vor|stel|lungs|ga|be,
die; -; Vor|stel|lungs|ge|spräch
Vor|stel|lungs|kraft, die; -; Vor|stel-
lungs|ver|mö|gen, das; -s; Vor-
stel|lungs|welt
Vor|steu|er, die
Vor|ste|ven *(Seew.)*
Vor|stop|per *(Fußball)*
Vor|stoß; vor|sto|ßen
Vor|stra|fe; Vor|stra|fen|re|gis|ter
vor|stre|cken; jmdm. Geld vorstre-
cken
vor|strei|chen; Vor|streich|far|be
Vor|stu|die; Vor|stu|fe
vor|sünd|flut|lich *vgl.* Sündflut
Vor|tag
vor|tan|zen; Vor|tän|zer; Vor|tän|ze-
rin
vor|tas|ten, sich
vor|täu|schen; Vor|täu|schung
Vor|teig (für Hefekuchen, Brot)
Vor|teil, der; -s, -e; von Vorteil; im
Vorteil sein; vor|teil|haft
Vor|trag, der; -[e]s, ...träge
vor|tra|gen; Vor|tra|gen|de, der *u.*
die; -n, -n
Vor|trags|be|zeich|nung *(Musik)*
Vor|trags|kunst, die; -; Vor|trags-
künst|ler; Vor|trags|künst|le|rin
Vor|trags|rei|he
vor|treff|lich; Vor|treff|lich|keit
vor|trei|ben
vor|tre|ten
Vor|trieb *(Physik, Technik, Berg-
mannsspr.);* Vor|triebs|ver|lust
Vor|tritt, der; -[e]s *(schweiz. auch
für* Vorfahrt); jmdm. den Vor-
tritt lassen
Vor|trupp
Vor|tuch, das; -[e]s, ...tücher
(landsch. für Schürze)
vor|tur|nen; Vor|tur|ner; Vor|tur|ne-
rin; Vor|tur|ner|rie|ge
vo|r|ü|ber; es ist alles vorüber
vo|r|ü|ber|ge|hen; ich gehe vorüber;
vorübergegangen; vorüberzuge-
hen; im Vorübergehen ↑K82 ;
vo|r|ü|ber|ge|hend
Vor|über|le|gung
vo|r|ü|ber|zie|hen
Vor|übung
Vor|un|ter|su|chung
Vor|ur|teil
vor|ur|teils|frei; vor|ur|teils|los; Vor-
ur|teils|lo|sig|keit, die; -
Vor|vä|ter *Plur.* (geh.); zur Zeit
unserer Vorväter

vor|ver|gan|gen; Vor|ver|gan|gen-
heit, die; - (Plusquamperfekt)
Vor|ver|hand|lung
Vor|ver|kauf, der; -[e]s; Vor|ver-
kaufs|stel|le
vor|ver|le|gen; Vor|ver|le|gung
vor|ver|öf|fent|li|chen; Vor|ver|öf-
fent|li|chung
Vor|ver|stär|ker *(Elektrot.)*
Vor|ver|trag
vor|ver|ur|tei|len; Vor|ver|ur|tei|lung
vor|vor|ges|tern
vor|vo|rig (vorletzt); vor|vor|letzt;
auf der vorvorletzten Seite
vor|wa|gen, sich
Vor|wahl; vor|wäh|len; Vor|wahl-
num|mer, Vor|wähl|num|mer
vor|wal|ten *(veraltend);* unter den
vorwaltenden Umständen
Vor|wand, der; -[e]s, ...wände
vor|wär|men; Vor|wär|mer
vor|war|nen; Vor|war|nung

vor|wärts

*Man schreibt »vorwärts« als
Verbzusatz mit dem folgenden
Verb zusammen:*

– sie will im Leben vorwärtskom-
 men
– es muss vorwärtsgehen mit
 unserem Projekt
– eine vorwärtsweisende Idee
 ↑K58

*Man schreibt getrennt, wenn »vor-
wärts« als selbstständiges Adverb
gebraucht wird:*

– vorwärts einparken
– er ist vorwärts hineingefahren

vor|wärts|drän|gen *vgl.* vorwärts
Vor|wärts|gang, der
vor|wärts|ge|hen *vgl.* vorwärts
vor|wärts|kom|men *vgl.* vorwärts
vor|wärts|schrei|ten *vgl.* vorwärts
vor|wärts|trei|ben *vgl.* vorwärts
Vor|wärts|ver|tei|di|gung (offensiv
geführte Verteidigung)
vor|wärts|wei|send *vgl.* vorwärts
Vor|wä|sche; vor|wa|schen; Vor-
wasch|gang
vor|weg
Vor|weg; *nur in der Fügung* im
Vorweg[e] (vorsorglich)
vorweg... (z. B. vorwegnehmen; ich
nehme vorweg; vorweggenommen; vorwegzunehmen)
Vor|weg|nah|me, die; -; vor|weg-
neh|men; ich nehme vorweg;
vorweggenommen; vorwegzu-
nehmen

vor|weg|sa|gen; vor|weg|schi|cken
Vor|weg|wei|ser *(Verkehrsw.)*
Vor|we|he ⟨zu ¹Wehe⟩
vor|weih|nacht|lich; Vor|weih-
  nachts|zeit, die;
Vor|weis, der; -es, -e *(veraltet)*
vor|wei|sen; Vor|wei|sung
Vor|welt, die; -; vor|welt|lich
vor|werf|bar *(Amtsspr.)*
vor|wer|fen
Vor|werk
vor|wie|gen; vor|wie|gend
Vor|win|ter
Vor|wis|sen; vor|wis|sen|schaft|lich
Vor|witz (Neugierde; vorlaute Art);
  vgl. Fürwitz; vor|wit|zig
Vor|wo|che; vor|wö|chig
vor|wöl|ben; Vor|wöl|bung
¹Vor|wort, das; -[e]s, -e (Vorrede in
  einem Buch)
²Vor|wort, das; *Plur.* ...wörter
  (österr. für Verhältniswort)
Vor|wurf; vor|wurfs|frei; vor|wurfs-
  voll
vor|zäh|len; vor|zau|bern
Vor|zei|chen
vor|zeich|nen; Vor|zeich|nung
vor|zeig|bar; Vor|zei|ge|frau
Vor|zei|ge|mann
vor|zei|gen; Vor|zei|ge|sport|ler
  (ugs.); Vor|zei|ge|sport|le|rin
Vor|zeit
vor|zei|ten; *aber* vor langen Zeiten;
  vor|zei|tig
Vor|zei|tig|keit *(Sprachw.)*
vor|zeit|lich (der Vorzeit angehö-
  rend); Vor|zeit|mensch
Vor|zen|sur
vor|zie|hen
Vor|zim|mer *(österr. auch für* Haus-
  flur, Diele, Vorraum); Vor|zim-
  mer|da|me; Vor|zim|mer|wand
  (österr. für Kleiderablage)
Vor|zin|sen *Plur. (für* Diskont)
vor|zu *(schweiz. mdal. für* immer
  wieder)
Vor|zug; vor|züg|lich [*auch* 'fo:ɐ̯...];
  Vor|züg|lich|keit, die; -
Vor|zugs|ak|tie
Vor|zugs|be|hand|lung; Vor|zugs-
  milch, die; -; Vor|zugs|preis
Vor|zugs|schü|ler *(österr. für* Schü-
  ler mit sehr guten Noten); Vor-
  zugs|schü|le|rin; Vor|zugs|stel-
  lung; vor|zugs|wei|se
Vor|zu|kunft, die; - *(für* Futurum
  exaktum)
Voß (dt. Schriftsteller); Voß' Nach-
  dichtungen ↑K16
Vo|ta *(Plur. von* Votum)
vo|ten ⟨engl.⟩ *(ugs. für* abstimmen);
  gevotet

Vo|ten *(Plur. von* Votum)
vo|tie|ren (stimmen für)
Vo|ting, das; -s, -s ⟨lat.-engl.⟩
  (Abstimmung)
Vo|tiv|bild ⟨lat.; dt.⟩ (einem od.
  einer Heiligen als Dank geweih-
  tes Bild); Vo|tiv|ga|be; Vo|tiv|ka-
  pel|le; Vo|tiv|ker|ze; Vo|tiv|kir-
  che; Vo|tiv|mes|se; Vo|tiv|ta|fel
Vo|tum, das; -s, *Plur.* ...ten *u.* ...ta
  ⟨lat.⟩ (Gelübde; Urteil; Stimme;
  Entscheid[ung])
Vou|cher ['vautʃɐ], das *od.* der; -s,
  -[s] ⟨engl.⟩ *(Touristik* Gutschein
  für im Voraus bezahlte Leistungen)
Vou|te ['vu:...], die; -, -n ⟨franz.⟩
  (Bauw. Verstärkungsteil; Hohl-
  kehle zwischen Wand u. Decke)
vox po|pu|li vox Dei ⟨lat., »Volkes
  Stimme [ist] Gottes Stimme«⟩
  (die öffentl. Meinung [hat großes
  Gewicht])
Vo|yeur [voa'jøːɐ̯], der; -s, -e
  ⟨franz.⟩ (jmd., der als Zuschauer
  bei sexuellen Betätigungen
  anderer Befriedigung erfährt);
  Vo|y|eu|rin
Vo|yeu|ris|mus; vo|yeu|ris|tisch
VP, die; - = Volkspolizei *(in der DDR)*
Vp., VP = Versuchsperson
VPS, das; - = Videoprogrammsys-
  tem
VR, die; - = Volksrepublik
Vra|nitz|ky [f...ki] (österr. Politiker)
Vre|ni [f..., *auch* v...] (w. Vorn.)
Vro|ni [f..., *auch* v...] (w. Vorn.)
v. R. w. = von Rechts wegen
Vs = Voltsekunde
vs. = versus
V. S. O. P. = very special old pale
  ⟨engl., »ganz besonders alt und
  blass«⟩ (Gütekennzeichen für
  Cognac od. Weinbrand)
v. s. pl. = verte, si placet! (bitte
  wenden)
VT = Vermont
v. T., p. m., ‰ = vom Tausend;
  vgl. pro mille
v. u. = von unten
vul|gär ⟨lat.⟩ (gewöhnlich; gemein;
  niedrig)
vul|ga|ri|sie|ren; Vul|ga|ri|sie|rung
Vul|ga|ris|mus, der; -, ...men *(bes.
  Sprachw.* vulgärer Ausdruck)
Vul|ga|ri|tät, die; -, -en
Vul|gär|la|tein (Volkslatein)
Vul|gär|spra|che
Vul|ga|ta, die; - (lat. Bibelüberset-
  zung des hl. Hieronymus)
Vul|gi|va|ga, die; - (»Umherschwei-
  fende«) (herabsetzender Beiname der Göttin Venus)

vul|go (gemeinhin [so genannt]);
  Vul|go|na|me *(österr. für* Benen-
  nung nach dem Namen eines
  Bauernhofes od. Berufes [im
  Gegensatz zum Familiennamen])
¹Vul|kan (röm. Gott des Feuers)
²Vul|kan, der; -s, -e ⟨lat.⟩ (Feuer spei-
  ender Berg); Vul|kan|aus|bruch
Vul|kan|fi|ber, der; - (lederartiger
  Kunststoff aus Zellulose)
Vul|kan|in|sel
Vul|ka|ni|sa|ti|on, die; -, -en, Vul|ka-
  ni|sie|rung (Verarbeitung von
  Rohkautschuk zu Gummi)
vul|ka|nisch (von Vulkanen herrüh-
  rend)
Vul|ka|ni|seur [...'zøːɐ̯], der; -s, -e
  (Facharbeiter in der Gummi-
  herstellung); Vul|ka|ni|seu|rin
  [...'zøː...]; Vul|ka|ni|sier|an|stalt;
  vul|ka|ni|sie|ren (Rohkaut-
  schuk zu Gummi verarbeiten);
  Vul|ka|ni|sie|rung *vgl.* Vulkani-
  sation
Vul|ka|nis|mus, der; - (Gesamtheit
  der vulkan. Erscheinungen)
Vul|va, die; -, Vulven ⟨lat.⟩ *(Med.*
  die äußeren weibl. Geschlechts-
  organe)
v. u. Z. = vor unserer Zeitrechnung
v. v. = vice versa
VVN, die; - = Vereinigung der Ver-
  folgten des Naziregimes
VW®, der; -[s], -[s] *(kurz für*
  Volkswagen)
VWD, die; - = Vereinigte Wirt-
  schaftsdienste
VW-Fah|rer ↑K28 *vgl.* VW
VWL = Volkswirtschaftslehre

W (Buchstabe); das W; des W, die
  W, *aber* das w in Löwe; der
  Buchstabe W, w
W = Watt; Werst; West[en]; *chem.
  Zeichen für* Wolfram
WA = Washington
Waadt [va(:)t], die; - (schweiz.
  Kanton; *franz.* Vaud)
Waadt|land, das; -[e]s *(svw.*
  Waadt); Waadt|län|der; waadt-
  län|disch

¹**Waag**, die; - (*bayr. für* Flut, Wasser)

²**Waag**, die; - (linker Nebenfluss der Donau in der Slowakei)

Waa|ge, die; -, -n

Waa|ge|amt; Waa|ge|bal|ken; Waa-ge|geld; Waa|ge|meis|ter; Waa-ge|meis|te|rin

Waa|gen|fa|brik

waa|ge|recht, waag|recht; Waa|ge-rech|te, die; -n, -n; vier Waagerechte[n]

waag|recht usw. *vgl.* waagerecht usw.; **Waag|scha|le**

Waal, die; - (Mündungsarm des Rheins)

wab|be|lig, wabb|lig (*ugs. für* gallertartig wackelnd; unangenehm weich)

wab|beln (*ugs. für* hin u. her wackeln); ich wabb[e]le

wabb|lig *vgl.* wabbelig

Wa|be, die; -, -n; **Wa|ben|ho|nig**

Wa|ber|lo|he (*altnord. Dichtung* loderndes Feuer)

wa|bern (*landsch. für* sich hin u. her bewegen, flackern)

wach; die ganze Nacht wach sein, wach bleiben; morgens schon früh wach werden; *aber* wenn alte Gefühle wach werden *od.* wachwerden (wieder auftreten); sich wach halten; die ganze Nacht wach liegen *od.* wachlie-gen (nicht einschlafen können); jmdn. wach rütteln *od.* wach-rütteln (wecken); *vgl. aber* wachhalten, wachrufen, wach-rütteln

Wach|ab|lö|sung

Wa|chau, die; - (Engtal der Donau zwischen Krems u. Melk)

Wach|ba|tail|lon (*Milit.*)*; **Wach-boot; Wach|buch; Wach|dienst**

Wa|che, die; -, -n; Wache halten, stehen; ein Wache stehender *od.* wachestehender Soldat; **Wa-che|be|am|te** (*österr. Amtsspr. für* Polizist); **Wa|che|be|am|tin**

wa|cheln (*bayr., österr. für* winken)

wa|chen; über jmdn. wachen

Wa|che|ste|hen, das; -s; **Wa|che ste|hend, wa|che|ste|hend** ↑K58

Wach|feu|er

Wach|frau

wach|ha|bend; der wachhabende Offizier; **Wach|ha|ben|de**, der u. die; -n, -n

wach|hal|ten; die Erinnerung an etwas wachhalten; *vgl. aber* wach

Wach|heit, die; -

Wach|hund; Wach|ko|ma (*Med.* Koma bei geöffneten Augen)

Wach|ler (*südd. für* Gamsbart)

wach lie|gen, wach|lie|gen *vgl.* wach

Wach|lo|kal; Wach|mann *Plur.* ...männer *u.* ...leute; **Wach|mann-schaft**

Wa|chol|der, der; -s, - (eine Pflanze; ein Branntwein)

Wa|chol|der|baum; Wa|chol|der-bee|re; Wa|chol|der|dros|sel (ein Singvogel); **Wa|chol|der|schnaps; Wa|chol|der|strauch**

Wach|pos|ten, Wacht|pos|ten

wach|ru|fen ↑K56 (hervorrufen; wecken); das hat ihren Ehrgeiz wachgerufen

wach|rüt|teln (↑K47 ; aufrütteln); diese Nachricht hat ihn wachge-rüttelt; *vgl. aber* wach

Wachs, das; -es, -e; **Wachs|ab|guss**

wach|sam; Wach|sam|keit, die; -

Wachs|bild; wachs|bleich

Wachs|blu|me; Wachs|boh|ne

Wach|schiff

wach|seln (*österr. für* [Skier] wach-sen); ich wachs[e]le

¹**wach|sen** (größer werden); du wächst, er wächst; du wuchsest, er wuchs; du wüchsest; gewach-sen; wachs[e]!

²**wach|sen** (mit Wachs glätten); du wachst, er wachst; du wachs-test; gewachst; wachs[e]!

wäch|sern (aus Wachs); **Wachs-far|be; Wachs|fi|gur; Wachs|fi|gu-ren|ka|bi|nett**

Wachs|ker|ze; Wachs|lein|wand (Wachstuch); **Wachs|licht** *Plur.* ...lichter; **Wachs|ma|le|rei; Wachs|mal|krei|de; Wachs|mal-stift**

Wachs|mo|dell; Wachs|pa|pier; Wachs|plat|te; Wachs|stock *Plur.* ...stöcke; **Wachs|ta|fel**

Wach|sta|ti|on (im Krankenhaus); **Wach|stu|be**

Wachs|tuch

Wachs|tum, das; -s

Wachs|tums|bran|che (*Wirtsch.*)

wachs|tums|för|dernd; wachs|tums-hem|mend; Wachs|tums|hor|mon; Wachs|tums|ra|te (*Wirtsch.*); **Wachs|tums|stö|rung**

wachs|weich

Wachs|zel|le; Wachs|zie|her; Wachs-zie|he|rei

Wacht, die; -, -en (*geh. für* Wache); Wacht halten

Wäch|te (*alte Schreibung für* Wechte)

Wach|tel, die; -, -n (ein Vogel)

Wach|tel|ei; Wach|tel|hund; Wach-tel|kö|nig (ein Vogel); **Wach|tel-ruf; Wach|tel|schlag**

Wäch|ter; Wäch|te|rin

Wäch|ter|lied

Wäch|ter|rat, der; -[e]s (Kontroll-organ für Gesetzgebung u. Wah-len im Iran)

Wäch|ter|ruf

Wacht|meis|ter; Wacht|meis|te|rin; Wacht|pa|ra|de; Wacht|pos|ten *vgl.* Wachposten

Wacht|traum

Wacht|turm, Wach|turm

Wach- und Schlie\u00df|ge|sell|schaft ↑K31

wach wer|den, wach|wer|den *vgl.* wach

Wach|zim|mer (*österr. für* Polizei-büro)

Wach|zu|stand

Wa|cke, die; -, -n (*veraltet, noch landsch. für* Gesteinsbrocken)

Wa|ckel|da|ckel (*ugs. für* Plüsch-hund mit bewegl. Kopf)

Wa|cke|lei

wa|cke|lig, wack|lig

Wa|ckel|kan|di|dat (*ugs. für* Person, die einen gewissen Unsicher-heitsfaktor darstellt); **Wa|ckel-kan|di|da|tin**

Wa|ckel|kon|takt

wa|ckeln; ich wack[e]le

Wa|ckel|pe|ter (Wackelpudding); **Wa|ckel|pud|ding** (*ugs.*)

wa|cker (*veraltend für* redlich; tapfer)

Wa|cker|stein (*südd. für* Wacke)

wack|lig *vgl.* wackelig

Wad, das; -s ⟨engl.⟩ (ein Mineral)

Wa|dai (afrik. Landschaft)

Wad|di|ke, die; - (*nordd. für* Molke, Käsewasser)

Wa|de, die; -, -n

Wa|den|bein; Wa|den|bei|\u00dfer (*ugs. für* kleiner bissiger Hund; hin-terhältiger Aufwiegler); **Wa|den-bei|\u00dfe|rin; Wa|den|krampf; wa-den|lang; Wa|den|wi|ckel**

Wa|di, das; -s, -s ⟨arab.⟩ (wasserlo-ses Flussbett in Nordafrika u. im Vorderen Orient)

Wa|di-Qum|ran *vgl.* Kumran

Wadl (*bayr., österr. für* Wade); **Wadl|bei|\u00dfer** (*bayr., österr. ugs.*); **Wadl|bei|\u00dfe|rin**

Wäd|li, das; -s, - (*schweiz. für* Eis-bein)

Wad|schin|ken (*ostösterr. für* Rind-fleisch vom unteren Teil der Keule)

Wa|fer ['ve:...], der; -s, -[s] ⟨engl.⟩ (dünne Scheibe aus Halbleitermaterial für die Herstellung von Mikrochips)

Waf|fe, die; -, -n; atomare, biologische, chemische Waffen

Waf|fel, die; -, -n ⟨niederl.⟩ (ein Gebäck); **Waf|fel|ei|sen**

Waf|fen|ar|se|nal; Waf|fen|be|sitz; Waf|fen|be|sitz|kar|te *(Amtsspr.)*

Waf|fen|bru|der; Waf|fen|brü|der|schaft

Waf|fen|em|bar|go

waf|fen|fä|hig *(veraltend)*

Waf|fen|gang, der *(veraltend);* **Waf|fen|gat|tung; Waf|fen|ge|setz; Waf|fen|ge|walt,** die; -

Waf|fen|han|del *(vgl. ¹Handel);* **Waf|fen|händ|ler; Waf|fen|händ|le|rin**

Waf|fen|in|spek|teur; Waf|fen|in|spek|teu|rin; Waf|fen|in|spek|ti|on

Waf|fen|kun|de, die; -; **Waf|fen|la|ger; Waf|fen|lie|fe|rung**

waf|fen|los

Waf|fen|narr *(ugs. für* Liebhaber von Waffen)

Waf|fen|pass *(österr. für* Waffenschein)

Waf|fen|platz *(schweiz. für* Truppenausbildungsplatz)*;* **Waf|fen|ru|he; Waf|fen|schein**

Waf|fen|schmied; Waf|fen|schmie|de; Waf|fen|schrank

Waf|fen|schwes|ter

waf|fen|star|rend

Waf|fen|still|stand; Waf|fen|still|stands|ab|kom|men; Waf|fen|still|stands|li|nie

Waf|fen|sys|tem; Waf|fen|tanz *(Völkerk.);* **Waf|fen|tech|nik**

waff|nen *(veraltet);* sich waffnen

Wa|ga|du|gu vgl. Ouagadougou

wäg|bar; Wäg|bar|keit

Wa|ge|hals *(veraltend);* **wa|ge|hal|sig** usw. vgl. waghalsig usw.

Wä|gel|chen (kleiner Wagen)

Wa|ge|mut; wa|ge|mu|tig

wa|gen; du wagtest; gewagt; sich wagen

wä|gen *(fachspr.,* sonst veraltet *für* das Gewicht bestimmen); *geh. für* prüfend bedenken); du wägst; du wogst; du wögest; gewogen; wäge[!]; *selten schwache Beugung* du wägtest; gewägt; vgl. ²wiegen

Wa|gen, der; -s, *Plur.* -, *südd. auch* Wägen

Wa|gen|bau|er *(vgl. ¹Bauer);* **Wa|gen|bau|e|rin; Wa|gen|burg; Wa|gen|dach; Wa|gen|füh|rer; Wa|gen|füh|re|rin; Wa|gen|he|ber; Wa|gen|in|ne|re**

Wa|gen|ko|lon|ne; Wa|gen|la|dung; Wa|gen|pa|pie|re *Plur.*

Wa|gen|park; Wa|gen|pla|ne; Wa|gen|rad; Wa|gen|ren|nen; Wa|gen|schlag *(veraltend)*

Wa|gen|schmie|re; Wa|gen|tür; Wa|gen|typ; Wa|gen|wä|sche

Wa|ge|stück *(geh.)*

Wag|gerl (österr. Erzähler)

Wag|gon, Wa|gon [...ˈgõ:, österr. ...ˈgo:n], der; -s, *Plur.* -s, österr. auch -e ⟨engl.⟩ ([Eisenbahn]wagen); **wag|gon|wei|se,** wa|gon|wei|se

wag|hal|sig, wa|ge|hal|sig; **Wag|hal|sig|keit,** Wa|ge|hal|sig|keit

¹Wag|ner, der; -s, - *(südd., österr. u. schweiz. für* Wagenbauer)

²Wag|ner (dt. Komponist)

Wag|ne|ri|a|ner (Anhänger Wagners); **Wag|ne|ri|a|ne|rin**

Wag|ne|rin

Wag|ner|oper, Wag|ner-Oper

Wag|nis, das; -ses, -se

Wa|gon vgl. Waggon; wa|gon|wei|se vgl. waggonweise

Wä|gung

Wä|he, die; -, -n *(südwestd., schweiz. regional für* flacher Kuchen mit süßem od. salzigem Belag)

Wah|ha|bit, der; -en, -en ⟨arab.⟩ (Angehöriger einer konservativen Richtung des Islams); **Wah|ha|bi|tin**

Wahl, die; -, -en

Wahl|abend; Wahl|al|ter

Wahl|amt *(österr. für* Schalt-, Telefonzentrale)

Wahl|an|zei|ge

Wahl|arzt *(österr. für* Arzt ohne Kassenzulassung); **Wahl|ärz|tin**

Wahl|auf|ruf; Wahl|aus|gang; Wahl|aus|schuss

wähl|bar; Wähl|bar|keit, die; -

Wahl|be|ein|flus|sung; Wahl|be|nach|rich|ti|gung

wahl|be|rech|tigt; Wahl|be|rech|tig|te; Wahl|be|rech|ti|gung

Wahl|be|tei|li|gung; Wahl|be|zirk

Wahl|el|tern *Plur. (österr. neben* Adoptiveltern)

wäh|len; Wäh|ler; Wäh|ler|auf|trag

Wäh|ler|evi|denz *(österr. für* Wählerverzeichnis)

Wahl|er|folg; Wahl|er|geb|nis; Wäh|le|rin; Wäh|ler|in|i|ti|a|ti|ve

wäh|le|risch

Wäh|ler|lis|te; Wäh|ler|schaft; Wäh|ler|stim|me; Wäh|ler|ver|zeich|nis; Wäh|ler|wil|le

Wahl|fach; Wahl|frau

wahl|frei; Wahl|frei|heit, die; -

Wahl|gang, der; **Wahl|ge|heim|nis; Wahl|ge|schenk; Wahl|ge|setz**

Wahl|hei|mat

Wahl|hel|fer; Wahl|hel|fe|rin

wäh|lig *(nordd. für* munter)

Wahl|jahr; Wahl|ka|bi|ne

Wahl|kampf; Wahl|kampf|the|ma

Wahl|kar|te *(österr. für* Berechtigungskarte für die Wahl außerhalb des Wohnortes)

Wahl|kind *(österr. neben* Adoptivkind)

Wahl|kreis

Wahl|lei|ter, der; **Wahl|lei|te|rin**

Wahl|lis|te; Wahl|lo|kal

wahl|los

Wahl|lü|ge; Wahl|mann *Plur.* ...männer; **Wahl|mo|dus; Wahl|mög|lich|keit; Wahl|mü|dig|keit**

Wahl|nacht; Wahl|nie|der|la|ge

Wahl-O-Mat, der; - (elektronisches Programm, mit dem man seine Übereinstimmung mit politischen Parteien testen kann)

Wahl|pa|rol|le; Wahl|par|ty

Wahl|pe|ri|o|de; Wahl|pflicht, die; -; **Wahl|pla|kat; Wahl|pro|gramm; Wahl|pro|pa|gan|da**

Wahl|recht, das; -[e]s; **Wahl|re|de**

Wähl|schei|be (am Telefon)

Wahl|schein; Wahl|schlap|pe

Wahl|sieg; Wahl|sie|ger; Wahl|sie|ge|rin; Wahl|spren|gel *(österr. für* Wahlbezirk)

Wahl|spruch

Wahl|statt (Ort in Schlesien); Fürst von Wahlstatt (Blücher)

Wahl|sys|tem; Wahl|tag

Wähl|ton (beim Telefon); vgl. ²Ton

Wahl|ur|ne; Wahl|ver|samm|lung; Wahl|ver|spre|chen

Wahl|ver|tei|di|ger *(Rechtsw.);* **Wahl|ver|tei|di|ge|rin**

wahl|ver|wandt; Wahl|ver|wandt|schaft

Wahl|volk, das; -[e]s

wahl|wei|se

Wahl|wer|ber *(österr. für* Wahlkandidat); **Wahl|wer|be|rin**

Wahl|wie|der|ho|lung

Wahl|zu|ckerl *(österr. ugs. für* polit. Zugeständnis vor einer Wahl)

Wahn, der; -[e]s; **Wahn|bild**

wäh|nen

Wahn|fried (Wagners Haus in Bayreuth)

Wahn|idee; Wahn|kan|te (schiefe Kante am Bauholz)

wahn|schaf|fen *(nordd. für* hässlich, missgestaltet)

Wahn|sinn, der; -[e]s

wahn|sin|nig; Wahn|sin|ni|ge, der u. die; -n, -n; **Wahn|sin|nig|wer|den,** den,

während

Konjunktion:

– sie las, während er Radio hörte
– während die einen sich freuten, waren die anderen enttäuscht

Präposition mit Genitiv:

– während des Krieges
– der Zeitraum, während dessen das geschah (*vgl. aber* währenddessen)
– die Tage, während deren sie verreist waren

Ugs. auch mit Dativ:

– während dem Schießen

Standardsprachlich mit Dativ, wenn der Genitiv im Plural nicht erkennbar ist:

– während fünf Jahren, während elf Monaten,
– *aber* während zweier, dreier Jahre

Standardsprachlich auch mit Dativ, wenn ein Genitivattribut zwischen »während« und das davon abhängende Substantiv tritt:

– während meines Freundes letztem Vortrag

---

das; -s; *in* das ist zum Wahnsinnigwerden
Wahn|sinns|ar|beit (*ugs.*); **Wahn|sinns|hit|ze** (*ugs.*)
Wahn|sinns|tat
Wahn|vor|stel|lung
Wahn|witz, der; -es; **wahn|wit|zig**
wahr; nicht wahr?; sein wahres Gesicht zeigen; wahr sein, bleiben, werden; etwas für wahr halten; seine Drohungen wahr machen *od.* wahrmachen; *vgl.* wahrhaben, wahrnehmen, wahrsagen
wah|ren; den Anschein wahren
wäh|ren (*geh. für* dauern)
wäh|rend *s.* Kasten
wäh|rend|dem; wäh|rend|des, während|des|sen (unterdessen); sie hatte währenddessen geschlafen (*vgl.* während)
wahr|ha|ben; sie will es nicht wahrhaben
wahr|haft (wirklich)
wahr|haf|tig; Wahr|haf|tig|keit, die; -
Wahr|heit; Wahr|heits|be|weis; Wahr|heits|fin|dung; Wahr|heits|ge|halt, der; -[e]s
wahr|heits|ge|mäß; wahr|heits|ge|treu
Wahr|heits|lie|be, die; -; **wahr|heits|lie|bend**
Wahr|heits|sinn, der; -[e]s; **Wahr|heits|su|cher; Wahr|heits|su|che|rin; wahr|heits|wid|rig**
wahr|lich (*veraltend für* wirklich)
wahr ma|chen, wahr|ma|chen *vgl.* wahr
wahr|nehm|bar; Wahr|nehm|bar|keit, die -
wahr|neh|men ↑K47; ich nehme wahr; wahrgenommen; wahrzunehmen
Wahr|neh|mung; Wahr|neh|mungs|ver|mö|gen, das; -s

Wahr|sa|ge|kunst, die; -
wahr|sa|gen ↑K47 (prophezeien); du sagtest wahr *od.* du wahrsagtest; sie hat wahrgesagt *od.* gewahrsagt; **Wahr|sa|ger; Wahr|sa|ge|rei; Wahr|sa|ge|rin; wahr|sa|ge|risch; Wahr|sa|gung**
währ|schaft (*schweiz. für* dauerhaft, echt)
Wahr|schau, die; - (*Seemannsspr.* Warnung); Wahrschau! (Vorsicht!); **wahr|schau|en** ↑K47 (warnen); ich wahrschaue; gewahrschaut; **Wahr|schau|er; Wahr|schau|e|rin,** die
wahr|schein|lich [*auch* ˈvaːʃ...]; **Wahr|schein|lich|keit**
Wahr|schein|lich|keits|grad; Wahr|schein|lich|keits|rech|nung, die; -; **Wahr|schein|lich|keits|the|o|rie,** die; -
Wäh|rung, die; - (Aufrechterhaltung, Bewahrung)
Wäh|rung (gesetzl. Zahlungsmittel); **Wäh|rungs|aus|gleich; Wäh|rungs|aus|gleichs|fonds**
Wäh|rungs|block *vgl.* Block
Wäh|rungs|ein|heit; Wäh|rungs|fonds [...föː] (*svw.* Währungsausgleichsfonds); **Wäh|rungs|hü|ter** (*ugs.*); **Wäh|rungs|hü|te|rin; Wäh|rungs|kri|se; Wäh|rungs|kurs**
Wäh|rungs|po|li|tik, die; -; **Wäh|rungs|re|form; Wäh|rungs|re|ser|ve** *meist Plur.*
Wäh|rungs|sys|tem; Europäisches Währungssystem ↑K88 (*Abk.* EWS)
Wäh|rungs|uni|on; Währungs-, Wirtschafts- und Sozialunion ↑K31
Wahr|zei|chen
Waib|lin|gen (Stadt nordöstl. von Stuttgart); **Waib|lin|ger,** der; -s, - (Beiname der Hohenstaufen)

Waid, der; -[e]s, -e (eine [Färber]pflanze; blauer Farbstoff)
waid..., Waid...; *in der Bedeutung* »Jagd« *vgl.* weid..., Weid...
Wai|se, die; -, -n; **Wai|sen|geld; Wai|sen|haus; Wai|sen|kind**
Wai|sen|kna|be; gegen jmdn. der reinste Waisenknabe sein (*ugs.*)
Wai|sen|ren|te
Wa|ke, die; -, -n (*nordd. für* Öffnung in der Eisdecke)
Wake|board [ˈveːkbɔːɐ̯t], das; -s, -s ⟨engl.⟩ (Brett zum Wasserskifahren); **Wake|boar|den, Wake|boar|ding,** das; -s (das Fahren u. Springen mit dem Wakeboard)
Wal, der; -[e]s, -e (ein Meeressäugetier)
Wa|la, die; -, Walen (altnord. Weissagerin)
Wa|la|che, der; -n, -n (Bewohner der Walachei)
Wa|la|chei, die; - (rumän. Landschaft); ↑K140 (die Große Walachei, die Kleine Walachei)
Wa|la|chin; wa|la|chisch
Wal|burg, Wal|bur|ga (w. Vorn.)
¹Wal|chen|see (Ort am gleichnamigen See)
²Wal|chen|see, der; -s (See in den bayer. Voralpen)
Wald, der; -[e]s, Wälder
Wald|amei|se; Wald|ar|bei|ter; Wald|ar|bei|te|rin; Wald|brand; Wäld|chen
Wal|deck (Gebiet des ehem. dt. Fürstentums Waldeck in Hessen; Landkreis in Hessen; Stadt am Edersee); **Wal|de|cker; Wal|de|cke|rin; wal|de|ckisch**
Wald|ein|sam|keit (*geh.*)
Wal|de|mar (m. Vorn.)
Wal|den|ser ⟨nach dem Lyoner Kaufmann Petrus Waldes⟩ (Angehöriger einer relig. Bewegung, die um 1175 in Lyon von

W

Wald

1101

Waldes begründet wurde); **Wal·**
den|se|rin

Wald|erd|bee|re

Wal|des|dun|kel *(geh.);* **Wal|des-**
rand *(geh. für* Waldrand); **Wal·**
des|rau|schen, das; -s *(geh.)*

Wald|farn; Wald|fre|vel; Wald|geist
Plur. ...geister; **Wald|horn** *Plur.*
...hörner; **Wald|hu|fen|dorf** *vgl.*
Hufe

Wald|hü|ter; Wald|hü|te|rin

wal|dig

Wald|kauz; Wald|lauf; Wald|läu|fer;
Wald|läu|fe|rin; Wald|lehr|pfad;
Wald|lich|tung

Wald|meis|ter, der; -s (eine
Pflanze); **Wald|meis|ter|bow|le**

Wal|do (m. Vorn.)

Wald|ohr|eu|le

Wall|dorf|sa|lat *(Gastron.)*

Wall|dorf|schu|le (Privatschule, in
der nach den Prinzipien anthro-
posophischer Pädagogik unter-
richtet wird)

Wald|rand; Wald|re|be (eine
Pflanze); **wald|reich**

Wald|schrat, Wald|schratt (Wald-
geist)

Wald|spa|zier|gang

Wald|städ|te *Plur.* (vier Städte am
Rhein: Rheinfelden, Säckingen,
Laufenburg u. Waldshut)

Wald|statt, die; -, ...stätte *meist*
Plur. (einer der Kantone am
Vierwaldstätter See [Uri,
Schwyz, Unterwalden, Luzern];
die Waldstatt Uri)

Wald|ster|ben, das; -s; **Wald|stück;**
Wald|tau|be

Wall|dung

Wald|vier|tel, das; -s (eine nieder-
österr. Landschaft)

Wald|vö|ge|lein (eine Orchidee)

wald|wärts; Wald|weg

Wal|len|see, der; -s (in der Schweiz)

Wales [weɪlz] (Halbinsel im Westen der Insel Großbritannien)

Wal|fang; die Walfang treibenden
od. walfangtreibenden Natio-
nen; **Wal|fän|ger**

Wal|fang|flot|te; Wal|fang|schiff
Walfang trei|bend , wal|fang|trei-
bend ↑K58

Wall|fisch *vgl.* Wal

Wäl|ger|holz *(landsch.);* **wäl|gern**
(landsch. für [Teig] glatt rollen);
ich wälgere

Wall|hall *[auch* ...'hal], das; -s ⟨alt-
nord.⟩ *(vgl.* Walhalla)

¹Wal|hal|la, das; -[s] *u.* die; - *(nord.*
Mythol. Halle Odins, Aufenthalt
der im Kampf Gefallenen)

²Wal|hal|la, die; - (Ruhmeshalle bei
Regensburg)

Wa|li|ser (Bewohner von Wales);
Wa|li|se|rin; wa|li|sisch

Wal|ke, die; -, -n (Verfilzmaschine;
Vorgang des Verfilzens); **¹wal|ken**
(Textiltechnik verfilzen; *ugs. für*
kneten; prügeln)

²wal|ken ['wɔ:kn] ⟨engl.⟩ (Walking
betreiben); gewalkt

¹Wal|ker ⟨*zu* ¹walken⟩

²Wal|ker ['wɔ:kɐ] ⟨*zu* Walking⟩

¹Wal|ke|rin *vgl.* ¹Walker

²Wal|ke|rin *vgl.* ²Walker

Wal|kie-Tal|kie ['wɔ:kɪ'tɔ:kɪ], das;
-[s], -s ⟨engl.⟩ (tragbares Funk-
sprechgerät)

Wal|king ['wɔ:kɪŋ], das; -[s] ⟨engl.⟩
(intensives Gehen [als sportl.
Betätigung])

Walk|man ® ['wɔ:kmən], der; -s, -s
u. ...men [...mən] (kleiner Kas-
settenrekorder mit Kopfhörern)

Walk|müh|le *(früher)*

Wal|kü|re *[auch* 'va...], die; -, -n
⟨altnord.⟩ *(nord. Mythol.* eine der
Botinnen Odins, die die Gefallenen nach Walhall geleiten)

¹Wall, der; -[e]s, *Plur. - u.* -e (altes
Stückmaß [bes. für Fische];
80 Stück); 2 Wall

²Wall, der; -[e]s, Wälle ⟨lat.⟩ (Erd-
aufschüttung, Mauerwerk usw.)

Wal|la|by ['vɔləbi], das; -s, -s ⟨engl.⟩
(eine Känguruart)

Wal|lace ['vɔləs], Edgar (engl.
Schriftsteller)

Wal|lach, der; -[e]s, -e (kastrierter
Hengst)

¹wal|len (sprudeln, bewegt fließen;
sich [wogend] bewegen)

²wal|len *(veraltet für* pilgern)

wäl|len *(landsch. für* wallen las-
sen); gewällte Kartoffeln

Wal|len|stein (Heerführer im Drei-
ßigjährigen Krieg)

¹Wal|ler *vgl.* ¹Wels

²Wal|ler *(veraltet für* Wallfahrer)

wall|fah|ren; du wallfahrst; du
wallfahrtest; gewallfahrt; zu
wallfahren; *vgl.* wallfahrten

Wall|fah|rer; Wall|fah|re|rin

Wall|fahrt; wall|fahr|ten *(veraltend*
für wallfahren); ich wallfahrtete;
gewallfahrtet; zu wallfahrten

Wall|fahrts|kir|che; Wall|fahrts|ort

Wall|gra|ben

Wall|holz *(schweiz. für* Nudelholz)

Wal|li (w. Vorn.)

Wal|lis, das; - (schweiz. Kanton)

Wal|li|ser; Wal|li|ser Al|pen; wal|li·
se|risch

Wal|lo|ne, der; -n, -n (Nachkomme

romanisierter Kelten in Belgien
u. Nordfrankreich); **Wal|lo|nie,**
Wal|lo|ni|en; Wal|lo|nin

wal|lo|nisch; wallonische Sprache;
Wal|lo|nisch, das; -[s] (Sprache);
vgl. Deutsch; **Wal|lo|ni|sche,** das;
-n; *vgl.* Deutsche, das

Wall|street ['wɔ:lstri:t], die; -, **Wall**
Street, die; - - ⟨amerik.⟩
(Geschäftsstraße in New York
[Bankzentrum]; *übertr. für* Geld-
u. Kapitalmarkt der USA)

Wal|lung

Wal|ly [...li] (w. Vorn.)

Walm, der; -[e]s, -e (dreieckige
Dachfläche); **Walm|dach**

Wal|nuss; Wal|nuss|baum

Wal|lo|ne, die; -, -n ⟨ital.⟩ *(Bot.*
Gerbstoff enthaltender Frucht-
becher der Eiche)

Wal|per|tin|ger *vgl.* Wolpertinger

Wal|platz ['va(:)...] *(veraltet für*
Kampfplatz)

Wal|pur|ga, Wal|pur|gis (w. Vorn.)

Wal|pur|gis|nacht

Wal|rat, der *od.* das; -[e]s ([aus
dem Kopf von Pottwalen gewon-
nene] fettartige Masse); **Wal|rat-**
öl, das; -[e]s

Wal|ross, das; -es, -se

¹Wal|ser, Martin (dt. Schriftsteller)

²Wal|ser, Robert (schweiz. Lyriker
u. Erzähler)

Wal|ser|tal, das; -[e]s ⟨nach dem im
13. Jh. eingewanderten Walli-
sern⟩ (Tal in Vorarlberg); ↑K140 :
das Große Walsertal; das Kleine
Walsertal

Wal|statt ['va(:)...], die; -, ...stätten
(veraltet für Kampfplatz;
Schlachtfeld)

wal|ten *(geh.);* Gnade walten las-
sen; ↑K82 : das Walten der
Naturgesetze

Wal|ter, Wal|ther (m. Vorn.)

Wal|tha|ri|lied *[auch* ...'ta:...], das;
-[e]s ↑K136 (ein Heldenepos)

Wal|ther *vgl.* Walter

Wal|ther von der Vo|gel|wei|de (dt.
Dichter des MA.)

Wal|traud, Wal|traut, Wal|trud (w.
Vorn.)

Walt|run (w. Vorn.)

Wal|va|ter ['va(:)...] *(Bez. für* Odin)

Walz|blech; Wal|ze, die; -, -n *(veral-*
tet auch für Wanderschaft eines
Handwerksburschen); **wal|zen;**
du walzt

wäl|zen; du wälzt; sich wälzen

Wal|zen|bruch, der; -[e]s, ...brüche;
wal|zen|för|mig

Wal|zen|müh|le; Wal|zen|spin|ne;
Wal|zen|stra|ße *vgl.* Walzstraße

Wal|zer; Walzer tanzen; sie schwebten Walzer tanzend od. walzertanzend durch den Raum
Wäl|zer (ugs. für dickes Buch)
Wal|zer|mu|sik; Wal|zer|se|lig|keit, die; -; **Wal|zer|takt** (vgl. ¹Takt); **Wal|zer|tän|zer; Wal|zer|tän|ze|rin**
wal|zig (walzenförmig)
Wälz|la|ger; Wälz|sprung (Straddle)
Walz|stahl; Walz|stra|ße, Wal|zen|stra|ße
Walz|werk; Walz|werk|er|zeug|nis
Wam|me, die; -, -n (vom Hals herabhängende Hautfalte [des Rindes]); **Wam|merl,** das; -s, -n (bayr., österr. für Bauchfleisch vom Kalb)
Wam|pe, die; -, -n (svw. Wamme; ugs. auch für dicker Bauch); **wam|pert** (österr. ugs. für dickbäuchig)
Wam|pum [auch ...'pʊm], der; -s, -e ⟨indian.⟩ (bei nordamerik. Indianern Gürtel aus Muscheln u. Schnecken, als Zahlungsmittel u. Ä. dienend)
Wams, das; -es, Wämser (früher, aber noch landsch. für Jacke); **Wäms|chen**
wam|sen (landsch. für verprügeln); du wamst
wand vgl. wenden
Wand, die; -, Wände
Wan|da (w. Vorn.)
Wan|da|le, Van|da|le, der; -n, -n (Angehöriger eines germ. Volksstammes; übertr. für zerstörungswütiger Mensch)
Wan|da|lin, Van|da|lin; **wan|da|lisch,** van|da|lisch (auch für zerstörungswütig); **Wan|da|lis|mus,** Van|da|lis|mus, der; -
Wand|be|hang; Wand|be|span|nung; Wand|bord (vgl. ¹Bord); **Wand|brett**
Wan|del, der; -s; **Wan|del|an|lei|he** (Bankw.)
wan|del|bar; Wan|del|bar|keit, die; -
Wan|del|gang, der; **Wan|del|hal|le Wan|del|mo|nat,** **Wan|del|mond** (veraltet für April)
wan|deln; ich wand[e]le
Wan|del|ob|li|ga|ti|on; Wan|del|schuld|ver|schrei|bung; Wan|del|stern (veraltet für Planet)
Wan|de|lung, Wand|lung
Wan|der|amei|se; Wan|der|ar|bei|ter; Wan|der|ar|bei|te|rin; Wan|der|aus|stel|lung; Wan|der|büh|ne; Wan|der|bur|sche (früher); **Wan|der|dü|ne**
Wan|de|rer, Wand|rer

Wan|der|fahrt; Wan|der|fal|ke
Wan|der|ge|sel|le; Wan|der|ge|sel|lin; Wan|der|ge|wer|be (ambulantes Gewerbe); **Wan|der|heu|schre|cke**
Wan|de|rin, Wand|re|rin
Wan|der|jahr meist Plur.; **Wan|der|kar|te; Wan|der|le|ber; Wan|der|lied;** Wan|der|lust, die; -
wan|dern; ich wandere; ↑K 82: das Wandern ist des Müllers Lust
Wan|der|nie|re; Wan|der|po|kal
Wan|der|pre|di|ger; Wan|der|pre|di|ge|rin
Wan|der|preis; Wan|der|rat|te
Wan|der|schaft; Wan|der|schuh; Wan|ders|mann Plur. ...leute
Wan|der|stab; Wan|der|tag
Wan|de|rung
Wan|der|vo|gel; Wan|der|weg; Wan|der|zir|kus, Wan|der|cir|cus
Wand|fach; Wand|ge|mäl|de
...wan|dig (z. B. dünnwandig)
Wand|ka|len|der; Wand|kar|te
Wand|ler (Technik)
Wand|lung vgl. Wandelung; **wand|lungs|fä|hig; Wand|lungs|fä|hig|keit,** die; -
Wand|lungs|pro|zess
Wand|ma|le|rei
Wand|rer vgl. Wanderer; **Wand|re|rin** vgl. Wanderin
Wands|be|cker Bo|te, der; - - (ehem. Zeitung; mit alter Schreibung des Ortsnamens)
Wands|bek (Stadtteil von Hamburg)
Wand|schirm; Wand|schrank; Wand|spie|gel; Wand|spruch; Wand|ta|fel
wand|te vgl. wenden
Wand|tel|ler; Wand|tep|pich; Wand|uhr
Wan|dung
Wand|ver|klei|dung; Wand|zei|tung
Wa|ne, der; -n, -n meist Plur. (nord. Mythol. Angehöriger eines Göttergeschlechts)
Wan|ge, die; -, -n; **Wan|gen|kno|chen, Wan|gen|mus|kel**
Wan|ger|oog, früher Wan|ger|oo|ge [auch 'van...] (Ostfriesische Insel)
Wäng|lein
Wank, der; -[e]s; keinen Wank tun, machen (schweiz. für sich nicht bewegen, keinen Finger rühren)
Wan|kel (dt. Ingenieur u. Erfinder; als ® für einen Motor); **Wan|kel|mo|tor**

Wan|kel|mut; wan|kel|mü|tig; Wan|kel|mü|tig|keit, die; -
wan|ken; ins Wanken geraten
wann; dann und wann
Wänn|chen; Wan|ne, die; -, -n
Wan|ne-Ei|ckel (Stadt im Ruhrgebiet)
wan|nen; von wannen (veraltet für woher)
Wan|nen|bad
Wann|see, der; -s (in Berlin)
Wanst, der; -es, Wänste (Tierbauch; ugs. für dicker Bauch)
Wänst|chen, Wänst|lein
Want, das; -s, -en meist Plur. (Seemannsspr. starkes [Stahl]tau beim Mast)
Wan|ze, die; -, -n (auch übertr. für Abhörgerät)
wan|zen (volkstüml. für von Wanzen reinigen); du wanzt
WAP [auch wεp], das; - meist ohne Artikel = Wireless Application Protocol ⟨engl.⟩ (Verfahren zur Verbindung von Handy u. Internet); **WAP-Han|dy**
Wa|pi|ti, der; -, [-s], -s ⟨indian.⟩ (eine nordamerik. Hirschart)
wap|pen [auch 'wεpən] ⟨zu WAP⟩
Wap|pen, das; -s, -
Wap|pen|brief; Wap|pen|feld; Wap|pen|kun|de, die; -; **Wap|pen|schild,** der od. das; **Wap|pen|spruch;** Wap|pen|tier
wapp|nen (geh.); ich wappne mich mit Geduld
war vgl. ²sein
Wa|rä|ger, der; -s, - ⟨schwed.⟩ (Wikinger)
Wa|ran, der; -s, -e ⟨arab.⟩ (eine trop. Echse)
warb vgl. werben

wart
Die 2. Person Plural von *sein* endet im Indikativ Präteritum auf t: [ihr] wart. Mit d dagegen endet die 1. und 3. Person Singular Indikativ Präteritum von *werden: [ich, er/sie/es] ward* (geh. für wurde).

War|dein, der; -[e]s, -e ⟨niederl.⟩ (früher für [Münz]prüfer); **war|die|ren** (früher für [den Wert der Münzen] prüfen)
wä|re (1. u. 3. Pers. Sing. Konjunktiv II von ²sein); ich, er, sie, es wäre
Wa|re, die; -, -n; **Wa|ren|an|ge|bot; Wa|ren|an|nah|me; Wa|ren|aus|ga|be; Wa|ren|aus|tausch; Wa|ren|be|gleit|schein; Wa|ren|be|stand**

W
Ware

warm

wärmer, wärms|te

– das Zimmer kostet warm (*ugs. für einschließlich* Heizkosten) 200 Euro [Miete]
– auf kalt und warm reagieren

Schreibung in Verbindung mit Verben:

– den Tee warm halten
– sich warm anziehen
– im Zimmer ist es warm geworden, mir zu warm geworden
– sich warm laufen, sich warm machen (beim Sport)

– den Motor warm laufen lassen (auf günstige Betriebstemperatur bringen)
– das Essen warm machen *od.* warmmachen, warm stellen *od.* warmstellen
– sich einen Geschäftsfreund warmhalten (*ugs. für* sich seine Gunst erhalten)
– mit dem neuen Nachbarn [nicht] warm werden *od.* warmwerden ([nicht] vertraut werden)
– die Diskussionsteilnehmer hatten sich allmählich warmgelaufen (die Diskussion war lebhaft geworden)

Wa|ren|ex|port; Wa|ren|han|del; Wa|ren|haus; Wa|ren|im|port; Wa|ren|korb *(Statistik)*

Wa|ren|kre|dit; Wa|ren|kre|dit|brief *(Bankw.)*

Wa|ren|kun|de, die; -; Wa|ren|la|ger; Wa|ren|pro|be; Wa|ren|rück|ver|gü|tung; Wa|ren|sen|dung; Wa|ren|sor|ti|ment; Wa|ren|stem|pel; Wa|ren|test

Wa|ren|tren|ner; Wa|ren|trenn|stab

Wa|ren|um|schlag, der; -[e]s; Wa|ren|wirt|schafts|sys|tem; Wa|ren|zei|chen; Wa|ren|zoll

¹Warf, der *od.* das; -[e]s, -e (*Weberei* Aufzug)

²Warf, Warft, die; -, -en (Wurt in Nordfriesland)

War|hol ['wɔ:hɔl], Andy (amerik. Maler u. Grafiker)

War|lord ['wɔ:lɔ:d], der; -s, -s (militär. Machthaber in bürgerkriegsähnlichen Konflikten)

warm *s. Kasten*

Warm|bier, das; -[e]s

Warm|blut, das; -[e]s (Pferd einer bestimmten Rasse); Warm|blü|ter; warm|blü|tig

Warm|du|sche|r (*ugs. für* Weichling); Warm|du|sche|rin

Wär|me, die; -, -n *Plur. selten*

Wär|me|aus|tausch; Wär|me|austau|scher *(Technik);* Wär|me|be|hand|lung

wär|me|däm|mend ↑K 59; Wär|me|däm|mung

Wär|me|deh|nung; Wär|me|ein|heit; Wär|me|ener|gie; Wär|me|ge|wit|ter; Wär|me|grad

wär|me|hal|tig

wär|me|iso|lie|rend; Wär|me|iso|lie|rung

Wär|me|ka|pa|zi|tät; Wär|me|leh|re, die; -; Wär|me|lei|ter, der; Wär|me|leit|zahl; Wär|me|mes|ser, der

wär|men; sich wärmen

Wär|me|pum|pe; Wär|me|quel|le; Wär|me|reg|ler; Wär|me|schutz,

der; -es; Wär|me|spei|cher; Wär|me|strah|len *Plur.*

Wär|me|tech|nik, die; -; wär|me|tech|nisch

Wär|me|ver|lust; Wär|me|ver|ord|nung; Wär|me|zäh|ler

Wärm|fla|sche

Warm|front *(Meteor.)*

warm|hal|ten; sich jmdn. warmhalten (*ugs. für* sich seine Gunst erhalten); *vgl. aber* warm; Warm|hal|te|plat|te

Warm|haus (beheizbares Gewächshaus)

warm|her|zig; Warm|her|zig|keit, die; -

warm|lau|fen; bei dem Gespräch müssen wir uns erst warmlaufen (eingewöhnen); *vgl. aber* warm

Warm|lau|fen, das; -s; Warm-lau|fen-Las|sen, Warm|lau|fen|las|sen, das; -s ↑K 27

Warm|luft, die; -; Warm|luft|hei|zung

Warm|mie|te (Miete mit Heizung)

Warm-up ['wɔ:ɐmʌp], das; -s, -s ⟨engl.⟩ (das Sichaufwärmen; Einstimmen von Zuschauern, Zuhörern auf ein Thema)

Warm|was|ser, das; -s

Warm|was|ser|be|rei|ter; Warm|was|ser|hei|zung; Warm|was|ser|ver|sor|gung

warm wer|den, warm|wer|den *vgl.* warm

War|na (bulgarische Stadt)

Warn|an|la|ge; Warn|an|zei|ge

Warn|blink|an|la|ge; Warn|blink|leuch|te; Warn|drei|eck

Warndt, der; -s (Berg- u. Hügelland westl. der Saar)

war|nen; War|ner; War|ne|rin

Warn|kreuz; Warn|leuch|te; Warn|licht *Plur.* ...lichter; Warn|ruf; Warn|schild, das; Warn|schuss; Warn|si|g|nal; Warn|streik

War|nung; Warn|wes|te *(Verkehrsw.);* Warn|zei|chen

¹Warp, der *od.* das; -s, -e ⟨engl.⟩ (*Weberei* Kettgarn)

²Warp, der; -[e]s, -e ⟨niederl.⟩ (*Seemannsspr.* Schleppanker)

warp|an|ker; warp|pen (durch Schleppanker fortbewegen)

Warp|wei|ber (*vgl.* ¹Warp)

War|rant [*auch* 'vɔrənt], der; -s, -s ⟨engl.⟩ (*Wirtsch.* Lagerschein)

War|schau (Hauptstadt Polens); War|schau|er

War|schau|er Pakt *(früher);* War|schau|er-Pakt-Staa|ten ↑K 26

War|sza|wa [...'ʃa(:)...] *(poln. Form von* Warschau)

wart (*2. Pers. Plur. Indikativ Prät. von* ²sein); ihr wart

Wart, der; -[e]s, -e *(meist in Zusammensetzungen)*

Wart|burg, die; -; Wart|burg|fest, das; -[e]s (1817)

War|te, die; -, -n (Beobachtungsort); von meiner Warte (meinem Standpunkt) aus

War|te|hal|le; War|te|häus|chen; War|te|lis|te

war|ten; auf sich warten lassen; eine Maschine warten (pflegen); ↑K 82 : das Warten auf ihn hat ein Ende

Wär|ter

War|te|raum; War|te|rei *(ugs.)*

Wär|te|rin

War|te|saal; War|te|schlan|ge; War|te|schlei|fe *(auch übertr.);* War|te|stand; der; -[e]s; War|te|zeit; War|te|zim|mer

War|the, die; - (rechter Nebenfluss der unteren Oder)

War|tin *(zu* Wart)

Wart|saal *(schweiz. neben* Wartesaal); Wart|turm

War|tung; War|tungs|arm; war|tungs|frei; war|tungs|freund|lich

War|tungs|kos|ten *Plur.*

wa|r|um; warum nicht?; nach dem Warum fragen ↑K 81

Wärz|chen; War|ze, die; -, -n; war-

---

zen|för|mig; War|zen|hof; War-
zen|schwein; war|zig

was; was ist los?; sie will wissen,
was los ist; was für ein; was für
einer; (ugs. auch für etwas:) was
Neues ↑K 72, irgendwas; das ist
das Schönste, was ich je erlebt
habe; nichts, vieles, allerlei,
manches usw., was ...

Wa|sa, der; -[s], - (svw. Vasa)

Wa|sa|bi, der od. das; -[s] ⟨jap.⟩
(jap. Meerrettich)

wasch|ak|tiv; waschaktive Sub-
stanzen

Wasch|an|la|ge; Wasch|an|lei|tung;
Wasch|au|to|mat

wasch|bar; Wasch|bär; Wasch|be-
cken; Wasch|ben|zin

Wasch|ber|ge Plur. (Bergmannsspr.)
Steine, die bei der Aufbereitung
der Kohle anfallen); Wasch|be|ton

Wasch|brett; Wasch|brett|bauch
(muskulöser, athletisch geform-
ter Bauch [bei Männern])

Wasch|büt|te

Wä|sche, die; -, -n; Wä|sche|beu|tel

wasch|echt; waschechte Farben

Wä|sche|ge|schäft; Wä|sche|klam-
mer; Wä|sche|knopf; Wä|sche-
korb, Wasch|korb; Wä|sche|lei-
ne; Wä|sche|man|gel; Wä|sche

wa|schen; du wäschst, sie wäscht;
du wuschest; du wüschest;
gewaschen; wasch[e]!; sich
waschen

Wä|sche|rei; Wä|sche|rin

Wä|sche|schleu|der; Wä|sche-
schrank; Wä|sche|spin|ne (zum
Wäscheaufhängen); Wä|sche-
stän|der; Wä|sche|trock|ner

Wasch|gang, der; Wasch|ge|le|gen-
heit; Wasch|haus; Wasch|kes|sel;
Wasch|kraft (Werbespr.); Wasch-
kü|che

Wasch|lap|pen (ugs. auch für Feig-
ling, Schwächling)

Wasch|lau|ge; Wasch|le|der; wasch-
le|dern (aus Waschleder)

Wasch|ma|schi|ne; wasch|ma|schi-
nen|fest

Wasch|mit|tel, das; Wasch|pro-
gramm; Wasch|pul|ver; Wasch-
raum; Wasch|sa|lon; Wasch|schüs-
sel; Wasch|sei|de; Wasch|stra|ße;
Wasch|tisch

Wa|schung

Wasch|was|ser

Wasch|weib (ugs. für geschwätzige
Person)

Wasch|zet|tel (Klappentext eines
Buches)

Wasch|zeug, das; -s; Wasch|zu|ber;
Wasch|zwang

---

¹Wa|sen, der; -s, - (svw. Wrasen)

²Wa|sen, der; -s, - (landsch. für
Rasen; nordd. für Reisigbündel)

Wa|serl, das; -s, -n (österr. ugs. für
unbeholfener Mensch)

Was|gau, der; -[e]s (südl. Teil des
Pfälzer Walds)

Was|gen|wald, der; -[e]s (veraltete
Bez. für Vogesen)

wash and wear [ˈvɔʃ ɛnd ˈvɛɐ]
⟨engl., »waschen und tragen«⟩
(Kennzeichnung für bügelfreie
Textilien)

¹Wa|shing|ton [ˈwɔʃɪŋtən] (erster
Präsident der USA)

²Wa|shing|ton (Staat in den USA)

³Wa|shing|ton (Hauptstadt der
USA)

Was|ser, das; -s, Plur. - u. (für
Mineral-, Spül-, Speise-, Abwas-
ser u. a.:) Wässer; leichtes,
schweres Wasser (Chemie); zu
Wasser und zu Land[e]; eine
Wasser abstoßende, Wasser
abweisende od. wasserabsto-
ßende, wasserabweisende
Imprägnierung, aber nur dieses
Gewebe ist besonders wasserab-
weisend, dieser Stoff ist noch
wasserabweisender als jener
↑K 58

Was|ser|am|sel

was|ser|arm

Was|ser|auf|be|rei|tung; Was|ser-
auf|be|rei|tungs|an|la|ge

Was|ser|bad; Was|ser|ball (vgl.
¹Ball); Was|ser|bau, der; -[e]s;
Was|ser|be|darf; Was|ser|bett;
Was|ser|bom|be; Was|ser|büf|fel;
Was|ser|burg

Was|ser|chen

Was|ser|dampf; was|ser|dicht

Was|ser|ei|mer; Was|ser|eis (ein
Speiseeis); Was|ser|fahr|zeug;
Was|ser|fall, der; Was|ser|far|be

was|ser|fest

Was|ser|flä|che; Was|ser|fla|sche;
Was|ser|floh; Was|ser|flug|zeug

was|ser|ge|kühlt ↑K 59

Was|ser|glas Plur. ...gläser (Trink-
glas; nur Sing.: Kalium- od.
Natriumsilikat); Was|ser|glät|te
(Aquaplaning)

Was|ser|gra|ben; Was|ser|hahn;
Was|ser|här|te; Was|ser|haus|halt

was|ser|hell; wasserhelle Augen

Was|ser|ho|se (Wasser mitführen-
der Wirbelsturm); Was|ser|huhn;
Was|ser|hy|a|zin|the

wäs|se|rig usw. vgl. wässrig usw.

Was|ser|jung|fer (Libelle); Was|ser-
ka|nis|ter

Was|ser|kes|sel

Was|ser|klo|sett (Abk. WC)

Was|ser|ko|cher

Was|ser|kopf (ugs.)

Was|ser|kraft, die; Was|ser|kraft-
werk; Was|ser|kunst

Was|ser|kup|pe, die; - (Berg in der
Rhön)

Was|ser|la|che; Was|ser|lauf

was|ser|le|bend (Zool. ↑K 59)

Was|ser|lei|che; Wäs|ser|lein

Was|ser|lei|tung; Was|ser|lin|se

was|ser|lös|lich

Was|ser|man|gel, der; -s; Was|ser-
mann, der; -[e]s (ein Sternbild);
Was|ser|mas|se meist Plur.

Was|ser|me|lo|ne; Was|ser|müh|le

was|sern (auf dem Wasser nieder-
gehen); ich wassere

wäs|sern (in Wasser legen; mit
Wasser versorgen; Wasser
absondern); ich wässere

Was|ser|ni|xe; Was|ser|not, die; -
(veraltet für Mangel an Wasser;
vgl. aber Wassersnot)

Was|ser|ober|flä|che; Was|ser|pest,
die; - (eine Wasserpflanze); Was-
ser|pfei|fe; Was|ser|pflan|ze; Was-
ser|pis|to|le; Was|ser|po|li|zei;
Was|ser|pum|pe; Was|ser|qua|li-
tät; Was|ser|rad

Was|ser|rat|te (jmd., der sehr gern
schwimmt)

Was|ser|recht, das; -[e]s

was|ser|reich; Was|ser|re|ser|voir;
Was|ser|rohr

Was|ser|rutsch|bahn (Rutschbahn
ins Wasser); Was|ser|rut|sche;
Was|ser|säu|le; Was|ser|scha|den;
Was|ser|schei|de (Geogr.)

was|ser|scheu; Was|ser|scheu

Was|ser|schi vgl. Wasserski; Was-
ser|schlan|ge; Was|ser|schlauch;
Was|ser|schloss

Was|ser|schutz|ge|biet; Was|ser-
schutz|po|li|zei

Was|ser|ski, Was|ser|schi, der; -[s],
Plur. -er od. -, als Sportart das;
-[s]

Was|sers|not (veraltet für Über-
schwemmung; vgl. aber Wasser-
not)

Was|ser|spei|er; Was|ser|spie|gel;
Was|ser|spiel meist Plur.

Was|ser|sport, der; -[e]s; Was|ser-
sport|ler; Was|ser|sport|le|rin;
was|ser|sport|lich

Was|ser|spü|lung

Was|ser|stand; Was|ser|stands|an-
zei|ger; Was|ser|stands|mel|dung;
Was|ser|stands|reg|ler

Was|ser|stel|le (z. B. in der Wüste)

Was|ser|stoff, der; -[e]s (chemi-
sches Element, Gas; Zeichen H)

W
Wass

Was|ser|stoff|blond
Was|ser|stoff|bom|be (H-Bombe)
Was|ser|stoff|per|oxid, Was|ser-
stoff|per|oxyd, das; -[e]s
Was|ser|strahl; Was|ser|stra|ße
Was|ser|sucht, die; - (*für* Hydrop-
sie); was|ser|süch|tig
Was|ser|tank; Was|ser|tem|pe|ra-
tur; Was|ser|tie|fe; Was|ser|trä-
ger (*ugs. auch für* jmd., der
Hilfsdienste leistet); Was|ser|trä-
ge|rin
Was|ser|tre|ten, das; -s; Was|ser-
trop|fen; Was|ser|turm; Was|ser-
uhr; was|ser|un|durch|läs|sig
Was|se|rung ⟨*zu* wassern⟩
Wäs|se|rung
Was|ser|ver|brauch; Was|ser|ver-
drän|gung; Was|ser|ver|schmut-
zung; Was|ser|ver|sor|gung
Was|ser|vo|gel
Was|ser|waa|ge; Was|ser|weg; Was-
ser|wer|fer; Was|ser|werk; Was-
ser|zäh|ler; Was|ser|zei|chen
wäss|rig, wäs|se|rig; Wäss|rig|keit,
Wäs|se|rig|keit
wa|ten; gewatet
Wa|ter|kant, die; - (*scherzh. für*
nordd. Küstengebiet)
Wa|ter|loo (Ort in Belgien)
Wa|ter|proof [ˈwɔːtəpruːf], der; -s,
-s ⟨engl.⟩ (wasserdichter Stoff;
Regenmantel)
Wat|sche [*auch* ˈvat...], die; -, -n *u.*
Wat|schen, die; -, - (*bayr., österr.*
ugs. für Ohrfeige)
wat|sche|lig, watsch|lig (*ugs.*); wat-
scheln [*auch* ˈvat...]; ich
watsch[e]le
wat|schen [*auch* ˈvat...] (*bayr.,*
österr. ugs. für ohrfeigen); Wat-
schen [*auch* ˈvat...] *vgl.* Watsche
Wat|schen|frau [*auch* ˈvat...]; Wat-
schen|mann (Figur im Wiener
Prater; *übertr. für* Zielscheibe
der Kritik)
watsch|lig *vgl.* watschelig
¹Watt [vɔt] (Erfinder der verbesser-
ten Dampfmaschine)
²Watt, das; -s, - (Einheit der physikal. Leistung; *Zeichen* W); 40
Watt
³Watt, das; -[e]s -en (seichter Streifen der Nordsee zwischen Küste
u. vorgelagerten Inseln)
Wat|te, die; -, -n ⟨niederl.⟩
Wat|teau [...ˈtoː] (franz. Maler)
Wat|te|bausch
Wat|ten, das; -s (*österr.* ein Karten-
spiel)
Wat|ten|meer ⟨*zu* ³Watt⟩
Wat|ten|scheid (Stadt im Ruhrge-
biet)

Wat|te|pfrop|fen
wat|tie|ren (mit Watte füttern);
Wat|tie|rung; wat|tig
Watt|me|ter, das; -s, - (elektr. Mess-
gerät); Watt|se|kun|de (Einheit
der Energie u. Leistung; *Abk.*
Ws)
watt|wan|dern; *nur im Infinitiv*
gebr.; oft als Substantivierung:
das Wattwandern; Watt|wan|de-
rung
Wat|vo|gel (am Wasser, im Moor
o. Ä. lebender Vogel)
Wau, der; -[e]s, -e (Färberpflanze)
wau, wau!; Wau|wau, der; -s, -s
(*Kinderspr.* Hund)
WC [veːˈtseː], das; -[s], -[s] = water
closet ⟨engl.⟩ (Wasserklosett)
WDR, der; - = Westdeutscher
Rundfunk
Web, das; -[s] ⟨engl.⟩ (*kurz für*
World Wide Web)
web|ba|siert *(EDV);* eine webba-
sierte Lösung
Web|cam [...kem], die; -, -s *(EDV*
Kamera, deren Aufnahmen ins
Internet eingespeist werden)
Web|de|sign [...dizain], das; -s, -s
⟨engl.⟩ (Gestaltung von Websites)
We|be, die; -, -n (*österr. für*
Gewebe [für Bettzeug])
We|be|lei|ne (Seemannsspr.
gewebte Sprosse der Wanten)
we|ben; du webtest, *schweiz.,*
sonst geh. u. übertr. wobst; du
webtest, *geh. u. übertr.* wöbest;
gewebt, *schweiz., sonst geh. u.*
übertr. gewoben; web[e]!
¹We|ber, Carl Maria von (dt. Kom-
ponist)
²We|ber; We|be|rei; We|be|rin
We|ber|kamm; We|ber|knecht (ein
Spinnentier); We|ber|kno|ten
We|bern, Anton von (österr. Kom-
ponist)
We|ber|schiff|chen, Web|schiff-
chen; We|ber|vo|gel
Web|feh|ler; Web|garn; Web|kan|te
Web|log, das, *auch* der; -s, -s
⟨engl.⟩ (tagebuchartig geführte,
öffentlich zugängliche Webseite
zu einem bestimmten Thema)
Web|mas|ter, der; -s, - ⟨engl.⟩
(Betreuer von Websites); Web-
mas|te|rin
Web|pelz; Web|schiff|chen *vgl.*
Weberschiffchen
Web|sei|te, die; -, -n (Bestandteil
einer Website); Web|site [ˈvɛp-
sait], die; -, -s (sämtliche hinter
einer Adresse stehenden Seiten
im World Wide Web); Web|space

[ˈvɛpspeːs], der; -, -s ⟨engl.⟩
(Speicherplatz im Internet)
Web|stuhl; Web|wa|ren *Plur.*
web|weit
Wech|sel, der; -s, -
Wech|sel|bad; Wech|sel|balg, der
([nach früherem Volksglauben]
untergeschobenes hässliches
Kind)
Wech|sel|bank *Plur.* ...banken
Wech|sel|be|zie|hung
wech|sel|be|züg|lich
Wech|sel|bür|ge; Wech|sel|bür|gin;
Wech|sel|bürg|schaft
Wech|sel|fäl|le *Plur.*
Wech|sel|fäl|schung; Wech|sel|fie-
ber, das; -s (*für* Malaria)
Wech|sel|geld; Wech|sel|ge|sang
wech|sel|haft; Wech|sel|haf|tig|keit,
die; -
Wech|sel|jahr|be|schwer|den, Wech-
sel|jah|res|be|schwer|den *Plur.*
Wech|sel|jah|re *Plur.*
Wech|sel|kas|se; Wech|sel|kre|dit
Wech|sel|kurs; Wech|sel|kurs-
schwan|kung *meist Plur.*
wech|seln; ich wechs[e]le; Wäsche
zum Wechseln ↑K 82
Wech|sel|rah|men; Wech|sel|re|de
Wech|sel|re|gress *(Bankw.);* Wech-
sel|rei|te|rei (unlautere Wechsel-
ausstellung)
Wech|sel|schal|ter
Wech|sel|schicht; Wech|sel|schritt
wech|sel|sei|tig; Wech|sel|sei|tig-
keit, die; -
Wech|sel|spiel
Wech|sel|steu|er, die
Wech|sel|strom
Wech|sel|stu|be; Wech|sel|sum|me
Wech|se|lung, Wechs|lung
Wech|sel|ver|kehr, der; -s (*Ver-
kehrsw.);* wech|sel|voll; Wech|sel-
wäh|ler; Wech|sel|wir|kung
wech|sel|warm (*Zool.);* Wech|sel-
warm|blü|ter (*Zool.)*
wech|sel|wei|se; wech|sel|wil|lig
Wech|sel|wir|kung
Wechs|ler; Wechs|le|rin
Wechs|lung *vgl.* Wechselung
Wech|te, die; -, -n (überhängende
Schneemasse; *schweiz. auch für*
Schneewehe); Wech|ten|bil|dung
¹Weck (Familienn.; *als* ® *für* Ein-
kochgeräte)
²Weck, der; -[e]s, -e, We|cke, die; -,
-n, We|cken, der; -s, - (*südd.,*
österr. für Weizenbrötchen; Brot
in länglicher Form)
Weck|a|min, das; -s, -e ⟨*Kunstwort*
aus wecken *u.* Amin⟩ (anregen-
des Kreislaufmittel)
Weck|ap|pa|rat®

W

wass

Weck|dienst (per Telefon)
We|cke vgl. ²Weck
we|cken; ¹**We|cken,** das; -s; Urlaub
bis zum Wecken (Milit.)
²**We|cken** vgl. ²Weck
We|cker
We|ckerl, das; -s, -n (bayr., österr.
für längliches Weizenbrötchen)
Weck|glas® Plur. ...gläser; ↑K 136;
vgl. ¹Weck
Weck|ruf; Weck|zeit
We|da, Ve|da, der; -[s], Plur. ...den
u. -s (sanskr.) (die heiligen
Schriften der alten Inder)
We|de|kind (dt. Dramatiker)
We|del, der; -s, -
We|del|kurs (Skisport)
we|deln; ich wed[e]le
We|den (Plur. von Weda)
we|der; weder er noch sie haben
od. hat davon gewusst; das
Weder-noch
Wedg|wood [ˈwɛdʒwʊd], das; -[s]
⟨nach dem engl. Erfinder⟩ (engl.
Steingut); **Wedg|wood|wa|re,
Wedg|wood-Wa|re**
we|disch, ve|disch ⟨zu Weda⟩
Week|end [ˈwiːkˌɛnd], das; -[s], -s
⟨engl.⟩ (Wochenende)
Weft, das; -[e]s, -e ⟨engl.⟩ (Weberei
hart gedrehtes Kammgarn)
weg; weg da! (fort!); sie ist ganz
weg (ugs. für begeistert, verliebt); frisch von der Leber weg
(ugs. für ganz offen, unge-
hemmt) reden; sie ist längst

darüber weg (hinweg); sie wird
schon weg sein, wenn ...

Weg

der; -[e]s, -e

– im Weg[e] stehen; wohin des
Weg[e]s?
– halbwegs; gerade[n]wegs; keineswegs
– alle[r]wege, allerwegen
– unterwegs
– zuwege od. zu Wege bringen

Schreibung in Straßennamen:
↑K 162 u. 163

weg... (in Zus. mit Verben, z. B.
weglaufen, du läufst weg, wegge-
laufen, wegzulaufen)
We|ga, die; - ⟨arab.⟩ (ein Stern)
weg|ar|bei|ten (ugs.); sie hat alles
weggearbeitet
Weg|bau vgl. Wegebau
weg|be|kom|men (ugs.)
Weg|be|rei|ter; Weg|be|rei|te|rin
Weg|bie|gung
weg|bla|sen; wie weggeblasen (ugs.
für spurlos verschwunden); **weg-
blei|ben** (ugs.); sie ist auf einmal
weggeblieben; **weg|bre|chen;
weg|brin|gen** (ugs.); **weg|den|ken;**
etw. ist nicht wegzudenken;
weg|dis|ku|tie|ren (ugs.); **weg-
drän|gen; weg|drü|cken**
We|ge|bau, Weg|bau, der; -[e]s

We|ge|geld, Weg|geld
**We|ge|la|ge|rer; We|ge|la|ge|rin;
we|ge|la|gern** (selten); ich wege-
lagere; **We|ge|la|ge|rung**
we|gen s. Kasten
We|gen|ge
We|ger, der; -s, - (Schiffsplanke)
We|ge|recht, das; -[e]s
We|ge|rich, der; -s, -e (eine Pflanze)
we|gern (Schiffbau die Innenseite
der Spanten mit Wegern bele-
gen); ich wegere; **We|ge|rung**
weg|es|sen
weg|fah|ren; Weg|fahr|sper|re
(beim Auto)
Weg|fall, der; -[e]s; in Wegfall
kommen (dafür besser: wegfal-
len); **weg|fal|len**
weg|fe|gen; weg|fi|schen; sie hat
ihm die besten Bissen wegge-
fischt; **weg|flie|gen; weg|fres|sen;
weg|füh|ren**
Weg|ga|be|lung, Weg|gab|lung
Weg|gang, der; -[e]s
weg|ge|ben
Weg|ge|fähr|te; Weg|ge|fähr|tin
weg|ge|hen
Weg|geld vgl. Wegegeld
Weg|gen, der; -s, - (schweiz. für
²Wecken)
Weg|ge|nos|se; Weg|ge|nos|sin
Weg|gli, das; -s, - (schweiz. für eine
Art Brötchen)
weg|gu|cken (ugs.); **weg|ha|ben**
(ugs.); die Ruhe weghaben (sich
nicht aus der Fassung bringen

we|gen

Abk. wg.
Präposition mit Genitiv:

– wegen Diebstahls
– wegen der hohen Preise
– wegen des Vaters od. des Vaters wegen
– wegen der Leute od. der Leute wegen
– wegen meiner (noch landsch.)

Ein allein stehendes, stark gebeugtes Substantiv im
Singular bleibt im Allgemeinen ungebeugt:

– wegen Umbau
– wegen Diebstahl

Umgangssprachlich auch mit Dativ:

– wegen dem Kind
– wegen mir

Standardsprachlich mit Dativ in bestimmten Verbindungen u. wenn bei Pluralformen der Genitiv nicht
erkennbar ist:

– wegen etwas anderem, wegen manchem, wegen
Vergangenem; wegen Geschäften

Standardsprachlich auch mit Dativ, wenn ein Genitivattribut zwischen »wegen« und das davon abhängende Substantiv tritt:

– wegen meines Bruders neuem Auto

Zusammensetzungen u. Fügungen:

– des- od. dessentwegen
– meinetwegen, deinetwegen, seinetwegen, ihretwe-
gen, unsertwegen, euret- od. euertwegen
– von Amts wegen
– von Rechts wegen
– von Staats wegen
– von Berufs wegen
– von wegen! (ugs. für auf keinen Fall!)

W
wegh

lassen); weg|hän|gen *vgl.* ²hängen; weg|ho|len; weg|hö|ren *(ugs.)*; weg|ja|gen; weg|keh|ren; weg|kli|cken *(EDV)*; weg|kommen *(ugs.)*; gut dabei wegkommen; weg|krat|zen
Weg|kreuz; Weg|kreu|zung
weg|krie|gen *(ugs.)*
weg|ku|cken *(nordd. für* weggucken*)*
weg|kun|dig
weg|las|sen; weg|lau|fen; er ist weggelaufen; weg|le|gen
Weg|lei|tung *(schweiz. für* Anweisung, Richtlinie*)*
weg|lo|ben; einen Mitarbeiter wegloben; weg|lo|cken
weg|los
weg|ma|chen *(ugs.)*
Weg|mar|ke; weg|mü|de *(geh.)*
weg|müs|sen *(ugs.);* ich habe weggemusst
Weg|nah|me, die; -, -n *(Amtsspr.)*
weg|neh|men; weggenommen
weg|pa|cken; weg|put|zen *(ugs. auch für* aufessen); weg|ra|die|ren
Weg|rain; Weg|rand
weg|ra|ti|o|na|li|sie|ren; weg|räumen; weg|rei|ßen; weg|ren|nen; weg|rol|len; weg|rut|schen
weg|sam *(veraltet)*
weg|sa|nie|ren *(iron.)*; weg|schaffen *vgl.* ¹schaffen
Weg|scheid, der; -[e]s, -e, *österr.* die; -, -en, *häufiger* Weg|schei|de, die; -, -n (Straßengabelung)
weg|sche|ren, sich *(ugs. für* weggehen); scher dich weg!; weg|scheuchen; weg|schi|cken; weg|schleichen; er ist weggeschlichen; sich wegschleichen; weg|schlie|ßen; weg|schmei|ßen *(ugs.)*; wegschnap|pen *(ugs.)*; weg|schneiden; weg|schüt|ten; weg|set|zen; weg|sper|ren; weg|spü|len; weg|ste|cken *(ugs. auch für* verkraften); weg|steh|len; sich wegstehlen; weg|stel|len; weg|ster|ben *(ugs.)*; weg|sto|ßen
Weg|stre|cke
weg|strei|chen
Weg|stück
weg|tra|gen; weg|trei|ben; weg|treten; weggetreten! (militärisches Kommando); weg|trin|ken; weg|tun
Weg|über|füh|rung; Weg|un|ter|führung
Weg|war|te (eine Pflanze)
weg|wei|send
Weg|wei|ser
weg|wer|fen; weg|wer|fend; eine wegwerfende Handbewegung

Weg|werf|fla|sche; Weg|werf|gesell|schaft; Weg|werf|men|ta|li|tät, die; -; Weg|werf|win|del
weg|wi|schen; weg|wol|len *(ugs.)*; weg|zap|pen ⟨dt., engl.⟩ *(ugs. für* beim Fernsehen das Programm wechseln); er hat weggezappt; weg|zau|bern
Weg|zeh|rung; Weg|zei|chen
weg|zie|hen; Weg|zug
¹weh; sie hat einen wehen Finger; es war ihm weh ums Herz; das hat weh getan *od.* wehgetan
²weh *vgl.* wehe
Weh, das; -[e]s, -e; ↑K 81 : mit Ach und Weh; Ach und Weh schreien
we|he, weh; weh[e] dir!; o weh!
¹We|he, die; -, -n *meist Plur.* (das Zusammenziehen der Gebärmutter bei der Geburt)
²We|he, das; -s *(selten für* Weh*)*
³We|he, die; -, -n (zusammengewehte Anhäufung von Schnee od. Sand)
we|hen
Weh|ge|schrei
Weh|kla|ge *(geh.)*; weh|kla|gen; ich wehklage; gewehklagt; zu wehklagen
Wehl, das; -[e]s, -e, Weh|le, die; -, -n *(nordd. für* an der Binnenseite eines Deiches gelegener Teich)
weh|lei|dig; Weh|lei|dig|keit, die; -
Weh|mut, die; -; weh|mü|tig; Wehmü|tig|keit, die; -; weh|muts|voll
Weh|mut|ter *Plur.* ...mütter *(veraltet für* Hebamme*)*
¹Wehr, die; -, -en (Befestigung, Verteidigung; *kurz für* Feuerwehr); sich zur Wehr setzen
²Wehr, das; -[e]s, -e (Stauwerk)
wehr|bar
Wehr|be|auf|trag|te
Wehr|be|reich, der; Wehr|be|reichs|kom|man|do
Wehr|dienst, der; -[e]s
wehr|dienst|taug|lich; Wehr|dienst-taug|lich|keit, die; -
wehr|dienst|un|taug|lich; Wehr-dienst|un|taug|lich|keit, die; -
Wehr|dienst|ver|wei|ge|rer; Wehr-dienst|ver|wei|ge|rung
weh|ren; sich wehren
Wehr|er|satz|dienst, der; -[e]s
wehr|fä|hig; Wehr|fä|hig|keit, die; -
Wehr|gang, der; Wehr|ge|hän|ge; Wehr|ge|henk; Wehr|ge|rech|tig|keit, die; -; Wehr|ge|setz
wehr|haft; Wehr|haf|tig|keit, die; -
Wehr|kir|che (burgartig gebaute Kirche); Wehr|kun|de, die; -
wehr|los; Wehr|lo|sig|keit, die; -

Wehr|macht, die; - *(früher für* Gesamtheit der [deutschen] Streitkräfte); Wehr|macht[s]|an|ge|hö|ri|ge, der u. die
Wehr|mann *Plur.* ...männer *(schweiz. für* Soldat*)*
Wehr|pass
Wehr|pflicht, die; -; die allgemeine Wehrpflicht; wehr|pflich|tig; Wehr|pflich|ti|ge, der; -n, -n
Wehr|turm; Wehr|übung
weh tun, weh|tun; ich habe mir weh getan *od.* wehgetan; das braucht mich weh zu tun *od.* wehzutun
Weh|weh [*auch* ...'ve:], das; -s, -s *(Kinderspr.* Schmerz; kleine Wunde); Weh|weh|chen
Weib, das; -[e]s, -er; Weib|chen
Wei|bel, der; -s, - *(früher u. schweiz. für* Amtsbote); wei|beln *(schweiz. für* werbend umhergehen); ich weib|le
Wei|ber|fas[t]|nacht *(landsch. für* letzter Donnerstag vor Aschermittwoch); Wei|ber|feind
Wei|ber|ge|schich|te *meist Plur. (oft abwertend)*; Wei|ber|held
wei|bisch; Weib|lein; Männlein und Weiblein
weib|lich; weibliches Geschlecht; Weib|lich|keit, die; -
Weibs|bild *(ugs., oft abwertend für* Frau); Weib|sen, das; -s, - *(ugs. abwertend für* Frau); Weibs|leu|te *Plur.;* Weibs|per|son, Weibs-stück *(ugs. abwertend)*

weich

Schreibung in Verbindung mit Verben ↑K 56 :

– weich sein
– ein Steak weich klopfen *od.* weichklopfen
– die Eier weich kochen *od.* weichkochen
– das Leder weich machen *od.* weichmachen
– die Wäsche weich spülen *od.* weichspülen
– die Butter ist weich geworden
– die Kinder bettelten, bis die Mutter weich wurde *od.* weich-wurde *(ugs. nachgab)*

Aber:

– jmdn. weichklopfen *(ugs. für* zum Nachgeben bewegen)
– jmdn. weichmachen *(ugs. für* zum Nachgeben bewegen)
Vgl. weichlöten

Weich|bild (Stadtgebiet)
¹Wei|che, die; -, -n (Umstell-
vorrichtung bei Gleisen)
²Wei|che, die; -, -n (Flanke)
Weich|ei (ugs. für Weichling)
¹wei|chen (einweichen, weich
machen, weich werden); du
weichtest; geweicht;
weich[e]!
²wei|chen (zurückgehen; nach-
geben); du wichst; du
wichest; gewichen;
weich[e]!
Wei|chen|stel|ler; Wei|chen-
stel|le|rin
Wei|chen|stel|lung (Maß-
nahme, die eine zukünftige
Entwicklung vorbereitet)
Wei|chen|wär|ter; Wei|chen-
wär|te|rin
weich ge|kocht, weich|ge-
kocht vgl. weich
Weich|heit
weich|her|zig; Weich|her|zig-
keit, die; -
Weich|holz; Weich|kä|se
weich klop|fen, weich|klop-
fen vgl. weich
weich|lich; Weich|lich|keit,
die; -
Weich|ling (Schwächling)
weich|lö|ten (Technik); nur im
Infinitiv und Partizip II
gebr.; weichgelötet
weich ma|chen, weich|ma-
chen vgl. weich
Weich|ma|cher (Chemie)
weich|schalig
¹Weich|sel, die; - (osteuropä-
ischer Strom)
²Weich|sel, die; -, -n (landsch.
u. schweiz. kurz für Weich-
selkirsche); Weich|sel|kir-
sche
weich spü|len, weich|spü|len;
ich habe die Wäsche weich
gespült od. weichgespült
Weich|spü|ler; Weich|spül|mit-
tel
Weich|tei|le Plur.; Weich|tier
meist Plur. (Molluske)
weich wer|den, weich|wer|den
vgl. weich
Weich|wer|den, das; -s
Weich|zeich|ner (fotografische
Vorsatzlinse)
¹Wei|de, die; -, -n (ein Baum)
²Wei|de, die; -, -n (Grasland);
Wei|de|land Plur. ...länder
Wei|del|gras, das; -es (Lolch;
Raigras)
Wei|de|mo|nat (alte dt. Bez.,
meist für Mai)

wei|den; sich an etwas weiden
Wei|den|baum; Wei|den|busch;
Wei|den|ger|te; Wei|den-
kätz|chen; Wei|den|rös|chen
Wei|de|platz
Wei|de|rich, der; -s, -e (Name
verschiedener Pflanzen)
Wei|de|rind
Wei|de|wirt|schaft, die; -
weid|ge|recht, bes. fachspr.
waid|ge|recht
weid|lich (gehörig, tüchtig)
Weid|ling, der; -s, -e (süd-
westd. u. schweiz. für
[Fischer]kahn); vgl. Weit-
ling
Weid|loch, bes. fachspr. Waid-
loch (After beim Wild)
Weid|mann, bes. fachspr.
Waid|mann Plur. ...männer;
weid|män|nisch, bes.
fachspr. waid|män|nisch
Weid|manns|dank!, bes.
fachspr. Waid|manns|dank!;
Weid|manns|heil!, bes.
fachspr. Waid|manns|heil!
Weid|mes|ser, bes. fachspr.
Waid|mes|ser, das; Weid-
sack, bes. fachspr. Waid-
sack (Jägerspr. Pansen [vom
Wild]); Weid|spruch, bes.
fachspr. Waid|spruch (alte
Redensart der Jäger); Weid-
werk, bes. fachspr. Waid-
werk, das; -[e]s; weid|wund,
bes. fachspr. waid|wund
(verwundet durch Schuss in
die Eingeweide)
Wei|fe, die; -, -n (Textiltech-
nik Garnwinde); wei|fen
([Garn] haspeln)
Wei|gand, der; -[e]s, -e (veral-
tet für Kämpfer, Held)
wei|gern, sich; ich weigere
mich; Wei|ge|rung; Wei|ge-
rungs|fall, der (Amtsspr.);
im Weigerungsfall[e]
Weih vgl. ¹Weihe
Weih|bi|schof
¹Wei|he, die; -, -n, Weih, der;
-[e]s, -e (ein Greifvogel)
²Wei|he, die; -, -n (Rel. Wei-
hung; nur Sing.: geh. für fei-
erl. Stimmung); Wei|he|akt
wei|hen
Wei|hen|ste|phan (Stadtteil
von Freising)
Wei|her, der; -s, - (lat.) (Teich)
Wei|he|stun|de; wei|he|voll
Weih|ga|be; Weih|kes|sel
(Weihwasserkessel)
Weih|nacht, die; -; weih|nach-
ten; geweihnachtet

das; -, - (Weihnachtsfest)

– zu Weihnachten (bes. nordd. u.
österr.)
– an Weihnachten (bes. südd.)
– Weihnachten ist bald vorbei;
Weihnachten war sehr kalt

Landschaftlich, bes. österreichisch u. schweizerisch wird
»Weihnachten« als Plural verwendet:

– die[se] Weihnachten waren ver-
schneit

In Wunschformeln wird »Weihnachten« auch allgemein als Plural verwendet:

– fröhliche Weihnachten!; frohe
Weihnachten!

weih|nacht|lich, schweiz. auch
weih|nächt|lich
Weih|nachts|abend; Weih|nachts-
bä|cke|rei
Weih|nachts|baum; Weih|nachts-
ein|kauf; Weih|nachts|en|gel;
Weih|nachts|es|sen
Weih|nachts|fei|er; Weih|nachts|fei-
er|tag; Weih|nachts|fe|ri|en Plur.;
Weih|nachts|fest
Weih|nachts|gans; Weih|nachts|ge-
bäck
Weih|nachts|geld; Weih|nachts|ge-
schäft; Weih|nachts|ge|schenk;
Weih|nachts|ge|schich|te
Weih|nachts|gra|ti|fi|ka|ti|on
Weih|nachts|kak|tus
Weih|nachts|krip|pe; Weih|nachts-
lied
Weih|nachts|mann Plur. ...männer;
Weih|nachts|markt; Weih|nachts-
pa|pier; Weih|nachts|spiel
Weih|nachts|stern
Weih|nachts|stol|le, Weih|nachts-
stol|len vgl. ¹Stolle
Weih|nachts|tag; Weih|nachts|tel-
ler; Weih|nachts|tisch
Weih|nachts|ver|kehr, der; -s
Weih|nachts|zeit, die; -
Weih|rauch (duftendes Harz)
weih|räu|chern; ich weihräuchere
Wei|hung
Weih|was|ser, das; -s; Weih|was-
ser|be|cken; Weih|was|ser|kes|sel
Weih|we|del
weil; sie tut es, weil sie es will
wei|land (veraltet für vormals)
Weil|chen; warte ein Weilchen!
Wei|le, die; -; es dauerte eine gute
Weile; aus langer Weile; vgl.
Langeweile

W
Weil

...wei|se

– netterweise war sie gekommen; *aber* in netter Weise etwas sagen

– sie hat mir freundlicherweise geholfen; *aber* in freundlicher Weise antworten

Zusammensetzungen aus Adjektiv u. ...weise (z. B. klugerweise) werden nur adverbiell gebraucht:

– klugerweise sagte er nichts dazu

Zusammensetzungen aus Substantiv u. ...weise (z. B. probeweise) als Adverb:

– sie wurde probeweise eingestellt

Auch als Adjektiv bei Bezug auf ein Substantiv, das ein Geschehen ausdrückt:

– eine probeweise Einstellung

---

wei|len (*geh. für* sich aufhalten)

Wei|ler, der; -s, - ⟨lat.⟩ (mehrere beieinanderliegende Gehöfte; kleine Gemeinde)

Wei|mar (Stadt an der Ilm); **Wei|ma|ra|ner;** **Wei|ma|rer;** **wei|ma|risch**

Wei|muts|kie|fer, Wey|mouths|kiefer ['vaɪmuːts...] ⟨nach Lord Weymouth⟩ (nordamerikanische Kiefer)

Wein, der; -[e]s, -e ⟨lat.⟩; **Wein|an|bau,** der; -[e]s

Wein|bau, der; -[e]s; **Wein|bau|er** (*vgl.* ²Bauer); **Wein|bäu|e|rin**

Wein|bee|re

Wein|bei|ßer (eine Lebkuchenart; Weinkenner)

Wein|berg; Wein|berg[s]|be|sit|zer; Wein|berg[s]|be|sit|ze|rin

Wein|berg|schne|cke

Wein|brand, der; -s, ...brände (ein Branntwein); **Wein|brand|boh|ne**

wei|nen; ↑K 82 : in Weinen ausbrechen; ihr war das Weinen näher als das Lachen; das ist zum Weinen!

wei|ner|lich; Wei|ner|lich|keit, die; - **Wein|es|sig**

Wein|fass; Wein|fest; Wein|fla|sche

Wein|gar|ten (*landsch. für* Weinberg); **Wein|gärt|ner** (*landsch. für* Winzer); **Wein|gärt|ne|rin**

Wein|geist *Plur. (Sorten:)* ...geiste

Wein|glas *Plur.* ...gläser

Wein|gut

Wein|händ|ler; Wein|händ|le|rin; Wein|hand|lung

Wein|hau|er (*österr. für* Winzer); **Wein|hau|e|rin**

Wein|haus; Wein|he|fe

wei|nig (weinhaltig; weinartig)

Wein|kar|te

Wein|kauf (Trunk bei Besiegelung eines Geschäftes; Draufgabe)

Wein|kel|ler; Wein|kel|le|rei

Wein|kell|ner; Wein|kell|ne|rin

Wein|kel|ter

Wein|ken|ner; Wein|ken|ne|rin

Wein|kö|ni|gin

Wein|kost, die; -, -en (*österr. für* Weinprobe)

Wein|krampf

Wein|la|ge; Wein|le|se; Wein|lo|kal

Wein|mo|nat, Wein|mond (*alte dt. Bez. für* Oktober)

Wein|pan|scher *(abwertend);* **Wein|pan|sche|rin**

Wein|pro|be

Wein|ran|ke; Wein|re|be

wein|rot

Wein|schaum *(Gastron.)*

Wein|schaum|creme , **Wein|schaumkrem, Wein|schaum|kre|me**

wein|se|lig

Wein|stein, der; -[e]s (kaliumsaures Salz der Weinsäure)

Wein|steu|er, die

Wein|stock *Plur.* ...stöcke

Wein|stra|ße; die Deutsche Weinstraße ↑K 150

Wein|stu|be; Wein|trau|be

Wein|zierl, der; -s, -n (*bayr., österr. mdal. für* Winzer, Weinbauer)

Wein|zwang, der; -[e]s (Verpflichtung, in einem Lokal Wein zu bestellen)

wei|se (klug)

¹Wei|se, der *u.* die; -n, -n (kluger Mensch)

²Wei|se, die; -, -n (Art; Melodie [eines Liedes]); auf diese Weise

...wei|se *s. Kasten*

Wei|sel, der; -s, -, *fachspr.* die; -, -n (Bienenkönigin)

wei|sen (zeigen; anordnen); du weist, er weist, du wiesest, er wies; gewiesen; weis[e]!

Wei|ser (*veraltet für* Uhrzeiger)

Weis|heit; weis|heits|voll

Weis|heits|zahn

weis|lich (*veraltet für* wohlweislich)

weis|ma|chen (*ugs. für* vormachen, belügen, einreden usw.); ich mache weis; weisgemacht; weiszumachen

weiß *s. Kasten Seite 1111*

¹Weiß, das; -[es], - (weiße Farbe); in

Weiß [gekleidet]; mit Weiß [bemalt]; Stoffe in Weiß

²Weiß, Ernst (österr. Schriftsteller)

³Weiß, Konrad (dt. Lyriker, Dramatiker u. Essayist)

Weiss, Peter (dt. Schriftsteller)

weis|sa|gen; ich weissage; geweissagt; zu weissagen; **Weis|sa|ger; Weis|sa|ge|rin; Weis|sa|gung**

Weiß|bier; Weiß|bier|du|sche (das Übergießen od. Nassspritzen mit Weißbier [zur Feier eines sportlichen Erfolges])

Weiß|bin|der (*landsch. für* Böttcher; Anstreicher); **Weiß|bin|de|rin**

Weiß|blech

weiß|blond

weiß|blu|ten (sich völlig verausgaben); **↑K 82** : bis zum Weißbluten (*ugs. für* sehr, in hohem Maße)

Weiß|brot

Weiß|buch (Dokumentensammlung der dt. Regierung zu einer bestimmten Frage)

Weiß|bu|che (Hainbuche); **Weißdorn** *Plur.* ...dorne

¹Wei|ße, die; -, -n (Bierart; *auch für* ein Glas Weißbier)

²Wei|ße, der *u.* die; -, -n (Mensch mit heller Hautfarbe)

³Wei|ße, die; - (Weißsein)

Wei|ße-Kra|gen-Kri|mi|na|li|tät, die; - **↑K 26** (z. B. Steuerhinterziehung)

wei|ßeln (*südd. u. schweiz. für* weißen); ich weiß[e]le

wei|ßen (weiß färben, machen; tünchen); du weißt, er weißt; du weißtest; geweißt; weiß[e]!

Wei|ßen|fels (Stadt an der Saale)

Wei|ße|ritz, die; - (linker Nebenfluss der mittleren Elbe)

Weiß|fisch

Weiß|fluss, der; -es (*Med.* weißlicher Ausfluss aus der Scheide)

Weiß|gar|dist (*früher*)

weiß ge|klei|det , **weiß|ge|klei|det** *vgl.* weiß

weiß

(Farbe); *vgl.* blau; Weiß

1. *Kleinschreibung:*

– etwas schwarz auf weiß (schriftlich) haben, nach Hause tragen
– ↑K151: die weiße Fahne hissen (als Zeichen des Sichergebens)
– ein weißer Fleck auf der Landkarte (unerforschtes Gebiet)
– weiße Kohle (Wasserkraft)
– ein weißer Rabe (*für* eine Seltenheit)
– eine weiße Weste haben (*ugs. für* unschuldig sein)
– eine weiße Maus (*ugs. auch für* Verkehrspolizist)
– weiße Mäuse sehen (*ugs. für* [im Rausch] Wahnvorstellungen haben)

Bei bestimmten festen Verbindungen mit neuer Gesamtbedeutung ist auch Großschreibung des Adjektivs üblich:

– der weiße *od.* Weiße Tod (Erfrieren)
– der weiße *od.* Weiße Sport (Tennis; Skisport)

2. *Großschreibung*
a) *der Substantivierung* ↑K72:

– ein Weißer (hellhäutiger Mensch)
– eine Weiße (Berliner Bier)
– das Weiße; die Farbe Weiß
– aus Schwarz Weiß, aus Weiß Schwarz machen

b) *in Namen und bestimmten namensähnlichen Fügungen* ↑K150 *u.* 151:

– das Weiße Meer; der Weiße Berg
– die Weiße Frau (Unglück kündende Spukgestalt in Schlössern)
– das Weiße Haus (Amtssitz des Präsidenten der USA in Washington)
– die Weiße Rose (Name einer Widerstandsgruppe während der Zeit des Nationalsozialismus)
– der Weiße Sonntag (Sonntag nach Ostern)

3. *Schreibung in Verbindung mit Verben u. Partizipien* ↑K56 *u.* 58:

– weiß werden
– sich weiß kleiden
– weiß einfärben, weiß übertünchen
– weiß färben *od.* weißfärben, weiß kalken *od.* weißkalken, weiß machen *od.* weißmachen, weiß tünchen *od.* weißtünchen; die Wäsche weiß waschen *od.* weißwaschen
– die weiß glühende *od.* weißglühende Sonne
– weiß gekleidete *od.* weißgekleidete Kinder (*vgl.* ¹Weiß);

Vgl. aber weißbluten, weißglühen, weißnähen *u.* weißwaschen

Weiß|ger|ber; Weiß|ger|be|rei; Weiß|ger|be|rin
weiß|glü|hen (*fachspr.*); Eisen weißglühen, weißglühendes Eisen; *vgl.* weiß
Weiß|glut, die; -; Weiß|gold
weiß Gott!; sich für weiß Gott was halten (*ugs.*)
weiß|grau
weiß|haa|rig
Weiß|herbst (hell gekelterter Wein aus blauen Trauben); **Weiß|kä|se** (Quark); **Weiß|kohl,** der; -[e]s; **Weiß|kraut,** das; -[e]s
Weiß|la|cker (eine Käsesorte)
weiß|lich
Weiß|ling (ein Schmetterling)
Weiß|ma|cher (*Werbespr.* optischer Aufheller in Waschmitteln)
weiß|nä|hen (Wäsche nähen); ↑K47 ich nähe weiß; weißgenäht; weißzunähen; **Weiß|nä|her; Weiß|nä|he|rin**
Weiß|pap|pel
Weiß|raum (*fachspr.* nicht bedruckter Raum auf einer Seite)
Weiß|rus|se; Weiß|rus|sin; weiß|rus|sisch *vgl.* belarussisch
Weiß|russ|land (Staat in Osteuropa; *vgl.* Belarus)

Weiß|sucht, die; - (*veraltet für* Albinismus)
Weiß|tan|ne
Weiß|wand|rei|fen
Weiß|wa|ren *Plur.*
Weiß|wä|sche (weiße [Koch]wäsche)
weiß|wa|schen ↑K47; sich, jmdn. weißwaschen (*ugs. für* sich *od.* jmdn. von einem Verdacht *od.* Vorwurf befreien); *meist nur im Infinitiv u. Partizip II* (weißgewaschen) *gebr.; aber* Wäsche weiß waschen *od.* weißwaschen
Weiß|wein; Weiß|wurst
Weiß|zeug, das; -[e]s (*veraltend für* Weißwaren)
Weis|tum, das; -s, ...tümer (Aufzeichnung von Rechtsgewohnheiten u. Rechtsbelehrungen im MA.)
Wei|sung (Auftrag, Befehl)
Wei|sungs|be|fug|nis
wei|sungs|be|rech|tigt; wei|sungs|ge|bun|den; wei|sungs|ge|mäß
Wei|sungs|recht
weit *s. Kasten Seite 1112*
Weit, das; -[e]s, -e (*fachspr. für* größte Weite [eines Schiffes])
weit|ab

weit|aus; weitaus größer
Weit|blick, der; -[e]s
weit bli|ckend, **weit|bli|ckend** *vgl.* weit
Wei|te, die; -, -n; **wei|ten** (weit machen, erweitern)
wei|ter *s. Kasten Seite 1113*
Wei|ter|ar|beit, die; -; **wei|ter|ar|bei|ten** *vgl.* weiter
wei|ter|be|för|dern; ich befördere weiter; der Spediteur hat die Kiste nach Berlin weiterbefördert; *aber* der Kraftverkehr kann Stückgüter weiter befördern als die Eisenbahn
Wei|ter|be|för|de|rung, die; -
weiter be|ste|hen, **wei|ter|be|ste|hen** *vgl.* weiter
wei|ter|bil|den (fortbilden); **Wei|ter|bil|dung**
wei|ter|brin|gen; der Streit wird uns nicht weiterbringen
wei|ter|emp|feh|len; die Ärztin wurde weiterempfohlen
wei|ter|ent|wi|ckeln; Wei|ter|ent|wick|lung
wei|ter|er|zäh|len
wei|ter|fah|ren; Wei|ter|fahrt
wei|ter|flie|gen; Wei|ter|flug
wei|ter|füh|ren; wei|ter|füh|rend;

W
weit

weit

Vgl. auch weiter
I. *Groß- u. Kleinschreibung*
– am weitesten
– bei weitem *od.* Weitem; von weitem *od.* Weitem
↑K 72
– weit und breit; so weit, so gut
– das Weite suchen (sich [rasch] fortbegeben) ↑K 72
– sich ins Weite verlieren ↑K 72
II. *Getrennt- u. Zusammenschreibung*
1. *in Verbindung mit Verben* ↑K 56 :
– weit fahren; weil wir weit fahren müssen
– weit bringen; sie hat es weit gebracht
– weit gehen: zu weit gehen; …, was entschieden zu weit geht
– weit springen; er kann sehr weit springen; *vgl. aber* weitspringen
2. *in Verbindung mit Partizipien* ↑K 58 *u.* 62 :
– eine weit gereiste *od.* weitgereiste Forscherin
– weit blickend, weiter blickend, am weitesten blickend *od.* weitblickend, weitblickender, am weitblickends|ten

– er stellte weitgehende, weitgehendere *od.* weit gehende, weiter gehende Forderungen; *aber nur zusammen:* weitestgehend
– der Fall ist weitgehend gelöst
– weit greifende, weiter greifende *od.* weitgreifende, weitgreifendere Pläne
– weit reichende, weiter reichende *od.* weitreichende, weitreichendere Vollmachten
– weit tragende, weiter tragende *od.* weittragende, weittragendere Konsequenzen
– hierbei handelt es sich um weit verbreitete, am weitesten verbreitete *od.* weitverbreitete, weitverbreitetste Pflanzen
– ein weit verzweigtes, weiter verzweigtes *od.* weitverzweigtes, weitverzweigteres Unternehmen
III. *Zusammensetzungen*
– insoweit *(vgl. d.);* inwieweit *(vgl. d.);* meilenweit *(vgl. d.);* soweit *(vgl. d.);* weither *(vgl. d.);* within *(vgl. d.)*

---

die weiterführenden Schulen; weiterführende Literatur
Wei|ter|ga|be, die; -
Wei|ter|gang, der; -[e]s (Fortgang, Entwicklung)
wei|ter|ge|ben
wei|ter|ge|hen (vorangehen); die Arbeiten sind gut weitergegangen; bitte weitergehen!; *aber* ich kann weiter gehen als du; *vgl.* weiter; *vgl. auch* weit II 2
wei|ter|hel|fen
wei|ter|hin
wei|ter|kli|cken *(EDV)*
wei|ter|kom|men
wei|ter|kön|nen *(ugs. für* weitergehen, weiterarbeiten können)
wei|ter|krie|chen
wei|ter|lau|fen *vgl.* weitergehen
wei|ter|le|ben; ich kann so nicht weiterleben
wei|ter|lei|ten; weiterzuleiten; **Wei|ter|lei|tung**
wei|ter|ma|chen *(schweiz. milit. auch für* sich zur Beförderung weiter ausbilden lassen); immer so weitermachen; *aber* die Schuhe weiter machen lassen
wei|tern *(selten für* erweitern); ich weitere
wei|ter|qua|li|fi|zie|ren; sich in Abendkursen weiterqualifizieren
wei|ter|rei|chen; den Kelch, die Frage weiterreichen; *aber* Waffen, die weiter reichen als 150 km; *vgl.* weiter; *vgl. auch* weit II 2

Wei|ter|rei|se, die; -; **wei|ter|rei|sen**
wei|ters *(österr. für* weiterhin)
wei|ter|sa|gen; er hat es weitergesagt; *aber* ich werde weiter (weiterhin) sagen, was ich für richtig halte
wei|ter|schla|fen; **wei|ter|se|hen**; **wei|ter|spie|len** *vgl.* weiter
wei|ter|spre|chen; sie konnte vor Traurigkeit nicht weitersprechen
wei|ter|trat|schen *(ugs. für* weitererzählen)
Wei|te|rung *meist Plur.* (Schwierigkeit, Verwicklung)
wei|ter|ver|ar|bei|ten
wei|ter|ver|brei|ten; er hat das Gerücht weiterverbreitet; *aber* diese Krankheit ist heute weiter verbreitet als früher; **Wei|ter|ver|brei|tung**
wei|ter|ver|er|ben
wei|ter|ver|fol|gen; sein Ziel unbeirrt weiterverfolgen
Wei|ter|ver|kauf; **wei|ter|ver|kau|fen**
wei|ter|ver|mie|ten (in Untermiete geben)
wei|ter|ver|mit|teln
wei|ter|ver|wen|den; **Wei|ter|ver|wen|dung**
Wei|ter|weg, der; Schnee versperrte den Weiterweg
wei|ter|wis|sen; wir haben nicht mehr weitergewusst
wei|ter|wol|len *(ugs. für* weitergehen wollen)
wei|ter|zah|len

wei|ter|zie|hen
wei|test|ge|hend; **wei|test|mög|lich**; den Bereich weitestmöglich freihalten
weit|ge|hend, weit ge|hend; eine weitgehende *od.* weit gehende Forderung; *aber nur* weiter gehende Forderungen; ein weitgehend geklärter Fall
weit ge|reist, **weit|ge|reist** *vgl.* weit
weit grei|fend, **weit|grei|fend** *vgl.* weit
weit|her (aus großer Ferne); *aber* von weit her; damit ist es nicht weit her (das ist nicht bedeutend)
weit|her|zig; **Weit|her|zig|keit**, die; -
weit|hin; weithin zu hören sein
weit|läu|fig; **Weit|läu|fig|keit**
Weit|ling, Weid|ling, der; -s, -e *(bayr., österr. für* große Schüssel)
weit|ma|schig; **weit|räu|mig**
weit rei|chend, **weit|rei|chend**; weit reichende *od.* weitreichende Konsequenzen; *aber nur* weiter reichende Konsequenzen
weit|schich|tig
Weit|schuss *(Sport)*
weit|schwei|fig; **Weit|schwei|fig|keit**
Weit|sicht, die; -; **weit|sich|tig**; **Weit|sich|tig|keit**, die; -
weit|sprin|gen *nur im Infinitiv gebr. (Sport); vgl.* weit; **Weit|sprin|gen**, das; -s; **Weit|sprung**

wei|ter

– weitere neue Bücher; weiteres Wichtiges
I. *Groß- u. Kleinschreibung* ↑K 72 :
a) *Klein- oder Großschreibung:*
– bis auf weiteres *od.* Weiteres ; ohne weiteres *od.*
  Weiteres (*österr. auch* ohneweiters)
b) *Großschreibung:*
– das Weitere hierüber folgt alsbald
– [ein] Weiteres findet sich im nächsten Abschnitt
– als Weiteres erhalten Sie ...
– des Weiteren wurde berichtet ...
– des Weiter[e]n enthoben sein
– alles, einiges Weitere demnächst
– wie im Weiteren dargestellt ...
II. *Schreibung in Verbindung mit Verben:*
1. *Getrenntschreibung, wenn »weiter« im Sinne von*
  »weiter als« gebraucht wird:
– weiter gehen; er kann weiter gehen als ich

2. *Zusammenschreibung, wenn »weiter« in der*
  Bedeutung von »vorwärts«, »voran« (auch im über-
  tragenen Sinne) gebraucht wird:
– weiterbefördern; weiterhelfen usw.
3. *Wird die Fortdauer eines Geschehens ausgedrückt,*
  schreibt man im Allgemeinen zusammen, wenn
  »weiter« die Hauptbetonung trägt, und getrennt,
  wenn das Verb gleich stark betont wird:
– weitermachen; weiterspielen usw.
– sie hat dir weiter (weiterhin) geholfen
– die Probleme werden weiter bestehen *od.* weiter-
  bestehen

---

weit tra|gend, **weit|tra|gend** *vgl.*
  weit
Wei|tung
weit ver|brei|tet, **weit|ver|brei|tet**
  vgl. weit
weit ver|zweigt, **weit|ver|zweigt**
  vgl. weit
Weit|win|kel *(Fotogr. Jargon kurz*
  für Weitwinkelobjektiv); **Weit-**
  win|kel|auf|nah|me; Weit|win|kel-
  ob|jek|tiv
Wei|zen, der; -s, *Plur. (Sorten:)* -
Wei|zen|bier; Wei|zen|brot
Wei|zen|ern|te; Wei|zen|feld
Wei|zen|keim *meist Plur.*; **Wei|zen-**
  keim|öl
Wei|zen|kleie; Wei|zen|korn; Wei-
  zen|mehl; Wei|zen|preis
Weiz|mann [x...], Chaim (israeli-
  scher Staatsmann)
¹**Weiz|sä|cker,** Carl Friedrich Frei-
  herr von (dt. Physiker u. Philosoph)
²**Weiz|sä|cker,** Richard Freiherr von
  (sechster dt. Bundespräsident)

welch

welcher, welche, welches

– welch ein Kind; welch Wunder
– welch große Forscher; welches
  reizende Kerlchen
– welche berühmten, *seltener*
  berühmte Frauen
– welche Stimmberechtigten
– die politischen Verhältnisse welchen, *seltener* welches Staates?
– Welches sind die beliebtesten
  Ferienziele?

wel|che *(ugs. für* etliche, einige); es
  sind welche hier; *vgl.* welch

wel|cher|art; wir wissen nicht,
  welcherart (was für ein) Inte-
  resse sie veranlasst..., *aber* wir
  wissen nicht, welcher Art
  (Sorte) diese Bücher sind
wel|cher|ge|stalt; wel|cher|lei
wel|ches *(ugs. auch für* etwas); Hat
  noch jemand Brot? Ich habe
  welches; *vgl.* welch
Welf, der; -[e]s, -e *od.* das; -[e]s,
  -er *(Nebenform von* Welpe)
Wel|fe, der; -n, -n (Angehöriger
  eines dt. Fürstengeschlechtes);
  Wel|fin; wel|fisch
welk; welke Blätter; **wel|ken;**
  Welk|heit, die; -
Well|baum (Welle [am Mühlrad
  u. a.])
Well|blech; Well|blech|dach
Wel|le, die; -, -n; grüne Welle;
  [auf] Wellen reiten
wel|len; gewelltes Blech, Haar
wel|len|ar|tig
Wel|len|bad; Wel|len|berg; Wel|len-
  bre|cher
wel|len|för|mig
Wel|len|gang, der; -[e]s; **Wel|len-**
  kamm
Wel|len|län|ge; Wel|len|li|nie
Wel|len|rei|ten, das; -s *(Wasser-*
  sport); **Wel|len|rei|ter; Wel|len-**
  rei|te|rin
Wel|len|sa|lat, der; -[e]s *(ugs. für*
  ein Nebeneinander sich gegen-
  seitig störender Sender)
Wel|len|schlag, der; -[e]s
Wel|len|sit|tich (ein Vogel)
Wel|len|strah|lung
Wel|len|tal
Wel|ler, der; -s, - (mit Stroh ver-
  mischter Lehm zur Ausfüllung
  von Fachwerk); **wel|lern** (Weller
  herstellen, [Fachwerk] mit Wel-

ler ausfüllen); ich wellere; **Wel|-**
  ler|wand (Fachwerkwand)
Well|fleisch (gekochtes Bauch-
  fleisch vom Schwein)
Well|horn|schne|cke
wel|lig; Wel|lig|keit, die; -
Wel|li|né, der; -[s], -s (ein Gewebe)
Wel|ling|ton [...tən] (britischer
  Feldmarschall; Hauptstadt Neu-
  seelands)
Wel|ling|to|nia, die; -, ...ien *(svw.*
  Sequoia)
Well|ness, die; - ⟨engl.⟩ (Wohlbe-
  finden); **Well|ness|cen|ter; Well-**
  ness|ho|tel
Well|pap|pe
Well|rad *(Technik)*
Wel|lung
Wel|pe, der; -n, -n (das Junge von
  Hund, Fuchs, Wolf)
¹**Wels,** der; -es, -e (ein Fisch)
²**Wels** (oberösterreichische Stadt)
welsch ⟨kelt.⟩ (*urspr. für* keltisch,
  später für romanisch, französisch, italienisch; *veraltet für*
  fremdländisch; *schweiz. svw.*
  welschschweizerisch); **Wel|sche,**
  der u. die; -n, -n (*veraltet*); **wel-**
  schen (*veraltet für* viele entbehr-
  liche Fremdwörter gebrauchen);
  du welschst
Welsch|kraut, das; -[e]s (*landsch.*
  für Wirsing)
Welsch|land, das; -[e]s (*schweiz.*
  für französischsprachige
  Schweiz)
Welsch|schwei|zer (Schweizer mit
  französischer Muttersprache);
  Welsch|schwei|ze|rin; welsch-
  schwei|ze|risch (die französisch-
  sprachige Schweiz betreffend)
Welt, die; -, -en; die Dritte Welt
  (die Entwicklungsländer); die

W
Welt

wen|den

- ich wandte u. ich wendete
- du wandtest u. du wendetest
- gewandt u. gewendet
- wend[e]!
- sich wenden
- bitte wenden! (*Abk.* b. w.)

In den Bedeutungen »die Richtung während der Fortbewegung ändern« u. »umkehren, umdrehen [u. die andere Seite zeigen]« werden nur die Formen mit »e« verwendet:

- sie wendete mit dem Auto, er hat gewendet
- ein gewendeter Mantel

- das Heu wurde gewendet
- das Blatt hat sich gewendet

Ansonsten sind die Formen mit »a« häufiger:

- er wandte, *seltener* wendete sich zu ihr
- er hat sich zu ihr gewandt, *seltener* gewendet
- er hat nur wenig Geld an die Ausbildung seiner Kinder gewandt, *seltener* gewendet
- sie wandte, *seltener* wendete viel Sorgfalt auf ihre Arbeit

---

Vierte Welt (die ärmsten Entwicklungsländer)
welt|ab|ge|wandt; Welt|ab|ge|wandt|heit, die; -
Welt|all
welt|an|schau|lich
Welt|an|schau|ung
Welt|at|las; Welt|aus|stel|lung
Welt|bank, die; -
welt|be|kannt
welt|be|rühmt; Welt|be|rühmt|heit
welt|bes|te; die weltbesten Sprinterinnen
Welt|best|leis|tung (*Sport*); Welt|best|zeit
Welt|be|völ|kerung, die; -
welt|be|we|gend ↑K 59
Welt|be|zug (*Philos.*); Welt|bild; Welt|bund
Welt|bür|ger; Welt|bür|ge|rin; welt|bür|ger|lich; Welt|bür|ger|tum (das Weltbürgersein)
Welt|chro|nik
Welt|cup (*Sport*); Welt|cup|punkt; Welt|cup|ren|nen
Welt|eli|te (*bes. Sport*)
Wel|ten|bumm|ler; Wel|ten|bumm|le|rin
Wel|ten|raum (geh. für Weltraum)
welt|ent|rückt (geh.)
Welt|er|fah|rung; Welt|er|folg
Wel|ter|ge|wicht (engl.; dt.) (eine Körpergewichtsklasse in der Schwerathletik); Wel|ter|ge|wicht|ler
Welt|er|näh|rungs|gip|fel
welt|er|schüt|ternd
Welt|esche, die; -; vgl. Yggdrasil
welt|fern
Welt|flucht, die; -
welt|fremd; Welt|fremd|heit
Welt|frie|de[n], der; ...ens
Welt|geist, der; -[e]s
Welt|geist|li|che, der
Welt|gel|tung; Welt|ge|richt, das; -[e]s; Welt|ge|sche|hen

Welt|ge|schich|te, die; -; welt|ge|schicht|lich
Welt|ge|sund|heits|or|ga|ni|sa|ti|on, die; - (vgl. WHO)
welt|ge|wandt; Welt|ge|wandt|heit
Welt|ge|werk|schafts|bund, der; -[e]s (Abk. WGB)
welt|größ|te; die weltgrößte Messe
Welt|han|del; Welt|han|dels|or|ga|ni|sa|ti|on, die; - (vgl. WTO)
Welt|herr|schaft, die; -
Welt|hilfs|spra|che
Welt|jah|res|best|leis|tung (*Sport*); Welt|jah|res|best|zeit
Welt|kar|te
Welt|kir|chen|kon|fe|renz
Welt|klas|se, die; - (*Sport*); Welt|klas|se|sport|ler; Welt|klas|se|sport|le|rin
welt|klug; Welt|klug|heit, die; -
Welt|krieg; ↑K 89: der Erste Weltkrieg (1914–1918); der Zweite Weltkrieg (1939–1945)
Welt|ku|gel
Welt|kul|tur|er|be
Welt|lauf, der; -[e]s
welt|läu|fig; Welt|läu|fig|keit, die; -
welt|lich; Welt|lich|keit, die; -
Welt|li|te|ra|tur, die; -
Welt|macht
Welt|mann Plur. ...männer; welt|män|nisch
Welt|mar|ke; Welt|markt; Welt|markt|füh|rer; Welt|markt|füh|re|rin; Welt|meer
Welt|meis|ter; Welt|meis|te|rin; Welt|meis|ter|schaft (Abk. WM)
Welt|mu|sik; Welt|ni|veau
welt|of|fen; Welt|of|fen|heit, die; -
Welt|öf|fent|lich|keit, die; -
Welt|ord|nung
Welt|po|li|tik, die; -; welt|po|li|tisch
Welt|post|ver|ein, der; -s
Welt|pre|mi|e|re
Welt|pres|se
Welt|pries|ter

Welt|rang; Welt|rang|lis|te (*Sport*)
Welt|raum, der; -[e]s
Welt|raum|bahn|hof; Welt|raum|fah|rer; Welt|raum|fah|re|rin; Welt|raum|fahrt; Welt|raum|fahr|zeug; Welt|raum|flug
Welt|raum|for|schung, die; -; Welt|raum|la|bor; Welt|raum|son|de; Welt|raum|sta|ti|on; Welt|raum|te|le|s|kop
Welt|reich
Welt|rei|se; Welt|rei|sen|de
Welt|re|kord; Welt|re|li|gi|on; Welt|re|vo|lu|ti|on, die; -
Welt|ruf, der; -[e]s (Berühmtheit)
Welt|ruhm
Welt|schmerz, der; -es
Welt|si|cher|heits|rat, der; -[e]s
Welt|spar|tag
Welt|spit|ze; Welt|spra|che
Welt|stadt; Welt|star (vgl. ²Star)
Welt|um|se|ge|lung; Welt|um|seg|ler; Welt|um|seg|le|rin; Welt|um|seg|lung
welt|um|span|nend
Welt|un|ter|gang
Welt|ver|bes|se|rer; Welt|ver|bes|se|rin
Welt|wäh|rungs|kon|fe|renz
welt|weit
Welt|wirt|schaft, die; -; Welt|wirt|schafts|gip|fel; Welt|wirt|schafts|kri|se
Welt|wun|der
Welt|zeit|uhr
wem; Wem|fall, der (für Dativ)
wen
Wen|cke (w. Vorn.)
¹Wen|de, die; -, -n (Drehung, Wendung; Turnübung)
²Wen|de, der; -n, -n (Sorbe; nur Plur.: frühere dt. Bez. für die Slawen)
Wen|de|hals (ein Vogel; ugs. abwertend für jmd., der sich polit. Änderungen schnell anpasst)

we|nig

- nichts weniger als; nicht[s] mehr u. nicht[s] weniger
- fünf weniger drei ist, macht, gibt (*nicht:* sind, machen, geben) zwei
- du weißt nicht, wie wenig ich habe
- wie wenig gehört dazu!
- du hast für dieses Amt zu wenig Erfahrung, *aber* ein Zuwenig an Fleiß
- ein wenig gelesenes *od.* weniggelesenes Buch
- wenig befahrene *od.* wenigbefahrene Straßen
- umso weniger
- nichtsdestoweniger
- am wenigsten; wenigstens

Groß- u. Kleinschreibung:
Im Allgemeinen wird »wenig« kleingeschrieben
↑K77:

- ein wenig, ein weniges; ein klein wenig
- die wenigen; einige wenige
- wenige glauben, dass ...
- es ist das wenigste; das wenigste, was du tun kannst, ist dies

- zum wenigsten
- sie beschränkt sich auf das wenigste
- die wenigsten glauben das

Bei Substantivierung ist auch Großschreibung möglich:

- das, dies, dieses wenige *od.* Wenige (Geringfügige)
- weniges *od.* Weniges genügt; mit wenig[em] *od.* Wenigem auskommen; in dem wenigen *od.* Wenigen, was erhalten ist
- sie freut sich über das wenige *od.* das Wenige (die wenigen Geschenke o. Ä.)

Beugung:

- wenig Gutes *od.* weniges Gutes, wenig Neues
- mit weniger geballter Energie, mit wenigem guten Getränk
- wenige gute Nachbildungen
- das Leiden weniger guter Menschen, das Leiden weniger Guter
- wenige Gute gleichen viel[e] Schlechte aus

Wen|de|ham|mer (am Ende einer Sackgasse)
Wen|de|kreis
Wen|del, die; -, -n (schraubenförmige Wicklung [z. B. eines Lampenglühdrahtes]); Wen|del|boh|rer
Wen|de|lin (m. Vorn.)
Wen|del|rut|sche (*Bergmannsspr.* Rutschenspirale zum Abwärtsfördern von Kohlen u. Steinen)
Wen|del|trep|pe
Wen|de|ma|nö|ver; Wen|de|mar|ke (*Sport*)
wen|den *s. Kasten Seite 1114*
Wen|de|platz
Wen|de|punkt
Wen|de|schal|tung (*Elektrot.*)
wen|dig; Wen|dig|keit, die; -
Wen|din ⟨zu ²Wende⟩; wen|disch
Wen|dung
Wen|fall, der (*für* Akkusativ)
we|nig *s. Kasten*
We|nig, das; -s, -; viele Wenig machen ein Viel; We|nig|keit, die; -; meine Wenigkeit (*ugs. scherzh. für* ich)
we|nigs|tens
wenn; wenn auch; wenngleich (*doch auch durch ein Wort getrennt, z. B.* wenn ich gleich Hans heiße); wennschon; wennschon – dennschon; *aber* wenn schon das nicht geht; ↑K125: komm doch[,] wenn möglich[,] schon um 17 Uhr
Wenn, das; -s, -; ↑K81: das Wenn

und das Aber; ohne Wenn und Aber; viele Wenn und Aber
wenn|gleich *vgl.* wenn; wenn|schon *vgl.* wenn
¹Wen|zel (m. Vorn.)
²Wen|zel, der; -s, - (*Kartenspiel* Bube, Unter)
Wen|zels|kro|ne, die; - (böhmische Königskrone)
Wen|zes|laus (m. Vorn.)
wer *fragendes, bezügliches u. (ugs.) unbestimmtes Pronomen;* Halt! Wer da? (*vgl.* Werda); wer (derjenige, welcher) das tut, [der] ...; ist wer (*ugs. für* jemand) gekommen?; wer alles; irgendwer (*vgl.* irgend)
We|ra (w. Vorn.)
Wer|be|ab|tei|lung; Wer|be|agen|tur; Wer|be|ban|ner; Wer|be|block; Wer|be|bran|che; Wer|be|ef|fekt
Wer|be|ein|schal|tung (*bes. österr. für* Werbeschaltung)
Wer|be|etat; Wer|be|fach|frau; Wer|be|fach|mann
Wer|be|feld|zug
Wer|be|fern|se|hen; Wer|be|film; Wer|be|funk
Wer|be|ge|schenk
Wer|be|gra|fi|ker; Wer|be|gra|fi|ke|rin
Wer|be|kam|pa|gne
Wer|be|kauf|frau; Wer|be|kauf|mann
Wer|be|kos|ten *Plur.*
wer|be|kräf|tig

Wer|be|lei|ter, der; Wer|be|lei|te|rin; Wer|be|mit|tel, das
wer|ben; du wirbst; du warbst; du würbest; geworben; wirb!
Wer|be|pau|se; Wer|be|platz
Wer|ber (*österr. auch für* Bewerber); Wer|be|rin; wer|be|risch
Wer|be|schal|tung
Wer|be|slo|gan; Wer|be|spot; Wer|be|spruch
Wer|be|text; Wer|be|tex|ter; Wer|be|tex|te|rin
Wer|be|trä|ger; Wer|be|trä|ge|rin
Wer|be|trei|ben|de, der u. die; -n, -n (*Fachspr.*)
Wer|be|trom|mel; die Werbetrommel rühren (*ugs. für* Reklame machen)
wer|be|wirk|sam; Wer|be|wirk|sam|keit
Wer|be|zweck; *meist in* zu Werbezwecken
werb|lich (die Werbung betreffend)
Wer|bung; Wer|bungs|kos|ten *Plur.*
Wer|bung Trei|ben|de, der u. die; - -n, - -n, Wer|bung|trei|ben|de, der u. die; -n, -n ↑K58
Wer|da, das; -[s], -s (*Milit.* Postenanruf)
Wer|dan|di (*nord. Mythol.* Norne der Gegenwart)
Wer|da|ruf
Wer|de|gang, der
wer|den; du wirst, er wird; du wurdest, *geh. noch* wardst, er wurde, *geh. noch* ward, wir

wurden; du würdest; ↑K13 : ich werd verrückt! *(ugs.); als Vollverb:* geworden; er ist groß geworden; *als Hilfsverb:* worden; er ist gelobt worden; werd[e]!; ↑K82 : das ist noch im Werden

wer|dend; eine werdende Mutter

Wer|der, der, *selten* das; -s, - (Flussinsel; Landstrich zwischen Fluss u. stehenden Gewässern)

Wer|der (Ha|vel) (Stadt westlich von Potsdam)

Wer|fall, der (*für* Nominativ)

Wer|fel (österr. Schriftsteller)

wer|fen (*von Tieren auch für* gebären); du wirfst; du warfst; du würfest; geworfen; wirf!; sich werfen

Wer|fer; Wer|fe|rin

Werft, die; -, -en ⟨niederl.⟩ (Anlage zum Bauen u. Ausbessern von Schiffen); Werft|ar|bei|ter; Werft|ar|bei|te|rin

Werg, das; -[e]s (Flachs-, Hanffall)

Wer|geld (Sühnegeld für Totschlag im germanischen Recht)

wer|gen (aus Werg)

Werk, das; -[e]s, -e; ans Werk!; ans Werk, zu Werke gehen; ins Werk setzen

Werk|an|ge|hö|ri|ge[1]; Werk|an|la|ge[1]

Werk|ar|beit

Werk|arzt[1]; Werk|ärz|tin[1]

Werk|bank *Plur.* ...bänke

Werk|bü|che|rei[1]

Werk|bund, der; Deutscher Werkbund

Werk|bus[1]

werk|ei|gen[1]; eine werkeigene Reparaturwerkstätte

Wer|kel, das; -s, -[n] (österr. ugs. *für* Leierkasten, Drehorgel); Wer|kel|frau; Wer|kel|mann *Plur.* ...männer (österr. *für* Drehorgelspieler)

wer|keln (landsch. *für* [angestrengt] werken); ich werk[e]le

wer|ken (tätig sein; [be]arbeiten)

Werk|fah|rer[1]; Werk|fah|re|rin[1]

Werk|feu|er|wehr[1] (werkeigene Feuerwehr)

Werk|ga|ran|tie[1]

Werk|ge|rech|tig|keit (Theol.)

werk|ge|treu; eine werkgetreue Inszenierung

Werk|hal|le[1]; Werk|kin|der|gar|ten[1]; Werk|kü|che[1]

Werk|leh|rer[1]; Werk|leh|re|rin[1]

Werk|lei|ter[1], der; Werk|lei|te|rin[1]; Werk|lei|tung[1]

werk|lich (veraltet)

Werk|mann|schaft[1]

Werk|meis|ter; Werk|meis|te|rin

Werk|platz (schweiz. neben Produktionsstandort); der Werkplatz Schweiz

Werk|raum (Raum für Werkunterricht)

Werk|schu|le

Werk|schutz

werk|sei|tig[1] (vonseiten des Werks)

Werk|spi|o|na|ge[1]

Werk|statt, Werk|stät|te, die; -, ...stätten

Werk|stät|te, die; -, ...stätten (bes. österr., schweiz. *für* Werkstatt)

werk|statt|ge|pflegt; ein werkstattgepflegtes Auto

Werk|stoff; Werk|stoff|for|schung, Werk|stoff-For|schung

werk|stoff|ge|recht

Werk|stoff|in|ge|ni|eur; Werk|stoff|in|ge|ni|eu|rin

Werk|stoff|kun|de, die; -

Werk|stoff|prü|fung

Werk|stück

Werk|stu|dent; Werk|stu|den|tin

Werk|tag (Arbeitstag); des Werktags, *aber* ↑K70 : werktags

werk|täg|lich; werk|tags vgl. Werktag; Werk|tags|ar|beit

werk|tä|tig; Werk|tä|ti|ge, der u. die; -n, -n

Werk|ti|tel; Werk|treue

Werk|un|ter|richt

Werk|ver|zeich|nis (Musik, bild. Kunst)

Werk|woh|nung[1]

Werk|zeit|schrift[1]

Werk|zeug; Werk|zeug|kas|ten

Werk|zeug|ma|cher; Werk|zeug|ma|che|rin; Werk|zeug|ma|schi|ne; Werk|zeug|stahl

Wer|mut, der; -[e]s, -s (eine Pflanze; Wermutwein); Wer|mut|bru|der (ugs. *für* [betrunkener] Stadtstreicher); Wer|mut[s]|trop|fen; Wer|mut|wein

Wer|ner, *älter* Wern|her (m. Vorn.)

Wern|hard (m. Vorn.)

Wer|ra, die; - (Quellfluss der Weser)

Wer|re, die; -, -n (südd., österr. u. schweiz. *für* Maulwurfsgrille; Gerstenkorn)

Werst, die; -, -en ⟨russ.⟩ (altes russisches Längenmaß; Zeichen W); 5 Werst

---

wert

In der Bedeutung »einen bestimmten Wert haben« steht »wert sein« mit Akkusativ:

– du bist keinen Schuss Pulver (ugs. *für* nichts) wert
– das ist keinen Heller (ugs. *für* nichts) wert

In der Bedeutung »würdig« mit Genitiv:

– das ist höchster Bewunderung wert
– es ist nicht der Rede wert
– jmdn. des Vertrauens [für] wert achten, halten

Vgl. werthalten, wertschätzen

Wert, der; -[e]s, -e; auf etwas Wert legen; von Wert sein

Wert|ach|tung (veraltet); Wert|an|ga|be; Wert|ar|beit, die; -

wert|be|stän|dig; Wert|be|stän|dig|keit, die; -

Wert|brief

wer|ten

wert|er|hal|tend; Wert|er|hal|tung

Wert|er|mitt|lung (für Taxation)

Wer|te|ska|la, Wert|ska|la; Wer|te|sys|tem; Wer|te|wan|del

wert|frei; wertfreies Urteil

Wert|ge|gen|stand

wert|hal|ten (veraltet für in Ehren halten); jmds. Andenken werthalten

Wer|ther (Titelgestalt eines Romans von Goethe)

wer|tig (bes. Werbespr. qualitätsvoll)

Wer|tig|keit

Wert|leh|re (Philos.)

wert|los; Wert|lo|sig|keit, die; -

Wert|mar|ke

Wert|maß, das; wert|mä|ßig

Wert|mes|ser, der

Wert|min|de|rung

wert|neu|t|ral

Wert|pa|ket

Wert|pa|pier; Wert|pa|pier|bör|se

Wert|sa|che *meist Plur.*

wert|schät|zen (veraltend); du schätzt wert od. wertschätzt; wertgeschätzt; wertzuschätzen; Wert|schät|zung

Wert|schöp|fung, die; - (Wirtsch.); Wert|schöp|fungs|ket|te; Wert|schrift (schweiz. *für* Wertpa-

---

[1] Auch, österr. nur, werks..., Werks...

pier); Wert|sen|dung; Wert|ska-
la, Wer|te|ska||a; Wert|stei|ge-
rung; Wert|stel|lung *(Bankw.)*
Wert|stoff; Wert|stoff|hof; Wert-
stoff|samm|lung; Wert|stoff|ton-
ne
Wer|tung; wer|tungs|frei
Wer|tungs|lauf *(Motorsport)*
Wert|ur|teil
wert|voll
Wert|vor|stel|lung *meist Plur.*
Wert|zei|chen
Wert|zu|wachs; Wert|zu|wachs-
steu|er, die
wer|wei|ßen *(schweiz. für* hin u.
her raten); du werweißt; gewer-
weißt
Wer|wolf, der *(im Volksglauben*
Mensch, der sich zeitweise in
einen Wolf verwandelt)
wes *(ältere Form von* wessen);
wes das Herz voll ist, des geht
der Mund über; wes Brot ich
ess, des Lied ich sing!
We|sel (Stadt am Niederrhein)
we|sen *(veraltet für* als lebende
Kraft vorhanden sein)
We|sen, das; -s, -; viel Wesen[s]
machen; sein Wesen treiben
we|sen|haft *(geh.)*
We|sen|heit, die; - *(geh.)*
we|sen|los; We|sen|lo|sig|keit,
die; -
We|sens|art; we|sens|ei|gen; we-
sens|fremd; we|sens|ge|mäß;
we|sens|gleich; We|sens|merk-
mal; we|sens|ver|wandt; We-
sens|zug
we|sent|lich; ↑K72 : das Wesent-
liche; etwas, nichts Wesent-
liches; im Wesentlichen
We|ser, die; - (dt. Strom); We|ser-
berg|land, das; -[e]s ↑K143 ; We-
ser|ge|bir|ge, das; -s (Höhenzug
im Weserbergland)
Wes|fall, der *(für* Genitiv)
wes|halb *[auch* ´ves...]
We|sir, der; -s, -e ⟨arab.⟩ *(früher*
Minister islamischer Herrscher)
Wes|ley [...li] (englischer Stifter
des Methodismus); Wes|ley|a-
ner; Wes|ley|a|ne|rin
Wes|pe, die; -, -n; Wes|pen|nest;
Wes|pen|stich; Wes|pen|tail|le
(sehr schlanke Taille)
Wes|sel|bu|ren (Stadt in Schles-
wig-Holstein)
wes|sen; wes|sent|we|gen *(veral-*
tet für weswegen); wes|sent|wil-
len; *nur in* um wessentwillen
(veraltend)
¹Wes|si, der; -s, -s *(ugs. für* West-

deutscher); ²Wes|si, die; -, -s
(ugs. für Westdeutsche)
Wes|so|brunn (Ort in Oberbay-
ern); Wes|so|brun|ner; das Wes-
sobrunner Gebet
¹West (Himmelsrichtung; *Abk.*
W); Ost und West; *fachspr.* der
Wind kommt aus West; Autobahnausfahrt Frankfurt West
od. Frankfurt-West ↑K148 ; *vgl.*
Westen
²West, der; -[e]s, -e *Plur. selten*
(geh. für Westwind); der kühle
West blies um das Haus
West|af|ri|ka; west|af|ri|ka|nisch;
West|aus|t|ra|li|en; west|aus|t-
ra|lisch
West|ber|lin ↑K143 ; West|ber|li-
ner
west|deutsch; West|deut|sche, der
u. die; West|deutsch|land
Wes|te, die; -, -n ⟨franz.⟩
Wes|ten, der; -s (Himmelsrich-
tung; *Abk.* W); gen Westen; *vgl.*
¹West; Wilder Westen ↑K88
West|end, das; -s, -s ⟨engl.⟩ (vor-
nehmer Stadtteil [Londons])
Wes|ten|ta|sche; Wes|ten|ta|schen-
for|mat; im Westentaschenfor-
mat (klein)
Wes|tern, der; -[s], - ⟨amerik.⟩
(Film, der im Wilden Westen
spielt)
Wes|ter|wald, der; -[e]s (Teil des
Rheinischen Schiefergebirges);
Wes|ter|wäl|der; wes|ter|wäl-
disch
West|eu|ro|pa; west|eu|ro|pä|isch;
westeuropäische Zeit *(Abk.*
WEZ); *aber* ↑K150 : die Westeuropäische Union *(Abk.* WEU)
West|fa|le, der; -n, -n; West|fa|len;
West|fä|lin; west|fä|lisch;
↑K142 : westfälischer Schinken;
aber ↑K140 : die Westfälische
Pforte *(vgl.* ¹Porta Westfalica);
↑K151 : der Westfälische Friede[n]
West|flan|dern (belgische Pro-
vinz)
West|geld *(in der DDR ugs. für*
frei konvertierbare Währung
als zweites Zahlungsmittel)
west|ger|ma|nisch
West|in|di|en; west|in|disch; *aber*
↑K140 : die Westindischen
Inseln
Wes|ting|house|brem|se ®
[...haus...] ↑K136 *(Eisenb.)*
West|jor|dan|land
West|küs|te
West|ler *(in der DDR ugs. für*
Bewohner der Bundesrepu-

blik); West|le|rin; west|le|risch
([betont] westlich [westeuro-
päisch] eingestellt)

west|lich

– die westliche Hemisphäre
– westlicher Länge *(Abk.*
w[est]. L.)

An »westlich« *kann ein Substantiv im Genitiv oder mit* »von«
*angeschlossen werden. Der
Anschluss mit* »von« *wird bei arti-
kellosen [geografischen] Namen
bevorzugt:*

– westlich dieser Linie; westlich
der Oder
– westlich von Berlin, *selten:*
westlich Berlins

West|li|che Dwi|na, die; -n · ↑K140
(russisch-lettischer Strom; *vgl.*
Dwina)
West|mäch|te *Plur.*
West|mark, die; -, - *(ugs. für* Mark
der Bundesrepublik Deutschland bis zur Währungsunion
1990)
West|mins|ter|ab|tei, die; - (in Lon-
don)
¹West|nord|west (Himmelsrich-
tung; *Abk.* WNW)
²West|nord|west, der; -[e]s, -e *Plur.
selten* (Wind; *Abk.* WNW)
West|nord|wes|ten, der; -s *(Abk.*
WNW)
west|öst|lich; ein westöstlicher
Wind, *aber* ↑K88 : der Westöst-
liche Diwan (Gedichtsammlung
Goethes); West-Ost-Ver|kehr
↑K26
West|preu|ßen; west|preu|ßisch
West|rom; west|rö|misch; *aber*
↑K140 : das Weströmische Reich
West|sa|moa (Inselstaat im Pazifi-
schen Ozean); *vgl.* Samoa; West-
sa|mo|a|ner; West|sa|mo|a|ne|rin;
west|sa|mo|a|nisch
West|schweiz *(schweiz. für* franzö-
sischsprachige Schweiz); West-
schwei|zer; West|schwei|ze|rin;
west|schwei|ze|risch
¹West|süd|west (Himmelsrichtung;
Abk. WSW)
²West|süd|west, der; -[e]s, -e *Plur.
selten* (Wind; *Abk.* WSW)
West|süd|wes|ten, der; -s *(Abk.*
WSW)
West Vir|gi|nia *[auch, österr. nur,*
- ...´dʒi:...] (Staat in den USA;
Abk. WV)
west|wärts; West|wind

W
West

wes|we|gen

we̱tt (selten für quitt); wett sein;
vgl. aber wetteifern, wettlaufen,
wettmachen, wettrennen, wett-
streiten, wettturnen

We̱tt|an|nah|me

We̱tt|be|werb, der; -[e]s, -e

We̱tt|be|wer|ber; We̱tt|be|wer|be-
rin; we̱tt|be|werb|lich

We̱tt|be|werbs|be|din|gung meist
Plur.; We̱tt|be|werbs|be|schrän-
kung

we̱tt|be|werbs|fä|hig; We̱tt|be-
werbs|fä|hig|keit, die; -

We̱tt|be|werbs|nach|teil

We̱tt|be|werbs|teil|neh|mer; We̱tt-
be|werbs|teil|neh|me|rin

we̱tt|be|werbs|ver|zer|rend; We̱tt-
be|werbs|ver|zer|rung

We̱tt|be|werbs|vor|teil; we̱tt|be-
werbs|wid|rig; We̱tt|be|werbs-
wirt|schaft, die; -

We̱tt|bü|ro

We̱t|te, die; -, -n; um die Wette
laufen

We̱tt|ei|fer; We̱tt|ei|fe|rer

we̱tt|ei|fern; ich wetteifere;
gewetteifert; zu wetteifern

we̱t|ten; wetten, dass sie gewinnt?

¹We̱t|ter, der (jmd., der wettet)

²We̱t|ter, das; -s, - (Bergmannsspr.
auch für alle in der Grube vorkommenden Gase); schlagende,
böse, matte Wetter (Berg-
mannsspr.)

we̱t|ter|ab|hän|gig

We̱t|ter|amt; We̱t|ter|an|sa|ge

We̱t|ter|au, die; - (Senke zwischen
Vogelsberg u. Taunus)

We̱t|ter|aus|sicht meist Plur.; We̱t-
ter|be|richt; We̱t|ter|be|ru|hi-
gung; We̱t|ter|bes|se|rung

we̱t|ter|be|stän|dig; we̱t|ter|be-
stim|mend

We̱t|ter|dach; We̱t|ter|da|ten Plur.;
We̱t|ter|dienst; We̱t|ter|fah|ne

we̱t|ter|fest

We̱t|ter|fleck (österr. für Loden-
cape); We̱t|ter|frosch

we̱t|ter|füh|lig; We̱t|ter|füh|lig|keit,
die; -

We̱t|ter|füh|rung (Bergmannsspr.)

we̱t|ter|ge|gerbt

We̱t|ter|gott; We̱t|ter|hahn; We̱t-
ter|häus|chen; We̱t|ter|kar|te

We̱t|ter|kun|de, die; - (Meteorolo-
gie); we̱t|ter|kun|dig; we̱t|ter-
kund|lich (meteorologisch)

We̱t|ter|la|ge

we̱t|ter|leuch|ten; es wetterleuch-
tet; gewetterleuchtet; zu wetter-
leuchten; We̱t|ter|leuch|ten, das;
-s

we̱t|tern (veraltend für gewittern;
ugs. für laut schelten); ich wet-
tere; es wettert

We̱t|ter|pro|g|no|se; We̱t|ter|pro-
phet (scherzh. für Meteorologe);
We̱t|ter|pro|phe|tin; We̱t|ter|re-
gel; We̱t|ter|sa|tel|lit; We̱t|ter-
schei|de; We̱t|ter|sei|te; we̱t|ter-
si|cher; We̱t|ter|sta|ti|on; We̱t|ter-
sturz; We̱t|ter|um|schlag; We̱t-
ter|um|schwung

We̱t|ter|vor|her|sa|ge

We̱t|ter|war|te; We̱t|ter|wech|sel

we̱t|ter|wen|disch

We̱t|tex®, das u. der; -, - (österr.
für ein Spültuch)

We̱tt|fah|rer; We̱tt|fah|re|rin

We̱tt|fahrt

We̱t|tin (Stadt an der Saale); Haus
Wettin (ein dt. Fürstenge-
schlecht); We̱t|ti|ner, der; -s, -;
We̱t|ti|ne|rin; we̱t|ti|nisch; aber
↑K88 : die Wettinischen Erb-
lande

We̱tt|kampf; We̱tt|kämp|fer; We̱tt-
kämp|fe|rin; we̱tt|kampf|er-
probt; we̱tt|kampf|mä|ßig

We̱tt|lauf; we̱tt|lau|fen nur im Infi-
nitiv gebr.; We̱tt|lau|fen, das; -s

We̱tt|läu|fer; We̱tt|läu|fe|rin

we̱tt|ma|chen; ich mache wett;
wettgemacht; wettzumachen

we̱tt|ren|nen vgl. wettlaufen; We̱tt-
ren|nen, das; -s, -

We̱tt|ru|dern, das; -s

We̱tt|rüs|ten, das; -s

We̱tt|schwim|men, das; -s; We̱tt-
spiel

We̱tt|streit; we̱tt|strei|ten vgl.
wettlaufen

We̱tt|tau|chen, We̱tt-Tau|chen,
das; -s

We̱tt|teu|fel, We̱tt-Teu|fel

we̱tt|tur|nen ↑K169 ; vgl. wettlau-
fen; We̱tt|tur|nen, We̱tt-Tur|nen,
das; -s, -

we̱t|zen; du wetzt

We̱tz|lar (Stadt an der Lahn)

We̱tz|stahl; We̱tz|stein

WEU, die; - = Westeuropäische
Union

We̱y|mouths|kie|fer ['vaimu:ts...]
(nach Lord Weymouth) (nordamerik. Kiefer)

WEZ = westeuropäische Zeit

WG, die; -, Plur. -s, selten - =
Wohngemeinschaft

wg. = wegen

WGB, die; - = Weltgewerkschafts-
bund

Whig [v...], der; -s, -s (engl.) (Angehöriger der brit. liberalen Partei); vgl. Tory

Whirl|pool® ['vø:ɐlpu:l], der; -s, -s
(engl.) (Bassin mit sprudelndem
Wasser)

Whis|key ['vɪski], der; -s, -s
(gälisch-engl.) (amerikanischer
od. irischer Whisky); Whis|ky
['vɪski], der; -s, -s ([schottischer]
Branntwein aus Getreide od.
Mais); Whisky pur

Whist [v...], das; -[e]s (engl.) (ein
Kartenspiel); Whis̱t|spiel

Whit|man ['vɪtmən], Walt [vo:lt]
(amerik. Lyriker)

WHO, die; - = World Health
Organization (engl.) (Weltge-
sundheitsorganisation)

Who's who ['hu:s 'hu:] (engl.,
»Wer ist wer?«) (Titel biografi-
scher Lexika)

WI = ²Wisconsin

wib|be|lig (landsch. für nervös)

Wib|ke vgl. Wiebke

wich vgl. weichen

Wichs, der; -es, -e, österr. die; -, -en
(Festkleidung der Korpsstuden-
ten); in vollem Wichs

Wichs|bürs|te (ugs. für Schuh-
bürste)

Wich|se, die; -, -n (ugs. für Schuh-
wichse; nur Sing.: Prügel); wichsen (auch derb für onanieren);
du wichst; Wich|ser (derbes
Schimpfwort)

Wichs|lein|wand (österr. ugs. für
Wachstuch)

Wicht, der; -[e]s, -e ([kleines]
Kind; Kobold; abwertend für
männliche Person)

Wich|te, die; -, -n (Physik veraltet
für spezifisches Gewicht)

Wich|tel, der; -s, -, Wich|tel|männ-
chen (Heinzelmännchen)

wich|tig; am wichtigsten; ↑K72 ;
alles Wichtige, etwas, nichts
Wichtigeres; etwas das
Wichtigste sagen; etwas sich
wichtig nehmen; vgl. wichtig-
machen, wichtigtun

Wich|tig|keit

wich|tig|ma|chen, sich; sie soll sich
mit ihren Ideen nicht so wichtig-
machen; Wich|tig|ma|cher (österr.
für Wichtigtuer); Wich|tig|ma-
che|rin; wich|tig|tu|end; Wich|tig-
tu|er; Wich|tig|tu|e|rei; Wich|tig-
tu|e|rin; wich|tig|tu|e|risch

wich|tig|tun, sich (sich wichtigma-
chen)

Wi|cke, die; -, -n (lat.) (eine
Pflanze); in die Wicken gehen
(ugs. für verloren gehen)

Wi|ckel, der; -s, -; Wi|ckel|ga|ma-
sche

Wi|ckel|kind; Wi|ckel|kom|mo|de
wi|ckeln; ich wick[e]le; Wi|ckel-
rock
Wi|ckel|tisch; Wi|ckel|tuch Plur.
...tücher; Wi|cke|lung, Wick-
lung; Wick|ler; Wick|lung vgl.
Wickelung
Wi|dah, die; -, -s ⟨nach dem Ort
Ouidah in Afrika⟩ (ein afrikani-
scher Vogel); Wi|dah|vo|gel
Wid|der, der; -s, - (männliches
Zuchtschaf; nur Sing.: ein
Sternbild)
wi|der (meist geh. für [ent]gegen);
Präp. mit Akk.: das war wider
meinen ausdrücklichen
Wunsch; wider [alles] Erwarten;
wider Willen; vgl. aber wieder;
das Für und [das] Wider
wi|der...; in Verbindung mit Ver-
ben: in unfesten Zusammensetzungen, z. B. wíderhallen, wídergehallt; in festen Zusammensetzungen, z. B. widerspréchen,
widersprochen
wi|der|bors|tig (ugs. für widersetz-
lich); Wi|der|bors|tig|keit
Wi|der|christ, der; -[s] (Rel. der
Teufel) u. der; -en, -en (Gegner
des Christentums)
Wi|der|druck, der; -[e]s, ...drucke
(Druckw. Bedrucken der Rückseite des Druckbogens [vgl.
Schöndruck]); vgl. aber Wieder-
druck
wi|der|ei|n|an|der; widereinander
kämpfen, schreiben
wi|der|ei|n|an|der|sto|ßen
wi|der|fah|ren; mir ist ein großes
Unglück widerfahren
Wi|der|ha|ken
Wi|der|hall, der; -[e]s, -e (Echo);
wi|der|hal|len; das Echo hat
wídergehallt
Wi|der|halt, der; -[e]s (Gegenkraft,
Stütze)
Wi|der|hand|lung (schweiz. für
Zuwiderhandlung)
Wi|der|kla|ge (Gegenklage); Wi-
der|klä|ger; Wi|der|klä|ge|rin
Wi|der|klang; wi|der|klin|gen
Wi|der|la|ger (Technik Veranke-
rung, Auflagefläche für Bogen,
Gewölbe, Träger)
wi|der|leg|bar; wi|der|le|gen; er hat
diesen Irrtum widerlegt; Wi|der-
le|gung
wi|der|lich; Wi|der|lich|keit
Wi|der|ling (widerlicher Mensch)
wi|der|na|tür|lich; Wi|der|na|tür-
lich|keit
Wi|der|part, der; -[e]s, -e (Geg-
ner[schaft]); Widerpart geben,
bieten
wi|der|ra|ten (veraltend für abra-
ten)
wi|der|recht|lich; Wi|der|recht|lich-
keit
Wi|der|re|de; keine Widerrede!;
wi|der|re|den (selten für wider-
sprechen); sie hat widerrédet
Wi|der|rist (erhöhter Teil des
Rückens bei Vierfüßern)
Wi|der|ruf; bis auf Widerruf; wi-
der|ru|fen (zurücknehmen);
er hat sein Geständnis widerru-
fen
wi|der|ruf|lich [auch ...'ru:f...]
(Rechtsspr.); Wi|der|ruf|lich|keit,
die; -; Wi|der|ru|fung
Wi|der|sa|cher, der; -s, -; Wi|der|sa-
che|rin
wi|der|schal|len (veraltend für
widerhallen)
Wi|der|schein (Gegenschein); wi-
der|schei|nen
Wi|der|see, die (Seemannsspr.
rücklaufende Brandung)
wi|der|set|zen, sich; ich habe mich
dem Plan widersetzt
wi|der|setz|lich; Wi|der|setz|lich-
keit
Wi|der|sinn, der; -[e]s (Unsinn;
logische Verkehrtheit); wi|der-
sin|nig; Wi|der|sin|nig|keit
wi|der|spens|tig; Wi|der|spens|tig-
keit
wi|der|spie|geln; die Sonne hat
sich im Wasser wídergespiegelt;
Wi|der|spie|ge|lung, Wi|der-
spieg|lung
Wi|der|spiel, das; -[e]s (geh. für
das Gegeneinanderwirken)
wi|der|spre|chen; sich widerspre-
chen; du widersprichst dir
Wi|der|spruch
wi|der|sprüch|lich; Wi|der|sprüch-
lich|keit; wi|der|spruchs|frei
Wi|der|spruchs|geist, der; -[e]s,
...geister (nur Sing.: Neigung, zu
widersprechen; ugs. für jmd.,
der widerspricht)
Wi|der|spruchs|kla|ge (Rechtsw.)
wi|der|spruchs|los; Wi|der|spruchs-
voll
Wi|der|stand; wi|der|stän|dig; Wi-
der|ständ|ler; Wi|der|ständ|le|rin;
Wi|der|stands|be|we|gung
wi|der|stands|fä|hig; Wi|der|stands-
fä|hig|keit, die; -
Wi|der|stands|kampf, der; -[e]s; Wi-
der|stands|kämp|fer; Wi|der-
stands|kämp|fe|rin
Wi|der|stands|kraft
Wi|der|stands|li|nie
wi|der|stands|los; Wi|der|stands|lo-
sig|keit, die; -
Wi|der|stands|mes|ser, der (Elek-
trot.); Wi|der|stands|pflicht,
die; -; Wi|der|stands|recht, das;
-[e]s; Wi|der|stands|wil|le
wi|der|ste|hen; sie hat der Versu-
chung widerstanden
Wi|der|strahl (Widerschein)
wi|der|stre|ben (entgegenwirken);
es hat ihm widerstrebt; Wi|der-
stre|ben, das; -s; wi|der|stre|bend
(ungern)
Wi|der|streit; im Widerstreit der
Meinungen; wi|der|strei|ten;
widerstreitende Interessen
wi|der|wär|tig; Wi|der|wär|tig|keit
Wi|der|wil|le, seltener Wi|der|wil-
len; wi|der|wil|lig; Wi|der|wil|lig-
keit
Wi|der|wort Plur. ...worte; Wider-
worte geben
Wide|screen ['vaitskri:n], der; -s, -s
⟨engl.⟩ (breites Fernseh- od.
Monitorformat)
wid|men; sie hat ihm ihr letztes
Buch gewidmet
Wid|mung; Wid|mungs|ex|em|p|lar
(Buchw.); Wid|mungs|ta|fel
Wi|do (m. Vorn.)
wid|rig (zuwider; übertr. für unan-
genehm); ein widriges Geschick;
wid|ri|gen|falls (Amtsspr.); Wid-
rig|keit
Wi|du|kind, Wit|te|kind (ein Sach-
senherzog)
Wi|dum, das; -s, -e (westösterr. für
Pfarrgut)
wie; wie geht es dir?; sie ist so
schön wie ihre Freundin, aber
bei Ungleichheit: sie ist schöner
als ihre Freundin; ↑ K 112 : er ist
so stark wie Ludwig; so schnell
wie, älter als möglich; im Krieg
wie [auch] (und [auch]) im Frieden; die Auslagen[,] wie [z. B.]
Post- und Fernsprechgebühren
sowie Eintrittsgelder[,] ersetzen
wir; ich begreife nicht, wie so
etwas möglich ist; komm so
schnell, wie du kannst; ↑ K 125 :
er legte sich[,] wie üblich[,] ins
Bett; wieso; wiewohl (vgl. d.);
wie sehr; wie viel; wie oft; wie
viel (vgl. d.); wie [auch] immer;
↑ K 81 : es kommt auf das Wie
an
wie|beln (landsch. für sich lebhaft
bewegen; ostmitteld. für flicken,
stopfen); ich wieb[e]le
Wieb|ke, Wib|ke (w. Vorn.)
¹Wied, die; - (rechter Nebenfluss
des Mittelrheins)

W
Wied

²**Wi̱ed** (mittelrheinisches Adelsge-
schlecht)
Wi̱e|de, die; -, -n (*südd., südwestd.
für* Weidenband, Flechtband)
Wi̱e|de|hopf, der; -[e]s, -e (Vogel)
wi̱e|der s. *Kasten Seite 1121*
Wie|der|ab|druck *Plur. ...drucke*
Wie|der|an|pfiff, der; -[e]s
(Sportspr.); **Wie|der|an|stoß**, der;
-es
Wie|der|auf|bau, der; -[e]s; **Wie|der-
auf|bau|ar|beit;** **wie|der auf|bau-
en, wie|der|auf|bau|en**
wie|der|auf|be|rei|ten
**Wie|der|auf|be|rei|tung; Wie|der-
auf|be|rei|tungs|an|la|ge**
**wie|der|auf|er|ste|hen; Wie|der|auf-
er|ste|hung**
**wie|der auf|füh|ren, wie|der|auf-
füh|ren; Wie|der|auf|füh|rung**
wie|der|auf|lad|bar
**Wie|der|auf|nah|me; Wie|der|auf-
nah|me|ver|fah|ren** *(Rechtsspr.);*
**wie|der auf|neh|men, wie|der-
auf|neh|men**
**wie|der auf|rich|ten, wie|der|auf-
rich|ten**
Wie|der|auf|rich|tung
Wie|der|auf|stieg
wie|der|auf|tau|chen (sich wieder-
finden); *aber* das U-Boot ist wieder aufgetaucht
**wie|der be|geg|nen, wie|der|be|geg-
nen**
Wie|der|be|ginn
wie|der|be|kom|men (zurückbe-
kommen); ich habe das Buch
wiederbekommen; *aber* er wird
diesen Ausschlag nicht wieder
(kein zweites Mal) bekommen
wie|der|be|le|ben; einen Verun-
glückten wiederbeleben; *aber*
die Wirtschaft durch Konsum-
anreize wieder beleben; **Wie|der-
be|le|bung; Wie|der|be|le|bungs-
ver|such**
wie|der|be|schaf|fen; ich beschaffe
wieder; er hat das Bild wiederbe-
schafft; *aber* wieder beschaffen
(nochmals beschaffen)
Wie|der|be|tä|ti|gung *(österr.
Rechtsspr.* verbotene nationalso-
zialistische Betätigung nach
1945)
wie|der|brin|gen (zurückbringen);
sie hat das Buch wiedergebracht;
aber wenn er dasselbe Argument
schon wieder bringt ...
Wie|der|druck, der; -[e]s, -e (Neu-
druck); *vgl. aber* Widerdruck
wie|der ein|fal|len
**wie|der ein|füh|ren, wie|der|ein|füh-
ren**

Wie|der|ein|füh|rung
**wie|der ein|glie|dern, wie|der|ein-
glie|dern; Wie|der|ein|glie|de-
rung; Wie|der|ein|set|zung;** Wie-
dereinsetzung in den vorigen
Stand *(Rechtsw.)*
Wie|der|ein|stieg
Wie|der|ein|tritt
Wie|der|ein|zug
**wie|der|ent|de|cken; Wie|der|ent|de-
ckung**
wie|der|er|ken|nen; hast du sie
gleich wiedererkannt?; *aber* ich
musste wieder erkennen, dass
ich mich geirrt hatte
wie|der|er|lan|gen (zurückerlan-
gen); *aber* wieder (erneut) erlan-
gen; **Wie|der|er|lan|gung**
wie|der|er|obern; die Stadt wurde
wiedererobert (zurückerobert);
aber die Stadt wurde wieder
(erneut) erobert; **Wie|der|er|obe-
rung**
**wie|der er|öff|nen, wie|der|er|öff-
nen; Wie|der|er|öff|nung**
**wie|der er|star|ken, wie|der|er|star-
ken**
wie|der|er|stat|ten; die Bank hat
das Geld wiedererstattet
(zurückerstattet); *aber* die Bank
hat das Geld wieder (erneut)
erstattet; **Wie|der|er|stat|tung**
**wie|der|er|we|cken; Wie|der|er|we-
ckung; wie|der|fin|den**
wie|der|for|dern (zurückfordern);
ich fordere wieder; er hat das
Geld wiedergefordert; *aber* wir
wurden von Gegner wieder
(erneut) gefordert
Wie|der|ga|be; die Wiedergabe
eines Konzertes auf Tonband
Wie|der|gän|ger (ruheloser Geist
eines Toten)
wie|der|ge|ben (zurückgeben; dar-
bieten); ich gebe wieder; die
Freiheit wurde ihm wiedergegeben; sie hat das Gedicht vollendet wiedergegeben; *aber* sie hat
ihm die Schlüssel schon wieder
(nochmals) gegeben
wie|der|ge|bo|ren; Wie|der|ge|burt
wie|der|ge|win|nen (zurückgewin-
nen); er hat sein verlorenes Geld
wiedergewonnen; *aber* wieder
gewinnen (nochmals gewinnen)
wie|der|grü|ßen (zurückgrüßen);
aber seit sie sich wieder (erneut)
grüßen ...
wie|der|gut|ma|chen (einen Scha-
den ausgleichen); wir machen
das wieder gut; *aber* das hat er
wieder [sehr] gut gemacht; **Wie-
der|gut|ma|chung**

wie|der|ha|ben; ich muss das Buch
bald wiederhaben (zurückbe-
kommen); *aber* ich muss das
Buch bald wieder (erneut) haben
wie|der|her|rich|ten (wieder in Ord-
nung bringen); *aber* wieder
(erneut) herrichten
wie|der|her|stel|len (in den alten
Zustand bringen; gesund
machen); *aber* solche Produkte
werden neuerdings auch bei uns
wieder hergestellt; **Wie|der|her-
stel|lung; Wie|der|her|stel|lungs-
kos|ten** *Plur.*
wie|der|hol|bar
wie|der|ho|len (zurückholen); ich
hole wieder; er hat seine Bücher
wiedergeholt; *aber* wieder holen
(nochmals holen)
wie|der|ho|len; ich wiederhole; sie
hat ihre Forderungen wieder-
holt; **wie|der|holt** (mehrmals)
**Wie|der|ho|lung; Wie|der|ho|lungs-
fall**, der; im Wiederholungs-
fall[e] *(Amtsspr.);* **Wie|der|ho-
lungs|ge|fahr; wie|der|ho|lungs-
ge|fähr|det**
Wie|der|ho|lungs|kurs *(schweiz. für*
jährliche Reserveübung nach der
Grundausbildung; *Abk.* WK)
Wie|der|ho|lungs|spiel *(Sport)*
Wie|der|ho|lungs|tä|ter *(Rechtsw.);*
Wie|der|ho|lungs|tä|te|rin
Wie|der|ho|lungs|zei|chen *(Musik)*
Wie|der|hö|ren, das; -s; auf Wieder-
hören! (Abschiedsformel beim
Telefonieren u. im Rundfunk)
Wie|der|in|be|sitz|nah|me
Wie|der|in|stand|set|zung
wie|der|käu|en; die Kuh käut wie-
der; **Wie|der|käu|er**
Wie|der|kauf (Rückkauf); **wie|der-
kau|fen** (zurückkaufen); *aber*
wieder (erneut) kaufen; **Wie|der-
käu|fer; Wie|der|käu|fe|rin; Wie-
der|kaufs|recht** *(Rechtsspr.)*
Wie|der|kehr, die; -; **wie|der|keh|ren**
(zurückkehren; sich wiederho-
len)
wie|der|ken|nen (wiedererkennen);
ich kenne dich ja gar nicht wieder!
wie|der|kom|men (zurückkom-
men); ich komme wieder; sie ist
heute wiedergekommen; *aber*
wieder kommen (nochmals
kommen); **Wie|der|kunft**, die; -
(veraltend für Rückkehr)
Wie|der|schau|en, das; -s
(landsch.); auf Wiederschauen!
wie|der|se|hen; *aber* der Blinde
konnte nach der Operation wie-
der sehen; *vgl.* wieder; **Wie|der-**

wie|der

(nochmals, erneut; zurück)
– um, für nichts und wieder nichts; hin und wieder (zuweilen); wieder einmal
Vgl. aber wider

I. *Zusammenschreibung in Verbindung mit Verben und Adjektiven vor allem dann, wenn »wieder« im Sinne von »zurück« verstanden wird:*

– ich kann dir das Geld erst morgen wiedergeben
– der Restbetrag wurde ihr wiedererstattet
– er hat alle geliehenen Bücher wiedergebracht
– kann ich bitte meinen Kugelschreiber wiederhaben?
– wenn du jetzt gehst, brauchst du nicht mehr wiederzukommen!

Zusammenschreibung auch in folgenden Fällen:

– wiederkäuen ([von bestimmten Tieren:] nochmals kauen; *auch übertr. für* ständig wiederholen)
– Festtage, die jährlich wiederkehren (sich wiederholen)
– sie hat den Text wörtlich wiedergegeben (wiederholt)
– er wollte den Vorfall wahrheitsgetreu wiedergeben (schildern, darstellen)
– würden Sie den letzten Satz bitte wiederholen
– das Fernsehspiel ist schon mehrfach wiederholt worden
– eine Klasse, den Lehrstoff wiederholen
– das Experiment war nicht wiederholbar
– die Kranke ist noch nicht ganz wiederhergestellt (gesundet)

– das Material ist wiederverwertbar
– wiederverwendbare Verpackungen
Vgl. aber wieder II u. III

II. *Getrenntschreibung vor allem dann, wenn »wieder« im Sinne von »nochmals, erneut« verstanden wird:*

– wieder abdrucken, wieder anfangen, das Spiel wieder anpfeifen
– dieses Modell wird jetzt wieder hergestellt (erneut produziert)
– ich werde das nicht wieder tun
– einen Ort wieder aufsuchen
– es ist mir alles wieder eingefallen

III. *In vielen Fällen ist Getrennt- oder Zusammenschreibung möglich, vor allem dann, wenn der gemeinsame Hauptakzent entweder nur auf »wieder« oder nur auf dem Verb oder sowohl auf »wieder« als auch auf dem Verb oder Adjektiv liegen kann:*

– ein Theaterstück wieder aufführen *od.* wiederaufführen
– alte Bräuche, die heute wieder aufleben *od.* wiederaufleben
– die alten Vorschriften wieder einführen *od.* wiedereinführen
– wir haben uns auf dem Kongress wiedergesehen (haben ein Wiedersehen gefeiert) *od.* wieder gesehen (sind uns erneut begegnet); *aber nur* der Blinde konnte nach der Operation wieder sehen

Vgl. auch wieder aufbauen, wiederaufbauen; wieder aufnehmen, wiederaufnehmen *usw.*

---

se|hen, das; -s, -; auf Wiedersehen!; jmdm. Auf *od.* auf Wiedersehen sagen; **Wie|der|se|hens|freu|de,** die; -
Wie|der|tau|fe, die; - *(Rel.);* **Wie|der|täu|fer**

wie|der tun

wie|de|r|um

wie|der|ver|ei|ni|gen; ein geteiltes Land wiedervereinigen; *aber* die versprengten Truppen mussten sich wieder vereinigen (sich wieder zusammenschließen); **Wie|der|ver|ei|ni|gung**

Wie|der|ver|hei|ra|tung

wie|der|ver|kau|fen (weiterverkaufen); *aber* wieder (erneut) verkaufen

Wie|der|ver|käu|fer (Händler); **Wie|der|ver|käu|fe|rin**

wie|der|ve|rwend|bar

wie|der|ver|wen|den; *aber* wieder verwenden; **Wie|der|ver|wen|dung;** zur Wiederverwendung (*Abk.* z. Wv.)

wie|der|ver|wert|bar; wie|der|ver-

wer|ten; *aber* wieder verwerten; **Wie|der|ver|wer|tung**

Wie|der|vor|la|ge, die; -; zur Wiedervorlage (*Amtsspr.; Abk.* z. Wv.)

Wie|der|wahl

wie|der|wäh|len (im Amt bestätigen); *aber* wieder (erneut) wählen

wie|feln (*landsch. für* vernähen, stopfen); ich wief[e]le

wie|fern (*veraltet für* inwiefern)

Wie|ge, die; -, -n

wie|geln (*landsch. für* leise wiegen); ich wieg[e]le

Wie|ge|mes|ser, das

¹wie|gen (das Gewicht feststellen; *fachspr. nur für* Gewicht haben); du wiegst; du wogst; du wögest; gewogen; wieg[e]!; ich wiege das Brot; das Brot wiegt (hat ein Gewicht von) zwei Kilo; *vgl.* wägen

²wie|gen (schaukeln; zerkleinern); du wiegst; du wiegtest; gewiegt; sich wiegen

Wie|gen|druck *Plur.* ...drucke
Wie|gen|fest (*geh. für* Geburtstag)
Wie|gen|lied

wie|hern; ich wiehere

Wiek, die; -, -en (*nordd. für* [kleine] Bucht an der Ostsee)

¹**Wie|land** (Gestalt der germanischen Sage)

²**Wie|land** (dt. Schriftsteller); **wie|lan|disch;** wielandische Übersetzungen; *vgl.* wielandsch

wie|landsch; die wielandschen *od.* Wieland'schen Werke

Wie|lands|lied, das; -[e]s

wie lang, wie lan|ge; wie lang, wie lange ist das her?; wie lang, wie lange ist das her!

Wie|ling, die; -, -e (*Seemannsspr.* Fender für Boote)

Wien (Hauptstadt Österreichs); **Wie|ner;** Wiener Kalk; Wiener Schnitzel; Wiener Würstchen; **wie|ne|risch**

Wie|ner|le, das; -s, - *(landsch.),* **Wie|ner|li,** das; -s, - (*schweiz. für* Wiener Würstchen)

W

Wien

wild

– wild wachsen, wild leben	*Großschreibung der Substantivierung* ↑K 72:
– wild werden	
– jmdn. **wild machen** *od.* wildmachen (in Wut versetzen)	– sich wie ein Wilder gebärden *(ugs.; vgl.* ²Wilde)

Kleinschreibung:

In Verbindung mit einem adjektivisch gebrauchten Partizip kann getrennt oder zusammengeschrieben werden ↑K 58:

– wilde Ehe; wilder Wein; wilder Streik; wildes Tier
– er spielt den wilden Mann *(ugs.)*

– wild wachsende *od.* wildwachsende Pflanzen
– die wild lebenden *od.* wildlebenden Tiere
Vgl. aber wilddieben

Großschreibung in Namen:

– ↑K 140 : Wilder Westen; Wilder Kaiser; Wilde Kreuzspitze
– ↑K 150 : die Wilde Jagd (Geisterheer); der Wilde Jäger (eine Geistergestalt)

---

wie|nern *(ugs. für* blank putzen); ich wienere

Wie|ner Neu|stadt (österreichische Stadt); **Wie|ner|stadt**, die; - (volkstümliche Bezeichnung Wiens); **Wie|ner|wald**, der; -[e]s ↑K 143 (nordöstlicher Ausläufer der Alpen)

Wie|pe, die; -, -n *(nordd. für* Strohwisch)

wies *vgl.* weisen

Wies|ba|den (Hauptstadt Hessens); **Wies|ba|de|ner**, Wies|bad|ner; **wies|ba|densch**, wies|ba|disch; **Wies|bad|ner** *vgl.* Wiesbadener

Wies|baum, Wie|se|baum (Stange über dem beladenen [Heu]wagen, Heubaum)

Wie|se, die; -, -n

Wie|se|baum *vgl.* Wiesbaum

wie **sehr**

Wie|sel, das; -s, - (ein Marder); **wie|sel|flink**; **wie|seln** (sich schnell bewegen); ich wies[e]le

Wie|sen|blu|me; **Wie|sen|cham|pi|gnon**; **Wie|sen|grund** *(veraltend);* **Wie|sen|schaum|kraut**; **Wie|sen|tal**

Wie|sen|wachs, der; -es, Wieswachs *(veraltet, noch landsch. für* Grasertrag der Wiesen); **Wies|land**, das; -[e]s *(schweiz.);* **Wies|lein**

wie|**so**

Wies|wachs *vgl.* Wiesenwachs

wie|ten *(landsch. für* jäten)

wie **viel** *[auch* 'vi: -]; wie viel[e] Personen; wievielmal *(vgl. d.),* *aber* wie viele Male (vgl. Mal); ich weiß nicht, wie viel er hat; wenn du wüsstest, wie viel ich verloren habe; [um] wie viel mehr; **wie|vie|ler|lei** *[auch* 'vi:...]; **wie|viel|mal** *[auch* 'vi:...]; *aber* wie viel[e] Mal[e]; *vgl.* Mal *u.* wie viel; **wie|viel|te** *[auch* 'vi:...]; zum wievielten Male ich das schon

gesagt habe; ↑K 80 : der Wievielte ist heute?

wie|weit (inwieweit); ich bin im Zweifel, wieweit ich mich darauf verlassen kann, *aber* wie weit ist es von hier bis ...?

wie **we|nig** *vgl.* wenig

wie|wohl; die einzige, wiewohl wertvolle Belohnung

Wight [v̲a̲it] (britische Insel)

Wig|wam, der; -s, -s ⟨indian.-engl.⟩ (Zelt, Hütte nordamerikanischer Indianer)

Wi|king, der; -s, -er, **Wi|kin|ger** ⟨altnord.⟩; **Wi|kin|ge|rin**; **Wi|kin|ger|sa|ge**, die; -; **Wi|kin|ger|schiff**; **wi|kin|gisch**

Wi|k|lif *vgl.* Wyclif; **Wi|k|li|f|it**, der; -en, -en (Anhänger Wyclifs)

Wi|la|jet, das; -[e]s, -s ⟨arab.-türk.⟩ (Verwaltungsbezirk im Osman. Reich)

wild *s. Kasten*

Wild, das; -[e]s

Wild|bach

Wild|bahn; in freier Wildbahn

Wild|be|stand

Wild|bret, das; -s (Fleisch des erlegten Wildes)

Wild|card , die; -, -s, **Wild** Card ['va̲iltkard], die; - -, - -s ⟨engl.⟩ *(Tennis* vom Veranstalter vergebene freie Platzierung bei einem Turnier)

Wild|dieb; **wild|die|ben**; ich wilddiebe; gewilddiebt; zu wilddieben; **Wild|die|be|rei**; **Wild|die|bin**

¹**Wilde** [v̲a̲ilt], Oscar (engl. Dichter)

²**Wil|de**, der *u.* die; -n, -n

Wild|eber; **Wild|en|te**

wil|den|zen *(landsch. für* stark nach Wild riechen)

Wil|de|rei; **Wil|de|rer** (Wilddieb); **Wil|de|rin**; **wil|dern**; ich wildere

Wild|fang (ausgelassenes Kind)

wild|fremd *(ugs. für* völlig fremd)

Wild|gans; **Wild|gat|ter**; **Wild|he|ger**; **Wild|he|ge|rin**

Wild|heit

Wild|heu|er, der (jmd., der an gefährlichen Hängen in den Alpen Heu macht)

Wild|hund; **Wild|hü|ter**; **Wild|hü|te|rin**; **Wild|ka|nin|chen**; **Wild|kat|ze**; **Wild|kraut**

wild le|bend , **wild|le|bend** *vgl.* wild

Wild|le|der

Wild|ling (Unterlage für die Veredelung von Obst u. Ziergehölzen; *Forstw.* wild gewachsenes Bäumchen)

Wild|nis, die; -, -se

Wild|park; **Wild|pferd**; **Wild|pflan|ze**

wild|reich; **Wild|reich|tum**, der; -s

Wild|reis

Wild|rind

wild|ro|man|tisch

Wild|sau; **Wild|scha|den**

Wild|schütz, der *(veraltend für* Wilddieb)

Wild|schutz|zaun

Wild|schwein; **Wild|spe|zi|a|li|tät**; **Wild|tau|be**; **Wild|tier**

wild wach|send , **wild|wach|send** *vgl.* wild

Wild|was|ser, das; -s, - (Wildbach); **Wild|was|ser|bahn**; **Wild|was|ser|fahrt**

Wild|wech|sel

Wild|west *ohne Artikel;* **Wild|west|film**

Wild|wuchs; **wild|wüch|sig**

Wild|zaun

Wil|fried (m. Vorn.)

Wil|helm (m. Vorn.)

Wil|hel|mi|ne (w. Vorn.)

wil|hel|mi|nisch; *aber* ↑K 89 : das Wilhelminische Zeitalter (Kaiser Wilhelms II.)

Wil|helms|ha|ven [...fn̩] (Hafenstadt an der Nordsee); **Wil|helms|ha|ve|ner**

W

wien

Will (m. Vorn.)

Wil|le, der; -ns, -n *Plur. selten;* der letzte od. Letzte Wille ↑K89; wider Willen; jmdm. zu Willen sein; voll guten Willens; *vgl.* willens

Wil|le|gis (m. Vorn.)

wil|len; ↑K70: um … willen, um Gottes willen, um seiner selbst willen, um meinet-, deinet-, dessent-, derent-, seinet-, ihret-, unsert-, euretwillen

Wil|len, der; -s, - *Plur. selten (veraltend für* Wille); **wil|len|los; Wil|len|lo|sig|keit,** die; -

wil|lens; ↑K70: willens sein (beabsichtigen)[,] etwas zu tun)

Wil|lens|akt; Wil|lens|äu|ße|rung; Wil|lens|bil|dung; Wil|lens|er|klä|rung; Wil|lens|frei|heit, die; -; **Wil|lens|kraft,** die; -

wil|lens|schwach; Wil|lens|schwä|che, die; -; **wil|lens|stark; Wil|lens|stär|ke,** die; -

wil|lent|lich (mit voller Absicht)

will|fah|ren, will|fah|ren; du willfahrst; du willfahrtest; willfahrt *od.* gewillfahrt; zu willfahren; **will|fäh|rig; Will|fäh|rig|keit,** die; -

Wil|li (m. Vorn.)

Wil|liam [...ljəm] (m. Vorn.)

Wil|liams Christ|bir|ne (eine Tafelbirne)

Wil|li|bald, Wil|li|brord (m. Vorn.)

wil|lig (bereit); **wil|li|gen** *(geh.);* sie willigte in die Heirat

Wil|li|gis *vgl.* Willegis

Wil|li|ram (m. Vorn.)

Will|komm, der; -s, -e, *häufiger* **Will|kom|men,** das; -s, -; ein fröhliches Willkommen!; **will|kom|men;** jmdn. willkommen heißen; herzlich willkommen!; **Will|kom|mens|gruß; Will|kom|mens|trunk**

willkommen

In Fügungen wie *Herzlich willkommen!* oder *Seien Sie willkommen!* schreibt man *willkommen* klein, da es hier als Adjektiv verwendet wird. Großgeschrieben wird *willkommen* nur, wenn es als Substantiv gebraucht wird: *Sie hatten ihm ein herzliches Willkommen bereitet.*

Will|kür, die; -; **Will|kür|akt; Will|kür|herr|schaft; will|kür|lich**

Will|kür|maß|nah|me

Wil|ly [...li], **Wilm** (m. Vorn.)

Wil|ma (w. Vorn.)

Wil|mar (m. Vorn.)

Wil|na (Hauptstadt Litauens; *vgl.* Vilnius)

Wil|son [...sn] (Präsident der USA)

Wils|ter (Ortsname); **Wils|termarsch,** die; - (²Marsch nördlich der Niederelbe)

Wil|traud, Wil|trud (w. Vorn.)

Wim (m. Vorn.)

Wi|max, das; - *meist ohne Artikel* ⟨aus engl. worldwide interoperability for microwave access⟩ (EDV ein Gruppe von Technologien u. Standards für drahtlose Breitbandübertragungen)

Wim|b|le|don [...]dən] (Vorort von London; Austragungsort eines berühmten Tennisturniers)

Wim|mel|bild (Bild, auf dem eine Fülle von einzelnen Personen od. Gegenständen zu sehen ist)

wim|meln; sie sagt, es wimm[e]le von Ameisen

wim|men, wüm|men ⟨lat.⟩ *(schweiz. mdal. für* Trauben lesen); gewimmet

¹Wim|mer, der; -s, - (Knorren; Maser[holz]; *auch, bes. südd. für* Schwiele, kleine Warze)

²Wim|mer, der; -, -n ⟨lat.⟩ *(landsch. für* Weinlese)

³Wim|mer, der; -s, - *(landsch. für* Winzer)

Wim|mer|holz *(ugs. scherzh. für* Geige, Laute); **wim|me|rig**

Wim|me|rin ⟨zu ³Wimmer⟩

Wim|merl, das; -s, -n *(bayr. u. österr. ugs. für* Hitze- od. Eiterbläschen)

wim|mern; ich wimmere; das ist zum Wimmern *(ugs.):* ↑K82:

Wim|met, Wüm|met, der; -s ⟨lat.⟩ *(schweiz. mdal. für* Weinlese)

Wim|pel, der; -s, - ([kleine] dreieckige Flagge)

Wim|per, die; -, -n

Wim|perg, der; -[e]s, -e u. **Wim|per|ge,** die; -, -n *(Bauw.* gotische Spitzgiebel)

Wim|pern|tu|sche

Wim|per|tier|chen (einzelliges Lebewesen)

Win|ckel|mann (dt. Altertumsforscher)

wind *(veraltet); nur noch in* wind u. weh *(südwestd. u. schweiz. für* höchst unbehaglich, elend)

Wind, der; -[e]s, -e; von etwas Wind bekommen *(ugs. für* etwas heimlich, zufällig erfahren)

Wind|ab|wei|ser (am Auto)

Wind|bä|cke|rei *(österr. für* Schaumgebäck)

Wind|beu|tel (ein Gebäck; *ugs. auch für* leichtfertiger Mensch); **Wind|beu|te|lei** *(ugs.)*

Wind|bö, Wind|böe; Wind|bruch

Wind|chill [...tʃɪl], der; - ⟨engl.⟩ (durch Wind verursachte verstärkte Kälteempfindung)

wind|dicht

Win|de, die; -, -n (eine Hebevorrichtung; eine Pflanze)

Wind|ei (*Zool.* Vogelei mit weicher Schale; *Med.* abgestorbene Leibesfrucht; *vgl.* ²Mole)

Win|del, die; -, -n; **win|deln;** ich wind[e]le; **win|del|weich**

¹win|den (drehen); du wandest; du wändest; gewunden; wind[e]!; sich winden

²win|den (windig sein; *Jägerspr.* wittern); es windet; das Wild windet

Wind|ener|gie, die; -; **Wind|ener|gie|an|la|ge**

Win|des|ei|le; in, mit Windeseile

Wind|fang; Wind|farm; Wind|flüch|ter (vom Wind verformter Baum)

wind|ge|schützt

Wind|ge|schwin|dig|keit

Wind|har|fe (Äolsharfe); **Wind|hauch**

Wind|ho|se (Wirbelsturm)

Wind|huk (Hauptstadt Namibias)

Wind|hund *(ugs. auch für* leichtfertiger Mensch)

win|dig *(auch für* nicht solide)

Wind|ja|cke; Wind|jam|mer, der; -s, - (großes Segelschiff)

Wind|ka|nal

Wind|kraft; Wind|kraft|an|la|ge; Wind|kraft|werk

Wind|licht *Plur.* ...lichter

Wind|ma|cher *(ugs. für* Wichtigtuer); **Wind|ma|che|rei; Wind|ma|che|rin**

Wind|ma|schi|ne; Wind|mo|tor

Wind|müh|le; Wind|müh|len|flü|gel

Wind|park

Wind|po|cken *Plur.* (eine Kinderkrankheit)

Wind|rad

Wind|rich|tung

Wind|rös|chen (*für* Anemone)

Wind|ro|se (Windrichtungs-, Kompassscheibe)

Wind|sack (an einer Stange aufgehängter Beutel, der Richtung u. Stärke des Windes anzeigt)

Winds|braut, die; - *(veraltend für* heftiger Wind)

Wind|schat|ten, der; -s (Leeseite eines Berges; geschützter

W

Wind

Bereich hinter einem fahrenden Fahrzeug)

wind|schief (ugs. für krumm)

wind|schlüp|fig; wind|schnit|tig

Wind|schutz|schei|be

Wind|schutz|strei|fen (Landw.)

Wind|sor (englische Stadt; Name des englischen Königshauses)

Wind|spiel (kleiner Windhund)

Wind|stär|ke

wind|still; Wind|stil|le

Wind|stoß

wind|sur|fen meist nur im Infinitiv gebr.; Wind|sur|fer ⟨dt.; engl.⟩; Wind|sur|fe|rin; Wind|sur|fing, das; -s (Segeln auf einem Surfbrett)

Win|dung

Wind|zug, der; -[e]s

Win|fried (m. Vorn.)

Win|gert, der; -s, -e (südd., westd. u. schweiz. für Weingarten, Weinberg)

Win|golf, der; -s, -e (»Freundeshalle« der nord. Mythologie)

Wink, der; -[e]s, -e

win|ke; nur in winke, winke machen (Kinderspr.)

Win|kel, der; -s, -

Win|kel|ad|vo|kat (abwertend); Win|kel|ad|vo|ka|tin

Win|kel|ei|sen; Win|kel|funk|ti|on (Math.); Win|kel|ha|ken (Druckw.)

win|ke|lig vgl. winklig

Win|kel|klam|mer

Win|kel|maß; Win|kel|mes|ser

win|keln; ich wink[e]le den Arm

Win|kel|ried (schweiz. Held)

Win|kel|zug meist Plur.

win|ken; gewinkt (häufig auch gewunken)

Win|ker; Win|ker|flag|ge (Seew.); Win|ker|krab|be

win|ke, win|ke vgl. winke

wink|lig, win|ke|lig

Win|ne|tou [...tu] (Indianergestalt bei Karl May)

Win|ni|peg (kanadische Stadt); Win|ni|peg|see, Win|ni|peg-See, der; -s

Winsch, die; -, -en ⟨engl.⟩ (Seemannsspr. eine Winde)

Win|se|lei (abwertend)

win|seln; ich wins[e]le

Win|ter, der; -s, -; Sommer wie Winter; winters (vgl. d.); wintersüber (vgl. d.)

Win|ter|abend; Win|ter|an|fang; Win|ter|ap|fel; Win|ter|bau, der; -[e]s (das Bauen im Winter)

Win|ter|cam|ping; Win|ter|de|pres-

si|on; Win|ter|ein|bruch; Win|ter|fahr|plan; Win|ter|fe|ri|en Plur.

win|ter|fest; winterfeste Kleidung

Win|ter|frucht (Wintergetreide)

Win|ter|gar|ten

Win|ter|gers|te; Win|ter|ge|trei|de; Win|ter|ha|fen; Win|ter|halb|jahr

win|ter|hart; winterharte Pflanzen; Win|ter|him|mel

Win|ter|kar|tof|fel; Win|ter|kleid; Win|ter|klei|dung; Win|ter|kohl, der; -[e]s; Win|ter|kol|lek|ti|on (Mode); Win|ter|land|schaft

win|ter|lich

Win|ter|ling (eine Pflanze)

Win|ter|man|tel; Win|ter|mo|de

¹Win|ter|mo|nat (in die Winterzeit fallender Monat)

²Win|ter|mo|nat, Win|ter|mond (alte dt. Bez. für Dezember, früher auch für Januar od. November)

Win|ter|nacht; Win|ter|obst

win|ter|of|fen; winteroffene Pässe

Win|ter|olym|pi|a|de; Win|ter|pau|se; Win|ter|quar|tier; Win|ter|rei|fen; Win|ter|rei|se

win|ters ↑K 70, aber des Winters

Win|ter|saat; Win|ter|sa|chen Plur. (Winterkleidung); Win|ter|sai|son; Win|ters|an|fang (Winteranfang); Win|ter|schlaf (Zool.)

Win|ter|schluss|ver|kauf

Win|ter|schuh; Win|ter|se|mes|ter; Win|ter|son|ne; Win|ter|son|nen|wen|de; Win|ter|speck (ugs. scherzh.); Win|ter|spie|le Plur. (die Olympischen Winterspiele)

Win|ter|sport; Win|ter|sport|ler; Win|ter|sport|le|rin; Win|ter|sport|ort

Win|ter|star|re (Zool.)

win|ters|über; aber den Winter über

Win|ters|zeit, die; - (Jahreszeit)

Win|ter|tag; win|ter|taug|lich; Win|ter|taug|lich|keit, die; -

Win|ter|thur (schweiz. Stadt)

Win|ter|ur|laub

Win|ter|vor|rat

Win|ter|zeit, die; - (Jahreszeit; Normalzeit im Vergleich zur Sommerzeit; vgl. Sommerzeit)

Win-win-Si|tu|a|ti|on ⟨engl.⟩ (Situation, in der alle Beteiligten nur gewinnen können)

Win|zer, der; -s, -; Win|zer|ge|nos|sen|schaft; Win|ze|rin; Win|zer|mes|ser, das

win|zig; winzig klein; Win|zig|keit; Win|zig|ling

Wip|fel, der; -s, -

Wip|pe, die; -, -n (Schaukel); wip|pen; Wip|per vgl. ¹Kipper

Wipp|sterz (landsch. für Bachstelze)

wir (früher von Herrschern: Wir); wir alle, wir beide; wir bescheidenen Leute; wir Armen; wir Deutschen od. wir Deutsche

Wir|bel, der; -s, -; wir|be|lig, wirb|lig; Wir|bel|kno|chen

wir|bel|los; Wir|bel|lo|se Plur. (Zool. zusammenfassende Bez. für alle Vielzeller außer den Wirbeltieren)

wir|beln; ich wirb[e]le

Wir|bel|säu|le; Wir|bel|säu|len|gym|nas|tik; Wir|bel|säu|len|ver|krüm|mung

Wir|bel|sturm (vgl. ¹Sturm)

Wir|bel|tier (Zool.)

Wir|bel|wind

wirb|lig vgl. wirbelig

wirbt vgl. werben

wird vgl. werden

wirft vgl. werfen

wir|ken; ↑K 82 : sein segensreiches Wirken

Wir|ker; Wir|ke|rei; Wir|ke|rin

Wirk|kraft (Wirkungskraft); Wirk|leis|tung (Elektrot.)

Wirkl. Geh. Rat = Wirklicher Geheimer Rat

wirk|lich

Wirk|li|che Ge|hei|me Rat, der; -n -n -[e]s, -n -n Räte (früher; Abk. Wirkl. Geh. Rat)

Wirk|lich|keit; wirk|lich|keits|fern

Wirk|lich|keits|form (für Indikativ)

wirk|lich|keits|fremd; wirk|lich|keits|ge|treu; wirk|lich|keits|nah

Wirk|lich|keits|sinn, der; -[e]s; Wirk|lich|keits|treue

wirk|mäch|tig (stark wirkend)

wirk|sam; Wirk|sam|keit, die; -

Wirk|stoff

Wir|kung; Wir|kungs|be|reich, der; Wir|kungs|feld

Wir|kungs|ge|schich|te; wir|kungs|ge|schicht|lich

Wir|kungs|grad; Wir|kungs|kraft; Wir|kungs|kreis

wir|kungs|los; Wir|kungs|lo|sig|keit, die; -

Wir|kungs|me|cha|nis|mus

wir|kungs|reich

Wir|kungs|stät|te

wir|kungs|voll

Wir|kungs|wei|se, die

Wirk|wa|ren Plur. (Textilw. gewirkte Waren)

wirr; Wir|ren; Wirr|heit; wir|rig (landsch. für wirr; zornig)

Wirr|kopf (abwertend)

Wirr|nis, die; -, -se; Wirr|sal, das; -[e]s, -e u. die; -, -e *(geh.);* Wir|rung; Irrungen u. Wirrungen

Wirr|warr, der; -s

wirsch *(landsch. für* ärgerlich)

Wir|sing, der; -s ⟨ital.⟩, Wir|sing|kohl, der; -[e]s

Wirt, der; -[e]s, -e

Wir|tel, der; -s, - (Schwunggewicht an der Spindel; *Bot.* Aststellung in Form eines Quirls); wir|tel|för|mig; wir|te|lig, wirt|lig (quirlförmig)

wir|ten *(schweiz. für* eine Gastwirtschaft führen)

Wir|tin

wirt|lich (gastlich); Wirt|lich|keit, die; -

wirt|lig *vgl.* wirtelig

Wirt|schaft; wirt|schaf|ten; gewirtschaftet; Wirt|schaf|ter (Verwalter); Wirt|schaf|te|rin

Wirt|schaft|ler (Wirtschaftskundler; Unternehmer, leitende Persönlichkeit in Handel u. Industrie); Wirt|schaft|le|rin

wirt|schaft|lich; Wirt|schaft|lich|keit, die; -

Wirt|schafts|ab|kom|men

Wirt|schafts|asy|lant *(oft als diskriminierend empfunden* jmd., der [vornehmlich] aus wirtschaftlichen Gründen Asyl sucht); Wirt|schafts|asy|lan|tin

Wirt|schafts|auf|schwung

Wirt|schafts|aus|schuss; Wirt|schafts|be|ra|ter; Wirt|schafts|be|ra|te|rin

Wirt|schafts|be|zie|hun|gen *Plur.*

Wirt|schafts|block *(vgl.* Block)

Wirt|schafts|de|likt

Wirt|schafts|em|bar|go

Wirt|schafts|fak|tor

Wirt|schafts|flücht|ling

Wirt|schafts|för|de|rung

Wirt|schafts|for|schungs|in|s|ti|tut

Wirt|schafts|füh|rer; Wirt|schafts|füh|re|rin

Wirt|schafts|ge|bäu|de

Wirt|schafts|geld

Wirt|schafts|ge|mein|schaft (Europäische Wirtschaftsgemeinschaft; *Abk.* EWG)

Wirt|schafts|geo|gra|fie , Wirt|schafts|geo|gra|phie

Wirt|schafts|ge|schich|te, die; -; wirt|schafts|ge|schicht|lich

Wirt|schafts|gip|fel

Wirt|schafts|gym|na|si|um

Wirt|schafts|hil|fe

Wirt|schafts|hoch|schu|le

Wirt|schafts|in|ge|ni|eur; Wirt|schafts|in|ge|ni|eu|rin

Wirt|schafts|jahr

Wirt|schafts|jour|na|list; Wirt|schafts|jour|na|lis|tin

Wirt|schafts|kam|mer; Wirt|schafts|kraft; Wirt|schafts|krieg

Wirt|schafts|kri|mi|na|li|tät

Wirt|schafts|kri|se

Wirt|schafts|la|ge

Wirt|schafts|le|ben, das; -s

Wirt|schafts|leh|re

Wirt|schafts|len|kung

Wirt|schafts|mi|nis|ter; Wirt|schafts|mi|nis|te|rin; Wirt|schafts|mi|nis|te|ri|um

wirt|schafts|nah; Wirt|schafts|ord|nung; Wirt|schafts|po|li|tik; wirt|schafts|po|li|tisch

Wirt|schafts|pres|se, die; -

Wirt|schafts|pro|g|no|se

Wirt|schafts|prü|fer; Wirt|schafts|prü|fe|rin; Wirt|schafts|prü|fung

Wirt|schafts|raum

Wirt|schafts|sank|ti|o|nen *Plur.*

Wirt|schafts|spi|o|na|ge

Wirt|schafts|stand|ort

Wirt|schafts|sys|tem

Wirt|schafts|teil (der Zeitung)

Wirt|schafts|the|o|rie

Wirt|schafts|trei|ben|de, der u. die; -n, -n *(österr. für* Gewerbetreibende)

Wirt|schafts|un|ter|neh|men

Wirt|schafts|ver|band

Wirt|schafts|wachs|tum

Wirt|schafts|wis|sen|schaft; Wirt|schafts|wis|sen|schaft|ler; Wirt|schafts|wis|sen|schaft|le|rin; wirt|schafts|wis|sen|schaft|lich

Wirt|schafts|wun|der *(ugs.)*

Wirt|schafts|zweig

Wirts|haus; Wirts|leu|te *Plur.*

Wirts|or|ga|nis|mus *(Biol.);* Wirts|pflan|ze

Wirts|stu|be

Wirts|tier; Wirts|zel|le

Wirz, der; -es *(schweiz. für* Wirsing)

Wisch, der; -[e]s, -e

Wisch|arm (am Scheibenwischer)

wi|schen; du wischst; Wi|scher *(ugs. auch für* Tadel)

Wi|scher|blatt (am Scheibenwischer)

wisch|fest

wi|schig *(nordd. für* zerstreut, kopflos); Wi|schi|wa|schi, das; -s *(ugs. für* unpräzise Darstellung)

Wisch|lap|pen

Wisch|nu (einer der Hauptgötter des Hinduismus)

Wisch|tuch *Plur.* ...tücher

¹Wis|con|sin, der; -[s] (linker Nebenfluss des Mississippis)

²Wis|con|sin (Staat in den USA; *Abk.* WI)

Wi|sent, der; -s, -e (ein Wildrind)

Wis|mut, *chem. fachspr.* Bis|mut, das; -[e]s (chemisches Element, Metall; *Zeichen* Bi)

wis|peln *(landsch. für* wispern); ich wisp[e]le

wis|pern (flüstern); ich wispere

Wiss|be|gier[|de], die; -; wiss|be|gie|rig

wis|sen; du weißt, er weiß, ihr wisst; du wusstest; du wüsstest; gewusst; wisse!; kund und zu wissen tun *(altertümelnd);* wer weiß!; jmdn. etwas wissen lassen *od.* wissenlassen (in Kenntnis setzen)

Wis|sen, das; -s; meines Wissens *(Abk.* m. W.) ist es so; wider besseres Wissen; Wis|sen|de, der u. die; -n, -n

wis|sens|ba|siert *(EDV)*

Wis|sen|schaft

Wis|sen|schaf|ter *(schweiz., österr. auch für* Wissenschaftler); Wis|sen|schaf|te|rin

Wis|sen|schaft|ler; Wis|sen|schaft|le|rin; wis|sen|schaft|lich; ↑K 89 : Wissenschaftlicher Rat (Titel); wissenschaftlich-technische Hilfskräfte; Wis|sen|schaft|lich|keit, die; -

Wis|sen|schafts|be|griff; Wis|sen|schafts|be|trieb, der; -[e]s

wis|sen|schafts|gläu|big

Wis|sen|schafts|mi|nis|te|ri|um

Wis|sen|schafts|park (Ansiedlung von forschungsorientierten Instituten und Firmen)

Wis|sen|schafts|the|o|rie; Wis|sen|schafts|zweig

Wis|sens|drang, der; -[e]s; Wis|sens|durst; wis|sens|durs|tig

Wis|sens|ge|biet; Wis|sens|ge|sell|schaft; Wis|sens|lü|cke; Wis|sens|stand; Wis|sens|stoff, der; -[e]s; Wis|sens|ver|mitt|lung; Wis|sens|vor|sprung;

wis|sens|wert; wis|sent|lich

wist! *(Fuhrmannsruf* links!)

Wis|ta|rie, die; -, -n *(svw.* Glyzine)

Wit|frau *(schweiz., sonst veraltet);* Wi|tib, die; -, -e *(veraltet für* Witwe); Wit|mann *Plur.* ...männer *(veraltet für* Witwer)

wit|schen *(ugs. für* schlüpfen, huschen); du witschst

Wit|te|kind *vgl.* Widukind

Wit|tels|bach (oberbayrische Stammburg); Haus Wittelsbach (Herrschergeschlecht); Wit|tels|ba|cher, der; -s, - (Angehöriger eines dt. Herrschergeschlechtes); Wit|tels|ba|che|rin

Wit|ten|berg, Lu|ther|stadt (Stadt an der mittleren Elbe)

Wit|ten|ber|ge (Stadt an der unteren Elbe)

Wit|ten|ber|ger (von Wittenberg od. Wittenberge); wit|ten|ber|gisch (von Wittenberg od. Wittenberge); aber ↑K88: die Wittenbergische Nachtigall (Bez. für Luther)

wit|tern; ich wittere

Wit|te|rung (auch Jägerspr. das Wittern u. der vom Wild wahrzunehmende Geruch)

wit|te|rungs|be|dingt

Wit|te|rungs|ein|fluss; Wit|te|rungs|ver|hält|nis|se Plur.

Witt|gen|stein (österr. Philosoph)

Wit|tib, die; -, -e (österr. für Witib); Wit|ti|ber (bayr. u. österr. für Witmann)

Witt|ling (ein Seefisch)

Wit|tum, das; -[e]s, ...tümer (veraltet der Witwe zustehender Besitz)

Wit|we, die; -, -n (Abk. Wwe.); Wit|wen|geld; Wit|wen|ren|te; Wit|wen|schaft, die; -; Wit|wen|schleier; Wit|wen|tum, das; -s

Wit|wer (Abk. Wwr.); Wit|wer|schaft, die; -; Wit|wer|tum, das

Witz, der; -es, -e; Witz|blatt; Witz|blatt|fi|gur; Witz|bold, der; -[e]s, -e; Witz|bol|din; Wit|ze|lei; wit|zeln; ich witz[e]le; Witz|fi|gur (abwertend)

wit|zig; Wit|zig|keit; witz|los

WK = Wiederholungskurs

w. L. = westlicher Länge

Wla|di|mir [auch ˈvla:...] (m. Vorn.)

Wla|di|wos|tok [auch ...ˈvɔ...] (russ. Stadt)

WLAN [veˈlaːn], das; -[s], -s ⟨aus engl. wireless local area network⟩ (Computernetzwerk mit Funktechnik)

WM, die; -, -[s] = Weltmeisterschaft; WM-Qua|li|fi|ka|ti|on; WM-Ti|tel

WNW = Westnordwest[en]

wo; wo ist sie?; wo immer sie auch sein mag; er geht wieder hin, wo er hergekommen ist; der Tag, wo (an dem) er sie das erste Mal sah; ↑K81: das Wo spielt keine Rolle; vgl. woanders, woher, wohin, wohinaus, womöglich, wo nicht

w. o. = wie oben

wo|an|ders; ich werde ihn woanders suchen, aber wo anders (wo

sonst) als hier sollte ich ihn suchen?; wo|an|ders|hin

wob|beln (Funktechnik Frequenzen verschieben); die Welle wobbelt; Wob|bel|span|nung

wo|bei

Wo|che, die; -, -n

Wo|chen|ar|beits|zeit

Wo|chen|be|ginn; Wo|chen|bett

Wo|chen|blatt

Wo|chen|end|be|zie|hung; Wo|chen|en|de; Wo|chen|end|ehe; Wo|chen|end|flug; Wo|chen|end|haus; Wo|chen|end|ler; Wo|chen|end|se|mi|nar; Wo|chen|end|ti|cket

Wo|chen|geld (österr., sonst veraltet für Mutterschaftsgeld)

Wo|chen|kar|te; wo|chen|lang

Wo|chen|lohn; Wo|chen|markt; Wo|chen|schau; Wo|chen|spiel|plan; Wo|chen|stun|de

Wo|chen|tag; wo|chen|tags ↑K70, aber des Wochentags

wö|chent|lich (jede Woche)

...wö|chent|lich (z. B. dreiwöchentlich [alle drei Wochen wiederkehrend]; mit Ziffer 3-wöchentlich ↑K29)

wo|chen|wei|se

Wo|chen|zei|tung

...wo|chig (seltener für...wöchig)

...wö|chig (z. B. dreiwöchig [drei Wochen alt, dauernd]; mit Ziffer 3-wöchig ↑K29)

Wöch|ne|rin

Wo|cken, der; -s, - (nordd. für Rocken)

Wo|dan (höchster germanischer Gott); vgl. Odin u. Wotan

Wod|ka, der; -s, -s ⟨russ. »Wässerchen«⟩ (ein Branntwein); Wod|ka|fla|sche

Wo|du, der; - ⟨kreol.⟩ (Geheimkult auf Haiti)

wo|durch; wo|fern (veraltet für sofern); wo|für

wog vgl. wiegen

Wo|ge, die; -, -n

wo|ge|gen

wo|gen

wo|her; woher es kommt, weiß ich nicht; er geht wieder hin, woher er gekommen ist, aber er geht wieder hin, wo er hergekommen ist

wo|he|r|um

wo|hin; ich weiß nicht, wohin sie geht; weiß, wohin sie geht, aber sieh, wo sie hingeht

wo|hi|n|auf; wo|hi|n|aus; ich weiß nicht, wohinaus du willst, aber ich weiß nicht, wo du hinauswillst; wo|hi|n|ein

wo|hin|ge|gen

wo|hin|ter; wo|hi|n|un|ter

wohl s. Kasten Seite 1127

Wohl, das; -[e]s; auf dein Wohl!; zum Wohl!

wohl|an! (veraltend)

wohl|an|stän|dig ↑K57; Wohl|an|stän|dig|keit, die; -

wohl|auf (geh.); wohlauf sein

wohl aus|ge|wo|gen, wohl|aus|ge|wo|gen; vgl. wohl

wohl be|dacht, wohl|be|dacht

Wohl|be|fin|den

wohl be|grün|det, wohl|be|grün|det; Wohl|be|ha|gen

wohl|be|hal|ten; er kam wohlbehalten an

wohl be|hü|tet, wohl|be|hü|tet; vgl. wohl

wohl be|kannt, wohl|be|kannt; vgl. wohl

wohl|be|leibt (geh.)

wohl be|ra|ten, wohl|be|ra|ten

wohl|be|stallt; ein wohlbestallter Beamter

wohl do|siert, wohl|do|siert

wohl durch|dacht, wohl|durch|dacht; vgl. wohl

Wohl|er|ge|hen, das; -s

wohl er|ge|hen, wohl|er|ge|hen; vgl. wohl

wohl er|hal|ten, wohl|er|hal|ten

wohl er|wo|gen, wohl|er|wo|gen; vgl. wohl

wohl er|zo|gen, wohl|er|zo|gen; aber nur noch wohlerzogenere Kinder; Wohl|er|zo|gen|heit, die; -

Wohl|fahrt, die; -; Wohl|fahrts|mar|ke; Wohl|fahrts|pfle|ge, die; -; Wohl|fahrts|staat

wohl|feil (veraltend); wohl|feil|er, wohl|feils|te; wohlfeile Ware

wohl for|mu|liert, wohl|for|mu|liert

wohl füh|len, wohl|füh|len, sich; vgl. wohl

Wohl|fühl|fak|tor (bes. Psych.)

wohl|ge|bo|ren (veraltet); Euer Wohlgeboren (Anrede)

Wohl|ge|fal|len, das; -s

wohl|ge|fäl|lig

wohl ge|formt, wohl|ge|formt; aber nur noch wohlgeformtere Sätze

Wohl|ge|fühl, das; -[e]s

wohl|ge|lit|ten

wohl|ge|merkt

wohl|ge|mut

wohl ge|nährt, wohl|ge|nährt; vgl. wohl

wohl ge|ord|net, wohl|ge|ord|net

wohl ge|ra|ten, wohl|ge|ra|ten

wohl

besser, bes|te *u.* wohler, wohls|te

– wohl ihm!
– wohl oder übel (ob er wollte oder nicht) musste er zuhören
– das ist wohl das Beste
– leben Sie wohl!
– wohl bekomms! *od.* bekomm's!

Schreibung in Verbindung mit Verben:

– wohl sein; lass es dir wohl sein
– ich bin wohl; mir ist wohl, wohler, am wohlsten
– es ist mir immer wohl ergangen *od.* wohlergangen
– du sollst dich bei uns wohl fühlen *od.* wohlfühlen
– das wird dir wohltun (*aber* er wird es wohl [wahrscheinlich] tun)
– sie hat ihm stets wohlgewollt (*aber* sie wird es wohl [wahrscheinlich] wollen)

Schreibung in Verbindung mit einem adjektivisch gebrauchten Partizip:

– ein wohl behütetes *od.* wohlbehütetes Geheimnis
– eine wohl versorgte *od.* wohlversorgte Frau
– ein wohl durchdachter *od.* wohldurchdachter, wohl überlegter *od.* wohlüberlegter Plan
– wohl erzogene *od.* wohlerzogene, *aber nur* noch wohlerzogenere Kinder
– wohl geformte *od.* wohlgeformte, *aber nur* noch wohlgeformtere Sätze
– wohl genährte *od.* wohlgenährte Babys, *aber nur* die wohlgenährtes|ten Babys
– wohl schmeckende *od.* wohlschmeckende, *aber nur* wohlschmeckendere, die wohlschmeckendsten Gerichte

Vgl. aber:

– wohlbehalten, wohlgemut, wohltuend

(*veraltend*); *aber nur* noch wohlgeratenere Kinder
Wohl|ge|ruch; Wohl|ge|schmack
wohl ge|setzt, **wohl|ge|setzt**; in wohl gesetzten *od.* **wohlgesetz**ten Worten; *aber nur* in wohlgesetzteren Worten
wohl|ge|sinnt
wohl|ge|stalt (*veraltet*)
wohl ge|tan, **wohl|ge|tan** (*veraltet*); nach wohl getaner *od.* wohlgetaner Arbeit
wohl|ha|bend; die wohlhabenderen Bürger; **Wohl|ha|ben|heit**
wohl|lig; Woh|lig|keit, die; -
Wohl|klang
wohl klin|gend, **wohl|klin|gend**; *aber nur* wohlklingendere Töne
Wohl|laut
wohl lau|tend, **wohl|lau|tend**; *aber nur* wohllautendere Instrumente
Wohl|le|ben, das; -s
wohl|mei|nend; die wohlmeinenden, wohlmeinenderen Freunde rieten ihr ab
wohl pro|por|ti|o|niert, **wohl|pro|por|ti|o|niert**
wohl rie|chend, **wohl|rie|chend**
wohl schme|ckend, **wohl|schme|ckend**; *aber nur* die wohlschmeckends|ten Speisen
Wohl|sein, das; -s; zum Wohlsein!
wohl sein; lass es dir wohl sein; *vgl.* wohl
wohl si|tu|iert, **wohl|si|tu|iert**
Wohl|stand, der; -[e]s; im Wohlstand leben; **Wohl|stands|bür|ger; Wohl|stands|ge|sell|schaft; Wohl|stands|kri|mi|na|li|tät; Wohl|stands|müll**

Wohl|tat; Wohl|tä|ter; Wohl|tä|te|rin
wohl|tä|tig, wohltätiger, wohltätigste; **Wohl|tä|tig|keit**, die; -; **Wohl|tä|tig|keits|ball; Wohl|tä|tig|keits|ba|sar**, **Wohl|tä|tig|keits|ba|zar; Wohl|tä|tig|keits|kon|zert; Wohl|tä|tig|keits|ver|an|stal|tung; Wohl|tä|tig|keits|ver|ein**
wohl tem|pe|riert, **wohl|tem|pe|riert**; **Wohl|tem|pe|rier|te Kla|vier**, das; -n -s (Sammlung von Präludien u. Fugen von J. S. Bach)
wohl tö|nend, **wohl|tö|nend**
wohl|tu|end (angenehm); die Ruhe ist wohltuend, noch wohltuender
wohl|tun *vgl.* wohl
wohl über|legt, **wohl|über|legt** *vgl.* wohl
wohl un|ter|rich|tet, **wohl|un|ter|rich|tet**
wohl|ver|dient; ein wohlverdienter Urlaub
Wohl|ver|hal|ten
Wohl|ver|leih, der; -[e]s, -[e] (Arnika)
wohl ver|sorgt, **wohl|ver|sorgt**; *vgl.* wohl
wohl ver|stan|den, **wohl|ver|stan|den**; er war[,] wohl verstanden *od.* **wohlverstanden**[,] kein schlechter Mensch
wohl|ver|traut; die wohlvertraute Umgebung
wohl ver|wahrt, **wohl|ver|wahrt**
wohl vor|be|rei|tet, **wohl|vor|be|rei|tet**
wohl|weis|lich; sie hat sich wohlweislich gehütet

wohl wis|send; wohl wissend, dass ...
wohl|wol|len *vgl.* wohl
Wohl|wol|len, das; -s; **wohl|wol|lend**; ein wohlwollenderes Urteil
Wohn|ac|ces|soire
Wohn|an|hän|ger; Wohn|an|la|ge; Wohn|bau *Plur.* ...bauten (*nur Sing.* österr. auch für Wohnungsbau); **Wohn|bei|hil|fe** (*österr. für* Wohngeld); **Wohn|be|reich; Wohn|block** *vgl.* Block; **Wohn|ei|gen|tum; Wohn|ein|heit**
woh|nen
Wohn|flä|che; Wohn|ge|bäu|de; Wohn|ge|biet
Wohn|geld; Wohn|geld|ge|setz
Wohn|ge|mein|schaft (*Abk.* WG)
wohn|haft (*Amtsspr.* wohnend)
Wohn|haus; Wohn|heim; Wohn|kom|plex (größeres Wohngebiet); **Wohn|kü|che; Wohn|kul|tur**, die; -; **Wohn|la|ge**
wohn|lich; Wohn|lich|keit, die; -
Wohn|mo|bil
Wohn|ort *Plur.* ...orte; **Wohn|raum**
Wohn|raum|len|kung (*DDR* administrative Wohnungsvergabe)
Wohn|sied|lung; Wohn|sitz; wohn|sitz|los (*bes. Amtsspr.*)
Wohn|stra|ße; Wohn|stu|be
Woh|nung; Woh|nungs|amt
Woh|nungs|bau, der; -[e]s
Woh|nungs|bau|ge|nos|sen|schaft; Woh|nungs|bau|ge|sell|schaft
Woh|nungs|ei|gen|tum; Woh|nungs|ei|gen|tü|mer; Woh|nungs|ei|gen|tü|me|rin
Woh|nungs|ein|rich|tung
woh|nungs|los

Woh|nungs|mak|ler; Woh|nungs-mak|le|rin; Woh|nungs|man|gel

Woh|nungs|markt

Woh|nungs|not

Woh|nungs|schlüs|sel

Woh|nungs|su|che; woh|nungs|su-chend; Woh|nungs|su|chen|de, der u. die; -n, -n

Woh|nungs|tausch

Woh|nungs|tür

woh|nung|su|chend (svw. woh-nungssuchend); Woh|nung|su-chen|de (svw. Wohnungssu-chende)

Woh|nungs|wech|sel

Woh|nungs|zwangs|wirt|schaft

Wohn|vier|tel; Wohn|wa|gen

Wohn|zim|mer

Wöhr|de, die; -, -n (nordd. für um das Wohnhaus gelegenes Acker-land)

Woi|lach, der; -s, -e (russ.) (wol-lene [Pferde]decke)

Woi|wod, Woi|wo|de, der; ...den, ...den ⟨poln.⟩ (früher Fürst, heute oberster Beamter eines poln. Bezirks); Woi|wod|schaft (Amt u. Amtsbezirk eines Woi-woden)

Wok, der; -s, -s ⟨chin.⟩ (großer halb-runder Kochtopf)

wöl|ben; sich wölben; Wöl|bung

¹Wolf (m. Vorn.)

²Wolf, Hugo (österr. Komponist)

³Wolf, der; -[e]s, Wölfe (ein Raub-tier); Wölf|chen

Wolf|diet|rich (m. Vorn.)

wöl|fen (gebären [von Wolf u. Hund])

Wolf|gang (m. Vorn.); Wolf|gang-see vgl. Sankt-Wolfgang-See

Wolf|hard (m. Vorn.)

Wöl|fin; wöl|fisch

Wölf|ling (junger Pfadfinder)

¹Wolf|ram (m. Vorn.)

²Wolf|ram, das; -s (chem. Element, Metall; Zeichen W); Wolf|ra|mit, das; -s (Wolframerz)

Wolf|ram von E|schen|bach (dt. Dichter des MA.); Wolfram von Eschenbachs Lieder, aber die Lieder Wolframs von Eschen-bach; eine Wolfram-von-Eschenbach-Ausgabe

Wolfs|an|gel (ein Fanggerät)

Wolfs|burg (Stadt in Niedersach-sen)

Wolfs|gru|be (überdeckte Grube zum Fangen von Wölfen)

Wolfs|hund (einem Wolf ähnlicher Schäferhund)

Wolfs|hun|ger (ugs.)

Wolfs|milch (eine Pflanze)

Wolfs|ra|chen (angeborene Gau-menspalte)

Wolfs|ru|del; Wolfs|schlucht

Wolfs|spin|ne

Wolfs|spitz (eine Hunderasse)

Wol|ga, die; - (Strom in Ost-europa); Wol|go|grad (russische Stadt; früher Stalingrad)

Wol|lhy|ni|en [...'ly:...] usw. vgl. Wolynien usw.

Wölk|chen; Wol|ke, die; -, -n

wöl|ken; sich wölken

Wol|ken|bruch; Wol|ken|de|cke, die; -

Wol|ken|krat|zer (Hochhaus)

Wol|ken|ku|ckucks|heim, das; -[e]s (Luftgebilde, Hirngespinst)

wol|ken|los; wol|ken|ver|han|gen; Wol|ken|wand; die; -; wol|kig

Woll|de|cke

Wol|le, die; -, Plur. (Arten:) -n; ¹wol|len (aus Wolle)

²wol|len; ich will, du willst; du wolltest (Indikativ); du wolltest (Konjunktiv); gewollt; wolle!; ich habe das nicht gewollt, aber ich habe helfen wollen

wöl|len (Jägerspr. das Gewölle auswerfen)

Woll|fa|den; Woll|garn; Woll|ge|we-be; Woll|gras

Woll|hand|krab|be

wol|lig

Wol|lin (eine Ostseeinsel)

Woll|kamm; Woll|käm|mer; Woll-käm|me|rin; Woll|kleid; Woll-knäu|el

Woll|lap|pen, Woll-Lap|pen

Woll|laus, Woll-Laus

Woll|maus (ugs. für größere Staub-flocke auf dem Fußboden)

Woll|milch|sau; in der Fügung Eier legende od. eierlegende Woll-milchsau (ugs. scherzh. für Per-son od. Sache, die vermeintlich keinerlei Nachteile aufweist, alle Bedürf-nisse befriedigt, allen Ansprü-chen genügt)

Woll|müt|ze; Woll|pul|lo|ver

Woll|sa|chen Plur.

Woll|schwein; Woll|sie|gel; Woll-spin|ne|rei; Woll|stoff; Woll-strumpf

Woll|lust, die; -, Wollüste

wol|lüs|tig

Woll|wa|ren Plur.; Woll|wasch|mit-tel; woll|weiß

Woll|per|tin|ger, der; -s, - (ein bay-risches Fabeltier)

Wo|ly|ni|en (ukrainische Land-schaft); wo|ly|nisch

Wol|zo|gen (ein Adelsgeschlecht)

Wo|ma|ni|zer ['vʊmənaɪzɐ], der; -s, - ⟨engl.⟩ (Frauenheld)

Wom|bat, der; -s, -s ⟨austral.⟩ (ein australisches Beuteltier)

wo|mit

wo|mög|lich; womöglich (viel-leicht) kommt sie; aber wir soll-ten uns, wo möglich (kurz für wenn es möglich ist), selbst darum kümmern

Won, der; -[s], -[s] (korean. Wäh-rungseinheit)

wo|nach

Won|der|bra ® ['vɔndɐbra:], der; -s, -s (ein Push-up-BH)

wo|ne|ben (selten)

wo nicht; er will ihn erreichen, wo nicht übertreffen

Won|ne, die; -, -n; Won|ne|ge|fühl; Won|ne|mo|nat, Won|ne|mond (alte Bez. für Mai); Won|ne|prop-pen (landsch. wohlgenährtes [Klein]kind)

won|ne|trun|ken (geh.); won|nig; won|nig|lich (veraltend)

Woog, der; -[e]s, -e (landsch. für Teich; tiefe Stelle im Fluss)

Woo|pie ['vu:...], der; -s, -s u. die; -, -s ⟨aus engl. well-off older per-son = wohlhabende ältere Per-son⟩ (ugs. wohlhabender Rent-ner, wohlhabende Rentnerin)

wo|r|an; wo|r|auf; wo|r|auf|hin; wo-r|aus

¹Worb, der; -[e]s, Wörbe, ²Worb, Wor|be, die; -, ...ben (landsch. für Griff am Sensenstiel)

Worces|ter|so|ße ['vʊstɐ...], Worces|ter|sau|ce ⟨nach der engl. Stadt Worcester⟩ (pikante Soße zum Würzen)

Words|worth ['vøːɐʦvɔːɐθ] (eng-lischer Dichter)

wo|r|ein

wor|feln (früher für Getreide rei-nigen); ich worf[e]le

Wörgl (österreichische Stadt)

wo|r|in

Wö|ris|ho|fen, Bad (Stadt in Bay-ern)

Wor|k|a|ho|lic [vøːɐka'hɔlɪk], der; -s, -s ⟨engl.⟩ (Psych. jmd., der zwanghaft ständig arbeitet)

Work|flow ['vøːɐkfloː], der; -s, -s ⟨engl.⟩ (Ablauf arbeitsteiliger Prozesse in Unternehmen; Arbeitsablauf bei Computerpro-grammen)

Work-out, Work|out ['vøːɐklaʊt], der; -s, -s ⟨engl.⟩ (Fitnesstrai-ning)

Work|shop ['vøːɐk...], der ⟨engl.⟩ (Seminar, Arbeitsgruppe)

Wort

das; -[e]s, *Plur.* Wörter *u.* Worte

– aufs Wort; Wort für Wort; von Wort zu Wort
– Wort halten; beim Wort nehmen; zu Wort[e] kommen

Plural »Wörter« für Einzelwort od. vereinzelte Wörter ohne Rücksicht auf den Zusammenhang:

– z. B. Fürwörter
– dieses Verzeichnis enthält 100 000 Wörter

Plural »Worte« für
1. Äußerung, Ausspruch, Beteuerung, Erklärung, Begriff, Zusammenhängendes:

– z. B. Begrüßungsworte
– dies waren seine [letzten] Worte

– ich will nicht viel[e] Worte machen
– geflügelte, goldene Worte
– mit ander[e]n Worten (*Abk.* m. a. W.)
– mit guten, mit wenigen Worten

2. bedeutsame einzelne Wörter:

– z. B. drei Worte nenn ich euch, inhaltsschwer

Work|sta|tion ['vø:ɐ̯kste|ʃən], die; -, -s ⟨engl.⟩ (Arbeitsplatzcomputer)

World|cup ['vø:ɐ̯ltkap], der; -s, -s ⟨engl.⟩ ([Welt]meisterschaft [in verschiedenen sportlichen Disziplinen])

World Wide Fund for Na|ture ['vø:ɐ̯lt 'va͜it 'fant fo:ɐ̯ 'ne:tʃɐ], der; - - - s - - (internat. Naturschutzorganisation; *Abk.* WWF)

World Wide Web ['vø:ɐ̯lt 'va͜it 'vɛp], das; - - -[s] ⟨engl.⟩ (*EDV* weltweites Informationssystem im Internet; *Abk.* WWW)

Wör|litz (Stadt östlich von Dessau); Wörlitzer Park

Worms (Stadt am Rhein); Worm|ser; Wormser Konkordat (1122); worm|sisch

Worps|we|de (Ort im Teufelsmoor, nördl. von Bremen)

Wort s. Kasten

Wort|ak|zent (*Sprachw.*); Wort|art (*Sprachw.*); Wort|aus|wahl

Wort|be|deu|tung; Wort|be|deutungs|leh|re (*für* Semantik)

Wort|bil|dung (*Sprachw.*)

Wort|bruch; wort|brü|chig

Wört|chen; Wor|te|ma|che|rei (*abwertend*)

Wör|ter|buch; Wör|ter|ver|zeich|nis

Wort|fa|mi|lie (*Sprachw.*); Wort|feld (*Sprachw.*); Wort|fet|zen; Wort|fol|ge; Wort|for|schung

Wort|füh|rer; Wort|füh|re|rin

Wort|ge|fecht; Wort|ge|klin|gel (*abwertend*)

Wort|geo|gra|fie, Wort|geo|gra|phie

Wort|ge|plän|kel; Wort|ge|schich|te; wort|ge|schicht|lich

wort|ge|treu; wort|ge|wal|tig; wort|ge|wandt; Wort|ge|wandt|heit

Wort|got|tes|dienst

Wort|grup|pe (*Sprachw.*)

Wör|ther See, der; - -s, **Wör|ther|see**, der; -s (in Kärnten)

Wörth|see, der; -s (im oberbayrischen Alpenvorland)

wort|karg; Wort|karg|heit, die; -

Wort|klas|se (*svw.* Wortart)

Wort|klau|be|rei

Wort|kreu|zung (Kontamination)

Wort|laut, der; -[e]s; Wort|leh|re

wört|lich; wörtliche Rede

wort|los; wort|mäch|tig

Wort|mar|ke (*Rechtsspr.*)

Wort|mel|dung; Wort|re|gis|ter

wort|reich; Wort|reich|tum, der; -s

Wort|schatz *Plur.* ...schätze

Wort|schöp|fung; Wort|schwall; Wort|sinn, der; -[e]s

Wort|spen|de (*österr. für* Wortmeldung, Äußerung)

Wort|spiel; Wort|stamm (*Sprachw.*); Wort|streit; Wort|ver|dre|her; Wort|ver|dre|he|rin; Wort|wahl, die; -; Wort|wech|sel

wort|wört|lich

Wort|zei|chen (als Warenzeichen schützbares Emblem)

wo|r|ü|ber; wo|r|um; ich weiß nicht, worum es geht; wo|r|un|ter; wo|selbst (*veraltet*)

Wo|tan (*Nebenform von* Wodan)

Wo|t|ru|ba (österr. Bildhauer)

wo|von; wo|vor

wow! ['va͜u] ⟨engl.⟩ (Ausruf der Bewunderung, der Freude, des Erstaunens)

Woy|zeck (Titel[held] eines Dramenfragments von G. Büchner)

wo|zu; wo|zwi|schen (*selten*)

Woz|zeck (Titel[held] einer Oper von A. Berg)

wrack (*Seemannsspr.* völlig defekt, beschädigt; *Kaufmannsspr.*

schlecht [von der Ware]); wrack werden

Wrack, das; -[e]s, *Plur.* -s, *selten* -e (gestrandetes od. stark beschädigtes Schiff; *übertr. für* jmd., dessen körperliche Kräfte völlig verbraucht sind)

Wrap [rɛp], der od. das; -s, -s ⟨engl.⟩ (gefüllte Teigrolle)

Wra|sen, der; -s, - (*nordd. für* Dampf, Dunst); Wra|sen|ab|zug (über dem Küchenherd)

Wrest|ling ['rɛslɪŋ], das; -s ⟨engl.⟩ (Catchen [mit Showelementen])

wri|cken, wrig|gen (*nordd. für* ein Boot durch einen am Heck hin u. her bewegten Riemen fortbewegen)

wrin|gen (nasse Wäsche auswinden); du wrangst; du wrängest; gewrungen; wring[e]!

Wroc|ław ['vrɔtsʊaf] (polnische Stadt an der Oder; *vgl.* Breslau)

Wru|ke, die; -, -n (*nordostd. für* Kohlrübe)

Ws = Wattsekunde

WSW = Westsüdwest[en]

WTO = World Trade Organization (Welthandelsorganisation)

Wu|cher, der; -s

Wu|cher|blu|me (Margerite)

Wu|che|rei; Wu|che|rer; Wu|che|rin; wu|che|risch

wu|chern; ich wuchere; Wu|cher|preis; Wu|cher|tum, das; -s

Wu|che|rung

Wu|cher|zin|sen *Plur.*

wuchs *vgl.* ¹wachsen

Wuchs, der; -es, *Plur.* (*fachspr.*) Wüchse; Wuchs|stoff (*Bot.*)

Wucht, die; -

wuch|ten (*ugs.*)

wuch|tig; Wuch|tig|keit, die; -

Wühl|ar|beit

wüh|len; Wüh|ler; Wüh|le|rei
(ugs.); Wüh|le|rin; wüh|le|risch
Wühl|maus
Wühl|tisch (bes. in Kaufhäusern)
Wuh|ne vgl. Wune
Wuhr, das; -[e]s, -e, Wuh|re, die;
-, -n (bayr., südwestd. u.
schweiz. für ²Wehr; Buhne)
Wul|fe|nit, das; -s (ein Mineral)
Wul|fi|la vgl. Ulfilas
Wulst, der; -es, Plur. Wülste,
fachspr. auch -e od. die; -,
Wülste; Wülst|chen
wuls|tig
Wulst|ling (ein Pilz)
wumm!
wüm|men vgl. wimmen
wum|mern (ugs. für dumpf dröh-
nen); es wummert; ich wum-
mere
Wüm|met vgl. Wimmet
wund; wund sein, werden; sich
die Füße wund laufen od.
wundlaufen; sich die Haut
wund reiben od. wundreiben;
sich den Mund wund reden
od. wundreden; sich die Finger wund schreiben od.
wundschreiben; sich wund
liegen od. wundliegen, sie hat
sich wund gelegen od. wund-
gelegen
Wund|arzt (veraltend); Wund|ärz-
tin; Wund|be|hand|lung; Wund-
brand, der; -[e]s; Wun|de, die;
-, -n

Wun|der

das; -s, -

– Wunder tun, wirken
– kein Wunder; was Wunder,
  wenn …
– sein blaues Wunder erleben
– er glaubt[,] Wunder was getan
  zu haben (ugs.)
– sie glaubt, Wunder od. wunders
  wie geschickt sie sei (ugs.)
Vgl. wundernehmen

wun|der|bar; wun|der|ba|rer|wei-
se
Wun|der|blu|me; Wun|der|dok-
tor; Wun|der|dok|to|rin
Wun|der|glau|be; wun|der|gläu-
big
Wun|der|hei|ler; Wun|der|hei|le-
rin; Wun|der|heil|mit|tel; Wun-
der|hei|lung
wun|der|hübsch
Wun|der|ker|ze
Wun|der|kind; Wun|der|kna|be

Wun|der|lam|pe (in Märchen)
Wun|der|land
wun|der|lich (eigenartig); Wun-
der|lich|keit
wun|der|mild (veraltet)
Wun|der|mit|tel, das
wun|dern; es wundert mich,
dass …; mich wundert, dass
…; ich wundere mich
wun|der|neh|men ↑K71; es
nimmt mich wunder (schweiz.
auch für ich möchte wissen);
es braucht dich nicht wunder-
zunehmen
wun|ders vgl. Wunder
wun|der|sam (geh.)
wun|der|schön
Wun|der|tat; Wun|der|tä|ter;
Wun|der|tä|te|rin; wun|der|tä-
tig
Wun|der|tier (auch ugs. scherzh.)
Wun|der|tü|te
wun|der|voll; Wun|der|werk
Wun|der|wuz|zi, der; -s, -s (österr.
ugs. für Alleskönner)
Wund|fie|ber; Wund|in|fek|ti|on
wund lie|gen, wund|lie|gen vgl.
wund
Wund|mal Plur. ...male; Wund-
pflas|ter; Wund|rand; Wund-
sal|be; Wund|starr|krampf, der;
-[e]s (für Tetanus); Wund|ver-
band
Wu|ne, Wuh|ne, die; -, -n (ins Eis
gehauenes Loch)
Wunsch, der; -[e]s, Wünsche;
wünsch|bar (schweiz. für wün-
schenswert); Wunsch|bild;
Wunsch|den|ken, das; -s
Wün|schel|ru|te; Wün|schel|ru-
ten|gän|ger; Wün|schel|ru|ten-
gän|ge|rin
wün|schen; du wünschst; wün-
schens|wert
Wunsch|form (Optativ)
Wunsch|geg|ner; Wunsch|geg|ne-
rin; wunsch|ge|mäß
Wunsch|kan|di|dat; Wunsch|kan-
di|da|tin; Wunsch|kind
Wunsch|kon|zert; Wunsch|lis|te
wunsch|los; wunschlos glücklich
Wunsch|traum; Wunsch|vor|stel-
lung; Wunsch|zet|tel
wupp|dich!; Wupp|dich, der; nur
in mit einem Wuppdich (ugs.
für schnell, gewandt)
wup|pen (nordd. für bewältigen)
Wup|per, die; - (rechter Neben-
fluss des Rheins)
¹Wup|per|tal, das; -[e]s (Tal der
Wupper)
²Wup|per|tal (Stadt an der Wup-
per)

wur|de vgl. werden
Wür|de, die; -, -n
wür|de|los; Wür|de|lo|sig|keit
Wür|den|trä|ger; Wür|den|trä|ge-
rin
wür|de|voll
wür|dig; wür|di|gen; Wür|dig-
keit, die; -; Wür|di|gung
Wurf, der; -[e]s, Würfe; Wurf-
bahn; Würf|chen
Wür|fel, der; -s, -; Wür|fel|be-
cher; Wür|fel|chen; wür|fe|lig,
würf|lig
wür|feln; ich würf[e]le; gewür-
feltes Muster; Wür|fel|spiel
Wür|fel|zu|cker
Wurf|ge|schoss, südd., österr.
auch Wurf|ge|schoß
Wurf|kreis (Handball)
würf|lig vgl. würfelig
Wurf|pfeil; Wurf|sen|dung
Wurf|tau|be (Sport); Wurf|tau-
ben|schie|ßen
Wür|ge|griff; Wür|ge|mal Plur.
...male
wür|gen; mit Hängen und Wür-
gen (ugs. für mit großer Mühe,
gerade noch)
Würg|en|gel (A. T.)
Wür|ger (Würgender; ein Vogel)
Wurm, der (für »hilfloses Kind«
ugs. auch das); -[e]s, Würmer;
Würm|chen; Wurm|ei
wur|men (ugs.); es wurmt mich
(ärgert) mich
Wurm|farn; Wurm|fort|satz (am
Blinddarm); Wurm|fraß
wur|mig; Wurm|krank|heit;
Wurm|loch; Wurm|mit|tel
Würm|see, der; -s (früher für
Starnberger See)
wurm|sti|chig
wurscht vgl. Wurst
Wurst, die; -, Würste; aber das
ist mir wurst od. wurscht
(ugs. ganz gleichgültig); Wurst
wider Wurst! (ugs. wie du mir,
so ich dir!); es geht um die
Wurst (ugs. um die Entscheidung); mit der Wurst nach der
Speckseite werfen (ugs. mit
Kleinem Großes erreichen
wollen)
Wurst|brot; Wurst|brü|he
Würst|chen; Würst|chen|bu|de;
Würst|chen|stand
Wurs|tel, der; -s, - (bayr. u.
österr. für Hanswurst); Würs-
tel, das; -s, - (österr. für
Würstchen); Wurs|te|lei (ugs.);
wurs|teln (ugs. für ohne Über-
legung u. Ziel arbeiten); ich
wurst[e]le; Wurs|tel|pra|ter,

W
wühl

der; -s (Vergnügungspark im
Wiener Prater)

wurs|ten (Wurst machen); **Wurs-**
ter, Wurst|ler (*landsch. für*
Fleischer, der besonders
Wurst herstellt)

Wurs|te|rin, Wurst|le|rin; Wurst-
fin|ger (*ugs.*)

wurs|tig (*ugs. für* gleichgültig);
Wurs|tig|keit, die; - (*ugs.*)

Wurst|kü|che; Wurst|ler *vgl.*
Wurster; **Wurst|le|rin**

Wurst|sa|lat; Wurst|sup|pe;
Wurst|wa|ren *Plur.;* **Wurst|zip-**
fel

Wurt, die; -, -en, **Wur|te,** die; -, -n
(*nordd.* aufgeschütteter Erd-
hügel als Wohnplatz [zum
Schutz vor Sturmfluten]); *vgl.*
Warf[t]

Würt|tem|berg; Würt|tem|ber-
ger; Würt|tem|ber|ge|rin; würt-
tem|ber|gisch

Wurt|zit, der; -s, -e ⟨nach dem
franz. Chemiker Wurtz⟩ (ein
Mineral)

Wurz, die; -, -en (*landsch. für*
Wurzel)

Würz|burg (Stadt am Main);
Würz|bur|ger; würz|bur|gisch

Wür|ze, die; -, -n

Wur|zel, die; -, -n (*Math. auch*
Grundzahl einer Potenz)

Wur|zel|bal|len

Wur|zel|be|hand|lung (*Zahn-*
med.)

Wur|zel|bürs|te

Wür|zel|chen

wur|zel|echt (*Bot.*)

Wur|zel|fa|ser

Wur|zel|fü|ßer (ein Urtierchen)

Wur|zel|haut; Wur|zel|haut|ent-
zün|dung

wur|zel|lig, wurz|lig

Wur|zel|knol|le

wur|zel|los; Wur|zel|lo|sig|keit

wur|zeln; ich wurz[e]le

Wur|zel|sil|be (*Sprachw.*)

Wur|zel|stock *Plur.* ...stöcke;
Wur|zel|werk, das; -[e]s

Wur|zel|zei|chen (*Math.*); **Wur-**
zel|zie|hen, das; -s (*Math.*)

wur|zen (*bayr. u. österr. ugs. für*
ausbeuten); du wurzt

wür|zen; du würzt; **Würz|fleisch**

wür|zig

wurz|lig *vgl.* wurzelig

Würz|mi|schung; Würz|mit|tel;
Wür|zung

wusch *vgl.* waschen

Wu|schel|haar (*ugs. für* lockiges
od. unordentliches Haar); **wu-**
sche|lig (*ugs.*); **Wu|schel|kopf;**

wu|scheln (*landsch. für* mit
der Hand durch die Haare fahren); ich wusch[e]le

wu|schig (*ugs. für* verwirrt,
erregt, unruhig)

wu|se|lig (*landsch.*)*;* **wu|seln**
(*landsch. für* sich schnell
bewegen; geschäftig hin und
her eilen; wimmeln); ich
wus[e]le

wuss|te *vgl.* wissen

Wust, der; -[e]s (Durcheinander,
ungeordnete Menge)

wüst

Wüs|te, die; -, -n; **wüs|ten** (ver-
schwenderisch umgehen);
Wüs|ten|be|woh|ner; Wüs|ten-
be|woh|ne|rin; Wüs|te|nei

Wüs|ten|fuchs; Wüs|ten|kli|ma;
Wüs|ten|kö|nig (*geh. für* Löwe);
Wüs|ten|sand; Wüs|ten|schiff
(*scherzh. für* Kamel); **Wüs|ten-**
tier

Wüst|ling (zügelloser Mensch)

Wüs|tung (verlassene Siedlung
und Flur; *Bergw.* verlassene
Lagerstätte)

Wut, die; -

Wut|an|fall; Wut|aus|bruch

wut|be|bend ↑K 59

wü|ten; wü|tend

wut|ent|brannt ↑K 59

Wü|ter; Wü|te|rich, der; -s, -e;
Wut|ge|heul; wut|schäu|mend;
aber vor Wut schäumend

wut|schen (*ugs. für* sich schnell
bewegen); du wutschst

wut|schnau|bend ↑K 59

wut|ver|zerrt ↑K 59

Wutz, die; -, -en, *auch* der; -en,
-en (*landsch. für* Schwein)

wu|zeln (*bayr. u. österr. ugs. für*
drehen, wickeln; sich drän-
gen; *österr. ugs. auch für*
Tischfußball spielen); ich
wuz[e]le; **Wu|zel|tisch; Wuz|ler;**
Wuz|le|rin

WV = West Virginia

Wwe. = Witwe

WWF, der; -[s] = World Wide
Fund for Nature ⟨engl.⟩ (eine
Naturschutzorganisation)

Wwr. = Witwer

WWW, das; -[s] = World Wide
Web

WY = Wyoming

Wy|an|dot [ˈvaɪəndɔt], der; -, -s
(Angehöriger eines nordamerikanischen Indianerstam-
mes)

Wy|an|dot|te, das; -, -s *od.* die; -,
-n (eine amerik. Haushuhn-
rasse)

Wy|c|lif [ˈvɪk...] (engl. Reforma-
tor)

Wyk auf Föhr [ˈviːk - -] (Stadt auf
der Nordseeinsel Föhr)

Wy|o|ming [vaɪ...] (Staat in den
USA; *Abk.* WY)

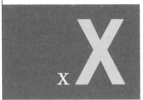

X [ɪks] (Buchstabe); das X; des X,
die X, *aber* ein x in Fax; der
Buchstabe X, x; jmdm. ein X für
ein U vormachen

X (röm. Zahlzeichen) = 10

X, das; -, - (unbekannte Größe;
unbekannter Name); ein Herr,
eine Frau X; der Tag, die Stunde
X; *in mathematischen Formeln*
usw. kleingeschrieben: 3x = 15

X, χ = Chi

Ξ, ξ = Xi

x-Ach|se [ˈɪ...] ↑K 29 (*Math.* Abs-
zissenachse im [rechtwinkligen]
Koordinatensystem)

Xan|ten (Stadt im Niederrhein.
Tiefland); **Xan|te|ner**

Xan|then, das; -s ⟨griech.⟩ (*Chemie*
kristalline Substanz, die die
Grundlage bestimmter Farbstoffe bildet)

Xan|thin, das; -s ⟨griech.⟩ (eine
Stoffwechselverbindung)

¹Xan|thip|pe (Gattin des Sokrates)

²Xan|thip|pe, die; -, -n (*ugs. für*
zanksüchtige Frau)

Xan|tho|phyll, das; -s ⟨griech.⟩
(*Bot.* gelber Pflanzenfarbstoff)

Xa|ver (m. Vorn.)

Xa|ve|ria (w. Vorn.)

X-Bei|ne [ˈɪ...] *Plur.* ↑K 29 ; x-bei-
nig, **X-bei|nig** ↑K 29

x-be|lie|big [ˈɪ...] ↑K 29 ; jeder x-Be-
liebige ↑K 72 ; *vgl.* beliebig

X-Chro|mo|som [ˈɪ...] ↑K 29 (*Biol.*
eines der beiden Geschlechts-
chromosomen)

Xe = *chem. Zeichen für* Xenon

X-Ein|heit [ˈɪ...] ↑K 29 (Längenein-
heit für Röntgenstrahlen)

Xe|nia (w. Vorn.)

Xe|nie, die; -, -n ⟨griech.⟩, **Xe|ni|on,**
das; -s, ...ien (kurzes Sinnge-
dicht)

Xeni

Xe|no|kra|tie, die; -, ...ien (*selten für* Fremdherrschaft)

Xe|non, das; -s (chemisches Element, Edelgas; *Zeichen* Xe)

Xe|no|pha|nes (altgriechischer Philosoph)

xe|no|phil ⟨griech.⟩ (Fremdem gegenüber aufgeschlossen); **Xe-no|phi|lie,** die; -

xe|no|phob ⟨griech.⟩ (Fremdem gegenüber feindlich eingestellt); **Xe|no|pho|bie,** die; -

Xe|no|phon (altgriechischer Schriftsteller); **xe|no|phon|tisch;** die xenophontischen Schriften ↑K89 *u.* 135

Xe|res [ç...] usw. *vgl.* Jerez usw.

Xe|ro|gra|fie, Xe|ro|gra|phie, die; -, ...ien ⟨griech.⟩ (*Druckw.* ein Vervielfältigungsverfahren); **xe|ro-gra|fie|ren, xe|ro|gra|phie|ren;** **xe|ro|gra|fisch, xe|ro|gra|phisch**

Xe|ro|ko|pie, die; -, ...ien (xerografisch hergestellte Kopie); **xe|ro-ko|pie|ren**

xe|ro|phil (die Trockenheit liebend [von Pflanzen]); **Xe|ro|phyt,** der; -en, -en (an trockene Standorte angepasste Pflanze)

Xer|xes (Perserkönig)

Xe|t|ra®, das; -[s] (*Börsenw.* elektronisches Handelssystem für Wertpapiere)

x-fach ['ı...] (*Math.* x-mal so viel) ↑K30 ; x-fa|che, das; -n ↑K29 ; *vgl.* Achtfache

x-för|mig, X-för|mig [*beide* 'ı...] ↑K29

X-Ha|ken ['ı...] ↑K29 (Aufhängehaken für Bilder)

Xi, das; -[s] (griechischer Buchstabe: Ξ, ξ)

XL = extra large (Kleidergröße: sehr groß)

x-mal ['ı...] ↑K29

XML = Extensible Markup Language (*EDV* Sprache, mit der die Struktur von Dokumenten beschrieben wird)

XS = extra small (Kleidergröße: sehr klein)

X-Strah|len ['ı...] *Plur.* ↑K29 (Röntgenstrahlen)

x-te ['ı...] ↑K30 ; x-te Potenz; zum x-ten Mal, zum x-ten Male

XXL = extra extra large (Kleidergröße: extrem groß)

XXS = extra extra small (Kleidergröße: extrem klein)

Xy|len, das; -s (*svw.* Xylol)

Xy|lo|fon, Xy|lo|phon, das; -s, -e (ein Musikinstrument)

Xy|lo|graf, Xy|lo|graph, der; -en, -en ⟨griech.⟩ (Holzschneider)

Xy|lo|gra|fie, Xy|lo|gra|phie, die; -, ...ien (*nur Sing.:* Holzschneidekunst; Holzschnitt)

Xy|lo|gra|fin, Xy|lo|gra|phin **xy|lo|gra|fisch, xy|lo|gra|phisch**

Xy|lol, das; -s ⟨griech.; arab.⟩ (ein Lösungsmittel)

Xy|lo|me|ter, das; -s, - (Gerät zur Bestimmung des Rauminhalts unregelmäßiger Hölzer)

Xy|lo|phon vgl. Xylofon

Xy|lo|se, die; - (Holzzucker)

Y

Y ['ʏpsilɔn, *österr. oft* ʏ'psi:...] (Buchstabe); das Y; des Y, die Y, *aber* das y in Doyen; der Buchstabe Y, y

Y, das; -, - (Bez. für eine unbekannte Größe); *in mathematischen Formeln usw. kleingeschrieben:* y = 2x²

Y = *chem. Zeichen für* Yttrium

ϒ, υ = ²Ypsilon

¥ = Yen

y-Ach|se ['ʏpsilɔn...] ↑K29 (*Math.* Ordinatenachse im [rechtwinkligen] Koordinatensystem)

Yacht [j...], **Jacht,** die; -, -en ⟨niederl.⟩

Yacht|ha|fen, Jacht|ha|fen; Yacht-klub, Jacht|klub, Yacht|club, Jacht|club

Yak [j...], **Jak,** der; -s, -s ⟨tibet.⟩ (asiatisches Hochgebirgsrind)

Ya|ku|za [...za], der; -, - ⟨jap.⟩ ([in Japan] der organisierten Kriminalität angehörende Gruppe)

Ya|ma|shi|ta [jama'ʃi:...], der; -[s], -s ⟨nach dem jap. Kunstturner Yamashita⟩ (ein Pferdsprung)

Ya|mous|sou|k|ro [jamusu...] (Hauptstadt der Elfenbeinküste)

Yams|wur|zel [j...] *vgl.* Jamswurzel

Yang [j...], das; -[s] ⟨chin.⟩ (männliches Prinzip in der chinesischen Philosophie)

Yan|gon vgl. Rangun

Yan|kee ['jɛŋki], der; -s, -s ⟨amerik.⟩ (Spitzname für den US-Amerikaner)

Yan|kee Doo|dle [- du:dl], der; - -[s] ([früheres] Nationallied der US-Amerikaner); **Yan|kee|tum,** das; -s

Yard [j...], das; -s, -s ⟨engl.⟩ (angelsächsisches Längenmaß; *Abk.* yd, *Plur.* yds); 5 Yard[s]

Ya|ren [j...] (Hauptstadt von Nauru)

Yawl [jo:l], die; -, *Plur.* -e *u.* -s ⟨engl.⟩ (ein zweimastiges Segelboot)

Yb = *chem. Zeichen für* Ytterbium

Ybbs [ı...], die; - (rechter Nebenfluss der Donau)

Ybbs an der Do|nau (österreichische Stadt)

Y-Chro|mo|som ['ʏpsilɔn...] ↑K29 (*Biol.* eines der beiden Geschlechtschromosomen)

yd = Yard

yds = Yards

Yel|low Press ['jɛlo 'prɛs], die; - - ⟨engl.⟩ (Sensationspresse)

Yel|low|stone-Na|ti|o|nal|park ['jɛlosto:n...], der; -[e]s (ein Naturschutzgebiet in den USA)

Yen [j...], der; -[s], -[s] ⟨jap.⟩ (Währungseinheit in Japan; *Währungscode* JPY, *Zeichen* ¥); 5 Yen

Ye|ti [j...], der; -s, -s ⟨nepal.⟩ (legendärer Schneemensch im Himalajagebiet)

Ygg|dra|sil ['yk...] ⟨*nord. Mythol.* Weltesche, Weltbaum)

Yin [j...], das; -[s] ⟨chin.⟩ (weibliches Prinzip in der chinesischen Philosophie)

Yip|pie ['jıpi], der; -s, -s ⟨amerik.⟩ (aktionistischer, ideologisch radikalisierter Hippie)

Ylang-Ylang-Baum ['i:laŋ'li:laŋ...] ⟨malai.; dt.⟩ (ein trop. Baum); **Ylang-Ylang-Öl** (Öl des Ylang-Ylang-Baumes)

YMCA [vaiɛmsi:'le:], die, *auch* der; - = Young Men's Christian Association (Christlicher Verein Junger Männer)

Ymir ⟨*nord. Mythol.* Urriese, aus dessen Körper die Welt geschaffen wurde)

Yng|ling, die; -, -s ⟨norw.; »Jüngling«⟩ (ein Segelboot)

Yo|ga [j...], **Jo|ga,** das, *auch* der; -[s] ⟨sanskr.⟩ (indisches philosophisches System [mit körperlichen u. geistigen Übungen])

Yo|ga|leh|rer, Jo|ga|leh|rer; Yo|ga-leh|re|rin, Jo|ga|leh|re|rin; Yo|ga-übung, Jo|ga|übung

Yo|gi [j...], **Jo|gi, Yo|gin, Jo|gin,**

der; -s, -s ⟨sanskr.⟩ (Anhänger des Yoga)

Yo|him|bin [j...], das; -s ⟨Bantuspr.⟩ (*Biochemie* Alkaloid aus der Rinde eines westafrikanischen Baumes)

Yo|ko|ha|ma [j...] (Stadt in Japan)

Yonne [jɔn] (linker Nebenfluss der Seine)

York [j...] (englische Stadt)

York|shire|ter|ri|er [...ˈiːɐ̯...]

Young|plan [ˈja...] ⟨nach dem amerik. Finanzmann Young⟩ ↑K 136 (Plan zur Regelung der dt. Reparationen 1930 bis 1932)

Youngs|ter [ˈja...], der; -s, -[s] ⟨engl.⟩ (junger Sportler)

Yo-Yo [joˈjoː], Jo-Jo, das; -s, -s ⟨amerik.⟩ (Geschicklichkeitsspiel aus zwei verbundenen Scheiben und einer Schnur)

Ypern (belgische Stadt)

¹**Yp|si|lon** *vgl.* Y (Buchstabe)

²**Yp|si|lon**, das; -[s], -s (griechischer Buchstabe: ϒ, υ)

³**Yp|si|lon**, das; -s, -s, **Yp|si|lon|eu|le**, die; -, -n (ein Nachtfalter)

Ysop [ˈiː...], der; -s, -e ⟨semit.⟩ (eine Heil- u. Gewürzpflanze)

Ytong ®, der; -s, -s (dampfgehärteter Leichtkalkbeton)

Yt|ter|bi|um, das; -s ⟨nach dem schwedischen Ort Ytterby⟩ (chemisches Element, Seltenerdmetall; *Zeichen* Yb)

Yt|ter|er|den *Plur.* (Seltenerdmetalle [die in den Erdmineralien von Ytterby vorkommen])

Yt|t|ri|um, das; -s (chemisches Element, Seltenerdmetall; *Zeichen* Y)

Yu|an [j...], der; -[s], -[s] ⟨chin.⟩ (Währungseinheit in China; *Währungscode* CNY) 5 Yuan

Yu|ca|tán *vgl.* Yukatan

Yuc|ca [j...], die; -, -s ⟨span.⟩ (Palmlilie)

Yu|ka|tan, Yu|ca|tán [jukaˈtan] (mexikanische Halbinsel; Staat in Mexiko)

¹**Yu|kon** [j...], der; - (nordamerikanischer Fluss)

²**Yu|kon** (kanadisches Territorium); Yu|kon|ter|ri|to|ri|um, Yukon-Ter|ri|to|ri|um

Yun [j...], Isang (koreanischer Komponist)

Yup|pie [ˈjʊpi, *auch* ˈja...], der; -s, -s ⟨*aus* engl. young urban professional = junger großstädtischer Berufstätiger⟩ (junger karrierebewusster, großstädtischer Mensch)

Yver|don [ivɛrˈdõː] (schweiz. Stadt)

Yvonne [iˈvɔn] (w. Vorn.)

YWCA [vaɪdablˌjuːsiːˈeː], die, *auch* der; - = Young Women's Christian Association (Christlicher Verein Junger Mädchen)

Z

Z (Buchstabe); das Z; des Z, die Z, *aber* das z in Gazelle; der Buchstabe Z, z; von A bis Z

Z, ζ = Zeta

Z. = Zahl; Zeile

Za|ba|io|ne [...ˈjoː...], **Za|ba|gli|o|ne** [...balˈjoː...], die; -, -s ⟨ital.⟩ (Weinschaumcreme)

zach (*landsch. für* geizig; zaghaft; zäh)

Za|cha|ri|as (m. Vorn.); *vgl.* Sacharja

Za|chä|us (bibl. Eigenn.)

zack!; zack, zack!

Zack, zack; *in der Wendung* auf Zack sein (*ugs.*)

Zäck|chen

Za|cke, die; -, -n (Spitze); za|cken; gezackt; **Za|cken**, der; -s, - (*bes. südd., österr. Nebenform von* Zacke); **za|cken|ar|tig**

Za|cken|kro|ne; Za|cken|li|nie

za|ckern (*landsch. für* pflügen)

za|ckig (*ugs. auch für* schneidig); **Za|ckig|keit**, die; -

zack, zack!

zag (*geh. für* scheu)

Za|gel, der; -s, - (*landsch. für* Schwanz; Büschel)

za|gen (*geh.*)

zag|haft; Zag|haf|tig|keit, die; -; **Zag|heit**, die; -

Za|g|reb [z...] (Hauptstadt Kroatiens)

zäh; zäher, am zäh[e]sten

Zäh|heit *alte Schreibung für* Zähheit

zäh flie|ßend, zäh|flie|ßend ↑K 58

zäh|flüs|sig; Zäh|flüs|sig|keit, die; -; **Zäh|heit**

Zä|hig|keit, die; -

Zahl, die; -, -en (*Abk.* Z.); natürliche Zahlen (*Math.*)

Zahl|ad|jek|tiv (*Sprachw.*)

Zähl|ap|pa|rat

zahl|bar (zu [be]zahlen)

zähl|bar (was gezählt werden kann)

Zähl|bar|keit, die; -

Zähl|bar|keit, die; -; **Zähl|brett**

zähl|le|big

zah|len; er hat pünktlich gezahlt; *vgl.* bezahlen

zäh|len

Zah|len|an|ga|be; Zah|len|code *vgl.* Zahlenkode **Zah|len|dre|her; Zah|len|fol|ge**

Zah|len|ge|dächt|nis; Zah|len|kode, *bes. fachspr.* Zah|len|code

Zah|len|kom|bi|na|ti|on

Zah|len|lot|te|rie; Zah|len|lot|to

zah|len|mä|ßig; Zah|len|ma|te|ri|al, das; -s; **Zah|len|mys|tik; Zah|len|raum; Zah|len|rei|he; Zah|len|schloss; Zah|len|sym|bo|lik**

Zah|ler; Zäh|ler

Zähl|gren|ze (*Verkehrsw.*)

Zähl|kam|mer (*Med., Biol.* Glasplatte mit Netzeinteilung zum Zählen von Zellen)

Zähl|kan|di|dat (*Polit.* Kandidat, dessen Kandidatur lediglich die Zahl seiner Anhänger zeigen soll); **Zähl|kan|di|da|tin**

Zähl|kar|te

Zähl|kell|ner; Zähl|kell|ne|rin

zahl|los; *aber* ↑K 72 : sie gehört zu den Zahllosen, die nichts sahen

Zähl|maß

Zähl|meis|ter; Zähl|meis|te|rin

zahl|reich *vgl.* zahllos

Zähl|rohr (Gerät zum Nachweis radioaktiver Strahlen)

Zähl|schein; Zähl|stel|le; Zähl|tag

Zah|lung; Zahlung leisten; an Zahlungs statt (*veraltet*)

Zäh|lung

Zah|lungs|an|wei|sung; Zah|lungs|auf|for|de|rung; Zah|lungs|auf|schub; Zah|lungs|be|din|gun|gen *Plur.*; **Zah|lungs|be|fehl** (*österr., schweiz., sonst veraltet für* Mahnbescheid); **Zah|lungs|bi|lanz** (*Amtsspr.*); **Zah|lungs|er|in|ne|rung** (*Amtsspr.*); **Zah|lungs|er|leich|te|rung**

zah|lungs|fä|hig; Zah|lungs|fä|hig|keit, die; -; **Zah|lungs|frist**

zah|lungs|kräf|tig (*ugs.*)

Zah|lungs|mit|tel; Zah|lungs|mo|ral; Zah|lungs|ter|min

zah|lungs|un|fä|hig; Zah|lungs|un|fä|hig|keit, die; -

Zah|lungs|ver|kehr; Zah|lungs|ver|pflich|tung; Zah|lungs|wei|se; zah|lungs|wil|lig

Zähl|werk

Zahl|wort *Plur.* ...wörter
zahm; ein zahmes Tier
zähm|bar; Zähm|bar|keit, die; -
zäh|men; Zähm|heit; Zäh|mung
Zahn, der; -[e]s, Zähne
Zahn|arzt; Zahn|arzt|hel|fe|rin;
Zahn|ärz|tin; zahn|ärzt|lich
Zahn|arzt|pra|xis; Zahn|arzt|stuhl
Zahn|be|hand|lung; Zahn|bein, das;
-[e]s (*für* Dentin); Zahn|be|lag;
Zahn|bett; Zahn|bürs|te
Zähn|chen; Zahn|creme, Zahn-
krem, Zahn|kre|me
Zahn|durch|bruch (*für* Dentition)
zäh|ne|ble|ckend ↑K59; zäh|ne|flet-
schend
Zähn|ne|klap|pern, das; -s; zäh|ne-
klap|pernd ↑K59
zäh|ne|knir|schend ↑K59
zäh|neln (*selten für* zähnen)
zah|nen (Zähne bekommen)
zäh|nen (mit Zähnen versehen)
Zahn|er|satz; Zahn|fäu|le (*für*
Karies); Zahn|fis|tel
Zahn|fleisch; Zahn|fleisch|blu|ten,
das; -s; Zahn|fleisch|ent|zün-
dung; Zahn|fül|lung; Zahn|hals;
Zahn|heil|kun|de, die; -
zah|nig (*veraltet für* Zähne
habend; gezähnt)
Zahn|im|plan|tat
Zahn|klemp|ner (*ugs. scherzh. für*
Zahnarzt); Zahn|klemp|ne|rin
zahn|krank; Zahn|krank|heit
Zahn|krem, Zahn|kre|me *vgl.*
Zahncreme
Zahn|laut (*Sprachw.* Dental)
zahn|los; Zahn|lo|sig|keit, die; -
Zahn|lü|cke; zahn|lü|ckig
Zahn|me|di|zin, die; -; zahn|me|di|zi-
nisch
Zahn|pas|ta, Zahn|pas|te; Zahn|pas-
ta|tu|be; Zahn|pfle|ge; Zahn|pro-
the|se; Zahn|pul|ver
Zahn|rad; Zahn|rad|bahn
Zahn|schmelz; Zahn|schmerz; Zahn-
sei|de; Zahn|span|ge
Zahn|stein, der; -[e]s
Zahn|sto|cher
Zahn|tech|nik, die; -; Zahn|tech|ni-
ker; Zahn|tech|ni|ke|rin
Zäh|nung (Philatelie)
Zahn|wal
Zahn|weh, das; -s; Zahn|wur|zel
Zäh|re, die; -, -n (*veraltet für* Träne)
Zäh|rin|ger, der; -s, - (Angehöriger
eines süddeutschen Fürstengeschlechtes)
Zähr|te (*fachspr. für* ¹Zärte)
Zain, der; -[e]s, -e (*landsch. für*
Zweig; Metallstab; Rute;
Jägerspr. Schwanz des Dachses)

Zai|ne, die; -, -n (*landsch. für*
Flechtwerk, Korb); *vgl.* Zeine
zai|nen (*landsch. für* flechten)
Za|i|re [za'i:rə, ...'i:ɐ̯] (früherer
Name der Demokratischen
Republik Kongo); Za|i|rer; Za|i-
re|rin; za|i|risch
Za|ko|pa|ne [z...] (polnischer Win-
tersportplatz, Luftkurort)
Zam|pa|no, der; -s, -s ⟨nach einer
Figur des italienischen Films
»La Strada«⟩ (prahlerischer
Mann)
Zam|perl, der; -s, -[n] (*bayr. für*
nicht reinrassiger Hund)
Zan|der, der; -s, - (*slaw.*) (ein Fisch)
Za|nel|la, der; -s, *Plur. (Sorten:)* -s
⟨ital.⟩ (ein Gewebe)
Zan|ge, die; -, -n; Zän|gel|chen
Zan|gen|be|we|gung; zan|gen|för-
mig; Zan|gen|ge|burt
Zank, der; -[e]s; Zank|ap|fel, der; -s
(Gegenstand eines Streites)
zan|ken; sich zanken; Zän|ker
(*abwertend für* zänkischer
Mensch)
Zan|ke|rei (*ugs. für* wiederholtes
Zanken)
Zän|ke|rei *meist Plur.* (kleinlicher
Streit); Zän|ke|rin; zän|kisch
Zank|sucht, die; -; zank|süch|tig
Zä|no|ge|ne|se, die; -, -n ⟨griech.⟩
(Auftreten von Besonderheiten
während der stammesge-
schichtlichen Entwicklung der
Tiere); zä|no|ge|ne|tisch
Zapf, der; -[e]s, Zäpfe (*selten für*
Zapfen; Ausschank)
¹Zäpf|chen (Teil des weichen Gau-
mens)
²Zäpf|chen (kleiner Zapfen)
Zäpf|chen-R, Zäpf|chen-r, das; -s
↑K29 (*Sprachw.*)
zap|fen
Zap|fen, der; -s, -; zap|fen|för|mig
Zap|fen|streich (*Milit.* Abendsignal
zur Rückkehr in die Unter-
kunft); der Große Zapfenstreich
↑K150
Zap|fen|zie|her (*südwestd. u.*
schweiz. für Korkenzieher)
Zap|fer (jmd., der Getränke zapft);
Zapf|hahn
Zäpf|lein *vgl.* ²Zäpfchen
Zapf|pis|to|lle
Zapf|säu|le (bei Tankstellen)
Zapf|stel|le; Zapf|wel|le (*Technik*)
za|po|nie|ren (mit Zaponlack über-
ziehen); Za|pon|lack (farbloser
Lack [als Metallschutz])
Zap|pe|ler, Zapp|ler; zap|pe|lig,
zapp|lig; zap|peln; ich zapp[e]le
Zap|pel|phi|lipp, der; -s, *Plur.* -e u.

-s ⟨nach einer Figur aus dem
»Struwwelpeter«⟩ (zappeliges,
unruhiges Kind)
zap|pen [*auch* 'zɛ...] ⟨engl.⟩ (*ugs.*
für mit der Fernbedienung in
rascher Folge von einem Programm ins andere schalten)
zap|pen|dus|ter (*ugs. für* sehr dun-
kel; aussichtslos)
Zap|ping, das; -s (das Zappen)
Zapp|ler *vgl.* Zappeler; Zapp|le|rin;
zapp|lig *vgl.* zappelig
Zar, der; -en, -en ⟨lat.⟩ (ehemaliger
Herrschertitel bei Russen, Ser-
ben, Bulgaren)
ZAR (Währungscode für südafrik.
Rand)
Za|ra|go|za [sara'ɣ ɔsa] (*spanische*
Form von Saragossa)
Za|ra|thus|t|ra (Neugestalter der
altiran. Religion); *vgl.* Zoroaster
Za|ren|fa|mi|lie; Za|ren|herr|schaft,
die; -; Za|ren|reich; Za|ren|tum
Za|re|witsch, der; -[e]s, -e (Sohn
eines russ. Zaren; russ. Kron-
prinz); Za|rew|na, die; -, -s
(Tochter eines russ. Zaren)
Zar|ge, die; -, -n (*fachspr. für* Ein-
fassung; Seitenwand)
Za|rin; Za|ris|mus, der; - (Zaren-
herrschaft); za|ris|tisch; Za|ri|za,
die; -, *Plur.* -s u. ...zen (Frau od.
Witwe eines Zaren)

zart be|sai|tet, zart|be|sai|tet *vgl.*
zart
zart|bit|ter; zartbittere Schokolade
¹Zär|te, die; - -n ⟨slaw.⟩ (ein Fisch);
vgl. Zährte
²Zär|te, die; - (*veraltet für* Zartheit)
Zär|te|lei; zär|teln; ich zärt[e]le
zart füh|lend, zart|füh|lend *vgl.*
zart; Zart|ge|fühl, das; -[e]s
Zart|heit; zärt|lich; Zärt|lich|keit
zart|ro|sa
Zar|zu|e|la [sar'sμe:la], die; -, -s

⟨span.⟩ (*Musik* span. Singspiel; span. Fischsuppe)

Za̱|sel, Za̱|ser, die; -, -n (*veraltet, noch landsch. für* Faser)

Za̱|ser vgl. Zasel; **Zä|ser|chen**

za|se|rig *(veraltet);* **za|sern** (*veraltet für* fasern); ich zasere

Zä|si|um, *chem. fachspr.* Ca̱e|si|um, Cä|si|um, das; -s ⟨lat.⟩ (chemisches Element, Metall; *Zeichen* Cs)

Za̱s|pel, die; -, -n (altes Garnmaß)

Za̱s|ter, der; -s ⟨sanskr.-Zigeunerspr.⟩ (*ugs. für* Geld)

Zä̱|su̱r, die; -, -en ⟨lat.⟩ (Einschnitt; *Musik* Ruhepunkt)

Za̱t|tel|tracht, die; - (eine mittelalterliche Kleidermode)

Za̱u|ber, der; -s, -; **Zau|ber|bann; Zau|ber|buch**

Zau|be|rei̱

Zau|be|rer, Zaub|rer

Zau|ber|flö|te; Zau|ber|for|mel

zau|ber|haft

Zau|ber|hand; *nur in* wie von od. durch Zauberhand

Zau|be|rin, Zaub|re|rin; **zau|be|risch; Zau|ber|kas|ten**

Zau|ber|kraft, die; **zau|ber|kräf|tig**

Zau|ber|kunst; Zau|ber|künst|ler; Zau|ber|künst|le|rin; Zau|ber|kunst|stück; Zau|ber|land *Plur.* ...länder; **Zau|ber|lehr|ling**

zau|bern; ich zaubere

Zau|ber|nuss (*svw.* Hamamelis)

Zau|ber|spruch; Zau|ber|stab; Zau|ber|trank; Zau|ber|trick; Zau|ber|welt; Zau|ber|wort *Plur.* ...worte

Zaub|rer vgl. Zauberer

Zaub|re|rin vgl. Zauberin

Zau|che, die; -, -n (*landsch. für* Hündin; liederliche Frau)

Zau|de|rei̱; Zau|de|rer, Zaud|rer; **Zau|de|rin**, Zaud|re|rin

zau|dern; ich zaudere; ↑K82 : da hilft kein Zaudern

Zaud|rer vgl. Zauderer; **Zaud|re|rin** vgl. Zauderin

Za̱um, der; -[e]s, Zäume (über den Kopf und ins Maul von Zug- u. Reittieren gelegte Vorrichtung aus Riemen u. Metallteilen [zum Lenken u. Führen]); im Zaum halten

zäu̱|men; Zäu̱|mung

Za̱um|zeug

Za̱un, der; -[e]s, Zäune; **Zäun|chen**

zaun|dürr (*österr. ugs. für* sehr mager)

Za̱un|ei|dech|se

zäu̱|nen (einzäunen)

Za̱un|gast *Plur.* ...gäste

Za̱un|kö|nig (ein Vogel)

Za̱un|pfahl; ein Wink mit dem Zaunpfahl (*ugs. für* deutlicher Hinweis)

Za̱un|re|be (Name einiger Pflanzen, bes. des Waldnachtschattens); **Za̱un|schlüp|fer** (*landsch. für* Zaunkönig)

Za̱u|pe, die; -, -n (*svw.* Zauche)

zau̱|sen; du zaust; er zaus[t]e; **zau̱|sig** (*österr. für* zerzaust); zausige Haare

Za̱|zi̱|ki, Tsa̱|t|si̱|ki, der u. das; -s, -s ⟨neugriech.⟩ (Joghurt mit Knoblauch u. Salatgurkenstückchen)

Zä̱|zi̱|lie vgl. Cäcilie

z. B. = zum Beispiel

z. b. V. = zur besonderen Verwendung

z. D. = zur Disposition

z. d. A. = zu den Akten (erledigt)

ZDF, das; -[s] = Zweites Deutsches Fernsehen

z. E. = zum Exempel

Ze̱a, die; - ⟨griech.⟩ (*Bot.* Mais)

Ze̱|ba̱oth, *ökum.* Ze̱|ba̱ot *Plur.* ⟨hebr.⟩, »himmlische Heerscharen«); der Herr Zebaot[h] (alttestamentliche Bezeichnung Gottes)

Ze̱|be̱|dä̱us (bibl. Eigenn.)

Ze̱|b|ra, das; -s, -s ⟨afrik.⟩; **ze̱|b|ra̱r|tig**

Ze̱|b|ra|strei|fen (Kennzeichen von Fußgängerüberwegen)

Ze̱b|ro̱|id, das; -[e]s, -e ⟨afrik.; griech.⟩ (Kreuzung aus Zebra und Pferd)

Ze̱|bu, der od. das; -s, -s ⟨tibet.⟩ (ein asiatisches Buckelrind)

Ze̱ch|bru|der (*ugs.*)

Ze̱|che, die; -, -n (Rechnung für genossene Speisen u. Getränke; Bergwerk); die Zeche prellen

ze̱|chen (große Mengen Alkohol trinken)

Ze̱|chen|ster|ben; Ze̱|chen|still|le̱|gung

Ze̱|cher; Ze̱|che|rei̱; Ze̱|che|rin; Ze̱ch|ge|la̱|ge

Ze̱|chi̱|ne, die; -, -n ⟨ital.⟩ (eine alte venezianische Goldmünze)

Ze̱ch|prel|ler; Ze̱ch|prel|le̱|rei̱; Ze̱ch|prel|le|rin

Ze̱ch|stein, der; -[e]s (*Geol.* Abteilung des Perms)

Ze̱ch|tour

¹Ze̱ck, der od. das; -[e]s (*landsch. für* ein Kinderspiel [Haschen])

²Ze̱ck, der; -[e]s, -e (*südd. u. österr. neben* Zecke); **Ze̱|cke**, die; -, -n (eine parasitisch lebende Milbe)

ze̱|cken (*landsch. für* ¹Zeck spielen; necken, reizen); necken und

zecken; Ze̱|cken|hals|band; Ze̱ck|spiel, das; -[e]s

Ze̱|de̱|ki̱a, *ökum.* Zid|ki̱|ja (bibl. Eigenn.)

Ze̱|dent, der; -en, -en ⟨lat.⟩ (Gläubiger, der seine Forderung an einen Dritten abtritt)

Ze̱|der, die; -, -n ⟨griech.⟩ (immergrüner Nadelbaum); **ze̱|dern** (aus Zedernholz); **Ze̱|dern|holz**

ze̱|die̱|ren ⟨lat.⟩ (eine Forderung an einen Dritten abtreten)

Ze̱d|re̱|la̱|baum (*svw.* Zedrele); **Ze̱d|re̱|la̱|holz; Ze̱d|re̱|le**, die; -, -n ⟨lat.⟩ (ein tropischer Baum)

Ze̱e|se, die; -, -n (Schleppnetz); **Ze̱e|sen|boot**

Ze̱|fan|ja vgl. Zephanja

Ze̱h, der; -s, -en, Ze̱|he, die; -, -n; der kleine, große Zeh; die kleine, große Zehe

Ze̱|hen|gän|ger (*Zool.* Gruppe der Säugetiere); **Ze̱|hen|na̱|gel; Ze̱|hen|spit|ze; Ze̱|hen|stand**

...ze̱|hig (z. B. fünfzehig; *mit Ziffer* 5-zehig)

zehn

Kleinschreibung ↑K78:

– wir sind zu zehnen od. zu zehnt
– sich alle zehn Finger nach etwas lecken (*ugs. für* sehr begierig auf etwas sein)

Großschreibung in Namen:

– die Zehn Gebote

Vgl. acht

Ze̱hn, die; -, -en (Zahl); vgl. ¹Acht

Ze̱hn|cent|stück (*mit Ziffern* 10-Cent-Stück ↑K26)

Ze̱hn|eck; ze̱hn|eckig

ze̱hn|ein|halb, zehn|und|ein|halb

ze̱hn|en|der (*Jägerspr.*)

Ze̱hn|er, der; -s, - (*ugs. auch für* Münze od. Schein mit dem Wert 10); *vgl.* Achter

Ze̱hn|er|bruch, der (*für* Dezimalbruch)

Ze̱hn|er|kar|te

ze̱hn|er|lei; auf zehnerlei Art

Ze̱hn|er|pack; Ze̱hn|er|pa̱|ckung; Ze̱hn|er|stel|le (*Math.*)

Ze̱hn|eu̱|ro̱|schein (*mit Ziffern* 10-Euro-Schein ↑K26)

ze̱hn|fach; vgl. achtfach; **Ze̱hn|fa|che**, das; -n; vgl. Achtfache

Ze̱hn|fin|ger-Blind|schreib|me̱|tho|de, die; -; **Ze̱hn|fin|ger|sys|tem**, das; -s

---

Zeit

die; -, -en

| | Zusammensetzungen: |

– zu meiner, seiner, uns[e]rer Zeit
– zu aller Zeit, *aber* all[e]zeit
– auf Zeit (*Abk. a. Z.*)
– eine Zeit lang *od.* Zeitlang warten; *aber nur* einige, eine kurze Zeit lang
– es ist an der Zeit; von Zeit zu Zeit; Zeit haben; wir haben nur eine Stunde, drei Wochen Zeit
– auf Zeit spielen *(Sportspr.)*
– ein Zeit sparendes *od.* zeitsparendes Verfahren (*vgl.* Zeit sparend, zeitsparend)

– beizeiten; vorzeiten; zurzeit (gerade jetzt), zuzeiten (bisweilen), *aber* zur Zeit, zu der Zeit, zu Zeiten (*Abk.* z. Z., z. Zt.) Karls d. Gr.
– jederzeit, *aber* zu jeder Zeit
– derzeit; seinerzeit (*Abk. s. Z.*), *aber* alles zu seiner Zeit
– zeitlebens

Zehn|flach, das; -[e]s, -e, **Zehn-fläch|ner** (*für* Dekaeder)
Zehn|fuß|krebs (*für* Dekapode)
Zehn|jah|res|fei|er, Zehn|jahr|fei|er; **Zehn|jah|res|plan;** *mit Ziffern* 10-Jahres-Plan ↑K26; **Zehn|jahr-fei|er** *vgl.* Zehnjahresfeier
zehn|jäh|rig *vgl.* achtjährig
Zehn|kampf (*Sport*); **Zehn|kämp|fer**
Zehn|klas|sen|schu|le (*bes. DDR*)
zehn|mal *vgl.* achtmal; **zehn|ma|lig**
Zehn|mark|schein (*früher; mit Ziffern* 10-Mark-Schein ↑K26); **Zehn|me|ter|brett** (*mit Ziffern* 10-Meter-Brett *od.* 10-m-Brett ↑K26)
Zehn|pfen|nig|stück (*früher; mit Ziffern* 10-Pfennig-Stück ↑K26)
zehnt *vgl.* zehn; **Zehnt, Zehn|te,** der; ...ten, ...ten (*früher* [Steuer]abgabe)
zehn|tau|send; die oberen Zehn-tausend *od.* zehntausend
zehn|te *vgl.* achte *u.* Muse; **Zehn|te** *vgl.* Zehnt
zehn|tel *vgl.* achtel; **Zehn|tel,** das, *schweiz. meist* der; -s, -; *vgl.* Achtel; **Zehn|tel|gramm; Zehn-tel|se|kun|de**
zehn|tens
Zehn|ton|ner (*mit Ziffern* 10-Ton-ner)
Zehnt|recht, das; -[e]s
zehn|und|ein|halb *vgl.* zehneinhalb
zeh|ren; Zehr|geld (*veraltet*); **Zehr-pfen|nig** (*veraltet für* Geld für die Ernährung auf Reisen); **Zeh-rung**
Zei|chen, das; -s, -; Zeichen setzen
Zei|chen|block (*vgl.* Block); **Zei-chen|brett; Zei|chen|drei|eck**
Zei|chen|er|klä|rung
Zei|chen|fe|der; Zei|chen|film; Zei-chen|heft
Zei|chen|leh|rer; Zei|chen|leh|re|rin
Zei|chen|pa|pier; Zei|chen|saal
Zei|chen|schutz (*svw.* Warenzeichenschutz)

Zei|chen|set|zung, die; - (*für* Interpunktion)
Zei|chen|spra|che
Zei|chen|stift, der; **Zei|chen|trick|fi-gur; Zei|chen|trick|film; Zei|chen-trick|se|rie; Zei|chen|un|ter|richt; Zei|chen|vor|la|ge**
zeich|nen; Aktien zeichnen; für etw. verantwortlich zeichnen
Zeich|nen, das; -s; **Zeich|ner; Zeich-ne|rin; zeich|ne|risch**
Zeich|nung
zeich|nungs|be|rech|tigt; Zeich-nungs|be|rech|ti|gung
Zei|del|meis|ter (*svw.* Zeidler)
zei|deln (*veraltet für* Honigwaben ausschneiden); ich zeid[e]le
Zeid|ler (*veraltet für* Bienenzüchter); **Zeid|le|rei** (*veraltet für* Bienenzucht)
Zei|ge|fin|ger, *schweiz. auch* Zeig-fin|ger
zei|gen; etwas zeigen; sich [groß]zügig zeigen; **Zei|ger**
Zei|ge|stab (*österr.*); **Zei|ge|stock** *Plur.* ...stöcke
Zeig|fin|ger *vgl.* Zeigefinger
zei|hen (*geh. veraltend für* bezichtigen); sie zieh ihn der Lüge, hat ihn der Lüge geziehen
Zei|le, die; -, -n (*Abk.* Z.); **Zei|len-ab|stand; Zei|len|dorf**
Zei|len|gieß|ma|schi|ne, Zei|len-guss|ma|schi|ne
Zei|len|ho|no|rar; Zei|len|län|ge
Zei|len|maß, das; **Zei|len|sprung** (*Verslehre*); **zei|len|wei|se**
...zei|ler (z. B. Zweizeiler, *mit Ziffer* 2-Zeiler)
...zei|lig (z. B. sechszeilig, *mit Ziffer* 6-zeilig)
Zei|ne, die; -, -n (*schweiz.* großer [Wäsche]korb); *vgl.* Zaine
Zeis|chen (kleiner Zeisig)
Zei|sel|bär (*landsch. für* Tanzbär)
¹**zei|seln** (*landsch. für* eilen, geschäftig sein); ich zeis[e]le

²**zei|seln** (*schwäb. für* anlocken); ich zeis[e]le
Zei|sel|wa|gen (*zu* ¹zeiseln) (*landsch. für* Leiterwagen)
zei|sen (*bayr. für* auseinanderzupfen); du zeist; er zeis|te
Zei|sig, der; -s, -e (tschech.) (ein Vogel); **zei|sig|grün**
Zei|sing, der; -s, -e (*Seemannsspr. für* Segeltuchstreifen, Tauende)
Zeiß, Carl (dt. Mechaniker)
Zeiss® (optische u. feinmechanische Erzeugnisse), zeisssche *od.* Zeiss'sche Erzeugnisse; **Zeiss|glas** *Plur.* ...gläser ↑K136
zeit; *Präp. mit Gen.:* zeit meines Lebens
Zeit *s.* Kasten
Zeit|ab|schnitt; Zeit|ab|stand; Zeit-ach|se; Zeit|al|ter; Zeit|an|ga|be (*Sprachw.* Umstandsangabe der Zeit); **Zeit|an|sa|ge; Zeit|ar|beit; Zeit|auf|nah|me** (*Fotogr.*)
Zeit|auf|wand; zeit|auf|wän|dig, **zeit|auf|wen|dig**
Zeit|aus|gleich (*bes. österr. für* Ausgleich der Überstunden durch Freizeit)
Zeit|bom|be; Zeit|bud|get; Zeit|dau-er; Zeit|do|ku|ment; Zeit|druck, der; -[e]s; **Zeit|ein|heit; Zeit|ein-tei|lung**
Zeit|ten|fol|ge, die; - (*für* Consecutio Temporum); **Zeit|ten|wen|de,** Zeit|wen|de
Zeit|er|fas|sung; Zeit|er|fas|sungs-ge|rät
Zeit|er|schei|nung; Zeit|er|spar|nis; Zeit|fah|ren, das; -s (*Radsport*); **Zeit|fak|tor,** der; -s; **Zeit|feh|ler** (*Reiten*); **Zeit|fens|ter** (eingeschobener Zeitraum); **Zeit|form** (*für* Tempus); **Zeit|fra|ge**
zeit|fremd; zeit|ge|bun|den
Zeit|ge|fühl, das; -[e]s; **Zeit|geist,** der; -[e]s; **zeit|ge|mäß**
Zeit|ge|nos|se; Zeit|ge|nos|sin; zeit-ge|nös|sisch

zeit|ge|recht (österr. neben recht-
zeitig)
Zeit|ge|schäft (Kaufmannsspr.)
Zeit|ge|sche|hen; Zeit|ge|schich|te,
die; -; Zeit|ge|schmack
Zeit|ge|winn; zeit|gleich
zeit|her (landsch. für seither)
Zeit|ho|ri|zont
zei|tig; zei|ti|gen (hervorbringen);
Erfolge zeitigen
Zeit|kar|te; Zeit|kon|to
Zeit|kri|tik, die; -; zeit|kri|tisch
Zeit lang, Zeit|lang vgl. Zeit
Zeit|lauf, der; -[e]s, Plur. ...läufte,
seltener ...läufe meist Plur.
zeit|le|bens
zeit|lich; das Zeitliche segnen
↑K 72 (veraltend für sterben;
ugs. scherzh. für entzweigehen)
Zeit|lich|keit, die; - (Leben auf
Erden, irdische Vergänglichkeit)
Zeit|li|mit
Zeit|lohn
zeit|los
Zeit|lo|se, die; -, -n (Pflanze [meist
für Herbstzeitlose])
Zeit|lo|sig|keit, die; -
Zeit|lu|pe, die; -; Zeit|lu|pen|tem-
po, das; -s
Zeit|man|gel, der; -s; Zeit|ma|schi-
ne; Zeit|maß, das; Zeit|mes|ser,
der (für Chronometer); Zeit-
mes|sung
zeit|nah; zeit|na|he
Zeit|nah|me, die; - (Sport); Zeit-
neh|mer (Sport)
Zeit|not; Zeit|per|so|nal; Zeit|plan;
Zeit|punkt; Zeit|raf|fer (Film);
Zeit|raf|fer|tem|po, das; -s
Zeit rau|bend, zeit|rau|bend; aber
nur viel Zeit raubend; noch zeit-
raubender, sehr zeitraubend;
das zeitraubends|te Verfahren
↑K 58
Zeit|raum; Zeit|rech|nung
Zeit|rei|se
zeit|schnell (Sport); die zeit-
schnellsten Läuferinnen
Zeit|schrift (Abk. Zs., Zschr.); Zeit-
schrif|ten|auf|satz; Zeit|schrif|ten-
ver|lag
Zeit|sinn, der; -[e]s; Zeit|sol|dat;
Zeit|sol|da|tin; Zeit|span|ne
Zeit spa|rend, zeit|spa|rend; Zeit
sparende od. zeitsparende Verfahren, aber nur viel Zeit sparende Verfahren, [noch] zeitspa-
renderere Verfahren, sehr zeitsparende Verfahren, das
zeitsparends|te Verfahren ↑K 58
Zeit|sprin|gen, das; -s, - (Reit-
sport); Zeit|stra|fe (Sport); Zeit-
ta|fel; Zeit|takt; zeit|ty|pisch

Zei|tung; Zei|tung|le|sen, das; -s
Zei|tungs|ab|la|ge; Zei|tungs|an-
non|ce; Zei|tungs|an|zei|ge; Zei-
tungs|ar|ti|kel; Zei|tungs|aus-
schnitt; Zei|tungs|be|richt; Zei-
tungs|en|te (ugs.); Zei|tungs|in-
se|rat; Zei|tungs|ki|osk
Zei|tungs|kor|res|pon|dent; Zei-
tungs|kor|res|pon|den|tin
Zei|tungs|le|ser; Zei|tungs|le|se|rin
Zei|tungs|mel|dung; Zei|tungs|no-
tiz; Zei|tungs|pa|pier; Zei|tungs-
ro|man
Zei|tungs|ver|käu|fer; Zei|tungs|ver-
käu|fe|rin
Zei|tungs|ver|lag; Zei|tungs|we|sen;
Zei|tungs|wis|sen|schaft
Zeit|ver|geu|dung; Zeit|ver|lust;
Zeit|ver|schie|bung; Zeit|ver-
schwen|dung
zeit|ver|setzt; eine zeitversetzte
Fernsehübertragung
Zeit|ver|trag
Zeit|ver|treib, der; -[e]s, -e
Zeit|vor|ga|be
zeit|wei|lig; zeit|wei|se
Zeit|wen|de vgl. Zeitenwende
Zeit|wert
Zeit|wort Plur. ...wörter; Zeit|wort-
form; zeit|wört|lich
Zeitz (Stadt an der Weißen Elster)
Zeit|zei|chen (Rundf., Funkw.)
Zeit|zer; die Zeitzer Bürger
Zeit|zeu|ge; Zeit|zeu|gin
Zeit|zo|ne
Zeit|zün|der
Ze|le|b|rant, der; -en, -en ⟨lat.⟩ (die
Messe lesender Priester)
ze|le|b|ra|ti|on, die; -, -en (Feier);
ze|le|b|rie|ren (feierlich begehen;
die Messe lesen)
Ze|le|b|ri|tät, die; -, -en (selten für
Berühmtheit)
Zel|ge, die; -, -n ⟨südd. für [bestell-
tes] Feld, Flurstück)
Zell (Name mehrerer Städte)
Zell-Meh|lis ↑K 144 (Stadt im
Thüringer Wald)
Zell|at|mung, die; -
Zel|le, die; -, -n ⟨lat.⟩
Zell|len|bil|dung; zel|len|för|mig;
Zel|len|ge|we|be, Zell|ge|we|be
Zel|len|leh|re, die; - (für Zytolo-
gie); Zel|len|schmelz (für Cloi-
sonné)
Zel|ler, der; -s ⟨österr. ugs. für Sel-
lerie)
Zell|for|schung, die; -
Zell|ge|we|be, Zel|len|ge|we|be;
Zell|ge|webs|ent|zün|dung
Zell|glas, das; -es (eine Folie)
zel|lig
Zell|kern

Zell|leh|re, Zell-Leh|re vgl. Zellen-
lehre
Zell|mem|b|ran
Zel|lo|i|din|pa|pier ⟨lat.; griech.⟩
(Fotogr. mit Kollodium
beschichtetes spezielles Fotopa-
pier)
Zel|lo|phan, das; -s ⟨lat.-griech.⟩
(glasklare Folie); vgl. Cellophan
Zell|stoff (Produkt aus Zellulose)
Zell|stoff|fa|b|rik, Zell-stoff-Fa|b|rik
Zell|tei|lung; Zell|typ
zel|lu|lar, zel|lu|lär ⟨lat.⟩ (aus Zellen
gebildet)
Zel|lu|li|tis, Cel|lu|li|tis, die; -,
...iti|den, Cel|lu|li|te, die; -, -
(Degeneration des Zellgewebes)
Zel|lu|lo|id, fachspr. Cel|lu|lo|id,
das; -[e]s ⟨lat.; griech.⟩ (Kunststoff, Zellhorn)
Zel|lu|lo|se, fachspr. Cel|lu|lo|se,
die; -, Plur. (Sorten:) -n ⟨lat.⟩
(Hauptbestandteil der pflanzli-
chen Zellwände; Zellstoff)
Zell|ver|meh|rung; Zell|wachs|tum;
Zell|wand
Zell|wol|le, die; -
Ze|lot, der; -en, -en ⟨griech.⟩
([Glaubens]eiferer); Ze|lo|tin; ze-
lo|tisch; Ze|lo|tis|mus, der; -
¹Zelt, der; -[e]s (wiegende Gangart
von Pferden, Passgang)
²Zelt, das; -[e]s, -e; Zelt|bahn
Zelt|bla|che (schweiz. für Zelt-
bahn); Zelt|blatt (österr. für Zelt-
bahn)
Zel|te, der; -n, -n, Zel|ten, der; -s, -
(südd., österr. für kleiner, flacher [Leb]kuchen)
zel|ten; gezeltet
¹Zel|ter (jmd., der zeltet)
²Zel|ter, der; -s, - (auf Passgang
abgerichtetes Damenreitpferd)
Zel|te|rin (zu ¹Zelter)
Zelt|he|ring; Zelt|la|ger Plur.
...lager; Zelt|lein|wand, die; -
Zelt|ler (seltener für ¹Zelter); Zelt-
le|rin
Zelt|li, das; -s, - (schweiz. mdal.
für Bonbon)
Zelt|mast, der
Zelt|mis|si|on, die; - (ev. Kirche)
Zelt|pflock; Zelt|pla|ne; Zelt|platz
Zelt|stadt; Zelt|stock Plur. ...stö-
cke; Zelt|wand
Ze|ment, der, (für Zahnbestand-
teil:) das; -[e]s, -e ⟨lat.⟩ (Bau-
stoff; Bestandteil der Zähne)
Ze|men|ta|ti|on, die; -, -en (Här-
tung der Stahloberfläche;
Abscheidung von Metallen)
Ze|ment|bo|den; Ze|ment|dach
ze|men|tie|ren (mit Zement ausfül-

Z
zeme

1137

len, verputzen; eine Zementation durchführen; *übertr. auch für* [einen Zustand, Standpunkt] unverrückbar festlegen); **Ze|men|tie|rung**

Ze|ment|sack; Ze|ment|si|lo

Zen [z..., *auch* ts...], das; -[s] (japanische Richtung des Buddhismus)

Ze|ner|di|o|de ↑K136 〈nach dem Physiker C. M. Zener〉 (eine Halbleiterdiode)

Ze|nit, der; -[e]s 〈arab.〉 (Scheitelpunkt [des Himmels]); **Ze|nit|hö|he**

Ze|no[n] (Name zweier altgriechischer Philosophen; byzantinischer Kaiser)

Ze|no|taph *vgl.* Kenotaph

zen|sie|ren 〈lat.〉 (benoten; [auf unerlaubte Inhalte] prüfen); **Zen|sie|rung**

Zen|sor, der; -s, ...oren (altröm. Beamter; Beurteiler); **zen|so|risch** (den Zensor betreffend)

Zen|sur, die; -, -en (*nur Sing.:* behördl. Prüfung [und Verbot] von Druckschriften u. a.; [Schul]note); **zen|su|rie|ren** (*österr., schweiz. für* prüfen, beurteilen)

Zen|sus, der; -, - (Schätzung; Volkszählung)

Zent, die; -, -en 〈lat.〉 (germanischer Gerichtsverband)

Zen|taur, Ken|taur, der; -en, -en 〈griech.〉 (Wesen der griechischen Sage mit menschlichem Oberkörper u. Pferdeleib)

Zen|te|nar, der; -s, -e 〈lat.〉 (*selten für* Hundertjähriger); **Zen|te|nar|aus|ga|be; Zen|te|nar|fei|er**

Zen|te|na|ri|um, das; -s, ...ien (Hundertjahrfeier)

zen|te|si|mal (hundertteilig); **Zen|te|si|mal|waa|ge**

zent|frei (*früher* dem Zentgericht nicht unterworfen); **Zent|ge|richt** (*früher*); **Zent|graf** (*früher*)

Zen|ti... (ein Hundertstel einer Einheit, z. B. Zentimeter = 10^{-2} Meter; *Zeichen* c)

Zen|ti|fo|lie, die; -, -n (Rosenart)

Zen|ti|gramm [*auch* 'tse...] ($^1/_{100}$ g; *Zeichen* cg)

Zen|ti|li|ter [*auch* 'tse...] ($^1/_{100}$ l; *Zeichen* cl)

Zen|ti|me|ter [*auch* 'tse...] ($^1/_{100}$ m; *Zeichen* cm)

zen|ti|me|ter|dick; zen|ti|me|ter|groß

Zen|ti|me|ter|maß, das

Zent|ner, der; -s, - (100 Pfund od.

50 kg; *Abk.* Ztr.; *Österreich u. Schweiz* 100 kg [Meterzentner], *Zeichen* q)

Zent|ner|ge|wicht; Zent|ner|last

zent|ner|schwer; zent|ner|wei|se

zen|t|ral 〈griech.〉 (in der Mitte; im Mittelpunkt befindlich, von ihm ausgehend; Mittel..., Haupt..., Gesamt...)

Zen|t|ral|ab|i|tur (*Schulw.*)

Zen|t|ral|af|ri|ka; Zen|t|ral|af|ri|ka|ner; Zen|t|ral|af|ri|ka|ne|rin; zen|t|ral|af|ri|ka|nisch; *aber* ↑K150 : die Zentralafrikanische Republik

Zen|t|ral|ame|ri|ka (festländischer Teil Mittelamerikas); **zen|t|ral|ame|ri|ka|nisch**

Zen|t|ral|aus|schuss (*österr. auch für* oberste Ebene der Personalvertretung)

Zen|t|ral|bank *Plur.* ...banken

Zen|t|ral|bank|chef; Zen|t|ral|bank|che|fin

Zen|t|ral|bau *Plur.* ...bauten (*Archit.*)

zen|t|ral|be|heizt (mit Zentralheizung)

Zen|t|ral|be|hör|de (oberste Behörde)

Zen|t|ra|le, die; -, -n (*auch Geom.* Mittelpunktslinie)

Zen|t|ral|fi|gur; Zen|t|ral|flug|ha|fen (Flughafen, der nach allen Flugrichtungen offen ist und allen Fluggesellschaften dient)

zen|t|ral|ge|heizt (*svw.* zentralbeheizt)

Zen|t|ral|ge|walt

Zen|t|ral|hei|zung

Zen|t|ra|li|sa|ti|on, die; -, -en 〈franz.〉 (Zentralisierung)

zen|t|ra|li|sie|ren (zusammenziehen, in einem [Mittel]punkt vereinigen); **Zen|t|ra|li|sie|rung**

Zen|t|ra|lis|mus, der; - 〈lat.〉 (Streben nach Zusammenziehung [der Verwaltung u. a.]); **zen|t|ra|lis|tisch**

Zen|t|ra|li|tät, die; - (Mittelpunktslage von Orten)

Zen|t|ral|ko|mi|tee (oberstes Organ der kommunistischen u. mancher sozialistischer Parteien; *Abk.* ZK)

Zen|t|ral|kraft, die (*Physik*)

Zen|t|ral|la|ger

Zen|t|ral|mas|siv, das; -s (in Frankreich)

Zen|t|ral|ner|ven|sys|tem; Zen|t|ral|or|gan; Zen|t|ral|per|s|pek|ti|ve; Zen|t|ral|rat

Zen|t|ral|ver|band; Zen|t|ral|ver|wal|tung

zen|t|rie|ren (auf die Mitte einstellen); **Zen|t|rie|rung**

Zen|t|rier|vor|rich|tung

zen|t|ri|fu|gal 〈griech.; lat.〉 (vom Mittelpunkt wegstrebend); **Zen|t|ri|fu|gal|kraft; Zen|t|ri|fu|gal|pum|pe** (Schleuderpumpe)

Zen|t|ri|fu|ge, die; -, -n (Schleudergerät zur Trennung von Flüssigkeiten); **zen|t|ri|fu|gie|ren** (mithilfe der Zentrifuge zerlegen)

zen|t|ri|pe|tal (zum Mittelpunkt hinstrebend); **Zen|t|ri|pe|tal|kraft**

zen|t|risch 〈griech.〉 (im Mittelpunkt befindlich, mittig); **Zen|t|ri|win|kel** (Mittelpunktswinkel)

Zen|t|rum, das; -s, ...tren (Mittelpunkt; Innenstadt; Haupt-, Sammelstelle; *nur Sing.:* Partei des politischen Katholizismus 1870–1933); **Zen|t|rums|par|tei**

Zen|tu|rie, die; -, -n 〈lat.〉 (altrömische Soldatenabteilung von 100 Mann); **Zen|tu|rio**, der; -s, ...onen (Befehlshaber einer Zenturie)

Zen|zi (w. Vorn.)

Zeo|lith, der; *Gen.* -s u. -en, *Plur.* -e[n] 〈griech.〉 (ein Mineral)

Ze|phan|ja, ökum. Ze|fan|ja (bibl. Prophet)

Ze|phir, Ze|phyr, der; -s, -e 〈griech.〉 (ein Baumwollgewebe; *nur Sing.: geh. für* milder Wind); **ze|phi|risch**, ze|phy|risch (*geh. für* säuselnd, lieblich)

Ze|phir|wol|le, Ze|phyr|wol|le

Ze|phyr usw. *vgl.* Zephir usw.

¹**Zep|pe|lin** (Familienn.)

²**Zep|pe|lin**, der; -s, -e (Luftschiff)

Zep|ter, österr. Szęp|ter, das; *seltener* der; -s, - 〈griech.〉 (Herrscherstab)

Zer *vgl.* Cer

zer... (*Vorsilbe von Verben, z. B.* zerbröckeln, du zerbröckelst, zerbröckelt, zu zerbröckeln)

Ze|rat, das; -[e]s, -e 〈lat.〉 (Wachssalbe)

zer|bei|ßen

zer|bers|ten

Zer|be|rus, Cer|be|rus, der; -, -se 〈griech. Sage der den Eingang der Unterwelt bewachende Hund; *scherzh. für* grimmiger Wächter〉

zer|beu|len

zer|bom|ben

zer|bre|chen; zer|brech|lich; Zer|brech|lich|keit, die; -

zer|brö|ckeln; Zer|brö|cke|lung, Zer|bröck|lung

Zerbst (Stadt in Sachsen-Anhalt);
 Zerbs|ter
zer|deh|nen
zer|dep|pern *(ugs.);* ich zerdeppere
zer|drü|cken
Ze|re|a|lie, die; -, ...ien *meist Plur.*
⟨lat.⟩ (Getreide; Feldfrucht)
Ze|re|bel|lum, *fachspr.* Ce|re|bel-
lum, das; -s, ...bella ⟨lat.⟩ *(Med.*
Kleinhirn)
ze|re|b|ral (das Zerebrum betref-
fend); **Ze|re|b|ral,** der; -s, -e, *od.*
Ze|re|b|ral|laut, der; -[e]s, -e
(Sprachw. mit der Zungenspitze
am Gaumen gebildeter Laut)
ze|re|b|ro|spi|nal *(Med.* Hirn u.
Rückenmark betreffend)
Ze|re|b|rum, *fachspr.* Ce|re|b|rum,
das; -s,...bra *(Med.* Großhirn,
Gehirn)
Ze|re|mo|nie [*auch, österr. nur,*
...'mo:nɪə], die; -, ...ien [*auch*
...'mo:nɪən] ⟨lat.⟩ (feierliche
Handlung; Förmlichkeit)
ze|re|mo|ni|ell (feierlich; förmlich;
gemessen; steif); **Ze|re|mo|ni|ell,**
das; -s, -e ([Vorschrift für] feierliche Handlungen)
Ze|re|mo|ni|en|meis|ter; **Ze|re|mo-
ni|en|meis|te|rin**
ze|re|mo|ni|ös (steif, förmlich)
Ze|re|sin, *fachspr.* Ce|re|sin, das; -s
⟨lat.⟩ (gebleichtes Erdwachs aus
hochmolekularen Kohlenwasserstoffen)
Ze|re|vis, das; -, - ⟨kelt.⟩ *(Verbin-
dungsw. veraltet* Bier; Käppchen
der Verbindungsstudenten)
zer|fah|ren; **Zer|fah|ren|heit,** die; -
Zer|fall, der; -[e]s, ...fälle *(nur
Sing.:* Zusammenbruch, Zerstö-
rung; *Kernphysik* spontane
Spaltung des Atomkerns)
zer|fal|len
Zer|falls|er|schei|nung; **Zer|falls-
pro|dukt; Zer|falls|stoff**
zer|fa|sern
zer|fet|zen; **Zer|fet|zung**
zer|flat|tern
zer|fled|dern *vgl.* zerfledern
zer|fle|dern *(ugs. für* durch häufi-
gen Gebrauch [an den Rändern]
abnutzen, zerfetzen [von
Büchern, Zeitungen o. Ä.]); ich
zerfledere
zer|flei|schen (zerreißen); du zer-
fleischst; **Zer|flei|schung**
zer|flie|ßen
zer|fran|sen
zer|fres|sen
zer|fur|chen; **zer|furcht;** eine zer-
furchte Stirn
zer|ge|hen

zer|gen *(landsch. für* necken)
zer|glie|dern; **Zer|glie|de|rung**
zer|grü|beln; ich zergrübelte mir
den Kopf
zer|ha|cken; zer|hau|en
zer|kau|en
zer|klei|nern; ich zerkleinere; **Zer-
klei|ne|rung,** die; -; **Zer|klei|ne-
rungs|ma|schi|ne**
zer|klüf|tet; **Zer|klüf|tung**
zer|knal|len
zer|knäu|len *(landsch.)*
zer|knaut|schen *(ugs.)*
zer|knirscht; **Zer|knirscht|heit,** die;
-; **Zer|knir|schung,** die; -
zer|knit|tern
zer|knül|len
zer|ko|chen
zer|kör|nen *(für* granulieren)
zer|krat|zen
zer|krü|meln
zer|ku|geln, sich *(österr. ugs. für
sich kaputtlachen)
zer|las|sen; zerlassene Butter
zer|lau|fen *(svw.* zerfließen)
zer|leg|bar; **Zer|leg|bar|keit,** die; -
zer|le|gen; **Zer|leg|spiel; Zer|le-
gung**
zer|le|sen; ein zerlesenes Buch
zer|lö|chern
zer|lumpt *(ugs.)*
zer|mah|len
zer|mal|men; **Zer|mal|mung**
zer|man|schen *(ugs. für* völlig zer-
drücken, zerquetschen)
zer|mar|tern, sich; ich habe mir
den Kopf zermartert
Zer|matt (schweiz. Kurort)
zer|mür|ben; zer|mürbt; **Zer|mür-
bung**
zer|na|gen
zer|nich|ten *(veraltet für* vernich-
ten)
Ze|ro [z...], die; -, -s *od.* das; -s, -s
⟨arab.⟩ (Null, Nichts; *im Roulett*
Gewinnfeld des Bankhalters)
Ze|ro|graf, Ze|ro|graph, der; -en,
-en ⟨griech.⟩ (die Zerografie
Ausübender); Ze|ro|gra|fie, Ze-
ro|gra|phie, die; -, ...ien (Wachs-
gravierung); Ze|ro|gra|fin, Ze|ro-
gra|phin
Ze|ro|plas|tik, Ke|ro|plas|tik
(Wachsbildnerei)
Ze|ro|tin|säu|re, die; - (Bestandteil
des Bienenwachses)
zer|pflü|cken
zer|plat|zen
zer|pul|vern *(für* pulverisieren)
zer|quält; ein zerquältes Gesicht
zer|quet|schen
zer|rau|fen; sich die Haare zerrau-
fen

Zerr|bild
zer|re|den
zer|reib|bar; zer|rei|ben; **Zer|rei-
bung**
zer|rei|ßen; sich zerreißen; **Zer-
reiß|fes|tig|keit,** die; -
Zer|reiß|pro|be; **Zer|rei|ßung**
zer|ren; **Zer|re|rei**
zer|rin|nen
zer|ris|sen; **Zer|ris|sen|heit,** die; -
Zerr|spie|gel
Zer|rung
zer|rup|fen
zer|rüt|ten (zerstören); zer|rüt|tet;
zerrüttete Ehen; **Zer|rüt|tung**
zer|sä|gen
zer|schel|len; zerschellt
zer|schie|ßen
zer|schla|gen; **Zer|schla|gung**
zer|schlei|ßen; ein zerschlissener
Mantel
zer|schlit|zen
zer|schmei|ßen *(ugs.)*
zer|schmet|tern; zerschmetterte
Glieder; **Zer|schmet|te|rung**
zer|schnei|den; **Zer|schnei|dung**
zer|schram|men
zer|schrün|det (zerfurcht)
zer|schun|den; seine Haut war
ganz zerschunden
zer|set|zen; **Zer|set|zung**
Zer|set|zungs|er|schei|nung; **Zer-
set|zungs|pro|dukt;** Zer|set-
zungs|pro|zess
zer|sie|deln ([die Natur] durch
Siedlungen zerstören); ich zer-
sied[e]le; **Zer|sie|de|lung**
zer|sin|gen (ein Lied o. Ä. im Laufe
der Zeit in Text u. Melodie verändern, abwandeln)
zer|spal|ten; er hat das Holz zer-
spalten u. zerspaltet; *vgl.* spal-
ten; **Zer|spal|tung**
zer|spa|nen; **Zer|spa|nung**
zer|splei|ßen *(veraltet für* [völlig]
aufspalten)
zer|split|tern; **Zer|split|te|rung**
zer|sprat|zen *(Geol.* sich aufblähen
u. zerbersten [von glühenden
Gesteinen])
zer|spren|gen; **Zer|spren|gung**
zer|sprin|gen
zer|stamp|fen
zer|stäu|ben; **Zer|stäu|ber; Zer|stäu-
bung**
zer|ste|chen
zer|stie|ben
zer|stör|bar; zer|stö|ren; **Zer|stö-
rer; Zer|stö|re|rin;** zer|stö|re|risch;
**Zer|stö|rung; Zer|stö|rungs|trieb;
Zer|stö|rungs|wut; Zer|stö|rungs-
wü|tig**
zer|sto|ßen

Z

zers

zer|strah|len *(Kernphysik)*; Zer-
strah|lung

zer|strei|ten, sich

zer|streu|en

zer|streut; Zer|streut|heit, die; -

Zer|streu|ung; Zer|streu|ungs|lin|se
(Optik)

zer|stü|ckeln; Zer|stü|cke|lung, Zer-
stück|lung

zer|talt *(Geogr.* durch Täler stark
gegliedert)

zer|tei|len; Zer|tei|lung

zer|tep|pern *(svw.* zerdeppern)

Zer|ti|fi|kat, das; -[e]s, -e ⟨lat.⟩
([amtl.] Bescheinigung, Zeug-
nis); Zer|ti|fi|ka|ti|on, die; -, -en
(das Ausstellen eines Zertifi-
kats); zer|ti|fi|zie|ren; zertifi-
ziert; Zer|ti|fi|zie|rung

zer|tram|peln

zer|tren|nen; Zer|tren|nung

zer|tre|ten; Zer|tre|tung

zer|trüm|mern; ich zertrümmere;
Zer|trüm|me|rung

Zer|ve|lat|wurst [z..., *auch* ts...],
Ser|ve|lat|wurst ⟨ital.; dt.⟩ (eine
Dauerwurst)

zer|wer|fen, sich (sich entzweien,
verfeinden)

zer|wir|ken; das Wild zerwirken
(Jägerspr. die Haut des Wildes abziehen u. das Wild zerlegen)

zer|wüh|len

Zer|würf|nis, das; -ses, -se

zer|zau|sen; Zer|zau|sung

zer|zup|fen

zes|si|bel ⟨lat.⟩ *(Rechtsw.* abtret-
bar)

Zes|si|on, die; -, -en (Übertragung
eines Anspruchs von dem bisherigen Gläubiger auf einen Drit-
ten); *vgl.* zedieren; Zes|si|o|nar,
der; -s, -e (jmd., an den eine
Forderung abgetreten wird);
Zes|si|o|na|rin

Zes|te, die; -, -n ⟨franz.⟩ *(Koch-
kunst* sehr feiner Streifen aus
der Schale einer Zitrusfrucht);
Zes|ten|rei|ßer (Gerät zum Her-
stellen von Zesten)

Ze|ta, das; -[s], -s ⟨griech. Buch-
stabe: Z, ζ⟩

Ze|ter, das; *nur noch in* Zeter u.
Mord[io] schreien *(ugs.)*

Ze|ter|ge|schrei *(ugs.)*

ze|ter|mor|dio!; *nur noch in* zeter-
mordio schreien *(ugs.);* Ze|ter-
mor|dio, das; -s *(ugs.)*

ze|tern *(ugs.);* ich zetere

Zett *vgl.* Z (Buchstabe)

¹Zet|tel, der; -s, - *(Weberei* Kette;
Reihenfolge der Kettfäden)

²Zet|tel, der; -s, - ⟨lat.⟩ (Streifen,
kleines Blatt Papier)

Zet|te|lei (Aufnahme in Zettel-
form, karteimäßige Bearbeitung; *auch für* Zettelkram;
unübersichtliches Arbeiten)

Zet|tel|kas|ten; Zet|tel|kram

zet|teln *(landsch. für* verstreuen,
weithin ausbreiten); ich
zett[e]le; *vgl.* ²verzetteln

Zet|tel|wirt|schaft *(ugs. abwer-
tend)*

zeuch!, zeucht, zeuchst *(veraltet
geh. für* zieh[e]!, ziehst, zieht)

Zeug, das; -[e]s, -e; jmdm. etwas
am Zeug flicken *(ugs. für* an
jmdm. kleinliche Kritik üben)

Zeug|amt *(Milit. früher* das Zeug-
haus verwaltende Behörde)

Zeug|druck *Plur.* ...drucke (gefärb-
ter Stoff)

Zeu|ge, der; -n, -n

¹zeu|gen (erzeugen)

²zeu|gen (bezeugen); es zeugt von
Fleiß

Zeu|gen|aus|sa|ge; Zeu|gen|bank
Plur. ...bänke; Zeu|gen|be|ein-
flus|sung; Zeu|gen|be|fra|gung;
Zeu|gen|ein|ver|nah|me *(österr.,
schweiz.)*

Zeu|gen|schaft, die; -

Zeu|gen|stand, der; -[e]s; Zeu|gen-
ver|neh|mung

Zeug|haus *(Milit. früher* Lager für
Waffen u. Vorräte)

Zeu|gin

Zeug|ma, das; -s, *Plur.* -s u. -ta
⟨griech.⟩ *(Sprachw.* Beziehung
eines Prädikats auf verschiedene Satzglieder [z. B. er schlug
die Stühl' und Vögel tot])

Zeug|nis, das; -ses, -se; Zeug|nis-
ab|schrift; Zeug|nis|aus|ga|be

Zeug|nis|ver|wei|ge|rung; Zeug|nis-
ver|wei|ge|rungs|recht

Zeugs, das; - *(ugs. für* Gegenstand,
Sache); so ein Zeugs

Zeu|gung; Zeu|gungs|akt

zeu|gungs|fä|hig; Zeu|gungs|fä|hig-
keit, die; -; Zeu|gungs|glied *(für
Penis)*

zeu|gungs|un|fä|hig; Zeu|gungs|un-
fä|hig|keit, die; -

Zeug|wart *(bes. Sport* Person, die
sich um Ausrüstung, Gerät-
schaften u. Ä. kümmert); Zeug-
war|tin

Zeus (höchster griechischer Gott);
Zeus|tem|pel ↑K 136

Zeu|te, die; -, -n *(rhein., hess. für*
Zotte [Schnauze])

Zeu|xis (altgriechischer Maler)

ZGB, das; - = Zivilgesetzbuch *(in
der Schweiz)*

z. H., z. Hd. = zu Händen, zuhanden

Zib|be, die; -, -n *(nordd., mitteld.
für* Mutterschaf, -kaninchen;
abwertend für Frau, Mädchen)

Zi|be|be, die; -, -n ⟨arab.-ital.⟩
(südd., österr. für große Rosine)

Zi|be|li|ne, die; - ⟨slaw.⟩ (ein Woll-
garn, -gewebe)

Zi|bet, der; -s ⟨arab.⟩ (Drüsenab-
sonderung der Zibetkatze
[Duftstoff]); Zi|bet|kat|ze

Zi|bo|ri|um, das; -s, ...ien ⟨griech.⟩
(in der röm.-kath. Kirche Aufbe-
wahrungsgefäß für Hostien;
Altarbaldachin)

Zi|cho|rie, die; -, -n ⟨griech.⟩
(Pflanzengattung der Korbblüt-
ler mit zahlreichen Arten [z. B.
Wegwarte]; ein Kaffeezusatz);
Zi|cho|ri|en|kaf|fee, der; -s

Zi|cke, die; -, -n (weibliche Ziege);
vgl. Zicken; Zi|ckel, das; -s, -[n];
zi|ckeln (Ziegenjunge werfen)

zi|cken *(ugs. für* überspannt, lau-
nisch, eigensinnig sein); Zi|cken
Plur. (ugs. für Dummheiten);
mach keine Zicken!

Zi|cken|alarm *(ugs. abwertend für*
Streit, bes. zwischen Frauen); Zi-
cken|krieg *(ugs. abwertend);* zi-
ckig *(ugs. für* überspannt, eigen-
sinnig)

zick|zack; zickzack den Berg
hinunterlaufen; Zick|zack, der;
-[e]s, -e; im Zickzack laufen;
zick|za|cken; gezickzackt

Zick|zack|kurs; Zick|zack|kur|ve;
Zick|zack|li|nie

Zi|der *vgl.* Cidre

Zid|ki|ja *vgl.* Zedekia

Zie|che, die; -, -n *(südd. u. österr.
für* Bettbezug u. a.); *vgl.* Züchen

Zie|fer, das; -s, - *(südwestd. für*
Federvieh)

zie|fern *(mitteld.* wehleidig sein;
frösteln; vor Schmerz zittern;
bayr. leise regnen); ich ziefere

Zie|ge, die; -, -n

Zie|gel, der; -s, -; Zie|gel|bren|ner;
Zie|gel|bren|ne|rei; Zie|gel|bren-
ne|rin; Zie|gel|dach

Zie|ge|lei; zie|geln *(veraltet für*
Ziegel machen); ich zieg[e]le

Zie|gel|ofen; zie|gel|rot

Zie|gel|stein

Zie|gen|bart *(auch* ein Pilz); Zie-
gen|bock; Zie|gen|her|de; Zie-
gen|kä|se; Zie|gen|le|der

Zie|gen|lip|pe (ein Pilz)
Zie|gen|mel|ker (ein Vogel)
Zie|gen|milch
Zie|gen|pe|ter, der; -s, - (Mumps)
Zie|ger, der; -s, - (südd., österr. für Quark, Kräuterkäse)
Zieg|ler (veraltet für Ziegelbrenner); Zieg|le|rin
Zieh|brun|nen
Zie|he, die; - (landsch. für Pflege u. Erziehung); ein Kind in Ziehe geben; Zieh|el|tern Plur.
zie|hen; du zogst; du zögest; gezogen; zieh[e]!; vgl. zeuch! usw.; nach sich ziehen; Tee ziehen lassen
Zieh|har|mo|ni|ka
Zieh|kind (landsch.); Zieh|mut|ter Plur. ...mütter (landsch.)
Zieh|pflas|ter (svw. Zugpflaster)
Zieh|sohn; Zieh|toch|ter
Zie|hung
Zieh|va|ter (landsch.)
Ziel, das; -[e]s, -e
Ziel|bahn|hof
ziel|be|wusst; Ziel|be|wusst|heit
zie|len; zie|lend (für transitiv); zielendes Verb
Ziel|fahn|dung (gezielte Fahndung)
Ziel|fahrt (Motorsport kleinere Sternfahrt)
Ziel|fern|rohr
ziel|füh|rend
Ziel|ge|biet (Milit.)
ziel|ge|nau
Ziel|ge|ra|de (Sport letztes gerades Bahnstück vor dem Ziel)
ziel|ge|rich|tet
Ziel|grup|pe; ziel|grup|pen|ge|recht; ziel|grup|pen|spe|zi|fisch
Ziel|ha|fen
Ziel|ka|me|ra
Ziel|kauf (Wirtsch.)
Ziel|kur|ve (Sport); Ziel|li|nie
ziel|los; Ziel|lo|sig|keit, die; -
ziel|ori|en|tiert
Ziel|pub|li|kum (bes. schweiz. für Zielgruppe)
Ziel|rich|ter; Ziel|rich|te|rin
Ziel|schei|be
Ziel|set|zung
ziel|si|cher; Ziel|si|cher|heit, die; -
Ziel|spra|che (Sprachw.)
Ziel|stel|lung (regional für Zielsetzung)
ziel|stre|big; Ziel|stre|big|keit
Ziel|vor|ga|be; Ziel|vor|rich|tung; Ziel|vor|stel|lung
Ziem, der; -[e]s, -e (veraltet für oberes Keulenstück)
zie|men (geh. veraltend); es ziemt sich, es ziemt mir

Zie|mer, der; -s, - (Rückenbraten [vom Wild]; Ochsenziemer)
ziem|lich (fast, annähernd)
Ziep|chen, Zie|pel|chen (landsch. für Küken, Hühnchen)
zie|pen (landsch., bes. nordd. für zupfend ziehen; einen leichten ziehenden Schmerz verursachen; einen Pfeifton von sich geben)
Zier, die; -; Zie|rat alte Schreibung für Zierrat; Zier|de, die; -, -n
zie|ren; sich zieren; Zie|re|rei
Zier|fisch; Zier|gar|ten; Zier|ge|müse; Zier|gras; Zier|karp|fen; Zier|kür|bis; Zier|leis|te
zier|lich; Zier|lich|keit, die; -
Zier|pflan|ze; Zier|pup|pe; Zier|rand
Zier|rat, der; -[e]s, -e
Zier|stich
Zier|strauch; Zier|vo|gel
Zie|sel, der, österr. das; -s, - ⟨slaw.⟩ (ein Nagetier)
Ziest, der; -[e]s, -e ⟨slaw.⟩ (eine Heilpflanze)
Zie|ten, Zie|then (preuß. Reitergeneral)
Ziff. = Ziffer
Zif|fer, die; -, -n ⟨arab.⟩ (Zahlzeichen; Abk. Ziff.); arabische, römische Ziffern; Zif|fer|blatt, Zif|fern|blatt
...zif|fe|rig, ...ziff|rig (z. B. zweiziff[e]rig, mit Ziffer 2-ziff[e]rig)
Zif|fern|blatt, Zif|fer|blatt
Zif|fer[n]|kas|ten (Druckw.); zif|fern|mä|ßig; Zif|fer|schrift
...ziff|rig vgl. ...zifferig

zig

(ugs.)

– zig Euro; mit zig Sachen in die Kurve

In Zusammensetzungen:

– zigfach, zigmal
– ein Zigfaches ↑K 72
– zigtausend od. Zigtausend Menschen
– zigtausende od. Zigtausende von Menschen
– zum zigsten Mal

Zi|ga|ret|te, die; -, -n ⟨franz.⟩
Zi|ga|ret|ten|asche; Zi|ga|ret|ten|au|to|mat; Zi|ga|ret|ten|etui; Zi|ga|ret|ten|fab|rik; Zi|ga|ret|ten|kip|pe
Zi|ga|ret|ten|län|ge; in auf eine Zigarettenlänge (ugs.)
Zi|ga|ret|ten|pa|ckung

Zi|ga|ret|ten|pa|pier; Zi|ga|ret|ten|pau|se
Zi|ga|ret|ten|qualm
Zi|ga|ret|ten|rauch; Zi|ga|ret|ten|rau|cher; Zi|ga|ret|ten|rau|che|rin
Zi|ga|ret|ten|schach|tel
Zi|ga|ret|ten|schmug|gel; Zi|ga|ret|ten|spit|ze; Zi|ga|ret|ten|stum|mel
Zi|ga|ret|ten|ta|bak
Zi|ga|ril|lo [selten auch ...'rıljo], der, auch das; -s, -s, ugs. auch die; -, -s ⟨span.⟩ (kleine Zigarre)
Zi|gär|chen
Zi|gar|re, die; -, -n
Zi|gar|ren|ab|schnei|der; Zi|gar|ren|asche; Zi|gar|ren|etui; Zi|gar|ren|fa|b|rik
Zi|gar|ren|kis|te
Zi|gar|ren|rauch; Zi|gar|ren|rau|cher; Zi|gar|ren|rau|che|rin
Zi|gar|ren|spit|ze; Zi|gar|ren|stum|mel
Zi|ger, der; -s, - (schweiz. Schreibweise für Zieger)
Zi|geu|ner, der; -s, -

Zigeuner
Die Bezeichnungen Zigeuner, Zigeunerin werden vom Zentralrat Deutscher Sinti und Roma als diskriminierend abgelehnt. Deshalb sollte die Menschengruppe lieber als Sinti und Roma bezeichnet werden.

zi|geu|ner|haft; Zi|geu|ne|rin
Zi|geu|ner|ka|pel|le; Zi|geu|ner|le|ben; Zi|geu|ner|mu|sik
zi|geu|nern (ugs. für sich herumtreiben); ich zigeunere
Zi|geu|ner|pri|mas; Zi|geu|ner|schnit|zel (Gastr.)
Zi|geu|ner|spra|che (Sprachw.)
zig|fach, zig|hun|dert, zig|mal, zigs|te, zig|tau|send vgl. zig
Zi|ka|de, die; -, -n ⟨lat.⟩ (ein Insekt); Zi|ka|den|männ|chen
zi|li|ar ⟨lat.⟩ (Med. die Wimpern betreffend)
Zi|li|ar|kör|per (ein Abschnitt der mittleren Hautschicht des Auges); Zi|li|ar|mus|kel; Zi|li|ar|neu|r|al|gie (Schmerzen in Augapfel u. Augenhöhle)
Zi|li|a|te, die; -, -n meist Plur. (Biol. Wimpertierchen)
Zi|lie, die; -, -n (Med. feines Haar; Wimper)
Zi|li|zi|en usw. vgl. Kilikien usw.
¹Zil|le (dt. Zeichner)
²Zil|le, die; -, -n ⟨slaw.⟩ (ostmd., österr. für leichter, flacher [Fracht]kahn); Zil|len|schlep|per

Zil|ler|tal, das; -[e]s; Zil|ler|ta|ler; Zillertaler Alpen

Zil|li|on, die; -, -en ⟨ugs. für eine unvorstellbar große Zahl⟩

Zilp|zalp, der; -s, -s (ein Singvogel)

Zim|bab|we (engl. Schreibung von Simbabwe)

Zim|bal, das; -s, Plur. -e u. -s ⟨griech.⟩ (mit Hämmerchen geschlagenes Hackbrett)

Zim|bel, die; -, -n (gemischte Orgelstimme; kleines Becken)

Zim|ber, der; -s, -n, Kim|ber (Angehöriger eines germ. Volksstammes); zim|b|risch, kim|b|risch; aber nur die zimbrischen Sprachinseln; ↑K140: die Zimbrische Halbinsel (Jütland)

Zi|ment, das; -[e]s, -e ⟨lat.⟩ (bayr. u. österr. veraltet für metallenes zylindrisches Maßgefäß)

Zi|mier, das; -s, -e ⟨griech.⟩ (Helmschmuck)

Zim|mer, das; -s, -; Zim|mer|an|ten|ne

Zim|mer|ar|beit, Zim|me|rer|arbeit

Zim|mer|brand

Zim|mer|de|cke; Zim|mer|ecke

Zim|me|rei

Zim|mer|ein|rich|tung

Zim|me|rer; Zim|me|rer|ar|beit vgl. Zimmerarbeit

Zim|me|rer|hand|werk (seltener für Zimmerhandwerk)

Zim|mer|flucht (zusammenhängende Reihe von Zimmern; vgl. ¹Flucht)

Zim|mer|frau

Zim|mer|hand|werk

...zim|me|rig, ...zimm|rig (z. B. zweizimm[e]rig, mit Ziffer 2-zimm[e]rig)

Zim|me|rin ⟨zu Zimmerer⟩ (westösterr. auch für Zimmermädchen)

Zim|mer|kell|ner; Zim|mer|lautstär|ke; Zim|mer|lin|de

Zim|mer|ling (Bergmannsspr. Zimmermann)

Zim|mer|mäd|chen; Zim|mer|mann Plur. ...leute; Zim|mer|mie|te

zim|mern; ich zimmere

Zim|mer|num|mer; Zim|mer|pflanze; Zim|mer|ser|vice, der

Zim|mer|stun|de (österr., schweiz. für Ruhestunde des Personals)

Zim|mer|su|che

Zim|mer|tan|ne; Zim|mer|tem|pe|ra|tur; Zim|mer|the|a|ter

Zim|me|rung

Zim|mer|ver|mitt|lung

...zimm|rig vgl. ...zimmerig

zim|per|lich; Zim|per|lich|keit

Zim|per|lie|se, die; -, -n (ugs. für zimperliches Mädchen)

zim|pern (landsch. für zimperlich sein, tun); ich zimpere

Zimt, der; -[e]s, Plur. (Sorten:) -e (ein Gewürz); Zimt|baum

zimt|far|ben, zimt|far|big

zim|tig

Zimt|stan|ge; Zimt|stern

Zimt|zi|cke, Zimt|zie|ge (Schimpfwort)

Zin|cke|nit, der; -s ⟨nach dem dt. Bergdirektor Zincken⟩ (ein Mineral)

Zin|cum, das; -s (latinisierte Nebenform von Zink)

Zin|del|taft ⟨griech.; pers.⟩ (ein Gewebe)

Zin|der, der; -s, - meist Plur. ⟨engl.⟩ (ausgeglühte Steinkohle)

Zi|ne|ra|ria, Zi|ne|ra|rie, die; -, ...ien ⟨lat.⟩ (Zierpflanze)

¹Zin|gel, der; -s, -[n] (ein Fisch)

²Zin|gel, der; -s, - ⟨lat.⟩ (veraltet für Ringmauer)

Zin|gu|lum, das; -s, Plur. -s u. ...la (Gürtel[schnur] der Albe)

¹Zink, das; -[e]s (chemisches Element, Metall; Zeichen Zn)

²Zink, der; -[e]s, -en (ein historisches Blasinstrument)

Zink|ät|zung; Zink|blech; Zink|blen|de

Zin|ke, die; -, -n (Zacke)

¹zin|ken (mit Zinken versehen)

²zin|ken (von, aus ¹Zink)

Zin|ken, der; -s, - ([Gauner]zeichen; ugs. für große Nase)

Zin|ken|blä|ser; Zin|ke|nist, der; -en, -en (schwäb., sonst veraltet Zinkenbläser, Stadtmusikant)

Zin|ker (ugs. für Falschspieler)

...zin|kig (z. B. dreizinkig, mit Ziffer 3-zinkig)

Zink|leim|ver|band (Med.)

Zin|ko|gra|fie, Zin|ko|gra|phie, die; -, ...ien ⟨dt.; griech.⟩ (Zinkflachdruck); Zin|ko|ty|pie, die; -, ...ien (Zinkhochätzung)

Zink|oxid, Zink|oxyd vgl. Oxid; Zink|sal|be; Zink|sarg; Zink|sul|fat; Zink|wan|ne; Zink|weiß (eine Malerfarbe)

Zinn, das; -[e]s (chemisches Element, Metall; Zeichen Sn); vgl. Stannum; Zinn|be|cher

Zin|ne, die; -, -n (zahnartiger Mauerabschluss)

zin|nern (von, aus Zinn)

Zinn|fi|gur; Zinn|fo|lie (Blattzinn); Zinn|gie|ßer; Zinn|gie|ße|rin

Zin|nie, die; -, -n ⟨nach dem dt. Botaniker Zinn⟩ (eine Gartenblume)

Zinn|kraut, das; -[e]s (Ackerschachtelhalm)

Zinn|krug

¹Zin|no|ber, der; -s, - ⟨pers.⟩ (ein Mineral)

²Zin|no|ber, der, auch, österr. nur, das; -s (eine rote Farbe)

³Zin|no|ber, der; -s ⟨ugs. für Blödsinn, wertloses Zeug⟩

zin|no|ber|rot; Zin|no|ber|rot, das

Zinn|sol|dat; Zinn|tel|ler

Zinn|wal|dit, der; -s ⟨nach dem Ort Zinnwald⟩ (ein Mineral)

¹Zins, der; -es, -en ⟨lat.⟩ (Ertrag)

²Zins, der; -es, -e (früher Abgabe; landsch., bes. südd., österr. u. schweiz. für Miete)

zins|bar; zin|sen (schweiz., sonst veraltet Zins[en] zahlen); du zinst; Zin|sen|dienst

Zin|ses|zins Plur. ...zinsen; Zin|ses|zins|rech|nung

Zins|fuß Plur. ...füße; Zins|gro|schen (früher)

zins|güns|tig

Zins|haus (bes. südd., österr. für Mietshaus); Zins|herr|schaft

zins|los

Zins|pflicht, die; - (im MA.); zins|pflich|tig

Zins|po|li|tik, die; -; zins|po|li|tisch

Zins|satz; Zins|sen|kung; Zins|steu|er; Zins|ter|min (Zinszahlungstag)

zins|ver|bil|ligt; Zins|ver|bil|li|gung

Zins|wu|cher; Zins|zahl (Abk. Zz.)

Zin|zen|dorf (Stifter der Herrnhuter Brüdergemeine)

Zi|on, der; -[s] ⟨hebr.⟩ (Tempelberg in Jerusalem; ohne Artikel auch für Jerusalem)

Zi|o|nis|mus, der; - (Bewegung zur Gründung u. Sicherung eines nationalen jüdischen Staates)

Zi|o|nist, der; -en, -en (Anhänger des Zionismus); Zi|o|nis|tin; zi|o|nis|tisch

Zi|o|nit, der; -en, -en (Angehöriger einer schwärmerischen christlichen Sekte des 18. Jh.s)

Zip|da|tei [auch 'zɪp...] ⟨engl.; dt.⟩ (EDV komprimierte Datei)

¹Zipf, der; -[e]s (südd. u. ostmitteld. für Pips)

²Zipf, der; -[e]s, -e (österr. ugs. für Zipfel)

Zip|fel, der; -s, -; zip|fe|lig; Zip|fel|müt|ze; zip|feln (ugs. für einen zipfeligen Saum haben); zipf|lig

Zi|pol|le, die; -, -n ⟨lat.⟩ (nordd., auch mitteld. für Zwiebel)

Zipp ®, der; -s, -s (österr. für Reißverschluss)

Zipp|dros|sel, ¹Zip|pe, die; -, -n (landsch. für Singdrossel)

²Zip|pe, die; -, -n (ugs. für Zigarette)

zip|pen [auch ˈzɪp...] (EDV in einer Zipdatei speichern)

Zip|per, der; -s, - ⟨engl.⟩ (ugs. für Reißverschluss)

Zip|per|lein, das; -s (veraltet für [Fuß]gicht)

Zip|po ® [auch ˈz...], das; -s, -s (ein Feuerzeug)

Zip|pus, der; -, Plur. Zippen u. Zippi ⟨lat.⟩ (antiker Gedenk-, Grenzstein)

Zipp|ver|schluss ⟨engl.; dt.⟩ (österr. für Reißverschluss); vgl. Zipp ®

Zips, die; - (Gebiet in der Slowakei); Zip|ser

Zir|be, Zir|bel, die; -, -n (landsch. für eine Kiefer)

Zir|bel|drü|se (Med.)

Zir|bel|kie|fer, die (vgl. Arve); Zirbel|nuss

Zir|co|ni|um vgl. Zirkonium

zir|ka, cir|ca (ungefähr, etwa; Abk. ca. [für lat. circa])

Zir|ka|auf|trag (Börsenauftrag, bei dem der Kommissionär um ¹/₄ od. ¹/₂ % vom gesetzten Limit abweichen darf)

Zir|ka|preis; Abk. ca.-Preis

Zir|kel, der; -s, - ⟨griech.⟩

Zir|kel|kas|ten

zir|keln (Kreis ziehen; [ab]messen); ich zirk[e]le; zir|kel|rund

Zir|kel|schluss

Zir|kon, der; -s, -e ⟨nlat.⟩ (ein Mineral); Zir|ko|ni|um, chem. fachspr. Zir|co|ni|um, das; -s (chem. Element; Zeichen Zr)

zir|ku|lar, zir|ku|lär ⟨griech.⟩ (kreisförmig)

Zir|ku|lar, das; -s, -e (schweiz., sonst veraltet für Rundschreiben); Zir|ku|lar|no|te (Völkerrecht eine mehreren Staaten gleichzeitig zugestellte Note gleichen Inhalts)

Zir|ku|la|ti|on, die; -, -en (Kreislauf, Umlauf); Zir|ku|lie|ren

zir|kum... ⟨griech.⟩ (um..., herum...); Zir|kum... (Um..., Herum...)

zir|kum|flek|tie|ren (mit Zirkumflex versehen); Zir|kum|flex, der; -es, -e (Sprachw. ein Dehnungszeichen; Zeichen ˆ, z. B. â)

Zir|kum|po|lar|stern (Stern, der für den Beobachtungsort nie untergeht)

zir|kum|skript (Med. umschrieben, [scharf] abgegrenzt); Zir|kumskrip|ti|on, die; -, -en (Abgrenzung kirchlicher Gebiete)

zir|kum|ter|res|t|risch (im Umkreis der Erde)

Zir|kum|zi|si|on, die; -, -en ⟨lat.⟩ (Med. Beschneidung)

Zir|kus, Cir|cus, der; -, -se (großes Zelt od. Gebäude, in dem Artistik, Tierdressuren u. a. gezeigt werden; nur Sing.: ugs. Durcheinander, Trubel)

Zir|kus|di|rek|tor, Cir|cus|di|rek|tor; Zir|kus|di|rek|to|rin, Cir|cus|di-rek|to|rin; Zir|kus|pferd, Cir|cuspferd; Zir|kus|zelt, Cir|cus|zelt

Zir|pe, die; -, -n (landsch. für Grille, Zikade); zir|pen

Zir|ren (Plur. von Zirrus)

Zir|rho|se, die; -, -n ⟨griech.⟩ (Med. chron. Wucherung von Bindegewebe mit nachfolgender Verhärtung u. Schrumpfung)

Zir|ro|ku|mu|lus ⟨lat.⟩ (Meteor. Schäfchenwolke)

Zir|ro|stra|tus (ungegliederte Streifenwolke in höheren Luftschichten)

Zir|rus, der; -, Plur. - u. Zirren (Federwolke); Zir|rus|wol|ke

zir|zen|sisch ⟨griech.⟩ (den Zirkus betreffend, in ihm abgehalten)

zis|al|pin, zis|al|pi|nisch ⟨lat.⟩ ([von Rom aus] diesseits der Alpen liegend)

Zi|sche|lei; zi|scheln; ich zisch[e]le

zi|schen; du zischst; Zisch|laut

Zi|se|leur [...ˈløːɐ̯], der; -s, -e ⟨franz.⟩ (Metallstecher); Zi|se-leu|rin; zi|se|lie|ren ([in Metall] mit Punze, Ziselierhammer [kunstvoll] einarbeiten); Zi|se-lie|rer (Ziseleur); Zi|se|lie|re|rin; Zi|se|lie|rung

¹Zis|ka (dt. Form von Žižka)

²Zis|ka (w. Vorn.)

Zis|la|weng, der ⟨franz.⟩; in der Fügung mit einem Zislaweng (ugs. für mit Schwung)

zis|pa|da|nisch ([von Rom aus] diesseits des Pos liegend)

Zis|sa|li|en Plur. ⟨lat.⟩ (fehlerhafte Münzen, die wieder eingeschmolzen werden)

Zis|so|i|de, die; -, -n ⟨griech.⟩ (Math. Efeublattkurve; ebene Kurve dritter Ordnung)

Zis|ta, Zis|te, die; -, Zisten ⟨griech.⟩ (altgriech. zylinderförmiger Korb; frühgeschichtliche Urne)

Zis|ter|ne, die; -, -n ⟨griech.⟩ (Behälter für Regenwasser); Zis-ter|nen|was|ser, das; -s

Zis|ter|zi|en|ser, der; -s, - (Angehöriger eines kath. Ordens); Zis-ter|zi|en|se|rin (Angehörige des Ordens der Zisterzienserinnen); Zist|rös|chen, Zist|ro|se ⟨griech.; dt.⟩ (eine Pflanze)

Zi|ta (w. Vorn.)

Zi|ta|del|le, die; -, -n ⟨franz.⟩ (Befestigungsanlage innerhalb einer Stadt od. einer Festung)

Zi|tat, das; -[e]s, -e ⟨lat.⟩

Zi|ta|ten|le|xi|kon; Zi|ta|ten|schatz

Zi|ta|ti|on, die; -, -en (veraltet für [Vor]ladung vor Gericht; auch für Zitierung)

Zi|ther, die; -, -n ⟨griech.⟩ (ein Saiteninstrument); Zi|ther|spiel, das; -[e]s

zi|tie|ren ⟨lat.⟩ ([eine Textstelle] wörtlich anführen; vorladen); Zi-tie|rung

Zi|t|rat, fachspr. Ci|t|rat, das; -[e]s, -e ⟨lat.⟩ (Salz der Zitronensäure)

¹Zi|t|rin, der; -s, -e (gelber Bergkristall)

²Zi|t|rin, das; -s (Bestandteil eines gelben Farbstoffs)

Zi|t|ro|nat, das; -[e]s, -e ⟨franz.⟩ (kandierte Fruchtschale einer Zitronenart)

Zi|t|ro|ne, die; -, -n ⟨ital.⟩

Zi|t|ro|nen|baum; Zi|t|ro|nen|fal|ter; zi|t|ro|nen|far|ben, zi|t|ro|nen|far-big; zi|t|ro|nen|gelb

Zi|t|ro|nen|li|mo|na|de; Zi|t|ro|nen-me|lis|se; Zi|t|ro|nen|pres|se; Zi|t-ro|nen|saft

Zi|t|ro|nen|sau|er (Chemie); Zi|t|ro-nen|säu|re, die; -

Zi|t|ro|nen|scha|le; Zi|t|ro|nen|was-ser

Zi|t|rul|le, die; -, -n ⟨franz.⟩ (veraltet für Wassermelone)

Zi|t|rus|frucht (Zitrone, Apfelsine, Mandarine u. a.); Zi|t|rus|öl; Zi|t-rus|pflan|ze

Zit|ter|aal; Zit|ter|gras

zit|te|rig, zitt|rig

zit|tern; ich zittere; ↑K 82 : sie hat das Zittern (ugs.)

Zit|ter|pap|pel

Zit|ter|par|tie (Spiel, bei dem eine Mannschaft bis zuletzt um den Sieg fürchten muss)

Zit|ter|ro|chen (ein Fisch)

zitt|rig vgl. zitterig

Zit|wer, der; -s, - ⟨pers.⟩ (Korbblütler, dessen Samen als Wurmmittel verwendet werden)

Zit|ze, die; -, -n (Organ zum Säugen bei weibl. Säugetieren)

Ziu (altgerm. Gott); *vgl.* Tiu, Tyr

Zi|vi, der; -s, -s *u.* die; -, -s *(ugs. kurz für* Zivildienstleistende[r])

zi|vil ⟨lat.⟩ (bürgerlich); zivile (niedrige) Preise; ziviler Bevölkerungsschutz, Ersatzdienst

Zi|vil, das; -s (bürgerl. Kleidung)

Zi|vil|an|zug; Zi|vil|be|ruf; Zi|vil|beschä|dig|te, der *u.* die; -n, -n

Zi|vil|be|völ|ke|rung; Zi|vil|cou|ra|ge

Zi|vil|die|ner *(österr. für* Zivildienstleistender); **Zi|vil|die|ne|rin**

Zi|vil|dienst, der; -[e]s; **Zi|vil|dienstbe|auf|trag|te,** der *u.* die; -n, -n; Zi|vil|dienst Leis|ten|de, der *u.* die; - -n, - -n, **Zi|vil|dienst|leisten|de,** der *u.* die; -n, -n

Zi|vil|ehe (standesamtlich geschlossene Ehe)

Zi|vil|fahn|der; Zi|vil|fahn|de|rin; Zivil|fahn|dung

Zi|vil|ge|setz|buch *(Abk. [in der Schweiz]* ZGB)

Zi|vi|li|sa|ti|on, die; -, -en (durch Fortschritt von Wissenschaft u. Technik verbesserte soziale u. materielle Lebensbedingungen); **Zi|vi|li|sa|ti|ons|krank|heit** *meist Plur.*

zi|vi|li|sa|ti|ons|mü|de; Zi|vi|li|sa|tions|mü|dig|keit

Zi|vi|li|sa|ti|ons|müll

zi|vi|li|sa|to|risch

zi|vi|li|sie|ren (der Zivilisation zuführen); **zi|vi|li|siert; Zi|vi|lisiert|heit; Zi|vi|li|sie|rung**

Zi|vi|list, der; -en, -en (Bürger, Nichtsoldat); **Zi|vi|lis|tin; zi|vi|listisch**

Zi|vil|kam|mer (Spruchabteilung für privatrechtl. Streitigkeiten bei Landgerichten); **Zi|vil|kla|ge**

Zi|vil|klei|dung; Zi|vil|le|ben

Zi|vil|lis|te (für den Monarchen bestimmter Betrag im Staatshaushalt)

Zi|vil|op|fer

Zi|vil|per|son

Zi|vil|pro|zess (Gerichtsverfahren, dem die Bestimmungen des Privatrechts zugrunde liegen); Zivil|pro|zess|ord|nung *(Abk.* ZPO); **Zi|vil|pro|zess|recht,** das; -[e]s

Zi|vil|recht, das; -[e]s; **zi|vil|rechtlich**

Zi|vil|schutz, der; -es

Zi|vil|stand *(schweiz. für* Familien-, Personenstand); **Zi|vil|standsamt** *(schweiz. auch für* Standesamt); **Zi|vil|stands|be|am|te** *(schweiz.);* **Zi|vil|stands|be|am|tin**

Zi|vil|tech|ni|ker *(österr.);* **Zi|viltech|ni|ke|rin**

Zi|vil|trau|ung; Zi|vil|ver|tei|di|gung

zi|zerl|weis *(bayr., österr. ugs. für* nach und nach, ratenweise)

Žiž|ka [ˈʒɪʃ...] (Hussitenführer); *vgl.* ¹Ziska

ZK, das; -, *Plur.* -, *selten* -s = Zentralkomitee

Zlo|ty [ˈzlɔti], **Złoty** [ˈzṷɔ...], der; -s, -s ⟨poln.⟩ (polnische Währungseinheit; *Währungscode* PLN); 5 Zloty

Zmit|tag, der *od.* das; -s ⟨*schweiz. mdal. für* Mittagessen)

Zmor|ge[n], der *od.* das; -[s], - *(schweiz. mdal. für* Frühstück)

Zn = *chem. Zeichen für* Zink

Znacht, der *od.* das; -s ⟨*schweiz. mdal. für* Abendessen)

Znü|ni, der *od.* das; -s, - *(schweiz. mdal. für* Vormittagsimbiss)

Zo|bel, der; -s, - ⟨slaw.⟩ (Marder; Pelz); **Zo|bel|pelz**

Zo|ber, der; -s, - *(landsch. für* Zuber)

Zoc|co|li *Plur.* ⟨ital.⟩ *(schweiz. für* Holzsandalen)

zo|ckeln *(svw.* zuckeln); ich zock[e]le

zo|cken ⟨jidd.⟩ *(ugs. für* Glücksspiele machen); **Zo|cker,** der; -s, - (Glücksspieler); **Zo|cke|rin**

zo|di|a|kal ⟨griech.⟩ (den Zodiakus betreffend)

Zo|di|a|kal|licht, das; -[e]s, -er *(Astron.* Tierkreislicht, pyramidenförmiger Lichtschein in der Richtung des Tierkreises)

Zo|di|a|kus, der; - (Tierkreis)

Zoe (Name byzantinischer Kaiserinnen)

Zo|fe, die; -, -n; **Zo|fen|dienst**

Zoff, der; -s *(ugs. für* Ärger, Streit, Unfrieden); **zof|fen,** sich *(ugs. für* sich streiten)

zog *vgl.* ziehen

zö|ger|lich (zögernd)

zö|gern; ich zögere; ↑K82 : nach anfänglichem Zögern; ohne Zögern einspringen

Zög|ling

Zo|he, die; -, -n *(südwestd. für* Hündin)

Zo|lä [z...] (franz. Schriftsteller)

¹Zö|les|tin, der; -s, -e ⟨lat.⟩ (ein Mineral)

²Zö|les|tin, Zö|les|ti|nus (m. Vorn.); **Zö|les|ti|ne** (w. Vorn.)

Zö|les|ti|ner, der; -s, - (Angehöriger eines ehemaligen katholischen Ordens)

Zö|les|ti|nus *vgl.* ²Zölestin

zö|les|tisch *(veraltet für* himmlisch)

Zö|li|bat, das; *Theol.* der; -[e]s ⟨lat.⟩ (pflichtmäßige Ehelosigkeit aus religiösen Gründen, bes. bei kath. Geistlichen)

zö|li|ba|tär; Zö|li|ba|tär, der; -s, -e (jmd., der im Zölibat lebt)

Zö|li|bats|zwang, der; -[e]s

¹Zoll, der; -[e]s, Zölle ⟨griech.⟩ (Abgabe)

²Zoll, der; -[e]s, - (altes Längenmaß; *Zeichen* ''); 3 Zoll breit; *vgl.* zollbreit *u.* Zollbreit

Zoll|ab|fer|ti|gung

Zoll|amt; zoll|amt|lich

Zoll|an|mel|dung

zoll|bar (zollpflichtig)

Zoll|be|am|te; Zoll|be|am|tin

Zoll|be|hör|de

zoll|breit; ein zollbreites Brett, *aber* das Brett ist einen Zoll breit; **Zoll|breit,** der; -, -, Zoll breit, der; - -, - -; keinen **Zollbreit** *od.* Zoll breit zurückweichen

Zoll|bürg|schaft; Zoll|de|k|la|ra|tion; Zoll|ein|neh|mer *(früher)*

zol|len; jmdm. Respekt zollen

...zöl|ler (z. B. Achtzöller)

Zoll|er|klä|rung

Zoll|fahn|der; Zoll|fahn|de|rin; Zollfahn|dung

Zoll|for|ma|li|tät *meist Plur.*

zoll|frei; Zoll|frei|heit, die; -

Zoll|ge|biet; Zoll|gren|ze

zoll|hoch; *aber* einen Zoll hoch

...zöl|lig, ...zol|lig, *österr. nur so* (z. B. vierzöllig, vierzöllig, *mit Ziffer* 4-zöllig, 4-zöllig)

Zoll|in|halts|er|klä|rung

Zoll|kon|t|rol|le

zoll|lang; ↑K25 , *aber* einen Zoll lang

Zoll|li|nie, Zoll-Li|nie, die; -, -n

Zöll|ner *(früher* Zoll-, Steuereinnehmer; *veraltend* Zollbeamter)

Zoll|ord|nung; zoll|pflich|tig

Zoll|recht, der; -[e]s; **Zoll|schran|ke**

Zoll|stab *(österr. für* Zollstock)

Zoll|sta|ti|on; Zoll|stel|le

Zoll|stock *Plur.* ...stöcke

Zoll|ta|rif; Zoll|uni|on; Zoll|ver|trag; Zoll|wa|che *(österr. für* uniformierter u. bewaffneter Zolldienst)

Zö|lom, das; -s, -e ⟨griech.⟩ *(Biol.* Leibeshöhle [der Säugetiere])

Zom|bie [...bi], der; -[s], -s ⟨westafrikan.⟩ (Toter, der durch Zauberei wieder zum Leben erweckt wurde [und willenloses Werkzeug des Zauberers ist])

Zö|me|te|ri|um, das; -s, ...ien ⟨griech.⟩ (Ruhestätte, Friedhof, *auch für* Katakombe)

zo|nal, zo|nar ⟨griech.-lat.⟩ (zu einer Zone gehörend, eine Zone betreffend)

Zo|ne, die; -, -n ⟨griech.-lat.⟩ (abgegrenztes Gebiet)

Zo|nen|gren|ze (*nach dem 2. Weltkrieg für* Grenze zwischen den Besatzungszonen; *Verkehrsw.* Zahlgrenze)

Zo|nen|ta|rif; Zo|nen|zeit

Zö|no|bit, der; -en, -en ⟨griech.⟩ (im Kloster lebender Mönch)

Zö|no|bi|um, das; -s, ...ien (Kloster; *Biol.* kolonieartiger Zusammenschluss von Einzellern)

Zoo, der; -s, -s ⟨griech.⟩ (*kurz für* zoologischer Garten)

zoo|gen [tsoo...] (aus tierischen Resten gebildet [von Gesteinen])

Zoo|gra|fie , Zoo|gra|phie [tsoo...], die; -, ...ien (Benennung u. Einordnung der Tierarten)

Zoo|hand|lung

Zoo|la|t|rie [tsoo...], die; -, ...ien (Tierkult)

Zoo|lith [tsoo...], der; *Gen.* -s *od.* -en, *Plur.* -e[n] (Tierversteinerung)

Zoo|lo|ge [tsoo...], der; -n, -n; **Zoo|lo|gie,** die; - (Tierkunde); **Zoo|lo|gin; zoo|lo|gisch;** ein zoologischer Garten, *aber* ↑K 150 : der Zoologische Garten Frankfurt

Zoom [zu:m], das *u.* der; -s, -s ⟨engl.⟩ (Objektiv mit veränderlicher Brennweite; Vorgang, durch den der Aufnahmegegenstand näher an den Betrachter herangeholt oder weiter von ihm entfernt wird); **Zoom|bereich; zoo|men;** gezoomt; **Zoom|ob|jek|tiv**

Zo|on po|li|ti|kon, das; - - ⟨griech.⟩ (der Mensch als Gemeinschaftswesen [bei Aristoteles])

Zoo|or|ches|ter, Zoo-Or|ches|ter

zoo|phag [tsoo...] (fleischfressend [von Pflanzen]); **Zoo|pha|ge,** der; -n, -n (fleischfressende Pflanze)

Zoo|phyt [tsoo...], der *od.* das; -en, -en (*veraltete Bez. für* Hohltier od. Schwamm)

Zoo|tech|ni|ker (*regional für* [Zoo]tierpfleger); **Zoo|tech|ni|ke|rin**

Zoo|to|mie [tsoo...], die; - (Tieranatomie)

Zoo|top [tsoo...], der *u.* das; -s, -e ⟨griech.⟩ (*Biol.* Lebensraum von Tieren)

Zopf, der; -[e]s, Zöpfe; ein alter Zopf (*ugs. für* überlebter Brauch); **Zöpf|chen; zop|fig**

Zopf|mus|ter; Zopf|stil, der; -[e]s (*Kunstwiss.*)

Zop|pot (*poln.* Sopot)

Zo|res, der; - ⟨hebr.-jidd.⟩ (*landsch. für* Ärger; Gesindel)

Zo|ril|la, der; -s, -s, *auch* die; -, -s ⟨span.⟩ (eine afrikan. Marderart)

Zorn, der; -[e]s

Zorn|ader (Zornesader); **Zorn|ausbruch** (Zornesausbruch); **Zornbin|kel,** der; -s, -[n] (*österr. ugs. für* jähzorniger Mensch)

zorn|ent|brannt ↑K 59

Zor|nes|ader; Zor|nes|aus|bruch; Zor|nes|rö|te

zor|nig

Zorn|rö|te (Zornesröte)

zorn|schnau|bend ↑K 59

Zo|ro|as|ter (*Nebenform von* Zarathustra); **zo|ro|as|t|risch;** die zoroastrische Lehre ↑K135

Zos|se, der; -n, -n *u.* **Zos|sen,** der; -, - ⟨hebr.-jidd.⟩ (*landsch. für* Pferd)

Zos|ter, der; -[s], - ⟨griech.⟩ (*Med.* Gürtelrose)

Zo|te, die; -, -n (unanständiger Witz); **zo|ten; Zo|ten|rei|ßer; Zo|ten|rei|ße|rin**

zo|tig; Zo|tig|keit

Zot|te, die; -, -n (*südwestd. u. mitteld. für* Schnauze, Ausgießer)

Zot|tel, die; -, -n (Haarbüschel; Quaste, Troddel u. a.)

Zot|tel|bär; Zot|tel|haar

zot|te|lig, zott|lig

zot|teln (*ugs. für* langsam gehen); ich zott[e]le

zot|tig; zott|lig *vgl.* zottelig

ZPO = Zivilprozessordnung

Zr = *chem. Zeichen für* Zirkonium

Zs. = Zeitschrift

Zschok|ke (schweiz. Schriftsteller)

¹Zscho|pau (Stadt südöstlich von Chemnitz)

²Zscho|pau, die; - (Fluss in Sachsen)

Zschr. = Zeitschrift

Z-Sol|dat [ˈtsɛt...] (*kurz für* Zeitsoldat)

z. T. = zum Teil

Ztr. = Zentner

zu *s. Kasten Seite 1146*

zu... (*in Zus. mit Verben*, z. B. zunehmen, du nimmst zu, zugenommen, zuzunehmen)

zu|al|ler|al|ler|letzt; zu|al|ler|erst; zu|al|ler|letzt; zu|al|ler|meist

Zu|ar|beit; zu|ar|bei|ten; sie haben ihm fleißig zugearbeitet

zu|äu|ßerst

Zu|bau, der; -[e]s, -ten (*österr. für* Anbau); **zu|bau|en**

Zu|be|hör, das, *seltener* der; -[e]s, *Plur.* -e, *schweiz. auch* -den; *vgl.* Zugehör

Zu|be|hör|in|dus|t|rie; Zu|be|hör|teil, das

zu|bei|ßen

zu|be|kom|men (*ugs.*); sie hat die Tür zubekommen

Zu|ber, der; -s, - (*landsch. für* [Holz]bottich)

zu|be|rei|ten; Zu|be|rei|ter; Zu|be|rei|tung

zu|be|to|nie|ren; zubetoniert

Zu|bett|ge|hen, das; -s ↑K27 *u.* 82

zu|bil|li|gen; Zu|bil|li|gung

zu|bin|den

Zu|biss

zu|blei|ben (*ugs.*)

zu|blin|zeln

zu|brin|gen

Zu|brin|ger; Zu|brin|ger|bus; Zu|brin|ger|dienst; Zu|brin|ger|stra|ße; Zu|brin|ger|ver|kehr

Zu|brot, das; -[e]s (zusätzlicher Verdienst)

Zu|bu|ße (*veraltet für* Geldzuschuss)

zu|but|tern (*ugs. für* [Geld] zusetzen)

Zuc|chet|to [tsuˈkɛ...], der; -s, ...tti *meist Plur.* ⟨ital.⟩ (*schweiz. für* Zucchini)

Zuc|chi|ni, die; -, -, *seltener* **Zuc|chi|no,** der; -s, ...ni *meist Plur.* (ein gurkenähnliches Gemüse)

Zü|chen, der; -s, - (*landsch. svw.* Zieche)

Zucht, die; -, -en; **Zucht|buch**

Zucht|bul|le; Zucht|eber

züch|ten; Züch|ter

Zucht|er|folg

Züch|te|rin; züch|te|risch

Zucht|haus; Zucht|häus|ler; Zucht|häus|le|rin; Zucht|haus|stra|fe

Zucht|hengst

züch|tig (*veraltet für* sittsam)

züch|ti|gen (*geh.*)

Züch|tig|keit, die; - (*veraltet, noch scherzh.*)

Züch|ti|gung (*geh.*)

zucht|los; Zucht|lo|sig|keit

Zucht|mit|tel, das (*Rechtsspr.*)

Zucht|per|le; Zucht|stier; Zucht|tier

Züch|tung; Zucht|vieh; Zucht|wahl

zuck!; Zuck, der; -[e]s, -e; in einem Zuck

zu|ckeln (*ugs. für* langsam u. ohne

Z
zuck

zu

Präposition mit Dativ:

- zu dem Garten; zum Bahnhof
- zu zwei[e]n, zu zweit
- vier zu eins (4:1)

Zusammen- oder Getrenntschreibung:

- zuäußerst; zuoberst; zutiefst; zuunterst
- zugrunde *od.* zu Grunde gehen
- zugunsten *od.* zu Gunsten
- zu Haus[e] *od.* zuhause sein
- zulasten *od.* zu Lasten
- jmdm. etw. zuleide *od.* zu Leide tun
- zuletzt, *aber* zu guter Letzt
- mir ist fröhlich zumute *od.* zu Mute
- sich etwas zunutze *od.* zu Nutze machen
- mit etwas zurande *od.* zu Rande kommen
- jmdn. zurate *od.* zu Rate ziehen
- zuschanden *od.* zu Schanden werden
- sich etw. zuschulden *od.* zu Schulden kommen lassen
- zuseiten *(vgl. d.) od.* zu Seiten
- zustande *od.* zu Stande kommen
- zutage *od.* zu Tage fördern, treten
- zuungunsten *od.* zu Ungunsten
- zuwege *od.* zu Wege bringen
- zuzeiten (bisweilen), *aber* zu Großmutters Zeiten, zu Zeiten Goethes
- zu Berge stehen
- jmdm. zu Dank verpflichtet sein; zu herzlichstem Dank verpflichtet
- sich etwas zu eigen machen
- zu Ende gehen
- zu Herzen gehen

- jmdm. zu Ohren kommen
- zu Recht bestehen
- zu Werke gehen
- zu Willen sein
- zum (zu dem; *vgl.* zum)
- zur (zu der; *vgl.* zur)
- sie sind der Stadt zu (= stadtwärts) gegangen

Großschreibung als erster Bestandteil eines Gebäudenamens:

- ↑K150 : Zum Löwen (Gasthaus), Zur Alten Post (Gasthaus), das Gasthaus [mit dem Namen] »Zum Löwen«, »Zur Alten Post«, *aber* das »Gasthaus zum Löwen«

Groß- oder Kleinschreibung bei Familiennamen:

- Familie Zur Nieden, *auch* Familie zur Nieden

Konjunktion:

- er bat ihn[,] zu helfen
- die zu versichernde Angestellte, *aber* die zu Versichernde, *entsprechend:* der aufzunehmende Fremde, der Aufzunehmende

Adverb:

- zu viel, zu wenig, zu weit, zu spät
- zu sein (*ugs. für* geschlossen sein); alle Läden sind zu gewesen

»zu« *als* »Vorwort« *des Verbs:* der Hund ist mir zugelaufen, der Vogel ist mir zugeflogen

Zum Komma ↑K116 u. 117

Hast trotten, fahren); ich zuck[e]le
zu|cken; der Blitz zuckt
zü|cken; den Geldbeutel zücken
Zu|cker, der; -s, *Plur. (Sorten:)* -
Zu|cker|bä|cker (*österr., sonst veraltet für* Konditor); **Zu|cker|bä|cke|rin; Zu|cker|bä|cker|stil** (*abwertend* [sowjetischer] Baustil nach dem 2. Weltkrieg)
Zu|cker|brot; Zu|cker|cou|leur, die; - (gebrannter Zucker zum Färben von Lebensmitteln); **Zu|cker|do|se; Zu|cker|erb|se; Zu|cker|fa|b|rik**
Zu|cker|fest (Fest der Muslime nach dem Fastenmonat)
zu|cker|frei; zuckerfreie Bonbons
Zu|cker|ge|halt, der
Zu|cker|gla|sur; Zu|cker|guss
zu|cker|hal|tig
Zu|cker|harn|ruhr (*für* Diabetes mellitus); **Zu|cker|hut,** der
zu|cke|rig, zuck|rig
Zu|cker|kand, der; -[e]s, **Zu|cker|kan|dis,** der; - (*ugs. für* Kandiszucker)

zu|cker|krank; Zu|cker|krank|heit
Zu|ckerl, das; -s, -n (*bayr. u. österr. für* Bonbon)
Zu|cker|le|cken, das; *nur in* kein Zuckerlecken sein (unangenehm, anstrengend sein)
zu|ckern; ich zuckere
Zu|cker|raf|fi|na|de; Zu|cker|raf|fi|ne|rie
Zu|cker|rohr; Zu|cker|rü|be
Zu|cker|schle|cken *vgl.* Zuckerlecken; **Zu|cker|stan|ge; Zu|cker|streu|er**
zu|cker|süß
Zu|cker|tü|te; Zu|cker|was|ser, das; -s; **Zu|cker|wat|te; Zu|cker|wür|fel; Zu|cker|zan|ge**
Zuck|fuß, der; -es (fehlerhafter Gang des Pferdes)
Zuck|may|er, Carl (dt. Schriftsteller u. Dramatiker)
Zuck|mü|cke
zuck|rig *vgl.* zuckerig
Zu|ckung
Zu|de|cke (*ugs. für* Bettdecke)
zu|de|cken

zu|dem (außerdem)
zu|die|nen (*schweiz. für* Handreichung tun)
zu|dik|tie|ren
zu|dre|hen
zu drei|en, zu dritt
zu|dring|lich; Zu|dring|lich|keit
zu dritt *vgl.* zu dreien
zu|dröh|nen, sich (*ugs. für* sich berauschen)
zu|drü|cken
zu ei|gen; jmdm. etwas zu eigen geben (*geh.);* sich etwas zu eigen machen ↑K72
zu|eig|nen (*geh. für* widmen; schenken); zugeeignet; **Zu|eig|nung**
zu|ei|n|an|der; er fragte, wie wir uns zueinander verhalten würden; zueinander finden *od.* zueinanderfinden; zueinander passen *od.* zueinanderpassen; *vgl.* aneinander
zu|ei|n|an|der|fin|den *vgl.* zueinander
zu|ei|n|an|der|hal|ten

---

zu|frie|den

– zufrieden mit dem Ergebnis

Schreibung in Verbindung mit Verben und Partizipien:

– zufrieden machen, zufrieden sein, zufrieden werden
– sich zufriedengeben; sie hat sich schließlich damit zufriedengegeben; sie verstanden es, sich mit wenig zufriedenzugeben

– jmdn. zufriedenlassen
– alle Kundinnen zufrieden stellen *od.* zufriedenstellen; die Gäste waren zufrieden gestellt *od.* zufriedengestellt; wir waren bemüht darum, alle zufrieden zu stellen *od.* zufriedenzustellen
– ein zufrieden stellendes *od.* zufriedenstellendes *(aber nur* zufriedenstellenderes*)* Ergebnis

zu|ei|n|an|der|pas|sen *vgl.* zueinander
zu|ei|n|an|der|ste|hen (zusammenhalten); *aber* ich weiß nicht, wie die beiden zueinander stehen (welche Beziehung sie haben)
zu En|de *vgl.* Ende
zu|er|ken|nen; Zu|er|ken|nung
zu|erst; der zuerst genannte Verfasser ist nicht mit dem zuletzt genannten zu verwechseln; zuerst einmal; *aber* zu zweit
Zu|er|werb, der; -[e]s (*svw.* Nebenerwerb); Zu|er|werbs|be|trieb (*Landw.*)
zu|fä|cheln
zu|fah|ren
Zu|fahrt; Zu|fahrts|stra|ße; Zu|fahrts|weg
Zu|fall, der
zu|fal|len
zu|fäl|lig; zu|fäl|li|ger|wei|se; Zu|fäl|lig|keit
Zu|falls|aus|wahl (*Statistik*); Zu|falls|be|kannt|schaft; Zu|falls|er|geb|nis; Zu|falls|grö|ße (*Math.*); Zu|falls|pro|dukt; Zu|falls|streu|be|reich (*Statistik*); Zu|falls|streu|ung (*Statistik*); Zu|falls|tref|fer
zu|fas|sen
zu|fli|cken (*ugs.*)
zu|flie|gen
zu|flie|ßen
Zu|flucht, die; -; Zu|flucht|nah|me
Zu|fluchts|ort, der; -[e]s, -e; Zu|fluchts|stät|te
Zu|fluss
zu|flüs|tern
zu|fol|ge; ↑K 63 Präposition, bei Nachstellung mit Dativ: dem Gerücht zufolge, demzufolge (*vgl. d.*), bei Voranstellung mit Genitiv: zufolge des Gerüchtes
zu|frie|den *s. Kasten*
zu|frie|den|ge|ben, sich; *vgl.* zufrieden
Zu|frie|den|heit, die; -
zu|frie|den|las|sen *vgl.* zufrieden
zu|frie|den stel|len, **zu|frie|den-stel|len** *vgl.* zufrieden

zu|frie|den stel|lend, **zu|frie|den-stel|lend** *vgl.* zufrieden
Zu|frie|den|stel|lung, die; -
zu|frie|ren
zu|fü|gen; Zu|fü|gung
Zu|fuhr, die; -, -en
zu|füh|ren (*auch für* [vorläufig] verhaften); Zu|füh|rung
Zu|füh|rungs|lei|tung; Zu|füh|rungs|rohr
Zu-Fuß-Ge|hen, **Zu|fuß|ge|hen**, das; -s
¹Zug, der; -[e]s, Züge; Zug um Zug; Dreihzuug (*mit Ziffer* 3-Uhr-Zug ↑K 26)
²Zug (Kanton u. Stadt in der Schweiz)
Zu|ga|be
Zug|ab|teil; *vgl. auch* Zugsabteil
Zu|gang
zu|gan|ge; zugange sein *ugs.*
zu|gäng|lich (zugänglich)
zu|gäng|lich; Zu|gäng|lich|keit
Zu|gangs|be|rech|ti|gung
Zu|gangs|ko|de, *fachspr.* **Zu|gangs-code**
Zug|aus|kunft (*bes. österr. für* Reiseauskunft der Bahn)
Zug|be|glei|ter; Zug|be|glei|te|rin
Zug|brü|cke
zu|ge|ben; zugegeben (*vgl. d.*)
zu|ge|dacht (*geh.*); diese Auszeichnung war ihr zugedacht
Zu|ge|führ|te, der *u.* die; -n, -n (*Amtsspr.* Verhaftete[r])
zu|ge|ge|ben; zugegeben, dass dein Freund recht hat; **zu|ge|ge-be|ner|ma|ßen**
zu|ge|gen (*geh.*); [bei etwas] zugegen sein
zu|ge|hen; auf jmdn. zugehen; auf dem Fest ist es lustig zugegangen; der Koffer geht nicht zu (*ugs.*)
Zu|ge|he|rin, Zu|geh|frau (*südd., westösterr. für* Aufwartefrau)
Zu|ge|hör, das; -[e]s, *schweiz. auch* die; - (*österr. u. schweiz. Rechtsspr., sonst veraltet für* Zubehör)
zu|ge|hö|ren (*geh.*)

zu|ge|hö|rig; Zu|ge|hö|rig|keit, die; -; Zu|ge|hö|rig|keits|ge|fühl, das; -[e]s
zu|ge|knöpft; sie war sehr zugeknöpft (*ugs. für* verschlossen); Zu|ge|knöpft|heit, die; -
Zü|gel, der; -s, -; Zü|gel|hand (linke Hand des Reiters); Zü|gel|hil|fe
zü|gel|los; Zü|gel|lo|sig|keit
zü|geln (*schweiz. auch für* umziehen); ich züg[e]le; Zü|ge|lung, Züg|lung
Zü|gen|glöck|lein (*bayr. u. österr. für* Totenglocke)
Zu|ger (von, aus ²Zug)
Zu|ger|rei|s|te, der *u.* die; -n, -n
zu|ge|risch; Zu|ger See, der; - -s
zu|ge|sel|len; sich zugesellen
zu|ge|stan|den; zugestanden, dass dich keine Schuld trifft; **zu|ge-stan|de|ner|ma|ßen**
Zu|ge|ständ|nis
zu|ge|ste|hen
zu|ge|tan; er ist ihr von Herzen zugetan
zu|ge|wandt; zu|ge|wen|det *vgl.* zuwenden
Zu|ge|winn; Zu|ge|winn|ge|mein|schaft (*Rechtsspr.*)
zug|fest; Zug|fes|tig|keit, die; -
Zug|füh|rer; *vgl. auch* Zugsführer; Zug|füh|re|rin
Zug|hub, der; -[e]s, -e (*Bergmannsspr.* ein Hebegerät)
zu|gie|ßen; sie goss Wasser zu
zu|gig (windig)
zü|gig (in einem Zuge; *schweiz. auch für* zugkräftig)
...zü|gig (z. B. zweizügig [von Schulen])
Zü|gig|keit, die; - (das Zügigsein)
Zug|kon|t|rol|le
Zug|kraft, die; zug|kräf|tig
Zug|last
zu|gleich
Zug|lei|ne
Zü|gli|te, die; -, -n (*schweiz. mdal. für* Umzug, Wohnungswechsel)
Zug|luft, die; -
Zü|g|lung *vgl.* Zügelung
Zug|ma|schi|ne

Zug|num|mer; Zug|per|so|nal
Zug|pferd
Zug|pflas|ter
zu|grei|fen; greifen Sie zu!
Zug|rei|sen|de
Zu|griff, der; -[e]s, -e
zu|grif|fig (schweiz. für zugreifend, tatkräftig)
zu|griffs|be|rech|tigt (bes. EDV); Zu|griffs|be|rech|ti|gung; Zu|griffs|mög|lich|keit; Zu|griffs|ra|te
Zu|griffs|recht; Zu|griffs|zeit
zu|grun|de, zu Grun|de; zugrunde od. zu Grunde gehen, legen, liegen, richten; es scheint etwas anderes zugrunde od. zu Grunde zu liegen; zugrunde liegend od. zu Grunde liegend od. zugrundeliegend ↑K51
Zu|grun|de|ge|hen, Zu-Grun|de-Ge|hen, das; -s
Zu|grun|de|le|gung; unter Zugrundelegung dieser Tatsachen
Zugs|ab|teil (österr.)
Zug|sal|be
Zug|scheit Plur. ...scheite (landsch. für Ortscheit)
Zug|seil
Zugs|füh|rer (österr.); Zugs|füh|re|rin
Zug|spitz|bahn
Zug|spit|ze, die; - (höchster Berg Deutschlands); Zug|spitz|platt, das; -s
Zug|stan|ge; Zug|stück
Zugs|ver|kehr (österr., schweiz.); Zugs|ver|spä|tung (österr.)
Zug|te|le|fon
Zug|tier
zu|gu|cken, zu|ku|cken (ugs.); zugeguckt, zugekuckt
Zug-um-Zug-Leis|tung (Rechtsw.) ↑K26
Zug|un|glück
zu|guns|ten, zu Guns|ten; bei Voranstellung mit Genitiv: zugunsten od. zu Gunsten bedürftiger Kinder, bei Nachstellung mit Dativ (seltener): dem Freund zugunsten od. zu Gunsten; vgl. Gunst
zu|gut; zugut haben (schweiz. für guthaben)
zu|gu|te|hal|ten
zu|gu|te|kom|men
zu gu|ter Letzt vgl. Letzt
zu|gu|te|tun; sich etwas darauf zugutetun, dass ... (stolz darauf sein, dass ...); sich etwas zugutetun (sich etwas gönnen)
Zug|ver|bin|dung; Zug|ver|kehr; Zug|ver|spä|tung

Zug|vieh
Zug|vo|gel
Zug|vor|rich|tung
zug|wei|se
Zug|wind; Zug|zwang; unter Zugzwang stehen
zu|ha|ben (ugs. für geschlossen haben)
zu|ha|ken; das Kleid zuhaken
zu|hal|ten
Zu|häl|ter; Zu|häl|te|rei, die; -; Zu|häl|te|rin; zu|häl|te|risch
¹zu|han|den; zuhanden (verfügbar) sein
²zu|han|den (bes. schweiz.), zu Händen ↑K63 (Abk. z. H., z. Hd.); zuhanden od. zu Händen des Herrn/der Frau X, meist zuhanden od. zu Händen von Herrn/von Frau X, auch zuhanden od. zu Händen Herrn/Frau X
zu|han|den|kom|men (in jmds. Hände gelangen)
zu|hän|gen vgl. ²hängen
zu|hau|en; zur Beugung vgl. hauen
zu|hauf ↑K63 (geh. für in großer Anzahl); es gab Kartoffeln zuhauf; kommet zuhauf!

zu Haus, zu Hau|se, zu|hau|se

– ich bin in Berlin zu Hause od. zuhause
– sich wie zu Hause od. zuhause fühlen; etwas für zu Hause od. zuhause mitnehmen; ich freue mich auf zu Hause od. zuhause

Zu|hau|se, das; -[s]; sie hat kein Zuhause mehr
zu Hau|se Ge|blie|be|ne, der u. die; - - -n, - - -n, zu|hau|se Ge|blie|be|ne, der; u. die; - -n, - -n, Zu|hau|se|ge|blie|be|ne, der u. die; -n, -n ↑K58
zu|hef|ten
zu|hei|len
Zu|hil|fe|nah|me, die; -
zu|hin|terst; zu|höchst
zu|hor|chen (landsch. für zuhören)
zu|hö|ren; Zu|hö|rer
Zu|hö|rer|bank Plur. ...bänke
Zu|hö|re|rin; Zu|hö|rer|schaft
Zui|der|see ['zɔy...], die; - od. der; -s; vgl. Ijsselmeer
zu|in|nerst (geh.)
Zu|kauf (bes. Finanzw.); zu|kau|fen
zu|keh|ren; sie hat mir den Rücken zugekehrt
zu|klap|pen
zu|kle|ben
zu|knal|len (ugs.)

zu|knei|fen
zu|knöp|fen; zugeknöpft (vgl. d.)
zu|kno|ten
zu|kom|men; er ist auf mich zugekommen; sie hat ihm das Geschenk zukommen lassen, seltener gelassen; ihr etwas zukommen zu lassen
zu|kor|ken
Zu|kost
zu|ku|cken vgl. zugucken
Zu|kunft, die; -, Zukünfte
zu|künf|tig; Zu|künf|ti|ge, der u. die; -n, -n (Verlobte[r])
Zu|kunfts|angst; Zu|kunfts|aus|sich|ten Plur.
zu|kunfts|fä|hig
Zu|kunfts|for|scher; Zu|kunfts|for|sche|rin; Zu|kunfts|for|schung
zu|kunfts|ge|rich|tet
Zu|kunfts|glau|be[n]; zu|kunfts|gläu|big
Zu|kunfts|mu|sik (ugs.)
zu|kunfts|ori|en|tiert
Zu|kunfts|per|s|pek|ti|ve; Zu|kunfts|plan
Zu|kunfts|pro|g|no|se
zu|kunfts|reich
Zu|kunfts|ro|man; zu|kunfts|si|cher; Zu|kunfts|staat Plur. ...staaten; Zu|kunfts|tech|no|lo|gie
zu|kunfts|träch|tig; zu|kunfts|vi|si|on; zu|kunfts|voll
zu|kunft[s]|wei|send
zu|lä|cheln; zu|la|chen
Zu|la|ge
zu Lan|de; bei uns zu Lande; hier|zulande od. hier zu Lande; zu Wasser u. zu Lande
zu|lan|gen; zu|läng|lich (hinreichend); Zu|läng|lich|keit
zu|las|sen
zu|läs|sig (erlaubt); Zu|läs|sig|keit
Zu|las|sung
Zu|las|sungs|an|trag; Zu|las|sungs|num|mer; Zu|las|sungs|schein (österr., sonst ugs. für Kraftfahrzeugschein); Zu|las|sungs|stel|le
zu|las|ten, zu Las|ten; zulasten od. zu Lasten des ... od. von ...
Zu|lauf; zu|lau|fen
zu|le|gen; zugelegt
zu|leid, zu Leid, zu|lei|de, zu Leide nur in jmdm. etwas zuleid[e] od. zu Leid[e] tun ↑K63
zu|lei|ten
Zu|lei|tung; Zu|lei|tungs|rohr
zu|ler|nen (ugs.)
zu|letzt; aber zu guter Letzt
zu|lie|be, zu|lieb ↑K63 Präp. mit vorangestelltem Dat.: mir, dir usw. zuliebe
Zu|lie|fe|rant, der; -en, -en

Zu|lie|fe|rer *(Wirtsch.);* Zu|lie|fe-
rer|in|dus|t|rie; Zu|lie|fe|rin; Zu-
lie|fer|in|dus|t|rie; Zu|lie|fe|rung
zul|len *(landsch. für* saugen)
Zulp, der; -[e]s, -e *(ostmitteld. für*
Schnuller); zul|pen *(ostmitteld.
für* saugen)
Zu|lu, der; -[s], -[s] (Angehöriger
eines Bantustammes in Südafrika)
Zu|luft, die; - *(Technik* zugeleitete
Luft)
zum (zu dem); zum einen ..., zum
anderen ...; ↑K 72 : zum Ersten,
zum Zweiten, zum Dritten; zum
Höchsten, Mindesten, Wenigsten; zum ersten Mal[e]; zum
letzten Mal[e]; zum Teil *(Abk.
z. T.);* etwas zum Besten geben,
haben, halten; es steht nicht
zum Besten (nicht gut); zum
Besten der Armen; sich zum
Besten kehren, lenken, wenden;
↑K 82 : das ist zum Weinen, zum
Totlachen; *zur Schreibung von
»zum« als Teil von Eigennamen
vgl.* zu
zu|ma|chen *(ugs.);* zugemacht; auf-
und zumachen ↑K 31
zu|mal ↑K 63 (besonders); zumal
[da, wenn]
zu|mau|ern
zum Bei|spiel *(Abk. z. B.;* ↑K 105)
zu|meist
zu|mes|sen; zugemessen
zum E|x|em|pel *(veraltend für* zum
Beispiel; *Abk. z. E.)*
zu|min|dest; *aber* zum Mindesten
zum Teil *(Abk.* z. T.)
zu|mül|len *(ugs.)*
zu|mut|bar; im Rahmen des
Zumutbaren; Zu|mut|bar|keit
zu|mu|te, zu Mu|te; mir ist gut,
schlecht zumute *od.* zu Mute
zu|mu|ten; Zu|mu|tung
zum Vo|r|aus *(landsch. für* im
Voraus)
zu|nächst; zunächst ging er nach
Hause; zunächst dem Hause *od.*
dem Hause zunächst; Zu|nächst-
lie|gen|de, das; -n
zu|na|geln; zu|nä|hen
Zu|nah|me, die; -, -n (Vermehrung)
Zu|na|me, der; -ns, -n (Familien-
name; *veraltend für* Beiname)
zünd|bar; Zünd|blätt|chen
Zun|del, der; -s *(veraltet für* Zun-
der)
zün|deln *(südd., österr. für* mit
Feuer spielen); ich zünd[e]le
zün|den; zün|dend
Zun|der, der; -s, - (ein altes Zünd-
mittel; *Technik* Oxidschicht)

Zün|der ([Gas-, Feuer]anzünder;
Zündvorrichtung in Sprengkör-
pern; *österr. auch svw.* Zündhöl-
zer)
Zun|der|schwamm (ein Pilz)
Zünd|flam|me; Zünd|fun|ke[n]
Zünd|holz; Zünd|hölz|chen; Zünd-
holz|schach|tel
Zünd|hüt|chen; Zünd|ka|bel; Zünd-
ker|ze; Zünd|la|dung
Zünd|ler *(österr. für* Brandstifter);
Zünd|le|rin
Zünd|na|del; Zünd|na|del|ge|wehr
(früher)
Zünd|plätt|chen *(svw.* Zündblätt-
chen); Zünd|schloss; Zünd|schlüs-
sel; Zünd|schnur; Zünd|stoff
Zün|dung
Zünd|ver|tei|ler; Zünd|vor|rich|tung;
Zünd|zeit|punkt
zu|neh|men *vgl.* ab
zu|nei|gen; Zu|nei|gung
Zunft, die; -, Zünfte
Zunft|ge|nos|se; Zunft|haus
zünf|tig *(ugs. auch für* ordentlich,
tüchtig)
Zünft|ler *(früher* Angehöriger
einer Zunft)
Zunft|meis|ter; Zunft|ord|nung;
Zunft|recht; Zunft|wap|pen;
Zunft|zwang, der; -[e]s
Zun|ge, die; -, -n
Zün|gel|chen; zün|geln; ich
züng[e]le
Zun|gen|bre|cher
zun|gen|fer|tig; Zun|gen|fer|tig|keit,
die; -
Zun|gen|kuss; Zun|gen|laut *(für*
Lingual); Zun|gen|pier|cing
Zun|gen-R, Zun|gen-r, das; -, -
↑K 29 *(Sprachw.)*
Zun|gen|schlag; Zun|gen|spit|ze
Zun|gen|wurst
Züng|lein
zu|nich|te; zunichte sein
zu|nich|te|ma|chen (zerstören)
zu|nich|te|wer|den
zu|ni|cken
zu|nie|derst *(landsch. für* zuun-
terst)
Züns|ler, der; -s, - (ein Klein-
schmetterling)
zu|nut|ze, zu Nut|ze; sich etwas
zunutze *od.* zu Nutze machen
zu|oberst
zu|or|den|bar
zu|ord|nen; Zu|ord|nung
zu|pa|cken
zu|par|ken; ein zugeparkter Hof
zu|pas|sen *(bes. Fußball);* zuge-
passt; dem Mitspieler den Ball
zupassen

zu|pass|kom|men, zu|pas|se|kom-
men
zup|fen
Zupf|gei|ge *(ugs. veraltet für*
Gitarre); Zupf|gei|gen|hansl, der;
-s, - (eine Liedersammlung)
Zupf|in|s|t|ru|ment
zu|pflas|tern
zu|pres|sen; zugepresst
zu|pros|ten
zur (zu der); zur Folge haben; sich
zur Ruhe setzen; zur Schau stellen; zur Zeit *(Abk. z. Z., z. Zt.)*
Karls des Großen, *aber* sie ist
zurzeit krank; *zur Schreibung
von »zur« als Teil eines Eigennamens vgl.* zu
zu|ran|de, zu Ran|de; mit etwas
zurande *od.* zu Rande kommen; *vgl.* ¹Rand
zu|ra|te, zu Ra|te; jmdn. zurate
od. zu Rate ziehen
zu|ra|ten
zu|rau|nen *(geh.)*
Zür|cher *(schweiz. nur so; vgl.*
Züricher); zür|che|risch
zur Dis|po|si|ti|on (zur Verfügung;
Abk. z. D.); zur Disposition stel-
len; Zur|dis|po|si|ti|on|stel|lung
zu|re|chen|bar; Zu|re|chen|bar|keit
zu|rech|nen
Zu|rech|nung; zu|rech|nungs|fä|hig;
Zu|rech|nungs|fä|hig|keit, die; -
zu|recht... *in allen mit Verben,*
z. B. zurechtkommen usw., *aber*
zu Recht bestehen
zu|recht|bas|teln; zu|recht|bie|gen;
zu|recht|fei|len; zu|recht|fin|den,
sich; zu|recht|kom|men; zu|recht-
le|gen; zu|recht|ma|chen *(ugs.);*
zu|recht|rü|cken; zu|recht|schnei-
den; zu|recht|schus|tern *(ugs.);*
zu|recht|set|zen; zu|recht|stel|len;
zu|recht|stut|zen
zu|recht|wei|sen; Zu|recht|wei|sung
zu|recht|zim|mern
zu|re|den; Zu|re|den, das; -s; trotz
allem Zureden, trotz allen *od.*
alles Zuredens
zu|rei|chen; zu|rei|chend; zurei-
chende Gründe
zu|rei|ten
Zü|rich *[schweiz.* ˈtsyrɪç] (Kanton
u. Stadt in der Schweiz)
Zü|ri[ch]|biet, das; -s *(svw.* Kanton
Zürich); Zü|ri[ch]|bie|ter
Zü|ri|cher, *in der Schweiz nur* Zür-
cher; zü|ri|che|risch, *in der
Schweiz nur* zür|che|risch
Zü|rich|see, Zü|rich-See, der; -s
Zü|rich|te|bo|gen *(Druckw.)*
zu|rich|ten; Zu|rich|ten, das; -s; Zu-

rich|ter; Zu|rich|te|re|i; Zu|rich|te-
rin; Zu|rich|tung
zu|rie|geln
zür|nen (geh.)
zu|rol|len
zur|ren ⟨niederl.⟩) (Seemannsspr.
festbinden); Zur|ring, der; -s,
Plur. -s u. -e (Seemannsspr.
Leine zum Zurren)
Zur|schau|stel|lung; aber das Zur-
Schau-Stellen od. das Zurschau-
stellen
zu|rück; zurück sein; einen Blick
auf den Weg zurück (auf den
Rückweg) werfen, aber einen
Blick auf den [hinter einem lie-
genden] Weg zurückwerfen;
↑K81 : es gibt kein Zurück
mehr
zu|rück... (in Zus. mit Verben, z. B.
zurücklegen, du legst zurück,
wenn du zurücklegst, zurückge-
legt, zurückzulegen)
zu|rück|bau|en (Fachspr.)
zu|rück|be|glei|ten
zu|rück|be|hal|ten; Zu|rück|be|hal-
tung; Zu|rück|be|hal|tungs|recht,
das; -[e]s (Rechtsw.)
zu|rück|be|kom|men
zu|rück|be|or|dern
zu|rück|beu|gen
zu|rück|be|we|gen
zu|rück|be|zah|len
zu|rück|bil|den; sich zurückbilden;
Zu|rück|bil|dung
zu|rück|blät|tern
zu|rück|blei|ben
zu|rück|blen|den (Film)
zu|rück|bli|cken
zu|rück|brin|gen; zurückzubringen
zu|rück|da|tie|ren (mit einem frü-
heren Datum versehen)
zu|rück|den|ken
zu|rück|drän|gen; Zu|rück|drän-
gung
zu|rück|dre|hen
zu|rück|dür|fen
zu|rück|ei|len
zu|rück|er|bit|ten
zu|rück|er|hal|ten
zu|rück|er|obern; Zu|rück|er|obe-
rung
zu|rück|er|stat|ten; Zu|rück|er|stat-
tung
zu|rück|fah|ren
zu|rück|fal|len
zu|rück|fin|den
zu|rück|flie|gen
zu|rück|for|dern
zu|rück|fra|gen
zu|rück|füh|ren; Zu|rück|füh|rung
zu|rück|ge|ben
zu|rück|ge|blie|ben (oft abwertend)

zu|rück|ge|hen; zurückzugehen
zu|rück|ge|win|nen
zu|rück|ge|zo|gen; Zu|rück|ge|zo-
gen|heit, die; -
zu|rück|grei|fen
zu|rück|ha|ben; etwas zurückha-
ben wollen
zu|rück|hal|ten; sich zurückhalten;
zu|rück|hal|tend; die
zurückhaltends|te Äußerung;
Zu|rück|hal|tung, die; -
zu|rück|ho|len
zu|rück|käm|men
zu|rück|keh|ren
zu|rück|klap|pen
zu|rück|kom|men
zu|rück|kön|nen (ugs.); wir haben
nicht mehr zurückgekonnt
zu|rück|krie|gen (ugs.)
zu|rück|las|sen; Zu|rück|las|sung;
unter Zurücklassung
zu|rück|le|gen (österr. auch für [ein
Amt] niederlegen)
zu|rück|leh|nen, sich
zu|rück|lie|gen
zu|rück|müs|sen (ugs.): zurückge-
musst
Zu|rück|nah|me, die; -, -n; zu|rück-
neh|men
zu|rück|pral|len
zu|rück|rol|len
zu|rück|ru|fen; rufen Sie bitte
zurück!
zu|rück|schal|ten
zu|rück|schau|dern; sie ist zurück-
geschaudert
zu|rück|schau|en
zu|rück|scheu|en
zu|rück|schi|cken
zu|rück|schla|gen
zu|rück|schnei|den
zu|rück|schrau|ben; sie mussten
ihre Erwartungen zurück-
schrauben
¹zu|rück|schre|cken; er schrak
zurück; sie ist zurückge-
schreckt, selten sie ist zurückge-
schrocken; vgl. ¹schrecken; aber
übertr.: vor etwas zurückschre-
cken (etwas nicht wagen); sie
schreckten vor etwas zurück,
sind vor etwas zurück-
geschreckt
²zu|rück|schre|cken; das schreckte
ihn zurück; vgl. ²schrecken
zu|rück|seh|nen, sich
zu|rück sein vgl. zurück
zu|rück|sen|den; zurückgesandt u.
zurückgesendet
zu|rück|set|zen; sich zurückgesetzt
fühlen; Zu|rück|set|zung
zu|rück|spie|len
zu|rück|spu|len

zu|rück|ste|cken
zu|rück|ste|hen; zurückzustehen
zu|rück|stel|len (österr. auch für
zurückgeben, -senden); Zu|rück-
stel|lung
zu|rück|sto|ßen
zu|rück|stu|fen; Zu|rück|stu|fung
zu|rück|stut|zen
zu|rück|trei|ben
zu|rück|tre|ten
zu|rück|tun (ugs.); einen Schritt
zurücktun
zu|rück|ver|fol|gen
zu|rück|ver|lan|gen
zu|rück|ver|set|zen; sich zurückver-
setzen
zu|rück|ver|wei|sen
zu|rück|wei|chen
zu|rück|wei|sen; Zu|rück|wei|sung
zu|rück|wen|den; zurückgewandt
zu|rück|wer|fen
zu|rück|wir|ken
zu|rück|wol|len (ugs.); sie hat nicht
mehr zurückgewollt
zu|rück|zah|len; Zu|rück|zah|lung
zu|rück|zie|hen; zurückgezogen
leben; sich zurückziehen
zu|rück|zu|cken
Zu|ruf; zu|ru|fen
Zur|ver|fü|gung|stel|lung; aber das
Zur-Verfügung-Stellen od. das
Zurverfügungstellen
zur|zeit (Abk. zz., zzt.); sie ist zur-
zeit krank, aber sie lebte zur
Zeit Karls des Großen
Zu|sa|ge, die; -, -n
zu|sa|gen; zu|sa|gend
zu|sam|men s. Kasten Seite 1151
Zu|sam|men|ar|beit, die; -
zu|sam|men|ar|bei|ten (Tätigkeiten
auf ein Ziel hin vereinigen); die
beiden Firmen sind übereinge-
kommen[,] zusammenzuarbei-
ten
zu|sam|men|bal|len; Zu|sam|men-
bal|lung
Zu|sam|men|bau Plur. -e (für Mon-
tage); zu|sam|men|bau|en; er hat
das Modellschiff zusammenge-
baut; aber sie wollen zusammen
(gemeinsam) bauen
zu|sam|men|bei|ßen; sie hat die
Zähne zusammengebissen
zu|sam|men|bin|den
zu|sam|men|blei|ben (sich nicht
wieder trennen)
zu|sam|men|brau|en (ugs.); was für
ein Zeug hast du da zusammen-
gebraut!
zu|sam|men|bre|chen
zu|sam|men|brin|gen; er hat die
Gegner zusammengebracht;
aber sie werden das Gepäck

zu|sam|men

– zusammen mit ihr
– zusammenarbeiten, zusammenballen, zusammen-
  beißen
– zusammenbinden: ich binde zusammen, habe
  zusammengebunden, um zusammenzubinden

*Von einem folgenden Verb oder Partizip wird
getrennt geschrieben, wenn »zusammen« svw.
»gemeinsam, gleichzeitig« bedeutet (das Verb wird
in diesen Fällen meist deutlich stärker betont):*

– sie können nicht zusammen [in einem Raum]
  arbeiten

– wir sind zusammen angekommen
– jetzt sollen alle zusammen singen

Nur getrennt:

– zusammen sein: wenn er mit uns zusammen ist;
  sie waren zusammen gewesen

Aber: das Zusammensein

---

zusammen (gemeinsam) bringen
Zu|sam|men|bruch, der; -[e]s,
...brüche
zu|sam|men|drän|gen; die Menge
wurde zusammengedrängt; sich
zusammendrängen
zu|sam|men|drück|bar
zu|sam|men|drü|cken; sie hat den
Karton zusammengedrückt;
aber sie haben die Schulbank
zusammen (gemeinsam)
gedrückt
zu|sam|men|fah|ren; die Radfahrer
sind zusammengefahren; sie ist
bei dem Knall zusammengefahren; *aber* sie sind zusammen
(gemeinsam) gefahren
Zu|sam|men|fall, der; -[e]s
zu|sam|men|fal|len (einstürzen;
gleichzeitig erfolgen); das Haus
ist zusammengefallen; Sonn-
und Feiertag sind zusammengefallen
zu|sam|men|fal|ten; hast du das
Papier zusammengefaltet?
zu|sam|men|fas|sen; er hat den
Inhalt der Rede zusammenge-
fasst; **Zu|sam|men|fas|sung**
zu|sam|men|fe|gen *vgl.* zusammen-
kehren
zu|sam|men|fin|den, sich (sich tref-
fen, sich zusammentun)
zu|sam|men|fli|cken *(ugs.); auch
übertr.:* der Arzt hat ihn wieder
zusammengeflickt
zu|sam|men|flie|ßen (sich verei-
nen); wo Fulda und Werra
zusammenfließen
Zu|sam|men|fluss
zu|sam|men|fü|gen (vereinigen); er
hat alles schön zusammenge-
fügt; sich zusammenfügen; **Zu-
sam|men|fü|gung**
zu|sam|men|füh|ren (zueinander
hinführen); die Flüchtlinge wurden zusammengeführt; *aber* wir

werden den Blinden zusammen
(gemeinsam) führen; **Zu|sam-
men|füh|rung**
zu|sam|men|ge|hö|ren (eng verbun-
den sein); wir beide haben
immer zusammengehört; *aber*
das Auto wird uns zusammen
(gemeinsam) gehören
**zu|sam|men|ge|hö|rig; Zu|sam|men-
ge|hö|rig|keit; Zu|sam|men|ge|hö-
rig|keits|ge|fühl**
zu|sam|men|ge|setzt; zusammen-
gesetztes Wort (Kompositum)
zu|sam|men|ge|wür|felt
zu|sam|men|ha|ben *(ugs.);* ich bin
froh, dass wir jetzt das Geld
dafür zusammenhaben
Zu|sam|men|halt, der; -[e]s
zu|sam|men|hal|ten (sich nicht
trennen lassen; verbinden); die
beiden Freunde haben immer
zusammengehalten; sie hat die
beiden Stoffe [vergleichend]
zusammengehalten
Zu|sam|men|hang; im *od.* in
Zusammenhang stehen
¹zu|sam|men|hän|gen; sie weiß, dass
Ursache und Wirkung zusammenhängen; *vgl.* ¹hängen
²zu|sam|men|hän|gen; er wollte die
beiden Bilder zusammenhän-
gen; *vgl.* ²hängen
zu|sam|men|hän|gend
**zu|sam|men|hang[s]|los; Zu|sam-
men|hang[s]|lo|sig|keit,** die; -
zu|sam|men|hau|en *(ugs.);* sie
haben ihn zusammengehauen;
er hatte den Tisch in fünf Minuten zusammengehauen
zu|sam|men|hef|ten; sie hat die
Stoffreste zusammengeheftet
zu|sam|men|keh|ren *(bes. südd.);*
hast du die Scherben zusam-
mengekehrt?; *aber* wir können
den Hof zusammen (gemein-
sam) kehren
zu|sam|men|klap|pen; sie hat den

Fächer zusammengeklappt; er
ist vor Erschöpfung zusammengeklappt *(ugs.)*
zu|sam|men|kle|ben; er hat das
Modellschiff zusammengeklebt
zu|sam|men|knei|fen; sie hat die
Lippen zusammengekniffen
zu|sam|men|knül|len; sie knüllte
die Zeitung zusammen
zu|sam|men|kom|men (sich begeg-
nen); die Mitglieder sind alle
zusammengekommen; *aber*
wenn möglich, wollen wir
zusammen (gemeinsam) kom-
men
zu|sam|men|kra|chen *(ugs.);* zwei
Autos sind auf der Kreuzung
zusammengekracht
zu|sam|men|krat|zen *(ugs.);* sie hat
ihr Geld zusammengekratzt
Zu|sam|men|kunft, die; -, ...künfte
zu|sam|men|läp|pern, sich *(ugs. für*
sich aus kleinen Mengen
ansammeln); das hat sich ganz
schön zusammengeläppert
zu|sam|men|lau|fen (sich treffen;
ineinanderfließen); um zusam-
menzulaufen; die Farben sind
zusammengelaufen; *aber* wir
wollen ein Stück zusammen
(gemeinsam) laufen
zu|sam|men|le|ben; sie haben lange
zusammengelebt (einen
gemeinsamen Haushalt
geführt); sie haben sich gut
zusammengelebt (sich aufein-
ander eingestellt); **Zu|sam|men-
le|ben,** das; -s
zu|sam|men|leg|bar
zu|sam|men|le|gen (vereinigen; fal-
ten); die Grundstücke wurden
zusammengelegt; um das Tisch-
tuch zusammenzulegen; **Zu-
sam|men|le|gung**
zu|sam|men|le|sen (sammeln); er
hat die Früchte zusammenge-

Z

zusa

lesen; *aber* wir wollen das Buch zusammen (gemeinsam) lesen

zu|sam|men|nä|hen; sie hat die Stoffbahnen zusammengenäht; *aber* morgen wollen sie zusammen (gemeinsam) nähen

zu|sam|men|neh|men (sich beherrschen); sich zusammennehmen

zu|sam|men|pa|cken; du kannst deine Sachen zusammenpacken; *aber* wir wollten doch zusammen (gemeinsam) packen

zu|sam|men|pas|sen; das hat gut zusammengepasst

zu|sam|men|pfer|chen

Zu|sam|men|prall; zu|sam|men|prall|len; zwei Autos sind auf der Kreuzung zusammengeprallt

zu|sam|men|pres|sen; sie hatte die Hände zusammengepresst

zu|sam|men|raf|fen (gierig an sich bringen); er hat ein großes Vermögen zusammengerafft

zu|sam|men|rau|fen, sich (*ugs. für* sich einigen); man hatte sich schließlich zusammengerauft

zu|sam|men|rech|nen; sie haben die Kosten zusammengerechnet (addiert)

zu|sam|men|rei|men; ich kann mir das nicht zusammenreimen (es nicht erklären)

zu|sam|men|rei|ßen, sich (*ugs. für* sich zusammennehmen); ich habe mich zusammengerissen

zu|sam|men|rol|len; sich zusammenrollen; sie haben den Teppich zusammengerollt

zu|sam|men|rot|ten, sich; die Meuterer hatten sich zusammengerottet; **Zu|sam|men|rot|tung**

zu|sam|men|ru|fen; die Schüler wurden in den Hof zusammengerufen

zu|sam|men|sa|cken (*ugs. für* zusammenbrechen)

Zu|sam|men|schau, die; -

zu|sam|men|schei|ßen (*derb für* scharf abkanzeln)

zu|sam|men|schla|gen (*ugs. für* schwer verprügeln)

zu|sam|men|schlie|ßen, sich (sich vereinigen); um sich zusammenzuschließen

Zu|sam|men|schluss

zu|sam|men|schmel|zen; ihr Vermögen ist zusammengeschmolzen

zu|sam|men|schnü|ren; sie hat die Kleidungsstücke zusammenge-

schnürt; die Angst hat seine Kehle zusammengeschnürt

zu|sam|men|schre|cken *vgl.* schrecken

zu|sam|men|schrei|ben; die beiden Wörter werden zusammengeschrieben; dieses Buch ist aus anderen Büchern zusammengeschrieben; *aber* wir wollen dieses Buch zusammen (gemeinsam) schreiben; **Zu|sam|men|schrei|bung**

zu|sam|men|schrump|fen; der Vorrat ist zusammengeschrumpft

zu|sam|men|schus|tern (*ugs.*); er hat das Regal zusammengeschustert

zu|sam|men|schwei|ßen (durch Schweißen verbinden; eng vereinigen); die Schienen wurden zusammengeschweißt; die Gefahr hat die Gruppe noch mehr zusammengeschweißt

zu|sam|men sein *vgl.* zusammen; **Zu|sam|men|sein,** das; -s

zu|sam|men|set|zen (nebeneinandersetzen, zueinanderfügen); um das Puzzle zusammenzusetzen; sich zusammensetzen; **Zu|sam|men|set|zung** (*auch für* Kompositum)

zu|sam|men|sin|ken; sie ist zusammengesunken

zu|sam|men|sit|zen; sie haben den ganzen Tag zusammengesessen

Zu|sam|men|spiel, das; -[e]s; **zu|sam|men|spie|len;** die Mannschaft hat gut zusammengespielt; *aber* die Kinder haben schön zusammen (gemeinsam) gespielt

zu|sam|men|stau|chen (*ugs. für* zurechtweisen); ich wurde zusammengestaucht

zu|sam|men|ste|hen; sie haben im Hof zusammengestanden; sie haben immer zusammengestanden (zusammengehalten)

zu|sam|men|stel|len (nebeneinanderstellen; zueinanderfügen); die Kinder haben sich zusammengestellt; um das Menü zusammenzustellen; **Zu|sam|men|stel|lung**

zu|sam|men|stim|men; seine Angaben, die Instrumente haben nicht zusammengestimmt

Zu|sam|men|stoß; zu|sam|men|sto|ßen; zwei Autos sind zusammengestoßen

zu|sam|men|strei|chen (*ugs.*); der

Etat wurde rigoros zusammengestrichen (gekürzt)

zu|sam|men|strö|men; die Menschen sind zusammengeströmt

zu|sam|men|stü|ckeln; der Text ist aus verschiedenen Aufsätzen zusammengestückelt

Zu|sam|men|sturz; zu|sam|men|stür|zen; das Gerüst ist zusammengestürzt (*vgl.* zusammen)

zu|sam|men|su|chen; ich musste das Werkzeug erst zusammensuchen; *aber* lasst uns zusammen (gemeinsam) suchen!

zu|sam|men|tra|gen (sammeln); sie haben das Holz zusammengetragen; *aber* ihr sollt den Sack zusammen (gemeinsam) tragen

zu|sam|men|tref|fen (begegnen); sie sind im Theater zusammengetroffen; **Zu|sam|men|tref|fen,** das; -s, -

zu|sam|men|trei|ben; sie haben die Herde zusammengetrieben; *aber* sie haben die Herde zusammen (gemeinsam) auf die Weide getrieben

zu|sam|men|tre|ten; die Schläger haben ihn brutal zusammengetreten; das Parlament ist zusammengetreten (hat sich versammelt)

zu|sam|men|trom|meln (*ugs. für* herbeirufen); sie hat alle Freunde zusammengetrommelt

zu|sam|men|tun (*ugs. für* vereinigen); sie haben sich zusammengetan; *aber* wir wollen das zusammen (gemeinsam) tun

zu|sam|men|wach|sen (in eins wachsen); der Knochen ist wieder zusammengewachsen

zu|sam|men|wir|ken (vereint wirken); hier haben alle Kräfte zusammengewirkt; **Zu|sam|men|wir|ken,** das; -s

zu|sam|men|woh|nen; sie haben drei Jahre zusammengewohnt (einen gemeinsamen Haushalt geführt)

zu|sam|men|wür|feln; unsere Mannschaft war bunt zusammengewürfelt

zu|sam|men|zäh|len (addieren); sie hat die Zahlen zusammengezählt; *aber* lasst uns zusammen (gemeinsam) zählen!; das Zusammenzählen; **Zu|sam|men|zäh|lung**

zu|sam|men|zie|hen; sie hat das Loch im Strumpf zusammengezogen; die Truppen wurden zusammengezogen; er hat die Zahlen zusammengezogen; sich zusammenziehen; *aber* sie haben den Wagen zusammen (gemeinsam) gezogen; **Zu|sam|men|zie|hung**

zu|sam|men|zu|cken (eine zuckende Bewegung machen); ich bin bei dem Knall zusammengezuckt

Zu|satz

Zu|satz|ab|kom|men; Zu|satz|an|ge|bot; Zu|satz|aus|bil|dung; Zu|satz|be|stim|mung; Zu|satz|brems|leuch|te *(Kfz-Technik);* **Zu|satz|ge|rät**

zu|sätz|lich

Zu|satz|nut|zen

Zu|satz|steu|er, die; **Zu|satz|ta|rif**

Zu|satz|ver|si|che|rung; Zu|satz|zahl (beim Lotto)

zu Scha|den *vgl.* Schaden

zu|schal|ten; wir haben uns zugeschaltet

zu|schan|den, zu Schan|den; zuschanden od. zu Schanden machen, werden

zu|schan|zen; er hat ihr den Posten zugeschanzt

zu|schar|ren

zu|schau|en

Zu|schau|er; Zu|schau|er|be|tei|li|gung; Zu|schau|e|rin

Zu|schau|er|ku|lis|se; Zu|schau|er|quo|te; Zu|schau|er|rang; Zu|schau|er|raum

Zu|schau|er|tri|bü|ne; Zu|schau|er|zahl

zu|schau|feln

zu|schi|cken

zu|schie|ben *(ugs. auch für* [heimlich] zukommen lassen)

zu|schie|ßen (beisteuern); sie hat schon eine Menge Geld zugeschossen

Zu|schlag

zu|schla|gen

zu|schlag|frei *(bes. Eisenb.)*

Zu|schlag|kal|ku|la|ti|on *vgl.* Zuschlagskalkulation

Zu|schlag|kar|te *(Eisenb.)*

zu|schlag|pflich|tig *(bes. Eisenb.)*

Zu|schlag|satz, Zu|schlags|satz

Zu|schlags|kal|ku|la|ti|on, Zu|schlag|kal|ku|la|ti|on

Zu|schlags|satz *vgl.* Zuschlagsatz

Zu|schlag|stoff *(Technik)*

zu|schlie|ßen

zu|schnap|pen

Zu|schnei|de|ma|schi|ne; zu|schnei|den; Zu|schnei|der; Zu|schnei|de|rin

zu|schnei|en

Zu|schnitt

zu|schnü|ren

zu|schrau|ben

zu|schrei|ben; die Schuld an diesem Unglück wird ihm zugeschrieben

Zu|schrift

zu|schul|den, zu Schul|den; du hast dir etwas zuschulden od. zu Schulden kommen lassen

Zu|schuss; Zu|schuss|be|trieb; Zu|schuss|bo|gen *(Druckw.);* Zu|schuss|wirt|schaft, die; -

zu|schus|tern *(ugs. für* heimlich zukommen lassen; zusetzen); er hat ihm den Posten zugeschustert

zu|schüt|ten

zu|se|hen; ↑K 82 : bei genauerem Zusehen

zu|se|hends (rasch; offenkundig)

Zu|se|her *(österr. neben* Zuschauer); **Zu|se|he|rin**

zu sein

zu|sei|ten, zu Sei|ten ↑K 63 ; *mit Genitiv:* zuseiten od. zu Seiten des Festzuges

zu|sen|den *vgl.* senden; **Zu|sen|dung**

zu|set|zen

zu|si|chern; **Zu|si|che|rung**

Zu-spät-Kom|men, **Zu|spät|kom|men,** das; -s; entschuldigen Sie bitte mein Zu-spät-Kommen od. **Zuspätkommen!**

Zu|spei|se *(österr. für* Beilage)

zu|sper|ren *(südd., österr. für* abschließen)

Zu|spiel, das; -[e]s *(Sport)*

zu|spie|len

zu|spit|zen; **Zu|spit|zung**

zu|spre|chen; **Zu|spre|chung**

Zu|spruch, der; -[e]s (Anklang, Zulauf; Trost); großen Zuspruch, viel Zuspruch haben

Zu|stand

zu|stan|de, zu Stan|de; zustande od. zu Stande bringen, kommen

Zu|stan|de|brin|gen, Zu-Stan|de-Brin|gen, das; -s

Zu|stan|de|kom|men, Zu-Stan|de-Kom|men, das; -s

zu|stän|dig; zuständig sein nach *(österr. für* ansässig sein in)

zu|stän|di|gen|orts

Zu|stän|dig|keit; Zu|stän|dig|keits|be|reich, der

zu|stän|dig|keits|hal|ber

Zu|stands|än|de|rung; Zu|stands|glei|chung *(Physik)*

Zu|stands|pas|siv *(Sprachw.);* **Zu|stands|verb** *(Sprachw.)*

zu|stat|ten|kom|men

zu|ste|chen

zu|ste|cken

zu|ste|hen

zu|stei|gen

Zu|stell|be|zirk *(Postw.);* zu|stel|len; **Zu|stel|ler** *(Amtsspr.);* **Zu|stel|le|rin; Zu|stell|ge|bühr** *(Postw. früher);* **Zu|stel|lung; Zu|stel|lungs|ur|kun|de** *(Amtsspr.);* **Zu|stell|ver|merk** *(Postw.)*

zu|steu|ern

zu|stim|men; **Zu|stim|mung;** zu|stim|mungs|pflich|tig

zu|stop|fen

zu|stöp|seln

zu|sto|ßen; es ist ihr ein Unglück zugestoßen

zu|stre|ben

Zu|strom, der; -[e]s; **zu|strö|men**

Zu|stupf, der; -[e]s, *Plur.* -e u. ...stüpfe *(schweiz. für* Zuschuss, Zuverdienst)

zu|stut|zen

zu|ta|ge, zu Ta|ge; zutage od. zu Tage bringen, fördern, kommen, treten

Zu|tat *meist Plur.*

zu|tei|len; **Zu|tei|lung**

zu|teil|wer|den

zu|tiefst (völlig; im Innersten)

zu|tra|gen (heimlich berichten); sich zutragen (geschehen)

Zu|trä|ger; Zu|trä|ge|rei; Zu|trä|ge|rin

zu|träg|lich; **Zu|träg|lich|keit,** die; -

zu|trau|en; das ist ihm zuzutrauen; **Zu|trau|en,** das; -s

zu|trau|lich; **Zu|trau|lich|keit**

zu|tref|fen

zu|tref|fend; die zutreffends|te Beschreibung; **Zu|tref|fen|de,** das; -n; Zutreffendes ankreuzen; **zu|tref|fen|den|falls**

zu|trei|ben

zu|trin|ken

Zu|tritt, der; -[e]s

zut|schen *(landsch. für* lutschen, saugen); du zutschst

zu|tu|lich, zu|tun|lich (zutraulich)

zu|tun *(ugs. für* hinzufügen; schließen); ich habe kein Auge zugetan; zu|tun, das; -s (Hilfe, Unterstützung); ohne mein Zutun

zu|tun|lich *vgl.* zutulich

zu|un|guns|ten, zu Un|guns|ten (zum Nachteil); zuungunsten od. zu Ungunsten vieler Antragsteller, *bei (seltener) Nachstellung mit Dativ:* dem

Antragsteller zuungunsten *od.* zu Ungunsten; vgl. Gunst

zu|un|terst; das Oberste zuunterst kehren

zu|ver|die|nen (*ugs. für* dazuverdienen); Zu|ver|dienst, der

zu|ver|läs|sig; Zu|ver|läs|sig|keit, die; -; Zu|ver|läs|sig|keits|fahrt; Zu|ver|läs|sig|keits|prü|fung; Zu|ver|läs|sig|keits|test

Zu|ver|sicht, die; -; zu|ver|sicht|lich; Zu|ver|sicht|lich|keit, die; -

zu viel; zu viel des Guten; es sind zu viele Menschen; er weiß zu viel; du hast viel zu viel gesagt; besser zu viel als zu wenig

Zu|viel, das; -s ↑K81 ; ein Zuviel ist besser als ein Zuwenig

zu vie|ren, zu viert

zu|vor (vorher); meinen herzlichen Glückwunsch zuvor!; *vgl.* zuvorkommen, zuvortun

zu|vör|derst (ganz vorn); zu|vör|derst (*veraltend für* zuerst)

zu|vor|kom|men (schneller sein); ich komme ihm zuvor; zuvorgekommen; zuvorzukommen; *aber* alles, was zuvor (vorher) gekommen war

zu|vor|kom|mend (liebenswürdig); der zuvorkommends|te Gastgeber; Zu|vor|kom|men|heit

zu|vor|tun (*geh. für* besser tun); ich tue es ihm zuvor; *aber* was zuvor (vorher) zu tun ist

Zu|waa|ge, die; - (*bayr., österr. für* Knochen[zugabe] zum Fleisch)

Zu|wachs, der; -es, *Plur.* (*fachspr.*) Zuwächse (Vermehrung, Erhöhung); zu|wach|sen; Zu|wachs|ra|te

Zu|wan|de|rer, Zu|wand|rer; Zu|wan|de|rin, Zu|wand|re|rin; zu|wan|dern; Zu|wan|de|rung, Zu|wan|de|rungs|ge|setz; Zu|wand|rer vgl. Zuwanderer; Zu|wand|re|rin vgl. Zuwanderin

zu|war|ten (untätig warten)

zu|we|ge, zu Wege; *nur in Wendungen wie* zuwege *od.* zu Wege bringen; [gut] zuwege *od.* zu Wege sein (*ugs. für* wohlauf sein)

zu|we|hen

zu|wei|len

zu|wei|sen; Zu|wei|sung

zu|wen|den; ich wandte *od.* wendete mich ihr zu; ich sich ihr zugewandt *od.* zugewendet; Zu|wen|dung

zu we|nig; du weißt [viel] zu wenig; du weißt auch zu

wenig!; es gab zu wenig[e] Parkplätze

Zu|we|nig, das; -s ↑K81 ; ein Zuviel ist besser als ein Zuwenig

zu|wer|fen

zu|wi|der; zuwider sein, werden; dem Gebot zuwider; das, er ist mir zuwider; zuwider (Verbotenes tun); ich hand[e]le zuwider; zuwidergehandelt; zuwiderzuhandeln; Zu|wi|der|han|deln|de, der *u.* die; -n, -n; Zu|wi|der|hand|lung

zu|wi|der|lau|fen; sein Verhalten läuft meinen Absichten zuwider; zuwiderzulaufen

zu|win|ken

zu|zah|len

zu|zäh|len

Zu|zah|lung

Zu|zäh|lung

zu|zei|ten; ↑K63 (bisweilen); *aber* zu Zeiten Karls d. Gr.

zu|zeln (*bayr. u. österr. ugs. für* lutschen; lispeln); ich zuz[e]le

zu|zie|hen; du hast dir eine Krankheit zugezogen; Zu|zie|hung, die; -

Zu|zug; der Zuzug weiterer Aussiedler; Zu|zü|ger (*schweiz. für* Zuzügler); Zu|zü|ge|rin; Zu|züg|ler; Zu|züg|le|rin

zuzüglich

(*Kaufmannsspr.* unter Hinzurechnung; *Abk.* zzgl.)

Nach der Präposition »zuzüglich« steht der Genitiv:

– zuzüglich der Versandkosten

Ein allein stehendes, stark gebeugtes Substantiv bleibt im Singular gewöhnlich ungebeugt:

– zuzüglich Porto

Im Plural wird »zuzüglich« mit dem Dativ verbunden, wenn der Genitiv nicht erkennbar ist:

– zuzüglich Beträgen für Verpackung und Versand

Zu|zugs|ge|neh|mi|gung

zu zwei|en, zu zweit

zu|zwin|kern

Zvie|ri ['tsfiə...], der *od.* das; -s, - (*bes. schweiz. mdal. für* Nachmittagsimbiss)

ZVS, die; - = Zentralstelle für die Vergabe von Studienplätzen

zwa|cken (*ugs. für* kneifen)

zwang *vgl.* zwingen

Zwang, der; -[e]s, Zwänge

zwän|gen (bedrängen; klemmen; einpressen); sich zwängen; Zwän|ge|rei (*schweiz. für* ungeduldiges Drängen; eigensinniges Beharren)

zwang|haft

Zwang|huf, der; -[e]s (eine Hufkrankheit)

zwang|läu|fig (*Technik* nicht gewünschte Bewegungen ausschließend); *vgl. aber* Zwangsläufigkeit

zwang|los; Zwang|lo|sig|keit

Zwangs|an|lei|he

Zwangs|ar|beit, die; -; Zwangs|ar|bei|ter; Zwangs|ar|bei|te|rin

Zwangs|auf|ent|halt; Zwangs|ausgleich (*österr. für* Zwangsvergleich)

zwangs|be|glü|cken (*bes. österr. für* jmdm. etwas Unerwünschtes aufdrängen)

Zwangs|be|wirt|schaf|tung

Zwangs|schie|ne (bei Gleiskrümmungen, Weichen u. a.)

Zwangs|ein|wei|sung

zwangs|er|näh|ren; zwangsernährt; *nur im Infinitiv u. Partizip II gebr.*; Zwangs|er|näh|rung

Zwangs|geld; Zwangs|hand|lung; Zwangs|herr|schaft; Zwangs|hy|po|thek; Zwangs|idee

Zwangs|ja|cke

Zwangs|kurs (*Bankw.*)

Zwangs|la|ge

zwangs|läu|fig (automatisch, anders nicht möglich); *vgl. aber* zwangläufig; Zwangs|läu|fig|keit; *vgl. aber* Zwangläufigkeit

Zwangs|li|zenz

Zwangs|maß|nah|me; Zwangs|mittel; Zwangs|neu|ro|se; Zwangs|pfand; Zwangs|räu|mung; Zwangs|re|gu|lie|rung (*Börsenw.*); Zwangs|spa|ren, das; -s

zwangs|um|sie|deln; zwangsumgesiedelt; *nur im Infinitiv u. Partizip II gebr.*; Zwangs|um|sied|lung

Zwangs|ur|laub (*ugs.*)

Zwangs|ver|fah|ren (*Rechtsw.*); Zwangs|ver|gleich

zwangs|ver|schi|cken (*für* deportieren); *vgl.* zwangsumsiedeln; Zwangs|ver|schi|ckung

Zwangs|ver|set|zung; Zwangs|ver|si|che|rung

zwangs|ver|stei|gern *vgl.* zwangsumsiedeln; Zwangs|ver|stei|ge|rung; Zwangs|ver|wal|tung

zwei

Genitiv zweier, *Dativ* zweien, zwei

– wir sind zu zweien *od.* zu zweit
– herzliche Grüße von uns zweien ↑K 78
– zweier guter, *selten* guten Menschen; zweier Liebenden, *seltener* Liebender
Vgl. acht, drei

Die Formen »zween« für das männliche, »zwo« für das weibliche Geschlecht sind veraltet. Wegen der leichteren Unterscheidbarkeit von »drei« ist »zwo« (ohne Unterschied des Geschlechtes) in neuerer Zeit im Fernsprechverkehr üblich geworden und von da in die Umgangssprache gedrungen. Die veraltete Form »zwote« für die Ordnungszahl »zweite« ist gleichfalls sehr verbreitet.

Zwangs|voll|stre|ckung
zwangs|vor|füh|ren; zwangsvorge-
führt; Zwangs|vor|füh|rung
Zwangs|vor|stel|lung *(Psych.)*
zwangs|wei|se
Zwangs|wirt|schaft
zwan|zig usw. *vgl.* achtzig usw.
Zwan|zig|cent|stück *(mit Ziffern*
20-Cent-Stück; ↑K 26)
zwan|zi|ger; die Goldenen Zwan-
ziger; die Zwanzigerjahre *od.*
zwanziger Jahre; die Goldenen
Zwanzigerjahre
Zwan|zi|ger, der; -s, - *(ugs. auch*
für Münze od. Schein mit dem
Wert 20); vgl. Achter
Zwan|zig|eu|ro|schein *(mit Ziffern*
20-Euro-Schein; ↑K 26)
Zwan|zig|flach, das; -[e]s, -e,
Zwan|zig|fläch|ner *(für Ikosa-*
eder)
zwan|zig|jäh|rig *vgl.* achtjährig
Zwan|zig|mark|schein *(früher; mit*
Ziffern 20-Mark-Schein; ↑K 26)
zwan|zigs|te; ↑K 151 : Zwanzigster
Juli (20. Juli 1944, der Tag des
Attentats auf Hitler); *vgl.* achte
zwan|zig|tau|send
Zwan|zig|uhr|nach|rich|ten *Plur.*
(mit Ziffern 20-Uhr-Nachrich-
ten); Zwan|zig|uhr|vor|stel|lung
zwar; er ist zwar alt, aber rüstig;
viele Sorten, und zwar ...
zwat|ze|lig *(landsch. für* zappe-
lig); zwat|zeln *(landsch. für*
zappeln); ich zwatz[e]le
Zweck, der; -[e]s, -e; zwecks *(vgl.*
d.); zum Zweck[e]
Zweck|auf|wand *(Finanzw.);*
Zweck|bau *Plur.* ...bauten;
Zweck|be|haup|tung (nur dem
Erreichen eines bestimmten
Ziels dienende Behauptung);
Zweck|be|stim|mung, die; -;
Zweck|bin|dung *(Finanzw.);*
Zweck|bünd|nis; Zweck|den|ken
zweck|dien|lich; Zweck|dien|lich-
keit, die; -
Zwe|cke, die; -, -n *(landsch. für*
kurzer Nagel mit breitem
Kopf); zwe|cken *(landsch. für*
anzwecken)

zweck|ent|frem|den; zweckent-
fremdet; *meist nur im Infinitiv*
u. Partizip II gebr.; Zweck|ent-
frem|dung
zweck|ent|spre|chend; zweck|frei
zweck|ge|bun|den; Zweck|ge|bun-
den|heit, die; -
zweck|ge|mäß; Zweck|ge|mein-
schaft; zweck|haft
zweck|los; Zweck|lo|sig|keit, die; -
Zweck|lü|ge
zweck|mä|ßig; zweck|mä|ßi|ger-
wei|se; Zweck|mä|ßig|keit,
die; -; Zweck|mä|ßig|keits|er|wä-
gung
Zweck|op|ti|mis|mus; Zweck|pes-
si|mis|mus; Zweck|pro|pa|gan|da
zwecks ↑K 70 *(Amtsspr.* zum
Zweck von); *Präp. mit Gen.:*
zwecks eines Handels
Zweck|satz (Finalsatz); Zweck-
spa|ren, das; -s; Zweck|steu|er,
die; Zweck|stil; Zweck|ver|band
(Vereinigung von [wirtschaftli-
chen] Unternehmungen);
Zweck|ver|mö|gen *(Rechtsw.)*
zweck|voll; zweck|wid|rig
zween *vgl.* zwei
Zweh|le, die; -, -n *(westmitteld.*
für Tisch-, Handtuch)
zwei *s.* Kasten
Zwei, die; -, -en (Zahl); eine Zwei
würfeln; er hat in Latein eine
Zwei geschrieben; *vgl.* ¹Acht *u.*
Eins
Zwei|ach|ser (Wagen mit zwei
Achsen, mit Ziffer 2-Achser;
↑K 29); zwei|ach|sig
Zwei|ak|ter *vgl.* Einakter; zwei|ak-
tig
zwei|ar|mig
Zwei|bei|ner *(scherzh. für*
Mensch); zwei|bei|nig
Zwei|bett|zim|mer *(mit Ziffer*
2-Bett-Zimmer)
Zwei|brü|cken (Stadt in Rhein-
land-Pfalz); Zwei|brü|cke|ner,
Zwei|brü|cker
Zwei|bund, der; -[e]s *(früher)*
Zwei|cent|stück *(mit Ziffer*
2-Cent-Stück; ↑K 26)
Zwei|de|cker (Flugzeug)

zwei|deu|tig; Zwei|deu|tig|keit
zwei|di|men|si|o|nal
Zwei|drit|tel|ge|sell|schaft (Gesell-
schaft, in der etwa ein Drittel
der Menschen arm od. von
Armut bedroht ist)
Zwei|drit|tel|mehr|heit
zwei|ei|ig; zweieiige Zwillinge
zwei|ein|halb, zwei|und|ein|halb
Zwei|er *vgl.* Achter; Zwei|er|be-
zie|hung; Zwei|er|bob; Zwei|er-
ka|jak
zwei|er|lei
Zwei|er|rei|he
Zwei|eu|ro|stück *(mit Ziffer*
2-Euro-Stück; ↑K 26)
zwei|fach *vgl.* zwiefach; Zwei|fa-
che, das; -n; *vgl.* Achtfache
Zwei|fa|mi|li|en|haus
Zwei|far|ben|druck *Plur.* ...drucke
zwei|far|big
Zwei|fel, der; -s, -; zwei|fel|haft;
zwei|fel|los
zwei|feln; ich zweif[e]le
Zwei|fels|fall; im Zweifelsfall[e]
Zwei|fels|fra|ge
zwei|fels|frei; zwei|fels|oh|ne
Zwei|fel|sucht, die; -; Zwei|f|ler;
Zwei|f|le|rin; zwei|f|le|risch
zwei|flü|ge|lig *vgl.* zweiflüglig;
Zwei|flüg|ler, der; -s, - *(Zool.);*
zwei|flüg|lig, zwei|flü|ge|lig
Zwei|fran|ken|stück *(mit Ziffer*
2-Franken-Stück); Zwei|fränk-
ler *(schweiz. svw.* Zweifranken-
stück)
Zwei|fron|ten|krieg
Zwei|fü|ßer *(svw.* Zweibeiner)
¹Zweig, Arnold (dt. Schriftsteller)
²Zweig, Stefan (österr. Schriftsteller)
³Zweig, der; -[e]s, -e
Zweig|bahn
Zweig|gelt, der; -s (eine Rotwein-
sorte)
zwei|ge|schlech|tig *(Bot.);* Zwei-
ge|schlech|tig|keit, die; -
zwei|ge|sich|tig
Zwei|ge|spann; Zwei|ge|spräch
(veraltet für Zwiegespräch)
zwei|ge|stri|chen *(Musik);* zweige-
strichene Note

zwei|te

Kleinschreibung:

– die zweite Geige spielen; er ist zweiter Geiger
– etwas aus zweiter Hand kaufen; er ist sein zweites Ich (bester Freund); in zweiter Linie
– das ist ihr zur zweiten Natur geworden; der zweite Rang; sie singt die zweite Stimme
– der zweite Stock eines Hauses; der zweite Bildungsweg
– ↑K 89: das zweite od. Zweite Gesicht (Gabe, Zukünftiges vorauszusehen)

Großschreibung in Namen ↑K 150 u. 151:

– Zweites Deutsches Fernsehen (*Abk.* ZDF)
– das Zweite Programm (ZDF)

– die Zweite Bundesliga
– die Zweite Republik (Staatsform Österreichs nach 1945)
– der Zweite Weltkrieg
Vgl. achte u. erste

Großschreibung der Substantivierung ↑K 80:

– sie hat wie keine Zweite gearbeitet
– jeder Zweite
– zum Ersten, zum Zweiten ...
– es ist noch ein Zweites zu erwähnen

---

zwei|ge|teilt
Zweig|ge|schäft
zwei|glei|sig; zwei|glie|de|rig, zwei|glied|rig
Zweig|li|nie; Zweig|nie|der|las|sung; Zweig|stel|le; Zweig|werk
Zwei|hän|der (Schwert, das mit beiden Händen geführt wird); zwei|hän|dig
zwei|häu|sig (*Bot.* entweder mit männl. oder weibl. Blüten auf einer Pflanze); Zwei|häu|sig|keit, die; -
Zwei|heit, die; - (*für* Dualismus)
zwei|hun|dert; Zwei|hun|dert|eu|ro|schein (*mit Ziffern* 200-Euro-Schein; ↑K 26); Zwei|hun|dert|mark|schein (*früher; mit Ziffern* 200-Mark-Schein; ↑K 26)
Zwei|jah|res|plan; zwei|jäh|rig
Zwei|kam|mer|sys|tem
Zwei|kampf
Zwei|ka|nal|ton (*Fernsehen*)
zwei|keim|blät|te|rig, zwei|keim|blätt|rig (*Bot.*)
Zwei|klas|sen|ge|sell|schaft
zwei|köp|fig
Zwei|kreis|brem|se (*Kfz-Technik*); Zwei|kreis|sys|tem (*Finanzw.*)
Zwei|li|ter|fla|sche (*mit Ziffer* 2-Liter-Flasche)
zwei|mäh|dig (*svw.* zweischürig)
zwei|mal; ↑K 31 : ein- bis zweimal (1- bis 2-mal); *vgl.* achtmal; zwei|ma|lig
Zwei|mann|boot (*mit Ziffer* 2-Mann-Boot)
Zwei|mark|stück (*früher; mit Ziffer* 2-Mark-Stück; ↑K 26)
Zwei|mas|ter (Segelschiff)
Zwei|me|ter|mann *Plur.* ...männer
zwei|mo|to|rig
Zwei|par|tei|en|sys|tem
Zwei|pfen|nig|stück (*früher; mit Ziffer* 2-Pfennig-Stück; ↑K 26)

Zwei|pfün|der (*mit Ziffer* 2-Pfünder)
Zwei|pha|sen|strom
Zwei|rad; zwei|rä|de|rig, zwei|räd|rig
Zwei|raum|woh|nung (*regional für* Zweizimmerwohnung)
Zwei|rei|her; zwei|rei|hig
Zwei|ru|de|rer (*für* Bireme)
zwei|sam; Zwei|sam|keit
zwei|schlä|fe|rig, zwei|schlä|fig, zwei|schläf|rig; *vgl.* einschläfig
zwei|schnei|dig
zwei|schü|rig (zwei Ernten liefernd [von der Wiese])
zwei|sei|tig; zwei|sil|big
Zwei|sit|zer; zwei|sit|zig
zwei|spal|tig
zwei|spän|ner; zwei|spän|nig
zwei|spra|chig; Zwei|spra|chig|keit, die; -
zwei|spu|rig; zwei|stel|lig; zweistellige Zahlen
zwei|stim|mig; zwei|stö|ckig
zwei|strah|lig
Zwei|strom|land
zwei|stück|wei|se
Zwei|stu|fen|ra|ke|te; zwei|stu|fig
zwei|stün|dig (zwei Stunden dauernd); zweistündige Fahrt
zwei|stünd|lich (alle zwei Stunden [wiederkehrend]); zweistündlich ein Esslöffel voll
zweit *vgl.* zwei
zwei|tä|gig *vgl.* ...tägig; zwei|täg|lich *vgl.* ...täglich
Zwei|tak|ter (*ugs. für* Zweitaktmotor od. damit ausgerüstetes Fahrzeug); Zwei|takt|mo|tor
zwei|tau|send; 2000-fähig (von Computern); Zwei|tau|sen|der ([über] 2 000 m hoher Berg)
Zweit|aus|fer|ti|gung
zwei|t|bes|te; sie ist die zweit-

beste Schülerin, *aber* sie ist die Zweitbeste in der Klasse ↑K 72
Zweit|druck *Plur.* ...drucke
zwei|te *s. Kasten*
Zwei|tei|ler; zwei|tei|lig; Zwei|tei|lung
zwei|tens
Zwei|te[r]-Klas|se-Ab|teil ↑K 26
Zweit|fahr|zeug; Zweit|fri|sur (Perücke); Zweit|ge|rät
zweit|größ|te; zweit|höchs|te
Zweit|job (*ugs.*)
zweit|klas|sig
Zweit|kläss|ler *vgl.* Erstklässler; Zweit|kläss|le|rin
Zweit|klass|wa|gen (*schweiz.*)
zweit|letz|te *vgl.* letzte
Zweit|li|gist, der; -en, -en (*Sport*)
Zweit|mei|nung (Beurteilung durch einen zweiten Arzt, Spezialisten o. Ä.)
zwei|tou|rig
zwei|t|ran|gig
Zweit|schlag (*Milit.*)
zweit|schlech|tes|te
Zweit|schlüs|sel
Zweit|schrift
Zweit|stim|me
zwei|tü|rig
Zweit|ver|wer|tung
Zweit|wa|gen; Zweit|woh|nung
zwei|und|ein|halb *vgl.* zweieinhalb; zwei|und|zwan|zig
zwei|wer|tig
Zwei|zei|ler; zwei|zei|lig
Zwei|zim|mer|woh|nung (*mit Ziffer* 2-Zimmer-Wohnung)
Zwei|zü|ger, der; -s, - (mit zwei Zügen zu lösende Schachaufgabe)
Zwei|zy|lin|der (*ugs. für* Zweizylindermotor od. damit ausgerüstetes Fahrzeug); Zwei|zy|lin|der|mo|tor; zwei|zy|lin|d|rig (*mit Ziffer* 2-zylindrig; ↑K 29)

Zwen|ke, die; -, -n (ein Süßgras)

zwerch (*landsch. für* quer)

Zwerch|fell; Zwerch|fell|at|mung, die; -; **zwerch|fell|er|schüt|ternd;** zwerchfellerschütterndes Lachen

Zwerg, der; -[e]s, -e; **zwerg|ar|tig; Zwerg|baum; zwer|gen|haft**

Zwer|gen|kö|nig (*Märchen*); **Zwer|gen|kö|ni|gin; Zwer|gen|volk** (*Märchen*)

zwerg|haft; Zwerg|haf|tig|keit

Zwerg|huhn; zwer|gig; Zwer|gin

Zwerg|kie|fer, die; **Zwerg|obst; Zwerg|pin|scher; Zwerg|pu|del; Zwerg|staat**

Zwerg|wuchs (*Med. veraltet; Biol.*); **zwerg|wüch|sig**

> **zwergwüchsig**
> Viele Menschen empfinden die Bezeichnung *zwergwüchsig* als abwertend, sie sollte daher vermieden werden. Als alternative Bezeichnung fungiert *kleinwüchsig*.

Zwet|sche, die; -, -n; **Zwet|schen|baum; Zwet|schen|kern; Zwet|schen|ku|chen; Zwet|schen|mus; Zwet|schen|schnaps**

Zwetsch|ge (*südd., schweiz. u. fachspr. für* Zwetsche); **Zwetsch|ke** (*bes. österr. für* Zwetsche); **Zwetsch|ken|knö|del** (*österr.*); **Zwetsch|ken|rös|ter** (*österr. für* gedünstete Pflaumen)

Zwi|ckau (Stadt in Sachsen); **Zwi|ckau|er**

Zwi|cke, die; -, -n (*landsch. für* Beißzange; *auch für* als Zwilling mit einem männlichen Kalb geborenes Kuhkalb)

Zwi|ckel, der; -s, - (keilförmiger Stoffeinsatz; *Bauw.* dreieckiges Verbindungsstück); **Zwi|ckel|tag** (*österr. für* Brückentag)

zwi|cken; er zwickt ihn, *auch* ihm ins Bein

Zwi|cker (Klemmer, Kneifer)

Zwick|müh|le (Stellung im Mühlespiel); in der Zwickmühle (*ugs. für* in einer misslichen Lage)

Zwie|back, der; -[e]s, *Plur.* ...bäcke *u.* -e

Zwie|bel, die; -, -n ⟨*lat.*⟩

Zwie|bel|fisch (*Druckw.* fälschlich aus anderer Schrift gesetzter Buchstabe)

Zwie|bel|ge|wächs; Zwie|bel|hau|be (Turmdachform); **Zwie|bel|ku|chen; Zwie|bel|mus|ter,** das; -s (beliebtes Muster der Meißner Porzellanmanufaktur)

zwie|beln (*ugs. für* quälen; übertriebene Anforderungen stellen); ich zwieb[e]le

Zwie|bel|ring; Zwie|bel|scha|le; Zwie|bel|sup|pe; Zwie|bel|turm

Zwie|bra|che, die; -, -n (*veraltet für* zweites Pflügen des Brachackers im Herbst); **zwie|bra|chen**

zwie|fach (*veraltend für* zweifach); **zwie|fäl|tig** (*veraltend*)

Zwie|ge|sang

Zwie|ge|spräch

Zwie|laut (*für* Diphthong)

Zwie|licht, das; -[e]s; **zwie|lich|tig;** eine zwielichtige Gestalt

Zwie|na|tur

¹**Zwie|sel** (Stadt in Bayern)

²**Zwie|sel,** die; -, -n, *auch* der; -s, - (*landsch. für* Gabelzweig; Gabelung)

Zwie|sel|bee|re (*landsch. für* Vogelkirsche); **Zwie|sel|dorn** *Plur.* ...dörner (Stechpalme)

zwie|se|lig, zwies|lig (gespalten); **zwie|seln,** sich (sich gabeln, spalten); **zwies|lig** *vgl.* zwieselig

Zwie|spalt, der; -[e]s, *Plur.* -e *u.* ...spälte

zwie|späl|tig; Zwie|späl|tig|keit

Zwie|spra|che

Zwie|tracht, die; - (*geh.*); **zwie|träch|tig**

Zwilch, der; -[e]s, -e (*svw.* Zwillich); **zwil|chen** (aus Zwillich)

Zwil|le, die; -, -n (*nordd. für* Holzgabel; kleine Schleuder)

Zwil|lich, der; -s, -e (Gewebe); **Zwil|lich|ho|se**

Zwil|ling, der; -s, -e; siamesische Zwillinge; **Zwil|lings|bru|der**

Zwil|lings|for|mel (*Sprachw.*)

Zwil|lings|for|schung

Zwil|lings|frucht

Zwil|lings|ge|burt; Zwil|lings|paar

Zwil|lings|rei|fen

Zwil|lings|schwes|ter

Zwing|burg (*früher*)

Zwin|ge, die; -, -n (ein Werkzeug)

zwin|gen; du zwangst; du zwängest; gezwungen; zwing[e]!; **zwin|gend**

Zwin|ger (Gang, Platz zwischen innerer u. äußerer Burgmauer; fester Turm; Käfig für wilde Tiere; umzäunter Auslauf für Hunde); Dresdener Zwinger (Barockbauwerk in Dresden)

Zwing|herr (*früher*); **Zwing|herr|schaft**

Zwing|li, Ulrich (Huldrych) (schweiz. Reformator); **Zwing|li|a|ner** (Anhänger der Lehre Zwinglis)

zwin|ken (*veraltet für* zwinkern)

zwin|kern; ich zwinkere

zwirbeln; ich zwirb[e]le

Zwirn, der; -[e]s, *Plur. (Sorten:)* -e

¹**zwir|nen** (von, aus Zwirn)

²**zwir|nen** (Garne zusammendrehen)

Zwir|ne|rei (Zwirnarbeit; Zwirnfabrik); **Zwirns|fa|den**

---

zwi|schen

Präposition mit Dativ od. Akkusativ:

- zwischen den Tischen stehen, *aber* etw. zwischen die Tische stellen
- die Gegensätze zwischen den Arbeitgebern und den Arbeitnehmern (zwischen der Arbeitgeberschaft auf der einen und der Arbeitnehmerschaft auf der anderen Seite)
- *aber* die Gegensätze zwischen den Arbeitgebern und zwischen den Arbeitnehmern (innerhalb der Arbeitgeberschaft und innerhalb der Arbeitnehmerschaft)
- dazwischen, inzwischen

Zwi|schen|akt; Zwi|schen|akt|mu|sik; Zwi|schen|ap|plaus

Zwi|schen|be|mer|kung; Zwi|schen|be|richt; Zwi|schen|be|scheid; Zwi|schen|bi|lanz

zwi|schen|blen|den (*Film*); nur im Infinitiv u. Partizip II gebr.; zwischengeblendet

Zwi|schen|buch|han|del; Zwi|schen|deck; Zwi|schen|de|cke (*Bauw.*); **Zwi|schen|ding**

zwi|schen|drein (*ugs.; Frage* wohin?); zwischendrein legen; **zwi|schen|drin** (*ugs.; Frage* wo?); zwischendrin liegen

zwi|schen|durch (*ugs.*); zwischendurch fallen

Zwi|schen|er|geb|nis; Zwi|schen|fall, der

zwi|schen|fi|nan|zie|ren; Zwi|schen|fi|nan|zie|rung

Zwi|schen|fra|ge; Zwi|schen|gas (*Kfz-Technik*); **Zwi|schen|ge|richt** (*Gastron.*); **Zwi|schen|ge|schoss**

Z
Zwis

Zwi|schen|glied; Zwi|schen|grö|ße
Zwi|schen|han|del; Zwi|schen|händ|ler; Zwi|schen|händ|le|rin
zwi|schen|hi|n|ein *(schweiz.)*
Zwi|schen|hirn; Zwi|schen|hoch
zwi|schen|in|ne *(landsch.)*
Zwi|schen|kie|fer; Zwi|schen|kiefer|kno|chen
Zwi|schen|knor|pel
Zwi|schen|la|ger; zwi|schen|lagern; Zwi|schen|la|ge|rung
zwi|schen|lan|den; *meist im Infinitiv u. Partizip II gebr.;* zwischengelandet; *seltener:* das Flugzeug landet in Rom zwischen; Zwi|schen|lan|dung
Zwi|schen|lauf *(Sport)*
Zwi|schen|lö|sung
Zwi|schen|mahl|zeit
zwi|schen|mensch|lich; zwischenmenschliche Beziehungen
zwi|schen|par|ken *(ugs. für* vorübergehend irgendwo unterbringen)
Zwi|schen|prü|fung
Zwi|schen|raum; Zwi|schen|reich
Zwi|schen|ruf; Zwi|schen|ru|fer; Zwi|schen|ru|fe|rin
Zwi|schen|run|de
Zwi|schen|satz *(Sprachw.)*
Zwi|schen|schritt
Zwi|schen|spiel
Zwi|schen|spurt
zwi|schen|staat|lich
Zwi|schen|sta|ti|on
Zwi|schen|stock[|werk] *(svw.* Zwischengeschoss)
Zwi|schen|stopp
Zwi|schen|stu|fe
Zwi|schen|ton
Zwi|schen|trä|ger; Zwi|schen|träge|rin
Zwi|schen|tür; Zwi|schen|wand
Zwi|schen|welt
Zwi|schen|wirt *(Biol.)*
Zwi|schen|zeit; zwi|schen|zeit|lich
Zwi|schen|zeug|nis
Zwi|schen|zin|sen *Plur.*
Zwist, der; -[e]s, -e
zwis|tig *(veraltet);* Zwis|tig|keit
zwit|schern; ich zwitschere
Zwit|ter, der; -s, - (Wesen mit männlichen u. weiblichen Geschlechtsmerkmalen)
Zwit|ter|bil|dung; Zwit|ter|blü|te; Zwit|ter|form
zwit|ter|haft; Zwit|ter|haf|tig|keit, die; -
zwit|te|rig, zwit|t|rig
Zwit|ter|stel|lung; Zwit|ter|we|sen
zwit|t|rig *vgl.* zwitterig; Zwit|t|rig|keit, die; -
zwo *vgl.* zwei

---

zwölf

– wir sind zu zwölfen *od.* zu zwölft
– es ist fünf [Minuten] vor zwölf *(ugs. übertr. auch für* es ist allerhöchste Zeit)
– die zwölf Apostel

Großschreibung als Bestandteil von mehrteiligen Namen:

– die Zwölf Nächte (vor Weihnachten), auch »Zwölften« genannt
Vgl. acht

Zwölf, die; -, -en (Zahl); er hat eine Zwölf geschossen; *vgl.* ¹Acht
Zwölf|ach|ser (Wagen mit zwölf Achsen; *mit Ziffern* 12-Achser; ↑K 29); zwölf|ach|sig *(mit Ziffern* 12-achsig; ↑K 29)
Zwölf|eck; zwölf|eckig
zwölf|ein|halb, zwölf|und|ein|halb
Zwölf|en|der *(Jägerspr.)*
Zwöl|fer *vgl.* Achter; zwölf|fer|lei; zwölf|fach; Zwölf|fa|che, das; -n; *vgl.* Achtfache
Zwölf|fin|ger|darm
Zwölf|flach, das; -[e]s, -e, Zwölf|fläch|ner *(für* Dodekaeder)
Zwölf|kampf *(Turnen);* Zwölf|kämp|fer
zwölf|mal; *vgl.* achtmal; zwölf|ma|lig
Zwölf|mei|len|zo|ne
zwölft; *vgl.* zwölf
Zwölf|ta|fel|ge|set|ze *Plur.*
zwölf|tau|send
zwölf|te *vgl.* achte
zwölf|tel; *vgl.* achtel; Zwölf|tel, das, *schweiz. meist* der; -s, -; *vgl.* Achtel
Zwölf|ten *Plur. (landsch. für* die »Zwölf Nächte«; *vgl.* zwölf)
zwölf|tens
Zwölf|tö|ner (Vertreter der Zwölftonmusik); Zwölf|ton|mu|sik, die; - (Kompositionsstil)
Zwölf|ton|ner *(mit Ziffern* 12-Tonner; ↑K 29)
zwölf|und|ein|halb *vgl.* zwölfeinhalb
Zwölf|zy|lin|der *(ugs. für* Zwölfzylindermotor od. damit ausgerüstetes Kraftfahrzeug); Zwölf|zy|lin|der|mo|tor; zwölf|zy|lin|d|rig *(mit Ziffern* 12-zylindrig; ↑K 29)
zwo|te *vgl.* zwei
z. Wv. = zur Wiederverwendung; zur Wiedervorlage

---

z. w. V. = zur weiteren Veranlassung
Zy|an, *chem. fachspr.* Cy|an, das; -s ⟨griech.⟩ (chem. Verbindung aus Kohlenstoff u. Stickstoff)
Zy|a|ne, die; -, -n (Kornblume)
Zy|a|nid, das; -s, -e (Salz der Blausäure)
Zy|an|ka|li, *älter* Zy|an|ka|li|um, das; -s (stark giftiges Kaliumsalz der Blausäure)
Zy|a|no|se, die; -, -n *(Med.* bläuliche Verfärbung der Haut)
Zy|a|no|ty|pie, die; -, ...ien (Blaupause)
Zy|a|thus *vgl.* Kyathos
Zy|go|ma *[auch ...'go:...],* das; -s, ...omata ⟨griech.⟩ *(Med.* Jochbogen)
zy|go|morph *(Bot.* mit nur einer Symmetrieebene [von Blüten])
Zy|go|te, die; -, -n *(Biol.* die befruchtete Eizelle nach der Verschmelzung der beiden Geschlechtskerne)
Zy|k|la|den *vgl.* Kykladen
Zy|k|la|me, die; -, -n ⟨griech.⟩ *(österr. u. schweiz. für* Zyklamen); Zy|k|la|men, das; -s, - (Alpenveilchen)
Zy|k|len *(Plur. von* Zyklus)
Zy|k|li|ker (altgriechischer Dichter von Epen, die später zu einem Zyklus mit Ilias und Odyssee als Mittelpunkt gestaltet wurden)
zy|k|lisch, *chem. fachspr.* cy|c|lisch (kreisläufig, -förmig; sich auf einen Zyklus beziehend; regelmäßig wiederkehrend)
Zy|k|lo|i|de, die; -, -n (mathematische Kurve)
Zy|k|lo|id|schup|pe (dünne Fischschuppe mit hinten abgerundetem Rand)
Zy|k|lon, der; -s, -e ⟨engl.⟩ (Wirbelsturm; *als* ®: Fliehkraftabscheider [für Staub]); Zy|k|lo|ne, die; -, -n *(Meteor.* Tiefdruckgebiet)
Zy|k|lop, der; -en, -en (einäugiger Riese der griech. Sage); Zy|k|lo|pen|mau|er (frühgeschichtliche Mauer aus unbehauenen Bruchsteinen); Zy|k|lo|pie, die; - *(Med.* eine Gesichtsfehlbildung); zy|k|lo|pisch (riesenhaft)
zy|k|lo|thym *(Psych.* [seelisch] aufgeschlossen, gesellig mit wechselnder Stimmung); Zy|k|lo|thy|me, der u. die; -n, -n; Zy|k|lo|thy|mie, die; -
Zy|k|lo|t|ron, das; -s, *Plur.* -s, *auch*

...one (Beschleuniger für positiv geladene Elementarteilchen)

Zy|k|lus, der; -, Zyklen (Kreis[lauf]; Folge; Reihe)

Zy|lin|der [tsi..., *auch* tsy...], der; -s, - ⟨griech.⟩

...**zy|lin|der** (z. B. Achtzylinder)

Zy|lin|der|block *Plur.* ...blöcke *(Kfz-Technik)*

Zy|lin|der|bü|ro (Schreibsekretär mit Rollverschluss)

zy|lin|der|för|mig

Zy|lin|der|glas *Plur.* ...gläser (nur in einer Richtung gekrümmtes Brillenglas)

Zy|lin|der|hut

Zy|lin|der|kopf *(Kfz-Technik);* **Zy|lin|der|kopf|dich|tung**

Zy|lin|der|pro|jek|ti|on (Kartendarstellung besonderer Art)

Zy|lin|der|schloss

...**zy|lin|d|rig** (z. B. achtzylindrig)

zy|lin|d|risch (walzenförmig)

Zy|ma|se, die; - ⟨griech.⟩ (die alkoholische Gärung bewirkendes Gemisch von Enzymen); **Zy|mo|lo|gie,** die; - (Gärungslehre); **Zy|mo|tech|nik,** die; - (Gärungstechnik); **zy|mo|tisch** (Gärung bewirkend)

Zy|ni|ker ⟨griech.⟩ (zynischer Mensch); *vgl. aber* Kyniker; **Zy|ni|ke|rin**

zy|nisch (auf grausame, beleidigende Weise spöttisch; gefühllos, mitleidlos)

Zy|nis|mus, der; -, ...men (*nur Sing.*: philosophische Richtung der Kyniker; zynische Einstellung; zynische Äußerung)

Zy|per|gras (einjähriges Riedgras); **Zy|per|kat|ze**

Zy|pern (Inselstaat im Mittelmeer)

Zy|per|wein

Zy|p|rer (Bewohner von Zypern); **Zy|p|re|rin**

Zy|p|res|se, die; -, -n ⟨griech.⟩ (bes. im Mittelmeerraum wachsender Nadelbaum); **zy|p|res|sen** (aus Zypressenholz); **Zy|p|res|sen|hain; Zy|p|res|sen|holz; Zy|p|res|sen|kraut**

Zy|p|ri|an, Zy|p|ri|a|nus (ein Heiliger)

Zy|p|ri|o|te, der; -n, -n (Zyperngrieche; *vgl.* Zyprer); **Zy|p|ri|o|tin; zy|p|ri|o|tisch**

zy|p|risch (von Zypern)

Zy|ri|a|kus (ein Heiliger)

zy|ril|lisch, ky|ril|lisch ⟨nach dem Slawenapostel Kyrill); zyrillische, kyrillische Schrift ↑K135

Zys|t|al|gie, die; -, ...ien ⟨griech.⟩ (*Med.* Blasenschmerz)

Zys|te, die; -, -n ⟨griech.⟩ (mit Flüssigkeit gefüllte Geschwulst)

Zys|t|ek|to|mie, die; -, ...ien (*Med.* operative Entfernung einer Zyste)

zys|tisch (*Med.* blasenartig; auf die Zyste bezüglich); **Zys|ti|tis,** die; -, ...tiden (Entzündung der Harnblase)

Zys|to|s|kop, das; -s, -e (*Med.* Blasenspiegel)

Zy|to|de, die; -, -n ⟨griech.⟩ (*Biol.* kernloses Protoplasmaklümpchen)

zy|to|gen (von der Zelle gebildet)

Zy|to|lo|ge (Zellforscher); **Zy|to|lo|gie,** die; - (Zellenlehre); **Zy|to|lo|gin; zy|to|lo|gisch**

Zy|to|plas|ma (Zellplasma)

Zy|to|s|ta|ti|kum, das; -s, ...ka (*Med.* das Zellwachstum hemmende Substanz); **zy|to|s|ta|tisch**

Zy|to|s|tom, das; -s, -e, **Zy|to|s|to|ma,** das; -s, -ta (*Biol.* Zellmund der Einzeller)

Zy|to|to|xin (*Med., Biol.* Zellgift); **zy|to|to|xisch** (*Med., Biol.* [die Zelle] schädigend, vergiftend); **Zy|to|to|xi|zi|tät,** die; - (*Med., Biol.* Fähigkeit, Gewebszellen zu schädigen)

zz., zzt. = zurzeit

Zz. = Zinszahl

z. Z., z. Zt. = zur Zeit

zzgl. = zuzüglich

Die amtliche Regelung der deutschen Rechtschreibung

Der folgende Text gibt den vollständigen „Teil I: Regeln" der amtlichen Neuregelung nach dem Stand vom März 2006 wieder. Mit dem darin erwähnten „Wörterverzeichnis" ist der Teil II (die Wortliste des Regelwerks) gemeint, der hier nicht abgedruckt ist, dessen Stichwörter aber in diesem Wörterbuch enthalten sind.

A Laut-Buchstaben-Zuordnungen

0 Vorbemerkungen

(1) Die Schreibung des Deutschen beruht auf einer Buchstabenschrift. Jeder Buchstabe existiert als Kleinbuchstabe und als Großbuchstabe (Ausnahme *ß*):

a	b	c	d	e	f	g	h	i	j	k	l	m	n	o	p
A	B	C	D	E	F	G	H	I	J	K	L	M	N	O	P

q	r	s	t	u	v	w	x	y	z		ä	ö	ü		ß
Q	R	S	T	U	V	W	X	Y	Z		Ä	Ö	Ü		

Die Umlautbuchstaben *ä, ö, ü* werden im Folgenden mit den Buchstaben *a, o, u* zusammen eingeordnet; *ß* nach *ss*. Zum Ersatz von *ß* durch *ss* oder *SS* siehe § 25 E$_2$ und E$_3$.

In Fremdwörtern und fremdsprachigen Eigennamen kommen außerdem Buchstaben mit zusätzlichen Zeichen sowie Ligaturen vor (zum Beispiel *ç, é, â, œ*).

(2) Für die Schreibung des Deutschen gilt:
(2.1) Buchstaben und Sprachlaute sind einander zugeordnet. Die folgende Darstellung bezieht sich auf die Standardaussprache, die allerdings regionale Varianten aufweist.

(2.2) Die Schreibung der Wortstämme, Präfixe, Suffixe und Endungen bleibt bei der Flexion der Wörter, in Zusammensetzungen und Ableitungen weitgehend konstant (zum Beispiel *Kind, die Kinder, des Kindes, Kind-*

bett, Kinderbuch, Kindesalter, kindisch, kindlich; Differenz, Differenzial, differenzieren; aber *säen, Saat; nähen, Nadel*). Dies macht es in vielen Fällen möglich, die Schreibung eines Wortes aus verwandten Wörtern zu erschließen.

Dabei ist zu beachten, dass Wortstämme sich verändern können, so vor allem durch Umlaut (zum Beispiel *Hand – Hände, Not – nötig, Kunst – Künstler, rauben – Räuber*), durch Ablaut (zum Beispiel *schwimmen – er schwamm – geschwommen*) oder durch *e/i*-Wechsel (zum Beispiel *geben – du gibst – er gibt*).

In manchen Fällen werden durch verschiedene Laut-Buchstaben-Zuordnungen gleich lautende Wörter unterschieden (zum Beispiel *malen* aber *mahlen, leeren* aber *lehren*).

(3) Der folgenden Darstellung liegt die deutsche Standardsprache zugrunde. Besonderheiten sind bei Fremdwörtern und Eigennamen zu beachten.

(3.1) Fremdwörter unterliegen oft fremdsprachigen Schreibgewohnheiten (zum Beispiel *Chaiselongue, Sympathie, Lady*). Ihre Schreibung kann jedoch – und Ähnliches gilt für die Aussprache – je nach Häufigkeit und Art der Verwendung integriert, das heißt dem Deutschen angeglichen werden (zum Beispiel *Scharnier* aus französisch *charnière, Streik* aus englisch *strike*). Manche Fremdwörter werden sowohl in einer integrierten als auch in einer fremdsprachigen Schreibung verwendet (zum Beispiel *Fotografie/Photographie*).

Nicht integriert sind üblicherweise
a) zitierte fremdsprachige Wörter und Wortgruppen (zum Beispiel: *Die Engländer nennen dies „one way mind"*);
b) Wörter in international gebräuchlicher oder festgelegter – vor allem fachsprachlicher – Schreibung (zum Beispiel *City; medizinisch Phlegmone*).

Für die nicht oder nur teilweise integrierten Fremdwörter lassen sich wegen der Vielgestaltigkeit fremdsprachiger Schreibgewohnheiten keine handhabbaren Regeln aufstellen. In Zweifelsfällen siehe das Wörterverzeichnis.

(3.2) Für Eigennamen (Vornamen, Familiennamen, geografische Eigennamen und dergleichen) gelten im Allgemeinen amtliche Schreibungen. Diese entsprechen nicht immer den folgenden Regeln.

Eigennamen aus Sprachen mit nicht lateinischem Alphabet können unterschiedliche Schreibungen haben, die auf die Verwendung verschiedener Umschriftsysteme zurückgehen (zum Beispiel *Schanghai, Shanghai*).

(4) Beim Aufbau der folgenden Darstellung sind zunächst Vokale (siehe Abschnitt 1) und Konsonanten (siehe Abschnitt 2) zu unterscheiden.

Unterschieden sind des Weiteren in beiden Gruppen grundlegende Zuordnungen (siehe Abschnitt 1.1 und 2.1), besondere Zuordnungen (siehe Abschnitte 1.2 bis 1.7 und 2.2 bis 2.7) sowie spezielle Zuordnungen in Fremdwörtern (siehe Abschnitt 1.8 und 2.8).

Laute werden im Folgenden durch die phonetische Umschrift wiedergegeben (zum Beispiel das lange *a* durch [a:]). Sind die Buchstaben gemeint, so ist dies durch kursiven Druck gekennzeichnet (zum Beispiel der Buchstabe *h* oder *H*).

1 Vokale

1.1 Grundlegende Laut-Buchstaben-Zuordnungen

§ 1 Als grundlegend im Sinne dieser orthografischen Regelung gelten die folgenden Laut-Buchstaben-Zuordnungen.

Besondere Zuordnungen werden in den sich anschließenden Abschnitten behandelt.

(1) Kurze einfache Vokale

Laute	Buch-staben	Beispiele
[a]	a	ab, Alter, warm, Bilanz
[ɛ], [e]	e	enorm, Endung, helfen, fett, penetrant, Prozent
[ə]	e	Atem, Ballade, gering, nobel
[ɪ], [i]	i	immer, Iltis, List, indiskret, Pilot
[ɔ], [o]	o	ob, Ort, folgen, Konzern, Logis, Obelisk, Organ
[œ], [ø]	ö	öfter, Öffnung, wölben, Ökonomie
[ʊ], [u]	u	unten, Ulme, bunt, Museum
[ʏ], [y]	ü	Küste, wünschen, Püree

(2) Lange einfache Vokale

Laute	Buch-staben	Beispiele
[a:]	a	artig, Abend, Basis
[e:]	e	edel, Efeu, Weg, Planet
[ɛ:]	ä	äsen, Ära, Sekretär
[i:]	ie	(in einheimischen Wörtern:) Liebe, Dieb
	i	(in Fremdwörtern:) Diva, Iris, Krise, Ventil
[o:]	o	oben, Ofen, vor, Chor
[ø:]	ö	öde, Öfen, schön
[u:]	u	Ufer, Bluse, Muse, Natur
[y:]	ü	üben, Übel, fügen, Menü, Molekül

(3) Diphthonge

Laute	Buch-staben	Beispiele
[aɪ]	ei	*eigen, Eile, beiseite, Kaleidoskop*
[aʊ]	au	*auf, Auge, Haus, Audienz*
[ɔY]	eu	*euch, Eule, Zeuge, Euphorie*

1.2 Besondere Kennzeichnung der kurzen Vokale

Folgen auf einen betonten Vokal innerhalb des Wortstammes – bei Fremdwörtern betrifft dies auch den betonten Wortausgang – zwei verschiedene Konsonanten, so ist der Vokal in der Regel kurz; folgt kein Konsonant, so ist der Vokal in der Regel lang; folgt nur ein Konsonant, so ist der Vokal kurz oder lang. Deshalb beschränkt sich die besondere grafische Kennzeichnung des kurzen Vokals auf den Fall, dass nur ein einzelner Konsonant folgt.

> **§ 2** Folgt im Wortstamm auf einen betonten kurzen Vokal nur ein einzelner Konsonant, so kennzeichnet man die Kürze des Vokals durch Verdopplung des Konsonantenbuchstabens.

Das betrifft Wörter wie:
Ebbe; Paddel; schlaff, Affe; Egge; generell, Kontrolle; schlimm, immer; denn, wann, gönnen; Galopp, üppig; starr, knurren; Hass, dass (Konjunktion), *bisschen, wessen, Prämisse; statt* (aber *Stadt*), *Hütte, Manschette*

> **§ 3** Für *k* und *z* gilt eine besondere Regelung:
> **(1)** Statt *kk* schreibt man *ck*.
> **(2)** Statt *zz* schreibt man *tz*.

Das betrifft Wörter wie:
Acker, locken, Reck; Katze, Matratze, Schutz
Ausnahmen: Fremdwörter wie *Mokka, Sakko; Pizza, Razzia, Skizze*

> E zu § 2 und § 3: Die Verdopplung des Buchstabens für den einzelnen Konsonanten bleibt

üblicherweise in Wörtern, die sich aufeinander beziehen lassen, auch dann erhalten, wenn sich die Betonung ändert, zum Beispiel:
Galopp – galoppieren, Horror – horrend, Kontrolle – kontrollieren, Nummer – nummerieren, spinnen – Spinnerei, Stuck – Stuckatur, Stuckateur

> **§ 4** In acht Fallgruppen verdoppelt man den Buchstaben für den einzelnen Konsonanten nicht, obwohl dieser einem betonten kurzen Vokal folgt.

Dies betrifft

(1) eine Reihe einsilbiger Wörter (besonders aus dem Englischen), zum Beispiel:
Bus, Chip, fit, Gag, Grog, Jet, Job, Kap, Klub, Mob, Pop, Slip, top, Twen

> E_1: Ableitungen schreibt man entsprechend § 2 mit doppeltem Konsonantenbuchstaben:
> *jobben – du jobbst – er jobbt; jetten, poppig, Slipper;* außerdem: *die Busse* (zu *Bus*)

(2) die fremdsprachigen Suffixe *-ik* und *-it*, die mit kurzem, aber auch mit langem Vokal gesprochen werden können, zum Beispiel:
Kritik, Politik; Kredit, Profit

(3) einige Wörter mit unklarem Wortaufbau oder mit Bestandteilen, die nicht selbständig vorkommen, zum Beispiel:
Brombeere, Damwild, Himbeere, Imbiss, Imker (aber *Imme*), *Sperling, Walnuss;* aber *Bollwerk*

(4) eine Reihe von Fremdwörtern, zum Beispiel:
Ananas, April, City, Hotel, Kamera, Kapitel, Limit, Mini, Relief, Roboter

(5) Wörter mit den nicht mehr produktiven Suffixen *-d, -st* und *-t,* zum Beispiel:
Brand (trotz *brennen*), *Spindel* (trotz *spinnen*); *Geschwulst* (trotz *schwellen*), *Gespinst* (trotz *spinnen*), *Gunst* (trotz *gönnen*);

beschäftigen, Geschäft (trotz *schaffen*), *[ins]gesamt, sämtlich* (trotz *zusammen*)

(6) eine Reihe einsilbiger Wörter mit grammatischer Funktion, zum Beispiel:
ab, an, dran, bis, das (Artikel, Pronomen), *des* (aber *dessen*), *in, drin* (aber *innen, drinnen*), *man, mit, ob, plus, um, was, wes* (aber *wessen*)

E₂: Aber entsprechend § 2:
dann, denn, wann, wenn; dass (Konjunktion)

(7) die folgenden Verbformen:
ich bin, er hat; aber nach der Grundregel (§ 2): *er hatte, sie tritt, nimm!*

(8) die folgenden Ausnahmen:
Drittel, Mittag, dennoch

> **§ 5** In vier Fallgruppen verdoppelt man den Buchstaben für den einzelnen Konsonanten, obwohl der vorausgehende kurze Vokal nicht betont ist.

Dies betrifft
(1) das scharfe (stimmlose) *s* in Fremdwörtern, zum Beispiel:
Fassade, Karussell, Kassette, passieren, Rezession

(2) die Suffixe *-in* und *-nis* sowie die Wortausgänge *-as, -is, -os* und *-us*, wenn in erweiterten Formen dem Konsonanten ein Vokal folgt, zum Beispiel:

-in:	*Ärztin – Ärztinnen, Königin – Königinnen*
-nis:	*Beschwernis – Beschwernisse, Kenntnis – Kenntnisse*
-as:	*Ananas – Ananasse, Ukas – Ukasse*
-is:	*Iltis – Iltisse, Kürbis – Kürbisse*
-os:	*Albatros – Albatrosse, Rhinozeros – Rhinozerosse*
-us:	*Diskus – Diskusse, Globus – Globusse*

(3) eine Reihe von Fremdwörtern, zum Beispiel:
Allee, Batterie, Billion, Buffet, Effekt, frappant, Grammatik, Kannibale, Karriere, kompromittieren, Konkurrenz, Konstellation, Lotterie, Porzellan, raffiniert, Renommee, skurril, Stanniol

E: In Zusammensetzungen mit fremdsprachigen Präfixen wie *ad-, dis-, in-, kon-/con-, ob-, sub-* und *syn-* ist deren auslautender Konsonant in manchen Fällen an den Konsonanten des folgenden Wortes angeglichen, zum Beispiel: *Affekt, akkurat, Attraktion* (vgl. aber *Advokat, addieren*); ebenso: *Differenz, Illusion, korrekt, Opposition, suggerieren, Symmetrie*

(4) wenige Wörter mit *tz* (siehe § 3 (2)), zum Beispiel:
Kiebitz, Stieglitz

1.3 Besondere Kennzeichnung der langen Vokale

Folgt im Wortstamm auf einen betonten Vokal kein Konsonant, ist er lang. Die regelmäßige Kennzeichnung mit *h* hat auch die Aufgabe die Silbenfuge zu markieren, zum Beispiel *Kü|he;* vgl. § 6. Folgt nur ein Konsonant, so kann der Vokal kurz oder lang sein. Die Länge wird jedoch nur bei einheimischen Wörtern mit [i:] regelmäßig durch *ie* bezeichnet; vgl. § 1. Ansonsten erfolgt die Kennzeichnung nur ausnahmsweise:
a) in manchen Wörtern vor *l, m, n, r* mit *h;* vgl. § 8;
b) mit Doppelvokal *aa, ee, oo;* vgl. § 9;
c) mit *ih, ieh;* vgl. § 12.
Zum *ß* (statt *s*) nach langem Vokal und Diphthong siehe § 25.

> **§ 6** Wenn einem betonten einfachen langen Vokal ein unbetonter kurzer Vokal unmittelbar folgt oder in erweiterten Formen eines Wortes folgen kann, so steht nach dem Buchstaben für den langen Vokal stets der Buchstabe *h.*

Dies betrifft Wörter wie:

ah: *nahen, bejahen* (aber *ja*)
eh: *Darlehen, drehen*
oh: *drohen, Floh* (wegen *Flöhe*)
uh: *Kuh* (wegen *Kühe*), *Ruhe, Schuhe*
äh: *fähig, Krähe, zäh* (Ausnahme *säen*)
öh: *Höhe* (Ausnahme *Bö*, trotz *Böe, Böen*)
üh: *früh* (wegen *früher*)

Zu *ieh* siehe § 12 (2).

Zu *See* u. a. siehe § 9.

> **§ 7** Das *h* steht ausnahmsweise auch nach dem Diphthong [aɪ].

Das betrifft Wörter wie:
gedeihen, Geweih, leihen (aber *Laien*), *Reihe, Reiher, seihen, verzeihen, weihen, Weiher;* aber sonst: *Blei, drei, schreien*

> **§ 8** Wenn einem betonten langen Vokal einer der Konsonanten [l], [m], [n] oder [r] folgt, so wird in vielen, jedoch nicht in der Mehrzahl der Wörter nach dem Buchstaben für den Vokal ein *h* eingefügt.

Dies betrifft

(1) Wörter, in denen auf [l], [m], [n] oder [r] kein weiterer Konsonant folgt, zum Beispiel:

ah: *Dahlie, lahm, ahnen, Bahre*
eh: *Befehl, benehmen, ablehnen, begehren*
oh: *hohl, Sohn, bohren*
uh: *Pfuhl, Ruhm, Huhn, Uhr*
äh: *ähneln, Ähre*
öh: *Höhle, stöhnen, Möhre*
üh: *fühlen, Bühne, führen*

Zu *ih* siehe § 12 (1).

(2) die folgenden Einzelfälle: *ahnden, fahnden*

E₁: Zu unterscheiden sind gleich lautende, aber unterschiedlich geschriebene Wortstämme wie:
Mahl aber *Mal, mahlen* aber *malen, Sohle* aber *Sole; dehnen* aber *denen; Bahre* aber *Bar, wahr* aber *er war, lehren* aber *leeren, mehr* aber *Meer,*

Mohr aber *Moor, Uhr* aber *Ur, währen* aber *sie wären*

E₂ zu § 6 bis 8: Das *h* bleibt auch bei Flexion, Stammveränderung und in Ableitungen erhalten, zum Beispiel:
befehlen – befiehl – er befahl – befohlen, drehen – gedreht – Draht, empfehlen – empfiehl – er empfahl – empfohlen, gedeihen – es gedieh – gediehen, fliehen – er floh – geflohen, leihen – er lieh – geliehen, mähen – Mahd, nähen – Naht, nehmen – er nahm, sehen – er sieht – er sah – gesehen, stehlen – er stiehlt – er stahl – gestohlen, verzeihen – er verzieh – verziehen, weihen – geweiht – Weihnachten

Ausnahmen, zum Beispiel: *Blüte, Blume* (trotz *blühen*), *Glut* (trotz *glühen*), *Nadel* (trotz *nähen*)

E₃: In Fremdwörtern steht bis auf wenige Ausnahmen wie *Allah, Schah* kein *h*.

> **§ 9** Die Länge von [a:], [e:] und [o:] kennzeichnet man in einer kleinen Gruppe von Wörtern durch die Verdopplung *aa, ee* bzw. *oo.*

Dies betrifft Wörter wie:

aa: *Aal, Aas, Haar, paar, Paar, Saal, Saat, Staat, Waage*
ee: *Beere, Beet, Fee, Klee, scheel, Schnee, See, Speer, Tee, Teer;* außerdem eine Reihe von Fremdwörtern mit *ee* im Wortausgang wie: *Armee, Idee, Kaffee, Klischee, Tournee, Varietee*
oo: *Boot, Moor, Moos, Zoo*

Zu *die Feen, Seen* siehe § 19.

E₁: Zu unterscheiden sind gleich lautende, aber unterschiedlich geschriebene Wortstämme wie:
Waage aber *Wagen; Heer* aber *her, hehr; leeren* aber *lehren; Meer* aber *mehr; Reede* aber *Rede; Seele, seelisch* aber *selig; Moor* aber *Mohr*

E₂: Bei Umlaut schreibt man nur *ä* bzw. *ö*, zum Beispiel:

Härchen – aber *Haar; Pärchen –* aber *Paar; Säle –* aber *Saal; Bötchen –* aber *Boot*

> **§ 10** Wenige einheimische Wörter und eingebürgerte Entlehnungen mit dem langen Vokal [i:] schreibt man ausnahmsweise mit *i*.

Dies betrifft Wörter wie:
dir, mir, wir; gib, du gibst, er gibt (aber *ergiebig*); *Bibel, Biber, Brise, Fibel, Igel, Liter, Nische, Primel, Tiger, Wisent*

> E: Zu unterscheiden sind gleich lautende, aber unterschiedlich geschriebene Wörter wie: *Lid* aber *Lied; Mine* aber *Miene; Stil* aber *Stiel; wider* aber *wieder*

> **§ 11** Für langes [i:] schreibt man *ie* in den fremdsprachigen Suffixen und Wortausgängen *-ie, -ier* und *-ieren*.

Dies betrifft Wörter wie:
Batterie, Lotterie; Manier, Scharnier; marschieren, probieren

> Ausnahmen, zum Beispiel: *Geysir, Saphir, Souvenir, Vampir, Wesir*

> **§ 12** In Einzelfällen kennzeichnet man die Länge des Vokals [i:] zusätzlich mit dem Buchstaben *h* und schreibt *ih* oder *ieh*.

Im Einzelnen gilt:

(1) *ih* steht nur in den folgenden Wörtern (vgl. § 8):
ihm, ihn, ihnen; ihr (Personal- und Possessivpronomen), außerdem *Ihle*

(2) *ieh* steht nur in den folgenden Wörtern (vgl. § 6):
fliehen, Vieh, wiehern, ziehen

> Zu *ieh* in Flexionsformen wie *befiehl* (zu *befehlen*) siehe § 8 E₂.

1.4 Umlautschreibung bei [ɛ]

> **§ 13** Für kurzes [ɛ] schreibt man *ä* statt *e*, wenn es eine Grundform mit *a* gibt.

Dies betrifft flektierte und abgeleitete Wörter wie:
Bänder, Bändel (wegen *Band*); *Hälse* (wegen *Hals*); *Kälte, kälter* (wegen *kalt*); *überschwänglich* (wegen *Überschwang*)

> E₁: Man schreibt *e* oder *ä* in *Schenke/Schänke* (wegen *ausschenken/Ausschank*), *aufwendig/aufwändig* (wegen *aufwenden/Aufwand*).

> E₂: Für langes [e:] und langes [ɛ:], die in der Aussprache oft nicht unterschieden werden, schreibt man *ä*, sofern es eine Grundform mit *a* gibt, zum Beispiel: *quälen* (wegen *Qual*). Wörter wie *sägen, Ähre* (aber *Ehre*), *Bär* sind Ausnahmen.

> **§ 14** In wenigen Wörtern schreibt man ausnahmsweise *ä*.

Dies betrifft Wörter wie:
ätzen, dämmern, Geländer, Lärm, März, Schärpe

> E: Zu unterscheiden sind gleich lautende, aber unterschiedlich geschriebene Wörter wie: *Äsche* aber *Esche; Färse* aber *Ferse; Lärche* aber *Lerche*

> **§ 15** In wenigen Wörtern schreibt man ausnahmsweise *e*.

Das betrifft Wörter wie:
Eltern (trotz *alt*); *schwenken* (trotz *schwanken*)

1.5 Umlautschreibung bei [ɔʏ]

> **§ 16** Für den Diphthong [ɔʏ] schreibt man *äu* statt *eu*, wenn es eine Grundform mit *au* gibt.

Dies betrifft flektierte und abgeleitete Wörter wie:
Häuser (wegen *Haus*), er *läuft* (wegen *laufen*), *Mäuse, Mäuschen* (wegen *Maus*); *Gebäude* (wegen *Bau*), *Geräusch* (wegen *rauschen*), sich *schnäuzen* (wegen *Schnauze*), *verbläuen* (wegen *blau*)

§ 17 In wenigen Wörtern schreibt man ausnahmsweise *äu.*

Das betrifft Wörter wie:
Knäuel, Räude, sich räuspern, Säule, sich sträuben, täuschen

1.6 Ausnahmen beim Diphthong [aɪ]

§ 18 In wenigen Wörtern schreibt man den Diphthong [aɪ] ausnahmsweise *ai.*

Das betrifft Wörter wie:
Hai, Kaiser, Mai

E: Zu unterscheiden sind gleich lautende, aber unterschiedlich geschriebene Wortstämme wie:
Bai aber *bei; Laib* aber *Leib; Laich* aber *Leiche; Laie, Laien* aber *leihen; Saite* aber *Seite; Waise* aber *Weise, weisen*

1.7 Besonderheiten beim e

§ 19 Folgen auf *-ee* oder *-ie* die Flexionsendungen oder Ableitungssuffixe *-e, -en, -er, -es, -ell,* so lässt man ein *e* weg.

Das betrifft Wörter wie:
die Feen; die Ideen; die Mondseer, des Sees; die Knie, knien; die Fantasien; sie schrien, geschrien; ideell; industriell

1.8 Spezielle Laut-Buchstaben-Zuordnungen in Fremdwörtern

§ 20 Über die bisher dargestellten Laut-Buchstaben-Zuordnungen hinaus treten in Fremdwörtern auch fremdsprachige Zuordnungen auf. In den folgenden Listen sind nur die wichtigeren angeführt.

Dabei ist zu beachten, dass Kürze und Länge der Vokale von der Betonung abhängen. Vokale, die in betonten Silben lang sind,

werden in unbetonten Silben kurz gesprochen, zum Beispiel *Analyse* mit langem Vokal [y:] – *analysieren* mit kurzem Vokal [y].

(1) Fremdsprachige Laut-Buchstaben-Zuordnungen

Laute	Buch-staben	Beispiele
[a], [a:]	*u*	*Butler, Cup, Make-up, Slum*
	at	*Eklat, Etat*
[ɛ], [ɛ:]	*a*	*Action, Camping, Fan, Gag*
	ai	*Airbus, Chaiselongue, fair, Flair, Saison*
[e], [e:]	*é*	*Abbé, Attaché, Lamé*
	er	*Atelier, Bankier, Premier*
	et	*Budget, Couplet, Filet*
	ai	*Cocktail, Container*
[i], [i:]	*y*	*Baby, City, Lady, sexy*
	ea	*Beat, Dealer, Hearing, Jeans, Team*
	ee	*Evergreen, Spleen, Teenager*
[o], [o:]	*au*	*Chaussee, Chauvinismus*
	eau	*Niveau, Plateau, Tableau*
	ot	*Depot, Trikot*
[ø:]	*eu*	*adieu, Milieu;*
		häufig in den Suffixen *-eur, -euse: Ingenieur, Souffleuse*
[ʊ], [u],	*oo*	*Boom, Swimmingpool*
[u:]	*ou*	*Journalist, Rouge, Route, souverän*
[ʏ], [y], [y:]	*y*	*Analyse, Hymne, Physik, System, Typ;*
		auch in den Präfixen *dys-* (aber *dis-*), *hyper-, hypo-, syl-, sym-, syn-: dysfunktional, hyperkorrekt, Hypozentrum, Syllogismus, Symbiose, synchron*
[ã], [ã:]	*an*	*Branche, Chance, Orange, Renaissance, Revanche*
	ant	*Avantgarde, Pendant, Restaurant*
	en	*engagiert, Ensemble, Entree, Pendant, Rendezvous*
	ent	*Abonnement, Engagement*
[ɛ̃], [ɛ̃:]	*ain*	*Refrain, Souterrain, Terrain*
	eint	*Teint*
	in	*Bulletin, Dessin, Mannequin*

Laute	Buch-staben	Beispiele
[õ], [õː]	on	Annonce, Chanson, Pardon
[œ̃], [œ̃ː]	um	Parfum
[aʊ]	ou	Couch, Countdown, Foul, Sound
	ow	Clown, Countdown, Cowboy, Power(play)
[aɪ]	i	Lifetime, Pipeline
	igh	Copyright, high, Starfighter
	y	Nylon, Recycling
[ɔʏ]	oy	Boy, Boykott
[oa]	oi	Memoiren, Repertoire, Reservoir, Toilette

(2) Doppelschreibungen

Im Prozess der Integration entlehnter Wörter können fremdsprachige und integrierte Schreibung nebeneinanderstehen. Manche fremdsprachige Schreibungen sind nur noch fachsprachlich üblich.

Laute	Buch-staben	Beispiele
[ɛ], [ɛː]	ai – ä	Drainage – Dränage, Mayonnaise – Majonäse, Mohair – Mohär, Polonaise – Polonäse
[eː]	é – ee	Bouclé – Buklee, Doublé – Dublee, Exposé – Exposee
		Café – Kaffee (mit Bedeutungsdifferenzierung), Kommuniqué – Kommunikee, Varieté – Varietee
[oː]	au – o	Sauce – Soße
[ʊ], [u], [uː]	ou – u	Bravour – Bravur, Bouquet – Bukett, Doublé – Dublee, Coupon – Kupon, Nougat – Nugat

> **§ 21** Fremdwörter aus dem Englischen, die auf *-y* enden und im Englischen den Plural *-ies* haben, erhalten im Plural ein *-s*.

Das betrifft Wörter wie:
Baby – Babys, Lady – Ladys, Party – Partys

> E: Bei Zitatwörtern gilt die englische Schreibung, zum Beispiel: *Grand Old Ladies.*

2 Konsonanten

2.1 Grundlegende Laut-Buchstaben-Zuordnungen

> **§ 22** Als grundlegend im Sinne dieser orthografischen Regelung gelten die folgenden Laut-Buchstaben-Zuordnungen.

Besondere Zuordnungen werden in den sich anschließenden Abschnitten behandelt.

(1) Einfache Konsonanten

Laute	Buch-staben	Beispiele
[b]	b	backen, Baum, Obolus, Parabel
[ç], [x]	ch	ich, Bücher, lynchen; ach, Rauch
[d]	d	danken, Druck, leiden, Mansarde
[f]	f	fertig, Falke, Hafen, Fusion
[g]	g	gehen, Gas, sägen, Organ, Eleganz
[h]	h	hinterher, Haus, Hektik, Ahorn, vehement
[j]	j	ja, Jagd, Boje, Objekt
[k]	k	Kiste, Haken, Flanke, Majuskel, Konkurs
[l]	l	laufen, Laut, Schale, lamentieren
[m]	m	machen, Mund, Lampe, Maximum
[n]	n	nur, Nagel, Ton, Natur, nuklear
[ŋ]	ng	Gang, Länge, singen, Zange
[p]	p	packen, Paste, Raupe, Problem
[r], [ʀ], [ʁ]	r	rauben, Rampe, hören, Zitrone
[s]	s	skurril, Skandal, Hast, hopsen
[z]	s	sagen, Seife, lesen, Laser
[ʃ]	sch	scharf, Schaufel, rauschen
[t]	t	tragen, Tür, fort, Optimum
[v]	w	wann, Wagen, Möwe

(2) Konsonantenverbindungen (innerhalb des Stammes)

Laute	Buchstaben	Beispiele
[kv]	qu	*quälen, Quelle, liquid, Qualität*
[ks]	x	*xylographisch, Xenophobie, boxen, toxisch*
[ts]	z	*zart, Zaum, tanzen, speziell, Zenit*

2.2 Auslautverhärtung und Wortausgang -*ig*

> **§ 23** Die in großen Teilen des deutschen Sprachgebiets auftretende Verhärtung der Konsonanten [b], [d], [g], [v] und [z] am Silbenende sowie vor anderen Konsonanten innerhalb der Silbe wird in der Schreibung nicht berücksichtigt.

E₁: Bei vielen Wörtern kann die Schreibung aus der Aussprache erweiterter Formen oder verwandter Wörter abgeleitet werden, in denen der betreffende Konsonant am Silbenanfang steht, zum Beispiel:

Konsonant am Silbenende usw.	Konsonant am Silbenanfang
Lob, löblich, du lobst	*Lobes, belobigen* (aber *Isotop – Isotope*)
trüb, trübselig, eingetrübt	*trübe, eintrüben* (aber *Typ – Typen*)
Rad, Radumfang	*Rades, rädern* (aber *Rat – Rates*)
absurd	*absurde, Absurdität* (aber *Gurt – Gurte*)
Sieg, siegreich, er siegt	*siegen* (aber *Musik – musikalisch*)
Trug, er betrog, Betrug	*betrügen* (aber *Spuk – spuken*)
gläubig	*gläubige* (aber *Plastik – Plastiken*)
Möwchen	*Möwe* (aber *Öfchen – Ofen*)
naiv, Naivling, Naivheit	*Naive, Naivität* (aber *er rief – rufen*)
Preis, preislich, preiswert	*Preise* (aber *Fleiß – fleißig*)
Haus, häuslich, behaust	*Häuser* (aber *Strauß – Sträuße*)

E₂: Bei einer kleinen Gruppe von Wörtern ist es nicht oder nur schwer möglich, eine solche Erweiterung durchzuführen oder eine Beziehung zu verwandten Wörtern herzustellen. Man schreibt sie trotzdem mit *b, d, g* bzw. *s,* zum Beispiel:

ab, Eisbein (*Eis – Eises*)*, flugs* (*Flug*)*, Herbst, hübsch, jeglich, Jugend, Kies* (*Kiesel*)*, Lebkuchen, morgendlich, ob, Obst, Plebs* (*Plebejer*)*, preisgeben, Rebhuhn, redlich* (*Rede*)*, Reis* (*Reisig*)*, Reis* (= Korn; *Reise* fachsprachlich = Reissorten; aber *Grieß*)*, ihr seid* (aber *seit*)*, sie sind, und, Vogt, weg* (*Weges*)*, weissagen* (*weise*)

> **§ 24** Für den Laut [ç] schreibt man regelmäßig *g,* wenn erweiterte Formen am Silbenanfang mit dem Laut [g] gesprochen werden.

Das betrifft Wörter wie:
ewig, Ewigkeit (wegen *ewige*)*, gläubig* (wegen *gläubige*)*;* aber: *unglaublich* (wegen *unglaubliche*)*; heilig, Käfig, ruhig*

E: In einigen Sprachlandschaften wird -*ig* mit [k] gesprochen; dann gilt § 23.

2.3 Besonderheiten bei [s]

> **§ 25** Für das scharfe (stimmlose) [s] nach langem Vokal oder Diphthong schreibt man *ß,* wenn im Wortstamm kein weiterer Konsonant folgt.

Das betrifft Wörter wie:
Maß, Straße, Grieß, Spieß, groß, grüßen; außen, außer, draußen, Strauß, beißen, Fleiß, heißen

Ausnahme: *aus*

Zur Schreibung von [s] in Wörtern mit Auslautverhärtung wie *Haus, graziös, Maus, Preis* siehe § 23.

E₁: In manchen Wortstämmen wechselt bei Flexion und in Ableitungen die Länge und Kürze des Vokals vor [s]; entsprechend wechselt die Schreibung *ß* mit *ss.* Beispiele:
fließen – er floss – Fluss – das Floß
genießen – er genoss – Genuss
wissen – er weiß – er wusste

E₂: Steht der Buchstabe *ß* nicht zur Verfügung, so schreibt man *ss*. In der Schweiz kann man immer *ss* schreiben. Beispiel:
Straße – Strasse

E₃: Bei Schreibung mit Großbuchstaben schreibt man *SS*, zum Beispiel:
Straße – STRASSE

> **§ 26** Folgt auf das *s, ss, ß, x* oder *z* eines Verb- oder Adjektivstammes die Endung *-st* der 2. Person Singular bzw. die Endung *-st(e)* des Superlativs, so lässt man das *s* der Endung weg.

Das betrifft Wörter wie:
du reist (zu *reisen*), *du hasst* (zu *hassen*), *du reißt* (zu *reißen*), *du mixt* (zu *mixen*), *du sitzt* (zu *sitzen*); *(groß – größer –) größte*

2.4 Besonderheiten bei [ʃ]

> **§ 27** Für den Laut [ʃ] am Anfang des Wortstammes vor folgendem [p] oder [t] schreibt man *s* statt *sch*.

Das betrifft Wörter wie:
spielen, verspotten; starren, Stelle, Stunde

2.5 Besonderheiten bei [ŋ]

> **§ 28** Für den Laut [ŋ] vor [k] oder [g] im Wortstamm schreibt man *n* statt *ng*.

Das betrifft Wörter wie:
Bank, dünken, Enkel, Schranke, trinken; Mangan, Singular

2.6 Besonderheiten bei [f] und [v]

> **§ 29** Für den Laut [f] schreibt man *v* statt *f* in *ver-* (wie in *verlaufen*) sowie am Anfang einiger weiterer Wörter.

Das betrifft Wörter wie:
Vater, Veilchen, Vettel, Vetter, Vieh, viel, vielleicht, vier, Vlies, Vogel, Vogt, Volk, voll (aber *füllen*), *von, vor, vordere, vorn*
Dazu kommen: *Frevel, Nerv (Nerven)*

> **§ 30** Für den Laut [v] schreibt man in Fremdwörtern regelmäßig und in wenigen eingebürgerten Entlehnungen *v* statt *w*.

Das betrifft Wörter wie:
privat, Revolution, Universität, Virus, zivil, Malve, Vase; Suffix bzw. Endung *-iv, -ive: Aktivität, die Detektive, Motivation; Initiative, Perspektive*

E: Bei einigen Wörtern schwankt die Aussprache von *v* zwischen [v] und [f] wie bei *Initiative, Larve, Pulver, evangelisch, Vers, Vesper, November, brave.*

2.7 Besonderheiten bei [ks]

> **§ 31** Für die Lautverbindung [ks] schreibt man in einigen Wortstämmen ausnahmsweise *chs* bzw. *ks* statt *x*.

Das betrifft Wörter wie:
Achse, Achsel, Büchse, Dachs, drechseln, Echse, Flachs, Fuchs, Lachs, Luchs, Ochse, sechs, Wachs, wachsen, Wechsel, Weichsel[kirsche], wichsen
Keks, schlaksig

E: Die bei Flexion und in Ableitungen entstehende Lautverbindung [ks] wird je nach dem zugrunde liegenden Wort *gs, ks* oder *cks* geschrieben, zum Beispiel:
du hegst (wegen *hegen*), *du hinkst* (wegen *hinken*), *Streiks* (wegen *Streik*), *Häcksel* (wegen *hacken*)

2.8 Spezielle Laut-Buchstaben-Zuordnungen in Fremdwörtern

§ 32 Über die bisher dargestellten Laut-Buchstaben-Zuordnungen hinaus treten in Fremdwörtern auch fremdsprache Zuordnungen auf.

In den folgenden Listen sind nur die wichtigeren angeführt.

(1) Fremdsprachige Laut-Buchstaben-Zuordnungen

(1.1) Einfache Konsonanten

Laute	Buch-staben	Beispiele
[f]	ph	Atmosphäre, Metapher, Philosophie, Physik
[k]	c	Clown, Container, Crew
	ch	Chaos, Charakter, Chlor, christlich
	qu	Mannequin, Queue
[r]	rh	Rhapsodie, Rhesusfaktor
	rt	Dessert, Kuvert, Ressort

Laute	Buch-staben	Beispiele
[s]	c, ce	Annonce, Chance, City, Renaissance, Service
[ʃ]	ch	Champignon, Chance, charmant, Chef
	sh	Geisha, Sheriff, Shop, Shorts
[ʒ]	g	Genie, Ingenieur, Loge, Passagier, Regime; auch im Suffix -age: Blamage, Garage
	j	Jalousie, Jargon, jonglieren, Journalist
[t]	th	Ethos, Mathematik, Theater, These
[v]	v	Virus, zivil (vgl. § 30)

(1.2) Konsonantenverbindungen

Laute	Buch-staben	Beispiele
[dʒ]	g	Gentleman, Gin, Manager, Teenager
	j	Jazz, Jeans, Jeep, Job, Pyjama
[lj]/[j]	ll	Billard, Bouillon, brillant, Guerilla, Medaille, Pavillon, Taille
[nj]	gn	Champagner, Kampagne, Lasagne
[ts]	c	Aceton, Celsius, Cellophan
	t (vor [i] + Vokal)	sehr häufig im Suffix -tion; außerdem häufig in Fällen wie -tie, -tiell, -tiös: Funktion, Nation, Produktion; Aktie, partiell, infektiös
[tʃ]	c	Cello, Cembalo
	ch	Chip, Coach, Ranch
	ge	College
	dge	Bridge

(2) Doppelschreibungen
Im Prozess der Integration entlehnter Wörter können fremdsprachige und integrierte Schreibung nebeneinanderstehen. Manche fremdsprachige Schreibungen sind nur noch fachsprachlich üblich.

Laute	Buch-staben	Beispiele
[f]	ph – f	-photo- – -foto-, zum Beispiel Photographie – Fotografie -graph- – -graf-, zum Beispiel Graphik – Grafik -phon- – -fon-, zum Beispiel Mikrophon – Mikrofon Delphin – Delfin, phantastisch – fantastisch
[g]	gh – g	Ghetto – Getto, Joghurt – Jogurt, Spaghetti – Spagetti
[j]	y – j	Yacht – Jacht, Yoga – Joga, Mayonnaise – Majonäse
[k]	c – k	Calcit – Kalzit, Caritas – Karitas, Code – Kode, codieren – kodieren, circa – zirka
	qu – k	Bouquet – Bukett, Kommuniqué – Kommunikee
[r]	rh – r	Katarrh – Katarr, Myrrhe – Myrre
[s]	c – ss, ß	Facette – Fassette, Necessaire – Nessessär,

		Sauce – Soße
[ʃ]	ch – sch	Anchovis – Anschovis, Chicorée – Schikoree, Sketch – Sketsch
[t]	th – t	Kathode – Katode, Panther – Panter, Thunfisch – Tunfisch
[ts]	c – z	Acetat – Azetat, Calcit – Kalzit, Penicillin – Penizillin, circa – zirka
	t – z (vor [i] + Vokal)	pretiös – preziös, Pretiosen – Preziosen; potentiell – potenziell (wegen *Potenz*), substantiell – substanziell (wegen *Substanz*)

B Getrennt- und Zusammenschreibung

0 Vorbemerkungen

(1) Die Getrennt- und Zusammenschreibung betrifft Einheiten, die im Text unmittelbar benachbart und aufeinander bezogen sind. Handelt es sich um die Bestandteile von Wortgruppen, so schreibt man sie getrennt. Handelt es sich um die Bestandteile von Zusammensetzungen, so schreibt man sie zusammen.

(2) Einheiten derselben Form können manchmal sowohl eine Wortgruppe (wie *schwer beschädigt*) als auch eine Zusammensetzung (wie *schwerbeschädigt*) bilden. Die Verwendung einer Wortgruppe oder einer Zusammensetzung richtet sich danach, was jeweils gemeint ist und was dem Sprachgebrauch und den Regularitäten des Sprachbaus entspricht.

(3) Bei den verschiedenen Wortarten sind – auch in Abhängigkeit von sprachlichen Entwicklungsprozessen – spezielle Bedingungen zu beachten. Daher ist die folgende Darstellung nach der Wortart der Zusammensetzung gegliedert:

1 Verb (§ 33 bis 35)
2 Adjektiv (§ 36)
3 Substantiv (§ 37 und § 38)
4 Andere Wortarten (§ 39)

1 Verb

Zusätzlich zur generellen Unterscheidung von Wortgruppen (wie *auf den Berg steigen*) und Zusammensetzungen (wie *bergsteigen*) hat man bei Verbstämmen untrennbare von trennbaren Zusammensetzungen zu unterscheiden:

(a) Untrennbare Zusammensetzungen bestehen aus einem Verbstamm, dem ein Stamm eines Substantivs, eines Adjektivs oder einer Partikel vorausgeht. Man erkennt sie daran, dass die Reihenfolge ihrer Bestandteile stets unverändert bleibt: *maß + regeln*: Wer jemanden *maßregelt* … Man *maßregelte* ihn … Niemand wagte, ihn zu *maßregeln*. Er wurde offiziell *gemaßregelt*.

(b) Trennbare Zusammensetzungen bestehen aus einem Verbstamm, dem ein Verbzusatz vorausgeht. Man erkennt sie daran, dass die Reihenfolge ihrer Bestandteile in Abhängigkeit von ihrer Stellung im Satz wechselt: *hinzu + kommen*: Wenn dieses Argument *hinzukommt* … Dieses Argument *kommt hinzu*. Dieses Argument *kommt* erschwerend *hinzu*.

> **§ 33** Substantive, Adjektive, Präpositionen oder Adverbien können mit Verben untrennbare Zusammensetzungen bilden. Man schreibt sie zusammen.

Dies betrifft

(1) Zusammensetzungen aus Substantiv + Verb, zum Beispiel: *brandmarken (gebrandmarkt, zu brandmarken), handhaben, lobpreisen, maßregeln, nachtwandeln, schlafwandeln, schlussfolgern*

E: In manchen Fällen stehen Zusammensetzung und Wortgruppe nebeneinander, zum Beispiel: *danksagen/Dank sagen (er sagt Dank), gewährleisten/Gewähr leisten (sie leistet*

Gewähr), staubsaugen/Staub saugen (er saugt Staub); brustschwimmen/Brust schwimmen (er schwimmt Brust), delfinschwimmen/Delfin schwimmen (sie schwimmt Delfin), marathonlaufen/Marathon laufen (sie läuft Marathon).

Zu Fällen wie *Acht geben/achtgeben* vgl. § 34 E$_6$.

(2) Zusammensetzungen aus Adjektiv + Verb, zum Beispiel: *frohlocken (frohlockt, zu frohlocken), langweilen, liebäugeln, vollbringen, vollenden, weissagen*

(3) Zusammensetzungen aus Präposition + Verb oder Adverb + Verb mit Betonung auf dem zweiten Bestandteil, zum Beispiel: *durchbrechen (er durchbricht die Regel, zu durchbrechen), hintergehen, übersetzen (sie übersetzt das Buch), umfahren, unterstellen, widersprechen, wiederholen*

---

§ 34 Partikeln, Adjektive, Substantive oder Verben können als Verbzusatz mit Verben trennbare Zusammensetzungen bilden. Man schreibt sie nur in den Infinitiven, den Partizipien sowie im Nebensatz bei Endstellung des Verbs zusammen.

Dies betrifft

(1) Zusammensetzungen mit einer Verbpartikel als erstem Bestandteil. Verbpartikeln sind Bestandteile, die

(1.1) formgleich mit Präpositionen sind, zum Beispiel:
ab-, an-, auf-, aus-, bei-, durch-, ein- (zur Präposition in-), entgegen-, entlang-, gegen-, gegenüber-, hinter-, in-, mit-, nach-, über-, um-, unter-, vor-, wider-, zu-, zuwider-, zwischen-

(1.2) formgleich mit Adverbien, insbesondere Adverbien der Richtung, des Ortes, der Zeit sowie mit Pronominaladverbien sind, zum Beispiel:
abwärts-, auseinander-, beisammen-,

davon-, davor-, dazu-, dazwischen-, empor-, fort-, her-, heraus-, herbei-, herein-, hin-, hinaus-, hindurch-, hinein-, hintenüber-, hinterher-, hinüber-, nebenher-, nieder-, rückwärts-, umher-, voran-, voraus-, vorbei-, vorher-, vorweg-, weg-, weiter-, wieder-, zurück-, zusammen-, zuvor-

E$_1$: Zur Unterscheidung von Verbpartikel und selbständigem Adverb: Bei Zusammensetzungen liegt der Hauptakzent normalerweise auf der Verbpartikel (vgl. *wiedersehen, zusammensitzen*), während bei Wortgruppen das selbständige Adverb auch unbetont sein kann (vgl. *wieder sehen, zusammen sitzen*). Wenn das Betonungskriterium nicht zu einem eindeutigen Ergebnis führt, hilft in manchen Fällen eine der folgenden Proben weiter:

(1) Das Adverb kann im Aussagesatz vor dem finiten Verb an erster Stelle stehen, die Verbpartikel hingegen nicht, vgl.: *Dabei wollte sie nicht immer sitzen, sondern auch ab und zu mal stehen* (Adverb *dabei*), aber *Dabeisitzen wollte sie nicht immer* (Verbpartikel *dabei-*).

(2) Zwischen Adverb und Infinitiv können ein oder mehrere Satzglieder eingeschoben werden, zwischen Verbpartikel und verbalem Bestandteil hingegen nicht, vgl.: *Sie wollte dabei nicht immer sitzen, sondern auch ab und zu mal stehen* (Adverb *dabei*), aber *Sie wollte nicht immer dabeisitzen* (Verbpartikel *dabei-*).

E$_2$: Eine Reihe von Pronominaladverbien mit dem Bestandteil *dar-* wirft besonders bei der Verwendung als Verbpartikel das *a* ab, zum Beispiel: *darin sitzen – drinsitzen*, ähnlich *dran- (dranbleiben), drauf- (draufhauen), drauflos- (drauflosreden).*

E$_3$: Unter Kontrastakzent kann die Verbpartikel an die erste Stelle im Satz treten und wird dann vom Verb getrennt geschrieben, zum Beispiel:

Beisammen bleiben wir immer. Heraus kam leider nichts. Hintan stellte er seine eigenen Bedürfnisse.

(1.3) die Merkmale von frei vorkommenden Wörtern verloren haben, zum Beispiel:
abhanden-, anheim-, bevor-, dar-, einher-, entzwei-, fürlieb-, hintan-, inne-, überein-, überhand-, umhin-, vorlieb-, zurecht-

E₄: Dazu gehören auch die folgenden ersten Bestandteile, die in der Verwendung beim Verb nicht mehr einer bestimmten Wortartkategorie zugeordnet werden können:

fehl-, feil-, heim-, irre-, kund-, preis-, wahr-, weis-, wett-

Zu Fällen wie *infrage stellen – in Frage stellen* vgl. § 39 E₃(1).

(2) Zusammensetzungen mit einem adjektivischen ersten Bestandteil. Dabei sind folgende Fälle zu unterscheiden:

(2.1) Es kann zusammen- wie auch getrennt geschrieben werden, wenn ein einfaches Adjektiv eine Eigenschaft als Resultat des Verbalvorgangs bezeichnet (sog. resultative Prädikative), zum Beispiel:
blank putzen/blankputzen, glatt hobeln/glatthobeln, klein schneiden/kleinschneiden; kalt stellen/kaltstellen, kaputt machen/kaputtmachen, leer essen/leeressen

(2.2) Es wird zusammengeschrieben, wenn der adjektivische Bestandteil zusammen mit dem verbalen Bestandteil eine neue, idiomatisierte Gesamtbedeutung bildet, die nicht auf der Basis der Bedeutungen der einzelnen Teile bestimmt werden kann, zum Beispiel:
krankschreiben, freisprechen, (sich) kranklachen; festnageln (= festlegen), heimlichtun (= geheimnisvoll tun), kaltstellen (= [politisch] ausschalten), kürzertreten (= sich einschränken), richtigstellen (= berichtigen), schwerfallen (= Mühe verursachen), heiligsprechen

E₅: Lässt sich in einzelnen Fällen keine klare Entscheidung darüber treffen, ob eine idiomatisierte Gesamtbedeutung vorliegt, so bleibt es dem Schreibenden überlassen, getrennt oder zusammenzuschreiben.

(2.3) In den anderen Fällen wird getrennt geschrieben. Dazu zählen insbesondere Verbindungen mit morphologisch komplexen

oder erweiterten Adjektiven, zum Beispiel:
bewusstlos schlagen, ultramarinblau streichen, ganz nahe kommen, dingfest machen, schachmatt setzen

(3) Zusammensetzungen mit einem substantivischen ersten Bestandteil. Dabei handelt es sich um folgende Fälle, bei denen die ersten Bestandteile die Eigenschaften selbständiger Substantive weitgehend verloren haben:
eislaufen, kopfstehen, leidtun, nottun, standhalten, stattfinden, stattgeben, statthaben, teilhaben, teilnehmen, wundernehmen

E₆: In den nachstehenden Fällen ist bei den nicht näher bestimmten oder ergänzten Formen sowohl Zusammen- als auch Getrenntschreibung möglich, da ihnen eine Zusammensetzung oder eine Wortgruppe zugrunde liegen kann:

achtgeben/Acht geben (aber nur: *sehr achtgeben, allergrößte Acht geben*), *achthaben/Acht haben, haltmachen/Halt machen, maßhalten/Maß halten*

Zu Fällen wie *staubsaugen/Staub saugen* vgl. § 33 E.

(4) Verbindungen mit einem verbalen ersten Bestandteil.

Verbindungen aus zwei Verben werden getrennt geschrieben, zum Beispiel:
laufen lernen, arbeiten kommen, baden gehen, lesen üben

E₇: Bei Verbindungen mit *bleiben* und *lassen* als zweitem Bestandteil ist bei übertragener Bedeutung auch Zusammenschreibung möglich. Dasselbe gilt für *kennen lernen:*

sitzen bleiben/sitzenbleiben (= nicht versetzt werden), *stehen lassen/stehenlassen* (= nicht länger beachten, sich abwenden), *liegen bleiben/liegenbleiben* (= unerledigt bleiben); *kennen lernen/kennenlernen* (= Erfahrung mit etw. oder jmdn. haben).

§ 35 Verbindungen mit *sein* werden getrennt geschrieben.

Zum Beispiel:
beisammen sein, fertig sein, los sein, vonnöten sein, vorbei sein, vorhanden sein, vorüber sein, zufrieden sein

2 Adjektiv

§ 36 Substantive, Adjektive, Verben, Adverbien oder Wörter anderer Kategorien können als erster Bestandteil zusammen mit einem adjektivischen oder adjektivisch gebrauchten zweiten Bestandteil Zusammensetzungen bilden.

(1) Es wird zusammengeschrieben, wenn
(1.1) der erste Bestandteil mit einer Wortgruppe paraphrasierbar ist, zum Beispiel:
angsterfüllt, bahnbrechend, butterweich, fingerbreit, freudestrahlend, herzquickend, hitzebeständig, jahrelang, knielang, meterhoch, milieubedingt; denkfaul, fernsehmüde, lernbegierig, röstfrisch, schreibgewandt, tropfnass; selbstbewusst, selbstsicher; altersschwach, anlehnungsbedürftig, geschlechtsreif, lebensfremd, sonnenarm, werbewirksam

E$_1$: Im Unterschied zur Zusammensetzung weist die entsprechende syntaktische Fügung Artikel, Präpositionen u. Ä. auf, zum Beispiel: *von Angst erfüllt* (= *angsterfüllt*), *das Herz erquickend* (= *herzquickend*), *durch das Milieu bedingt* (= *milieubedingt*), *rot wie Feuer* (= *feuerrot*)

E$_2$: Viele der Zusammensetzungen sind bereits an der Verwendung eines Fugenelements zu erkennen, zum Beispiel: *alter̲s̲schwach, sonne̲n̲arm, werbe̲wirksam*

(1.2) der erste oder der zweite Bestandteil in dieser Form nicht selbständig vorkommt, zum Beispiel:
einfach, zweifach; letztmalig, redselig, saum-

selig, schwerstbehindert, schwindsüchtig; blauäugig, großspurig, kleinmütig, vieldeutig; der schwerwiegendere Vorwurf, die zeitsparendste Lösung

(1.3) das dem Partizip zugrunde liegende Verb entsprechend § 33 bzw. § 34 mit dem ersten Bestandteil zusammengeschrieben wird, zum Beispiel:
wehklagend (wegen *wehklagen*); *herunterfallend, heruntergefallen; irreführend, irregeführt; teilnehmend, teilgenommen*

(1.4) es sich um gleichrangige (nebengeordnete) Adjektive handelt, zum Beispiel:
blaugrau, dummdreist, feuchtwarm, grünblau, nasskalt, taubstumm

Zur Schreibung mit Bindestrich siehe § 45(2).

(1.5) der erste Bestandteil bedeutungsverstärkend oder bedeutungsabschwächend ist. Mit Bestandteilen dieser Art werden zum Teil lange Reihen gebildet, zum Beispiel:
bitter- (*bitterböse, bitterernst, bitterkalt*), *brand-, dunkel-, erz-, extra-, früh-, gemein-, grund-, hyper-, lau-, minder-, stock-, super-, tod-, ultra-, ur-, voll-*

Zu adjektivischen Bestandteilen siehe § 36(2.2).

(1.6) es sich um mehrteilige Kardinalzahlen unter einer Million sowie allgemein um Ordinalzahlen handelt, zum Beispiel:
dreizehn, siebenhundert, neunzehnhundertneunundachtzig; der siebzehnte Oktober, der einhundertste Geburtstag, der fünfhunderttausendste Fall, der zweimillionste Besucher

Beachte aber Substantive wie *Dutzend, Million, Milliarde, Billion*, zum Beispiel:
zwei Dutzend Hühner, eine Million Teilnehmer, zwei Milliarden fünfhunderttausend Menschen

(2) Zusammen- wie auch getrennt geschrieben werden kann, wenn der entsprechende Ausdruck sowohl als Zusammensetzung als auch als syntaktische Fügung angesehen werden kann.

Dies betrifft

(2.1) Verbindungen von Substantiven, Adjektiven, Verben, Adverbien oder Partikeln mit adjektivisch gebrauchten Partizipien, zum Beispiel:
die Rat suchenden/ratsuchenden Bürger, eine allein erziehende/alleinerziehende Mutter; ein klein geschnittenes/kleingeschnittenes Radieschen, selbst gebackene/selbstgebackene Kekse

> E$_3$: Bei erweiterten bzw. gesteigerten Formen richtet sich die Schreibung danach, ob nur der erste Bestandteil oder die gesamte Verbindung betroffen ist, vgl. *ein schwerwiegenderer Vorfall – ein schwerer wiegender Vorfall; eine äußerst notleidende Bevölkerung – eine große Not leidende Bevölkerung*

(2.2) Verbindungen mit einem einfachen unflektierten Adjektiv als graduierender Bestimmung, zum Beispiel:
allgemein gültig/allgemeingültig, eng verwandt/engverwandt, schwer verständlich/schwerverständlich, schwer krank/schwerkrank

> E$_4$: Ist der erste Bestandteil erweitert oder gesteigert, dann wird getrennt geschrieben, zum Beispiel:
>
> *leichter verdaulich, besonders schwer verständlich, höchst erfreulich*
>
> In Zweifelsfällen entscheidet die Akzentplatzierung, vgl. *er ist hö̲chstpersönlich gekommen – das ist eine höchst persö̲nliche Angelegenheit.*

(2.3) Verbindungen von *nicht* mit Adjektiven, zum Beispiel:
eine nicht öffentliche/nichtöffentliche Sitzung, nicht operativ/nichtoperativ behandeln

> E5: Bezieht sich *nicht* auf größere Einheiten, wie zum Beispiel auf den ganzen Satz, so wird es getrennt vom Adjektiv geschrieben, vgl. *Die Sitzung findet nicht öffentlich statt.*

3 Substantiv

> **§ 37** Substantive, Adjektive, Verbstämme, Pronomen oder Partikeln können mit Substantiven Zusammensetzungen bilden. Man schreibt sie ebenso wie mehrteilige Substantivierungen zusammen.

Dies betrifft

(1) Zusammensetzungen:

(1.1) mit substantivischem Erstglied:
Holztür, Hoheitsgebiet, Holzbearbeitung, Hosenrock

> E$_1$: Als Erstelemente können auch Eigennamen *(Goethegedicht; Parisreise)* und in lexikalisierten Fällen von Namen abgeleitete Herkunfts- und Zugehörigkeitsbezeichnungen auf *-er (Danaergeschenk)* auftreten (vgl. aber § 38).

> E$_2$: Das betrifft auch Eigennamen mit dieser Struktur – es handelt sich besonders um Straßennamen *(Bahnhofstraße, Schopenhauerstraße;* zum Typ *Willy-Brandt-Straße* vgl. § 50).

(1.2) mit adjektivischem Erstglied:
Hochhaus, Schnellstraße, Freileitung

(1.3) mit verbalem Erstglied:
Backform, Schreibtisch, Waschmaschine

(1.4) mit pronominalem Erstglied:
Ichsucht, Wemfall, Niemandsland

(1.5) mit Elementen unflektierter Wortarten (Adverbien, Partikeln):
Jetztzeit, Nichtraucher, Selbstverständnis

> E$_3$: Dieser Regel folgen auch lexikalisierte, ursprünglich aus dem Englischen stammende

bzw. aus englischen Einheiten gebildete Zusammensetzungen: *Bandleader, Cheerleader, Chewinggum, Mountainbike, Bluejeans, Hardware, Swimmingpool.*

Zu den verschiedenen Fällen von Bindestrichschreibung vgl. § 45.

E_4: Aus dem Englischen stammende Bildungen aus Adjektiv + Substantiv können zusammengeschrieben werden, wenn der Hauptakzent auf dem ersten Bestandteil liegt, also *H͟otdog* oder *H͟ot Dog, S͟oftdrink* oder *S͟oft Dr͟ink,* aber nur *High So͟ciety, Electr͟onic B͟anking* oder *N͟ew Ec͟onomy.*

E_5: Bruchzahlangaben vor entsprechenden Maßeinheiten können als ein zweiteiliges Zahladjektiv angesehen werden: *fünf hundertstel Sekunden.* Der Nenner der Bruchzahl kann auch mit der Maßeinheit eine Zusammensetzung bilden: *fünf Hundertstelsekunden.* Bei der Unterscheidung hilft die Betonung.

(2) Mehrteilige Substantivierungen, zum Beispiel:

das Holzholen, das Inkrafttreten; der Kehraus, das Stelldichein, das Vergissmeinnicht

> **§ 38** Ableitungen auf *-er* von geografischen Eigennamen, die sich auf die geografische Lage beziehen, schreibt man in der Regel von dem folgenden Substantiv getrennt.

Beispiele:

Allgäuer Alpen, Brandenburger Tor, Naumburger Dom, Potsdamer Abkommen, Thüringer Wald, Wiener Straße

4 Andere Wortarten

Manche mehrteilige Adverbien, Konjunktionen, Präpositionen und Pronomen sind aus Elementen verschiedener Wortarten entstanden. Zum Teil sind sie als Wortgruppe erhalten geblieben, zum Teil haben sie sich zu einer Zusammensetzung entwickelt.

In Zweifelsfällen siehe das Wörterverzeichnis.

> **§ 39** Mehrteilige Adverbien, Konjunktionen, Präpositionen und Pronomen schreibt man zusammen, wenn die Wortart, die Wortform oder die Bedeutung der einzelnen Bestandteile nicht mehr deutlich erkennbar ist.

Dies betrifft

(1) Adverbien, zum Beispiel:

bergab, bergauf; kopfüber; landaus, landein; stromabwärts, stromaufwärts; tagsüber; zweifelsohne

-dessen	*indessen, infolgedessen, unterdessen*
-dings	*allerdings, neuerdings, schlechterdings*
-falls	*allenfalls, ander(e)nfalls, keinesfalls, schlimmstenfalls*
-halber	*ehrenhalber, umständehalber*
-mal	*diesmal, einmal, zweimal, keinmal, manchmal*
-maßen	*dermaßen, einigermaßen, gleichermaßen, solchermaßen, zugegebenermaßen*
-orten	*allerorten, mancherorten*
-orts	*allerorts, ander(e)norts, mancherorts*
-seits	*allseits, allerseits, and(e)rerseits, einerseits, meinerseits*
-so	*ebenso, genauso, geradeso, sowieso, umso, wieso*
-teils	*einesteils, großenteils, meistenteils*
-wärts	*himmelwärts, meerwärts, seitwärts*
-wegen	*deinetwegen, deswegen, meinetwegen*
-wegs	*geradewegs, keineswegs, unterwegs*
-weil	*alldieweil, alleweil, derweil*
-weilen	*bisweilen, derweilen, zuweilen*
-weise	*probeweise, klugerweise, schlauerweise*
-zeit	*all(e)zeit, derzeit, jederzeit, seinerzeit, zurzeit*
-zeiten	*beizeiten, vorzeiten, zuzeiten*
-zu	*allzu, geradezu, hierzu, immerzu*
bei-	*beileibe, beinahe, beisammen, beizeiten*
der-	*derart, dereinst, dergestalt, dermaßen, derweil(en), derzeit*
irgend-	*irgendeinmal, irgendwann, irgendwie, irgendwo, irgendwohin*
nichts-	*nichtsdestominder, nichtsdestoweniger*
zu-	*zuallererst, zuallerletzt, zuallermeist, zuerst, zuhauf, zuhinterst, zuhöchst, zuletzt, zumal, zumeist, zumindest, zunächst, zuoberst, zutiefst, zuunterst, zuweilen, zuzeiten*

E_1: Zu Fällen wie *abhandenkommen, anheim-fallen* siehe § 34 (1.3); zu Fällen wie *außerstand setzen/außer Stand setzen, imstande sein/im Stande sein* siehe unten E_3 (1).

(2) Konjunktionen, zum Beispiel:
anstatt (dass/zu), indem, inwiefern, sobald, sofern, solange, sooft, soviel, soweit

(3) Präpositionen, zum Beispiel:
anhand, anstatt (des/der), infolge, inmitten, zufolge, zuliebe

(4) Pronomen, zum Beispiel:
irgend-: irgendein, irgendetwas, irgendjemand, irgendwas, irgendwelcher, irgendwer

E_2: In anderen Fällen schreibt man getrennt. Siehe auch § 39 E_3 (1).

Dies betrifft

(1) Fälle, bei denen ein Bestandteil erweitert ist, zum Beispiel:

dies eine Mal (aber *diesmal*), *den Strom abwärts* (aber *stromabwärts*)

der Ehre halber (aber *ehrenhalber*), *in keinem Fall, das erste Mal, ein einziges Mal, in bekannter Weise, zu jeder Zeit*

irgend so ein/eine/einer (aber *irgendein*), *irgend so etwas*

(2) Fälle, bei denen die Wortart, die Wortform oder die Bedeutung der einzelnen Bestandteile deutlich erkennbar ist, und zwar

(2.1) Fügungen in adverbialer Verwendung, zum Beispiel:

zu Ende [gehen, kommen], zu Fuß [gehen], zu Hilfe [kommen], zu Lande, zu Wasser und zu Lande, zu Schaden [kommen]

darüber hinaus, nach wie vor, vor allem

(2.2) mehrteilige Konjunktionen, zum Beispiel:

ohne dass, statt dass, außer dass

(2.3) Fügungen in präpositionaler Verwendung, zum Beispiel:

zur Zeit [Goethes], zu Zeiten [Goethes]

(2.4) *so, wie* oder *zu* + Adjektiv, Adverb oder Pronomen, zum Beispiel:

so (wie, zu) hohe Häuser; er hat das schon so (wie, zu) oft gesagt; so (wie, zu) viel Geld; so (wie, zu) viele Leute; so (wie, zu) weit

(2.5) *gar kein, gar nicht, gar nichts, gar sehr, gar wohl*

E_3: In den folgenden Fällen bleibt es dem Schreibenden überlassen, ob er sie als Zusammensetzung oder als Wortgruppe verstanden wissen will:

(1) Fügungen in adverbialer Verwendung, zum Beispiel:

außerstand setzen/außer Stand setzen; außerstande sein/außer Stande sein; imstande sein/im Stande sein; infrage stellen/in Frage stellen; instand setzen/in Stand setzen; zugrunde gehen/zu Grunde gehen; zuhause/zu Hause [bleiben, sein]; zuleide tun/zu Leide tun; zumute sein/zu Mute sein; zurande kommen/zu Rande kommen; zuschanden machen, werden/zu Schanden machen, werden; zuschulden kommen lassen/zu Schulden kommen lassen; zustande bringen/zu Stande bringen; zutage fördern, treten/zu Tage fördern, treten; zuwege bringen/zu Wege bringen

(2) die Konjunktion

sodass/so dass

(3) Fügungen in präpositionaler Verwendung, zum Beispiel:

anstelle/an Stelle; aufgrund/auf Grund; aufseiten/auf Seiten; mithilfe/mit Hilfe; vonseiten/von Seiten; zugunsten/zu Gunsten; zulasten/zu Lasten; zuungunsten/zu Ungunsten

C Schreibung mit Bindestrich

0 Vorbemerkungen

(1) Der Bindestrich bietet dem Schreibenden die Möglichkeit, anstelle der sonst bei Zusammensetzungen und Ableitungen üblichen Zusammenschreibung die einzelnen

Bestandteile als solche zu kennzeichnen, sie gegeneinander abzusetzen und sie dadurch für den Lesenden hervorzuheben.

(2) Die Schreibung mit Bindestrich bei Fremdwörtern (zum Beispiel bei *7-Bit-Code, Stand-by-System*) folgt den für das Deutsche geltenden Regeln.

Die Schreibung mit Bindestrich bei Eigennamen entspricht nicht immer den folgenden Regeln, so dass nur allgemeine Hinweise gegeben werden können. Zusammensetzungen aus Eigennamen und Substantiv zur Benennung von Schulen, Universitäten, Betrieben, Firmen und ähnlichen Institutionen werden so geschrieben, wie sie amtlich festgelegt sind. In Zweifelsfällen sollte man nach § 46 bis § 52 schreiben.

Steht ein Bindestrich am Zeilenende, so gilt er zugleich als Trennungsstrich.

(3) Zu unterscheiden sind:
- Zusammensetzungen und Ableitungen, die keine Eigennamen als Bestandteile enthalten (§ 40 bis § 45)
- Zusammensetzungen und Ableitungen, die Eigennamen als Bestandteile enthalten (§ 46 bis § 52)
- Gruppen, in denen man den Bindestrich setzen muss (§ 40 bis § 44; § 46 und § 48 bis § 50), und solche, in denen der Gebrauch des Bindestrichs dem Schreibenden freigestellt ist (§ 45, § 51 bis § 52)

Zum Ergänzungsstrich (zum Beispiel in *Haupt- und Nebeneingang*) siehe § 98.

1 Zusammensetzungen und Ableitungen, die keine Eigennamen als Bestandteile enthalten

> **§ 40** Man setzt einen Bindestrich in Zusammensetzungen mit Einzelbuchstaben, Abkürzungen oder Ziffern.

Dies betrifft

(1) Zusammensetzungen mit Einzelbuchstaben, zum Beispiel:
A-Dur (ebenso *Cis-Dur*), *b-Moll, β-Strahlen, i-Punkt, n-Eck, S-Kurve, s-Laut, s-förmig, T-Shirt, T-Träger, x-beliebig, x-beinig, x-mal, y-Achse; Dativ-e, Zungenspitzen-r, Fugen-s*

(2) Zusammensetzungen mit Abkürzungen und Initialwörtern, zum Beispiel:
dpa-Meldung, D-Zug, Kfz-Schlosser, km-Bereich, UNO-Sicherheitsrat, VIP-Lounge; Fußball-WM, Lungen-Tbc; H_2O-*gesättigt, DGB-eigen, Na-haltig, UV-bestrahlt; Abt.-Leiter, Inf.-Büro*
Abt.-Ltr. (= Abteilungsleiter), Dipl.-Ing. (= Diplomingenieur), Tgb.-Nr. (= Tagebuchnummer), Telegr.-Adr. (= Telegrammadresse)

E: Aber ohne Bindestrich bei Kurzformen von Wörtern (Kürzeln), zum Beispiel:
Busfahrt, Akkubehälter

(3) Zusammensetzungen mit Ziffern, zum Beispiel:
3-Tonner, 2-Pfünder, 8-Zylinder; 5-mal, 4-silbig, 100-prozentig, 1-zeilig, 17-jährig, der 17-Jährige
8 : 6-Sieg, 2 : 3-Niederlage, der 5-[2 : 1-]Sieg (auch *5 : 3[2 : 1]-Sieg*)
$^2/_3$-*Mehrheit,* $^3/_8$-*Takt, 2ⁿ-Eck*

> **§ 41** Vor Suffixen setzt man nur dann einen Bindestrich, wenn sie mit einem Einzelbuchstaben verbunden werden.

Beispiele:

der x-te, zum x-ten Mal, die n-te Potenz

> E: Aber: *abclich, ÖVPler; der 68er, ein 32stel, 100%ig*

> **§ 42** Bilden Verbindungen aus Ziffern und Suffixen den vorderen Teil einer Zusammensetzung, so setzt man nach dem Suffix einen Bindestrich.

Beispiele:

ein 100stel-Millimeter, die 61er-Bildröhre, eine 25er-Gruppe, in den 80er-Jahren (auch *in den 80er Jahren*)

> E: Aber ausgeschrieben: *die Zweierbeziehung, die Zehnergruppe, die Achtzigerjahre* (auch *die achtziger Jahre*)

> **§ 43** Man setzt Bindestriche in substantivisch gebrauchten Zusammensetzungen (Aneinanderreihungen), insbesondere bei substantivisch gebrauchten Infinitiven mit mehr als zwei Bestandteilen.

Beispiele:

das Entweder-oder, das Teils-teils, das Als-ob, das Sowohl-als-auch; der Boogie-Woogie, das Walkie-Talkie

das Auf-die-lange-Bank-Schieben, das An-den-Haaren-Herbeiziehen, das In-den-Tag-Hineinträumen, das Von-der-Hand-in-den-Mund-Leben

> E: Dies gilt nicht für übersichtliche Zusammensetzungen mit Infinitiv, zum Beispiel:
>
> *das Autofahren, das Ballspielen, beim Walzertanzen, das Inkrafttreten*
>
> Zur Groß- und Kleinschreibung siehe § 57 E₃.

> **§ 44** Man setzt einen Bindestrich zwischen allen Bestandteilen mehrteiliger Zusammensetzungen, in denen eine Wortgruppe oder eine Zusammensetzung mit Bindestrich auftritt, sowie in unübersichtlichen Zusammensetzungen aus gleichrangigen, nebengeordneten Adjektiven.

Dies betrifft

(1) mehrteilige Zusammensetzungen, in denen eine Wortgruppe oder eine Zusammensetzung mit Bindestrich auftritt, zum Beispiel:

A-Dur-Tonleiter, D-Zug-Wagen, S-Kurven-reich (aber *kurvenreich*), *Vitamin-B-haltig* (aber *vitaminhaltig*), *K.-o.-Schlag, UV-Strahlen-gefährdet* (aber *strahlengefährdet*), *Dipl.-Ing.-Ök.*

2-Euro-Stück, 800-Jahr-Feier, 40-Stunden-Woche, 55-Cent-Briefmarke, 8-Zylinder-Motor, 400-m-Lauf, 2-kg-Büchse, 3-Zimmer-Wohnung, ¹/₂-kg-Packung

Berg-und-Tal-Bahn, Frage-und-Antwort-Spiel; Kopf-an-Kopf-Rennen, Mund-zu-Mund-Beatmung, Wort-für-Wort-Übersetzung

Arzt-Patient-Verhältnis, Grund-Folge-Beziehung, Links-rechts-Kombination, Hals-Nasen-Ohren-Klinik, Ost-West-Gespräche; September-Oktober-Heft (auch *September/Oktober-Heft*; siehe § 106 (1))

Ad-hoc-Bildung, Als-ob-Philosophie, De-facto-Anerkennung, Do-it-yourself-Bewegung, Erste-Hilfe-Lehrgang, Go-go-Girl, Rooming-in-System; Make-up-freie Haut, Ruhe-vor-dem-Sturm-artig, Fata-Morgana-ähnlich; Trimm-dich-Pfad

Abend-Make-up, Wasch-Eau-de-Cologne

(2) unübersichtliche Zusammensetzungen aus gleichrangigen, nebengeordneten Adjektiven, zum Beispiel:

der wissenschaftlich-technische Fortschritt, ein lateinisch-deutsches Wörterbuch, deutsch-österreichische Angelegenheiten; manisch-depressives Verhalten; physikalisch-chemisch-biologische Prozesse

> **§ 45** Man kann einen Bindestrich setzen zur Hervorhebung einzelner Bestandteile, zur Gliederung unübersichtlicher Zusammensetzungen, zur Vermeidung von Missverständnissen oder beim Zusammentreffen von drei gleichen Buchstaben.

Dies betrifft

(1) Hervorhebung einzelner Bestandteile, zum Beispiel:
der dass-Satz, die Ich-Erzählung, das Ist-Aufkommen, die Kann-Bestimmung, die Soll-Stärke; die Hoch-Zeit, das Nach-Denken, Vor-Sätze, be-greifen

(2) unübersichtliche Zusammensetzungen, zum Beispiel:
Arbeiter-Unfallversicherungsgesetz, Haushalt-Mehrzweckküchenmaschine, Lotto-Annahmestelle, Mosel-Winzergenossenschaft, Software-Angebotsmesse, Ultraschall-Messgerät

(3) Vermeidung von Missverständnissen, zum Beispiel:
Drucker-Zeugnis und *Druck-Erzeugnis, Musiker-Leben* und *Musik-Erleben; re-integrieren*

(4) Zusammentreffen von drei gleichen Buchstaben in Zusammensetzungen, zum Beispiel:
Hawaii-Inseln, Kaffee-Ersatz, See-Elefant, Zoo-Orchester; Bett-Tuch, Schiff-Fahrt, Schrott-Transport

E₁: Aus anderen Sprachen stammende Verbindungen aus Substantiv + Substantiv, die sich im Deutschen grammatisch wie Zusammensetzungen verhalten, werden zusammengeschrieben; ebenso ist die verdeutlichende Schreibung mit Bindestrich möglich:

Sexappeal (Sex-Appeal), Sciencefiction (Science-Fiction), Shoppingcenter (Shopping-Center), Desktoppublishing (Desktop-Publishing), Midlifecrisis (Midlife-Crisis)

Zur Groß- und Kleinschreibung siehe § 55 (1) und § 55 (3).

Zu Verbindungen aus Adjektiv + Substantiv siehe § 37 E₄.

E₂: Aus dem Englischen stammende Substantivierungen aus Verb + Adverb schreibt man mit

Bindestrich; das Adverb wird dann kleingeschrieben, zum Beispiel:

Make-up, Go-in

Daneben ist auch Zusammenschreibung möglich, sofern die Lesbarkeit nicht beeinträchtigt ist, zum Beispiel:

Count-down (Countdown), Come-back (Comeback), Knock-out (Knockout), Stand-by (Standby)

2 Zusammensetzungen und Ableitungen, die Eigennamen als Bestandteile enthalten

§ 46 Man setzt einen Bindestrich in Zusammensetzungen, die als zweiten Bestandteil einen Eigennamen enthalten oder die aus zwei Eigennamen bestehen.

Dies betrifft

(1) Zusammensetzungen mit Personennamen, zum Beispiel:
Frau Müller-Weber, Herr Schmidt-Wilpert; Eva-Maria (auch *Eva Maria, Evamaria*), *Karl-Heinz* (auch *Karl Heinz, Karlheinz*) *die Bäcker-Anna, der Schneider-Karl; Blumen-Richter, Foto-Müller, Möbel-Schmidt; Müller-Lüdenscheid, Schneider-Partenkirchen*

E₁: Die standesamtliche Schreibung mehrteiliger Personennamen kann von dieser Regelung abweichen.

(2) geografische Eigennamen, zum Beispiel:
Annaberg-Buchholz, Baden-Württemberg, Flughafen Köln-Bonn, Neu-Bamberg, Rheinland-Pfalz, Sachsen-Anhalt

E₂: Die amtliche Schreibung von Zusammensetzungen mit einem geografischen Eigennamen, die ihrerseits zu einem geografischen Eigennamen geworden sind, kann von dieser Regelung abweichen.

Adjektiv + Eigenname, zum Beispiel:

Neu Seehagen, Neubrandenburg

Immer Getrenntschreibung bei *Sankt,* zum Beispiel: *Sankt Georgen (St. Georgen)*

Substantiv + Eigenname, zum Beispiel:

Nordkorea, Königs Wusterhausen, Marktredwitz, Markt Indersdorf, Stadtlauringen, Stadt Rottenmann

Immer Getrenntschreibung bei *Bad,* zum Beispiel:
Bad Säckingen

Zwei Eigennamen, zum Beispiel:

Grindelwald Grund, Rostock Lütten Klein; Berlin Schönefeld (auch *Berlin-Schönefeld*)

---

§ 47 Werden Zusammensetzungen mit einem ursprünglichen Personennamen als Gattungsbezeichnung gebraucht, so schreibt man ohne Bindestrich zusammen.

Beispiele:
Gänseliesel, Heulsuse, Meckerfritze

---

§ 48 Bei Ableitungen von Verbindungen mit einem Eigennamen als zweitem Bestandteil bleibt der Bindestrich erhalten.

Beispiele:
baden-württembergisch (Baden-Württemberg), rheinland-pfälzisch, alt-wienerische/Alt-Wiener Kaffeehäuser, Spree-Athener

---

§ 49 Bei Ableitungen von mehreren Eigennamen, von Titeln und Eigennamen oder von einem mehrteiligen Eigennamen setzt man einen Bindestrich.

Beispiele:
die sankt-gallischen/st.-gallischen Klosterschätze (St. Gallen), die gräflich-rieneckische Güterverwaltung (Graf Rieneck)
die kant-laplacesche Theorie (Kant und Laplace), der de-costersche Roman (de Coster), die gräflich-rieneckische Güterverwaltung (Graf Rieneck)

die Kant-Laplace'sche Theorie (Kant und Laplace), der de-Coster'sche Roman (de Coster),
die Gräflich-Rieneck'sche Güterverwaltung (Graf Rieneck)

Zur Groß- und Kleinschreibung und zur Schreibung mit Apostroph siehe § 62.

E: Bei Ableitungen auf *-er* kann man den Bindestrich weglassen, zum Beispiel:
die Bad-Schandauer (Bad Schandau)/Bad Schandauer, die Sankt-Galler/Sankt Galler, die New-Yorker/New Yorker

---

§ 50 Man setzt einen Bindestrich zwischen allen Bestandteilen mehrteiliger Zusammensetzungen, deren erste Bestandteile aus Eigennamen bestehen.

Beispiele:
Albrecht-Dürer-Allee, Heinrich-Heine-Platz, Kaiser-Karl-Ring, Ernst-Ludwig-Kirchner-Straße, Rainer-Maria-Rilke-Promenade, Thomas-Müntzer-Gasse
Elbe-Havel-Kanal, Oder-Neiße-Grenze, La-Plata-Mündung
Albert-Einstein-Gedenkstätte, Georg-Büchner-Preis, Jacob-und-Wilhelm-Grimm-Preis, Goethe-Schiller-Archiv, Johann-Sebastian-Bach-Gymnasium, Van-Gogh-Ausstellung
am Lago-di-Como-seitigen Abhang, Fidel-Castro-freundlich

---

§ 51 Man kann einen Bindestrich in Zusammensetzungen setzen, die als ersten Bestandteil einen Eigennamen haben, der besonders hervorgehoben werden soll, oder wenn der zweite Bestandteil bereits eine Zusammensetzung ist.

Beispiele:
Goethe-Ausgabe, Johannes-Passion, Richelieu-freundlich, Kafka-Kolloquium; Goethe-Geburtshaus, Brecht-Jubiläumsausgabe
Ganges-Ebene, Krim-Treffen, Mekong-Delta; Elbe-Wasserstandsmeldung, Helsinki-Nachfolgekonferenz

§ 52 Wird ein geografischer Eigenname von einem nachgestellten Substantiv näher bestimmt,
so kann man einen Bindestrich setzen.

Beispiele:
*Frankfurt Hauptbahnhof/Frankfurt-Haupt-
bahnhof, München Ost/München-Ost*

D Groß- und Kleinschreibung

0 Vorbemerkungen

(1) Die Großschreibung, das heißt die
Schreibung mit einem großen Anfangsbuchstaben, dient dem Schreibenden dazu,
den Anfang bestimmter Texteinheiten
sowie Wörter bestimmter Gruppen zu
kennzeichnen und sie dadurch für den
Lesenden hervorzuheben.

(2) Die Großschreibung wird im Deutschen
verwendet zur Kennzeichnung von
– Überschriften, Werktiteln und dergleichen
– Satzanfängen
– Substantiven und Substantivierungen
– Eigennamen mit ihren nichtsubstantivischen Bestandteilen
– bestimmten festen nominalen Wortgruppen mit nichtsubstantivischen Bestandteilen
– Anredepronomen und Anreden

(3) Die Abgrenzung von Groß- und Kleinschreibung, wie sie sich in der Tradition der
deutschen Orthografie herausgebildet hat,
macht es erforderlich, neben den Regeln für
die Großschreibung auch Regeln für die
Kleinschreibung zu formulieren. Diese werden in den einzelnen Teilabschnitten
jeweils im Anschluss an die Großschrei-
bungsregeln angegeben. In einigen Fallgruppen ist eine eindeutige Zuweisung zur

Groß- oder Kleinschreibung fragwürdig.
Hier sind beide Schreibungen zulässig.

(4) Entsprechend gliedert sich die folgende
Darstellung in die Abschnitte:
1 Kennzeichnung des Anfangs bestimmter Texteinheiten durch Großschreibung
(§ 53: Überschriften, Werktitel und dergleichen; § 54: Ganzsätze)
2 Anwendung von Groß- oder Kleinschreibung bei bestimmten Wörtern und
Wortgruppen
2.1 Substantive und Desubstantivierun-
gen (§ 55 bis § 56)
2.2 Substantivierungen (§ 57 bis § 58)
2.3 Eigennamen mit ihren nichtsubstantivischen Bestandteilen sowie Ableitungen
von Eigennamen (§ 59 bis § 62)
2.4 Feste Verbindungen aus Adjektiv und
Substantiv (§ 63 bis § 64)
2.5 Anredepronomen und Anreden (§ 65
bis § 66)

1 Kennzeichnung des Anfangs
bestimmter Texteinheiten durch
Großschreibung

§ 53 Das erste Wort einer Überschrift, eines
Werktitels, einer Anschrift und dergleichen
schreibt man groß.

Dies betrifft unter anderem

(1) Überschriften und Werktitel (etwa von
Büchern und Theaterstücken, Werken der
bildenden Kunst und der Musik, Rundfunk-
und Fernsehproduktionen), zum Beispiel:
*Allmähliche Normalisierung im Erdbebenge-
biet*
*Hohe Schneeverwehungen behindern Auto-
verkehr*
Keine Chance für eine diplomatische Lösung!
Kleines Wörterbuch der Stilkunde
Wo warst du, Adam?

Der kaukasische Kreidekreis
Der grüne Heinrich
Hundert Jahre Einsamkeit
Ungarische Rhapsodie
Unter den Dächern von Paris
Ein Fall für zwei

(2) Titel von Gesetzen, Verträgen, Deklarationen und dergleichen sowie Bezeichnungen für Veranstaltungen, zum Beispiel:
Bayerisches Hochschulgesetz
Potsdamer Abkommen
Internationaler Ärzte- und Ärztinnenkongress
Grüne Woche (in Berlin)

E₁: Die Großschreibung des ersten Wortes bleibt auch dann erhalten, wenn eine Überschrift, ein Werktitel und dergleichen innerhalb eines Textes gebraucht wird, zum Beispiel:

Das Theaterstück „Der kaukasische Kreidekreis" steht auf dem Programm. Sie lesen Kellers Roman „Der grüne Heinrich".

Wird dabei am Anfang ein Titel und dergleichen verkürzt oder sein Artikel verändert, so schreibt man das nächstfolgende Wort des Titels groß, zum Beispiel:

Wir haben im Theater Brechts „Kaukasischen Kreidekreis" gesehen. Sie lesen den „Grünen Heinrich".

Zur Schreibung nach Gliederungsangaben oder nach Auslassungszeichen und Zahlen siehe § 54 (5) und (6). Zum Gebrauch der Anführungszeichen siehe § 94 (1).

(3) Anschriften, Datumszeilen und Anreden sowie Grußformeln etwa in Briefen, zum Beispiel:

Donnerstag, 16. Februar 2006
Frau
Ulla Schröder
Rüdesheimer Str. 29
D-65197 Wiesbaden

Sehr geehrte Frau Schröder,

entsprechend unserer telefonischen Vereinbarung…

… erwarten wir Ihre Antwort.

Mit freundlichen Grüßen

Werner Meier

E₂: Wenn man nach der Anrede – wie in der Schweiz üblich – auf ein Satzzeichen verzichtet, schreibt man das erste Wort des folgenden Abschnitts groß.

Siehe auch § 69 E₃.

§ 54 Das erste Wort eines Ganzsatzes schreibt man groß.

Beispiele:
Gestern hat es geregnet. Du kommst bitte morgen! Hat er das wirklich gesagt?

Nachdem sie von der Reise zurückgekehrt war, hatte sie den dringenden Wunsch, ein Bad zu nehmen. Im Hausflur war es still, ich drückte erwartungsvoll auf die Klingel. Meine Freundin hatte den Zug versäumt, deshalb kam sie eine halbe Stunde zu spät. Wir sehen nach, was Paul macht. Sehen Sie nur, wie schön die Aussicht ist. Haben Sie ihn aufgefordert, die Wohnung zu verlassen?

Kommt doch schnell! Bitte die Türen schließen und Vorsicht bei der Abfahrt des Zuges!

Ob sie heute kommt? Nein, morgen. Warum nicht? Gute Reise!

Vorwärts! Vgl. Anlage 3, Ziffer 7.

Alles war zerstört: das Haus, der Stall, die Scheune. Die Teeküche kann zu folgenden Zeiten benutzt werden: morgens von 7 bis 8 Uhr, abends von 18 bis 19 Uhr.

Im Einzelnen ist zu beachten:

(1) Wird die nach dem Doppelpunkt folgende Ausführung als Ganzsatz verstanden, so schreibt man das erste Wort groß, zum Beispiel:
Beachten Sie bitte folgenden Hinweis: Alle Bänke sind frisch gestrichen. Die Regel lautet: Würfelt man eine Sechs, dann …

(2) Das erste Wort der wörtlichen Rede schreibt man groß, zum Beispiel:
Sie fragte: „Kommt er heute?" Er sagte: „Wir wissen es nicht." Alle baten: „Bleib!"

(3) Folgt dem wörtlich Wiedergegebenen der Begleitsatz oder ein Teil von ihm, so schreibt man das erste Wort nach dem abschließenden Anführungszeichen klein, zum Beispiel:
„Hörst du?", fragte sie. „Ich verstehe dich gut", antwortete er. „Mit welchem Recht", fragte er, „willst du das tun?" Sie rief mir zu: „Wir treffen uns auf dem Schulhof!", und lief weiter.

(4) Das erste Wort von Parenthesen schreibt man klein, wenn es nicht nach einer anderen Regel großzuschreiben ist, zum Beispiel:
Eines Tages, es war mitten im Sommer, hagelte es. Er behauptete – so eine Frechheit! –, dass er im Kino gewesen sei. Sie hat das (erinnerst du dich?) gestern gesagt.

Zu den Satzzeichen siehe § 77 (1), § 84 (1), § 86 (1).

(5) Gliederungsangaben wie Ziffern, Paragrafen, Buchstaben gehören nicht zum nachfolgenden Ganzsatz; entsprechend schreibt man das folgende Wort groß. Dies gilt auch für Überschriften, Werktitel und dergleichen. Beispiele:
3. Die Besitzer und Besitzerinnen von Haustieren sollten …
§ 13 Die Behandlung sollte sofort einsetzen.
c) Vgl. Anlage 3, Ziffer 7.
2 Die Säugetiere

(6) Auslassungspunkte, Apostroph oder Zahlen zu Beginn eines Ganzsatzes gelten als Satzanfang; entsprechend bleibt die Schreibung des folgenden Wortes unverändert. Dies gilt auch für Überschriften, Werktitel und dergleichen. Beispiele:
… und gab keine Antwort.

's ist schade um sie.
52 volle Wochen hat das Jahr.

2 Anwendung von Groß- oder Kleinschreibung bei bestimmten Wörtern und Wortgruppen

2.1 Substantive und Desubstantivierungen

§ 55	Substantive schreibt man groß.

Beispiele:
Tisch, Wald, Milch, Mond, Genie, Team, Ladung, Feuer, Wasser, Luft, Sandkasten
Verständnis, Verantwortung, Freiheit, Aktion
Gabriela, Markus, Europa, Wien, Alpen

Substantive dienen der Bezeichnung von Gegenständen, Lebewesen und abstrakten Begriffen. Sie besitzen in der Regel ein festes Genus (Maskulinum, Femininum, Neutrum) und sind im Numerus (Singular, Plural) und im Kasus (Nominativ, Genitiv, Dativ, Akkusativ) bestimmt.

Die Großschreibung gilt auch

(1) für nichtsubstantivische Wörter, wenn sie am Anfang einer Zusammensetzung mit Bindestrich stehen, die als Ganzes die Eigenschaften eines Substantivs hat, zum Beispiel:
die Ad-hoc-Entscheidung, der A-cappella-Chor (vgl. auch § 55 E_2), *das In-den-Tag-hinein-Leben* (vgl. auch § 57 (2)), *der Trimm-dich-Pfad, die X-Beine, die S-Kurve*

Abkürzungen sowie zitierte Wortformen und Einzelbuchstaben und dergleichen bleiben allerdings unverändert, zum Beispiel:
die km-Zahl, die pH-Wert-Bestimmung, der dass-Satz, die x-Achse, der i-Punkt (der Punkt auf dem kleinen *i*)

(2) für Substantive – auch Initialwörter (§ 102 (2)) und Einzelbuchstaben, sofern sie nicht als Kleinbuchstaben zitiert sind – als Teile von Zusammensetzungen mit Bindestrich, zum Beispiel:

die Natrium-Chlor-Verbindung, der 400-Meter-Lauf, zum Aus-der-Haut-Fahren (vgl. auch § 57 (2))

pH-Wert-neutral, Napoleon-freundlich, S-Kurven-reich, Formel-1-tauglich

UV-empfindlich, T-förmig (in der Form eines großen *T*), *S-förmig* oder *s-förmig* (in der Form eines großen *S* bzw. eines kleinen *s*), *x-beliebig*

(3) für Substantive aus anderen Sprachen, wenn sie nicht als Zitatwörter gemeint sind. Sind sie mehrteilig, wird der erste Teil großgeschrieben. Beispiele:

das Crescendo, der Drink, das Center, die Ratio; die Conditio sine qua non, das Cordon bleu, eine Terra incognita; das Know-how, das Make-up

Substantivische Bestandteile werden auch im Innern mehrteiliger Fügungen großgeschrieben, die als Ganzes die Funktion eines Substantivs haben, zum Beispiel:

die Alma Mater, die Ultima Ratio, das Desktop-Publishing, der Soft Drink, der Sex-Appeal, das Corned Beef

E_1: Teilweise wird auch zusammengeschrieben, siehe Getrennt- und Zusammenschreibung, § 37 E_3 und E_4, und Schreibung mit Bindestrich, § 44 und § 45.
Beispiele: *der Softdrink, der Sexappeal, das Cornedbeef*

(4) für Substantive, die Bestandteile fester Gefüge sind und nicht mit anderen Bestandteilen des Gefüges zusammengeschrieben werden (siehe dazu auch Teil B, Getrennt- und Zusammenschreibung, § 34 (3) und § 39), zum Beispiel:

auf Abruf, in Bälde, in/mit Bezug auf, im Grunde, auf Grund (auch *aufgrund*); *zu*

Grunde gehen (auch *zugrunde gehen*), *zu Händen von* (aber *zuhanden von*), *in Hinsicht auf* (aber *infolge*), *zur Not* (aber *vonnöten*), *zur Seite, von Seiten, auf Seiten* (auch *aufseiten, vonseiten*)

etwas außer Acht lassen, die Haare stehen jemandem zu Berge, in Betracht kommen, zu Hilfe kommen, in Kauf nehmen

Auto fahren, Rad fahren, Maschine schreiben, Kegel schieben, Diät leben, Folge leisten, Hof halten, Not leiden, Gefahr laufen, Modell sitzen, Radio hören, Tee trinken, Unkraut jäten, Zeitung lesen

Ernst machen mit etwas, Wert legen auf etwas, Angst haben, jemandem Angst (und Bange) machen, (keine) Schuld tragen (vgl. aber § 34 (2.3) sowie § 56 (1) und § 56 E_2, zum Beispiel: *etwas ernst nehmen; ernst sein/werden, recht sein, unrecht sein; recht/ Recht haben*)

zum ersten Mal (aber nach § 39 (1): *einmal, diesmal, manchmal*)

eines Abends, des Nachts, letzten Endes, guten Mutes, schlechter Laune (aber nach § 56 (3): *abends, nachts;* aber nach § 39 (1): *keinesfalls, andernorts*)

E_2: In festen adverbialen Fügungen, die als Ganzes aus einer fremden Sprache entlehnt worden sind, gilt Kleinschreibung, zum Beispiel:

a cappella, in flagranti, à discrétion, de jure, de facto, in nuce, pro domo, ex cathedra, coram publico

Zu Schreibungen wie *A-cappella-Chor, De-facto-Anerkennung* siehe oben Absatz (1).

(5) für Zahlsubstantive, zum Beispiel:
ein Dutzend, das Schock (= 60 Stück), *das Paar* (aber *ein paar = einige*), *das Hundert* (zum Beispiel: *das erste Hundert Schrauben*), *das Tausend, eine Million, eine Milliarde, eine Billion*

Zu *Dutzend, Hundert* und *Tausend* siehe auch § 58 E_5.

(6) für Ausdrücke, die als Bezeichnung von Tageszeiten nach den Adverbien *vorgestern, gestern, heute, morgen, übermorgen* auftreten, zum Beispiel:
Wir treffen uns heute Mittag. Die Frist läuft übermorgen Mitternacht ab. Sie rief gestern Abend an.
Zu Verbindungen wie *(am) Dienstagabend* siehe § 37 (1.1).

---

§ 56 Klein schreibt man Wörter, die formgleich als Substantive vorkommen, aber selbst keine substantivischen Merkmale aufweisen.

Dies betrifft

(1) Wörter, die vorwiegend prädikativ gebraucht werden, wie *angst, bange, feind, freund, gram, klasse, leid, pleite, recht, schuld, spitze, unrecht, weh* in Verbindung mit den Verben *sein, bleiben* oder *werden*. Beispiele:
Mir wird angst. Uns ist angst und bange. Wir sind ihr gram. Sein Spiel ist klasse. Mir ist das alles leid. Die Firma ist pleite. Das ist mir recht. Er ist schuld daran.

E_1: Das gilt auch für Zusammensetzungen mit diesen Wörtern, zum Beispiel: *Er ist ihm spinnefeind.*

E_2: Groß- wie kleingeschrieben werden können *recht/Recht* und *unrecht/Unrecht* in Verbindung mit Verben wie *behalten, bekommen, geben, haben, tun*, zum Beispiel:
Ich gebe ihm recht/Recht. Du tust ihm unrecht/Unrecht.

(2) den ersten Bestandteil unfest zusammengesetzter Verben auch in getrennter Stellung (siehe auch § 34 (3)), zum Beispiel:
Ich nehme daran teil (teilnehmen). Die Besprechung findet am Freitag statt (stattfinden). Die Stadt stand kopf (kopfstehen). Man konnte ihm ansehen, wie leid es ihm tat (leidtun). Es nimmt mich wunder (wundernehmen).

E_3: Wird ein Substantiv mit dem Infinitiv nicht zusammengeschrieben, so schreibt man es entsprechend § 55 (4) groß, zum Beispiel:
Ich nehme daran Anteil (Anteil nehmen). Du fährst Auto, und ich fahre Rad (Auto fahren, Rad fahren). Sie leistete der Aufforderung nicht Folge (Folge leisten).

(3) Adverbien, Präpositionen, Konjunktionen auf -s und -ens, zum Beispiel:
abends, anfangs, donnerstags, schlechterdings, morgens, hungers (hungers sterben), willens, rechtens (rechtens sein, etwas rechtens machen); abseits, angesichts, mangels, mittels, namens, seitens; falls, teils … teils

(4) die folgenden Präpositionen:
dank, kraft (kraft ihres Amtes), laut, statt, an … statt (an Kindes statt, an seiner statt), trotz, wegen, von … wegen (von Amts wegen), um … willen, zeit (zeit seines Lebens)

(5) die folgenden unbestimmten Zahlwörter:
ein bisschen (= ein wenig), ein paar (= einige)
Beispiele:
ein bisschen Leim, dieses kleine bisschen Leim; ein paar Steine, diese paar Steine (aber nach § 55 (5): *ein Paar Schuhe*)

(6) Bruchzahlen auf *-tel* und *-stel*
  (6.1) vor Maßangaben (siehe auch § 37 E_5), zum Beispiel:
ein zehntel Millimeter, ein viertel Kilogramm, in fünf hundertstel Sekunden, nach drei viertel Stunden

E_4: Hier ist auch Zusammenschreibung nach § 37 E_5 möglich, zum Beispiel:
ein Zehntelmillimeter, ein Viertelkilogramm, in fünf Hundertstelsekunden, nach drei Viertelstunden

  (6.2) in Uhrzeitangaben unmittelbar vor Kardinalzahlen, zum Beispiel:
um viertel fünf, gegen drei viertel acht

E₅: In allen übrigen Fällen schreibt man Bruchzahlen auf *-tel* und *-stel* entsprechend § 55 groß, zum Beispiel:
ein Drittel, das erste Fünftel, neun Zehntel des Umsatzes, um drei Viertel größer, um [ein] Viertel vor fünf

2.2 Substantivierungen

> **§ 57** Wörter anderer Wortarten schreibt man groß, wenn sie als Substantive gebraucht werden (= Substantivierungen).

Substantivierte Wörter nehmen die Eigenschaften von Substantiven an (vgl. § 55). Man erkennt sie im Text an zumindest einem der folgenden Merkmale:

a) an einem vorausgehenden Artikel *(der, die, das; ein, eine, ein)*, Pronomen *(dieser, jener, welcher, mein, kein, etwas, nichts, alle, einige ...)* oder unbestimmten Zahlwort *(ein paar, genug, viel, wenig ...)*, die sich auf das substantivierte Wort beziehen;

b) an einem vorangestellten adjektivischen Attribut oder einem nachgestellten Attribut, das sich auf das substantivierte Wort bezieht;

c) an ihrer Funktion als kasusbestimmtes Satzglied oder kasusbestimmtes Attribut.

Siehe dazu folgende Beispiele:
Das Inkrafttreten (a, b, c) *des Gesetzes verzögert sich. Er übersah alles Kleingedruckte* (a, c). *Das Ausschlaggebende* (a, b, c) *für ihre Einstellung war ihr sicheres Auftreten* (a, b, c). *Nichts Menschliches* (a, c) *war ihr fremd. Das Deutsche* (a, c) *gilt als schwere Sprache. Sie bot ihr das Du* (a, c) *an. Der Beschluss fiel nach langem Hin und Her* (b, c). *Bananen kosten jetzt das Zweifache* (a, b, c) *des früheren Preises. Lesen und Schreiben* (c) *sind Kulturtechniken. Sie brachte eine Platte mit Gebratenem* (c). *Du sollst Gleiches* (c) *nicht mit Gleichem* (c) *vergelten. Man sagt, Liebende* (c) *seien blind.*

E₁: Zahlreiche Substantivierungen sind ein fester Bestandteil des Substantivwortschatzes geworden, zum Beispiel:
das Essen, das Herzklopfen, das Leben, das Deutsche, die Grünen, die Studierenden, der/die Angestellte, das Durcheinander, das Jenseits, das Vergissmeinnicht

Die folgende Aufgliederung der Großschreibung von Substantivierungen ist nach Wortarten geordnet.

(1) Substantivierte Adjektive und adjektivisch gebrauchte Partizipien, besonders auch in Verbindung mit Wörtern wie *alles, allerlei, etwas, genug, nichts, viel, wenig,* zum Beispiel:
Wir wünschen alles Gute. Zum Aperitif gab es Süßes und Salziges. Geh nicht mit Unbekannten! Das Ausschlaggebende für die Einstellung war ihre Erfahrung. Er hat nichts/wenig/etwas/viel Bedeutendes geschrieben. Das nie Erwartete trat ein. Sie hatte nur Angenehmes erlebt. Der Umsatz war dieses Jahr um das Dreifache höher. Das andere Gebäude war um ein Beträchtliches höher. Das ist das einzig Richtige, was du tun kannst. Es wäre wohl das Richtige, wenn wir noch einmal darüber reden. Bitte lesen Sie das unten Stehende/unten Stehende genau durch. Wir haben das Folgende/Folgendes verabredet. Wir werden das im Folgenden noch genauer darstellen. Des Näheren vermag ich mich nicht zu entsinnen. Sie hat mir die Sache des Näheren erläutert. Wir haben alles des Langen und Breiten diskutiert. Wir wohnen im Grünen. Beim Umweltschutz liegen noch viele Dinge im Argen. Wir sind uns im Großen und Ganzen einig. Die Arbeiten sind im Allgemeinen nicht schlecht geraten. Das ist im Wesentlichen richtig. Im Einzelnen sind aber noch Verbesserungen möglich. Plötzlich ertönte eine Stimme aus dem Dunkeln. Die Polizei tappt im Dunkeln. Die Direktorin war auf dem Laufenden. Sie war unsere Jüngste. Das Beste, was

dieser Ferienort bietet, ist die Ruhe. Es ist das Beste, wenn du kommst. Es änderte sich nicht das Geringste. Dies geschieht zum Besten unserer Kinder. Er gab wieder einmal eine seiner Geschichten zum Besten. Sie konnte uns vor dem Ärgsten bewahren. Daran haben wir nicht im Entferntesten gedacht. Sie war bis ins Kleinste vorbereitet. Sie war aufs Schrecklichste/auf das Schrecklichste gefasst. Sie hat uns aufs Herzlichste/ auf das Herzlichste begrüßt (siehe auch § 58 E₁).

Die Pest traf Hohe und Niedrige/Hoch und Niedrig. Diese Musik gefällt Jungen und Alten/Jung und Alt. Die Teilnehmenden diskutierten über den Konflikt zwischen Jungen und Alten/zwischen Jung und Alt. Das ist ein Fest für Junge und Alte/für Jung und Alt.

Sie trug das kleine Schwarze. Der Zeitungsbericht traf ins Schwarze. Wenn man Schwarz mit Weiß mischt, entsteht Grau. Die Ampel schaltete auf Rot. Wir liefern das Gerät in Grau oder Schwarz.

Das Englische ist eine Weltsprache. Ihr Englisch hatte einen südamerikanischen Akzent. Mit Englisch kommt man überall durch. In Ostafrika verständigt man sich am besten auf Swahili oder auf Englisch.

E₂: Gelegentlich ist Groß- oder Kleinschreibung möglich, zum Beispiel: *Sie spricht Englisch* (was? – die englische Sprache)/*englisch* (wie?).

Ordnungszahladjektive sowie sinnverwandte Adjektive, zum Beispiel:
Die Miete ist am Ersten jedes Monats zu bezahlen. Er ist schon der Zweite, der den Rekord des vergangenen Jahres überboten hat. Jeder Fünfte lehnte das Projekt ab. Endlich war sie die Erste im Staat. Dieses Vorgehen verletzte die Rechte Dritter. Er kam als Dritter an die Reihe. Er kam vom Hundertsten ins Tausendste. Fürs Erste wollen wir nicht mehr darüber reden. Die Nächste bitte! Liebe deinen Nächsten wie dich selbst! Trotz ihrer Verletzung wurde sie noch Viertletzte.

Als Letztes muss der Deckel angeschraubt werden. Arthur und Armin gingen unterschiedliche Wege: der Erste/Ersterer wurde Beamter, der Zweite/der Letzte/Letzterer hatte als Schauspieler Erfolg.

Unbestimmte Zahladjektive (siehe aber auch § 58 (5)), zum Beispiel:
Den Kometen haben Unzählige (Ungezählte, Zahllose) gesehen. Ich muss noch Verschiedenes erledigen. Er hatte das Ganze rasch wieder vergessen. Der Kongress war als Ganzes ein Erfolg. Das muss jeder Einzelne mit sich selbst ausmachen. Anita war die Einzige, die alles wusste. Alles Übrige besprechen wir morgen. Er gab sein Geld für alles Mögliche aus.

(2) Substantivierte Verben, zum Beispiel:
Das Lesen fällt mir schwer. Sie hörten ein starkes Klopfen. Wer erledigt das Fensterputzen? Viele waren am Zustandekommen des Vertrages beteiligt. Die Sache kam ins Stocken. Das ist zum Lachen. Euer Fernbleiben fiel uns auf. Uns half nur noch lautes Rufen. Die Mitbewohner begnügten sich mit Wegsehen und Schweigen.

Sie wollte auf Biegen und Brechen gewinnen. Er klopfte mit Zittern und Zagen an. Ich nehme die Tabletten auf Anraten meiner Ärztin.

Sie hat ihr Soll erfüllt. Dies ist ein absolutes Muss.

Bei mehrteiligen Fügungen, deren Bestandteile mit einem Bindestrich verbunden werden, schreibt man das erste Wort, den Infinitiv und die anderen substantivischen Bestandteile groß (siehe auch § 55 (1) und (2)), zum Beispiel:
es ist zum Auf-und-davon-Laufen, das Hand-in-Hand-Arbeiten, das In-den-Tag-hinein-Leben

E₃: Gelegentlich ist bei einfachen Infinitiven Groß- oder Kleinschreibung möglich, zum Beispiel:

Der Gehörgeschädigte lernt Sprechen. (Wie: *Der Gehörgeschädigte lernt das Sprechen/das deutliche Sprechen.*) Oder: *Der Gehörgeschädigte lernt sprechen.* (Wie: *Der Gehörgeschädigte lernt deutlich sprechen.*) (Ebenso:) *Bekanntlich ist Umlernen/umlernen schwieriger als Dazulernen/dazulernen. Doch geht Probieren/probieren über Studieren/studieren.*

(3) Substantivierte Pronomen (vgl. aber auch § 58 (4)), zum Beispiel:
Sie hatte ein gewisses Etwas. Er bot ihm das Du an. Das ist ein Er, keine Sie. Wir standen vor dem Nichts. Er konnte Mein und Dein nicht unterscheiden.

(4) Substantivierte Grundzahlen als Bezeichnung von Ziffern, zum Beispiel:
Er setzte alles auf die Vier. Sie fürchtete sich vor der Dreizehn. Der Zeiger nähert sich der Elf. Sie hat lauter Einsen im Zeugnis. Er würfelt eine Sechs.

(5) Substantivierte Adverbien, Präpositionen, Konjunktionen, Interjektionen, zum Beispiel:
Es gab ein großes Durcheinander. Mich störte das ewige Hin und Her. Ich will das noch im Diesseits erleben. Auf das Hier und Jetzt kommt es an. Das Danach war ihr egal. Es gibt kein Übermorgen. Sie hatte so viel wie möglich im Voraus erledigt. Im Nachhinein wussten wir es besser. Er stand im Aus. Sie überlegte sich das Für und Wider genau. Sein ständiges Aber stört mich. Es kommt nicht nur auf das Dass an, sondern auch auf das Wie. Er erledigte es mit Ach und Krach. Ein vielstimmiges Ah ertönte. Ihr freudiges Oh freute ihre Kolleginnen. Das Nein fällt ihm schwer.

E_4: Bei mehrteiligen substantivierten Konjunktionen, die mit einem Bindestrich verbunden werden (siehe § 43), schreibt man nur das erste Wort groß, zum Beispiel:

ein Entweder-oder, das Als-ob, das Sowohl-als-auch

---

§ 58 In folgenden Fällen schreibt man Adjektive, Partizipien und Pronomen klein, obwohl sie formale Merkmale der Substantivierung aufweisen.

---

(1) Adjektive, Partizipien und Pronomen, die sich auf ein vorhergehendes oder nachstehendes Substantiv beziehen, zum Beispiel:
Sie war die aufmerksamste und klügste meiner Zuhörerinnen. Vor dem Haus spielten viele Kinder, einige kleine im Sandkasten, die größeren am Klettergerüst. Es waren neun Teilnehmer erschienen, auf den zehnten wartete man vergebens. Alte Schuhe sind meist bequemer als neue. Dünne Bücher lese ich in der Freizeit, dicke im Urlaub. Zwei Männer betraten den Raum; der erste trug einen Anzug, der zweite Jeans und Pullover. Leih mir bitte deine Farbstifte, ich habe meine/die meinen/die meinigen vergessen. Der Verkäufer zeigte mir seine Auswahl an Krawatten. Die gestreiften und gepunkteten gefielen mir am besten.

(2) Superlative mit „am", nach denen mit „Wie?" gefragt werden kann, zum Beispiel:
Dieser Weg ist am steilsten (Frage: Wie ist der Weg?). *Dieser Stift schreibt am feinsten* (Frage: Wie schreibt dieser Stift?). *Der ICE fährt am schnellsten.*

E_1: Superlative mit „am" gehören zur regulären Flexion des Adjektivs; „am" ist in diesen Fügungen nicht in „an dem" auflösbar. Beispiele: *Dieser Weg ist steil – steiler – am steilsten. Dieser Stift schreibt fein – feiner – am feinsten.*

In Anlehnung an diese Fügungen kann man auch feste adverbiale Wendungen mit *aufs* oder *auf das*, die mit „Wie?" erfragt werden können, kleinschreiben, zum Beispiel:
Sie hat uns aufs/auf das herzlichste begrüßt (Frage: Wie hat sie uns begrüßt?). *Der Fall ließ sich aufs/auf das einfachste lösen.*

Superlative, nach denen mit „Woran?" („An was?") oder „Worauf?" („Auf was?") gefragt werden kann, schreibt man nach § 57 (1) groß, zum Beispiel:

Es fehlt ihnen am/an dem Nötigsten. (Frage: Woran fehlt es ihnen?) *Wir sind aufs/auf das Beste angewiesen.* (Frage: Worauf sind wir angewiesen?)

(3) bestimmte feste Verbindungen

(3.1) aus Präposition und nichtdekliniertem Adjektiv ohne vorangehenden Artikel, zum Beispiel:

Ich hörte von fern ein dumpfes Grollen. Die Pilger kamen von nah und fern. Die Ware wird nur gegen bar ausgeliefert. Die Mädchen hielten durch dick und dünn zusammen. Das wird sich über kurz oder lang herausstellen. Damit habe ich mich von klein auf beschäftigt.

Er hat die frei erfundene Geschichte für wahr gehalten. Man hat ihn für dumm vekauft. Sie hat sich die Argumentation zu eigen gemacht.

Das werde ich dir schwarz auf weiß beweisen. Die Stimmung war grau in grau.

(3.2) aus Präposition und dekliniertem Adjektiv ohne vorangehenden Artikel. In diesen Fällen ist jedoch auch die Großschreibung des Adjektivs zulässig, zum Beispiel:

Aus der Brandruine stieg von neuem/Neuem Rauch auf. Wir konnten das Feuer nur von weitem/Weitem betrachten. Der Fahrplan bleibt bis auf weiteres/Weiteres in Kraft. Unsere Pressesprecherin gibt Ihnen ohne weiteres/Weiteres Auskunft. Der Termin stand seit längerem/Längerem fest. Die Aufgabe wird binnen kurzem/Kurzem erledigt.

E₂: Substantivierungen, die auch ohne Präposition üblich sind, werden nach § 57 (1) auch dann großgeschrieben, wenn sie mit einer Präposition verbunden werden, zum Beispiel:
Die Historikerin beschäftigt sich mit dem Konflikt zwischen Arm und Reich. Das ist ein Fest für Jung und Alt. Sein Vorschlag war jenseits von Gut und Böse. (Vgl.: *Die Königin lud Arm und Reich ein. Das Fest gefiel Jung und Alt.*)
Die Ampel schaltete auf Rot. Wir liefern das Gerät in Grau (= in grauer Farbe). (Vgl.: *Das ist ein grelles Rot. Sie hasst Grau.*)

Mit Englisch kommst du überall durch. In Ostafrika verständigt man sich am besten auf Swahili oder Englisch. (Vgl.: *Bekanntlich ist Englisch eine Weltsprache. Sein Englisch war gut verständlich.*)

(4) Pronomen, auch wenn sie als Stellvertreter von Substantiven gebraucht werden, zum Beispiel:

In diesem Wald hat sich schon mancher verirrt. Ich habe mich mit diesen und jenen unterhalten. Wenn einer eine Reise tut, so kann er was erzählen. Das muss (ein) jeder mit sich selbst ausmachen. Wir haben alles mitgebracht. Sie hatten beides mitgebracht. Man muss mit (den) beiden reden.

Zur Großschreibung der Anredepronomen siehe § 65, § 66.

E₃: In Verbindung mit dem bestimmten Artikel oder dergleichen lassen sich Possessivpronomen auch als substantivische possessive Adjektive bestimmen, entsprechend kann man hier nach § 57 (1) auch großschreiben, zum Beispiel:
Grüß mir die deinen/Deinen (die deinigen/Deinigen)! Sie trug das ihre/Ihre (das ihrige/Ihrige) zum Gelingen bei. Jedem das seine/Seine!

(5) die folgenden Zahladjektive mit allen ihren Flexionsformen:

viel, wenig; (der, die, das) eine, (der, die, das) andere

Beispiele:

Das haben schon viele erlebt. Zum Erfolg trugen auch die vielen bei, die ohne Entgelt mitgearbeitet haben. Nach dem Brand war nur noch weniges zu gebrauchen. Sie hat das wenige, was noch da war, in eine Kiste versorgt. Die meisten haben diesen Film schon einmal gesehen. Die einen kommen, die anderen gehen. Was der eine nicht tut, soll der andere nicht lassen. Die anderen kommen später. Das können auch andere bestätigen. Alles andere erzähle ich dir später. Sie hatte noch anderes zu tun. Unter anderem wurde auch über finanzielle Angelegenheiten gesprochen.

E₄: Wenn der Schreibende zum Ausdruck bringen will, dass das Zahladjektiv substantivisch gebraucht ist, kann er es nach § 57 (1) auch großschreiben, zum Beispiel:
Sie strebte etwas ganz Anderes an. Die Einen sagen dies, die Anderen das. Die Meisten stimmten seiner Meinung zu.

(6) Kardinalzahlen unter einer Million, zum Beispiel:
Was drei wissen, wissen bald dreißig. Diese drei kommen mir bekannt vor. Sie rief um fünf an. Wir waren an die zwanzig. Er sollte die Summe durch acht teilen. Dieser Kandidat konnte nicht bis drei zählen. Wir fünf gehören zusammen. Der Abschnitt sieben fehlt im Text. Der Mensch über achtzig schätzt die Gesundheit besonders.

E₅: Wenn *hundert* und *tausend* eine unbestimmte (nicht in Ziffern schreibbare) Menge angeben, können sie auch auf die Zahlsubstantive *Hundert* und *Tausend* bezogen werden (vgl. § 55 (5)); entsprechend kann man sie dann klein- oder großschreiben, zum Beispiel:
Es kamen viele tausende/Tausende von Zuschauern. Sie strömten zu aberhunderten/Aberhunderten herein. Mehrere tausend/Tausend Menschen füllten das Stadion. Der Beifall zigtausender/Zigtausender von Zuschauern war ihr gewiss.

Entsprechend auch: *Der Stoff wird in einigen Dutzend/dutzend Farben angeboten. Der Fall war angesichts Dutzender/dutzender von Augenzeugen klar.*

2.3 Eigennamen mit ihren nichtsubstantivischen Bestandteilen sowie Ableitungen von Eigennamen

> **§ 59** Eigennamen schreibt man groß.

Eigennamen sind Bezeichnungen zur Identifizierung bestimmter einzelner Gegebenheiten (eine Person, ein Ort, ein Land, eine Institution usw.). Viele sind einfache, zusammengesetzte oder abgeleitete Substantive, zum Beispiel *Peter, Wien, Deutschland, Europa, Südamerika, Bahnhofstraße, Sigmaringen, Albrecht-Dürer-Allee, Ostsee-Zeitung.* Sie werden nach § 55 großgeschrieben. Daneben gibt es mehrteilige Eigennamen, die häufig auch nichtsubstantivische Bestandteile enthalten, zum Beispiel *Kap der Guten Hoffnung, Norddeutsche Neueste Nachrichten, Vereinigte Staaten von Amerika.* Im Folgenden wird die Groß- und Kleinschreibung dieser Gruppe von Eigennamen dargestellt.

> **§ 60** In mehrteiligen Eigennamen mit nichtsubstantivischen Bestandteilen schreibt man das erste Wort und alle weiteren Wörter außer Artikeln, Präpositionen und Konjunktionen groß.

E₁: Ein vorangestellter Artikel ist in der Regel nicht Bestandteil des Eigennamens und wird darum kleingeschrieben. Zu Ausnahmen siehe unten, Absatz (4.4).

Als Eigennamen im Sinne dieser orthografischen Regelung gelten:

(1) Personennamen, Eigennamen aus Religion, Mythologie sowie Beinamen, Spitznamen und dergleichen, zum Beispiel:
Johann Wolfgang von Goethe, Gertrud von Le Fort, Charles de Coster, Ludwig van Beethoven, der Apokalyptische Reiter, Walther von der Vogelweide, Holbein der Jüngere, der Alte Fritz, Katharina die Große, Heinrich der Achte, Elisabeth die Zweite; Klein Erna

Präpositionen wie *von, van, de, ten, zu(r)* in Personennamen schreibt man im Satzinnern auch dann klein, wenn ihnen kein Vorname vorausgeht, zum Beispiel:
Der Autor dieses Buches heißt von Ossietzky.

(2) Geografische und geografisch-politische Eigennamen, so

(2.1) von Erdteilen, Ländern, Staaten, Verwaltungsgebieten und dergleichen, zum Beispiel:

Vereinigte Staaten von Amerika, Freie und Hansestadt Hamburg (als Bundesland), *Tschechische Republik*

(2.2) von Städten, Dörfern, Straßen, Plätzen und dergleichen, zum Beispiel:

Neu Lübbenau, Groß Flatow, Rostock Lütten Klein, Unter den Linden, Lange Straße, In der Mittleren Holdergasse, Am Tiefen Graben, An den Drei Pfählen, Hamburger Straße, Neuer Markt

(2.3) von Landschaften, Gebirgen, Wäldern, Wüsten, Fluren und dergleichen, zum Beispiel:

Kahler Asten, Hohe Tatra, Holsteinische Schweiz, Schwäbische Alb, Bayerischer Wald, Libysche Wüste, Goldene Aue, Thüringer Wald

(2.4) von Meeren, Meeresteilen und -straßen, Flüssen, Inseln und Küsten und dergleichen, zum Beispiel:

Stiller Ozean, Indischer Ozean, Rotes Meer, Kleine Antillen, Großer Belt, Schweriner See, Straße von Gibraltar, Kapverdische Inseln, Kap der Guten Hoffnung

(3) Eigennamen von Objekten unterschiedlicher Klassen, so

(3.1) von Sternen, Sternbildern und anderen Himmelskörpern, zum Beispiel:

Kleiner Bär, Großer Wagen, Halleyscher Komet (auch: *Halley'scher Komet;* § 62)

(3.2) von Fahrzeugen, bestimmten Bauwerken und Örtlichkeiten, zum Beispiel:

die Vorwärts (Schiff), *der Blaue Enzian* (Eisenbahnzug), *der Fliegende Hamburger* (Eisenbahnzug), *die Blaue Moschee* (in Istanbul), *das Alte Rathaus* (in Leipzig), *der Französische Dom* (in Berlin), *die Große Mauer* (in China), *der Schiefe Turm* (in Pisa)

(3.3) von einzeln benannten Tieren, Pflanzen und gelegentlich auch von Einzelobjekten weiterer Klassen, zum Beispiel:

der Fliegende Pfeil (ein bestimmtes Pferd), *die Alte Eiche* (ein bestimmter Baum)

(3.4) von Orden und Auszeichnungen, zum Beispiel:

das Blaue Band des Ozeans, Großer Österreichischer Staatspreis für Literatur

(4) Eigennamen von Institutionen, Organisationen, Einrichtungen, so

(4.1) von staatlichen bzw. öffentlichen Dienststellen, Behörden und Gremien, von Bildungs- und Kulturinstitutionen und dergleichen, zum Beispiel:

Deutscher Bundestag, Statistisches Bundesamt, Mecklenburgisches Staatstheater Schwerin, Naturhistorisches Museum (in Wien), *Grünes Gewölbe* (in Dresden), *Klinik für Innere Medizin der Universität Rostock, Akademie für Alte Musik Berlin, Zweites Deutsches Fernsehen, Eidgenössische Technische Hochschule* (in Zürich)

(4.2) von Organisationen, Parteien, Verbänden, Vereinen und dergleichen, zum Beispiel:

Vereinte Nationen, Internationales Olympisches Komitee, Deutscher Gewerkschaftsbund, Sozialdemokratische Partei Deutschlands, Christlich-Demokratische Union, Allgemeiner Deutscher Automobilclub, Börsenverein des Deutschen Buchhandels, Österreichisches Rotes Kreuz

(4.3) von Betrieben, Firmen, Genossenschaften, Gaststätten, Geschäften und dergleichen, zum Beispiel:

Deutsche Bank, Österreichischer Raiffeisenverband, Bibliographisches Institut (in Mannheim), *Deutsche Bahn, Weiße Flotte, Hotel Vier Jahreszeiten, Gasthaus zur Neuen Post, Zum Goldenen Anker* (Gaststätte), *Salzburger Dombuchhandlung, Rheinisch-Westfälisches Elektrizitätswerk AG*

(4.4) von Zeitungen und Zeitschriften und dergleichen, zum Beispiel:
Berliner Zeitung, Sächsische Neueste Nachrichten, Deutsch als Fremdsprache, Dermatologische Monatsschrift, Die Zeit

Wird der Artikel am Anfang verändert, so schreibt man ihn klein, zum Beispiel:
Sie hat das in der Zeit gelesen.

(5) inoffizielle Eigennamen, Kurzformen sowie Abkürzungen von Eigennamen, zum Beispiel:
Schwarzer Kontinent, Ferner Osten, Naher Osten, Vereinigte Staaten, Hohes Haus

A. Müller, Astrid M., A. M. (= Astrid Müller), *J. W. v. Goethe; SPD* (= Sozialdemokratische Partei Deutschlands), *DGB* (= Deutscher Gewerkschaftsbund), *EU* (= Europäische Union), *SBB* (= Schweizerische Bundesbahnen), *ORF* (= Österreichischer Rundfunk)

(6) bestimmte historische Ereignisse und Epochen, zum Beispiel:
der Westfälische Frieden, der Deutsch-Französische Krieg 1870/1871, der Zweite Weltkrieg, die Goldenen Zwanziger

E$_2$: In einigen der oben genannten Namengruppen kann die Schreibung im Einzelfall abweichend festgelegt sein, zum Beispiel:
neue deutsche literatur, profil, konkret (Zeitschriften); *Akademie für Musik und darstellende Kunst „Mozarteum"; Zur letzten Instanz* (Gaststätte)

Zur Kennzeichnung der Namen von Zeitungen und Zeitschriften mit Anführungszeichen siehe § 94 (1).

§ 61 | Ableitungen von geografischen Eigennamen auf *-er* schreibt man groß.

Beispiele:
das Bad Krozinger Kurgebiet, die Berliner Bevölkerung, die Mecklenburger Landschaft, die New Yorker Kunstszene, der Schweizer Käse, das St. Galler/Sankt Galler Kloster

Zur Schreibung mit oder ohne Bindestrich siehe § 49 E.

§ 62 | Kleingeschrieben werden adjektivische Ableitungen von Eigennamen auf *-(i)sch,* außer wenn die Grundform eines Personennamens durch einen Apostroph verdeutlicht wird, ferner alle adjektivischen Ableitungen mit anderen Suffixen.

Beispiele:
die darwinsche/die Darwin'sche Evolutionstheorie, das wackernagelsche/Wackernagel'sche Gesetz, die goethischen/goetheschen/Goethe'schen Dramen, die bernoullischen/Bernoulli'schen Gleichungen

die homerischen Epen, das kopernikanische Weltsystem, die darwinistische Evolutionstheorie, tschechisches Bier, indischer Tee, englischer Stoff

mit eulenspiegelhaftem Schalk, eine kafkaeske Stimmung

Zur Schreibung mit Apostroph siehe auch Zeichensetzung, § 97 E.

Zur Schreibung mehrteiliger Ableitungen mit Bindestrich siehe § 49 E.

2.4 Feste Verbindungen aus Adjektiv und Substantiv

§ 63 | In substantivischen Wortgruppen, die zu festen Verbindungen geworden, aber keine Eigennamen sind, schreibt man Adjektive klein.

Beispiele:
das autogene Training, das neue Jahr, die höhere Mathematik, die graue Maus, die schöne Bescherung, das tolle Treiben, der bunte Hund

E: Bei Verbindungen mit einer neuen, idiomatisierten Gesamtbedeutung kann der Schreibende zur Hervorhebung dieses besonderen Gebrauchs das Adjektiv großschreiben, zum Beispiel:
das Schwarze Brett (= Anschlagtafel), *der Weiße Tod* (= Lawinentod)
Kleinschreibung des Adjektivs ist in diesen Fällen der Regelfall.

> **§ 64** In bestimmten substantivischen Wortgruppen werden Adjektive großgeschrieben, obwohl keine Eigennamen vorliegen.

Dies betrifft

(1) Titel, Ehrenbezeichnungen, bestimmte Amts- und Funktionsbezeichnungen, zum Beispiel:
der Heilige Vater, der Regierende Bürgermeister, die Königliche Hoheit, der Technische Direktor

(2) besondere Kalendertage, zum Beispiel:
der Heilige Abend, der Internationale Frauentag, der Erste Mai

(3) fachsprachliche Bezeichnungen bestimmter Klassifizierungseinheiten, so von Arten, Unterarten oder Rassen in der Botanik und Zoologie, zum Beispiel:
Fleißiges Lieschen, Grüner Veltliner, Roter Milan, Schwarze Witwe

E: Die Großschreibung von Adjektiven, die mit dem Substantiv zusammen für eine begriffliche Einheit stehen, ist auch in Fachsprachen außerhalb der Biologie und bei Verbindungen mit terminologischem Charakter belegt, zum Beispiel:
Gelbe Karte, Goldener Schnitt, Kleine Anfrage; Erste Hilfe
In manchen Fachsprachen wird demgegenüber die Kleinschreibung bevorzugt, zum Beispiel:
eiserne Lunge, grauer Star, seltene Erden

2.5 Anredepronomen und Anreden

> **§ 65** Das Anredepronomen *Sie* und das entsprechende Possessivpronomen *Ihr* sowie die zugehörigen flektierten Formen schreibt man groß.

Beispiele:
Würden Sie mir helfen? Wie geht es Ihnen? Ist das Ihr Mantel? Bestehen Ihrerseits Bedenken gegen den Vorschlag?

E_1: Großschreibung gilt auch für ältere Anredeformen wie: *Habt Ihr es Euch überlegt, Fürst von Gallenstein? Johann, führe Er die Gäste herein.*

E_2: In Anreden und Titeln wie *Seine Majestät, Eure Exzellenz, Eure Magnifizenz* schreibt man das Pronomen ebenfalls groß.

> **§ 66** Die Anredepronomen *du* und *ihr*, die entsprechenden Possessivpronomen *dein* und *euer* sowie das Reflexivpronomen *sich* schreibt man klein.

Beispiele:
Würdest du mir helfen? Hast du dich gut erholt? Haben Sie sich schon angemeldet?

E: In Briefen können die Anredepronomen *du* und *ihr* mit ihren Possessivpronomen auch großgeschrieben werden:

Lieber Freund,
ich schreibe dir/Dir diesen Brief und schicke dir/Dir eure/Eure Bilder ...

E Zeichensetzung

0 Vorbemerkungen

(1) Die Satzzeichen sind Grenz- und Gliederungszeichen. Sie dienen insbesondere dazu, einen geschriebenen Text übersichtlich zu gestalten und ihn dadurch für den Lesenden überschaubar zu machen. Zudem kann der Schreibende mit den Satzzeichen besondere Aussageabsichten oder Einstellungen zum Ausdruck bringen oder stilistische Wirkungen anstreben.

Zu unterscheiden sind Satzzeichen
– zur Kennzeichnung des Schlusses von Ganzsätzen: Punkt, Ausrufezeichen, Fragezeichen
– zur Gliederung innerhalb von Ganzsätzen: Komma, Semikolon, Doppelpunkt, Gedankenstrich, Klammern
– zur Anführung von Äußerungen oder Text-

stellen bzw. zur Hervorhebung von Wörtern oder Textteilen: Anführungszeichen

(2) Daneben dienen bestimmte Zeichen
– zur Markierung von Auslassungen: Apostroph, Ergänzungsstrich, Auslassungspunkte
– zur Kennzeichnung der Wörter bestimmter Gruppen: Punkt nach Abkürzungen bzw. Ordinalzahlen, Schrägstrich

1 Kennzeichnung des Schlusses von Ganzsätzen

Der Kennzeichnung des Schlusses von Ganzsätzen dienen:
– der Punkt
– das Ausrufezeichen
– das Fragezeichen
Ganzsätze im Sinne dieser orthografischen Regelung zeigen Beispiele wie:
Gestern hat es geregnet. Du kommst bitte morgen! Hat er das wirklich gesagt? Im Hausflur war es still, ich drückte erwartungsvoll auf die Klingel. Ich hoffe, dass wir uns bald wiedersehen. Meine Freundin hatte den Zug versäumt; deshalb kam sie eine halbe Stunde zu spät.
Niemand kannte ihn. Auch der Gärtner nicht. Bitte die Türen schließen und Vorsicht bei der Abfahrt des Zuges! Ob er heute kommt? Nein, morgen. Warum nicht? Gute Reise! Hilfe!

Zu den Zeichen in Verbindung mit Gedankenstrich oder Klammern siehe § 85 bzw. § 88.

Zu den Zeichen bei wörtlich Wiedergegebenem siehe § 90.

Zum Gedankenstrich zwischen zwei Ganzsätzen siehe § 83.

> **§ 67** Mit dem Punkt kennzeichnet man den Schluss eines Ganzsatzes.

Ich habe ihn gestern gesehen. Sie kommt morgen. Das Kind weinte, weil es seinen Schlüssel verloren hatte.
Wir sehen nach, was Paul macht. Sie habe ihn gestern gesehen, behauptete sie. Sie forderte ihn auf die Wohnung sofort zu verlassen. Ich wünschte, die Prüfung wäre vorbei. Sie fragte ungeduldig, ob er endlich käme. Der Redner stellte die Frage, wie es nach diesen Umweltschäden weitergehen solle.
Im Hausflur war es still. Ich drückte erwartungsvoll auf die Klingel.

E_1: Wenn aber als mehrteiliger Ganzsatz verstanden, entsprechend § 71 (1) bzw. § 80 (1) mit Komma oder Semikolon:
Im Hausflur war es still, ich drückte erwartungsvoll auf die Klingel.
Im Hausflur war es still; ich drückte erwartungsvoll auf die Klingel.

E_2: Bei Aufforderungen, denen man keinen besonderen Nachdruck geben will, setzt man einen Punkt und kein Ausrufezeichen (hierzu siehe § 69):
Rufen Sie bitte später noch einmal an. Nehmen Sie doch Platz. Vgl. S. 25 seiner letzten Veröffentlichung.

E_3: In den folgenden Fällen setzt man keinen Punkt:
– am Ende von freistehenden Zeilen (siehe § 68)
– am Ende einer kolumnenartigen Aufzählung ohne schließende Satzzeichen (siehe § 71 E_2)
– am Ende von Parenthesen (mit Gedankenstrich siehe § 85, mit Klammern siehe § 88)
– bei wörtlich Wiedergegebenem am Anfang oder im Inneren von Ganzsätzen (siehe § 92)
– nach Auslassungspunkten (siehe § 100)
– nach Punkt zur Kennzeichnung von Abkürzungen (siehe § 103) und Ordinalzahlen (siehe § 105)

> **§ 68** Nach freistehenden Zeilen setzt man keinen Punkt.

Dies betrifft unter anderem

(1) Überschriften und Werktitel (etwa von Büchern und Theaterstücken, Werken der

Bildenden Kunst und der Musik, Rundfunk- und Fernsehproduktionen):

Allmähliche Normalisierung im Erdbebengebiet

Schneeverwehungen behindern Autoverkehr

Chance für eine diplomatische Lösung

Einführung in die höhere Mathematik

Der kaukasische Kreidekreis

Die Zauberflöte

Zum Ausrufezeichen siehe § 69 E$_2$ (1); zum Fragezeichen siehe § 70 E$_2$.

(2) Titel von Gesetzen, Verträgen, Deklarationen und dergleichen sowie Bezeichnungen für Veranstaltungen:

Bundesgesetz über den Straßenverkehr

Konferenz über Sicherheit und Zusammenarbeit in Europa

Internationaler Ärztekongress

(3) Anschriften und Datumszeilen sowie Grußformeln und Unterschriften etwa in Briefen:

Werner Meier   Donnerstag, 16. Februar 2006

Gerichtsweg 12

04103 Leipzig

Herrn Rudolf Schröder

Rüdesheimer Str. 29

62123 Wiesbaden

Sehr geehrter Herr Schröder,

entsprechend unserer telefonischen Vereinbarung ...

...

Mit freundlichen Grüßen

Ihr Werner Meier

Zur Zeichensetzung bei der Anrede etwa in Briefen siehe § 69 E$_3$.

---

§ 69 Mit dem Ausrufezeichen gibt man dem Inhalt des Ganzsatzes einen besonderen Nachdruck wie etwa bei nachdrücklichen Behauptungen, Aufforderungen, Grüßen, Wünschen oder Ausrufen.

Ich habe ihn gestern bestimmt gesehen!

Komm bitte morgen! Du kommst morgen!

Lasst uns keine Zeit verlieren! Du musst die Arbeit abgeben, weil morgen der letzte Termin ist!

Seht nach, was Paul macht! Sehen Sie nur, wie schön die Aussicht ist! Bitte fordern Sie ihn auf die Wohnung sofort zu verlassen! Frag ihn, ob er kommt!

Ruhe! Bitte nicht stören! Zurücktreten! Bitte die Türen schließen und Vorsicht bei der Abfahrt des Zuges! Guten Morgen! Hoffentlich sehen wir uns bald wieder! Wäre nur die Prüfung erst einmal vorbei! Wenn ich dich noch einmal erwische, kannst du was erleben! Das ist ja großartig! Welch ein Glück! Au! Das tut weh! Nein! Nein!

Zum Punkt nach Aufforderungen ohne besonderen Nachdruck siehe § 67 E$_2$.

E$_1$: Wenn aber als mehrteiliger Ganzsatz oder als Teile einer Aufzählung verstanden, entsprechend § 71 mit Komma (siehe auch § 79 (2) und (3)):

Das ist ja großartig, welch ein Glück! Au, das tut weh! Nein, nein!

E$_2$: Zur Kennzeichnung eines besonderen Nachdrucks setzt man auch nach freistehenden Zeilen ein Ausrufezeichen.

Dies betrifft

(1) Überschriften und Werktitel:

Chance für eine diplomatische Lösung!

Kämpft für den Frieden!

Endlich!

Zum Punkt siehe § 68 (1); zum Fragezeichen siehe § 70 E$_2$.

(2) die Anrede:

Sehr geehrter Herr Präsident! Meine Damen und Herren!

E$_3$: Nach der Anrede etwa in Briefen kann man ein Ausrufezeichen oder entsprechend § 79 (1) ein Komma setzen:

Sehr geehrter Herr Schröder!

Entsprechend unserer telefonischen Vereinbarung ...

Sehr geehrter Herr Schröder,
entsprechend unserer telefonischen Vereinba-
rung ...

In der Schweiz auch ohne Zeichen am Ende:
Sehr geehrter Herr Schröder
Entsprechend unserer telefonischen Vereinba-
rung ...

> **§ 70** Mit dem Fragezeichen kennzeichnet man
> den Ganzsatz als Frage.

Hast du ihn gestern gesehen? Wann kommst
du? Kommst du wirklich morgen? Ob er mor-
gen kommt? Soll er ihm einen Brief schreiben
oder ist es besser, dass er ihn anruft?
Habt ihr nachgesehen, was Paul macht?
Sehen Sie, wie schön die Aussicht ist? Haben
Sie ihn aufgefordert die Wohnung sofort
zu verlassen? Hat er gefragt, ob Fritz
kommt?
Warst du im Kino? In welchem Film? Dein
Freund war auch mit? Was möchtet ihr trin-
ken: Bier, Wein oder Apfelmost? Ist das nicht
großartig? Ist das nicht ein Glück? Warum?
Weshalb? Weswegen?

E$_1$: Wenn aber als mehrteiliger Ganzsatz oder
als Teile einer Aufzählung verstanden, entsprechend § 71 mit Komma:
Ist das nicht großartig, ist das nicht ein Glück?
Warum, weshalb, weswegen?

E$_2$: Zur Kennzeichnung einer Frage setzt man
auch nach freistehenden Zeilen, zum Beispiel
nach Überschriften und Werktiteln, ein Fragezeichen:
Chance für eine diplomatische Lösung?
Wo warst du, Adam?
Quo vadis?

Zum Punkt siehe § 68 (1); zum Ausrufezeichen
siehe § 69 E$_2$.

2 Gliederung innerhalb von Ganzsätzen

(1) Der Gliederung des Ganzsatzes dienen
die folgenden Satzzeichen:

– das Komma
– das Semikolon
– der Doppelpunkt
– der Gedankenstrich
– die Klammern

Zu den Auslassungspunkten siehe § 99 bis § 100.

(2) Das Komma wird sowohl einfach als
auch paarig gebraucht:
Er trug einen schwarzen, breitkrempigen
Hut. Seine Kopfbedeckung, ein schwarzer
und breitkrempiger Hut, lag auf dem Tisch.
Dasselbe gilt für den Gedankenstrich.
Nur paarig werden die Klammern
gebraucht, nur einfach das Semikolon und
der Doppelpunkt.

(3) Manchmal kann man zwischen verschiedenen Zeichen wählen:
Im Hausflur war es still, ich drückte erwar-
tungsvoll auf die Klingel.
Im Hausflur war es still; ich drücke
erwartungsvoll auf die Klingel.
Im Hausflur war es still – ich drückte
erwartungsvoll auf die Klingel.

Zur stärkeren Abgrenzung kann man entsprechend § 67 auch einen Punkt setzen:
Im Hausflur war es still. Ich drückte erwartungs-
voll auf die Klingel.

Eines Tages, es war mitten im Sommer,
hagelte es. Eines Tages – es war mitten im
Sommer – hagelte es. Eines Tages (es war
mitten im Sommer) hagelte es.

2.1 Komma

> **§ 71** Gleichrangige (nebengeordnete) Teilsätze,
> Wortgruppen oder Wörter grenzt man mit
> Komma voneinander ab.

Dies betrifft (siehe aber § 72)

(1) gleichrangige Teilsätze:
Im Hausflur war es still, ich drückte erwar-

tungsvoll auf die Klingel. Die Musik wird leiser, der Vorhang hebt sich, das Spiel beginnt. Er dachte angestrengt nach, aber ihr Name fiel ihm nicht ein. Ich wollte ihm helfen, doch er ließ es nicht zu. Ich wollte ihm helfen, er ließ es jedoch nicht zu. Das ist ja großartig, welch ein Glück! Ist das nicht großartig, ist das nicht ein Glück?

Zur Möglichkeit der Wahl zwischen Komma, Semikolon oder Punkt siehe § 80 (1).

Er log beharrlich, er wisse von nichts, er sei es nicht gewesen. Wenn das wahr ist, wenn du ihn wirklich nicht gesehen hast, brauchst du dir keine Vorwürfe zu machen. Er erkundigte sich, was es Neues gebe, ob Post gekommen sei. Dass sie ihn nicht nur übersah, sondern dass sie auch noch mit anderen flirtete, kränkte ihn sehr.

(2) gleichrangige Wortgruppen oder Wörter in Aufzählungen:
Der Nachbar hatte versprochen den Briefkasten zu leeren, die Blumen zu gießen, hin und wieder zu lüften. Völlig erschöpft, hungrig und frierend, vom Regen durchnässt kamen sie nach Hause. Er hat nicht behauptet in Berlin gewesen zu sein, sondern in Mainz seinen Onkel besucht zu haben. Sie ärgerte sich ständig über ihren Mann, über die Kinder, über die Hausbewohner.

Er trug einen schwarzen, breitkrempigen Hut. Das ist ein ausgesprochen süßes, widerlich klebriges Getränk. (Siehe aber unten E₁.)

Zu Fällen wie den folgenden siehe § 77 (4): *Auf der Ausstellung waren viele ausländische, insbesondere holländische Firmen vertreten. Als er sein Herz ausgeschüttet, das heißt alles erzählt hatte, fühlte er sich besser.*

Die Buchstaben x, y, z bilden den Schluss des Alphabets. Frühling, Sommer, Herbst, Winter. Er fährt nicht mit dem Auto, sondern mit dem Zug. Er ist klug, (dabei) aber faul. Einerseits ist er klug, andererseits faul. Der März

war teils freundlich, teils regnerisch, aber im Ganzen zu kalt. Sie lächelte halb verlegen, halb belustigt.

Nein, nein! Warum, weshalb, weswegen?

Zum Ausrufe- oder Fragezeichen siehe § 69 bzw. § 70.
Zum Komma bei mehrteiligen Orts-, Wohnungs-, Zeit- und Literaturangaben siehe § 77 (3).

E₁: Sind zwei Adjektive nicht gleichrangig, so setzt man kein Komma.
die letzten großen Ferien, eine neue blaue Bluse, dunkles bayerisches Bier, die allgemeine wirtschaftliche Lage, zahlreiche wertende Stellungnahmen

Gelegentlich kann der Schreibende dadurch, dass er ein Komma setzt oder nicht, deutlich machen, ob er die Adjektive als gleichrangig verstanden wissen will oder nicht.

Gleichrangig: *neue, umweltfreundliche Verfahren* (neben den bisherigen Verfahren, die nicht umweltfreundlich sind, gibt es nunmehr neue und umweltfreundliche Verfahren)

Nicht gleichrangig: *neue umweltfreundliche Verfahren* (zusätzlich zu den bisherigen umweltfreundlichen Verfahren gibt es weitere umweltfreundliche Verfahren)

E₂: Das Komma (und gegebenenfalls der Schlusspunkt) kann in kolumnenartigen Aufzählungen fehlen,
zum Beispiel:
Unser Sonderangebot:
– Äpfel
– Birnen
– Orangen

§ 72 Sind die gleichrangigen Teilsätze, Wortgruppen oder Wörter durch *und, oder, beziehungsweise/bzw., sowie* (= und), *wie* (= und), *entweder … oder, nicht … noch, sowohl … als (auch), sowohl … wie (auch)* oder durch *weder … noch* verbunden, so setzt man kein Komma.

Dies betrifft

(1) gleichrangige Teilsätze (siehe aber § 73):
Die Musik wird leiser und der Vorhang hebt

sich und das Spiel beginnt. Ich habe sie oft besucht und wir saßen bis spät in die Nacht zusammen. Seid ihr mit meinem Vorschlag einverstanden oder habt ihr Einwände vorzubringen?

Sie wisse Bescheid und der Vorgang sei ihr völlig klar, sagte sie. Er erkundigte sich, was es Neues gebe und ob Post gekommen sei. Alle wollten wissen, wie es gewesen war und warum es so lange gedauert hatte. Ich hoffe, dass es dir gefällt und dass du zufrieden bist.

(2) gleichrangige Wortgruppen oder Wörter in Aufzählungen:
Der Nachbar hatte versprochen den Briefkasten zu leeren und die Blumen zu gießen und hin und wieder zu lüften. Völlig erschöpft und vom Regen durchnässt kamen sie nach Hause.
Sie fährt sowohl bei gutem als auch bei schlechtem Wetter. Der März war kalt und unfreundlich. Das ist ein ausgesprochen süßes sowie widerlich klebriges Getränk. Feuer, Wasser, Luft und Erde.
Sie fährt entweder mit dem Auto oder mit dem Zug. Er ist klug und dabei faul. Nein und abermals nein! Wie und warum und wozu?

E_1: Ein Komma vor *und* usw. kann dadurch begründet sein, dass mit ihm entsprechend § 74 ein Nebensatz, entsprechend § 77 ein Zusatz oder Nachtrag bzw. entsprechend § 93 ein wörtlich wiedergegebener Satz abgeschlossen wird:
Er sagte, dass er morgen komme, und verabschiedete sich. Mein Onkel, ein großer Tierfreund, und seine Katzen leben in einer alten Mühle. Sie fragte: „Brauchen Sie die Unterlagen?", und öffnete die Schublade.

E_2: Bei entgegenstellenden Konjunktionen wie *aber, doch, jedoch, sondern* steht nach der Grundregel (§ 71) ein Komma, wenn sie zwischen gleichrangigen Wörtern oder Wortgruppen stehen:
Sie fährt nicht nur bei gutem, sondern auch bei schlechtem Wetter. Der März war sonnig, aber kalt. Er hat mir ein süßes, jedoch wohlschmeckendes Getränk eingeschenkt.

> **§ 73** Bei der Reihung von selbständigen Sätzen, die durch *und, oder, beziehungsweise/bzw.*, *entweder – oder, nicht – noch* oder durch *weder – noch* verbunden sind, kann man ein Komma setzen, um die Gliederung des Ganzsatzes deutlich zu machen.

Das Feuer brannte endlich(,) und sie machten es sich gemütlich. Hast du ihn angerufen(,) oder wirst du es erst am Sonntag tun? Dem Täter ist die Flucht ins Ausland gelungen(,) bzw. er versteckt sich. Entweder du kommst(,) oder du schreibst einen Brief. Nicht einmal ein Dank kam von seinen Lippen(,) noch fand er sonst wohlwollende Worte. Weder schrieb er einen Brief(,) noch kam er selbst.
Ich fotografierte die Berge(,) und meine Frau lag in der Sonne. Er traf sich mit meiner Schwester(,) und deren Freundin war auch mitgekommen. Wir warten auf euch(,) oder die Kinder gehen schon voraus.

> **§ 74** Nebensätze grenzt man mit Komma ab; sind sie eingeschoben, so schließt man sie mit paarigem Komma ein.

Am Anfang des Ganzsatzes:
Was ich anfangen soll, weiß ich nicht. Als wir nach Hause kamen, war es schon spät. Dass es dir wieder besser geht, freut mich sehr. Obwohl schlechtes Wetter war, suchten wir die Ostereier im Garten. Ist dir der Weg zu weit, kannst du mit dem Bus fahren. Er komme morgen, sagte er. Als er sich niederbeugte, weil er ihre Tasche aufheben wollte, stießen sie mit den Köpfen zusammen.
Eingeschoben:
Das Buch, das ich dir mitgebracht habe, liegt auf dem Tisch. Seine Annahme, dass Peter käme, erfüllte sich nicht. Sie konnte, wenn sie wollte, äußerst liebenswürdig sein. Er sagte, dass er morgen komme, und verabschiedete sich. Er sagte, er komme morgen, und verabschiedete sich.

Am Ende des Ganzsatzes:

Ich weiß nicht, was ich anfangen soll. Sie beobachtete die Kinder, die auf der Wiese ihre Drachen steigen ließen. Gestern traf ich eine Freundin, von der ich lange nichts mehr gehört hatte. Das Kind weinte, weil es seinen Schlüssel verloren hatte. Ich hätte nie gedacht, dass du mich so enttäuschen würdest. Sie sah gesünder aus, als sie sich fühlte. Seine Tochter war ebenso rothaarig, wie er es als Kind gewesen war. Sie sagte, sie komme morgen. Er war zu klug, als dass er in die Falle gegangen wäre, die man ihm gestellt hatte.

E_1: Besteht die Einleitung eines Nebensatzes aus einem Einleitewort und weiteren Wörtern, so gilt:

(1) Man setzt das Komma vor die ganze Wortgruppe:

Ich habe sie selten besucht, aber wenn ich bei ihr war, saßen wir bis spät in die Nacht zusammen. Er rannte, als ob es um sein Leben ginge, über die Straße. Sie rannte, wie wenn es um ihr Leben ginge. Ein Passant hatte bereits Risse in den Pfeilern der Brücke bemerkt, zwei Tage bevor sie zusammenbrach.

(2) In einigen Fällen kann der Schreibende zusätzlich ein Komma zwischen den Bestandteilen der Wortgruppe setzen:

Morgen wird es regnen, angenommen(,) dass der Wetterbericht stimmt. Wir fahren morgen, ausgenommen(,) wenn es regnet. Ich glaube nicht, dass er anruft, geschweige(,) dass er vorbeikommt. Ich glaube nicht, dass er anruft, geschweige denn(,) dass er vorbeikommt. Ich komme morgen, gleichviel(,) ob er es will oder nicht. Ich werde ihnen gegenüber abweisend oder entgegenkommend sein, je nachdem(,) ob sie hartnäckig oder sachlich sind. Egal(,) welche Farbe sie sich aussucht, sie wird immer gut aussehen.

(3) Der Schreibende kann durch das Komma deutlich machen, ob er Wörter als Bestandteil der Nebensatzeinleitung verstanden wissen will oder nicht:

Ich freue mich, auch wenn du mir nur eine Karte schreibst. Ich freue mich auch, wenn du mir nur eine Karte schreibst. Die Rehe bemerkten ihn,

gleich als er sein Versteck verließ. Die Rehe bemerkten ihn gleich, als er sein Versteck verließ. Er ärgerte sich zeitlebens, so dass er schon früh graue Haare bekam. Er ärgerte sich zeitlebens so, dass er schon früh graue Haare bekam. Sie sorgt sich um ihn, vor allem(,) wenn er nachts unterwegs ist. Sie sorgt sich um ihn vor allem, wenn er nachts unterwegs ist.

E_2: Wenn eine beiordnende Konjunktion wie *und, oder* (§ 72) Satzglieder oder Teile von Satzgliedern mit Nebensätzen verbindet, so steht zwischen den Bestandteilen einer solchen Reihung kein Komma. Gegenüber dem übergeordneten Satz sind die Teile der Reihung nur dann mit Komma abgetrennt, wenn der Nebensatz anschließt, nicht aber, wenn das Satzglied bzw. ein Teil eines Satzgliedes anschließt:

Außerordentlich bedauert hat er diesen Vorfall und dass das hier geschehen konnte.
Bei großer Dürre oder wenn der Föhn weht, ist das Rauchen hier streng verboten.
Wenn der Föhn weht oder bei großer Dürre ist das Rauchen hier streng verboten.
Das Rauchen ist hier streng verboten bei großer Dürre oder wenn der Föhn weht.
Das Rauchen ist hier streng verboten, wenn der Föhn weht oder bei großer Dürre.

E_3: Vergleiche mit *als* oder *wie* in Verbindung mit einer Wortgruppe oder einem Wort sind keine Nebensätze; entsprechend setzt man kein Komma (zu *wie* siehe auch § 78 (2)):

Früher als gewöhnlich kam er von der Arbeit nach Hause. Wie im letzten Jahr hatten wir auch diesmal einen schönen Herbst. Er kam früher als gewöhnlich von der Arbeit nach Hause. Er kam wie am Vortage auch heute zu spät. Peter ist größer als sein Vater. Heute war er früher da als gestern. Das ging schneller als erwartet. Er ist genauso groß wie sie.

---

§ 75 Infinitivgruppen grenzt man mit Komma ab, wenn eine der folgenden Bedingungen erfüllt ist:

---

(1) die Infinitivgruppe ist mit *um, ohne, statt, anstatt, außer, als* eingeleitet:
Sie öffnete das Fenster, um frische Luft hereinzulassen. Das Kind rannte, ohne auf den Verkehr zu achten, über die Straße. Statt

am Bericht zu arbeiten, vergnügte sich Herbert mit Computerspielchen. Ihr fiel nichts Besseres ein, als zu kündigen. Ihre Forderung, um das noch einmal zu sagen, halten wir für wenig angemessen (siehe auch § 77 (1)). *Er, ohne den Vertrag vorher gesehen zu haben, hatte ihn sofort unterschrieben* (siehe auch § 77 (6)).

(2) die Infinitivgruppe hängt von einem Substantiv ab:
Er wurde beim Versuch, den Tresor zu knacken, vom Nachtwächter überrascht. Er fasste den Plan, heimlich abzureisen.

(3) die Infinitivgruppe hängt von einem Korrelat oder einem Verweiswort ab (siehe § 77(5)):
Anita liebt es, lange auszuschlafen. Werner hat es nie bereut, diese Ausbildung gemacht zu haben. Es missfällt mir, diesen Vertrag zu unterzeichnen. René hat nicht damit gerechnet, doch noch zu gewinnen, und strahlte über das ganze Gesicht.

Lange auszuschlafen, das liebt Anita sehr. Doch noch zu gewinnen, damit hat René nicht gerechnet. Damit, doch noch zu gewinnen, hat René nicht gerechnet.

E_1: Wenn ein bloßer Infinitiv vorliegt, können in den Fallgruppen (2) und (3) die Kommas weggelassen werden, sofern keine Missverständnisse entstehen:
Den Plan(,) abzureisen(,) hatte sie schon lange gefasst. Die Angst(,) zu fallen(,) lähmte seine Schritte. Thomas dachte nicht daran(,) zu gehen.

E_2: In den Fällen, die nicht durch § 75 (1) bis (3) geregelt sind, kann ein Komma gesetzt werden, um die Gliederung deutlich zu machen bzw. um Missverständnisse auszuschließen. Dasselbe gilt für Partizip-, Adjektiv- und entsprechende Wortgruppen (siehe § 77 (7) und § 78 (3)).

> **§ 76** Bei formelhaften Nebensätzen kann man das Komma weglassen.

Wie bereits gesagt(,) verhält sich die Sache anders. Ich komme(,) wenn nötig(,) bei dir noch vorbei.

> **§ 77** Zusätze oder Nachträge grenzt man mit Komma ab; sind sie eingeschoben, so schließt man sie mit paarigem Komma ein.

Möglich sind in bestimmten Fällen auch Gedankenstrich (siehe § 84) oder Klammern (siehe § 86); mit diesen Zeichen kennzeichnet man stärker, dass man etwas als Zusatz oder Nachtrag verstanden wissen will.

Dies betrifft (1) Parenthesen, (2) Substantivgruppen als Nachträge (Appositionen), (3) Orts-, Wohnungs-, Zeit- und Literaturangaben ohne Präposition, (4) Erläuterungen, (5) angekündigte Wörter oder Wortgruppen, (6) Infinitivgruppen und (7) Partizip- oder Adjektivgruppen.

(1) Parenthesen:
Eines Tages, es war mitten im Sommer, hagelte es. Dieses Bild, es ist das letzte und bekannteste des Künstlers, wurde nach Amerika verkauft. Ihre Forderung, um das noch einmal zu sagen, halten wir für wenig angemessen.

Zum Gedankenstrich oder zu Klammern siehe § 84 (1) bzw. § 86 (1).

(2) Substantivgruppen als Nachträge (Appositionen), insbesondere auch Titel, Berufsbezeichnungen und dergleichen in Verbindung mit Eigennamen:
Mein Onkel, ein großer Tierfreund, und seine Katzen leben in einer alten Mühle. Wir gingen in die Hütte, einen kalten Raum mit kleinen Fenstern. Wir gingen in die Hütte, einen kalten Raum mit kleinen Fenstern, und zündeten ein Feuer an. Walter Gerber, Mannheim, und Anita Busch, Berlin, verlobten sich letzte Woche.

Mainz ist die Geburtsstadt Johannes Gutenbergs, des Erfinders der Buchdruckerkunst. Johannes Gutenberg, der Erfinder der Buchdruckerkunst, wurde in Mainz geboren. Professor Dr. med. Max Müller, Direktor der Kinderklinik, war unser Gesprächspartner. Franz Meier, der Angeklagte, verweigerte die Aussage. Gertrud Patzke, Hebamme des Dorfes, wurde 60 Jahre alt.

Zum Gedankenstrich oder zu Klammern siehe § 84 (2) bzw. § 86 (2).

E_1: Folgt der Eigenname einem Titel, einer Berufsbezeichnung und dergleichen, so kann man nach § 78 (4) das Komma weglassen:

Der Erfinder der Buchdruckerkunst(,) Johannes Gutenberg(,) wurde in Mainz geboren.

E_2: Bestandteile von mehrteiligen Eigennamen und vorangestellte Titel ohne Artikel sind keine Zusätze oder Nachträge; entsprechend setzt man kein Komma.
Wilhelm der Eroberer unterwarf ganz England. Direktor Professor Dr. med. Max Müller führte uns durch die Klinik.
Frau Schmidt geb. Kühn hat dies mitgeteilt.
Nach der Grundregel (§ 77) auch mit Komma: *Frau Schmidt, geb. Kühn, hat dies mitgeteilt.*

(3) Mehrteilige Orts-, Wohnungs-, Zeit- und Literaturangaben ohne Präposition (das schließende Komma kann hier auch weggelassen werden):
Orts-, Wohnungs- und Zeitangaben:
Gustav Meier, Wiesbaden, Wilhelmstr. 24, 1. Stock(,) hat diese Annonce aufgegeben.
Gabi Schmid, Berlin, Landsberger Allee 209, 3. Stock(,) gewann eine Reise in den Harz.
Aber: *Gabi hat lange in Köln am Kirchplatz 4 gewohnt.*
Die Tagung soll Mittwoch, (den) 14. November(,) beginnen. Die Tagung soll am Mittwoch, dem 14. November(,) beginnen. Die Tagung soll am Mittwoch, dem 14. November, (um) 9.00 Uhr(,) im Rosengarten beginnen.

Mehrteilige Hinweise auf Stellen aus Büchern, Zeitschriften und dergleichen:
Die Zeitschrift Spektrum, Jahrgang 29, Heft 2, S. 134(,) hat darüber berichtet. In der Zeitschrift Spektrum, Jahrgang 29, Heft 2, S. 134(,) findet sich ein entsprechendes Zitat.

Ausnahme: In mehrteiligen Hinweisen auf Gesetze, Verordnungen und dergleichen setzt man kein Komma:
§ 6 Abs. 2 Satz 3 der Verordnung

(4) Nachgestellte Erläuterungen, die häufig mit *also, besonders, das heißt (d. h.), das ist (d. i.), genauer, insbesondere, nämlich, und das, und zwar, vor allem, zum Beispiel (z. B.)* oder dergleichen eingeleitet werden:
Sie isst gern Obst, besonders Apfelsinen und Bananen. Obst, besonders Apfelsinen und Bananen, isst sie gern. Wir erwarten dich nächste Woche, und zwar am Dienstag. Nachmittags kommt Gewitterneigung auf, vor allem im Süden. Mit einem Scheck über 2 000 €, in Worten: zweitausend Euro, hat er die Rechnung bezahlt. Sie bezahlte mit einem Scheck über 2 000 €, in Worten: zweitausend Euro.

Auf der Ausstellung waren viele ausländische Firmen, insbesondere holländische [Maschinenhersteller/Firmen], vertreten. Wir erwarten dich nächste Woche, das heißt vielleicht auch übernächste [Woche], zu einem Gespräch. Als sie ihr Herz ausgeschüttet hatte, das heißt alles erzählt hatte, fühlte sie sich besser.

Wird – im Unterschied zu den letztgenannten Beispielen – die Erläuterung in die substantivische oder verbale Fügung einbezogen, so grenzt man sie mit einfachem Komma ab:
Auf der Ausstellung waren viele ausländische, insbesondere holländische Firmen vertreten. Wir erwarten dich nächste, das heißt vielleicht auch übernächste Woche zu einem Gespräch. Er wird sein Herz ausgeschüttet, das heißt alles erzählt haben.

Zum Gedankenstrich oder zu Klammern siehe § 84 (3) bzw. § 86 (3).

(5) Wörter oder Wortgruppen, die durch ein hinweisendes Wort oder eine hinweisende Wortgruppe angekündigt werden:
Sie, die Gärtnerin, weiß das ganz genau. Wir beide, du und ich, wissen es genau.
Daran, den Job länger zu behalten, dachte sie nicht. Sie dachte nicht daran, den Job länger zu behalten, und kündigte. Sein größter Wunsch ist es, eine Familie zu gründen. Dies, eine Familie zu gründen, ist sein größter Wunsch.
So, aus vollem Halse lachend, kam sie auf mich zu. So, mit dem Rucksack bepackt, standen wir vor dem Tor. So bepackt, den Rucksack auf dem Rücken, standen wir vor dem Tor.
Werden Wörter oder Wortgruppen durch ein hinweisendes Wort oder eine hinweisende Wortgruppe wieder aufgenommen, so grenzt man sie mit einfachem Komma ab:
Denn die Gärtnerin, die weiß das ganz genau. Und du und ich, wir beide wissen das genau. Wie im letzten Jahr, so hatten wir auch diesmal einen schönen Herbst.
... und den Job länger zu behalten, daran dachte sie nicht und kündigte. Eine Familie zu gründen, das ist sein größter Wunsch.
Aus vollem Halse lachend, so kam sie auf mich zu. Mit dem Rucksack bepackt, so standen wir vor dem Tor. Den Rucksack auf dem Rücken, so bepackt standen wir vor dem Tor.

Zum Gedankenstrich siehe § 84 (4).

(6) nachgetragene Infinitivgruppen oder entsprechende Wortgruppen (siehe dazu auch § 78 (3)):
Er, ohne den Vertrag vorher gelesen zu haben, hatte ihn sofort unterschrieben. Er, ohne jede Kenntnis des Vertragsinhalts, hatte sofort unterschrieben. Er, statt ihm zu Hilfe zu kommen, sah tatenlos zu.

(7) nachgetragene Partizip- oder Adjektivgruppen oder entsprechende Wortgruppen auch am Ende des Ganzsatzes (siehe auch § 78 (3)):
Sie, aus vollem Halse lachend, kam auf mich zu. Er, außer sich vor Freude, lief auf sie zu und umarmte sie. Sie, ganz in Decken verpackt, saß auf der Terrasse. Er kam auf mich zu, aus vollem Halse lachend. Er lief auf sie zu und umarmte sie, außer sich vor Freude. Sie saß auf der Terrasse, ganz in Decken verpackt. Die Klasse, zum Ausflug bereit, war auf dem Schulhof versammelt. Wir, den Rucksack auf dem Rücken, standen vor dem Tor. Die Klasse war auf dem Schulhof versammelt, zum Ausflug bereit. Wir standen vor dem Tor, den Rucksack auf dem Rücken.
Suchen Mitarbeiter, sprachkundig und schreibgewandt. Mehrere Mitarbeiter, sprachkundig und schreibgewandt, werden gesucht. Der November, kalt und nass, löste eine Grippe aus.

E_3: In einer festen Verbindung mit einem nachgestellten Adjektiv setzt man kein Komma.
Hänschen klein, Forelle blau, Whisky pur

---

§ 78 Oft liegt es im Ermessen des Schreibenden, ob er etwas mit Komma als Zusatz oder Nachtrag kennzeichnen will oder nicht.

Dies betrifft

(1) Gefüge mit Präpositionen, entsprechende Wortgruppen oder Wörter:
Die Fahrtkosten(,) einschließlich D-Zug-Zuschlag(,) betragen 25,00 Euro. Die Fahrtkosten betragen 25,00 Euro(,) einschließlich D-Zug-Zuschlag. Sie hatte(,) trotz aller guten Vorsätze(,) wieder zu rauchen angefangen. Sie hatte(,) bedauerlicherweise(,) wieder zu rauchen angefangen. Der Kranke hatte(,) entgegen ärztlichem Verbot(,) das Bett verlassen. Das war(,) nach allgemeinem Urteil(,) eine Fehlleistung. Er hatte sich(,)

den ganzen Tag über(,) mit diesem Problem beschäftigt. Die ganze Familie(,) samt Kindern und Enkeln(,) besuchte die Großeltern.

(2) Gefüge mit *wie* (zu *wie* in Vergleichen siehe § 74 E₃):
Ihre Ausgaben(,) wie Fahrt- und Übernachtungskosten(,) werden Ihnen ersetzt.

(3) Infinitiv-, Partizip- oder Adjektivgruppen oder entsprechende Wortgruppen (siehe auch § 77 (6) und (7)):
Er hatte(,) ohne jede Kenntnis des Vertragsinhalts(,) sofort unterschrieben. Er hatte sofort unterschrieben(,) ohne jede Kenntnis des Vertragsinhalts. Unfähig(,) einen Kompromiss zu schließen(,) beendete er die Verhandlung.
Er beabsichtigte(,) nach seiner Ausbildung ein Studium aufzunehmen. Ich hoffe sehr(,) Ihnen mit dieser Auskunft geholfen zu haben(,) und verbleibe mit freundlichen Grüßen.
Sie kam(,) aus vollem Halse lachend(,) auf mich zu. Er lief(,) außer sich vor Freude(,) auf sie zu und umarmte sie. Sie saß(,) ganz in Decken verpackt(,) auf der Terrasse. Die Klasse war(,) zum Ausflug bereit(,) auf dem Schulhof versammelt. Wir standen(,) den Rucksack auf dem Rücken(,) vor dem Tor. Er sah(,) den Spazierstock in der Hand(,) tatenlos zu.
Diese Aufgabe zu lösen(,) sollte dir leichtfallen. Durch eine Tasse Kaffee gestärkt(,) werden wir die Arbeit fortsetzen. Darauf aufmerksam gemacht(,) haben wir den Fehler beseitigt.

(4) Eigennamen, die einem Titel, einer Berufsbezeichnung und dergleichen folgen (siehe auch § 77 (2)):
Der Erfinder der Buchdruckerkunst(,) Johannes Gutenberg(,) wurde in Mainz geboren. Der Direktor der Kinderklinik(,) Professor Dr. med. Max Müller(,) war der Gesprächspartner. Der Angeklagte(,) Franz Meier(,) verwei-

gerte die Aussage. Die Hebamme des Dorfes(,) Gertrud Patzke(,) wurde 60 Jahre alt.

---

§ 79 Anreden, Ausrufe oder Ausdrücke einer Stellungnahme, die besonders hervorgehoben werden sollen, grenzt man mit Komma ab; sind sie eingeschoben, so schließt man sie mit paarigem Komma ein.

Dies betrifft

(1) Anreden:
Kinder, hört doch mal zu. Hört doch mal zu, Kinder. Hört, Kinder, doch mal zu. Du, stell dir vor, was mir passiert ist! Kommst du mit ins Kino, Klaus-Dieter? Für heute sende ich dir, liebe Ruth, die herzlichsten Grüße.

Zur Möglichkeit der Wahl zwischen Komma oder Ausrufezeichen nach der Anrede etwa in Briefen siehe § 69 E₃.

(2) Ausrufe:
Oh, wie kalt das ist! Au, das tut weh! He, was machen Sie da? Was, du bist umgezogen? Du bist umgezogen, was? So ist es, ach, nun einmal. So ist es nun einmal, ach ja. Ach ja, so ist es nun einmal.

Aber ohne Hervorhebung:
Oh wenn sie doch käme! Ach lass mich doch in Ruhe!

(3) Ausdrücke einer Stellungnahme wie etwa einer Bejahung, Verneinung, Bekräftigung oder Bitte:
Ja, daran ist nicht zu zweifeln. Nein, das sollten Sie nicht tun, nein! Tatsächlich, das ist es. Das ist es, tatsächlich. Leider, das hat er gesagt. Das hat er gesagt, leider. Sie hat uns angerufen, eine gute Idee. Er hat, eine Unverschämtheit, uns auch noch angerufen.
Bitte, komm doch morgen pünktlich. Komm doch, bitte, morgen pünktlich. Komm doch morgen pünktlich, bitte. Danke, ich habe schon gegessen. Ich habe schon gegessen, danke.

Aber ohne Hervorhebung:
Bitte komm doch morgen pünktlich!

Zum Ausrufezeichen siehe § 69.

Zur Möglichkeit der Wahl zwischen Komma,
Gedankenstrich oder Doppelpunkt siehe § 82.

2.2 Semikolon

> **§ 80** Mit dem Semikolon kann man gleichrangige
> (nebengeordnete) Teilsätze oder Wortgruppen
> voneinander abgrenzen. Mit dem Semikolon
> drückt man einen höheren Grad der Abgren-
> zung aus als mit dem Komma und einen geringe-
> ren Grad der Abgrenzung als mit dem Punkt.

Zur Abgrenzung mit Punkt siehe § 67; zur
Abgrenzung mit Kommas siehe § 71.

Dies betrifft

(1) gleichrangige, vor allem auch längere
Hauptsätze (mit Nebensatz):
Im Hausflur war es still; ich drückte erwar-
tungsvoll auf die Klingel. Meine Freundin
hatte den Zug versäumt; deshalb kam sie
eine halbe Stunde zu spät. Steffen wünscht
sich schon lange einen Hund; aber seine
Eltern dulden keine Tiere in der Wohnung.
Die Angelegenheit ist erledigt; darum wollen
wir nicht länger streiten. Wir müssen uns
überlegen, mit welchem Zug wir fahren wol-
len; wenn wir den früheren Zug nehmen,
müssen wir uns beeilen.

Möglich sind hier auch das schwächer abgrenzende Komma oder der stärker abgrenzende
Punkt:
Im Hausflur war es still, ich drückte erwartungs-
voll auf die Klingel.
Im Hausflur war es still. Ich drückte erwartungs-
voll auf die Klingel.

Zum hier ebenfalls möglichen Gedankenstrich
siehe § 82.

(2) gleichrangige Wortgruppen gleicher
Struktur in Aufzählungen:

Unser Proviant bestand aus gedörrtem
Fleisch, Speck und Rauchschinken; Ei- und
Milchpulver; Reis, Nudeln und Grieß.

Möglich ist hier auch das schwächer abgren-
zende, nicht untergliedernde Komma:
Unser Proviant bestand aus gedörrtem Fleisch,
Speck und Rauchschinken, Ei- und Milchpulver,
Reis, Nudeln und Grieß.

2.3 Doppelpunkt

> **§ 81** Mit dem Doppelpunkt kündigt man an, dass
> etwas Weiterführendes folgt.

Zur Schreibung des ersten Wortes nach Doppelpunkt siehe § 54 (1) und (2).

Dies betrifft

(1) wörtlich wiedergegebene Äußerungen
oder Textstellen, wenn der Begleitsatz oder
ein Teil von ihm vorausgeht:
Er sagte: „Ich komme morgen." Er sagte zu
ihr: „Komm bitte morgen!" Er fragte:
„Kommst du morgen?" Sie sagte: „Brauchen
Sie die Unterlagen?", und öffnete die Schub-
lade. Die Zeitung schrieb, dass die Bahn
erklären ließ: „Wir haben die feste Absicht
die Strecke stillzulegen."

Zu den Anführungszeichen siehe § 89.

(2) Aufzählungen, spezielle Angaben,
Erklärungen oder dergleichen:
Er hat schon mehrere Länder besucht:
Frankreich, Spanien, Rumänien, Polen. Die
Namen der Monate sind folgende: Januar,
Februar, März usw. Er hatte alles verloren:
seine Frau, seine Kinder und sein ganzes
Vermögen.

Wir stellen ein: *Maschinenschlosser*
                                Reinigungskräfte
                                Kraftfahrer

Nächste Arbeitsberatung: 30. 09. 2006
Familienstand: ledig

Latein: befriedigend
Robert Musil: Der Mann ohne Eigenschaften
Gebrauchsanweisung: Man nehme jede
zweite Stunde eine Tablette.
Beachten Sie bitte folgenden Hinweis: Infolge
der anhaltenden Trockenheit besteht Wald-
brandgefahr.

(3) Zusammenfassungen des vorher Gesag-
ten oder Schlussfolgerungen aus diesem:
Haus und Hof, Geld und Gut: alles ist verlo-
ren.
Wer immer nur an sich selbst denkt, wer nur
danach trachtet, andere zu übervorteilen,
wer sich nicht in die Gemeinschaft einfügen
kann: der kann von uns keine Hilfe erwarten.

> Möglich ist hier auch ein Gedankenstrich:
> *Haus und Hof, Geld und Gut – alles ist verloren.*

> Zur Möglichkeit der Wahl zwischen Doppel-
> punkt, Gedankenstrich und Komma siehe § 82.

2.4 Gedankenstrich

> **§ 82** Mit dem Gedankenstrich kündigt man an,
> dass etwas Weiterführendes folgt oder dass
> man das Folgende als etwas Unerwartetes ver-
> standen wissen will.

Sie trat in das Zimmer und sah – ihren
Mann. Im Hausflur war es still – ich drückte
erwartungsvoll auf die Klingel. Zuletzt tat er
etwas, woran niemand gedacht hatte – er
beging Selbstmord. Plötzlich – ein vielstim-
miger Schreckensruf!

> Möglich sind hier teilweise auch Doppelpunkt
> oder Komma:
> *Plötzlich: ein vielstimmiger Schreckensruf!*
> *Plötzlich, ein vielstimmiger Schreckensruf!*

> Zur Möglichkeit der Wahl zwischen Gedanken-
> strich und Doppelpunkt siehe § 81 (3).

> **§ 83** Zwischen zwei Ganzsätzen kann man zu-
> sätzlich zum Schlusszeichen einen Gedanken-
> strich setzen, um – ohne einen neuen Absatz zu
> beginnen – einen Wechsel deutlich zu machen.

Dies betrifft

(1) den Wechsel des Themas oder des
Gedankens:
Wir sind nicht in der Lage, diesen Wunsch zu
erfüllen. – Nunmehr ist der nächste Punkt
der Tagesordnung zu besprechen.

(2) den Wechsel des Sprechers:
Komm bitte einmal her! – Ja, ich komme
sofort.

> **§ 84** Mit dem Gedankenstrich grenzt man Zu-
> sätze oder Nachträge ab; sind sie eingescho-
> ben, so schließt man sie mit paarigem Gedanken-
> strich ein.

> Möglich sind auch Komma (siehe § 77) oder
> Klammern (siehe § 86).

Dies betrifft

(1) Parenthesen:
Eines Tages – es war mitten im Sommer –
hagelte es. Eines Tages – es war mitten im
Sommer! – hagelte es. Eines Tages – war es
mitten im Sommer? – hagelte es. Dieses
Bild – es ist das letzte und bekannteste des
Künstlers – wurde nach Amerika verkauft.
Ihre Forderung – um das noch einmal zu
sagen – halten wir für wenig angemessen.

> Zum Komma oder zu Klammern siehe § 77 (1)
> bzw. § 86 (1).

(2) Substantivgruppen als Nachträge
(Appositionen):
Mein Onkel – ein großer Tierfreund – und
seine Katzen leben in einer alten Mühle. Wir
gingen in die Hütte – einen kalten Raum mit
kleinen Fenstern. Wir gingen in die Hütte –
einen kalten Raum mit kleinen Fenstern –

und zündeten ein Feuer an. Johannes Gutenberg – der Erfinder der Buchdruckerkunst – wurde in Mainz geboren.

Zum Komma oder zu Klammern siehe § 77 (2) bzw. § 86 (2).

(3) nachgestellte Erläuterungen, die häufig mit *also, besonders, das heißt* (d. h.), *das ist* (d. i.), *genauer, insbesondere, nämlich, und das, und zwar, vor allem, zum Beispiel* (z. B.) oder dergleichen eingeleitet werden:
Sie isst gern Obst – besonders Apfelsinen und Bananen. Obst – besonders Apfelsinen und Bananen – isst sie gern. Wir erwarten dich nächste Woche – und zwar am Dienstag. Mit einem Scheck über 2 000 € – in Worten: zweitausend Euro – hat er die Rechnung bezahlt. Er bezahlte mit einem Scheck über 2 000 € – in Worten: zweitausend Euro. Auf der Ausstellung waren viele ausländische Maschinenhersteller – insbesondere holländische – vertreten. Auf der Ausstellung waren viele ausländische Maschinenhersteller – vor allem holländische Firmen – vertreten. Auf der Ausstellung waren viele ausländische – insbesondere holländische – Maschinenhersteller vertreten.

Zum Komma oder zu Klammern siehe § 77 (4) bzw. § 86 (3).

(4) Wörter oder Wortgruppen, die durch ein hinweisendes Wort oder eine hinweisende Wortgruppe angekündigt werden:
Sie – die Gärtnerin – weiß es ganz genau. Wir beide – du und ich – wissen das genau. Das – eine Familie zu gründen – ist sein größter Wunsch.

Werden Wörter oder Wortgruppen durch ein hinweisendes Wort oder eine hinweisende Wortgruppe wieder aufgenommen, so grenzt man sie mit einfachem Gedankenstrich ab.
Denn die Gärtnerin – die weiß das ganz genau. Und du und ich – wir beide wissen

das genau. Eine Familie zu gründen – das ist sein größter Wunsch.

Zum Komma siehe § 77 (5).

> **§ 85** Ausrufe- oder Fragezeichen, die zum Zusatz oder Nachtrag im paarigen Gedankenstrich gehören, setzt man vor den abschließenden Gedankenstrich; ein Schlusspunkt wird weggelassen.

Satzzeichen, die zum einschließenden Satz gehören und daher auch bei Weglassen des Zusatzes oder Nachtrags stehen müssten, dürfen nicht weggelassen werden.
Er behauptete – so eine Frechheit! –, dass er im Kino gewesen wäre. Sie hat das – erinnerst du dich nicht? – gestern gesagt.

Sie betonte – ich weiß es noch ganz genau –, dass sie für einen Erfolg nicht garantieren könne. Vgl.: *Sie betonte, dass sie für einen Erfolg nicht garantieren könne.*

2.5 Klammern

> **§ 86** Mit Klammern schließt man Zusätze oder Nachträge ein.

Möglich sind auch Komma (siehe § 77) oder Gedankenstrich (siehe § 84).

Dies betrifft

(1) Parenthesen:
Eines Tages (es war mitten im Sommer) hagelte es. Eines Tages (es war mitten im Sommer!) hagelte es. Eines Tages (war es mitten im Sommer?) hagelte es. Dieses Bild (es ist das letzte und bekannteste des Künstlers) wurde nach Amerika verkauft. Ihre Forderung (um das noch einmal zu sagen) halten wir für wenig angemessen.

Zum Komma oder zum Gedankenstrich siehe § 77 (1) bzw. § 84 (1).

(2) Substantivgruppen als Nachträge (Appositionen):

*Mein Onkel (ein großer Tierfreund) und
seine Katzen leben in einer alten Mühle. Wir
gingen in die Hütte (einen kalten Raum mit
kleinen Fenstern). Wir gingen in die Hütte
(einen kalten Raum mit kleinen Fenstern)
und zündeten ein Feuer an. Johannes Gutenberg (der Erfinder der Buchdruckerkunst)
wurde in Mainz geboren.*

Zum Komma oder zum Gedankenstrich siehe
§ 77 (2) bzw. § 84 (2).

(3) nachgestellte Erläuterungen, die häufig
mit *also, besonders, das heißt (d. h.), das ist
(d. i.), genauer, insbesondere, nämlich, und
das, und zwar, vor allem, zum Beispiel (z. B.)*
oder dergleichen eingeleitet werden:
*Sie isst gern Obst (besonders Apfelsinen und
Bananen). Obst (besonders Apfelsinen und
Bananen) isst sie gern. Wir erwarten dich
nächste Woche (und zwar am Dienstag). Mit
einem Scheck über 2 000 € (in Worten: zweitausend Euro) hat er die Rechnung bezahlt.
Er bezahlte mit einem Scheck über 2 000 €
(in Worten: zweitausend Euro).*

*Auf der Ausstellung waren viele ausländi-
sche Maschinenhersteller (insbesondere holländische) vertreten. Auf der Ausstellung
waren viele ausländische Maschinenhersteller (vor allem holländische Firmen) vertreten. Auf der Ausstellung waren viele ausländische (insbesondere holländische) Maschinenhersteller vertreten.*

Zum Komma oder zum Gedankenstrich siehe
§ 77 (4) bzw. § 84 (3).

(4) Worterläuterungen, geografische, syste-
matische, chronologische, biografische
Zusätze und dergleichen:
*Frankenthal (Pfalz)
Grille (Insekt) – Grille (Laune)
Als Hauptwerke Matthias Grünewalds gelten
die Gemälde des Isenheimer Altars (vollen-
det 1511 oder 1515).*

---

§ 87 Mit Klammern kann man neben einzelnen
Ganzsätzen insbesondere auch größere Textteile einschließen und auf diese Weise als selbständige Texteinheit kennzeichnen.

---

*Sie betonte, dass sie für den Erfolg garantie-
ren könne. (Ich weiß es noch ganz genau, da
ich mir das notiert hatte. Und ich habe ihr
diese Notiz auch gezeigt.) Aber heute will sie
nichts mehr davon wissen.*

---

§ 88 Ausrufe- oder Fragezeichen, die zum Zusatz
oder Nachtrag in Klammern gehören, setzt man
vor die abschließende Klammer.

Ist der Zusatz oder Nachtrag in einen anderen Satz einbezogen, so lässt man seinen
Schlusspunkt weg; wird er als Ganzsatz
oder als selbständige Texteinheit verstanden, so setzt man den Schlusspunkt.

Satzzeichen, die zum einschließenden Satz
gehören und daher auch bei Weglassen des
Zusatzes oder Nachtrags stehen müssten,
dürfen nicht weggelassen werden.
*Das geliehene Buch (du hast es schon drei
Wochen!) hast du mir noch nicht zurückgege-
ben. Er hat das (erinnerst du dich nicht?)
gestern gesagt.
Damit wäre dieses Thema vorerst erledigt
(weitere Angaben siehe Seite 145).
Damit wäre dieses Thema vorerst erledigt.
(Weitere Angaben siehe Seite 145.)
Er sagte (dabei senkte er seine Stimme),
dass das nicht alle wissen müssten.
„Der Staat bin ich" (Ludwig der Vier-
zehnte).*

3 Anführung von Äußerungen oder Textstellen bzw. Hervorhebung von Wörtern oder Textstellen: Anführungszeichen

> **§ 89** Mit Anführungszeichen schließt man etwas wörtlich Wiedergegebenes ein.

Dies betrifft

(1) wörtlich wiedergegebene Äußerungen (direkte Rede):

„Es ist unbegreiflich, wie ich das hatte vergessen können", sagte sie. „Immer muss ich arbeiten!", seufzte sie. „Dass ich immer arbeiten muss!", seufzte sie. Er fragte: „Kommst du morgen?" „Kommst du morgen?", fragte er. Er fragte: „Kommst du morgen?", und verabschiedete sich. „Du siehst", sagte die Mutter, „recht gut aus." „Wir haben die feste Absicht, die Strecke stillzulegen", erklärte der Vertreter der Bahn, „aber die Entscheidung der Regierung steht noch aus."

Dies gilt auch für Beispiele wie:
„Das war also Paris!", dachte Frank. „Deine Vermutung könnte schon zutreffen", lächelte sie.

(2) wörtlich wiedergegebene Textstellen (Zitate):
Über das Ausscheidungsspiel berichtete ein Journalist: „Das Stadion glich einem Hexenkessel. Das Publikum stürmte auf das Spielfeld und bedrohte den Schiedsrichter."

Zum Doppelpunkt siehe § 81 (1)

> **§ 90** Satzzeichen, die zum wörtlich Wiedergegebenen gehören, setzt man vor das abschließende Anführungszeichen; Satzzeichen, die zum Begleitsatz gehören, setzt man nach dem abschließenden Anführungszeichen.

Im Einzelnen gilt:

> **§ 91** Sowohl der angeführte Satz als auch der Begleitsatz behalten ihr Ausrufe- oder Fragezeichen.

„Du kommst jetzt!", rief sie. „Kommst du morgen?", fragte er. Du solltest ihm sagen: „Ich kann das auf keinen Fall akzeptieren!"! Hast du gesagt: „Ich kann das auf keinen Fall akzeptieren!"? Sag ihm: „Ich habe keine Zeit!"! Fragtest du: „Wann beginnt der Film?"?

> **§ 92** Beim angeführten Satz lässt man den Schlusspunkt weg, wenn er am Anfang oder im Innern des Ganzsatzes steht. Beim Begleitsatz lässt man den Schlusspunkt weg, wenn der angeführte Satz oder ein Teil von ihm am Ende des Ganzsatzes steht.

„Ich komme morgen", versicherte sie. Sie sagte: „Ich komme gleich wieder", und holte die Unterlagen.

Die Bahn erklärte: „Wir haben die feste Absicht, die Strecke stillzulegen." Sie versicherte: „Ich komme morgen!" Er rief: „Du kommst jetzt!" Er fragte: „Kommst du?" „Komm bitte", sagte er, „morgen pünktlich."

> **§ 93** Folgt nach dem angeführten Satz der Begleitsatz oder ein Teil von ihm, so setzt man nach dem abschließenden Anführungszeichen ein Komma.
> Ist der Begleitsatz in den angeführten Satz eingeschoben, so schließt man ihn mit paarigem Komma ein.

„Ich komme gleich wieder", versicherte sie. „Komm bald wieder!", rief sie. „Wann kommst du wieder?", rief sie. Sie sagte: „Ich komme gleich wieder", und holte die Unterlagen. Sie fragte: „Brauchen Sie die Unterlagen?", und öffnete die Schublade.

„Ich werde", versicherte sie, „bald wiederkommen." „Kommst du wirklich", fragte sie, „erst morgen Abend?"

> § 94 Mit Anführungszeichen kann man Wörter oder Teile innerhalb eines Textes hervorheben und in bestimmten Fällen deutlich machen, dass man zu ihrer Verwendung Stellung nimmt, sich auf sie bezieht.

Dies betrifft

(1) Überschriften, Werktitel (etwa von Büchern und Theaterstücken), Namen von Zeitungen und dergleichen:
Sie las den Artikel „Staatliche Schulen testen Einheitskleidung" im „Spiegel". Sie liest Heinrich Bölls Roman „Wo warst du, Adam?". Kennst du den Roman „Wo warst du, Adam?"? Wir lesen gerade den „Kaukasischen Kreidekreis" von Brecht.

Zur Groß- und Kleinschreibung siehe § 53 E$_2$.

(2) Sprichwörter, Äußerungen und dergleichen, zu denen man kommentierend Stellung nehmen will:
Das Sprichwort „Eile mit Weile" hört man oft. „Aller Anfang ist schwer" ist nicht immer ein hilfreicher Spruch.
Sein kritisches „Der Wein schmeckt nach Essig" ärgerte den Kellner. Ihr bittendes „Kommst du morgen?" stimmte mich um. Seine ständige Entschuldigung „Ich habe keine Zeit!" ist wenig glaubhaft. Mich nervt sein dauerndes „Ich kann nicht mehr!".

Textteile dieser Art werden nicht mit Komma abgegrenzt. Im Übrigen gilt § 90 bis § 92.

(3) Wörter oder Wortgruppen, über die man eine Aussage machen will:
Das Wort „fälisch" ist gebildet in Anlehnung an West,falen". Der Begriff „Existenzialismus" wird heute vielfältig verwendet. Alle seine Freunde nannten ihn „Dickerchen". Die Präposition „ohne" verlangt den Akkusativ.

(4) Wörter oder Wortgruppen, die man anders als sonst – etwa ironisch oder übertragen – verstanden wissen will:

Und du willst ein „treuer Freund" sein? Für diesen „Liebesdienst" bedanke ich mich. Er bekam wieder einmal seine „Grippe". Sie sprang diesmal „nur" 6,60 Meter.

> § 95 Steht in einem Text mit Anführungszeichen etwas ebenfalls Angeführtes, so kennzeichnet man dies durch die so genannten halben Anführungszeichen.

Die Zeitung schrieb: „Die Bahn hat bereits im Frühjahr erklärt: ‚Wir haben die feste Absicht, die Strecke stillzulegen', und sie hat das auf Anfrage gestern noch einmal bestätigt." „Das war ein Satz aus Bölls ‚Wo warst du, Adam?', den viele nicht kennen", sagte er.

4 Markierung von Auslassungen

4.1 Apostroph

Mit dem Apostroph zeigt man an, dass man in einem Wort einen Buchstaben oder mehrere ausgelassen hat.

Zu unterscheiden sind:

a) Gruppen, bei denen man den Apostroph setzen muss (siehe § 96),

b) Gruppen, bei denen der Gebrauch des Apostrophs dem Schreibenden freigestellt ist (siehe § 97).

> § 96 Man setzt den Apostroph in drei Gruppen von Fällen.

Dies betrifft

(1) Eigennamen, deren Grundform (Nominativform) auf einen s-Laut (geschrieben: -s, -ss, -ß, -tz, -z, -x, -ce) endet, bekommen im Genitiv den Apostroph, wenn sie nicht einen Artikel, ein Possessivpronomen oder dergleichen bei sich haben:
Aristoteles' Schriften, Carlos' Schwester, Ines'

gute Ideen, Felix' Vorschlag, Heinz' Geburtstag, Alice' neue Wohnung

E₁: Aber ohne Apostroph:
die Schriften des Aristoteles, die Schwester des Carlos, der Geburtstag unseres kleinen Heinz

E₂: Der Apostroph steht auch, wenn *-s, -z, -x* usw. in der Grundform stumm sind:
Cannes' Filmfestspiele, Boulez' bedeutender Beitrag, Giraudoux' Werke

(2) Wörter mit Auslassungen, die ohne Kennzeichnung schwer lesbar oder missverständlich sind:
In wen'gen Augenblicken ... 's ist schade um ihn. Das Wasser rauscht', das Wasser schwoll.

(3) Wörter mit Auslassungen im Wortinneren wie:
D'dorf (= Düsseldorf), M'gladbach (= Mönchengladbach), Ku'damm (= Kurfürstendamm)

§ 97 | Man kann den Apostroph setzen, wenn Wörter gesprochener Sprache mit Auslassungen bei schriftlicher Wiedergabe undurchsichtig sind.

der Käpt'n, mit'm Fahrrad
Bitte, nehmen S' (= Sie) doch Platz!
Das war'n (= ein) Bombenerfolg!

E: Von dem Apostroph als Auslassungszeichen zu unterscheiden ist der gelegentliche Gebrauch dieses Zeichens zur Verdeutlichung der Grundform eines Personennamens vor der Genitivendung *-s* oder vor dem Adjektivsuffix *-sch*:
Carlo's Taverne, Einstein'sche Relativitätstheorie

Zur Schreibung der adjektivischen Ableitungen von Personennamen auf *-sch* siehe auch § 49 und § 62.

4.2 Ergänzungsstrich

§ 98 | Mit dem Ergänzungsstrich zeigt man an, dass in Zusammensetzungen oder Ableitungen einer Aufzählung ein gleicher Bestandteil ausgelassen wurde, der sinngemäß zu ergänzen ist.

Zum Bindestrich wie in *A-Dur* siehe § 40 ff.

Dies betrifft

(1) den letzten Bestandteil:
Haupt- und Nebeneingang (= Haupteingang und Nebeneingang); Eisenbahn-, Straßen-, Luft- und Schiffsverkehr; vitamin- und eiweißhaltig, saft- und kraftlos, ein- und ausladen

Natur- und synthetische Gewebe, Standard- und individuelle Lösungen; fertig- und zuwege bringen; (in umgekehrter Abfolge:) synthetische und Naturgewebe, individuelle und Standardlösungen; zuwege und fertigbringen

(2) den ersten Bestandteil:
Verkehrslenkung und -überwachung (= Verkehrslenkung und Verkehrsüberwachung); Schulbücher, -hefte, -mappen und -utensilien; heranführen oder -schleppen, bergauf und -ab

Mozart-Symphonien und -Sonaten (= Mozart-Symphonien und Mozart-Sonaten)

(3) den letzten und den ersten Bestandteil:
Textilgroß- und -einzelhandel (= Textilgroßhandel und Textileinzelhandel), Eisenbahnunter- und -überführungen

Werkzeugmaschinen-Import- und -Exportgeschäfte

4.3 Auslassungspunkte

§ 99 | Mit drei Punkten (Auslassungspunkten) zeigt man an, dass in einem Wort, Satz oder Text Teile ausgelassen worden sind.

Du bist ein E...! Scher dich zum ...!
„... ihm nicht weitersagen", hörte er ihn
gerade noch sagen. Der Horcher an der
Wand ...

Vollständiger Text: *In einem Buch heißt*
es: „Die zahlreichen Übungen sind konkret
auf das abgestellt, was vorher behandelt
worden ist. Sie liefern in der Regel Material,
mit dem selbst gearbeitet und an dem
geprüft werden kann, ob das, was vorher
dargestellt wurde, verstanden worden ist
oder nicht. Die im Anhang zusammengestell-
ten Lösungen machen eine unmittelbare
Kontrolle der eigenen Lösungen möglich."

Mit Auslassung: *In einem Buch heißt es:*
„Die ... Übungen ... liefern ... Material, mit
dem selbst gearbeitet ... werden kann ... Die
... Lösungen machen eine ... Kontrolle ...
möglich."

---

§ 100 Stehen die Auslassungspunkte am Ende
eines Ganzsatzes, so setzt man keinen Satz-
schlusspunkt.

Ich habe die Nase voll und ...
Diese Szene stammt doch aus dem Film „Die
Wüste lebt" ...
Mit „Es war einmal ..." beginnen viele Mär-
chen.
Viele Märchen beginnen mit den Worten: „Es
war einmal ..."
Aber: *Verflixt! Ich habe die Nase voll und ...!*

5 Kennzeichnung der Wörter bestimmter Gruppen

5.1 Punkt

---

§ 101 Mit dem Punkt kennzeichnet man bestimmte Abkürzungen (abgekürzte Wörter)

Dies betrifft Fälle wie:
Tel. (= Telefon), Ztr. (= Zentner),
v. (= von), Bd. (= Band), Bde. (= Bände),

Ms. (= Manuskript), Jg. (= Jahrgang),
Jh. (= Jahrhundert), Jh.s (= des Jahrhun-
derts), f. (= folgende Seite), ff. (= folgende
Seiten); lfd. Nr. (= laufende Nummer); z. B.
(= zum Beispiel), u. A. w. g. (= um Antwort
wird gebeten); Weißenburg i. Bay. (= Wei-
ßenburg in Bayern), Bad Homburg v. d. H.
(= Bad Homburg vor der Höhe); Reg.-Rat
(= Regierungsrat), Masch.-Schr. (= Masch-
nenschreiben); Abt.-Leiter (= Abteilungslei-
ter), Rechnungs-Nr. (= Rechnungsnummer);
Tsd. (= Tausend), Mio. (= Million(en)), Mrd.
(= Milliarde(n))

Dr. med., stud. med., stud. phil., a. D., h. c.

---

§ 102 Bestimmte Abkürzungen, Kurzwörter und
dergleichen stehen üblicherweise ohne Punkt.

Dies betrifft

(1) Abkürzungen, die national oder international festgelegt sind, wie etwa Abkürzungen

(1.1) für Maße in Naturwissenschaft und
Technik nach dem internationalen Einheitensystem:
m (= Meter), g (= Gramm),
km/h (= Kilometer pro Stunde),
s (= Sekunde), A (= Ampere),
Hz (= Hertz)
(1.2) für Himmelsrichtungen:
NO (= Nordost), SSW (= Südsüdwest)
(1.3) für bestimmte Währungsbezeich-
nungen:
EUR (= Euro)

(2) so genannte Initialwörter und Kürzel:
BGB (= Bürgerliches Gesetzbuch), TÜV
(= Technischer Überwachungsverein),
Na (= Natrium; so alle chemischen Grund-
stoffe);
des PKW(s), die EKG(s), Kfz-Papiere, FKKler,
U-Bahn

E_1: Ohne Punkt stehen teilweise auch fachsprachliche Abkürzungen wie:

RücklVO (= Rücklagenverordnung), LArbA (=
Landesarbeitsamt)

E₂: In einigen Fällen gibt es Doppelformen.
Co./Co (ko) (= Companie), M.d.B./MdB (= Mitglied des Bundestages), G.m.b.H./GmbH (= Gesellschaft mit beschränkter Haftung); WW/Wirk.
Wort (= Wirkendes Wort; Titel einer Zeitschrift), AA/Ausw. Amt (= Auswärtiges Amt)

---

§ 103 Am Ende eines Ganzsatzes setzt man nach
Abkürzungen nur *einen* Punkt.

Sein Vater ist Regierungsrat a. D.
Aber: *Ist sein Vater Regierungsrat a. D.?*

---

§ 104 Mit dem Punkt kennzeichnet man Zahlen,
die in Ziffern geschrieben sind, als Ordinalzahlen.

---

*der 2. Weltkrieg, der II. Weltkrieg; Sonntag,
den 20. November; Friedrich II., König von
Preußen; die Regierung Friedrich Wil-
helms III. (des Dritten)*

---

§ 105 Am Ende eines Ganzsatzes setzt man nach
Ordinalzahlen, die in Ziffern geschrieben sind,
nur *einen* Punkt.

Der König von Preußen hieß Friedrich II.
Aber: *Wann regierte Friedrich II.?*

5.2 Schrägstrich

---

§ 106 Mit dem Schrägstrich kennzeichnet man,
dass Wörter (Namen, Abkürzungen), Zahlen
oder dergleichen zusammengehören.

Dies betrifft

(1) die Angaben mehrerer (alternativer)
Möglichkeiten im Sinne einer Verbindung
mit *und, oder, bzw., bis* oder dergleichen:
*die Schüler/Schülerinnen der Realschule,
das Semikolon/der Strichpunkt als stilisti-
sches Zeichen, Männer/Frauen/Kinder;*

*Abfahrt vom Dienstort/Wohnort, die Rund-
funkgebühren für Januar/Februar/März,
Montag/Dienstag, Wien/Heidelberg 1996,
September/Oktober-Heft* (auch *September-
Oktober-Heft*; siehe § 44)
*die Koalition CDU/FDP, die SPÖ/ÖVP-Ko-
alition
das Wintersemester 2005/06, am
9./10. Dezember 2005*

(2) die Gliederung von Adressen, Telefon-
nummern, Aktenzeichen, Rechnungsnum-
mern, Diktatzeichen und dergleichen:
*Linzer Straße 67/I/5-6, 0621/1581-0, Az
III/345/5, Re-Nr 732/24, me/la*

(3) die Angabe des Verhältnisses von Zahlen oder Größen im Sinne einer Verbindung
mit *je/pro*:
*im Durchschnitt 80 km/h, 1000 Einwoh-
ner/km²*

F Worttrennung am Zeilenende

Die Worttrennung am Zeilenende dient
dazu, den vorhandenen Platz bei einem
geschriebenen Text optimal zu nutzen.
Getrennt werden können nur mehrsilbige
Wörter.

---

§ 107 Mehrsilbige Wörter kann man am Ende einer Zeile trennen. Dabei stimmen die Grenzen
der Silben, in die man die geschriebenen Wörter
bei langsamem Vorlesen zerlegen kann, gewöhnlich mit den Trennstellen überein.

Beispiele:
*Bau-er, Ei-er, steu-ern, na-iv, Mu-se-um, in-di-
vi-du-ell; eu-ro-pä-i-sche, Ru-i-ne, na-ti-o-nal,
Fa-mi-li-en; Haus-tür, Be-fund, ehr-lich*

E₁: Einzelne Vokalbuchstaben am Wortanfang
oder -ende werden nicht abgetrennt, auch nicht
bei Komposita, zum Beispiel: *Abend, Kleie, Ju-li-
abend, Bio-müll*

E₂: Irreführende Trennungen bzw. Trennungen, die beim Lesen die Sinnerfassung stören, sollten vermieden werden, zum Beispiel:

An-alphabet (nicht: *Anal-phabet*)
Sprech-erziehung (nicht: *Sprecher-ziehung*)
Ur-instinkt (nicht: *Urin-stinkt*)

1 Trennung zusammengesetzter und präfigierter Wörter

> **§ 108** Zusammensetzungen und Wörter mit Präfix trennt man zwischen den einzelnen Bestandteilen.

Beispiele:
Heim-weg, Schul-hof, Week-end; Ent-wurf, Er-trag, Ver-lust, voll-enden, Dia-gramm, Re-print, syn-chron, Pro-gramm, At-traktion, kom-plett, In-stanz

2 Trennung mehrsilbiger einfacher und suffigierter Wörter

Bei der Trennung mehrsilbiger einfacher und suffigierter Wörter treten folgende Fälle auf:

– es steht kein Konsonantenbuchstabe an der Silbengrenze: *Bauer, Eier, Pleuel* (siehe § 109)
– es stehen ein oder mehrere Konsonantenbuchstaben an der Silbengrenze: *Liebe, Heimat, eigen; atmen, Berge, knusprig* (siehe § 110 bis § 112)

> **§ 109** Zwischen Vokalbuchstaben, die zu verschiedenen Silben gehören, kann getrennt werden.

Beispiele:
Bau-er, Ei-er, europä-ische, Famili-en, Foli-en, freu-en, individu-ell, Knäu-el, klei-ig, Lai-en, Mani-en, Muse-um, na-iv, nati-onal, re-ell, Ru-ine, Spi-on, steu-ern

> **§ 110** Steht in einfachen oder suffigierten Wörtern zwischen Vokalbuchstaben ein einzelner Konsonantenbuchstabe, so kommt er bei der Trennung auf die neue Zeile. Stehen mehrere Konsonantenbuchstaben dazwischen, so kommt nur der letzte auf die neue Zeile.

Beispiele:
Au-ge, Bre-zel, He-xe, bei-ßen, Rei-he;
Trai-ning, trau-rig, nei-disch, Hei-mat;
El-tern, Gar-be, Hop-fen, ros-ten, Wüs-te, leug-nen, sin-gen, sin-ken, sit-zen, Städ-te; Bag-ger, Wel-le, Kom-ma, ren-nen, Pap-pe, müs-sen, beis-sen (wenn *ss* statt *ß*, vgl. § 25 E₂ und E₃), *Drit-tel;*
zän-kisch, Ach-tel, Rech-ner, ber-gig, wid-rig, eif-rig, Ar-mut, freund-lich, sechs-te;
imp-fen, Karp-fen, dunk-le;
knusp-rig, Kanz-ler

> **§ 111** Stehen Buchstabenverbindungen wie *ch, sch; ph, rh, sh* oder *th* für *einen* Konsonanten, so trennt man sie nicht. Dasselbe gilt für *ck*.

Beispiele:
la-chen, wa-schen, Deut-sche; Sa-phir, Myr-rhe, Fa-shion, Zi-ther; bli-cken, Zu-cker

> **§ 112** In Fremdwörtern können die Verbindungen aus Buchstaben für einen Konsonanten + *l, n* oder *r* entweder entsprechend § 110 getrennt werden, oder sie kommen ungetrennt auf die neue Zeile.

Beispiele:
nob-le/no-ble, Zyk-lus/Zy-klus, Mag-net/Ma-gnet, Feb-ruar/Fe-bruar, Hyd-rant/Hy-drant, Arth-ritis/Ar-thritis

3 Besondere Fälle

§ 113 Wörter, die sprachhistorisch oder von der Herkunftssprache her gesehen Zusammensetzungen oder Präfigierungen sind, aber nicht mehr als solche empfunden oder erkannt werden, kann man entweder nach § 108 oder nach § 109 bis § 112 trennen.

Beispiele:

hin-auf/hi-nauf, her-an/he-ran, dar-um/da-rum, war-um/wa-rum;

Chrys-antheme/Chry-santheme, Hekt-ar/Hek-tar, Heliko-pter/Helikop-ter, inter-essant/inte-ressant, Lin-oleum/Li-noleum, Päd-agogik/Pä-dagogik

3731211 PF3625.G768 V.1 2006 Kr ref